〔児〕 幼児語

〔学〕 学生語

〔方〕 方言

## ●品詞など

《名》 名詞（無表示は名詞）

《代》 代名詞

《自》 自動詞

《他》 他動詞

《補動》 補助動詞

《形》 形容詞

《補形》 補助形容詞

形動 形容動詞（品詞表示では《ナダ》《トタル》など、活用のみ示す）

体》 連体詞

副詞

接続詞

感動詞

動》 助動詞

助》 格助詞

助》 副助詞

助》 接続助詞

助》 終助詞

接頭 接頭語

接尾 接尾語

造 造 造 造語成分

連 連語

◇ 右以外（特定の活用形など）

句 句（特に慣用句）

## ●活用

《五》 五段活用

《四》 四段活用（文語だけ）

《上一》 上一段活用（かみ）

《下一》 下一段活用（しも）

《上二》 上二段活用（文語だけ）

《下二》 下二段活用（文語だけ）

《カ》 カ行変格活用

《サ》 サ行変格活用

《マス》 マス活用

《ナ》 ナ行変格活用（文語だけ）

《ラ》 ラ行変格活用（文語だけ）

《ヌズ》 ズヌ活用

《セズセヌ》 セズセヌ活用

《ク》 （文語形容詞の）ク活用

《シク》 （文語形容詞の）シク活用

《ナダ》 （形容動詞の）ダナ活用

《トタル》 （形容動詞の）トタル活用

《ナリ》 （文語形容動詞の）ナリ活用

《タリ》 （文語形容動詞の）タリ活用

《特殊型》 助動詞のうち特殊な活用をするもの

＊助動詞の活用は、《下一型》《五型》《形型》のように、「型」をつけて示す。

## ●外来語（無表示は英語）

イ イタリア語

オ オランダ語

ギ 古典ギリシャ語

ス スペイン語

ド ドイツ語

フ フランス語

米 米語

ポ ポルトガル語

ラ ラテン語

ロ ロシア語

和製 和製外来語

＊右以外は、それぞれの言語名を略さずに示す。

# 目次

# 三省堂国語辞典

第八版

見坊豪紀
市川孝
飛田良文
山崎誠
飯間浩明
塩田雄大

三省堂

First Edition 1960
Second Edition 1974
Third Edition 1982
Fourth Edition 1992
Fifth Edition 2001
Sixth Edition 2008
Seventh Edition 2014
Eighth Edition 2022

Printed in Japan

装丁　三省堂デザイン室

# 序　文

私たちの言語生活は、今や完全にインターネット空間に軸足を移した観があります。ここ十年ほどでスマートフォンがすっかり普及し、ＳＮＳの利用率も全世代で高まっています。二〇二〇年からの新型コロナウイルスの感染拡大により、人々の直接的なコミュニケーションが減少し、会議や仲間同士のおしゃべりなどもコンピューターの画面越しに行うことが一般化しました。

こうした状況のもと、ネット空間では、ことばに関する情報発信や議論も盛んに行われています。ただ、その中には事実に基づかない説明や主張も多く、どれを信じていいか迷ってしまうという声もしばしば聞かれます。ことばに悩む人々に判断材料を示し、頼れる相談相手となりたい。そんな思いが、この『三省堂国語辞典　第八版』を編纂（へんさん）する大きな原動力になりました。

『三省堂国語辞典』は、一九六〇年の初版刊行以来、六十年以上にわたって支持を得てきました。金田一京助（きんだいちきょうすけ）・金田一春彦（きんだいちはるひこ）・柴田武（しばたたけし）らの協力のもと、長く編纂の中心を担ったのが見坊豪紀（けんぼうひでとし）でした。見坊は生涯をかけ、多くの媒体から約百四十五万例に及ぶ日本語の実例を採集しました。「辞書は〝かがみ〟」（「第三版序文」参照）との信念に基づき、大量の実例を分析し、正確な地図を描くように、ありのままの日本語を記述しました。その姿勢はこの第八版にも引き継がれています。

この辞書は、第一にことばを映す〝鏡〟でありたいと考え、伝統的なことばはもとより、新語・新用法も積極的に収録しています。このことをとらえて、新語辞典か俗語辞典のようだという意見がありますが、事実とは異なります。現代語は、かたい文章語からくだけた俗語まで、さまざまなことばによって成り立っています。そのすべてを見渡し、ゆがみのない姿を写し取ることを、この辞書は目指しています。この姿勢は、日本最初の近代的な国語辞典『言海』が「此書（この）ハ、日本普通語ノ辞書ナリ」と宣言した、その精神とも通じるものです。

また、この辞書は、ことばを正す〝鑑（かがみ）〟でもありますが、新語・新用法を一概に誤用とは見なしません。このことについて、何でもありの態度だという意見がありますが、それも誤解です。世の中には確かな根拠のない誤用説が横行しています。この辞書はそうした説を安易に引き写すことはしません。そのことばが現れ、広まった経緯を厳密に検討した上で、正式な場面で使いにくいものは俗語と表示し、注目されることばは発生や普及の年代も記します。このように、ことばを適切に使うための判断材料を示すことこそが〝鑑〟の役割だと考えます。

百科事典などに比べ、この辞書の説明はそっけないと言われることがあります。しかし、日々出合うことばの意味を知るために、そのつど詳しい説明を読んで要点を理解するのは、誰にとっても面倒なことです。この辞書では、小学校高学年から一般社会人までの利用者を想定し、分かりやすい日常語で「要するにどんな意味か」を説明します。たとえば、「わび（侘び）」「さび（寂）」の説明などは、一文で要点を明らかにし、類書と比べても分かりやすくなっているはずです。漢字も、中学校以上で習うものには読み仮名をつけ、中級程度以上の日本語学習者も読めるようにしています。

さらに、この第八版では、新たに以下のような情報を追加します（詳しくは「この辞書のきまり」や付録を見てください）。

一　**新規項目**　約三、五〇〇の新規項目を収録します。今を映す日常生活の用語を中心に、多くの人が見聞きし、なおかつ、今後少なくとも十年は使われると判断したことばを選んでいます。

二　**アクセントの表示**　主として自立語〔感動詞の一部を除く〕に、現在広く用いられる代表的なアクセントを、一目で分かる記号で表示します。感動詞には音調を付す場合もあります。

三　**機能に応じた品詞認定**　「連語」を極力見直し、語の機能に応じて品詞を認定します。結果として動詞マス活用、形容詞ズヌ活用などの種類を新設します。自動詞・他動詞は新基準で示します。

四　**お役立ち情報**　![] 由来 区別 など、ことばの理解を深めるお役立ち情報の欄を設けます。年代に関する注など、さまざまな注記も〔　〕に入れて示します。

五　**基本語の表示**　コーパスの頻度などを踏まえつつ、最も基本的な一、〇〇〇項目〔**〕、次に基本的な一、〇〇〇項目〔*〕を表示します。国語教育や日本語教育で使うことができます。

今回の改訂にあたっては、利用者の方々から寄せられた多くの貴重なご意見を参考にしました。また、実際の作業では左記の方々のご協力を得ました。謹んで感謝申し上げます。

よりよい言語生活のためにこの辞書を役立てていただけるなら、これに過ぎる喜びはありません。

編　者

二〇二一年十月二十日

執筆協力――阿保きみ枝・岩田久道・黒田直和・寺田智美・西部みちる・本多由美子

校正・編集協力――青山典裕・石沢香野子・稲川智樹・小笠原健士郎・岡本有子・兼古和昌・見坊行徳・今野絵理・髙橋夕香・田平知子・長坂亮子・穗満玲子・吉岡幸子

図版作成・提供――飯間浩明・髙橋夕香・東京学芸大学附属図書館

送稿用データ作成――加地耕三・佐々木吾郎・高山隆嗣　　編集担当――奥川健太郎

# 第三版序文

〔初代編集主幹の見坊豪紀が「辞書＝かがみ」論を述べて、用例を採集する重要性を説いた文章〕

辞書は〝かがみ〟である——これは、著者の変わらぬ信条であります。

辞書は、ことばを写す〝鏡〟であります。同時に、

辞書は、ことばを正す〝鑑(かがみ)〟であります。

〝鏡〟と〝鑑〟の両面のどちらに重きを置くか、どう取り合わせるか、それは辞書の性格によってさまざまでありましょう。ただ、時代のことばと連動する性格を持つ小型国語辞書としては、ことばの変化した部分については〝鏡〟としてすばやく写し出すべきだと考えます。〝鑑〟としてどう扱うかは、写し出したものを処理する段階で判断すべき問題でありましょう。

そのことばを見出しに立てる、ということがまず大切です。

そのことばが社会にあることを知り、次に、そのことばが辞書にないことを知る——新しい見出しが辞書に立つまでには、この二つの手続きがどうしても必要です。そして、その手続きを可能にする方法はただ一つ、用例を採集することであります。

**三省堂国語辞典　第三版**は、前著第二版に引きつづき、広範な用例採集にもとづいて編集されました。収めることばの範囲は、日常の生活用語を中核として、文学・評論用語、報道・放送用語、人文・社会・自然科学各分野の用語、さては俗語・新語に至るさまざまな方面に及んでいます。こうして、本書第三版は、現代日本語の姿を忠実に、また、全面的に反映した辞書となっております。〔以下、第三版の特長の概要。略〕

昭和五十六年十月三十一日

編集主幹　見坊(けんぼう)豪紀(ひでとし)

※下の図で「**3**」とある場合、「この辞書のきまり」の「**3　見出しの仮名**」で解説していることを示します。

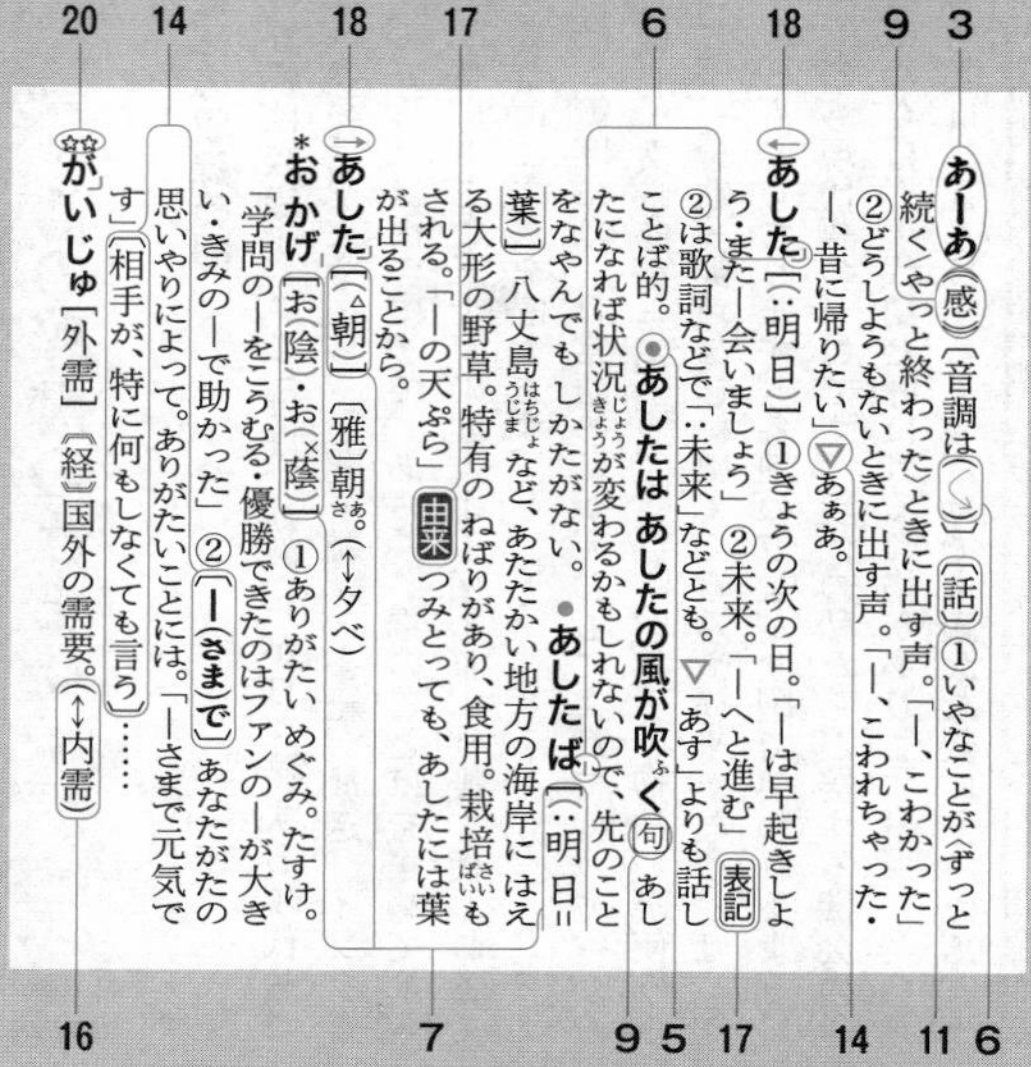


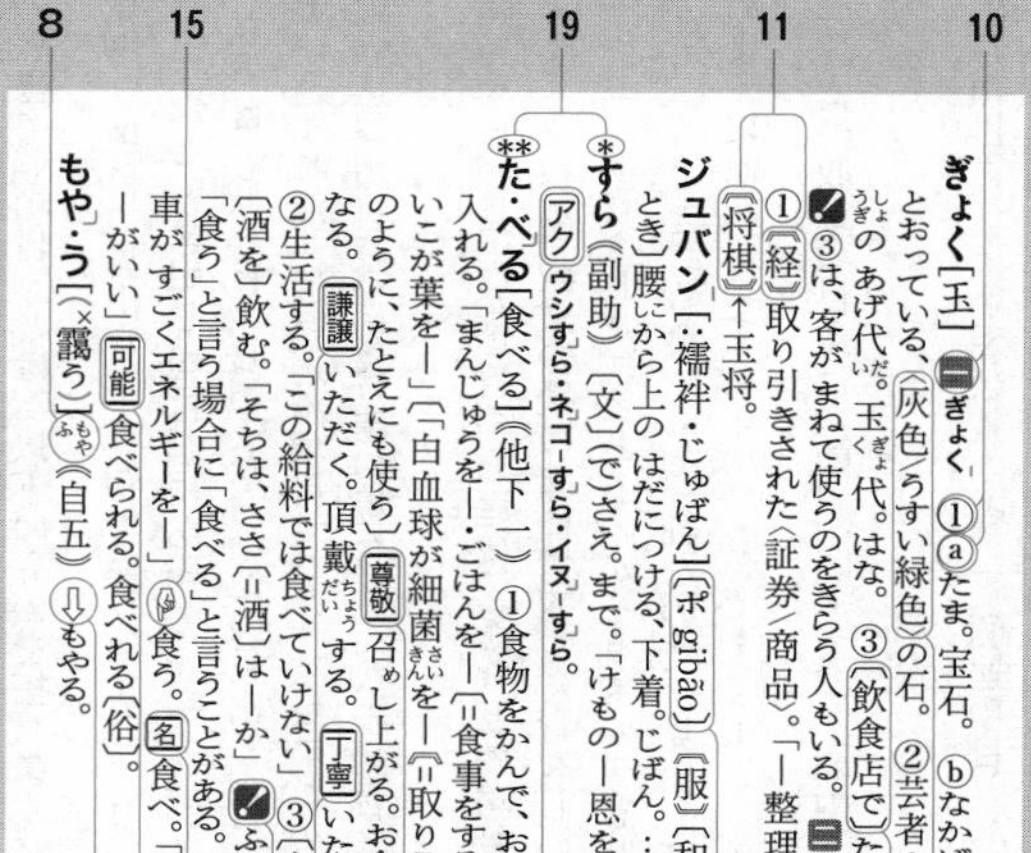


## 「この辞書のきまり」目次

# この辞書のきまり

## 1 ことばの収録範囲

■この辞書に収録することばは、私たちが日々接する現代語です。個人の談話や文章から、新聞・雑誌・書籍(しょせき)、放送、インターネット、さらには街の中まで、あらゆる場のことばを集めて解説します。特に、ここ五十年の間によく使われ、今後も使われるであろうことばに重点を置きます。

■現代語の範囲(はんい)には、日常語のほか、おもに文章で使うややかたいことば〔＝文章語〕、年配者や時代劇の登場人物などが使う古風なことば、短歌・俳句などに出てくるみやびやかなことば〔＝雅語(がご)〕などもふくまれます。各地の方言が全国で使われるようになったものも現代語の一員です。現代の私たちが接する機会の多いことばならば、現代語と呼ばれる資格があります。

■固有名詞は、よく接するものだけでも膨大(ぼうだい)な数に上るため、一般(いっぱん)語を作る力がある語〔例、「フランスパン」という語を作る「フランス」〕などを中心に精選します。

■単純な合成語〔例、機械音《↑機械＋音》〕は、原則として収録しません。ただし、単純な合成語に見えても、独自の意味・用法がある場合〔例、機械的〕や、その言い方が一般的かどうかが問題になる場合〔例、関係性〕などは収録します。

## 2 項目の種類と収録数

**あおあお**［青々］……●**あおあおし・い**［青々しい］……派-さ。

見出し項目〔独立項目〕→ 見出し項目〔追い込み項目〕→ 関連項目→

■この辞書で「項目(こうもく)」とは、以下のものを指します。

(1)見出し項目。見出しから始まるひとまとまりの情報です。「青々」など、見出しが行頭にあって一字分飛び出した形の「独立項目」と、「青々しい」など、他の見出し項目〔＝親項目〕に追い込(こ)まれた「追い込み項目」〔＝子項目〕とがあります。追い込み項目は、複合語の場合と、句の場合とがあります〔☞5 追い込み項目〕。

(2)関連項目。見出し項目の末尾(まつび)に、派などの略号とともに示します〔☞17 解説文の後の諸種情報〕。「青々しい」の項目に「派-さ。」〔＝青々しさ〕とあるのがそうです。意味は「青々しい＋さ〔＝こと。程度〕」と単純なので、見出し項目とせず、このように略記します。

■この辞書の収録項目数は八四、〇四一で、その内訳は左のとおりです。

| | |
|---|---|
| 見出し項目 | 七八、八八七 |
| うち、独立項目 | 六五、四五六 |
| 追い込み項目 | |
| 複合語 | 九、八五八 |
| 句 | 三、五七三 |
| 関連項目 | 五、一五四 |
| うち、派 | 二、五一四 |
| 名 | 一、二二三 |
| 動 | 三五四 |
| 自 | 二二二 |
| 他 | 二六三 |
| 可能 | 五五三 |
| 人 | 二五 |

■語数〔＝単語の数〕と項目数は、厳密には違(ちが)います。たとえば、「空手」は武術の場合と「素手(すで)」を表す場合とで別々の語と考えられますが、引きやすさを考えて、一つの項目に

まとめます。また、「元気」は名詞の場合と形容動詞の場合とで別々の語と考えられますが、これも一つの項目にまとめます。このほか、慣用句や連語なども一つの項目とします。

■見出しとは別の形で使うことばを、便宜上、同じ項目に入れる場合もあります。たとえば、「稼ぎ頭」などの造語成分「がしら」は、「かしら【頭】」の中に〔**がしら**〕と表示して説明します。意味が大きく違う場合などは、項目を分けることもあります。

## 3 見出しの仮名

**てがみ**【手紙】　**ある・く**【歩く】　**ぱちんこ**【パチンコ】
**じむ**【事務】　**ビスケット**　**ジュバン**【:襦袢・じゅばん】

■見出しは、和語・漢語はひらがなで、外来語はカタカナで示します。「手紙」「歩く」「パチンコ」は和語、「事務」は漢語、「ビスケット」「襦袢」は外来語です。「パチンコ」のように、ふつうカタカナで書くことばでも、和語・漢語ならば、見出しはひらがなです。「襦袢」のように、ふつう漢字やひらがなで書くことばでも、外来語ならば、見出しはカタカナです。標準表記は【 】内に示します（☞7 標準表記）。ただし、(句)の場合は長いので、適宜、漢字仮名交じりで記します。

■和語・漢語は、原則として現代仮名遣い（一九八六年内閣告示、二〇一〇年一部改正。☞後ろ見返し『現代仮名遣い』の要点）で表します。ただし、「**ろーそくあし**【ローソク足】」（特有の表記）、「**ぽおんと**」（擬声語・擬態語）、「**おおい**」（呼びかけ）、「**ごーやー**【ゴーヤー】」（方言）など、現代仮名遣いを必ずしも当てはめられないものは、一般的な表記にもとづいて表します（現代仮名遣い式なら、さしずめ「ろうそくあし・ぽうんと・おうい・ごうやあ」になります）。

■構成要素ごとの切れ目を、「**てがみ**」「**じむ**」のように、わずかに字間を空けて示します。さらに新しく要素が加わる場合には、「**おきてがみ**【置き手紙】」「**じむしょ**【事務所】」のように、より細かい要素の切れ目を省略します。

■活用のあることばは終止形で示し、「**ある・く**」のように、語幹と活用語尾の間に「・」を入れます。語幹と活用語尾の区別がない場合は入れません。

■見出しの形と、文法上の単位とが一致しない場合があります。たとえば、サ行変格活用の動詞の大部分および形容動詞は、「**かくにん**【確認】」「**ゆたか**【豊か】」のように、活用語尾の「する」「だ」などを省略します。「**き・する**【期する】」のような「漢字一字＋する」の語などは、例外的に活用語尾を示すことがあります。また、「わが国において」のように使う格助詞「において」は、多くの人は「おいて」の形で検索すると思われるため、「**おいて**」の項目を立てて、その中に《**において**で格助》と表示します。

■「コンピューター」「コンピュータ」など少し異なる語形が、両方ともよく使われている場合には、「**コンピュータ(ー)**」のようにまとめます。

## 4 見出しの配列

■見出しは、仮名の五十音順に並べます。

■複数の語形をまとめた見出し（例、**なつ(っ)こ・い**）は、( )内をふくめた形（この場合、なつっこい）で並べます。

■見出しの仮名は、まず、清濁や文字の大小、ひらがなかカタカナかを無視した文字（＝基底文字）に直して考えます。「ー」は、直前の仮名の母音に置き換えます（例、「**ケーキ**」は「ケエキ」）。その上で、一字目の五十音順で並べます。一字目が同じならば、二字目を見ます。二字目がないものを一番先にし（例、「あ」↓「ああ」の順）、その後は二字目の五十音順で並べます（例、「ああん」↓「あい」の順）。二字目が同じならば、三字目を見ます。以下同様にします。

この文字列がまったく同じになる場合は、見出しの仮名にもとづき、以下の優先順位で一字目から順に並べます。

(1)「き↓ぎ」「ひ↓び↓ぴ」など清音↓濁音↓半濁音。
(2)「ぁ↓あ」「ゃ↓や」など小さい字↓大きい字。
(3)ひらがな↓カタカナ↓「ー」。

例 **きゃく**[客]↓**きやく**[規約]↓**ぎゃく**[逆]↓**ぎやく**[偽薬]↓**ギャグ**↓**きゃくあし**[客足]
**たいじょう**[退場]↓**だいしょう**[大小]

■見出しの仮名が、清濁などもふくめてまったく一致する場合は、単語↓接頭語↓接尾語↓造語成分↓連語の順に並べます。単語は次のように並べます。

名詞↓代名詞↓動詞（自動詞↓自他両用動詞↓他動詞）↓形容詞↓形容動詞↓連体詞↓副詞↓接続詞↓感動詞（以上、自立語）↓助動詞↓助詞（以上、付属語）

■これでも順番が決まらない場合は、漢字のあるもの↓ないものの順に、また、漢字のあるものは、一番目に現れる漢字の画数が少ないもの↓多いものの順に並べます。一番目の漢字が同じ場合は部首順とします。一番目の漢字が同じならば、二番目の漢字の画数順です。以下同様にします。

■書き分けに注意すべき項目（☞18 書き分け注意）は、以上にかかわらず、項目がとなり合うように並べます。

## 5 追い込み項目

**あたま**[頭] …… ●**頭が上がらない** 句 …… ●**あたまかず**[頭数] …… ●**あたまかぶ**[頭株] ……

■「頭数」（あたま＋かず）など、二つ以上の語（接辞などの場合もある）が合わさってできた複合語のうち、上の語が三音以上の場合は、上の語の項目の後に●をつけて追い込みにします。

■上の語が二音以下の場合は追い込まず、独立項目とします。

例 **じむ**[事務]
**じむいん**[事務員]
**じむしょ**[事務所] ｝「事務」が二音なので追い込まない。

■明らかに語構成が食い違うものも独立項目とします。たとえば、「一面識」は「一＋面識」であって「一面＋識」ではないので、「一面」には追い込みません。

例 **いちめん**[一面]
**いちめんしき**[一面識] ｝別々の項目とする。

■句の場合は、最初に来る語（例、「頭が上がらない」の「頭」）の項目の後に●をつけて、追い込みにします。最初に来る語が二音以下でも同様です。句は、追い込みの複合語よりも先に並べます。

## 6 アクセント

たぬき［(×狸)］　きつね［(×狐)］　かしらん《終助》

■主として自立語（感動詞の一部を除く）にアクセントを示します。アクセントを示す項目の見出しは**ゴシック**の書体、示さない項目の見出しは**アンチック**の書体を使います。句は原則としてアクセントを示しません。

■」は音が下がる位置を表し（起伏式）、˥は音が下がるところがないことを表します（平板式）。意味・用法の違いでアクセントを使い分ける場合は、大区分（一 二…など）の冒頭やアク欄などに示します。

■感動詞などには、「ああ(↓)」「ああ(↗)」のように、（ ）内に記号で音調を示す場合があります。

■くわしい説明は、付録「アクセント解説」、後ろ見返し「アクセントの型」にあります。

## 7 標準表記

こもれび［木漏れ日・木×洩れ△陽］　かんこどり［:閑古=鳥］　かえ・す［(×孵す)］　ギョーザ［(:餃子)］　ぱちんこ［パチンコ］　ジュバン［:襦袢・じゅばん］

■［ ］の中には、現代の一般的な文章で使うのにふさわしい標準表記を示します。標準表記が見出しの仮名と一致するときは省略します。

×は常用漢字表にない漢字、△は常用漢字表の音訓にない常用漢字の読み、教科書体は小学校で習う学習漢字、無印の漢字は学習漢字以外の常用漢字（二〇一〇年内閣告示）を示します。

:は当て字・熟字訓・外来語の漢字表記を示します。=より下はふつうの漢字表記です。たとえば、［:閑古=鳥］は「閑古」だけが当て字です。なお、常用漢字表の付表にある当て字・熟字訓には:をつけません。

（ ）は、漢字で書くこともできるが、見出しの仮名のとおりに書く場合も多いことを示します。［(×孵す)］は「孵す」または「かえす」、［(:餃子)］は「餃子」または「ギョーザ」と書きます。特に、やわらかい文章では仮名書きがよく使われます。

■「パチンコ」などカタカナで書く和語・漢語、「じゅばん」などひらがなで書く外来語は、［ ］内にその仮名を示します。

なお、動植物名（例、ウサギ・スミレ）は、科学的な文章などではカタカナで書き、擬声語・擬態語（例、ドタドタ・ハラハラ）や感動詞（例、エッ）なども、音を際立たせようとする場合にはカタカナで書きます（「キャーキャー」のように長音符も多い）。これらは一般的な表記習慣なので、個別には示しません。カタカナで書かないという意味ではありません。

■送り仮名は、原則として「送り仮名の付け方」（一九七三年内閣告示、二〇一〇年一部改正）の本則・例外の方針に従います。

■特定の意味で、特定の表記を使うこともある場合は、解説文の前に示します。

例　しき」［士気］①兵士の意気。……　②［志気］やる気。……

→「やる気」の意味では、「士気」以外に「志気」と書くこともある。

■古い表記・当て字などについては、表記欄に示します（☞17 解説文の後の諸種情報）。

## 8 歴史的仮名遣い

**かえ・す**[返す]かへす　**くりかえ・す**[繰り返す]―かへす
**あいず**[合図]あひ―
**かよい**[通い]かよひ ……●**かよいじ**[通い路]―ぢ

■歴史的仮名遣いは、標準表記欄の次に、割り注で示します。見出しの仮名を構成要素ごとに分けて、現代仮名遣いと違いがある部分だけを示します。「繰り返す」の歴史的仮名遣いは「くりかへす」ですが、そのうち「かへす」だけを示します。
■歴史的仮名遣いを示すのは和語だけです。漢語の場合、たとえば「会長」を「くわいちやう」のように歴史的仮名遣いで書くことはほとんどないからです。
「合図」の歴史的仮名遣いは「あひづ」ですが、「図」は漢語なので、その部分は歴史的仮名遣いを省略します。
■追い込み項目では、親項目で示した歴史的仮名遣いを省略します。「通い路」は「かよひぢ」ですが、そのうち「ぢ」だけを示します。
■句の場合は、歴史的仮名遣いを示しません。

## 9 文法情報

**あい**[愛]　**あから・む**[赤らむ]《自五》
**かくにん**[確認]《名・他サ》　**ゆたか**[豊か]《ナダ》
**げき**[激] 造　**め・く** 接尾〔自五をつくる〕
**き**[来た] 連　**けりゃ** ◇　**頭に来る** 句

■品詞・活用などの文法情報は、《 》に入れ、標準表記欄の下に示します。たとえば、《自五》は自動詞で五段活用、《名・他サ》は名詞および他動詞でサ行変格活用です。ただし、名詞でしか使わない場合は《名》の略号を省きます。その他のくわしい「記号・略号表」は前見返しに、「活用表」は付録にあります。
■単語以外は、接頭 接尾〔以上、接辞〕、◇〔特定の活用形、語の断片など〕、造 造 造〔以上、造語成分〕、連〔連語〕、句〔慣用句など〕などと示します〔☞付録 文法解説「連語と句」「造語成分」「接辞」〕。

## 10 項目内区分

**い・きる**[生きる・▵活きる] 一《自上一》①…… ②…… ⑧……
ⓐ…… ⓑ…… 二《他上一》……

■それぞれの項目の中に、次のように区分を設けます。
文法的性質が分かれる場合〔例、自動詞と他動詞〕、アクセントが分かれる場合〔例、お盆《道具の意味で **おぼん**、行事の意味で **おぼん**》〕、表記が分かれる場合〔例、桜 とサクラ〕などは 一、二…で区分します〔大区分〕。

意味の違いは①、②… で区分します〔通常区分〕。

通常区分がさらに意味的に分かれる場合や、〔 〕の注記の中で複数の意味を示す場合は ⓐ、ⓑ… で区分します〔小区分〕。
■用法や意味を記す順は、現代語として広く使われるもの、基本的なものを先にすることを原則とします。
使われる度合いや基本度にははっきりした違いがないときは、単語→接頭語→接尾語→造語成分の順に並べます。

例　**き**[機] 一…… 二 接尾…… 三 造……

## 11 分野・文体

■専門用語などは、《野球》《将棋》《写真》のように、使われる分野を示します。特に、前見返しに挙げた分野については、《医》《理》《法》《経》のように、一字の略号で示します。

■特別の文体の中で使われることばは、〔女〕〔児〕〔方〕のように、その文体の略号を示します。特に――

〔文〕 文章語。おもに文章で使う、ややかたいことばです。会話では通じにくいこともあります。

〔雅〕 雅語。短歌・俳句・歌詞などで使うみやびやかなことばや、詩的なおもむきのあることばです。

〔古風〕 年配者の談話・文章や、時代劇・小説・落語などに出てくる古めかしいことばです。程度によって〔やや古風〕と表示する場合もあります。

〔話〕 話しことば。ふだんの会話で自然に出る、くだけたことばです。同輩や目下に使うものだけでなく、「じゃあ部長、私はこれで失礼します」の「じゃあ」など、会話でならば目上に使っても不自然でないものをふくみます。

　感動詞は多く口頭で使うので〔話〕ですが、文章でもふつうに使う「おめでとう」などは、感動詞であっても〔話〕とは示しません。

〔俗〕 俗語。おもに仲間内など気楽な場で使い、公の場にはそぐわないことばです。卑語・隠語をふくみます。

　俗語でなくても、一般に新語・新用法は、公の場では使いにくい場合がしばしばあります。年代に関する注記なども参考にして、使うかどうか考えてみてください。

■〔文・男〕は「文章語でしかも男性語」、〔文/男〕は「文章語または男性語」です。「・」「/」は別々の意味です。

■その他の略号は前見返しを参照してください。

## 12 外来語

■外来語の原語は、たとえば、「ビスケット」ならば〔biscuit〕のように示します。英語以外は、「カフェ」ならば〔フ café〕というように言語名を示します〔言語名の略号は前見返し参照〕。

■原語は、なるべく日本に伝わったときの言語で示します。たとえば、江戸時代にオランダ語から来た「ガラス」は〔オ glas〕とし、英語〔glass〕とはしません。

■一般的な漢字表記があるものは、たとえば、「ギョーザ」は〔:餃子〕のように標準表記欄に記します〔☞7 標準表記〕。

■必要に応じて、たとえば、「アクアラング」に〔Aqua-Lung=商標名〕というように、注記を添えることがあります。

## 13 解説文

■この辞書では、解説文〔=意味の説明を中心とする文〕を、「要するにどんな意味か」がよく分かるよう、簡潔に書くことに努めます。「ことばを写生する」「ことばのたくみな似顔絵をかく」と表現してもいいでしょう。

　たとえば、「汗」の項目では、成分などのくわしい説明は百科事典にゆずります。その代わり、日常生活で使う「汗」とは要するにどんな意味かを、短く説明します。ことばの意味を簡単に理解して使うには、むしろこうした説明が役立つでしょう。

■解説文に絵図を添える場合があります。辞書の役目は、そのことばを別のことばで説明するとどうなるかを示すことですが、絵図も理解を助けます。この辞書では、三九四の項目で絵図を使っています〔例、アーティチョーク〕。

## 14 解説文中の記号

■解説文を簡潔にするため、次のように特別の書き方をします。

↑　もとになることばの形や構成。「厚揚げ」「うっちゃる」の項目に〔↑厚揚げどうふ〕〔↑打ちやる〕とあるのは、もとの語形を表します。また、「満たない」の項目の〔↑五段動詞「満つ」＋助動詞「ない」〕は、もとの語構成を示します。

〈／〉　複数の言い方をまとめたもの。「気弱」の項目に「気が弱い〈こと／人〉。」とあるのは、「気が弱いこと。」または「気が弱い人。」と読みます。複数の言い方が（　）や〔　〕内にちょうど入る場合は（／）〔／〕と書きます。

（　）　場合に応じて省いて読む部分。「軽装」の項目に「身がるな服装(をすること)。」とあるのは、「身がるな服装。」または「身がるな服装をすること。」と読みます。

〔　〕　種々の注記。（　）とは意味が違います。「付与」の項目に「〔資格・性質などを〕あたえること。」とあるのは、あたえるものの範囲を〔　〕で注記したものです。

この〔　〕で、前後にいっしょに使うことばを示す場合もあります。たとえば、補助形容詞「ほしい」は、「注意してほしい」のように「て」をともなって使うので、〔て―〕と表示します。

〔＝　〕　上のことばの意味や原義、言い換えなど。「おくみ〔衽〕」の項目で「上部〔＝おくみ先〕」とあるのは、おくみの上部を「おくみ先」と呼ぶということです。

―　例として示した文や語句の中で、見出しのことばに相当する部分。「書く」の項目に「えんぴつで―」とあるのは、「えんぴつで書く」と読みます。

▽　項目内〔大区分があるときはその大区分内〕で、前のすべての区分に共通する注記や例文など。「お兄さん」の項目の「▽〔くだけて〕おにいちゃん。」という注記は、その前にある①～④の区分の意味で、どれも「おにいちゃん」と言えることを示します。また、該当する区分の番号を入れて「▽②③入れ違い。」「▽二三ウィング。」のように示す場合もあります。

## 15 見よ・参考に見よ

■他の部分の説明も見てほしい場合は、次の記号をつけます。

> **ロブスター**〔lobster〕①⇩オマールえび。②《料》オマールエビ・イセエビなど……。☞シュリンプ。

⇩　見よ。説明を他の項目や区分にゆずる場合です。「ロブスター」の項目の①に「⇩オマールえび。」とあるのがそうです。どちらも同じものを指すので、ここでは説明を省略します。

☞　参考に見よ。他の項目もあわせて読むと、理解がより深まる場合です。「ロブスター」の項目の末尾に「☞シュリンプ。」とありますが、その項目を参照すると、料理用語での使い分けが分かります。

## 16 対義語

■（↔ ）の形で対義語（＝反対語）を示します。「暑い」の項目に（↔寒い）、「安全」の項目に（↔危険）とあるのがそうです。対義語は、広く考えれば、「若葉」と「枯れ葉」のような組みもふくまれますが、この辞書では、ひと組みにして使うことが多いことばに限ることにします。

## 17 解説文の後の諸種情報

■解説文の後には、いろいろな種類の情報を示します。

[尊敬][謙譲][丁寧] 敬語に関する情報。そのことばを、尊敬語・謙譲語・丁寧語に直した形を示します。

[!] 豆知識。そのことばを使う上で知っておくと役立つ情報です。コミュニケーションを円滑にするためのヒントなどを示すほか、独特な表現の理由を説明したり、ことばに関する俗説を指摘したりする場合もあります。

[由来] ことばの由来。知っておくと、そのことばの意味・用法の理解に役立つ由来を示します。諸説があってあいまいなものなどは、ことさら示しません。語源に関する俗説を指摘する場合もあります。

[区別] 似たことばの区別。日常生活の上で、意味・用法の区別を知っておくほうがいいことばを比較して、それぞれの違いを簡単に示します。

[表記] 表記に関する情報。冒頭の標準表記欄では説明しにくい、表記に関する情報を示します。標準表記欄と同様に、×△∵などの記号も使います（☞7 標準表記）。

たとえば、「×愬える」（＝うったえる）など古い表記、「△態と」（＝わざと）などかたい表記、「∵寿留女」（＝するめ）など特殊な当て字・熟字訓はこの欄であつかいます。漢字を使い分ける場合や、俗にカタカナで書く場合なども説明します。

[アク] アクセントに関する情報。見出しなどには示しにくい、アクセントに関する情報を示します（☞6 アクセント）。助詞・助動詞のアクセントは、基本的にこの欄であつかいます。

[可能] 可能表現。動詞で可能の意味を表す場合、どう言えばいいかを示します。

可能表現は、「―ことができる」の形のほか、動詞によって異なる形を使います。「歩く・書く」など五段活用の動詞は、「歩ける・書ける」のように可能形を使います。「応じる・食べる」など上一段・下一段活用の動詞は、助動詞「られる」をつけて「応じられる・食べられる」のように言います。さらに、気楽な談話・文章では、「食べられる・見られる」を「食べれる・見れる」と言うなど、「ら抜きことば」も広まっています。可能表現をどう選べばいいかは悩むところです。

そこで、問題になりやすい動詞について、文章でも使える一般的な可能表現を示します。「接することができる」など「―ことができる」の形がふつうである場合は、この形を示します。また、「ら抜きことば」が比較的多く使われる動詞については、「食べれる〔俗〕。」のように特に記して、俗用であることを示します。

■見出し項目の末尾の関連項目に、以下の情報を示します。

派 派生の形。たとえば、「うれしい」から生じた「うれしがる」「うれしげ」「うれしさ」「うれしみ」などのことばを「派-がる。-げ。-さ。-み。」の形で示します。

名動自他 動詞「温める」に対応する名詞の形「温め」や、自動詞「遠ざかる」に対応する他動詞の形「遠ざける」など、対応することばを示します。

人 そのことをする人の呼び名。たとえば、「アレンジ」の項目の「人アレンジャー(arranger)。」は、「アレンジをする人」という意味です。

## 18 書き分け注意

■意味の上でまぎらわしい同音語、意味によって漢字を書き分けることばは、一か所にまとめ、見出しの上に ↓ ↕ ↑ をつけます（↓ から ↑ までが、ひとまとまり）。

たとえば、意味の似た「↓**こうげん**【高原】」「↕**こうげん**【広原】」「↑**こうげん**【荒原】」は、画数順では離れた位置に並びます。これでは比較に不便なので、項目を連続させて、書き分け注意の記号をつけます。

■「柔らかい」と「軟らかい」など、意味による漢字の書き分け（=異字同訓）は、この辞書の第二版（一九七四年）以来、類書にさきがけてくわしく示しています。今回の版でも、その後刊行された文献や使用実態をふまえて、さらに検討した結果を示します。

## 19 基本語

■この辞書の項目の中から、日常生活で多く使われる基本語を二、〇〇〇項目選んで示します。これは、国立国語研究所『現代日本語書き言葉均衡コーパス』の頻度情報などをふまえつつ、検討を加えて選定したものです。

**は最も基本的な語（一、〇〇〇項目）、*はそれに次ぐ基本的な語（一、〇〇〇項目）です。

## 20 社会常識語

■☆☆を見出しの上につけた項目は社会常識語です。現代のさまざまな情報を読み解く上で必要なことばで、三、一三四項目を選んでいます。

社会常識語を身につけることで、活字や放送、インターネットなどで接する情報をより正確に理解し、また、自分の考えをより的確に表現できるようになります。まだ知らないことば、意味を 説明できないことばがないか、確かめてみませんか。

# あ ア

**あ**《感》〔音調は(↘)〕〔話〕①急に思いついたり気づいたりしたときに出す声。「—、そうだ、忘れてた・—、こわれちゃった・—、ちょっといいですか」②軽くおどろいたり感動したりしたときに出す声。「—、久しぶり・—、これおいしい」③相手の言ったことに対して、軽くあいづちを打つときに出す声。「—、そうですか・『わかった?』『—、わかりました』」

**あ**《終助》〔↑わ(い)。五段の動詞につく〕〔古風・俗〕…よ。…ぜ。「ちがわ—〔=ちがうよ〕・かり(雁)が飛んで行か—〔=行くよ〕」☞らあ。

**あ**[亜] 一 接頭 …に次ぐ。…に準じる。「—熱帯・—脱臼〔=不完全脱臼〕・—硫酸〔=硫酸の硫黄の酸化の程度が低いもの。☞次亜〕」 二 あ ↑アジア(亜細亜)。「—欧」

**ああ**《副》あのよう(に)。「本人も—言っておりますので・成績が—〔=あんなにまで〕ひどくては困る」区別 ⇩指示語。アク「は」「も」などがつく場合、述語になる場合は、ああ。「—も高いとは・どうして—なのか」☞ああいう。 ● **ああ言えば こう言う** 句 へりくつをならべて、言いのがれたり さからったりする。

**ああ**《感》①[(:嗚呼)・(×噫)] ものごとに感じて出す声。〔おどろき・悲しみ・喜び・なげきなどをあらわす〕「ああ(↘)、いい気持ちだ・ああ(↘)、いそがしい・—、なんたる偶然か」②気づいたり、なっとくしたりしたときの声。「—、おじさん、こんにちは・—、そうだった」③〔話〕話をはじめるときや、間を置いたりするときの声。「—、私は、—、このたび…」④〔話〕(えらそうに)人に呼びかける声。「—、君、君」▽③④中くらいの高さの音で のばして発音する。⑤〔話〕〈ぞんざいに/とがめて〉聞き返す声。はあ? ああん?「『千円貸して』『ああ(↗)?』」▽あー。⑥〔話〕ぞんざいに答える声。「『早く行こうよ』『—』」

**あーあ**《感》〔音調は(↘)〕〔話〕①いやなことが〈ずっと続く/やっと終わった〉ときに出す声。「—、こわかった」②どうしようもないときに出す声。「—、こわれちゃった・—、昔に帰りたい」▽あぁあ。

**ああいう**《連体》あのような。あんな。ああいった。二

**アーカイブ**〔archive〕《情》一 ⇩アーカイブス。二《名・他サ》①大量の記録や資料をデジタル化して保管すること。「歴史的資料を—する」②複数のファイルをまとめて圧縮〈すること/したもの〉。また、その技術や方法。書庫。 ● **アーカイブス**〔archives〕《情》(デジタル化した)記録・資料の大規模なコレクション。また、それを収めた施設。アーカイブ。アーカイブズ。「文化—・デジタル—」

**アーガイル**〔argyle=もと、スコットランド西部の地名〕《服》ひし形の格子模様。「—柄」

**アーキテクチャ(ー)**〔architecture〕製品の設計思想。特に、コンピューターのハードウェアやソフトウェアの基本構成。

**アーケード**〔arcade〕①商店街の道の上に、屋根のようにかぶせた おおい。また、その商店街。「—街」②まるい屋根のある通路。 ● **アーケード ゲーム**〔arcade game〕ゲームセンターなどに置いてあるゲーム機(でプレイするゲーム)。

**ああした**《連体》あのような。ああいった。「—考え方には賛成できない」

**アース**〔earth〕一 大地。土壌。「—カラー〔=茶系の色〕」☞レアアース。二《名・自サ》《理》電気器具と地面との間に回路を作り、大量の電気が器具に流れるのを防ぐ〈こと/装置〉。接地。「—線」

**ああだ こうだ**《副》〔あるものごとについて〕いろいろと考えたり話し合ったりするようす。ああでもない こうでもない。「—と言い合う」

**ああたら こうたら**《副》〔たら↑とやら〕〔俗〕ああだとか、こうだとか。どうたらこうたら。あーたらこーたら。「電車が—と〔=おくれたなどと〕言いわけをする」

**アーチ**〔arch〕①弓形。半円形。弧。「虹の—・—雲」②左右から石などを積み上げて、弓形の天井や橋げたを作ったもの。「—橋」③会場などの入り口として、門の形に作った かざり物。また、門にかざりつけをしたもの。④《野球》ホームラン。「特大—・—をはなつ」 ● **アーチをかける** 句 ホームランを打つ。

**アーチェリー**〔archery〕西洋の弓(を使った競技)。洋弓。

**アーティスティック**《ナダ》〔artistic〕一 芸術的。芸術に関するようす。「—な活動」派 -さ。二 ↑アーティスティック スイミング。 ● **アーティスティック スイミング**〔artistic swimming〕音楽にあわせて水中でさまざまな演技をおこない、その技術と美しさをきそう競技。アーティス(ティック)。AS。〔二〇一八年からのことば。もと、シンクロナイズド スイミング〕

**アーティスト**〔artist〕①芸術家。「フラワー—」(↔アルチザン)②歌手。演奏家。「ソロ—」▽アーチスト。

**アーティチョーク**〔artichoke〕大形のアザミ。つぼみはタマネギほどの大きさで、何層にもなり、表面は うろこ状。西洋料理で ゆでて使う。ソラマメかジャガイモのような味。朝鮮あざみ。アルティショ(フ artichaut)。アーティショー。

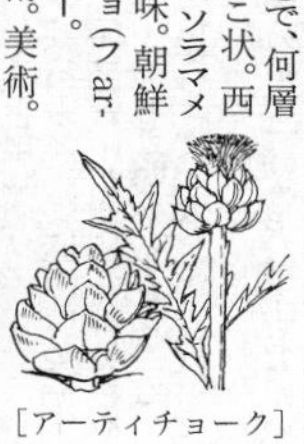
[アーティチョーク]

**アート**〔art〕一 芸術。美術。「光の—・—デザイナー・かべに—〔=芸術的な絵〕をえがく」二《ナダ》芸術的。アーティスティック。「—な空間」 ● **アートし**[アート紙] 写真印刷などに使う、表面がなめらかで つやのある紙。アート ペーパー。 ● **アート ディレクター**〔art director〕①《映画・演劇》美術監督。②広告を企画・制作する責任者。③雑誌のレイアウトを担当する編集者。 ● **アート フラワー**〔和製 art flower〕造花の一種。布地を使い、できるだけ自然の草花に似せてつくる。

**あーね(ー)**《感》〔話〕ああ、なるほど、そうだね。〔もと、福岡の若い世代のことばで、二〇一〇年代に全国に広まった〕

**アーバン**〔urban〕一 造 都市・都会の。「—ライフ〔=都市生活〕」二 アーバン《ナダ》都会的。「—な よそおい」

**アーベント**〔ド Abend=夕方・晩〕おもに夕方から始まる、音楽などの会。「ベートーベン—〔=の夕べ〕」

**アーミー**〔army〕陸軍。軍隊。「—ふうのシャツ・—グリーン〔=グレーがかった緑〕・—ナイフ〔=はさみ・缶切りなど、いくつもの道具の出てくる折りたたみナイフ〕」(↔ネイビー)

**アーム** 〔arm〕 ①うで。「―チェア〔=ひじかけ いす〕・―レスリング〔=うでずもう〕」 ②機械や器具の うで状の部分。「クレーンの―」 •**アーム チェア** 〔armchair〕 ひじかけが ついている いす。

**アーメン** 《感》〔amen=たしかに〕 《宗》〔キリスト教・ユダヤ教で〕まことに、自分も同じであるという気持ちで、いのりなどの終わりにつけることば。

**アーモンド** 〔almond〕 モモに似た葉や実をつける落葉高木。たねは食用・薬用。「―チョコレート・―エッセンス・―アイ〔=アーモンドの形に似た大きな目〕」

**アール** [一] **アール**〔R・r〕 アルファベットの十八番目の字。 [二] **アール**〔(R)〕〔←radius=半径〕 曲線(の きつさ)。「―をつける・―のきつい〔=急カーブの〕道路」 [三]〔R〕〔視覚語〕 「令和」の頭文字。「―1〔=令和元年〕」 ☞登録商標・ラウンド [一]①・ルート(route)①・レントゲン①ⓑ。 •**アール アンド ビー** 〔R＆B〕 《音》黒人ポピュラー音楽の総称。曲調は さまざまだが、おとなっぽく しぶいものが多い。リズム アンド ブルース。〔もと、リズムを強調したブルースをさした〕 •**アール エイチ いんし** 〔Rh因子〕 《生》赤血球の中にふくまれる、特殊な血液型をつくる成分。この成分をもつ血液型(Rhプラス)と、もたない血液型(Rhマイナス)とがあり、輸血などのとき、この血液型が合わないと、いろいろな障害を起こす。 •**アール エス ウイルス** 〔RSウイルス〕 《医》かぜのような症状を引き起こすウイルス。赤ちゃんの肺炎などの もとにもなる。 •**アール エヌ エー** 〔RNA〕〔←ribonucleic acid〕 《生》リボ核酸。DNAの遺伝情報からたんぱく質を合成する はたらきをもつもの。 •**アール シー** 〔RC〕 ①〔←reinforced concrete〕鉄筋コンクリート。「―造」 ②〔←remote control〕リモコン。 •**アール してい** 〔R指定〕〔R←restricted《=制限された》〕 作品などを、子どもに見せるのは ふさわしくないとする指定。〔映画では、十八歳未満を制限する「R18+」、十五歳未満を制限する「R15+」などがある〕 •**アール ディー ディー** 〔RDD〕〔←random digit dialing〕 コンピューターで無作為に発生させた番号に電話をかける、アンケートの方法。

•**アール ピー ジー** 〔RPG〕〔←role-playing game〕 ⇩ロールプレイングゲーム。 •**アール ブイ** 〔RV〕〔←recreational vehicle〕 レクリエーション用の自動車。レジャー用車。☞SUV。

**アール** 〔フ are〕 面積の単位〔記号 a〕。一アールは百平方メートル。

**アールグレイ** 〔Earl Gray=グレイ伯爵〕 かんきつ類のベルガモットの かおりをつけた紅茶。

**アールデコ** 〔フ art déco〕 《美術》一九一〇～三〇年代、フランスを中心にヨーロッパで流行した装飾様式。デザインが直線的。 ☞アールヌーボー。

**アールヌーボー** 〔フ art nouveau〕 《美術》十九世紀末から二十世紀初めにかけて、ヨーロッパで流行した装飾様式。デザインが曲線的。 ☞アールデコ。

**ああん** [一] **ああん** 《副》 子どもなどの、大きな泣き声。「―してごらん」 [二] **ああん** 《副・自サ》〔児〕口をあける〈ようす/こと〉。 [三]《感》 〔話〕①困ったときに出す声。「ああん(→)、どうしよう」 ②あまえて出す声。「ああん(→)、だめよ」 ③ぞんざいに問いかける声。ああ?・「わかったか、ああん(↗)?」 ▽ [一]～[三] あーん。

**あい** 〔合い〕 [一] **あい** ↑合い着・合い服。 [二] [接尾] ①ようす。「空―・色―」 ②抽象的・一般的に言う気持ちをあらわすことば。「義理―」 ③もとの意味をぼかして あらわす場合に そえることば。「意味―・ころ―」

**あい** 〔間〕 [三] [造] たがいに そうすること。「きそい―」 ①あいだ。「―の ふすま」 ②すきま。「障子の―」

*__あい__ 〔愛〕 [一] ①〈相手/ものごと〉を大切に思い、できるかぎりのことをしようとする気持ち。「―の手をさしのべる・母性―〔=母としての愛〕・夫婦―・祖国―・学問への―」 ②恋を感じた相手を、特別で、大切な人だと思う気持ち。「―の告白」 ▽〔↔憎〕 ③心から いい、すてきだ、と思う気持ち。「カメラへの―」 ☞愛する。 [二] [造] …への自分(たち)だけの愛情。「日本酒―・アニメ―」〔二〇〇二年、プロ野球から出た「ジャイアンツ愛」以来、広まった用法。「祖国愛」など、多くの人が共通して持つ愛情とは異なる〕

**あい** 〔藍〕 草の名。葉からとった染料は、青よりこく、紺よりうすい。「―色」 ☞青は藍より出でて藍より青し〔「青」の[句]〕。

**あい** 《感》〔古風・俗〕感動詞「はい」の〈くだけた/ぞんざいな〉言い方。わかった。そうだ。「『持っておいで』『あい(↓)』」 ☞あいよ。

*__あい__ 〔相〕 [接頭] ①おたがいに。ともに。「―通じる・―前後する・―似た内容」 ②〔古風〕改まった気持ちをあらわすために つけることば。「―すまぬ」

**アイ** [一]〔I・i〕 アルファベットの九番目の字。 [二]〔i〕 《数》虚数単位をあらわす記号。 [三]〔I〕〔←iodine〕 《理》ヨウ素の元素記号。

**アイ** [造]〔eye〕 ①目。「―メイク」 ②見る〈こと/力〉。「カメラ―〔=カメラによる、対象のとらえ方〕」

**アイアール** 〔IR〕〔←investor relations〕 投資家向けの広報(活動)。「日本企業の海外―活動」

**アイアイ** 〔aye-aye〕 マダガスカル島にすむ、夜行性の小形のサル。ゆびざる(指猿)。

**あいあいがさ** 〔相合い傘〕 ①一本のかさの中に、恋人どうしなどが いっしょに はいること。 ②カップルを示す、かさのような記号〔例、〈傘〉〕。縦棒の左右に二人の名前を書く。 ▽あいがさ〔古風〕。

**アイアン** 〔iron〕 [一] [遺] 鉄(のように〈かたい/強い〉)。「―ヘッド」 [二] **アイアン** 《ゴルフ》ボールをたたく部分が金属で できているクラブ。〔↔ウッド〕 [✓] ⇩アイロン。

**あいいく** 〔愛育〕 《名・他サ》 〔文〕(人を)かわいがって そだてること。

**あいいれない** 〔相容れない〕 《形ヌ》 ①おたがいに相手を受け入れられない。「―仲」 ②おたがいに調和しない。両立しない。「憲法の精神と―制度」 [丁寧] あいいれません。

**あいいん** 〔哀韻〕 〔文〕かなしそうな、ことばや音楽のひびき。「―の深い一首」

**あいいん** 〔愛飲〕 《名・他サ》 〔酒・茶・コーヒーなどを〕日ごろから好んで飲むこと。「―者優待」

**あいうえお** 〔=五十音の最初の五文字。「アイウエオ」とも書く〕 ①五十音。「―順に ならべる」 ②かな文字。日本語の音。「―作文〔=物の名などを、かな一字ずつに わけて各句の あたまに置き、文章を作る遊び。⇩

折句（おりく）」

**あいうち**［相打ち］①［相討ち・相撃ち］〔武芸・射撃などで〕両者が同時に相手をうつこと。②勝ち負けがないこと。引き分け。

**アイエイチ**［ＩＨ］〔←induction heating〕電磁誘導による加熱。誘導加熱。「—調理器〔⇩電磁調理器〕」

**アイエーイーエー**［ＩＡＥＡ］〔←International Atomic Energy Agency〕国際原子力機関。原子力の平和利用の推進と、軍事転用の防止を目的とする。

**アイエスエス**［ＩＳＳ］〔←International Space Station〕⇩国際宇宙ステーション。

**アイエスオー**［ＩＳＯ］〔←International Organization for Standardization〕①国際標準化機構。工業規格の国際的統一を目的とする。②国際標準化機構の規格による〈カメラ/フィルム〉の感度をあらわす記号。▽イソ。

**アイエスビーエヌ**［ＩＳＢＮ］〔←International Standard Book Number〕国際標準図書番号。市販の出版物を特定するための国際的なコード。数字などで国・出版社・書名をあらわす。

**アイエムエフ**［ＩＭＦ］〔←International Monetary Fund〕国際通貨基金。国際通貨制度の安定を目ざす、国連の専門機関。

**アイエルオー**［ＩＬＯ］〔←International Labor Organization〕国際労働機関。労働条件や社会保障について各国の政府に勧告する、国連の専門機関。

**あいえん**［愛煙］《名・他サ》タバコが好きなこと。「—家」

**あいえんきえん**［合縁奇縁］人は偶然のきっかけで〈親しい/愛しあう〉関係になるものだ、ということ。

**あいおい**［相生い］①同じ根から二本の幹が分かれて出ること。「—の松」②［相老い］夫婦がともに長生きすること。

**アイオー**［Ｉ/Ｏ］〔←input/output〕《情》〔コンピューターなどで〕入出力。「—端子」

**アイオーシー**［ＩＯＣ］〔←International Olympic Committee〕国際オリンピック委員会。

**アイオーティー**［ＩｏＴ］〔←Internet of Things=モノのインターネット〕家電製品・自動車など、身の回りのあらゆるものをインターネットで結ぶ技術。

**あいか**［哀歌］〔文〕かなしんで〈歌う/よむ〉歌。悲歌。エレジー。

**あいかぎ**［合い鍵］錠前にあわせて作った〈もう一つの〉かぎ。

**あいがけ**［〈合い掛け〉］①ごはんに、二種類のソースや具をかけたもの。「カレーとハヤシの—」②春・秋用の、少しうすいふとん。あいがけぶとん。

←**あいかた**［合方］①《歌舞伎》芝居のとちゅうに入れる三味線の曲。唄はつかない。②長唄などで、楽器の演奏の部分。

→**あいかた**［相方］①相手(方)。相棒。「漫才の—」②自分の配偶者や恋人をさすことば。

**あいがも**［△間×鴨・(合×鴨)］アヒルとマガモをかけ合わせた鳥。肉は食用。「—のロースト」

**あいかわらず**［相変わらず］《副》今までと変わらず。「—いそがしい・—だまったままだ」丁寧 相変わりませず。☞あいもかわらず。

←**あいかん**［哀感］〔文〕かなしみの感じ。「—のただよう描写」

→**あいかん**［哀歓］〔文〕かなしみとよろこび。「庶民の—をつづる」

**あいがん**［哀願］《名・他サ》〔文〕あわれっぽく、なげいてたのむこと。「かくまってくれと—する・—泣訴」

**あいがん**［愛玩］《名・他サ》〔文〕〔小さい動物などを〕かわいがってあそぶこと。「—(用の)動物・盆栽を—する」

←**あいき**［愛器］〔文〕愛用の楽器・器具。

→**あいき**［愛機］〔文〕気に入って大切にあつかう、機械・写真機・飛行機・機関車など。

**あいぎ**［合い着・△間着］①上着と下着とのあいだに着る衣服。合い。②⇩合い服。

**あいきどう**［合気道］向かってくる相手の力を利用して相手を投げたり当て身をしたりする格闘技。柔術から発展した。

**あいきゃく**［相客］相席の客。

**アイキャッチ**〔eye-catch〕①〔広告などで〕人目を引くための画像や映像、ことばなど。「—効果」②《放送》ＣＭの前後に入れるタイトル画面。「アニメの—」〔↔エンドカード〕▽アイキャッチャー(eye-catcher)。

☆☆**アイキュー**［ＩＱ］〔←intelligence quotient〕知能を検査してわかった精神年齢を、実際の年齢〔=生活年齢〕で割って百倍した数。知能指数。

**あいきょう**［愛郷］自分の生まれた故郷を愛すること。「—心」

**あいきょう**［〈愛△敬〉・〈愛×嬌〉］①見た目・身ぶりなどの〈かわいらしい/親しみやすい〉感じ。「目もとに—がある・—をふりまく〔=周囲に示す〕。☞あいそ(愛想)」✎女性や子どもに使う印象があるが、古くは光源氏の形容にも使い、現在でも男女に使える。②人を楽しませるためのユーモア(のあること)。「—者・〔失敗したときに〕今のはご—だ」③〔古風〕客を喜ばせるためのそえもの。「ご—にガムをさしあげます」▽古くは「あいぎょう」。

**あいくち**［〈：匕首〉］〔=合口〕つば(鍔)のない短刀。匕首。

**あいくち**［合い口］●**合い口が悪い** 句 ①よく意思が通じず、話があわない。②《すもう》にがてだ。

**あいくるし・い**［愛くるしい］《形》〔子どもなどの顔やしぐさが〕見るからに、かわいらしい。由来「くるしい」は「らしい」の意味の接尾語で、全体で「愛らしい」の意味。派—げ・—さ。

**あいけん**［愛犬］①かわいがって飼っている犬。②犬をかわいがること。「—家」

**あいこ**［(=相子)］おたがいに勝ち負けのないこと。勝負なし。〔「おあいこ」と言うことが多い〕「これで—だ・じゃんけんぽん、—でしょ」

**あいこ**［愛顧］《名・他サ》〔顧=目をかける〕〔文〕ひいき。ひきたて。〔ひいきにされるがわが使う〕「ご—をこうむ(蒙)る・ご—いただき、ありがとうございます」

**あいご**［愛護］《名・他サ》物や動物を大切にすること。「動物—・水資源の—」

**あいこう**【愛校】自分の学校を愛すること。「—心」

**あいこう**【愛好】《名・他サ》好きで、親しむこと。「—家・平和を—する」

**あいこく**【愛国】自分の国を愛すること。「—者・—心」

**あい-ことな・る**【相異なる】《自五》〔文〕ちがっている。「—意見」

**あいことば**【合い（言葉）】①味方だということを知らせるための あいずに使うことば。②仲間としての主張や目標としてかかげることば。モットー。スローガン。

☆☆**アイコン**〔icon=像・偶像〕①《情》〔コンピューターの画面で〕目印となる、小さな絵や写真、図形。「—をクリックしてソフトを起動する」②象徴的な物・人など。「ファッションー—〔=時代のファッションを象徴するモデルなど〕」

**アイコンタクト**〔eye contact〕あいずをしたり、心を通わせたりするために、相手と視線を合わせること。「—を欠かさない」

**あいさい**【愛妻】①大切にしている妻。「—弁当」②妻を大切にすること。「—家」

**あいさつ**【（挨拶）】《名・自サ》①人と会ったり別れたりするとき、尊敬や親しみの気持ちを、ことばや身ぶりにあらわすこと。「『こんにちは』と—する・お客様にご—なさい・別れの—」②礼儀を示すために、話したり書いたりすること。「〔会合で〕主催者の—・一言ご—を申し上げます・退社の—状」③礼儀を示すために、相手をたずねること。「先生のお宅に結婚の—に行く」④返答。「そう言われても—に困る」⑤〔俗〕相手をたずねて脅迫・暴行などをすること。「あとで—に行くからな」〔婉曲な言い方〕☞ご挨拶。

**あいし**【哀史】〔文〕かなしい物語。「女工—」

**あいじ**【愛児】〔文〕かわいい（自分の）子ども。いとしご。

**あいしあ・う**【愛し合う】《自五》①おたがいに愛する。「—ふたり」②性的に まじわる。

**アイシー**【ＩＣ】①〔← integrated circuit〕《理》集積回路。「—チップ・—乗車券〔=料金をチャージして使う、ＩＣカードの乗車券〕」②〔← interchange〕インターチェンジ。 ●**アイシーカード**【ＩＣカード】〔IC card〕プラスチックのカードにＩＣを組みこんだ、「磁気カード」より記憶容量の大きいカード。 ●**アイシータグ**【ＩＣタグ】〔IC tag〕記憶装置と無線通信の機能を持つ、極小のタグ〔=つけふだ〕。大量の情報がはいり、商品管理や盗難防止などに使われる。 ●**アイシー レコーダー**【ＩＣレコーダー】〔IC recorder〕コンパクトでテープのいらない、フラッシュメモリーを利用した録音機。長時間、録音できる。ボイスレコーダー。

☆☆**アイシーティー**【ＩＣＴ】〔← information communication technology〕〔パソコン・インターネットを使った〕情報通信技術。ＩＴ。「—教育」〔二〇一〇年代に広まったことば〕

**アイシービーエム**【ＩＣＢＭ】〔← intercontinental ballistic missile〕《軍》地上から発射する、射程が五千五百キロ以上のミサイル。大陸間弾道弾。大陸間弾道ミサイル。

☆☆**アイシーユー**【ＩＣＵ】〔← intensive care unit〕集中治療室。

**アイシェード**〔eyeshade〕目の部分をおおう、めがね形などの日よけ。

**あいしゃ**【愛社】自分のつとめている会社を愛すること。「—心・—精神」

**あいしゃ**【愛車】①愛用の自動車。②自分の自動車をだいじにすること。「—精神」

**アイシャドウ**〔eye shadow〕目のまわりに かげや色をつける、けしょう品。アイシャドー。

**あいしゅ**【愛酒】〔文〕酒が好きなこと。「—家」

**あいしゅう**【哀愁】ものがなしさ。「ほのかな—が ただよう」

**あいしょ**【愛書】〔文〕①本が好きなこと。「—家」②愛読書。

**あいしょう**【相性・合い性】①人と人との性格がうまく合うかどうかということ。「〔カップルの〕—うらない・課長とは—が悪い」②〔一般に〕うまく合うかどうかということ。「肉料理と—のいいワイン・あのチームとは—がいい〔=よく勝てる〕」 由来 もと、中国の五行説などに もとづき、男女が どんな相手と合うかを示す性質〔木・火・土・金・水などで あらわす〕を言った。☞性㊀④。

**あいしょう**【愛×妾】〔文〕特別に気に入った めかけ。「法皇の—」

**あいしょう**【哀傷】《名・他サ》〔文〕①人の死をいたむこと。哀悼。「—歌」②悲しくて心を痛めること。「落ちぶれた わが身の—」

**あいしょう**【愛称】《名・他サ》①親しい間がらで呼びあう名前。②親愛の気持ちをふくめて呼ぶ名前。「チームの—を募集する」▽ニックネーム。

**あいしょう**【愛唱】《名・他サ》好きで歌うこと。「私の—歌・世界の—歌」

**あいしょう**【愛×誦】《名・他サ》〔文〕好きで〈くちずさむ／節をつけて声に出す〉こと。「—する俳句」

**あいじょう**【哀情】〔文〕かなしいと思う気持ち。

**あいじょう**【愛情】愛する気持ち。「親としての—・夫婦の—・—をいだく」

**あいじょう**【愛嬢】〔文〕かわいがっている娘。〔他人の娘について言う〕（↔愛息）

**あいしょく**【愛食】《名・他サ》〔文〕好んで食べること。「肉を—する」

**あいじるし**【合い印】①味方だということを知らせるための目じるし。②布や木などをつなぎ合わせるとき、ずれないように要所につけるしるし。

**あいじん**【愛人】夫や妻以外で恋愛関係にある相手。情婦。情夫。「—を作る」☞敬天愛人。

**アイシング**《名・他サ》〔icing〕①ねった砂糖を洋菓子の表面に ぬること。また、その砂糖。かたまると氷のように見える。糖衣。フォンダン。②氷などで筋肉を冷やし、手当てをすること。

**あい・す**【愛す】《他サ》⇩愛する。「だれも愛さない・車をこよなく—人・愛され〔=人に好かれる〕メイク」 ●**あいすべき**【愛すべき】《連体》かわいらしさが感じられる。「—少年」

**アイス**〔ice〕①氷（で ひやしたもの）。「カーリング場の—・—ティー」②アイスクリーム・アイス キャンディーなど。「好きな—の味」 ●**アイスアリーナ**〔ice arena〕屋内のアイススケート場。 ●**アイス キャンデ**

イ(ー)〔和製 ice candy〕手で持つ棒のある氷菓子。氷菓。アイス(キャンデー)。●**アイスクリーム**〔ice cream〕牛乳・クリームなどを砂糖とまぜあわせて凍らせたもの。アイス。〔業界では、乳固形分・乳脂肪分の少ないものはアイスミルク、さらに少ないものはラクトアイスと言う〕☞氷菓。●**アイスクリン**〔←ice cream〕①〔古風〕アイスクリーム(をまねた氷菓子)。②たまご・砂糖・乳製品・香料をまぜて作る氷菓子。〔高知県の名物〕●**アイスコーヒー**〔iced coffee〕(氷を入れた)冷たいコーヒー。〔関西などの やや古風な言い方では「コール コーヒー」「冷コ(ー)」〕●**アイスショー**〔ice show〕スケートリンクを使って おこなう、フィギュアスケートなどのショー。●**アイススケート**〔ice skating〕⇩スケート②。●**アイスダンス**〔ice dancing〕《フィギュアスケート》音楽にあわせ、男女ひと組みでダンスを演じる種目。(↔シングル・ペア)●**アイスバーン**〔ド Eisbahn〕雪の表面が かたまって氷のようになった状態(の路面やスキー場)。●**アイスピック**〔ice pick〕氷を細かく割るための きり(錐)。●**アイスブレイク**〔icebreak〕場の緊張をほぐす〈こと/会話など〉。アイス ブレイキング。アイス ブレーク。●**アイスペール**〔ice pail〕氷を入れる小型のバケツ状の容器。●**アイスボックス**〔icebox〕①氷を使う、昔の冷蔵庫。「ークッキー〔=棒状にした生地を冷凍庫で固め、輪切りにして焼くクッキー〕」②冷蔵用の箱。●**アイスホッケー**〔ice hockey〕アイスリンクで、先の まがったスティックでパック〔=厚い円板〕を打ち、相手のゴールに入れる競技。一チーム六人。アイホ。アイホケ。氷球〔文・古風〕。●**アイスリンク**〔ice rink〕⇩スケートリンク。

**あいず**[合図]《名・自サ》ものごとを知らせるために、前もって約束した〈目じるし/方法〉。また、そういう方法で知らせること。「目でーをおくる」

**あい すみません**[(相済みません)]《感》〔古風〕「すみません」の改まった言い方。「どうもー」

*__あい・する__[愛する]《他サ》①〈相手/ものごと〉を大切に思い、できるかぎりのことをしようとする。「子どもをー〔=かわいがる〕・郷土をー」②恋を感じた相手を、自分にとって特別で、大切な人だと思う。「ー人に めぐり会いたい」✎「I love you」を「君を愛する」と訳した生徒に、教師が「日本人は そう〔=直接的に〕は言わない。『月が きれいですね』と訳しなさい」と言ったという話がある。これを夏目漱石の発言とする人がいるが、実は一九七〇年代に あらわれた話。③心から いい、すてきだと思う。好む。「自然をー・散歩をー人々・文豪もー辞書」▽愛す。(↔にくむ)可能 愛せる。

**あいせき**[相席・合い席]《名・自サ》〔飲食店などで〕ほかの客と同じテーブルにつくこと。「ーでお願いします」

☆☆**あいせき**[哀惜]《名・他サ》〔文〕〔人の死などを〕おしみ かなしむこと。「ーの念にたえない」〔弔辞などで使う〕

**あいせき**[愛惜]《名・他サ》〔文〕①おしがること。なごりおしさ。「ーの情」②大切に愛すること。「ーの品」

**あいせつ**[哀切]《名・ナダ》〔文〕心に しみるような悲しい感じ。「ーなメロディー」派ーさ。ーみ。

**アイゼン**〔ド Eisen=鉄〕登山靴の底につける、鉄の とがったもの。氷や雪の上を歩くのに使う。

**あいそ**[(愛想)]〔↑あいそう〕にこにこして、人に感じよく見せる表情や態度。「ーがいい・ーをふりまく〔=周囲に示す〕」(↔ぶあいそう)✎「愛想をふりまく」は「愛敬をふりまく」の誤りと考える人がいるが、両方とも戦前から使われている。周囲に かわいらしさなど〔=愛敬〕を示すか、感じのいい表情や態度〔=愛想〕を示すかのちがい。☞おあいそ。●**愛想が尽っきる**句 あきれて、相手になってやる気持ちがなくなる。「ほとほとー」他 愛想を尽かす。●**愛想も こそ(小想)も尽っき果てる**句「あいそが尽きる」を強めた言い方。〔「こそ」は、調子をよくするために そえた ことば〕●**あいそ づかし**[(愛想)尽かし]あきれて見放すこと。「自分自身にーをする」●**あいそ わらい**[(愛想)笑い]愛想を示すための笑い。「ーをふりまく・ーで相手に取り入る」

**あいそ**[哀訴]《名・自サ》〔文〕あわれっぽく、なげきうったえること。

**あい そう**[愛想]⇩あいそ(愛想)。

**あいそう**[愛奏]《名・他サ》〔文〕好きで演奏すること。「ー曲集」

**あいぞう**[愛憎]愛することと にくむこと。愛と にくしみ。「ー相半ばする」

**あいぞう**[愛蔵]《名・他サ》大切にしまっておくこと。「ーの茶わん・ー版〔=普及版などに対し、上等なつくりの本など〕」

**あいそく**[愛息]〔文〕かわいがっている息子。〔他人の息子について言う〕(↔愛嬢)

**アイソトープ**〔isotope〕《理》⇩同位体。☞ラジオアイソトープ。

**あいぞめ**[藍染め]アイの染料で染め〈ること/たもの〉。

**あいた**[あ(痛)]《感》〔話〕①痛くて、思わず さけぶことば。「あいた(↓)、どうして ぶつんだ?」②まいった。困った。あちゃあ。「あいた(↓)、書類を忘れてきた」▽あいたっ。あたた。いたっ。

**あいだ**[間]━①二つ(以上)の ものをへだてている部分。「木々のーを鳥が飛ぶ・都市のーを鉄道で結ぶ・ーを空ける」②どちらの端でもない位置。また、両端から距離が等しい位置〔=中間〕。「二つの駅のーで事故があった・〔値段をかけあって〕ーを取って三千円!」③すきま。「ページのーに しおりをはさむ」④人と人との関係。あいだがら。「二人のーを裂く」⑤二つ(以上)の ものごとの、つながり・ちがいなどが生じる場。「両者のーに合意が成立・二人のーには かなり年の差がある」⑥その方面。その集団。「ファンのーで話題になっている」⑦〔ある長さを持った〕とき。時間。期間。「長いーお待たせして すみません・前回からーが空いた・ねているーに虫に さされた」━《接助》〔文〕から。ゆえに。「お送り申し上げそうろうー、お納めくだされたく」●**間に立つ**句 二者の間で、話し合いが うまくいくようにする。仲立ちをする。間に はいる。「マネージャーがー」他 間に立てる。●**あいだがら**[間柄]①血族・親類などの続きあい。関係。②つきあい。交際。

**アイターン**[Iターン]《名・自サ》〔和製 I turn〕(都市部の人が)出身地とは別の地方に移り住んで、職につくこと。「ー志向・ー漁業者」☞Uターン④・Jターン。

と。「—のカメラ」

**あいよく**【愛欲】①(性的に)愛したいと思う欲望。情欲。「—におぼれる」②情事に関すること。「—シーン(=ベッドシーン)」 区別 ⇩性欲。

**あいよつ**【相四つ】《すもう》さし手がどちらも同じがわの手であること。「右の—」(↔けんか四つ)

**アイライン**【Iライン】〔和製 I line〕①《服》洋装のシルエット(=輪郭)で、Iの字のように縦長に見える形。☞Aライン。②女性の陰部で、前から後ろに続くI字形の部分。脱毛の対象。☞VIO。

**アイライン**〔eyeline〕目を大きく見せるために、目のふちに、黒・こげ茶色などで えがいた線。「—を引く」☞目張り②。

**あいらしい**【愛らしい】《形》愛情をいだかせるようすだ。かわいらしい。「—しぐさ」 派 -さ。

**アイラッシュ**〔eyelash=まつげ〕つけまつげ。•**アイラッシュ カーラー**〔eyelash curler〕⇩ビューラー。

**アイリス**〔iris〕アヤメのなかまの植物(を園芸用として育てた種類)。「ジャーマン—・ルイジアナ—」

**アイリッシュ** 造〔Irish〕アイルランド〈の/ふう〉。「—シチュー・—コーヒー(=アイルランドのウイスキーを入れたもの)」

**アイルランド**〔Ireland〕①イギリス本土の西方にある島。②アイルランド島の大部分を占める共和国。首都、ダブリン(Dublin)。 表記「:愛蘭」は、古い音訳字。

☆☆**あいろ**【×隘路】〔文〕①せま(くて けわし)い道。②じゃま。困難。障害。「販売の—」

☆☆**アイロニー**〔irony〕①皮肉な表現。反語。「—に満ちた作品」②皮肉な ありさま。「人生の—」▽イロニー。

**アイロニカル**《ナダ》〔ironical〕皮肉なようす。皮肉っぽいようす。「—な言い方」

**アイロン**《名・他サ》〔iron〕①熱や重みで布の しわをのばしたり、ひだをつけたりするために使う、金属製で底がたいらな(電気)器具。また、それを使うこと。「—をかける・—がけ・—台」②かみの毛用のこて(鏝)(をかけること)。まっすぐにしたりカールさせたりする。へアアイロン。

✎「アイロン」と「アイアン(=鉄)」は、英語では同一の語だが、日本語では意味によって語形を区別する。•**アイロンパーマ**〔←和製 iron permanent〕ヘアアイロンで ふっくらとカールさせる男性用パーマ。(アイパーとは別)

**あいわ**【哀話】〔文〕あわれな はなし。「学界—」

**あいわかった**【相分かった】《感》〔話・古風〕時代劇で「わかった」をおもおもしく言うことば。丁寧 相分かりまし〈た/てございます〉。

**あいわす**【相和す】《自五》仲よくする。「夫婦—」

↔**＊＊あう**【会う・×逢う】《自五》①向きあって、話などをする。面会する。「客に—」 謙譲 お目にかかる。お会いする。②人に出あう。「駅で友だちに—」(↔別れる) 可能 会える。

↔**＊あう** 一【合う】《自五》①はなれているものが近づいて、同じ位置に来る。「まぶたが—」(↔はなれる) ②ずれやちがいがないように、そろう。一致する。「かぎが—・足並みが—・服が体に—・意見が—・時計が—(=正しい時刻を示す)・好みに—デザイン」③調和する。「スーツに—ネクタイ・料理に合った器」 二【(合う)】 造 攻めたがいに そうする。「助け—・話し—・(競技で)攻め—・競い—」 可能 合える。☞合わない。

→**あう**【遭う・△遇う】《自五》(ぐうぜん)ある(好ましくない)ものごとに出あう。「夕立に—・盗難に—・ひどいめに—」

☆☆**アウェー**〔away〕一《(サッカーなど)》相手の(国の)グラウンド。「—ゲーム・—での試合」 二《名・ナダ》自分だけが外部の人間であるような〈場/感じ〉。「—で仕事をする・—な気分」▽一二 アウェイ。アウエー。(↔ホーム)

**アウォード**〔award〕⇩アワード。

**アウター**〔outer〕一 アウター《服》↑アウターウェア。 二 造 外部の。外(に近いところ)にある。「—マッスル(=からだの表面近くにある筋肉)・—ケース(=外箱)」▽一二 (↔インナー) •**アウターウエア**〔outer-wear〕《服》①外がわに着る衣服。コート・ジャケットなど。②外出着。▽アウター。アウト ウェア。(↔インナーウェア)

**アウティング**《名・他サ》〔outing〕ほかの人の性的指向を暴露すること。

**アウト**〔out〕一 アウト ①《野球》ランナーまたはバッターが、塁に〈いる/出る〉資格を失うこと。②(ものごとが)だめ〈になる/である〉こと。絶望。「妻にメールを見られたら—(=最後)だ」③ゆるされないこと。違反。「業者に物をもらうのは—だ」▽アウツ。(↔セーフ) ④《(テニス・バレーボールなど)》ボールがコートの規定の線外に出ること。(↔イン・セーフ) ⑤《ゴルフ》十八ホールのコースの前半の九ホール。(↔イン) 二 アウト《名・他サ》外に出すこと。「シャツを—して(=すそを出して)着る」(↔イン) 三 造 外の。「—ドア」(↔イン) •**アウトウエア**〔和製 out wear〕《服》⇩アウターウェア。•**アウトコース**〔和製 out course〕①《野球》バッターから遠いところを通る、ボール(の道すじ)。②(競走で)外がわのコース。アウト レーン。▽(↔インコース) •**アウトコーナー**〔和製 out corner〕《野球》外角。アウトサイド。(↔インコーナー) •☆☆**アウトサイダー**〔outsider〕集団・体制の外がわにいる人。部外者。局外者。「文壇の—・社会の—」(↔インサイダー) •**アウトサイド**〔outside〕①外がわ。外部。②《(テニスなど)》線の外がわ。③《野球》外角。▽(↔インサイド) •☆☆**アウトソーシング**《名・他サ》〔outsourcing〕《経》①業務の一部を、外部の専門業者に委託すること。②生産に必要な部品などを、社外から調達すること。▽アウト ソース。•**アウトドア**〔outdoor〕野外。屋外。「—ライフ・—スポーツ」(↔インドア) •**アウトフォーカス**〔和製 out focus〕《写真》ピントをわざと ぼかして とる方法。☞ソフトフォーカス。•**アウトプット**《名・他サ》〔output〕①(電気の)出力。②《情》コンピューターが処理して〈打ち出す結果/結果を打ち出すこと〉。出力。③(仕事などの)成果。「—を出す」▽(↔インプット) •**アウトライン**〔outline〕①輪郭。②大すじ。概要。•**アウトリーチ**〔outreach〕①介護などが必要な人のところを訪問して助けること。訪問支援。②(芸術や学問での)一般人への普及活動。•**アウトルック**〔outlook〕見通し。展望。「中長期の—・エコノミック―〔=経済見通し〕」●☆☆**アウトレット**〔outlet〕在庫品などを大量に仕入れ、非常に安く売る店。「―モール〔=アウトレットの集まった施設〕」●**アウトロー**《名・ナダ》〔outlaw〕①法律を無視し、健全な社会の外で暮らす者。やくざ者。無法者。②法律の外にある〈こと／ようす〉。無法。「―地帯・―な世界」

**アウトバーン**〔ド Autobahn〕ドイツの高速自動車専用道路。

**アウフヘーベン**《名・他サ》〔ド Aufheben〕《哲》⇩止揚。

**あうん**〔(×阿×吽)・(×阿×呍)〕〔梵語 a-hūm の音訳〕《仏》息の出入り。●**あうん の こきゅう**〔(×阿×吽の)呼吸〕すもうの仕切りで立ち上がるときのような、双方のぴったり かみあった気持ち。「―が合う・―で決まった人事」

**あえか**《ナダ》〔雅〕弱々しく たよりない、美しさのようす。「―な姫君・―にうかぶ夜桜」派 -さ。

**あえ・ぐ**〔(×喘ぐ)〕(あへぐ)《自五》①せわしく呼吸する。息をきらす。「あえぎながら登る」②苦しむ。「経営難に―」③あらく息をしながら よがる。名 あえぎ。「―声」

**あえず**(あへ) 造〔=敢ぁえず。…(も)あえずで副詞をつくる〕〔文〕完全に…しきれず。「言いも―、泣き出した・息もつぎ―」〔「…(も)あえぬ」は連体詞をつくる〕☞せきあえぬ・とりあえず。

**あえて**(あへ)《副》①困難や批判をおそれず、それをすべきだと考えて。「―危険をおかす・反論を承知で―言えば…」②むずかしいと わかった上で、むりに。「この作品は、―分類すればホラー小説だ」③意図して。「朝聞く曲には、―クラシックを選ぶ」〔二十一世紀になってから話題になった用法〕▽「―の」の形は二十世紀後半から例がある。「―の選択・差がつく―のブーツ」④〔文〕別に。必ずしも。「―おどろくには当たらない」表記 かたく「△敢えて」とも。

**あえな・い**(あへ)《形》〔=敢え無い〕はかない。あっけない。「―最期・あえなく負けた」

**あえもの**〔(△和え)物〕(あへ) 野菜・魚介類などをあえた料理。「ホウレンソウの―」

**あ・える**〔(△和える)・(×韲える)〕(あへる)《他下一》〔野菜・魚介類などを〕みそ・酢・ごまなどの調味料で まぜあわせる。「トマトをドレッシングで―」名 あえ。「酢みそ―」

**あえん**〔亜鉛〕《理》酸に溶けやすい、青白い金属〔元素記号 Zn〕。人体に不足すると味覚障害の原因になる。☞トタン。

**あお**〔青〕(あを) ①よく晴れた昼の、空や海の色。ブルー。あおいろ。②みどり色。「―葉・―虫・―リンゴ・―信号」③〔馬の〕つやのある黒い色。また、その色の馬。「―毛」

✍日本語では古くから、「ブルー」ばかりでなく、葉の色・黒馬の色など、赤みのない寒色をひっくるめて「あお」と呼ぶ。みどり色の信号でも「青信号」と言うのは このため。表記 ①②は「×碧〔あおみどりの場合〕」、①③は「×蒼〔さびしい青や、灰白色に近い場合〕」とも。

●**青は藍より出でて藍より青し** 句〔=染料の青はアイの葉から作られるが、アイの葉よりも深い青色〔=藍色〕になる〕⇩出藍の誉れ。

**あおあお**〔青々〕(あをあを)《副・自サ》「青い①～③」ことがきわだって感じられるようす。「―とした草・―したそりあと」●**あおあおし・い**〔青々しい〕《形》①青さがあざやかに感じられるようすだ。「―川の淵」②青くさい。「―文面」派 -さ。

**あおあらし**〔青嵐〕(あを) 〔雅〕「青葉②」のころに ふく風。☞せいらん(青嵐)。

**あおい**〔(×葵)〕(あふひ) 草花の名。種類が多い。フタバアオイ(双葉葵)の葉はハート形で、徳川家の家紋。タチアオイ(立葵)は、まっすぐ のびる くきに、夏、フヨウに似た花がさく。

***あお・い**〔青い〕(あをい)《形》①青の色だ。「―山脈・―目〔=西洋人をひとまとめにした無神経な言い方〕の観光客」②〔木や草の葉が〕緑色だ。③〔はだが〕髪やこいひげをそったあとの色だ。「―そりあと」④〔血の気がなくなって〕顔の赤みがなくなったようすだ。⑤〔実が〕まだ熟さない。「―ミカン」⑥〔人間として〕未熟だ。一人前でない。「考え方が―」表記 ①②は「×碧い〔あおみどりの場合〕」、①～④は「×蒼い〔さびしい青や、灰白色に近い場合〕」とも。派 -さ。☞青み。●**あおい とり**〔青い鳥〕〔メーテルリンクの童話劇から〕幸福のしるし(の鳥)。

**あおいきといき**〔青息吐息〕(あをいきー) 非常に困ったときや苦しいときに出すため息。由来「青息」は、青い顔をして はく息。

**あおいろしんこく**〔青色申告〕(あをいろー) 政府の認めたやり方で帳簿にもとづき、所得税・法人税を申告する方式。〔もと、青い用紙を用いたことから〕

**あおうなばら**〔青海原〕(あを) 〔雅〕青く広がる海。

**あおえんどう**〔青(×豌豆)〕(あを) 〔完熟した後に乾燥した〕緑色のエンドウ。青豆。☞グリンピース。

**あおかび**〔(青×黴)〕(あを) パンやミカンなどに生える緑色のカビ。「―チーズ」☞ゴルゴンゾーラ・ブルーチーズ・ペニシリン。

**あおき**〔(青木)〕(あを) 林に はえ、また庭木にする常緑樹。幹が緑色で、冬になると実が赤くなる。

**あおぎ・みる**〔仰ぎ見る〕(あふぎー)《他上一》①顔を上に向けて見上げる。②尊敬する。「師と―」

**あおぎり**〔(青×桐)〕(あを) 街路樹などに使う落葉高木。幹は緑色で、手のひらのような葉をつける。梧桐。

**あお・ぐ**〔仰ぐ〕(あふぐ)《他五》①顔を上に向け(て、見)る。あおむく。「空を―」②尊敬する。尊敬して…になってもらう。「師と―・総裁に―」③〔目上の人からの〕教えを求める。「指示を―」④たよる。もらう。「原料を国外に―」⑤一気に飲む。あおる。「毒を―〔⇩「毒」の句〕」

**あお・ぐ**〔(△扇ぐ)〕(あふぐ)《他五》風を起こすために、うちわ・扇子などを動かす。

**あおくさ**〔青草〕(あを) 青々とした草。

**あおくさ・い**〔青臭い〕(あを)《形》①青菜を切ったときのにおいのような感じだ。②未熟だ。「―議論・―文章」派 -さ。-み。

**あおくな・る**〔青くなる〕(あをくー)《自五》おそれや心配などで、顔の色が悪くなる(ほど あわてる)。青い顔をする。「さいふがないのに気づいて―」

**あおぐろ・い**〔青黒い〕(あを)《形》黒みをおびて青い。派 -さ。-み。

**あおこ**〔(青粉)〕(あを) 池・沼などでふえて、水を緑色にするごく小さな藻。

**あおコーナー**〔青コーナー〕(あを) 〔プロレス・プロボクシングなどの〕試合のリングで、挑戦者がわのコーナー。

**あかしろぼう**［赤白帽］ 片面が赤で、もう片面が白の帽子。小学生が運動会などでかぶる。紅白帽。

**あかしんごう**［赤信号］ ①停止・危険などを知らせる、赤色の信号。(↔青信号) ②〈危険がせまった／悪化した〉状態であること。「—がともる」 ●**赤信号みんなで渡ればこわくない**句 おおぜいでやれば、悪いことでも堂々とできるものだ。〔一九八〇年に、漫才コンビのツービートが広めた〕

**あかしんぶん**［赤新聞］ 〔古風〕会社や個人などの、知られたくない事情をあばく新聞。

**あか・す**［明かす］《他五》 ①あきらかにする。うちあける。「秘密を—」 ②夜明けまで過ごす。「一晩を—・歌い—」

**あか・す**［△証す］《他五》 はっきりさせる。証明する。

**あかず**［飽かず］《副》 ①あきないで。よくよく。「—ながめる・—見入る」 ②残り多く。なごりおしく。

**あかずの**［開かずの］《連体》 いつまでもあかない。あいたことがない。「—間〔=ひらかれたことのない部屋〕・—踏切」

**あかすり**［(×垢)擦り］ 入浴時、皮膚をこすってあかを落とすこと。また、そのための軽石やタオル。

**あか・せる**［飽かせる］《自下一》 好きなだけたくさん使う。飽かす。「金とひまに飽かせてつくった建築」 ☞任せる③。

**あかせん**［赤線］ ①赤い色の線。②一九四六年から一九五八年まで、売春宿が集まっていた地域。「—地帯」〔警察の地図上で、赤い線で示した〕

**あかだし**［赤(:出汁)］ 豆のみそと米のみそを混ぜ合わせたみそ(で作ったみそしる)。〔中京地域でよく使う〕 ☞八丁みそ。

**あかちゃいろ**［赤茶色］ 赤っぽい茶色。「—の葉先」

**あかちゃ・ける**［赤茶ける］《自下一》 色が〈はげて／変わって〉赤茶色になる。赤っ茶ける。「たたみが—」

*__あかちゃん__［赤ちゃん］〔親しみをこめた言い方〕 ①生まれてまもない子。新生児。由来 生まれたばかりの子は、からだが赤いから言う。②乳児。「—ことば」 ③おなかの中の子。「—ができる」 ④動物の、生まれてまもない子。「カピバラの—」 ▽赤んぼう。赤子。 ⑤できたばかりの、小さいもの。「—トマト・—惑星」 ●**あかちゃんがえり**［赤ちゃん返り］—がへり ①下の子が生まれたあと、上の子の行動が赤ちゃんのようになること。②おとなが赤ちゃんのようにふるまうこと。〔老化や脳の病気などが原因の場合もある〕 ▽幼児退行。

**あかちょうちん**［赤(△提△灯)］ (看板として赤いちょうちんを店先にさげた)一杯飲み屋。あかぢょうちん。「—にさそわれる」

**あかチン**［赤チン］〔=赤い(ヨード)チンキ〕 ⇩マーキュロクロム。

**あかつき**［暁］ ①〔雅〕夜明け前の、まだ暗いうち。②〔もしそうなった〕場合。「成功した—には」 ✎多くいい場合に使うが、「万一採用されない暁には」〔夏目漱石「坑夫」〕のように、もとは悪い場合にも使った。

**あかづ・く**［(×垢付く)］《自五》〔文〕あかがつく。あかでよごれる。

**あがったり**［上がったり］ 商売や事業が、少しもうまくいかないこと。「商売—だ」

**あかつち**［赤土］ 火山灰が分解してできた、(赤)黄色をおびた土。はに。「—色」 ☞黒土。

**アカデミー**〔academy〕 ①学問・芸術の研究や発達を目的とする学会。「美術—」 ②〔外国の〕学士院。

**アカデミズム**〔academism〕 ①学問(の権威)を重んじる考え方。〔「実際的でない」という語感をふくむこともある〕 ②大学など、学問を研究する人々の世界。「—に属する」(↔ジャーナリズム)

☆☆**アカデミック**《ナダ》〔academic〕 ①学問的な(権威を重んじる)ようす。「—な姿勢」(↔ジャーナリスティック) ②学問(をおこなう場)に関係するようす。「—な業績・—ライティング〔=論文の書き方〕」 ●**アカデミックハラスメント**〔和製 academic harassment〕〔大学で〕教員が自分の地位や権力を使って、学生や他の教員にいやがらせをすること。アカハラ。

**あかてん**［赤点］〔学〕落第点。「試験で—を取った」 由来 落第点は成績表に赤字で書くことから。

**あかとんぼ**［赤(:蜻蛉)］ 小形で、からだの赤いトンボ。あかねとんぼ(茜蜻蛉)。

**あがな・う**［(△購う)］《他五》〔文〕買い求める。

☆☆**あがな・う**［(×贖う)］《他五》 ①お金や品物などを出して罪をつぐなう。「罪を—」 ②うめあわせをする。名 あがない。

**あかにく**［赤肉］ 赤みを帯びた肉。「牛の—・—メロン」(↔白肉)

**あかぬ**［飽かぬ］《連体》〔文〕〔いつまでそうしていても〕あきない。「—ながめ」

**あかぬけ**［(×垢抜け)］《名・自サ》 あかぬけること。「—した作品」

**あかぬ・ける**［(×垢抜ける)］《自下一》〔多く**あかぬけた**〈た／て〉〕都会的でかっこいい感じをそなえる。「デザインがあかぬけ〔=洗練され〕ている・あかぬけない服」 由来 あかがとれて、きれいになる意味から。

**あかね**［(×茜)］ ①根を染料にするつる草。暗い赤色に染まる。②「あかね①」で染めたような色。あかね色。「空が—に染まる」 ●**あかねぐも**［(×茜)雲］ 朝日や夕日をあびてあかね色にかがやく雲。

**あかのたにん**［赤の他人］ まったく〈の／自分とは関係のない〉他人。「顔はそっくりだが—だ」

**あかはじ**［赤恥］—はぢ 人の前でかく、ひどいはじ。大恥。あかっぱじ。「—をかく」

**あかはた**［赤旗］ 赤色の旗。特に、共産党や労働者のかかげる旗。

**あかはだ**［赤肌・赤△膚］ ①皮がすりむけて赤くなったはだ。②山に草木がなく、地はだがすっかり出ていること。

**あかはだか**［赤裸］ ①まるはだか。②鳥やけものの、毛をむしった状態。

**アカハラ** ↑アカデミック ハラスメント。

**あかひげ**［赤(×髯)］ ①赤いひげ(の人)。②びんぼうな病人をただでみる町医者。「—先生」 由来 ②は、山本周五郎の小説「赤ひげ診療譚」から。

**あかぶさ**［赤房］《すもう》土俵の東南のすみに、つり屋根からたらした赤いふさ。もと「赤柱」のあった位置。(↔青房・白房・黒房)

**あかふだ**［赤札］ (売約ずみの品・安売り品などにはる)赤色のふだ。

**アガペー**〔ギ agape〕 神の愛。アガペ。(↔エロス)

☆☆**アカペラ**〔イ a cappella=教会堂ふうに〕《音》 ①楽

器の伴奏をともなわない教会合唱曲。②無伴奏(の合唱)。「―で歌う」

**あかぼう**[赤帽] ①赤い色の帽子。②駅で旅客の手荷物を運ぶ職業の人。ポーター。〔赤い帽子をかぶる〕

**あかまつ**[赤松] 山・林にはえ、幹が赤みをおびるマツ。建築に使う。めまつ(雌松)。(↔黒松)

←**あかみ**[赤身] ①牛肉などの、あぶらのない、赤い〈部分/肉〉。(↔脂身・霜降り・白身) ②身の赤いさかな(=カツオなど)。また、マグロの、赤い身の部分。「―ざかな」(↔白身) ③材木の中心にある、赤い部分。

→**あかみ**[赤(:味)] 赤い感じ(の色)。「―がさす(=あらわれる)」・―をおびる・―がかった色」

**あかみそ**[赤(味×噌)] 赤茶色になるように発酵・熟成させたみそ。塩けが強い。(↔白みそ)

**あかむけ**[赤(△剝け)]《名・自サ》からだの皮がむけて、赤はだになること。動 赤むける《自下一》。

**あかめ**[赤目] ①赤く血走った目。「―をつる(=血まなこになる。関西方言)」 ②夜、フラッシュをたいた写真で、人の目が赤く写ること。「―現象」

**あか・める**[赤める]《他下一》赤くする。「顔を―」

**あが・める**[(△崇める)]《他下一》この上もなく価値のあるものと思って、うやまう。「師と―」(↔いやしめる)

**あからがお**[赤ら顔・×赭ら顔・×赧ら顔] 〔日焼けや飲酒で〕赤みがかった顔。

**あからさま**《ナダ》かくさないでありのままを示すようす。露骨。「―に非難する」 表記「:白地」とも書いた。

←**あから・む**[赤らむ]《自五》赤くなる。〔多く、顔やはだに言う〕「目のふちが―・東の空が―」 表記 顔は「×赭らむ」「×赧らむ」とも。名 赤らみ。他 赤らめる《下一》。

→**あから・む**[明らむ]《自五》〔空が〕明るくなる。「ほおを―」

**あかり**[明かり] ①〔光を出すもとが見えないで〕いちめんに明るい状態。「―がさす・雪の―」 ②[△灯・:灯火] あたりを明るくするもの。電灯・ともしびなど。「―をともす・―を点ける」 ●**あかりとり**[明かり取り] 日の光を取り入れる窓。

**あがり**[上がり] 一 あがり ①上がること。特に、ⓐ完成すること。「レッスンの―・一丁―」 ⓑ高くなること。「物価の―」(↔下がり) ⓒ収穫。収入。「―の多い仕事」 ⓓ〔すごろくで〕いちばん終わりの所(に行きつくこと)。(↔振り出し) ②〔少しけいべつして〕その身分・職業の出身。「役人の―」 ③〔すし店などで〕お茶。 由来 遊郭での客がまねて使うのをきらう人もいる。 「お茶」の忌みことば「上がり花」から。 二 造 ①上がること。「ふろ―・雨―」。特に、ⓐ完成すること。「原稿の書き―・仕立て―」 ⓑ〔小学校へ〕入学すること。「七つ―(=数え年七歳で入学)」 ②そこから回復したばかりの状態。「故障―の投手・病み―」 ③〔少しけいべつして〕その身分・職業の出身。「武士―の貴族」 ●**あがりがまち**[上がり(×框)] 家の上がり口にあたる床のはしをふちどる横木。あがりかまち。「―に腰かける」 ●**あがりこ・む**[上がり込む]《自五》あつかましくよその家のなかに〈はいりこむ/はいって、すわる〉。「人の家にえんりょなく―」 ●**あがりさがり**[上がり下がり]《名・自サ》上がったり下がったりすること。「価格が―する・―のある道」 ●**あがりしょう**[(上がり)症・(上がり)性] 人前であがり(=緊張し)やすい性質。 ●**あがりはな**[上がり(△端)]〔古風〕①土間または外から部屋に上がったすぐのところ。②上がりはじめ(の時期)。「物価の―」▽あがりばな。 ●**あがりめ**[上がり目] 一 あがりめ 目じりのほうがつり上がった目。 二 あがりめ ①上がりはじめる〈ところ/とき〉。「物価の―」 ②やや上がっていること。▽二 三(↔下がり目) ●**あがりゆ**[上がり湯] ふろを終わって出るとき、からだにかける、きれいな湯。おかゆ(陸湯)。かかりゆ。

←**あが・る**[挙がる]《自五》①〔質問などのため、手が〕上にのびる。「ひとつも手が挙がらない」 ②しめされる。「実例が―」 ③〔犯人が〕つかまる。 ④あらわれる。「名が―」

↔**あが・る**[揚がる]《自五》①あげものができあがる。「天ぷらが―」 ②〔はた・たこなどが〕空中高い位置に移る。「日の丸が―」 ③〔気持ちが〕高まり、強くなる。「意気が―」 名 揚がり。「からっとした―」

→****あが・る**[上がる] 一 あがる《自他五》〔人や動物が〕〈高い/上の〉位置に移る。「二階に―・舞台に―・玄関を―・段を―」(↔下がる・下りる) 区別「上がる」「上る」は、前よりも高い場所に移ることに重点があり、「上る」は、そこへ行く途中に重点がある。一階から二階へ行く場合は、途中は重要でないので「上がる」を使うが、一階から十階まで階段を使う場合は「上る」も使える。 二 あがる《自五》①〔ものなどが〕〈高い/上の〉位置になる。「遮断機が―・幕が―・上層部に情報が―・道が上がって(=上に続いて)いる」(↔下がる・下りる) ②位置がより上である。「目じりが上がっている」(↔下がる) ③高いところまで〔勢いよく〕〈のびる/とぶ〉。「ゆげが―・水しぶきが―」 ④〈高く/強く〉なって、はっきりわかる。「批判(の声)が―」 ⑤度合い(をあらわす数字)が高くなる。「温度が―・難易度が―」 ⑥金額が高くなる。「給料が―」 ⑦よくなる。向上する。「成績が―・うでが―」▽⑤～⑦(↔下がる) ⑧よくあらわれる。「成果が―・効果が―」 ⑨〔利益・収入などが〕得られる。「一日に二万円―」 ⑩〔座敷などに〕はいる。「どうぞお上がりください」 ⑪「相手の所へ〈行く/来る〉」の謙譲語。「ごあいさつに上がりました」 ⑫ふろ・船などから、出る。 ⑬[あがる・アガる] 緊張して、ものが言えなくなったりする。「人前で―」 ⑭〔神や仏に〕そなえられる。「仏壇に―」 ⑮はじめて学校にはいる。また、上の段階の学校・学年に移る。「〈小/中〉学校に―・六年に―」 ⑯加速して前へ出る。「〔レースで〕外側から―」 ⑰できあがる。しあがる。「きれいに―」 ⑱終わる。「練習が―・生理が―(=閉経する)」 ⑲仕事を終えて、帰る。「お先に上がります」 ⑳尽きる。「バッテリーが―」 ㉑雨がやむ。晴れる。「雨が―」 ㉒〔すごろくで〕いちばん終わりのところへはいる。 ㉓《トランプ・マージャンなど》勝負に勝って、終わる。 ㉔〔さかなや虫が〕死ぬ。 ㉕その金額ですむ。「五千円で―」 ㉖〔京都市中で〕北へ行く。(↔下がる) ㉗[アガる]〔俗〕気分が高まる。「―春ぐつ」 三 あがる《他五》「食べる・飲む」の尊敬語。「どうぞお上がりください」 四 造 ①動作が上のほうにおよぶ。「おどり―」 ②動作が強く、またははげしくおこなわれる。「ふるえ―」 ③終わる。できあがる。「書き―」 可能 上がれる。

＊**あかる・い**〔明るい〕《形》①光がじゅうぶん(でよく見える状態)だ。「—部屋」②黒や灰色をふくまない。「—色」③それから受ける感じがはれやかで、はずむような感じだ。「—見通し・—性格」④かけひきやうらおもてがない。明朗だ。「—政治」⑤よくわかっているようすだ。「町の事情に—」▽(↔暗い) 派 -さ。

**あかるみ**〔明るみ〕①あかるいところ。(↔暗がり) ②あかるく感じる状態。「視界に—を感じた」●**明るみに出る** 句 〔かくれていたことが〕世間に知られる。明るみになる。「不正が—」 ✎「出る」「なる」の二つの言い方があるのは、「公に出る」「公になる」と同じ。他 明るみに出す。「問題を—」

**あかる・む**〔明るむ〕《自五》①あかるくなる。「空が—」②はれやかになる。「心が—」

**あかワイン**〔赤ワイン〕こい赤色をしたワイン。ブドウの皮をつけたままつぶし、発酵させて造る。肉料理に合う。赤ぶどう酒。「—を入れてビーフシチューを作る」☞白ワイン・ロゼ。

**あかん** 連 〔関西方言〕いけない。だめだ。「言うたら—・買わな〔＝買わなければ〕—・—かった〔＝だめだった〕・—たれ〔＝だめな人〕」丁寧 あきまへん。あきません。由来「らちが明かぬ」から。

**あかんたい**〔亜寒帯〕《地》⇩冷帯。「—植物」(↔亜熱帯)

**あかんべ(ー)**《名・感》〔↑赤目。「アカンベ(ー)」とも書く〕下まぶたを指で下げて、うらの赤いところを見せる(と同時に舌を出す)こと。拒否・けいべつなどの気持ちを示す。べっかんこ〔古風・俗〕。あっかんべー。あかんべえ。「—をする」

**あかんぼう**〔赤(ん坊)〕①「赤ちゃん」の、ややそっけない言い方。②経験の少ない、子どもっぽい人。「何も知らない—」▽あかんぼ。

**あき**〔▵安▵芸〕旧国名の一つ。今の広島県の西部。芸州。

**あき**〔空き〕①すきま。②ひま。「—時間」③〈人/もの〉がはいっていないこと。「事務員の—〔＝欠員〕・—部屋」

＊**あき**〔秋〕四季の第三。夏の次で冬の前。すずしくてしのぎやすい季節。だいたい九・十・十一月〔旧暦では七・八・九月〕の三か月。〔こよみの上では、立秋から立冬の前日まで〕「読書の—」(↔春) ●**秋立つ** 句 〔雅〕立秋になる。秋が来る。●**秋の日はつるべ落とし** 句 秋は、日が暮れはじめると、すぐ暗くなる。

**あき**〔飽き・×厭き〕あきること。いやになること。「—が来ない」

**あきあき**〔飽き飽き・×厭き×厭き〕《名・自サ》あきて、これ以上は続けられない気持ちになること。「同じ話に—する」

**あきあじ**〔秋味〕①北海道で、秋にとれるさけ(鮭)。〔マスもふくむ〕②秋が旬の食材を使った料理(に合う飲み物)。

**あきいろ**〔秋色〕〔服装などで〕秋らしい色。茶色やむらさきなど、おちついた色。(↔春色) ☞しゅうしょく(秋色)。

**あきかぜ**〔秋風〕秋にふく、さわやかな ひんやりとした風。●**秋風が立つ** 句 ①秋風がふきはじめる。②恋人どうしや夫婦の間に飽きがくる。由来 ②は「秋・飽き」が同音なのと、ひんやりした感じから。

**あきかん**〔空き缶〕中身が からになった、かん。「ジュースの—」

**あきくさ**〔秋草〕秋に花のさく草。

**あきぐち**〔秋口〕秋の はじめのころ。

**あきご**〔秋▵蚕〕夏の終わりから秋にかけて飼うカイコ。あきこ。☞春蚕・夏蚕。

**あきざくら**〔秋桜〕コスモス。

**あきさむ**〔秋寒〕秋に感じる寒さ。

**あきさめ**〔秋雨〕秋に降る長雨。(↔春雨) ●**あきさめぜんせん**〔秋雨前線〕《天》夏の温かい空気と秋の冷たい空気がぶつかり合ってできる、秋雨を降らせる前線。☞停滞前線。

**あきしつ**〔空き室〕空室。

**あきしょう**〔飽き性・×厭き性〕ものごとに あきやすい性質。

**あきす**〔空き巣〕〔↑空き巣ねらい〕るすの家をねらってはいるどろぼう。「—にやられた・—にはいられる」〔もと「鳥のいない巣」。俗に、るすの家を言った〕

**あきぞら**〔秋空〕秋の、澄みきった空。

**あきたいぬ**〔秋田犬〕秋田県で改良された、大形で勇猛な日本犬。耳が立ち、がっしりした からだつき。天然記念物。あきたけん。

**あきたり・ない**〔飽き足りない〕《形ヌズ》満足できない。飽き足らない。「現状に—」丁寧 飽き足りません。派 -さ。

**あきち**〔空き地〕〔住宅街の中の〕〈建物の建っていない/使っていない〉土地。

**あきつしま**〔秋津島・秋津×洲〕〔雅〕日本国の古い呼び名。

**あきっぽ・い**〔飽きっぽい〕《形》すぐにあきる。あきやすい。「—性格」派 -さ。

**あぎと**〔(×腭)〕〔雅〕あご。「虎の—をのがれた思い」

**あきない**〔商い〕《名・他サ》①品物を売る職業。②品物の売り買い。「大—」▽商売。●**商いは牛のよだれ** 句 商売は、牛のよだれのように気長にやらなければならない。☞牛のよだれ。

**あきな・う**〔商う〕《他五》品物を売(り買いす)る。「呉服を—」

**あきなす**〔秋(：茄子)〕秋に とれるナス。●**秋なすは嫁に食わすな** 句 〔しゅうとめの立場から言ったことば〕①おいしい秋ナスをにくらしい嫁に食べさせるな。②秋ナスのように子種が少なくなるから、また、ナスはからだを冷やすから、秋ナスを嫁に食べさせるな。

**あきのそら**〔秋の空〕〔＝秋のころの天気〕変わりやすい心のたとえ。「〈男心/女心〉と—」

**あきのななくさ**〔秋の七草〕秋にさく、七種の花。ハギ(萩)・オバナ(尾花)〔＝ススキ〕・クズ(葛)・ナデシコ(撫子)・オミナエシ(女郎花)・フジバカマ(藤袴)・キキョウ(桔梗)。(↔春の七草)

**あきばしょ**〔秋場所〕大ずもうの、九月の興行。

**あきばれ**〔秋晴れ〕秋に、空がよく晴れること。

**あきびえ**〔秋冷え〕秋になって ひえこむこと。

**あきびより**〔秋日和〕秋の、いい天気。

**あきびん**〔空き瓶〕中身が からになった びん。

**あきふゆ**〔秋冬〕秋(物)と冬(物)をあわせた言い方。「—全品半額・—物」☞春夏。

**あきま**〔空き間〕①何も つまっていない空間。②すきま。③使っていない部屋。あきべや。

**あきまき**[秋×蒔き] 秋に草花や野菜のたねをまくこと。また、その品種。「一の一年草」

**あきめ・く**[秋めく]《自五》秋らしくなる。

**あきめくら**[明き(△盲)]〔古風・俗〕①〔学校へ行けなかったりして〕文字の読めない人。文盲(もんもう)。②ものごとの道理のわからない人。▽差別的なことば。

**あきもの**[秋物] 秋向けの衣服・アクセサリー。「一新作」(↔春物)

**あきや**[空き家] 人の住んでいないいえ。

**あきゅうど**[(△商△人)](あきうど)〔古風〕商人(しょうにん)。あきんど。あきうど。

****あきらか**[明らか] 🈔**あきらか**《ナダ》①だれにもよくわかるようす。はっきりしているようす。「一に不利だ」②〔かくれていたものが〕だれにも知られるようになった状態だ。「問題を一にする・不正が一になる」③〔雅〕あかるいようす。「月一な秋の夜」派一さ。🈔**あきらか**《副》〔俗〕明らかに。「それ、一おかしいよね」

**あきら・める**[明らめる]《他下一》〔文〕あきらかに〈する/さとる〉。「文学の本質を一」

***あきら・める**[諦める]《他下一》しようと思ったが、できそうにないので、やめる。望みを思い切る。断念する。名 諦め。「一がはやい」可能 諦められる。

**あ・きる**[飽きる・×厭きる]《自上一》①じゅうぶん満足して、いやになる。「お祭りさわぎには飽きた」②これ以上は続けたくないという気持ちになる。「勉強に一」

**あきれかえ・る**[(×呆れ)返(かへ)る]《自五》すっかりあきれる。あきれはてる。

**アキレスけん**[アキレス(×腱)]〔Achilles=ギリシャ神話の英雄(えいゆう)〕①〔生〕かかとの骨の上についているすじ。②大きな弱点。アキレス。「新政権の一」

**あきれは・てる**[(×呆れ)果てる]《自下一》心の底からあきれる。

**あき・れる**[(×呆れる)]《自下一》〈意外なので/あまりひどくて〉ことばも出ないほどおどろく。あっけにとられる。「あきれてものも言えない・聞いて一」

**あきんど**[(△商△人)]〔古風〕商人。あきゅうど。

**あく**[(:灰汁)] ①灰を水にひたしたときの、灰の成分をふくむ上澄(うわず)み。②野菜などから出る〈しぶい成分/しぶみ〉。「一ぬき」③〔料〕肉などを煮(に)こむときに出る、にごった肉汁(にくじゅう)。「一を〈すくう/とる〉」●**あくが強い** 句 個性がどぎつい。「一人・一文章」

**あく**[悪] 🈔**あく** ①悪い〈こと/おこない〉。罪悪。悪者。「絶対一・一に染まる・一と戦う」(↔善)②〔芝居〕かたきやく。🈔〔漢〕①悪い。「一天候・一条件・一代官」②まずい。「一送球」

**↔あ・く**[明く]《自五》①〔目がひらいて〕見えるようになる。「目が一」②かたがつく。「らちが明かない」③⇩開く🈔③。

**↔あ・く**[空く]《自五》①そこを〈ふさいで/満たして〉いたものがなくなる。「びんが一・席が一・ポストが一〔=欠員になる〕」②〔間が〕はなれる。「すきまが一・間隔(かんかく)が一」③用がすんで使わなくなる。「空いたら貸してくれ」④ひまになる。「手が一・予定が一」▽(↔ふさがる)

**↔あ・く**[開く] 🈔《自五》①ぴったりとさえぎっていたものが、ずらされたり、除かれたりする。「戸が一・幕が一・びんの口が一」(↔閉まる)②あわさっていたものの間にすきまができて、中が見えるようになる。「口が一・目が一」(↔閉じる)③はだが広く出る。明く。「背の開いた服」④〔穴が〕できる。「胃に穴が一」(↔ふさがる)⑤〔錠(じょう)が〕外れる。「かぎが一」(↔閉まる)⑥〔営業が〕始まる。「店が一」(↔閉まる)▽ひらく。🈔《他五》〔自然に〕あける。「口を一・目を一」●**開いた口がふさがらない** 句 おどろきあきれて、何も言えなくなるようす。「応対のひどさに一」

**あ・く**[飽く]《自五》〔同じことが続いて〕いやになる。あきる。「一ことを知らない・菜の葉に飽いたら桜にとまれ」⇨飽かず・飽くなき。

**アクアパッツァ**[イ acqua pazza]〔白身の〕さかなを焼いてから、白ワインや水を加えて煮(に)たイタリア料理。貝やトマトを入れることもある。「タイの一」

**アクアビクス**〔和製 aquabics←aqua aerobics〕水につかり、音楽に合わせておこなう運動。アクアロビクス。

**アクアラング**[Aqua-Lung=商標名] ⇩スキューバ。

**アクアリウム**[aquarium] ①水族館。②熱帯魚などを飼う水槽(すいそう)。⇨テラリウム。

**あくい**[悪意] ①相手に苦痛をあたえようとする、よくない気持ち。わるぎ。「一があってやったわけではない」②悪い意味。「一にとる」③〔法〕問題となるような一定の事情を知っていること。「一の第三者による取引」▽(↔善意)

**あくうん**[悪運] ①悪いことをしても、むくいを受けないですむ運。「一がつきる」②悪い運。「一を招く」●**悪運が強い** 句 ①悪いことをしても、まるでむくいを受けない。②ひどい目にあっても、うまく助かる。▽悪運強(づよ)い。

**あくえいきょう**[悪影響] 悪い影響。

**あくえき**[悪疫]〔文〕悪性の流行病。

**あくえきしつ**[悪液質]〔医〕がん(癌)などが進行して、筋肉が減り、やせてくる状態。「がん性一」

**あくえん**[悪縁]〔文〕①悪い縁。「政治と金の一を断ち切る」②どうしてもはなれられない縁。くされえん。「一の深い二人・貧乏(びんぼう)生活と一がある」

**あくか**[悪貨] ⇩あっか(悪貨)。

**あくかんじょう**[悪感情] ある人やものをきらう気持ち。あっかんじょう。「不用意な発言で相手に一を持たれる」

**あくぎゃく**[悪逆]《名・ナダ》〔文〕人の道にそむいた、ひどいこと。悪いおこない。「一無道・一の限りを尽(つ)くす」派一さ。

**あくぎょう**[悪行] 人の道にそむいた悪いおこない。「一をはたらく・一を重ねる」⇨悪業(あくごう)。

**あくごう**[悪業]〔仏〕あとでむくいを受ける、悪いおこない。「前世(ぜんせ)の一のむくい」⇨悪行(あくぎょう)。

**あくさい**[悪才]〔文〕悪いことを考える才能。「一にたけた男」

**あくさい**[悪妻] 夫をだいじに思わない、悪い妻。〔昔から、妻のがわだけをとがめるのに使ったことば。「悪夫」とはほとんど言わない〕(↔良妻)

**あくじ**[悪事] 悪いこと。「一をはたらく」(↔善事) ●**悪事千里を走る** 句 悪いことは、すぐ世間に知れわたる。

**あくじき**[悪食] ①ふつうの〈人/動物〉には食べられない変わったものを食べること。いかものぐい。「一家(か)」②

宗教上食べてはいけないものを食べること。③粗末なものを食べること。

**あくしつ**［悪疾］〔文〕〔人に言えない〕悪い病気。梅毒など。「―になやむ」

**あくしつ**［悪質］《名・ナダ》①たちが悪いようす。「―ないたずら・―な業者・―な病気」②〔古風〕品質が悪いこと。「―なえんぴつ」(↔良質) 派 -さ。

☆☆**アクシデント**〔accident〕意外なできごと。事故。

**あくしゅ**［悪手］①《碁・将棋など》不利になる悪い手。(↔好手) ②〔文〕悪い判断ややり方。

**あくしゅ**［握手］《名・自サ》①〔あいさつとして、また親しみや感謝の気持ちをあらわすために〕手をにぎりあうこと。「―会」②仲直りすること。「技術提携で両社は―した」●**あくしゅ ぜめ**［握手攻め］〔めいわくと思うほど〕多くの人に握手を求められること。「―にあう」

**あくしゅう**［悪臭］気持ちが悪くなるような、いやなにおい。「―を放つ」

**あくしゅう**［悪習］〔おもに個人の〕悪い習慣。「―にふける」

**あくしゅみ**［悪趣味］《名・ナダ》①下品な趣味。洗練されない趣味。②人を困らせて喜ぶ趣味。

**あくじゅんかん**［悪循環］一つの原因が悪い結果を生み、それがまたいっそう悪い結果を生むこと。「―におちいる」(↔好循環)

**あくしょ**［悪所］①〔文〕山道などの、危険な所。難所。②遊郭。「―通い」

**あくしょ**［悪書］〔特に青少年の〕読者に悪い影響をあたえる本。「―追放」(↔良書)

**あくじょ**［悪女］①男をもてあそぶ女。小悪魔。「―の魅力」②〔広い意味で〕悪い女。「ソクラテスの妻は―だ」③〔古風〕顔の みにくい女。醜女。●**悪女の深情け** 句 顔の みにくい女は愛情が深い(のでありがためいわくだ)。醜女の深情け。

**あくしょう**［悪性］《名・ナダ》〔古風〕身持ちが悪いこと。うわきをすること。「―者」☞あくせい(悪性)。

**アクション**〔action〕①動作。行動。「―を起こす」②俳優の演技。特に、格闘などで はでな演技を見せるもの。「―ドラマ(=活劇)」

**あくしん**［悪心］悪事をおこなおうとする〈心/考え〉。「―をいだく」(↔善心)

**アクセ** →アクセサリー①。「ヘアー」

**あくせい**［悪声］不快に聞こえる声。(↔美声)

**あくせい**［悪性］①たちが悪いこと。「―のインフレ」②《医》治療がむずかしいこと。「―のインフルエンザ・―腫瘍(=がん・肉腫などをまとめた呼び名)・―新生物(=悪性腫瘍)」▽(↔良性) ☞あくしょう(悪性)。●**あくせい こくしょくしゅ**［悪性黒色腫］《医》手や足、顔などにできる、悪性の皮膚がん(癌)。メラノーマ。

**あくせい**［悪政］悪い政治。「―を正す」(↔善政)

**あくぜい**［悪税］取り立てるのが不当な、悪い税金。

**あくせく**［(×齷×齪)・(×偓△促)］《副・自サ》心にゆとりをもたない(で働く)ようす。「―(と)働く」

**アクセサリー**〔accessory〕①洋服を引き立てるため、身につけたり、手に持ったりする小さな物。ブローチ・イヤリング・ネックレス・ハンドバッグなど。アクセ。②器械などの付属品。「カメラの―」③かざりもの。「学歴を―にする」④《情》コンピューターについている、簡単なソフトウエア。ガジェット。▽アクセサリ。

**アクセシビリティ(ー)**〔accessibility〕ある場所や情報への到達のしやすさ。みんなが簡単に利用できること。「―を高める・ウェブ―(=ウェブページの利用のしやすさ)」

☆☆**アクセス**《名・自サ》〔access〕①目的地への行き方や交通の便。「交通―・都心への―」②〔インターネットで〕求める情報に接すること。「ホームページに―する」③参入すること。「対日市場に―する」④《情》コンピューターの記憶装置に対して、データの書きこみ・読み出しをおこなうこと。●**アクセスけん**［アクセス権］①公共の機関に文書・情報の公開を求める権利。②マスメディアを利用して意見を発表する権利。●**アクセスポイント**〔access point〕《情》パソコンなどの端末を無線でインターネットに接続できるようにする送受信機(が置かれた場所)。無線LANアクセスポイント。

**アクセル**〔←accelerator〕①《自動車》足でふんで速度を増す装置。加速ペダル。「―をふかす」②動きを速めるもの。「改革への―をふむ」▽(↔ブレーキ)

**アクセル**〔axel=もと、人名〕《フィギュアスケート》いちばん難しいジャンプ。前向きで ふみ切るのは これだけ。「トリプル(=三回転半)―」☞ジャンプ④。

**あくせん**［悪銭］〈悪いことをして/働かないで〉手に入れた お金。●**悪銭身につかず** 句 悪銭は むだづかいをして、すぐ なくなってしまうものだ。

**あくせんくとう**［悪戦苦闘］《名・自サ》①不利な戦争で、苦しみながら戦うこと。②不利な状況で、苦しみながら努力すること。「―の末」

**あくせんでん**［悪宣伝］《名・自サ》相手をおとしいれるための、たちの悪い宣伝(をすること)。ネガティブ キャンペーン。

**アクセント**〔accent〕①《言》習慣として一つのことばのある部分を、強く、あるいは高く発音すること。また、その部分。『橋』と『箸』は―が ちがう」〔この辞書では、音の下がり目の有無や位置に関する情報をさす。☞付録 アクセント解説〕☞イントネーション。②強調(点)。「この点に―を置く」③少しつけ加えて全体を引き立てるもの。「リボンで髪に―をつける・料理の―」

**あくそう**［悪相］悪人らしい顔。よくない印象をあたえる、みにくい顔。「―の俳優」

**あくそう**［悪僧］〔文〕①悪いことをする僧。②あらあらしい僧。

**あくそうきゅう**［悪送球］《名・他サ》《野球》野手が、相手の受けられないような、悪いボールをなげること。悪投。☞暴投。

**あくた**［(×芥)］〔文〕ごみ。ちり。

**あくたい**［悪態］わるくち。にくまれぐち。「―をつく(=ひどい悪口を言う)」

**あくだま**［悪玉］①悪人(の役)。②悪い はたらきをするもの。「―コレステロール(⇩LDLコレステロール)・―菌」▽(↔善玉)

**あくたれ**［悪たれ］①乱暴をする〈こと/男の子〉。ひどいいたずら。②にくまれ口。悪態。「―をつく」動 悪たれる《自下一》。

**あくたろう**［悪太郎］〔古風・俗〕いたずらな男の子。
**アクチュアル**《ナダ》〔actual〕現実的。実際の。
**アクティビティ（ー）**〔activity〕①活動。「野外での—」②《情》利用〈した/された〉状況。「ツイッターの—」
**アクティブ** ㊀《ナダ》〔active〕①積極的。活動的。「—に行動する・—ラーニング〔=参加型の能動的な学習方法〕」（↔パッシブ）②《情》〔コンピューターで〕まさにいま操作できる状態（のほうの）。「—ウインドウ・—になっている」㊁〔ロ aktiv〕〔労働組合・政治団体の中で〕積極（的な活動）分子。活動家。▽㊀㊁アクチブ。
**アクティベート**《名・自他サ》〔activate〕《情》認証を受け、アカウント・ソフトウェア・機能などを使えるようにすること。有効化。
**あくてん**［悪天］悪い天候。悪天候。「—をついて出発」（↔好天）
**あくど・い**《形》①〔やり方が〕ひどくて たちが悪い。「—商売」②ふつうより どぎつくて、いやな感じだ。「—色」 由来「くどい」に接頭語「あ」がついたもので、「悪」とは関係がない。 表記 俗に「悪どい」とも。 派 -さ。
**あくとう**［悪党］悪人（のなかま）。
**あくとう**［悪投］《名・他サ》《野球》⇩悪送球。
**あくどう**［悪童］〔文〕悪さをする子ども。悪がき〔俗〕。
**あくとく**［悪徳］①道徳に そむいたこと。「軽々しく人をきらうのは—だ」（↔美徳）②きたない方法を使ってもうけていること。「—業者・—商法・—医師」
**あくなき**［飽くなき］《連体》これで満足した、ということのない。「—野望」
**あくにん**［悪人］わるもの。悪漢。（↔善人）
**あくぬき**［(:灰汁)抜き］《名・他サ》〔野菜などの〕しぶみや えぐみを取り去ること。
**あくぬけ**［(:灰汁)抜け］《名・自サ》①〔水にさらした野菜などの〕あくがぬけて、味がすっきりすること。②すっきりと洗練されること。あかぬけ。「—した人」③《経》〔相場などが〕悪い状態になりきって、よくなる条件が整うこと。
**あぐ・ねる**［(×倦ねる)］造〔動下一をつくる〕あぐむ。「考え—」

**あくねん**［悪念］〔文〕相手に対して悪事をはたらこうと思う気持ち。
**あくば**［悪婆］〔文〕〈いじの悪そうな/鬼のようなこわい〉顔をしたおばあさん。
**あくば**［悪罵］《名・他サ》〔文〕ひどい わるくち（を言うこと）。「—をあびせる」
**あくび**［(:欠伸)・アクビ］《名・自サ》ねむけや退屈などのため、口を大きくあけて呼吸すること。また、その息。「—をもらす」
**あくひつ**［悪筆］へたな字。（↔達筆）
**あくひょう**［悪評］《名・他サ》悪い〈評判/批評〉。（↔好評）
**あくびょうどう**［悪平等］《名・ナダ》〈悪い意味の/形だけの〉平等。派 -さ。
**あくふう**［悪風］〔文〕〔おもに社会の〕悪い習慣。
**あくぶん**［悪文］意味がよく通らない、または、〈表現のしかたの悪い/へたな〉文章。（↔名文）
**あくへい**［悪弊］社会の悪い習慣によって起こる弊害。悪習。「—を除く」
**あくへき**［悪癖］〔文〕悪い くせ。
**あくほう**［悪法］悪い〈法律/宗教上のおしえ〉。
**あくま**［悪魔］①人を苦しめたり、悪の道に さそったりする、おそろしい ばけもの。デビル。「—の ささやき〔=ふと心に うかぶ、悪い考え〕・—の食べ物〔=おいしくて、やめられなくなる食べ物〕」②「悪魔①」のような人物。「あの人は—だ」▽（↔神・天使）●**あくまのしょうめい**［悪魔の証明］「それがない」ことを示すという、ほとんど不可能な証明。例、「ある本に誤植が まったくない」という証明。
***あくまで**［(飽くまで)］《副》①どこまでも。どんなことがあっても。「—拒否する」②それをふまえる必要があることをあらわす。「こうしたケースは—例外だ・—本人が決めることだ」▽あくまでも。
**あくみょう**［悪名］悪い評判。あくめい。「—高い大親分」
**あくむ**［悪夢］〔縁起の〕悪い ゆめ。●**悪夢から覚める** 句 自分のした〈あやまち/悪いこと〉に気がつく。
**あぐ・む**［(×倦む)］造〔動五をつくる〕①同じことを続けても どうにもならず、いやになる。「考え—」②もてあます。「攻め—」▽あぐねる。名 あぐみ。「売り—」

**アクメ**〔フ acmé〕オーガズム。
**あくめい**［悪名］⇩あくみょう。
**あくもん**［悪問］悪い〈問題/質問〉。（↔良問）
**あくやく**［悪役］①《芝居》悪人の役（をする役者）。②他人からにくまれる立場。「—に徹する」▽ヒール。
**あくやく**［悪訳］〈文章のへたな/誤りの多い〉翻訳。（↔良訳）
**あくゆう**［悪友］①悪い友だち。（↔良友）②親友を、ふざけて悪く言うことば。「学生時代の—」
**あくよう**［悪用］《名・他サ》悪いことに使うこと。使って悪いことをすること。「制度を—する・外交特権の—」（↔善用）
**あぐら**［(:胡坐)・(:胡座)］両足を前に組んで すわるすわり方。●**あぐらをかく** 句 ①両足を前に組んですわる。②〔何かに たよって〕努力をおこたる。「過去の栄光の上に—」
**あくらつ**［悪辣］《ナダ》人情を考えない、ひどいやり方のようす。「—な手段」派 -さ。
**アグリ** 造〔agri〕農業（関連）の。「—事業」
**アグリー**《名・自サ》〔agree〕同意。賛成。「その案に—です」
**あくりょう**［悪霊］たたりをすると言われる、死人の魂。あくれい。「—が取りつく」
**あくりょく**［握力］ものをにぎる力。「—計」
**アクリル**〔ド Acryl〕①（↑アクリル樹脂）合成樹脂の一種。「—板・—キーホルダー〔略して『アクキー』〕」②（↑アクリル繊維）「アクリル①」で作った、羊毛に似た手ざわりの合成繊維。③（↑アクリル絵の具）《美術》「アクリル①」をまぜた絵の具。一度かわくと、水にとけにくい。
**あくる**［明くる］《連体》〔夜・年が明けて〕次の。「—朝・—十五日・—年」●**あくるひ**［明くる日］次の日。翌日。
**あくれい**［悪例］〔文〕悪い（先）例。「—を残す」
☆☆**アグレッシブ**《ナダ》〔aggressive〕攻撃的。挑戦的。積極的。

あ

**あくれば**[明くれば]《副》〔文〕夜が明けると。「—雲一つない快晴である」

**アグレマン**〔フ agrément=同意〕大使や公使を送る前に、先方の国からもらう承認。

**あくろ**[悪路]でこぼこしたりして通りにくい道。悪い道。

**アクロバット**〔acrobat〕〈曲芸〈かるわざ〉をすること。「—飛行」

**アクロバティック**《ナダ》〔acrobatic〕かるわざをするようす。曲芸的。アクロバチック。「—な おどり」

**あけ**[△朱・×緋]〔雅〕まっかな色。●**朱に染まる** 句 ①まっかになる。②血だらけになる。

**あけ**[明け]①夜が明けること。よあけ。「—の星」②〔ある期間が〕終わること。「休暇—・宿直の—の日」③〔馬などの〕数え年による、年の数え方。「—三歳(↕満三歳)」

←**あげ**[上げ]①上げること。「〔校正で〕一字—」②〔経〕〔相場の〕上昇。「—幅」▽(↕下げ)③[揚げ]〔服〕あとで長くできるように、着物の肩・腰にぬいこんでおくひだ(襞)。④[アゲ]〔俗〕気分を高めること。「テンション—で行こう！」☞アゲアゲ。

→**あげ**[揚げ]①〔油で〕あげること。あげたもの。天ぷら。「精進—・—ギョーザ」②↑あぶらあげ。③⇩上げ③。

**あげあげ**[アゲアゲ]〔俗〕気分が高まって、おどり出したくなるようす。「テンション—」

**あげあし**[揚げ足]〔=すもうなどで、宙にうき上がった足〕ことばじり。表現の小さな誤り。「—の取り合い」●☆☆**揚げ足を取る** 句 人の発言・表現の、小さな部分をとらえて、悪く言う。揚げ足取りをする。「人の まちがいの—」

**あげあぶら**[揚げ油]あげものに使う油。

**あげいた**[上げ板・揚げ板]床下の物を出し入れするために取り外せるようにした、台所などの板の間の板。

**あげおろし**[上げ下ろし]《名・他サ》上げ下げ。積み下ろし。「荷物の—」☞箸の上げ下ろし。

**あけがた**[明け方]空が明るくなって、太陽が出るころ。夜明け。〔気象では午前三時ごろから午前六時ごろ〕(↕暮れ方)

**あげく**[〔挙げ句〕・〔揚げ句〕]①いろいろやったあと。結局。「苦しみの—の結論」〔接続助詞・接続詞にも使う。「さがしまわった—、見つけ出した・—、こう考えた」〕☞そのあげく。②〔①の由来〕連歌・連句の最後の句。☞発句②・脇 ━⑦。●☆☆**あげくのはて**[〔挙げ句の〕果て]〔多く、あきれた気持ちをこめて〕「あげく①」を強めた言い方。「—に(は)にげ出した・—は暴力ざただ」

**あけくれ**[明け暮れ]━ 朝晩。まいにち。「平凡な—」━《副》いつも。「—案じている」

**あけく・れる**[明け暮れる]《自下一》①月日が過ぎる。②毎日…している。「なみだに—〔=毎日泣いている〕・練習に—」

**あげさげ**[上げ下げ]《名・自他サ》①上げることと下げること。「窓の—・物価の—」②ほめることとけなすこと。③〔潮の〕満ちることと引くこと。

**あげしお**[上げ潮]①海の水が満ちてきて、海面が高くなる〈こと／状態〉。満潮。みちしお。(↕下げ潮・引き潮)②調子が上向きであること。「—に乗る」

**あけしめ**[開け閉め]《名・他サ》〔ドア・窓などを〕あけることと しめること。あけたて。開閉。「—は静かに」

**あけすけ**[〔明け透け〕]《ナダ》かくさずに、なんでも えんりょなしに言うようす。「—に言う・—な態度」

**あげぜん**[上げ膳]①すわっている所へ、用意のできたお膳を持ってくること。「—下げ膳」②下げ膳。●**あげぜんすえぜん**[上げ膳据え膳]すわったままで何もしないこと。

**あげぞこ**[上げ底]①底を高く〈すること／したもの〉。中身を多く見せたり、背を高く見せたりする。「—の箱・—靴」②見せかけだけで実態が ともなっていないもの。「—景気」

**あげだし**[揚げ出し]とうふやナスに かたくり粉をつけて油で軽くあげ、出しじるをかけた料理。「—どうふ」

**あけたて**[開け(△閉て)]《名・他サ》〔戸・障子などを〕あけることと しめること。あけしめ。開閉。

**あげたて**[揚げ(立て)]〔油で〕揚げたばかりの状態。「—のコロッケ」

**あげだま**[揚げ玉]てんかす。〔多く東日本で言う〕

**あけっぱなし**[開けっ放し]《名・ナダ》①あけたままにしておくこと。あけはなし。②包みかくそうと しないようす。あけっぴろげ。動開けっ放す《他五》。

**あけっぴろげ**[開けっ広げ]《名・ナダ》①すっかりあけて広げること。②心をすっかり ひらくようす。あけっぱなし。開放的。「—な性格」動開けっ広げる《他下一》。

☆☆**あげつら・う**[(△論う)]《他五》〔発音はアゲツローとも〕〔おもに批判する気持ちで、また細かなことを取り上げて〕議論する。「欠点を—・ささいなことを—」名あげつらい。

**あけて**[明けて]《副》〔↑年が明けて〕〔文〕新年になって。「—おととしの春・—〔=数え年で〕三十六歳」☞とって ━。●**あけても・くれても**[明けても暮れても]《副》しょっちゅう。年がら年じゅう。

**あげて**[挙げて] ━ 連 全体にわたって。こぞって。「国を—取り組む」━《副》〔文〕いちいち(取り立てて)。「—かぞうべからず〔=数えられない〕」

**あげどまり**[上げ止まり]上がり続けていた相場や数値が、ある水準で止まって、それ以上は上がらなくなること。(↕下げ止まり)動上げ止まる《自五》。

**あげなべ**[揚げ鍋]天ぷらなどをあげるための、口の広いなべ。

**あけに**[明け荷]〔すもう〕まわしやけしょうまわしなどを入れる、長方形の箱。関取が使う。

**あげに**[揚げ煮]《料》野菜や肉、さかなどを油で揚げてから、味つけをして煮る〈こと／料理〉。「なすの—」

**あけのこ・る**[明け残る]《自五》〔雅〕夜が明けても、月や星がまだ空に見えている。

**あけのみょうじょう**[明けの明星]夜明け前に東の空に見える金星。(↕宵の明星)

**あげはちょう**[(揚羽×蝶)]黄色いはねに黒いすじやまだらのある、大形のチョウ。あげは。

**あけはな・す**[開け放す]《他五》〔戸・窓などを〕すっかりあける。あけはなつ。名開け放し。

**あけはな・れる**[明け放れる・明け離れる]《自下一》夜がすっかり明ける。

**あけはら・う**【開け払う】ーはらふ《他五》すっかりあける。「戸をー」

**あけばん**【明け番】〔交替(こうたい)制の勤務で〕決められた時間の勤務が〈終わること／終わったあとの休みの日〉。

**あげパン**【揚げパン】油で揚げたパン。砂糖やきなこをまぶしたパン、カレーパンなど。「給食のー」

**あけび**【〈木通〉・〈通草〉】つるのある木の名。秋、むらさきの実がなり、皮がたてにさける。

**あげびたし**【揚げ浸し】野菜・さかななどを油であげて、つけじるにつけた料理。「ナスのー」

**あげひばり**【揚げ〈雲雀〉】〔雅〕空に高くまい上がるヒバリ。

**あげぶた**【上げ〈蓋〉・揚げ〈蓋〉】はね上げて ものを出し入れする、ふた。〔住宅で、二階へ上がる階段の上につけることもある〕

**あけぼの**【〈曙〉】①〔雅〕夜明けに、空が白みはじめるころ。あかつき。あけがた。②ものごとの はじまる時期。「近代のー」

**あげまく**【揚げ幕】《芝居》能楽の橋懸(はしが)かり、歌舞伎(かぶき)の花道と、ひかえ室とをへだてる幕。

**あけまして‐おめでとう**【明けましておめでとう】ーおめでたう《感》新年を無事にむかえられたことをたがいに祝う あいさつ。〔松の内《一月七日ごろ》または小正月《一月十五日ごろ》まで使える。二十世紀末から、俗に「あけおめ」と略し、「ことよろ《＝今年もよろしく》」といっしょに使う〕「新年ー」〔☞「明ける②」の✎〕［丁寧］明けましておめでとうございます。

**あけみ**【〈朱〉実】〔雅〕あかい実。

**あけむつ**【明け六つ】〔江戸(えど)時代の時刻で〕明けがたの六つ時(どき)。今の午前六時ごろ。(↔暮れ六つ)

**あげもの**【揚げ物】油で あげ〈たもの／ること〉。

**あげやき**【揚げ焼き】《名・他サ》《料》フライパンに材料が少し つかるくらいの量の油を入れ、揚げるように焼く〈こと／料理〉。「春巻きをーにする」

**あけやらぬ**【明けやらぬ】《連体》じゅうぶん明けきっていない。「いまだー空」

←**あ・ける**【明ける】《自下一》①明るくなる。朝になる。「夜(よ)がー」②新しい年になる。「年がー・新年がー」

✎「新年が明けたら その翌年になってしまう」という意見があるが、「湯が沸(わ)く」と同じで、「新年が」は結果をあらわす。ただし、「朝が明ける」とは言わない。☞結果目的語。▽(↔暮れる) ③〔その期間が〕終わる。「年期がー・喪(も)がー・CMがー」☞明くれば・明けて。

↔**あ・ける**【空ける】《他下一》①そこを〈ふさいで／満たして〉いたものを除く。からにする。「家をー・席をー・ボトルを一本ー」②〔間を〕はなす。「すきまをー・間隔(かんかく)をー」③ひまにする。「手をー・スケジュールをー」▽(↔ふさぐ) ［可能］空けられる。空けれる〔俗〕。

→**あ・ける**【開ける】《他下一》①ぴったりと さえぎっていたものを、ずらしたり除いたりする。「ドアをー・カーテンをー・ジュースの せんをー・横によけて通路をー」(↔閉める) ②あわさっていたものの間に すきまを作って、中が見えるようにする。「口をー・目をー・本をー」(↔閉じる) ③〔穴を〕つくる。「かべに穴をー」(↔ふさぐ) ④〔錠(じょう)を〕外す。「かぎをー」(↔閉める) ⑤〔営業を〕始める。「店をー」(↔閉める) ▽ひらく。［可能］開けられる。開けれる〔俗〕。

←**あ・げる** ㊀**あげる**【上げる】《他下一》①上のほうへ動かす。「手をー・頭をー」(↔下げる) ②高い場所へ移す。「たなに物をー・上司に報告をー」(↔下ろす) ③高いところまで(勢いよく)〈のぼす／とばす〉。「ほのおをー・しぶきをー」④度合い(をあらわす数字)を高くする。「温度をー・音量をー」⑤金額を高くする。「給料をー」⑥よく あらわれるようにする。「効果をー・利益をー・よい成績をー」⑦よくする。「英語の成績をー・順位をー・女をー《＝評判を上げる》」⑧りっぱだと言う。ほめる。「上げたり下げたり」▽④～⑧(↔下げる) ⑨〔声を〕大きく出す。「気勢をー」⑩神仏にそなえる。「線香(せんこう)をー・仏さまにお経(きょう)をー」⑪〔インターネット上に〕アップロードする。公開する。「ネットに画像をー」⑫「やる㊀③」よりも ていねいな言い方。〔それほど あらたまる必要のない相手に使う〕「いいものをーよ・それあげますから持って行ってください」⑬〔胃から〕はく。「食べた物をー」⑭〔大きな さかなを〕つりあげる。「タイをー・ハゼを一束(いっそく)《＝百ぴき》ー」⑮家の中・座敷(ざしき)などへ入れる。「客を家にー・芸者をー」⑯〔かみを〕ゆってきれいにする。「おぐしをー」⑰学校などに入れる。「小学校にー」⑱手順をふんで終える。「バイエルをー・法案を国会でー」⑲その金額で すませる。「会費を一万円でー」⑳〔アゲる〕〔俗〕気分を高める。「オーディエンス《＝観客》をー」㊁**あげる**【上げる】《自下一》①〔海面が〕高くなる。「潮がー」②《経》〔相場が〕上昇(じょうしょう)する。「金融(きんゆう)株がー」▽(↔下げる) ③吐(は)き出される。「胸が上げそうだ」㊂【上げる】［造］①すっかり…する。最後まで…する。「刷りー」②思いきり…する。「おどしー・どなりー」③相手への行為(こうい)をけんそんして言う。「申しー・存じー」㊃**あげる**《補動下一》〔てー〕「てやる」よりも ていねいな言い方。〔それほど あらたまる必要のない相手に使う〕「やってー〔くだけて『やったげる』とも〕・私が持ってあげましょう〔やや おしつけがましい。『持ちますよ』などで じゅうぶん〕」

✎(1)相手にあたえる意味の「あげる」は、古くは謙譲(けんじょう)語だったが、しだいに目上には使いにくくなった。現在は「さしあげる」がふつう。☞さしあげる。(2)子どもや動植物には、以前は「やる」を使ったが、ぞんざいに感じられるようになり、戦後、「ハトに えさをあげる」のように「あげる」を使う人がふえた。(3)ものに対しては「やる」も「あげる」も使わなかったが、理科系では「値(あたい)を代入してやる(↑代入する)」のように言う例が戦前からあった。現代では「〔料理の説明で〕ごはんをほぐしてあげると(↑ほぐすと)いいんです」のように言う人がふえた。(4)「自分を信じてあげる(↑信じる)」のように、自分に使う人もふえた。「自分にごほうびをあげる」とも言う。［可能］上げられる。上げれる〔俗〕。

↔**あ・げる**【挙げる】《他下一》①〔質問したり意思をあらわしたりするために、うでまたは手を〕上のほうへのばす。「手を挙げて答える」(↔下ろす) ②出して見せる。しめす。「実例をー」③全部を出す。「全力をー・国を挙げて〔⇩挙げて㊀〕」④〔犯人を〕とらえる。⑤〔式をみんなの前で〕おこなう。⑥世間に知らせる。「名をー」⑦大ぜいの人を一度に動かす。「兵をー」⑧生む。「三人の子をー」⑨〔点数を〕入れる。「先取点をー」［可能］挙げられる。挙げれる〔俗〕。

→**あ・げる**【揚げる】《他下一》①調理のため、温度を上げた油の中に入れて熱を加える。「天ぷらを—・コロッケを—」②[上げる]〔はた・たこなどを〕空中高い位置に移す。(↔降ろす) ③船から陸に移す。「荷を—」

**あけわた・す**[明け渡す]《他五》家・部屋・城などを立ちのいて、他人にわたす。「土地を—」[名]明け渡し。

**あけわた・る**[明け渡る]《自五》夜がすっかり明ける。

**アゲンスト**〔against〕①進行をさまたげるもの。「—にたえる」②《ゴルフなど》向かい風。(↔フォロー) ▽逆風。アゲインスト。

**あこ**[×吾子]《代》〔雅〕自分の子を親しんで呼ぶ言い方。わが子。

**あご**[(顎)・(×腭)]①口の上下の、歯のはえているかたい所。②下くちびるの下の所。おとがい。「—が落ちるほどおいしい・二重—」③〔さかなの〕えら。④機械・道具などの部分で、「あご①」のような形をして、ひらいたりとじたりする所。「モンキーレンチの—」●**あごが干上がる**[句] 収入がとだえて、食べられなくなる。●**あごで使う**[句] えらそうな態度で人を使う。●**あごを出す**[句] 非常につかれ(て動けなくな)る。へばる。あごが上がる。[句] 直 あごが出る。●**あごをな(撫)でる**[句] ①得意なとき、余裕があるときなどの動作。②ものを考えるとき、しかたがないときなどの動作。●**あごを外す**[句] 大笑いする。爆笑する。

**あご**〔九州・日本海側の方言〕⇩とびうお。「—だし」

**あごあし**[アゴアシ]〔=あごと足〕〔俗〕食事代と交通費。「—つきのアルバイト・—マクラ〔=宿泊費〕」〔もと、芸能界の用語〕

**あこうだい**[(△赤△魚×鯛)]①深い海にすむ さかな。からだは赤く、タイよりも細身。あこう。②メヌケを切り身やかすづけにして売るときの名。

**アコースティック**《ナダ》〔acoustic〕〔電気的な増幅をしないで〕その楽器の生の音色であるようす。「—なサウンド」●**アコースティック ギター**〔acoustic guitar〕《音》エレキギターに対して、ふつうのギター。生ギター。アコギ〔俗〕。

**アコーディオン**〔accordion〕①《音》胴をのばしたりたたんだりしながら、両がわの鍵盤またはボタンをおして鳴らす楽器。手風琴。②折りたたみ式にのばしたりたたんだりできるもの。「—プリーツ・—ドア」▽アコーデオン。

**あこが・れる**[憧れる・△憬れる]《自下一》①自分が理想とする身分や状態になりたい、また、そこへ行きたいと強くのぞむ。「歌手に—・山に—」②恋心をいだく。[名]憧れ。

☆☆**あこぎ**[(×阿×漕)]《ナダ》限りなく むさぼるようす。貪欲で、無情なようす。「—なやり方」[派]-さ。

**アコギ**〔俗〕↑アコースティック ギター。(↔エレキ)

**あごひも**[(顎×紐)] 帽子についていて、かぶるときあごにかける ひも。

**あさ**[麻]①草の名。葉は、カエデに似て切れが深い。アマ・タイマ・ラミーなどをふくむ。②「麻①」の繊維からとった糸。あさいと。「綿と—の混紡」③「麻②」で織った布。あさぬの。「—袋」●**麻のごとく乱れる**[句]〔世の中が〕めちゃくちゃに乱れる。「天下が—」

**あさ[朝]　夜が明けてからの数時間。「—早く起きる・旅立ちの—をむかえる・—に晩に〔=いつも〕練習する」(↔夕)

**あざ**[字]①村の中にある、区域の名。②⇩小字。

**あざ**[(×痣)・アザ] 内出血や色素の異常などによって皮膚にできる、赤色や青色の広がり。「青—」

**あさあけ**[朝明け]〔雅〕明けがた。あさぼらけ。

**アサーション**《名・自サ》〔assertion=主張〕 自分の気持ちや意見を適切に伝える方法。「—スキル」

**あさ・い**[浅い]《形》①底までの距離が短い。「—池・—谷」②位置が表面に近い。「—所にすむ さかな」③それほど奥まで行かない。「浅く守る・—打球」④度合いが少ない。「色が—・考えが—・理解が—」⑤長くたっていない。「日が—・春まだ—」▽(↔深い)[派]-さ。

**アサイー**〔ポ açai〕 ヤシの木になる、赤黒いくだもの。南米ブラジルのアマゾン川流域が原産。味はうすく、あまみを足してジュースにする。アサイ。

**あさいち**[朝一・朝イチ]〔↑朝一番〕〔俗〕その日の最初〈に/の仕事として〉おこなうこと。「—で書類を届ける」☞午後一。

**あさいち**[朝市]①朝、新鮮なさかな・野菜などを売る市場。②午前中にする特売。「スーパーの—」(↔夕市)

**アサイン**《名・他サ》〔assign〕 割り当てること。割りふること。「テーブル—〔=席の配置〕」

**あさおき**[朝起き]《名・自サ》〔古風〕①朝早く起きること。(↔朝寝) ②朝起きたときの きげん。「—がいい」

**あさがえり**[朝帰り]《名・自サ》〈夜通し遊んで/よそにとまって〉次の日の朝 自分の家に帰ること。

**あさがお**[朝顔]①つるのある草花の名。夏の朝、らっぱ形の美しい花をひらく。②〔俗〕小便器。

**あさがけ**[朝駆け・朝×駈け]《名・自サ》①朝早く攻めること。②〔記者が〕取材のため、朝早く人の家をおとずれること。「夜討ち—」

**あさがた**[朝方] 朝の(早い)ころ。朝の あいだ。(↔夕方)

**あさがた**[朝型] 朝早く起きている習慣であること。また、朝のほうが仕事や勉強の効率が上がる体質。「—に切りかえる・—人間」(↔夜型)

**あさかつ**[朝活]〔↑朝の活動〕 朝、会社や学校に行く前などに、勉強・運動などをする活動。〔二十一世紀になって広まったことば〕

←**あさぎ**[浅黄] ①うすい黄色。②⇩あさぎ(浅葱)。

→**あさぎ**[浅×葱・浅黄] 水色に近い、うすい藍色。浅葱色。「歌舞伎の—幕」☞あさつき(浅葱)。

**あさぎり**[朝霧] 朝に立ちこめる きり。(↔夕霧)

**あさくさのり**[(浅草:海苔)] 干しのりにするため、昔、さかんに養殖されたノリ。

**あさぐもり**[朝曇り] 朝、空が くもること。

**あさぐろ・い**[浅黒い]《形》〔はだの色が〕うす黒い。

**あさげ**[朝×餉]〔古風〕朝食。「—の膳に向かう」

**あざけ・る**[(嘲る)]《他五》 ばかにして笑う。[名]あざけり。

**あさごはん**[朝(御飯)] 朝食。あさはん。

**あさじめ**[朝締め]《名・他サ》 その日の朝、絞めたばかり(のニワトリなど)。あさびき。「—鶏」[表記]「朝絞め」は少ない。俗に「朝×〆」とも。

あさせ【浅瀬】〔川や海の〕浅いところ。

あさだち【朝立ち】《名・自サ》①朝早く出発すること。〔↔夜ょ立ち〕②朝、街頭演説すること。③〔朝△勃ち〕朝、目覚めのころにペニスが立つこと。

あさぢえ【浅知恵・浅×智×慧】浅はかなちえ。

あさつき【浅×葱】野菜の名。高さ三〇センチほど。葉はネギに似て細い。食用。せんぼんわけぎ(千本分葱)。「—の酢すみそあえ」☞あさぎ(浅葱)。

あさづけ【浅漬け】うす塩や ぬかで軽くつけた つけもの。「白菜の—」

あざっす《感》〔俗〕←ありがとうございます。あっす。あざー(っ)す。「先輩せんぱい、—」〔過去形は「あざ(っ)した」〕二十一世紀になって広まったことば〕

あさって【:明後日】あすの次の日。みょうごにち。「—(=見当ちがい)の方角をさがす」

あさっぱら【朝っぱら】〔話〕〔朝食前後の〕朝早い時間。「—から人をたずねる」

あさづみ【朝摘み】野菜・くだものを、その日の朝早くつむこと。あさどり。あさつみ。「—イチゴ」

あさつゆ【朝露】①朝、草の葉などに見られる露。「—がおりると晴れ」〔↔夜露よつゆ〕②はかないもののたとえ。「—のように消えた」

あさで【浅手・浅△傷】軽い きず。うすで。「—ですんだ」〔↔深手〕

あざと・い《形》①小こ利口で、抜ぬけ目がない。「—商売」②〔俗〕⇩ずるい③。派—さ。

あさどく【朝読】〔←朝の読書〕学校で、朝の始業前の短い時間、読書をする活動。〔一九九〇年代に広まった活動〕

あさドラ【朝ドラ】〔←朝のドラマ〕朝に放送される、帯番組のドラマ。〔ふつう、NHKの連続テレビ小説をさす〕

あさどれ【朝取れ】その日の朝、食材が とれたばかりで、新鮮しんせんなこと。また、その食材。あさどり。「—たまご」表記「朝採れ野菜」「朝△獲れの魚」のようにも書く。

あざな【△字】①〔武士などの〕本名ほんみょう以外の別の名。②あだな。

あさな┘あさな【朝な朝な】《副》〔雅〕まいあさ。あさなさな。〔↔夜ょな夜な〕

あざな・う【△糾う】あざなう《他五》なわをなう。「禍福かふくはあざなえる縄なわのごとし〔⇩「禍福」の句〕」名あざない。

あさなぎ【朝×凪】〔海岸に沿った地方で〕朝早く、風がまったくやんで海がおだやかになること。〔↔夕なぎ〕

あさな┘ゆうな【朝な夕な】《副》〔雅〕あさゆう。つねに。

あさね【朝寝】《名・自サ》朝おそくまで ねむっていること。〔↔朝起き〕●あさねぼう【朝寝坊】《名・自サ》朝寝をする〈こと/人〉。

あさはか【浅はか】《ナダ》考えが浅いようす。「—な考え」派—さ。

あさはん【朝飯】あさごはん。あさめし。

あさばん【朝晩】一 朝と晩。「—は冷えこむ」二《副》朝も晩も。いつも。「—待ちこがれる」▽一二あさゆう。

あさひ【朝日・×旭】朝のぼる太陽。〔↔夕日〕

あさびき【朝×挽き】⇩あさじめ。

あさぼらけ【朝ぼらけ】〔雅〕夜明け。あけぼの。

あさまし・い【浅ましい】《形》①なさけないようすだ。みじめだ。「—ことを言う・—姿」②いやしくて けいべつされる。さもしい。「—根性こんじょう」派—がる。—げ。—さ。

あさまだき【朝△未き】〔雅〕夜ょの明けきらないころ。朝早く。

あざみ【×薊】とげの多い野草の名。タンポポに似た赤むらさき色の花をひらく。

あさみどり【浅緑】うすい緑色。

あざむ・く【欺く】《他五》①本当と思わせておいて、だます。「敵を—」②そうと思わせる。「昼を—明るさ」

あさめし【朝飯】朝食。〔少しぞんざいな言い方〕●あさめしまえ【朝飯前】〔朝飯前にでもできるほど〕たやすいようす。「そんなことは—だ」

あさもや【朝×靄】朝方に立ちこめる もや。〔↔夕もや〕

あざやか【鮮やか】《ナダ》①色が、はっきりときれいに見えるようす。「—な黄色・色—」〔多く、白や黒、灰色以外に言う〕②はっきり見えるようす。鮮明せんめい。「墨痕ぼっこん—」③〔やり方などが〕きわだっていて、じょうずなようす。目がさめるような状態。みごと。「—なプレー」派—さ。

あさやけ【朝焼け】《名・自サ》日の出前に東の空が赤くなること。「—雲」〔↔夕焼け〕

あさゆ【朝湯】①朝わかした ふろ。朝ぶろ。「—にはいる」②朝早く営業する銭湯。「—に行く」

あさゆう【朝夕】あさばん。「—寒さを感じる・—のあいさつ」

あざらし【:海豹】北太平洋や南極海にすむ、大形の海獣かいじゅう。からだは青黒くて斑点はんてんがあり、足は ひれの形。毛皮を利用する。海豹かいひょう。

あさり【浅×蜊】潮干狩しおひがりなどでとる二枚貝の名。からの表面は ざらざら。みそしるの具などにする。

あさ・る【△漁る】《他五》〔=さかなや貝をとる〕①〔えさやえものを〕さがし求める。②〔あるものを得ようと〕さがし求める。「資料を—」名あさり。「骨董こっとう品—」

アザレア【azalea】イギリスから輸入された、西洋のツツジ。もと中国産。アザレヤ〔古風〕。

あされん【朝練】〔学校などの部活動で〕始業前の早朝におこなう練習。朝練習。〔↔夜よ練〕

あざわら・う【△嘲笑う】あざわらう《他五》ばかにして笑う。あざける。「失敗を—」名あざ笑い。

**あし【足】①人や動物が立つとき、地面に直接のせる部分。「脚あし」の先の部分。「—で地面をふむ・くつに—を入れる」②歩くこと。「—を速める」③歩きまわって たつついで。「その—で郵便局に寄る」④出かけ仕事をする〈こと/能力〉。「営業は—が勝負」⑤歩く代わりに使う乗り物。交通手段。「市民の—・—の便べん・—をうばわれる」⑥船の喫水きっすいの部分。⑦食べ物などの、くさり方。☞足が早い〔句〕②。⑧もち・粉などの、ねばり。「—が強い」⑨航続距離きょり。「長い—を生かした攻撃こうげき」⑩共同しておこなう行動。足なみ。「—がみだれる」⑪⇩おあし。●足がある〔句〕足が速い。「足のあるバッター」●足が地ちに着かない〔句〕①あまりにうれしくて、うわついて、あぶなっかしい。「映画の公開を前に—」②考えや行動がおちつかない。▽地に足が着かない。☞地に足を着ける〔「地」の句〕。●足がつく〔句〕〔つく=付く。「アシがつく」とも書く〕〔警察〕〔俗〕犯人の足取りがわかる。「捨てたトランクから—」●足が出る〔句〕①

全部しはらうと、お金がたりなくなる。赤字になる。他 ②〔もち・粉などに〕ねばりが出る。 ●**足が遠のく** 句 そこに(だんだんと)行かなくなる。「同窓会〈から/に〉―」 ●☆☆**足が長い** 句 航続距離が長い。「―戦闘機」 ●**足が早い** 句 ①変化がはやい。「今年の桜は―〔=早くさいて、早く散る〕・―〔=売れ行きがいい〕商品」 ②くさりやすい。「夏のさかなは―」 ●**足が速い** 句 走るのが速い。「―選手」 ●**足で書く** 句 歩きまわって調べたことをもとに文章を書く。「足で書いた記事」 ●**足で稼ぐ** 句 ①歩きまわって成果を得る。「足で稼いだ〈情報/売り上げ〉」 ②《スポーツ》〈走り/動き〉まわって、点を取る。 ●**足を洗う** 句 ①よくない仕事をきっぱりとやめる。 ②現在の職業をやめ(て出直しす)る。 ●**足を入れる** 句 ①(人が)はいりこむ。 ②着手する。「新分野に―」 ●☆☆**足をすく(掬)われる** 句 ゆだんをしていて、ひどい目にあわされる。足もとをすくわれる。「相手チームに―・自分自身の失言に―」〔「(相手の)足をすくう」の形でも使う〕 ●**足を使う** 句 自分で動きまわってする。「足を使って書いた記事」 ●**足を取られる** 句 足の自由を失う。思うように歩けなくなる。 ●**足を伸ばす** 句 ①楽な姿勢をとってくつろぐ。 ②〔足を延ばす〕〔ある所まで行って〕さらに先まで行く。 ●**足を運ぶ** 句 ①〔労力をかけて、そこまで〕行く。「寄席に―・現地に何度も―」 ②歩く。「いそがしく―」 名 足運び。 ●**足を引っ張る** 句 ①他人の成功や集団の活動のじゃまをする。 ②順調な進行のじゃまをする。「円安が業績の―」 ●**足を棒にする** 句 つかれて足の感じをなくすほど歩く。自 足が棒になる。 ●**足を向けて寝られない** 句 足を向けるような失礼な寝かたができないほど、世話になった。足を向けてねむれない。「先生には―」 ●**足を向ける** 句 向かう。〔…の方へ〕歩いて進む。「演奏会に―」 自 足が向く。

→**あし**」[脚・足] ①人や動物の胴から下に分かれてのびた長い部分。からだ全体を支えたり、からだを動かしたりする役をする。「―を組む・鶴の―」 ②物の下についていて、全体を支える部分。「机の―」 ③漢字の、下のほうを形づくっている部分。例、「思」の「心」、「点」の「灬」の部分。(↔冠)

**あし**」[(×葦)・(×蘆)・(×芦)] 水辺にはえる、竹に似た植物。葉は長く、くきは編んですだれにする。よし。「難波の―は伊勢のはまおぎ(浜荻)〔⇩「難波」の句〕」

****あじ**[味] 一 あじ ①舌が飲食物にふれたときの、うまい・まずいなどの感じ。「―がいい・―加減」 ②「あじ①」のいいこと。「―の店」 ③じゅうぶん経験しなければわからない、そのものの感じ。「初恋の―を知る」 ④心をひかれるおもしろみ。「―のある話」 二 造 〔道具などを〕手にしたとき・使うときなどの感じ。「書き―のいいペン・《釣り》引き―〔=つりざおを引くときの手ごたえ〕のいいさかな」 ☞味な。 ●**味もしゃしゃりもない** 句 うるおいもおもしろみもない。つまらない。 ●**味もそっけもない** 句 うるおいや、おもむきがない。 ●**味を占める** 句 一度試みて、そのおもしろさや利益が忘れられず、またそれを期待する。味を覚える。

**あじ**」[(×鰺)] 海でとれる小形の青ざかな。腹のわきに「ぜいご〔=とげに似たうろこ〕」がならぶ。一般にマアジを言う。「―の干物・―の南蛮漬け」

**アジ** ↑アジテーション。「―ビラ〔=左翼運動者の宣伝ビラ〕・―プロ〔=扇動的宣伝〕」

***アジア**」〔Asia〕 六大州の一つ。東半球の東北部を占める世界最大の大陸。亜。表記「:亜細亜」は、古い音訳字。

**あじあ・う**」[味あう]《他五》〔話〕⇩あじわう。「本物の自然を子どもに味あわせる」

**あしあと**」[足跡] ①歩いたあとに残る、足やくつの形。 ②歩いて行ったゆくえ。足どり。「犯人の―を追う」 ③これまでに残してきた業績。「優勝までの―」 ☞そくせき(足跡)。

**アジアン**〔Asian〕 一 造 アジアの。「―ポップス・―テイスト」 二 アジアン《ナダ》 アジアふう。

**あしいれ**」[足入れ]《名・自サ》 ①正式の結婚前の、試験的な結婚。「―婚」 ②くつをはくこと。「―感・―がいい〔=はきやすい〕」

**あしうら**」[足裏・×蹠] 足の、立ったときに地面をふんでいる面。足のうら。「―マッサージ」

**アジェンダ**」〔agenda〕 ①議題。議事日程。 ②〔政治的な〕行動計画。重要な政治課題。

**あしおと**」[足音] ①歩くとき、足が地面やゆかにあたって出る音。「―を立てる」 ②目に見えない、何ものかの気配。「春の―・不況の―」

**あじおんち**」[味音痴]《名・ナダ》 味の感覚がにぶい〈こと/人〉。

**あしか**」[(:海驢)] 太平洋にすむ、人ぐらいの大きさの海獣。からだは暗い茶色で、足はひれの形。毛皮を利用する。

**あしがかり**」[足(掛かり)] ①足場。 ②最初にたすけになるもの。「歴史の勉強の―となる本・海外進出への―を得る」

**あしかけ**」[足(掛け)] 最初と最後の年・月・日を計算に入れる数え方。「―三年」(↔満・まる)

**あしかせ**」[足(×枷)] ①昔、罪人の足にはめたかせ(枷)。(↔手かせ) ②自由をしばるもの。「発展の―となる」

**あしがた**」[足形・足型] ①あしあと。フットプリント。「鳥の―」 ②〔くつ選びで〕その人の足の形。「―をとる」 ▽あしかた。

**あしがため**」[足固め]《名・自サ》 ①足をじょうぶにすること。あしならし。 ②将来にそなえるための準備。

☆☆**あしからず**」[(△悪しからず)]《副・感》 よろしく。悪くとらないで(ください)。「商品券はご利用になれません。―ご了承ください・どうぞ―」

**あしがる**」[足軽]《歴》江戸時代、ふだんは雑役をし、戦時には兵卒となった、下級の武士。

**あしき**」[(△悪しき)]《連体・名》〔文語形容詞「悪し」の連体形から〕〔文〕悪い(こと・もの)。「―前例となってしまった・―〔=悪いもの〕を捨てる」

**あじきな・い**」[味気ない]《形》〔古風〕あじけない。派 -さ。

**あしきり**」[足切り]《名・自サ》〔俗〕〔選抜試験で〕ある点数・数字以下は切り捨てること。

**あしぐせ**」[足癖] ①〈歩き方/すわり方〉のくせ。「―が悪い」 ②《すもう》足を相手の足にかけてたおすわざ。外がけ・内がけなど。▽あしくせ。

**あしくび**」[足首] 足の甲の上の、少し細くなっている部分。

**あしげ**【足蹴】足でけること。あしげり。●**足蹴にする**句 ①〔人や動物を〕足でける。あしげをかける。「腹を―」②〔価値を認めず〕ひどいあつかいをする。「これまでの業績を―」

**あしげ**【(×葦)毛】馬の毛色の一つ。黒・茶色などに白い毛が入りまじり、成長につれて、全体に白みがかってくるもの。また、その馬。

**あじけ**【味気】おもしろみ。「―のないことば・―もそっけもない(=味もそっけもない)」●**あじけな・い**【味気ない】《形》おもしろみやはりあいがなくて、つまらない。あじきない。「―毎日が続く」由来 古くは「あづきなし」で、「ひどい、見ていられない」の意味。後に「あぢきなし」となり、「味気」が「無い」と考えられるようになった。派―さ。

**あしげい**【足芸】〔あお向けにねて〕足だけでする曲芸。

**あしげり**【足蹴り】足でけること。「〔格闘技などで〕強烈な―を食らう」

**あしこし**【足腰】脚と腰。足から腰までの部分。「―が立たない・―を伸ばす・―をきたえる」

**あしごしらえ**【足(×拵)え】《名・他サ》〔古風〕〔旅行などに出るとき〕長く歩けるように足のしたくをすること。「―も厳重に、出発した」

**あじさい**【(:紫陽花)】庭木の名。初夏、大きなまりの形の花をひらく。色は、うす青・うすむらさき・うす紅などのように変わる。七変化。よひら(四葩)。

**あしさき**【足先】〔指を主とした〕足の先。「―が冷える」

**あじさし**【(×鰺刺)】水べにむれる、中形または小形の鳥。全体に明るい灰色で、頭が黒い。空中から急に水面に降りて魚をとる。

**あしさばき**【足(×捌)き】足の〈動き/動かし方〉。フットワーク。足わざ。「日本舞踊の―」

**あしざま**【(△悪)し(様)】《ナダ》悪く言うようす。「―につげ口をする」

**あししげく**【足(△繁)く】《副》何度もおとずれるようす。「―店に通う」

**アシスタント**《名・他サ》〔assistant〕助手。

**アシスト**《名・他サ》〔assist〕①手助けすること。②《サッカーなど》味方の選手にボールをパスして、シュートを助けること。また、そのプレー。「ナイス―」

**あしずり**【足(×摺)り】《名・自サ》〔古風〕足を地面にすりつけたり、ふみ鳴らしたりすること。「―してくやしがる」

↓**あした**【(:明日)】①きょうの次の日。「―は早起きしよう・また―会いましょう」②未来。「―へと進む」表記 ②は歌詞などで「:未来」などとも。▽「あす」よりも話しことば的。●**あしたはあしたの風が吹く**句 あしたになれば状況が変わるかもしれないので、先のことをなやんでもしかたがない。●**あしたば**【(:明日=葉)】八丈島など、あたたかい地方の海岸にはえる大形の野草。特有のねばりがあり、食用。栽培もされる。「―の天ぷら」由来 つみとっても、あしたには葉が出ることから。

↓**あした**【(△朝)】《雅》朝。(↔夕べ)

**あしだ**【足駄】高い二枚の歯を台にはめこんだげた。雨の日にはく。高げた。(↔こまげた)

**あしだい**【足代】外出のときの乗り物にかかる費用。交通費。

**あじたま**【味玉】〔↑味つけ玉子〕ゆでたまごをしょうゆなどにつけこんだもの。にたまご。「―ラーメン・めんつゆで―を作る」

**あしだまり**【足(×溜)まり】〔しばらく滞在して〕何かをするための中心にする所。基地。根拠地。

**あしつき**【足(付き)】①道具に足がついている〈こと/もの〉。②〔歩くときの〕足のようす。「みょうな―」

**あじつけ**【味(付け)】《名・他サ》①味をつける〈こと/もの〉。「塩で―をする・―を教わる・―のり」②ちょっとしたくふう。「原作にモダンな―を加える」動 味つける《他下一》。

**アジテーション**〔agitation〕扇動。アジ。

**アジテーター**〔agitator〕扇動する人。扇動家。

**あしでまとい**【足手(×纏)い】《名・ナダ》そばにいて、仕事や活動のじゃまになる〈こと/もの〉。あしてまとい・てあしまとい〔古風〕。

**アジト**〔↑ロ agitpunkt〕〔左翼運動者などの〕秘密本部。「―をつきとめる」

**あしどめ**【足止め】《名・他サ》①〔当分の間〕外出・進行・往来をとめること。「―を食(ら)う」②客足をひきとめること。

**あしどり**【足取り】①足のはこび方。あしつき。「軽い―」②歩いた道筋。「―をたどる・犯人の―」③〔経〕相場の高低の動き。

**あじな**【味な】《連体》気がきいていて、おもしろい。「縁は異なもの―もの(⇨「縁」の句)・―ことをする」

**あしなえ**【(×蹇)・(×跛)】〔文〕足が悪くて、歩く力を失った〈こと/人〉。

**あしなが**【足長・脚長】《名・ナダ》あしが長いこと。●**あしながおじさん**【足長(小△父さん)】〔身寄りのない〕子どもの進学を助けるためにお金を出す親切な人。由来 アメリカの児童文学者ウエブスターの小説「あしながおじさん」から。●**あしながばち**【(足長蜂)】足の長いハチ。からだは細く、赤茶色で黒い筋がある。

**あしなみ**【足並み】①いっしょにそろって歩くときの、足のはこび方。②いっしょに行動するときのようす。「―がそろう」

**あしならし**【足慣らし・足(×馴)らし】《名・自サ》①歩く練習。②前もってやってみること。

**あしぬけ**【足抜け】《名・自サ》いやな〈集団/境遇〉からはなれること。「組から―する」

**あしば**【足場】①足をかける所。あしがかり。「―が悪い」②仕事・活動などの土台となる所。③よそに行くときの、乗り物の便。

**あしばや**【足早】《ナダ》歩き方がはやいようす。「―に通り過ぎる」

**あしばらい**【足払い】《名・他サ》①〔柔道〕相手の足をはらってたおすわざ。「送り―」②不意を打つこと。「―を食わす」

**あしび**【(:馬酔木)】あせび。

**あしぶえ**【(×葦)笛】アシの葉をまるめて作った笛。

**あしぶみ**【足踏み】《名・自サ》①進まないで、足を片方ずつ上げてはおろすこと。「―〔式の〕ミシン」②進まなくなること。「生産が―を続ける」③〔古風〕足をふみ入れること。「酒場に―しない」

**あじへん**［味変］《名・自他サ》〔俗〕料理などの味を、途中で変えること。「なべにみそを入れて―する」

**あしまかせ**［足任せ］①行く先をきめず、気のむくままに歩くこと。②歩けるかぎり歩くこと。

**あしまめ**［足まめ］《ナダ》めんどうがらずに出歩き、用事をたすようす。

**あしまわり**［足回り］①〔自動車・バイク〕タイヤを取り付ける部分(をあやつる機能)。「―が弱い」②〔その場所の〕交通の便。「―のいいホテル」

**あじみ**［味見］《名・他サ》料理・菓子などの、味のぐあいをみること。

**あしもと**［足下・足元・足△許］①自分が立っている足の先のほう。「―に注意・―を照らす」②あたりの、地面・ゆかなど。「―に何かふれた・犬が―にじゃれつく」③身近なところ。身辺。「危険が―にせまる」④歩いている足のぐあい。「―がおぼつかない」⑤自分の立場やよりどころ。「―がゆらぐ」⑥現在。いま。「―の景気動向」 ●**足下から鳥が立つ** 句 ①思いがけないことがとつぜん起こるようす。②急に思い立ってものごとをはじめるようす。 ●**足下が悪い** 句 雨や雪で、道が歩きにくい。「お―中、おこしいただきまして」 ●**足下につけ込む** 句 ⇩足下を見る 句。 ●**足下に火がつく** 句 危険が身近にせまる。 ●**足下にも及ばない** 句 相手のほうがはるかにまさっていて、とてもかなわない。〔多くけんそんして言う〕 ●**足下の明るいうちに** 句 ①あかりがなくても歩けるうちに。日のくれないうちに。②自分の立場が悪くならないうちに。 ●**足下へも寄りつけない** 句 相手が非常に〈えらくて/すぐれていて〉、近寄ることもできない。 ●**足下をすく(掬)われる** 句〔足下＝足の先のほう〕①⇩足をすくわれる〔「足」の 句〕。「競争相手に―」〔「(相手の)足下をすくう」の形でも使う〕②まちがいに気づかされ、はっとさせられる。「指摘を受けて、足下をすくわれた気がした」 ●☆☆**足下を見る** 句 弱みにつけこむ。足下につけ込む。

**アジャスター**〔adjuster〕サイズなどを調整するための付属器具や部品。「―つきのスラックス」

**アジャスト**《名・他サ》〔adjust〕①調整。調節。「オートー〔＝自動調整〕機能」②調子を合わせること。なれること。適応。「日本人選手が大リーグに―する」

**あしゅ**［亜種］《生》別の種として独立させるほどではないが、かなりちがった性質をもつもの。

**あしゆ**［足湯・脚湯］ひざから下を湯につけること。脚湯。「―を使う」

**あしゆび**［足指］足の指。「―の付け根」

**あしゅら**［×阿修羅］〔梵語 asura の音訳〕《仏》戦闘を好む鬼神。仏法の守護神。修羅。

**あしよわ**［足弱］〔古風〕㊀《ナダ》歩く力の弱いこと。㊁年寄りや女性・子ども。「―を引きつれる」 派 ―さ。

**あしら・う**《他五》①応対する。もてなす。②〔客を〕(いいかげんに)あつかう。「鼻で―」③とりあわせる。「〔生け花で〕松にユリを―」 名 あしらい。

**アジ・る**《他五》〔俗〕そそのかす。扇動する。☞アジ。

**あじろ**［〈△網代〉］①川の瀬に竹や木を組みならべた、魚をとるしかけ。②竹・ヒノキなどをうすくけずり、ななめまたは縦横に編んだもの。垣根・天井などに使う。網代編み。

**あじわい**［味わい］①口の中で、じっくり感じる味。「まろやかな―の みそしる・独特の―がある」②だんだんにわかってくる、そのものの〈よさ/おもしろさ〉。おもむき。「手書きの―・結婚生活の―・しみじみとした―」 ●**あじわいぶか・い**［味わい深い］《形》しみわたるような味わいがあるようすだ。「―ウイスキー・―名文」 派 ―さ。

**あじわ・う**［味わう］《他五》①いい味を感じ取る。味を楽しむ。「旬の野菜を―・酒を―」②よさを楽しむ。「絹の はだざわりを―・町を―・俳句を―」③体験して、実感を持つ。「幸福感を―・苦しみを―」▽あじあう。 可能 味わえる。

**あしわざ**［足技・足業］①《柔道・すもうなど》足を使ったわざ。②足の動き。足さばき。「サッカー選手の―」

**あじわ・せる**［味わせる］《他下一》〔「味わう」の使役形「味わわせる」の「わ」が落ちた形〕〔話〕味わうようにさせる。味わす。「苦労を―」☞にぎわせる。

**アシ(ン)メトリー**《名・ナダ》〔asymmetry〕①左右非対称。不均整。②左右非対称な髪型。▽(↔シンメトリー)

**＊あす**［(明日)］①「あした」の少し改まった言い方。みょうにち。②近い将来。また、未来。「―の世代・―をも知らぬ身」 表記 ②は歌詞などで「:未来」なども。☞明日なき。 ●**明日は わが身** 句 いつ自分自身のことになるかもしれないということ。

**あすか**［:飛鳥］〔＝奈良県明日香村の一帯〕《歴》↑飛鳥時代。「―文化」 ●**あすかじだい**［:飛鳥時代］《歴》①〔美術史で〕飛鳥に都のあった、六世紀末～七世紀前半の時代。法隆寺に代表される飛鳥文化が起こった。☞白鳳時代。②六世紀末から奈良時代直前までの時代。古墳時代の後期と重なる。飛鳥朝。

**あずかり**［預かり］①預かること。「―もの・―金・一時―」②預かったことを証明する書きつけ。預かり証。③決着をつけずにおくこと。「勝負を―にする・問題は議長―〔＝決着を議長にゆだねること〕となった」

**あずかりしら・ない**［〈△与り〉知らない］《形ヌ》〔文〕そのことに参加したり関係したりしておらず、知らない。「本人の―所で決める」

←☆☆**あずか・る**［〈△与る〉］《自五》①関係する。☞あずかり知らない。②〔に―〕〔目上の人から〕うける。…ていただく。「お招きに―・おほめに―〔＝ほめていただく〕」〔文〕 可能 あずかれる。 ●**あずかって力がある** 句〔文〕大きく役だつ。「会の発展には会員各位の協力があずかって力があった」

→**あずか・る**［預かる］《他五》①人のもの・子どもなどを、(たのまれて)しばらく手もと〈に置く/で世話をする〉。「届け物を―・ペットを―・宿題がすむまで、漫画は預かっておくよ」②(おつりを出すまでの間)客のお金を受け取る。「千円お預りします」〔おつりのいらない、ちょうどの額を受け取ったときにも言うことがある〕 ⇩から㊀⑦。③勝負を決めずにおく。 可能 預かれる。

**あずき**［小豆］黒みをおびた赤色のマメ。一般に、米や麦より大きく、ダイズより小さい。赤飯やあん(餡)などに使う。「ゆで―・―アイス」

**アスキーアート**〔ASCII《＝コンピューター用の文字コードの名》art〕コンピューターの画面上で、文字や記号を組み合わせて作る絵。ＡＡ。

［アスキーアート］

**あずけ い・れる**［預け入れる］《他下一》あずけて、中に入れる。「荷物をロッカーに―・〔銀行の〕口座に資金を―」名 預け入れ〔経済関係の熟語では「預入」と書く。「預入金」〕。

**あず・ける**［預ける］《他下一》①しまっておくようにたのむ。〔先方の〕手もとに置いてもらう。「荷物を―・子どもを―」②預金や貯金をする。「銀行に―」③ゆだねる。一任する。「勝負を―」④自分のからだを相手にもたせかけて相手の思うままにさせる。「からだを―・〔すもう〕体を―」名 預け。☞お預け。可能 預けられる。

**あすこ**《代》〔話〕あそこ。

**アスコット タイ**〔ascot tie〕スカーフ状の、幅の広いネクタイ。アスコット。

**あずさ**［×梓］かたくて しなやかな木。昔、弓・版木などに使った。「―弓」

**アスター**〔aster〕シオン・ヨメナ・エゾギクの類。特に、エゾギクの呼び名。

**アステリスク**〔asterisk〕注をつけるときなどに使う星じるし。「＊」。アスタリスク。アステリ。アステ。

**アステロイド**〔asteroid〕《天》小惑星。

**アストラカン**〔astrakhan＝もと、ロシア連邦のカスピ海近くの地名〕①子羊の、巻き毛の黒皮。②「アストラカン①」をまねて作った、輪の飛び出した〈織物／毛糸〉。

**あす なき**［明日なき］《連体》この先どうなるか わからない。「―戦い」

**あすなろ**［(:翌檜)］ヒノキに似た常緑樹の名。材木は建築に使う。ひば。〔俗に、「あすはヒノキになろう」からと言う〕

**アスパラガス**〔asparagus〕西洋野菜の名。若い芽は料理に使う。アスパラ。「―の肉巻き・―のバターいため」☞グリーンアスパラガス・ホワイトアスパラガス。

**アスピリン**〔ド Aspirin＝もと、商標名〕《医》熱を下げ、痛みを止める薬。〔学名は、アセチルサリチル酸〕

**アスファルト**〔asphalt〕《理》原油から重油を蒸留した固形成分。あぶらのように光る黒い かたまりで、道路の舗装などに使う。

**アスペクト**〔aspect＝側面〕①〔長方形の〕横・縦それぞれの方向。「画面の―比〔＝画角。アス比〕」②《言》その動作・状態などが継続しているか、完了しているかなどの ちがいをあらわす言語形式。相。『葉がひらひらと落ちている』と『葉が地面に落ちている』では―がちがう」☞テンス。

☆☆**アスベスト**〔オ asbest〕《鉱》蛇紋岩という岩などが綿のようになったもの。断熱材・耐火材などに使われたが、吸いこむと肺がんなどの原因になるため、使用が禁止された。石綿。

**アスペルガー しょうこうぐん**［アスペルガー症候群］〔Asperger＝人名〕《医》⇩自閉スペクトラム症。

**あずま**［(△東)・(×吾妻)］〔雅〕関東(を中心とした地方)。●**あずま おとこ**［(△東)男］〔古風〕関東生まれの勇ましい男。「―に京女〔＝ふさわしいとされた男女の取り合わせ〕」●**あずまじ**［(△東)路］〔雅〕京都から関東へ行く道。

**あずま や**［(△東屋)・(:四阿)］屋根をふいただけで、壁のない小屋。亭。

☆☆**アスリート**〔athlete〕運動選手。「陸上競技の―・トップ―」

**アスレチック**〔athletics〕①体育。運動。「―クラブ」②⇩フィールドアスレチック。「―コース」

＊**あせ**［汗］①暑いときや運動のあと、また緊張したときなどに、顔やからだから出る、塩けをふくんだ水。「―が流れる・―びっしょり・〔メールなどで〕すみません(汗)〔＝冷や汗が出る〕」②ものの表面に玉のように〈にじみ出る／ついた〉水。●**汗になる** 句 汗に まみれる。「歩いてきたので汗になった・シャツが―」●**汗をかく** 句 ①汗を出す。②〔かまぼこ・ハムなどが古くなって〕べとべとする。③苦労する。がんばる。「法案成立に―」●**汗を流す** 句 ①たくさん汗を出す。「ジムで―」②汗を洗い流す。「ふろで―」③いっしょうけんめい仕事をする。「会社のために―」

**あぜ**［(△畔)・(×畦)］田と田の さかいに土をもり上げたところ。くろ。「―道」

☆☆**アセアン**［ASEAN］〔←Association of South-east Asian Nations〕東南アジア諸国連合。タイ・マレーシア・フィリピン・インドネシアなど十か国から成る地域協力機構。一九六七年結成。

**あせ おさえ**［汗抑え］汗が出ないようにおさえる〈こと／もの〉。

**あぜ おり**［(×畦)織り］⇩うね(畝)織り。

**あせ かき**［汗(×掻き)］汗をかきやすい体質(の人)。あせっかき。

**あせ くさ・い**［汗臭い］《形》汗の においが感じられて、くさい。「―シャツ・―部屋」派 ―さ。

**アセクシュアル**〔asexual〕相手が同性か異性かにかかわらず性的欲求を感じない〈こと／人〉。アセクシャル。エイセクシャル。☞LGBT。

**あぜくら**［△校倉］三角形の長い木材を組み上げて造った倉。例、正倉院。「―造り」

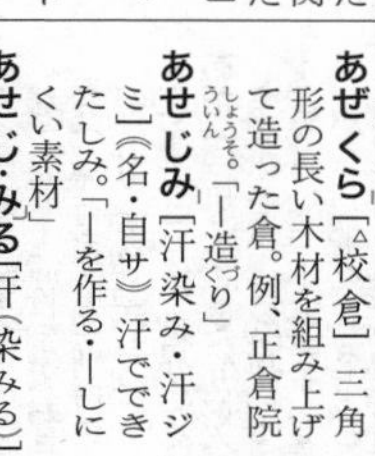

［あぜくら］

**あせ じみ**［汗染み・汗ジミ］《名・自サ》汗でできたしみ。「―を作る・―しにくい素材」

**あせじ・みる**［汗(染みる)］《自上一》衣服などに汗がついてよごれる。

**あせ しゅう**［汗臭］汗の いやなにおい。

**あせ しらず**［汗知らず］〔もと、商標名〕〔古風〕天花粉で作る、汗をすい取る粉。今で言うベビーパウダー。

☆☆**アセスメント**〔assessment〕査定。評価。アセス。☞環境アセスメント。

**あせ・する**［汗する］《自サ》汗をかく。「額に―」〔⇩「額」の句〕

**あせ だく**［汗だく］《名・ナダ》汗がはげしく流れること。「弁明に―になる」

**アセチルコリン**〔acetylcholine〕《生》神経の興奮を伝える物質の一つ。記憶や学習などに かかわり、不足すると、アルツハイマー病を引き起こすとされる。

**アセチレン**〔acetylene〕《理》溶接のバーナーなどに使う、火が つきやすいガス。無色無臭だが、ふつうは不純物をふくみ、特有のにおいがする。有毒。エチン(ethyne)。「―ガス・―灯」

**アセット**〔asset〕①資産。「―をマーケットで売却する」②武器など。〔自衛隊の〕装備品など。「―の防護」

**アセテート**〔acetate〕綿に酢酸を加えて処理したものを原料として作った人造の絹糸。

**アセトアルデヒド**〔acetaldehyde〕《理》化学工業の原料となる物質。アルコールが肝臓で分解されるときに生じ、二日酔いの原因になる。

**あせどめ**【汗止め】①流れる汗をとめること。「―のはちまき」②汗おさえ。「―の薬」

**あせとり**【汗取り】出た汗を、すい取る〈こと/はだ着〉。

**あせのけっしょう**【汗の結晶】⇩血と汗の結晶〔「血」の句〕。「多年の―と言える作物」

**あせば・む**【汗ばむ】《自五》からだ全体から汗がしみ出る。「五月の―陽気」

**あせび**【(:馬酔木)】小さな常緑樹。春、スズランに似た花をひらく。あしび。

**あせまみれ**【汗(△塗れ)】《名・ナダ》汗で顔や からだが びっしょりぬれること。汗だく。汗みどろ。

**あせみず**【汗水】水のように流れ出る汗。「―たらして働く」

**あせみずく**【汗みずく】《名・ナダ》したたりおちるほど多く、汗が出ること。由来「みずく」は「水漬く(=水につかる)」から。表記 現代語では「汗＋水漬く」の意識がないとみて「汗みずく」と書くが、「汗みづく」も許容。

**あせみどろ**【汗みどろ】《名・ナダ》からだが汗にぬれて、よごれること。汗まみれ。

**あせも**【(:汗疹)・(:汗疣)】汗のため はだ一面にできる、小さな赤い水ぶくれ。あせぼ。「―が かゆい」

**あ・せる**【(×褪せる)】《自下一》①〔日にさらされたりして〕もとの色が うすくなる。「色が―」②もとの かがやきや美しさを失う。「色香が―」

**あせ・る**【焦る】《自他五》①早くしようと、心の中でしきりに思う。「成功を―・結婚がおくれて―」②思いがけないことに出あって、おちつきをなくす。「こんなことになるとは思わず、さすがに焦った」名 焦り。

**アセロラ**〔ス acerola〕サクランボに似たくだもの。南米原産。ビタミンCに富む。「―ドリンク」

**あぜん**【(×唖然)】《トタル》あきれて ことばが出ないようす。「見て―とする」

**アソート**〔assorted〕いろいろなものが、つめあわせになったもの。「―クッキー」

**あそこ**《代》①自分と相手の どちらのがわにもない、はなれた場所。「―で休もう」②〔自分も相手も知っている〕例の場所。「―で待ち合わせよう」③回想の中の発言・行動などの、ある一点。「―が まちがっていた」④あの場面。「―では ああ言うしかなかった」⑤あの段階・程度。「英語も―まで上達すれば りっぱだ」⑥〔陰部など〕ある場所を遠まわしに さす ことば。▽あすこ。区別 ⇩指示語。表記 かたく「:彼処」「:彼所」とも。⑥は俗に「アソコ」とも。

**アソシエーション**〔association〕①協会。連合。②〔心〕連想。

**アソシエーツ**〔associates〕共同経営者。代理店。〔会社名に使う〕

**あそば・す** 一 **あそばす**【(遊ばす)】《他五》「する」の尊敬語。「なさる」より尊敬の気持ちが強い。「いかがあそばしますか」 二 造 〈お/ご〉＋動詞連用形または名詞＋― 尊敬の気持ちをあらわす。「なさる」より尊敬の気持ちが強い。「お帰り―・ごらんあそばせ〔古風・女〕・お貸しあそばせ〔『貸してあそばせ』のように『て』が はいるのは標準的でない〕」

**あそばせことば**【(遊ばせ言葉)】「あそばせ」をつけて特別ていねいに言う、女性のことば。例、ごめんあそばせ。

**あそび**【遊び】①あそぶこと。「―相手・―場」②遊興。「悪い―にふける」③仕事がないこと。④空間のゆとり。余分な部分。「ハンドルの―〔=タイヤに伝わらないハンドルの軽い動き〕」 ●**あそびある・く**【遊び歩く】《自他五》〔すべきことをせず〕歩きまわって遊ぶ。「街をぶらぶら―」 ●**あそびげ**【遊び毛】①⇩おくれ毛。②新しいじゅうたんから出てくる余分な繊維。 ●**あそびごころ**【遊び心】①なかば遊びのつもりの、軽い気持ち。「―で始めた手芸」②ゆとりからくるしゃれっけ。「―のある作品」 ●**あそびにん**【遊び人】①遊んで暮らす人。②遊びで、軽い恋愛をくり返す人。③ばくちうち。 ●**あそびめ**【遊び女】〔雅〕遊女。うかれめ。

**あそ・ぶ【遊ぶ】 一 《自五》①〔仕事や勉強、日常の習慣などとは関係なく〕楽しいと思うことをする。「ゲームで―・コスプレをして―・スカイツリーへ遊びに行く」②〔おとなが〕酒・恋愛のまねごと・ばくちなどに ふける。「おれも昔は遊んだものだ・―金ほしさの犯行」③仕事を持たないで(平気で)いる。「就職もせず遊んでいる」④〔利用されるはずのものが〕利用されないでいる。「〈機械/右手〉が遊んでいる」⑤すべきことをしないで、なまける。「遊んでいないで作業をしろ」⑥わざと〈ふざけた/むだな〉ことをする。「論文に だじゃれを入れて遊んでみた・《野球》一球―〔=投手が、わざとボールだまを投げる〕」⑦〔文〕旅行をする。「別府に―」⑧〔文〕よそへ出て まなぶ。遊学する。「江戸に―」 二 《他五》楽しむ。「音楽を―・ことばの世界を―」可能 遊べる。

**あだ**【(×仇)】〔↑あた《=侵入してくる敵兵》〕①かたき。「―をうつ」②悪いこと。害。「恩を―で返す〔⇩「恩」の句〕・―(を)なす〔=危害を加える〕」③〔古風〕しかえし。「―をされるとこわい」

**あだ**【(△徒)・(:仇)】《名・ナダ》①よくしようと思ってやったことが、悪い結果をまねくこと。逆効果。「〈親切/急ぎすぎ〉が―になる」②〔古風〕無意味。むだ。「―に日を送る」③〔古風〕形だけ。いいかげん。「―に証文を書く・―なさけ」☞あだやおろそか。

**あだ**【(×婀×娜)】《ナダ》なまめかしい ようす。「―な あねご」

**アダージョ**〔イ adagio〕《音》ラルゴとアンダンテの中間の はやさ。ゆっくり。毎分五〇～六〇拍程度。アダジオ。

**あたい**【価】〔文〕値段。代金。 ●**価を取らせる** 句〔お金を〕はらってやる。

**あたい**【値】①《数》文字や式などがあらわす数量。「x の―を求めよ」②〔文〕ねうち。「一読する―がある」

●☆☆**あたい・する**【値する】《自サ》〔文〕そうさせるだ

けの〈価値がある〉程度になっている〉。「称賛しょうさんに—・辞任に—」●あたいせんきん【値千金】〔文〕非常に価値があること。「—のホームラン・春の夜は—」

あたい【(△私)】《代》〔俗〕「あたし」のくずれた言い方。〔女の子が（東京の下町では男の子も）使った〕

あたいりく【亜大陸】〔亜＝…に次ぐ〕大陸のように大きい半島。「インド—」〔＝地域としてのインドの呼び名〕」

あたうかぎり【(△能う)限り】《副》〔発音はアトーカギリとも〕〔文〕できるだけ。「—(の)援助えんじょをする」〔「あたうる限り」は、「与あたうる〔＝与える〕限り」などに引かれた形〕

あだうち【(×仇)討ち】《名・自サ》かたきうち。

**あた・える【与える】《他下一》①自分の持ち物や自由になるものを、相手のほうへ移す〈自由にさせる〉。「ほうびを—・考える時間を—」(↔うばう) ②やらせるために、出す。「問題を—」③〔反応・結果などを〕相手が得るようにする。「いい印象を—・損害を—〔＝こうむらせる〕」 尊敬 〔自分に〕くださる・たまわる。〔ほかの人に〕お与えになる。 謙譲 差し上げる。〔③の意味では「いい印象をお与えする」のようにも言う〕 可能 与えられる。

あだおろそか【(△徒△疎か)】《ナダ》〔文〕⇨あだやおろそか。

あたかも《副》①本当はそうでないのに、そのように見えるようす。「—戦場のような光景・—事実であるかのように報道する」②似た例で言えば。ちょうど。「会話の指導が必要なのは、—作文の指導が必要なのと同じだ」③〔文〕〔時期が〕ちょうど。「時—幕末のころ」▽あだかも。 表記 かたく「(×恰も)」とも。●あたかもよし【(好)し】句〔文〕ちょうどいいことには。

あたくし【(△私)】《代》〔話〕「わたくし」の〈やや軽い〉気取った〉言い方。〔おもに女性や下町の男性が使う〕

あたし【(△私)】《代》〔話〕「わたし」のやや軽い言い方。〔おもに女性や下町の男性が使う〕

あだしおとこ【(△他し)男】〔文〕〔夫・恋人こいびと以外の〕別な男。

あだしおとこ【(△徒し)男・(×仇し)男】〔文〕誠実みのない男。

あたたか【温か】《ナダ》温かい感じがするようす。あったか。「—な家庭」 区別 「温かな」は「温かい」よりもばくぜんとして、具体的に「ここ」と示しにくい場合に使う。「暖かな」と「暖かい」の区別も同じ。

あたたか【暖か】《ナダ》暖かい感じがするようす。あったか。「—な毛布」

*あたたか・い【温かい】《形》①〔ものの〕温度がほどよく高い。「—料理」②心がやさしく、思いやりがある。「—人がら」③気持ちが通いあうようすだ。「—家庭」▽あったかい。(↔冷たい) 区別 ⇨温か 派 —げ。—さ。—み。

あたたか・い【暖かい】《形》①〈気温がほどよく高くて〉それほど寒くなくて〉気持ちがいい。「—冬・—コート」②お金がたくさんある。「ふところが—」▽(↔寒い) ③火や太陽を思わせる。「—色〔＝暖色〕」▽あったかい。 派 —げ。—さ。—み。

あたたま・る【温まる】《自五》温かになる。あったまる。「手足が—・心—話」

あたたま・る【暖まる】《自五》暖かになる。あったまる。「部屋が—」

あたた・める【温める】《他下一》①〈熱を加えて〉あたたかにする。「ミルクを—」②〔鳥が、たまごがかえるまで〕だいじにかかえる。③すぐに発表せず、だいじにしておく。「十年間温めたプラン」④〔集まった人の〕気持ちをほぐす。「場を—」⑤こっそり自分のものにする。▽あっためる。 名 温め。「〔弁当の〕—はどうされますか〔＝温めますか〕」

あたた・める【暖める】《他下一》〔気温を上げて〕あたたかく感じるようにする。あっためる。「室内を—・空気を—」

アタッカー〔attacker〕《バレーボール》スパイクする選手。「エース—」

アタック〔attack〕一《名・自他サ》①攻撃こうげき。おそうこと。②〔むずかしい山・条件などに〕いどむこと。「頂上に〈を〉—する・難関に—する」③好きな相手に、強くさそいかけたり、お願いしたりすること。「女の子に—する〔＝デートにさそったりする〕・入社希望の会社に—する」二①〔音〕〔器楽・声楽で〕音の出しはじめ。②ワインを口にふくんだときに感じる味の、最初の印象。「—が強い」

アタッシュケース〔attaché case〕〔＝大使館員・公使館員〕うすくて箱形の書類かばん。アタッシェケース。

アタッチメント〔attachment〕器具や機械の付属〈品・装置〉。

あたって【(当たって)】《(にあたって)で格助》…のときに。…を前にして。あたり。「創刊に—一言」

あだっぽ・い【(×婀×娜っぽい)】《形》〔文〕なまめかしさがあらわれている感じだ。 派 —さ。

あだな【(×渾)名・(×綽)名】《名・他サ》①特徴とくちょうをとらえて、ほかの人がつけた、本名ほんみょうでない名。例、赤シャツ。②親しい間がらでの呼び名。愛称あいしょう。例、「のぶこ」を「のんちゃん」。

あだなさけ【(△徒)情け】〔古風〕むだな情け。むなしい〈情け〉恋に〉。

あだな・す【(×仇なす)・(×寇なす)】《自五》むほんを起こす。敵として向かってくる。「社長に—一派」

あだばな【(△徒)花】〔＝さいても実を結ばない花〕はなやかでも、あとに何も残らないもののたとえ。「時代の—にすぎなかった文学」

あたふた《副・自サ》あわてふためくようす。「—と帰る・不意の来客に—する」

アダプター〔adapter〕〈規格の異なる〉別の機能を持つ〉複数の器具を接続して使えるようにする部品。「AC—」

あたぼう〔↑あたりまえだ、べらぼうめ〕〔俗〕あたりまえ。あたりき。「—よ」〔江戸えどっ子のことば〕

**あたま【頭】一あたま ①〈胴どうなどと区別して〉首より上の部分。「—を上げる・—のてっぺんから足のつま先まで〔＝全身〕」②からだの中でいちばん上にあり、毛のはえる部分。また、その内部。「おでこと—のさかいめ・—が痛い」③かみの毛。「—を刈かりに行く」④ものを考えるところ。頭脳。「いい考えが—にうかぶ・—に置く」⑤ものを考える力。知力。「—がいい・—の切れる人」⑥思いこみ。「こうするものだという—がある」⑦はじめ(の部分)。「—から数える」⑧物の、上のほうの部分。

「くぎの―・富士山の―・牛どんの―〔=具の部分〕」⑨上に立つ人。〔集団の〕かしら。「―になってもらう」⑩人数。「―をそろえる」⑪〔俗〕〔新聞の〕第一面のトップの記事。 二 造 〔おもに **ひとり―**〕あたり。ずつ。「ひとり―一万円を支給した」 ●**頭が上がらない** 句 〔恩義や負い目があって〕対等につきあえない。 ●**頭が痛い** 句 どうしたらいいか、困っているところだ。 ●**頭隠して尻隠さず** 句 〔よくないことを〕全部かくしたつもりなのに、まだ一部分があらわれているようす。 ●**頭が下がる** 句 心から感心して尊敬する気持ちになる。☞頭を下げる 句。 ●**頭が白くなる** 句 ①かみの毛が白くなる。老人になる。②⇩頭(の中)が真っ白になる 句。 ●**頭が低い** 句 ①いばらないで、謙虚だ。(↕頭が高い) ②あいそがいい。 ●**頭が回る** 句 よく考えることができる。よく気づく。 ●**頭から湯気を〈立てる/出す〉** 句 かんかんになって おこる。 ●**頭が わく** 句 〔俗〕頭が異常になる。「お前、頭わいてるな」〔「わく」は、「湯のように沸く」「発酵する〔=沸く〕」「虫が湧く」などの意味〕 ●**頭が割れるよう** 句 頭の中が、たえられないほど痛くなる たとえ。頭が割れそう。「―に痛む」 ●**頭に来る** 句 ①〔…のせいで〕怒りが生まれる。腹が立つ。「批判されて―・あいつの態度が―」②頭が変になる。③〔悪い酒によって〕頭が痛くなる。頭へ来る。 ●**頭の上のはえ(蠅)も追えない** 句 自分ひとりのしまつさえも ろくにできない。 ●**頭の黒いねずみ(鼠)** 句 主人や会社の品物や お金をごまかして ぬすむ、悪い人間。 ●**頭(の中)が真っ白になる** 句 ひどいショックを受けて、何も考えられなくなる。頭が白くなる。 ●**頭一つ抜ける** 句 実力の似かよった競争者の中で、はっきり わかるほど すぐれる。頭一つ抜け出る。「戦力が頭一つ抜けている」 ●**頭を痛める** 句 どうしたらいいか、わからなくて悩む。 ●**頭を押さえる** 句 相手の行動や発言に勢いがつきはじめたときに、力でおさえる。 ●**頭を抱える** 句 〔困りきったときの動作から〕どうしたらいいか わからなくて、困ってしまう。 ●**頭をかく** 句 頭に手をやって軽くかく。はずかしいとき、困ったときなどにする しぐさ。 ●**頭を下げる** 句 ①おじぎをする。②相手に〈あやまる/お願いする〉。③尊敬の気持ちをあらわす。☞頭が下がる 句。 ●**頭を使う** 句 うまくいくように、よく考える。「『どうしたらいい?』『―んだな』」 ●**頭を突っ込む** 句 ⇩首を突っ込む〔「首」の 句〕。 ●**頭をはねる** 句 〔古風〕上前をはねる。 ●**頭をひねる** 句 〈うそか本当かわからなくて/いい考えがうかばず〉頭をかたむけるようにする。 ●**頭を冷やす** 句 のぼせている頭をさまし おちつかせる。 ●**頭を丸める** 句 ①〔反省の気持ちを示すために〕かみの毛を〈全部そる/短く刈る〉。②僧になる。 ●**頭をもた(擡)げる** 句 ①かくれていた考えや気持ちが うかんでくる。「不安が―」②しだいに勢力を増してくる。台頭する。 ●**あたまうち**〔頭打ち〕①《経》相場などがそれ以上あがらなくなること。②勢いがそれ以上強くならないこと。③階級・月給などがそれ以上あがらないこと。 ●**あたまかず**〔頭数〕人数。「―が そろう」 ●**あたまかぶ**〔頭株〕①おもだった人。かしらぶん。②〔俗〕会社名で、株式会社や㈱が頭につくこと。まえかぶ。(↕後ろ株) ●**あたまから**〔頭から〕《副》自分の考えとちがうものを、少しも受けつけないようす。まるで。まったく。頭っから。「―受け付けない・―決めてかかる」 ●**あたまきん**〔頭金〕①分けてしはらうべき お金のうち、最初にまとめてはらう分。②《将棋》相手の王の すぐ前に金を打つこと。 ●**あたまごし**〔頭越し〕①頭の上を越すこと。②間にいる当事者を通さないでことを進めること。「―の交渉」 ●**あたまごなし**〔頭ごなし〕①〔相手の言い分も聞かず〕はじめから決めつけること。「―にしかりつける」②「頭越し」の言いまちがい。 ●**あたまさ**〔頭差〕《競馬》馬の頭から先だけの、わずかの差。「―の二着」☞首差・鼻差。 ●**あたまだし**〔頭出し〕《名・他サ》磁気テープやディスクなどで、再生したい曲や番組の始まりの部分をさがし出すこと。 ●**あたまでっかち**〔頭でっかち〕《名・ナダ》①からだのほかの部分にくらべて頭が大きい〈こと/人〉。②理論や知識ばかりで行動のともなわない〈こと/人〉。 ●**あたまのたいそう**〔頭の体操〕①問題を考えて、頭を使うこと。「―になる」②⇩思考実験。「あくまで―だが…」 由来 多湖輝のパズル本シリーズの題名から。 ●**あたまわり**〔頭割り〕その人数で平等にわりあてること。

**アダム**〔Adam〕《宗》〔旧約聖書で〕神が最初につくったといわれる男性。イブの夫。

**あだめ・く**〔(×婀×娜めく)〕《自五》〔文〕なまめかしく見える。 他 あだめかす《五》。

**あだやおろそか**〔(△徒や△疎か)〕《ナダ》〔後ろに否定が来る〕〔文〕いい加減な気持ちで〈する/あつかう〉ようす。あだおろそか。あだやおろか。あだおろか。「本なんて―〈に/で〉書けるものではない・命は―〔=なおざり〕にできない」

**あたら**〔(:可惜)〕〔文〕 一 《連体》おしい。せっかくの。「―青春を無為に過ごすとは」 二 《副》おしくも。「―好機を逸した」▽ 一 二 あったら。

**あたらざる**〔当たらざる〕《連体》〔文〕適当でない。「―もはなはだしい」

**あたらし・い〔新しい〕《形》①現在から さほど さかのぼらない。「―時代・―地層・比較的 新しく広まった習慣」②〈できた/とれた〉ばかりだ。「―家・―魚が入荷する」③まだ(あまり)使っていない。「―ノート・―シャツ」④これまでのものに〈代わる/加わる〉ようす。「―番組・―人をやとう・本の―章を書く」⑤これまでにない。はじめて経験する。「―文学」▽(↕古い) 由来 もとの形は「あらたし」。「惜しい」を意味する別の「あたらし」という形容詞に引かれて、音がひっくり返ったもの。 派 ―げ。―さ。―み。☞新しく。 ●**新しい酒を古い皮袋に盛る** 句 〔新約聖書の一節から〕①せっかくの新しい内容を古い形式であらわす。②形式は古いが内容は新しい。 ●**新しいページを加える** 句 新しい展開をもたらす。記憶に残ることをする。「現代史に―」〔「ページ」は「一ページ」とも。「加える」は「開く」「書きこむ」とも〕

**あたらしが・る**〔新しがる〕《自五》〔流行を追ったりして〕新しい様子を見せる。 名 新しがり。「―屋」

**あたらしく**〔新しく〕 一 《副》①これまでとは別に。さらに。「―買った中古車」②はじめての経験として。「―大学生活を始める」▽新たに。 二 新しい時期。「古くは万葉集、―は現代文学にまで くわしい」

**あたらしものずき**〔新し(物)好き〕《名・ナダ》新しいものごとが好きな〈ようす/人〉。「―〈の/な〉県民性」

**あたらず さわらず**［当たらず障らず］《副》どこにもさしつかえの起こらないように気をつけるようす。「ーの返事をする」

**あたら・ない**［当たらない］《形ヌズ》〈に(は)ー〉必要がない。適当でない。「おどろくに(は)ー」丁寧 当たりません。

↔*__あたり__ ■一［辺り］ 近所。付近。「このー」■二 造 ①だいたい…に近い〈所/時〉。「まんなかーの席・きょうー届くだろう」②たとえば…など。「秋山君ー適任じゃないか・〔婉曲に〕お宅ーでは」●**辺りを払う** 句 〔文〕あたりにくらべるものがないほど、りっぱに見える。「威風ー・ー堂々たる姿」

↔**あたり** ■一 **あたり**［当たり］①当たること。「火のーがやわらかいなべ」②相手にあたえる印象。「ー〔=人当たり〕のいい人」③手がかり。見当。☞当たりをつける 句。④〔射的などで〕目標に命中すること。⑤推理が正しい(とわかった)こと。正解。「その推測はーだった」⑥〔くじなどで〕いいもの・何かが得られるもの(を選んだこと)。「ーを引いた・このスイカはーだ〔=おいしい〕」▽④～⑦(↔外れ) ⑦うまく行くこと。「芝居でーをとる」⑧《球技》打球の飛び方。「ーがいい」⑨《すもう》相手に自分のからだをぶつけて行くこと。「ーの強い力士」表記 ③～⑦「アタリ」とも。■二 **あたり**［アタリ］①《釣り》さかながえさをくわえること。魚信。「ーがあった」②《碁》もう一手打てば相手の石が取れる状態。■三 **あたり**［(当たり)］造 …を単位とすること。「一日ー一万円の日当」■四 **あたり**［(当たり)］《**にあたり** で格助》〔…に〕際して。あたって。「出発(する)にー決意を述べる」●**当たりをつける** 句 だいたいこのへんだろう、と見当をつける。「当たりをつけて本のページをひらく・〔絵の下がきで〕えんぴつでー」表記「当たり」は「アタリ」とも。●**あたり きょうげん**［当たり狂言］《歌舞伎》客の人気を集めて、成功した芝居。●**あたり くじ**［当たり(×籤)］賞金・賞品が当たったくじ。●**あたり げい**［当たり芸］《演劇など》成功した演芸。●☆☆**あたり さわり**［当たり障り］人をおこらせたり、問題を起こしたりするような おそれ。「ーのない話でごまかす」●**あたり ちら・す**［当たり散らす］《自五》腹が立って、だれでもかまわず まわりの者に文句を言う。●☆☆**あたり どし**［当たり年］①〔収穫などの〕多い年。「カボチャのー」②〔よく売れるなどして〕幸運がまいこんだ年。●**あたり はずれ**［当たり外れ］①当たるか外れるか(のちがい)。「この業界はー〔=成功と失敗の差〕が大きい」②当たったり外れたりすること。「スイカにはー〔=おいしいものとそうでないもの〕がある」●**あたり ばち**［当たり鉢］〔古風〕「すりばち」のいみことば。由来「お金をする」に通じるのをさけてできた言い方。●*__あたり まえ__［(当たり前)］《名・ナダ》①自然で、なんのふしぎもないようす。当然。「ー〈の/な〉話」②めずらしくないようす。ふつう。「ー〈の/な〉人間」派 -さ。●**あたり め**［当たりめ］〔古風〕「するめ」のいみことば。由来「お金をする」に通じるのをさけてできた言い方。●**あたり や**［当たり屋］①思ったとおりの利益を得た人。②うまく人気を得た〈店/人〉。③《野球》安打を多く打つ人。④〔俗〕走っている自動車にわざと ぶつかったりして、事故だと言いがかりをつけ、お金をゆすり取る者。●**あたり やく**［当たり役］その俳優の演じ〈る/た〉役のうち、いちばん評判の〈いい/よかった〉もの。

→**あたり**［(△中り)］造 人のからだに害になること。「食ー・暑さー」

**あたりき**［当たりき］〔りき=語調をととのえることば〕〔俗〕当たり前。あたぼう。〔江戸っ子のことば〕「ーしゃりき〔=当たり前。『しゃりき』は『車力〔=車を引く人〕』で、調子をよくするためにそえたことば〕」

←**あた・る**［(△中る)］《自五》中毒する。やられる。「ふぐにー・暑さにー」

→**__あた・る__［当たる］■一《自五》①ものが飛んできたりして、その部分に勢いよく力が加わる。「ボールがかべにー・馬の からだに むちがー」②ものが、ある部分にぴたりと接する。「となりの席の人にひじがー」③光・熱・風雨などが、その部分に届く。「庭に日がー・強風がー」④目標に うまく届く。命中する。「矢が的にー」(↔外れる・それる) ⑤推理したことが、正しい答えや事実に合う。正解する。「推測がー・二問当たった」(↔外れる) ⑥〔くじで〕何かが もらえるものを選んだ、とわかる。「一等〈が/に〉ー・自転車がー」(↔外れる) ⑦動いているものを、からだに受ける。「たまにー・風にー」⑧光や熱を、からだに受ける。「日にー・こたつにー」⑨引き受けておこなう。「交渉にー・任にー」⑩わりあてられる。「英語の授業で当たった」⑪指名を受ける。「当番にー」⑫答えや手がかりを求める。たずねる。「辞書にー」⑬相手に立ち向かう。「当たってくだけろ・勢いーべからず〔=だれも止められない〕・ー所〔=向かう所〕敵なし」⑭理由もなく、ののしったり ひどい態度をとったりする。「いらいらして家族にー・つらくー」⑮あてはまる。「この批評は当たっている・今回のケースには当たらない」⑯相当する。「三日目にー・日本語の『こんにちは』にー英語・きょうは父の命日にー〔=命日だ〕」⑰…という結果になる。「失礼にー」⑱〔おされた くだものの〕一部分の色が変わったり、くさったりする。「当たったリンゴ」⑲うまく行く。成功する。「今度の出し物は当たった」(↔外れる) ⑳《球技》調子よくボールを打つ。「きょうは当たっている」☞当たらない。■二《他五》①調べる。たずねる。「ほかを当たってみよう」②〔古風〕ⓐす(剃)る〔=そる〕。「ひげをー」ⓑす(擂)る。「ごまをー」由来 東京の商家などで、「お金をする」に通じるのをさけてできた言い方。可能 ■一 ■二 当たれる。■三《連体》きたる。「ー六月十三日」〔劇場・寄席などで、縁起をかついだ言い方〕☞当たって・当たらざる。●**当たらずといえども遠からず** 句「その推測は、ーだ」●**当たるも八卦 当たらぬも八卦** 句 うらないのことだから、あまり気にしないほうがいい。●**当たるを幸い** 句 手当たりしだいに。「ー(に)敵を次々と投げ飛ばす」

☆☆**アダルト**〔adult〕■一 ①おとな(用)。「ーファッション」②〔性をあつかっていて〕成人向けであること。「ーDVD」■二《ナダ》①おとなっぽいようす。「ーな感じの女性」②成人向けであるようす。「ーな動画」●**アダルト チルドレン**〔adult children〕問題のある親のもとで育ち、心に傷を負ったまま おとなになり、生きづらさをかかえる人。AC。

**あたわ・ぬ**［(△能わぬ)］《形ヌズ》〔「あたわない」は まれ〕〔文〕できない。「感慨なきーであろう〔=感慨があるだろう」・模倣(もほう)するに あたわなく(=模倣できなく)なっている」〔終止形「あたわず」、連体形「あたわざる」など、文語形も多く使われる。「尊敬 措(お)くあたわず(☞措く①)・言うことあたわざる(=何も言えない)者」〕

**アチーブメント**〔achievement=達成〕 ↑アチーブメントテスト。●**アチーブメントテスト**〔achievement test〕 学習の到達(とうたつ)度をはかるテスト。アチーブ(メント)。

**あちこち** 一(代) あちらこちら。 二(副・自サ) ①ほうぼう。「―さがし求める」 ②ほうぼう(さがして)歩くこと。「ずいぶん―した」 ▽一二 あっちこっち。 表記 かたく「:彼方此方」とも。

**あちち**〔話〕 一(感) ⇩あつつ。「あちち(↓)、お茶をこぼしちゃった」 二**あちち**〔児〕〈暑い/熱い〉こと。「今日は―だね」 ▽一二 強調して「あっちっち」。

**あちゃあ**(感)〔話〕〈失敗した/困った〉ときに、思わず出す声。あいた。あちゃー。「あちゃあ(↓)、まいったなあ」

**あちゃらか**〔アチャラカ〕〔古風・俗〕おもしろおかしくてにぎやかな、軽演劇。〔昭和初期に流行〕

**アチャラづけ**〔アチャラ漬け〕〔ポ achar〕 野菜を刻んで、甘酢(あまず)につけたもの。 表記「:阿茶羅=漬け」とも書いた。

**あちら**(代)〔「あっち」よりも ていねいな言い方〕 ①自分および相手から遠い方向(の人・もの)をさすことば。「―をご覧ください・―へどうぞ・―(=あの方)は どなたですか」 ②二つ(以上)のうち、自分および相手から遠いものを選んでさすことば。「―の店のほうが安い」 ③自分や相手にとって反対がわ(の人)。向こう。「海の―・―の出方しだいだ」 ④欧米(おうべい)などの外国をさすことば。「―帰り」 区別 ⇩指示語。 表記 かたく「:彼方」とも。 ●**あちら立てれば こちらが立たず** 句 一方をよくすれば他方に悪い、というふうに、同時に二つを満足させられない。 ●**あちらこちら**(代・副) あっちの場所やこっちの場所。あっちでもこっちでも。「―(=ほうぼう)で火の手が上がる・―と連れ回す」

*__あっ__(感)〔話〕感動詞「あ」を強く言ったことば。意外なことに出あって、思わず出す声。「あっ(↓)、やばい」 ☞あっという間。 ●**あっと言わせる** 句〔意外なことをして〕おどろかせる。感心させる。

**あつ**〔圧〕 ①圧力。「―をはかる・タイヤの空気―」 ②圧倒(あっとう)する力。「妻から無言の―を感じる」

**あつ**〔厚〕 一 適 厚い。「―塗(ぬ)り」 二 造 厚み。「二センチ―」

**あつあげ**〔厚揚げ〕〔↑厚揚げどうふ〕 とうふを厚く切って、軽くあげた食べ物。なまあげ。「―のチーズ焼き」(↔薄(うす)揚げ)

**あつあつ**〔(熱々)・アツアツ〕(副) ①非常に熱いようす。「―のスープ・―に温めたコーヒー」 ②〔新婚(しんこん)の夫婦(ふうふ)や恋人(こいびと)どうしが〕熱愛しあっているようす。

**あつ・い**〔厚い〕(形) ①表と裏との へだたりが大きい。「―板」 ②深い。こまやかだ。「友情に―」 ▽(↔薄(うす)い) ③心から、ていねいにするようすだ。「厚く礼をのべる」 派―さ。

**あつ・い**〔(△篤い)〕(形) ①〔文〕病気が重い。「―病(やまい)」 ②何かをしようとする気持ちが、深い。「信仰(しんこう)が―」 派―さ。

*__あつ・い__〔暑い〕(形) まわりの空気が、からだ全体に熱く感じられ(て、がまんできなくな)る状態だ。「―夏の日・部屋の中が―」(↔寒い) 派―がる。―げ。 ☞暑さ。

*__あつ・い__〔熱い〕(形) ①火に近づいたときなどのような感じだ。「―鉄板・―みそしる」〔温度の高いものを、からだの一部で感じるときにいう。感動詞的に「あつっ」「あちっ」なども。☞あつつ〕(↔冷たい) ②体温が高い〈感じだ〉。「ひたいが―」 ③興奮や情熱が感じられるようだ。「―声援(せいえん)・―なみだ・―教師」 ④関心が高まっているようすだ。「―視線・いま、自転車が―」 ⑤たがいに強く愛しあっているようすだ。「お―仲」 表記 ③〜⑤「アツい」とも。 派―がる。―さ。 ●**熱いものが込(こ)み上げる** 句 感動・興奮して、なみだが出そうになる。〔胸から目にかけて わき上がる感じを言う〕「胸に―・鼻の奥(おく)に―」

**あついた**〔厚板〕 厚みのある板。「―の鉄鋼製品」(↔薄板(うすいた))

**あつえん**〔圧延〕(名・他サ)《理》金属材料をローラーの間に通し、圧力で板や棒にすること。

**あっか**〔悪貨〕 まぜものの多い金・銀の貨幣(かへい)。あくか。(↔良貨) ●**悪貨は良貨を駆逐(くちく)する** 句 ①⇩グレシャムの法則。 ②見かけだけの悪い商品がよく売れて、質のいい商品が姿を消すことのたとえ。

**あっか**〔悪化〕(名・自サ) 悪くなること。「病気が―する」(↔好転・良化)

**あつかい**〔扱い〕(あつかひ) 一 あつかうこと。「人からひどい―を受ける」 二**あつかい** 造(名・他サをつくる) ①…をあつかうこと。「客―になれている」 ②〈…として/…のように〉あつかうこと。「例外―(に/と)する・人を年寄り―(に)するな」

*__あつか・う__〔扱う〕(あつかふ)(他五) ①〔ていねいに、また、乱暴に〕手で持ったり、運んだりする。「本を大切に―」 ②操作する。「機械を―」 ③〔仕事で〕それを売り買いする。また、いつも使う。「保険を―代理店・数字を―職業」 ④主題として取り上げる。「裁判を扱ったドラマ」 ⑤〔ていねい・乱暴などの〕態度で接する。待遇(たいぐう)する。「客を丁重(ていちょう)に―・全員を平等に―」 ⑥そのように見なす。処理する。「出席として―」 可能 扱える。

**あつかまし・い**〔厚かましい〕(形) ふつうなら はずかしくて えんりょすることを、平気でするようすだ。「厚かましくおごってもらう・この点数で単位をくれとは―」 区別「厚かましい」も「図々(ずうずう)しい」も恥(はじ)を知らない点では同じだが、「厚かましい」は人からの評価に鈍感(どんかん)な感じ、「図々しい」は自分の勝手を通そうとする感じがある。相手にたのむときは、けんそんして「厚かましいお願いですが…」と言う。「図々しいお願いですが…」と言うと、調子に乗って歯止めがない感じをあたえる。 派―げ。―さ。

**あつがみ**〔厚紙〕 厚く〈作った/はった〉紙。

**あつがり**〔暑がり〕(名・ナダ) ふつうの人よりも、暑さを感じる〈性質/人〉。(↔寒がり)

☆☆**あっかん**〔圧巻〕 一 いちばんの見もの・聞きもの(の部分)。「ラストの場面は―だ」 由来 昔の中国の科挙(=高級役人の採用試験)で、いちばんいい答案〔巻物形のもの〕を、他の答案を圧するように上に重ねたところから。 二(名・他サ)〔俗〕思わず圧倒(あっとう)される見もの・聞きもの。「―の試合・見る者を―する」

**あっかん**〔悪漢〕 悪いことをする男。「―小説(⇩ピカレスク)」

**あつかん**〔熱(×燗)〕 酒を熱くあたためた状態。「―で

飲む」〔だいたい五十度くらい〕(↕ぬるかん《燗》)

**あっき**[悪鬼]〔文〕人に害をあたえる、おそろしいおに。「―のような形相・―羅刹」

**あつぎ**[厚着]《名・自サ》衣類をたくさんかさねて着ること。かさねぎ。(↕薄着)

**あっきゅう**[悪球]《野球》ストライクゾーンから外れた球。「―打ち」(↕好球)

**あつぎり**[厚切り]厚く〈切ること/切ったもの〉。「―ハム」(↕薄切り)

**あつくるし・い**[暑苦しい]《形》①暑くて からだが不快な感じだ。②人の見た目が、暑さを感じさせるようすだ。「―服装・―顔」③うるさくて、じゃまに思われるようすだ。「―実況放送・暑苦しく世話を焼く」▽あつっくるしい。派-がる。-げ。-さ。

**あっけ**[〈:呆気〉]〔↑開け。ぼんやり口を開けること〕

●**あっけにとられる** 句 おどろき あきれて、ことばを失う。「思わず―ような言いわけ」他あっけにとらせる〔俗〕。●**あっけな・い**[〈:呆気ない〉]《形》〔「ない」は強調〕簡単に終わったりして、もの足りない結果であるようす。「―幕切れ・あっけなく降伏した」派-さ。

**あっけい**[悪計]〔文〕悪い計略。「―をたくらむ」

**あつげしょう**[厚化粧]《名・自サ》①厚くぬった化粧。(↕薄化粧)②必要以上に かざりたてること。「―した表現」

**あっけらかんと**《副・自サ》①明るくて こだわらないようす。平然としているようす。けろりと。「―した態度・―忘れる」②あけっぱなしで かくさないようす。「―語る」③〔古風〕(あきれて)口をあけて ぼんやりしているようす。ぽかんとしているようす。

**あっこう**[悪口]《名・自サ》〔文〕わるくち(を言うこと)。「―雑言(=いろいろな ひどい わるくち)」

**あっこん**[圧痕]〔文〕強くおされたとき、皮膚やものの表面にできる あと。

**あつさ**[暑さ]①暑い〈こと/程度〉。②夏の暑い季節。「―に向かう」▽(↕寒さ)●**暑さ寒さも彼岸まで** 句 暑いのも寒いのも彼岸までのしんぼうで、それから先は楽になる。●**あつさあたり**[暑さ〈△中り〉]暑気あたり。●**あつさしのぎ**[暑さ〈×凌ぎ〉]暑さをまぎらす〈こと/方法〉。

**あっさく**[圧搾]《名・他サ》《理》おしつけてしぼること。圧縮。「―空気」

**あっさつ**[圧殺]《名・他サ》①おしつけて殺すこと。②活動を完全におさえつけること。「言論を―する」

**あっさり**《副・自サ》①あまみ・脂肪などが少なくて、しつこい味がしないようす。「―した味」②あまりこだわらないで決めるようす。「―許す」③手間が かからないようす。「―勝った」

**あっし**[圧死]《名・自サ》おしつぶされて死ぬこと。

**あっし**《代》〔古風・俗〕「わっし」の少し くずれた言い方。

**アツシ**[〈:厚子〉・〈:厚司〉]〔アイヌ attush〕①オヒョウ(=ケヤキに似た木)の繊維で作った、アイヌの織物。②厚い じょうぶな綿織物。はんてん・前かけなどにする。

**あつじ**[厚地]〔布などの〕生地が厚い〈こと/もの〉。「―のカーテン」(↕薄地)

**アッシュ**〔ash〕①灰(色)。「髪を―系に染める」②とねりこ。「ホワイト―・―材」

**あっしゅく**[圧縮]《名・他サ》①おしつけて縮めること。「―空気・―した表現」②《情》〔コンピューターで〕データの内容を変えることなく、ファイルの容量を小さくすること。凍結。「―ソフト」(↕展開・解凍)

**あっしょう**[圧勝]《名・自サ》大きな差で勝つこと。

**あっ・する**[圧する]《他サ》〔文〕①力で おさえつける。「背中を指で―・批判を暴力で―」②圧倒する。「他を圧してすぐれた芝居」▽圧す。

**あっせい**[圧政]権力で人民をおさえつける政治。「―に苦しむ」

**あっせい**[圧制]《名・ナダ》〔文〕権力でおさえつけること。「―者」

**あっせつ**[圧雪]《名・他サ》降った雪をふみ固めること。また、そのふみ固められた雪。「―車・―路面」

**あっせん**[〈×斡旋〉]《名・他サ》人と人の間の、世話。とりもち。「就職を―する」●**あっせんしゅうわい**[〈×斡旋〉収賄]《法》公務員が、人にたのまれて、ほかの公務員に不正なことをさせ、その見返りとして わいろを要求したり受け取ったりする犯罪。あっせん利得。

**あつぞこ**[厚底]底が厚い〈こと/もの〉。「―ブーツ」

**あったか**[〈△暖か〉・〈△温か〉]《ナダ》〔話〕あたたか。●**あったか・い**[〈△暖かい〉・〈△温かい〉]《形》〔話〕あたたかい。派-げ。-さ。-み。

**あった・める**[〈△暖める〉・〈△温める〉]《他下一》〔話〕あたためる。自あったまる《五》。

**あっち**《代》①〔話〕自分および相手から遠い方向をさすことば。「―へ行け」②〔話〕二つ(以上)のうち、自分および相手から遠いものを選んで さすことば。「やっぱり―にしよう」③〔話〕自分および相手にとって反対がわ(の人)。向こう。「―に渡ろう・―のペースにはまる」④〔俗〕あの世。「―に行く日」⑤〔俗〕性に関すること。「―のほうの話」表記 かたく「:彼方」とも。丁寧 ①〜④あちら。●**あっちこっち**《代・副・自サ》〔話〕あちこち。あっちゃこっちゃ〔俗〕。区別 ⇩指示語。

**あづちももやまじだい**[〈△安土〉桃山時代]《歴》織田信長・豊臣秀吉を中心に政治がおこなわれた時代。美術・芸能が発達した。〔一五七三〜一六〇三〕

**あっちゃく**[圧着]《名・他サ》《理》おしつけて、くっつけること。「テープを―する・―はがき(=個人情報などを書いた上に、はがせるシールをはる はがき)」

**あっつ**《感》〔話〕〔ものの温度が〕熱いときに言うことば。あちち。「あっつ(↓)、やけどしそう」

**あつで**[厚手]〔紙・布・陶器などの〕厚い〈もの/こと〉。「―のセーター」(↕薄手)

**あっては**(**にあっては**で副助)〔文〕…という場面では。…という場合には。「国際社会に―、おたがいの価値観を尊重すべきだ」

**あっというま**[あっという間]きわめて短い時間。あっちゅうま〔俗〕。「―に売り切れた・―の中学生活」

**あっとう**[圧倒]《名・他サ》①くらべるものがないほどの〈力/すごさ〉を見せつけること。「―されるような大男」②大きな差をつけて、上回ること。「賛成が反対を―している」●**あっとうてき**[圧倒的]《ナダ》①くらべるものがないほど すごいようす。「―な人気をほこる・―な存在感・―な自然」②ほかとの差が非常に大きいようす。

「男性が—に〈多い／少ない〉・外国に比べて—に不利だ」

**アットホーム**《ナダ》〔at home=家庭で〕家にいるような、楽な〈ようす／気持ち〉。アト ホーム。「—なふんいき・—なサークル」

☆☆**アットマーク**〔和製 at mark〕「@」の記号。①「単価…で」の意味に使う。「@148×2点（=一つ百四十八円の品が二点）」②〔メールのアドレスで〕ユーザー名とドメイン名を区切る。③〔ツイッターで〕ユーザー名をあらわす。④所属や場所をあらわす。「谷本@営業部・国宝展@上野」▽②④「アット」とも言う。

**アッパー**〔upper〕㊀アッパー ①《ボクシング》↑アッパーカット。「右—」②くつの、〔底でなく〕上をおおう部分。㊁遺 上の。上層の。「—フロア・—クラス」 ●**アッパーカット**〔upper cut〕《ボクシング》相手のあごを突き上げる打ち方。アッパー。

**あっぱく**〔圧迫〕《名・他サ》①おさえつけること。「胸を—される・胸の—感（=おさえつけられるような感じ）」②勢力・権力によって、相手を困らせること。「大国が小国を—する・—面接（=採用担当者が就職希望者を追いつめるような質問をする面接）」③苦しいほど、大きな負担をあたえること。「学費が家計を—する」

**あっぱっぱ**〔アッパッパ〕〔関西方言〕《服》簡単服。

**あっぱれ**〔（:天晴れ）・（×遖）〕㊀《ナダ》感心なようす。驚嘆すべきようす。「—な活躍・敵ながら—だ」派—さ。㊁《感》〔古風〕えらい。でかした。「—、武士のかがみだ」

＊**アップ**〔up〕㊀①仕上げること。「クリーン—・ドレス—」②終了すること。「タイム—」③髪型の一つ。うしろのかみの毛を上へあげたもの。アップ スタイル。「ハーフ—」㊁《名・自他サ》①上がること。上げること。「月給が—した・レベル—・髪を—する（=アップスタイルにする）」（↔ダウン）②↑ウォーミング アップ。「—をはじめる」③↑クランク アップ。④〔撮影で〕↑クローズアップ。「顔を—で映す」（↔ロング）⑤↑アップロード。「写真を—する」 ●**アップグレード**《名・他サ》〔upgrade〕機能や質を高めること。「ソフトウェアの—」 ●**アップダウン**《名・自サ》〔ups and downs〕①〔道や地面が〕高くなったり低くなったりして続くこと。②上がったり下がったりすること。「売り上げの—」 ●☆☆**アップデート**《名・他サ》〔update〕最新のものにすること。特に、コンピューターのデータなどについて言う。アプデ〔俗〕。「プログラムの—・記述を—した新版」 ●**アップテンポ**《名・ナダ》〔up-tempo〕テンポが速いこと。速いテンポ。「—〈の／な〉曲・—のダンス・—の映像」 ●**アップトゥーデート**《ナダ》〔up-to-date〕最新〈式／流行〉。 ●**アップライト**《ナダ》〔up-right〕①直立。「『ボクシング』—スタイル・—ベース（=コントラバス）」②〔↑アップライト ピアノ〕弦などを垂直に中に収め、場所を取らないようにした、家庭用のピアノ。たて型ピアノ。（↔グランド ピアノ）③生け花の材料の一つ。さらしたふじづるなどをまっすぐに立てたもの。アプライト。 ●☆☆**アップロード**《名・他サ》〔up-load〕《情》〔インターネットで〕①端末にある一定量のデータをホスト コンピューターへ転送すること。②特に、SNS・ウェブサイトなどに投稿すること。▽アップ。（↔ダウン ロード）

**あっぷあっぷ**《副・自サ》①おぼれかけて もがくようす。②〔話〕苦しみ困るようす。「金づまりで—する」

**あっぷく**〔圧伏・圧服〕《名・他サ》〔文〕力でおさえつけてしたがわせること。

**アップリケ**《名・自サ》〔フ appliqué〕布の上に、模様を切りぬいた色布をぬいつけ〈ること／たもの〉。布おきしゅう。アプリケ。

**アップル**〔apple〕食材としてのリンゴ。また、リンゴ味。「—ジュース・—パイ」

**あつぼった・い**〔厚ぼったい〕《形》厚くふくれあがっているような感じだ。「—洋服の生地」派—さ。

**あつまり**〔集まり〕①集まる〈こと／ぐあい〉。「会の—が悪い」②会合。「卒業生の—」

＊**あつま・る**〔集まる〕《自五》①〈まわり／あちこち〉の場所から、中心となる一つの場所に向かって動く。集合する。「砂糖にアリが—・みんな集まれ」②多くのものが、ある一か所で合う。「同情が—・多くの路線が—駅」③いろいろな(ところから来た)ものが、たくさん得られる。たまる。「切手がだいぶ集まった」可能 集まれる。

**あつみ**〔厚(:味)〕厚さが感じられること。「—がある」

＊＊**あつ・める**〔集める〕《他下一》集まるようにする。「人を—・注目を—・絵はがきを—」可能 集められる。

**あつもの**〔(×羹)〕〔文〕野菜や肉を入れた、熱い吸い物。 ●**あつものに懲りてなます(膾)を吹く** 句 度の過ぎた用心をするたとえ。

**あつもり**〔(熱盛り)〕熱いめんをうつわに盛って出すそば・うどん・つけめん。つゆにつけて食べる。

**あつやき**〔厚焼き〕厚い形に焼き上げた料理・菓子など。（↔薄焼き） ●**あつやきたまご**〔厚焼き玉子・厚焼き卵〕厚く焼いた、あまみのある関東ふうのたまご焼き。☞出し巻き玉子。

**あつゆ**〔熱湯〕〔古風〕〔ふろの〕熱い湯。（↔ぬる《ま》湯）☞ねっとう(熱湯)。

**アッラー**〔アラビア Allāh〕《宗》〔イスラム教で〕唯一の神。アラー。

**あつらえ**〔(×誂え)〕〔あつらえ〈ること／た品〉。オーダー。「ちょうちん—処」（↔出来合い）動 誂える《他下一》。 ●**あつらえむき**〔(×誂え)向き〕《名・ナダ》（=注文したとおり）〔(お)—〕たまたま、目的や希望に合う〈こと／ようす〉。「お—の大きさだ・お—に駅から近い」

**あつら・える**〔(×誂える)〕《他下一》①注文して作ってもらう。「洋服を—・入れ歯を—」②〔古風〕乗り物を用意してもらう。「駕籠を—」

**あつりょく**〔圧力〕①《理》〔ある面積にかかる〕物体をおす力。「—を加える・—をかける・—計」②相手に無理にやらせたり、やめさせたりする力。「上層部から—がかかる」 ●**あつりょくがま**〔圧力釜〕⇩圧力鍋。 ●**あつりょくだんたい**〔圧力団体〕圧力を加えて、政治の方向に影響をあたえる団体。 ●**あつりょくなべ**〔圧力鍋〕ふたでしっかりと密閉され、加熱した時に高温・高圧が保たれるなべ。早く、やわらかく煮える。圧力釜。 ●**あつりょくようき**〔圧力容器〕原子炉で、炉心をおおう、ぶあつい鋼鉄でできた容器。原子炉圧力容器。☞格納容器。

☆☆**あつれき**〔(×軋×轢)〕（=車輪がきしる）争い(あうこと)。不和。「人間関係の—」

**あて**㊀〔(当て)〕①見当。見こみ。「就職の—がある・売れると思ったが、ーが外れた」②たよりにすること。たのみ。「むすこをーにする・ーにならない約束」③目的。「ーもなく さまよう」 表記 俗に「アテ」とも。 二 [アテ]〔大阪などの方言〕 おつまみ。「酒のー」

**あて**【宛て】 造 ①わりあてること。…あたり。「ひとりー」②〔…を〕受取人とすること。名あて。「学校ーに送る」

**あで**【(△艶)】《ナダ》〔文〕なまめかしいようす。「ーな年増」

**アディショナルタイム**〔additional time=追加の時間〕《サッカー》試合の前半・後半のあと、延長してプレーする時間。選手交代・けがの手当てなどに使った時間を当てる。「ーは三分」

**あてうま**【当て馬】①種馬が種付けをするまで、かりにめす馬にあてがわれる、おす馬。②〔俗〕相手の出方をさぐったり、活動をじゃましたりするためだけに表に出される人。「ー候補」

**あてがい**【(宛てがい)・(当てがい)】 あてがう〈こと/もの〉。 ●**あてがいぶち**【(宛てがい扶△持)】①やといまがやとい人に一方的にあたえる給料。②こちらの考えだけで適当に お金や ものをあたえること。

**あてが・う**【(宛てがう)・(当てがう)】《他五》①全体のうちの ひとつをあたえる。割り当てる。「主役をー・せまい部屋をー」②不満が出たりしないように、とりあえずあたえる。「食事をー・子どもに おもちゃをー」③当てたままにする。「型紙をー・傷口にガーゼをー」

**あてがき**【当て書き】《名・自他サ》脚本家が、ある役者に演じてもらうつもりで、役者の個性が出るように人物をえがくこと。「知人の俳優にーする」

**あてこす・る**【当て(△擦る)】《自五》ほかのことに関係づけて、いじわるく遠まわしに悪口や皮肉を言う。あてつける。「『おとなりは金持ちでいいわね』と夫にー」 名 当てこすり。

**あてこ・む**【当て込む】《他五》あてにして、成功を得ようとする。「人出をー」 名 当て込み。

**あてさき**【宛て先】 あて名の場所。

**あてじ**【当て字・宛て字】《名・自サ》そのことばを書きあらわすさいに、漢字の音や訓を借りて あてはめた文字(の使い方)。例、目出度い・矢鱈。(↕正字) ☞当て読み。

**あてしょ**【宛て所】〔文〕〔郵便などの〕名あての場所。あてどころ。「受取人ーに尋ね当たらず」

**あてしょく**【当て職・宛て職・充て職】 ある役目の人にいつも決まって わりあてる、ほかの役目。例、知事がつとめることに決まっている委員会の委員長。

**あてずいりょう**【当て推量】《名・他サ》 いいかげんにおしはかること。

**あですがた**【(△艶)姿】 あでやかな姿。

**あてずっぽう**【(当てずっぽう)】《名・ナダ》 でたらめ。ヤマカン〔俗〕。あてずっぽ。 派 ーさ。

**あてつ・ける**【当て(付ける)】《他下一》①間接に言うことによって相手に対する悪い感情をあらわす。②〔仲のよさを〕見せつける。 名 当てつけ。「ーにいやみを言う・ーがましい」

**あてど**【当て(△所)】 目的の場所。「ー(も)なく歩き回る」

**あてな**【宛名】 手紙や書類に書く、相手の名。「ー書き」

**あてにげ**【当て逃げ】《名・自他サ》 自動車・船などが、ほかの自動車・船や建物などに ぶつかったあと、事故の始末もしないで そのままにげること。

**あてぬの**【当て布】①衣類を補強するために当てる布。②アイロンをかけるとき、衣類の上に当てる布。③傷口をしばるときなどに、皮膚に当てる布。

**アデノイド**〔ド Adenoid〕《医》扁桃が腫れて鼻呼吸がしにくくなり、鼻づまり・口呼吸・いびきなどの症状を起こす病気。子どもに多い。

**アデノウイルス**〔ラ adenovirus〕《医》扁桃 などにつくウイルス。かぜなどの病原体。

**あてはずれ**【当て外れ】 予想や見こみが外れること。「とんだーだ」

**あてはま・る**【当て(×嵌まる)】《自五》①その中に、ちょうどうまく はいる。「かっこにー数を答えなさい」②同じことが言える。「昨年の傾向は、今年には当てはまらない」③〔条件に〕ちょうどあう。「かぜの症状にー」④似合う。「玉を転がすという形容がー声」

**あては・める**【当て(×嵌める)】《他下一》①その中に、ちょうどうまく入れる。「ますに文字をー」②すでにわかっている事実をもとに、これこれの場合には どうなるかと、考えたり ためしたりする。引きあてる。適用する。「動物実験の結果をヒトにー・海外の基準を日本にー」 名 当てはめ。

**あてぶり**【当て振り】 演奏や音声に合わせて、おどったり演技をしたりすること。〔口パクは、この一種〕

**あてみ**【当て身】 相手のみぞおちを強く突っいて気絶させること。「ーをくらわせる」

**あてもの**【当て物】①(遊びで)それが何かを人に当てさせるもの。☞クイズ。②もれたり、動いたりしないように、あてがうもの。

**あでやか**【(△艶やか)】《ナダ》 下品にならない程度になまめかしいようす。「ーな姿」 派 ーさ。☞つや(艶)やか。

**アデュー**《感》〔フ adieu〕 さようなら(を言うこと)。

**あてよみ**【当て読み】 漢字を当て推量で読むこと。その読みが定着する場合もある。例、「既出」を「がいしゅつ」と読むなど。☞当て字。

**あてら・れる**【当てられる】《自下一》①からだに害を受ける。「毒気にー・サバにー(=中毒する)」②愛し合う人どうしの、仲のよさを見せつけられる。

←**あ・てる**【充てる・当てる】《他下一》 ほかに使う分を、ふりむけて それに使う。「余暇を読書にー・食費にー」

↔***あ・てる**【当てる】 二 《他下一》①ものを飛ばしたりたりして、その部分に勢いよく力を加える。「ボールを相手にー・車をうっかり塀にー」②飛んでくるものの前にものをさし出して はじく。「バットをボールにー」③ものを、ある部分に ぴたりと接するようにする。「胸に手をー・目に ぬれたタオルをー・ものさしをー(=ものさしで測る)」④下に入れる。敷く。「まくらをー・ざぶとんをお当てください」⑤光・熱・風雨などに ふれさせる。さらす。「日にー・夜露にー」⑥受けさせる。かける。そそぐ。「光をー・視線をー・さかなに塩をー」⑦わりあてる。指名する。「ハムレットの役をー・授業中に生徒をー・漢字に訓をー」⑧あるものをつける。あてはめる。「日本語の訳をー」⑨何かのために使う。割く。「夕食前の時間を勉強にー・特集のために四ページをー」⑩目標をうまく とらえる。「矢を的にー(=命中させる)」⑪推理して、正しい答えや事実を得る。「何を買ったか

☆☆**アドリブ**〔ad lib〕①脚本に書いてない即興のせりふ。②〔ジャズなどで〕即興演奏。

☆☆**アドレス**〔address〕㊀アドレス ①あて名。住所。「―を教える・―帳」②人気のスポット〔=場所〕。「東京の最新―」㊁アドレス ①《情》ホームページの所在をしめす文字列。URL。②↑メール アドレス。㊂アドレス《名・自サ》《ゴルフ》ボールを打つ構え(をすること)。

**アドレナリン**〔ド Adrenalin〕《生》副腎から出るホルモン。心拍数をふやし、血圧を高める作用がある。エピネフリン(epinephrine)。「―が出る〔=気分が高揚して集中力が高まる〕」

*__あな__［穴・孔］①中がぬけて、〈向こう/奥〉が見えるようになった部分。「ボタンの―・トンネルの―・鼻の―」②くぼんだところ。あなぼこ。「―だらけの道路・たくさん―のある石」③見おとしやすいところ。欠点。「論理の―・―があってはいけない」④《競馬・競輪など》番くるわせの勝負。また、穴馬。「―が出た・―ねらい」⑤いい場所。あなば。「―を見つける」●**穴が開く**句 ①赤字が出る。「会社の帳簿に―」②担当する本人が急に休んだりして、上演・連載などが できなくなる。「舞台に―」▽(↕穴が埋まる) 他 穴を開ける。☞「人の顔などを」じっと見続けるたとえ。「―見つめる・―ながめる」●**穴が開くほど**句 〔「心」の 句〕。●**穴があったら入りたい**句 身をかくしたいぐらいに、非常に はずかしい。

**あな**《感》〔雅〕驚嘆の声。ああ。あら。「―おそろし・―かしこ〔=ああ おそれ多い。手紙の結語などに使う ことば〕」

**アナ** ①↑アナウンサー。「和田―・リング―」②〔古風〕↑アナーキズム。③〔古風〕↑アナーキスト。

**アナーキー**《ナダ》〔anarchy〕①無政府状態。②世間の秩序などにとらわれず、自由なようす。「―な精神」派 -さ。

**アナーキスト**〔anarchist〕無政府主義者。アナキスト。

**アナーキズム**〔anarchism〕⇩無政府主義。アナキズム。

**あない**［△案内］《名・他サ》〔古風〕〈客/よそから来た人〉を、あんないすること。「そこへ―いたせ」

**あなうま**［穴馬］《競馬》番くるわせの優勝をする馬。ダーク ホース。あな。

**あなうめ**［穴埋め］《名・自サ》①穴をうずめること。②たりないところや、損失などをおぎなうこと。「赤字の―・―記事・―問題」▽穴ふさぎ。

**アナウンサー**〔announcer〕①テレビやラジオで、ニュースの報道、実況放送、司会などをする役の人。「和田―」②駅・球場などの放送係。▽放送員〔古風〕。アナ。

**アナウンス**《名・他サ》〔announce〕①報道・お知らせ・注意などを、放送の音声で はっきりと人々に伝えること。「駅の構内―」②お知らせ・注意などを〈人々/関係者〉に伝えること。「予定をメールで―する」③声明。「金利政策を続けるという―」●**アナウンス こうか**［アナウンス効果］〔↑アナウンスメント効果〕政策や予測についての報道が、人々の心理や行動に影響をあたえること。「―があった」

**アナウンスメント**《名・他サ》〔announcement〕⇩アナウンス。

**あなかがり**［穴(×縢り)］《名・自他サ》《服》ボタンなどをとめる穴のまわりを糸でかがること。

☆☆**あながち**《副》〔後ろの否定の ことばと あわせて〕自分の見方が まちがいとは言えないことをあらわす。必ずしも。「彼の言い分も―へりくつではない」表記 かたく「△強ち」とも。

**あなかぶ**［穴株］《経》意外な ほり出し株。

**あなかんむり**［穴(冠)］漢字の部首の 一つ。「空」「究」などの、上がわの「穴」の部分。

**あなぐま**［(穴熊)・(×貛)］①穴にすむ、タヌキに似たけものの名。地方によりムジナとも言う。②《将棋》王将を自分の陣地のすみに囲う戦法。

**あなぐら**［穴蔵・×窖］①地中に穴をほって ものをしまっておく所。②うすぐらい地下室。

**アナグラム**〔anagram〕ある語句の文字の順序をならべかえて、別の語句にする遊び。つづり替え。例、「かいばしら」→「ばからしい」。

**アナクロニズム**《名・ナダ》〔anachronism〕⇩時代錯誤。〔略して「アナクロ」〕

**あなご**［(穴子)］ウナギに形がよく似た海の さかな。食用にするのはマアナゴ。「―ずし・―の かば焼き」

**あなじ**［穴×痔］⇩じろう(痔瘻)。

**あなじゃくし**［穴(×杓子)］穴をたくさんあけた、おたま。しるの中から実だけをすくい上げるときに使う。

←**あなた**［(:彼方)］《代》〔雅〕その場所をこえた、むこうがわ。「山の―」

→**__あなた__［(:貴方)］《代》社会人どうしが相手をさすことば。また、女性が親しい人を呼ぶ言い方。〔俗に、くだけて「あーた」〕「―、何か落ちましたよ・―もたいへんだね え・〔妻が〕―、ごはんよ・―と行った場所」(↕わたし)
✓目上には使いにくい。同等の人に対しても、ふつうは「あの、落ちましたよ」などと ぼかして言う。不特定多数に向けた文章・放送などでは、見知らぬ相手に親しみを示して使う。「あなたさま」は より敬意が高いが、古風で、いんぎん無礼にもなる。表記 相手の性別によって「:貴男」「:貴女」とあてることがある。●**あなたまかせ**［(:貴方)任せ］①［(:彼方)任せ］《仏》あみだの誓願にまかせること。②何でも他人にたよって そのとおりにすること。

**あなど・る**［侮る］《他五》相手を軽く見て ばかにする。「侮りがたい人」名 侮り。可能 侮れる。〔多く、否定の形で使う。「子どもだからといって侮れない」〕

**あなば**［穴場］①ふつうの人が見すごす、いい場所。「あゆ釣りの―・夜の―探訪」②〔〈競馬/競輪〉場の〕〈馬券/車券〉売り場。

**アナフィラキシー**〔ド Anaphylaxie〕《医》はげしいアレルギー反応。「―ショック」

**あなふさぎ**［穴塞ぎ］あなうめ。

**あなぼこ**［穴ぼこ］〔話〕地面の穴。くぼみ。「―だらけの道」

☆☆**アナリスト**〔analyst〕①ものごとを分析し、解説する人。「証券―〔=経済情勢の分析、投資の解説などをする専門家〕・政治―・スポーツ―」②精神分析医。

**アナル**〔anal=肛門の〕肛門。アヌス(anus)。

☆☆**アナログ**〔analog: analogue〕㊀デジタルでない、従来の方式(で表現したり、機械を動かしたりする〈こと/もの〉)。例、コンピューターで作った画像〔=デジタル画像〕

に対し、手描きの絵。「―時計(=文字盤と針で時刻を表現する時計)・―レコード(=CD登場以前からあるふつうのレコード)」 ■《名・ダ》 ①コンピューターを〈使わない/使いこなせない〉ようす。「―な手法・―世代」 ②計算されたものでなく、変化に富んでいるようす。「―な人間存在」 ▽■■(↔デジタル)

**アナロジー** [analogy] 類推。

**アナロジカル** 《ダ》 [analogical] 類推的。類似的。「―に考える」

***あに**[兄] ①(自分と)同じ親から生まれた、年上の男。②⇩義兄。 ▽(↔弟)

**あに** [(×豈)] 《副》 [後ろに反語が来る] [文] どうして(…か)。「歴史を知らぬこと、―学生のみならんや(=どうして学生だけ(と言えるの)だろうか。学生だけに限らない)」

**あにい**[兄い] [俗] ①[男]あにき。[呼びかけにも使う] ②勇みはだの若者。「魚河岸の―」

**あにき**[兄:貴] [俗] ①兄。②兄としてつきあう人。▽呼びかけにも使う。③[板前のことば] 古い食材。「―から先に使え」(↔弟)

**アニサキス** [ラ Anisakis] サバやイカなどにいる寄生虫。刺身などといっしょに食べると、人の胃や腸の壁にはいりこんで、激痛を引き起こす。

**あにさん**[兄さん] ①[落語家や講談師が]兄弟子を呼ぶことば。②[古風]兄を親しみうやまって呼ぶことば。☞にい(兄)さん。

**アニソン** [↑アニメソング] アニメで使われるテーマソングや挿入歌。「―の女王」

**あにでし**[兄弟子] 自分より先に、同じ先生につい〈た/ている〉人。(↔弟弟子)

**アニバーサリー** [anniversary] [毎年の]記念日。アニヴァーサリー。「―イベント」

**あに-はからんや**[(×豈)図らんや] 《副》 (=どうして予想しようか) [文] まったく予想外なことに。「簡単な仕事だと思ったが、―、一か月かかった」

**アニマル** [animal] 動物。「―柄」 ●**アニマルセラピー** [animal therapy] 《医》 犬などの動物とふれあうことで心身の健康状態をよくする療法。動物介在療法。

**アニミズム** [animism] 万物に霊魂が存在し、いろいろな現象が起こるという考え方。精霊崇拝。

☆☆**アニメ** (漫画の)アニメーション。「テレビ―・―グッズ・―キャラ」

**アニメーション** [animation] ひとこまずつ撮影した絵などを連続して映し、動きを作り出す映像作品。動画。「人形―」 ☞アニメ。

**アニメーター** [animator] アニメの絵を専門にかく人。

**あによめ**[兄嫁・×嫂] 兄の妻。(↔弟嫁)

***あね**[姉] ①(自分と)同じ親から生まれた、年上の女。②(自分の)妻または夫の「姉①」。兄の妻。義姉。▽(↔妹)

**あねき**[姉:貴] [俗] あね。[呼びかけにも使う]

**あねご**[姉御] ①[他人/相手]の姉を尊敬して言うことば。(↔妹御) ②[×姐御] ばくちうちなどの親分の妻。また、女親分。あねさん。 ●**あねごはだ**[(×姐御)肌] めんどう見がよく、小さいことにこだわらない、女性の気性。

**あねさん**[姉さん] [古風] ①⇩ねえさん①。②[×姐さん] ⇩あねご②。 ●**あねさんかぶり**[姉さん(△被り)] [古風]手ぬぐいを広げてひたいに当て、頭を軽く包むかぶり方。女性がそうじなどのときにする。ねえさんかぶり。 ●**あねさんにょうぼう**[姉さん女房] 夫より年上の妻。

[あねさんかぶり]

**あねったい**[亜熱帯] 《地》熱帯と温帯の間にある地帯。「―気候・―植物」(↔亜寒帯)

**あねむこ**[姉婿] 姉の夫。(↔妹婿)

**アネモネ** [anemone] 西洋草花の名。春、赤・むらさきなどの花をひらく。

****あの** ■《連体》 ①自分・相手からはなれているものごとをさす。「―山は何と言うの?・―かどを曲がってください」(↔この・その) ②自分も相手も知っているものごとをさす。例の。「―話はどうなった?」 ③有名な。だれもが知っている。「ルパンって、―ルパンですか」(「―大会社が倒産するとは」のように、おどろきをこめても使う) ④記憶の中のものごとをさす。「―おもかげが忘れられない」 ⑤[話]その場にいない人やものを、ののしる気持ちをあらわす。「―まぬけめ!」 ■《感》[話]適当なことばを思いつかないときや、えんりょして話しかけるときなどに使う。「―、ちょっと…」(「あのう」「あのー」とのばしても言う) 区別 ⇩指示語。 表記 かたく「△彼の」とも。

**あのて-このて**[あの手この手] いろいろな手段・方法。

**あのね** 《感》[話]親しい人に呼びかけることば。あのねえ。「―、ママ」(『ね』だけを高く発音する) 丁寧 あのですね。

**あのねえ** 《感》[話] ①とがめる気持ちをあらわすことば。あのですねえ。「『これ、もらっていくよ』『―』」(「ね」だけを高く発音する) ②⇩あのね。(「ねえ」を高く発音する)

**あのよ**[あの世] 死んでから行くといわれる世界。来世。「―で待っている」(↔この世)

**あのよう** 《ダ》[よう↑助動詞「ようだ」] ああいう〈ようす/ふう〉。(「あん(な ふう)」よりもかたい言い方)「なぜ―なことをしたのか」

**アノラック** [anorak] フードのついた、ジャンパーのような上着。登山やスキーで、風や寒さを防ぐために着る。(ウインドヤッケ。パーカ(ー))。

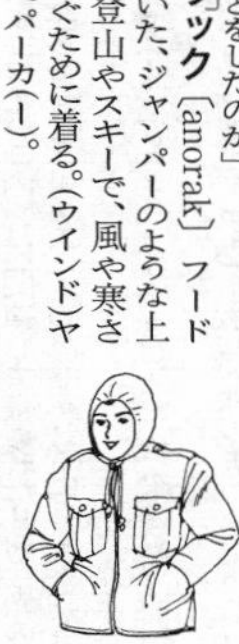

[アノラック]

**アパート** [↑アパートメントハウス(米 apartment house)] 一つの建物を、貸家式に分けて設備をした住宅。木造や軽量鉄骨のものをさす。☞アパルトマン・マンション。

☆☆**アバウト** 《ダ》[about=およそ] 大ざっぱ。いいかげん。「ずいぶん―な話だ」 派 -さ。

**あば・く**[暴く・△発く] 《他五》 ①ほりかえす。「墓を―」 ②人の秘密をさぐり出して、おおやけにする。「過去を―」

**アパシー** [apathy] 無関心。「政治的―」

**あばずれ**［(:阿婆=擦れ)］人ずれがしていて、ふしだらなこと。すれっからし。〔女性を侮辱することば。もとは男女について使った〕

**あばた**［(:痘痕)］〔俗〕天然痘にかかったあと。じゃんこ。「一面ー」 ●**あばたも えくぼ** 句 好きな人の欠点は、すべて長所に見えるものだ。

**アバター**〔avatar〕〔インターネットで〕発言者が自分の分身として使うキャラクターのイラスト。

**あはは**《副》口を大きくあけて、ほがらかに笑う声。ははは。

**あばよ**《感》〔俗・男〕さよなら。

**あばら**［(×肋)］↑あばらぼね。「ー肉〔肋骨のまわりの肉〕」 ●**あばらぼね**［(×肋)骨］ろっこつ（肋骨）。あばら。

**あばらや**［(△荒ら)屋・(△荒ら)家］あれはてた家。ぼろ↑や。

**アパルトヘイト**〔アフリカーンス(=南アフリカ共和国の公用語) apartheid=隔離〕〔南アフリカ共和国で〕黒人を差別・隔離した政策。一九九一年廃止。

**アパルトマン**〔フ appartement〕フランスの集合住宅。マンションの一区画分にあたり、部屋は複数ある。☞アパート。

**あばれがわ**［暴れ川］雨が降ると、すぐはんらんする川。

**あば・れる**［暴れる］《自下一》①〔手や足を大きく動かして〕あらあらしく〈ふるまう／さからう〉。「酒を飲んでー・馬がー」 ②自由に思いきり ふるまう。「よし、グラウンドでーぞ」 ③猛威をふるう。「台風がー」 名 暴れ。「一ー」

**あばれんぼう**［暴れ(ん)坊］乱暴な行動をする男。あばれんぼ。「政界のー」

☆☆**アパレル**〔apparel〕衣料(品)。「ー産業」

**アバン**〔フ avant(=より前に)〕テレビ番組や映画で、タイトルが出る前に見せる内容の一部。アバンタイトル。

●**アバンギャルド**〔フ avant-garde＝前衛〕《美術》 一 第一次大戦後、ヨーロッパにおこった革新的な芸術運動。前衛芸術派。 二《ナダ》前衛的。「ーな建物」

**アバンチュール**〔フ aventure〕冒険(的な恋愛)。

**アヒージョ**〔ス ajillo〕野菜や魚介類などをオリーブオイルで煮こんだスペインの料理。ニンニクを使う。「エビとキノコのー」

☆☆**アピール**《名・自他サ》〔appeal〕①事実や考えをうったえること。主張。「緊急ーを発表・審判にセーフだとー(=抗議)する」 ②よさをうったえること。訴求。「商品をーする」 ③気に入られること。受けること。「新鮮さが大衆にーする」 ④(呼びかける)魅力。「セックスー」 ▽アッピール。

**あびきょうかん**［×阿鼻叫喚］〔多くのけが人・死人が出て人々がさけぶなど〕非常に〈むごたらしい／混乱した〉ありさま。「ーのちまた(巷)」 由来「阿鼻」は梵語 avīci(=絶え間ないこと)の音訳で、苦しみの絶え間ない阿鼻地獄(=無間地獄)。「叫喚」はさけび声に満ちた叫喚地獄。

**あひさん**［亜×砒酸・亜ヒ酸］《理》ヒ素の酸化物。毒性が強く、殺虫剤などに使う。

**アビシニアン**〔Abyssinian〕逆三角形の小さな顔をした、筋肉質で毛が短いネコ。〔古代エジプトの壁画にえがかれたネコに似る〕

**あびせたおし**［浴びせ倒し］《すもう》自分のからだを相手に乗せかけるようにして たおす わざ。動 浴びせ倒す《他五》。

**あび・せる**［浴びせる］《他下一》①〔湯や水を〕からだにかける。②受けさせる。「非難をー・集中砲火をー」 ③上から切りつける。「ひと太刀ー」

**あひる**［(:家鴨)］カモに似た、ふつう白色の水鳥。くちばしと水かきは黄色い。家や学校でも飼い、食用にもする。鳴き声は、があがあ。 ●**あひるの みずかき**［(:家鴨)の水(×掻き)］〔水にういているアヒルは、動いていないときでも、水中では水かきを常に動かしていることから〕人に知られない苦心をしていること。

**あ・びる**［浴びる］《他上一》①湯や水を、自分のからだにかける。「シャワーをー」 ②湯などに つかる。ひたる。「ひとふろー」 ③からだじゅうに受ける。「日光をー・フラッシュをー」 ④からだじゅうに降りかかるように ことばを受ける。「称賛をー・非難をー」 可能 浴びられる。

●**浴びるほど飲む** 句 大量に飲む。「酒をー」

**あぶ**［(×虻)］ウシアブ・アオメアブなど、形がハエに似ているが、それより大きい昆虫。体長三センチほど。めすは牛馬や人の血をすうものが多い。

**アファーマティブアクション**〔affirmative action〕性別・人種などによって不利なあつかいを受けないよう、格差を正す取り組み。積極的格差是正措置。ポジティブアクション。

**アフィリエイト**〔affiliate=提携〕〔インターネットで〕ホームページの内容に関連して張られたリンク先の店で商品を買うと、ホームページの開設者にも お金がはいるしくみ。

**アフェア(ー)**〔affair〕①できごと。②恋愛ざた。ラブアフェア(ー)。

**アフォーダンス**〔affordance〕身のまわりの いろいろなものが持つ、人間(や動物)にとっての意味。例、水は人間にとって「かわきをいやす」「ものを洗う」などのアフォーダンスがある。〔アメリカの心理学者ギブソンの用語〕

**アフォガート**〔イ affogato=おぼれた〕熱いエスプレッソをかけて食べるアイスクリーム。アッフォガート。〔アフォガードの形も多い〕

**アフォリズム**〔aphorism〕警句。

**アフガン** 一〔↑アフガニスタン〕中央アジアの南方にある内陸国。 二〔afghan〕①毛糸で編んだ、やわらかい肩かけ・毛布など。②特に、赤ちゃんの おくるみ。

**あぶく**［(△泡)］ぶくぶくと出てくる あわ。「ーが立つ」

●**あぶくぜに**［(△泡)銭］〔かけごとなどで〕苦労せずに得た お金。悪銭。

**アブサン**〔フ absinthe〕蒸留酒にニガヨモギなどのハーブで風味をつけた、刺激の強いリキュール。

**アブストラクト**《名・ナダ》〔abstract〕①抽象(的)。②《美術》抽象絵画。「ーアーツ」 ③要旨。レジュメ。アブスト。「外国文献のー」

**アフタ**〔aphtha〕《医》くちびる・口の中・のどなどに、直径三ミリぐらいの白い斑点ができる病気。ウイルスが原因。「ー性口内炎」

**アフター**〔after〕①あと。以後。「ースキー・ーファイブ

〔=五時以降。勤務以後〕」(↕ビフォー) ②ホステスなどが閉店後に客と、別の店に行くこと。 ●アフターケア〔aftercare〕 ①退院をした患者などのための、健康管理や からだの訓練、または、職業補導。②あとの めんどうまで見ること。あとしまつ。▽アフタ ケア。 ●アフターサービス〔和製 after service〕 品物を売ったあとも、手入れや修理をして めんどうを見ること。アフタ サービス。

**アフタヌーン**〔afternoon〕 ①午後。「ーティー〔=軽食や菓子といっしょに味わう午後の紅茶〕」 ②〔↑アフタヌーン ドレス〕 女性が午後に着る社交用のドレス。和服の場合の、訪問着にあたる。

**あぶな・い**［危ない］《形》 ①けがをしたり、死んだりしそうだ。「道路で遊ぶのはー・〔駅のアナウンスで〕ーですから黄色い線まで お下がりください」 ②困ることになりそうだ。「ー、忘れるところだった・もうけ話に乗るのはー」 ③たよりない。「足もとがー・経営がー会社・再選が危なくなる〔=実現が むずかしくなる〕」 ④［アブない］〔俗〕まともではなさそうだ。道徳、法律に反しそうだ。「ーやつ・ー考え・ー写真〔=わいせつな写真〕」 派 -が る。-さ。☞あやうい。 ●危ない橋を渡る 句 失敗するかもしれないことをわかっていて、あえておこなう。

**あぶなく**［危なく］《副》〔形容詞「危ない」の連用形から〕⇩あやうく①。

**あぶなげ**［危な(気)］《名・ナダ》 あぶなっかしい感じ。「何をやらせてもーがない・ーない試合運び」

**あぶなっかし・い**［危なっかしい］《形》 あぶなくて見ていられないようすだ。あぶなかしい。「ー手つき」 派 -げ。-さ。

**アブノーマル**《ナダ》〔abnormal〕 異常。病的。(↕ノーマル) 派 -さ。

**あぶはちとらず**［(×虻)蜂取らず］ 両方を求めようとして、かえって どちらも求められなくなること。あぶはち。

**あぶみ**［(×鐙)］ 馬具の名。くら(鞍)の両わきに たらして、足をかけるもの。

**あぶら**［油］ ①鉱物や植物のたねなどからとった、燃えやすい、水とまじりあわない液体。「機械ー・ごまー・ーを差す・ーで いためる・ー光り」 ②〔俗〕ガソリン。石油。③活動の原動力。「ーが切れる」 ④〔俗〕酒。アルコール分。「ーが足りない」 ⑤↑油絵。⑥↑あぶらぜみ。 ●油が疲れる 句 揚げものなどに長く使ったため、油が酸化して ねばる。 ●油を売る 句 (長い時間)おしゃべりをして時間をつぶす。 ●油を絞る 句 強くしかる。 ●あぶらあげ［油揚げ］ とうふをうすく切って、油であげたもの。あげ。あぶらげ。おあげ(さん)〔関西方言〕。 ●あぶらえ［油絵］ 油絵の具でかいた絵。あぶら。(↕水彩画・水絵) ●あぶらえのぐ［油絵の具］ ケシの油などをまぜてねった絵の具。 ●あぶらかす［油(×粕)］ ダイズの油をしぼりとったあとに残るかす。うすめて肥料に使う。 ●あぶらがみ［油紙］ 油をしみこませて、水がとおらないようにした紙。ゆし。「ーで包む」 ●あぶらけ［油(気)］ 油が ふくまれている感じ。あぶらっけ。「ーのない髪」 ☞脂気。 ●あぶらごおり［油氷］ 油を流したように、表面のなめらかな硬い〔スケートリンクの〕氷。 ●あぶらさし［油差し］ 機械などに油をさすための、口の細長い器具。 ●あぶらじ・みる［油(染みる)］《自上一》〔衣服や手などに〕油がついて よごれる。 ●あぶらぜみ［(油×蟬)］ はねが茶色で大形のセミ。「ジージー」とよく鳴く。あぶら。 ●あぶらそば［油そば］ スープのないラーメン。ゆでた中華めん・具と、少量のしょうゆだれ・油が はいっている。自分でまぜて食べる。 ●あぶらっこ・い［油っこい］《形》〔料理などで〕油が多(くて しつこ)い。油こい。「ー中華料理」 派 -さ。☞脂っこい。 ●あぶらでり［油照り］ 夏、風がなく、薄日が じりじりと照りつけて、むし暑い状態。 由来 脂汗〔油汗とも書く〕が出るような照り方のこと。 ●あぶらどおし［油通し］ 《料》材料をさっと油に くぐらせること。☞湯通し②。 ●あぶらな［(油菜)］ 畑に作る植物。たねから油をとる。なのはな。 ●あぶらぬき［油抜き］《名・他サ》《料》あぶらあげ・厚あげなどを調理する前に、熱湯で よけいな油を落とすこと。 ●あぶらねんど［油粘土］ 粘土を細かい粉にし、油をまぜて ねり上げたもの。工作の材料。 ●あぶらむし［(油虫)］ ①草木の新芽につく、二～四ミリの やわらかい害虫。体色は黄緑色や赤、黄色など。ありまき。 ②ごきぶり。 ●あぶらや［油屋］ ①油を売る〈店/職業の人〉。②〔ーさん〕〔古風〕子どもがする、そでのないエプロン。あぶちゃん。

**あぶら**［脂・×膏］ 動物や人の からだに ふくまれる、白くやわらかな かたまり。熱で とける。脂肪。「サバのー・顔にーが浮く・ー光り」 ●脂が乗る 句 ①〔さかなや鳥の〕脂肪分がふえて、味がよくなる。②経験をつんで、また、仕事がおもしろくて、なめらかには かどる。「脂が乗りきった時期」 ●あぶらあし［脂足］ 脂ぎった足。 ●あぶらあせ［脂汗・油汗］ 苦しいとき、蒸し暑いときなどに出る、べたべたした汗。「ーを流して考える」 ●あぶらぎ・る［脂ぎる］《自五》〔ふつう 脂ぎった〈た/て〉〕 脂で〈ぎらぎら/てらてら〉光る。「脂ぎった顔」 ●あぶらけ［脂(気)］ 脂が ふくまれている感じ。あぶらっけ。「ーのない はだ・イワシのー」 ☞油気。 ●あぶらしょう［脂性］ はだに脂が多すぎる体質。(↕荒れ性) ●あぶらっこ・い［脂っこい］《形》 脂けが強い。脂こい。「ー肉・ー手のひら」 派 -さ。☞油っこい。 ●あぶらで［脂手］ 脂ぎった手。あぶらて。 ●あぶらとり［脂取り］ 顔に うき出た脂を吸い取る〈こと/紙〉。「ー紙」 ●あぶらみ［脂身］ 肉の、脂肪の部分。脂の多い肉。(↕赤身)

☆☆**アプリ**〔↑アプリケーション〕〔スマートフォンやタブレット端末などで〕特定の作業をするために必要なソフトウエア。

☆☆**アプリオリ**《名・ナダ》〔ラ a priori=より先のものから〕《哲》経験によって考えてみなくても、もとから わかっていること。「空間というものはーに存在する」(↕アポステリオリ〔=経験によって わかること〕)

**アフリカ**〔Africa〕 六大州の一つ。ヨーロッパの南方にある、世界で二番目に大きな大陸。阿。 表記 「:阿弗利加」は、古い音訳字。 ●アフリカれんごう［アフリカ連合］ アフリカの国々や地域が、政治・経済などの統合を目ざして作った組織。二〇〇二年発足。AU。

**アプリケ**《名・自サ》〔フ appliqué〕 ⇩アップリケ。

**アプリケーション**〔application〕 ①適用。応用。

②申しこみ。申請。③〔↑アプリケーションソフトウエア〕《情》ユーザーの目的に応じて作られたソフトウエア。アプリケーションプログラム。アプリ。

**アプリコット**〔apricot〕アンズ。「—ジャム・—ティー」

**あぶりだし**〔×炙り出し〕火にあぶって、字や絵をあらわす〈こと／紙〉。

**あぶりだ・す**〔×炙り出す〕《他五》①火にあぶって、書かれている字や絵をあらわす。②かくれていたものを〈見える／わかる〉ようにする。「実像を—」

**あぶ・る**〔×炙る〕・〔×焙る〕《他五》①表面を火にかざして水分を飛ばし、ちょっとこげるかこげないか、という程度まで焼く。「干物を—」②火にかざす。「手を—」名あぶり。

**あふれかえ・る**〔×溢れ返る〕《自五》混乱が起こるほど、ひどくいっぱいになる。「港が観光客で—・情報が—」

**アプレゲール**〔フ après-guerre=戦争の後に〕①戦後派。「—文学」②第二次大戦後の、軽薄で、おこないの悪い若者。アプレ。

**アフレコ**《名・他サ》〔↑アフター レコーディング〕《映画・放送》先にできあがった映像に合わせて、せりふ・音楽などをあとから録音すること。アテレコ。

**あふれだ・す**〔×溢れ出す〕《自五》中にいっぱいにたまったものが、そとへ出る。あふれ出る。「なみだが—」

**あふれ・でる**〔×溢れ出る〕《自下一》あふれ出す。

**あぶれもの**〔あぶれ者〕①ならず者。無法者。②仕事にありつけなかった人。

***あふ・れる**〔×溢れる〕《自下一》①〔たまった液体・つぶなどが〕中におさまりきれずに、外へ出る。「お湯が—」②はみ出るほど、〔ものや人〈が／で〉〕いっぱいになる。「町に—群衆」③満ち満ちている。「才気—人・希望に—青春・緑—キャンパス・臨場感—作品・思いが—」

**あぶ・れる**《自下一》〔↑あふれる〕①〔人数が余って〕仕事などに ありつけない。はみ出る。②〔狩りなどで〕獲物にありつけない。名あぶれ。

**アフロ**〔Afro〕①アフリカの黒人ふう。②〔↑アフロ ヘア〕パーマで縮らせた かみの毛を丸く ふくらませた髪型。

**アプローチ**〔approach〕㊀《名・自サ》①目標に近づくこと。接近。「積極的に—する」②研究の対象に近づくこと。研究法。③《ゴルフ》グリーンのまわりから、ホールをめがけて打つこと。「—ショット」㊁①《スキー》ジャンプの、スタートから ふみ切りまでの滑走路。②門から玄関までの間。

**あべかわもち**〔△安△倍川餅〕焼いたもちを湯にひたし、きなこをまぶしたもの。あべかわ。〔静岡県安倍川あたりの名物〕

**あべこべ**《名・ナダ》《話》順序や方向が、逆で、まちがっていること。「全く—の方向」

**アペタイザー**〔appetizer〕《西洋料理で》前菜や食前酒。☞アンティパスト・オードブル。

**アベック**〔フ avec=いっしょに〕①〈ふたり／ふたつ〉でひと組みのもの。「—優勝〔=同じ組織の男女チームなどが、どちらも優勝すること〕・《野球》—ホームラン〔=一試合で同チーム二人のホームラン〕」②《古風》男女のふたりづれ。カップル。「—で出かける」

**アヘッド**〔ahead〕得点が相手チームより多いこと。先行。「二点の—」〔↔ビハインド〕

**アベニュー**〔avenue〕大通り。並木道。

**アベマリア**〔ラ Ave Maria=幸いあれマリア〕聖母マリアにささげる いのりのことば。多くの作曲家が、この題名の曲を残している。アヴェ マリア。

**アペリティフ**〔フ apéritif〕食欲が出るように、食前に軽く飲む酒。食前酒。アペリチフ。

**アベレージ**〔average〕①平均(的なこと)。アベレッジ。「作品の—が高い」②ⓐ《ゴルフ》平均打数。ⓑ《ボウリング》平均得点。アベ。ⓒ《野球》打率。

**あへん**〔:阿片〕・アヘン よく熟さないケシの実の乳液をほして作った、茶色の粉。モルヒネを成分とする麻薬。 ●**あへんくつ**〔:阿片窟〕あへんをすわせる、秘密の場所。

**あほ**〔:阿呆〕・〔:阿房〕・アホ《名・ナダ》《関西で多く言う》《話》おろかな〈ようす／人〉。ばか。あほたれ。あほう。「おまえ、—か〔多く、愛情をこめて使う〕・—面・—みたいに〔=非常に。あほほど〕大きい」派—さ。

**アポ** ↑アポイント(メント)。「—をとる〔=面会の約束をする〕」

☆☆**アポイント(メント)**〔appointment〕《会う》約束をすること。予約。アポ。「—をとる」

**あほう**〔:阿呆〕・〔:阿房〕・アホウ《名・ナダ》《話》⇩あほ。派—さ。

**あほうどり**〔:信天翁〕伊豆諸島の鳥島などにすむ、大形の白い海鳥。全体的に白いが、後頭部は黄色、羽の先は黒い。人が近づいても にげない。特別天然記念物。アルバトロス。

**アボカド**〔avocado〕洋ナシ形で、緑または黒っぽい皮の、熱帯でとれるくだもの。脂肪分が多く、大きなたねが一個ある。「—サラダ」〔なまって、アボガド〕✓「森のバター」と言われる。日本で広まる前は、alligator pear の直訳で「わになし(鰐梨)」とも説明された。

**あほげ**〔アホ毛〕《俗》その部分だけ はねたり縮れたりして、まとまらない髪の毛。

**アポストロフィ(ー)**〔apostrophe〕欧文・ローマ字文で、文字の肩につける符号「'」。英語では省略や所有格をあらわし、ローマ字文では誤読をさけるためにつける。例、「I'm〔I am〕」「boy's」「zen'i〔善意〕」「'14〔西暦二〇一四年〕」。

**あほだらきょう**〔:阿呆陀羅経〕おもしろおかしい内容を、お経を読むような ふしをつけて となえる話芸。

**アポトーシス**〔apoptosis〕《生》〈老化した／有害な〉細胞が、決められたプログラムに従って自然に死ぬこと。☞壊死。

**あほらし・い**〔:阿呆らしい〕《形》《話》ばからしい。あほくさい。派—さ。

**アポリア**〔ギ aporia〕①解決のつかない難問。②《哲》一つの問題に対して二つ以上の矛盾した答えがある状況。

**アポロ**〔ラ Apollo〕①《ギリシャ神話で》音楽・予言・医術、また太陽の神。〔ギリシャ語の形は「アポロ(ー)ン」〕②一九六九年に月面着陸を実現した、アメリカの月探査機。「—計画」

**あま**〔△女・アマ〕〔「尼」から〕《俗》女をののしって言うことば。あまっこ。あまっちょ。「この—!」

**あま**〔尼〕①《仏》仏門に はいった女性。びくに〈比丘尼)。尼法師。「―さん」②《宗》カトリックにはいって、神や病人などに奉仕する女性。修道女。

**あま**【(亜麻)】畑で作る草の名。繊維から糸を作り、たね〔=亜麻仁〕から油をとる。「―布」☞亜麻色。

**あま**【:海人・×蜑】〔雅〕漁師。

**あま**【海女・海士】海にもぐってアワビなどをとる人。[表記]女性を「海女」、男性を「海士」と書く。

**アマ**↑アマチュア。(↕プロ)

**あまあい**【雨(△間)】雨が一時やんで、また降るまでのあいだ。あまま。

**あまあし**【雨脚・雨足】①雨の降りすぎて行くようす。「―がはやい」②降りそそぐ雨のしずくが筋のように見えるもの。「―が強くなる」

**あまあま**【甘々】《名・ナダ》非常にあまいようす。「―の恋愛ドラマ・―〔=大甘〕な処分」

**あまい**【雨衣】〔文〕あまぎ(雨着)。

*__あま・い__【甘い】《形》①砂糖のような味だ。「たいへん―しるこだ」(↕辛い・苦い・渋い)②塩けがたりない。(↕から(鹹)い)③〔酒が〕舌に強く感じられず、まろやかだ。(↕辛い)④言い方が、相手を喜ばせるようだ。「―ことば」⑤におい・音などの感じが砂糖や蜜の味を思わせるようで、気持ちがいい。「―かおり・―声」⑥ゆるかったり、するどさがなかったりして、よくない。ゆるい。「ねじが―・切れ味が―・ガードが―」(↕固い)⑦正確でない。不十分だ。「ピントが―」⑧きびしくない。てぬるい。「〔評価の〕点が―・―見方」(↕辛い・厳しい)⑨《経》相場がいくらか下がりぎみだ。(↕しっかり)⑩〔女性のファッションが〕かわいい。「―フリル・甘めのワンピ」〔二十一世紀になって広まった用法〕(↕辛い)[派]-さ。

●**甘い汁を吸う**[句] 地位・他人などを利用して、利益を手に入れる。うまい汁を吸う。甘い蜜を吸う。

●**甘く見る**[句] たいしたことがないと思う。軽く思う。「相手を甘く見て負けた」

**あまいろ**【亜麻色】黄色みをおびたうすい茶色。アマからとった糸の色。「―の髪」

**あまえ**【甘え】あまえる〈こと/気持ち〉。「―がある」●**あまえなき**【甘え泣き】《名・自サ》(子どもが母親に)かまってもらいたくて泣くこと。●**あまえんぼう**【甘え(ん坊)】あまったれる(ことの得意な)子ども。あまえんぼ。

**あま・える**【甘える】《自下一》①かわいがってもらいたくて、親などにまとわりついたりする。②相手の好意によりかかる。「おことばに甘えて」

**あまおと**【雨音】雨が地上(のもの)に当たって出る音。

**あまがえる**【(雨×蛙)】体長二～四センチぐらいの緑色のカエル。おすは、雨が近づくと「くわっくわっ」と鳴きたてる。

**あまか・ける**【天(×翔る)】《自五》〔雅〕そら高くとぶ。あまがける。

**あまがさ**【雨傘】雨が降るときに使うかさ。(↕日傘)

●**あまがさばんぐみ**【雨傘番組】〔俗〕中継を予定した行事が雨で中止になったときにそなえて用意しておく放送番組。

**あまガッパ**【雨(:合羽)・雨がっぱ】⇩カッパ。

**あまがみ**【甘(×噛み)】《名・他サ》①〔ペットの犬やネコなどが〕あまえたりじゃれたりして、軽くかむこと。②〔俗〕〔ことばを〕ちょっと発音しそこなうこと。

**あまから**【甘辛】《名・ナダ》①〔味が〕あまからい〈状態/もの〉。「―せんべい・―煮」②あまいものと、からいもの(をあわせたもの)。「―随筆・―コーデ(☞甘い⑩・辛い⑤)」●**あまから・い**【甘辛い】《形》あまい味としょうゆの塩からい味がいっしょに感じられる味だ。あまがらい。[派]-さ。

**あまかわ**【甘皮】①木(の実)の内がわの、うすい皮。あまはだ。「ギンナンの―」(↕粗皮)②つめのねもとの、うすいやわらかな皮。

**あまぎ**【雨着・雨△衣】(雨ガッパ・レインコートなど)雨でぬれるのを防ぐために衣服の上に着るもの。あまい。

**あまぐ**【雨具】(あまがさ・あまぐつ・レインコートなど)雨を防ぐもの。

☆☆**あまくだり**【天下り・天△降り】《名・自サ》①役人が、関係する民間の団体・会社などの要職におさまること。「―人事」②親会社の人が、子会社の役員におさまること。[由来]日本神話で、神が天から人間の世界へおりたことから。[動]天下る《自五》。

**あまくち**【甘口】《名・ナダ》①〔みそ・酒などの〕塩けや、からい感じが少ない〈こと/もの〉。「―(↕うま口・辛口)の酒・―カレー」☞中辛。②きびしくなく〈やさしい/手ぬるい〉こと。「―〈の/な〉採点」③〔女性の〕かわいいファッション。〔二十一世紀になって広まった用法〕④あまいものが好きな〈こと/人〉。甘党。▽(↕辛口)⑤人をだます、じょうずなことば。「―に乗る」

**あまぐつ**【雨靴】雨が降るときにはくくつ。

**あまぐも**【雨雲】今にも雨を降らせそうな、灰色の雲。乱層雲。

**あまぐもり**【雨曇り】雨が今にも降り出しそうなくもり方。

**あまぐり**【甘(×栗)】水あめを加えて焼いた焼きぐり。「天津―」

**あまけ**【雨(気)】雨の降りそうな、しめりけ。うき。「―をふくんだ風」

**あまごい**【雨乞い】《名・自サ》ひでりの続いているときに、雨が降るように神や仏にいのること。

**あまざけ**【甘酒】やわらかく煮た米にこうじ(麹)を入れて発酵させて造る、あまい飲み物。また、酒かすに砂糖を入れてお湯に溶かした飲み物。

**あまざらし**【雨(×晒し)・雨(×曝し)】(雨にぬれるままに)外に置きっぱなしに〈しておく/なっている〉こと。「―の縁台」

**あまじお**【甘塩】塩あじがうすいこと。うすじお。「―のしゃけ」

**あまじまい**【雨仕舞い】《建築》雨水が家の中にはいらないようにする〈こと/方法〉。「―にすぐれた雨戸」

**あましょく**【甘食】平たい円錐形のあまい菓子パン。

**あまじょっぱ・い**【甘じょっぱい】《形》あまくて、しおからい。「―焼き肉のたれ」[派]-さ。

**あま・す**【余す】《他五》①いらないものとして残す。「ごちそうを―」②一部分残す。「現場の様子を―ところなく〔=完全に〕伝える」

**あまず**【甘酢】酢にみりん または砂糖を加えた調味料。「―あえ」

**あまずっぱ・い**【甘酸っぱい】《形》①あまさとすっぱさが同時に感じられる味だ。②うれしさと せつなさが まじりあった気持ちだ。「―初恋(はつこい)の思い出」派―さ。

**アマゾネス**〔ギ Amazones＝Amazona の複数形〕①〔ギリシャ神話で〕勇ましい女戦士の部族。②〔俗〕勇ましい女性の集団。

**あまぞら**〔雨空〕雨が降り出しそうな空。また、雨の降っている空。

☆☆**あまた**〔（数多）〕《副》多く。たくさん。「―の業績を上げた・引く手―」〔やや かたい ことば〕

**あまだい**〔甘×鯛〕海でとれるさかなの名。タイにくらべて、頭が大きい。焼いたり干物(ひもの)にしたりする。ぐじ。

**あまだれ**〔雨垂れ〕軒(のき)から落ちる雨水(のように、切れ切れに続くこと)。●**雨垂れ石をうが(穿)つ** 句 ⇩点滴(てんてき)石をうがつ〔「点滴」の句〕。

**あまちゃ** 一〔甘茶〕ヤマアジサイの変種。煎(せん)じて民間薬として用いられた。二〔甘茶〕灌仏会(かんぶつえ)に釈迦(しゃか)の像にかける、あまみのある水。「甘茶 一」あるいは、アマチャヅルを煎じて作る。

**あまちゃん**〔甘ちゃん〕〔俗〕①考えや対応があまい人。子どもっぽい人をばかにして言うことば。②女性にあまい男性。

**アマチュア**〔amateur〕職業としてではなく、余技・趣味(しゅみ)としておこなう人。愛好家。しろうと。アマ。「―レスリング」〔↔プロフェッショナル〕

**アマチュアリズム**〔amateurism〕アマチュアとして純粋(じゅんすい)にスポーツを楽しもうとする考え方。アマチュア精神。

**あまちょろ・い**〔甘ちょろい〕《形》〔俗〕⇩あまっちょろい。

**あまつさえ**〔（△剰え）〕《副》〔文〕おまけに。そのうえ。「雨はやまず、―車も動かなくなった」/困る場合に使うことが多いが、ふつうの場合にも使う。由来「あまりさえ〔＝そのうえ〕」の変化「あまっさえ」が「あまつさえ」と表記され、文字のとおりに発音されたもの。

**あまった・るい**〔甘ったるい〕《形》気持ちが悪くなるほどあまい。あまたるい。「―お菓子(かし)・―〔＝あまえるような〕声」派―げ。―さ。

**あまった・れる**〔甘ったれる〕《自下一》ひどく甘える。甘たれる。「甘ったれた口をきく」名甘ったれ。甘たれ。

**あまっちょ**〔尼っちょ〕〔俗〕女をののしって言うことば。あま。あまっこ。

**あまっちょろ・い**〔甘っちょろい〕《形》〔俗〕①〔考えなどに〕きびしさがたりない。②うすのろだ。▽あまちょろい。派―さ。

**あまつぶ**〔雨粒〕雨のつぶ。あめつぶ。

**あまでら**〔尼寺〕①《仏》尼の住む寺。②修道女の住む修道院。

**あまど**〔雨戸〕〔雨風よけや防犯などのために〕ガラス戸や障子の外がわに立てる、板戸。

**あまどい**〔雨（×樋）〕屋根などの雨水を受けて流すとい。

**あまとう**〔甘党〕あまい食べ物が好き(で、酒が苦手)な人。〔↔辛党(からとう)〕

**アマトリチャーナ**〔イ amatriciana＝アマトリーチェ〔＝イタリア中部の町の名〕ふう〕ベーコンまたはパンチェッタとタマネギのはいった、トマトベースのパスタ(ソース)。

**あまなつ**〔甘夏〕ナツミカンの変種。ふつうのナツミカンより、すっぱみが少ない。甘夏柑(かん)。甘夏みかん。「―のマーマレード」

**あまなっとう**〔甘納豆〕やわらかく煮(に)た豆類に砂糖をまぶした菓子(かし)。

**あまに**〔甘煮〕砂糖やみりんを使ってあまく煮た料理。「キンカンの―」

**あまにゆ**〔亜麻仁油・アマニ油〕アマのたねをしぼってとる油。食用や塗料(とりょう)などに使われる。あまにあぶら。

**あまねく**〔（△普く）・（△遍く）〕《副》〔文〕すみずみまで全体に。ひろく。「評判は天下に―知れわたっていた」

**あまのがわ**〔天の川・天の河〕《天》晴れた夜、白い川のように見える星のむれ。銀河(ぎんが)。ミルキーウェイ(Milky Way)。

**あまのじゃく**〔（天の邪△鬼）〕《名・ダナ》わざとほかの人の言うことやすることにさからう人。あまんじゃく。

**あまぼし**〔甘干し〕①渋柿(しぶがき)の皮をむいてほしたもの。甘みが出る。②〔さかなの〕なまぼし。

**あまみ**〔甘み〕〔（甘味）〕①あまい味(の感じ)。「―が強い・天然の―」②あまい味のもの。菓子(かし)。甘味(かんみ)。▽〔↔辛(から)み〕●**あまみどころ**〔甘味△処〕⇩かんみどころ。

**あまみず**〔雨水〕①降る雨の水。天水(てんすい)。②雨が降ってたまった水。

**あまみそ**〔甘（味×噌）〕塩の分量をひかえて造ったみそ。白みそはこの系統。〔↔辛(から)みそ〕

**あまもや**〔雨（×靄）〕雨の降る中で立ちこめるもや。

**あまもよう**〔雨模様〕⇩あめもよう。

**あまもり**〔雨漏り〕《名・自サ》雨が〈屋根〈天井(てんじょう)〉から〉もること。あまもれ。「―がする」

**あまやか**〔甘やか〕《ダナ》あまく感じられるようす。「―な声」派―さ。

**あまやか・す**〔甘やかす〕《他五》①あまえるままにさせる。②わがままに育てる。▽甘やかせる。名甘やかし。

**あまや・ぐ**〔甘やぐ〕《自五》いかにもあまい感じになる。「甘やいだ、女の声」

**あまやどり**〔雨宿り〕《名・自サ》雨がやむまで、軒下(のきした)や木かげなどに休むこと。あまよけ。

**あまやみ**〔雨（△止み）〕《名・自サ》雨がやむ(のを待つ)こと。「―を待つ」

**あまよ**〔雨夜〕〔雅〕雨の降る夜。「―の品定め〔＝『源氏物語』で、主人公たちが女性を批評する場面〕」

**あまよけ**〔雨（△除け）〕《名・自サ》雨を防ぐための〈もの〈こと〉〉。「―のテント」

****あまり** 一 **あまり**〔余り〕①一定の〈数〈量〉〉以上にあること。余ること。また、余ったもの。のこり。「プリントの―がある」②《数》ある数を別の数で割ったときに割り切れないで残る数。剰余(じょうよ)。二 **あまり**〔（余り）〕《副助詞的に》…(の)程度が大きすぎて。「感激の―、泣き出した・子を思う―、よけいな心配をする」三 **あまり**《副》①ふつうの程度を大きくこえているようす。「―の寒さ・―〈に〈にも〉〉きれいなので・―興奮するな〔＝興奮しすぎるな〕」②〔後ろに否定が来る〕程度が大きくない(むしろ小さい)ことをあらわす。それほど。「映画は―おもしろくなかった・―よく知らない・―聞きません〔聞いたことがない、の意味でも言う〕」▽「あんまり」とも。ただし、「あんまり〈の〈に〉〉」とは言わない。四 **あまり**《ダナ》程度がひどくて、非難したくなるようす。「―な おことば」五 **あまり**〔（余り）〕《造》…と少し。「五日―・二十回―」●**あまりある**

〔余りある〕《自五》 さらに余る部分がある。「かれの活躍は失敗をおぎなって―〔=失敗の量をじゅうぶんに上回る。おつりが来る〕・その死は惜しんでも―〔=いくら惜しんでもまだじゅうぶんでない〕」

**アマリリス**〔amaryllis〕 葉が左右にひらく西洋草花の名。初夏、ユリに似た、大きな赤い花をひらく。

**あま・る**〔余る〕《自五》①〔多すぎて〕残る。よけいになる。「ごはんが―・時間が―」②自分の力以上になる。「力に―・身に―光栄〔=自分のねうち以上に受けるほまれ〕」

**アマルガム**〔amalgam〕①《理》水銀とほかの金属との合金。②《医》以前、奥歯のつめ物によく使われた、銀・すず・水銀の合金。③性質のちがうものがまざりあったもの。「伝統と前衛の―」

**あまん・じる**〔甘んじる〕《自上一》①〈不平を言わないで／おとなしく〉その状態を受け入れる。甘受する。あまんずる。「低い待遇に―」②《俗》たよって、あまえる。あぐらをかく。「特権に―」

**あみ**〔網〕①糸などを編んで作った、さかなや鳥をつかまえる道具。②針金を編んで作ったもの。かなあみ。③人や物をつかまえるために、はりめぐらしたもの。「法の―をくぐる〔=法律にふれないように悪いことをする〕」④〔アミ〕《印刷》網点。☞網かけ。⑤糸を格子状に、大きな目で編みあげた生地。「―タイツ」●**網を張る**句 ①「網①」をしかける。②犯人などをつかまえる準備をして待ちかまえる。

**あみ**〔×醤蝦〕 小エビに似た、海でとれる小さな動物。つくだ煮や塩辛にする。

**あみあげ**〔編み上げ〕①《服》布や革の合わせ目などに、ひもを編むように通していき、ぎゅっとしばるもの。②〔←編み上げぐつ〕 足の甲に当たるところを「編み上げ①」にした、足首まではいるくつ。「―のブーツ」▽レースアップ。

**あみあ・げる**〔編み上げる〕《他下一》①最後まで編む。「セーターを―」②編み上げにする。「くつひもを―」

**アミーゴ**〔ス amigo〕(男性の)友だち。〔女性はアミーガ(ス amiga)〕

**アミーバ**〔amoeba: ameba〕 ⇨アメーバ。

**あみかけ**〔網(掛け)・アミ(掛け)〕《名・自サ》《印刷》文字などを目立たせるため、網点などのうすい模様を重ねること。「―表示」

**あみがさ**〔編み(×笠)〕 イグサ・スゲ(菅)、または わらなどで編んだ、頭にかぶる かさ。

**あみき**〔編み機〕 編み物をする機械。

**あみこみ**〔編み込み〕①女性の頭をおおう部分の髪を〈編むこと／編んだ形〉。②糸・ひもなどを細かく編んだもの。「―模様」

**あみじゃくし**〔網(×杓子)〕 あげだまなどをすくうときなどに使う、網の目の形に作ったしゃくし。

**あみシャツ**〔網シャツ〕 もめんやレース糸などで、あらく網の目に作ったシャツ。夏の下着用。

**あみだ**〔×阿▲弥×陀〕〔梵語 amita の音訳〕①《仏》西方浄土にいるという仏。「―如来・―仏」②〔←あみだかぶり〕 帽子などを、頭のうしろにかたむけて かぶること。③←あみだくじ。●**あみだくじ**〔×阿▲弥×陀×籤〕 はしご状の線を人数分だけ引いて、一方のはしに当たり外れや負担するものごとを書いて引くくじ。あみだ。

**あみだ・す**〔編み出す〕《他五》 いろいろ考えて、作り出す。「独特の技術を―」

**あみだな**〔網棚〕①乗り物の、座席と天井の間に作られた、荷物をのせるためのたな。〔もと、網を張っていた〕②素材を網のように組んで作ったたな。

**あみてん**〔網点・アミ点〕《印刷》濃淡や色調を表現する、小さな点の集まり。ハーフトーン。アミ。

**あみど**〔網戸〕 虫をよけるために網を張りつけた戸。

**アミノさん**〔アミノ酸〕〔amino〕《理》たんぱく質を形づくっている有機化合物。生物のからだの維持・成長に必要不可欠な成分。

**あみのめ**〔網の目〕①網のすきま。「魚が―からのがれる」②網目状の模様。「メロンの―」③細かく張りめぐらされたもの(にできるすきま)。「法の―をかいくぐる」▽網目。

**あみばり**〔編み針〕 編み物に使う、太い長い針。編み棒。棒針。

↓**あみめ**〔網目〕①網のすきま(が並んだ形)。「―が細かいラケット・―模様・―状」②網のように結びついたもの(の形)。「社会的関係の―」▽網の目。

→**あみめ**〔編み目〕 ものを編みあわせた すきま。「―の粗いニット・竹かごの―」

**あみもと**〔網元〕 漁船や網を持っていて、多くの漁師を使っている人。

**あみもの**〔編み物〕〔セーターなどの衣類やレース編みなどの装飾品を作るために〕毛糸や糸などを〈編むこと／編んだもの〉。

**あみやき**〔網焼き〕《料》炭火の上に金網をかけて〈焼くこと／焼いた料理〉。炭焼き。グリル。「牛もも肉の―」

**アミューズ**〔フ amuse〕《料》〔フランス料理のコースで〕前菜より前に出す、軽い おつまみ。アミューズブーシュ(フ amuse bouche)。「トマトとチーズの―」

**アミューズメント**〔amusement〕 娯楽。「―センター・―パーク〔=遊園地〕」

**アミラーゼ**〔ド Amylase〕《生》でんぷんなどを消化して糖にする酵素。唾液・すい(膵)液などにふくまれる。ジアスターゼ。

**あ・む**〔編む〕《他五》①糸・竹・針金などを組み合わせる。「セーターを―〔=毛糸を編んでセーターを作る〕」☞結果目的語」②文章・歌などを集めて、本にまとめる。編集する。名編み。「レース―」可能編める。

**アムネスティ**〔↑Amnesty《=大赦》International〕 世界各国の政治犯を救うために、各国政府にはたらきかける国際的な人権擁護組織。

**あめ**〔天〕《雅》そら。てん。「―が下」

****あめ**〔雨〕①空からおちてくる、たくさんの小さな水のつぶ。「―が降ってきた・―に ぬれる・―に打たれる」②「雨①」の降る天気。「あしたは―だ・―が続く・―の京都」③「雨①」が降ること。降雨。「―が強まる・―がやむ」④つづけざまに降りかかってくるもの。「弾丸の―・質問の―」●**雨が降ろうが やり(槍)が降ろうが**句 どんな困難や障害があっても。●**雨の降る日は天気が悪い**句 あたりまえのことを、もっともらしくのべること。〔「犬が西向きゃ尾は東」などとも〕●**雨降って地固まる**句 もめごとなどがあったあと、かえって結びつきがしっかりする。

**あめ**[(×飴)・アメ] ①でんぷんや砂糖から作る あまい菓子。小さなかたまりにして なめる。あめだま。②やわらかい「あめ①」。水あめ。「―のように曲がったレール」●☆☆**アメとムチ**(鞭)句 一方ではきびしくしめつける。ムチとニンジン。●**あめをしゃぶらせる**句 ①自分が利益をえるために、あまいことばでだます。②その時だけ相手をいい気分にさせる。▽あめ玉をしゃぶらせる。

**アメ**遺〔俗〕↑アメリカ。「―車」☞アメカジ。

**あめあがり**[雨上がり] 雨のやんだすぐあと。あま上がり。

**あめあられ**[雨(×霰)] 鉄砲の たまや矢が はげしく飛んでくるようす。「―と降る」

**あめいろ**[(×飴)色]〔=麦芽水あめの色〕 すきとおって、黄色がかったうす茶色。

**アメーバ**〔ド Amöbe〕 代表的な単細胞動物。アミーバ。

**あめおとこ**[雨男]―を〔俗〕その人が出かける日はいつも雨になる、と言われる男。(↕晴れ男)

**あめおんな**[雨女]―を〔俗〕その人が出かける日はいつも雨になる、と言われる女。(↕晴れ女)

**アメカジ**〔↑アメリカン カジュアル〕《服》アメリカふうの、気取らないファッション。Tシャツやチェックのシャツを着てジーンズをはくなど。

**あめがした**[天が下]〔雅〕①空の下。②日本国じゅう。

**あめかぜ**[雨風] ①雨や風。「―をしのぐ」②雨まじりの風。

**あめかんむり**[雨(冠)] 漢字の部首の一つ。「雪」「雲」などの、上がわの「⻗」の部分。

**アメコミ**〔↑和製 American comics〕 アメリカの活劇漫画。「―ヒーロー」

**あめざいく**[(×飴)細工] あめをいろいろなものの形に作ったもの。

**アメジスト**〔amethyst〕《鉱》美しい むらさき色をした水晶。二月の誕生石。紫水晶。アメシスト。

**アメショ** ↑アメリカンショートヘア。アメショー。

**あめたいふう**[雨台風]《天》風よりも雨による被害が大きい台風。(↕風台風)

**アメダス**〔AMeDAS ↑ Automated Meteorological Data Acquisition System〕《天》地域気象観測システム。各地の降水・気温・風速などをリアルタイムで集計する。

**あめだま**[(×飴)玉] 玉の形をした あめ。●**あめ玉をしゃぶらせる**句 ⇩あめをしゃぶらせる〔「あめ(飴)」の句〕。

**あめつち**[天△地]〔雅〕天と地。

**あめつゆ**[雨露] 雨と露。●☆☆**雨露をしのぐ**句 住む家だけはあるという程度の、最低の生活をする。

**あめに**[(×飴)煮]《料》水あめ・砂糖などで、糸を引くように〈煮ること/煮たもの〉。「クルミの―・サツマイモの―」

**アメニティ(ー)**〔amenity〕 ①〔環境の〕快適さ。「―をそこなう」②生活を快適にする施設。文化施設。「―センター」③↑アメニティ(ー)グッズ。「ホテルの―」●**アメニティ(ー)グッズ**〔amenity goods〕 ホテルの部屋などに置いてある、洗面などのための小物。せっけん・歯ブラシなど。

**あめのうお**[(×鯇)]あめのうを 琵琶湖でとれる、ヤマメに似たさかな。あめ煮にする。

**アメピン**〔↑アメリカ(ン) ピン〕 よく使うヘアピン。針金を二つ折りにした形で、一方のがわが少し長い。少量の髪をはさんで とめる。☞Uピン。

**アメフト** ↑アメリカン フットボール。〔競技団体などは「アメフット」とも〕

**あめふり**[雨降り] 雨が降る〈こと/天気〉。

☆☆**あめもよう**[雨模様] ①雨の降りそうなようす。あめもよ(雨催)い。「―の空」②小雨が降ったりやんだりする天候。▽あまもよう。

**アメラグ**〔ラグ↑ラグビー〕〔古風〕⇩アメリカンフットボール。

****アメリカ**〔America〕 ①アメリカ合衆国。②大西洋と太平洋との間にある、南北に長くのびた大陸。北アメリカ・南アメリカに分かれる。アメリカ大陸。アメリカ州。米州。▽米。表記「:亜米利加」は、古い音訳字。●**アメリカがっしゅうこく**[アメリカ合衆国] 北アメリカ大陸の中央部とアラスカ・ハワイなどから成る連邦共和国。首都、ワシントン(Washington)。合衆国。米国。米。USA。●**アメリカしろひとり**[アメリカ(白火取)] まっ白い色をしたガ(蛾)の一種。成虫も幼虫も毛がはえている。幼虫は木や農作物の害虫。

**アメリカナイズ**《名・自他サ》〔Americanize〕 アメリカ的に〈なる/する〉こと。アメリカ化。

**アメリカン**〔American〕 ━ 遺 アメリカの。「―ジョーク・―チェリー」 ━ アメリカン《ナダ》 アメリカふう。「―な感覚」 ━ アメリカン ①アメリカの〈人/もの〉。「アフロ―〔=アフリカ系アメリカ人〕・アーリー―〔=アメリカの開拓時代の様式〕」②〔↑アメリカン コーヒー〕 豆を軽くいって いれた、苦みの少ないコーヒー。●**アメリカン ショートヘア**〔American Shorthair〕 アメリカ原産のネコ。模様は、銀色に黒いマーブル〔=大理石〕ふうのしまなど。性質は活発。アメショ(ー)。●**アメリカン ドッグ**〔和製 American dog〕 太いくしにさしたソーセージにホットケーキのもとをつけ、油で あげたもの。フレンチドッグ。ホットドッグ。☞ハットグ。●**アメリカン ドリーム**〔American dream〕〔だれもが自由に挑戦できる〕アメリカでの夢のような大成功。「―を実現する」●**アメリカン フットボール**〔American football〕 サッカーとラグビーから考案されたフットボール。一度にプレーできるチームの選手は十一名。防具をつけ、全選手に体当たりできる。米式蹴球・鎧球〔文・古風〕。アメラグ〔古風〕。アメフト。アメフット。

**あめんぼ**[(:水黽)] 水の上を、すべるように動き回る昆虫。足は細長い。あめんぼう。由来 あめ(飴)のようなにおいを出すことから。俳句などで「みずすまし」とも言うが、本来は別のもの。

**アモルファス**〔amorphous〕《理》粒子の配列が規則正しくない固体。非晶質。「―太陽電池」

**あや**[(×綾)・(△文)] ①糸が ななめにまじわって、模様を織り出してある〈こと/織物〉。②細かに交差してあらわれる、きれいな模様。③ものごとの細かな筋道や、うらおもて。「事件の―」④よく見せるための言いまわし。「文章の―」☞ことばのあや。●**あやをつける**句〔「アヤをつける」とも書く〕〔俗〕言いがかりをつける。

**あやいと**【(×綾)糸】①あや取りに使う糸。②織機のたて糸をまとめる糸。③できごとや運命のさまざまなつながりを、糸にたとえて言うことば。「歴史の ふしぎな―」

**あやう・い**【危うい】《形》①あぶないことになるか、ならないかの、分かれ目にあるようすだ。「―ところで死をまぬがれた・国を危うくする」②たよりない。心細い。「ことばというのは―ものだ・―〔=すぐ くずれそうな〕バランス」☞危うく。派-げ。-さ。

**あやうく**【危うく】《副》〔形容詞「危うい」の連用形から〕①たいへんなことが起こりそうだったときに使う。もう少し(のところ)で。あわや。あぶなく。「―落ちるところだった」②たいへんなことを、なんとか避けたときに使う。やっとのことで。「―難をのがれた・―セーフ」

**あやおり**【×綾織り】ななめのうねが出るようにした織り方。例、ジーンズ。(↔平織り・繻子織り)

**あやかし**〔古風〕①主として海上にあらわれる、ばけもの。②〈ふしぎな/あやしい〉こと。また、妖怪。

**あやか・る**【(△肖る)】《自五》〔=感化されて似る〕①同じようなしあわせを受ける(ことを願う)。「ご長寿にあやかりたい」②それに関連づけ(て、幸運や人気を呼ぼうとす)る。「ドラマに あやかった企画」

←**あやし・い**【妖しい】《形》〈ふしぎで/ぶきみで/美しくて〉、人を引きつけるようすだ。「―目の光・―ほほえみ」派-げ。-さ。

→**あやし・い**【怪しい】《形》①様子がおかしい。異様だ。「―人物」②うたがわしい。信用できない。「あんなことを言って―ものだ」③〔俗〕ひそかに、恋愛の関係になっているようだ。「あのふたりは―」派-がる。-げ。-さ。

**あやしの**【怪しの・妖しの】《連体》〔文〕あやしい。「―人物・―世界」

**あやし・む**【怪しむ】《他五》あやしいと思う。あやしがる。

**あや・す**《他五》赤ちゃんの きげんをとって、泣いたりなどさせないようにする。

**あやつ**【(△彼△奴)】《代》〔古風〕あいつ。あのやつ。第三者をののしったり、あなどったりするときに言う。

**あやつり**【操り】↑あやつり〈芝居/人形〉。●**あやつりしばい**【操り芝居】⇩人形浄瑠璃。●**あやつりにんぎょう**【操り人形】①人形芝居に使う人形。糸をあやつって いろいろの動作をさせる。あやつり。②他人の意のままに あやつられる人。▽傀儡。

**あやつ・る**【操る】《他五》①糸を仕掛けて陰で動かす。②じょうずに〈動かす/使い分ける〉。「舟を―・五つの言語を―」③〔陰で〕思うように動かす。「政権を裏で―」可能 操れる。

**あやとり**【(×綾)取り】《名・自サ》輪にした糸を指先にかけて、いろいろな形を作る遊び。

**あやど・る**【×綾取る】《他五》①〔文〕色や模様で かざる。あやなす。いろどる。「闇を―霧」②〔古風〕〔たすきなどを〕十文字にかける。③〔雅〕あやつる。「舟を―」

**あやな・す**【×綾なす】《他五》〔雅〕美しい模様を作る。「錦―秋の山」

**あやにしき**【×綾錦】あやとにしき。美しい着物や紅葉の形容。

**あやぶ・む**【危ぶむ】《他五》①〈あぶない/困った〉ことになるのではないかと おそれる。「将来を―・生命さえ危ぶまれる」②うまくいかないのではないかとうたがう。「完成を―・実現が危ぶまれる」

**あやふや**《ナダ》はっきりしないようす。不確か。「―な知識」派-さ。

**あやまち**【過ち】①やりそこない。まちがい。過失。②(そうするつもりでなくて)罪をおかすこと。「―をつぐなう」③不道徳な恋愛。浮気。「一夜の―」

**あやま・つ**【過つ】《他五》〔文〕やりそこなう。まちがえる。「ねらい過たず命中した・ああ、我、過てり」●**過ちては改むるに憚ること勿れ**句 まちがったことをしたら、それを正すのをためらってはいけない。〔「論語」のことば〕

←**あやまって**【過って・誤って】《副》(思わず)やりそこなって。過失によって。「―ゆかに落とした・―人を死なせる」

→**あやまって**【誤って】《副》①まちがえて。『専門』は―『専問』と書かれる」②⇩過って。「―海に転落した」

**あやまり**【誤り】まちがい。あやまち。「―を正す」

←**あやま・る**【誤る・×謬る】《他五》①まちがえる。「道を―・人選を―・見―・聞き―・名前を読み誤られる」②まちがった方向へみちびく。誤らせる。「国を―おそれがある」☞誤って。

→**あやま・る**【謝る】㊀《他五》自分のしたことが悪かったということを、ことばや身ぶりに あらわす。「うそを言ったことを―・両手をついて―」区別「謝る」は、もと「誤る」と同じ。自分が まちがっていたことを認める意味。「わびる」は、もと「待ちわびる」などの「わびる」と同じ。相手に めいわくをかけたと思いやり、心を痛める意味。文型は、「遅刻をわびる」に対し、「遅刻を謝る」ではなく「遅刻したことを謝る」が自然。敬語は、「おわびします」とは言うが、「お謝りします」とは言わない。☞「申し訳ない」の区別。㊁《自五》〔古風〕困る。遠慮する。「陰気な酒は―」名 謝り。「―の電話」可能 謝れる。

**あやめ**【(△文目)】〔雅〕ものの模様や形。●**あやめもわかぬ**【(△文目も)分かぬ】《連体》〔分かぬ=区別できない〕①ものの模様や形がはっきりしない。「―闇」②ものごとの区別がつかない。▽あやめも分からぬ。副詞の形もある。「あやめも分かず まよう」

**あやめ**【(:菖蒲)】①乾燥した所にはえる草花。葉は細長く、春から初夏に、むらさきや白の花をひらく。「いずれ―か、かきつばた〔⇩「いずれ」の句〕」由来 古くは「しょうぶ(菖蒲)①」をさした。中国大陸からわたった漢女〔=織女〕の姿に たとえた名前。区別 アヤメ・カキツバタ・ハナショウブは、ともに花びらが大きくて下にたれ、葉が細長い。**アヤメ**は、花びらのつけ根に、アゲハチョウの羽根の模様に似た網目模様がある。**カキツバタ**は、より大形で、花びらのつけ根から白い線が出ている。**ハナショウブ**は、さらに大形で、花びらのつけ根に黄色い部分があり、葉の中心に筋が通っている。このほか、外国種のアイリスも野外で見られる。②ハナショウブや「あや

あ

め①」をまとめた言い方。「—祭り」

☆☆**あや・める**【(△殺める)】《他下一》〔文〕〔人を〕殺す。

**あゆ**【(×鮎)・(:香魚)・(:年魚)】きれいな流れにすむ、小形の川ざかな。ふつう、塩焼きにして かおりを味わう。

**あゆ**【×阿×諛】《名・自サ》〔文〕へつらうこと。「—追従(=こびへつらうこと)」

**あゆ なえ**【(×鮎)苗】かえったばかりのアユ。各地の川などに はなして成長させる。稚あゆ。

**あゆみ**【歩み】①あゆむこと。「—の のろい亀」②進むこと。進行。「月日の—・戦後の日本の—」③あしなみ。④〔↑歩み板〕歩くために、上にわたす板。●**あゆみ あい**【歩み合い】《名・自サ》おたがいにゆずりあうこと。動歩み合う《自五》。●**あゆみ よ・る**【歩み寄る】《自五》①歩いて近寄る。②〔条件などを〕ゆずりあって解決に近づく。名歩み寄り。

**あゆ・む**【歩む】《自他五》①一歩一歩、足を前に進める。②〔人生・歴史などを〕経る。「苦難の道を—」

←**あら**【(粗)】〓**あら**①さかなをおろしたあとの、頭・骨などの部分。「—汁」②〔米の〕ぬか。③欠点。「—をさがす」表記 西日本では「荒」とも。〓遺 ①細かでない。「—刻み」②人手を加えない。「—木」③まばらな。「—目に塗る」

→**あら**【荒】遺 ①まだ人手を入れてない。あれたままの。「—野」②性質のあらあらしい。勢いの強い。「—馬・—瀬」③やり方が乱暴な。はげしい。「—稽古」

**あら**【(×鯇)】①口が大きく、えらに大きな とげが一つあるさかな。「—なべ」②〔九州などの方言〕⇩くえ(九絵)。

**あら**《感》〔話〕①**あら**〔おもに女性が使う〕感心したとき、おどろいたときなどに、出す声。ああら。あらあら。「—まあ」②何か さしつかえのあることに気づいたときなどに、出す声。ありゃ。「あら(↗)、まずいな」▽あらら。

**あら**【新】遺 ①新しい。「—所帯・—ぼとけ」②まだ使わない。「—湯」

**アラー**〔アラビア Allāh〕《宗》⇩アッラー。

**アラート**〔alert〕①警告。警報。「—が出る・—ベル」②《軍》〔戦闘機が〕すぐに飛び立てるように準備している状態。スクランブル待機。

**アラーム**〔alarm〕①警報(装置)。②目ざまし時計。

**あら あら**【(粗々)】《副》だいたい。ざっと。「—の事情を知らせる」●**あらあら かしこ**《手紙》〔文・古風〕「かしこ」の古い形。おおざっぱな内容で恐れ入ります、の意味。〔女性が使った〕

**あらあらし・い**【荒々しい】《形》①〔動作などの〕勢いが強くて、ものをこわしたり害をあたえたりしそうだ。「—ふるまい・—ことばづかい」②勢いが強くて、乱れているようすだ。「—息づかい・—タッチ」③〈あれはてた/ごつごつした〉ようすだ。「—岩はだ」派-げ。-さ。

**あらい**【洗い】①洗うこと。②ⓐさかなの肉を冷たい水で洗い、縮らせた、さしみ。「こい(鯉)の—」ⓑ貝の身をうすく切ったもの。●**あらい あ・げる**【洗い上げる】《他下一》①洗い終わる。②じゅうぶんに洗う。名洗い上げ。自洗い上がる《五》。●**あらい がみ**【洗い髪】洗ったままで、ゆわない かみの毛。●**あらい ぐま**【(洗熊)】タヌキに似たけもの。尾に横じまがある。前足で えさを水につけて、洗うような しぐさをする。〔特定外来生物〕●**あらい ざらい**【洗い(×浚い)】《副》あるかぎり。のこらず。「—白状した」●**あらい ざらし**【洗い(×晒し)】①何度も洗って、染めた色があせ〈ること/たもの〉。「—の ゆかた」②洗って干したまま、アイロンをあて(てい)ないこと。「—のリネン・—で着られるシャツ」動洗いざらす《他五》。●**あらい しゅ**【洗い朱】〔朱よりうすくて〕おちついた感じの赤。●**あらいだ・す**【洗い出す】《他五》くわしく調べて事情を明らかにする。「業務のむだを—」名洗い出し。●**あらいた・てる**【洗い立てる】《他下一》他人の悪いことや失敗などをあばく。「素性を—」●**あらいなお・す**【洗い直す】《他五》①もういちど洗う。②それでいいか、はじめから考え直す。再検討する。調べ直す。「計画を—・アリバイを—」名洗い直し。●**あらいなが・す**【洗い流す】《他五》水をかけて、よけいなものを取り去る。「よごれを—・ぬるま湯で肌を—」●**あらいば**【洗い場】①洗う場所。「ふろの—(=流し場)」②料理店などで、食器洗いをする〈所/人〉。「—さん募集」(↕板場)●**あらい はり**【洗い張り】《名・自サ》着物をほどいて洗い、板などにはって ほすこと。●**あらい もの**【洗い物】洗わなければならない、衣服や食器。また、それを洗うこと。

←**あら・い**【荒い】《形》①ていねいでない。らんぼうだ。「ことばづかいが—・—気性」②〔勢いが〕はげしい。「波が—・—息をする」派-さ。

→**あら・い**【粗い】《形》①つぶ・模様などが大きい。「—砂」②まばらだ。「目が—」▽(↕細かい)③なめらかでない。「肌が—」④大ざっぱだ。「作り方が—・—計算」派-さ。

**アライアンス**〔alliance=同盟〕企業どうしの提携。また、提携したグループ。「—を組む・航空会社の—」

**あら いそ**【荒×磯】荒波のうちよせる海岸。岩や石の多い海岸。ありそ。

***あら・う**【洗う】《他五》①水や薬品〈の中に入れて/を使って〉よごれを落とす。「手を—」②波がよせて、水がかかる。「岸を—波」③〔俗〕調べる。「身もとを—・事件の背景を—」可能洗える。

**あら うみ**【荒海】波のあらい そとうみ。「—に乗り出す」

☆☆**あらが・う**【(△抗う)】《他五》〔文〕はむかう。「権勢に—」

***あらかじめ**《副》前もって。かねて。「—相談する」表記 かたく「△予め」とも。

**あらかせぎ**【荒稼ぎ】《名・自サ》短い期間にたくさんのお金をもうけること。「投機で八千万の—をした」

**あらかた**《副》(=粗方)おおかた。だいたい。「論点は—出つくした」

**あらがね**【粗金】〔古風〕鉱石。

**あらかべ**【粗壁】下塗りをしただけの壁。

**アラカルト**〔フ à la carte〕一品料理。お好み料理。(↕ターブル ドート)

**あらかわ**【粗皮】木または穀粒の表の皮。(↕甘皮)

**あらぎも**【荒肝】ふとい きもったま。「—をひしぐ(=強敵をふるえあがらせる)」

**あらぎょう**【荒行】苦しみをこらえてする、ひどく きびしい修行。

あ

あらく・れる【荒くれる】〘自下一〙乱暴する。あらあらしくふるまう。「荒くれた男」名荒くれ。「―者」

あらけずり【粗削り】〘名・他サ・ナダ〙①おおまかに〈けずること/けずった板〉。②〈人間がじゅうぶん ねりみがかれていないこと〉。「―な芸」派―さ。

あら・げる【荒げる】〘他下一〙⇒あららげる。「声を―」

あらごと【荒事】〘歌舞伎〙豪傑・勇猛な演技。「―師」(↔和事)

あらごなし【粗ごなし】〘名・他サ〙①はじめに、あらくくだいておくこと。②仕事にかかる前に、ひととおり ざっとやってみること。

あらさがし【〈粗〉探し】〘名・自サ〙他人の欠点を〈さがす/さがして、悪口を言う〉こと。

アラサー〔↑和製 around thirty〕〔俗〕三十歳前後の〈人/年ごろ〉。〔二〇〇八年に広まったことば〕☞アラフィフ・アラフォー。

あらし【荒らし】①よそから来て、〈勝手にふるまう/みんなを打ち負かす〉人。また、そのこと。「なわばり―・道場―」②ぬすんで損害をあたえる〈人/こと〉。「学校―・車上―」③〔インターネットで〕いやがらせなどを掲示板やSNSに書き続ける〈人/こと〉。

あらし【嵐】①強くふく(寒い)風。「山―」②雨をともなう強い風。暴風雨。「―の夜・―のような拍手」「変革の―・キスの―・称賛の―」③〈はげしい/はげしく あびせられる〉もののたとえ。●あらしのまえの しずけさ【嵐の前の静けさ】予知できる事件やさわぎの前の、ぶきみに静かな時間。

あらじお【粗塩】精製されていない、つぶのあらいしお。あらしお。

あらしごと【荒仕事】〘名・自サ〙①力仕事。はげしい労働。②〔俗〕強盗。

あらし・める【〈在らしめる〉】〘他下一〙あるようにさせる。存在させる。「永遠に光輝―作品・私を今日在らしめた恩人」

あら・す【荒らす】〘他五〙①あれた状態にする。「田畑を―・ごみ捨て場を―」②よそ者が勝手にふるまって、めちゃくちゃにする。「なわばりを―」③ぬすんで(あたりを散らかし)損害をあたえる。「ビルを―・都内を―」

あらず【〈在らず〉】連〔文〕存在しない。「心ここに―(=うわの空だ)」

あらず【〈有らず〉】連〔文〕もっていない。そなわっていない。「戦い、我に利―(=有利ではない)」●あらずもがな なくていいこと。あってほしくないこと。「―の規則」

あらず【〈非ず〉】〔文〕一連〔…で〕ない。「事実に―」二あらず〘感〙いいえ。そうではない。「雲か、―、けむりか、―」☞さにあらず・なきにしもあらず。

あらすじ【〈粗筋〉・〈荒筋〉】物語の、だいたいのすじ(みち)。あらまし。梗概。「映画の―」

あらせいとう【〈紫羅欄花〉】⇒ストック(stock)⑥。

あらせら・れる【〈在らせられる〉】〘自下一・補動下一〙〔古風〕「いらっしゃる」よりも敬意を高めた言い方。いらせられる。「ご健勝で―」

あらそい【争い】①あらそうこと。けんか。競争。戦争。「―を好まない・首位―」②〘法〙主張のちがい。「事実関係に―はない」

あらそ・う【争う】一〘自五〙対立する相手に勝とうとする。けんかする。「隣国と―・兄弟が―」二〘他五〙①相手より先になろうとする。「先を―・争って(=競争で)申しこむ」②相手をおしのけて得ようとする。「優勝杯を―」③自分の正しさを主張しあう。「法廷で―」可能争える。

あらそえ・ない【争えない】〘形ヌズ〙打ち消すことができない。争われない。「名門の血筋は―ものだ・年は―」〔⇒「年」の句〕丁寧争えません。

**あらた【新た】〘ナダ〙〔文〕古くならないようす。鮮明。〔「今なお記憶に―だ」など、決まった形で使う〕●あらたに【新たに】〘副〙〔文〕新しく。「―(=さらに)加わった選手・―(=初めて)会が発足した」〔連体詞の形もある。「新たな(=これまでとは別の)問題が起こった」〕

あらたか〘ナダ〙霊験がはっきりあらわれているようす。いやちこ。あらた。派―さ。

あらだ・てる【荒立てる】〘他下一〙①あらくする。「声を―」②〈表ざたにして〉めんどうにする。混乱させる。「事を―」自荒立つ〘五〙。

あらたま・る【改まる】〘自五〙①新しくなる。変わる。「年が―」②変わってよくなる。「気風が―」③ふだんとは変わって、〈まじめな/きちんとした〉様子を見せる。「改まった〈ことば/服装〉」名改まり。

あらたま・る【〈革まる〉】〘自五〙〔文〕〈病気のようすが急に変わって〉重態になる。「病が―」

あらため【改め】一〔古風〕取り調べ。調査。「宗門―」二〘接〙〔↑動詞「改める」の連用形〕〔今までの呼び名を〕かえて。「桂三枝―文枝」表記二は注記ふうに「改メ」とも。

*あらためて【改めて】〘副〙①もういちど〈きちんと/別のおりに〉。「―お知らせします」丁寧改めまして。②今さら。ことあたらしく。「―言うまでもない」

あらた・める【改める】〘他下一〙①新しくする。変えてよくする。「規則を―・書き―・日を改めて伺います」②変える。「おこないを―」③【検める】本当かどうかを調べる。吟味する。「切符を―」☞改めて。

あらちゃ【荒茶】収穫した茶の葉を、蒸してもんで乾燥させたもの。刻んだものを製品として売る。

あらづくり【粗造り・荒造り】ざっとつくってあって、仕上げをしてない〈こと/もの〉。

あらっぽ・い【荒っぽい】〘形〙あらあらしい。てあらだ。「―口調」派―さ。

あらっぽ・い【粗っぽい】〘形〙あらい感じだ。ぞんざいだ。「―仕事ぶり」派―さ。

あらて【新手】①まだ戦わない兵士。②新しくはいってきた人。③今までになかった新しい手段・方法。「―の詐欺」

あらなみ【荒波】①はげしく〈うちよせる/立つ〉波。②世の中のきびしさ・困難。「社会の―にもまれる」

あらなわ【荒縄・粗縄】わらで作った、太いなわ。

あらに【〈粗〉煮】骨つきのさかなの肉を煮つけたもの。

あらぬ〘連体〙(=有らぬ)①別の。「―かたを見る」②見当ちがいの。「―うたがいを受ける」

あらねつ【粗熱】(=ある程度、熱を…すること)●粗熱を取る句〘料〙熱を加えて調理した直後、容器ごと水にひたすなどして、ある程度(=あらく)温度を下げる。粗熱を飛ばす。自粗熱が取れる。

あらの【荒野・×曠野】〔雅〕あれた野原。人のいない野原。☞こうや(荒野)。

**あらばこそ**〔文〕あるどころではない、ということ。「遠慮会釈(えんりょえしゃく)も―」

**アラビア**〔Arabia〕西アジアにある世界最大の半島。表記「亜刺比亜」は、古い音訳字。●**アラビアゴム** アカシアの一種からとった樹脂(じゅし)。のり・インクなどに使う。●**アラビアすうじ**〔アラビア数字〕0・1・2など、計算などでふつうに使われている数字。算用数字。洋数字。(↔漢数字・ローマ数字)

**アラビアータ**〔イ arrabbiata=怒(おこ)りんぼう〕トウガラシのきいたトマトソース。パスタにからめて食べることが多い。「ペンネ―」

**あらびき**〔粗(×挽き)・粗(×碾き)〕《名・他サ》肉・穀物・コーヒー豆などを、あまり細かくならない程度に〈ひくこと/ひいたもの〉。「―黒こしょう・―ウインナー」(↔細びき)

**あらひとがみ**〔△現人神〕人の姿をとり、この世に現れた神。あきつかみ。〔戦時中まで、天皇をさして言った〕

**あら・びる**〔荒びる〕《自上一》①あらあらしくなる。あらぶる。「息づかいが―」②〔態度・調子などが〕あらくなる。「〔写真の〕粒子(りゅうし)が―」③〔土地などが〕ひらけないであれる。「荒びた宿(しゅく)」④〔心が〕すさむ。

**アラブ**〔Arab〕①中東および北アフリカに住み、アラビア語を使っている人たち。アラブ人。アラビア人。②アラビア原産の乗用馬。アラビア馬。③〔↑アングロアラブ(Anglo-Arab)種〕「アラブ②」とサラブレッド種をかけあわせて作った馬。競走用としてすぐれている。

**アラフィフ**〔↑和製 around fifty〕〔俗〕五十歳(いさい)前後の〈人/年ごろ〉。アラフィー。〔「アラサー」「アラフォー」におくれて、二〇〇八年よりあとに広まったことば。六十歳前後は「アラ還(かん)《還↑還暦(かんれき)》」と言う〕

**アラフォー**〔↑和製 around forty〕〔俗〕四十歳(いさい)前後の〈人/年ごろ〉。〔二〇〇八年に広まったことば〕☞アラサー・アラフィフ。

**あらぶる**〔荒ぶる〕㊀《連体》〔性格やふるまいが〕あらあらしく乱暴である。あれくるう。あらびる。「―神・―たましい」㊁《自五》あらあらしくなる。「気持ちが荒ぶっていく」

**アラベスク**〔arabesque〕①アラビアふうの唐草(からくさ)模様。②〔音〕装飾(そうしょく)が多くてはなやかな音楽。

［アラベスク①］

**あらほうし**〔荒法師〕〔文〕勇ましい僧(そう)。乱暴な僧。

**あらぼとけ**〔新仏〕死後はじめてのうらぼん(盂蘭盆)にまつられる、死者の霊(れい)。しんぼとけ。

**あらまき**〔新巻き・荒巻き〕秋にとれたサケに軽く塩をふって、そのまま塩づけにしたもの。「―ザケ」〔もとは荒縄(あらなわ)で巻いた〕

**あらまし**《名・副》だいたい(のこと)。おおよそ。「事件の―・―こんなところです」

**あらまほし・い**《形》〔文〕あってほしい。理想的だ。「―状態・あらまほしき人間像〔このように、文語形もよく使う〕」派―さ。

**あらみ**〔新身〕新しく作った刀。

**あらむしゃ**〔荒武者〕①あらあらしい武士。②乱暴者(らんぼうもの)。

**あらめ**〔荒△布〕ふたまたになった先が、はたきのようにさけた海藻(かいそう)。こんぶよりやわらかく、煮物(にもの)などの料理に使う。

**アラモード**〔フ à la mode〕①〔服装などの〕最新流行(の型)。「秋の―」②アイスクリームなどがそえてあるデザート。「プリン―」

**あらもの**〔荒物〕毎日の生活に必要な、大きめの道具。ほうき・ちりとり・ざるなど。「―屋」(↔小間物(こまもの))

**あらゆ**〔新湯〕まだ、だれもはいらない(ふろの)湯。さらゆ。「―は老人に毒」

*__あらゆる__《連体》〈ある/考えられる〉かぎりの。すべての。「生活の―部分・―手段をとる・―困難とたたかう」

☆☆**あらら・か**〔荒らか〕《ナダ》〔文〕あらあらしいようす。

☆☆**あらら・げる**〔荒らげる〕《他下一》〔声などを〕あらくする。「声を―・語気を―」✓音が一つ落ちて「あらげる」とも。どちらの形も、江戸(えど)時代からある。

**あらり**〔粗利・荒利〕《経》売上代金から仕入代金をさしひいた、見かけの利益。粗利益。「―は定価の二割」(↔純益)

**あらりえき**〔粗利益・荒利益〕《経》⇩あらり。

**あらりょうじ**〔荒療治〕《名・他サ》①〔乱暴な〕外科(げか)の治療(ちりょう)。②殺傷。③問題解決のための思い切った改革。

**あられ**〔×霰〕①冬に降る、雪に似た小さい氷のつぶ。〔直径五ミリメートル未満〕☞ひょう(雹)。②さいの目よりずっと小さな立方体に〈切ること/切ったもの〉。③もち米の粉などを練って焼いた、小さくてまるい菓子(かし)。また、細かく切ったもちを煎(い)ってしょうゆで味をつけた菓子。「ひな―」④「あられ③」やおかきの総称。⑤「あられ①」のような模様。

☆☆**あられもな・い**《形》①ひどくだらしなく、乱れたようすだ。「―下着姿(したぎすがた)」②あるべきでない。ふつうには考えられない。「会議で―ことをしゃべる」由来「有られる〔=あっていい〕ことではない」の意味から。派―さ。

**あられる** 連 ①「ある」の尊敬語。「思いが―・お子さまが大ぜい―〔=いられる〕・まだ幼く―」②〔…で―〕助動詞「である」の尊敬語。「この分野の専門家で―〔=いられる〕」▽「いらっしゃる」より改まった言い方。③「あられる」の受け身。☞「あ(有)る㊀」の✓②。

**あらわ**〔△露わ・△顕わ〕《ナダ》①かくれていたもの〈をあらわす/があらわれる〉ようす。「怒(いか)りを―にする・問題点が―になる」②かくさないようす。「はだも―なドレス」③公然。露骨(ろこつ)。「―に言う・―に反対する」

**あらわざ**〔荒技・荒業〕①《スポーツなど》力まかせの、あらあらしいわざ。②大胆(だいたん)な方法。

**あらわざ**〔荒業〕力仕事。

**__あらわ・す__〔表す〕《他五》①〔ことば・絵・音・身ぶりなどで〕頭の中にあるものを形にする。表現する。「ことばに―・感情を表(おもて)に―〔『現す』とも〕・喜びを―」②〔△顕す〕具体的な形にして見せる。「実力を―・知恵(ちえ)を―」可能 表せる。

**あらわ・す**〔現す〕《他五》見えない所にあるものを〔外に出して〕、見えるようにする。「姿を―・正体を―」(↔隠(かく)す) 可能 現せる。

**あらわ・す**〔著す〕《他五》〔書物を書いて〕世に出す。「研究書を―」可能 著せる。

←**あらわれ**［表れ］ 気持ち・考えなどが形に〈なること／なったもの〉。表現。「喜びの―・依頼心の―」

→**あらわれ**［現れ］〈かくれていた／見えなかった〉ものが見えること。また、見えてきたもの。「実態の―」

**あらわれ・でる**［現れ出る］《自下一》 目の前に姿や形が現れる。

←**あらわ・れる**［表れる］《自下一》 ①表した状態になる。表現される。「ことばに―・感情が表に―（『現れる』とも）・気持ちが―」 ②具体的な形になって見える。「ちがいが―・効果が―・傾向が―・地力が―」

→＊＊**あらわ・れる**［現れる］《自下一》 ①現した状態になる。〈かくれていた／見えなかった〉ものが見える。「月が―・敵が―・顔にしみが―・症状が表に―」（↔隠れる） ②なかったものが、世の中に出る。「天才が―・世に―（＝知られる）」 ③そこへ来る。「三十分おくれて―」▽見出しなどで「怪盗あらわる〔文〕」とも。［表記］②「顕れる」とも。

**あらん かぎり**［あらん（限り）］《名・副》 ⇩あるかぎり。「―の力をふりしぼる・―利用する」

**あり**［（蟻）］ 土の中にすむ、小形の昆虫。女王アリを中心に社会生活をいとなみ、働きもののたとえとされる。●**蟻の這い出る隙もない**［句］ 警戒が非常にきびしく、はいりこんだり のがれ出たりする余地がない。

←**あ・り**［（在り）］《自ラ》〔文〕ある。「日本人ここに―」☞在らず・在りし。

→＊**あ・り**［（有り）］［一］《自ラ》〔文〕ある。「主体性いずこに―や（＝どこにあるか）と言いたい」［二］①あること。「制服―のアルバイト・山―川―（＝山があったり川があったり）の人生」 ②［アリ］〔話〕ありうること。ゆるされること。「その選択も―だ・なんでも―・それって―かも」▽［一］［二］（↔無し）☞有らず・あり得べき・ありせば。

**アリア**〔イ aria〕《音》おもにオペラ・オラトリオ・カンタータなどの中の、美しいメロディーの独唱曲。詠唱。

**ありあけ**［有り明け］ ①空に月が残ったままで、夜が明けること。また、そのころの夜明け。 ②夜明け。●**ありあけ の つき**［有り明けの月］ 夜明けの空に残る月。残月。残りの月。☞三日月①。

**ありあま・る**［あり余る］《自五》 じゅうぶん以上にたくさんある。「―財産」

**ありあり**《副》 はっきりとあらわれるようす。「ろうばい（狼狽）の色が―と見えた・行きたくない様子が―だ」☞まざまざ。

**ありあわせ**［あり合わせ］ ちょうどその場にある〈こと／もの〉。ありあい。「―の料理」［動］あり合わせる《自下一》。あり合わす《自五》。

☆☆**アリーナ**〔arena〕 ①〔周囲に観客席のある〕室内競技場。「アイス―（＝室内スケート場）」 ②「アリーナ①」の競技場部分に特設した観客席。 ③活動の舞台。また、争いの場。

**ありうべき**［（あり得べき）］《連体》〔文〕 ①ありそうな。「将来―事態に備える」 ②あるのがいい。「社会の―理想」▽もと文語形容詞「ありうべし（＝あるだろう）」の連体形。否定は「ありうべからざる（＝あるはずがない。あってはいけない）」。

**あり・うる**［あり（得る）］《自下二》〔活用は「得る」を参照〕〔そういうことが〕あるはずだ。あってもふしぎでない。ありえる。「落第も―」

**ありえ ない**［（あり得ない）］［一］［連］ あるはずがない。「練習なくして勝利は―」［二］《形ヌズ》 常識では考えられない。「―人事・―おいしさ」〔二十一世紀になって広まった用法〕［丁寧］ありえません。

**ありか**［（在り△処）］ ①ものの ある場所。「宝の―」 ②人のいる場所。所在。

**ありかた**［（在り）方］ ①方法・方式などの状態。「政治の―を変革する」 ②あるべき状態。本来どう（いうもの）であるべきか、という問題。「大学の―」

**ありがた・い**［（有り難い）］《形》 ①〔人にいいことをしてもらったり、運が よかったりして〕うれしい気持ちだ。「雨が降って―・ああ、ありがたや！」 ②自然と、おがみたくなるような感じだ。とうとい。「―教え・―仏様」 ③〔①②の由来〕〔古風〕めったにない。「おことばをたまわり、ありがたき しあわせ（＝めったにない めぐり合わせ。つまり、幸福）」［派］-がる。-げ。-さ。

**ありがた なみだ**［（有り難）涙］ ありがたくて思わずこぼすなみだ。

**ありがた み**［（有り難み）］ ありがたいと思われる感じ。「親の―がうすい」

**ありがた めいわく**［（有り難）迷惑］《ナダ》〔相手の好意が〕ありがたいものの、かえって めいわくなようす。

**ありがち**《ナダ》〔そういうことが〕〈とかく／よく〉あるようす。「初心者には―なミス」

＊＊**ありがとう**［（有り難う）］《感》 感謝やお礼の気持ちをあらわすことば。〔軽く「ありがと（さん）」とも言う〕●**ありがとう ございます**［（有り難うございます）］《感》「ありがとう」の丁寧語。「ご返信いただき―」〔過去形「ありがとうございました」は、以前のことを今感謝するときや、スピーチの最後などに使うことがある〕［!］返事は「どういたしまして」だが、言いにくいという人もいる。「いいえ、とんでもないです」などと言ってもいい。［区別］「**すみません**」は、食堂で しょうゆを取ってもらったときなどに、気軽に使う。「**恐れ入ります**」は、改まってはいるが、やはり軽い言い方。「（本当に／まことに）**ありがとうございます**」は、社会人が感謝するときの ふつうの言い方で、おくりものをもらったときなどは この言い方がいい。

**ありがね**［（有り）金］ そこに持っている、全部の お金。「―をはたいて買う」

**ありき**［（有りき）］［一］［連］〔文〕あった。存在した。「はじめに言葉―（＝新約聖書の文句）」［二］［造］〔条件などを〕まず はじめに決めていること。「結論―では討論する意味がない・自分―の（＝まず自分が大事という）考え方」

**ありきたり**《名・ナダ》（＝在り来たり）〈以前からある／ありふれた〉こと。平凡。「―の考え・―なお話」

**ありぎれ**［（有り切れ）・（有り△布）］ ありあわせの きれ。

**ありくい**［（×蟻食）］ 筒のような頭の先に、小さな口があるけもの。太い前足についた大きなつめでアリ塚をこわし、長い舌でアリを食べる。

**ありげ**《ナダ》 ありそう。「自信が―だ・用―な顔・子細―にこちらを見る」

**アリゲーター**〔alligator〕 ワニの なかまの呼び名。口先は丸みがかっている。ミシシッピワニとヨウスコウワニの二種は、皮が珍重される。☞クロコダイル。

**ありさま**［（有り様）］ ①ものごとが どのようであるかと

いう、ようす。状態。実情。「社会の―」②ひどいようす・状態。「ちょっと目をはなしたらこの―だ」

**ありし**【〈在りし〉】《連体》①この世に生きていた。生前の。「―日のおもかげ」②過ぎ去った。「―昔」

**ありじごく**【〈×蟻地獄〉】①ウスバカゲロウ〔＝トンボに似た昆虫〕の幼虫。地面にすりばち形の穴をほり、アリや小さい虫が落ちるのを待って食う。②「ありじごく①」の作る穴。③ぬけ出すことが困難な状況。「借金の―におちいる」

**ありせば** [連]〔文〕もしあったら。「万一のこと―」☞せば[二]。

**ありづか**【〈×蟻〉塚】アリやシロアリが、土を塚のように積み上げて作った巣。ありのとう。

**ありつ・く**【あり〈付く〉】《自五》仕事・食べ物・お金などを手に入れる機会にめぐりあう。「ごちそうに―」

**ありったけ**《名・副》あるだけ。すべて。ありたけ。「―の力」

☆☆**ありてい**【〈有り体〉】ありのまま。「―に言えば」

**ありと-あらゆる**《連体》「あらゆる」を強めた言い方。ありとある。

**ありなし**【〈有り無し〉】⇩あるなし。

**ありのいっけつ**【〈×蟻の一穴〉】思いがけない大きな被害を引き起こすささいなこと。「―が堤防を破壊する」

**ありのとわたり**【〈×蟻の△門渡り〉】①⇩会陰。②〔山の尾根で〕馬の背のように、せまくてけわしい所。馬の背。

**ありのまま** **ありのまま**《名》・**ありのまま**《副》〈実際／自然〉の状態に、手を加えないようす。「事実を―(に)語る・―の自分を認める」

☆☆**アリバイ**〔alibi〕①その場にいなかったという証明。〈現場〉不在証明。「事件当時の―がない」②あとで言いわけができるように、うわべだけ整えたもの。「―的〔＝申し訳〕に説明会を開く」

**ありふ・れる**《自下一》〔＝有り触れる〕〔ふつう **ありふれ〈た／て〉**〕どこにでもある。めずらしくない。「ありふれた風景」

**ありまき**【〈×蟻巻〉】⇩あぶらむし(油虫)①。

**ありま・す**《**であります** で助動マス型》〔活用は「せ・しょ―し―す(する)―す(する)―(すれ)―〇―」〕「…です」よりもていねいでかたい言い方。「〔あいさつで〕私どもの深く喜びとするところで―」〔軍隊でも使った。「部隊長どのがお呼びで―」〕

**ありもの**【〈有り〉物】作ったり買ったりしなくても、手もとにあるもの。ありあわせのもの。「―で食事をすます」

**ありゃ**〔話〕[一]**ありゃ** [連] あれは。「いったい、―なんです?」[二]《感》おどろいたときのことば。ありゃりゃ。「ありゃ(↗)、もう七時じゃないか」▽[一][二]ありゃあ。

**ありゅう**【亜流】〔へたに〕まねをする〈人／こと〉。また、そのような作品。追随者。エピゴーネン。

**ありゅうさんガス**【亜硫酸ガス】《理》硫黄を燃やすときにできる、無色の気体。鼻をさすようにくさい。大気汚染のもととなる。二酸化硫黄。

☆☆**ありよう**〔＝有り様〕①ありさま。実情。「社会の―」②あるべき状態。ありかた。「父と子の―」③あるはず。「―がない」

←**あ・る**【〈在る〉】《自五》①その場所に認められる。「景色がそこに―」②その〈人／もの〉に認められる。「責任はわたしに―」③〔その状況に〕なっている。「両国は戦争状態に―」④〔ある立場・地位などに〕いる。「職に―あいだ」☞在らしめる・在らせられる。

→**あ・る [一]【〈有る〉】《自五》①見たり考えたりすることによって認められる(状態をもつ)。「リンゴが―・見こみが―・買う人も―〔＝いる。有無を言う場合〕・お得意先あっての〔＝あるからこそ成り立つ〕商売」②ふくまれる。そなわる。「風味が―・貫禄が―・ヘルシー感が―」③〔…を〕もつ。所有する。「子どもが三人―・自家用車が―」④いくらかの程度に達する。「はばが―・高さの―くつ・体力が―」⑤活動がおこなわれる。「あしたは学校はありません」▽(↕ない)⑥時間が経過する。ある成り行きになる。「ややあってのち・どうあろうと」⑦起こる。生じる。「事―ごとに」⑧〔**とあって**〕…という事情で。「日曜日とあって家族づれが目立つ」⑨〔…と〕いう。〔…と〕書いてある。「出発日は十五日、と―」✎(1)尊敬語は「おありになる」「おあり(です)」で、相手に属するものにも使う。「先生にはお子さんがおありになる・何か困ったことがおありですか・お時間がおありのときに」。謙譲語はないが、「ございます」を使うと、ていねいでけんそんした感じが出る。「私に考えがございます」☞「ございます」の✎。(2)「あらない」「あっている」の形は方言だけにある。受け身の「あられる」は、「そうあられては困る」のように、めいわくな場合に使う。[二]《補動五》①〔**て―**〕前に起こったことが今まで続いていることをあらわす。「本が置いて―」②〔**て―**〕前に始まったことが完了したことをあらわす。「返事はもう書いて―」▽否定形は「〔本が置いてある→〕本を置いていない・本が置かれていない〔話しことばでは『本が置いてない』も〕」「〔もう書いてある→〕まだ書いていない」のように言う。③⇩である[一]。「外は雨で―・豊かで―」(↕ない)④〔形容詞をうけて〕その状態だ。「美しくありたい」(↕ない)⑤〔〈**お／ご**〉**…―**〕〈他人／相手〉の行為を尊敬する。「ご存じありませんか・お楽しみあれ・ご注意あれ」[可能]あることができる。〔まれに「あれる」。「無関心であれる」〕☞あられる・あります・あるかぎり・あるとき払い・あるなし・あるべき・あるまじき・あろうことか。●**あったものではない** [句] それをしても、何の役にも立たない。「今さら『やります』も―」●**あってなきがごとし** [句] 一応はあるが、ほとんどないのと同じだ。「もはやルールなど―だ」

****ある**《連体》はっきりと「これ・この人」などとは〈言わない／言えない〉が、特定のものごと・人などをさすことば。「―日―とき、私は気づいた・―人からたのまれた・金属はそれぞれ―決まった温度でとける・―意味では正しい」[表記]かたく「×或る」とも。☞ある意味・ある種・ある程度。

**あるある**〔俗〕よくある話。「業界―」[由来]「ああ、あるある」と同意することばから、「あるあるネタ」などの語ができ、二十一世紀に名詞「あるある」が広まった。

****ある・いは** [一]《接》〔**A―B**〕Aか、もしかしたらB。A、また別の場合にはB。「二、三日―もっと長くかかる・朝はおかゆを食べる。―ぞうすいをする」[区別]⇩または。[二]《副》①ひょっとしたら。「―そうかも」②〔**―A、―B**〕〔文〕Aとか、Bとか。「―海に、―山に」[表記]かたく「×或いは」とも。

**あるいみ**【ある意味】《副》〔話〕考えようや見方によっては。ある意味では。「―成功だ」〔あまり意味もなく口ぐせで言う人もいる」

**ある-かぎり**［ある(限り)］《名・副》あるだけみな。残らず。あらんかぎり。あり(っ)たけ。「―集める・―の方法をつくす」

**アルカディア**〔ギ Arkadia=地名〕〔のどかな田園の広がる〕理想郷。桃源郷。「東洋の―」

**あるか-なきか**［(有るか無きか)］あるのかないのか、いるのかいないのか、わからないほど。「―の風・―の存在・―にうなずく」

**あるか-なし**［(有るか無し)］〔文〕あるかなきか。「―の分量」

**あるが-まま**《名・副》〈実際/自然〉のまま。ありのまま。「―(に)生きる・―の私」

**アルカリ**〔オ alkali〕《理》水酸化ナトリウムなど、水にとけて赤色リトマス試験紙を青色に変える物質。「―泉〔=アルカリ温泉〕」(↕酸) ●**アルカリせい**［アルカリ性］《理》アルカリの水溶液のしめす性質。(↕酸性) ●**アルカリせいしょくひん**［アルカリ性食品］食品にふくまれている無機質のうち、アルカリをつくるものが、酸をつくるものよりも多い食品。野菜・くだもの・牛乳など。(↕酸性食品)

**アルカロイド**〔alkaloid〕《理》植物にふくまれる、にがい味の物質。大部分は劇毒。例、ニコチン・モルヒネ。

**あるき**［歩き］㊀ あるき ㊁〈遺〉 歩きながら することと。「―タバコ・―スマホ」●**あるきまわ・る**［歩き回る］《自他五》(そのへんを)あるいて動きまわる。「部屋(じゅう)を―」

**あ・る・く**［歩く］《自他五》①足をかわるがわる前に出し、地面をふんで場所を移る。「右がわを歩いて行く」〔俗に、「歩いて」を「歩って」とも言う〕②あちこち回る。「世界を―・取材に―・売り―・飲み―」③《野球》フォアボールで、一塁に進む。「四番を歩かせる」④年月を過ごす。あゆむ。「父の歩いてきた道〔=人生〕をふり返る」⑤〔名詞を修飾して〕…のような人。「―辞書〔=生き字引〕・―広告塔」可能 歩ける。

**アルコーブ**〔alcove〕《建築》部屋や廊下のかべに造った、そこだけ奥まった空間。

**アルコール**〔オ alcohol〕①酒のおもな成分。酒精。エタノール。また、酒。「―が足りない」②《理》エタノール・メタノールなどの総称。「―消毒」●**アルコールいぞんしょう**［アルコール依存症］《医》長い期間、酒を飲み続けたため、アルコール中毒となり、飲まずにいられなくなる状態。アルコール使用障害。アルコールいそんしょう。●**アルコールちゅうどく**［アルコール中毒］酒を飲みすぎて、アルコール分に中毒すること。「急性―」☞アルコール依存症。

**あること-ないこと**［(有ること無いこと)］《名・副》本当のことやうそのこと(を区別せずに)。「―(を)言いふらす」

**アルゴリズム**〔algorithm〕①計算方法。②《情》情報処理の手順。「効率的な―」

**アルゴン**〔argon〕《理》希ガス(貴ガス)元素の一つ〔記号 Ar〕。電球・蛍光管などの中につめる。

**あるじ**［(主)］①その家や店を守る人。「宿の―」②その部屋などを使う人。「―のいないベッド」

**あるしゅ**［ある種］㊀①〔それとはっきり言えないが〕特定の種類。「―の薬〔=麻薬など〕にたよる」②その種類にふくまれるが、少しかわったもの。一種。「―の罪悪感をもつ」㊁《副》どことなく。いわば。一種。「―手あかのついた表現」

**アルゼンチン**〔Argentine〕南アメリカ大陸の南東部にある共和国。首都、ブエノスアイレス(Buenos Aires)。表記「:亜爾然丁」は、古い音訳字。

**アルチザン**〔フ artisan〕〔芸術家に対して〕職人。アルティザン。(↕アーティスト)

**アルちゅう**［アル中］〔↑アルコール中毒〕〔俗〕アルコール依存症(の人)。

**アルツハイマーびょう**［アルツハイマー病］〔Alzheimer=報告者の名〕《医》認知症の一種。脳の萎縮によって起こる病気。

**あるていど**［ある程度］《名・副》小さくない程度。まあまあ。「―の地位・私の英語でも―通じる」

**アルデンテ**〔イ al dente〕《料》〔パスタやリゾットの〕歯ごたえを残した、火のとおりぐあい。

**アルト**〔イ alto〕《音》①女声のいちばん低い音域(で歌う歌手)。中高音。②金管楽器などで、上から二番目の高さ。「―フルート」●**アルトサックス**〔alto sax〕《音》最も一般的なサックス。はなやかなソロをふく。

**あるときばらい**［(ある時)払い］期限を決めずに、お金の あるときに はらうこと。「―の催促なし」

**あるなし**［(有る無し)］あるのとないのと。あるかないか。有無。ありなし。「希望の―を聞く・能力の―にかかわらず」

**アルパ**〔ス arpa〕《音》南米の先住民のハープ。

**アルバイター**〔ド Arbeiter=労働者〕勉強・本業のかたわら働く人。アルバイトをする人。バイト。

**アルバイト**《名・自サ》〔ド Arbeit=労働〕①学生が収入を得るため、勉強の かたわら仕事をすること。「―に明け暮れる・―料・―先」〔戦前からあり、戦後に広まった用法。略語「バイト」は、戦前から俗語的に使われ、二十一世紀には俗語の意識もなく使う人がふえた〕②副業。内職。「主婦の―・会社では―禁止」③アルバイター。「―をやとう」▽バイト。④《登山》〔古風〕きつい登りなど体力を使う〈こと/行程〉。「山頂までけっこうな―だった」

**アルパカ**〔alpaca〕南アメリカ大陸にすむ家畜。草食性で、毛が ふさふさしてヒツジのようだが、首だけ にゅっと長い。毛を毛織物に使う。

**アルバトロス**〔albatross=アホウドリ〕《ゴルフ》基準打数より三つ少ない打数でホールに入れること。ダブルイーグル。☞バーディ(ー)・イーグル。

**アルバム**〔album〕①写真や切手を集めておさめる帳面。また、そのような本。②いくつかの曲を入れたレコードやデジタルデータなど。(↕シングル)

**アルハラ**〔↑アルコール ハラスメント〕飲酒を強要したり、酔ってからんだりするなど、飲酒にまつわる いやがらせ。

**アルピニスト**〔alpinist〕(アルプス)登山家。

**アルピニズム**〔alpinism〕〔スポーツとしての〕登山精神。山岳道。

**アルビノ**〔albino〕《医》生まれつきメラニン色素が欠乏していて、全身が白い人や動物。先天性白皮症。白化。白子。〔俗〕。

**アルファ**〔alpha〕□一［A・α］ギリシャ文字の最初の字。□二［(α)］決まった〈分量／お金〉以上に加わるもの。「五千円プラス—で買える」由来 昔、野球の九回の裏に、戦わずに勝負が決まったときの記号×〔今はXで示す〕を、αのように書いたことから。□三①はじめ（となるもの）。「—からオメガまで」(↔オメガ) ②影響力のある人。「—ブロガー」▽□一〜□三アルファー。●**アルファかまい**〔アルファ化米〕お湯や水をそそぐだけでごはんになる米。たいたごはんを熱風で乾燥させて作る。〔「アルファ米」は商標名〕●**アルファせん**〔(α)線〕《理》放射線の一つ。高速でとぶ、ヘリウムの原子核。紙一枚でさえぎることができる。☞β線・γ線。●**アルファは**〔(α)波〕《生》脳波の一種。気持ちが落ち着いているときに多く出る。

**アルファベット**〔alphabet〕①A・B・Cに始まる二十六のローマ字。「—順」由来 ギリシャ文字の第一字αと第二字βから。②〔一般に〕表音文字の字母。

**アルファルファ**〔alfalfa〕サラダなどにもやしとして使う草。本来は牧草。夏に、むらさき色の小さな花が集まってさく。むらさきうまごやし(紫馬肥)。

**アルプス**〔Alps〕①ⓐイタリア・スイス・フランス・オーストリアの国境付近をほぼ東西に走る高い山脈。アルプス山脈。ⓑ⇩日本アルプス。②↑アルプススタンド。

●**アルプススタンド**〔和製 Alps stand〕甲子園球場で、内野席と外野席の間の席。アルプス(席)。由来 この部分を増設した昭和初期、外野席より高い位置にあったことから。

**あるべき**《連体》あるはずの。あっていい。(そう)あるのが当然の。「—姿・『—論』を展開する」(⇩べき論)」

**アルペジオ**〔イ arpeggio〕《音》和音を(下の音から)順番に鳴らしていく方法。アルペッジョ。

**アルペン**〔ド Alpen＝Alp の複数形〕①アルプス。「—ルート」②〔スキー・スノーボード〕↑アルペン種目。「—スキー」●**アルペンしゅもく**〔アルペン種目〕〔スキー・スノーボード〕滑降・回転・大回転などの種目をまとめた言い方。アルペン。☞ノルディック種目。

**アルマイト**〔和製 Alumite＝もと、商標名〕《理》アルミニウムの表面を酸化させて膜を作ったもの。酸化・腐食に強い。「—製の器」

**あるまじき**《連体》あってはならない。ふつごうな。あるまじい。「学生として—行為」

**アルマジロ**〔armadillo〕南アメリカ大陸などにすむ、体がかたい皮でおおわれた動物。危険を感じると、まるくなって身を守るものもいる。よろいねずみ。

**アルミ**《理》↑アルミニウム。「—サッシ・—ホイル・—箔・—缶」

**アルミニウム**〔aluminium〕《理》金属元素の一つ〔記号Al〕。銀白色で軽く、自動車・建築資材・家庭用品などに使う。アルミ。アルミニューム(古風／話)。

**あれ**〔荒れ〕①(天候などが)あれること。「山はひどい—だ」②あれた状態。「おはだの—」

****あれ**《代》①自分からも相手からもはなれたものごと・人などをさすことば。「—が北極星だよ・—らの建物・—(＝あそこに見える姿)は部長じゃないか？」〔話題の中の人物をさすときは、目下に限られる。「—(＝むすめ)もそろそろ結婚の時期だ」〕(↔これ・それ) ②「あのとき」などの意味でぼんやり使うことば。「—からイギリスにわたった・—きり会っていない」③これから回想して述べるできごとをさすことば。「—はたしか去年のことだった」④(自分も相手も知っている)例のもの。例のこと。「—はおいしかったね・きょう、—を買いに行こうよ」⑤〔話〕名前を思いつかないままにさすことば。「君、—を持ってないかな」⑥口にしにくいことを、遠まわしにさすことば。「今ごろ申し上げるなんて、—(＝失礼。非常識)ですけれども・あいつもかなり—だね(＝ひどい。問題がある)・—(＝性的なこと)にしか興味がないやつ」〔俗に、「—な(＝ひどい)あつかい」のように形容動詞にもする〕⑦〔話〕述語の部分に、とりあえず使うことば。〔すぐあとで具体的に言い直す〕「それは—だよ、片思いってやつだよ」区別 ⇩指示語。表記 かたく「彼」とも。⑤⑥は俗に「アレ」とも。☞あれする・あれやこれや。

**あれ**《感》〔話〕おどろいたとき、不審に思ったときなどに出す声。あれれ。「あれ(↗)、おかしいな？・〔さけんで〕あれえ(→)、助けてえ(古風・女)」

**あれい**〔亜鈴・×唖鈴〕⇩ダンベル。「鉄—」

**あれかし** 連〔文〕あってほしい。☞事あれかし〔「事」の句〕。

**アレキサンドライト**〔alexandrite〕《鉱》太陽光の下で緑色に、電灯の下で赤むらさき色に反射する宝石。〔金緑玉という宝石の変種〕

**あれくるう**〔荒れ狂う〕《自五》あらあらしく、くるったようにあばれる。「—ライオン・あらしが—」

**アレグレット**〔イ allegretto〕《音》少しはやく。モデラートとアレグロの中間のはやさ。毎分一〇〇〜一二〇拍程度。

**アレグロ**〔イ allegro〕《音》はやい速度(で)。毎分一二〇〜一五〇拍程度。「—アッサイ(イ assai)(＝きわめてはやく)」

**アレゴリー**〔allegory〕①寓話。②別の話を使ったたとえ。諷喩。例、「桜がきれいにさいた(＝学校にみごとに合格した)」。

**あれこれ**《代・副》いろいろ。あれやこれや。

**あれしき**〔俗〕あれぐらい。あの程度。「—のことでお礼はいりません」

**あれしょう**〔荒れ性〕はだのあぶらけが少ないため、手などがかさかさになる体質。(↔脂性)

**あれ・する**《自他サ》〔話〕何かをすることを〈表現が思いつかないままに／遠まわしに〉言うことば。「うまくあれしておいて」表記 俗に「アレする」とも。

**あれだま**〔荒れ球〕《野球》投手のねらいどおりに動かず、どこにくるかわからない、打ちにくいボール。

**あれち**〔荒れ地〕あれて草のしげった土地。

**あれの**〔荒れ野〕あれて草のしげった野原。荒れ野原。

**あれはだ**〔荒れ肌〕あぶらけやうるおいがなくて、かわいたはだ(の状態)。

**あれはてる**〔荒れ果てる〕《自下一》すっかり荒れる。「荒れ果てた家」

**あれほど**《副》あの程度。あんなに。「—とは思わなかった・—言って聞かせたのに」

**あれまあ**《感》〔話〕〈おどろいた／あきれた〉ときの声。あらまあ。ありゃまあ。「—、困った」

**あれもよう**〔荒れ模様〕《名・ダナ》①(天気が)あれそうなようす。②おだやかでないようす。「—の国会」

**あれや‐これや**《名・副》あれだの これだのと、いろいろ。「—と話が はずむ・—でいそがしい」

**あれよ‐あれよと**《副》〔あれよ＝あれまあ〕①意外ななりゆきに ただおどろき、何もできずにいるようす。「—言う間に終わってしまった・—とまどうばかりだ」②何もできずにいるうちに、ものごとが どんどん進むようす。「—終わってしまった」

**あ・れる**【荒れる】《自下一》①〈静かでおちついた／ととのった〉状態が みだれる。「海が—・天気が—・はだが—〔＝かさかさになる〕・舌が—〔＝ざらざらになる〕・畑が—」②集会・試合などの進行、値段の動きなどが みだれる。「会議が—」③乱暴なことを言ったり、したりする。「ゆうべはだいぶ荒れたな・問題発言でネットが—〔＝炎上する〕」④建物や土地の手入れが行き届かず、見苦しくなる。「家が—」⑤心がすさんでだらしない生活をする。

**アレルギー**〔ド Allergie〕①《医》特定の物質を摂取することによって抗体が からだの なかに できて起こる、異常な反応。「—体質〔＝からだの中にできるヒスタミンの作用で、ぜんそく・じんましんなどに かかりやすい体質〕・—性鼻炎」②拒否反応(をしめす状態)。「電話—・数字—」

**アレルゲン**〔ド Allergen〕《医》アレルギーを起こすもととなる物質。ばい煙・花粉・ハウスダストなど。

**アレンジ**《名・他サ》〔arrange〕①うまく〈配列／構成〉すること。②手を加えて、感じを変えること。特に、編曲や脚色。人アレンジャー〔arranger〕。③手はずをととのえること。準備。▽アレンジメント。

☆☆**あろう‐ことか**《副》あっていいことだろうか、いや、あってはならない(のに)。「—教師に暴力をふるう・—あるまいことか〔強めた言い方〕」

**あろう‐に**《副》〔…も—〕ほかにも たくさん…があるのに、よりによって。「所も—議会で ねむるなんて・人も—彼を会長にするとは・返事の しかたも—・事も—〔⇩「事」の句〕」

**アロエ**〔オ aloë〕アフリカ原産の薬用植物。葉は肉厚で剣のようにとがる。「医者いらず」とも呼ばれ、健胃薬・傷薬などにする。蘆薈。「—ヨーグルト」

**アロケーション**〔allocation〕割り当て。配分(方法)。「予算の—」

**アロハ**〔ハワイ aloha＝愛情〕一アロハ《感》「ようこそ」「さようなら」などに使う、ハワイのあいさつ語。〔呼びかけや悲しみの表現などにも使う〕二アロハ《服》↑アロハシャツ。●**アロハ シャツ**〔aloha shirt〕《服》色や模様の はでな、半そでの開襟シャツ。アロハ。〔ハワイから広まった〕

**アロマ**〔aroma〕芳香。●**アロマ オイル**〔aroma oil〕かおりのいい植物から取り出した精油をアルコールや植物油、鉱物油でうすめた油。はだに ぬってマッサージしたり、部屋で たいたりする。●**アロマ セラピー**〔aromatherapy〕花や薬草などの かおりをかいだり、はだにぬったりして、心身の健康をはかること。芳香療法。アロマテラピー〔フ aromathérapie〕。

↔**あわ**【△安△房】旧国名の一つ。今の千葉県の南部。房州。

→**あわ**【×阿△波】旧国名の一つ。今の徳島県。阿州。☞阿波踊り。

→**あわ**【泡】①液体が空気などをふくんでできた、小さなたま。あぶく。「せっけんの—」②ごく小さな「泡①」が集まって、クリーム状になったもの。③口のはしに細かくふき出るつば。「口角—を飛ばす〔⇩「口角」の句〕」④《俗》スパークリングワイン。「—、白〔ワイン〕、赤〔ワイン〕」●**泡を食う**句 おどろきあわてる。

**あわ**【×粟】穀物の名。五穀の一つで、小粒で黄色い。ぜんざいなどにして食べる。また、小鳥の えさにする。

**アワー**造〔hour〕時間(帯)。「ゴールデン—」

**アワード**〔award〕賞。賞品。アウォード。「グランド—〔＝大賞〕・—セレモニー」

**あわ‐あわ**【淡淡】《副》〔文〕いかにも あわい感じである状態。「—とした春の日」●**あわあわし・い**【淡淡しい】《形》〔色や味が〕ほのかである。強くない。派—さ。

**あわ‐あわ**《副・自サ》突然のことに あわてるようす。「—(と)答える・おどろいて—(と)する」

**あわい**【△間】〔雅〕あいだ。「木々の—・生と死の—」

**あわ・い**【淡い】《形》①〔消えそうに〕うすい。「—色・—光」〔↔濃い〕②〈わずか／かすか〉なようす。「—期待・—恋心」派—さ。

**あわ‐おどり**【×阿△波踊り】徳島市の ぼんおどり。「えらいやっちゃ」などと歌いながら、たくさんの「連」が、通りを熱狂的におどり歩く。

**あわさ・る**【合わさる】《自五》合わせた状態になる。「自然に手が—」

**あわじ**【淡路】旧国名の一つ。今の兵庫県の淡路島。淡州。

**あわ・す**【合わす】《他五》⇩合わせる。「歩調を—」

↔**あわせ**【合わせ】①合わせること。「時計—・衣装—」②↑合わせみそ。●**あわせ かがみ**【合わせ鏡】うしろすがたを見るために前後から鏡で映すこと。●**あわせ ず**【合わせ酢】酢の物に使う、味をととのえた酢。二杯酢・三杯酢などの総称。●**あわせ みそ**【合わせ(味×噌)】二、三種類のみそをまぜあわせたもの。合わせ。●**あわせ わざ**【合わせ技】《柔道》技ありを二つ取り、合わせて一本の勝ちとなること。

→**あわせ**【(×袷)】①うらに布をつけた衣服。〔↔ひとえ(単)・綿入れ〕②二枚の皮などを、はりあわせたもの。

↔**あわせて**【合わせて】《副》全部で。合計して。「《柔道》『技あり』二度で、—一本」

☆☆**あわせて**【併せて】一《接》いっしょに。同時に。「新年をお祝いし、—皆様のご健勝をおいのりします」二《(の)〈に／と〉**併せて**で接助》…と同時に。併せ。「過去をふり返るの〈に／と〉—、現在を見つめることが必要だ」

**あわせ‐も・つ**【併せ持つ】《他五》いっしょに持つ。〔性質として〕ともにそなえる。

**↔**あわ・せる**【合わせる】《他下一》①はなれているものを近づけて、同じ位置に来るようにする。「和服の前を—・視線と視線を—・《すもう》胸を—」②ずれやちがいがないように、そろえる。「オーケストラが音を—・楽器に合わせて歌う・友だちに趣味を—・心を合わせて取り組む・漫才のネタを—〔＝息が合うように練習する〕・時計のアラームを七時に—〔＝設定する〕」③二つ以上のものの区別をなくして一つにする。「酢〈に／と〉みそを—〔=まぜ合わせる〕・薬を—〔=調合する〕・二人の所持金を—〔=合計する〕と一万円になる」④調和するように、組みにする。「Tシャツにタイトスカートを—」⑤同じかどうかを確かめる。照らし合わせる。「答えを—・書類を—」⑥〔すもう〕行司が、両力士に仕切りをさせる。▽合わす。可能 合わせられる。☞合わせて。●合わせる顔がない 句 やましいことや はずかしいことなどがあって、その人の前に出ることができない。合わす顔がない。「両親に—」

↔**あわ・せる**【併せる】《他下一》二つ以上のものを、(どれも無視せずに)ならべて あつかう。「これらの条件を併せて考えると」☞併せて。

→**あわせる**【会わせる・×逢わせる】連〔「会う」＋助動詞「せる」〕あうように〈する／しむける〉。会わす。「あの人に会わせてください」

**あわただし・い**【慌ただしい】《形》〔急で／さしせまって〕せわしない。おちつかない。「—一日・雲の動きが—」派—げ。—さ。

←**あわだ・つ**【泡立つ】《自五》小さい泡がたくさんできる。「—波」名泡立ち。

→**あわだ・つ**【〈×粟〉立つ】《自五》〔寒さや おそろしさで〕毛穴がいっせいに粟つぶのようになる。「恐怖で全身が—」他あわ立てる《下一》。

**あわだてき**【泡立て器】生クリームなどを泡立てるための調理器具。ホイッパー。

**あわだ・てる**【泡立てる】《他下一》(かきまぜたりして)泡立つようにする。「生クリームを—・せっけんを—」名泡立て。「—器」

**あわつぶ**【泡粒】小さい つぶの形になった泡。

**あわつぶ**【〈×粟〉粒】①アワの実の粒。②非常に小さいもののたとえ。

**あわてふため・く**【慌てふためく】《自五》取り乱すほど、ひどく あわてる。「マスコミに知られて—」

**あわてもの**【慌て者】よくあわてる人。そそっかしい人。

＊**あわ・てる**【慌てる：周章てる】《自下一》①突然のことに、落ち着きを失う。「大きな地震で—・慌てず騒がず対処する」②落ち着きを失って急ぐ。「慌てて家をとび出した」

**あわてんぼう**【慌て〈ん坊〉】あわて者。あわてんぼ。「—の少年」

**あわ・ない**【合わない】《形》損だ。ばかばかしい。「千円では—・けがでもしたら—」丁寧 合いません。

**あわび**【〈×鮑〉・〈×鰒〉】海底の岩にくっついてすむ巻き貝の名。貝がらは耳形で大きく、二枚貝の片がわのように見える。肉はこりこりとかたく、煮たり、さしみにして食べる。高級食材。✓数え方は「匹」、水あげすると「杯・枚」。☞磯のあわびの片思い。

**あわもり**【泡盛】おもに沖縄県で造る、焼酎の一種。黒こうじ菌をつかって造る。☞くーす。

☆☆**あわや**《副》①あぶなく。「—大惨事になるところだった〔しかし助かった〕」②〔俗〕〔あぶない場面でなくても使う〕もう少しで。「—ホームランという当たり〔しかし届かなかった〕」由来「ああ」「おやまあ」とおどろく感動詞から。古代には喜ばしい場合にも使った。特に①の意味で使われるようになったのは江戸時代から。

←**あわゆき**【泡雪・×沫雪】①泡のように軽くてとけやすい雪。②(↔あわゆきかん〈羹〉)たまごの白身で作った和菓子。

→**あわゆき**【淡雪】うすく降りつもった雪。「春の—」

☆☆**あわよくば**《副》うまく いったら。「—ひともうけしようとして」

**あわれ**【哀れ】一①かわいそうに思う気持ち。「—をさそう・—を覚える」②しみじみと胸に感じられる、ものごとの味わい。情趣。「旅の—を増す」二《ナダ》①かわいそうに感じられるようす。「親のない子は—だ・聞くも—な物語」②みじめ。みすぼらしいようす。「—な姿であらわれた」三《感》〔文〕①ああ、本当に。ああ。「—ゆかしき歌の調べよ」②ああ、かわいそうに。「—海底のもくずと消えた」派—がる。—げ。—さ。●**あわれっぽ・い**【哀れっぽい】《形》〈かわいそうな／かなしい〉感じを起こさせるようすだ。派—さ。

**あわれ・む**【哀れむ・×憐れむ】《他五》①かわいそうに思う。「—べき〔=気の毒な〕存在」名哀れみ。「—深い」②〔雅〕愛する。情趣を味わう。「月を—」

**あわわ**《感》①〔話〕あわてたときに発する声。「—、つい本音が出た」②〔児〕⇩ちょちちょち。

＊**あん**【案】①考え。アイデア。「—を練る」②下書き。「—として書いたもの」③〔文〕予想。「—のごとく・—に相違する・—に違わず〔=予想どおり〕」☞案の定

**あん**【暗】一 くらい部分。「明と—の対照が きわだつ」☞暗に。二 造 くらい。黒ずんだ。「—赤色」

**あん**【〈×餡〉】①アズキ・インゲンマメなどを煮てつぶし、砂糖を加えて、ねったもの。あんこ(ろ)。「白—」②しるにくずやかたくり粉などを加えて、とろりとさせたもの。料理にかけて使う。「—かけ」③野菜などを煮て、「あん②」のようにやわらかくしたもの。「肉—をかける」④もち・ギョーザなどの中に入れる具。「みそ—のかしわもち・シューマイの—」

**あん**【×庵】接尾 風流な建物の名前・雅号・屋号などにつけることば。「幻住—〔=芭蕉が住んだいおり〕・長寿—」

**あんあん**【暗々】〔文〕ひそかなようす。こっそり。「—のうちに」●**あんあんり**【暗々裏・暗々×裡】〔文〕こっそり。内々。「—に接近する」

**あんい**【安易】《ナダ》①苦労しないですませるようす。「—な方法を取る」②深く考えないようす。いいかげん。イージー ゴーイング。「—な考え・—な行動」派—さ。

**あんいつ**【安逸・安×佚】〔文〕仕事を持たないで、ぶらぶら暮らすこと。「—をむさぼる」

**アンインストール**《名・他サ》〔uninstall〕《情》インストールされたソフトウェアを手順にのっとって削除すること。(↔インストール)

**あんうつ**【暗鬱】《ナダ》〔文〕くらくて ゆううつなようす。「—な顔つき」派—さ。

**あんうん**【暗雲】①くらい くも。黒雲。②くらくて心配な見通し。「計画に—が立ちこめる」

**あんえい**【暗影】〔文〕くらい かげ。「彼の将来に—を落とす」

**あんか**【〈行火〉】(炭火を入れて)手足をあたためる、小型の暖房器具。「電気—」

**あんか**【安価】《ナダ》値段の やすいようす。廉価。「いい品物を—で提供する」(↔高価)派—さ。

**あんが**[安×臥]《名・自サ》〔文〕楽な姿勢でねること。

**アンカー**〔anchor〕①いかり(錨)。②〔リレーで〕いちばん終わりに〈走る/泳ぐ〉人。③〔←アンカー マン・アンカー パーソン〕《放送》ⓐいくつかの原稿(げんこう)をまとめて、記事にする人。ⓑ番組の中心になって報道・解説などをする人。キャスター。「ニュースー」④〔←アンカー ボルト〕建物の基礎(きそ)となるコンクリートなどに、うめこむボルト。

**アンガーマネ(ー)ジメント**〔anger management〕自分の怒(いか)りをコントロールする〈こと/方法〉。

**あんがい**[案外]《副・ナダ》思いのほか。意外。「ー(に)〔=けっこう〕簡単だった・相手はー弱い」〔会話で「ーと」とも〕✔「〈案外/意外に〉字がお上手(じょうず)ですね」などと目上に言うと、これまで軽く見ていたことになり、失礼に当たる。☞「けっこう目」の✔。区別「**案外**」は、程度が予想外の場合に使う。「**意外**」は、広く予想外の場合に使う。「君が英語を話せるのは意外だ」とは言うが、「案外だ」とは言いにくい。「案外(うまく)話せた」ならば、程度をあらわすので言える。どちらも「〈案外/意外に〉…かもしれない」のように、予想する場合にも使う。「**思いのほか**」も、程度が予想外の場合に使う。「**思いがけない**」は、まったく予想外でおどろく場合に使う。派ーさ。

**あんかけ**[×餡掛け]あんをかけた料理。「とうふのー・ー焼きそば」

**あんかん**[安閑]《タルト》何もしないで、のんびりしているようす。「ーとして暮らす」

**あんき**[安危]〔文〕安全と危険。「一国のー」

**あんき**[暗記]《名・他サ》もとの物を見なくても思い出せるように、覚えること。

**あんき**[安気]《ナダ》〔古風〕気をつかうことがないようす。「ーに暮らしている」派ーさ。

**あんきも**[×鮟肝]アンコウのきも。珍味(ちんみ)とされる。

☆☆**あんぎゃ**[行脚]《名・自他サ》「あん」も「ぎゃ」も、唐音(とうおん)。①《仏》僧(そう)がほうぼう旅をして修行(しゅぎょう)すること。遊行(ゆぎょう)。②ほうぼうを回って歩くこと。「全国〈を/に〉ーする・講演ー」

**あんきょ**[暗×渠]地面の下に作った水路。〔↔開渠・明渠〕●**あんきょはいすい**[暗×渠排水]《農》暗渠を作って、土地の みずはけをよくすること。

**あんきょ**[安居]《名・自サ》〔文〕のんきに すごすこと。

**あんきんたん**[安近短]〔旅行・買い物で〕費用が安く、場所が近く、期間が短いこと。「ー志向の国内旅行」

**あんぐ**[暗愚]《ナダ》〔文〕おろか。ばか。派ーさ。

**あんぐう**[行宮]行在所(あんざいしょ)。

**アングラ**〔←アンダーグラウンド〕①〔商業主義に反する〕映画・演劇を中心とした前衛芸術。また、その劇場。「ー映画・ー劇」②〔俗〕出所が不明であること。「ー情報」●**アングラマネー**〔←underground money〕法にふれる〈売買/手段〉を通じて、ひそかにやりとりされるお金。ブラック マネー。

**あんぐり**《副・自サ》〈ぼんやりして/あきれて〉口を大きくあけたようす。

**アンクル**〔ankle〕くるぶし。足首。「ーブーツ」

**アングル**〔angle〕①角(度)。「カメラー」②ものごとを観察するときの立場。観点。③切り口が直角にまがった、形鋼(かたこう)。

**アンクレット**〔anklet〕足首に巻く、ブレスレットのような かざり。足輪。

**アングロサクソン**〔Anglo-Saxon〕イギリス国民の主流をなす民族。もとゲルマン民族の一派。

**あんくん**[暗君]〔文〕おろかな君主。〔↔明君〕

**アンケート**《名・自他サ》〔フ enquête=調査〕多くの人に同じ質問をして、答えてもらう調査。また、それをまとめた結果。アンケ。「ーをとる」

**あんけん**[案件]①判断・相談して かたづけるべき問題。「討議ー」②調査すべき事件。訴訟(そしょう)事件。③〔個別の〕事業。プロジェクト。「大型ー」

**あんこ**[×餡子]①⇩あん(餡)①。②〔俗〕全体を大きく見せるために中につめるもの。いす・ソファー・グラブなどの、中につめたもの。

**あんこ**[アンコ]《すもう》まるまる ふとった型(の力士)。アンコ型。〔↔ソップ〕由来 さかなの「アンコウ」から。

**あんこう**[×鮟×鱇]深い海にすむ、大形の さかな。からだは平たくて口が大きい。頭にアンテナ状の突起(とっき)があり、それを使ってえさをとる。めすは食用。「ー鍋(なべ)」●**あんこうのまちぐい**[〈×鮟×鱇の〉待ち食い]ーまちぐひ ただ口を開けて えさが はいってくるのを待つように、何も努力しないこと。

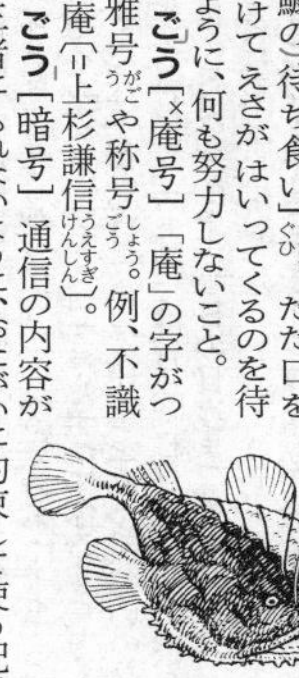

［あんこう］

**あんごう**[×庵号]「庵」の字がつく雅号(がごう)や称号(しょうごう)。例、不識庵(ふしきあん)〔=上杉謙信(うえすぎけんしん)〕。

**あんごう**[暗号]通信の内容が第三者に もれないように、おたがいに約束して使う記号(のしくみ)。「ーの解読・ー化〔↔復号(化)〕」●**あんごうしさん**[暗号資産]《経》インターネット上で決済される、通貨のようなもの〔暗号化された電子データ〕。法定通貨とちがって、国家が保証しない。仮想通貨。☞電子マネー。

**あんごう**[暗合]《名・自サ》偶然(ぐうぜん)に一致(いっち)すること。「歴史のー・不思議なーがある」

**アンコール**《名・自他サ》〔encore=もう一度。もとフランス語から〕①音楽会で、もう一度やってくれとのぞむ拍手(はくしゅ)やかけ声(を送ること)。②「アンコール①」にこたえてする演奏。礼奏。③再上演。再放送。

**あんこく**[暗黒]《名・ナダ》①まっくら。くらやみ。②文化が〈おとろえる/ひらけない〉こと。「ー時代・ー大陸〔=もと、アフリカ大陸のこと〕」③〔社会について〕犯罪などの多い状態。「ー面・ー街」派ーさ。●**あんこくぶっしつ**[暗黒物質]《天》質量はあるが、光などの電磁波を出さない物質。宇宙空間にあるとされる。ダークマター。

**アンゴラ**〔Angora=トルコの首都アンカラ(Ankara)の、以前の呼び方〕アンゴラ ウサギ〔=白くてきれいな、長い毛を持つ動物〕の毛を使った、毛脚(けあし)の長い毛糸。「ーのセーター」

**あんころ**[×餡ころ]「あん(餡)①」を小さくまるめたもの。「ー餅(もち)」

**あんざ**[安座]《名・自サ》〔文〕①おちついてすわること。②あぐらをかくこと。③〔北海道・東北方言〕体育ずわり。

**アンサー**〔answer〕答え。返事。「ベストー〔=一番いい答え〕・ファイナルー〔=最終的な答え〕・ーソング〔=返

事となる歌」」(↕クエスチョン)

**あんざいしょ**［行在所］ 天皇の旅行のときの、かりの御殿。行宮。

**あんさつ**［暗殺］《名・他サ》〔おもに、政治上、思想上の対立などから〕ひそかにねらって殺すこと。

**あんざん**［安産］《名・他サ》 苦労が少なく、安全にすむお産。「―をいのる」(↕難産)

**あんざん**［暗算］《名・他サ》 紙や計算器を使わずに、頭の中でする計算。

**あんざんがん**［安山岩］〔安山=アンデス山脈〕《鉱》火山岩の一種。黒っぽい灰色で、点々がある。墓石などに使う。

**アンサンブル**〔フ ensemble〕①〔音楽・演劇などの〕統一的な効果。調和。「演技の―」②〔少人数の〕合唱や合奏(の団体)。「―コンテスト」③《服》女性の服で、ドレスとコート、スカートと上着などを同じ生地で作ったもの。④〔ミュージカルで〕役名のない登場人物たち。その他大勢。「―キャスト」

**あんし**［暗視］ くらい所でもよく見えること。「―装置・―カメラ」

**あんじ**［暗示］《名・他サ》①直接には言わないで、それとなく示すこと。「―に富む〔=深い意味がかくれている〕・―的」②そう〈思う/する〉ように、ことばでそれとなくしむけること。「―をかける・自己―」

**アンジェラス**〔Angelus〕《宗》カトリックで、マリアが、受胎したことを天使から知らされたことを記念するいのり(の鐘)。アンゼルス。

**あんしつ**［×庵室］〔文〕①僧や尼のすまい。②いおり。あんじつ。

**あんしつ**［暗室］ 光線がはいらないようにしめきった部屋。写真の現像などに使う。

**あんじゅ**［×庵主］①〔文〕庵室の主人。②《仏》尼寺の住職。「―さん」▽あんしゅ。

**あんじゅう**［安住］《名・自サ》①安心してすむこと。「―の地」②満足していること。「現状に―する」

**あんしゅつ**［案出］《名・他サ》〔計画などを〕考え出すこと。

**あんしょ**［暗所］〔文〕くらい場所。

**あんしょう**［暗証］ 当人であることを証明するために登録しておいた、数字や文字。パスワード。「―番号」

☆☆**あんしょう**［暗礁］ 安全な航海のじゃまをする、海中の岩。 ●☆☆**暗礁に乗り上げる** 句〔ものごとが〕うまく進まないで、行きづまる。「会議が―」

**あんしょう**［暗唱・暗×誦］《名・他サ》 暗記していて、そらで〈言う/となえる〉こと。「詩を―する」

**あんじょう**［×鞍上］ 馬のくらの上(に乗る人)。「―は○○騎手」

**あんじょう**《副》〔↑味良く〕〔関西などの方言〕①うまいぐあいに。「―たのむわ」②きちんと。「―聞けよ」

**あんしょく**［暗色］ くらい感じの色。(↕明色)

**あん・じる**［案じる・×按じる］《他上一》①考えつく。「一計を―」②〔考えて〕心配する。きづかう。「身の上を―・〈ご/お〉案じ申し上げます」▽案ずる。

***あんしん**［安心］《名・自サ・ナダ》 心配がなくなって、心がおちつくこと。また、そういう気持ちにさせるようす。「―感・ご―ください〔『ご―を』とも〕・なつかしく―なにおい・安全(で)―な農産物〔『―安全な』とも。☞安全〕」(↕不安・心配) ●**あんしんりつめい**［安心立命］《名・自サ》 天命を知って、心をやすらかにすること。あんじんりゅうめい。あんしんりゅうめい。

**あんず**［(×杏)・(×杏△子)］〔「杏子」の唐音〕 白・うす紅のウメに似た花がさく落葉樹。実はウメより大きく、あまずっぱい。ほして食べる。また、ジャムを作る。アプリコット。「―の甘煮」

**あんすう**［暗数］ 犯罪被害などで、届け出がなかったりして、統計にあらわれていない数字。

**あん・ずる**［案ずる・×按ずる］《他サ》〔文〕⇩案じる。 ●**案ずるより産むがやす(易)し** 句 あれこれ心配しないで、実際にやってみると、思ったより簡単にいくものだ。 ●**あんずるに**［案ずるに・×按ずるに］《副》〔文〕考えてみると。

**あんせい**［安静］《名・ナダ》 病気のからだをしずかに保って休むこと。「絶対―・―にする」

**アンゼリカ**〔angelica〕 緑色のハーブ。さとうで煮につめて切り、菓子のかざりなどにする。日本では、多くフキで代用。アンジェリカ。

****あんぜん**［安全］《名・ナダ》 自分または相手のからだや生命をおびやかすことのない状態。「生命の―を保証する・―(で)安心な〔二十一世紀になって特に広まった言い方〕まちづくり・―運転・―装置・ご―に！〔=工場などでのあいさつ〕」(↕危険) 派 -さ。 ●**あんぜんかみそり**［安全(:剃刀)］ 皮膚をきずつけないようにくふうされた西洋かみそり。 ●**あんぜんき**［安全器］《理》⇩ブレーカー。 ●**あんぜんぐつ**［安全靴］ つま先を金属などで守り、底をすべりにくくした靴。工事現場などで使う。 ●**あんぜんさく**［安全策］①安全のための対策。「事故を防ぐ―」②慎重な方法。「―を取って、無難な人物を採用した」 ●**あんぜんちたい**［安全地帯］①道路で、歩行者の安全のため、車両がはいってはいけない所。②安全な場所や立場。「自分だけ―に身を置く」 ●**あんぜんパイ**［安全(:牌)］①《マージャン》捨ててもほかの人の上がりにならないパイ。②魅力もないが、害もなく、もしものときのために離さずにおく〈もの/人〉。「―としてつき合う相手」▽安パイ。 ●**あんぜんピン**［安全ピン］①長円形にまげて、先をおおうようにした留め針。②消火器・手投げ弾を安全にあつかうためにさしこんだ、ピンの形のもの。 ●**あんぜんベルト**［安全ベルト］①危険な場所の作業で体を固定するためにつけるベルト。安全帯。②⇩シートベルト。 ●**あんぜんべん**［安全弁］①危険を防ぐためにボイラーなどに付ける、一定の圧力をこえた水蒸気の出口。②危険を予防するもの。「―としての役割」 ●**あんぜんほしょう**［安全保障］ 国が外国からおかされないよう、安全を確保すること。安保。

**あんぜん**［暗然］《タルト》〔文〕①くらいようす。②心がふさぐようす。悲しむようす。「―たる気持ち・―とする」

**あんそく**［安息］《名・自サ》 しずかに休むこと。 ●**あんそくび**［安息日］《宗》仕事を休んで、おいのりなどをする日。キリスト教では、日曜日。ユダヤ教では、金曜日の日没から土曜日の日没まで。あんそくじつ。あんそくにち。

**アンソロジー**〔anthology〕 異なる作者によって書かれた詩や文章をえらび、あつめたもの。詞華集。アンソロ

〔俗〕。

**あんた**《代》〔俗〕「あなた」よりぞんざいだが、親しみのある呼び方。〔同等・目下の人に、また、妻から夫などに言う〕

**あんだ**[安打]《名・自サ》《野球》バッターが安全に塁(るい)に進めるような打球。ヒット。「―を放つ」

**アンダー**〔under〕〘一〙アンダー ①《ゴルフ》↑アンダーパー。「ワン―」(↔オーバー) ②《服》↑アンダーシャツ。〘二〙[造] 下の。「―20(トゥエンティー)(=二十歳(さい)以下。『U20』とも書く)・―5万円(=5万円以下。『U5万円』とも書く)」 •**アンダーウエア**〔underwear〕《服》下着。インナーウエア。アンダーウエア。 •**アンダーグラウンド**〔underground〕①地下。②⇨アングラ。「―の演劇」 •**アンダーシャツ**〔米 undershirt〕《服》はだ着として着るシャツ。アンダー。「男性用―」 •**アンダースコート**〔和製 under skort〕《服》スコートの下にはいて、下着をかくす衣類。アンスコ。 •**アンダースロー**〔↑アンダーハンドスロー(米 underhand throw)〕《野球》(投手が)うでを肩(かた)より下のほうからまわして、ボールを投げること。下手(した)投げ。☞オーバースロー・サイドスロー。 •**アンダーバー**〔underbar〕《情》《横書きで》文字の区切りなどをあらわす下線。「123_456」などの「_」。アンダースコア。 •**アンダーパー**〔under par〕《ゴルフ》打数が基準打数(=パー)より少ないこと。アンダー。(↔オーバーパー) •**アンダーパス**〔underpass〕ほかの道路や線路の下をくぐる道路。「大雨で―が冠水(かんすい)」 •**アンダーバスト**〔under bust〕《服》乳の下ではかった、胸のまわりの寸法。☞バスト②。 •**アンダーライン**〔underline〕《横書きの文章で》〔注意をひくために〕字句の下に線を引くこと〔引いた線〕。

**あんたい**[安泰]《名・ナダ》〔国家・団体・地位などが〕おちついて、安全なようす。「お家―・大関陣(じん)は―(=白星)」 派―さ。

**アンタッチャブル**〔untouchable〕〘一〙①もと、インドの最下層の人々。不可触(ふかしょく)賤民(せんみん)。②〔どんな買収にも応じない〕アメリカの連邦(れんぽう)検察局員。〘二〙《ナダ》手が出せないようす。「―な聖域」

☆☆**あんたん**[暗×澹]《タル》①空などが、くらくてぶきみなようす。「―たる空模様」②先の見通しがつかず、希望がもてないようす。

**アンダンテ**〔イ andante〕《音》歩くような速さで ゆるやかに。モデラートとアダージョの中間の速さ。毎分六〇～八〇拍(はく)程度。

**あんち**[安置]《名・他サ》(大切に)すえて おくこと。「仏像を―する」

**アンチ**〔anti〕〘一〙アンチ 反対(派)。〘二〙[接頭] 反。反対の。「―ミリタリズム(=反軍国主義)」 •☆☆**アンチエイジング**〔anti-aging=抗加齢(こうかれい)〕 老化を防ぐこと。抗老化。アンチ エージング。「―の美容液」 •**アンチエイリアス**〔anti-aliasing〕《情》コンピューターで作る画像や文字を、ぎざぎざした形でなく、なめらかに見せる方法。アンチ エイリアシング。 •☆☆**アンチテーゼ**〔ド Antithese〕①《哲》テーゼ(=初めに立てられた命題)を否定する命題。反対命題。反定立。反措定(そてい)。(↔テーゼ) ②ある〈主張/ものごと〉に対立する〈主張/ものごと〉。

**アンチック**《名・ナダ》〔フ antique〕①かなの活字書体の一つ。肉太でやわらかい感じのもの。アンチック体。アンチ。②⇨アンティーク。

**アンチモン**〔ド Antimon〕《理》金属元素の一つ〔記号Sb〕。銀白色の固体で、有毒。半導体の材料やめっきなどに使う。

**あんちゃく**[安着]《名・自サ》〔文〕無事に つくこと。

**あんちゃん**[△兄ちゃん]〔俗〕①若い男を呼ぶことば。「いなせ(=勇みはだ)な―」②自分の あにを呼ぶことば。▽(↔ねえちゃん)

**あんちゅう**[暗中]〔文〕くらやみの なか。 •**あんちゅうひやく**[暗中飛躍]《名・自サ》ひそかに策動(さくどう)すること。暗躍(あんやく)。 •**あんちゅうもさく**[暗中模索]《名・自サ》(=くらやみで手さぐりすること) さがしもとめる手がかりがないこと。「事件は―の状態だ」

**あんちょく**[安直]《ナダ》①じっくり考えもせず、あまり手も かけないようす。「―な方法」②〔古風〕値段が安くて手軽なようす。「―な飲み屋」 派―さ。

**あんちょこ**〔↑安直〕〔学〕解釈(かいしゃく)や答えが書いてあって、調べなくても覚えられる参考書。とらのまき。

**アンチョビ**〔anchovy〕カタクチイワシを塩(とオリーブオイル)につけたもの。カナッペ・ピザなどに使う。アンチョビー。「じゃがいもの―ソテー」

**アンツーカー**〔フ en-tout-cas=どんな場合でも〕赤れんがの粉のような土(を敷(し)いた競技場)。水はけがよく、テニスのクレーコートや陸上競技場に使われる。アンツーカ。

*****あんてい**[安定]〘一〙《名・自サ》おちついていて、動いたりゆれたりする心配のないこと。「生活が―する・―の悪い家具・政局の―を図(はか)る」〘二〙《名・ナダ》《理》物体に物理的・化学的な はたらきを加えても、もとの状態をたもとうとするようす。「酸に―な物質」▽〘一〙〘二〙(↔不安定) 〘三〙〔俗〕安心できるほど、変わらないこと。いつもどおり。「―の渋谷(しぶや)で遊ぶ・―の最下位」〔二〇一〇年代からの用法〕 派―さ・―み。 •**あんていざい**[安定剤]①《理》分解や酸化などを防ぐために使う化学物質。②《医》↑精神安定剤。③ものごとを安定させるもの。「地域の―としての役割」

**アンティーク**《名・ナダ》〔フ antique〕①古代ふう。②古美術品。こっとう(骨董)。「―ショップ」③ふるもの。▽アンティック。アンチック。アンチーク。

**アンティパスト**〔イ antipasto〕《料》〔イタリア料理で〕前菜。☞アペタイザー・オードブル。

**アンテナ**〔antenna〕①《理》電波を出したり受けたりするため装置。空中線。②情報をさぐる手がかりとなるもの。「―をのばす」 •**アンテナを張る** 句 気をつけて、いろいろな情報を集める。 •**アンテナショップ**〔antenna shop〕①メーカーが、新製品に対する客の反応を知るために直営する店。②地方自治体が、特産物を広めるために他の大都市に出す店。物産館。

**アンデパンダン**〔フ indépendants=独立派〕自由に出品できて、審査(しんさ)も授賞もおこなわない美術展覧会。アンデパンダン展。

**あんてん**[暗転]《名・自サ》①舞台(ぶたい)芸術で場面がかわるとき、幕をおろさず、暗くして舞台を変えること。②悪いほうへ変化すること。「運命が―する」

☆☆**あんど**[安×堵]《名・自サ》 気がかりなことがなくなっ

て、安心すること。ほっとすること。「—の胸をなでおろす」

**アンド**〔(&)〕〔and〕 一 造 「および」「そして」の意味で語を結んで、全体でひとつの語にすることば。エンド。「Q—A(=質疑応答)」 二《接》〔俗〕そして。および。「ファッションに敏感—花好きな女性」

**あんとう**〔暗闘〕《名・自サ》見えない所で争うこと。

**アントシアニン**〔anthocyanin〕〔理〕ポリフェノールの一種。ブルーベリー・ナス・ブドウなどの果実や花にふくまれる、青むらさき色の成分。

**アントニム**〔antonym〕 対義語。反対語。(↔シノニム)

**アントレ**〔フ entrée〕《料》〔フランス料理で〕①前菜。②さかな料理の次に出す、中心となる料理。▽アントレー。

**アントレプレナー**〔entrepreneur〕 起業家。斬新な着眼点から思いきって事業を起こす人。「—シップ(=起業家精神)」

**アンドロイド**〔android〕〔SFなどで〕外見・考え方・行動などが人間そっくりのロボット。☞ヒューマノイド。

**あんどん**〔(行△灯)〕〔「あん」も「どん」も、唐音〕①四角な木のわくに紙をはり、中に油受けを置いて火をともし、明かりに使ったもの。②タクシーの屋根につけた、社名などを書いた電灯。

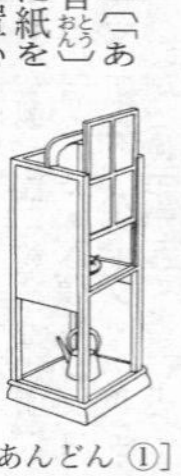

［あんどん ①］

**あんな**《ナダ》①あのよう(な)。「—車がほしい・—に(=あれほどまでに)めんどうを見たのに・かれは昔から—だった・なぜ—なんでしょう」✓〈かろんじた/非難する〉感じをともなうことがある。「あんな会社、やめてやる」②〔古風・女〕〔相手の発言に対して〕そのような。「まあ、—ことを言って」▽連体形はふつう語幹を使うが、これを連体詞とする説もある。 区別 ⇩指示語。

**あんない**〔案内〕《名・他サ》①さそったり、すすめたりするための知らせ。「—状・わざわざご—(=招待の知らせ)をいただきありがとうございます・求人—(=広告欄)」②客をとりつぐこと。また、家の中へみちびくこと。「—を請う・静かな部屋へ—する」③その場所を知らない人を、目的地までつれて行ったり、そこの様子を見せてあげたりすること。「駅まで—する・京都を—する」④場所や道順を教えること。「道—・—図」⑤方法を教えてくれるもの。手引き。「旅行—」⑥〔古風〕事情を知っていること。承知。「皆様ご—のとおり」(↔不案内) ☞あない(案内)。

**あんに**〔暗に〕《副》それとなく。「—反対する」

**アンニュイ**《名・ナダ》〔フ ennui〕 たいくつ。倦怠。「—な気分」

**あんにんどうふ**〔×杏△仁豆腐〕〔「あん」は「杏」の唐音〕白くぷるぷるした、中国料理のデザート。杏仁を粉にしたものを使うのが本式で、寒天・牛乳などでかためて作る。きょうにんどうふ。シンレンドウフ。

**あんねい**〔安寧〕〔文〕世の中が静かで事件が起こらないこと。「—秩序」

**あんのじょう**〔案の定〕《副》思ったとおり。「—外は寒かった・—いい店だった・ふん、—だな」✓多く好ましくない結果に使うという意見があるが、江戸時代から現代まで、結果のよしあしに関係なく使う。

**あんのん**〔安穏〕《名・ナダ》〔個人の生活で〕事件も起こらず、おだやかなようす。「—に暮らす」 派 —さ。

**あんば**〔あん馬〕 馬の背のような台の上で、両うでで体を支え移動したり旋回したりするための体操用具。また、それを使ってする、男子の体操競技の種目。 由来 背中に鞍を置いた馬(=鞍馬)から。

［あんば］

**あんばい**〔(△塩梅)・(×按配)〕①味の〈つけ方/調和〉。〔ほどよい〕味加減。「—を見る」②うまいぐあいに取り運ぶこと。「いい—にお天気になる」③〔からだの〕ぐあい。「—が悪い」 由来 もと「えんばい(塩梅)」で、塩味と酸味〔梅酢で出す味〕の加減を言った。室町時代に「按配」と混同され、「あんばい」と言うようになった。

**あんばい**〔(×按配)・(×按排)・(案配)〕《名・他サ》 ほどよく〈ならべる/取り合わせる〉こと。「庭木の—がいい」

**アンパイア**〔umpire〕《野球など》審判員。アンパイヤ〔古風〕。

**アンバサダー**〔ambassador=大使〕 企業のブランドや製品などを応援する役の(有名)人。

**アンバランス**《名・ナダ》〔unbalance=つりあいをみだす〕 調和のとれないようす。ふつりあい。インバランス。「需要と供給の—」 派 —さ。

**あんパン**〔(×餡)パン〕 中にあまいあんを入れた菓子パン。

✿**あんぴ**〔安否〕 無事(だった)かどうか。「—をきづかう・—を問う手紙」

**アンビシャス**《ナダ》〔ambitious〕 大きなのぞみを持ったようす。野心的。「ボーイズ ビー—(=少年よ、大志をいだけ)」

**アンビバレント**《ナダ》〔ambivalent〕 相反する気持ちが同時にあるようす。「—な感情」〔名詞形は「アンビバレンス」〕

**あんぶ**〔暗部〕 表にあらわれない、かくされた部分。「政界の—」

**あんぶ**〔×鞍部〕 山の尾根の、くぼんだ所。

**あんぶ**〔×按舞〕《名・他サ》〔舞踊の〕ふりつけ。

**あんぷ**〔暗譜〕《名・他サ》〔音〕音楽の譜をそらで覚えること。

**アンプ**〔←アンプリファイア(amplifier)〕 電流を調整したり増幅したりして、スピーカーから音を出す装置。

**アンフェア**《ナダ》〔unfair〕 不公平。不明朗。(↔フェア)

**あんぷく**〔×按腹〕《名・自サ》はらにするあんま。

**アンプル**〔ampoule〕〔医〕注射液を封じこんだ、小形のガラス管。アンプレ(ド Ampulle)。

**あんぶん**〔案文〕〔文〕下書き(の文章)。

**あんぶん**〔案分・×按分〕《名・他サ》 割合に応じてわけること。「—比例(=比例配分)」

**アンペア**〔ampere=もと、人名〕〔理〕電流の強さをあらわす単位〔記号 A〕。百ワットの電化製品を使うと、一アンペアの電流が流れる。

**あんぽ**〔安保〕 ←(相互)安全保障。「日米—条約」

**あんぽう**〔×罨法〕《名・他サ》〔医〕炎症や充血

を取り除くために病気のあるところを〈あたためる／冷やす〉療法。湿布。「冷—」

**あんぽがき**［あんぽ柿］ 水分をたっぷり残して作った干し柿。実はゼリー状でやわらかい。

**あんぽんたん**［(:安本＝丹)］《名・ナダ》〔俗〕あほう。ばか。由来「あほ太郎」を、「万金丹」などの薬の名前ふうにしたもの。

**あんま**［(×按摩)］《名・他サ》手でからだをたたいたりもんだりさすったりして、筋肉のこりをほぐす〈やり方／人〉。「電気—〔＝『マッサージ器』の古い言い方〕」

**あんま**《副》〔↑あんまり〕〔後ろに否定(的なことば)が来る〕〔俗〕それほど。あんまし。「—関係ない・—気にすんな」

**あんまく**［暗幕］ 部屋をくらくするために窓に引く、黒い幕。

**アンマッチ**《名・自サ》〔unmatched〕〔雇用などで〕条件や希望が合わないこと。

**あんまり**〔「あまり」よりも〈やわらかい／強調した〉形〕 一 **あんまり**《副》⇩あまり 三。「—おこられるので部活がいやになった・外には—行きたくない」 二 **あんまり**《ナダ》程度がひどくて、非難したくなるようす。「たのんだ用事を忘れてくるとは—だ・—なデザイン」☞あんま。

**あんまん**［(×餡)まん］〔まん↑まんじゅう〕 あずきあん(餡)を、小麦粉をこねて作った皮で包んで蒸した、中華まんじゅう。

**あんみつ**［(×餡蜜)］ みつまめに あずきあん(餡)をのせたもの。「クリーム—」

**あんみん**［安眠］《名・自サ》 じゃまされないで ねむること。「—妨害」

**あんもく**［暗黙］ ものを言わないこと。だまっていること。「—の了解・—のうちに〔＝ことばには あらわさないが〕ルールができている」 ●**あんもくち**［暗黙知］《哲》ことばで教わるのでなく、知らず知らず身についている知恵。勘。コツ。(↕明示知・形式知)

**アンモナイト**〔ammonite〕 古生代から中生代にかけて生存した軟体動物。巻き貝の形をした殻をもち、その化石が残っている。アンモン貝。菊石。

**アンモニア**〔ammonia〕《理》さすような においがある、無色の気体。水に とけやすくアルカリ性を示す。肥料・冷却などに使う。「—水・—臭」

**アンモラル**《ナダ》〔unmoral＝道徳に関係ない〕 不道徳。インモラル。

**あんや**［暗夜・△闇夜］〔文〕やみよ。

**あんやく**［暗躍］《名・自サ》 ひそかに活動すること。暗中飛躍。

**あんゆ**［暗喩］ ⇩いんゆ(隠喩)。

**あんよ**《名・自サ》〔児〕①足。②歩くこと。「—はじょうず〔＝歩く練習をする幼児への かけ声〕」 由来 ②が①の元の意味で、「あゆむ」と同語源。

**あんらく**［安楽］《名・ナダ》 楽で気持ちがいいようす。「余生を—に暮らす」 派 -さ。 ●**あんらくいす**［安楽椅子］ 背もたれと ひじかけのある、ゆったりした休息用の いす。☞ロッキングチェア。 ●☆☆**あんらくし**［安楽死］《名・自サ》 ①《医》はげしい痛みに苦しみ、しかも助かる見こみのない病人が、自分の意思で処置を受け、楽に死ぬこと。また、その処置〔＝安死術〕。「—をほどこす」☞尊厳死。 ②足が立たなくなった馬などの動物が、処置を受けて楽に死ぬこと。

**アンラッキー**《ナダ》〔unlucky〕 不運。(↕ラッキー)

**あんりゅう**［暗流］〔文〕表面に あらわれない〈ながれ／なりゆき〉。〔おもに、ぶきみで不穏な空気がただよう場合に言う〕

**あんるい**［暗涙］〔文〕人知れず流す なみだ。「—にむせぶ」

## い イ

**い**［井］ゐ いど。☞井の中。

**い**［(×亥)］ゐ ①十二支の最後。いぬ(戌)の次。いのしし。「—年・—の年」〔月・日にも言う〕 ②昔の時刻の名。今の午後十時ごろに当たる。四つ。「—の刻」 ③昔の方角の名。北北西。

**い**［(×伊)］ ↑イタリア(伊太利亜)。「訪—」

**い**［衣］ 一 い 着る〈もの／こと〉。「—食住・—生活」 二 造〔いちばん上に着る〕衣服。「作業—・消毒—」

**い**［医］ 一 い ①医術。医学。 ②↑医学部。 二 造 医者。「内科—・開業—」 ●**医は仁術** 句 医療は単なる商売ではなく、思いやり いつくしみの心を持っておこなうものである。

**い**［易］〔文〕やさしいこと。「—より難へ進む」(↕難)

**い**［威］〔文〕自然に人をしたがわせる勢い。「虎の—を借るきつね(狐)〔⇩「虎」の 句〕」 ●**威を張る** 句〔文〕勢力を振るう。

**い**［偉］《ナリ》〔文〕偉大。「ああ、—なるかな」

**い**［胃］ 消化を受け持つ内臓の一つ。ふくろのような形をしている。いぶくろ。「—が痛む」

**い**［異］ 一 い 異議。異論。「—を唱える」☞異な。 二 造 ちがう。「—人種・—世界」(↕同) ●**異を立てる** 句 ほかの人とちがった考えを主張する。

**い**［意］〔文〕①考え。意志。「—のごとくに進まない・—を同じくする」 ②注意。「—をはらう」 ③意味。「『そぞろに』は『なんとなく』の—」 ●**意余って言葉足らず** 句 言いたいことが先に立って、表現が追いつかない。〔もと「心余って言葉足らず」〕 ●**意とする** 句〔文〕①〔後ろに否定が来る〕それでは困る、と気にかける。「批判は—に足りない」 ②考えを持つ。「—ところを伝える」 ●**意に介する** 句 気にかける。「意に介さない」 ●**意にかな(叶)う** 句〈思った／要求した〉とおりになる。 ●**意に沿う** 句〔こうしたいという〕考えにしたがう。「意に沿わない縁談・上司の—ようにする」 ●**意に染まない** 句 その気になれない。気に入らない。意に沿わない。「—結婚・注文品が客の—」 ●**意に満たない** 句 不満だ。気にいらない。 ●**意のあるところ** 句〔文〕ことばに表現されていない、本当の気持ち。真意。「—をおくみ取りください」 ●**意を受ける** 句〔文〕命令・要望などを聞いて承知する。〔そして行動に移す〕「首相の意を受けて交渉に当たる」 ●**意を得る** 句〔文〕①自分の考えに一致する。そのとおりである。「まさに意を得た一文」☞わが意を得たり〔「わが意」の 句〕。 ②意味が わかる。「その意を得ない」 ③心をとらえる。「異性の—」 ●**意をく(汲)む** 句〔文〕①考え・気持ちを察(して、役に立とうと)する。「政治家が住民の意をくんで行動する」 ②意味を考え、理解する。「原文の—」▽意をくみ取る。 ●**意を通**

**じる**〘句〙〔文〕こちらの〈気持ち／考え〉を相手に伝える。「言語によって—」•**意を尽くす**〘句〙〔文〕①思っているところをじゅうぶんに言いあらわす。「意を尽くした謝罪」②意を用いる。力を尽くす。「輸出の促進に—」•**意を強くする**〘句〙〔文〕〔はげまされて／うしろだてがあって〕自信をもつ。意を強うする。「同じ立場の人が多いことを知って—」•**意を迎える**〘句〙〔文〕相手の考えにしたがい、気に入られようとする。迎合する。「上司の—」•**意を用いる**〘句〙〔文〕気をくばって考える。「チームの和をたもつことに—」

**い**［緯］〔=織物の横糸〕〔文〕〔文学・映画などで〕構成を助ける大きな筋。(↕経)

**い［イ］《音》長音階のハ調のラに当たる音。A音。

****い** ■一《終助》①〔古風／方〕命令形の「よ」の代わりに、命令の気持ちをあらわす。「返答せー・これ見ー」②〔俗〕念をおす気持ちを強くあらわす。「早くしろー・心配するなー」③〔話〕質問のことばに、うちとけた気持ちをそえる。「だれだー・帰って来たかー」④〔話〕見くだすような気持ちで強く言う。また強い反問の気持ちをあらわす。「だれが行くもんかー」⑤〔俗〕よ。「知ってらー〔=知ってるよ〕・ちがわー〔=ちがうよ〕・や〔=いや〕だー」☞かい《終助》・やい ■二・わい《終助》。■二〘接尾〙形容詞をつくる語尾。新しく つくられた語は、多く俗語。「ピンクー〔=ピンク色だ〕・やぼー〔=やぼなようすだ〕・びみょー〔=微妙だ〕」

***い**［位］■一〘接尾〙①くらい。順位。「第一ー・三段ー」②小数の くらいをあらわす ことば。「小数(点以下第二ー」③死んだ人の霊を数える尊敬語。「英霊百ー」■二〘造〙体位。「側臥ー」

**い**［委］〘造〙↑委員会。「中労ー・検討ー」

**いあい**［居合］〔すわった状態から〕すばやく刀をぬいて切る武術。「ー道」•**いあいぬき**［居合抜き］①⇩居合。②長い刀をひと息に ぬく曲芸。

**いあい**［遺愛］〔文〕死んだ人が生きていたときに だいじに使ったこと。「ーの品」

**いあき**［居空き］〔=空き=空き巣〕 人が家にいるのに、しのびこんで金や物をぬすむ〈こと／どろぼう〉。

**いあく**［×帷×幄］〔文〕①戦の陣にもうけた、作戦を話し合うための、幕で囲った場所。本営。②軍で作戦を立てるグループ。参謀。

**いあつ**［威圧］《名・他サ》威力で おさえつけること。「ー感・ー的」

**いあわ・せる**［居合わせる］《自下一》 ちょうどよく、そこにいる。居合わす。「現場にー」

**いあん**［慰安］《名・他サ》①心をなぐさめること。「文学にーを求める」②仕事のつかれをいたわって楽しませること。「ー旅行」

**いい**［×謂］〔「言い」から〕〔文〕意味。「自由とは何のーであるか」

****い・い**〔終止形・連体形しかなく、それ以外は、「よい」の活用形「よかろ(う)」「よかっ(た)」「よく」「よけれ(ば)」を使う〕■一［(△良い)・(△好い)］《形》①そうあるべき状態だ。望ましい。「ー政治・発音がー・医者に見せたほうがー・早く来ればーのに〔願う気持ち〕・行くがー〔=行きなさい。古風で おもおもしい言い方〕・〔応援して〕ーぞ！ 行け！」②［(△善い)］ ほめたくなるようすだ。りっぱだ。「ーおこない・ー子」☞よい子。③ためになるようすだ。「からだにー食べ物」④すぐれたようすだ。「頭がー・品質がー」⑤心が ひかれるようすだ。すばらしい。「ーにおい・ー絵だなあ・『カラオケに行きませんか』『ーですね〔=賛成です〕』」✎最後の例は、「ね」をつけず「いいです」と答えると、ことわる意味になることが多い(☞⑩)。⑥好都合だ。「ー〔=目的にあう〕人をさがす・ー折だから言おう・会社でーように〔=都合よく。便利に〕こき使われる」⑦〔意味・気持ちなどが〕肯定的だ。プラスの感じだ。「ーイメージの ことば」☞いい意味で〘句〙。▽(↕悪い)⑧かまわない。さしつかえない。「この案でー〔『この案がー』より低い評価〕・帰って(も)ー・試験さえ受ければー・まあ、ーか〔くだけて『いっか』とも〕」⑨わかっている。理解している。「〔念をおして〕ーか、よく聞け」⑩いらない。しなくて かまわない。「もうー、何ものまない・お代わりはーです・まだ結婚はーかな」⑪皮肉な意味で使う。「ー〔=相当な〕めいわくだ・ー年をして〔=分別のある年ごろなのに〕みっともない・ー〔=おかしな〕かっこうで すみません」〔「よい」の形では言いにくい〕⑫〔値段・身分が〕かなり高い。「ーお値段」▽ええ〔西日本方言〕。「いかった〔↑よかった〕」は方言、「いくない〔↑よくない〕」は新しい方言で、それぞれ俗語として も使う。■二〘造〙〔動詞＋ー〕〔話〕やすい。「書きーペン」(↕にくい) ☞いい気味・いい勝負・いい面の皮・いいところ。•**いい意味で**〘句〙ふつうは けなすときに使うことばを、ほめて使っている、とことわる言い方。「ー期待を裏切られた」✎「いい意味で」をつけても悪口にしかならないこともある。「あの人は いい意味で口うるさい」と言うよりも、「あの人は めんどう見がいい」と言ったほうが、うまく伝わる。

**いい**［易々］《(ト)(タル)》〔文〕〔実行・解決などが〕やさしいようす。「ーたるものだ・ーとして心を動かされない」

**いい**［唯々］《副》〔文〕「はいはい」と言って他人の言うことにしたがうようす。「ーと(して)従う」☞唯々諾々。

**いー**《感》〔児〕ちょっとした敵意をあらわす ことば。〔かみ合わせた歯を見せて言う〕「いー(→)だ。先生に言いつけてやるから」

**イー** ■一 **イー**［E・e］ アルファベットの五番目の字。■二 **イー**［E］①《音》ハ長調のミ。ホの音階。「ーマイナー」②〔↑east〕〔視覚語〕東。磁石などで使う記号。③足囲〔=足の親指と小指の付け根を結ぶ周囲の長さ〕をあらわす記号。E、EE、EEE〔3Eとも〕、EEEE〔4Eとも〕の順に大きくなる。■三［E・e］〘造〙〔↑electronic〕電子の。インターネットでの。「ーメール・ーコマース」

☆☆**イーアール**［ER］〔↑emergency room〕〔病院の〕救命救急センター。緊急救命室。

**いいあ・う**［言い合う］《自他五》①おたがいに〔自分の言いたいことを〕言う。「自由に意見をー」②口げんかをする。「家族とー」〘名〙言い合い。

**いいあ・てる**［言い当てる］《他下一》〔想像・推理して〕事実に合ったことを言う。「出身地をー・うまく本質を言い当てた表現」

**いいあらそい**［言い争い］ 相手とことばで争うこと。口論。〘動〙言い争う《他五》。

**いいあらわ・す**［言い表す］《他五》 ことばを使って あらわす。

**いいあわ・せる**［言い合わせる］《他下一》申し合わせる。口で約束する。言い合わす。「言い合わせたように欠席した」

**イーイーゼット**［EEZ］〔↑exclusive economic zone〕《法》⇩排他的経済水域。

**いいえ**《感》〔話〕①否定やことわる気持ちをあらわすことば。『学生さんですか』『—、ちがいます』・『お上がりください』『—、ここで失礼します』（↔はい）②言い直すときのことば。「あと三十分、—、十分待ってもらえれば」③事情を話し始めるときのことば。『どうなさったんです？』『—(ね)、じつは…』」▽「いえ」よりも はっきりした、ていねいな形。

**イーエスさいぼう**［ES細胞］〔ES←embryonic《=胚の》stem《=幹》〕《生》受精して間もない胚から取り出した細胞。からだの どの部分にもなりうる。胚性幹細胞。☞iPS細胞。

**イーエスジー**［ESG］〔↑environment, society and governance〕環境・社会・統治〔⇩コーポレートガバナンス〕。投資の際に重要となる判断材料。

**イーエムエス**［EMS］①〔↑electronics manufacturing service〕〔電子機器などの〕製造請負（をするメーカー）。②〔↑Express Mail Service=商標名〕国際スピード郵便。

**イーエル**［EL］〔↑electric locomotive〕電気機関車。

**いいお・く**［言い〈置く〉］《他五》立ち去るときに話しておく。「留守中の注意を—」名言いおき。

**いいおく・る**［言い送る］《他五》①手紙などで言ってやる。「早く帰るよう—」②つぎつぎと言い伝える。

**いいおと・す**［言い落とす］《他五》言わなければならなかったことを言わないでしまう。言いもらす。名言い落とし。

**いいかえ・す**［言い返す］《自他五》①注意されたときやけんかのときに、口答えする。②〈もう一度/くり返して〉言う。

**いいか・える**［言い換える・言い替える］《他下一》同じ意味をあらわす、別なことばで言う。換言する。名言い換え。

**いいかお**［いい顔］①いい表情。「—をした写真」②〔多く、後ろに否定が来る〕喜んで受け入れる態度。「長居は—をされない」③その方面で顔のきく〈こと/人〉。「あの人はここでは—だ」④かっこうをつけて、気に入られようとする態度。「みんなに—をする」

**いいがかり**［言い〈掛かり〉］相手をとがめるために、むりにつけた理屈。「からだが ぶつかったと—をつける」

**いいかげん** 一 いいかげん［いい加減］連 ほどよい ところ。「—でやめておけ」 二 いいかげん［いい（加減）］《名・ナダ》①言うこと、することが でたらめで、信用できないようす。「—な人・—な会社」②徹底していないようす。「—なトレーニング・宿題を—にやる」由来「まあ、このへんが『いい加減 一』だろう」と、でたらめに決める場合があることから、二の意味が あらわれた。派-さ。 三 いいかげん［いい（加減）］《副》①〔まだまだだと思われたが〕もう その程度に達して当然であるようす。いくらなんでも。「なべも—煮えただろう・さすがの私も—頭に来た」②〔それほどでないと思われたが〕かなり。「この本も—むずかしい」▽たいがい。③これ以上、ぐずぐずせずに。「—元気出しなさい・—もう あきらめなよ」●いい加減にしろ 句〔話〕がまんの限度をこえたとき、相手に言う、乱暴なことば。いい加減にしてくれ。「—、うるさくて ねられないぞ！」〔「いい加減に〈して/しなさい〉」は、少し やわらかい言い方〕

**いいがた・い**［言い〈難い〉］《形》言うことが むずかしい。言いにくい。「—悲しみ・いわく—」派-さ。

**いいか・つ**［言い勝つ］《自五》言い争って、相手に勝つ。「口論で—」

**いいか・ねる**［言い（兼ねる）］《他下一》〔事情があって〕言うのが ためらわれる。「私の口からは—」

**いい-かも**［いいカモ］〔カモ=鴨〕〔簡単にお金をはらったり、勝負に負けたりして〕相手にとって つごうのいいえもの。「—が来た・—にされる」

**いいかわ・す**［言い交わす］《他五》①ことばをかわす。②〔口で約束する〕当人どうしで、結婚の約束をする。「深く言い交わした仲」

**いいき**［いい気］《ナダ》①自分ひとりで得意になっているようす。「—になって はしゃぐ」②何も気づかず、のんきなようす。「人に心配させておいて—なもんだ」

**いいきか・せる**［言い聞かせる］《他下一》〔親が子に、目上の人が目下の人に〕道理をわからせるために、いろいろ説明する。言い聞かす。

**いい-きみ**［いい気味］いい気持ち。〔にくいと思っている人の不幸や不利などを喜ぶときに使う〕「ああ—だ」〔なまって「いいきび」〕

**いいき・る**［言い切る］《他五》①言い終わる。②断言する。はっきり言う。名言い切り。可能言い切れる。

**いいぐさ**［言い（草）・言い（△種）］〔他人の〕言ったことばや言い方。〔不愉快に思っている気持ちをあらわす〕「あいつの—が しゃくにさわる」

**いいくすり**［いい薬］のちの ためになる、失敗やつらい経験。「さぞ—になっただろう」

**イーグル**〔eagle=ワシ〕《ゴルフ》基準打数より二つ少ない打数でホールに入れること。☞バーディ(ー)・アルバトロス。

**いいくる・める**［言い（△包める）］《他下一》〔自分の思いどおりにするために〕ことばで ごまかす。「うまいこと—」

**いいこ**［いい子］①〈かわいい/ほめたくなる〉子ども・若い人・動物など。②〔子どもなどが〕おとなしくしていること。「ちょっとのあいだ、—にしていてね」③言うとおりにする〈子ども/こと〉。「銃を捨てろ！ よーし、—だ」④人によく思われようとする〈子ども/こと〉。「自分だけ—（ちゃん）になる」●いいこ-いいこ［いい子いい子］ 一《感》〔話〕ほめたり、あやしたり、頭をなでたりするときの ことば。 二《名・他サ》〔頭を〕なでること。「犬の頭を—する」

**イーコマース**［Eコマース・eコマース］〔↑electronic commerce〕《経》⇩電子商取引。

**いいこ・める**［言い込める］《他下一》ことばで やりこめる。「うまく—」

**いいさ・す**［言い（△止す）］《他五》とちゅうで言うのをやめる。名言いさし。

**イーシー**［EC］〔↑European Community〕ヨーロッパ共同体。欧州共同体。政治的・経済的な統合を理念として、一九六七年に発足した。一九九三年、ＥＵへと発展した。☞ＥＵ。

**イージー**《ナダ》〔easy〕①なるがままにまかせるようす。安易。「—な考え」②あつかいやすい。てがる。楽。「—ケア(=手入れがらく)」・—ボール」③↑イージー オーダー。派-さ。●**イージーオーダー**〔和製 easy order〕店が決めたいくつかのサイズから客の寸法に あうものを選んで仕立てる、洋服の作り方。●**イージーゴーイング**《ナダ》〔easygoing〕ものごとをいいかげんにすませようと考えるようす。安易。●**イージーペイメント**〔easy payment〕分割ばらい。月賦。●**イージーミス**〔和製 easy miss〕単純な〈まちがい／失敗〉。●**イージーリスニング**〔easy listening〕《音》くつろいで聞ける(演奏だけの)軽音楽。

**イージスかん**[イージス艦]〔Aegis=ギリシャ神話の神ゼウスが着けていた胸当て〕《軍》一度に多くのミサイルをうちこまれても応じられる、大型の軍艦。エイジス艦。

**いいしぶ・る**[言い渋る]《他五》言うのをためらう。すらすら言おうとしないようすを見せる。「理由を—」

**いいじょう**[言い条]〔文〕【一】《と(は)言い条で接助》…とは言うものの。「困ったとは—じつは うれしいんだ」〔古くは「と言う条」の形も〕【二】言い分。

**いい‐しょうぶ**[いい勝負]ほかと比べてもまったく おとっていないこと。「このビールは本場ドイツのものと—だ」

**いいしれぬ**[言い知れぬ]《連体》言いようのない。言うに言われない。言い知れない。「—不安」

**いいす・ぎる**[言い(過ぎる)]《自上一》必要以上に〈強い／大げさな〉ことばで言う。また、よけいなことを言う。「言いすぎたことをあやまる」名言いすぎ。

**イースター**〔Easter〕《宗》キリストの復活を記念する祭典。春分後、最初の満月のあとの日曜日。復活祭。

**いいす・てる**[言い捨てる]《他下一》言うだけ言って、相手の返事を聞かない(で立ち去ったりする)。「『勝手にしろ』と—」

**イースト**〔yeast〕(パンをふくらます)酵母。イースト菌。

**イー スポーツ**[e スポーツ]〔↑electronic sports〕スポーツとして おこなう、コンピューターゲームの対戦。

「—大会」

**イーゼル**〔easel〕絵をかくとき、画板などをかける台。画架。

[イーゼル]

**いい‐せん**[いい線]①なかなか いいレベル。「成績は—行っている」②なかなか的確なところ。「質問は—を突いている」

**いいそ・える**[言い添える]《他下一》〔おもな内容に〕つけたして言う。

**いいそこな・う**[言い損なう]《他五》まちがって言う。言い誤る。名言い損ない。

**いいそび・れる**[言いそびれる]《他下一》言うべき機会を失う。「つい言いそびれた」

**いいだくだく**[唯々諾々]《副》なんでも言うとおりになるようす。「—と(して)従う」〔「唯も諾も、「はい」「うん」などの意味〕

**いいだけ**《副》〔古風／方〕好きなだけ。「カラオケで—歌う」

**いいだこ**[(△飯×蛸)]小さなタコの名。冬、米つぶのようなたまごが頭部につまっている。煮物などにして食べる。

**いいだしっぺ**[言い出し(っ×屁)]〔=くさいと言い出した人が、じつは おならをした当人であること〕〔話〕ある提案を最初にした人。言いだしべ(い)。「—の おれが先にやる」

**いいだ・す**[言い出す]《他五》①ことばに出して言う。「とても言い出せない」②言い始める。「見たいと—」

**いいた・てる**[言い立てる]《他下一》①一つ一つ取り上げて言う。「人の欠点を—」②言い張る。「反対だと—」名言い出し。

**いいちら・す**[言い散らす]《他五》①無責任に言う。「勝手なことを—」②言いふらす。「悪口を—」

**いいつか・る**[言い(付かる)]《他五》仕事や用事を言いつけられる。「留守番を—」

**いいつく・す**[言い尽くす]《他五》言うべきことを残らず言う。

**いいつくろ・う**[言い繕う]《他五》失敗などをかくすために、うまく言う。「その場をじょうずに—」名言い繕い。

**いいつ・ける**《他下一》【一】[言い(付ける)]①〔子どもや、ごく目下の人に〕あることをしろと言う。②つげぐちをする。名言いつけ。【二】[言いつける]いつも、くせのように言う。

**いいつたえ**[言い伝え]〔先祖から〕口で伝えてきた〈こと／話〉。伝説。動言い伝える《他下一》。

**いいつの・る**[言い募る]《他五》ますます はげしく言う。「調子に乗って、あれこれ—」

**いい‐つらのかわ**[いい面の皮]ばかばかしいことで〈迷惑を受ける／恥をかかされる〉立場。いい迷惑。とんだ恥さらし。「つまらない映画につき合わされる客こそ—だ・もうけ話に だまされた人は—だ」

**イーディー**〔ＥＤ〕①〔↑erectile dysfunction〕《医》勃起障害。勃起不全。〔従来の「インポテンツ」に代わることば〕②〔↑ending〕最後の。エンディング。「—曲」

**イーティーシー**〔ＥＴＣ〕〔↑electronic toll collection system〕有料道路を走る車から、無線で自動的に通行料金をとる しくみ。自動料金徴収システム。

**イート イン**〔eat-in〕〔ファストフード店などで〕①店内でする飲食。イート〔店員の用語〕。(↕テイク アウト) ②飲食のできる席(のある店)。「—スペース」

**いいとこ**[いい(△所)]〔俗〕【一】《名》⇩いいところ。【二】いいとこ《副》・いい‐とこ。●**いいとこどり**[いい(△所)取り]《名・他サ》①いくつかのものの、いいところだけを取って合わせること。「父と母の性格の—をした息子」②役に立つところだけを利用すること。「制度の—をする」▽ええとこどり〔西日本方言〕。よいとこどり。

**いいところ**[いい(所)]【一】いい‐ところ。【二】いいところ《副》よくても。「—三位かな」【二】度が過ぎること。「ご都合主義も—だ」▽【一】【二】いいとこ〔俗〕。〔「いい」は皮肉〕

**いい‐とし**[いい年]①かなりの年齢。「もう—でしょう」②相応の分別ができていい年齢。「—をしてみっともない」〔あざけって言う〕

**イートンジャケット**〔Eton jacket〕〔イギリスのイートンカレッジの制服のような〕たけが短く、胴のしまった上着。小学生などの制服にも使う。

**いい-なか**[いい仲] 愛しあう間がら。「近所のむすめと―になる」

**いいな・す**[言い(×做す)]《他五》〔文〕①そうであるかのように、むりに言う。②とりなす。

**いいなずけ**[(:許嫁)・(:許婚)] ①〈夫/妻〉と定めた人。フィアンセ。②〔親などが決めた〕小さいときからの婚約の相手。

**いいならわ・す**[言い(習わす)]《他五》 昔から世間でそう言う。名言いならわし。

**いいなり**[言いなり] 言うとおり。言うなり。「相手の―になる」

**いいぬ・ける**[言い抜ける]《自下一》 言いつくろって、罪や責任をのがれる。言いのがれる。名言い抜け。

**いいね**[言い値] 売り手の言うとおりの値段。「―で買う」(↔付け値)

**いいね**《名・自他サ》 インターネットのSNSなどで、「気に入った」「共感した」という意思表示(のマーク)。「投稿された写真に―(を)する」

**いいのが・れる**[言い逃れる]《自他下一》 うまいことを言って責任をのがれる。言いぬける。名言い逃れ。「これ以上の―はできない」

**いいのこ・す**[言い残す]《他五》 ①言うべきことを、言わないでおく。②[言い△遺す]〈別れるときに/死にのぞんで〉、あとのために言う。「何か―ことはないか」

**いいはな・つ**[言い放つ]《他五》〈えんりょなく/きっぱり〉言う。

**いいはや・す**[言い(×囃す)]《他五》 多くの人が、ほめたりして さかんに言う。

**いいは・る**[言い張る]《他五》 あくまで〈思うことを言う/主張する〉。

**イーピーエー**[EPA] ①〔↑eicosapentaenoic acid〕《理》イワシ・サンマ・サバなどの青ざかなに多くふくまれている、脂肪酸の一種。血栓予防などのはたらきがある。エイコサペンタエン酸。☞DHA。②〔↑economic partnership agreement〕経済連携協定。「FTA」に、人材交流なども ふくめたもの。

**いい-ひと**[いい人] ①性格のいい人。②恋人。「―ができる」

**いいひらき**[言い開き]《名・自サ》 ⇩申し開き。動言い開く《他五》。

**イーブイ**[EV] ①〔↑electric vehicle〕電気自動車。②⇩エレベーター①。

**いいふく・める**[言い含める]《他下一》 ①よくわからせるように やさしく言う。②前もって言いつける。「掃除をすませるように―」

**いいふら・す**[言い触らす]《他五》 多くの人に悪いうわさを広める。

**いいふる・す**[言い古す]《他五》〔多く受け身の形で〕何度も言って なじんだものにする。「言い古されたこと」

**いいぶん**[言い分] 〔不満・主張・答弁などの形で〕のべることがら。「相手の―を聞く・何か―〔=不平や文句〕があるか」

**イーブン**〔even〕 ①対等。「―な関係」②《スポーツ》互角。同点引き分け。③《ゴルフ》↑イーブン パー。

●**イーブンパー**〔even par〕《ゴルフ》そのコースの基準打数と同じ打数であること。イーブン。

**いいまか・す**[言い負かす]《他五》〈ことば/口〉で相手を降参させる。言い伏せる。

**いいまわし**[言い回し] 口のきき方。言い あらわし方。「―がうまい」動言い回す《他五》。

**いい-め**[いい目] ①運がいいこと。「―をみる」②うまく出た、さいころの目。「―が出る」

**イーメール**[Eメール・eメール]〔E-mail; e-mail←electronic mail〕⇩メール㊁。

**いいもら・す**[言い漏らす]《他五》 一部を言うのを忘れる。言い落とす。

**いいや**《感》〔話〕「いや(否)」を強めた形。

☆☆**イーユー**[EU]〔↑European Union〕ヨーロッパ連合。欧州連合。EC〔=ヨーロッパ共同体〕から発展し、一九九三年に発足した。

**いいよう**[言い(様)] ものを言う〈ようす/方法/言い方〉。ことばづかい。「ものは―」

**いいよど・む**[言い(×淀む)]《他五》 話しているとちゅうで、すらすら言えなくなる。名言いよどみ。

**いいよ・る**[言い寄る]《自五》 ことばをかけて そばへ寄る。〔多く、相手をくどく場合に使う〕

**いいわけ**[言い訳]《名・自他サ》 自分は悪くない、しかたがない、という(説得力のない)説明。(へたな)弁解。「遅刻の―をする・低予算を―に作品の質を落とす・―が立たない」

**いいわた・す**[言い渡す]《他五》 命令や決定、動かせない事実などを告げる。宣告する。申し渡す。「判決を―・部屋にはいるなと―・回復は難しいと―」名言い渡し。

**いいん**[医員]〔医長の下にいる〕医師。

**いいん**[医院]〔個人で経営して〕病人を診察し、治す所。〔病院より小さい〕

**いいん**[委員] まかされた特定のことがらについて審議したり、おこなったりする人。「実行―・―手当」●**いいんかい**[委員会] ①委員で構成される機関(の会議)。②《法》内閣府・内閣各省に置かれる、国の行政機関。また同じ性質の、地方自治体の機関。例、公正取引委員会〔略して「公取委」〕・教育委員会〔略して「教委」〕。

**い・う
**[言う・×云う]〔発音はユー。「言った」「言って」は「ユッタ」「ユッテ」とも〕㊀《自他五》①ことばを口から出す。ことばに出す。「よっぱらいが何か言ってる・ものを―のも苦しい」②〔内容のあることを〕ことばで あらわす。「意見を―・―に言われぬ〔=言いあらわせない〕苦労・愛が大事なんて、お前に言われたくないよ〔=そう言う人資格はないよ〕・損失は一億円とも言われる〔=そう言う人が(おおぜい)いる〕」③名のる。名づける。「林と言います、よろしく・この地方ではサメをワニと言っている」☞という㊀①。尊敬おっしゃる。謙譲申し上げる。申す〔「申します」の形で使う〕。㊁《自五》①〔擬音語＋―〕声を出す。音を立てる。「ぎゃあぎゃあ―な・やかんがちんちん―」②するどく〈指摘して/批判〉する。「君もなかなか―なあ」③相手に させたいことなどを、ことばであらわす。「―〔=指示する〕とおりにしろ・よく言って〔=注意して〕おきます」可能言える。☞言うところの・言

うなれば・言える・言わしめる・言わず語らず。●**言い得て妙** 句 じつにうまく言ったもの(だ)。●**言うことなし** 句 ①文句のつけようがない。満足である。②どうにもできない。●**言うことを聞かない** 句 自分の思うように動かない。「からだが―」●**言うに及ばず** 句〔…は〕言うまでもなく。「歌は―、表情といい、動きといい、申し分がない」●**言うに事(を)欠いて** 句 よりによって、最悪の言い方を選んで。「―『忘れてました』とはあきれる」●**言うにや及ぶ** 句〔文〕言うまでもないことだ。●**言うはやす(易)く行うはかた(難)し** 句 そう言うだけなら簡単だが、実際におこなうのは むずかしい。「暮らしやすい社会を実現するのは、―だ」●**言うまでもない** 句 言う必要がない。もちろん。「言うまでもなく〔=言う必要もないことだが〕」丁寧 言うまでもありません。〔改まって「申すまでもございません」「申すまでもなく」などとも〕●**言うも更なり** 句〔文〕今さら言うまでもない。●**言うをま(俟)たない** 句〔文〕⇩言をまたない〔「言」の 句〕。●**言った言わない** 句 そういう発言をしたかどうかをおたがいに言い争うことば。「―の水かけ論」●**言わないことではない** 句 自分の言うことを聞かなくて失敗した人を、責めることば。言わないことじゃない〔話〕。言わんこっちゃない〔俗〕。「だから―」●**言わぬが花** 句 はっきり言わないでおくほうがいい。

**いうことなす‐こと**「言うことなすこと」いふことー《名・副》言うこと、することの全部。「―腹の立つ男だ」☞やることなすこと。

**いうて**「言うて」いふ《接》〔もと、関西などの方言〕〔俗〕と言っても。言うても。ゆうて。ゆーて。「よっぱらっちゃった。―、いつもと変わりませんが」

**いうところの**「言う〈所の〉」いふ 連 いわゆる。「―国際化・関西で―けったいな人・先生(が)―民主主義」

**いうなり**「言うなり」いふ いいなり。

**いうなれば**「言うなれば」いふ《副》〈わかりやすく/たとえて〉言えば。言わば。言うなら(ば)。「かれは―戦友だ」由来 戦前に「たとえて言うなれば」などの言い方があり、戦後に略された。古文では「言うのだから」の意味。

****いえ**「家」いへ ①人の住む建物。うち。「―探し」②祖先から伝えて来た、代々の家族の集団。名跡。「古い―・―が絶える」③家庭。「―を持つ・仕事を―に持ちこむ」④〔旧法で〕戸主とその家族とから成る団体。「―制度」☞お家。●**家を畳む** 句〔住んでいる家と家財道具を処分して〕店などのいとなみをすっかりやめる。

**いえ**《感》〔話〕「いいえ」よりも軽い言い方。「『おきらいですか』『いえ(↓)、そんなことは ありません』・『すみませんね』『いえいえ(↘)、とんでもないです』・おやじが、いえ(↓)、父がそう申しました」

**いえい**「遺詠」〔文〕①未発表のまま、死後に残された詩や歌。②辞世の詩や歌。

**いえい**「遺影」故人が生きていたときの写真・肖像画。

**いえいえ**「家々」いへいへ 多くの さまざまな家。「―の明かり」

**イェーイ**《感》〔yeah=yes の口語。「いぇーい」とも書く。音調は(↘)〕〔俗〕①同意をあらわす。ああ、そうだとも。「『みんな、ノッてるかい?』『―!』」②きげんよく呼びかけることば。やあ。おーい。「―、ノッてる?・『―』とピースサインを出す」③うれしい気持ちをあらわす。わーい。やった。「―、あしたは休みだ」▽イエーイ。イェイ。

**いえがまえ**「家構え」いへがまへ〔外から見た〕家の造りぐあい。やづくり。

**いえがら**「家柄」いへ ①その家が、代々その地域で認められて来た地位。「―の いい家」②「家柄①」のりっぱな家。「―の生まれ」

**いえき**「胃液」《生》胃腺から分泌される消化液。無色で酸性。おもにたんぱく質を消化する。☞胃酸。

**いえぎ**「家着」いへ 家の中で着るような ふだん着。部屋着。

**いえじ**「家路」いへぢ 家へ帰る道。帰りみち。「―に就く・―をたどる」

**イエス**《感・名》〔yes〕肯定のことば。はい。そうだ。「相手から―を引き出す」(↔ノー)●**イエスマン**〔yes man〕上役の言うことを、はいはいと聞くだけの人。

**イエス‐キリスト**〔ポ Jesus Christo の音訳、耶蘇基督から。キリストは「救世主」の意味〕キリスト教をはじめた人の名。救世主。キリスト。イエス。ヤソ。イエズス。

**いえすじ**「家筋」いへすぢ 家系。「武士の―」

**いえだに**「〔家:壁蝨〕」いへ ダニの一種。ネズミについてふえ、人を刺して感染症を広める。

**いえつき**「家付き」いへ ①生まれてからずっとその家に住んでいる〈こと/人〉。「―(の)むすめ〔=むこを取る立場〕」②家もついていること。「―土地」

**いえづと**「家(×苞)」いへ〔雅〕家への みやげ。「何よりの―」

**いえで**「家出」いへ《名・自サ》同居人を残して(そっと)家を出て、帰らなくなること。「―少女」

**いえでん**「家電」いへ〔俗〕〔スマートフォンなどに対して〕自宅の固定電話。☞かでん(家電)。

**いえども**いへども◇⇩といえども。

**いえなみ**「家並み」いへ ①家々の ならび。②家ごと。▽やなみ。

**いえぬし**「家主」いへ やぬし。

**いえのこ**「家の子」いへ〔=同じ家に生まれた人〕〔実力者の〕子分。「―郎党」

**いえのみ**「家飲み」いへ〔店でなく〕自宅で酒を飲むこと。自宅飲み。宅飲み。うちのみ。

**いえもち**「家持ち」いへ ①家を持っている人。②家計のやり方。「―がうまい」

**いえもと**「家元」いへ その流派の芸道を受けつぐ本家(の当主)。

**いえやしき**「家屋敷」いへ 家と敷地。

****い・える**「言える」いへる《自下一》①〔俗〕そのとおりだ。「たしかに それは―」〔一九七四年に広まったことば。「言えてる」の形は一九八〇年代に広まった〕②「言う」の可能形。

**い・える**「癒える」《自下一》〔文〕病気が治る。苦痛がなくなる。「足の傷が―・悲しみが―」☞癒やす①。

**イエロー**〔yellow〕①三原色の一つ。黄色。「レモン―」②《サッカー》↑イエロー カード①。「―を出す」●☆☆**イエロー カード**〔yellow card〕①《サッカー》悪質な反則などをした選手に、審判が警告するときに示す黄色いカード。イエロー。②これ以上はいけないという警告。☞レッドカード。

**いえん**【胃炎】《医》胃の粘膜(ねんまく)が炎症(えんしょう)を起こす病気。もと、胃カタル。「慢性(まんせい)ー・急性ー」

**いえん**【以遠】〔造〕〔そこをふくみ〕そこより遠い所。…から先。「大阪ー〔大阪をふくむ〕」●**いえんけん**【以遠権】航空協定を結んだ相手国内の空港を経由して、さらに第三国へ運航できる権利。

**いおう**【以往】〔文〕①以後。その後。「明治ー」②以前。「中世(より)ーの古い書物」✓古代に①の誤用から②が生まれ、どちらも使われてきた。意味は文脈による。

**いおう**【硫黄】《理》黄色でもろい結晶(けっしょう)〔元素記号S〕。火をつけると、青いほのおを出して燃える。火薬・マッチ・ゴムの製造に使う。ゆおう。●**いおうさんかぶつ**【硫黄酸化物】《理》硫黄と酸素の化合物をまとめて呼ぶ言い方。おもに石油・石炭などの燃焼(ねんしょう)によって生じ、大気汚染(おせん)の原因となる。〔化学式 $SO_x$ から「$SO_x$(ソックス)」とも〕

**いおり**【〈×庵〉】僧(そう)や隠者(いんじゃ)などの住む、そまつなすまい。いお(庵)。「ーを結ぶ」

**いおん**【異音】〔文〕故障した機器類から出る異常な音。「エンジンからーがする・ー検知」

**イオン**〔ド Ion〕《理》原子や原子のあつまりに電子が〈加わる/はなれる〉ことにより電気をおびた粒子(りゅうし)。「陰(いん)ー・陽ー」●**イオンこうかんじゅし**【イオン交換樹脂】《理》水に溶(と)けているイオンを別のイオンと交換するはたらきを持つ合成樹脂。真水を作ったり、不純物をぬき出したりするときなどに使う。

**いおんびん**【イ音便】《言》音便の一つ。「キ・ギ」などの音が「イ」の音になるもの。例、「咲(さ)きて」→「咲いて」、「泳ぎて」→「泳いで」。

**いか【以下】㊀これから(あと)。「ー(は)省略(する)」〔↔以上〕㊁〔造〕①〔それをふくみ〕それより〈下/少ない〉こと。「千円ー・十二歳(さい)ー・中学生ー」☞未満①。②〔はっきりした数量でなく〕それを下まわること。「期待ーの出来・人間ーの暮らし」▽〔↔以上〕③…をはじめ(全部で)。「座長ー三十名〔=座長もふくむ〕」

**いか**【〈×凧〉・〈紙鳶〉】〔関西などの方言〕〔空にあげる〕たこ。いかのぼり。

**いか**【〈烏賊〉】ヤリイカ・スルメイカなど、海にすむ、十本足のやわらかい動物。敵にあうと、すみをふき出してにげる。食用。「ーさし〔=イカのさしみ〕・ーくん〔=イカの燻製(くんせい)〕」✓数え方は「匹(ひき)」、水あげすると「杯(はい)」。

**いか**【医科】①医学に関する学科。「ー大学」②医学部。

**いか**【医家】〔文〕医者(の家)。医師。

**いか**【易化】《名・自サ》〔文〕難易度がやさしくなること。「大学入試問題のー」〔↔難化〕

**いか**【異化】《名・自他サ》①ちがいをきわだたせること。②〔創作で〕あたりまえのものを、〈別の/ふつうでない〉もののように表現すること。「ー効果」③《生》生物が外界から取り入れたものを、より単純な物質に分解すること。異化作用。〔↔同化〕

**いが**【×伊賀】旧国名の一つ。今の三重県の北西部。伊州(いしゅう)。

**いが**【〈×毬〉】クリなどの実を包む、とげがはえている皮。

**いかい**【位階】功労のあった人が死んだときに、国からおくられる「位(くらい)㊀③」の等級。

**いかい**【異界】日常の世界とへだてられた、ぶきみな世界。「ーにはいりこむ・ーに住む妖怪(ようかい)」

**いがい**【遺骸】〔文〕遺体。なきがら。「ーをひつぎに納める・ごー」区別⇩遺体。

*いがい【意外】《ナダ》思っていたのとはちがうようす。「選挙の結果はーだった・ーに〔会話で『ーと』とも〕大きい・ーや〔=本当に意外だ〕」区別⇩案外。派ーがる。ーさ。●**いがいせい**【意外性】意外だと感じられる性質。「ーのある人選」

**いがい【以外】〔造〕…のほか。「関係者ー・苦痛ーの何物でもない〔=苦痛でしかない〕」

**いがいが** ㊀いがいが《名》・いがいが《自サ》いがのような、たくさんのとげ(のあるようす)。「ウニのー・ーしたところのない〔=なめらかな感じの〕ワイン」㊁いがいが《自サ》のどがあれて、不快であるようす。「のどがーする」

**いがいちょう**【居開帳】《名・自サ》《仏》寺の本尊を、その寺で決まった期間 信者に見せること。いかいちょう。〔↔出(で)開帳〕

**いかいよう**【胃潰瘍】《医》胃の中、ことに胃の出口付近にできる潰瘍。

*いかが【〈如何〉】《副》①どのように。「ーいたしましょう」②様子をたずねるときのことば。どうでしょう(か)。「ごきげんー」③さそうとき、すすめるときのことば。「ーでしょう、ご意見は・お一つー?」▽ていねいな言い方。④〔↑いかがか〕どうか。「ーと思う人物」☞いかん(如何)。●**いかがな**【〈如何な〉】《連体》どんな。「…と思うがーものであろう・…するのはーものか〔=感心しない〕」

**いかがわしい**《形》①〔=如何(いかが)と思われるようすだ〕本当かどうかうたがわしい。「ー話」②いやらしい。「ー雑誌」③すじょうがはっきりしない。「ー風体(ふうてい)の男」派ーげ。ーさ。

☆☆いかく【威嚇】《名・他サ》力を使っておどすこと。おどかし。「ー射撃(しゃげき)・ー的」

**いがく**【医学】病気の治療(ちりょう)や予防の方法を研究し、また実際におこなう学問。「ー者」

**いかくちょう**【胃拡張】《医》食べすぎたために、胃の内部が広がる病気。

**いがぐり**【〈×毬×栗〉】①いがに包まれた、クリの実。②丸がりにした頭。いがぐりあたま。

**いかけ**【鋳掛け】〔古風〕鍋(なべ)・釜(かま)などの、こわれたところを直すこと。「ー屋」

**いかける**【射掛ける】《他下一》相手に向かって矢を射て攻(せ)める。

**いかさま** ㊀【〈如何〉=様】《副》〔古風〕なるほど。いかにも。「ー、さよう」㊁〔「イカサマ」とも書く〕ごまかし。にせ。「ばくちでーをする・ー師〔=詐欺師(さぎし)。ペテン師〕」

**いかす**《自五》〔=行かす。「イカす」とも書く〕〔古風・俗〕なかなかいい。魅力(みりょく)があるようすだ。「ちょっとーね」〔一九五八年から流行したことば〕

*いかす【生かす・△活かす】《他五》①生きていることを許す。「こんなやつは生かしておけない」〔↔殺す〕②生き返らせる。「死者をー」③一度消した文章などを、もとにもどす。④死なないようにする。「いけすに生かしてお

く・生かさず殺さずのやり方」⑤効果が出るように使う。役立たせる。「苦心を―・アイデアを―・生かして使う(=活用する)」⑥引き立たせる。「味を―」可能 生かせる。

**いかすい**【胃下垂】〘医〙胃の下部が異常に下のほうにたれさがる〈病気/症状〉。

**いかずごけ**【行かず後家】〔古風〕①結婚しないうちに、婚約者に先立たれた女性。②婚期を過ぎた女性。〔失礼な言い方〕▽ゆかずごけ。

**いかずち**【△雷】〔雅〕かみなり。

**いかすみ**【(:烏賊)墨・イカスミ】イカのすみ。食用。また、セピアの原料。「―スパゲッティ」☞セピア。

**いかそうめん**【(:烏賊=△素麺)】細く切ったイカのさしみ。

**いかぞく**【遺家族】〔古風〕(一家のあるじに死なれた)遺族。

**いかだ**【(×筏)】①丸太・竹を結びあわせて水にうかべるもの。乗り物にしたり、材木をはこんだりする。「―を組む(=材木を組んでいかだにする)・―師」②真珠の養殖用に海面にうかべる、いかだ形のもの。③さかな・ゴボウなど、細長い形のものをいくつか横にならべて、いかだの形に似せること。「わかさぎの―焼き」

**いがた**【鋳型】鋳物をつくるために金属を流しこむ型。

**いかつ・い**【△厳つい】《形》〔からだつき・顔つきなどが〕ごつごつしてがんじょうそう(で、おそろしい感じ)だ。「―肩」派-げ・-さ。

**いかな**【(:如何な)】《連体》〔↑いかなる〕〔文〕①どのような。どんな。「―悪者でもそんなことはしまい」②さすがの。「―わたしでも許せない」

**いかなご**【(:玉筋魚)】海にすむ、細長く小形で、銀色をしたさかな。幼魚は煮干し・くぎ煮にする。こうなご。しんこ。めろうど。

**いかなる**【(:如何なる)】《連体》どんな。「―困難にも立ち向かう」

*__いかに__【(:如何に)】《副》①どんなふうに。「―あるべきか・―しても」②どれほど。「―努力しても」③どうして。なぜ。いかん。「…とはこれ―」④どうか。「結果は―と見ると」●**いかにせん**【(:如何にせん)】連〔文〕どうしよう(にも)。いかんせん。「この危機を―」●**いかにも**【(:如何にも)】㊀《副》①まるでそのようだ、と見せかけるようす。「―わかったような口をきく」②そう思わせるほど、わかりやすい特徴があるようす。「―おばさんがはきそうなスカート」▽さも。③どう見ても。どう考えても。「―困った顔をしている・―安い」④たしかに。人の言うとおり。「―おれは悪人だ。しかし人は殺さない」㊁《名・ナダ》その特徴が強いようす。典型的。「―〈な/の〉ブランド品」〔一九九〇年代に広まった用法〕

**いかばかり**【(:如何ばかり)】《副》〔文〕(気持ちをおしはかって)どのくらい。「その喜びは―であったろう」

**いかほど**【(:如何ほど)】《副》「いくら・どれほど」の、改まった言い方。「お代は―?・―の広さがあるか・―悲しんでも」

☆☆**いがみあ・う**【(×啀み)合う】《自五》〔近い関係の者が、つまらないことで〕おたがいをにくんで争う。「兄弟で―」名 いがみ合い。

**いかめし**【(:烏賊=飯)】イカの胴に米をつめ、味をつけて煮た食べ物。「―弁当」〔北海道が発祥〕

**いかめし・い**【(△厳めしい)】《形》とても〈りっぱな/きびしい〉感じがして、人をおそれさせるようすだ。「―門構え・―警察官・―名前」派-げ・-さ。

**いカメラ**【胃カメラ】〘医〙胃の内視鏡の、一般的な言い方。口や鼻から管を入れて、胃の中を画面に映す。〔初期は、管に入れたカメラで写真をとった〕

**いかもの**【(=如何物)】〔「イカモノ」とも書く〕〔古風〕ふつうでないもの。異常なもの。「―食い(=いかものを好んで食べる〈こと/人〉)」

**いかやき**【(:烏賊)焼き】①イカを焼いて、たれで味つけした食べ物。やきいか。②うすく溶いた小麦粉に小さく切ったイカを入れ、鉄板で平たく焼いた食べ物。ソースをぬって食べる。〔大阪が発祥〕

**いかよう**【(:如何=様)】《ナダ》どのよう。「ご予算には―にも応じます」

**いからか・す**【怒らかす】《他五》〔古風〕いからせる。

**いから・せる**【怒らせる】《他下一》①肩などを張って上にあげ、いかめしくする。かどだたせる。かどばらせる。②目を大きく開いて、おどかす。▽いからす。いからかす。

**いがらっぽ・い**《形》①のどがあれて、たん(痰)がからんだりして、不快な感じだ。②(タケノコのあくなどで)のどの奥が刺激されて、不快な感じだ。▽えがらっぽい。派-さ。

*__いかり__【怒り】いかる気持ち。「―を覚える・―をぶちまける・相手の―にふれる(=おこらせる)」●☆☆**怒り心頭に発する** 句 非常に腹が立つ。怒り心頭だ。✓「心頭」は「心」のこと。これを「あたま」の意味に誤解してか、「怒り心頭に達する」と言う人もいる。●**いかりがた**【怒り肩】かどばった肩。(↔なで肩)●**いかりくる・う**【怒り狂う】《自五》感情がおさえきれないくらいいかる。「―市民」

**いかり**【(×錨)・(×碇)】船をとめておくために海におろす、鉄のおもり。アンカー。

**いかる**【(:斑鳩)】スズメに似た小鳥の名。からだは灰色で、頭は黒い。豆回し。いかるが〔雅〕。

**いか・る**【怒る】《自他五》①不愉快なこと、不正なことなどに出合って、許せない気持ちになる。腹を立てる。「事情を聞いて―・人の忠告を―〔古風〕」区別「いかる」よりも「おこる」のほうが話しことば的。「いかる」は、その感情を持つことに重点があり、「おこる」は、どなったりだまりこんだりして、感情を相手に示すことに重点がある。②左右に張って、少し上に向く。かどばる。「肩が―・怒った字」☞いからせる。

**いかれぽんち**〔「イカレポンチ」とも書く〕〔古風・俗〕まぬけなお人よしの男。〔戦後から流行したことば〕由来「ぽんち」は、「坊ちゃん(=ぼんぼん)」に「ポンチ(=漫画)」の連想が加わったことば。

**いか・れる**《自下一》〔↑行かれる〕〔俗〕①まともではない状態になる。「頭が―」②古びて悪くなる。「スピーカーがいかれてる」③夢中になる。「ジャズに―」④人に取られる。「三百万円ほど―」表記①〜③「イカれる」とも。

**いかん**【衣冠】平安時代の中ごろから、朝廷に出るときに男性が着た略式の服。冠

［いかん］

かんむりをつけ、檜扇を持つ。☞束帯。

いかん[医官] 医師の資格をもつ幹部自衛官。

いかん[尉官]《軍》①自衛官の、一尉・二尉・三尉をまとめた呼び名。②大尉・中尉・少尉をまとめた呼び名。

←いかん[異観]〔文〕ほかとちがった、めずらしい〈ながめ/光景〉。「―を呈した」

→いかん[偉観]〔文〕りっぱな〈ながめ/光景〉。

←いかん[移管]《名・他サ》管理を他へ移すこと。

→いかん[移監]《名・他サ》《法》被告・囚人などを、他の拘置所・刑務所に移すこと。

☆☆いかん[遺憾]《名・ナダ》①じゅうぶんにできなくて、心残りがするようす。残念。「―に存じます・万―なきを期せられたい」②〔相手のしたことに対して〕不満であるようす。③困ったことだと思うようす。●遺憾の意を表する句 残念だ、と〈相手への軽い非難/自分の釈明〉を述べる。「今回の決議に対して―」●いかんなく[遺憾なく]《副》もうしぶんなく。じゅうぶんに。「―実力を発揮する」

いかん[(:如何)] [一]《副》〔文〕①⇩いかに③。②どうであるか。「試合の結果(や)―」[二]ようす。しだい。「情勢―によって」☞いかが(如何)。●いかんせん[(:如何せん)] [一]《副》どうしようにも。「―しろうとでは歯が立たない」[二]連〔文〕どうしようか(どうしようもない)。「これを―」▽[一][二]いかにせん。●いかんとなれば[(:如何となれば)]《接》〔文〕なぜかと言うと。●いかんとも[(:如何とも)]《副》どう(いうふう)にも。「―しがたい」

いかん 連〔↑いかぬ〕〔古風/方〕①いけない。「ここから入っては―」②いかない。「仕事がどうもうまく―」

いがん[依願] 本人のねがい出によること。「―退職」

いがん[胃(×癌)]《医》胃にできる がん。

←いき [一]いき[生き・△活き] 新鮮さ。鮮度。「―のいい〈魚/新人/現代語〉・―が悪い」[二]いき[イキ]〔校正などで〕一度消した字を、消さなかったことにすること。

→いき[△活]選 生けすなどに、生けて〔=生かして〕おいた。〔本来は「いけ」。「かつ」とも読まれる〕「―ヒラメ」

いき [一]いき[行き] ⇩ゆき[一]。「―は車だ・東京―」[二][行]接尾 ⇩ゆき[二]。「○○会社―」

いき[△壱岐] 旧国名の一つ。今の長崎県の壱岐島。壱州。

*いき[息] ①生き物が命をたもつために、口や鼻から空気を吸いこんだり はき出したりすること。また、そうするときの空気。「―をする・―がとまる」②何人かの人が一つのことを同時にするときの、やり方や気持ち。「―が合う」▽呼吸。③ごはんなどから出る湯気。「―が立つ」●息が上がる句 はげしく動きすぎて、息が苦しくなる。●息がかかる句 有力者と深いつながりがある。「社長の息がかかった男」●息が切れる句 ①息が続かなくなる。②苦しくなって、それまでしていたことを続けられなくなる。▽息切れがする。●息が詰まる句 ①呼吸が苦しくなる。②息ぐるしいほど緊張する。他息を詰める。「息を詰めて見守る」●息が長い句 ①〈活動して/売れて〉いる期間などが、長い。息長い。②一つの文の長さが長い。「―作品」●息の通った句〔作者の〕気持ちの こもった。●息の下から句 ⇩苦しい息の下から〔「苦しい」の句〕。●息もつかせず句 おちついて息をするひまもあたえないほど〈すばやく/続けて〉するようす。息もつがせず。「息もつかせぬ早わざ・息(を)もつかせぬ展開」●息を入れる句 ひと休みする。ひと息入れる。「公園のベンチで―」●息を凝らす句 息をとめて、注意力を集中する。「息を凝らしてシャッターを切る」●息を殺す句 ①〔相手に気づかれないように〕息の音をとめる。「暗やみで―」②息をこらす。●息をつく句 ①〔大きく〕息をする。いきづく。「ほそぼそと―〔=暮らす〕」②安心する。ほっとする。「―暇もないほど いそがしい」☞息もつかせず句。▽いきつく。●息を抜く句 ①緊張をゆるめる。②たきたてのごはんの湯気を取り去る。●息をの(呑)む句 非常におどろいて、息をとめる。●息を引き取る句 死ぬ。●息を潜める句 息の音をおさえて、しずかにする。「草むらの中で―・おびえながら息を潜めて暮らす」●息を吹き返す句 生き返る。

いき[域] ①さかい。場所。②範囲。境地。程度。「名人の―に達する」

いき[意気] ①何かを進んでしようとする気持ち。「―さかん。―軒昂」②心意気。「人生―に感ず〔⇩「人生」の句〕」●意気天を衝く句 意気ごみが非常にさかんなようす。意気衝天。

いき[×閾]〔=敷居〕《生》刺激によって生体に反応が起きるかどうかの境目。また、その刺激の強さ〔「閾値」と言う〕。

☆☆いき[遺棄]《名・他サ》①すてておくこと。「死体―」②《法》扶養の義務を果たさないこと。「親族―」

いき[粋]《ナダ》〔↑意気〕①あかぬけしているようす。洗練されているようす。「―な姿」②人情に通じ、ものわかりがいいようす。「―なはからい・―なさばき」▽〔↔やぼ〕派-さ。☞すい(粋)[二]。

いぎ[威儀]〔儀式などで〕作法にかなった、おもおもしいふるまい・態度。「―を正す」

←いぎ[異義]〔文〕別の意味。「同音―(語)」

→☆☆いぎ[異議] ①〔ほかの人と〕ちがった議論や言い分。「―なし」②《法》国家機関の処分などに対する、不服や反対の意思。「―を申し立てる」

いぎ[意義] ①それ〈をする/がある〉ことで生まれる、すぐれた価値。「―ある行事・人生の―・―づけ(る)」②〔文〕ことばの意味。「―と用法」

いきあ・う[行き合う]《自五》そこまで行ったときに出合う。ゆきあう。「馬車と―」表記 人に会う場合は「行き会う・行き×逢う」とも。名 行き合い。

いきあし[行き足]〔ヨットなどが〕今までの勢いで走ること。ゆきあし。「―を止める」

いきあたりばったり[行き当たりばったり]《名・ナダ》あらかじめ計画を立てず、そのときのようすや、なりゆきにまかせること。無計画。ゆきあたりばったり。「―の行動」

いきあわ・せる[行き合わせる]《自下一》ちょうどその時に そこに行って、目にする。ゆきあわせる。「花の満開に―」

いきいき[生き生き・△活き△活き]《副・自サ》生きているという感じを、強くあたえるようす。「―とした表情・―(と)働く・―と描写する」

いきいそ・ぐ[生き急ぐ]《自五》〔命は短いと感じて〕早く目的をなしとげようと、あせって生きる。

いきうお[△活魚・生き魚] 生けすなどに入れて、生かしてあるさかな。活魚(かつぎょ)。〔本来は「いけうお」〕「—料理」

**いきうつし**【生き写し】区別できないほど容姿がよく似ていること。「亡(な)くなった父親に—だ」

**いきうま**【生き馬】●**生き馬の目を抜(ぬ)く** 句 他人を出しぬいて、すばやく自分がもうける。

**いきうめ**【生き埋め】生きているまま地面の中に〈うずめる/うずまる〉こと。

**いきえ**【生き餌】—え えさに使う、生きた虫や小動物。

*＊***いきおい**【勢い】いきほひ 一 ①力強く、すばやく、ある方向へ向かっていく動き。「すごい—で家から飛び出してきた・ドアを—よく(=はげしく)開ける・雨の—がはげしい」②はずみ。「—をつけて坂を上がる・—余ってぶつかる・酔(よ)った—で言う」③勢力。「台風の—が強くなる」④活動のめざましさ。調子。「チームが—を増す」⑤元気。「—のいい声・最近—がない」⑥はりきること。気持ちがたかぶること。「やっつけてやるぞと、たいへんな—だ」⑦ようす。なりゆき。「時の—にまかせる」二《副》そのなりゆきの結果として。どうしても。「家事をする時間がなく、—、外食が多くなる」●**いきおいこ・む**【勢い込む】《自五》何かをしようとして、はりきる。●**いきおいづ・く**【勢い〈付く〉】《自五》勢いが強くなる。活気づく。

**いきおくれ**【行き遅れ】〔古風〕結婚(けっこん)する時期が〈おくれること/おくれた人〉。ゆきおくれ。動 行き遅れる《自下一》。

**いきがい**【生き(:甲斐)】—がひ 生きて行く上での、心のはりあい(を生むもの)。「仕事が—だ・—のある人生」

**いきがい**【域外】区域のそと。(↔域内)

**いきか・う**【行き交う】—かふ《自五》①〔同じ道を〕多くの人や乗り物が行ったり来たりする。②道ですれちがう。▽ゆきかう。名 行き交い

**いきかえり**【行き帰り】—かへり《名・自サ》行ったり帰ったりすること。行くときちゅうと帰るときちゅう。ゆきかえり。往復。「会社の—」

**いきかえ・る**【生き返る】—かへる《自五》一度死んだものや死にかけていたものが、よみがえる。「〔のどがかわいた状態で水を飲み〕ああ、生き返った」名 生き返り。

**いきがかり**【行き(掛かり)】やりかけた勢い(でやめられないこと)。ゆきがかり。「—上(じょう)引き受けた」

**いきがけ**【行き(掛け)】行くついで。いきしな。ゆきがけ。「—に寄る」●**いきがけのだちん**【行きがけの駄賃】〈行く/何かをする〉ついでに、ちょっとすること。「—に、花を折って行きやがった」

**いきかた**【生き方】①人間として生きて行く上での、やり方。②生活のしかた。

**いきかた**【行き方】①乗り物のえらび方など、そこへ行くための方法。②やり方。▽ゆきかた。

**いきがみさま**【生き神様】①人の形をしてこの世に姿をあらわした神様。②神のようだとあがめられている人や、徳の高い人を尊敬した言い方。

**いきが・る**【粋がる】《自五》①いきなところを見せる。〔むりをして〕りっぱに見せかける。②〔学〕つっぱる。〔むりをして〕強そうに見せる。「子どものくせに粋がってるんじゃないよ」

**いきかわ・る**【生き変わる】—かはる《自五》〔古風〕生まれ変わる。「生き変わり死に変わり、うらみ晴らさでおくべきか(=何度も生まれ変わって、きっとうらみを晴らさずにおくものか。幽霊(ゆうれい)のことば)」

**いきき**【行き来・△往き来】《名・自サ》①行ったり来たりすること。②つきあい。▽ゆきき。

**いきぎも**【生き肝】生きている動物〈の/から取った〉きも。「マムシの—」

**いきぎれ**【息切れ】《名・自サ》①〔呼吸がせわしくて〕続かないこと。あえぐこと。「—がする」②〔仕事などが〕長く続かないこと。

**いきぐされ**【生き腐れ】〔魚介(ぎょかい)類が〕生きがいいように見えて、くさっていること。いきぐさり。「サバの—」

**いきぐるし・い**【息苦しい】《形》①息をするのが苦しい。②重苦しいようす。きゅうくつな感じだ。派 —がる。—げ。—さ。

**いきごみ**【意気込み】はりきってやろうとする気持ち。元気。意気組み。「たいへんな—だ」動 意気込む《自五》。

**いきさき**【行き先】⇩ゆきさき。

☆☆**いきさつ**【(:経緯)】そうなるまでの、かくれた細かな事情。経過。けいい。「二人が和解するに至った—」由来「行き立つ(=成り立つ)」からで、「行(ゆ)く立て」と同じ語源。

**いきざま**【生き(様)】生きる態度。生き方。「男の—」〔戦前に例があり、一九六〇年代に広まったことば〕由来「死にざま」の連想から使われはじめた。なお、古典にも「書きざま(=書き方)」「作りざま(=作り方)」などの例が多く、特別な言い方ではない。

**いきじ**【意気地】自分の意志を、負けずに通そうとする気持ち。いじ。いくじ。「—を見せてやろう」

**イキシア**【ixia】切り花などにする球根の草花の一つ。五月ごろ、小さな花を二列につける。色はだいたい黄色。やりずいせん(槍水仙)。エキシャ。

**いきじごく**【生き地獄】この世で経験する、地獄のような苦しみ(を受ける所)。

**いきしに**【生き死に】生きるか死ぬか。生死。「人の—の問題だ」

**いきじびき**【生き字引】〔その方面のことは〕なんでもくわしく知っている人。「わが社の—」

**いきじめ**【△活き締め・生き締め】《料》生きたさかなに包丁を入れて血をぬくこと。長く新鮮(しんせん)に保つことができる。かつじめ。いきしめ。〔本来は「いけじめ」〕「—カンパチ」表記 俗に「△活×〆」とも。

**いきしょうちん**【意気消沈・意気×銷沈】《名・自サ》がっかりして、元気が出ないこと。しょげかえること。

**いきしょうにん**【生き証人】①その当時の経験を語れる人。②その当時の様子を残すもの。▽「歴史の—」

**いきす・ぎる**【行き過ぎる】《自上一》一【行き過ぎる】①通り過ぎる。②目的地より先へ行く。二【行き(過ぎる)】度をこえ(てす)る。▽一二ゆきすぎる。名 行き過ぎ。

**いきすじ**【粋筋】—すぢ 花柳(かりゅう)界に関する〈ことがら/方面〉。「—好みの新内(しんない)」

**いきせき-き・る**【息(△急き)切る】《自五》〔急いで走ったために〕息をはげしく、早くする。息せきを切る。息をせき切る。「息せき切ってかけつける」

**いきたい**【生き体】〔すもう〕もつれて両方が同時にたおれるとき、足のつま先が下を向いている状態。勝ちと判定される。(↔死に体)

い

**いき-た・える**［息絶える］《自下一》〔息をしなくなり〕死ぬ。息が絶える。

**いきだおれ**［行き倒れ］〔どこかへ向かう途中で、空腹・寒さ・病気などのために〕道ばたで〈たおれる／たおれて死ぬ〉こと。また、その人。ゆきだおれ。動行き倒れる《自下一》。

**いきたかせき**［生きた化石］①古い化石の中に見つかり、現在もすがたをほとんど変えていない生き物。例、シーラカンス・メタセコイア。②〔俗〕時代おくれの人。▽生きている化石。

**いぎたな・い**《形》一［▵寝汚い］①〔古風〕ねむりこんで、なかなか目をさまさないようすだ。②〔横になっている姿勢が〕だらしがない。「いぎたなくねそべる」二下品だ。見苦しい。「いぎたなく食べる」由来「い」は「ねむること」の古語で、ねむりこむようすが見苦しい、の意味。「い」の意味がうすれて、一②・二の意味があらわれた。表記一②・二は「：居＝汚い」とも。派-さ。

**いきち**［生き血］生きている動物〈の／から取った〉血。「―を吸う・スッポンの―を飲む」

**いきち**［×閾値］⇩しきいち（閾値）。

**いきちがい**［行き違い］①道などですれちがうこと。「列車の―」②おたがいが相手のほうに行ったため、会えずに終わること。「友だちと―になる」③一方が連絡を送り、まだ着かないうちに、もう一方が連絡を送ること。「本メールと―でご返送いただいていましたらご容赦ください」▽②③入れ違い。④おたがいに誤解して〈ものごと／関係〉がうまくいかなくなること。「感情的な―が生じる」▽ゆきちがい。動行き違う《自五》。

**いきづかい**［息遣い］①息をするようす。「―があらい」②まるですぐそばにいるかのような生き生きとした感じ。「作者の―が聞こえてくるような小説」

**いきつぎ**［息継ぎ］《名・自サ》①歌・吹奏・水泳などのとちゅうで、息を吸いこむこと。②息休め。

**いきつ・く**［行き着く］《自五》最後のところまで、行く。到着する。ゆきつく。

**いきづ・く**［息〈▵衝く〉］《自五》息をする。「ひっそりと―〔＝生きる。暮らす〕・伝統がゆたかに―〔＝生き生きと存在する〕」名息づき。

**いきづくり**［▵活き作り・生き作り］生きているさかなをさしみに作り、もとの姿のままにもりつける料理。〔本来は「いけづくり」〕

**いきつけ**［行きつけ］いつも決まって行くこと。ゆきつけ。「―のバー」動行きつける《自下一》。

**いきづま・る**［行き詰まる］《自五》①道がなくて、先へ行けなくなる。②〔することがうまくゆかず〕先へ進めることができなくなる。「仕事が―」▽ゆきづまる。名行き詰まり。

**いきづま・る**［息詰まる］《自五》緊張して、息ができなくなる〈ような気持ちになる〉。「―シーン」

**いきづら・い**［生き〈▵辛い〉］《形》①めんどうなことが多くて、社会生活がしにくい。生きにくい。「―世の中」②対人関係がストレスのもとになり、生きるのが苦しい。「―若者」派-さ。

**いきとうごう**［意気投合］《名・自サ》おたがいに気持ちがぴったり合うこと。

**いきどおり**［憤り］いきどおること。いかり。「―を発する・―を覚える」

☆☆**いきどお・る**［憤る］《自他五》憤慨する。「時世を―」

**いきどおろし・い**［憤ろしい］《形》〔文〕腹が立ってたまらない気持ちだ。派-げ。-さ。

**いきとし-いける**［生きとし生ける］《連体》生きているすべての。「―もの」

**いきとど・く**［行き届く］《自五》〔心づかいや注意が〕細かいところまでとどく。ゆきとどく。「目が―・これは行き届きませんで」

**いきどまり**［行き止まり］その先は行けない〈こと／場所〉。ゆきどまり。

**いきない**［域内］区域の中。（↔域外）

**いきながら・える**［生き長らえる・生き永らえる］《自下一》〔困難をこえて〕長く〈生きる／続く〉。「この世にしぶとく―・民主主義は―か」

***いきなり**《副・名》①何の準備もなく、そうするようす。「―本番にのぞむ・―の運動」②何の前ぶれもなく、おどろくようなこと〈をする／が起こる〉ようす。突然。「ドアを―しめる・―なぐりかかってきた・晴れだったのに―くもった・―ですが、ここで問題です」▽いきなし〔俗〕。由来「行き成り〔＝なりゆきのまま〕」から。③〔宮城・福島方言〕非常に。「―おいしい」

**いきぬき**［息抜き］《名・自サ》休息して、緊張をほぐし、また、つかれをとること。

**いきぬ・く**［生き抜く］《他五》くじけずに生き続ける。「乱世を―」

**いきのこ・る**［生き残る］《自五》①〔戦争や事故などで〕死なずに、この世に残る。「生き残った乗客」②消えずに残る。「―企業」名生き残り。「―をかけた競争」可能生き残れる。

**いきの-ね**［息の根］〔＝呼吸のもと〕いのち。●**息の根を止める**句〔＝首をしめて息ができないようにする〕①殺す。②活動できなくする。追いつめる。

**いきの・びる**［生き延びる］《自上一》死ぬはずだった、または死ぬかもしれなかった状況を乗り越えて、生きつづける。

**いきば**［行き場］行くべき場所。いきばしょ。ゆきば（しょ）。「―を失う・どこにも―がない」☞持って行き場。

**いきはじ**［生き恥］生きて受ける恥。「―をさらす」（↔死に恥）

**いぎぶか・い**［意義深い］《形》ねうちが大きい。意味深い。「―行事」派-さ。

**いきぼとけ**［生き仏］①生きている仏。②徳の非常に高い〈僧／人〉。③なさけ深い心を持った人。④〔俗〕生きている人。

**いきま・く**［息巻く］《自五》①あらい息づかいで激しくおこる。「絶対に許さないと―」②〔決意などを〕興奮して言う。「必ずやりとげると―」

**いきみ**［生き身］〔古風〕生きている、からだ。

**いき・む**［息む］《自五》吸いこんだ息をとめて、腹に力を入れる。名息み。

**いきもの**［生き物］①命を持っているもの。特に、動物。「―をいじめるな」②「生き物①」のように動くもの。「ことばは―といわれる」

**いきやすめ**［息休め］《名・自サ》仕事などのあいまに、ちょっと休むこと。息つぎ。

**い-きょ**［依拠］《名・自サ》根拠として、それによること。もとづくこと。「新しい理論に―する」

**いきょう**【異教】①〔文〕自分たちが信じる宗教とはちがう宗教。②〔宗〕キリスト教以外の宗教。●**いきょうと**【異教徒】異教を信じる者。

←**いきょう**【異郷】故郷からはなれた別の土地。「―に病む」

→**いきょう**【異境】〔文〕①外国。「―の鬼となる（=外国で死ぬ）」②ふつうでない土地。

**いぎょう**【医業】〔文〕医者という職業。

**いぎょう**【異形】ふつうとちがった、あやしいかたちや姿（であること）。「―の者」派―さ。☞いけい（異型）。

←**いぎょう**【偉業】大きくて、りっぱな事業。「―をなしとげる」

→**いぎょう**【遺業】死後に残された事業。「―を継承する」

→**いきようよう**【意気揚々】《タル》気合いがみなぎって、ほこらしげなようす。「―と引きあげる」

**いきょく**【医局】①〔医学部・大学病院で〕診療科ごとの、教授を頂点とした多くの医師の集合体。「―制度」②大きな病院などで医師が待機しているところ。〔薬局などに対して言う〕

**いきょく**【委曲】〔文〕くわしくて、もれたところのないこと。「―をつくす」

**いきょくどうこう**【異曲同工】〔文〕⇩同工異曲。

*__イギリス__〔ポ Inglez〕イギリス連邦の中心になる国。グレートブリテンおよび北アイルランド連合王国。ヨーロッパ大陸の西方、大西洋にある島国。首都、ロンドン（London・倫敦）。英国。英。表記「：英吉利」は、古い音訳字。

**いきりた・つ**【（△熱り）立つ】《自五》興奮して激しく怒る。「いきり立った群衆」

**いきりょう**【生き霊】たたるといわれる、生きている人のたましい。「―が乗り移る」（↔死霊）

**いき・る**【イキる】《自五》〔俗〕調子に乗ってかっこつける。「イキったにいちゃん」〔もと関西方言。二〇一〇年代に広まったことば〕名人イキり。

**__い・きる__【生きる・△活きる】一《自上一》①息をして、この世にある。生存する。「―か死ぬかの境目だ」（↔死ぬ）②この世で暮らす。（いきがいを見いだして）生活する。「ペン一本で―」③いきいきする。「文章が生きている」④〔幸運にも〕死なないですむ。死んだものがまたよみがえる。「〔碁〕石が―」⑤〔野球〕アウトにならないですむ。⑥そのものとしてのはたらきを持つ。役に立つ。「苦心が―」⑦いちだんとよくなる。引き立つ。「塩加減で味が―」⑧（生きている）ⓐ生存している。ⓑ電気が流れている。ⓒくぎなどが有効にはたらいている。▽③〜⑧（↔死ぬ）二《他上一》〔その状況の中で〕時を送る。生きぬく。「今を―・〔役者が〕役を―」可能生きられる。生きれる〔俗〕。☞生きた化石・生くべきか・生ける（連体）。

**いきれ**【（△熱れ）】むし暑い〈こと〈空気〉。「人（の）―・草―」動いきれる《自下一》。

**いきわかれ**【生き別れ】《名・自サ》生きたまま別れること。生別。「親と―になった」（↔死に別れ）動生き別れる《自下一》。

**いきわた・る**【行き渡る】《自五》⇩ゆきわたる。

**いく**【遺句】〔文〕発表されないまま死後に残された俳句。「―集」

←**__い・く__〔「ゆく」の くだけた言い方。会話や文章で最もふつうに使う。音便の形は「いった」「いって」〕一【行く・△往く】《自五》①〈そこ・あそこ〉と感じられる場所に、動いて〈近づく〈移る〉。「あっちへ行け・名古屋に―・仕事に―（=出かける）・ごはんを食べに―〔俗に『食べ―』〕」尊敬いらっしゃる。おいでになる。お越しになる。お行きになる。謙譲伺う。お伺いする。参る（「参ります」の形で使う）。②〈ここ〉と感じられる場所から、動いてはなれる。「電車が行ってしまった・台風は行った」③別の所に、所属を変える。「A球団に―・嫁に―」▽（↔来る）④通う。「大学に行っている学生」⑤段階を進む。「いつまでも なやまず、次に行こう」⑥ものごとを進める。「〈元気に〈その調子で〉行け・〈野球〉締まって行こう」▽ゆく。二【行く】《自五》①数が、そこまで届く。「視聴率は二〇パーセントは―だろう・だいぶ年がいっている」②事がはこぶ。そのようにできる。「うまくいった・そうは―ものか・承知するわけにはいかない」③そのために積極的になる。「勝ちに―・〔クイズで〕当てに―」④満足した状態になる。「なっとくが―」▽ゆく。⑤生じる。できる。「損が―・バイクに傷が―」⑥ひどいことになる。「つぼがぱかっと―（=割れる）・腰がぎっくり―」☞いってる。⑦〔性交時の〕快感が絶頂に達する。⑧〔板前のことば〕〔食材が〕くさる。三【行く】《自他五》①ある方向に動いて、場所を変える。「少し―と交番があった・道を―人」②通り過ぎる。「雲が空を―・鳥が渡って―」③思い切ってする。実行する。「物まね、行きます！・ギョーザをもう一皿―（=食べる）」四《補動五》（て―）①続ける。「生きて―・見守って―」②ある方向に、進む。「ふえて―」▽ゆく。可能行ける。行かれる〔古風〕。

→**い・く**【逝く】《自五》⇩ゆ（逝）く。「眠るがごとく逝った」

*__いく__【幾】接頭〔「何」三」よりも かたいことば〕①決まっていない数をあらわす。どれだけの。「―人に来ましたか・―日・―月・―年〔雅〕・―百・―回・十―人」②〔多く―…も〕はっきりしないが、数が多いということをあらわす。「―日もかかった・―山川の遠いかなた・―千代かけてご繁栄あらんことを」③どの。「きょうは―んち（=幾日）だっけ・今は―時ですか」☞幾久しく。

**いく**【育】造 …〈を使った〈に関する〉教育。「音―・木―（=木に関する）―」

**イグアナ**〔ス iguana〕中南米の熱帯地域にいる大形のトカゲ。木の上にすみ、草食。

**いぐい**【居食い】《名・自サ》何もしないで手持ちの財産で暮らすこと。座食。

**いくえ**【幾重】一多くの かさなり。●**いくえにも**【幾重にも】《副》何度もくり返して。「―おわびいたします」

**いくえい**【育英】すぐれた才能の学生・青年を教育すること。「―資金」

**いくきゅう**【育休】《法》↑育児休業。

**いくさ**【戦・△軍】〔古風〕戦争。「―で手がらを立てる・―に負けた国」

**いぐさ**【〔×藺〕草】田に栽培する草の名。くきは細長く、ござや畳表などを作る。い（藺）。

**いくさき**【行く先】ゆくさき。いきさき。

**いくじ**［意気地］〔↑いきじ〕〈おそれ/あきらめ〉ないで、積極的にやろうとする気持ち。「—のない子」表記「意久地」とも書いた。●**いくじな・い**［意気地ない］《形》勇気がなくて、おそれたり、すぐにあきらめたりするようすだ。「—ことを言うな」派-さ。●**いくじなし**［意気地（無し）］いくじがない〈こと/人〉。

**いくじ**［育児］《名・自サ》子どもをそだてること。●☆☆**いくじきゅうぎょう**［育児休業］《法》育児のため、子どもが一歳〔延長が認められれば最長で二歳〕に達するまで、親である男女労働者に権利として認められている休業。育児休暇。育休。●**いくじほうき**［育児放棄］⇩ネグレクト②。

**いくしゅ**［育種］《名・他サ》《生》動植物の改良種をつくりあげること。

**いくせい**［育成］《名・他サ》りっぱにそだてあげること。「事業を—する」

☆☆**いくた**［幾多］《副》たくさん。多数。「—の試練」

**いくたび**［幾度］〔文〕⇩いくど。

**いくたり**［幾（△人）］〔文/古風〕何人。いくにん。「—かの友・お子さんはお—？」

＊**いくつ**［（幾つ）］ものの数・人の年などをたずねることば。「年は—ですか？」●**いくつも**［（幾つも）］《副》①数が少なくないことをあらわすことば。「—あります」②〔後ろに否定が来る〕少ししか。あまり。「あと—ない」

**いくど**［幾度］〈どれほどの/少なくない〉回数。いくたび。何度。「—もふりかえる」

☆☆**いくどうおん**［異口同音］〔多くの人が〕口をそろえて同じことを言うこと。「—に語る」

**イグニッションキー**〔ignition key〕自動車のエンジンをかけるかぎ。イグニションキー。

☆☆**いくばく**［（幾△許）・（:幾何）］《名・副》①どれぐらい。どれほど。「余命—もない〔=わずかしかない〕・—もなく〔=ほどなく〕」②［—か］少し。「—かの資金」

**いくび**［（×猪首）］イノシシのように、短くて太い首（の人）。

**いくひさしく**［幾久しく］《副》行く末ながく。いつまでも。「〔結婚の席で〕—（と）お祝い申しあげます・〔結納の席で〕—お納め願います」

**いくびょう**［育苗］《名・自サ》《農》作物のなえをそだてること。

**いくぶん**［幾分］一 一部分。「財産の—かを分ける」二《副》少し。やや。「—寒さがゆるむ」

**いくべきか**［生くべきか］連〔文〕生きるべきか。生きたらよいか。「いかに—」

**いくメン**［イクメン］〔=育メン。「イケメン」のもじり〕育児を積極的におこなう父親。〔二〇一〇年に広まったことば〕

**いくもう**［育毛］《名・他サ》〔かみの毛など〕毛を発育させること。「—剤」

＊**いくら**［（幾ら）］一①値段がわからないときにたずねることば。「これ—ですか？・勝って—の世界」②いくつあるかわからないものをさすことば。どれほど。「—あっても足りない・かねは—でも出す」③ある範囲の数を大まかにさすことば。「一万—のお金」二《副》どのように。どんなに。「—勉強してもかなわない」●**いくらか**［（幾らか）］《副》量や程度がわずかなことをあらわすことば。少し。多少。「〔雨が〕—降っている」●**いくらなんでも**［（幾ら何でも）］《副》どんなに特別なわけがあるにしても。さすがに。なんぼなんでも。「返事もよこさないのは、—ひどい・英語で話すのは、—〔=いくら苦手でも〕はじめてではない」●**いくらも**［（幾らも）］《副》①〔後ろに否定が来る〕あまり。たいして。「—残っていない」②どのくらいでも。たくさん。「かねならまだ—ある」

**イクラ**〔ロ ikra=魚の卵〕サケやマスの赤い小さなたまごを、ひとつぶずつばらばらにして塩づけやしょうゆづけにしたもの。「—の軍艦巻き・—丼」☞すじこ（筋子）。表記 食品のパッケージなどでは「いくら」とも。

**いくん**［遺訓］《名・自サ》〔文〕死後に〈残した教え/残る者のために教えさとすこと〉。

**いけ**［池］①〔土をほって〕陸地の中に水が満たされた、広い所。また、それに似せて庭に造ったもの。区別「池」は人工のもの〔自然の地形を利用したものもある〕。「沼」「湖」は天然で、「沼」は「湖」より小さく、わりあい浅く、水中植物がしげったもの。②〔すずりの〕水を入れる所。海。

**いけ** 接頭〔ののしって〕にくらしいほど。「—好かない・—しゃあしゃあと・—ずうずうしい・—ぞんざいな」

**いけ**［△活・生け］造 ⇩いき（活）。「—ダイ（鯛）」

**いけい**［医系］〔文〕〈医科/医学〉の系統。

**いけい**［異型・異形］ふつうとちがう形。正常ではない形。「—細胞」☞いぎょう（異形）。

**いけい**［畏敬］《名・他サ》おそれうやまうこと。「—の念をいだく」

**いけいけ**《名・ナダ》一［（行け行け）］①むやみに威勢よく進むようす。「—どんどんの勢い・—ムード」②〔関西方言〕行き来が自由なようす。「二つの部屋の間を—にする」二［イケイケ］〔俗〕①ファッションや遊びかたが、はでなようす。「—ねえちゃん」〔一九九〇年代からの用法〕②勢いがあって、かっこいいようす。「超—な車」〔二十一世紀になってからの用法〕

**いけいれん**［胃（×痙×攣）］《医》とつぜん起こる、胃のあたりのはげしい痛み。さしこみ。しゃく（癪）。

**いけうお**［△活魚・生け魚］⇩いきうお。

**いけがき**［生け垣］植木で作ったかきね。

**いけこ・む**［（△埋け）込む］《他五》①物を土の中に入れこむ。「庭にいけ込んだ水がめ」②炭火を火鉢の灰の中に入れる。

**いけじめ**［△活け締め・生け締め］《料》⇩いきじめ。「—のタイ」表記 俗に「△活×〆」とも。

**いけす**［（生け×簀）］水の中に、竹・ヨシなどで囲って、さかなを生かしておく所。箱形のものもある。

**いけず**《名・ナダ》〔関西方言〕いじわる（な人）。「あの人—やわ」派-さ。

**いけすか・ない**［いけ好かない］《形ヌズ》不愉快で、好きになれない感じだ。「—客・—デザイン」

**いげた**［井桁］①木で、「井」の字形に組んだ井戸のわく。②「井」の字の形。「—模様」③⇩番号記号。

**いけづくり**［△活け作り・生け作り］⇩いきづくり。

**いけ・てる**［イケてる］《自下一》〔↑「行く」の可能形「行ける」＋「ている」〕〔俗〕洗練されている。流行に合っている。「—男」〔一九九〇年代後半から流行したことば〕

**いけどり**［生け捕り］生きたまま つかまえ〈ること/られた人や動物〉。動 生け捕る《他五》。

**いけ・ない** 一《形ヌズ》〔「いけぬ」は古風。「いけん」は方言的〕①することが許されていない。「さわっては―」②望みがない状態だ。「〔病人は〕もう―〔死にそうなときに言う。死んだときは『とうとういけなかった』〕」③よくない。悪い。「―子・腹をこわすと―」▽だめ(だ)。いかん。【丁寧】いけません。☞ないといけない。【二】《感》〔話〕しまった。いかん。「―、忘れてた」〔おもに女性が演劇的に使う。男性は「いけね(え)」とも〕

いけにえ【(生け×贄)】①生きたまま神にそなえる動物。②ほかの ものごとのための犠牲。

いけばな【生け花・△活け花】流儀にしたがって草木の枝・花・葉をととのえ、花器にさす〈こと／技術〉。華道。生花。

いけボ【イケボ】〔↑イケてるボイス〕〔俗〕かっこいい声。イケメンが発しそうな声。「―で人気の声優」

いけぽちゃ【池ポチャ】《名・自サ》《ゴルフ》〔俗〕打ったボールが池に はいること。

いけメン【イケメン】外見の かっこいい男。いい男。〔一九九〇年代末に例があり、二〇〇〇年以降に広まったことば〕【由来】「イケてる〔=かっこいい〕」とmenまたは「面」から。

**い・ける《自下一》〔「行ける」から〕①やりつづけられる。「今の体制で―」②うまくできる。「英語が―」③〔酒を〕かなり飲むことができる。「―ほうだ」④おいしい。うまい。「うん、これは―」【表記】俗に「イケる」とも。

←い・ける【生ける・△活ける】《他下一》①〔花を〕花器にさす。【自】生かる《五》。②〔文〕生かす。「生けてはおけぬ」

→いける【生ける】《連体》〔文〕生きている。生きた。「―あかし〔=証拠〕」 ●いけるが ごとき【生けるが(△如き)】《連体》〔文〕まるで生きているような。「―死に顔」 ●いける しかばね【生ける(×屍)】〔文〕生きがいも なく、ただ生きているだけの人。〔人間性を否定する悪口になることがある〕

い・ける【(△埋ける)】《他下一》〔古風〕①炭火を〔灰の中に〕うめる。②地面にうめ(て立て)る。「土管を―」【自】いかる《五》。

いけん【威権】〔文〕相手を強制的に従わせる力。威力と権力。「―をふるう」

←いけん【異見】ほかの人とちがった意見や考え方。

→**いけん【意見】【一】ある問題について持っている考え。「だれか―はありませんか・―を持つ・―を言う・―の相違」【二】《名・自他サ》〔自分の考えを言って〕人に注意すること。「子どもに―する・天下のご―番」 ●いけん こうこく【意見広告】団体または個人が意見をのべるために出す広告。

いけん【違憲】憲法に そむくこと。(↔合憲)

いけん【遺賢】〔文〕政府に用いられないで民間にのこされた〈有能の人／学者〉。「野ゃに―なし〔⇩「野」の【句】〕」

いげん【威厳】人に尊敬とおそれの気持ちを起こさせるような、りっぱで重みのあるようす。「―を示す」

いげんびょう【医原病】《医》医師の診断・治療・不注意なことばなどが原因になって引き起こされる病気。医原症。

いご【以後】【一】①その後。「―の人生・駅に到着してからー」②今後。「―(は)気をつけてもらいたい」【二】【造】その時からあと(の期間)。〔法律では、その時を必ずふくむ〕「四月一日―・明治―〔=明治になってからあと〕」【✓】(1)「選挙―・ニーチェ―」など、ものごとや人も基準にする。その基準をふくむかどうかは文脈しだい。(2)その時をふくむかどうか明確にするには、「一日および それより後」「一日よりも(もっと)後」のように言うとい い。【区別】「以後」は、そこから始まる時を、「以前」との対比でとらえる。「以降」は、そこからずっと続く時を指す。日程の相談でよく使うことば。「以来」は、そこから今まで続く時を指す。▽【一】【二】(↔以前)

いご【囲碁】⇩ご(碁)。

いこい【憩い】いこうこと。休息。「―の場所」

*いこう【以降】【二】〈その後／今後〉ずっとの間。「―(は)連絡がない・熱が下がって―、経過は順調だ」【二】【造】〔その時をふくみ〕…からあとずっと。「明治―〔=明治になってから現在まで〕」【区別】⇩以後【二】。

いこう【衣△桁】和服をかけておく、横木を柱で支えた家具。えもんかけ。

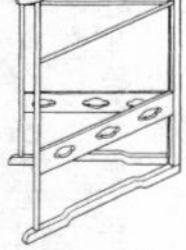
［いこう］

いこう【威光】人をしたがわせる立場にある者が持つ力や勢い。「親の―をかさ(笠)に着る〔⇩「笠」の【句】〕」

いこう【偉効】〔文〕すぐれた効果。

いこう【意向】(どうするかについての)考えと気持ち。つもり。「廃止する―だ」

いこう【遺構】①昔の建物の、残った一部。基礎になる壇や、柱を立てた穴など。②戦災・災害などの後にかろうじて残り、保存される建物(の一部)など。「被爆―・震災―」

いこう【遺稿】①発表されないまま死後に残された原稿。②死後に発表された原稿。「―集」

いこう【移行】《名・自他サ》新しい状態・制度へ〈移る／移す〉こと。「新制度へ―する・データを―する・―期間」 ●いこう そち【移行措置】新しい制度・課程をつくるとき、一定の時間をかけて、支障がないように新旧の切りかえをすること。「―期間」

いこ・う【憩う】《自五》心身をくつろがせてやすむ。休息する。

イコール〔equal〕【一】①《数》ひとしいことをあらわす符号。「＝」。等号。〔「≒」(ニアリーイコール)は、ほぼ ひとしいことをあらわす〕②置きかえても、変わらないこと。「AとBは―だ・AはBと―だ」③対等。均等。「―パートナー」【二】《接》すなわち。とりもなおさず。「働く―収入を得ることだ」

いこく【異国】自分の国とは風俗・習慣などのちがう国。外国。「―情緒・―の地」

いごこち【居心地】〈すわって／住んで〉いるときの気持ち。「―がいい」

いこじ【(意固地)・(依×怙地)】《名・ナダ》〔↑えこじ〕かたいじ。がんこ。「―になる・―な男」【派】-さ。

いこつ【遺骨】亡くなった人の骨。特に、〔火葬のあと〕まだ墓に入れていない骨。「戦没者の―」

いごっそう〔高知方言〕がんこで気骨があること。「土佐の―」

いこ・む【鋳込む】《他五》金属をとかして鋳型に流し込む。【名】鋳込み。

いこん【遺恨】いつまでも〈のこる／忘れられない〉うらみ。

い

**イコン**〔ド Ikon〕①《美術》〔正教会の〕礼拝の対象とする、キリスト・聖母などをかいた板絵。聖画像。②絵文字など、具体的な記号。

**いごん**［遺言］《法》⇩ゆいごん。〔署名して印をおすなど、一定の形式の「遺言証書」を作ることが必要〕

**いざ** ㊀《感》〔文〕人をさそうときのことば。さあ。「〔立ちあいで〕―参れ・帰りなん―〔⇩「帰る」の句〕」 ㊁《副》さて改まって。いよいよ。「―やる段になると・―というとき・―〔＝思いきって〕行ってみると」 ☞いざしらず。 ●**いざ鎌倉** 句〔一大事が起こって鎌倉幕府にかけつけたことから〕さあたいへん。「―というときには」

☆☆**いさい**［委細］こまごましたこと。「―承知しました・―かまわず・―面談」

**いさい**［異才］〔文〕ほかの人とちがった、すぐれた才能〈を持つ人〉。「商業界の―」

**いさい**［異彩］きわだった〈色／趣〉。 ●**異彩を放つ** 句 きわだつ。

**いざい**［偉材］〔文〕すぐれた人物。「政界の―」

**いざいそく**［居催促］ヰ《名・自サ》〔古風〕そばにすわって催促すること。

**いさお**［（△勲）・（△功）］ヲ〔文〕名誉なこととして多くの人に認められる、仕事の結果。てがら。いさおし。

**いさかい**［（×諍い）］《名・自サ》ことばで言い争うこと。あらそい。けんか。「―が絶えない」 動 いさかう《自五》。

**いざかや**［居酒屋］ヰ 酒と料理を出す、大衆的な飲み屋。

**いさき** あたたかい海にすむ さかな。背びれがするどい。夏の魚で、肉は白身。いさぎ。

**いさぎよ・い**［潔い］《形》①けがれがなくて りっぱだ。「潔く降参する・―最期」 ②思い切りがいい。「―辞任」 由来「いさ＋清い」から。俗に「いさぎ＋よい」と考え、「いさぎが よい」「いさぎ(が)いい」、反対語として「いさぎ(が)わるい」とも。 派 -さ。

**いさぎよしと・しない**［潔しとしない］《形セズ》〔文〕〈公正／それでいいもの〉と思わない。潔しとはしない。「職にとどまることを―」〔「潔しとする」の否定形から。肯定形は まれで、「潔しとするものではない」などと結局は否定する〕

**いさく**［遺作］丁寧 潔しとしません。①発表されないまま死後に残された作品。②生前最後の作品。③死後に発表された作品。

**いさご**［（△砂）］〔雅〕すな。まさご。「浜の―」

**いざこざ** 小さな争い。もめごと。「―が絶えない」

**いささか**《副》〔分量・度合いが〕少し。「―気が引ける・―も古びていない」 表記 かたく「×些か」「×聊か」とも。 ●**いささかならず**《副》〔文〕ひどく。「―おどろいた」

**いざしらず**［いざ知らず］《副》〔…〈なら／は〉―〕…はどうだかわからないが。「昔なら―、今は そんな考えは通用しない」 由来 古くは「いさ知らず」。「いさ」は「さあ、どうだか」と自信なく言うことば。

☆☆**いざな・う**［（△誘う）］《他五》〔文〕さそう。すすめる。「旅に―」 名 いざない。

**いさまし・い**［勇ましい］《形》①勢いが さかんで、敵をおそれない。②人の心をふるい立たせるようだ。「―物語」 派 -がる。-げ。-さ。

**いさみ**［勇み］〔古風〕①勇むこと。②↑いさみはだ。「―の兄い」 ●**いさみあし**［勇み足］①《すもう》攻めこんだとき、足を土俵の外に出すこと。〔出ると負けになる〕 ②調子に乗りすぎて、失敗すること。 ●**いさみた・つ**［勇み立つ］《自五》やろうとする勇気が出て元気になる。「勇み立って答えた」 ●**いさみはだ**［勇み肌］強い者には一歩もひかず、弱い者には手をさしのべる気風(をもつ人)。きおいはだ。

**いさ・む**［勇む］《自五》①〔大事なことを前に〕気持ちをふるい立たせる。「勇んで戦いに おもむく・武士が勇みに―」 ②期待する。喜びいさむ。「店の評判を聞いて、勇んで出かける」 ▽はりきる。

☆☆**いさ・める**［（×諫める）］《他下一》〔おもに目上の人に〕相手の悪い点を知らせて、改めるように注意する。忠告する。「酒ぐせの悪さを―」 名 いさめ。

**いざよい**［（∴十六夜）］〔雅〕旧暦十六日の夜(の月)。 由来 月が いざよって〔＝ためらって〕なかなか出てこないから。古く、十五夜(の満月)は「望」、十七夜(の月)は「立ち待ち〔立って待つうちに出るから〕」、十八夜(の月)は「居待ち〔すわって待つから〕」、十九夜(の月)は「寝待ち・臥し待ち」と言った。

**いざよ・う**《自五》〔↑いさよう〕〔雅〕ためらう。たゆたう。「―波」 名 いざよい。

**いざり**［（×躄）］〔古風・俗〕足の立たない人。〔差別的なことば〕

**いさりび**［（△漁り）火］〔雅〕夜、漁船が沖でさかな・イカなどを集めるために たく火。

**いざ・る**［（×躄る）］《自他五》〔古風〕ひざがしらを使って移動する。「たたみを―・いざり寄る」

**いさん**［胃散］胃病に使う こなぐすり。

**いさん**［胃酸］《生》胃液の中にふくまれる酸性の消化液。おもに塩酸。「―過多(症)」

**いさん**［遺産］①死後に残された財産。「―相続」 ②過去の人々が残したもの。「負の―」

***いし**［石］①地面の上に転がっていたり、土や岩に埋まっていたりする、(まるくて)かたいもの。石ころ。 区別 ⇩岩。 ②切り出して使われる岩石。石材。「大谷―・お墓に使う―・―おの」 ③↑碁石。 ④宝石。 ⑤〔ライターの〕火花を出して発火させる合金。 ⑥結石。「―が動く」 ⑦⇩ぐー①。 ●**石が流れて木の葉が沈む** 句 本来のあるべき姿と反対であることのたとえ。 ●☆☆**石にかじりついても** 句 どんなに苦しいことがあっても。石にしがみついても。 ●**石に立つ矢** 句 心をこめてやれば、どんなことでもできるというたとえ。 由来 トラと まちがえて大きな石を矢で射たところ、矢羽根まで石にささったという中国の故事から。 ●**石に枕し流れに漱ぐ** 句 石を枕に寝て、川の流れで口をすすぐ。自然の中で気ままに暮らすたとえ。枕石漱流〔これを「石に漱ぎ流れに枕す《＝漱石枕流》」と言い誤った人が、みごとに ごまかしたという中国の故事から、「流石」の当て字や、夏目漱石の筆名が生まれた〕 ●**石の上にも三年** 句〔石の上でも三年すわり続ければあたたまるように〕しんぼうすれば、必ず成功する。 ●**石もて追われる** 句〔石を投げつけられるような〕ひどいしうちで追い出される。「故郷を―」〔「(人を)石もて追う」の形でも使う〕

***いし**［医師］病気を診察したり、治療したりする

（資格のある）人。医者。

↔いし［意志］①進んでしようとする気持ち。「本人の自由―でやる」②物事をやりぬこうとする、しっかりした心のはたらき。「―薄弱(はくじゃく)」

↔*いし［意思］［しようと思っている］気持ち・考え。つもり。「―(の)疎通(そつう)を欠く」☞意思表示。

↔いし［遺志］死んだ人の、生きていたときの意志。「故人の―により」

いし［×縊死］《名・自サ》〔文〕首をくくって死ぬこと。

いし［×頤使］《名・他サ》〔頤＝あご〕〔文〕あごで使うこと。「―に甘(あま)んずる(＝こきつかわれる)」

いじ［医事］〔文〕医学に関することがら。「―評論」

いじ［異字］別の字。(↔同字)

いじ［意地］①思ったことをやり通そうとする気持ち。意気地(いくじ)。「―を通す・―でも(＝どんなことがあっても)・―にも(＝意地でも)」②食べ物やお金についての欲。「食い―・―がきたない」③人の性質。●意地が悪い句 相手を困らせようとする〈性質／やり方〉だ。意地悪だ。意地悪い。「―上司・―質問」●意地を張る句 どこまでも自分の考えを通そうとする。

いじ［遺児］親が死んで、あとにのこされた子。忘れがたみ。遺子(いし)。「交通―」

*いじ［維持］《名・他サ》たもち続けること。「現状―」

いしあたま［石頭］①石のようにかたい頭。②教えてもなかなか わからない頭。③ゆうずうのきかない頭。「―の当局」

いじいじ(いぢいぢ)《副・自サ》いじけたようす。「―した子」

いしうす［石臼］石で作ったうす。☞ひきうす。

イジェクト《名・他サ》〔eject〕ディスクなどを機器から取り出すこと。「―ボタン」

いしがき［石垣］①がけの表面に沿って石を高く積み上げ、かべのようにしたもの。「城の―」②石を低く積んで、かきねの代わりにしたもの。

いしがま［石窯］石やれんがなどで作った、パンやピザを焼くためのオーブンの一種。

いしかりなべ［石狩鍋］北海道の郷土料理。サケや野菜を入れた、みそ味のなべ料理。☞三平汁(さんぺいじる)。

いしき［居敷］(ゐ―)尻(しり)。「―当て」

**いしき［意識］□①めざめているときの心の状態や作用。「―にのぼる・―がある」②考えたり判断したりする心。「政治―」□《名・他サ》心の中で、それをはっきり考えること。「優勝を―する」●意識が高い句 あることがらに関心を持ち、よく理解している。「環境(かんきょう)保護への―」［俗に、いやみをこめて使うこともある］●いしきてき［意識的］《ナダ》意識してするようす。わざと。●いしきふめい［意識不明］《名・ダ》意識がない状態。「―の重体」

いじきたない［意地汚い］《形》〈飲食をむさぼる／物欲がひどい〉感じだ。「かねに―」派―げ・―さ。

いしきり［石切り］①鉱山などから石材を切り出すこと。採石。「―場(ば)」②石に細工をする〈こと／職人〉。石工(いしく)。③⇩水切り④。

いしく［石工］石を切り出したり、細工をしたりする職人。石切り。石屋。せっこう。

いしぐみ［石組み］〔日本風の庭で〕おもむきを出すため、石を組み合わせてならべる〈こと／配置のぐあい〉。いわぐみ。

いじくる(いぢくる)［△弄くる］《他五》〔話〕いじる。「庭を―・にきびを―」

いしくれ［石（△塊）］〔文〕石ころ。小石。

いじける(いぢける)《自下一》①のびのびした感じがしない状態になる。「いじけた字」②〔おそれや寒さなどによって〕ちぢこまった状態になる。③ひねくれる。臆病(おくびょう)になる。「いじけた性格・しかりすぎて子どもが―」名いじけ。

いじげん［異次元］①〔SFで〕われわれが生活しているこの現実の三次元の世界とはまったく別に存在する世界。②常識による理解をこえるもの。想像を絶するもの。「―の発想」

いしころ［石（△塊）］①まるくなった小石。②価値のないもの。「―同然にあつかわれる」

☆☆いしずえ［礎］(いしずゑ)①建物の土台石。②ものを支える土台。「国の―」

いじずく［意地（△尽く）］(―づく)〔古風〕どこまでも意地をおし通すこと。

いしずり［石（×摺り）］⇩たくほん(拓本)。

いしだい［（石×鯛）］(―だひ)いそ(磯)にすむ、中形のさかな。背から腹の方向に、七本の黒いしま(縞)がある。食用。

いしだたみ［石畳］①道・庭に四角や長四角の平たい石を敷きつめた所。「―の道」②市松(いちまつ)模様。

いしだん［石段］平らな石を積みかさねて作った、階段。

いしつ［遺失］《名・他サ》〔文〕持ち物を忘れて、あとにのこすこと。「―品」●いしつぶつ［遺失物］忘れ物や落とし物。なくしもの。

いしつ［異質］《ナダ》性質がちがうようす。「―な文化」(↔同質・等質)派―さ。

いしづき［石突き］①ステッキ・雨がさなどの、地面にあたる部分を包む金具。☞「ピッケル」「やり①」の絵。②キノコの柄(え)の、根もとの かたいところ。

いじっぱり［意地っ張り］《名・ナダ》強情(ごうじょう)な〈こと／人〉。

いしづみ［石積み］石を積み上げること。また、そうしてつくったもの。いしつみ。「―の岸壁(がんぺき)」

いしてき［意志的］《ナダ》意志が強いようす。「―な口もと」

いじどうくん［異字同訓］ちがう漢字でありながら、訓で同じ読みになるもの。同訓異字。例、「油・脂(あぶら)」「丸い・円(まる)い」。☞同字異読。

いしどうろう［石灯籠］石で造ったとうろう。

いしばい［石灰］(―ばひ)⇩せっかい(石灰)。

いしばし［石橋］石でつくった橋。●石橋をたたいて渡る句 用心の上にも用心して、する。

いじばる［意地張る］《自五》〔古風〕思ったことを強情(ごうじょう)におし通そうとする。意地を張る。

いじひ［維持費］〔所有する物件などを〕いつでも使えるようにしておくためにかかる費用。「車の―がかかる」

いしひょうじ［意思表示］《名・自サ》意思をあらわすこと。「はっきりと―する」

いしぶみ［（△碑）］〔雅〕石碑(せきひ)。

いしべきんきち［石△部金吉］きまじめすぎて、ゆうずうのきかない人。〔「石」や「金」のようにかたい、という意味〕

いしぼとけ［石仏］①石づくりの仏像。せきぶつ。②

いつもだまっている人。また、感情をあらわさない人。

**いじましい**《形》①けちくさい。「―暮らしぶり」②心がせま(くて情けな)い。「―利己主義」③「いじらしい」の言いまちがい。「一所懸命なのが―」派-さ。

**いしむろ**[石室]①⇩せきしつ(石室)。②登山者のために、山の中に石で造った小屋。

**いしめ**[石目]石・宝石の表面の模様。

**いじめ**[(△苛め)・(△虐め)・イジメ]①いじめること。「下請け―」②特に、学校や職場などで、弱い立場の人を肉体的・精神的に痛めつけ、苦しませること。「―(をめぐる)訴訟」▽「―を受ける・―に遭う」●**いじめっこ**[いじめっ子]弱い子どもをいじめて喜ぶ子ども。

**いじ・める**[(△苛める)・(△虐める)]《他下一》①(立場の弱い人に)いやがることを言ったりしたり、またはさせたりして、苦しめる。②わざと痛めつけたり負荷をかけたりして、強くする。「筋肉を―」

**いしもち**[(石持)]海にすむ、銀色のさかな。肉は白身。しろぐち(白口)。

**いしもの**[石物]磁器。茶わん物。(↔土物)

***いしゃ**[医者]①患者の診察・治療をおこなう人。医師。「お―さん・―にかかる・―にかける(=診察してもらう)」②病院。医院。「―に行く」

**いしゃ**[慰×藉]《名・他サ》〔文〕じゅうぶん なぐさめ〈る こと/られた気持ち〉。「―をもたらす」

**いしやき**[石焼き]《料》石板や石なべ、小石などを熱して、その熱で調理すること。「―ビビンバ」●**いしやきいも**[石焼き芋]熱したたくさんの小石の中にうめて焼いたサツマイモ。

**いじゃく**[胃弱]《医》胃の消化する力がよわいこと。

**いしゃのふようじょう**[医者の不養生]〔他人の健康を注意する医者が、自分では守らないことから〕理屈を知りながら、自分では実行しないこと。紺屋の白ばかま。

**いしゃりょう**[慰謝料・慰×藉料]《法》相手にあたえた精神的な苦痛やそのほかの、目に見えない損害に対してしはらう お金。「―を請求する」

**いしゅ**[異種]ちがった種類。「―格闘技」(↔同種)

**いしゅ**[意趣]〔相手からされたことについての〕うらみ。「―返し(=しかえし)・―晴らし」

**いしゅ**[遺珠]〔=ひろわれないで、のこっている たま〕〔文〕まだ世の中に知られない、すぐれた詩や歌。

☆☆**いしゅう**[異臭]普通ではない、〈へん/いや〉なにおい。「―を放つ・―さわぎ」

**いしゅう**[×蝟集]《名・自サ》〔文〕〔ハリネズミの毛のように〕多くのものが、一か所にいちどに むらがり集まること。「群衆が―する」

**イシュー**〔issue〕①発行(部数)。②論点。争点。「シングル―(=単一の課題)」▽イッシュー(古風)。

**いじゅう**[移住]《名・自サ》〈よその土地/海外〉へ移り住むこと。「ブラジル―・―民」

←**いしゅく**[畏縮]《名・自サ》〔文〕おそれなどで緊張して、ちぢこまること。

→**いしゅく**[萎縮]《名・自サ》①縮まって、勢いが悪くなること。「おこられて―する・―した声」②《医》病気や加齢のために、からだの器官が小さくなり、おとろえること。「―した脳」

**いしゅつ**[移出]《名・他サ》《経》同じ国内の他の土地〔ある県からよその県など〕へ貨物を送ること。(↔移入)☞輸出。

**いじゅつ**[医術]病気を治す技術。

**いしゆみ**[石弓・×弩]①ばねじかけで石をはじき出した、昔の兵器。弩。②城壁の上などに石をつなぎとめておき、敵が来たとき綱を切って落とす しかけ。

**いしょ**[医書]〔文〕医学書。「明代の―」

**いしょ**[遺書]〔みずから〕死ぬ前に、あとに残すために書く、手紙・書類。書き置き。

**いしょう**[衣装・衣×裳]①(いい)着物。晴れ着。「馬子にも―〔⇩「馬子」の句〕」②芝居・踊り・歌などを披露するときに着る(いい)衣服。「舞台―・〈お/ご〉―」③家にある、いろいろな衣服。「―棚・―ケース・―持ち(=衣服をたくさん持っていること)」

**いしょう**[意匠]①考え。くふう。「―をこらす(=いろいろくふうする)」②製品・工芸品の形や色合いなどについての くふう。デザイン。「―権・―登録」

**いしょう**[異称]《名・他サ》〔文〕別の名前(で呼ぶこと)。

****いじょう**[以上]㊀①これより前。「―(に/で)述べた事実・結果は―のとおり」(↔以下)②これだけ。「ご注文は―でよろしいですか」③ここまで。「―で発表を終わります・現場からは―です」④〈文章/発言〉の最後に置くことば。終わり。「各自 待機すること。―」⑤〔接続助詞的に〕…からには。「引き受けた―(は)きちんとやる」㊁造①〔それをふくみ〕それより〈上/多いこと〉。「百円―・十歳―・高校生―・一万人―に〈上る/およぶ/ふくれ上がる〉・千年―に わたる」(↔以下・以内)②〔はっきりした数量でなく〕それを上まわること。「これ―は食えない・予想―の反響・友だち―、恋人未満の関係」(↔以下)

←**いじょう**[異状]〈ふつう/ふだん〉とちがった状態。「巡回中―なし・―を呈する・―死体」

→**いじょう**[異常]《名・ナダ》①ふつうとちがう、特別なようす。正常でないようす。「―な行動・―な発達・―事態・検査の結果は―なし」(↔正常)②〔俗〕程度が非常に大きいようす。「―においしい」派-さ。

←**いじょう**[委譲]《名・他サ》権限などの一部を下級の役所や下の職務の人にゆずること。

→**いじょう**[移譲]《名・他サ》〔文〕ほかに移し ゆずること。「土地を―する・政権―」

**いじょう**[移乗]《名・他サ》〔介護が必要な人を〕だきかかえたりして移動させること。「車いすへの―」

**いじょうふ**[偉丈夫]〔文〕①人物・才能のすぐれた男子。②からだが大きくて、がっしりした男。「六尺ゆたかな―」▽いじょうぶ。

**いしょく**[衣食]《名・自サ》①〔生活に欠かせない〕着るものと食べるもの。②生活。●**衣食足りて礼節を知る**句 生活にゆとりができて、はじめて礼儀を重んじるようになる。●**いしょくじゅう**[衣食住]衣食とすむ所。暮らしに必要なすべて。

←**いしょく**[依嘱]《名・他サ》仕事などをたのむこと。「翻訳を―する」

→**いしょく**[委嘱]《名・他サ》外部の人に役目や仕事をたのむこと。「委員を―する・調査を―する」

い

**いしょく**【移植】《名・他サ》①木や草を、ほかの場所へ移して植えること。「苗を畑に—する」②〔医者が〕皮膚や内臓をほかの場所または別の人に移して治療すること。「心臓—」③外国から新しい制度や文化を取り入れること。④〔情〕ソフトウエアをほかのＯＳや機種で動くようにすること。●**いしょくごて**【移植(×鏝)】⇩シャベル①。

**いしょく**【異色】《名・ナダ》ほかとちがって変わっていること。特色があること。「—作・—番組」派—さ。

**いしょく**【居職】〔古風〕家にいて ものを作る職業。

**いしょくどうげん**【医食同源】〔=薬と食べ物の源は一つ〕からだによいものを食べることが心身の健康につながるという考え方。

**いじらし・い**《形》子どもなどが力いっぱい努力するのを見て、思わずほろりとなる感じだ。けなげで いたわしい。派—げ。—さ。

**いじ・る**【(△弄る)】《他五》①(指で)むやみに、さわる。「おできを—」②楽しみで、何かを手にする。あつかう。「カメラを—」③〔しなくても いいのに〕一部に手を加える。「文章を—・機構を—」④【イジる】〔俗〕かまって、からかう。「観客を—・いじられ役」名いじり。「毛糸—」可能いじれる。

**いしわた**【石綿】《鉱》⇩アスベスト。

**いじわる**【意地悪】《名・ナダ》①意地が悪い〈ようす/おこない〉。「—な人・—をする・ママの—!」②不都合なようす。「—な雨」表記俗に「イジワル」とも。●**いじわる・い**【意地悪い】《形》①⇩意地が悪い〔「意地」の句〕。「—顔・意地悪く考える」②都合が悪い。「意地悪く雨が降り出した」派—げ。—さ。

**いしん**【威信】権威と信用。「国の—にかかわる」

**いしん**【維新】①すべてが あらたまり新しくなること。大改革。②《歴》↑明治維新〔=明治初めの大改革〕。

**いしん**【遺臣】〔文〕前の君主の時代からのこっている家来。主家がほろんだあとに のこされた家来。

**いしん**【以深】造〔それをふくみ〕それより深いこと。「地下四十メートル—」

**いじん**【異人】①〔古風〕(西洋の)外国人。「—さん・—館」②別の人。「同名—」

**いじん**【偉人】すぐれた人。「世紀の—・—伝」

**いしんでんしん**【以心伝心】ことばや文字によらず、心から心へ考えを伝えること。

＊**いす**【椅子・イス】①人が すわるために作った、少し高さのあるもの。「テーブルと—・ふろ場の—・—から転げ落ちるほど〔=非常におどろいたり、感動したりすることのたとえ〕」②高い地位。ポスト。「総理大臣の—にすわる」

**いず**【×伊豆】旧国名の一つ。今の静岡県の伊豆半島と、伊豆諸島。豆州。

**いすう**【異数】〔文〕ずばぬけて ちがうこと。ほかに例がないこと。「—の出世」

**いすか**【(×鶍)】スズメより やや大きい小鳥。くちばしは上と下が くいちがっている。●**いすかのはし**【(×鶍の×嘴)】〔はし=くちばし〕ものごとが くいちがうこと。「万事が—〈の/と〉くいちがい、うまくいかない」

［いすか］

**いずかた**【(△何方)】《代》〔文〕どちら。どっち。

**いずく**【(△何△処)】《代》〔雅〕どこ。いずこ。

**いすくま・る**【居(×竦まる)】《自五》おそろしさに、すわったまま動けなくなる。いすくむ。「その場に—」

**いすく・める**【射(×竦める)】《他下一》〔=矢を射て敵をおそれ縮みあがらせる〕見つめて、相手をおそれさせる。「視線に射すくめられる」

**いずくんぞ**【(△安んぞ)・(×焉んぞ)】《副》〔文〕おもに反語に使うことば。どうして。「—知らん〔=どうして知っていようか、知るはずもない〕」

**いずこ**【(△何△処)】《代》〔文〕どこ。いずく。「ここは—ぞ」

**いすとりゲーム**【椅子取りゲーム】①人数よりも少ないいすをまるくならべ、合図とともに いっせいにすわり、すわれなかった人が ぬけるゲーム。②地位や官職を得ようとする争い。

**いずまい**【居(住まい)】すわった〈ようす/形〉。「何げなく—を直す」●**居ずまいを正す**句(まじめな気持ちになって)きちんと すわる。「戦争中の苦労を聞いて—」

**いずみ**【:和泉】旧国名の一つ。今の大阪府の南西部。泉州。

**いずみ**【泉】①地面の中から水が自然に わき出る場所。②〔知識などの〕みなもと。もと。たね。

**イズム**〔ism〕一造①…主義。「処世—」②…流(の考え方)。「佐藤—」二主義。学説。「—にとらわれる」

**いずも**【△出△雲】旧国名の一つ。今の島根県の東部。雲州。●**いずものかみ**【△出△雲の神】縁結びをするといわれる神〔=出雲大社の祭神、大国主神〕。

**イスラム**〔アラビア Islām〕イスラム教(の世界)。イスラーム。「—の人々」●**イスラムきょう**【イスラム教】〔宗〕唯一神アッラーの教えにしたがう宗教。開祖は、ムハンマド。七世紀のはじめアラビアのメッカに起こり、中東・北アフリカ・中央アジア・インド・東南アジアに広がる。回教。イスラ(ー)ム。●**イスラムていこく**【イスラム帝国】《歴》ムハンマドの死後、カリフやスルタンたちが建設したイスラム国家。最盛期にはスペインから中央アジアにおよんだ。もと、「サラセン帝国」と言った。

**い・する**【医する】《他サ》〔文〕〈病気/かわき〉をなおす。

**いずる**【△出ずる】《連体》〔↑下二段「出づ」の連体形〕〔文〕でる。「日—国」表記「出ぃでる」との関連から「△出づる」とも。☞「出る」の由来。

＊＊**いずれ**一《代》どれ。どちら。「—を取るべきかにまよう・—も好取組」二《副》①近いうちに。また、この先いつか。「—うかがいます・—(は)実現させたい」②〔古風〕いずれにしても。「—似たようなものだから かまわない」③〔古風〕どうせ きっと。「—買い物にでも行ったのだろう」表記かたく「△何れ」「×孰れ」とも。●**いずれあやめ(菖蒲)かかきつばた(杜若)**句(美しさの点で)どれもすばらしく、優劣を決められない。いずれ〈が/を〉あやめ かきつばた。●**いずれおとらぬ**【いずれ劣らぬ】《連体》〈どれ/どの人〉も同じように すぐれている。「—強者ぞろい」●**いずれにしても**《副・接》〔事情が〕〈どうである/どうなる〉にしても。どのみち。どっちみち。いずれにせよ。「—、仕事は終えなければならない」●**いずれにせよ**《副・接》⇩いずれにしても。「—、私には

関係がない」

**いすわ・る**［居座る］《自五》①すわったままで動かなくなる。②続けて同じ地位にいる。「会長の地位に―」③いつまでもそこにある。「台風が―・頭の中に―イメージ」名 居座り。

**いせ**［×伊△勢］旧国名の一つ。今の三重県の中北部。勢州。「―神宮・―うどん（＝太くてやわらかいうどん）」

**いせい**［医聖］〔文〕（歴史上の）特にすぐれた名医。

**いせい**［威勢］①人をしたがわせる〈勢い／権力〉。「幕府の―」②力がみなぎって元気なこと。「―のいいかけ声」

**いせい**［為政］政治をおこなうこと。「―者」

**いせい**［異性］①男女や雌雄の性がちがう〈こと／もの〉。「―間の臓器移植」②男性から見て女性。また、女性から見て男性。「―に人気がある」▽（↕同性）③性質がちがう〈こと／もの〉。「―体」

**いせい**［異星］地球以外の星。「―人」

**いせい**［遺制］現在も残っている昔の制度や慣習。「封建時代の―」

**いせい**［以西］造〔そこをふくみ〕そこからにし。「小田原―」（↕以東）

**いせえび**［〔×伊△勢：海老〕］岩の多い海にすむ大形のエビ。りっぱなひげ（＝触角）がある。食用。また、正月のかざりにする。

**いせき**［遺跡・遺×蹟］過去の人類が生活を営んだ跡。考古学では住居址・墳墓・貝塚・城郭など、動かすことのできないものをさす。「エジプトの―」☞遺物①。

**いせき**［移籍］《名・自他サ》〈本籍／所属先〉を移すこと。☞トレード[二]。

**いせじんぐう**［×伊△勢神宮］三重県伊勢市にある神社。内宮と外宮をさして言う。（伊勢大）神宮。お伊勢さん。

**いせつ**［異説］ちがった説。（↕通説・定説）

**いせつ**［移設］《名・他サ》設置されたものを、ほかの場所へ移すこと。

**いせん**［緯線］《地》赤道に平行して、地球の表面に仮定した線。（↕経線）

**いぜん**［以前］[一]（ぼくぜんと）昔。前。もと。「―（に）聞いた話だが……―は工場で働いていた・もう一か月―（＝一か月ほどさかのぼった過去）の話だ」（↕以後）[二]造 ①〔その時をふくみ〕…より前（の期間）。〔法律ではこの用法〕「三月三十一日―」☞前[二]②。②〔その時をふくまずに〕…の前（までの期間）。「明治―（＝江戸時代の終わりまで）」▽（↕以後）✓(1)「事件―・バッハ―」など、ものごとや人も基準にする。その基準をふくむかどうかは文脈しだい。(2)その時をふくむかどうか明確にするには、「三十一日およびそれより前」「三十一日よりも（もっと）前」のように言うといい。③そこにいたる前の段階。「マナー―の問題だ」

**いぜん**［依然］《タル・副》もとのとおり。「旧態―・―（として）状況は不明です」

**いぜんけい**［×已然形］〔已然＝已に然うである〕《言》〔文語の〕活用形の一つ。助詞「ば」「ども」などをつけて、「…（する）と」「…ので」「…けれども」などの意味をあらわすときに使う。例、「来たれば（＝来ると。来たので）」「見れども（＝見るけれども）」の「来たれ」「見れ」。〔口語では仮定形に相当〕

**いせんこう**［胃×穿孔］《医》胃潰瘍で胃に穴があいた状態。

**いそ**［×磯］波打ちぎわの、岩の多い場所。「―魚（↕沖魚）」

**いそあけ**［×磯明け］禁止がとかれて、いそで自由に釣りや漁ができるようになること。

**いそいそ**《副・自サ》うれしくて、早くしようと進んで行動するようす。「―と出かける」

☆☆**いそう**［位相］①《数》近さや連続の概念をあたえる空間の構造。「―幾何学（⇩トポロジー）」②《理》周期的にくり返される運動の中であらわれる、状態または位置。③《言》住む土地・年齢・性・階級などのちがいによって特徴づけられた、ことばの姿。「―語」④〔ステレオなどで〕音の聞こえてくる、左右の方向。

**いそう**［異相］〔文〕ふつうとちがった人相。「―の男」

**いそう**［異装］①〔文〕ふつうとちがった服装。「―の者」②〔学校で〕規則どおりでない服装。「―届」

**いそう**［移送］《名・他サ》①ある場所から他の場所へ移し送ること。「入院患者を―する」②《法》ある事件を一つの〈裁判所／検察庁〉からほかの〈裁判所／検察庁〉へ移すこと。

**いぞう**［遺贈］《名・他サ》《法》遺言によって財産を（他人に）贈与すること。

**いそうがい**［意想外］《名・ナダ》〔文〕想像もしていないことが起こる状態。予想外。「―の展開」

**いそうろう**［居候］《名・自サ》よその家に同居して養われる〈こと／人〉。食客。寄食。

＊**いそがし・い**［忙しい］《形》①次から次へと仕事があって、ひまがない。「いそがしく過ごす」②あれこれと気をつかって、おちつかない。「君も―人だね」派 -がる。-げ。-さ。

**いそが・せる**［急がせる］《他下一》①せきたてる。「車を―・仕事を―」②速める。「駅に向かって足を―」▽急がす。

**いそが・れる**［急がれる］《自下一》〔文〕〔問題に対して〕早く何とかする必要がある。「対応が―」

**いそがわし・い**［忙わしい］《形》〔古風〕いそがしい感じだ。派 -げ。-さ。

**いそぎ**［急ぎ］[一]いそぎ 急ぐこと。せくこと。「―の用」[二]いそぎ◇〔動詞「急ぐ」の連用形〕いそいで。「―帰京した」●**いそぎあし**［急ぎ足］急いで歩くこと。

**いそぎんちゃく**［〔×磯巾着〕］いそにすむ、筒形の動物。たくさんの触手が、キクの花びらのように出ている。

＊**いそ・ぐ**［急ぐ］[一]《自他五》〔目的地に〕早く着こうとする。「学校に―・急いで帰ってきた・家路を―」[二]《他五》①早く終わらせようと、進め方を速める。「仕事を―・急いで食べる」②早く目的をとげようとする。「結婚を―・株を売り―」可能 急げる。☞急がれる。●**急がば回れ** 句 急ぐときには、遠まわりでも安全な道を選んだほうが、結局は早く目的地に着くものだ。

☆☆**いぞく**［遺族］死んだ人の家族や親族。

**いそくさ・い**［×磯臭い］《形》さかな・海藻などのにおいがまじった、海岸の特有なにおいがする。派 -さ。

**いそじ**［〔△五△十：路〕］〔＝五十〕①〔雅〕五十歳。

②五十代。 由来 ⇩じ 接尾 ❷。

☆☆**いそし・む**【(△勤しむ)】《自五》 精を出して はげむ。「仕事に—・勉学に—」

**いそづり**【×磯釣り】《名・自サ》 海岸の岩の上や、波打ちぎわなどで釣りをすること。

**いそなみ**【×磯波】 磯に寄せる波。「荒い—」

**いそのあわびの かたおもい**【×磯の(×鮑)の片思い】 あわびの貝がらが二枚貝の片がわだけのように見えることから、「片思い」にたとえたことば。

**いそはま**【×磯浜】 岩石や小石でおおわれている浜べ。(↔砂浜)

**イソフラボン**〔isoflavon〕《理》ダイズなどに多くふくまれている成分。女性ホルモンに似た はたらきをする。

**いそべ**【×磯辺】 ❶ いそべ〔雅〕いその あたり。 ❷ 造 のり(海苔)。「とりの—焼き」 ●**いそべ あげ**【×磯辺揚げ】 野菜・さかなどに、ノリを巻いたり、ノリのはいったころもをつけたりして あげた料理。「ちくわの—」 ●**いそべ まき**【×磯辺巻き】 ①材料をノリで巻いた料理。「ホウレンソウの—」 ②もちを焼き、しょうゆをつけてノリで巻いたもの。いそべもち。いそべやき。

**いそめ**【(×磯目)】 海岸にいる、ゴカイに似た動物。切り刻んで釣りの えさにする。

**いそやけ**【×磯焼け】《名・自サ》 磯に はえていた海藻が、いっせいに枯れてしまうこと。磯枯れ。

←**いぞん**【異存】〔目上の人の決めたことなどに対して持つ〕ちがった意見。反対の意見。「—はない」

→**いぞん**【依存】《名・自サ》 ①ほかの〈人/もの〉に たよること。「親に—する・中東の石油に—する・—心」 ②ほかのものごとによって変わること。「意味が文脈に—する・パソコンの機種に—する文字」▽伝統的には「いそん」。 ●☆☆**いぞんしょう**【依存症】《医》ものや人にたよりきって、それなしでは いられなくなる状態。「アルコール—・ネット—」

**いそんひん**【易損品】〔文〕運送中にこわれるおそれのある品物。「—のラベルをはる」

**いた**【板】 ①木材をうすく平たくしたもの。「—戸・たな—」 ②〔石・金属・ガラスなど〕うすく平たいもの。「トタン—・ガラスの—」 ③↑板前。「—さん」 ④〔↑板の間〕舞台。「—の上で死にたい」 ⑤かまぼこ。「上—」 ⑥スキー板・スノーボード・サーフボードなど。 ●**板に付く** 句 ぴったり合う。技術が本物になる。

**いた**【痛】 造 〔「痛い④」から〕〔俗〕アニメの絵などで奇抜にかざったようす。「—バッグ」☞痛車。

**いたい**【異体】〔文〕 ①ふつうとちがう、変わった姿。異風。「—の僧」 ②〈別の/同一でない〉からだであること。「雌雄—」 ③⇩異体字。 ●**いたいじ**【異体字】〔一般的な漢字と〕同じ漢字だが、字体がちがう字。異体。例、「杯」に対する「盃」、「島」に対する「嶋」。逆に「杯」「島」も「盃」「嶋」の異体字。また、いわゆる ✎ 「新字体」「旧字体」も、たがいに異体字の関係にある。 ●**いたいどうしん**【異体同心】〔文〕からだは別々であるが、心は同じであること。

**いたい**【遺体】 死んだ人の、からだ。「犠牲者の—・ご—」 区別 「**遺体**」「**遺骸**」「**亡骸**」は、どれも死んだ人の からだをていねいに表現する。なかでも「遺体」は一般的で、報道などで使う。「遺骸」は少し時間がたった感じが、「亡骸」は文学的な感じがある。「**死体**」はおもに人、時により動物に使う〔人の場合は どぎつい〕。「**死骸**」はモノあつかいの感じが強く、人にも使うが、動物・虫などに よく使う。古生物は「シダ植物の〈遺体/遺骸〉」のようにも言う。

*__いた・い__【痛い】《形》 ①けがや病気で、からだの部分がつらくて、がまんができなくなる感じだ。「腹が—・頭を打って—」 ②〔損害などをこうむって〕つらい。「—エラー」 ③弱点をつかれて、まいった状態だ。「—ところをつく・耳が—〔⇩「耳」の 句〕」▽感動詞的に「いたっ」「いてっ」などとも。☞いたた。 ④〔イタい〕〔俗〕〔本人は気づいていないが〕ぶざまで痛々しいようすだ。「—ギャグ」 派 -がる。-さ。 ●**痛い目を見る** 句 つらい経験をする。痛い目にあう。 ●**痛くも かゆくもない** 句 まったく平気だ。 ●**痛くもない腹を探られる** 句 やましいところがないのに、うたがわれる。

**いだい**【医大】↑医科大学。

**いだい**【偉大】《ナダ》 すぐれて りっぱなようす。 派 -さ。

**いたいいたいびょう**【イタイイタイ病】《医》骨がもろくなり、全身で骨折する公害病。鉱山のカドミウムによる中毒。富山県神通川流域で戦前に発生、一九五〇年代に問題化した。〔患者が「痛い痛い」と泣きさけんだことから命名〕

**いたいけ**【(:幼気)】《ナダ》 ①おさなくて小さいようす。「—盛りの かわいい子」 ②いじらしくて痛々しいようす。「—な子ども」 ●**いたいけな・い**【(:幼気ない)】《形》〔「ない」は強調〕 いたいけだ。 派 -さ。

**いたいたし・い**【痛々しい】《形》 気の毒で見ていられないようすだ。「負傷者の—姿」 派 -げ。-さ。

**いたえ**【板絵】 木の板などに書かれた絵画。

**いたがき**【板書き】《名・他サ》 板や黒板に文字を書くこと。「レストランの店頭にメニューが—してある」

**いたがみ**【板紙】 板のように、厚くて かたい紙。例、ボール紙など。

**いたがゆ・い**【痛(×痒い)】《形》 痛くて かゆい。「ブヨにさされたところが—」 派 -さ。

**いたガラス**【板ガラス】 窓や鏡に使う、平らなガラス。

**いたきもちい・い**【痛気持ちいい】《形》 痛いが、気持ちいい。いたぎもちいい。「—マッサージ」

←**いたく**【依託】《名・他サ》 ①物に もたせかけること。「—射撃」 ②⇩委託。

→**いたく**【委託】《名・他サ》 仕事をほかの人にたのんで、やってもらうこと。「—加工・—研究・—販売」 表記 「依託」とも書いた。

☆☆**いたく**【(△甚く)】《副》〔文〕はなはだ。非常に。たいそう。「—感じ入る」 由来 「いた(甚)し〔=はなはだしい。『痛し』と同語源〕」の連用形から。 区別 「**いたく**」は、「さわぐ」のように、あとに動詞性の語が来る。同語源の「**いと**」は、「さわがし」のように、あとに形容詞性の語が来る。

*__いだ・く__【抱く・△懐く】《他五》 ①〔雅〕だく。「自然のふところに抱かれる」 ②心に持つ。「野心を—」 可能 抱ける。

**いたけだか**【居丈高・威丈高】《ナダ》 こわい顔つきをして、おどかすような態度をとるようす。「—になる」 由来 すわったままで背中をまっすぐにすることから。

**いたこ** 死んだ人の霊を自分のからだに呼んで、話をさせるみこ(巫女)。東北地方に多く見られる習俗・民間信仰。

**いたご**［板子］日本ふうの舟の底に敷く、あげ板。●**板子一枚下は地獄**〔句〕船乗りの仕事は危険だ、というたとえ。

**いたざい**［板材］板の形になった木材。

**いたしかたな・い**［致し方ない］《形》しかたがない。〔改まった言い方〕〔丁寧〕いたしかたありません。

**いたしかゆし**［痛し（×痒し）］〔かけば痛く、かかなければかゆいことから〕どちらにしてもちょっと困ることがあって、どちらとも決められないこと。

**いたじき**［板敷き］ゆかに板を〈はること／はった所〉。板の間。

**いたしゃ**［痛車］〔俗〕アニメのキャラクターなどでかざった車。☞痛。

****いた・す** 一［致す］《他五》①〔文〕送る。およぼす。「書〔＝手紙〕を―・思いを―」②原因となる。ひきおこす。まねく。「不徳の―ところ」二［（致す）］《自他五》〔多く**いたします**〕「する」の〈丁重な／けんそんした〉言い方。「さらに努力を―所存です・あ、私がいたしますから・そういたしますと」三《補動五》①〔名詞＋**いたします**〕「する」の丁重な言い方。「帰宅いたします・勉強いたします」②〔〈**お**／**ご**〉＋動詞連用形または名詞＋**いたします**〕「する」のけんそんした、しかも丁重な言い方。「おうかがいいたします・ご案内いたします」〔可能〕致せる。

**いたずら**［（：悪戯）］《名・自他サ・ナダ》①ふざけて、わざと人を困らせたり、おどろかせたりする〈行動／ようす〉。「悪質な―電話・―っ子・―（っ）気のある子・―っぽい目つき」②さわってはいけないものをさわること。「母のネックレスを―する」③偶然、変わったことを引き起こすこと。「運命の―で出会った二人・光の―」④「他人への わいせつ行為」の、以前の言い方。「女性に―する」●**いたずらがき**［（：悪戯）書き］《名・自他サ》落書き。「塀に―する・ノートの―」

☆☆**いたずらに**［（△徒らに）］《副》〔文〕①〔やり方がまずく〕わざわざ問題を引き起こすようす。「―現場を混乱させる」②むだに。「―年を重ねる」

**いたずり**［板（×摺り）］《料》キュウリなどに塩をふりかけて、まな板の上でもみころがすこと。色をあざやかに出すためなどにする。

**いたた**《感》〔話〕痛いときに言うことば。いた。いてて。いてて。「―、歯がまた痛み出した」

**いただき** 一［頂］〔文〕①〈山／もの〉のいちばん高い所。「―を踏む・塔の―・世界の―に立つ選手」（↕ふもと）②あたま。「―を剃る」二［（頂き）］①確実に得ること。「この勝負は―だ〔＝こっちのものだ〕」②［イタダキ］〔古風・俗〕盗用。パクリ。「有名な映画の―」●**いただきだち**［（頂き）立ち］《名・自サ》ごちそうになってすぐ相手の家を出ること。〔申し訳ないという気持ちをこめて言うことば〕●**いただきます**［（頂きます）］《感》〔話〕食事の前のあいさつ。〔みんなで集まったり、人にもてなされたりして、飲み物やおかしなどを飲食するときにも言う〕〔注意〕言われた〔＝もてなす〕がわは、「どうぞ（おめしあがりください）」と言う。食後に「いただきました」と言うのは長野・静岡などの方言。〔由来〕「食う・飲む」の謙譲語「いただく」の丁寧語から。☞ごちそうさま。●**いただきもの**［（頂き）物］「もらい物」の謙譲語。

****いただ・く** 一［頂く・△戴く］《他五》〈頭／頂上〉にのせる。「雪を―山々・天皇を―〔＝自分たちの上に置く〕」二［（頂く）・（△戴く）］《他五》①〔おしいただく意味から〕「もらう」の謙譲語。つつしんで受ける。「賞を―」②「食う・飲む」の謙譲語。また、上品な言い方。「いっしょにごはんをいただきましょう」③〔俗〕教えてもらう。「お名前（さま）いただけますか」④ぬすむ。盗用する。「いただいたアイデア」三《補動五》〔助詞「て」や、「〈お／ご〉＋動詞連用形または名詞」のあとについて〕「…もらう」の謙譲語。「ほめて―・お送り―・ご利用―」〔注意〕⇩くださる。☞させていただく。〔可能〕いただける。「これ一ついただけますか」

**いただけ・ない**《形ヌズ》感心できない。満足できない。「あの態度は―」〔丁寧〕いただけません。

☆☆**いたたまれ・ない**《形ヌズ》〔＝居た堪れない〕心配や不安などのために、とてもじっとしていられない。いたたまらない〔古風〕。〔丁寧〕いたたまれません。〔派〕-さ。

**いたち**［（×鼬）］体長二〇～三〇センチほどの哺乳類。からだは細長く、手足が短い。敵に追いつめられると、いやなにおいを出してにげる。●**いたちの道を切ったよう**〔句〕〔＝イタチが道を横切ったよう〕急につきあいをやめるたとえ。いたちの道。〔由来〕イタチが横切った道は不吉で、通るのをやめることから。●**いたちごっこ**［（×鼬ごっこ）］《名・自サ》解決したと思ったら、またすぐ同じような問題が起こる、ということをくり返すこと。「落書きを消してもすぐに書かれる―が続く」〔由来〕相手の手の甲をつねり、つねった手を相手の手の甲にかさねる、それをおたがいにくり返す遊びから。●**いたちのさいごっぺ**［（×鼬の）最後っ（×屁）］〔＝イタチが追いつめられたときに しりから出す、くさいガス〕最後の手段を使うこと。

**いたちょう**［板長］その店の板前で、いちばん上の人。花板。

**いたチョコ**［板チョコ］板の形のチョコレート。

**いたつき**［板付き］①板が ついていること。「―ナット・―かまぼこ」②《演劇》幕が上がったとき、出演者が最初から舞台にいること。③《テレビ》そのシーンの出演者が、最初から画面に出ていること。

**いたって** 一［（至って）］《副》じゅうぶんに そうだと言えるほど、程度が大きいようす。きわめて。しごく。「―好人物だ」二［至って］〔連〕〔に―〕なって。「十月に―」●**いたっては**［（至っては）］《（にいたっては）で副助》いちばん極端（な例）であることをあらわす。「どの科目も点が低い。数学に―赤点だ」

**いたで**［痛手］①（ひどい）損害。「―をこうむる・大―だ」②〔おもに、刀による〕ひどい きず。重傷。「―を負う・心の―」

**いだてん**［（×韋駄天）］《仏》仏法を守る神。足が速い。「―ぶり」●**いだてんばしり**［（×韋駄天）走り］《名・自サ》非常に速く走ること。

**いたどり**［（：虎杖）］野草の名。節のある芽は食用。根は利尿・健胃剤となる。夏には一メートル以上になり、無数の白い花をつける。

**いたのま**［板の間］板をはっただけの部屋。板敷き。板間。●**いたのまかせぎ**［板の間稼ぎ］《名・自サ》〔古風〕銭湯や温泉場で客の持ち物や衣類をぬすみ取る〈こと／人〉。

**いたば**［板場］①料理店などの、料理をする〈所／人〉。

〔↕洗い場〕②〔関西方言〕板前。

**いたばさみ**［板挟み］両方の間に立ってどうにもならなくなること。「義理と人情の一になる」

**いたばり**［板張り］①板を〈張ること/張ったところ〉。「一のゆか」②和服のせんたくのしかた。布にのり(糊)をつけて板に張り、しわをのばして干すこと。

**いたふ**［板(×麩)］板状の麩。〔山形県庄内の特産〕「一のみそしる」

**いたぶ・る**《他五》①ゆする。②いやがらせをする。③痛めつける。名いたぶり。

**いたべい**［板塀］木の板で作った塀。

**いたま**［板間］⇩板の間。「台所の一」

**いたまえ**［板前］〔日本料理店や旅館の〕料理人。いた(ば)。板さん。

**いたまし・い**［痛ましい］《形》かわいそうで胸をしめつけられるような気持ちだ。「一事故・一最期をとげる」派-がる。-げ。-さ。

**いたま・る**［(×炒まる)］《自五》《料》いためている食材に火が通る。「玉ねぎがいたまったら、調味料を加えます」

***いたみ**［痛み］①痛むこと。「一がだんだん ひどくなる・一止め(=鎮痛剤)」②苦しみ。なやみ。「胸の一」

●**いたみい・る**［痛み入る］《自五》①めいわくをかけて、申し訳ないと感じる(ようすを見せる)。「これは ごていねいに痛み入ります」②相手の好意をありがたいと思う。恐縮する。

●**いたみわけ**［痛み分け］《名・他サ》①《すもう》取組中に一方の力士がけがをして引き分けとなること。②たがいに被害を受けながらも、勝ち負けなし。「双方一で決着」③〔俗〕負担を分け合うこと。「基地の問題を日本人全体で一する」

**いたみ**［傷み］傷むこと。「一が ひどい」

**いた・む**［痛む］《自五》①痛い状態になる。「歯が一」②苦しく思う。「心が一」③〔俗〕〔競技で〕けがをする。けがをして痛がる。「選手がひとり痛んでいます」

**いた・む**［傷む］《自五》①きずがついたり こわれたりして、悪くなる。「箱が一・家が一」②〔食品が〕くさりかける。「リンゴが一」③《経》状況が悪くなる。「銀行が傷んでいる」

**いた・む**［悼む］《他五》〔文〕人などの死をおしみ、静かに心を痛める。「友の死を一・故人を一〈ことば/声〉」

**いため**［板目］①もくめがまっすぐに通っていない〈こと/もの〉。(↕正目)②板と板とのあわせめ。

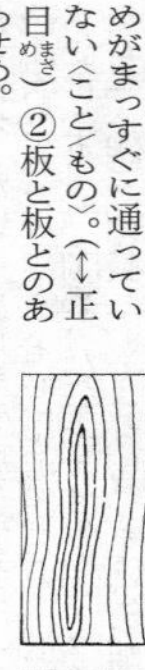
［いため ①］

**イタめし**［イタ飯・イタメシ］〔やや古風・俗〕イタリア料理。「一通」〔一九八〇年代末からのことば〕

**いためつ・ける**［痛め(付ける)］《他下一》ひどい〈痛み/害〉をあたえて苦しめる。「敵を一・酒で自分を一」名痛めつけ。

**いために**［(×炒め)煮］《名・他サ》《料》食材をいためてから、しるを加えて煮ること。また、その料理。「ヒジキとちくわの一」

**いためもの**［(×炒め)物］《料》油で いためること。また、その料理。「一をする」

**いた・める**［(×炒める)］《他下一》フライパンやなべに油をひき、食材を入れて かきまぜながら、熱を加える。「野菜を一」名いため。可能いためられる。表記「×煠める」とも書いた。区別⇩焼く③。

**いた・める**［痛める］《他下一》①〔事故などで〕痛くする。「ひじを一」②〔心を〕苦しめる。「心を一」

**いた・める**［傷める］《他下一》〔不注意などで〕きずをつける。少し こわす。「建物を一・かみの毛を一・ひざを一(=痛める)」

**いたら・ない**［至らない］《形ヌズ》行き届かない。未熟な。「一者ですが」丁寧至りません。

**いたり**［至り］①いたること。結果。「若げの一」②きわみ。「感心の一」

**イタリア**〔ポ Italia〕ヨーロッパ南部の長ぐつの形をした半島とサルデーニャ島・シチリア島から成る共和国。首都、ローマ。イタリー。伊。表記「:伊太利亜」は、古い音訳字。

**イタリアン**〔Italian〕■一■造イタリアの。「一パセリ」■二■イタリアン《ナダ》イタリアふう。「一ハンバーグ」■三■イタリアン①イタリア料理。「本格一」②〔中部・関西方言〕ナポリタン。③〔新潟方言〕トマトソースをかけた焼きそば。

**イタリー**〔Italy〕〔古風〕イタリア。表記「:伊太利」は、古い音訳字。

**イタリック**〔italic〕欧文活字の書体の一つ。「italic」のように、少し右にかたむく。イタリック体。☞ボールド・ローマン。

****いた・る**［至る・△到る］《自五》①いきつく。「目的地に一道」②その〈時期/時刻〉になる。「中止に一」「今に一まで」③(するように)なる。☞至って・至っては。可能至れる。●**至れり尽くせり**句よく行き届いているようす。「一の もてなし」●**いたるところ**［至る所］《名・副》①行くところすべて。「一にある店」②どこでも。「からだの一が悪い」

**いたわさ**［板わさ］〔わさ↑わさび〕切った かまぼこに、おろしたワサビをそえた料理。

**いたわし・い**［(△労しい)］《形》〔文〕気の毒で、いたわってやりたい状態だ。「おいたわしや」派-げ。-さ。

**いたわ・る**［(△労る)］《他五》①弱い立場の人をやさしく親切にあつかう。「年寄りを一・からだを一(=大事にする)」②苦労を認め、ことばをかけたりする。「選手を一」名いたわり。

☆☆**いたん**［異端］正統でない学説や宗教。正統から外れた立場。「一の説をとなえる・一視する(=異端とみなす)・業界の一児」(↕正統) ●**いたんしゃ**［異端者］①正統でない学説や宗教を信じる人。②伝統や権威に反抗する人。③主流の仲間には はいらない人。

****いち**［一］■一■いち ①ひとつ。表記アラビア数字では「1」。重要な文書で、金額などを書く場合、「壱」と書く。②ひとつめ。第一。「一月・一高(=第一高等学校)・一といって二と下がらない(=くらべるもののない)大金持ち・一の子分」③はじめ。「一から わかる」「一からやり直し・一(=初歩)から わかる」表記俗に「イチ」とも。④(↑一の糸)三味線の糸のうち、いちばん太くて低い音を出すもの。⑤〔視覚語〕《野球》↑一塁(手)。■二■造①ひとつの。ひとりの。「一問題・一市民」☞「一映画ファンの意見」のように「単なる〈ひとつ/ひとり〉の」という意味をあらわす場合、アクセントは、いちーとも。表記は、かな書きにもする。②ある限られた。「戦後の一時

期」 ③相当な。ひとかどの。「—見識・—人物」 ■三 [造] ①…で いちばん すぐれているようす。「日本—・東洋—の会議場」 ②…で最も程度が大きいようす。「クラス—の変わり者」 [表記] 俗に「イチ」とも。「今までイチ(=今まででいちばん)の出来」 ☞一に。 ●**—か八か** [句] 成功するか失敗するか、思い切って(やってみること)。 ●**—から十まで** [句] 何から何まですべて。 ●**—にも二にも** [句] 何よりも。他にくらべるものがないほどだいじなことは。「外国語の学習は—くり返しだ」 ●**—抜けた** [句] 〔話〕いっしょに何かをしている者が、その仲間から抜けるとき、最初にやめる者が言うことば。二番目の者は「二抜けた」と言う。 ●☆☆**一姫二太郎** [句] 子どもが生まれるときの、理想とされる順番。一番目が女、二番目が男。〔俗に、女ひとり、男ふたりの場合にも言う〕 ●**一富士二鷹三なすび(茄子)** [句] 初夢に見ると、縁起がいいとされる、三つのもの。 ●**—も二もなく** [句] 異議なく。無条件に。「—賛成する」 ●**—を聞いて十を知る** [句] 一部分を聞いただけで全体を理解する。頭のいいことのたとえ。〔「論語」のことば〕

**いち**【市】 ■一 **いち** ①〔文〕人の集まる所。市街。 ②一定の日に、通りや広場で物を売り または交換すること。また、その場所。「—が立つ」 ■二 [造] 〔デパートなどで〕品物をそろえて おこなう大売り出し。バザール。

***いち**【位置】《名・自サ》ほかとの比較によって決まる所。また、その所にあること。「高い—の窓・やや西寄りに—する・〔競走などで〕—に着いて。用意、どん」

**いちあん**【一案】一つの(もっともな)案。「それも—だ・—を示す」

**いちい** ■一 **いちい**【一位】第一等のくらい。「—となる」 ■二 **いちい**【(一位)】常緑樹の名。材は かたく、建築に使う。昔は、しゃく(笏)を作った。

**いちい**【一尉】〔↑一等〈陸/海/空〉尉〕《軍》自衛官の階級の一つ。〔もとの大尉に当たる〕

**いちい**【一意】 ■一 (たった)一つの意味。「—性」 ■二《副》ひたすら。もっぱら。「—専心」

**いちいたいすい**【一衣帯水】〔衣帯=おび〕一本のおびぐらいの、せまい川や海(をへだてただけの、近い距離)。「—の隣国」 ✎意味上は「一衣帯+水」と分かれるが、発音上は「いちい+たいすい」ととらえたアクセントになっている。

**いちいち**【(一々)】 ■一 一つ一つ別にすること。個別。「—の説明は はぶく」 ■二《副》①一つ一つについて〈細かく/しつこく〉するようす。「原因を知るため、—点検してみた・〔細かい こごとに対して〕—うるさいよ!」 ②それぞれ、みんな。ことごとく。「ご指摘は—もっともです」 ③〔俗〕ひとつ残らず。すべて。「話し方やしぐさが—かわいい」

**いちいちきゅう**【一一九】⇩ひゃくじゅうきゅうばん(一一九番)。

**いちいん**【一因】一つの原因・理由。「事故の—・成功の—」

**いちいん**【一員】〔社会・団体の〕ひとり。なかま。「会の—」

**いちいん**【一院】①〔文〕一番目の上皇。本院。 ②一つの〈寺院/議院〉。 ③〔議会の〕両院のうちの、一つ。 ●**いちいんせい**【一院制】一つの議院だけで議会を構成する制度。(↕二院制)

**いちエネルギー**【位置エネルギー】《理》ある位置の物体が持つエネルギー。重力のある所では、物体の質量・高さ・重力加速度の積。ポテンシャル エネルギー。

**いちえん**【一円】 ■一 ①〔ある地域の〕すべて。全域。「関東—」 ②⇩円②。「—を笑う者は—に泣く(=わずかなお金でも大切にしないとあとで困ったことになる)」 ■二《副》〔文〕少しも。「—合点せず」

**いちおう**【一応・一往】《副》①あとのことは ともかく。ひとまず。とりあえず。「—信用しておく・—の結論」 ②念のために。ためしに。「—目を通してください・—行ってみよう」 ③不十分かもしれないが、成り立っているようす。「—成功した・—は読んだ・—の道具は そろっている・—決まりですから、守ってください」 ④自慢をしているわけではないという態度を示そうとすることば。「—社長です・—大学院を出ています」

**いちおく**【一億】①一万の一万倍。 ②〔日本の総人口が約一億であることから〕日本国民全体。「—総中流」

←**いちおし**【一押し】一回押すこと。「—二押し三に押し(=人を口説くときなどに、(しつこく)何度でもやること)」

→**いちおし**【一推し・イチ推し・イチオシ】いくつかの品物のうち、いちばん推薦できる〈こと/もの〉。「当店—のお買い得品」

**いちがいに**【一概に】《副》〔いいものも悪いものも みんな〕ひっくるめて。差別なく。「—悪いとは言えない・—信じるのも考えものだ」

***いちがつ**【一月】一年の第一の月。正月。☞むつき(睦月)。

**いちがん**【一丸】一つにまとまること。ひとまとまり。「打って—となる(=全員が団結する)・全社—となって取り組む」

**いちがん**【一眼】〔文〕一つの目。一方の目。 ●**いちがんレフ**【一眼レフ】〔レフ↑レフレックス〕プリズムを利用し、一つのレンズで撮影レンズとファインダー用のレンズとをかねたカメラ。(↕二眼レフ)

**いちぎ**【一義】〔文〕①一つの意味。 ②⇩第一義。 ●**いちぎてき**【一義的】《ナダ》①一つの意味にだけ解釈できるようす。 ②⇩第一義的。(↕二義的)

**いちぎ**【一議】〔文〕一度の評議。 ●**一議に及ばず** [句] 相談するまでもなく。

**いちく**【移築】《名・他サ》〔文〕建物をいったん解体し、ほかの場所へ移して もとのように建てかえること。

**いちぐう**【一隅】かたすみ。「庭の—」

**いちぐん**【一軍】①一隊の軍。 ②全軍。 ③〔↑第一軍〕正規の選手によるチーム。「—入り」(↕二軍)

**いちぐん**【一群】一つの むれ。「ハトの—・黒服の—」

**いちげい**【一芸】一つの技術・芸能。「—にひいでる・—一能(=一芸と一つの技能)の持ち主・—入試(=スポーツや文化活動の才能で選考する入試)」

**いちげき**【一撃】《名・他サ》①一回の打撃。ひとうち。「—のもとに たおす・—を加える〔きびしい批判・反論をする意味にも〕」 ②〔クライミングなどで〕一回目の挑戦で失敗せずに登り切ること。「—で完登する」

**いちげん**【一元】①一つの〈要素/中心〉。「—論(=すべてが一つのもとから分かれたとする考え方)」(↕多元) ②一つの年号。「一世—」 ③《数》一つの未知数。「—

二次方程式」●**いちげんか**［一元化］《名・他サ》ばらばらのものを、一つの中心のもとにまとめること。「窓口を一する・情報の一」

☆☆**いちげん**［一△見］〔見＝見参〕〔料理店などで〕はじめて（の客）。「一の客・一さん」（↔おなじみ）☞いっけん（一見）。

**いちげん**［一言］《名・自サ》〔文〕ひとこと。いちごん。●**いちげんいっこう**［一言一行］〔文〕ちょっとしたことばやおこない。●**いちげんこじ**［一言居士］なにごとにも意見を言わずにはいられない性質の人。

**いちげんしき**［一見識］ひとかどの見識。

**いちご**［一期］〔文〕一生。生涯。「一の思い出」●☆☆**いちごいちえ**［一期一会］一生に一度の出あい。また、一生に一度と考えなければならないほど、大切な出あい。「旅先での出あいは一だ」由来 その日の茶会を一生に一度のものと考え、悔いを残すなという、茶道の教えから。

**いちご**［一語］ひとこと。●**一語に尽きる**句〔…の一〕…以外に言うことばがない。「無礼の一」●**いちごいっく**［一語一句］〔会話や文章の〕一つ一つの語句。一言一句。「一がはっきりと聞き取れる・一を忠実に訳す」

**いちご**［（×苺）・（×莓）］赤い、小形のくだもの。やわらかくて、表面にぶつぶつがある。すっぱくてあまく、ミルクの味と合う。「一ジャム・一大福」

**いちこじん**［一個人］⇩いっこじん。

**いちころ**〔＝一撃で、ころっとたおれる。「イチコロ」とも書く〕〔俗〕簡単に〈負ける／死ぬ／心をうばわれる〉こと。「あの ほほえみに一だ」

**いちごん**［一言］《名・自サ》〔文〕ひとこと。いちげん。「一一句・一半句〔＝わずかのことば〕も もらさず」●**一言なかるべからず**句〔文〕ひとこと自分の考えを言っておかなくてはならない。●**一言の下に**句〔文〕ひとことで。「相手のことばを一否定する・一断定する」●**一言もない**句〔文〕答えることばがない。何も言えない。「そう言われては一」

**いちざ**［一座］㊀①〔文〕座席全体の人。②〔興行の〕団体。劇団。㊁《名・自サ》〔文〕同じ〈場所／座席〉にすわること。同席。

**いちじ**［一字］一つの文字。「一一句」●**いちじせんきん**［一字千金］一字で千金のねうちがあること。りっぱな文章や文字。

**いちじ**［一次］①一回目。一度目。最初。「一試験」②直接得られたもの。なま。「一情報」③《数》ある変数について二乗以上の項がないこと。「一式」●**いちじさんぎょう**［一次産業］《経》食料や原料となる動植物を生産する、基礎的な産業。農業・牧畜業・林業・漁業など。第一次産業。●**いちじさんぴん**［一次産品］一次産業の産物。加工しないで、生産したままの形で取引される。一次品。第一次産品。

**いちじ**［一事］〔文〕一つのこと。●**一事が万事**句 なんでもそうだ。●**いちじふさいぎ**［一事不再議］《法》議会で、一度決めたことは その会期中には もう審議できないこと。●**いちじふさいり**［一事不再理］《法》ある刑事事件の判決が確定した場合、同じ事件については、二度と審理しないこと。

**いちじ**［一時］①何かが おこなわれる途中の、ある時期や期間。一時期。「一はどうなるかと思った」②しばらく。一定時間。「一預かり・一中止する」区別 天気予報で「あすは 一時 雨」と言えば、六時間未満のこと。「一時」は予報期間の四分の一未満を言う。一方、「あすは晴れ 時々 雨」と言えば、雨が断続的に降り、その合計が十二時間未満ということ。「時々」は予報期間の二分の一未満を言う。③そのとき（だけ）。いっとき。「一の出来心・一しのぎ」☞いっとき（一時）・ひととき（一時）。●**いちじききゅう**［一時帰休］不況のとき、企業が 一定期間、減産のために従業員を休ませること。「一制」●**いちじきん**［一時金］①〔年金に対して〕退職するときなどに そのとき限りでもらう、まとまったお金。②賞与。「年末一」●**いちじてき**［一時的］《ナダ》〈短い間／そのとき〉だけであるようす。（↔恒常的）「一 なみだが あふれる」●**いちじに**［一時に］《副》いちどきに。●**いちじのがれ**［一時逃れ］言いわけ・あいまいな返事などで、そのときだけ責任をのがれること。いっときのがれ。一寸のがれ。●**いちじばらい**［一時払い］《名・他サ》代金などを全額まとめて一度にはらうこと。一括払い。（↔分割払い）

**いちじく**［（：無花果）］夏から秋にとれる くだもの。実は たまご大で むらさき色。中に多くの つぶつぶ〔＝花〕がある、あまい。いちじゅく。フィグ（fig）。「くるみと一のパン」

**いちじだい**［一時代］①ある時代に相当する時間。「一前の作家」②ひとつの はなばなしい時代。「一を画する名著・一を築く」▽ひと時代。

**いちしちにち**［一七日］《仏》初七日。いっしちにち。

**いちじつ**［一日］〔文〕いちにち。●**一日の長がある**句 経験を少し よけいに積んで、すぐれている。

**いちじゅ**［一樹］〔文〕一本の立ち木。●**一樹の陰一河の流れも多生の縁**句 同じ木かげに宿り、同じ川の水をくんで知り合うのも、前世からの因縁だ。

**いちじゅう**［一汁］〔文〕食事に出される汁物が一種類であること。●**いちじゅういっさい**［一汁一菜］汁物とおかずが一品ずつの、簡素な食事。

**いちじゅん**［一巡］《名・自他サ》ひとまわり。「市内を一する・打者が一する・さかずきが一する」

**いちじょ**［一助］ちょっとした〈助け／足し〉。「研究の一にする」

**いちじょう**［一条］①ひとすじ。一本。「一の光」②箇条書きの、ひとつ。

**いちじょう**［一城］一つの〈しろ／根拠地〉。☞一国一城のあるじ。

**いちじょう**［一場］〔文〕①そのばかぎり。わずかの間。「一の夢」②一回。ひとくさり。「一の講演」

＊**いちじるしい**［著しい］《形》〔文〕①程度が、目だつほど大きい。「著しく不足する・進歩のあとが一・発展一」②はっきりしているようすだ。「誤りであることが一」派 一さ。

**いちじん**［一陣］〔文〕ひとしきり。「一の風」

**いちず**［（一△途）］《ナダ》ただそればかり（思いこむようす）。ひたすら。「一な人」派 一さ。☞いっと（一途）。

**いちせいめん**［一生面］〔文〕新しい〈方面／部門〉。いっせいめん。「文学の一をひらく」

**いちぜんめし**［一膳飯］どんぶりなどに盛って、おかわりしないめし。盛り切り。「一屋」

**いちぞく**［一族］同じ〈血統／系統〉に属する者たち（のひとり）。

**いちぞん**［一存］自分ひとりの考え。「一では決められない」

**いちだ**［一打］①《野球》一回（安打を）打つこと。一本の安打。「一逆転のチャンス・一投一」②《ゴルフなど》一回打つこと。

**いちだい**［一代］①天皇や君主、当主などが、その地位にいる間。②一生。「出世一記」③第一代。初代。④位が、その人に限ってあたえられること。「《すもう》一親方」⑤その時代。当代。●**いちだいざっしゅ**［一代雑種］異なった純粋の品種を交配させて作った雑種の第一代。雑種第一代。例、ハイブリッド米。

**いちだい**［一大］遺 一つの大きな。「一発見」

**いちたい-いち**［一対一］①一つのものが、他の一つのものだけに対応すること。「一の関係」②相手とふたりきり。「一で話し合う」③試合の得点が、一点ずつである状態。▽いったいいち。

**いちだいじ**［一大事］たいへんな できごと。

**いちだん**［一団］ひとかたまり。一群。

**いちだん**［一段］[一]いちだん ①〈階段・段階などの〉一つの段。「一高い所からものを言う・腕が一上がる」②ひとくぎり。「義太夫を一語る」[二]いちだん《副》もともと大きかった程度が、より大きくなったようす。ひときわ。「人気が一と高まる・また一と成長した・一の人員削減」

**いちだんらく**［一段落］[一]一つの段落。「一目」[二]《名・自サ》ひとくぎり（つくこと）。ひとだんらく。「事件も一した」

**いちづ・ける**［位置（付ける）］《他下一》〈全体の中で／ほかとの関連で〉どういう〈位置／地位〉をしめるかをはっきりさせる。「最優先課題に一」名 位置づけ。

**いちてんき**［一転機］気持ちを入れ替える一つの（大きな）変わりめ。いってんき。「父の死が一になった」

****いちど**［一度］[一]いちど 一回。いっぺん。「一来たことがある・一ならず（＝一度だけでなく）」[二]いちど〈温度・角度・経度・緯度などの〉一つの目もりで しめされる単位。●**いちどに**［一度に］《副》〈多くの人やものが〉同じ時に（そろって）。「一言われても わからない」

**いちどう**［一同］そこにいる人・なかまのすべて。「一無事・親族一を代表して・御一様」

**いちどう**［一堂］同じ建物。「一に会する（＝ある目的のために多くの人が集まる）」

**いちどう**［一道］一芸。「一をきわめる」

**いちどきに**［（一時に）］《副》〈ある動作／いろいろのもの〉が同じときに。いっときに。いちじに。

**いちどく**［一読］《名・他サ》①〈一度／ざっと〉読むこと。「一の価値がある・一した限りでは」②〔文〕いったん読み始めること。「一、巻を措く あたわず（＝本をとちゅうでやめることができない）」

**いちとんざ**［一頓挫］《名・自サ》〔文〕いったん、勢いがくじけて弱ること。「事業に一をきたした」

**いちなん**［一難］一つの災難。「一去ってまた一」

**いちに**［一二］①ひとつふたつ。ひとりふたり。わずか。②一位と二位。ワンツー。「一を争う」●**いちにてん**［一二点］〔漢文で〕一、二、三…の数字であらわした返り点。●**いち-にの-さん**［一二の三］《感》〔話〕（いっせいに）何かを始めるときのかけ声。三に合わせて始める。ひのふのみ。ワンツースリー。いちにーのーさん。

***いちにち**［一日］①朝から夜暗くなるまでの間をまとめた呼び方。「一が暮れた」②〈ある時間を基準として〉二十四時間。「九時まで、まる一ねむった」③日かずで数えて、一つ。「あと一待ってください」④〔文〕ある日。「一、京都に遊ぶ」⑤短い期間。「ローマは一にして成らず」⑥その月の第一日。ついたち。「一月一」●**一日の長がある** 句 ⇩いちじつの長がある（「一日」の句）。●**いちにち-いちぜん**［一日一善］一日に一回は、いい おこないをすること。●**いちにちせんしゅう**［一日千秋］待ちどおしくて、一日が千年のように長く思われること。いちじつせんしゅう。「一の思い」

**いちにょ**［一如］〔文〕二つに分かれないこと。不二。「物心一」

**いちにん**［一人］ひとり（の人）。「御一様・一区（＝定数一名の選挙区）」●**いちにんまえ**［一人前］①ひとりが食べるだけの分量。「うなぎ一」②（りっぱな）ひとりの おとな。「一の人間・一になる」▽ひとりまえ。

**いちにん**［一任］《名・他サ》すっかり まかせること。「議長に一する」

**いちにんしょう**［一人称］《言》代名詞のうち、話し手・書き手をさす言い方。日本語文法では「自称」とも言う。第一人称。例、わたし・ぼく。

**いちねん**［一年］①一月一日から十二月三十一日までの間をまとめた呼び方。②〈ある月／ある年のある日〉を基準として〉十二か月。「約一かかる」③元年。●**いちねんせい**［一年生］[一]いちねんせい ①学校で、いちばん下の学年の生徒・学生。一年坊主。「小学一」②その年に〈はいった／なった〉人。「社会人一」③〔俗〕当選一回目の議員。[二]いちねんせい《植》〔草が〕春に芽が出て、その年のうちに枯れること。「一の植物」（↔二年生・多年生）●**いちねんそう**［一年草］《植》「一年生[二]」の草。一年生草本。例、イネ・アサガオ。（↔二年草・多年草）

**いちねん**［一念］深く思いこ〈むこと／んだ心〉。●**いちねんほっき**［一念発起］《名・自サ》①ものごとをなしとげようと決心すること。「一して研究に打ちこむ」②《仏》覚悟して仏の道にはいること。

**いちのぜん**［一の膳］《料》〔本膳料理で〕最初に出して客の正面に置く膳。本膳。

**いちのとり**［一の×酉］十一月の、最初の とりの日。とりの市がある。はつとり（初酉）。

**いちば**［市場］①《経》〈毎日／決まった日に〉商売人が集まって売り買いする所。②日用品・食料品を一か所に集めて売る所。▽しじょう。

**いちばい**［一倍］《名・自サ》①その数自身。「丸ビルの一半（＝一・五倍。五割増し）の高さ」②二倍。倍。「人一（＝人の二倍も多く）」

**いちはつ**［（一△八）・（：鳶尾）］草花の名。アヤメに似ているが、葉は はばが広く白っぽく、花は少し大きい。

**いちばつひゃっかい**［一罰百戒］罪をおかしたひとりの人を罰することによって、多くの人のいましめとすること。「一の いましめ」

**いちはやく**[(△逸)早く]《副》だれよりもはやく。まっさきに。「―かけつけた」

＊＊**いちばん** ㊀ **いちばん**[一番] ①第一(のもの)。「会員番号―・―の歌詞・―人気」 ②〔↑一番目〕最初。「―列車〔略して『一番』とも〕・―星・―風呂」 ③最もいいこと。「本人に聞くのが―だ」 ④最も程度が大きいこと。「この冬(で)―の寒さ」 ⑤一曲。「謡曲―」 ⑥《すもう》一つの取組。「結びの―」 ㊁ **いちばん**[一番]《副》この上なく。最も。「県内で―大きい病院」 ㊂ **いちばん**[一番]【造】 ①…をして、まず最初に。「開口―」 ②…をして、思い切って。「緊褌―」

**いちばんしょうぶ**[一番勝負] 一回の戦いだけで、勝ち負けを決めること。☞三番勝負。 • **いちばんて**[一番手] ①最初の〈もの/人〉。「攻撃の―」 ②いちばん有力な者。「横綱争いの―」 ③〔スポーツなどの団体戦で〕一番目に試合に出る人。 • **いちばんどり**[一番△鶏] 夜明け前に、最初に鳴くニワトリ(の声)。 • **いちばんのり**[一番乗り]《名・自サ》 ①第一番に敵の陣や城へ馬を乗り入れる〈こと/人〉。 ②最初にある場所へ〈着く/はいる〉こと。 • **いちばんやり**[一番(×槍)]〔=いくさで、敵陣を一番にやりでつく人〕 最初に成果を〈あげること/あげた人〉。「―を務める」

**いちび**[市日] 市を開く日。市の立つ日。

**いちびょうそくさい**[一病息災] 一つぐらい病気のある人のほうが、からだを大切にして、かえって長生きできるということ。〔「無病息災」のもじり〕

**いちびり**〔関西方言〕 調子にのってふざけたり、おどけたりする〈こと/子ども/人〉。【動】いちびる《自五》。

**いちぶ**[一分] ①⇩分 ㊀。「―咲き〔=一割の花が咲いたこと〕・これじゃ―じゃ帰れめえ〔=千文をもらっただけでは帰れまい。芝居の『切られ与三』のせりふ〕」 ②ほんのわずか。 • **いちぶいちりん**[一分一厘]《名・副》ほんのわずか(のところまで)。「―ちがわない」

＊＊**いちぶ**[一部] ①〔書物の〕ひとそろい。「―三冊」 ②〔書物の〕一冊。 ③一部分。「―(を)省く・―メディアでの報道〔『大きな問題になっていない』という語感がある〕」(↔全部) • **いちぶしじゅう**[一部始終]〔はじめから終わりまでの〕くわしい事情。「―を物語る」

**いちぶつ**[一物]〔文〕一つの物。いちもつ。「あとに―も残さない・―二価〔=一つの物の価格が二とおりあること〕」

**いちぶぶん**[一部分] 全体の中の、それほど大きくない部分。(↔全部・大部分)

**いちぶん**[一分]〔文〕身の面目。守らねばならない体面・ほこり。「男の―が立たない」☞いちぶ(一分)。

**いちぶん**[一文] ①一つの文。 ②〔文〕〈一つの/ちょっとした〉文章。「―をものする」

**いちページ**[一ページ] ①〔ある長さをもった〕一場面。「思い出の―として心に刻む」☞ひとこま。 ②〔発展する中での〕一つの段階。「歴史の新たな―を作る」

**いちべつ**[一別]《名・自サ》〔文〕前にいちど別れたこと。「―以来〔=別れてから〕ごぶさたしております」

**いちべつ**[一×瞥]《名・他サ》ひと目ちらっと見ること。「―もせず・―をくれる〔=一瞥する〕」

**イチボ**〔↑aitchbone〕 牛肉の、しりの骨ごと切った部分。また、その部分の肉。焼き肉などにする。☞サーロイン。

**いちぼう**[一望]《名・他サ》 いちどに見わたすこと。「―千里・―に収める」

**いちぼく**[一木]〔文〕一本の木。「―一草〔=一本のくさ〕」 • **いちぼくづくり**[一木造り]《美術》〔仏像制作で〕胴体を一つの木材から作る手法。(↔寄せ木造り)

**いちまい**[一枚] ①〔紙・板など平たいもの〕ひとつ。「―(の)板」 ②〔あぜで仕切った田〕ひとつ。 ③一部の役割。「―加わる〔=一枚かむ〕」 ④一段階。「相手チームのほうが―〈上/上手〉だ〔=うでまえが一段上だ〕」 【由来】③④は、芝居小屋の役者看板〔一枚、二枚と数える〕から。④は、格上の役者の看板のほうが上手に並ぶことから。 • **一枚嚙む**【句】〔悪いことに関して〕一部の役割をになう。一枚加わる。「政治家が―」 • **いちまいいわ**[一枚岩] ①割れ目なしに続いている、じょうぶな岩。 ②組織がしっかりまとまっていること。「―の団結」 • **いちまいかんばん**[一枚看板] ①《芝居》すぐれた俳優の名前などを一枚の看板に書いたもの。 ②「一枚看板①」に名前を書かれる俳優。 ③団体などの中心人物。 ④〔俗〕一枚しかない衣服。

☆☆**いちまつ**[一抹]〔=筆でほんの少しなすりつけただけの分量〕ほんのわずか。「―の雲・―の不安がある」

**いちまつ**[市松] ↑市松模様。 • **いちまつにんぎょう**[市松人形] おかっぱ頭の少女などの姿をした、日本の伝統的な(着せかえ)人形。からだはおがくずをかためて作る。いちま(さん)〔関西方言〕。 • **いちまつもよう**[市松模様] 黒と白など、二つの色の四角形をたがいちがいにならべた模様。元禄模様。市松。【由来】江戸時代の歌舞伎役者、佐野川市松が使った模様からという。

**いちみ**[一味] ①〔漢方薬の〕一種類。「―を加える」 ②同じなかま。「強盗の―」 ③一脈。「―通じるものがある」 ④〔↑一味とうがらし〕粉末状のトウガラシ。☞七味とうがらし。☞ひとあじ(一味)。

**いちみゃく**[一脈] ひとすじ(のつながりのあること)。 • **一脈相通じる**【句】〔性質や考え方などが〕わずかながら共通する。

**いちミリ**[一ミリ]〔↑一ミリメートル〕〔多く、後ろに否定が来る〕ほんのわずか。「―も〔=みじんも。俗に『ミリも』とも〕ゆらがない・―だけ思った」

**いちめい**[一名] ㊀ **いちめい** ひとり。 ㊁ **いちめい** 別名。異名。またの名。

**いちめい**[一命]〔ひとりの〕いのち。「―にかかわる・―を取り留める」

**いちめん**[一面] ㊀ ①一つの(がわの)面。「―の真理」 ②あたり全体。「空―が赤くそまる・―にひびのはいったかべ」 ③〔琴・鏡など〕ひとつ。 ④〔新聞の〕第一面。「―トップ」 ㊁《副》別の面〈で/から見ると〉。「ふだんはやさしいが、―厳格なところがある」 • **いちめんかん**[一面観] 一面だけの(かたよった)観察。 • **いちめんてき**[一面的]《ナダ》ある一つの(方)面だけにかたよるようす。「―なものの見方」

**いちめんしき**[一面識] いちど会って知っていること。「―もない」

**いちもうさく**【一毛作】〘農〙〔同じ耕地に〕一年に一回、作物をつくること。単作。☞二毛作①・多毛作。

**いちもうだじん**【一網打尽】〔=一度網を打っただけで、さかなをとりつくす〕いちどにすべての犯人をつかまえること。

**いちもく**【一目】㊀《名・他サ》〔文〕〈ひとめ/ちょっと〉見ること。一見。「―して瞭然」㊁〔碁〕①碁盤の一つの目。②一つの碁石。〔近世以前からの用法。現代では、一般に「一子」〕☞ひとめ(一目)。●**一目(を)置く** 句 相手が自分よりまさっていると認めて敬意をはらう。由来 囲碁では、弱い人が先手になり、まず石を一つ置くことから。●**いちもくさん**【一目散】わきめもふらず、目的地まで行くようす。いっさん。「―ににげ出した・―にかけつける」●**いちもくりょうぜん**【一目瞭然】《ナダ》ひとめ見てはっきりわかること。「力のちがいは―だ」派-さ。

↔**いちもつ**【一物】〔=一つのもの。あるもの〕①何か悪い考え。「腹に―ある」②〔俗〕⇩逸物②。

↑**いちもつ**【△逸物】①〔古風〕すぐれた馬・人物など。②【一物】〔俗〕男根。

**いちもん**【一文】①⇩文㊀。「―銭」②わずかのお金。「―なし」③〔文〕一つの文字。●**いちもんふつう**【一文不通】〔文〕一字も読めないこと。

**いちもん**【一門】①同じ血統の者たち。一族。②〔仏教などで〕同じ宗派の者たち。③〔芸術・学問などで〕同じ先生・師匠に習う者たち。

**いちもんいっとう**【一問一答】《名・自サ》一つのことを質問し、相手がそれに答えるという形で、質問と答えをくり返すこと。「―形式」

**いちもんじ**【一文字】①「一」の字のように、横にまっすぐなこと。「口を―に結ぶ」②わき目もふらず、まっしぐらに突進するようす。

**いちや**【一夜】①ひと晩。②ある晩。●**いちやかざり**【一夜飾り】ひと晩だけかざっておく〈もの/こと〉。「正月のおかざりやひな人形の―はよくない」●**いちやづくり**【一夜作り】《名・他サ》①ひと晩の間に作ってしまうこと。②まにあわせに急に作ること。●**いちやづけ**【一夜漬け】《名・他サ》①ひと晩だけつけて食べられるつけもの。②時間に追われて(ひと晩で)、芝居・文章などを作ったり、試験勉強をしたりすること。

**いぢゃいちゃ**《副・自サ》〔好きな人どうしが〕ふざけ合ったり、あまえたりするようす。「人前で―する」

**いちやく**【一躍】《副・自サ》急に地位などが高くなること。ひとっとびで。「―人気スターになる」

**いちゃつく**《自五》いちゃいちゃする。名いちゃつき。

**いちゃもん**〔俗〕文句(を言うこと)。言いがかり。「―をつける」

**いちゅう**【意中】心の中(で思っていること)。●**いちゅうのひと**【意中の人】①心の中で好きだと思う相手。②その仕事をまかせようと思う人材。

**いちゅう**【移駐】《名・自サ》〔文〕軍隊などがよその土地に移って、そこにとどまること。

**いちゆう**【一×揖】《名・自サ》〔文〕ちょっとおじぎをすること。

**いちょ**【遺著】①発表されないまま死後に残された著作。②生前最後の著作。③死後に発表された著作。

**いちょう**【医長】〔病院で〕それぞれの科で、管理職の役割を務める医者。

**いちょう**【胃腸】胃と腸。「―障害・―薬」

**いちょう**【∵銀杏・∵公孫樹】背の高くなる落葉樹。葉はおうぎ形で、秋、黄色くなり、ギンナンがなる。●**いちょうぎり**【∵銀杏切り】〔料〕ダイコンやニンジンなどの野菜をたて十文字に四つ割りにし、はしからうすく切っていくこと。☞半月切り。

**いちょう**【イ調】〔音〕その音階の第一の音に「イ」の音をあてた調子。

**いちょう**【移調】《名・他サ》〔音〕メロディーを変えないで、曲をほかの調子に移すこと。「原曲を二調へ―する」

**いちよう**【一葉】〔文〕①一枚の葉。②〔紙などの〕一枚。「―の写真」③〔小さな舟の〕一艘。●**一葉落ちて天下の秋を知る** 句 ちょっとしたできごとから〈おとろえの〉前ぶれを感じ取る。桐一葉落ちて天下の秋を知る。

**いちよう**【一様】《ナダ》〈どこも/どれもこれも〉同じようであるようす。「―に頭を下げる」派-さ。

**いちようらいふく**【一陽来復】《名・自サ》〔文〕①春がくること。新年になること。〔多く手紙で時候のあいさつに使う〕②陰がきわまって、陽がかえってくる〈こと/時節〉。〔冬至の日をさす〕③しばらく不運が続いたあとで、いい運が向いてくること。

**いちよく**【一翼】〔=一つのつばさ〕一つの役割。「生産の―をになう」

**いちよく**【一浴】《名・自サ》〔文〕〔温泉などで〕〈一度/かるく〉入浴すること。

**いちらん**【一覧】《名・他サ》①ひととおり目をとおすこと。②ひと目でわかるように作った〈本/表〉。リスト。「―表」

**いちらんせい**【一卵性】〔生〕一つの卵子であること。●**いちらんせいそうせいじ**【一卵性双生児】〔医〕受精した一個の卵子が、二つに分かれて成長したために生まれたふたご。(↔二卵性双生児)

**いちり**【一利】一つの利益。☞百害。●**いちりいちがい**【一利一害】利益があるかわり、害もあること。「―がある」

**いちり**【一理】一つの〈道理/理由〉。「君のことばにも―ある」

**いちりつ**【市立】〔話〕⇩しりつ(市立)。

**いちりつ**【一律】《ナダ》差をつけないで同じにすること。「―三万円支給」派-さ。

**いちりづか**【一里塚】①一里〔=約三・九キロ〕ごとに、目じるしとして街道に作った「つか(塚)①」。江戸時代の里程標。②到達点にいたる一つの段階。マイルストーン。「門松は冥土の旅の―めでたくもありめでたくもなし」

**いちりゅう**【一流】①第一等の地位・程度。第一流。「―の作曲家」(↔二流)②〔文〕一つの流派。「―を編み出す」

**いちりゅう**【一粒】〔文〕ひとつぶ。●**いちりゅうまんばい**【一粒万倍】わずかの資本がふえて、大きな利益を生むこと。「―日〔=吉日の一種〕」

**いちりょう**【一両】㊀いちりょう⇩両㊁②。㊁いちりょう[一×輛]⇩両【三】。【三】〔造〕ひとつふたつの。一、二。「一年」●☆☆いちりょうじつ[一両日]一日または二日。「一中に(=今日明日または明日あさってのうちに)お返事します」

**いちりん**[一輪]①一つの車輪。②ひらいた花、一つ。「一のバラ」③〔まるいものが〕一つ。「一の名月」●**いちりんざし**[一輪挿し]花を一、二輪いける、小さい花瓶。また、そこに花をいけること。●**いちりんしゃ**[一輪車]①車輪が一つの自転車。②⇩ねこぐるま。

**いちる**[一×縷]〔=ひとすじの糸〕わずか。かすか。「一の望みをたくす」

**いちるい**[一塁]《野球》バッターがランナーとなって最初にふむ塁(を守る人)。ファースト(ベース)。●**いちるいしゅ**[一塁手]《野球》一塁を守る選手。一塁。ファースト。

**いちれい**[一例]一つの例。「一を挙げる」

**いちれい**[一礼]《名・自サ》〔文〕〈ちょっと〉一度〉礼をすること。「一して通り過ぎた」

**いちれん**[一連]①ひとつながり(の全体)。「一の事件・一の責任を取る」②ひものなどを縄や串でひとつらなりにしたもの。「一五個の干しがき」③⇩連【二】①③。●**いちれんばんごう**[一連番号]伝票・紙幣などにつける、順番につながった番号。通し番号。シリアル ナンバー。

☆☆**いちれんたくしょう**[一×蓮×托生・一×蓮託生]①《仏》死んでから、極楽の同じレンゲの上にいっしょに生まれかわること。②行動や運命をともにすること。「一の運命」

**いちろ**[一路]【一】①ひとすじの みち。「真実一」②《碁》一つとなりの筋。「一辺寄り」【二】《副》わき道にそれずに。まっすぐに。「一広島へ向かう・一邁進」

**いちろう**[一浪]《名・自サ》〔大学などの受験生で〕一年間浪人する〈こと/人〉。

**いちろくしょうぶ**[一六勝負]〔一六=さいころの目の一と六〕〔古風・俗〕①ばくち。②運にまかせた勝負。

**いつ**[一]〔文〕一つ(のもの)。「一をもって他をおぎなう」

*__いつ__[五]〔古風〕【一】**いつ**いつつ。〔数えるときに言うことば〕☞ひい(一)。【二】〔造〕五つの。「一月・一とせ(年)」

**いつ**[逸]〔視覚語〕逸すること。「〔記事の見出しで〕V一(=優勝をのがす)」

**いつ[(:何時)]《代》決まっていないときをあらわすことば。「一何時・一いっか(幾日)」☞いつか・いつも。

**いついつ**[(:何時何時)]《代》①「いつ」を強めた言い方。「一までも」②「何月何日」と、はっきりさせる言い方。「一と決められない」

**いつう**[胃痛]胃の痛み。

**いっか**[一家]①一つの家。一軒。「一の主人」②家族全体。「一だんらん(団欒)・一を支える」③独立した、一つの流派。独自の存在。④〔やくざなどの〕一つの団体。●☆☆**いっかげん**[一家言]①自分独特の主張・論説。「一を持つ」②見識のある意見。●**一家を成す**〔句〕ひとかどの権威となる。

**いっか**[一荷]①《釣り》〔同時につれた〕二ひき。「一づり」②⇩荷。

**いっか**[一×顆]〔宝石・まるい くだものなど〕ひとつ。「ルビー一・リンゴ一」

**いっか**[幾日]〔=いく〕〔古風〕①何日の間。「一お泊まりいただいても かまいません」②何日。「何月一までに」

**いっか**[一下]《名・自サ》〔文〕〔ひとたび〕くだること。「命令一、出動した」

**いっか**[一過]《名・自サ》いちどに通過すること。さっとすぎ去ること。「一性下痢・台風一」

**いつか**[五日]①その月の五番目の日。「三月一」②日かずで数えて、五つ。「一待ってください」

**いつか**[(:何時か)]《副》①よく覚えていないが、以前。「一来た道・一の(=いつか会った)学生」②はっきりわからないが、今より先。そのうち。「一帰ってくるだろう・また一会いましょう」③〔古風〕いつのまにか。いつしか。「一秋になっていた」●**いつかしら**[(:何時かしら)]【一】**いつかしら**《副》〔文〕いつのまにか。「一そんな日が来るであろう」【二】**いつかしら**〔連〕〔話〕いつだろうか。「桜がさくのは一」

**いっかい**[一介]ひとり。〔つまらないもの、という場合に使う〕「一の文士」

**いっかい**[一回]①いちど。「一の失敗」②いちどめ。「《野球》一の裏」●**いっかいき**[一回忌]《仏》⇩一周忌。●**いっかいせい**[一回生]①第一回の卒業生。②〔関西方言〕大学の、一年生。

**いっかい**[一階]〔建物の〕地上にいちばん近い階。「地下一(=地上にいちばん近い、地下の階)」

**いっかい**[一塊]〔文〕ひとかたまり。

**いっかく**【一】[一角]①一つのすみ。かたすみ。「建物の一・天の一」②無視することのできない存在。「優勝候補の一を〈占める/になう/なす〉」③一つの かど。④《競馬など》第一のコーナー。【二】[(一角)]一本の長いきばをもった、北極海にすむクジラのなかま。一角獣。●**いっかくじゅう**[一角獣]①西洋の、想像上の動物。馬に似たからだで、ひたいに一本のつのがはえている。ユニコーン。②⇩いっかく(一角)【二】。③中国の、想像上の動物。麒麟。

**いっかく**[一画・一×劃]〔土地の〕ひとくぎり。「大都会の一」

**いっかく**[一郭・一×廓]〔囲いのある〕地帯。

**いっかくせんきん**[一×攫千金・一獲千金]いちどに大きな利益を得ること。「一の夢」

**いっかつ**[一括]《名・他サ》ひとまとめ。一つにくくること。「法案を一上程する・一ばらい」

**いっかつ**[一喝]《名・他サ》〔短いことばで〕大声でしかりつけること。

**いっかな**《副》〔↑いか(如何)な〕〔古風〕どうしても。「一言うことをきかない」

**いっかん**[一巻]①〈巻き物/本の形〉でいくつか続いているものの〈一つ/いちばん はじめの もの〉。②〔古風〕〔映画フィルムの〕一本。●**いっかんのおわり**[一巻の終わり]すべてが終わること。【由来】昔、無声映画の終わりに、弁士が言ったことから。

**いっかん**[一貫]【一】**いっかん**⇩貫。【二】**いっかん**《名・自サ》①同じやり方で通すこと。「終始一して」②ひと続きであること。「一作業・中高一教育」

**いっかん**[一管]〔文〕〔筆・笛など〕一本。

**いっかん**[一環]①〔文〕〔くさりの〕一つの輪。②つながりのある全体の、一部分。「計画の一として基金を設立する」

**いっき**【一気】①短い時間で、思いきってすること。ひといき。「―に飲みほす・―の攻め・―読み」②［イッキ］〔俗〕↑一気飲み。●**いっきかせい**【一気(×呵)成】〈ひといきに／息もつかず〉仕事をしてしまうこと。「―に仕上げた」●**いっきつうかん**【一気通貫】《名・他サ》①〔マージャン〕一から九までの同種のパイをそろえる役の名。一通。②業務のすべての過程をつないで、合理的に管理すること。「製造から販売まで―でおこなう」●**いっきのみ**【一気飲み・イッキ飲み】《名・他サ》〔学生のコンパなどで〕つがれた酒を、一気に飲みほすこと。一気〔俗〕。

**いっき**【一季】〔文〕①一年のうちの、一つの時季。②江戸時代、奉公人がつとめた期間である一年。「―半季の奉公人」

**いっき**【一×揆】農民などの、暴動。「百姓―」

**いっき**【一期】区切られた一つの時期。「―おくれて入学した・―生(=第一期の入学生または卒業生)」●**いっきさく**【一期作】《農》〔同じ作物の〕二期作、三期作のうちの、第一回の取り入れの作物。☞一毛作

**いっき**【一騎】馬に乗った〈兵士／人〉ひとり。●**いっきうち**【一騎打ち・一騎討ち】《名・自サ》一対一で勝負すること。「〔選挙で〕現職と新人の―」●**いっきとうせん**【一騎当千】ひとりで千人に向かう〈だけの力がある〉こと。

**いっき**【逸機】《名・自サ》〔スポーツなど〕〔文〕チャンスをにがすこと。「おしくも―」

☆☆**いっきいちゆう**【一喜一憂】《名・自サ》状況がちょっと変わるたびに、いちいち喜んだり心配したりすること。「試験の結果に―する」

**いっきく**【一×掬】(=ひとすくい)〔文〕〈なみだ・同情など〉が少しばかり。いくらか。「―のなみだをもよおす・―の友情をいだく」

**いっきゅう**【一級】①一つの階級。②一学年。「―上だ」③第一の等級。「―建築士・―品(=最高級品)」

**いっきゅう**【逸球】《名・自サ》《野球》ボールを〈にがす／とりそこなう〉こと。

**いっきょ**【一挙】①いちどにすること。「事件は―に解決した・名作を―公開」②〔文〕ひとつの行動。「この―は社会にショックをあたえた」●**いっきょいちどう**【一挙一動】いちいちの動作。一挙手一投足。●**いっきょりょうとく**【一挙両得】一つのことをして、二つの利益を手に入れること。一石二鳥。「―をもくろむ」

**いっきょう**【一強】ひとつだけ強い〈こと／もの〉。ひとり勝ち。「―〈多弱／他弱〉」

**いっきょう**【一興】ちょっとしたおもしろみ。「村芝居を見るのも―だ」

**いっきょう**【一驚】《名・自サ》〔文〕おどろくこと。びっくり。●**一驚を喫する**(句)〔文〕びっくりする。

☆☆**いっきょくしゅうちゅう**【一極集中】一か所に集まること。「何もかもが東京に集まる中央―」

**いっきょしゅいっとうそく**【一挙手一投足】①手足をちょっと動かす〈こと／だけの労力〉。「―の労をおしむ」②細かい一つ一つの動作。一挙一動。「―に注目する」

**いっきょどう**【一挙動】①〔文〕一つの動作。②《剣道など》一回ですませる一連の動作。▽いちきょどう。

**いっく**【一句】①〈俳句が〉一つ。「―うかぶ・―ひねる」②〈和歌・俳句・漢詩の〉ひとくぎり。

**いつく**【居着く】(自五)住みつく。住みなれる。「のらねこが―」

**いつくしみぶかい**【慈しみ深い】《形》やさしくかわいがる気持ちが強い。派―さ。

☆☆**いつくしむ**【慈しむ】《他五》やさしい気持ちでかわいがる。「民を―・わが子を―」名慈しみ。

**いっけい**【一計】一つの計画。「―を案じる」

**いっけつ**【一穴】一つのあな。☞蟻の一穴。

**いっけつ**【一決】《名・自サ》〔文〕相談して、はっきり決まること。「衆議―」

**いっけつ**【×溢血】《名・自サ》《医》血管の内がわの変化などのために、血がにじみ出ること。「脳―(=脳出血の古い呼び方)」

**いっけん**【一犬】〔文〕一ぴきのイヌ。●**一犬虚にほ(吠)ゆれば万犬実を伝う**(句)〔文〕ひとりがまちがったことを言いだすと、大ぜいがそれを事実として言いふらす。

**いっけん**【一件】①問題になっている、〈一つの／ある〉ことがら。②あの〈こと／もの〉。「先日の―」●**いっけんらくちゃく**【一件落着】《名・自サ》問題がすべて解決し、ものごとに決着がつくこと。「これにて―」

**いっけん**【一軒】①⇩軒①。②一戸。●**いっけんや**【一軒家・一軒屋】①あたりに家がなくて、そこにだけ建っている一つの家。ひとつや。「野中の―じゃあるまいし」②一戸建ての家。

**いっけん**【一見】■《名・他サ》①いちど見ること。「百聞は―にしかず〔⇩「百聞」の句〕」②ちょっと見ること。■《副》ちょっと見たところ。「―会社員ふうの男」☞いちげん(一見)。

**いっこ**【一己】〔文〕⇩一個③。

**いっこ**【一戸】〔文〕①一つの家。②一つの所帯。「―を構える」●**いっこだて**【一戸建て】一軒で一戸である、家の建て方。また、建物。戸建て。一戸建ち。〔「二戸建て」は、二戸で一軒の家〕

**いっこ**【一個・一△箇】①⇩個■。「―買い」②〈独立／完成〉した人格やものをさすことば。「りっぱな―の紳士・わたくし―の考え」表記③は、「一己」とも書いた。③〔文〕自分ひとり。●**いっこじん**【一個人】(=一個の人)①団体の中の、ひとりひとり。②おおやけの立場をはなれた、ひとりの人。▽いちこじん。●**いっこも**【一個も】《副》(=一個も。もと、関西などの方言)〔後ろに否定が来る〕〔俗〕少しも。一つも。「―わからん・―欠点がない」

**いっこ**【一顧】《名・他サ》〔文〕顔を向けて、ちょっと見ること。「批判を―だにしない(=まったく無視する)・―の価値もない」

**いっこう**【一行】①いっしょに行った人々。「見物の―・ご―(さま)」②一つの銀行。

**いっこう**【一考】《名・他サ》ちょっと考えてみること。「―を要する」

**いっこういってい**【一高一低】〔文〕高くなったり

い

低くなったりすること。

いっこうに【一向に】《副》①少しも。「私なら―かまわない」②もう長いこと、少しも。「―動く気配がない」▽いっこう。

いっこく【一刻】㊀①わずかの時間。「―も早く解決すべきだ」②⇩一時(ひととき)㊁。③〔昔の時刻で〕「刻①」を四つに分けた一番目。「丑(うし)の―」㊁【(一刻)・(一国)】《名・ダ》〔古風〕がんこで人のことばを聞き入れないこと。「―者(もの)」派-さ。●一刻を争う 句 わずかな時間もむだにできない。少しでも早いほうがいい。●いっこくせんきん【一刻千金】わずかな時間でも非常に大きなねうちがあるということ。

いっこく【一国】一つの国。「―の(=その国を代表する)総理大臣・―平和主義」●いっこくいちじょうの-あるじ【一国一城の(△主)】(=一つの国または城をもつ人)①独立した自分の領分をもつ人。②家庭をもってマイホームに住む人。「ようやく―になった」

いっこん【一献】①さかずき一ぱいの酒。「―いかがですか」②酒をふるまうこと。小規模な酒宴(しゅえん)。「―さしあげたい」

いっさ【一佐】〔←一等〈陸/海/空〉佐〕《軍》自衛官の階級の一つ。〔もとの大佐に当たる〕

いっさい㊀【一切】すべて。残らず。「―をまかせる・―の責任は私にある」㊁【(一切)】《副》〔後ろに否定が来る〕可能性や例外が、絶対にないようす。「―関係ない・―お答えしません」●いっさいがっさい【一切合切・(一切合財)】《名・副》すっかり。みな。●いっさいしゅじょう【一切衆生】《仏》この世に生きているすべての生き物。

いっさい【一再】〔文〕一、二度。一、二回。「―ならず」

いつざい【逸材】すぐれた才能がある人。「球界の―」

いっさいたふ【一妻多夫】ひとりの妻が、ふたり以上の夫を持っていること。〔↔一夫多妻〕

いっさく【一策】〔解決のための〕一つのやり方。「―を案じる」

いっさく【一昨】〔文〕㊀いっさく《連体》おとといの。「―十八日」㊁造〔年月日で〕間を一つおいた前の。「―年度の実績」●いっさくじつ【一昨日】おととい。●いっさくねん【一昨年】おととし。●いっさくばん【一昨晩】⇩いっさくや。●いっさくや【一昨夜】おとといのよる。一昨晩。

いっさくさく【一昨々】造〔文〕〔年月日で〕一昨の一つ前の。●いっさくさくじつ【一昨々日】さきおととい。●いっさくさくねん【一昨々年】さきおととし。

いっさつ【一札】(=一つのかきつけ)〔古風〕証文(しょうもん)。証書。「―を入れる」

いっさつたしょう【一殺多生】《仏》ひとりを殺すかわりに大ぜいを助けること。いっせつたしょう。

いっさん【一山】〔文〕寺(の全体)。〔建物としての寺は、一寺(いちじ)という〕「―をあげて」

いっさん【一(×盞)】〔文〕①酒のうつわ一杯(いっぱい)分。ひとつき。「―の酒」②一杯の酒(を飲むこと)。「―を受ける・―かたむける」

いっさん【一算】〔そろばんで〕一回計算すること。「―で答えが合う」

いっさんかたんそ【一酸化炭素】《理》木炭・ガソリンなどが不完全な燃えかたをしたときに出る、有毒なガス。CO(シーオー)。

いっさんに【(一散に)・(逸散に)】《副》〔古風〕いちもくさんに。

いっし【一士】〔↑一等〈陸/海/空〉士〕《軍》自衛官の階級の一つ。〔もとの上等兵に当たる〕

いっし【一矢】〔文〕一本の矢(や)。●一矢(を)報(むく)いる 句〔強い相手に対し〕一度、〈反撃(はんげき)/攻撃(こうげき)〉する。「〔野球〕一点を返して―」

いっし【一死】①〔文〕一命をうしなうこと。「―をもってつぐなう」②〔野球〕ワンアウト。

いっし【一糸】〔文〕いと、一本。●一糸まとわぬ 句 何も着ていない。はだかの。一糸もまとわ〈ない/ぬ〉。「―姿」●一糸乱れず 句 きちんと〈そろう/そろって〉。「―行動する・一糸乱れぬ応援(おうえん)」

いっし【一指】〔文〕ゆび一本。「―もふれない」

いつじ【逸事】〔文〕逸話。「―には事欠かない」

いつしか【(何時しか)】《副》〔文〕いつのまにか。「街の景色が―変わってしまった」

いっしき【一式】ひとそろい。「家財道具―」

いっしそうでん【一子相伝】自分の子どもひとりだけに、芸道や武道などの奥義(おうぎ)を伝えること。

いっしちにち【一七日】《仏》⇩いちしちにち。

いっしつ【一室】①〔一軒家(いっけんや)で〕一つの部屋。②〔共同住宅で〕一つの世帯として専有(せんゆう)する部分。複数の部屋からなることが多い。「マンションの―で事件」

☆☆いっしつりえき【逸失利益】《法》事故にあわなかったら手に入れていたはずの収入や利益。得うべかりし利益。

いっしどうじん【一視同仁】すべての人を区別なく同じように〈愛する/あつかう〉こと。

いっしゃ【一社】①一つの会社。「取り引き先を―でも増やしたい」②〔視覚語〕↑一般(いっぱん)社団法人。☞社団法人。

いっしゃ-せんり【一(×瀉)千里】(瀉=そそぐ)〔文〕勢いよくどこまでも進むこと。「―にまくしたてる」

いっしゅ【一首】一つの和歌。「―よむ」

いっしゅ【一種】㊀①一つの種類。一種類。「さかなの―」②その種類にふくまれるが、少しかわったもの。ある種。「―の必要悪」③↑第一種郵便物(=封書(ふうしょ))。④↑第一種運転免許(めんきょ)(=一般(いっぱん)自動車用)。㊁《副》どことなく。ある種。「―独特の作風」

いっしゅう【一宗】仏教の、一つの宗派。「―一派にかたよらない」

↔いっしゅう【一週】①月曜日から日曜日(または、日曜日から土曜日)までの七日間。②〔ある日から〕七日間。「―おきに会議がある」▽一週間。③第一週。●いっしゅうかん【一週間】七日間。

↔いっしゅう【一周】《名・自他サ》〔はじめの場所へもどるように〕ひとまわりすること。「時計の針が―する・トラックを―する」●一周回って 句〔流行が一周するように〕程度が進んだ結果、結局もとにもどって。かえって。一回りして。一回転して。一周して。「古くさい絵が、―おもしろい」〔二〇一〇年代からの言い方〕●いっしゅうき【一周忌】《仏》死んだ年の翌年の忌日

ちに。一回忌。一年忌。☞三回忌。●いっしゅうき

いっしゅうねん［一周年］一年たった年（のその日）。「開店―」

いっしゅう［一蹴］《名・他サ》①けとばすこと。②試合などで、簡単にやっつけること。「敵を―する」③要求をことわること。はねつけること。④きっぱりと打ち消すこと。「不安を―する」

いっしゅくいっぱん［一宿一飯］〔古風〕ひと晩とめてもらい、一度食事のせわになること。「―の恩義」〔渡世人のことば〕

いっしゅん［一瞬］〈=まばたき、いちど〉❶〈何秒かの〉ごく わずかな時間。またたくま。「―の出来事」❷《副》①何秒かだけ。「―ためらう」②〔俗〕少しのあいだ。〔数分以上をふくむ〕「―貸してくれ・いま―〈=ちょっと〉いいですか」●いっしゅんかん［一瞬間］非常にわずかの時間。

いっしょ［一所］〔文〕①一か所。②同じ場所。「―に会する〈=集まる〉」☞ひとところ（一所）。●いっしょけんめい［一所懸命］《副・ナダ》⇩いっしょうけんめい。派-さ。●いっしょふじゅう［一所不住］①《仏》一か所に住みつかず、あちこちを修行して歩くこと。②一か所におちつかないこと。

いっしょ［一書］〔文〕①一通の手紙。「―を飛ばす」②〈ある〉一つの本。ある本。「―にいわく」

**いっしょ［一緒］①べつべつでなく、全体が一つであること。ひとまとまり。ひとまとめ。「―に包んでください・おれをあんなやつと―にするな〈=ひとまとめに考えるな〉」②〈すぐそばで〉同じように行動すること。「―に遊ぶ・子どもと―になってさわぐ・―に〈=連れ立って〉出かける・帰りの電車で―になった〈=たまたま会った〉」〔俗に、「一緒に行く」のように「に」をつけず副詞的に使う〕③〈その人と〉結婚して暮らす状態。「好きな人と―になる・恋人同士を―にしてやる」④〔もと関西方言〕同じ。変わらないこと。「値段が―だ」表記 もと、「一所」と書いた。☞ご一緒。●いっしょくた［一緒くた］ちがったものを、一つにすること。「何もかも―にする」由来「くた」は価値のないものを言う接尾語で、「あくた〈=ごみ〉」と同語源。☞がらくた。

いっしょ［逸書・×佚書］〈名前／内容の一部〉だけが残っている、昔の書物。☞逸文。

いっしょう［一生］生まれてから死ぬまでの間。生涯。「幸福な―・―忘れない」●いっしょうけんめい［一生懸命］《副・ナダ》〈↑一所懸命〉本気で、全力でおこなうようす。「―〈に〉育てたトマト・―な態度」派-さ。●いっしょうもの［一生〈物〉］①一生〈役に立つ／大切にする〉もの。「―のスーツケース・友だちは―だ」②一生 変わらないもの。「そそっかしいのは―だ」

いっしょう［一将］〔文〕ひとりの大将。●一将功成り〈て〉万骨枯る 句〔文〕指導者だけが成功し、部下は犠牲になり わすれられる。

いっしょう［一笑］《名・自サ》〈ちょっと／にっこり〉笑うこと。☞破顔一笑。●一笑に付す〈る〉句 問題にしないで笑ってすませる。笑いとばす。

いっしょう［一勝］《名・自サ》いちど勝つこと。「一二敗・―をあげる」

いっしょうがい［一生涯］生きている間じゅう。

いっしょく［一色］①一つのいろ。ひといろ。「藍―の海」②一つの傾向〈だけであること〉。「賛成―だ」

☆☆いっしょくそくはつ［一触即発］少しさわっても、すぐ爆発すること。今にも〈争い／危険〉の起こりそうなこと。「―の危機」

←いっしん［一心］①心を一つのものごとに向けつづけること。「―に絵をかく・助かりたい―で」②多くの人の心が一つになること。●いっしんどうたい［一心同体］〔ふたり以上の人が〕心もからだも一つになったように協力しあうこと。「―のバッテリー」●いっしんふらん［一心不乱］《名・ナダ》一つのことに集中して、ほかのことに気を取られないこと。「―に練習する・―な読経」

→いっしん［一身］その身。「同情を―に集める」●☆☆いっしんじょう［一身上］自分の身の上に関することがら。「―の問題・―の都合により退職いたしたく〔決まり文句で、理由をぼかした言い方〕」

いっしん［一審］〈↑第一審〉《法》訴訟を最初に受理した裁判所でおこなわれる裁判。「―判決」

いっしん［一新］《名・自他サ》すべてがあらたまること。すべてをあらためること。「顔ぶれ〈が／を〉―する・明治の御―〈=明治維新〉」

いっしん［一振］《名・他サ》ひとふり（すること）。

いっしんいったい［一進一退］《名・自サ》進んだり、あともどりしたりすること。また、よくなったり、悪くなったりすること。「―をくりかえす」

いっしんきょう［一神教］《宗》ただ一つの神を信じる宗教。唯一神教。例、ユダヤ教・キリスト教・イスラム教。〈↔多神教〉

いっしんとう［一親等］《法》最も近い親族関係。自分と、自分の父母、自分の子との関係。一等親。☞二親等・三親等。

いっすい［一睡］《名・自サ》ひとねむり。「―もできなかった」

いっすいのゆめ［一炊の夢］〔文〕⇩邯鄲の夢。

いっ・する［逸する］《他サ》〔文〕①にがす。のがす。「機会を―・打球を―」②落とす。忘れる。「この点を―ことはできない」③外れる。はなれる。「常軌を―」

いっすん［一寸］①⇩寸①。②わずかの〈長さ／時間〉。「―刻みに進む」☞「ちょっと」の表記。●一寸先は闇 句 ちょっと先のことでも予知できない。●一寸の光陰軽んずべからず 句〔文〕たとえわずかな時間でも むだに過ごしてはいけない。●一寸の虫にも五分の魂 句 小さくて弱いものでも、それ相応の意地がある。●いっすんのがれ［一寸逃れ］その場だけつくろって責任をのがれること。一時のがれ。一寸のばし。

いっせ［一世］現在の世。現世。一生。☞二世・三世・いっせい（一世）。●いっせいちだい［一世一代］①一生涯。「―の名誉」②一生にいちど。「―のはなれわざ」③役者などが引退のとき、最後の演技をおこなうこと。

いっせい［一世］❶いっせい ①一生。②〈君主／家の主人〉として、いた間。③同じ名前の王や皇帝の中で、最初に位についた人の呼び方。「ジョージ―」④子どもを二世と言うのに対して、その親。「ハワイの―」❷いっせい 当時。当代。☞いっせ（一世）。●一世をふうび（風靡）する 句 その時代にたいへんな勢いで知れ

わたり、また、流行する。●**いっせいいちげん**[一世一元]その天皇が位にいる間、一つの年号だけを使うこと。

**いっせい**[一声]ひとこえ。「汽笛—」

**いっせい**[一斉]①同時。いちどき。「—に飛び立つ・—射撃」②〔自動車のスピード違反の〕↑一斉取り締まり。

**いっせえの**《感》〔↑一斉の〕〔話〕⇩せえの。いちにのさん。いっせーの—(せ/で)。

**いっせき**[一夕]〔文〕①一晩。②あるゆうべ。

**いっせき**[一石]〔文〕一つのいし。●**いっせきにちょう**[一石二鳥]一つのことをして二つの〈利益を手に入れる/効果をあげる〉こと。一挙両得。●**一石を投じる**〘句〙問題をなげかける。

**いっせき**[一席]①〔演説・講談・宴会など〕一回。②一位。第一席。●**一席ぶつ**〘句〙〔もったいぶって〕話をする。●**一席設ける**〘句〙客を招いてごちそうをするための場所を用意する。

**いっせきがん**[一隻眼]〔一隻=一個〕〔文〕独特の見識。「芸術に—を有する」

**いっせつ**[一節]〈文章/詩歌〉の一部分。「論文の—・校歌の—」☞ひとふし(一節)。

**いっせつ**[一説]①一つの説。「—ぶつ」②ある説。異説。「—によれば」

**いっせつな**[一刹那]〔文〕ほんのわずかの間。

**いっせん**[一煎]⇩煎 ㊁。

**いっせん**[一線]①一本の線。②くぎり。けじめ。③↑第一線。「—級の投手・—で活躍する」④一直線(にならぶこと)。●**一線を画す**〘句〙はっきり区別する。●**一線を越える**〘句〙ここまでは許される、という限度をこえたことをする。「最後の—」

**いっせん**[一戦]《名・自サ》一度たたかうこと。ひといくさ。ひと勝負。「—をまじえる」

**いっせん**[一閃]《名・自他サ》①〔文〕いちど ひらめくこと。ぴかっと光ること。「電光—・白刃—」②《サッカー・野球・ゲームなど》すばやい わざをおこなうこと。「左足を—する(=左足ですばやくゴールを決める)」

**いっせん**[一洗]《名・他サ》〔文〕〔悪い習慣などを〕あらいながすこと。

**いっそ**《副》①〔なまぬるい方法でなく〕思いきって。「—死んでしまおうか」②かえって。むしろ。「だめさ加減が—かわいい」③〔古風〕非常に。「—楽しみだね」▽いっそのこと。

**いっそう**[一双]二つでひと組みになっているもの。びょうぶ・手ぶくろなど。「六曲〔=六枚折り〕—のびょうぶ」

**いっそう**[一曹]〔↑一等〈陸/海/空〉曹〕《軍》自衛官の階級の一つ。

***いっそう** ㊀**いっそう**[一層]⇩層 ㊁。㊁**いっそう**[一層]《副》前から続いている、ある状態が、さらに強まるようす。もっと。「—努力いたします」

**いっそう**[逸走]《名・自サ》〔文〕①走って逃げていなくなること。「柴犬が—する」②決められたところから外れて走ること。「コースから—した馬」

**いっそう**[一掃]《名・他サ》すっかり〈はらいのける/なくす〉こと。「不安を—する・走者—の二塁打」

**いっそく**[一足]〔くつ・げた・手ぶくろなど〕ひと組み。●**いっそくとび**[一足飛び]《名・自サ》①両足をそろえて とぶこと。②順序をいくつも とびこすこと。ひとっとび。「—に課長になる」

**いっそく**[一速]〔↑第一速〕《自動車》⇩ロー ㊁。

**いっそく**[逸足]〔文〕すぐれた門人。「湯川門下の—」

**いつぞや**[(:何時ぞや)]《副》いつか。かつて。「—お目にかかったとき」〔やや改まった言い方〕

**いっそん**[一村]①一つの村。「コルシカ島の—」②村全体。「—をあげて歓迎」

****いったい** ㊀**いったい**[一体]一つのからだのように、ひとまとまりになる状態。「—となってことに当たる・—化する・—不可分(=一体で分けられない)」㊁**いったい**[一体]①〔仏像など〕一つ。②一つの〈ていさい/様式〉。㊂**いったい**[(一体)]《副》①おしなべて。「日本人は—に勤勉だ」②もともと。そもそも。「彼女は—が病弱だ」③あやしんで、とがめることば。「—どうしたんだ」●**いったいぜんたい**[一体全体]《副》「一体 ㊂③」を強めた言い方。

**いったい**[一帯]ひとつづきの範囲。「付近—(を警戒する)」

**いったく**[一択]一つしか選ぶものがないこと。当然これしかないこと。「辞書ならS社—だ」〔二〇一〇年代に広まったことば〕

**いつだつ**[逸脱]《名・自サ》ほんすじから それて はなれること。「—した行為・車線—抑制機能」

**いったら**[言ったら]《副》〔話〕言わば。言ってみれば。「まあ—ただの自己満足だ」

**いったん**[一端]①もののかたはし。②ものごとの一部。「希望の—を申しのべる」

**いったん**[(一旦)]《副》①〈とちゅうから/そのときだけ〉別な状態に移るようす。「—停止」②もしも。まんいち。「—緩急あれば(=いざというときは)」③いちど。「—故郷へ帰る」

**いっち**[一致]《名・自サ》二つ以上のものが〈うまく/きっちり〉あうこと。「全員の意見が—する・—協力」

**いっちはんかい**[一知半解]じゅうぶんに理解していないこと。なまかじり。「—の知識」

**いっちゃく**[一着] ㊀⇩着 ㊁。㊁《名・他サ》〔文〕衣類を着ること。「—におよぶ」

**いっちゅう**[一籌]●**一籌を輸する**〘句〙〔「籌」は、ばくちに使う計算用具。「輸」は相手にわたす意〕〔文〕他にひけを取る。ちょっと劣る。

**いっちゅうや**[一昼夜]まる一日。二十四時間。「事件発生から—経過」

**いっちょう**[一丁]①⇩丁 ㊁。②〔話〕〔勝負・仕事など〕一つ。いっちょ。「—やろう」③〔話〕唯一身につけているものを強調して言うことば。「ふんどし—・パンツ—」④「一町〔⇩町 ㊀②③〕」の略字。●**一丁上がり**〘句〙①注文の品ができあがること。「ざるそば—」②(簡単に)できあがること。うまく いくこと。「決まり文句を並べて、記事が—」③定年や昇進など、あるゴールに到達した人のこと。▽いっちょあがり。●**いっちょうじめ**[一丁締め]一回だけ両手を打ち合わせる手締め。関東一本締め。☞手締め。●**いっちょうまえ**[一丁前]↑いちにんまえ。いっちょまえ。

**いっちょう**[一朝]〔文〕㊀①あるあさ。②わずかな間。「—にして(=ある日とつぜん)くつがえる」㊁《副》

いったん。「ーことあるときは」 ●☆☆いっちょう いっせき「一朝一夕」 わずかの時日。「ーではできない」

いっちょう「一聴」《名・他サ》〔文〕〈いちど/ちょっと〉聞くこと。「ーに値する演奏」

いっちょう いったん「一長一短」 長所も短所もあること。「どの案もーだ・ーがあって決めかねる」

いっちょうめ「一丁目」 ①⇩丁目。②入り口にあたる区画。「ここは地獄のー」 ●いっちょうめ いちばんち「一丁目一番地」 最優先(の課題)。「政権のー・ーの政策」

いっちょうら「一張羅」〔羅=薄絹〕 一枚しかない〈晴れ着/着物〉。

いっちょく「一直」 ①ひとりで宿直すること。②ひと組みの人が交替なしで作業すること。③《野球》一塁へのライナー。

いっちょくせん「一直線」《名・ナダ》 ①ひとすじのまっすぐな線。②まっすぐなこと。「ーな性格」 ③最短距離。また、最短時間。「ーに帰る」

いつつ「五つ」 ①四つより一つだけ多い数。ご。②五歳。③昔の時刻の名。今の〈午前/午後〉八時ごろ。いつつどき。

いづつ「井筒」ゐ 井戸のふちにつけた、わく。

いっつい「一対」 二つでひと組みとなったもの、一つ。「ーの茶わん」

いっつう「一通」 一 いっつう ⇩通 二。 二 いっつう ①〔話〕↑一方通行。「ここはーだ」 ②《マージャン》↑一気通貫。

いつづけ「居続け」ゐ《名・自サ》 ①(何もしないで)よそにとまり続けること。②遊郭にとまり続けること。☞居残り②。動 居続ける《自下一》。

いって「一手」 ①ただ一つの〈方法/手段〉。「押しのー」 ②自分ひとり(で)すること)。ひとりじめ。「ー販売・ーに引き受ける」 ③《碁・将棋など》一回、〈石/こま〉を動かすこと。ひとて。

*いってい「一定」《名・自他サ》 一つ、またはある範囲に〈決まる/決める〉こと。「ーの期間・ーの〔=まあまあの・ある程度の〕成果・ーの〔=ある、決まった範囲の〕役割を演じる」 ●いってい げん「一定限」 ある程度。一定限度。「ーの軍事力増強」

いっていじ「一丁字」〔文〕一つの文字。「目にーもない〔=少しも字が読めない〕」

いってき「一擲」《名・他サ》〔文〕思いきってなげうつこと。☞乾坤一擲。

いってきます「行って来ます」《感》〔話〕出かけるときに言うあいさつ。丁寧 行ってまいります。✓ 返事は「行ってらっしゃい(ませ)」が一般に使えるが、ほかにも、「どうぞお気をつけて」や、目上には「〔見送らずに〕ここで失礼いたします」、スポーツの大会に行く人には「応援しています」などの言い方がある。☞ただいま 二。

いってこい「行って来い」 ①〔俗〕ものやお金、人が一往復して、もとにもどること。「〔人に手紙を届けてもらい、また返事を持ってきてもらう場合に〕ーで千円のバイト代をあげよう」 ②株価がいったん動いて、また元の値にもどること。③歌舞伎の回り舞台で、一度場面が変わって、また元にもどること。

いってしまえば「言ってしまえば」ーしまへば《副》 はっきり言うと。「文化とは、ーむだから生まれる」

いってつ「一徹」《ナダ》 自分のやり方を変えずに通すようす。「頑固ー・ー者」 派 ーさ。☞老いの一徹。

いってみれば「言ってみれば」《副》 言わば。言うなれば。「この主人公はー作者の分身だ」

いってらっしゃい「行ってらっしゃい」《感》〔話〕出かけて行く人に言うあいさつ。〔俗に、行ってら(ー)〕 丁寧 行ってらっしゃいませ。✓ ⇩行って来ます。☞お帰りなさい。

いっ・てる「イッてる」《自下一》〔=行ってる〕〔俗〕正気を失う。イッちゃってる。「目がー」

いってん「一天」〔文〕大空。空全体。「ーにわかにかき曇る」

いってん「一点」 一 いってん ①一つの点。「ー突破〔=ひとつのことに集中して苦しい立場をぬけ出す〕」 ②少し。「ーのうたがいもはさまない」 ③漢字を形づくる、一つの点。④点数、一つ。「ー勝負〔=一点を争う勝負〕」 ⑤〔昔の時間で〕一時を四分の一に分けた、最初のくぎり。「とら(寅)のー」 二 いってん 品物、一つ。「ー物〔=一品だけの物〕」 ●いってんばり「一点張り」 一つのことだけを〈言い張る/おし通す〉こと。「『知らない』のー・がんこー」 由来 かけごとで一か所だけにかけ続けることから。

いってん「一転」《名・自サ》 ①一回転。「ー、二転」 ②〔ひとまわりして〕がらりと変わること。「舞台はーして」 ☞心機一転。

いってんき「一転機」 ⇩いちてんき。

いっと「一斗」 ⇩斗。「ー缶」

いっと「一途」 ひとすじの道。同じ道。「増加のーをたどる〔=ふえ続ける〕」 ☞いちず(一途)。

イット 選〔it〕 いま人気の。いま評判の。「ーブランド」

いっとう「一刀」〔文〕 ①一本のかたな・包丁など。②一回切りつけること。「ーのもとに斬って捨てる・〔手術で〕ーのもとに切除」 ●いっとうぼり「一刀彫り」 刃物のけずりあとを生かした、木の彫刻。〔奈良人形が特に有名〕 ●いっとうりょうだん「一刀両断」《名・他サ》 ①一太刀で〔=一回、刀をふるって〕まっぷたつに切ること。②〈まよいなく/あざやかに〉結論を出すこと。「『それはまちがいだ』とー(に)する・ーに切り捨てる〔=だめだと否定する〕・ーの裁き」

いっとう「一党」 一つの政党・党派。「ーをひきいる・ー一派・ー独裁」

いっとう「一等」 一 いっとう ①第一(の等級)。最上。「世界のー国」 ②一着。一番。「徒競走でーだった」 ③一段階。「罪ーを減じる」 二 いっとう「一等」 ①〔たからくじなどで〕最高の賞。「ーの賞金は五千万円」 ②「一等車」の略。「列車のーに乗る」 三 いっとう《副》〔話〕いちばん。最も。「それがーいい考えだ」 ●いっとうせい「一等星」《天》一等級の星。例、わし座のアルタイル。☞等星。 ●いっとうち「一等地」 町の中心にある、地価の非常に高い土地。「都心のー」

いっとう「一統」 一 一同。「ごー様」 二《名・他サ》〔文〕統一。「天下をーする」

いっとう「一頭」〔(人がかかえられないくらい)大きなもの〕一ぴき。 ●一頭地を抜く 句〔「一頭地」は、あたま一つ上げた分だけの高さ〕ほかの人よりいちだんすぐれている。 ●いっとうがい「一頭買い」ーがひ《名・他サ》 牛やブタの枝肉を、まるごと買うこと。

**いっとう**【一投】《名・自サ》〔ボールなどを〕一回 投げること。「—一打に心をこめる・カーリングの最後の—」

**いっとうしん**【一等親】⇩一親等。

**いっとき** ㊀【一時】①そのとき(だけ)。いちじ。「—の辛抱しんぼうだ」②わずかの時間。「—(=ひととき)も手を休めない・—も早く伝えたい」㊁【一時・一△刻】〔昔の時間で〕ひととき。☞いちじ(一時)・ひととき(一時)。 •**いっときに**【一時に】《副》⇩いちどきに。 •**いっときのがれ**【一時逃れ】その時だけ責任をのがれること。いちじのがれ。一寸のがれ。

**いっとく**【一得】〔文〕一つの(思わぬ)得。余得。 •**いっとくいっしつ**【一得一失】一つの利益があると同時に、一つの損失があること。

**いっとはなしに**【(:何時とはなしに)】《副》いつのまにか。いつと(は)なく。いつともなく。

**いつに**【一に】《副》〔文〕①ひとえに。もっぱら。「—(かかって)みなさまのご厚情こうじょうのたまものであります」②または。「コスモスは—秋桜あきざくらと言う」

**いつになく**【(:何時になく)】《副》いつもとはちがい。常になく。「—きびしい態度」〔連体詞の形もある。「いつにない表情」〕

**いつにもまして**【(:何時にも)増して】《副》いつもよりもずっと。一段と。「今日は—美しい」

**いつのまに**【(:何時の)間に】《副》〔自分の知らない〕どの時間・期間に。「—帰ってきたの(だろう)か」 •**いつのまにか**【(:何時の)間にか】《副》自分が気がつかないうちに。いつの間にやら。「—覚えた歌」

**いっぱ**【一波】①〔文〕ひとつのなみ。「—万波ばんを動かす(=一つの事件がさまざまな影響えいきょうをおよぼす)」②⇩波は㊁。

**いっぱ**【一派】①〔文〕〔学問・宗教・武術・芸術などの〕〔流儀りゅうぎの中の〕一つの分かれ。②なかま。一味いちみ。「反対党の—」

*__いっぱい__ ㊀いっぱい【一杯】①⇩杯はい㊁。「—の酒を勧すすめる・船—・イカ—」②少しの酒(を飲むこと)。「—やる・—(飲み)屋」㊁いっぱい《副・ナダ》①〔ものが はいって〕これ以上になるとあふれるようす。「ビールを—につぐ・おなかが—になる」②あいたところがないようす。「今月は予約で—だ・道はば—に広がって歩く・野原—にさく花」③〔頭・心が〕そのことで占しめられるようす。「テストのことで頭が—だ・はずかしさで—だ」④〔数・量が〕たくさん。「客が—来た・自然が—ある・喜び—の一日」㊂いっぱい[造]①これ以上ないようす。「力—(=精いっぱい)がんばる・わがまま—で育つ・《すもう》時間—(=仕切りの制限時間が終わった)」②その期間の最後まで。「今年—はかかる・三月—で退職する」 •**一杯食わす**[句] うまくだます。一杯食わせる。[自]一杯食う。 •**いっぱいいっぱい**【(一杯一杯)】㊀《副・ナダ》「いっぱい」を強調したことば。「画用紙—にかいてある」㊁ゆとりがないようす。ぎりぎり。「食べるだけで—の生活・緊張きんちょうして—になる(=テンパる)」 •**いっぱいきげん**【一杯機嫌】少し(の酒に)酔よったいい気持ち。ほろよいきげん。 •**いっぱいだて**【一杯△点て】〔コーヒーを〕一杯ずつ いれること。

**いっぱい**【一敗】《名・自サ》〔いちど〕負ける〈失敗する〉こと。「二勝—」 •**一敗、地ちにまみ(塗)れる**[句] ひどく負けて、急には立ち直れない状態になる。

**いっぱく**【一拍】⇩拍はく。

**いっぱし**【一端】《副》人なみ(に)。「—(の)暮らしを立てる」

**いっぱつ**【一発】①〔銃砲じゅうほうの〕たまをいちどうつこと。②〔銃砲の〕たま、一つ。③一回。ひとつ。「—回答(=春闘しゅんとうなどの、一回で決まる回答)・—勝負・—芸(=瞬間しゅんかん的におこなう芸)・—ギャグ・—やってみよう〔俗〕」④《野球》ホームラン。「—が出る」☞発㊁。 •**いっぱつや**【一発屋】〔俗〕①一度の機会にすべてをかける人。②《野球》ホームランねらいの打者。③一度だけ大当たりし、その後、名前が消えてゆく歌手や芸人。

**いっぱん**【一半】〔文〕なかば。半分。「責任の—を負う」

**__いっぱん__【一般】①特によりわけたもの以外の、大部分のもの。「—車両・—道(路)(↔高速道路)・学術書は—に(=一般的に)高い・〔コンテストで〕学生の部と—(=おとな)の部・芸能人が—の人と結婚けっこん」(↔特別・特殊とくしゅ)②全体。「経済情勢—についての話・社会—の通念」③《数》あらゆる場合。「—に、平面の方程式は…と置ける・—の双曲線」④世間の人々。「—を失望させた・—向け」⑤〔文〕同様。「その点は他の教科書と—である」 •**いっぱんか**【一般化】《名・自他サ》①特定の場合だけでなく、全体に広く当てはまるようにすること。普遍ふへん化。②多くの人に〈広まる〉広めること。 •**いっぱんざいげん**【一般財源】〔国や地方自治体で〕使い道があらかじめ決められていない財源。(↔特定財源) •☆**いっぱんしょく**【一般職】①〔会社などで〕一般的な業務をおこなう職種。〔転居をともなう転勤は、原則としてない〕(↔総合職)②〔公務員で〕特別職以外の職。(↔特別職) •**いっぱんじん**【一般人】①ふつうの人。②関係者でない人。 •**いっぱんてき**【一般的】《ナダ》①〈世間〈全体〉に行きわたっているようす。「—な評価・そうした見方が—だ」②だいたいの場合にそうであるようす。「—傾向けいこう・—に、習いごとは お金がかかる」③全体にかかわるようす。「—考察」 •☆**いっぱんろん**【一般論】〔特定の ことがらではなく〕全体に広く通じることがらを取り上げる議論。

**いっぱん**【一斑】〔文〕一部分。「所見の—をのべる」 •**一斑を〈見て〉もって〉全豹ぜんぴょうを〈卜ぼくす〉推おす**[句]〔文〕一部分を手がかりにして全体を想像する。

**いっぴ**【一日】〔文〕〔話〕その月の第一日。ついたち。「四月—付けで異動する」

**いっぴ**【一×臂】〔臂=ひじ。かたうで〕〔文〕助力。「—の力を貸す(=助力する)」 •**いっぴのろう**【一×臂の労】「助力」の謙譲けんじょう語。「—をおしまない」

**いっぴき**【一匹】①〔けもの・さかな・虫・鳥が〕一つ。「ねずみ—いない」☞一頭。②〔絹の布〕二反たん。③〔昔のお金で〕十文もん。また、二十五文。[表記]「一×疋」とも書いた。 •**いっぴきおおかみ**【一匹〈×狼〉】〔一おおかみ〕①《動》群むれからはなれ、自力で生活するおおかみ。②なかまの力を借りず、独力で行動する人。「業界の—」

**いっぴつ**【一筆】《名・自サ》①簡単な文章(を書くこと)。「—入れる(=証文しょうもんを書く)」②一通の手紙(を書くこと)。「—したためる」③墨すみつぎをしないで書くこと。ひとふで。④同じ(人の)筆跡ひっせき。「全編—だ」⑤

土地の一区画。ひとふで。「—の土地」●**いっぴつけいじょう**【一筆啓上】簡単な手紙の書き出しに使うことば。☞啓上。●**いっぴつせん**【一筆箋】ちょっとした一言を書くための短冊形の便箋ひとつ。

**いっぴょう**【一票】〈投票券/得票数〉ひとつ。「清き—を投ずる・—の差に泣く」

**いっぴん**【一品】①ひとしな。「—料理」②ただ一つのしな。「天下—(=いちばん すぐれた しな)」

**いっぴん**【逸品】すぐれた しな(もの)。

**いっぴんいっしょう**【一×顰一笑】〔文〕顔をしかめたり笑ったりすること。そのときの きげん。

**いっぷいっさい**【一夫一妻】夫ひとりに対し、妻ひとりがいること。一夫一婦。「—制」

**いっぷいっぷ**【一夫一婦】⇩一夫一妻。

**いっぷう**【一封】一つの、封をしたもの。「—の書状・金—」

**いっぷう**【(一風)】《副》ちょっと(した ところ)。ひとふし。「—変わっている」

**いっぷく**【一幅】〔書画の掛け物〕一つ。「まさに—の絵だ(=絵のような ながめだ)」

**いっぷく**【一服】《名・自他サ》①〔茶・薬を〕一回に飲む分量。②〔タバコ一本を吸って〕ひと休みすること。「—してください」③〔粉薬が〕ひとつつみ。「—の清涼剤〔ちょっと さわやかな出来事の意味にも〕」●**一服いれる**㊞ ひと休みする。●**一服つける**㊞〈タバコをつけて〉休憩する。ひと休みする。●**一服盛る**㊞ 人を殺すために、毒薬を調合〈する/して飲ませる〉。

**いっぷ・す**【鋳(潰す)】《他五》金属の製品をとかして地金にする。

**いっぷたさい**【一夫多妻】ひとりの夫が、ふたり以上の妻を持っていること。(↕一妻多夫)

**いつぶん**【逸文・×佚文】一部分しか残っていない、昔の書物の文章。「風土記—」☞逸書。

**いつぶん**【逸聞】〔文〕逸話。

**いっぺい**【一兵】(たった)ひとりの兵士。「最後の—にいたるまで・—も そこなわない」

**いっぺいそつ**【一兵卒】①一人の兵卒。「—にすぎぬ身」②〔その集団の〕下っぱの一人。「—として働く〔役職につかない実力者が けんそんして言う〕」

**いっぺん**【一片】〔文〕①ひとひら。「—の花びら」②ひときれ。「—の肉」③わずか。「—の愛情」☞ひとかた(一片)。

**いっぺん**【一辺】①《数》多角形を作る線分の一つ。「—の長さ」②〔文〕片がわ。「池の—」●**いっぺんとう**【一辺倒】一方にだけ〈かたよる/集中する〉こと。「仕事—の生活」

**いっぺん**【(一遍)】①ひととおり、形式的にすること。「とおり—の あいさつ」②一度。「—でこりた」③一方。「正直—の」●**いっぺんに**【(一遍に)】《副》①同時に。「—質問する」②たちまち。「—降参した」

**いっぺん**【一変】《名・自他サ》すっかり変わること。「状況が—する・態度を—させる」

**いっぽ**【一歩】①歩くときに片足を前に出す、一回の動作。ひと足。「—前進・(初めの)—をふみ出す(物事を最初に おこなう意味にも)」②〔段階が〕(さらに)少し。「—考えを進める・完成まで あと—のところ(=完成の寸前)・事故の—手前」☞第一歩・もう一歩。●**一歩抜け出る**㊞ ①競争相手より、少し先を行く。「打力が—」②その範囲から、少し外に出る。「今までの生活から—」▽一歩抜ける。一歩抜け出す。●**一歩間違えば**㊞ ⇩一つ間違えば〔「一つ」の㊞〕。「—命にかかわる」●**一歩を譲る**㊞ ①相手の言うことを少し認める。②少し おとる。

**いっぽう**【一方】㊀①一つの方面。「じっと—を見つめる・知識が—に偏する」②二つのうちの一つ。「—は正しく—は誤りだ・—では…、他方では…」③度合いがどんどん大きくなるようす。「熱は上がる—だ」④そのことしかしないようす。「防戦—の試合」⑤〔接続助詞的に〕…のと同時に、別の方面では。「伝統を守る—(で)、新しいことも始める」㊁《接》〈もうひとつの/別の〉方面を見ると。「女性の人気は高い。—、男性はそうでもない」☞ひとかた(一方)。●**いっぽうつうこう**【一方通行】《名・自サ》①道路を一方向に限って通行させる決まり。一方交通。一通。②やりとりや働きかけが一方向にしか行われないこと。「—の愛」●**いっぽうてき**【一方的】《ナダ》①〔考えなどが〕かたよっているようす。「—な解釈」②自分につごうがいいようにしか考えないようす。「—な おしつけ」

**いっぽう**【一法】一つの方法。「電話するのも—だ」

**いっぽう**【一報】《名・自サ》①ちょっと知らせること。「ご—申し上げる」②↑第一報。

**いっぽん**【一本】㊀いっぽん ①〔木・おうぎ・やり・かみの毛などの、細長いもの〕一つ。②〔商品が〕一つ。「たんす—・小説—」③〔電話・電報・メール・手紙など〕一つ。④〔酒のはいった おちょうし(銚子)〕一つ。「—つける」⑤《柔道・剣道》完全な わざが決まること。「—取る」⑥〔勝負が〕一回。一つ。「—取られる・—まいった」⑦それだけ。「受験校を—にしぼる・小説—でいく」⑧一人前の芸者。(↕半玉)㊁いっぽん〔文〕①一冊の書物。②ある書物。③異本。☞ひともと(一本)。●**いっぽんか**【一本化】《名・他サ》一つにまとめること。「候補者の—」●**いっぽんがち**【一本勝ち】《名・自サ》《柔道・剣道》一本を取って勝つこと。(↕一本負け)●**いっぽんぎ**【一本気】《名・ナダ》①ひとすじに思いこむ性質。②純な性質。●**いっぽんじめ**【一本締め】〔手締めで〕「いよーっ」という発声のあと、三拍を三回くり返して、最後に一拍、手を打つやり方。〔俗に、発声のあと、一拍だけ手を打つやり方〕☞手締め。●**いっぽんしょうぶ**【一本勝負】①《柔道・剣道など》どちらかの技が一本きまれば勝負がつく試合のやり方。②ただ一つの機会・方法で勝負をすること。「単勝—」●**いっぽんだち**【一本立ち】《名・自サ》ひとりでやって行けること。独立。●**いっぽんぢょうし**【一本調子】《名・ナダ》いつも同じような〈調子/やり方〉で、変わりがないこと。いっぽんちょうし。●**いっぽんづり**【一本釣り】①〔漁業・釣りなどで〕さかなを一ぴきずつ釣りあげる釣り方。②特にねらいをつけた人を引きぬくこと。●**いっぽんばし**【一本橋】一本の木をわたしただけの橋。☞丸木橋。●**いっぽんみち**【一本道】①途中で分かれていない道。「ゆるく曲がる—」②後もどりできない道。「女の道は—にございます」●**いっぽんやり**【一本×槍】《名・ナダ》ただ一つのことだけをおし通すこと。「仕事—〈の/な〉男」

いつみん［逸民］〔文〕世をのがれ〈た／て〉気楽に暮らす人。「太平の—」

いつメン［イツメン］〔←いつものメンバー〕〔俗〕いつもいっしょにいる人たち。

いつも［(：何時も)］■一《副》①どんな場合でも。「部屋は—きれいにしてある」区別「いつも」は、いつ確認してもそうだ、という意味で、例外の場合もあるかもしれない。「常に」は、例外は考えない。言い方も少しかたい。②何かにつけて、たびたび。「—行く店」▽話しことばで、強調して「いっつも」。■二《名・副》習慣的にくり返される、一回一回の時。毎度。平常。「—の黒いスーツ・—〈は〉車で送ってくれる・—のやつ お願いします」

いつらく［逸楽・×佚楽］〔文〕気ままに遊び、たのしむこと。

☆☆いつわ［逸話］〔逸＝記録からもれる〕①〔ある人物の行動などについて〕あまり世の中に知られていないはなし。逸聞。「偉人の—」②興味深いはなし。エピソード。「有名な—」

いつわり［偽り］いつわること。うそ。「うそ—はない」（↔誠）

いつわ・る［偽る］《自他五》わざと、事実とちがったことを言ったりしたりする。うそを言う。「偽らざる〔＝いつわらない〕心境・身分を—」

いで《感》〔雅〕ふと思い立つとき などに言うことば。さあ。いざ。

イデア〔ギ idea〕《哲》①〔プラトン哲学で〕完全な実在。われわれの感覚する具体的なものはイデアを不完全に わけもつとする。②理念。

イディオム〔idiom〕慣用句。例、顔を立てる・気が気〈で〉ない。

イデー〔ド Idee〕《哲》理念。

イデオローグ〔フ idéologue〕イデオロギーをとなえ、広める人。「ファシズムの—」

☆☆イデオロギー〔ド Ideologie〕①《哲》(その人またはある集団の)歴史的・社会的立場にもとづいて作られた、根本的な考え。観念形態。②思想。主義。主張。

イデオロギッシュ《ナダ》〔ド ideologisch〕思想的。

いてかえ・る［(△凍て)返る］《自五》春になって暖かくなりかけたが、急にまた寒くなる。

いてき［×夷×狄］〔文〕外国人をけいべつしたり、敵視したりして言うことば。「—をはらう〔＝追い散らす〕」由来 古代中国で、東の未開地を「東夷」、北の未開地を「北狄」と呼んだことから。

いでたち［(△出で立ち)］《名・自サ》身じたく。よそおい。身なり。「勇ましい—・異様な—」☞しゅったつ(出立)。

いでた・つ［(△出で立つ)］《自五》〔文〕出発する。出て行く。

いてつ・く［(△凍てつく)］《自五》こおりつく。「いてついた道」

いてて《感》〔話〕⇩いたた。「—、手を切った」

いでゆ［(△出で湯・(：温泉)］〔雅〕おんせん。

い・てる［(△凍てる)］《自下一》(地面が)こおる。「いてた道」

い・でる［(△出でる)］《自下一》〔文〕でる。「仮説の範囲を出でない・意表に出でた・出でよ、新人・あらわれ—」由来⇩出る。☞おいで。

いてん［移転］《名・自他サ》別のところに〈移る／移す〉こと。特に、ひっこし。「—通知・海外への所得—・技術—」

いでん［遺伝］《名・自サ》《生》からだや性質の特色が子や孫にあらわれること。「—的・隔世—」●☆☆いでんし［遺伝子］①《生》染色体の中にあって、遺伝をつかさどるもの。☞染色体。②人から人へ引きつがれるもの。引きつがれた精神や文化、思想、技術など。「ロックの—」●☆☆いでんし-くみかえ［遺伝子組み換え］《生》遺伝子を人工的に組みかえて、遺伝上別の生物を作り出すこと。GM。「—食品」●いでんしこうがく［遺伝子工学］《生》遺伝子組み換えなど、遺伝子を有効に利用することを目的とした学問。●いでんしちりょう［遺伝子治療］《医》患者のからだの細胞の中に、外から遺伝子を導入して治療すること。

いと［糸］■一いと ①ぬうのに使う、動植物の繊維をひきのばしてよ(縒)りをかけたもの。②琴・三味線などに はって鳴らす弦。☞「しゃみせん」の絵。③↑絹糸。「—織り」④↑釣り糸。⑤三味線(をひく人)。⑥「糸■一①」のように細長い、ねばりけのあるもの。「クモの—・納豆が—を引く」■二造「糸■一①」のように細い。「—のこ・—とがらし・—がつお〔＝細くけずったかつおぶし〕」●糸の切れた たこ(凧)句 一か所に落ち着かないこと、この先どう行動するか わからないことなどのたとえ。「—のように何日も帰ってこない」●糸を垂れる句 つりをする。●糸を引く句 ①なっとうや山いもなどの ねばりけが、細いすじになる。②すんだあとまで、長く続く。③かげであやつる。「裏で—」④〈打った／投げた〉ボールが、まっすぐに飛ぶ。「—ような遠投」

いと［意図］《名・自他サ》こうしよう、こうしてほしい、という考え(を持つこと)。「〈発言／行動〉の—が不明だ・風刺を—した表現」

いと《副》〔雅〕非常に。実に。「思えば—と(疾)し〔＝実にはやい〕・—あわれ」区別⇩いたく。☞いとも。

いど［井戸］地面をほって地下水を〈くみ取る／吸い上げる〉ようにしたもの。「—をほる・—水」

いど［緯度］《地》その地点の鉛直線と赤道面とがつくる角度。赤道を零度とし、南極・北極を九十度とする。(↔経度)

いとあやつり［糸操り］小さな人形の頭・肩・うでの部分などに糸をつけ、その糸を上で あやつりながら、人形を動かす しかけ。

☆☆いと・う［(×厭う)］《他五》①いやがる。「めんどうをいとわず」②いたわる。「寒さのおりから、おからだ おいといください」▽音便の形は、ふつう「厭うた」「厭うて」。名 いとい。「遠路お—もなく」

いとう［以東］造〔そこをふくみ〕そこから ひがし。「小田原—」(↔以西)

いどう［医道］〈医療／医者〉の みち。

いどう［異同］〔「同」に意味はない〕ちがうところ。ちがい。「この項の説明は、第七版と第八版の間に—がある」

↓*いどう［移動］《名・自他サ》場所〈が かわる／をかえる〉こと。「—図書館・—教室・別の場所に—する」●いどうたいつうしん［移動体通信］スマートフォンなど、移動しながらできる通信。

↑☆☆いどう［異動］《名・他サ》昇格・転任など、人事のうごき。「人事―」

**いとおし・い**[(△愛おしい)]《形》①大切にして、かわいがりたい気持ちだ。②まもってやりたい。もったいない。「自分の命が―」 派 -がる。-げ。-さ。

**いとおし・む**[(△愛おしむ)]《他五》①いとおしく思って、よくしてやる。「孫を―」②〔やがてなくなるものを〕おしむ。「行く春を―」 名 いとおしみ。

**いときりば**[糸切り歯] 人間の犬歯。とがっている歯に糸をひっかけて切ることができる。

**いとく**[遺徳]〔文〕死んだあとまで しのばれる人徳。

**いとぐち**[糸口・△緒]①糸の はし。②最初の手がかり。「話の―を〈さぐる/作る〉・解決の―が つかめない」

**いとくり** 一[糸繰り]①まゆや綿花から糸をつむぎ出す〈こと/人〉。いとひき。②つむいだ糸をわくに巻きつけること。また、そのわく。二[(糸繰)] オダマキの別名。

**いとぐるま**[糸車] 輪の回転を利用して糸をつむぐ器具。

**いとけな・い**[(△幼けない)]《形》〔雅〕おさない。年が少ない。がんぜない。「―兄弟」 派 -さ。

**いとこ**[(::従兄弟)・(::従姉妹)]（自分の）父母のきょうだいの子。また、その間がら。☞またいとこ。●**いとこちがい**[いとこ違い] 父母の いとこ。または、いとこの子。その人と自分との間がらのことも言う。いとこ半。●**いとこに**[いとこ煮] カボチャなどの野菜にアズキを加えた煮もの。由来 煮えにくいものから追い追い煮るので、甥と甥との間がら〔=いとこ〕にかけたという。

**いどころ**[居(所)]（住んで）いる場所。居場所。いどこ。

**いとこんにゃく**[糸(×蒟×蒻)] こんにゃくを細い棒状にしたもの。いとごんにゃく。いとこん。〔「しらたき」よりも太いものをさすことが多い〕

**いとし・い**[(△愛しい)]《形》①かわい(らし)くて、たまらない。「―わが子」②〔↑いとおしい〕〔古風〕〔子どもなどが なくなって〕気の毒だ。「お―ことです」 派 -がる。-げ。-さ。

**いとしご**[(△愛し)子]〔雅〕かわいい子ども。

**いとしの**[(△愛しの)]《連体》〔文〕いとしい。「―君よ」

**いとし・む**[(△愛しむ)]《他五》いとおしむ。

**いとすぎ**[糸杉] 西洋の高木。葉はヒノキに似る。枝はたれ下がって糸状になる。サイプレス。

**いとぞこ**[糸底]①ろくろから糸で切り取ったとき、うつわものの底にできる、まるい断面。②おわん・盆・箱などの底に出っぱった、支えの部分。▽糸じり。糸切り。

**いとたけ**[糸竹]〔雅〕①琴・笛の類。②音楽。管弦。「―の道」

**いとづくり**[糸作り] イカ・サヨリなどを細く切って作った、さしみ・酢のものなど。細作り。

**いとてき**[意図的]《ナダ》①自分でそうしようと思ってするようす。「ふだんから―に運動するよう心がける」②悪気があって するようす。「―に うわさを流す・―な発言」

**いとでんわ**[糸電話] 紙製などの二つのコップを糸でつなぎ、たがいに声を伝えあう おもちゃ。

**いとど**[(×蟋)]〔雅〕①コオロギ。②⇩かまどうま。

**いとなみ**[営み]①いとなむこと。②仕事。つとめ。③性行為。「夫婦の―・夜の―」④用意。したく。「春の―」

**いとな・む**[営む]《他五》①生活や仕事を、毎日休みなくおこなう。「生活を―・ケーキ店を―〔=営業する〕」②準備を整えておこなう。「法要を―」③〔文〕作る。したくする。「巣を―」

**いとにしき**[糸錦]《服》金糸・銀糸・色糸で織ったにしき。帯・袋物などにする。

**いとのこ**[糸(×鋸)]〔↑糸のこぎり〕 板をひくための薄刃の、細い のこぎり。刃は弦の形に張る。

**いどばた**[井戸端] 井戸のまわり。●**いどばたかいぎ**[井戸端会議]〔=共同井戸の付近で女たちが水くみや せんたくなどをしながらする世間話〕何人かが集まってする、むだな おしゃべりやうわさ話。

**いとはん**[(△嬢はん)]〔関西方言〕良家の むすめ。おじょうさん。〔↕ぼんぼん〕

**いとひき**[糸引き]①糸をのばすこと。糸がのびること。「―なっとう」②糸をつむぐ〈こと/人〉。いとくり。

**いとへん**[糸(偏)]①漢字の偏の一つ。「紙」「縦」などの「糸」の部分。②〔俗〕繊維(関係の産業)。「―景気」

**いどほり**[井戸掘り] 井戸をつくるために、地下水のあるところまで地面に穴を掘ること。

**いとま**[(△暇)]①[(×遑)] ひま。「休む―もない・応接に―がない〔⇩「応接」の句〕」②休暇。「―を取る」③別れ。「これでお―いたします・永の―を告げる〔⇩「永の」の句〕」●**いとまごい**[(△暇)乞い]《名・自サ》①別れを告げること。②ひまをくれるように願うこと。辞職を願い出ること。

**いとまき**[糸巻き] 糸を巻きつけておく器具。

**いとみみず**[糸(:蚯蚓)] どろの中にすむ、細くて赤茶色のミミズ。金魚などのえさにする。

**いど・む**[挑む]《自他五》①戦いをしかける。「勝負を―・社会に―」②がんばって困難に とりくむ。「新記録に―」

**いとめ**[糸目]①つりあいを取るために たこ(凧)の表面につける糸。「金に―を付けない〔⇩「金」の句〕」②糸のすじ。糸すじ。③器に細く刻みつけたすじ。④釣りの えさに使う、ミミズに似た小動物。ゴカイの一種。

**いと・める**[射止める]《他下一》①弓矢・鉄砲でしとめる。「イノシシを―」②(ねらって)自分のものにする。「賞金を―」

**いとも**《副》非常に。実に。〔後ろに「簡単」「手軽」などのことばが来ることが多い〕「―簡単に答える・―上品なほほえみ」

**いとやなぎ**[糸柳]⇩しだれやなぎ。

**いとゆう**[糸遊]〔雅〕かげろう(陽炎)。

**いとわし・い**[(×厭わしい)]《形》いやで、さけたい気持ちだ。 派 -げ。-さ。

**いな**[否]〔文〕一 ①不承知。不同意。②そうでないこと。「財産があると―〔=ない〕とにかかわらず」二《感》①相手に対する否定・不同意をあらわすことば。い(い)え。い(い)や。②自分のことばを否定して言い直すときに使うことば。「日本一、―世界一の会社」

**いな**[(×鯔)] 川口付近にすむころの、ボラの幼魚の名。☞出世魚①。

**いな**[異な]《連体》〔古風〕へんな。妙な。「―ことを聞く・縁は―もの味なもの〔⇩「縁」の句〕」

**いな**［稲］（造）イネの。「―作・―株」

**いない**［以内］（造）〔それをふくみ〕それより〈なか／うちわ〉。「十日―」（↔以上）

**いないいないばあ**《感・名》赤ちゃんをあやすときの〈ことば／しぐさ〉。顔を手などでかくして「いないいない」と言い、顔を見せて「ばあ」と言う。

**いなおりごうとう**［居直り強盗］あきすやこそどろが家の人に見つけられ、急に態度を変えてすごみ、強盗になること。

**いなお・る**［居直る］《自五》①きちんとしたすわり方にかえる。すわりなおす。②せっぱつまって、急に強い態度に出る。「おし売りが―」名居直り。

**いなか**［田舎］①都会からはなれた、田やはたけや野原の多い土地。ひな。「―びる・―道・―しばい〔＝村しばい〕」②〔大都会に住んでいる地方出身者の〕出身地。ふるさと。「―へ帰る」●**いなかじるこ**［田舎汁粉］つぶしあんのしるこ。ぜんざい。（↔ごぜんじるこ）●**いなかっぺ**［田舎っぺ］〔俗〕〔都会のならわしを知らない〕いなか者。いなかっぺい。かっぺ。●**いなかもの**［田舎者］〔あかぬけない〕いなかの人。いなか育ちの人。いなかもん。

**いなかけ**［稲架け］《農》刈り取ったイネをかけてかわかす（横）木。いなぎ。はさ。はざ。はせ。いねかけ。

**いながらにして**［居ながらにして］《副》〔現場に行かず〕すわったままで。家にいるままで。いながら（に）。「―天下の形勢を知る」

**いなご**［（×蝗）］①からだが緑色で、羽は茶色の昆虫。イネの害虫。つくだ煮になど食用にもする。②アフリカ大陸などで大群をなして飛ぶバッタ。由来②は、locust（＝バッタ）の誤訳から。

**いなさく**［稲作］イネの栽培。

**いな・す**《他五》（＝往なす。行かせる）①相手のするどい勢いをかるくかわす。「記者の質問を―」②《すもう》急に身を〈かわす／かわして〉相手をよろめかせる。名いなし。

**いなずま**［稲妻］雲の中や、雲と地上との間に電気が流れたときに、すじのように見える強い光。「―が走る」由来稲の夫（＝つま）。稲の穂をはらませるものと考えられたから。表記現代語では「稲のつま」という意識がないとみて、かなでは「いなずま」も許容。☞雷。

**いなせ**［（×鯔背）］《名・ナダ》粋で、勇ましいようす。いさみはだ。「―な兄い」

**いなだ**［稲田］イネを植えてある田。

**いなだ** ブリの若魚のときの名。はまち。☞出世魚①。

**いなな・く**［（×嘶く）］《自五》〔雅〕馬が「ひひーん」と高く大きく鳴く。名いななき。

**いなば**［（△因×幡）］旧国名の一つ。今の鳥取県の東部。因州。

**いなびかり**［稲光］いなずまが走ること。雷火。「―がする」

**いなほ**［稲穂］イネのほ。いなぼ。

**いな・む**［否む・（△辞む）］《他五》〔文〕①いやと言う。ことわる。辞退する。②打ち消す。「この事実を―ことができない」☞否めない。

**いなむら**［稲（×叢）］刈り取って脱穀したあとのわらをたんぼに積み上げたもの。肥料にする。にお。わらづか。

☆☆**いなめ・ない**［否めない］《形ヌズ》打ち消すことができない。「いささか行きすぎの感が―」丁寧否めません。

**いなや** ㊀［否や］①するかしないか（の意思）。「―を言わせず」②不承知。「―はない」㊁［（否や）］《**やいなや**で副助》…か（し）ないか。「ありや―〔＝あるかどうか〕知りたい」㊂［（否や）］《**やいなや**で接助》…したかと思うとすぐに。…するが早いか。「授業が終わるや―、校庭に飛び出した〔『終わるが―』は古風〕」

**いなら・ぶ**［居並ぶ］《自五》すわってならぶ。

**いなり** ㊀［:稲荷］①穀物の神の名。②「稲荷㊀①」をまつった神社。稲荷神社。③〔稲荷神社の使いといわれることから〕きつね。㊁［(:稲荷)］⇩いなりずし。▽㊀㊁おいなりさん。●**いなりずし**［(:稲荷寿司)］あまく煮たあぶらあげの中に酢をまぜた飯をつめたもの。しのだずし。きつねずし。おいなり（さん）。〔関東ではたわら形、関西は三角が多い〕由来稲荷神社の使いとされるきつねの好物といわれるあぶらあげを使うから。

**いなわら**［稲（×藁）］イネを干して作ったわら。

**いなん**［以南］（造）〔そこをふくみ〕そこからみなみ。「鹿児島―」（↔以北）

☆☆**イニシアチブ**〔initiative〕①主導権。主導的な発言権。「―を取る」②新しい提案・政策。「国際―」〔有志国の集まりの名にも〕▽イニシア（ティブ）。イニシャチブ。

**いにしえ**［（△古）］〔雅〕過ぎ去った遠い昔。「―の奈良の都」

**イニシエーション**〔initiation〕集団に加わるときにおこなう儀式。

**イニシャル**〔initial〕ローマ字で姓と名を書くときの、それぞれ最初の一字の大文字。頭文字。イニシアル。例、「山田太郎」ならば「Y．T．」〔または「T．Y．」〕。●**イニシャルコスト**〔initial cost〕《経》機械や設備を導入するさいにかかる費用。初期費用。（↔ランニングコスト）

**いにゅう**［移入］《名・他サ》①移し入れること。「感情―」②《経》県外から県内など、同じ国内の他の土地から貨物をはこびこむこと。（↔移出）☞輸入①。

**いにょう**［遺尿］《名・自サ》《医》無意識にもれてしまう小便。「―症」

**いにょう**［囲（×繞）］《名・他サ》〔文〕まわりを取り囲むこと。いじょう。

**いにん**［委任］《名・他サ》①〔おおやけの仕事について〕人にまかせること。②《法》法律上の行為や事務の処理をまかせ、相手がこれを承知することによって成り立つ契約。●**いにんじょう**［委任状］《法》委任の意思を書いた書きつけ。

**イニング**〔米 inning〕《野球》⇩回㊁②。インニング〔古風〕。「全試合フル―出場」

**いぬ［犬］㊀ ①柴犬・秋田犬・コリー・スピッツなど、いちばん古くから人間に飼いならされたけもの。多く、体格がよく、鼻先が黒っぽくてしめっている。家の番や狩りの役をつとめ、ペットにもなる。主人に忠実。鳴き声は、わんわん・きゃんきゃん。由来古く、鳴き声を「ウェン」と聞き、そこから「ゑぬ（＝子犬・成犬）」が生まれ、成犬を特に「いぬ」と言うようになった。区別「犬」「猫」は二大ペットだが、「猫」は「猫ちゃん」と言えるのに対し、「犬」は「わんちゃん」と言う。「犬」は、「犬【一】②③」の印象があって、愛称に使いにくい面がある。②忠実な者。手先。「権力の―」③〔俗〕スパイ。【二】接頭 ①似ているが〈ちがう／役に立たない〉。「―たで(蓼)・―つげ(黄楊)」②いやしい。「―侍」③むだ。「―死に」●**犬と猿** 句 仲の悪いことのたとえ。犬猿の仲。●**犬も歩けば棒に当たる** 句 思いがけない災難にあうことのたとえ。〔幸運に出あうことのたとえにも〕●**犬も食わない** 句 ①⇩夫婦げんかは犬も食わない〔「夫婦」の句〕。②〔何でも食べる犬でさえ食べないほど〕まずい。

→**いぬ**[×戌] ①十二支の第十一。とり(酉)の次。「―年・―の年」〔年のほか、月・日にもいう〕②昔の時刻の名。今の午後八時ごろに当たる。五つ。「―の刻」③昔の方角の名。西北西。

**いぬい**[△乾・×戌×亥]ゐ― 昔の方角の名。北西。

**イヌイット**〔Inuit〕 カナダやアラスカ・グリーンランドなどの北極圏に住む先住民族。〔「エスキモー」の、カナダでの呼び名〕

**いぬかき**[犬(×掻き)] 犬が泳ぐように、頭を水面から出したまま、両手で水をかいて進む泳ぎ方。犬泳ぎ。

**いぬき**[居抜き]ゐ― ①商品や設備もいっしょにして、建物をあけわたすこと。「―で借りる」②机や配置をそのままにして、人を入れかえること。

**いぬく**[射抜く・射△貫く]《他五》〈弓を射て／銃をうって〉つらぬきとおす。「的を―」

**いぬぐい**[犬食い]―ぐひ もられた料理のうつわを手に持たないで、うつわに顔を近づけてたべること。

**いぬくぎ**[犬(×釘)] 鉄道のレールが、まくら木から動かないようにするために打つ、大きなくぎ。

**いぬころ**[犬ころ]〔俗〕小犬。いぬっころ。

**いぬざむらい**[犬侍]―ざむらひ 役に立たない武士をののしって言うことば。

**いぬじに**[犬死に]《名・自サ》 むだじに。「―に終わる」

**いぬぞり**[犬(×橇)] 犬にひかせるそり。

**いぬたで**[(犬×蓼)] 夏から秋にかけて、赤むらさき色の米のような花をびっしりとつける草。あかまんま。

**いぬちくしょう**[犬畜生] 犬などのけもの。人をののしるときにたとえる。「―にもおとるやつだ」

**いぬねこ**[犬猫] ①犬やネコ。「―病院〔=動物病院〕」②本能にまかせて行動する者をけいべつして言うことば。「―じゃあるまいし」

**いぬのとおぼえ**[犬の遠(×吠え)]―とほぼえ 臆病者が陰で強がりを言ったり、他人を非難したりすること。「ここで文句を言っても―だ」

**いぬのひ**[×戌の日] 十二支のいぬに当たる日。妊娠し、五か月目のいぬの日には、神社で安産のおまいりをし、岩田帯を巻く。

**いぬばしり**[犬走り] 建物の周囲・線路の両側などの、石やコンクリートでできた細い通路のような部分。

**いぬぶえ**[犬笛] 犬を呼び寄せる笛。人にはあまり聞こえないが、犬にはよく聞こえる周波数の音を出す。「―を吹く〔SNSなどで、それとなく合図して人々を扇動する意味にも〕」

**いぬやらい**[犬:矢来]〔京都の町家などで〕建物のまわりに、(弓形に曲げた)割り竹をびっしりならべて作った、背の低い囲い。家がいたまないようにする。

**いね**[稲] 日本でいちばん大切な農作物。米はその実であり、たねである。水田や畑につくる。

**いねかり**[稲刈り]《名・自サ》 秋、みのったイネを刈り取ること。

**いねむり**[居眠り・居△睡り]ゐ―《名・自サ》 すわったままの姿勢で、ついねむること。「授業中の―」 区別 「居眠り」の「居」は「すわること」。横になった姿勢では使わない。「うたた寝」の「うたた」は「うとうと」で、すわっていても、横になっていても使える。両方とも ついねむる点では同じ。 動 居眠る《自五》。

**いの一ばん**[いの一番] まっさき。第一番。 由来 下足のふだの、最初の番号が「いの一」であったから。

**いのう**[異能]《名・ナダ》 ふつうの人にない、特別の〈才能／能力〉。

**いのこり**[居残り]ゐ―《自五》 ①(ほかの人が帰ったあとに残(って仕事をす)ること。②〔遊郭で〕客がお金をはらえず、帰らせてもらえないこと。☞居続け②。 動 居残る《自五》。

**いのしし**[(×猪)]ゐのしし ①牙のある、ブタに似た野獣。肉を「やまくじら」「ぼたん」と言う。③むてっぽうに突進する者。②⇩い(亥)①。「―年」 ●**いのししむしゃ**[(×猪)武者] むてっぽうに突進する武士。

**イノシンさん**[イノシン酸]〔inosine〕《理》かつおぶしの味のもとになる成分。うま味調味料の原料。

**イノセント**《ナダ》〔innocent〕 むじゃき。天真爛漫。無垢。

**いのち**[命:生命] ①人や動物などが生きて活動するための、おおもとになるもの。生命。「大切な―・―を守る」②「命①」の続く間。寿命。「―をまっとうする・―をつなぐ・―を絶つ」③いちばん大切なもの。「商人は信用が―だ・サッカー―」 ●**命あっての物種** 句 命こそすべてのもとだ。 ●**命から二番目** 句 命の次に大切。この上もなく大切。 ●**命長ければ恥多し** 句 長生きをすると、それだけ恥をかくことも多くなる。 ●**命を落とす** 句〔戦争や思わぬできごとで〕死ぬ。 ●**命を削る** 句 苦労や心配ごとで寿命を縮める。 ●**命を縮める** 句 〔過労やショックなどで〕寿命が短くなる。早死にする。 直 命が縮まる。 ●**いのちがけ**[命(懸け)・命(賭け)] 死を覚悟してすること。 ●**いのちがね**[命金]〔生きるために〕必要な、大切なお金。「旅先での―」 ●**いのちからがら**[命からがら]《副》〔からがら=辛々〕 やっとのことで。命だけは失わずに。「―逃げ出す」 ●**いのちげ**[命毛] 筆の穂先の、いちばん長い毛。 ●**いのちごい**[命乞い]―ごひ《名・自サ》 殺されそうになって、命を助けてくれとたのむこと。 ●**いのちしらず**[命知らず]《名・ナダ》 命をうしなう危険をかえりみない〈こと／人〉。 ●**いのちづな**[命綱] ①危険な場所で仕事をするときに、用心のためにからだにつける綱。②命や生活を支える、なくてはならないもの。 ●**いのちとり**[命取り] ①命をうばう(危険のある)原因。「きずを手当てしないと―になる」②ものごとを失敗に終わらせる原因。「スキャンダルが政権の―になる」 ●**いのちのおや**[命の親]〔古風〕命を助けてくれた恩人。命の恩人。 ●**いのちのせんたく**[命の洗濯] 日ごろの苦労を忘れるための、気ばらし。 ●**いのちのつな**[命の綱] 生きていくよりどころ。 ●**いのちびろい**[命拾い]―びろひ《名・自サ》死ぬはずの命が助かること。●いのちみょうが［命冥加］《名・ナダ》〔神や仏に守られて〕命がふしぎに助かること。「―な男」

**いの-なか**［井の中］ゐ ①井戸(いど)の中。②外とかかわりのない、せまい〈ところ／社会〉。●いの-なかのかわず［井の中の〈×蛙〉］ーかはづ 世間知らずで考えの せまい人。「―大海を知らず」

**いのふ**［胃の×腑］胃。いぶくろ。

**いのぶた**［〈×猪豚〉］ゐの イノシシとブタをかけ合わせたけもの。食肉用。

**イノベーション**〔innovation〕技術革新。

**イノベーター**〔innovator〕①革新者。改革者。②新しい商品やサービスをまっさきに ためす人。

**いの-まま**［意のまま］思いどおり。思いのまま。「相手を―に〈あやつる／する〉・筆を―に動かす」

**いの・る**［祈る・×禱る］《他五》①神や仏に願う。「成功を神に―」②心から願う。「ご多幸をお祈りします・〔就職活動で、俗に〕五社から祈られた〔＝『ご活躍(かつやく)をお祈り申し上げます』という不採用の通知をもらった〕」名祈り。

**いはい**［位×牌］死んだ人の法名(ほうみょう)を書いた、木のふだ。「お―」

**いはい**［遺灰］ーは 火葬(かそう)にしたあとの、死んだ人のはい。「―を海にまく」

**いはい**［違背］《名・自サ》〔文〕決まり・命令などにそむくこと。

**いはく**［医博］〔文〕←医学博士。

**いはく**［威迫］《名・他サ》〔法〕相手をおどしつけること。「―の行為(こうい)・―的」

**いばしょ**［居場所］ゐ ①(住んで)いる場所。いどころ。②安らかにいられる場所。「学校や家庭に―のない子ども」

**いばしんえん**［意馬心猿］《仏》〔馬が走り、サルがさわぐのをおさえられないように〕本能が強くさかんにおこって、おさえつけられないこと。

**いはつ**［衣鉢］師から弟子(でし)に伝える だいじな教えなど。えはつ。「―を継(つ)ぐ」

**いはつ**［遺髪］死んだ人が残した かみの毛。

**いばら**［茨］①とげ のある低い木の総称(そうしょう)。㊇はないばら。②〔方〕とげ。●いばらのみち［茨の道］苦しみに満ちた〈生活／みちのり〉。

**いばりかえ・る**［威張り返る］ーかへる《自五》すっかり、いばったようすになる。「いばり返った軍人」

**いば・る**［威張る］《自五》威勢(いせい)を見せつける。おごる。えばる。「社長が いばりくさる〔＝ひどく いばる〕」名いばり。

↔**いはん**［違反］《名・自サ》①命令・約束・規則・協定などにそむくこと。「約束―だ」②違犯。「交通―」

↔**いはん**［違犯］《名・自サ》〔文〕法令にそむいたおこないをすること。違反。「―したる者は・国禁―」

**いび**［萎×靡］《名・自サ》〔文〕勢いがなえて、おとろえること。「産業が―沈滞(ちんたい)する」

**いびき**［〈×鼾〉］ねむっているときに呼吸とともに のどから出る音。「―をかく」

**いひつ**［遺筆］死んだ人が、生前に書き残した〈文章／筆跡(ひっせき)〉。

**いびつ**［〈×歪〉］《名・ナダ》形がゆがんでいる〈もの／こと〉。「―などんぶり・―な関係」派―さ。

**いひひ**《副》口を少しあけて、ずるそうに笑う声。ひひひ。

**いひょう**［意表］予想外のところ。「―を突(つ)く〔＝予想外のことをして びっくりさせる〕・人の―に出る・―外〔＝予想外〕」

**いひょう**［遺票］〔文〕〔選挙で〕死んだ候補者が、そのあとをついだ候補者にのこした票。

**いびょう**［胃病］胃の病気。

**いび・る**《他五》陰湿(いんしつ)なやり方でしつこくいじめる。「よめを―・いびり出す」名いびり。

**いひん**［遺品］死後に残された物。「―の手帳・―の整理」

**いふ**［異父］〔文〕〔きょうだいの間で〕母が同じで父がちがうこと。「―兄(けい)・―妹(まい)」〔↔同父〕

**いふ**［畏怖］《名・自他サ》おそれて かしこまること。「―の念を起こす・自然を―する」

**イフ**〔if〕もし。もしも。「歴史に―はない」

**いぶ**［慰×撫］《名・他サ》〔文〕なぐさめ なだめること。「さびしさを―する」

**イブ**〔Eve〕《宗》〔旧約聖書で〕人類最初の女性。アダムの妻。神がアダムの肋骨(ろっこつ)から つくったという。エバ。

**イブ**〔eve〕①⇩クリスマスイブ。②前夜祭。「学園祭の―」

**イブイブ**〔俗〕クリスマスイブの前の〈夜／日〉。

**いふう**［威風］威厳(いげん)・威勢(いせい)のある ありさま。「―堂々・―辺(あた)りを払(はら)う〔⇩「辺り」の句〕」

**いふう**［遺風］〔文〕後世に のこされた〈風習／教え〉。

☆☆**いぶかし・い**［〈×訝しい〉］《形》〔文〕うたがわしい。あやしい。「言動に―点がある」派―がる。―げ。―さ。

**いぶかし・む**［〈×訝しむ〉］《他五》〔文〕あやしいと思う。いぶかしがる。いぶかる。「何事だろうと―」

**いぶか・る**［〈×訝る〉］《他五》あやしいと思う。ふしぎだと思う。いぶかしむ。「本当かと―向きもある」

**いぶき**［息吹］〔雅〕①はくいき。②活動的な気分。「春の―〔＝春のきざし〕・青春の―〔＝ふんいき〕」動息吹く《自五》。

**いふく**［衣服］身につけて着るもの。着物。「―を改める・―をたたむ」

**いふく**［異腹］〔文〕異母。「―の妹」〔↔同腹〕

**いぶくろ**［胃袋］胃。胃のふ(腑)。「急いで―につめこむ」●胃袋をつかむ 句〔人を〕おいしい料理で とりこにする。「客の―」●胃袋を満たす 句①満腹にする。「カップラーメンで―」②〔人に〕料理を供給する。胃袋を支える。「学生の―店」

**いぶしぎん**［〈×燻し〉銀］①表面にうす黒い色をつけて、かがやきをおさえた銀。②渋(しぶ)くて味わいがあること。「―のような文章・―の演技」

**いぶ・す**［〈×燻す〉］《他五》①火をつけて けむりをたてる。くすべる。「葉を―」②けむりに さらす。「肉を―・蚊(か)を―」名いぶし。

**いぶせき**《連体》〔文語形容詞「いぶせし」の連体形から〕〔雅〕むさくるしい。「―住まい」

☆☆**いぶつ**［異物］①《医》体内に〈はいって／発生して〉からだの組織と なじまないもの。例、飲みこんだボタン・結石。「目の中に―感がある」②本来、はいっては いけないもの。「食品に―が混入する」③ほかと調和しないもの。「風景の中の―」

**いぶつ**［遺物］①過去の人類が残したもの。考古学では石器・土器・青銅器など、持ち運べるものをいう。「石器時代の―」☞遺跡。②あとの人にとって無用なもの。「過去の―」③〔古風〕遺品。「父の―」

**イブニング**〔evening〕①夕方。②えんび服。③〔←イブニングドレス〕女性の着る夜会服。たけが長く、胸もとや せなかを多く出す。

**いぶりがっこ**［(×燻りがっこ)］〔がっこ＝こうこ。香の物〕たくあんの燻製。〔秋田県の名物〕

**いぶ・る**［(×燻る)］《自五》ほのおが立たないで、けむりが出る。くすぶる。「食材をけむりで―」

**いぶん**［異文］〔写本などで〕書き写すことで表現にちがいが生じた文。

**いぶん**［異聞］〔文〕変わった〈うわさ/話〉。

**いぶん**［遺文］〔文〕①書いたままで(死んだあとまで)発表されない文章。②現在に残る過去の文献。「平安―」

☆☆**いぶんか**［異文化］自分の生活様式や社会習慣、考え方などとちがう文化。「―接触」

**いぶんし**［異分子］ほかの多くのなかまと性質や思想がちがっている人。「組合の―」

**いへき**［胃壁］《生》胃を形づくる筋肉の、内がわ。

**イベリコぶた**［イベリコ豚］〔ス Ibérico＝イベリア半島の〕スペインやポルトガルの、食用のブタ。ドングリを食べて育ち、肉質がいい。「―のステーキ」

**いへん**［異変］①変わった事件。②変化。

**いへんさんぜつ**［×韋編三絶］本をくりかえし読んだために、ぼろぼろになること。韋編三たび絶つ。由来「韋編」は、竹簡の とじひも。孔子が易の書物を、とじひもが三回 切れるほど くりかえし読んだという、中国の「史記」の文章から。

**イベンター**〔和製 event＋er〕もよおしものをしかける人。

☆☆**イベント**〔event〕①〔競技・試合・番組の中の〕種目。「メイン―」②もよおしもの。できごと。「ビッグ―」▽エベント。

**いぼ**［(×疣)・イボ］①《生》ウイルスや加齢などによって皮膚の表面にできる、まるく盛り上がったできもの。疣贅《医》。②ものの表面の、小さく盛り上がった〈ところ/もの〉。「―イノシシ」

**いぼ**［異母］〔文〕〔きょうだいの間で〕父が同じで母がちがうこと。異腹。「―兄・―妹」(↕同母)

**いぼいぼ** たくさんならんだ いぼ(のように かたくもり上がったもの)。「ゴーヤーの―」

**いほう**［異邦］〔文〕〔自分の知らない〕外国。異国。「―人」

**いほう**［彙報］〔文〕〔雑誌の巻末などで〕雑報。

**いほう**［違法］《名・ナダ》規則・法律に そむくこと。(↕適法)

**いほく**［以北］造〔そこをふくみ〕そこから きた。「関東―」(↕以南)

**いぼく**［遺墨］死後に残された、その人の筆跡。〔手紙、色紙など〕

**いぼじ**［(×疣)×痔・イボ×痔］《医》⇩じかく(痔核)。

**いほん**［異本］書き写したために、もとの本と字句や組み立てに ちがいが生じている本。

****いま** ━ **いま**［今］①過ぎ去ったときでもなく、これから先のときでもない とき。目の前のとき。現在。「―九時です・―を去る〔＝今から〕百年前・―の時間帯は こんでいる・―のうち〔＝状況が変わらないうち〕に ごはんを食べよう・〔先のことは ともかく〕―のところは問題ない」②現代。当世。今日。「―の若者たち」▽(↕昔)③ちょっと〈前/あと〉。「―来たところだ・―行きます」━ **いま**［(今)］《副》さらに。もう。「―少し・―一つ」━［今］遺 現代の。「―浦島」

● **今こそ別れめ** 句 今こそわれらは別れよう。〔「別れ目」ではない。☞係り結び〕

● **今泣いたからす(烏)がもう笑う** 句 すぐに気分が変わって よくなること。泣き出した子どもが、きげんを取られて急ににこにこしたりしたときに言う はやしことば。

● **今に始まったことで(は)ない** 句 これがはじめてではない。今に始めぬ。今に始まらぬ。

● **今はこれまで** 句 こうなっては もうしかたがない。「―と覚悟する」

● **今は昔** 句 今から見れば昔のこと(だが)。〔物語の始めの部分のきまり文句〕

● **今を時めく** 句 今がさかりと、もてはやされている。

**いま**［居間］家族がふだん集まって使う部屋。リビング(ルーム)。

**イマージョン**〔immersion〕外国語の教科以外の授業も外国語でおこなうことによって、その外国語を習得させる方法。「―教育」

**いまいち**《副》〔＝今一〕。「イマイチ」「今イチ」とも書く〕〔俗〕満足な程度まで少し足りないようす。いまひとつ。もうひとつ。「―調子が出ない・人気は―だ」〔一九七〇年代末からの ことば〕区別「いまいち」よりも「いま一つ」「もう一つ」のほうが きちんとした言い方と思われているが、この二語も戦後に使われだした。もと、「いま一つ…ない」の形で言ったが、「味は いま一つだ」など否定で終わらない言い方が関西から広まったという。「もう一息」は、明治時代の文章にもあるが、否定で終わる例は見えない。

**いまいま**［今々］《副》〔「今」の強調〕ちょうど今。たった今。今すぐ。「―やってみた・―転職したいわけではない」〔「現在」「今すぐ」などの意味で平安時代からある形。二十一世紀になって耳にすることが増えた〕

**いまいまし・い**［(忌ま忌ましい)］《形》腹だたしくて、しゃくに さわる感じだ。「―やつ」派 -がる。-げ。-さ。

**いまか‐いまかと**［今か今かと］《副》早くそのことが起こらないかと待ちかねるようす。「―発表を待つ」

**いまかの**［今カノ］〔←今の彼女〕〔俗〕現在、恋人である女性。(↕元カノ・前カノ)

**いまかれ**［今彼・今カレ］〔←今の彼氏〕〔俗〕現在、恋人である男性。(↕元彼・前彼)

**いまがわやき**［今川焼き］「いまがわ」といた小麦粉を円形の型に流しこみ、あんを入れて焼いた菓子。大判焼き。回転焼き。太鼓焼き。お焼き。

**いまげんざい**［今現在］①「いま」を強めたことば。「この二十一世紀の、―も方言は生まれている」②今の時点(では)。「―判明していない」

**いまごろ**［今頃］「今 ━①」を中心とした、おおよその時間をさすことば。「―何をしているだろう・去年の―」

**いまさら**［(今更)］《副》①今になって。こんなに おそくなって。「―くやんでも しかたがない・何を―言うのだ」②時機に おくれているようす。「―ですみませんが、お送りします・―ですが、著作権って何？」③改めて。「いかに重要かは―言うまでもない・母のことばが―に思い出される」 ④初めて。やっと。「手作りのよさに―(のように)気づいた」 •**いまさらめ・く**[今更めく]《自五》 今ごろになってやっと、といった感じに見える。•**いまさらし・い**[今更らしい]《形》 今(になって)はじめて知ったというようすだ。派―さ。

**いましがた**[今し(方)]《副》 今より少し前。いまがた。「つい―出かけました」

**イマジネーション**[imagination] 想像力。「―をはたらかせる」

**いまじぶん**[今(時分)] 今ごろ。〔「今ごろ」よりは時間の はばがせまい〕「去年の―だった」

**いましめ**[戒め・警め] ①いましめること。 ②おきて。③やめさせること。 ④用心。

**いましめ**[(縛め)] 〔文〕からだをなわで しばること。「―を解く」 動いましめる《他下一》

**いまし・める**[戒める・警める]《他下一》 ①〔してはいけない行動を〕やめさせる。禁じる。「非行を―・みずからを―」 ②〔目下の者のおこないについて〕してはいけないことをしないように、注意する。「将来を―」 ③警戒する。「身辺を―・夜を―(=戸じまりや火の用心を呼びかける)」

**いましも**[今しも]《副》 〔文〕たまたま、ちょうど〈今/そのとき〉。「男が―船に乗りこむところだった」

**いま・す**[在す・座す・坐す]《自四》〔雅〕「ある・いる」の尊敬語。いらっしゃる。まします。「いかに―父母・天に―神」

←**いまだ**[(今だ)]《副》 ⇩今だに。「―なぞが多い」 区別 ⇩未だ。 •**いまだに**[(今だに)]《副》 今もなお。いまだ。「顔は―覚えている」〔「まだ」よりも かたいことば〕☞いま(未)だに。

↑***いまだ**[(未だ)]《副》 〔否定をともなって〕まだ。いまだに。「―完成せず」〔「まだ」よりも かたいことば〕 区別 もと「今＋だ(古い助詞)」。「今だ」は「今もなお」の場合、「未だ」は漢文訓読から、特に否定をともなう場合に使うようになった。 •**いまだかつて**[(未だ×嘗て)]《副》 〔否定をともなって〕まだ一度も。「―見たことがない」 •**いまだし**[(未だし)]〔文語形容詞から〕〔文〕〔ものごとの進み方が〕まだ じゅうぶんでないこと。道なかば。「研究は―の感がある」 •**いまだに**[(未だに)]《副》 〔否定をともなって〕今になっても まだ。いまだ。「―ゆくえがわからない」☞今だに。

**いまっぽ・い**[今っぽい]《形》〔話〕現代ふう。今ふう。「―着こなし」

**いまでき**[今(出来)] 〔古風〕〔悪い意味で〕このごろできたこと。「―の安普請」

**いまどき**[今(時)] ①今の時代。当世。「―の若い者」 ②今時分。「―何の電話だろう」

**いまに**[今に]《副》 ①今になっても。まだ。現在も。「伝統を―伝える・―名人と伝えられる」 ②やがて。そのうち。「―見ていろ」 •**いまにして**[今にして]《副》 今になって。ようやく今。「―思えば」 •**いまにも**[(今にも)]《副》 あぶなく。まさに。「―落ちそうだ」

**いまの-いま**[今の今] 「今」を強めた言い方。「―まで気づかなかった・―(=つい、今さっき)見てきた・―(=今すぐ)出さなければならない手紙」

**いまひとつ**[(今)一つ]《副》 ①満足な程度まで少し足りないようす。「結果は―だ(=あまり ふるわない)・―もの足りない」 区別 ⇩いまいち。 ②〔古風〕いっそう。「―大きい」 ▽もう一つ。

**いまふう**[今風]《名・ナダ》 現代ふう。当世ふう。「―の言い方」

**いまもって**[今もって]《副》 今になるまで。いまだに。「―連絡がない・―信じられない・―多くの読者を持っている」 表記 かたく「今以て」とも。

**いまや**[今や]《副》 ①今(にも)。 ②今では。「あの男が―一流の学者だ」 •**今や遅し** 句 (=今来るか、と思うのに遅い) 待ちかまえているようす。「―と待ちわびる」

**いまよう**[今様] ①現代ふう。 ②(↑今様歌) 平安時代に流行した歌。ふつう七五調の四句からできている。

**いまわ**[今わ・(今際)] (↑今は) 死にぎわ。最期。臨終。「―のきわ(=もう死ぬという、まぎわ)」

**いまわし・い**[忌まわしい]《形》 〔忌む/にくむ〕べきだ。「―できごと」 派 ―げ。―さ。

**いみ**[忌み] ①忌むこと。 ②ものいみ。 ③喪中。

****いみ**[意味]《名・他サ》 ①ことば・記号などが あらわす内容。「辞書で―(=語義)を調べよう・『取る』には多くの―がある・『太陽』を―するフランス語」 ②それ〈をする/がある〉理由や価値。「やっても―がない(=何のためにもならない。無意味だ)・この部品も何かの―があるんだろう」 ③かくれた内容。それとなく示すこと。「この事件の―するもの」 ④それに(ほぼ)等しいこと。「撤退は死を―する」☞意味深長・意味付ける。

**いみあい**[意味合い] 〔前後の事情もふくめた〕意味。

**いみあけ**[忌み明け] 喪の期間が終わること。きあけ。

**いみきら・う**[忌み嫌う]《他五》 いやがって、避ける。「蛇のように―」

**イミグレーション**[immigration=外国からの移住] 出入国管理(をおこなうところ)。イミグレ。「空港の―」

**いみことば**[忌み(言葉)・忌み(詞)] 忌みつつしんで言わないことば。また、その代わりに使うことば。例、「すりばち」を「当たりばち」と言うなど。

☆☆**いみじくも**《副》 ①〔人の発言などについて〕感心するほどうまく。みごとに。「ゲーテが―言っているように」 ②意図せずに、本質を突くような形で。「大臣が―本音をもらした」 ③意図せずに、まるで ねらったように。「二人の友人から―同じ感想を聞いた」 由来 文語形容詞「いみじ(=忌みじ。程度が非常に大きい)」の連用形に助詞「も」がついた形から。

**いみしん**[意味深]《ナダ》(↑意味深長) 〔俗〕何かかくれた意味がありそうなようす。思わせぶり。「―な表現・―に言う」〔昭和初期からの ことば〕

☆☆**いみしんちょう**[意味深長]《ナダ》 深い意味がかくれているようす。意味深(俗)。「―な笑い」

**いみづ・ける**[意味(付ける)]《他下一》 〔…に〕意味を〈あたえる/つける〉。 名 意味づけ。

**イミテーション**[imitation] ①模造品。にせもの。②まね。もほう。

**いみな**[(×諱)] (=忌み名) ①貴人の死後、たっとんでつけた称号。おくりな。 ②生前は呼ぶのをはばかった、貴人の実名。

**いみぶか・い**[意味深い]《形》 ①複雑な意味がある。

「―ことば」②ねうちが大きい。意義深い。「―一日」派―さ。

**いみょう**[異名] 本名(ほんみょう)のほかに別につけられた名。いめい。「『サッカーの王様』の―を持つ」

**いみん**[移民]《名・自サ》外国へ移住〈すること／した人〉。「日系―」

**い・む**[忌む]《他五》悪い結果をおそれて、避(さ)ける。きらう。「―べき風習」

**いむしつ**[医務室]〔学校や会社などの中で〕診察(しんさつ)や手当てをする部屋。衛生室。

**いめい**[依命]〔文〕〔官庁で〕命令によること。「―通達」

**いめい**[異名]①⇩いみょう。②別名。

**いめい**[遺命]〔文〕死んだ人がのこした命令。

*__イメージ__《名・他サ》[image]①画像。映像。「―スキャナー〔=絵や写真を読みとるスキャナー〕」②〈印象を持つ／映像を思いうかべる〉こと。また、その印象や映像。イマージュ(フ image)。「冬の―が強いふぐ料理・―が悪い・―アップ〔=感じをよくする〕・―ダウン」③そのものの感じを表現する〈こと／もの〉。「三日月を―したデザイン・ブランドの―モデル」④感じを伝えるための、実物と同じではない画像や映像。「〔広告で〕写真は―です」●**イメージキャラクター**〔和製 image character〕団体や商品、イベントなどに親しんでもらうための、キャラクターやタレント。イメキャラ。「―をつとめる」●**イメージソング**〔和製 image song〕団体や商品、イベントなどに親しんでもらうための、宣伝用の歌。●**イメージチェンジ**《名・自他サ》〔和製 image change〕外見など、人にあたえるイメージを変えること。イメチェン〔俗〕。●**イメージトレーニング**《名・自サ》[image training]〔スポーツ選手などが〕心理的な効果をねらって、好ましい動作・状態などを頭に思いうかべる〈こと／訓練〉。イメトレ。

**イメチェン**《名・自他サ》〔俗〕↑イメージチェンジ。「髪(かみ)を切って―した・部屋の―」

**いも**[芋・×藷・×薯]①地下茎(ちかけい)や根が特別に大きくなって、でんぷんをたくわえたもの。煮(に)たり焼いたりふかしたりして、ほくほくとやわらかくなったものを食べる。主食にもなる。「―の煮っころがし・―もち〔=いもで作るだんご〕」✍単に「いも」と言う場合、古くはサトイモ、今はサツマイモやジャガイモを指すことが多い〔地域によってもちがう〕。②草花の根の、ふくらんだ部分。「ダリアの―」③〔俗〕やぼな、いなか者。「―ねえちゃん・―ジャージ」●**芋(の子)を洗うよう** 句 人が大ぜいいて、混雑しているようす。●**芋の煮(に)えたもご存じない** 句〔芋=サトイモ〕お嬢(じょう)さん育ちの奥(おく)さまをあざけることば。世間知らずのぼんやり者のたとえ。

*__いもうと__[妹]①〔自分と〕同じ親から生まれた、年下の女。②⇩義妹(ぎまい)。▽〔↔姉〕●**いもうとご**[妹御]〔古風〕〈他人／相手〉の妹を尊敬して言うことば。〔↔姉御〕●**いもうとむこ**[妹婿]妹の夫。〔↔姉婿〕

**いもがしら**[芋頭]⇩親芋(おやいも)。

**いもがゆ**[芋(×粥)]サツマイモなどを入れたかゆ。〔平安時代は、刻んだ山芋を煮(に)たしるこ状のもの〕

**いもがら**[芋(△幹)]サトイモ類のくきをほしたもの。ずいき。

**いもざし**[芋刺し]イモを竹のくしでさし通すように、人をやり(槍)で突(つ)きさして殺すこと。

**いもせ**[△妹背]〔いも=妻。せ=夫〕〔雅〕夫婦(ふうふ)。「―のちぎり」

**いもたれ**[胃(×凭れ)]食べたものが胃にとどまり、胃が重苦しく感じられること。「―がする」

**いもちびょう**[(:稲熱)病]〔農〕代表的なイネの病気。大きな害をあたえる。いもち。

**いもづるしき**[芋(×蔓)式]〔サツマイモ・ヤマノイモのつるをたぐるように〕次から次へと〈得られる／事実がわかる〉こと。「関係者を―に逮捕(たいほ)する」

**いもと**[△妹]〔古風〕いもうと。「姉―・お―さん」

**いもに**[芋煮]サトイモや肉などを煮たなべ料理。東北名物。「―会」

**いもの**[鋳物]とかした金属を型に流しこんで作った道具など。「―師」〔↔打ち物〕

**いもばん**[芋版]サツマイモやジャガイモを輪切りにし、彫(ほ)って木版(もくはん)の代わりにするもの。年賀状などに使う。

**イモビライザー**[immobilizer]自動車のエンジンスイッチにさしこんだキーが持ち主のものかどうかを、コンピューターでチェックする装置。

**いもほり**[芋掘り]畑に育てたイモを収穫(しゅうかく)すること。

**いもむし**[芋虫]チョウやガの幼虫のうち、毛の目立たないもの。

**いもめいげつ**[芋名月]旧暦(きゅうれき)八月十五夜の月。由来 サトイモをそなえることから。☞くり(栗)名月・豆名月。

**いもり**[井守・(:蠑螈)]〔ゐ〕川や池にすむ、形がトカゲに似た両生類。せは黒く、腹は赤い。

**いもん**[慰問]《名・他サ》苦しんでいる人などをなぐさめてみまうこと。●**いもんぶくろ**[慰問袋]戦地にいる軍人をはげますために、手紙・食べ物・日用品などを入れて送ったふくろ。

‡**__いや__[△否]一いや〔文〕承知しないこと。「―も応もない」二いや《感》①〔話〕否定や不同意をあらわすことば。「―、ちがいます」②言い直しをするときのことば。「日本、―世界の名作だ」③事情を話し始めるときのことば。「これは失礼。―(ね)、うっかりしていたもんだから」▽い(い)え。アク 強く否定して、いやとも。

‡**__いや__ 一[嫌]・(×厭)]《ナダ》①〈受け入れたく／やりたく〉ない気持ち〈を／あらわすことば〉。「『返しなさい』『―です』・戦争はもう―だ・―な〔=手ごわい〕対戦相手」②気分が悪くなる感じ。不安、不愉快(ふゆかい)、ゆううつなどの感じ。「―なふんいき・―な味・―な男・―な世の中」派―さ。二《感》[―だ]〔女〕びっくりした、困った、はずかしい、などの気持ちをあらわす。「あら―だ、あなただったの」「いやーん」は、子どもも使う。▽一二いや。表記 俗に「イヤ」とも。☞いやでも・いやに・いやになる。●**いやもへちまもない** 句 いやだなどとは、とんでもない。〔「へちま」の代わりに、「へったくれ」なども〕

‡**いや**《感》〔話〕おどろきや感動などをあらわすことば。やあ。いやあ。「いや(↓)おどろいた・いや(↓)まいった」

**いや**[△弥]《副》〔文〕いよいよ。ますます。「―高く」☞いやまさる・いやます。

**イヤー** 適 [year] 大きな もよおしのある年。「オリンピック—」

**イヤーカフ**〔ear cuff〕耳のふちに はさんだり引っかけたりするアクセサリー。

**イヤーマフ**〔ear muff〕防寒や防音に使う耳当て。

←**いやいや**［嫌々］㊀いやいや《副》いやだと思いながら。「—（ながら）同意した」㊁いやいや〔児〕いやがって首を横にふること。「—をする・—期（=二歳ごろの第一反抗期）」

→**いやいや**［（△否々）］《感》〔話〕「いや（否）㊁」を強めて言うことば。「いやいや（↘）、ちがいます」

**いや おう**［（△否）応］〔文〕「いいえ」と「はい」。承知するかどうか。「こちらに—のあるわけがない（=したがうしかない）」●**いやおう なく**［（△否）応なく］《副》むりやり。否も応もなしに。否応（も）なしに。否（も）応もなく。

☆☆**いやが うえにも**［（△弥が）上にも］《副》〔いや=いよいよ〕①〔もともとあったものに加えて〕なおその上に。「人気は—高まった」②「いやでも」の言いまちがい。「となりの席の会話が—耳にはいる」「もめごとに—巻きこまれる」

**いやが おうでも**［（△否が）応でも］《副》①⇩いやでも応でも。「問題の深さを—考えさせられる」②「いやが上にも」の言いまちがい。「—気分が高まる」

**いやがらせ**［嫌がらせ］〔わざと〕いやな思いをさせる〈こと／ための手段〉。

**いやが・る**［嫌がる］《他五》いやだと思う（様子をする）。「勉強を—・部下を嫌がらせる」

**いやき**［嫌気］㊀いやけ。㊁《名・他サ》《経》相場の先行きが悪くなると感じること。「円高の進行を—して株価が下がる・—材料」（↔好感）

**いやく**［医薬］①病気を治す薬品。「—品」②医療と薬の調合。「—分業」●☆☆**いやくぶがいひん**［医薬部外品］《法》人体への作用がおだやかで、医薬品のあつかいを受けない薬品。歯みがき・入浴剤など。

**いやく**［違約］《名・自サ》約束にそむくこと。「—金」

**いやく**［意訳］《名・他サ》原文の意味をとって訳すこと。（↔直訳）

**いやけ**［嫌気］いやだと思う気持ち。いやき。●**嫌気が さす**［句］いやになる。

**いやさ**［（△否さ）］《感》〔古風〕「いや（否）㊁」を強めた形。「—お富、久しぶりだなあ」

**いやさか**［（△弥栄）］《名・感》〔文〕いっそう繁栄すること。「みなさまの—をご祈念申し上げます・—！（=万歳）」

**いやし**［癒やし］なやみやストレスなどを〈なくす／やわらげる〉こと。「心の—・—の空間」

**いやし・い**［卑しい・×賤しい］《形》①地位や身分が、低い。（↔貴い）②みすぼらしい。「人品卑しからぬ」③〔お金や飲食物について〕つつしみのないようすだ。さもしい。「酒に—」④下品だ。「—笑い・—趣味」[派]-げ。-さ。

**いやしくも**［（×苟も）］《副》〔文〕①〔どんなに できが悪くても〕そう名乗る以上は。「—教師たるもの、見過ごすわけにはいかない」②〔たとえ ほめられるほどではないとしても〕けっして。「—批判を招くことのないよう注意する」▽かりにも。③いいかげんに。そまつに。「一字一句—しない」

**いやし・める**［卑しめる・×賤しめる］《他下一》いやしいものだとする。いやしむ。「相手を—呼び名・自分を—」（↔とうと《尊》ぶ・あがめる・うやまう）

**いやしんぼう**［卑し（ん）坊］《名・ナダ》食べ物にいやしい〈人／ようす〉。いじきたなし。いやしんぼ。

**いや・す**［癒やす］《他五》①〔文〕〔病気などを〕治す。苦痛をなくす。「傷を—・かわきを—」☞癒える。②気持ちをやわらげる。くつろがせる。〔多く、受け身で使う。「癒やされる音楽」〕

**いや でも**［（嫌でも）］《副》①どうしても。否でも応でも。「今日は—仕事に行かねばならない」②そのつもりがなくても。「その歌を歌えば—盛り上がる」

**いやでも おうでも**［（△否でも）応でも］《副》たとえそうしたくなくても。どうしても。嫌でも。いやが応でも。「相手に勝つには、—勉強せねばならない」

**いやと いうほど**［（嫌と）言うほど］《副》①これ以上はいやだ、というほど多く。「—食べた」②ひどく。思いきり。「—なぐられた」

**いやに**《副》妙に。変に。やに〔俗〕。「—気どった声」

**いやに- な・る**［（嫌になる）］《自五》①もう やめ〈たい／てほしい〉気持ちになる。「会社勤めが—・—ほど聞かされる」②そのことが つらくなる。「自分のまぬけさが—」③あきれる。「—ほど だだっ広い」

**いやはや**《感》〔話〕あきれたり、おどろき困ったりしたときに言うことば。

**イヤホン**〔earphone〕機器の音声をひとりで聞くために、〈耳に当てる／さしこむ〉装置。イヤホーン。イヤフォン。

**いやまさ・る**［（△弥）増さる］《自五》〔文〕いや増した状態になる。いっそうまさる。

**いやま・す**［（△弥）増す］《自五》〔文〕いっそう増す。[名]いや増し。「人気が—に増す」

**いやみ**［嫌（:味）・×厭（:味）］《名・ナダ》相手に いやな感じを起こさせる〈ことばや態度／こと〉。「—を言う・—（な感じ）がない」●**いやみったらし・い**［嫌（:味）ったらしい］《形》〔ことばや ふるまいに〕いやみが こもっているようすだ。いやみ（た）らしい。「嫌みったらしく言う」[派]-さ。

**いやも- おうも- なく**［（△否も）応もなく］《副》⇩いやおうなく。

**いやらし・い**［（嫌らしい）・（×厭らしい）］《形》①下品でふゆかいだ。いやな感じだ。「—けしょう」②性的でふゆかいだ。みだらだ。「—目つき・—ことをする」③卑劣だ。「—手を使う」▽やらしい。[派]-がる。-げ。-さ。

**イヤリング**〔earring〕耳たぶに、穴をあけずに つけるアクセサリー。耳輪。耳かざり。

**いゆう**［畏友］〔文〕尊敬している友人。

**いよ**［×伊予］旧国名の一つ。今の愛媛県。予州。

＊**いよいよ**《副》①ものごとが〈今にも起ころうとする／とうとう起こった〉ようす。「入学式が—〈始まる／始まった〉・—（=これから）という時にじゃまされる・あいつも—（=今度こそ）本気になったらしい」②ますます。いっそう。いよいよもっ（以）て〔文〕。「病状が—悪くなる・疑惑は—深まった」[表記]かたく「×愈々」とも。「×愈」「×愈く」とも書いた。

**いよう**［医用］《医》病気を治すために使うこと。「—電子機器」

←**いよう**［威容］〔文〕〔建造物などの〕いかめしい姿。

「―をほこる姫路(ひめじ)城」

→**いよう**【偉容】〈りっぱな/すぐれた〉姿。「眼前にそびえる富士の―」

**いよう**【異様】《ナダ》ふつうとちがう、変なようす。「―な身なり」派―さ。

**いよかん**【〈×伊予×柑〉】ミカンの品種の一つ。皮はだいだい色で、ウンシュウミカンよりも厚め。実は しるけが多く、あまずっぱい。愛媛県の特産。

**いよく**【意欲】《名・自サ》心に そうしたいと思う〈こと/はりきった気持ち〉。「―に燃える・―を失う」●**いよくてき**【意欲的】《ナダ》意欲にみちているようす。

**いよっ**《感》〔話〕①相手を称賛(しょうさん)したり はげましたり、あるいは ちゃかしたりするときの かけ声。「いよっ(↓)、大将!・いよっ(↓)、ご両人!」②〔「いよーっ」とのばして〕手締(てじ)めの最初の かけ声。「それでは お手を拝借。いよーっ(↘)」

**イヨマンテ**〔アイヌ iomante〕アイヌの儀礼(ぎれい)の一つ。ヒグマなどの動物を神の化身(けしん)とみなし、それを殺して神の世界へ たましいを送り帰す儀式。熊(くま)送り。熊祭り。イオマンテ。

*__いらい__【以来】一①その時から今までの間。「入社して―、必死に働いてきた・〔副詞的に〕―、一度も会っていない・作品を読んで感動。―のファンだ」②その時から今までで、初めて。「町が始まって―の大事件」③〔古風〕このの ち。今後。「―は つつしみなさい」二造〔その時をふくみ〕…から今まで。「明治―・それ―」区別⇨以後二。

**いらい**【依頼】《名・他サ》①たのむこと。たのみ。「―者」②たよること。「―心が強い」

**いらいら**【〈△苛々〉】一いらいら《副・自サ》とげなどが皮膚(ひふ)にふれた感じ。「のどが―する」二いらいら《副・自サ》・いらいら《名》〔長時間にわたって〕いらだつ〈ようす/気持ち〉。「―がつのる」

**いらえ**【〈△応え〉】(いら)〔雅〕返事。「―がない」動いらえる《自下一》。

**いらか**【〈×甍〉】〔雅〕かわらぶきの屋根。「―をならべる」

**いらした** 連「いらっしゃった」の変化。「食事に―・見て―」〔「いらして」は、「いらっしゃって」の変化〕☞いらっしゃる。

**イラスト**〔←イラストレーション(illustration)〕〔説明用の、また、ポスターなどの〕絵。図解。さし絵。

**イラストレーター**〔illustrator〕イラストをかく〈職業の〉人。

**いらせら・れる**《自下一・補動下一》「いらっしゃる」のさらに敬意が高い言い方。あらせられる。「ごきげんよくいらせられますか」

**いらだたし・い**【〈△苛立たしい〉】《形》あせって いらいらする感じだ。「―気持ち」派―げ・―さ。

**いらだ・つ**【〈△苛立つ〉・イラ〈立つ〉】《自五》思いどおりに行かないで、神経がたかぶって おちつかなくなる。いらつく。「神経が―」名いらだち。他いらだてる《下一》。

**いらち**【〈△苛ち〉】《名・ナダ》〔関西方言〕気の短い〈人/こと〉。せっかち。

**いらつ・く**【〈△苛つく〉】《自五》いらだつ。いらいらする。

**いらっしゃい** 一いらっしゃい◇動詞・補助動詞「いらっしゃる」の命令形。〔同等・目下の人に言う〕「こっちへ―・早く帰って―〔『帰ってらっしゃい』とも〕」二いらっしゃい《感》〔話〕①たずねてきた人をむかえ入れるときのあいさつ。〔同等・目下の人に言う〕「やあ、―」②店員が客をさそったり、むかえたりするときの、気安い言い方。らっしゃい〔俗〕。「さあ、―、―」丁寧いらっしゃいませ。由来二は「〈ようこそ/よく〉いらっしゃいました」または「どうぞ、家の中へ いらっしゃいませ」の略。両者の合わさった「ようこそいらっしゃいませ」は、違和(いわ)感を示す意見が戦後にあるが、現在では あまり違和感を持たれない。

**いらっしゃ・る** 一《自五》①「居(い)る」の尊敬語。「奥様(おくさま)いらっしゃいますか」②「行く」の尊敬語。「あなたも旅行にいらっしゃいますか」③「来る」の尊敬語。「お客様がいらっしゃいました・こちらへ―ところです」二《補動五》「〔…て〕いる・〔…で〕ある」の尊敬語。らっしゃる。「お元気で―・見て―」▽一二「いらっしゃった・いらっしゃって」は「いらした・いらして」〔二は、会話では「らした・らして」とも言う。古風な言い方では「いらしった・いらしって」「いらっし(っ)た・いらっし(っ)て」とも言う。由来「入(い)る」の尊敬語「入らせらる」から。区別「いらっしゃる」が一般(いっぱん)的な尊敬語なのに対し、「おられる」は改まった、または地方語的な感じのある尊敬表現で、「である」体の文章でもよく使う。「おられる」には「行く・来る・〔…で〕ある」の尊敬の意味はない。可能いらっしゃれる。☞いらっしゃい。

**いらっと**《副・自サ》〔俗〕〔瞬間(しゅんかん)的に激しく〕いらだつようす。むかっと。「無神経な男に―する」

**いらぬ**【要らぬ】《連体》必要がない。よけいな。いらざる。いらない。「―お世話だ」

**イラン**〔Iran〕西アジアにある国。イラン-イスラム共和国。首都、テヘラン(Teheran)。旧称(きゅうしょう)、ペルシャ。

**いり**【入り】一①はいること。「日の―」②はいる数や量。「客の―が悪い」③収入。「今月は―が多い」(↔出(で))④彼岸(ひがん)の―・梅雨(つゆ)・土用・寒(かん)などにはいる、最初の日。「彼岸の―・盆(ぼん)の―」(↔明け)二造①はい(っ)ていること。まざっていること。「楽屋―・毒―・缶―飲料」②あいた所に、絵や写真、文字を示してあること。「絵―・サイン―ポスター」

**いり**【要り】必要な お金。費用。「―がかさむ」

**いりあい**【入会】(ひあ)〔法〕一定の地域の住民が、森林や原野などを共同で使うこと。「―地」

**いりあい**【入相】(ひあ)〔雅〕ゆうぐれ。くれがた。「―の鐘(かね)」

**いりうみ**【入り海】海岸線が陸地に はいりこんだ海。

**いりえ**【入り江】海や湖などの一部が陸地に深く はいりこんだ所。

**いりかわり**【入り替わり】(しか)入れ替わり。

*__いりぐち__【入り口】①戸口。はいり口。②はじめ。「研究の―」▽いりくち。(↔出口)

**いりく・む**【入り組む】《自五》〔ふつう 入り組んだ/で〕①たくさんのものが からみあう。「複雑に入り組んだ路線・入り組んだ構造」②形が、出たり はいったりして複雑になる。「海岸線が入り組んでいる」▽入(い)り込(こ)む〔古風〕。

**いりこ**【〈×熬り子〉】〔関西方言〕小形のイワシの、煮干(にぼ)し。

**イリジウム**〔オ iridium〕《理》白金(はっきん)に似た金属〔元素記号 Ir〕。白くて非常に かたく、さびにくい。ペン

い

先やるつぼなどに使う。

**いりしお**【入り潮】①引き潮。(↔出潮でしお) ②入り江えなどに満ちてくる潮。

**いりたまご**【煎り卵・×炒り卵】ときほぐしたたまごを、塩・砂糖などで味をつけながらいったもの。

**いりつ・ける**【射り(付ける)】《他下一》〔夏の太陽の光が〕強くさす。

**いりつ・ける**【煎り(付ける)・×炒り(付ける)】《他下一》〔食品を〕いって完全に水分を取り去る。[名]煎りつけ。

**いりに**【煎り煮・×炒り煮】《名・他サ》《料》〔材料を〕〈いためて/いって〉から、煮ること。また、そうして作った食べ物。「ごぼうのー・ひじきのー」

**いりひ**【入り日】水平線・地平線・山にはいる日。夕日。

**いりびた・る**【入り浸る】《自五》①水につかる。②よその家や場所にしょっちゅう行って長い間いつづける。[名]入り浸り。

**いりふね**【入り船】港にはいって来る船。(↔出船)

**いりまじ・る**【入り交じる】《自五》別々のものが、乱雑に交じる。錯綜さくそうする。いりまざる。「住宅や商店がー・期待と不安がー」

**いりまち**【入り待ち】《名・自サ》スターや選手が劇場・テレビ局・競技場などにはいるところを、ファンが待つこと。(↔出待ち)

**いりまめ**【煎り豆・×炒り豆】いったダイズ。●**煎り豆に花が咲さく**[句] 起こるはずのないことが起こる。

**いりみだ・れる**【入り乱れる】《自下一》いりまじってごちゃごちゃする。「選手が入り乱れての乱闘らんとう」

**いりむこ**【入り婿】《名・自サ》よその家にむかえられて、その家のむすめのむこになること〈人〉。むこ養子。

**いりもや**【入ˆ母屋】上のほうを切り妻づま屋根とし、下のほうを四方に傾斜けいしゃさせた屋根。「ー造り」(↔寄せ棟ねむ・切り妻)

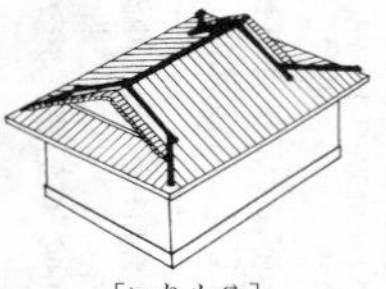

［いりもや］

**いりゅう**【慰留】《名・他サ》〔やめようとする人を〕なだめて、引き止めること。思いとどまらせること。「辞任をーする」

**いりゅう**【遺留】《名・他サ》①《法》死んだあとにのこすこと。☞遺留分。②置き忘れ。「ー品」●**いりゅうぶん**【遺留分】《法》相続人が必ず受け取ることができる、遺産の比率。

**イリュージョン**〔illusion〕①幻影げんえい。幻想。錯覚さっかく。②大がかりな奇術きじゅつ。

**いりょう**【衣料】①衣服の材料。②着るもの。衣服。「ー品」

**いりょう【医療】医師・看護師が患者かんじゃの治療やせわをすること。「ー給付・ー相談」●☆☆**いりょうかご**【医療過誤】患者かんじゃの治療や手当てなどに際して、医師や看護師がおかす(重大な)あやまち。医療ミス。●**いりょうほうじん**【医療法人】《法》病院を経営し、医療をおこなう公益法人。

**いりよう**【入り用・要り用】《名・ナダ》必要。入用にゅうよう。「お金がーになる・〈ご/お〉ーの方はお申し出ください」〔古くは「費用」の意味にも〕

**いりょく**【威力】[一]【偉力】①すばらしく強い力。「宣伝がーを発揮する」②おそろしいほどの強い力。「核かく兵器のーを見せつける」[二]人を服従させる力。「ー外交・《法》ー業務妨害ぼうがい」(↔偽計ぎけい業務妨害)

*__い・る__【入る】[一]いる《自五》〔文〕①中にはいる。「無用の者ーべからず」②行きつく。「京にー」③〔果実が〕みのる。「実がー」[二][遺] 気持ちを強めることば。「痛みー・おそれー」

*__い・る__【要る】《自五》なくては困る状態である。必要とする。「人手がー・学費がー」

**__いる__[一]【居る】《自上一》①〔人や動物、人の乗った乗り物などが〕その場所に認められる。「ママならうちにーよ・犬がー・パトカーがー・カメラ(=報道陣じん)がー」②〔そういう人が〕世の中にある。「親切な人もーものだ」③〔そういう人を〕もつ。「ぼくには好きな人がー・もう孫のー年だ」④〔でー〕〔人が、その状態を〕保ち続ける。「健康でー・そのつもりでー」[二]《補動上一》〔てー〕①動作・作用が進行中だということをあらわす。「今、本を書いてー・雪が空から落ちてー」②おこなわれた動作・作用の結果がそこにあることをあらわす。「本をもう十冊も書いてー・ボタンが道に落ちてー」③性質や状態をあらわす。「経営について書いてー本・親に似てー」④習慣をあらわす。「私はいつもパソコンで書いてー」

✎「ている」は、従来は、可能をあらわす動詞につく例は限られていたが、二十一世紀になって、「なかなか前に進めていない(↔進んでいない)」「一人を楽しめている(↔楽しんでいる)」のように言う例が増えた。[尊敬]いらっしゃる。おいでになる。いられる。おられる(⇩おられる)。[謙譲]おる(「おります」の形で使う)。[可能]いられる。いれる〈俗〉。●**いてもたってもいられない**[句]〔いてもすわっても〕じっとしていられない。

**い・る**【煎る・×炒る・×熬る】《他五》食材をなべに入れ、〈水分がなくなる/かるくこげる〉まで、かきまぜながら熱を加える。「たまごをー・ごまをー」[区別]⇩焼く③。[名]煎り。

**い・る**【射る】《他上一》①〔弓を引いて〕矢をとばす。「弓を射て遊ぶ・矢をー・的をー」②強く照らす。「眼光人をー」▽「矢を射って」など、五段にも活用する。[可能]射られる。

**い・る**【鋳る】《他上一》とかした金属を型に流しこんで道具などを作る。

**いるい**【衣類】きもの類。着類きるい。

**いるい**【異類】〔文〕①別の種類(のもの)。「ーの語」(↔同類)②人間ではない者。「ーの身となる」

**いるか**【(:海豚)】マイルカ・バンドウイルカなど、クジラの類では小さい動物。口の先がくちばしのようにとがる。むれをなして近海にすむ。

**いるす**【居留守】家にいながらいないふりをすること。「ーを使う」

☆☆**イルミネーション**〔illumination=照明〕たくさんの電球で建物・通りなどをかざる照明。電飾でんしょく。イルミ。「クリスマスー」

**いれ**【入れ】[遺] 入れるもの。「名刺めいしー」

**いれあ・げる**【入れ(揚げる)】《自他下一》〔物事にのめりこんで〕お金を使いはたす。入りあげる。「クラブのママにー」

**いれい**【威令】〔文〕威力いりょくと命令。威力ある命令。

い

「—がおこなわれない」

**いれい**【慰霊】《名・自サ》死んだ人の霊をなぐさめること。「—祭」

**いれい**【異例】《名・ダ》ふつうの場合とちがうこと。「—の待遇(たいぐう)」

**いれかえ**【入れ替え】《名・他サ》①入れかえること。「コーチ陣(じん)総—・〔映画館などの〕—制」②たがいちがい。「—模様(=市松模様など、図形をたがいちがいにならべた模様)」

**いれか・える**【入れ替える】《他上一》①それまでのものの代わりに、新しいものを入れる。「部屋の空気を—」②場所を、たがいにかえる。「たなの上下を—」③あらためて別の所に入れる。「車のギアを—」

**いれがみ**【入れ髪】かもじ。

**いれかわり**【入れ替わり】入れかわること。交替(こうたい)。いりかわり。「—に出て行く」●**いれかわりたちかわり**【入れ替わり立ち替わり】《副・自サ》どんどん交替(こうたい)するようす。いりかわりたちかわり。

**いれかわ・る**【入れ替わる】《自五》①それまでのものの代わりに、新しいものがはいる。「部屋の借り主が—・商品が—・たたみが—」②少しずつ古いものがなくなり、その分だけ新しいものにかわる。「世代が—・細胞が—」③たがいにかわる。「攻守(こうしゅ)が—・ランキングの一位と二位が—」▽いりかわる。

☆☆**イレギュラー**【irregular】㊀《ダ》不規則。変則。「—バウンド」(↔レギュラー) ㊁《名・自サ》《野球などで》ボールがイレギュラーバウンドをすること。

**いれぐい**【入れ食い】《釣り》しかけを入れたとたんに魚がかかり、つぎつぎにつれること。

**いれこ**【入れ子】①同じ形の箱などを大きさの順にいくつもかさね入れるようにしたもの。②一つの構造の中に別の構造が(何段階も)うめこまれていること。ネスティング(nesting)。「—構造」

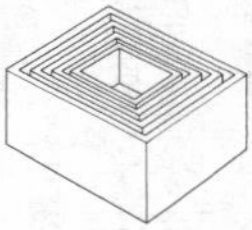

[いれこ ①]

**いれこみ**【入れ込み】飲食店などで、べつべつに来た客を大きな部屋にいっしょに入れること。おいこみ。いれごみ。

**いれこ・む**【入れ込む】《自他五》①一つのものの中に入れる。もりこむ。くみこむ。「国際社会を入れ込んだドラマ」②何か一つのことに、意気ごんでのめりこむ。「この仕事に入れ込んでいるんだ」③《競馬》競走馬が、気負ってそわそわする。

**いれずみ**【入れ墨・刺青・文身】《名・自サ》はりの先ではだにきずをつけ、墨(すみ)や朱(しゅ)などで模様や文字を〈かくこと/かいたもの〉。ほりもの。〔江戸(えど)時代には、刑罰(けいばつ)としてもおこなわれた〕

**いれぢえ**【入れ知恵】《名・自サ》他人からある考えを教えられること。他人にある考えを教えてやること。また、そのような考え。つけぢえ。〔多く、悪いことに言う〕「子どもに—する」

**いれちが・う**【入れ違う】《自五》①ゆきちがう。②〔物が〕たがいちがいになる。いりちがう。〔名〕入れ違い。「兄はぼくと—に出ていった」〔他〕入れ違える(下一)。

**いれば**【入れ歯】《名・自サ》ぬけた歯の代わりに人造の歯を入れ〈ること/たもの〉。義歯(ぎし)。

**いれふだ**【入れ札】《古風》①入札(にゅうさつ)。②投票。

**イレブン**【eleven】㊀〔造〕十一。㊁イレブン サッカーチームの全員。また、競技する十一人の選手。

**いれめ**【入れ目】《古風》義眼(ぎがん)。

**いれもの**【入れ物】物を入れて(しまって)おくためのもの。〔区別〕⇩器(うつわ)①。

**い・れる**【煎れる・×炒れる】《自下一》いってできあがる。

**い・れる【入れる】《他下一》①中へ移す。「馬を小屋に—・さいふにお金を—・むすこを大学に—」(↔出す)②中のほうまで動かす。「ケーキにナイフを—・窓をあけて風を—」③中にあるようにする。「あめ玉を入れたびん」④中に〈まぜる/はさむ〉。「野菜を入れた料理・さし絵を—・休憩(きゅうけい)を—」⑤しるす。書き入れる。「ロゴを—・銘(めい)を—」⑥範囲(はんい)にふくめる。「なかまに—・勘定(かんじょう)に—・人を—(=新しくやとう)」⑦つけ加える。「修正を—・チェックを—・映画に音を—」⑧〔試合・ゲームで〕点数を得る。「二点を—」⑨集中する。「うでに力を—・気合を—」⑩電流などがつながるようにする。「スイッチを—・電源を—・車のギアを—」〔表記〕スイッチのボタンには、記号的に「入」とも。⑪しはらう。「利息を—・実家に生活費を—」⑫投票する。「この人に入れよう」⑬相手にはたらきかける。「わびを—・会社に〈電話/メール〉を—」⑭相手に力を加える。「活を—・腹に蹴(け)りを—」⑮【△容れる】〈受け/聞き〉入れる。「忠告を—」⑯【×淹れる】湯をそそいで飲めるようにする。「お茶を—」〔可能〕入れられる。

**いろ【色】①ものの表面から目に感じる、形以外のもの。例、赤・青・白・黒。「—とりどり・青い—をしたスカート」②白や黒、灰色以外の「色①」。「—つきの夢」③色の調子。色あい。「—が悪い」④はだや顔の色。「—の白い人」⑤表情。ようす。「—を変える・悲しみの—・反省の—が見えない」⑥種類。「一(ひと)—」⑦そのものの特徴(とくちょう)のあらわれたようす。気配。「秋の—・君—に染まる」⑧〔俗〕恋人(こいびと)。愛人。⑨恋愛(れんあい)。情事。「—と酒」●**色の白いは七難隠(かく)す**〔句〕色の白い女性は欠点がかくれてとくだ。〔以前の価値観によることば〕●**色を失う**〔句〕顔色があおくなる。●**色を売る**〔句〕〔遊女などが〕客をもてなしたり、床(とこ)をともにしたりする。●**色を好む**〔句〕女好きだ。「英雄(えいゆう)—」●**色を添(そ)える**〔句〕魅力(みりょく)的なものを加えて、全体を引き立たせる。●**色を正す**〔句〕真剣(しんけん)な顔つき〈をする/になる〉。●**色をつける**〔句〕相手が喜ぶようにお金などを、少しよけいに出す。●**色をなす**〔句〕顔色を変える。「色をなしておこる」

**いろあい**【色合い】①色の調子。色調。②だいたいの傾向(けいこう)・性質。「解散の—・話の—・試合の—」

**いろあげ**【色揚げ】《名・他サ》古い布をもう一度染めて美しくすること。

**いろあ・せる**【色〈×褪せる〉】《自下一》①もとの色がうすくなる。色がさめる。「色あせた洋服」②古ぼける。精彩(せいさい)を失う。「色あせた理論」〔名〕色あせ。

**いろいろ【色々】㊀《副・ダ》①種類が多いようす。「—〈な/の〉料理・—ございます・—さまざま」②ちがったものごとをとりまぜるようす。あれこれ。「—話して聞かせた」㊁さまざまなこと。「仕事の—を覚える」

**いろう**【胃〈×瘻〉】《医》飲食ができない患者(かんじゃ)のため、おなかにさしこんだチューブから、直接、胃に栄養を送りこむ方法。

☆☆**いろう**【遺漏】《名・自サ》〔手おちで〕もれること。手ぬかり。「手続きに―なく進める」

**いろう**【慰労】《名・他サ》なぐさめ いたわること。「協力した人々を―する・―会」

**いろえ**【色絵】一度、うわぐすりをつけて焼いた陶磁器に絵をかいて焼き上げること。「マジョリカ―」

**いろおち**【色落ち】《名・自サ》色が落ちること。特に、せんたくしたときなどに、布地の色がにじみ出てうすくなること。

**いろおとこ**【色男】①美しい男。美男。②〔古風・俗〕情夫。

**いろおんな**【色女】〔古風・俗〕情婦。

**いろか**【色香】①色と におい。②〔=おしろいと香油〕女の器量。容色。「―にまよう」

**いろがみ**【色紙】(折り紙などに使う)無地の色に染めた紙。〔色の種類は、さまざま〕☞しきし(色紙)。

**いろがら**【色柄】〔衣服の〕色と柄。「はでな―・―もの」

**いろがわり**【色変わり】《名・自サ》①色の変わ〈ること/ったもの〉。「―する花」②種類の変わ〈ること/ったもの〉。

**いろぐろ**【色黒】《名・ナダ》はだの色が黒く見えること。(↔色白)

**いろけ**【色気】①性的な〈魅力/感じ〉。「―のある人・お―シーン」②恋愛や性に関する〈こと/興味〉。「―ぬきの交際・―がつく」③したいという気持ちやそぶり。「立候補に―を〈出す/見せる〉・―〔=買う気〕のある客」●**いろけづ・く**【色気(付く)】《自五》①恋愛や性に興味をもつようになる。色気を出す。「商売に―」②関心をもつようになる。

**いろこい**【色恋】恋愛や情事。「―ざた」

**いろこ・い**【色濃い】《形》①色が濃い。「―木の葉」②〔特徴などが〕強く現れたようすだ。「フランス映画の影響が―」

**いろごと**【色(事)】①恋愛と情事。②《芝居》男女の間のなまめかしいしぐさ。ぬれごと。「―師」

**いろごのみ**【色好み】情事を好む〈こと/人〉。好色。

**いろざと**【色里】〔古風〕色町。

**いろじかけ**【色仕掛け】(女が)性的魅力で誘惑することこと。

**いろじろ**【色白】《名・ナダ》はだの色が白く見えること。「目はぱっちりと―で」(↔色黒)

**いろずり**【色刷り・色×摺り】《名・他サ》黒以外の色、または二色以上の色を使った印刷。

**いろちがい**【色違い】型や寸法は同じで、色だけがちがう〈こと/もの〉。色チ〔俗〕。「―のスマホ」

**いろづかい**【色使い・色遣い】色の使い方。配色。

**いろづ・く**【色(付く)】《自五》①(木の葉や実に)きれいな色がつく。「もみじが―」②《料》焼けて きつね色になる。「チーズがこんがり―」③〔けしょうで〕はだに色がつく。名色づき。

**いろっぽ・い**【色っぽい】《形》性的魅力があるようすだ。「―目つき・―声」派―さ。

**いろつや**【色(艶)】①色と つや。「―のよいリンゴ」②顔色。「―がよい」

**いろどめ**【色止め】《名・他サ》色が落ちたり あせたりしないようにすること。

**いろどり**【色鳥】《俳句》秋の小鳥。☞百千鳥。

**いろどり**【彩り・色(取り)】①いろどること。彩色。②(色などの)取り合わせ。配色。「―がいい」

**いろど・る**【彩る・色(取る)】《他五》①(白や黒、灰色以外の)色を、きれいに塗る。色をつける。②色やものごとを取り合わせ(て かざ)る。「山を―紅葉・人生を彩ったたくさんの人々」

**いろなおし**【色直し】《名・自サ》①衣服などの色を、染めかえること。染め直し。②⇩お色直し。

**いろは** ①「ん」を除くすべての かな文字 四十七字を一回ずつ使って作った、七五調の古い歌。いろは歌。全文は、「色は匂へど 散りぬるを わが世誰ぞ 常ならむ 有為の奥山 今日越えて 浅き夢みし 酔ひもせず」。②「いろは①」に使われた かな文字を、「いろはにほへと…」と順にならべたもの。明治時代に五十音が一般化するまで、ものの順番をあらわすために使われた。「―順」③〔古風〕かな文字。「―も書けない」④【イロハ】初歩(の知識)。「スキーの―」表記「∴以呂波」「∴伊呂波」などとも書いた。●**いろはガルタ**〔「いろはがるた」とも書く〕いろは四十七字と「京」を頭文字とすることわざ〔たとえば、「犬も歩けば棒に当たる」〕を、一枚ごとに書いたカルタ。●**いろはのい**【イロハのイ】いちばん初歩。「恋愛の―」☞基本のキ。

**いろぼけ**【色(×呆け)】《名・自サ》恋愛や性欲を満たすことに夢中になりすぎる〈こと/状態〉。

**いろまち**【色町・色街】芸者や遊女が客を遊ばせる店の集まったまち。花街。いろざと。

**いろみ**【色味】いろあい。いろめ。

**いろめ**【色目】一 **いろめ** いろあい。二 **いろめ** ①好きな相手を誘惑する目つき。流し目。「―を使う」②偏見。色めがね。「―で見られる」

**いろめがね**【色眼鏡】①色ガラスで作った めがね。②決めてかかった、ものの見方。先入観。

**いろめきた・つ**【色めき立つ】《自五》知らせを聞いたりして、〈さわがしくなる/緊張する〉。いろめく。「いろめきだつ。「すわ解散かと―」

**いろめ・く**【色めく】《自五》①⇩色めき立つ。「―業界」②なまめかしい感じがする。「色めいた出来事」

**いろもの**【色物】一 **いろもの** 色のついた衣服・雑貨など。「―を別に洗う・―や柄物」二 **いろもの** ①《寄席》音曲・曲芸・奇術など、落語や講談以外のもの。②正統派でなく、変わったもの。「―のバンド」

**いろもよう**【色模様】①布などを色で染めた、模様。②《歌舞伎など》恋愛の場面。

**いろやけ**【色焼け】《名・自サ》①顔や からだが日に焼けて、茶色になること。②衣服が日に焼けたり、よごれたりして、色が変わること。

**いろよ・い**【色(△好い)】《形》①いい色だ。「色よくゆでる」②こちらの望みどおりだ。「なかなか―返事が もらえない」

**いろり**〔∴囲炉裏〕ゆかを四角に切って ほり下げ、灰を入れ、火を燃やす所。からだをあたため、また、自在かぎ(鉤)をつるし、煮にたきをする。昔は、一家だんらんの場

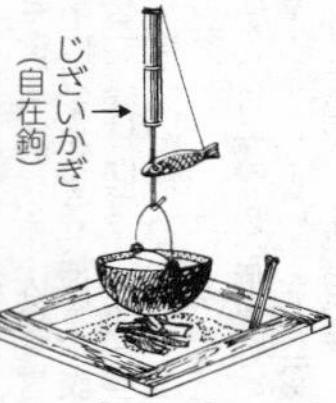


[いろり]

所だった。炉。「―を切る〔＝作る〕」 ●**いろりばた**

**いろわけ**［色分け］《名・他サ》①いろいろに色をつけて区別すること。②種類によって区別すること。

**いろん**［異論］ほかの人とちがった意見や議論。「―をとなえる」

*__いろんな__［〔色んな〕］《連体》〔話〕いろいろな。

**いわ**［岩・×磐］大地の一部で、地面や水面に〈あらわれた／突っき出た〉、大きくて かたい部分。また、それがくずれた、大きな かたまり。〔ふつう、石より大きい〕「―によじのぼる・―をも通す信念」 区別 一般に、「**岩**」→「**石**」→「**砂利**」の順で小さくなるが、むしろ状態で呼び分ける。「岩」は大地の一部、または大地の一部のように重くて、簡単には動かせない かたまりを言う。「石」は運んだり投げたりできる。材質を言う場合は、巨大な建物でも「石」と言う。「砂利」は、細かい つぶが たくさん集まった状態で、小石ひとつぶより大きい場合もある。

**いわ**［違和・異和］〔文〕①からだの変調。②なじまないこと。しっくりしないこと。「見た目に―を生じる」 ☞違和感。

**いわい**［祝い］①祝う〈こと／ための品物〉。「お―をする・卒業―・(お)―事・―酒」②祝う気持ちをあらわすことば。「新年のお―を申し上げます」 ●**いわいざけ**［祝い酒］祝って飲む酒。「定年退職の―」 ●**いわいばし**［祝い箸］白木で作った、両はしが細く中央がふくらんだ箸。祝儀のときに使う。

**いわ・う**［祝う］《他五》①喜ばしいことがあったときに、喜びの気持ちをことばや おこないにあらわす。ことほぐ。「結婚を―」②幸運をいのる。「前途を―」③正月を喜んで、食べる。「ぞうにを―・とそ(屠蘇)を―」

**いわえのぐ**［岩絵の具］《美術》日本画などで使う、くだいた岩に にかわをまぜて作る絵の具。

**いわお**［〔×巌〕］〔雅〕大きな岩。

**いわかん**［違和感・異和感］①〔からだが〕いつもとちがう、いやな感じ。「胃に―を覚える」②〈今までのもの／まわりのもの〉と合わない感じ。「―が生じる」③同意・納得できない気持ち。「決定に―を持つ」 ✓「違和感を感じる」は重言とされるが、「快感を感じる」など、同様の言い方は昔から ふつうに使われる。「違和感を覚える」とする方法もあるが、意味は同じ。

**いわき**［岩木］〔雅〕感情のないもの。木石。「もとよりこの身は―ではない」

**いわき**［×磐城］明治元(一八六八)年にできた旧国名。今の福島県の東部と、宮城県の南部。磐州。

**いわく**［〔×曰く〕］㊀ いわく〔説明すべき〕わけ。「それには―がある」 ㊁ いわく 言うのには。「木村君―」 ●**いわく-いいがた・い**［〔×曰く〕言い〔難い〕］《形》ひと口には言えない。なんとも言いあらわせない。 ●**いわくいんねん**［〔×曰く〕因縁］今のようになるまでの いろいろな事情。 ●**いわくつき**［〔×曰く付き〕］①特別の事情があるもの。「―の茶わん」②不都合な前歴があること。前科のある者。

**いわし**［〔×鰯〕・〔×鰮〕］マイワシ・カタクチイワシなど、海でとれる小形の青ざかな。背は青黒くて腹は白い。「―のつみれ・―のマリネ」 ●**いわしの頭も信心から** 句 つまらないものでも、信心するとありがたいものに思える。 ●**いわしぐも**［〔×鰯〕雲］秋の晴れた空に、さざなみのように広がって出る白い雲。この雲が出るころに、イワシがとれだすと言われる。巻積雲。

**いわしみず**［岩清水・△石清水］岩の間からわき出るきれいな水。

**いわし・める**［言わしめる］《他下一》〔文〕言わせる。「私をして言わしめれば」

**いわしろ**［岩代］明治元(一八六八)年にできた旧国名。今の福島県の西部。

**いわずかたらず**［言わず語らず］《副》何も言わないこと。無言。暗黙。「―(のうち)に理解する・―覚悟する」

**いわずとしれた**［言わずと知れた］《連体》言わなくても よく知られた。「―名曲」

☆☆**いわずもがな**［言わずもがな］㊀ 言う必要のないこと。言ってほしくないこと。「―の説明」 ㊁《副》言うまでもなく。「子どもは―、おとなまでも・―、文七その人であった」

**いわせも-はてず**［言わせも果てず］《副》〔文〕相手に最後まで言わせずに。「―、否定した」

**いわ・せる**［言わせる］《他下一》①言うのを〈ゆるす／ほうっておく〉。「ひとこと言わせてください・言いたいやつには言わせておけ」②〔…に―と〕その人の意見では。「通に―と、邪道だそうだ」③音をさせる。鳴らす。「歯をがちがち―」▽言わす。

**いわたおび**［岩田帯］妊婦が五か月ごろから腹にしめる帯。妊婦帯。

**いわだたみ**［岩畳］平らな岩が畳のように広がっている所。

**いわだな**［岩棚］岩壁のとちゅうで、岩が棚のように張り出した部分。テラス。

**いわでもの-こと**［言わでものこと］言わなくてもいい(こと)。「―を言ってしまう・これは―だが…」

**いわな**［〔岩△魚〕］谷川にすむ さかなの名。背は青黒くて腹は白い。食用。

**いわのぼり**［岩登り］《登山》けわしい岩壁をよじのぼること。

**いわのり**［岩(:海苔)］海岸の岩に生える海藻。食用。

**いわば**［岩場］山や海や川で、岩の多い場所。

*__いわば__［言わば］《副》〈わかりやすく／たとえて〉言えば。言ってみれば。言うなれば。「本気ではなく、―芝居だった」

**いわはだ**［岩肌・岩△膚］岩の表面(の感じ)。

**いわぶろ**［岩風呂］岩の間の くぼみを利用して作った、ふろ。岩湯。

**いわみ**［△石見］旧国名の一つ。今の島根県の西部。石州。

**いわや**［岩屋・△窟］①岩に穴をあけて作ったすみか。②岩の ほらあな。岩窟。

**いわやま**［岩山］岩が多い山。「―をよじ登る」

**いわゆる**［(:所謂)］《連体》①世に言う。よく言う。「―英才教育」②〔…〈が／で〉―〕よく言う。「彼の―理想・彼は関西で―『いちびり』だ」▽言うところの。 由来「言われる」の意味の古語から。

**いわれ**［〔×謂れ〕］①〔言うべき〕わけ。理由。「怒る―はない」②言い伝え。「―因縁」 ●**いわれな・**

**い**[〈×謂れない〉]《形》(言われる)理由のない。いわれ〈もの〉もない。「—恥辱を受ける」

**いわんと・する**[言わんとする]《他サ》言おうとする。「—ところが(=何を言いたいのか)わからない」

**いわんばかり**[言わんばかり]㊁連〔ん=否定の助動詞〕態度でそう示すようす。言わぬばかり。言わないばかり。「迷惑だと—の態度」☞ばかり⑤。

**いわんや**[〈△況や〉]《副》〔文〕言うまでもなく。まして。なおさら。「おとなでも むずかしい。—子どもには とうていできない」☞おいてをや。

**いん**[印]①個人・団体・官職のしるしとして書類に〈おすもの/おした形〉。はんこ。印章。②あと。しるし。③《仏》指先を折りまげて、いろいろの形に組むこと。「—を結ぶ」④↑印度。

[いん ③]

**いん**[因]①ことの起こるもと。「—をなす」②《仏》直接の原因。(↔縁・果)「日に—」

***いん**[院] ㊀いん ①法皇・上皇など(の御所)。「—の御所」②議院(=衆議院・参議院)。「—の内外」③↑大学院。「—に進む」㊁接尾 ①法皇・上皇などの名前につける、尊敬した言い方。「崇徳—」②《仏》(身分ある)人の戒名にそえることば。☞院殿。㊂造 ①かきねをめぐらした大きな家。「正倉—」②内閣が管理する、役所。「会計検査—」③機関。「参議—」④学校。「国学—」⑤寺。「知恩—」⑥ところ。「美容—」

**いん**[陰]①〔易で〕消極的なもの。女性に関するもの。②目に見えないところ。かげ。▽(↔陽)•**陰にこもる**句〈陽気に/はっきり〉表に出ないで、うちにこもる。「—人・鐘の陰に こもった(=くぐもった)音」•**陰に陽に**句 ①かげになり、ひなたになり。②こっそりと、また、公然と。「—かばってやる」

**いん**[韻]①ことばの終わりの ひびき。〔母音や、それに n, ng などの音のついたもの〕②漢字を「韻①」によって類別したもの。③〔詩で〕句・行の終わりや頭に置く、同じ音。脚韻や頭韻。「—をふむ」

****いん**[〈△一〉]造 いち。「—が一・—二が二」

**いん**[員]造 ①会社や団体を組み立てている者のひとり。「会社—」②会社や団体の中で、ある仕事を受け持つ人。「検査—・外務—」

**イン**〔in〕㊀イン《名・自他サ》①《テニス・バレーボールなど》ボールがコートの規定の線内に はいること。セーフ。②《ゴルフ》十八ホールのコースの後半の九ホール。③中に入れること。「Tシャツをデニムに—する(=すそを入れて着る)」▽㊁㊂(↔アウト)㊁造 ①はいること。始まり。「ベッド—」②…入りの。「チーズ—ハンバーグ・リンス—シャンプー」㊂造 内がわの。なかの。「—コース・—ドア(=屋内)」㊃〔in〕接頭 おこなう土地・場所をあらわすことば。…での。「リサイタル in 福岡」

**いんあつ**[陰圧]《理》外部または内部より低い圧力。「すれちがいの—で窓ガラスが割れた」

**いんいん**[×殷々]《(ト)タル》〔文〕大砲などの音が、とどろくようす。「—たる砲声」

**いんいん**[陰々]《(ト)タル》〔文〕①あたりがうす暗く、さびしいようす。「廃墟が—とそびえている」②陰気なようす。「—とした ふんいき」•**いんいんめつめつ**[陰々滅々]《(ト)タル》〔文〕非常に暗くて陰気なようす。

**いんうつ**[陰鬱]《ナダ》〔気持ちが〕はればれしないようす。陰気くさいようす。「—な日々」派—さ。

**いんえい**[印影]はんこをおしたあと。印章。

**いんえい**[陰影・陰×翳]①⇩かげ(影)①。②単調でなく、ふくみのある味わい。ニュアンス。「—のある文章」

**いんか**[引火]《名・自サ》ほかの火や熱によって火がつくこと。「—点(=引火する温度)」

☆☆**いんが**[因果]㊀①《仏》ⓐ原因と結果。ⓑ悪のむくい。「なんの—でこんな目にあうのか」②原因があれば結果があること。「—関係」③〔—と〕〔古風〕あいにく。何の因果か。「—とこういう性分だ」㊁《ナダ》どうしても そうしなければだめな、不幸な状態。宿命的。「—な商売だ」•**いんがおうほう**[因果応報]《仏》人間の考えや おこないの善悪に応じて、むくいがくること。〔ふつう、悪い意味に使う〕•**いんがりつ**[因果律]《哲》自然に関する、「因果㊀②」の法則。

**いんが**[陰画]①ネガ。(↔陽画)②〔文〕反対の面。裏返し。「希望は絶望の—にすぎない」

**いんが**[印画]《名・他サ》写真・像を〈焼きつける/印刷する〉こと。プリント。•**いんがし**[印画紙]写真の焼き付けに使う紙。感光紙。

**いんがい**[院外]病院・衆議院・参議院など、院と呼ばれる場所・組織のそと。「—闘争」(↔院内)

**いんかく**[陰核]《生》女性性器の一部。陰唇の前部にかくれた突起。クリトリス。

**いんかしょくぶつ**[隠花植物]《植》「胞子植物」の古い言い方。(↔顕花植物)

**インカム**〔income〕収入。「ダブル—」

**インカム**〔↑intercom〕トランシーバーにマイクつきヘッドホンをつないだ通信装置。放送局などで使う。

**インカレ**〔↑インターカレッジ〕①(全国)大学の対抗競技大会。②複数の大学の学生が参加するサークル。インカレ サークル。

**いんかん**[印鑑]〔鑑=見本となるもの〕①〔自分のものとして〕あらかじめ役所・銀行などに届け出た、特定の印影。「—登録・—証明」②印影をおす道具。はんこ。「—をおす」

**いんかん**[×殷鑑]〔殷=古代中国の王朝。鑑=手本〕•**殷鑑遠からず**句〔文〕教訓にすべき悪い手本が目の前にある。由来 殷が、すぐ前代の夏の滅亡に学べばよかったという いましめから。

**いんき**[陰気]《ナダ》①〈性格/気持ち〉が暗いようす。「—なやつ・—くさい顔」②暗くて、いやな気持ちにさせるようす。「—な家・—な話」▽(↔陽気)派—さ。

**インキ**〔オ inkt〕《印刷》⇩インク。

**いんぎ**[院議]院の〈会議/決議〉。

**いんキャ**[陰キャ]〔↑陰気なキャラクター〕〔俗〕かげのある ふんいきの人。陰キャラ。〔二〇一〇年代に広まったことば。「根暗」よりも軽い語感〕(↔陽キャ)

**インキュベーター**〔incubator〕①孵卵器。保育器。②事業を起こそうとする人を支援する組織。〔支援することは「インキュベーション」〕

**いんきょ**[隠居]《名・自サ》①家業を後継者にゆずったり、勤めをやめたりして、気ままに暮らす〈こと/人〉。「楽—」②仕事から しりぞいた老人。「横丁のごー(さん)」

**いんぎょう**［印形］〔文〕はんこ。「ーをおす」

**いんきょく**［陰極］①《理》電位の低い電極。マイナス。②磁石の南極。S極。▽負極。(↕陽極)

**いんぎん**［(×慇×懃)］二《ナダ》たいへん礼儀正しく、ていねいにするようす。「ーにもてなす」派ーさ。二〔文〕よしみ。「ーを通じる」●**いんぎんぶれい**［(×慇×懃)無礼］《名・ナダ》①ていねいすぎて、かえって無礼になること。②ていねいなようで、じつは無礼なこと。派ーさ。

**インク**〔ink〕筆記や印刷に使う、色のついた液体。〔印刷関係では「インキ」〕「ースタンド(=机の上で使うインク入れ)」●**インクジェット**〔ink-jet〕プリンターの印刷方式の一つ。霧状のインクを用紙に吹きつけて印刷する。IJ。「ープリンター・ー紙」

**イングランド**〔England〕①イギリス本土、大ブリテン島の南部・中部を占める地方。②イギリス。

**イングリッシュ**〔English〕二遺 イギリス〈の/ふう〉。「ーガーデン」二イングリッシュ ①イギリス人。②英語。

**インクリメンタル サーチ**〔incremental search〕《情》ことばを検索するとき、一字入力するごとに、表示される候補がしぼられていくしくみ。

**インクルーシブ**《ナダ》〔inclusive〕①包括的。②インクルージョンの考え方に立つようす。「ーな視点・ー教育」

**インクルージョン**〔inclusion=包括〕いろいろな人が個性・特徴を認めあい、いっしょに活動すること。「ー社会」

**いんけい**［陰茎］《生》男性のからだの下腹部にある筒がたの器官。(お)ちんちん。ペニス。

**いんけん**［隠見・隠顕］《名・自サ》〔文〕かくれたり見えたりすること。見えかくれ。「木々の間に家並みがーする」

**いんけん**［引見］《名・他サ》〔文〕目上の人が目下の者を呼び入れてあうこと。「〔紹介状で〕なにとぞごーください」

**いんけん**［陰険］《ナダ》①うわべはふつうに見せておきながら、心に悪意のあるようす。「ーな人物」②他人の成功や幸せをねたんで、おとしいれようとするようす。「ーな目つき」派ーさ。

**いんげん**［(隠元)］↑いんげんまめ。「ーのごまあえ」●**いんげんまめ**［(隠元豆)］マメの一種。さやが非常に長く、たねは大つぶ。さやごと食べる。煮豆にもする。いんげん。由来中国明代の僧隠元が江戸時代に来日し、たねを伝えたと言われることから。

**いんこ**［(×鸚×哥)］セキセイインコ・コンゴウインコなど、オウムに似た鳥。色があざやか。物まねのうまいものもいる。

**いんご**［隠語］〔なかま以外の人に知らせない目的で〕特定の社会の中でだけ通用することば。ふちょう。例、モク(=タバコ)。

**いんこう**［咽喉］①《生》のど。「ー部・耳鼻ー科」②〔文〕大切なところ。●**咽喉を扼する**句〔文〕のどもとに当たる大切な場所をおさえる。

**いんこう**［淫行］《名・自サ》〔少年少女などに対する〕みだらなおこない。

**いんこう**［引航］《名・他サ》「えいこう(曳航)」の新しい言い方。

**いんごう**［因業］一いんごう《仏》原因となるおこない。二いんごう《ナダ》無情。苛酷。がんこ。「ーおやじ」派ーさ。

**いんごう**［院号］上皇・戒名などの、院をつけた呼び名。「ーをたてまつる」

**インコース**〔和製in course〕①《野球》バッターの近くを通るボール(の道すじ)。②〔競走で〕内がわのコース。インレーン。▽(↕アウト コース)

**インコーナー**〔和製in corner〕《野球》内角。インサイド。(↕アウト コーナー)

**インゴール**〔in-goal〕《ラグビー》ゴールラインおよびそれより奥の地面。

**いんこく**［印刻］《名・他サ》〔文〕はんこにするために、石・木などの棒に字をほること。

**いんこく**［陰刻］《名・他サ》はんこの文字の形を、へこませてほること。(↕陽刻)

**インサート**《名・他サ》〔insert〕挿入。

**いんざい**［印材］はんこを作る材料。ツゲの木・水牛の角・象牙など。

**インサイダー**〔insider〕集団・体制の内がわにいる人。部内者。局内者。(↕アウトサイダー)●**インサイダーとりひき**［インサイダー取引］《経》〔会社の関係者などが〕内部の情報を利用しておこなう不公正な証券取引。部内者取引。

**インサイト**〔insight=洞察〕消費者の購買欲(を刺激するもの)。「顧客ー」

**インサイド**〔inside〕①内がわ。内部。「ーストーリー(=内幕話)・ーレポート・ーワーク(=ⓐ《野球など》頭脳作戦。ⓑ頭脳労働)」②《テニスなど》線の内がわ。③《野球》内角。▽(↕アウト サイド)

**いんさつ**［印刷］《名・他サ》①文字や絵、写真などを〔一度にたくさん〕機械で刷ること。「会報をーする・ー物」②プリントアウト。

**インザホール**〔in the hole〕《野球》ボールカウントが悪くなった状態。「バッターー」

**いんさん**［陰惨］《ナダ》むごたらしくて、気がめいるような感じだ。「ーな事件」派ーさ。

**いんし**［印紙］《法》租税・手数料などを国におさめたしるしにはる、切手のような紙。「収入ー」

**いんし**［因子］ことがらを成り立たせているもの。要因。ファクター。「生活習慣病は骨折の危険ーだ」

**いんし**［院試］〔学〕大学院の入学試験。

**いんし**［淫×祠］〔文〕いかがわしい神をまつるほこら。「ー邪教」

**いんじ**［印字］《名・他サ》文字を機械で打ってあらわすこと。

**インジケーター**〔indicator〕①機器類の動作状況を表示する器具。また、その表示部分。②自動車の方向指示器。

**インジゴ**〔indigo〕⇩インディゴ。

**いんしつ**［陰湿］《ナダ》①日かげでしめっているようす。②〔性格ややり方が〕陰気でしつこいようす。「ーないじめ」派ーさ。

**インシデント**〔incident〕①できごと。事件。「ワールドー(=世界のできごと)」②事故。「重大ー」

**いんじゃ**［隠者］山奥などで、世の中と縁を切った暮らしをする人。よすてびと。

**いんしゅ**【飲酒】《名・自サ》酒を飲むこと。

**いんしゅう**【因習・因襲】〔主として、よくないことについて〕昔からの風習(を受けついで改めないこと)。「―的・―を破る」

**インシュリン**〔insulin〕〔医〕⇩インスリン。

**いんじゅん**【因循】《ナダ》〔文〕①今までの方法にしたがって改めないようす。「―姑息(こそく)」②ぐずぐずするようす。派―さ。

**いんしょ**【印書】《名・他サ》〔文〕(文字を)印刷〈する こと/したもの〉。

**いんしょう**【印章】〔章=模様〕①印影(いんえい)。②印影をおす道具。はんこ。「〔デパートの〕―部〔=はんこの売り場〕」③⇩おしるし③。「ご―」

***いんしょう**【印象】見たり聞いたりしたときに、心に(強く)受ける感じ。「―深い・上品な―が〈生まれる/出る〉・第一―」●**いんしょうしゅぎ**【印象主義】ものごとがあたえる印象をそのまま表現することを目的とする、芸術上の主義。由来フランスの画家モネの風景画「印象・日の出」から。●**いんしょうそうさ**【印象操作】表現の方法をくふうして、実際よりも印象をよくしたり悪くしたりしようとする操作。「悪質な―」●**いんしょうづ・ける**【印象(付ける)】《他下一》印象をあたえる。名印象づけ。●**いんしょうてき**【印象的】《ナダ》特別の印象をあたえるような性質を持つようす。「―なことば」●**いんしょうは**【印象派】印象主義の芸術家(の流派)。●**いんしょうひひょう**【印象批評】主観的に、印象だけで批評すること。「―的な作品論」

**いんしょう**【院賞】①↑学士院賞。②↑芸術院賞。

←**いんしょう**【引証】《名・他サ》証拠(しょうこ)として引用すること。

←**いんしょう**【引照】《名・他サ》〔文〕参照すべき〈文章/部分〉をしめすこと。

**いんしょく**【飲食】《名・自サ》飲むことと食べること。飲み物と食べ物。「―物」●**いんしょくてん**【飲食店】客に飲食をさせる みせ。食堂・酒場など。●**いんしょくりょう**【飲食料】飲料と食料。

**いんしん**【音信】〔文〕⇩おんしん。

**いんしん**【陰唇】〔生〕女性性器の一部。尿道(にょうどう)や膣(ちつ)の口を左右からおおう。

**いんしん**【×殷×賑】《名・ナダ》〔殷=さかん〕〔文〕商店などがにぎわって、人通りが多いこと。「―をきわめる」派―さ。

**いんすう**【引数】〔情〕⇩引き数(すう)。

**いんすう**【因数】〔数〕数や式をかけあわせて式ができている場合、そのもとになるそれぞれの数や式。●**いんすうぶんかい**【因数分解】《名・他サ》〔数〕一つの数や式を、いくつかの数や式をかけあわせた形に直すこと。〔例、$a^2-b^2=(a+b)(a-b)$〕

**いんずう**【員数】(一定の)かず。いんず。「―が合う」

**インスタ** ↑インスタグラム。「―映(ば)え〔=写真がインスタグラムで引き立つこと。☞映(ば)える〕」

**インスタグラム**〔Instagram〕〔商標名〕写真にコメントをそえてインターネットで公開したり、ほかの人の写真にコメントしたりできる、インターネットのサービス。インスタ。人インスタグラマー(Instagrammer)。☞SNS。

**インスタレーション**〔installation〕①据(す)えつけ。設置。②《美術》空間の中に素材を配置し、それらをふくめた全体を作品として見せるもの。仮設展示。

**インスタント**《名・ナダ》〔instant〕即席(そくせき)。即座。「―食品・―コーヒー・―ラーメン・―な処置」

**インスト**〔音〕↑インストゥルメンタル。

**インストア**〔in-store〕店舗(てんぽ)内。「―ライブ〔=店舗内で開かれる宣伝用の無料ライブ〕・―イベント・―ブランチ〔=スーパーなどの店内で営業する、銀行の小型店〕」

**インストゥルメンタル**〔instrumental〕〔音〕歌のない演奏だけの曲。器楽曲。インストルメンタル。インスト。

☆☆**インストール**《名・他サ》〔install〕〔情〕〔コンピューターで〕周辺装置を接続したり、ソフトウェアを導入したりして、実際に使えるようにすること。(↔アンインストール)

**インストラクター**〔instructor〕〔講習などで〕技術の指導・訓練をする人。指導員。「パソコンの―」

**インスパイア**《名・他サ》〔inspire〕影響(えいきょう)をあたえること。触発(しょくはつ)。刺激(しげき)。「バッハに―された作品」

**インスピレーション**〔inspiration〕ぱっと頭にひらめいた、自分でも予想しなかったすばらしい考え。霊感(れいかん)。「―がはたらく」

☆☆**インスリン**〔insulin〕〔医〕すいぞう(膵臓)から出るホルモン。血液にふくまれるブドウ糖の量をへらす作用がある。インシュリン。

**いん・する**【淫する】《自サ》〔文〕度が過ぎる。おぼれる。「趣味(しゅみ)に―」

**いん・する**【印する】《他サ》〔文〕あとを残す。つける。しるす。「月に足跡(そくせき)を―」〔⇩「足跡」の句〕

**いんせい**【院生】院に籍(せき)をおいて、指導を受ける人。〔大学院のほか、棋院(きいん)・少年院などで言う〕

**いんせい**【院政】①平安時代、上皇(じょうこう)や法皇(ほうおう)が、その御所(ごしょ)で政治をとったこと。「―期・―を敷(し)く」②会社・組織などで、重要な役職を引退した人が実権をにぎっていること。

**いんせい**【隠×棲】《名・自サ》〔文〕世を避(さ)けかくれて、しずかに住む〈こと/場所〉。隠遁(いんとん)。「人里はなれた山中に―する」

**いんせい**【陰性】一《名・ナダ》〈消極的/陰気〉な性質。二〔医〕検査の反応があらわれないこと。☞偽(ぎ)陰性。▽一二↔陽性

**いんぜい**【印税】著作権の使用料として、著作物〔=本・楽曲など〕の定価・発行高などに応じて著作者にしはらうお金。

**いんせき**【姻戚】〔文〕結婚(けっこん)したためにできた親類。〈妻/夫〉のきょうだいなど。姻族(いんぞく)。

**いんせき**【×隕石】〔天〕小惑星(しょうわくせい)などの破片(はへん)が燃えつきないで地上に落下したもの。☞流星。

**いんせき**【引責】《名・自サ》①責任を〈負う/引き受ける〉こと。「―辞任」②〔俗〕〔「引責辞任」から誤解して〕責任を引き受けて、やめること。「―せざるをえなくなった」

**いんせん**【飲泉】《名・自サ》〔文〕〔健康のため〕温泉の水を飲むこと。「―場(じょう)」

**いんぜん**【隠然】《タル》〔文〕①重みのあるようす。②目立たないが強いようす。かくれた勢いのあるようす。「―たる勢力」

☆☆**インセンティブ**〔incentive〕①意欲を出させるための刺激。動機づけ。「—をあたえる」②《経》目標達成のため、会社が出す報奨金など。誘引策。「—契約〔=プロ野球で、目標を達成したら報奨金を出す契約〕」

**いんそう**【印相】①印章の形・色・字形などにあらわれる、吉凶のしるし。②《仏》仏像などの、手の指でしめされるいろいろな形。いんぞう。

**インソール**〔insole〕靴の中じき。

**いんぞく**【姻族】〔文〕姻戚。

**いんそつ**【院卒】最後に卒業した学校が、大学院である〈こと/人〉。☞学卒・大卒。

**いんそつ**【引率】《名・他サ》大ぜいを引きつれて行くこと。「—者」

**インター** ①↑インターチェンジ。「大垣—」②↑インターナショナル 二。

**インターカレッジ**〔←intercollegiate＝大学間の〕⇩インカレ。

**インターセプト**《名・他サ》〔intercept〕《サッカーなど》相手のパスのとちゅうでボールを横取りすること。

**インターチェンジ**〔interchange〕高速道路への出入り口とその施設。ＩＣ。インター。☞ジャンクション。

**インターナショナル**〔international〕一《ナダ》国際的。国際間。「—スクール」二 共産主義者や労働者が歌う、革命の歌。インター。▽二 インタナショナル。

☆☆**インターネット**〔internet〕①《情》世界じゅうのコンピューターをつなぐ通信ネットワーク。これを使って、個人が世界に向けて情報を発信したり、世界じゅうから情報を得たりできる。②「インターネット①」につないだコンピューターの画面。「—〈で/を〉見る」▽ネット。●インターネットカフェ〔和製 internet ＋フ café〕⇩ネットカフェ。●インターネットバンキング〔internet banking〕《経》⇩ネットバンキング。

**インターハイ**〔↑和製 inter-highschool〕全国高等学校総合体育大会〔=高校総体〕の通称。

**インターバル**〔interval〕《スポーツなど》間隔(をおいてすること)。「—トレーニング〔=急激な運動の間にゆったりした運動をはさむトレーニング〕」

**インタ(ー)フェア**《名・他サ》〔interfere〕〔競技で〕じゃま。妨害。

☆☆**インターフェイス**〔interface=接点〕①コンピューターなどを直感的に使えるようにするためのしくみやデザイン。例、タッチパネル。「できのいい—・ユーザー(のための)—」②周辺機器をつなぐ端子の仕様。例、ＵＳＢ。▽インタフェイス。インタ(ー)フェース。

**インターフェロン**〔interferon〕《生》ウイルスの増殖をおさえるたんぱく質。がん(癌)や慢性肝炎の治療に有効。

**インターポール**〔Interpol〕国際刑事警察機構。国際犯罪の犯人を各国の警察が協力して追跡するための連絡組織。ＩＣＰＯ。

**インターホン**〔interphone〕玄関と室内などの通話に使う装置。インターフォン。インタホン。

**インターン**〔intern〕①理容師・美容師などが受験資格を得るために課せられる実習訓練。また、その実習生。〔もとは、医学の実習生もさした〕②インターンシップ。また、その実習生。●インターンシップ〔internship〕学生が在学中に、企業などでおこなう職場体験(の制度)。インターン。

↔**いんたい**【隠退】《名・自サ》〔文〕社会から身をひくこと。

↔**いんたい**【引退】《名・自他サ》〔仕事やスポーツなどで〕現役からしりぞくこと。リタイア。「〈役者/力士〉の—興行・政界から—する・—セレモニー」

**インダストリアル** 造〔industrial〕産業の。工業の。「—デザイン」

**インタビュアー**〔interviewer〕インタビューをする人。インタビュ(ー)ワー。インタビューアー。(↔インタビュイー〔interviewee〕〔=される人〕)

**インタビュー**《名・自サ》〔interview〕①会見。面接。②〔新聞・雑誌記者、アナウンサーなどの〕訪問取材(記事)。▽インタービュー。インタヴュー。

**インタラクティブ**《ナダ》〔interactive〕情報の送り手と受け手とが自由にやり取りできるようす。双方向的。

**インタレスト**〔interest〕①興味。関心。②利益。

**いんち**【引致】《名・他サ》《法》容疑者などをつれて行くこと。

**インチ**〔inch〕ヤードポンド法の長さの単位。一インチは十二分の一フィート。二・五四センチ。表記「×吋」とも書いた。

**いんちき**【インチキ】《名・自サ・ナダ》〔俗〕不正。ごまかし。由来「いかさま」の「い」を、かね(鉦)の音の「ちゃんちき」のように言ったもの。

**いんちょう**【院長】〔病院など〕院と呼ばれるところのいちばん上の人。

**インディアン**〔Indian〕一 インディアン〔↑アメリカインディアン〕⇩ネイティブアメリカン。二 造 インド〈の/ふう〉。「—ポテト・—サラダ」

**インディーズ**〔indies〕大手の会社があつかわないような音楽・映像などを作って売る、小さな(会社)組織。インディ(ー)〔俗〕。「—盤・—バンド」

**インディオ**〔ス Indio〕ネイティブアメリカンのうち、南アメリカ・中央アメリカの先住民族。

**インディカまい**【インディカ米】〔Indica〕インド・東南アジアなどでつくられる米。つぶが細長く、ねばりけが少ない。(↔ジャポニカ米)

**インディゴ**〔indigo〕藍色(の染料)。インジゴ。

**インディペンデント**《名・ナダ》〔independent=独立した〕①大手に属さないこと。独立系。「—映画」②独自。「—な生き方」▽インデペンデント。

**いんてつ**【(×隕)鉄】《天》ほとんどが鉄とニッケルの合金でできている隕石。鉄質隕石。

**インデックス**〔index〕①索引。「—シール〔=見出しになるシール〕」②指数。指標。「—運用〔=株価指数の変動に ちょうど あわせて株を売買する運用方法〕」

**インテリ**〔↑インテリゲンチャ(ロ intelligentsiya)〕知識階級(の人)。

**インテリア** ①〔interior〕室内。②〔↑interior design〕室内装飾。▽インテリヤ〔古風〕。(↔エクステリア)

**インテリジェンス**〔intelligence〕①知性。②(機密)情報。「—サービス〔=情報機関〕」

☆☆**インテリジェント**〔intelligent=知性のある〕①情報処理能力のあること。「—ビル〔=高度の情報・通信の設備をそなえたオフィスビル〕」②〔機械が〕判断力のあること。

**いんてん**［院展］↑日本美術院展覧会。

**いんでん**［印伝］〔=インドから伝来した〕シカのなめし革に、漆で模様をつけた工芸品。袋物などに使う。印伝革。「—の さいふ」

**いんでん**［院殿］接尾 身分の高い人の戒名にそえる、最高位のおくりな。☞院〖二〗②。

**いんでんき**［陰電気］《理》ガラス棒を絹の布でこすったとき、布のほうに起こる電気(と同類の電気)。負の電気。負電荷。(↔陽電気)

**いんでんし**［陰電子］⇩電子〖一〗。(↔陽電子)

**インデント**〔indent〕〔ワープロで〕字下げ。

**インド**〔India〕①南アジアの大きな半島。大部分はインド領。インド亜大陸。☞亜大陸。②インド亜大陸の大部分を占める連邦共和国。仏教の起こった地。ヒンドゥー教徒が多い。首都、デリー(Delhi)。印。表記「:印度」は、古い音訳字。●**インドよう**［インド洋］アジア・アフリカ・南極・オーストラリアの四大陸に囲まれた、世界で三番目に広い海。

**インドア**〔indoor〕室内。屋内。「—ゴルフ・—スポーツ」(↔アウトドア)

**いんとう**［咽頭］《生》のどの入り口のあたり。口の奥に見える所。☞喉頭。

**いんとう**［淫×蕩］《名・ナダ》〔文〕みだらな享楽にふけるようす。派—さ。

**いんどう**［引導］《仏》葬式のとき棺の前で、僧が仏法のことばをおくること。●☆☆**引導を渡す** 句 ①《仏》僧が、死者に対して引導のためのことばを言う。②あきらめさせる。

**いんとく**［陰徳］〔文〕世に知られない〈徳/よいおこない〉。「—を積む」●**陰徳あれば陽報あり** 句〔文〕陰徳を積んだ人には、よいむくいがある。陰徳陽報。

**いんとく**［隠匿］《名・他サ》〔文〕物をかくすこと。「—物資」

**イントネーション**〔intonation〕①《言》話すときの声の上がり下がりの調子。文や文節の終わりにあらわれ、話し手の感情や意図を知ることができる。抑揚。「『はあ?』と しり上がりの—で聞き返す」②〔一般に〕「アクセント①」のこと。

**インドネシア**〔Indonesia〕ジャワ・スマトラ・カリマンタン〔=ボルネオ〕・スラウェシなどの島とニューギニアの西半分から成る共和国。首都、ジャカルタ(Jakarta)。

**イントラネット**〔intranet〕《情》インターネットの技術を利用した〈企業/組織〉内の通信網。

**イントロダクション**〔introduction〕①序論。緒論。②はじめにつけた説明。入門。③《音》序奏。▽イントロ。

**いんとん**［隠×遁］《名・自サ》世をすてて、かくれのがれること。隠棲。

**インナー**〔inner〕〖一〗インナー《服》↑インナーウェア。〖二〗造 内部の。外から見えないところにある。「—チャイルド〔=自分の精神の中にある、子どもの部分〕」▽〖一〗〖二〗(↔アウター)●**インナーウェア**〔innerwear〕《服》①内がわに着る肌着。下着・シャツなど。②家で着る服。▽インナー。(↔アウターウェア)●**インナーマッスル**〔inner muscle〕《生》股関節や肩関節の、骨に近いところにある筋肉。遅筋が多い。深層筋。(↔アウターマッスル)

**いんない**［院内］病院・衆議院・参議院など、院と呼ばれる場所・組織の中。「—会派」(↔院外)●☆☆**いんないかんせん**［院内感染］病院の中で病原体に感染すること。

**いんにく**［印肉］印をおすとき印の表面につける、朱の顔料を〈スポンジ/植物繊維〉にしみこませた、やわらかいもの。

**いんにん**［隠忍］《名・自サ》〔文〕じっとがまんすること。●**いんにんじちょう**［隠忍自重］《名・自サ》ひたすらがまんして、かるがるしい ふるまいをつつしむこと。

**いんねん**［因縁］①《仏》ものごとが起こるためにはたらくと考えられる、直接間接の、すべての原因。「—話」②前から定まっていると考えられる運命。宿命。「—の対決・—の相手〔=ライバル〕」③〔運命が結びつけた〕関係。ゆかり。「浅からぬ—」④(むりな)言いがかり。「—をつける」⑤由来。

**いんのう**［陰(×嚢)］《生》陰茎のつけ根の下にあるふくろ。たまぶくろ〔俗〕。

**インバーター**〔inverter〕電流の直流を交流に変換する装置。交流から交流に周波数を変える装置にも言う。インバータ。

**インハイ**〔米 in high〕《野球》内角高め。

**いんばい**［淫売］〔↑淫売婦〕男にからだを売って生活する女。

**インバウンド**〔inbound=中に向かう〕①外国からの旅行(客)。「—(による)消費」②外部からの問い合わせ。「コールセンターの—業務」▽(↔アウトバウンド)

☆☆**インパクト**〔impact〕〖一〗衝撃。(強い)印象。「—をあたえる・—が強い」〖二〗《名・自他サ》《野球・ゴルフ・テニス・卓球など》ボールをたたく〈こと/瞬間〉。「正しいフォームで—する・ボールが—した瞬間」

**インパネ**〔↑インストルメント パネル(instrument panel)〕《自動車》運転席の前にある、各種のメーターを取りつけた部分。☞ダッシュボード。

**インバネス**〔inverness〕《服》肩の部分を短いマントで おおった、そでのない、男物の(和装用)コート。とんび。

**インバランス**〔imbalance〕不均衡。アンバランス。「貿易—」

**いんばん**［印判］〔古風〕はんこ。「ごーをお願いします」

**いんび**［淫×靡］《ナダ》みだらで、だらしのないようす。「—な世相」

**いんび**［隠微］《ナダ》〔文〕かすかで わかりにくいようす。「—な色合い」派—さ。

**いんぴ**［隠避］《名・他サ》《法》犯人をにがしたり かくまったりして、逮捕されないようにすること。「犯人—の罪」

**いんぶ**［陰部］《生》からだの外に あらわれている生殖器。恥部。

**インファイト**〔infighting〕《ボクシング》相手に接近して戦うこと。(↔アウト ボクシング)

**インフィールド フライ**〔infield fly〕《野球》内野

手が当然捕球できる内野フライで、捕球前に審判が打者をアウトにするもの。ダブルプレーを防ぐためのルール。

**インフェリオリティー コンプレックス**〔inferiority complex〕劣等感。コンプレックス。

**インフェルノ**〔ポ inferno〕〔キリスト教で〕地獄。

**インフォーマル**〔informal〕㊀《ナダ》くつろいだようす。非公式。略式。「―な服装」㊁略式礼装。▽㊀㊁(↕フォーマル)

☆☆**インフォームド コンセント**〔informed consent〕医者からじゅうぶんな説明を受けて、治療法などについて同意すること。告知と合意。

**インフォメーション**〔information〕①情報。報道。②受付。案内所。「空港の―・―センター」▽インフォーメーション。

**いんぷく**【隠伏】《名・自他サ》①隠れひそむこと。②見えないように隠すこと。

**インプット**《名・他サ》〔input〕①〔電気の〕入力。②《情》データをコンピューターに入れること。また、そのデータ。入力。③知識などを取り入れること。「頭に―する」▽(↕アウトプット)

☆☆**インフラ**〔↑インフラストラクチャー(infrastructure)＝下部構造〕水道・電気・ガス・交通機関・通信など、社会の基盤となるしくみ。「―を整備する」☞社会資本。

**インプラント**〔implant〕《医》身体の欠損した部位にうめこむ、人工的に作製した器官・組織。人工関節・人工歯根など。

**インフル**《医》↑インフルエンザ。「鳥―」

☆☆**インフルエンザ**〔influenza〕《医》インフルエンザウイルスによる急性の感染症。高い熱が出て、頭痛や関節痛、全身のだるさが現れる。冬、よく流行する。流行性感冒。流感。はやりかぜ。インフル。「―ワクチン」

**インフルエンサー**〔influencer〕〔SNSを使って〕人々の行動や考えに大きな影響をあたえる人。

☆☆**インフレ**〔↑インフレーション〕①《経》〔商品の取引量にくらべて通貨の量が増えたために〕物価が続けて上がり、お金の ねうちが下がること。通貨膨張。(↕デフレ)②程度が どんどん大きくなること。「敬語の―」

**インプレー**〔in play〕試合が続行している状態。競技中。試合中。「―でタッチ アウト」(↕アウトオブプレー)

**インフレーション**〔inflation〕①《経》⇩インフレ。(↕デフレーション)②《天》宇宙の誕生からビッグバンまでの一瞬に起こった、宇宙の大膨張。

**インプレッション**〔impression〕㊀印象。「ファーストー〔＝第一印象〕」㊁《名・他サ》感想(を伝えること)。「使ってみた―を教えてください・のちほど―します」

**いんぶん**【韻文】詩の形式の文。(↕散文)

**いんぺい**【隠蔽】《名・他サ》〔文〕都合の悪いことをおおいかくすこと。「―工作」

**インベーダー**〔invader〕侵入者。侵略者。

**インベストメント**〔investment〕投資。〔投資会社の名前にも使う〕

**インボイス**〔invoice〕①〔貿易で〕品物・価格などを書いた送り状。②品物ごとの税額を示した請求書や伝票。

**いんぼう**【陰謀】①ひそかに くわだてる悪い計画。「―をめぐらす」②《法》犯罪の相談。

**インポート**《名・他サ》〔import＝輸入〕《情》データを他のソフトウェアから読みこむこと。「ブックマークの―」(↕エクスポート)

**インポテンツ**〔ド Impotenz〕〔古風〕⇩イーディー(ED)①。

**いんぽん**【淫奔】《ナダ》〔文〕みだら。多情。派―さ。

**いんめつ**【隠滅・×湮滅】《名・自他サ》すっかり〈なくなる〉なくす〉こと。消滅。「証拠―」

**いんめん**【印面】文字をほりこんだ、はんこの面。

**いんもう**【陰毛】《生》陰部にはえる毛。恥毛。へア。

**いんもつ**【音物】〔＝おくりもの〕〔文〕わいろ。

**インモラル**《ナダ》〔immoral〕①道徳に反する(ことをする)ようす。②ふしだら。みだら。

**いんゆ**【引喩】有名なことばを引用して効果を出す修辞法。例、「『古池や蛙飛びこむ水の音〔＝芭蕉の句〕』といった ふんいきの池」。

**いんゆ**【隠喩】「ような」などのことばを使わず、まったくそのものだと言い切る表現の方法。暗喩。メタファー。例、「私はカナヅチだ〔＝泳げない〕」「期待の星〔＝期待を集める人〕」。(↕直喩)

**いんよう**【陰陽】①〔易で〕陰と陽。おんよう。おんみょう。「―五行説〔⇩五行説〕・―道〔⇩おんみょうどう〕」②《理》電気などの負と正。陰極と陽極。

**いんよう**【引用】《名・他サ》自分の文章などの中に、他人のことばなどを、その部分が わかるように取りこむこと。「―文・有名な詩句を―する・バッハを―した音楽」
✐正当な範囲内で、出所をそえて示す場合は、もとの著作者の許可はいらない。☞転載。

**いんよう**【飲用】《名・他サ》のむ(のに使う)こと。「―泉」

**インライン スケート**〔in-line skate〕靴底の中央に、四つの車輪がたて一列に並んだローラースケート。〔これをはいておこなう、アイス ホッケーに似た競技を「インライン ホッケー」と言う。「ローラーブレード」は商標名〕

**いんらん**【淫乱】《名・ナダ》みだらな おこないを好むこと。「―な性質」派―さ。

**いんりつ**【韻律】〔詩や歌で〕発音上の長短・強弱・高低の組み合わせ方。〔日本では音数律を言う〕「―のすぐれた詩」

**いんりょう**【飲料】のみもの。「炭酸―」●**いんりょうすい**【飲料水】のむための水。のみみず。

**いんりょく**【引力】①《理》物体が おたがいにひきあう力。(↕斥力)☞万有引力。②人を引きつける力。「―のある街」

**いんれい**【引例】《名・他サ》証拠や説明のために ひく例。

**インレー**《名・他サ》〔inlay〕《医》虫歯につめる金属など(を使う治療法)。

**いんれき**【陰暦】①太陰暦。月の満ち欠けにもとづいて作ったこよみ。一か月は二十九日または三十日。(↕陽暦)②太陰太陽暦。旧暦。

**いんろう**【印籠】①昔、腰にさげた小さい薬入れ。一種のアクセサリー。薬籠。②相手

[いんろう①]

をおそれ入らせるもののたとえ。「学歴というーをかざす」由来②は、時代劇「水戸黄門(みとこうもん)」で、徳川氏の紋(もん)がついた印籠に悪人がおそれ入ったことから。

**いんわい**【淫×猥】(ナダ)〘文〙みだらなようす。派ーさ。

# う ウ

**う**【×卯】①十二支の第四。とら(寅)の次。うさぎ。「ー年・ーの年」(年のほか、月・日にも言う)②昔の時刻の名。今の午前六時ごろに当たる。六(む)つ。「ーの刻」③昔の方角の名。東。

**う**【右】一う〘視覚語〙〘野球〙↑右翼(うよく)(手)。「ー飛」二遺 みぎ。「ー岸」▽一二(↔左(さ))

**う**【(×鵜)】ウミウ・カワウなどの黒い水鳥。ウミウを飼いならして、鵜飼いに使う。●**う(鵜)のまねをするからす(烏)** 句 できもしないくせに、人まねをして失敗する人のたとえ。●**う(鵜)の目たか(鷹)の目** 句〘ウやタカがえものをさがすときのように〙熱心に物をさがす〈目つき/ようす〉。

**う** ↑うなぎ。「ー巻き(=ウナギをたまご焼きで巻いた料理)」(店の看板に「う」とだけ書くこともある)

**う**【得】〘他下二〙〘文〙「え(得)る」の文語形。☞ありうべき・うべかりし・うべき。

**う**〘助動特殊型〙〘意志・推量の助動詞。五段の動詞につく〙①意志をあらわす。「あしたこそはやろー」②勧誘(かんゆう)をあらわす。「いっしょに行こーよ」▽くだけた話しことばでは、「やろ」「行こ」などと短くも言う。③〘文/古風〙推量をあらわす。「実現への機運が高まろー・あすは晴れましょー」(ふつう、「だろう」を使う)④(**…うが**・**…うとも** など)たとえ…〈ても/でも〉。たとえ…しても。「暑かろーが寒かろーが・たたこーがゆすろーがねむっている・どんな結果になろーとも」⑤〘文〙〘婉曲(えんきょく)に〙…(する)ような。「異論があろー(=ある)はずはない・誤解を解こーすべもない」由来文語助動詞「む」の変化。☞よう・だろう。

**う**【宇】接尾 寺などの建物を数えることば。「一ーの堂」

**ヴ**◇外国語の音の「v」「vu」などを特に表すときに使うカタカナ。多くの場合は「ブ」と書き、この辞書の見出しでも「**ブ**」と示す。例、サーヴ⇩サーブ。「va」「vi」「ve」「vo」などを表す「ヴァ」「ヴィ」「ヴェ」「ヴォ」も、同様に「バ」「ビ」「ベ」「ボ」と書く。〔幕末からある文字。「ヴァ」「ヴィ」「ヴェ」「ヴォ」は「ヷ」「ヸ」「ヹ」「ヺ」とも書いた。例、ヸオロン(=ヴィオロン)。ごくまれに、ひらがなで「ゔ」とも書く。例、らゔ(=ラヴ)〕

**ヴァ**◇この辞書の見出しでは「**バ**」。例、ヴァイオリン⇩バイオリン。☞ヴ。

**う・い**【△愛い】〘形〙〘古風〙〘目下の者が、自分に忠実で〙かわいい。「ーやつじゃ」

**う・い**【憂い】〘形〙〘文〙思うままにならなくて、悲しい。「旅はーもの、つらいもの」☞憂さ。

**ウイ**〘感〙〘フ oui〙はい。イエス。(↔ノン)

**ヴィ**◇この辞書の見出しでは「**ビ**」。例、ヴィーナス⇩ビーナス。☞ヴ。

**ウイーク** 造〔week〕①週。七日間。②週間。「バードー」▽ウィーク。●**ウイークエンド**〔weekend〕週末(休暇(きゅうか))。●**ウイークデー**〔weekday〕(土曜および)日曜以外の日。週日(しゅうじつ)。平日。

**ウイークポイント**〔weak point〕弱み。弱点。ウィークポイント。「相手のーをつく」

**ウイークリー**〔weekly〕①週刊〈新聞/雑誌〉。②週一回の。週ごとの。「ー(=一週間契約(けいやく)の)マンション」▽ウィークリー。

**ういうい・し・い**【初々しい】(うひうひ)〘形〙〘新しいことになれないようすで〙いかにも純粋(じゅんすい)な感じだ。「ー新入社員・ー感覚」派ーげ・ーさ。

**ウィキ**〔Wiki←ハワイ wiki(=速い)〕①〘情〙だれもが簡単にページを編集できる、インターネット上のシステム。例、ウィキペディア。②〘俗〙⇩ウィキペディア。

**うき**【雨域】〘文〙雨の降る地域。あまいき。

**ウィキペディア**〔Wikipedia〕〘商標名〙だれもが自由に編集できる、インターネット上の百科事典。いろいろな言語の版がある。ウィキ〘俗〙。

**ういきょう**【(×茴香)】⇩フェンネル。

**ういざん**【初産】(うひ)はじめてのお産。しょざん。しょさん。はつざん。

**ういじん**【初陣】(うひ)はじめて戦いや試合に出ること。「ーをかざる(=勝つ)」

**ウイスキー**〔whiskey; whisky〕大麦・ライ麦・トウモロコシなどから造った蒸留酒。ウィスキー。☞スコッチ①・バーボン・ハイボール・モルト②。

**ういた**【浮いた】一〘連体〙色恋(いろこい)の。浮気(うわき)の。「ーうわさ一つない」二連⇩浮く一⑥〜⑧。

**ウイッグ**〔wig〕ファッション用のかつらやつけ毛。ウィッグ。

**ういっす**〘感〙(↑おす)〘俗〙①会ったときのことば。おす。②返事のことば。はい。▽うっす。〔くずれたあいさつ〕

☆☆**ウイット**〔wit〕機知や機転(の感じられる、ことばやしゃれ)。ウィット。「ーに富んだ話」☞エスプリ②。

**ういてんぺん**【有為転変】物事がたえず変化していくこと。「ーきわまりない〈世の中/人生〉」由来もと仏教語。「有為」は「為(な)すること有るもの」で、因縁(いんねん)によって作られた、世の中の物事。

**ウイドウ**〔widow〕未亡人。やもめ。ウィドー。

**ウイニング** 遺〔winning〕勝利を得る。ウィニング。●**ウイニングショット**〔winning shot〕〘球技〙勝利を決定づける一打。きめだま。●**ウイニングボール**〔和製 winning ball〕〘野球〙守るチームの勝ちが決まったとき、最後にアウトにしたそのときのボール。●**ウイニングラン**〔winning run〕①〘野球など〙決勝点。②〘スポーツ〙観客の称賛(しょうさん)にこたえるため、競技場を一周すること。

**ういまご**【初孫】(うひ)⇩はつまご。

**ウィメンズ**〔women's〕一遺 女性(用)の。「ーシューズ・ークリニック」二 ウィメンズ(↑ウィメンズウェア)女性用の服。▽一二(↔メンズ)☞レディ(ー)ス。

☆☆**ウイルス**〔ラ virus〕①〘医〙人や動物の細胞(さいぼう)で増える病原体。細菌(さいきん)より小さく、電子顕微鏡(けんびきょう)でしか見えない。ビールス。「インフルエンザー」②〘情〙↑コンピュータ(ー)ウイルス。▽ウィルス。

**ウィルチェアーラグビー**〔wheelchair rugby〕車いすでおこなうラグビー。パラリンピック競技の一つ。

**ういろう**【(△外郎)】①【(△外△良)】米の粉に砂糖を加えて作る蒸(む)し菓子(がし)。ういろ。〔名古屋などの名物〕

②江戸時代に小田原で売り出された漢方薬。ういろうぐすり。「—売り」

**ウィンウィン**〔win-win=「勝つ」を並べたことば〕どちらのがわにも得になること。ウインウイン。「両社に—の関係が成り立つ」

**ウインカー**〔winker〕曲がる方向を点滅して知らせる、自動車などのランプ。フラッシャー。ウィンカー。「—を出す」

**ウインク**《名・自サ》〔wink〕合図をしたり、好意を示したりするために、片目を一瞬とじること。ウィンク。「—を送る」

**ウイング**〔wing=つばさ〕［一］ウイング ①《サッカー・ラグビー・ホッケーなど》おもに攻撃をになう、左右両はしの位置(の選手)。②支持者・勢力の範囲。「新しい顧客にも—を広げる」［二］ウイング ①建物の中心から細長くのびた部分。「空港の南—」②舞台の袖。▽［一］［二］ウィング。

**ウインター** 造〔winter〕冬。ウィンター。「—スポーツ」

**ウインチ**〔winch〕ワイヤロープを巻き取りながら、ものを引っぱったり、つり上げたりする機械。

**ウインド** 造〔wind〕①風。②管楽器。吹奏楽器。「—オーケストラ」▽ウィンド。•**ウインドサーフィン**〔windsurfing〕⇨ボードセーリング。•**ウインドブレーカー**〔windbreaker=もと、商標名〕スポーツ用のジャンパー。合成繊維などで作る。ウィンブレ。•**ウインドヤッケ**〔ド Windjacke〕⇨アノラック。

**ウインドウ**〔window〕①窓。②〔←ショーウインドウ〕陳列窓。▽ウインド。ウインドー。③《情》コンピューターの画面上に複数ひらくことができる、作業用の画面。「—を閉じる・—を最大化する」▽ウィンドウ〔特に、③〕。•**ウインドウショッピング**〔window shopping〕ショーウインドウの品物を見て歩きながら、楽しむこと。〈ウインドー/ウィンドウ〉ショッピング。

**ウインナー**〔ド Wiener〕［一］ウインナー ←ウインナーソーセージ。［二］遠 ウィーン〔=オーストリアの首都〕の。「—ワルツ」▽［一］［二］ウィンナ。ウィンナ(ー)。•**ウインナーコーヒー**〔Vienna coffee〕泡立てた生クリームをたっぷりうかべたコーヒー。ウインナコーヒー。•**ウインナーソーセージ**〔Vienna sausage〕羊などの腸につめた、指ほどの太さのソーセージ。ウインナソーセージ。ウインナー。

**ウースターソース**〔←Worcestershire sauce〕⇨ウスターソース。

**ウーステッド**〔worsted〕よ(縒)りをかけた梳毛糸で織った毛織物。例、サージ。

**ウーパールーパー**〔和製 wooper looper〕小形のサンショウウオ。からだはうすいピンク色などで、目は黒くてつぶら。たてがみのような外えらがある。アホロートル〔ス axolotl〕。〔一九八五年、珍獣として人気が出た〕

**ウーマン** 造〔woman〕女性。婦人。「スポーツ—・—パワー」•**ウーマンリブ**〔米 women's lib《←liberation〔解放〕》〕女性解放運動。リブ。

**ううむ**《感》〔話〕考えこんだり、痛みにたえかねたりして、口を閉じたまま発する声。うーむ。「—、難問だ!」

**ウーリー** 遠〔woolly〕羊毛〈の/ふう〉に加工した。「—ナイロン」

**ウール**〔wool〕①羊毛。②毛糸。③毛織物。

**ウーロンちゃ**〔(:烏龍)茶〕〔中国 烏龍=黒い竜〕あっさりした味の中国茶。紅茶に似た色のものが多い。

**ううん**《感》〔話〕［一］ううん「いいえ」の、ぞんざいな言い方。「ううん(↘↗)、ちがうよ」［二］〔うーん〕〔音調は(→)〕①何か言おうとして、ことばにつまったときに出す声。「—と〔=ええと。んーと〕」②ひどく感心したときに出す声。③困ったとき、苦しいとき、力を入れるときなどに出す声。▽［一］［二］んーん。

****うえ**〔上〕［一］うえ〔上〕①位置が高い〈こと/ところ/がわ〉。「頭の—を鳥が飛ぶ・山の—〔=ⓐ頂上。ⓑ上空〕・—を向く〔なやむのをやめる意味にも〕・—〔=上半身の服〕をぬいでください」②文書・絵などの、垂直に立てたときに位置が高くなるがわ。〔水平に置いたときにも、そちらのがわを言う〕「地図では北が—になる」③ことばの前がわ。「正直の—に『ばか』がつく人物」④外がわ。「—にコートを着る」⑤すぐれていること。「うでが—だ」⑥階級・地位が高いこと。「—〔=上層部〕の意向」⑦〔年が〕より多いこと。「〔兄弟のうち〕—の子は小学生」▽(↔下) アク「頭の—を」のように、前にことばがつく場合は、うえとも。［二］うえ〔(上)〕①〔それに限った〕場合。「仕事の—の話・酒の—〔=酒ぐせ〕が悪い・こよみの—では春だ」②〔…する—で〕…するにあたって。「生きていく—で必要な知識」③〔…した—で〕…したあと(のようす)。「見た—で決める」④〔—に〕〔それに〕加えて。「ほめた—にほうびまでやる」⑤〔Aの—に(も)A〕非常に…〈する/である〉ことをあらわす。「慎重の—にも慎重を期す・万全の—にも万全の備え」⑥〔—は〕〔そうなった/そうである〕以上は。からには。上からは〔古風〕。「見られた—は しかたがない」［三］〔上〕遠 ①昔、身分の高い女性の名前につけた、尊敬した言い方。「葵の—」②〔古風〕目上の人を呼ぶときにつける、尊敬した言い方。「兄—〔さま〕」•**上からものを言う** 句 えらそうに、他人に命令したり意見を言ったりする。☞上から目線。•**上には上がある** 句 それがいちばん上かと思うと、それよりもっとすぐれたものがある。•**上を下への大騒ぎ** 句 大さわぎしてごったがえすようす。

**うえ**〔飢え・餓え〕食べるものがなく、何日もおなかをすかせること。「—と寒さで死ぬ・—をしのぐ」

**ヴェ** ◇この辞書の見出しでは「べ」。例、ヴェール⇨ベール。☞ヴ。

**ウエア**〔wear〕着るもの。服。…着。ウェア。「アンダー—〔=下着〕・スポーツ—・—選び」

**ウエアラブル**《ナダ》〔wearable〕身に着けられるようす。ウェアラブル。「—端末・—カメラ」

**ウエイ** 造〔way〕①道。「ドライブ—」②…とおり(の使い道)。「スリースピーカー・ツー—コート」▽ウエー。

**ウエイクボード**〔wakeboard〕スノーボードのような板に乗って水上をすべるスポーツ。モーターボートが引くロープにつかまり、足先を進行方向に対して横に向ける。ウエークボード。☞水上スキー。

**ウエイター**〔waiter〕〔レストランや喫茶店などの〕サービス係の男性。ボーイ。ウエーター。ウェイター。ウェーター。(↔ウエイトレス)

**ウエイティング**〔waiting〕順番待ち。待機。ウエーテイング。「ースペース・ールーム・ーリスト」

☆☆**ウエイト**〔weight〕①重量。重さ。②重み。重要さ。③重し。「ペーパーー」④フォントの太さ。▽ウエート。ウェイト。ウェート。●**ウエイトを置く** 句 重くあつかう。「数学にウエイトを置いて勉強する」●**ウエイトトレーニング**〔weight training〕筋肉の力をつけるために、ダンベルなど重いものを持ちあげたりしておこなう訓練。●**ウエイトリフティング**〔weight lifting〕重量あげ。

**ウエイトレス**〔waitress〕〔レストランや喫茶店などの〕サービス係の女性。ウエートレス。ウェイトレス。(↔ウエイター)

**ウエーデルン**〔ド Wedeln〕《スキー》〔古風〕連続小回り回転。

**ウエーブ**《名・自サ》〔wave=波〕①電波。「マイクロー」②波打ったかみの毛の形(になること)。「ーがかかる」③〔競技場やイベントの会場で〕観客がつぎつぎに立ち上がってはすわる、波打つような動き。「ーが起こる」▽ウエーブ。

**うえか・える**【植え替える】《他下一》別の所に移して植える。

**うえから**【上から】《ナダ》「上から目線」であるようす。「ーな態度」〔二十一世紀になって広まったことば〕●**うえからめせん**【上から目線】他人を見下し、えらそうな態度をとること。下目に見ること。上目線。「ーでものを言う」〔二十一世紀になって広まったことば〕☞上からものを言う(「上」の句)。

**うえき**【植木】①庭に植えてある木。また、植える木。②盆栽。「ー鉢」●**うえきや**【植木屋】①植木を売る〈店/職業の人〉。植木店。②庭木の手入れをする職業(の人)。庭師。

**うえこ・す**【上越す】《他五》うわまわる。より大きくなる。「これにー喜びはございません」

**うえこみ**【植え込み】①庭や公園、道路わきなどに木を集めて植えた部分。「〈ツツジ/ヤナギ〉のー」②ねもとをうめこむこと。「人工歯〈の〉ー」動植え込む《他五》。

☆☆**ウェザー** 造〔weather〕天気。天候。ウエザー。「ーニュース」

☆☆**うえさま**【上様】①身分の高い人を尊敬して言う呼び名。②受取で、相手の名前の代わりに書く尊敬語。

**うえした**【上下】①上と下。②さかさま。「ーに見る」

**うえじに**【飢え死に】《名・自サ》飢えて死ぬこと。かつえじに。餓死。

**ウエス**〔←waste〕〔機械類の掃除に使う〕ぼろきれ。ウェス。

**ウエスタン**〔米 Western〕一ウエスタン①〔アメリカの〕西部(の音楽)。②西部劇(映画)。二 造〔アメリカの〕西部の。「ーブーツ」▽一二ウェスタン。

**ウエスト**〔waist〕①胴の、いちばん細くなった部分。腰の上側。〔服の場合も言う〕②《服》「ウエスト①」③のまわり(の寸法)。胴回り。〔Wで示す〕「ーライン」腰の位置。「ーショット(=カメラで腰から上をうつすこと)」●**ウエストニッパー**〔waist nipper〕《服》女性の下着の一種。ウエストをしめつけて、すらりと見せる。ニッパー。●**ウエストポーチ**〔waist pouch〕腰に取りつける小型のバッグ。

**ウエストボール**〔waste ball〕《野球》盗塁やバントなどを防ぐため、わざとストライクゾーンを外して投げるボール。すてだま。ウエスト。

**うえっ** 一《感》〔話〕気持ち悪いとき、いやなときに、思わず出す声。「うえっ(↓)、虫が出てきた」二**うえっ**《副》①はき出したくなるようす。「一口食べてーとなった」②うんざりするようす。「山積みの書類を見てーとなる」▽一二うえ(ー)。

**うえつかた**【上つ方】〔古風〕身分の高い人。うえつがた。

**うえつ・ける**【植え付ける】《他下一》①草や木をよそから移して根づかせる。「苗をー」②ある思いや考えを、相手がいつも持つようにしむける。「差別意識をー」名植えつけ。「イネのー」

**ウエッジソール**〔wedge sole〕かかとの部分が厚底で、つま先に向かってだんだんうすくなるくつ。

☆☆**ウエット**《ナダ》〔wet〕①しめっているようす。「ーティッシュ」②情緒的なようす。特に、義理・人情を重んじるようす。「ーな関係」▽ウェット。(↔ドライ)●**ウエットスーツ**〔wet suit〕潜水服の一種。水をとおすが、生地の中の気泡が体温の低下を防ぐ。サーフィン・水上スキーなどにも用いられる。☞ドライスーツ。●**ウエットティッシュ**〔wet tissue〕薬液をしみこませた、水に溶けにくいティッシュ。

**ウエディング**〔wedding〕結婚(式)。ウェディング。「ーケーキ・ードレス・ーマーチ・ーチャペル(=結婚式用の礼拝堂)」

**ウエハース**〔wafers〕さくさくした歯ざわりの板状の菓子。小麦粉・たまご・砂糖などをまぜ、格子模様をつけて軽く焼いたもの。ウエファース。ウエハー。

**ウェビナー**〔webinar〕ウェブを利用した(大人数での)セミナー。また、そのためのシステム。

☆☆**ウェブ**〔web〕《情》インターネットを利用して、世界的規模で情報の検索・表示・発信ができるシステム。ワールドワイドウェブ(WWW)。「ーマガジン(=インターネットで公開する雑誌ふうの読みもの)」

**ウェブかいぎシステム**【ウェブ会議システム】パソコンやスマートフォンを使って、複数の人が同時に(顔を見ながら)会話をするためのしくみ。オンライン会議システム。ウェブ会議サービス。例、Zoom(商標名)。

**ウェブサイト**〔web site〕《情》⇨サイト③。

**ウェブページ**〔web page〕《情》「ホームページ①」の、専門的な言い方。

**う・える**【飢える・餓える】《自下一》①食べ物がなく、おなかのすいた状態が続く。②ほしいものごとが得られない状態が続く。「愛情にー・活字にー」

**う・える**【植える】《他下一》①〔草木を育たせるために〕根を土にうめて、立たせる。「木をー・なえをー」②毛・針などのはしを中にうめる。「かつらに毛をー・活字をー」③〔病原体などを〕繁殖させるため、ほかから移す。「菌をー」

**ウェルカム**《名・ナダ》〔welcome〕歓迎(しているようす)。ウエルカム。「ーなふんいき・だれでもーです・〔感動詞的に〕ー!(=ようこそ!)・ーパーティー」●**ウエルカムドリンク**〔welcome drink〕〔パーティー会場やホテルなどで〕客を歓迎するために、無料でくばる飲み物。●**ウェルカムボード**〔welcome board〕歓迎用の小さな看板。「結婚式の—」

**ウエルターきゅう**〔ウエルター級〕〔welter〕体重で分けた選手の階級の一つ。プロボクシングでは、一四〇ポンド〔=約六三・五キロ〕以上、一四七ポンド〔=約六六・七キロ〕までの体重。ウェルター級。

**ウエルダン**〔well-done〕〔ステーキを〕中までよく焼くこと。よく焼き。ウェル ダン。(↔ミディアム・レア)

**ウエルネス**〔wellness〕〔well=健康な〕からだも心も行動もすべてが健康であること(を目ざす生き方)。ウェルネス。

**うえん**〔有縁〕①《仏》仏(の教え)と縁があること。「仏法に—の国」②〔文〕その人とつながりがあること。「—の人物」③⇩ゆうえん①。▽(↔無縁)

**うえん**〔×迂遠〕《ナダ》〔文〕遠まわりなようす。すぐには役立たないようす。「—な方法」

**うお**〔魚〕「さかな」のかたい言い方。「—市場・—市」●**魚が水を得たよう** 句 ⇩水を得た魚のよう〔「水」の句〕。

**ヴォ**◇この辞書の見出しでは「ボ」。例、ヴォリューム⇩ボリューム。☞ヴ。

☆☆**うおうさおう**〔右往左往〕《名・自サ》右に行ったり左に行ったり〈して、まごつく〉こと。「兵隊が—する」〔古くは「うおうざおう」〕

**ウォー** 造 〔war〕戦い。はげしい争い。ウォーズ。「—ゲーム」

☆☆**ウォーキング**〔walking〕〔健康や訓練のために〕急ぎ足で歩くこと。ウオーキング。「—シューズ」

**ウォーク**〔walk〕①歩くこと。「皇居一周—」②遊歩道。「ウエスト〔=西がわ〕—」▽ウオーク。●**ウォークインクローゼット**〔walk-in closet〕〔人が立ったままはいれるほどの大きさの〕洋服などの収納部屋。●**ウォークラリー**〔和製 walk rally〕野外ゲームの一種。コース図にしたがってグループで歩き、課題をときながらゴールまで進み、時間得点と課題得点の合計をきそう。

**ウォーター**〔water〕水。ウオーター。「ミネラル—・—クーラー〔=つめたい水を出す装置〕」●**ウォーターサーバー**〔water server〕飲むための水や湯を中にためておき、ほしいときにそそぐ器械。給水器。●**ウォーターシュート**〔water chute〕〔遊園地などで〕高い所からボートに乗って斜面の下の水面にすべりおりて遊ぶ設備。●**ウォータースライダー**〔和製 water slider〕プールにある、大きなすべり台。上から水が流れている。ウォーター スライド。●**ウォータープルーフ**〔waterproof〕〔時計・布地などの〕防水性。〔けしょう品などの〕耐水性。●☆☆**ウォーターフロント**〔waterfront=水ぎわ〕海・川・湖などに面した土地。「—開発計画」●**ウォーターポロ**〔water polo〕⇩水球。

**ウォーニング**〔warning〕⇩ワーニング。

☆☆**ウォーミングアップ**《名・自他サ》〔warming up〕①試合・競技を始める前の準備運動。(↔クールダウン)②自動車を走らせる前に、エンジンを回して、あたためること。暖機運転。アイドリング。③調子を出すために、前もってあることをすること。「簡単な歌でのどを—しておく」▽ウォームアップ。ウオーミングアップ。

**ウォームアップ**《名・自サ》〔warm up〕⇩ウォーミングアップ。

**ウォールがい**〔ウォール街〕〔Wall〕アメリカのニューヨーク市にある、金融の中心地。株の取引所がある。

**ウォールナット**〔walnut〕クルミ〈の実〉。オールナット。ウォルナット。「—材」

**うおがし**〔魚河岸〕さかな類をあつかう市場。河岸。

**うおごころ**〔魚心〕●**魚心あれば水心(あり)** 句 本人に、そうしようとする気持ちがあれば、相手にもそれにこたえようとする気持ちがある。

**うおすき**〔魚(×鋤)〕さかなや貝類を、野菜などとともにうすいしょうゆ味の出しじるで煮ながら食べる、関西ふうの料理。沖すき。

**ウオッカ**〔←ロ vodka〕ライ麦や大麦、トウモロコシなどから造る、無色の強い蒸留酒。ロシア連邦や東欧諸国が産地。ウオツカ。ウォッカ。原語の発音は「ウォトカ」に近く、それを「ウオツカ」と書いた表記が「ウォッカ」と読まれるようになった。☞スピリッツ①。

**うおつきりん**〔魚(付き)林〕さかなを寄せ集め、また、その繁殖・保護をはかる目的で、海岸や湖岸に作られた森林。魚付き保安林。

**ウォッシャブル**〔washable〕家庭のせんたく機で洗えること。ウオッシャブル。「—スーツ」

**ウォッチ**〔watch〕㊀〔うで時計・懐中時計など〕小さな時計。「ストップ—」㊁《名・他サ》気をつけて見ていること。観察。「自動車産業の動向を—している」▽㊀㊁ウオッチ。

**ウォッチャー**〔watcher〕観察する人。観察者。

☆☆**ウォッチング**〔watching〕〈興味を持って〉見ること。観察。「バード—」

**うおのめ**〔魚の目〕足のうらなどにできる、皮膚の一部がかたくなって内がわにくいこんだもの。中心にさかなの目のような芯がある。鶏眼。

**ウォン**〔朝鮮 won(円)〕韓国および北朝鮮のお金(の単位)。

**ウォンバット**〔wombat〕オーストラリアにすむ、小グマのようにずんぐりしたけもの。ふさふさした毛におおわれ、顔はまるく、目と耳がごく小さい。

**うおんびん**〔ウ音便〕《言》音便の一つ。「ヒ・ク」などの音が、〔おもに、文語・方言で〕「ウ」の音になるもの。例、「問ひて」→「問うて」、「よく来た」→「よう来た」

**うか**〔羽化〕《名・自サ》《動》さなぎが成虫になって、羽がはえること。

**うかい**〔×鵜飼(い)〕ウ〈鵜〉を飼いならしてアユなどの川ざかなをつかまえさせる〈こと／人〉。うがい。

☆☆**うかい**〔×迂回〕《名・自サ》①遠まわり。「—路」②直接の方法をさけておこなうこと。「—献金・—融資」

**うがい**〔(×嗽)〕《名・自サ》〔薬品を加えた〕水を口にふくんで左右に移動させたり、のどの奥まで行きわたらせたりして、口の中やのどを洗うこと。

**うかうか**《副・自サ》①心がおちつかないようす。「—歩く」②しっかりした考えもなく、ぼんやりしているようす。「—していられない」

☆☆**うかがい**〔伺い〕〔謙譲語〕①うかがうこと。②

神や仏の託宣を願うこと。③〔上級の〕官庁や上役からの指示・説明を願うこと。「(お)ーを立てる」 表記「支出伺」「進退伺」などには、送りがなをつけない。

**うかがいし・る**【(×窺い)知る】《他五》外にあらわれたことから、中の様子を知る。可能 うかがい知ることができる。うかがい知れる。「表からは うかがい知れない」

**＊うかが・う**【伺う】一《他五》「問う・尋ねる・聞く」の謙譲語。「お話をー」 二《自五》「おとずれる」の謙譲語。「先生の お宅にー」 ▽一二「お伺いする」「お伺いいたします」は、より けんそんした(丁重な)言い方。可能 伺える。

**うかが・う**【(×窺う)】《他五》①そっと様子を見る。「顔色をー」 ②つかまえるために、様子を見て、待つ。ねらう。「えものをー」 ③都合のいい時が来るのを待つ。ねらう。「相手の すきをー・機会をー」 ④手に入れるところまで近づく。「敵の基地をー・過半数をー」 ⑤おしはかる。「努力のほどが うかがわれる」 可能 うかがえる。

**☆☆うかさ・れる**【浮かされる】《自下一》①のぼせたりして、頭が ぼんやりする。「熱に浮かされて うわごとを言う・酒にー」 ②それが好きで、夢中になる。「恋愛映画にー」

**うかし**【浮かし】①うかすこと。②《料》汁の実。

**うか・す**【浮かす】《他五》ういた状態にする。浮かせる。「コーヒーに氷をー・ボールを宙にー・思わず腰をー・費用をー」

**うかつ**【(×迂×闊)】《ナダ》注意が足りないようす。うっかりしたようす。「ーにも判を押してしまった」 派ーさ。

**☆☆うが・つ**【(×穿つ)】《他五》①〔文〕〔穴を〕あける。「点滴石をー〔⇩「点滴」の句〕」 ②〔文〕ほる。「トンネルをー」 ③〔多く うがった〕ⓐするどい観察力で、本当の姿をとらえる。「なかなか うがった論だ」 ⓑあまり根拠もなく、深読みする。「少々うがった見方かもしれないが…」 ✍ⓐは すぐれている感じ、ⓑは よくない感じがある。文脈によっては まぎらわしいので、「するどく うがった見方」のように表現をくふうするといい。

**うかとうせん**【羽化登仙】〔文〕酒に酔っていい気分になることのたとえ。由来 羽が生え、仙人となって天にのぼる意味から。

**うか・ない**【浮かない】《形ヌズ》心配で、気分がしずんだようす。陽気でない。「ー顔をする」

**うかば・れる**【浮かばれる】《自下一》①死んだ人の魂〔多く 浮かばれない〕がなぐさめられて、安心できる。「これで仏もー」 ②〔多く 浮かばれない〕努力が むくわれる。役立つ。「これでは国民は浮かばれない」

**うかびあが・る**【浮かび上がる】《自五》①浮き上がる。②はっきりとあらわれて出る。「疑わしい点がー・会長候補としてー」

**＊うか・ぶ**【浮かぶ・×泛ぶ】《自五》①目立つものが、水などの表面に〈のる/上がる〉。「船が海にー・死体がー」(↕しずむ) ②目立つものが空中に〈とどまる/上がる〉。「雲が空にー」 ③はっきりと見えるようになる。「なみだがー・画面に文字がー」 ④はっきりと わかるようになる。「いい考えがー・胸にー・容疑者がー」 ⑤〔島が〕水の上に出ている。「太平洋にー島」 ⑥⇩浮かばれる。 区別 「浮く」は、それが よく目立つことに重点があり、「浮かぶ」は、まわりの水・空気などより軽いことに重点がある。「油は水に浮く」とは言うが、「油は水に浮かぶ」とは言わない。 可能 浮かべる。

**うかぶせ**【浮かぶ瀬】苦しい境遇から抜けるとき。努力のむくいられるとき。「ーがない」

**うか・べる**【浮かべる・×泛べる】《他下一》①うかんだ状態にする。うかす。②表にあらわす。「なみだをー・ほほえみをー」

**うか・る**【受かる】《自五》①〔試験に〕合格する。②〔電波が〕受信機に はいる。

**うかれ・でる**【浮かれ出る】《自下一》心がうきうきして外へ出ていく。「花見にー」

**うかれめ**【浮かれ女】〔雅〕あそびめ。

**うか・れる**【浮かれる】《自下一》〔いいことがあって〕心が陽気になり、注意が行き届かなくなる。「花見で浮かれてさわぐ・好景気にー世の中」

**うがん**【右岸】〔川の上流から下流を見たとき〕みぎがわのきし。(↕左岸)

**うかんむり**【(ウ冠)】漢字の部首の一つ。「家」「室」などの、上がわの「宀」の部分。

**うき**【右記】〔文〕〔たて書きの文章で〕すぐ前〔=右〕に書いた内容。「ーのような事情」(↕左記)

**うき**【雨季・雨期】あめの多い〈季節/時期〉。(↕乾季(かんき))

**うき**【浮き】①うくこと。「壁紙にーが出る」 ②【△浮△子・ウキ】〈つり糸/網〉につけて水に うかべるもの。③↑うきぶくろ①。④〔古風・俗〕かけごとで もうけが出ること。「ーで帰る」

**うき**【憂き】《連体・名》〔文語形容詞「うし」の連体形から〕〔文〕つらい(こと)。

**うきあが・る**【浮き上がる】《自五》①水面へ一部分が出る。「死体がー」(↕沈む) ②空中に浮く。「気球がー・からだがー」(↕沈み込む) ③区別されて、はっきり見える。「背景からー」 ④苦しいところをのがれる。▽浮かび上がる。⑤もちあがる。「土台がー・マンホールのふたがー」 ⑥同じなかまの中で、ひとりだけ かけはなれる。名 浮き上がり。

**うきあし**【浮き足】①かかとをはなした、不安定な立ち方。②にげ出しそうな、足の状態。「ーになる」 ●☆☆**うきあしだ・つ**【浮き足立つ】《自五》①にげごしになる。「敵が来ると聞いてー」 ②そわそわして おちつきがなくなる。「人事異動を前に社内がー」 ③〔俗〕浮き立つ。うきうきする。「みんながークリスマス」

**うきいし**【浮き石】斜面などにある、ぐらぐらしていつ落ちるかわからない不安定な岩。

**うきうき**【(浮き浮き)】《副・自サ》喜びや楽しみで、心がおちつかないようす。「ーする曲・夏休みも近づきーする」 ☞わくわく。

**うきがし**【浮き貸し】《名・他サ》《経》〔銀行などで〕正式の手続きをとらずに貸しつけること。不正融資。

**うきくさ**【浮き草】①根が地面からはなれて、くきや葉が水の上に出ている草。②一つの場所におちつかない生活のたとえ。「ー稼業」

**うきぐも**【浮き雲】①空にうかぶ雲。②おちつかない〈こと/もの〉の たとえ。

**うきごし**【浮き腰】①腰におちつきがなくて、姿勢が決まらない状態。②逃げ腰。「ーになる」 ③《柔道》相手の腰を浮かせて、自分の腰にのせて投げる わざ。

**うきしずみ**【浮き沈み】《名・自サ》①うくことと しずむこと。「気持ちの―が はげしい」②栄えることと おとろえること。「人生の―」

**うきしま**【浮き島】①湖や沼に草の根が かたまって うかび、島のように見えるもの。②《理》冬に多い、水上の しんきろう(蜃気楼)の一つ。島などが水面にうかんで いるように見える。

**うきだ・す**【浮き出す】《自五》⇩浮き出る。「文字が―」

**うきた・つ**【浮き立つ】《自五》①〔ほかと区別されて〕はっきりと見える。「―ように文字を刻印する」②楽しく陽気になる。「心が―」他浮き立たせる《下一》。「考え方の ちがいを―・気持ちを―」

**うき・でる**【浮き出る】《自下一》①飛び出して浮いたように見える。「表紙に文字が―・模様が―」②〔中から浮いて〕表面に出る。「汗が―・暗やみに顔が―・あばら骨が浮き出て見える」▽浮き出す。

**うきな**【浮き名】〔＝憂き名〕色事の うわさ。「―を流す」

**うきね**【浮き寝】《名・自サ》〔雅〕①海などに うかんだ小舟の中に ねること。②水鳥や さかなが、海面・水面に ういたまま ねること。「―鳥」

**うきはし**【浮き橋】小舟などを ならべて板を わたし、橋としたもの。ふなばし。

**うきぶくろ**【浮き袋】①泳ぐときなどに、しずまないように からだに つける袋。特に、浮き輪。うき。「救命用の―」②〔×鰾〕《動》さかなの からだの中にあって、うきしずみを調整する ふくろ。ふえ(鰾)。

**うきぼり**【浮き彫り】《名・他サ》①まわりを けずって、形・模様が うき出るように ほった彫刻。レリーフ。「文字を―する」②〔ほかと区別されて〕はっきり その形や状態を見せること。「問題点を―にする〔『―する』は古風〕」

**うきみ**【浮き身】泳ぎ方の一つ。からだの力をぬいて あおむけになり、静かに水面にうかぶ。

**うきみ**【浮き実】スープにうかせて、味を引き立てたり、見ばえを よくしたり するもの。例、パセリの みじん切り・クルトン。☞吸い口③。

**うきみ**【憂き身】つらいことの多い身。「―苦労」●**憂き身をやつす** 句 〔やつれるほど〕度をこして夢中になる。身をやつす。「色恋に―」

**うきめ**【憂き目】つらいこと。「落第の―を見る・失格の―に遭う」

**うきよ**【浮き世】〔＝憂き世〕〔苦しい/わずらわしい〕この世。俗世間。●**うきよえ**【浮世絵】江戸時代の風俗を えがいた版画や絵。●**うきよのかぜ**【浮き世の風】世間で経験する いろいろな困難。「―は冷たい」●**うきよのなさけ**【浮き世の情け】この世に生きる人間どうしの慈悲。●**うきよのならい**【浮き世の習い】この世で、あたりまえのことに なっている さだめ。●**うきよばなれ**【浮き世離れ】《名・自サ》世の中の動きや常識から かけはなれていること。

**うきょく**【×迂曲】《名・自サ》〔文〕曲がりくねること。「―する小道」

**うきわ**【浮き輪】水の中で からだを浮かせるために使う、空気を入れた輪の形の ふくろ。

**う・く**【浮く】㊀《自五》①軽いために、水などの表面に〈上がる/とどまる〉。「海に油が―・からだが水に―」(↕しずむ)②軽いために、空中に〈上がる/とどまる〉。「宙に―」③いつの間にか、表面に あらわれる。「顔に脂が―・あせが―・鉄板に さびが―」④土台や地面に しっかり ついていない状態になる。「くぎ(釘)が―・歯が―ような おせじ」⑤お金や時間の余りが出る。「費用が―」⑥心の根本が しっかりしていない状態になる。「浮いた心」⑦周囲の ふんいきに なじまない状態になる。「浮いた存在」⑧心が うきうきする。「気分が浮かない・浮いた浮いたで暮らす〔古風〕」⑨《マージャン》〔俗〕最初の持ち点より増える。(↕しずむ) 区別 ⇩浮かぶ。☞浮かない。㊁《他五》〔空中を〕さまよう。「宙を―ような足どり」

**うぐい**【(×鯎)】〔ひ〕川にすむ さかな。からだは細長く、産卵期には、おす・めすともに、えらから尾の方向に赤や黒の筋が出る。はや。はえ。

**うぐいす**【(×鶯)】㊀ うぐいす ①せなかが やや暗い黄緑色をした、小形の鳥。春、梅の さくころから、「ほう ほけきょ」と きれいな声で鳴く。由来「うぐい」は、ウクピという鳴き声。「す」は、鳥を指す接尾語。☞経を読む〔「経」の句〕。②〔ウグイス〕〔俗〕声のいい女性。「―嬢(＝球場・選挙の宣伝カーなどでアナウンスする女性)」㊁ 造 うぐいす色のもの。「―あん(＝青えんどうの こしあん)・―パン(＝うぐいすあん入りのパン)・―豆(＝あまく煮た青えんどう)」●**うぐいす鳴かせたこともある** 句 若いころは美人で、男にも もてたものだ。●**うぐいすいろ**【(×鶯)色】ウグイスの羽の色に似た、やや暗い黄緑色。●**うぐいすばり**【(×鶯)張り】ふむと、キュッキュッとウグイスが鳴くような音が出る、板張りの廊下。●**うぐいすもち**【(×鶯)餅】もちで あんを包み、青きなこ(＝うぐいすきなこ)を まぶした菓子。色と形がウグイスに似ている。

**ウクレレ**〔ukulele〕〔音〕ギターに似た、弦の四本ある、小型の楽器。ハワイアンで使う。

［ウクレレ］

**うけ**【(有×卦)】幸運(の年まわり)。「―に入る(＝幸運に めぐりあう)」

**うけ**【受け】㊀ うけ ①引き受けること。「お―は できません」②評判。気受け。「世間の―が いい・―ねらい」③守ること。「―に まわる」㊁ 造 ①…を受けるもの。「郵便―・棚―・板―」②〔名・自サをつくる〕…から(いい)評判を得ること。「若者―するデザイン・客―が いい」

**うけあい**【請け合い】☞安請け合い。確実。「おもしろいこと―だ(＝保証する)」

**うけあ・う**【請け合う】《他五》①たしか〈なことを/だと〉保証する。②引き受ける。「納期を―」

**うけい**【右傾】《名・自サ》〔文〕①右のほうへ かたむくこと。②〔〈政治/社会〉運動で〕思想が保守的・国粋的に かたむくこと。▽(↕左傾)

***うけい・れる**【受け入れる】《他下一》〔受け入れる・受け容れる〕①外から来た人や ものを〈ことわったりせずに〉内部に入れる。「留学生を―・産業廃棄物を―・外国文化を―」②いいと認めて支持する。「著作が世に受け入れられた」③それで いい、しかたがない、と認める。「要求を

―・現実を―」[名]受け入れ。「―態勢」

**うけうり**【受け売り】《名・他サ》①問屋から買った品を売ること。②他人の説をそのまま(自分の意見のように)のべること。

**うけおい**【請負】ひ―お　うけおうこと。「―人(にん)」●**うけおいし**【請負師】請負の土木工事を職業とする人。

**うけお・う**【請け負う】ふ―お《他五》専門的な仕事を、代わりにおこなうことを引き受ける。「工事を―・会社の再建を―」

**うけぐち**【受け口】①受けて〈中に入れる/中でとめる〉口。「郵便受けの―・電球の―」②上あごよりも下あごが少し突き出ている口。うけくち。

**うけこ**【受け子】特殊詐欺(さぎ)のグループで、だました相手から現金を受け取る役。→出し子①。

**うけごし**【受け腰】①ものを受けとめるときの〈腰(こし)つき/姿勢〉。②受け身の態度。「―になる」

**うけこたえ**【受け答え】―こたへ《名・自サ》ことばをかけられて答えること。応答。[動]受け答える《自下一》。

☆☆**うけざら**【受け皿】①カップやコップの下に敷(し)く小さな皿。しずくを受ける皿。②人やものごとを受け入れる先。「退職者の―を準備する」

**うけしょ**【請け書】承知したことを書いて相手にわたす文書。請け書き。

**うけだ・す**【請け出す】《他五》借金をはらって引き取る。「質(しち)ぐさを―・遊女を―」

**うけだち**【受け太刀】①切りこんできた太刀(たち)を受けとめる太刀(さばき)。②相手の攻撃(こうげき)を防いでばかりいる立場。受け身。

☆☆**うけたまわ・る**【承る】うけたまはる《他五》〔謙譲(けんじょう)語〕①つつしんで聞く。「お名前を承りましょう」②つつしんで引き受ける。「修理承り所」[名]承り。[由来]「受け賜(たま)わる」が語源だが、今はそう書かない。「配送のお―はこちらでございます」

**うけつ・ぐ**【受け継ぐ】《他五》①あとを引き受ける。「管理を―・業務を―」②前の代から伝わるものを〈受け取る/持つ〉。「名前を―・祖先のDNAを―」[名]受け継ぎ。

**うけつけ**【一】【受け付け】《名・他サ》①受け付けること。「電話で―開始・―中」②受け付けてもらうこと。「病院で―をすませる」【二】【受付】受け付ける〈人/担当所〉。「―係」[表記]「申請(しんせい)書の受け付けは、正面の受付で行います」のように区別する。受付の人があつかうものも、「受付金・受付額・受付書類」と書く。

**うけつ・ける**【受け付ける】《他下一》①申しこみ・用件を聞いて、取りついだり、しまつしたりする。②引き受ける。「頭から受け付けない(=言うことを取り上げない)」③抵抗(ていこう)なく受け入れる。「食事を受け付けない・生理的に受け付けない」

**うけて**【受け手】①受け(とめ)る人。②〔放送・通信などを〕受け取る人。▽(↔送り手)

**うけとめ**【受け止め】〔できごとについての〕うけとめ方。反応。「政府の―」〔二十一世紀になって広まったことば〕

**うけと・める**【受け止める】《他下一》①受けて〈止める/防ぐ〉。「ボールを―」②しっかりととらえる。「問題を重く―・今回の事態をどのように―か」

**うけとり**【一】【受け取り】ものやお金を受け取ること。「荷物の―」(↔〔郵便物や荷物の場合〕差し出し)[表記]事務関係の熟語では「受取」と書く。「受取額・受取人」【二】【受取】受け取ったしるしの書きつけ。領収書。

*__うけと・る__【受け取る】《他五》①手に受けて取る。②手もとにおさめる。「返事を―・利子を―」③(そのとおりに)理解する。「そうは受け取りにくい」[可能]受け取れる。

**うけなが・す**【受け流す】《他五》①相手の太刀(たち)や攻撃(こうげき)を軽くかわす。②ほどよく応対する。「柳(やなぎ)に風と、軽く―」

**うけにん**【請け人】〔古風〕人の身元などを引き受ける人。

**うけばこ**【受け箱】郵便物・新聞や牛乳などを受け取るために、門などに取りつけた箱の形の入れ物。

**うけはらい**【受払】―はらひ《経》①〔商売で〕お金を受け取ることと支払うこと。②物品の仕入れと出荷(しゅっか)。

**うけみ**【受け身】①ほかから〈動作/攻撃(こうげき)〉を受けること。②自分からするのでなく、人の意向や指示によって行動すること。「―の態度」▽受動。③《柔道など》相手に投げられたとき、けがをせずにたおれる方法。④《言》ほかから動作(の影響(えいきょう))を受けることをあらわすときの言い方。助動詞「れる・られる」をそえてあらわす。受動。

**うけも・つ**【受け持つ】《他五》①自分の仕事として引き受ける。「進行係の役を―」②その学級をおもに指導する。担任になる。「一年生を―」[名]受け持ち。「―の先生」

↓**__う・ける__【受ける】【一】《他下一》①(自分に)向かって来るものを、からだ・手・道具などでとめる。うけとめる。「ボールを―」②相手からのはたらきが身におよんだ状態になる。「影響(えいきょう)を―(=こうむる)・きずを―・試験を―・訪問を―・この問題を受けて、参加をとりやめた」③【△承ける】うけつぐ。「親の血を―」④〔命令・要望などを〕聞く。また、聞き入れる。「注文を―」⑤引き受ける。「監督(かんとく)をお受けします」⑥あたえられる。「賞を―・生(せい)を―(=生まれる。『享ける』とも書く)」⑦向く。「南を―(=南に面する)」【二】【ウケる】《自下一》①人気を集める。「大衆に―」②おもしろい、と思わせる。「ギャグが―・〔じょうだんなどに反応して〕―！(=おもしろい！)」[可能]受けられる。受けれる〔俗〕。●**受けて立つ**[句]相手からしかけられたことに応じる。「挑戦(ちょうせん)を―」

↓**う・ける**【請ける】《他下一》①代金をはらって取りもどす。請け出す。「質(しち)ぐさを―」②仕事を引き受ける。請け負う。

**うけわたし**【受け渡し】《名・他サ》品物・お金を受け取ることとわたすこと。[動]受け渡す《他五》。

**うげん**【右舷】〔船首に向かって〕右がわのふなばた。(↔左舷)

**うご**【羽後】《地》明治元(一八六八)年にできた旧国名。今の秋田県の大部分と、山形県の一部。

**うご**【雨後】〔文〕雨の降ったあと。雨上がり。「―の月」●**雨後のたけのこ(筍)のよう**[句]同じようなものごとが次々と〈起こる/あらわれる〉ことのたとえ。「―に店ができる」

**うごう**【×烏合】〔カラスの集まりのように〕統制のない

寄り集まり。「—の衆」

＊**うごか・す**［動かす］《他五》①動くようにする。「うでを—・風が木の枝を—・機械を—」〔「目を動かせてみせる」のように「動かせる」の形もある〕②場所を変える。「机を—・大金を—〔=自由にあつかう〕」③別の状態に変える。「組織を—・人事を—」④担当(の人)を行動させる。「部下を—・当局を—」⑤感動させる。「熱意に動かされる」⑥変更する。「動かしがたい事実〔=ちがう、と言いにくい事実〕」 可能 動かせる。

**うこぎ**［(:五加)・(:五加木)］生けがきなどに植える、とげのある落葉低木。食用・薬用。「—の若芽のおひたし」

＊＊**うごき**［動き］動くこと。「—〔=動作〕がにぶい・世の中の—〔=変動〕・〔ニュースで〕今週の—〔=予定されている活動〕」 ●**動きが取れない** 句 動こうとしても動けない。制約があって活動できない。

＊＊**うご・く**［動く］《自五》①位置・形などが(たえず)変わる。「バスが—・風で枯れ葉が—・CGの絵が—」②機械が役立つことをする。作動する。「時計が—・エアコンが動かない」③不安定になる。ゆれる。「気が—〔=その気になりかかる〕」④状態が変わる。「世の中が—」 可能 動ける。 ●**動かぬ証拠** 句 決定的である、確かな証拠。「—をつきつける」 ●**うごくほどう**［動く歩道］通路に敷いたコンベアに人を乗せて運ぶ設備。ムービング ウォーク。

**うこさべん**［右顧左×眄］《名・自サ》〔文〕まわりの意見や様子を気にして、なかなか決心がつかないこと。左顧右眄。

**うこっけい**［(×烏骨鶏)］骨や皮膚が黒く、全身が白または黒の羽毛で包まれたニワトリ。たまごや肉が高級な食材となる。

**うごめ・く**［(×蠢く)］《自五》①たくさんの虫などがせまい場所で動き続ける。「うじが—」②中で動き続ける。「やみ社会に—人々・心の中に—感情」▽蠢動する。③形を変えながら、動く。「くちびるが—・かげが—」 名 うごめき。 他 うごめかせる《下一》・うごめかす《五》。「得意の鼻を—〔=ひくひく動かす〕」

**うこん**［(△鬱金)］①カンナに似た草の名。根は染料や薬用などにする。☞ターメリック。②「うこん①」の根で染めた色。あざやかな黄色。うこんいろ。 ●**うこんこう**［(△鬱金香)］⇩チューリップ①。うっこんこう。

**うさ**［憂さ］気持ちがはれないこと。「—をはらす」

**うざ・い**《形》〔「ウザい」とも書く〕〔俗〕わずらわしい。うっとうしい。「—勧誘・—性格」 由来 「うざったい」から、一九九〇年代に全国的に広まったことば。 派 -がる。-さ。

**うさぎ**［(×兎)・(×兔)］①耳の長い小形のけもの。うしろ足が長く、よくはねる。〔略して「うさ」とも。「うさちゃん」〕「—小屋〔せまい家のたとえにも〕」 数え方は、「匹」のほかに「羽」も。☞羽③。②⇩う(卯)①。「—年」 ●**うさぎとび**［(×兎)跳び］両手を後ろにまわし、腰を落としたまま、両足をそろえて前へとびつづける運動。ひざを痛めるもとになる。△止

**うざく**［(×鰻ざく)］ウナギのかば焼きを刻んだものとキュウリで作る、酢のもの。

**うさせつ**［右左折］〔車両の〕右折と左折。「—禁止」

**うざった・い**《形》①〔もと東京多摩地区の方言〕不快だ。わずらわしい。「—天気・—仕事」②〔俗〕〈じゃまで/めんどうくさくて〉うっとうしい。「前髪が—・—やつ」〔一九八〇年代に若者の間に広まった用法〕▽うざっこい。 派 -がる。-さ。☞うざい。

**うさばらし**［憂さ晴らし］《名・自サ》つらい気持ちをはらすこと。「酒で—する」

**うさん**［(×胡散)］《ナダ》〔文・古風〕〔正体・素性などが〕うたがわしい感じがするようすだ。「—な者」 ●**うさんくさ・い**［(×胡散臭い)］《形》なんとなくあやしい感じだ。「—連中」 派 -げ。-さ。

↔**うし**［×丑］①十二支の第二。ね(子)の次。「—年・—の年」〔年のほか、月・日にも言う〕②昔の時刻の名。今の午前二時ごろに当たる。八つ。「—の刻」③昔の方角の名。北北東。

↔**うし**［牛］重要な家畜の一つ。つのがあって力が強い。乳・肉・皮を利用する。鳴き声は、もうもう・もーう。「松阪—」☞牛の歩み・牛のよだれ。 ●**牛に引かれて善光寺参り** 句 その気がなかったのに、むりにさそわれてしてみたところ、いい結果になる。 由来 布を角にひっかけてにげる牛を追って善光寺へ行き、信心するようになった老婆の話から。 ●**牛を馬に乗り換える** 句 様子を見て、自分に都合のいいほうに切りかえる。

**うし**［(×齲)歯］〔「くし」の慣用読み〕《医》虫歯。

**うじ**［氏］⊖**うじ** ①《法》名字。姓。し。「結婚後、妻の—を名のる」②《歴》〔古代社会で〕血縁で結びついた同族集団。例、蘇我氏。「—姓の制度」 ⊜ 接尾 〔古風〕名字につける尊敬語。「加藤—」 ●**氏より育ち** 句 血筋や家がらよりも教育や環境のほうが大切だ。

**うじ**［(×蛆)］ハエ・ハチなどの幼虫。筒形で白っぽい、小さい はだか虫。くさった肉・汚物などに わく。うじむし。

**うじうじ**《副・自サ》思いきれなくて、いつまでも ためらうようす。「—(と)なやむ」

**うしお**［(△潮)］〔う=海。しお=塩〕①〔雅〕海水。しお。②ⓐ↑うしおじる。ⓑ↑うしおに。 ●**うしおじる**［(△潮)汁］塩だけで味をつけた、タイ・スズキ・ハマグリなどの すましじる。うしお。 ●**うしおに**［(△潮)煮］骨つきの白身の さかなを塩味で煮たもの。しらに。

**うしがえる**［(牛×蛙)］北アメリカ原産の大きなカエル。おすは、ウシのような太い声で鳴く。肉は あっさりした味。食用がえる。

**うじがみ**［氏神］①氏の先祖としてまつる神。②村や町の守り神としてまつる神。うぶすながみ。☞時の氏神。

**うじきんとき**［宇治金時］〔「宇治」は抹茶、「金時」は あずき〕①かき氷に抹茶シロップをかけ、あずきあんをのせたもの。②抹茶とあずきを使った菓子やパンの味つけ。

**うじこ**［氏子］①氏神の子孫。②うぶすな神の守る土地に〈生まれた/住む〉住民。 ●**うじこじゅう**［氏子中］氏子の なかま。

**うじすじょう**［氏素性・氏素姓］家がらや血筋。「—も わからない男」

**うしとら**［(×艮・×丑×寅)］昔の方角の名。北東。鬼門にあたる。

**うしな・う」[失う]《他五》①〈自分の/だいじな〉ものをなくす。「命を—」②にがす。「機会を—」③死なせる。亡くす。「子を—」④〔文〕資格をなくす。「傑作たるを失わない〔=じゅうぶん傑作と言っていい〕」表記①③「△喪う」とも。

**うしのあゆみ**」[牛の歩み] 進み方がのろいこと。「展示物の前を—で進む・研究は—だ」

**うしのときまいり**[×丑の時参り] うしのとき〔=午前二時ごろ〕にそっと神社にお参りして人をのろうこと。うしの刻まいり。

**うしのひ**」[×丑の日] 十二支のうしに当たる日。夏の土用のうしの日には、ウナギのかば焼きを食べ、寒のうしの日には、女は口紅をつけた。

**うしのよだれ**」[牛の(×涎)] 目立った変化もなく、だらだらと長く続くこと。「—のような文章・商いは—」〔⇩「商い」の句〕」

**うしみつ**」[×丑三つ] ①昔の時刻の名。午前二時〜二時半ごろ。②まよなか。「—時」

**うじ」むし**[(×蛆)虫] ①⇩うじ(蛆)。②価値がなく、害にしかならない者を、ののしって言うことば。「この—めら！」

**うじ」ゃうじゃ**《副・自サ》〔小さな虫などが〕たくさん集まって動くようす。「毛虫が—いる」

**うじゃ・ける**」《自下一》①〔俗〕つまらなそうにする。「うじゃけた顔をする」②〔方〕⇩うじゃじゃける。

**うじゃじゃ・ける**」《自下一》〔古風・俗〕①熟し切って、形がくずれる。「あせもが—」②〔態度が〕だらしなくくずれる。▽うじゃける。

**うしょう**」[×鵜匠] 鵜飼いを職業とする人。うじょう。

**うじょう**」[有情] 一《仏》〔心のはたらきを持つ〕すべての人や動物。(↕非情) 二《名・ナダ》〔文〕人間らしい感情を持っていること。もののあわれを知っていること。(↕無情・非情)

***うしろ**」[後ろ] ①正面と反対のがわ。せなかがわ。「—〔=うしろすがた〕を見送る・車の—のトランク」②正面と反対の方角。後方。背後。「—をふりむく・木の—に月が出る」③先頭から遠いほう。あと。「—の席」④〈正面/表面〉から見えないところ。かげ。「びょうぶの—・—で糸を引く」▽(↕前) ●**後ろから鉄砲を撃つ** 句 仲間を批判したり攻撃したりする。後ろから弓を引く。「与党議員の政権批判は—ようなものだ」 ●**後ろを見せる** 句 負けてにげ出す。 ●**うしろ」あし**[後ろ足] ①うしろに出したほうの足。②あとあし。▽(↕前足) ●**うしろ かげ**」[後ろ影] うしろすがた。 ●**うしろ あわせ**[後ろ合わせ] せなかあわせ。 ●**うしろ」かぶ**[後ろ株]〔俗〕会社名で、株式会社や㈱がうしろにつくこと。あと株。(↕頭株) ●**うしろがみ**」[後ろ髪] 頭のうしろの部分の、かみの毛。 ●**後ろ髪を引かれる思い** 句〔うしろから かみを引かれるように〕あとに心が残る思い。「—で故郷を後にする」 ●**うしろ」きず**[後ろ傷] にげるとき、背中のほうに受けた傷。〔武士の恥とされた〕(↕向こう傷) ●**うしろぐら・い**」[後ろ暗い]《形》 人に知れたら、とがめられるような秘密を持っているようすだ。派-さ。 ●**うしろすがた**」[後ろ姿] うしろから見たときの、その人の姿。 ●**うしろ だ」おし**[後ろ倒し]《名・他サ》 予定をうしろにずらすこと。あとだおし。「終活の—」〔一九八〇年代から例があり、二〇一〇年代に広まったことば〕(↕前倒し) 動後ろ倒す《他五》〔俗〕。 ●**うしろ」だて**[後ろ盾]〔=後方を防ぐ盾〕 力を貸してくれる実力者・団体など。また、その力。後援。「—を得る・元首相の—で政界に進出する」 ●**うしろ つき**」[後ろ(付き)]〔古風〕(女性の)うしろ姿。 ●**うしろ で**」[後ろ手] 手をうしろに回した状態。「—に縛り上げる」 ●**うしろ のり**」[後ろ乗り]〔バスで〕うしろのドアから乗る方式。あとのり。(↕前乗り) ●**うしろ はち」まき**[後ろ鉢巻き] 頭のうしろで結んだはちまき。(↕向こう鉢巻き) ●**うしろ」はば**[後ろ幅]《服》和服で、後ろ身ごろの片がわの幅。(↕前幅) ●**うしろ」まえ**[後ろ前] 前とうしろ〈が反対になる/を反対にする〉こと。まえうしろ。「シャツを—に着た」 ●**うしろ み」ごろ**[後ろ身頃]《服》身ごろの、うしろの部分。背中をおおう。うしろみ。(↕前身頃) ●**うしろ むき**」[後ろ向き]《名・ナダ》①(見る人に対して)せなかを向けること。「—に立つ」②進行・進歩の方向に対して、せなかを向けること。「—の対策・—な発言」▽(↕前向き) ●**うしろ めた」・い**[後ろめたい]《形》 悪いことをして、〈人にひけめを感じる/罪悪感を覚える〉ような気持ちだ。「後ろめたく思う」派-さ。 ●**うしろ」ゆび**[後ろ指] 人をうしろからゆびさすこと。「他人に—」 ●**後ろ指を差される** 句 かげで、悪く言われる。「—」〔「(他人が)後ろ指を差す」の形でも使う〕

**う」す**[臼] 中にむしたもち米を入れ、そこでもちをつくための道具。きね(杵)でつく。「石—」

**うす**[薄] 一 造 ①うすい。「—刃・ヒラメの—造り・—むらさき・—ぐろい・—味」②少し。「—ぼんやり・—にごりの水面」③なんとなく。うそ。「—きみわるい・—みっともない」二 造〔名・形動ナダをつくる〕少ない。小さい。「期待—・気乗り—」

**う」ず**[右図]〔文〕右の(ほうの)図。(↕左図)

**う」ず**[渦] ①輪のように回る、水の流れ。②「うず①」の形の模様。うずまき。③入り乱れている状態。「あらそいの—に巻きこまれる・怒号の—・爆笑の—」

**うず**《終助》〔↑んず〕〔俗・方〕意志・勧誘などをあらわす。…う。「ごはん行きましょ—」〔もと、室町〜江戸時代の助動詞。一段活用の動詞には「ようず」がつく。「見ようず」〕

**うす あ」かり**[薄明かり] かすかな〈あかり/光〉。

**うす あげ**」[薄揚げ]〔↑薄揚げどうふ〕 あぶらあげ。〔多く関西で言う〕(↕厚揚げ)

**うす あじ**」[薄味] うすくつけた味。

**う」すい**[雨水] ①〔文〕あまみず。②〔=雪や氷が雨や水に変わる〕《天》二十四節気の一つ。二月十九日ごろ。

***うす・い**」[薄い]《形》①表とうらとのへだたりが小さい。「—板」(↕厚い) ②色がはっきりしない。「—けしょう・—文字」③とけこんだものが少な(くて、味があまり感じられな)い。「—お茶・塩味が—」④まばらで目立たない。「かみの毛が—」⑤度合いが小さい。「関係が—」▽②〜⑤(↕濃い) ⑥少ない。とぼしい。「興味が—・なじみが—・利が—」⑦思いやりが深くない。「人情が—」(↕厚い) ⑧〔釣りや猟で〕獲物があまりいない。「さかなが—」(↕濃い) 派-さ。

**うす いた**」[薄板] 厚みのない板。特に、台所用品・トタ

ン・ブリキなどに使う、うすい やわらかい鋼板。(↕厚板)

**うすうす**【(薄々)】《副》①はっきりとではないが、だいたい〈気がついて/知って〉いるようす。「―(と)感じている」②薄いと感じられるようす。「―としたはだ」

**うずうず・する**《自サ》早くそれをしたくて、気持ちがおさえられなくなる。うずく。「遊びに行きたくてうずうずしている」

**うすがけ**【薄掛け】うすい かけぶとん。「―のこたつぶとん」(↕厚掛け)

**うすがた**【薄型】〔奥行きや厚みが〕うすい種類。「―テレビ」

**うすがみ**【薄紙】うすい紙。「―印刷」 ●**薄紙を〈剝ぐ/剝がす〉よう** ［句］少しずつ病気がよくなることのたとえ。「―に快方に向かう」

**うすかわ**【薄皮】うすい皮。「―まんじゅう・―の梅干し」

**うすぎ**【薄着】《名・自サ》衣類をあまり着ないこと。かさね着をしないこと。(↕厚着)

**うすぎたな・い**【薄汚い】《形》どことなく きたない。［派］―さ。

**うすきみわる・い**【薄気味悪い】《形》なんとなく〈気味が悪い/こわいようだ〉。うすきみが悪い。［派］―げ。―さ。

**うすぎり**【薄切り】うすく〈切ること/切ったもの〉。スライス。「―肉」(↕厚切り)

**うず・く**【(×疼く)】《自五》①間をおいて にぶい痛みを感じる。ずきずき痛む。②心が痛む。「それを思うと心が―」③うずうずする。「勝負師の血が―」［名］うずき。［他］うずかせる《下一》。「からだを―」

**うすくち**【薄口】〔しょうゆの色などの〕うすい〈こと/もの〉。「―しょうゆ」(↕濃い口)

**うずくま・る**【(×蹲る)】《自五》①〔人が〕しゃがんだ姿勢のまま、からだ全体をまるく小さくする。「めまいがして―」②〔けものが〕前足を折りまげて すわる。

**うすぐも**【薄雲】うすい雲。かすかに たなびいている雲。巻層雲。

**うすぐもり**【薄曇り】空全体が少しくもっている状態。［動］薄曇る《自五》。

**うすぐら・い**【薄暗い】《形》〔あたりの様子が はっきりしない程度に〕少しくらい。［派］―さ。

**うすくらがり**【薄暗がり】光の あまり ささない暗がり。「―で本を読んでいる」

**うすげ**【薄毛】頭の地肌が見えるくらいに少ない かみの毛。

**うすげしょう**【薄化粧】《名・自サ》①すはだが見えるように、うすくぬった化粧。(↕厚化粧)②雪がうっすらと降りつもったようす。「富士山の―」

**うすごおり**【薄氷】うすくはった氷。

**うすじ**【薄地】〔布などの〕生地が うすい〈こと/もの〉。「―のシーツ」(↕厚地)

**うすじお**【薄塩】①塩あじをうすくすること。甘塩。②うすく塩をふりかけること。

**うずしお**【渦潮】うずを巻いて激しく流れる海水。「鳴門の―」

**うすじも**【薄霜】朝、うすく置いたしも。

**うすじろ・い**【薄白い】《形》ぼんやりと白い。「薄白く光る月」［派］―さ。

**うすずみ**【薄墨】うすい墨(の色)。「―色」

**ウスターソース**〔←Worcestershire sauce〕しょうゆのように さらっとした、少し酸味のある黒っぽいソース。ウースターソース。［由来］イングランドの旧州ウスターシャーで作りはじめたことから。☞中濃ソース。

**うずたか・い**【(△堆い)・(うず高い)】《形》積み上がって高い。「灰がうずたかく積もる・―書類の山」

**うすちゃ**【薄茶】①《茶道》抹茶を湯でとかし、茶せんで泡立てた飲み物。お薄。(↕濃茶)②うすい茶色。うすちゃいろ。

**うすづき**【薄月】〔雅〕うすく照っている月。「―夜」

**うすっぺら**【薄っぺら】《ナダ》①いかにも うすいようす。「―なふとん」②考えが浅いようす。「―な人間」 ●**うすっぺら・い**【薄っぺらい】《形》うすっぺらだ。〔俗に略して「ぺらい」〕［派］―さ。

**うすで**【薄手】㊀①軽い きず。浅手。(↕深手)②〔紙・布・陶器などの〕うすい〈こと/もの〉。「―のシャツ」(↕厚手)㊁《ナダ》うすっぺら。「―な解説」［派］―さ。

**うすなさけ**【薄情け】愛情がうすいこと。うすい愛情。「―の人・―はかけるな」(↕深情け)

**うすのろ**【薄(△鈍)】《名・ナダ》〔俗〕動作や頭の回転がのろい〈こと/人〉。［派］―さ。

**うすばか**【薄(:馬鹿)】《名・ナダ》少し頭がにぶい〈ようす/人〉。うすらばか〔俗〕。

**うすび**【薄日・薄△陽】少しくもって弱くさす日光。うすら日。「―がさす」

**うすべった・い**【薄べったい】《形》非常に うすくて平べったい。「―座ぶとん」

**うすべに**【薄紅】①あわい べに色。うすくれない。「―色のコスモス」②「薄紅①」色の口べにや ほおべに。「―をさす」

**うすべり**【薄(△縁)】へりをつけた ござ。「―を敷く」

**うずまき**【渦巻き】①うずになって回る〈こと/水の流れ〉。②うずを巻いた形をしたもの。「―パン」

**うすまく**【薄膜】⇨はくまく。

**うずま・く**【渦巻く】《自五》①〔水などが〕うずになってぐるぐる回る。「―濁流」②感情などが はげしく入り乱れる。「不安が―・権力闘争が―」

**うずま・る**【(△埋まる)】《自五》①〔たくさんの〕ものの中にはいりこんで、見えなくなる。「家屋が土砂に―」②深く はいりこむ。「ソファーに―」③あいたところがなくなる(ほど、たくさん集まる)。「書物でかべが―・ノートに文字がうずまっている」▽うまる。うずもる。

**うずみび**【(△埋み)火】〔雅〕火鉢などの中の、灰をかぶせて長くもたせるようにした炭火。

**うすめ** ㊀【薄目】少しひらいた目。ほそめ。㊁【薄(目)】やや薄い程度。うすいめ。「―の味」(↕濃いめ)

●**薄目を開ける** ［句］目を少し開ける。

**うす・める**【薄める】《他下一》①〔色・味などを〕うすくする。②ものごとの程度を弱める。「印象を―」［自］薄まる《五》。

**うず・める**【(△埋める)】《他下一》①〔たくさんの〕ものの中に入れて、見えなくする。「庭の花が家を―ほどにさく」②深く はいりこませる。「座席に からだを―・両手に顔を―」③すきまなく、いっぱいにする。「街を―歓迎の人波」▽うめる。

**うすもの**【薄物】紗・絽などで織った うすい布(で作った和服)。

**うすもや**【薄(×靄)】あわくかかった もや。

う

**うずも・れる**［(△埋もれる)］《自下一》①うずまった状態になる。②〔りっぱな人物や研究などが〕人に知られずにいる。「野ゃに—」

**うすやき**［薄焼き］うすく焼き上げた食品。せんべいやたまご焼きなど。(↕厚焼き)

**うすやみ**［薄闇］物の形がぼんやりとわかるほどの暗さ。

**うすよご・れる**［薄汚れる］《自下一》なんとなくよごれる。名薄汚れ。

**うすら**［薄ら］接頭①かすかなようす。「—黄色い・—あかり」②なんとなく。なんだか。「—つめたい・—みっともない」●**うすらい**［薄ら△氷］〔雅〕うすごおり。うすらひ。●**うすらさむ・い**［薄ら寒い］《形》①なんとなく寒い。②ぞっとするようすだ。「社会の状況に—ものを感じる」派—さ。●**うすらび**［薄ら日］〔雅〕うすぐもりの日に、うっすらとさす日の光。●**うすらわらい**［薄ら笑い］《名・自サ》人をばかにしたようなかすかな笑い。うす笑い。

**うずら**［(×鶉)］形がヒヨコに似た、小形の鳥。こげ茶色で、黒・白のまだらがある。たまごは小形で食用。肉も食用。●**うずらまめ**［(×鶉豆)］マメの一種。たねは、形・色ともにウズラのたまごに似ている。煮豆にする。

**うすら・ぐ**［薄らぐ］《自五》〔感じ方が〕うすくなる。少なくなる。「寒さが—・痛みが—」

**うす・れる**［薄れる］《自下一》少なくなる。うすくなる。〔おしまいには消える状態をふくむ〕「煙が—・心配が—」名薄れ。

**うすわらい**［薄笑い］《名・自サ》①うすら笑い。②口もとだけの笑い。▽「—をうかべる」

**うせい**［雨勢］〔文〕雨の勢い。

**うせつ**［右折］《名・自サ》車などが道を右のほうへまがること。「—禁止」(↕左折)

**うせもの**［(△失せ)物］〔古風〕なくしたもの。なくしもの。「—をさがす」

**う・せる**［(△失せる)］《自下一》①なくなる。消える。「読む気が—」②〔俗〕去る。「とっととうせろ」

**うぜん**［羽前］明治元(一八六八)年にできた旧国名。今の山形県の大部分。

*__うそ__［(×嘘)・ウソ］■一①事実でないことをわざと言うこと。また、そのことばやことがら。「—をつく・まっかな—・…と言えば—になる〔⇩「と言えば」の句〕」(↕本当)②正しくないこと。「—の字を書くな」③〔…するのは—だ〕適当ではない。「ここで引きさがるのは—だ」④〔…しなければ—だ〕…するのが当然だ。「今買わなければ—だ」⑤〔—のよう・—みたい〕信じられないくらいふしぎだ。「—のように晴れ上がった」■二《感》〔話〕〈意外な/信じられない〉ことを見聞きしたときに、思わず言うことば。うそだろう。う(っ)そー。〔疑っていなくても言う〕●**うそから出たまこと**句 はじめうそだったことが、偶然事実となってあらわれる。●**うそで塗り固める**句 あらゆる部分にうそをついて、真実をかくす。うそで固める。「うそで塗り固められた報告書」●**うそも百回言えば本当になる**句 何度もくり返されたうそは、反論がむずかしくなる。●**うそも方便**句 うそも、ときにはいい解決方法になる。●**うそをつけ**句〔話〕「うそだろう」とかがめることば。うそを言え。うそつけ。うそをつきなさい〔やや丁寧〕。由来 うそを言っていろ、あとでくやむぞ、の意味から。

**うぞうむぞう**［有象無象］たくさん集まった、くだらない〈人/もの〉。〔落語で〕うぞうもぞう。「—を相手にするな」由来 仏教語の「有相無相(=有形無形のすべてのもの)」から。

**うそく**［右側］〔文〕みぎがわ。「—通行」(↕左側)

**うそさむ・い**［うそ寒い］《形》さむざむと感じられて気持ちの悪いようすだ。派—さ。

**うそじ**［(×嘘)字］まちがった漢字。誤字。

**うそつき**［(×嘘△吐き)］(よく)うそを言う〈こと/人〉。

**うそっぱち**［(×嘘っぱち)］〔俗〕「うそ」を強めた言い方。〔人名のように「八」をつけたもの〕

**うそなき**［(×嘘)泣き］《名・自サ》泣くふりをすること。そらなき。

**うそのかわ**［(×嘘の)皮］〔古風〕完全なうそ。まっかなうそ。

**うそはっけんき**［(×嘘)発見器］⇩ポリグラフ②。

**うそはっぴゃく**［(×嘘)八百］うそばかり。みんなうそであること。

☆☆**うそぶ・く**［(×嘯く)］《自五》①とぼけて、知らないふりをする。「まったく関係ないと—」②大きなことを言う。「大金がはいると—」③〔文〕詩や歌を口ずさむ。④〔文〕ほえる。「とらが—」

↔**うた**［唄］三味線などに合わせてうたう邦楽や民謡。長唄・小唄・馬子唄など。

↔**うた**［歌］①メロディーにことば(=歌詞)をのせたもの。例、唱歌・歌謡曲。「—を歌う・—を書く・—うたい(=歌い手)」②メロディーを声に出したもの。例、ハミング・スキャット。③［△詩］歌詞。詩。④和歌。短歌。「—を詠む」(↕詩(=漢詩))

**うたあわせ**［歌合わせ］歌人たちが左右に分かれ、題に従って一首ずつ和歌を作って双方から出し、そのできばえをきそいあった遊び。平安時代から室町時代におこなわれた。うたくらべ。

**うたい**［謡］能の歌詞(をうたうこと)。謡曲。●**うたいもの**［謡物］三味線などにあわせてうたうもの。歌い物。例、長唄・小唄・地唄。(↕語り物)

**うたいあ・げる**［歌い上げる］《他下一》①(気持ちをこめて)思うぞんぶん声を出して歌う。②心の思いを、じゅうぶんに、詩や歌の形であらわす。

**うたいて**［歌い手］①歌を歌う人。歌うたい。②歌のじょうずな人。〔自分が歌を歌っている動画をインターネット上にアップする人も指す〕☞歌手。

**うたいもんく**［(×謳い)文句］〔広告・能書きなどで〕効果・特色などを強調したことば。キャッチフレーズ。

**うた・う［歌う］《他五》①［△唄う・△唱う］(ことばをのせた)メロディーを声に出す。「校歌を—・小鳥が—・雨に—」②詩歌として作る。「別れを歌った歌」可能 歌える。

↔**うた・う**［謡う］《他五》謡を声に出す。

☆☆**うた・う**［(×謳う)］《他五》①(文書などに書き入れて)はっきりとしめす。「規約に—・減税を選挙公約に—」②強調してのべる。「経済援助を—」可能 うたえる。☞うたわれる。

**うだうだ**《副・自サ》〔もと関西方言〕〔俗〕どうでもいいことを、いつまでもしたり言ったりするようす。「朝起きてから―している・―(と)なやむ・―したおしゃべり」

**うたかい**［歌会］短歌の会。かかい。●**うたかいはじめ**［歌会始］毎年一月なかごろに宮中でおこなわれる歌会。お歌会始め。

**うたがい**［疑い］①うたがうこと。「今までの説に―を〈さし〉はさむ・成功―なし」②〈悪いことについて〉そうではないかと思われること。「感染の―が〈ある/濃い/強い〉・ぬすみの―をかける・殺人の―で逮捕した」●**うたがいな・い**［疑いない］《形》うたがう点がない。「成功は―・疑いなく成功するだろう」丁寧 疑いありません。●**うたがいぶか・い**［疑い深い］《形》ひどくうたがって なかなか信用しない。うたぐりぶかい。派 ―さ。

**うたが・う**［疑う］《他五》①〈うそを言っている/本当ではない〉と思う。うたぐる。「君は ぼくを―のか・政府の発表を―」②信用できないと思う。「わが目を―・指導力を―・成功を―」③…ではないかと思う。「がん(癌)を―・人為的なミスを―」●**うたがうべくもな・い**［疑うべくもない］《形》まちがいない。たしかだ。●**うたがうらくは**［疑うらくは］《副》〔発音はウタゴーラクワとも〕〔文〕ひょっとしたら。

**うたかた**［(:泡沫)］〔雅〕①水の上にうかぶ あわ。②はかない〈こと/もの〉のたとえ。「―の恋」☞ほうまつ(泡沫)。

**うたがら**［歌柄］歌の品格。

**うたガルタ**［歌ガルタ・歌がるた］小倉百人一首の和歌を書いたカルタ。

**うたがわし・い**［疑わしい］《形》うたがいが残るようすだ。「疑わしきは罰せず」派 ―げ。―さ。

**うたぐち**［歌口］笛・尺八などの、口を当てる部分。

**うたぐりぶか・い**［(△疑り)深い］《形》〔話〕疑い深い。派 ―さ。

**うたぐ・る**［(△疑る)］《他五》〔話〕〔気をまわして〕うたがう。名 うたぐり。「―の目」

**うたげ**［(△宴)］〔雅〕さかもり。宴会。

**うたごえ**［歌声］歌う(ときの)声。

**うたごころ**［歌心］①和歌を〈よもうとする/理解できる〉心。②〈歌/曲〉の味わい。「―あふれる声」

**うたざわ**［うた沢］〔↑歌沢節〕江戸末期に起こった、端唄の一種。発声、節回しが細かい。表記 流派により「歌沢」「×哥沢」と書く。「うた沢」は両派をふくむ表記。

**うたせゆ**［打たせ湯］〔温泉などで〕湯を上のほうから勢いよく ふき出させ、からだを打たせるもの。

**うたた**［(△転た)］《副》〔文〕いっそう。ますます。「月日の流れを思うと、―感慨に堪えない」

**うたたね**［うたた寝］《名・自サ》床ではない場所で、ついねむること。「ひじまくらで―する」由来「うたた」は、後世の「うつらうつら」「うとうと」につながる擬態語。表記 副詞「転た」とは別語源だが「(:転た＝寝)」とも書く。区別 ⇩居眠り。

**うだつ** ㊀［(×卯建)］昔の民家で、二階の左右の軒下に張り出したかべ。㊁［(×梲)］梁の上に立てて、棟木を支える、短い柱。棟上げのときに立てる。ふつう、「棟束」と言う。▽㊀

［うだつ㊀］

［うだつ㊁］

㊁うだち。●**うだつが上がらない** 句 低い地位のままで、出世しない。由来「うだつ㊁」のあるようなりっぱな家が建てられない、または、棟上げをして「うだつ㊁」を立てることができない、という意味から。

**うたびと**［歌人］①和歌をよむ人。歌人。②詩人。③歌がうまい人。歌手。「現代の―」④雅楽で、歌を歌う役割の人。

**うたひめ**［歌姫］歌がうまく、人気のある女性歌手。ディーバ。

**うたまくら**［歌枕］昔、和歌をよむための題材としてえらばれた名所。

**うたまね**［歌(:真似)］〈しろうとが歌手の/歌手がほかの歌手の〉歌い方の まねをすること。

**うたよみ**［歌詠み］和歌を(じょうずに)作る人。歌人。

**うだ・る**［(×茹だる)］《自五》①暑さで のぼせて、だるくなる。「―ような暑さ」②〔話〕ゆだる。「卵が―」

**うたれづよ・い**［打たれ強い］《形》①何度打たれても たおれない。「―ボクサー」②つらいことが何度あっても、くじけない。「―性格」▽(↕打たれ弱い) 派 ―さ。

**うたわ・す**［歌わす］《他五》①〔関西方言〕痛めつけて泣かせる。「歌わしたろか」②〔俗〕白状させる。▽歌わせる。

**うたわ・れる**［(×謳われる)］《自下一》ほめて言われる。「強豪と―」

**うたん**［右端］〔文〕みぎの はし。「原稿用紙の―をとじる」(↕左端)

**うち** ㊀［内・(△中)］①囲まれたところ。外から見えないところ。「屋敷の―・―にこもる」(↕外) ②《手紙》〔文〕夫の名の下に小さく そえて、妻の代筆であることを示すことば。「田中清一 ―」☞代㊀③。③こころ。内心。「―に秘めた情熱」④［(×裡)］その状態のまま…裏。「大成功の―に終わる・暗黙の―に同意する」㊁①ある範囲に属すること。「任務の―・三つの―の一つ」(↕ほか(外)) ②自分の団体・会社など。「―の社員」(↕よそ) 表記 俗に「ウチ」とも。③ある期間が終わる前。ある状況が続く間。「三日の―に読み終えた・暗くならない―に帰ろう・じょうだんですまされる―はよかったが」㊂《代》〔関西などの女性語。「ウチ」とも書く〕わたし。「―、おなかすいた」㊃［(内)］造 以内。「二、三日―にお送りします」

**うち**［(△家)］①(自分の)いえ。「―においでよ」②(自分の)家庭。「―はみんな早起きです・―の子〔ペットにも言う〕」表記 俗に「ウチ」とも。アク「私の―に」のように、前にことばがつく場合は、**うち**。☞おうち。

**うち**［打ち］接頭 ①ちょっと。かるく。「―見る」②すっかり。「怒りに―ふるえる・悲しみに―しずむ・―くつろぐ・―すてる・―絶えて」▽元のことばに、改まった感じを加える。

**うちあが・る**［打ち上がる］《自五》打ち上げた状態になる。「花火が―・びんが浜に―」

**うちあげ**［打ち上げ］①打ち上げること。②興行の終わり。③ひとまとまりの仕事の終わり。また、その後の慰労会。④↑打ち上げ花火。●**うちあげはなび**［打ち上げ花火］空高くうちあげる花火。うちあげ。

☞仕掛け花火。

**うちあ·ける**［打ち明ける］《他下一》かくさずに話す。「打ち明け話」

**うちあ·げる**［打ち上げる］㊀《他下一》①（打って）高く上げる。「花火を―・衛星を―」②波が岸にものをはこんで来る。③〔興行・碁などを〕終える。④《碁》取り囲んだ相手の石を取り上げる。⑤ぶちあげる。打ち上がる。㊁《自下一》波が打ち寄せて、岸に上がる。「浜に―貝」

**うちあわせ**［打ち合わせ］①ものごとがうまくいくように、前もってする相談。下相談。由来「打ち」は接頭語。考えを合わせることから。雅楽の演奏で、息を合わせることからとも言う。②衣服の左右の前身ごろが合わさった〈ところ／形〉。

**うちあわ·せる**［打ち合わせる］《他下一》①たがいにぶつける。「刀を―」②前もって相談する。▽打ち合わす。

**うちいり**［討ち入り］《名・自サ》〔武士が〕攻め入ること。「赤穂義士の―」動討ち入る《自五》。

☆☆**うちいわい**［内祝い］①祝い事を、身内だけで祝うこと。②自分の家の祝い事があったときに、その喜びをおすそわけするために、おくりものをすること。また、その品物。③もらったお祝いへのお返しとして、おくりものをすること。

**うちうち**［内々］うちわ。〈親しいもの／関係者〉だけ。「―の集まり・―の話」

**うちうみ**［内海］①みさき・島などに囲まれた海。（↔外海）②《雅》みずうみ。

↔**うちおと·す**［打ち落とす］《他五》①たたいておとす。②〔首などを〕切っておとす。

↔**うちおと·す**［撃ち落とす］《他五》矢・鉄砲のたまなどを命中させておとす。「敵機を―」

**うちかえ·す**［打ち返す］《他五》①打って返す。「ボールを―」②自分も打つ。「相手のほおを―」③メールの返事をする。名打ち返し。

**うちかぎ**［内鍵］内がわからかけるかぎ。「―のかかったトイレ」

**うちかけ**［（打ち掛け）・（:裲襠）］花嫁が帯をしめた上からかける、すその長い衣服。かいどり。

［うちかけ］

**うちがけ**［内掛け］《すもう》組んだまま、相手の〈右足／左足〉のかかとのあたりに自分の〈左足／右足〉を内がわからかけて、たおすわざ。（↔外掛け）

**うちかさな·る**［打ち重なる］《自五》①（かるく）かさなる。②何度もかさなる。「―不運」

**うちかた**［撃ち方］銃をうつこと。「―やめ（＝射撃をやめさせる号令。『停戦』の意味にも）」

**うちか·つ**［打ち勝つ］《自五》①［打ち克つ］〔努力して〕勝つ。「苦難に―」②《野球など》相手より打力がまさっていて勝つ。（↔打ち負ける）

**うちかぶと**［内（×兜）］（＝かぶとの内がわ）内部のようす。うちぶところ。●**内かぶとを見透かす**句 相手の弱点や秘密を見抜く。

**うちがま**［内釜］①炊飯器の中にはいっているかま。②ふろのかまが、ふろおけの一部分として作りつけてある構造のもの。（↔外釜）

**うちがわ**［内側］①ものの〈中／奥〉のほうのがわ。「家の―」（↔外側）②内部の事情。

**うちき**［打ち気］《野球》投手のボールを打ってやろうと思う気持ち。「―にはやる・―満々」

**うちき**［内気］《名・ナダ》気が弱く、気持ちを態度にあらわせない性質。「―な人」

**うちきず**［打ち傷］〈打ちつけ／打たれ〉てできたきず。

**うちき·る**［打ち切る］《他五》①〔残りをすてて〕とちゅうでおしまいにする。「調査を―」②最後のほうを省略するなどして、予定よりも早くおしまいにする。「ドラマが打ち切られた」名打ち切り。

**うちきん**［内金］品物を受け取る前にしはらう、代金の一部。

**うちくだ·く**［打ち砕く］《他五》①強くたたいてこなごなにする。「土のかたまりを―」②完全にだめにする。「野望を―」

**うちくび**［打ち首］刀で首を切りおとした、昔の刑罰。

**うちけし**［打ち消し］①打ち消すこと。否定。②《言》⇩否定③。

**うちけ·す**［打ち消す］《他五》①そうでない、と言う。否定する。「犯人説を―」②気持ちや考えを消し去る。「国民の不安を―」③差し引いて、なくす。「長所を―短所」

**うちゲバ**［内ゲバ］〔ゲバ↑ゲバルト〕〔学生運動などで〕同じ組織内（党派どうし）の暴力的な争い。

**うちげんかん**［内玄関］来客用の玄関とは別に、家族が使用するための玄関。ないげんかん。（↔表玄関）

**うちこ**［打ち粉］①刀の手入れに使うとのこ。②そばやもちをのばすとき、ねばりつかないようにふりかける粉。③あせ取りの粉。

**うちことば**［打ち（言葉）］メールやSNSでよく使うことばや文字（を使った表現）。例、「了解」を「り」と書くなど。〔二十世紀末からのことば〕☞書きことば・話しことば。

**うちこみ**［打ち込み］①打ちこむこと。「〔剣術で〕相手の―をかわす・パソコンによるデータの―」②《音》コンピューターにデータを入力して作った電子音楽。

**うちこ·む**［打ち込む］㊀《他五》①打って、中へ入れる。「金づちでくぎを―・外野席にホームランを―」②《野球》相手投手のボールをどんどん打つ。「五安打五失点と打ち込まれた」③じゅうぶんな程度になるまで（練習して）、打つ。「よく打ち込んだバット」④強く打つ。「竹刀を相手に―」⑤コンクリートを、土台などに流しこむ。⑥〔コンピューターのデータを〕入力する。㊁《自五》①熱中する。「文学に―」②《碁》《剣道など》相手のかまえの中にはいって打つ。「気合するどく打ち込んで行った」

**うちこわし**［打ち壊し］①ぶちこわし。②〔江戸時代、ききんなどのときに〕農民が起こした暴動。金持ちの家をこわし、略奪した。動打ち壊す《他五》。

**うちしお·れる**［打ち（△萎れる）］《自下一》思うようにいかなくて、すっかりしょげる。

**うちじに**［討ち死に］《名・自サ》①いくさで討たれて

死ぬこと。「京都で—する」②競争に敗れること。また、挑戦して失敗すること。「視聴率が取れず—」

**うちしょく**【内食】⇩ないしょく(内食)。

**うちす・える**【打ち据える】—すゑる《他下一》たたいて、立てなくする。「さんざんに—」

**うちす・ぎる**【打ち過ぎる】《自他上一》何も〈せずに/しないままに〉過ぎる。「日ごろは ごぶさたに打ち過ぎ・時間が—」

**うちす・てる**【打ち捨てる】《他下一》①すてて、そのままにする。「打ち捨てられた船」②する気がなくて、やめたままにする。「仕事を—」

☆☆**うちぜい**【内税】商品の価格の中に消費税がふくまれていること。また、その税。「—表示(⇩総額表示)」(↔外税)

**うちそろ・う**【打ち(×揃う)】—そろふ《自五》ひとり残らず集まる。「一同打ちそろって出かけた」

**うちたえて**【打ち絶えて】《副》〔文〕まったく。さっぱり。「その後は—ごぶさた申しております」

**うちだし**【打ち出し】《名・他サ》①うちだすこと。②(その日の)興行の終わり。「—の太鼓」③金属をたたいて模様をつけること。また、その模様がついた器物。「—模様」

**うちだ・す**【打ち出す】《他五》①打って出す。「たまを—」②(積極的にはっきりと)あらわす。「方針を—・安さを前面に—」③興行の終わりの合図に、太鼓を打つ。④模様をうらから打って表に出す。たたき出す。⑤プリンターなどで印刷する。

**うちたた・く**【打ち(×叩く)】《他五》①何度もたたく。「胸を—・金属を打ちたたいて延ばす」②〔文〕ちょっとたたく。「戸をしのびやかに—」

**うちた・てる**【打ち立てる】《他下一》〔力強く〕立てる。「業績を—・くい(杭)を—」

**うちつ・ける**【打ち(付ける)】《他下一》①打ってしっかりとめる。「くぎを—」②ぶつける。「柱に頭を—」

**うちつづ・く**【打ち続く】《自五》①長く続く。「—戦乱・—はまべ」②次から次へと起こる。「—災難」

**うちっぱなし**【打ちっ放し】①ゴルフの練習で、たくさんのボールを続けて打つ〈こと/ための施設〉。②《建築》コンクリートを「打つ㉗」だけで、仕上げとすること。▽うちはなし。

**うちづら**【内(面)】〔家/内部〕の人に見せる顔つきや態度。「—のいい人」(↔外面)☞ないめん(内面)。

**うちつ・れる**【打ち連れる】《自下一》連れだつ。「打ち連れて おとずれる」

**うちでし**【内弟子】師匠の家に住みこんで修業する弟子。

**うちでのこづち**【打ち出の小(×槌)】①〔おとぎ話など〕なんでもほしいものが出るという、小さなつち。②いくらでも かねを生み出すもの。

**うちと・ける**【打ち解ける】《自下一》えんりょがなくなって、親しい気持ちになる。「仕事仲間と—・打ち解けた(=なごやかな)ふんいき」

**うちどころ**【打ち(所)】①〔からだなどの〕打つべき場所。②〔からだなどの〕ものに打ちつけた所。「—が悪くて死んだ」☞非の打ち所がない(「非」の㊀)。

**うちどめ**【打ち止め・打ち留め】①興行の終わり。②打つのをやめること。③〔パチンコで〕用意した玉が全部出てしまうこと。

↔**うちと・める**【討ち止める】《他下一》刀・やりなどを使って殺す。しとめる。

↔**うちと・める**【撃ち止める】《他下一》小銃などをうって殺す。しとめる。

↔**うちと・る**【打ち取る】《他五》《野球》〔打たせて〕アウトにする。「外野フライに—・三振に—」

↔**うちと・る**【討ち取る】《他五》刀・やりなどを使って殺す。

**うちなー**【ウチナー】〔沖縄方言で〕沖縄をさすことば。「—グチ(=沖縄方言)」(↔ヤマト)●**うちなーんちゅ**【ウチナーンチュ】〔沖縄方言〕沖縄の人。ウチナンチュ(ー)。(↔ヤマトンチュ)

**うちなる**【内なる】《連体》内がわにある。なかの。「—声(=良心)に耳をかたむける」

**うちにわ**【内庭】—には 屋敷の中の、建物に囲まれたにわ。つぼにわ。

↔**うちぬ・く**【打ち抜く・打ち(△貫く)】《他五》①つらぬいて通す。「くぎが板を—」②厚紙・板金などをたたいて、ある型をぬき出す。③徹底的に、打つ。④〔ストを〕最後までやりぬく。㊔打ち抜き。

↔**うちぬ・く**【撃ち抜く】《他五》小銃などをうって、穴をあける。

**うちのひと**【〈内の〉人】①〔△家の〕人〕〔在宅している〕住人。家族。「—はいますか」②〔話〕〔親しい相手に言う〕自分の夫の呼び方。うちの。

**うちのみ**【家飲み】⇩いえのみ。

**うちのめ・す**【打ちのめす】《他五》①なぐって〔前へ〕たおす。②すっかりやっつける。ひどい打撃をあたえる。「敵を—・悲しみに打ちのめされる」

**うちのもの**【〈内の〉者】〔家族・妻など〕家の中の人。

**うちのやつ**【〈内の△奴〉】〔話〕〔親しい相手に言う〕自分の妻の呼び方。にょうぼ。

**うちのり**【内(△法)】〔建物・うつわなどの〕内がわではかった寸法。(↔外のり)

**うちはた・す**【討ち果たす】《他五》殺してしまう。「かたきを—・一味を—」

**うちはなし**【打ち放し】⇩うちっぱなし。

**うちばらい**【内払い】—ばらひ《名・他サ》内金のしはらい。

↔**うちはら・う**【打ち払う】—はらふ《他五》①「はらう」を強めた言い方。「肩の雪を—」②おいはらう。

↔**うちはら・う**【撃ち払う】—はらふ《他五》発砲して、敵やじゃまものを追いちらす。

☆☆**うちひしが・れる**【打ち(△拉がれる)】《自下一》気力や意欲がくじかれる。「絶望に—・生活苦に—・打ちひしがれた顔つき」㊀打ちひしぐ《五》。

**うちぶところ**【内懐】①ふところの、奥のほう。②奥まった谷間・湾など。「漁村を—にいだく」③内部の事情。うちかぶと。「—を見すかされる」

**うちぶろ**【内風呂】①〔露天ぶろに対して〕建物の中にあるふろ。②〔古風〕〔家庭で〕家の中に作ったふろ。▽(↔外風呂)

**うちべんけい**【内弁慶】外では いくじがないが、〈家/内部〉では いばっている〈こと/人〉。陰弁慶。☞弁慶。

**うちぼり**【内堀・内×濠】城のまわりに造った二重のほりのうち、内がわのもの。(↔外堀)

**うちほろぼ・す**【討ち滅ぼす】《他五》敵などを攻めてほろぼす。

**うちまか・す**[打ち負かす]《他五》①打って負かす。②「負かす」を強めた言い方。

**うちまく**[内幕]①内がわに張る幕。②〔人に知らせたくない〕うちわの事情。ないまく。

**うちま・ける**[打ち負ける]《自下一》①「負ける」を強めた言い方。②《野球など》相手の打力がまさっていて、負ける。(↔打ち勝つ) ③《野球》〔投手が〕相手に打たれて、負ける。

**うちまご**[内孫]自分の あとつぎの〈むすこ/むすめ〉夫婦から生まれた子。ないそん。(↔外孫)

**うちまた**[内股]①うちもも。②足先が内に向いていること。「歩くとき―になる」(↔外股) ③《柔道》自分の足を相手の「内また①」にかけ、はね上げるようにして大きく投げる技。 ●**うちまた ごうやく**[内股×膏薬]きまった意見や節操がなく、その時どきに自分のつごうのいいほうにつく〈こと/人〉。

**うちまど**[内窓]二重になった窓の、内がわの窓。「断熱用の―」

**うちまわし**[打ち回し]《碁》対局での、棋士の打ち方。「斬新な―」 動打ち回す《自五》。

**うちまわり**[内回り]①敷地や家の内がわ。「―の仕事」②〔環状線の電車で〕複線の、内がわの線路を回る〈こと/電車〉。「山手線―」▽(↔外回り)

**うちみ**[打ち身]からだを強く何かに打ちつけたための、皮膚の下のけが。打撲傷。

**うちみず**[打ち水]《名・自サ》暑さをやわらげ、ほこりをしずめるために、庭や道に水をまくこと。また、まいた水。

**うち・みる**[打ち見る]《他上一》〔文〕ちょっと見る。「打ち見たところ」

**うちむき**[内向き]①内がわに向いていること。「―にならべる」②うちわのこと。私的なこと。「―の支出」③国内や自分の属する社会に とどまろうとすること。「―の体質」▽(↔外向き)

**うちもの**[打ち物]①打ってきたえた武器。刀・やり(槍)など。「―取って戦う」②金属を打って作った道具など。(↔鋳物) ③型に入れて打ち出した干菓子。④打ち鳴らす楽器。

**うちもも**[内(△股)]ももの内がわ。うちまた。

**うちやぶ・る**[打ち破る]《他五》①たたいてやぶる。「ドアを―」②勢いよくやぶる。「九対一で―」

**うちやぶ・る**[討ち破る]《他五》戦いで相手を負かす。「敵を―」

**うちゆ**[内湯]①自分の家にある ふろ。②〔旅館で〕建物の中に引いた温泉。(↔外湯)

***うちゅう**[宇宙]①地球とすべての星をふくんで、果てもなく広がる空間。②地球以外の天体(をふくむ空間)。「―兵器・―旅行」③まとまった世界。「心の中の―」 ●**うちゅうくうかん**[宇宙空間]①天体と天体との間の空間。②地球の大気内の空間に対する大気外の空間。 ●**うちゅうじん**[宇宙人]①地球以外の星〈に住む/から来た〉、人に似た生物。異星人。②何を考えているのか わからない人のたとえ。 ●**うちゅうじん**[宇宙×塵]《天》宇宙に ただよう小さなちりや、流星の燃えかす。 ●**うちゅうせん**[宇宙船]人間を乗せて宇宙を運航する飛行体。 ●**うちゅうせん**[宇宙線]《天》宇宙からふりそそぐ、高エネルギーの放射線。 ●**うちゅうつうしん**[宇宙通信]通信衛星を利用した無線通信。 ●**うちゅうひこうし**[宇宙飛行士]宇宙船の乗組員。

**うちゅう**[雨中]〔文〕雨の降る なか。「―の行進・《スポーツ》―戦」

**うちゅうかん**[右中間]《野球》ライトとセンターの間。(↔左中間)

**うちょうてん**[有頂天]《名・ナダ》平常心を失うほど〈喜ぶ/得意になる〉ようす。「デートに さそわれて―になる」 由来 仏教で、天の世界の中でも最高の場所をあらわす ことばから。

**うちよ・せる**[打ち寄せる]《自下一》波〈が/のように〉近づいてくる。「大軍が―」

**うちら**《代》〔俗〕わたし(たち)。「―の世代」〔もと、関西などの女性語。「ウチら」とも書く〕

**うちわ**[(:団扇)]①手であおいで風を起こす道具。ふつう、まるい形。「―を使う〔=うちわで あおぐ〕」②↑ぐんばいうちわ。 ●**うちわだいこ**[(:団扇)太鼓]日蓮宗の信者が手に持ってたたく、柄のついた、まるくて平たい太鼓。

**うちわ**[内輪]《名・ナダ》①外部の人や他人を加えないこと。内部。うちうち。「―の会合」②ないしょ。内密。「―ばなし」③ひかえめ。「―に見積もる」④うちまた。「―に歩く」(↔外輪) ●**うちわもめ**[内輪(×揉め)]《名・自サ》〈一家のなか/仲間どうし〉の争い。

**うちわく**[内枠]①内がわの わく。②割り当てられた数のなか。「予算の―」▽(↔外枠)

**うちわけ**[内訳]《名・他サ》全体をくわしく見た場合の、一つ一つの項目。「相談内容の―・―書〔=明細書〕」

**うちわたし**[内渡し]《名・他サ》内金をわたすこと。

**うちわに**[内(×鰐)]〔古風〕内また。(↔外わに(鰐))

**うっ**《感》〔話〕〔痛みなどで〕一瞬 息を止めるときの声。「するどい批判に『うっ(↓)』となる・うっ(↓)とくる臭い」

☆☆**うつ**[(鬱)・(×欝)]①心が はればれしないこと。「―を散ずる」〔俗に、形容動詞としても使う。「―な一日」〕②《医》⇩うつ病。「―状態」(↔そう(躁)) 表記 俗に「ウツ」とも。

↔****う・つ**[打つ]《他五》①ある一点をねらってたたく。「くぎを―・太鼓を―・手を打って喜ぶ」 表記「〈手/ひざ〉を△拍つ」「こぶしで△撲つ」のようにも書く。②からだを、つい何かに強く当てる。「腰を―」③〔肉に〕さす。「くしを―・はり(鍼)を―」④注射する。「ビタミン剤を―」⑤たがやす。「田を―」⑥きたえて作る。たたいて作る。「刀を―・そばを―」⑦〔綿を〕ほぐしたりしてやわらかくする。「ふとんを―」⑧〔ベルなどで時を〕知らせる。「十時を―」⑨強いショックをあたえる。「心を―・雷に打たれる・やさしい気持ちに打たれる〔=感動する〕」⑩〔手段として〕おこなう。「興行を―・政策を―・にげを―」⑪〔広告主が広告を〕出す。のせる。「コマーシャルを―」⑫〔速報・特ダネなどを〕出す。「当確を―」⑬〔パソコン・携帯電話のキーを〕おす。⑭〔電報・メールなどを〕作成して送る。「友人に祝電を打った」⑮碁石を碁盤に〈置く/置いて勝負する〉。「碁を―」⑯

《将棋》相手から取った駒を盤に置く。「金を一」 ⑰《野球》ボールをバットに〈当てる/当てて飛ばす〉。「ヒットを一」 ⑱《サッカー》《バスケットボールなど》シュートをする。 ⑲ばくちをして、遊ぶ。 ⑳〔水を〕まく。 ㉑〔投げて〕はる。「網を一」 ㉒〔なわを〕かける。 ㉓〔相手のからだに〕しかける。「小手投げを一」 ㉔〔首を〕切る。 ㉕〔しるしを〕つける。「文末に句点を一・番号を一」 ㉖〔お金を〕はらう。「手金を一」 ㉗《建築》〔コンクリートを〕流しこんで固める。 可能 打てる。☞打つ手。

●**打てば響く** 句 ふさわしい反応がすぐにある。「一ような返事」

↔**う」・つ**［討つ］《他五》 ①やっつける。征伐する。「賊を一」 ②刀・やりなどを使って、相手を殺す。 可能 討てる。

→**う」・つ**［撃つ］《他五》 ①火薬の力で、たまを発射〈する/して目的物に当てる〉。「ピストルを一」 表記 「△射つ」とも書いた。 ②攻撃する。「両軍相一」 可能 撃てる。

**うつうつ**「［鬱々］《タル》〔文〕心がはればれしないようす。「一として暮らす」

**うっかり**」《副・自サ》 注意が行き届かないようす。「一(と)忘れていた・つい、一しました・一ミス」 区別 「うっかり」は、注意はしていたが不十分な場合に、「ぼんやり」は、注意がはたらかない場合に言う。ミスをわびる場合は、「うっかりしていました」のほうが、「ぼんやりしていました」よりもまし。「つい」は、わかっていてもやってしまう場合に言う。「プリンをうっかり食べてしまった」は不注意で食べた場合に、「つい食べてしまった」は欲に負けた場合に言う。

**うつぎ**「［(△空木)・(×卯木)］ 垣根などにする木。初夏のころ、白い小さな花〔=卯の花〕を一面にひらく。

**う」づき**［(×卯月)］〔文〕旧暦四月。 由来 くきの中心が空洞であることから。

****うつくし」・い**［美しい］《形》 ①心が引きつけられるほど、形や色、音などがいい。きれいだ。「顔の一〔=ととのった〕人・一花・一音楽・海にしずむ夕日が一」(↔醜い) ②〔その場のようすやおこない、性質などが〕好ましくて感じがいい。うるわしい。「一話だ・心の一人」 派 -げ。-さ。

**うっくつ**「［鬱屈］《名・自サ》 心がふさぐこと。気分がくしゃくしゃすること。

**うつけ**「［(△空け)］〔古風〕ぼんやり。まぬけ。「一者」

**うっけつ**「［鬱血］《名・自サ》《医》からだの一か所に静脈の血が異常に集まること。☞充血。

←**うつし**」［写し］ ①写すこと。 ②写し取った文書や絵。 ③謄本。副本。「一を取る」 ●**うつし」え**［写し絵］ ①書き写した絵。肖像。「世相の一」〔ありありとえがいた作品などの意味にも使う〕 ②裏からこすったりおさえたりして、ほかのものに転写する絵。 ③〔古風〕幻灯。また、影絵。 ●**うつしだ」・す**［写し出す］《他五》 文章などでありありと表現する。「現実を一小説」 ●**うつしと」・る**［写し取る］《他五》 ①あるものを模写する。「名画を一」 ②原文のとおり書き取る。「経文を一」

→**うつし**」［映し］ 映すこと。「大一」 ●**うつしか」がみ**［映し鏡］ ものごとの性質が、別のものに映し出されること。「日記は時代の一だ」 ●**うつしだ」・す**［映し出す］《他五》 ①映像を画面に映るようにする。映像でありありと表現する。「スマホの画像をモニターに一・テレビが一戦争」 ②反映する。「子どもの名前は時代を一」

**うつじょう**「［鬱情］〔文〕はればれせず、ふさいだ気持ち。「一を晴らす」

←**うつ」・す**［写す］《他五》 ①ものの姿・形を、そのままにまねて、ことばや絵、しぐさなどであらわす。描写する。「時代の姿を一」 ②もとのとおりに書く。「字を一・文章を一」 ③［△撮す］ カメラで、フィルムにものの形を残す。 可能 写せる。

→**うつ」・す**［映す］《他五》 ①〔水や鏡などが〕ものの姿を反射して見せる(ようにする)。「紅葉を一湖・顔を鏡に一」 ②〔スクリーン・障子などに〕光が当たって、ものの姿を見せる(ようにする)。「木々の影を一路面・ビデオをモニターに一」 ③ものごとの様子を、目に見える形にあらわす。反映する。「時代を一事件・季節を一食材」 可能 映せる。

***うつ」・す**［移す］《他五》 ①別の場所・所属に変える。「家を一・営業課に一」 ②次の段階に進める。「計画を実行に一〔=実行する〕・行動に一〔=行動する〕・時を移さず〔=すぐ〕」 ③〔:伝染す・:感染す〕〔病気を〕伝染させる。 ④〔色やにおいを〕ほかのものにしみこませる。

**うっすら**」《副》〔↑うすら〕 かすかに認められるようす。うっすり。「雪が一(と)積もる・一けしょうする・一覚えている」

**うっすり**」《副》 うっすら。「霧の中に一と並木が見える」

**うっ・する**」［鬱する］《自サ》〔文〕不愉快な気分がこもってたまる。「気持ちが一」

**うっせき**「［鬱積］《名・自サ》 (心の)うちにつもること。「不満が一する」

**うつせみ**「［(:空蟬)］〔雅〕 ①〔この世が〕はかないこと。「一の世」 ②セミのぬけがら。 由来 もと「現し臣〔=この世に生きる人〕」。後に「うつせみ」に変化し、セミのぬけがらや、はかない世の意味が生まれた。

**うつぜん**「［鬱然］《タル》〔文〕 ①大木がしげったようす。 ②〔学識が〕おく深いようす。「一たる大家」 ③心がはればれしないようす。「一たる思い」

**うっそう**「［(鬱×蒼)］《タル》 たくさんの木がしげって、うすぐらいようす。「一たる森林」

**うったい**「［鬱滞］《名・自サ》 ①《医》血液やリンパ液などがうまく流れず、一か所にたまること。 ②〔文〕気持ちが重くさっぱりしないこと。「一した気分を晴らす」

**うったえ・でる**」［訴え出る］《自他下一》〔被害・問題などを〕出向いて訴える。「警察に一」

***うった・える**」［訴える］ 一《他下一》 ①〔痛み・苦しみ・不利益などがあると〕告げ知らせる。「腹痛を一・窮状を一・被害を警察に一」 ②裁くよう求める。告訴・提訴する。「上司を一・国を一」 ③よびかけて、わかってもらおうとする。「世論に一・火の用心を一」 二《自下一》 ①はたらきかける。「読者の理性に一・消費者心理に一」 ②〔ある手段を〕使う。「武力に一」 表記 「×愬える」とも書いた。 名 訴え。

**うっちゃらか」・す**《他五》〔話〕そのままにしておく。投げすてる。うっちゃる。「宿題をうっちゃらかして遊ぶ」 名 うっちゃらかし。「一にする」

**うっちゃり**「 ①《すもう》土俵ぎわまで追いつめられたとこ

う

ろで、からだをひねって、相手を土俵の外に出す わざ。②最後のところで逆転すること。●**うっちゃりを食う** 句 最後のところで、意外な逆襲にあう。うっちゃりを食らう。「攻めていた原告側が、被告側に―」

**うっちゃ・る**《他五》〔↑打ちやる〕①〔話〕そのままにする。「かまわないでうっちゃっておけ」②〔古風〕投げすてる。「どこかへ うっちゃって来い」③《すもう》「うっちゃり」を決める。④最後のところで、逆転する。

**うつつ**〔〈△現〉〕①〔文〕〈目の前に／じっさいに〉あるものごと。現実。(↕夢) ②正気。本心。③⇩ゆめうつつ②。●**うつつを抜かす** 句 夢中になって本心を失う。

**うって**〔討っ手〕敵・罪人などを追いかけて行って殺す役(の人)。「―をさしむける」

**うつ-て**〔打つ手〕とるべき手段・方法。「―がない」

**ウッディ(ー)**《ナダ》〔woody〕木質の。「―な香り・―な手ざわり」

**うってかわ・る**〔打って変わる〕《自五》〔態度などが〕〈すっかり／がらりと〉変わる。「きのうとは打って変わって笑顔を見せる」

**うってつけ**〔(打って付け)〕まるで用意したように、ふさわしいこと。「自分に(とって)―の仕事」由来 くぎで打って付けたように、板などが ぴったり合うようすから。

**うって-で・る**〔打って出る〕《自下一》①進んで出る。②はなやかに活動を始める。「文壇に―」

**ウッド**〔wood〕①木。木材。「―パルプ」②《ゴルフ》ボールをたたく部分が木その他で大きく作られている、長打用のクラブ。(↕アイアン) ☞ドライバー二②。●**ウッドデッキ**〔wood deck〕木で 作ったテラス。●**ウッドブロック**〔wood block〕①《音》中が空洞の木をたたいて鳴らす楽器。片手で持てるT字形のものなどがある。②積み木。

**うっとうし・い**〔(鬱陶しい)〕《形》①空がくもって心がおしつけられるようだ。「―梅雨の季節」②心が はれない。「―顔」③わずらわしい。じゃまな。「―作業・何度も言われるのは―」④めんどうくさい。「―性格」派 -が る。-げ。-さ。

**うっとり**《副・自サ》〔美しいものや気持ちのよいものに〕心を奪われて、自分を忘れるようす。「―して見とれる」

**うつばり**〔(×梁)〕〔文〕はり(梁)。

☆☆**うつびょう**〔(鬱)病〕《医》そううつ(躁鬱)病の一つの症状。気分がかなり落ちこみ、いろいろなことへの興味や関心がうすれた状態が長く続く。メランコリー。〔うつ状態だけがあらわれる場合もある〕(↕そう《躁》病) ☞適応障害。

**うつぶ・す**〔(×俯す)・(×俯)伏す〕《自他五》うつぶせる。「うつぶして ねこむ・食卓に―・首を―〔=下を向く〕」名 うつぶし。

**うつぶ・せる**〔(×俯せる)・(×俯)伏せる〕《自他下一》①顔や腹を下がわにして横たわる。「ベッドに(からだを)―」②すわった人が、前にある つくえなどに、顔や胸をつける。「テーブルに(顔を)―」③うつむく。うつむける。「なみだが見えないように顔を―」▽うつぶす。うっぷす〔話〕。(↕あおむく・あおむける) 名 うつぶせ。「―に たおれる」

**うっぷん**〔(鬱憤)〕積もり積もった怒りや不満。「―を晴らす・―晴らし」

**うつぼ**〔(×靫)・(△空穂)〕昔、矢を入れて、腰や背につけた、筒形の武具。●**うつぼかずら**〔(×靫×蔓)〕つぼのような形の葉で虫をとらえる食虫植物。

**うつぼ**〔(×鱓)〕海にすむ、太いヘビのような形をしたさかな。口が大きく歯がするどい。食用にもする。

**うつぼつ**〔鬱勃〕《タル》〔文〕さかんに(気持ちが)起こりたつようす。「―たる元気」

**うつむ・く**〔(×俯く)〕《自五》①〔頭だけ〕下を向く。「顔をまっかにして―」②〔立ったものが、先のほうだけ〕下を向く(ことを人にたとえて言う)。「花が―」▽(↕あおむく) 名 うつむき。

**うつむ・ける**〔(×俯ける)〕《他下一》〔人が顔を〕下へ向ける。「顔を―」名 うつむけ。

**うつらうつら**《副・自サ》ねむりかけているようす。「ちょっとのあいだ―した」

←**うつり**〔写り〕写ること。写りぐあい。「写真―のいい人」●**うつりこ・む**〔写り込む〕《自五》写真の中に、偶然写る。「関係のない人物が―」名 写り込み。

→**うつり**〔映り〕①映ること。映りぐあい。「テレビ(の)―が悪い」②色の〈配合／取り合わせ〉。「―がいい」●**うつりこ・む**〔映り込む〕《自五》①表面が なめらかなものの中に映る。「川面にオーロラが―」②テレビなどの画面や写真の中に、偶然映る。「背景に看板が―」名 映り込み。

**うつり**〔移り〕①移ること。②⇩お移り。●**うつりが**〔移り香〕物に移って残った、いい におい。●**うつりかわ・る**〔移り変わる〕《自五》時とともに、つぎつぎに変わる。名 移り変わり。「四季の―」●**うつりぎ**〔移り気〕《名・ナダ》(ひとつの物事に集中できず)心が変わりやすいこと。●**うつりす・ぎる**〔移り過ぎる〕《自上一》変化しつつ遠ざかる。「季節が移り過ぎていく」●**うつりばし**〔移り箸〕食事のとき、おかずを食べたあと、続けてまた ほかの おかずを食べること。無作法とされる。☞嫌い箸。

←**うつ・る**〔写る〕《自五》①〔写真として〕ものの形があらわれる。「表情が よく写っている」②外がわに あるものが、見える。「紙が うすいので、字が写って見える」③ものの形が、ほかのものの上に そのままあらわれる。「向かいのページに字が―」

→**うつ・る**〔映る〕《自五》①〔水や鏡などに〕反射して、ものの姿が見える。映じる。「鏡に―」②〔画面・障子などに〕光が当たって、ものの姿が見える。「テレビに―・影が―」③〔テレビで、色や形が〕見える。「うちのテレビは よく―」④(色の配合が)つりあう。「金地に緑がよく―」

*__うつ・る__〔移る〕《自五》①別の場所・所属に変わる。「新居に―・子会社に―・都が―」②次の段階に進む。「それでは質問に移ります」③ものや人の状態・性質などが、近くの ものや人にも〈伝わる／生じる〉。「熱が―・くせが―・あくびが―」④〔∴伝染る・∴感染る〕病原体が別の人や生き物につく(ことで、病気が生じる)。「かぜが―」⑤〔におい・色が〕ほかのものに しみつく。⑥〔火事が〕燃え移る。「隣のうちに火が移った」⑦〔文〕〔時が〕過ぎる。「世の―につれて」可能 移れる。

**うつろ**〔(△虚ろ)〕《ナダ》①中身がないようす。から。②むなしいようす。気ぬけ。「ーな目」派ーさ。

☆☆うつろ・う[移ろう]《自五》移ってゆく。「移ろいやすい女心」名移ろい。「季節のー」

うつわ[器]①食器などの入れ物。うつわもの。区別「器」は、食器や つぼ、かめ、びんなど、古くからあって、木や金属、焼き物、ガラスなどで できたもの。「容器」は、それより広く、ペットボトルや歯みがきのチューブ、石油缶なども ふくむ。「入れ物」は、最も広く、箱や ふくろ、かばん、かごなども ふくむ。②度量。「ーが大きい」③そうなる資格のある人。人物。「大臣のー」☞きぶつ(器物)。●うつわもの[器物]うつわ。「たなにーをかざる」

*うで[腕]①人間の胴の上から左右に分かれ出た、長い部分。はしの部分〔=せまい意味の「手」〕で、ものを持ったりする。手。②手首から肩までの部分。「ー時計」④ーをさする・ーまくり」③手首のあたり。うでくび。うでまえ。技量。「ーのいい職人・ーの見せどころ」⑤腕力。「ーに物を言わせる・ーずく」⑥動物の前足。「ーの長いサル」⑦タコ・ヒトデなどの ものをつかむはたらきをする部分。「イカのー」⑧↑腕木。「いすのー・ウインチのー」☞腕一本。●腕が上がる句 わざが上達する。「料理のー」(↕腕が落ちる)他腕を上げる。●腕が立つ句 剣術や技術の能力がすぐれている。●腕が鳴る句 力・技術・才能を見せたくて、むずむずする。●腕が夜泣きをする句 腕をふるいたくてむずむずする。●腕に覚えがある句〈力/わざ〉に自信がある。●腕に よりをかける句 ふだんよりも、一段と腕前をあらわそうとする。●腕をこまねく句 ⇩手をこまねく〔「手」の句〕。●腕を振るう句 腕前をじゅうぶんに あらわす。●腕を磨く句 技能を上達させようと、修練をかさねる。

うでいっぽん[腕一本]自分の力以外にたよるべき財産もコネも持っていないこと。裸一貫。「自分のーで ここまで来た・ー、すね一本」

うでおし[腕押し]〔古風〕うでずもう。「のれんにーれ。〔⇩「のれん」の句〕」

うてき[雨滴]〔文〕①雨の〈つぶ/しずく〉。②あまだれ。

うでぎ[腕木]①ものを支えるために、柱や建物に取りつけた横木。「電線を支える電柱のー」②荷物を上下左右に移動させる横木。「クレーンのー」▽腕。

うできき[腕利き]《名・ナダ》腕前のすぐれた〈ようす/人〉。うでっこき。「ーの職人」

うでぐみ[腕組み]《名・自サ》両ひじを曲げて、ひじから先の部分を胸の位置で組み合わせること。

うでくらべ[腕比べ・腕△競べ]《名・自サ》〈腕前/腕力〉をくらべあうこと。

うでじまん[腕自慢]《名・自サ》腕前を自慢する〈こと/人〉。

うでずく[腕(△尽く)]〈自分の意志を通すために〉腕力を使うこと。「ーで うばい取る」表記 現代語では「尽く」の意識がないとみて、かなでは「うでずく」と書くが、「うでづく」も許容。

うでずもう[腕相撲]ひじを立てて手のひらをにぎりあい、相手のうでを、おしたおす遊び。

うでたてふせ[腕立て伏せ]両手をゆかに突っき、両足をまっすぐに のばした姿勢で、うでをまげたり のばしたりする運動。うでたて。

うでだめし[腕試し]《名・自サ》腕前を、ためしてみること。力だめし。

うでっこき[腕っ(△扱き)]《名・ナダ》〔話〕⇩うできき。

うでっぷし[腕っ節]腕力。うでぶし。「ーが強い」

うでどけい[腕時計]手首に はめて使う、小型の時計。

うてな[(△台)]〔雅〕ものをのせる台。☞はす(蓮)のうてな。

うでぶし[腕節]①うでの関節。②うでっぷし。

うでまえ[腕前]身につけた技術・能力。てなみ。

うでまくら[腕枕]《名・自サ》うでを〈曲げて/横に さし出して〉、まくらのかわりにすること。

うでまくり[腕(×捲り)]《名・自サ》そでぐちをまくりあげて、うでを外に出すこと。〔仕事などに真剣に取り組もうとするときにも する〕

う・でる[(×茹でる)]《他下一》〔方〕⇩ゆでる。

うでわ[腕輪]〔装飾のため〕うでに はめる(金属の)輪。うでぬき。ブレスレット。

うてん[雨天]雨の降る〈天気/日〉。「ー決行」(↕晴天)●うてんじゅんえん[雨天順延]《名・自サ》雨のときは、はれるまで順々に予定の日をのばすこと。

うと[(×烏×兎)]〔文〕⇩烏兎匆々。

うど[(:独活)]山野に自生する野菜の名。栽培もされる。春、白く若いくきの かおりと苦み、歯ざわりを味わう。☞うどの大木。

うと・い[疎い]《形》①親しくない。久しく行き来しない。②よく知らない。事情にくらい。「きみもー(男だ)ね」派ーさ。

うとう[右党]①〔文〕保守党。政府がわの党。②酒が飲めず、あまい物が好きな人。▽(↕左党)

うとうと《副・自サ》浅く ねむるようす。とろとろ。

うとうとし・い[(疎々しい)]《形》よそよそしい。冷淡だ。派ーさ。

うと・する《助動サ型》⇩とする二。

うとそうそう[(×烏×兎×匆々)]〔烏兎=太陽と月〕〔文〕月日のたつのは早いもの。「ーの感」

うどのたいぼく[(:独活)の大木]大きいだけで役に立たない人。由来 成長したウドは二メートルをこすが、食用にも木材にもならないことから。

うとまし・い[疎ましい]《形》いやで、〈やめて/遠くに行って〉ほしい感じだ。「ー存在」派ーがる。ーげ。ーさ。

うと・む[疎む]《他五》うとんじる。「疎まれる〔=きらわれて相手にされなくなる〕」

うどん[(×饂×飩)]〔↑うんどん(温飩)〕小麦粉を塩水でこね、そばよりも太く長く切っためん類。ゆでて つけ汁につけたり、熱い汁をかけたりして食べる。「ーを打つ・きつねー・ぶっかけー・かまたまー〔=たまごを入れたかま上げうどん〕・おー」●うどんこ[(×饂×飩)粉]〔うどんに使う〕小麦粉。●うどんすき[(×饂×飩×鋤)]うどんと肉・さかな・野菜などの具をなべで煮ながら食べる料理。

うどんげ[(△優曇華)]①《仏》三千年にいちど花をひらくという、想像上の植物。②木の葉のうらに産みつけられたクサカゲロウ〔=緑色の はねをもった弱々しい昆虫〕の たまご。●うどんげ の はな[(△優曇華)の花]〔めったに見られないところから〕めったにない、いい機会。「ーにあう心持ち」

う

**うとん・じる**[疎んじる]《他上一》きらって遠ざける。うとむ。うとんずる。「仲間に疎んじられる」

**うな**[×鰻]↑うなぎ。「—重・お—」

**うなが・す**[促す]《他五》①早くするように言う。催促する。急がせる。「決断を—」②そうすることをすすめる。「注意を—・反省を—」名促し。

**うなぎ**[×鰻] 細長くて、ぬるぬるしたさかな。肉はあぶらが強く、栄養価が高い。かば焼きなどにして食べる。●**うなぎ の ねどこ**[×鰻の寝床] 間口がせまく、細長い建物や部屋、店。●**うなぎ のぼり**[×鰻登り]〔物価・成績・温度などが〕どんどん上がること。

**うなさ・れる**[×魘される]《自下一》 おそろしい夢を見て苦しそうな声を出す。

**うなじ**[△項] 首のうしろ。えりくび。

**うなじゅう**[×鰻重] 重箱の上の箱にウナギのかば焼きを、下の箱に飯を入れて出す料理。〔重箱一つに入れたものにも言う〕☞うな丼。

＊**うなず・く**[×頷く]・[△肯く]・[:首肯く]・[:点頭く]《自五》①首を縦にふり、〈そのとおりだ〈よろしい〉〉という気持ちをあらわす。「うん、うんと—」②そのとおりだ、と考える。由来「うな」は首。首を突っくように動かすから。表記 現代語では「うな＋突く」の意識がないとみて、かなでは「うなずく」と書くが、「うなづく」も許容。

**うなずけ・る**[×頷ける]《自下一》 なっとくできる。わかる。「批判にも一面はある」

**うなだ・れる**[△項垂れる]《自下一》〔失望や悲しさ、恥ずかしさなどのために〕首を前へたれる。うつむく。

**うなでん**[ウナ電]〔ウナ＝「至急」の意味の略号〕 昔の、至急電報。

**うなどん**[×鰻丼] ウナギのかば焼きを、どんぶり飯にのせて、たれをかけた料理。☞うな重。

**うなばら**[海原]〔うな＝海の〕〔雅〕ひろびろとした海。「大—・青—」

**うなり**[×唸り] ①うなること〈音〉。「—声を上げる」②〔理〕周期的に音の強さが変わる現象。③たこ〔凧〕につけて、風にうならせるもの。

**うな・る**[×唸る] ■《自五》①苦しそうな声を出す。②〔けものが〕低い声でほえる。③長く鳴りひびく。「サイレンが—」④思わず感心する。「食通をうならせる味」⑤ありあまることのたとえ。「金なら—ほどある」■《他五》うたう。「なにわ節を—」

↕**うに**[:海胆]・[:海栗] 海にすむ、いがぐりの形をした動物。

↕**うに**[:雲丹] ウニ〔海胆〕の生殖巣〔＝卵巣・精巣〕を塩づけにしただいだい色の食品。「生—・—のクリームパスタ」

**うぬ**[×汝]〔古風〕■〔代〕〔俗〕〔相手をいやしめて〕おまえ。きさま。■〔感〕ひどく腹を立てたときに、相手に向かって言うことば。「—、こしゃくな」

**うぬぼ・れる**[△自×惚れる]《自下一》 実際以上に自分がすぐれていると思う。名うぬぼれ。「—が強い」

**うね**[畝] ①たねをまいたり苗を植えたりするために、畑の土をたがやして帯状にもり上げた部分。②織物や編み物の表面にある、「うね①」のような感じの部分。リブ。「コーデュロイの—幅」

**うねうね**《副・自サ》〈まがりくねって〉〈高く低く〉ながながと続くようす。「—と連なる山道」

**うねおり**[畝織り] 縦または横の糸を二本以上そろえ、太くして織った織物。表面にうねのようなしま〔縞〕があらわれる。あぜ織り。

**うねめ**[△采女]〔歴〕天皇・皇后に仕え、身のまわりのせわをした宮中の女官。

**うねり** ①うねること。②波から波までの距離が長くてなだらかな大波。③ある方向に大きくなる、世の中の変化。「近代化への—」

**うね・る**《自五》 波のように、上下にゆるやかにくねる。

**うのう**[右脳]〔生〕人間の脳の右半分。直感や全体的把握にすぐれるとされる。音楽脳。みぎのう。「—思考」〈↔左脳〉

**うのけ**[×兎の毛]〔う＝ウサギ〕〔文〕ごく小さなこと。わずか。「—で突いたほどのすきもない」

**うのはな**[×卯の花] ①ウツギ〔の花〕。②おから。由来 ②は、ウツギの白い花に似るから。●**うのはなくたし**[×卯の花△腐し]〔雅〕初夏の長雨。うのはなくだし。由来 ウノハナをくさらせる〔＝くたす〕から。

**うのみ**[×鵜×呑み]《名・他サ》①〔ウ〔鵜〕がさかなをのみこむように〕まるのみにすること。②人の言うことを、何の疑いもなく、そのまま受け入れること。

**うは**[右派] 右翼の党派。保守的な派〔の人〕。〈↔左派〉

↕**うば**[乳母] 母親に代わって、母乳をあたえたりして子どもを育てる女性。

↕**うば**[×姥]〔古風〕年をとった女性。ばば。

**うばいと・る**[奪い取る]《他五》 むりやり取って自分のものにする。

＊**うば・う**[奪う]《他五》①人から、力ずくで取る。「城を—・三振を—」②人のものを、まんまと自分のものにする。ぬすみ取る。「客を—・人の功績を—」③失わせる。少なくする。「活力を—・雨で体温が奪われる〈＝下がる〉」▽〈↔あたえる〉④自由でなくする。「運休で三〇万人の足が奪われた」⑤注意を引きつける。「視線を—・目を奪われる〈⇩「目」の句〉」

**うはうは**《副・自サ》〔「ウハウハ」とも書く〕〔俗〕おおいに得をしてうれしくてしかたがないようす。うほうほ。「—喜ぶ・もうかって—だ」

**うばぐるま**[乳母車] ①かごに赤ちゃんを入れて運ぶ車。②〔古風〕ベビーカー。

**うばざくら**[×姥桜] 若くはないが、まだ魅力のある女性。

**うばすて**[×姥捨て] じゃま者あつかいをして、老人のせわをしないこと。おばすて。由来 昔、働けなくなった老女を、生活のじゃまだと言って山にすてた、という伝説から。●**うばすてやま**[×姥捨て山]〔＝うば捨て伝説で知られる長野県の冠着山〕高齢者がじゅうぶんな保護を受けずに暮らしている状態のたとえ。おばすてやま。「現代の—」

**うぶ**[△初]《ナダ》①ういういしいようす。「—な男の子」②性に関することをよく知らないようす。「—な若者」派—さ。

**うぶぎ**[産着・産△衣] 生まれたばかりの子どもに着せる着物。うぶぎぬ。

**うぶげ**[産毛] ①生まれたときからはえている、やわらかい毛。わたげ。②うすい毛。

**うぶごえ**[産声] 赤ちゃんが、生まれたときに出す

「オギャア」という声。②ものごとが新しく始まる。

**うぶすな**［（産△土）］①〔文〕生まれた土地。②↑うぶすながみ。●**うぶすながみ**［（産△土）神］生まれた土地をまもる神。氏神。うぶすな。

**うふふ**《副》（女性が）口を（あまり）あけず、軽く笑う声。うふっ。ふふふ。

**うぶゆ**［産湯］生まれたばかりの赤ちゃんを入れる湯。「―を使わせる」

**うべかりし**［得べかりし］《連体》〔文〕手に入れるはずであった。「《法》―利益〔⇩逸失利益〕」

**うべき**［（得べき）］造〔連体詞をつくる〕①…する可能性のある。…するはずの。「起こり―事態」②（当然）…することのできる。「われわれのなし―こと」

**うべな・う**［（△諾う）］《他五》同意する。承諾する。

**うべなるかな**［（△宜なるかな）］《名・感》〔文〕⇩むべなるかな。

**うへん**［右辺］①《数》〈等号／不等号〉でつながれた数式の、右がわの部分。②《碁・将棋》碁盤・将棋盤の中央の部分のすぐ右がわに続く部分。▽（↕左辺）

**うほう**［右方］〔文〕みぎの ほう。（↕左方）

**うま**［△午］①十二支の第七。み（巳）の次。「―年・―の年」〔年のほか、月・日にもいう〕②昔の時刻の名。今の、昼の十二時ごろに当たる。九つ。「―の刻」③昔の方角の名。南。

**＊うま**［馬］㊀うま ①重要な家畜の一つ。たてがみがあって、力が強く、よく走る。耕作・競馬などに使う。食用の馬肉は桜肉とも言う。鳴き声は、ひひん・ひんひん。②ふみだい。③⇩付け馬。④《将棋》角の成ったもの〔＝竜馬〕。また俗に、桂馬。⑤木馬。⑥ちょうば（跳馬）。☞馬の足。㊁接頭〔動植物で〕同じ種類の中で大きいものにそえて言うことば。「―ぜり（芹）」●**馬が合う**句 気持ちがうまく あう。●**馬には乗ってみよ、人には添うてみよ**句〔ことがらや人の〕よしあしは、実際に経験したり、つきあってみたりしないとわからない。●**馬の背を分ける**句 雨の降っているところと降っていないところの さかいめが、見てわかるほど はっきりしている。●**馬の耳に念仏**句 人の意見や忠告を聞き流して、まったく効果がないこと。馬の耳に風。☞馬耳東風。

**うま**［（△旨）］造 おいしいこと。「―塩味・―からい・ごく―」

**うま・い**［（∴上手い）・（△巧い）］《形》①じょうずだ。「野球が―・うまく書けた・なかなか―ことを言う〔＝うまく表現する〕」②思いどおりにできるようすだ。「作戦はうまく行った・うまく〔＝まんまと〕だましてやった」③のぞましい状態がたもてるようすだ。「同僚とうまく やっていく」派―さ。

**＊＊うま・い**［（△旨い）］《形》①［（∴美味い）］味がいいと感じる状態だ。〔「おいしい」より ぞんざいな言い方〕「―食い物」②運がいい。つごうがいい。ちょうど ふさわしい。「こいつは―ぞ・―考えが うかんだ」▽（↕まずい）③自分の得や もうけになる。「―話に気をつけろ」表記「△甘い」とも書いた。派―がる。―さ。●**うまい汁を吸う**句 ⇩甘い汁を吸う〔「甘い」の句〕。

**うまうま** ㊀〔児〕おいしいもの。㊁《副》物事をたくみにすすめて、自分の思いどおりにするさま。まんまと。「―（と）だまされた」

**うまおい** ㊀［馬追い］①放牧している馬を柵の中に追いこむこと。②馬子。馬方。「―唄」㊁［（馬追）］キリギリスに似た昆虫。緑色で、鳴き声は「すいっちょ」と聞こえる。すいっちょ。うまおいむし。

**うまかた**［馬方］馬子。

**うまくち**［（△旨）口］①〔日本酒の〕あますぎず、からすぎず、飲んでちょうどいい おいしさの状態。（↕甘口・辛口）②〔しょうゆの〕あまみとうまみがつよい状態。「九州の―しょうゆ」

**うまざけ**［（△美）酒］〔雅〕おいしい酒。びしゅ。うまさけ。「勝利の―」

**うま・し**［△美し］《形シク》〔雅〕いい。うつくしい。「―国」

**うまじるし**［馬印・馬△標］いくさのとき、武将が自分をしめすために かかげた標識。

**うまずたゆまず**［（×倦まず×撓まず）］《副》たいくつしたり なまけたり せず。「一つのことを―続ける」

**うまずめ**［（産まず女）・（∴石女）］〔古風〕子をうめない女性。妊娠できない女性。〔差別的なことば〕

**うまづら** ㊀［馬面］顔の長い〈こと／人〉。うまがお。㊁［（馬面）］〔↑うまづらはぎ〕カワハギの仲間。顔が長い。

**うまとび**［馬跳び・馬飛び］前かがみになった人の背の上を、手をついてとびこえる遊び。かえるとび。

**うまに**［（△旨）煮・（△甘）煮］肉や野菜などを、濃い味に煮つけたもの。「しいたけの―・中華風―」

**うまぬし**［馬主］馬の持ちぬし。特に、競走馬の所有者。ばしゅ。ばぬし。

**うまのあし**［馬の足・馬の脚］〔俗〕①《芝居》作り物のウマの足になる役者。②下級の役者。

**うまのり**［馬乗り］①馬に乗る〈こと／人〉。②（馬にまたがるように）上に乗ること。「―になる」

**うまみ** ㊀［（△旨：味）］①うまい味（を感じさせるもの）。「〈肉／コンブ〉の―」②思わず感心させられる、うま（上手）さ。「―のある文章」③〔商売上〕かなりのもうけがえられること。「―のある商売」㊁［うま：味］〔コンブ・シイタケ・かつおぶしなど〕和食のだしなどの味。第五の味覚〔☞味覚①〕。☞グルタミン酸・イノシン酸。●**うまみちょうみりょう**［うま味調味料］サトウキビなどから取れる原料を、微生物などを使って発酵させた調味料。化学調味料。例、味の素（商標名）。

**うまや**［馬屋・×厩］馬を飼っておく小屋。

**うま・る**［埋まる］《自五》①〔土の中など〈へ〉〕はいって見えなくなる。うずまる。「畑に小判が埋まっている・土砂で民家が―・あごまで ふとんに―」②〔土などが はいって〕低い所がまわりと同じ高さになる。「穴が―」③あいたところが なくなる。いっぱいになる。うずまる。「座席が―・本で部屋が―・駅前が群衆で―」④欠けた所が、もとどおりになる。「欠員が―・相手とのみぞが―」⑤損失がおぎなわれて、もとどおりになる。「損が―」

**うまれ**［生まれ］①生まれること。「十一月―」②生まれた土地。「―も育ちも葛飾柴又」③生まれた家がら。素性。④生まれつき。●**うまれあわ・せる**［生まれ合わせる］《自下一》ちょうど その時代に生まれる。生まれ合わす。名 生まれ合わせ。●**うまれいずる**[生まれ△出ずる]《連体》〔文〕生まれ出る。「ー悩み」 表記 「生まれ△出づる」とも。☞「出る」の 由来。●**うまれお・ちる**[生まれ落ちる]《自上一》〔親のからだの外へ〕生まれ出る。●**うまれか・わる**[生まれ変わる]《自五》死んでから、もういちど(ほかのものになって)生まれる。「生まれ変わったつもりで まじめに働け・生まれ変わっても いっしょにいたい」 名 生まれ変わり。●**うまれこきょう**[生まれ故郷] 生まれた土地。ふるさと。故郷。●**うまれそだ・つ**[生まれ育つ]《自五》そこに生まれて そこに育つ。名 生まれ育ち。他 生み育てる《下一》。●**うまれつき**[生まれつき]《名・副》生まれたときから(その性質・能力を持っていること)。「ーじょうぶだ・大声なのはーだ」●**うまれつ・く**[生まれつく]《自五》その性質・能力を持って生まれる。「正直者にー」●**うまれ・でる**[生まれ出る]《自下一》生まれて(目の前に)あらわれる。「生まれ出てきた子・新語がー」☞生まれいずる。●**うまれながら**[生まれながら]《副》生まれたときからそのような状態であるようす。生まれつき。●**うまれも・つ**[生まれ持つ]《他五》生まれたときから持つ。持って生まれる。「生まれ持った才能」●**うまれもつかぬ**[生まれもつかぬ]《連体》生まれつきでない。「なぐられてー顔にされる」

**うま・れる**[生まれる]《自下一》①〔母親の体内やたまごの中から、子として〕この世に あらわれる。「赤ちゃんがー・ひながー・生まれてきて よかった・京都にー・生まれて初めての経験・生まれたままの姿(=全裸)」 表記 出産の様子を言う場合は「産まれる」とも。②〔今までになかったものが〕新しく作り出される。「利益がー・傑作がー」

**うみ**[海] ①地球の表面のうち、塩水で満たされた、広い部分。「ーの男・ーの向こう(=海外)・ーなし県(=内陸県)」(↔陸・おか) ②[△湖]〔雅〕みずうみ。「にお(鳰)のー(=琵琶湖)」 ③〔すずりなどの〕水をためておく所。池。(↔おか) ④「海①」のように広がって見えるもの。「火のー・血のー」 ●**海の藻くずとなる** 句 海に沈んで死ぬ。●**海の物とも山の物ともつかない** 句 それがどんなもので、この先どうなるか見当もつかない。「ー新人・ー研究」

**うみ**[(×膿)] ①血液の中の白血球が ばい菌にこわされてできる、黄色で どろどろした液体。のう。②〔組織などで〕取り除かなければ ならない、害となるもの。「政界のーを出す」

**うみあけ**[海明け]《名・自サ》〔北海道方言〕流氷が沖に去ること。

**うみうし**[(海牛)] 浅い海にすむ、色あざやかな軟体動物。種類が多く、見た目がナメクジに似たものもある。

←**うみおと・す**[生み落とす]《他五》〔からだの外へ〕生む。「玉のような男の子をー」

→**うみおと・す**[産み落とす]《他五》からだの外へ産む。「たまごをー」

**うみかぜ**[海風] 海からふいてくる風。海の風。かいふう。(↔陸風)

**うみがめ**[海亀] アカウミガメ・アオウミガメなど、海にすむカメ。からだが大きく、足の先が ひれのようになっている。産卵時は砂浜に上陸して、砂の中に卵を産む。

←**うみぎし**[海岸]〔雅〕海岸。

→**うみぎし**[△湖岸]〔雅〕湖岸。

**うみさち**[海幸]〔雅〕⇩うみのさち。(↔山幸)

☆☆**うみせんやません**[海千山千] あらゆる経験をしてきた、〈したたかな/わるがしこい〉人を言うことば。「ーの刑事・ーの古ダヌキ」 由来 ヘビが、海に千年、山に千年住むと竜になるという、中国の言い伝えから。

**うみそだ・てる**[産み育てる]《他下一》自分で産んでやしなう。「子どもをー」

←**うみだ・す**[生み出す]《他五》〔結果として〕作り出す。「成果をー・失業者をー」

→**うみだ・す**[産み出す]《他五》〔苦労して〕作り出す。「作品をー」

**うみづき**[産み月]〔古風〕臨月。

←**うみつ・ける**[生みつける]《他下一》そういう性質を持ったものとして生む。「悪人にー」

→**うみつ・ける**[産み(付ける)]《他下一》〔虫などが〕たまごをものにくっつけて産む。

**うみづり**[海釣り]〔楽しみとして〕海で魚を釣ること。

**うみな・す**[生み成す]《他五》①生んで作る。②作り出す。「日本の風土が生み成した名作」

**うみなり**[海鳴り]《名・自サ》海から聞こえる、遠い雷や風の音のようなひびき。

**うみねこ**[(海猫)] カモメに似た海鳥。鳴き声はネコに似る。

←**うみの**[生みの]《連体》①自分を生んでくれた。「ーおふくろ」②生むことの。「〔創作の〕ー苦しみ」③〔古風〕自分が生んだ。「ー子」●**うみのおや**[生みの親]①自分を生んだ親。②その(有名な)ものを作った人。「作品のー・流行語のー」▽(↔育ての親) ●**生みの親より育ての親** 句 生んでくれた親より、育ててくれた親のほうが ありがたい。

→**うみの**[産みの]《連体》産むことの。「〔出産時の〕ー苦しみ」

**うみのいえ**[海の家] 海岸にある、海水浴客のための休憩所。

**うみのさち**[海の幸] 海でとれる さかな・貝・海藻。うみさち。(↔山の幸)

**うみのひ**[海の日] 国民の祝日の一つ。七月の第三月曜日。海の恩恵に感謝するとともに、海洋国日本の繁栄を願う日。〔一九九六年から実施〕

**うみびらき**[海開き]《名・自サ》海水浴場が開かれ、その年はじめて一般の人が泳げるようになる〈こと/日〉。「もうーした」

**うみぶどう**[海(×葡×萄)] 暖かい海でとれる、ブドウのふさに似た海藻。ぷちぷちした食感。グリーンキャビア。くびれづた。〔沖縄の名物〕「ーサラダ」

**うみべ**[海辺] 海の近く。海岸。

**うみへび**[(海蛇)] ①海にいる毒ヘビ。②ヘビに よく似た、からだの細長い さかな。ウナギやウツボの仲間。

**うみぼうず**[海坊主] 海の上に あらわれるという、頭のまるい妖怪。

**うみほたる**[(海蛍)] 二枚の殻をもつ、海にすむ ごく小さい動物。発光物質を出し、海面で青白く光る。

**うみやま**[海山] ①海と山。②〔愛情や恩が〕海のように深く、山のように大きいこと。「ーの恩」

**うみわ・ける**[生み分ける・産み分ける]《他下一》男

か女か、親の望むほうの子を生む。名生み分け。

うむ【有無】あるか ないか。「―を問い合わせる」●有無相通じる句 ないところへ、あるところから物を移して、どちらにも物があるようにする。●有無を言わさず句 むりやりに。

うむ【×倦む】《自五》〔文〕たいくつする。あきる。「仕事にうんでいた・―ことなく務める」☞う(倦)まずたゆ(撓)まず。

うむ【△熟む】《自五》〔文〕くだものがじゅくす。☞うんだともつぶれたとも〔「うん《感》」の句〕。

うむ【×膿む】《自五》うみ(膿)を持つ。「傷口が―」

＊うむ【生む】《他五》①今までになかったものを〈作る/生じさせる〉。「作品を―・新記録を―・格差を―」②⇩産む。可能生める。

うむ【産む】《他五》赤ちゃんやたまごを、からだの外へ出す。出産する。「子どもは三人 産みたい・たまごを―」表記「生む」とも〔昔から両方の例がある。新聞では「産む」が多い〕。可能産める。

うむ《感》〔話・古風〕うなずいたり、ちょっと考えたりするとき、おもおもしく発する声。「―、これはほうっておけぬ」

うめ【梅】①庭に植える落葉樹。春先、葉に先だって〈白い/赤い〉花をひらく。まるい実はすっぱい。梅干し・梅酒の材料にする。②「梅①」の実。梅干し。「―茶づけ・―サワー」③三つの等級に分けたときの、三番目。「松、竹、―」

うめあわせる【埋め合わせる】《他下一》たりない分・損失などを、別の形でおぎなう。埋め合わす。「赤字を税金で―」名埋め合わせ。

うめきごえ【×呻き声】うめく声。

うめく【×呻く】《自五》①〔けがや病気をして〕苦しくてうなる。②嘆いたり感心したりして、ため息をつく。「弾圧に―民衆・みごとな演技に思わず―」名うめき。

うめくさ【埋め草】〔雑誌などの〕余白をうめる記事。

うめこむ【埋め込む】《他五》①〔役に立てるために〕中にうめる。「表札を門柱に―・人工心臓を―」②組み込む。「作品に―・体系に―」名埋め込み。

うめしゅ【梅酒】青いウメの実を焼酎につけて造った酒。

うめず【梅酢】ウメの実を塩づけにして、取り出したしる。そのままのものを白梅酢、シソの葉を加えて赤い色をつけたものを赤梅酢という。

うめたてる【埋め立てる】《他下一》川や海などをうめて陸地にする。名埋め立て。

うめづけ【梅漬け】シソの葉を入れて赤くした、ウメの実の塩づけ。☞梅干し①。

うめぼし【梅干し】①梅漬けを、天日で干したもの。また、梅漬け。「―の おにぎり」②〔俗〕しわの多いこと。「―ばばあ」③〔↑梅干しあめ〕「梅干し①」の形にかためた あめ。

うめみ【梅見】梅を見物すること。観梅。「―に出かける」

うめもどき【〈梅△擬〉】庭木にする落葉樹。小さくて丸い、真っ赤な実がつく。木や葉の形が梅に似る。

うめる《他下一》㊀【埋める】①〔土などの〕中へ入れて、外から見えなくする。うずめる。「つぼを庭に―・雪が家を―・心臓にペースメーカーを―」②〔土などを入れて〕低い所をまわりと同じ高さにする。「穴を―・沼を―」③あいたところをなくす。いっぱいにする。うずめる。「本が壁を―・広場を―群衆」④あいている部分を、別のもので みたす。「時間を―・ますの中に文字を―」⑤欠けた所を、もとどおりにする。「課長のポストを―・相手との差を―」⑥〔損をした分を〕おぎなって もとどおりにする。「赤字を―」㊁〔湯に〕水を入れて温度を下げる。

うもう【羽毛】鳥のからだに はえている、ごく小さい ふわふわしたはね。ダウン。●うもうぶとん【羽毛布団】羽毛を中に入れた、軽いふとん。

うもれぎ【埋もれ木】①土の中に うもれて黒茶色にかたくなった木。「―細工」②すてられてかえりみられない境遇。●埋もれ木に花が咲く句 不運の身に、思いがけない幸運がおとずれる。

うもれる【埋もれる】《自下一》①うまった状態になる。「木の葉に埋もれた宿」②世の中に知られないままになる。「埋もれた名曲」他埋もらせる《下一》・埋もらす《五》。「人材を―」

うやうやしい【恭しい・△恭々しい】《形》礼儀正しく、ていねいだ。いんぎんだ。「―態度・恭しく一礼する」派-げ。-さ。

うやまう【敬う】《他五》〔人・神仏などを〕すぐれていると思い、礼儀をつくして大切にする。「祖先を―・みかどを神と―」〔↔いやしめる〕名敬い。

うやむや《名・ナダ》はっきりしないようす。あいまい。「―にする」由来「あやふや」などと同様、擬態語の一つ。表記「∴有耶無耶」は、「あるかないか」という意味の漢字を使った当て字。

うゆう【×烏有】〔文〕何もないこと。●烏有に帰す句〔文〕火事などで、何もかも なくなる。

うようよ《副・自サ》〔さかな・虫などが〕集まって、たえず動いているようす。「川岸に―している」

うよきょくせつ【×紆余曲折】《名・自サ》〔=まがりくねること〕事情が こみいっていて、とちゅうで、いろいろに変わること。

うよく【右翼】①みぎの つばさ。②隊(列)の みぎ。みぎの(ほうに位置する)部隊。☞最右翼。③保守主義・国粋主義の団体。また、その主義の人。④《野球》外野の、一塁がわのほう(を守る人)。右翼手。ライト。「―線」▽〔↔左翼〕

うら【浦】①波の静かな海岸。「田子の―」②〔雅〕海岸。「―の とまや(苫屋)」

＊うら【裏】①外にあらわれないほうの がわ。反対の面。裏面。「紙の―・ものごとを―から見る」②正面の反対の がわ。〔建物の〕うしろ。「―門・駅―」③着物の内がわにつける布。裏地。④表面に あらわれない〈ところ/かくされた事情〉。「この事件には―がある・―のある人間・―テーマ」⑤〈非公式/非合法〉のもの。「―メニュー・―帳簿・―稼業・―DVD」⑥《野球》「二回の―」先に攻めるチームが守備にまわる場面。⑦《哲》ある命題の仮定と結論をともに否定して作った命題。⑧うらづけ。☞裏を取る句。⑨〔東日本方言〕後ろ。▽〔↔表〕表記〈俗に/読みやすく〉「ウラ」とも。「《野球》6回ウラ・舞台ウラ」●裏を返す句 ①〔古風〕〔遊郭で〕客が その遊女に、二度目に会いに来る。②飲食店などを、あらためて おとずれる。

●**裏を返せば**句 反対の面から見れば。逆に言えば。裏を返すと。裏返せば。「いろいろな方法があるというのは、―決定打に欠けるということだ」●**裏をかく**句〈相手の／敵の〉が予想できないようなことをして、出しぬく。「相手の―」●**裏を取る**句 事実を確認(かくにん)するために、証拠(しょうこ)を得る。「目撃(もくげき)証言の―」名裏取り。

**うらあみ**［裏編み］〔棒針の編み物で〕表編みのうらがわを表面にして編む、編み方。編み目が、「一」の字を敷(し)きつめたようにならぶ。☞表編み。

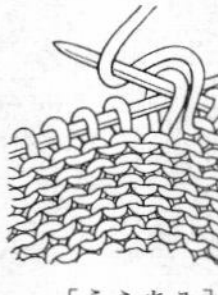

［うらあみ］

**うらうち**［裏打ち］《名・他サ》①うらに紙・布・板などを当てて、じょうぶにすること。「表紙を―する」②確かなものによって支えること。裏づけ。「伝統に―された技術力」

**うらうつり**［裏写り］《名・自サ》〔印刷〕①うらがわに印刷したものが、表がわからすけて見えること。裏抜(ぬ)け。「インクが―しない紙」②印刷したもののインクが上に重ねた紙のうらについてよごれること。

**うらうらと**《副》〔雅〕日の光がおだやかに照る春のようす。「―照る春の日」☞うららか。

**うらおもて**［裏表］①うらとおもて。②言うこと、することが、たてまえと実際とでちがうこと。かげひなた。「―のある人間」③うらがえし。「―に着る」

**うらかいどう**［裏街道］①正規の街道ではない道。②まともでない生き方のたとえ。「人生の―」

**うらがえし**［裏返し］（―が/へし）①裏返すこと。裏返した状態。②思っている気持ちと逆の感情が出ること。「愛情の―」

**うらがえ・す**［裏返す］（―が/へす）《他五》ふだんうらになっている部分をおもてにする。ひっくりかえす。「川の石を―」

**うらがえ・る**［裏返る］（―が/へる）《自五》①裏返しになる。「声が―」(⇩「声」の句) ②敵方にねがえる。

**うらがき**［裏書き］《名・他サ》①うらに〈文字／文句〉を書くこと。②〔経〕〈小切手などをゆずりわたすとき〉小切手などのうらに自分の住所・氏名などを書くこと。「―人(にん)」③〔航空会社が〕同じ路線の他社の便へふりかえを認めること。「―不可」④〔確かであるという〕証明。「行動が犯行を―している」

**うらかた**［裏方］①舞台裏(ぶたいうら)で仕事をする人。(↔表方) ②表には出ず、準備や運営の仕事をする役。「―に徹する」③身分の高い人の奥方(おくがた)。ごれんちゅう(御簾中)。

**うらがなし・い**［うら悲しい］《形》〔心(=うら)が〕なんとなく悲しい。「―音楽」派―げ。―さ。

**うらがね**［裏金］取引や商談をまとめようと、正規のしはらいのほかに、相手にこっそりわたすお金。

**うらがみ**［裏紙］①うらにはった紙。「ラベルの―」②おもてが使用ずみで、うらがわを再利用する紙。

**うらがれ**［（△末）枯れ］秋のころ、草木の先が枯れること。

**うらが・れる**［（△末）枯れる］《自下一》①草木の先が枯れる。②枯れて、ものさびしくなる。「うら枯れた風景」

**うらがわ**［裏側］（―が/は）①うらのほう。裏面(りめん)。(↔表側) ②〔俗〕反対がわ。「地球の―」

**うらぎ・る**［裏切る］《他五》①味方をすてて、敵のなかまになる。「専務派を裏切って社長派に付く」②自分を信じる人の気持ちに反することをする。「友人を―・国民の信頼(しんらい)を―」③反対の結果になる。「大方の予想を裏切って当選・不安はいい意味で裏切られた」名裏切り。

**うらぐち**［裏口］①家のうらの出入り口。勝手口。(↔表口) ②不正な方法。「―入学」

**うらけ**［裏毛］生地(きじ)の裏側の糸を、タオルのようにループ状にうかせたもの。

**うらげい**［裏芸］〔芸人などが〕自分の専門とする芸のほかに身につけている芸。(↔表芸)

**うらこうさく**［裏工作］《名・自サ》ある目的がかなうように、こっそりはたらきかけること。「―がばれる」

**うらごえ**［裏声］（―ごゑ）①自然の声よりもわざと高く歌う声。ファルセット。②ふつうの声から外れて高くなった声。▽(↔地声)

**うらごし**［裏（×漉し）］《名・他サ》《料》口当たりをなめらかにするために、あん(餡)やいもなどをつぶしたり、皮や繊維(せんい)を取り除くために、細かい目の網(あみ)や布を通すこと〈こと／道具〉。「サツマイモを―する」

**うらさく**［裏作］《農》おもな作物の取り入れをしたあとに植える野菜類。あとさく。(↔表作)

**うらさびし・い**［うら寂しい］《形》〔心(=うら)が〕なんとなくさびしい。派―げ。―さ。

**うらさび・れる**［うら寂れる］《自下一》〔心(=うら)が〕さびしくなる。活気がなくなる。「うら寂れた町」

**うらじ**［裏地］《服》衣服のうらにつける布。(↔表地)

**うらしまたろう**［浦島太郎］①伝説の主人公の名前。竜宮(りゅうぐう)で過ごした後、すっかり変わった故郷にもどり、玉手箱を開けると老人になった。②久しぶりに元の場所にもどってきて、さっぱり事情がわからなくなった人のたとえ。「―の心境・―になる・―状態」

**うらじろ** 一［裏白］〔紙などの〕うらがわが白いこと。二［裏白］シダ類の一種。大形で、うらは白い。正月に軒(のき)や部屋に下げたり、輪飾(わかざ)りやお供えの下に敷(し)いたりして、飾りに使う。

**うらだな**［裏（△店）］うら通りに建てた貸家。うらながや。

**うらづ・ける**［裏（付ける）］《他下一》①証拠(しょうこ)によって、まちがいないとわかるようにする。「数字で―・犯行を―」②確かなものによって支える。裏打ちする。「深い教養に裏づけられた文章・制度を―財源」名裏づけ。「―となる資料」

**うらて**［裏手］うらのほう。「工場の―」

**うらどおり**［裏通り］（―ど/ほり）表通りからひっこんだ、細い通り。(↔表通り)

**うらどし**［裏年］くだものや野菜などのみのりが悪い年まわり。(↔表(おもて)年・な(生)り年)

**うらとりひき**［裏取引］《名・自他サ》かげでこっそりとおこなう〈不正な取引／交渉(こうしょう)〉。

**うらない**［占い］（うら/なひ）①運勢をうらなうこと。②うらなう人。占い師。占い者(しゃ)。

**うらな・う**［占う］（うら/なふ）《他五》なんらかの方法で将来(の運勢)を予想する。

**うらながや**［裏長屋］うら通りに建てた〈みすぼらしい〉長屋。うらだな。

**うらなみ**[浦波] 岸に打ち寄せる波。「—の音」

**うらなり**[(△末△生り)] ①〔実が〕つるの先のほうに〈なること／なったもの〉。「—のカボチャ」(↕もとなり) ②〔古風〕顔色が青くてむくんだ感じの人の たとえ。③〔古風〕末っ子(をけんそんして言うことば)。

**ウラニウム**〔uranium〕《理》⇩ウラン。

**うらにわ**[裏庭] 家のうらにある庭。

**うらはく**[裏拍]《音》偶数番目の拍。「—を取る(=裏拍で手を打ってリズムを取る。ポピュラー音楽に多い)」(↕表拍)

**うらはずかし・い**[うら恥ずかしい]《形》〔心《=うら》が〕はずかしくなるようすだ。「—乙女心」 派 -げ。-さ。

**うらばなし**[裏話]〔そのことに関係のある〕表面に出ない話。

☆☆**うらはら**[裏腹]《名・ナダ》〔=裏と表〕①反対なこと。一致しないこと。「口と心が—だ・こわもてな外見とは—によく人見知りする」 ②となりあわせ。紙一重。「はずかしさと—の快感・登山は常に死と—だ」

**うらばん**[裏番]〔↑裏番長〕〔俗〕表にあらわれず、裏から人をあやつって支配する、不良のリーダー。

**うらばんぐみ**[裏番組] ある(人気のある)番組と同じ時間帯に放送される、ほかの放送局の番組。

**うらぶた**[裏蓋] 裏側についているふた。「時計の—」

**うらぶたい**[裏舞台] ⇩舞台裏②。(↕表舞台)

**うらぶ・れる**《自下一》〔うら=心〕①おちぶれて、みじめなようすになる。「うらぶれて故郷に帰る」 ②みすぼらしく、さびしげになる。「うらぶれた旅館」▽うらびれる。

**うらぼんえ**[(×盂×蘭)盆会] ⇩お盆㊁。

**うらまち**[裏町] うら通りの(みすぼらしい)町。

←**うらみ**[恨み・△怨み] うらむ〈こと／心〉。「—をこめる・—を晴らす・—死に」 ●☆☆**恨み骨髄に徹する** 句 人を強くうらむ気持ちが、からだの奥までしみとおる。●**恨みをの(呑)む** 句 うらみを晴らさずに終わる。●**うらみがまし・い**[恨みがましい]《形》いかにもうらんでいるような ようすだ。派 -さ。●**うらみごと**[恨み言] うらみを述べることば。「相手に—を並べ(たて)る」 ●**うらみっこ**[恨みっこ] おたがいにうらむこと。「—なし」 ●**うらみっぽ・い**[恨みっぽい]《形》うらみをこめたようすだ。「—目で見つめる」 ●**うらみ つらみ**[恨み(△辛み)]〔つらみ=つらい うらみ。調子をよくするために そえたことば〕うらみのかずかず。「—を述べたてる」 ●**うらみ ぶし**[恨み節] ①うらみを歌った歌。②うらんで、ぼやくことば。「業者からは こんな—も聞こえる」

→**うらみ**[(△憾み)]〈残念に思う／不満な〉点。欠点。「結論を急ぎすぎた—がある」

**うらみち**[裏道] ①うら口から通る道。②本道以外の道。ぬけみち。

**うら・む**[恨む]《他五》①[△怨む]〔相手のやり方や、まわりの事情などに対して〕にくらしい、仕返しをしてやりたい、という気持ちを持つ。②[△憾む]〔文〕〔望みどおりにならなくて〕残念に思う。③〔古風〕〔刀で〕うらみをはらす。「一太刀—」 ●**うらむらくは**[恨むらくは・△憾むらくは]《副》〔文〕残念なことには。おしいことには。

**うらめ**[裏目] ①いい結果にしようと思ったのに、悪い結果になること。由来 さいころばくちで、ねらった目のうらがわの目〔例、二の裏目は五〕の意味から。②裏編みの目。(↕表目) ●**裏目に出る** 句 いい結果をねらって、かえって悪い結果になる。裏目る〔俗〕。「気づかいが—」

**うらめし・い**[恨めしい・△怨めしい]《形》①〔相手のやり方や、まわりの事情などに対して〕うらみたくなる気持ちだ。「恨めしや〔幽霊のせりふ〕」 ②残念だ。「恨めしそうな顔」 派 -がる。-げ。-さ。

**うらめん**[裏面] うら(がわ)。りめん。「—に記入する」(↕表面)

**うらもり**[裏漏り]《名・自サ》つぎ終わったときに、急須やしょうゆつぎの口から、湯やしょうゆが下がわにたれること。

**うらもん**[裏門] うらにある門。(↕表門)

**うらやき**[裏焼き]《名・他サ》フィルムの裏表を逆にして、左右反対の写真を現像すること。また、その写真。

**うらやま**[裏山] ①家・市街地の、うしろにある山。②山の、日当たりの悪い部分。

**うらやまし・い**[(羨ましい)]《形》人をうらやむ気持ち(に させるようす)だ。「友だちに彼氏ができて—・—才能」 派 -がる。-げ。-さ。

**うらや・む**[(羨む)]《他五》〔自分にないものを持っている人を見て〕自分も そうなりたいと思う。また、そうなれないことを不満に思う。「人も—仲」

**うらよみ**[裏読み] そこに書いていないことや相手の本音を推測すること。「—が過ぎる」

**うらら**[(△麗ら)]《名・ナリ》〔雅〕うららか(なこと)。「春—」 由来 擬態語の ひとつ。「うららと」と同語源。

●**うららか**[(△麗らか)]《ナダ》〔雅〕①天気がよく、あたたかで、おだやかな(春の)ようす。うらら。②おだやかで明るいようす。「ヒバリの—な声」 由来 擬態語の「うらら」に、接尾語「か」がついたもの。

**うらわか・い**[うら若い]《形》年が若い。わかわかしい。「—乙女」 派 -さ。

**うらわざ**[裏技・裏ワザ]〈正式でない／知られていない〉が、役に立つ方法。「暮らしの—」〔一九八〇年代、コンピューターゲームから広まったことば〕

**ウラン**〔ド Uran〕《理》放射性元素の 一つ〔記号U〕。銀白色の金属。中性子を当てると核分裂を起こすので、核燃料として使われる。ウラニウム。「—鉱」

**うらんかな**[売らんかな]〔=売ろうよ〕 売ってもうけよう、ということだけを考えること。「—の姿勢」

**うり**[(×瓜)] キュウリ・シロウリなど、畑で作る つる草の実。多くは なまのまま、または漬物にして食べる。☞ うり二つ。 ●**うり(瓜)のつるに なすび(茄子)はな(生)らぬ** 句 ふつうの親からは、とびぬけた才能の子は生まれない。瓜のつる。

**うり**[売り] ①売ること。「—に出す・雑誌の四月—の号」 ②《経》相場の値下がりを〈予想して／ねらって〉売ること。また、今が売りどきであること。「円—ドル買い」▽(↕買い) ③セールスポイント。売り物。「安全性が—だ」〔一九八〇年代後半に広まった用法〕 ④〔俗〕売春。表記 ③④「ウリ」とも。

**うりあげ**[売り上げ] 売って得られる金額。「—をのばす・—が落ちる・—が出る・—が立つ〔=まとまった売り上げが出る〕」 表記 経済関係の熟語では「売上」と書く。「売上高・売上金」

**うりあ・げる**［売り上げる］《他下一》 売れた合計が、ある〈金額／数量〉になる。「年間〈一億円／百万個〉を―」

**うりおしみ**［売り惜しみ］《名・他サ》〔値上がりが予想されるときに〕品物を一度にたくさん売るのをおしむこと。[動]売り惜しむ《他五》。

**うりかい**［売り買い］《名・他サ》 売ったり買ったりすること。あきない。

☆☆**うりかけ**［売り掛け］《経》品物を売って、代金をまだ受け取っていないこと。また、その代金。(↕買い掛け) [表記]熟語では「売掛」と書く。「売掛金」

**うりかた**［売り方］ ①売る方法。②《経》売るほうの人。売り手。▽(↕買い方)

**うりき・れる**［売り切れる］《自下一》 品物が全部売れて、なくなる。売れ切れる。[名]売れ切れ。[名]売り切れ。[他]売り切る《五》。[名]売り切り。

**うりぐい**［売り食い］《名・自サ》（収入がなく）道具や財産を少しずつ売って暮らすこと。

**うりこ**［売り子］〔売り場や駅のホームなどで〕品物を売ることが仕事の従業員。

**うりこうじょう**［売り口上］ 商人が、売り物を示しながら のべる口上。例、「さあ、寄ってらっしゃい、見てらっしゃい」。

**うりごえ**［売り声］ 品物を売り歩くときに となえる声。「金魚売りの―」

**うりこし**［売り越し］《経》〔株式の売買で〕ある期間に売った金額のほうが、買った金額よりも多いこと。(↕買い越し) [動]売り越す《他五》。

**うりことば**［売り(言葉)］ ①けんかをしかけることば。②売るためのことば。宣伝文句や、売り口上。

●**売りことばに買いことば** [句] 「売りことば①」に対して、負けずに言い返す乱暴なことば。

**うりこ・む**［売り込む］《他五》 ①商品を売るために積極的に相手に働きかける。②名前や信用を広める。③(うまく もちかけて)お金を得るために秘密を知らせる。「情報を―」 ④〔取引所で〕急に どんどん売る。「主力株が売り込まれた」 [名]売り込み。

**うりさき**［売り先］ 商品を売る相手。

**うりざねがお**［(×瓜△実)顔］〔瓜実=ウリの種〕（色が白くて）中高で、細長い顔。うりざね形。

**うりさば・く**［売り(×捌く)］《他五》（手びろく）売る。[名]売りさばき。

**うりだし**［売り出し］ 売り出すこと。特に、宣伝して おこなう安売り。「歳末大―」

**うりだ・す**［売り出す］《他五》 ①広く宣伝して品物を売る。②世の中に(はじめて)広く知らせる。「俳優として―」

**うりつくし**［売り尽くし］ 全部 売ること。在庫一掃。「―セール」 [動]売り尽くす《他五》。

**うりつ・ける**［売り(付ける)］《他下一》 むりに買わせる(ようにして売る)。「安物を高く―」 [名]売りつけ。

**うりて**［売り手］ 品物を売る人。売り主。(↕買い手)

●☆☆**うりてしじょう**［売り手市場］ ①〔品物などが不足していて〕買うがわより売るがわの立場が強い状態。②人手不足で、採用されるがわの立場が強い状態。▽(↕買い手市場)

**うりとば・す**［売り飛ばす］《他五》 そのものの価値や善悪など考えず、簡単に売ってしまう。「家財道具を―・娘を―」

**うりにげ**［売り逃げ］《名・他サ》 ①〔粗悪品などを〕売りつけて そのまま姿をくらますこと。②売り抜け。[動]売り逃げる《自下一》。

**うりぬけ**［売り抜け］《経》〔相場の下がらないうちに〕手持ちの品物や株を売って、うまくもうけを確保すること。売り逃げ。[動]売り抜ける《自他下一》。

**うりぬし**［売り主］〔不動産などを〕売るがわの人。(↕買い主)

**うりね**［売値］ 売りわたす値段。(↕買値)

**うりのが・す**［売り逃す］《他五》 商品を売ることができたのに、売らないでしまう。「みすみす製品を―」 [名]売り逃し。

**うりば**［売り場］ ①ものを売る場所。「食器―・チケット―・―面積の大きいスーパー」 ②《経》売るのにちょうどいい時期。(↕買い場)

**うりはら・う**［売り払う］《他五》〈全部／思いきって〉売ってしまう。「家屋敷を―」

**うり-ふたつ**［(×瓜二つ)］〔ウリを二つに割ったときの両面のように〕(顔が)よく似ていること。「―の兄弟」

**うりぼう**［(×瓜)坊］ イノシシの子の俗称。うりんぼう。[由来]からだの形や背の しまがマクワウリに似ているところから。

**うりもの**［売り物］ ①売れば お金になる品物。売りに出した物。商品。「これは―でない」(↕買い物) ②その商品などの、ほかにない特色。セールス ポイント。売り。「わかりやすさが―の辞書・新しさが―の店」

**うりもんく**［売り文句］ 商品を売るために、効果・特色などを強調したことば。セールス トーク。

**うりや**［売り家］ 売って お金にするための家。うりいえ。

**うりょう**［雨量］《天》 ①降った雨の量。「―計」 ②降水量。

**うりわた・す**［売り渡す］《他五》 売って品物を先方にわたす。[名]売り渡し。

**うるち**［(×粳)］ コメ・アワ・キビなどの、ねばりの少ない種類。「―あわ(粟)」(↕もち《糯》)

****う・る**［売る］[一]《他五》 ①代金をもらって、相手のものとする。お金にかえる。「その茶わん、売ってくれ・山を―・夢を―商売(=俳優など)」(↕買う) ②商品としてあつかう。置く。「特産品を―店」 ③多くの人に知られるようにする。「顔を―・名を―(=名声を広める)」 ④自分の利益のために うらぎる。「国を―・友を―」 ⑤(けんかを)しかける。[二]《自五》〔…が売っている〕〔俗〕売られている。「店にパンが売っている」☞「やる[一]」の[文]。[可能]売れる。☞売らんかな・売るほど。

**うる**〔活用は「え｜え｜うる｜うる｜うれ｜えよ」〕[一]**うる**［得る］《他下二》「える[一]」の かたい言い方。「―ところが大きい」[二]［(得る)］[造] ①できる。「考え―かぎりのくふう・貢献しうれば幸いだ」 ②可能性がある。「将来起こり―問題」 [文]文語下二段「う」が口語下一段「える」に変化する途中の形。[一]では「える」が ふつうだが、[二]では「うる」が ふつう。☞え(得)る。

☆☆**うるう**［(×閏)］ 暦と季節との ずれを調節するために、間に はさむ月、日または秒。「―日(=二月二十九日)・〔旧暦で〕―八月」

●**うるうどし**［(×閏)

年」①今の暦で、一年に一日、日数が多い年。四年に一度ある。②昔の暦で、一年に一か月、日数が多い年。●うるうびょう[(×閏)秒] 地球の自転する時間とのずれを直すために、加えたり引いたりする一秒。〔これまでは一月一日または七月一日に実施〕

**うるうる**《副・自サ》①目がうるんで、なみだがたまるようす。「目が―する・―来る」②ほどよく水分をふくんだようす。「はだが―する・―のくちびる」

**うるおい**[潤い] ①じゅうぶんな水気。「はだに―をあたえる」②利益。めぐみ。「家計に―をもたらす」③情味。心のあたたかみ。「―のある生活」

**うるお・う**[潤う]《自五》①水気をじゅうぶんに得る。「草木が―」②ゆたかになる。ゆとりができる。「家計が―」

**うるお・す**[潤す]《他五》①水気をじゅうぶんにあたえる。「のどを―・大地を―」②めぐみをあたえる。「民を―」③ゆたかにする。「輸出が国の経済を―」

**うるおぼえ**[うる覚え]《名・自サ》⇩うろ覚え。

**うるか**[(×鱁)] アユの内臓やたまご、白子で作る塩辛。「苦に―(=内臓を塩づけにしたもの)」

**うる・ける**《自下一》〔東北方言〕ふやける。「指が水で―」他うるかす《五》。

**うるさ・い**[(△煩い)・(∴五月蠅い)]《形》①音が〈じゃまで/大きくて〉、がまんできない状態だ。「セミの声が―」②じゃまだと感じる状態だ。「けばけばしくて―色・記者の目が―・―(=しつこい)さそい」③細かく文句を言うようすだ。「ことばづかいに―・小じゅうとが―」▽うっさい・うっせー〔俗〕。④知識や好みが、人なみ以上に〈ある/あって、語りたがる〉ようすだ。「コーヒーには―」派-がる。-げ。-さ。

**うるさがた**[うるさ型] よく文句を言いたがる性質の人。やかまし屋。

**うるし**[漆] ①山や野にはえる落葉樹の名。葉はフジに似て大きくて、秋に紅葉する。さわると、かぶれる。②「うるし①」の皮からとった、しる。無色だが、色をまぜて、塗り物に使う。

**うるち**[(×粳)] ねばりけの少ない、ふつうの米。うるごめ。(↔もちごめ)

**うるっと**《副・自サ》〔話〕①思わずなみだぐむようす。「―来た」②うるおいが出るようす。「―したはだ」

**ウルトラ** 造〔ultra〕極端であること。超。「―ナショナリズム」●ウルトラシー[ウルトラC]〔和製ultra C〕①〔もと体操競技で〕C級(=最高度のむずかしさ)以上の、むずかしいわざ。②人があっとおどろくようなはなれわざ。●ウルトラマリン〔ultramarine〕群青色。深い青色。

**うるほど**[売るほど]《副》たくさん。いくらでも。「石けんなら―ある・そんな話は―転がっている」

**うるま・せる**[潤ませる]《他下一》うるむようにする。潤ます。「目を―・声を―」

**うる・む**[潤む]《自五》①水気をおびて見える。「目が―」②かすんで見える。くもる。「夜霧に―いさり火」③なみだ声になる。「声が―」

**うるめいわし**[(潤目×鰯)] イワシの一種。大形で、うるんだような大きな目をしている。干物にする。

**うるわし・い**[麗しい]《形》①かがやくように美しい。②にこにこして気分がいい。「ごきげん―」③心があたたまる感じだ。「―情景」派-げ。-さ。

**うるわしの**[麗しの]《連体》〔文〕うるわしい。「―パリ」

**うれあし**[売れ足] 商品の、売れるはやさ。「―がおそい」

←**うれい**[愁い] ①かなしみで心がはれないこと。「―にしずむ・―顔」②ものうい思い。「春の―」▽愁え。

→**うれい**[憂い] 〔悪い状態になりはしないかという〕心配。憂え。「―顔」文語「うれふ」の口語形「うれえる」が名詞化して「うれえ」、さらに「うれい」になったもの。「愁い」も同様。☞後顧の憂い。

**うれ・いる**[憂いる・愁いる]《自他上一》↑うれえる。「将来を憂いて発言する」

**うれ・う**[憂う・愁う] 一《自他五》うれえる。〔新しい言い方〕「将来を―関係者・『どうなるのか』と―」二《自他下二》〔本来、発音はウリョー〕〔文〕うれえる。「―べき現象・現状を憂うる声」

←**うれ・える**[愁える]《自他下一》かなしんで、心がくもる。わびしく思う。「身の不運を―」名愁え。

→**うれ・える**[憂える]《自他下一》〔どうなることかと〕心から心配する。「将来を―」名憂え。

**うれくち**[売れ口] ①売れゆき。売れて行く先。販路。②〔俗〕よめいり先。

**うれごろ**[熟れ頃] ちょうど熟した時期。「―の柿」

**うれし・い**[(×嬉しい)]《形》①いいことがあって、心が明るくなる気持ち(にさせるようす)だ。「おたよりうれしく拝見しました・うれしゅう存じます」(↔悲しい) 区別「楽しい」・「うれしい」は、あるいいできごとがあったときに使う。「楽しい」は、自分もそれに参加して、心が明るくなるときに使う。ひな祭りの日が来たことはうれしく、家族でひな祭りを祝うのは楽しい。②都合がいい。ためになる。「女性に―ヘルシーなメニュー」派-がる。-げ。-さ。-み。●うれしい悲鳴を上げる 句 うれしさがあまって、困るほどの状態になっているたとえ。「生産が追いつかず―」

**うれしがらせ**[(×嬉しがらせ)] 相手をうれしがらせることばや態度。「―を言う」

**うれしなき**[(×嬉し)泣き]《名・自サ》うれしさのあまり泣くこと。「―に泣く」

**うれしなみだ**[(×嬉し)涙] うれしさのあまり流すなみだ。

**うれすじ**[売れ筋] 同類の商品の中でよく売れているもの。売れ線。「―商品」(↔死に筋)

**うれせん**[売れ線] よく売れる商品(がそなえている性質)。「―の曲・―をねらう」

**ウレタン**〔ド Urethan←Polyurethan〕《理》断熱材や人造ゴムの一種。ポリウレタン。「―マスク」●ウレタンフォーム〔urethane foam〕ウレタンに、泡状に空気をふくませたもの。マットレス・吸音材などに使われる。発泡ウレタン。

**うれっこ**[売れっ子] ①あちこちから執筆や出演などをたのまれる人。②[売れっ×妓] あちこちの客から呼ばれて、いそがしい芸者。▽はやりっこ。

**うれのこり**[売れ残り] ①売れないで〈残ること/残った品〉。②〔古風・俗〕なかなか結婚しない女性。〔失礼な言い方。男性を言うこともある〕動売れ残る《自五》。

**うれゆき**［売れ行き］売れて行く〈こと／ようす〉。「新刊の―」

**う・れる**［売れる］《自下一》①売った状態になる。「五千円で―・きょうはよく売れたね」②広く知られる。「名が売れている」③執筆（しっぴつ）や出演をよくたのまれる。「売れている芸人」

**う・れる**［熟れる］《自下一》じゅくす。みのる。名熟れ。

**うれわしげ**［憂わしげ］（うれはしげ）《ナダ》〔文〕ゆううつなようす。なやんでいるようす。「―な表情」〔形容詞「憂わしい」の形でも使う〕

**うろ**［雨露］〔文〕あめとつゆ。「―をしのぐ」

**うろ**［虚］・［洞］・［空］　中がからになった所。空洞（くうどう）。「虫歯の―」

**うろうろ**《副・自サ》あてもなくあちこち〈動き回る／歩き回る〉ようす。「あやしい人が―している」

**うろおぼえ**［うろ覚え］《名・自サ》たしかでない記憶（きおく）。〔なまって、「うるおぼえ」〕

**うろこ**［鱗］①《動》さかなどの からだをおおう、小さく平たくて固いものの集まり。「コイの―・ヘビの―」②着物などの、三角形を組み合わせた模様。③［ウロコ］明朝（みんちょう）体活字で、横棒の右はしに盛り上がった、三角の部分。●**うろこぐも**［鱗雲］　小さく、まだらになって、秋の空一面に広がる雲。巻積雲（けんせきうん）。

**うろた・える**［狼狽える］（うろたへる）《自下一》あわててとりみだす。

**うろちょろ**《副・自サ》あちこち動き回って目ざわりなようす。「あぶないから―するな」

**うろつ・く**［彷徨く］・［徘徊く］《自五》行く先や目的を定めず、行ったり来たりする。

**うろぬ・く**［疎抜く］《他五》〔若い野菜を〕まびく。おろぬく。「苗（なえ）を―」名うろ抜き。

**うろん**［胡乱］《ナダ》〔古風〕〔正体（しょうたい）がわからず〕あやしいようす。うさんくさい。「―な人物」派―げ。

**うわ**《感》〔話〕⇩わ㊁。「うわ（↓）、やばい」

**うわ**［上］（うは）造「上（うえ）」が語の上がわに来るときの形。「―書き・―まぶた・―皮（かわ）」

**うわあご**［上顎］（うはあご）上の歯ぐきにつづく あご。（↕下顎（したあご））

**うわえ**［上絵］（うはゑ）①白く染めぬいた所に絵の具でかいた絵や模様。②陶磁器（とうじき）の表面にかく絵。

**うわおき**［上置き］（うはおき）《名・他サ》①上に置く〈こと／もの〉。②机・棚（たな）などの上に置く箱。③うつわにもった料理の上にちょっとそえるもの。

☆☆**うわがき**［上書き］（うはがき）㊀表書き。「封筒（ふうとう）の―」㊁《名・他サ》〔コンピューターで〕あるファイルにデータを入力し、別の内容に置きかえること。以前の内容は消える。オーバーライト。「―保存」

**うわがけ**［上掛け］（うはがけ）①いちばん上または外がわにかける紙・ひもなど。②衣服の上にかけて着るもの。③ふとんなどの、いちばん上にかけるもの。

**うわき**［浮気］（うはき）《名・自サ・ナダ》①ほかの人やものごとに、気持ち〈を移す／が移りやすい〉こと。「―な性分（しょうぶん）・―者（もの）・視聴（しちょう）者が別のチャンネルに―する」②決まった人以外の相手と、かるがるしく関係を結ぶこと。☞不倫（ふりん）。

**うわぎ**［上着・上衣］（うはぎ）①いちばん外に着る衣服。（↕下着）②〔上下の二つに分かれた洋服で〕上半身に着る洋服。（↕ズボン・スカート）

**うわぐすり**［上薬・釉・釉薬］（うはぐすり）陶磁器（とうじき）の表面に塗（ぬ）って、つやをつけるもの。釉薬（ゆうやく）。

**うわぐつ**［上靴］（うはぐつ）〔幼稚（ようち）園・学校などの〕建物の中ではく、やわらかくて動きやすいくつ。（↕下靴）

**うわごと**［譫言］・［囈語］（うはごと）熱が高いときなどに、無意識に言う〔筋の通らない〕ことば。

**うわさ**［噂］（うはさ）《名・自他サ》①本人について、他人がかげで話すこと。また、世間で言われている話。「―を広める・―を流す・有力候補と―される・―の（=うわさになっている）お店」②〔講談などで〕話題。「お古いお―」●**うわさがうわさを呼ぶ** 句 一つのうわさがもとで、次から次へとうわさが広がる。●**うわさが立つ** 句 世間のうわさになる。他うわさを立てる。●**うわさをすれば影（かげ）（がさす）** 句 うわさをしていると、ふしぎに当人がやってくる。うわさをすればなんとやら。

**うわじき**［上敷き］（うはじき）ものの上に敷（し）く〈こと／もの〉。うわしき。

**うわすべり**［上滑り］（うはすべり）《名・自サ・ナダ》①きちんとした内容を〈ともなわず／さとらず〉、先へ進むこと。「議論が―する・―の知識」②⇩うわちょうし②。▽うわっすべり。

**うわずみ**［上澄み］（うはずみ）液体の上のほうの、澄（す）んだ部分。「―を取る」

**うわず・る**［上擦る］（うはずる）《自五》①おちつきがなくなって、のぼせる。「上ずった声」②《野球》投球が低く決まらず、うきぎみになる。

**うわぜい**［上背］（うはぜい）〔高い〕せたけ。「―がある」

**うわちょうし**［上調子］（うはてうし）《名・ナダ》①おちつかない〈調子／気分〉。②ことば・おこない・性質がかるがるしいこと。うわすべり。▽うわっちょうし。うわぢょうし。

**うわぢょうし**［上調子］（うはてうし）①〔三味線（しゃみせん）の合奏で〕全体の音を高く調律した三味線（の調子）。②⇩うわちょうし。

**うわつき**［上付き］（うはつき）〔印刷文字で〕ふつうの字の右上に小さく字をつけること。注の番号や数学の累乗（るいじょう）などに用いる。肩（かた）つき。うえつき。「―文字」（↕下付き）

**うわつ・く**［浮つく］（うはつく）《自五》①〔気が〕おちつかない状態になる。「祭の前の浮ついた空気・浮ついた気分で仕事をするな」②軽はずみで、ふまじめな感じがする。「浮ついた生活」名浮つき。

**うわづつみ**［上包み］（うはづつみ）紙で包んだものをさらに包む〈こと／包装〉。

**うわっつら**［上っ面］（うはっつら）うわべ。表面。うわつら〔文〕。「問題の―だけを見る」

**うわっぱり**［上っ張り］（うはっぱり）〔仕事をするときなどに〕衣服の上に着る服。スモック。

**うわづみ**［上積み］（うはづみ）《名・他サ》①積んだものの上にさらに〈積むこと／積んだ荷物〉。（↕下積み）②うわのせ。「予算の―をはかる」

**うわて**［上手］（うはて）㊀①上のほう。②かざかみ。かわかみ。（↕下手（しもて））③《すもう》四（よ）つに組んだとき、さしこんだ相手の手に対して、外がわからかかえるような形でさした状態（の手）。「―を引く」④《碁・将棋》強いほうの人。▽③④（↕下手（したて））㊁《名・ナダ》①〔一段と〕すぐれている〈こと／人〉。「一枚―だ」②相手より上位にある態度。「―に出る」（↕下手（したて））☞かみて（上手）・じょうず(上手)。●**うわてなげ**［上手投げ］①《すもう》相手のうでをだきこむようにして、上からまわしをつかみ、相手を投げる わざ。②《野球》オーバースロー。▽(↔下手投げ)●**うわてまわし**［上手回し］《すもう》「上手【一】③」でつかんだ、相手のまわし。(↔下手回し)

**うわぬり**［上塗り］《名・他サ》①下塗りの上に、さらに塗ること。(↔下塗り) ②〔よくないことを〕かさねてすること。「恥の—」

**うわね**［上値］《経》今の値段より上の値段。(↔下値)

**うわのせ**［上乗せ］《名・他サ》前からある数量に対して、少しつけ加えること。上積み。「基本料金の八パーセントを—する」

**うわのそら**［(上の空)］心が動いて〈おちつかない／注意を集中できない〉こと。「—で話を聞く」

**うわのり**［上乗り］《名・自サ》荷物の積みおろしのために車・船などに同乗する〈こと／人〉。

**うわばき**［上履き］屋内ではく、スリッパ・上靴などのはきもの。室内履き。(↔下履き)

**うわばみ**［(×蟒)］①だいじゃ。②〔俗〕大酒飲み。

**うわび**［上火］《料》〔オーブンやグリルで〕上から加える火。(↔下火)

**うわぶれ**［上振れ］《名・自サ》《経》〔株価・売上高などが〕予想したよりも高くなること。「景気の—」(↔下振れ) 【動】上振れる《自下一》。

**うわべ**［(上辺)］外にあらわれた部分や事情。「—をつくろう・—をかざる・—は親切そうだが…」

**うわまえ**［上前］①〔衣服の〕前をあわせたとき、上になるほう。「—が下がる」(↔下前) ②取り次ぐ代金などの一部分。【由来】②は、江戸時代、年貢米の通行税であった「上米」から。●**上前をはねる**【句】相手にわたすべき代金・品物などの一部分を(だまって)自分のものにする。あたまをはねる。

**うわまわ・る**［上回る］《自他五》〔数量・性質などが〕あるものより上になる。「賛成が反対を—・予想を—結果・収入よりも支出が—・相手のほうが体力で—」(↔下回る)

**うわむ・く**［上向く］《自五》①上を向く。あおむく。▽(↔下向く) 【名】上向き。③《経》相場が上がりはじめる。②調子が上がる。【他】上向ける《下一》。

**うわめ**［上目］①ひとみを上に向けること。「—を使う」(↔下目) ②超過。余分。●**うわめづかい**［上目遣い］《名・自サ》顔は向けないで、目だけを上に向けて見ること。〔こびるときなどの表情〕「上役を—〈で／に〉見る」(↔下目遣い)

**うわもの**［上物］その土地の上に建っている建物。「〔不動産広告で〕—あり」☞じょうもの(上物)。

**うわや**［上屋・上家］①旅客や貨物を雨から守るために駅のホームに作った、屋根と柱だけの建物。②〔warehouse《=倉庫》から〕貨物を送り出すまで、一時しまっておく建物。

**うわやく**［上役］自分と同じ職場で、自分より地位が上の人。(↔下役)

**うわ・る**［植わる］《自五》植えた状態になる。「花壇にキクが—」

**うわん**［右腕］①〔文〕みぎうで。②《野球》右投げ(の投手)。▽(↔左腕)

**うん**［運］自分の力だけではどうにもならない、いいか悪いかの なりゆき。「—がない〔=いい運がない〕・—が〈向く／回ってくる〉〔=よくなる〕・—よく助かった・—悪く」☞運の尽き。●**運を天に任せる**【句】すべて なりゆきにまかせる。

***うん**《感》〔話〕①感動詞「はい①〜④」の〈ぞんざいな／はっきりしない〉言い方。うむ。「『早く ねなさい』『—』」②思い出したり、気がついたりしたときの声。「—、そうだった」③あやしんだり、ぞんざいに問いかけたりするときの声。「うん(↗)? なにが起こったんだ・どうしたんだ、うん(↗)?」④力を入れたりしたときなどの声。「せえの、うん(↘)」☞うんうん・ん【五】。●**うんだとも つぶれたとも**【句】〔古風〕連絡がないときの形容。うんともすんとも。「—言ってこない」【由来】『うん〔=返事の声〕』だ」に「熟んだ」をかけて「つぶれた」と続けたしゃれ。●**うんでもすんでもない**【句】うんともすんとも言わない。●**うんともすんとも**【句】だまって、〈返事／連絡〉をしないときの形容。まったく一言も。「—言わない」【由来】「うん」は返事。「すんとも」は調子をよくするために そえたことば。

**うん**【造】〔発音をぼかすための「ン」の音から〕〔話〕数字などをぼかして言いたいときに使うことば。「—十万円・—大生〔=何々大学の学生〕」

**うんいき**［雲域］《天》雲の広がっている範囲。

**うんうん**【一】《副》苦しくて出す声。「—うなって寝ている」【二】《感》〔話〕うなずいたり同意したりするときの声。「—(と)言うばかりで何もしない」

**うんえい**［運営］【一】《名・他サ》目的にそって組織を動かすこと。「会議の—・政局の—」【二】運営主体。

**うんえんかがん**［雲煙過眼］〔文〕〔雲やけむりが、たちまち目の前をとおり過ぎていくように〕ものごとに執着しないこと。

**うんおう**［(×蘊奥)］〔文〕学問・技芸などの おくそこ。奥義。うんのう。「—をきわめる」

**うんか**［(:浮塵子)］①小形の昆虫。ホタルに似た形で、緑色。イネにむらがる害虫。【由来】「雲霞」からという。②⇩よこばい(横這い)【二】。

**うんか**［雲×霞］〔文〕くもと かすみ。「—のごとく〔=ものすごく たくさん〕おし寄せる」

**うんが**［運河］船を通すために、陸地を切りひらいて造った水路。「スエズ—」

**うんかい**［雲海］たくさんうかんで、上から見おろすと、海のように広がっている雲。

**うんき**［(△温)気］〔文〕①むっとするような、あたたまった空気。「土の—」②むし暑いこと。「—の時分」

**うんき**［運気］自然現象になぞらえて、人間の運命を判断したもの。「悪い—・—が上向く」

**うんきゅう**［運弓］《音》バイオリンなどを演奏するときの、弓の使い方。弓づかい。「—法」

**うんきゅう**［雲級］《天》雲を、形とできる高度によって、一〇種に分類したもの。巻雲・巻積雲・巻層雲・高積雲・高層雲・乱層雲・層積雲・層雲・積雲・積乱雲。十種雲形。

**うんきゅう**［運休］《名・自サ》↑〈運転／運航〉休止。

**うんこ**《名・自サ》〔俗〕大便。「—ずわり〔=和式便所

で用をたすときの しゃがんだ姿勢〕」 由来「うん」は りきむ声。「こ」は接尾語。 区別「うんこ」は漫画などに えがかれたものも広く指す。「うんち」は実際の便を指すイメージが強く、小さい子へのトイレ教育の場などで使いやすい。

うんこう【雲高】《天》雲の、地上から雲の底までの高さ。「―八百メートル」

↑うんこう【運航】《名・自サ》〔船・飛行機が〕予定にしたがって航路を進むこと。「―便数」

↑うんこう【運行】《名・自他サ》①〔列車・自動車などが〕予定にしたがって動くこと。また、動かすこと。「バスの―が止まる」②天体が めぐること。「太陽の―」③〔文〕ものごとが進むこと。また、進めること。「試合の―」

うんざり《副・自サ》すっかり〈あきる／いやになる〉ようす。「雨続きで―する・―と(=ものうく)見上げる」 派 ―さ。

うんさん【雲散】《名・自サ》〔文〕雲が ちるように、ちらばること。●うんさんむしょう【雲散霧消】《名・自サ》ちりぢりに きえてしまうこと。

うんざん【運算】《名・他サ》《数》⇩演算。

うんし【運指】《音》ピアノなどを演奏するときの、指の動かし方。指づかい。「―法」

うんしゅう【雲集】《名・自サ》〔文〕雲のように たくさん あつまること。

うんしゅう みかん【△温州△蜜×柑】 日本の代表的なミカン。果実の外皮はうすく、果汁が多くて あまい。 由来 ミカンの名産地であった、中国の「温州」にちなんだ呼び名。

うんじょう【雲上】〔文〕雲の うえ。●うんじょうびと【雲上人】①昔、朝廷につかえた貴族。くものうえびと。②ふつうの人と かけはなれた、えらい人のたとえ。

うんじょう【×醞醸】《名・自他サ》(=米などを発酵させて酒を造ること)〔文〕しだいに形づく(られ)ること。「伝説を―する・不快な感情が―する」

うんしん【運針】①《服》ぬうときの、はりの はこび方。ぬい方。②時計の針が時を刻んで動くこと。

うんすい【雲水】〔文〕修行中の僧。行脚僧。 由来 くもと みずのように諸国をめぐることから。

うんせい【運勢】 運命の〈進む勢い／進み方〉。

うんそう【運送】《名・他サ》荷物を運んで送ること。〔鉄道では旅客を運ぶ場合にも使う〕「―業」

うんだい【雲台】 カメラなどを三脚に固定する装置。自由に角度や方向を変えられる。

うんだめし【運試し】 運がいいかどうかを、ためしてみること。「―に宝くじを買う」

うんち《名・自サ》〔児〕大便。 由来「うん」は りきむ声。「ち」は接尾語。 区別 ⇩うんこ。

☆うんちく【×蘊蓄・ウンチク】(=たくわえ)学問上の深い知識。●うんちくを傾ける 句 深い知識にもとづいて、のべる。

うんちゃん【運ちゃん】〔俗〕運転手をかろんじて呼ぶことば。

うんちゅう【雲中】〔文〕雲の なか。「―に機影を見失う」

うんちん【運賃】〔物や人を〕運送するときに かかる料金。「鉄道―・―表」

うんてい【雲×梯】 水平または山形に作られた、はしごのような形の〈遊具／運動用具〉。ぶらさがって わたる。 由来 昔、城ぜめに使った、雲に届くような長い はしご(梯子)から。

うんでい【雲泥】 雲と どろ(のように、へだたりが大きいこと)。「―万里」●☆うんでいのさ【雲泥の差】たいへんな ちがい。

*うんてん【運転】□一《名・他サ》①乗り物・機械などを動かすこと。「列車の―士・バスの―手」②(お金を)回すこと。運用。「―資金」□二《名・自サ》大型の機械が動くこと。作動すること。「冷蔵庫が―する」

うんと《副》〔話〕①たくさん。「―食べろ」②つよく。「―引っぱる」

**うんどう【運動】《名・自サ》①(走ったり、とんだりして)からだを動かすこと。スポーツ。「―場・(部活動で)―部(↔文化部)・食後の―・―不足」②ある目的のために人々にはたらきかけること。「平和―・―員・―費」③《理》ものが、場所を変えること。「ピストン―・ブラウン―」●うんどうかい【運動会】 多くの人が集まって いろいろの運動や競技をする会。●うんどうしんけい【運動神経】①《生》筋肉を動かす神経。②スポーツをよくこなす感覚。●うんどうりょう【運動量】①からだを動かす量。「―が多い」②《理》物体の運動の激しさ。質量と速度の積で あらわす。

うんとこ《感》〔古風〕力を入れて、重い物を動かすときに出す声。「―どっこい」●うんとこさ □一《感》〔古風〕うんとこ。□二《副》〔俗〕たくさん。「―食べた」

うんどんこん【運鈍根】 成功するために必要な、三つの大切なもの。運がいいこと、かるがるしく動かないこと、根気があること。運根鈍。

うんぬん【×云々】□一 談話のあとの部分を省略したことをあらわすことば。しかじか。「なお努力する―、との発言があった」□二《名・他サ》それについて、あれこれ言うこと。「読みもしないで内容を―する」●うんぬんかんぬん【×云々かんぬん】〔話〕「うんぬん□一」を強めたことば。〔おそくとも一九五〇年代から ある ことば〕

うんのう【×蘊奥】〔文〕⇩うんおう。

うんのつき【運の尽き】①いい運から見はなされること。「少しだけなら、と飲んだのが―だった」②〔皮肉な言い方〕運命が決まってしまうこと。「この映画に出あったのが―」

うんばん【雲版】 色紙などを入れて かける額。

うんぱん【運搬】《名・他サ》〔手数をかけて〕運ぶこと。「荷物を―する・砂利の―・負傷者の―」

うんぴつ【運筆】 ふでの はこび方。筆(の)運び。

うんぴょう【雲表】〔文〕雲の うえ。雲外。

うんぷてんぷ【運△否天賦】〔文〕運命のよしあしは天が定めるということ。「―でやる(=運を天にまかせる)」

うんむ【雲霧】〔文〕くもと きり。

うんめい【運命】 人や ものごとを支配する大きな力。人の力では どうすることもできない、変化・なりゆき。「これも―だ・―のいたずら・―づける・―的な出会い」●うんめいきょうどうたい【運命共同体】一方が倒れればもう一方も倒れるというように、両方の運命が共通している〈集団／国〉。●うんめいろん【運命論】《哲》宿命論。「―者」

うんも【雲△母】《鉱》六角で板の形に結晶した鉱物。はがすと、うすく はなれる。電気の絶縁材料にする。千枚はがし。きらら。

**うんゆ**[運輸] 人や貨物をはこぶこと。

**うんよう**[運用]《名・他サ》実際に〈使う/はたらかせる〉こと。「法規の―・資産―」

**うんりょう**[雲量]〔天〕空の全体を占める雲の分量の割合。0～1が快晴、2～8が晴れ、9以上が曇り。

# え　エ

**え**[会] 法会・祭り・行事などの集まり。「茶の―・放生―・万灯―」

**え**[江] ①入り江。湾。②⇩格助詞「へ」の表記。

**え**[△枝]〔雅〕えだ。「松が―」

**え**[柄] ものを手に持てるようにつけられた、細長い部分(に似たもの)。「傘の―・三間―の(=非常に長い)槍(☞「やり①」の絵)」●**柄のない所に柄をすげる** 句 口実をこしらえて、むりやりおしつける。

****え**[絵・△画] ①ものの形・様子などを、目に見えるようにかきあらわしたもの。絵画。②《映画・放送》一場面。映像。「音は出るが―が出ない」③構図。構想。「この事業でどういう―がかけるか」●**絵に描いた餅** 句 計画だけに終わって、役には立たないこと。●**絵に描いたよう** 句 ①〔景色などが〕とても美しい。「―なながめ」②いかにもそれらしい。典型的な。「―なおしどり夫婦・温厚を―な人」●**絵になる** 句 ①絵の題材としてふさわしい。「―風景」②姿などがその場のふんいきに合っている。「どんなしぐさも―」

**え**[餌]〔古風〕えさ。「釣り―」

**え**〔話〕㊀え《感》感動詞「ええ」を短く言ったことば。「『カードでおしはらいでしょうか』『―』・え(↗)、なんですって」㊁《終助》〔古風〕相手に呼びかける気持ちをあらわす。…よ。「もし、おかみさん―」

**え**[重]〈接尾〉かさなり。「一―(=かさなっていない状態)・二―・八―桜」

**エア**[air] ①空気。「タイヤに―を入れる」②フリースタイル スキーの空中演技。「第二―」▽エアー。エヤ(ー)。③〔俗〕身ぶりや空想(でえがき出すもの)。「―ギター(=ギターをひくまねをするパフォーマンス)・―彼女(=空想上の彼女)・そばを―で食べる」

**エアカーテン**[air curtain] 出入り口の上から、空気を強くふきおろして、内と外との空気の出入りをさえぎる装置。

**エアガン**[air gun] 圧縮空気や低圧ガスでたまを発射する、おもちゃの銃。エアライフル。☞空気銃。

**エアコン**[←エアコンディショナー] 空気の温度や湿度などを調節して保つ装置。

**エアゾール**[ド Aerosol] ①薬品を霧のようにふき出させる装置。②〔理〕⇩エアロゾル。

**エアターミナル**[air terminal] 空港で、旅客の手続きや、待ち合わせなどをする建物。

**エアチェック**《名・他サ》[air check] ラジオなどの音楽番組の、個人用録音。

**エアバッグ**[air bag] 自動車の安全装置の一つ。衝突したときに、自動的に大きくふくらんで、車内の人を守るふくろ。

**エアピストル**[air pistol] ピストル形の空気銃(でおこなう射撃競技)。

**エアブラシ**[airbrush] 空気の力で、絵の具を霧のようにして紙にふきつけ、ぼかす効果を出す〈道具/技法〉。

**エアブレーキ**[air brake] 圧縮空気を利用した、列車・自動車などのブレーキ。空気制動機。

**エアポート**[airport] 空港。☞ヘリポート。

**エアポケット**[air pocket] ①飛んでいる飛行機を急降下させる気流のある場所。「―にはいる」(もと、真空の部分と考えられた) ②ものごとが急になくなる空白部分。「街の中の―・―のような時間」

**エアメール**[airmail] 航空便。

**エアライン**[airline] ①定期航空路。②航空会社。

**エアリアル**[aerial]〔スキー〕フリースタイル スキーの一種目。ジャンプ台から飛び出して、空中での回転などのわざをきそうもの。

**エアリー**《名・ナダ》[airy] 空気のように ふんわりしたようす。「―感を出したヘアスタイル」

**エアログラム**[aerogram] 外国向けの、料金均一の航空郵便。三つ折りにし、のりづけして出す。航空書簡。

**エアロゾル**[aerosol]〔理〕固体または液体のごく小さいつぶが気体中でただよっている状態。霧や煙など。エアゾール。エーロゾル。「―感染(⇩空気感染)」

**エアロバイク**[Aerobike=商標名] 車輪のない自転車の形をした運動器械。足でこいでトレーニングする。フィットネス バイク。

☆☆**エアロビクス**[aerobics] 有酸素運動。特に、音楽に合わせてそれをおこなうダンス。エアロビックス。エアロビ。

**えい**[英] ①↑英国。「―文学・―領・訪―」②↑英語。「―会話・―単語」

**えい**[栄]〔文〕ほまれ。名誉。「受賞の―にかがやく」

**えい**[詠]〈短歌・俳句〉よんだ作品。「新春―・日常―」

**えい**[×嬰]〔音〕半音だけ上げること。「―ハ長調」(↔変)

**えい**[×鱏] アカエイ・イトマキエイなど、からだは ひし形で平たく、尾が細長い さかな。

**えい**《感》①〔話〕〈力をいれる/思いきってする〉ときのかけ声。「―と刀をふる・―、当たってくだけろだ」②〔話〕〔古風〕不愉快な気持ちをあらわすことば。「―、くそ」③〔古風〕とがめて、答えをうながすときのことば。おいこら。「―、言わぬか」▽えいっ。ええ(い)。

**えい**[営為] いとなみ(の仕事)。

**えいい**[鋭意]《副》心をはげまして。いっしょうけんめい。「―努力する・―作成中」

**えいいん**[影印]《名・他サ》〔古い書物などを〕もとのままの形で写真にとり、複製して印刷〈したもの/すること〉。「―本」

**えいえい**[営々]《(ト)(タル)》〔文〕せっせと〈働く/つとめはげむ〉ようす。「―と(して)働く・―たる努力」

**えい・えい・おう**《感》〔話〕出陣や気勢をあげるときに発することば。由来 戦いの前に大将が「えいえい」と呼びかけ、家来たちが「おう」と応えたとされることから。

**えいえん**［永遠］㊀時をこえて、その状態が変わらないこと。「―のアイドル・宝石の―の かがやき・―に終わりそうにない仕事」区別「永遠」は、ずっと変化しないことに重点があり、主観的な表現に使う。「永久」は、物の動きなどもふくめて、ずっと続くことに重点があり、主観的にも客観的にも使う。㊁《タト》〔俗〕延々。「―と続く道」〔二〇一〇年代に広まった用法〕

**えいか**［詠歌］〔文〕①和歌をよむこと。よまれた和歌。「晩年の―」②⇩ご詠歌。

**えいが［映画］劇などを撮影した動画をスクリーンに映写して、人に見せる仕組み。また、映写される作品。シネマ。ムービー。「―館・―界・テレビ―」

**えいが**［栄華］地位・財力があって さかえること。「―をきわめる・―をつくす」

**えいかいわ**［英会話］〔学習者が〕英語でする会話。また、その授業。英語会話。「―を習う」

**えいかく**［鋭角］《名・ナダ》①《数》直角より小さい角。「―三角形」(↔鈍角) ②するどい感じがすること。「―的な作品・―な論理」

**えいかん**［栄冠］名誉ある〈かんむり／地位〉。ほまれ。「初の―に かがやく(=優勝する)」

←**えいき**［英気］何かをしようという元気。「のんびり休んで―を養う・―溌剌」

→**えいき**［鋭気］するどい気性。強い意気ごみ。「―をくじく」

**えいきごう**［×嬰記号］《音》⇩シャープ㊁①。(↔変記号)

**えいきゅう**［永久］動きや状態が いつまでも続くこと。「政界から―に追放する・半―的・―欠番(=名選手の引退後、使わない背番号)・―保存版(=長く保存する価値のある本や音楽・映像ソフトなど)」区別⇩永遠㊀。 ●**えいきゅうし**［永久歯］《生》乳歯がぬけたあとに生える歯。親知らずをふくめて、三十二本ある。 ●**えいきゅうじしゃく**［永久磁石］《理》そのままの状態で、長期間磁力を失わない磁石。 ●**えいきゅうとうど**［永久凍土］《地》何年にもわたって こおりついたままの土地。シベリアやアラスカ、カナダなどに広がる。

**えいきょう［影響］《名・自サ》〔ある力が はたらいたときに〕変化をひきおこす力が、ほかにおよぶこと。また、その結果。「外国文化に―される・台風の―」 ●**えいきょうりょく**［影響力］ほかの〈人／もの〉に影響をあたえる力。「―を行使する」

*えいぎょう［営業］《名・自他サ》①店や会社、事務所などが、利益を得るために仕事をすること。「―時間」②〔会社で〕販売関係の〈仕事／部署〉。「―網・―マン・―所」③商品などを売りこむこと。「―攻勢・―トーク」④〔芸能人の〕地方回り。地方営業。「デパートの屋上で―する」 ●**えいぎょうび**［営業日］企業が営業をおこなう日。「翌―・三―以内に発送します」

**えいけつ**［英傑］〔文〕国や民族のために、りっぱな事業をなしとげた人。

**えいけつ**［永×訣］《名・自サ》〔文〕⇩永別。

**えいけん**［英検］①〔↑実用英語技能検定〕実用的な英語の力を調べる検定試験。②広く、英語の検定試験一般を指すことば。「国連―」

**えいこ**［栄枯］さかえることと おとろえること。「―盛衰は世の常」

**えいご［英語］①イギリス・アメリカをはじめとした地域で話される、勢力の大きい言語。②「英語①」を学ぶ教科。英語科。

**えいこう**［栄光］ほまれ。光栄。「勝利の―」

←**えいこう**［×曳行］《名・他サ》〔文〕〔山車などを〕引っぱって進めること。「だんじりの―」

→**えいこう**［(×曳)航］《名・他サ》ほかの船を引っぱって行くこと。引航。

**えいごう**［永×劫］〔劫=非常に長い時間〕数えきれないほど長い年月。永久。「未来―」

**えいこうだん**［(×曳)光弾］《軍》夜でも弾道が わかるように、火をはきながら とぶようにしたたま。

**えいこく**［英国］⇩イギリス。

**エイコサペンタエンさん**［エイコサペンタエン酸］《理》⇩イーピーエー(EPA)①。

**えいこん**［英魂］〔文〕死んだ人の たましい。〔ほめて言うことば〕

**えいサー**［エイサー］お盆のころに おこなう、沖縄のおどり。太鼓を打つ おどり手が三線や歌に合わせて、道をねり歩く。

**えいさい**［英才］すぐれた才能(の ある人)。「―教育」

**えいさくぶん**［英作文］①英語で書く作文。②あたえられた日本文を英文に〈訳すこと／訳したもの〉。▽英作。

**えいし**［英姿］〔文〕りっぱな すがた。「馬上の―」

**えいし**［衛視］国会で警備・監視に当たる職員。〔戦後の職名。もと、守衛〕

**えいじ**［英字］英語を書くための文字。ローマ字。「―(=英語で書いた)新聞」

**えいじ**［×嬰児］〔文〕生まれて まもない赤ちゃん。ちのみご。「―遺棄」

**エイジ**㉚〔age〕①時代。「デジタル―」②年齢。「―(=年齢別)グループ」▽エージ。 ●**エイジシュート**〔和製 age shoot〕《ゴルフ》一ラウンドを、自分の年齢以下の打数で終えること。エージシュート。㊅エイジシューター。 ●**エイジレス**《名・ナダ》〔ageless〕年齢にこだわらないこと。年齢を問わないこと。「―ライフ・―社会」

**えいじはっぽう**［永字八法］「永」の一字にふくまれる、すべての漢字に共通した八種の基本的な筆づかい。

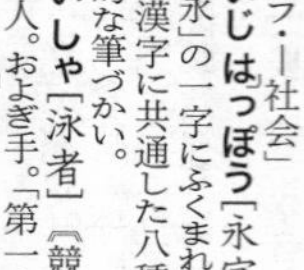


［えいじはっぽう］

**えいしゃ**［泳者］《競泳》およぐ人。およぎ手。「第一―」

**えいしゃ**［映写］《名・他サ》映画を映し出すこと。

**えいじゅう**［永住］《名・自サ》その土地に(死ぬまで)ながく すむこと。

**えいしゅん**［英俊］《名・ナダ》〔文〕頭がよく才能がある〈こと／人〉。俊英。

**えいしょう**［詠唱］《名・他サ》①〔文〕節をつけて歌うこと。②《音》アリア(を歌うこと)。

**えいしょく**［栄職］〔文〕名誉ある地位。

**えい・じる**［映じる］《自上一》〔文〕⇩うつ(映)る①。映ずる。「夕日が湖水に―・目に―(=見える)」

**えい・じる**［詠じる］《他上一》〔文〕①詩や歌に作る。

②詩や歌を歌う。▽詠ずる。

**えいしん**［栄進］《名・自サ》〔文〕上の地位にすすむこと。

**えいしん**［詠進］《名・他サ》〔文〕歌を作って〈宮中/神社〉に、さし出すこと。「ー歌」

**エイジング**〔aging＝熟成〕①年をとること。加齢。「アンチー」②〔機械の性能を調べるための〕連続運転。「テレビのーテスト」③ドラマのセットなどをよごして、古い感じを出す技法。▽エージング。

☆☆**エイズ**〔AIDS←acquired immunodeficiency syndrome〕《医》後天性免疫不全症候群。ウイルスのために からだに免疫がなくなって、病気にかかりやすく、また病気が治りにくくなる感染症。

**えいすうじ**［英数字］英字〔＝ローマ字〕と数字。英数。「パスワードはーで八文字まで」

**えいせい**［永世］①のちの世までずっと続くこと。「ー中立国〔例、スイス〕」②《将棋》〔資格が〕ずっと失われないこと。「ー名人」

**えいせい**［衛生］①ほこり・細菌など、病気のもとになるものが ないようにすること。「ーをたもつ・ーに気をつかう・ーに悪い・ー害虫〔＝ハエ・カ・ゴキブリなど〕」②《建築》便所。「ー工事・ー陶器〔＝便器・洗面台など〕」 ●**えいせいてき**［衛生的］《ナダ》①衛生に関するようす。「ーに不十分」②衛生が保たれたようす。「ーな水・ーで清潔」（↔非衛生・不衛生）

**えいせい**［衛星］①《天》惑星のまわりを回る、小さな天体。例、月は地球の衛星。②まわりにあって、それを守り、またそれにつきしたがっているもの。「ー国」③↑人工衛星。「通信ー」④↑衛星放送。 ●**えいせいとし**［衛星都市］大都市に となりあう中小都市。「住宅ー〔＝ベッドタウン〕」 ●**えいせいほうそう**［衛星放送］静止衛星で中継された(テレビ)電波を、直接家庭で受信する方式の放送。「ーを見る」☞BS・CS①。

**えいぜん**［営繕］《名・他サ》〔役所などで〕建物の新築や修繕。「ー課」

**えいそう**［泳層］《釣り》たな。魚層。

**えいそう**［営倉］〔旧日本陸軍で〕軍律をおかした者を懲罰として入れた建物。また、その懲罰。「ー入り」

**えいそう**［詠草］〔文〕よんだ歌(の下書き)。

**えいそう**［営巣］《名・自サ》《動》動物が巣を作ること。「ツバメのー」

*__えいぞう__［映像］①電気的な光によって映し出された、動く形や姿。「テレビのー・ニュースー」②〈頭の中/記憶〉にうかぶ姿やようす。イメージ。「父のー」

**えいぞう**［影像］〔文〕①人やものの姿・形。「夢のー」②肖像。

**えいぞう**［営造］《名・他サ》〔文〕家や倉庫などをつくること。 ●**えいぞうぶつ**［営造物］学校・道路など、公共の建造物。

**えいぞく**［永続］《名・自サ》長く続くこと。ながつづき。「ー性・ーの見こみ」

**えいたい**［永代］永世。「ー供養」

**えいたつ**［栄達］《名・自サ》〔文〕出世〈する/して さかえる〉こと。「ーを望む」

**えいたん**［詠嘆・詠×歎］《名・自サ》①(思わず感心して)ほめること。②感じ入ること。感動。「ーの声を上げる」

**えいだん**［英断］すぐれた決断。「ーをくだす」

**えいち**［英知・×叡×智］深い知恵。すぐれた知性。

**エイチ**［一］［H・h］①アルファベットの八番目の字。「ー字形の鋼材」②〔↑hour〕〔視覚語〕〔単位の〕時間。「〔看板で〕24ー」［二］［H］①〔↑hard〕(↕B) えんぴつの芯の かたいことをあらわす記号。「2ー」②〔↑hydrogen〕《理》水素の元素記号。③〔視覚語〕ヒップ〔＝しりまわり〕。④〔視覚語〕「平成」の頭文字。「ー30」▽［一］［二］エッチ。 ●**エイチアール**［HR］①〔↑human relations〕〔職場などでの〕人間関係。②⇩ホームルーム。③《野球》⇩ホームラン。 ☆☆●**エイチアイブイ**［HIV］〔↑human immunodeficiency virus〕《医》ヒト免疫不全ウイルス。エイズ ウイルス。 ●**エイチディー**［HD］①⇩ハードディスク。「ーD〔＝ハードディスク ドライブ〕」②《経》⇩ホールディングス。③〔↑high difinition〕高音質・高画質。「映画のーリマスター版〔☞リマスター〕」 ●**エイチティーエムエル**［HTML］〔↑hyper text markup language〕《情》コンピュータ言語の一つ。ホームページ作成などのために使う。 ●**エイチディーエルコレステロール**［HDLコレステロール］〔HDL↑high density lipoprotein〕《生》HDL〔＝コレステロールを運ぶ役目をする物質〕にふくまれるコレステロール。血管にしみこんだ余分なコレステロールを肝臓まで運び去って、動脈硬化になる危険を低くするので、俗に「善玉コレステロール」と呼ばれる。☞LDLコレステロール。 ●**エイチビー**［HB］〔↑hard black〕えんぴつの芯のかたさをあらわす記号。中間のかたさのもの。 ●**エイチピー**［HP］《情》⇩ホームページ①。 ●**エイチブイ**［HV］〔↑hybrid vehicle〕⇩ハイブリッド車。

**えいてん**［栄典］①〔文〕めでたい儀式。②《法》国家が功労者に勲章・褒章などをあたえること。「ー制度」

☆☆**えいてん**［栄転］《名・自サ》①今までよりも〈いい/高い〉地位の仕事に移ること。「支店長にーする」(↕左遷)②相手の転任について言う尊敬語。

**エイト**〔eight〕［一］［造］八。［二］エイト 八人で こぐ競漕用のボート(の選手)。

**えいねん**［永年］〔文〕①長い年月。「ー勤続者」②ずっと。「年会費ー無料」

**えいのう**［営農］《名・自サ》《農》農業をいとなむこと。「ー団地〔＝特定の農作物の、集団産地〕」

**えいびん**［鋭敏］《ナダ》①感覚がするどいようす。「ーな神経」②頭のはたらきが はやいようす。「ーな頭脳」［派］ーさ。

**えいぶん**［英文］①英語の文章。「ー読解」②↑英文学(科)。

**えいへい**［衛兵］兵営の門などをまもる兵士。

**えいべつ**［永別］《名・自サ》〔文〕永久のわかれ。ながのわかれ。死別。永訣。

**えいほう**［泳法］およぎ方。およぎの型。

**えいほう**［鋭峰］〔文〕するどく そびえる山。

**えいほう**［鋭×鋒］〔文〕①するどい ほこさき。「ーをかわす」②するどく相手を攻めたてる ことば。

**えいまい**［英×邁］《ナダ》〔文〕〔王・主君などが〕頭がよく、人格が すぐれているようす。「ーな君主」［派］ーさ。

☆☆**えいみん**【永眠】《名・自サ》永久にねむる(=死ぬ)こと。〔美しくあらわした言い方〕区別⇩死ぬ[一]①。

**えいめい**【英名】①英語での呼び名。「魚のマスの―はトラウト」☞和名②。②〔文〕その人がすぐれているという評判。「世界に―を馳せる」

**えいめい**【英明】《ナダ》〔文〕才能があって ものの道理がよくわかるようす。「―な君主」派―さ。

**えいや** [一]〔話〕[二]《感》力をいれるときの かけ声。「―と持ち上げる」[二]〔しめきりなどに せまられて〕決断すること。「最後は―だ・―で決めてしまう」▽[一][二]えいやっ。

**えいやく**【英訳】《名・他サ》英語に翻訳〈すること/したもの〉。

**えいゆう**【英雄】特に武勇にすぐれ、人々から尊敬される人。「一気取り」 ●**英雄色を好む** 句 英雄と呼ばれる人は情事を好む傾向が強い。

**えいよ**【栄誉】ほまれ。名誉。 ●**えいよれい**【栄誉礼】〔自衛隊などが〕国の元首などをむかえるさいにおこなう礼式。

**えいよう**【栄養・営養】①食べ物などにふくまれる、からだの健康を保つ もとになる成分。滋養。栄養分。「―がある・脳に―が届く・―をとる・―をつける・―クリーム(=はだに栄養をあたえるクリーム)」 ②「栄養①」のつき具合。「―のいい人」 ●**えいようか**【栄養価】食品にふくまれている栄養分の、質と量。「―の高いスープ」 ●**えいようきのうしょくひん**【栄養機能食品】栄養効果のあることを表示できる食品。特に、ビタミン十二種類、ミネラル五種類の栄養成分のうち、一種類以上を一定量ふくむもの。☞保健機能食品。 ●**えいようきょうゆ**【栄養教諭】栄養の指導と管理を受け持つ教諭。 ●**えいようし**【栄養士】主に健康な人に栄養の指導をする資格を持った人。☞管理栄養士。 ●**えいようしっちょう**【栄養失調】《医》栄養分、特にたんぱく質の不足からくる からだの障害。だるく感じ、顔や下半身がむくむ。 ●**えいようそ**【栄養素】からだの栄養となる おもな成分。例、たんぱく質・炭水化物・脂肪・無機塩類・ビタミンなど。 ●**えいようほじょしょくひん**【栄養補助食品】⇩サプリメント。

**えいよう**【栄×耀】〔文〕おおいに さかえて ぜいたくをすること。えよう。「―栄華をきわめる」

**えいり**【営利】利益を求めて活動すること。「―団体・―事業」

**えいり**【鋭利】《ナダ》するどい ようす。「―な刃物」派―さ。

**エイリアン**〔alien=外国人〕宇宙人。特に、地球に害をおよぼす地球外の生命体。

**えいりょ**【×叡慮】〔文〕天子の考え。おおみこころ。「―を安んじたてまつる(=ご安心いただく)」

**えいりょく**【泳力】(ある距離を一定時間内で)泳ぐ能力。「―認定」

**えいりん**【映倫】〔←映画倫理委員会〕映画の自主的規制をおこなう、民間の機関(による映画倫理規程)。

**えいりん**【営林】《名・自サ》〔文〕森林を管理・経営すること。「―事業」

**えいれい**【英霊】死んだ人の霊を尊敬した言い方。「護国の―」

**えいわ**【英和】↑英和辞典(=英語の見出しに日本語で意味を書いた辞典)。(↕和英)

**えいん**【会陰】《生》陰部と肛門の間。ありのとわたり。

*__ええ__《感》〔話〕①ええ 相手の言うことを認めたり、引き受けたり、あいづちを打ったりするときのことば。「―、そうです・こういうわけなんですよね、―〔自分で打つ あいづち〕」 ②次のことばが出なかったり、間を置いたりするときにそえることば。えー。「ええ(→)、本日は、おいそがしいところ…」 ☞ええと。 ③ⓐ問い返すときのことば。えー。「ええ(↗)、なんだって?」 ⓑ不満やおどろきの気持ちをあらわすことば。えー(っ)。「『いいな、わかったか』『ええ(↗)!?』」 ④⇩えい《感》。

**エー** [一][A・a] アルファベットの最初の字。 [二][A] ①名前を出さないで言うときに使う符号。「少女―」 ②等級の一番目。☞A級。 ③〔↑answer〕答え。(↕Q) ④血液型の一つ。A型。〔ABO式血液型では、A・B・O・ABに分かれる〕▽[一][二]エイ。☞アンペア・エース①。 ●**AからZ(まで)** 句 ①何から何まであらゆるもの。「スキー用品―」 ②入門段階から高度なものまで。「セールスの―」

**エーアール**【AR】〔↑augmented reality〕《情》ディスプレイに映る現実の風景に、関連する情報が重なって見えるようにする技術。拡張現実。

☆☆**エーアイ**【AI】〔↑artificial intelligence〕学習・推論・判断など、人間の持つ高度な知的能力を実現しようとするコンピューターシステム。人工知能。

**エーアイディー**【AID】〔↑artificial insemination by donor〕《医》夫以外の人から精子をもらっておこなう人工授精。非配偶者間人工授精。

**ええい**《感》〔話〕「えい」を強めたことば。「―、ままよ・―、こんちくしょう」

☆☆**エーイーディー**【AED】〔↑automated external defibrillator〕《医》自動体外式除細動器。心臓突然死の原因である心室細動が生じたとき、電気ショックをあたえて、心臓の動きをもとに もどす機器。簡単な操作で作動する。

**エーエー**【AA】①〔↑Asia Africa〕アジアとアフリカ。「―諸国」②⇩アスキーアート。

**エーエスティー**【AST】〔↑aspartate aminotransferase〕《生》肝細胞にある酵素。ALTと同様に、肝臓が悪くなると血液中に出てくる。GOT。

**エーエスディー**【ASD】〔↑autism spectrum disorder〕《医》⇩自閉スペクトラム症。

**エーエム**【AM】〔↑amplitude modulation〕《理》周波数は一定で、強さ(=振幅)だけが変わる電波。振幅変調方式。中波・短波ラジオ用の電波。(↕FM)

**エーエム**【a.m.】〔↑ラ ante meridiem〕午前。「8:30 a.m.〔AM8:30 などとも書く〕」(↕ピーエム〔p.m.〕)

**エーエルエス**【ALS】〔↑amyotrophic lateral sclerosis〕《医》筋肉が縮まって、だんだん身動きがとりにくくなる病気。筋萎縮性側索硬化症。

**エーエルティー**【ALT】①〔↑assistant language teacher〕外国語指導助手。日本人の教員をたすけ、おもに会話の指導にあたる外国人の補助教員。②〔↑alanine aminotransferase〕《生》肝細胞にある酵素。ASTと同様に、肝臓が悪くなると血液中に出てくる。GPT。

**エーオーにゅうし**【AO入試】〔AO←admissions office〕⇩総合型選抜。

**エーカー**〔acre〕ヤードポンド法の面積の単位。一エーカーは約四〇四七平方メートル。

**ええかっこしい**〔関西などの方言〕《俗》自分を実際よりよく見せようとする人。いいかっこしい。

**エーきゅう**【A級】第一級。Aクラス。「―ライセンス・チーム敗北の―戦犯」

**エークラス**【Aクラス】〔A class〕⇩A級。

**エージ** 造〔age〕⇩エイジ。

**エーシー**【AC】①〔↑alternating current〕《理》交流の電流。「―アダプター〔=交流を直流にかえる接続器具〕」(↔DC) ②⇩アダルトチルドレン。

**エージェンシー**〔agency〕代理業。代理店。「ニュース―〔=通信社〕」

**エージェント**〔agent〕①代理人。代理店。②仲介業。③手先。スパイ。

**エース**〔ace〕①《トランプ》1のふだ。記号はA。「ハートの―」②集団の中でいちばんすぐれた人。「党の―・―アタッカー」③《野球》チームの中心となる投手。「―で四番」④《テニス・バレーボールなど》⇩サービスエース。

**エーディー**【AD】〔↑assistant director〕《放送・映画》演出助手。アシスタントディレクター。

**エーディー**【A.D.】〔↑ラ anno Domini〕西暦の紀元以後をあらわす記号。例、A.D.5または5A.D.〔=西暦五年〕。(↔ビーシー《B.C.》)

☆☆**エーディーエイチディー**【ADHD】〔↑attention-deficit hyperactivity disorder〕《医》注意欠陥多動性障害。七歳未満の幼児期からあらわれる。注意力散漫・多動性・衝動性などがおもな特徴。

**エーティーエス**【ATS】〔↑automatic train stop divice〕停止信号が出たとき、列車を自動的にとめる装置。自動列車停止装置。

☆☆**エーティーエム**【ATM】〔↑automated teller machine〕金融機関の、現金自動預け払い機。

**エーティーエル**【ATL】〔↑adult T-cell leukemia〕《医》成人T細胞白血病。

**エーディーエル**【ADL】〔↑activities of daily living〕⇩日常生活動作。

**エーティーシー**【ATC】①〔↑automatic train control〕列車を自動的に徐行・停止させる装置。自動列車制御装置。②〔↑air traffic control〕飛行機に飛行経路や高度を指示して、空の交通整理をする業務。航空交通管制。

**エーティーしゃ**【AT車】〔AT←automatic transmission〕自動変速装置を装備した自動車。オートマチック車。AT。(↔マニュアル車)

**エーテル**〔オ ether〕《理》アルコールどうしからできる液体。特に、溶媒・麻酔に使うジエチルエーテルをいう。表記「:依的児」は、古い音訳字。

**エーデルワイス**〔ド Edelweiß〕綿毛に包まれた葉が、まっ白な花のように見える野草。中心にごく小さい花がある。ヨーロッパのアルプスにはえるものが有名。西洋うすゆきそう(薄雪草)。

**ええと**《感》《話》考えがまとまらず、次に言うべきことばをさがしているときに出す声。んーと。ええっと。えっと。えーと。「それで、ええと(→)」

**エード** 造〔ade〕ジュースにあまみと水を加えた飲み物。「オレンジ―・―類」☞スカッシュ①。

**エートス**〔ギ ethos=習慣〕《哲》社会や時代を特徴づける慣習・気風。精神。エトス。「近代社会の―」(↔パトス・ロゴス)

**エービー**【AB】血液型の一つ。☞A二④。

**エービーシー**【ABC】①英語のアルファベット(の最初の三つ)。「―略語(=『UFO』など)」☞頭字語。②初歩。入門。いろは。「ゴルフの―」

**エーブイ**【AV】①〔↑audiovisual〕音響と映像とを組み合わせたシステム。「―機器」②〔↑和製 adult video〕アダルトビデオなどの成人向け映像作品。

**エープリルフール**〔April fool〕〔西洋の習慣で〕公然とうそをついていいとされる日〔=四月一日〕(にだまされた人)。四月ばか。エイプリ(ー)ルフール。

☆☆**エーペック**【APEC】〔↑Asia-Pacific Economic Cooperation (Conference)〕アジア太平洋経済協力会議。日本・アメリカ・オーストラリア・アセアン諸国・中国・韓国などが加盟。一九八九年発足。

**エーメロ**【Aメロ】〔ポップスなどの〕曲の歌いだしの部分。「―は落ち着いた感じ」☞Bメロ。

**エーめん**【A面】レコード盤や録音テープなどで、表の面(に入れた曲)。(↔B面)

**エーユー**【AU】①〔↑African Union〕⇩アフリカ連合。②〔↑astronomical unit〕⇩天文単位。

☆☆**エーよん**【A4】JISによる紙の大きさの一種。縦二九・七センチ、横二一センチ。多く事務用に使われる。「―判」☞B4・B5。

**エーライン**【Aライン】Aの字のように、上が細くて下のほうが広がったシルエットの服。

☆☆**エール**〔米 yell〕応援団の、応援の声。「―の交換〔=試合の前後に、相手チームのために『フレー、フレー』などと呼びかわすこと〕」

**エールビール**〔ale beer〕やや高めの温度で、短期間の熟成で作ったビール。フルーティーなかおりがする。エール。☞ラガービール。

**ええん** 一 ええん《副》〔子どもが〕声をあげて泣くときの声。二《感》《話》困ったときなどに、子どもの泣き声をまねることば。「ええん(↗)、許して」▽一二 うえーん。えーん。

***えがお**【笑顔】〈うれしそうな/にこにこした〉顔。「―で働く・(やっと)―を見せる」

**えかき**【絵描き】絵をかくことを職業としている人。画家。☞お絵描き。 •**えかきうた**【絵描き歌】歌詞のとおりに線をかき加えていくと、絵ができるように作った歌。

****えが・く**【描く】《他五》一[ˀ画く] ①絵や図にかく。②絵にかくように〈思いうかべる/示す〉。「心に―・将来像を―・弧を描いて飛ぶ」二 文章や音楽などであらわす。描写する。可能 描ける。

**えがた・い**【得難い】《形》手に入れにくい。貴重な。

「―経験を積む」派―さ。

**えがら**［絵柄・△画柄］ 絵や図案(から受ける味わい)。

**えがらっぽ・い**《形》いがらっぽい。えがらい。派―さ。

**えき**［役］ 昔の、大きな戦い。「西南の―(=西南戦争)」

**えき**［易］ 陰陽の原理にもとづき、算木と筮竹とで、吉凶や幸・不幸を判断する法。うらない。「―学」

**えき**［益］ ①利益。とく。もうけ。「売却―」(↔損) ②ためになること。役に立つこと。「何の―もない」(↔害)

**えき**［液］ しる。液体。「〔乾電池などの〕―もれ」

****えき**［駅］ ①列車をとめ、客や貨物をのせたり降ろしたりする所。停車場。☞道の駅。②宿駅。

**えきいん**［駅員］ 駅の仕事をする係の人。

**えきうり**［駅売り］ 駅で売ること。「―の夕刊」

**えきおん**［液温］《理》液体の温度。「―計」

**えきか**［×腋×窩］《生》わきの下のくぼんだところ。「―リンパ節」

**えきか**［液化］《名・自他サ》《理》気体や固体〈が液体になる／を液体にする〉こと。「―天然ガス(⇩LNG)」・「―石油ガス(⇩LPG)」 ☞気化。

**えきがく**［疫学］《医》流行病・集団中毒などの原因を、広く統計的に調べる学問。「―(的)調査」

**えきかん**［駅間］ 鉄道の駅と駅との間。「―距離」

**えきぎゅう**［役牛］《農》農作業などに使うための牛。(↔肉牛・乳牛)

**えききん**［益金］《経》利益金。(↔損金)

**えきざい**［液剤］〔乳剤など〕液体になったくすり。(↔粉剤)

**エキサイティング**《ナダ》〔exciting〕 興奮させるようす。白熱的。「―なゲーム」

**エキサイト**《名・自他サ》〔excite〕 興奮〈する／させる〉こと。「―する応援団」

**エキシビション**〔exhibition〕 ①展覧(会)。展示(会)。②↑エキシビションゲーム。③《フィギュアスケート》すべての競技種目が終わった後におこなう特別実演。技や演出の制限がない。▽なまって、エキジビション。●**エキシビションゲーム**〔exhibition game〕公式には記録しない〈公開試合／公開演技〉。エキシビションマッチ。エキシビション。エキシビ。

**えきしゃ**［易者］ 易でうらなう人。うらない。

**えきしゃ**［駅舎］ 駅の建物。「―改築」

**☆☆えきしょう**［液晶］ 液体でありながら結晶のように分子が整って配列されている物質。表示画面などに用いる。「―テレビ・―表示」

**えきじょう**［液状］ 液体の状態。●**☆☆えきじょうか**［液状化］《名・自サ》①液状になること。②《地》地震で、土砂の間にふくまれる水がしみ出して、地盤がどろどろになること。「―現象」 ③不安定化。流動化。「―する世界」

**エキス**〔↑エキストラクト(オ extract)〕 ①薬や食べ物の〈有効／滋養〉成分を、こい液体にしたもの。精。「肉の―・―分(=肉やさかなにふくまれる、うまみを感じさせる成分)」 ②精粋。粋。「研究成果の―」▽エッセンス。表記「:越幾斯」は、古い音訳字。

**エキストラ**〔extra〕 ①《映画など》臨時にやとう(その他大ぜいの)出演者。エクストラ。②特別なもの。「―バージンオイル・―ベッド(=ホテルなどで追加で入れるベッド)」

**エキスパート**〔expert〕 専門家。くろうと。「法律の―」

**エキスパンダー**〔expander〕 筋肉を強くする道具。ばねの両側についた持ち手を、両手で広げて使う。

**エキスポ**［(EXPO)］〔↑exposition=博覧会〕（万国）博覧会。(国際)展示会。エクスポ。

**えき・する**［益する］《他サ》〔文〕利益をあたえる。「世を―・何も―ところがない」

**えきぜい**［益税］ 客から消費税としてしはらわれるが、そのまま免税事業者などの手もとに残るお金。

**えきせん**［易占］〔文〕易。易うらない。「―業」

**エキセントリック**《ナダ》〔eccentric〕 ふうがわり。奇矯。エクセントリック。派―さ。

**エキゾチシズム**〔exoticism〕 異国情緒。エキゾチズム。

**エキゾチック**《ナダ》〔exotic〕 異国的。異国情緒がある。「―な風景」

**えきたい**［液体］《理》一定の体積を持つが、一定の形は持たず、流動性がある物質。例、水。(↔固体・気体) ●**えきたいさんそ**［液体酸素］《理》圧力を加えて液体の状態にした酸素。酸素吸入・溶接などに使う。

**えきだち**［駅立ち］〔俗〕議員などの立候補者が、駅前に立って演説などの活動をすること。

**えきだれ**［液(垂れ)］《名・自サ》容器から液体をそそぐとき、液体がそそぎ口の部分を伝って、少しもれてしまうこと。「―しないしょうゆ差し」

**えきだん**［易断］ 易にもとづいた運勢判断。

**えきちか**［駅近・駅チカ・エキチカ］ 駅に近い〈こと／場所〉。「―物件」

**えきちく**［役畜］《農》農耕や運搬に〈使う家畜／家畜を使うこと〉。(↔肉畜)

**えきちゅう**［益虫］《動》害虫を食べ、花粉をはこぶ、人の生活に役立つ昆虫。例、トンボ・ミツバチ。(↔害虫)

**えきちょう**［益鳥］《動》農作物を害する虫を食べる、人の生活に役立つ鳥。例、ツバメ・ムクドリ。(↔害鳥)

**えきちょう**［駅長］ 駅の業務をおこなう、いちばん上の人。「東京駅の―・道の駅の―」

**えきでん**［駅伝］〔↑駅伝競走〕 道路でおこなわれる、長距離のリレー式競走。「箱根―」 由来 昔、宿駅から宿駅へ、馬で人や物を送り届けた制度に見立てたもの。

**えきとう**［駅頭］〔文〕駅(の付近)。

**えきどめ**［駅留め・駅止め］ 鉄道で運ばれる荷物をあて先の近くの駅まで送ること。駅から配達はしない。

**☆☆えきなか**［駅ナカ・エキナカ］〔=駅中〕〔俗〕駅の構内で営業する(大規模な)商業施設。「鉄道会社の―事業」

**えきひ**［液肥］ 液状の肥料。水肥。「生ごみの―化」

**☆☆えきびょう**［疫病］ 人から人にうつる重い病気。伝染病。やくびょう。「―が流行する」

**えきビル**［駅ビル］ 駅舎をふくむ、多くの商店がはいったビル。

**えきべん**［駅弁］駅で売る弁当。
**えきまえ**［駅前］駅を出たすぐのあたり。「―広場」
**えきむ**［役務］①〔金銭や物品に対して〕人手を使う仕事。「―賠償〔＝敗戦国が役務で賠償すること〕・―費」②《経》⇩サービス④。
**えきむ**［駅務］鉄道の駅でおこなう業務。〔専門的な言い方〕
**えきめい**［駅名］鉄道の、駅の名前。
**えきもれ**［液漏れ］《名・自サ》液体が漏れて出ること。「電池の―」
**えきらん**［液卵］生たまごの中身をかきまぜ、パックし〔て冷凍した〕製品。☞卵液。
**えきり**［疫痢］《医》夏、小さな子どもがかかる赤痢。
**えぐ・い**《形》①あくが強くて、口の奥がいやな〈感じ/味〉だ。「―野菜」②あくどく思いやりがない。ひどい。「―やつ・―やり方」③〔俗〕どぎつく、気味が悪くなるようすだ。「―シーン」④〔俗〕すごい。すばらしい。「―バッティング」▽③④は一九八〇年代からの用法。えごい〔古風/方〕。表記③④「エグい」とも。派-さ。
**エクサ**〔exa〕百京倍〔記号E〕。「―バイト〔＝千ペタバイト。一〇二四《＝二の十乗》ペタバイトで換算することも多い。記号EB〕」☞ペタ。
**エクササイズ**《名・自サ》〔exercise〕①練習（問題）。②運動。体操。
**エグジット**〔exit〕出口。〔↔エントランス〕
**エクスキューズ**《名・自サ》〔excuse〕（あとで批判されないための）言いわけ。「ユーザーへの―」
**エクスクラメーションマーク**〔exclamation mark〕⇩感嘆符。
**エクスタシー**〔ecstasy〕興奮して、気持ちよさに われを忘れた状態になること。恍惚状態。
**エクステ**〔↑エクステンション〕かみの毛に編みこんだり接着したりする つけ毛。
**エクステリア**〔exterior〕①外がわ。外観。「車の―」②家の外回りの物。塀・柵・車庫・物置など。外構。▽エクステリヤ〔古風〕。〔↔インテリア〕
**エクステンション**〔extension〕①延長。拡張。②〔大学の〕公開講座。「―センター」③⇩エクステ。
**エクストラ**〔extra〕⇩エキストラ②。
**エクスペリエンス**〔experience〕体験。
**エクスポ**［〔EXPO〕］⇩エキスポ。
**エクスポート**《名・他サ》〔export＝輸出〕《情》データを他のソフトウェアで あつかえる形で書き出すこと。「テキストファイル形式で―する」〔↔インポート〕
☆☆**エグゼクティブ**〔executive〕①重役。幹部の役員。②高級。「―プラン」
**エクセレント**《ナダ》〔excellent〕優秀なようす。「―カンパニー〔＝超優良会社〕」
**えくぼ**［〔笑×窪〕・〔×靨〕］わらうとき、ほおに あらわれる、小さい くぼみ。
**えぐみ**〔クワイ・タケノコなどの〕えぐい感じの味。えごみ。
**エクリチュール**〔フ écriture〕①文字。筆跡。②ある集団に特有の〈文章の書き方/ものの言い方〉。「政治家の―」
**えぐ・る**［〔×抉る〕］《他五》①〔刃物を〕物の中に突っき入れて、力をこめて〈回す/回してとりだす〉。「わきばらを―」②かくれている だいじなことがらを取り上げる。「問題の核心を―」自えぐれる《下一》。
**エクレア**〔フ éclair〕表面にチョコレートを塗った、細長いシュークリーム。エクレール。
**えげつな・い**《形》〔もと関西方言〕①道徳的に きたない。「―やり方・―世の中」②いやらしい。下品だ。「―話」派-さ。
☆☆**エコ**《名・ナダ》〔eco←ecology〕自然環境に やさしい〈こと/ようす〉。「―カー・―な街」
☆☆**エゴ**〔ego〕①我。自我。②↑エゴイズム。「地域―」
**エゴイスティック**《ナダ》〔egoistic〕利己（主義）的。エゴイスチック。
**エゴイスト**〔egoist〕自分の利益のことしか考えない人。利己主義者。
**エゴイズム**〔egoism〕利己〈心/主義〉。エゴ。
**えこう**［回向］《名・他サ》《仏》死んだ人の幸福をいのること。追善。
**エコー**《名・自サ》〔echo＝こだま〕反響。「マイクに―がかかる」●**エコーけんさ**［エコー検査］《医》超音波によって画像診断をおこなう方法。
**えごころ**［絵心］絵を〈かこうとする/理解できる〉心。「―が起こる・―がある」
**エゴサーチ**〔egosearching〕〔インターネットで〕①自分自身についての情報を検索すること。「自分の名字で―する」②〔①の誤解から〕自分で情報を検索すること。▽エゴサ〔俗〕。
**えこじ**［〔依×怙地〕］《ナダ》〔古風〕⇩いこじ。
**エコシステム**〔ecosystem〕《生》⇩生態系。
**エゴチスト**〔egotist〕自己中心主義の人。エゴティスト。
**エゴチズム**〔egotism〕自己中心主義。自分勝手。エゴティズム。
**エコツーリズム**〔ecotourism〕環境をだいじにしながら、自然の魅力に ふれる観光旅行（の しかた）。エコツアー。
**えことば**［絵△詞］①絵巻物に記された、絵の説明文。詞書き。②「絵詞①」のある絵巻物。「蒙古襲来―」
**エコノミー**《名・ナダ》〔economy〕①経済（的）。安価。「―なタクシー」②↑エコノミークラス。●**エコノミークラス**〔economy class〕〔飛行機などの〕普通席。エコノミー。〔↔ファーストクラス・ビジネスクラス〕●☆☆**エコノミークラスしょうこうぐん**［エコノミークラス症候群］飛行機などのせまい座席に長時間すわり続けることで、脚の静脈に血栓ができ、肺塞栓を引き起こしたりする症状。ロングフライト血栓症。肺血栓塞栓症《医》。エコノミー症候群。
**エコノミスト**〔economist〕経済〈評論家/学者〉。
**エコノミック**遺〔economic〕経済の。「―ジャーナリズム・―アニマル〔＝経済動物。高度成長期の日本人をけいべつして言ったことば〕」
**エコバッグ**〔eco bag〕レジ袋を利用しなくてすむように、自分で用意するバッグ。
**えこひいき**［〔依×怙×贔×屓〕］《名・他サ・ナダ》〈一方/一部〉だけ ひいきすること。不公平。「―のない人」
**えごま**［〔×荏×胡麻〕］シソに似た植物。東南アジア原産。たねから「えのあぶら」をとる。「―の葉のしょうゆづけ・―油」

**エコマーク**〔ecomark=商標名〕環境にやさしい商品につけられるマーク。

**えごよみ**【絵暦】昔、字の読めない人のために、絵で示したこよみ。

☆☆**エコロジー**〔ecology〕①生物とそれをとりまく環境の関係を研究する学問。生態学。②自然環境にあたえる好ましくない影響を少しでも少なくしようとすること。地球環境へのやさしさ。エコ。「―商品」

**エコンテ**【絵コンテ】〔アニメや映画、ドラマなどの制作で〕各場面を絵で示し、指示やせりふをそえた台本。

**えさ**【餌・エサ】①鳥・けもの・さかな・虫などが食べるもの。「―やり・さかなつりの―」②人を誘惑して利益を手に入れるためにさし出すもの。「昇進を―に言うことを聞かせる」

**えさば**【餌場】えさのある場所。えば。

**えし**【絵師】①昔の、えかき。画工。②〔俗〕インターネット上に、じょうずなイラストを発表する人。

☆☆**えし**【▵壊死】《名・自サ》〔医〕病気などによって、からだの組織や細胞の一部が死ぬこと。ネクローシス(necrosis)。☞アポトーシス。

**エシカル**《名・ダ》〔ethical=倫理的〕環境問題や社会問題を意識して行動するようす。「―消費(=環境に配慮した商品を選ぶなど)」

**えじき**【餌食】①えさとして食われるもの。②ほかのものの犠牲になる者。「悪者の―になる」

**エジプト**〔Egypt〕アフリカ北東端の国。エジプト=アラブ共和国。首都、カイロ(Cairo)。埃。表記「:埃及」は、古い音訳字。

☆☆**えしゃく**【会釈】《名・自サ》①〔あいさつのしるしに〕軽く頭を下げて礼をすること。②相手の気持ちをくみとること。「遠慮―もなく〔⇨「遠慮」の句〕」

**えしゃ‐じょうり**【会者定離】〔仏〕会う者は必ず別れる運命にあるということ。☞生者必滅。

**エシャレット**〔もと、商標名〕ラッキョウを若いうちにとったもの。小ぶりのネギのようで、根のほうが太くやわらかい。葉も食べられる。☞エシャロット。

**エシャロット**〔フ échalote〕小さなタマネギのような野菜。刻んで、ソースに入れたりする。シャロット。〔誤って、エシャレットの意味でも使う〕

**エス** 一〔S・s〕アルファベットの十九番目の字。二〔S〕①〔←small〕〔商品のサイズの〕小型。「―サイズの制服」〔↔L・M〕②サディスト(の傾向を持つ人)。〔↔M〕③〔←和製 service room〕窓のない小さな部屋。納戸。「2LDK―」④〔←sulfur〕〔理〕硫黄の元素記号。⑤〔俗〕スパイ。⑥〔俗〕⇨スピード③。⑦〔視覚語〕《野球》ⓐストライク。ⓑセーブ数。⑧〔←south〕〔視覚語〕南。磁石などで使う記号。⑨〔視覚語〕〔ホテルの〕シングル。⑩〔視覚語〕「昭和」の頭文字。「―59」☞S字。

**えず**【絵図】①(空から見た絵のように かいた)昔の地図。「切り―」②絵。「地獄―」③作戦。計画。「―をえがく」

**エスアイディーエス**〔SIDS〕〔←sudden infant death syndrome〕〔医〕乳幼児突然死症候群。健康と思われていた乳(幼)児が突然に死亡し、死因が特定できないもの。シズ。

**エスイー**〔SE〕①⇨システムエンジニア。②〔←sound effects〕⇨音響効果。

**エスイーオー**〔SEO〕〔←search engine optimization〕〔情〕ウェブサイトを、ユーザーに検索されやすい内容や構造にすること。

**エスエー**〔SA〕①⇨サービスエリア②。②〔←student assistant〕〔大学で〕授業のときなどに、教師の手伝いをする学生。☞TA。

**エスエス**〔SS〕〔←service station〕ガソリンスタンド。

**エスエスティー**〔SST〕〔←supersonic transport〕超音速旅客機。

☆☆**エスエヌエス**〔SNS〕〔←social networking service〕〔情〕インターネット上で、会員登録をして、多くの人と情報をやりとりしたり、交流したりするサイト。例、ツイッター・フェイスブック・インスタグラム。

**エスエフ**〔SF〕〔←science fiction〕もしこうだったらと、現実には起こりにくい状況を(科学に もとづいて)想定した創作。空想科学〈小説・映画〉。

**エスエフエックス**〔SFX〕〔←special effects〕SF映画などで使う特殊撮影技術。

**エスエム**〔SM〕〔←sadomasochism〕サディズムとマゾヒズム(の傾向を持つ人)。

**エスエムエス**〔SMS〕〔←short message service〕携帯電話で、文字だけのごく短いメッセージをやりとりするシステム。また、そのメッセージ。

**エスエル**〔SL〕〔←steam locomotive〕蒸気機関車。

**エスオーエス**〔SOS〕①〔もと、船などが〕遭難したときに助けを求めた、無線電信の信号。☞メーデー(Mayday)①。②危険を知らせ助けを求めること。「子どもの―に気づく」

**えすがた**【絵姿】①人の姿を絵にかいたもの。「役者の―」②〔将来の〕構想。ビジョン。「財政の―」

**エスカップ**〔ESCAP〕〔←Economic and Social Commission for Asia and the Pacific〕国連機関の一つ。アジア太平洋経済社会委員会。

**エスカルゴ**〔フ escargot〕食用のカタツムリ。また、それを使ったフランス料理。

**エスカレーション**《名・自サ》〔escalation〕①過激化。②〔会社などで〕上司に、対応をかわってもらうこと。また、上司に報告をすること。

**エスカレーター**〔escalator〕①乗客や荷物をはこぶ、動く階段。②私立大学の付属小中高校のように、一度入学すれば楽に進学できる しくみ。

☆☆**エスカレート**《名・自サ》〔escalate〕勢いに乗って、だんだん過激になること。「暴力が―する・要求を―させる」

**エスカロープ**〔フ escalope〕うす切りの肉。

**エスキス**〔フ esquisse〕画稿。下絵。

**エスキモー**〔Eskimo〕イヌイットやユピックなど、北極圏の一部に住む先住民族の総称。☞イヌイット。

**えず・く**【:嘔吐く】《自五》〔関西などの方言〕①食べたものをはく。「洗面所で―」②はきけをもよおす。「車に酔って―」名えずき。「―をもよおす・空―」

**エスケープ**《名・自他サ》〔escape=にげる〕①〔↑エスケープ キー〕コンピューターのキーボードで、操作を取り消すキー。②〔学〕授業をぬけ出すこと。エス(古風)。

**エスコート**《名・自他サ》〔escort〕つきそって案内すること。護衛すること。「ゲストを―する・船団を―する」

**エスじ**〔S字〕アルファベットの「S」の形。「―カーブ・―フック・―結腸」

**エスジーマーク**〔SGマーク〕〔SG←safety goods〕安全基準を満たした製品に表示されるマーク。〔製品安全協会が認定する〕

**エスタブリッシュメント**〔establishment〕支配階級。支配体制。主流。

**エステ**〔↑エステティック・エステティック サロン。

**エスディーカード**〔SDカード〕〔↑SDメモリーカード。SD←secure digital〕《情》コンピューターやデジタルカメラなどの記録媒体。切手くらいの大きさで、大量のデータが保存でき、耐久性にもすぐれている。

☆☆**エスディージーズ**〔SDGs〕〔↑Sustainable Development Goals=持続可能な開発目標〕貧困・飢餓・格差・環境破壊など人類がかかえる課題を世界全体で取り組み、解決するためにかかげる十七の目標。国連で採択され、二〇三〇年までに達成することを目指す。

**エスティーディー**〔STD〕〔↑sexually transmitted disease〕《医》⇩性感染症。

**エステート**〔estate〕地所。〔不動産会社の名前にも使う〕

**エステティシャン**〔フ esthéticien〕全身美容の仕事をする人。〔エステ(ィ)シャンの形も多い〕

☆☆**エステティック**《名・ナダ》〔フ esthétique=審美〕〔髪を除く〕全身を美しくする美容法。全身美容。エステ。「―サロン」

**エステル**〔ド Ester〕《理》酸とアルコールの化合物。いいにおいがし、食品の香料に使う。

**エストラゴン**〔フ estragon〕フランス料理などに使う、かおりのいい草。タラゴン(tarragon)。「―を入れたエスカルゴ」

**エストロゲン**〔estrogen〕《生》女性ホルモンの一つ。排卵の前に多く分泌される。

☆☆**エスニック**《名・ナダ》〔ethnic=民族の〕〔アジア・アフリカ・中南米などの〕民族調。「―ルック・―料理」

**エスノロジー**〔ethnology〕民族学。

**エスは**〔S波〕〔↑secondary wave〕《地》P波の次に到達する地震波。横波で、主要動を引き起こす。☞P波。

**エスピー**〔SP〕①〔↑security police〕要人を護衛する役の警察官。②〔↑standard playing〕LPよりも昔に使われた、片面の演奏時間が数分のレコード。SPレコード。「―盤」☞スペシャル 二 ②・ショートプログラム。

**エスピーアイ**〔SPI〕〔↑synthetic personality inventory〕就職試験でおこなう、能力・性格適性検査。

☆☆**エスプリ**〔フ esprit〕①精神。「現代の―」②才気。機知。「フランス人らしい―」☞ウイット。

**エスプレッソ**〔イ espresso=急行列車〕①〔食後に飲む〕イタリア式のこいコーヒー。また、それをいれる器具。☞カフェラテ・カプチーノ・マキアート。②〔コーヒー・紅茶を〕圧力をかけてすばやく抽出する方法。「―ティー」

**エスペランティスト**〔Esperantist〕エスペラントを〈使う／広めようとする〉人。エスペランチスト。

**エスペラント**〔Esperanto〕ポーランドのザメンホフ(Zamenhof)が考え出した、人工の国際語。

**エスユーブイ**〔SUV〕〔↑sport utility vehicle〕スポーツタイプの多目的車。☞RV。

**えせ**〔:似非〕接頭 似てはいるが、じつはそうでない。似て非なる。「―学者」

☆☆**えそ**〔△壊×疽〕《医》からだの組織の一部が生活力を失って、腐敗した状態。脱疽。「肺―」

**えぞ**〔:蝦夷〕①古代、北海道・東北から北関東地方にかけて住んでいた人々。えみし。えびす。②北海道の古い呼び名。蝦夷地。

**えぞうし**〔絵双紙・絵草紙〕①江戸時代の、絵入りの草双紙。②にしき絵。

**えぞぎく**〔:蝦夷=菊〕夏、赤・白・むらさきなどのキクに似た花をつける、背の低い草。アスター。

**えぞまつ**〔:蝦夷=松〕北海道など寒い地方にはえる、マツの一種。パルプ・建材などに用いる。

**えそらごと**〔絵空事〕〔=絵にかいてあるだけで、実際にはないこと〕ありそうもないこと。うそ。

**えだ**〔枝〕①草木の幹・くきの側面から分かれ出た部分。②分かれ出たもの。「ネットワークの―」

**えたい**〔:得体〕正体。すがた。「―が知れない〔=何かあやしげだが、本当の姿はわからない〕」

**えだうち**〔枝打ち〕《名・他サ》〔いい木を育てるために〕不要な枝を落とすこと。動 枝打つ《他五》。

**えだがわり**〔枝変わり〕《名・自サ》《植》植物の枝に突然変異が起こって、一本だけまったく別の性質の枝がはえること。「甘夏ミカンは―の産物だ」

**えだげ**〔枝毛〕かみの毛の先が枝のように分かれてしまった(いたんだ)毛。

**えだにく**〔枝肉〕食肉用に、頭・内臓と四本足の先を取り除いた、骨つきの牛やブタの肉。また、これをたてに半分に切ったもの。

**エタノール**〔ド Äthanol〕《理》酒の成分である、ふつうのアルコール。酒精。エチル アルコール。「―車〔=バイオエタノールをガソリンにまぜて走る車〕」☞メタノール。

**えだは**〔枝葉〕大切でない〈ことがら／部分〉。枝葉末節。

**えだはり**〔枝張り〕大きな木の枝が横に広がる長さ。〔しげった葉もふくむ〕「―約十メートル」

**えだばん**〔枝番〕〔↑枝番号〕ひと続きの番号を、さらに細かく分けるためにつけたす番号。例、「三の一」「三の二」と言うときの「一」や「二」。

**えだぶり**〔枝振り〕枝の突っき出た〈ありさま／かっこう〉。「―のいい松」

**えだまめ**〔枝豆〕塩ゆでに〈する／した〉、〔枝についたままの〕まだ熟していないダイズ。ビールのつまみなどにする。

**えだみち**〔枝道・△岐△路〕①本道から分かれた細い道。②本筋から外れること。「話が―にそれる」

**えたり**〔得たり〕《感》《文》〔いい機会を〕得た。しめた。「―とばかり説明をはじめた」●**えたりかしこし**

［得たり賢し］〔文〕いい機会を得て、ありがたいときに言うことば。ちょうどよかった。しめた。「ブームを見て、—と便乗商品を売り出す」●**えたりや‐おう**［得たりや応］〔応=かけ声〕〔文〕いい機会をとらえて、すぐ反応するときのことば。しめた。そら来た。「二国の争いに、—と兵をさし向ける」

**えだわかれ**［枝分かれ］《名・自サ》①木の枝が分かれること。②もとの部分から、いくつかに分かれること。

**エチケット**〔フ étiquette=札〕①相手に気持ちよく思ってもらうための作法。「せきが出るときはマスクをするのが—・—に反する・—ブラシ〔=服の小さいごみを取るブラシ〕」区別「**エチケット**」は相手への気づかいにもとづいた作法で、気づかれないようなさりげないものもふくむ。「**マナー**」は伝統や常識にもとづいて決まっている作法で、いいか悪いかの度合いを測ることができる。「**ルール**」は広く決まりを指し、常識でないもの、作法でないものもふくむ。スープを音を立てずに飲むのは、西洋料理のマナーだが、エチケットではない。ごみを集積所に整頓して出すのはマナーで、決まった曜日に出すのはルール。②ワインボトルにはられた、名前や産地などを書いたラベル。●**エチケットぶくろ**［エチケット袋］乗り物酔いをして吐いたものを入れる不透明の袋。吐袋。

**えちご**［▵越後］旧国名の一つ。今の新潟県のうち、佐渡島を除く部分。●**えちごじし**［▵越後×獅子］正月に、(子どもが)獅子頭をつけてさか立ちなどのかるわざをする芸。角兵衛獅子。

［えちごじし］

**えちぜん**［▵越前］旧国名の一つ。今の福井県の東部。「—ガニ〔⇩ずわいがに〕」

**エチュード**〔フ étude=研究〕①《美術》絵などの習作。試作。②《音》練習(用に作られた)曲。③《演劇》(練習用の)即興劇。

**エチルアルコール**〔ド Äthylalkohol〕《理》⇩エタノール。

**エチレン**〔ド Äthylen〕《理》天然ガスや石炭ガスにふくまれる、無色で燃えやすい気体。いろいろな化合物の原料となる。あまいにおいのする植物ホルモンの一種。

**えっ**《感》〔話〕おどろいて問い返すときのことば。「えっ(⤴)、なんだって?」

**えつ**［悦］喜び。●☆☆**悦に入る** 句 いい気持ちになって、うれしがる。

**えつ**［越］↑ベトナム(越南)。「日—会談・訪—・中—国境」

**えつ**［閲］〔文〕まちがいがないか調べること。「—を請う」

**えっきょう**［越境］《名・自サ》〈国境／境界〉をこえること。「—兵・—入学〔=指定の学区以外の公立学校に入学すること〕」

**エッグ** 造〔egg〕〔ニワトリの〕たまご。「ハム—(ス)・—スタンド〔=ゆでたまご立て〕」

**えづく**［餌(付く)］ゑ《自五》鳥・けものなどが、人のあたえるえさを食べるようになる。

**エックス** ■［X・x］アルファベットの二十四番目の字。■［X］①まだわかっていない数・人・ものなど。「ミスター—」②〔←extra〕〔洋服などのサイズで〕さらに度合いが進むことをあらわす。「XL〔=Lよりも大型〕・XS〔=Sよりも小型〕」③《野球》九回裏に、戦わずに勝負が決まったときの記号。☞アルファ■。■［x］《数》未知数をあらわす記号。●**エックスオージャン**［XO(:醬)］〔中国 XO《←extra old=最高級》醬《=ペースト状の食品》〕中国料理に用いる黒い調味料。ベースにニンニクや干し貝柱などを使い、ピリ辛であまみもある。香港から広まった。●**エックスきゃく**［X脚］《医》両足をそろえて立ったとき、ひざのあたりが内がわに曲がっているもの。(↔O脚)●**エックスせん**［(X)線］《理》ドイツ人レントゲンが発見した放射線。波長のごく短い電磁波。ふつうの光線が通らないものの中を通るので、体内の撮影などに使われる。レントゲン(線)。エクス線。●☆☆**エックスデー**［Xデー］〔X day〕①非常に重要なことが予定されているが、まだ公表されていない日。「新紙幣発行の—」②悪いことが起こると予想される、不特定の日。大地震など。

**えつけ**［絵付け］《名・他サ》陶磁器など、工芸品に絵をかくこと。

**えづけ**［餌(付け)］ゑ《名・他サ》えさをやって野生の動物を、人になれさせること。えつけ。「サルの—・シカを—する・—場」動 餌づける《他下一》。

**えっけん**［越権］権限をこえること。「—行為」

**えっけん**［謁見］《名・自サ》身分の高い人に会うこと。「王様に—する・—式」(↔接見)

**えっさ‐えっさ** ■《感》〔話〕重いものをかついで運ぶときに出す声。えっさほいさ。「—とかご(駕籠)が行く」■《副》①重いものを運ぶようす。「—と荷物を運ぶ」②リズムよくはげむようす。「—と雪をかく」▽■■えっさっさ。

**エッジ**〔edge〕①ふち。へり。「—の立った麺〔=断面が四角い麺〕」②スキーの板の、両がわのふち(につけた金属)。「—を利かせて曲がる」③スケートのブレードが氷にふれる部分(の角度)。④《俗》めりはり。「—の利いた味・—の立った〔=切れ味のいい〕小説」

**エッジー**《ナ》〔edgy〕エッジがきいたようす。独創的でかっこいいようす。「—ブランド」

**えっすい**［越水］《地》河川の水が堤防をこえて流れ出ること。また、そのあふれ出る水。〔ダム湖の水があふれ出ることにも言う〕

**えっ‐する**［謁する］《自サ》〔文〕身分の高い人に会う。「将軍に—」

☆☆**エッセイ**〔essay〕①随筆。②試論。評論。▽エッセー。

**エッセイスト**〔essayist〕随筆家。

**エッセンシャル**《ナ》〔essential〕本質的。必須。「—な思考・—オイル〔=精油〕」●**エッセンシャルワーカー**〔essential worker〕医療・福祉やライフライン、食品などでの分野で社会を支える労働者。

☆☆**エッセンス**〔essence〕①〔蒸留して得た〕純粋な成分。精。②ものごとの最も重要な部分。本質的なもの。③香料。「バニラ—」

**エッチ** 一〔H・h〕⇩エイチ。二〔(H)〕《ナダ》〔やや古風・俗〕性的でいやらしいようす。「―な本」〔一九五〇年代に広まった用法。二十一世紀には形容詞形「エッチい」も使われる〕 三〔(H)〕《名・自サ》〔俗〕性交。〔一九八〇年代に広まった用法〕 由来 二三は、「変態」の頭文字から。

**えっちゅう**〔越中〕 ①旧国名の一つ。今の富山県。②↑越中ふんどし。●**えっちゅうふんどし**〔越中×褌〕 一メートルほどの小幅の布にひもをつけたふんどし。布の あまりを前がわに垂らす。越中。☞六尺ふんどし。

**えっちら おっちら**《副》一歩ずつ苦労しながら歩くようす。「坂道を―のぼる」

**エッチング**〔etching〕 銅板を酸で腐食させて作る版画。腐食銅版画。

**えっとう**〔越冬〕《名・自サ》①〔動植物が〕冬をこすこと。②厳寒の地で冬をこすこと。「南極―隊」

**えつどく**〔閲読〕《名・他サ》〔文〕〔内容などに気をつけて〕書物をよむこと。

**えつねん**〔越年〕《名・自サ》としをこすこと。としこし。●**えつねんそう**〔越年草〕《植》秋に芽を出し、冬をこして、春に花がさく植物。例、アブラナ・ムギ。

**えっぺい**〔閲兵〕《名・自サ》《軍》国の元首などが兵隊を整列させて視察すること。観兵。

**えつぼ**〔笑×壺〕 ●**えつぼに入る** 句 〔文〕うまくいったという顔つきをしてわらう。

**えづら**〔絵面〕 ①絵・写真などの、見た感じ。「―がおもしろい」②その場面のようす。「―が浮かぶようだ」

**えつらく**〔悦楽〕《名・自サ》感覚を満足させて、たのしむ〈こと/状態〉。「秘密の―にふける」

☆☆**えつらん**〔閲覧〕《名・他サ》〔本などを〕その場で見ること。「図書の―・ホームページを―する」

**えつりゅう**〔越流〕《名・自サ》〔文〕ダムや堤防などから水が外にあふれ出ること。「大雨で―する」

**えつれき**〔閲歴〕〔文〕経歴。

**えて**〔得手〕《名・ナダ》得意なこと。「英語を―とする」(↔不得手)●**得手に帆を揚げる** 句 得意なことのできる機会を得て調子にのる。

**えて**〔(得て)〕《副》〔文〕①えてして。「人は―そう思いこむ」②とうてい。「―言うべからず」

**エディション** 造〔edition〕〔出版物やソフトウェアなどの〕版。「セカンド―・スペシャル―」

**エディター**〔editor〕 一《情》テキストファイルを作成・編集するためのソフトウェア。エディタ。 二 エディター 編集者。

**エディプスコンプレックス**〔Oedipus complex〕〔精神分析学で〕男の子が、無意識のうちに母を慕い、父に反感を持つ傾向。(↔エレクトラ コンプレックス)

**えてかって**〔得手勝手〕《ナダ》自分のつごうだけ考えてするようす。「―なふるまい」 派 ―さ。

**えてがみ**〔絵手紙〕 はがきなどに絵をかき、短い文をそえて出す手紙。

**えてこう**〔エテ公・△猿公〕〔古風〕サルをばかにして言ったことば。えて。由来「去る」に通じるのをさけ、「例のもの」を意味する江戸語「得手」に言いかえ、かろんじて「公」をつけたもの。

**えてして**〔(得てして)〕《副》〔気をつけないと〕よくそうなるようす。「―見落としがちだ」

**エデン**〔ヘブライ Eden＝快楽〕〔旧約聖書で〕アダムとイブが住んでいたという楽園。「―の園」

**えと**〔:干支〕〔え＝兄。と＝弟〕 ①その年をあらわす十二支。「ことしの―は子」②〔暦で〕十干と十二支とを組み合わせたもの。干支。例、ひのえうま(丙午)など。〔本来の用法〕▽なまって「えとう」。

***えど**〔江戸〕 ①江戸時代、幕府の所在地。東京の旧称。「花のお―」②《歴》↑江戸時代。●**江戸の敵を長崎で討つ** 句 関係のないことがらで以前のうらみを晴らす。

**えど**〔×穢土〕《仏》けがれている この世。現世。「厭離―〔＝けがれたこの世をはなれること〕」(↔浄土)

**えどおもて**〔江戸表〕 国もとから、江戸をさして言うことば。(↔国表)

**えとき**〔絵解き〕《名・他サ》①絵〈の/で補う〉意味の説明。②解説。

☆☆**えとく**〔会得〕《名・他サ》心に〈さとる/わかる〉こと。「極意を―する・こつを―する」

**えどじだい**〔江戸時代〕《歴》徳川氏が政権をにぎっていた時代。徳川時代。近世。〔一六〇三～一八六七〕

**エトセトラ**〔et cetera〕 等。など。〔ことばのあとにつけて言う〕 表記 略して「etc.」「&c.」。「日本酒、ワイン、ウイスキー etc.」

**えどっこ**〔江戸っ子〕 江戸・東京で〈生まれ/育っ〉た人。気性がさっぱりしていて、威勢がいいと言われる。「ちゃきちゃきの―」

**えどづま**〔江戸(×褄)〕《服》女性の紋付きの模様の染め方の一種。着物の前からうしろに すそ模様を染め出す。また、その模様の礼装。結婚した女性が着る。☞留め袖。

**えどばくふ**〔江戸幕府〕《歴》徳川家康が一六〇三年江戸に開いた幕府。

**えどま**〔江戸間〕⇩関東間。

**えどまえ**〔江戸前〕 ①江戸ふう。「―のすし」②《釣り》東京湾でとれるもの。「―のはぜ」

**えどむらさき**〔江戸紫〕 ムラサキで染めた、明るい むらさき色。ハナショウブの花の色に近い。古代紫より明るい。

**エトランゼ**〔フ étranger〕〔文〕見知らぬ人。他人。外国人。異邦人。エトランジェ。

**えな**〔:胞衣〕 胎児を包む膜や胎盤。

**エナジー**〔energy〕 エネルギー。エナージー。●**エナジードリンク**〔energy drink〕 強めのカフェインやビタミンなどの はいった炭酸飲料。エナドリ〔俗〕。

**エナメル**〔enamel〕 ①ニスと顔料とをまぜて作った、つやの出る塗料。「―ぐつ」②⇩ほうろう(琺瑯)。●**エナメルしつ**〔エナメル質〕《生》歯の外がわをおおう かたい部分。ほうろう(琺瑯)質。

**えならぬ**《連体》〔古風〕なんともいえず、すぐれている。「―かおり」

**えにし**〔(△縁)〕〔雅〕ゆかり。えん。

**エニシダ**〔:金雀児〕・えにしだ〕〔オ genista〕 背の低い庭木の名。こい緑色の枝に、夏のはじめに黄色いチョ

え

ウのような形の花をつける。

**えにっき**【絵日記】絵と文章の両方をかく日記。

**エヌ** 一【N・n】アルファベットの十四番目の字。二【N】①〔←nitrogen〕《理》窒素の元素記号。②〔←north〕《視覚語》北。磁石などで使う記号。三【*n*】〔←number〕《数》任意の自然数をあらわす記号。「―個」☞ニュートン。

**エヌアイイー**【NIE】〔←newspaper in education〕学校教育に新聞(記事)を活用しようという運動。

**エヌアイシーユー**【NICU】〔←neonatal intensive care unit〕未熟児や重病の赤ちゃんを二十四時間体制で治療する部屋。新生児集中治療室。

**エヌエスシー**【NSC】〔←National Security Council〕国家安全保障会議。外交・安全保障政策の司令塔として基本方針を決める。〔アメリカの制度にならったもの〕

**エヌジー**【NG】〔←no good〕一《映画・放送》撮影失敗。「―を出す・―集」二《名・ナダ》だめ。いや。禁止。「店内ではタバコは―・―ワード(=使用禁止語)」

☆☆**エヌジーオー**【NGO】〔←nongovernmental organization〕非政府組織。国際的な民間援助団体。

**エヌシステム**【Nシステム】〔N←number〕警察が高速道路の料金所などに設置し、通過した車のナンバープレートを自動で読み取る装置。犯罪捜査に用いる。

**エヌディーシー**【NDC】〔←Nippon Decimal Classification〕図書館で使われる書籍の分類方法。三けたの数字(と細分類を示す数字)で分類する。日本十進分類法。「国語辞典の―は813だ」

**エヌビーエー**【NBA】〔←National Basketball Association〕アメリカのプロバスケットボールの組織。

☆☆**エヌピーオー**【NPO】〔←nonprofit organization〕非営利組織。社会的な問題に、営利を目的としないで取り組む民間団体。「―法人(=特定非営利活動法人)」

**エヌピーティー**【NPT】〔←Nuclear Nonproliferation Treaty〕核兵器の不拡散に関する条約。核不拡散条約。核拡散防止条約。一九七〇年に発効。日本は七六年に加入した。

**エネ** 造 ←エネルギー。「省―」

***エネルギー**【ド Energie】①動力資源となる石油やガスなど。「代替―・―問題」②活気。精力。「若者の―・―を消耗する」③《理》ほかの物体に対して仕事ができる能力(の量)。「運動―・熱―」④《生》からだを動かすもとになる栄養(=たんぱく質・脂質・炭水化物)の量。単位は(キロ)カロリー。熱量。▽エナジー。

**エネルギッシュ**(ナダ)【ド energisch】精力があるようす。元気だ。精力的。「―な仕事ぶり」派―さ。

**えのき**【(×榎)】①大きくなる落葉樹。ケヤキに似て、葉の先のほうにぎざぎざがある。江戸時代、一里塚によく植えた。由来 古くは「榎」で、「榎の木」の意味。②←えのきだけ。「―バター・―ベーコン」●**えのきだけ**【(×榎×茸)】キノコの一種。栽培したものは、軸は細長く、かさは小さく、肉が白い。えのき。「―のホイル焼き」

**えのぐ**【絵の具】絵をかくとき、色をつけるための材料。顔料。

**えのころぐさ**【(:狗尾=草)】〔えのころ=犬ころ〕道ばたなどにはえる、イネの仲間の雑草。子犬のしっぽに似た穂をつける。ねこじゃらし。

**えば**【絵羽】①←絵羽模様。「―柄・―着物」②←絵羽羽織。

**エバ**【ラ Eva】《宗》⇩イブ(Eve)。

**エバ(ー)**【ever】造 いつまでも。つねに。「―グリーン(=常緑樹の葉の色)」

**えはがき**【絵(:葉=書)】うらに絵や写真のある郵便はがき。

**えはだ**【絵肌・(△画肌)】絵の表面から受ける感じ。マチエール。

**えばはおり**【絵羽羽織】《服》絵羽模様を染め出した高級な羽織。絵羽(織)。えばおり。

**えばもよう**【絵羽模様】《服》和服で、身ごろ・そで・おくみ(衽)などに連続する、大柄ではなやかな模様。布をいったん着物の形に仕立て、下絵をつけてからほどいて染める。絵羽。

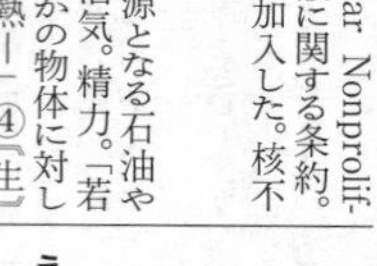

［えばもよう］

**えばる**【(△威張る)】《自五》《話》いばる。

**エバンジェリスト**〔evangelist=伝道者〕ものごとを世の中に広めるために活動する〈人／職業〉。「IT業界の―」

**えび**【(:海老)・(×蝦)】クルマエビ・シバエビなど海や川にすむ、十本足の動物。からがあり、腰の部分で深く折れまがる。二対の長いひげがある。食用。「―フライ・―マヨ(=あげたエビをマヨネーズであえた料理)」表記 地名・人名では「×蛯」とも。北海道ではメニューにも使う。「海老」「蝦」を大きさによって使い分けるというのは俗説で、誤り。●**えびでたい(鯛)を釣る** 句 やすい品物と引きかえに、また、わずかな努力で、大きな利益を得る。えびたい《俗》。

**えびがに**【(:海老=蟹)】ざりがに。

**エピキュリアン**〔epicurean〕享楽主義者。

**エピグラフ**〔epigraph〕書物のはじめなどに引用された詩や句。☞献辞。

**エピゴーネン**〔ド Epigonen=Epigone の複数形〕追随者。亜流。

**えびす**【(×夷)】〔古風〕①⇩えぞ①。②未開の人民。野蛮人。③あらあらしい武士。

**えびす**【(:恵比寿)・(:恵比須)・(×戎)】七福神のひとり。先の折れたえぼし(烏帽子)に狩衣・指貫の姿でタイを釣り上げた様子をしている。商家で信仰する。〔えびす三郎とも言う〕●**えびすがお**【(:恵比寿)顔】に

［えびす］

こにこした顔つき。(↕えんま顔) ●**えびすこう**〔(:恵比寿)講〕 十月二十日に商家で えびすをまつる行事。

☆☆**エピソード**〔episode〕 ①話の本筋にさしはさむ、興味のある短い話。挿話。②その人やその事に関する、ちょっといい話。「―の持ち主」 ③《医》症状。「躁病―〔=躁状態〕」

**えびぞり**〔(:海老)反り〕〔俗〕エビのように からだをそらせること。【動】えび反る《自五》。

**えびたい**〔(:海老=×鯛)〕〔俗〕↑えびで たい(鯛)を釣る〔「えび」の【句】〕。

**えびちゃ**〔(:葡萄)茶〕〔「えび(葡萄)」は、ヤマブドウ〕 黒みのある赤茶色。「―色」

**えびチリ**〔(:海老)チリ〕 下味をつけて〈あげた/いためた〉エビを、チリソースで あえた料理。

**エビデンス**〔evidence〕 ①根拠。「―〔=科学的根拠〕のある治療法」 ②証拠。「話し合いについての―を残しておく」

**エピローグ**〔epilogue〕 ①小説・演劇などの結末部分。②ものごとの結末。▽(↕プロローグ)

**エフ** 【一】〔F・f〕 アルファベットの六番目の字。【二】〔F〕 ①〔↑firm=引きしまった〕 えんぴつの芯のかたさをあらわす記号。HBとHとの中間。②フリーサイズ。③〔↑focal〕《写真》レンズの明るさ〔=開放にしたときのしぼりの数値で示す〕をあらわす記号。F値。〔「f」とは別〕 ④〔↑ド Fahrenheit〕 華氏温度。⑤〔↑fluorine〕《理》フッ素の元素記号。⑥〔↑female〕〔視覚語〕 女性。雌。(↕M) 【三】〔f〕〔↑focus〕《写真》カメラで、レンズの焦点距離をあらわす記号。〔「F」とは別〕 ☞階・フェムト・フォルテ。

**エフアールビー**〔FRB〕〔↑Federal Reserve Board〕 連邦準備制度理事会。アメリカの中央銀行の中心組織。

**エフエー**〔FA〕〔↑free agent〕〔プロ野球などで〕どのチームとも自由に契約する権利を得た選手。「―宣言」 ●**エフエーせい**〔FA制〕 ⇩フリーエージェント制。

**エフエーキュー**〔FAQ〕〔↑frequently asked questions〕 よく寄せられる質問(と回答を一問一答形式で まとめたもの)。

**エフェクト**〔effect〕 (音響)効果。

**エフエスエックス**〔FSX〕〔↑fighter support X〕 航空自衛隊の、次期支援戦闘機。

**エフエックス**〔FX〕 ①〔↑fighter X〕 航空自衛隊の次期主力戦闘機。②〔↑foreign exchange=外国為替〕 外国為替証拠金取引。

**エフェドリン**〔ephedrine〕《理》アルカロイドの一つ。ぜんそくの治療薬。覚醒剤の原料にもなる。

**エフエフ**〔FF〕 ①〔↑front-engine, front-drive〕《自動車》前部エンジン、前輪駆動。「―車」 ②〔↑follow-follower〕〔ツイッターで〕おたがいにフォローしている状態。「―外から失礼します〔=相互フォローしていない関係の人がコメントするときのあいさつ〕」

**エフエム**〔FM〕〔↑frequency modulation=周波数変調〕《理》強さ〔=振幅〕は一定で、周波数だけが変わる電波。雑音が少ない。「―放送」(↕AM)

**エフシー**〔FC〕 ①フランチャイズ チェーン。「―店」 ②⇩フィルムコミッション。③〔↑fuel cell〕《理》⇩燃料電池。④〔↑fan club〕 ファンクラブ。

**えふで**〔絵筆〕 絵をかく筆。画筆。「―をにぎる〔=絵をかく〕」

**エフディー**〔FD〕 ①⇩フロッピーディスク。②⇩フロアディレクター。

**エフティーエー**〔FTA〕〔↑free trade agreement〕 自由貿易協定。特定の国や地域の間で、関税などの貿易の障害をなくして、国際取引を自由化しようとする取り決め。☞EPA②。

**エフビーアイ**〔FBI〕〔↑Federal Bureau of Investigation〕 アメリカ政府の、連邦捜査局。

**えぶみ**〔絵踏み〕《歴》江戸時代、キリシタンでない証拠として、キリストの像などをほりつけた板をふませたこと。えふみ。踏み絵。

**エプロン**〔apron〕 ①〔料理のときなどに〕衣服をよごさないように、胸や こしから、ひざまでをおおうもの。前かけ。②空港で、乗客の乗りおり、貨物の積みおろしなどをおこなう場所。スポット。③《ゴルフ》カラーを取り囲む、フェアウェイの部分。④〔カメラなどの〕前にはり出した、広い部分。⑤↑エプロンステージ。⑥〔プロレスで〕ロープの外がわの、リングのふち。●**エプロンステージ**〔apron stage〕 劇場で、客席のほうへ はり出している、舞台の一部。エプロン。

［エプロンステージ］

**エフワン**〔F1〕〔↑Formula One〕 単座席の四輪競走車で争う、世界選手権をかけた自動車レース(の車)。

**えへへ**《副》 口を半開きにして、きまり悪そうに笑う声。へへへ。

**えへん** 【一】《副》 せきばらいの声。「―と合図をする」 【二】《感》〔話〕得意になったときに言うことば。「―、どんなもんだい」 ▽【一】【二】えっへん。☞おほん。

**エベント**〔event〕 ⇩イベント。

**えほう**〔恵方〕 その年の十干にもとづいて、いいと定めた方角。元日に、その方角にある神社や寺にお参りをする風習がある。「―参り」 ●**えほうまき**〔恵方巻き〕 節分の日に食べる太巻きずし。その年の恵方を向いて丸かじりをすると、縁起がいいとされる。〔関西から広まった〕

**エポキシじゅし**〔エポキシ樹脂〕〔epoxy〕《理》合成樹脂の一つ。強力な接着剤や塗料、電子部品などに使う。

**えぼし**〔(×烏△帽子)〕 公家・武士がかぶった、一種の帽子。今は、神主などが使う。例、立烏帽子・折烏帽子。

**エポック**〔epoch〕〔時代を変えるような〕時期。「―を画す・―メイキング〔=画期的〕」

**エボナイト**〔ebonite〕 生ゴムに硫黄を加えて作った、黒い固体。万年筆や電気の絶縁体に使う。

**エホバ**〔ラ Jehovah〕《宗》〔旧約聖書で〕イスラエル人

が崇拝したただ一つの神の名。ヤハウェ。

**エボラしゅっけつねつ**【エボラ出血熱】〔Ebola＝地名〕《医》高い熱が出て、口や鼻などからだから出血する、死亡率の高いウイルス性の感染症。

**えほん**【絵本】（子ども向けの）絵を主にした本。

**えま**【絵馬】神社や寺におさめる（馬の）絵をかいた額。「―堂」

［えま］

**エマージェンシー**〔emergency〕非常事態。

**えまき**【絵巻】↑絵巻物。●**えまきもの**【絵巻物】物語などを絵にかいてあらわした巻物。絵巻。「源氏物語―」

**えみ**【笑み】微笑。ほほえみ。「会心の―を浮かべる」

**えみくずれる**【笑み崩れる】《自下一》〔文〕わらって、表情がくずれる。［他］笑み崩す《五》。

**えみし**【（：蝦夷）】「蝦夷①」の古代の言い方。

**えみわれる**【笑み割れる】《自下一》クリのいがや果実などが熟して、自然に割れる。

**えむ**【笑む】《自五》〔雅〕①にっこりわらう。②〔花が〕さく。③〔実が〕熟してさける。

**エム**［一］〔M・m〕①アルファベットの十三番目の字。「―字形」②〔↑minute〕〔視覚語〕〔単位の〕分。「〔SNSで〕15―〔＝十五分前の投稿〕」［二］〔M〕①〔↑medium〕〔商品のサイズの〕中型。「―判」〔↕S・L〕②マゾヒスト（の傾向を持つ人）。〔↕S〕③〔↑male〕〔視覚語〕男性。雄。〔↕F〕④〔↑middle, mezzanine〕〔視覚語〕中間の階。「―2F〔＝中二階〕」⑤〔視覚語〕《野球など》⇩マジックナンバー。「―8が点灯」⑥〔視覚語〕「明治」の頭文字。「―42」☞マグニチュード・マッハ・メートル・メガ［一］。

☆☆**エムアールアイ**【MRI】〔↑magnetic resonance imaging〕磁気とコンピューターによる断層撮影（法）。脳などの診断に使われる。☞CT。

**エムアールエスエー**【MRSA】〔↑methicillin-resistant staphylococcus aureus〕メチシリンなどの抗生物質に対する耐性を持った黄色ブドウ球菌。院内感染の原因となる。マーサ。

**エムアンドエー**【M&A】〔↑merger and acquisition〕企業の合併・買収。

**エムエムエフ**【MMF】〔↑和製 money management fund〕公社債などで運用する投資信託。株式投資よりも安定性が高い。

**エムエルビー**【MLB】〔↑Major League Baseball〕大リーグ。メジャーリーグ。

**エムシー**【MC】〔↑master of ceremonies〕①司会。②〔コンサートで〕曲の間のトーク。

**エムピー**【MP】〔↑military police〕アメリカ陸軍の憲兵。

**エムビーエー**【MBA】〔↑Master of Business Administration〕アメリカの、経営学修士（号）。

**エムピーユー**【MPU】〔↑microprocessor unit〕《情》⇩マイクロプロセッサー。

**エムブイ**【MV】⇩ミュージックビデオ。

☆☆**エムブイピー**【MVP】〔↑most valuable player〕その期間を通じて最もすぐれた活躍をした選手。最優秀選手。

**エメラルド**〔emerald〕①《鉱》緑色ですきとおった宝石。五月の誕生石。すいぎょく（翠玉）。②⇩エメラルドグリーン。●**エメラルドグリーン**〔emerald green〕青みをおびた、明るい緑色。エメラルド（色）。●**エメラルドこんしき**【エメラルド婚式】結婚してから、五十五年目の記念日（を祝う式）。エメラルド婚。☞婚。

**エモ・い**《形》〔俗〕心がゆさぶられる感じだ。「冬って―よね」〔「エモな気持ち」のようにも言う〕［由来］ロックの一種エモ〔↑エモーショナル ハードコア〕の曲調から、二〇一〇年代後半に一般に広まった。古語の「あはれなり」の意味に似ている。［派］―さ。

☆☆**えもいわれぬ**【得も言われぬ】《連体》（すばらしくて）なんとも言えない。えも言えぬ。「―美しさ・―解放感」〔副詞の形もある。「えも言われず美しい」〕

**エモーショナル**《ナダ》〔emotional〕感情的。情緒的。

**エモーション**〔emotion〕（喜び・かなしみなどの）感情。情緒。

☆☆**えもじ**【絵文字】［一］えもじ ものの形を簡単な絵であらわして、文字の役目をさせるもの。例、古代のエジプトの文字。［二］えもじ 簡単な絵や図形などでしめされ、情報を伝えるはたらきをもつもの。視覚言語。例、右折禁止・トイレのしるし。「メールの―」〔図は、レストランのしるし〕☞顔文字。▽［一］［二］ピクトグラム。

［えもじ ［二］］

**えもしれぬ**【（得も）知れぬ】《連体》〔＝はっきり知ることができない〕①なんとも説明のつかない。「―不安・―縁を感じる」②〔古風〕正体のわからない。「―薬」

←**えもの**【得物】〔文〕（得意な）武器。「―を手に持つ」

→**えもの**【獲物】狩りや漁で〈取った／取ろうとしている〉、けものやさかな。

**えものがたり**【絵物語】絵入りの物語。「―の王子さま」

**えもん**【（△衣紋）】①衣服の着こなし方。②着物のえり（をあわせること）。「―をぬいた〔＝えりのゆるんだ〕着つけ・ぬき―・―を繕う」●**えもんかけ**【（△衣紋）掛け】①和服用のハンガー。②〔古風〕ハンガー。③⇩いこう（衣桁）。●**えもんだけ**【（△衣紋）竹】竹で作った「えもんかけ①」。

**えよう**【（△栄×耀）】〔文〕⇩えいよう（栄耀）。

**えら**【（×鰓）】①《動》水中で生活する動物が、息をする部分。さかなは顔の横にある。「―呼吸」②〔俗〕両耳の下のあごのところ。「―が張る・―が出る」

**エラー**《名・自サ》〔error〕失敗。失策。過失。「―続出・ヒューマン―〔＝人為的ミス〕・―メッセージ〔＝コンピューターが処理できず、動作が止まったときに出る表示〕・野手が―する〔＝ボールを落とす〕」

**えら・い**《形》［一］【偉い・△豪い】①〔行動や人物が〕すぐれていて、尊敬したくなるようだ。「―作家」②仕事の上で、役目が上だ。地位が高い。「会社の―人」☞お偉いさん。③ほめたくなるようすだ。感心だ。「泣かなかったのは―ね」 表記 皮肉な意味で「エラい」とも。 ② 二 ①困った状況(じょうきょう)だ。「ほうっておくと―ことになる」 〔関西などの方言〕たいぎだ。つかれる。苦しい。「階段の上り下りが―」 ③〔話〕程度が大きい。「―〔=非常な〕人出だ・―物知り」 「えらく大きい」は、関西などの方言では、「えらい」のままで「えらい大きい」のように言う。▽大変だ。派 -がる。-さ。

**えらびだ・す**【選び出す】《他五》 いくつかの中から選ぶ。選出する。「気に入った写真を―・代表を―」

**えらびぬ・く**【選び抜く】《他五》 あれこれ比べて、厳しい目で選ぶ。「良質な素材を―」

**えら・ぶ【選ぶ・△択ぶ】《他五》 ①多くの中から〈ほしい/条件にあう〉ものをぬきとる。「どちらか一方を―・リーダーに選ばれる・作品五点を―・フォアボールを―」 ②【×撰ぶ】作品を集めて書物を作る。「歌集を―」 ③〔…を選ばない〕どんな…でもかまわない。「勝つためには手段を選ばない」 ④うまく合う相手が限られる。「食べ手を―ラーメン」 可能 選べる。●**選ぶところがない** 句〔選ぶ=区別する〕〔文〕変わらない。同じだ。「発言しなければ欠席と―」〔多く、批判して言う〕

**えらぶつ**【偉物】〔話〕すぐれた人。できぶつ。

**えらぶ・る**【偉ぶる】《自五》 えらそうに ふるまう。

**えり**【〔×魞〕】 さかなをとるしかけの一つ。さかなの通り道に、ふくろのような形に竹の すのこを立て、いったん はいった さかなが出られなくなるようにしたもの。

［えり］

**えり**【襟・×衿・△領】 ①〔衣服で〕首を回って前でまじわる、細長い部分。「着物の―をあわせる・コートの―を立てる」 ②えりくび。 ③かけぶとんの、のどの当たる部分(にかける布)。「ふとんの―をぬらす〔=ふとんの中で泣く〕」 ●**襟を正す** 句 (みだれた着物を整え)気持ちをひきしめる。

☆☆**エリア**〔area〕 特定の〈地域/区域〉。「サービス―・配達―」

**えりあか**【襟〈×垢〉】 えりについた あか。

**えりあし**【襟足・襟脚】 耳のうしろから首の うしろまでの、かみの毛の はえぎわ。えりのふれる部分。

**エリート**〔フ élite〕 社会・集団の中で特に すぐれた少数の人。「―意識・―社員」

**エリカ**〔ラ erica〕 ツツジのなかまの低木。筒(つつ)形の小さい花をたくさんつける。多くの種類があり、花の色はピンク・白・黄色などさまざま。ヒース。

**えりがみ**【襟髪】〔=首の うしろの かみの毛〕 えりくび。「―をつかむ」

**えりくび**【襟首】 ①首のうしろの部分。うなじ。後ろのえり。「―がよごれる」 ②首の前側の部分。前のえり。「―をつかむ」

**えりぐり**【襟〈×刳り〉】《服》洋服の首まわりの くりぬき方。「―が深いシャツ」 ☞ネックライン。

**えりごのみ**【〈△選り〉好み】《名・自サ》 よりごのみ。えりぎらい。

**えりしょう**【襟章】 えりにつける記章。

**えりすぐ・る**【〈△選り〉すぐる】《他五》 よりすぐる。名 えりすぐり。

**エリスリナ**〔ラ erythrina〕 熱帯植物の一つ。落葉高木。四、五月ごろ、チョウ形の赤い花を下向きにつける。でいご。でいこ。

**えりぬき**【〈△選り〉抜き】《名・自他サ》 よりぬき。「―の人物」 動 えり抜く《他五》。

**えりまき**【襟巻き】〔古風〕マフラー。

**えりもと**【襟元】 「えり①」の あたり。着物の胸のあたり。「―をかきあわせる」

**えりわ・ける**【〈△選り〉分ける】《他下一》 よりわける。

**エリンギ**〔イ eryngi〕 西洋産の食用キノコ。太い柄(え)に、小さく平たい かさが のる。歯ごたえがよい。

**え・る**【〈△彫る〉】《他五》〔雅〕ほる。刻む。「えりつける」 名 えり。

**え・る**【〈△選る〉】《他五》〔文〕えらぶ。よる。

←**える 一 える【得る】《他下一》 ①自分のものにする。手に入れる。「地位を―・知識を―・自信を―・よって以下の公式を―〔=導くことができる〕」 ②してもらう。受ける。「ご出席を―・許可を―」 ③とげる。「目的を―・志を得ない」 ④うまく とらえる。「要領を―・時宜(じぎ)を―・当を―・的を―・その意を得ない〔=意味がわからない〕」 ⑤身に受ける。「病(やまい)を―」 ⑥〔…が〕できる。「行くことを―」 二 【(得る)】 造 ⇩う(得)る 二。 可能 得られる。「問題を知り―立場・だれもが事故の加害者となり―」 ☞ざるをえない。

→**える**【獲る】《他下一》〔文〕①狩(か)りや漁をして取る。 ②(相手に勝って)手に入れる。

**エル** 一【L・l】 アルファベットの十二番目の字。 二【L】 ①〔↑large〕〔商品のサイズの〕大型。「―判(ばん)」(↕S・M) ②〔↑living room〕 洋風の居間。リビング。「2―DKのマンション」 ③〔↑lobby〕〔視覚語〕ロビー。☞L字・リットル。

**エルアールティー**【LRT】〔↑light-rail transit〕 次世代型の路面電車。乗り降りしやすく、騒音(そうおん)や振動(しんどう)が少ない。

☆☆**エルイーディー**【LED】〔↑light emitting diode〕《理》電流を通すと発光するダイオード。材料によって決まった波長の光を発する。消費電力は少なく、熱を出さず、耐久(たいきゅう)性に富む。発光ダイオード。「青色―」

☆☆**エルエスアイ**【LSI】〔↑large scale integration=大規模集積〕《情》集積回路(IC)をさらに微細(びさい)化したもの。コンピューターなどの小型化に役立つ。高密度集積回路。

**エルエスディー**【LSD】〔↑lysergic acid diethylamide〕 麻薬(まやく)の一種。はでな色の幻覚(げんかく)が生じる。精神に害がある。

**エルエヌジー**【LNG】〔↑liquefied natural gas〕 天然ガスを冷却(れいきゃく)して液化したもの。液化天然ガス。

**エルエル**【LL】 ①〔↑language laboratory〕〔外国語の学習で〕録音機などの器械を使って、自分で外国語を勉強する設備。ランゲージ ラボ(ラトリー)。ラボ。「―教室」 ②〔商品のサイズが〕Lより大きいもの。特大。

**エルエルピー**【LLP】〔↑limited liability partnership〕《法》⇩有限責任事業組合。

**エルケー**【LK】 ⇩リビングキッチン。「3―〔=三つの部屋とLK〕」

**エルゴノミクス**〔ergonomics〕 ⇩人間工学。

エルじ【L字】①アルファベットの「L」の形。「―型」②〘放送〙〔テレビで〕画面のすみに「L字」のスペースを作って字幕を放送すること。L字放送。「―画面」●エルじこう【L字溝】断面が「L字①」の側溝。

エルシーシー【LCC】〔← low cost carrier〕格安航空会社。

エルジービーティー【LGBT】〔← lesbian, gay, bisexual and transgender〕性的少数者の例をあらわす ことば。レズビアン・ゲイ・バイセクシュアル〔=両性を愛する人〕・トランスジェンダー〔=体の性と心の性が異なる人〕。〔どれとも決まらない「クエスチョニング(questioning)」を加えて「LGBTQ」とも〕☞アセクシュアル・SOGI。

エルダー〔elder〕年長者。年配者。「―層」

エルディー【LD】①〔← learning disability〕学習障害。②リビング ダイニング〔=居間兼食堂〕。⇩

エルティーイー【LTE】〔← long term evolution〕スマートフォンなどのための高速通信規格。二〇一〇年代に普及。

エルディーエル コレステロール【LDLコレステロール】〔LDL ← low density lipoprotein〕〘生〙LDL〔=細胞が必要とするコレステロールなどを運ぶ役目をする物質〕にふくまれるコレステロール。この血中濃度が高くなると、動脈硬化を起こす もとになるので、俗に「悪玉コレステロール」と呼ばれる。☞HDLコレステロール。

エルディーケー【LDK】リビングとダイニングキッチン〔=台所兼食堂〕をあわせた部屋。「4―〔=四つの部屋とLDK〕・1―」

エルドラド〔ス El Dorado〕黄金郷。理想郷。エルドラード。〔昔のスペイン人が、南米にあると考えた〕

☆☆エルニーニョ〔ス El Niño=神の子〕太平洋東部の赤道付近の海水温度が高くなる現象。日本では暖冬・冷夏などの影響の出る場合がある。エルニーニョ現象。☞ラニーニャ。

エルピー【LP】〔← long playing〕SPより長く演奏できる、直径三〇センチ大のレコード。「―盤」

エルピーガス【LPガス】⇩エルピージー(LPG)。

エルピージー【LPG】〔← liquefied petroleum gas〕プロパン・ブタンなどに圧力を加えるか、または冷却して液化したもの。液化石油ガス。LPガス。

エルボー〔elbow=ひじ〕〔プロレスなどで〕ひじで、はげしく突っつくこと。「―ドロップ〔=相手の上に落ちながら ひじで突く わざ〕」

エルム〔elm〕にれ。

エレガンス〔elegance〕上品さ。優雅さ。

エレガント《ナダ》〔elegant〕上品。優雅。「―な服装」派―さ。

エレキ ①← エレキ ギター。(↔アコギ) ②〔← エレキテル(← オ electriciteit)〕〔古風〕電気。〔「磁石」の意味にも使う〕●エレキギター〔← electric guitar〕〘音〙アンプにつないで、スピーカーから音を出すギター。共鳴用の空間部がないものが主流。エレキ。(↔アコースティック ギター)

エレクト《名・自サ》〔erect〕勃起。

エレクトーン〔和製 Electone=商標名〕〘音〙電子オルガンの一つ。☞電子オルガン。

エレクトラ コンプレックス〔Electra complex〕〔精神分析学で〕女の子が、無意識のうちに父を慕い、母に反感を持つ傾向。(↔エディプス コンプレックス)

エレクトリック 造〔electric〕電動の。「―ピアノ」

☆☆エレクトロニクス〔electronics〕〘理〙電子工学。

エレクトロン〔electron=もとギリシャ語で、琥珀〕〘理〙⇩電子 一

エレジー〔elegy〕かなしみの曲。哀歌。悲歌。

エレベーター〔米 elevator〕①〔動力で〕人や荷物を上下方向に運ぶ機械。昇降機。リフト。EV。②カメラなどをのせたまま、上下に動かす しかけ。③〔俗〕上がったり下がったりすること。

エレメント〔element〕①要素。成分。「作品を構成する―」②〘理〙⇩元素。

エロ《名・ナダ》〔← エロチック・エロチシズム〕〔俗〕性的でいやらしい〈ようす〈こと〉〉。「―本・―な話・―グロナンセンス〔=昭和初期の退廃的な風潮〕」

エロ・い《形》〔「エロ」を形容詞化した語〕〔俗〕①いやらしい。「―話」②性的魅力がある。「エロくてかっこいい」派―さ。

エロキューション〔elocution〕⇩口跡。

エロス〔ギ Eros〕①〔ギリシャ神話で〕愛の神。〔ローマ神話のキューピッドにあたる〕②〔性的な〕愛。(↔アガペー) ③〘心〙生きようとする本能。(↔タナトス)

エロチシズム〔eroticism〕愛欲的・性欲的であること。性的関心をひく魅力〈があること〉。色気。エロ。エロティシズム。「―を感じさせるポーズ」

エロチック《ナダ》〔erotic〕性的な関心をそそるようす。エロティック。「―なポーズ・―な作品」派―さ。

**えん【円】①波紋や、茶わんの ふちなどの形。円形。「―をえがく・―運動〔=円周の形をたどるような動き〕」②日本のお金(の単位)。〔記号 ¥〕「―(相場)が強い」

えん【宴】〔文〕さかもり。宴会。「花の〔=花見の〕―を張る・―なかば」

←*えん【園】一 えん 幼稚園・保育園などを、関係者が呼ぶ言い方。「―のお庭で遊ぶ」二 造 ①草・花・くだものの木などを集めて育てる所。「薬草―・ぶどう―」②動物・植物を集めて人に見せる所。「動物―・植物―」③子どもを集めて教育する所。児童養護施設などについても言う。「幼稚―・保育―」④庭園・農園・遊園地や、〔庭園のある〕施設の名前に使うことば。「後楽―」⑤料理店などの名前に使うことば。⑥茶の葉を売る店の名前に使うことば。

→えん【苑】造 ①〔庭園のある〕施設の名前に使うことば。「陽光―」②中華料理店・焼き肉店など、飲食店の名前に使うことば。「山水―」

えん【塩】一 えん〘理〙酸と塩基との反応によって生じるイオンからなる化合物。水によくとけるものが多い。「リン酸―」二 造 しお。「食―・岩―・食卓―」

えん【演】〔文〕出演。「〇〇作、××―」

えん【縁】①〘仏〙ある〈こと〉〈関係〉を成り立たせるのに、間接に はたらいた原因。「前世の―」(↔因) ②関係。結びつき。「親子の―・お金に―がない」③人とのつながり。てづる。「―を求めて」④〔関係を結ぶ〕きっかけ。「これをご―に」⑤えんがわ。ぬれえん。「―先〔=え

んがわの はし〕」●**縁無き衆生(しゅじょう)は度(ど)し難(がた)し**[句] 相手のためを思って言うことばを聞き入れない者は、救いようがない。●**縁は異なもの味なもの**[句] 恋人(こいびと)どうしや夫婦(ふうふ)がめぐりあう縁は、まことに不思議なものだ。〔このあと「ウドが刺身(さしみ)のつまになる」と続く〕

**えん【艶】**《名・ダナ》〔文〕あでやか(な美しさ)。「―をきそう」

☆☆**えんいん【遠因】** 遠い原因。間接の原因。「事件の―」(↔近因)

**えん【炎】**[造]〔医〕炎症(えんしょう)。「盲腸(もうちょう)―」

**えんいん【延引】**《名・自サ》〔文〕長びくこと。予定よりおそくなること。えんにん。

**えんう【煙雨】**〔文〕けむりのように見えるほど細かい雨。きりさめ。

**えんえい【遠泳】**《名・自サ》遠くまで泳ぐ〈こと/競技〉。

☆☆**えんえき【演×繹】**《名・他サ》一般的(いっぱんてき)な原理や事実から、一つ一つのことがらを論理的に推論すること。例、ペンギンは鳥であり、鳥は卵から生まれることから、ペンギンも卵から生まれる、と考えるなど。「―法」(↔帰納)

**えんえん【×奄々】**《トタル》〔奄=息がふさがる〕〔文〕(息が)たえだえなようす。「気息(きそく)―」

←**えんえん【延々】**《トタル》〈いつまでも/どこまでも〉長く続くようす。「―十時間・早くやめればいいのに―と話した・―百キロにおよぶ」

→**えんえん【(×蜿×蜒)・(×蜒々)】**《トタル》〔道などが〕まがりくねって長いようす。「―と続く・―長蛇(ちょうだ)の列」

**えんえん【炎々】**《トタル》〔文〕さかんに燃え上がるようす。

**えんお【×厭悪】**《名・他サ》〔文〕いやがりにくむこと。嫌悪(けんお)。

**えんおうのちぎり【×鴛×鴦の契り】**〔鴛鴦=おしどり〕〔文〕夫婦(ふうふ)のちぎり。

**えんか【円価】**《経》外国の貨幣(かへい)に対する、円の価値。

**えんか【円貨】**《経》〔日本の〕円単位の お金。

**えんか【園歌】** 幼稚(ようち)園など、園と呼ばれるところの歌。

**えんか【塩化】**《理》塩素との化合。「―水素(=塩素と水素とが化合してできた物質)・―物」●**えんかナトリウム【塩化ナトリウム】**《理》塩素とナトリウムとの化合物。塩(しお)。食塩。●**えんかビニル【塩化ビニル】**《理》ポリ塩化ビニルの原料となる気体。ポリ塩化ビニルはビニール、塩ビと呼ばれる合成樹脂(じゅし)。水道パイプ、電線被覆(ひふく)材料に使われる。塩化ビニール。塩ビ。

**えんか【煙火】**(=けむりと火)〔文〕①花火。「―店」②のろし。

**えんか【演歌】** 日本的な心情を歌った歌謡(かよう)曲。小節(こぶし)をきかせることが多い。「―調」[由来] 特に、明治時代の自由民権運動の演説歌から。[表記] 恋(こい)の歌を「艶歌」とも。

**えんか【×嚥下】**《名・他サ》〔文〕⇩えんげ。「異物を―する」

**えんかい【沿海】**①海岸に沿った陸。「〔シベリアの〕―州」②陸に沿った海。「―航路」

**えんかい【宴会】** お酒を飲んだりしながら、みんなでにぎやかに楽しむ集まり。

**えんかい【遠海】** 陸地から遠くはなれた海。遠洋。「―魚」(↔近海)

**えんかい【延会】**《名・他サ》《法》国会などで、予定された議事の日程を次の会議まで のばすこと。

**えんがい【円蓋】**〔文〕半球状にもり上がった屋根。ドーム。

←**えんがい【塩害】** 海水の塩分が原因となる害。

→**えんがい【煙害】**①鉱山・工場や火山の けむりによる害。②タバコの けむりによる健康被害(ひがい)。

**エンカウント**《名・自サ》〔←encounter=遭遇(そうぐう)(する)〕〔俗〕会うこと。遭遇。エンカウンター。エンカ。「現地で―しよう」〔コンピューターゲームの用語から、二〇一〇年代に広まったことば〕

**えんかく【沿革】**〔制度や組織などの〕始まりから今日(こんにち)までの、移り変わり。

**えんかく【遠隔】**①遠く はなれているようす。「―の地」②⇩リモート。「―講義・―会議システム」●**えんかくそうさ【遠隔操作】**《名・他サ》⇩リモートコントロール。

**えんかつ【円滑】**《名・ダナ》とどこおりなく、なめらかに進むようす。「会の運営が―にゆく」[派] ―さ。

**えんがわ【縁側】**①庭に向いた座敷(ざしき)の外につけた、細長い板敷(じき)の部分。②ヒラメなどの、ひれのつけ根にある骨(のまわりの肉)。

**えんかわせ【円為替】**《経》日本の円の お金を外国の お金とくらべたときの価値。

**えんかん【円環】**〔文〕まるく とじた輪(の形のもの)。「―状」

**えんかん【塩干】**〔文〕なまの さかなを塩につけたり、ほしたりすること。「―加工品」

**えんかん【鉛管】**〔水道やガスなどの〕なまりの くだ。

**えんがん【沿岸】**①海・川・湖に沿った陸地。「日本海―部の空模様」②陸地に近い、海・川・湖の部分。「―漁業(↔遠洋漁業・沖合(おきあい)漁業)」

**えんき【塩基】**《理》酸と反応して塩(えん)と水をつくる物質。水にとけるものは、アルカリとも言う。

**えんき【遠忌】**[造]《仏》⇩おんき。

**えんき【延期】**《名・他サ》あらかじめ決めた時間・期日をのばすこと。「無期―」

**えんぎ【縁起】**①《仏》いっさいの ものごとの起源。由来。②神社や寺の できた事情(を書いた文書)。③吉凶(きっきょう)の前兆。前ぶれ。さいさき。「―がいい(=いいことが起こりそうな前ぶれだ)」●**縁起でもない**[句] 〔そんなことを〈言う/する〉と〕悪いことが本当に起こりそうだ。「事故の話なんて―」●**縁起を祝う**[句] いいことが起こるように、縁起をかつぐ。「縁起を祝って、かざりものの熊手(くまで)を買う」●**縁起を担(かつ)ぐ**[句] ①いいことが起こるように、特別のことをする。例、試験に「勝つ」ために、「豚(とん)カツ」を食べる。②縁起がいいか悪いかを気にして行動する。「やたら―人」▽験(げん)を担ぐ。●**えんぎなおし【縁起直し】**《名・自サ》縁起の悪いことを、よくなるように直すための まじない。げんなおし。●**えんぎもの【縁起物】**①縁起を祝って かざる物。「正月の―」②神社や寺にお参りする人を当てこんで売る物。

**えんぎ【演技】**《名・自サ》①俳優などが舞台(ぶたい)や映

画などで演じて見せること。また、その動作や表情。「―力」②体操・フィギュアスケート・サーカスなどの わざ(を して、見せること)。「模範―」③本当らしく見せる言動をすること。「一世一代の―」

**えんきゅう**［円球］〔文〕まるいたま。「半―」

**えんきょく**［×婉曲］《ナダ》遠まわし。「―な表現・―に批判する」派―さ。

**えんきょり**［遠距離］①遠い〈距離／みちのり〉。「―通勤」(↕近距離)②↑遠距離恋愛。●**えんきょりれんあい**［遠距離恋愛］はなれて暮らす人どうしの恋愛。遠恋〔俗〕。遠距離。

**えんきり**［縁切り］《名・自サ》夫婦・親子などの関係をたち切ること。●**えんきりでら**［縁切り寺］〔江戸時代〕夫のことなどで苦しむ女性が、にげこめば離婚できるという寺。かけこみ寺。例、鎌倉の東慶寺。

**えんきん**［遠近］遠いか近いか。「―にかかわらず・―がわからない・―両用めがね(=老眼(ろうがん)用と近視用の両方の機能を持つめがね)」●**えんきんほう**［遠近法］《美術》〔絵で〕遠近の距離の感じを画面にあらわす方法。

**えんぐみ**［縁組み］《名・自サ》①養子・養女の縁を結ぶこと。②結婚。婚姻。

**えんグラフ**［円グラフ］円を中心から いくつかに分けて割合を示したグラフ。

**えんぐん**［援軍］①〈応援の／助ける〉ための軍勢。②いっしょにやってくれる仲間。

**えんげ**［×嚥下］《名・他サ》《医》のみくだすこと。えんか。「―性肺炎」

**えんけい**［円形］平たくて まるい形。「―劇場」●**えんけいだつもうしょう**［円形脱毛症］《医》かみの毛がぬけて、まるい形の脱毛部分ができる病気。

**えんけい**［遠景］〔文〕①遠くの景色。②《美術》〔構図で〕奥に配置したもの。③直接 注意が向かないものごと。「戦争が―に しりぞく」▽後景。(↕近景)

**えんげい**［園芸］草花・果樹などを育てること。ガーデニング。「―を趣味とする」

**えんげい**［演芸］公衆の前で劇・おどり・落語・講談などをして見せること。また、そのときの芸。「上方―」

**エンゲージ**《名・自サ》〔engage〕婚約。「―リング(=婚約のしるしにとりかわす指輪)」

**えんげき**［演劇］脚本の筋書きを舞台の上に表現する芸術。劇。芝居。「―活動・―集団・―的に誇張した表現」

**エンゲルけいすう**［エンゲル係数］〔Engel=人名〕《経》家計支出に占める食費の比率。高いほど貧しいとされる。〔ドイツの統計学者エンゲルが提唱〕

**えんげん**［×淵源］《名・自サ》〔文〕ものごとの成り立つおおもと。根源。「教育の―」

**えんこ**［円弧］《数》円周の一部分。弧。

**えんこ**［塩湖］《地》塩分を多く ふくむ湖。〔水一リットル中に〇・五グラム以上〕(↕淡水湖)

**えんこ**［遠古］〔文〕はるか昔。「―の社会」

☆☆**えんこ**［縁故］①人と人とが結びつくきっかけ。「ふとした―で知り合う」②親類・知人などの つながり。ゆかり。コネ。「―をたどる・―採用」

**えんこ**《名・自サ》㊀〔児〕すわること。㊁〔エンコ〕〔俗〕〔電車・自動車などが〕故障して動かなくなること。由来「えんこ㊀」から。「エンジン故障」の略ではない。

**えんご**［縁語］あることばと意味・発音の上で関係のあることば(を使う修辞法)。例、「鈴鹿山うき世をよそに ふり捨てて」の「ふる」は「鈴」の縁語。

**えんご**［援護］《名・他サ》①〔文〕うまく行くように、ほかの人がまもって助けること。「―資金」②［×掩護］敵の攻撃から味方をかばい まもること。●**えんごしゃげき**［援護射撃］《名・他サ》①味方を援護するための射撃。②援護の役目をはたす言動や状況。「改革への―」

**えんこう**［援交］《名・自サ》〔俗〕↑援助交際。エンコ(ー)。

**えんこうきんこう**［遠交近攻］遠い国とは仲よくし、近い国には戦争をしかけるという政策。

**エンコード**《名・他サ》〔encode〕《情》データを、圧縮したり送信したりするために、通常とは異なる形式に変えること。符号化。(↕デコード)

**えんごく**［遠国］〔文〕遠くにある国。都から遠い地方。おんごく。(↕近国)

**えんこん**［怨恨］うらみ。「―をいだく」

**えんさ**［怨×嗟］《名・自サ》〔文〕うらみ(なげくこと)。「―の声が起こる」

**えんざ**［円座］㊀(わら・イグサなどで編んだ)まるい敷物。㊁《名・自サ》大ぜいがまるい形に すわること。くるまざ。

☆☆**えんざい**［×冤罪］無実の つみ。ぬれぎぬ。

**エンサイクロペディア**〔encyclopedia; encyclopaedia〕百科事典。百科全書。

**えんさき**［縁先］①縁側の、庭に近いはし。②縁側の前。

**えんさん**［塩酸］《理》塩化水素が水にとけた、強い酸性の液体。多く工業用に使われる。

☆☆**えんざん**［演算］《名・他サ》《数》式のしめすとおりに計算をして、求める値を出すこと。運算。

**えんし**［遠視］《医》近くのものが はっきり見えない状態(の目)。遠視眼。遠眼。(↕近視)

**えんし**［煙死］《名・自サ》〔文〕火事のとき、けむりや有毒ガスのために死ぬこと。

**えんじ**［×衍字］まちがって はいりこんだ、よけいな字。(↕脱字)

**えんじ**［園児］幼稚園・保育園に かよっている子ども。

**えんじ**［(×臙脂)］黒みをおびた赤い色。えんじ色。「―の帯」

**エンジェル**〔angel〕①天使。②ベンチャー企業を支援する個人投資家。▽エンゼル。

**エンジニア**〔engineer〕技師。技術者。

**エンジニアリング**〔engineering〕工学。機械技術。「ヒューマン―(=人間工学)」

**えんじゃ**［園舎］幼稚園・保育園などの建物。

**えんじゃ**［演者］その〈役／芸能〉を演じる人。その音楽を演奏する人。えんしゃ。「能の―」

**えんじゃ**［縁者］親戚。特に、姻戚。「親類―」

**えんじゃく**［×燕×雀］(=ツバメ・スズメのような小さな鳥)〔文〕小人物。●**燕雀いずくんぞ鴻鵠の志を知らんや** 句〔鴻鵠=コウノトリ・ハクチョウのような大きな鳥〕 小人物に大人物の気持ちがわかるはずがない。

**えんじゃく**［円寂］《名・自サ》《仏》仏または僧の死。

**えんじゅ**［延寿］〔文〕長生き。

**えんじゅ**［(×槐)］ アカシアに似て、葉が小形の落葉樹。家具材とする。

**えんしゅう**［円周］《数》円を形づくる曲線。●**えんしゅうりつ**［円周率］《数》円周の、直径に対する比率。約三・一四一六〔記号 π〕。☞パイ㊁。

**えんしゅう**［演習］《名・自サ》①知識・練習の結果を実地にためしてみること。「消火―」②ゼミナール。③《軍》軍隊がおこなう、実戦の練習。

**えんじゅく**［円熟］《名・自サ》①じゅうぶんに熟達すること。「―した演技」②〔人物について〕かどが取れておだやかに なること。「―の境に入る」派-さ。-み。

**えんしゅつ**［演出］《名・他サ》①脚本にしたがって〈劇/映画〉を表現すること。監督。「―家」②行事などを効果的に進行させること。「大会の―」③かざったりして、美しく見せること。「ボディーラインをきれいに―する」④〔ドキュメンタリーなどで〕見る人に わかりやすくするなどの目的で、撮影する対象に手を加えたりすること。

**えんしょ**［炎暑］〔文〕〔燃えるような感じの〕夏の きびしいあつさ。酷暑。

**えんしょ**［艶書］〔文〕恋文。ラブレター。

**えんじょ**［援助］《名・他サ》①困っている人に〈力を貸して/お金を出して〉たすけること。「経済的―・―資金」②〔俗〕↑援助交際。●**えんじょこうさい**［援助交際］《名・自サ》〔=お金を援助してもらう交際〕〔俗〕(未成年の)売春。援交。援助。〔一九九〇年代前半からの ことば〕

**エンジョイ**《名・他サ》〔enjoy〕 楽しむこと。享楽。享受。「学生生活を―する」

**えんしょう**［炎症］ からだの一部に熱・赤み・はれ・痛みなどが起こる症状。

**えんしょう**［遠称］《言》代名詞などのうち、自分と相手のどちらがわにも かかわらないものごと、または、両方が共通に理解しているものごとをさすもの。多く「あ」がつく。例、あのかた・あれ。(↕近称・中称・不定称)

**えんしょう**［艶笑］《名・自サ》〔文〕①あでやかに笑うこと。②色っぽい おかしさのあること。「―小話」

**えんしょう**［延焼］《名・自他サ》〔火事などが〕燃えひろがること。燃えひろがって、焼くこと。

**えんしょう**［演唱］《名・他サ》《音》歌曲などを演奏会などで歌うこと。

**えんじょう**［炎上］《名・自サ》①ほのおを高くあげて燃えること。「城が―する」②〔ソーシャルメディアで〕大量の攻撃的な批判が書きこまれる状態になること。「ツイッターが―する・―商法〔=炎上させて注目を集める商法〕」③〔俗〕〔事業が〕計画どおりに進まず、メンバーの大きな負担が必要になること。「―案件」

**えん・じる**［怨じる］《他上一》〔文〕うらみごとを言う。うらむ。怨ずる。

**えん・じる**［演じる］《他上一》①劇・映画などで、ある役をつとめる。②芸能を見せる。「落語を―」③役割をはたす。④しでかす。「失態を―」▽演ずる。可能演じられる。

**えんしん**［遠心］ 中心から遠ざかること。「―的な動き」(↕求心) ●**えんしんぶんり**［遠心分離］《名・他サ》《理》遠心力を利用して〈比重の ちがう二つの液体/液体の中にまじっている固体〉を分けること。「―機」●**えんしんりょく**［遠心力］①《理》物体が円運動をするとき、その物体に はたらく、中心から遠ざかろうとする力。(↕向心力) ②〔政治的組織などで〕人心が はなれていく力。「―がはたらいた」(↕求心力)

**えんしん**［延伸］《名・自他サ》 長さをのばすこと。「鉄道を―する・ホームの―工事・健康寿命の―」

**えんじん**［円陣］ ①まるい形に ならんだ陣。または、その陣形。②輪の形にならぶこと。「―を組む」

**えんじん**［猿人］《歴》はじめて立って歩き、手で道具を使った、原始時代の人類。例、アウストラロピテクス。☞原人・旧人①・新人④。

**エンジン**〔engine〕 ①内燃機関。 ②原動機。「―をかける」③《情》データ処理を実行する〈プログラム/装置〉。④原動力。「地方分権の―」●**エンジンがかかる**句 ①仕事を始める。動き始める。 ②やる気になる。③調子が出る。他エンジンをかける。●**エンジンブレーキ**〔engine brake〕 エンジンのしくみを利用して、アクセルペダルから足をはなすことで、車を減速させること。エンブレ〔俗〕。(↕フットブレーキ)

**えんすい**［円(×錐)］《数》底はまるく、先がとがった立体。例、とんがり帽。「―形」

**えんすい**［塩水］〔文〕塩けをふくんだ水。しおみず。「―中の成分・―うに〔=塩水に入れたうに〕」

**えんずい**［延髄］《生》脳髄から脊髄に続く部分。呼吸など、生命を維持する機能をもつ。

**エンスト**〔↑エンジン ストップ(和製 engine stop)〕自動車などのエンジンがとまってしまうこと。「―を起こす」〔もと、航空機のエンジン故障による失速状態、エンジン ストール(stall)の略〕

**えんせい**［延性］《理》物体を引っぱっても、こわれずにのびる性質。☞展性。

**えんせい**［(×厭)世］ 世の中を〈つらい/いやだ〉と思うこと。「―的・―観(↕楽天観)」●**えんせいしゅぎ**［(×厭)世主義］《哲》人生は生きるねうちがない という考え方。ペシミズム。(↕楽天主義)

**えんせい**［遠征］《名・自サ》①遠方まで敵を討ちに行くこと。「大軍をひきいて―する」②試合・探検・登山などのため、遠方まで行くこと。「ヒマラヤ―隊」

**えんせき**［宴席］ 宴会の席。「―を設ける・―を囲む」

**えんせき**［塩(△漬)］《料》〔ハムやソーセージを作るときに〕調味料や発色剤などを加えて漬けこむこと。「無―の〔=発色剤を使っていない〕ハム」

**えんせき**［遠赤］↑遠赤外線。「―ヒーター」

←**えんせき**［遠戚］〔文〕血のつながりの遠い親戚。

→**えんせき**［縁戚］〔文〕姻戚。親類。親戚。

**えんせき**［縁石］〈車道と歩道を区別する/歩道のふちにある〉石。ふちいし。へりいし。

**えんせきがいせん**［遠赤外線］《理》赤外線のうち、波長の長いもの。物質によく吸収され、加熱効率が高い。熱線。遠赤。「―グリル」(↕近赤外線)

**えんぜつ**［演説］《名・自サ》 おおぜいの前に立って、自分の意見をのべること。「立会―」

**エンゼル**〔angel〕⇩エンジェル。●**エンゼルフィッシュ**〔angelfish〕熱帯魚の一種。からだは平たく、銀白色で、背から腹の方向に黒いすじが数本ある。ひれが長い。原産地はアマゾン川。

**えんせん**【沿線】鉄道の路線や大きな道路に沿った地域。

**えんせん**【×厭戦】〔文〕戦争(するの)をいやがること。「―気分」

**えんぜん**【×婉然】《タルト》〔文〕〔姿・形が〕しとやかでやさしいようす。「―と立つ」

**えんぜん**【×嫣然】《タルト》〔文〕(若い)女の人が やさしくほほえむようす。「―たる微笑」

**えんぜん**【艶然】《タルト》〔文〕あでやかなようす。「―たる美女」

**えんぜん**【△宛然】《副・タルト》〔文〕そっくりであるようす。さながら。「―戦争のごときありさま」

**えんそ**【塩素】《理》気体元素の一つ〔記号 Cl〕。黄緑色で、強い くさみがある。有毒。消毒や いろいろの化合物の原料に使う。クロール。

**えんそ**【遠祖】〔文〕遠い先祖。

**えんそう**【演奏】《名・他サ》〔人の前で〕楽器を使って音楽をきかせること。「―会」

**えんぞう**【塩蔵】《名・他サ》さかなや野菜を塩づけにして保存〈すること/したもの〉。「―品・―の わかめ」

**えんそく**【遠足】《名・自サ》〔見学・運動のため〕〈歩いて/日帰りで〉遠くへ行くこと。

**エンターキー**〔enter key〕コンピューターのキーボードで、右手で押す位置にある やや大きなキー。命令の実行や改行の入力に使う。リターンキー。

☆☆**エンターテイナー**〔entertainer〕〔大衆を楽しませる〕芸人。芸能人。また、人を楽しませる人。エンターテ(ー)ナー。〔エンターティナーの形も多い〕

☆☆**エンターテインメント**〔entertainment〕人を楽しませるもの。劇・音楽・演芸・漫画などの娯楽。エンタ(ー)テイメント。エンタ(ー)テーメント。エンタメ。〔エンターティメントの形も多い〕「―小説〔=物語の おもしろさを追求した、娯楽性の高い小説。(↔純文学)〕」

☆☆**えんたい**【延滞】《名・自サ》税金や利息などの しはらいが おくれること。「―利息・―料金」

**えんだい**【演台】①講演や演説をするときに、前に置く台。②演壇。

**えんだい**【演題】演説や講演、講談などの題目。

**えんだい**【縁台】腰かけて、すずんだりするために外に置く、長い台。「―将棋」

**えんだい**【遠大】《ナダ》〈規模/志〉の大きいようす。「―な計画」派-さ。

**エンタイトルツーベース**〔←entitled《=…の資格がある》two-base hit〕《野球》二塁打として取りあつかわれるヒット。

**エンダイブ**〔endive〕サラダなどにして食べる、葉先のぎざぎざした野菜。にがみがある。☞チコリ。

☆☆**えんだか**【円高】《経》円の価値が、外国の通貨にくらべて高いこと。「急激な―・―が進行する」(↔円安)

**えんたく**【円卓】まるいテーブル。●**えんたくかいぎ**【円卓会議】席の順を考える必要のない、まるいテーブルを囲んで自由に意見を出しあう会議。

**えんだて**【円建て】《経》外国との取引で、日本のお金〔=円〕で計算すること。

**エンタメ**↑エンターテインメント。エンタ。「―情報・―欄〔=芸能・文化欄〕」

**えんだん**【演壇】演説・講演をする人がその上に立つ壇。演台。「―に立つ」

**えんだん**【縁談】結婚の話。「―をまとめる」

**えんち**【遠地】〔文〕遠く はなれた〈場所/土地〉。

**えんちゃく**【延着】《名・自サ》〔文〕(列車・飛行機などが)おくれて到着すること。(↔早着)

**えんちゅう**【円柱】①切り口が まるい はしら。②《数》長方形の 一つの辺を軸として 一回転させてできる立体。円筒。円壔。▽(↔角柱)

**えんちゅう**【炎昼】〔文〕太陽が照りつける、夏の暑くるしい ひる。

**えんちょう**【園長】幼稚園・動物園など、園と呼ばれるところの長。

**えんちょう**【延長】㊀《名・自他サ》①〔長さや期間などが〕先へのびること。また、のばすこと。「ホームの―工事・国会の会期を―する・《野球など》―十回〔=延長試合で、初回から数えて十回〕」(↔短縮)②《数》有限な長さの直線を、その方向に のばした部分。「―線」㊁①道路などの、のべの長さ。「鉄道は―二万キロに及ぶ」②もとのものから〈続いている/発展した〉もの。「道具は手の―である・趣味の―で始めた仕事」●**えんちょうせん**【延長戦】定まった〈回数/時間〉で勝負がつかないとき、さらに続けてする試合。「―にはいる」●☆☆**えんちょうせんじょう**【延長線上】①線をまっすぐ のばしていった先。②〈続いて/発展して〉いった先。「従来の―にある政策」▽延長上。●**えんちょうほいく**【延長保育】〔保育園で〕通常よりも おそくまで子どもをあずかること。

**えんちょく**【鉛直】《名・ナダ》《理》おもりをつり下げた糸の示す方向。垂直。(↔水平)

**えんづ・く**【縁(付く)】《自五》①〔古風〕嫁に行く。とつぐ。②(保護した動物の)もらい手がつく。他縁づける《下一》。

**えんつづき**【縁続き】親類としてのつながりがあること。「―の者」

**えんてい**【炎帝】〔文〕真夏の太陽。

**えんてい**【×堰堤】〔文〕川の流れをゆるやかにしたり、土砂を受け止めたりする構築物。せき(堰)。ダム。せきてい。

**えんてい**【園丁】庭園の番人。庭師。

**えんてい**【園庭】幼稚園などの運動場。

☆☆**エンディング**〔ending〕終わりの部分。結末。ED。「番組の―曲」(↔オープニング)●**エンディングノート**〔和製 ending note〕自分の身に万一のことがある前に、周囲に伝えたいことを書いておくノート。終活ノート。

**えんてん**【炎天】夏の、太陽が照りつける空。「―下」

**えんでん**【塩田】もと、海水から塩をとるために作った砂地の田。しおはま。

**えんてんかつだつ**【円転滑脱】《ナダ》〔文〕人と衝突しないように、うまく つきあうようす。

**エンド**〔end〕①終わり。「―マーク」☞ジエンド。②《テニス・サッカーなど》〔二つに区切られた〕陣地。③〔カーリング・アーチェリーなどで〕回。「第六―」●**エ**

ンドユーザー〔end user〕商品やサービスを利用する人。●エンドライン〔end line〕《球技》長方形のコートのうち短いほうの辺。☞サイドライン①。●エンドレス《ナダ》〔endless=終わりのない〕いつまでもつづくようす。「―テープ〔=同じ内容をくり返して再生するように、輪にした録音テープ〕」●エンドロール〔end roll〕《映画・放送》映像作品の最後で、つぎつぎに流れていく出演者名などの字幕(の画面)。「―をむかえる」

●エンドラン《野球》↑ヒット エンドラン。

エンド〔&〕造〔and〕⇩アンド二。「レディース―ジェントルメン〔=紳士淑女諸君〕・ヒット―ラン」

えんとう【円筒】①まるいつつ。「―形」②《数》⇩円柱②。

えんとう【遠投】《名・他サ》ボールや釣り針を、遠くへ投げること。

えんとう【遠島】江戸時代、犯罪者を八丈島のような、遠い島に送った刑罰。島流し。

えんどう【沿道】道に沿ったところ。

えんどう【煙道】①かま(罐)などから煙突に通じる、火気やけむりの通り道。②タバコのパイプの中の、けむりの通る道。

えんどう【×豌豆】ダイズに似た、小つぶのマメ。熟す前は、さやごと食べる〔=サヤエンドウ〕。「―豆」☞青えんどう・きぬさや・グリンピース・スナップえんどう。

えんどお・い【縁遠い】《形》①関係がうすい。②《俗》なかなか結婚の相手が見つからない。派―さ。

えんどく【煙毒】銅の精錬所・工場などから出るけむりにふくまれる毒。

えんどく【鉛毒】①なまりの毒。②なまりによる中毒。ひどくなると神経まひ(麻痺)や脳障害などを起こす。鉛中毒。

えんとつ【煙突】①工場や家の屋根などにある、けむりを外に出すための筒。②《俗》料金をごまかすために、客を乗せたタクシーが、メーターを動かさないまま走ること。

エントランス〔entrance〕入り口。「―ホール」〔↕エグジット〕

☆☆エントリー《名・自サ》〔entry〕①競技に参加する選手の登録。参加者名簿。・申しこみ。「―ナンバー」②試験や事業などへの参加・申しこみ。「ニュー―〔=新規加入〕」③候補としてはいること。④ブログの、一回分の文章。●エントリーシート〔entry sheet〕就職や入学を希望する人が、会社や学校に提出する書類。ES。●エントリーモデル〔和製 entry model〕《パソコンなどの》初心者向けの機種。入門機。

エンドルフィン〔endorphin〕《生》脳内でつくられる快楽物質。「よく笑うと、―が分泌されるという」

エントロピー〔entropy〕①《理》自然界の乱雑さや、無秩序さ、不規則さの度合いをあらわす量。②《数》《情報理論で》不確実性の度合い。

えんにち【縁日】①神社や寺で、参詣すると特にご利益のある、毎月の決まった日。②〔縁日①〕や祭りの日におこなう市。また、その市に集まる露店。「―に行く・―が出る」

えんにょう【延×繞】漢字の部首の一つ。「延」「建」などの、左がわから下にかけての「廴」の部分。〔のびること・すすむことに関係がある〕

えんねつ【炎熱】〔文〕①夏の、昼間のはげしい暑さ。②ほのおの、はげしい熱さ。「―地獄」

えんのう【援農】《名・自サ》〔文〕農業(の作業)を助けること。

えんのう【延納】《名・他サ》税金・学費などを期日におくれて、おさめること。

えんのう【演能】《名・自サ》〔文〕舞台で能をして見せること。

えんのした【縁の下】①家の縁側の下。②ゆかの下。「―に草がはえる」●えんのしたのちからもち【縁の下の力持ち】〔他人や集団のために〕かげで力をつくして支える人。

えんばく【×燕麦】家畜のえさにするために作る、イネの仲間の植物。たねはオートミールの原料。オートむぎ。オーツむぎ。からすむぎ。

えんぱく【延泊】《名・自サ》〔ホテル・旅館などで〕宿泊する日数を延長すること。〔DVD・CDなどの貸し出しや、駐車場の利用などにも言う〕〔↕減泊〕

えんぱつ【延発】《名・自他サ》〔電車などで〕予定されていた出発時刻〈がおくれる〉をおくらせる〉こと。

エンパワーメント《名・他サ》〔empowerment〕〈力をあたえて〉権利を認めて〉もっと活躍できるようにすること。「女性の―」

えんばん【円板】①板をまるく切ったもの。②⇩えんばん(円盤)①。

えんばん【円盤】①平たくてまるい、かたいもの。円板。②ディスク。レコード。「―化する〔=テレビ番組や映画などをディスクにして販売する〕」●えんばんなげ【円盤投げ】《陸上》直径二十センチほどの円盤を、決められた円の中からどれだけ遠くへ投げられるかをきそう競技。

えんび【艶美】《名・ナダ》〔文〕なまめかしく美しいようす。「―なビーナス像」

えんビ【塩ビ】《理》↑塩化ビニル。

えんぴ【猿×臂】①〔文〕サルのように長いうで。「―を伸ばす」②《空手》ひじ打ち。

えんぴつ【鉛筆】細長い木の棒に、粘土と黒鉛をまぜた芯を入れた筆記用具。「色―・―けずり〔=鉛筆をけずるための道具〕」●鉛筆をなめる 句〔考えながら書く動作から〕《俗》数字を多少ごまかす。「鉛筆〔を〕なめなめ報告書を作る」

えんびふく【×燕尾服】男性の夜の正式な礼装。上着のうしろがツバメの尾のように割れて長い。☞タキシード・モーニングコート。

［えんびふく］

えんぶ【円舞】①⇩輪舞。②部屋の中を回る社交ダンス。●えんぶきょく【円舞曲】《音》⇩ワルツ。

えんぶ【演武】《名・自他サ》①武芸を練習すること。②武芸を演じて見せること。「―の披露」

えんぶ【演舞】《名・自他サ》①舞を練習すること。②舞を演じて見せること。「―場」

えんぷ【怨府】〔文〕うらみの集まるところ。

えんぷく【園服】幼稚園などにかよう子どもが着る

制服。
**えんぷく**[艶福] 多くの女性に愛されること。「―家」
**エンブレム**〔emblem〕①記章。紋章。②ブレザーなどにつけるワッペン。
**エンブロイダー**〔embroider〕〔機械による〕ししゅう。「―ハンカチーフ」(↔ドロン ワーク)
**えんぶん**[塩分] 海水・食べ物などにふくまれている、塩の成分、また、分量。しおけ。「―をひかえる」
**えんぶん**[鉛分]〔文〕なまりの成分。
**えんぶん**[艶聞]〔文〕恋愛に関するうわさ。
**えんぺい**[援兵]〔文〕たすけの軍勢。援軍。
**えんぺら** イカの胴体の先についている三角形のひれ。耳。
**えんぺん**[縁辺]〔文〕①まわり。ふち。周辺。「タイルの―」②親戚など、関係のある人。よるべ。「―の者をたよる」
**えんぼう**[園帽] 幼稚園などに かよう子どもがかぶる制帽。
**えんぼう**[遠謀]〔文〕遠い将来についての、野心的な計画。「―深慮」
**えんぼう**[遠望]《名・他サ》〔文〕遠くを見わたすこと。「中央アルプスを―する」
**えんぽう**[遠方] 遠くのほう。遠い ところ。
**エンボス**〔emboss〕布・厚紙・ビニールなどに型おしして、でこぼこの模様や文字をつけること。「―加工」
**えんま**[(×閻魔)]〔梵語 yama の音訳〕①《仏》地獄の王。死者をさばくという。閻羅。「―の庁〔=役所〕」②〔←えんまくぎぬき〕長さ三〇センチぐらいの、大形の くぎぬき。●**えんまがお**[(×閻魔)顔]「えんま①」のような こわい顔。(↔えびす顔) ●**えんまこおろぎ**[(×閻魔:蟋蟀)] 大形のコオロギ。からだは つやのある黒茶色。夏の終わりに いい声で鳴く。●**えんまちょう**[(×閻魔)帳]①《仏》人が生きていたときに おかした罪悪を、「えんま①」が書きとめるという帳面。②〔学・古風〕教師が生徒の成績などを書いておく手帳。教務手帳。
**えんまく**[煙幕]《軍》敵軍の目をくらますために広げるこい けむり。●**煙幕を張る** 句 うまく言いかえて、相手に真意を知られないようにする。
**えんまん**[円満]《ナダ》①じゅうぶんに みちたりているようす。「福徳―」②にこにこして おだやかなようす。③かどが立たないようす。「―退社〔=定年まえに、問題を起こさずにする退職〕」派 -さ。
**えんみ**[塩味] しおからい感じ。しおあじ。「―を加える」
**えんむ**[煙霧]①けむりと きり。また、けむりのように流れる うすい きり。②スモッグ。
**えんむすび**[縁結び] 人と人との幸せな関係をとりもつこと。〔人生の伴侶となる人との関係をさすことが多い〕「―の神様」
**えんめい**[延命]《名・自他サ》いのち〈が のびる/をのばす〉こと。「息災―・内閣の―策・―治療」
**えんめつ**[煙滅]《名・自サ》〔「いんめつ(湮滅)」から作られた語〕〔文〕けむりのように(消えて)なくなること。
**えんもく**[演目]〈演奏/上演〉するものの題名(の一覧)。「公演の―・落語の―」
**えんやこら**《感》〔話〕重いものを運ぶときなどの、かけ声。
☆☆**えんやす**[円安]《経》円の価値が、外国の通貨にくらべて安いこと。「―が進む」(↔円高)
**えんゆうかい**[園遊会] 多くの客を招き、庭園で立食や余興などをする会。
**えんよう**[遠洋] 陸地から遠く はなれた海。「―漁業(↔沿岸漁業・沖合漁業)」(↔近海)
**えんよう**[艶容]〔文〕なまめかしく美しい姿。「―を垣間見る」
**えんよう**[援用]《名・他サ》自分の説をおぎなうために他人の説や文献を引用すること。援引。
**えんらい**[遠来] 遠方から〈くる/きた〉こと。「―の客」
**えんらい**[遠雷]〔文〕遠くで鳴る かみなり。
**エンリッチ**〔enrich〕ビタミンやミネラルを入れて栄養をゆたかにすること。栄養強化。「―食品」
**えんりょ**[遠慮] ■ **えんりょ**《名・他サ》①ひかえ(めにす)ること。つつしみ。「―なく発言する・―がち・―は無用」②「ことわる」「さしひかえる」の遠まわしな言い方。「今回は―するよ・入場ご―ください〔=入場しないでください〕」派 -げ。■ **えんりょ**〔文〕遠い先までを見通した考え。「深謀―」●**遠慮会釈もなく** 句 相手のめいわくなど少しも考えず、強引にやるようす。●**えんりょのかたまり**[遠慮のかたまり] 皿に盛ったものを何人かで食べているとき、たまたま最後まで残った一個。おたがいに食べるのを遠慮する。〔関西でよく使う言い方。関東では「一個残し」「一つ残し」とも〕●**えんりょぶか・い**[遠慮深い]《形》たいへん ひかえめなようすだ。「―人」派 -げ。-さ。
**えんるいせん**[塩類泉]《理》塩分を多くふくむ鉱泉。塩泉。
**えんれい**[艶麗]《ナダ》〔文〕あでやかで美しいようす。派 -さ。
**えんろ**[園路]〔文〕公園・庭園などの中の道路。
**えんろ**[遠路] 遠い みちのり。「―はるばる おいでくださいまして」

## お　オ

**お**[尾]①《動》動物のしりからうしろのほうに細長くのび出たもの。しっぽ。②山の裾の のびた所。●**尾を引く** 句 ものごとの すんだあとまで影響が残る。
**お**[緒]①〔雅〕(麻)糸。②はきものに すげる ひも。「―をすげる」③楽器に はる糸。弦。
**お**《感》〔話〕⇩おっ。「お(↓)、ずいぶん早起きだな」
****お**[(△御)] 接頭 ①美化した言い方。〔上品さ・ていねいさや親しみをあらわす〕「―くすり・―さかな・―空・―ひるね・―勉強・〔関西で〕―いもさん、―まめさん」〔女性語・幼児語に特に多い。「―金・―酒・―辞儀・―茶」などは、美化の意味が うすれ、だれもが使う〕②尊敬した言い方。ⓐ〔―+動詞の連用形+**になる** など〕〈他人/相手〉の行為を尊敬する。「―書きになる・―読みなさる・―笑いあそばす・―乗り〔=ご乗車〕は お早く・〔飲食店の店員が〕こちらで―めしあがり〔=お食事〕ですか」〔「はっきりお言い」などは、末尾の「なさい」が略された形〕 ❗ ⑴尊敬のつもりで、「先生が おすすめしてくださる/先生に おすすめしていただく」「先生がお休みされる」のように言うことがあるが、謙譲語の「お…する」に形が似るので きらう人もいる。「先生が おすすめくださる/先生に おすすめいただく」「先生がお休みになる」

のように言うといい。(2)「お③」の用法と混同して、相手に「おはしをお使いしますか」のように言うのは不適切。「お使いになりますか」がいい。ⓑ〈他人／相手〉に関するものごとを尊敬する。「〔あなたの〕―くつ・―美しい・―じょうぶ」③けんそんした言い方。ⓐ〔―＋動詞の連用形＋**する・できる・いたします・申し上げます**など〕自分（がわ）の行為をけんそんする。「―借りする・―届けいたします・―貸しできません」ⓑ自分（がわ）に関するものごとをけんそんする。「―手紙をさし上げる・―願いを聞いていただいた」④皮肉やからかいの気持ちをあらわす。「―上意識・―受験・―まぬけ」 区別 ふつう、和語には「**お**」、漢語には「**ご**」がつき、外来語にはどちらもつかない。ただし、「お」は、「お料理」「お洗濯」「おタバコ」など、昔から日常的によく使う漢語や、一部の外来語にもつく〔「お教室」「おビール」など、人によって、使うかどうかの好みが分かれる語もある〕。「ご」は、「ごもっとも」「ごゆっくり」「ごゆるり」など、ごく例外的に和語につくこともある。「お返事」か「ご返事」かなど、問題になりやすいものは、それぞれの語の項目に示した。

**お**［小］を 造 ①ちいさな。「―川」②少し。「―暗い・―止みなく」

**お**［雄・×牡］を 造 おす（の）。「―牛」（↕雌）

**お**［△男］を 一 造 おとこ。「―びな・だめ―〔俗〕」二 造 二つあるもののうち、大きく勢いの強いほう。「―滝・―波」▽一二（↕女）

☆☆**おあいそ**［お〈愛想〉］《名・自サ》〔「愛想」の美化語〕①〔つきあいの上で〕人を喜ばせる〈ことば／こと〉。「―を言う・―に笑う」②おもてなし。「なんの―も、いたしませんで・―なしですみません」③〔料理店などで〕勘定。「〔接客係がレジ係に〕はい、―！・―する」✓ 客がまねて使うのをきらう人もいる。▽おあいそう。

**おあいて**［お相手］一①「相手」の尊敬語・美化語。「お見合いの―」②〔ラジオで〕進行役。担当者。「―は福山でした〔番組が終わるときのあいさつ〕」二《名・自サ》「相手になること・応対」の謙譲語・美化語。「お客につきっきりで―する」

**おあいにくさま**［お〈△生憎様〉］《感・ナダ》〔話〕申し訳ない気持ちで相手の注文をことわるとき、皮肉な返事をするときなどに使うことば。「―、売り切れです・―、間に合っています」

**おあし**［お〈足〉］〔古風〕お金。「―がない」 由来 足がはえたように、すぐなくなることから。

**オアシス**〔oasis〕①砂漠の中で、水がわき、樹木がしげる所。②いこいの場所。「都会の―」

**おあずけ**［お預け］①飼い犬などにえさをあたえるとき、「よし」と言うまで食べさせないでおくこと。②約束・計画などが実行されないでいること。「旅行は当分―だ・―を〈食う／食わされる〉」

**おあと**［お後］「あと」の尊敬語・美化語。「―をしたって来る」 ●**おあとがよろしいようで**［お後がよろしいようで］《感》〔＝後の演者の準備が整ったようなので、私は引っこみます〕〔話〕落語家が、話の最後につけ加えることば。

**おい**［老い］〔文〕①年をとっていること。「―を忘れる」②としより。「―も若きも〔＝としよりも若者もみんな〕」☞老いの一徹

**おい**［×笈］修験者などがせおう、脚のついた箱。笈。

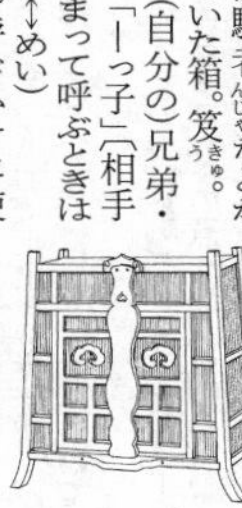
［おい］

**おい**［（×甥）］（自分の）兄弟・姉妹のむすこ。「―っ子」〔相手の「おい」をうやまって呼ぶときは「おいごさん」〕（↕めい）

**おい**《感》〔話〕呼びかけに使う、やや乱暴なことば。「―、どこ行くんだ」

**おい**［追い］造《料》調味料などを、あとからさらに加えること。「―ラー油・―ケチャップ」

**おいあ・げる**［追い上げる］《他下一》①追いかけて行って、上のほうへ行かせる。「山へ―」②速く、はげしく追う。「前の車を―」③追いつこうとして、せまる。「若手が追い上げてくる」 名 追い上げ。

**おいうち**［追い打ち・追い討ち・追い撃ち］一 苦しい状態を悪化させるできごと。「暑さに―をかける〔かのようにエアコンが故障〕」二《名・他サ》〔一の由来〕追いかけてうつこと。追撃。「―をかける」

**おいえ**［お家］①大名や武士たちの家。②〔皮肉で〕大組織。▽「―の一大事」☞おうち（家）。●**おいえげい**［お家芸］①その家に伝わる、独特の芸。②得意の芸。「日本の―」●**おいえそうどう**［お家騒動］①大名の家などに起こった、家督相続の争い。②組織の中での勢力争い。●**おいえりゅう**［〈△御〉家流］江戸時代に広まったくずし字の書体。曲線がきれいで、くずし方がわかりやすく、公文書や日常の文書で使われた。〔図は、陽春之慶賀〕

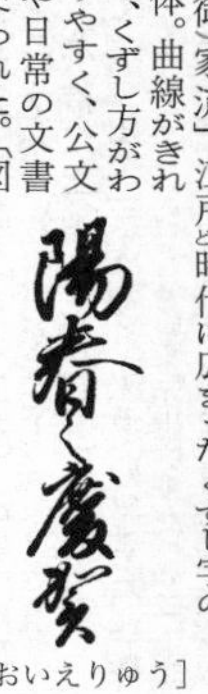
［おいえりゅう］

**おいおい**［〈追い追い〉］《副》順を追って少しずつ。しだいに。だんだん。「―わかってくるだろう」

**おいおい** 一《感》〔話〕〈親しい／目下の〉人に呼びかけたり、軽くとがめたりするときのことば。「―、待ちなさい・―、話がちがうぞ」二《副》声をあげて泣くようす。おんおん。「―（と）泣く」

**おいおと・す**［追い落とす］《他五》①追いつめて、その地位から引きずり下ろす。「ライバルを―」②追いつめて、下へ落とす。「敵を海に―・増税が経済を―」③追いつめて、城を攻め落とす。 名 追い落とし。

**おいかえ・す**［追い返す］《他五》やって来た者を追いたてて返す。

**おいがけ**［追い掛け］①首のうしろから前にかける、毛皮のえりまき。「ミンクの―」②あとからさらに加えること。「カレーの―」

**おいか・ける**［追い〈掛ける〉］《他下一》〔先に行くものを〕追う。おっかける。「犯人を―・ボールを―・アイドル（の公演）を―・英語を聞きながら追いかけて発音する」 表記 走る場合は「追い駆ける・追い×駈ける」とも。

**おいかぜ**［追い風］①〔船などの〕うしろからふいてくる風。おいて。「―に乗る・〔短距離走などで〕―参考記録」（↕向かい風）②ものごとが良い方向に進むのを助けるような状況。「円安が輸出の―になっている」（↕逆風）

**おいがつお**［追い（×鰹）］〔煮物・みそしるなどを作るときに〕かつおぶしでとっただしに、さらにかつおぶしを加えてうまみを増すこと。

**おいかぶさ・る**［(△覆い△被さる)］《自五》〔話〕⇩おおいかぶさる。**他**おいかぶせる《下一》。

**おいかわ**［(追川)・(追河)］からだの細長い淡水魚。関東でヤマベ〔ハヤとも〕、関西ではハエ〔ハイとも〕と呼ぶ。

**おいく・ちる**［老い朽ちる］《自上一》〔文〕①人が、年をとって役に立たなくなる。「老い朽ちた身」②木などが、古くなってすっかりくさる。

**おいごえ**［追い肥］《農》⇩ついひ(追肥)。(↕元肥)

**おいこし**［追い越し］①追いこすこと。②《法》車が追いついたあと、車線を変えて前に出ること。「―禁止・―車線」☞追い抜き②。

**おいこ・す**［追い越す］《他五》①追いついて、相手より先へ出て進む。②《法》車が追いついたあと、車線を変えて前に出る。☞追い抜く②。③同僚や先輩よりも高い地位につく。

**おいこみ**［追い込み］①追いこむこと。②競走や仕事の終わりに近づいて、一気に終えるように力を出すこと。「―の段階」▽「―を掛ける」③〔↑追い込み場〕飲食店などで座席のしきりを作らずに、どんどん人を入れる所。④〔辞典などで〕その項目の末尾に、次の項目を続けて組むこと。また、そのように組んだ項目。〔この辞書は、**句**および、上の語が三音以上の複合語・連語を追い込み項目とする〕

**おいこ・む**［老い込む］《自五》すっかり年をとった状態になる。ふけこむ。「まだ―には早い」

**おいこ・む**［追い込む］《他五》①追って、中へ入れる。おいこめる。「牛を小屋へ―」②追いつめる。「窮地に―」③《印刷》活字を前の行へくり入れる。④〔運動や勉強などを〕限界になるまでおこなう。「筋トレで筋肉を―・受験勉強で自分を―」

**おいこら**《感》〔話〕相手を呼び止めてとがめるときの、いばった呼びかけの声。**由来**もと、鹿児島方言で「もしもし」の意味。明治初期、鹿児島出身の警察官たちが使ったことから、乱暴な言い方として広まった。

←**おいさき**［生い先］(成長していく)将来。ゆくすえ。

→**おいさき**［老い先］年をとっている人の、(心細い)これからの命。余生。「―短い老人」

**おいさらば・える**［老いさらばえる］《自下一》年をとって見すぼらしい姿になる。老いさらぼう。老いさらぼう。

**おいし・い《形》**■一［(:美味しい)］「うま(旨)い①」の美化語。「―食べ物」■二〔俗〕①魅力がある。自分の得やもうけになる。「―役・―話・―ところを〔他人に〕持って行かれる」②口先だけじょうずだ。「―ことを言う」**表記**■二「オイシイ」とも。**由来**「よい」の意味の「いし」に、美化する接頭語の「お」がついた形から。**派**―がる。―げ。―さ。

**おいしげ・る**［生い茂る］《自五》〔草木などが〕枝や葉を出して、しげる。

**おいしょう**［追い証］《経》〔相場で〕保証金や証拠金が不足したとき、追加で支出する資金。

**おいすが・る**［追い(×縋る)］《自五》追いついてすがりつく。

**オイスター**〔oyster〕かき(牡蠣)。●**オイスターソース**〔oyster sauce〕カキの煮汁から作った調味料。中国料理などで使う。「チンゲンサイの―いため」

**おいせん**［追い銭］一度はらったのに、さらに余分にはらわされるお金。おいがね。「どろぼうに―〔⇩「どろぼうに」の**句**〕」

☆☆**おいそれと**《副》〔後ろに否定が来る〕すぐに。簡単に。「―(は)引き受けられない・―と買えない品物」**由来**「おい」と呼びかけられて「それ(来た)」と応じる意味から。

**おいた**《名・自サ》①〔古風・児〕いたずら。②〔俗〕おとなの浮気。火遊び。

←**おいだき**［追い炊き］《名・他サ》たいたごはんがたりないときに、もういちどたくこと。

→**おいだき**［追い(×焚き)］《名・他サ》わかしたふろがさめたときに、もういちどわかすこと。

**おいだし**［追い出し］追い出すこと。●**おいだしコンパ**［追い出しコンパ］〔学〕〔在校生がもよおす〕卒業生を送る宴会。追いコン。

**おいだ・す**［追い出す］《他五》①追って外へ出す。追いはらう。②その人がついている地位にいられなくする。

**おいたち**［生い立ち］①成長すること。「子どもの―を見守る」②育ち方。育った環境。「不幸な―」**動**生い立つ《自五》。

**おいた・てる**［追い立てる］《他下一》①追ってもほかに行かないものを、さらに追う。「鶏を―」②家を立ちのかせようとする。「間借り人を―」**名**追い立て。

**おいちょかぶ**〔おいちょ=八。かぶ=九〕花札とばくの一つ。手札とめくり札とを合わせた数の末尾が、九かそれに近い数が勝ちとなる。かぶ。

**おいちら・す**［追い散らす］《他五》追いたてて、ちりぢりにさせる。「デモ隊を―」

**おいつ・く**［追い(付く)・追い(着く)］《自五》①追いかけて行き着く。おっつく。②力や能力が上の人と同じ程度になる。③〔**追いつかない**〕まにあわない。元にもどらない。「くやんでも追いつかない」

**おいつ・める**［追い詰める］《他下一》①相手を追って、にげる場所がないところに行かせる。「犯人を―・土俵ぎわに―」②にげる方法のない、苦しい〈立場/状態〉にする。「政権を―・精神的に追い詰められる」▽追いこむ。

**おいて**［追い△風］〔文〕おいかぜ。

←**おいて**《**において**で格助》〔文〕①…という場所で。「わが国に―〔=わが国で〕」②…という〈時/場合〉に。「この時に―〔=この時に〕」③…の点で。「業績に―〔=業績で〕は彼におとらない」**丁寧**おきまして。**表記**かたく「×於いて」とも。☞おかせられて・おかれて。●**おいてをや**連〔**いわんや…に―**〕〔文〕…の場合はなおさらそうだ。をや。「いわんやわが国に―、である」

→**おいて**［(△措いて)］連〔文〕⇩お(措)く③。

**おいで**［お(△出で)］①「行く・来る・いる」ことの尊敬語。「―になる〔=いらっしゃる〕・先生が―だ」②〔↑おいでなさい。子どもなど、親しい目下に言う〕ⓐ来なさい。「ここへ―・早く帰って―」ⓑ〔古風〕行きなさい。「あちらへ―」ⓒ〔古風〕いなさい。「安心して―」☞出でる。●**おいでおいで**《名・自サ》〔児〕手まねき。

**おいてけぼり**［置いてけぼり］ おきざり。おいてきぼり。「―をくう」 由来 つった魚を持って帰ろうとすると「置いてけ」と声がする堀の名から。江戸本所〔今の東京都墨田区〕にあったという。

**おい・でる**［生い出る］《自下一》 生まれ出る。「地上に生い出たタケノコ」

**おいど**〔=お居処。関西方言〕 おしり。「―が痛い」

**おいなりさん** 一［お:稲荷さん］ 稲荷の神や、稲荷神社を、敬意と親しみをこめて呼ぶことば。おいなりさま。 二⇩いなりずし。

**おいぬか・す**［追い抜かす］《他五》 追いぬく。「ゴール前で―」〔二十一世紀になって広まったことば〕

**おいぬき**［追い抜き］ ①追いぬくこと。②《法》車が追いついたあと、車線を変えないで前へ出ること。☞追い越し②。

**おいぬ・く**［追い抜く］《他五》 ①追いついて、相手より先へ出る。「他の走者を―」 ②《法》車が追いついたあと、車線を変えないで前へ出る。☞追い越す②。③追いついたあと、よりすぐれた状態になる。「師匠を―」▽追い抜かす。

**おいのいってつ**［老いの一徹］ 老人の、思いこんだらゆずらないがんこさ。「―でおし通す」

**おいはぎ**［追い剝ぎ］《名・自サ》 旅人や通行人をおどかして、お金や衣類、持ち物などをうばう者。「―にあう」

**おいばね**［追い羽根］ はねつき。

**おいばら**［追い腹］ 昔、主君の死のあとを追って、家来が切腹したこと。殉死。「―を切る」

**おいはら・う**［追い払う］《他五》 ①追って(行って)そこにいないようにする。「ハエを―」 ②じゃま者などを追い出す。「会社から―」▽おっぱらう。

**おいひも**［負い(×紐)］ 赤ちゃんを背負うための、幅の広いひも。胸の前で×形に交差させて使う。おぶいひも。

**おいぼれ**［老い(×耄れ)］ 年をとって心やからだのはたらきがにぶく〈なること/なった人〉。〔〈老人をあざけって/老人が自分を卑下して〉使うことば〕 動 老いぼれる《自下一》。

**おいまく・る**［追いまくる］《他五》 ①追っても立ち去らないものをはげしく追う。②〔追いまくられる〕〔時間・仕事などに〕休むひまもなく追われる。「家事に追いまくられる・流行に追いまくられる」

**おいまわ・す**［追い回す］《他五》 ①にげるものをあちこちと追いかける。②休みなく働かせる。「仕事に追い回される」

**おいめ**［負い目］〔=借り。負債〕 ①人に申し訳ないと思う気持ち。「約束を果たせなかった―を抱く」 ②引け目。「経験不足の―を感じる」

**おいもと・める**［追い求める］《他下一》 ①追いかけてさがす。②どこまでも追いかけるようにして、求める。「理想を―」

**おいや・る**［追い(△遣る)］《他五》 ①追って(遠くへ)行かせる。追放する。「辺地へ―」 ②悪い状態になるようにしむける。「死へ―」

**おいら**［(△俺△等)］《代》〔俗・男〕おれ。おれたち。

**おいらく**［老いらく］〔文〕年をとっているようす。老年。「―の恋」

**おいらん**［(:花魁)］〔↑おいらの〕〔遊郭で〕(位の高い)遊女。 ●**おいらんどうちゅう**［(:花魁)道中］ ①〔江戸時代〕遊郭で、おいらんが新造・かぶろなどを従えて揚屋〔=客が遊女に会って遊ぶ店〕まで歩いたこと。②遊女が盛装してくるわ(郭)の中をねり歩いたこと。

**オイリー**《ナダ》〔oily〕 ①脂性であるようす。脂っぽい。「―な肌」 ②油が多いようす。「―なパスタ」

**お・いる**［老いる］《自上一》 年寄りにな(って おとろえ)る。

**オイル**〔oil〕 ①油。「サラダー・―シャンプー」 ②油絵(の具)。③石油。「―ヒーター」 ④潤滑油。「―交換」 ●**オイルサンド**〔oil sand〕《鉱》原油などをふくんでいる砂の層。カナダやベネズエラで埋蔵量が豊富。タール サンド。 ●**オイルシェール**〔oil shale〕《鉱》原油などをふくんでいるシェール。世界各地に埋蔵する。油頁岩。油母頁岩。☞シェール。 ●**オイルショック**〔和製 oil shock〕 中東の情勢による石油の不足・値上がりのため、輸入国が受けた打撃。石油ショック。石油危機。〔一九七三年・一九七九年に起こった〕 ●**オイルフェンス**〔oil fence〕〔海で〕流出した石油の広がるのを防ぐために作る囲い。 ●**オイルマネー**〔oil money〕 中東の産油国が動かす巨額の投資資金。オイル ダラー。 ●**オイルやき**［オイル焼き］ 油を引いた〈鉄板/なべ〉の上で、肉や野菜を焼きながら食べる料理。

**おいろなおし**［お色直し］《名・自サ》〔結婚式のあとの〕披露宴で、新婦(と新郎)が式服から別の服装に変えること。

**おいわけ**［追分］ ①大きな道が左右に分かれる所。②↑追分節。 ●**おいわけぶし**［追分節］ 民謡の一種。ゆるやかなテンポで かなしげな調子をおびた馬子唄。追分。

*__おう__［王］ 一 おう ①(封建時代の西洋で、また古代の中国で)国の支配者。国王。②《法》天皇の ひ(曽)孫以下の、皇族の男子。王子。③《将棋》↑王将。 二 造 その方面で いちばん実力のある人。「ホームラン―・クイズ―・新聞―・石油―」

**おう**［凹］ 平らなものの中央が くぼむこと。「―型・―の側」(↕凸)

**おう** 一 おう［応］〔文〕承知すること。「いやも―もない」 二 おう［(応)］《感》〔古風〕承知することば。はい。「―と答えてやって来る」☞おう《感》。 三 おう［応］ 造 …に応じること。「―相談」「↑―」

**おう**［欧］ ↑ヨーロッパ(欧羅巴)。欧州。「全―・渡―」

**おう**［翁］ 一〔文〕①男の老人。おきな。②男の老人の尊敬語。〔代名詞的にも使う〕 二 接尾 男の老人の名の下にそえる尊敬のことば。

**おう**［×墺］ ↑オーストリア(墺太利)。

*__お・う__［負う］《他五》 ①〔文〕運ぶために自分のせなかにのせる。せおう。「荷を―」 ②ひきうける。自分のこととする。「責任を―」 ③うしろにする。「山を―」 ④自分のからだに受ける。「きずを―」 ⑤〔文〕(…の)おかげをこうむる。「先人に―ところが多い」▽音便の形は、「負っ〈た/て〉」だけでなく「負う〈た/て〉」も見られる。 可能 負える。 ●**負うた子に教えられて浅瀬を渡る** 句 年下の人や後輩から教えられることのたとえ。

*__お・う__［追う・△逐う］《他五》 ①先に進む人や ものの

所へ行き着こうとして、進む。②前にあるものにならう。「先例を―」③〔おどしたりして〕去らせる。追いはらう。「ハエを―」④うしろからうながして、歩かせる。「牛を―」⑤〔…を追って〕…とともに。「時間を追って(=時間の順に)・日を追って(=日がたつとともに)・順を追って(=順々に)」 可能 追える。☞追われる。●**追いつ追われつ** 句 追いかけたり追いかけられたり。

**おう**《感》①〔男〕ぞんざいに答えることば。そうか。そうだ。「『ただいま帰りました』『―』・『行くのか?』『―とも(さ/よ)!』」②〔俗・男〕ぞんざいに呼びかける声。おい。「―、そこの にいちゃん」③〔話〕⇩おお《感》。④〔古風〕⇩応㊁。

**おう**〔黄〕 選 きいろのまじった。「―褐色」

**おうあ**〔欧亜〕ヨーロッパとアジア。亜欧。

**おうい**〔王位〕王の くらい。

**おうい**《感》〔話〕⇩おおい《感》。

**おういつ**〔横×溢〕《名・自サ》〔文〕〔力や気持ち、ふんいきなどが〕あふれるほど いっぱいになっていること。「ユーモアが―する文章」

**おういん**〔押印〕《名・自サ》〔文〕〔印〕判をおすこと。「契約書に―する」 区別 「押印」「捺印」ともに戦前からあるが、「捺」が戦後の当用漢字表になかったため、「押印」の語が広まった。意味は同じで、「署名捺印」「署名押印」のように どちらも使える。

**おういん**〔押韻〕《名・自他サ》〔韻文で〕ことばの初め、または終わりに韻をふむこと。同じ音を決まった位置にくり返して、調和させる。☞頭韻・脚韻。

**おう**〔奥羽〕 陸奥と出羽をまとめた呼び名。今の東北地方。

**おうえき**〔応益〕〔文〕受けるだけの利益に見合うこと。「―負担」

**おうえん**〔応援〕《名・他サ》①わきから助けること。「―部隊」②〔競技で〕拍手をしたり、声を出したりして、味方のチームや選手をはげますこと。「―団・―歌」●**おうえんだん**〔応援団〕①チームを応援する一団。「野球の―」②〈支援/賛同〉する人たち。「子どもの―」

**おうおう**〔×怏々〕《トタル》〔文〕〔不平などがあって〕心がはればれしないようす。「―と(して)楽しまず」

**おうおうにして**〔往々にして〕《副》〔文〕よく。しばしば。往々。〔悪い意味に使う〕「―失敗する」

**おうか**〔桜花〕〔文〕サクラの はな。「―賞(☞クラシック④)」

**おうか**〔欧化〕《名・自サ》〔文〕ヨーロッパふうに変えようとすること。「―思想・―主義」

**おうか**〔押下〕《名・他サ》〔文〕ボタンをおすこと。「パソコンのキーを―する」

**おうか**〔×謳歌〕《名・他サ》①〔声をそろえて〕ほめたたえること。「勝利を―する」②めぐまれた環境を存分に楽しむこと。「〈自由/青春〉を―する」

**おうが**〔横×臥〕《名・自サ》〔文〕からだをよこにしてねること。

**おうかくまく**〔横隔膜〕《生》肋骨で囲まれた部分と腹の中との境の、筋肉の膜。

**おうかん**〔王冠〕①君主のかぶる かんむり。②栄誉を受けたしるしの かんむり。③〔酒・ビール・コーラなどの〕びんの口がね。

**おうかん**〔往還〕《名・自サ》〔文〕①行き来。②広い通り。▽往来。

**おうぎ**〔扇〕①手に持って、あおいで風を送るもの。折りたたみ式で、広げて使う。②正装・踊り・儀式などのとき、手に持つもの。すえひろ。▽扇子。●**おうぎがた**〔扇形〕 おうぎを開いた形。せんけい。

☆☆**おうぎ**〔奥義〕 学芸・武術の おく深いところ。極意。おくぎ。「―をきわめる」 ✓ 昔から「おうぎ」「おくぎ」の両方の読み方がある。☞奥。

**おうきゅう**〔王宮〕 王の宮殿。

**おうきゅう**〔応急〕 急場のまにあわせ。「―策・―処置・―手当て」

**おうぎょく**〔黄玉〕《鉱》〔文〕トパーズ。こうぎょく。

**おうけ**〔王家〕 王の〈一族/家系〉。

**おうけん**〔王権〕 王の権力。「―神授説(=王権は、神からさずけられたものだ、とする説)」

**おうこ**〔往古〕〔文〕〔おお〕むかし。

**おうこう**〔王侯〕〔文〕王と諸侯。「―貴族」

**おうこう**〔往航〕〔文〕ゆきの〈航海/航空〉。(↔復航)

**おうこう**〔横行〕《名・自サ》①〔悪人が〕自由に歩きまわること。②〔悪いことが〕堂々とおこなわれること。「不正取引が―する」

**おうこく**〔王国〕①王がおさめる国。「古代―・琉球―」②ある方面で、大きな力を持って栄えている国・地域・集団など。「水産―・サッカー―」 区別 ②の意味では、「王国」は国でなくても使われ、「大国」は国に限る。ある県は「サッカー王国」には なれるが、「サッカー大国」には なれない。

**おうごん**〔黄金〕〔文〕①金。こがね。「―仏」②お金。「―万能」③金色。こがね色。④たいへん〈価値のある/すばらしい〉こと。「―の腕・―比率のブレンド」●**おうごんきょう**〔黄金郷〕 金がたくさんとれると伝えられていた国。エルドラド。●**おうごんじだい**〔黄金時代〕〔その文化・勢力などの〕いちばん さかんな時代。「映画の―」●**おうごんしゅうかん**〔黄金週間〕⇩ゴールデンウイーク。●**おうごんぶんかつ**〔黄金分割〕《名・他サ》《美術》縦と横の割合を一対一・六一八に〈すること/したもの〉。黄金比。 由来 線分を二つの部分に分けるとき、つりあいがとれて美しい割合だから。●**おうごんりつ**〔黄金律〕《宗》自分が人にしてもらいたいと思うことを人にしなさい、というキリスト教の教え。〔新約聖書の一節から〕

**おうざ**〔王座〕①王の座席。②第一の地位。「―決定戦」

**おうさつ**〔応札〕《名・自サ》 競争入札に参加して金額等を提出すること。

**おうさつ**〔殴殺〕《名・他サ》〔文〕なぐりころすこと。

**おうさつ**〔×鏖殺〕《名・他サ》〔文〕ひとり残らず殺すこと。「―事件」

**おうさま**〔王様〕①王を尊敬して呼ぶことば。②〔その方面で〕最高の地位にあるもの。「夏野菜の―・娯楽の―」

**おうし**〔雄牛・×牡牛〕 おすの牛。(↔雌牛)

**おうし**〔横死〕《名・自サ》〔文〕事故にあって、ふつうでない死に方をすること。

←**おうじ**〔王子〕①王の むすこ。②親王でない皇族のむすこ。王。▽(↔王女) ③ある分野で活躍する、気品のある男性。プリンス。「氷上の—」

**おうじ**［皇子］天皇・皇帝の むすこ。みこ。(↕皇女)

**おうじ**［往事］〔文〕過ぎ去った(昔の)こと。「—は夢のごとし・—茫々」

**おうじ**［往時］〔文〕過ぎ去ったとき。むかし。「—をしのぶ」(↕近時)

**おうしつ**［王室］王とその一族。

**おうしゃ**［応射］《名・他サ》敵からの射撃に応じて、こちらからも射撃すること。

**おうじゃ**［王者］①帝王。②〔文〕王道で国をおさめる人。(↕覇者)③仲間の中で最も強いもの。「陸の—」▽おうしゃ。

**おうしゅ**［応手］《碁・将棋》相手の打った手に応じて打つ手。

**おうじゅ**［応需］〔文〕求めに応じること。「入院—」

**おうじゅ**［桜樹］〔文〕サクラの木。

**おうしゅう**［欧州］⇩ヨーロッパ。●**おうしゅうれんごう**［欧州連合］⇩イーユー(ＥＵ)。

**おうしゅう**［奥州］陸奥の国(=今の福島・宮城・岩手・青森の四県と秋田県の一部)。みちのく。「—仙台」

**おうしゅう**［応酬］《名・自サ》①言い返すこと。返答。「負けずに—する」②(ことばや さかずき、わざなどの)やりとり。「—をくり返す」

**おうしゅう**［押収］《名・他サ》《法》裁判所や捜査機関が証拠になる物を差しおさえて、取りあげること。「証拠物件を—する」

**おうじゅく**［黄熟］《名・自サ》イネ・ムギなどの穂が熟して黄色になること。

**おうじゅ ほうしょう**［黄×綬褒章］長い間、仕事にはげんで功績のあった人に国があたえる、黄色のリボンのついた記章。

**おうじょ**［王女］①王の むすめ。②内親王でない皇族の むすめ。女王。▽(↕王子)

**おうじょ**［皇女］⇩こうじょ(皇女)。(↕皇子)

**おうしょう**［王将］《将棋》いちばん大切で、これが動けなくなると負けとなる駒。王。☞玉将。

**おうしょう**［応召］《名・自サ》軍隊からの召集に応じること。兵隊に とられること。

**おうじょう**［王城］〔文〕王・天皇の住む城。「京都は—の地」

**おうじょう**［往生］《名・自サ》①《仏》極楽に生まれること。②死ぬこと。「大—をとげる」区別 ⇩死ぬ ㊀①。③〔俗〕あきらめること。「とうとう—させた」④処置に困ること。閉口。「あれには—した」●**おうじょうぎわ**［往生際］①死ぬときの状態。死にぎわ。②思い切り。「—が悪い」

**おうしょく**［黄色］〔文〕きいろ。こうしょく。●**おうしょくじんしゅ**［黄色人種］はだの色が黄色がかったうす茶色をおびて、目とかみの毛は黒い人種。大部分は東洋に住む。モンゴロイド。こうしょくじんしゅ。☞蒙古斑。

****おう・じる**［応じる］《自上一》①受けて〈行動/反応〉する。答える。「質問に—・物のひびきに—ように」②したがう。「すすめに—・注文に—」③…してくれ、と言われて、そのとおりにする。「サインに—・出頭(要請)に—」④合うようにする。「場合に応じて考える」▽応ずる。可能 応じられる。

**おうしん**［往信］返事を求めて出す通信。(↕返信)

**おうしん**［往診］《名・自サ》病人の家に行って診察すること。(↕宅診)

**おうす**［お薄］《茶道》「薄茶①」の美化語。

**おうすい**［王水］《理》濃塩酸と濃硝酸とを三対一の割合で混ぜた液体。金・白金をとかす。

**おうせ**［×逢瀬］〔古風〕〔恋人どうしが〕(ひそかに)あう〈とき/機会〉。「—を重ねる」

**おうせい**［王制］王が国をおさめる制度。

**おうせい**［王政］王が自分で おこなう政治。「—復古」

**おうせい**［旺盛］《ナダ》勢いが さかんなようす。「食欲—」派 —さ。

**おうせき**［往昔］〔文〕過ぎ去ったむかし。「—を追懐する」

**おうせつ**［応接］《名・自サ》①〔来た人に〕会って〈話を聞く/もてなす〉こと。「—に出る・—間」②できごとが起こったときに、それに応じた態度をとること。「そんな話をされても—に困る」③「応接①」に使う部屋。応接室。「—に案内する」●**応接に いとま(暇)がない**句 つぎつぎと人が来たり事が起こったりして、いそがしい。

**おうせん**［応戦］《名・自サ》敵の攻撃を受けて、それに対して戦うこと。

**おうそ**［応訴］《名・自サ》《法》相手の訴訟に応じ、被告となって争うこと。(↕提訴)

**おうぞく**［王族］王の一族。

**おうだ**［殴打］《名・他サ》〔文〕なぐること。

**おうたい**［横隊］よこに ならぶ隊形。(↕縦隊)

**おうたい**［応対・応待］《名・自サ》会って、または電話を受けるなどして、相手になること。「客〈に/と〉—する」

**おうたい ホルモン**［黄体ホルモン］《生》卵巣から出るホルモンの一つ。受精した卵を発育させる。

**おうだく**［黄濁］《名・自サ》〔文〕⇩こうだく(黄濁)。

**おうだく**［応諾］《名・自他サ》〔文〕(たのみや申しこみを)承知すること。「こころよく—する・見合いを—する」

**おうだん**［黄(×疸)］《医》胆汁の色素のために皮膚などが、黄色になる症状。

**おうだん**［横断］《名・他サ》①よこの方向にたち切ること。「—面・—図」(↕縦断)②道・線路などをよこぎること。「—禁止」③(広い土地を)東西の方向に、はしからはしまで通ること。「大陸—鉄道」(↕縦断・縦貫)④よこの方向に、つながりを持つこと。「派閥を—して結集する・同業者の—的な組織」●**おうだんほどう**［横断歩道］歩行者が車道をわたるときに通る、白いしま模様の部分。●**おうだん ほどうきょう**［横断歩道橋］⇩歩道橋。●**おうだんまく**［横断幕］標語などを書いた、よこに長い幕。

**おうち** ㊀**おうち**［お(△家)］「家」の尊敬語・美化語。「—のかた(=保護者のかた)」㊁ 還 自宅での。「—カフェ・—時間」〔二十一世紀になって広まった用法〕☞お家。

**おうちゃく**［横着］《名・自サ・ナダ》①めんどうくさがって、〈なまける／簡単にすます〉ようす。「―して片手で顔を洗う・―な発音・―者」②〔古風〕勝手にふるまうこと。ずうずうしいようす。「人を人とも思わぬ―な男」③〔古風〕ずるいようす。「責任をのがれようとする―な者」派―さ。

**おうちょう**［王朝］①何代かの王が統治する時期。また、その系列。「ルイ―・清―」②〔↑王朝時代〕平安朝。平安時代。「―文学」

**おうつり**［お移り］おくりものをもらったとき、その入れ物に入れて返す、ちょっとした品物。おため。

**おうて**［王手］①《将棋》次の一手で相手の王将を取るぞ、という手。②あと一歩で〈勝利する／なしとげられる〉最後の段階。「優勝に―をかける・―がかかる」

**おうて**［追手］⇩おおて（大手）③。

**おうてん**［横転］《名・自サ》①左または右のほうへ回転すること。②よこに たおれること。「―事故」

**おうと**［王都］王宮のある都市。例、オランダ王国のハーグ。

☆☆**おうと**［×嘔吐］《名・他サ》〔文〕食べたものをはくこと。●**嘔吐を催す** 句 はきけがする（ほど不愉快だ）。

**おうど**［王土］王の領地。

**おうど**［黄土］①⇩こうど（黄土）。②酸化した鉄をふくむ、黄色い粘土。黄色顔料の原料とする。「―色（=黄色がかった茶色）」

**おうとう**［王党］国王を支持する党派。「―派」

**おうとう**［王統］王の血筋。

**おうとう**［桜桃］①〔文〕サクランボ。②サクランボがなる木。セイヨウミザクラなど。

**おうとう**［黄桃］実が黄色いモモ。かたくて、ふつう かんづめにする。（↕白桃）

**おうとう**［応答］《名・自サ》①相手の問いに対してこたえること。「質疑―」②《情》コンピューターの反応。「―なし（=フリーズ）」

**おうどう**［王道］①正統。「学問研究の―を行く・―オムライス」②〔royal road の訳語〕らくな方法。近道。「学問に―なし」③〔文〕王者の仁徳をもととして、国をおさめるやり方。「―楽土」（↕覇道）

**おうとつ**［凹凸］でこぼこ。「路面の―が はげしい」

**おうな**［×嫗］〔雅〕年とった女。老女。（↕おきな）

**おうなつ**［押×捺］《名・他サ》〔文〕印（に代わるもの）をおすこと。「指紋―」

**おうねつびょう**［黄熱病］《医》熱帯地方に多い、悪性の感染症。高熱・黄疸などを起こす。

**おうねん**［往年］〔文〕過ぎ去ったむかし。「―の闘士」

**おうのう**［応能］〔文〕各自の能力に対応したものであること。「―負担」

**おうのう**［×懊悩］《名・自サ》〔文〕なやみ。もだえ。苦悩（すること）。

**おうはん**［凹版］インクをつけて印刷する部分が、版の表面よりくぼんでいる印刷版。「―印刷」（↕凸版）

**おうばんぶるまい**［×椀飯（振る舞い）］《名・自サ》⇩おおばんぶるまい。

**おうひ**［王妃］王の きさき。

**おうふう**［欧風］ヨーロッパふう。「―銘菓・―料理・―カレー（=肉のだしをきかせたカレー）」

**おうふう**［横風］《ナダ》〔古風〕いばったようす。横柄。大風。「―な態度」☞よこかぜ（横風）。

**おうふく**［往復］一《名・自サ》①行って帰ること。「―二時間」②〔手紙を〕やりとりすること。③両方でひと組みとなるような動作・行動。例、貿易での輸出と輸入、取引での買いと売り。「―ビンタ（=相手の左右のほおを交互に平手で打つこと）」二〔↑往復切符〕。「沼津―、―一枚」▽一二（↕片道）●**おうふくはがき**［往復（:葉=書）］往信用と返信用が一枚につながったはがき。

**おうぶん**［応分］身分や能力に ふさわしいこと。「―の寄付・―の負担」

**おうぶん**［欧文］ヨーロッパのことばを書きあらわす文字、すなわちローマ字（の文章）。「―タイプ」（↕和文・邦文）

**おうへい**［（横柄）］《ナダ》〔人に対して〕いばっているような態度をみせるようす。大柄。「―な口をきく」派―さ。

**おうべい**［欧米］ヨーロッパとアメリカ。「―化」

**おうへん**［応変］《名・自サ》〔文〕不意の できごとでも適当に始末すること。「―の処置・臨機―」

**おうへん**［黄変］《名・自サ》〔文〕色が黄色に かわること。「―米・洗っても―しないシャツ」

**おうぼ**［王墓］王のはか。「ツタンカーメンの―」

**おうぼ**［応募］《名・自他サ》①募集に応じること。「懸賞に―する・作品を―する・―者・―要領」②〔俗〕「応募①」を求めること。募集。「―は終了しました」

**おうほう**［応報］①《仏》〈いい／悪い〉ことをした結果として あらわれる、〈いい／悪い〉むくい。「因果―」②《法》犯罪人に対して、その罪に相当するだけの刑罰をあたえること。「―（刑）主義」

**おうほう**［往訪］《名・自サ》〔文〕〔出かけて行って〕訪問すること。（↕来訪）

**おうぼう**［横暴］《名・ナダ》わがまま（で乱暴）なこと。「―なふるまい」

**おうまがとき**［×逢魔が時］〔文〕⇩おおまがとき（大禍時）。

**おうみ**［:近江］旧国名の一つ。今の滋賀県。江州。

**おうむ**［（×鸚×鵡）］中形の、家で飼う、くちばしが下にまがった鳥。よく、人のことばをまねる。●**おうむがえし**［（×鸚×鵡）返し］①〔オウムが人の口まねをすることから〕相手の言ったとおりのことを、すぐに言い返すこと。②言われて、すぐ言い返すこと。●**おうむびょう**［（×鸚×鵡）病］《医》オウムなどの鳥から感染する病気。熱が高くなったり、肺炎になったりする。

**おうめんきょう**［凹面鏡］《理》表面がまるく くぼんだかがみ。（↕凸面鏡）

**おうよう**［応用］《名・他サ》①理論・考えを実際に役立てること。「―化学」②〔すでに学んだ〕基本的な知識を役立てること。「―問題・―が利かない」

**おうよう**［（×鷹揚）］《ナダ》落ち着いていて、小さいことにこだわらないようす。おおよう（大様）。「何があっても―に構えている・―に（=余裕を見せて）うなずく」派―さ。

**おうらい**［往来］一《名・自サ》ゆきき。「車の―が激しい・―止め」二①道路。通り。「―に出る・―中（=

路上」」②生活に必要な百科的知識を手紙の形でならべあげた、昔の教科書。往来物。「庭訓—」

**おうりつ**［王立］王（族）の（後援による）設立。

**おうりょう**［横領］《名・他サ》他人のものを不法に自分のものとすること。「公金を—する」

**おうれつ**［横列］よこに〈ならぶこと／ならんだ列〉。（↔縦列）

**おうレンズ**［凹レンズ］《理》中央の部分が〈うすい／へこんだ〉レンズ。（↔凸レンズ）

**おうろ**［往路］〔文〕行くときに通るみち。（↔復路・帰路）

**オウンゴール**〔own goal〕《サッカーなど》まちがって、味方のゴールにボールを入れて、相手にあたえた得点。自殺点。

**オウンドメディア**〔owned media〕組織自身が持つ情報発信の手段。自社のパンフレットやウェブサイトなど。

**おえかき**［お絵描き］《名・他サ》〔児〕絵をかくこと。

**おえしき**［△御会式］《仏》日蓮の忌日（＝十月十三日）の時期におこなう法会。お命講。

**おえっ**《感》〔話〕吐くほど いやなときの声。「おえっ（⤵）」

**おえつ**［×嗚△咽］《名・自サ》①〔文〕むせび泣くこと。「—の声をもらす」②（「おえっ」という声から連想して）〔俗〕はきけのために声を立てること。〔二十一世紀になって広まった用法〕

**おえらいさん**［お偉いさん］偉い人。えらいさん。「会社の—」〔からかう気持ちで使うこともある〕

**おえらがた**［お偉方］地位や身分の高い人（たち）。「政界の—」〔からかう気持ちで使うこともある〕

**お・える**［負える］《自下一》しまつできる。対処できる。「手に負えない（＝手に余る）」

**お・える**［終える］《他下一》終わった状態にする。すませる。「仕事を—・生涯を—」㊁**おえる** ㊁造：を終わった状態にする。「書き—・作り—」区別 ⇩終わる㊁。▽㊀㊁（↔始める）可能 終えられる。

**おお**《感》〔話〕①おどろきをあらわす声。「—、きみか・おお（—⤵）、寒い」②思い出したときに出す声。「—、そうだ」③ひとりの かけ声に応じて、みんなが答える声。「『行くぞ』『—』」▽おー。☞おう（感）。

**おお**［大］遺 ①［△巨］大きい。「—玉・—熊」（↔小）②多い。「—人数・—入り」③非常な。ひどい。「—さわぎ・—降り」④いちばんの。中心的な。代表の。「—みそか・—もと（本）・—番頭」⑤おおまかであること。「—づかみ・—味」⑥一代前の。親にあたる。「—だんな・—おば」

**オー** ㊀［O・o］アルファベットの十五番目の字。㊁［O］①血液型の一つ。☞A㊁④。②（↑oxygen）《理》酸素の元素記号。③〔視覚語〕《野球》アウト。

**おおあざ**［大字］町・村の中の大きな区画。☞小字。

**おおあじ**［大味］《ナダ》①（食べ物の味が）おおまかで、風味がないようす。②こまやかさに欠け、おもしろみのないようす。「—な試合」▽（↔小味）

**おおあせ**［大汗］大量の汗。「—をかく」

**おおあたり**［大当たり］《名・自サ》①みごとに命中・的中・当籤すること。「はなった矢が—・パチンコで—を〈取る／引く〉」②大成功すること。「映画が—を取る・うどんチェーン店が—」

**おおあな**［大穴］①大きな穴。②大きな損失。③《競馬・競輪など》大番狂わせ。

**おおあばれ**［大暴れ］《名・自サ》①手がつけられないほど乱暴な動きをすること。「台風が—する」②《スポーツ》大活躍。「二打席連続アーチの—」

**おおあま**［大甘］《ナダ》〔俗〕①きびしさが まったく感じられないようす。「—な処分」②たいへん楽観的だ。「—な見通し」

**おおあめ**［大雨］短い時間にたくさん降る雨。豪雨。

**おおあり**［大あり］①たくさん あること。②必ずあること。「可能性は—だ」●**大あり名古屋の金のしゃち**（鯱）句〔古風〕「尾張名古屋」をもじって、「大あり」を強調したことば。

**おおあれ**［大荒れ］①雨・雪・風・波などが、ひどくはげしくなること。「—の天気」②とんでもない展開になること。「—の試合」③〔酔いや怒りなどのために〕ひどく乱暴に ふるまうこと。

**おおあわて**［大慌て］《名・自サ》非常にあわてること。「—で家に もどった・不意の来客に—する」

**おおいかぶさ・る**［覆い・△被い］おおう〈こと／もの〉。●**おおいかぶさ・る**［覆い（△被さる）］《自五》①上から、おおうように かぶさる。「せなかに—」②自分の身に のしかかる。「責任が—」▽おいかぶさる。●**おおいかぶ・せる**［覆い（△被せる）］《他下一》①上から、おおうように かぶせる。②（相手にそれ以上言わせないように）すぐに〈続ける／続けて言う〉。▽おいかぶせる。

**おお・い**［多い］《形》数や量が、かなりの程度に達する状態だ。こんなにある、という状態だ。おおいい〔方〕。「雨の日が—・苦労も—が、もうけも—・割合が—」（↔少ない）派 —さ。

**おおい**《感》〔話〕遠くから呼びかけるときに使うことば。おーい。おうい。「おおい（—⤵）、早く来い」

**オーイーエム**［OEM］（↑original equipment manufacturing）受注先の商標で製品をつくること。

☆☆**オーイーシーディー**［OECD］（↑Organization for Economic Cooperation and Development）経済協力開発機構。国際経済の政策調整や、発展途上国への援助などを目的とする。一九六一年発足。

**おおいさ**［大いさ］〔文〕おおきさ。「功績の—が知られる」

**おおいそがし**［大忙し］《名・ナダ》非常にいそがしいようす。「行事の準備で—だ」

**おおいそぎ**［大急ぎ］非常に急いでするこ と。大至急。「—で家に帰る・—の仕事」

**おおいちばん**［大一番］《すもうなど》優勝などに関係する、だいじな勝負。

**おおいちょう**［大（：銀杏）］《すもう》十両以上の力士がゆう、まげの先をイチョウの葉の形に広げた髪型。

**おおいなる**［大いなる］《連体》〔文〕大きい。偉大な。「—大地」

**おおいに**[大いに]《副》①多く。どんどん。「寄付金を―集める・酒を―飲む」②思う存分。「―議論しよう・〔はげまして〕―やってくれたまえ」③程度が強いことをあらわす。非常に。はなはだ。「―けっこうだ・―賛成する・―迷惑している」

**おおいばり**[大(威張り)]《名・自サ・ナダ》①たいへんにいばること。「―で歩く」②他人にひけめを感じないこと。「たくさん寄付したから―だ」

**おおいり**[大入り]（↔不入り）お客がたくさんはいること。「―満員」●**おおいりぶくろ**[大入り袋]お客が大ぜいはいったとき、従業員や関係者に出す、祝儀を入れたふくろ。

**おお・う**[覆う・△被う・△蓋う]《他五》①〔何かをかぶせて〕表面を見えなくしたり、外がわとへだてたりする。「顔をタオルで―・びんの口をきれで―(=ふさぐ)」②全体に広がる。「星が天を―・会場を―熱気・コケにおおわれた岩」③かくす。「真実を―・衰退は―べくもない(=あきらかだ)」④その範囲にわたる。カバーする。「広い分野を―事典」⑤〔文〕全体を言いつくす。「一言もって(=ひとことで)覆えば」可能 覆える。

**おおうつし**[大写し]《名・他サ》カメラで一部を大きく〈写すこと／写したもの〉。クローズアップ。表記 映像は「大映し」とも。

**オーエイチピー**[OHP]⇩オーバーヘッドプロジェクター。

**オーエー**[OA]①〔←office automation〕コンピューターを利用した、事務の機械化。「―機器」②《放送》⇩オンエア。

☆☆**オーエス**[OS]〔←operating system〕《情》システム全体を管理し、いろいろなソフトウェアが動く環境を作っている基本ソフトウエア。

**オーエス**《感》〔フ ho! hisse!=それ、引け〕《話》綱引きをするときの、かけ声。

**おおえど**[大江戸]江戸のまちをほめて言うことば。

**オーエル**[OL]①〔←和製 office lady〕会社につとめる女性。女性社員。オフィスレディー。〔一九六三年からのことば〕②オリエンテーリング。③《映画》オーバーラップ。

**おおおかさばき**[大岡裁き]①江戸時代の名奉行、大岡越前守の裁判を題材とした講談・劇など。大岡政談。②人情味のある、じょうずな裁判・処理。

**おおおく**[大奥]①〔江戸城で〕将軍の正室や側室のいた所。〔将軍以外、男子は中にはいれなかった〕②皇居のおく深い所。宮中。

**おおおくさま**[大奥様]「奥様」のしゅうとめ、または母親にあたる人を尊敬して呼ぶ言い方。（↔大旦那様）

**おおおじ**[大伯父・大叔父]（自分の）両親のおじ。（↔おおおば）

**おおおとこ**[大男]からだの大きい男。背の高い男。（↔小男）

**おおおば**[大伯母・大叔母]（自分の）両親のおば。（↔おおおじ）

**おおがかり**[大(掛かり)]《ナダ》人手・費用などが多くかかるようす。大規模。「―な工事」

**オーガズム**[orgasm]性的絶頂感。アクメ。オルガスム。オルガズム。オルガスムス。

**おおかぜ**[大風]①つづけて強くふく風。②台風。☞おおふう(大風)。

**おおかた** ━[大方]①大部分。「―の問題は解決した」②一般の人。「―の予想を裏切る・―(=みなさん)のご批判をあおぎたい」━《名・副》①ほとんど。「―(は)かたづいた」②「たぶん━」よりも、たしかさの度合いを強くあらわすことば。「―ねずみのしわざだろう」

↓**おおがた**[大形・大型]かたちの大きな〈こと／もの〉。（↔中形・小形）表記 大きな動物は「〈大形／大型〉の動物」、大きな動物のグループは「大型動物」。

↓**おおがた**[大型]①〔同じような かたちのものに大きい小さいの種類があるとき〕大きいほう。「―トラック・―台風」②⇩大形。▽（↔中型・小型）●**おおがたれんきゅう**[大型連休]長い連休。特に、ゴールデンウイーク。

**オーガナイザー**[organizer]世話役。まとめ役。☞オルグ。

**オーガナイズ**《名・他サ》[organize]①〈組織／計画〉すること。②整理すること。かたづけること。「部屋を―する」

☆☆**オーガニック**[organic]有機栽培(による農産物)。「―食品」

**おおかみ**[(×狼)]①ⓐ野獣の名。形は日本犬に似る。性質はどうもう。ニホンオオカミは二十世紀初めに絶滅。ⓑ山犬。②女をつけねらう、こわい男。●**おおかみしょうねん**[(×狼)少年]①何度も予告するだけで実行しない〈人／こと〉。由来「イソップ物語」で、オオカミが来た、と言って何回も人をだました少年の話から。②オオカミに育てられた少年。

**おおがみ**[大神]偉大な神。だいじん。たいしん。おおかみ。「―ゼウス」

**おおがら**[大柄]《名・ナダ》①からだが大きいようす。②模様やしま(縞)が大きいようす。▽（↔小柄）

**おおかれすくなかれ**[多かれ少なかれ]《副》〔文語形容詞「多し」「少なし」の命令形から〕多くても少なくても(いくらかは)。いずれにしろ。「だれもが―なやみを持っている」

**おおかわ**[大川]はばの広い川。大きな川。〔特に、隅田川や淀川の下流を指す〕

**おおかわ**[大(△鼓)]〔音〕おおつづみ。

**オーガンジー**[organdy]すき通るようにうすくて、つやのある、綿織物。絹でも作る。

**おおかんばん**[大看板]①大きな看板。②一流の芸人やスター。由来 寄席で名をとりわけ大きく書いたことから。

＊＊**おおき・い**[大きい]《形》①ものや場所が、かなりの空間を占める状態だ。「―包み・からだが―・―(=広い)国」②数量・程度などが目立つ状態だ。「数が―・損害が―・規模が―・〔しはらいで一万円札などを出し〕―のしかなくてすみません」③年長である。「―子ども」④音量が多い。「―声・―音」⑤度量・包容力がある。「人物が―・考えが―」⑥いばっている。「態度が―」▽（↔小さい）区別「**大きい**」は、ほかと比べられる場合になじみ、「**大きな**」は、「大きな希望」など、比べることを想定しない場合になじむ。「大きいお姉さん」は長女の意味、「大きなお姉さん」は大柄の意味。表記

非常に大きい場合は「△巨きい」とも。派-さ。●大きく出る 句 なまいきに感じられるほど、大げさなことを言う。「日本一うまい店とは、大きく出たものだ」

**オーキッド〔orchid〕洋ラン。

**おおきな[大きな]《連体》大きい感じがする。「―声・―態度・―ことを言う(=えらそうに大げさに言う)」〔形容動詞とする説もある〕(↔小さな) 区別 ⇩大きい。●おおきなお世話[大きなお世話] よけいな世話。おせっかい。「―だ」●おおきなかお[大きな顔] いばった顔つきや態度。「―をする」●おおきなせいふ[大きな政府] 公共事業や福祉などに広く権限を持つ、規模の大きな政府。(↔小さな政府)

おおきに[大きに] 一《副》〔文〕おおいに。「―めいわくしている」二《感》〔関西などの方言〕ありがとう。

おおきみ[大君・大△王]〔雅〕①天皇。〔額田王のように皇族を指すこともある〕②《歴》古代日本におけるヤマト政権の君主の名称。のちに天皇と呼ばれるようになる。

オーきゃく[O脚]〔医〕両足をそろえて立ったとき、ひざのあたりが外がわに曲がっているもの。(↔X脚)

おおぎょう[大仰]《ナダ》大げさ。「―な身ぶり」表記「大形」とも書いた。派-さ。

↑おおぎり[大切り] ①大きく切ったもの。「ブリの―」②〔古風〕終わり。「小説の―の場面」

↑おおぎり[大:喜利] ①〔寄席〕その日の番組が終わって、余興としておこなう問答。例、なぞかけ。由来「大切り」から。「喜利」は縁起をかついだ当て字。②(①が一般化して)出されたお題に対し、みんなできそっておもしろい答えを言いあう遊び。「ツイッターで―をする」

**おおく[多く] 一①たくさん(のもの)。「―の人・―を語らない」②大部分。大多数。「観客の―は女性だ」二《副》大部分の場合。ふつう。「原因は、―(は)ストレスによる」

オーク〔oak〕ナラ・カシワ・カシなどの木。〔英語ではカシをさすことは少ない〕

おおぐい[大食い]《名・他サ》一度の食事にたくさん食べる〈こと/人〉。大食漢。たいしょく。おおぐらい。「やせの―」

おおくくり[大(△括り)]《名・ナダ》①大きく いくつかにまとめたようす。「組織を―にしてスリム化する」②大ざっぱ。「―な流れを示す」▽おおぐくり。

オークション〔auction〕(値打ちのものの)競売。オク〔俗〕。「ネット―」☞逆オークション。

オークス〔Oaks〕①イギリスでおこなわれる、三歳の牝馬による競馬の名。オークス ステークス。②日本でおこなわれる、三歳の牝馬による競馬の名。優駿牝馬。

おおくずれ[大崩れ]《名・ナダ・自サ》ひどくくずれること。「山が―を起こす・投手陣が―した」

おおぐち[大口] ①大きな口。大きくあいた口。「―をあける」②大げさな言い方。「―をたたく」③金額の多いこと。「―の取引」(↔中口・小口)▽おおくち。

おおくら[大蔵] ↑大蔵省。「―官僚」●おおくらしょう[大蔵省] ①⇩財務省。②〔古風・俗〕⇩大蔵大臣②。「うちの―」●おおくらだいじん[大蔵大臣] ①もと、大蔵省の最高の地位(の人)。②〔古風・俗〕家計の責任者。主婦。☞財務大臣。

オークル〔フ ocre〕小麦色。

オーケー[OK]〔米 O. K.〕一《感》〔話〕承知した。オーライ。二《名・自サ》同意。承認。「―を取る・―が出る」三だいじょうぶなこと。かまわないこと。「持ってこなくても―」▽一～三オッケー。由来「all correct(=承知した)」のつづり字を変えた「oll korrect」の頭文字からという。日本では戦前から使われている。

おおげさ[大(×袈×裟)]《ナダ》〈実際/必要〉以上であるようす。大仰。「―に言う・―なしかけ」

オーケストラ〔orchestra〕〔音〕①管弦楽。②管弦楽団。▽オケ。●オーケストラボックス〔和製 orchestra box〕舞台の前につくられた、オーケストラが演奏する席。オーケストラ ピット。オケピ。☞「エプロンステージ」の絵。

オーケストレーション〔orchestration〕〔音〕管弦楽に編成すること。管弦楽法。

おおごえ[大声] 大きな声。(↔小声)

おおごしょ[大御所]〔=隠居した将軍(の住む所)〕その道の大勢力家。「文壇の―」

おおごと[大(事)] たいへんな〈こと/事件〉。「それは―だ」☞だいじ(大事)。

おおさかずし[大阪(:寿司)] おしずしに代表される大阪風のすし。

おおざけ[大酒] たくさんの酒。「―飲み」

おおさじ[大(×匙)] ①大きなさじ。②《料》計量用の一五cc入りのさじ。▽(↔小さじ)

おおざっぱ[大(:雑把)]《ナダ》①細かいところまで注意しないようす。「―な性格」②おおよそ。「―に分類する」

おおざと[(×邑)]〔=大里〕漢字の部首の一つ。「部」「都」などの、右がわの「阝」の部分。〔「むら」に関係がある〕由来「こざとへん」より大きく書くことから。

おおさわぎ[大騒ぎ]《名・自サ》ひどくさわぐこと。「―(を)する・―になる」

おおさんしょううお[(大山×椒魚)] おもに西日本の渓流にすむ、世界最大の両生類。黒っぽい茶色で、体長約一・五メートル。特別天然記念物。はんざき。

おおじ[大路]〔文〕広い道。大通り。「都―」(↔小路)

おおし・い[雄々しい・△男々しい]《形》勇ましい。雄大だ。「―山容」派-げ。-さ。

オージー[OG]〔←old girl〕以前にそこを〈卒業/退職〉した女子。「―会」(↔OB)

オージー 濠〔Aussie〕オーストラリア〈の/ふう〉。「―ビーフ・―英語」

オーシーアール[OCR]〔← optical character reader〕印刷された文字を読み取って、コンピューターの文字コードに置きかえる〈装置/ソフトウエア〉。光学的文字読み取り装置。

おおしいつく(つく) ⇩つくつくぼうし。

オージェーティー[OJT]〔← on-the-job training〕新入社員などに対して、実際の仕事を通しておこなう職場内教育。「—リーダー」

**おおしお**［大潮・大×汐］満月と新月のころ、潮の満ち干の差がいちばん大きい〈こと/日〉。(↔小潮)

**おおじかけ**［大仕掛け］《ナダ》しかけ・組み立てなどの大きいようす。「—な装置」

**おおじしん**［大地震］大きな地震。だいじしん。

☆☆**おおじだい**［大時代］《名・ナダ》ひどく古い時代を思わせる〈ようす/もの〉。だいじだい。「—な言い方」

**おおしばい**［大芝居］(＝大がかりな芝居) いちかばちかで、ものごとをおこなうこと。「一世一代の—をうつ」

**おおしま**［大島］↑大島つむぎ。●**おおしまつむぎ**［大島（×紬）］鹿児島県奄美大島などで作る、かすり織りのつむぎ。大島。

**オーシャンビュー**〔ocean《＝大洋》view〕〔ホテル・旅館の部屋で〕ひろびろとした海が見えること。「全室—」

**おおじょたい**［大所帯・大△世帯］①大人数の家庭。②大人数の集団。▽(↔小所帯)

**おお・す**［（△果す）］造〔動五をつくる〕⇩おおせる。

**おおすじ**［大筋］だいたいの〈筋/わけ〉。「—で合意した」

☆☆**オーストラリア**〔Australia〕①(↑オーストラリア大陸) 南半球にある、世界最小の大陸。②オーストラリア大陸とタスマニア島を領土とする国。オーストラリア連邦。首都、キャンベラ(Canberra)。豪州。豪。
表記「濠太剌利」は、古い音訳字。

**オーストリア**〔Austria〕ドイツの南に接する共和国。永世中立国。首都、ウィーン(Wien)。オーストリー。墺。
表記「墺太利」は、古い音訳字。

**おおすみ**［大隅］旧国名の一つ。今の鹿児島県の東部。隅州。

**おおずもう**［大相撲］①日本相撲協会が興行する、職業力士によるすもう。本場所は、年六回。②〔すもう〕なかなか勝ち負けの決まらない、力のはいった勝負。「水入りの—」

**おおせ**［仰せ］①目上の人からの言いつけ。「—にそむく」②おことば。「—のとおりです」●**おおせつか・る**［仰せ（付かる）］《他五》目上の人から言いつかる。「委員長を—」他 仰せつける《下一》 名 仰せつけ。●**おおせら・れる**［仰せられる］《他下一》おっしゃる。「社長がそのように仰せられました」

**おおぜい**［（大勢）］おおぜい《名》・おおぜい《副》多くの人数。(↔小勢) ☞たいせい(大勢)。

**おおぜき**［大関］①〔すもう〕横綱の次、関脇の上の位。②〈なかま/同類〉の中ですぐれたもの。

**おお・せる**［（△果せる）］造〔動下一をつくる〕なんとか、最後まですることができる。おおす。「しー・やりー・かくしー・にげー」

**オーセンティック**《ナダ》〔authentic〕本格的であるようす。正統的であるようす。「—バー」

**おおそうじ**［大掃除］《名・他サ》①ふだんより特別ていねいに掃除すること。「年末の—」②すっかりきれいにすること。「腐敗した政治の—」

**おおぞこ**［大底］〔経〕取引相場で、ある期間の底値のうち、最も低いもの。「株価が—を打つ」(↔大天井)

**おおそとがり**［大外刈り］〔柔道〕右足を大きくふり上げ、向かい合った相手の右足を外がわからはらうわざ。〔左ききの場合は逆〕

☆☆**オーソドックス**《名・ナダ》〔orthodox〕「正統②」であるようす。正統的。オーソドクス。「—な解釈・—な方法・—に攻める」

**おおぞら**［大空］広く大きな空。「—に飛び立つ」

**オーソライズ**《名・他サ》〔authorize〕権威をあたえること。公認すること。

**オーソリティ(ー)**〔authority〕権威(者)。大家。「学会の—」

☆☆**オーダー**〔order〕一《名・他サ》注文。「洋服を—する・—を取る・—服」二①順序。順番。「—を組む・バッティング—(＝打順)」②〔自然科学で〕数値の大きさの程度。「何万という—」●**オーダーストップ**〔和製 order stop〕〔レストランで〕客の注文をしめきること。●**オーダーメイド**〔和製 order made〕注文による製品。オーダーメード。(↔レディーメイド)

**おおだい**［大台］切りのいい、大きな金額・数量の段階。「百万の—をこえる・—に乗る」

**おおだいこ**［大太鼓］①〔日本の〕大型のたいこ。②〔洋楽で使う〕大型のドラム。

**おおだすかり**［大助かり］《名・自サ》〔手伝ってもらったりして〕たいへん助かること。

**おおたちまわり**［大立ち回り］①〔芝居〕はげしい立ち回り。②はげしい〈つかみあい/けんか〉。「—を演じる」▽おおだちまわり。

**おおだてもの**［大立て者］①一座でいちばんすぐれた俳優。②その社会でいちばん重んじられる人物。

**おおだな**［大△店］大きな商店。「—の番頭」☞おおみせ(大店)。

**おおだま**［大玉］①大きな玉。「—パール・—送り(＝巨大な玉を大ぜいでパスしながら、列の後ろまで送っていく競技)」②果実・たまごなどの、大きなもの。「モモ—二個入り」▽(↔小玉)

**オータム**〔autumn〕秋。「—フェスティバル」

**おおだんな**［大旦那］〈だんな/若だんな〉の父親、またはしゅうとにあたる人を尊敬して呼ぶ言い方。「—様」(↔大奥様)

**おおづかみ**［大（×摑み）］《名・ナダ》①片手でつかめるだけの分量をつかむこと。「—にする」②だいたい(をまとめること)。「—に言うと」

**おおつごもり**［大（×晦）］〔雅〕おおみそか。

**おおつづみ**［大鼓］〔音〕左のひざの上に横たえ、右手で打つつづみ。おおかわ。

**おおっぴら**［大っぴら］《ナダ》えんりょしないようす。公然。おおびら。「人前で—に言う」

**おおつぶ**［大粒］《名・ナダ》大きい粒(であるようす)。「—のなみだ・—なイチゴ」

**おおづめ**［大詰め］①〔歌舞伎〕終わりの〈幕/場面〉。②〔事件などの〕終わりの〈段階/場面〉。「交渉は—に来た」

**おおて**［大手］①同じ業種の中で大規模なもの。「私鉄—・最—」②〔経〕〔取引所などで〕多額の売買をする〈金融機関/人〉。▽大手筋。由来「大手筋」がもとからの言い方で、多額の売買をする相場師などを

指した。③城の正面。追手。「—門」(↕からめ手)

**おおで**[大手] **●大手を広げる**[句] 進ませないように前へ立って、両手を大きく広げる。おおてを広げる。**●大手を振る**[句] えんりょせず、堂々とする。おおてを振る。「疑いが晴れ、大手を振って歩く・俗説が—」

**おおてあい**[大手合い]《碁》段が上がるかどうかを決める、だいじな対戦。

**オーディー**[OD] ①←オーバードライブ。②←オーバードーズ。③←オーバードクター。

☆☆**オーディーエー**[ODA]〔←official development assistance〕政府開発援助。発展途上国への資金協力・技術協力・貸付〔=円借款〕などをいう。

**オーティーシー**[OTC]〔← over-the-counter drug〕薬局で売る、処方箋のいらない薬。市販薬。大衆薬。「—薬」

**オーディエンス**〔audience〕聴衆。視聴者。観客。

☆☆**オーディオ**〔audio〕音声・音響に関すること。「—製品・—ファン」(↕ビデオ)

☆☆**オーディション**〔audition〕歌手や俳優の選考のためにおこなう、実技テスト。「—に合格する」

**おおでき**[大(出来)] りっぱな できばえ。〔期待以上に〕りっぱに やること。「—の演技」

**オーデコロン**〔フ eau de Cologne=ケルン(ドイツの都市)の水。フランス語の英語読み〕はだにつける、においのうすい香水。コロン。

**おおてんじょう**[大天井]《経》取引相場で、ある期間の高値のうち、最も高いもの。(↕大底)

**オート** [一] オート ①〔auto〕自動(式)。「—ドア・—フォーカス・—で写真をとる」②←オートレース。「—の星」[二] [造]〔米 auto←automobile〕自動車。〔店名にも使う。「鈴木—」〕 **●オートキャンプ**〔和製 auto camp〕自動車の中で寝とまりするキャンプ。 **●オートさんりん**[オート三輪] 昔の、三輪の小型トラック。オート三輪車。 **●オートチャージ**《名・自他サ》〔和製 auto charge〕電子マネーの残額が少なくなると、自動的にカードなどに入金されること。 **●オートレース**〔米 auto race〕オートバイの競走。オート。[入]オート レーサー。 **●☆☆オートロック**〔和製 auto lock〕ドアをしめると、自動的に かぎが かかる錠。

**おおど**[大戸] 商店の表口などにある、大きな引き戸。「—をおろす」

**おおどうぐ**[大道具]《芝居》舞台装置を形づくる背景・建物・木などの、大きなもの。(↕小道具)

**おおどおり**[大通り] はばの広い道路。

**おおどか**[(大どか)]《ナダ》〔雅〕ゆったりと おちついたようす。「—な万葉調の歌・—な姫」

**オートクチュール**〔フ haute couture=パリにある、高級衣装店〕高級な仕立て。また、高級注文服。(↕プレタ ポルテ)

**おおどころ**[大(所)] ①勢力のある〈人/もの〉。「財界の—」②〔古風〕大きな構えの家。資産家。「—のだんな」▽おおどこ。③大づかみなところ。「—の方針」

**おおどしま**[大年増] 年増をかなり過ぎた年ごろの女性。[✓]江戸時代は三十代。現在は中年をかなり過ぎた年ごろを指す。

**オードトワレ**〔フ eau de toilette=けしょうの水〕かおりの強さが、香水とオーデコロンとの中間の液体。オード トワレット。

**オートバイ**〔←和製 autobicycle (英語では motorcycle)〕ガソリンエンジンで動く二輪車。単車。

☆☆**オードブル**〔フ hors-d'œuvre〕《料》〔西洋料理で〕食事の前の つまみもの。前菜。オール ドーブル。☞アペタイザー・アンティパスト。

**オートマ**《自動車》←オートマチック(車)。「—教習」

**オートマチック**〔automatic〕[一]《ナダ》自動的。[二] ①自動拳銃。②《自動車》自動変速のしくみ。オートマ。「—車〔⇩AT車〕」

**オートミール**〔oatmeal〕ひき割りにしたエンバク(を牛乳などで煮たかゆ)。☞グラノーラ。

**オートメーション**〔automation〕自動的に動かしたり、作ったり、調整したりする しかけ。自動操作。オートメ。「—化」

**おおとり**[大トリ]〔紅白歌合戦などで〕それぞれの組のトリのうち、最後に出演する歌手など。

**おおとろ**[大トロ] マグロの腹の肉で、特に あぶらののった部分。「—の にぎり」☞中トロ。

☆☆**オーナー**〔owner〕持ち主。所有者。「船の—・球団の—」 **●オーナー シェフ**〔和製 owner +フ chef〕料理長をかねた、レストランの経営者。 **●オーナーシップ**〔ownership〕①所有権。「—を得る」②自主性。「住民の—を尊重する援助」(↕パートナーシップ) **●オーナードライバー**〔owner-driver〕①会社と契約し、自分の車で運送の仕事を受ける人。②自分の車を持っている人。

**おおなき**[大泣き]《名・自サ》はげしく泣くこと。

**おおなた**[大(×鉈)] 大きな なた。 **●大なたを振るう**[句] 予算・人員を、思い切って けずる。

**おおなみ**[大波・大×濤] 大きな波。「—小波・時代の—〔=うねり〕」

**オーナメント**〔ornament〕かざり。「クリスマス—」

**おおなわとび**[大縄跳び・大縄飛び] 長い なわを回す二人と、とぶ人たちに分かれておこなう なわとび。

**おおにゅうどう**[大入道] ずばぬけて大きい男(の形の化け物)。

**おおにんずう**[大人数] 多くの人数。多人数。おおにんず〔古風〕。(↕小人数)

**おおば**[大葉] 青ジソの葉。「—の天ぷら・—のパスタ」

**オーバー**〔over〕[一]《名・自他サ》限度を〈こえる/こす〉こと。「定員—・予算を—する・《ゴルフ》カップを—(↕ショート)する」[二]《ナダ》大げさなようす。「—な言い方」[三] ①〔やや古風〕↑オーバー コート。②《ゴルフ》↑オーバー パー。「ワン—」(↕アンダー) **●オーバーアクション**〔overaction〕大げさな〈身ぶり/演技〉。 **●オーバーオール**〔overalls〕《服》上と下がひと続きの作業服。つなぎ。 **●オーバーコート**〔overcoat〕寒い時季に着る、厚手のコート。外套。オーバー。 **●オーバーシューズ**〔overshoes〕防水や防護のために、くつの上からはくくつ。 **●オーバーシュート**〔overshoot〕感染者の数や株価などの、度をこした増加・変動。 **●オーバーステイ**〔overstay=長居〕ビザが切れても帰国せず、不法に長期滞在すること。 **●オーバースペック**〔和製 over



お

spec〕〔機械や部品などが〕必要以上に高性能であること。過剰性能。●**オーバースロー**〔↑オーバーハンド スロー（米 overhand throw）〕《野球》〔投手が〕うでを肩の上から前へふりおろして、ボールを投げること。上手投げ。☞アンダースロー・サイドスロー。●**オーバータイム**〔overtime〕①《スポーツ》反則の一つ。ⓐ《バレーボール》一チームが規定の回数以上、ボールにふれること。ⓑ《ハンドボール・バスケットボール》規定の時間以上、ボールを持ったままでいること。②超過勤務。●**オーバードーズ**〔overdose〕適量をこえて薬を大量に摂取すること。オーバードース。OD。●**オーバードクター**〔和製 over doctor〕大学院の博士課程を修了して、まだ定職が決まらないでいる〈こと／人〉。OD。●**オーバードライブ**《名・他サ》〔overdrive〕①〔オートマチック車で〕いちばん はやい速度を出すためのギア。OD。②《ゴルフ》ティーショットのとき、あとから打った人のボールが、先の人のボールを追いこすこと。「ライバルを―してイーグル」●**オーバーパー**〔over par〕《ゴルフ》打数が基準打数〔＝パー〕より多いこと。オーバー。〔↕アンダーパー〕●**オーバーハング**〔overhang〕《登山》上のほうが、前へ突き出した岩。はり出し（岩）。●**オーバーヒート**《名・自サ》〔overheat〕①エンジンやモーターが過熱すること。②度をこして、はげしくなること。「論戦が―する」●**オーバーフロー**〔overflow〕㊀《名・自サ》①〔水などが〕あふれ出ること。②《情》〔コンピューターで〕処理できる量をこえること。㊁〔洗面台などで〕水が外にあふれ出るのを防ぐ排水口。●**オーバーペース**〔和製 over pace〕〔運動・仕事などで〕適切な程度をこえた、からだに無理が出るほどの速さ。●**オーバーヘッドプロジェクター**〔overhead projector〕文字や図を書いた透明シートに下から光をあてて投影する、昔のプロジェクター。OHP。●**オーバーホール**《名・他サ》〔overhaul〕①〔航空機・自動車などの〕機械の分解手入れ。②ゆっくり休むこと。「心身の―」●**オーバーラップ**《名・自他サ》〔overlap〕⇩二重写し①。「現実の街に記憶の中の街が―する」〔映画で「OL」〕

●**オーバーラン**《名・自サ》〔overrun〕①《野球》走者がベース〔＝一塁または三塁〕をこえて走り過ぎること。②行き過ぎ（ること）。走り過ぎ（ること）。「電車の―」●**オーバーワーク**《名・自サ》〔overwork〕からだにむりなほど働くこと。過重労働。働きすぎ。

**オーパーツ**〔ooparts←out of place artifacts〔＝場ちがいな工芸品〕〕その時代の技術では存在するはずがないもの。

**おおばか**〔大（：馬鹿）・大（：莫迦）〕― たいへんな ばか。「―野郎」

**おおばけ**〔大化け〕―《名・自サ》〔技術・人気などが〕思いがけないほど大きく上がること。

**おおばこ**〔大箱〕― ①大きい箱。②たくさんの人がはいれる店や施設。▽〔↕小箱〕

**おおばこ**〔（：車前草）〕― 雑草の名。葉は さじ形で、地に はうように四方に広がる。せき止めなどの薬にする。おばこ。

**おおはしゃぎ**〔大はしゃぎ〕―《名・自サ》ひどく はしゃぐこと。「子どもたちは―・―のマスコミ」

*__おおはば__〔大幅〕― ㊀《名・ダ》変動の程度の大きいようす。「―な値上げ」〔↕小幅〕㊁《服》〔反物で〕広幅。〔↕中幅・小幅〕

↑**おおばん**〔大判〕― ①紙・本などの、大形のもの。②〔安土桃山時代・江戸時代の〕長円形で大形の金貨。▽〔↕小判〕●**おおばんやき**〔大判焼き〕⇩今川焼き。

↑**おおばん**〔大盤〕―《碁・将棋》対戦状況を示す、パネル形式の大きな〈碁盤／将棋盤〉。「―解説」●**おおばんぶるまい**〔（：大盤）振る舞い〕―《名・自サ》〔もと「椀飯振る舞い」〕①豪華なごちそうをして もてなすこと。②気前よく人々に物をあたえること。

**おおばんとう**〔大番頭〕― ①昔の商店で、首席番頭。②⇩番頭②。

☆☆**オービー**〔OB〕㊀〔↑old boy〕以前に そこを〈卒業／退職〉した男子。「〔プロ野球の〕―戦」〔↕OG〕㊁〔↑out of bounds〕《ゴルフ》プレーできない区域〔にボールを打ちこむこと〕。「―を出す」

**おおびけ**〔大引け〕― ①《経》〔取引所で〕取引時間の最後の〈売買／ときの相場〉。☞前引け。②遊郭が店を閉める時刻。午前二時。「―に店に上がる」

**おおひろま**〔大広間〕― 客を通す、非常に広い部屋。「宮殿の―・宴会用の―」

**おおふう**〔大風〕―《ダ》〔古風〕⇩横風。☞おおかぜ（大風）。

**おおぶたい**〔大舞台〕― ①広くて大きな舞台。②多くの人々が注目する、かがやかしい晴れの場。だいぶたい。「オリンピックという―」

**オープナー**〔opener〕①容器を開ける道具。缶切りや栓ぬきなど。「ワイン―」②《スポーツ》開幕第一戦。「シーズン―」

☆☆**オープニング**〔opening〕①〔会社・店などの〕開業。開店。開場。「―セール」〔↕クロージング〕②〔会などの〕始まり。開始。「―セレモニー・―ショー・番組の―」〔↕エンディング〕▽OP。

**おおぶね**〔大船〕― 大きな船。〔↕小舟〕●**大船に乗った気持ち** 句 ことがらの進行について、信じきって安心している気持ち。親船に乗った気持ち。「―でいてください」

**おおぶり**〔大降り〕― 雨や雪が はげしく降ること。〔↕小降り〕

**おおぶり** ― ㊀〔大振り〕《名・他サ》〔バットなどを〕大きく ふること。〔↕小振り〕㊁〔大ぶり〕《名・ダ》〔他とくらべて〕少し大形なようす。「―〈の／なさかずき〉」〔↕小ぶり・中ぶり〕

**おおぶろしき**〔大風呂敷〕― ①大きな ふろしき。②できそうもない大きな計画〔を話す人〕。大ぼら。「とんだ―だ」●**大風呂敷を広げる** 句 できもしない大きな計画をしゃべる。

**オーブン**〔oven〕中に食品を入れて加熱する、箱形の調理器具。天火。●**オーブンシート**〔oven sheet〕オーブンで焼くときに、天板に敷く紙。高温でもこげず、天板がよごれるのを防ぐ。クッキングシート。●**オーブントースター**〔和製 oven toaster〕小型のオーブンとしても使えるトースター。●**オーブンレンジ**〔和製 oven range〕オーブンとしても使える電子レンジ。

**オープン**〔open〕㊀《ナダ》①〈ひらいた／ひろげた〉状態。開放されているようす。「スタンスを―にする」②かくさないようす。「―な態度・―キッチン」③だれでも参加できるようす。公開。「この委員会は―だ」㊁①《ゴルフ・テニスなど》プロ、アマを問わず参加できる競技。オープン選手権。OP。「全米女子―」②《サッカー・ラグビー》ボールの位置から見て、タッチラインまでが広いほうのがわ。ラグビーでは、スクラムの位置から見て言う。「―攻撃」(↔ブラインド)③《航空券などで》いつの便に乗ってもいいこと。「帰りは―にしておく・一か月―の航空券・―チケット」④《服》↑オープンシャツ。⑤《経》↑オープン投信〔=追加型株式投資信託〕。「―基準価格」㊂《名・自他サ》①ひらくこと。あけること。「元栓を―のままにする」②〔店・会場などが〕営業・業務をしているようす。開店。開場。始業。③〔店・会社などが〕はじめて営業・業務をすること。開業。開店。「リニューアル―」▽(↔クローズ) ●**オープンカー**〔open car〕屋根の〈ない／折りたためる〉乗用車。●☆☆**オープンかかく**[オープン価格] メーカーが製品の価格を決めないで、小売店が自由に決めて販売する価格。オープン プライス(OP)。●**オープンカフェ**〔和製open＋フ café〕街路に面したかべや屋根をなくして、日ざしや風を取りこむように設計された、開放的な喫茶店など。●☆☆**オープンキャンパス**〔open campus〕その大学への入学を考えている人たちのためにおこなう、説明会や構内案内。オーキャン〔俗〕。●**オープンサンド**〔↑オープン サンドイッチ〕パンの上に、ハム・サーモンなどの具をのせた食べ物。タルティーヌ(フ tartine)。☞カナッペ・サンドイッチ。●**オープンシャツ**〔open shirt〕《服》えり元のボタンを留めないで着る、前あきのシャツ。オープン。●**オープンスペース**〔open space〕①敷地の中で、建物を建てずに残してある空間。②廊下などとの仕切りをもうけない部屋。●**オープンセット**〔open set〕野外につくった、撮影用のセット。●☆☆**オープンせん**[オープン戦]〔プロ野球などで〕公式戦が始まる前におこなわれる非公式戦。OP戦。(↔公式戦) ●**オープンソース**〔open source〕《情》ソフトウェアなどのソースコード〔=プログラムの設計図〕が公開されていて、だれもが自由に利用できること。●**オープンテラス**〔open terrace〕建物の外に広く張り出したテラス。●**オープンハウス**〔open house〕販売のために内部を公開する建て売り住宅。〔マンションなどの部屋の場合は「オープンルーム」〕

**おおべや**[大部屋]①病院で、入院した患者が何人かでいっしょにいる、広い部屋。②下級俳優(がいっしょにいる、広い部屋)。

**オーベルジュ**〔フ auberge〕宿泊施設をそなえたレストラン。

**オーボエ**〔oboe〕《音》たて笛の形をした木管楽器。リードが二枚ある。オーボー。

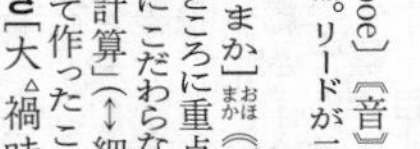
[オーボエ]

**おおまか**[大まか]《ナダ》大きなところ、だいじなところに重点をおいて、小さなところなどにこだわらないようす。おおざっぱ。「―な計算」(↔細か) 由来「細か」に類推して作ったことば。派―さ。

**おおまがとき**[大△禍時]〔=大きなわざわいの起こりやすい時〕〔文〕夕方うす暗くなるころ。たそがれどき。おおまがどき。表記「ま」を「魔」と考えて「大魔が時」「×逢魔が時」とも。

**おおまけ**[大負け]《名・自サ》①ひどく負けること。大敗。「パチンコで―する」②値段を大幅に下げて売ること。「―しておきましたよ」

**おおまじめ**[大真面目]《ナダ》ふざけたりせず、非常にまじめなようす。「―にコントを演じる」

**おおまた**[大股]①歩幅の広いこと。「―に歩く」(↔小股)②両足を大きく開くこと。「―を広げる」

**おおまちがい**[大間違い]《名・ナダ》①大きなまちがい。②大きな かんちがい。「これでひと安心と思ったら―だ」

**おおまわり**[大回り・大×廻り]《名・自サ》〈大きく／遠い距離を〉回ること。(↔小回り)

**おおみえ**[大見え・大見：得]①〔役者が〕大きく見得の動作をする。●**大見えを切る**句 ②いばって、ことさら大きな〈ことを言う／動作をする〉。

**おおみこころ**[大△御心]〔文〕天皇の考えや心を敬って言うことば。叡慮。

**おおみず**[大水]〔古風〕雨などのため、川の水がふえたり、あふれ出たりすること。また、その水。洪水。「―が出る」

**おおみせ**[大店] 規模の大きな店。「支店の中でも有数の―」☞おおだな(大店)。

**おおみそか**[大（：晦日）] 一年の終わりの日。十二月三十一日。おおつごもり。

**おおみだし**[大見出し]〔新聞などで〕大きな文字で目立つようにした見出し。「『優勝』の―が躍る」(↔小見出し)

**おおみやびと**[大宮人]〔雅〕昔、宮中につかえた役人。公家。

**オーム**〔ohm=もと、人名〕《理》電気抵抗の実用単位〔記号 Ω〕。一オームは一ボルトの電圧で一アンペアの電流が流れるときの抵抗値。

**おおむかし**[大昔] 遠い昔。〔数年前から、何万・何億年前まで、はばがある〕「―の写真・―の恐竜」

**おおむぎ**[大麦] ムギの一種。米にまぜて食べたり、みそ・ビールの原料にしたりする。

**おおむこう**[大向こう]①《芝居》最上階の、いちばんうしろの立ち見席(にいる芝居通の客)。「―をうならせる」②見物の人々。大衆。

☆☆**おおむね**[(△概ね)]《副》〔文〕大部分がその状態になっていること。だいたい。がいして。「―良好」

**おおむらさき**[(大紫)]①紫色の大きな羽に、白や黄の斑点があるチョウ。日本の国蝶。②公園や街路でよく見る、ツツジの一種。五月ごろ、こいピンクや白の花がさく。

←**おおめ**[大目] ●**大目に見る**句 きびしくとがめず、見のがす。

→**おおめ**[多(目)]《名・ナダ》少し多いと思われるようす。やや多い程度。おおいめ。(↔少なめ)

**おおめし**[大飯] たくさんの〈ごはん／食事〉。「―食らい」

**おおめだま**[大目玉]①大きな目の玉。②ひどくしかること。「上司〈に／から〉―を食(ら)う」☞お目玉。

**おおめつけ**「大目付」江戸幕府で、老中の下にあって大名・役人を監督した役。

**おおもうけ**「大（×儲け）」《名・自サ》おどろくほどもうけること。「株でーした」

**おおもじ**「大文字」①大きな文字。②〔ローマ字などで〕文のはじめなどに書く、大きな字体の字。aに対してA。キャピタル。▽（↕小文字）③議論の対象が大きく、抽象的なこと。「ーの政治について語る」☞だいもんじ（大文字）。

**おおもて**「大もて」《名・自サ》非常に〈もてる／人気がある〉こと。【表記】俗に「大モテ」とも。

**おおもと**「大（本）」①それをなりたたせている、根本。「食は生活のーだ」②「大（元）」それを生み出した、いちばんのもと。元祖。「日本人のーにあたる人々」

**おおもの**「大物」①強い勢力や影響力などを持つ人。「政界のー」②性格がりっぱですぐれた人物。「なかなかのーだ」③技術・能力などのすぐれた人。「ー新人」④《釣り》大きなさかな。「タイのー」（↕雑魚）⑤大がかりな作品。「ーの制作」▽（↕小物）●**おおものぐい**「大物食い」《スポーツなど》はるかに強い相手を打ち負かす〈こと／人〉。

**おおもり**「大盛り」料理を、ふつうよりもたくさん〈もること／もったもの〉。「牛丼ー」☞特盛り。

**おおもん**「大門」おもてもん。正門。「吉原（＝遊郭の場所）のーをくぐる」

**おおや**「大家・大屋」賃貸住宅の持ち主。やぬし。（↕たなこ《店子》）☞たいか（大家）・たいけ（大家）。

**おおやいし**「大（△谷石）」《鉱》家のへいなどに使う、火山灰などでできたうす〈黄／緑〉色のやわらかな岩石。栃木県宇都宮市大谷町産。

☆☆**おおやけ**「公」①国家。天皇。「義勇をーにささげる」②政府や地方自治体。「ーの機関」③社会の人々。公共。「ーの建物・ーに問題にする」（↕私）④社会の人々に見える〈場所／状態〉。「文書がーに〈出る／なる〉〔＝公表される〕・不正をーにする」【由来】もとは「大宅〔＝大きな家〕」で、そこから皇居・朝廷をさすようになった。

**おおやしま**「大八×洲」〔雅〕日本国の古い呼び名。やしま。

**おおゆき**「大雪」①短い時間にたくさん降る雪。（↕小雪）②たくさん積もった雪。☞たいせつ（大雪）。

**おおよう**「（大様）」《ナダ》⇩おうよう（鷹揚）。【派】ーさ。

**おおよそ**「（∴大凡）」【一】おもなところ。「ーはすんだ」【二】《副》だいたい。「ーの見当」

**おおよろこび**「大喜び」《名・自サ》非常によろこぶこと。「母はーでした」

☆☆**オーラ**〔aura〕人や物などが発する、独特のふんいき。アウラ。「幸せのーが出ている」

**オーライ**《感》〔↑米 all right〕〔話〕よろしい。オーケー。「〔ボールをとろうとする野手が他の野手に〕ー、ー・〔バックする車に〕バック、ー〔＝危険がない〕」

**オーライン**「Oライン」〔和製 O line〕脱毛の対象となる、肛門の周囲。☞VIO。

**おおらか**「（大らか）」《ナダ》気持ちが大きくて、小さなことを気にしないようす。おおよう。【派】ーさ。

**オーラス**〔↑和製 all last〕①〔マージャン〕一ゲームでの、最後の勝負。②〔コンサートなどで〕最終公演。

**オーラル**【遺】〔oral〕①口の。口を使う。「ーケア」②口頭の。「ーコミュニケーション・ーヒストリー〔＝関係者に直接尋ねる形の歴史記録〕」

**オール**〔oar〕ボートの、〔両手でこぐ〕かい（櫂）。

**オール**〔all〕【一】【遺】①全部。「ー半額・ー電化」②全。「ージャパン」③〔飲食店で〕全部で。「ースリー〔＝つごう三丁〕」【二】【造】《テニス・卓球》得点が、どちらも同じ。「スリーー」【三】**オール**《名・自サ》〔↑オールナイト〕〔俗〕徹夜。「マージャンでーした・ー明け」●**オールアップ**《名・自サ》〔和製 all up〕《映画・放送》⇩クランクアップ。●**オールインクルーシブ**〔all inclusive〕〔ホテルなどで〕食事・レジャーなどの料金がすべてふくまれていること。●**オールインワン**〔all-in-one〕①ひとつのものに、いろいろな機能がそなわっていること。「ータイプのパソコン」②《服》上着とズボンがひと続きの、女性の服。コンビネゾン。ロンパース。●**オールウエザー**〔all-weather〕晴雨兼用。全天候対応。「ーコート」●☆☆**オールオアナッシング**〔all or nothing〕すべてか無か。ゼロか百か。●**オールスターキャスト**〔all-star cast〕《映画・演劇》人気俳優の総出演。●**オールスターゲーム**〔all-star game〕〔プロスポーツで〕ファンや監督から選ばれたトッププレーヤーによって行われる試合。オールスター（戦）。☞球宴。●**オールスパイス**〔all-spice〕香辛料の一つ。シナモン、クローブ、ナツメグの三種をあわせたようなかおりがする。ピメント。●**オールナイト**〔all-night〕終夜。徹夜。●**オールバック**〔和製 all back〕かみの毛を分けずに全部うしろへすきあげること。●**オールラウンダー**〔all-rounder〕①多くの競技や技術にひいでた選手。万能選手。②はば広い領域に通用する力をもつ人。▽オールラウンドプレーヤー。●**オールラウンド**《ナダ》〔all-round〕能力が多方面にわたるようす。万能。「ープレーヤー」

**オールディーズ**〔oldies〕むかしはやった〈音楽／映画〉。なつメロ。「一九六〇年代のー」

**オールド**【遺】〔old〕①年をとった。「ーファン」（↕ヤング）②時代おくれの。古くさい。「ーファッション」（↕ニュー）●**オールドタイマー**〔old-timer〕時代おくれの人。●**オールドミス**〔和製 old miss〕〔古風〕結婚しないまま年をとった女性。老嬢。〔明治時代からあることば。一九六〇年代後半に「ハイミス」に取って代わられた。失礼なことば〕

☆☆**オールマイティ（ー）**《名・ナダ》〔almighty〕①どんなこともできる〈こと／人〉。全能。②《トランプ》いちばん強いカード。スペードのエースなど。

**オーロラ**〔aurora〕《天》緯度の高い地方の空に、赤・緑・むらさき色などの光がカーテン状にあらわれる現象。極光。●**オーロラソース**〔↑フ sauce aurore〕マヨネーズ・トマトケチャップなどを合わせたソース。〔本格的には、ホワイトソース・トマトピューレなどを合わせる〕●**オーロラビジョン**〔aurora vision＝商標名〕競技場・ビルのかべなどに設置する大型の映像装置。ビジョン。

**おおわく**「大枠」だいたいのわくぐみ。「予算のー・本の内容はーで正しい」

**おおわざ**「大技」《すもう・柔道など》大胆で、は

でなわざ。「―をふるう」(↕小技)

**おおわざもの**[大業物]〔文〕よく切れる刀。

**おおわらい**[大笑い]《名・自サ》〈大声で/大いに〉笑うこと。

**おおわらわ**[大(△童)]《(ナダ)》力の限り〈努力/奮闘〉するようす。「準備で―になる」 由来 昔の子どもの髪型のように、ざんばら髪になることから。

←**おか**[丘・岡] 周囲より、ゆるやかに もり上がった土地。 区別 ⇩山 一①。

→**おか**[(△陸)] ①陸地。「―が見えた」 ②陸上。「―の勤務」 ③すずりの、墨をする ところ。▽(↕海) ●**おか(陸)に上がったかっぱ(河童)** 句 得意のはたらきができないような状況に置かれた人のたとえ。

*__おかあさん__[お母さん] ①自分の母を、敬意と親しみをこめて呼ぶ ことば。〔家族が子どもの母を、また、母が自分自身をさしても言う。義母のことも言う〕 区別 改まった場で自分の母を人に言うときは、「**お母さん**」は子どもっぽく、「**母**」が礼儀正しい。改まりすぎるのをきらって「**母親**」と言う人もいるが、他人のような呼び方である。(男性は)親しい人の前では「**おふくろ**」とも。 表記 義母は「お：義母さん」とも。 ②〈相手/他人〉の母を尊敬して言うことば。「―は お元気ですか」 ③子どものいる女性をさすことば。「若い―がた」 ④動物の母。「―パンダ」▽かあさん。(お)かあちゃん〔俗〕。〔「(お)かあさま」は、より敬意の高い言い方〕(↕お父さん)

**おかいこ**[お蚕] ①「かいこ」の美化語。 ②〔俗〕絹物。 ●**おかいこぐるみ**[お蚕ぐるみ] 絹物を着て ぜいたくに暮らすこと。

**おかえし**[お返し]《名・他サ》①〈おくりもの/しても らったこと〉に対する お礼。「お見舞いの―・―の おじぎ・―もの」 ②しかえし。 ③おつり。「五十円の―です」

**おかえり**[お帰り] 一「帰り」の尊敬語。 ●**おかえりなさい** 二《感》〔話〕「お帰りなさい」のくだけた言い方。

**おかえりなさい**[お帰りなさい]《感》〔話〕帰ってきた人をむかえる あいさつ。おかえんなさい。おかえり。 丁寧 お帰りなさいませ。 ✔ 返事は「ただいま(帰りました)」。帰り道で近所の人に「お帰りなさい」と言われた場合には、「あっ、こんにちは」などと返してもいい。☞行ってらっしゃい。

**おかか**〔もと女性語〕 かつおぶし。けずりぶし。「―のおにぎり」

**おかかえ**[お抱え] やといぬしが、生活のめんどうをみる形で やとうこと。「―の運転手」

**おかき**[お(欠き)] もち米の粉などを練って軽く焼いた、塩あじの菓子。かきもち。☞あられ③④。

**おがくず**[(△大×鋸×屑)]〔おが＝おおのこぎり〕 のこぎりで ひいたときに出る、木のくず。

**おかぐら**[お神楽] ①「かぐら」の尊敬語・美化語。 ②〔俗〕平家の上に二階を増築すること。

**おかくれ**[お(隠れ)] 天皇・皇后・皇族その他、身分の高い人が死ぬことの尊敬語。「―になった」

*__おかげ__[お(陰)・お(×蔭)] ①ありがたい めぐみ。たすけ。「学問の―をこうむる・優勝できたのはファンの―が大きい・きみの―で助かった」 ②(**―(さま)で**) あなたがたの思いやりによって。ありがたいことには。「―さまで元気です」〔相手が、特に何もしなくても言う〕 ③〔皮肉っぽく〕せい。「おこられたのは、おまえの―だ」

**おかざり**[お飾り] ①神や仏の前の〈かざりつけ/そなえ物〉。 ②〔正月の〕しめかざり。松かざり。 ③体裁をととのえるためだけに必要な、〈実権/役目〉のない人。かざりもの。「議長は―だ・―出演」

**おがさわらりゅう**[小×笠原流] ①作法の一つの流派。起源がいちばん古く、現在広く おこなわれる。 ②行儀作法。

*__おかし・い__《形》①ふつうと変わっていて、笑いたくなる気持ち(にさせるようす)だ。「おかしくて なみだがでる・―ことを言って笑わせる」 ②あたりまえでない。変だ。「様子が―・頭がおかしくなる・―ほど〈＝ふしぎに思うほど〉そっくりだ・いつ事故が起きても おかしくない〈＝ふしぎではない〉・じゅうぶん ありうる〉」 ③いけない。適切でない。「説明がないのは―」 ④あやしい。「そぶりが―」 ⑤食べ物が、悪くなっている。「このサバ―ぞ」 表記 かたく、①は「：可笑しい」、②～⑤は「：可怪しい」とも。 派 -がる。-げ。-さ。

**おかしがた・い**[犯し(難い)]《形》 威厳があって、それをそこなうことが はばかられるような感じだ。「―美しさ・―気品」 派 -さ。

**おかしな**《連体》 おかしい感じがする。「―ことを言う・―やつだな」〔形容動詞とする説もある〕

**おかしみ** 「おかしい①」という感じ。「とぼけた―がある」

☆☆**おかしらつき**[尾頭付き] 尾も あたまもつけたまま料理された さかな。ふつう、お祝い用の焼き魚。おかしら。「―の鯛で当選を祝う」

←**おか・す**[犯す]《他五》①まちがったことをする。規則や道徳に そむいたことをする。「誤りを―・過失を―・罪を―・法を―」 ②強姦する。はずかしめる。「女性を―」 ③⇩侵す①②。

↔**おか・す**[侵す]《他五》①ほかの領分に、むりやり はいりこむ。「国境を―〈＝こえて攻め入る〉・他国に市場を侵される」 ②ほかのものの権利・権威をそこなう。「プライバシーを―・司法の独立を―・人間の尊厳を―」 ③からだを悪くする。「〈病に/胸を〉侵される」 ④物質の性質を変えて悪くする。「歯が酸に侵される」 表記 ①②は「犯す」、③は「冒す」とも。

→**おか・す**[冒す]《他五》①あぶないことを承知の上で やり通す。「危険を―・あらしを冒して進む」 ②〔文〕養子になって、その家の姓を名のる。「安田の姓を―」 ③⇩侵す③。

**おかず**[お(△菜)] 主食に そえて食べるもの。副食。お菜。「お弁当の―」 由来 「お数」の意味で、品数が多くあることから。現在では 一品でも言う。

**おかせられて**《(におかせられて)で格助》〔文〕「おいての、非常に尊敬した言い方。「天皇陛下に―は〈＝陛下は〉」 丁寧 おかせられまして。 表記 かたく「×於かせられて」とも。

**おかた**[お(方)] ①他人を尊敬して呼ぶ言い方。「あの―」 ②〔古風〕身分の高い人の妻を尊敬して呼ぶ言い方。「―さま」 アク 「は」などがつく場合は、**おかせられて**。

**おかた・い**[お堅い]《形》①まじめで、ふざけた感じのないようす。「―銀行に勤めている」 ②きまりを守って、融通のきかないようす。「―ことをおっしゃる」

**おかちめんこ**〔俗〕器量の悪い女。ぶす。〔女性を悪く言うことば〕

**おかって**[お勝手]〔「勝手」の美化語〕 ①台所。「―仕事」 ②勝手口。「―へ回る」

お

**おかっぱ**〔お△河△童〕前がみを下げ、横は耳のあたりでそろえた、女の子の髪の形。「—頭」

**おかっぴき**〔岡っ引き〕江戸時代、同心の手下。聞きこみによる捜査をした。目明かし。手先。御用聞き。

**おかづり**〔△陸△釣り〕①〔舟などに乗らずに〕川岸などの陸地からさかなを釣ること。②〔俗〕女をあさること。

**おかどちがい**〔お門違い〕〔=家をまちがえること〕見当ちがい。「ぼくにたのむなんて—だ」

**おかばしょ**〔岡場所〕江戸時代、幕府に公認されない遊郭。

**おかぶ**〔お株〕得意(のわざ)。●**お株を奪う** 句 その人の得意とすることを、他人がその人以上にやる。

**おかぼ**〔△陸△稲〕〔農〕畑に植えるイネ。りくとう。

**おかぼれ**〔△傍×惚れ・岡×惚れ〕《名・自サ》〔古風〕他人の恋人に対して、横あいから恋心をいだくこと。

**おかま** 一〔お釜〕「釜」の美化語。二〔俗〕男性の同性愛者や、女性的にふるまう男性。〔差別的なことば〕●**おかまを掘る** 句〔俗〕①男色をする。②自動車にうしろから追突する。

**おかまい**〔お構い〕①「かまうこと」の美化語。②もてなし。「なんの—もいたしませんで」●**おかまいなし**〔お構いなし〕状況や人の気持ちを気にしないようす。「周りの空気も—〈に/で〉〔=かまわず〕話し続ける」

**おかみ**〔お上〕〔尊敬語〕①天皇。朝廷。②主君。③政府。官庁。役所。「—の言うこと」〔庶民が多少の皮肉をこめて言う〕

←**おかみ**〔:女将〕〔料亭・旅館などの〕女主人。「—さん」

→**おかみ**〔:内儀〕・〔△御:内儀〕〔古風〕①〔商店などの〕女主人。「八百屋の—(さん)」②〔**—さん**〕他人の妻を呼ぶことば。奥さん。「近所の—さん・親方の—さん」

**おがみうち**〔拝み打ち〕刀を両手ににぎり、おがむような形で真上から切りおろすこと。

**おがみたお・す**〔拝み倒す〕《他五》たのんでむりに承知させる。名拝み倒し。

**おが・む**〔拝む〕《他五》①神仏にいのるために、頭を下げたり手のひらを合わせたりする。②「見る」の謙譲語。「りっぱな絵を拝ませてもらった」③強くたのむ。「このとおり、拝みます」

**おかめ**〔お亀〕①ほおが高くて鼻の低い、ふとった女(の面)。おたふく。②〔↑おかめ〈うどん/そば〉〕麩・かまぼこ・タケノコ・シイタケ・だて巻きなどをのせて、「おかめ①」の面に見たてた〈うどん/そば〉。

**おかめはちもく**〔△傍目八目・岡目八目〕直接関係のない人が見ると、かえってよしあしがよくわかること。由来 囲碁を、わきの見物人の目〔=おか目〕で見ると、八目〔=石が八つ置ける広さ〕ぐらい有利な手が見つかるから。「八手先までわかるから」ではない。

**おかもち**〔岡持ち〕出前の料理を入れ、手にさげて持ち運ぶ〈箱/浅いおけ〉。

**おかやき**〔△傍焼き・岡焼き〕《名・自サ》〔古風〕仲のいい男女に、はたでやきもちをやくこと。「—半分」

**おから** とうふを作ったあとに残るかす。食用。また、家畜のえさにも使う。うのはな。きらず。

**おがら**〔△麻△幹〕皮をむいてほした、アサのくき。盆のむかえ火・送り火でたかれる。

**オカリナ**〔イ ocarina=小さなガチョウ〕〔音〕陶土などで作った笛。たまご形をしていて、八～十個の指あながある。

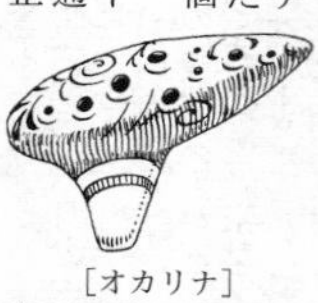

［オカリナ］

☆☆**オカルト**〔occult〕①テレパシーや占星術、死後の世界との通信などの、神秘的な現象。②正体のわからない、おそろしいもの。

**おかれて**《(**におかれて**で)格助》「おいて」の尊敬した言い方。「各位に—は〔=各位は〕」丁寧 おかれまして。表記 かたく「×於かれて」とも。アク「は」などがつく場合は、**おかれて**。

**おかわ**〔△御×厠〕〔古風〕便器。おまる。

**おがわ**〔小川〕はばのせまい川。小さな川。

**おかわり**〔お代わり〕《名・他サ》同じ食器で同じものを、もう一杯〈食べる/飲む〉こと。また、そのときの飲食物。

☆☆**おかん**〔悪寒〕〔熱が出たための〕ぞくぞくするさむけ。

**おかん**〔関西方言〕お母さん。母親。〔呼びかけにも使う〕〔↔おとん〕

**おかん**〔お×燗〕《名・自他サ》「かん(燗)」の美化語。「—番」

**おかんむり**〔お冠〕〔↑かんむりを曲げる〕〔話〕きげんが悪いこと。

**おき**〔沖〕〔海・湖で〕岸から遠くはなれたところ。「—に出る・宮城県—・—魚〔↔磯魚〕」

**おき**〔△隠岐〕旧国名の一つ。今の島根県の隠岐島。隠州。

**おき**〔×燠・×熾〕①赤くおこった炭火。②まきなどが燃え終わって、炭火のようになったもの。「—になる」▽おき火。

**おき**〔置き〕接尾 間をおいてくり返すこと。✎(1)「一日おき」は、「日と日の間に一日ある」ということで、「月曜・水曜・金曜…」のようなならびをさす。一方、「二十四時間おき」は、「時刻と時刻の間に二十四時間ある」ということで、「月曜の七時・火曜の七時…」のようなならびをさす。前者は「日」にはばがあり、後者は「時刻」がある一点をさすために、ちがいがあらわれる。(2)「七日おき」は、「一日おき」と同様に考えれば、「一日・九日・十七日…」のようになりそうだが、実際は、「一点と一点の間に七日ある」ととらえて、「一日・八日・十五日…」、つまり「七日ごと」をさすことが多い。

**おぎ**〔×荻〕大形の野草の名。ススキに似ていて、たけが高く、穂が大きい。

**おきあい**〔沖合〕沖のほう。「—漁業〔↔沿岸漁業・遠洋漁業〕」

**おきあがりこぼし**〔起き上がり(小△法師)〕底におもりをつけて、たおしてもすぐに起きるようにした、だるま(達磨)の人形。不倒翁。

**おきあが・る**〔起き上がる〕《自五》〔横になっていた〕からだを起こす。

**おきあみ**〔沖:醬蝦〕エビに似た形の小さな動物。食用や釣りのまきえに使われる。

**おきいし**〔置き石〕《名・他サ》①庭・池などに装飾

として置く石。②鉄道の線路の上に わざと〈石を置くこと/置いた石〉。「―事故」 ③《碁》弱いほうが、あらかじめ二目以上置く黒石。

**おきか・える**【置き換える】《他下一》①あるもののかわりに、別のものを置く。「英語を日本語に―・相手の立場に自分を―」②置く位置をかえる。「手を―」 名置き換え。自置き換わる《五》。

**おきがけ**【起き(掛け)】 寝床から起きたばかりのこと。起きぬけ。起きしな。

**おきがさ**【置き傘】 雨が降っても困らないように、つとめ先などに置いてある かさ。

**おきぐすり**【置き薬】 使った分の代金をあとでもらう約束で、行商人が置いていく、家庭用の薬。配置薬。

**おきご**【置き碁】《碁》うでまえに差があるとき、はじめに二目以上の石を置いて打つ碁。

**おきごたつ**【置き(×炬×燵)】 たたみやゆかの上に置いてあたたまる こたつ。(↔切りごたつ・掘りごたつ)

**おきざり**【置き去り】 ①あとに残したまま行ってしまうこと。「犬を―にする」 ②重要でないものとみなして、放置すること。「安全性が―になる」 動置き去る《自五》。

**オキシダント**〔oxidant〕《理》酸化性物質。特に、排気ガスなどが強い日光に当たったときに出る光化学オキシダント。目やのどを刺激し、光化学スモッグの原因となる。

**オキシドール**〔Oxydol〕《理》約三パーセントの過酸化水素水。消毒・漂白などに使う。

**オキシトシン**〔oxytocin〕《生》脳から出るホルモン。出産時に子宮を収縮させ、授乳時に母乳の分泌をうながす。痛みや不安をしずめる はたらきもある。

**おきすき**【沖(×鋤)】 ⇩うおすき。

**おきつ**【沖つ】《連体》〔雅〕沖の。「―岩・―波」

**おきっぱなし**【置きっ(放し)】 そこに置いて、そのまま〈にする/忘れる〉こと。おきっぱ〔俗〕。「自転車を道路に―にする」 動置きっぱなす《他五》。

**おきづり**【沖釣り】 船で沖に出てする釣り。

**おきて**【(×掟)】 ①守らなければ罰を受けるような、さだめ。「村の―・国の―〔=法律〕」 ②しくみ。摂理。「弱肉強食という自然の―」 ●**おきてやぶり**【(×掟)破り】 ①〈おきて/ルール〉を破ること。「業界の―」〔一九八〇年代、プロレスで相手の得意技を使うことを指して、特に広まった〕 ②常識を破ること。型破り。「―のストーリー」

**おきてがみ**【置き手紙】《名・自サ》 用件を書いて、その場に残しておく手紙。

**おきどけい**【置き時計】 机などに のせておいて使う時計。(↔掛け時計)

**おきどころ**【置き所・置き▵処】 置くべき所。「―に困る・身の―がない〔⇩「身」の句〕」

**おきな**【▵翁】 ①〔雅〕年寄りの男。老人。(↔おうな) ②老人の能面。 ③儀式的な能の もよおしのさい、番組に先立って演じる、めでたい曲。

**おぎな・う**【補う】《他五》 欠けたところ・不足な部分などに たして、ちょうどよくする。「パートの収入で家計を―」 名補い。

**おきなお・る**【起き直る】《自五》〔ねている人が〕起き上がって、すわる。「床の上に―」

**おきなかし**【沖仲仕】 「港湾労働者」の古い呼び名。

**おきに**【お気に・オキニ】〔俗〕↑お気に入り①。「―のワンピース」

**おきにい・く**【置きに行く】《自五》〔俗〕①《野球》投手がストライクを取ろうとして、ゆるやかに投げる。②失敗のない無難な方法をとる。

**おきにいり**【お気に入り】 ①好みに合うこと。好ましく思うこと。また、その物や人。お気に〔俗〕。「―の店・母の―」 ②⇩ブックマーク。

**おきぬけ**【起き抜け】 起きてすぐ(の状態)。「―に散歩する」

**おきのどくさま**【お気の毒(様)】《感》 ①〔話〕気の毒な人にかけることば。「本当に―なことでございます」 ②〔俗〕〔からかって〕残念でした。「私の勝ちです、―」

**おきば**【置き場】 置くべき場所。置き場所。「ごみ―」

**おきはい**【置き配】 宅配の荷物を、玄関前など受取人の指定した場所に置くこと。

**おきび**【(×燠)火・(×熾)火】 ⇩おき(燠)。

**おきびき**【置き引き】《名・自サ》〔待合室などに〕置いてある他人の荷物をぬすんで行く〈こと/者〉。

**おきふし**【起き伏し・起き×臥し】 ■一《名・自サ》 ①起きることと ねること。起伏。起臥。 ②ふだんの生活。 ■二《副》 ねても さめても。いつも。

**おきべん**【置き勉】〔↑置き(っぱなしの)勉強道具〕〔学〕教科書などを教室に置いて下校すること。

**おきまり**【お決まり】 ■一 〔やり方や内容などが〕いつも決まっていること。「―の あいさつ〔やや皮肉な言い方〕」 ■二 おきまり 〔すし店で〕あらかじめ組み合わせの定められた、特上・上・並・松・竹・梅などのセットメニュー。☞お好み③。

**おきみやげ**【置き土産】《名・他サ》 あとに残していくもの。「前政権の―となった政策」

**おきもの**【置物】 ①床の間などに置く かざり物。②名前だけで実際は何もしない人。 ③線路・通路に、わざと置く物。

**おきや**【置屋】 ①芸者をかかえておく家。芸妓屋。 ②遊女をかかえておく家。

**おぎゃあ**《副》 赤ちゃん(が うまれてくるとき)の泣き声。「――(と)泣く」

**おきゃく**【お客】 ①「客」の美化語・尊敬語。「―(さん)を招く・―さんあつかい〔=特別あつかい。部外者あつかい〕」 ②人をまねくこと。「すてきな お宅に―に呼ばれる・家で―をする」 ③利用しやすい相手。カモ。「いい―(さん)になっている」 ④〔高知方言〕宴会。 ●**おきゃくさま**【お客(様)】 「客」の尊敬語。〔店や会社、乗り物などで、客を呼ぶ、ごくふつうの言い方。呼びかけにも、第三者に対しても使う〕「―カウンター」

**おきゃん**【お(×俠)】《名・ナダ》〔古風〕〔女性が〕元気で活発なようす。また、その人。

**おきゅう**【お(×灸)】 「きゅう」の美化語。 ●**おきゅうを据える** 句 ①おきゅうによる治療をする。 ②いましめる。罰を加える。「いたずらっ子に―」

**おきょう**【お経】 ①「経」の美化語。〔日常語として ふつうに使う〕「―をとなえる・―が聞こえる」 ②〔俗〕長くて、意味のわかりにくい〈ことば/話〉。「〔国会で〕―を読む〔=法案の提案理由を説明する〕」

**おぎょう**［△御形］ ⇩ははこぐさ（母子草）。〔春の七草に使うときの名〕

**おきらく**［お気楽］《ナダ》①「気楽①」の尊敬語・美化語。「どうぞ一に」②〔多く、けなして〕のんきなようす。深刻に考えないようす。「一な性格・一な発言」

**おぎり**［お義理］つきあいで、しかたなくすること。「一で拍手をする」●**お義理にも** 句 たとえ義理であっても。お世辞にも。義理にも。「一賛成できない」

**お・きる［起きる］《自上一》①立ち上がる。「転んでもただでは起きない男」（↕転ぶ・たおれる）②〔目をさまして〕寝床から出る。「早く起きろ」（↕寝る）③目がさめる。「しっ、赤んぼうが一ぞ・ひと晩じゅう起きていた〔=ねむらないでいた〕」（↕ねむる）④生じる。起こる。「事故が一」可能 起きられる。起きれる〔俗〕。

**お・きる**［×熾きる］《自上一》お〔熾〕こる。「まっかにおきた炭を火鉢に入れる」

**おきわす・れる**［置き忘れる］《他下一》①うっかりして、置いたままにする。「電車にかさを一」②本来あるべきものをなくす。「当初の目的を一」名 置き忘れ。

**おく［奥］①内がわへかなりはいったところ。「トンネルの一・胸の一にしまっておく・右一」②〔家の中で〕表の入り口から遠いところ。「客を一へ通す」③交通の便利な場所からはなれていること。「一日光」（↕口）④〔古風〕〔身分のある人が〕妻を〈呼ぶ／さす〉ことば。✓漢字「奥」は、音が「オウ」、訓が「おく」だが、昔から「奥義」を「おくぎ」とも読むなど、「おく」は慣用音ともあつかわれる。●**奥が深い** 句 しろうとには分からない〈おもしろさ／味わい〉があるようすだ。奥深い。「陶芸の世界は一」

**おく［億］数の単位。万の一万倍。〔数えるときは「一億」と言う〕「四一人」

←**お・く**［△措く］《他五》〔文〕①やめる。「感嘆一あたわず〔=称賛しないわけにはいかない〕」②とちゅうにする。そのままにする。「何をおいても かけつける・その議論は しばらく一・巻を一あたわず〔⇩「一読②」の用例〕」③〔…をおいて〕…を除いて。ほかに。「彼をおいて適任者は いない」④〔信頼〈を〉〕寄せる。「信を一〔=信用する〕」

→**お・く 一［置く］《他五》①持っていたものを、机・地面などの上に移す。のせる。すえる。「コップを一・マイクのスタンドを一」②場所を占めるようにする。「鏡台の置いてある部屋・業界に身を一」③〔その位置に〕定める。「胸に手を一・語尾にアクセントを一・重点を一・この数式を$t$と一〔=設定する〕」④〔人をそこに〕いさせる。「下宿人を一・るす番を一」⑤〔店で〕商品としてあつかう。売る。「日用品を置いている店」⑥〔制度・役職などを〕設ける。「仙台に支社を一・幹事を一」⑦〔その状態に〕とどめる。「隣国を支配下に一・子どもを危険な状態に一」⑧あとに残す。「学校に教科書を置いて来た・私を置いて行かないで」⑨あいだをへだてる。「距離を一・一日置いて」⑩〔×擱く〕作業をやめて、手をはなす。「筆を一〔⇩「筆」の句〕」⑪預ける。「質に一」⑫数える。「算木を一」二《自五》〔雅〕〔露や霜が〕おりる。三《補動五》〔て一〕①…しただけで、そのままにする。「聞いて一」②用意のためにそのことをする。「書いて一」可能 置ける。

**おくがい**［屋外］〔家〕建物のそと。（↕屋内）

**おくがき**［奥書］《名・自サ》①〔古い〕書物の終わりに、作者や日付などを書いたもの。②あとがき。

**おくがた**［奥方］〔古風〕身分の高い人の妻。

**おくぎ**［奥義］⇩おうぎ〔奥義〕

**おくざしき**［奥座敷］①〔大きな家の〕入り口から遠いところにある座敷。②その都会の人が通常利用する、保養観光地。「東京の一熱海」

**おくさま**［奥様］他人の妻や主婦を尊敬して呼ぶ言い方。（↕旦那様・ご主人様）✓⇩配偶者。由来 武家や商家で、家族や使用人が住む「奥」の責任者である妻の意味から。

**おくさん**［奥さん］①「おくさま」より敬意の軽いことば。「すてきな一・一、きょうはサンマが安いよ」②〔俗〕自分の妻。かみさん。「久しぶりに一と出かけました」（↕旦那さん）✓⇩配偶者。▽

☆☆**おぐし**［△御△髪］〔文〕「かみの毛」の尊敬語。「一が乱れています・一上げ〔=髪をゆうこと〕」

**おくしゃ**［屋舎］〔文〕たてもの。

**おくじょう**［屋上］①屋根の上。②〔ビルなどの〕建物の上に作った、人の出られる平らな所。●**屋上屋を架す** 句 余計なことを重ねてする。

**おくション**［億ション］〔俗〕一億円以上の高価な分譲マンション。

**おく・す**［臆す］《自五》⇩臆する。「何事にも臆さない」

**おくすりてちょう**［お〈薬〉手帳］薬局で出してもらった薬を記録する手帳。

☆☆**おく・する**［臆する］《自サ》気おくれする。おどおどする。「一色もなく」

**おくせつ**［臆説・憶説］〔頭で考えただけで〕根拠のない意見。

☆☆**おくそく**［臆測・憶測］《名・他サ》はっきりした手がかりもない、いいかげんな推測。「単なる一・一でものを言う」

**おくそこ**［奥底］おく深い所。「心の一」

☆☆**オクターブ**〔フ octave〕《音》①ある音から、半音で数えて、十二音だけへだたった音。「一音」②半音で十二音ぶんの、音のはば。「〔一〕一高い」③〔俗〕音程。「一が高い」他 オクターブを上げる。●**オクターブが上がる** 句 話し方が熱っぽくなる。

**おくだん**［臆断・憶断］《名・他サ》〔文〕頭で考えただけで、根拠のない判断。「一を許さない」

**オクタンか**［オクタン価］〔octane〕運転するとき、ガソリンのノッキングが起こらない程度をあらわす数字。数字が大きいほど いい。☞ハイオク。

**おくち**［奥地］人里から遠ざかった、山奥・密林の奥などの地域。

**おくちょう**［億兆］〔文〕①とても多い数。②多くの人民。万民。「一心を一つにして」

**おくちよごし**［お口汚し］相手に食べ物をすすめるときの謙譲語。「ほんの一ですが」

**おくつき**［奥△津△城］〔雅〕墓場。墓。「父母の一」

**おくづけ**［奥付］書物の終わりにある、著者や発行者・発行年月日などを印刷した部分。

←**おくて**［奥手］一奥のほう。「土間の一」二《名・ナダ》〔=晩生から〕恋愛などの ものごとを経験する時期が、他人よりおそい〈ようす／人〉。「一な娘・デビューの時期が一だった作家」

**おくて**[(:晩生)・奥手]《農》いちばんおそく とれる、くだものや野菜。(↔なかて《中生》・わせ《早生》)

**おくて**[(:晩稲)・奥手]《農》いちばんおそく みのるイネ。(↔なかて《中稲》・わせ《早稲》)

**おくでん**[奥伝]免許のうち、皆伝の前に受ける伝授。奥許し。☞初伝・中伝。

**おくない**[屋内]〈家/建物〉のなか。「一競技」(↔屋外)

**おくに**[お国]①もと、諸侯の領地。②郷里。故郷。「一自慢・〔尊敬して〕一はどちらですか」③その土地。地方。「一名物」④〔外国人に向かって〕「相手の国」の尊敬語。●**おくにいり**[お国入り]《名・自サ》①参勤交代で江戸へ出た領主が、自分の領地に帰ること。②国会議員が自分の選挙区へ帰ること。●**おくにことば**[お国〔言葉〕]〈その地方/郷里〉のことば。方言。おくになまり。●**おくにぶり**[お国〔振り〕]その〈国/地方〉の風俗・習慣。

**おくのいん**[奥の院]①本堂より おくにあり、みたま(をかたどった像)をまつってある堂。「高野山一」②〔俗〕おくにある、だいじな(見えない)場所。「オーナーが一で決定する」

**おくのて**[奥の手]①奥義。②〈とっておき/最後〉の手段。「一を使う」

**おくば**[奥歯]口の おくのほうにある歯。臼歯。(↔前歯)●**奥歯に物の挟まった言い方**㊖思っていることをはっきり言わないで、何か かくしているような言い方。

**おくび**[(:噯気)]〔文〕⇩げっぷ。「一が出るほど〔⇩「げっぷ」の㊖〕」●**おくびにも出さない**㊖かたく口をとじて、言わないようにする。そぶりも見せないようにする。

**おくびょう**[臆病]《名・ナダ》こわがらなくてもいいことをこわがる〈ようす/性質〉。小心。「一者」㊣-さ。●**おくびょうかぜ**[臆病風]おじけづく。臆病風に吹かれる。●**臆病風を吹かす**㊖

**おくぶか・い**[奥深い]《形》①〈表/入り口〉から遠い。②〔意味が〕深い。奥が深い。「書の一魅力」▽おくふかい。㊣-さ。㊔奥深く。「心の一にある」

**おくぶたえ**[奥二重]二重の幅が狭く一重まぶたに見えるまぶた(であること)。おくふたえ。

**おくま・る**[奥まる]《自五》おく深くなる。入り口から遠いところにある。「森の奥まった所に」

**おくまん**[億万]数が非常に多いこと。億。「一長者・何一年」

**おくみ**[(×衽)]《服》和服で、前えりと前身ごろの間をつなぐ、上下に細長い布。上部(=おくみ先)は、前えりと前身ごろに はさまれて、∧の形をしている。「一下がり(=肩から おくみ先までの間)」

**おくむき**[奥向き](上流家庭の)家事に関すること。

**おくめ**[奥目]顔の彫りが深く、目がくぼんでいる〈人/こと〉。

**おくめん**[臆面]気おくれしたようす。「一もなく(=ずうずうしく)」

**おくやま**[奥山]人里をはなれた、深い山。深山。(↔里山)

**おくやみ**[お悔やみ]①人の死をおしみ、関係の深い人をなぐさめる〈こと/ことば〉。「ご遺族に一を申し上げる・一にうかがう」✓「このたびはご愁傷さまでございます。お力を落とされませんように」などの言い方があるが、実際には、「このたびは、どうも…」のように、はっきり言わなくても、気持ちが伝わればいい。②香典。

**おくゆかし・い**[奥(:床しい)]《形》〔心づかいや態度が〕上品で深みがあり、つつしみぶかい。㊣-がる。-げ。-さ。

**おくゆき**[奥行き]①〔家や地面などの〕表から おくまでの長さ。②知識・考え方などの おくぶかさ。「一のある考察」▽(↔間口)

**おくら**[お蔵・お倉]〔俗〕〔できあがった番組や作品などを〕世の中に出さないでおくこと。計画を中止すること。●**お蔵になる**㊖〔できあがった番組や作品などが〕発表されないままになる。計画が中止になる。㊀お蔵にする。●**おくらいり**[お蔵入り]《名・自サ》①芝居や映画の上演・上映が中止されること。②実行するはずの計画が、中止になること。

**オクラ**[okra]西洋野菜の名。若いたねは ぬるぬるしている。スープ・おひたしなどに使う。「一の煮びたし・一のカレー」

**おぐら**[小倉]①↑小倉あん。「一トースト」②↑小倉汁粉。あずきあんで作った汁粉。●**おぐらあん**[小倉(×餡)]蜜につけたあずきの つぶをまぜた、あずきあん。おぐら。●**おぐらひゃくにんいっしゅ**[小倉百人一首]天智天皇から順徳天皇までの百人の歌人の歌を一首ずつ えらんだもの。カルタ取りに使う。百人一首。

**おぐら・い**[小暗い]《形》〔文〕うすぐらい。㊣-さ。

**おくら・せる**[遅らせる・後らせる]《他下一》おくれるようにする。おくれさせる。おくらす。「仕事を一」

**おくり**[送り]①(見)送ること。②届けること。「一先」③↑送り状。●**おくりおおかみ**[送り(×狼)]①人の あとからついてきて、すきをみて おそいかかろうとするオオカミ。②〔女性に〕送ってやると言って ついてきて、とちゅうで悪いことをしようとする男。●**おくりかえ・す**[送り返す]《他五》送られた物を送り主のところに再び送る。●**おくりがな**[送り仮名]漢字の読み方を明らかにするための かな。漢字のあとにそえて、その「ろ」。例、「後ろ」の「ろ」。●**おくりこ・む**[送り込む]《他五》①送って、中へ入れる。「ふところに風を一・犯罪者を刑務所に一」②送って、うまく届かせる。「現地に物資を一」③役目をあたえて、先方に差し向ける。「役員を一・敵方から送り込まれたスパイ」㊔送り込み。●**おくりじょう**[送り状]荷送り人から荷受け人に送る、荷物の内容や値段を書いたもの。仕切り状。おくり。●**おくりだし**[送り出し]①送り出すこと。②《すもう》送り出して負かす わざ。●**おくりだ・す**[送り出す]《他五》①〈出かける/卒業する〉人を、送る。②〈相手/向こう〉へ届くように、物を送る。③《すもう》相手をうしろからおして土俵の外に出す。●**おくりつ・ける**[送り(付ける)]《他下一》相手の気持ちなど考えず、一方的に送り届ける。●**おくりて**[送り手]①送る人。②〔放送・通信などの情報を〕出す人。▽(↔受け手)●**おくりとど・ける**[送り届ける]《他下一》〈付きそって/送って〉、目的地へ着くようにする。おくる。「タクシーで一」●**おくりバント**[送りバント]〔bunt〕《野球》おもに一塁のランナーを二塁へ進ませるためのバント。犠牲バント。☞セーフティーバント。●**おくりび**［送り火］お盆の終わりの宵〔今は、多く八月十六日〕に、祖先のたましいを送るために門前などでたく火。「京都の大文字の―」(↕迎え火) ●**おくりぼん**［送り盆］お盆の終わりの日。むかえた祖先のたましいを送る。(↕迎え盆) ●**おくりむかえ**［送り迎え］《名・他サ》〈出かける/帰る〉のを送って行ったり、〈帰ってくる/来る〉のをむかえに行ったりすること。「幼稚園の―」動送り迎える《他下一》。

**おくりな**［贈り名・×諡］〔身分の高い人に対して〕死後、業績をたたえて おくった呼び名。諡号。

**おくりもの**［贈り物］人に おくる品物。進物。プレゼント。

←**おく・る［送る］《他五》①〔ある経路をたどって〕ちがった場所に〈移す/届かせる〉。「はがきを―・マツタケを―・悪いやつを地獄に―」②〔ある所まで〕その人に付きそう。「駅まで送っていく・車で―」③出発する人を、見送る。「友を―」(↕迎える) ④過ごす。「日を―・余生を―」⑤あたえる。「拍手を―・声援を―」⑥〔送りがなを〕つける。「活用語尾を―」⑦順に、移す。「ひざを―・次のページへ―」⑧《すもう》うしろからおす。⑨死をみとる。「母を―」可能送れる。

→**おく・る**［贈る］《他五》①記念・感謝・お祝い・不幸など、改まったときに、お金や品物をわたす。あげる。「記念品を―・詩を―」②〔死んだ人に〕官位や呼び名をさしあげる。「勲章を―」可能贈れる。

**おくるみ**［お△包み］寒さを防ぐために、赤ちゃんの服の上から包むもの。

←**おくれ**［後れ］進歩・発展がおそいこと。「開発の―をとりもどす」●**後れを取る**句 競争相手に負ける。

●**おくれげ**［後れ毛］〔女性の〕髪をたばねたりゆったりしたときに残った毛。あそびげ。

→**おくれ**［遅れ］①決まった時刻・期限に まにあわないこと。「バスの―が目立つ」②進み方が標準よりおそいこと。「五分の―」●**おくれおくれ**［遅れ遅れ］遅れがだんだん ひどくなること。玉突き式に遅れること。「会報が―になる」●**おくればせ**［遅れ(×馳せ)］①［後れ(×馳せ)］人におくれて かけつけること。②おくれて、時機をのがしていること。「―ながらお知らせします」

←**おく・れる**［後れる］《自下一》①とり残される。後ろに位置する。「流行に―・先頭ランナーから―こと二分三〇秒」②死んだ人のあとに残る。死におくれる。「妻に―」

→**おく・れる**［遅れる］《自下一》①決まった時刻・期限にまにあわなくなる。「会合に―」②進み方が標準よりおそい状態になる。「時計が五分―・発達が―」(↕進む)

**おけ**［(×桶)］水などを入れる、木で作った、側面が円筒形の入れ物。「手―・すし―」

**オケ**《音》↑オーケストラ。「学生―」

**おけら**［(:螻蛄)］①⇩けら。②〔俗〕一文なし。

**お・ける**［置ける］《自下一》①〔気持ちの上で〕自然と、相手と距離を置いた状態になる。「気が―〔=気づまりだ〕」②「置く」の可能形。

**おける《における で格助》①…にある。…での。…の場合の。「日本に―人口問題」丁寧おきます(る)。②…に対する(関係)。「読書の精神に―は、食物の肉体に―がごとし」表記かたく「×於ける」とも。

**おげれつ**［お下劣］《ナダ》〔俗〕いやらしく品がなくて ふざけているようす。「―な下ネタ」派―さ。

**おこう**［お香］⇩こう(香)。「―をた(焚)く」

**おこうこ**〔↑御香々〕〔古風〕こうのもの。こうこ(う)。おこうこう。

☆☆**おこうりょう**［(△御)香料］《仏》お香典。

☆☆**おこえがかり**［お声(掛かり)］①目上の人からの〈紹介/言いつけ〉。「理事長の―で採用・社長の―で始めた事業」②〔そば店で〕客から合図がかかるのを待って、持っていく〈こと/料理〉。「―でざる一枚」

☆☆**おこがまし・い**《形》出すぎている。身のほど知らずだ。「―言い方ですが…」由来「ばか」の意味の「おこ(痴・烏滸)」に、接尾語「がましい」がついたもの。☞尾籠。表記「△痴がましい」「:烏滸がましい」とも書いた。派―げ。―さ。

**おこげ**［お焦げ］①釜の底にこげついためし。また、こげ目のついた、こうばしい ごはん。②〔中国料理で〕〔釜の底に残った〕めしを乾燥させて油で揚げたもの。

**おこさま**［お子(様)］①〈他人/相手〉の子どもを尊敬して呼ぶ言い方。〔「おこさん」は、親しみをこめた言い方〕「―ランチ」②〔俗〕子どもっぽい人。「キスも知らないなんて―だね」▽〔ふざけて〕お子ちゃま。

**おこし**［(:粔籹)］煎ったアワ(粟)・米などを、あめでかためて乾燥させた菓子。

**おこし**［お越し］「行くこと・来ること」の尊敬語。「おいで」よりも尊敬の気持ちが強い。「またの―をお待ちしております」

**おこし**［お腰］〔女〕こしまき。

**おこしいれ**［お(×輿)入れ］《名・自サ》〔=嫁のこし(輿)を婿の家に かつぎ入れること〕〔古風〕嫁入り。

**おこじょ** イタチの なかま。冬は尾の先を残して全身真っ白になり、夏は背中がわだけ茶色になる。ネズミや鳥を食べる。えぞいたち。やまいたち。

←**おこ・す［起こす］《他五》①横になっているものを立てた状態にする。「たおれた木を―・上体を―」(↕寝かせる・たおす) ②目をさまさせる。(↕寝かせる) ③新しく始める。「事業を―・伝票を―」④発生させる。生じさせる。「事件を―・腹痛を―」⑤土をほり返す。「畑を―」⑥〔録音した音声などを〕字で書く。文字化する。⑦《写真》〔ネガを〕プリントにする。名起こし。「速記の文字―」可能起こせる。

→**おこ・す**［興す］《他五》新しく始めて、さかんにする。「国を―・産業を―・会社を―〔『起こす』とも〕」可能興せる。

**おこ・す**［(×熾す)］《他五》①炭や まきに火がついた状態にする。「火を―」②炭火の勢いを強くする。

**おこぜ**［(×鰧)・(:虎魚)］海にすむ さかなの名。ひれに針があり、さわると痛い。食用。

**おごそか**［厳か］《ナダ》けだかく、近寄りがたいほどの重々しさ〈がある/を感じて緊張する〉ようす。「―な儀式・―な気持ちで おまいりする」派―さ。

**おこそずきん**［(△御△高祖)頭巾］〔昔、女の人が外出するとき、防寒のために使った〕目のほかは全部かくれるずきん。

［おこそずきん］

おこた〔女〕こたつ。

おこたち［お子〈△達〉］〔古風〕子どもさんたち。

おこた・る［怠る］《他五》①なまける。「学業を―」②いいかげんにする。ゆだんする。「注意を―」名怠り。

おこつ［お骨］「遺骨」の尊敬語・美化語。「―を拾う・―箱(ばこ)」

おことば［お〈言葉〉］「ことば」の尊敬語。「天皇陛下の―・―を返すようで恐縮(きょうしゅく)ですが［略して『―です』とも］」●おことばに甘(あま)える 句 自分を思ってくれる、先方の好意あることばに従う。

おこな［お粉］けしょうの仕上げに使うパウダー。フェイスパウダー。「―をはたく」

おこない［行い］①すること。ふるまい。「日ごろの―が悪いからだ」②〔道徳の決まりに外れないように〕行動すること。品行。「―をつつしむ」③仏道の修行。●おこないすま・す［行い澄ます］《自五》①よくいましめを守って、仏道の修行(しゅぎょう)にはげむ。②おこないをつつしむ(ようすをする)。

**おこな・う［行う］《他五》〔決められた順序・計画などにしたがって〕ものごとをする。「調査を―・儀式(ぎしき)を―」可能 行える。

おこなわ・れる［行われる］《自下一》①正式に実行される。「命令が―」②広く使われる。ひろまる。「世に―」

おこのみ［お好み］①「好むこと」の尊敬語。②〔料理で〕その人の好み。「―でネギをのせてもいい」③〔すし店で〕ねたを一つ一つ注文すること。「店の実力は―でわかる」☞お決まり二。④↑お好み焼き。●おこのみやき［お好み焼き］といた小麦粉と野菜・肉など好みの具を鉄板で焼き、平たくまるい形にした料理。とろみのあるソースなどをかけて食べる。お好み。〔大阪などでは小麦粉と具をまぜてから焼き、広島ではうすい生地(きじ)の上に具を次々に重ねるように焼く〕

おごのり［〈:海髪海苔〉］赤やむらさき色の海藻(かいそう)。熱湯に入れると緑色になる。さしみのつまや寒天の原料に使う。うご。おご。〔とってそのまま生で食べてはいけない〕

おこぼれ［お〈△零れ〉］①あまりもの。②〔他人の得た利益のあまり。「―にあずかる」

おこも［〈△御△薦〉］〔古風〕こじき。☞こもかぶり②。

おこもり［お籠もり］①祈願(きがん)のために神社や寺にこもること。②自分の〈家/部屋〉に閉じこもって外に出ないこと。

おこり［起こり］ものごとの始まり。発端(ほったん)。「事の―・地名の―」

おこり［〈×瘧〉］〔医〕「間欠熱」の古い呼び名。

おごり［〈×奢り〉］①おご(奢)ること。ぜいたく。②人にごちそうすること。「きょうは、ぼくの―だよ」

おこりじょうご［怒り上戸］①酒を飲んで酔(よ)うと、おこる性質(の人)。②すぐおこる人。

おこりっぽ・い［怒りっぽい］《形》すぐおこる性質だ。派―さ。

おこりんぼう［怒りん坊］すぐおこる人。おこりやすい人。おこりんぼ。

**おこ・る［起こる］《自五》①ものごとがあらわれる。起きる。「戦争が―・議論が―・笑いが―」②ある感情が生じる。「疑いが―・ほとけごころが―」

おこ・る［興る］《自五》勢いがさかんになる。「国が―・商業が―」

おこ・る［〈×熾こる〉］《自五》①炭に火がつく。②炭火の勢いがさかんになる。

*おこ・る［怒る］《自他五》①不愉快(ふゆかい)なことをされて、頭に血がのぼ(って、どなったりす)る。腹を立てる。「まっかになって―・待たされたことを―」②感情的にしかる。「先生に怒られた」✓「先生がぼくを怒る」のように「…を怒る」の形は戦前からあるが、抵抗(ていこう)を感じる人もいる。「先生がぼくのことを怒る」のほうが抵抗感が弱まる。「先生がぼくに怒る」の形もある。区別 ⇩いかる(怒る)・しか(叱)る。可能 怒れる。
☆☆おご・る［〈×驕る〉・〈△傲る〉］《自五》自分のえらさを鼻にかける。いい気になって、勝手なふるまいをする。「―平家は久しからず」名おごり。
おご・る［〈×奢る〉］一《他五》〔自分のお金で〕ほかの人にごちそうする。二《自五》度をこした〈生活/ぜいたく〉をする。「口が―〔=ぜいたくなものを食べなれる〕」

おこわ［〈△御△強〉］①もち米をむしためし。こわめし。「山菜―・五目―・くり(栗)―」②赤飯(せきはん)。

おさ［〈△長〉］かしら。ちょう。「村の―」

おさ［〈×筬〉］機(はた)織り機の一部。細い縦の格子(こうし)がびっしりならんだ、横長のわく。すべての格子の間に縦糸を一本ずつ通してから織っていく。

おざ［お座］①「座席」の美化語。②その場のようす。●お座がさめる 句 一座の興がうすらぐ。

おさい［お菜］「菜」の美化語。おかず。

おさえ［抑え］①抑えること。「一時の―」②人をしたがわせる力。「―をきかす」③〔野球〕相手に点を取らせないこと。また、そのために最後に登板する投手。☞先発③・中継ぎ②。●おさえこ・む［抑え込む］《他五》ある範囲(はんい)の中に、抑える。

おさえ［押さえ］①押さえる〈こと/もの〉。②軍隊の行列のいちばんうしろ(の人)。しんがり。●おさえこ・む［押さえ込む］《他五》①ある範囲(はんい)を出ないように押さえる。②〔柔道〕相手を押さえつけて動けなくさせる。名押さえ込み。●おさえつ・ける［押さえ付ける］《他下一》押さえて〈動けない/自由にさせない〉ようにする。名押さえつけ。

おさ・える［抑える］《他下一》①〔上のほうに向く〕勢いをとめる。くいとめる。「物価の上昇(じょうしょう)を―・病気の悪化を―」②〔感情の動きを〕こらえる。がまんする。「怒(いか)りを―・なみだを―」③おしとめる。「要求を―」④圧倒(あっとう)する。したがわせる。「競争相手を―」⑤〔野球など〕相手に〔それ以上〕点を取らせないようにする。「相手打線を二点に―」可能 抑えられる。

*おさ・える［押さえる］《他下一》①〔上から〕力を加えて、動かないようにする。「紙の端(はし)を―・目頭(めがしら)を―〔⇩「目頭」の句〕」②かぶせてふさぐ。「ガーゼで傷口を―・耳を―」③とらえる。つかむ。にぎる。「証拠(しょうこ)を―・要点を―」④相手が自由にできない状態にする。「財産を〔差し〕―」⑤予約する。「会場を―・スケジュールを―」可能 押さえられる。

おさおさ〈副〉〔後ろに否定が来る〕〔文〕〔一見そのように見えるが〕なかなかどうして。ほとんど。「―おとらない・用意―〔=まったく〕おこたりない」

おさがり［お下がり］①〈目上/年上〉の人からもらっ

た、使い古しの物。「—の服」②神仏にそなえたものを取り下げたもの。③客に出したごちそうの残り。

**おさかん**【お盛ん】〔少しからかって〕活動がさかんであること。「いやあ、—ですなあ」

**おさき**【お先】㊀「先」の美化語。「どうぞ—に」㊁《感》〔話／俗〕↑お先に失礼します。「じゃあ—！・—です・〔もと東北方言で〕—します」●**お先真っ暗** 句 先の見通しがぜんぜん立たない。●**おさきばしり**【お先走り】〈軽はずみに／出しゃばって〉ほかの人より先に何かをする〈こと／人〉。お先っ走り。●**おさきぼう**【お先棒】⇒さきぼう。●**お先棒を担ぐ** 句 自分の考えがなく、人の手先として働く。

**おさげ**【お下げ】①少女の髪型。後ろ髪を左右で三つ編みにして、肩のあたりにたらす。〔最近は、二つ結びも指す〕②女の帯の結び方。両はしをたれ下げる。おさげ結び。

**おざしき**【お座敷】①「ざしき」の美化語。②〔芸者・芸人が呼ばれる〕宴席。●**お座敷がかかる** 句 ①芸者・芸人が客に呼ばれる。②〔俗〕〔出演者・講師として〕招かれる。

**おさだまり**【お定まり】いつも決まっていること。〔やや皮肉な言い方〕「—の長話」

**おさつ**〔さつ↑さつま〔薩摩〕芋〕〔古風・女〕さつまいも。

**おさと**【お里】①妻の実家をていねいに言ったことば。さと。「—帰り」②〔かくしておきたい〕生まれや育ち。●**お里が知れる** 句 ふるまいなどでその人の育ちの悪さがわかる。〔礼儀がなっていないことを非難して言う〕

**おさな**【幼】をさな ㊀おさな〔雅〕おさなご。「—ら」㊁造〔「おさない」の語幹〕①おさない〈こと／とき〉。「—すがた」②おさない子ども。「—遊び」●**おさながお**【幼顔】おさないときの顔つき。●**おさなご**【幼子・幼△児】おさない子ども。●**おさなごころ**【幼心】子ども心。●**おさなづま**【幼妻】①年が若く、子どもっぽい感じの妻。②未成年の妻。●**おさなともだち**【幼友〈達〉】おさないころからの友だち。おさななじみ。「—に久しぶりに再会した」●**おさななじみ**【幼〈:馴染み〉】子どものころ親しくしていて、今もつきあいのある〈間がら／人〉。

**おさな・い**【幼い】をさない《形》①〔子どもで〕年が少ない。②子どもじみている。幼稚だ。「考え方が—」派 -げ。-さ。

☆☆**おざなり**【お〈座〉なり】《名・ナダ》その場の間に合わせ〔にするようす〕。いいかげん。「—な報告書でごまかす・—のあいさつしかしない」由来「お座敷形」〔=お座敷で、その場だけとりつくろった形〕から。区別「**おざなり**な議論」は、形だけのいいかげんな議論の意味。「議論を**なおざり**にする」は、議論しないでほうっておく意味。それぞれ「おざなりな…」「…をなおざりにする・…がなおざりになる」の形でよく使う。

**おざぶ**【お〈座布〉】〔古風／関西方言〕ざぶとん。

←**おさまり**【収まり】をさまり 収まること。「—がいい〔=うまくおさまる。まわりと調和する〕・幹部がけじめをつけないと—〔=解決〕がつかない」

→**おさまり**【納まり】をさまり 納まること。「ここで逆転されては、ファンは—がつかない〔=納得できない〕」

←**おさま・る**【収まる】をさまる《自五》①きちんと中にはいる。「箱の中に全部—・文字が一行に—・博物館に—」②解決がつく。かたづく。「争いが—・ものごとがうまく—」③〔風などがやんで〕しずかになる。「台風が—」

↔**おさま・る**【治まる】をさまる《自五》①平和な状態になる。世の中がしずまる。「国内が—」〔↔乱れる〕②〔痛みなどが〕なくなる。「腹痛が—」

↔**おさま・る**【修まる】をさまる《自五》おこないがよくなる。「素行が—・身持ちが修まらない」

→**おさま・る**【納まる】をさまる《自五》①〔お金や品物が〕受け取る相手にきちんとわたされる。「国庫に—・品物が納まった」②その地位におちつく。「重役に—・納まり返る」③納得する。「それでは相手が—まい・やっと腹の虫が納まった」

**おさむ・い**【お寒い】《形》①「寒い」の美化語。「お寒うございます」②なさけない。貧弱だ。「—実態」③つまらない。おもしろくない。「—ギャグ」

←*__おさ・める__【収める】をさめる《他下一》①〔完全に〕自分のものとする。「権力を手に—・お調べのうえお収めください」②いい結果を得る。「成果を—」③きちんと中に入れる。「箱の中に—・文字を前の行に—・目録に—」④問題を終わらせる。「紛争を—」名 収め。可能 収められる。

↔**おさ・める**【治める】をさめる《他下一》①しずめる。平和にする。「乱を—」②〔国や地方などを〕支配する。政治をおこなう。可能 治められる。

↔**おさ・める**【修める】をさめる《他下一》①正しくする。ととのえる。「身を—」②学び習う。「学業を—」

→**おさ・める**【納める】をさめる ㊀**おさめる**《他下一》①〔お金や品物を〕わたすべき相手にわたす。納入する。「税金を—・月謝を—・注文の品を—」②受け取る。「どうぞお納めください」㊁造 ③〔見えないところに〕入れる。「胸に—・蔵に—」④終える。「舞い—」名 納め。「一年—の土俵・見—」可能 納められる。

**おさらい**【お〈:復習い〉】-さらひ《名・他サ》①習ったことをくり返して確かめること。「足し算の—〔=復習〕・ピアノの—」②〔これまでの話などの〕再確認。「事実関係を—しておこう・段取りを—する」③〔おどり・唄などを〕くり返し習うこと。また、習ったことの発表会。温習〔会〕。

**おさらば**〔古風〕㊀《感》〔話〕「さらば㊁」の丁寧語。さようなら。㊁《名・自サ》〔俗〕お別れ。「これで東京にも—だ」

**おさん**【お産】子をうむこと。出産。分娩。

**おさんじ**【お三時】〔児〕〔午後三時ごろに出す〕おやつ。

**おさんどん**〔古風〕台所仕事。「うちで—をしている」

←**おし**【〈△圧し〉】①上からおしつけること。「ズボンに—をする」②おもし。「つけ物に—をする」③相手の勢いをおさえつける力。「—がきく」

↔**おし**【押し】㊀**おし** ①おすこと。②むりやり自分の意志を通そうとすること。「一にも二にも—だ・—の一手・—が強い」㊁接頭 ①力強く…する。「—広める」②むりに…する。「—通す」●**押しも押されもせぬ** 句〔=押そうとしても押せない〕⇩押しも押されもせぬ 句。「—地位に上がる」〔江戸時代から「立ちも立たれず」〔=立とうとしても立てない〕」など、同様の語法がある〕●☆☆**押しも押されもせぬ** 句〔=こちらから押すことも、向こうから押されることもなく、びくともしない〕だれでも認めてくれる。押しも押されぬ。「—大スター」

→**おし**［推し］〔俗〕㊀造 ①〔…が〕推薦すること。「編集部—の商品」②〔…を〕支持すること。ファンであること。「ゆみちゃん—」・—事（=ファンとしての活動。「—の誕生日・—かぶり（=応援する対象がかち合っていること）」『推し活』とも）」㊁自分がファンである人・もの。

**おし**［(×啞)］▽㊀㊁〔古風〕口がきけない〈こと／人〉。〔差別的なことば〕

←**おじ**［伯父］〔自分の〕父または母の兄。（↕伯母）

→**おじ**［叔父］〔自分の〕父または母の弟。（↕叔母）

**おしあい**-**へしあい**［押し合い（△圧し）合い］《名・自サ》多くの人が入りまじって〈おしあう／混雑する〉こと。動押し合いへし合う《自五》。

**おしあ・げる**［押し上げる］《他下一》①力を加えて上げる。②数値や地位を上げる。「好景気が消費を—・チームをトップへ—」▽（↕押し下げる）

**おしあるき**［押し歩き］〔自転車やバイクに乗らずに〕手で押しながら歩くこと。

**おし・い**［惜しい］《形》①失うことが、残念だ。「時間が—・—人を失った」②そのもののねうちがあらわれなくて、残念だ。「平社員には—人物」③手に入れることができなくて、残念だ。「—ことに、成功しなかった・惜しくもやぶれた」④〔その状態が続けられなくて〕残念に思う状態だ。「なごりが—・別れが—」派-がる。-さ。●**おしいかな**［惜しいかな］《副》惜しいことには。「—、欠点がひとつある」

**おじい**［お(×爺)い］〔沖縄などの方言〕おじいさん。おじい。（↕おばあ）

←**おじいさん**［お(:祖父さん)］祖父をていねいに呼ぶことば。「改まった場では『祖父』」・—によろしくお伝えください」（↕おばあ《祖母》さん）

→**おじいさん**［お(×爺さん)］年とった男の人を呼ぶことば。〔そう呼ばれるのをきらう人も多い〕「—は山へしばかりに」（↕おばあ《婆》さん）

**おしいただ・く**［押し頂く・押し(△戴く)］《他五》①もらったものを、うやうやしくささげて持つ。「卒業証書を—」②代表として、ありがたく自分たちの上に置く。「役人の古手を—」

←**おじいちゃん**［お(:祖父ちゃん)］〔↑おじい（祖父）さん〕自分の祖父を、親しみをこめて呼ぶことば。じいちゃん。じいじ。〔家族や他人が子どもの祖父を、また、祖父が自分自身をさしても言う〕「—子（=おじいちゃんになついた子）」（↕おばあ《祖母》ちゃん）

→**おじいちゃん**［お(×爺ちゃん)］〔↑おじい（爺）さん〕年とった男の人を、親しみをこめて呼ぶことば。じいちゃん。〔そう呼ばれるのをきらう人も多い〕（↕おばあ《婆》ちゃん）

**おしい・る**［押し入る］《自五》むりに はいる。「人の家に—・強盗が—」名押し入り。

**おしいれ**［押し入れ］〔日本間で〕ふとんなどを収納する場所。ふすまや戸で部屋とくぎる。おしこみ。

**おしうり**［押し売り］《名・他サ》①むりに品物を売りつける〈こと／人〉。（↕押し買い）②むりに おしつけること。「親切の—」

**おしえ**［押し絵］立体感を出すために型紙に綿などをのせ、布でくるんだものをはりつけたもの。羽子板などに使う。

**おしえ**［教え］①教えること。「—をこう」②［△訓え］言いきかせること。教訓。「親の—」③教育。学問。「—を受ける」④宗旨。宗教。「—の道」●**おしえご**［教え子］その先生が〈教える／以前教えた〉子どもや人。●**おしえこ・む**［教え込む］《他五》よく覚えるように念を入れて教える。●**おしえさと・す**［教え諭す］《他五》道理を教えて、よくわかるように言ってきかせる。●**おしえのにわ**［教えの庭］〔雅〕学校。

＊＊**おし・える**［教える］㊀《他下一》①相手が〈理解できる／身につけられる〉ようにみちびく。「英語を—・人の道を—」②自分の知っていることを人に知らせる。「集合場所を—」③〔人を〕教育する。「生徒を—」✓目上に対して「教えてあげましょう（か）」「お教えしましょう（か）」と言うのは失礼。たとえば、機械の使い方がわからない人には、「何か お困りのことが おありですか」のように言うといい。㊁《自下一》教育を仕事にする。「大学で—」可能教えられる。

**おしおき**［お仕置き］《名・他サ》人をこらしめるためにとる（きびしい）手段。「子どもに—をする」

**おしおよぼ・す**［押し及ぼす・推し及ぼす］《他五》〔推測を〕おし広げて、およぼす。「一部について真理であることを全体に—」

**おしかえ・す**［押し返す］《他五》①おしてもどす。「群衆を—」②受け身だったがわが、逆に せめる。〈拒否／反論〉する。「現場サイドが押し返した」

**おしかく・す**［押し隠す］《他五》〈けんめいに／ひたすら〉かくす。「感情を—」

**おしかけにょうぼう**［押し（掛け）女房］男の家に押しかけて、むりに妻となった女。

**おしか・ける**［押し（掛ける）］《自下一》①おし寄せる。「大ぜいの客が—」②来いと言われないのに行く。名押しかけ。

**おしかぶ・せる**［押し（△被せる）］《他下一》むりに かぶせる。おっかぶせる〔俗〕。「ふとんを—・責任を部下に—・—ような口調」直押しかぶさる《五》。

**おしき**［(△折敷)］へぎ板（=ヒノキなどをうすく けずった板）を折り曲げて ふちにした、四角なお盆。神事などで供え物を盛るのに使う。

←**おじき**［伯父:貴・叔父:貴］〔俗〕おじ。〔呼びかけにも使う〕

→**おじき**［叔父:貴・オジキ］〔俗〕やくざの親分の弟分。〔「叔父御」は、親分と同等の兄弟分〕

**おじぎ**［お(辞儀)・お(辞宜)］《名・自サ》①頭を下げて〈礼をすること／するあいさつ〉。「ていねいに—する」②〔古風〕えんりょして辞退すること。「—なしに ちょうだいします」▽「辞儀」の美化語で、日常語として ふつうに使う。●**おじぎそう**［(:含羞=草)］庭に植える草花。ふれると葉が合わさって閉じ、おじぎをするように垂れる。ねむりぐさ。

**おしきず**［押し傷］皮膚・くだものなどの、表面をおしたためにできる きず。

**おしきせ**［お仕着せ・お:四季施］①〔時候に応じて〕奉公人や従業員に〈衣服をあたえること／あたえる衣服〉。②上から一方的にあてがわれたものごと。「—の行事」

**おしきり**［押し切り］まぐさなどを切る道具。

**おしき・る**［押し切る］《自他五》①相手に負けず、最後まで言い分をとおす。「親の反対を押し切って留学する・数の力で―・原則論で―・世論に押し切られる」②相手を追いつめ(て勝利す)る。「試合で先制して―」③おしつけて切る。「パン生地をナイフで―」

**おしくも**［惜しくも］《副》おしいことには。

**おしくら**［押しくら］《名・自サ》〔↑押し競べ〕おたがいにおしあって、相手をおし出す遊び。●**おしくらまんじゅう**［押しくら(×饅△頭)］〔児〕子どもたちが一つにかたまって、おたがいに、おしあう遊び。

**おしげ**［惜し(気)］おしいと思う様子。「お金を―もなく使う」

**おじけ**［(△怖じ気)］おそれる気持ち。おぞけ。「―をふるう〔=こわくてからだがふるえる〕」動おじける《自下一》。●**おじけだ・つ**［(△怖じ気)立つ］《自五》おそろしさでひるむ。●**おじけづ・く**［(△怖じ気付く)］《自五》おそろしい、逃げたいと思う気持ちになる。

**おしこみ**［押し込み］①おしこむこと。②〔西日本方言〕おし入れ。③〔↑押し込み強盗〕〔古風〕強盗の目的で、家にはいってくる〈こと／者〉。「―をはたらく」

**おしこ・む**［押し込む］㊀《他五》せまい場所へむりに入れる。つめこむ。「バッグに―」㊁《自五》強盗にはいる。

**おしこ・める**［押し込める］《他下一》①おして、むりに入れる。おしこむ。「出されたまずい料理を口に―」②とじこめて外へ出さなくする。「スパイを一室に―」

**おしころ・す**［押し殺す］《他五》①おもてにあらわれないようにする。「個性を―」②まわりに聞こえないようにする。「押し殺した声」

**おしさ・げる**［押し下げる］《他下一》①力を加えて下げる。「レバーを―」②数値や地位を下げる。▽(↔押し上げる)

***おじさん**［(小△父さん)］中年ぐらいの男性(を親しんで、また、かろんじて呼ぶ言い方)。おじさま。おっさん〔俗〕。「近所の―・そろそろ―になってきた」〔よその子どもに対し、自分自身をさしても言う〕(↔おば(小母)さん) 表記 俗に「オジサン」とも。

**おじさん**［伯父さん・叔父さん］「おじ」を、敬意と親しみをこめて呼ぶことば。おじさま。(↔おば(伯母・叔母)さん)

**おしずし**［押し(:寿司)］関西ふうのすし。型にすし飯をつめ、さかななどをのせておしかためてから、取り出して、四角に切り分ける。

**おしすす・める**［押し進める］《他下一》おして前へ進める。

**おしすす・める**［推し進める］《他下一》どんどんおこなう。とりはこぶ。「政策を―」

**おしずもう**［押し相撲］おして攻めるすもう。(↔四つ相撲)

**おしせま・る**［押し迫る］《自五》まぢかに来る。「年の瀬も押し迫ってきた」

**おしたお・す**［押し倒す］《他五》①おしてたおす。「群衆がかきねを―」②〔すもう〕相手のからだをおしてたおす。名押し倒し。

**おしたし**［お(△浸し)］〔話〕「おひたし」の変化。

**おしたじ**［お(下地)］〔女〕しょうゆ。

**おしだし**［押し出し］①おして出すこと。②〔すもう〕相手のからだをおして土俵の外へ出すわざ。③人中へ出る態度・風采。「―がりっぱだ」④〔野球〕満塁のとき、打者が四球か死球で一塁に出て、三塁のランナーが本塁にはいること。

**おしだ・す**［押し出す］㊀《他五》①おして出す。「土俵の外に―・前面に―〔=特に目立たせる〕」②むりに出す。「うなるような声を押し出した」③〔野球〕「押し出し④」にする。㊁《自五》①たくさんのものが、外がわに勢いよく出る。「溶岩が―・車内から乗客が―」②大ぜいで出かける。くり出す。「クラスのグループが街に―」③大ぜいの中へ出る。「世界へ押し出して行く」

**おした・てる**［押し立てる］《他下一》①勢いよく立てる。「のぼりを―」②さかんに、強くおす。「土俵ぎわまで―」

**おしだま・る**［押し黙る］《自五》じっとだまる。

**おしちや**［お七夜］子どもの生まれた日を入れて七日目の夜(の祝い)。〔このときに命名式をする〕

**おじちゃん**［(小△父ちゃん)］「おじ(小父)さん」のくだけた言い方。(↔おば(小母)ちゃん)

**おじちゃん**［伯父ちゃん・叔父ちゃん］「おじ(伯父・叔父)さん」のくだけた言い方。(↔おば(伯母・叔母)ちゃん)

**おしつけがまし・い**［押し(付け)がましい］《形》いかにもおしつけ(てさせ)るようだ。「―態度」派―さ。

**おしつ・ける**［押し(付ける)］《他下一》①おして動けないようにする。②むりにさせる。「いやな仕事を―」③むりに受け取らせる。④責任を人になすりつける。名押しつけ。「―販売」

**おしっこ**《名・自サ》〔俗／児〕小便。しっこ。由来「お」は接頭語。「しっ」は出るときの音。「こ」は接尾語。

**おしつぶ・す**［押し(潰す)］《他五》①力を加えて形をこわす。「箱を―」②〔多く受け身の形で〕圧力をかけて気持ちを落ちこませる。「不安に押しつぶされそうになる」

**おしつま・る**［押し詰まる］《自五》①さしせまる。「情勢が―」②年の暮れが近づく。「暮れも押し詰まった三十日」

**おして**［押して］《副》むりに。しいて。「―たのむ」

**おしとお・す**［押し通す］《他五》①むりに通す。「わがままを―」②どこまでもする。やりぬく。「正論〈で／を〉―」

**おしとど・める**［押し(△止める)・押し(△留める)］《他下一》おさえてとめる。「帰ろうとするのを―・犠牲を最小限に―」

**おしどり**［(:鴛鴦)］①水鳥の一種。カモに似て、雄には冠のような飾り羽があり、羽の色が美しい。②〔夫婦が〕いつもなかよくいっしょにいること。「―夫婦・―入選」

**おしなが・す**［押し流す］《他五》①〔水の力で〕おして、流れるようにする。②〔大きな力で〕ものごとを強く動かす。「時代の波に押し流される」

☆☆**おしなべて**［(押し△並べて)］《副》①すべて同じように。一様に。「―よい」②ふつうに。

**おしのぎ**［(△御×凌ぎ)］〔料〕〔懐石料理で〕客の

空腹をおさえるため、最初のほうに出される料理。小ぶりの器に盛られたごはんやうどん、そばなど。

**おしの・ける**[押し(退ける)]《他下一》相手のからだなどをおして〈しりぞかせる/わきへ寄らせる〉。「人を押しのけて出世する」

**おしのび**[お忍び] 身分の高い人や、有名な人が、目立たないようにこっそり出かけること。「ーでの旅行・ーデート」

**おしば**[押し葉] ①紙などの間にはさんでおさえ、乾燥させた葉。②⇩さくよう(腊葉)。

**おしはか・る**[推し量る]《他五》あるものごとをもとにして、こうではないかと考える。推量する。「人の心の内をー」

**おしばな**[押し花] 紙などの間にはさんでおさえ、乾燥させた花。

**おじひ**[お慈悲] おなさけ。「先生のーで卒業できた」

**おしひき**[押し引き]《名・自サ》押したり引いたりすること。「車をーする・やるやらないでー(=かけ引き)する」

**おしひしが・れる**[押し(拉がれる)]《自下一》おしつぶされる。特に、心がひどくくじける。「押しひしがれたような鼻・悩みにー」 他 押しひしぐ《五》。

**←おしひろ・げる**[押し広げる]《他下一》横の方向に力を加えてひろげる。

**→おしひろ・げる**[推し広げる]《他下一》範囲をひろげてあてはめる。推し広める。「この考えを推し広げて行くと」

**←おしひろ・める**[押し広める]《他下一》力強く広める。発展させる。「民主主義をー」

**→おしひろ・める**[推し広める]《他下一》推し広げる。「この概念をーと…」

**おしピン**[押しピン]〔西日本方言〕がびょう。

**おしべ**[雄(蕊)]《植》ふつう、めしべのまわりにあって、頭の先に花粉を出すところがあるしべ。(↔雌しべ)

**おしボタン**[押しボタン] おしてベルを鳴らしたりするボタン。

**おしぼり**[お(絞り)]〈手ぬぐい/タオル〉を湯や水でぬらして、しぼったもの。「ーを出す・紙ー」

**おしまい**[お(終い)・お(:仕舞い)]〔「しまい」の美化語〕①かたづくこと。結末がつくこと。「この話はこれでー」②ものごとが絶望的な状態になること。「それを言ったらーだ」③売り切れ。「今日の分はー」▽終わり。

**おしま・ける**[押し負ける]《自下一》①勢いや数の力に負ける。「大国にー」②(早押しクイズで)ボタンを押すスピードがおそくて負ける。▽(↔押し勝つ)

**おしみな・い**[惜しみない]《形》(=惜しむことがない)存分に差し出すようす。「ー拍手を送る」

**おし・む**[惜しむ]《他五》①残念に思う(ようすを見せる)。「別れをー・吉田君のためにー・ーべし(=おしいことには)、ついに未完成に終わった」②(むだに)ついやすことを〈残念に思う/いやがる〉。「材料をー・筆をー」③だいじに考える。「名をー」④(…を惜しまない)大いに…する。「協力を惜しまない」 名 惜しみ。 ●**おしむらくは**[惜しむらくは]《副》おしいことに(は)。「ー決断力に欠ける」

**おしむぎ**[押し麦] 蒸した麦を、ひらたく押しつぶしてかわかしたもの。米にまぜてたいて食べる。

**おしめ**[押し目]《経》相場が上がっているとちゅうで、少し下がること。(↔戻り)

**おしめ**[(:襁褓)](しめ↑湿し) おむつ。

**☆☆おしめり**[お湿り]「晴天の続いたあとの雨ふり」の美化語。「いいーで」

**おしもんどう**[押し問答]《名・自サ》要求する側と拒否する側などが、いつまでも言い争うこと。「ーを続ける」

**おじや**〔もと女性語〕⇩ぞうすい(雑炊)。

**おしゃか**一[お(釈)×(迦)]「釈迦」の軽い尊敬語。二[オシャカ・おしゃか]〔俗〕できそこないの製品。こわれて使えないもの。「ーが出る・風で傘がーになる(=だめになる)」 由来 工場から出たことば。「お陀仏」同様、「(製品として)死んだもの」という意味。 ●**おしゃかさま**[お(釈)×(迦)様]「釈迦」の尊敬語。「ーでも気がつくめえ(=だれも気づかないだろう)。芝居の『切られ与三』のせりふ)」

**おしゃく**[お酌] 一《名・自サ》「酌」の美化語。二 半玉。「ーさん」

**おしゃぶり** 赤ちゃんにしゃぶらせるおもちゃ。

**おしゃべり**[お(×喋り)] 一《名・自他サ》しゃべること。雑談すること。「みんなでーする」 二《名・ナダ》よくしゃべる〈ようす/人〉。「ーな人」

**おしゃま**《名・ナダ》ませている〈こと/女の子〉。

**おじゃま**[お邪魔]《名・自サ》①「じゃま 一」の尊敬語。「(相手の所に話しに行き)今、ーではありませんか」②相手の所に〈行く/いる〉ことの謙譲語。「先生宅にーする・ーに上がる(=訪問する)・ーします(訪問のあいさつ)・どうもーしました(帰りがけのあいさつ)・どうもーさま」 ●**おじゃまむし**[お(邪魔)虫]〔俗〕①じゃまだ、ときらわれている人。②恋人同士と同席して、じゃまになる人。

**おしや・る**[押し(遣る)]《他五》①おして(向こうに)やる。②おしのける。

**おしゃれ**[お(:洒落)・オシャレ]《名・ナダ・自サ》①気のきいた服装や、けしょうなどをする〈こと/人〉。「ーをして出かける」②しゃれたようす。すてき。最高。「ーな店・色もーだ・ー!」 派 -さ。

**おじゃん**〔俗〕計画や成果がまったくだめになること。「留学の話がーになる・データが全部ーだ」

**おしゅう**[汚臭]〔文〕きたないものが出す、悪いにおい。「ーがただよう」

**おじゅう**[お重]「重箱」の美化語。

**おじゅけん**[お受験]〔俗〕家族が世話を焼く、小さい子どもの有名校への受験。

**おしょう**[和尚]《仏》①弟子から、先生にあたる僧を言う呼び名。〔もと、禅宗の場合だけ。天台宗では「かしょう」、真言宗では「わじょう」〕②住職。僧。「寺のーさん」

**おじょう**[お嬢]↑お嬢さん。「うちのー・ー系メイク」 ●**おじょうさま**[お嬢(様)]①「お嬢さん」よりも敬意の高い言い方。②非常にいい家に生まれた女性。「ーことば」 ●**おじょうさん**[お嬢さん]①〈相手のむすめ/若い女性〉を、敬意と親しみをこめて呼ぶことば。「ーは お元気ですか・もしもし、そちらのー!」②いい家に生まれ、苦労を知らずに育った女性(をからかって言うことば)。「ー育ち」▽「お嬢ちゃん」は少女に言う。(↔お

お

坊っちゃん〉

**おじょうず**【お〈上手〉】口先だけの、ほめことば。おせじ。「—を言う」

**おしょく**【汚職】《名・自サ》〈公職にある者が〉私的な利益を得るために、自分の立場を利用して、わいろを受け取るなどの不正をすること。

←**おじょく**【汚辱】〔文〕①人をけがし、はずかしめること。「—をこうむる」②けがれて、はずかしい状況。「—に満ちた生活」

→**おじょく**【汚△濁】《仏》〔世の中が〕よごれてにごること。「—にまみれた世」

**おしよ・せる**【押し寄せる】㊀《自下一》〈大ぜい／大きな勢力〉が一度に せまってくる。「—人波・グローバル化の波が—」㊁《他下一》おして近づける。

**おしらせ**【お知らせ】①「知らせ」の美化語・尊敬語。「—ありがとうございます」②案内や宣伝。「スポンサーからの—〔=CM〕」

**おしり**【お尻】①「尻」の美化語。〔日常語として ふつうに使う〕②期限。納期。「—を決める・—を切る」

**お・じる**【〔△怖じる〕】《自上一》〔文〕こわがる。

**おしるし**【お印】①「印」の尊敬語・美化語。②お礼やあいさつをしたことをあらわすだけの おくりもの。「ほんの—ばかりで」③皇室などで、持ち主を区別するために、身のまわりの品につける模様。ご印章。例、今の天皇は梓、皇后はハマナス。④お産が近くなると見られる、血液の混じったおりもの。産徴《医》。

**おしろい**【〔:白粉〕】〔しろい↑しろいもの〕けしょうに使う、白いこな〔に あぶらをまぜて固めたもの〕。●**おしろいした**【〔:白粉〕下】おしろいを塗る前に はだにつける〈クリーム／油〉。化粧下。●**おしろいばな**【〔:白粉〕花】庭に植える草花。あまい かおりのするラッパ型の花が夜から朝まで さく。種の中に おしろいのような白い粉がある。

**オシログラフ**〔oscillograph〕《理》電流などの強さの時間的な変化などを、波の形にして記録する器械。オッシログラフ。

**オシロスコープ**〔oscilloscope〕《理》オシログラフによる電気信号の波形を画面に映し出す装置。オッシロスコープ。オシロ。

**おしわ・ける**【押し分ける】《他下一》おして、左右に分ける。「のれんを—・肩で人を—」

**おしわた・る**【押し渡る】《自五》〔抵抗をしりぞけて、または勢いにさからって〕川などをわたる。

**おしん**【悪心】《医》胸がむかつくこと。

**おじん**〔俗〕〈もう若くない／年上の〉男性をからかって呼ぶことば。〔もと関西方言。一九八〇年代に流行したことば〕「—くさい」〔↔おばん〕

**おしんこ**【お〈新△香〉】①新しく つけた、ぬかみそのつけもの。②つけもの。こうのもの。▽しんこ(う)。

**おす**【雄・オス】①【×牡】動物のうち、精巣を持つほう。お。おん。〔記号♂であらわす〕②おばな だけを持つ植物。③凸状と凹状で対になっているもののうち、凸状のほう。「コンセントの—側」▽〔↔雌〕

←**お・す【押す】㊀《他五》①てまえから向こうへ、または、上から下へ向かって、まっすぐに力を〈加える／加えて動かす〉。「とびらを—〔↔引く〕・ブザーを—・押して(も)だめなら引いてみな〔=やり方を変えてみろ〕」表記ドアには、記号的に「押」とも。②〔保存のために〕重みを加えておさえつける。「花を—〔=おし花を作る〕」③【×捺す】力を加えて、型をつける。「判を—」④のりで はりつける。「はく(箔)を—」⑤相手の勢いを、おさえつける。「相手チームを—・大資本に押されぎみ」⑥先へ進める。「この方針で押していこう」⑦確かめる。「念を—・駄目を—」⑧〔ろ(櫓)で〕舟をあやつる。⑨〔韻を〕そろえる。⑩〔**…を押して**〕…なのに むりをして。「病を押して出席する」☞押して。可能押せる。㊁《自五》《放送など》予定より時間がのびる。「五分も押した」〔↔巻く〕☞押すな押すな・押せ押せ。

→**お・す**【推す】㊀《他五》①推薦する。「会長にA氏を—」②〔俗〕支持する。ファンである。「私の推してるアイドル」〔二十一世紀になって広まった用法〕㊁《自五》〔文〕それをもとに考える。「ことばづかいから推して、関西の人だろう」可能推せる。「あの歌い手は推せる」●**推して知るべし**句 考えれば わかる(だろう)。「ほかは—」

**おす**《感》〔↑おはようございます〕〔話〕男子(学生)が使うあいさつ語。おっす。うっす。おいっす。表記おもおもしく「:押忍」とも。

**おすい**【汚水】よごれた水。「—処理」

**おずおず**【〔△怖ず△怖ず〕】《副・自サ》おそるおそる。こわごわ。おどおど。「—と前に出る・—した態度」

**おすすめ**【お勧め・お薦め】《名・他サ》①「すすめること」の尊敬語。「—に従って」②ぜひ すすめたい〈こと／もの〉。「いちばんの—はヒレカツ」表記②は、かな書きが多い。〈俗に／軽く〉「オススメ」とも。

**おすそわけ**【お裾分け】《名・他サ》〔よそからもらったものなど〕利益になるものを、少し分けてあげること。お福分け。「メロンを—する・幸せの—」✍昔から、目上にも目下にも、また、もらうがわ・あげるがわの両方が使えることば。

**オストメイト**〔ostomate〕人工肛門や人工膀胱〔=ストーマ〕を使用している人。

**オストリッチ**〔ostrich〕ダチョウ。〔おもに、革製品について言う〕

**おすな-おすな**【押すな押すな】〔大入り〕満員のようす。「—の盛況」

**おすべらかし**〔すべらかし=すべらせること〕貴族の女性の髪型。前髪と びんを左右に大きく張り出させ、背中で束ねて たらす。

［おすべらかし］

**おすまし**【お澄まし】㊀《名・自サ》気どって、あいそのないこと。「—している」㊁すましじる。

**おすみつき**【お墨付き】〔権威のある人からの〕保証。

**おすもう**【お相撲】「すもう」の美化語。「—さん〔=相撲取りを親しんで言うことば〕」

**おすわり**【お座り・お×坐り】《名・自サ》㊀「座ること」の美化語。㊁**おすわり** 犬が しりを下げて じっとしていること。また、そうさせるように言うことば。

**オセアニア**〔Oceania〕六大州の一つ。オーストラリア大陸とニュージーランド、ポリネシア・ミクロネシア・メラネシアの島々の総称。大洋州。

**おせおせ**【押せ押せ】①勢いづいて攻めること。「—の攻撃」②たくさんの人が集まること。「—の盛況」③予定がひとつくるったために、しわよせがほかのものにおよぶこと。「—になる」

**おせじ**［お〈世辞〉］口先だけで、あいそよくほめることば。「—を使う・—を言う・—にも〈=おせじのつもりで言おうとしてさえ〉うまいとは言えない」〔「世辞」の美化語で、日常語としてふつうに使う〕

**おせち**［お〈節〉］〔↑おせち料理〕正月に食べるために、あらかじめ作っておく特別な料理。

**おせっかい**［お〈節介〉］《名・自サ・ナダ》よけいなせわ〈をやくこと〉。

**オセロ**〔Othello=商標名〕表と裏を黒白にぬり分けた丸いこまを使ってふたりでするゲーム。相手のこまをはさんで自分の色のこまとし、こまの色の数をあらそう。リバーシ(reversi)。

**おせわ**［お世話］「世話」の美化語。「—にな〈って〉おります〔事務的な電話やメールの冒頭のあいさつにも使う〕・このたびは—になりました」●**おせわさま**［「お世話〈様〉」］《感》〔話〕相手に世話にな〈った／なる〉ときのあいさつに使うことば。「このたびは—でした〔『お世話になりました』よりは日常的で軽いあいさつ〕」

☆☆**おせん**［汚染］《名・自他サ》《理》〔細菌・ガス・放射性物質など〕有害なものがついたりまざったりしてよごれること。また、よごすこと。「海洋—」

**おぜんだて**［お膳立て］《名・他サ》①食膳をとりそろえること。②だれか〈のために／によって〉整えられた用意。「総選挙の—」

**おセンチ**《ナダ》〔古風・俗〕センチメンタル。「ちょっぴり—な気持ち」

**おそ**［悪阻］《医》つわり。「妊娠—」

*__おそ・い__［遅い］《形》①なかなか進まない。「—車・速度が—」(↕速い) ②時間がかかるようすだ。「反応が—」③ある時間・時期を過ぎるようすだ。「学校に来るのが—」④［△晩い］時間・時期が、あとのほうだ。「毎晩遅く帰る・もう—〔=夜ふけだ〕から寝よう・—結婚」⑤順番があとのほうだ。「—整理番号」▽②〜⑤(↕早い) 派 -さ。

**おそいかか・る**［襲い〈掛かる〉］《自五》害を加えようとして、急に相手に近づく。「野犬が—」

**おそ・う**［襲う］《他五》①急に、攻撃したり、危害を加えたりする。「暴漢に襲われる」②意志のないおそろしいものが、急に、害をもたらす。「豪雨が—・病に襲われる」③〔文〕うけつぐ。「所長のあとを—」

**おそうまれ**［遅生まれ］四月二日から十二月三十一日までに生まれ〈ること／た人〉。〔同じ年の四月一日までに生まれた子より、一年おくれて小学校にはいる〕(↕早生まれ)

**おそかりし**［遅かりし］《感》〔文〕おそかった。●**遅かりし由良之助** 句 まにあわない。手おくれだ。由来 芝居の「仮名手本忠臣蔵」で、主君が切腹したあとにかけつけたことから。

**おそかれはやかれ**［遅かれ早かれ］《副》〔文語形容詞「遅し」「早し」の命令形から〕遅くても早くても。どうせそのうちには。いつかは。「—発覚する」

**おそき**［遅き］《連体・名》〔文語形容詞「遅し」の連体形から〕遅い〈こと〉。●**遅きに失する** 句 おそすぎる。

**おそく**［遅く］おそい時刻。「朝早くから夜—まで」●**おそくとも**［遅くとも］《副》たとえ遅くなっても。遅くも〔古風〕。遅くても。「—あさってには できます」

**おそくち**［遅口］ものの言い方がおそいこと。(↕早口)

**おぞけ**［〈△怖気〉］おじけ。●**おぞけを震う** 句 〈こわくて／気味が悪くて〉からだをふるわせる。

**おそざき**［遅咲き］①ふつうよりも おそい時期にさくこと。「—の八重桜」(↕早咲き) ②おくれて世に〈出る／知られる〉こと。「—の芸人」

**おそしさま**［〈△御〉祖師〈様〉］《仏》〔日蓮宗で〕祖師、日蓮を尊敬した言い方。おそっさま。

**おそじも**［遅霜］《農》春の終わりごろに おりる霜。晩霜。(↕早霜)

**おそぢえ**［遅知恵・遅×智×慧］①知恵の発達がおそいこと。②おそく出る知恵。あとぢえ。

**おそで**［遅出］《名・自サ》定刻よりも おそく出勤すること。(↕早出)

**おそなえ**［お供え］一 かがみもち。二《名・他サ》神仏にそなえる〈こと／もの〉。

**おそなわ・る**［遅なわる］《自五》〔古風〕おそくなる。時間におくれる。「遅なわりまして、あいすみません」

**おそね**［遅寝］《名・自サ》ねる時間が おそい〈こと／人〉。(↕早寝)

**おそばん**［遅番］交替制の仕事で、夜にかかる時間帯の勤務〈の担当者〉。(↕早番) ☞中番。

**おそまき**［遅〈×蒔き〉］①ふつうにまく時期よりおくれてたねをまくこと。(↕早まき) ②時機におくれて すること。「—ながら はじめる」

**おぞまし・い**［〈×悍ましい〉］《形》ぞっとするようで いやな感じだ。「聞くだけでも—話だ」派 -げ。-さ。

**おそまつ**［お粗末］《ナダ》①「粗末」の謙譲語。「—さまでした〔=特に『ごちそうさま』に対する返事〕」②〔内容ややり方が〕不十分で できがよくないようす。「—な発表」派 -さ。

**おそよう**《感》〔俗〕おそく起きた人〈が／に〉言う あいさつ。由来「おはよう」をもじったもので、戦前からあることば。文法的には「お遅う〔↑お遅うございます〕」になるはずだが、「おはよう」と音をそろえた。

**おそらく［〈恐らく〉］《副》〔=まちがっていることをおそれるが〕たぶん。おそらくは。「あすは—雨でしょう・—それがいちばん効果がある」

**おそるおそる**［〈恐る恐る〉］《副》こわがりながら。こわごわ。おっかなびっくり。

**おそるべき**［恐るべき］《連体》〔=おそれるのが当然の〕①本当におそろしい。「—計画・—才能」②程度がはげしい。「—速さ」

**おそるべし**［恐るべし］《感》〔=おそれるのが当然だ〕おそろしい。ばかにできない。「息子の推理力、—」

↑*__おそれ__［恐れ・畏れ］おそれること。恐怖。畏怖。

●☆☆__おそれいります__［恐れ入ります］《感》礼儀正しいあいさつ。①相手に〈問いかける／たのむ〉ときのことば。「—(が)、少々お待ちいただけますか」②ちょっとした感謝のことば。「おほめいただいて—」区別 ⇩ありがとうございます。③〔相手に負担をかけたときなどの〕おわびのことば。「お手数をおかけして—」区別 ⇩申し訳ない。●**おそれい・る**［恐れ入る］《自五》①申し訳なくて、からだが縮まるような思いがする。恐縮する。「借金取りの前ですっかり—」②相手がすぐれていて〈かなわないと思う／心から感心する〉。「〔勝負に負けて〕恐れ入った！・著者の知識と才能には―」③〔②の皮肉な使い方から〕あきれる。「あれで大学生とは―ね」 ●**恐れ入谷の鬼子母神** 句 おそれいりました。「入る」と地名の入谷をかけて、さらに入谷にまつられる鬼子母神に続けておもしろく言ったことば。〔「恐れいり豆〈はじけ豆／花山椒〉」とも〕 ●**おそれおおい**[恐れ多い・畏れ多い]《形》①身分の高い人に対し失礼にあたるようで、からだが縮まるようだ。②もったいない。「―おことば・恐れ多くもおほめいただいた」 ●**おそれおののく**[恐れ(△戦く)]《自五》ひどくおそれて ふるえあがる。戦慄する。 ●**おそれげ**[恐れ(気)] おそれ入ったようす。「―もなく」 ●**おそれながら**[恐れながら・畏れながら]《副》恐縮ですが。「―申し上げます」

↑**おそれ**[(虞)・恐れ]〔悪いことが〕おきるかもしれないこと。心配。「火災の―がある」

←**おそ・れる**[畏れる]《自他下一》おそれ多いと感じる。「神を―」

↑***おそ・れる**[恐れる]《自他下一》①おそろしいと思う〈ようすをする〉。「死を―・威勢に―」②心配する。あやぶむ。「失敗を―・混乱を―」

**おそろ**〔「オソロ」とも書く〕〔俗〕↑おそろい。「二人で―でつけてるネックレス」

**おそろい**[お(×揃い)]①〔全員、または仲のいい人どうしの〕服や持ちものが同じであること。「―のブレスレット」②色やがら、材質などが同じであること。「コーヒーカップと―のポット」▽おそろ〔俗〕。③全員がつれだっていること。「―でお出かけですか」④〔俗〕「そろっていること」の美化語。「ご注文の品は以上で―ですか〈＝そろっておりますでしょうか〉」☞そろい。

**おそろし・い**《形》一[恐ろしい・△怖ろしい]①自分にはどうにもできない、ひどいことが起こり(そうで)、からだがふるえる感じだ。「―目にあった・―殺人事件・―孤独感・対策をしないと―ことになる」②はかり知れない力があるようすだ。「日に日に画力が上がって―〈＝おそるべき〉子だ〔☞末恐ろしい〕・熱心というものは―もので」二[(恐ろしい)]程度が〈はげしい／大きい〉。ひどい。「―暑さ・おそろしく暑い・おそろしく〈＝たいへん〉やさしい方」✎連用形「おそろしく」は、古風な用法では、「おそろしい」のままで「おそろしい早い」のようにも言う。派 -がる。-げ。-さ。

**おそわ・る**[教わる]《他五》おしえ〈られる／てもらう〉。「数学を―」

**おそわ・れる**[(×魘われる)]《自下一》夢の中で苦しめられる。うなされる。「悪夢に―」

**おそん**[汚損]《名・自他サ》〔文〕よごれ いたむこと。よごして いためること。「書物の―」

**オゾン**〔ozone〕《理》空気中の放電や紫外線が酸素に当たることによって できる、特有の においを持つ気体〔記号 $O_3$〕。漂白などに使う。 ●☆☆**オゾンそう**[オゾン層]《天》成層圏にあるオゾンの層。太陽からの紫外線を吸収する。こわれて うすくなった部分を「オゾンホール」と言う。

**おた**[オタ]〔俗〕↑おたく三。ヲタ。「アニ―〈＝アニメおたく〉・―が殺到」

**おだ**〔↑お題目。「オダ」とも書く〕〔俗〕〔言いたいほうだいの〕気炎。 ●**おだを上げる** 句〔俗〕得意になって、相手かまわず勝手なことを言う。気炎を上げる。

**おだい**[お代]「代金」の美化語。「〔見せ物で〕―は見てのお帰り〈＝代金は見終わって、帰るときに はらえばいい〉」

**おだい**[お題]①〔和歌や俳句などで〕(あらかじめ)あたえられる主題。「歌会の―」②話題。テーマ。「対談の―」③大喜利の問題。

**おたいこ**[お太鼓]〔↑おたいこ結び〕女性の帯の代表的な結び方。太鼓の胴のように ふくらませて結ぶ。太鼓結び。

[おたいこ]

**おだいもく**[(△御)題目]〔「題目」の美化語〕①《仏》〔日蓮宗で〕南無妙法蓮華経の七字。②ありがたそうに唱えるばかりで、実質の伴わない主張(の項目)。「―だけは りっぱだ・―を唱えるばかり」

**おたいらに**[お平らに]《感》〔話〕足をくずしてすわるように、相手にすすめるときのことば。「どうぞ―」

**おだいりさま**[お内裏(様)]①⇩内裏びな。②〔俗〕男びな。「―とおひなさま」

**おたおた**《副・自サ》どうしたらいいか わからず、ただ あわてるようす。「指名されて―する・―走り回る」

****おたがい**[お互い]一①二人(以上)の、それぞれ。互い。「―の目を見つめあう・全員が―を高めあう」②⇩お互いさま。「困っているときは―です」二《副》①それぞれが相手に向かって。「―(に)迷惑だからやめよう」②それぞれに。「―(に)助けあう」▽互いに。 ●**おたがいさま**[お互い(様)] 相手だけでなく、こちらも同じであること。お互い。「困ったときは―だ・ごぶさたは―です」

**おたかく**[お高く]《副》 ●**お高くとまる** 句 見くだした態度をとる。つんとすます。

☆☆**おたから**[お宝]①貴重な、値打ちのある物。「―の発掘・―映像〈＝貴重な映像〉」②⇩たからぶね。「―売り」③お金。

**おだき**[雄滝・△男滝] 一対の滝の中で、大きくて勢いのはげしいほう。(↔雌滝)

**おたきあげ**[お×焚き上げ]《名・他サ》大切な品を処分するため、神社などで感謝をこめて焼くこと。

☆☆**おたく** 一[お宅]「(相手の)家」の尊敬語。二[(お宅)]《代》〔話〕おとな同士が相手(の家・会社など)を呼び合う ことば。あなた。「―(さま)では・―(の会社)の社長」三[オタク・おたく]《名・ナダ》〔俗〕特定の趣味にのめりこんで、くわしい知識をもつ〈人／ようす〉。オタ。「映画―・―文化・―な会話」由来 アニメファンなどが、おたがいに「おたく」と呼び合っていたことから、一九八三年にコラムニスト中森明夫が名づけ、八〇年代末に広まった。最初は けいべつの感じが強かった。表記 ふざけて「ヲタク」とも。☞マニア。

**おだく**[汚濁]《名・自他サ》よごれて にごること。おじょく。「水質―」

**おたけび**[雄(△叫び)] 勇ましい さけび声。「―を上げ〈る〉」

**おたずねもの**[お尋ね者] 警察でさがしもとめている犯人。

**おたち**［お立ち］①「出発」の尊敬語。「あすは―か」②料理店などから客が帰ることの尊敬語。●**おたちだい**［お立ち台］①身分の高い人が あいさつするときに乗る台。②《野球など》試合でよく活躍した選手が、試合直後にインタビューを受けるさいに乗る台。③〔俗〕（鉄道の）写真が きれいに とれる場所。④〔俗〕〔バブル景気のころ、ディスコで〕そこに乗って おどる台。

**おたちあい**［お立ち会い］ 大道商人などが、口上の中で、まわりで見ている人に呼びかけることば。ご見物のみなさん。「さあ、―」

**おたっし**［お達し］ 役所や目上の人からの知らせや言いつけをていねいに言ったことば。

**おだ・てる**［（×煽てる）］《他下一》〔何か目的があって〕しきりに ほめる。そそのかす。名おだて。「―に乗る」

**おたびしょ**［（△御）旅所］ 祭礼のとき みこし（御輿）を一時入れておく、仮の建物。

**おたふく**［お（多福）］ おかめ。由来 みにくい女を言った「乙御前」の「おと」と、顔が ふくれている意味の「おふく」が合体したともいう。その場合、「お多福」は当て字。●**おたふく かぜ**［おたふく（風邪）］《医》ウイルスで耳下腺がはれる、子どもに多い病気。流行性耳下腺炎。

**おだぶつ**［お（×陀仏）］〔=阿弥陀仏〕〔俗〕①死ぬこと。「―になる（=死ぬ）」②だめになること。

**おたま**［お（玉）］〔↑おたまじゃくし〕 なべの中の しるをすくう道具。しるを受ける半球形の部分に、柄がついている。しゃくし（杓子）。●**おたまじゃくし**［（△御玉×杓子）］①⇩おたま。②［（:蝌蚪）］ カエルの卵がかえったもの。頭にしっぽがついたような形に見える。③〔俗〕音符。「―が読めない」

**おだまき**［（×苧△環）］①つむいだアサの糸を巻いて玉のようにしたもの。②春、青むらさきや白い花を下向きにつける多年草。

**おたまや**［（△御）霊屋］ 身分の高い人の霊をまつる建物。霊廟。廟所。みたまや。

**おため**［お（△為）］①「ため」の尊敬語。「…したほうが―です〔=あなたの利益になる〕」②〔関西方言〕 おうつり。特に、祝い金の一割の お返し。●**おためごかし**［お（△為）ごかし］ 人のためにするように見せて、実は自分の利益をはかること。

**おためし**［お試し］〔商品・やとい人などを〕ためしに使ってみること。「―で使う・―価格・―期間」

**おだやか**［穏やか］《ナダ》①はげしさがなく、変化も少なくて、不安が感じられないようす。「暑くも寒くもなくて―だ・―な海・国内が―だ（=争いなどが起こらない）」②大げさにしないようす。過激な方法をとらないようす。「―に表現する・事を―に運ぶ」③おちついて、ものの言い方などが やわらかいようす。「―に話す・―な人がら」派―さ。●**穏やかでない** 句 ただごとではない。聞き捨てならない。「けが人まで出たというから―」

**おだわら**［小田原］〔=地名〕↑小田原ぢょうちん。●**おだわらぢょうちん**［小田原（△提△灯）］ 筒のような形をした、折りたたみのできる細長いちょうちん。●**おだわらひょうじょう**［小田原評定］ いつまでも決まらない〈相談/会議〉。由来 小田原城が豊臣秀吉に攻められたとき、城中で、戦うかどうかの相談がなかなか決まらなかったことから。

［おだわらぢょうちん］

**おだんご**［お（団子）］①「だんご」の美化語。②かみの毛を、頭の後ろや左右などで丸く まとめたもの。シニヨン。

**おたんこなす**〔「オタンコナス」とも書く〕〔俗〕ぼんやりしている者をののしって言うことば。まぬけ。おたんちん。

**おたんちん**〔「オタンチン」とも書く〕〔俗〕まぬけ。能なし。おたんこなす。

**おち**［落ち］ 一 **おち** ①おちること。「点滴の―が悪い・鮮度―が早い」②てぬかり。「手順に―がある」③もれ（ること）。「リストに―がある」④にげること。「薩摩―」⑤《落語》落語の最後に入れる、くすぐり。さげ。〔漫才などでも言う〕⑥〔つまらない〕結末。「失敗するのが―だ」表記 ⑤⑥「オチ」とも。 二 造 …年前に市場に出た型式。「三年―の車」

**おちあ・う**［落ち合う］《自五》①約束して、出あう。「駅で―」②川と川とが出あって一つになる。名 落ち合い。

**おちあゆ**［落ち（×鮎）］ 秋、たまごをうむため川をくだるアユ。さびあゆ。くだりあゆ。

**おちい・る**［陥る］《自五》①落ちて、中のほうにはいる。「深い穴に―・奇妙な感覚に―」②悪い状態になる。「大混乱に―・危篤に―」③〔相手の わなに〕かかる。「敵の術中に―」

**おちうど**［落（△人）］⇩おちゅうど。

**おちおち**［（落ち落ち）］《副》〔後ろに否定が来る〕おちついて。「心配で夜も―ねむれない」

**おちくぼ・む**［落ち（×窪む）］《自五》 おちたように へこむ。「落ちくぼんだ目」

**おちけん**［落研］〔学〕↑落語研究会。

**おちこち**［（△遠△近）］〔雅〕ここかしこ。

**おちこぼれ**［落ち（△零れ）］①〔俗〕学校の授業について行けない生徒。学業不振児。②〔古風〕おこぼれ。余得。「お給金以外の―」動 落ちこぼれる《自下一》。

**おちこ・む**［落ち込む］《自五》①穴などの中におちる。②おちそうな角度で かたむく。「谷に落ち込んだ がけ」③穴の形のように、まわりよりも へこむ。「地面が―」④収入・業績などが、下がる。⑤しずんだ気分になる。スランプにおちいる。名 落ち込み。

**おちつき**［落ち着き］ 落ち着くこと。「―がない」●**おちつきはら・う**［落ち着き払う］《自五》 じゅうぶん おちついて、平気でいる。

***おちつ・く**［落ち着く］《自五》①しずまって、のぞましい状態に定まる。安定する。「天候が―・痛みが―」②〔に―〕 ある場所・地位に達して、それ以後動かなくなる。「東京に―」③興奮したり、動き回ったりしない状態になる。「落ち着いて話す・落ち着かない子だね・落ち着いた態度」④〔意見などが〕歩み寄って、まとまる。「延期ということに落ち着いた」⑤まわりのものと、うまくつりあう。「そのデザインでは落ち着かない」⑥〔**落ち着いた**〕うわついた感じがなくて、いい。心をおちつかせる。「落ち着いた色」他 落ち着ける《下一》。「腰を―」

**おちど**［落ち度・△越度］①あやまち。過失。「歩行者に―はない」②失敗。「―をとがめる」由来 古くは「越度」で、関所を破ること。

**おちの・びる**［落ち延びる］《自上一》(無事に)遠方へにげる。

**おちば**［落ち葉］ 枯れて枝から おちた、木の葉。落葉。「―た(焚)き」

**おちぶ・れる**［落ちぶれる］《自下一》 びんぼうになったり、身分が下がったりして、みじめな状態になる。

**おちぼ**［落ち穂］ 刈り取ったあとにおちて残った、イネやムギの穂。「―ひろい〔=取り残したものをひろい集めることの たとえ〕」

**おちむしゃ**［落ち武者］ 戦いに負けて にげのびていく武士。

**おちめ**［落ち目］ おとろえ(かか)る状態。運命・勢いがくだりざかになる状態。「―になる」

**おちゃ**［お茶］ ━ ①「茶」の美化語。「―が はいる〔=お茶の用意ができる〕」〔日常語として ふつうに使う〕 ②コーヒーや紅茶、日本茶などをふくむ ことば。「―でも飲みませんか」 ③茶の湯。「―を習う」 ━《名・自サ》「お茶━②」を飲んだり、お菓子を食べたりして休むこと。「―にする・カフェで―しよう〔俗〕・―に招く」

●☆☆**お茶を濁す** 句 はっきりさせないでおく。あいまいにしてごまかす。 ●**お茶をひ(挽)く** 句 芸者などが客がなくてひまでいる。 由来 昔、遊郭で遊女などが ひまなときに ひき茶をひいて客を待ったことから。

**おちゃうけ**［お茶請け］〔「茶請け」の美化語〕 ①お茶を飲むときに食べる菓子や つけもの。茶菓子。 ②〔古風〕おやつ。「―にしましょう」

**おちゃかい**［お茶会］ ①「茶会」の美化語。 ②お茶を飲みながらの、ちょっとした集まり。「友だちとの―」

**おちゃくみ**［お茶(×汲み)］〔職場などで〕お茶をついで出す〈こと／人〉。

**おちゃっぱ**［お茶っ葉］〔話〕(飲用に加工された)茶の葉。

**おちゃっぴい**《名・ナダ》〔古風〕おしゃべりで おちゃめな〈こと／少女〉。 由来「お茶ひき〔=お茶をひく芸者〕」の変化。

**おちゃのこ**［お茶の子］〔俗〕簡単に できること。手が るに かたづくこと。「―さいさい」

**おちゃのま**［お茶の間］ ①「茶の間」の美化語。 ②テレビの視聴者(の部屋)。「―の人気者・―に伝える」

**おちゃめ**［お(茶目)］《名・ナダ》 あいきょうや いたずらっ気がある〈ようす／人〉。また、あいきょうのある動作。茶目。「まじめだが―なところもある・―に舌を出す・―なヘアスタイル」

**おちゃらか・す**《他五》〔俗〕からかう。ちゃかす。 名 おちゃらかし。

**おちゃら・ける**《自下一》〔俗〕じょうだんを言ったりして、ふざける。ちゃらける。「いつも おちゃらけている」 名 おちゃらけ。

**おちゅうど**［(△落△人)］ いくさに負けて、かくれにげる者。おちうど。おちびと。「平家の―」

**おちゆ・く**［落ち(行く)］《自五》 ①落ちて行く。「日が―」 ②〔いくさに負けて〕にげて行く。「流れ流れて―先は…」 ③おちぶれて たどりつく。

**おちょう**［雄(×蝶)］ ①おすのチョウ。 ②紙をおすのチョウにかたどって折ったかざり。結婚式のとき、三三九度の銚子に つける。 ③「雄蝶②」をつけた銚子で酌をする役の人。▽(↔雌蝶)

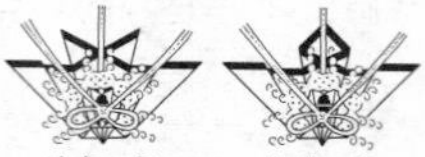

［おちょう ②］

**おちょうし**［お(×銚子)］「ちょうし」の美化語。〔飲食店では、かん(燗)をした酒を入れた とっくり〕

**おちょうしもの**［お調子者］ 調子に乗りやすい人。

**おちょく・る**《他五》〔もと関西方言〕〔俗〕からかう。

**おちょこ**［お(:猪口)］ ①「ちょこ」の美化語。 ②傘が、強い風などのために うら返しになった状態。「―になる・―がさ」

**おちょぼぐち**［おちょぼ口］ 小さくて かわいらしい口。おつぼぐち。

****お・ちる**［落ちる］《自他上一》 ①［△墜ちる］ 上の位置に とどまれずに、急に〈下／地面など〉に移る。「あやまってがけから―・坂を―・木の実が―・飛行機が―・水がくだを―・穴に―」 ②〈下の向き／低い位置〉に変わる。「うで時計に視線が―」 ③〔落ちた・落ちている〕 ⓐ〈拾われず／取り除かれず〉、ものが地面などに残る。「路上に落ちた ごみ」 ⓑ〔所有者の わからないものが〕ある。「インターネット上に落ちていた画像」 ④〔影や光が〕表面に映る。「歩道に木の影が―」 ⑤〔太陽・月が〕地平線にかくれる。「日が―」 ⑥〔雨などが〕降り始める。「白いもの〔=雪〕が落ちてきた」 ⑦［△堕ちる］ おちぶれる。くだらないものになる。「堕ちた英雄」 ⑧程度・質が下がる。「スピードが―・体重が―・照明が―〔=暗くなる〕・成績が―・うでが―・味が―・人気が―」 ⑨〔気分が〕落ちこむ。「気持ちが―」 ⑩ついていたものが なくなる。「よごれが―・着物の色が―〔=うすくなる〕・病気でほおの肉が落ちた」 ⑪落第する。不合格になる。「大学を三回も落ちた」 ⑫電源が切れる。プログラムが終了する。「バッテリーが―・コンピューターが―・ブラウザーが―」 ⑬ログアウトする。「チャットから―」 ⑭〔不注意から〕ぬける。もれる。「一字落ちた・名簿から落ちている・原稿が―〔=おくれて、掲載できなくなる〕」 ⑮しかたなく はなれて、遠くへ行く。「〈都／村〉を―・九州へ―」 ⑯急に引きこまれるように、ある状態になる。「恋に―・深いねむりに―・罪に―」 ⑰〔城が〕攻めおとされる。 ⑱白状する。「責められて―・語るに―〔⇩「語る」の句〕」 ⑲くどかれて承知する。「さそいかけられて―」 ⑳〔ある人の〕手にはいる。「競売で―」 ㉑使われて、その土地の収入になる。「温泉地に落ちた お金」 ㉒《経》〔手形が〕約束の日に、現金になる。 ㉓《落語》「落ち━⑤」がつく。 ㉔《柔道など》気絶する。 ㉕〔古風〕〔小鳥などが〕死ぬ。 ㉖〔その人に乗り移っていたものなどが〕はなれる。「きつねが―・つきが―」

**おっ**《感》〔話〕ちょっと おどろいたり、気がついたりしたときの声。お。「おっ(↓)、きょうはカレーか」

**おっ**［(押っ)］ 接頭 〔俗〕〈勢いよく／いきなり〉する意味をあらわす。「―かぶせる・―ちぬ〔=死ぬ〕」

**おっ**［追っ］ 接頭 〔話〕「追い」の音便。「―ぱらう」

**おつ** ━ **おつ**［乙］ ①十干の第二。甲の次。きのと。 ②第二位。(↔甲) ③〔邦楽で〕一オクターブ低い音階。「―の声」(↔甲) ━ **おつ**［(乙)］《ナダ》 ①少し変わっていて いいようす。「―な味」 ②〔古風〕変に上品ぶっているようす。「―にすます」③〔古風〕むやみなようす。「―に（＝いやに）からんでくる」☞感動詞「おつ」の表記。

**お・つ**【△墜つ】《自上二》〔文〕「落ちる」の文語形「落つ」に、「墜」の字を使ったもの。「巨星―（⇩「巨星」の句）」

**おつ**《感》〔俗〕↑おつかれさま。〔皮肉な意味でも使う〕表記「∴乙」は、二十一世紀になってインターネットで広まった当て字。

**おつうじ**【お通じ】「便通」の婉曲な言い方。「―がある」

**おっかあ**【おっ（△母）】〔古風〕〈母/妻〉を、親しみをこめて呼ぶことば。かあちゃん〔俗〕。

**おつかい**【お使い】①家の近所でする、簡単な買い物や用足し。「―に行く」②「使い」の尊敬語。●**おつかいひめ**【お使い姫】神または神格をおびたものの使いと考えられる〈雌のけもの/女性〉。「弁天様の―」●**おつかいもの**【お使い物・お遣い物】おくりもの。ご進物。

**おっかけ**【追っ（掛け）】㊀〔俗〕①追いかけること。②有名人の行く所へつきまとう熱狂的なファン。㊁《副》〔古風〕追いかけるように、すぐ。「―まいります」

**おっか・ける**【追っ（掛ける）】《他下一》〔話〕追いかける。

**おっかさん** 昔、母を、敬意と親しみをこめて呼んだことば。〔江戸時代後期から使われた〕（↔おとっつぁん）

**おっかな・い**《形》〔俗〕こわい。おそろしい。派 -がる。-げ。-さ。

**おっかなびっくり**《副》おそるおそる。「―ノックしてみた」由来「おっかない」の語幹と「びっくり（＝びくびくするようす）」をあわせたことば。

**おっかぶ・せる**【（押っ△被せる）】《他下一》〔俗〕勢いよくかぶせる。おしかぶせる。「からだを机に―・人に罪を―・―ように言う」自 おっかぶさる《五》。

**おつかれ**【お疲れ】㊀「疲れ」の尊敬語・美化語。「―の出ませんように」㊁《感》〔話〕「お疲れさま」のくだけた言い方。〔同等・目下の人に使う〕「―さん・〔職場や学校で〕じゃあね、―！」●☆☆**おつかれさま**【お疲れ（様）】《感》①相手の労をねぎらう、あいさつ。「お仕事、―」②〔職場などで〕〈出会った/別れる〉ときのあいさつ。「―です〔仕事のメールの最初にも使う〕」▽「お疲れさん」は、ぞんざいな言い方。注(1)戦前に芸能界で使われだし、戦後に一般化した。「お疲れさま〈です/でした〉」の形は、二十世紀末から、目上にも使うふつうのあいさつとされるようになった。(2)②は、社会人や学生の間で「こんにちは」の代わりによく使われるようになった。「こんにちは」でも問題ない。☞ご苦労さま㊁。

**おつき**【お付き】〔上位の相手に〕つきそうこと。おとも。「―の人」

**おっき・い**【（△大っきい）】《形》〔話〕大きい。（↔ちっちゃい）

**おつきさま**【お月（様）】①〔女/児〕「月」をうやまい親しんで呼ぶことば。②〔俗〕「生理②」の婉曲な言い方。

**おっきな**【（大っきな）】《連体》〔話〕大きな。「―声を出してはだめ」〔形容動詞とする説もある〕

**おっくう**【（億×劫）】《名・ナダ》動いたり考えたりするのがめんどうに感じられるようす。「口をきくのも―だ」派 -がる。-さ。

←**おつくり**【お造り】〔↑作り身。関西などの方言〕「さしみ」の美化語。「タイの―」表記 料理店などでは「△御造：里」とも。

→**おつくり**【お作り】《名・自サ》〔古風〕おけしょう。

**おつけ**【（＝御付け）】〔東日本方言〕「汁物〔特に、みそしる〕」の美化語。「大根の―」

**おつげ**【お告げ】神や仏が告げ知らせてくれる（と言われる）こと。●**おつげぶみ**【お告げ文】天皇が、神にちかうことば。☞告文。

**オッケー**《感・名・自サ》〔話〕⇩オーケー（ＯＫ）。

**おっけん**【臆見】〔文〕臆測による考え。思いこみ。「―を持つ」

**おっこ・ちる**【落っこちる】《自上一》〔関東方言〕おちる。「どしんと落っこちた〔『落っこった』とも〕」他 落っことす《五》。

**おっさん**〔↑おじ（小父）さん。「オッサン」とも書く〕〔俗〕中年の男性を〈親しんで/からかいぎみに〉呼ぶ言い方。

**おっしゃい**【（△仰い）】◇〔動詞「おっしゃる」の命令形〕〔女〕言ってください。言いなさい。〔同等・目下の人に言う〕「まあ、そう照れずに―・〔子どもに〕本当のことを―・うそ―（＝うそをついてはいけません）」

*__おっしゃ・る__【（△仰る）】《他五》〔↑おおせある〕「言う」の尊敬語。「言われる」より敬意の度が高い。「先生の―とおりです・何でもおっしゃってください」☞おっしゃい。

**おっしょさん**〔↑お師匠さん〕芸事の師匠を尊敬して言うことば。おしょさん。

**おっす**《感》〔話〕⇩おす《感》。

**オッズ**〔odds〕《競馬・競輪など》賭け金に対する配当の率。予想配当。

**おった・てる**【おっ立てる】《他下一》〔おっ↑押し〕〔俗〕「立てる」を強めた言い方。自 おっ立つ《五》。

**おった・てる**【追っ立てる】《他下一》〔話〕「追い立てる」を強めた言い方。

**おっちゃん**〔話〕中年以上の年齢の男性。〔呼びかけにも使う〕

**おっちょこちょい**《名・ナダ》〔俗〕うわついていて考えが浅い〈ようす/人〉。

**おっつかっつ**《ナダ》〔古風〕程度・優劣などにほとんど差がないようす。お（っ）つかつ。「男の年は私と―だ」表記「追っつ返っつ」と書いた例もあるが、この語が「追う」「返る」と関係があるかどうかは不明。

**おっつ・く**【追っ（付く）】《自五》〔話〕追いつく。

**おっつけ**【（追っ付け）】《副》〔話〕まもなく。やがて。

**おっつ・ける**【押っ（付ける）】《他下一》①〔俗〕おしつける。②《すもう》差そうとする相手のうでを自分の脇でおさえて、差させないようにする。③《野球》〔バットをボールにおしつけて〕流し打ちをする。名 押っつけ。

**おって**【追っ手】にげて行く者を追いかける人。「―がせまる」

☆☆**おって**【（追って）・（追×而）】㊀《副》まもなく。あとから。「―通知する」㊁《接》《手紙》〔文・古風〕つけ加えて。なお。●**おってがき**【追って書き】手紙の終わりに書きそえ〈ること/た文〉。追伸。二伸。

****おっと**【夫・∴良人】〔↑おひと（男人）〕夫婦のうち、男性のほうの呼び名。「私は彼女の―です」〔本人やつれあいが他人に言うときに、また、報道などで、ふつうに使う」〔↔妻〕 ✓ ⇩配偶者。

**おっと**《感》①〔話〕思いがけないことに出あったり、失敗しそうになったりしたときに出す声。おおっと。「—どっこい」②〔古風〕よし。よろしい。「—がってん、承知之助」●**おっとっと**《感》〔話〕酒などが こぼれそうになったり、失敗しそうになったりしたときに出すことば。「—、あふれそうだ・—、ころびそうだ」

**おっとせい**〔(:膃肭=×臍)〕北太平洋にすむ、人ぐらいの大きさの海獣。せなかは黒く、腹は灰色で、毛は絹のようにやわらかい。毛皮や肉を利用する。

**オットマン**〔ottoman〕足をのせるため、いすの前に置く台。「自動車の—シート」

**おつとめ**〔お勤め〕①「つとめ(ること)」の尊敬語・美化語。「—ご苦労さまでした・どちらに—ですか」②つとめ先。「—はどちらですか」③《仏》読経。

**おつとめひん**〔お(△勉め)品〕〔デパートなどで〕特価で売る品物。サービス品。

**おっとり**《副・自サ》〔性格・態度が〕のんびりして おだやかなようす。「育ちのいい—したお嬢さん・あれこれ心配せず—かまえている」

☆☆**おっとりがたな**〔押っ取り刀〕〔=ひどく急いだために、刀を腰にささないで、手に持ったままの状態〕 大あわて。「—で かけつける」

**おっぱい**〔話〕①乳。「—をほしがる」②乳房。

**おっぱじめ・る**〔おっ始める〕《他下一》〔おっ↑押し〕〔俗〕やりはじめる。「けんかを—・戦争を—」

**おっぱら・う**〔追っ払う〕《他五》〔話〕追いはらう。

**おっぴろ・げる**〔(押っ)広げる〕《他下一》〔俗〕大きく広げる。

**おっぽ**〔尾っぽ〕〔話〕尾。しっぽ。

**おつぼね**〔(△御△局)〕①江戸時代、個室(=つぼね)をあたえられた奥女中。②〔俗〕その職場をしきる、ベテランの女性社員。「—さま」〔からかった言い方〕

**おっぽりだ・す**〔おっ(△放り)出す〕《他五》〔おっ↑押し〕〔俗〕ほうり出す。

**おっぽ・る**〔おっ(△放る)〕《他五》〔おっ↑押し〕〔俗〕「ほうる」を強めた言い方。ほうり出す。

**おつむ**〔つむ↑つむり〕①〔児〕あたま。「—てんてん(=自分の頭を軽くたたく手遊び)」②頭脳。「—がいい」

**おつもり**〔お(積もり)〕〔古風〕酒の席で、酒を飲むことをやめること。おしまい。「—にする」

**おつや**〔お通夜〕「つや(通夜)」の美化語。おつうや。●**お通夜のよう** 句 みんなの気分が落ちこんで、「通夜①」を思わせるほど、ずっとだまっているたとえ。

**おつゆ**〔お(△汁)〕「みそしる・すましじる・そばつゆ・天つゆ」などの美化語。

**おつり**〔お(釣り)〕「つり銭」の美化語。●**おつりが来る** 句 ①予算があまる。「千円で—」②不利な点を差し引いても、有利な点が多く残る。「多少の苦労をしても じゅうぶん—仕事」

**おて**〔お手〕[一]おて「手」の尊敬語。「—が よごれます」[二]おて 犬が片方の前足をあげて人の手にのせること。また、そうさせるように言うことば。●**お手を拝借** 句 手締めを始めるときに、その場の人たちにかけることば。このあと「いよーっ」と言って手を締める。

**おてあげ**〔お手上げ〕〔行きづまって〕どうにも しようがなくなること。「こういそがしくては—だ」

**おてあらい**〔(△御)手洗い〕「手洗い(=便所)」の美化語。おトイレ。

**おでい**〔汚泥〕〔文〕きたない どろ。

**おでかけ**〔お出(掛け)〕《名・自サ》①「出かけること」の尊敬語・美化語。「何時に—ですか」②家から はなれた場所へ遊びに行くこと。「—着」

**おてがら**〔お手柄〕《名・ナダ》人にほめられるような はたらき(をして、感心なようす)。「学生が人命救助の—・わが子ながら—だ」

**おでき**「できもの」の美化語。

**おでこ**〔話〕①ひたい。②ひたいが高く出ている〈こと/人〉。

**おてだま**〔お手玉〕[一]小さな布の ふくろにアズキなどを入れてくるんだもの。少女の おもちゃ。また、それでする遊び。[二]《名・他サ》《野球》⇩ジャッグル。

**おてつき**〔お手(付き)〕《名・自サ》[一]おてつき ①歌ガルタを取るとき、まちがった ふだに手をつけること。また、その罰に引き取る ふだ。おてつけ。②〔クイズ番組などで〕問題を最後まで聞く前に解答して まちがうこと。[二]おてつき 主人が使用人などの女性と肉体関係を結ぶこと。また、その女性。

**おてつだい**〔お手伝い〕[一]《名・他サ》「てつだい」の美化語。「夕飯の—・仕事を—してくださるかた」[二]家事のてつだいをするために雇われた女性。「—さん」

**おてて**〔お(手々)〕〔児〕手。

**おてなみ**〔お手並み〕「手並み」の尊敬語・美化語。「—恐れ入りました」●**おてなみ はいけん**〔お手並み拝見〕相手が どのくらい うまく〈できる/できた〉かを見ること。お手並みを拝見。「新大臣の—」〔少し えらそうな言い方〕

**おてのすじ**〔お手の筋〕〔手の筋=手相〕〔古風〕うまく言いあてること。「よっ、—!(=そのとおり)」

**おてのもの**〔お手の(物)〕得意(の わざ)。「運転なら—だ」

**おてふき**〔お手拭き〕客に出す、小形の手ぬぐい・タオル・ウエットティッシュなど。

**おてまえ**〔お△点前・お手前〕①《茶道》「点前」の尊敬語・美化語。②うでまえ。技量。「—拝見」

**おてまえ**〔お手前〕《代》〔古風〕あなた。

**おでまし**〔お出(△座し)〕「出て〈ゆく/くる〉こと」の尊敬語。「—になる」

**おてもと**〔お手元・お手△許〕[一]「てもと①」の尊敬語。[二]「箸」の美化語。表記 [二]箸ぶくろには「△御手★☆(=茂・登から来た変体がな)」などとも。

**おてもり**〔お手盛り〕自分につごうのいいように取りはからうこと。「—予算」

**おてやわらか**〔お手柔らか〕《ナダ》相手に、やり方を加減してもらうときの あいさつ語。「(どうぞ)—に」

**おてらさま**〔お寺(様)〕寺の〈住職/僧〉を尊敬した言い方。お寺さん。

☆☆**おてん**〔汚点〕①不名誉。きず。「—を残す」②〔文〕よごれ。しみ。「インクの—」

**おでん**〔でん↑田楽〕大根・こんにゃく・ちくわ・ゆでたまごなどを、出しじるで長く煮た料理。煮こみおでん。関東だき。「味の しみた—」

**おてんき**〔お天気〕①「天気」の美化語。②ごきげん。「社長の—が変わる」③気分が変わりやすいこと。

「―むすめ」 ●**おてんきや**［お天気屋］ 気分の変わりやすい人。

**おてんとうさま**［お（天道様）］ ①「太陽」をうやまい、親しんで呼ぶことば。「―と米の飯はついて回る（＝どこへ行っても日は照るし、米の食事《＝生活》はできるものだ）」 ②天候。「―には勝てない」▽おてんとう（さま／さん）。てんとう（さま／さん）。おてんと（さま／さん）。

**おてんば**［お（∴転婆）］《名・ナダ》〔やや古風〕（少女や若い女性が）元気で活発なようす。また、その人。おきゃん。おはね。由来「手早い」の意味の「てんば」からという。

**おと［音］ ①ものが動いたりぶつかったりしたときに、耳の中に感じられるもの。ね。「鐘の―・―もなく消える」 ②評判。「―に聞く」 ●**音を立てて崩れる**句 「くずれる」を強めたことば。「自信が―・二人の仲が―」

**おとあわせ**［音合わせ］《名・自サ》《音》 ①（何人かで）演奏する前に音を合わせること。チューニング。 ②本番の前に集まって演奏してみること。合奏。

**おといれ**［音入れ］ 録音。

**おとう**［お（△父）］〔方〕父を、親しみをこめて呼ぶことば。とうちゃん〔俗〕。おっとう。

*__おとうさん__［お父さん］ ①自分の父を、敬意と親しみをこめて呼ぶことば。〔家族が子どもの父を、また、父が自分自身をさしても言う。義父のことも言う〕「―（になついた）子」 区別 改まった場で自分の父を人に言うときは、「お父さん」は子どもっぽく、「父」が礼儀正しい。改まりすぎるのをきらって「父親」と言う人もいるが、他人のような呼び方でもある。（男性は）親しい人の前では「おやじ」とも。 表記 義父は「お∴義父さん」とも。 ②〈相手／他人〉の父を尊敬して言うことば。「―によろしく」 ③子どものいる男性をさすことば。「最近の―たち」 ④動物の父。「―ネコ」▽とうさん。（お）とうちゃん〔俗〕。〔「（お）とうさま」は、より敬意の高い言い方〕（↕お母さん）

*__おとうと__［弟］ ①（自分と）同じ親から生まれた、年下の男。 ②⇩義弟。▽（↕兄） ③（板前のことば）新しい食材。（↕兄貴） ●**おとうとでし**［弟弟子］自分よりあとで、同じ先生に〈ついた／ついている〉人。（↕兄弟子） ●**おとうとぶん**［弟分］ 仕事上、または義理の関係で、弟としてあつかわれる人。（↕兄貴分） ●**おとうとよめ**［弟嫁］ 弟の妻。（↕兄嫁）

**おとおし**［お通し］《料》酒のさかなとして最初に出す、簡単な料理。通しもの。つきだし。こづけ。「―代」

**おどおど**《副・自サ》おそれておちつかないようす。おずおず。「―した目つき・―と答える」

**おとがい**［（×頤）］〔雅〕（した）あご。

**おどか・す**［脅かす・△嚇かす］《他五》 ①おどろかす。「大声で―」 ②おどす。名 脅かし。

**おとぎ**［お（×伽）］ ①〔文〕「とぎ（伽）」の美化語。おとぎばなし。「―の国・―列車」 ●**おとぎばなし**［お（×伽）話・お（×伽）×噺］ 子どもに聞かせて楽しませるための、空想をまじえた話。動物が話したり、鬼や小人が出てきたりする。

**おとく**［お得］《ナダ》 ①値段が安くなるなど、〈ふつう／ほか〉の場合よりも利益があるようす。「このほうが―です・―なチャンス」 ②役に立つようす。「―な情報」 表記〈俗に／軽く〉「おトク」とも。派 ―さ。

**おとくい**［お得意］ ①「得意③」の尊敬語・美化語。「―の歌」 ②（得意で）何かというと、すぐそれをすること。「―の言いわけが始まった」〔からかっても言う〕 ③「得意④」の尊敬語。「―回り・―様」

**おどけ**［（△戯け）］〔古風〕 ①ふざける動作。「―の所作」 ②しゃれ。じょうだん。「―を言う」

**おど・ける**［（△戯ける）・（お∴道化る）］《自下一》 あいきょうのある言い方や身ぶりで、ふざける。「おどけたしぐさ」

**おとこ［男］ ①人間のうち、子種を作るための器官を持って生まれた人（の性別）。男子。男性。〔生まれたときの身体的特徴と関係なく、自分はこの性別だと感じている人もふくむ。☞トランスジェンダー〕「―社会・―ことば」 ②成人男性。「―の人（ていねいでやわらかい言い方）・四十―」 区別 大人の男の人をさす場合、「男」はぞんざいに感じられることがあり、より客観的でていねいな言い方として「男性」を使う場面が増えている。アンケート調査で「男、○人」と表示していたのを「男性、○人」に変えた例もある。報道では「犯人の男」と、被害者の男性」のように使い分ける。「男子」は「男子トイレ」のように成年・未成年を問わず使うかたい言い方だが、「めがね男子」など親しみをこめて使うことも多くなった。 ③［△漢］ からだも心も強く、たのもしい「男①」。「おれも―だ、引き受けよう」〔書きことばでは、俗に女性にも使う。「漢だね！」〕 ④一人前の男性（としての名誉）。「〔選挙演説で〕どうか―にしてください・―を下げる」▽（↕女） ⑤恋人や愛人としての男性。「―を作る」▽（↕女） ●**男になる**句 ①一人前の男性に成長する。 ②異性と肉体関係を持ち、童貞でなくなる。女を知る。 ●**男を上げる**句 （男の人が）予想以上のりっぱなはたらきをして評判を上げる。（↕男を下げる） ●**おとこいっぴき**［男一匹］ りっぱな、一人前の男。「―だ。必ずやるぞ」 ●**おとこうん**［男運］〔恋人や配偶者としての〕男性にめぐりあう運。「―がない・―が悪い」（↕女運） ●**おとこおや**［男親］ ①（子育てで、男としての役割をはたす）父親。「―ひとりで育てる」 ②家族で、世代が上の男。父・祖父など。「代々の―」▽（↕女親） ●**おとこぎ**［男気・∴侠気］ 弱い者が苦しんでいることを知って、だまっていられなくなる気持ち。きょうき（侠気）。 ●**おとこけ**［男（気）］ ⇩おとこっけ。（↕女気） ●**おとこごころ**［男心］ 男（に特有）の心。「―を翻弄する」 ●**男心と秋の空**句 変わりやすい男心のたとえ。〔「女心と秋の空」は英語のことわざ「女心と冬の空」の影響による〕 ●**おとこざか**［男坂］ 二つある坂のうちで、急なほうの坂。（↕女坂） ●**おとこざかり**［男盛り］ 男の、いちばん精力のみちあふれた元気な状態（の年ごろ）。（↕女盛り） ●**おとこしゅ**［男衆］〔古風〕 ①男の人たち。〔女性から男性をさして言うことば〕 ②下ばたらきの男。▽（↕おなご衆） ③役者の身のまわりを世話する男。▽おとこしゅう。おとこし。 ●**おとこずき**［男好き］ ①女の容姿や気だてなどが、男を引きつけること。「―のするタイプ」 ②愛情の相手として男を求める気持ちが強い〈こと／女〉。▽（↕女好き） ●**おとこだて**［男（∴伊達）］ おとこぎがあることを、おこないで見せる〈こと／人〉。 ●**おとこっけ**［男（っ気）］ ①〔女ばかりでなく〕男のいる気配。「家の中に―がない」 ②男の恋人のいる気配。「―のない生活」▽おとこけ。おとこげ。（↕女っ気） ●**おとこで**［男手］ ①男の〈力/はたらき〉。「—がほしい・—一つで子を育てる」②男の筆跡。「—の手紙」▽(↔女手) ●おとこなき【男泣き】《名・自サ》〔強い男も〕こらえかねて泣くこと。●*おとこのこ【男の子】①男の、子ども。②若い女が、若い男、男の学生などをさして言うことば。③ペットのおす。▽(↔女の子) ●おとこひでり【男〈×旱〉】〔古風〕愛してくれる男性がいないこと。(↔女ひでり) ●おとこぶり【男〈振り〉】男のようす・顔つき・態度。おとこまえ。おとこっぷり。「—がいい」●おとこぼれ【男〈×惚れ〉】《名・自サ》男性が、他の男性の人がらや能力などにほれこむこと。●おとこまえ【男前】《名・ナダ》①(いい)おとこぶり。②〔俗〕きっぷがいいようす。かっこいいようす。「—な女子・—ジャケット」●おとこまさり【男勝り】《名・ナダ・自サ》女が、男以上に性質・性格がしっかりしていること。また、そのような女。〔「女は男よりしっかりしていない」という偏見による ことば〕●おとこむすび【男結び】ひもの結び方の一つ。右はしを上から左の下に回し、それを返してできた輪に、左はしを通して結ぶ。垣根などを結ぶときに使う。(↔女結び) ●おとこもの【男物】男性用に作られた衣服・小物など。男持ち。(↔女物) ●おとこやもめ【男〈×鰥〉】妻と(死に)別れて、ひとりで暮らす男。●おとこらし・い【男らしい】《形》〔男が〕勇ましい、たのもしいなど、好ましい性質を持ったようすだ。〔「男は そういうものだ」という思いこみは いったことば〕(↔女らしい) 派—さ。

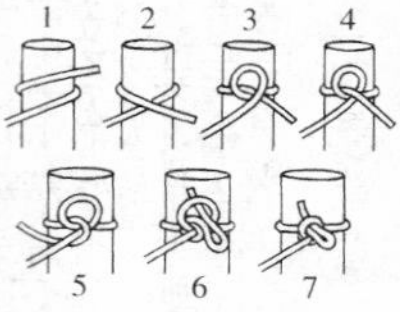

[おとこむすび]

おところ【お所】「所」二②〔=住所〕」の尊敬語。「—とお名前をお書きください」

☆☆おとさた【音沙汰】生活・健康などのようすについてのたより。消息。「—(が)ない」

おとし【お年】①「とし(年)②③」の尊敬語・美化語。「よい—を〔=年末に別れるときの あいさつ〕・—を召す」②高齢。「かなり—の方」

おとし【落とし】①おとすこと。おとしかけ。②わな。③木で作った火ばちの、灰を入れる所。④戸の桟から敷居の穴にさしこむ(小さい)木。●おとしあな【落とし穴】①(けものなどを)だまして近寄らせて、おとしいれる あな。②気づきにくく、失敗しやすいところ。「情報化社会の—・思わぬ—」③人を失敗させる計略。●おとしがみ【落とし紙】〔古風〕便所で使う紙。●おとしご【落とし子】①身分の高い人が、妻でない女性に生ませた子。落としだね。落胤。②あるものごとから生じた、予期しない結果。「バブル時代の—」●おとしこ・む【落とし込む】《他五》①落として中に入れる。②材料を、文章・図など、きまった形にまとめる。「アイデアを企画書に—・地図に—」名落とし込み。●おとしざし【落とし差し】さやの先のほう〔=こじり〕を下げて垂直に近い角度で刀をさすこと。●おとしだね【落とし〈×胤〉】⇩落とし子①。●☆☆おとしどころ【落とし所】〔話し合いで〕どちらのがわもなっとくできる結論。「—をさぐる」●おとしばなし【落とし話・落とし×噺】⇩落語。●おとしぶた【落とし〈蓋〉】①《料》〔味がよくしみるように〕なべの口の広さより小さいふたを、煮物にじかにのせること。また、そのふた。「—をする」②箱の前がわに取りつけ、みぞに そって上げ下げする ふた。●おとしまえ【落とし前】〔俗〕けんかなどの解決(のための お金)。決着。「—をつける」●おとしもの【落とし物】①外出のとちゅうで おとした物。「—に注意」②動物の ふん。「ハトの—」●おとしゆ【落とし湯】ふろの栓をぬいて湯をすてること。また、その湯。

おどし【脅し・△威し】おどすこと。「—に負ける」●おどしつ・ける【脅し〈付ける〉】《他下一》ひどくおどす。

おとしい・れる【陥れる・落とし入れる】《他下一》①人などを、救いもないほど ひどく困った状態にする。「家族を不幸に—・社会を混乱に—」②たくらんで、その人に罪を着せたり、その人の立場を悪くしたりする。「ライバルを—」③〔城を〕攻めおとす。④《野球》走者が、その塁に行き着く。「本塁を—」

おとしだま【お年玉】新年の祝いに子ども・使用人などの目下の者におくる、お金や品物。

☆☆おとし・める【〈×貶める〉】《他下一》人などの価値を、実際より低く あつかう。「人をおとしめた言い方」

*おと・す【落とす】《他五》①上の位置で支えないで、急に〈下/地面など〉に向かうようにする。「がけの上から石を—・パンくずをゆかに—・なみだを—・パイプから水を—・人を穴に—」②〈下の向き/低い位置〉に変える。「視線を—・がっくりと肩を—・腰を—」③〔影や光を〕表面に映す。「月が影を—」④いつも身につけていたものをなくす。失う。「万年筆を—・力を—・命を—〔=死ぬ〕」⑤削って、なくす。「まゆを—・ひげを—」⑥程度・質を下げる。「速力を—〔=おそくする〕・ウエイト〔=体重〕を—・声を—〔=低くする〕・照明を—〔=暗くする〕・ポイントを—〔=活字を小さくする〕・評判を—・話を—〔=下品にする〕」⑦けなす。下げる。「ほめておいて、すとんと—」⑧取り除く。「よごれを—〔=ふいたりしてなくす〕・メイクを—・ぜい肉を—・不要な語を辞書から—」⑨落第させる。「面接で—」⑩〔使い終わって〕しまつする。「火を—〔=調理などの火を消す〕・風呂を—〔=湯ぶねの湯をぬく〕」⑪電源を切る。終了する。「パソコンを—・アプリを—」⑫〔不注意から〕もらす。「名前を—・原稿を—〔=原稿が間に合わず、出版に支障をきたす〕」⑬取りそこなう。不合格となる。「単位を—・必修の授業を—」⑭負けで終わる。「初戦を—」⑮おとしいれる。「無実の者を罪に—」⑯攻め取る。「城を—」⑰〔責めて〕白状させる。「好きな人を—」⑱くどいて承知させる。⑲競売・入札などで落札する。「百万円で—」⑳《経》ⓐ引き去る。さし引いて処理する。「口座から—・損失を経費で—」ⓑ〔手形を〕約束の日に現金に換える。㉑〈記録/搭載〉されているものを、他の媒体に移す。また、ダウンロードする。「動画をパソコンに—」㉒〔図に〕写し取る。「配置を図面に—」㉓具体的に まとめる。落としこむ。「知見を政策に—」㉔〔俗〕おろす。「配達先に荷物を—・友人をその家で—」㉕《料》器の中に入れる。「ときたまごを—・ふたを—〔=落としぶたをする〕」㉖《落語》話の最後を、うまくまとめる。㉗《柔道など》気絶さ

せる。㉘〔その人に乗り移っていたものを〕去らせる。「きつねを—」可能 落とせる。

**おど・す**【脅す・△威す】《他五》①言うことを聞かなければ害をあたえるぞと言って、こわがらせる。②おどろかす。▽おどかす。可能 脅せる。

***おとず・れる**【訪れる】□《他下一》用があって、その場所を目ざして〈行く/来る〉。たずねる。訪問する。「首相が現地を—・友人がわが家を—」□《自下一》①〔客などが〕見物などのために〈行く/来る〉。「演奏会におおぜいの人が—・京都に訪れた観光客」②〔時期などが〕来る。その状況になる。「春が山里に—・福がわが家に—」由来「おと」は、音を立てることに関係がある。「ずれる」は定説がない。区別「村を訪れる」は□の意味で、だれかの意志的な行動に使う。「村に訪れる」は□の意味で、不特定多数の行動や状況の変化などに使う。表記 かなでは「おとずれる」も許容。名 訪れ。可能 訪れることができる。☞訪ねる。

**おとそ**【お△屠×蘇】〔「屠蘇」の美化語〕屠蘇散をひたした〈酒/みりん〉。正月に無病を願って飲む。〔日本酒で代用することも多い〕「—気分（=正月のうかれた気分）」

**おとつい**【（：一昨日）】〔関西などの方言〕⇩おととい。

**おとっつぁん** 昔、父を、敬意と親しみをこめて呼んだことば。〔江戸時代後期から使われた〕（↔おっかさん）

**おととい**【（：一昨日）】昨日の前の日。いっさくじつ。おとつい。●**おととい来やがれ** 句（=二度と来るな）〔俗〕人を追い返すときのことば。おととい来な。

**おととし**【（：一昨年）】昨年の前の年。いっさくねん。おとどし。

**おととび**【音飛び】デジタルの音声を再生するとき、とちゅうのある部分がぬけおちること。「—を防ぐ」☞齣落ち。

**おととり**【音取り】《名・自サ》歌を、楽譜どおりに歌えるように練習すること。「合唱の—」

****おとな**【大人】□①からだがじゅうぶんに成長した人。成人。「—の女の人・いい—（=成長して年を重ねた人）が何をやってるんだ」〔動物にも言う。「—のライオン」〕②分別のある人。「もう少し—になったらどうだ・—の解決」▽（↔子ども）□（ナダ）□《副》〔俗〕分別のあるようす。「—にしていらっしゃい」☞たいじん（大人）・だいにん（大人）。●**おとながい**【大人買い】《名・他サ》〔俗〕〔子どもが〕うらやましがるようなおもちゃなどを大人が自分のために、一気に買いそろえること。●**おとなげな・い**【大人（気）ない】《形》〔分別がなく〕大人らしくもない。●**おとなのじじょう**【大人の事情】①子どもにはわからない、大人だけの事情。②積極的には公表されない、内部の事情。「—で放送が中止になった」〔おそくとも一九九〇年代からある用法〕▽大人の都合。●**おとな・びる**【大人びる】《自上一》〔ふつう 大人び〈た/て〉〕〔子どもなのに〕大人らしくなる。「大人びた表情」

**おとな・う**【（△訪う）】《自五》〔発音はオトノーとも〕〔雅〕おとずれる。名 おとない。

**おとなし**【音（無し）】音を立てないでしずかにしていること。行動を起こさないこと。「—の構え」

**おとなし・い**【（大人しい）・（：温和しい）】《形》①おとなのようにしずかにしている感じだ。「おとなしくしているんだよ」②〔性質が〕おだやかで、さからわないようすだ。「—犬・—性質」③はででない。「—柄」派—げ。—さ。

**おとなしやか**（ナダ）おとなしく見えるようす。「—な態度・ずいぶん—な題名だ」

**おとひめ**【△乙姫】（=若い姫）竜宮に住むという、若い美人。

**おとまり**【お泊まり】□**おとまり**「泊まり②③」の尊敬語。「三名様—です・今晩の—」□**おとまり**《名・自サ》①「泊まり②」の美化語。「おばあちゃんのうちに—する」②〔俗〕恋人と宿泊したり、その人の家で一夜をすごしたりすること。

**おとめ**【乙女・：少女】年の若いむすめ。少女。処女。おとめご。「—心をくすぐる」●**おとめご**【乙女子】〔雅〕おとめ。●**おとめチック**【乙女チック】（ナダ）〔俗〕いかにも若い女の子の好みだ。少女趣味。☞チック□。●**おとめつばき**【〔乙女×椿〕】花がピンク色の、八重ざきのツバキ。

**おとも**【お供・お△伴】□《名・自サ》〔おもに、上位の相手に〕ついて行くこと。「殿の—をする・旅行に—する」□①従者。②そばにあって役立つもの。「散歩のガイドブック」③〔料理店・旅館で〕客が乗る自動車。おくるま。「—が参りました」

**おともだち**【お友（達）】①「友だち」の尊敬語・美化語。②〔幼稚園・小学校などで〕幼児・児童をさすことば。「知らない—にお名前聞いてごらん」③〔俗〕公私のけじめをつけず、つきあう仲間。お仲間。「—を登用する」

**おともれ**【音漏れ】《名・自サ》音が外に漏れること。「ヘッドホンの—・ライブ会場の外で—を楽しむ」

←**おどら・せる**【踊らせる】《他下一》踊るようにする。踊らす。「ヤナギが葉を—・民衆を—」〔受け身の形は「踊らされる《↑踊らす＋れる》」。「デマに踊らされる」〕

→**おどら・せる**【躍らせる】《他下一》①とんで、身を〈かわす/なげ出す〉。「水中へからだを—」②わくわくさせる。「期待に胸を—・心を—」③自由に動かす。「鍵盤の上で指を—」④目立つように示す。「大見出しを—」▽躍らす。

**おとり**【（×囮）】①なかまの鳥・けものをさそい寄せるために飼っておく、同じ種類の鳥・けもの。②相手をさそい寄せるために利用する〈人/もの〉。「みずから—となる」●**おとりそうさ**【（×囮）捜査】警察官などが、仲間や客などのふりをして犯人に近づき、罪をおかしたところを逮捕する捜査（方法）。

←**おどり**【踊り】①音楽や歌にあわせて手足やからだを型にしたがって美しく動かすこと。「盆—・—の名取になる」②↑盆踊り。「阿波—・—の輪」③〔↑踊り歩〕《経》借金の証書を書き換えるときにしはらう、二重の利子。④↑踊り字。「—は使わない」●**おどりあか・す**【踊り明かす】《自五》おどりながら朝まで過ごすこと。「三日三晩—祭り」●**おどりこ**【踊り子】①おどりを〔職業と〕する若い女性。②舞妓。●**おどりこ**【（踊りこ）】〔俗〕ひよめき。●**おどりじ**【踊り字】⇩繰り返し符号。●**おどりて**【踊り手】①おどる〔役の〕人。②〔歌劇団・舞踊団などにおいて〕おどることを職業とする人。ダンサー。●**おどり・でる**【踊り出る】《自下一》おどりながら舞台に出る。おどりだす。●☆☆おどりば［踊り場］①おどる場所。②階段のとちゅうの、やや広い平らな場所。③〔経〕次の展開にはいる前の小休止。「景気が─にさしかかる」

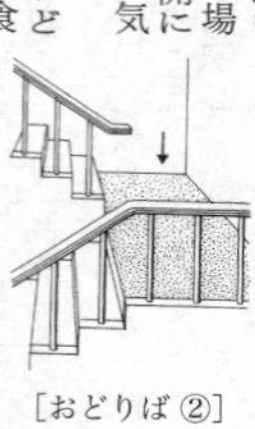
［おどりば ②］

→おどり［躍り］①おど（躍）ること。②↑躍り食い。●おどりあが・る［躍り上がる］《自五》勢いよく〈とび/はね〉上がる。●おどりかか・る［躍り掛かる］《自五》勢いよく、とびかかる。●おどりぐい［躍り食い・踊り食い］シロウオやエビなどを、生きたまま食べること。●おどりこ・む［躍り込む］《自五》勢いよく、とびこむ。●おどりで・る［躍り出る］《自下一》①勢いよくとび出す。「道の中央に─」②〔他人をぬいて〕目立つところにあらわれる。「首位に─・ベストテンに─」▽おどりだす。

☆☆おとりさま［お×酉〈様〉］「とり（酉）の市」の美化語。

☆☆おとりよせ［お取り寄せ］㊀「取り寄せ」の美化語。「商品が品切れのため、─になります」㊁《名・他サ》おいしい食べ物を通信販売で取り寄せること。また、その食べ物。「─した品・─ガイド」

おと・る［劣る］《自五》〔能力・性質などが〕ほかのものより下である。「成績が友人〈より/に〉─・経済力〈で/が〉─国」（↔まさる）名劣り。☞負けず劣らず。

←おど・る［踊る］《自他五》①「おど（踊）り①」をする。「おどりを─・輪になって─・ワルツを─」②「おど（踊）り①」のような動きをする。ゆれる。「光の群れが─・まな板が─〈=がたがた動く〉」③〔うわさなどにつられて〕あれこれ行動を変える。ふりまわされる。おどらされる。「宣伝に─・バブルに─」可能 踊れる。

→おど・る［躍る］《自他五》①勢いよくとび上がるような動きをする。「心臓が─〈=はねるように強く打つ〉・黒潮─太平洋」②〔胸が〕さわぐ。わくわくする。「心が─」③自由に動く。「指がキーボードの上を─」④とび出すように見える。「見出しが─」⑤みだれる。「字が─」

おどろ［〈×棘〉］《ナダ》〔文〕かみの毛などが もつれあっているようす。●おどろし・い《形》異様でおそろしい。

おとろ・える［衰える］《自下一》勢いが弱くなる。「健康が─」名衰え。

おどろおどろ《副・自サ》〔文〕身の毛のよだつような感じをあたえるようす。「─した物音」●おどろおどろし・い《形》おどろおどろしたようすだ。「─印象」派─さ。

おどろか・す［驚かす］《他五》おどろくようにする。おどろかせる。「世間を─」可能 驚かせる。

おどろき［驚き］①おどろくこと。「親の─」②おどろくべきこと。「そんな発言が出てくるのは─だ・─桃の木さんしょの木〔ふざけて強調した言い方〕」●おどろきい・る［驚き入る］《自五》非常におどろく。

**おどろ・く［驚く・×愕く］《自五》意外な事にあって、心のおちつきを失う。びっくりする。「─べき事件・─なかれ〈=おどろいてはいけない〉」可能 驚ける。

おとん〔関西方言〕おとうさん。父親。〔呼びかけにも使う〕（↔おかん）

おないどし［同い年］おなじとし。同年。

おなおし［お直し］《名・他サ》①買った衣服のサイズを調整したり、買ったバッグのデザインを変えたりすること。リフォーム。リメイク。②〔俗〕整形手術。

おなおり［お直り］〔客が〕上級の〈席/部屋〉に移ることの尊敬した言い方。「─料金」

*おなか［お〈△腹〉］〔=お中〕「腹㊀①②」の美化語。〔日常語としてふつうに使う〕「─回り・─を痛める〈⇩「腹」の句〉」●おなかいっぱい［お〈△腹〉いっぱい］《名・ナダ》①満腹になること。②同じことが続き、あきてしまうこと。「自慢話ばかり聞かされて─だ」

おなが㊀［尾長］尾が長いこと。㊁［尾長］スズメより少し大形の、尾の長い鳥。頭は黒く、つばさと尾は青みがかった灰色。●おながどり［尾長△鶏］ニワトリの品種の一つ。高知県原産で、尾羽がたいへん長い。特別天然記念物。ながおどり。

おながれ［お流れ］①〈身分の高い/目上の〉人からさしてもらうさかずきの酒。「─ちょうだい」②目上の人がくれる、不用の品。おさがり。③中止。廃止。沙汰止み。「会が─になる」

おなぐさみ［お慰み］お楽しみ。興味あること。「うまくいったら─〈=喜んでいただけるでしょう〉」

おなご［〈△女子〉］〔古風〕女子。女性。●おなごしゅ［〈△女子〉衆］〔古風〕①女の人たち。〔男性から女性をさして言うことば〕②下ばたらきの女。▽おなごしゅう。おなごし。（↔男衆）

おなさけ［お情け］①弱い立場の人に対する特別の同情。「─で進級する」②目上の人からの特別の愛情。寵愛。

おなし［同し］《ナダ・副》〔話〕おなじ。

**おなじ［同じ］㊀《ナダ》〔あとに体言が来る用法を連体詞とする説もある〕①形・性質・種類などが、ぴったりあうようす。「値段が─だ・─色のセーター」②ほかのものでない、そのものであるようす。同一。「─人がまた来た・住所は右に─」㊁《副》どうせ。どっちみち。「─見るなら」▽㊀㊁おんなじ。おんなし。おなし。●同じ穴のむじな［狢］句 同じ悪い計画に関係している者。一つ穴のむじな。●同じ釜の飯を食う句〔なかまが〕生活をともにする。親しいなかまであること。一つ釜の飯を食う。●同じテーブルに着く句〔おたがいに〕交渉を始めようという気持ちになる。●おなじ・い［同じい］《形》〔文〕同じだ。等しい。「知らないと言うに─」

*おなじく［同じく］《副》前と同じことばを二回以上言う代わりに使うことば。同。「一年A組山下一郎、─川上二郎」●☆☆おなじく・する［同じくする］《他サ》同じものとする。共有する。同じゅうする。「考えを─〈=同じ考えの〉人たち」●おなじくは［同じくは］《副》〔文〕同じことなら。

おなじみ［お〈:馴染み〉］①「なじんでいること・よく知っていること」の尊敬語・美化語。「みなさま─の司会者・毎度─のせりふ・─の喫茶店」②「いつも来る客」の尊敬語。「─さん」（↔一見）

おなじゅう・する［同じゅうする］《他サ》〔文〕「同じくする」の音便。「男女七歳にして席を同じゅうせず〈⇩「男女」の句〉」

オナニー《名・自サ》〔ド Onanie〕⇩マスターベーション。

**おなべ** 一【お鍋】「なべ」の美化語。二〔俗〕男装をする女性(の同性愛者)。〔差別的なことば〕

**おなみ**【△男波】（↔女波）打ち寄せる波の中で、高いほうの波。

**おなみだ**【お涙】「なみだ」の美化語。●**おなみだちょうだい**【お涙頂戴】〔お客を泣かせることを目的とする(興行)物。

**おなやみ**【お悩み】①「悩み」の尊敬語。「―の方はご相談ください」②「悩み」の美化語。また、ちょっとした悩み。「私の―を聞いてくれる?」

**おなら**《名・自サ》おしりから出るガス(の音)。へ(屁)。由来「鳴らし」を略して「お」をつけたもの。表記 俗に「オナラ」とも。

**おなり**【(△御)成り】〔天皇などの〕ご外出。お出かけ。また、ご来訪。おいで。「―になる」

**おなわ**【お縄】〔古風〕①〔お役人が〕罪人をとらえる縄。「―をちょうだいする・―を打たれる(=かけられる)」②〔お役人に〕罪人がとらえられること。「―になる」

**おなんどいろ**【(△御納戸)色】ねずみ色をおびた藍色。おなんど。

**おに**【鬼】一 **おに** ①たたりをする、または、生きている人を守る、死んだ人のたましい。「護国の―となる」②想像上の怪物。おそろしい顔をして頭につのを持ち、力が強い。「―退治」☞鬼の霍乱。③残酷で、人間の心がないことのたとえ。「―の所業だ」④勇猛な人、無慈悲な人などのたとえ。「―の中村と言われる」⑤執念に取りつかれて、夢中になっている人のたとえ。「仕事の―・復讐の―」⑥〔かくれんぼなどで〕人をつかまえる役。⑦〔**―のよう**〕〔俗〕程度が大きいようす。猛烈。「―のように勉強した・―のように古い」二 造 ①強くてたけだけしい。無慈悲な。「―検事」②〔動植物名で〕大形の。「―あざみ」③ひどい。むごい。「―ばば・―嫁」④〔俗〕程度が強い。「―かわいい」三 **おに**《副》〔俗〕非常に。すごく。「―かっこいい・アラームが―鳴ってる」●**鬼が出るか蛇が出るか** 句 どんなこわいことになるのか、見当がつかない。●**鬼が笑う** 句 ⇩来年のことを言うと鬼が笑う〔「来年」の 句〕。●**鬼に金棒** 句 ただでさえ強い者が、〔強力な武器などを手に入れて〕いっそう強くなるたとえ。●**鬼の居ぬ間に〔命の〕洗濯** 句 気がねする人のいない間に、好き勝手なことをしてくつろぐ。●**鬼の首を取ったよう** 句 たいへんなてがらを立てたように思い、得意になって喜ぶようす。●**鬼の目にも涙** 句 どんなに無慈悲だと思われている人でも、時にはあたたかい人間味をあらわすものだ、というたとえ。●**鬼は外 福は内** 句 節分の豆まきのときにとなえることば。鬼を家の外に追い出して福をまねき入れる。福は内 鬼は外。●**鬼も十八、番茶も出花** 句 鬼のむすめも十八のころはきれいで、番茶もいれたてはおいしい。年ごろのむすめはだれでもきれいになる。●**鬼を欺く** 句 鬼にも負けない大男のたとえ。

**おにあざみ**【(鬼×薊)】アザミの大形のもの。とげがするどい。

**おにいさん**【お兄さん】①「兄」の尊敬語。呼びかけにも使う。〔義兄のことも言う〕②〔見知らぬ〕若い男性を〈親しんで/なれなれしく〉呼ぶ言い方。「ちょいと、そこの―・体操の―(=子ども向けテレビ番組で体操をする若い男性)」③若い男性が小さい子どもに話すとき、自分をさして言うことば。④成長した男の子。「―になったね」▽〔くだけて〕おにいちゃん。(↔お姉さん)⑤《歌舞伎》役者が自分より先輩の役者を呼ぶことば。表記 義兄は「お:義兄さん」とも。

**おにうちまめ**【鬼打ち豆】節分の豆まきに使う、煎ったダイズ。

**オニオン**〔onion〕〔調理した〕たまねぎ。「―リング(フライ)・―グラタンスープ」

**おにがらやき**【鬼殻焼き】イセエビやクルマエビを殻つきのまま背割りにして焼いたもの。

**おにかわ**【鬼皮】(↔渋皮) クリなどの果実の外がわをおおう、かたい皮。

**おにがわら**【鬼瓦】屋根の棟のはしに置く(鬼の顔をした)大きなかわら。

**オニキス**〔onyx〕《鉱》しま模様のめのう(瑪瑙)。ペンダントやブローチなどに使う。八月の誕生石。しまめのう。

[おにがわら]

**おにぎり**【お(握り)】ごはんを手ごろな大きさににぎってかためたもの。にぎりめし。おむすび。〔本来、関西ではたわら形、関東では丸や三角〕「焼き―」由来 女房ことばから。以前は関西で、今は東日本でも使う。「おむすび」も女房ことばからで、関東・四国などでよく使う。

**おにぐんそう**【鬼軍曹】〔旧陸軍の軍曹のように〕部下をきびしく指導する、こわい人。

**おにご**【鬼子】①鬼の子。②親に似ていない子。おにっこ。③歯がはえて生まれた赤ちゃん。

**おにごっこ**【鬼ごっこ】《名・自サ》子どもの遊び。ひとりが鬼となってほかの子を追い、つかまった者が代わって鬼となる。

☆☆**おにのかくらん**【鬼の×霍乱】病気知らずの人が、めずらしく病気になること。

**おにば**【鬼歯】きばのように外がわにはえた、八重歯。

**おにばば**【鬼(△婆)】①老女の姿をした鬼。「安達ヶ原(=福島県の地名)にいたという―」②【鬼ババ・オニババ】年をとった〈いじわる/ざんこく〉な女(を、ののしって言うことば)。▽おにばあ。

**おにび**【鬼火】夜、しめった土地で燃える、青色の火。燐火。きつねび。

**おにまし**【お似まし】〔古風・女〕「似ていること」の尊敬語。「おかあさまによく―でいらっしゃる」

**おにもつ**【お荷物】①「(他人の)荷物」の尊敬語・美化語。②負担になっている物や人。やっかいもの。「会社の―」

**おにやらい**【鬼(△遣らい)】⇩ついな。

**おニュー**《名・ナダ》〔俗〕新しくそろえた衣服・道具などを、やや〈気取って/皮肉をこめて〉言うことば。「―のドレスを着る」

**おにゆり**【(鬼:百合)】ユリの一種。黒い点々のある、赤黄色い花をひらく。

**おにわばん**【(△御)庭番】江戸幕府の職名。江戸城の奥庭の番人。将軍専属の隠密の役をつとめた。

**おぬし**【お主】《代》〔古風〕おまえ。〔同等・目下の人に言う〕

**おね**[尾根] ①山の頂上と頂上を結ぶ、いちばん高いところのつらなり。稜線。「―道」 ②頂上からふもとへのびるいくすじもの山ひだの、高い部分。(↔沢)

**おねうち**[お値打ち]《名・ナ》量がある・うまい・質がいいなど、利点のあるわりには値段の安いようす。お徳用。「―(な)価格」

**おねえ**[↑おねえさん]〔俗〕㊀[お姉] 大人のおちつきのあるかわいらしい女性。「―系ファッション」 ㊁〔酒場・芸能界などで〕女性的にふるまう男性。〔差別的な言い方になる場合がある〕 ●**おねえさん**[お姉さん] ①「姉」の尊敬語。呼びかけにも使う。〔義姉のことも言う〕 ②〔見知らぬ〕若い女性を〈親しんで／なれなれしく〉呼ぶ言い方。「ちょっと、そこの―・レジの―」 ③若い女性が小さい子どもに話すとき、自分をさして言うことば。 ④成長した女の子。「もう―だね」▽〔くだけて〕おねえちゃん。(↔お兄さん) 表記 義姉は「お：義姉さん」とも。

***おねがい**[お願い] ㊀《名・他サ》「願うこと」の美化語・謙譲語。「神様に―した・―(＝たのみ)があるんです・私から―します」 ㊁《感》〔話〕あなたに望みたい。ぜひ…してほしい。「―(だ)、早く来て」 丁寧 お願いです。お願い(いた)します。

**おねしゃす**《感》〔俗〕↑お願いします。おなしゃす。〔二〇一〇年代に広まったことば〕

**おねしょ**《名・自サ》〔ねしょ↑寝小便〕〔児〕寝小便。

**おねだり**《名・他サ》「ねだること」の美化語。「プレゼントを―する」

**おねつ**[お熱] ①「熱」の美化語。 ②〔やや古風・女〕好きな人に夢中になること。「あの人に―なのね」

**おねむ**[お眠]〔児〕眠いこと。また、眠ること。〔母親が〕小さい子に言うことば。「―になったのね」

**おねり**[お練り・お×邌り]〈祭礼／大名〉の行列が、ゆっくりとねり歩くこと。また、その行列。「―が通る」

**おねんが**[△御年賀] ①「年賀」の美化語。「―にうかがう」 ②新年を祝うためにおくる品物。「―を持って行く」

**おの**[〈×斧〉] 厚い刃のある鉄に、柄をつけたもの。木を割るのに使う。

**おのう**[お脳]〔古風・俗〕あたま(のはたらき)。「―が弱い」

**おのおの**[各々] ㊀《名・副》めいめい。ひとりひとり。「―(が)一つずつ取る」 ㊁《代》〔古風〕諸君。きみたち。「―がた」 表記「各」「各ゝ」とも書いた。

**おのが**[〈△己が〉]《連体》〔文〕自分の。「―心・―つとめを果たす」 ●**おのがじし**[〈△己がじし〉]《副》〔文〕めいめい(の自由)に。

**おのこ**[〈△男の子〉・〈△男〉]〔雅〕おとこ。(↔おみな)

**おのずから**[〈△自ずから〉]《副》 ①ひとりでに。自然に。おのずと。「読書百遍〈義／意〉―通ず」 ②たまたま。「忙中―閑あり」 ⇒みずから。

**おのずと**[〈△自ずと〉]《副》おのずから。

**おののく**[〈△戦く〉]《自五》こわさで、からだがふるえる。わななく。「恐怖に―」 名 おののき。

**おのぼりさん**[お上りさん]〔俗〕〔見物などのために〕地方から出てきたばかりで、大都会のようすのわからない人。

☆☆**オノマトペ**[フ onomatopée] 擬音語と擬態語。擬音。

**おのみ**[尾の身] クジラの、せびれから尾の間にある、やわらかい肉。牛肉のロースに当たる高級品。

**おのれ** ㊀[己] 自分(自身)。「―を知る」 ㊁[〈己〉]《代》〔俗〕おまえ。「―の知ったことか」 ㊂[〈己〉]《感》〔俗〕相手に向かって、ののしるときのことば。この野郎。「―、負けるもんか」 ●**己に克つ** 句〔「克己」を訓読したことば〕自分の欲や気持ちをおさえる。 ●**己をむな(虚)しゅうする** 句 自分本位の気持ちをすてる。

**おは**[尾羽] 尾とはね。 ●**尾羽打ち枯らす** 句 すっかりおちぶれる。

**おは**[お歯]「歯」の尊敬語。 ●**お歯に合う** 句 ①食べ物が口に合う。 ②好みにかなう。〔「お歯に合わない」の形で使われる〕

↔**おば**[伯母] (自分の)父または母の姉。(↔伯父)

↔**おば**[叔母] (自分の)父または母の妹。(↔叔父)

**おばあ**[お(△婆)]〔沖縄などの方言〕おばあさん。おばぁ。(↔おじい)

↔**おばあさん**[お：祖母さん] 祖母をていねいに呼ぶことば。「私の―〔改まった場では『祖母』〕・彼の―は先生だった」(↔おじい(祖父)さん)

↔**おばあさん**[お(△婆さん)] 年とった女の人を呼ぶことば。ばあさん。〔そう呼ばれるのをきらう人も多い〕「―は川に洗濯に」(↔おじい(爺)さん)

↔**おばあちゃん**[お：祖母ちゃん](↑おばあ(祖母)さん) 自分の祖母を、親しみをこめて呼ぶことば。ばあちゃん。ばあば。〔家族や他人が子どもの祖母を、また、祖母が自分自身をさしても言う〕「―子(＝おばあちゃんになついた子)・―の知恵袋(＝昔から伝わる家事の知恵)」(↔おじい(祖父)ちゃん)

↔**おばあちゃん**[お(△婆ちゃん)](↑おばあ(婆)さん) 年とった女の人を、親しみをこめて呼ぶことば。ばあちゃん。〔そう呼ばれるのをきらう人も多い〕(↔おじい(爺)ちゃん)

**オパール**[オ opaal]〔鉱〕石英と同質の、にじ色に光る宝石。十月の誕生石。たんぱく(蛋白)石。オーパル(opal)。

**おばか**[お：馬鹿]《名・ナ》「ばか」を、親しみをこめて言うことば。「―さん・―なコメディー」

**おはぎ**[お×萩]〔もと女性語〕もち米にふつうの米をまぜてたき、軽くつぶして丸め、あん・きなこなどをまぶしたもの。ぼたもち。はぎのもち。

**おはぐろ**[お歯黒] ①昔、結婚した女性などが歯を黒く染めたこと。かねつけ。 ②歯を黒く染める、こい茶色の液体。鉄の切れはしを酢にひたして作る。かね(鉄漿)。

**おばけ**[お化け] ①ばけもの。妖怪。「―が出る・―屋敷」 ②気味が悪いほど大きなもの。「トマトの―」

☆☆**おはこ**[(：十八番)] 得意(の芸)。

☆☆**おはこび**[お運び] ㊀「来ること・行くこと」の尊敬語。「わざわざ―をいただきまして・〔寄席〕―さまでありがとうございます」 ㊁おはこび 料理店・旅館などで、料理を運ぶ〈人／こと〉。「―のバイト」

↔***おばさん**[〈小△母さん〉] 中年ぐらいの女性(を親しんで、また、かろんじて呼ぶ言い方)。おばさま。おばはん〔俗〕。「売店の―・わたし、もう―だから」〔よその子ども

に対し、自分自身をさしても言う」(↔おじ《小父》さん)

→**おばさん**［伯母さん・叔母さん］「おば」を、敬意と親しみをこめて呼ぶことば。おばさま。(↔おじ《伯父・叔父》さん) 表記 俗に「オバサン」とも。

**おはじき**［お(△弾き)］ ガラスなどでできた平たい玉を指ではじき、別の玉に当てて取り合う、子どもの遊び。また、その玉。

**おはしょり**《名・自サ》(↑お端(し)折り) 女性が和服のたけを腰のあたりで加減し、折るようにして着ること。また、その部分。☞しりはしょり。

**おばすて**［(×姥)捨て］ ⇩うばすて。

**おはち**［お鉢］ ①「めしびつ」の美化語。おひつ。②火口。「―めぐり」 ●**お鉢が回る** 句 それをする順番になる。

←**おばちゃん**［(小△母ちゃん)］「おば(小母)さん」のくだけた言い方。(↔おじ《小父》ちゃん)

→**おばちゃん**［伯母ちゃん・叔母ちゃん］「おば(伯母・叔母)さん」のくだけた言い方。(↔おじ《伯父・叔父》ちゃん)

**おはつ**［お初］ ①「はじめてであること」の丁寧語。「―にお目にかかります〔俗に『―です』〕」 ②〔古風〕〔衣服などが〕新しいこと。おニュー〔俗〕。

**おはな**［(△御)花］ ①「花」の美化語。「―料〔=キリスト教式の香典に書くことば〕」 ②生け花。華道。「―を習う」

**おばな**［尾花］〔雅〕秋の七草の一つ。ススキの花。「枯れ―」

**おばな**［雄花］《植》おしべしかない花。(↔雌花)

**おはなし**［お話］ ①「話」の美化語・尊敬語。「昔の―・社長の―」 ②専門的な内容をわかりやすく説明したもの。「科学の―」 ③作り話。「ただの―だ」

**おはなばたけ**［お花畑・お花×畠］ ①「花畑」の美化語。②〔あざけって〕現実を見ないで、都合のいいことばかり考えている状態。「頭の中が―だ」

**おばね**［尾羽］ 鳥の尾にはえたはね。

**おはよう**［お(早う)］《感》(↑おはようございます) ①朝に〈会った/訪問した〉ときなどの、気軽なあいさつ。✐家族の間でも使う。午後にも使う。②〔学〕その日はじめて会ったときのあいさつ。午後にも使う。〔一九九〇年代に広まった用法〕☞こんにちは・こんばんは。●**おはようございます**［お(早う)ございます］《感》①「おはよう」の丁寧語。由来 早く起きて活動することをねぎらうことば。江戸時代からある。②〔話〕芸能人や映画・放送関係者などが職場へ はいるとき使う あいさつ。午後にも使う。〔戦前からある用法〕

←**おはらい**［お払い］ ①「(し)はらい」の美化語。②いらなくなった くず物を売ること。「―物」 ●**おはらいばこ**［お払い箱］ ①〔必要がなくなって〕捨てること。「このカメラも―だ」 ②勤めをやめさせること。「会社を―になる」

→**おはらい**［お(×祓い)］《名・他サ》 神にいのって罪・けがれ・わざわいなどをはらいきよめる儀式。修祓。

**おはり**［お針］ ①裁縫。②⇩おはりこ。●**おはりこ**［お針子］ 縫い子。お針。

**おばん**〔俗〕〈もう若くない/年上の〉女性をからかって呼ぶことば。おば(あ)さん。〔もと関西方言。一九八〇年代に流行したことば〕(↔おじん)

**おばんざい**［お(番菜)・お(飯菜)］〔もと京都の一部で〕おかず。

**おばんです**［(お晩です)］《感》〔北海道・東北・信越・北関東方言〕こんばんは。〔「おばんでした」「おばんでございます」とも〕

**おび**［帯］ ①着物の上から腰の上に巻いて結ぶ、長い布。②「帯①」の形をしたもの。③［オビ］本の表紙や箱の下のほうに巻きつける、宣伝文などを印刷した紙。腰巻き。おびがみ。④↑帯番組。「―ドラマ」 ⑤↑岩田帯。⑥↑帯祝い。●**帯に短し たすき(襷)に長し** 句 中途はんぱで役に立たないことのたとえ。

**おびあげ**［帯揚げ］ 女の人の帯の、うしろで結んだ部分〔=帯山〕が下がらないように結ぶ布。しょいあげ。

**おひいさま**［お(△姫様)］〔古風〕おひめさま。

**おびいわい**［帯祝い］ 岩田帯をするときの祝い。おび。

**おび・える**［(△脅える)・(×怯える)］《自下一》 ①おそろしい目にあうのではないかと思って、こわがる。「幻影に―」 ②〔文〕〔悪い夢に〕おそわれる。うなされる。「夢魔に―」 名 おびえ。

**おひかえなすって**［お控えなすって］《感》〔話・古風〕渡世人や香具師が仁義を切る際の、最初のあいさつ。

**おびがみ**［帯紙］ ①帯封に使う紙。②⇩おび③。

**おひきずり**［お引き(×摺り)］ ①衣服の すそを長く引きずること。「―にする」 ②〔俗〕⇩ひきずり。

**おびきだ・す**［(△誘き)出す］《他五》 だまして さそいだす。名 おびき出し。

**おびきよ・せる**［(△誘き)寄せる］《他下一》 だまして〈自分のほう/そのほう〉へ近づける。「敵を―」

**おびグラフ**［帯グラフ］ 全体を百パーセントとしてしめした、帯のようにはばの広いグラフ。

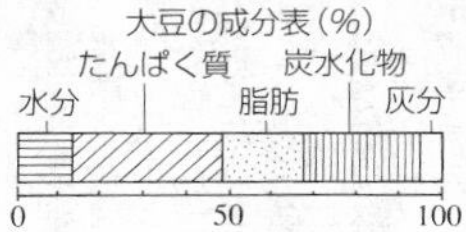

[おびグラフ]

**おひげ**［お(×髭)］「ひげ」の美化語。●**おひげの ちり(塵)を払う** 句 権力のある人の ごきげんをとる。ごまをする。

**おひさ**［お久］《感》〔俗〕「おひさしぶりです」の、ぞんざいな言い方。

**おひさま**［お日(様)］〔女/児〕「太陽」をうやまい親しんで呼ぶことば。

**おひざもと**［お膝元・お膝下］ ①身分の高い人の住んでいる土地。特に、皇居や幕府のある所。「将軍様の―」 ②権威のある人やものの本拠地・所在地。「大臣の―・甲子園の―兵庫県」

**おびじ**［帯地］ 帯にする布地。

**おびじめ**［帯締め］ 女性の帯の上にしめる、かざりをかねたひも。おびどめ。

**おびじょう**［帯状］ 帯のように長く続いている形。

**おひたし**［お(浸し)］ 野菜をゆでて、しょうゆ・かつおぶしなどをかけたもの。ひたしもの。おしたし。「ホウレンソウの―」

**おびただし・い**［(×夥しい)］《形》 ①極端に多い。「―出血」 ②程度が非常に大きい。「たよりないこと―」 派 ―さ。

**おひつ**［お〈×櫃〉］「めしびつ」の美化語。おはち。

**おびどめ**［帯留め］おびじめ（の ひもに通して使う かざり物）。

**おひとよし**［お人〈△好し〉］《名・ナダ》人を疑わず、言うとおりに なる〈こと／人〉。〈人／気〉が いいこと。

**おびドラマ**［帯ドラマ］帯番組のドラマ。帯ドラ。

**おひとりさま**［お一人（様）］〔尊敬語・美化語〕①〔飲食店などで〕一人で来店する客。「—で楽しめる店」②独身者。

**おびな**［△男〈×雛〉］内裏びなの、男のひな人形。（↔女びな）

**おひなさま**［お〈×雛様〉］①ひな人形。②〔俗〕女びな。「おだいりさまと—」③ひな祭り。「三月の—」

**オピニオン**〔opinion〕①意見。「—の発信」②世論。「—を形成する」●**オピニオンリーダー**〔opinion leader〕世論やグループを代表して、その意見を導く立場の人。

**おひねり**［お〈△捻り〉］少しの お金を紙に包んでひねったもの。紙花。

**おびのこぎり**［帯〈×鋸〉］刃の ついた鋼鉄の帯を回転させて切る のこぎり。おびのこ。

**おびばんぐみ**［帯番組］《放送》月曜から、金曜（または土曜・日曜）まで連続して、同じ時間帯に放送する番組。一週間の番組表で、帯の形に見える。帯。

**おびふう**［帯封］《名・自他サ》①新聞などを郵便で送るとき、あて名を書いた はばのせまい紙（で巻くこと）。②多数の紙幣を一まとめに重ねて、はばのせまい紙で巻くこと。また、その紙。「百万円ずつ—する」

**おびぶん**［帯文］書籍の帯の宣伝文。

**おひめさま**［お姫（様）］①〈殿様／王様〉の むすめを尊敬して言うことば。おひいさま。②いい家に生まれ、苦労を知らずに育った女性。「おっとりとした—」●**おひめさまだっこ**［お姫（様抱っこ）］《名・他サ》その人の背中と ひざのうしろに腕を回して だきかかえること。「新郎が新婦を—する」

**おひや**［お冷や］〔話〕〔飲食店で〕冷たい飲み水。

**おびやか・す**［脅かす］《他五》①力を見せつけて、おそれさせる。「鉄砲で—」②あぶない状態にする。うばおうとする。「生命を—・安全を—」

**おひゃくど**［お百度］〔↑お百度参り〕〈病気が治る／願いがかなう〉ように、神社や寺に行って、定められた場所を百回往復して そのつど おがむこと。●**お百度を踏む**句 ①お百度のお参りをする。②何度も、同じ場所（同じ人のところ）へ〈行く／行ってたのむ〉。

**おひょう**［〈△大×鮃〉］北太平洋にすむカレイの類。長さは二メートルほど。食用。おおひらめ。

**おひら**［〈△御平〉］底が浅くて平たい おわん。煮しめなどをもる。ひらわん。

☆☆**おひらき**［お開き］（=「終わり」の いみことば）〔婚礼・宴会などで〕閉会。「—にする」

**お・びる**［帯びる］《他上一》①［×佩びる］腰に〈巻きつける／さげる〉。「剣を—」②〔身につけて〕持つ。「使命を—」③おもてに あらわす。「酒気を—・殺気を—」④感じさせる。「赤みを—・哀調を—」

**おひれ**［尾〈×鰭〉］さかなの尾と ひれ。☞おびれ（尾鰭）。●**尾ひれをつける**句 もともと ないものを勝手につけ加える。誇張する。「尾ひれをつけたうわさが広まる」自尾ひれがつく。

**おびれ**［尾〈×鰭〉］《動》さかなの尾の部分についている ひれ。☞おひれ（尾鰭）。

**おひろい**［お拾い］〔古風〕「歩くこと」の尊敬語。徒歩。散歩。「—でおいでになる」

**おひろめ**［〈△御：披露目〉］（ひろめ=広め）〔俳優・芸者・開店などの〕「披露」の美化語。

**オフ**〔off〕■一《名・他サ》①電気のスイッチを〈切った状態／切ること〉。（↔オン）②値引き。「三〇パーセント—」③取り除くこと。「糖質—」■二①〔↑オフ タイム〕休暇や勤務時間後など、拘束をはなれた時間。「—の日」（↔オン）②↑シーズン オフ。③《映画・放送》画面外。「—の声」④《印刷》↑オフセット①。

☆☆**オファー**《名・他サ》〔offer〕①申し出。提示。②《経》〈売り手／買い手〉が売買の条件を相手方に示して取引を申しこむこと。

☆☆**オフィシャル**《ナダ》〔official〕①公式の。「—ゲーム（=公式試合）」②公認の。「—ルールズ（=公認野球規則）・—レコード（=公認記録）」

**オフィス**〔office〕事務所。事務室。「—アワー（=大学で、学生が先生に自由に相談できる時間帯）」●**オフィスビル**〔↑和製 office building〕会社の事務所や営業所などの集まったビル。●**オフィスラブ**〔和製 office love〕〔やや古風〕社内恋愛。●**オフィスレディー**〔和製 office lady〕⇩オーエル（OL）①。

**おぶいひも**［〈△負ぶい×紐〉］⇩おんぶひも。

**おぶう**〔児〕①湯。②お茶。③風呂。▽おぶ。

**おぶ・う**［〈△負ぶう〉］《他五》〔人を〕せおう。「子を—」

**オフェンス**〔offense; offence〕〔競技で〕攻撃（するがわ）。（↔ディフェンス）

**オフかい**［オフ会］〔オフ↑オフライン〕インターネットで知り合った人たちが実際に会う集まり。オフライン ミーティング。

**おふくみおき**［お含み（置き）］〔尊敬語〕事情を理解しておくこと。含んでおくこと。「あとで電話するそうなので、—ください・原稿はお返ししませんので、—くださ い（『ご承知おきください』よりも やわらかな言い方）」

**おふくろ**［お（袋）］〔話〕（おとなの男が）自分の母をさして呼ぶことば。「—の味（=煮物などの素朴な家庭料理）」（↔おやじ）区別 ⇩お母さん①。

**おふくわけ**［お福分け］《名・他サ》もらったものを分けてあげること。おすそわけ。

☆☆**オブザーバー**〔observer〕①観察者。視察人。②〔正式のメンバーでなく〕採決には加わらない、会議の出席者。

**オフサイド**〔offside〕《サッカー・ラグビーなど》反則の一つ。プレーをしてはいけない位置でプレーすること。

**オフサイトセンター**〔和製 offsite center〕原子力災害が起こったときに現地の対策本部となる、原発の外部に設置した施設。

**おふざけ**《名・自サ》ふざけること。「—にも ほどがある」

**おぶさ・る**［〈△負ぶさる〉］《自五》①せおわれる。「母親に—」②たよる。「若い世代に—」

**オフシーズン**〔off-season〕シーズン〈に外れている／が終わる〉こと。シーズン外。シーズン オフ。

☆☆オブジェ〔フ objet=物体〕《美術》石・木材・金属や日用品などを使った前衛的な現代作品。

オフショア〔offshore=沖へ〕[一]オフショア〔サーフィンで〕岸から海へ向かってふく風。[二][造] 海外の。「─市場」▽[一][二](↔オンショア)

オフショット〔和製 off shot〕〔芸能人・公人などの〕仕事のあいまや休日の姿をとった写真や映像。プライベートショット。

オプショナルツアー〔optional tour〕団体旅行で、日程にはいっていない所へ希望者が別料金で行く、追加の小旅行。

オフショル〔←off-the-shoulder〕《服》えりぐりが広くて、肩まで出る、女性の服。オフショルダー。〔イブニングドレスなどのほか、ふだん着もある〕

☆☆オプション〔option〕①選択。「多角的─」②〔別料金で〕追加する〈もの／部品〉。③希望参加。●オプションとりひき[オプション取引]《経》一定の期間に一定の価格で株や債券などを売買することのできる権利の取引。

オブストラクション〔obstruction〕《球技》妨害行為。特に、野球の走塁妨害。

オブセッション〔obsession〕強迫観念。こうしなければいけないという思いこみ。

オフセット〔offset〕①《印刷》平版の一種。印刷する部分をゴムローラーにいったん転写してから紙に印刷する方法。オフセット印刷。オフ。②相殺。「カーボン─」

おふだ[(△御)札] 神社や寺などで出す、ふだの形をしたお守り。「家内安全の─」

オフタートル〔和製 off turtle〕《服》タートルネックの、えりぐりが大きく開いているもの。

オフタイム〔和製 off-time〕勤務時間外。休日。休暇。オフ。(↔オンタイム)

おぶつ[汚物] きたないもの。よごれたもの。「トイレの─・─入れ」

オプティカル〔optical〕[一][造] 光学(上)の。「─ディスク(=光ディスク)」[二]オプティカル〔←オプティカル エフェクト〕《映画》光学的な特殊効果。オーバーラップやフェードインなど。▽[一][二]オプチカル。

オプティミスト〔optimist〕楽天家。のんきな人。オプチミスト。(↔ペシミスト)

オプティミズム〔optimism〕楽天主義。楽天観。オプチミズム。(↔ペシミズム)

おふでさき[お筆先]①〔天理教などで〕神のことばを教主が書いた文書を尊敬して呼ぶ言い方。②神のおつげ。③神がかりのことば。

オフピーク〔off-peak〕ピークを外れた時間。「─通勤(=ラッシュをさけて通勤すること)」

オフホワイト〔off-white〕純白でなく、わずかに色みをおびた白の総称。〈わずかにグレー／クリーム色〉がかった白など。オフ白。

オブラート〔オ oblaat〕でんぷんで作ったうすくすき通った膜。ゼリーや粉薬を包む。●オブラートに〈包む／くるむ〉[句] 本当の〈こと／気持ち〉を、遠まわしなやわらかい表現にする。

オフライン〔off-line〕《情》コンピューターがネットワークにつながっていないこと。「─ミーティング(=オフ会)」(↔オンライン)

オブリガート〔イ obbligato〕《音》主旋律に からめて進行させる、別の旋律。対旋律。☞対位法。

オフリミット〔off-limits〕立ち入り禁止。

おふる[お古]〔おもに着るものについて〕いちど使って古くなったもの。「姉の─」

おぶ・る[(△負)ぶる]《他五》おぶう。「夫におぶられる」

おふれ[お触れ] 役所の命令や訓令。お触れ書き。

オフレコ〔←オフ レコード(off-the-record)=記録外〕報道・発表をさしひかえること。(↔オンレコ)

オフロード〔off-road〕舗装されていない道。(↔オンロード) ●オフロードしゃ[オフロード車] オフロードでも、安定して走れるように作られた自動車。

オペ [一]①《経》←オペレーション。「買い─」②←オペレーター。「写植─・クレーン─」[二]《名・他サ》〔←オペラチオン(ド Operation)〕手術。

おべっか ごきげんをとるためのことば。おべんちゃら。「─を使う」

☆☆オペック〔OPEC〕〔←Organization of Petroleum Exporting Countries〕石油輸出国機構。産油国が、利益を守るために集まって作った組織。十二か国が加盟。一九六〇年発足。

おへやさま[(△御)部屋(様)] 将軍・大名の側室。

オペラ ①〔opera〕歌劇。「グランド─・─ハウス(=歌劇場)」②〔フ opéra〕スポンジやチョコレートクリームをうすく重ね、チョコレートでおおったケーキ。上に金箔をのせる。●オペラグラス〔opera glasses〕観劇用の、小型双眼鏡。

オベリスク〔フ obélisque〕〔古代のエジプトで〕神殿などの前に一対ずつたてた、四角で先のとがった大きな石の柱。

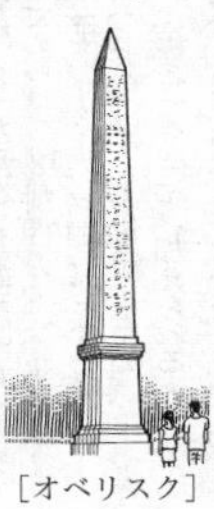

[オベリスク]

オペレーション〔operation〕《名・他サ》①〔機械などの〕操作。運転。②〔軍事上の〕作戦。③《経》金融調節のための、操作。オペ。「売り─(=『売りオペ』とも)」④《医》手術。オペ。

オペレーター〔operator〕①機械・器具を操作する人。「クレーンの─(=運転者)」②電話交換手。③〔船主に対して〕運航業者。▽オペ。

オペレーティングシステム〔operating system〕《情》⇩オーエス(OS)。

オペレッタ〔イ operetta〕《音》話しことばのせりふがはいる、喜劇の要素を持った歌劇。軽歌劇。喜歌劇。オペレット(フ opérette)。(↔グランド オペラ)

おべんちゃら 〔話〕おべっか。べんちゃら。「えらい人に─を言う・─を使う」

おべんとう[お弁当]①「弁当」の美化語。「─の時間・朝の─作り」②〔口もとについた〕ごはんつぶ。「─がついている」▽おべんと〔話〕。

おへんろ[お遍路]「遍路」の尊敬語・美化語。「─さん」

おぼうさん[お坊さん] 僧を、敬意と親しみをこめて呼ぶことば。〔「おぼうさま」は、より敬意の高い言い方〕

おぼえ[覚え]①おぼえること。記憶。「─が はやい・─がない」②自信。「うでに─がある」③信任。寵愛

「社長の―がめでたい」④↑覚え書き。●**おぼえがき** 一［覚え書き］記憶のために書いておく文章。メモ。おぼえ。二［覚書］①確認のためにかわす文書。②略式・非公式の外交文書。

**おぼえず**［覚えず］《副》〔文〕思わず。「―ほほえんだ」

**おぼえて(い)ろ**［覚えて(い)ろ］《感》〔話〕相手にやられて、くやしいときに言うことば。覚えておけ。覚えてらっしゃい〔女〕。「―、ひどい目にあわせてやる」由来 自分がしかえしするまで、今度のことを覚えていろ、の意味から。

**おぼ・える［覚える］《他下一》①感じる。気がつく。「寒さを―」②経験したり習ったりして、頭に入れる。「こつを―・文字を―」(↔忘れる)③〔古風〕思われる。「おことばとも覚えませぬ」④〔古風〕思い出せる。覚えている。「ちょっと、覚えませんね」☞覚えて(い)ろ。可能 覚えられる。

**おぼこ**［(:未通女)］①世間になれていない〈こと／女の子〉。②まだ男性を知らない〈こと／女性〉。処女。

**おぼし・い**［(△思しい)・(△覚しい)］《形》〔…と―〕おもわれる。見える。「犯人と―〔『おぼしき』とも〕男」

**おほしさま**［お星(様)］〔女／児〕「星」を、親しみをこめて呼ぶことば。

**おぼしめし**［(△思し召し)］①「考え・気持ち」の尊敬語。「神の―」②〔古風〕ほれた気持ち。「―がある」

**おぼしめ・す**［(△思し召す)］《他五》①〔雅〕「思う」の尊敬語。「お思いになる」より敬意が高い。②〔…とおぼしめせ〕〔おどけて〕…と思ってください。…わけです。「ある日、私が町を歩いていた、とおぼしめせ」

**オポチュニスト**〔opportunist〕ご都合主義者。日和見主義者。

**オポチュニズム**〔opportunism〕ご都合主義。日和見主義。

☆☆**おぼつかな・い**［(:覚束ない)］《形》①たよりない。「―返事・足もとが―」②心細い。不安だ。「成功するかどうか―」由来「おぼつか」はぼんやりしたようす。「ない」は強調。これを否定の「ない」と誤解して、明治以来、「おぼつきそうもない」「おぼつかず」「おぼつかぬ」「おぼつきません」などの形がある。派 -がる。-げ。-さ。

**おぼっちゃん**［お坊ちゃん］「坊ちゃん」を、ていねいに言ったことば。「玉のようなー・あの子もけっこうなーらしいよ・―かたぎ」(「お坊ちゃま」はよりていねいな言い方)(↔お嬢さん)

**おほほ**《副》女性が口をすぼめて〈品よく／気どって〉笑う声。ほほほ。

**おぼめかし・い**《形》〔雅〕はっきりしない。おぼろげだ。

**おぼめか・す**《他五》はっきり言わないでごまかす。ぼんやりさせる。「―言い方」

**おぼめ・く**《自五》〔雅〕あいまいな形をとる。ぼんやりする。「くもり空に―月」

**おぼ・れる**［溺れる］《自下一》①〔海・川・プールなどで〕およげないために、水にしずんで自由に動けなくなる。「海で溺れ(て死にそうにな)る・溺れ死ぬ」②そのことばかりして、ほかのことに注意が向かなくなる。夢中になる。「酒に―」他 溺らせる《下一》・溺らす《五》〔古風〕。「おのれを―」〔使役形「溺れさせる」が一般的〕●**溺れる者はわら(藁)をもつかむ** 句 自分があぶなくなったときは、どんな小さな手段にもたよって助かろうとする。

**おぼろ**［(×朧ろ)］《ナダ》①うす明るい中で、りんかくがぼんやり見えるようす。「―な月」②はっきりしないようす。ぼんやり。「記憶が―になる」派 -げ。●**おぼろこんぶ**［(×朧ろ)昆布］コンブを、ごくうすい紙のようにけずったもの。料理に使う。おぼろこぶ。☞とろろこんぶ。●**おぼろづき**［(×朧ろ)月］ぼんやりとかすんだ、春の夜の月。●**おぼろづきよ**［(×朧ろ)月夜］⇩おぼろよ。●**おぼろどうふ**［(×朧ろ)豆腐］豆乳ににがりを加え、固まりきらないうちにすくいあげた、やわらかな豆腐。寄せ豆腐。●**おぼろよ**［(×朧ろ)夜］月がぼんやりかすんで見える、春の夜。おぼろ月夜。

**おほん**《感・副》一回、せきをする音。ごほん。「―、失礼」☞えへん。

**おぼん**［お盆］一 **おぼん**「盆一」の美化語。二 **おぼん**［「盂蘭盆会」から］夏に祖先の霊をまつる、仏教の行事。精霊会。盂蘭盆。盆。!もと、旧暦七月十五日〔=新暦八月上旬〜九月上旬〕におこなった。現在、多くの地方では、これと季節が近い新暦八月十五日におこなう〔帰省ラッシュが起こるのはこの時期〕。東京などでは、新暦でも七月十五日におこなう。

☆☆**オマージュ**《名・他サ》〔フ hommage〕①賛辞。称賛。「―をささげる」②ある作家・作品などに対する尊敬の気持ちをこめた芸術。「かつての名作を―した映像」

**オマール えび**［オマール(:海老)］〔フ homard〕海にすむザリガニの一種。フランス料理に使う。ロブスター。

**おまいり**［お参り・お△詣り］《名・自サ》神社やお寺などに出かけて、神や仏をおがむこと。また、お墓・仏壇をおがむこと。

**おまえ［(お前)］《代》同等または目下の人を、やや乱暴に呼ぶことば。「―もなかなかやるな・―らひきょうだぞ!・―んち」(↔おれ) 由来 もとは「大前〔=そのかたのいらっしゃる前〕」で、神や仏、身分の高い人をさした。後に尊敬の程度はうすれたが、江戸時代でも目上に使い、現在の方言にもその用法がある。「お前さん」は江戸時代には今より尊敬の程度が高く、戦後でも庶民の妻が夫に「お前さん」と言っていた。表記 俗に「オマエ」とも。

**おまかせ**［お任せ］《名・他サ》①人にまかせること。「車のことなら当店に―(ください)〔尊敬語〕・パソコンの設定を人に―でしてもらう」②料理の内容を、料理人にまかせること。「季節の―・―でお願いします」

**おまけ**《名・自サ》〔=お負け〕①付録。景品。「―つきの菓子」②その上に〈加えること／加えられるもの〉。「この話には―がある・もひとつ―にどかんとたたく」③値段を安くすること。「百円―します」●**おまけに**《接》そのうえに。さらに。「気温が高い。―湿度も高い」

**おまじり**［お(交じり)］飯つぶのまじった重湯。

**おませ**《名・ナダ》ませている〈こと／子ども〉。

**おまちどおさま**［お待ち遠(様)］《感》〔話〕相手を待たせたときのあいさつに言うことば。〔「お待ち遠さまでした」は丁寧語。「お待ちどお」「(へい、)お待ち」はぞんざいな言い方〕

**おまつ**［雄松］くろまつ。(↔雌松)

**おまつり**［お祭り］①「祭り」の美化語。②からさわぎ。「会長選挙と言っても一だ」③《釣り》つり糸がほかのつり糸とからむこと。●**おまつりさわぎ**［お祭り騒ぎ］①祭礼でさわぎ立てること。②にぎやかなさわぎ。ばかげたさわぎ。

**おまもり**［〈△御〉守り］それを持っている人を、神や仏が災難から守るという〈ふだ／物〉。おふだ。☞おも(守)り。

**おまる** おさない子どもや病人が、部屋の中で使う便器。おかわ。由来「排便する」の意味の「まる」に「お」がついたもの。表記「お：虎子」とも書いた。

**おまわり**［お巡り］〔↑お巡りさん〕〔俗〕巡査をかろんじて呼ぶことば。●**おまわりさん**［お巡りさん］巡査を親しんで呼ぶことば。

**おまんま**〔古風／俗〕食事。ごはん。めし。「このままでは一の食い上げだ」

**おみ** 接頭〔=御々〕敬意の高い尊敬・丁寧の意味をあらわすことば。「一足・一大きい・一帯」

**おみあい**［お見合い］《名・自サ》①「見合い①」の美化語。②《野球・サッカーなど》おたがいに相手がボールを取るだろうとまかせてしまって、しくじること。

**おみあし**［おみ足］「相手の足」の尊敬語。

**おみえ**［お見え］「その場所に来ること」の尊敬語。「一になる・一いただく」

**おみおつけ**〔=御味御付け。東日本方言〕〔古風〕「みそしる」の美化語。「カブの一」由来女房ことばで、「おみ」は「みそ」、「おつけ」は「汁物」の意味。「『御御御付け』と『御』を重ねたもの」という説は誤り。

**おみき**［〈△御〉神酒］〔神にそなえる〕酒。●**おみきどっくり**［〈△御〉神酒〈△徳利〉］①酒を入れて神にそなえる、一対のとっくり。②〔古風〕いつもいっしょにいる、なかよし。

**おみくじ**［〈△御みくじ〉］神社や寺で、参拝人に引かせて吉凶をうらなわせるくじ。みくじ。表記神社では「〈△御〉〈△神〉×籤」とも。

**おみこし**［〈△御〉〈△神〉×輿］「みこし」の尊敬語・美化語。「一を上げる・一をかつぐ・一をすえる」

**おみしりおき**［お見知り(置き)］〔尊敬語〕「その人だ」と知っておくこと。顔と名前を覚えておくこと。「石川と申します。以後、一ください」

**おみず**［お水］一「水」の美化語。二〔俗〕水商売(の人)をかろんじて言うことば。

**おみずとり**［お水取り］奈良、東大寺の二月堂で、三月十三日未明におこなう行事。堂のそばの井戸から水をくみ、本堂に納める。

**おみせやさん**［お店屋さん］「店屋〔=店〕」を、ていねいに親しんで呼ぶことば。「一ごっこ」

**おみそれ**［お見〈△逸れ〉］《名・他サ》〔相手を〕〈見忘れる／軽く見てしまう〉ことの謙譲語。「一して失礼しました」

**オミット**《名・他サ》〔omit〕省略。除外。

**おみとおし**［お見通し］ちゃんと見ぬいていること。「そんなことはすべて一だ」

**おみな**［〈△女〉］〔雅〕おんな。(↔おのこ)

**おみなえし**［〈：女郎花〉］秋の七草の一つ。野山にはえ、分かれた枝の先に、あわ(粟)つぶをばらまいたような黄色い花をつける。

**おみまい**［〈△御〉見舞い］一「見舞い」の美化語。「一に行く」二《名・他サ》攻撃をあたえること。「げんこつを一する」

**おみや**［お〈△土〉〈△産〉］①〔児〕おみやげ。②〔↑お宮入り〕《警察》〔俗〕迷宮入りのこと。

**オム** 遺 オムレツで、ごはんなどを包んだりする料理。「一ハヤシライス・一そば」

**おむかい**［お向かい］「向かい」の尊敬語。「一のご家族・一さん〔=お向かいの住人〕」

**おむかえ**［お迎え］《名・他サ》①「迎えること」の美化語。「保育園に子どもの一に行く」②あの世からの出迎え。「まだ一が来ない〔=まだ死なない〕」③〔俗〕〔だいじなものを〕買って自分のものにすること。「新しい人形を一する」〔二〇一〇年代に特に広まった用法〕

**おむこう**［お向こう］①〔古風〕⇩お向かい。「一のだんな」②《料》⇩向こう付け①。

**おむこさん**［お婿さん］「婿」の美化語。特に、花婿。(↕お嫁さん)

**おむすび**［お〈結び〉］⇩おにぎり。

**おむつ**［お〈：襁褓〉・〈：襁褓〉］〔むつ↑むつき〕赤ちゃんなどのしりに当てて大便や小便を受ける、布や紙でできたもの。おしめ。むつき。「一が取れる〔=おむつがいらない時期になる〕」

**オムニチャネル**〔omnichannel〕〔omni=すべての〕実店舗やインターネット販売の商品・情報などのやりとりを連携させること。「一化」

☆☆**オムニバス**〔omnibus〕①乗り合い自動車。バス。②それぞれ独立したいくつかの話や曲などを一つにまとめたもの。「一映画」

**オムライス**〔↑和製 omelet(te) rice〕油でいためたごはんと具を、ケチャップなどで味つけし、うす焼きたまごで包んだ料理。

**オムレツ**〔omelet(te)〕ときほぐしたたまごをフライパンで木の葉の形にふんわりと焼いた料理。ひき肉・タマネギなどを包んで焼くことが多い。「チーズ一」☞オム。

**おめ**［お目］「目」の尊敬語。「一が高い〔=良いものを見分ける力をお持ちだ〕」●**お目にかかる** 句「〔人に〕会う」の謙譲語。「一度お目にかかってお話ししたいと存じます」●**お目にかける** 句「見せる」の謙譲語。ご覧に入れる。「お目にかけたいものがあります・作ってお目にかけましょう」

☆☆**おめい**［汚名］名誉をきずつけるような評判。「一を着せる(↔汚名をそそぐ)・一返上・一挽回」✓「汚名挽回」は、汚名を着た状態をもとどおりにすることで、「名誉挽回」と同じ。汚名を取りもどすことではない。「疲労回復」が「元気回復」と同じ意味になるのと似ている。☞挽回。

**おめおめ**《副》〔失敗したり、何もしなかったりして、申し訳ないのに〕はじとも思わず、平気な顔で。のめのめ。「一(と)引き下がれない」

**オメガ**〔omega〕一［Ω・ω］ギリシャ文字の最後の字。二 終わり。「これこそ文章術のアルファにして一だ〔=初歩かつ極意だ〕」(↕アルファ)☞オーム。

**おめかし**《名・自サ》「めかすこと」の美化語。おしゃれをして、かざりたてること。

**おめがね**［お眼鏡］「めがね③」の尊敬語。「一にかなう〔⇩「眼鏡」の句〕」

**おめく**［〈△喚く〉］《自五》〔雅〕さけぶ。わめく。

**おめぐみ**［お恵み］気の毒に思ってほどこす〈もの／お

金〉。「―はいらない」

**おめざ**〔めざ←目覚まし〕〔児〕子どもが目をさましたとき、食べさせる菓子(かし)。

**おめし**【お召し】㊀おめし「〈呼ぶ/招く/乗る/着る〉こと」などの尊敬語。「コートを―になる・―列車(=天皇などの特別列車)」㊁おめし〔←お召しちりめん〕ちりめんの一つ。ねり糸で織り、しぼを寄せた布。●**おめしかえ**【お召し替え】―か〘名・自サ〙「着替えること」の尊敬語。●☆☆**おめしもの**【お召し物】「相手の衣服」の尊敬語。「―はどれになさいますか」

**おめずーおくせず**【〈怖めず臆せず〉】〘副〙〔文〕おそれず気おくれもせず。「―意見をのべる」

**おめだま**【お目玉】〔目上の人から言われる〕こごと。「―を食う(=しかられる)」☞大目玉。

**おめでた**「めでたいこと」の美化語・尊敬語。たとえば、妊娠(にんしん)・出産・結婚(けっこん)など。●**おめでたこん**【おめでた婚】⇩さずかり婚。

**おめでた・い**【〈御目出度い〉・〈御芽出度い〉】〘形〙①「めでたい」の美化語・尊敬語。②のんきで間がぬけている。また、だまされやすい。「―やつだ」派―さ。

**おめでとう**〔―めでたう〕〘感〙〈めでたいことがあったとき/新年〉のあいさつのことば。「お誕生日―・新年―」丁寧おめでとうございます。〔過去形「おめでとうございました」は、以前のことを今祝うときに使うことがある〕

**おめどおし**【お目通し】―めどほし ひととおりご覧になること。おめとおし。「報告書に―を願う」

**おめどおり**【お目通り】―めどほり〔文〕身分の高い人にお会いすること。「―を許される」

**おめみえ**【お目見え】〘名・自サ〙①「身分の高い人に会うこと」の謙譲(けんじょう)語。②奉公(ほうこう)人がはじめて主人に会うこと。③〈人々の前に〉はじめてあらわれること。「新製品の―」④新しく〈来た/襲名(しゅうめい)した〉俳優の初舞台(ぶたい)。⑤〘歴〙江戸(えど)時代、将軍に直接会うことができた〈身分/格式〉。「―以上(=旗本)」

**おめめ**【お目々】〔児〕目。「まんまる―」

**おめもじ**【お目文字】〘名・自サ〙〔古風・女〕お目にかかること。「―かないましてうれしゅうございます」

**おめよごし**【お目汚し】〘ナダ〙自分の作品を相手に見せるとき、へりくだって言うことば。「ほんの―ですが、ご覧ください」

**おも**【主】いろいろある中で、中心となり、あるいは大部分をしめる〈もの/こと〉。「男性が―、女性はわずかだ」〔ふつう、連体詞「主(おも)な」、副詞「主(おも)に」の形で使う〕

**おも**【面】〔雅〕おもて(表)。表面。「水の―」

****おもい**【思い・△想い】―おもひ ㊀おもい ①思うこと。「―にふける・―をはせる」②〔そこに居あわせて感じる〕気持ち。経験。「楽しい―をする・さびしい―をさせる」③そうしたいと思う気持ち。のぞみ。「―がかなう・―が残る・―のまま・―どおりにはこぶ」④恋(こい)の気持ち。「―の丈(たけ)を打ち明ける・―があふれる」㊁おもい 造 …を思いやる〈こと/人〉。「お母さん―のむすめ」●**思い半ばに過ぎる** 句 これ以上言わなくても、だいたいの察しがつく。●**思いに沈む** 句 いろいろ考えて、心配する。●**思いもつかない** 句 思いも寄らない。「敵の―ような手で攻(せ)める」●**思いも寄らない** 句 思いがけない。思いもつかない。まったくそんなことは思わない。「負けるとは―・ほかの人には―苦労」●**思いを致(いた)す** 句〔そのことについて〕いろいろ深く考える。●**思いを晴らす** 句 ①うらみをはらす。②のぞみをとげる。●**思いを巡(めぐ)らす** 句 そのことを、いろいろと思う。思いを巡らせる。「国の将来に―」●**思いを寄せる** 句 恋(こい)しく思う。「同級生に―・古代に―」●**おもいあが・る**【思い上がる】〘自五〙(うぬぼれて)人を見くだす気持ちになる。名思い上がり。●**おもいあた・る**【思い当たる】〘自五〙なるほどと気がつく。●**おもいあま・る**【思い余る】〘自五〙あれやこれやと考えても考えが決まらず、自分ひとりでは、決められなくなる。●**おもいあわ・せる**【思い合わせる】―あはせる〘他下一〙それに関連することを思い出して、くらべる。思い合わす。「わが少年のころ〈と/を〉―」●**おもいいた・る**【思い至る・△想い△到る】〘自五〙思い続けた末に、そのことに気づく。「事件の重大さに―とき…」●**おもいいれ**【思い入れ】〘名・自サ〙①自分とかかわりが深いもののことを、熱心に思うこと。「特に―の強い作品」②思いこみ。「何か意味があるはずだという―」③〘芝居〙気持ちや状況(じょうきょう)などを、観客に分かるように示す身ぶり。「何かにつまずいたという―で転ぶ」動思い入れる〘自下一〙。●**おもいうか・べる**【思い浮かべる】〘他下一〙頭の中に、その形や感じなどを生じさせる。自思い浮かぶ〘五〙。●**おもいえが・く**【思い描く】〘他五〙頭の中で(あらかじめ)形や情景などをえがく。「将来のことを―」●**おもいおこ・す**【思い起こす】〘他五〙以前のことを、改めて思い出す。●**おもいおもい**【思い思い】―おもひ〘副〙めいめい、自分の思うように。「―に過ごす・―の席にすわる」●**おもいおよ・ぶ**【思い及ぶ】〘自五〙思いいたる。●**おもいかえ・す**【思い返す】―かへす〘他五〙①思い直す。②過ぎたことをふたたび思う。「昔行った場所を―」●**おもいがけ・ない**【思い掛けない】〘形ヌズ〙そう(なる)だろうとは、最初からちっとも思わない。予期しない。「―真実を聞かされた・思いがけず(=はからずも)返事をもらえた」〔文語の終止形は「思いがけなし」または「思いがけず」〕丁寧思いがけません。●**おもいがわ**【思い川】―がは〔雅〕思いが深くて絶えることがないのを、川の流れにたとえたことば。区別⇩案外。派―さ。●**おもいきった**【思い切った】〘連体〙①(決心の末の)おどろくような。「―行動」②力いっぱいの。「―走り」③大幅(おおはば)の。「―コスト削減(さくげん)」●**おもいきって**【思い切って】〘副〙①決心して。「迷った末、―打ち明けた」②力いっぱい。「毎試合、―投げる」③おしみなく。大幅(おおはば)に。「むだを―けずる・―値下げする」●**おもいきや**【思いきや】〔=思っただろうか、思いもしなかった〕㊀《(か)と思いきや》で副助〙思ったら、意外にも。「喜ぶ(か)と―、たちまちおこりだした」㊁〘副〙意外にも。「―、けが一つしなかった」●**おもいきり**【思い切り】㊀①あきらめ。また、決心。「―が〈いい/悪い〉人・―をつける」②勢いがあること。のびのびしていること。「―のいいシュート」㊁〘副〙①勢いよく。力いっぱい。「―ひっぱたく・―ころんだ」②のびのびと。好きなだけ。「―歌う・―からだを動かす」③おしみなく。大幅(おおはば)に。「発想を―変える」④〔俗〕非常に。「―からいつけもの・―けいべつされた」⑤〔俗〕完全に。あきらかに。「―ねてた・―ばれてる・君だって―当事者だろう」▽㊀㊁思いっきり。●**おもいき・る**【思い切る】〘他五〙①あきらめる。「彼女(かのじょ)のことを

―」②決心する。心がまえをする。「なかなか あそこまで―のは むずかしい」☞思い切った・思い切って・思い切り。●**おもいこ・む**［思い込む］《自他五》①本当はちがう(かもしれない)のに、深くそう思う。「男を真犯人と―」②一つのことだけを強く思う。「思い込んだら命がけ」名思い込み。●**おもい ざし**［思い差し］《名・他サ》〔文〕その人を思う心があって、さかずきをさすこと。●**おもい さだ・める**［思い定める］《自下一》〈考え／気持ち〉を決める。決心する。●**おもいじに**［思い死に］《名・自サ》はげしく慕いながら死ぬこと。●**おもい しら・せる**［思い知らせる］《他下一》①いやと言うほど はっきり わからせる。「現実を―」②しかえしをする。「いつか思い知らせてやる」▽思い知らす。「未熟さを思い知らされる(『思い知らせられる』よりも ふつう)」●**おもい し・る**［思い知る］《他五》心に受け止めて はっきり さとる。「親の愛情を―・思い知れ〔しかえしのときの ことば〕」●**おもい すごし**［思い過ごし］〔おもに悪い結果を予想して〕考えすぎること。「かぜを引いたなんて、―だよ」動思い過ごす《他五》。●**おもいだし わらい**［思い出し笑い］《名・自サ》前にあったことを思い出して、自分だけで笑うこと。●**おもいだ・す［思い出す］《他五》前にあったこと、忘れていたことを、もう一度心の中にうかべる。思い起こす。「子どものころを―・用事を―」●**おもいた・つ**［思い立つ］《他五》〔何かのはずみで〕しようと思う。「新しい事業を―」●**思い立ったが吉日** 句 思い立ったら、日をえらばず すぐ実行するのがいい。思い立つ日が吉日。●**おもいちがい**［思い違い］《名・他サ》まちがって、そう思ったり理解したりすること。勘違い。「あすは日曜だと―(を)する・自分は大物だという―」●**おもいちが・える**［思い違える］《他下一》思い違いをする。名思い違え。●**おもいつき**［思い(付き)］①こうすればいいと、ふと ひらめいた考え。「賞品を出すというのは いい―だ」②ふと ひらめいただけで、よく確かめていない考え。「ほんの―にすぎない」●**おもいつ・く**［思い(付く)］《他五》①(いろいろ考えている時に)ふと頭に思いうかべる。「いい方法を―・ことばを―ままに並べる」②〔忘れたことを〕思い出す。「『ぬか』という漢字が どうしても思いつかない」☞「思い」の 句。●**おもいづま**［思い妻］〔雅〕いとしいと思う妻。恋して結婚した妻。●**おもいつ・める**［思い詰める］《他下一》深く思う。ひたすら思いこむ。●**おもいで**［思い出］①思いだす〈こと／もの〉。「子どものころの―・旅の―に とった写真・一生の―になる」②記念。「―話」●**おもいでぶか・い**［思い出深い］《形》印象の深い思い出があるようすだ。「―品・―一年」派-げ・-さ。●**おもい どおり**［思い通り］そう〈しよう／なってほしい〉と思うとおり。「―に生きる・―の結果」●**おもい とどま・る**［思い(△止まる)］《他五》〔しないほうがいいと〕考え直して、やめる。思いとまる。「転職を―」●**おもい なお・す**［思い直す］《他五》もう一度、〈別の／もとの〉ように思う。「何かの まちがいだと―」●**おもい なし**［思い(×做し)］《名・副》心で(勝手に)決めて思うこと。「―か〔=そう思うせいか〕顔色があおい」動思いなす《他五》。●**おもい なや・む**［思い悩む］《自他五》思い続けて、なやむ。「ささいなことを―」●**おもい のこ・す**［思い残す］《他五》気がかりな気持ちをあとに残す。「これで―ことはない〔=気がかりなことは何もない〕」名思い残し。●**おもい のたけ**［思いの丈］心に思うことの全部。「―を語る・―を伝える」●**おもい のほか**［思いの(外)］《副》予想に反して。意外に。「―うまくできた」区別⇩案外。●**おもい まど・う**［思い惑う］《自五》どうしていいかわからず、迷う。思い迷う。「どの服を着ていこうかと―・子どもの教育に―」●**おもい・みる**［思い見る］《他上一》想像して、目にうかべる。「そんな社会を―」●**おもいめぐら・す**［思い巡らす］《他五》それについて、いろいろのことを思う。「見知らぬ土地のことを―」●**おもいもう・ける**［思い設ける］《他下一》前から思う。予期する。「まったく思い設けない ことば」●**おもいもの**［思い者］〔古風〕こっそり愛している〈相手／女性〉。目下の愛人などについて言う。●**おもいや・る**［思い(△遣る)］《他五》①(立場の弱い)相手が困ったり、悲しんだりしないように しようと思う。「お年寄りをいたわり、―・家族を―」名思いやり。「―のある人」②遠いところや将来を思う。「先が思いやられる〔=心配でならない〕」●**おもい わずら・う**［思い煩う］《自五》考えて〈苦しむ／なやむ〉。

***おも・い**［重い］《形》①それを持つために、力が たくさん必要なようすだ。目方が多い。「―かばん・〔同じ大きさの場合に〕アルミより鉄のほうが―」②上から押しつけられる感じが強い。「―髪型」③動かしたり はたらかせたりするのが〈困難／おっくう〉だ。「―腰を上げる・気が―・ことばが―」④簡単ではない。ただごとではない。「―〔=大切な〕任務・事態を重く〔=重大だと〕〈見る／受け止める〉」⑤〔病気・けがなどが〕ひどくて大変だ。「―症状・つわりが―」⑥〔味が〕濃厚だ。「―ソース・重めのワイン」⑦〔コンピューターで〕処理や反応が おそい。▽(↔軽い) ⑧下に押しつけられるような(いやな)感じだ。重苦しい。「かぜで頭が―・連敗でチームの雰囲気が―」派-げ。

****おも・う**［思う・△想う］《自他五》①論理的にではなく、そう〈感じる／判断する〉。「きのうより寒いように―・相手の言うことは正しいと―」✓会話でも文章でも、文末に「…と思う」をつい多く使いがちだが、自分の感想を述べているのが明らかな文脈では、不要な場合が多い。文章を見直すときは、「…と思う」をけずってみるといい。区別「**思う**」は根拠がなくてもいいが、「**考える**」は根拠が必要。レポート・論文で「…と思う」と書くのがよくないのは、「根拠はない」と言っていることになるから。また、根拠を示さないまま「…と考える」と書くのもよくない。②感情を持つ。「うれしいと―・不愉快に―」③(いろいろと)心に えがく。「―ところあって筆をとった・〔文章の題で〕夏に―」④想像する。「彼の得意や―べし〔=想像できる〕」⑤しようと心に決める。「期日までに仕上げようと―」⑥したいと願う。望む。「―ままに書く」⑦そばに行きたいと願う。恋いしたう。「故郷を―・あなたを―」⑧［△憶う］過ぎたことを思い出す。「昔を―」⑨(〈**たい**〉と**―**)これから実行することや自分の希望をやんわり示す。「では始めたいと思います・お許し願いたいと思います」☞「たい①」の✓(3)。可能思える。●**思うに任せない** 句 思うとおりにならない。「今どきは就職も なかなか―」●**思っても いない** 句

お

最初から思わない。考えてもいない。思いもしない。思ってもみない。「やめたいなんて—・—〈=意外な。思わぬ〉結果」 ●**おもう さま**［思う〈様〉］《副》心に思うとおり。ぞんぶん。 ●**おもう ぞんぶん**［思う存分］《副》心に思うとおり。じゅうぶんに。 ●**おもう つぼ**［思う〈×壺〉］予期したところ。「相手の—にはまる」 ●**おもうに**［思うに］《副》おそらく。たしか。「—、今後の苦労はたいへんなものがあろう」

**おもえば**［思えば］《副》あらためて〈思い出して／思いをめぐらして〉みると。「—これまでは苦労の連続だった・—当然のことだ」☞かと思えば。

**おもえ らく**［思えらく］《副》〔文〕思うことには。「われ—、このままではすむまい、と」 表記 漢文では「:以為らく」などと書く。

***おも・える**［思える］《自下一》思われる。「二度と来ないように—」

**おも おも**［重々］《副》〔文〕いかにも重そうな感じであるようす。「—と音をひびかせる」 ●**おもおもし・い**［重々しい］《形》どっしりしていて、おごそかだ。「—口調」〈↔軽々しい〉 派 -げ。-さ。

**おもかげ**［面影・×俤］①記憶に残っている、顔や形。「なき友の—」②昔はこうだった(ろう)、と思わせるようす。「武蔵野の—・少年時代の—を残す」

**おもかじ**［面〈×舵〉］船の進む方向を右へ向ける〈こと／ときの かじのとり方〉。〈↔取りかじ〉

**おもがわり**［面変わり］《名・自サ》〔文〕〔前と〕顔つきが変わること。

**おもき**［重き］重いこと。おもみ。 ●**重きをなす** 句 重んじられる。 ●**重きを置く** 句 重く見る。

**おもくるし・い**［重苦しい］《形》重さが感じられて、いやな感じだ。おもっくるしい。おもぐるしい。「胃が—・—気分・場の—雰囲気」 派 -げ。-さ。

**おも さ**［重さ］①重い〈こと／程度〉。「責任の—」②《理》物体に加わる重力の大きさ。台ばかりにのせてはかる数値。月面では、重さは約六分の一になる。目方。重量。単位はニュートン・(キロ)グラム重。☞質量。

**おもざし**［面〈差し〉］顔全体から受ける感じ。「—がよく似ている」

**おもし**［〈重し〉］①ものを上から おしつけるもの。おし。「本を—にする」②［〈重△石〉］つけものなどの上にのせておしつける石。③負担。「原料費が経営の—になる」④人をおさえる力。貫禄。「選手に—が利く監督」 由来 文語形容詞「重し〈=重い〉」を名詞にしたもの。☞重り。

****おもしろ・い**［面白い］《形》①そのことに心が ひかれ、熱中する気持ち〈にさせるようす〉だ。「勉強が—・会社へ行っても面白くない・試合が面白くなる・—ように〈=次から次へ、どんどん〉釣れる」 区別 「**面白い**」は自分も参加していない場合にも使えるが、「**楽しい**」は自分が参加していると感じる場合に使う。テレビで演劇を見るのは面白く、友だちと演劇を見に行くのは楽しい。また、「面白い」はそのことを評価することに重点があり、「楽しい」は自分の気持ちを表現することに重点がある。②〈変わったところがあって〉心が ひかれる状態だ。「—建物・—成果」③心が ひかれて、笑いたくなる感じだ。こっけいだ。「—話・〔語幹用法で〕面白グッズ」④〔**面白くない**〕ⓐ不愉快だ。「話をそらされては面白くない」ⓑ〔古風〕のぞましい状態でない。「病状が面白くない」 派 -がる。-げ。-さ。

**おもしろ おかし・い**［面白〈:可笑しい〉］《形》おもしろくて、笑い出したくなるようすだ。「面白おかしく話す」

**おもしろ ずく**［面白〈△尽く〉］〔古風〕おもしろさにまかせてすること。興味本位。「—でいろいろ言う」

**おもしろ はんぶん**［面白半分］《名・ナダ》なかば おもしろがって、軽い気持ちでするようす。「—に銃をうつ」

**おもしろ み**［面白〈:味〉］おもしろく感じられる程度・内容。「—が足りない番組」

**おもた・い**［重たい］《形》重く感じるようすだ。重くてつらい。「荷物が—・重たく とざされた空」 派 -がる。-げ。-さ。

**おもだか**［〈:沢瀉〉・〈面高〉］水辺に はえる草。細長いくきに、「人」の字形の大きな葉がつく。花は小さくて白い。

☆☆**おもたせ**［お持たせ］相手の持ってきた おみやげの食べ物に対する尊敬語。〈相手にすぐに出すときに言う〉「—で恐縮ですが、どうぞ」

**おも だち**［面〈立ち〉］〈品格のある〉顔だち。

**おもだっ た**［〈主〈立った〉・重〈立った〉］《連体》〈なかまの中で〉大切な位置を占める。中心となる。「—者・—メンバー」

**おもちかえり**［お持ち帰り］《名・他サ》 ━ おもちかえり〈店で買った食べ物などを〉持って帰ること〈の尊敬語〉。テイクアウト。「こちらで おめしあがりですか、—ですか」 ━ おもちかえり〔俗〕飲み会などで好意を持った人を、そのまま つれて帰ること。

**おもちゃ**［〈:玩具〉］①子どもが手にして遊ぶもの。「—の電車」②〈見せかけだけの／たいした機能のない〉製品。「こんなカメラは—だ」③楽しみのために使われるもの。人に もてあそばれるもの。「ピストルを—にする〈=もてあそぶ〉・悪い男の—になる」 由来 「持ち遊び〈=手に持って遊ぶもの〉」の変化「もちゃそび」を略して「お」をつけたもの。 表記 俗に「オモチャ」とも。 ●**おもちゃ ばこ**［〈:玩具〉箱］①おもちゃを入れる箱。②おもしろいことを集めたもの。「寄席は演芸の—だ」③〔古風〕大工の道具箱。

**おもっ たる・い**［重ったるい］《形》①からだが重く感じられて、だるい。おもたるい。おもだるい。②重苦しい。濃厚すぎる。 派 -さ。

←**おもて**［表］①外にあらわれたほうの がわ。「たたみの—」②正しく置いた場合、正面になる がわ。「花瓶の—」③建物の正面の がわ。「—門・—を掃除しなさい」④建物の外。「—で遊ぶ・—へ出ろ！」⑤《野球》先に攻めるチームが攻撃に回る場面。「二回の—」⑥外にあらわれた事情。「—からはわからない事件」⑦正式のもの。「—の理由」▽〈↔裏〉⑧〔武士が〕ある土地を正式の場所と考えて呼ぶときに つけたことば。「江戸—・仙台—」⑨…に向いたほう。「南—」⑩↑たたみおもて。「琉球—・備後—」 ●**おもて あみ**［表編み］〔棒針の編み物で〕いちばん基本的な編み方の一つ。編み目が「V」の字を敷し

［おもてあみ］

きつめたようにならぶ。☞裏編み。 ●おもてがえ[表替え]《名・自他サ》たたみの表をとりかえること。 ●おもてがき[表書き]《名・自サ》郵便物やおくりものなどの表に書く文字。また、それを書くこと。上書き。「はがきの―・―に『御祝』と書く」 ●おもてかた[表方]〔劇場などで〕事務員・案内人など。(↕裏方) ●おもてがまえ[表構え] 家の正面の作り方。 ●おもてかんばん[表看板] ①〔劇場の〕正面にかかげる看板。②世間に知られた〈特色/代表格の人〉。「人権派を―とする」 ③おもてむきの名目。「医者というのは―で…」 ●おもてぐち[表口] 正面の入り口。玄関口。(↕裏口) ●おもてげい[表芸] ①当然、習っておくべき技芸。「生け花は女の―」 ②〔芸人などが〕自分の専門としている芸。(↕裏芸) ●おもてさく[表作]《農》同じ土地に時期をちがえてつくる二種類の作物のうち、おもなほう。(↕裏作) ●おもてざた[表沙汰] ①一般に知れわたること。「―になる」 ②訴訟事件。 ●おもてじ[表地]《服》衣服などの、表に使う布。(↕裏地) ●おもてだ・つ[表立つ]《自五》①〔行動が〕みんなにはっきりわかるようにする。「表立った動きは見られない・表立って反対はしにくい」 ②正式である。「表立ったところでものを言う」 ●おもてどおり[表通り] まちなかの、主要な広い通り。(↕裏通り) ●おもてどし[表年] くだもののたくさんなる年。なり年。(↕裏年) ●おもてはく[表拍]《音》奇数番目の拍。「―を取る(=表拍で手を打ってリズムを取る。日本の民謡などに多い)」(↕裏拍) ●おもてぶたい[表舞台] 注目を集めて活躍する場所。「―に立つ・―を去る」(↕裏舞台) ●おもてむき[表向き]《名・副》①おもてざた。「―にする」 ②正式のあつかい。おもてだって。「―は認められない」 ③うわべ。外から見るようす。「―は円満そうだが」 ●おもてもん[表門] 正門。(↕裏門)

→**おもて**[面] ①〔文・古風〕〔前から見たときの〕顔。「―を包む」 ②面。仮面。「―作り」 ③〔文〕表面。「水の―」 ●**面を冒す** 句 相手の気持ちにさからうことを気にしないようす。

**おもと**[(∴万年青)] 土から、長くてはばの広い葉が出る草。観葉植物として鉢植えにする。白い斑がはいったり、波打ったりしたものもある。赤や黄色の実がなる。

**おもと**[(△御△許)]〔文〕女性の手紙で、相手の名前のわきに書くことば。おんもと。みもと。「さくら様―へ」

*__おもな__[主な]《連体》主要な。主なる。「きょうの―ニュース・広告が―収入源だ」

**おもなが**[面長]《(ナダ)》顔が長いようす。

**おもに**[重荷] 重い〈荷物/負担〉。「―になる」

*__おもに__[主に]《副》よくあるものは。よく目立つのは。だいたいは。「参加者は―女性だ・日曜日は―家にいます」 区別 ⇩主として。

**オモニ**〔朝鮮 eomeoni〕母。(↕アボジ(=父))

☆☆**おもね・る**[(×阿る)]《自五》人に気に入られようとする。へつらう。おついしょう(追従)をする。「権力におもねらない」「おもねっている」〔「おもねない」「おもねて」など、下一段にも活用する〕 名 おもねり。

**おもばば**[重馬場]《競馬》雨のあと、水気をふくんで、馬が走りにくい馬場。〔程度の軽いものを「やや重」、重馬場よりひどいものを「不良」と言う〕(↕良馬場)

**おもはゆ・い**[面(△映い)]《形》〔きまりが悪くて〕顔が赤くなるような気持ちだ。「―思いをする」 派 -がる。-げ。-さ。

**おもみ**[重み] ①重く感じる〈こと/程度〉。「雪の―」 ②どっしりとしておちつきのあること。「―のある態度」(↕軽み) ③大切な価値。「―のある発言・歴史の―」

**おもむき**[趣] ①内容とそれにともなう感じ。「訳文は原文の―をよく伝えている」 ②それらしい感じ(をあたえるようす)。「深山幽谷の―・―を異にする」 ③しみじみとした味わい。「―が深い(『趣深い』とも)」 ④《手紙》〔文〕事情。「ご病気の―(=ご病気ということ)、ご心配申し上げ候」

**おもむ・く**[赴く・△趣く]《自五》①ある方向へ行く。向かう。「任地へ―・足の―まま」 ②しだいに、その状態に向かう。「回復に―・勢いの―ところ」

☆☆**おもむろに**《副》 表記 かたく「△徐ろに」とも。 ①ゆっくり動作を起こすようす。「―口を開く」 ②〔俗〕急に。「―ダッシュした」

**おももち**[面(持ち)] 表情。「不安の―で見守る」

**おもや**[母屋・母家] 屋敷の中の、中心となる建物。「―と離れ」

**おもやつれ**[面(×窶れ)]《名・自サ》〔文〕顔にやつれが出ること。「少し―した母」

**おもゆ**[重湯] 米をたくさんの水で煮てつくった、こいしる。病人・赤ちゃん用。

**おもらし**[お漏らし]《名・自サ》〔児〕小便をもらすこと。

**おもり**[(重り)・(×錘)] ①重さをますために加えるもの。②〔はかりの〕分銅。③《釣り》つり糸をしずめるもの。しずみ。☞重し。

**おもり**[お守り]《名・他サ》〔「守り」の美化語〕①小さい子のそばについて、めんどうをみる〈こと/人〉。子もり。「孫の―」 ②〔俗〕せわのやける人のめんどうをみること。「会長の―をする」 ☞おまも(守)り。

**おも・る**[重る]《自五》〔文〕重くなる。「病が―」

**おもろ** 沖縄の古い叙事詩。

**おもろ・い**《形》〔関西方言〕おもしろい。変わっている。「―男・おもろ(う)ない」

**おもわ**[面輪]〔雅〕〔前から見たときの〕顔の輪郭。「やせた―」

☆☆**おもわく**[思(∴惑)] ①思う結果が得られるという期待。見込み。「―が外れた・―違い」 ②〔本人に対する、ほかの人の〕考え。「世間の―」 ③相場の変動を予想すること。「―買い・―売り」

**おもわざる**[思わざる]《連体》〔文〕①思慮が足りない。「―もはなはだしい」 ②思いがけない。「―事態」

**おもわし・い**[思わしい]《形》〔後ろに否定が来る〕望んだとおりになるようすだ。願わしい。「術後の経過が思わしくない(=思うようにいかない)・―結果にならない」

**おもわず**[思わず]《副》 そうしようと思わないのに、〈おさえる/さける〉ことができず。「―笑う」 ●**おもわずしらず**[思わず知らず]《副》 自然に。知らず知らず。「―笑いがこみ上げてきた」

**おもわすれ**[面忘れ]《名・自サ》 他人の顔を忘れるこ

お

と。「—して思い出せない」

**おもわせ ぶり**［思わせ(振り)］《名・ナダ》ことばや おこないで、それとなく さとらせようとするようす。また、そのときの ことばや おこない。「—な しぐさ」

**おもわ ぬ**［思わぬ］《連体》予想もしなかった。「—大金」

**おもん・じる**［重んじる］《他上一》〈価値を認めて／だいじなものと思って〉ふるまう。重く見る。とうとぶ。重んずる。「親を—・健康を—・格式を—」(↕軽んじる)

**おもんぱかり**［(△慮り)］①考え。思慮。配慮。「—に欠ける」②はからい。処置。③計画。はかりごと。▽おもんばかり。

**おもんぱか・る**［(△慮る)］《他五》細かいことにまで気をくばって考える。おもんばかる。

**おもん・みる**［(×惟る)］《他上一》〔文〕よくよく考えてみる。「つらつら—に」

****おや**［親］□一 おや ①子(である自分)を生んだ人。また、育てた人。父母。(↕子) ☞親の欲目。②祖先。「—代々」③〔動植物の〕子をふやす もとになるもの。「掘り上げたダリアの—いも」(↕子) ④『マージャン・トランプ・花札など』ゲームの進行の中心となる〈役／人〉。(↕子) □二 選 主となるもの。中心となるもの。「—船・—会社・電話の—機」(↕子) ●**親の因果が子に報いる** 句 親が悪いおこないをした、そのむくいで子がわざわいを受ける。●**親の顔が見たい** 句 しつけや おこないの悪い(若い)者に対して言うことば。親の顔が見てみたい。「あいさつもできないとは、—」●**親の心子知らず** 句 子を思う親の心を察しないで、子は自分勝手なふるまいをする。●**親のすねをかじる** 句 子が経済的に自立できず、親に学費や生活費を出してもらう。●**親の光は七光り** 句 本人はそれほどでもないのに、親の威光のおかげで得をすること。●**親はなくとも子は育つ** 句〔親に早く別れても、子はなんとか育っていく〕世の中のことは そう心配したものではない、というたとえ。

**おや**《感》〔話〕疑問に思ったときなどに出す声。「おや(↗)何だろう・——(おやおや)」

**おや いし**［親石・△首石］石造りの建物の基礎の石のうち、すみに置く だいじな石。かしらいし。

**おや いも**［親芋］サトイモの地下茎にできる、大きな芋。まわりに多くの子芋がつく。いもがしら。(↕子芋)

**おや おもい**［親思い］親をだいじにする〈こと／人〉。「—の やさしい子」

**おや がいしゃ**［親会社］《経》資本を出して、その会社を実際に支配する会社。(↕子会社)

**おや がかり**［親(掛かり)］成長した子が まだ親に養われていること。

**おや かた**［親方］〔=恩を受け、親のように とうとぶべき人〕①職人の かしら。「大工の—」②《すもう》年寄。ふつう、すもう部屋の かしら。〔呼び名にも使う。「出羽海の—」〕③親分。●**親方日の丸** 句〔=親方は日本の国家だ〕〔俗〕費用のめんどうは国が見てくれるから安心だ。公的機関の無責任な体質をさして言う。

**おや かぶ**［親株］①植物の根を株分けする際の、もとになる株。②《経》旧株。▽(↕子株)

**おや がわり**［親代わり］本当の親に代わって、子どもを育てたり せわをしたりする〈こと／人〉。また、儀式などのときに、親の役をする人。「—の姉に育てられる」

**おや き**［お焼き］①小麦粉で作った皮でくるんで平たく焼いたもの。野菜やアズキなどをあん(餡)とする。また、焼きだんご。②〔青森・北海道などで〕今川焼き。

**おや き**［親機］複数をセットで使う通信機器のうち、中心的な機能を持つもの。「電話の—」(↕子機)

**おやく ごめん**［お役御免］①職をやめさせられること。②不用になったものが処分されること。

**おやくしょ しごと**［お役所仕事］〔官庁などで〕決められたとおりの手順でしか ものごとをしない、時間がかかり、ゆうずうのきかない やり方。

**おやくそく**［お約束］①「約束」の美化語。②〔俗〕いつも決まって、同じように〈なる／する〉こと。「—の結末」

**おやこ**［親子］①両親と子。父または母と子。「—関係・—ほど年がちがう・—三代〔=祖父母から孫までの代〕」表記 場合によって、「:父子」「:母娘」なども。②もとは 一つで、〈おもなもの／大〉と、〈そうでないもの／小〉とに分かれたもの。「—電球・—電話」③↑おやこどん。●**おやこ だか**［:父子=×鷹・親子×鷹］父と子が同じ分野でりっぱに活躍すること。由来 子母澤寛の 一九五六年の小説「父子鷹」から。●**おやこ どん**［親子丼］〔「親子」は、ニワトリ(の肉とたまご)〕とり肉・タマネギなどを煮たものを、たまごとじにして のせた、どんぶりごはん。親子どんぶり。親子。☞他人丼。

**おや こうこう**［親孝行］《名・ナダ・自サ》親に孝行をする〈こと／人〉。(↕親不孝)

**おや ごころ**［親心］親として子を思う(ような)、いつくしみの心。

☆☆**おやご さん**［親御さん］子どもの親を尊敬して呼ぶ言い方。「教育熱心な—」〔呼びかけには使わない。「親御」は古風な言い方〕

**おや じ**［(親△父)・(親△仁)・(親×爺)・オヤジ］①〔話〕〔青年期より上の男が〕自分の父をさして呼ぶことば。(↕おふくろ) 区別 ⇩お父さん①。②〔俗〕中年以上の男。また、老人。「がんこ—・—くさい」③〔話〕飲食店などの主人。「ラーメン店の—さん」④〔俗〕職場のかしら。ボス。⑤〔北海道方言〕〔俗〕ヒグマ。山おやじ。●**おやじ ギャグ**［(親△父)ギャグ・オヤジギャグ］おもに中高年の男性が言う だじゃれ。

**おや じ**［親字］〔漢和辞典で〕共通の漢字ではじまる熟語の前に、見出しとして出す(大きい)漢字。

**おや しお**［親潮］《地》千島列島・北海道・本州の東岸を、南へ くだる寒流。千島海流。(↕黒潮)

**おや しき**［お屋敷］広くて りっぱな家。「加賀様の—・—町」

**おや しらず**［(親知らず)］①親の顔を知らない〈こと／子〉。②いちばん おそくはえる、四本の奥歯。知歯。

**おやす・い**［お安い］《形》①「安い」の美化語。「お安くなっております」②わけない。簡単だ。「—ご用」●**お安くない** 句 二人が恋愛関係にある。

**おやすみ** □一［お休み］「休み」の尊敬語・美化語。□二［(お休み)］《感》「お休みなさい」のくだけた言い方。

●**おやすみ なさい**［(お休みなさい)］《感》夜、別れるときや、ねる前に言う あいさつ。おやすみ。〔「おやすみなさいませ」は、よりていねいな言い方〕

**おや だま**［親玉］〔俗〕一同の中で、〈いちばん いばって

**おやつ**［お〈八つ〉］〔午後三時の〕間食。お三時。**由来**昔、八つどき〔＝今の午後二時〜三時ごろ〕に食べたことから。

**おやどり**［親鳥］①親のとり。②［親△鶏］成長したニワトリ（の肉）。▽（↕若鳥）

**おやのよくめ**［親の欲目］親は自分の子がかわいいので、子を実際以上にいいと思うこと。「―かもしれないが、よくできた息子だ」

**おやばか**［親（：馬鹿）］子どもがかわいいために、親があまくなること。また、その親。

**おやばしら**［親柱］①橋のたもとの両がわに立つ柱。②階段・かきねのはしや曲がり角に立つ柱。

**おやばなれ**［親離れ］《名・自サ》子が成長し、親をたよりにしなくなること。（↕子離れ）

**おやふこう**［親不孝］《名・ナダ・自サ》親に不孝をかさねる〈こと／人〉。（↕親孝行）

**おやぶね**［親船］①（小さな船をつれた）大きな船。②母船。本船。●**親船に乗ったつもり**句 すっかりまかせること。

**おやぶん**［親分］人の上に立ち、親のように何かとめんどうを見る人。やくざなどのかしら。親玉〔俗〕。「―肌の〔＝親分のようにたよれる〕男」（↕子分）

**おやぼね**［親骨］①扇の両端にある太い骨。②傘の中心から広がる、布がぬいつけられた骨。

**おやほん**［親本］新しく出た文庫本などの、もとになる本。

**おやま**［（：女形）］①《歌舞伎》⇩おんながた。②〔古風な関西方言〕遊女。「―にほれる」

**おやまさり**［親勝り］《名・ナダ》親よりすぐれている〈こと／子〉。

**おやまのたいしょう**［お山の大将］①子どもの遊び。低い盛り土などの上に立って、のぼってくる者を突きおとす。②〔小さな世界で〕自分がいちばんえらいと思っている人。

**おやみ**［小（△止み）］〔雅〕〔雨や雪が〕しばらくやむこと。こやみ。「―なく降る」

**おやもと**［親元・親△許］親の住んでいる所。おやざと。「―をはなれる」

**おやゆずり**［親譲り］親から受けついだ〈こと／もの〉。「―のむてっぽう・―の財産」

**おやゆび**［親指］五本の指のうち、いちばんはしの、ふとい指。お父さん指。〔親指を立てて、主人・親方などをさすことがある。☞小指〕

**おゆうぎ**［（お遊戯）］子どもが、歌や音楽にあわせておどる、簡単なおどり。「―会」

**おゆわり**［お湯割り］焼酎などを湯で〈うすめたもの／うすめること〉。（↕水割り）

**およがせる**［泳がせる］《他下一》①《すもうなど》相手を前のめりにしてよろめかせる。「とったりを打って相手を―」②不安定にさまよわせる。「目を―・暗がりで手を―」③容疑者などを、わざと、つかまえないで自由にさせる。▽泳がす。

**およぎ**［泳ぎ］およぐ〈こと／術〉。「―に行く・―を習う・〈川―〉」

**およぐ**［泳ぐ］《自他五》①人・動物が水の上にからだをうかばせて進む。「沖〈で／を〉―」②さかななどが水の中を進む。③《すもう・野球など》前のめりになってよろめく。「外角球に泳がされる」④不安定になる。「足が―〔＝ぶかぶかのくつの中で足が動く〕・目が―〔⇩「目」の句〕」⑤おしわけて通る。「人波を―」⑥うまく世の中をわたる。可能 泳げる。

**およそ**《副》①〔正確ではないが〕だいたいのところ。おおよそ。「―（の）見当がつく・―〔＝約〕五十人」②〔文〕全体的に言って。「―ものごとには順序がある」③〔文〕まったく。少しも。「―つまらない・―関係がない」表記「△凡そ」とも。

**およばずながら**［及ばずながら］《副》不十分ではあるが。「―お助けいたしましょう」

**およばない**［及ばない］《形ヌズ》①かなわない。太刀打ちできない。②（には）―〔…する〕必要がない。「それには―・わびるには―」丁寧 及びません。

**およばれ**［お呼ばれ］《名・自サ》〔個人的な〕招待（を受けること）。「茶会に―した」

**および**［お呼び］「呼ぶこと」の尊敬語。「先生が―ですよ」●**お呼びがかかる**句〔仕事のために〕呼び出される。出番になる。●**お呼びでない**句〔俗〕必要とされない。じゃまだ。「男は―」

****および** 一 **および**［（及び）］《接》〔主として小さなまとまりどうしの接続をしめすときに使う〕「A―BならびにC―D」☞ならびに。二 **および**［及び］《（に）及び》で接助》〔文〕…するときになって（はじめて）。およんで。「問題が発覚するに―、世論は一変した」●**およびごし**［及び腰］〔＝物を取ろうと手をのばしたときの、腰をつき出した姿勢〕①びくびくして、背中を曲げ、腰をつき出した、たよりない姿勢。「―で近づいてみる」②自信がなく、本気で取り組む態度や気持ちが決まらないようす。「―の政府」●**およびもつかない**［及びもつかない］《形ヌズ》そこまでなりたいが、望めない。及びもない。「私などの―実力の持ち主」丁寧 及びもつきません。

**およびたて**［お呼び（立て）］《名・他サ》「呼び立てること」の謙譲語。「―してすみません」

***およぶ**［及ぶ］《自五》①広がって、そこまで行く。「災害が身に―・影響が―・注意が―・威光が四方に―」②〈数量が多く／程度が大きく〉て、そこまで行く。「百ページに―報告書・作業が深夜に―」③その段階まで行く。「犯行に―・作品集が出るに及んで、名声が高まった」④〔力・ねうちなどが〕そこまである。「力及ばず断念した・声のよさではだれも―〔＝ならぶ〕者がない・一点を返したが、及ばなかった〔＝負けた〕」⑤〔望みが〕かなう。「及ばぬ恋」☞及ばない。

**およぼす**［及ぼす］《他五》①広げて、そこまで行くようにする。「影響を―・被害を―・他人に迷惑を―」②広げて適用する。「自分の基準を他に―」

**およめさん**［お嫁さん］「嫁」の美化語。特に、花嫁。（↕お婿さん）

**おら**［（△俺）・（△己）］《代》〔方〕わたし。おれ。「―知らねえ」

**おら・おら**《感》〔俗〕乱暴に〈呼びかける／命令する〉声。「―、そこをどけ！」

**おらが**［（△俺が）］《連体》〔俗〕わたしの（地域のじまんの）。「―国・―空港」

**オラクル**〔oracle〕神のおつげ。神託。

**オラトリオ**〔イ oratorio〕《音》宗教的な合唱つき管弦楽。聖譚曲。

お

**おら・ぶ**［△喚ぶ］《自五》〔四国・九州方言〕さけぶ。「子どもが―」

**おられる** ‐をら 連 ❶［△居られる］「いる」の丁重な尊敬語。いらっしゃる。「先生はおられますか」❷［〔…て〕いる］の丁重な尊敬語。〔…て〕いらっしゃる。「先生もよろこんでおられた」▽❶❷いられる。✎明治以降に尊敬表現として広まった。「おる」はふつう自分がわの行為に使うため、「れる」がつく場合の「おる」にけんそんの意味はなく、全体で尊敬表現となる。区別⇩いらっしゃる。☞おります。

**オランウータン**〔オ orang-oetan〕東南アジアのカリマンタン(=ボルネオ)島・スマトラ島の森林にすむ大形の類人猿。猩々。〔なまって、オラウータン〕

**オランダ**〔ポ Olanda〕ヨーロッパの西部、北海に面する王国。首都、アムステルダム(Amsterdam)。ネーデルラント。蘭。表記「:阿蘭陀」「:和蘭」は、古い音訳字。

**おり** をり ❶**おり**［折り］①折ること。「二つ―」②折り箱。「菓子(の)―・あいさつに―を持って行く」❷**おり**［折］①それぞれのできごとをもとに、時をくぎった言い方。時期。「その―その―の感想をしるす」②(ちょうどいい)機会。場合。「―を見て話そう・―が―なので(=このような場合なので)めいわくだ」③そのとき。「上京した―に」❸［折］接尾 ①折り箱などを数えることば。「ひと―の弁当」②本にするため印刷した紙を数えることば。台。〔一折は、場合によって八ページ・十六ページ…などになる〕●**折に触れ(て)** 句 きっかけとなることがあると、いつも。●**折も折** 句 ちょうどそのとき。折も折とて。

**おり**［×澱］液体の中にしずんだかす。

**おり**［×檻］をり けものや罪人などをにがさないように入れておく、格子をはめた〈箱・部屋〉。

**おり** ❶［織り］布を〈織ること・織ったもの〉。「染めと―・つむぎ(紬)―」❷［織］工芸品としての織物。「博多―・西陣―」

**おりあい**［折り合い］をりあひ ①人と人との仲。「しゅうとめとの―が悪い・夫婦の―」②妥協。「契約の―がつかない・気持ちに―をつける」

**おりあ・う**［折り合う］をりあふ《自五》ゆずりあって、話がまとまる。「値段が―」

**おりあじ**［織り味］―あぢ 織物から受ける、感じや味わい。「繊細な―」

**おりあしく**［折▵悪しく］をり―《副》(何かをしようとするときに)間合いが悪く。おりわるく。「―雨が降ってきた」(↔折よく)

☆☆**おりいって**［折り入って］をり―《副》事情をうちあけて特別に。「―お願いがあります」〔相手の好意にたよって言うときに使う〕

**オリーブ**〔olive〕あたたかい土地にはえる木。小さなフットボール形をした黄緑色の実は、油をとったり、ピクルスにしたりする。〔「かんらん(橄欖)」とも言うが、本来は別の木〕「グリーン―・ブラック―・―のフォカッチャ」☞マティーニ。●**オリーブいろ**［オリーブ色］オリーブの実の色。黄色みをおびた緑色。うぐいす色。●**オリーブオイル**〔olive oil〕オリーブの実から取る食用油。けしょう品にも使う。オリーブ油。

**オリエンタル** 源［Oriental］東洋の。

☆☆**オリエンテーション**〔orientation〕①新入生や新入社員に対する説明会・講習会。②広告主が、制作者に商品の説明などをすること。オリエン。

**オリエンテーリング**〔orienteering〕地図と磁石をたよりに、決められたコースを歩く競技。オーエル(OL)〔←ド Orientierungslauf〕

**オリエント**〔Orient〕①東方。東洋。②西アジアとエジプト。古代東方。「―文明」

**おりおり** をりをり ❶［折々］そのときそのとき。「四季―の風景」❷［(折々)］《副》ときどき。「―見かける」

**おりかえし**［折り返し］をりかへし ❶①折り返すこと。「えりの―」②目あての所まで行き、そこから引き返すこと。「―運転・―(地)点」③⇩リフレイン。❷《副》①〔電話や連絡を〕受けたほうの人から。「―ご返事ください」②〔連絡を受けてから〕間をおかず。すみやかに。「もどりましたら―お電話させます」

**おりかえ・す**［折り返す］をりかへす ❶《他五》(紙・布を)うらが出るように折る。「すそを―」❷《自五》①(水泳やマラソンで)来たほうへ引き返す。②ある節目を過ぎて後半になる。「首位で後半戦に―」③(連絡を受けた人が)〔間をおかず〕あらためて相手に連絡をする。

**おりかさな・る**［折り重なる］をり―《自五》幾重にも重なる。重なりあう。他折り重ねる(下一)。

**おりがみ**［折り紙］をり― ❶**おりがみ** 色紙などの四角い紙を、いろいろの形に折って〈遊ぶこと・たもの〉。また、その紙。❷**おりがみ** 美術品などの、鑑定書。「―付き(=保証付き)」

**おりから**［折から］をり― ❶《副》ちょうどそのとき。「―鳴りひびく鐘の音・―の強風」❷［折(:柄)］《接助》(…の)時節である〈から・が〉。「お寒い―・気候不順の―」

**おりく**［折句］をり― (和歌・俳句・川柳などで)物の名などを一音ずつにわけて、各句のあたまに置くもの。

**おりぐち**［下り口］階段・道などの、おりはじめる所。おりくち。降り口。(↔上り口)

**おりぐち**［降り口］①高速道路・乗り物などからおりるところ。「バスの―(=降車口)」(↔乗り口)②谷などへおりるところ。▽おりくち。

**おりこ**［織り子］機を織る仕事をする女子(工員)。

**オリゴとう**［オリゴ糖］〔oligo=少ない〕ダイズなどから抽出する糖。ビフィズス菌の栄養になる。また、低カロリーの甘味料としても使われる。

**おりこみ**［折り込み］をり― ①折りこむこと。「雑誌の―ページ・―川柳(=三文字のことばのそれぞれの音を、句のあたまに折りこんだ川柳)」②新聞に折りこんだ広告の紙。「―チラシ」

☆☆**おりこみずみ**［織り込み済み］そうなるかもしれないと、前もって考えに入れてあること。想定内。「損失が出るのは―だ」

**おりこ・む**［折り込む］をり―《他五》①折って中へ入れる。「まくらカバーのはしを中に―」②(広告などを新聞に)折ってはさみこむ。③一部に入れる。「地名を折り込んだ歌」

**おりこ・む**［織り込む］《他五》①織って、金糸・銀糸や模様を入れる。②前もって(考えに)入れる。「計画に―」③ほかのものごとを中に入れる。「人件費はコストに―」名織り込み。

**オリジナリティ(ー)**〔originality〕 独創(性)。「―のある作品」

☆☆**オリジナル**〔original〕 一《(ナダ)》独自性があるようす。独創的。「―な製品」 二①〔複製品に対して〕原作。原文。原画。原曲。②〔音楽やシナリオで〕原作なしで独自に作った作品。創作。「―曲」

**おりしも**【折しも】(をり) 《副》たまたまそのとき。「―雨が降りはじめた」

**おりしろ**【折り(代)】(をり) 紙や布の、折り曲げた はしの(細長い)部分。

**おりじわ**【折り(×皺)】(をり) 服などをたたんで(しまって)おいたためにできたしわ。たたみじわ。

**おりすけ**【折助】(をり) 武士の召(め)し使い。 ●**おりすけこんじょう**【折助根性】〔古風〕主人の前でだけ、よく働いているように見せかける根性。

**おりたたみ**【折り畳み】(をり) ①折りたためるようになっている〈こと/もの〉。「―傘(がさ)・―(式の)いす」 ②↑折り畳み傘。

**おりたた・む**【折り畳む】(をり) 《他五》(二つに)折って小さくする。「折り畳んだ千円札」

←**おりた・つ**【下り立つ】《自五》下りて〈行く/行って立つ〉。「庭に―」

→**おりた・つ**【降り立つ】《自五》降りて〈行く/行って立つ〉。「バスから―」

**おりづめ**【折り詰め】(をり) 食べ物を折り箱につめる〈こと/もの〉。「―弁当」

**おりづる**【折り鶴】(をり) 折り紙を折ってツルの形にしたもの。

**おりど**【折り戸】(をり) びょうぶのように たたむしくみの戸。

**おりな・す**【織り成す】《他五》①織って(模様などを)つくる。②いろいろな要素を組み合わせて えがきだす。「男女が―人間模様」

**おりのり**【降り乗り】《名・自サ》乗り降り。「―はご順にねがいます」 由来 降りる人が先である意味をこめた言い方。戦前の鉄道省の造語で、現在でも使う鉄道がある。

**おりばこ**【折り箱】(をり) うすくそいだ板やボール紙などを折りまげて作った箱。

**おりひめ**【織り姫】 ⇩織女(しょくじょ)。

**おりふし**【折節】(をり) 〔文〕 一①…というとき。「お姿の見えぬ―は…」②そのときどき。「四季―のながめ」 二《副》①ちょうど。たまたま。「―天気もよし」②ときどき。たまに。「―ふるさとを思う」

**おりほん**【折り本】(をり) 一枚の長い紙を折りたたんで、本の形にしたもの。例、習字の手本。

**おりま・げる**【折り曲げる】(をり) 《他下一》 折って曲げる。「針金を―」 自 折れ曲がる(五)。

**おります**(をり) 連 一【(△居ります)】「います」の丁重(ていちょう)な言い方。「父は家に―・ソクラテスという人がおりました」 二「(…て)います」の丁重な言い方。「おかげさまで何とか暮らして―・台風が近づいて―」 🖊自分(がわの人)や、一般(いっぱん)的な話などについて使う。「先生はおりますか」のように目上には使わない。☞おられる。

**おりま・ぜる**【織り交ぜる】《他下一》 ①いろいろな糸や模様を織りこむ。②あるものごとの中に別のものごとを組み入れる。「虚実(きょじつ)を―」

**おりめ**【折り目】(をり) ①ものを折ったときにつく、さかいめ。「―のついたズボン」 ②くぎり(となる大切な時期)。節目。「人生の―」 ③けじめ。「―正しい〔=行儀(ぎょうぎ)作法がきちんとしている〕」

**おりもと**【織元】 織物を織る仕事をする〈人/家〉。

**おりもの**【(下りもの)】 子宮から流れ出る粘液(ねんえき)。または病的な液体。こしけ。

**おりもの**【織物】 縦糸の間に横糸を通して布としたもの。

**おりやま**【折り山】(をり) 《服》布や紙などを折ったときにできる、いただきの部分。「―線」

**おりよく**【折(△好く)】(をり) 《副》(何かをしようとすると きに)つごうよく。(↔折悪(あ)しく・折悪く)

←****お・りる**【下りる】 一《自他上一》 ①(人や動物が)〈低い/下の〉位置に移る。「三階から二階へ―・土間へ―」 区別 ⑴「下りる」は、前よりも低い場所に移ることに重点があり、「下(くだ)る」は、そこへ行く途中(とちゅう)に重点がある。二階から一階へ行く場合は、途中は重要でないので「下りる」を使うが、十階から一階まで階段を使う場合は「下る」も使える。⑵建物の場合、「下りる」はより下の階に行く感じがあり、「降りる」は高いところに上っていた人が地上に立つ感じがある。 ②山の下まで行く。「山を―・ふもとに―」(↔登る) 二《自上一》①(ものなどが)〈低い/下の〉位置になる。「荷が―・人力車のかじ棒が―・本社から情報が―・道が川まで下りている〔=続いている〕」 ②(ひも・幕などの)一方のはしが、下まで(近づいて)ゆく。「なわばしごが―・シャッターが―・とばりが―」▽(↔上がる) ③(役所・責任者などから)認められる。わたされる。「許可(証)が―・保険金が―」 ④からだの外へ出る。「経血(けいけつ)が―・回虫が―」 ⑤下がって行って、なくなる。「胸のつかえが―」 ⑥しまる。「錠(じょう)が―」 可能 下りられる。下りれる(俗)。

→**お・りる**【降りる】 一《自他上一》①周囲よりも高いところから、直接に平地へ移る。「東京タワー〈から/を〉―・壇(だん)〈から/を〉―・(ピッチャー)マウンドを―」(↔登る) 区別 ⇩下りる 一①。 ②乗り物の中から外へ出る。「電車〈から/を〉―」(↔乗る) ③地位・役員をしりぞく。「監査(かんさ)役を―」 ④演劇などの役を演じることをやめる。また、仕事・勝負事などに加わるのを、とちゅうからやめる。 ⑤高速道路から一般(いっぱん)道路に出る。「東名高速を―」 二《自上一》①空から地面へ〈移る/向かう〉。「飛行機が―・コウノトリが畑に―・神が―〔=降臨する〕」 ②露(つゆ)・霜(しも)などが地面にあらわれる。置く。 ③〔降りてくる〕発想がわく。「おっ、降りてきたぞ!」 可能 降りられる。降りれる(俗)。

**おりわるく**【折悪く】(をり) 《副》おりあしく。「―留守だった」(↔折よく)

**おりん**【お(鈴)】 《仏》しんちゅうなどでできた、小さな鉢(はち)の形の仏具。お経(きょう)を読むとき、仏をおがむときなどに、ばちで鳴らす。りん。

**オリンピア**〔Olympia=古代ギリシャの、ペロポネソス半島の原野〕 オリンピアで四年ごとに初夏の五日間おこなった、ゼウス神の大祭。その余興として いろいろな競技をおこなったのが、オリンピックの起こり。

**オリンピアード**〔Olympiad〕 オリンピックの開催(かいさい)から、次回開催までの四年間。

**オリンピアン**〔Olympian〕 (元)オリンピック選手。

「最年長―」

**オリンピック**〔Olympic=オリンピアの〕㊀四年ごとに開かれる、全世界的なスポーツの大会。「―競技大会・冬季―」〔古代ギリシャの祭典にならったもの〕㊁適「オリンピック㊀」にならって開く競技大会。「数学―・技能―」▽㊀㊁五輪。☞パラリンピック。

**お・る ㊀〔△居る〕《自五》①〔古風/西日本方言〕いる。「長く地位に―・だれも おらん」〔「おらず」「おり」には古風または方言的な感じはない〕②「いる」の丁重な言い方。「息子が近くに おればよいのですが」☞おられる㊀・おります㊀。㊁《補動五》①〔て―〕〔古風〕動作・状態の継続や結果をあらわす。いる。「朝から働いて―」〔「…ておらず」「…ており」には古風な感じはない〕②「〔…て〕いる」の丁重な言い方。「心配して―次第でして」☞おられる㊁・おります㊁。③〔話〕けなす言い方。…(て)いやがる。「こしゃくな口をききおって」④〔古風〕「〔…て〕いる」の尊大な言い方。「存じおろう・下がりおろう〔=下がっていろ〕」可能 おれる。おられる。

**お・る**〔折る〕《他五》①まげて かさなるようにする。「紙を―」②深くまげる。「指を―」③強くまげて〈痛める/取る〉。「うでを―・枝を―」④まげる。「腰を―・節を―〔=信念をまげる〕・我を―」可能 折れる。

**お・る**〔織る〕《他五》糸を機にかけて布をつくる。「機を―〔☞「機」の用例〕・糸を―・布を―〔=糸を織って布をつくる。☞結果目的語〕・着物を―」自 織れる《下一》。可能 織れる。

**オルガスムス**〔ド Orgasmus〕⇩オーガズム。

**オルガニスト**〔organist〕オルガン奏者。

**オルガン**〔オ orgaan〕〔音〕〔足でふみ板をふみながら風を送り〕鍵盤をおさえて吹きこんだ空気によって音を出す楽器。リードオルガン。☞電子オルガン・パイプオルガン・ハモンドオルガン。

**オルグ**《名・他サ》〔←ロ organizator=組織者〕大衆を〈組織/思想運動〉に組み入れるために活動すること。また、それに従事する人〔=オルガナイザー(organizer)〕。

**オルゴール**〔オ orgel〕①〔音〕ぜんまいじかけで自動的にメロディーを聞かせる箱。「―時計台」②オルゴールに似た音を出す装置。

**オルタナティブ**〔alternative〕①今までのものに とってかわるもの。「資本主義に対する―」②代案。▽オルターナティブ。

**オルニチン**〔ornitine〕〔理〕シジミに多く ふくまれるアミノ酸。サプリメントなどに使われる。

****おれ**〔俺〕《代》〔男〕自分をさす、かなり くだけた言い方。親しい同等・目下の人や、家族に対して言う。「―についてこい・―たち」〔↔お前〕注 (1)かっこうをつけて、目上・目下の区別なく使うこともある。「〔ドラマで〕警部、―が行きます」(2)人には「私」と言う男性も、独白では使う。「―、何やってんだ」(3)方言によっては、男女とも使う。表記 俗に「オレ」とも。●**おれがおれが** 句 いつも自分を〈優先し/目立たせ〉ようとするようす。「―の風潮」

**オレ** ①←カフェオレ。☞ラテ(イ latte)。②あたたかいミルクを加えた飲み物。ラテ。「抹茶―」

**おれあ・う**〔折れ合う〕《自五》ゆずりあう。名 折れ合い。

**おれい**〔お礼〕《名・自サ》「礼㊁」の美化語。〔日常語としてふつうに使う〕「―を申し上げます・―をする・―を送る・―〔=お金〕を包む」〔「御礼」は、よりていねいな言い方〕●**おれいぼうこう**〔お礼奉公〕《名・自サ》長いあいだ世話になったお礼に、しばらく給料をもらわないで〈奉公する/働く〉こと。●**おれいまいり**〔お礼参り〕《名・自サ》①神や仏にかけた願いがかなったお礼に、お参りすること。②〔俗〕暴力団員などが、釈放されたあとで、つかまるきっかけを作った人にしかえしをすること。

**オレインさん**〔オレイン酸〕〔olein〕脂肪酸の一種。べにばな油やオリーブオイルに特に多くふくまれる。

☆☆**おれおれさぎ**〔オレオレ詐欺〕特殊詐欺の一つ。電話で「おれだよ、おれ」などと、問題に巻きこまれた身内のふりをして、お金をふりこませたり、関係者をかたってお金を受け取ったりする。

**オレガノ**〔ス orégano〕かおりのいい草。葉を、イタリア料理で香辛料として使う。「―入りのトマトソース」

**おれきれき**〔お歴々〕地位や身分の高い人々。

**おれくち**〔折れ口〕折れた〈ところ/さかいめ〉。「道の―・枝の―」

**おれこ**〔折れ子〕かずのこが折れて、形がこわれたもの。☞切れ子。

**おれこ・む**〔折れ込む〕《自五》折れて内がわに はいる。「国道を左に―・ページが中に―」

**おれせんグラフ**〔折れ線グラフ〕目もりをした点を、線でつないだグラフ。

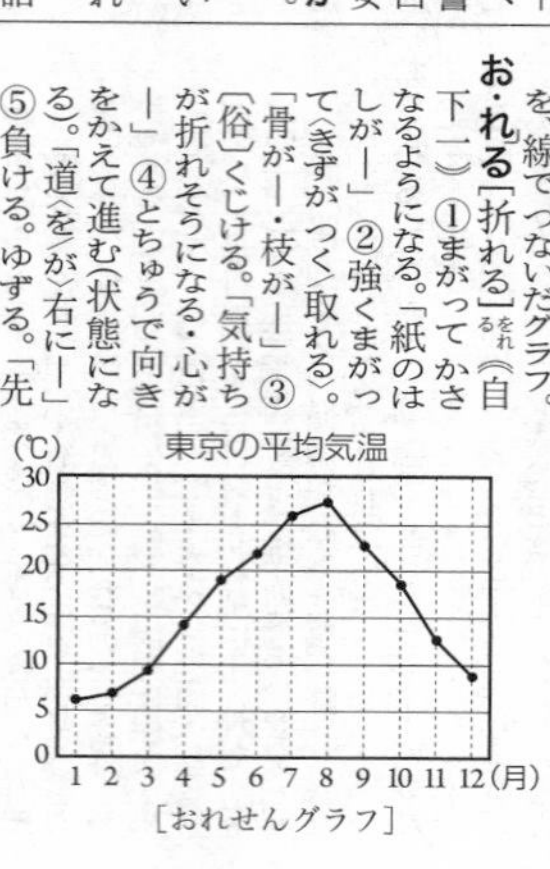


〔おれせんグラフ〕

**お・れる**〔折れる〕《自下一》①まがって かさなるようになる。「紙のはしが―」②強くまがって〈きずがつく/取れる〉。「骨が―・枝が―」③〔俗〕くじける。「気持ちが折れそうになる・心が―」④とちゅうで向きをかえて進む〈状態になる〉。「道〈を/が〉右に―」⑤負ける。ゆずる。「先方が折れて解決した」⑥折った状態になる。「じょうずに折れました」⑦「折る」の可能形。名 折れ。「―を直す」

**オレンジ**〔orange〕①かんきつ類の一種。ネーブルに似てやや大形。食用。「―ジュース・―ゼリー」②←オレンジ色。「―のセーター」。オレンジ。●**オレンジいろ**〔オレンジ色〕熟したミカンの皮の色。「―の夕焼け」●**オレンジエード**〔orangeade〕オレンジの果汁に砂糖と水を加えた飲み物。オレンジ水。

**おろ**〔悪露〕〔医〕お産が終わったあとの、出血やおりもの。

**おろおろ**《副・自サ》①〔泣いたときの〕ふるえ声のようす。「―声」②たいへんなことが起こって、どうしていいかわからないようす。「―して何も手につかない・―と見守る」

↑☆☆**おろか**〔△疎か〕㊀《ナダ》〔文〕むだ。かいがない。「言うも―だ〔=言うまでもない〕」㊁《副》〔↑言うもおろか〕〔…**は―**〕言うまでもなく。「人は―犬の子一ぴきいない」

→**おろか**[愚か]《ナダ》頭のはたらきがにぶいようす。ばか。まぬけ。「―者」(↕賢い)[派]-さ。●**おろかし・い**[愚かしい]《形》おろかだと感じられるようだ。[派]-さ。

←**おろし**[下ろし・卸し]おろしがねでおろすこと／おろしたもの。特に、大根おろし。「―しょうが・―じょうゆ」●**おろしあえ**[下ろし(△和え)]おろし大根であえた料理。みぞれあえ。「なめこの―」●**おろしがね**[下ろし金]ダイコン・ワサビなどをすりおろす器具。●**おろしだいこん**[下ろし大根]⇩大根下ろし①。

↔**おろし**[一][卸し]①卸売りをすること。また、その業者。「雑貨の―をやっている」②⇩下ろし。[二][卸]↑おろしうり。「―商・―値」●**おろしうり**[卸売り]《名・他サ》《経》商品をたくさん買い入れて、小売り商人に売りわたすこと。おろし。「水産物の―」(↕小売り)[表記]熟語では「卸売」と書く。「卸売業・卸売市場」

→**おろし**[降ろし]降ろすこと。「○○―」〔=○○という名の首相・社長などを、その地位から引きずりおろす動き〕・また―が始まった」

**おろし**[〔×颪〕]山からふきおろす風。「筑波・六甲―」

↔*__おろ・す__[下ろす]《他五》①低い所へ移す。「たなから―・腰を―・リュックを―」(↕上げる)②〔上にのばした手を〕下へもどす。(↕上げる・挙げる)③低い所へ移して、動かなくする。「いかり(錨)を―・根を―」④〔幕などの〕一方のはしを、下へまっすぐに引く。「シャッターを―」⑤切りおとす。「木の枝を―」⑥さかなを、料理しやすい形に切り分ける。「三枚に―」⑦[卸す]〔ダイコンなどを〕おろしがねでする。⑧そる。「髪を―〔=出家する〕」⑨〔新しい品を〕はじめて使う。「ノートを―・下ろしたばかりの洋服」⑩[△堕ろす]おなかの子どもをとちゅうで出す。中絶する。⑪事業を始めるために、新しくお金を出す。「資本を―」⑫〔貯金・預金を〕引き出して現金に換える。⑬〔免許などを〕あたえる。「建築確認を―」⑭一段下へ移す。「ふだん着に―・現場に方針を―」⑮しめる。とざす。「錠を―」[可能]下ろせる。

↔**おろ・す**[卸す]《他五》①卸売りをする。「小売りに―・八掛けで―」②⇩下ろす⑦。[可能]卸せる。

→**おろ・す**[降ろす]《他五》①乗り物から降りた状態にする。「乗客を―」(↕乗せる)②空中から、地上へ移す。「旗を―」(↕揚げる)③〔積んだ荷物を〕出して下へ移す。(↕積む)④上の地位からしりぞかせる。「主役から―」[可能]降ろせる。

**おろそか**[〔△疎か〕]《ナダ》①不十分なようす。なおざり。「練習を―にする・あだや―には できない」②注意が行き届かないようす。「手が―になる」

**おろち**[〔∴大蛇〕]〔雅〕大きなヘビ。うわばみ。「八岐大蛇〔=記紀神話で、頭と尾が八つに分かれた大蛇〕」

**おろぬき**[おろ抜き]《名・他サ》(↑うろぬき)〔若い野菜を〕まびくこと。「―大根〔=まだ小さい大根〕」[動]おろ抜く《他五》。

**おわい**[〔汚×穢〕]〔古風〕〔便所にたまった〕大小便。

**おわかれ**[お別れ]《名・自サ》①「別れること」の美化語・謙譲語。「―遠足〔=卒園前の遠足〕・ここで―いたします」②死者に、最後に〈話しかける／会う〉こと。告別。「故人に―(を)する・―(の)会」

**おわコン**[オワコン]〔↑終わったコンテンツ〕〔俗〕もはや時代おくれになったもの。「このゲームは―だ」

**おわしま・す**[〔△在します〕]《自四》〔古風〕「おわす」より、さらに尊敬の気持ちの強いことば。「神の―社」

**おわ・す**[〔△在す〕]《自四》〔古風〕「いる・ある・行く・来る」の尊敬語。いらっしゃる。「殿の―城・とうとくー」

**おわ・せる**[負わせる]《他下一》負うようにする。負わす。「荷を―・きずを―・責任を―」

**おわらい**[お笑い]①落語。「一席―を申し上げます」②人に笑われるような〈できごと／話題〉。「こいつはとんだ―だ・―草〔☞笑い草〕」③人を笑わせる演芸。「―芸人」

**おわり**[尾△張]旧国名の一つ。今の愛知県の西部。尾州。「―名古屋は城で持つ」

*__おわり__[終わり][一]おわり終わる〈こと／ところ〉。おしまい。結末。「このへんで―にしよう・―を告げる〔=終わったことを知らせる。終わる〕・―を全うする〔=最後までやりとげる〕・三月(の)―・おわりに〔=文章・話の結び〕」(↕初め・始め・始まり)[二][造]①(ほとんど)…し終わった〈とき／状態〉。「飲み―・咲き―」(↕始め)②そのことを終えた〈とき／あと〉。「田植え―の祝い」〔二十一世紀になって「仕事終わり・部活終わり」などが広まり、注目された用法〕●**終わり良ければすべて良し**[句]ものごとは、結末さえよければ、途中の失敗などは問題にならない。●**おわりね**[終値]《経》〔〈午前／午後〉の〕取引時間の最後に成立した値段。(↕始値)☞大引け。●**おわりはつもの**[終わり初物]ある時期の末にとれ、初物と同じように喜ばれるもの。

**__おわ・る__[終わる][一]おわる《自五》①そこまでになる。それより先がなくなる。「夏が―・道はそこで終わっていた」(↕始まる)②全部できた状態になる。かたづく。「仕事が―」③その結果になる。「失敗に―」④だめになる。「もう終わった選手・このデザインは終わっている〔=もう価値がない〕」[二]おわる《他五》終える。「以上で報告を終わります」[三][造]①その現象が、そこまでになる。「〔ベルが〕鳴り―・燃え―」②その行動を終える。「食べ―・話し―」[区別]動詞につく場合、「終わる」は「食べ終わる」のように、現象よりも行動に使う場合が多い。より意図的な場合には「食べ**終える**」のように「終える」を使う。現象の場合、「降り終わる」「燃え終わる」よりも「降り**やむ**」「燃え**つきる**」が普通。「やむ」は、現象のほか、「笑いやむ」のように行動が自然に終わる場合にも使う。▽[一]～[三](↕始める)[可能]終われる。

**おわ・れる**[追われる]《自他下一》①追放される。「故郷を―・知事の座を―」②せきたてられる。「仕事に―」

**おん**[音]①〔耳に聞こえてくる〕おと。「排気―・効果―」②《音》音楽の単位をなす、一つ一つのおと。「ハ調はハの―を第一―とする・不協和―」③《言》ⓐ人間が、ことばに使うために出すおと。「pという―はくちびるを使う―である」ⓑ〔短歌・俳句などで〕一拍のおと。「俳句は十七―から成る」④昔の中国語で使われ

た漢字の発音が、日本語ふうに変わったもの。音読み。字音。例、「手」「川」の音は「シュ」「セン」。(↔訓)

**おん**[恩] ①目上の人が かける情け。「あるじの―」②人から受けた、ありがたい行為。「―にむくいる」●**恩に着る** 句 恩を受けて感謝する。(↔恩に着せる) ●**恩をあだ(仇)で返す** 句 親切を受けた人にかえって不利な行為をする。 ●**恩を売る** 句 相手に感謝される目的で親切にする。 ●**恩を返す** 句 ①相手に対し、受けた恩と同等以上のことをする。▽恩返しをする。②《すもう》恩のある兄弟子をたおし、追いぬく。

**おん**[御] 接頭 尊敬・丁寧の意味をあらわすことば。「お」より敬意が高く、改まっている。「―礼・―年・―党・―みずから(=ご自分で)」

**おん**[温] 一 造 あたたかな。あたためる。「―湿布・―野菜」(↔冷) 二 造 温度。「海水―」

**オン**〔on〕 一 **オン**《名・他サ》①電気のスイッチを〈入れた状態／入れること〉。「スイッチ―」(↔オフ) ②上に着ること。けしょうをのせること。「ジャケットを―する」③上にのせること。上乗せ。「焼き肉をライスに―する」 二 **オン**《名・自サ》《ゴルフ》打ったボールがグリーンの上にのること。「2ッ―(=二打でオンすること)」 三 **オン** 仕事があるとき。「―とオフの切り替え」(↔オフ) 四 造 …をのせた。「チーズ―ハンバーグ」

**おんあい**[恩愛]〔文〕親子など、肉親のあいだの情愛。おんない。「―の情を断ち切りがたい」

**おんあつ**[音圧] ①《理》音が波として伝わるとき生じる圧力。 ②音から受ける迫力。「強烈な―」

**おんいき**[音域]《音》出すことのできる〈おと／声〉の範囲。

**おんいん**[音韻]《言》その言語で、同じと意識されている音(の種類)。例、英語で何種類かに区別される「ア」は、日本語では一つの音韻。☞音声。

**おんうち**[御内]〔文〕手紙のあて名の下にそえることば。〔家族全体にあてて出すときなどに使う〕

**オンエア**《名・自他サ》〔on the air〕《放送》番組・コマーシャルを放送〈している／する〉こと。放送中。ＯＡ。オンエアー。「―される」

**おんえん**[恩怨]〔文〕恩とうらみ。

**オンオフ**〔on-off〕①スイッチのオンとオフ。「電源の―」②仕事と遊び。「―を切りかえる」

**おんおん**《副》大声をあげて泣くときの声。

**おんかい**[音階]《音》一オクターブの楽音を高さの順に配列したもの。

**おんがえし**[恩返し]《名・自サ》「恩を返す」⇩「恩」の 句 こと。「ふるさとへの―をする・先輩力士への―・ご―」

**おんがく[音楽] ①ものの音や人の声に、メロディー(=旋律)やリズムなどの形をあたえて、人に聞かせる芸術。「―家・―会」☞器楽・声楽。 ②〔歌に対し〕楽器による演奏。「―が流れてくる」 ③歌や演奏をきいたり練習したりする、小・中学校の教科。

**おんかん**[音感] ①《音》楽音の性質を聞き分ける感覚。「―教育」 ②おとから受ける感じ。

**おんかん**[温感] ①〔からだの一部分が〕温かく感じること。「―シップ・―マッサージ」(↔冷感) ②〔↑温度感覚〕温度を感じる皮膚の感覚。

**おんがん**[温顔]〔文〕やさしくおだやかな顔つき。「―を拝する」

**おんき**[遠忌]《仏》宗祖などの、五十年忌以後、五十年ごとにする法会。えんき。☞大遠忌。

**おんぎ**[音義] ①漢字の字音と意味。「―未詳」 ②漢字の字音と意味を説明した昔の本。音義書。

**おんぎ**[恩義・恩誼] むくいるべき義理のある恩。なさけ。めぐみ。「―にむくいる・会社に―を感じる・助言を―に感じる」

**おんきせがまし・い**[恩着せがましい]《形》 わざわざ恩に着せるようなようすだ。「―態度」 派 ―さ。

**おんきゅう**[恩給]〈公務員／旧軍人〉の〈退職／死亡〉時に支給される年金や一時金。現在は共済年金に移行。

**おんきゅう**[温灸] まるい筒の中にもぐさを入れて火をつけ、間接に熱を加えるきゅう(灸)。

**おんきょう**[音響] ①音の ひびき。「すさまじい―・(大)―が とどろく」 ②音の ひびきぐあい。「―のいいホール」 ③《映画・放送》↑音響効果。「映像と―」 ●**おんきょうこうか**[音響効果]《映画・放送》ふんいきを出すために加える音。効果(音)。サウンドエフェクト。ＳＥ。音響。

**おんぎょく**[音曲] ①琴・三味線などに合わせてうたう俗曲。②音楽。「歌舞―の類」

**オングストローム**〔Ångström=人名〕《理》光の波長や原子の距離をあらわす長さの単位〔記号Å〕。マイクロメートルの一万分の一。ミリメートルの一千万分の一。

**おんくん**[音訓] 漢字の音と訓〔=日本語にあてた読み方〕。 ●**おんくんさくいん**[音訓索引]〔漢和辞典などで〕漢字を、その音または訓によって引けるようにした索引。☞部首索引・総画索引。

**おんくん**[温燻] 少し高い温度で、くんせいにすること。塩けが少なく、やわらかい。「さけ(鮭)の―」(↔冷燻)

**おんけい**[恩恵] それによってもたらされる、ありがたい利益。「―を受ける・―をこうむる・―をもたらす」

**おんけつどうぶつ**[温血動物]《動》「恒温動物」の、もとの呼び名。(↔冷血動物)

**おんけん**[穏健]《ナダ》おだやかで健全なようす。「―な意見・―派」 派 ―さ。

**おんげん**[音源] ①音を出すもと(になるもの)。②音楽や音声のデータの、もとになる録音。

**おんこ**[恩顧]〔文〕情けをかけて引き立てること。「―を受ける」

**おんこう**[御行]〔話〕「相手の銀行」の尊敬語。(↔当社・弊行) 区別 ⇩御社。

**おんこう**[温厚]《ナダ》心が温かく、少しのことでは おこらないようす。「―な人がら・―篤実」 派 ―さ。

☆☆**おんこちしん**[温故知新]〔=古きをたず(温)ねて新しきを知る〕昔のことを研究して新しい真理を見つけること。〔『論語』のことば〕

**おんさ**[音叉]《理》特定の高さの音を発するU字形の器具。楽器の調律などに用いる。

**オンザロック**〔on the rocks〕氷の大きなかたまりの上に、ウイスキーなどをついだ飲み物。ロック。☞ストレート⑥・水割り①。

**おんし**[恩師] 教えを受けた(恩のある)先生。「高校時代の―」

**おんし**[恩賜] 天皇から〈いただくこと／いただいたもの〉。

「―賞・―公園」

**おんしつ**［音質］〈おと／声〉の性質やよしあし。

**おんしつ**［温室］寒い〈とき／所〉でも植物などが育つように作った、内部を温かくしたガラスばりの建物。「―育ち（＝苦労知らず）」 ●**おんしつ こうか**［温室効果］《理》大気中の二酸化炭素などが温室のガラスのようなはたらきをして、地球全体の気温を高めること。☞地球温暖化。 ●☆☆**おんしつこうかガス**［温室効果ガス］温室効果をもたらす、二酸化炭素やメタンなどのガス。温暖化ガス。

**おんしつどけい**［温湿度計］温度と湿度の両方が計れる器具。温湿計。

**おんしっぷ**［温湿布］《名・自サ》〈お湯でしめした／薬をぬった〉布を、患部に当ててあたためる湿布。（↔冷湿布）

☆☆**おんしゃ**［恩赦］《法》〔国の慶事があったときなどに〕裁判で決まった刑を政府が軽くすること。

☆☆**おんしゃ**［御社］〔話〕相手の会社・神社などの尊敬語。（↔当社・弊社）区別「御社」は戦前から例があり、一九八〇年代に口頭表現として広まった。文書では「**貴社**」と書く。銀行を言う「御行・貴行」なども同様に区別する。会話では「**そちらさま**」などの言い方でも尊敬の気持ちが伝わる。

**おんしゃく**［恩借］《名・他サ》〔文〕「借りること」の謙譲語。「―の金子」

**おんしゅう**［恩×讐］相手へのうらみ。「―をこえて協力する」 由来「恩」は恩義、「讐」はうらみ。ここでは、「恩」に意味はない。

**おんしゅう**［温習］①⇩おさらい③。「―会（＝習ったおどりなどの発表会）」 ②〔古風〕復習。

**おんじゅん**［温順］《ナダ》〔文〕おとなしいようす。おとなしくて従順なようす。派-さ。

**おんしょう**［恩賞］〈家来／部下〉のしたことをほめてあたえるほうび。「―を取らせる（＝あたえる）」

☆☆**おんしょう**［温床］①〈悪い〉ものごとを生み出し、育てるもの。「犯罪の―」 ②《農》温度を高くして促成栽培をする苗床。フレーム。（↔冷床）

**おんじょう**［音場］〔スピーカーがつくる〕おとの広がる空間。おんば。「圧倒的な―感」

**おんじょう**［恩情］〔文〕目下の者を思いやる心。恩愛の情。「―にむくいる」

☆☆**おんじょう**［温情］やさしい心。なさけごころ。「―あふれることば」

**おんしょく**［音色］ねいろ。

**おんしょく**［温色］暖色。

**おんしらず**［恩知らず］《名・ナダ》受けた恩をありがたいと思わない〈こと／人〉。

**おんしん**［音信］《名・自サ》たより。おとずれ。いんしん。「―不通」

**おんじん**［恩人］恩をかけてくれた人。

**オンス**〔オ ons〕〔ヤードポンド法で〕質量・重量の単位〔記号 oz〕。一ポンドの十六分の一。約二八・三五グラム。金などの場合（＝トロイオンスと言う）は、約三一・一〇グラム。

**おんすい**［温水］あたたかい水。「―プール」（↔冷水）

**おんすう**［音数］ことばの音（＝拍）の数。例、「がっしょう（合唱）」は、「が・っ・しょ・う」の四音。 ●**おんすうりつ**［音数律］音数で組み立てるリズム。例、五七調。

**オンステージ**〔onstage＝舞台で〕〔人気のある人が〕舞台で歌や芸を披露する もよおし。ショー。〔多く、題名に使う〕

**おんせい**［音声］①人間の声を録音したもの。「―ガイダンス」 ②《映画・放送》ⓐ〔「映像」に対して〕人間などの声や物音など。「―が とぎれる」 ⓑ「音声②ⓐ」を収録する仕事（をする人）。 ③《言》ⓐ人がことばとして出すおと。ことばの内容を耳に伝える手段。（↔文字）ⓑいろいろな言語や方言での区別を参考に、ことばの音をできるだけ多くの種類に分けたもの。例、「おんなじ」「おんがく」の「ん」は、それぞれ「n」と「ŋ」という別の音声。☞音韻。 ●**おんせい げんご**［音声言語］話しことば。（↔文字言語） ●**おんせい-たじゅうほうそう**［音声多重放送］二種類以上の音声を聞けるテレビ放送。二か国語放送やステレオ放送。音多。

**おんせい**［温製］あたためて出す料理。「―サラダ」（↔冷製）

**おんせつ**［音節］《言》ことばを発音するとき、いちばん小さな単位となる ひとつながりの おと。多く、母音を中心にまとまっている。シラブル。例、英語の「デスク」は三音節。☞拍②。

*__おんせん__［温泉］《地》地熱のため熱くなってわき出る湯（のある所）。いでゆ。〔セ氏二五度以上で、含有成分のあるものを言う〕「―場・―卓球（＝温泉宿でする卓球）」（↔冷泉） ●**おんせん たまご**［温泉卵・温泉玉子］七〇度弱のお湯で、白身はやわらかく、黄身は形が くずれないようにゆでたたまご。温玉。

**おんぞう**［音像］ステレオ録音された音を聞いたときに頭にうかぶ、音源の配置。☞ポーチドエッグ。

**おんぞうし**［御曹司・御曹子］①いい家柄の、男の子。「梨園（＝歌舞伎界）の―」 ②世間知らずの男。おぼっちゃん。

**おんそく**［音速］《理》おとの伝わる はやさ。温度と物質の種類で変わる。空気中では常温で秒速約三四〇メートル。

**おんぞん**［温存］《名・他サ》〈なくならないように／もとのままに〉残しておくこと。「力を―する・〔乳房などの〕―療法」

**おんたい**［御大］〔↑御大将〕〔俗〕集団の中での支配者格の人を、親しみをこめて呼ぶ言い方。

**おんたい**［温帯］《地》熱帯と寒帯の間にある地帯。温暖で適度に雨がふる。 ●**おんたい ていきあつ**［温帯低気圧］《天》温帯に発生する低気圧。春・秋に前線をともなってあらわれる。温低。（↔熱帯低気圧）

**おんだい**［音大］↑音楽大学。「―生」

**オンタイム**〔和製 on-time〕①勤務時間中。（↔オフタイム） ②時間どおり。 ③リアルタイム。「―で視聴する」

**おんたく**［恩沢］〔文〕めぐみ。おかげ。「文明の―に浴する」

**おんだ・す**［(追)ん出す］《他五》〔俗〕追い出す。「家をおん出される」

**おんだん**［温暖］《ナダ》気候が あたたかなようす。(↕寒冷)　●**おんだんかガス**［温暖化ガス］⇩温室効果ガス。　●**おんだんぜんせん**［温暖前線］〔天〕暖気団が寒気団の上に乗り上がって進むときの不連続線。本降りの雨を降らせ、気温を上げる。(↕寒冷前線)

**おんち**［御地］〔文〕貴地。

**おんち**［音痴］《名・ナダ》①おと の高さを正しく出せない〈こと／人〉。調子っぱずれ。②その方面についての感覚がにぶい〈こと／人〉。「味ー・方向ー」

☆☆**おんちゅう**［御中］[接尾]《手紙》〔文〕団体・会社などのあて名の下に そえて、「様」の代わりに使う ことば。「〇〇出版ー」✎所属する個人に あてる場合は「〇〇出版 山本道夫様」のように書く。☞行 ▤。

**おんちょう**［音調］①おとや声の調子。②詩や歌の、音の配列の調和。③日本語などのアクセント・イントネーション。「ーの研究」

**おんちょう**［恩×寵］〔文〕〈主君／神〉のめぐみ。「神のー」

**おんてい**［音程］〔音〕二つのおとの高低の差。

**おんてい**［温低］〔天〕↑温帯低気圧。(↕熱低)

**おんてき**［怨敵］〔文〕うらみのある敵。かたき。「ー退散」

☆☆**オンデマンド**〔on demand〕需要や要求の ありしだい、それにこたえること。「ー出版・ー講義(=パソコンで好きな時間に受けられる遠隔講義)」

**おん・でる**［(△追ん)出る］《他下一》〔俗〕自分から進んで、出る。「会社をー(=やめる)」

**おんてん**［恩典］〔文〕(国などによる)情けある処置・あつかい。「仮出所のーに浴する」

**おんと**［音吐］〔文〕音声。こえ。「ー朗々と」

**おんど**［音頭］(=雅楽で、管楽器を最初にふく人)①大ぜいで歌うとき、先に歌いはじめておとの高さや速さをそろえさせる〈こと／人〉。②〔民謡などで〕音頭をとる人と、はやしことばを歌う人とが交互に歌う曲。また、それに合わせた おどり。「秋田ー」　●**おんどとり**［音頭取り］①音頭を取る〈こと／人〉。②先に言い出す人。先頭に立って主張する人。

**おんど**［温度］あたたかさや つめたさの(感じの)度合い。「ーが高い」　●**おんどけい**［温度計］ものの温度をはかる器具。寒暖計、体温計はその一種。　●☆☆**おんどさ**［温度差］①温度の ちがい。「室内外のー」②あるものごとについての見解や熱意などに、ちがいのあること。「政党間のー」

**おんとう**［温湯］〔文〕あたたかい湯。

**おんとう**［穏当］《ナダ》おだやかで むりがないようす。「ーな処置」(↕不穏当)

**おんどく**［音読］《名・他サ》①声に出して よむこと。「教科書のー」(↕黙読)②音読み。(↕訓読)

**おんとし**［御年］人の年を言うとき、上につける尊敬語。「ー八十歳、まだまだ現役」✎称賛・親しみなどの意味をこめる。年配者に使うのが似つかわしいが、「かがやく若さ」という語感で若い人にも使う。

**おんどり**［(△雄鳥)］▽(↕めんどり)①おすの鳥。②［(△雄△鶏)］おすのニワトリ。

**オンドル**〔朝鮮 ondol(温突)〕〔朝鮮半島などで〕ゆかの下に作った みぞに〈けむり／温水〉を通して、部屋をあたためる しかけ。

＊＊**おんな**［女］①人間のうち、子を生むための器官を持って生まれた人(の性別)。女子。女性。〔生まれたときの身体的特徴と関係なく、自分は この性別だと感じている人も ふくむ。☞トランスジェンダー〕「ーきょうだい・ーことば」②成人女性。「ーの人(ていねいで やわらかい言い方)」[区別]大人の女の人をさす場合、「女」はぞんざいに感じられることがあり、より客観的で ていねいな言い方として「**女性**」を使う場面が増えている。アンケート調査で「女、〇人」と表示していたのを「女性、〇人」に変えた例もある。報道では「犯人の女と、被害者の女性」のように使い分ける。「**女子**」は「女子トイレ」のように成年・未成年を問わず使う かたい言い方だが、大人の女性の集まりを「女子会」と言うなど、「女子」の年齢を問わない点を生かした新語も生まれた。「**婦人**」は古風で ていねいだが、年配者の感じが強くなり、旧労働省で「婦人局」を「女性局」とするなど、一九九〇年代に「女性」への言いかえが進んだ。③一人前の女性(としての名誉)。「ーを上げる・ーがすたる」④恋人や愛人としての女性。「ーがいる(=付き合っている女性がいる)」▽(↕男)　●**女三界に家なし**[句]〔古風〕女は親・夫・子に従い、安住の場所がない。☞三界 ▤①。　●**女になる**[句]①生理が始まる。年ごろの娘になる。②異性と肉体関係を持ち、処女でなくなる。男を知る。　●**おんなうん**［女運］〔恋人や配偶者としての〕女性に めぐりあう運。「ーにめぐまれない」(↕男運)　●**おんなおや**［女親］①〔子育てで、女としての役割をはたす〕母親。②家族で、世代が上の女。母・祖母など。「何代か前のー」▽(↕男親)　●**おんながた**［女形・女方］《歌舞伎》女の役(ばかり)をする、男の役者。おやま。　●**おんなぐせ**［女癖］女性と、すぐ深い関係になる癖。「ーが悪い(=女癖の程度が ひどい)」(↕男癖)　●**おんなぐるい**［女狂い］《名・自サ》女との情事に夢中になって、ほかのことをかえりみない〈こと／男〉。(↕男狂い)　●**おんなけ**［女(気)］⇩おんなっけ。(↕男気)　●**おんなごころ**［女心］女(に特有)の心。「ーをつかむ」☞男心と秋の空[句]　●**女心と秋の空**[句]変わりやすい女心のたとえ。〔「男心」の[句]〕。　●**おんなこども**［女子(供)］〔多く、かろんじて〕女と子ども。「ーだけで不用心だ」　●**おんなごろし**［女殺し］女を〈もてあそぶ／夢中にさせる〉美男子。(↕男殺し)　●**おんなざか**［女坂］二つある坂のうちで、ゆるいほうの坂。(↕男坂)　●**おんなざかり**［女盛り］女の、いちばん美しい状態(の年ごろ)。(↕男盛り)　●**おんなずき**［女好き］①男の容姿や気だてなどが、女を引きつけること。「ーのする顔だち」②愛情の相手として女を求める気持ちが強い〈こと／男〉。▽(↕男好き)　●**おんなたらし**［女(×誑し)・女(×蕩し)］多くの女をだまして もてあそぶ男。色魔。女ったらし。　●**おんなっけ**［女(っ気)］①女のいる気配。▽おんなけ。「ーのない職場」②女の恋人のいる気配。▽おんなげ。(↕男っ気)　●**おんなで**［女手］①女の〈力／はたらき〉。「ー一つで子を育てた」②女の筆跡。「ーの手紙」▽(↕男手)　●＊**おんなのこ**［女の子］①女の、子ども。②若い女性。むすめ。③ペットの めす。▽(↕男の子)　●**おんなひでり**［女(×旱)］〔古風〕愛してくれる女が いな

いこと。(↕男ひでり) ●**おんなむすび**[女結び] ひもの結び方の一つ。男結びの結び方を左から始めたもの。(↕男結び) ●**おんなもの**[女物] 女性用に作られた衣服・小物など。女持ち。(↕男物) ●**おんならし・い**[女らしい]《形》〔女が〕やさしい、繊細であるなど、好ましい性質を持ったようすだ。〔「女はそういうものだ」という思いこみのはいったことば〕(↕男らしい) [派]-さ。

**おんなし**[(△同し)]《ナダ・副》〔話〕おんなじ。おなし。

**おんなじ**[(△同じ)]《ナダ・副》〔話〕おなじ。

**おんねつ**[温熱] あたたかい熱。「一療法」(↕冷熱)

**おんねん**[怨念] うらみのこもった思い。

☆☆**おんのじ**[御の字] 思った以上の結果になり、ありがたいこと。「強敵相手に一勝一敗なら一だ」

**おんぱ**[音波]《理》振動によっておとが出たとき、まわりに伝わる波動。

**おんばひがさ**[(:乳母)日傘]〔おんば=うば〕うばにだかせたうえに、日がさをさしかけたりして、子どもを大切に育てること。

**オンパレード**〔on parade〕①大行進。勢ぞろい。②それに満ちあふれていること。「でたらめの一だ」

**おんばん**[音盤] レコードやCD。

**おんびき**[音引き] ①漢字を読み方でさがす方式(の索引)。☞画引き。②⇩長音符。

**おんぴょうもじ**[音標文字] 発音を表す文字。表音文字。

**おんびん**[音便]《言》日本語の音の続きぐあいで起こった、音の変化。イ音便・ウ音便・撥音便・促音便の四種がある。

☆☆**おんびん**[穏便]《名・ナダ》〔処置・方法に関して〕おだやかなようす。「一にすます」

**おんぶ**[(負んぶ)]《名・自他サ》①〔児〕せおうこと。せおわれること。②ほかの人の力にたよること。●**おんぶにだっこ**[句] ほかの人にたよりきった状態。あまえほうだい。●**おんぶひも**[(負んぶ×紐)] 赤ちゃんをおぶって、せなかにくくるためのひも。おぶいひも。おいひも。

**おんぷ**[音符] ①《音》おとの長短をあらわす符号。例、全音符・二分音符・四分音符。②漢字・仮名につけてその正確な音を知らせるための補助符号。例、「゛」「゜」「っ」「ゝ」「々」「〱」。③〔形声による〕漢字の構成部分のうち、音をあらわす部分。例、「河」の右の部分の「可」。

**おんぷ**[音譜]《音》楽譜。

**おんぷう**[温風] あたたかい風。また、暖房装置であたためた、空気の流れ。「一暖房」

**オンブズマン**〔ombudsman=もと、スウェーデン語〕行政機関に対する国民の苦情を調査し、処理する委員。行政監察委員。オンブズパーソン。「一制度」

**おんぼろ**《名・ナダ》〔俗〕古くて、あちこち〈やぶれ/こわれ〉たようす。「一の自転車」

**おんみ**[御身] [一]〔文〕「おからだ」より、尊敬の気持ちの高い言い方。「《手紙》一お大切に」 [二]《代》〔古風〕〔同等・目下の人に使い、軽い尊敬の気持ちをあらわす〕あなた。なんじ。

**おんみつ**[(△隠密)] [一]《ナダ》ひそか。「ことを一にはこぶ・一裏〔=のうち〕」 [派]-さ。 [二] 江戸時代の幕府などの密偵。

**おんみょう**[(△陰△陽)]〔易で〕⇩いんよう(陰陽)①。●**おんみょうじ**[(△陰△陽師)] 陰陽道で、まじないやうらないを職とした人。おんようじ。●**おんみょうどう**[(△陰△陽道)] 陰陽五行説〔⇩五行説〕をもとに日本で発達した、まじないやうらないの方法・考え方。いんようどう。おんようどう。

**おんめい**[音名]《音》おとの絶対的な高さの名前。例、ハ・ニ・ホ。(↕階名)

**おんも**〔↑表〕〔児〕そと。「一に出たらあぶないよ」

**おんもと**[御(△許)]〔多く 一に・一へ〕〔文〕〔女性が〕手紙で、相手の名前のわきに書くことば。おもと。みもと。

**おんやく**[音訳]《名・他サ》①漢字の音を借りて、〈外国/ローマ字書き〉の人名・地名などを書きあらわすこと。音写。例、「ロンドン」を「倫敦」。「一字」②耳で聞いた人名などに、かりに漢字を当てること。③目の不自由な人に対して、文字情報などを音声にすること。音声訳。「一ボランティア」(↕点訳)

**おんやさい**[温野菜] ゆでたり蒸したりして、火を通した野菜。☞生野菜。

**おんよう**[(△陰陽)]〔易で〕⇩いんよう(陰陽)①。

**おんよう**[温容]〔文〕おだやかでやさしい表情。「師の一に接する」

**おんよく**[温浴]《名・自サ》湯にはいること。「一施設」(↕冷水浴)

**おんよみ**[音読み]《名・他サ》漢字を音で読むこと。また、その音。音読。音。例、年月・初春。(↕訓読み)

☆☆**オンライン**《名・自サ》①〔on-line〕《情》コンピューターがネットワークにつながっていること。データなどがインターネットで見られたり入手したりできること。「一講義・一システム〔=窓口事務の即時処理組織〕・一ショッピング〔=ネットショッピング〕・一ゲーム〔=インターネットに接続して遊ぶコンピューターゲーム〕」(↕オフライン) ②〔on the line〕《テニスなど》ボールがライン上に落ちて有効となること。●**オンラインヘルプ**〔on-line help〕コンピューターのソフトウエアなどの操作がわからないとき、(インターネット上の)説明を呼び出して、画面に表示する機能。ヘルプ。

**オンリー**〔only〕 [一][造] ただ(それだけ)。たった。「一ワンだ・軍事力一」 [二] **オンリー** ①〔俗〕〔第二次大戦後、日本に駐留した外国軍人ひとりだけを相手にした〕売春婦。②専属。

**おんりつ**[音律] ①音のひびきやリズム。「ことばの一」②《音》音階の高さの設定方法。同じ「ドレミ」でも、音律がちがえば、高さが微妙にちがう。

**おんりょう**[怨霊] うらみを持って死んだ人の霊。

**おんりょう**[音量]〔スピーカーから出る〕音の量。「音楽を大一で聴く」

**おんりょう**[温良]《ナダ》〔文〕すなおでおだやかなようす。「貞淑一・一な国民性」

←**おんわ**[温和]《ナダ》①暑さ・寒さの変化が少なく、気候がおだやかなようす。②おだやかでおとなしいようす。「一な人がら」 [派]-さ。

→**おんわ**[穏和]《ナダ》おだやかで極端に走らないようす。「一な意見」 [派]-さ。

# か
# カ

*か[火] ↑火曜(日)。〔「かあ」とも言う。「火水は定休日です」〕

か[加] ①↑カナダ(加奈陀)。「訪ー」 ②↑カリフォルニア。加州。「南ー大」

←か[可] ①〔文〕いいこと。「死すともーなり」 ②〔文〕〔許されて〕できること。「分割払いー」▽(↕不可) ③〔文〕認めること。賛成。「ーとする」(↕否) ④成績を評価することばの一つ。優・良の次。〔落第ではないが、いいとも言えない〕 ●**可もなく不可もなし** 句 特によくもないが、特に悪くもない。可もなく不可もない。「味はーといったところだ」

→か[佳]《名・ナダ》〔文〕いいこと。美しいようす。

か[果]《仏》むくい。結果。「因となりーとなる」(↕因)

←*か[科] ①〔専門や学科の〕小分け。くぎり。 ②《生》生物およびウイルスの分類で、「目」の下、「属」の上。「ユリーネギ属」

→**か[課] ①〔役所・会社などで〕組織の単位。部の下、係の上。「会計ー」 ②課程・レッスン(の順序)をあらわすことば。「前のー・第一ー」

か[香]〔文〕いいにおい。かおり。「梅がー・いそ(磯)のー・木のーも新しい座敷」

か[華] ①中国。「ー北」 ②(↑華語)〔古風〕中国語。「日ー辞典」 ③(↑中華)〔古風〕中華料理。「和洋ー」 ④〔文〕はなやかなこと。 ●**華を去り実に就く** 句 はなやかな見かけを捨てて、なかみを重んじる。

か[蚊] アカイエカ・ヒトスジシマカなど、夏に飛ぶ、小形でからだの細い昆虫。めすは動物の血をすう。刺されるとかゆくなる。幼虫をボウフラと言う。☞蚊の涙。 ●**蚊の鳴くような声** 句 ほとんど聞き取れないような、小さな声。

か[寡]〔文〕数の少ない〈こと/もの〉。「ーをもって衆にあたる」

か[〔△彼〕]《代》 ①〔雅〕あれ。 ②〔「何」とともに〕ぼんやりさししめすことば。「何もーも〔=みんな〕・なんのーの〔=あれこれ〕・なんでもーでも〔=どんなものでも、みな〕」

**か 一《終助》 ①疑いをあらわす。「あいつ だいじょうぶ ー・〔記事の見出しで〕うらみが動機ー」 ②問いかけをあらわす。「もう行きますー・どう思いますー・原因は何なのー・〔責めて〕なんですー!」 ✓「行きますか」など「ますか」の「か」をぬいて「行きます?」のように言うのは明治時代からある言い方。一方、「出席ですか」など「ですか」の「か」をぬいて「出席です?」などと言うのは一九九〇年代からの言い方〔「〈何/だれ〉ですか」を「〈何/だれ〉です?」のように言うのは明治時代から〕。 ③さそいかけをあらわす。「行きませんー」☞ないか 二。 ④それに気づいた、ということをあらわす。「きょうは立春ー・〔おどろいて〕また火事ー・〔しみじみと〕もう十年になりますー」 ⑤それについて、ふと考えることをあらわす。「青春ー、そんなころもあったな」 ⑥反語をあらわす。「どうしてそんなことが あろうー〔=あるはずがない〕・それでもプロー〔=プロとは言えない〕」 ⑦〔「どれほど」などの ことばとともに〕程度の大きさを、感情をこめて あらわす。「どれほど苦労したー〔=すごく苦労した〕・なんと おそろしいことー」 ⑧疑う余地もない、と否定することをあらわす。ものか。「そんなことが あるー〔=絶対ないぞ〕」 ⑨〔本当は ちがうのに〕…のようだ、という非難をあらわす。「あまえるな、お前は子どもーー!」 ⑩〔俗〕するどく指摘するように言って、じつは ほめる言い方。本当に…だな!「お前、天才ーー!・このアニメ最高ーー!」〔二〇一〇年代に広まった用法。多く「かよ」の形で使う。☞かよ②〕 ⑪ためらいをあらわす。「行こうー、もどろうー」 ⑫軽い意志を示す。「ひるめしとするー」 ☞かな・かね・かよ・のか。 二《副助》 ①ふたしかなことをあらわす。「〔疑問詞とともに〕何万円ーわたす・どの新聞ーで読んだ・〔疑問詞を使わず〕二万円ー〔=だか。古風〕をしはらう」 ②原因・理由を推測することをあらわす。「いそがしいためー返事がない」 ③いくつかならべて、その一つを選ぶことをあらわす。「行くー行かないー(を)決めてほしい・聞こえるー聞こえないーぐらいの〔=ほとんど聞こえない〕声・ペンー毛筆で書く」▽文語では係助詞で、疑問や反語をあらわし、文末が連体形になる。「何をーたてまつらん〔=何をさしあげようか。疑問の例〕・たれー夢なき〔=だれでも夢はある。反語の例〕」 ☞とか。 三 接尾〔名・副をつくる〕疑問をあらわすことばに ついて、ひとつに決まらないこと、まだ わからないことをあらわす。「何ー・だれー・どこー」

か 接頭 ことばの調子を強め整えることば。「ー黒い・ー細い・ー弱い」 アク ウシか・ネコか・イヌか。

**か[化] 一か 接尾〔名・動サをつくる〕〔形・性質などが そのようなものに〕なること。また、そうすること。「機械ー・自動ーされる」 二か ①〔文〕開化。「文明のー」 ②↑化学。「住友ー」

**か[日] 接尾 日数を数えることば。「三ー」☞ーか。

か[荷] 接尾 荷物を数えることば。「酒だる三ー」☞一荷。

か[〔×顆〕] 接尾 くだもの・宝石・印章などを数えることば。

か 接尾〔=箇〕ものを数えることば。「五ー国・三が日」 表記「カ」「カ」(以上、濁音でない場合)「ヶ」「ケ」「箇」「△個」とも。☞か月・箇所・箇条・ケ。

*か[下] 一 造 した(がわ)の。「ー半身・ー学年」(↕上) 二 造 …のもと。「インフレーの日本経済」

か[〔×斯〕] 造〔文〕こう。こういう。「ーほど・ーよう(な)」

か[過] 造 ①過度の。「ー積載・ー飽和」 ②昨。「ー年度モデル」

か[花] 造 はな。「六弁ー」

か[価] 造 ①価格。「予定ー」 ②《理》原子価・イオン価などの値。「六ークロム」

か[架] 造 ものを置いたり かけたりする台や入れもの。「ラック。「新聞ー・雑誌ー」

**か[家] 造 ①その個性をもつ人。「努力ー・人情ー・楽天ー」 ②その仕事・活動をする人。「専門ー・小説ー・登山ー・美容ー」 区別 ⇩師 三。 ③影響力のある人。「資産ー・慈善ー・政治ー・銀行ー〔=銀行経営者〕」 ④熱心に それをする人。「切手の収集ー・研究ー〔仕事でするのは『研究者』〕」

か[菓] 造〔文〕菓子。「六ー選」

か[貨] 造 お金。「アルミー・フランー」

か[禍] 造 …による災難。「豪雨ー・交通ー」

か[歌] 造 ①短歌。「叙景ー」 ②うた。歌謡。歌曲。「労働ー」

が[我] 自分中心にものごとをしようとする気持ち。「ーが強い」●**我を折る** 句 自分の考えを捨て、相手の言うことを聞く。●**我を張る** 句 自分の考えをかたくなに通そうとする。

**が**［画］絵。「—竹久夢二・日本—・美人—・静物—」

**が**［賀］〔文〕喜び祝うこと。「古希の—」

**が**［(×蛾)］ドクガ・ミノガなど、チョウに似た昆虫。からだが太く、おもに夕方から活動し、とまったときに はねをひらく。

**が**［雅］〔文〕①正しく上品な感じであること。(↔俗) ②みやびやか。風流。

**が**［×駕］〔文〕のりもの。かご(駕籠)。●**駕を枉げる** 句〔文〕わざわざ おいでになる。

**が** 一《格助》①動作・性質の主体をあらわす。「犬—走る・元気—いい」②欲望・能力・好ききらい などの対象をあらわす。「本—読みたい・英語—しゃべれる」③〔文〕所有・関係する意味をあらわす。の。「君—代・これ—ため」④…の中で。「みな—みな」⑤〔文〕「ごとし」とともに使う。「飛ぶ—ごとく(=飛ぶように)」⑥〔同じことばの間に はさんで〕対象が特別のものごとであることをあらわす。「場合—場合だから(=場合がそういう特殊な場合だから)」 区別 ⇩は《副助》。 アク ウシが・ネコが・イヌが。 二《接助》①あとに反対の内容を続ける。「外見は こわい—、人がらはよい・〔倒置の場合〕試験は むずかしかった。勉強不足のためもある—」②事実をならべて、「それだけでなく」という意味をあらわす。「話も うまい—、うでもいい」③そこまで述べたことをふまえて、あとに続ける。「食べてみた—、なかなか おいしかった・私です—、何か ご用ですか」④〔「…(だろ)う—」などの形をならべて〕そのうち どれであっても。「行こう—行くまい—君の自由だ・おもちゃだろう—何だろう—買ってやる」 三《終助》〔話〕①ひかえめに言う気持ちをあらわす。「〔電話で〕はい、平山です—・〔質問して〕公約違反との指摘もありますー？」②疑問・不安・不満などが解消されない気持ちをあらわす。「ないはずはない—・承知してくれればよい—」③問いかけて、同意させる気持ちをあらわす。「どうです、大したものでしょう—・お前の せいだろう—！」④〈ののしる/うらやむ〉気持ちをあらわす。「あの ばか—！(↑ばかが何をやっているのか)・幸せ者め—！」 四 **が**《接》「だが」よりも感情をこめて言うことば。「ことばをさがした。—、出てこなかった」

**が** 接尾 ⇩か 接尾。「三—日」

**カー** 造〔car〕①自動車。「オープン—・選挙—・—ウォッシュ(=洗車)」②電車などの車両。「ケーブル—・リヤ—」

**かあかあ**《副》カラスの鳴き声。

**があがあ**《副》一 ①アヒルやカモなどの鳴き声。②うるさく言い立てるようす。「いつまでも—文句を言うな」 二［ガーガー］機械類の雑音。「—という工事の音」

**カーキいろ**［カーキ色］〔ウルドゥー khaki=土ぼこり〕①茶色がかった黄色。枯れ草色。〔戦前の陸軍の制服の色〕②緑がかったグレー。▽カーキ。

**カーゴパンツ**〔cargo pants〕《服》〈もも/ひざ〉に大きいポケットのついた、作業着ふうのズボン。カーゴ。

**カーサ** 造〔ス casa=家〕集合住宅につける名前。

**かあさん**［母さん］「おかあさん」より ややくだけた言い方。(↔父さん)

☆☆**カーシェアリング**〔car sharing〕一台の車を相互に利用できる会員制システム。環境問題や渋滞を解消するための手法。

**カースト**〔caste〕インドの社会階級。バラモン(=僧侶)、クシャトリア(=王族・戦士)、バイシャ(=平民)、シュードラ(=奴隷)に分かれる。

**ガーゼ**〔ド Gaze〕消毒した、あらくて やわらかい、白い綿布。医療などに使う。

**カーソル**〔cursor〕①コンピューターのディスプレイ画面で、入力位置や、入力待ちであることを表示する、縦棒・四角形などの しるし。☞ポインター 二①。②計算尺に はまっていて、左右にスライドする、透明な板。中央の細い線で目盛りを読む。

**ガーター**〔garter〕ストッキングが落ちないようにするための、ストラップ。「—ベルト」

**ガーター**〔gutter〕《ボウリング》⇩ガター。

**カーチェイス**〔car chase〕自動車どうしの追跡(シーン)。

**かあちゃん**［(△母ちゃん)］〔俗〕かあさん。母や妻、主婦をさす。(↔とうちゃん)

**かあつ**［加圧］《名・自他サ》圧力〈が加わる/を加える〉こと。「—帯(⇩カフ(cuff))」(↔減圧)

**カーデ**《服》↑カーディガン。「ニット—」

**カーディガン**〔cardigan=もと、人名〕《服》毛糸などで編んだ、前あきの上着。カーデガン。カーデ。(↔プルオーバー)

**ガーデナー**〔gardener〕園芸家。庭師。

☆☆**ガーデニング**〔gardening〕庭づくり。園芸。

**カーテン**〔curtain〕①〔外の光や寒気を防ぐため、また外から見られないように〕窓の内がわにつるす布。窓かけ。②舞台の幕。③中の様子を知られないように、かくすもの。「鉄の—」●**カーテンコール**〔curtain call〕〔演劇・音楽会などで、終わってから〕出演者が幕の前に出て あいさつすることを求めて、観客が拍手すること。また、そのあいさつ。「—に立つ」

**ガーデン**〔garden〕西洋ふうの庭園。「—パーティー(=園遊会)・ビアー—」

**カート**〔cart〕①手で〈おす/引く〉小さな車。「ショッピング—」②人を乗せる、簡単な車。「電気—」

***カード**〔card〕①トランプ。「—をならべる・—を切る(=ⓐシャッフルする。ⓑ手ふだを一枚出す)」②字などを書きこむ(長方形の)紙。「クリスマス—・歌詞—」③手で持てる(名刺大ほどの)長方形の板。「メモリー—・IC—・レッド—」④〔試合の〕組み合わせ。取り組み。「好—」⑤かけひきで攻めるための手段。「核—をちらつかせる・—を切る(=有利になるように、ある手段をとる)」⑥↑クレジットカード。「—ばらい」●**カードキー**〔card key〕ドアの開閉に使う、磁気カードのかぎ。●**カードリーダー**〔card reader〕「カード③」の内容を読み取って必要な処理をする機械。

**ガード**〔↑girder(ガーダー)〕道路をまたいでかけた鉄橋。架道橋。「—下」

**ガード** 一 **ガード**《名・自他サ》①護衛。守衛。②〔ボクシング・フェンシングなどで〕守りの構え。「—が かたい・ノー—」③安全を守るための装置。「扇風機の—」 二 **ガード**《バスケットボールなど》後衛。●**ガードマン**〔和製 guard man〕〔男性の〕警備員。〔英語では男女ともguardと言う〕●ガードレール〔guardrail〕車の通る道に沿って、〈板状〉〈棒状〉の鉄で作った、保護用のさく。

カートリッジ〔cartridge=薬莢（やっきょう）〕①機械や器具の本体にさしこんで使う、交換（こうかん）できる容器。インクやデータなどがはいっている。「プリンターのインク―・ゲーム機の―・浄水（じょうすい）器の―」②レコードプレーヤーの、着脱（ちゃくだつ）式のピックアップ。

ガードル〔girdle〕《服》からだ〔特に、腰（こし）のあたり〕の形を整えるためにつける、ぴったりした下着。

カートン〔carton=厚紙〕①商品をつめる紙箱。「タバコ一―〔=〈十箱〉〈二十箱〉入りのつつみ〕」②⇩カルトン②。

☆☆カーナビ〔←car navigation system〕GPSなどを利用して、自動車の現在位置と目的地への道順を、運転席の近くの画面で知らせる装置。カーナビゲーション。カーナビゲーター。ナビ。☞GPS。

☆☆カーニバル〔carnival〕①謝肉祭。カルバナル。「リオ〔=リオデジャネイロ〕の―」②お祭り。イベント。

カーネーション〔carnation〕西洋草花の一つ。花はナデシコに似て、八重（やえ）ざき。

ガーネット〔garnet〕《鉱》研磨（けんま）材や宝石に使う鉱物。こい赤のものは一月の誕生石。ざくろ石。

カーバイド《理》①〔←calcium carbide〕アセチレンガスを出す物質。炭化カルシウム。「―ランプ」②〔carbide〕炭素と金属の化合物。炭化物。▽カーバイト。

カービング《名・他サ》〔carving〕①デコイなどを木彫（きぼ）りでつくること。また、くだもの・せっけん・革（かわ）などに細かい花びらなどの模様を彫ること。「バード―・フルーツ―」②〔←カービングターン〕〔スキー〕切りこむようなターン。●カービングスキー〔carving skis〕小回りのできる、短く幅（はば）の広いスキー板。

カービンじゅう〔カービン銃〕〔carbine=騎兵（きへい）銃〕自動式の、短い小銃。

カーフ〔calf〕子牛の革（かわ）。カーフスキン。「―のハンドバッグ」☞キッド。

カーブ《名・自サ》〔curve〕①曲がること。曲がった所。曲線。「―を切る〔=曲がる〕・―〔=弧（こ）〕をえがく・ゆるやかな―」②《野球》投球が打者のところで、投手の利（き）きうでとは反対の方向へおちながら曲がること。また、そのボール。「アウト―・イン―」●カーブミラー〔和製curve mirror〕見通しの悪い曲がりかどに取り付ける、表面のもり上がった鏡。

カーフェリー〔car ferry〕乗客を車ごといっしょに乗せてはこぶ船。自動車航送船。

カーペット〔carpet〕〔毛の短い〕じゅうたん。

ガーベラ〔gerbera=もと、人名〕南アフリカ原産の草花の名。タンポポに似て大きく、五月ごろ赤・黄などの花がさく。

カーポート〔米carport〕屋根をさしかけて作った、自動車の車庫。

カーボン〔carbon〕①《理》元素としての炭素。炭（すみ）あるいは、すす。②〔←カーボンペーパー〕文字の写しを取るために使う紙。複写紙。カーボン紙。「―コピー」●カーボンオフセット〔carbon offset〕自分の所で削減（さくげん）しきれない温室効果ガスを、他の所で削減してもらい、うめあわせる方法。●カーボンニュートラル〔carbon neutral〕大気中の二酸化炭素を増やさないこと。例、まきをストーブの燃料にするなど〔二酸化炭素を吸って生長した木が燃えて、同じぐらいの二酸化炭素を出す〕。●カーボンファイバー〔carbon fiber〕炭素から作った繊維（せんい）。強くしなやかな素材として広く利用される。

カーラー〔curler〕かみの毛を巻きつけて、かみの形を整えるもの。ヘアカーラー。「ホット―〔=電気で熱して使うカーラー〕」

ガーランド〔garland=花輪〕〔張りわたした〕ひもに、いろいろなかざりを下げた、室内の装飾（そうしょく）品。

ガーリー（ナ）〔girly〕〔俗〕少女らしいようす。「―なスカート」

カーリーヘア〔curly hair〕①縮れ毛。②全体を巻き毛にした髪型（かみがた）。

ガーリック〔garlic〕にんにく。「―トースト・―ライス」

カーリング〔curling〕氷の上で、円盤（えんばん）の形をした石〔=ストーン〕を滑（すべ）らせて、円の中に入れることをきそう団体競技。

カール〔ドKar〕《地》氷河にけずり取られてできた、山の間の、半円形のくぼ地。圏谷（けんこく）。〔日本では日高山脈や乗鞍岳（のりくらだけ）などで見られる〕

カール《名・自他サ》〔curl〕縮れ毛や巻き毛〔にすること〕。「―人形」

ガール [造]〔girl〕女の子。少女。〔↔ボーイ〕●ガールスカウト〔米Girl Scouts〕ボーイスカウトにならって作られた、少女の団体。少女団。〔↔ボーイスカウト〕●ガールズトーク〔和製girls' talk〕女性どうしの遠慮（えんりょ）のないおしゃべり。●ガールズバー〔和製girls bar〕若い女性がバーテンダーとしてカウンター越（ご）しに接客するバー。●ガールフレンド〔girlfriend〕〔やや古風〕女の〈友だち〉〈恋人（こいびと）〉。GF。〔↔ボーイフレンド〕

かあん《副》高くすんだ鐘（かね）の音。

があん《副》①重量のある金属などがぶつかって出す大きな音。②強くたたく〔音の〕ようす。「ピアノを―とたたく・あごに―と一発受ける」③精神的にショックを受けるようす。「―、忘れてた」

かい〔下位〕①下の地位・立場。「―の兵士」②下の位置。「成績が―の人・《野球》―打線・―区分」▽「最―」〔↔上位〕

かい〔(:甲斐)（かひ）〕[一]それだけの効果。むくいられた結果。ききめ。「努力した―がない」[二][造]〔がい〕それをしたことから生まれる、いい結果。また、心のはりあい。「生き―を感じる・たのみ―のない男だ・やり―のある仕事」[表記]「△効」とも書いた。

かい〔△甲×斐（かひ）〕旧国名の一つ。今の山梨県。甲州（こうしゅう）。「―犬（けん）」

**かい〔会〕①何かをするために、人々が寄り集まること。よりあい。「送別―・―が終わる」②何かをするために、関係者で作った組織。「同好―・友の―」

**かい〔回〕[一]かい①くり返される行為（こうい）・現象のひとくぎり。「―をかさねる〔=何度もする〕・最終―」②《野球》試合のひとくぎり。イニング。「早い―・―がつまる〔=終わりの回に近づく〕」[二][接尾]くり返しの数〔=回数〕をあらわすことば。「週に一―・第五―〔=五回目〕」

区別 (1)「回」は広く回数に使うのに対し、「度」はそう多くはくり返されないものごとの回数に使う。「行き先を三度たずねる」とは言うが、「国会で二十三回質問する」を「二十三度」とは言いにくい。(2)「第…回」は、多く、予定され、くり返されるものごとの順序に使う。「第一回大会(=一回目の大会)」。「第…次」は、展開・進展するものごとの段階に使う。「第一次産業・第一次性徴・第一次報告書・第一次内閣・第二次世界大戦」。☞「第」の区別。☞回生二。

**かい**【戒・×誡】 ①〔文〕いましめ。「職場の敬語十―」 ②〔仏〕罪悪をおかさせないためのいましめ。戒律。「殺生―」

**かい**【貝】 ①やわらかいからだを、かたいからに包んだ、水の中にすむ小さな動物。二枚貝・巻き貝など。②かいがら。③ほらがい。「―をふく」 ●**貝になる** 句 (かたくなに)口をとざす。

**かい**【怪】 一 かい 〔文〕あやしい〈こと／ことがら〉。「役員人事の―・―！ 犯人が消えた」 二 造 あやしい。「―人物・―電話」

**かい**【△峡】 〔雅〕山と山との間。やまかい。

**かい**【海】 一 かい ①↑海軍。②↑海上自衛隊。 二 造〔固有名詞をつくる〕うみ。「日本―」

**かい**【買い】 ①買うこと。「タイトル買い(=俗に、タイトルにひかれて買うこと)」 ②〔経〕相場の値上がりを〈予想して／ねらって〉買うこと。また、今が買いどきであること。「―か待ちか・円買い・ドル売り」▽(↑売り) ③期待できるもの。手に入れたいもの。「この車は―だ」

**かい**【開】 〔視覚語〕エレベーターなどのドアや、光ディスクのトレーなどをひらくことをあらわす文字。(↑閉)

＊**かい**【階】 一 かい ①建物や設備の、高さ一段階ごとの区分。「次の―でお降りください・〈駅の〉〈ホーム／改札〉―」 ②〔文〕階段。「―を上る」 二 接尾 「階」一①のかさなりを数えることば。「五―・三―・八―」 ②〔ビルなどの表示で〕「F(↑floor)」とも。「2F」

**かい**【楷】 ↑楷書。「―、行、草」

**かい**【解】 ①問題の答え。解決方法。「現実(的な)―」 ②〔数〕〈方程式／不等式〉を成り立たせる未知数の値。「―を求める」 ③解釈。

**かい**【×隗】(=中国の戦国時代の、郭隗という学者) ●**隗より始めよ** 句 〈言い出した人／手近なこと〉から始めなさい。由来 郭隗が王に対し、「まず私をやとってください。そうすれば、もっと有能な人が集まってきます」と言った中国の故事から。「まず私から始めよ」の意味が、のちに「まずあなた自身から始めよ」の意味になった。

**かい**【歌意】 〔文〕うたの意味。

**かい**【×櫂】 船の左右から水をかき、船を進める道具。☞ろ(櫓)。

**かい**【快】 一 かい〈名・ナリ〉〔文〕気持ちのいいこと。愉快なこと。「―を感じる・一時の―をむさぼる」(↑不快) 二 造 気持ちいい。胸のすくような。「―記録・―速力」

**かい**〈終助〉〔話〕①軽い感動・疑問をあらわす。「ほう、承知をしてくれる―・ほんま―な〈関西方言〉」 ②〔反語的に〕強い断定をあらわす。「だれが行ってやる―」

**かい**【灰】 造 灰色をおびた。「―黒色」

**かい**【皆】 造 全部(の)。「国民―保険」

＊**かい**【界】 造 ①〔広い〕範囲。世界。「自然―・生物―」 ②関係者の集団。社会。「芸能―・社交―」 ③〔生〕生物の、最上位の分類。「門」の上。「動物―」

**がい**【我意】 思ったとおりにやろうとする、自分本位の気持ち。わがまま。きまま。「―をおし通す」

**がい**【×臥位】 〔文〕横たわった姿勢。「仰臥位(=あおむけ)・腹臥位(=うつぶせ)」など

**がい**【×垓】 数の単位。京の一万倍。

**がい**【害】 そのものをそこなう、悪い影響。「健康に―がある・子どもの―になる教育・農作物に―をあたえる・わが身に―がおよぶ」(↑益)

**がい**【概】 〔文〕ようす。おもむき。「古武士の―がある」

**がい**【該】〈連体〉(=あたること)〔文〕その。この。「―問題」

**がい**【外】 造 …のそと。ほか。「区域―」(↑内)

**がい**【(:甲斐)】 造 ⇩かい(甲斐)二。

**がい**【街】 造 とおり。まち。「商店―・地下―」

**ガイ** 造 [guy]〔俗〕男。やつ。「ナイス―・タフ―」

**ガイア**〈ギ Gaia〉 ①〔ギリシャ神話で〕大地の女神。②〔生きているものとしてとらえた〕地球。

**かいあく**【改悪】〈名・他サ〉ある〈しくみ／制度〉を悪くしてしまうこと。(↑改善)

**がいあく**【害悪】 害となる悪いこと。害。「―を流す」

**かいあげ**【買い上げ】 ①政府が民間から買い入れること。②〔お―〕相手が買うことの尊敬語。動 買い上げる〈他下一〉

**かいあさ・る**【買い〈△漁る〉】〈他五〉ほうぼうをさがし回って〔さかんに〕買う。「美術品を―」名 買いあさり。

**かいあた・える**【買い与える】〈他下一〉〔親が子などに〕買ってあたえる。「ゲーム機を―」

**がいあつ**【外圧】〈外部／外国〉から加わる圧力。(↑内圧)

**かいあん**【改案】〈名・自他サ〉〔文〕それまでの案を改め〈ること／た、新しい案〉。

**がいあん**【概案】 おおよその案。「―をまとめる」

**かいい**【会意】 六書の一つ。二つ以上の漢字を、意味に注目して組み合わせ、新しい漢字を作る方法。例、「鳥」と「口」から「鳴」を作るなど。「―文字」

**かいい**【海尉】 〔軍〕海上自衛官の階級の一つ。海佐の下、准海尉の上。(↑空尉・陸尉)

**かいい**【怪異】 〔文〕一〈名・ダナ〉ふしぎで、気味が悪いこと。二 ばけもの。

**かいい**【×魁偉】〈ダナ〉〔文〕顔が大きく、角ばっていて、こわく見えるようす。「容貌―」派 ―さ。

**がいい**【害意】 〔文〕相手に危害を加えようとする気持ち。

**かいいき**【海域】 範囲を限った、海面。

**かいいぬ**【飼い犬】 家庭で飼われている犬。(↑野良犬) ●**飼い犬に手をかまれる** 句 せわをしてやった人から、かえって害を受ける。

**かいい・れる**【買い入れる】〈他下一〉代金をはらって品物を手に入れる。「日用品を―・農家が肥料を―・政府が米を―」名 買い入れ。「古本高価―」

**かいいん**【会員】 会のなかまになっている人々。 ●**かいいんけん**【会員権】〔ゴルフ場などの〕会員となる権利。

**かいいん**【海員】 船長を除く、船の乗組員。「―組合」

**かいいん**【改印】〈名・自サ〉今まで使っていたはんこ

をかえること。「一届」

**かいいん**【開院】《名・自他サ》①病院や少年院などを開設すること。「一式」②病院などが、その日の仕事を始めること。「一時刻」▽(↕閉院)

**がいいん**【外因】〔文〕外部にあって、そういう結果をまねいた原因。(↕内因)

**かいう**【(海△芋)】⇩カラー(calla)。

**かいう・ける**【買い受ける】《他下一》買って受け入れる。名買い受け。

**かいうん**【海運】海上の運送。(↕陸運)

**かいうん**【開運】《名・自サ》運がひらけること。

**かいえい**【快泳】《名・自他サ》〔文〕見ていて気持ちよ(いほど速)く泳ぐこと。

**かいえい**【開映】《名・自他サ》〔映画館で〕映写〈が始まる/を始める〉こと。「十一時一」(↕終映)

**かいえき**【改易】《名・他サ》《歴》江戸時代、武士の身分を取り上げ、領地を没収した刑罰。

←**かいえん**【快演】《名・自他サ》〔文〕気持ちのいいほどのすばらしい〈演技/演奏〉(をすること)。

→**かいえん**【怪演】《名・自他サ》〔文〕何かが乗り移ったような、常人ばなれした演技(をすること)。

←**かいえん**【開宴】《名・自他サ》〔文〕宴会や祭り〈が始まる/を始める〉こと。(↕終宴)

→**かいえん**【開演】《名・自他サ》演説・演劇・演芸など〈が始まる/を始める〉こと。(↕終演)

**かいえん**【開園】《名・自他サ》①遊園地・動物園などをあけて、人を入れること。②遊園地や幼稚園などを開設すること。「一式」▽(↕閉園)

**がいえん**【外延】《哲》ある概念があてはまる個別の範囲。例、「飲み物」の外延は水・お茶・コーヒーなど。(↕内包)

**がいえん**【外×苑】御所・神宮の外にある、広い庭。「明治神宮一」(↕内苑)

**がいえん**【外縁】外がわに沿った部分。「太陽系の一部」(↕内縁)

**かいおうせい**【海王星】《天》太陽系の第八惑星。天王星の外がわにあり、約一六五年で太陽を回る。一四個の衛星を持つ。ネプチューン(Neptune)。

**かいおき**【買い置き】《名・他サ》多めに買って、すぐには消費しないで置いてある〈こと/もの〉。「一のティッシュペーパー」動買い置く《他五》。

**かいおと・す**【買い落とす】《他五》せりやオークションで品物を手に入れる。せり落とす。「安値で一」

**かいおん**【快音】〔文〕①聞いて気持ちのいい音。「車が一を立てて走る」②《野球》ヒットやホームランを打つ音。「バットが一をひびかせる」

**かいか**【会歌】校友会・自治会など、会と呼ばれる集団の歌。

**かいか**【怪火】〔文〕①ふしぎな(あやしい)火。②原因のわからない火事。不審火。

**かいか**【階下】したの階(の部屋)。(↕階上)

←**かいか**【開化】《名・自サ》世の中がひらけること。「明治時代の文明一」 ●**かいかどん**【開化丼】(牛肉を用いた)他人丼。開化どんぶり。由来 文明開化のころにできたから。

→**かいか**【開花】《名・自サ》①はながひらくこと。「一期」②りっぱな成果をあげること。「努力が一する」

**かいか**【開架】《名・他サ》〔図書館で〕利用者が書架から自由に本を取り出して読める(ようにする)こと。また、そうなっている本棚。「一式・絵本を一する・一に並んでいる本」(↕閉架)

**かいが**【絵画】〔作品として かいた〕絵。「一教室」(↕彫刻)

☆☆**がいか**【外貨】①外国のお金。「一獲得」②外国の品物。「一輸入」 ●**がいかよきん**【外貨預金】《経》日本の円を、ドルなどの外国通貨に交換して預け入れる預金。

**がいか**【×凱歌】〔文〕戦勝を祝う歌。かちどき。 ●**凱歌をあげる** 句 かちどきをあげる。勝って喜ぶ。

**がいが**【外画】↑外国映画。洋画。「一吹き替え」

**ガイガーけいすうかん**【ガイガー計数管】〔Geiger=人名〕《理》放射線を測定するのに用いられる装置。ガイガーミュラー〔=人名〕計数管。ガイガー カウンター。

**かいかい**〔↑かゆいかゆい〕〔児〕〔発疹などによる〕かゆい部分。また、かゆくなること。「一ができた」

**かいかい**【開会】《名・自他サ》会や議会など〈が始まる/を始める〉こと。「一式」(↕閉会)

*__かいがい__【海外】〔海のむこうにある〕外国。「一旅行」

**がいかい**【外海】そとうみ。「一に出る」(↕内海)

**がいかい**【外界】自分を取り巻いて、外にある世界。(↕内界)

**かいがいし・い**【(:甲斐甲斐しい)】《形》①熱心に手ぎわよく働く〈ようす/感じ〉だ。「かいがいしく働く」②けなげに つくすようすだ。「かいがいしく世話をする」派-げ。-さ。

**かいかえ**【買い替え】新しく買って、前のものと とりかえること。「一需要」動買い替える《他下一》。

*__かいかく__【改革】《名・他サ》制度・組織を根本的に変えること。「行政一」

**かいがく**【開学】《名・自サ》大学などの学校を開設すること。「一記念日」(↕閉学)

**がいかく**【外角】①《野球》ホームベースの、バッターに遠いがわ。アウト コーナー。②《数》多角形の一つの辺と、その となりの辺の延長とで はさまれた角。▽(↕内角)

**がいかく**【外殻】〔文〕外がわにある殻(のように、しっかり おおうもの)。「船体の一」(↕内殻)

**がいかく**【外郭・外×廓】①〔文〕そとがこい。②ある組織の外がわにあって、間接に関係をもつこと。「一団体・一機関」

**かいかけ**【買い掛け】《経》品物を買って、代金をまだはらっていないこと。(↕売り掛け) 表記 熟語では「買掛」と書く。「買掛金」

**かいかた**【買い方】①買う方法。②《経》買うほうの人。買い手。▽(↕売り方)

**かいかつ**【快活】《ナダ》元気で生き生きとしているようす。「一な笑顔」派-さ。

**かいかつ**【開×豁】《ナダ》〔文〕①土地が広く開けているようす。②心が広く おおらかなようす。「一に笑う」

**がいかつ**【概括】《名・他サ》〈ざっと/だいたいを〉まとめること。「戦後の教育史を一する」

**かいかぶ・る**【買い(△被る)】《他五》実際の能力以上に高く評価する。「実力以上に一」名買いかぶり。

**かいがら**［貝殻］貝の外がわをおおう、かたいもの。
**●かいがらぼね**［貝殻骨］⇩けんこうこつ(肩甲骨)。

**かいかん**［会館］儀式・集会・娯楽などのために使う建物。「市民―」

**かいかん**［快感］気持ちのいい感じ(がすること)。「勝利の―にひたる・―が背中を走る・注目を集めるのは―〈だ〉」

**かいかん**［怪漢］〔文〕あやしい男。

**かいかん**［開巻］〔文〕書物をひらいたはじめの部分。書きだし。「―第一ページに」

**かいかん**［開館］《名・自他サ》①図書館・博物館などが、その日の仕事を始めること。「―時間」②図書館などを開設すること。▽(↕閉館)

**かいかん**［開缶］《名・他サ》〔文〕かんづめなどのふたを開けること。「―後はお早めにおめしあがりください」

**かいがん**［海岸］《地》陸と海とのさかいめの地帯。
**●かいがんせん**［海岸線］①《地》陸と海とのさかいめの線。②海岸に沿った鉄道線路。

**かいがん**［開眼］《名・自サ》①〔文〕目をあけること。(↕閉眼)②《医》目が見えるようにすること。「―手術」③だいじな点や本質をはっきりさとること。かいげん。「陶芸のおもしろさに―する」

**がいかん**［外患］〔文〕〈外国/外部〉から受ける圧迫や攻撃。外国と事件を起こすこと。「内憂―」

←**がいかん**［外観］外から見た(全体の)ようす。見た目。「美しい―」(↕内観)

→**がいかん**［概観］《名・他サ》だいたいのありさま(を見ること)。「国際情勢を―する」

**かいき**［会規］〔文〕会の規約。

**かいき**［会期］会のおこなわれる〈期間/時期〉。

**かいき**［回帰］《名・自サ》回って、もとのところへかえること。
**●かいきせん**［回帰線］《地》↑北回帰線・南回帰線。

☆☆**かいき**［快気］《名・自サ》病気がよくなること。「―祝い〔=内祝いとしておこなうときに言う〕」

**かいき**［開基］《名・自サ》〔文〕①寺を新しく作ること。また、作った人。開山。②基礎を作ること。「稚内市―百年」

**かいき**［怪奇］《ナダ》わけがわからなくて、〈ふしぎに/おそろしく〉感じられるようす。「複雑―・―現象」派―さ。

**かいき**［回忌］造《仏》人の死後、死んだ月の命日が何回目であるかをさすことば。死の翌年が一周忌、二年目は、死んだ年を一と数えて三回忌と呼ぶ。以下、七回忌、十三回忌などと呼ぶ。☞年忌。

＊**かいぎ**［会議］《名・自サ》ものごとを報告したり、話し合って決めたりする集まり。「―を開く・―を持つ・国際―」〔政党や団体の名前にも使う〕

☆☆**かいぎ**［懐疑］《名・自サ》〔そうであるかどうか、うまくいくかどうか、などについて〕疑いを持つこと。「効果についての―的な見方・―論」

**がいき**［外気］家の外の空気。「―に当たる・―温」

←**かいきえん**［快気炎］聞いていてこころよくなるほど元気な発言。〔「怪気炎」から作られたことば〕

→**かいきえん**［怪気炎］酒を飲んだりした勢いで言う、あやしげな内容の考え。「―をあげる」

**かいきげっしょく**［皆既月食・皆既月×蝕］《天》太陽・地球・月の順で一直線に並んだとき、満月が地球の影に完全にはいって、赤く見えること。

**かいきしょく**［皆既食・皆既×蝕］《天》↑皆既日食・皆既月食。(↕部分食)

**かいきにっしょく**［皆既日食・皆既日×蝕］《天》太陽・月・地球の順で一直線に並んだとき、太陽が月に完全にかくれること。あたりが暗くなる。

**かいきゃく**［開脚］《名・自サ》①両足を左右または前後にひらくこと。「―前転」②《スキー》スキー板をV字形に開くこと。「―登行」

**かいぎゃく**［諧×謔］〔文〕ユーモア。「―に富んだスピーチ」

**かいきゅう**［階級］①組織や制度できまっている、上下の地位。くらい。「二―特進」②暮らし方・考え方などに特徴のある、社会的なそれぞれの地位。階層。「上流―・武士―・労働者―・特権―」③《スポーツ》体重による区分。④《数》〔統計で〕データを集計する際に適当な大きさで区切った区間。
**●かいきゅうとうそう**［階級闘争］〔マルクス主義で〕プロレタリア階級が圧迫にたえかねて起こす、ブルジョア階級との争い。

**かいきゅう**［懐旧］《名・他サ》〔文〕昔を思い起こしてなつかしがること。旧懐。「―談・―の情にたえない」

☆☆**かいきょ**［快挙］胸のすくような、りっぱなおこない。「―をなしとげる」

**かいきょ**［開×渠］ふたでおおわれていない水路。明渠。(↕暗渠)

**かいぎょ**［怪魚］〔文〕変わった特徴を持つ、〈ふしぎな/大きな〉さかな。

**かいぎょ**［海魚］〔文〕海にすむさかな。うみうお。(↕川魚)

**がいきょ**［街×渠］舗装した車道の両端にある、雨水などを流すためのみぞ。

**かいきょう**［回教］《宗》「イスラム教」の古い呼び名。

**かいきょう**［海況］〔文〕〔釣り、漁業などに役立つ〕海の状況。

**かいきょう**［海峡］《地》陸地にはさまれたせまい海。水道。「津軽―」

**かいきょう**［懐郷］〔文〕故郷をなつかしく思うこと。「―の念」

**かいきょう**［開胸］《名・他サ》《医》手術のために、胸部を切りひらくこと。「―手術」

**かいぎょう**［改行］《名・自サ》行をかえて、次の行から〈書き/印刷し〉始めること。

**かいぎょう**［開業］《名・自他サ》①〔鉄道・会社などが〕はじめて営業をおこなうこと。(↕廃業・閉業)②〔商店の〕みせびらき。開店。(↕閉業)③〔医者などが病院につとめないで、自分で〕営業すること。「―医〔=町医者〕」

☆☆**がいきょう**［概況］だいたいのようす。「全国天気―・株式の―」

**かいきょく**［開局］《名・自サ》①郵便局・放送局などを開設すること。②郵便局・放送局が、その日の仕事を〈おこなう/始める〉こと。▽(↕閉局)

**がいきょく**［外局］《法》中央官庁に直属するが、独立官庁のような性質をもつ官庁。例、文化庁。(↕内局)

**かいき・る**［買い切る］《他五》①品物を残らず買

う。②お金をはらってある期間、劇場などを借りて使う。③小売店が商品を仕入れる際、返品しない条件で買い取る。名買い切り。

**かいきん**【開襟】折って、ひらたい形に仕立てたえり。「―シャツ」

☆☆**かいきん**【皆勤】《名・自サ》一日も休まずに、学校やつとめに出ること。「―賞」☞精勤。

☆☆**かいきん**【解禁】《名・他サ》①禁じられていた状態をなくすこと。「狩猟―」②秘密にしていた内容を、公開すること。リリース。「情報―」

**がいきん**【外勤】《名・自サ》事務室の外に出て配達・販売・勧誘などをつとめること。外務。外回り。(↔内勤)

**がいぎん**【外銀】↑外国銀行。(↔邦銀)

←**がいく**【街区】市街地の個々の区画。「―公園」

→**がいく**【街×衢】〔文〕まち。街路。「―のよそおい」

**かいぐい**【買い食い】《名・他サ》子どもが菓子などを自分で買って食べること。

**かいくぐ・る**【×掻い△潜る】《他五》①軽く、すばやくくぐる。「ロープを―」②(危険を)うまくすりぬける。「火の粉を―・警備を―」

**かいくん**【回訓】《名・自サ》〔文〕本国政府からの回答としての訓令。(↔請訓)

**かいぐん**【海軍】〔軍〕海上の戦闘・防備に当たる軍隊。(↔陸軍・空軍)

**かいけい**【塊茎】〔植〕でんぷんなどの養分をたくわえて塊状に大きくなった地下茎。例、ジャガイモ・キクイモなど。☞塊根。

**かいけい**【会計】《名・他サ》①〔企業や官庁などでの〕お金の出し入れや管理の方法・形式。また、その担当者。②〔飲食店などで〕代金のしはらい。また、その代金。勘定。「―をすませる・お―〔=代金の計算〕をお願いします・お―〔=しはらい場所〕はどこですか・お―〔=まとめてしはらう人〕はだれにお願いしようか」●**かいけいけんさいん**【会計検査院】国の収支を検査する、憲法にもとづく機関。●**かいけいし**【会計士】公認会計士と会計士補〔=公認会計士の補助者〕とをまとめた呼び名。●**かいけいねんど**【会計年度】会計の便宜上作った一定の期間。ふつう、四月一日から翌年の三月三十一日まで。

**がいけい**【外形】外から見えるかたち。「―的な〔=うわべだけの〕観察」●**がいけいひょうじゅんかぜい**【外形標準課税】企業に対して、所得ではなく、事業の規模に応じて税金を課すこと。赤字企業でも課税する。

**がいけい**【外径】①管などの、外がわではかった直径。②外がわの寸法。▽(↔内径)

**がいけい**【外景】〔文〕①中から見た外のようす。②外がわから見たようす。「宮殿の―」

**かいけいのはじ**【会稽の恥】〔文〕ひどいはずかしめ。敗戦の恥。「―をすすぐ」由来 古代中国の越王勾践が呉王夫差と中国南部の会稽山で戦って敗れ、はずかしめを受けた故事から。

**かいけつ**【怪傑】〔文〕ふしぎな力をもつ、能力のすぐれた人。

*__かいけつ__【解決】《名・自他サ》事件や問題〈がかたづく/をかたづける〉こと。「―案・―策」

**かいけつびょう**【壊血病】〔医〕ビタミンCの不足で起こる病気。出血・貧血などを起こす。

**かいけん**【懐剣】昔、ふところの中に入れて、持ち歩いた小刀。

**かいけん**【会見】《名・自サ》①公式の場で人と会うこと。「大統領との―・記者―」②↑記者会見。

☆☆**かいけん**【改憲】《名・他サ》憲法を改めること。「―論〔者〕」(↔護憲)

**かいげん**【戒厳】非常事態のとき、軍隊を取りしまりに当たらせること。「―令〔=戒厳の命令〕を敷く」

**かいげん**【開眼】《名・自サ》①〔仏〕ⓐ仏道の真理をさとること。ⓑ仏像・仏画ができあがったとき、霊をむかえ入れるためにおこなう供養の式。「大仏―」②⇩かいがん(開眼)③。

**かいげん**【改元】《名・自他サ》年号を改めること。また、年号が改まること。

**がいけん**【外見】外から見たようす。見かけ。見場。「―をとりつくろう」

**かいこ**【蚕】屋内で飼う、青白い虫。カイコガの幼虫。口から糸をはいて作った繭から、生糸をとる。「お―(さん/さま)」由来 古くは「こ」で、「子」と同じ語源。同音語と区別するために「飼いこ」と言ったもの。●**かいこだな**【蚕棚】①カイコを飼うための、何段にもかさねたたな。②〔俗〕たなのように、何段にもかさねて作られた寝台。

←**かいこ**【懐古】《名・自サ》昔を思い起こしてなつかしがること。懐旧。「―趣味」

→**かいこ**【回顧】《名・他サ》①昔を思い出すこと。②〈過去/進歩のあと〉をふりかえること。「―と展望・―録」

**かいこ**【解雇】《名・他サ》やとっていた人をやめさせること。免職。

**かいご**【悔悟】《名・自サ》〔文〕過去の悪事やあやまちを、悪かったとさとること。「―の情がいちじるしい」

*__かいご__【介護】《名・他サ》〔高齢者・障害者などの〕日常生活のせわをすること。「―保険制度」●**かいごきゅうぎょう**【介護休業】〔法〕家族の介護をするため、労働者に権利として認められている一定期間の休み。介護休暇。●**かいごし**【介護士】介護福祉士と、介護ヘルパー資格者をあわせた呼び名。●**かいごしえんせんもんいん**【介護支援専門員】⇩ケアマネージャー。●☆☆**かいごふくし**【介護福祉士】障害者・高齢者の介護や、介護者への指導をおこなう専門家。☞介護士。●**かいごほけん**【介護保険】介護が必要と認められた人に、在宅または介護施設で、いろいろなサービスを提供する保険〔制度〕。●**かいごよぼう**【介護予防】高齢者の介護が必要とならないように予防すること。「―策」

**がいご**【外語】①外国語。②↑外国語〈学校/大学〉

**かいこう**【海港】海岸にあるみなと。(↔河港)

**かいこう**【海溝】〔地〕海底の、細長い形に非常に深くなっている所。例、マリアナ海溝。

**かいこう**【開口】①〔文〕口をひらいてものを言うこと。②人・空気・光線などを通すための出入り口や窓。「―部」●**かいこういちばん**【開口一番】《名・副》

口をひらいてまっさきに。

**かいこう**【開行】《名・自サ》銀行の営業を新しく始めること。

**かいこう**【開港】《名・自サ》①外国との貿易のために港をひらくこと。②空港を開設して、業務を始めること。

**かいこう**【×邂×逅】《名・自サ》〔文〕〔人などと〕思いがけず出あうこと。めぐりあい。「昔の知り合いに―した・私と日本酒との―」

**かいこう**【回航】《名・自他サ》船や飛行機が、別の港や空港へ向かうこと。また、そうさせること。「横浜に―する」

**かいこう**【改稿】《名・自他サ》〔文〕原稿を書きかえること。

**かいこう**【開校】《名・自他サ》①学校や教室が経営を始めること。②学校や教室がその日の仕事をすること。「夏休みの学校―日」▽(↕閉校)

**かいこう**【開講】《名・自他サ》講義や講習会など〈が始まる/を始める〉こと。「―式」(↕閉講)

**かいごう**【会合】《名・自サ》①みんなで話をするために〈会う/集まる〉こと。また、その集まり。「なかまと―する・旅館に―する・―を開く」②〔文〕出合うこと。「小型船と―した」

**がいこう**【外光】〔文〕戸外の太陽の光。自然光。「―を取り入れる・―派(=自然の光を再現するため戸外でえがく絵画の一派)」

**がいこう**【外向】《心》気持ちが外に向いて、社交的で積極的な傾向。「―性・―的」(↕内向)

**がいこう**【外航】↑外国航路。「―船」(↕内航)

**がいこう**【外港】①入港した船が一時とまる、防波堤の外がわの区域。(↕内港)②背後の大都市のはたらきを助ける港。例、東京に対する横浜港。

**がいこう**【外構】⇩エクステリア②。「自宅の―工事」

**がいこう**【外交】《名・自サ》①外国との〈交際/交渉〉。(↕内政)②店・会社から出かけて、注文を取ること。セールス。③↑外交員。 ●**がいこういん**【外交員】「外交②」の仕事をする人。セールスマン。外交。 ●**がいこうかん**【外交官】外国に〈行って/とどまって〉「外交①」の事務をとる、国家公務員。大使・公使・領事など。 ●**がいこうじれい**【外交辞令】①外交に使う(うわべだけの)あいそのいいことば。②社交辞令。 ●**がいこうとっけん**【外交特権】《法》「外交①」の使節が相手国で持つ、治外法権・不可侵権などの特権。

**かいこうず**【(海紅豆)】①南米原産の三～四メートルの木。まっかな花をひらく。アメリカでいご。②〔誤って〕エリスリナ。

**がいごうないじゅう**【外剛内柔】〔文〕⇩内柔外剛。(↕外柔内剛)

**かいこく**【海国】〔文〕海に囲まれた国。「―日本」

**かいこく**【回国】《名・自サ》〔文〕国々を回って歩くこと。「―巡礼」

☆☆**かいこく**【戒告・×誡告】《名・自他サ》①〔文〕将来をいましめて注意すること。②懲戒処分の一つ。書面でいましめるもの。譴責。☞懲戒。

**かいこく**【開国】《名・自他サ》①〔文〕はじめて国を建てること。②外国との通商・交通を始めること。(↕鎖国)

****がいこく**【外国】自分の国以外の国。よその国。「―かぶれ・―語・―人・―製品」(↕内国) ●☆☆**がいこくかわせ**【外国為替】《経》外国との取引の決済を手形でおこなうしくみ。そのときの為替相場で外国の通貨と交換する。がいため。 ●**がいこくかわせしょうこきんとりひき**【外国為替証拠金取引】《経》一定の証拠金を担保にして、高額の外国為替の売買をおこなう取引。FX。

**かいこし**【買い越し】《経》(株式の売買で)ある期間に買った金額のほうが、売った金額よりも多いこと。(↕売り越し)[動]買い越す《他五》。

**がいこつ**【骸骨】骨ばかりになった死がい。「―のようにやせ細る」

**かいこむ**【買い込む】《他五》〔今は いらないが〕(将来を見こして)たくさん買い入れる。[名]買い込み。

**かいこむ**【(×掻い)込む】《他五》〔文〕かかえこむ。「やり(槍)を―」

**かいごろし**【飼い殺し】①役に立たなくなった家畜を、死ぬまで ただ飼っておくこと。②活躍の機会もあたえず、ただ置いておくこと。「会社に―にされる」[動]飼い殺す《他五》。

**かいこん**【塊根】《植》養分をたくわえて塊状に肥大した根。例、サツマイモ・ダリアなど。☞塊茎。

**かいこん**【悔恨】《名・自サ》後悔し、残念に思うこと。くやむこと。「―の情にかられる」

**かいこん**【開×梱・解×梱】《名・他サ》梱包(=荷造りされたもの)をひらくこと。

**かいこん**【開墾】《名・他サ》山や野をひらいて、田や畑を作ること。「―地」

**かいさ**【海佐】《軍》海上自衛官の階級の一つ。海将補の下、海尉の上。(↕空佐・陸佐)

**かいさい**【快×哉】(=快なるかな)〔文〕ああ愉快だ、と言う。痛快だと思う。 ●**快哉を叫ぶ**[句]

**かいさい**【皆済】《名・他サ》〔文〕残らず すますこと。「借金を―する」

***かいさい**【開催】《名・他サ》集まりや もよおしをひらくこと。「講演会を―する」

☆☆**かいざい**【介在】《名・自サ》(じゃまな ものが)間にはさまっていること。「難問が―する」

**がいさい**【外債】《経》外国(の通貨)で募集する公債・社債。「円建て―」(↕内債)

**がいざい**【外材】外国から輸入される木材。

**がいざい**【外在】《名・自サ》そのものの外にあること。「―する現実」(↕内在)

**かいさく**【快作】〔文〕〈読んで/見て〉気持ちのいいほどすばらしい作品。

**かいさく**【改作】《名・他サ》作品を作りかえ〈ること/たもの〉。

**かいさく**【開削・開×鑿】《名・他サ》〔文〕土地を切りひらいて道路や運河を通すこと。

**かいささえる**【買い支える】《他下一》《経》(相場で)積極的に買って、下落を防ぐ。[名]買い支え。

**かいさつ**【改札】[一]《名・自サ》(駅の出入り口で)客の切符を検査すること。[二](↑改札口)「改札[一]」をする所。「自動―」

**かいさん**【海産】海からとれる〈こと/もの〉。(↕陸産)

●**かいさんぶつ**［海産物］海からとれた有用なもの。また、それを加工したもの。

**かいさん**［解散］《名・自他サ》①〔会合・遠足などが〕終わって、みんなが別れること。②会社・団体などの組織を解くこと。「劇団が―する」③〔法〕〔衆議院で〕議員の資格を解いて、一時国会をとじること。「―風を吹(ふ)かせる〔＝解散するふんいきを作る〕」

**かいさん**［開山］《名・他サ》①〔仏〕ⓐそのお寺をはじめて〈作ること／作った人〉。開基。ⓑその宗派を始めた人。宗祖。②ものごとを始めた人。☞日(ひ)の下(した)開山・かいざん(開山)。

**かいざん**［開山］《名・自サ》①山びらき。②鉱山をひらいて、仕事を始めること。▽〔↕閉山〕☞かいさん(開山)。

☆☆**かいざん**［改×竄］《名・他サ》〔悪いことに利用する目的で〕文字や記録を書きかえること。「小切手の―」

☆☆**がいさん**［概算］《名・他サ》だいたいの計算〔をおこなうこと〕。〔↕精算〕●**がいさんようきゅうきじゅん**［概算要求基準］☞シーリング②。

**かいし**［会誌］会が発行する雑誌。

**かいし**［海士］〔軍〕①海上自衛官のいちばん下の階級。海士長の下。もとの水兵に当たる。〔↕空士・陸士〕②↑海軍士官学校。●**かいしちょう**［海士長］〔軍〕海上自衛官の階級の一つ。海士の上、海曹(かいそう)の下。

**かいし**［海市］〔文〕⇩しんきろう(蜃気楼)。

☆☆**かいし**［懐紙］たたんでふところに入れておく白い紙。「茶席で菓子(かし)を―に取り分ける」

**かいし**［怪死］《名・自サ》〔文〕原因のわからない、変な死に方〔をすること〕。

*__かいし__［開始］《名・自他サ》はじめること。はじまること。〔↕終了(しゅうりょう)〕

**かいじ**［快事］〔文〕胸がすっとするような できごと。「近来の―だね」

**かいじ**［怪事］〔文〕不可解で あやしいできごと。

**かいじ**［△峡路(かひぢ)］〔雅〕山と山の間を通る、細い道。

**かいじ**［海自］↑海上自衛隊。

**__かいじ__［海事］〔文〕船の安全、船の走る海に関することがら。「―用語」

☆☆**かいじ**［開示］《名・他サ》①〔情報を〕外部にはっきりしめすこと。②〔法〕公開の法廷(ほうてい)でしめすこと。「拘留(こうりゅう)理由の―」

**がいし**［外史］〔文〕民間で書いた歴史(書)。野史。〔↕正史〕

**がいし**［外紙］〔文〕外国の新聞。外字紙。

☆☆**がいし**［外資］外国からの資本金。「―(の)導入」

**がいし**［×碍子］〔理〕電柱などの電線を絶縁(ぜつえん)するために使う、陶磁器(とうじき)などで作った器具。

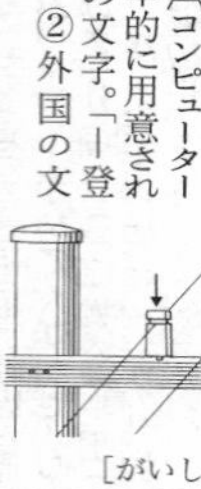

［がいし］

**がいじ**［外字］①〔コンピューターで〕JIS(ジス)で標準的に用意されている文字以外の文字。「―登録」②外国の文字。「―新聞」☞表外②。

**がいじ**［外耳］〔生〕耳の鼓膜(こまく)から外がわの部分。耳介(じかい)と外耳道〔＝耳の穴〕。「―炎(えん)」〔↕中耳・内耳〕

**がいじ**［外事］〔文〕外国(人)に関することがら。「―係」☞ほかごと(外事)。

**がいじかく**［外×痔核］〔医〕肛門(こうもん)のまわりにできる痔核。〔↕内痔核〕

**かいしき**［開式］《名・自サ》〔文〕式を始めること。〔↕閉式〕

**かいしつ**［開室］《名・自他サ》①よその人が、その部屋に出はいりできる状態にすること。「午前十時―」〔↕休室・閉室〕②呼び名に「室」などのつく組織を作って、仕事を始めること。「相談室の―」〔↕閉室〕

**がいじつリズム**［概日リズム］〔生〕生物に備わっている周期的なしくみ。人間の場合、ほぼ一日にあたる。

☆☆**がいして**［概して］《副》ほとんど〔の場合〕について、そう言えるようす。おおむね。「結果は―よかった」

**かいしめる**［買い占(かひ)める］《他下一》〔品薄(しなうす)や値上がりを見こして〕品物を〔ほとんど〕残らず買いあさる。名買い占め。

**__かいしゃ__［会社］〔もうけるために〕事業をすることを共同の目的として作った団体。「―員・営利―(がいしゃ)・―におくれる」●☆☆**かいしゃこうせいほう**［会社更生法］〔法〕経営の困難な株式会社を自主的に再建させるための法律。会社は事業を続けながら負債(ふさい)の整理をする。「―の適用を申請(しんせい)する」●**かいしゃにんげん**［会社人間］家庭をかえりみないで、会社の仕事だけを生きがいにしている会社員。●**かいしゃほうもん**［会社訪問］《名・自サ》〔大学生が〕就職したい会社を訪ね、様子をきいたり自分を売りこんだりすること。

**かいしゃ**［×膾×炙］《名・自サ》〔文〕広く〈言われて／知れわたって〉いること。「人口に―する」由来 なます〔＝膾〕とあぶり肉〔＝炙〕が広く好まれるところから。

**がいしゃ**［外車］外国製の自動車。

**がいしゃ**［ガイシャ］〔警察〕〔俗〕〔殺人事件などの〕被害(ひがい)者。

**かいしゃく**［介△錯］《名・他サ》〔＝つきそい〕①切腹した人の首をはねて即死(そくし)させ、苦痛を軽減させる〈こと／人〉。②〔土木や芸能業界などで〕補助する〈こと／人〉。

**かいしゃく**［解釈］《名・他サ》ことばの意味や動作の意図を〈理解／説明〉すること。また、説明したもの。「善意に―する・―は君の自由だ」●**かいしゃくかいけん**［解釈改憲］憲法の条文を変えることなく、その解釈を変えることで、現実の問題に対処すること。

**がいしゃし**［外斜視］〔医〕斜視の一つ。片方または両方の目が外がわを向くもの。〔↕内斜視〕

☆☆**がいじゅ**［外需］〔経〕国外の需要。〔↕内需〕

**かいしゅう**［会衆］その会のために集まった人。

**かいしゅう**［改宗］《名・自サ》宗旨(しゅうし)をかえること。

**かいしゅう**［回収］《名・他サ》①集めて もとへ返すこと。「廃品(はいひん)―・古紙―業・アンケートの―率」②つじつまを合わせること。「ドラマの伏線(ふくせん)を―する」

**かいしゅう**［改修］《名・他サ》〈いたんだ／よくない〉ところを〔作り〕直すこと。「道路の―・―工事」

**かいじゅう**［怪獣］①特撮(とくさつ)ドラマなどに出てくる、想像上の、巨大(きょだい)で おそろしい生き物。「―ゴジラ」②ぶきみな感じの大きなもの。

**かいじゅう**［海獣］〔動〕海にすむ哺乳(ほにゅう)類。例、クジラ・オットセイ。

**かいじゅう**［懐柔］《名・他サ》人をてなずけて したが

わせること。「―策」

**かいじゅう**【×晦渋】《ナダ》〔文〕〔ことばや文章が〕むずかしくて意味・内容がよく わからないようす。難解。派―さ。

**がいしゅう**【外周】 外がわの部分(を囲んでいるところ)。そとまわり。(↕内周)

**がいじゅう**【害獣】《動》人間や家畜などに害をあたえるようなけもの。イノシシなど。「―駆除」

**がいしゅう いっしょく**【×鎧袖一触】〔文〕①敵が、とるに足りないほど弱いこと。②簡単に、相手をやっつけること。

**がいじゅう ないごう**【外柔内剛】〔文〕うわべは〈やさしく/弱々しく〉見えながら、心の中はしっかりしていること。内剛外柔。(↕外剛内柔)

**かいじゅく**【開塾】《名・自サ》 塾を作って、授業・指導を始めること。(↕閉塾)

**がいしゅつ**【外出】《名・自サ》〔用事で〕出かけること。「急用で―する・―先からもどる・―着」

**かいしゅん**【回春】〔文〕〔精力が〕若がえること。「―の喜び」

☆☆**かいしゅん**【改×悛・悔×悛】《名・自サ》〔文〕悪いおこないをくいて、心を入れかえること。改心。悔悟。「―の情」

**かいしゅん**【買春】《名・自他サ》⇩ばいしゅん(買春)。〔「売春」と「買春」が同音で まぎれるための言いかえ語〕

**かいしょ**【会所】 何かをするために、集まる場所。「碁―」

☆☆**かいしょ**【楷書】 手書きで、最も ふつうに使う漢字の書体。点画をくずさずに書く。(↕行書・草書)

←**かいしょ**【開署】《名・自サ》警察署など、署という名のつく役所を作って、仕事を始めること。

→**かいしょ**【開所】《名・自他サ》 事務所など、所という名のつく組織を作って、仕事を始めること。「―式」(↕閉所)

**かいじょ**【介助】《名・自サ》《医》〔日常生活の動作が不自由な〕高齢者や病人などが食事・入浴・はいせつ(排泄)などをおこなう際に手助けをすること。●**かいじょけん**【介助犬】 からだが不自由な人のために、物を運んだり、着がえなどを手伝ったりする犬。☞補助犬。

**かいじょ**【解除】《名・他サ》 束縛・制限・注意などのあつかいをとりやめて、もとの状態にすること。「ストライキを―する・大雪警報―」

**かいしょう**【(:甲斐=性)】 りっぱに生活をいとなもうとする気力。お金をかせぐ能力。かいしょ。「年をとって―がなくなる・―なし」

**かいしょう**【会章】 その会を代表する記章。

**かいしょう**【回章】〔文〕⇩回状。「人事―」

**かいしょう**【海相】〔文〕海軍大臣。

**かいしょう**【海将】《軍》海上自衛官の階級のうちで最高のもの。もとの大将・中将に当たる。(↕空将・陸将) ●**かいしょうほ**【海将補】《軍》海将の一つ下の階級。もとの少将に当たる。(↕空将補・陸将補)

**かいしょう**【海象】《天》海上の、気象の状態。

**かいしょう**【海×嘯】〔=海鳴り〕〔文〕①満潮時、特に大潮のとき、潮流が高波となって はげしい勢いで川をさかのぼる現象。②津波。

**かいしょう**【階床】〔エレベーターで〕建物の、一階、二階などの階。「―選択ボタン」

**かいしょう**【快笑】《名・自サ》〔文〕気持ちよさそうに笑うこと。

**かいしょう**【快勝】《名・自サ》 気持ちのいいほどの勝ち方(をすること)。

**かいしょう**【改称】《名・自他サ》 呼び名を改めること。また、改められた呼び名。

**かいしょう**【解消】《名・自他サ》①困った状態〈をなくす/がなくなる〉こと。「不安を―する」②関係をやめること。「コンビ―」

***かいじょう**【会場】 会をひらく場所。

**かいじょう**【回状】 順々に回して、見せる文書。また、回覧の手紙。回文。回章。

**かいじょう**【海上】①海の表面。海面。「―にうかぶ」(↕陸上)②海の上空。「―を飛ぶ」③船を利用した「海上①」の交通に関係すること。「―保険・―運賃・―タクシー」●**かいじょうじえいたい**【海上自衛隊】 自衛隊の一つ。防衛省に属し、海を守る。海自。●**かいじょうほあんちょう**【海上保安庁】《法》海上の安全と秩序を守ることを任務とする官庁。国土交通省の外局。海保。

**かいじょう**【階上】 上の階(の部屋)。(↕階下)

**かいじょう**【階乗】《数》一からその数までをかけ合わせた数。「!」であらわす。たとえば、三の階乗は「3!」と書き、1×2×3=6で、六となる。☞累乗。

**かいじょう**【塊状】〔文〕かたまりの状態。

**かいじょう**【開城】《名・自サ》〔文〕降参して、城をあけわたすこと。

**かいじょう**【開場】《名・自サ》①会場をひらいて人を入れること。②劇場などが、新しく営業を始めること。▽(↕閉場)

**かいじょう**【解錠】《名・他サ》〔文〕しまっている錠をあけること。〔法律では、こじあける場合もふくめて「開錠」と言う〕(↕施錠)

**がいしょう**【外相】〔文〕外務大臣。

**がいしょう**【外商】①店の売り場を通さず、直接、客に売ること。「―部」②外国の商人。

☆☆**がいしょう**【外傷】 切りきずや やけどなど、からだの外部についたきず。

**がいしょう**【街商】 露天商。「―組合」

**がいしょう**【街×娼】 夜、街頭に出て相手をみつけ、売春をする女。夜の女(俗)。

**かいじょうたつ**【下意上達】〔文〕下の者の意見などが、上の者に伝わること。(↕上意下達)

**かいしょく**【海食・海×蝕】《地》波による浸食。「―崖〔=がけ〕・―洞〔=岩あな〕」

**かいしょく**【会食】《名・自サ》〔飲食店などで〕集まって食事をしたり酒を飲んだりすること。食事会。

**かいしょく**【快食】《名・自サ》〔文〕気持ちよく、おいしく食事をすること。「―快眠」

←**かいしょく**【解嘱】《名・他サ》 嘱託をやめさせること。

→**かいしょく**【解職】《名・他サ》 職務をやめさせること。免職。

**がいしょく**【外食】《名・自サ》 自分の家でなく、まちの食堂などで食事をすること。「―費・―店・―産業」

☞中食・内食。

**かいしん**［会心］①〔作った人やした人が〕できばえに満足すること。「—の作・—の投球」②事がうまく運んで、いい気持ちになること。「—の笑み」

**かいしん**［快心］〔文〕気持ちのいいこと。「—を得る」

**かいしん**［回心］《名・自サ》《宗》まちがった考えをすてて、正しい信仰へ心を向けること。

**かいしん**［改心］《名・自サ》悪い心を改めること。

**かいしん**［回診］《名・自サ》〔入院患者を〕巡回して診察すること。

**かいしん**［戒心］《名・自サ》〔文〕まちがったことをしないように用心すること。

**かいしん**［改新］《名・他サ》古い制度を新しくすること。「大化の—」

**かいじん**［灰×燼］〔文〕灰と燃え残り。「—と化す」
●**灰燼に帰す**［句］まる焼けになる。

**かいじん**［怪人］あやしく、ぶきみな人間。

**かいじん**［海神］〔文〕海の神。かいしん。

**がいしん**［外信］外国からの(電報)通信。

**がいじん**［外人］外国の人。〔「外国人」にくらべて、よそ者という感じをあたえる〕「—さん・—部隊」

**かいしんげき**［快進撃］①快調に進撃すること。「陸海軍の—」②快調に〈勝ち進む/成功を続ける〉こと。「—が続くチーム・看板番組の—が止まらない」

**かい・す**［会す］《自五》〔文〕⇩会する。

**かい・す**［介す］《他五》⇩介する。「意に介さない」

**かい・す**［解す］《他五》⇩解する。

**かいず**［海図］《地》海洋の状況をしめした、航海に使う図。

**がい・す**［害す］《他五》⇩害する。

**かいすい**［海水］①海の水。塩分をふくみ しょっぱい。②↑海水浴。「—着・—パンツ」●**かいすいよく**［海水浴］《名・自サ》〔運動や避暑などのため〕海で泳いで楽しむこと。「—場」

**かいすう**［回数］一回、二回…のように、「回」をそえて数える かず。「—を数える」●**かいすうけん**［回数券］乗車・入場・飲食などのできる切符を何枚かひとつづりにまとめたもの。〔割安になることが多い〕

**かいすう**［階数］建物の階の数。

**がいすう**［概数］おおよその かず。「—をつかむ」

**かい・する**［会する］《自サ》〔文〕①大ぜいの人が集まる。「一堂に—」②出あう。「三直線が—」▽会す。

**かい・する**［介する］《他サ》〔両者をつなぐために〕間に置く。はさむ。介す。「通訳を介して話をする・人を—〔=人を、間に立てる〕・意に—〔⇩「意」の［句］〕」

**かい・する**［解する］《他サ》①解釈する。とく。「文意を—」②理解できる。わかる。「英語を—」▽解す。

**がい・する**［害する］《他サ》①〔…に〕害をあたえる。悪くする。「感情を—・気分を—・健康を—」②〔文〕殺す。「人を—」▽害す。

**がい・する**［慨する］《他サ》〔文〕〔社会の現状を〕なげいて悲しむ。「世の風潮を—」

**がいすん**［外寸］箱などの外がわをはかった寸法。外のり。(↔内寸)

**かいせい**［快晴］雲がなく、空が気持ちよく晴れること。

**かいせい**［海生・海×棲］《生》海の中にすむこと。「—生物・—哺乳類」

**かいせい**［回生］㊀**かいせい**《名・自サ》①〔文〕生きかえること。「—の喜びを味わう」☞起死回生。②別のものにして生かすこと。「—ブレーキ〔=走行エネルギーを電気エネルギーに変えるブレーキ〕」㊁［接尾］①〔関西の大学で〕…年生。…学年の人。「二—・上—〔=上級生〕」②…回目の卒業生。「〇〇高校(第)六—」

**かいせい**［改姓］《名・自他サ》姓を改めること。

***かいせい**［改正］《名・他サ》ふつごうな点を改めて正しくすること。「憲法—・—〔=改正された〕少年法」☞改定。

**がいせい**［外政］外国とかかわる政治。外交。「—家」(↔内政)

**がいせい**［慨世］〔文〕今の世の中のありさまをなげくこと。「憂国—の熱弁」

**がいせい**［蓋世］〔=世界をおおいつくす〕〔文〕才能や気力にあふれていること。また、名声のほまれがたいへん高いこと。「—の英雄」

**がいせい**［外征］《名・自サ》〔文〕外国へ軍隊を出して攻めること。

**かいせき**［会席］①〔文〕宴会の席。②↑会席料理。●**かいせきりょうり**［会席料理］①宴会などで、決まった順序で出す日本料理。ごはん・汁物が最後。②宴会などで、あらかじめ お膳にのせて、席に出しておく日本料理。会席膳。▽会席。

**かいせき**［懐石］①茶の湯で、茶を出す前に食べる、簡単な料理。茶懐石。②↑懐石料理。「京—」●**かいせきりょうり**［懐石料理］「懐石①」ふうに作り、決まった順序で出す高級な日本料理。ごはん・汁物が最初で、最後にこい茶を出す。懐石。

**かいせき**［怪石］〔文〕ふしぎな形をした石。「奇岩—」

**かいせき**［解析］《名・他サ》①分析。「データを—する」②《数》関数の性質を研究する、数学の一部門。

**がいせき**［外戚］〔文〕母方の親類。

**かいせつ**［回折］《名・自サ》《理》音・光などの波が障害物のわきをすりぬけるとき、折れ曲がる現象。カメラのしぼりをきつくすると像がぼけるのは、このため。

**かいせつ**［開設］《名・他サ》活動のための〈拠点/窓口〉を作ること。「支店を—する・ホームページを—する」(↔閉設)

**かいせつ**［解説］《名・他サ》(ことがらの)意味を〈わかりやすく〉〈とくこと/といたもの〉。説明。「ニュース—」

☆☆**がいせつ**［概説］《名・他サ》全体にわたって だいたいのことを説明すること。また、その説明。「哲学—」(↔詳説)

**カイゼル ひげ**［カイゼル(×髭)］〔ド Kaiser=皇帝。ドイツ皇帝ヴィルヘルム二世のひげから〕「八」の字の両端が大きく上にはね上がった形の口ひげ。

**かいせん**［回船］おもに江戸時代、沿海航路で物資を輸送した船。「—問屋」

**かいせん**［回線］〔電話・インターネットなどの〕通信ができるように仕組んだ回路。「二四〇—・—の故障」

**かいせん**［怪船］〔文〕正体不明の、あやしい船。

**かいせん**［海戦］《軍》海上の戦闘。(↔空戦・陸戦)

☆☆**かいせん**［海鮮］とったばかりの新鮮な海の魚介

類。「―料理・―なべ」 ●**かいせんどん**［海鮮丼］さしみを上に盛りつけた、どんぶりごはん。☞ちらしずし①。

**かいせん**［×疥×癬］《医》かいせん虫(=ダニに似た小さな虫)がはびこって起こる、かゆい皮膚病。ひぜん(皮癬)。かいぜん。

**かいせん**［会戦］《名・自サ》大部隊が出あって戦うこと。大きな戦闘。

**かいせん**［開戦］《名・自サ》戦争を始めること。〔太平洋戦争の始まりは、一九四一年十二月八日〕(↔終戦)

**かいせん**［回旋］《名・自他サ》〔文〕くるくる〈回す/回る〉こと。 ●**かいせんきょく**［回旋曲］《音》⇩ロンド。

**かいせん**［開栓］《名・自他サ》栓〈が/を〉ひらくこと。「ガスの―」(↔閉栓)

←**かいせん**［改×撰］《名・他サ》歌集・詩集などを編集し直すこと。

→☆☆**かいせん**［改選］《名・他サ》〔議員などの任期が終わって〕選挙し直すこと。「―期」

*__かいぜん__［改善］《名・自他サ》悪い状態を改めて、いい状態に〈する/なる〉こと。「―の余地がある」(↔改悪)

**がいせん**［外線］官庁・会社などから外部へ通じる電話。(↔内線)

☆☆**がいせん**［×凱旋］《名・自サ》①いくさに勝ち、〈かちどきをあげて〉帰ること。「―将軍・―門(=戦勝を記念してつくられた門。例、パリのエトワール凱旋門)」②国際競技大会などで勝って帰ること。「―帰国」

**がいせん**［街宣］《名・自他サ》↑街頭宣伝。「―車」

**がいぜんせい**［蓋然性］〔文〕あることが実際に起こるかどうか、また真実かどうかの確実さの度合い。確からしさ。確率。プロバビリティ(―)。

**かいそ**［開祖］①その宗派・宗教をひらいた人。②その流派などをひらいた人。「蘭学の―」

☆☆**かいそ**［改組］《名・他サ》組織を改めること。

**かいそう**［怪僧］〔文〕正体不明の、あやしい僧。「―ラスプーチン」

←**かいそう**［海草］《植》海の底にはえる、花のさく植物。アマモの類。

→**かいそう**［海藻］《生》海中の岩などにくっついてはえる、藻類の総称。食用になるものもある。例、コンブ・ワカメ。

**かいそう**［海曹］〔軍〕海上自衛官の階級の一つ。准海尉の下、海士長の上。(↔空曹・陸曹)

**かいそう**［階層］■かいそう ①社会をつくる人々を、地位・収入など、ある面に注目して層状に分けたもの。「社会―・所得―・年齢―」②階級。「上流―・武士―」③何層にもつみかさなった形(の、一つ一つの層)。「ピラミッド型の―・コンピューターのフォルダーの―」■接尾 建物の階の上下のかさなり。「十―のビル」

☆☆**かいそう**［会葬］《名・自サ》葬式に集まること。「―者」

**かいそう**［快走］《名・自サ》〔文〕気持ちよくはしること。

**かいそう**［潰走・壊走］《名・自サ》〔文〕戦いに負けて、ばらばらににげること。

**かいそう**［回送］《名・他サ》〔来た手紙やからの車両などを〕別のところへ送ること。「―車」

**かいそう**［回想］《名・他サ》昔のことをいろいろ思い出すこと。「―にふける」

**かいそう**［回×漕］《名・他サ》〔文〕船で荷物を運ぶこと。

**かいそう**［改葬］《名・他サ》〔文〕一度ほうむったお骨や遺体を、別の所へほうむること。

**かいそう**［改装］《名・他サ》①店の外構えや内部を作りかえること。②装丁・体裁などを直すこと。「―本」

**かいそう**［海送］《名・他サ》〔文〕海上の輸送。海運。(↔陸送)

**かいそう**［開創］《名・他サ》〔文〕はじめてその寺をつくること。「行基(=奈良時代の僧)の―」

**かいぞう**［改造］《名・他サ》建物・車・組織などを部分的につくり直して、もとと ちがうものにすること。「倉庫の―・内閣―」

**かいぞう**［解像］《名・他サ》写真や映像で、ものの形を細かい部分まで はっきりと あらわすこと。「―力・―技術」 ●**かいぞうど**［解像度］①解像の度合い。「高―のディスプレイ」②ものごとを細かくとらえる度合い。「―の高い文章」

**がいそう**［×咳×嗽］《名・自サ》《医》せき(咳)。

**がいそう**［外装］《名・他サ》①建物・器具などの、外がわの体裁や装備。「タイルなどの―材」(↔内装)②包装・荷造りなどをしたものの、外がわの部分。

**かいぞえ**［介添え］《名・自サ》①〈病人やからだの不自由な人などの〉そばにいて せわをする〈こと/人〉。「―人・新婦の―をする」②重要な役目の人の補佐。「―役」由来「掻い添える(=寄り添わせる)」の名詞形「掻い添え」の変化。

**かいそく**［会則］会の規則。

←**かいそく**［快足］〔文〕足の速いこと。速い足。

→**かいそく**［快速］■《名・ダ》気持ちのいいほど速いようす。「―調」派―さ。■《名》(↑快速電車)各駅停車より停車駅を少なくして速く走る電車。「特別―」

**かいぞく**［海賊］①海上にいて、船の荷物などをうばうもの。(↔山賊)②許可を得ないでする こと。「―放送(=無許可で領海の外からおこなう放送)」 ●☆☆**かいぞくばん**［海賊版］〔外国の〕著作者にだまって複製した、非合法の出版物など。

**がいそく**［概則］〔文〕あらましの規則。(↔細則)

**がいそふ**［外祖父］〔文〕母方の祖父。(↔外祖母)

**がいそぼ**［外祖母］〔文〕母方の祖母。(↔外祖父)

**かいぞめ**［買い初め］《名・他サ》新年にはじめてものを買うこと。

**かいそん**［開村］《名・自他サ》〔文〕新しく村を作ること。村開き。「選手村―式」(↔閉村)

**かいだ**［快打］《名・自他サ》《野球》胸のすくような、みごとな安打(を打つこと)。クリーンヒット。

**かいたい**［懐胎］《名・自サ》〔文〕⇩懐妊。

**かいたい**［×懈怠］《名・自サ》⇩けたい。

**かいたい**［解体］《名・自他サ》①組み立てられているものをばらばらに〈はなす/くずす〉こと。また、そうなること。「建物の―工事・組織を―する」②〔文〕解剖。「―新書」

**かいたい**［拐帯］《名・他サ》〔文〕あずかったお金や品

物を持ちにげすること。「公金―」

**かいだい**【海内】〔文〕国内。天下。「―無双(むそう)」

**かいだい**【改題】《名・自サ》題名を変えること。

**かいだい**【解題】《名・他サ》書物の成立・体裁(ていさい)・内容などについての解説。表記「開題」とも書いた。

**かいたく**【開拓】《名・他サ》①あれ地または原生林をひらいて田畑とすること。「―地」②新しい分野や領域などを切りひらくこと。「近代美術の―者・販路(はんろ)の―」

☆☆**かいだく**【快諾】《名・他サ》〈気持ちよく/喜んで〉引き受けること。「就任を―する」

**かいだし**【買い出し】(かひ)《名・自サ》遠くまで出向いて、たくさん買い求めること。「食料品の―・戦後の―列車」動買い出す《他五》。

**かいだ・す**【(×掻い)出す】《他五》〔↑かきだす〕中の水をくんで、(勢いよく)外に出す。「池を―・おけの水を―」

**かいたた・く**【買い(×叩く)】(かひ)《他五》〈言い値/相場〉よりずっと安くさせて買う。名買いたたき。

**かいだめ**【買い(×溜め)】(かひ)《名・他サ》品物の不足や値上がりにそなえて、品物をたくさん買ってためておくこと。動買いだめる《他下一》。

**がいため**【外△為】《経》↑外国為替(かわせ)。

**かいだん**【戒壇】《仏》僧(そう)になるための戒律をさずける式場。

**かいだん**【怪談】ゆうれいの話など、りくつで説明できないこわい話。

*__かいだん__【階段】①段になった通路。また、はしごだん。「―止(ど)め(=駅の階段の のぼりおりをいちじ、止めること)・―昇降(しょうこう)機〔⇩昇降機②〕」②順を追って進む等級。「出世の―をのぼる」

**かいだん**【会談】《名・自サ》〈代表者/実力者〉が会って話し合うこと。また、通信によって、会っているときのように話し合うこと。「巨頭(きょとう)―・秘密―・電話―(=電話協議)」

**かいだん**【快談】《名・自サ》〔文〕愉快(ゆかい)に話が はずむこと。

**かいだん**【解団】《名・自他サ》〔文〕団体の組織を解散すること。(↔結団)

**がいたん**【慨嘆・慨×歎】《名・自サ》〔社会・道徳の現状などについて〕困ったことだと言って、なげき いきどおること。「―にたえない」

**かいだんじ**【快男児】〔文〕気性(きしょう)がさっぱりして思い切ったことをする、気持ちのいい男。快男子。

☆☆**ガイダンス**《名・他サ》〔guidance〕①案内。手引き。「音声による―・―ブック」②説明会。「就職―・進路の―」

**がいち**【外地】①第二次大戦終了(しゅうりょう)までの日本が支配していた、内地以外の領土。朝鮮(ちょうせん)・台湾(たいわん)・満州など。(↔内地)②〔本国を中心として〕国外の土地。

**かいちく**【改築】《名・他サ》〔家などを〕建て直すこと。

**かいちゅう**【回虫・×蛔虫】寄生虫の一つ。形はミミズに似て、ヒトに寄生するものは白っぽい色をしている。

**かいちゅう**【海中】海のなか。

**かいちゅう**【改鋳】《名・他サ》(成分を変えて)鋳造(ちゅうぞう)し直すこと。「貨幣(かへい)の―」

**かいちゅう**【懐中】《名・他サ》①ふところ(に入れて持っていること)。「―時計(どけい)・―物(もの)(=さいふ)」②さいふの中(のお金)。「―がとぼしい」③簡単に持ち歩きできること。「―汁粉(じるこ)」●**かいちゅうでんとう**【懐中電灯】乾電池(かんでんち)などを使った、持ち歩くための小型電灯。

**がいちゅう**【害虫】《動》人間・家畜(かちく)・農作物に害をあたえる昆虫(こんちゅう)。例、ウンカ。(↔益虫)

☆☆**がいちゅう**【外注】《名・他サ》《経》外部の業者に、仕事の注文を出すこと。

**かいちょ**【快著】〔文〕痛快な印象をあたえる著書。

**かいちょう**【会長】①会の代表者。「森―」②株式会社で、社長の上の位の人。「取締(とりしまり)役―」

**かいちょう**【回腸】《生》小腸の後半部で、末端(まったん)が大腸に続く、曲がりくねった部分。

**かいちょう**【怪鳥】〔文〕ふしぎな形をした、ぶきみな鳥。

**かいちょう**【海鳥】〔文〕海べや島にすむ鳥。うみどり。

↑**かいちょう**【階調】⇩グラデーション①。

↑**かいちょう**【諧調】〔文〕〔絵・詩・音楽などで〕全体に感じられる調和。ハーモニー。

**かいちょう**【開庁】《名・自サ》〔文〕①新しく官庁をひらいて事務を始めること。②官庁がその日の仕事を始めること。また仕事をしていること。「―時間」▽(↔閉庁)

↑**かいちょう**【開張】一《名・自他サ》大きく〈広がる/広げる〉こと。「―型の樹形」二《動》チョウやガが羽を広げたときの横はば。三《名・他サ》〔「開帳」の転用〕《法》ばくち場をひらくこと。

↑**かいちょう**【開帳】《名・他サ》①〔〈ご/お〉―〕厨子(ずし)をひらき、中に おさめて いつもは見せない仏像を見せること。②⇩開張三。

**かいちょう**【快調】《名・ナダ》気持ちがいいほど調子がいいこと。つごうよく いくようす。好調。派―さ。

**がいちょう**【害鳥】《動》農業・林業・水産業に害をあたえるとり。例、カラス・ゴイサギ。(↔益鳥)

**かいちょく**【回勅】《宗》ローマ教皇が司教にあてて、手紙の形で発表する公式の意見。

**かいちょく**【戒×飭】《名・他サ》〔文〕人に注意をあたえて慎(つつし)ませる〈こと/処分〉。

**かいちん**【開陳】《名・他サ》〔文〕自分の意見を公式の場所でのべること。「持論を―する」

**かいつう**【快通】〔文〕気持ちよく通じがあること。「快便―」

**かいつう**【開通】《名・自サ》①(鉄道・電話などが)はじめて通ること。②故障した鉄道・電話などが、もとどおりに動くこと。「―見こみ不明」

**かいづか**【貝塚】(かひ)縄文(じょうもん)時代などの人類がすてた貝がらや廃物(はいぶつ)が積もってできた遺跡(いせき)。「大森―」

**かいつ・ける**(かひ)《他下一》一【買い(付ける)】〔現地で、また相場の あきないで〕買い入れる。二【買い付ける】いつも決まって買う。名買いつけ。「―の店」

**かいつぶり** 小形の水鳥の名。池や沼(ぬま)にいて、よく水にもぐる。にお。かいつむり。

**かいつま・む**【(×掻い△摘む)】《他五》〔要点を〕とりあげる。「かいつまんで話す」

**かいづめ**【貝爪】(かひ)短くて横に広い感じの つめ。「―の人は器用だ」

**かいて**【買い手】買う人。「―がない」(↕売り手) ●☆☆**かいてしじょう**【買い手市場】①〔品物などがあまっていて〕売るがわより買うがわの立場が強い状態。②不況で、求人がわの立場が強い状態。▽(↕売り手市場)

**かいてい**【海底】海のそこ。「船は―にしずんだ・―火山」

**かいてい**【階×梯】(=階段)〔文〕①段階。順序。「研究の―・出世の―をのぼる」②〔古風〕入門書。手引き。「英文法―」

**かいてい**【開廷】《名・自他サ》法廷で、裁判を始めること。(↕閉廷)

←**かいてい**【改定】《名・他サ》今までのものをやめて、新しく決めること。「価格―・避難計画の―・憲法―」☞改正。

→**かいてい**【改訂】《名・他サ》〔本・文書などの内容を〕改め、直すこと。「辞書の―版・教育指導要領の―」

**かいてき**【快適】《ナダ》環境などの条件がよくて、いい気分にさせるようす。また、その気分。「―な船旅・―ないす」派-さ。

**がいてき**【外敵】〈外部/外国〉から攻めてくる敵。(↕内敵)

**がいてき**【外的】《ナダ》①そのものにとって、外部に関するようす。「―条件」②外に向かって はたらきかけるようす。「―欲求」▽(↕内的)

**かいてん**【回天】(=天をめぐらす)〔文〕天下の形勢を一変させること。また、おとろえた勢いをもりかえすこと。「―の大事業」

**かいてん**【回転】㊀《名・自他サ》①軸を持つものが、まわること。また、まわすこと。「エンジンの―・―いす」②一つの点を中心にして、(まわりを)まわること。「腕を―させる・頭の―(=はたらき)がはやい」③《経》つぎつぎに新しく入れかわること。「客の―がいい店・商品の―率(=売れたら また補充する頻度)」㊁(↑回転競技)《スキー・スノーボード》アルペン種目の一つ。蛇行する形に ならんだ門を通りぬけながらすべる競技。スラローム。〔ぐるぐる回るわけではない〕●**かいてんしきん**【回転資金】会社を維持していくのに必要なお金。運転資金。●**かいてんずし**【回転(:寿司)】すしをのせた小皿がコンベアで客席の前を回り、客が好みのものを取る方式(のすし店)。まわしずし。まわりずし。●**かいてんもくば**【回転木馬】⇩メリーゴーラ(ウ)ンド。●**かいてんやき**【回転焼き】〔関西などの方言〕今川焼き。

**かいてん**【開店】《名・自他サ》①その日の営業のため、店をあけること。②新しく店びらきすること。また、改装後などに店をあけること。「新装―」▽(↕閉店) ●**かいてんきゅうぎょう**【開店休業】《名・自サ》開店していながら、客が来ないので仕事をやすんでいる(のと同じ状態である)こと。

**かいでん**【皆伝】〔初伝・中伝・奥伝と進んで〕奥義をすべて伝えられること。「免許―」

**かいでん**【開田】《名・自サ》畑や原野を、新しく水田にすること。

**がいでん**【外伝】①本伝以外の伝記・逸話。②〔フィクションで〕すでにある作品と世界観を共有しつつ、異なる側面からえがいた小品。スピンオフ。

**がいでん**【外電】外国の通信社から送ってくるニュース。

**かいと**【開都】《名・他サ》はじめて都をつくること。「奈良―」

**カイト**〔kite〕西洋だこ(凧)。「スポーツ―」

**ガイド**《名・他サ》〔guide〕①観光客を案内して説明をする〈こと/人〉。案内(者)。「バス―・―さん」②手びき。「―ブック(=案内書)」 ●☆☆**ガイドライン**〔guideline〕政策や業務などの目標としてしめす基準。指標。指針。「―をもうける」

**かいとう**【会頭】団体の代表者。「商工会議所―」

**かいとう**【快刀】〔文〕気持ちよく切れる かたな。●**快刀乱麻を断つ**句 むずかしい〈事件/問題〉をあざやかに解決する。快刀乱麻。

**かいとう**【怪盗】あらわれては うまくにげる盗賊。「―ルパン」

←*****かいとう**【回答】《名・自サ》問いあわせに対しておこなう、正式の返事。「アンケートの―・―者」

→**かいとう**【解答】《名・自サ》テストなどで、問いや質問にこたえること。また、その こたえ。「模範―・―用紙」

**かいとう**【回頭】《名・自サ》船や車などが向きを変えること。「船を右に―させる」

**かいとう**【快投】《名・自サ》《野球》投手が、〈調子よく/胸のすくような〉ボールを投げて打者をおさえること。

**かいとう**【開頭】《名・自サ》《医》手術のために、頭の骨を切りひらくこと。

**かいとう**【開湯】《名・他サ》〔文〕温泉が見つかって、人がはいりはじめること。「―千年の名湯」

**かいとう**【解党】《名・他サ》(政)党を解散すること。(↕結党)

**かいとう**【解凍】《名・他サ》①冷凍食品を、とかしてもどすこと。解氷。②《情》〔コンピューターで〕圧縮されたファイルを復元すること。展開。「自己―ソフト」(↕圧縮)

**かいどう**【会堂】①集まり・葬式などのために作った建物。②《宗》教会堂。

**かいどう**【怪童】(ふつうの子どもとちがって)大きくて力のある子ども。

**かいどう**【(海×棠)】庭木の一種。春、サクラに似た、それよりも赤く あざやかな花を下向きに ひらく。

←**かいどう**【海道】①海に沿った街道。②↑東海道。「―一」

→**かいどう**【街道】①交通上、重要な道路。「日光―」②大きな目標へつながる過程。「出世―(=出世につながるコース)・全勝―まっしぐら」

**かいどう**【会同】《名・自サ》〔文〕〔事務連絡などのために〕一か所に集まること。また、その集まり。「委員が―する・幹部―」

**かいどう**【開道】《名・自サ》〔文〕行政地域としての、北海道が始まったこと。「―以来百年」

←**がいとう**【外灯】家の外にある電灯。屋外灯。

→**がいとう**【街灯】街路につけた電灯。

**がいとう**【外×套】〔古風〕⇩オーバーコート。

**がいとう**【街頭】まちでの、人通りのあるところ。まちかど。「―演説・―録音」

**がいとう**［該当］《名・自サ》〔一定の条件に〕あてはまること。「一者なし」

**かいどく**［貝毒］ 二枚貝の中にたまった毒。食べると、まひや下痢などを起こす。

**かいどく**［買い得］ 買っておくとトクになること。「お一の品」

**かいどく**［会読］《名・他サ》数人が集まって同じ本を読み、研究や討論をすること。

**かいどく**［回読］《名・他サ》〔文〕一冊の雑誌などを、何人かの間を回して読むこと。回覧。

**かいどく**［解読］《名・他サ》暗号や むずかしい文章などをといて、〈読む／読めるように する〉こと。

**がいどく**［害毒］ 害になる、悪い影響。「一を流す」

**かいどり**［飼い鳥］ 家庭で飼われている鳥。（↕野鳥）

**かいと・る**［買い取る］《他五》買って〈引き取る／引き受ける〉。「借地を一・出版権を一・売値で一・中古ゲームソフト、高価で買い取ります」 名買い取り。

**かいな**［（△腕）］〔雅〕うで。 ●**かいなを返す** 句 『すもう』上手から みつを取られないように、相手の わきの下にさし入れたうでを上げる。

**かいな・い**［（:甲斐ない）］《形》〔古風〕かいがない。むだだ。「今さら何を言っても一ことだ」 派-さ。

**かいなで**［（×搔い×撫で）］〔古風〕とおりいっぺん。うわっつらだけ。「一の風俗小説」

**かいなら・す**［飼い（×馴らす）］《他五》①動物を飼って、言うことをきくようにしつける。②〔俗〕人を、自分の言いなりになるように てなずける。

**かいなん**［海難］ 海上で起こる災難。「一事故」 ●**かいなんしんぱん**［海難審判］《法》発生した海難の責任者を懲戒するため、海難審判所でおこなう審判。

**かいにゅう**［介入］《名・自サ》〔わりこんで〕そのことにかかわること。「軍事的に一する」

**かいにん**［懐妊］《名・自サ》〔文〕子をはらむこと。妊娠。懐胎。

**かいにん**［解任］《名・他サ》任務をやめさせること。「議長を一する」 ✎多く、強制する感じをふくむ。任期満了の場合もある。

**がいにん**［外妊］《医》↑子宮外妊娠。

**かいぬし**［買い主］〔不動産などを〕買うがわの人。（↕売り主）

**かいぬし**［飼い主］ 家畜などを飼っている人。「一をしたう」

**かいね**［買値］ ①買い取る値段。②買い入れの もとね。▽（↕売値）

**かいねこ**［飼い猫］ 飼い主の いるネコ。家猫。（↕野良猫）

*__がいねん__［概念］《名・他サ》ある名前で呼ばれるものに共通する、だいたいの特徴〈を思いうかべること〉。「『犬』の一般的な一・既成一を打ち破る」 ☞観念 ━。 ●**がいねんず**［概念図］ 理解に必要なだいたいのことを、図形にして説明したもの。 ●**がいねんてき**［概念的］《ナダ》①概念を中心としたようす。②具体的でなくて、大ざっぱなようす。

**かいは**［会派］ 政党または大きな団体の中の、派閥や団体。

**かいば**［海馬］ ①たつの おとしご。②《生》大脳の一部で、側頭葉のうらがわにある部分。短期間の記憶をつくることに関係する。 由来 断面の形が、タツノオトシゴに似ていることから。

**かいば**［買い場］《経》買うのに ちょうどいい時期。（↕売り場）

**かいば**［飼い葉］ 牛馬にあたえる、草などの えさ。まぐさ。「一おけ」

**かいはい**［改廃］《名・他サ》〔文〕改めることと やめること。

**がいばい**［外売］《名・自サ》外販。「一部」

**かいばく**［海幕］《法》↑海上幕僚監部。☞幕僚監部。

**がいはく**［外泊］《名・自サ》①自分の家以外の場所にとまること。②入院患者が一時自宅にもどってとまること。「一許可」

**がいはく**［該博］《ナダ》〔文〕なんでも知っているようす。「一な知識」 派-さ。

**かいはくしょく**［灰白色］ 灰色がかった白い色。

**かいばしら**［貝柱］ ①《動》二枚貝などの、貝がらをとじる筋肉。「ホタテーのフライ」 ②ホタテガイなどの「貝柱①」を煮てほしたもの。はしら。

**かいはつ**［開発］《名・他サ》①〔山林などを切りひらいて〕資源や土地を人間生活に役立たせること。「電源一・宅地一」 ②〔教育で〕人間本来の能力を引き出すこと。「自己一」 ③〔研究などを進めて〕新しい分野を切りひらいたり、実用化したりすること。「新製品の一」 ●**かいはつとじょうこく**［開発途上国］⇩発展途上国。

**かいばつ**［海抜］《地》⇩標高。「一ゼロメートル」

**かいばつ**［皆伐］《名・他サ》《農》森林などの木をすべて切りたおすこと。「一事業」

**がいばつ**［外罰］《心》自分の思うようにいかないとき、他人・環境など外部のせいにして文句を言うこと。「一型」（↕内罰）

**かいはん**［改版］《名・自他サ》①《印刷》原版を改めること。②印刷物の内容を改めて出版〈すること／したもの〉。

**かいパン**［海パン］ ↑海水パンツ。

**がいはん**［外販］《名・自サ》〔↑外交販売〕会社・団体などを回って販売すること。外売り。外売。

☆☆**がいはんぼし**［外反×拇×趾・外反母×趾］《医》〔先の細い くつをはき続けたりして〕足の親指が、人さし指がわに曲がった状態。

**かいひ**［会費］ 会を運営するための費用〈として、出席者や会員が出す お金〉。「一制〈=お祝いの金品の代わりに、一定額をしはらう方式〉」

**かいひ**［開扉］《名・自他サ》〔文〕①とびら〈が／を〉ひらくこと。「出入り口の一」（↕閉扉） ②開帳。「秘仏一」

**かいひ**［回避］《名・他サ》そのまま進めば悪い状態になるのを避けること。「ストー・衝突をーする」

**かいひ**［開披］《名・他サ》《法》手紙のはいった封筒をあけること。「信書一罪」

**かいびかえ**［買い控え］〔いい時機が来るまで〕買うのをやめたり、へらしたりすること。「不景気で一が進む」 動買い控える《他下一》。

**かいびゃく**［開×闢］《名・自サ》〔文〕天地の ひらけは

じめ。「—以来〔=これまで一度も〕ないことだ」

**かいひょう**［海氷］《地》海水がこおったもの。「厚い—におおわれる・—面積」

**かいひょう**［海×豹］あざらし。

**かいひょう**［開票］《名・自他サ》投票箱などをひらいて、投票数を調べること。

**かいひょう**［解氷］《名・自他サ》①春になって、海などの氷がとけること。②⇩解凍①。

**かいびょう**［怪猫］〔文〕ばけねこ。

**がいひょう**［概評］《名・他サ》①〔細かい点はとりあげないで〕全体を大づかみにとらえた批評(をすること)。②成績を大きくまとめた区分。「—A」

**かいひん**［海浜］〔文〕はまべ。うみべ。

**かいふ**［開府］《名・自他サ》①幕府〈が/を〉ひらくこと。開幕。「江戸—」②城ができ、まちが つくられること。また、そうすること。「名古屋—」

**かいふ**［回付・×廻附］《名・他サ》〔文〕書類などを送り届けること。「要望書を—する」

**がいぶ**［外部］①そと(がわ)。②自分たちの なかま以外(の人々)。「—の者・—による調査委員会」▽(↕内部)

**かいふう**［海風］①〔文〕海上をふく風。②《天》日中、海から陸へ ふく風。海軟風。(↕陸風)▽うみかぜ。

**かいふう**［開封］《名・他サ》①封をひらくこと。②封の一部を切って中が見えるようにしておくこと。ひらきふう。

***かいふく**［回復・×恢復］《名・自他サ》①もとどおりになること。「体力が—する」②［快復］病気がよくなること。③とりかえすこと。「失地の—」

**かいふく**［開腹］《名・他サ》《医》手術のために、はらを切りひらくこと。「—手術」

**かいぶつ**［怪物］①あやしいもの。ばけもの。②ふつうの人とちがって、えたいの知れない力をもった人物。

**かいぶん**［回文］①上から読んでも下から読んでも同じ音になる文。例、「たしかに貸した」。②回状。▽かいもん。

**かいぶん**［灰分］①物が燃えきった あとに残る かす。はい。②《理》食品の中にふくまれる鉱物質。ミネラル。

**がいぶん**［外聞］①世間のうわさ。「—をはばかる」②面目。体面。●**外聞が悪い**〔句〕人に知られると、きまりが悪い。

**かいぶんしょ**［怪文書］個人・団体などを中傷する、出所のわからない文書。

**がいぶんぴつ**［外分泌］《生》動物の細胞が、あせ・なみだ・消化液などを作って、からだの外や消化器官の表面などに送り出すこと。がいぶんぴ。(↕内分泌)

**かいへい**［海兵］《軍》①海軍の兵士。(↕陸兵)②〔↑海軍兵学校〕旧日本海軍の士官養成機関。③↑海兵隊。●**かいへいたい**［海兵隊］《軍》上陸作戦用に訓練した部隊。アメリカ軍では、海軍とは別の軍。

**かいへい**［開平］《数》平方根の値を求めること。平方に ひらくこと。

**かいへい**［開閉］《名・他サ》ひらいたり とじたりすること。あけたて。●**かいへいき**［開閉器］《理》スイッチ。

**がいへき**［外壁］①〈外がわの/外に向いた〉かべ。②外がわの面。「火口壁の—」▽(↕内壁)

**かいへん**［海辺］〔文〕うみべ。海浜。

**かいへん**［改変］《名・他サ》別の形に変えること。「制度の—」

**かいへん**［改編］《名・他サ》編成・編集をし直すこと。

**かいべん**［快弁］〔文〕聞いていて、気持ちのいい話しぶり。

**かいべん**［快便］気持ちよく大便が出る状態。「快眠—」

**かいほ**［海保］《法》↑海上保安庁。

**かいほう**［会報］会の〈報告/雑誌〉。

**かいほう**［回報］〔文〕〔案内状への出欠の〕返事。

**かいほう**［快方］〔病気・負傷の〕治る方向。よくなるほう。「—に向かう〔=よくなってくる〕」

**かいほう**［快報］〔文〕喜ばしい知らせ。

**かいほう**［介抱］《名・他サ》〔=だきかかえること〕けが人や病人などの せわをすること。

←**かいほう**［開放］《名・他サ》①(戸などを)あけはなすこと。「—厳禁・—感のある露天ぶろ」②だれでも利用できるようにすること。「施設を一般に—する・市場の—」▽(↕閉鎖)●**かいほうてき**［開放的］《ナダ》ありのままを他人に見せ(て平気でい)るようす。あけっぱなし。あけっぴろげ。「—な性格」(↕閉鎖的)

→**かいほう**［解放］《名・他サ》①束縛からときはなって、自由にすること。「奴隷—・苦痛から—される・労働の後の—感・—区」②自由に使わせること。「農地—」

**かいぼう**［海防］海上からの侵入を防ぐこと。海の守り。

**かいぼう**［解剖］《名・他サ》①《生》生物のからだを切りひらいて、形や構造を調べること。②細かく分析して研究すること。「徹底—」

**がいほう**［外方］〔文〕ある地点を取り囲む外がわの部分。(↕内方)

**がいほう**［外報］外国からの通信・電報。「—部」

**がいぼう**［外貌］〔文〕①見た目。外観。②かおかたち。

**かいぼつ**［海没］《名・自サ》〔文〕海の中に しずんで見えなくなること。

**かいぼり**［(×搔い)掘り］《名・他サ》〔魚をとったりするために〕堀や池などの水を全部くみ出すこと。〔動〕かい掘る《他五》。

**がいまい**［外米］外国から輸入する米。(↕内地米)

**かいまき**［(×搔い)巻き］うすく綿が はいって、そでのついた、着物の形の かけぶとん。からだをつつむように かける。

**かいまく**［開幕］《名・自サ》①(幕があいて)演劇などが始まること。②ものごとが始まること。「プロ野球の—・—試合」▽(↕閉幕・終幕)

**かいまけ**［買い負け］《名・自サ》ほしい品物を、競争相手により高い値段で買われてしまうこと。「海外の業者に—する」〔動〕買い負ける《自下一》。

**かいまし**［買い増し］《名・他サ》①買い増すこと。②《経》同じ銘柄の株や外国為替などをさらに買うこと。

**かいま・す**［買い増す］ーかひ《他五》持っているものと同じものを買ってふやす。つぎつぎに買ってふやす。「土地を―・株を―」

**かいまみ・える**［△垣間見える］《自下一》部分的に、少し見える。「星が雲間から―・プロ意識が―」由来 戦前に、「垣間見る」からできたことば。他 垣間見せる《下一》。「プライドを―」

**かいま・みる**［△垣間見る］《他上一》①あいだ・すきまなどから、少し見る。垣間見する〔古風〕。「ものかげから姿を―」②部分的に、少し〈見る／知る〉。「実力の一端(いったん)を―」由来 垣根(かきね)の間から見る意味で、古代からあることば。戦前に「垣間見える」「垣間見せる」が派生し、戦後は「垣間のぞく」「垣間聞く」なども あらわれた。

**かいまわり**［買い回り］かひまはり ①買い物をするときに、あちこちの店を回ってから決めること。「―品（↔最寄(もより)品）」②〔スーパーマーケットなどで〕店内を回ること。「ごゆっくり お―ください」動 買い回る《他五》。

**かいみ**［快味］〔文〕気持ちよさ。おもしろみ。「登山の―」

**かいみょう**［戒名］《仏》①死んだ人に、仏の弟子(でし)になったという意味でつける名前。法名(ほうみょう)。法号。②⇩法名①。▽（↔俗名(ぞくみょう)）

**かいみん**［快眠］《名・自サ》気持ちよく ねむること。〈「―快便」〉

**かいむ**［会務］〔文〕会の事務。

**かいむ**［海霧］〔文〕海上に現れるきり。ガス。うみぎり。

**かいむ**［皆無］《名・ナダ》まったく存在しないようす。「欠席者は―である」

**がいむ**［外務］①外国に関する事務。「―専門委員」②外勤。「―職員」▽（↔内務）●**がいむしょう**［外務省］〔法〕外交や外国に関する行政事務をあつかう中央官庁。

**かいめい**［会名］〔文〕会の名前。

**かいめい**［開明］①〔君主や指導者が〕かしこくても のわかりのいいこと。「―派・―的」②知識が進み、文明が ひらけること。

**かいめい**［階名］《音》基準の音に対する、相対的な音の高さの名前。例、ヘ長調ではファ（F、和名ヘ）を、ト長調ではソ（G、和名ト）を、基準の「ド」と決める。（↔音名）

**かいめい**［×晦冥］《名・自サ・ナダ》〔文〕〔空が〕まっくらになること。くらやみ。「天地―」派 -さ。

**かいめい**［改名］《名・自他サ》名前を改めること。

**かいめい**［解明］《名・他サ》〔不明な点を〕はっきりさせること。

**かいめつ**［壊滅・潰滅］《名・自他サ》①〔組織・建物・都市などが〕すっかりくずれて、なくなること。「―する敵軍・村が―に ひん（瀕）する」②復元しようがないほど激しくこわれること。「―的な被害(ひがい)」③とてもひどくて救いようがないようす。「―的に きたない字」

**かいめん**［海面］海の表面。

**かいめん**［海綿］海綿動物（＝岩や海藻(かいそう)などにくっつく下等な動物）の骨格。細かな穴があき、やわらかい。よく水をすい、けしょう・事務・印刷などに使う。

**がいめん**［外面］外がわの面。うわべ。（↔内面）☞そとづら（外面）。●**がいめんてき**［外面的］《ナダ》①みせかけだけ。②みかけ・外面に関するようす。▽（↔内面的）

**かいめんかっせいざい**［界面活性剤］《理》液体と気体などが接触(せっしょく)する面に作用して、界面張力（＝境界面を収縮させる力）を低くする物質。多く、洗剤として利用される。表面活性剤。

**かいもく**［皆目］《副》〔後ろに否定が来る〕まったく。全然。「―わからない」

**かいもど・す**［買い戻す］ーかひ《他五》いちど売ったものを、ふたたび買う。「株を―」名 買い戻し。

**かいもと・める**［買い求める］ーかひ《他下一》買って手に入れる。

**かいもの**［買い物］ーかひ 一《名・自サ》ものを買うこと。「―に出かける・ネットで―する・―かご」二①買ったもの。これから買うもの。「―を下げて帰る」（↔売り物）②買うと、とくをするもの。「これは お―ですよ」

**かいもん**［開門］《名・自サ》門をひらくこと。（↔閉門）

**がいや**［外野］①《野球》ⓐ内野のうしろのほうの区域。ⓑ↔外野手。▽①（↔内野）②わきで見ている人。責任のない第三者。「―が うるさい」●**がいやしゅ**［外野手］《野球》外野を守る選手。左翼(さよく)手・中堅(ちゅうけん)手・右翼手。外野。（↔内野手）

**かいやく**［改訳］《名・他サ》翻訳(ほんやく)〈し直すこと／し直したもの〉。

**かいやく**［解約］《名・他サ》契約(けいやく)・予約の取り消し。キャンセル。

**かいゆ**［快癒］《名・自サ》〔文〕病気がすっかり治ること。全快。全治。

**かいゆう**［会友］〔文〕①会員（である友人）。②会員以外で、その会に関係のある人。

**かいゆう**［怪優］〔文〕見た目が個性的で、常人(じょうじん)ばなれした演技をする俳優。

**かいゆう**［回遊］《名・自他サ》①ほうぼうを回って〈歩く／出発点に もどる〉こと。「―券・―式庭園」②〔回×游〕《動》〔魚が〕群れを作って（季節的に）移動すること。「―魚（↔定着魚・根つき）」

**がいゆう**［外遊］《名・自サ》〔勉強・外交などの目的で〕外国に旅すること。

**かいよう**［海洋］広い海。●**かいようしんそうすい**［海洋深層水］《地》⇩深層水。●**かいようせいきこう**［海洋性気候］《地》海洋の影響(えいきょう)で、気温の変化が少なく、雨の多い気候。（↔大陸性気候）

**かいよう**［海容］〔文〕海のように広く大きな気持ちで、相手の罪・とがをゆるすこと。「ご―ください」

☆**かいよう**［潰瘍］《医》皮膚(ひふ)や粘膜(ねんまく)の成分が そこなわれ〈ること／たもの〉。「胃―」

**がいよう**［外用］《医》薬を皮膚(ひふ)・粘膜(ねんまく)など、からだの外部につけること。「―薬」（↔内服・内用）

**がいよう**［外洋］そとうみ。大洋。（↔内洋・内海）

**がいよう**［外容］〔文〕外からわかる〈かたち／大きさ〉。

**がいよう**［概要］①だいたいの要点。「記者会見の―・工事―」②〔概容〕だいたいの内容。「制度の―が明らかになる」▽アウトライン。

**かいらい**［界雷］《天》寒冷前線付近の上昇(じょうしょう)気流が引き起こす かみなり。冬でも起こる。（↔熱雷）

**かいらい**［×傀×儡］〔文〕①あやつり人形。くぐつ。②人の思いどおりに使われる者。「―政権」

がいらい【外来】①〈よそ／外国〉からくること。「―者」②〘医〙外から病院へ診察を受けにくること。「―患者」 ●☆☆がいらいご【外来語】外国語から来て、日本語の中にとり入れられたことば。多くは西洋から来たことばで、ふつう、カタカナで書く。例、パン・スキー。〔日本でまねて作ったものを「和製外来語」とも言う〕(↔和語・漢語)☞カタカナ語・洋語・和製英語。●がいらいしゅ【外来種】〘生〙本来の生息地・生育地以外からもたらされた動植物。例、セイタカアワダチソウ。(↔在来種・固有種)

かいらく【快楽】感覚を満足させて感じる、たのしみ・よろこび。「人生の―・―におぼれる」☞けらく(快楽)。

かいらん【壊乱】〘名・自他サ〙〔文〕①秩序が乱れること。秩序を乱すこと。「風俗―」②【潰乱】〔敵にやられて〕兵の統率が乱れること。「部隊が―する」

かいらん【回覧】〘名・他サ〙〔ひとつの書類などを〕順々に回して見ること。「―板」

かいり【海里・×浬・カイリ】海上の距離の単位。一海里は、一八五二メートル。☞ノット。

☆☆かいり【×乖離】〘名・自サ〙〔文〕〔一致すべきなに〕かけはなれること。「実態〈と／から〉―した計画・国民と政治の間に―(=ひらき)がある」

かいり【解離】〘名・自サ〙①〘医〙くっついていたものが、はがれること。「大動脈―(=大動脈をつくる層状の膜の中に血が流れこんで、層がはがれること)・―性同一性障害(=多重人格)」②〘理〙分子が、それを構成している原子(団)やイオンなどに分解すること。

かいりき【怪力】ふしぎなほど強い力。かいりょく。

かいりく【海陸】〔文〕海と陸。陸海。●かいりくふう【海陸風】〘天〙海風と陸風。☞なぎ(凪)。

☆☆かいりつ【戒律】①〘仏〙僧の守るべき規律。②〔宗教上の〕おきて。「―をやぶる」

☆☆がいりゃく【概略】〘名・他サ〙〔細かいところをはぶいた〕だいたい(をのべること)。「―を説明する」

かいりゅう【海流】〘地〙決まった方向へ行く海水の流れ。「日本―」

かいりゅう【海竜】①海にすむ竜。②恐竜のうち、海にすんでいたもの。魚竜や首長竜など。

かいりゅう【回流】〘名・自サ〙①同じ所を回って流れること。「空気が―する・マネーが―する」②別の所へ回って流れること。「北に―する潮流」

かいりょう【改良】〘名・他サ〙現状をよりよい状態に改めること。「品種の―」

かいりょく【怪力】⇨かいりき。

がいりょく【外力】外部から加えられる力。

がいりん【外輪】〔内がわと外がわに、二つ(以上)の輪があるときの〕外がわのほうの輪。☞そとわ(外輪)。●がいりんざん【外輪山】〘地〙複式火山の火口壁のうち、古く噴火した外がわのほう。阿蘇山などに見られる。(↔内輪山)●がいりんせん【外輪船】船の外がわに取りつけた水車状の輪を、蒸気機関などの動力で回して進む船。

かいれい【海×嶺】〘地〙海底にある山脈。「大西洋中央―」

かいれい【回礼】〘名・他サ〙〔文〕〈礼／年賀〉に回ること。「親類の家を―する」

かいれき【改暦】〘名・自サ〙①こよみを改めること。〔日本では明治五年に陰暦から現在の太陽暦への改暦をおこなった〕②年が改まること。

かいろ【回路】①〘理〙電気が循環する道筋。「エアコンの専用―・集積―」②ものがめぐっていく道筋。「神経―・思考―」

かいろ【海路】[一]船の通る、海のみち。ふなじ。「待てば―の日和あり(⇨「待つ」の[句])」[二]〘副〙船に乗って。「―帰国した」▽[一][二](↔陸路・空路)

かいろ【懐炉・カイロ】衣服の内がわに入れて、からだをあたためる道具。「携帯用―」

がいろ【街路】住宅・商店などのある、まちなかの道路。「―樹」

かいろう【回廊】①折れ曲がって長く続く廊下。②細長い地帯・空間。「緑の―・安全―」

かいろうどうけつ【×偕老同穴】〔文〕夫婦がなかよく年をとり、いっしょにほうむられること。

カイロプラクティック【chiropractic】背骨やその両わきなどを指圧する民間療法。カイロ。〔それをほどこす人は、カイロプラクター(chiropractor)〕

がいろん【概論】〘名・自サ〙ある分野の学問について、全体のあらましを論じ〈ること／たもの〉。「文学―」

かいわ【会話】〘名・自サ〙①向かい合って話すこと。また、その話。「―文・英―」②向かい合って話すときのように、間を置かずにことばをやりとりすること。「電話での―・手話で―する・LINEで(文字によって)―する」

かいわい【界×隈】①〔まちなかの〕あたり。近辺。「銀座―で有名な店」②ある分野(の人たち)。「マスコミ―・声優ファン―」

かいわれ【貝割れ・×穎割れ】①たねから出て双葉に分かれた、ごく若い葉。かいわり。②→貝割れ大根。「―サラダ」●かいわれだいこん【貝割れ大根】ダイコンの新芽。ひょろっとしたくきに双葉がついたもの。サラダなどにする。貝割れ菜。貝割れ。

かいわん【怪腕】〔文〕びっくりするほどすぐれたうでまえ。すごうで。

かいん【下院】〔外国の国会で〕日本の衆議院に相当する議院。「―議員」(↔上院)

かいん【課員】〔役所や会社などの〕一つの課に属する職員。

カイン【kine】〘地〙地震のゆれの強さを速度で表した単位。一カインは、一秒間に一センチの動きがある。

がいん【雅印】個人が所持品などにおすはんこ。例、蔵書印。

か・う【〈支う〉】〘他五〙①間に当てがって、支えにする。「しんばり棒を―」②〔話〕〔かぎなどを〕かける。ロックする。

**か・う【買う】〘他五〙①代金をはらって自分のものとする。「キャラメルを―・土地を―・権利を―」(↔売る)②〔お金などの手段で〕手に入れる。「安心を―・世間の歓心を―」③いいと認める。「才能を買って仕事をまかせる・温厚な人がらを買われる」④〔自分のしたことがもとで、よくないことを〕身に受ける。「人のうらみを―・反感を―・失笑を―」⑤進んで引き受ける。「一役―・売られたけんかは買わずばなるまい」[可能]買える。

か・う【飼う】〘他五〙動物に食べ物をあたえて養う。

「犬を―・室内で―」可能 飼える。

**ガウス**〔gauss=もと、人名〕《理》磁束密度(=磁場の強弱をあらわす量)の単位〔記号G〕。☞テスラ。

**カウチ**〔couch〕休息に使う、長椅子。寝椅子。

**ガウチョ**〔ス gaucho〕①南米のカウボーイ。②〔↑ガウチョ パンツ〕《服》女性がはく、スカートのようにゆったりした(すねぐらいまでの)ズボン。

**カウベル**〔cowbell〕①牛の首などにぶら下げる、大きな鈴。〔呼び鈴などにも使う〕②《音》「カウベル①」に似たラテン音楽の打楽器。

**カウボーイ**〔米 cowboy〕〔アメリカ西部などで〕牛飼いの男。カーボーイ〔俗〕。〔西部劇では、馬に乗り、牛の群れをかり集めて輸送する〕

**かうん**〔家運〕一家の運命。「―がかたむく」

**ガウン**〔gown〕①部屋でくつろぐときに着る、長い上着。②〔カトリックの僧・裁判官・大学教授などが着る〕長くてゆったりした上着。「医療用―」

**カウンシル**〔council〕評議や協議などをおこなう組織。「ブリティッシュ―」

☆☆**カウンセラー**〔counselor; counsellor〕カウンセリングの係。相談員。

☆☆**カウンセリング**《名・自サ》〔counseling; counselling〕《心》なやみを持つ人に対し、それを解決するための助言をあたえること。相談。「―を受ける」

**カウンター**〔counter〕①客に応対する、細長い台(のある所)。「案内―・レジ―」②〔飲食店・バーなどで〕客が調理人やバーテンダーと向きあえるように作った、細長いテーブル。(↕ボックス)③数を数える〈道具/装置〉。数取り器。④対抗するもの。「―となる意見・―アタック・―ブロー(=むかえうち。反撃。カウンターパンチ)」⑤〔↑カウンター アタック〕《サッカー》反撃。「―をしかける」▽①～③と④⑤とは語源が別。●**カウンターカルチャー**〔counterculture〕現在の文化や体制に対立する若者文化。対抗文化。反文化。●**カウンターキッチン**〔和製 counter kitchen〕作業台が食卓のほうを向いていて、料理の受けわたしがしやすい台所。対面(式)キッチン。●**カウンターテナー**〔countertenor〕《音》男声で、テナーよりも上の非常に高い音域(で歌う歌手)。カウンターテノール。●**カウンターパート**〔counterpart〕①同格の相手。「交渉の―」②〔国際協力の場などで〕(上下関係のない)現地担当者どうし。●**カウンターパンチ**〔counterpunch〕①《ボクシングなど》相手がパンチを打ってくるのをかわしながら出すパンチ。②相手のすきをつく反撃。

**カウント**〔count〕━《名・自サ》①数えること。②《競技の》得点(計算)。☞ノーカウント。③《ボクシング》一方がたおれたあとの秒数を数えること。「スリー―」━①《理》放射能を持った粒子をガイガー計数管で数えた数。「一万―」②《野球》↑ボール カウント。●☆☆**カウントダウン**《名・自サ》〔countdown〕①あることまでの残り時間を秒単位で数えること。「ロケット打ち上げの―」②いよいよ間近にせまること。「新年をむかえる―」▽秒読み。

**かえ**〔替え〕①替えること。「―が利く・クラス替え」②かわりのもの。予備。「電池の―がない・下着の―」

**かえい**〔花影〕〔文〕〔月の光などがつくる〕花のかげ。

**かえうた**〔替え歌〕ある歌と節が同じで、ことばだけがちがうもの。(↕元歌)

**かえぎ**〔替え着〕着がえにする衣類。着がえ。

**かえし**〔返し〕①(表と裏、上と下などの向きを)返すこと。「手首の―・《野球》センター返し」②返事。(機転の利いた)応答。③波・風・地震が一度やんでまた起こること。④そばじるを作るときに、出しじるとあわせるもの。〔ラーメンの〈しょうゆ味/しお味〉のタレにも言う〕☞お返し。●**かえしぬい**〔返し縫い〕《服》しっかりぬいつけるために、ひと針ごとにもどってから先をぬうこと。●**かえしわざ**〔返し技〕《柔道など》相手の技を外して、逆にかけ返す技。

*****かえ・す**〔返す〕━ かえす《他五》①もとあった〈ところ/状態〉にもどす。「借りた本を―・白紙に―(=何もなかった状態にもどす)・骨を土に―」②返事をする。「―ことばがない(=なんと返事をしていいかわからない)」③〔「反す」〕物の裏を表に置きかえる。ひっくりかえす。「オムレツを―・手のひらを―ような(=それまでとまったく反対の、〈つめたい/そっけない〉)態度」④受けた行為に対して、別の行為で応じる。「恩をあだ(仇)で―」━かえす《自五》①〔むこうへ〕遠ざかる。返る。「寄せては―波の音」②〔古風〕〔こちらへ〕ひきかえす。「返せ、戻せ」━ 造 ①〈もう一度/くり返して〉…する。「読み―」②何かをされたときに、こちらからも逆に同じことをする。「おされておし―」可能 返せる。●**返すときのえんま(閻魔)顔** 句 ⇩借りるときの地蔵顔、返すときのえんま(閻魔)顔〔「借りる」の 句〕。●**かえすがえす**〔返す返す〕《副》何度考えても。本当に。「―(も)残念だ」●**かえすかたなで**〔返す刀で〕《副》①切りつけた刀をもどすやいなや別の相手を切りつけるようす。②一方を攻めたとたん、すぐ他方に攻撃をしかけるようす。

↔**かえ・す**〔帰す〕《他五》①もとの所へ行かせる。帰らせる。「家へ―」②《野球》ランナーを本塁へもどらせて得点する。可能 帰せる。☞き(帰)する。

→**かえ・す**〔(×孵す)〕《他五》たまごを、かえった状態にする。孵化させる。可能 かえせる。

**かえズボン**〔替えズボン〕(上着と別に作った)はきかえ用のズボン。(↕替え上着)

**かえだま**〔替え玉〕①ほんものの代わりに使うにせもの。代わりの人。「―投票」②ラーメン・うどんなどの、おかわりのめん。「―を注文する」

**かえち**〔替え地〕《名・自サ》①土地をかえること。かえた土地。②代わりにあたえる土地。

**かえって**《副・接》ふつうに予想されるのとは反対に。むしろ。「けんかして誤解がとけたので、―よかった・にげる気配はなかった。―近づいてきた」区別「かえって」「むしろ」は多く入れかえ可能だが、「はりきりすぎて、かえって失敗した」など、逆効果を示す場合は「かえって」がよく、「成功と言うより、むしろ失敗だった」など、ふさわしい表現を選ぶ場合は「むしろ」がいい。表記 かたく「△却って」とも。

**かえで**〔(×楓)〕〔↑かえるで(蛙手)〕イロハモミジ類など、葉が小さい手のひら形である落葉樹。秋の紅葉が美しい。もみじ。

**かえば**〔替え刃〕安全かみそりやカッターなどの、取りかえ用の刃。

←**かえり**［返り］㊀ 返ること。「賀状の―」㊁ **かえり** 一度その地位を落ちた人が、またその地位につくこと。「―入幕・―小結」 •**かえり うち**［返り討ち］①あだ討ちにやってきた者を、逆に討つこと。「〔時代劇で〕何をこしゃくな。―にしてくれるわ・―に遭う」②向かってきた者を、逆にやっつけること。「挑戦者を―にする」動返り討つ《他五》〔俗〕。•**かえり ざき**［返り咲き］①時節が過ぎたのに、また花がさくこと。②〔人が〕またもとのように〈栄える/活動する〉こと。「次の選挙で―を目指す」動返り咲く《自五》。•**かえりしょにち**［返り初日］《芝居など》一度中止して、再開したときの、初日。•**かえりち**［返り血］人を斬ったとき、自分にはね返ってくる、相手の血。「―をあびる」•**かえり てん**［返り点］〔漢文訓読のために〕漢字の左下につけて下から上へ返って読むしるし。例、「レ〔⇩レ点〕」「一・二〔⇩一二点〕」「上・下」「甲・乙」。•**かえり ねんが**［返り年賀］相手の年賀状を受け取ってから出す年賀状。もどり年賀。

→**かえり**［帰り］帰る〈こと/とき〉。「子どもの―を待つ・―〔＝復路〕に市役所に行く・買い物に行ったその―、友だちに会った・仕事帰り」（↔行き）•**かえりしんざん**［帰り新参］一度やめたあと、またもとのところで働き始め〈ること/た人〉。•**かえり みち**［帰り道］帰るときに通るみち。帰路。帰途。「―〔＝帰りに〕、書店に立ち寄った」

•**かえり ばな**［返り花］返りざきの花。

←**かえり・みる**［省みる］《他上一》反省する。「自分のおこないを―」

→**かえり・みる**［顧みる］《他上一》①ふり向く。②過ぎ去ったことを思う。「昔を―に〔＝過去を〕ふりかえって、考えてみると」③気にかける。心にかける。「失礼をも顧みず、うかがいました・捨てて顧みない〔⇩「捨てる」の句〕」

**かえる**［〔×蛙〕］トノサマガエル・アマガエルなど、よくはね、よくおよぐ小さい動物。おすは、ゲッゲッ、ゲロゲロなど、いろいろに鳴く。•**かえるの子はかえる** 句 ①平凡な親の子どもは、やはり平凡だ。②〔俗〕子どもの性質は親に似るものだ。•**かえるの面に水** 句〔水をかけられてもカエルは全く困らないことから〕批判や攻撃が効果をあげないこと。かえるの面に小便。•**かえる とび**［〔×蛙〕跳び］①カエルのように、腰をおろした姿勢からピョンとはねてとぶ とび方。②⇩うまとび。•**かえる また**［〔×蟇〕股］社寺建築の部材。梁の上に置かれてその上の重みを支え、装飾をかねる。由来 カエルがまたを広げたような形をしていることから。

←**かえ・る**［返る］㊀ **かえる**《自五》①もとの状態になる。「〈童心/原点〉に―」〔『帰る』とも書く〕・もとの静けさに―」②〔ものが〕もとのところに来る。「忘れ物が―」③［△反る］裏が表にな(って見え)る。「裾が―」㊁ 造 すっかり…する。まったく…する。「しずまり―・あきれ―」可能 返れる。

↔**かえ・る**［帰る・△還る］《自五》①〔人や動物が〕もとの所へ来る。「家に―・土に―〔＝死ぬ〕」②〔来ていた人が〕去る。「客は帰った・帰れよがし〔＝帰れと言わんばかり〕のあつかいを受けた」③《野球》ランナーが本塁へもどって点がはいる。④⇩返る㊀①。可能 帰れる。•**帰らぬ旅** 句 人が死んであの世に行くことのたとえ。「―に出る」•**帰らぬ人となる** 句 死ぬ。•**帰りなんいざ** 句〔文〕(官職をやめて)故郷へさあ帰ろう。〔陶淵明の詩句〕•**かえる さ**［帰るさ］〔雅〕帰るとき。帰るみち。

→**かえ・る**［〔×孵る〕］《自五》①たまごからひなや子が出る。孵化する。②水などでといた葛・小麦粉などが煮えて、すきとおったようになる。

←**か・える**［代える］《他下一》①あるものにほかのものの〈役目/代理〉をさせる。「これをもってごあいさつに代えさせていただきます〔＝きちんとしたあいさつではないという、けんそん〕・命に代えても君を守る・お金も大事だが安全には代えられない」②おかわりをする。「ごはんを三膳も―」可能 代えられる。代える〔俗〕。

↔**か・える**［変える］《他下一》①以前または今とはちがう状態にする。「顔色を―・態度を―」②ちがわせる。「方針を―・位置を―・場所を変えて相談しよう」可能 変えられる。変えれる〔俗〕。

↔**か・える**［換える］《他下一》①相手にものをわたし、ちがう種類のものを受けとる。交換する。「本をお金に―」②今までのものをやめて、ちがったものを選ぶ。「ことばを換えて言えば・置き―・乗り―」③今までとはちがった場所・部署に置く。「配置を―」

→**か・える**［替える］《他下一》①いくつかあるうちの、別のものにする。また、もう一方のものにする。「洋服を―・手を替え品を替え・スイッチを切り―」②次の、新しいものにする。「ピッチャーを―・たたみの表を―・買い―」③二つのものを、たがいの位置・立場に移す。「居間の花と玄関の花を―・入れ―」④場所を移す。「席を―・植え―」

**かえん**［火炎・火×焔］〔文〕ほのお。「―放射器」•**かえん びん**［火炎瓶］ガラスびんに、ガソリンなどを入れたもの。武器として投げつけ、発火させる。

**かえん**［花園］〔文〕花を見るための植物が生いしげっているところ。「原生―」

**かえん**［加塩］《名・自サ》食材に塩分を加えること。「―バター（↔無塩バター）」

**がえん**［賀宴］〔文〕祝宴。

**がえん・じる**［〔△肯んじる〕］《他上一》〔おもに否定の形で〕〔文〕①そうだと言って賛成する。②承知してひきうける。「就任をがえんじない」▽がえんずる。

**かお**［顔］㊀ **かお** ①からだの中で、目・鼻・口などがある部分。「―を洗う」②目鼻だち。「きれいな―の人・美人―」③面目。体面。「―をつぶす」④表情。「明るい―・いやな―をする・あきれ―・心配―」⑤〔人やものの〕場合によって変わる性質・役割など。「休日の―・二つの―を持つ男・街が別の―を見せる」⑥〔相談にのったり、考えをのべたりする〕人(の数)。「―がそろう・―をそろえる」⑦よく知られた名前(の人)。「―で買う・いい―だ」⑧代表的存在。「町の―となるビル」⑨けしょう。「―を直す・―ができていない」㊁ 造〔がお〕〔俗〕…らしさのよく出た。「大人―のコート・旬―バッグ」•**顔が合う** 句 ①出会う。②〔試合などの組み合わせで〕対戦する。•**顔が売れる** 句 世間に広く知られる。他 顔を売る。•**顔が利く** 句 その人の地位・権力がものを言って、無理なことでもできる。

[他]顔を利かせる。●**顔が立つ**[句] 面目が失われないですむ。[他]顔を立てる。●**顔がつぶれる**[句] 面目が失われる。[他]顔をつぶす。●**顔が広い**[句] つきあいが広くて、知っている人が多い。●**顔が見える**[句] ①ものを作る人のことが、外から見てよくわかる。「生産者の一野菜」②関係者どうしで、おたがいの様子がよくわかる。「一支援」●**顔から火が出る**[句] はずかしくて顔がまっかになる。●**顔に書いてある**[句] 言わなくても表情でわかってしまう。「めいわくだと一」●**顔に出る**[句] 心やからだの状態が、顔にあらわれる。「つかれが一」●**顔に泥を塗る**[句] 恥をかかせる。●**顔を洗って出直して来い**[句] 今までのいいかげんな〈態度／考え〉を、すっかり改めてから来い。●**顔を合わせる**[句] ①出会う。「毎日一」②かおあわせをする。●**顔を輝かせる**[句] うれしさを表情にあらわす。「友だちの姿を見るなり一」[直]顔が輝く。●**顔を貸す**[句] たのまれて、人に会う。「顔を貸してくれ(=来てくれ)」〔顔を貸してほしいときは、「顔を借りる」や「お顔を拝借」などと言う〕●**顔をくしゃくしゃにする**[句] うれしさや喜び、悲しみなどの感情を顔全体にあらわす。「顔をくしゃくしゃにして笑う」●**顔を出す**[句] ①〔集まりに〕参加する。「クラス会に一」②〔物の一部が〕少しだけ見える。「ツクシが一」●**顔を作る**[句] ①けしょうをする。「鏡の前で一」②そのような表情をする。「『えっ』という一」

**がお**[顔]〔俗〕⇩かお㊂。

**かおあわせ**[顔合わせ]《名・自サ》①会や相談のため、(はじめて)集まること。「一の食事会・同窓会で一する」②〔試合などの〕組み合わせ。「初一」③〔俳優が〕共演すること。「異色の一」

**かおいろ**[顔色]〔健康や きげんの よしあしをあらわす〕顔の〈色／ようす〉。「一が悪い・一を変える・一瞬、一を動かした」●**顔色を見る**[句] きげんを気にする。〈顔色／目の色〉をうかがう。「人の顔色を見てものを言う」

**かおう**[花押]〔古文書で〕名前の下に書く、記号化した署名。書き判。

(徳川家康)

[かおう]

**がおう**《副》猛獣の鳴き声。「ライオンが一とほえる」

**かおかたち**[顔形] 顔のつくり。目鼻立ち。

**かおく**[家屋] 人が住む建物。「土地と一」

**かおじゃしん**[顔写真]〔その人と認めるのに必要な〕顔の部分を主としてとった写真。

☆☆**カオス**《名・ナダ》〔ギ khaos〕混沌。混乱。「一の時代・部屋の中が一だ」(↔コスモス)

**かおそり**[顔(×剃り)] 顔にはえているひげやうぶ毛をかみそりでそること。また、その器具。「一ケア」

**かおだし**[顔出し]《名・自サ》①(ちょっと)あいさつに行くこと。②(少しの間だけ)出席すること。③テレビやインターネットで、自分の顔を公開すること。「一NG」

**かおだち**[顔(立ち)] (整った)顔のつくり。おもだち。「はっきりした一」

**かおつき**[顔(付き)] ①顔のようす。顔の表情。「変な一をする」②〔毛皮のえり巻きで〕その動物の顔がついていること。「一ボア」

**かおつなぎ**[顔(×繋ぎ)]《名・自サ》①今まで知らなかった人と〈知りあいになる／関係をつける〉こと。②知りあいの関係を続けるために、相手に会うこと。

**かおなじみ**[顔(:馴染み)] 顔を知ってい(て親しい仲にな)ること。また、そういう関係の人。

**かおパス**[顔パス]〔俗〕顔がよく知られていて、入場券・証明書などがなくても入り口を通してもらえたり乗り物に乗れたりすること。

**かおばれ**[顔バレ]《名・自サ》〔俗〕①匿名で活動していたのに、素顔を知られてしまうこと。「ユーチューバーが一した」②顔を見られて、その人だと知られてしまうこと。「バイト先で知り合いに一した」

**かおぶれ**[顔(触れ)]〔出演者・執筆者・出席者などとして〕名前を出す人々。

**かおまけ**[顔負け]《名・自サ》相手にかなわなくて、はずかしくなること。「プロ(も)一(=かなわないほど)の演技」

**カオマンガイ**〔タイ khaaw man kai〕「チキンライス」の、タイでの呼び名。カオマンカイ。

**かおみしり**[顔見知り] 前に会ったことがあって、顔を知っている〈こと／人〉。「一になる」

**かおみせ**[顔見せ]《名・自サ》①はじめて、多くの人に顔を見せること。②[顔:見世] 一座の役者が、そろって見物人に顔を見せること。「一狂言」

**かおむけ**[顔向け] 他人に顔をあわせること。「はずかしくて一ができない」

☆☆**かおもじ**[顔文字]〔メールなどで〕文字や記号を組み合わせて、顔の表情をあらわしたマーク。フェイスマーク。〔例、(^○^)〕☞絵文字㊁。

**かおやく**[顔役] 勢力・名声のある人。「土地の一」

←*****かおり**[香り] ①〔弱いけれどもはっきり感じられる〕いいにおい。「花の一・茶の一」②独特のいい感じ。「芸術の一高い作品」[表記]仮名遣いは、古く「かほり」とも〔本来の仮名遣いではない〕。●**香りを聞く**[句] かおりをかぐ。●**かおりた・つ**[香り立つ]《自五》〔文〕いいかおりが感じられる。「一コーヒー・一若葉」[名]香り立ち。

→**かおり**[薫り] あたりにただよう、いいにおい。「菊の一」

←**かお・る**[香る]《自五》いいかおりがする。「モクセイの花が一」

→**かお・る**[薫る]《自五》①いいにおいがあたりにただよう(ように感じられる)。「菊一季節・風一(⇩「風」の[句])」②⇩香る。

**かおん**[加温]《名・自サ》温度が下がらないように熱を加えること。「一栽培・一器」

**かか**[×呵々]《副》〔文〕大声で笑うようす。あはは。「一大笑」

**かが**[加賀] 旧国名の一つ。今の石川県の南部。加州。

**がか**[画架]〔文〕イーゼル。

**がか**[画家] 絵かき。

**がか**[雅歌]〔=最も美しい歌〕旧約聖書の中の一つで、愛の歌を集めたもの。ソロモンの雅歌。

**がが**[×峨々]《トタル》〔文〕〔山などが〕けわしくそびえ立つようす。「一たる連峰」

かかあ【×嚊・×嬶】〔古風〕つま。おっかあ。〔夫が呼びかけたり、他人に示したりするときの、ぞんざいな呼び方〕 •かかあでんか【×嚊天下・×嬶天下】妻が権力をふるっていばっていること。かかあてんか。(⇔亭主関白)

かかい【歌会】集まって、短歌を発表し批評を受ける会。うたかい。

かがい【加害】〈傷害/損害〉を加えること。「ー者」(⇔被害)

かがい【花街】芸者(・遊女)のいるまち。花柳街。色町。はなまち。

かがい【課外】定まった学科や課業のほか(のもの)。「ー活動・ー授業」

がかい【画会】①画家が自作の絵を売るためにひらく会。②集まって絵をかき、批評しあう会。

☆☆がかい【瓦解】《名・自サ》〔文〕①全体の組織がこわれ、ばらばらにくずれること。崩壊。「内閣のー」②江戸幕府がたおれたこと。「ごー」

かかえ【抱え】(かかへ) 一 ①かかえること。「おーの運転手」②かかえておく芸者・遊女。 二 〔接尾〕両手でかかえるほどの太さ。「ひとー」 •かかえこ・む【抱え込む】《他五》①うでですっかり囲む。「抱え込んで放さない」②自分の勢力範囲内に置く。③〔たくさんの〕ものごとを引き受ける。また、受け持つ。「仕事をー・難題をー」

*かか・える【抱える】(かかへる)《他下一》①うでで囲む(ようにして持つ)。「ギターをー・かばんを小脇にー・抱え上げる」②〔やっかいなものを〕持つ。「乳飲み子をー・借金をー・ストレスをー・仕事をひとりでー」③その上に立って、めんどうを見る立場になる。「運転手をー・多くの子会社をー」〔可能〕抱えられる。

カカオ〔オ cacao〕熱帯にはえる木。種は、ココアやチョコレートの原料。

**かかく【価格】ものの値段。「販売ー・同じー帯(=ある範囲の価格)の製品」 •かかくはかい【価格破壊】《経》商品の値段が大きく下がり、それまでの価格の体系がくずれること。

かかく【家格】〔文〕家の地位。「ーが上がる」

かがく【下顎】〔生〕したあご。(⇔上顎)

かがく【化学】《理》物質の成分・性質、また物質の変化を研究する学問。ケミストリー。「ー作用(=化学変化による作用)・ー的」〔「科学」と区別して「ばけがく」とも読む〕 •かがくしき【化学式】《理》元素記号によって物質の組成や構造を表現した式。組成式、示性式、構造式などがある。例、水の化学式は$H_2O$。 •かがくせんい【化学繊維】化学的に合成して作る繊維。化繊。 •かがくちょうみりょう【化学調味料】⇩うま味調味料。 •かがくはんのう【化学反応】《名・自サ》①《理》物質が〈他の物質と作用しあって〉別の性質の物質になる〈こと/過程〉。「ーが起こる」②取り合わせによって意外な変化が生まれること。「アーティストどうしがーする」 •かがくひりょう【化学肥料】《農》薬品・無機化合物などを使った、人造肥料。過リン酸石灰・硝酸アンモニウムなど。金肥。(⇔有機肥料) •かがくぶっしつかびんしょう【化学物質過敏症】《医》ごくわずかな化学物質に反応して、めまい・頭痛などが起こる病気。日常生活がむずかしくなる。 •かがくへいき【化学兵器】《軍》化学を応用した兵器。例、毒ガス・枯葉剤など。 •かがくへんか【化学変化】《理》原子の結びつきが変わって、物質がほかの物質に変わること。化学反応。例、燃えたり、くさったりすることによる変化。 •かがくりょうほう【化学療法】《医》抗がん剤や抗菌剤などの薬物による治療法。(⇔物理療法)

*かがく【科学】 一 ①一定の方法のもとに、対象を組織的・系統的に研究し、実験し、調査する学問。自然科学・社会科学・人文科学に分けられる。サイエンス。②⇔自然科学。「ー博物館」 二 《自他サ》ものごとをよく観察して、科学的に考えること。「ーする心・ミクロの世界をーする」〔一九四〇年代からの用法〕 •かがくぎじゅつ【科学技術】⇩テクノロジー。「ー立国」 •かがくしゃ【科学者】専門に〈自然〉科学を研究する人。 •かがくてき【科学的】(ナダ)①一定の方法のもとに、ものごとを組織的・系統的に考えるようす。「ーな思考」②科学の成果を利用するようす。「ー捜査」

かがく【価額】《経》そのものの評価に相当する金額。「帳簿ー・株式の発行ー」

かがく【歌学】〔文〕和歌に関する学問。

がかく【画角】①カメラに写る範囲の角度。「ーが広い・ーに収まる」②〈テレビなどの〉画面の横と縦の比率。「十六対九のー」

がかく【画格】〔文〕絵の持つ〈風格/品格〉。

ががく【雅楽】中国から伝わり、日本の奈良・平安時代からおこなわれてきた、宮廷の音楽。

がかくせい【画学生】絵を習う(大)学生。

**かか・げる【掲げる】《他下一》①目立つように、高くあげる。「国旗をー・右手を掲げてあいさつする」②〈目立つように書いて〉しめす。「見出しにー・方針をー」

かかし【〈案山子〉】①田や畑に立てて鳥をおどす人形。②見かけだけは一人前なこと。▽かがし。

かか・す【欠かす】《他五》〔多く、後ろに否定が来る〕①なしですませる。かく。「水は生活にーことができない」②おこたる。休む。「欠かさず出席する」〔可能〕欠かせる。「欠かせない要素」

かかずら・う(かかづらふ)《自五》関係して、はなれられなくなる。かかずらわる。かかずりあう。「小事にー」

かがすり【蚊×絣・蚊〈飛白〉】蚊のような、小さい十文字の模様が、いちめんについたかすり。

かかって【掛かって】《副》〔文〕理由は次のことだけにある、ということをあらわす。ひとえに。もっぱら。「今回の不況はー(=一に)経済政策の誤りにある」

かかと【×踵】①足のうらのうしろ。きびす。②くつの、「かかと①」を包む部分。また、くつの底の、うしろの部分。▽かがと。

かがま・る【〈屈まる〉】《自五》かがんだ状態になる。かがむ。「年をとって腰がー(=曲がる)」

かがみ【鏡】①光線を反射させ、顔や姿を映して見る道具。「ーで見る・子は親のーだ」②〔おー〕⇩かがみもち。③酒だるのうわぶた。鏡板。鏡ぶた。「ーをぬく(=割る)」 •かがみいた【鏡板】①戸・天井などにはめこむ、平たくて大きな板。②能舞台の、うしろの正面の板の壁。③⇩鏡③。 •かがみびらき

［鏡開き］〔開き＝「割り」のいみことば〕①一月十一日に鏡もちを食べる行事。しるこ・揚げもちなどにする。②〔祝いの席で〕酒だるのふたを、〔木づちなどで〕割ってあけること。酒をく（汲）み分けて乾杯する。〔本来は「鏡抜き」〕▽鏡割り。●**かがみもじ**［鏡文字］鏡に写したように、左右逆に書かれた文字。●**かがみもち**［鏡餅］正月や祭りのとき神にそなえる、まるくて平たいもち。おそなえ。おかがみ。●**かがみわり**［鏡割り］⇩鏡開き。

→☆☆**かがみ**［（△鑑）・（×鑒）］てほん。模範。「武士の―・歴史を―とする」

**かが・む**［（△屈む）］《自五》①腰のあたりから上を前に曲げた姿勢になる。②しゃがむ。「かがみこむ」▽こごむ。

**かが・める**［（△屈める）］《他下一》①かがんだ状態にする。「身を―・腰を―」②腰やひざを折り曲げて低い姿勢をとる。「ひざを―」▽こごめる。

**かがやかし・い**［輝かしい・×燿かしい］《形》すばらしくて、強くかがやくようだ。「―業績・―成功」派―さ。

**かがやか・せる**［輝かせる］《他下一》輝くようにする。いきいきとさせる。輝かす。「目を輝かせて話す」

＊**かがや・く**［輝く・×燿く］《自五》①そのものがいちめんに光（って明るく見え）る。②明るくはれやかに見える。「栄光に―・希望に―生活」名輝き。

**かがよ・う**［（×燿う）］《自五》〔雅〕きらめく（ようにかがやく）。名かがよい。

←**かかり**　一**かかり**［係り］〔意味が〕あとの語句にかかる〈こと／ぐあい〉。二**かかり**［係］①受け持って仕事をする〈こと／人〉。受け持ち。「君は何の―だ？・案内―・教育―」②〔役所・会社などで〕組織の単位。課の下。「会計課管理―」表記一部の国立大学や、昔の官庁・鉄道などの場合は「掛」と書く。●**かかりいん**［係員］その事務を受け持つ者。●**かかりかん**［係官］官公庁で事務を担当する役人。「入国―」●**かかりじょし**［係り助詞］〔言〕⇩係助詞。●**かかりちょう**［係長］課の中の、小さな区分〔例、経理課の会計係〕の責任者。「福山―」部長。●**かかりむすび**［係り結び］〔言〕文語で、前に係助詞が来たときに、文の述語を一定の形で結ぶこと。例、「今別れん」に係助詞「こそ」がはいると「今こそ別れめ」になる。☞係助詞。

→**かかり**　一**かかり**［（掛かり）］①かかること。「〔釣り〕―がよい」②動きだすこと。「エンジンの―が悪い」③〔古風〕費用。「―がたいへんだ」二**かかり**［掛］〔官庁・鉄道などで〕係。●**かかりあい**［（掛かり合い）］①関係をもつこと。「―がない」②まきぞえ。▽かかわりあい。動かかりあう《自五》。●**かかりき・る**［（掛かり切る）］《自五》そのことばかりに〈関係／従事〉する。「子どもの世話に―」●**かかり（っ）きり**［（掛かり（っ）切り）］かかりきること。●☆☆**かかりつけ**［（掛かり付け）］いつも診察・治療を受けること。「―の医者・―医」●**かかりゆ**［（掛かり湯）］①ふろで、中にはいらず、からだを洗うときに使う湯。②⇩上がり湯。

**かがり**［（×篝）］①かがり火をたく、鉄製のかご。②↑かがり火。●**かがりび**［（×篝）火］夜中に〈用心の／まわりを明るくする〉ためにたく、たいまつの火。かがり。

**がかり**　造①似かようこと。ふう。「芝居―」②ついやすこと。「三年―」③関係すること。「三人―」④〔…の〕せわになること。「親―」

←**かか・る**［係る］《自五》①かかわる。関係する。「安危に―」②〔意味が〕あとの語句につながる。

↔**かか・る**［架かる］《自五》〔橋などが〕わたした状態になる。「鉄橋が―」

↔＊＊**かか・る**　一［（掛かる）］《自五》①かけた状態になる。「看板がかかっている・かぎが―・声が―・さそいが―・プレッシャーが―・医者に―」②〔魚が〕つり針にひっかかる。「大きいのがかかった」③うっすらと全体にあらわれる。「もやが―」④少しかさなる。「山に雲が―・次の週に―」⑤行動に移る。「仕事に―・ふんどしをしめて―〔⇩「ふんどし」の句〕」⑥〈相手／敵〉にむかっていく。「〔号令で〕かかれ！・かかって来い！」⑦たくさん必要になる。「お金が―・時間が―」二《補動五》〔て―〕はじめから、そのような態度に出る。「もうけ話を疑って―・なめて―」三造①…しそうになる。「死に―」②〈少し／とちゅうまで〉…する。「来―」③相手にむかっていく。「なぐり―」〔「て―」の形にもなる。「斬ってー」〕可能かかれる。

↔**かか・る**［（×罹る）］《自五》〔病気・災難を〕身に受ける。「肺炎に―・兵火に―」

→**かか・る**［（懸かる）］《自五》①空中にうかぶ。「月が中天に―・虹が―」②勝った者がそれを得ることになる。「優勝のかかった一番・百万円の賞金が―」③失敗したらそれが危なくなる。「命が―・次の選挙に政権の命運が―」④〔うまくいくかどうかが〕それによって変わる。「事業の成否は、一人一人の努力にかかっている」表記「懸ける」に比べて、かな書きが多い。

**かかる**《連体》〔↑かくある〕〔文〕こういう。こんな。「―ありさまでは」表記かたく「×斯かる」とも。

**かが・る**［（×縢る）］《他五》《服》①ふちどるようにぬう。「ほころびを―」②〔糸・ひもなどで〕〈ぬって／編んで〉、模様をつくる。名かがり。

**がか・る**　造〔自五をつくる〕①似かよう。…ふうだ。「芝居―」②〔…を〕おびる。「青みがかった黒」

☆☆**かかわらず**　一。「見ていたに―知らないと言う」②…にかかわらず（にかかわらず）で接助〕①〔文〕⇩にも関係なく。「異常の有無に―報告する・〔法〕前項の規定に―〔前項を適用しない例外を言う〕・〔数〕nの値に―〔＝すべてのnについて〕成立する」丁寧かかわりませず。表記「△拘らず」とも書いた。「関わらず」も昔からあるが、新聞などでは避ける。

**かかわりあ・う**［関わり合う］《自五》〔おたがいに〕関係を持つ。名関わり合い。

←**かかわ・る**［（△拘る）］《自五》かかずらう。「つまらぬことにかかわっていられない」

→＊＊**かかわ・る**［関わる・△係わる］《自五》①〔一方に、また、たがいに〕影響をあたえる力を持つ。「命に―病気・ことばは気持ちと密接に―」②それにつながりを持つ。「あの男に―な・事件に―」③その仕事をする。それに参加する。「会社の経営に―」④〔…に〕ついての。「お金に―話」▽関係する。名関わり。可能関われる。

**かかん**［果敢］《ナダ》思い切ってするようす。決断力があるようす。「―な攻撃」派―さ。

**かがん**［花眼］〔文〕老眼。かすみ目。「―の年齢」

**かがんだんきゅう**【河岸段丘】《地》川岸にある階段状の地形。浸食(しんしょく)や地殻(ちかく)変動がくり返されてできる。河成段丘。☞段丘①。

**かき**【下記】〔文〕以下に書きつけること。「—のとおり」(↔上記)☞記書(きが)き。

**かき**【火気】①火の気(け)。「—厳禁」②火の勢い。

**かき**【火器】小銃(しょうじゅう)や大砲(たいほう)などの総称(そうしょう)。

**かき**【〈牡蠣〉】海底の岩につく貝。貝がらは まるみのある おの(斧)の形。肉は白くて、食用にする。オイスター。かき貝。「—鍋(なべ)・—のバターいため・生がき」

**かき**【花×卉】〔文〕花の さいている草。また、観賞用に栽培(さいばい)する草ばな。

**かき**【花季】〔文〕①花のさいている季節。②生け花に使う季節。

**かき**【花期】〔文〕花のさく時期。

**かき**【花器】花〈入れ/いけ〉。

**かき**【垣】〔文〕かきね。「—に花さく・—をめぐらす」

**かき**【柿・×柹】くだものの名。秋、赤黄色に熟す。あまがきとしぶがきとある。また、その木。☞「こけら」の表記。

**かき**【夏季】夏。「—五輪・—バーゲンセール・—休業(=学校や会社の、夏休み)・—一時金」(↔冬季)

**かき**【夏期】夏の間。「—営業時間・—講座」(↔冬期)

**かぎ**【〈×鉤〉】①先が(直角に)曲がった金具。ものをひっかけて〈とめる/引く〉ときに使う。②「かぎ(鉤)①」の形をしたもの。「がん(雁)が—(=＜の形。(↔さお)になってとぶ」③かぎかっこ。

***かぎ**【鍵・カギ】①ⓐさし入れて、錠(じょう)をあけしめする金具。キー。「—穴」ⓑ柱時計などのぜんまいを巻く金具。②錠。「—つきの引き出し・—をかける・—の開け閉め」③解決に役立つ、大切なことがら。「事件を解く—をにぎる」

**がき** 一 **がき**【餓鬼】〔仏〕①生前の罪によって餓鬼道におち、たえず、飢(う)えや、のどのかわきに苦しむ亡者(もうじゃ)。②無縁(むえん)の亡者。「施(せ)—」 二 **がき**【〈餓鬼〉・ガキ】〔俗〕①子ども。「うちの—」②若い者を〈けなす/ののしる〉ときに使うことば。「この—!」

**がぎ**【画技】〔文〕絵をかく技術。

**かきあげ**【〈×搔き〉揚げ】天ぷらの一種。貝ばしら・シバエビや野菜などの細かい材料を、ころもで つなぎ、油であげたもの。「—そば・—丼(どん)」

**かきあ・げる**【書き上げる】《他下一》①一つ一つ書きならべる。書きたてる。②最後まで書いて、仕上げる。名 書き上げ。自 書き上がる(五)。表記 絵は「描き上げる」。

**かきあ・げる**【〈×搔き〉上げる】《他下一》〈乱れた/たれた〉髪(かみ)を〉手を使って、上げる。

**かきあじ**【書き味】書くときの、ペンなどの調子。「すばらしい—」表記 絵は「描き味」。

**かきあつ・める**【〈×搔き〉集める】《他下一》①かきよせて集める。「落ち葉を—」②あちこちから必要なものを集める。「資金を—」

**かぎあ・てる**【嗅ぎ当てる】《他下一》①(物のにおいをかいで)あり場所や中の物などを当てる。②正しく推測する。

**かぎあな**【鍵穴】かぎをさしこむための穴。

**かきあらわ・す**【書き表す】《他五》文章・図などに書いて、考え・感情をあらわす。表記 絵は「描き表す」。

**かきあらわ・す**【書き著す】《他五》文章を書き、本にして出す。

**かきあわ・せる**【〈×搔き〉合わせる】《他下一》手で寄せあわせる。かきあわす。「えりを—」

**かきいだ・く**【〈×搔き〉抱く】《他五》〔文〕両手を回してしっかりだく。

☆**かきいれどき**【書き入れ時】いそがしく働いて、どんどんもうかるとき。由来 売り上げを帳簿(ちょうぼ)に多く書き入れる時期の意味。

**かきい・れる**【書き入れる】《他下一》①きまった場所に書く。「家計簿(かけいぼ)に数字を—」②ちょっとした語句・記号などを書き加える。「資料にメモを—」表記 絵は「描き入れる」。名 書き入れ。「赤字で—(を)する」

**かきいろ**【柿色】①色づいたカキの実のような色。黄色みをおびた赤色。②カキの渋(しぶ)のような色。赤茶色。

**かきうつ・す**【書き写す】《他五》文字や文章などを、別の紙にそのとおりに書きとる。「源氏物語を—」表記 絵は「描き写す」。名 書き写し。

**かきえ**【描き絵】着物・ぞうりなどに直接、模様としての絵をかいたもの。「—ぞうり」

**かきおき**【書き置き】《名・自他サ》①書いてあとに残す〈こと/もの〉。置き手紙。②遺書。動 書き置く(他五)。

**かきおこ・す**【書き起こす】《他五》①〈小説・論文など〉のはじめの部分を書く。「卒業の思い出から—」②録音された音声を文字にする。「取材テープから—」名 書き起こし。

**かきおこ・す**【描き起こす】《他五》写真などを、絵で忠実に再現する。名 描き起こし。

**かきおこ・す**【〈×搔き〉起こす】《他五》火力を強くするために、火鉢(ひばち)の灰や炭火を動かす。

**かきおと・す**【書き落とす】《他五》書かなければならない部分を、うっかり書かないままにする。書きもらす。表記 絵は「描き落とす」。名 書き落とし。

**かきおと・す**【〈×搔き〉落とす】《他五》①付着しているものを引っかいて取り去る。「よごれを—」②ばっさりと切り落とす。「首を—」

**かきおろし**【書き下ろし】旧作の再利用でなく、新しく〈書くこと/書いた作品〉。「文庫版のための—」表記 絵は「描き下ろし」。動 書き下ろす(他五)。

**かきか・える**【書き換える・書き替える】《他下一》〈書き直して/書き加えて〉、新しくする。「数字を—・記録/歴史を—・運転免許(めんきょ)証を—」表記 絵は「描き換える・描き替える」。名 書き換え。

**かきかた**【書き方】①書く方法。「届けの—」②筆のはこび方。「かなの—」③文章を書く技術。「—がじょうずだ」④習字。「—の時間」表記 ①〜③絵は「描き方」。

**かぎかっこ**【〈×鉤括弧〉・カギカッコ】会話・引用文などの前後につける、「 」のしるし。かぎ。●**かぎかっこつき**【〈×鉤括弧〉付き・カギカッコ付き】①文章の中で「 」がついていること。「—のせりふを読む」②⇩かっこ付き。「—の無罪判決(=潔白ではないというふくみがある)」

**かきき・る**【〈×搔き〉切る】《他五》刀の刃(は)を手前に向

けて ものを切る。切り取る。〔強調して〕かっきる。「腹を―」

**かきくだ・す**［書き下す］《他五》①上からしたへ書く。②筆にまかせて書く。③漢文を訓読して、かなまじりの文に書き直す。名書き下し。「―文」

**かきくど・く**［(×掻き)口説く］《他五》「くどく」を強めて言うことば。

**かきくも・る**［(×掻き)曇る］《自五》「くもる」を強めて言うことば。「一天にわかに―」

**かきく・れる**［(×掻き)暮れる］《自下一》①すっかり目がくもって見えなくなる。「なみだに―」②〔空が〕すっかり暗くなる。

**かきくわえ・る**［書き加える］《他五》文字や文章を追加する。表記 絵は「描き加える」。

**かきけ・す**［(×掻き)消す］《他五》「消す」を強めて言うことば。直かき消える《下一》。

**かきごおり**［(欠き)氷］①氷を細かくけずって、シロップなどをかけた食べ物。こおりみず。②氷を小石ぐらいに細かくくだいたもの。ぶっかき〔俗〕。カチワリ。

**かきことば**［書き(言葉)］①文章語。②文章で伝えることば。文字言語。▽(↕話しことば・口頭語) ☞

打ちことば。

**かきこ・む**［書き込む］《他五》①〈その中/限られた部分〉に書く。「欄外に―・法律に―・インターネットの掲示板に―」②ていねいに、細かなところまで書く。③〔コンピューターで〕データを記憶媒体に入れる。表記 ①②絵は「描き込む」。名書き込み。「ネットの―」

**かきこ・む**［(×掻き)込む］《他五》⇩かっこむ。

**かきこわ・す**［(×掻き)壊す］《他五》あせも・おできなどを、ひっかいてくずす。名かき壊し。

**かぎざき**［(×鉤)裂き］〔衣服を〕くぎなどに ひっかけて〈さくこと/できる さけめ〉。

**かぎし**［鍵師］①かぎをあつかったり、錠をあけたりする技術を持つ人。②〔俗〕家・金庫などの錠をあけて、ぬすみを助ける者。

**かきしぶ**［柿渋］しぶガキの若い実からしぼったしるを発酵させた赤黒い液体。工芸品の下塗りや防水用などに使う。

**かきしる・す**［書き記す］《他五》文字や文章を〈書く/書いておく〉。

**かきそ・える**［書き添える］《他下一》文章や絵につけ加えて書く。書き足す。表記 絵は「描き添える」。

**かきぞめ**［書き初め］《名・自サ》新年に はじめて筆で字を書く〈行事/こと〉。筆始め。

**かきそんじ**［書き損じ］書きまちがえること。「―のはがき」表記 絵は「描き損じ」。動書き損じる《他上一》。

**がきだいしょう**［(餓鬼)大将・ガキ大将］遊びやいたずらをするときの、子ども仲間のリーダー。

**かきだし**［書き出し］まとまった文章の最初の部分。冒頭。

**かきた・す**［書き足す］《他五》文字をあとから つけ加える。「手紙の最後に一言―」表記 絵は「描き足す」。名書き足し。

**かきだ・す**［書き出す］《他五》①〈必要/大切〉なことがらをぬき出して書く。「ノートに―」②〔コンピューターで〕データを、別の記憶媒体に入れる。「DVDに―」

**かきだ・す**［(×掻き)出す］《他五》手前に引くような形で手を動かして、中のものを出す。名かき出し。

**かぎだ・す**［嗅ぎ出す］《他五》①〔鼻でかいで〕さがしていたものを見つける。②〔秘密などを〕さぐり出す。

**かきた・てる**［書き立てる］《他下一》①書きならべる。②ことさら注意を引くように書く。「新聞に―」

**かきた・てる**［(×掻き)立てる］《他下一》①たきぎや灯心をかき出すようにして、おとろえかけた火や光を強める。②液体を勢いよくかきまわしてまぜる。「たまごを―」③刺激して、わきあがらせる。「不安を―」

**かぎタバコ**［嗅ぎ(:煙草)］かおりをかいで楽しむタバコ。

**かきたま**［(×掻き△卵)・(×掻き玉)］〔かたくり粉や くず粉でとろみをつけた〕すまし汁に、かきまぜた たまごを流し入れたもの。かきたま汁。「―スープ」

**かきた・める**［書き(×溜める)］《他下一》あとで発表するために、たくさん書いておく。「原稿を―」表記 絵は「描き×溜める」。

**かきちら・す**［書き散らす］《他五》①筆にまかせて書く。「折にふれ書き散らした雑文〔=自分の文章の謙譲表現〕」②あちこちに書く。表記 絵は「描き散らす」。

**かきつけ**［書き付け］書き付けた文書。「証拠の―」

**かきつ・ける**《他下一》一［書き(付ける)］〔心覚えなどのために〕ちょっと書く。「ありあわせの紙きれに―・歌を―・赤で―」表記 絵は「描き付ける」。二［書きつける］いつも書いていて、なれている。表記 絵は「描きつける」。

**かぎつ・ける**［嗅ぎ(付ける)］《他下一》①かいで さぐり当てる。②さぐり出す。「かくれが(家)を―」

**かぎっこ**［鍵っ子］共働きの親を持つ子ども。〔一九六三年に生まれ、六四年から流行した ことば〕由来 玄関の かぎを子どもに持たせることから。

**かきつづ・る**［書き(×綴る)］《他五》ことばを連ねて文章にまとめる。「思い出を―」

**かぎって**［限って］《(**に限って**で副助)》…だけは〔特別に〕。限っては。「うちの子に―そんなことは ありません」

**かきつばた**［(:杜若)］水辺に はえる、アヤメに似た草花。葉は細長く、初夏、むらさきや白の花をひらく。区別 ⇩あやめ①。

**かきつら・ねる**［書き連ねる］《他下一》書いてならべる。ながながと書く。

**かきて**［書き手］①書く人。書いた人。②じょうずに〈文字/文章〉を書く人。表記 絵は「描き手」。

**がきどう**［餓鬼道］《仏》六道の一つ。悪業のために死んでから行くと言われる世界の一つ。常に空腹とのどの かわきに苦しむという。

**かきとば・す**［書き飛ばす］《他五》①速く書く。②一部分をぬかして書く。書き落とす。表記 絵は「描き飛ばす」。

**かきとめ**［書留］なくなったら賠償できるように、記録して受け付ける郵便物。書留郵便。かきどめ。

**かきと・める**［書き留める］《他下一》〔あとで役に立てるために〕書く。書きのこす。表記 絵は「描き留める」。

**かきとり**【書き取り】《名・自サ》①書き写すこと。②言われたことばを文字に書く〈こと／試験〉。動書き取る《他五》。

**かぎと・る**【嗅ぎ取る】《他五》おもてに あらわれていないことを、様子やふんいきなどから知る。察する。「たくらみを―」

**かきな**【(×掻き)菜】葉を食べる春野菜。花のさく前のナノハナ。おひたしなどにする。〔北関東の特産〕「―のいためもの」

**かきなが・す**【書き流す】《他五》〈筆にまかせて／注意しないで〉書く。表記 絵は「描き流す」。名 書き流し。

**かきなぐ・る**【書き(殴る)・書き(×擲る)】《他五》〔なぐる=乱暴にする〕思うままに、乱暴に書く。「メモを―」 表記 絵は「描き殴る」。

**かきなら・す**【(×掻き)鳴らす】《他五》〔弦をはった楽器を〕ひいて鳴らす。「ギターを―」

**かぎなわ**【(×鉤)縄】先の方に「かぎ(鉤)①」を取り付けたなわ。

**かきぬ・く**【書き抜く】《他五》①文章の一部を書きとる。②(いっしょうけんめいに)最後まで書く。表記 絵は「描き抜く」。名 書き抜き。

**かきね**【垣根】①竹を編んだり、木を植えたりして作った、庭などの仕切り。かき。②間をへだてるもの。「プロとアマの―が低くなる・他人との間に―を設ける」

**かきねつ**【夏期熱】《医》暑さが長く続いたときに起こる、赤ちゃんの熱病。

**かきの・ける**【(×掻き△退ける)】《他下一》左右におしのける。

**かきのこ・す**【書き残す】《他五》①書いて、あとの人のために残す。「メモを―」②書くはずのことを書かないで、残す。書きもらす。③終わりまで書かないで、残す。表記 絵は「描き残す」。名 書き残し。

**かきのし**【書き(:熨斗)】おくりものの包み紙などにのしを付ける代わりに「(のし)」と書いたもの。

**かきのたね**【柿の種】小さな柿の種の形をした、ぴりっとからい あられ。〔ピーナッツをまぜたものは「柿ピー」と呼ぶ〕

**かぎのて**【(×鉤の)手】ほぼ直角に曲がっている〈こと／もの〉。

**かぎばな**【(×鉤)鼻】ワシのくちばしのような形に曲がった鼻。わしばな。

**かぎばり**【(×鉤)針】〔編み物で〕先が かぎの形になった針。(↔棒針)

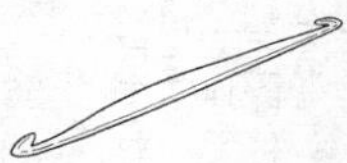
［かぎばり］

**かきはん**【書き判】⇩花押。

**かきま・ぜる**【(×掻き)混ぜる】《他下一》手や箸などを動かして、中のものをまぜる。

**かきまゆ**【描き眉】まゆ毛をそり、まゆずみで まゆの形を〈かいたもの／かくこと〉。かきまゆげ。

**かきまわ・す**【(×掻き)回す】《他五》①手や箸などを入れて、中のものを回し動かす。「さじで―・火(=炭火)を―」②(自分の思うとおりに)〔団体や会合などの〕秩序をみだす。

**かきみだ・す**【(×掻き)乱す】《他五》かきまわして みだす。「心を―」自 かき乱れる《下一》。

**かきむし・る**【(×掻き×毟る)】《他五》ひっかいて めちゃめちゃにする。「かみの毛を―」

**かきもじ**【書き文字】〔印刷したものでない〕手書きの文字。

**かきもち**【(欠き)餅】①もちをうすく切って ほしたもの。焼いて食べる。②⇩おかき。

**かきもの**【書き物】文章を〈書くこと／書いたもの〉。「―に没頭する」

**かぎゃく**【加虐】〔文〕〔他人に〕苦痛やはずかしめをあたえること。「―趣味」(↔被虐)

**かきゃくせん**【貨客船】貨物と旅客とをともにのせる船。

**かきゅう**【下級】下の等級。「―生」(↔上級・中級)

**かきゅう**【火球】①⇩火の玉①。②《天》火の玉のように光る、大きな流れ星。

**かきゅう**【加給】《名・他サ》〔文〕給料・給付を増すこと。(↔減給)

☆☆**かきゅう**【火急】《名・ダナ》〔文〕非常に さしせまっているようす。「―の用」

**かぎゅう**【×蝸牛】〔文〕かたつむり。「―の歩み」●**かぎゅうかくじょう の あらそい**【×蝸牛角上の争い】〔文〕〔カタツムリの角の上で争うような〕小さな世界での争い。つまらないことで争う たとえ。蝸角の争い。

☆☆**かきゅうてき**【可及的】《副》〔文〕できるだけ。なるべく。「―すみやかに」

**かきょ**【科挙】隋代から清代まで、中国でおこなわれた、高級役人の採用試験。

☆☆**かきょう**【佳境】①おもしろい ところ。「話が―にはいる」②けしきのいい ところ。

**かきょう**【家郷】〔文〕ふるさと。

**かきょう**【華×僑】外国に住む、中国の商人。華商。☞華人。

**かきょう**【歌境】〔文〕①うたの じょうずさの段階。「―とみに進む」②うたを詠むときの心境。

**かきょう**【架橋】《名・自サ》〔文〕橋をかけること。また、かけた橋。

←**かぎょう**【家業】①いえの職業。「―をつぐ」②《経》個人でする、小さな規模の営業。自営業。

→**かぎょう**【稼業】お金をかせぐための、商売。仕事。「人気―・しがない―」

**かぎょう**【歌業】〔文〕短歌の分野での業績。

**かぎょう**【課業】学校や仕事の計画の中でわりあてられた学科・業務。「―を終える」

**がぎょう**【画業】〔文〕絵の上での仕事・業績。

**かぎょうへんかくかつよう**【カ行変格活用】《言》動詞の活用の種類の一つ。「来る」〔文語では「来く」〕だけに見られる、不規則な活用。カ変。☞付録「動詞活用表」。

**かきょく**【歌曲】《音》声楽のための曲。リート。

**かきよ・せる**【(×掻き)寄せる】《他下一》手や道具を動かして、自分のほうに〈近寄せる／寄せ集める〉。

**かぎら・ない**【限らない】《形ヌズ》①〔…に―〕その範囲に〈決まらない／とどまらない〉。「税金が高いのは日本(だけ)に―」②〔…と(は)―〕必ず そうだ、とは決められない。「雨が降るとは―」

*__かぎり__【限り】一 かぎり これで終わり、という さかいめ。おしまい。限界。「―がない・―ある命・今を―と戦う・声

を―に〔=声の限界まで〕さけぶ」㊁かぎり ①範囲（内）。「私の知る―（では）問題ない・以下の場合は この―でない〔=例外だ〕」 ②残りなく全部。…だけ全部。「見わたす―・力の―をつくす・あらん―の知恵をしぼる」 ③〔気持ちが〕非常に…なこと。「おはずかしい―です」 ④〔接続助詞的に〕…以上は。「あやまらない―〔=間は〕許さない・神さまでもない―〔=まさか神さまではないので〕無理だ・ここまで来た―は最後までやる」 ㊂【接尾】 限定する気持ちをあらわす。【表記】③④ふつう かな書き。

だけ。「この場―の言いわけ」 ●**かぎりな・い**［限りない］《形》 ①きりがない。はてしがない。 ②この上ない。「―喜び」

**＊＊かぎ・る**［限る］ ㊀《他五》 ①ここまでで終わりという さかいめをつける。「人数を―・限られた人数・島の南を―海峡」 ②その範囲だけに決める。「投稿〈は／を〉未発表作品に―」 ㊁《自五》 ①その範囲だけに決まる。「この問題に限った話ではない・市民に限らず だれでも利用できる」 ②〔…に―〕〔ほかを選べないほど…が いちばん いい。「夏はビールに―・つかれたときは寝るに―」 【可能】限れる。☞限って・限らない。

**かぎろい**［〈陽炎〉］〔雅〕 ①かげろう。 ②夜明け前、東の空に見える陽光。

**かきわ・ける**［書き分ける］《他下一》 区別して書く。「登場人物の性格を―」 【表記】絵は「描き分ける」。【名】書き分け。

**かきわ・ける**［〈×掻き〉分ける］《他下一》 手の先で左右へおし分ける。「人波を―」

**かぎわ・ける**［嗅ぎ分ける］《他下一》 ①においから区別をする。「香水を―」 ②ものごとをさぐって区別をする。「真偽を―」

**かきわり**［書き割り］ 舞台の背景。

**かきん**［家×禽］〔文〕家で飼う鳥。例、ニワトリ・アヒル。（↕野禽）

**かきん**［過勤］ ↑超過勤務。

**かきん**［×瑕×瑾］〔=玉などに ついた きず〕〔文〕ちょっとした欠点。「作品の―を指摘する」

**☆☆かきん**［課金］《名・自サ》 ①料金を課すこと。「時間―制」 ②課された料金をはらうこと。「趣味のオンラインゲームに―する」〔二十一世紀になって広まった用法〕 【✓】お金を取る側の行動に使う ことばが誤解されて、しはらう側にも使うようになった。☞「募金」の【✓】。

**がきんちょ**［ガキンチョ］〔↑餓鬼〕〔俗〕年の行かない子ども。「しょんべんくさい―」

**かく**［角］ ㊀かく ①四角。「―形」 ②四角な材木。「五寸―」 ③《数》たがいにまじわる二つの直線が作る図形（のつくる角度）。「四角形の四つの―・三角形ABCの―B〔∠Bであらわす〕」 ㊁かく《将棋》↑角行。 ㊂【造】 ①すみ。「アジアの東北―」 ②角度。「傾斜―」 ③《競馬》コーナー。「四―から引きはなす」

**かく**［佳句］〔文〕できのいい〈俳句／詩歌の句〉。

**かく**［画・×劃］ 漢字を形づくる、一つ一つの線。

**かく**［格］ ①基準。規則。「―にはまる」 ②ぐらい。格式。「―がちがう・座長―」 ③《言》名詞が、文の中でほかの動詞・名詞などに対して持つ関係。例、主格・所有格など。

**＊かく**［核］ ①ものの中心にある、だいじな部分。「チームの―をになう」 ②《生》細胞を形づくる原形質の中にある、球状の部分。新陳代謝・遺伝に関係する。 ③《地》深さ二九〇〇キロ以深の、地球の中心部。鉄やニッケルから成る。外核と内核に区分される。コア。☞地殻・マントル（mantle）①。 ④《理》↑原子核。「―分裂・―兵器」 ⑤↑核兵器。「―武装・―戦争・―拡散〔=核を持つ国が増えること〕」 ☞核の傘。

**か・く**［欠く］《他五》 ①〔かたいものの〕一部をこわす。「茶わんの ふちを―」 ②〔必要なものを〕持たない。「協調性を―」 ③〔必要なことを〕おこたる。「義理を―」 ④〔―べからざる・―ことのできない など〕なくてはならない。かかせない。「生活に（必要）―べからざるもの」

**か・く**［〈×舁く〉］《他五》 かつぐ。「かご（駕籠）を―」

**←＊＊か・く**［書く］《他五》 ①ペンや筆を使って字などを、目に見えるようにあらわす。「えんぴつで―」 ②〔字をならべて〕文章を作る。「日記を―・手紙を―・メールを―」（↕読む） ③本にして出す。出版する。「入門書を―」 【名】書き。「―問題〔=漢字の書き取りなどの筆記問題〕・えんぴつ書き」 【可能】書ける。

**→か・く**［描く・△画く］《他五》 ①筆などを使って、絵にあらわす。描く。「富士山の絵を―」 ②動いて、円形を作る。「トンビが輪を―」 【名】描き。「ペン描き」 【可能】描ける。

**か・く**［〈×掻く〉］《他五》 ①つめ〈を立てて／の形をしたものを当てて〉こする。ひっかく。「頭を―・かつおぶしを―・熊手で―」 ②手や箸などで、かきまわす。「からしを―」 ③手・道具を使って、おしのける。「水を―・雪を―」 ④切って、取り去る。「寝首を―・新芽を―」 ⑤〔ウルシの幹の〕表面に きずをつけて出たしるを、取る。 ⑥表面に出す。「あせを―・いびきを―・はじを―・べそを―・ほえづらを―・欲を―」 【可能】かける。

**か・く**［〈△構く〉］《他五》 かまえる。作る。「あぐらを―・ふんどしを―〔=着ける〕」

**かく**［確］ ㊀かく《（ト）タル》〔文〕確実であるようす。たしか。「―たる証拠がある・―とした考えをもつ」 ㊁〔視覚語〕↑当選確実。

**＊＊かく**［各］《連体》 それぞれの。「―団体・―学校」

**かく**《副》〔文〕このように。こう。「―考えた結果」 【表記】かたく「×斯く」とも。☞かく言う・かくて・かくなる上は・かくのごとし・かくまで・かくや。

**かく**［閣］【造】 ①高く作った建物。たかどの。「天守―」 ②いわれのある建物・料理店などの名前につけることば。「山水―」

**かぐ**［家具］ 家に そなえつけて使う道具。例、たんす・テーブル・ベッド。「―調度」

**か・ぐ**［嗅ぐ］《他五》 ①〔においを〕鼻で感じ取る。 ②さぐる。「嗅ぎまわる」

**＊＊がく**［学］ ㊀がく ①〔文〕学問。「―にこころざす・―を修める・歴史―・天文―」 ②↑学界。「産―官で支援する」 ㊁がく〔俗〕知識。「―がある〔=いろいろのことを知っている〕」

**がく**［〈×萼〉］《植》花びらを支える、ひらたいもの。多くは、緑色。アジサイやオシロイバナなど花のように見えるものもある。

**がく**［楽］〔文〕音楽（の曲）。「―の音」

**＊＊がく**［額］ ㊀がく 金額。「―が大きい・生産―」 ㊁が

く」字や絵をかいて門・壁にかけるもの。

**かくあげ**［格上げ］《名・他サ》①《経》それまでより高く格づけすること。「国債の―」②資格・地位を上にすること。「支社に―する」▽（↕格下げ）

**かくい**［各位］〔文〕みなさまがた。「会員―・出席者―」🖊「各位殿」「各位様」と言うのは重言。

**かくい**［隔意］〔文〕えんりょ（する気持ち）。「―なく話す」

**がくい**［学位］一定の学術を修めて論文を提出した者にあたえる、博士・修士・学士という呼び名。「―論文」

**かくいう**［かく言う］《連体》〔前の部分をうけて〕このように言う。「―私も知らなかった」〔「かく申す」は、丁重な言い方〕

**かくいがく**［核医学］《医》放射性同位体を使って病気の検査・診断と治療をおこなう医学。

**かくいつ**［画一］《名・ナダ》①どれも同じ規格でそろっていること。②なんでも同じ取りあつかいをすること。「―的・―主義」派-さ。

**かくいん**［各員］〔文〕ひとりひとり。めいめい。

**がくいん**［学院］学校。〔宗教関係や各種学校の名に多く使う〕「明治―・電子技術―」

**がくいん**［楽員］楽団で音楽を演奏する人。

**かくう**［架空］①根拠のないこと。想像で作り出した〈もの／こと〉。「―請求・―の動物」②空中にかけわたすこと。がくう〔専門用語としての読み方〕。「―送電線」

**かぐう**［仮×寓］《名・自サ》〔文〕一時的に住む〈こと／家〉。かりずまい。

**かくうえ**［格上］地位や格式が上であること。（↕格下）

**かくうち**［角打ち］①〔九州などの方言〕酒店で立ち飲みすること。また、その場所。由来 升の角から飲んだことからという。②《将棋》角を打つこと。「勝負の―」

**かくえきていしゃ**［各駅停車］終点まですべての駅にとまる〈こと／列車〉。各停。各駅。「―の旅」

**がくえん**［学園］学校。〔二つ以上の段階の学校を持った私立学校の名に多く使う〕●**がくえんさい**［学園祭］大学・高校などの学生・生徒が、学校の設備を利用しておこなう文化的行事。学祭。

**かくおち**［格落ち］《名・自サ》①〈ほか／以前〉に比べて地位や格式が落ちる〈こと／もの〉。「―の選手」②事故にあって修理した自動車の値段が下がること。

**かくおび**［角帯］かたくて はばのせまい、男の帯。

**がくおん**［学恩］学問や研究の上で受けた恩。「―に感謝する」

**がくおん**［楽音］《理》規則正しく振動する おと。例、楽器の おと。（↕騒音）

**かくかい**［各界］〔文〕⇩かっかい（各界）。

**かくかい**［角界］〔文〕⇩かっかい（角界）。

**かくがい**［閣外］内閣のそと。（↕閣内）

**がくがい**［学外］大学の外部。（↕学内）

**かくかく**《副》〔＝斯く斯く〕こうこう。かようかよう。かっかく。〔二度のべたことばを略して引用するときの言い方〕「―しかじか〔＝『かくかく』の強調〕の理由」

**かくかく**《副・自サ》①角ばったようす。「―（と）した文字」②少し動いては すぐ止まることをくり返し、動きがなめらかでないようす。「―（と）したロボットの動き・首を―（と）動かす」（↕〔動画などの場合、俗に〕ぬるぬる）

**がくがく**《副・自サ》①ついていたものが、ゆるんで動くようす。「取っ手が―する」②からだの一部が小刻みにふるえるようす。「ひざが―する」

☆☆**かくかぞく**［核家族］夫婦と子どもだけの家族。かっかぞく。由来 文化人類学における nuclear family の訳語。

**かくがり**［角刈り］頭全体を四角に見せる、かみの毛のかり方。

**がくかんせつしょう**［顎関節症］《医》あごを動かす筋肉や関節が痛くなったり、口を開けにくくなったりする病気。

**かくぎ**［格技］格闘技。「―場」

☆☆**かくぎ**［閣議］内閣の会議。●**かくぎけってい**［閣議決定］《名・他サ》法案・方針などを、閣議で決めること。閣僚が署名する。〔より軽いものは「閣議了解」〕

**かくぎょう**［角行］《将棋》ななめに いくつでも進める駒。角。かっこう。

**がくぎょう**［学業］学校での勉強（の成績）。

**かくぎり**［角切り］《料》〔食材を〕立方体に〈切ること／切ったもの〉。「カツオの―・―ベーコン」

**かくきん**［核禁］↑核兵器（使用）禁止。「―協定」

**かくぐんしゅく**［核軍縮］《軍》核兵器による軍備をへらすこと。

**がくげい**［学芸］①〔文〕学問と芸術。②〔新聞などで〕文学・芸術・科学など。「―部・―欄」③教員として必要な知識と技術。「―大学〔＝教育大学〕」

●☆☆**がくげいいん**［学芸員］博物館などにつとめて、資料の整理・調査・解説・研究などの仕事をする人。●**がくげいかい**［学芸会］小学校で習ったことを、児童が劇や音楽などの形で発表する会。「―のような歌番組」

**がくげき**［楽劇］《音》歌よりも劇的表現を主とした歌劇。〔ワーグナーが創始した〕

**かくげつ**［隔月］〔文〕一か月おき。「―発行」

**かくげん**［格言］短い ことばで真理をのべ、人のいましめ・教えとすることばとして、言い伝えられているもの。金言。例、石の上にも三年。

**かくげん**［確言］《名・自他サ》はっきり言うこと。はっきりしたことば。

**かくご**［覚悟］《名・自他サ》①すべてを運命にまかせて、心を決めること。あきらめ。「これまで、と―する」②心がまえ。決心。「―はよいか」▽「〈お／ご〉―」

☆☆**かくさ**［格差］同類のものの間の、価格・資格・等級・水準などの ひらき。「賃金の―・貧富の―・―是正」

**かくさ**［較差］〔「こうさ」の慣用読み〕〔くらべたときの〕最高と最低の間のひらき。おもに気象で使う。「気温の―」

**かくさ**［隔差］〔文〕へだたり。

**かくざい**［角材］切り口の四角な木材。

**がくさい**［学才］〔文〕学問をする才能。

**がくさい**［学祭］〔学〕↑学園祭。

**がくさい**［学債］大学などが、経費をまかなうために発行する債券。

**がくさい**【学際】いくつかの学問分野にまたがること。「―的研究(=一つの主題をめぐって、専門のちがう学者が協力しておこなう研究)」
**がくさい**【楽才】〔文〕音楽の才能。
**かくさく**【画策】《名・他サ》計画を立てること。〔悪い意味に使うことが多い〕「悪事を―する」
**かくさげ**【格下げ】《名・他サ》①《経》それまでより低く格づけすること。②資格・地位を下にすること。「係長に―される」▽(↕格上げ)
**かくざとう**【角砂糖】グラニュー糖を角形にかためたもの。
**がくざら**【額皿】立てかけたり、壁に下げたりしてかざる、絵をかいた皿。
**かくさん**【核酸】《生》細胞の核や原形質の中にふくまれる化合物。生物の健康や遺伝に関係がある。
**かくさん**【拡散】《名・自他サ》①広がること。広く行きわたること。また、そのようにすること。「核兵器の―(=保有国が増えること)」②《情》〔インターネットで〕元の情報を多くの人に広めること。また、広まること。「動画を―する」③《理》気体または液体が、どの部分も同じ割合でまじり広がること。
**がくさん**【学参】↑学習参考書。
**かくし**【隠し】①かくすこと。「うそも―もない・―金・―マイク」②ポケット。●**かくしあじ**【隠し味】①《料》料理の味をいっそうよくするために、わずかに加えるもの。「カレーの―にコーヒーを入れる」②センスをよくするためのちょっとしたくふう・アイデア。「デザインの―」●**かくしくぎ**【隠し(×釘)】打ってあることがわからないようにしたくぎ。●**かくしげい**【隠し芸】宴会のときなどに、ふだんは見せない芸を余興として見せること。また、そのときの芸。●**かくしご**【隠し子】自分がその子の親であることを世間にかくしている、子ども。「―がある」●**かくしごと**【隠し(事)】人に知られないように〈かくしているもの/かくすこと〉。「―のない間がら」●**かくしだて**【隠し(立て)】《名・自他サ》正直に言わないで、ことさら かくすこと。「―するとためにならぬぞ」●**かくしだま**【隠し球】①《野球》野手がボールを持っていない そぶりをして走者をだまし、ベースをはなれた走者をアウトにすること。②【隠し玉】最後に出す有力な手段。●**かくしどり**【隠し撮り】《名・他サ》本人に知られないように撮影すること。●**かくしどり**【隠し(△録り)】《名・他サ》本人に知られないように録音すること。●**かくしぼうちょう**【隠し包丁】《料》もりつけたときに見えないように、包丁で切りこみを入れること。火の通りや味のしみこみをよくする。「―を入れる」⇨飾り包丁。●**かくしも・つ**【隠し持つ】《他五》①他人からさとられないように持つ。「かばんの中に武器を―」②〔能力などを〕ひそかに身につける。「意外な才能を―」
**かくし**【客死】《名・自サ》〔文〕⇩きゃくし。
**かくじ**【各自】めいめい。おのおの。各人。「費用は―分担のこと」
**がくし**【学士】大学の学部を卒業した者にあたえられる学位(を持った人)。(↕修士・博士)●**がくしいん**【学士院】(↑日本学士院)学術上の功績の大きい学者を優遇するための栄誉機関。「―会員」
**がくし**【学資】学校で勉強を続けていくための費用。
←**がくし**【楽士】(劇場などに専属して)音楽を演奏する人。
→**がくし**【楽師】①〔文〕楽人。②宮内庁で雅楽を演奏する人。
**がくじ**【学事】〔文〕〈学問/学校〉に関することがら。「―報告」
**かくしき**【格式】身分や地位に応じた交際や生活の作法。「―を重んじる」●**かくしきば・る**【格式(張る)】《自五》格式を重んじて かたくるしくふるまう。「格式ばったあいさつ」
**がくしき**【学識】学問と識見。「―(経験)者」
**かくした**【格下】地位や格式が下であること。(↕格上)
☆☆**かくしつ**【角質】《生》皮膚の表面・かみの毛・つめ、動物の つの・ひづめなど、かたい部分をつくる たんぱく質。ケラチン。「―層(=皮膚の表面の かたい層)・皮膚が―化する(=かたくなる)・古い―が はがれ落ちる」
☆☆**かくしつ**【確執】《名・自サ》〔根の深い〕不和。争い。かくしゅう。「兄弟間の―」
**かくじつ**【隔日】〔文〕一日おき。「―配達」
***かくじつ**【確実】《ナダ》たしかで まちがいがないようす。「―な方法をとる・当選が―になる・―に力をつけている」(↕不確実) 派 ―さ。
**かくじっけん**【核実験】(兵器としての)核分裂・核融合の実験。「臨界前―」
**かくして**《副・接》(=斯くして)〔文〕このようにして。こうして。
**かくしゃ**【各者】〔文〕〔立場・考えのちがう〕それぞれの人。「―各論・―各様」
**がくしゃ**【学舎】〔文〕①学問をする建物。「林間―」②〔大学の〕校舎。
**がくしゃ**【学者】①〔職業として〕学問をする人。②学問のある人。
☆☆**かくしゃく**【(×矍×鑠)】《トタル》年をとっても元気のいいようす。「―とした老人」
***かくしゅ**【各種】いろいろの種類。「―の商品」●**かくしゅがっこう**【各種学校】学校教育法に定められた学校以外の、すぐ役に立つ いろいろの技術・教養を教えるところ。
**かくしゅ**【核種】《理》原子核の種類。「放射性―〔例、ヨウ素一三一、セシウム一三七など〕」
**かくしゅ**【(△鶴)首】《名・自他サ》(=くびをツルのように長くのばすこと)〔文〕今か今かと待つこと。
**かくしゅ**【(×馘)首】《名・他サ》(=首を切る)〔文〕やとい主が やとっていた人を一方的にやめさせること。解雇。首切り。
**かくしゅう**【隔週】一週間おき。
**かくじゅう**【拡充】《名・他サ》広げて充実させること。「施設を―する」
←**がくしゅう**【学修】《名・他サ》まなび おさめること。
→***がくしゅう**【学習】《名・他サ》①(学校の)勉強。「―塾」②自分で経験して、そういう場合に どうすればいいか わかること。「前回の失敗で―した」●**がくしゅうかんじ**【学習漢字】小学校で読み書きを学習する、一〇二六字の漢字。学年別に配当されている。教育漢字。●**がくしゅうしどうようりょう**【学習指導要領】文部科学大臣が公示する教育課程の基準。教科書の編集基準でもある。指導要領。●がくしゅうしょうがい［学習障害］知能などの障害はないのに、ある特定の分野の学習のおくれが目立つこと。LD。

がくじゅつ［学術］学問(と芸術)。「一書」●がくじゅつかいぎ［学術会議］〔↑日本学術会議〕学術研究の促進や、その国際連絡にあたる、国内最高の学術諮問機関。

かくしょ［各所］①それぞれの箇所。②あちこち。

かくしょう［各省］①《法》内閣に属し、各大臣の監督のもとに政務をおこなう機関をまとめた呼び名。②それぞれの省。

かくしょう［確証］たしかな証拠。

がくしょう［楽章］《音》楽曲の、大きな ひとくぎり。「第一一」

かくしょく［各色］いろいろな色。「ケースーあり」

がくしょく［学食］〔学〕↑学生食堂。

がくしょく［学殖］〔文〕深い学識。

かくじょし［格助詞］《言》主として体言について、ほかの体言や用言との関係をしめす助詞。「が・の・を・に・と・へ・から・より」など。

かくしん［核心］ものごとのいちばん重要な部分。「事件の一にふれる」

かくしん［革新］《名・他サ》これまでのしくみを根本から改めて、新しくすること。「一(的な)政党」(↔保守)

かくしん［確信］《名・他サ》かたく信じて〈いること／動かない心〉。「成功を一する」●☆☆かくしんはん［確信犯］①悪いことと わかっていながら〈罪をおかす／わざとやる〉こと。また、そうする人。「今の失言は一だな」②〔本来の意味〕そうするのがむしろ正しいと信じておこなう犯罪。また、その犯罪者。「一的な反政府活動」

かくしん［確診］《名・他サ》《医》確実な診断(をつけること)。「がん(癌)と一する」

かくじん［各人］めいめい(の人)。各自。「一各説〔=人によって、それぞれ〈説／意見〉がちがうこと〉」

がくじん［岳人］〔文〕登山を愛する人。

がくじん［楽人］〔文〕音楽を演奏する人。音楽家。楽師。がくにん。

かく・す［画す・×劃す］《他五》⇩画する。「時代を一」

*かく・す［隠す］《他五》①人に見られないようにする。「姿を見えなくする。「ふところに一・雲が月を一・身を一〔=世間から、かくれる〕」(↔現す)②人に知られないようにする。「秘密を一・弱い自分を一」可能 隠せる。「動揺を隠せない」●隠すより現る 句〔文〕隠すことが結局秘密を知られるもとになる。

かくすい［角(×錐)］《数》底が多角形で、先がとがった立体。例、ピラミッド。

かくすう［画数］一つ一つの漢字を形づくる、線や点のかず。「一の多い字」

かく・する［画する・×劃する］《他サ》①線を引く。「一線を一〔=はっきりと〈くぎり／区別〉をつける〕」②しきる。限る。「時期を一」▽画す。

かくせい［隔世］①時代をへだてること。②《生》とちゅうの世代を(一つ)通りこすこと。「一遺伝〔=たとえば祖父・祖母の特徴を、遺伝の形で受けつぐこと〕」●かくせいのかん［隔世の感］〔過去を思い出して〕時代のちがいが大きいと思う感じ。

かくせい［覚醒］《名・自他サ》〔文〕①目が さめること。②まよい〈から さめる／をさます〉こと。「一時」●かくせいざい［覚醒剤］脳など、神経系統の中心を興奮させて、ねむけをおさえる薬。副作用があり、中毒しやすい。例、LSD・ヒロポン。

かくせい［郭清・×廓清］《名・他サ》《医》がん(癌)を取り除くとき、転移の予防のため、まわりのリンパ節もすべて切除すること。

*がくせい［学生］大学・高等専門学校・大学校などに籍をおいて、教育を受ける人。「一時代〔高校時代までをふくむ場合も言う。その場合は『学校時代』とも〕」(↔児童・生徒)✓学生の中に、自分たちのことを「生徒」と呼ぶ人がいる。●がくせいうんどう［学生運動］学生が組織を作って、政治や社会の改革のためにおこなう活動。

がくせい［学制］学校に関する制度。

←がくせい［学聖］〔文〕学問の道にたいへんすぐれた人。

→がくせい［楽聖］〔文〕音楽に非常にすぐれた人。

かくせいき［拡声器］音や声を大きくする装置。スピーカー。

がくせき［学籍］在学する学生・生徒の籍。「一簿」

かくぜつ［隔絶］《名・自サ》かけはなれて、関係がなくなること。「世間と一した生活」

がくせつ［学説］学問の上での説。

かくせん［角栓］《生》毛穴に皮脂や角質などがたまって固まったもの。コメド(comedo)。「一ケア・一除去」

←かくぜん［画然・×劃然］《トタル》〔文〕線を引いたようにはっきり区別できるようす。「一とちがっている」

→かくぜん［確然］《トタル》〔文〕たしかで、はっきりしているようす。「一たる証拠」

がくぜん［(×愕然)］《トタル》思いもかけないことが起こって、おどろくようす。「一同一とした」

かくせんそう［核戦争］核兵器を使った戦争。

がくそ［学祖］〔文〕①学校などをつくった人。建学者。「本学園の一」②その学問を始めた人。

かくそう［各層］①それぞれの層。②〔社会・団体の中の〕それぞれの階層。「各界一・国民一」

がくそう［学窓］〔文〕〔そこにまなんだ〕学校。「一を巣立つ」

がくそう［学僧］①修行中の、若い僧。②学問の深い僧。

がくそう［楽想］《音》楽曲の構想。

がくそう［額装］《名・他サ》額縁を使った表装。

がくそく［学則］学校での、学生の生活・勉強に関する規則。

がくそつ［学卒］学校卒業(者)。特に、大学卒業(者)。「一者」☞大卒・院卒。

かくそで［角袖］①四角く広い そでのついた、男性の和装用のコート。②和装をした、昔の私服刑事。デカ。由来 もと、和服を「角袖」と言ったことから。

*かくだい［拡大］《名・自他サ》〔範囲・規模などが〕広がって大きくなること。広げて大きくすること。「一鏡・不一」(↔縮小)●かくだいいいんかい［拡大委員会］ふだんよりも人数をふやしてひらく委員会。●かくだいかいしゃく［拡大解釈］《名・他サ》ふつうよりも意味を広げて解釈すること。「条文の一」

●かくだいきんこう［拡大均衡］《経》経済のすべての面で規模を拡大させ、しかも収支のつりあいをとること。(↔縮小均衡) ●かくだいさいせいさん［拡大再生産］《名・自他サ》①《経》利益の一部をふたたび資本に組み入れることによって、生産力を拡大すること。②つぎつぎに同種のものごとをふやすこと。「にくしみが―される」▽(↔縮小再生産)

がくたい［楽隊］〔パレードや式典などで〕音楽を合奏する人の集まり。

かくたん［×喀×痰］《名・自サ》〔文〕たんをはき出すこと。また、そのたん。「―検査」

かくだん［格段］《名・副》〔程度や段階が〕だんちがいに差があるようす。「―のちがいだ・―に進化した」

←がくだん［楽団］音楽の演奏をする団体。「市民―・―員」

←がくだん［楽壇］音楽家の〈社会／なかま〉。

かくだんとう［核弾頭］《軍》ミサイルなどの先に爆弾として取りつける、核爆発式の物質。

かくち［各地］①それぞれの土地。「―の名産」②あちらこちら。「全国―で(=いたるところで)ひらく」

かくち［覚知］《名・他サ》〔文〕気づいて、認識すること。「地震のゆれを―する・火災の―」

かくちく［角逐］《名・自サ》〔文〕たがいに競争すること。「二国間の―」

かくちゅう［角柱］①切り口が四角なはしら。②《数》二つの底面が合同な多角形である多面体。角壔。▽(↔円柱)

かくちょう［格調］〔文章などの〕力強くて整った調子。「―の正しい文章・―高い名作」

かくちょう［拡張］《名・自他サ》広く〈なる／する〉こと。「血管が―する・―工事・事業の―」 ●かくちょうし［拡張子］《情》〔コンピューターで〕ファイル名の最後に、ピリオドのあとにつけて、ファイルの種類を示す文字。例、txt(テキストファイルを示す)。

がくちょう［学長］大学の最高責任者。

がくちょう［楽長］楽隊の指揮者。

かくつう［角通］すもうにくわしい人。

☆☆かくづけ［格付け］《名・他サ》①質や能力などに応じて人やものの等級・段階を決めること。「ホテルの―」②《経》国や企業が債券などの元本や利息をしはらえるかどうかの確実性の度合い(を決めること)。レーティング。「―会社」

がくっと《副》⇩がくんと。「残念な知らせに―なる」

かくて《接》(=斯くて)〔文〕こうして。かくして。

がくテ［学テ］↑学力テスト。

かくてい［各停］↑各駅停車。

←かくてい［確定］《名・自他サ》それにちがいがないと、はっきり〈さだまる／さだめる〉こと。(↔不確定) ●かくていきゅうふがたねんきん［確定給付型年金］〔厚生年金基金などで〕退職後の給付額をあらかじめ決めている年金(制度)。(↔確定拠出型年金) ●かくていきょしゅつがたねんきん［確定拠出型年金］企業または個人が、毎月一定の掛け金を積み立て、その運用成績によって受け取り額が変わる年金(制度)。(↔確定給付型年金) ●かくていしんこく［確定申告］《法》所得税や法人税を決めるために税務署におこなう、前年の所得などの申告。 ●かくていてき［確定的］《ナダ》まちがいなくそうなるようす。「離婚は―だ」

←かくてい［画定・×劃定］《名・他サ》〔文〕線を〈引いて／引くようにして〉はっきりさだめること。「国境―」

カクテキ［↑朝鮮 kkaktugi］大根のキムチ。カクテギ。カクトゥギ。

がくてき［学的］《ナダ》学問的。「―根拠」

カクテル［cocktail］①ベースとなる洋酒に、他の酒やジュース、炭酸水などをまぜてつくった飲み物。コクテール。②ⓐソースとともに(カクテルグラスに)食べやすくもりつけた、魚介類や野菜などの前菜。「エビの―」ⓑ刻んだくだものをまぜあわせてグラスに入れた料理。「フルーツカクテル」③まぜあわせること。まぜあわせたもの。「―光線」 ●カクテルドレス［cocktail dress］《服》カクテルパーティーのときに着るような、はなやかな感じのドレス。 ●カクテルパーティ(ー)［cocktail party］立ったままで、簡単に食べたり飲んだりして楽しむ集まり。

がくてん［楽典］《音》音楽理論。また、楽譜の読み書きに関する規則。

かくど［角度］①「角[一]③」の ひらきの度合い。「―が大きい」②〈見る／考える〉立場。観点。「いろいろな―から考える」

かくど［確度］〔文〕確実さの度合い。たしからしさ。「―の高い情報」

がくと［学徒］①学問をする学生・生徒。「―動員」②学術の研究者。「経済―」

がくと［学都］〔文〕大学そのほかの、学校の多い都市。

がくと［楽都］〔文〕音楽の さかんな都市。「―ウィーン」

かくとう［角灯］(手にさげる)ガラスばりの四角な灯火。ランタン。

かくとう［格闘・×挌闘］《名・自サ》①くみうち。とっくみあい。②非常に苦労して、あるものごとに取り組むこと。「難問と―する」 ●☆☆かくとうぎ［格闘技］ふたりが組み合ったり、手足を打ち合ったりする競技。格技。例、柔道・レスリング。

かくとう［確答］《名・自サ》〔文〕はっきりした返事。「―を得る」

がくとう［学統］〔文〕〈学問／学者〉の系統。「本居宣長の―」

☆☆がくどう［学童］①〔文〕小学生。②↑学童保育(所)。 ●がくどうクラブ［学童クラブ］児童クラブ。学童(保育所)。 ●がくどうほいく［学童保育］共働きなどで保護者が家にいない小学生を、放課後の一定時間、保育する〈こと／場所〉。学童。「―所・―に通う」

かくとく［獲得］《名・他サ》手に入れて自分のものにすること。「優勝旗を―する」

かくない［閣内］内閣の内部。(↔閣外)

がくない［学内］大学の内部。「―の行事」(↔学外)

かくなる-うえは［かくなる上は］《接》〔文〕こうなった以上(は)。「―やむをえない」

かくに［角煮］豚肉・マグロ・カツオなどを角切りにして〈煮ふくめた／煮しめた〉料理。「豚の―」

**かくにん［確認］《名・他サ》はっきりたしかめること。「―を急ぐ・これまでの流れを―(=おさらい)します」

**がくにん**［楽人］ 雅楽を演奏する人。楽師。がくじん。

**かくねん**［各年］〔文〕それぞれの年。

**かくねん**［隔年］〔文〕一年おき。

**がくねん**［学年］ 一か年を単位とする修業期間(で区別した学級)。

**かくねんりょう**［核燃料］《理》ウランなどの核物質から作った燃料。原子力発電に使う。「―再処理」 ●**かくねんりょうサイクル**［核燃料サイクル］〔原子力発電で〕使用ずみ燃料から作るMOX燃料を、原子炉で再利用する方式。高速増殖炉を使う発電と、プルサーマル発電とがある。核燃サイクル。〔実用化していない部分が大きい〕

**かくのう**［格納］《名・他サ》 道具などを箱・倉庫に入れてしまうこと。「消火器―箱」 ●**かくのうこ**［格納庫］ 飛行機・器具などを入れておく倉庫。 ●**かくのうようき**［格納容器］ 原子炉で、圧力容器や蒸気発生器などをおおう容器。原子炉格納容器。☞圧力容器。

**がくのうきん**［学納金］〔↑学生納付金〕 入学した年に大学におさめる、入学金以外のお金。

**かくのかさ**［核の傘］《軍》核兵器を持つ国が、核兵器を持たない同盟国の安全を守る体制。「―にはいる〔＝国の安全保障をはかるため、大国の核兵器で保護される〕」・―の下」

**かくのごとし**〔＝斯くの如し〕〔文〕このとおり。「決定事項は―だ」〔連体詞「かくのごとき《＝このような》」、副詞「かくのごとく《＝このように》」も使われる〕

**がくは**［学派］ 学問での流派。

**がくは**［楽派］《音》音楽、特に作曲のほうの流派。「ウィーン―」

**かくばい**［拡売］ 売り上げを拡大すること。拡販。「重点商品の―」

**かくはいきぶつ**［核廃棄物］ 放射性物質をふくんだ廃棄物。放射性廃棄物。「―貯蔵施設」

**かくばくはつ**［核爆発］《軍》核兵器の爆発。

**がくばつ**［学閥］ ①出身学校による党派。 ②学問上の党派。

**かくば・る**［角(張る)］《自五》 ①かどができる。四角な形になる。「角ばった顔」 ②しかつめらしくする。四角ばる。「角ばった話をする」☞かどば(角張)る。

**かくはん**［各般］〔文〕それぞれ。いろいろ。諸般。「―の事情」

**かくはん**［拡販］《名・他サ》〔↑拡大販売〕 販売の数量をふやすこと。拡売。

**かくはん**［(×攪×拌)］《名・他サ》〔「こうはん」の慣用読み〕 かきまぜること。「―機」

**かくはんのう**［核反応］《理》原子核の分裂や融合を起こす反応。

**がくひ**［学費］ 学校にはいって勉強するのに必要な費用。

**かくびき**［画引き］ 漢字を画数でさがす方式(の索引)。☞音引き①。

**かくひつ**［×擱筆］《名・自サ》〔文〕ふでをおくこと。書き終えること。(↕起筆)

**がくふ**［学府］〔文〕学校。「最高―」

☆☆**がくふ**［岳父］〔文〕妻の父。しゅうと。(↕岳母)

**がくふ**［楽譜］《音》楽曲を一定の記号で書きあらわしたもの。

**がくぶ**［学部］ ①〔総合大学などで〕専攻学科によって大きく分けた、それぞれの部。「文理―」 ②〔大学院などに対して〕大学の本科。

**がくふう**［学風］ ①学問の傾向。 ②学校の気風。「大学の―」

**かくふく**［拡幅］《名・他サ》〔文〕道路などのはばを広げること。「―工事」

**かくぶそう**［核武装］《名・自サ》 核兵器をそなえること。

**がくぶち**［額縁］ ①「額㊁」のまわりを囲んでかざりとするわく。 ②かざりのために、窓・出入り口のまわりにはめた木。 ③かけぶとんなどのカバーの一種。「額縁①」のように囲んで付ける。 ④〔俗〕つめあわせ食品〔おもにみやげ用〕のまわりに紙などをつめて大きく見せかけること。

**かくぶっしつ**［核物質］《理》核兵器や核燃料の原料となる原子核。例、ウラン・プルトニウム。

**かくぶん**［確聞］《名・他サ》〔文〕まちがいのない情報を聞きこむこと。

**かくぶんれつ**［核分裂］《名・自サ》〔↑原子核分裂〕《理》ウランなどの重い原子核が、中性子の衝突により、二つ以上に分かれること。(↕核融合) ☞原子爆弾。

**かくへいき**［核兵器］《軍》核分裂または核融合のときに出るエネルギーを利用した兵器。例、原子爆弾・水素爆弾。

**かくべ(え)じし**［角△兵△衛×獅子］ ⇩えちごじし(越後獅子)。

**かくへき**［隔壁］〔文〕 ①かべの形をした仕切り。 ②間をへだてるもの。「心理的―」

**かくべつ**［格別］《副・ナダ》 ①中でも特別であるようす。「ピアノは―好きだ・《手紙》平素は―のご支援をたまわり…」 ②特別に変わったようす。「―なこともなかった」 ③〔古風〕ともかく(も)。「見たいというなら―、むりに見せる必要はあるまい」

**かくへん**［確変］《名・自サ》 ①〔↑確率変動〕〔パチンコなどで〕当たりの確率が高くなること。「―を引く」 ②〔俗〕思いがけない幸運にめぐりあうこと。「ホームランが続くなんて―だ」

***かくほ**［確保］《名・他サ》 ①たしかに手に入れて、しっかり〈持つ/たもつ〉こと。「必要な人員の―・地位を―する・あおむけにして気道を―する」 ②《登山》落ちないように、からだをザイルで支えること。 ③容疑者をとりおさえること。また、被害者をすくいだすこと。「身柄を―する」

**かくほう**［確報］ ①〔文〕たしかな情報。「―を得る」 ②速報に修正を加えて確定したデータ。「―値」〔さらに改定したものは「確々報」〕(↕速報)

**かくぼう**［角帽］ ①上の部分がひし形になった、大学の学帽。 ②大学生のたとえ。「―姿」

**がくほう**［学報］ ①学術上の〈報告/雑誌〉。「人文―」 ②大学が職員や学生に、大学のニュースなどを知らせるための定期刊行物。

**がくぼう**［学帽］ 〈大学/学校〉で、そこの学生が使うものとして決めた帽子。

☆☆**かくま・う**［(△匿う)］《他五》〔追われている人などを〕安全な所にかくす。「犯人を―」

**かくまく**【角膜】《生》眼球の黒目の部分をおおう、すきとおった角質の膜。

**かくまで**《副》〔=斯くまで〕〔文〕こうまで。こんなに(まで)。

**がくむ**【学務】学校や教育に関する事務。「―課」

**かくめい**【革命】〔=王朝がかわること〕①国家や社会の組織の、急激な変革(をおこなうこと)。「フランス―・―家」②根本的な改革。「技術―・―的発明」

☆☆**がくめい**【学名】①《生》動植物などにつける、各国共通の名前。ラテン語でつける。☞和名②。②〔文〕学問での評判・名誉。「―があがる」

**がくめん**【額面】①〈証券/お金〉の表面に書かれた金額。②ことばの表面的な意味。●**がくめんどおり**【額面〔通り〕】①表示金額のとおり。②ことばの意味のとおり。〔深読みせずに〕ありのまま。「―には受け取れない」●**がくめんわれ**【額面割れ】《経》証券の相場が額面の金額より安くなること。

**かくも**《副》〔=斯くも〕〔文〕程度の大きさをあらわす。これほどにも。「―おおぜいの方にお集まりいただき」

**かくもち**【角餅】四角いもち。(↔丸餅)

**がくもん**【学問】㊀《名・自サ》いろいろな知識をまなぶこと。また、習い覚えた知識。㊁新しい知識を得たり、知識を体系的にまとめあげたりしたもの。学。学術。●**学問に王道なし**句 学問にらくな方法はない。だれでも苦労して学ばなければ、身につかないものだ。由来 古代ギリシャの数学者ユークリッドがプトレマイオス王に言った「幾何学に王道なし」から。●**がくもんてき**【学問的】《ナダ》学問に関係があるようす。学問の論理を通してするようす。「―な検討を加える」(↔常識的)

**かくや**〔↑斯くやあらん〕〔文〕おそらく同様であること。「鬼にも―と思われる目つき・満員電車も―の人ごみ」

**がくや**【楽屋】〔=音楽を演奏するところ〕①〈劇場・放送局で〉出演者が準備や休息をするひかえ室。②内輪のこと。うちまく。「―話」●**がくやうら**【楽屋裏】①「楽屋①」の中。②〔外部の人の知らない〕内輪のようす。「―をさらけ出す」●**がくやおち**【楽屋落ち】①なかまだけが聞いてわかること。②内部の事情を説明すること。●**がくやすずめ**【楽屋〔×雀〕】「楽屋①」に出はいりして芝居の事情にくわしい人。

**かくやく**【確約】《名・他サ》はっきりと約束すること。たしかな約束。「返済を―する」

**かくやす**【格安】《名・ナダ》同じ程度のほかのものより、値段がずっと安いようす。派-さ。

**がくゆう**【学友】①同じ学問をする友人。②学校ともだち。

**がくゆう**【岳友】いっしょに登山をする友だち。「四十年来の―」

**かくゆうごう**【核融合】〔↑原子核融合〕《理》水素などの軽い原子核が結びついて、より重い一つの原子核になること。このとき、大きなエネルギーを出す。(↔核分裂)☞水素爆弾。

**かくよう**【各様】それぞれのありさま。「各人―〔=人によってそれぞれにちがうこと〕」

**がくようひん**【学用品】学校の授業などに必要な文房具。

**かぐら**【神楽】①神事でおこなわれる舞楽。②民間の神社に昔から伝わる、舞の劇。さとかぐら。☞お神楽。

**かくらん**【×霍乱】〔文〕暑さにあたって、はいたりくだしたりする急性の病気。暑気あたり。☞鬼の霍乱。

**かくらん**【〔×攪〕乱】《名・他サ》〔「こうらん」の慣用読み〕集団の秩序をかきみだすこと。「平和を―する」

**がくラン**【学ラン】〔俗〕①つめえりの学生服。②たけの長い上着、だぶだぶなズボンの学生服。由来「ラン」は洋服の俗語。江戸時代、オランダ人〔=蘭人〕が着たから。

**かくり**【隔離】《名・自他サ》①〈へだたる/へだてる〉こと。②《医》うつりやすい感染症の患者を別の場所にはなしておくこと。「―病室」

**がくり**【学理】〔文〕学問での理論。

**かくりつ**【確率】ある現象の起こりうる割合。たしからしさ。公算。プロバビリティ(1)。「―が高い」

**かくりつ**【確立】《名・自他サ》しっかり〈たつ/たてる〉こと。「基礎を―する」

☆☆**かくりょう**【閣僚】内閣を構成している、国務大臣。閣員。

**がくりょう**【学寮】①学校の寄宿舎。②寺院の中の、学問をする場所。

**かくりょく**【核力】①《理》原子核を形づくる陽子や中性子の間にはたらく、強い引力。②↑核武装力。

**がくりょく**【学力】学問を理解し応用する力。

**がくりん**【学林】〔文〕お寺や教会の中にもうけた学校。

**かくれ**【隠れ】かくれること。おもてにあらわれないこと。「―場所・―ファン」☞おかくれ。●**かくれが**【隠れ〔家〕】〔が↑か(処)〔=場所〕〕①かくれて住む家。かくれ場所。②おちついてすごせる、あまり知られていない〈場所/飲食店〉。●**かくれキリシタン**【隠れキリシタン】《歴》江戸時代、弾圧からのがれるため、かくれてキリスト教を信仰した人たち。●**かくれざと**【隠れ里】町や村から遠くはなれた、山の中の集落。●**かくれみの**【隠れ〔×蓑〕】〔=それを着ると姿が見えなくなるみの〕①人の目をごまかす、うわべのもの。「福祉を―にした詐欺」②自分の身を守るにげ場。「私には文学という―がある」●**かくれもない**【隠れもない】《形》だれにでもよく知られている。隠れない。「天下に―実力者」●**かくれゆ**【隠れ湯】⇩秘湯。●**かくれんぼ**【〔隠れん〕△坊】子どもの遊びの一つ。ひとりの鬼が目をふさいで待つ間に、ほかの者がものかげにかくれ、鬼がそれをさがす。かくれんぼう。

**かくれい**【確例】〔文〕(存在や出典が)たしかな例。

**がくれい**【学齢】義務教育を受ける年齢。満六(〜十五)歳。「―に達する・―期」

**がくれき**【学歴】①〔学校で〕学問をおさめた経歴。②最後に卒業した学校の段階。「―が高い」

**かく・れる**【隠れる】《自下一》①人に見られない状態になる。「月が雲に―・山奥に―・隠れて〔=そっと〕会う」(↔現れる)②人に知られない状態になる。「隠れたベストセラー」☞おかくれ。

**かぐろ・い**【か黒い】《形》〔雅〕黒い感じがするようすだ。

**がくろく**［岳麓］〔文〕山のふもと。特に、富士山（＝富岳）のふもと。

**かくろん**［各論］いちいちの項目についての議論。（↔総論）

**かぐわし・い**［（△香しい）・（△芳しい）・（×馨しい）］《形》〔文〕①〈美しいものが〉いいにおいを出すようすだ。「—花」②美しい。りっぱだ。「—気品・—名声」派-さ。☞かんばしい・こうばしい。

**がくわり**［学割］〔↑学生割引〕〔交通機関・映画などを〕学生が安く利用できるようにすること。

**かくん**［家訓］家庭のおしえ。家憲。

**がくんと**《副》①急に〈動く／止まる〉ようす。「電車が—止まった」②急に数や量がへるようす。「体重が—落ちる・成績が—落ちた」③急に気持ちが落ちこむようす。「—きた」▽がくっと。☞ぐんと②。

**かけ**［（欠け）］かけること。また、かけた部分。かけら。「ガラスの—・ニンニクひと—」

**かけ** 一 **かけ**［掛け］①↑かけ〈売り／買い〉。「—で買う・—がきく」②かけ〈売り／買い〉の代金。「—がたまる」③↑かけ〈そば／うどん〉。「もりと—」④《経》↑か(掛)け値①。

**かけ** 二 ↑か(掛)け目③。三［（掛け）］造 ①かける〈こと／もの〉。かけたもの。「アイロン〈がけ／かけ〉・六人がけの座席・たすきがけ・トマトソースがけ・帽子—・テーブル—」②しはじめて、とちゅうでやめること。また、やめたままになっているもの。「書き—・かじり—のリンゴ」③〔（がけ）〕行くとちゅう。「行き—・帰り—」④〔（がけ）〕したばかりのとき。「起き—」四［掛け］接尾 割。「本を八掛けで買う」

**かけ**［賭け］①勝負事にお金や品物を出しあって、勝った者がそれを取ること。「—に勝つ」②運まかせの行動に出ること。「危険な—に出る」

←**かげ**［陰］一［×蔭］①ものにかくれて、光や風などの届かない、暗い所。「戸の—・岩—・やぶ—・草葉の—（＝あの世）」②目の届かない所。表面にあらわれない所。「—で不平を言う」③盛大にしないこと。「—の祭り（⇩陰祭り）」 二［×翳］光の当たらない、暗い面。「山ひだの—・—のある〈顔／人〉・感情の—」 ●陰で糸を引く句 表に出ないで、ひとを自分の思う通りに動かす。あやつる。 ●陰になり ひなたになって句 陰ひなたになって。表に出たり、うらに回ったりして〔助け、またかばう〕。

→***かげ**［影］①光に照らされた物の形が、うしろのかべや地面などに黒く映ったもの。陰影。「道にのびる—・障子に映る—・—が出る・—が差す（＝現れる）」②映って見えるもの。「鏡の中の—」③すがた。「—をかくす・島—・見る—もない（⇩「見る」の句）」④日・月・星・火などの光。「月(の)—」⑤悪い前兆。「平和をおびやかす暗い—・不吉な—が差す」 ●影が薄い句 生気にとぼしくて、印象が弱い。 ●影の形に添うよう句 いつもはなれずについて歩くたとえ。 ●影も形もない句 あとかたもない。まったく姿がない。 ●影を落とす句〔悪い／重大な〕影響をおよぼす。「前途に暗い—・この体験は後の人生に大きな—」 ●影を隠す句 いなくなる。かくれる。 ●影を潜める句 人の目にふれていたものが、見えなくなる。「批判がすっかり—」

**がけ**［崖・×厓］山や岸が切り立ったようにけわしくなっている所。

**がけ**［（掛け）］造 ⇩か(掛)け三③④。

**かけあい**［掛け合い］①かけあうこと。「—に行く」②おたがいに応対しながらする演芸。「—漫才」

**かけあ・う**［掛け合う］《自他五》①おたがいにかける。「水を—」②要求を通すために話し合う。交渉する。「窓口〈に／と〉—・援助を政府に—」

**かけあが・る**［駆け上がる］《自他五》走ってあがる。かけのぼる。「石段を—・スターダムに—」（↔駆け下りる）

**かけあし**［駆け足・×駈け足］《名・自サ》①力いっぱいではないが、速く走ること。②〔馬術で〕馬の速い足なみ。③あわただしく進むようす。「—で説明する」▽（↔並足・早足）

**かけあわ・せる**［掛け合わせる］《他下一》①かけ算をする。②交尾させる。交配する。▽掛け合わす。名 掛け合わせ。直 掛け合わさる《五》。

**かけい**［火刑］〔文〕火あぶりの刑罰。

**かけい**［花茎］《植》草の、花を支えるくき。

**かけい**［佳景］〔文〕いい景色。絶景。「—の地」

**かけい**［家系］いえの系統。いえすじ。

**かけい**［家計］一家の〈くらしむき／生計〉。「—が苦しい」 ●かけいぼ［家計簿］家庭の収入・支出の内容を書きつける帳簿。

**かけい**［（×筧）］⇩かけひ。

**かけうどん**［（掛け×饂×飩）］熱いしるをかけただけのうどん。すうどん。うどんかけ。かけ。

**かけうり**［掛け売り］《名・他サ》あとから代金をもらう約束で品物を売ること。貸し売り。かけ。つけ。（↔掛け買い）

**かげえ**［影絵・影△画］人や動物をかたどったものの影を、障子などに映し出して見せる〈遊び／芸〉。シルエット。

**かけえり**［掛け襟・掛け×衿］《服》①⇩ともえり。②えりがよごれないように、かいまき・ねんねこなどのえりの上にぬいつけるえり。

**かけおち**［駆け落ち］《名・自サ》結婚を許されない恋人どうしが夫婦になるために、よその土地へにげること。

**かけお・ちる**［欠け落ちる］《自上一》欠けてなくなる。欠落する。「かわらが—・表情の欠け落ちた顔」

**かけお・りる**［駆け下りる］《自他上一》走っておりる。かけくだる。「階段を—」（↔駆け上がる・駆け上る）

**かけがい**［掛け買い］《名・他サ》あとから代金をはらう約束で品物を買うこと。かけ。つけ。（↔掛け売り）

**かけがえ**［（掛け替え）］〔多く、後ろに否定が来る〕代わりとなる、ほかのもの(と取り替えること)。「—のきかない役目」〔なまって「かけがい」〕 ●かけがえのない句 なくなったとき、ほかのもので代えることができない。かけがえ(が)ない。「—わが子・—宝物」

**かけがね**［掛け(金)］戸じまりに使うかん(鐶)やかぎ(鉤)。かきがね。

**かけがみ**［掛け紙］箱の上からかぶせる紙。「進物の—（＝水引などを印刷した紙）・駅弁の—」

**かげき**［歌劇］《音》せりふを声楽の形でやりとりする劇。オペラ。「—団」

**かげき**［過激］《（ナダ）》〔行動・考えなどが〕はげしすぎるようす。「病後の—な運動はよくない・—な思想・—な発言・—派」派-さ。

☆☆**かけきん**【掛け金】 日掛け・月掛けなどでかける お金。

**がけくずれ**【崖崩れ】 雨などのために、がけが くずれおちること。

**かげぐち**【陰口】 その人の いないところで言う悪口。かげごと(陰言)。「―をたたく」

**かけくらべ**【駆け(△競べ)】《名・自サ》 かけっこ。「ウサギとカメの―」

**かけごえ**【掛け声】 ①呼びかける声。②〈ひょうしをとる/勢いをつける〉ために出す声。③何かをやるように思わせる態度。「―ばかりで何もしない・―だおれの行政改革」

**かけごと**【賭け(事)】《名・自サ》 お金や品物をかけてする勝負事。

**かけことば**【掛△詞・懸△詞】 修辞法の一つ。一つのことばに、同音を利用して複数の意味を持たせたもの。例、「春がすみ たつの山(=『立つ』・『竜田』)」。

**かけこみ**【駆け込み】 ①走りこむこと。「―乗車」 ②決まった手続きを取らずに、直接うったえること。「―うったえ(=直訴)」 ③まにあうように、大急ぎですること。「―値上げ」 ●**かけこみでら**【駆け込み寺】 ①⇩縁切り寺。②困ったときに助けになってくれる組織。「サラ金地獄の―」

**かけこ・む**【駆け込む】《自五》 ①走って はいる。走りこむ。②決まった手続きを取らずに、直接うったえる。「交番に―」

**かけごや**【掛け小屋】 芝居や見せ物などを見せるため、臨時に作った小屋。

**かけざん**【掛け算】《名・他サ》 二つ(以上)の数をかけた値を求める方法。乗法。(↔割り算)

**かけじ**【掛け字】 (文字を書いた)かけもの。

**かけじく**【掛け軸】 書や日本画などを表装し、床の間などに かけて ながめるもの。かけもの。

**かけす**【(懸巣)】 中形の野鳥。うすいブドウ色で、ときどきほかの鳥の鳴き声もまねる。かしどり。

**かけず**【掛け図】 かけものの形にした〈地図/絵〉。

☆☆**かけすて**【掛け捨て】 〔保険などで〕保証期間中に死ななかったり、事故がなかったりした場合、かけたお金が もどって来ないこと。「―(死亡)保険」

**かけずりまわ・る**【駆けずり回る】《自他五》 かけまわる。「野山を―・情報収集に―」

**かげぜん**【陰膳】 ①家をながく はなれている人が無事でいるように、るすの者がそなえる食事の膳。②法事のあと、故人に用意する食事。霊膳。仏膳。

**かけそば**【(掛け:蕎麦)】 熱い しるをかけただけの そば。かけ。(↔もりそば)

**かけだし**【駆け出し】 その職業に ついたばかりの〈人/ころの状態〉。しんまい。「―社員」

**かけだ・す**【駆け出す】《自五》 ①中から外へ走る。「門から道路へ―」 ②走り始める。「いっせいに―」

**かげち**【陰地・×蔭地】 ひかげの土地。

**かけちが・う**【掛け違う】 ■一《他五》 まちがって かける。かけちがえる。「ボタンを―」 ■二《自五》 ①行きちがいになる。かけちがう。行きちがう。「掛け違って会えない」 ②〔話がどこかで〕くいちがう。名掛け違い。

**かけぢゃや**【掛け茶屋】 よしず(葦簀)をさしかけ、腰かけを置いて通行人を休ませる茶屋。腰かけ茶屋。

**かけつ**【可決】《名・他サ》 いいと認めて議案を通すこと。「議案を―する」(↔否決)

**かげつ**【か月】 接尾 「月」(一④)を数えることば。かつき・がつき(古風)。「二―」 表記 「カ月」「ヵ月」「ヶ月」「箇月」「個月」とも。

**かけつ・ける**【駆け(付ける)】《自下一》 急いでその場所に着く。「会場に―・消防車が―」 名駆けつけ。「―警護(=他国の軍隊などのもとに駆けつけておこなう警護)」 ●**駆けつけ三杯** 句 宴会などで、おくれて来た客に立てつづけに酒を三ばい飲ませること。

**かけっこ**【駆けっこ】《名・自サ》 (児)だれが速く走れるか競争すること。かけくらべ。

**がけっぷち**【崖っ(縁)】 ①がけの上の、切り立った へり。がけぶち。②〈追いつめられた〉あぶない状態。「―に立たされる」

**かけて**【(にかけて)】(格助) ①ある〈時期/ところ〉から次の〈時期/ところ〉まで続いて。わたって。「春から夏に―・肩から背中に―」(「にかけ」の形でも使う。「あさってにかけ まとまった雪」) ②関して。「法律に―は専門家だ」 ☞神掛けて。

**かけどけい**【掛け時計】 壁などに かけておく時計。(↔置き時計)

**かけとり**【掛け取り】 かけ売りの代金を集めて歩く〈こと/人〉。

**かけながし**【掛け流し】 流れるままにしておくこと。「源泉―の(=加水・加温をせず循環もさせない)温泉」 他掛け流す(五)。

**かげながら**【陰ながら】《副》 見えないところで、そっと。「―ご無事をおいのりします」

**かけなげ**【掛け投げ】 (すもう) 相手の足に自分の足をかけてはね上げ、投げたおす わざ。

**かけぬ・ける**【駆け抜ける】《自他下一》 ①〈走って/走るように〉通り抜ける。「車が街を―・興奮が からだを―・激動の昭和を―」 ②走って〈追いこす/前に出る〉。「群れの中から一頭の馬が―」

**かけね**【掛け値】《名・自サ》 ①実際より高くつけた値段。かけ。②誇張。「―のない賛辞」

**かげのないかく**【影の内閣】 政権を取ったときにそなえて野党があらかじめ作っておく、内閣と同等の組織案。シャドー キャビネット。

**かけのぼ・る**【駆け上る・駆け登る】《自他五》 走ってのぼる。かけあがる。「坂道を―」(↔駆け下りる)

**かけはぎ**【掛け(△接ぎ)】《服》 衣服の破れを、修理のあとが目立たないように ぬいあわせること。

**かけはし**【架け橋・掛け橋】 ①〔懸け橋〕 高くかけわたした橋。「にじの―」 ②〔△桟〕 けわしいがけなどに かけた橋。③かりに かけわたした橋。④中をとりもつもの。はしわたし。「日米間の―となる」

**かけはな・れる**【懸け離れる】《自下一》 ①遠くはなれる。ひどくちがう。「懸け離れた考え」 ②間がら・関係が うすくなる。

**かけひ**【(懸け×樋)・(×筧)】 地上に、かけわたしたとい。かけい。

**かけひき**【駆け引き】《名・自サ》 ①〔商売・交渉・戦いなどで〕そのときの状況や相手の出方に応じてするやり方。「―のうまい商人」 ②策略。「―の多い人」

か

**かげひなた**〔陰〈日△向〉〕人が見ているときと いないときで、おこないに うらおもてがあること。「—なく働く」
●**陰ひなたになって** 句 ⇩陰になりひなたになって〔「陰」の句〕。

**かけぶとん**〔掛け布団〕 ねるとき上にかける ふとん。(↕敷き布団)

**かけへだた・る**〔懸け隔たる〕《自五》 遠く〈はなれる/へだたる〉。他 懸け隔てる《下一》。

**かげべんけい**〔陰弁慶〕 ⇩うちべんけい。

**かげぼうし**〔影〈法師〉〕 光が当たって地面や障子などにできる、人や動くものなどの影。

**かげぼし**〔陰干し・陰△乾し〕《名・他サ》 ひかげで ほすこと。(↕日干し)

**かけまくも**〔掛けまくも〕《副》〔雅〕口に出して言うのさえも。「—かしこき〔=おそれ多い〕」

**かげまつり**〔陰祭り・×蔭祭り〕 何年かごとにおこなう本式の祭りのない年に、簡単におこなう祭り。陰の祭り。(↕本祭り)

**かけまわ・る**〔駆け回る〕《自他五》 ①あちこち走りまわる。「庭を—」 ②〔用事で〕あちこち とびまわる。「金策に—・仕事でいそがしく—」 ▽かけずりまわる。

**かげみ**〔影身〕 影のように、いつもその人につきそっては なれない〈こと/人〉。「—に添う〔=いつも はなれないでいる〕」

**かげむしゃ**〔影武者〕 ①〔敵をあざむくため〕大将や重要人物に似たかっこうをさせた〈武士/人〉。 ②かげでさしずする人。

**かけめ**〔欠け目〕 ①不足した重さ〔=目方〕。 ②〔欠けて〕不完全な部分。欠点。

**かけめ**〔掛け目〕 ①はかりに かけた重さ〔=目方〕。量目。 ②〔編み物で〕編み目をふやす方法の一つ。 ③《経》株券などを担保にしてお金を貸すときの、評価の割合。かけ。「—は八掛けにする」

**かけめぐ・る**〔駆け巡る〕《他五》 ①走りまわる。「野原を—」 ②〔経路を〕ぐるぐると すばやく回る。「情報がネット上を—・さまざまな思いが—」

**かけもち**〔掛け持ち〕《名・他サ》 ひとりで二つ以上の仕事を受け持つこと。「二つの学校を—で教える」

**かけもの**〔掛け物〕 ①ねるときに、上にかけるもの。 ②掛け軸。掛け字。

**かけや**〔掛け矢〕 大形の木づち。

**かけゆ**〔掛け湯〕 湯ぶねに はいる前に、からだに湯をかけること。「—をする」

**かけよ・る**〔駆け寄る〕《自五》〈走るようにして/急いで〉近寄る。他 駆け寄せる《下一》。

**かけら**〔〈欠けら〉・〈:欠片〉・〈:破片〉〕 ①かけて取れた、小さな部分。破片。「ひと—・ガラスの—」 ②ごくわずか。ほんの少し。「—ほどの誠意も示さない・良心の—もない」

**かげり**〔陰り・×翳り〕 ①かげること。陰になった部分。 ②暗いところ。「心の—・経済に—が見える」

**か・ける**〔欠ける〕《自下一》 ①〔かたいものの〕一部がこわれる。「茶わんのふちが—」 ②それだけが〔足り〕ない状態である。「重要な機能が欠けている・社交性に—性格」 ③〔月の形が〕細くなる。(↕満ちる)

**か・ける**〔書ける・描ける〕《自下一》 ①かいた状態になる。「字が変に書けた〔=変な字になった〕・絵は もう描けた」 ②「書く・描く」の可能形。

**か・ける**〔懸ける〕《自他下一》 ①失敗したらそれがなくなる覚悟でおこなう。「命を—・命に懸けて守る」 ②勝った者が それを得ることにする。「賞金を—・日本一を懸けて戦う」 可能 懸けられる。懸けれる〔俗〕。

**か・ける**〔架ける〕《他下一》〔橋などを〕わたす。「橋を—」

**か・ける** 一 かける〔〈掛ける〉〕《他下一》 ①かぎ形に曲げた部分などで とめて、〈落ち/外れ〉ないようにする。「鏡をかべに—・めがねを—・ドアに手を—」 ②物をつなぎとめるために、間に はめる。「ボタンを—・錠を—」 ③外れないように からませる。「たすきを—」 ④たてかける。「はしごを—」 ▽(↕外す) ⑤寄りかからせる。「いすに腰を—」 ⑥〔相手に〕届かせる。「声を—・電話を—・神仏に願を—・発注を—」 ⑦〔相手に〕しかける。「攻勢を—・なぞを—」 ⑧およぼす。「めいわくを—・圧力を—」 ⑨割り当てて〔お金を〕出させる。「税金を—」 ⑩〔先のことに思いを〕つなぐ。「望みを—」 ⑪〔心に〕とどめる。「気に—」 ⑫全体的にかぶせる〔ように何かをする〕。「ふとんを—・城に火を—・アイロンを—・リサーチを—・調査結果に修正を—」 ⑬表面に〔ふり〕まく。「塩を—・ズボンに どろ水を—」 ⑭変化をあたえる。「髪にカールを—・ボールにカーブを—」 ⑮〔機械などを〕はたらかす。「エンジンを—・冷房を—・テレビを—〔古風〕」 ⑯〔録音した音楽を〕鳴らす。「クラシックを—」 ⑰〔力を〕出す。「馬力を—・ラストスパートを—」 ⑱〔機械・道具などに〕処理させる。「コピー機に—・コンロの火に—」 ⑲〔人前に〕出す。「裁判に—・会議に—・舞台に—」 ⑳診察や治療を受けさせる。「子どもを医者に—」 ㉑〔ひどい目に〕あわせる。「ペテンに—・拷問に—」 ㉒ついやす。「時間を—・手間を—」 ㉓日掛け・月掛けの お金を出す。 ㉔ある数を決められた回数だけ たす。「二に三を—と六〔数式『2×3=6』は『二三は六』と読む〕」(↕割る) ㉕掛けことばにする。 二 かける〔〈掛ける〉〕《自下一》 いすに かける。すわる。「〔ソファーに〕かけてお待ちください・まあどうぞ、おかけになって」 三 造 ①…しはじめて、本格的にする前に やめる。「走り—・食べ—」 ②…しそうな状態になる。「死に—」 可能 かけられる。かけれる〔俗〕。 ☞かけて。

**か・ける**〔賭ける〕《他下一》 ①かけごとをする。 ②かけごとに お金や品物を出す。「ゲームに千円—」 ③命運を託す。「大統領の手腕に国の浮沈を—」

**か・ける**〔〈×翔ける〉〕《他下一》〔文〕〔空を〕高く とぶ。「空をかけてゆく」〔本来、「翔ってゆく」「翔りゆく」のように五段に活用する〕

**か・ける**〔駆ける・×駈ける〕《他下一》 ①足で走る。「野を—・階段を—」 ②馬に乗って走る。 ③その〈時/場所〉全体を活躍の舞台にする。「幕末を—・世界を—」 ④〔経路を〕かけめぐる。「血液が からだを—」

**かげ・る**〔陰る・×翳る〕《自五》 ①日かげになる。「庭が—」 ②日の光が少し暗くなる。「日が—」 ③暗くなる。よくなくなる。「表情が—・景気が—」

**かげろう**〔〈:陽炎〉〕〔春や夏など〕地面から、すきとおった ほのおのように ゆらゆら立ちのぼる ゆらめき。いとゆう〔糸遊〕。

**かげろう**〔〈:蜉蝣〉・〈:蜻蛉〉〕 ①トンボに似て、小さく弱々しい昆虫。成虫になると数時間から数日で死ぬ。②〈命が短い／はかない〉ことのたとえ。☞とんぼ（蜻蛉）。

**かげろ・う**［(:陽炎う)］《自五》〔文〕かげろうがゆれる。かげろうのように、ちらちらゆれる。名かげろい。

**かけわた・す**［掛け渡す・架け渡す］《他五》〔橋・さお・綱などを〕はしから はしまで、かける。架設する。

**かけん**［家憲］一家の おきて。家訓。

**かげん**［下弦］《天》満月の一週間あとの夜明け、真南に来た月の左半分がかがやく状態。しずむとき下向きの半月の形になる。「一の月」(↕上弦)

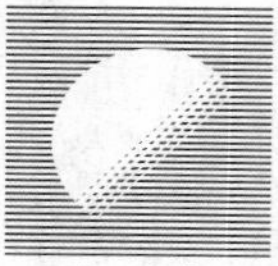

［かげん］

**かげん**［下限］①〔数や値段などで〕下のほうの限界。②〔区分された時代の〕現代に近いほうの限界。「江戸時代の一」▽(↕上限)

**かげん**［過言］⇩かごん。

**かげん**［加減］㊀かげん《名・他サ》①加えることと減らすこと。②ちょうどいいぐあいにすること。調節。「ねじのしめ方を一する」③手加減。程度の上下。ぐあいのよしあし。「ふろの一」㊁かげん ①からだ・病気の ぐあい。調子。「お一いかがですか・一が悪い」②《数》足し算と引き算。「一乗除」㊂かげん造 ①ぐあいのよしあし。程度の上下。「糸の張り一で・ばかさ一」②ちょうどいいぐあい。「飲み一の お茶」③…の〈気味／様子〉。そのほうにかたむいた様子。「うつむき一に歩く」●かげんず［加減酢］その料理の味にあうように、砂糖・塩などを調合した酢。

**かげん**［寡言］《名・ナダ》〔文〕口かずが少ないこと。寡黙。無口。(↕多言)

**がけん**［我見］①〔文〕自分だけの せまい意見。「一にとらわれる」②《仏》我執。

**がげん**［雅言］〔文〕雅語。「古語一」(↕俗言)

**かこ**［(:水夫)・(:舸子)］〔雅〕ふなのり。

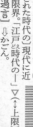

*__かこ__［過去］①すぎさった時。(↕現在・未来)②すぎさったこと。これまでの、(知られたくない)事情。「一は問わない・一のある女」③《仏》前世。④《言》すぎさった動作・状態をあらわす語法。日本語では助動詞「た」を用いる。例、「行く(現在)」に対して「行った」。「一形」☞過去完了。

**かご**［花後］《園芸》花が咲き終わったあと。開花後。「一の手入れ」

**かご**［過誤］〔文〕誤り。失敗。「医療一」

**かご**［歌語］〔文〕短歌で使われる特別なことば。

←**かご**［(×駕△籠)］客を乗せた箱形のものを棒につり下げ、前とうしろから かついで はこぶ乗り物。「お一」

→**かご**［籠］①竹・針金などで あらく編んだ入れもの。②〔エレベーターの〕ケージ。☞籠の鳥。

**かご**［加護］《名・他サ》神や仏が まもり助けること。

**がご**［雅語］①風流な味わいのあることば。みやびやかなことば。②特に平安朝時代の歌や文に使われた やまとことば。雅言。(↕俗語)

**かこい**［囲い］①囲う〈こと／もの〉。②〔庭などを〕囲うための〈へい／かきね〉。③〔野菜などの〕貯蔵。●かこいこ・む［囲い込む］《他五》①囲って、中に取りこむ。②人材や資源などを流出させないようにして確保する。「顧客を一」名囲い込み。●かこいもの［囲い者］よそに住まわせておく めかけ。囲われ者。

**かこう**［火口］《地》火山の噴火口。☞ひぐち(火口)。●かこうきゅう［火口丘］《地》⇩中央火口丘。●かこうげん［火口原］《地》火口のまわりにできた、低い土地。●かこうこ［火口湖］《地》火口に水がたまってできた みずうみ。例、蔵王の御釜。●かこうへき［火口壁］《地》火口の まわりを かべのようにとりまく、急な斜面。

**かこう**［花香］〔文〕花の かおり。

**かこう**［佳×肴・×嘉×肴］〔文〕おいしい料理や酒のつまみ。「珍味一・美酒一」

**かこう**［河口］川が海にそそぐところ。かわぐち。「一ぜき(堰)」

**かこう**［河港］〈川口／川岸〉にある みなと。(↕海港)

**かこう**［華甲］〔文〕還暦。数え年六十一歳。由来 華という漢字を分解すると、六つの十と一とになることから。

**かこう**［歌稿］〔文〕歌を書いた原稿。

**かこう**［下降］《名・自サ》下に さがること。くだること。「一線をたどる」(↕上昇)《天》上空で冷やされたりして下降する気流。(↕上昇気流)

●**かこうきりゅう**［下降気流］

**かこう**［加工］《名・他サ》①細工をして形を整えること。「顔写真を一する」②材料に手を加えて、新しく別なものを作ること。「一品・一食品(↕生鮮食品)・一乳(=牛乳に脱脂粉乳・バター・水などを加えたもの)」

**かこう**［仮構］《名・他サ》〔文〕実際に ないものを、想像の中で かりに作ること。

**かこ・う**［囲う］《他五》①守るために、まわりに物を置く。「板で一」②〔野菜などを〕いたまないように、つめたい、暗い所にたくわえる。③〔めかけを〕人に知られないように、よそに住まわせる。

**かごう**［化合］《名・自サ》《理》二種以上の物質が化学的に結合して まったく別な物質となる変化。●かごうぶつ［化合物］《理》化合によってできた物質。例、水。(↕単体)☞混合物。

**がこう**［画工］〔文〕絵かき。画家。

**がこう**［画稿］〔文〕絵の したがき。

**がごう**［雅号］〔文人が〕本名のほかにつける、風流な名前。

**かこうがん**［花(×崗)岩］《鉱》深成岩の一種。ふつう、灰白色で黒い ごまのような点がある、かたい石。建材に使う。みかげいし(御影石)。

**かごかき**［(×駕△籠×舁き)］昔、かごをかついで客を運んだ人。

**かこかんりょう**［過去完了］《言》〔外国語の文法で〕過去のある時において、すでに動作が完了していることをあらわす言い方。

☆☆**かこきゅう**［過呼吸］《医》呼吸をしすぎることによって、血液の中の二酸化炭素が少なくなり、めまいや手足のしびれ、胸の圧迫感などを感じる症状。

←**かこく**［苛酷］《ナダ》①むごくて、無慈悲なようす。「一な弾圧・一な自然」②過酷。〔むごい感じをともなう〕「一な強制労働」派一さ。

→**かこく**［過酷］《ナダ》〈ひどすぎる／きびしすぎる〉ようす。「一な労働・一な運命・原発の一事故」派一さ。

**かごじ**【籠字】輪郭だけを線で写し取った文字。双鉤字。

［かごじ］

**かこちょう**【過去帳】お寺で、死んだ人の法名などを書いておく帳面。点鬼簿。鬼籍。

**かこ・つ**【託つ・喞つ】《他五》なげいて言う。ぐちを言う。「不自由を━」名かこち。「━顔・━言」

**かこつ・ける**【託ける】《他下一》ほかのことを口実にする。こと寄せる。「病気にかこつけて休む」名かこつけ（=口実）。

**がごとく**【が如く】連〈おもに動詞＋━〉〈文〉…ように。「飛ぶ━」☞ごとく。

**かごぬけ**【籠抜け】《名・自サ》①かごをくぐりぬける曲芸。②建物を利用して、お金や品物を受け取った人が、裏口からにげて、だまし取ること。「━詐欺」

**かごのとり**【籠の鳥】自由をうばわれている人。特に、遊女。

**かこみ**【囲み】①囲むこと。囲んでいるもの。包囲。「━を解く・━取材」②（←囲み記事）〈新聞などで〉わくで囲んだ小さな記事。

＊**かこ・む**【囲む】《他五》①〈ある〈もの/人〉が〉四方をふさぐように存在する。「海に囲まれた国・先生を━会」②碁・将棋やマージャンをする。「卓を━」可能 囲める。

**かこもん**【過去問】過去に出題された試験問題。

☆☆**かこん**【禍根】わざわいのもと。「━を絶つ」

☆☆**かごん**【過言】①言いすぎ。「天才と言っても━ではない」②〈文〉言いすぎた、失礼な発言。「━は承知の上だ」▽かげん。

←**かさ**【笠】①雨・雪・日光を防ぐため、頭にかぶるもの。☞かさ(笠)の台。②「かさ(笠)①」の形をしたもの。「電灯の━・ランプの━」●**かさに着る** 句 自分の強い立場を利用して、〈いばる/えらぶる〉。「権力を━」

↔**かさ**【傘】①雨・雪・日光を防ぐために、さしかざすもの。さしがさ。からかさ。「━の花がさく（=色とりどりの傘がたくさん ひらく）」②「傘①」の形をしたもの。「しいたけの━」☞核の傘。

→**かさ**【暈】〈太陽/月〉のまわりに あらわれる(半)円形の光。ハロー。〔主に巻層雲があるときにできる〕「日━・月━」

**かさ**【嵩】①ものの大きさ。体積。がさ。「━が張る」②量。「水の━が減る」●**かさにかかる** 句 いばっておさえつけるような態度をとる。

**かさ**【瘡】〈俗〉①できもの。はれもの。②〈俗〉かさぶた。③〈俗〉梅毒。

**がさ**【ガサ】〈警察〉〈俗〉家宅捜索。ガサ入れ。「━がはいる・━状（=捜索令状）」由来「さがす」の「さが」を入れかえた隠語。

**かさあげ**【嵩上げ】《名・他サ》①堤防などを、今までよりも高くすること。「━工事」②金額をふやすこと。「治療費の━」

**かざあし**【風脚】風のはやさ。

**かざあな**【風穴】①風を通す穴。②〈山腹などにある〉風のふき出る穴。富士山の山麓に多い。ふうけつ。③風のはいるすきま。●**風穴をあける** 句 ①銃ややり(槍)などで からだなどに穴をあける。「どてっ腹に━」②行きづまった状況に大きな変化をもたらす。「旧体制に━」

**かさい**【火災】①火事(の わざわい)。火難。「━を起こす・━報知機」②←火災保険会社。●**かさいほけん**【火災保険】火災の損害をおぎなう目的の保険。火保。

←**かさい**【花菜】花の部分を食べる野菜。例、カリフラワー・ふきのとう。(↔果菜・葉菜・根菜)

→**かさい**【果菜】実の部分を食べる野菜。実物。例、ナス・キュウリ・トマト・ピーマン。(↔花菜・葉菜・根菜)

**かさい**【家裁】〈法〉←家庭裁判所。

**かさい**【歌才】〈文〉和歌を作る才能。

**かざい**【花材】生け花や、フラワーアレンジメントの材料。

**かざい**【家財】家にある〈大事なもの/財産〉。「━道具（=家にある、生活に必要な いっさいのもの）」

**かざい**【歌材】〈文〉和歌に〈する/よみこむ〉材料。

**がさい**【画才】〈文〉絵をかく才能。

**がざい**【画材】①絵になる題材。②絵をかく材料・道具。

☆☆**かさいりゅう**【火砕流】〈地〉火山の噴火のとき、高温の火山灰や軽石などが火口から高速で流れ下る現象。大災害を引き起こすことが多い。

**がさいれ**【ガサ入れ】《名・他サ》〈警察〉〈俗〉⇩ガサ。

**かざおれ**【風折れ】━を 樹木などが風にふき折られること。「柳に━なし（=柳の枝のように やわらかいもののほうが かたいものより かえって じょうぶだ）」

**かさかさ**《副・自サ》①かわいたものが軽くふれあう〈音/ようす〉。「枯れ葉が━(と)舞う」②うるおいが感じられないようす。「手が━になる・━したはだ」

**がさがさ**《副・自サ》①「かさかさ①」よりも低い音(をたてるようす)。「━(と)やぶの中を進む」②あれてうるおいが感じられないようす。「かかとが━だ・皮膚が━する」③〈おちつき/えんりょ〉のないようす。「━した人」

**かざかみ**【風上】風の ふいてくるほう。(↔風下)
●**風上にも置けない** 句 卑劣な人間をののしって言う語。「武士の━（=武士としての ねうちがない）」

**かざきりばね**【風切り羽】鳥のつばさで、飛ぶための長い羽。かざきりば。かざきり。

**かさく**【佳作】①〈文〉すぐれた作品。②〈展覧会・コンクールなどで〉金賞・銀賞などではないが、いい作品。「選外━」

**かさく**【家作】家。特に、貸すための家（=貸家）。

**かさく**【歌作】《名・自サ》短歌を作ること。

**かさく**【仮作】《名・他サ》作りごと。フィクション。

**かさく**【寡作】《名・ナダ》〈作品などを〉少ししか作らないこと。「━の作家」(↔多作)

**かざくち**【風口】〈ストーブ・ふろの たき口などの〉風のふきこむ口。

**かざぐるま**【風車】①おもちゃの一つ。風の力で回る。②⇩ふうしゃ。

**かざけ**【風邪気】⇩かぜけ。

**かさご**【笠子】背びれなどに とげの多いさかな。からだは茶色で、白っぽいまだらがある。食用。がしら。「━の煮につけ」

**かざごえ**【風邪声】かぜをひいたときの〈鼻のつまった/ひびきの悪い〉声。かぜごえ。

**かさこそ**《副》小さな葉っぱや虫などが ものにふれて立

てる、かすかな音。「落ち葉が―と鳴る・ゴキブリが―と動く」

**がさごそ**《副》①ものを乱雑に かき分ける音。「バッグの中を―さがす」②中で動きまわる音。「―と草むらを進む」

**かささぎ**［(×鵲)］カラスよりやや小さく、尾が長い鳥。腹・肩・つばさの先が白く、ほかは黒または青緑色。「かちかち」と鳴く。天然記念物。

［かささぎ］

**かざしも**［風下］風の ふいて行くほう。(↔風上) ●**風下に立つ** 句 他に先んじられて、その影響を受ける下位の立場に立つ。下風に立つ。

**かざ・す**［(×翳す)］《他五》①(熱・光・風などをさえぎるために)手(に持った物)を上に上げる。「小手を―・扇を―」②手(に持った物)を近づける。「たき火に手を―・ICカードを―」③〔主義・主張などを〕ふりかざす。「正論を―」

**かさだか**［(×嵩)高］《ナダ》①かさが多いようす。かさばるようす。②見くだして おうへいなようす。●**かさだか・い**［(×嵩)高い］《形》かさだかだ。派 -さ。

**かさたて**［傘立て］玄関などに置き、傘を立てておく入れもの。「陶器の―」

**がさつ**《ナダ》ことばや動作に注意が行き届かず、あらっぽいようす。「―者」派 -さ。

**かさつ・く**《自五》はだに水分がなくなって あれる。かさかさになる。名 かさつき。

**がさつ・く**《自五》①がさがさ音がする。「ごみをがさつかせて えさをあさる」②言動が雑であらっぽく、おちつきがない。「がさついた人」

**かざとおし**［風通し］-とほし ⇩かぜとおし。

**かさな・る**［重なる］《自五》①ものの上に、同類のものがのる。「紙が二枚―・雲が重なり合う」②別のものが(上に)加わる。「丸に三角が重なったマーク・映像にナレーションが―」③同じようなものごとが〈さらに加わる／同時に起こる〉。「年齢が―・幸運が―」④ちょうど同じ時期に当たる。ぶつかる。「予定が―・転職と引っこしが―」⑤同じ部分がある(と感じられる)。「二人の意見が―・スピーチの内容が―・少年の姿に昔の自分が―」名 重なり。

**ガザニア**〔ラ gazania〕はち植えにする草花。白・黄・むらさき色などの、小さいひまわりのような形の花が さく。

**かさね**［重ね］一 かさね ①かさねること。かさねたもの。②［(△襲)］平安時代、衣服をかさねて着たこと。かさねぎ。③上着と下着のそろった衣服。●**かさねがさね** 二 接尾 かさねたものを数えることば。

**かさねがさね**［(重ね重ね)］《副》同じようなことがまた起こるようす。「―お世話になります」●**かさねぎ**［重ね着］《名・自他サ》衣服を何枚も かさねて着ること。●**かさねことば**［重ね(言葉)］①「がたがた」「堂々」など、くり返すことば。②⇩重言。●**かさねもち**［重ね餅］①かがみもちを二つかさねたもの。②《すもうなど》組み合ったまま、折りかさなって たおれること。

☆☆**かさねて**［重ねて］《副》くり返して。ふたたび。「―お願いします」

＊**かさ・ねる**［重ねる］《他下一》①ものの上に、同類のものをのせる。「毛布を―・お皿を―・重ね合わせる」②別のものを(上に)加える。「シャツにセーターを―」③同じようなものごとをさらに加える。「年を―・失敗を―〔＝くり返す〕・うそに うそを―」④同じ部分があると感じる。「小説の内容に自らの境遇を―」可能 重ねられる。

**かさのだい**［(×笠の台)］〔＝笠をかぶる台〕〔古風〕首。●**笠の台が飛ぶ** 句〔古風〕首を切られる。

**かざはな**［風花］①雪の積もったところの風上から、風に ふかれて飛んでくる雪。②晴天にちらつく雪。▽かざばな。

**かさば・る**［(×嵩張る)］《自五》かさが〈ふえる／大きくなる〉。かさむ。「荷物が―」

**かさぶくろ**［傘袋］ぬれた傘を入れて、周りをぬらさないようにする袋。

**かさぶた**［(×瘡蓋)・(×痂)］できもの・きずが治ってくるときに上にできる皮。

**カサブランカ**〔Casablanca〕あまく強いかおりのする、真っ白な大輪のユリ。ユリの女王と呼ばれる。

**かざみ**［風見］屋上などに取り付けて風の方向を知る道具。風信器。●**かざみどり**［風見(△鶏)］①ニワトリの形をした風見。②まわりの様子に応じて態度を変える人。

**がざみ**［(：蝤蛑)］本州から台湾のあたりにかけての浅い海にすむカニ。食用。わたりがに。

**かさ・む**［(×嵩む)］《自五》〈かさ／金額〉がふえる。かさばる。

**かざむき**［風向き］①風の ふいてくる方向。かぜむき。②形勢。進む方向。「会議の―が変わる」③きげん。「社長の―が悪い」

**かざよけ**［風(△除け)］⇩かぜよけ。

**かざり**［飾り］①かざる〈こと／もの〉。「客間の―に使う・―棚・文章に―がない」②⇩お飾り。「会長といっても―だ」●**かざりけ**［飾り(気)］(よく見せようと)かざった感じ。かざりっけ。「―のない人・―がない店内」●**かざりしょく**［飾り職・(×錺職)］金属のかざりものを細工する職。●**かざりた・てる**［飾り立てる］《他下一》いろいろとかざって、目立たせる。●**かざりつ・ける**［飾り(付ける)］《他下一》かざってきれいにする。かざってならべる。「店内を―」名 飾りつけ。●**かざりぼうちょう**［飾り包丁］〖料〗調理するとき、さかなの皮やシイタケの かさなどに、ななめ・十文字などの形に包丁を入れること。☞隠し包丁。●**かざりまど**［飾り窓］①ショーウインドー。②かざりとして付けた、形だけの窓。③ふちをきれいに かざった窓。④〔ヨーロッパの一部の〕売春宿。「―地帯」●**かざりもの**［飾り物］①かざりのために使うもの。「床の間の―」②見かけだけで実際の役に立たない〈もの／人〉。「―の委員会」

**かざ・る**［飾る］《他五》①見た感じをよくする。「部屋を(花で)―・花を―」②ならべて、きれいに見せる。「人形を―」③〔そのものごとで〕すばらしく見えるようにする。「最後を―・初日を白星で―」④(悪いところをかくして)よく見せる。「身なりを―・欠点を―」可能 飾れる。

**かさん**［家産］〔文〕一家の財産。身代。●**家産を傾ける** 句〔文〕財産を失う。

**かさん**【加×餐】〘名・自サ〙〔＝食を加える〕〘手紙〙〔文〕栄養をとり、からだを大切にすること。「御一をいのります〔健康をいのる文面〕」

**かさん**【加算】〘名・他サ〙〘数〙足し算。(↕減算)

**かざん**【火山】〘地〙ガス・溶岩などをふき出し(た)ている山。☞活火山。●**かざんがん**【火山岩】〘鉱〙火成岩の一つ。マグマが地下の浅い所や地表にふき出し、かたまってできた岩。玄武岩・安山岩など。●**かざんたい**【火山帯】〘地〙火山がおびのように分布している地域。火山脈。「環太平洋一」●**かざんだん**【火山弾】〘地〙火口からふき出した溶岩が、空中でちぎれて固まったもの。●**かざんばい**【火山灰】〘地〙火山からふき出た、灰のようなもの。「一地・一土〔＝ローム〕」

**がさん**【画賛・画×讃】日本画などで、絵の余白などに書きそえられた文章・詩句。讃。

**かさんかすいそ**【過酸化水素】〘理〙無色透明で、においのない液体。水に溶かした過酸化水素水を消毒・防腐・漂白に使う。

**かさんしょう**【過酸症】〘医〙胃酸の割合が多すぎる症状。胃酸過多症。(↕低酸症・無酸症)

**かし**【下肢】〘生〙もも・すねをふくむ、あし。脚部。(↕上肢)

**かし**【可視】目に見えること。「一圏・一光線」(↕不可視)。☞可視化。

**かし**【仮死】〘医〙意識がなくなって、死と区別しにくい状態。

**かし**【仮歯】①〔文〕入れ歯。義歯。②入れ歯などを入れるまでの、かりの歯。かりば。

**かし**【花枝】〔文〕さいた花をつけた枝。

**かし**【花姿】〘園芸〙花ぜんたいの見た目。「愛らしい一」(↕草姿)

**かし**【河岸】①かわぎし。②〔俗〕活動の場所。「一を変える」③↑魚河岸。

**かし**【:華＝氏・カ氏】〘理〙↑華氏温度。(↕セ氏)

**かし**【菓子】食事のとき以外に食べたり、客に出したりする、食べ物。あまいものが多い。「お一・スナック一」

**かし**【貸し】①かすこと。かしたお金や品物。「一がある」②他人に恩を〈あたえる〉きせること。▽(↕借り)

☆☆**かし**【×瑕×疵】①〔文〕きず。欠点。瑕瑾。②〘法〙法律上、何らかの欠点があること。「行政上の一」

**かし**【歌詞】ふしをつけて歌うための ことば。

**かし**【歌誌】〔文〕短歌の雑誌。

**かし**【×樫】ドングリのなる常緑樹の名。木はかたく、器具を作るのに使う。

**かし**【下賜】〘名・他サ〙〘天皇など〙身分の高い人がくださること。たまわること。「ご一品」

**かし**〘終助〙〔文〕願いや感動の気持ちを強くあらわすことば。「幸あれ一」

**かじ**【火事】建物・山林・乗り物などが焼けてしまうこと。火災。火難。「一明かり・一見舞い」

**かじ**【家事】①料理・せんたく・そうじなど、家の中の仕事。「一の分担」②〔文〕家庭内のこと。「一の都合〔＝家庭の事情〕で欠席します」☞家事審判。

**かじ**【華字】〔華↑中華〕中国の文字。「一紙〔＝中国語の新聞〕」

←**かじ**【(×梶)】↑かじ棒。

↔**かじ**【(×舵)】①船のうしろにつけて方向をきめる装置。②飛行機の方向などを調節する装置。●**かじ(舵)を切る** 句 ①船の進む方向を変えるためにかじを動かす。②活動方針を大きく変える。「政府が増税へ一」●**かじ(舵)を取る** 句 ①かじを動かして、乗り物を動かす。②方針などを、主になって決めて指導する。

→**かじ**【(×楫)】水をかいて船を進める道具。櫂や櫓。

**かじ**【鍛冶】金属を打ちたたいて器械や器具を作る〈こと〉職人〉。「鉄砲一」

**かじ**【加持】〘名・自サ〙〘仏〙①指を組み、呪文をとなえて仏の加護をいのること。②きとう(祈禱)。

**がし**【賀詞】〔文〕〈新年やおめでたいときの〉お祝いのことば。「一交換会」

**がし**【餓死】〘名・自サ〙うえじに(すること)。かつえじに。「多くの一者が出る」

**がし** 接尾 (↑終助詞「かし」。名・形動をつくる)〔文〕…しろ、…してもいいと言わんばかりに、あてつけがましくするようす。「出て行け一〔＝出て行けと言わんばかり〕の応対・見てくれ一の〔＝見てほしそうな〕デザイン」〔「出て行け」「やめよ」など動詞命令形につくが、命令形が「…よ」にならない動詞には接尾語「よがし」がつく場合もある〈例、出て行けよがし〉。「これ見よがし・聞こえよがし」は、命令形に「がし」がついて定着したもの〕

**かじあかり**【火事明かり】火事の火で、あたりが明るいこと。

**かしあた・える**【貸し与える】〘他下一〙〔文〕貸してやる。

**かしうり**【貸し売り】〘名・他サ〙⇩かけうり。

**ガジェット**【gadget】①携帯用の小型の電子機器。②ちょっとした、気のきいた小道具。便利な小物。③〘情〙⇩アクセサリー④。

**かしおり**【菓子折り】菓子の はいった折り箱。「みやげの一」

**かしおんど**【:華＝氏温度・カ氏温度】〘理〙水がこおる温度を三十二度、沸騰する温度を二百十二度とする温度目もり〔記号℉〕。華氏。〔主にアメリカで使う〕由来「華」は、考案者ファーレンハイト(Fahrenheit)を中国語で音訳したときの第一字。☞セ氏温度。

**かしか**【可視化】〘名・他サ〙①だれもが〈見て〉わかる、具体的な形にすること。見える化。②〘法〙警察・検察の取り調べの過程を録音・録画すること。

←**かじか**【(河鹿)】川の瀬にすむ、カエルの一種。おすは、夏のころすんだ声で鳴く。かじかがえる。

→**かじか**【(×鰍)】①川にすむハゼに似た小形の さかな。口が大きく、清流の砂の間にひそんでいる。ごり。②北の海にすむ さかな。頭のとがったものが多い。

**がしがし**〘副〙①力を入れて強くこすったり、かんだりするようす。「一頭をかく・歯を一(と)みがく・一(と)かむ」②力を入れて、何かを進めるようす。「からだを一きたえる・一働く・一消費する」〔二十世紀末からの用法〕

**かしかた**【貸し方】①ものを貸す人。貸し手。②貸す方法。③【貸方】〔＝他人や自分自身が、事業のために自分に貸したお金など〕〘経〙複式簿記で、帳簿の右がわの欄。〔貸借対照表では、負債・純資産の部〕▽(↕借り方)

**かしがまし・い**【(×囂しい)】〘形〙〔文〕〔声や音が〕大

きい。やかましい。派-さ。

**かじか・む**【(×悴む)】《自五》指が、寒さのために自由に曲げたりできなくなる。かじける。「手が—」

**かしかり**【貸し借り】《名・他サ》貸したり借りたり。貸しと借り。たいしゃく。

**かしかん**【下士官】〔軍〕軍隊で、士官と兵の間の階級(の軍人)。〔旧陸軍では上から曹長・軍曹・伍長、旧海軍では兵曹。自衛官の陸曹・海曹・空曹に当たる〕(↔士官・兵)

**かじき**【(×梶木)・(:旗魚)】マカジキ・メカジキなど、海にすむ大形のさかな。上あごが剣のように突き出ている。食用。かじきまぐろ。

**かしき・る**【貸し切る】《他五》①約束した期間、場所・乗り物などを、申しこんだ人だけに貸す。名貸し切り。「—の部屋・—バス」②残らず貸す。▽(↔借り切る)③借り切る。「すし店を貸し切っての宴会」〔二十一世紀になって広まった用法〕■貸す側が使うことばが誤解されて、借りる側も使うようになった。☞「募金」の■。

**かしきん**【貸し金】①貸したお金。(↔借金)②お金を貸すこと。「—業者」

**かしきんこ**【貸し金庫】銀行などが金庫室にそなえ、料金を取って客に使わせる小さな金庫。

**かしく**【(:可祝)】〔文〕かしこ。

**かし・ぐ**【(△傾ぐ)】《自五》〔古風〕かたむく。ななめになる。「柱が—・かしいだ看板」

**かし・ぐ**【(△炊ぐ)】《他五》〔雅〕ごはんをたく。

**かし・げる**【(△傾げる)】《他下一》かたむける。横へ曲げる。「首を—〔⇩「首」の句〕」自かしがる《五》〔古風〕。

**かしこ**〔「かしこ(畏)し《=おそれ多い》」の語幹〕《手紙》〔雅〕〔女性が〕終わりに書く、あいさつのことば。かしく。

**かしこ**【(:彼処)・(:彼所)】《代》〔雅〕あそこ。「—の山」

**かしこ・い**【賢い】《形》①頭のはたらきがいい。利口だ。(↔愚か)②ぬけめがない。ずるがしこい。「やり方が—」派-げ。-さ。

**かしこうせん**【可視光線】人の目に、光としてとらえられる光線。可視光。(↔不可視光線〔=赤外線・紫外線など〕)

**かしこくも**【(△畏くも)】《副》〔畏く↑文語形容詞「畏し」の連用形〕〔文〕おそれ多いことに。「—陛下のご臨席をたまわる」

**かしこし**【貸し越し】《経》銀行で、預金してある金額以上のお金の引き出しを認めること。(↔借り越し) 表記 熟語では「貸越」と書く。「貸越金・当座貸越〔=当座預金などでの貸し越し〕」動貸し越す《他五》。

**かしこま・る**【(△畏まる)】《自五》①神や権威のある人の前で、姿勢を正す。おそれつつしむ。②きちんと正座する。「その場に—」③つつしんで承知する。「『お茶をいただけますか』『かしこまりました〔=わかりました、の謙譲表現〕』」

**かしこ・む**【貸し込む】《他五》金融機関などが度をこしてお金を貸す。名貸し込み。

**かしさ・げる**【貸し下げる】《他下一》官庁から民間に貸しあたえる。名貸し下げ。

**かししつ**【貸し室】料金を取って貸す部屋。

☆☆**かししぶ・る**【貸し渋る】《自他五》〔銀行などが〕お金を貸し付けるのをためらう。名貸し渋り。

**かじしんぱん**【家事審判】《法》家庭内の事件やもめごとなどについて家庭裁判所がおこなう審判。

**カシス**〔フ cassis〕①スグリの一種。ヨーロッパ原産。実は、黒くて酸味が強く、ジャム・ゼリーなどに加工する。くろすぐり。ブラックカラント(black currant)。②「カシス①」の実を用いて造ったリキュール。「—ソーダ」

**かしず・く**【(×傅く)】《自五》えらい人につかえてせわをする。表記 かなでは「かしづく」も許容。

**かしせき**【貸席】会・食事などのために貸す部屋。

**かしだおれ**【貸し倒れ】《経》貸したお金が取りもどせなくなること。

**かしだ・す**【貸し出す】《他五》①〔組織・機関などが〕貸す。「図書館が本を—・区役所が施設を—」②《経》〔銀行などが〕お金を貸し付ける。名貸し出し。〔経済関係の熟語では「貸出」と書く。「貸出金利」〕

**かしち**【貸し地】料金を取って貸す土地。

**かじちょうてい**【家事調停】《法》家庭内の事件やもめごとなどについて家庭裁判所がおこなう調停。

**かしちん**【貸し賃】貸した場合に取る料金。(↔借り賃)

☆☆**かしつ**【過失】(不注意のための)あやまち。しくじり。(↔故意)●**かしつしょうがい**【過失傷害】《法》自分の過失で、人にけがをさせること。●**かしつそうさい**【過失相殺】《法》事故を起こした際、被害者にも過失があったと認められたとき、賠償金の一部を差し引くこと。●**かしつちし**【過失致死】《法》自分の過失で、人を死なせること。「業務上—罪」

**かしつ**【加湿】《名・自サ》水蒸気を発生させるなどして、室内の湿度を高めること。「—器」(↔除湿)

**かじつ**【佳日】〔文〕縁起のいい日。めでたい日。

**かじつ**【果実】①実。「アーモンドの—」②くだもの。「—飲料」③成果。「芸術運動の—」④《法》利益を生む物。物から得られる利益。「天然—〔例、石炭〕・法定—〔例、利子〕」●**かじつしゅ**【果実酒】くだものを焼酎などにつけこんだ飲み物。

**かじつ**【過日】〔文〕すぎ去ったある日。先日。

**がしつ**【画室】絵をかく部屋。アトリエ。

**がしつ**【画質】〔テレビやディスプレイの〕画像の映りぐあい。「高—」

**かしつかさ**【菓子司】〔=和菓子の製造をつかさどった所〕〔高級な〕和菓子店。菓匠。菓舗。菓寮。かしし。「御—とら屋」〔多く、店の名前に使う〕

**かしつけ**【貸し付け】《経》利息や返してもらう日などを決めて、お金や品物を貸すこと。「事業資金の—」動貸し付ける《他下一》。表記 熟語では「貸付」と書く。「貸付金・貸付先」●**かしつけしんたく**【貸付信託】《経》信託銀行が、証券を発行して集めた資金を重要な企業に貸し付け、その利子を、証券を買ってくれた人に分けること。

**がしっと**《副・自サ》①かたく組み合うようす。「—四つに組む」②頑丈なようす。がっしり。「—したからだつき」

**かして**【貸し手】お金・品物を貸す人。貸し主。(↔借り手)

**かじ-てつだい**【家事手伝い】つとめに出ないで、家の仕事を手伝っている(若い)人。家事てつ〔俗〕。

**かじとり**【(×舵)取り】カヂ《名・他サ》①かじを受け持って船の方向を定める人。かんどり。②団体などの運営をうまくおこなうこと。また、その責任者。「―役」

**かじどろ**【火事(泥)】↑火事場どろぼう。

**かしぬし**【貸し主】貸し手。(↔借り主)

**カジノ**〔フ casino〕①賭博場。②レビュー興行場。

**かじば**【火事場】火事の現場。●**かじばどろぼう**【火事場(泥棒)】①火事場の混雑につけこんで、ぬすみをする者。②混乱につけこんで利益をしめる人。▽火事どろ。●**かじばのばかぢから**【火事場の(:馬鹿)力】〔火事のときは、思いがけない力を出すことから〕緊急の場合に、能力以上のはたらきをすること。

**かしはがし**【貸し剥がし】〔俗〕〔銀行などが〕貸し付けてある融資を打ち切って、お金を無理に回収すること。

**かしばち**【菓子鉢】〔数人分の〕菓子を入れる、〔底の浅い〕入れもの。

**かしパン**【菓子パン】あまみのある材料を加えて作ったパン。例、あんパン・メロンパン。

**かしビル**【貸しビル】まとめてまたは区切って、人に貸すように作ったビル。おもに、事務所・営業用。

**かじぼう**【(×梶)棒】カヂ 人力車・荷車などを引っぱるときに、左右の手でにぎる長い棒。かじ。

**かしほん**【貸し本】料金を取って貸す本。「―屋」

**かしま**【貸間】〔アパートや下宿で〕料金を取って貸す部屋。

**かじまくら**【(×梶)枕・(×舵)枕】カヂ〔雅〕船の中でねること。

**かしまし・い**【(×姦しい)】《形》〔話し声が〕やかましい。かしがましい。「女三人よれば―」派―さ。

**かしまだち**【鹿島立ち】《名・自サ》〔雅〕長い旅への出発。動鹿島立つ《自五》。

**がじまる**【ガジマル】〔沖縄方言〕⇩ガジュマル。

**カシミヤ**〔cashmere〕カシミヤヤギ〔=インドのカシミール(Kashmir)地方などにすむヤギ〕の毛から作った織物。高級な服地を作るのに使う。カシミア。〔まがいものも多い〕

**かし・める**《他下一》〔方〕〔器具などの一部を〕おさえつけて固定する。名かしめ。

**かしもと**【貸元】〔=お金を貸す人〕①ばくち場の責任者。②ばくち打ちの親分。

**かしゃ**【仮△借】①六書の一つ。漢字を、同じ発音の別の語を書きあらわすのに使うこと。例、「歯のついたほこ」の意味の「我」を、「われ」の意味の「ガ」という語の表記に使うなど。「―文字」②漢字を発音符号として使うこと。当て字。例、也末(=やま(山))・亜米利加(=アメリカ)。☞かしゃく(仮借)。

**かしゃ**【貨車】①貨物を運送する、鉄道の車両。「―繰り」(↔客車) ②貨物列車。

**かしや**【貸家】家賃を取って貸す家。(↔借家)

**かじゃ**【(△冠者)】〔狂言〕大名が召し使う、若い男。「太郎―、あるか(=いるか)」

**かじや**【鍛冶屋】カヂ ①まっかに焼いた金属を打ちたたいて、道具類を作るのを職業とする〈人/家〉。②〔俗〕箱などのくぎをぬくときに使う、先がLの字形に曲がった道具。

[かじや②]

**かしゃかしゃ**《副》①小さくて、かたいものが軽くふれあう音。「そろばんを―とゆする」②カメラのシャッターを続けておす音。ぱしゃぱしゃ。「―と写真をとる」

**がしゃがしゃ**《副》うすくかたいものが連続的にぶつかったり、こわれたりする音。「引き出しの中を―とかきまわす」

☆☆**かしゃく**【(×呵△責)】責め苦しめること。「良心の―」

**かしゃく**【仮借】《名・他サ》〔多く、後ろに否定が来る〕許すこと。手加減。「―(するところ)なく責めたてる」☞かしゃ(仮借)

**がしゃん**《副》うすいものがぶつかったり、こわれたりする音。「ワイングラスを―と落とす」

**かしゅ**【火酒】〔文〕アルコール度の高い酒。例、ジン・ウオッカ。

**かしゅ**【歌手】〔職業として〕歌をうたう人。うたいて。シンガー。☞歌い手。

**かじゅ**【果樹】くだものがなる木。

**がしゅ**【雅趣】〔文〕風雅なおもむき。雅致。「―に富む」

**がじゅ**【賀寿】長寿を祝う、節目に当たる年齢。例、還暦・古希・喜寿。

☆☆**カジュアル**〔casual=略式の〕㊀《ナ》ふだんの感じの。気取らない。「―な服装・―な場面」㊁《服》ふだん着られる、気取らない感じの洋服。カジュアルウエア。「オフィス―(=職場での、少しくだけた服装)」●**カジュアルダウン**《名・他サ》きちんとした服などに、かわいいかざりをつけたりして、見た目を気取らない感じにすること。「ベレーを―してかぶる」

**かしゅう**【家集】個人の歌集。「自選―」

**かしゅう**【歌集】①〈和歌/短歌〉をあつめた本。②歌詞をあつめた本。「愛唱―」

**カシュー**〔cashew〕①西インド諸島などにはえる、ウルシに似た木。②「カシュー①」の実から作る合成塗料。●**カシューナッツ**〔cashew nut〕「カシュー①」のたね。まが玉の形をしている。酒のつまみなどにする。

**かじゅう**【佳(×什)】〔文〕〔詩や歌などの〕りっぱな作品。

**かじゅう**【果汁】くだものの実をしぼったしる。「―百パーセントのジュース」

→**かじゅう**【加重】《名・自他サ》①おもさ〈が加わる/を加える〉こと。(↔軽減) ②〔法〕〔刑を〕加えておもくすること。(↔減軽) ●**かじゅうへいきん**【加重平均】〔数〕平均値を計算するとき、各項の数値にその重要度に比例した係数を掛け、各項に重みをつけてから平均すること。重みつき平均。

→**かじゅう**【荷重】《名・自他サ》構造物に加わる力。また、構造物の、たえられるおもさ。「―がかかる」

**かじゅう**【過重】《ナ》おもすぎるようす。「―労働・―な負担」派―さ。

**がしゅう**【我執】〔仏〕自分だけの考えにとらわれて、それからはなれられないこと。我見。

**がしゅう**【画集】絵をあつめた本。

**かじゅえん**【果樹園】果樹をそだて、くだものを作っている農園。

**がじゅく**【画塾】絵を教える塾。「美大を目指し―に通う」

**カシュクール**〔フ cache-cœur＝胸をかくす〕《服》前身ごろが着物のように打ち合わせになっている服。「―ワンピース」

**がじゅまる**【ガジュマル】〔沖縄方言〕熱帯地方にはえる常緑樹の名。枝から気根がたれ下がる。榕樹(ようじゅ)。ガジマル。

**がしゅん**【賀春】〔文〕〈新春/新年〉を祝うこと。〔年賀状などに書くことば〕

**がじゅん**【雅×馴】《ナダ》〔文〕ことばや表現が上品でこなれているようす。

**かしょ**【歌書】〔文〕①和歌について かいた書物。②歌集。

***かしょ** ㊀かしょ【箇所・△個所】そのところ。場所。「不通―」㊁【か所】接尾 場所などを数えることば。「五―」表記㊁「カ所」「ヵ所」「ヶ所」「箇所」「△個所」とも。

**かじょ**【加除】《名・他サ》加えたり、取り除いたりすること。「名簿(めいぼ)の―訂正(ていせい)」

**かしょう**【花×椒】⇩ホアジャオ。

**かしょう**【河床】《地》川の底の地盤(じばん)。かわどこ。

**かしょう**【菓匠】⇩菓子司(かしつかさ)。〔多く、和菓子店の名前に使う〕

**かしょう**【火傷】《名・自サ》《医》やけど。

**かしょう**【歌唱】《名・自他サ》うたうこと。うた。「―指導・―力」

**かしょう**【仮称】《名・他サ》かりに、その名前で呼ぶこと。かりの名前。

←**かしょう**【過小】《ナダ》小さすぎるようす。「―(に)評価する」(↔過大) 派―さ。

↑**かしょう**【過少】《ナダ》少なすぎるようす。「―資本」(↔過多) 派―さ。

**かじょう**【下情】〔文〕〈民間/しもじも〉のようす。「―に通じる」

**かじょう**【渦状】〔文〕うずまきがた。「―星雲」

**かじょう** ㊀かじょう【箇条・△個条】一つ一つならべあげることがら。㊁【か条】接尾 ことがらを数えることば。「三―」表記㊁「カ条」「ヵ条」「ヶ条」「箇条」「△個条」とも。●**かじょうがき**【箇条書き】箇条に分けて書きならべ〈ること/たもの〉。

**かじょう**【過剰】《名・ナダ》①あまるほど多いこと。「自意識―・人口―」②やりすぎること。「―警備・―防衛・―敬語」派―さ。

**がしょう**【画商】絵を売ったり買ったりする商売(の人)。

**がしょう**【賀正】〔文〕新しい年の正月を祝うこと。がせい。〔年賀状などに書くことば〕

**がしょう**【賀×頌】〔文〕祝い たたえることば。

**がしょう**【雅称】〔文〕同じ物の、上品で古めかしい呼び方。例、日本の国を「日い(出)ずる国」、「みずほ(瑞穂)の国」。

**がしょう**【×臥床】《名・自サ》〔文〕①ねどこ。②〔病気で〕ふとんにね(ている)こと。

**がじょう**【牙城】①しろの中心。本陣(ほんじん)。②本拠(ほんきょ)。根拠地。③かたいそなえ。「横綱(よこづな)の―をおびやかす」

**がじょう**【画×帖】⇩がちょう(画帳)。

**がじょう**【賀状】①祝いの手紙。祝賀の手紙。②年賀の〈手紙/はがき〉。年賀状。

**かしょく**【家職】代々引きついできた、家の職業。「―の医学」

**かしょく**【華×燭】〔文〕①はなやかな ともしび。②〔他人の〕結婚(けっこん)式。「―の日」●☆☆**かしょくのてん**【華×燭の典】〔文〕〔他人の〕結婚(けっこん)式。

**かしょく**【貨殖】〔文〕財産をふやすこと。

**かしょく**【火食】《名・自サ》〔文〕煮(に)たり焼いたりしてたべること。

**かしょく**【過食】《名・他サ》〔文〕たべすぎること。●☆☆**かしょくしょう**【過食症】《医》摂食(せっしょく)障害の一つ。度をこして食べては、はいたりする。

☆☆**かしょぶんしょとく**【可処分所得】《経》収入から税金や社会保険料を引いた、使い道の自由な部分。

**かしら**【頭】㊀かしら ①〔古風〕あたま。「―を振(ふ)る・―を上げよ・かしら―っ、右!〔＝いっせいに右を向いて注目するときの号令〕」②いちばん上。「八つを―に三人の子がいる」③上に立つ人。親方。親分。「とびの―・お―」④【△首】文楽(ぶんらく)など、人形芝居(しばい)に使う、人形の首。⑤〔刀の〕柄頭(つかがしら)。⑥【カシラ】ブタのあたま〔こめかみなど〕の肉。㊁〔がしら〕造 ①先頭になって活動する人。「かせぎ―・出世―」②同類の中でいちばん上に立つ人。「仲居―・若―」③…したとたん。「出あい―」●**頭を下ろす** 句 髪(かみ)をそって出家する。●**かしらいし**【頭石】「おやいし(親石)」の新しい言い方。●**かしらがき**【頭書き】①文書の最初に書かれた、その文書の趣旨(しゅし)。②肩書(かたがき)。●**かしらだつ**【頭立つ】《自五》〔ある集団の中で〕長などの、上の地位に立つ。「頭立った人たち」●**かしらぶん**【頭分】あたまかぶ。親分。首領。●**かしらもじ**【頭文字】①ことばの、はじめの一文字。「英語の―をならべた略語」☞頭字語。②⇩イニシャル。

***かしら** ㊀《終助》〔↑か知らぬ〕〔話〕自問や問いかけ、ていねいにたのむときの ことば。〔多く女性が使う。男性が使うと、古風で やさしい感じ〕「あの人行く(の)―・あなたから言ってもらえる―・そうだった―ね」☞かしらん。㊁《副助》〔疑問詞につけて〕不確かなことを言うときに使う。「どこ―似たところがある」

**がしら**【頭】造 ⇩かしら(頭)㊁。

**かしらん**《終助》〔↑か知らぬ〕〔話・やや古風〕かしら。「メールで気持ちが伝わる―・何かいいことがない―」〔「かしら」に比べて、男性も多く使った〕

**かじりつく**【×齧り付く】《自五》①口を近づけてかじる。「せんべいに―」②しがみつく。すがりつく。「母の首っ玉に―」③そこからはなれない状態になる。「テレビに―・机に かじりついて勉強する」

**かじる**【×齧る・×噛る】《他五》①(かたい)ものをかむ。また、かんで、欠けた状態にする。「〈リンゴ/パン〉を―・ネズミに耳をかじられる」②ものごとの一部分だけを知る。〔けんそんの気持ちでも言う〕「統計学を―」③〔山梨・静岡方言〕つめで かく。

**かしわ**【〔×柏〕】(かし はは) 山林に はえる落葉樹。葉は、ゆるやかな波形の出入りがあり、かしわもちに使う。●**かしわで**【〔×柏〕手】神をおがむとき、両手を打ち合わせて鳴らすこと。

●**かしわもち**［（×柏）餅］ 由来 古く「拍手」を書きまちがったもの。 ①カシワの葉を二つに折って包んだあん入りの もち。 ②〔俗〕一枚のふとんを二つに折って中にねること。

**かしわ**［（：黄鶏）］〔西日本などの方言〕 ニワトリの（上等の）肉。「一鍋・一南蛮」 由来 色づいたカシワの葉のようなニワトリの羽毛の色から。 ☞桜肉。

**かしん**［花心・花芯］〔文〕おしべ・めしべが集まっている、花の中心。

**かしん**［花信］〔文〕はなだより。

**かしん**［河心］ 大きなかわの流れの、まんなかのあたり。

**かしん**［家臣］ とのさまの家につかえる臣下。家来。

**かしん**［過信］《名・他サ》 信用しすぎること。「自分の力を一する」

**かじん**［佳人］〔文〕美しい女性。美人。 ●**かじんはくめい**［佳人薄命］ 美人はからだが弱かったり、苦労が多かったりして、とかく不幸や短命なことが多いということ。美人薄命。

**かじん**［家人］〔文〕その家に住む人。家族。

**かじん**［華人］ 中国から海外に移住した中国人。中国系住民。〔移住先の国籍を取った人を指すことが多い〕 ☞華僑。

**かじん**［歌人］ 和歌・短歌を作る人。うたよみ。

**がじん**［画人］〔文〕絵かき。画家。

**がしんしょうたん**［×臥薪×嘗胆］《名・自サ》（＝たきぎ（薪）の上にね（臥）、にがいきも（胆）をなめる（嘗）ほど苦心する）〔文〕〈かたきを討とう／将来の希望をかなえよう〉として非常な苦労をかさねること。

←**かす**［（×粕）・（×糟）］ 酒かす。「一じる・一づけ」

→**かす**［（×滓）・カス］ ①あとに残（って、周囲にこびりついたりす）る、いらないもの。「食べ物の一・消し（ゴムの）一・せっけん一・売り場には一しか残っていない」 ②〈つまらない／役に立たない〉もの。「人間の一〔＝くず〕・このビルは設備が一だ〔やや俗〕」

**か・す**［化す］ 一《自他五》 変わる。変える。「木が石に一・海水を真水に一・廃墟と一街」 二《自他サ》〔文〕感化〈する／される〉。「師の徳に化せられる」 ▽ 一 二 化する。

**か・す**［嫁す］《自他五》〔文〕⇩嫁する。

←**か・す**［仮す］《他五》〔文〕かりに あたえる。「時を一」

→**か・す**［貸す］《他五》 ①自分のものを、しばらく相手にわたして使わせる。〔料金を取ることもある〕「本を一・部屋を一・千円貸してくれ」 ②助けるために、自分のものを人にあたえる。「力を一・知恵を一」 ▽（↕借りる） ③〔少しの間〕手わたす。「カメラが動かないって？ ちょっと貸してみろ」 可能 貸せる。 ☞顔を貸す〔「顔」の 句〕。

←**か・す**［科す］《他五》 罰をあたえる。罰則を適用する。科する。「罰金（刑）を一・ペナルティーを一」

→**か・す**［課す］《他五》 ①言いつけて させる。わりあてる。「仕事を一・ノルマを一」 ②〔税を〕かける。「租税を一」 ▽課する。

**かず**［下図］〔文〕したの図。（↕上図） ☞したず（下図）。

**かず**［数］ ①おはじき・リンゴの実・本のページ・野球の試合・月日など、一つ一つ別々になっているものが〈どのくらいあるか／何番目に当たるか〉をあらわすもの。すう。「一を数える」（↕量） ②多いこと。いろいろ。「一ある作品・一撃ちゃ当たる〔⇩「下手」の 句〕」 ③なかま。同類。「一に加える」 ④数字。「空欄に一を書く」 ☞数ならぬ。 ●**数知れず** 句 数え切れない。数知れない。「数知れぬ鳥の大群」

**が・す**［賀す］《他五》〔文〕⇩賀する。「新年を一歌」

＊**ガス**〔オ gas〕 ①空気以外の気体。「一状・プロパン一」 ②燃料に使う気体。石炭ガス・プロパンガスなど。また、その気体を送る設備。「一ストーブ・一中毒・一もれ・一をつける・一を引く・一をとめる〔＝ⓐ栓をしめて、出ないようにする。ⓑガスの供給をとめる〕」 ③毒ガス。④濃霧。海上の霧。 ⑤〔米 口語 gas から〕 ⑥おなら。「〔病院で〕一は出ましたか」 表記 ↑ガソリン。 ①〜③「：瓦斯」は、古い音訳字。

**かすい**［花穂］《植》穂のように むらがって さく形の花。「一じそ〔＝刺身のかざりに使うシソの花〕」

**かすい**［下垂］《名・自サ》〔文〕たれ下がること。「胃一」 ●**かすいたい**［下垂体］《生》脳の底に下がっている、エンドウマメぐらいの内分泌腺。発育・生殖の はたらきに関係がある。「一ホルモン」〔もと、「脳下垂体」と言った〕

**かすい**［加水］《名・自サ》 水を加えること。「一していないしょうゆ」 ●**かすいぶんかい**［加水分解］《名・他サ》《理》化合物に水を加えることで、その化合物の分子が分解して、二つの化合物が得られる反応。

**かすい**［仮睡］《名・自サ》〔文〕うたたね（すること）。

**ガスえそ**［ガス（△壊×疽）］《医》傷口の中にガスが発生して、ひどくはれる、たちの悪い えそ。

**かず-おお・い**［数多い］《形》 数が たくさんあるようすだ。「一逸話・よい品を数多く取りそろえる」（↕数少ない） 名 数多く。「一の人々」

**かすか**［（△微か）］《ナダ》 ①よく注意して、やっと認められるようす。ほのか。「一に聞こえる・一な音」 ②弱々しいようす。「一な声」 派 -さ。

**かすがい**［（×鎹）］ ①かけがね。 ②二つの材木を結びつける、コの字形の金物。 ③二つのものをつなぎとめるもの。「子は一」

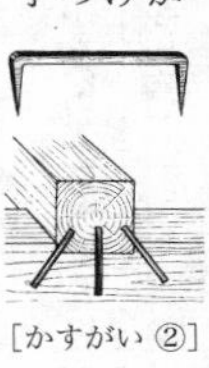

［かすがい ②］

**かず-かぎりな・い**［数限りない］《形》 数が いくらでもある状態だ。「一失敗を経てきた」

**かすかす** 一 かすかす《副・自サ》 ①水分が少ないようす。「とうふが一になる」 ②声がかれたようす。「のどが一する」 二 かすかす《副》〔古風〕なんとか、やっと。かつかつ。「一（で）時間にまにあった」

**かずかず**［（数々）］《名・副》 いろいろ たくさん。「一の作品・春の花は一あるが」

**ガスがま**［ガス釜］ ガスを使って ごはんを炊く器具。ガス炊飯器。

**ガスけつ**［ガス欠］〔ガス＝ガソリン〕〔俗〕自動車の燃料のガソリンが切れること。

**ガスこんろ**［ガスコンロ］ ガスを使うコンロ。

**かず・ける**［（△被ける）］《他下一》〔古風〕 ①かぶせる。「罪を一」 ②かこつける。「病気にかずけて休む」

**かずさ**［（：上総）］ 旧国名の一つ。今の千葉県の中部。

**ガスしつ**［ガス室］ 有毒ガスによって、人や動物を殺す部屋。「一に送りこむ」

**ガスじゅう**[ガス銃] 催涙ガス弾を発射する銃。

**かすじる**[(×粕)汁・(×糟)汁] さかなや野菜などを具に、酒かす・みそで味つけをしたしる。「鮭の—」

**かずすくない**[数少ない]《形》 数がほとんどない。「—味方の一人」(↔数多い)

**カスター**〔caster〕 ⇩キャスター②。

**カスタード**〔custard〕 牛乳とたまごをまぜあわせ、砂糖・香料を加えて煮たもの。菓子用のソース・クリームなどにする。「—クリーム・—プリン〔⇩プリン①〕」

**ガスだい**[ガス台] ①ガスコンロをのせる台。②調理用のガスコンロを取り付けた台。ガステーブル。

**カスタネット**〔フ castagnettes〕《音》(歌やおどりのひょうしを取るために)手のひらの中で打ち鳴らす楽器。木の実を二つに割ったような形のもの。

☆☆**カスタマー**〔customer〕 顧客。「—サポート〔=顧客からの問い合わせに応じる窓口〕」

**カスタマイズ**《名・他サ》〔customize〕 ①使いやすいように、製品などに手を加えること。カスタム。「—専門店・相手に合わせて指導方法を—する」 ②《情》ソフトウェアの初期設定を自分の使いやすいように変更すること。

**カスタム**〔custom〕 ①特別注文。②⇩カスタマイズ①。 ●**カスタム カー**〔custom car〕 特別注文車。特別仕様の高級車。〔本来は、二つの車を合体させたりして自分でつくる車〕

**ガスだん**[ガス弾] 毒ガス・催涙ガスをつめたたま。

**ガスタンク**〔gas tank〕 「ガス②」をためておく筒形または球形の、大きな建造物。ガス ホルダー。

**かすづけ**[(×粕)漬け・(×糟)漬け] 調味した〈酒かす/みりんかす〉に、さかなや野菜などをつけること。また、その食品。「鮭の—」

**カステラ**〔ポ Castella=地名〕 小麦粉・砂糖・たまごなどをまぜて蒸し焼きにした菓子。カステーラ。「ベビー—〔=ピンポンだまのような形のカステラ〕」

**かすとり** [一][(×粕)取り・(×糟)取り] 〈酒/ワイン〉を造るときに出る かすを蒸留して造ったアルコール。「—焼酎・—ブランデー」 [二][カストリ] 第二次大戦後に出回った、質の悪い密造酒。「—雑誌〔=三号でつぶれる、くだらない雑誌。カストリを飲むと、三合で酔いつぶれることから〕」

**かずとり**[数取り] ①数を数えること。「—器」 ②数を数える〈もの/人〉。③数をたくさん取り合う遊び。

**かずならぬ**[数ならぬ]《連体》〔文〕特に数えあげるほどの ものでもない。取るに たりない。〔おもに けんそんして言うことば〕「—身」

**ガスぬき**[ガス抜き]《名・他サ》 ①〔炭坑などで〕ガス爆発を予防するために、発生したガスを取り除くこと。②〔社会や個人の〕不満を発散させること。

**かずのこ**[(数の子)] ニシンの腹に はいっているたまごのかたまりをほしたもの。また、塩づけにしたもの。正月に食べる。

**ガスパチョ**〔ス gazpacho〕 スペイン料理で、トマトやキュウリなどの野菜をくだいて とろりとさせて作る、冷たいスープ。ガスパッチョ。ガスパーチョ。

**カスハラ**〔↑カスタマー ハラスメント〕 店などの客による、強要や いやがらせなどの迷惑行為。

**ガス ホルダー**〔gas holder〕 ⇩ガスタンク。

**ガスマスク**〔gas mask〕 防毒マスク。

**かすみ** [一][(×霞)] ①春、野や山すそなどに、非常に細かい水滴の集まりが、白い帯のように たなびくもの。霧・もやの一種。「—がかった朝」 ②「かすみ[一]①」のようにぼんやりしたもの。「目の前に—がかかる」 ③〔↑かすみ網〕 小鳥をつかまえる、目の細かい網。 [二][(×霞み)・(×翳み)] はっきり見えなくなること。かすむこと。「目の—」 ●**霞を食う**〔句〕 仙人のように、世の中の動きに関心を示さずに生活する。 ●**かすみ そう**[(×霞草)] ①観賞用の草花の名。葉は細く、夏ごろ五弁の白い小さな花を多数つける。切り花として多く用いる。②ホトケノザの別名。 ●**かすみ め**[(×霞み)目] つかれや病気のために、目がかすんでよく見えなくなった状態。

**かすみがせき**[×霞が関]〔=東京都千代田区にある中央官庁街のある あたり〕 日本の中央官庁の通称。「—文学〔=俗に、官僚が、ふつうの人には真意をさとられないように くふうした文章〕」

**かす・む**[(×霞む)]《自五》 ①[(×翳む)] はっきり見えなくなる。「主役も—子役の演技」 ②かすみが立つ。③目立たなくなる。「目が—」

**かすめと・る**[(×掠め)取る]《他五》 ①うばい取る。②相手が ゆだんしているすきに、取る。

**かす・める**[(×掠める)]《他下一》 ①こっそり、手早くうばう。ぬすむ。「食料を—・監視の目を—〔=すきをねらう〕」 ②〔気持ちなどが〕ごく短い間あらわれて、すぐ消える。「心を—」 ③すれすれに通る。「ツバメが軒をかすめて飛ぶ」

**かずら**[(×鬘)] ⇩かつら(鬘)。

**かすり**[(×絣)・(∴飛白)] 小さい十文字や井げたなどのたくさんある模様(の織物)。「紺—」

**かすり**[カスリ]〔=掠り〕 ①うわまえをはねること。また、そうして手に入れたお金。②〔俗〕場所代。「—を取る」

**かすりきず**[(△擦り)傷] ①表面をものが かすって作った、軽い きず。擦過傷。②大勢に影響しない、わずかな被害。

**か・する**[嫁する]〔文〕[一]《自サ》 よめに行く。とつぐ。「大名に—」 [二]《他サ》 ほかに着せる。転嫁する。「責任を他人に—」 ▽[一][二]嫁す。

←**かす・る**[(△擦る)]《自他五》 ①ものの表面を、少しだけこすって通過する。「バットがボール〈に/を〉—」 ②近いところまで行く。「正解に かすりもしない・〔宝くじで〕一等にかすった」

→**かす・る**[(×掠る)]《他五》 うわまえをはねる。

**か・する**[化する]《自他サ》 ⇩化す。

**か・する**[架する]《他サ》〔文〕〔橋などを〕かける。かけわたす。架す。

←**か・する**[科する]《他サ》 ⇩科す。

→**か・する**[課する]《他サ》 ⇩課す。

**が・する**[×駕する]《自サ》〔文〕〔乗り物などに〕乗る。駕す。「舟に—・竜に駕して天にのぼる」

**が・する**[賀する]《他サ》〔文〕喜びを言う。祝う。賀す。

**ガス・る**《自五》〔俗〕霧がかかる。

←**かす・れる**[(×掠れる)]《自下一》 ①字を書いたときに、墨やインクが はっきりつかないところがのこる。②声を出したとき、ところどころ ひびかなくなる。「かぜを引いて声が―」名かすれ。

**かす・れる**【△擦れる】《自下一》かすった状態になる。「どこでかすれたか、きずがついている」名かすれ。

**かせ**【×枷・△械】①首や手足にはめて動かせないようにする、昔の刑罰の道具。②行動のじゃまになるもの。障害。「行動に―をはめる」

**かせ**【×綛】①つむいだ糸を巻きつける道具。かせわく。②「かせ①」に巻き取った糸のたば。かせいと。

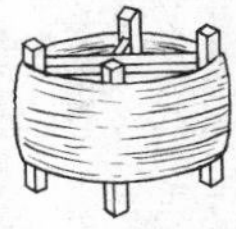
［かせ ①］

**かぜ**【風】①〈木の葉をゆらしたり、ヨットを動かしたりする〉空気の流れ。「―の強い日」②社会やその場の〈態度／傾向〉。「世間の―は冷たい・〈議会で〉解散―が吹く」☞風の便り・風の吹き回し。●**風薫る**句 初夏の若葉の中を、風がさわやかにふきわたってくる。「―五月」●**風が吹けば桶屋がもうかる**句 一つのできごとが、めぐりめぐって思いがけないところに影響をおよぼすことのたとえ。由来 大風が吹くと砂ぼこりが立つ。それが目にはいって盲人が多くなる。盲人で三味線を習う人が多くなる。三味線の皮が不足するのでネコがたくさん殺される。ネコが減るとネズミがふえる。ネズミがふえると桶をかじる。桶の注文がふえて桶屋がもうかる、という話から。●**風に立つ**句〈何かをしようとして〉風のふいてくる方向に姿勢を向ける。「飛び立とうとして―」●**風光る**句《俳句》若葉のころ、風のために葉が動いて光るように見える。●**風を切る**句 風の流れを切りさくようにする。「―翼・肩で―」〈⇩「肩」の句〉●**風を食らって**句〈風にふかれるように〉大いそぎで。「―にげだした」●…**風を吹かせる**句 …であることを見せつける。〈多く、上の立場であることをひけらかす場合に使う〉「先輩―」

**かぜ**【風邪】ウイルスなどが原因で、くしゃみ・鼻みず・せきなど、鼻からのどにかけての炎症を起こす症状。感冒。風邪。由来「風」から。漢語「風邪」は、邪気のある風の意味。●**かぜを引く**句 ①風邪にかかる。由来「邪気のある風をからだの中に引き入れる」の意味。平安時代からある表現で、「かぜ起こる」とも言った。②空気や湿気にふれて〈変質する／使えなくなる〉。「粉が―・お茶が―」

**がせ**【ガセ】《俗》にせもの。「―ネタ(=にせの情報)」

**かぜあたり**【風当たり】①風がふきあたる〈こと／強さ〉。②外部からの圧迫や非難。「世間の―が強い」

**かせい**【火星】《天》太陽系の第四惑星。地球のすぐ外がわを回る、赤い星。約一・九年で太陽を回り、二個の衛星を持つ。マルス(Mars)。「―人(=想像上の生命体で、多く、タコのような形にえがかれる)」

**かせい**【火勢】《文》火の燃える勢い。「―が強い」

**かせい**【仮性】《医》疑似。(↔真性)●**かせいきんし**【仮性近視】《医》目を近づけて本を読んだりしたために一時的に起こる、近視の状態。子どもに多い。●**かせいコレラ**【仮性コレラ】《医》赤ちゃんがかぜのために起こす、急性の消化不良症。米のとぎじるのような白い便を出す。

**かせい**【苛性・カセイ】《理》皮膚やそのほかの組織をただれさせる性質。●**かせいソーダ**【苛性ソーダ】《理》「水酸化ナトリウム」の通称。

**かせい**【苛政】《文》〈残酷な／きびしい〉政治。

**かせい**【家政】家事の処理。●**かせいふ**【家政婦】家事を手伝うことを職業とする女性。

**かせい**【×嗄声】《医》「させい」の慣用読み。

**かせい**【歌聖】《文》非常にすぐれた歌人。

**かせい**【加勢】《名・自サ》〈劣勢の人を〉助ける〈こと／人〉。「友だちに―する」

**かせい**【化成】《名・自他サ》化合してほかの物質になること。「―品」

**かぜい**【苛税】《文》ようしゃなく取り立てる、ひどい税金。

☆☆**かぜい**【課税】《名・自サ》税金をわりあてること。わりあてた税金。「―最低限」

**がせい**【画聖】《文》非常にすぐれた画家。

**がせい**【賀正】《文》⇩がしょう(賀正)。

**かせいがん**【火成岩】《鉱》マグマが地表の近くや地下の深い所で固まってできた岩石。例、花崗岩・玄武岩。☞火山岩・深成岩。

**カゼイン**〈ド Kasein〉《理》ウシ・ヤギの乳などにふくまれているたんぱく質。チーズのおもな成分。また、接着剤に使う。

**かせき**【化石】□一①《地》地質時代の生物やそのあとが(石になって)残ったもの。②《俗》時代おくれ。「―人間」□二《名・自サ》《文》石になること。「―したように動かない」●**かせきじんるい**【化石人類】《歴》化石からその存在が知られている、過去の人類。☞猿人・原人・旧人①・新人④。●☆☆**かせきねんりょう**【化石燃料】石炭・石油・天然ガスのように、太古の植物などが堆積してできた燃料。

**かせぎ**【稼ぎ】①かせぐこと。「―頭・時間―」②働いて手に入れたお金。かせぎ高。③かねになる仕事。

**かせ・ぐ**【稼ぐ】□一《他五》①働いて、お金を手に入れる。「一日一万円稼いだ・学費を―」②無理をして、できるだけ数量を多くする。「点数を―・原稿の枚数を―・ゴルフで距離を―打法」□二《自五》精を出してよく働く。「畑で―」●**稼ぐに追いつく貧乏なし**句 まじめに働き続けていれば、貧乏になることはない。

**かぜぐすり**【風邪薬】かぜを治すために飲むくすり。かざぐすり。

**かぜけ**【〈風邪気〉】かぜを引いたような、からだのぐあい。かざけ。

**かぜごこち**【〈風邪〉心地】かぜにかかったような気持ち。

**かぜたいふう**【風台風】《天》雨よりも風による被害が大きい台風。(↔雨台風)

☆☆**かせつ**【仮説】事実を合理的に説明するために考えた、仮定。臆説。「―をたてる」

**かせつ**【仮設】《名・他サ》①かりに作ること。「―住宅」②かりにそう決めること。かりの前提。③↑仮設住宅。

**かせつ**【架設】《名・他サ》かけわたすこと。「―工事・電線を―する」

**カセット**〈cassette=小箱〉①中に磁気テープなどをおさめ、そのまま装置に入れて録音・録画・再生できるようにした、小さな容器。「ビデオ―」②↑カセットテープ。③↑カセットデッキ。●**カセットこんろ**【カセットコンロ】ガスのはいった小さなボンベを使う卓上用コンロ。●**カセットテープ**〔cassette tape〕カセットにおさめた、音声記録用のテープ。カセット。〔一九七〇～九〇年代に、特に使われた〕●**カセットデッキ**〔cassette deck〕カセットテープに録音・再生する装置。

**かぜとおし**［風通し］①風がふきとおる〈こと/ぐあい〉。通風。「―がいい」②〔組織内での〕情報・意思の通じぐあい。「社内の―をよくする」▽かざとおし。

**かぜのたより**［風の便り］どこからともなく聞こえてくる〈うわさ/たより〉。「―に聞く」

**かぜのふきまわし**［風の吹き回し］ことのなりゆき。状況の変化。「どういう―か」

**かぜひき**［(風邪)引き］かぜにかかること。かぜを引くこと。また、かぜを引いた人。かぜっぴき。

**かぜまち**［風待ち］《名・自サ》帆船をこぎ出すのにいい風を待つこと。「―の港」(↔潮待ち)

**かぜみち**［風道］風の通り道。

**かぜむき**［風向き］⇩かざむき①。

**かぜよけ**［風(除け)］ふきつける風を防ぐ〈こと/もの〉。かざよけ。

**かせん**［下線］文字の下に引いた線。「―部」

**かせん**［化繊］↑化学繊維。

**かせん**［河川］かわ。「―の増水」●**かせんじき**［河川敷］川の、堤防にはさまれた土地。おもに、河原をさす。かせんしき。

**かせん**［歌仙］①〔文〕和歌の名人。「六―」②連句で、三十六句で一巻とするもの。「―を巻く〔=何人かで歌仙をおこなう〕」

**かせん**［架線］《名・他サ》かけわたした電線。「―が切れた」〔鉄道関係者は「がせん」とも言う〕

**かせん**［寡占］《名・他サ》《経》少数の会社が、その商品の供給の大半をおさえること。「大企業による―化が進む・―状態」

**かぜん**［果然］《副》〔=やっぱりそうだった〕〔文〕思ったとおり。はたして。

**がせん**［画仙］〔文〕絵の名人。●**がせんし**［画仙紙］字や絵をかくときに使う、厚くて白い和紙。かけ軸などに仕立てる。

**がぜん**［(俄然)］《副》①急に変化するようす。にわかに。「―反撃に転じる」②〔俗〕断然。

☆☆**かそ**［過疎］町や村の人が都会へ行ったりして、土地の人口が異常に少ないこと。「―地帯」(↔過密)

☆☆**がそ**［画素］「ディスプレイ③」や、デジタルカメラの画像などを構成する、小さな点(の数)。ピクセル。「七百万―」

**かそう**［下層］①かさなったものの下のほう。「―にある雲」②下の階層。「―の人々」▽(↔上層)

**かそう**［家相］その人の運勢に影響するとされる、家の建て方や方角の特色。「―が悪い」

**かそう**［仮装］《名・自サ》①いつわって、本心とちがうようすをすること。「―離脱」②パレードや舞踏会などでの扮装。「―行列」③かりの装備。「―巡洋艦」

**かそう**［仮想］《名・自他サ》かりに、そうだと思うこと。見立てること。「―敵国・―メモリー」●**かそうつうか**［仮想通貨］《経》⇩暗号資産。

**かそう**［火葬］《名・他サ》①死体を焼いて、ほうむること。(↔土葬)②死体を焼いて骨にすること。「―場」

**かぞう**［加増］《名・他サ》《歴》領地・禄高をふやすこと。

←**かぞう**［架蔵］《名・他サ》〔文〕書物や資料などを本だなにしまってあること。「国会図書館―・―書」

→**かぞう**［家蔵］《名・他サ》〔文〕自分の家にしまってあること。「―の人形・―本」

*__がぞう__［画像］①テレビ・パソコンなどの画面にあらわれた絵・写真・映像。〔それを印刷したものも言う〕②肖像。

**かぞえ**［数え］↑かぞえどし。「―の十九」(↔満)●**かぞえあげる**［数え上げる］《他下一》①一つ一つ数える。②数え終わる。●**かぞえうた**［数え歌］〔「一つとや」など〕一つ…二つ…と数を追ってうたう歌。●**かぞえたてる**［数え立てる］《他下一》いちいち数え〈る/て言う〉。「他人の失敗を―」●☆☆**かぞえどし**［数え年］生まれた年を一歳として数えた年齢。正月ごとに としが一つふえる。かぞえ。(↔満年齢)●**かぞえび**［数え日］年末の、残り少なくなった日々。

**かぞえる**［数える］《他下一》①いくつあるか しらべる。かんじょうする。「数を―・百冊を―〔=百冊になる〕」②一つ一つ取り上げる。列挙する。あげる。「理由はいろいろ数えられる」③その中の一つに入れる。数え入れる。「候補者の一人に数えられる」④数え年でかんじょうする。「数えて六歳」可能 数えられる。●**かぞえるほど**［数えるほど］《副》指を折って数えられる程度。ごく少数。わずか。「まともなものは―しかない」

**かそく**［加速］《名・自他サ》速度を加えること。また、速度が加わること。「―をかけて追いぬく・売り注文が―する・―的〔=加速度的〕に進歩する」(↔減速)●**かそくき**［加速器］《理》電子・陽電子などの素粒子を光速に近く加速する装置。素粒子の性質を調べるためなどに使う。何十キロにもおよぶ地下のパイプを使うものもある。●**かそくど**［加速度］①《理》ある時間に、速度が変化する割合。②勢いや速度が加わること。「―的に増大する・変化に―がつく」●**かそくどびょう**［加速度病］《医》乗り物酔い。

**かぞく＊＊**［家族］同じ家に住む親子きょうだい。「―会議・―持ち・―づれ・―ぶろ」●**かぞくけいかく**［家族計画］生まれてくる子どもの数を合理的に調節すること。産児制限。●**かぞくこうせい**［家族構成］どのような家族を作り上げているか、ということ。〔両親はいるか、きょうだいは何人か、というようなこと〕●**かぞくせいど**［家族制度］社会の基礎となる家族のあり方。●**かぞくそう**［家族葬］家族だけでする、こぢんまりした葬式。

**かぞく**［華族］明治時代に もとの公家や大名などにあたえられた、特権的な身分。一九四七年廃止。「旧―」☞爵位。

**がぞく**［雅俗］①上品なことと通俗的なこと。②雅語と俗語。「―折衷の文体」

**かそけし**［(幽けし)］《形ク》〔雅〕(音が)かすかだ。「かそけく降る雪」

**かそせい**［可塑性］〔文〕①外から力を加えると形が変わり、そのまま もとにもどらない性質。塑性。②大きく変わることのできる性質。「―に富む少年」

**カソリック**〔Catholic〕〔宗〕⇩カトリック。

**ガソリン**〔米 gasoline〕〔理〕原油を蒸留するとき、セ氏三〇度から二〇〇度までの間で得られる油分。自動車・飛行機の燃料用。揮発油。•**ガソリンスタンド**〔和製 gasoline stand〕（道路ぞいで）料金を取って自動車にガソリンなどの燃料を入れるところ。サービスステーション。GS。

****かた**〔方〕㊀かた ①方角。向き。「東の―〔文〕・こっち―」②人を尊敬して言うことば。「この―」表記「ほう」とまぎれないように、かな書きにもする。③〔文〕とき。時代。「来し―行く末」④⇩かた（片）㊁②。㊂接尾 ①…のほう。「父―のおば・相手―」②その姓の人の家に住んでいることをあらわすことば。手紙で住所の一部として書く。「高橋―」☞気付。③しかた。方法。「作り―」④かかり（の人）。「会計―・事務―・〔能〕シテ―」⑤〔文〕…すること。「調査―を依頼する」⑥ひと。手。「売り―」⑦人を数えるときの尊敬した言い方。「お二―（=おふたり）・三―（=三人）」☞がた（方）。•**方がつく** 句 ⇩片がつく（「片」の句）。

**かた**〔片〕㊀かた ①片（一）方。☞かたや。②始末。「―をつける」など限られた場合に使う。表記 ②「方」とも。「形」は古風。㊁造 ①一方の。「―手」（↔両）②かたよった。へんぴ。「―いなか」③不完全な。「―言」（↔真）•**片がつく** 句 そのことの始末がつく。方がつく。「事件の―」他 片をつける。

**かた**〔形〕（=かたち。絵）①抵当。「家を借金の―に取られる」②〔型〕ⓐ〔柔道・空手など〕けいこに使う、基本的な動作。「投げの―」ⓑ空手の種目名。仮想の相手との攻防を一連の流れで演じ、速さ・力強さ・正確性などを採点する。「女子団体―」（↔組手）③⇩かた（型）⑤。④⇩かた（片）㊀②。☞がた（形）。

**かた**〔型〕①それにはめこんだり、それでくりぬいたりして、ものの形をつくる道具。わく。「とけた金属を―（=鋳型）に流しこむ・クッキーのぬき―」②ある形にへこんだもの。「石膏で―を取る・革の表紙に―をおす・土に足の―がついている」③それに合わせて、形をえがいたり、切りぬいたりするもの。パターン。「―（=型紙）に合わせて服を作る・もん切り―」④形・色・性質など、ある特徴によって ひとまとめにしたなかま。類型。スタイル。パターン。タイプ。モデル。「変わった―のスーツ」⑤〔しきたりとして おこなわれる〕決まったやり方。形。「―のごとく あいさつする」⑥〔武道・芸道などで〕決められている動作の決まり。「―を破る」⑦⇩かた（形）②。☞がた（型）。•**型にはまる** 句 決まったやり方から出られず、新しみがない。また、個性がない。•**型にはめる** 句 決まったやり方をおしつけて、個性を失わせる。

****かた**〔肩〕㊀かた ①胴の上の部分の両がわで、首のつけねからうでのつけねまでの部分。「―の出るドレス」②〈けものの前足／鳥のつばさ〉の、上の部分。③衣服などの、「肩㊀①」にあたる部分。「―当て」④器物・山・盛り土などの、「肩㊀①」にあたる部分。「びんの―」⑤物のななめ上のところ。「封筒の右―のところ（=右上）に郵便番号を書く」⑥〔野球など〕物を投げる力。遠投力。「いい―をしている・―が弱い・〈投球練習をして〉―を作る」㊁接尾 大きなカニの、四本ほどつながった足の部分を数えることば。「タラバガニ一―」☞杯。㊂②。•**肩が凝る** 句 ①肩が つかれて、筋肉が かたくなる。②〈かた苦しくて／緊張して〉つかれる。「肩の凝らない話」▽肩が張る。〔江戸時代からあることば。夏目漱石が作ったという話は誤り〕•**肩で息をする** 句 苦しそうに、肩を上下させて息をする。•**肩で風（を）切る** 句 いばって得意そうなようす。「肩で風（を）切って歩く」•**肩にかかる** 句 責任・義務・期待などがおおいかぶさる。「日本の将来は若者の―」•**肩に力を入れる** 句 〔不必要なほど〕強く意気ごむ。緊張する。「肩に力を入れずに参加してほしい」（↔肩の力を抜く）•**肩の力を抜く** 句 リラックスする。（↔肩に力を入れる）直 肩の力が抜ける。•**肩の荷を下ろす** 句 責任・義務をはたして、気持ちが楽になる。•**肩を怒らせる** 句 肩をそびやかして、他をおどしつけるような態度をとる。•**肩を入れる** 句 熱心に応援する。ひいきにする。肩入れする。•**肩を落とす** 句 がっくりと力を落とす。•**肩を貸す** 句 ①重いものを手伝ってかついでやる。②病人などを肩につかまらせて支えてやる。③手助けをする。援助する。•**肩をすく（竦）める** 句 どうしようもない、という気持ちをあらわすため、両肩をあげるしぐさをする。「〈欧米人がよくする〉」•**肩をたたく** 句 人べらしのために、上役が退職をすすめる。☞肩たたき③。•**肩を並べる** 句 ①人が横に並ぶ。「肩を並べて学校へ行く」②同じぐらいの程度に達する。比肩する。「世界と―企業」•**肩をほぐす** 句 ①〈緊張した／ぎこちない〉気分をなくす。②からだの固さを取り去る。直 肩がほぐれる。•**肩を持つ** 句 味方をする。•**肩を寄せ合う** 句 ①おたがいに肩を近づける。「―恋人たち」②助け合って、ささやかに生きる。「肩を寄せ合って生活する家族」

**かた**〔潟〕①〔地〕海の一部が、砂でふさがれてできた、浅い海。潟湖。ラグーン。例、石川県の河北潟。②ひがた（干潟）。「難波―」▽がた。

**かた**〔過多〕〔ナダ〕おおすぎるようす。「胃酸―」（↔過少）

**かた**〔固〕造 固い。「―練り」

**かた**〔堅〕造 堅い。「―炭」

**がた**〔ガタ〕機械などが、ゆるんでがたつくこと。「―が出る」•**ガタが来る** 句 ①古くなったり使いすぎたりして、調子が悪くなる。「車に―・家に―・ひざに―」②組織や制度が時代の流れに合わなくなる。「年金制度にガタが来ている」

**がた**〔方〕接尾 ①ふたり以上の人を尊敬して言うことば。たち。「あなた―・先生―」②だいたいの程度・数量をあらわすことば。ほど。くらい。「九割―終わった」③ころ。時分。「夜明け―」④相手があるときの、一方。「平家―・敵―・〔すもう〕東―（の力士）」表記 ①～③かな書きの場合もある。

**がた**〔形〕造〔…の〕かたち。「たまご―」

****がた**〔型〕造 ①ある性質・性格に属すること。「うるさ―の男・ドンキホーテ―」②ある型式に属すること。「二〇〇七年―の車」

**ガター**〔gutter〕〔ボウリング〕①レーンの両がわにあるみぞ。②〔↑ガター ボール〕「ガター①」にボールが落ちてしまうこと。▽ガーター。

**かたあがり**〔肩上がり〕漢字・かなの、字の横に引く

線が右に上がっていること。(↕肩下がり)

**かたあげ**［肩上げ・肩揚げ］《名・自サ》《服》子どもの着物のゆき(裄)を肩のところにぬい上げたもの。☞身上げ。

**かたあし**［片足］①片方の足(しかない状態)。(↕両足) ②飛行機の車輪の、片方。「—着陸」●**片足を突っ込む**【句】①半ばはいりかけている。「棺おけに—〔⇩「棺桶の【句】」〕」②少し関係する。「新事業に—」

**かたあて**［肩当て］①生地がいたまないように、着物・夜着の肩の所に、別にぬいつける布。肩パッド。②寒さを防ぐために、ふとんと肩の間にはさんで、肩に当てるもの。③肩に当てて、けがなどしないように保護するもの。

**かたい**［下×腿］《生》ひざから足首までの部分。(↕上腿)

**かたい**［過怠］〔文〕あやまち。「—金」

↕*__かた・い__［固い］《形》①強い力が加わっていて、形が変わりにくい。「パンの生地を固く練る・—ふとん・まだつぼみが—」(↕柔らかい) ②水分が〈少なくて/なくて〉、形が変わりにくい。「肉が—・〈柔らかいごはん/軟らかいおかゆ〉が固くなる」③くっついていて、動かない。「障子が—・固く結ぶ」④強い力が加わっているようすだ。「—握手・固くだきしめる」⑤あまりよく曲がらない。「からだが—」(↕柔らかい) ⑥融通がきかない。がんこだ。「頭が—」(↕柔らかい) ⑦簡単には変わらない。「決意が—・団結が—・固く約束する」⑧ゆるくない。きびしい。「ガードが—」(↕甘い) ⑨〔**固く**〕絶対に…してはならないと。「油断を固くいましめる・駐車は固くお断りします」【派】-さ。

↔**かた・い**［堅い］《形》①〔木・炭などの〕中身がしっかりつまって、形が変わりにくい。たわみにくい。「—材木」(↕柔らかい) ②手がたい。堅実だ。「—商売〔水商売や不安定な仕事などに対する言い方〕」③攻めてもなかなか破れない。「—守り」④たしかだ。ゆるがない。「合格は—」⑤おこないがまじめだ。「—男」⑥義理がたい。「これはこれは、お—ことで〔あいさつのことば〕」⑦かたくるしい。「—話・そう—ことを言わないで・堅く考える」(↕軟らかい)【派】-さ。☞お堅い。

→**かた・い**［硬い］《形》①〔金属・石・紙など、いろいろの物質について〕形の変わりにくい度合いが高い。硬度が高い。「—ガラス」②〔文章などが〕むずかし(くて、自然でな)い。「—表現」▽(↕軟らかい) ③こわばっているようすだ。「表情が—」(↕柔らかい)【派】-さ。

**かた・い** ㊀**かたい**［難い］《形》〔文〕むずかしい。「守るにやすく、攻めるに—」(↕やす(易)い)【派】-さ。☞難くない。㊁**がたい**［(難い)］【造】〔動詞＋**がたい**〕…するのがむずかしい。「分かち—・抗し—勢力」【派】-げ。-さ。

**かだい**［仮題］かりにつけた題名。(↕本題)

**かだい**［架台］〔文〕ものをのせる台。「受話器を—に置く」

**かだい［課題］①やるようにと相手にあたえる問題。「—を出す」②解決すべき問題。「将来の—」

**かだい**［過大］《ナダ》大きすぎるようす。「—(に)評価する」(↕過小)【派】-さ。●**かだいし**［過大視］《名・他サ》〔文〕ものごとを実際より大きく見ること。

**がたい**〔「ガタイ」とも書く〕〔俗〕〔大きな〕からだつき。「—がいい」☞たっぱ。

**がた・い**［(難い)］【造】〔動詞＋**がたい**で形容詞をつくる〕⇩かた(難)い㊁。

**がだい**［画題］絵につける題目。

**かたいじ**［片意地］《名・ナダ》がんこに意地を通すようす。「—をはる・—な男」【派】-さ。

**かたいっぽう**［片一方］かたほう。

**かたいなか**［片田舎］中央からはなれていて、ひらけていないいなか。

**かたいれ**［肩入れ］《名・自サ》ひいきにして助けること。力ぞえ。

**かたうで**［片腕］①一方のうで。(↕両腕) ②いちばんたのみとする手助けの人。「社長の—」

**かたうらみ**［片恨み］《名・他サ》理由もないのに、一方だけがうらむこと。

**かたえ**［(△傍え)］〔雅〕かたわら。そば。

☆☆**かたおち**［型落ち］型式が古くなった〈状態/もの〉。「—のパソコン・—品」

**がたおち**［がた落ち］《名・自サ》①程度が、急に大きく落ちること。「人気が—になる」②段ちがいにおとること。「品質は—だ」

**かたおもい**［片思い］一方だけが恋いしたうこと。片恋。(↕両思い) ☞磯のあわびの片思い。

**かたおや**［片親］①〔父母のどちらかが死んだりして〕残っている一方の親。また、一方の親しか残っていないこと。☞一人親。②片方の親。▽(↕二親)

**かたがき**［方書き］同居または下宿などをしている人が、住所の一部に書きそえる、「○○方」ということば。

**かたがき**［肩書き］①(名刺で)姓名の前に書きそえた地位・身分など。②地位・身分をあらわすことば。「—がものを言う」③商品名・店名などの前に書き〈そえること/そえた文句〉。例、「銘菓 ○○まんじゅう」の「銘菓」。

**かたかけ**［肩掛け］①〔女性が〕外出のときなどに、肩にかけて寒さを防ぐもの。ショール。②肩にかけて持つこと。かたがけ。「—にできるかばん」

**かたかげ**［片陰］夏の午後、へいなどで道の片がわにできる日かげ。

**かたかた**《副・自他サ》軽くてかたいものが、何度も(ゆれて)ものにふれて立てる音。「なべのふたが—いう・パソコンのキーを—する(=打つ)」

*__かたがた__［(方々)］㊀《代》〔古風〕あなたがた。おのおのがた。「—、まいるぞ」㊁「人々」の尊敬語。「ご出席の—」☞ほうぼう(方々)。

**かたがた** ㊀【接尾】…のついでに。がてら。「ごあいさつ—お願いまで」㊁**かたがた**《接》〔文〕①一方では。ついでに。「家族もでき、—金も残り少なく」②いずれにしても。【表記】かたく「×旁」とも。

**がたがた** ㊀**がたがた**《副・自サ》①重く、大きくてかたいものが〈ゆれてたてる音/ゆれるようす〉。「家が—振動する・机が—する」②寒さ・こわさのために、からだが強くふるえるようす。③〔俗〕うるさく、不平などを言うようす。「—さわぐな」㊁**がたがた**《ナダ》・**がたがた**《自サ》組み立てたもの・組織などが〈ゆるんだ/こわれかかっている〉ようす。「土台が—だ・家庭が—になる」

**かたかな**［片(仮名)・カタカナ］かなの一つ。大部分は漢字の画をはぶいてできたもの。もと漢文訓読の補助符号として考え出された。現在、主として外来語や擬音語、動植物の名前などの表記に用いる。(↕ひらがな) ●**かたかなご**[カタカナ語] ふつうカタカナで書かれる語。おもに外来語。

**かたがみ**[型紙] ①洋服を作るときに、それにあわせて布が切れるように、部分の形を切りぬいた紙。また、部分の形を印刷した紙。②(染色の)模様を切りぬいた紙。▽パターン。

**かたがわ**[片側] 〔こちらとあちら、右と左などの〕片方のがわ。「―通行・―三車線の六車線道路」(↕両側)

**かたがわり**[肩代わり]《名・自サ》〈負担/負債〉を一方から他方に移すこと。

**かたき**[敵] ━**かたき** うらみを晴らすために、しかえししたいと思っている相手。あだ。「親の―」 ━**がたき** 遣 〔競争の〕あいて。「碁―」 ●**かたきうち**[敵討ち]《名・自サ》①昔、主君や父が殺されたときに、家来や子がそのうらみを晴らしたこと。あだ討ち。②しかえし。復讐。 ●**かたきやく**[敵役] ①〔芝居〕悪人の役。悪形。②うらまれる役目の人。

**かたぎ**[堅気]《名・ナダ》まじめな職業についているようす。また、その〈職業/人〉。「―になる」(↕やくざ) 表記 「ヤクザ」に対して、「カタギ」とも。

**かたぎ**[(:気質)] 遣 職業・身分に特有な気性や性格。「商人―」☞きしつ(気質)。

**がたき**[敵] 遣 ⇩かたき━

**かたぎき**[片利き]《名・自サ》〔自動車〕ある車輪にだけブレーキが強くかかること。

**かたぎぬ**[肩△衣] 肩からせなかにかけて着た、武士の礼服。☞「かみしも」の絵。

**かたく**[火宅] 〔=火につつまれたような、苦しみにみちた世界〕〔仏〕この世。しゃば(娑婆)。

**かたく**[家宅] 〔法〕人の住む家・大きな建物。「―捜索」

**かたく**[仮託]《名・自サ》〔文〕かこつけ(ること)。

**かたくずれ**[型崩れ]《名・自サ》長く着ている間に、また、せんたくしたために、洋服の形がくずれてくること。

**かたくち**[片口] 一方にだけつぎ口があって、上のひらいた、酒や水のうつわ。 ●**かたくちいわし**[(片口×鰯)] イワシの一種。小形で、煮干し・ごまめなどにする。(ひ)しこ(鯷)いわし。せぐろいわし。しこ。かたくち。☞アンチョビ。

**かたぐち**[肩口] ①肩の、首に近いほう。「―が寒い・―を深く切りつける」②⇩かたさき(肩先)①。

☆☆**かたくな**[(△頑な)]《ナダ》人の言うことにしたがわず、自分の行き方を守るようす。「―な態度・―に口をつぐむ」派―さ。

**かたくない**[難くない]《形》〔…に―〕むずかしくない。「想像に―〔=容易に想像できる〕」丁寧 難くありません。

**かたくなる**[硬くなる]《自五》緊張しすぎて、からだや気持ちに自然の動きがなくなる。「人前で―」

**かたくり**[片×栗] ①ユリに似た野草の名。赤むらさき色の花が下向きにさく。②↑かたくり粉。 ●**かたくりこ**[(片×栗)粉] カタクリの地下茎からとったでんぷん。料理や菓子に使う。かたくり。〔今は、ほとんどがジャガイモのでんぷんで代用〕「水溶き―・バットに―を敷く」

**かたくるしい**[堅苦しい]《形》きゅうくつで、肩がこるような感じだ。厳格すぎるようすだ。かたぐるしい。「―あいさつはぬきにして」派―げ。―さ。

**かたぐるま**[肩車]《名・自他サ》①人を自分の首にまたがらせて かつぐこと。「子どもを―する」②〔柔道〕相手を肩にかつぐようにして投げるわざ。

**かたこい**[片恋] 〔雅〕片思い。

**かたこう**[形鋼・型鋼] 切り口が特定の型になるようにつくった、棒の形の鋼材。「H―・L―」

**かたごし**[肩越し] 間に肩をへだてていること。「人の―に見物する」

**かたこと**[片言] 〔子どもや外国人などの〕不完全なものの言い方。☞へんげん(片言)。

**がたごと**《副》〔↑がたがた+ごとごと〕重いものがゆれ動いてぶつかる連続音。「―と汽車にゆられる・―道」

**かたこもん**[型小紋] 〔服〕型紙を使って染めた小紋。

**かたこり**[肩〔凝り〕・肩コリ] 〔つかれたりして〕肩のあたりがかたく苦しくなること。

**かたさがり**[肩下がり] 漢字・かなの、文字の横に引く線が右に下がっていること。(↕肩上がり)

**かたさき**[肩先] ①肩の、うでに近い部分。かたぐち。「―を切りつける」②肩より少し上。「―をかすめた」

**かたし** 〔文〕━[難し]《形ク》むずかしい。「言うはやすく、おこなうは―」━[(難し)] 遣 〔動詞+**がたし**〕…するのがむずかしい。「余人をもって代え―」

**かたしき**[型式] 機械・器具・自動車などの、特定のデザイン・形および機能。モデル。けいしき。「―変更〔=モデルチェンジ〕」

**かたじけない**[(△辱ない)・(×忝ない)]《形》〔改まった言い方。「ない」は強調〕①おそれ多い。もったいない。「―おことば・かたじけなくもお招きいただいた」②ありがたい。「ご親切のほど―」派―さ。

**かたじけなくする**[(△辱なくする)]《他サ》〔文〕もったいないことに、…していただく。かたじけのうする。「ご愛顧を―」

**かたしろ**[形代] ①神のみたまの かわりとしてすえておくもの。②〈みそぎ/きとう(祈禱)〉に使う、紙を人のかたちに切ったもの。ひとがた。③身がわりのもの。

**かたじん**[堅人] 〔古風〕〈正直/まじめ〉な人。かたぞう。

**かたす**[(片す)]《他五》〔関東方言〕かたづける。しまう。

**かたず**[固唾] 緊張して口にたまるつば。由来 固まった「つ(=「つば」の古語)」の意味。表記 かなでは「かたづ」も許容。 ●**固唾をの(呑)む** 句 〔なりゆきがどうなるかと〕緊張のあまり、ごくりと つばをのみこむ。「固唾をのんで見守る」

**かたすかし**[肩透かし] ①〔すもう〕四つに組んだ手を急にぬき、そのはずみで相手を前に引き落とすわざ。「―を引く」②相手の勢いをそらし、むだに終わらせること。「―を食う」

**カタストロフ**〔フ catastrophe〕⇩カタストロフィ(ー)。

**カタストロフィ(ー)**〔catastrophe〕悲劇的な結末。破局。カタストロフ。「―をむかえる」

**かたすみ**[片隅] 一方のすみ。

**かたずみ**［堅炭］ナラ・カシを焼いて作った、かたい炭。

**かたぞう**［堅造・堅蔵］まじめで遊びごとをしない男。かたぶつ。

**かたそで**［片袖］①片方の そで。②机の右か左の一方だけに、縦に並ぶ引き出しがあること。「―机」▽(↔両袖)

**かたぞめ**［型染め］型紙や染め型を使って布などを染めること。また、染めたもの。

**かたたたき**［肩(×叩き)］《名・自サ》①肩のこりをほぐすために、肩を軽くたたく〈こと/ためのもの〉。②相手の肩を軽く、続けてたたいて、気持ちをやわらげたり、たのんだりすること。☞肩をたたく(「肩」の句)。③人べらしのために、上役が退職をすすめること。

**かただより**［片便り］一方から出すだけで、いっこうに返事のない手紙。

＊＊**かたち**［形］①〔目で見、手でさわって知られる〕ものの輪郭(りんかく)が作るありさま。②すがた。「影(かげ)も―も見えない」③顔つき。「みめ―」④形式。「出勤の―にする・―ばかりの〔=ほんの形式だけの〕祝い」⑤結果として、そうなった状態。かっこう。「わびを入れた―だ」⑥一応のまとまり。「これで―がついた」⑦〔人に対する〕態度やようす。「―をただす・―を改める」●**形から入(い)る** 句 内容よりも、まず、かっこうをそれらしくする。「新しいことを始めるとき、まず―ほうだ」●**かたちづく・る**［形(作る)］《他五》①形を作る。「あやとりの糸で模様を―」②あるまとまったものを作る。「世論を―〔=形成する〕・知的なイメージを―・脳を―〔=構成する〕物質」

**かたちんば**［片(×跛)］《ナダ》〔古風・俗〕対(つい)になるべきものが ふぞろいなようす。「くつを―にはく」〔「ちんば」㊀の意味を連想させて、語感が悪い〕

**かたつう**［肩痛］〔文〕肩の痛み。

**かたつき**［肩(付き)］肩の ようす。

**かたづ・く**［(片付く)］《自五》①かたづけた状態になる。②〔古風〕うわべだけ いいかっこうをする。「表向きはすましてかたづいている」③［(△嫁く)］〔古風・俗〕嫁(よめ)に行く。

**がたつ・く**《自五》①がたがた音を立てる。②〔世の中や家庭の中などが〕おちつかない状態になる。名がたつき。

**かたづ・ける**［(片付ける)］《他下一》①ちらかっているものを〈除いて/ととのえて〉、きれいにする。「ごみを―・部屋を―」②もとのところへ返す。「そうじ機を―」③物事や問題を終わらせる。「雑用を―・懸案(けんあん)を―・無理という一言でかたづけられた」④試合などで、簡単に負かす。「一発のパンチで―」⑤〔俗〕じゃま者を殺す。「かたづけちまえ」⑥［(△嫁ける)］〔古風・俗〕嫁(よめ)にやる。「長女を―」名かたづけ。

**がたっと**《副》①急に〈悪いほうに かわる/だめになる〉ようす。「客足が―へる」②急にかたい物がぶつかって出る音のようす。「―戸をしめる」

**かたっぱし**［片っ端］〔話〕かたはし。「―から〔=はしから順に全部〕電話をかける」

**かたっぽう**［片っ方］〔話〕かたほう。かたっぽ。

**かたつむり**［(:蝸牛)］からだはナメクジに似て、うずまき形のからをせおった虫。二本のつの〔=触角(しょっかく)〕を持ち、木の葉などをはいまわる。でんでんむし。まいまい。〔動物学では、巻き貝のなかま〕

**かたて**［片手］①一方の手。「グラスを―に〔=グラスを片手に持ちながら〕」(↔もろ(諸)手・両手)②一方にだけ取っ手があること。「―鍋(なべ)」(↔両手)③〔俗〕〔五千円などの隠語(いんご)として〕五。(↔両手)●**かたておがみ**［片手拝み］―をがみ「ありがとう」などの代わりに、片方の手〔ふつう右手〕を出して、おがむ かっこうをすること。●**かたておち**［片手落ち］《名・ナダ》〔両方のことを考えなければならないのに〕一方のことしか考えないこと。目くばりが足りないこと。不公平。不徹底(ふてってい)。

**かたてま**［片手間］本業の かたわら。

**かたどおり**［型(通り)］―どほり《名・ナダ》決まった〈型/方式〉のとおり。「―のあいさつ」

**かたとき**［片時］しばらくの間。へんじ(片時)。

**かたどなり**［片隣］かたがわの となり。「―の席」(↔両隣)

**かたど・る**［(△象る)・形(取る)］《自他五》形を似せる。まねる。「竜(りゅう)をかたどった彫刻(ちょうこく)」

**かたな**［刀］①片刃(かたは)の剣(けん)。②小形の太刀(たち)。③刃(は)を上に向けた状態で腰にさす、大刀(だいとう)。☞太刀(たち)㊀①。●**刀折れ矢尽(つ)きる** 句 ①戦う手段を使い果たす。②あれこれやった末、もう なすべき方法がなくなる。●**刀にかけても** 句 ①〔自分の意志を通すために〕刀を使ってでも。うでずくでも。「―つれもどす」②武士の名誉(めいよ)にかけて。誓(ちか)って。●**かたなかじ**［刀鍛冶］―かぢ 刀をきたえて作る職業(の人)。刀工。●**かたなきず**［刀傷］かたなで切りつけられて できたきず。

**かたながれ**［片流れ］屋根の傾斜(けいしゃ)が、一方のがわにだけついていること。(↔両流れ)

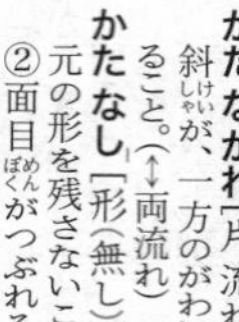

［かたながれ］

**かたなし**［形(無し)］《名・ナダ》①元の形を残さないこと。②面目(めんぼく)がつぶれること。だいなし。「失敗ばかりで彼(かれ)も―だ」

**かたならし**［肩慣らし］《名・自サ》①〔ピッチャーなどが〕肩の調子をととのえるために、軽くボールを投げること。②下準備として何かをすること。ウォーミングアップ。「模擬(もぎ)試験で―する」

**かたに**［片荷］①ふり分けた二つの荷物のうちの、一方。「―がおりる〔=心配ごとが一つかたづく〕」②積んだ荷物が一方にかたよった状態。

**かたのごとく**［型の(△如く)・形の(△如く)］《副》〔文〕世間のしきたりのとおりに。「―式をあげる」

**かたば**［片刃］〔安全かみそりの替(か)え刃などで〕片がわにだけ刃(は)がついていること。かたは。(↔両刃・もろ刃)

**かたはい**［片肺］①片方の肺。②片方のエンジンしか動かないこと。「―飛行」

**かたはし**［片端］①一方のはし。「ロープの―・道の―に寄る・本を―〔=かたっぱし〕から調べる」(↔両端(りょうはし))②〔古風〕わずかの部分。「話の ほんの―を聞いただけ」▽かたはじ。

**かたはだ**［片肌］片方の、肩(かた)とせなかの はだ(を出した状態)。(↔もろ肌)●**片肌(を)脱(ぬ)ぐ** 句 人を助けるために力を貸す。

**かたばたらき**［片働き］《名・自サ》夫婦(ふうふ)の片方だけが働いて収入を得ること。(↔共働き)

**かたはば**［肩幅］両肩の間の長さ。〔服の寸法にも言う」「広い―」

**かたばみ**［（：酢漿草）］ 雑草の名。葉は、ハート形を三枚あわせた形で、少しすっぱい。

☆☆**かたはらいた・い**［（：片腹＝痛い）］《形》 ばかばかしくて笑ってしまう。笑止だ。「そんな自慢は―」〔あざけって言う〕 由来 古くは「傍ら痛し（＝そばで見ていてひやひやする）」だったが、「傍ら」の歴史的仮名遣い「かたはら」を「片腹」と誤解し、「横腹が痛くなるほど笑ってしまう」という語感が生まれた。

**カタパルト**〔catapult〕〔軍艦などから〕飛行機を発進させるための装置。射出機。

**かたばん**［型番］ 製品の、それぞれの型ごとにつける番号や記号。

**かたパン**［堅パン］ ビスケット形の、かめないほど かたいパン。〔各地の名物。もと、保存食〕

**かたひざ**［片膝］ 片方の ひざ。「―突っく」 ●**かたひざだち**［片膝立ち］ 片方のひざを立ててすわること。片ひざ立て。

**かたひじ**［片肘］ 片方のうでの、ひじ。「―を立てる」

**かたひじ**［肩肘］ かたと ひじ。 ●**肩肘いからせる** 句 ①いばる。②かたくるしく考え（て がんば）る。「さむらいが―」 ●**肩肘張る** 句 「負けまいと―」 句 ⇩肩肘張る 句。▽肩肘いからせる。

**がたぴし**《副・自サ》 ①たてつけが悪いために、うまくあけたてができず、音がするようす。「ふすまが―する」 ②経営や人間関係などが、うまくいかないようす。「夫婦のなかが―する」 ▽がたびし。

**かたひも**［肩（×紐）］ ①バッグなどを肩からさげるためのひも。②下着を支えるための、肩のところにある ひも。ストラップ。「キャミソールの―」

**かたびら**［（：帷子）］ 麻の ひとえ。

**かたびらき**［片開き］ ひらき戸が 一つだけついていて、一方にだけひらくこと。（↔両開き）

**かたぶつ**［堅物］ 〈まじめなだけ／がんこ〉で、ゆうずうの きかない人。

**かたぶとり**［固太り］《名・自サ》 よけいな肉がなく からだが かたくしまって、太っていること。（↔脂肪太り）

**かたべり**［片減り］《名・自サ》 ①はきものの底が、外がわ・内がわのどちらか、または左右の一方だけ減ること。②自動車のタイヤの、片がわが先にすり減ること。

**がたべり**［がた減り］《名・自サ》〔俗〕目立って、急に減ること。「生産が―だ」

**かたほ**［片帆］ 船の帆を一方にかたむけて横風を受ける状態。（↔真帆）

**かたほう**［片方］ 二つあるものの一つ。一方。片一方。かたっぽう。（↔両方）

**かたぼう**［片棒］ かご（駕籠）の棒をかつぐ ふたりのうちの、一方。 ●**片棒（を）かつぐ** 句 いっしょに（悪い）仕事をする。「不正の―・仕事の片棒を担いでくれる若者」

**かたぼうえき**［片貿易］ 貿易高が、〈輸出／輸入〉の一方に かたよっていること。

**かたほお**［片頰］ 顔の片がわの ほお。かたほ。

**かたほとり**［片（△辺り）］〔雅〕かたすみ。「都の―」

**かたまひ**［片（麻×痺）］《医》半身不随の新しい呼び名。へんまひ。

**カタマラン**〔catamaran〕 二つの船体の間に甲板をわたした形の船。双胴船。

**かたまり**［固まり・塊］ ①かたまること。かたまったもの。「劣等感の―・好奇心の―」 ②〔…の―〕その性質を強く持った人。

**かたま・る**［固まる］《自五》 ①かたくなる。②こりかたまる。かたく信じる。「キリスト教で―」 ③一か所に、集まる。④たしかになる。「証拠が―」 ⑤進歩しなくなる。「思想が早く―」 ⑥〔俗〕あぜんとして からだが動かなくなる。「思わず―」 ⑦〔俗〕〔コンピューターが〕フリーズする。

**かたみ**［片身］ ①〔さかなを背骨に沿っておろしたときの〕片がわの身。②《服》身ごろの半分。

**かたみ**［形見］ ①過去の思い出の たねとなるもの。②〈死んだ／別れた〉人の残したもの。「―分け」

**かたみ**［肩身］ 肩のあたり（を中心に見た、からだ）。 ●**肩身が狭い** 句〔＝肩のあたりが縮むようだ〕 自分（たち）だけが〈めいわくをかけて／ちがって〉いるようで、のびのびした気持ちになれない。「世話になってばかりで―」（↔肩身が広い）

**かたみち**［片道］ ①行きか帰りかの、一方。「―乗車券」 ②一方からだけ、すること。「―貿易」 ▽（↔往復） ●**かたみちきっぷ**［片道切符］ ①行きまたは帰りだけの切符。②行ったまま、〈もどらない／もどれない〉ことのたとえ。「本省から―で出向する・地獄への―」

**かたみに**［（△互に）］《副》〔雅〕たがいに。「―思う」

**かたむき**［傾き］ ①かたむく〈こと／程度〉。②傾向。「…する―がある」

**かたむ・く**［傾く］《自五》 ①〔まっすぐ立っているものが〕ななめになる。「柱が―・船が―」 ②情勢がその方向に向かう。「賛成に―」 ③心がひかれる。「美しい人に―」 ④おとろえる。「家運が―」 ⑤太陽が、はっきり西のほうに移る。「日が―」

**かたむ・ける**［傾ける］《他下一》 ①かたむくようにする。ななめにする。②〔注意を〕向ける。「美術に心を―」 ③おとろえさせる。「家運を―」 ④ありったけ出す。「力を―」

←**かたむすび**［片結び］ 帯・ひもなどの結び方の一つ。一方で輪を作り、他方をからめて引きしめて結ぶもの。とけやすい。

→**かたむすび**［固結び］ ⇩こま結び。

**かため**［片目］ ①一方の目。（↔両目） ②一方の目しか見えない〈こと／人〉。③《自動車》〔俗〕片方のライト。（↔両目）

**かため**［固め］ ①かためること。②たしかにすること。③約束。誓い。「夫婦―のさかずき」 ④警備。そなえ。 ●**かためうち**［固め打ち］《名・自サ》《野球》ひとりの選手が一試合に何本もの安打を打つこと。「四安打―」 ●**かためわざ**［固め技］《柔道》相手の動きを封じる、押さえこみ技・絞め技・関節技の総称。

**かた・める**［固める］《他下一》 ①すきまがないようにつめて、動かないようにする。「コンクリートで―」 ②動くことのない、しっかりしたものにする。「基礎を―」 ③警備する。「周囲を警官が―」 ④間をおかないように集める。「《野球》固めて打つ」

**かためん**［片面］ 一方の（表）面。（↔両面）

**かたや**［片や］《副》 片（一）方は。「―学者、―実業家と別々の道を進んだ・━洋楽ファン、もう一方はＪポップが好きだ・〔すもうの行司が〕━○○山、○○山、こなた○○川、○○川」

**かたやき**［(堅)焼き・(固)焼き］ 水分を飛ばして、固く焼くこと。「━せんべい」

**かたやきそば**［(堅)焼きそば］ あげた中華めんに、具のはいったあんをかけたもの。フライ麺。揚げそば。☞皿うどん・焼きそば。

**かたやぶり**［型破り］《名・ナダ》 世間の習慣や今までのやり方を無視する〈こと／ようす〉。

**かたやま**［肩山］《服》衣服の両肩の、もり上がったところ。

**かたゆき**［堅雪］ 表面がいったんとけたあと、こおって硬くなった雪。

**かたゆで**［固(×茹で)］《名・他サ》《料》かたく、ゆで上げること。「━のたまご(↔半熟)」

**かたよ・せる**［片寄せる］《他下一》 一方へ寄せる。

←**かたよ・る**［片寄る］《自五》 一方へ寄る。「積み荷が━」名片寄り。

→**かたよ・る**［偏る・片寄る］《自五》 ①標準から外れて、一方へ(だけ)寄る。偏する。「自説に━」 ②正しくなくなる。公平でなくなる。「判断が━」名偏り。

**かたら・う**［語らう］《自他五》〔文〕①人といっしょに(じっくり)話す。「住民たち〈が／と〉━場・先生を囲んで文学〈を／について〉━・恋人たちが愛を━〔=好きだよ、と話す〕」 ②話してさそう。「友〈を／と〉語らって会を作る」名語らい。

**かたり**［語り］ ①語ること。 ②語り物を聞かせること。語る部分。 ●**かたりあか・す**［語り明かす］《他五》一晩じゅう話をして夜を明かす。「友だちと━」 ●**かたりおろし**［語り下ろし］〔単行本などにするため〕新しく話すこと。また、その話を書き取った文章。「━自伝」動語り下ろす《他五》。 ●**かたりか・ける**［語り(掛ける)］《自下一》 ①心をこめて、〈ことばをかける／話す〉。「国民に直接━」 ②ものごとが、何かを暗示する。「写真が━」名語りかけ。 ●**かたりぐさ**［語り△種］〔その話題にまつわる〕話のたね。 ●**かたりくち**［語り口］ ①話をする口ぶり・調子。「おだやかな━」 ②落語・浄瑠璃などを語るときの、調子や態度。▽かたりぐち。 ●**かたりつ・ぐ**［語り継ぐ］《他五》 次の代へ順々に語って伝える。名語り継ぎ。 ●**かたりつた・える**［語り伝える］《他下一》〔わすれてはならないものごとを〕(後世の)人々に話して伝える。「語り伝えたい民話・戦時中の体験を━」名語り伝え。 ●**かたりて**［語り手］ ①話を語る人。 ②劇などの進んでゆくとちゅうで、筋のはこびを話す人。 ●**かたりべ**［語り△部］ ①古代日本で、古い言い伝えや伝説を専門に語り伝えた氏族。 ②実体験を後世に語りつぐ人。 ●**かたりもの**［語り物］ 節をつけ楽器にあわせて朗唱するもの。例、平曲・なにわ節。(↔謡い物)

**かたり**［(×騙り)］ だまして、お金や品物を取る〈こと／人〉。「ゆすり━」

**かた・る［語る］《自他五》 ①〔物語・思い出・考えなどを〕話す。のべる。「生い立ちを━・聞くも涙、━も涙・大臣、大いに━」 ②じっくり話す。「友だちと将来〈を／について〉━・楽しく語りあう」 ③節をつけて読む。「義太夫を━」可能語れる。 ●**語るに落ちる**句 話しているあいだに、かくしていた本当のことを言ってしまう。「問うに落ちず━」 ●**語るに足る**句 話してみるかいがある。「━友人〔=自分が話すことをよく理解してくれる友人〕」

**かた・る**［(×騙る)］《他五》 ①だまして、お金や品物を取る。 ②だまそうとして、名前や身分をいつわる。「公的機関をかたった電話がきた」

**カタル**〔オ catarre〕《医》粘膜が刺激されて炎症を起こすこと。「大腸━〔=大腸炎〕」表記「:加答児」は、古い音訳字。

**カタルシス**〔ギ katharsis〕 たまった感情をはき出し、さっぱりすること。浄化。

**カタログ**〔catalog; catalogue〕 商品の目録。表記「:型録」は、「型を収録したもの」という意味を持たせた、古い音訳字。 ●**カタログショッピング**〔catalog shopping〕〔実物を見ず〕カタログを見て商品を買うこと。

**かたわ**［(片:輪)・(片△端)］〔古風〕㊀ からだの一部に、完全でないところがある〈こと／人〉。〔差別的なことば〕 ㊁《ナダ》 欠点があって不完全なようす。「━な議論」〔㊀の意味を連想させて、語感が悪い〕

**かたわき**［片脇］ ①片がわの わき。「━にだく」 ②そば。「道の━」

**かたわく**［型枠］ コンクリートなどを流しこんで形を作るための、板などの わく。☞コンパネ。

**かたわら** ㊀［傍ら］ ①わき。横がわ。「消防署の━に住む」 ②人・物のすぐそば。「━に辞書を置く」 ③〔接続詞的に〕主となることをする一方。「本業の━作曲を教える」 ㊁［(傍ら)］《接》 一方では。「執筆を続け、━、資料を集めた」

**かたわれ**［片割れ］ ①半分に割れること。また、割れた一方。「━月〔=半月〕」 ②(悪いことをする)なかまのひとり。「犯人の━」

**かたん**［下端］〔文〕下のほうのはし。(↔上端)

**かたん**［加担・荷担］《名・自サ》 味方すること。「悪事に━する」

**かたん**《副》 ものが軽くぶつかるすんだ音。「━と電車が動きだす」

**かだん**［花壇］ 草花を植えるために、仕切りをした場所。

**かだん**［華壇］〔文〕生け花をする人の社会。

**かだん**［歌壇］ ①歌人の社会。 ②短歌欄の呼び名。「朝日━」

**かだん**［果断］《ナダ》 思い切っておこなうようす。「━な処置」派━さ。

**がたん**《副》 ①ものがぶつかる大きくにぶい音。「━とびらが外れる」 ②急に悪くなるようす。「成績が━と落ちる」 ●**がたんごとん**《副》 重量のあるものが短い間隔で連続的にぶつかる音。「貨物列車が━と走っていく」

**がだん**［画壇］ 画家の社会。

**カタンいと**［カタン糸］ ミシン用の(もめん)糸。由来cotton〔=もめん〕の変化で、「かたん」というミシンの音の連想も加わってできた形。

**かち［価値］ ねうち。「希少━・利用━・━ある人生」 ●**価値を置く**句 価値があると考える。「技術に━」

**かち**[△徒]①〔雅〕徒歩(とほ)。②[∴徒士]〔歴〕江戸(えど)時代、馬に乗ることを許されなかった下級武士。かちざむらい。おかち。

**かち**[勝ち]勝つこと。勝利。「―を収める・―をのがす」(↔負け)●**勝ちに行く** 句 勝つために、積極的に行動する。●**勝ちに乗る** 句 勝って調子づく。勝ちに乗じる。●**勝ちを拾う** 句 思いがけず勝つ。

**がち**[雅致]〔文〕風流な おもむき。雅趣(がしゅ)。「―に富む」

**がち**[ガチ](↑ガチンコ)〔俗〕一《名・ダ》①〈本気/本格的〉であるようす。「―で勉強した・―泣き・―勢(ぜい)(=ガチな人々)」②本当。「この情報は―だ」二《副》本当に。ガチで。「―つかれた」▽一①および二は二十一世紀になって、一②は二〇一〇年代になって広まった用法。

**がち** 接尾 (=勝ち。名・形動ダをつくる)①そういうことがよくあるようす。「確認(かくにん)を忘れ―だ」②その傾向(けいこう)が強いようす。「仕事が おくれ―になる・夢見―な年ごろ・黒目―」③その感じを示しながら、何かをするようす。「遠慮(えんりょ)―に質問する・伏(ふ)し目―に わらう」

**かちあ・う**[×搗ち合う]《自五》①ぶつかり合う。②〈同じ場所で同じ時に〉別の人が偶然(ぐうぜん)あらわれて、いっしょになる。③〈同時にあっては困る〉二つの ものごとが重なり合う。「予定が―」名 かち合い。

**かちあが・る**[勝ち上がる]《自五》①勝って、次の段階〈たとえば決勝戦〉へ進む。②成功して、他を圧倒(あっとう)する。「―企業(きぎょう)」

**かちあ・げる**[×搗ち上げる]《他下一》〔すもう〕相手の胸・のどのあたりを下から強く突っき上げる。名 かち上げ。

**かちいくさ**[勝ち戦]戦いに勝つこと。また、その戦い。(↔負け戦)

**かちうま**[勝ち馬]〔競馬〕①競走に勝った馬。②配当金のはらいもどしを受ける着順にはいった馬。●**勝ち馬に乗る** 句 様子を見て、勝ったほうの勢力につく。

**かち・える**[勝ち得る]《他下一》〔首尾(しゅび)よく、または、ほかの人に勝って〕自分のものにする。かちうる。「信頼(しんらい)を―」

**かちかち**《副》一 かたいものがぶつかりあって出す、高い音。「カスタネットを―(と)鳴らす」二 かちかち ①非常に〈かたい/がんこな〉ようす。「―にこおる・―の石頭」②緊張(きんちょう)したようす。「―の選手」

**がちがち**《副》一 がちがち「かちかち一」より低くにぶい音。「寒さで歯が―(と)鳴る」二 がちがち ①欲の深いようす。「―の守銭奴(しゅせんど)」②〔考え・規則などが〕かたくて、ゆうずうが きかないようす。「―〔=ごりごり〕の合理主義者・―の校則」③からだや筋肉がこわばるようす。「あいさつで―になる」

**かちかん**[価値観]社会生活の上で、どうすることに価値があるか、ということに関する考え方。「―の相違(そうい)」

**かちき**[勝ち気]《名・ダ》気性(きしょう)が はげしくて、弱みを見せないようす。「―な性質」派 ―さ。

**かちき・る**[勝ち切る]《自他五》〔サッカーの試合や囲碁(いご)の対戦で〕余裕(よゆう)をもって完勝する。

**かちく**[家畜]生活に役立てるために飼う(大形の)動物。例、牛・馬・ブタ・羊。

☆☆**かちぐみ**[勝ち組]〈競争で勝った/社会的に成功した〉グループ(の人々)。(↔負け組)

**かちくら**[勝ち×鞍]〔競馬〕一着になった回数。「多くの―を挙げる」

**かちぐり**[〈勝ち×栗〉・〈×搗ち×栗〉]ほしたクリから かたい殻(から)と渋皮(しぶかわ)を取り除いたもの。「勝ち」にかけて、縁起(えんぎ)がいいものとされる。

**かちこ・す**[勝ち越す]一《自五》勝った数が〈相手を追いこす/負けた数より多くなる〉。(↔負け越す)二《自他五》〔試合で〕得点が相手を上回る。「ソロホームランで一点を―」名 勝ち越し。「一打―」

**かちすす・む**[勝ち進む]《自五》試合・勝負に勝って、次の段階へ進む。

**かちづ・ける**[価値〈付ける〉]《他下一》それにふさわしい価値を認め、あたえる。名 価値づけ。

**かちっと**《副・自サ》①かたいものが ふれあった音のようす。「―スイッチを入れる」②ゆるみや ずれが ないようす。「―はまる」

**がちっと**《副・自サ》①「かちっと①」よりも強くて重い音のようす。「石が岩に―当たる」②ゆるみや ずれがなく、しっかりしているようす。「―固定する」

**かちっぱなし**[勝ちっ放し]一度も負けずに勝ち続けること。かちはなし。「―の力士」

**かちてん**[勝ち点]〔リーグ戦で〕試合の結果や勝ち方によって あたえられるポイント。「―三」

**かちどき**[勝ち〈×鬨〉]勝ったときにあげる、とき(鬨)の声。がいか(凱歌)。「―をあげる」

**かちと・る**[勝ち取る]《他五》努力によって、手に入れる。「成功を―」

**かちなのり**[勝ち名∴乗り]〔すもう〕行司が勝った人の名を呼んで、そのほうへ軍配をあげること。「―を受ける」

**かちにげ**[勝ち逃げ]《名・自サ》勝負に勝ったままで、その場を去ること。「―は ずるいぞ」

**かちぬ・く**[勝ち抜く]《自他五》①〔何度か続く勝負で〕相手を負かして残る。「最終予選を―」②がんばって勝利を勝ち取る。「はげしい生存競争(を/に)―」名 勝ち抜き。「―歌合戦」

**かちぬ・ける**[勝ち抜ける]一《他下一》勝って次の段階に進む。「予選を―には得点力が必要だ」名 勝ち抜け。「Aチームが―」二《自下一》「勝ち抜く」の可能形。

**かちのこ・る**[勝ち残る]《自他五》勝ちぬきの試合や、競争などに勝って、なお消えずに残る。「二回戦で―・試合を―・世界での競争に―」名 勝ち残り。

**かちはんだん**[価値判断]あるものごとが価値があるかどうかについての判断。

**かちほこ・る**[勝ち誇る]《自五》勝って得意になる。

**かちぼし**[勝ち星]勝ったしるし(の まる)。白星。「―をあげる」(↔負け星)

**かちまけ**[勝ち負け]①勝つことと負けること。勝敗。「―にこだわらない」②《競馬》一着か二着になること。「―は必至」

**かちみ**[勝ち∴味]〔古風〕勝つ見こみ。勝ち目。「―がうすい」

**かちめ**[勝ち目]勝ちそうな見こみ。「―がない」

**がちゃ** 一 **がちゃ**《副》「がちゃん」よりも ひびかない音。「電話の一切り」 二 **がちゃ**[ガチャ] ①〔商標名〕↑ガチャポン。ガシャ。「一を回す」 ②ソーシャルゲームで使用するアイテムやキャラクターを抽選で買う しくみ。「一を引く」

**かちゃーしー**[カチャーシー] 沖縄の民謡で、三線を早く弾くうた。また、それに合わせた おどり。

**がちゃがちゃ** 一 **がちゃがちゃ**《副》かたいものどうしが、何度も当たって出る音。「食器が一音を立てる」 二 **がちゃがちゃ**[ガチャガチャ] ①くつわむし。②〔商標名〕⇩ガチャポン。

**がちゃつか・せる**《他下一》かたいものが ぶつかって、やかましい音がするままにする。「かぎの束を一」

**がちゃっと**《副》かたいものどうしが当たって出る音のようす。「電話を一切る・一ドアが開く」

**がちゃぽん**[ガチャポン]〔商標名〕カプセル入りのおもちゃの、自動販売機。ガチャガチャ。ガチャ。ガシャポン。〔ハンドルをガチャと回すと、カプセルがポンと出る〕

**がちゃめ**[がちゃ目] ①〔俗〕斜視。②左右の視力が大きく ちがうこと。▽あざけった言い方。

**がちゃん**《副》かたいものが ぶつかったり割れたりして立てる音。「ガラス窓が一と割れる・受話器を一と置く」

**かちゅう**[家中] ①家の中(の人)。②〔江戸時代の〕藩士。

↔☆☆**かちゅう**[渦中]〔=うずの なか〕〔文〕事件のさわぎのなか。「一に巻きこまれる」

→**かちゅう**[火中]《名・他サ》〔文〕火のなか(に入れて焼くこと)。●**火中の くり(栗)を拾う** 句 自分の不利益になるかもしれない、あぶないことをする。

**カチューシャ**〔Katyusha=もと、商標名〕 弾力性を持たせた、アーチ形の細長いヘアバンド。布をかぶせたものやプラスチック製のものがある。由来 トルストイの小説「復活」の女主人公の名から。

**かちょう**[可聴]〔文〕〔音を〕聞きとることができること。「一範囲」

**かちょう**[花鳥]〔文〕花と鳥。〔自然を楽しむときの対象の代表〕●**かちょうふうげつ**[花鳥風月]〔文〕①自然界の けしき。②風流。

**かちょう**[家長]〔旧法で〕一家の主人。戸主。

**かちょう**[歌調]〔文〕和歌の調子。「優雅な一」

**かちょう**[課長]〔役所や会社などの〕一つの課の長。「島田一」☞部長。

**がちょう**[画帳・画×帖] 絵をかくための帳面。また、帳面に絵をかいて一冊に まとめたもの。がじょう(画帖)。

**がちょう**[画調]《美術》画面全体の調子。「明るい一・映画修復の一監修」

**がちょう**[×鵞鳥] 大形の水鳥。多くは白く、首が長い。くちばしの根もとに こぶがある。

**かちょうきん**[課徴金] ①国が、税金のほかに取り立てるお金。「輸入一」 ②談合やカルテルによって不当な利益を得た企業に納付させるお金。

**かちわり**[カチワリ]〔=かち割ったもの。関西方言〕氷を小石ぐらいの大きさに くだいて食べるもの。ぶっかき〔俗〕。

**かちわ・る**[かち割る・カチ割る]《他五》〔かち=搗ち。たたくこと〕〔俗〕たたき割る。「氷を一・頭を一」

**かちん**《副》金属をたたいたり、かたいものが ぶつかったりしたときに出る音。●**かちんと来る** 句 神経をさかなでされて腹立たしい気分になる。●**かちん かちん** 一 **かちん-かちん**《副》「かちかち 一」より高くひびく音。 二 **かちんかちん**《ナダ》非常に〈かたい/緊張している〉ようす。「一の冷凍食品・あいさつで一になる」

**がちん**《副》「かちん」よりも強く大きな音。「相手のひたいに一と頭を打ちつける」●**がちん がちん** 一 **がちん-がちん**《副》重くかたい物が、何度も強くぶつかる音。「力士が一とてっぽうを打つ」 二 **がちんがちん**《ナダ》「かちんかちん 二」よりも ひどく かたまっているようす。「さかなが冷凍庫で一にこおる」

**かちんこ**[カチンコ]〔撮影現場で〕撮影開始の合図に打ち鳴らす、場面番号などを書いた板のついている拍子木。〔これを撮影することで、どの場面かを管理することができる〕

**がちんこ**[ガチンコ] ①《すもう》真剣勝負(のけいこ)。②〔俗〕本気で対決すること。「一勝負」

**かっ** 接頭 〔俗〕①[×搔っ] 手をさっと動かしてするようす。「耳の穴を一ぽじる・一くらう・一ぱらう」 ②勢いよくするようす。「ホームランを一飛ばす」

**かつ**[活] 一 **かつ** ①〔文〕生きる〈こと/方法〉。「死中に一を求める」(↔死) ②刺激すること。はげますこと。☞活を入れる 句。 二 (造) ①いきている。「一火山」 ②活動している。「一社会」 ③⇩い(活)き。「一ダコ〔=活きダコ〕」 三 **かつ** (造)〔↑活動〕 ある目的のために行動すること。「美一〔=美しくなるための活動〕・恋一〔=恋人探し〕」 ●**活を入れる** 句 〔「カツを入れる」とも書く〕 ①気絶した人を刺激して、息をふき返させる。 ②活力をあたえる。「経済に一」 ③気持ちの たるんだ人、おびえている人などを、しかる(ように はげます)。

**かつ**[渇]〔文〕のどの かわき。「一を覚える・一をいやす」

***か・つ**[勝つ] 一《自五》 ①相手と争って、自分のほうが〈強い/すぐれている〉という結果にする。「敵に一・試合〈で/に〉一・裁判〈で/に〉一〔=勝訴する〕」 ②[^△克つ] 欲望・迷いなどに さからって、おさえこんだ状態にする。「なまけ心に一・おのれに一〔⇩「おのれ」の 句〕」 ③上回る。「うれしさより はずかしさのほうが一」 ④かけごとで もうける。「競馬で一・二万円勝った」▽(↔負ける) ⑤目立つ。「塩けの勝った味・この写真は赤が勝って見える・気の勝った〔=勝ち気の〕人」 二《他五》〔戦いを〕自分のものにする。勝ちを制する。「菊花賞を一」 可能 勝てる。 ●**勝って かぶと(兜)の緒を締めよ** 句 勝ったからといって、ゆだんしては いけない。 ●**勝てば官軍 負ければ賊軍** 句 道理がどうあろうとも、結果的には勝ったほうが正しいとされる。

****かつ** 一《接》〔A一B〕 AとBの両方であることをあらわす。その上。同時に。「必要一十分・よく学び、一よく遊ぶ」 区別 ⇩または。 二《副》〔一A、一B〕〔文〕一方では。「一おどろき、一喜ぶ」 表記 かたく「且つ」とも。

**かつ**[喝]《感》《仏》〔禅宗で〕まちがった考えや迷いをしかって さとらせるときの声。「一!」 ✓「活を入れる」は別の ことば。

**カツ**〔「かつ」とも書く〕 ↑カツレツ。「一ライス・一サンド・一煮〔=カツのたまごとじ〕」

****がつ**[月] 接尾 一年を十二に分けた一つ一つの期間。

つき。「一一・二一」

**ガツ**〔←gut=内臓〕〔ブタ・牛などの〕胃袋。「一盛り」

☆☆**かつあい**【割愛】《名・他サ》〔=愛着をたち切る〕①おしみながら〈はぶく／手放す〉こと。「ページ数の関係でやむなく一する」②省略すること。「不要な描写を一する」〔もとの意味がうすれた用法〕

**かつあげ**【カツアゲ】《名・他サ》〔=喝上げ〕〔俗〕人をおどして金品などを取り上げること。恐喝。

**かつ・える**【(△餓える)】《自下一》〔文〕うえる。「あまいものに一・かつえ死に」

**かつお**【(×鰹)】海でとれる中形の さかな。マグロに似るが、ずっと小さい。腹にしま(縞)がある。さしみ・たたきなどにして食べる。「一の竜田揚げ」☞初がつお・上りがつお・もどりがつお・ツナ。●**かつおぎ**【(×鰹)木】神社などの、屋根の棟の上に横向きにならべた かざりの木。☞「千木」の絵。●**かつおぶし**【(×鰹)節】カツオなどの身を煮て ほしたもの。けずって、だしをとったり料理の仕上げにふりかけたりする。かつぶし。おかか。

**かっか**【閣下】身分や地位の高い人を尊敬して(下につけて)呼ぶ名。「大統領一」

表記 結納などには「:勝男=節」と書く。

**かっか**《副・自サ》①火がさかんにおこる状態。②西日などが強くさす状態。③頭に血がのぼって冷静な判断ができなくなる状態。「しかられて一する」

←**がっか**【学科】①学校で学ぶ内容。教科。「一は優秀だ」②大学の学部内での、専攻別の区分。「心理一」③〔運転免許などの取得のための〕法令や自動車の構造などの知識。「一試験」

→**がっか**【学課】学科(の課程)。「一が先へ進む」

**かっかい**【各界】〔文〕同じ職務・職業の者がつくる、それぞれの集団。かくかい。「一各層」

**かっかい**【角界】〔文〕すもうの社会。かくかい。

←**がっかい**【学会】同じ方面の学問を研究する学者の、研究団体。また、その会合。「一講演会・一に出席する」

→**がっかい**【学界】〈学問／学者〉の社会。

**がっかい**【楽界】音楽家の社会。楽壇。

**かっかく**【(×赫々)】《タルト》〔文〕かがやかしいようす。「一たる名声」

**かつかざん**【活火山】《地》現在、活発に蒸気・ガスをふいている火山。また、過去一万年以内に噴火した火山。かっかざん。例、浅間山・富士山。

**かっかそうよう**【隔靴×搔×痒】〔=くつの上から かゆいところをかくこと〕〔文〕だいじな点に直接ふれられなくて、もどかしいようす。「一の感」

**かつかつ**【(×戛々)】《タルト》〔文〕かたいもの どうしが ふれる音のようす。「ひづめの音が一と鳴る」

**かつかつ**《副》限度ぎりぎりであるようす。どうにか こうにか、やっと。かつがつ。かすかす。「時間に一まにあった・一の及第点・一の苦しい生活」

**がっかつ**【学活】〔↑学級活動〕〔小・中学校で〕受け持ちの先生と児童・生徒が、学級の問題を話し合ったり、レクリエーションなどをしたりする〈こと／時間〉。☞ホームルーム。

**がつがつ**《副・自サ》①おなかがすいていて、いそいで食べるようす。②むやみにほしがったり、欲ばったりするようす。「一している・一(と)働く」

**がっかり**《副・自サ》失望したり つかれたりして、ひどく元気がなくなるようす。「紅葉が見られずーだ・一して寝こんだ」

**カツカレー** カツレツ〔ふつう豚カツ〕をそえたカレーライス。

**かつがん**【活眼】〔=生きている目〕〔文〕本質を見ぬく、するどい目。「一をひらく」

**がっかん**【学監】〔昔の私立大学で〕学校・学生のとりしまりをした役(の人)。

**かっき**【画期】〔文〕歴史の中に新しくつくり出す一つの時期。「一つの一をなす」●**かっきてき**【画期的】《ナダ》その方面で、新しい時代をひらく(ほど すぐれている)ようす。画時代的。エポック メイキング。「一な大事業」

←**かっき**【客気】〔文〕気負いすぎた勇気。血気。「青年一のいたすところ」

→**かっき**【活気】生き生きとして元気のある ふんいき。「一あふれる会場」●**かっきづ・く**【活気(付く)】《自五》〈生き生きした／にぎやかな〉ようすになる。元気が出る。他 活気づける《下一》。

**がっき**【学期】一学年を三つか二つに分けたときの、それぞれの区分。「二一」

**がっき**【楽器】音楽を演奏する器具。

**がっき**【月期】接尾 ①一年度を、四つ または二つに分けた期間の一つ。「四～六一〔=四月から年度が始まる会社ならば、第一四半期〕の決算・一一のドラマ〔=一～三月に放送するドラマ〕」②〔会社などで〕その月までをふくむ一年間。「二〇一四年三一〔=二〇一三年四月から一四年三月まで〕の通期決算」③その月。「十二一〔=十二月〕の佳作」

**かつぎこ・む**【担ぎ込む】《他五》かついで運び入れる。特に、けが人や急病人を医者に連れて行く。「救急車で担ぎ込まれる」

**かつぎだ・す**【担ぎ出す】《他五》①かついで、外へ出す。「みこし(御輿)を一」②〔俗〕本人にその意志がないのに、代表者にする。「会長に一」名 担ぎ出し。

**かつぎや**【担ぎ屋】①縁起の いい悪いを気にする人。ごへいかつぎ。②〔俗〕産地から都会へ、野菜などをはこんで来て売り歩く人。「一のおばさん」

**がっきゅう**【学究】学問を専門に研究する人。学者。「一はただの人・一的」

**がっきゅう**【学級】①学校で、学年・科目などによって分けた、組。②学習をするために作った、組。「母親一」●**がっきゅうへいさ**【学級閉鎖】インフルエンザが流行したときなどに、小学校や中学校のクラスの授業を休みにすること。●☆☆**がっきゅうほうかい**【学級崩壊】《名・自サ》〔小学校で〕児童が、教室内で さわいだり歩き回ったりして、授業がなりたたないこと。

**かっきょ**【割拠】《名・自サ》〔国の中などで〕いくつかの勢力が、それぞれの なわばりをもうけていること。「群雄(が)一する」

**かつぎょ**【活魚】生きているままの料理用の さかな。いきうお。「一料理・一輸送」

**かっきょう**【活況】活気のあるようす。「一を呈する」

**がっきょく**【楽曲】《音》音楽作品。

**かっきり**《副》①さかいめが はっきりしているようす。きっかり。「一と空をくぎる山脈」②⇩きっかり①。「一時―」

**かっきん**［×恪勤］《名・自サ》〔恪＝つつしむ〕〔文〕毎日出て来て、仕事にはげむこと。「精励―」

**かつ・ぐ**［担ぐ］《他五》①〔荷物などを〕持ち上げて肩にのせる。②いいものだと思って、人に知らせ、すすめる。「新興宗教を―」③上に立つ人として、いい地位にまつり上げる。「委員長に―」④自分の利益のために、その人の地位を利用する。「時の総理を―」⑤ふざけてだます。「人を―・うまく担がれた」⑥〔縁起・因縁を〕とりあげて、気にする。「縁起を―」

**がっく**［学区］小・中学校を単位にして分けた、通学区域。校区。

**かっくう**［滑空］《名・自サ》発動機を使わずに風の力で飛行すること。「―機〔＝グライダー〕」

**かっくら・う**［(×搔っ)食らう］《他五》〔俗〕勢いよく〈飲む/食べる〉。「酒を―・どんぶりを―」

**がっくり**《副・自サ》はじめしっかりしていたものが、急にくずれるようす。がっくし〔俗〕。「売り上げが―減った・―来た〔＝急に気がゆるんだ〕」

**かっけ**［(△脚気)］〔医〕ビタミンBが足りないために、足がしびれたりむくんだりする病気。

**かっけい**［活計］〔文〕家計。

**がっけい**［学兄］〔文〕学問上のつきあいのある人を尊敬して呼ぶことば。「『手紙』佐佐木―」

**かっけ・え**《形》〔活用は「かろ|かっ・く|え|え|けれ|○」〕〔俗〕↑かっこいい。かっけぇ。かっけー。「まじ―・―車・かっけくない」〔一九九〇年代からのことば〕

**かつげき**［活劇］①格闘の場面を主とする映画・演劇。②格闘(の場面)。

**かっけつ**［×喀血］《名・自サ》せきとともに肺から血をはき出すこと。☞吐血。

**かっこ**［各戸］〔文〕それぞれの家。

**かっこ**［各個］〔文〕それぞれ。めいめい。

**かっこ**〔↑格好。「カッコ」とも書く〕〔話〕見た目。見た感じ。「へんな―だね」●**かっこい・い**《形》〔「カッコいい」とも書く〕外見が ととのっていたり、言動や趣味が すぐれていたりして、人をひきつける感じだ。かっちょいい・かっけえ〔俗〕。「―男の人・―ことを言う・かっこよく撮ってくれ」〔一九六〇年代に広まったことば〕(↔かっこ悪い) 派かっこよさ。☞かっこうよい。●**かっこつ・ける**《自下一》〔「カッコつける」とも書く〕〔話〕いいところを見せようとする。気取る。かっこうをつける。人かっこ(う)つけ。●**かっこわる・い**［かっこ悪い・カッコ悪い］《形》外見・言動・趣味などが見苦しい感じだ。「―服・―ところを見られた」(↔かっこいい) 派―さ。

**かっこ**［(括弧)・カッコ］《名・他サ》〈数字/文字〉の前後に はさんで、ほかと区別する しるし(をつけること)。例、( )や〔 〕。また、「 」は、「かぎかっこ」とも。「―でくくる・―をとじる・―書き」●**括弧に入れる**句 とりあえず、今は考えないことにする。「困難な問題は括弧に入れておく」●**かっこつき**［(括弧)付き・カッコ付き］文字どおりには受け取れないこと。条件のつくこと。かぎかっこ付き。かっこづき。「―の勝利〔＝本当の勝利とは言えない勝利〕」

**かっこ**［確固・確×乎］《タトル》しっかりして動かないようす。「―不動・―たる信念」

***かっこう**［(格好)・(×恰好)］一かっこう ①〔立体的な〕物の全体の形。「―が〈いい/悪い〉」②からだの形。「背―」③服装。「こんな―で失礼します」④ポーズ。「おがむ―をする」▽かっこ。⑤結果として、そうなった状態。かたち。「相手のミスに助けられた―だ」二かっこう《名・ナダ》ころあい。ちょうどいいようす。「―〈の/な〉贈り物・―〈の/な〉値段」三かっこう 接尾 ぐらい。「年は四十―」●**かっこうがつく**句 人から見ても おかしくない〈形/状態〉になる。「十位以内なら―・リーダーがおくれてはかっこうがつかない〔＝ぶかっこうではずかしい〕」●**かっこうをつける**句 ①かっこうがつくようにする。②⇩かっこつける。●**かっこうづけ**［(格好付け)］本質をおろそかにしたまま、うわべだけをよくしようとすること。かっこづけ。●**かっこうよ・い**［(格好良い)］《形》人やものの、形や動きが、洗練されていて美しい。かっこうが〈よい/いい〉。「かっこうよく立ち上がる」派―さ。☞かっこいい。

**かっこう**［(郭公)］①中形の野鳥。形はホトトギスに似、初夏に「カッコー、カッコー」と続けて鳴く。②〔文〕ほととぎす。

**かっこう**［滑降］《名・自サ》①〔スキーで雪の〕斜面をすべりおりること。「斜―・直―」②〔↑滑降競技〕《スキー・スノーボード》アルペン種目の一つ。急斜面をすべりおりる速さをきそう。ダウンヒル。

**かつごう**［渇仰］《名・他サ》〔文〕①深く信仰すること。②深くしたうこと。かっこう。

****がっこう**［学校］人を集めて ものを教える所。特に、子どもや学生を集めて、学業や技術を教える、公共的な施設。「―教育・―生活・―文法〔＝学校教育で教える文法〕・各種―・英会話―」●**がっこうい**［学校医］校医。●**がっこうほうじん**［学校法人］〔法〕学校を経営し、教育活動をおこなう公益法人。

**かっこく**［各国］それぞれの国。

**かっこ・む**［(×搔っ)込む］《他五》〔俗〕〔食べ物を〕いそがしく口へ入れる。かきこむ。

**かっこんとう**［葛根湯］干したクズの根などを配合した漢方薬。かぜの初期や肩こりなどのときに飲む。

**かっさい**［喝采］《名・自サ》おおぜいが(手をたたきながら)ほめる声。「拍手―・―を浴びる・―を受ける」

**がっさく**［合作］《名・自他サ》共同して〈作ること/作ったもの〉。「日米―映画」

**かっさつ**［活殺］〔文〕いかすか ころすか。生殺。「―自在」

**がっさつ**［合冊］《名・他サ》何冊かの本をあわせて〈とじること/とじたもの〉。

**かっさば・く**［(×搔っ×捌く)］《他五》〔俗〕〔腹を〕切りさく。

**かっさら・う**［(×搔っ×攫う)］《他五》〔俗〕「さらう」の乱暴な言い方。「優勝を―」

**がっさん**［合算］《名・他サ》それぞれに計算したいくつかの数字を、さらにあわせて計算すること。

**かつじ**［活字］①活版印刷に使う、細い四角な金属の棒の先に文字の型をあらわしたもの。〔古くは木製《＝木活字》もあった〕②印刷した文字。「きれい

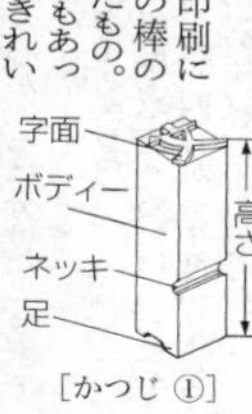

［かつじ ①］

な―・―にする〈=印刷する〉・―になる〈=印刷される〉」③印刷物。本。「―に親しむ」●**かつじたい**「活字体」印刷に用いる(活字の)書体。欧文のローマン体、和文の明朝体など。(↔筆記体) ●**かつじばなれ**「活字離れ」《名・自サ》読書をしなくなること。「若い人たちの―」

**かっしゃ**「滑車」円板のまわりにロープをかけ、回転させて ものを動かす道具。重いものを巻き上げたり、動力の向きを変えたりする。

**かっしゃ**「活写」《名・他サ》文章・画面などに、いきいきとあらわすこと。

**ガッシュ**〔フ gouache〕水彩画に使う、不透明な絵の具。グワッシュ。グアッシュ。グァッシュ。

**がっしゅうこく**「合衆国」①独立性の強い二つ以上の州が連合してできた国家。「メキシコ―」②↑アメリカ合衆国。由来「衆=多い」で、「合衆」は古い中国語で「多くを集めること」。十九世紀、United States の中国語訳として「合衆国〈=合衆した国〉」が作られた。「合州国〈=州を集めた国〉」という説明は誤り。

**がっしゅく**「合宿」《名・自サ》共通の目的のために、大ぜいが、しばらく同じ所に とまること。「―練習」

**かつじょう**「割譲」《名・他サ》〈もの/土地〉の一部分を分けてあたえること。「領土を―する」

**がっしょう**「合掌」■一《名・自サ》《仏》両方の手のひらをあわせて おがむこと。■二①《建築》木材を山の形に組み合わせたもの。「―造り」②仏教徒が、手紙の終わりに、「敬具」の代わりとして使うことば。

**がっしょう**「合焦」《名・自サ》《カメラ》ピント〈を合わせる/が合う〉こと。「―距離」

**がっしょう**「合唱」《名・他サ》①多くの人が声をそろえて歌うこと。「校歌を―する」②《音》ふたり以上の人が、それぞれちがう高さの音域に分かれて、いっしょに歌うこと。「三部―・―団」(↔独唱・斉唱) ③多くの人が声をそろえて となえること。「『異議なし』という―が起こる」☞大合唱。

**がっしょうれんこう**「合従連衡」権力などをめぐる、各派の いろいろの連合。由来「合従」は縦に連合する意。戦国時代の中国で、燕・斉・楚・韓・魏・趙の六国が同盟して大国の秦に対抗したこと。「連衡」は横につらねる意。のちに六国がそろって秦につかえたこと。

**かっしょく**「褐色」(こげ)茶色。

**がっしり**《副・自サ》①しっかりして じょうぶそうなようす。「―した体格」②⇩がっちり②。

**かつじんが**「活人画」扮装した人が、絵の中の人物のように動かないでいる場面を、観客に見せるもの。

☆☆**かっすい**「渇水」《名・自サ》水が かれること。「―期」(↔豊水)

**かっ・する**「渇する」《自サ》〔文〕①のどが かわく。②水が かれる。「井戸が―」●**渇しても盗泉の水は飲まず** 句〔盗泉=孔子がその名をきらって、そこの水を飲まなかったという泉〕どんなに貧しくても不正なことはしない。

**がっ・する**「合する」〔文〕■一《自サ》あう。「流れが―」■二《他サ》あわせる。

**かっせい**「活性」《理》化学的に活発な性質を持つこと。●**かっせいか**「活性化」《名・他サ》活力のなくなった社会や組織を活発にすること。●☆☆**かっせいさんそ**「活性酸素」《理》ふつうの酸素にくらべて、酸化力がより強くなった酸素。生物の細胞をきずつけ、老化などの原因となる。●**かっせいたん**「活性炭」《理》吸着力の高い粒状の炭素。脱色・脱臭や、ガスマスクなどに利用する。

**かっせき**「滑石」《鉱》おもにマグネシウムとケイ素から成る、やわらかくて、ろうのような感じの鉱物。けしょう品・陶磁器などに使う。タルク。

**かつぜつ**「滑舌・活舌」話すときの なめらかさ、よどみのなさ。「―が あまい〈=よくない〉・―が いい」由来 もとの意味は「よく回る舌・おしゃべり」。のちに俳優・アナウンサーの発音練習(の文句)を言った。今の意味で一般に広まったのは一九九〇年代後半から。

**かっせん**「合戦」■一 かっせん《名・自サ》昔、軍勢どうしが出合って まじえた いくさ。「川中島の―」■二 **がっせん** 造〔**がっせん**〕①それを手段に、おたがいに戦うこと。「雪―・歌―・中傷―」②…の(ための)戦い。「とむらい―」

**かつぜん**「×豁然」《タトル》〔文〕①目の前がぱっと開けるようす。「―と視界が広がる」②疑いや迷いなどが一瞬にして晴れるようす。「―とさとる」

**がっせん**「合戦」造 ⇩かっせん■二。

**かっそう**「滑走」《名・自サ》〈地面・水・氷などの表面を〉すべって はしること。「―路」

**がっそう**「合奏」《名・他サ》《音》二つ以上の楽器で、同じ曲を同時に演奏すること。(↔独奏)

**がっそう**「合葬」《名・他サ》〔文〕同じ墓に複数の人をほうむること。「遺骨を―する・―墓」

**カッター**〔cutter〕①切(り取)る〈もの/道具〉。特に、カッターナイフ。②客船や軍艦などに積む、うしろが四角の形をした、ボート。③《服》↑カッターシャツ。●**カッターシャツ**〔もと、「勝った」の意味でつけた商標名。西日本方言〕《服》ワイシャツ。カッター。●**カッターシューズ**〔cutter shoes〕かかとが低くて浅い、女性用の くつ。●**カッターナイフ**〔和製 cutter knife〕刃が切れにくくなるたびに刃先を折って使う、小型の工作用ナイフ。カッター。

**がったい**「合体」《名・自サ》二つ以上のものが、一つになること。

**かったつ**「×闊達・×豁達」《ナダ》心が広くて こだわらず、のびのびしている ようす。派―さ。

**かったる・い**《形》〔もと関東方言で③の意味〕〔俗〕①めんどうくさい。「―宿題」②もたもたして、もどかしい。「―話」③(つかれや病気で)だるい。▽たるい。派―さ。

**かったん**「褐炭」《鉱》茶色っぽい、質の悪い石炭。

☆☆**かつだんそう**「活断層」《地》地層がずれて、直下型地震が起こる可能性があると考えられる断層。地震予知の研究に重要。

**がっち**「合致」《名・自サ》〔文〕ぴったり あうこと。「二人の意見が―した・条件に―するデータ」

**がっちく**「合築」《名・他サ》〔文〕複数の施設を、一つの建物として建築すること。「小学校と中学校を―する」

**かっちゃく**「活着」《名・自サ》①《農》移植・つぎ木などをした草木が根づくこと。「松の―」②〔文〕定着して生き続けること。「移民がその国に―する」

**がっちゃんこ**《名・自他サ》〔「ガッチャンコ」とも書く〕〔俗〕①ぶつかること。ぶつけること。「頭と頭を―する・予定が―する」 ②合体〈する/させる〉こと。「二つの文書を―する」

**かっちゅう**【甲×冑】よろいとかぶと。よろいかぶと。

**かっちょい・い**《形》〔俗〕かっこいい。「―仕事」(↔かっちょ悪い)

**かっちり**《副・自サ》ぴったりとして、すきのないようす。「―(と)した計画」

**がっちり**《副・自サ》①「がっしり①」を強めた言い方。「―守る」 ②強く組み合わせるようす。がっしり。「―スクラムを組む」 ③〔俗〕〈ぬけ目のない/かんじょう高い〉ようす。「―している」[派]-さ。

**ガッツ**〔guts〕根性。「―のあるやつ」 •**ガッツポーズ**〔和製 guts pose〕結果がうまくいったときに、〈両手/片手〉のにぎりこぶしをあげてほこるポーズ。

**がっつ・く**《自五》①〔俗〕がつがつする。[名]がっつき。「―のある子」 ②〔学〕むさぼるように勉強する。

**がつっと**《副》①強く〈つき当たる/ぶつかる〉ようす。「刃物を―つき立てる」 ②〔俗〕「がっつり」よりも力がこもったようす。「―食う」

**がっつり**《副》〔俗〕①たくさん。大いに。「―食べる」 ②しっかり。きちんと。「インドを―旅行する」

**かって**【勝手】〖一〗《名・ナダ》①(人のことを考えず)自分のしたいようにするようす。「―気まま・―なことばかり言う・―に使う」 ②〔―に〕何もしないのに。自動的に。「ドアが―に閉まる」 ③〔古風〕都合のいいようす。「いえ、このほうが―ですから」 ④《数》任意。「―な数」[派]-さ。〖二〗①〔ふだんそれになれている〕ようす。「―がちがう・―知った(る)町内」 ☞使い勝手。 ②⇩お勝手。 •**勝手な熱を吹く**[句] 大きなことを言って、気炎を上げる。 •**勝手にしろ**[句]〔話〕言うとおりにならない相手に言う、捨てぜりふ。好きなようにしろ。勝手にしやがれ。勝手にしなさい〔やや丁寧〕。「どうしても行かないと言うなら、―」 •**かってぐち**【勝手口】台所の出入り口。 •**かってしだい**【勝手次第】《ナダ》思うとおりにするようす。 •**かってむき**【勝手向き】①台所に関したこと。②家の経済のようす。 •**かってもと**【勝手元】「―不如意」 •**かってれん**【勝手連】〔選挙の候補者などを〕自分たちで勝手に応援する人たち。

**かって

**かつて**《副》①〔過去の〕あるとき。以前。「―見たことがある・―のにぎわい」 ②今までいちども。「―ない大事件」▽かって。[表記]かたく「△曽て」「×嘗て」とも。

**カッティング**《名・他サ》〔cutting〕①カットすること。②映画の編集。③切りぬき。④《服》裁断。

**カッテージチーズ**〔cottage cheese〕やわらかくぼろぼろした白いチーズ。サラダや菓子に使う。コ(ッ)テージチーズ。「―ケーキ」

**かって・でる**【買って出る】《他下一》進んで引き受ける。「説得役を―」

**がってん**【(合点)】《名・自サ》①わかったしるしにうなずくこと。「―をする」 ②〔古風〕了解。承知。「『行くぞ』『―だ(=よし、わかった)』」 ☞承知之助

**かっと** 〖一〗《副・自サ》①〔いかったり あわてたりして〕頭に血がのぼるようす。「ばかにされて―なる・―して分別を失う」 ②日ざしが はげしいようす。「太陽が―照りつける・―した日ざし」 〖二〗《副》〔目・口を〕勢いよく、大きく ひらくようす。「目を―見開く」▽〖一〗〖二〗かあっと。

**カット**〔cut〕〖一〗《名・他サ》①切ること。切ったもの。「―野菜・―綿(=適当なサイズに切ってある脱脂綿)」 ②はぶくこと。切りすてること。「以下―・賃金―」 ③《テニス・卓球》ラケットの面をななめにして、ボールを切るような形で打って逆回転をあたえる〈こと/打ち方〉。(↔ドライブ) ④《服》裁断(の型)。 ⑤かみの毛を刈ること。また、その刈り方。「―モデル」 〖二〗①〔映画・漫画・イラストなどで〕一つの場面。 ②新聞・雑誌で、かざりとして用いる小形の絵。 •**カットアンドペースト**〔cut and paste〕《情》〔コンピューターで〕文章や画像の必要な部分を切りとって、ほかの所にはりつけること。☞コピーアンドペースト。 •**カットイン**《名・自サ》〔cut-in〕①割ってはいること。 ②《映画・放送》場面のとちゅうに、別の短い場面をはさむこと。 •**カットグラス**〔cut glass〕彫刻や切りこみ細工をしたガラス(器具)。切り子ガラス。 •**カットソー**〔cut and sewn〕《服》ニット生地を裁断して、そのまま縫製した製品の総称。 •**カットバック**《名・他サ》〔cutback〕《映画》ちがう場面を交互に出して、筋を発展させていく技巧。切り返し。 •**カットボール**〔cut ball〕《野球》変化球の一つ。ホームベース上で小さく変化する。 •**カットワーク**〔cutwork〕ししゅうの一種。模様の輪郭をししゅうしてから、模様の間を切り取る。テーブルセンター・ブラウス・ハンカチなどに使う。

**ガット**【GATT】〔←General Agreement on Tariffs and Trade〕関税と貿易に関する一般協定。貿易の差別撤廃を目的とする。一九九五年からWTOに移行した。

**ガット**〔gut〕ラケットの網や楽器の弦に使う糸。もとは、羊などの腸から作った。「―ギター」

**がつど**【月度】〔事務上、区分した〕こよみの月にほぼ重なる期間。「十一(=たとえば、九月二十一日から十月二十日まで)の実績・―が変わる」

☆☆**かっとう**【葛藤】《名・自サ》①事情の入り組んだ、争い。入り組んだ もめごと。「相手との―」 ②心の中で、対立した欲求が起こって、どうすればいいか迷い なやむこと。「―に苦しむ」

**かつどう**【活動】〖一〗《名・自サ》①生き生きと動くこと。「夜―する動物・神経細胞が―する・都市が―する」 ②目的を持った行動(をすること)。「救助隊が―する・就職―・ボランティア―・ゲリラ―」 ③自然が動きを見せること。「火山の―・梅雨前線の活発な―」 〖二〗〔古風〕↑活動写真。 •**かつどうか**【活動家】よく活動する人。特に、政治活動・労働運動・学生運動などに熱心に従事する人。 •**かつどうしゃしん**【活動写真】〔古風〕映画。活動。〔明治から大正ごろまで、特に よく使われた言い方〕 •**かつどうてき**【活動的】《ナダ》①よく活動するようす。「―な学生」 ②活動するのに ふさわしいようす。「―な服装」

**かっとば・す**【かっ飛ばす】《他五》①《野球など》ボールを打って、強い勢いでとばす。「〔応援して〕かっ飛ばせー〔『かっせー』とも〕」 ②〔バイクや車を〕スピードを出

して走らせる。「バイクを━」
**カツどん**［カツ丼・かつ丼］豚とカツを（たまごでとじて）のせた、どんぶりごはん。
**かつは**［且つは］《副》〔文〕一方では。「━おどろき━喜ぶ」
**かっぱ**［△河△童］①川などにすむ、子どもの形をした、想像上の動物。かみの毛はおかっぱふう。背に甲羅があり、頭のいただきに皿のようなものをのせ、水をたくわえる。キュウリを好むという。②〔俗〕水泳をしている子ども。③〔俗〕よく泳ぐ人。④〔すし店で〕キュウリ。「━巻き」 ●**かっぱのかわながれ**［（△河△童の）川流れ］得意なはずの方面で失敗すること。
**かっぱ**［喝破］《名・自他サ》〔文〕堂々と議論をして、真理を明らかにすること。
**カッパ**［（ポ）合羽・かっぱ］〔ポ capa〕雨や雪のときに、服の上から着るもの。雨着。雨ガッパ。
**かっぱつ**［活発・活×潑］《ナダ》①元気で勢いがいいようす。「━な子ども」②活動がさかんなようす。「━に議論する・━な取引・火山の━な活動」▽（↔不活発）[派]━さ。
**かっぱらう**［（×掻っ払う）］《他五》〔俗〕①ちょっとしたすきをねらって、他人のものをぬすむ。[名]かっぱらい。②〔相手の足などを〕強くはらう。
**かっぱん**［活版］活字をならべて作った印刷版。
**がっぴ**［月日］一年のうちの何月何日かということ。「━を記入する」☞つきひ（月日）。
**がっぴょう**［合評］《名・他サ》大ぜいでいっしょに〈批評すること／する批評〉。「━会」
☆☆**かっぷ**［割賦］月賦などの形で、何回かに分けて代金をはらうこと。分割ばらい。割賦。賦ばらい。「━販売」☞リボ払い。
**カップ**〔cup〕①取っ手のある茶わん。「コーヒー━」②コップ〈形の入れ物〉。「━酒」③優勝などのほうびとして出す、金属製で、コップに似た形のもの。賞杯。④（↑メジャーカップ）分量をはかる、目盛りつきのコップ。計量カップ。⑤〔ゴルフ〕ホール。⑥〔服〕ブラジャーの、乳房をおおう、ふくらみの部分。●**カップケーキ**〔cupcake〕小さな茶わん形に焼きあげた洋菓子。上にあざやかなかざりつけをすることが多い。●**カップボード**〔cupboard〕食器棚。●**カップめん**［カップ麺］乾燥させた麺類と具が、カップ型の容器にはいったもの。その中に熱湯をそそいで食べる。カップラーメン・カップやきそばなど。☞袋麺。
**かっぷく**［（×恰幅）］〔大きくて、肩幅の広い〕中年（男性）のからだつき。「━がいい」
**かっぷく**［割腹］《名・自サ》〔自殺するために〕はらを切ること。切腹。「━自殺」
**かつぶし**［（×鰹節）］〔話〕かつおぶし。
**がっぷり**《副》〔すもう〕たがいに手を深く差し入れるようす。「━四つに組む」
**カップリング**〔coupling〕①二つのものを一つに組み合わせること。②動力を、ある軸から他の軸へ伝える〈こと／連結装置〉。③CDで、主要な曲といっしょにはいっている〈こと／曲〉。シングルレコードのB面に相当する。「━曲」
**カップル**〔couple＝一対〕ひと組みの恋人どうしや夫婦。「お似合いの━」
**かっぺ**〔俗〕↑いなかっぺ。
**がっぺい**［合併］《名・自他サ》二つ以上のグループを一つにあわせ〈ること／た状態〉。「会社の━・町村━」●☆☆**がっぺいしょう**［合併症］〔医〕ある病気が原因で、ともに起こる別の病気。
**カッペリーニ**〔イ capellini〕はるさめのように細いスパゲッティ。カペリーニ。カペッリーニ。「冷製━」
**かつべん**［活弁］（↑活動写真の弁士）無声映画の筋を説明したり、せりふをしゃべったりする職業の人。活動弁士。活弁士。弁士。
**かっぽ**［×闊歩］《名・他サ》堂々と大またで歩くこと。「銀座を━する・出世街道を━する」
**かつぼう**［渇望］《名・他サ》ほしくて、心から希望すること。「平和を━する」
**かっぽう**［割×烹］〔割＝切る。烹＝煮る〕①食べ物の調理。②カウンターやテーブル席が中心の〈高級な〉日本料理店。一品ずつ、でき上がった順に食べさせることが多い。「━店」☞料亭。●**かっぽうぎ**［（割×烹）着］料理や配膳のために着物の上から着る、ゆったりとした服。手首のところにゴムがはいっていて、背中でひもを結ぶものが多い。

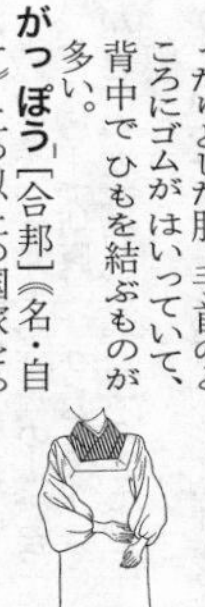
［かっぽうぎ］

**がっぽう**［合邦］《名・自サ》二つ以上の国家をあわせて一つに〈すること／した国〉。
**がっぽがっぽ**《副》〔俗〕〔努力せずに〕大金がどんどんはいってくるようす。がっぽがっぽ。「━もうける」
**かっぽじる**［（×掻っぽじる）］《他五》〔俗〕勢いよくほじる。「耳の穴をかっぽじってよく聞け」
**がっぽり**《副》〔俗〕一度にたくさん、お金がはいってくるようす。「━かせぐ」
**かっぽれ**「かっぽれ、かっぽれ」というはやしことばがはいった俗謡。また、それに合わせておどるおどり。
**がっぽん**［合本］《名・自他サ》数冊の〈雑誌／本〉をとじあわせること。また、とじあわせたもの。
**かつまた**［且つ又］《接》〔文〕その上また。おまけに。
**かづみ**［過積み］〔トラックで〕荷物の積みすぎ。
**かつもく**［×刮目］《名・自サ》〔刮＝こする。ぬぐう〕〔文〕注意して見ること。「━して待つ（＝おおいに期待する）」
**かつやく**［活躍］《名・自サ》世の中で、めざましく活動すること。
**かつやくきん**［括約筋］〔生〕肛門・尿道などをとじる、輪の形の筋肉。
＊**かつよう**［活用］[一]《名・他サ》使わないともったいないものを、うまく生かして使うこと。「古民家を━してカフェを作る・人材の━」[二]《名・自サ》〔言〕用言・助動詞の語尾の変化。●**かつようけい**［活用形］〔言〕活用語が語形を変えるときの、それぞれの形。口語文法では、未然形・連用形・終止形・連体形・仮定形・命令形の六種。●**かつようご**［活用語］〔言〕活用のあることば。用言と助動詞。●**かつようごび**［活用語尾］〔言〕活用語で、語幹のあとの変化する部分。語尾。例、「読まない・読みます」などの、「ま」「み」。「━変化」（↔語幹）
**かつら**［（×桂）］大きくなる落葉樹。葉はポプラに似てい

る。春早く、葉に先だって赤い小さい花をつける。木材は建築用など。●**かつらむき**[(×桂▵剝き)]《料》ダイコンなどを長めの輪切りにし、側面に刃を当てて、巻物をほどくように皮をどんどんむいていくこと。

**かつら**[(×鬘)・カツラ] ①かみの毛などで美しく作り、外出するときなど頭にかぶるもの。②《芝居など》頭にかぶって扮装するもの。▽かずら。

**かつらく**[滑落]《名・自サ》上からすべりおちること。「登山中の―事故・岩石が―する」

**かつらん**[割卵]《名・自他サ》〔文〕たまごを割ること。「―機・―工場」

**かつりょく**[活力] 活動するための力。

**かつれい**[割礼]《宗》性器に傷をつける宗教儀礼。

**カツレツ**〔cutlet〕牛・ブタなどの肉をうすく切り、パン粉などをつけてあげたもの。カツ。「ポーク―」

**かつろ**[活路] 生きられるみち。命の助かる方法。「―をひらく」

**がつん**《副》①二つのものが、はげしくぶつかりあうようす。「―と衝突した」②強い衝撃をあたえるようす。「―と言う〔=きびしく〈忠告/抗議〉する〕」

☆☆**かて**[糧] ①食料。②大切なやしないとなるもの。「心の―」

**かてい**[下底]《数》台形の平行な二辺のうち、下の辺。(↔上底)

****かてい**[家庭] ①同じ場所で生活する、家族の集まり。「―を持つ・―人・―的〔=家庭を大事にするようす〕・―崩壊〔=親子・夫婦の間がうまくいかず、家族のつながりがばらばらになること〕・―内暴力〔=家庭内でふるう暴力。子どもが親に暴力をふるうなど〕」②↑家庭科。●**かていい**[家庭医] 家族のかかりつけの医者。ホームドクター。●**かていか**[家庭科] 家庭生活に必要な知識・技能を身につけさせるための教科。〔小学校・高校での呼び名。中学校では「技術・家庭」の一部〕●**かていぎ**[家庭着]《服》家の中で着る、簡単な洋服。ホームウエア。●**かていきょうし**[家庭教師] 家庭へ出向いて、子どもの勉強を手伝う人。●**かていさいえん**[家庭菜園] 家の庭に作った野菜畑。●**かていさいばんしょ**[家庭裁判所]《法》家庭の問題と少年の犯罪事件をあつかう裁判所。家裁。●**かていてきほいくしゃ**[家庭的保育者] 三歳未満の少数の子を、自宅などに預かって保育する人。家庭福祉員。保育ママ。●**かていでんき**[家庭電器] 家庭で使う電気器具。アイロン・そうじ機・テレビなど。家庭用電器。家電。

←***かてい**[過程] ものごとが進む道筋とその段階。プロセス。「研究の―」

→**かてい**[課程] 教育・学習の範囲と順序。

**かてい**[仮定]《名・自サ》①かりにそうだと決めること。「―の話」②仮説。●**かていけい**[仮定形]《言》〔口語の〕活用形の一つ。条件を仮定するのに使う。例、「行けば」「見れば」の「行け」「見れ」。●**かていほう**[仮定法]《言》英語などで、仮定の内容や願望を述べるのに使う動詞の形。☞直説法・命令法。

**カテーテル**〔オ katheter〕《医》治療や検査のため、からだの中や血管の中に入れる、細い管。

**カテキン**〔catechin〕《理》タンニンの一種。活性酸素の害を防ぐ抗酸化作用や、抗菌作用などがある。緑茶などにふくまれる。

**カテゴライズ**《名・他サ》〔categorize〕〔グループに〕分類すること。「人を見た目で―するな」

☆☆**カテゴリ(ー)**〔ド Kategorie〕《哲》はんちゅう(範疇)。部門。範囲。

**かててくわえて**[(×糅てて)加えて]《接》〔文〕その上に。おまけに。「目ざとく耳ざとく、―口も達者だ」 由来 「かてて」は「かてる〔=ものを混ぜて増やす〕」から。

**カテドラル**〔フ cathédrale〕カトリックの大聖堂。

**がてら** 接尾 〔副詞をつくる〕…をかねて。「買い物―(に)散歩に行く・順番を待ち―〔=待つついでに〕テレビを見る」

**かてん**[火点] ①火事で、火が出た場所。②《軍》自動火器を装備した陣地。

**かてん**[加点]《名・自サ》〔文〕〔試合や試験の〕点数を追加すること。

**かでん**[火電] ↑火力発電(所)。

**かでん**[×瓜田]〔文〕ウリ畑。●**瓜田に履を納れず** 句 〔文〕〔よそのウリ畑でくつをはき直すと、作物をぬすむように見えるので〕疑わしい行動はするな。瓜田の履。「―、李下に冠を正さず」

**かでん**[家伝] 昔から家に伝わって来たこと。「―の妙薬」

**かでん**[家電] ①↑家庭電化。「―製品〔=家庭電器〕」②↑家庭電器。「調理―・情報―」☞いえでん(家電)。

**かでん**[架電]《名・自サ》〔文〕電話をかけること。(↔受電)

**かでん**[荷電]《名・自サ》《理》①物体が電気をおびること。帯電。②⇩電荷。

**がてん**[画展]〔文〕絵の展覧会。

**がてん**[(合点)]《名・自サ》うなずいて、わかったということをあらわすこと。がってん。「―がいかない〔=なっとくできない〕」

**がでんいんすい**[我田引水]《名・自サ》〔=わが田に水を引く〕自分の利益になるようにはからうこと。

**がてんけい**[ガテン系] 土木・建築など、肉体労働をする職業(の人)。由来 求人誌の名前から。

**カデンツァ**〔イ cadenza〕《音》〔協奏曲で〕独奏楽器が技巧的に演奏する部分。オペラのアリアなどでも言う。カデンツ(ド Kadenz)。

**かと**[過渡] 移ってゆく〈こと/とちゅう〉。「―的現象」

**かど**[角] ①折れ曲がって、突っき出た部分。「柱の―・―部屋」②曲がりかど。「―の酒屋さん」③不必要に刺激するところ。「ことばに―がある」●**角が立つ** 句 相手を不愉快にさせたりして、人間関係が悪くなる。「さそわれたのに断っては―」●**角が取れる** 句 円満になる。

**かど**[門]〔文〕①家の出入り口。門口。もん。②家。「―ごとに〔=一軒ずつ〕・笑う―には福来たる〔⇩「笑う」の句〕」

**かど**[(▵廉)]〔文〕〔悪いことの〕理由として取り上げる点。箇条。ふし。「不審の―があって事情を聞く・むほんの―で切腹」☞ひとかど。

**かど**[過度]《名・ナダ》度をすごすこと。「―の負担・―の勉強」

**かといって**[かと(言って)]《接》〔前を受けて〕でも、…

することは(でき)ない」と続けることば。さればとて。そうかと言って。(それ)だからと言って。「いそがしいが、―やめるわけにもいかない」

**かとう**【果糖】〘理〙主としてくだもの類にふくまれている糖分。フルクトース(fructose)。

**かとう**【加糖】〘名・自サ〙糖分を加えること。「―飲料」(↔無糖)

**かとう**【下等】〘名・ナダ〙①等級が下である〈こと/もの〉。②品質が悪いようす。「―な酒」③下品。いやしいようす。「―な人間」▽(↔上等) 派―さ。●**かとうどうぶつ**【下等動物】〘動〙進化のあまり進んでいない、からだのしくみが簡単な動物。無脊椎(むせきつい)動物など。(↔高等動物)

**かとう**【過当】〘名・ナダ〙適当な度を〈こえる/こす〉ようす。「―競争」

**かどう**【可動】〔文〕動かせること。「―域」●**かどうきょう**【可動橋】船が通るとき、橋げたが動くしかけの橋。

**かどう**【河道】〔文〕川とその左右の、堤防(ていぼう)にはさまれた区域。「―整備事業・―閉塞(へいそく)(=土砂(どしゃ)ダム)」

**かどう**【華道・花道】花をいける技術や作法。生け花(のみち)。「―教授」

**かどう**【歌道】〔文〕和歌をつくる技術や作法。和歌のみち。

☆☆**かどう**【稼働・稼動】〘名・自他サ〙①(からだを使って)働くこと。就労。「―人口」②(機械の)運転。操業。「―時間・―率(=設備が稼働している比率)」

**がどう**【画道】〔文〕絵のみち。

**かどうか**〘副助〙⇨どうか㊁。

**かどうきょう**【架道橋】立体交差で道路の上をこえる(鉄道の)橋。ガード。

**かとうせいじ**【寡頭政治】〔文〕わずかの人でおこなう、独裁的な政治。

**ガトー** 造〔フ gâteau〕洋菓子(ようがし)。ケーキ。「―ショコラ(=チョコレートケーキ)」

**かとおもいきや**【かと思いきや】(―おもひきや)〘副助〙⇨思いきや㊀。

**かとおもえば**【かと思えば】(―おもへば)㊀〘接助〙…と思ったら、〈すぐに/意外にも〉。「勉強していた―、遊びに行ってしまう・犯人は、ここ―、また別の場所に現れた」㊁**かと―おもえば**〘接〙前に述べたことだけでなく、別のことも起こることをあらわす。そうかと思えば。「急に寒くなったり、―、暑さがぶり返したりする」▽㊀㊁かと思うと。

☆☆**かとき**【過渡期】新しい状態にかわるとちゅうの(混乱する)時期。「思春期は大人への―」

**かとく**【家督】①あとつぎ。長男。②(旧法で)戸主(こしゅ)の身分にともなう、権利と義務。「―相続」

**かどくせい**【可読性】〔文字・レイアウトなどの〕読みやすさ。「―を高める」

**かどぐち**【門口】家の出入り口。

**がとこ**〘副助〙(↑が所)〔古風・俗〕ぐらい。「一時間―はかかる・二、三千円―は取られるだろう」

**かどだ・つ**【角立つ】〘自五〙①丸くなく、かどがとがる。「角立った石」②話などがおだやかでなく、人の感情を刺激(しげき)する。かどが立つ。「角立った言い方」▽かどばる。他角立てる〈下一〉。

**かどち**【角地】道の曲がりかどにある土地。

**かどづけ**【門付け】〘名・自サ〙人の家の門口(かどぐち)で歌などを歌いお金をもらって歩く〈こと/芸人〉。

**かどで**【門出】〘名・自サ〙①長い旅にわが家を出発すること。旅立ち。②(新しい)出発。始まり。「人生の―を祝う」

**かどば・る**【角(張る)】〘自五〙①かどが高く出て、平らでなくなる。「角ばった岩」②話などに、かどが立つ。「話が―」▽かどだつ。☞かくば(角張)る。

**かどばん**【角番】①〔碁・将棋など〕この一番に勝てば勝ちが決まるという勝負。②〔すもう〕勝ち越(こ)さなければ大関の地位から落ちる状態。③〔それに成功するかどうかによって決まる〕運命の分かれ目。

**かどび**【門火】死んだ人の魂(たましい)をむかえるため、お盆(ぼん)に、家の出入り口または門の前でたく火。むかえ火。

**かどべ**【門辺】家の前のあたり。「毎朝―を掃(は)く」

**かどべや**【角部屋】アパートやマンションなどで、各フロアのはしにある部屋。妻側住戸(つまがわじゅうこ)。「東南―・―希望」

**かどまつ**【門松】新年に家の出入り口または門(もん)の前に立てる、かざりの松。

**カドミウム**〔ラ kadmium〕〘理〙亜鉛(あえん)に似た、やわらかい金属〔元素記号 Cd〕。電池の原料に使う。有害で、イタイイタイ病の原因物質。カドミ。

**かどみせ**【角店】道の曲がりかどにある店。

**カトラリー**〔cutlery〕西洋料理を食べるときに手にする道具。ナイフ・フォーク・スプーンなど。

**カドリール**〔quadrille〕四人ずつ組んでおどる舞踊(ぶよう)(の曲)。カドリーユ(フ quadrille)。

**かとりせんこう**【蚊取り線香】蚊を殺すためにたく、うずまきなどの形に作った線香。かやりせんこう。

☆☆**カトリック**〔オ Katholiek〕〘宗〙ローマ教皇を首長とする、キリスト教の一派(の信徒)。旧教。天主教。ローマカトリック。カソリック。「―教会」(↔プロテスタント) 表記「加特力」は、古い音訳字。

**カトレア**〔cattleya〕南アメリカ大陸の熱帯地方原産の、ランの一種。温室の草花の女王と言われる。カトレヤ〔古風〕。

**かどわか・す**【△拐かす】(かどは―)〘他五〙〔文〕〈だまして/むりやり〉つれ去る。名かどわかし。

**かとん**【火×遁】火・火薬を利用して身をかくすこと。「―の術」

**かとんぼ**【蚊蜻蛉】①カに似た大形の昆虫(こんちゅう)。足が長くて細い。あしなが。②〔俗〕やせて細い人のたとえ。

**かな**【仮名】・【仮△字】(↑かりな)日本独自の、音節をあらわす文字。ふつう漢字とまぜて文章を書く。ひらがなとカタカナの二種あり、字形は漢字に由来する。(↔真名(まな)) ☞かめい(仮名)。

**かな**〘終助〙㊀①〔話〕疑問・ためらいなどを、ひとりごとのようにのべることば。「結果はどうなる―・どうしよう―・おれあした早く来る(=来よう)―・なんでみえをはるの―」②〔話〕願望をあらわす。「雨、やまない―(=やんでほしい)」▽かなあ。③〔話〕やわらかにたずねることば。「きみはどう思う―・見せてもらえます―〔古風・男〕」④〔俗〕考えを婉曲(えんきょく)にあらわすときのことば。「そうしてもらえたらありがたい―と思います」㊁〔×哉〕・

〈×矣〉〔文〕感動をあらわす。(だ)なあ。「楽しき—・偉大なる—・澄める(=澄んだ)月—」☞ものかな。

**かな**【金】造 ①かね(=金属)の。「—だらい・—物」②鉄の。「—気」③お金の。「—しばり」

**がな**《終助》〔関西・中国・四国方言〕強調して知らせる言い方。…よ。「困ります—・知らん—」

**かなあみ**【金網】針金で編んだ網。囲いなどとして使う。

**かない**【家内】①いえの中。「—労働(=内職)」②家族。家庭。「—安全」③他人に、自分の妻を言うときの、少しかたい呼び方。「—がかぜでねている」〔他人の妻は「奥さま」〕(↔主人) ✓⇩配偶者。●**かないこうぎょう**【家内工業】《経》家族が自宅でものをつくる工業。家内制手工業。「問屋制—(=問屋の下請けでおこなった、昔の家内工業)」☞マニュファクチュア。

**かな・う**【(×叶う)】《自五》〈願った/希望した〉とおりの状態になる。「願いが—」

**かな・う**【(△適う)】《自五》あてはまる。あう。「条件にかなわない・理に—」

**かな・う**【(△敵う)】《自五》たちうちできる。肩をならべる。「とうてい—相手じゃない」☞かなわじ・かなわない。

**かなえ**【(×鼎)】①三本足の、鉄や銅のかま。鼎。②〈王位/権威〉のしるし。●**かなえの軽重を問う** 句 (統治者の)権威や実力をうたがう。

[かなえ ①]

**かな・える**【(×叶える)】《他下一》〈願った/希望した〉とおりの状態にする。

**かな・える**【(△適える)】《他下一》うまく当てはまるようにする。「条件を—」

**かながき**【(仮名)書き】《名・他サ》ひらがな(やカタカナ)で書くこと。「—にする・—用の筆」

**かながしら**【(金頭)・(△鉄頭)】近海にすむ中形の赤いさかな。頭は大きくて骨ばっている。食用。

**かながた**【金型】金属で作った型。鋳物の製造やプラスチックの成型などに使う。

**かなかな**【(×蜩)】⇩ひぐらし(蜩)。

**かなきりごえ**【金切り声】金属を切るような、高くてするどい声。「—でわめく」

**カナキン**【:金巾・かなきん】〔ポ canequim〕かたく細かく織った、うすいもめんの布。かねきん。

**かなぐ**【金具】器具などに取り付ける、金属で作った部品。かなもの。

**かなくぎりゅう**【金(×釘)流】へたな文字をあざけって言うことば。

**かなくさ・い**【金臭い】《形》〔水などが〕金属、特に鉄分のにおいや味がして、いやな感じだ。かなけくさい。「金臭くて飲めない」

**かなぐつわ**【金(×轡)】(=金属で作ったくつわ) ●**金ぐつわをはめる** 句 お金の力で口どめをする。

**かなぐりす・てる**【かなぐり捨てる】《他下一》①乱暴にぬぎすてる。「上着を—」②思い切って捨て去る。「地位を—」

**かなけ**【金(気)】①水や土にふくまれる金属〔特に鉄〕の成分。「—が多い水・—が出る」②鉄で作った新しいなべ・かまを使ったときうかび出る、赤黒いもの。③〔俗〕お金。▽かなっけ。かねけ。

**かな・し**【(△愛し)】《形シク》〔雅〕しみじみと いとしい感じがする(状態だ)。かわいい。

**かなし・い**【悲しい・△哀しい】《形》①心が痛み、泣きたくなる気持ち(に させるようす)だ。「だれでも別れは—・—歌」②残念だ。「お礼を言いたいが、—ことに(は)名前がわからない」▽(↔うれしい・喜ばしい) 派 -がる。-げ。●**かなしいかな**【悲しいかな】《副》悲しいことには。残念なことには。「—、それが現実だ」

**かなしき**【金敷・△鉄敷】金属をきたえる台。かなとこ。

**かなしさ**【悲しさ】〔形容詞「悲しい」の語幹+接尾語「さ」〕悲しい〈こと/心〉。「人間の—が伝わる小説・しろうとの—(=残念さ)でうまくいかない」区別「悲しさ」は、ばくぜんとした場合をふくめて広く使う。形容詞「悲しい」の派生形。「**悲しみ**」はより具体的で、心が痛んだりなみだが出たりする場合に使う。「〈大きな/深い〉悲しみ」のようにも言う。動詞「悲しむ」の名詞形で、「厚み」のように接尾語「み」がついたものではない。〔「さびしさ」「さびしみ」などの区別も同様〕

**かなしばり**【金縛り】①まったく動けなくなる(ように感じる)こと。「—にあう」②お金で自由を束縛すること。

**かなしみ**【悲しみ・△哀しみ】悲しむ〈こと/心〉。「遺族は深い—に包まれた」(↔喜び) 区別⇩悲しさ。

**かなし・む**【悲しむ・△哀しむ】《自他五》悲しい気持ちを〈持つ/あらわす〉。「知らせを聞いて—・別れを—・まことに—べきことだ」(↔喜ぶ)

**かなた**【(:彼方)】《代》〔文〕ここから遠くはなれたところ。あちら。あっち。あなた。「山の—」

**カナダ**〔Canada〕北アメリカ大陸の北部にある広い国。首都、オタワ(Ottawa)。加。表記「:加奈陀」は、古い音訳字。

**かなだらい**【金(×盥)】金属で作った洗面器。

**かなづかい**【仮名遣い】①同音のかなの使い分け。「歴史的—では、かお(顔)はかほと書く」②国語をかなで書きあらわすときの決まり。☞現代仮名遣い・歴史的仮名遣い。

**ガナッシュ**〔フ ganache〕とかしたチョコレートと生クリームを混ぜてつくるクリーム。洋菓子の材料として使う。

**かなづち** 一【金(×槌)】金属で作ったつち。●**かなづちあたま**【金(×槌)頭】〔俗〕〈かたい/がんこな〉頭。二〔カナヅチ〕〔俗〕少しも泳げない〈こと/人〉。

**カナッペ**〔フ canapé〕焼いた小さい食パンやクラッカーの上に、ペーストなどをのせたもの。☞オープンサンド。

**かなつぼまなこ**【金(×壺)眼】くぼんでまるい目。

**カナディアン** 造〔Canadian〕カナダの。「—ウイスキー・—カヌー」

**かなてこ**【金(×梃)・(△鉄×梃)】鉄で作ったてこ。

**かな・でる**【奏でる】《他下一》楽器をひく。メロディーを演奏する。「音楽を—」

**かなとこ**【金床・△鉄床】⇩金敷。

**かなぶん**【(金×蚉)】コガネムシに似た昆虫。夏、クヌギ・ナラの樹液に集まる。

**かなぼう**【金棒・△鉄棒】①鉄で作った太い棒。いぼがついていて、武器として使った。「鬼おにに―」〔⇩「鬼」の句〕②上の部分に鉄の輪をつけた、鉄の棒。夜回りなどが突っき鳴らして歩いた。●**かなぼう ひき**［金棒引き・△鉄棒引き］〔俗〕人のうわさをあちこち話して歩く人。由来 昔、「金棒②」を引きずって、その土地一帯の夜番をしたことから。

**かなまじり**［〈仮名〉交じり］〔漢字に〕かなが交じっていること。「〔漢字〕―文」

**かなめ**［要］①扇おうの骨をとめるためにはめる棒。②大切なところ。「チームの―」●**かなめいし**［要石］①アーチ状の建物の全体を支えるため、いちばん上に打ちこむ石。キーストーン。②ものごとの中心となる重要なことがらや人物。「有罪認定にんていの―となる証言」③〔碁〕相手に取られてはいけない大事な石。

**かなもじ**［〈仮名〉文字］かな。

**かなもの**［金物］①金属で作った器具。「―店」②かなぐ。

**かなやま**［金山］〔俗〕鉱山。

**かならず［必ず］《副》①それ以外の結果にはならない、ということをあらわす。まちがいなく。例外なく。「―お送りします・ねる前には―歯をみがく」②〔古風〕けっして。必ずともに。「―気にしなさんな」●**かならず しも**［必ずしも］《副》〔後ろの否定のことばとあわせて〕…とは言い切れないことをあらわす。「―成功するとは限らない・―楽な道のりではなかった」●**かならずや**［必ずや］《副》〔「必ず…だろう」の〕「必ず」を強めた言い方。「―成功するだろう」

**かなり［〈可成〉］《副・ナダ》①〔最大ではないかもしれないが〕〔ふつう〕予想よりずっと程度が強いようす。「―寒い」〔「―当てはまらない」など、否定表現には使いにくい〕②〔俗〕非常に。すごく。「―むかつく」区別 ⇩大変 二。表記「可成り」「可×也」とも書いた。

**カナリア**［オ canaria］家で飼う、カナリア諸島原産の小鳥。多くは黄色い。きれいな声で長くさえずる。毒ガスに敏感びんかんで、察知のために炭鉱に連れていったりする。カナリヤ〔古風〕。表記「:金糸雀」とも書いた。

**がなりたてる**［がなり立てる］《自他下一》声や音をやかましく立てる。「電話口で―・音楽〈が〉を〉―」

**カナル**〔canal=運河〕〔耳の穴などの〕管。「―型〔=耳の穴に深くさしこむ〕イヤホン」

**がな・る**《自他五》きたない大声を出す。「歌を―・どら声で―」

**かなわじ**［〈△敵わじ〉］《感》〔文〕勝てそうもない。「―とにげ出した」

**かなわ・ない**［〈△敵わない〉］《形ヌ》①とても勝てない。②やりきれない。「こう寒くては―」丁寧 かないません。

**かなん**［火難］〔文〕火事による災難。火災。「―の相がある」

**かに**［〈×蟹〉］ケガニ・サワガニなど、海や水べなどにすみ、かたい からを持つ動物。二本の はさみと八本の足を持ち、横に走る。食用になるものがある。「―サラダ・―クリームコロッケ」✓数え方は「匹ひき」。水あげすると「杯はい・尾び」となる。☞杯 二②。●**かには甲羅こうらに似せて穴を掘ほる** 句 人は、それぞれの資質に応じた考え方や行動しかできない。〔たとえば、下品な人間は、他人の行動について、下品な推測しかできない〕

**かに** 運〔文〕かのように。「成功した―見える」

**がに**《副助》〔雅〕まるで…するように。かのように。「進む―見ゆ」

**かにあるき**［〈×蟹〉歩き］《名・自サ》カニのように、横に歩くこと。「せまい場所を―で行く」

**かにかくに**《副》〔雅〕あれこれ考えてみると。「―渋民しぶたみ村は恋こいしかり」

**かにかま**［〈×蟹×蒲〉］〔↑かにかまぼこ〕味も見た目もカニの肉に似せたかまぼこ。

**かにく**［果肉］くだものの、たねと皮を除いた、やわらかい部分。

**かにこうせん**［〈×蟹〉工船］とったカニをかんづめにする設備のある船。

**かにたま**［〈×蟹〉玉］中華ちゅうか料理の一つ。カニと野菜を入れたたまご焼き。フーヨーハイ〔芙蓉蟹〕。

**かにばば**［〈×蟹×屎〉］〔俗〕⇩胎便たいべん。

**カニバリズム**〔cannibalism〕人肉を食べる習慣。

**がにまた**［〈×蟹〉股・ガニ股］〔俗〕足が、ひざのところで外がわに曲がっている〈こと〉人〉。由来「かにまた」から。濁音だくおん化して、よくない意味を強調した。

**かにみそ**［〈×蟹味×噌〉］カニの はらわた。珍味ちんみとされる。

**かにゅう**［加入］《名・自サ》〔団体などに〕なかまとしてはいること。「―を申し込こむ・組合に―する」〔↔脱退だったい〕

**カニューレ**〔ド Kanüle〕〔医〕からだの中の液体をぬいたり、薬を入れたりするために、からだに さしこむ管くだ。

**カヌー**〔canoe〕①丸木舟まるきぶね。②「カヌー①」に似せて作った、競技用の小舟。

**カヌレ**〔フ canelé=みぞのある〕みぞのついたつりがね形に焼いた洋菓子ようがし。表面は こい焼き色がつき固いが、中はやわらかい。カヌレ ド ボルドー。

**かね［金］①金属。「―でできたたらい」②ものを買ったり、サービスを受けたりするために使うもの。硬貨こうかやお札さつの形で持ったり、銀行や郵便局にあずけたりする。貨幣かへい。〔日常語としてはやや乱暴で、「お金」のほうがふつう〕「―をかせぐ・―を貯ためる・あしたバイトの―がはいる・その日の―に困る」表記②は、報道などで、また俗に「カネ」とも。●**金がうな〈唸〉る** 句 ありあまるほどの大金をたくわえていることのたとえ。●**金に飽あかせて** 句 うんざりするほど お金をかけて。「―買いまくる」●**金に糸目を付けない** 句 お金をおしげもなく出して、ものごとをするようす。●**金にする** 句 品物を売ってお金をこしらえる。●**金になる** 句 もうかる。「いい―」●**金の切れ目が縁えんの切れ目** 句 お金でつながっている間がらは、お金がなくなると同時に関係がなくなること。●**金のなる木** 句 努力しなくても大金がつぎつぎとはいってくる もと。ドル箱。「―を持っている」●**金のわらじで探す** 句〔金=鉄〕どこまでもさがしもとめて、歩きまわるようす。●**金は天下の回り〈持ちもの〉** 句 お金は世間をまわって動くもので、一つの所にずっととどまることはない。●**金を落とす** 句 ①お金をなくす。②〔観光地などで〕客がお金を使う。「商店街に―」③公共事業などで税金を投入する。「地元に―」直 金が落ちる。●**金を食う** 句 むだだと思われるほど、お金がかかる。「―趣味しゅみ」

**かね**［〈×矩〉］かねじゃく。〔↔鯨くじら〕

**かね**【（×鉦）】①〘音〙青銅などで作った、たたいて鳴らす円盤形の楽器。「—や太鼓でさがす（=大ぜいで大さわぎをしてさがし歩く）」②〘仏〙上向きにおいて、しゅもく（撞木）でたたいて鳴らす、おわん形の器具。たたきがね。

［かね①］

**かね**【鐘】①つりがね。②「鐘①」の音。
**かね**【（∴鉄漿）】⇩おはぐろ②。「紅、—つけて」
**かね**《終助》〔話〕①相手にたしかめるように のべることば。「さて、だれでした—」②信用できないという気持ちをあらわす。「そんなに うまく いきます—」▽かねえ。③問いかけをあらわす。「きみはどう思う—〈男性の えらそうな言い方〉・どう しなさる—〔方〕」
**かねあい**【兼ね合い】ほかとのつりあいをとること。バランス。「予算との—で決める・千番に 一番の—（=むずかしいことの たとえ）」
**かねあまり**【金余り】資金はじゅうぶんあるのに、使い道がないこと。「—現象」（↔金づまり）
**かねかし**【金貸し】お金を貸して利息をとる〈営業/人〉。
**かねがね**《副》前からずっと続けて。かねて。「—そう思っていた」
**かねくいむし**【金食い虫】〔俗〕やたらに お金のかかる〈もの/人〉。
**かねぐら**【金蔵・金倉・金△庫】①お金や宝物をしまっておく、くら。②お金を出してくれる人。また、もうけさせてくれる〈人/もの〉。かねづる。ドル箱。
**かねぐり**【金繰り】お金の やりくり。「—がつかない」
**かねけ**【金（気）】⇩かなけ。「—（=お金）がない」
**かねじゃく**【（△曲）尺・（×矩）尺】直角に曲がった、金属製のものさし。大工が使う。一尺を約三〇・三センチとする。さしがね。かね（ざし）。きょくしゃく。（↔鯨尺）

［かねじゃく］

**かねずく**【金（△尽く）】お金だけにたよ（って きめようとす）ること。金銭ずく。
**かねそな・える**【兼ね備える】《他下一》いっしょにそなえる。「知恵と勇気を—」自兼ね備わる《五》。
**かねだか**【金高】⇩きんだか。
**かねたたき**【（×鉦×叩）】①かね（鉦）をたたく人。②しゅもく（撞木）。③かね（鉦）をたたいて お経を読み、ものをもらって歩く者。④コオロギに似た小形の昆虫。秋に かね（鉦）をたたくように「ちんちんちん」と鳴く。
**かねつ**【火熱】〔文〕火の〈熱/あつさ〉。
**かねつ**【過熱】《名・自他サ》①あつく〈なり/し〉すぎること。②〘理〙液体を沸点以上に熱すること。③熱中・人気などの程度が、高まりすぎること。「—相場」
**かねつ**【加熱】《名・他サ》熱を加えること。「—調理・—式タバコ（=火をつけずに加熱して吸うタバコ）」
**かねづかい**【金遣い】お金の使い方。「—があらい」
**かねつき**【鐘突き・鐘×撞き】鐘をつくこと。「—堂（=鐘をつるしてある お堂）」
**かねづまり**【金詰まり】何かしたいのに、資金が〈たりない/準備できない〉こと。（↔金余り）
**かねづる**【金（×蔓）】お金を手に入れる手づる。また、お金を出してくれる人。
**かねて**《副》あらかじめ。前もって。かねがね。「—聞いていたとおり・—（から）の希望」表記 かたく「△予て」とも。
**かね・ない**【（兼ねない）】造〔形をつくる〕〔多く、好ましくないことについて〕…しない とは言えない。…するかもしれない。「あの調子では やり—」
**かねばなれ**【金離れ】お金の使い方。「—がいい」
**かねばらい**【金払い】はらうべき お金を約束どおりにはらうこと。「—がいい・—が悪い」
**かねへん**【金（偏）】①漢字の偏の 一つ。「鉄」「鉱」などの「金」の部分。②〔俗〕金属に関係のある産業。「—景気」
**かねまじ・い**【（兼ねまじい）】《助動形型》〔文〕いかにも…しそうである。「裏切り者との のしり—（『かねまじき』とも）勢い」
**かねまわり**【金回り】①貸し借りで お金が動くこと。②ふところぐあい。「—がいい」

**かねめ**【金目】値段（の高いこと）。「—の物をぬすむ・—の かかった服」
**かねもうけ**【金（×儲け）】《名・自サ》お金をもうけること。
**かねもち**【金持ち】お金・財産を多く持っている人。金満家。●**金持ち けんか（喧嘩）せず** 句 けんかをしても得にならないから、金持ちは人と あらそわない。〔金持ちが利に さといことのたとえ〕
☆☆**か・ねる** 一【兼ねる】《他下一》①二つ以上の〈はたらき/役目〉をする。「仕事場を兼ねた自宅・朝と昼を兼ねた食事・墓参りを兼ねて（=ついでにする目的で）帰省する」②〔古風〕はばかる。気兼ねをする。「人目を—・あたりを—」二 造 ①…ことが できない。「上等とは言い—・責任を負いかねます（=責任を負えません）・でき—（=できない）」 「かねます」を「…ことができます」などの意味と誤解して、「当店は責任を負いかねません（『負いません』のつもり）」のように使う人がいる。②…ことがむずかしい。「やっと来たか、待ちかねたぞ」可能 兼ねられる。☞かねない・かねまじい。
**カネロニ**〔イ cannelloni〕中にホウレンソウや ひき肉などをつめた、春巻きのような形のパスタに、粉チーズなどをふりかけて焼いた料理。
**かねん**【可燃】①燃えること。燃えやすいこと。「—性・—物」②（↑可燃ごみ）燃えるごみ。▽（↔不燃）
**かねん**【か年】接尾〔か=箇〕年数を数えるときにそえることば。「五—」
**かねんど**【過年度】〔文〕過去の年度。
**かの**【（△彼の）】《連体》〔文〕あの。「—地・—国・—第二次大戦中」
**かの** 連 ①まるで そのように見える、というときに使うことば。「同情している—ごとく ふるまう」②〔俗〕↑かのような。「すでに優勝した—さわぎ」
☆☆**かのう**【化×膿】《名・自サ》〘医〙うみ（膿）を持つこと。「—菌」
＊＊**かのう**【可能】《名・ナダ》そうすることが できること。「—な限り（=できるだけ）」（↔不可能）●**かのうけい**【可能形】〘言〙①可能をあらわす表現を広くさすことば。可能表現。例、見ることができる・見られる・見れ

る〔俗〕。②特に五段動詞から作る、可能をあらわす形。動詞の語尾を工段の音にして「る」をつけ、下一段に活用する。可能動詞。例、読める(↑読む)・走れる(↑走る)。〔「本が読める」のように自動詞として使うのがふつうだが、「本を読める」のように他動詞としても使う〕▽「可能形②」は「可能形①」の一部。この辞書では、①を「可能表現」、②を「可能形」と呼んで区別する。

●**かのうせい**【可能性】①何かができるかもしれない度合い。「ーをためす〔=どこまでできるか、やってみる〕・無限のー」②〈そうなる/そうである〉かもしれない度合い。〔いいことにも、悪いことにも使う〕「値下げのーはうすい・分量をまちがえたーが高い・ーが大きい」●**かのうどうし**【可能動詞】《言》⇩可能形②。

**かのえ**【×庚】十干の第七。つちのと(己)の次。こう。

**かのこ**【鹿の子】①〔文〕シカの子。②↑かのこしぼり。●**かのこしぼり**【鹿の子絞り】絞り染めの模様に白いまだらのあるもの。かのこ染め。かのこ。

****かのじょ**【彼女】㊀《代》①話し手・相手以外の女性をさすことば。〔目上や子どものことは言わない場合が多い〕「ーたち・ーら」②〔俗・男〕若い女性をさして呼ぶことば。「よう、ー」▽(↕彼)㊁恋人である女性。「兄さんのー」〔他人などが、ていねいに「ーさん」とも〕(↕彼氏・彼) 由来 明治時代、「かのおんな」にこの漢字を当てた。「かのじょ」と読む例も明治初期からあるが、広まったのは明治二十年前後〔一八八〇年代後半〕から。

**かのと**【△辛】十干の第八。かのえ(庚)の次。しん。

**かのなみだ**【蚊の涙】非常に わずかな〈もの/こと〉のたとえ。「ーほどの退職金」

**かのよう・だ**《助動ナ型》本当は ちがうが、そう見えるようすだ。あたかも…ようだ。「一大事でもあるかのようにさわぎ立てる」〔活用語につく。俗に、名詞につく。「そういう人かのように〔=そういう人であるかのように〕書かれている」〕

**カノン**〔canon〕①聖典。②典型。標準。③《音》曲のとちゅうから、前と同じ旋律がつぎつぎと、追いかけるように出てくる曲。

**カノンほう**【カノン砲】〔オ kanon〕大砲の一種。砲身が長くて たまが遠くまでとぶ。カノン。表記「:加農砲」とも書いた。

**かは**《終助》〔文〕反語をあらわす。「よわ(夜半)に嵐の吹かぬものー〔=吹かないということがあるものか〕」

**かば**【河馬】アフリカにいる大きな動物。非常に ふとって、足が短い。水べにすむ。

**かば**【×蒲】「がま」の変化。

**かば**【×樺】高山地方に多い落葉樹。木の皮は茶色で、はがれやすい。かんば。

**カバー**〔cover〕㊀①(ものの)おおい。「まくらー」〔本の場合は、ジャケットとも〕②雑誌の表紙。「ーガール〔=表紙をかざる女性〕」③封筒。☞初日カバー。㊁《名・他サ》①おおうこと。②ある範囲にわたること。「都内をーする放送局・幅広い分野をーする学科」③〔損失やミスなどを〕おぎなうこと。「上司が部下をーする・《野球》ショートが二塁のー〔=ベースカバー〕にはいる」④過去に出た曲を、別の人による歌や演奏で録音〈すること/したもの〉。カバー バージョン。「ー曲・セルフー」●**カバーオール**〔coverall〕《服》①上着とズボンがつながった子ども服。ロンパース。②えり付きでポケットの多い、作業着ふうのジャケット。●**カバーチャージ**〔cover charge〕〔レストランなどの〕席料。テーブルチャージ。

**かはい**【加配】《名・他サ》①配分・配給をふやすこと。②授業支援などのために、臨時に教員をふやすこと。

**かばいだて**【×庇い立て】《名・他サ》わざわざ かばうこと。「身内をーする」

**かばいて**【×庇い手】《すもう》相手と重なってたおれるとき、死に体となっている相手より先に手をつくこと。負けにならない。

←**かばいろ**【×蒲色】ガマの穂のような、赤みをおびた黄色。だいだい色。

→**かばいろ**【×樺色】カバの木の皮のような、やや明るい茶色。

**かば・う**【×庇う】《他五》人やものなどを〔おおい包むように〕守る。「老人をー・部下をー・右足をかばいながら歩く・大事な服をー」

**ガパオ**〔↑タイ kaphrao=バジルの一種〕ひき肉と、バジル・とうがらしなどの香辛料をいため(て、目玉焼きとともにごはんに のせ)た料理。「ーライス」

**がばがば** ㊀**がばがば**《副》①水などが激しくゆれ動くようす。②〔俗〕お金がどんどん はいるようす。がっぽがっぽ。がっぽり。「ーもうかる」㊁**がばがば**《ナダ》・**がばがば**《自サ》①服・くつなどが大きすぎて、ゆるいようす。ぶかぶか。②〔俗〕おおざっぱなようす。ずさんなようす。「ーな説明」

**かはく**【下×膊】《生》⇩前腕。

**かはく**【仮泊】《名・自サ》〔文〕①船が かりに停泊すること。②かりの宿泊。仮眠。

**がはく**【画伯】「絵かき」を尊敬した呼び方。

**かばしら**【蚊柱】たくさんの蚊が、はしらのように ひとかたまりになって とんでいるもの。「ーが立つ」

**がばっと**《副》①⇩がばと。「ー飛び起きる」②大きくひらくようす。「ー口があく」③急に包みこむようにするようす。「ーだきしめる・ー食いつく」④一度に たくさんの量が〈出てくる/はいる〉ようす。「かばんの中身をー出す・酒をー飲む」

**カバディ**〔ヒンディー kabaddi〕インドの国技。「カバディ、カバディ」と息つぎなしで言い続けながら相手方のからだに ふれ、無事に味方の陣地にもどると、点がはいる。

**がばと**《副》急にからだを起こしたり ふせたりするようす。がばっと。「ー起き上がる・ー泣きふす」表記「:我破と」とも書いた。

**ガバナー**〔governor〕①速度・圧力などの、調整〈機/装置〉。②〔ロータリー クラブなどの〕地区の指揮・監督者。

**ガバナビリティ(ー)**〔governability=統治される能力〕〔社会・組織での〕統率能力。「会社のー」〔英語の意味が逆になったもの〕

☆☆**ガバナンス**〔governance〕支配。統治。☞コーポレートガバナンス。

**かばね**【△姓】《歴》〔古代社会の同族集団で〕氏の下につけて、身分や血統、家系を示すもの。例、蘇我大臣馬子の、大臣。

**かばね**【〈×屍〉】〔雅〕死人の からだ。しかばね。「―は積もって山をなした」

**かばやき**【〈×蒲〉焼き】ウナギ・ハモなどを割き、たれをつけてくし焼きにする料理。「サンマの―」

**かばらい**【過払い】《名・他サ》代金・給料などをはらいすぎること。

**かばり**【蚊〈×鉤〉】羽毛などで蚊の形に作った釣り針。アユ・ハヤなどを釣るのに使う。毛ばり。

**かはん**【可搬】〔文〕持ち運びができること。「―(式)ポンプ」

**かはん**【河畔】〔文〕川のほとり。川ばた。「セーヌ―」

**かはん**【過半】全体の半分より多いこと。●**かはんすう**【過半数】全体の半分より多い数。「―を占める」

**かはん**【過般】〔文〕このあいだ。先般。「―来(=このあいだから今まで)・―の台風」

**かばん**【〈×鞄〉】ズックや革などで作り、書類など必要な物を入れて持ちはこぶ用具。「―持ち(=主人・上役の、お供)」

**かばん**【下番】《名・自サ》交替制の任務を終えてしりぞくこと。げばん。(↔上番)

**がばん**【画板】①画用紙をのせる台にする いた。②油絵をかきつける いた。

**かはんしん**【下半身】①からだの、腰から下の部分。しもはんしん。「―を冷やさない」(↔上半身) ②性器や性的なことの婉曲表現。「―がだらしない」

**かひ**【可否】〔文〕①いいか悪いか。よしあし。②賛成と反対。「―同数」③できるか できないか。「イベント実施の―」

**かひ**【果皮】《植》①果実の表面の皮。②果実の種子をつつんでいる部分。内果皮・中果皮・外果皮から成る。

**かひ**【歌碑】〔文〕うた・短歌をほりこんだ碑。

**かび**【〈×黴〉】菌類の一種。しめった動植物・衣類・食べ物などにはえる、細い糸や粉のようなもの。

**かび**【華美】《名・ナダ》ぜいたくで はでな ようす。「―な服装」派―さ。

**かびくさ・い**【〈×黴〉臭い】《形》①かびの においがするようすだ。②ふるくさい。「―考え方」派―さ。

**カピタン**【ポ capitão】①〔江戸時代の〕オランダ商館長。②〔江戸時代の〕外国船の船長。表記「:加比丹」は、古い音訳字。

**かひつ**【加筆】《名・自サ》〔文章や絵で〕あとから かきたすこと。「―訂正する」

**がひつ**【画筆】〔文〕絵をかく ふで。えふで。「―をふるう」

**カピバラ**【capybara】ネズミのなかまで、大型犬ほどの大きさの けもの。毛におおわれ、ねむそうな目と、間のびした鼻の下をもつ。〔なまって、カピパラ〕

**かひょう**【下表】〔文〕下に出した(図)表。

**がびょう**【画〈×鋲〉】紙などを板や壁などにとめる びょう。押しピン。

**か・びる**【〈×黴〉びる・カビる】《自上一》かびが はえる。

**かひん**【佳品】〔文〕①できの いい作品。②いい品物。「―ご恵贈にあずかり」③味の すぐれた食品。

**かびん**【花瓶】はなを〈さす/いける〉びん。

**かびん**【過敏】《ナダ》ちょっとしたことに、強く反応しすぎるようす。「神経―・―症」派―さ。

**かふ**【家譜】〔文〕一家の系図。

←**かふ**【寡夫】〔文〕妻の いない夫。(男)やもめ。

→**かふ**【寡婦】〔文〕夫の いない妻。やもめ。

**かふ**【下付】《名・他サ》〔文〕役所から(発行して)わたすこと。下げわたすこと。

**カフ**【cuff=そで口】血圧をはかるとき、うでに巻くベルト状のもの。加圧帯。「手首―」

**カフ**【←cough(=咳) switch】《放送》アナウンサーが、マイクの音声を、自分でそっと切ったり入れたりするときに使う、つくえの上にあるスイッチ。FU(←fader unit)。「―を下げる」

**かぶ**【下部】①下のほうの部分。「画面の―」②価値・権力などの点で、下だと認められるもの。「―組織」▽(↔上部)

**かぶ**【株】■かぶ ①根のついたままの草・木・野菜。「―分け」②その植物の全体。「トマトの―」③幹や枝を切り取って地上に残った部分。切りかぶ。④身分・役目につくための権利。「年寄―」⑤《経》株式(の銘柄)。また、その売買。「―をやっている・電力―」⑥《医》純粋培養された細菌・ウイルス・ワクチンなどの、それがふえる、もとのもの。「ワクチン―」☞お株。■接尾 ①「株■①」を数えることば。②《経》株式の数を数えることば。●**株が上がる** 句 評判が よくなる。「社内での―」(↔株が下がる) 他株を上げる。

**かぶ**【〈×蕪〉】野菜の名。根は平たい たまの形で肉が多い。多くは白色。食用。かぶら。「―の浅漬け・―のクリーム煮」

**かぶ** ←おいちょかぶ。

**かぶ**【歌舞】《名・自サ》①歌と まい。②歌ったり まったりする娯楽。「―音曲」

**がふ**【画布】絵をかくための布。カンバスなど。

**かふう**【下風】〔文〕人の下位。「―に立つ」

**かふう**【家風】その家庭のふだんの生活や行事に関する、決まったやり方。「―に合わない」

**かふう**【歌風】歌の作り方の特色。

**がふう**【画風】絵の かき方の特色。

**カフェ**【フ café】①コーヒー。②コーヒー店。喫茶店。〔今では多く、セルフサービス形式などの、気軽な ふんいきの店を言う〕「―めし(=カフェで出す軽食)」③〔多く「カフェー」と言った〕大正〜昭和初期に、女給(=ホステス)が横について洋酒などを飲ませた飲食店。キャフェ。カッフェ。▽カフェー。

☆☆**カフェイン**【ド Kaffein】《理》コーヒー・茶にふくまれる成分。興奮剤。「ノン―」

**カフェオレ**【フ café au lait】〔lait=牛乳〕コーヒーに、牛乳をたっぷり加えたもの。カフェオーレ。☞カフェラテ。

**カフェテラス**【和製 フ café＋terrasse】喫茶店などの客席で、庭や歩道などの屋外に張り出した部分。また、そのようなつくりの店。

**カフェテリア**【米 cafeteria】セルフサービスの食堂。キャフェテリア。

**カフェバー**【café bar】〔一九八三年ごろに広まった〕しゃれたつくりの、カクテルなども出す飲食店。

**カフェモカ**【café mocha】エスプレッソなどに、チョコレートシロップまたはココアを加えたもの。由来モカの風味がチョコレートに似ることから。☞モカ。

**カフェラテ**〔イ caffellatte＝ミルク入りコーヒー〕エスプレッソに、あたたかい牛乳をたっぷり加えたもの。カフェラッテ。ラテ。☞エスプレッソ・カフェオレ・マキアート。

**かぶか**［株価］《経》相場での株式の値段。

**がぶがぶ** ㊀ **がぶがぶ**《副》水・酒などを勢いよく続けて飲むようす。㊁ **がぶがぶ**《ナダ》・**がぶがぶ**《自サ》胃に水などがたまっているようす。「腹が—だ」

**かぶき**［：歌舞伎］江戸時代に発達・完成した、日本独特の演劇。おどりを多く取り入れ、衣装やせりふ、役者の動きをはでにするなどのくふうがある。由来はでなかっこうやふるまいをする意味の「かぶ(傾)く」の名詞形「かぶき」から。「歌舞伎」は縁起をかついだ当て字。●**かぶきじゅうはちばん**［：歌舞伎＝十八番］歌舞伎役者の市川家に伝わる、評判のいい、十八種の劇。

**かふきゅう**［過不及］〔文〕多すぎることと足りないこと。度がすぎることとおよばないこと。過不足。「—なく〔＝ちょうどよく〕」

**かふく**［禍福］〔文〕わざわいと幸福。●**禍福はあざなえる縄のごと**(**如**)**し** 句 不幸と幸福は、かわるがわるやってくる。

**がふく**［画幅］絵をかいて、掛け物に仕立てたもの。(↔書幅)

**かふくぶ**［下腹部］①したはら。(↔上腹部) ②陰部。

**かぶけん**［株券］《経》⇩株式②。

**カプサイシン**〔capsaicin〕《理》トウガラシの果皮にふくまれる辛み成分。食欲増進の効果がある。

***かぶしき**［株式］①《法》株式会社の資本を平等に分けた一つ一つ。②《経》資金調達のため、「株式①」を電子化された証券として人々に配るもの。会社が上場すると、そのときどきによって株価が変わる。株券。株。「—市場・—市況」●**かぶしきがいしゃ**［株式会社］《法》株式を資本金とする会社。

**カフス**〔cuffs〕①シャツ、ブラウスなどのそで口に付けた(折り返しの)布。②↑カフスボタン。●**カフスボタン**〔和製 cuffs＋ポ botão〕装飾をかねてカフスをとめる金具。カフス。

**かぶ・せる**［(△被せる)］《他下一》①下にあるものが〈見えない/はみ出さない〉ように、上から全体的に何かをのせる。「土を—・網を—・歯に金を—」②水などを頭からあびせる。③前のものの上から新しく加える。「青のフィルターを—・映像に音を—」④相手の発言が終わらないうちに言う。「大声でかぶせてくる」⑤罪や責任を人に負わせる。▽かむせる。かぶす。直かぶさる《五》。

**カプセル**〔ド Kapsel〕①《医》ゼラチンで作った、まるく細長い小さな入れもの。その中に薬を入れたものを、そのまま飲む。②ものを密閉する、じょうぶな入れもの。「タイムー・—型の宇宙船」●**カプセルホテル**〔和製 ド Kapsel＋hotel〕テレビなどをそなえた箱状の一人用ベッドをたくさん並べた宿泊施設。

**かふそく**［過不足］余分なことと足りないこと。かぶそく。「—なく分配する」

**カプチーノ**〔イ cappuccino〕エスプレッソに、泡立てたあたたかいミルクをたっぷり加えたもの。☞カフェラテ・マキアート。

**かふちょうせい**［家父長制］家長である父親が家族を支配する、封建的な家族制度。

**がぶっと**《副》かみついたり、一口に飲みこんだりするようす。がぶりと。「犬が足に—かみつく」

**かぶと**［(×兜)・(×冑)・(△甲)］頭にかぶる、鉄や革などで作った武具。●**かぶとを脱ぐ** 句 降参する。

**かぶとがに**［(×兜×蟹)］生きた化石といわれる節足動物。瀬戸内海の浅いどろの海にすむ。全長六〇センチほどで、かたい甲羅と、つるぎのような尾がある。●**かぶとちょう**［×兜町］〔＝東京証券取引所のある場所〕東京の証券〈市場/界〉。(↔北浜)

**かぶとむし**［(△甲虫)・(×兜虫)］からのかたい、大形の黒い昆虫。おすは頭につのが一本ある。さいかち(むし)。☞こうちゅう(甲虫)。

**かぶぬし**［株主］《経》株式会社に資本を出し、その会社の株式を持っている人。

**がぶのみ**［がぶ飲み］《名・他サ》〔俗〕〔酒・水などを〕がぶがぶ飲むこと。

**かぶら**［(×蕪)・(×蕪×菁)］〔古風/西日本方言〕かぶ(蕪)。

**かぶらや**［×鏑矢］射たときに音が鳴るようにした矢。矢の先に鏑という器具をつける。鳴りかぶら。「—を放つ」

**かぶり**［(△頭)］〔文〕あたま。●**かぶりを振る** 句 頭を左右にふって、不承知の気持ちを示す。

**かぶりつき**［(×齧り付き)］①劇場の、舞台ぎわの席。②飲食店の、カウンター。

**かぶりつ・く**［(×齧り付く)］《自五》①かみつく。②〔食べ物に〕勢いよく食いつく。▽かじりつく。

**カプリッチョ**〔イ capriccio〕《音》奇想曲。カプリス(caprice)。カプリチオ。

**がぶりと**《副》大きく口をあけて、一気に入れるようす。「—かみつく・酒を—飲む」

**かぶりもの**［(△冠り)物］①頭のてっぺんにかぶるもの。帽子・笠・手ぬぐいなど。②首から上にかぶる(顔の部分のあいた)もの。仮装用の動物の頭など。

**がぶりより**［がぶり寄り］《すもう》まわしを引きつけ、がぶって寄り進むわざ。がぶり。動 がぶり寄る《他五》。

**かぶ・る** ㊀［(△被る)・(△冠る)］《他五》①〔頭の上に〕のせる。上からかけて、おおう。「帽子を—・ふとんを頭から—」②水などを、頭の上からあびる。「しぶきを—」③他人の罪や責任を引き受ける。「私がすべて—」▽かむる。可能 かぶれる。㊁《自五》①《写真》光・色などが全体をおおう感じになる。「赤が—」②《料》〔材料が〕水の中に完全にかくれる。「—くらいの水」☞ひたひた③。③〔カブる〕〔俗〕かさなる。ダブる。「声が—・会議の時間が—・キャラが—」名 かぶり。「ネター」

**がぶ・る**《自五》①《すもう》相手のからだを上下にゆすぶる。②〔高波を受けて〕船がゆれる。名 がぶり。

**かぶれ** ①かぶれること。②かぶれてなった皮膚病。「うるしー」

**カプレーゼ**〔イ caprese＝カプリ風〕トマトとモッツァレラチーズで作る、イタリアのサラダ。バジルをのせ、塩・こしょう・オリーブオイルをかけて食べる。

**かぶ・れる**《自下一》①うるし・こうやく(膏薬)などの成分がはだについて、ただれたり、ぶつぶつができたりする。「うるしに—」②好ましくないことに感化される。

か

「外来思想に—」③夢中になる。「演劇に—」

**かぶろ**［(×禿)］〔=おかっぱ〕遊女に使われた女の子。かむろ。

**かぶわけ**［株分け］《名・他サ》根つきの植物を親株から分けて移し植えること。「菊の—」

**かふん**［花粉］おしべの先の ふくろの中にできる こな。めしべに付いて、実を結ばせる。「—情報〔=花粉症の人のための、花粉の飛びぐあいの予報〕」 ●☆☆**かふんしょう**［花粉症］《医》スギ・ヒノキ・ブタクサなどの花粉が鼻や気管支などに はいって起こすアレルギー症状。

☆☆**かぶん**［寡聞］〔文〕ものを少ししか〈きいていない/知らない〉こと。〔多く、自分のことをけんそんして言う〕「—にして知らない」

☆☆**かぶん**［過分］《名・ナダ》①地位・能力・労力に相当した程度をこえること。〔けんそんして、自分には すぎた、という意味で使われることが多い〕「—な おことば・—の謝礼」②〔昔、殿様などが〕ありがたいと思うときに言ったことば。「—に思うぞ」派 -さ。

**かぶんすう**［仮分数］《数》分子が(分母に等しいか)分母より大きい分数。例、4/3。(↕真分数)

****かべ**［壁］①家を雨風から守ったり、部屋を仕切ったりするために立てるもの。②それがあって〈先/次〉へ進めないじゃまなもの。「—に突っきあたる・時効の〔=時効という〕—」 表記 特に、②は「カベ」とも。 ●**壁に耳あり** 句 だれが聞いているか わからないぞ。「—、障子に目あり」

**かへい**［貨幣］《経》硬貨と紙幣。お金。〔古くは、貝や布のものもあった〕 ●**かへいかち**［貨幣価値］《経》その貨幣でものが買える ねうち。「インフレで—が下落した」

**がべい**［画餅］〔=絵にかいた餅〕〔文〕実際の役に立たないもの。がへい。「—に等しい」 ●**画餅に帰す** 句 計画などがうまくいかず、むだな骨折りになる。徒労に終わる。

**かべうち**［壁打ち］《名・自サ》①《テニスなど》壁に向かってボールを打つ練習方法。②考えをまとめるため、一方的に話させてもらうこと。③〔SNSで〕一方的に発信すること。

**かべかけ**［壁掛け］①部屋の壁にかけて かざりとする織物など。②壁にかけること。「—式テレビ」

**かべがみ**［壁紙］①壁一面に はりつける、(模様入りの)厚い紙状のもの。クロス。〔多くはビニール製〕②パソコンやスマートフォンなどの画面の背景に使う、かざりの画像。

**かべしんぶん**［壁新聞］学校・工場・駅など人の集まるところの壁に、ニュースや主張などを紙に書いて はり出したもの。

**かべのはな**［壁の花］〔ダンスパーティーで〕おどる相手がいなくて、壁ぎわに立っている女性。

**カペリーニ**〔イ capellini〕⇩カッペリーニ。

**かへん**［可変］〔文〕〈かえる/かわる〉ことの できること。「〔冷蔵庫の〕—抵抗・—翼〔=飛行中に、前後に動かしたり格納したりできる翼〕」(↕不変)

**かへん**［佳編・佳×篇］〔文〕すぐれた作品。

**かへん**［カ変］《言》↑カ行変格活用。

**かべん**［花弁］《植》はなびら。

**かほ**［花舗］〔文〕花屋。生花店。〔多く、店の名前に使う〕

**かほ**［菓舗］〔文〕⇩菓子司。〔多く、和菓子店の名前に使う〕

**かほう**［下方］〔文〕下の ほう。(↕上方)

**かほう**［火砲］《軍》大砲など、口径の大きい火器。

**かほう**［加法］《数》たし算。よせ算。(↕減法)

**かほう**［家宝］家の たから。

**かほう**［果報］《名・ナダ》しあわせ。「—者・—な男」派 -さ。 ●**果報は寝て待て** 句 幸運は、人の力ではどうにもできないので、あせらずにじっくり待つのがいい。

**かほう**［過褒］《名・ナダ・他サ》〔文〕ほめすぎるようす。過大評価。「—なことば…と言っても—ではない」

**かぼう**［火防］〔文〕火事の〈予防/防止〉。

**がほう**［画法］絵の かき方。

**がほう**［画報］絵や写真などを主とした雑誌・刊行物。

**カポエラ**〔ポ capoeira〕ブラジルの武術。楽器の演奏とともに、足わざを相手にふれないで くり出す。カポエイラ。

**かぼく**［花木］花を見て楽しむ種類の木。はなき。例、サクラ・ツツジ。

**かほご**［過保護］《名・ナダ》必要以上に だいじにして、育てること。「—な親」

**かぼす** おもに大分県でとれる、ユズに似た、すっぱい くだもの。しぼりじるを料理に使う。「冷やしうどんに—をそえる」☞すだち。

**かぼそ・い**［か細い］《形》細くて弱々しい。派 -げ。-さ。

**カボチャ**［(:南瓜)・かぼちゃ］〔↑ポ Cambodia(カンボジア)〕野菜の名。大形で、中は黄色く、煮ると あまい。とうなす(唐茄子)。なんきん。「—の煮物・—サラダ」

**カポック**〔kapok〕⇩パンヤ。

**ガボット**〔フ gavotte〕《音》フランスの古い四拍子のダンス(曲)。

**かほど**《副》〔=斯程〕〔文〕これ〈ほど/ぐらい〉。

**カポナータ**〔イ caponata〕イタリアの野菜煮こみ。「シチリア風—〔=揚げたナスとセロリをトマトソースで煮こみ、あまずっぱく仕上げた料理〕」☞ラタトゥイユ。

←**かま**［釜］①飯をたいたり、湯をわかしたりする、金属の器具。「お—・ふろ—」②〔俗〕⇩おかま㊁。

↔**かま**［窯］土や石などでまわりを囲み、中で火を燃やし、焼き物・炭などを作る設備。

→**かま**［(×罐)・(△缶)］〔汽車や船などの〕ボイラー。

**かま**［鎌］草を刈る道具。ふつう三日月形で、内がわに刃があり、柄を持つ。 ●**鎌をかける** 句 ①〔カマをかける〕それとなく話をさそいだす。②《すもう》相手のうでを、内がわから自分の手に引っかけて たおす。ひっかける。

**かま**［カマ］さかなの、えらの下で胸びれのついている部分。「—焼き」

**がま**［(×蒲)］水ぎわに はえる、葉の長い草。夏、くきの先に ろうそくの形で、黄茶色の穂をつける。かば。かま。「—の穂綿」

**がま**［(×蝦×蟇)］ひきがえる。がまがえる。

**がま**［ガマ］〔沖縄方言〕沖縄本島南部に見られる洞窟。〔第二次世界大戦末期の沖縄戦では防空壕として使用された〕

**かまあげ**[釜揚げ] ①〔↑釜揚げうどん〕釜でゆでて、引きあげたうどん。ゆでじるごとおけに入れ、つゆにつけて食べる。②〔ごく小さな魚介を〕釜でさっとゆでて引きあげたもの。「―しらす」

**かまいたち**[鎌(×鼬)] ちょっとしたはずみに、皮膚に、かまで切られたような傷ができること。空気中にできる真空の部分にふれて起こるともいわれる。

**かまいつ・ける**[構い(付ける)]《他下一》相手にする。とりあう。「構いつけない」

*__かま・う__[(構う)]《自他五》①気づかって、あれこれめんどうを見る。「子ども〈に/を〉必要以上に―親・〈客が〉どうぞかまわないでください」☞おかまい②。②かかわりを持つ。相手になる。「よっぱらい〈に/を〉―な」③きちんと〈する/人に見せる〉ように、気をつける。「〈服装/時間/人目〉にかまっている余裕はない」④それでは困る、と思う。「どう言われても―ものか(=べつにいい)」⑤〔方〕いじる。いたずらする。「スマホを―」▽③④は、多く形容詞「かまわない」として使う。☞かまわない。

**かまえ**[構え] ①状況や相手の出方などに応じられる姿勢。準備。「―をとる・すきのない―をする・敵の―はじゅうぶんだ」②建物の全体の形や作り方。「家の―がりっぱだ」③漢字の、外がわを形づくっている部分。例、門がまえ(=門)・国がまえ(=囗)。

**かまえて**[構えて]《副》〔古風〕けっして。「―油断するな」

**かま・える**[構える] [一]《他下一》①〔形・内容を整えて〕作る。「城を―」②争いを起こす。「事を―・兵を―・ストを―〔『予定する』の意味にも〕」③つくりごとをする。「口実を―」[二]《自下一》①身がまえる。「知らない人に対して―・『さあ、ダイエットしよう』と構えなくてもいい」②態度をとる。「泰然と―・のんきに―」[可能] 構えられる。

**がまがえる**[(×蝦×蟇×蛙)] ヒキガエルの俗称。↑がま。

**かまきり**[(:蟷螂)] 昆虫の名。両前足を鎌のようにふり上げておどかす。

**がまぐち**[(×蝦×蟇口)] 口金のついたさいふ。

**かまくび**[鎌首]〔ヘビなどの〕かまのような形に立てた首。「―をもたげる」

**かまくら**[鎌倉]〔=神奈川県の地名〕《歴》↑鎌倉時代。「―の昔」●**かまくらじだい**[鎌倉時代]《歴》源頼朝が鎌倉に幕府をひらいてから、北条氏が政権をにぎっていた時代。〔一一八五～一三三三〕

**かまくら** 小正月(=旧暦一月十五日)に子どもがおこなう、北国の行事。また、そのときに雪をかためて作る、小さな部屋のようなもの。

[かまくら]

**かま・ける**《自下一》そのことばかりに心をとられる。「仕事に―」

**がまし・い** [接尾]〔形容詞をつくる〕いかにも…のようだ。〔多く、望ましくないことにつく〕「言いわけ―・おしつけ―・人―(=人前らしい)」[派]―げ。―さ。

**かます**[(×叺)] 穀物などを入れる、むしろを二つ折りにしたふくろ。

**かます**[(×魳)] 海にすむ、細長いさかな。口が長く突き出ていて、歯がするどい。塩焼きや干物などにする。

**かま・す**《他五》[一]かます[(×噛ます)] (あいだに)くいこませる。「さるぐつわを(口に)―」[二]かます ①《すもう》ぶちかます。「突っぱりを―」②攻撃のため、相手にあたえる。「パンチを―」③〔俗〕相手にむかって、言ったりしたりする。「はったりを―・ギャグを―・ぼけを―」④〔俗〕こく。「屁を―(=はなつ)・余裕を―(=見せる)」▽[一][二] かませる。[名] かまし。

**かませいぬ**[(×噛ませ)犬]〔俗〕①格闘技で、主役を勝たせるために対戦する、弱い選手。〔闘犬の用語から〕②本命をあざやかに勝たせるために対戦する引き立て役。

**かまち**[(×框)] ①床の段差部分をふちどる横木。☞上がりがまち。②戸・窓などの まわりの わく。

**かまってちゃん**[(構ってちゃん)]〔俗〕人にかまってもらいたがる人。かまちょ〔↑かまってちょうだい〕。

**かまど**[(×竈)] 土などでかためた、なべ・かまをかけて煮たきをする装置。へっつい。●**かまどの下の灰まで** [句] 何から何まで。「―持っていかれた」●**かまどを起こす** [句] ①ひと財産をこしらえる。②独立して、一家のあるじとなる。●**かまどうま**[(×竈馬)] コオロギに似た、はねがなくて、足とひげの長い昆虫。家の中などの暗い所にいる。おかま(御竈)こおろぎ。便所こおろぎ。いとど。

**かまとと** 〔「かまぼこはとと(=魚)か?」と聞いたというところから〕わかりきったことをわざと知らないと言ったりして、うぶなふりをする〈こと/人〉。「―むすめ・―ぶる」

**かまば**[窯場] 陶磁器を焼く かまのある仕事場。

**かまびすし・い**[(×囂しい)]《形》〔文〕さわがしい。「批判の声が―」[派]―さ。

**かまぼこ**[(×蒲×鉾)・カマボコ] [一]かまぼこ 白身のさかなの肉をすりくだき、味をつけて蒸したり焼いたりした食品。ふつう、切り口が半月の形をしている。[二]〔造〕「かまぼこ[一]」のような形のもの。「―屋根・―兵舎」

**かまめし**[釜飯] 小さいかまに米・肉・野菜などをひとり分ずつ入れてたいた味つけ飯。「―のもと」

←**かまもと**[釜元] カステラなどを焼いて作る〈ところ/人〉。

→**かまもと**[窯元] 陶磁器を焼いて作る〈ところ/人〉。

**かまゆで**[釜(×茹で)]《名・他サ》①かまでものをゆでること。②戦国時代、刑罰の一つとしてかまで人をゆでて殺したこと。

**かまわ・ない**[(構わない)]《形ヌ》〔動詞「構う」の否定形から〕①気にしない。区別しない。「服装〈に/を〉―・時間かまわず電話する」②つごうの悪いことがない。それでいい。「帰っても―」[丁寧] かまいません。

**がまん**[我慢]《名・他サ》①〈いやな/苦しい〉気持ち、何かをしたい気持ちをおさえること。「安い宿で―する・ばかにされても―する・くしゃみを―する」[区別]「我慢」は終わりを意識しないが、「辛抱」は終わりが来るのを待っている。「来年までの」に続くのは「辛抱」がふつう。感情や生理現象をコントロールする場合は「我慢」がふつう。②《仏》わがまま(を通すこと)。「―のつのが折れる」●**がまんづよ・い**[我慢強い]《形》苦しみ・怒りなどの気持ちを、長い間おさえていられるようす。[派]―さ。

**カマンベール**〔フ camembert〕 表面に白カビを生や

したフランスのチーズ。背の低い円柱形で、やわらかい。切り分けて食べる。カマンベール チーズ。「—のフライ」

**かみ**【上】①川の流れ・土地などの、高いほう。「—のほう」②〔二つまたは三つに分けたものの〕前のほう。「—半期・—二けた(=あたまから数えて二けた)・—の句」③身分・地位の高いほう。「—から下まで」④主になるもの・中心にあるものに近いこと。「—座」⑤かみて。「—から登場・ステージの最—」▽(↔下)⑥〔文〕役所。「—をいつわる不届きもの」☞お上③。⑦京都(に近いほう)。かみがた。

**かみ**【△守】〘歴〙①昔の役所の長官。表記 役所によって、「△守」「△頭」などと書き分けた。例、掃部頭。②昔の国の長官。「伊豆の—」

**かみ**【佳味】〔文〕いい味(の食べ物)。

**かみ【神】①人間をこえ、ふしぎな力を持って存在すると考えられるもの。宗教で信仰の中心となる。「—のみぞ知る(=人間には知るよしもない)・神社に—をまつる・音楽をつかさどる—・火の—・—仏」(↔悪魔) ☞神かけて。②神社にまつられた、人の霊。「学問の—、菅原道真」▽かみさま。③「神①」のようにすばらしい〈人/もの〉。「この演奏、まじ—!・—アプリ・—回(=連続ドラマなどで、すばらしい回)」〔二〇〇九年ごろからの用法〕 ●**神ならぬ身**句〔すぐれてはいても〕能力に限りのある(神ではない)人間。「—とて知るよしもない」●**神に召される**句〔キリスト教で〕死ぬ。●**神は細部に宿る**句①細かいところがきちんとしていてこそ、全体が〈いいものになる/うまくいく〉。②細かいところにこそ、本質が見える。▽神は細部に宿りたまう。〔西洋の格言〕●**神も仏もない**句(=困ったときに助けてくれる神や仏がいない)世間には助けてくれるような人はいない(と思われるほどひどい)。「—仕打ちにあう」

*かみ【紙】①〔物を包んだり、字を書いたりするための〕植物性の繊維をす(漉)いて作った、うすく平たいもの。「—に字を書く・—に包む・—(の)辞書」②⇩パー①。

*かみ【髪】①頭にはえる毛。かみの毛。②かみの毛をゆった形。「日本—」

**かみ**【加味】〘名・他サ〙①味をつけ加えること。②ほかのものをつけ加えること。「教訓を—した話」

**がみ**【雅味】〔文〕ふつうとちがった、上品な味わい、また、感じ。「—ゆたか」

**かみあ・う**【×嚙み合う】〘自五〙①〔けものなどが〕おたがいに歯やきばで戦う。はげしくけんかする。②歯車の歯が、おたがいにはまりあう。③〔話などの〕やりとりがしっくりいく。「議論がかみ合わない」名かみ合い。

**かみあわせ**【×嚙み合わせ】〈上下の奥歯/歯車〉がおたがいにふれる〈部分/ぐあい〉。

**かみあわ・せる**【×嚙み合わせる】〘他下一〙①上下の歯をあわせてかむ。②〔けものなどに〕けんかさせる。③かみあうようにする。交錯させる。かみあわす。「歯車を—」

**かみいちだんかつよう**【上一段活用】〔言〕動詞の活用の種類の一つ。語尾が五十音図のイ段にだけ活用するもの。例、見る・落ちる。

**かみいれ**【紙入れ】①紙幣を入れて持ち歩く入れもの。札入れ。さいふ。②鼻紙などを入れるもの。

**かみいろ**【髪色】〔染めた〕髪の毛の色。「—を変えた・キャラの—」

**かみおむつ**【紙おむつ】紙や化学繊維などを原料にした、使いすてのおむつ。

**かみがかり**【神懸かり・神×憑り】①神の霊がみこ(巫女)などのからだに乗り移ること。②科学や理性を無視・否定するやり方。「—的な論法」

**かみがか・る**【神懸かる】〘自五〙①霊的な存在が乗り移る。②〔**神がかった・神がかっている**〕〔俗〕非常に素晴らしい。「配役が神がかったドラマ」

**かみかくし**【神隠し】〔子どもなどが〕急にゆくえがわからなくなること。かみがくし。

**かみかけて**【神掛けて】〘副〙約束にそむいたら神罰があたるという覚悟で。「—真実であることをちかいます」

**かみかざり**【髪飾り】髪につけるかざり。くし・かんざし・リボンなど。「手作りの—」

**かみかぜ**【神風】①神の威力によって起こるという風。②〔古風〕命知らずの、乱暴なやり方。「—運転」

**かみがた**【上方】京都・大阪地方。関西。☞じょうほう(上方)。●**かみがたうた**【上方唄】〘音〙⇩じた(地唄)。

**かみがた**【髪型・髪形】結ったり切ったりした、かみの毛のかっこう。ヘアスタイル。

**かみかみ**【×嚙み×嚙み・カミカミ】一**かみかみ**〘名・ダナ〙〔俗〕たびたび発音しそこなったり、言いまちがえたりするようす。「—で、何を言ってるのかわからない」二**かみかみ**〘名・他サ〙〔児〕かむこと。「よく—して食べてね」

**かみがみ**【神々】多くのさまざまな神。「古代の—」

**がみがみ**〘副〙〔子ども・目下などを〕口うるさく、大声でしかるようす。「—(と)どなる・—言われる」

**かみき**【上期】上半期。(↔下期)

**かみきり**【紙切り】①紙を切ること。「—用のはさみ」②即興で切り紙を作ってみせる、寄席の芸。色物の一つ。

**かみきりむし**【(:天牛)】かたいからを持つ、大形の昆虫。長くてかたいひげを持ち、つかまえると「きいきい」と鳴く。幼虫はテッポウムシと言い、樹木の害虫。

**かみきれ**【紙切れ】紙の切れ(たもの)。紙片。「倒産して、株券がただの—になる」

**かみくず**【紙×屑】〔用がすんで〕いらなくなった紙。

**かみくだ・く**【×嚙み砕く】〘他五〙①かんで細かくする。②わかりやすく説明する。「むずかしい理論を—」

**かみこ**【紙子・紙△衣】厚手の和紙で作った昔の衣服。

**かみこな・す**【×嚙みこなす】〘他五〙①食べ物をよくかんで、こなれるようにする。②よく理解して、自分のものにする。

**かみころ・す**【×嚙み殺す】〘他五〙①かんで殺す。②〔おもてに出さないように〕おさえつける。「あくびを—・笑いを—・無念の思いを—」

*かみこんしき【紙婚式】結婚してから、一年目の記念日(を祝う式)。☞婚。

☆☆かみざ【上座】地位が上の人がすわることになっている場所。日本間では、床の間に近いほうの座。じょうざ。「—に着く」(↔下座)

**かみさ・びる**【神さびる】〘自上一〙〔文〕〈古びていて神聖で〉おごそかな感じがする。かんさびる。「神さびた境内」

**かみさま**［神様］①神を尊敬して呼ぶことば。②〔ある分野で〕たいへんすぐれた能力・技術などを持つ人。「経営の―」

**かみさん** 「妻」の、軽い尊敬語。「うちの―」

**かみしつ**［髪質］〔かたい・やわらかいなどの〕髪の性質。

**かみしばい**［紙芝居］物語の場面を絵にかいた紙を順々に見せながら、子どもに語って聞かせるもの。

**かみし・める**［〈×嚙み締める〉］《他下一》①力を入れてかむ。②よく味わう。「話をよく―・喜びを―」

**かみしも**［上下］①うえとした。じょうげ。②《落語》上手と下手。「―を切る（＝上手を向いて目下の者を、下手を向いて目上の者を表現する）」

**かみしも**［×裃］〔江戸時代の〕武士の礼服。●**裃を脱ぐ** 句 格式ばらずにくつろぐ。「裃をぬいで（＝四角ばらないで）話し合う」（↕裃を着る）

［かみしも］

**かみせき**［上席］《寄席》その月の上旬の興行。（↕中席・下席）☞じょうせき（上席）。

**かみそり**［〈:剃刀〉］①ひげや毛をそるのに使う、刃のうすい、よく切れる刃物。②非常に頭のよくはたらく、するどい人。「―大臣」●**かみそりまけ**［〈:剃刀〉負け］かみそりで ひげをそってできる、はだの小さな炎症。

**かみだな**［神棚］家の中に神をまつる たな。ふつう、伊勢神宮や、その土地の神社の神をまつる。

**かみだのみ**［神頼み］《名・自サ》神にいのって助けを願うこと。「苦しいときの―（⇩「苦しい」の句）」

**かみつ**［過密］《名・ダナ》①大都市などに、人間や産業などが ぎっしり集まるようす。「人口―・―都市」（↕過疎）②ぎっしり つまっているようす。「―スケジュール・―ダイヤ」派―さ。

**かみつ・く**［〈×嚙み付く〉］《自五》①急に近づいてかむ。「犬が手に―」②はげしい調子で ものを言って、相手にせまる。はげしく非難する。「幹部に―・判定に―」名かみつき。

**かみづつみ**［紙包み］紙で包んだ〈もの／状態〉。

**かみつぶ・す**［〈×嚙み潰す〉］《他五》かんで つぶす。名かみつぶし（＝かみつぶしたもの）。

**かみつぶて**［紙〈×礫〉］〔投げつけるために〕紙をかんで小さくまるめたもの。

**かみっぺら**［紙っぺら］紙切れ（のような書類）。「―一枚の回答」

**カミツレ**〔オ kamille〕⇩カモミール。〔「カミルレ」とも〕

**かみて**［上手］①上のほう。②《芝居》客席から見て、右のほう。▽（↕下手）☞うわて（上手）・じょうず（上手）。

**かみでっぽう**［紙鉄砲］竹筒に紙の玉をつめて打つおもちゃ。

**かみなづき**［神無月］〔文〕旧暦十月。かんなづき。〔諸国の神々が みな出雲に集まって、神がいなくなるために こう呼ぶ、と言われる〕

**かみなり**［雷］〔＝神鳴り〕①雲の中や、雲と地上との間に電気が流れ、稲妻や大きな音を生じる現象。強い雨が降ることが多い。〔全国的に夏に多いが、日本海側では冬に多い地方もある〕「―が ごろごろ鳴る・―が落ちる・〔うやまって〕―さま」②目下の者を、やかましくしかったりすること。「―おやじ」●**雷に打たれたよう** 句 思わず動きが止まってしまうほど、おどろいたり感動したりするようす。「―な衝撃」●**雷を落とす** 句 目下の者を、どなりつける。直雷が落ちる。●**かみなりぐも**［雷雲］らいうん。

**かみにだんかつよう**［上二段活用］《言》文語動詞の活用の種類の一つ。語尾が五十音図の「イ・ウ」の二段に活用するもの。例、落つ。

**かみねんど**［紙粘土］パルプに のり（糊）などを加えて、粘土のようにしたもの。

**かみのく**［上の句］〔和歌で〕はじめの五七五の三句。（↕下の句）

**かみのけ**［髪の毛］かみ。頭髪。●**髪の毛を逆立てる** 句〔まるで髪が逆立つかのように〕ひどく いかるようす。

**かみのて**［神の手］①神様の手。②人並み外れたすぐれたわざ。ゴッド ハンド。「―を持つといわれる外科医」

**かみばくだん**［紙爆弾］中傷や妨害を目的にした文書。

**かみばさみ**［紙挟み］書類などをはさむ、入れもの・金具など。フォルダーやクリップ、クリップボードなど。

**かみばん**［紙〈×絆〉］紙の絆創膏。

**かみはんき**［上半期］〔会社や役所で〕ある年度の、前の半分の時期。（↕下半期）

**かみひこうき**［紙飛行機］紙を折ったりして作った、手で飛ばす飛行機。紙ヒコーキ。

**かみひとえ**［紙一重］紙一枚ぐらいの、ごく わずかの〈へだたり／ちがい〉しか ないこと。「ふたりの実力は―だ」

**かみびな**［紙〈×雛〉］折り紙ふうの、簡単な立ち姿の ひな人形。

**かみふうせん**［紙風船］①色紙で作った風船のおもちゃ。②もろく こわれやすいもののたとえ。「人情―・―のような命」

**かみふぶき**［紙吹雪］①色紙を細かく切り、歓迎・お祝いの気持ちをこめて まきちらすもの。②紙きれが、ふぶきのように舞い散る状態。

**かみほとけ**［神仏］神と仏。困ったときにたよれる、人間をこえた存在。しんぶつ。

**かみまきタバコ**［紙巻き〈:煙草〉］刻んだタバコを紙で包んで巻いたもの。巻きタバコ。シガレット。紙巻き。（↕葉巻・刻みタバコ）

**かみもうで**［神詣で］《名・自サ》〔文〕神社にまいること。

**かみやしき**［上屋敷］《歴》江戸時代、地位の高い武家（特に大名）が、ふだん暮らした住居。本邸。☞下屋敷・中屋敷。

**かみやすり**［紙〈×鑢〉］⇩サンドペーパー。

**かみゆい**［髪結い］髪をゆう〈こと／職業の人〉。●**かみゆいのていしゅ**［髪結いの亭主］甲斐性なしの男。由来 働き者の髪結いを女房にすると、亭主（＝夫）は ぶらぶら遊んで暮らすところから。

**かみよ**【神代】〔日本の神話で〕神武(じんむ)天皇より前の、神が治めていたという時代。じんだい。

**かみわ・ける**【(×嚙み)分ける】《他下一》①よくかんで味を区別する。「酸(す)いも甘(あま)いも—〔⇩「酸い」の句〕」②細かに区別して考える。

**かみわざ**【神業】神がする(ような)ふしぎなことがら。「まさに—だ」

**かみん**【仮眠】《名・自サ》①短い時間、または、不十分な設備の所で、ねむること。「車内で—を取る・乗務員—所」②うつらうつら ねむること。「—状態」

**かみん**【夏眠】《名・自サ》《生》生物が、夏の暑く乾燥(かんそう)した時期に、ねむったような状態になること。(↔冬眠)

☆☆**カミングアウト**《名・他サ》〔coming-out〕世間には言いにくい自分の立場をあえて表明すること。特に同性愛者など、少数者であることを表明すること。カムアウト。

**か・む**【(×擤む)】《他五》鼻じるを強くふき出してふきとる。

**か・む**【(×嚙む)・(×咬む)】■一《他五》①上下の歯を合わせる。「かちかちと—」②上下の歯の間に強くはさむ。「ガムを—・犬が人を—(=人にかみつく)」③食べ物を歯(に相当するもの)でくだいたり切ったりする。「よくかんで食べる・かいこがくわの葉を—」④〔関西・中国・四国方言〕〔蚊(か)などの虫が〕さす。⑤歯に似たものが、ものをはさむ。「ファスナーが布を—」⑥海や川の水がはげしくぶつかる。「岩を—波しぶき」⑦〔俗〕〔ことばを〕発音しそこなったり、言いまちがえたりする。「せりふを—」■二《自五》①役割をになう。「一枚—」②ことばを発音しそこなったり、言いまちがえたりする。「役者が—」〔「舌をかむ」から〕可能 かめる。●**かんで含(ふく)める** 句〔食べ物を一度かんでから、子どもなどにふくませてやるように〕わかりやすく言って聞かせる。「—ような教え方」

**カム**〔cam〕機械で、軸(じく)の回転をさまざまな運動に変えるしかけ。

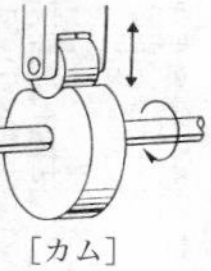

［カム］

**ガム**〔gum〕①↑チューインガム。②↑ガムシロップ。「—抜(ぬ)き(=ガムシロップを入れないこと)」

**カムカム**〔camu camu〕ウメの実ほどの、赤むらさき色の まるいくだもの。アマゾン川流域が原産。ビタミンCを多くふくみ、ジュースなどにする。

**がむしゃら**【(:我武者羅)】《名・ナダ》あとさきのこともよく考えずに、めちゃくちゃに ふるまうこと。派—さ。

**ガムシロップ**〔gum syrup〕砂糖を水でとかしたものにアラビアゴムを入れ、とろみをつけた甘味(かんみ)料。ガムシロ。ガム。

**ガムテープ**〔gummed tape〕荷造りなどに使う、幅(はば)の広い〈紙製/布製〉の粘着(ねんちゃく)テープ。ガムテ。

**カムバック**《名・自サ》〔comeback〕はなれていた前の職場・地位などにもどること。復帰。カンバック。

☆☆**カムフラージュ**《名・他サ》〔フ camouflage=変装〕①迷彩(めいさい)。擬装(ぎそう)。「—をほどこす」②本当の〈姿/心〉を知られないように、人の目をごまかすこと。▽カモフラージ(ュ)。

**ガムラン**〔インドネシア gamelan〕《音》青銅や竹の打楽器、太鼓(たいこ)、銅鑼(どら)などによる、インドネシアの民族音楽。

**かむ・る**【(△冠る)】《他五》⇩かぶる■一。「帽子(ぼうし)を—」

**かむろ**【(×禿)】⇩かぶろ。

**かめ**【(△瓶)・(×甕)】①液体を入れる、底の深い陶磁器(とうじき)。②⇩花生け。

**かめ**【亀】①タイマイ・イシガメなど、かたくまるい甲羅(こうら)を持つ四本足の動物。水中や陸上にすむ。歩みは おそい。長生きで、めでたい動物とされる。☞鶴(つる)。②〔俗〕おそいもの。「—レス(=返事のおそいコメント)」

**かめい**【仮名】かりに〈つけた/つけられた〉名前。(↔実名)☞かな(仮名)。

**かめい**【家名】①家の名誉(めいよ)。「—をあげる」②その家の当主が先代から受けつぐ名前。

**かめい**【加盟】《名・自サ》ある特別の約束ごとで結ばれた団体のなかまに はいること。「—店・国連に—する」

**かめい**【下命】《名・他サ》①〔文〕命令をくだすこと。②言いつけること。「ご—ください(=お申しつけください)」

**がめい**【画名】画家としての評判。

**カメオ**〔cameo〕①宝石や貝がらに うきぼりをした装飾(そうしょく)品。ペンダント・ブローチなどにする。②〔↑カメオ出演〕《映画など》有名俳優が少しだけ出演すること。

**がめつ・い**《形》〔もと関西方言〕〔俗〕しまり屋で金もうけのやり方が積極的だ。がっちりしている。派—さ。

**かめのこう**【亀の甲】①カメの せなかの甲羅(こうら)。②六角形の連続模様。かめのこ。●**亀の甲より年の功** 句 長年の経験は、なんといっても ものを言う。

**かめぶし**【亀節】かつおぶしの一種。小形で平たい。(↔本節(ほんぶし))

**かめむし**【(亀虫)】カメの甲羅(こうら)のような、かたい からをもった虫。さわると、くさい においを出す。へっぴりむし。

**カメラ**〔camera〕①レンズを通して はいってくるものの形をとらえて記録する機械。「フィルム—・ハイビジョン—・防犯—・—アングル(=撮影(さつえい)角度)・—目線・—を回す(=ビデオカメラで収録する)」〔写真をとるカメラは「写真機」とも言った。映画では「キャメラ」と言う〕②↑カメラマン。●**カメラアイ**〔camera eye〕カメラで対象をとらえて、映像を判断する〈能力/感覚〉。●**カメラマン**〔cameraman〕①(男性の)フォトグラファー。「フリーの—」②映像撮影(さつえい)の仕事をする人。「テレビの—」●**カメラリハーサル**〔camera rehearsal〕《放送》カメラを使ったリハーサル。カメリハ。〔ランスルーよりも前に おこなう〕(↔ドライリハーサル)●**カメラワーク**〔camera work〕《映画・放送》カメラの動かし方などの撮影(さつえい)技術。「大胆(だいたん)な—」

**カメリア**〔camellia〕つばき。

**カメリハ**《放送》↑カメラリハーサル。

**がめ・る**《他五》〔俗〕⇩がめる《他下一》。名がめり。

**が・める**《他下一》〔俗〕そっと ぬすむ。ごまかす。がめくる。

**カメレオン**〔chameleon〕熱帯にいる、トカゲに似た動物。長い舌で、昆虫(こんちゅう)をつかまえる。からだの色は、環境(かんきょう)に応じて変わる。

**かめん**【仮面】①顔の形に作って かぶる面。マスク。②本心をかくした みせかけ。「—をはぐ」③他人に対し、本当の姿をかくした状態。「—夫婦・—浪人〔=第一志望だった学校の再受験を目指す学生〕」④病気が、検査結果や症状としてはっきり表れないこと。「—高血圧」 ●**かめんうつびょう**［仮面(鬱)病］〔医〕ゆううつな気分が目立たず、肩こりや頭痛など、からだの症状が強く出るうつ病。

*__がめん__［画面］①テレビやモニターなどに映し出される、画像や文字情報。「パソコンの—・検索—」②絵の表面。

**かも** ㊀［(×鴨)］マガモ・コガモなどの水鳥。ニワトリぐらいの大きさで、くちばしは平たい。日本には秋に来て、春、帰る。「—汁・—ロース」☞があがあ㊀①・かも南蛮。㊁［カモ］つごうのいいえもの。「—にされる」☞いいカモ。 ●**かもがねぎ(葱)をしょって来る** 句〔かも鍋の材料がいっぺんにそろうことから〕こちらの注文どおりで、たいへん都合がいいことのたとえ。かもねぎ〔俗〕。

**かも**《終助》〔↑かもしれない〕〔話〕不確かな推測をあらわす。「ある—ね〔=かもしれないね〕・そう—(よ)・『ちょっとはでじゃない？』『—ね〔=そうかもね〕』」〔俗に、「だ」「です」をつけて使う。「これ、知ってる—だけど〔=知ってるかもしれないけど〕・ぼくにはきつい—ですね」〕 アク ウシかも・ネコかも・イヌかも。

**かもい**［(×鴨居)］障子・ふすまなどの上がわを支える横木。〔かざりのために、障子などがないかべの部分にも延長する〕(↔敷居) ☞長押。

**がもう**［×鵞毛］〔文〕ガチョウの毛。「—よりも軽い価値」

←**かもく**［科目］①〔予算・会計などの〕小さい区分。「勘定—」②教科をさらに分けたもの。例、高校の教科「芸術」のうちの「美術」。「試験—」③専門分野の区分。「診療—」

→**かもく**［課目］①学課の種類。「講義—」②わりあてられた項目。「馬術競技の—」

**かもく**［寡黙］《名・ダナ》ことば数が少ないようす。無口。「—の人」 派—さ。

**かもじ**［(×髢)］〔=か文字《=かみの毛》〕ふくらみをつけるために、かみの中に入れる毛。いれがみ。

**かもしか**［(:羚羊)］①岩山にすむけもの。ヤギに似て、二本のつのがある。色は茶色。特別天然記念物。ニホンカモシカ。②レイヨウ(羚羊)の俗称。アフリカなどのさばくや草原にすむ、シカに似たけもの。足が細い。「—のようにすらりとのびた足」

**かもしだ・す**［醸し出す］《他五》〔ある気分などを〕なんとなく作り出す。「なごやかな雰囲気を—」

**__かもしれ・ない__［かも(知れない)］《助動形ヌズ型》①断定を避けた言い方。…ということがありうる。「まだ間に合う—・もしかしたらるす—・〔相手にやんわりとすすめて〕もっと大きく書くといい—ね〔=もっと大きく書きなさい〕・—運転〔=『危険かもしれない』と注意する運転。(↔だろう運転)〕」②上の部分を、いちおう認めることをあらわす。〔そのあとに逆接の内容をのべる〕「有名な学者—が、言っていることがめちゃくちゃだ・つらかった—が、いい経験になったはずだ」③〔話〕〔相手のことばを受けて〕そうでありうる。「『かぜですか』『—な』」▽かもわからない。 丁寧 かもしれません。☞かも。

**かも・す**［醸す］《他五》①こうじ(麹)に水を加え、時間をかけて酒などを造る。②引き起こす。「物議を—」

**かもつ**［貨物］①飛行機や船、列車、トラックなどで運ぶ品物。②↑貨物列車。「—が通る」③〔↑貨物自動車〕トラック。「大型—」

**かもなんばん**［(×鴨)南蛮］しるをかけたそば・うどんに、アイガモと長ネギをのせたもの。かもなんば。かもなん。

**かもねぎ**［(×鴨×葱)・カモネギ］〔俗〕↑かもが ねぎをしょって来る〔「かも」の句〕。「—の観光客」

**かものはし**［(×鴨の×嘴)］オーストラリアにいる、原始的なけもの。水かきとくちばしを持ち、卵を産み、子は乳を飲んで育つ。

**カモフラージ(ュ)**《名・他サ》〔フ camouflage〕⇩カムフラージュ。

**カモミール**〔chamomile〕ハーブの一種。ハーブティーとして飲用する。花を乾燥させて煎じると、清涼感のある茶になる。カミツレ。カモマイル。「—ティー」

**かもめ**［(×鷗)］冬鳥として海岸に来る、つばさの長い鳥。さかなの群れを追ってむらがる。

**かも・る**［カモる］《他五》〔俗〕だれかを対象にして、利益を得る。カモにする。

**かもん**［家門］〔文〕一家・一門の全体。「—のほまれ」

**かもん**［家紋］家の紋どころ。

**かもん**［渦紋］〔文〕うずまき形の模様。

**かもん**［下問］《名・他サ》〔文〕目下の者に聞くこと。「ご—がある」

**かや**［(×茅)・(×萱)］葉が細長くて、屋根をふくのに使う草。例、ススキ・チガヤなど。

**かや**［蚊帳］①蚊を防ぐために、四すみをつって寝床の上をおおう目のあらい織物。「—をつ(吊)る」〔ひと張り、ふた張り…と数える〕②ほろがや。▽古くは「かちょう」とも。 ●**蚊帳の外(に置かれる)** 句 内部の事情を知らされない立場に置かれる。仲間外れにされることのたとえ。

**かや**［(×榧)］常緑樹の一種。葉はかたく小さくて、細い。実は、油の原料。「—の碁盤」

**がや**［ガヤ］〔↑がやがや〕①〔アフレコなどで〕その他おおぜいのがやがやした声(の担当者)。「—録り」②〔俗〕〔バラエティー番組などで〕にぎやかし。「—芸人」

**がやがや**《副・自サ》大ぜいが、めいめいやかましく声を立てるようす。「おもてが—している」

**かやく**［火薬］入れ物につめて火をつけると、急にはげしく燃え、音を立てて破裂するもの。花火やたまの発射、鉱山の発破などに用いる。「—庫」

**かやく**［(×加薬)］〔関西方言〕①薬味。②〔五目飯などの〕具。「—飯〔=五目飯〕」

**かやつ**［(△彼△奴)］《代》〔古風〕〔さげすんで〕あいつ。きゃつ〔古風・俗〕。

**カヤック**〔kayak〕①イヌイットが使う、木のわくにアザラシの皮をはった小舟。一本のかいで進める。②「カヤック①」に似た、〈レジャー／競技〉用のカヌー。「シー—」

［カヤック ①］

**かやと**［(×茅戸)］山中でカヤが一面にはえた場所。

**かやぶき**［(×茅×葺き)］カヤで屋根をおおって作ること。また、その屋根や家。

**かやり**［蚊(△遣り)］①蚊を追いはらうためにけむりをた

てること。「―火」②蚊取り線香。

**かゆ**［(×粥)］米に入れる水を多くして やわらかく煮た食べ物。「―をすする・朝―・お―」〔米が何分《=割》ふくまれるかによって「三分がゆ」「五分がゆ」などと言う〕 ☞全がゆ。

**かゆ・い**［(×痒い)］《形》かぶれたり、虫にさされたりして、皮膚をかきたくなる状態だ。かい(い)〔方〕。[派]-がる。-さ。●**かゆい所に手が届く**[句] 細かなところにまで配慮が行き届いて、すべてに満足するたとえ。「―サービス」

**かゆばら**［(×粥)腹］かゆを食べただけの、おなかの状態。「―で力が はいらない」

**かゆみ**［(×痒み)］かゆい〈こと／程度〉。「―止め」

**かよ**《終助》①〔話〕ⓐ〈おどろいて／反発や非難をこめて〉たずねることば。「本当―・わかった―」ⓑ気づいてがっかりした気持ちをあらわす。「なんだ、お前―・また雨―」ⓒ反発して否定する気持ちをあらわす。「そんなこと知る―・お前、幼稚園児―!」②〔俗〕するどく指摘するように言って、じつは ほめる言い方。本当に…(だ)な!「お前、気づかいの達人―!・最高―!」〔二〇一〇年代に広まった用法。「かわいい―!」のように形容詞などにもつく〕[表記] 美容などでは「カユミ」とも。

**かよい**［通い］[一]**かよい** ①行き来すること。「血の―がよくなる・港の はしけの―」②自宅から かよって勤めること。かよい勤め。「―の家政婦」(↔住み込み) ③↑通い帳。[二]**がよい**[造]〔**がよい**〕何度も同じ所に行くこと。「質屋―・病院―」●**かよいこん**［通い婚］夫婦がいっしょに住まず、一方が相手のすまいに通って行く形の結婚生活。〔通う人を「通い妻」「通い夫」と言う〕●**かよいじ**［通い路］〔雅〕いつも通る みち。「雲の―」●**かよいちょう**［通い帳］品物やお金の受けわたしを、書き入れておく帳面。掛け買い帳。通帳。かよい。●**かよいつ・める**［通い詰める］《自下一》 これ以上は かよえないぐらい、何回もかよう。「寄席に―」●**かよいばこ**［通い箱］ ビールびんなどを入れて配達したり返してもらったりする箱。通函。

**がよい**［通い］[造] ⇩かよい[二]。

**かよう**［火曜］一週の二番目の日。月曜の次。火曜日。

**かよう**［歌謡］①節をつけて うたう歌。②歌謡曲。「ムード―」●**かようきょく**［歌謡曲］昔からの大衆音楽に現代性を取り入れた、商業的な歌。例、演歌・シャンソン。「昭和の―」

*__かよ・う__［通う］《自五》①いつも同じ時間に、同じ場所を行き来する。「バスが―・学校に―」〔『学校で学ぶ』の意味もある〕②何度も同じ所へ行く。「バーに―」③気持ちが伝わる。「おたがいに心が―」④流れる。行きわたる。「血の通った人間」⑤出たり はいったりする。「小窓から空気が―」⑥〔文〕共通する。似る。「母に―おもざし」[可能] 通える。

**かよう**《ナダ》〔=斯様〕〔文〕このよう。「―な ありさま・―に考える・――〔=こうこう〕しかじか」

**がようし**［画用紙］絵をかくための、やや厚めの白い紙。

**かようせい**［可溶性］《理》液体に とける性質。(↔不溶性)

**かよく**［寡欲］《名・ナダ》〔文〕欲が少ないようす。[派]-さ。

**がよく**［我欲］自分だけの利益・楽しみを求める欲望。「我利―」

**かよわ・い**［か弱い］《形》力がなくて弱い。「―うでの力・―声」

**かよわ・せる**［通わせる］《他下一》通う状態にする。通わす。「山間部にバスを―・たがいに心を―」

←**から**［空］[一]**から** 中に何も はいっていないこと。からっぽ。「さいふが―だ・―のさいふ・―箱」[二][造] ①それにともなう中身がないこと。何も持っていないこと。「―景気・―出張〔=書類の上で出張したことにする不正行為〕・―メール〔=本文のないメール〕」②真実みのないこと。「―念仏」[表記]〈俗に／読みやすく〉「カラ」とも。

→**から**［殻］①動物や植物の中身を包む、割ったり破ったりできる(かたい)もの。「卵の―・セミの―・アーモンドの―」②ものごとを(未発達なままに)閉じこめておくもの。「古い―をぬぎすてて成長する」③中身がなくなったあとに のこったもの。「折りづめの弁当の―」[表記]〈俗に／読みやすく〉「カラ」とも。●**殻に閉じこもる**[句] 他人を寄せつけず、かたくなに自分だけの世界に身をおこうとする。殻にこもる。●**殻を破る**[句] それまで とらわれていたわく組みを打ちやぶる。「古い―・自分の―」

**から**［唐］〔雅〕①中国。「―天竺」②外国。

**から**《副》〔古風〕まったく。からっきし。「―だめだ・―いくじがない」

**__から [一]《格助》①時間・空間の起点をあらわす。「駅―会社まで走って行く・朝早く―夜おそくまで働く・会議を五時―〔=に〕始めて七時に終わる」②経由の場所をあらわす。「裏道―行く・門―はいる」③動作・作用が来る方向をあらわす。「うしろ―なぐる・南―のたより」④出所をあらわす。「おば―もらった お年玉」⑤視点をあらわす。「あなた―見て どう思うか・いろいろな角度―考える」⑥範囲の一方の はしをあらわす。「クラシック―(始まって)ジャズまで こなす」⑦最初のものをあらわす。「できること―手をつける」 ✓ レジで「千円から おあずかりします」と言うのは、「千円をおあずかりしてから、おつりをお出しします」の意味で、「から」の位置が前に移動したもの。「まずスープから飲みます」が、「スープを飲んでから、ほかの料理を食べます」の意味であるのと同様。⑧(そのあと)で。「問題が起こって―対策を考える・あと―わかる」⑨製品の〈材料／原料〉をあらわす。「チーズは牛乳―つくる」⑩数量を強めることば。も。「三千円―する・五百キロ―ある馬」⑪根拠・原因をあらわす。「このこと―言えるのは…・興奮―泣きだした」[アク] ウシから・ネコから・イヌから。[二]《接助》①理由をあらわす。「むずかしい―こそ やりがいがある」[区別]「から」は「なべが熱いから注意してね」のように ふつうの会話で使うが、「ので」は「なべが熱くなっていますので ご注意ください」のように、多く改まった会話で使う。また、「から」は「つかれたから もう帰りたい」のように、多く下に希望・意志・推量などの主観的な内容が来るが、「ので」は「つかれたので早く帰った」のように、多く下に客観的な事実が来る。「…だろうから」「なぜなら…からだ」などの表現には「ので」は使えない。②〔古風〕からに。「見る―かわいらしい」[三]《終助》〔話〕①あとをにごして言う。「じゃあ、出かける―」②決意・警告・感動・

あきれた気持ちなどをあらわす。「ほんとに ぐずなんだ―・もう、ばれてます―〔=よ〕」 四 から《接》〔話〕①だから。「高かった。―、やめにした」〔明治時代以前からある用法〕②それから。「Aさん、―Bさんも」☞からして・からと言って・からに・からには。

**から**【辛】造〔カレー・七味とうがらしなどの〕からさをあらわすことば。「中―・大―・1―〔=その店で、いちばんからくないもの〕」

**がら** 一【柄】①からだつき。「―ばかり大きくて」②模様。模様の型。がらゆき。〔主として、連続してくり返されるものに言う〕「着物の―・―シャツ」③言ったり したりするのに ふさわしい、その人の立場や地位。「―でもない」④〔ガラ〕身なりや話などを通して知られる、性質などのよさ・悪さ。品。「―の悪い人」 二【ガラ】〔俗〕↑身柄。「ホシ〔=犯人〕の―を移す」 三【(柄)】造 ①そのものの性質や、置かれた状況。「土地―・仕事―」②〔作品などの〕できばえ・性格。「作―」

**がら**【ガラ】〔↑殻〕①ニワトリなどの肉を切り取ったあとの骨。スープをとるためなどに用いる。「とり(鶏)―」②石炭の燃えがら。炭がら。③建築現場で出る廃材。

**カラー**〔calla〕園芸用の多年草。春の終わりから初夏にかけて、くきの先に、ラッパに似た白い花をつける。生け花用。海芋。

**カラー**〔collar〕①《服》洋服などの えり。取り外せるものと、身ごろに付いているものとがある。②《ゴルフ》グリーンのまわりの、芝がやや短く刈られた部分。

**カラー**〔color; colour〕①色。色彩。「フループリンター」②白や黒、灰色以外の色がついていること。色つき。「―コンタクト〔⇩カラコン〕・―〔=天然色〕フィルム」〔↔白黒・モノクロ〕③絵の具。「ポスター―」④それに特有の〈調子/ふんいき〉。「ローカル―・チーム―」 ●**カラーボール**〔color ball〕塗料の はいったボール。にげる犯人に投げつけると、塗料がとび散り、目じるしになる。 ●**カラーボックス**〔和製 color box〕色つきの合板を組み立てて作る収納棚。 ●**カラーリング**《名・他サ》〔coloring〕①色をつけること。染めること。「髪を―する」②色の使い方や取り合わせ。「新車の―」

**がらあき**【がら空き】《名・ナダ》①中にほとんど〈物/人〉の〈ない/いない〉ようす。「―の電車」②防御が手薄になる。「《ボクシング》ボディーが―になる」

**からあげ**【(唐)揚げ・(空)揚げ】《名・他サ》肉・さかな・野菜などに(味つけをして)、小麦粉などをうすくまぶし、油で〈あげること/あげたもの〉。「とりの―〔略して『とりから』〕・タコの―」☞ザンギ・素揚げ・竜田揚げ・ユーリンチー。

**からあし**【空足】階段の上り下りをするとき、段差が〈ある/ない〉ことに気づかず、足にむりな力が かかること。「―をふむ」

**がらあみ**【柄編み】〔編み物で〕いろいろの柄を編みこんだもの。「―カーディガン」

**からい**【花×蕾】《農》花の つぼみ。「―野菜〔=ブロッコリーなど、つぼみを食べる野菜。花蕾類〕」

**から・い**【辛い】《形》①〔トウガラシ・ワサビなどの味が〕舌をさすような感じだ。②【×鹹い】〔西日本方言〕塩けが(強く)感じられる状態だ。しょっぱい。しおからい。③〔酒が〕あまみが少なくて、舌に強く感じられるようすだ。④よしあしの決め方が、きびしい。きつい。「点が―」⑤〔女性のファッションが〕かっこいい。「辛めのスタイリング」〔二十一世紀になって広まった用法〕▽〔↔甘い〕派―さ。☞からくも・つら(辛)い。

**からいばり**【空(威張り)】《名・自サ》〔内容・実力がともなわないのに〕うわべだけ いばること。

**からいり**【空煎り・空×炒り】《名・他サ》油をひかずに煎ること。

**からうり**【空売り】《名・他サ》《経》取引所で、所有していない株式や商品を借りて売ること。

**からおくり**【空送り】《名・他サ》録音などをしないで、ただテープを回すこと。

**カラオケ**【カラオケ】〔=空オケ。オケ↑オーケストラ〕①伴奏用の音楽だけを録音したもの。また、それに合わせて歌うための設備。「―ボックス」②「カラオケ①」に合わせ、マイクを使って歌うこと。「―大会」

**からおし**【空押し】《名・他サ》墨や はく(箔)などをつけずに型だけおして、模様を紙面に うき出させたもの。

**がらおり**【柄織り】柄が出るように織りあげること。「―生地」

**からか・う**【(:揶揄う)】《他五》相手を困らせるようなことを、おもしろがって言う。揶揄する。「子どもを―な・代議士をからかった漫画」名からかい。

**からかさ**【(唐傘)・(△傘)】竹の骨に紙をはり油を塗った、柄のある かさ。「―お化け」

**からかね**【唐金・:青銅】青銅。ブロンズ。

**からかみ**【唐紙】①いろいろの模様のある美しい紙。②ふすま(襖)。☞とうし(唐紙)。

**からから** 一 からから《副》①軽くて かたいものが(ふれあって)立てる音。「―と鳴る矢車の音・びんの中で玉が―と転がる」②豪快に笑う声。 二 からから《ナダ》水分がなくなるようす。「のどが―になる」

**からがら**《副》〔=辛々〕⇩命からがら。

**がらがら** 一 がらがら【ガラガラ】①振ると がらがら鳴るおもちゃ。ラトル。②⇩ガラポン。 二 がらがら《副・自サ》①「からから 一①」よりも少し強くて重い音。②うがいをするときの音。③ことばをかざらず何でも言ってしまう ようす。「―した人」 三 がらがら《名・ナダ》〔電車・店などで〕人が非常に少ないようす。 ●**がらがらへび**【(がらがら蛇)】北アメリカにすむ、猛烈な毒を持つヘビ。おこって尾をふると、いやな音をたてる。 ●**がらがらぽん**【ガラガラポン】《名・他サ》〔俗〕いくつかに分かれているものを、いったん いっしょにして、分け直すこと。「―の政界再編」由来 マージャンでパイをまぜて並べ直す音から。

**からきし**《副》⇩からっきし。

**からくさ**【唐草】つる草の はいまわる様子をえがいた模様。「―模様」

［からくさ］

**からくじ**【空(×籤)】当たらない くじ。はずれの くじ。「―なし」

**がらくた**〔「ガラクタ」とも書く〕〔俗〕ねうちのない物。「―市〔=古物市〕」由来「がら」は物が ぶつかる音。「くた」は価値のないものを言う接尾語で、「あくた〔=ごみ〕」と同語源。☞一緒くた。表記「:我楽多」は、「我は楽しみ多し」という意味を持たせた当て字。

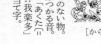

**からくち**［辛口］《名・ナダ》①〔みそ・酒などの〕塩けやからい感じが強い〈こと／もの〉。「—（↔甘口・うま口）の酒・—カレー」☞中辛。②ぴりっとしていること。きびしいこと。「—〈の／な〉批評」③〔女性の〕かっこいいファッション。〔二十一世紀になって広まった用法〕④からいものが好きな〈こと／人〉。辛党。▽（↔甘口）

☆☆**からくも**［辛くも］《副》〔文〕やっと（のことで）。かろうじて。「—脱出した」

**からくり**［（：機関）・（：機巧）・（：仕掛）・カラクリ］①ぜんまいのほどけるときの力などを利用して、複雑な動きをさせる装置。「—人形」②しくみ。「人間の頭脳のふしぎな—」③人の目をごまかす しくみ。「脱税の—」表記 由来「絡繰る（=あやつる）」の連用形から。「△機」とも書いた。

**からくれない**［唐紅・△韓紅］〔雅〕美しい、こい紅色。

**からげいき**［空景気］ うわべだけ景気がよさそうに見えること。

**からげし**［空消し］〔関西方言〕（水を使わないで消した）消し炭。からけし。「七輪に—をつぐ」

**から・げる**［（△絡げる）］《他下一》①ばらばらにならないように、ひもを巻きつけるようにかける。「書類を—」②まくり上げて結びあわせる。「すそを—」

**からげんき**［空元気］ うわべだけの元気。虚勢。

**からこ**［唐子］ 昔の中国ふうの髪型・服装をした子ども。頭の左右の髪をだんごのように丸め、他をそり落とす。「—絵・—人形」

**からころ**《副》 げたで歩くときに立てる音。

**カラコン**〔←カラー コンタクト（レンズ）〕 色つきのコンタクトレンズ。

**カラザ**〔chalaza〕《生》鳥の たまごの白身と黄身をつなぐ、ひものような もの。「生たまごの—」

**からざる**◇〔文語形容詞（型助動詞）未然形の語尾＋文語助動詞「ず」の連体形〕〔文〕…くない。からぬ。「少な—出費を覚悟する」

**からさわぎ**［空騒ぎ］《名・自サ》〈むやみに／無意味に〉さわぎたてること。

**からし**［（辛子）・（×芥子）］①香辛料の一つ。カラシナのたねの粉。黄色でからい。「—粉・—じょうゆ」②とうがらし。「—めんたいこ・—高菜」由来 文語形容詞「辛し（=からい）」を名詞にしたもの。●**からしな**［（辛子菜）・（×芥子菜）］つけ物にする野菜の一種。からみがあり、たねは からしにする。●**からしみそ**［（辛子味×噌）］ みそに練りがらしや砂糖、酢などを混ぜた調味料。「—あえ」

**からじし**［唐×獅子］ 中国で、ライオンをもとに考えた想像上の動物。しし。から しし。「牡丹に—」

［からじし］

**からして**㊀《接助》〔文〕から。「それである—」㊁《格助》①…をはじめとして。…が まず第一に。「名前—変わっている・服装—だらしがない」②…から〈判断／推量〉すると。「彼の性格—、簡単に あきらめるはずがない」

**からし・める**◇〔文語形容詞（型助動詞）未然形の語尾＋助動詞「しめる」〕〔文〕…くさせる。「価値を高—」

**からしょうもん**［空証文］①にせものの証文。〔本来は「そらしょうもん」〕②実現できない約束。「両者の合意は—に終わった」

**からす**［（×烏）・（×鴉）］㊀からす「かあかあ」と鳴く、中形の黒い鳥。街の中でも見られる。由来「から」は鳴き声を写したもの。「す」は鳥を指す接尾語。㊁遺 黒い。「—貝・—ねこ」●**からすの鳴かぬ日はあっても**句（=たとえ毎日鳴くカラスが鳴かない日があったとしても）どんな日でも（必ずおこなわれる）。●**からすうり**［（×烏×瓜）］ つる草の一種。夏の夜に、花びらが糸のように分かれた、白い花がさく。秋に、長円形のまっかな実をつける。●**からすぐち**［（×烏口）］ 鋼鉄でカラスのくちばしのように作った製図用具。線を引くのに使う。鋼筆。●**からすてんぐ**［（×烏天×狗）］ カラスのようなくちばしや黒い羽をもってんぐ。●**からすなき**［（×烏）鳴き］ カラスの鳴き声。俗に、その声によって吉凶をうらなう。「—が悪い」●**からすのあしあと**［（×烏の）足跡］〔俗〕中年近くになって、女性の目じりにできるしわ。●**からすのおきゅう**［（×烏のお×灸）］〔俗〕多く、子どもの口のわきにできるただれ。ビタミン$B_2$の不足などが原因。口角炎。●**からすのぎょうずい**［（×烏の）行水］ 時間が短く、洗い方も雑な入浴のたとえ。●**からすのぬればいろ**［（×烏の×濡れ）羽色］〔かみの毛について〕つやのある黒色。●**からすむぎ**［（×烏麦）］ エンバク（の原種）。

←**から・す**［枯らす］《他五》 枯れるようにする。枯らせる。「花を—」

↔**から・す**［（×涸らす）］《他五》 水を〈くみつくす／なくす〉。からせる。

→**から・す**［（×嗄らす）］《他五》〔声を〕しわがれた状態にする。からせる。

**からず**◇〔文語形容詞（型助動詞）未然形の語尾＋文語助動詞「ず」〕〔文〕①…くなく。「つねづね こころよ—思っていた・暑—、寒—、暮らしやすい所だ」②…くない。「悲し—や（=悲しくないか）」☞からぬ。

**ガラス**〔オ glas〕 かたくて もろい、すきとおった物質。「—戸・—細工・窓—」表記「：硝子」は、〈古い／しゃれた〉当て字。☞しょうしたい（硝子体）。●**ガラスせんい**［ガラス繊維］《理》⇩グラスファイバー。●**ガラスのてんじょう**［ガラスの天井］〔glass ceiling の訳語〕 女性などの社会進出を不当に さまたげる、見えない障害。●**ガラスばり**［ガラス張り］①ガラスをはってある〈こと／入れもの〉。②〔俗〕公明正大で秘密がないこと。「—の会計」

**からすき**［唐（×鋤）・（×犂）・（×犁）］ 柄が曲がって、刃の広い すき。

**がらすき**［がら（△空き）］ ががらにすいていること。

**からずね**［空（×臑）］〔俗〕むきだしのすね。

**からすみ**［（：鱲子）］ ボラ・サワラ・ブリなどの卵巣を塩づけにして ほしたもの。酒の さかな用。

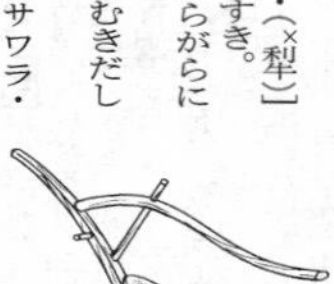

［からすき］

**からせき**［空（×咳）］ たんの出ない せき。からぜき。

**からせじ**［空世辞］ 口先だけの おせじ。

****からだ** [体・×躰・×軀・:身体] ①人や動物の、頭・胴・手足などを全部ふくめた呼び名。身体。五体。②何かをする、その人自身(の肉体)。「いそがしい—」③上半身。「—を曲げる」④健康の状態。「—をこわす」 ●**体が空く** 句 用事がなく、ひまができる。「ちょうど体が空いている」 ●**体が言うことを聞かない** 句 自分のからだが、自分の思うように動かない。 ●**体が泳ぐ** 句 ①からだが〈前のめり/不安定〉になる。他 体を泳がせる。②服がゆったりして、からだが楽に動かせる。「—ワンピ」 ●**体を売る** 句 売春する。 ●**体を張る** 句 危険をおそれず、全力でする。「体を張ったプレー」 ●**体を許す** 句 相手の のぞむままに、性的関係をむすぶ。身をまかせる。はだを許す。 ●**からだつき** [体(付き)] からだのかっこう・輪郭から受ける感じ。「きゃしゃな—」 ●**からだまけ** [体負け]《名・自サ》〔スポーツ〕相手の体格が自分よりもりっぱなこと。「外国人選手に—している」

**からだき** [空(×焚き)]《名・自他サ》なべ・ふろなどに水を入れないで、火で熱してしまうこと。

**からたけわり** [△幹竹割り・唐竹割り]〔剣術などで〕たてにまっすぐに切りおろすこと。「真っ向—」

**からたち** [(:枳殻)] 生けがきなどに植える、とげのある小さな木。春、白い五弁の花をつける。

**からだのみ** [空頼み]《名・他サ》⇩そらだのみ。

**からちゃ** [空茶] お茶うけがなくて〈お茶だけを出すこと/出すお茶〉。からっ茶。

**からっかぜ** [空っ風] 雨・雪をともなわずに はげしくふく風。冬の関東に多い。からかぜ。

**からっきし**《副》〔能力が低い場合などに〕まったく。まるで。からきし。「運動は—だめだ・—子どもだ」

**からっけつ** [(空っけつ)・カラッケツ]〔=空っ穴〕〔俗〕①まったくの から。②無一文。▽からけつ。

**からっと**《副・自サ》⇩からりと。

☆☆**カラット**〔carat〕ダイヤや真珠などの、宝石の重さの単位〔記号 ct. car〕。一カラットは、二〇〇ミリグラム〔=〇・二グラム〕。キャラット。

**がらっと**《副》⇩がらりと。

**がらっぱち** [(ガラッ八)・ガラッパチ]〔俗〕ことばや動作が少し荒っぽく、おちつきがない〈こと/人〉。由来「がら」は荒っぽい人のようすで、人名のように「八」をつけた。

**からっぽ** [(空っぽ)]《名・ナダ》中に何もない(こと)。から。

**からつゆ** [空梅雨] つゆどきなのに、雨が少ない状態。

**からて** [空手] ①手足を使ってする武術・護身術。中国拳法が沖縄で発達したもの。日本全土から世界に広まった。表記「唐手」とも書いた。②〔古風〕てぶら。素手。「—でもどって来る〔=何の成果も得られなかった〕・敵に—で立ち向かう〔=素手で戦う〕」 ●**からてチョップ** [空手チョップ]〔プロレス〕手刀。〔プロレスラー力道山の技。一九五四年から流行〕

**からてがた** [空手形] ①《経》⇩融通手形。「—を出す」②守らない約束。「—に終わる」

**からでっぽう** [空鉄砲] ①たまをこめずに撃つ〈こと/鉄砲〉。空砲。②口ばかりで実行が ともなわないこと。でまかせ。

**からといって** [からと(言って)]《接助》…(だ)としても。からって〔話〕。「お金がある—必ずしも幸せとは限らない」

**からとう** [辛党] ①酒のみ。酒の好きな人。②からい食品が好きな人。▽(↔甘党)

**ガラナ**〔guarana〕①ブラジル原産のつる(蔓)性の植物。実は形が あまぐり(甘栗)に似ている。②「ガラナ①」の実から作った飲み物。

**からに** [空荷]〔車や船などに〕荷物をのせていない状態。「帰りは—で行く」

**からに**《接助》①そうするだけで、よくわかることをあらわす。「聞く—うそくさい」☞見るからに。②〔関西などの方言〕そうする人をけいべつする言い方。「びいびい泣きよって—〔=泣きやがって〕」③〔方〕ので。からには。「町には住めない—」 ●**からには**《接助》その条件のもとでは、あとに述べるようになるのが当然だ、ということをあらわす。…以上は。からは。「私が引き受けた—、もうだいじょうぶだ」

**からぬ** ◇〔文語形容詞(型助動詞)未然形の語尾+文語助動詞「ず」の連体形〕〔文〕…くない。からざる。「望ましー結果」☞からず。

**からねんぶつ** [空念仏] ⇩そらねんぶつ。

**からは**《接助》〔古風〕⇩からには。「呼ばれた—行かねばなるまい」

**ガラパゴス**〔Galápagos〕①太平洋東部の赤道直下にある諸島の名。外部とへだてられていたため、この島固有の動物が多い。②外国との交渉がないため、国内だけで通用するようになったものごと。「—化した技術」

**からはふ** [唐破風] 大きなやしきや神社などの屋根に使う、弓なりにそったような形の破風。

［からはふ］

**カラバリ**〔↑カラー バリエーション〕〔俗〕色の種類。「—の豊富なスーツケース」

**カラビナ**〔ド Karabiner〕〔岩登り用のザイルを通す〕鋼鉄製の輪。

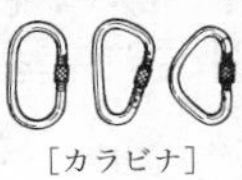

［カラビナ］

**カラフェ**〔フ carafe〕〔水やワインを入れる〕ガラス製の卓上用のびん。☞デカンタ。

**からふかし** [空吹かし] 自動車を走らせないで、アクセルをふんでエンジンの回転を高くすること。からぶかし。

**からぶき** [(△乾)拭き]《名・他サ》つやを出すために、ゆか板などをかわいた布でふくこと。(↔水拭き)

**からぶね** [空船・空舟] 客や荷物を乗せていない船。

**からぶり** [空振り]《名・自他サ》①ふったバットやラケットがボールに当たらないこと。②やってみたが、うまくいかないこと。「捜査は—に終わった」動 空振る《自五》。

**カラフル**《ナダ》〔colorful; colourful〕いろどり豊かなようす。多彩。はなやか。派 -さ。

**からへた** [から下手]《名・ナダ》この上もない へた。まったくへた。からっぺた。

**からぼり** [空堀・空×壕] 水の はいっていない堀。(↔水堀)

**がらぽん** [ガラポン] 玉の はいった容器を手でがらがら回して、ぽんと出た玉の色で抽選をする福引き。また、その器械。ガラガラ。

**からま・せる**［絡ませる］《他下一》からんだ状態にする。絡ます。「うでを―」名絡ませ。

**からまつ**［(唐松)・(:落葉＝松)］高原や寒い地方にはえている落葉樹。短い、針のような葉が集まってはえる。

**からま・る**［絡まる］《自五》からんだ状態になる。「つる(蔓)が―・すそが―」名絡まり。

**からまわり**［空回り］《名・自サ》①前へ進まないで、車輪などが むだに回ること。②〔議論が〕かみ合わず、前に進まないこと。「論戦は―した」③うまく成果につながらないこと。「自信が―してしまった」動空回る《自五》。

**からみ**［辛(:味)］からい味(の感じ)。「―が強い・―成分」(↔甘み)

**からみ**［空身］からだ一つで、何も(持た)ないこと。

**からみ**［絡み］①からむこと。②おたがいに無視できない〈関係／過去のいきがかり〉。「社の方針と世論との―・政局との―」●**からみあ・う**［絡み合う］《自五》①たがいに巻きつく。②いくつかの ものごとが複雑にかかわり合う。「人々の欲望が―」名絡み合い。●**からみつ・く**［絡み(付く)］《自五》①しっかり巻きつく。②うるさく つきまとう。他絡みつける《下一》。

**がらみ**［(×搦み)］接尾①…〈に関連／を意識〉した動き(をすること)。「政局は総選挙―」②〔ある価格・年輩に〕近い。…見当。「三千円―の品・五十―の男性」

**からみだし**［空見出し］〔辞書で〕見出しとして出してはあるが、解説をしていない項目。空項目。副見出し。(↔本見出し)

**から・む**［絡む］《自五》①(複雑に)巻きつく。「つる(蔓)が―」②くっついて はなれにくくなる。「たん(痰)が―」③やっかいな関係で結びつく。「義理に―・かねが―・絡み合う」④りくつをこねて、困らせる。「酒に酔って―」⑤関係する。「優勝に―」⑥《映画・放送》同じ場面に出て、ともに〈演技／会話〉をする。⑦〔俗〕コミュニケーションをとる。話に加わる。かまう。「自分から―・〔インターネットで〕もっと絡んで！」〔二十一世紀になって広まった用法〕

**からむし**［(×苧)・(:苧麻)］くきから繊維をとって織物にする、アサのなかま。ちょま(苧麻)。まお(真麻)。「―織り」☞ラミー。

**ガラムマサラ**〔ヒンディー garam masala〕シナモン・クローブ・ナツメグなど、何種類もの香辛料をまぜあわせたもの。インド料理に使う。☞カレー粉。

**からめ**［辛(目)］《名・ナダ》からいと感じられるようす。「―に味をつける」(↔甘め)

**からめて**［(×搦め)手］①城の裏門。(↔大手)②相手の注意の行き届かないところ。「―から攻める」

**からめと・る**［絡め取る］《他五》①からませて取る。「さおで川の藻を―・わたあめを棒で―」②(からませて)自由をうばう。「クモの網に絡め取られる・規則に絡め取られる」

**からめと・る**［(×搦め)捕る］《他五》なわをかけて、とらえる。「罪人を―」

**から・める**［絡める］《他下一》①からむようにする。関連づける。組み合わせる。「進退に絡めた発言・犠打を絡めて加点」②《料》全体にくっつくようにする。「オリーブオイルを―」▽からませる。

**から・める**［(×搦める)］《他下一》〔文〕〔つかまえて〕しばる。

**カラメル**〔フ caramel〕砂糖に水分を加え、高温でこげ茶色になるまで熱して作る、あめ状のもの。食品の着色や味つけに用いる。「―ソース」

**がらもの**［柄物］模様のついた衣服・雑貨など。「―の傘・―や色物・―から無地の物まで取りそろえる」

**からやき**［(空)焼き］《名・他サ》《料》なべなどを、油を入れる前に火にかけて熱すること。

**からやくそく**［空約束］《名・自サ》もともと守る気のない、いいかげんな約束。そらやくそく。

**がらゆき**［柄行き］衣服の柄の、組み立て方。

**からよう**［唐様］〔書道などで〕中国ふうの様式。「売り家と―で書く三代目(＝習い事に のめりこんで財産をなくした後つぎ)」(↔和様)

**カラリスト**〔colorist〕①色彩(に特色のある)画家。②色彩設計の専門家。

**からりと**《副・自サ》①気持ちよく かわいているようす。「―した天気」②しめりけが ないようす。「天ぷらが―あがる」③さわやかで、こだわりがないようす。「―した性格」▽からっと。

**がらりと**《副》①ガラス戸などを、勢いよく あけたてするようす。「戸を―あける」②すっかり変わるようす。「態度が―変わる」▽がらっと。

**から・れる**［駆られる］《自下一》それをおさえきれない気持ちになる。「好奇心に―」

**カラン**〔オ kraan〕水道の蛇口。〔ガス管にも言う〕

**がらん**［×伽藍］《仏》寺院のおもな建物の全体の呼び名。

**からんころん**《副》①「からころ」よりも ひびく音。「―とげたの音」②ゆれるベルなどが たてる、少し こもったひびきの音。

**がらんと**《副・自サ》建物が広くて、何もない感じがするようす。「―した構内」

**がらんどう**《名・ナダ》〔俗〕中が からになっていること。がらんど。

***かり**［仮］①本式になるまでのようす。しばらく。「―の住まい・―免許・―の手段」②いつわり。「―の名」☞仮に。

**かり**［狩り］㊀**かり** つかまえるために、鳥やけものを追いかけること。「―に行く」㊁造〔**がり**〕①行楽のために、動植物をとったり たずねさがしたりすること。「潮干―・みかん―・もみじ―」②不都合なものをさがしてつかまえること。「山―」③〔俗〕気に入らない相手などに集団で危害を加えること。「おやじ―・ホームレス―」

**かり**［借り］①借りること。②借金。「―を返す」③他人から恩を受けること。「―ができる」▽(↔貸し)

**かり**［(×雁)・(×鴈)］〔雅〕がん(雁)。☞かり(雁)の使い。

**かり**◇〔文〕文語形容詞(型助動詞)連用形の語尾。「楽し―けり(＝楽しかった)」〔「多し」は終止形の場合もある。「いと多―(＝多い)」〕

**カリ**〔オ kali〕《理》↑カリウム。「(肥料の)―成分」表記「:加里」は、古い音訳字。

**がり**［我利］〔文〕自分だけの利益。「―我欲」

**がり**［ガリ］①すしに そえる、うすく切った、甘酢づけのショウガ。②↑ガリ版。「—を切る・—切り」

**がり**［接尾］〔名・形動〕そのような傾向をもつ〈こと／人〉。…がり屋。「こわー・めんどうくさー」

**がり**［狩り］［遊］⇩か(狩り)⊟。

**かりあげ**［刈り上げ］〔名・他サ〕①〈うしろの かみの毛を〉上のほうまで刈ること。また、そのような髪型。②秋の、刈り入れ。［動］刈り上げる〔他下一〕。

**かりあ・げる**［借り上げる］〔他下一〕政府や目上の者が、土地や家屋、設備などを借りる。［名］借り上げ。

**かりあつ・める**［駆り集める］〔他下一〕〔人や牛馬などを〕〈大急ぎで〉ほうぼうから集める。［名］駆り集め。

**カリー**〔curry〕⇩カレー。

**かりい・れる**［刈り入れる］〔他下一〕〔イネ・ムギなどを〕刈って取り入れる。［名］刈り入れ。

**かりい・れる**［借り入れる］〔他下一〕〔銀行などから〕事業などのために お金を借りる。［名］借り入れ。〔経済関係の熟語では「借入」と書く。「借入金」〕

**かりう・ける**［借り受ける］〔他下一〕借りて受け取る。［名］借り受け。〔経済関係の熟語では「借受」と書く。「借受人」〕

**かりうど**［狩▵人］⇩かりゅうど。

**カリウム**〔ド kalium〕〔理〕軽金属元素の一つ〔記号K〕。ガラス・カリせっけん・肥料などの成分。栄養素としては、血圧を下げる はたらきがある。カリ。

**ガリウム**〔gallium〕〔理〕金属元素の一つ〔記号Ga〕。半導体材料として重要。

**カリエス**〔ド Karies〕〔医〕①結核菌によって、骨がおかされてうみの出る病気。「脊椎—」②〔歯科で〕虫歯。

**かりおき**［仮置き］〔名・他サ〕一時的に置くこと。「資材を通路に—する・—棚」

**かりおや**［仮親］〔結婚などに際して〕本当の親でないのに、仮に親の代わりと決めた人。

**かりか・える**［借り換える］〔他下一〕前の借りを返して、新しく借りる。［名］借り換え。

**かりかた**［借り方］①借りる手段・方法。②借りたほうの人。③［借方］〔=事業のため、他人や自分自身から お金などを借りた結果、得られたもの〕〔経〕複式簿記で、帳簿の左がわの欄。〔貸借対照表では、資産の部〕▽〔↕貸し方〕

**カリカチュア**〔caricature〕戯画(化)。風刺画。

**カリカチュアライズ**〔名・他サ〕〔和製←caricature＋ize〕戯画化すること。

**かりがね**［〈×雁が音〉・〈×雁：金〉］〔雅〕①ガンの鳴き声。②がん(雁)。

**かりかぶ**［刈り株］イネなどを刈ったあとに残った株。

**かりかり**〔副・自サ〕①かたいものを、続けてかんだりけずったりする〈音／ようす〉。「らっきょうを—と食べる」②神経質になって、ちょっと何か言われると おこるようす。「いそがしくて—する・—来てる」③かんで歯切れのいいようす。「強火で—に煎る・—の食感」

**がりがり**〔:我利我利〕自分だけが利益を得ようとすること。利己主義。「—亡者〔=利己主義者〕」

**がりがり**〔副〕①「かりかり①」より低く重い〈音／ようす〉。「虫歯を—とけずられた」②がむしゃらにやるようす。「—勉強する」③からだが非常にやせているようす。「—にやせこける」

**かりぎ**［借り着］〔名・自サ〕他人の衣服を借りて着ること。また、その衣服。

**かりぎぬ**［狩▵衣］えりがまるくて そでに くくりのある衣服。古くは狩りの服だったが、のち、公家や武家のふだん着・礼服となる。下に指貫をはく。

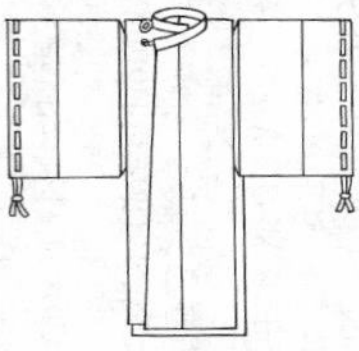
［かりぎぬ］

☆**カリキュラム**〔curriculum〕教育課程。教える内容と順番。「—を組む・—の改編・—ポリシー〔=大学などで、どんな教育課程を組むかという方針〕」

**かりき・る**［借り切る］〔他五〕①座席・場所などを、専用に借りる。「列車を—」②残らず借りる。▽〔↕貸し切る〕［名］借り切り。

**カリグラフィ(ー)**〔calligraphy〕欧文の文字を美しく装飾的に書く技術。

**かりこし**［借り越し］〔経〕銀行で、預金してある金額以上の お金を〈契約により〉引き出すこと。〔↕貸し越し〕［表記］熟語では「借越」と書く。「借越金」［動］借り越す〔他五〕。

**かりこみ**［狩り込み］①けものを追い立てて つかまえること。②〔俗〕浮浪者などの一斉検挙。［動］狩り込む〔他五〕。

**かりこ・む**［刈り込む］〔他五〕①草木・かみの毛を思いきって刈っていい形にする。②文章を短くする。［名］刈り込み。

**かりしゃくほう**［仮釈放］〔名・他サ〕〔法〕刑期や収容期間が終わる前に、条件つきで社会復帰させること。かりしゃく〔俗〕。

**かりじゅ**［仮需］〔経〕〈投機による／品不足を予想しての〉仮の需要。仮需要。〔↕実需〕

**かりしょぶん**［仮処分］〔法〕①強制執行を保全するために許す、裁判所の正式の処分。②争いのある権利関係について仮の地位を定めるためにおこなう、裁判所の処分。

☆**カリスマ**〔charisma〕①〔宗〕教祖的、魔力的な指導力(の持ち主)。教祖。②大衆を魅了するような資質・技能を持った人。「—美容師」

**かりずまい**［仮住まい］〔名・自サ〕仮にしばらく住む〈こと／家〉。寓居。「親類の家に—する」

**かりそめ**［〈仮初め〉］①その場かぎりのこと。まにあわせ。「—の恋・—の住まい」②いいかげん。「—に口に出すべきことではない」③〔古風〕ふとしたこと。「—の病い」●**かりそめにも**［〈仮初めにも〉］〔副〕①たとえどうであろうと。「—教師ともあろうものは」②まちがっても。「—親をうらむな」

**かりたお・す**［借り倒す］〔他五〕〔お金を〕借りたまま返さないで、相手に損をかける。

←**かりだ・す**［狩り出す］〔他五〕追いたてて出す。「けものを—」

→**かりだ・す**［駆り出す］〔他五〕あちこちから強制的につれ出す。「多くの人を—・勤労奉仕に駆り出される」

**かりだ・す**［借り出す］〔他五〕借りて持ち出す。「本を—・車を—」［名］借り出し。

**かりた・てる**［駆り立てる］〔他下一〕①うしろから追

うようにして、前へ進ませる。「欲望に駆り立てられる」②むりに行かせる。「仕事に—」

**かりちん**［借り賃］ものを借りてしはらう料金。(↔貸し賃)

**かりっと**《副・自サ》①かたいものを、かんだり けずったりする音のようす。「氷を—かじる」②よけいな水分がなく食感がいいようす。「—焼いたトースト」

**かりつや**［仮通夜］正式の通夜の前に とりあえずおこなう通夜。

**かりて**［借り手］ものを借りる人。借り主。(↔貸し手)

**かりとじ**［仮(×綴じ)］①書類などを、仮に とじあわせること。②製本の一種。うすい表紙をつけて、簡単に製本〈すること/したもの〉。

**かりと・る**［刈り取る］《他五》①刈って取り入れる。②〔悪いものを〕取り去る。「非行の芽を—」 名 刈り取り。

**かりに**［(仮に)］《副》①まにあわせに。とりあえず。「テープで—とめる・—A氏としておこう」②考えられる条件を示すことば。「—〔=もし〕実現すれば、生産能力は十倍になる・—〔=たとえ〕知らなかったとしても、責任はまぬかれない」●**かりにも**［(仮にも)］《副》①どんなことがあっても。「—とうとい命が失われてはならない」②できは悪くても。「—武士たるもの、にげるつもりはない」▽いやしくも。かりそめにも。

**かりぬい**［仮縫い］《名・他サ》《服》本当の仕立ての前に、仮にぬうこと。また、ぬったものをからだにあわせて、手直しすること。(↔本縫い)

**かりぬし**［借り主］借り手。(↔貸し主)

**かりね**［仮寝］《名・自サ》①ふとんなど敷かないで、ちょっとねむること。うたたね。②〔雅〕野宿。

**かりのつかい**［(×雁の)使い］〔雅〕手紙。かりのたより。

**かりば**［狩り場］狩りをする場所。「—の きじ(雉)〔=にげられないことの たとえ〕」

**ガリバー**〔Gulliver〕ある業界で、きわめて大きい存在のたとえ。「—企業・ビール業界の—」 由来 スウィフトの小説「ガリバー旅行記」の主人公が、小人国をおとずれた話から。

**かりぱく**［借りパク］《名・他サ》〔↑借りたものをパクる〕〔俗〕借りたものを返さず、自分のものにすること。

**かりばらい**［仮払い］《名・他サ》しはらうべき最終的な金額がはっきりしない場合、とりあえず だいたいの金額をしはらうこと。「経費を—する」 表記 経済関係の熟語では「仮払」と書く。「仮払額」

**がりばん**［ガリ版］謄写版。ガリ。「—を切る〔=鉄筆で原紙に字を書く〕」 由来 鉄筆で がりがり音を立てて書くことから。

**カリひりょう**［カリ肥料］《理》カリウムを多くふくむ肥料。例、草木を焼いて作る灰。

**カリフォルニア ロール**〔California roll〕アボカド・かにかま・マヨネーズなどで作る、まきずし。のりが内側になるように巻いて作る。〔アメリカが発祥〕

**カリフラワー**〔cauliflower〕キャベツの変種。中心の、かたくて白い つぼみの部分を食べる。はなやさい。はなキャベツ。「—のサラダ・—のポタージュ」☞ブロッコリー。

**がりべん**［ガリ勉］《名・他サ》〔がり↑がりがり〕〔俗〕いい点を取ろうと、がむしゃらに勉強する〈こと/人〉。

**かりめん**［仮免］①↑仮免許。②↑仮免状。

**かりもの**［借り物］借りたもの。「—でない自分のことば・—競走〔=走るとちゅうで、指示されたものを見物客から借りる、運動会の競技〕」

**かりや**［仮屋］仮に作った小屋。

**かりゅう**［下流］①川の流れの、川口に近い〈ほう/地域〉。川下。②下の地位。貧困層。下層。「—階級」▽(↔上流・中流)

**かりゅう**［花柳］〔文〕芸者(・遊女)のいる場所。「—界・—の ちまた(巷)〔=色町〕」●**かりゅうびょう**［花柳病］〔古風〕性病。

**かりゅう**［×顆粒］〔顆=つぶ〕小さな つぶ。つぶつぶ。「—状・—剤」

**がりゅう**［我流］〔正式の流儀ではなく〕自分勝手の流儀。「—でやる」

**がりゅうてんせい**［画竜点×睛］⇩がりょうてんせい。

**かりゅうど**［(△狩△人)］野山で鳥や けものをとり生活をする人。猟師。かりうど。

**かりゆし**［(∴嘉例吉)］〔=沖縄方言で、めでたい〕沖縄ふうの模様のついた、風通しのいい、半そで開襟シャツ。「—ウェア」

**かりょう**［下僚］〔文〕下役。部下。(↔上司)

←**かりょう**［科料］《法》軽い罪をおかした者に、罰として出させる お金。「—に処する」〔千円以上一万円未満。「過料」と区別して「とがりょう」とも読む〕☞罰金。

→**かりょう**［過料］《法》行政上、法律の決まりにそむいた者に出させる お金。「—が科せられる」〔「科料」と区別して「あやまちりょう」とも読む〕

**かりょう**［菓寮］⇩菓子司。〔多く、和菓子店の名前に使う〕

**かりょう**［過量］〔文〕量が多すぎること。「薬の—投与・—販売」

☆☆**かりょう**［加療］《名・自サ》《医》けがなどを治すために治療をすること。「入院—を要する」

**かりょう**［佳良］《ナダ》〔文〕(まさって いて)いいようす。「品質—」

**がりょう**［画料］〔文〕〔注文を受けて かいた〕絵の代金。

**がりょう**［雅量］〔文〕ゆとりのある寛大な気持ち。「—を示す〔=大きいところを見せる〕べきだ」

☆☆**がりょうてんせい**［画△竜点×睛］〔=竜をえがき、ひとみ(睛)をかき加える〕最後に加える、肝心な部分。「—を欠く〔=肝心なところで失敗している〕」

**かりょく**［火力］①火の〈力/勢い〉。「—の強い燃料」②軍事力としての火器の力。「—演習」●**かりょくはつでん**［火力発電］《理》石油・石炭・天然ガス・廃棄物などを燃やした熱エネルギーを電力へ変換する発電方法。

**がりょく**［画力］絵をかく技術。「確かな—」

**カリヨン**〔フ carillon〕《音》音の高さの ちがう鐘を組み合わせて、音楽をかなでる〈楽器/装置〉。教会・広場などにある。

*__か・りる__［借りる］《他上一》①人のものを、(しばらく)使わせてもらう。「本を—・教室を—・お手洗いをお借り

してもよろしいですか」②〔利子や使用料などをはらって〕貸すことを商売にしているところの、お金や物を使う。「かねを―・部屋を―」③助けてもらうために、人のものを使う。「力を―・肩を―」▽〔↔貸す〕④臨時に他のものを利用する。「あなたのことばを借りて言えば・この場を借りて一言お礼を申し上げます」[可能]借りられる。借りれる〔俗〕。●**借りてきた猫**[句]ふだんとちがって、たいへんおとなしいようすのたとえ。●**借りるときの地蔵顔、返すときのえんま〔閻魔〕顔**[句]困ってお金を借りるときは愛想よくするが、返すときは、損でもするようにいやな顔をする。〔「借りるときの えびす顔…」とも言う〕

**かりん**【〔花△梨〕】①〔:榠樝〕大きな果樹の名。実は黄色い西洋ナシ形で、かおりがよく、薬などに使う。②〔長野方言〕マルメロ。③【〔花×櫚〕】大きな木の名。材は赤みをおび、家具などにする。

**かりんさんせっかい**【過〔×燐〕酸石灰】〔理〕肥料の一種。リン酸塩と硫酸カルシウムとからできている。過石。

**かりんとう**【〔花林糖〕】小麦粉を練り、短い棒状に切って油であげ、黒蜜などをからめて乾燥させた菓子。

**か・る**【刈る】〔他五〕①草を根もとから切って取る。「芝を―」②のびているかみの毛の先を切って、とり除く。「頭を―」

**か・る**【狩る】〔他五〕〔文〕①鳥やけものを追ってつかまえる。狩りをする。②〔行楽のために〕たずねさがす。「桜を―」

**か・る**【借る】〔他五〕〔文・方〕借りる。「虎の威を―きつね〔狐〕」〔⇨「虎」の[句]〕

**か・る**【駆る・×駈る】〔他五〕①〔文〕〔動物を〕追いたてる。②走らせる。「車を―」☞駆られる。

**が・る**[接尾]〔動五をつくる〕①そのように〈感じる〉〈思う〉ようすを外にあらわす。「寒―・うれし―・恐縮―・珍重―」②いかにもそうだという ようすを見せる。「強―・得意―」

**ガル**〔gal=もと、人名〕〔地〕加速度をあらわす単位〔記号Gal〕。一ガルは一秒間に秒速一センチメートルの変化を起こす加速度。地震のゆれ〔=地震動〕の大きさをあらわすのに使う。

****かる・い**【軽い】〔形〕①それを持つために、ほとんど力が必要ない。目方が少ない。「―荷物・〔同じ量の場合に〕油は水よりも―」②上から押しつける感じが弱い。「―羽毛ぶとん・―〈ヘアスタイル〉」③〔からだなどを〕動かすのが〈困難〉〈おっくう〉でない。「身が―・この車はハンドルが―」④気分がはればれしている。「心も―」⑤重要でない。「責任が―・―地位・軽く見る」⑥〔病気・けがなどが〕大したことがない。「―けが」⑦〔味が〕あっさりしている。「―口あたり」⑧〔コンピューターで〕処理や反応が速い。▽〔↔重い〕⑨言動がいいかげんだ。うわきだ。「―やつ」⑩深く考えない。「―気持ちでさそった」⑪〈本格的〉〈念入り〉でない。「―食事・―トレーニングをする」[派]―げ・―さ。☞軽く。

**かるいし**【軽石】〔鉱〕マグマが急に冷えてできた、穴の多い軽い岩石。浮石。

**かるがも**【軽×鴨】全身が茶色で、くちばしの先が黄色いカモ。親がひなたちを引きつれて行く様子が、人々に愛される。

**かるかや**【刈×萱】葉が細長く、秋にムギの穂に似た花をつける草。

**かるがる**【軽々】〔副〕軽そうに。たやすく。「―と持ち上げる・音楽は―と国境をこえる」☞けいけい〈軽々〉。

●**かるがるし・い**【軽々しい】〔形〕かるはずみだ。「軽々しく引き受ける」〔↔重々しい〕[派]―さ。

**かるかん**【軽×羹】すりおろしたジネンジョに米の粉と砂糖、水を加えて練り、むしあげた和菓子。〔鹿児島の名物〕「―まんじゅう」

**カルキ**〔オ kalk=石灰〕〔↑クロールカルキ〔ド Chlor-kalk〕〕〔理〕さらし粉。また、消毒用の次亜塩素酸塩が溶けた液体。「―くさい・―分」

**かるく**【軽く】〔副〕〔「軽い」の連用形から〕①簡単に、軽々と。「―撃退された・五十人は―こえる」②ためしに、簡単に。「―たずねてみる・―書いてみる」③〔簡単な動作・行動に言う〕少し。「―頭を下げる・―押す・―飲みに行く」④〔意図的な動作・行動でない場合に言う〕少し。「―いらっとする・―後悔する・今週は―いそがしい」〔二十一世紀になってからの用法〕

**かるくち**【軽口】①気軽に言う冗談。「―をたたく」②かけことばなどを使ったことば遊び。例、「その手はくわな〔=『食わない』〕『桑名』の焼きはまぐり」。③酒などの、口あたりが軽いこと。

**カルシウム**〔オ calcium〕〔理〕軽金属元素の一つ〔記号Ca〕。石灰石・骨の組織の中にふくまれる。「―〔=カルシウム分〕を取る」

**カルスト**〔Karst=もと、地名〕〔地〕雨におかされた、石灰岩の台地。例、山口県の秋吉台。「―地形」

**カルタ**〔ポ carta〕〔「かるた」とも書く〕①遊び・ばくちに使う、長方形のふだ。種類が多い。「―を取る」②↑いろはガルタ。③↑歌ガルタ。[表記]「:歌留多」「:加留多」は、古い音訳字。「:骨牌」とも書いた。●**カルタとり**【カルタ取り・かるた取り】いろはガルタ・百人一首などで、ひとりが読み上げ、ほかの人たちが場に並べたふだを取って枚数をきそう遊び。

**カルダモン**〔cardamon〕ハーブの一種。実は干しブドウほどの大きさで、緑などの色。たねは強いにがみがある。香辛料に使う。

**カルチベーター**〔cultivator〕〔農〕耕耘機。カルチ。

**カルチャー**〔culture=たがやされたところ〕①文化。「社内の―〔=風土〕を変える」②教養。「―センター〔=教養講座〕」▽カルチュア。●☆☆**カルチャーショック**〔culture shock〕自分の考え方や生活のしかたと異なる文化と接したときに受ける精神的なショック。

**カルテ**〔ド Karte=カード〕①医者などが患者ごとに病状・経過などを書き入れるカード。診療録。診察簿。②美容をおこなう店で、客のからだの状態を書き入れるカード。

**カルテット**〔フ quartette〕〔音〕四部〈合奏〉〈合唱〉。四重奏。四重唱。クアルテット。クァルテット。

**カルデラ**〔caldera=もと、地名〕〔地〕火山の中央の大きなくぼ地。火口がほぼ円形におちこんでできる。阿蘇山のものが有名。「―湖〔例、十和田湖〕」

**カルテル**〔ド Kartell〕〔経〕同じ種類の事業の者が、

生産や価格の協定などの手段によって市場を独占するために作る連合。企業連合。共同行為。

☆☆**カルト**〔cult〕①狂信的な信者によって組織されている、小さな宗教集団。②ある集団に熱狂的に支持されている小説・映画など。「ームービー」

**カルトン**〔フ carton=厚紙〕①(厚紙でできた)二つ折りなどの書類入れ。②〔店や銀行などで〕お金・通帳などをのせて受けわたしする皿。カートン。③《美術》厚紙でできた画板。

**かるはずみ**〔軽はずみ〕《名・ナダ》深く考えないで〈言う/おこなう〉こと。「ーな〈男/言動〉・ーに事を運ぶ」

**カルパッチョ**〔イ carpaccio〕生の肉や魚介類をスライスして、オリーブオイルなどをかけた料理。「ホタテのー」☞刺身。

**カルバドス**〔フ calvados〕フランスのノルマンディー地方カルバドス県産のブランデー。シードルを蒸留して造る。ケーキの かおりづけにも使う。カルヴァドス。

**カルビ**〔朝鮮 galbi〕あばら肉(の焼き肉)。〔単独ではふつう牛肉を指す〕「ー定食・ータン(=あばら肉の入ったスープ)・テジー(=豚肉のカルビ)」☞タッカルビ。

**かるべき**◇〔文語形容詞(型助動詞)連体形の語尾＋文語助動詞「べし」の連体形〕〔文〕…くある〈べき/はずの〉。〔実際は ちがう場合に使う〕「楽しー旅行が不愉快になった」

**カルボナーラ**〔↑イ spaghetti alla carbonara《=炭焼き》〕たまご・チーズのソースと いためたベーコンをからませ、黒こしょうをふったスパゲッティ。

**カルマ**〔サンスクリット karma〕前の世のおこないによって、その次の世で受ける むくい。業。

**かるみ**〔軽み〕①〈気軽/身軽〉な感じ。「芸にーが加わる」(↔重み)②《俳句》松尾芭蕉の重んじた作風の一つ。おもおもしくなくて、身ぢかな趣を主とする。☞しお(撓)り・細み・わ(侘)び。▽かろみ。

**カルメやき**〔カルメ焼き〕〔カルメ←ポ caramelo〕赤砂糖を煮て重曹を加え、軽く焼きかためた菓子。カルメラ。

**かるわざ**〔軽業〕身軽に おこなう はなれわざ。曲芸。アクロバット。「ー師」

**かれ**〔彼〕[一]《代》①話し手・相手以外の男性をさすことば。あの人。〔目上や子どものことは言わない場合が多い〕②〔俗〕若い男性を呼ぶときのことば。「ちょっと、そこのー」[二]⇩彼氏[一]。「私のーは内気なんです」▽[一](↕彼女)

**かれ**◇〔文語形容詞(型助動詞)命令形の語尾〕〔文〕①そうあってほしい。「幸多ー・よーと思って」②〔AーBー〕たとえ…くても。「多ー少なー」

**がれ**《登山》石ころのころがっている、山の急な斜面。「ー場」

**がれ**〔枯れ〕造 ①草木が枯れること。「立ちー・霜ー」②〔お金などが〕(ほとんど)なくなること。「資金ー・品ー」

**かれい**〔家令〕〔皇族や華族の やしきで〕主人の そばにいて、事務的な仕事を管理した人。

**かれい**〔(×鰈)〕マガレイ・イシガレイなど、海の底にすむ、平たいさかな。ふつう、目は からだの右面(いつも上にしている面)に寄っている。食用。「ーの煮つけ」☞ひらめ[一]。

☆☆**かれい**〔加齢〕《名・自サ》①〈誕生日/正月〉になって年をとること。年齢が一つふえること。②「老化」の婉曲な言い方。「ー現象(=老化現象)・ー臭」

←**かれい**〔佳麗〕《名・ナダ》あざやかに美しい〈ようす/人〉。「後宮の一三千人」派ーさ。

→**かれい**〔華麗〕《ナダ》はなやかで美しいようす。「ーな舞台」派ーさ。

**カレイドスコープ**〔kaleidoscope〕⇩万華鏡。

**かれいろ**〔枯れ色〕〔草木の〕枯れた色。

**カレー**〔curry〕①↑カレーライス。「チキンー」②↑カレーソース。「ーをかける・ーうどん・ーまん(=まんじゅう)」③↑カレー粉。「じゃがいものー煮・ールー(⇩「ルー①」の用例)」▽カリー。表記「:咖喱」は、しゃれた当て字(中国語の表記に由来。多く「カリー」と読む)。●**カレーこ**〔カレー粉〕カレーライスなどに使う、ターメリックなどの何種類もの香辛料を粉にしてまぜた製品。カレー。☞ガラムマサラ。●**カレーソース**〔curry sauce〕カレー粉に肉やタマネギなどの野菜を加えて煮こんだ、かおりが高くてからい、濃い黄色のソース。カレー。〔俗に、カレールーとも言うが、別物。☞ルー〕●**カレーパン**〔和製 curry＋ポ pão〕水分をとばしたカレーソースを中に入れて〈あげた/焼いた〉パン。カレードーナツ。☞ピロシキ。●**カレーライス**〔curry and rice〕カレーソースをごはんに かけて食べる、香りが高くて からい料理。日本の国民食と言われる。ライスカレー。カレー。「激辛ー」

**ガレージ**〔garage〕車庫。●**ガレージキット**〔garage kit〕マニア向けに特に作った、ウレタン製のフィギュアや模型。ガレキ〔俗〕。由来 ガレージで作ったことから。●**ガレージセール**〔garage sale〕持ち寄った不要品を住民どうしが売買すること。由来 アメリカで、不要になった家具などを車庫に並べて売ったことから。

**かれおばな**〔枯れ尾花〕〔雅〕枯れた おばな(=すすき)。

←**かれがれ**〔枯れ枯れ〕《ナダ》草木が、ほとんど枯れたようになるようす。

→**かれがれ**〔(×涸れ×涸れ)〕《ナダ》水が、ほとんど かれたようになるようす。

**かれき**〔枯れ木〕①冬になって葉の落ちた木。②生命力を失った木。(↕生木)●**枯れ木に花**句 おとろえたものが、ふたたびさかんになることの たとえ。●**枯れ木も山のにぎ(賑)わい**句 つまらないものでも、ないよりはましだ。「ーですから、出席いたします」✓相手を会にまねくときなどに言うのは失礼。「おこしいただければ、みなさんも喜びます」などがいい。

**かれき**〔歌歴〕短歌を作った経歴・年数。

**がれき**〔(瓦×礫)〕①かわらと小石。こわれた建物の残骸。「ーの山」②つまらないもの。

**がれき**〔画歴〕①絵をかいてきた経歴・年数。②絵の所有者の移り変わり。

**かれくさ**〔枯れ草〕枯れた草。

**かれこれ**〔(=彼此)〕[一]《副・自サ》とやかく。あれこれ。「ー言わずに ついて来い」[二]《副》およそ。だいたい。「ー五時だ・ー十万円になる」

**かれさんすい**〔枯山水〕水を使わずに石・砂などを配置して、山水を表現した庭(の様式)。かれせんすい。

**かれし**〔彼氏〕[一] 恋人である男性。「私の昔のー」

〔他人などが、ていねいに「—さん」とも〕 ㊁《代》〔古風・俗〕①〔やや からかって〕あの男の人。あのかた。②若い男性に向かって呼ぶことば。「そこの—」▽㊀㊁彼。(↕彼女) 由来 一九二〇年代末に、漫談家の徳川夢声が㊁の意味で「彼女」にあわせて作った。☞今彼・元彼。

**かれつ**〔苛烈〕《名・ナダ》きびしく はげしいようす。「—をきわめる」 派 -さ。

**カレッジ**〔college〕(単科)大学。「—ライフ〔=大学生活〕」 ☞ユニバーシティ(1)。

**ガレット**〔フ galette〕①フランスのブルターニュ地方で作る、そば粉のクレープ。②フランスの焼き菓子。パイ生地を使って、丸く平たい形に作る。ガレットデロワ。③丸く平たい形にした料理。「じゃがいもの—」

**かれの**〔枯れ野〕 草の枯れた野原。

**かれは**〔枯れ葉〕 草木の、枯れた葉。 ●**かれはざい**〔枯れ葉剤〕 ベトナム戦争中、一九六一〜七一年に、米軍が密林を枯らすために まいた薬剤。ダイオキシンをふくみ、人体に深刻な害をあたえる。

**かれぶし**〔枯れ節〕 うまみが増すように、表面にカビを何回もつけて作った かつおぶし。「本—」

**かれら

**〔彼等〕《代》「彼」の複数形。あのひとたち。

**か・れる**〔枯れる〕《自下一》①草木に水を吸いあげる力がなくなる。また、その結果、死ぬ。②〔材木などの〕水気がなくなる。「枯れた木」③年をとって、からだのみずみずしさが失われ、しぼんだようになる。④人格・技芸に気取りや むだがなくなる。「芸が—」 名 枯れ。

**か・れる**〔涸れる〕《自下一》 水がなくなる。「井戸が—」 名 かれ。「井戸の—」

**か・れる**〔嗄れる〕《自下一》〔声を使いすぎたり病気をしたりしたために〕声がひびかなくなったり、かすれたりする。「声が—・のどが—」 名 かれ。「声の—」

**かれん**〔可憐〕《ナダ》 かわいらしくて、いたわってやりたい感じがするようす。 派 -さ。

**カレンダー**〔calendar〕 一か月・数か月・一年の日と曜日などが紙に刷ってあって、日にちを追って見られるようにしたもの。こよみ。「スポーツ—〔=スポーツの行事が書きこまれたカレンダー〕・—どおりの営業」

**かれんちゅうきゅう**〔苛斂誅求〕〔文〕重い税金をきびしく取り立てること。

**カレンツ**〔currants〕 たねのない、小つぶの ほしぶどう。カレンズ。カランツ。

**カレント** 造〔current〕 時事の。現在の。「—トピックス〔=時の話題〕」

**かろ・い**〔軽い〕《形》〔雅〕かるい。 派 -さ。

**かろう**〔家老〕《歴》大名・小名の家臣の かしら。

**かろう**〔過労〕 はたらきすぎ(て つかれ)ること。「—で倒れる」 ●**かろうし**〔過労死〕 仕事のしすぎで、突然死すること。「—の認定」

**かろう** ◇〔形容詞(型助動詞)未然形の語尾+助動詞「う」〕①〔文/古風〕感情や状態を推量する意味をあらわす。…いだろう。かろ〔話〕。「さぞ寒—」②〔…—が…—とも などの形で〕たとえ…〈ても/でも〉。「いかに大き—とも」 ☞う。

**がろう**〔画廊〕 絵や美術品を陳列して〈見せる/売る〉ところ。ギャラリー。 由来 gallery の発音をふまえた訳語で、近代に作られた ことば。

**かろうじて**〔辛うじて〕《副》①最低限の条件を満たしているようす。「—読める文字」②あぶないところで、なんとか切りぬけるようす。「—消しとめる」▽やっと。ようやく。

**かろがろし・い**〔軽々しい〕《形》〔雅〕かるがるしい。 派 -さ。

**かろく**〔家禄〕 昔、主君が家臣に米穀の形であたえた俸給。

**カロテン**〔carotene〕《理》ニンジン・ホウレンソウなどにふくまれる、だいだい色の色素。食べると、ビタミンAに変わる。カロチン〔古風〕。例、β-カロテン。

**かろとうせん**〔夏炉冬扇〕〔=夏の いろりと、冬の おうぎ〕〔文〕時節にあわないで、役に立たないもののたとえ。冬扇夏炉。

**かろやか**〔軽やか〕《ナダ》 見るからに、かるそうなようす。かるやか。「—な服装」 派 -さ。

**カロリー**〔フ calorie〕①《理》熱量の単位〔記号 cal〕。一カロリーは、水一グラムの温度をセ氏一度だけ上げるのに必要な熱の量で、約四・一八四ジュール。☞ジュール。②《生》食べ物が消化吸収されたとき、からだの中で出る熱の量(をあらわす単位)。〔ふつうキロカロリー《=千カロリー》を単位として数える〕③(むだな)栄養。「—を取りすぎる」

**かろん**〔歌論〕 和歌についての〈評論/理論〉。

**がろん**〔画論〕 絵についての〈評論/理論〉。

**ガロン**〔gallon〕〔ヤードポンド法で〕ガソリンなどの体積の単位〔記号 gal〕。一ガロンは、イギリスでは約四・五五リットル、アメリカでは約三・七九リットル。

**かろん・じる**〔軽んじる〕《他上一》 軽くあつかう。かろんずる。「命を—」(↕重んじる)

**かわ

**〔川・河〕 地上の細長い くぼみを海に向かって流れる、水の道。「—をわたる・—に橋をかける・—の ほとり・—の せせらぎ」

**かわ
*
**〔皮〕 ①〔動物・植物の〕外がわをおおって包むもの。②毛皮。③外がわの部分。表面。「大福もちの—・ギョーザの—」④(ふとんの綿を包む)布。▽がわ。⑤ものごとの本質をおおいかくしているもの。「化けの—をはがす」

**かわ**〔革〕 動物の皮をなめして やわらかくしたもの。「—のかばん・羊—のてぶくろ・黒—」

**かわ**〔佳話〕〔文〕心のあたたまる、いい話。

**かわ**〔側〕 ㊀ かわ 人・いす・家などがならんで作る、列。「〔劇場の席の番号について〕九の—八番・ふた—にならぶ・ひと—電車通りに寄った店」 ㊁ 造 ⇩がわ(側)㊁。「上—・右っ—」

**かわ**〔歌話〕〔文〕和歌に関する話。

**がわ

**〔側〕 ㊀ ①対立するものの、一方。「どちらの—に味方するか・海の—の窓」②まわりの者。「—から言っても本人は聞かない」③取り囲むもの。ふち。かわ。「時計の—」 ㊁ 造 …の方(面)。かわ。「東—」

**がわ**〔「ガワ」とも書く〕〔俗〕皮。かわ。「ソラマメの—をむく・肉まんの—・ふとんの—〔=カバー〕」

**かわあかり**〔川明かり〕 川の水面の明るみ。

**かわあそび**〔川遊び〕《名・自サ》 川で遊ぶこと。

**かわい・い
**〔可愛い〕《形》①〔子どもなどが〕大切で、守ってやりたい感じだ。「できの悪い子ほど—・—弟子・—ところがある〔=憎めない〕」(↕憎い)②〔小さいものなどが〕愛情をいだかせるようすだ。「—女の子・—花・—デザインの服・—声」③〔俗・女〕ちょっと〈心がひかれる/おもしろい〉ようすだ。「あの おじいちゃん、—」▽かわゆい。④たいしたことがない。「そんなのは まだ—ほうで」⑤失うのが おしい。「自分の首が—」由来「顔映ゆし〔=はずかしくて顔が ほてるようだ〕」が「かはゆし」→「かわゆい」→「かわいい」と変化。それに似た意味の漢語「可愛」を当てた。●**かわいい子には旅をさせよ** 句 親は わが子をあまやかさず、ひとなかで苦労させて きたえたほうがいい。

**かわいがる**〔(:可愛がる)〕《他五》①かわいいと思って、だいじにあつかう。「子どもを—」②〔俗〕いじめる。きびしく訓練する。「いっちょう、かわいがってやろう」名 かわいがり。

**かわいげ**〔(:可愛=気)〕一（悪気がなくて）かわいいところ。「—のない子・その程度の にくまれ口なら—もあるが」二《ナダ》〔方〕かわいらしいようす。「—な声」

**かわいこちゃん**〔(:可愛)子ちゃん〕〔古風・俗〕かわいい少女・女性など。〔一九六三年のドラマ「男嫌い」から広まった。男性も さす〕

**かわいさ**〔(:可愛さ)〕かわいい〈こと/度合い〉。●**かわいさ余って憎さ百倍** 句 それまで かわいいと思っていただけに、一度にくらしくなると、極端に強くにくむようになる。

**かわいそう**〔(:可哀想)・(:可哀=相)〕《ナダ》（苦しんだり悲しんだりしている）弱い相手に、何かしてやりたい気持ち(にさせるようす)。「捨てられて—な子犬・無理をさせて—なことをした・—に、寒かっただろう」〔俗に、形容詞化して「かわいそい」〕由来 江戸時代、「かわいい」に「同情すべきだ」の意味があったころ、語幹「かわい」に、様子をあらわす「そう」がついたもの。区別「**かわいそう**」は子どもなど弱い立場の相手に対する気持ちに、「**気の毒**」は対象を特に限定せずに使う。

**かわいらしい**〔(:可愛らしい)〕《形》〔小さいものなどが〕かわいい印象をあたえるようすだ。「—口・—しぐさ」（↔憎らしい）派 -げ。-さ。

**かわうそ**〔(川×獺)・(×獺)〕川や海べにすむ、小さなけもの。形はイタチに似て、色は黒い。よく水にもぐって、さかなをつかまえる。四本の足に みずかきがある。かわおそ。おそ。

**かわおび**〔革帯〕〔古風〕ベルト。

**かわかす**〔乾かす〕《他五》熱や風を当てたりして、水分を取り除く。「汗を—・ぬれたシャツを—」区別(1)「**乾かす**」は表面だけの水分を取る場合にも使うが、「**干す**」は中の水分まで取る場合に使う。「皿を乾かす」とは言うが「皿を干す」とは言わない。(2)「せんたく物を外に干す」のように、「干す」には水分を取るための準備もふくまれる。

**かわかぜ**〔川風〕川の水面をふきわたってくる風。

**かわかみ**〔川上〕①川の流れてくる、みなもとに近い〈ほう/地域〉。上流。②《経》生産や製造をする元のほう。原材料や部品などを供給するところ。▽（↔川下）

←**かわき**〔乾き〕物が かわく〈こと/程度〉。「—がおそい」●**かわきもの**〔乾き物〕酒を飲むとき、そのまま つまみになる、かわいた食品。ピーナッツ・スナック菓子など。ドライスナック。

→**かわき**〔渇き〕①のどが かわく〈こと/状態〉。②欲望が満たされない〈こと/状態〉。「心の—をいやす」↑かし。

**かわぎし**〔川岸〕川の両がわに接した土地。河岸。

**かわきり**〔皮切り〕〔=最初に一つすえる きゅう(灸)〕ものの はじめ。最初。「東京を—に、全国へ出店する」

**かわぎり**〔川霧〕川の水面に立ちこめる きり。「—が立ちのぼる」

←**かわく**〔乾く〕《自五》①物の水分が なくなる。「せんたく物が—」②感情が消える。「乾いた声で笑う・乾いた文体」●**乾いた雑巾を絞る** 句〔お金・知恵などをひねり出すため〕限界まで無理を〈する/させる〉たとえ。乾いたタオルを絞る。「—ような節約ぶり」

→**かわく**〔渇く〕《自五》①のどに うるおいがなくなる。「のどが—〔=ゴクゴクと飲みたい状態〕」②欲望が満たされないでいる。「心が—・愛に—」

**かわくだり**〔川下り〕急な流れを船で下ること。

**かわぐち**〔川口・河口〕川の流れが湖や海に そそぐ口。川じり。かこう。

**かわぐつ**〔革靴〕革で作った靴。

**かわごろも**〔皮衣〕毛皮で作った衣服。

**かわざかな**〔川魚〕川など淡水にすむ さかな。かわうお。（↔海魚）

**かわさきびょう**〔川崎病〕〔川崎は報告者の名〕《医》乳幼児がかかる原因不明の病気。高熱・発疹が出て、心臓の冠動脈に後遺症が残る。

**かわざんよう**〔皮算用〕まだ手に はいらない前から あてにすること。「取らぬ たぬきの—」

**かわしも**〔川下〕①川の流れて行く、海に近い〈ほう/地域〉。下流。②《経》販売や消費をするほう。最終製品をつくるところ。▽（↔川上）

**かわじり**〔川尻〕かわぐち(川口)。

**かわジャン**〔革ジャン〕〔俗〕革製のジャンパー。

**かわす**〔皮須〕クジラのへそから わき腹にある、あぶらが多く やわらかいところ。「—ベーコン」

←**かわす**〔交わす〕一 かわす《他五》①やりとりする。②まじりあうようにする。かわせる。「枝を—」③おたがいにする。「キスを—」二 造 おたがいに…しあう。「酒をくみ—・ささやき—」

→**かわす**〔(×躱す)〕《他五》①からだ〈の向きを変え/をかたよせ〉て避ける。「身を—」②〔相手の攻撃を〕そらす。しりぞける。負かす。「強打者を—・追及を—・四対三で—」③〔競走で〕追いぬく。「二人をかわして先頭に立つ」

**かわず**〔(×蛙)〕〔雅〕かえる。☞井の中のかわず。

**かわすじ**〔川筋〕①川の流れる みち。②川の流域。

**かわせ**〔川瀬〕川底の浅い所。

☆☆**かわせ**〔為替〕《経》①はなれた土地にいる人が、現金を送る代わりに手形・小切手など証書によって、金銭の受けわたしをすませる方法。また、そのときの証書。「百万円の—を組む」②↑かわせ相場。「—差益〔=為替相場の変動によって生じる利益〕・—差損」●☆☆**かわせそうば**〔為替相場〕《経》二つの国の お金の値段の、その時の割合。かわせレート。「—の変動」●**かわせてがた**〔為替手形〕《経》手形をふり出した人とは別の第三者が、しはらいの義務を負う手形。

**かわせがき**〔川施餓鬼〕《仏》川で死んだ人の冥

福をいのるため、川岸や船の中でする法要。

**かわせみ**【(:翡翠)】スズメより少し大きい小鳥。尾が短くて足は赤い。川べの穴にいて、さかなをとって食う。ひすい(翡翠)。

**かわそう**【革装】革を使った装丁。「—本」

**かわだち**【川立ち】 ●**川立ちは川で果てる** 句 泳ぎのうまい人は、かえって川で死ぬ。得意な技術が不幸を招くことのたとえ。

**かわたれどき**【かわたれ時】〈雅〉〔「たそがれ時」に対し〕明け方の、まだうすぐらいころ。由来 暗いので人の顔がわからず、「彼は誰(=あれはだれ)」とたずねる意味。

**かわち**【河▵内】旧国名の一つ。今の大阪府の中東部。河州。「—音頭」

**かわつら**【川面】川の水面。かわも。かわづら。

**かわづり**【川釣り】〔楽しみとして〕川でさかなを釣ること。

**かわと**【革×砥】刃物をとぐのに使う革。

**かわどこ**【川床】①川の底になっている土地。河床。②〔料理店で〕川の上に組まれた食事どころ。かわゆか。「貴船の—」

**かわどめ**【川止め】《名・自サ》江戸時代、雨などで大きな川の水かさがふえたとき、川をわたるのをとめたこと。

**かわながれ**【川流れ】《名・自サ》川の水に流されておぼれること。「かっぱの—」

**かわのじ**【川の字】三人が並んで横になり、「川」の字の形になる様子。「—に寝る(=子どもをはさんで親子三人が同じ部屋で寝る)」

**かわはぎ**【〈皮剝〉】海にすむ、ひし形をした小形のさかな。口が小さく、うろこがないように見える。かたい皮をはいで、身ときもを食用にする。

**かわばた**【川端】川に沿った、すぐそばの所。かわぶち。かわべ。かわべり。

**かわはば**【川幅】川の幅。

**かわびらき**【川開き】《名・自サ》川でその年の夕涼みを始めることを祝って、花火を打ち上げたりする行事。

**かわぶね**【川船・川舟】川の乗り物として使う、底が浅くて平たい船。

**かわべ**【川辺】川のほとり。かわばた。

**かわべり**【川(▵縁)】かわばた。かわっぺり。

**かわむかい**【川向かい】川をへだてた向かいがわ。

**かわむこう**【川向こう】川の向かいがわ(に広がる土地)。

**かわめ**【皮目】魚肉やとり肉で、皮のついているほう。「—を下にして焼く」

**かわも**【川▵面】〈文〉川の水面。かわづら。

**かわや**【〈×厠〉】〈古風〉便所。

**かわやなぎ**【川柳】①川ばたにはえるヤナギの一種。せは低く、枝はたれ下がらない。②番茶の上級品をいう呼び名。☞せんりゅう(川柳)

**かわゆ・い**《形》〈古風/俗〉かわいい。

**かわよど**【川(×淀)】〈雅〉川の水の流れが止まってほとんど動かない所。よどみ。

**かわら**【瓦】屋根をふくために、粘土をかためてのばし、窯で焼いたもの。屋根がわら。「—ぶ(葺)き」 ●**かわらせんべい**【瓦(煎餅)】甘みを加えて焼いた屋根がわら形のせんべい。 ●**かわらばん**【瓦版】江戸時代、粘土の板に文字や絵をほって焼き、一枚ずつ刷ったもの。今の新聞に当たる。

**かわら**【河原・川原・×磧】水の流れていない、砂や石の多い川岸。 ●**かわらこじき**【河原(▵乞食)】昔、芝居の役者をけいべつして言ったことば。かわらもの。

**かわらけ**【(:土器)】素焼きの陶器。特に、皿状のさかずき。「—投げ」

↔***かわり**【代わり】①かわる〈こと/もの〉。かけがえ。「—の会場をさがす」②本人にかわる、別の〈こと/人〉。代理。「父の—として行く・—に見てきてくれた」③引きかえるもの。「昼食をぬく—(に)(=ぬくのと引きかえに)、夕食をたくさん食べる・日本語を教え、—に英語を習う」④ほかの方法。「昼食をぬく—に(=ぬかずに)、夕食をぬく」 ●**かわりばえ**【代わり映え】《名・自サ》☞変わり映え。 ●**かわりばんこ**【代わり番こ】〔「こ」は接尾語〕順番をかわりあってすること。かわるがわる。

●**かわりめ**【代わり目】☞替わり目。

↔**かわり**【変わり】①〈ふだんと〉変わること。変化。「—はないか・お—もなくお過ごしのことと存じます」②ほかの、ふつうのものとはちがうこと。「—織り・—ごはん」 ●**かわりだね**【変わり種】①変わった種類。「朝顔の—・—のチョコ」②ふつうの人とは経歴などのちがう人。「異業種から転身した—」 ●**かわりな・い**【変わりない】《形》変わる〈こと/ところ〉がない。同じだ。変わり〈が/は〉ない。「わざとでなくても、けがをさせたことに—・その後、お—ですか(=お元気ですか)」丁寧 変わりありません。 ●**かわりばえ**【変わり映え】《名・自サ》〔後ろに否定が来る〕①別のものにかわったためによくなること。「洋服を着がえても—が(し)ない」②〈別のもの/ふつう〉とちがう印象。「—の(し)ない(=変わったところのない)毎日」 表記 「映え」は「栄え」とも。 ●**かわりは・てる**【変わり果てる】《自下一》前のようすとすっかり変わってしまう。〔おもに、変死など悪く変わる場合に用いる〕「変わり果てたむすめの姿」 ●**かわりびな**【変わり(×雛)】その年の話題の人物や風俗を取りこんで作った、ひな人形。 ●**かわりみ**【変わり身】①《すもう》姿勢・からだの位置をとっさに変えること。「立ち合いの—」②情勢に応じてやり方を変えること。「—が早い」 ●**かわりめ**【変わり目】ある状態から別な状態へ変わるときのさかいめ。「季節の—」 ●**かわりもの**【変わり者】ことば・おこない・性質が、ふつうと変わっている人。奇人。変人。 ●**かわりゆ・く**【変わり(行く)】《自五》〈文〉だんだん変化する。「—時代」

↔**かわり**【替わり】入れかわること。交替する〈こと/人〉。「お手伝いの—が見つかる」 ●**かわりめ**【替わり目・代わり目】入れ替わるとき。「年度の—・お銚子の—(=酒をおかわりする時分)」

↔**かわ・る**【代わる】《自五》あるものが他のものの〈役目/代理〉をする。「父に代わって言う」可能 代われる。 ●**かわるがわる**【(代わる代わる)】《副》かわりあって順番に。かわりがわり。

↔****かわ・る**【変わる】《自五》①ちがった状態になる。移る。「住所が—・病状が—(=悪くなる)・変わらぬ愛情」②ふつうと ちがう。「変わったことを言う」③《すもう》変わり身になる。変化する。

↔かわ・る［換わる］《自五》①相手に わたしたものが、ちがう種類のものになって手もとに返る。「不用品がお金に―」②今までとは ちがった場所・部署に置かれる。「配置が―」

→かわ・る［替わる］《自他五》①いくつかあるうちの、別のものになる。また、もう一方のものになる。「メニューが―・夏物から冬物に―・夫と電話を―」②次の、新しいものになる。「年が―・校長が―・歯が はえ―」③たがいに、相手の位置・立場に移る。「役を―・入れ―」④場所を移る。「席を―」

かわん［下腕］《生》⇩前腕。〔もと、下膊〕(↕上腕)

かん［刊］〔文〕刊行。出版。「二〇一四年―」

かん［甘］〔文〕あまみ。「―、酸、苦」

かん［甲］〔邦楽で〕一オクターブ高いとされる音階。「―の声」(↕乙)

かん［×奸］〔文〕心のねじけた、わるもの。☞君側の奸。

かん［缶・カン］〔もと、オ kan に漢字をあてたもの〕①ブリキなどの金属で作った入れもの。「お茶の―・―ビール・―ペンケース」②かんづめ。「カニ―」③スチール製などの板。「―バッジ〔=スチール製などの丸い板に絵などをかいたバッジ〕」

かん［完］【一】かん 〔文〕①終わり。②完備。「冷暖房―・社保―」【二】【造】〔俗〕完全に…すること。「―無視」☞完コピ。

かん［肝］《医》肝臓。「―機能」

*かん［官］【一】かん〈国/おおやけ〉の仕事をする人。役人。「―と民・政―業の癒着・――接待〔=地方の役人が公費で官僚を接待すること〕」【二】【造】役人(の職名)。「行政―」

かん［冠］【一】かん 〔文〕①かんむり。②第一位。「…を―とす」☞冠たる。【二】【造】①かんむり。「月桂―」②〔スポーツ・試合などで〕タイトル。称号。「三―王」

かん［巻］【一】かん ①〔本などで〕順番に発行したものを区別して言うことば。「コミックスの次の―」②〔文〕書物。「―を措くあたわず〔⇩「一読②」の用例〕」【二】【接尾】まきもの・本・雑誌・フィルムなどを数えることば。〔雑誌では、一年ごとに「一巻」とまとめることが多い〕「上下二―・第四十二―第六号」●巻を重ねる【句】〔文〕〔同じ題目の本を〕第一巻から続けて出す。

←かん［×疳］神経質で興奮しやすい性質。〔おもに子どもについて言う〕「―が高ぶる」

→かん［(×癇)］腹を〈立てやすい性質/立てること〉。「―の強い人・―が起こる」●癇に障る【句】神経をいらいらさせることがあって、おこりたい気分になる。

かん［勘・カン］直感的に さとる、心の はたらき。第六感。「―がいい・勝負―」

かん［貫］【一】かん ①江戸時代の、お金の単位。一千文。金一両の四分の一。貫文。〔後世、九百六十文〕②〔尺貫法で〕質量・重量の単位。一千もんめ(匁)。三・七五キログラム。③武家の知行高。【二】〔カン〕【接尾】①にぎりずし・さしみを数えることば。「タイのにぎり一―」〔ふつう一個。二個の場合も〕〔一九九〇年代末に広まった用法。戦前からあったという〕②天ぷら・フライ・ロールキャベツなどを数えることば。

かん［寒］【一】かん ①小寒の始まりから大寒の終わりまでの間。「―の内・―修行」☞寒の入り・寒のもどり。②〔九州などの方言〕「寒【一】①」の間の さむさ。「今年は―が きつい」【二】【造】寒い時期の、脂の のった。〔さかなに言う〕「―ビラメ」☞寒ぶり。【三】【造】⇩羹②。

かん［棺］ひつぎ(柩)。「お―」●棺を覆って事定まる【句】〔文〕その人のねうちは、死んだあとで はじめて決まる。

かん［款］①〔予算書や決算書で〕項の上におく区分の呼び名。「第一―・―、項、目、節」②〔法令で〕目の上におく区分の呼び名。③親しみ。よしみ。●款を通じる【句】〔文〕①なかよくする。②敵に内通する。

**かん［間］①あいだ。「日米―・三か月―・その―にあって尽力する」②へだたり。距離。「指呼の―にのぞむ」③〔ある時間のなかの〕機会。「その―を利用して」④すきま。●☆☆間、髪を入れず【句】少しの間も置かず。すぐに。間髪を入れず。☞間一髪。

←**かん［感］【一】かん 感じ。気持ち。「意外の―に打たれる・いまだしの〔=まだまだ、という〕―がある」【二】【造】…している、…した、…がある、…だ、などの感じ。「連帯―・達成―・重量―・孤独―・お得―がある」☑二十世紀末から、いろいろな語句に自由について名詞をつくる。「透け―のあるサマーニット・キャベツの ぱりっと―・『塗った―』のない乳液・やってる―を出す」●感極まる【句】この上なく感動する(結果、泣いてしまう)。「感極まった表情」●感に堪えた【句】「感に堪えない」と同じ。「―ような表情」〔もと、「感に堪えない」が、誤って否定の形でなく使われたもの〕●感に堪えない【句】感動が大きくて たまらない。「この技術が人を救ったと思うと―・―ような言い方」

→かん［観］【一】かん 〔文〕そのように見えること。外見。ありさま。「別人の―がある」【二】【造】〔…に対する〕見方。考え方。「金銭―・人生―」

かん［漢］【一】かん ①《歴》中国の王朝の名。秦の次、三国の前。〔前二〇二～後二二〇〕②中国(語)。「―族・和―」

かん［管］【一】かん ①くだ。つつ。②パイプ。「ガス―・水道―」【二】【接尾】笛を数えることば。「一―の笛」【三】【造】①↑管区。「七―〔=第七管区海上保安本部〕」②↑管弦楽団。「パリ―」

かん［歓］〔文〕喜び。楽しみ。●歓を尽くす【句】じゅうぶんに楽しむ。

かん［×緘］〔文〕手紙の封。封じ目(に書く字)。

**かん［館］【一】かん 図書館・博物館など、館という名のつく役所や機関。「―の所蔵品〔=館蔵品〕」【二】【造】①(公共の)大きな建物。「図書―・三号―」②映画館・旅館などの名にそえることば。

かん［環］【一】かん ①まるい形をした、中が からになった輪。②⇩かん(鐶)。【二】【造】①かん- 取り囲む。「―太平洋」②↑環状線。「―七」

かん［簡］〔文〕手軽なこと。簡単。「―にすぎる・―にして〔=簡単で〕要を得た説明・―にして潔」

かん［韓］↑韓国。「訪―」

かん［艦］軍艦。「〔自分の乗っている〕―と運命をともにする・駆逐(くちく)—」
**かん**【(×鐶)】①〔金属で作った〕輪(わ)。②〔たんすなどの〕輪の形の取っ手。③輪の形のもの。
**かん**【(×燗)】《名・自他サ》酒をあたためること。あたたまりぐあい。「—をつける・—がぬるい」
**かん**《代》常に、「なん(何)」といっしょに用いる、ほとんどはっきりした意味を持たないことば。「なんだ—だ・なんでも—でも・なんとか—とか」
**かん**【閑】造〔文〕①特別の(決まった)仕事のないようす。ひまな。「—日月」②ひまな人のする。実生活と無関係な。「—事業」
**かん**【緩】造〔文〕ゆるやかな。「—斜面(しゃめん)」
**かん**【×柑】造 ミカン。「いよ(伊予)—・はっさく—」
**かん**【監】造 ①監督(かんとく)をする役目(の人)。「生徒—」②監房(かんぼう)。「未決—」
**かん**【(×羹)】造 ①ようかん。「うぐいす—」②寒天やゼラチンなどをまぜて、ゼリーのようにかためた菓子(かし)・料理。「泡雪(あわゆき)—・ミルク—・長いも—」表記 寒天の多いものは、「寒」とも。
**がん**【(×雁)・(×鴈)】秋に来るわたり鳥の一種。ガチョウに似て、頭にこぶがなく、茶色。列を作って、鳴きながらとぶ。かり。
*__がん__【(×癌)】①《医》表皮・粘膜(ねんまく)・腺(せん)組織にできる、悪性のはれもの。癌腫(がんしゅ)。「胃—」〔広義では肉腫や白血病をふくみ、悪性腫瘍(しゅよう)とも言う〕表記 新聞では、以前は「ガン」の表記も多かったが、今は「がん」が一般(いっぱん)的。医師は、広義の場合、漢字を使わず「がん」と書く。②〔俗〕全体をだめにする原因(となる人)。障害。「研究の—」
**がん**【願】神や仏にねがうこと。ねがい。「—をかける」
**がん**【丸】接尾 丸薬の名前にそえることば。「六神—〔=漢方薬の一つ〕」(↔散(さん))
**がん**【ガン】造〔↑がんがん〕〔俗〕はげしく、徹底(てってい)的であるようす。「—無視」☞ガン見(み)。
**がん**【岩】造 いわ。岩石。「火山—」
**がん**【岸】造 きし。海岸。「太平洋—・南—」
**がん**【眼】一造 目のはたらき。判断力。「審美(しんび)—・選球—」二**がん**〔俗〕目。視線。「〔落語家の〕—のくばり・—の光」●**ガンをつける**句〔俗〕①相手の顔や目をじろりとにらむ。ガンを飛ばす。ガンをたれる。〔不良仲間の用語〕②見当をつける。目をつける。
**ガン**〔gun〕①(小)銃(じゅう)。鉄砲(てっぽう)。「—マニア」②小銃の形をした道具。「スプレー—」
**かんあく**【×奸悪・×姦悪】《ナダ》〔文〕心がねじけて悪いようす。派 -さ。
**かんあけ**【寒明け】「寒一①」が明けること。
**がんあつ**【眼圧】《医》眼球内の圧力。緑内障は、高い眼圧に原因することが多い。「—検査」
**かんあつし**【感圧紙】〔商標名〕ボールペンなどで字を書いただけで、下の紙に複写ができる紙。
☆☆**かんあん**【勘案】《名・他サ》〔計画などをたてるのにいろいろなことを考え(あわせ)ること。
**かんい**【官位】①官職と位階。②官等。
**かんい**【敢為】〔文〕人がやらないことを積極的にやること。「—の精神」
**かんい**【簡易】《ナダ》①簡単で意味などがわかりやすいようす。②手続きがやさしいようす。③手がる。安直。「—住宅」派 -さ。●**かんいさいばんしょ**【簡易裁判所】《法》いちばん下級の裁判所で、簡単な事件を取りあつかうところ。簡裁。
**がんい**【含意】《名・他サ》表面にあらわれていない意味をふくんでいること。また、その意味。「宗教的な—がある」
☆☆**かんいっぱつ**【間一髪】〔=一本の髪(かみ)の毛しかはいらない、ほんの少しのすきま〕非常にきわどいこと。あぶないところ。「—の差」
**かんいん**【館員】図書館など、館と呼ばれるところの職員。
**かんいん**【×姦淫】《名・自他サ》〔文〕男女の不正な関係。
**かんう**【寒雨】〔文〕冬の(つめたい)雨。
**かんえい**【官営】〔古風〕政府が経営すること。国営。「—事業・—製糸工場」
**かんえい**【艦影】〔文〕軍艦の姿。
**かんえい**【完泳】《名・自サ》目標の〈地点まで/距離(きょり)を〉およぐこと。およぎきること。
**かんえき**【寒駅】〔文〕人家の少ない所にある、さびしい駅。
**かんえつ**【観閲】《名・他サ》《軍》自衛隊などを、総理大臣・上官などが儀礼(ぎれい)的に視察すること。「—式」☞観兵。
**かんえん**【肝炎】《医》ウイルス・輸血・中毒などによって起こる、肝臓(かんぞう)の炎症(えんしょう)。おうだん(黄疸)が出る。「C型—」
**がんえん**【岩塩】《鉱》塩湖が蒸発してできる、岩のように大きく結晶(けっしょう)した塩。「—層」
**かんおう**【観桜】〔文〕サクラの花を見物すること。「—会」
**かんおけ**【棺(×桶)】棺に使う〈おけ/木の箱〉。棺箱(かんばこ)。●**棺おけに片足を突っ込む**句 もう寿命(じゅみょう)がいくらもないようす。
**かんおち**【完落ち】《警察》〔俗〕容疑者が犯行をすべて白状すること。(↔半落ち)
**かんおん**【漢音】日本に伝わった漢字字音の一つ。中国唐(とう)代の長安付近での発音が奈良時代に伝わったもの。例、「人」を「じん」。〔呉音(ごおん)より新しい〕☞呉音・唐音。
**かんか**【干×戈】〔=たてとほこ〕〔文〕武器。「—にうったえる〔=戦いを始める〕」●**干戈を交える**句〔文〕戦争をする。
**かんか**【管下】〔文〕管轄(かんかつ)している〈範囲(はんい)/地域〉。「警視庁—・—の事件」
**かんか**【看過】《名・他サ》見のがすこと。「違犯(いはん)を—しない」
**かんか**【感化】《名・他サ》〔人の性質に〕いつの間にか影響(えいきょう)をあたえて変化させること。「—を受ける」
**かんか**【閑暇】《名・ナダ》〔文〕ひまな時間。「—を得る」
**かんが**【閑雅】《名・ナダ》〔文〕①風流なこと。みやびやか。上品。②しずかで、けしきに趣(おもむき)があるようす。派 -さ。
**がんか**【眼下】高い所から見た、下のほう。「—に見おろす」
**がんか**【眼科】目に関する、医学・診療(しんりょう)の一部門。「—医〔=目医者〕」〔眼科医院などの名前にも使う」

**がんか**【眼×窩】〘生〙目玉がはいっている穴。「―がくぼむ(=まゆと目との間がくぼんで見える)」

**がんか**【(×癌)化】〘名・自サ〙〔医〕〔ある症状が〕がんに変化すること。

**かんかい**【官界】〔文〕役人の社会。

**かんかい**【感懐】〔文〕感じた思い。

**かんかい**【環海】〔文〕①四方をめぐる海。②四方に海をめぐらすこと。「四面―」

**かんかい**【寛解・緩解】〘名・自他サ〙〔医〕〔白血病・統合失調症・がん(癌)などで〕治癒してはいないが、症状が軽減または消失すること。

**かんがい**【干害・×旱害】〔農作物などが〕ひでりのために受ける害。「―に見舞われる」

**かんがい**【寒害】〔農作物などが〕春さきの季節外れの寒さのために受ける害。

**かんがい**【感慨】しみじみと深く感じること。「故郷の変わりようは―に堪えない(=ひどく心をゆさぶられる)・努力が実って―もひとしおだ・―にふける」●**かんがいぶか・い**【感慨深い】〘形〙身にしみて、深く心に感じるようすだ。感慨ふかい。派―げ・―さ。●**かんがいむりょう**【感慨無量】〘ナダ〙(何も言えないくらいに)感慨がはかりきれないほどであるようす。感無量。

**かんがい**【館外】図書館などの外。「―禁帯出」

**かんがい**【(×灌×漑)】〘名・他サ〙〔農業のために〕水を通して、土地をうるおすこと。

**がんかい**【岩塊】〔文〕岩のかたまり。「―を登る」

**がんかい**【眼界】〔文〕①目に見える範囲。②考えのおよぶ範囲。「―がせまい」

**かんがえ【考え】(かんがへ) ①考えること。思考。②考えた結果としてまとまったもの。意見。思想。「―をのべる」③決意したこと。覚悟。「こちらにも―がある」④頭の中で考えていることがら。着想。想像。「いい―がうかぶ・―がおよばない」●**かんがえあわ・せる**【考え合わせる】(かんがへあはせる)〘他下一〙いろいろのものごとを、〈あわせてくらべて〉考える。「これらの点を―と」●**かんがえおよ・ぶ**【考え及ぶ】〘自五〙そこまで考える。●**かんがえごと**【考え(事)】①考えること。「―をする」②心配ごと。「何か―でもあるのか」●**かんがえこ・む**【考え込む】〘自五〙〔困って〕ふかく考える。「すっかり考え込んでしまった」●**かんがえつ・く**【考え(付く)】〘自五〙考えがうかぶ。「いいことを考えついた」●**かんがえなお・す**【考え直す】(―なほす)〘他五〙もう一度考える。「生き方を―・計画は―(=やめの〈もとの〉ように考える。〈別の〉意味にも)」●**かんがえぶか・い**【考え深い】〘形〙深く考えているようすだ。「考え深そうな表情」派―げ。●**かんがえもの**【考え(物)】(=よく考えなければならないこと)〔程度が過ぎたりして〕あまりいいとは考えられないこと。「気を使いすぎるのも―だ」

**かんが・える【考える】(かんがへる)〘他下一〙①筋道を立てて頭をはたらかせる。「問題を―・考えておこう〈ことわるつもりで言うことが多い〉」②頭に思いうかべる。「おいしいもののことを―」区別⇩思う①。可能考えられる。●**かんがえるあし**【考える×葦】からだの力は弱いが考える力を持っているもの。人間のたとえ。〔パスカルのことば〕

**かんかく**【間隔】二つのもののへだたり。あいだ。「―が空く・―を縮める」

*かんかく【感覚】〘名・他サ〙①形・色・音・におい・温度などをとらえる、からだや頭のはたらき(でとらえたもの)。「―がするどい・寒くて指の―がなくなる・冷たい・痛みを―する(=とらえる。文章語)・―器官」②思ったり考えたりするより前に、頭の中に自然に生まれるもの。「ふしぎな―におそわれる・時間の―がおかしくなる・恐怖の―」③微妙なところをとらえる、心のはたらき。センス。「芸術的な―がある」④そのように感じられること。感じ。「家にいる―でリラックスする・ゲーム―で学べる・新―の(=新しくめずらしい)スイーツ」●**かんかくてき**【感覚的】〘ナダ〙①感覚に関するようす。「―刺激」②〔論理的な判断を経ないで〕感じたままであるようす。「擬音語や擬態語は―な表現だ」

**かんがく**【官学】①〔古風〕官立(=国立)の学校。(↔私学)②政府が正統と認めた学問。例、江戸時代の朱子学。

**かんがく**【漢学】漢文の学問。「―者」(↔国学・洋学)

**がんかけ**【願掛け】〘名・自サ〙願をかけること。

**かんかつ**【管轄】〘名・他サ〙権限によって支配する〈こと〉範囲。「―区域」

**かんかつ**【寛×闊】〘ナダ〙〔文〕①ゆったりしているようす。ゆるやか。②〔気性が〕はでで。だて。

**かんがっき**【管楽器】しょう(笙)・笛・ラッパなどの楽器。吹奏楽器。(↔弦楽器・打楽器)

**かんが・みる**【鑑みる】〘自他上一〙〔文〕(判断するときに)そのことをふまえる。「内外の情勢〈に・を〉鑑みて決定する」「〈を―〉は新しい言い方」由来「鑑み」の動詞形「かがみる」から。「考えてみる」ではない。

**かんから**【缶から・カンカラ】〔俗〕あきかん。かんかん〔西日本などの方言〕。

**カンガルー**【kangaroo】オーストラリアにすむ、大形のけもの。めすは、腹にあるふくろに子どもを入れて育てる。尾とうしろあしで立つ。

**かんかん**〔古風・児〕①かみの毛。②かんざし。

**かんかん**【看貫】〘名・他サ〙〔文〕一かんかん はかりで重さを調べること。二かんかん【↑看貫ばかり(秤)】台ばかり。

**かんかん**【閑々】〘タル〙〔文〕のんびりしているようす。おちついているようす。「悠々―」

**かんかん**〘副〙①金属をたたいたり、かたいものがぶつかったりして出る、ひびく音。「―(と)鐘が鳴る」②日光が強く照りつけるようす。「日が―(に)照る」③火が勢いよくおこるようす。「炭が―おこっている」④はげしくおこるようす。「―になっておこる」●**かんかんでり**【かんかん照り】夏、太陽が強く照りつけること。「朝から―だ」●**かんかんぼう**【カンカン帽】むぎわらをかたく編んで作った、夏用の帽子。たけの低い円筒のまわりに、つばがついた形。カンカン帽子。〔もと、男性用〕

**カンカン**【フ cancan】十九世紀後半、フランスで流行したおどり。スカートをまくりあげ、足を高くあげておどる。フレンチカンカン。

**かんがん**【汗顔】〔文〕非常にはずかしくて、ひたいからあせが流れるように感じること。「―の至りです」

**かんがん**【×宦官】〔昔、中国などで〕後宮に仕えた、去勢された男。

**がんがん** ■一《副》①「かんかん①」より低く重い音。「鉄板を―たたく」②やかましいようす。「ステレオを―鳴らす」③勢いよく、さかんなようす。「―攻める・エアコンを―に〔=強力に〕効かせた部屋」■二《副・自サ》頭が割れそうに痛むようす。

☆☆**かんかんがくがく**〔×侃々×諤々〕《タト・タル》〔文〕〔正しいことを〕えんりょなしにどしどし言って議論すること。かんがく(侃諤)。「―の意見を戦わせる」☞喧々囂々。

**かんかんしき**【観艦式】《軍》国の元首が自国の軍艦を視察する儀式。

**かんき**【刊記】昔の書物の奥付。

**かんき**【官紀】〔文〕〔役人の〕綱紀。

**かんき**【官記】〔文〕任官した者にわたす辞令。

**かんき**【乾季・乾期】一年じゅうのうちで特に、雨の少ない〈季節/時期〉。(↔雨季)

**かんき**【勘気】〔文〕主人や親からの、とがめ。●**勘気をこうむる**㊗〔文〕勘当される。

**かんき**【寒気】①戸外の寒さ。(↔暑気)②《天》寒気団。「―が南下」☞さむけ(寒気)。●**かんきだん**【寒気団】《天》寒さを運んでくる大気。寒気。「シベリア―」

**かんき**【寒季・寒期】冬の、寒い〈季節/時期〉。

**かんき**【換気】《名・自サ》部屋の中の空気を外のきれいな空気と入れかえること。「―口・―扇」

**かんき**【歓喜】《名・自サ》気持ちの高まるような、喜び。「―の声」

**かんき**【喚起】《名・他サ》呼びおこすこと。「注意を―する」

**がんぎ**〔×雁木〕雪国で、ならんだ家ごとに長いひさしをつけて、アーケードのようにつらねた通路。

**かんぎく**【観菊】〔文〕展示された鉢植えのキクを見物すること。菊見。

**かんきつるい**〔×柑×橘類〕《植》ミカン・ダイダイの類。

**かんきゃく**【観客】見物人。「―席・無―試合」

**かんきゃく**【閑却】《名・他サ》〔文〕ほったらかすこと。

**かんきゅう**【官給】〔文〕政府が支給する〈こと/もの〉。「―品」

**かんきゅう**【管球】①ガラスの真空管。「―(式)アンプ」②管の形をした電灯。

**かんきゅう**【緩急】①ゆるいこととはやいこと。また、ゆっくりしておそいことと速いこと。「―自在」②〔「緩」に意味はない〕さしせまった状態。「いったん―の際は」

**かんきゅう**【感泣】《名・自サ》〔文〕感激してなみだを流すこと。

**がんきゅう**【眼球】《生》めだま。

**かんぎゅうじゅうとう**【汗牛充棟】〔=牛があせをかくほど重く、棟木までも届く量がある〕〔文〕家の中に本が非常に多いこと。

**かんきゅうちゅう**【肝吸虫】人の肝臓に寄生する小さな寄生虫。コイ・フナなどをなまで食べたときに感染する。肝(臓)ジストマ。

**かんきょ**【閑居】《名・自サ》〔文〕①しずかな住まい。②ひまでいること。「小人―して不善をなす〔⇩「小人」の㊗〕」

**かんきょ**【官許】《名・他サ》〔文〕政府が許可すること。公許。「出版を―する・―を得る」〔明治時代やそれ以前の話に言うことが多い〕

**かんきょう**【感興】〔文〕興味を感じること。おもしろみ。「―をそそる」

****かんきょう**【環境】①まわりをとりまく状況。「教育―・職場―」②人間をとりまく(自然)空間。自然環境。「―汚染・―保全」③そのものに影響をあたえる状態・条件。「〔コンピューターの〕動作―・腸内―」●**かんきょうアセスメント**【環境アセスメント】開発が自然や人間などにあたえる影響を事前に検討して、総合的に判断すること。●**かんきょうえいせい**【環境衛生】人間の生活環境を清潔にたもっていくこと。●**かんきょうしょう**【環境省】《法》環境の保全、公害の防止などの行政事務をあつかう中央官庁。〔もと環境庁〕●**かんきょうしょう**【環境相】〔文〕環境大臣。

**かんきょう**【艦橋】軍艦の、甲板上に高く設けられた指揮所。ブリッジ。

**かんぎょう**【官業】政府がおこなう事業。(↔民業)

**かんぎょう**【寒行】《仏》寒にはいってする修行。

**かんぎょう**【勧業】《名・自サ》〔文〕産業が発展するようにすすめること。「大阪―展」

**がんきょう**【眼鏡】〔文〕めがね。「〔店名で〕―堂」

**がんきょう**【頑強】《ナダ》①ひどくがんこなようす。「―に言いはる」②からだががっしりしてじょうぶなようす。派―さ。

**かんきょく**【寒極】《地》地球の上で、いちばん寒い所。シベリアと南極にある。

**かんきり**【缶切り】かんづめの ふたをあける道具。

**かんきん**【看△経】《仏》お経を黙読すること。(↔読経)

**かんきん**〔×桿菌〕《生》棒の形をした細菌。例、大腸菌・結核菌。(↔球菌)

**かんきん**【換金】《名・自他サ》〔売って〕お金にかえること。(↔換物)●**かんきんさくもつ**【換金作物】《農》おもに、穀物以外に、現金の収入を目的として作る作物。果実・野菜・切り花など。

**かんきん**【監禁】《名・他サ》ある場所に不法にとじこめて外に出さないこと。「一室に―する」

**がんきん**【元金】①《経》貸し借りした、もとのお金。「―均等返済」②《経》あずけ入れた、最初のお金。「―保証」▽(↔利子・利息)③商売などの元手とするお金。▽もときん。

**かんく**【寒九】寒にはいってから九日目。「―の雨は豊作のしるし」

**かんく**【管区】管轄する区域。「第一―」

**かんく**〔×艱苦〕〔文〕難儀と苦労。「―に耐える」

**がんぐ**【玩具】〔文〕おもちゃ。「―店」

**がんくつ**【岩窟】〔文〕いわや。いわあな。

**がんくび**〔(×雁)首〕①キセルの頭の部分。☞「キセル①」の絵。②〔俗〕首。「―をそろえる」

**かんぐる**【勘(繰る)】《自五》気をまわして悪く考える。邪推する。「変に―」名勘ぐり。

**かんぐん**【官軍】朝廷がわの軍勢。官兵。「勝てば―〔⇩「勝つ」の㊗〕」(↔賊軍)

**かんけい**〔×奸計・×姦計〕〔文〕わるだくみ。悪計。

**かんけい**【寛刑】〔文〕寛大な刑罰。「―嘆願」

(↕厳刑(げんけい))

**かんけい【関係】 [一] かんけい《名・自サ》①かかわること。つながること。「本題に—(が)ない話をする・生活と密接に—する問題・教育に長年—する」②つながり方。あいだがら。「精神と肉体の—・おじとおいの—に当たる」③理由。「ページ数の—で省略した」④性的なまじわり。「ほかの女と—する・—を持つ・—を結ぶ」[二] [造]…の方面。…の分野。「教育—の仕事・鉄道—にくわしい」●**かんけいしゃ**【関係者】あるものごとに関係のある人。「学校の—・—席」●**かんけいせい**【関係性】①どのように関係するかという性質。「人間と言語の—を探る」②関係。「相手との—を重視する」●**かんけいち**【関係値】①複数項目(こうもく)間の関係の深さを数値で表したもの。「—を算出する」②人間関係の深さ。「—が深い」●**かんけいづ・ける**【関係(付ける)】《他下一》関係をつける。関係させる。[名]関係づけ。

**かんけい**【簡×勁】《名・ナダ》〔文〕表現が簡潔で力強いこと。「—なことば」

**かんげい**【歓迎】《名・他サ》①喜んでむかえること。「温かい—を受ける・手荒(てあら)な—(=来訪者への攻撃(こうげき)など)・—光臨〔⇩「光臨」の用例〕」(↕歓送)②(問題なく)喜んで受け入れること。「初心者—・決定を—する」

**かんげいこ**【寒稽古】《名・自サ》寒中におこなうけいこ。

☆☆**かんげき**【間隙】〔文〕すき。すきま。「—(=すき)を突く・—(=すきま)をぬう」

**かんげき**【感激】《名・自サ》心に感じて〈ふるい立つ/興奮する〉こと。「—的な場面」

**かんげき**【観劇】《名・他サ》演劇の見物。「—会」

**かんげざい**【緩下剤】《医》ききめのゆるい下剤。通じをよくするために飲む。

**かんけつ**【間欠・間×歇】〔文〕決まった時間をおいて、やんだり起こったりすること。「—ワイパー・—熱〔例、マラリア〕」●**かんけつせん**【間欠泉】決まった時間をおいて高くふき出す温泉。上諏訪(かみすわ)温泉やアメリカのイエローストーン国立公園などにある。間欠温泉。

**かんけつ**【完結】《名・自他サ》〔一連のものが〕すっかり終わること。また、終えること。「三部作の—編」

**かんけつ**【簡潔】《ナダ》簡単で要点をとらえているようす。「—な文章」[派]-さ。

**かんげつ**【寒月】〔文〕冬のつめたい空に見える月。

**かんげつ**【観月】〔文〕楽しみのために月をながめること。月見。「—会・—列車」

**かんけり**【缶蹴り】かくれんぼの一種。鬼(おに)以外はどこかにかくれていて、鬼の守る あきかんをけとばそうとする。

**かんけん**【官権】政府・役人の権力・権限。

**かんけん**【官憲】〔文〕役所。役人。特に警察。「—の圧力・—の力を借りる」

☆☆**かんけん**【管見】〔管=くだから見るようにせまい〕〔文〕「自分の〈見聞/見解〉」の謙譲(けんじょう)語。「—〈では/によれば〉これが最初の例だ」

**かんげん**【甘言】〔文〕〔人に とりいるような〕うまいことば。「—につられる」

**かんげん**【管弦・管×絃】①管楽器と弦楽器。また、その演奏。②〔雅楽(ががく)で〕舞(まい)をふくまない合奏。(↕舞楽(ぶがく))●**かんげんがく**【管弦楽】《音》管楽器・弦楽器・打楽器からなる大合奏。オーケストラ。

**かんげん**【換言】《名・自他サ》〔文〕言いかえること。「—すれば」

**かんげん**【還元】《名・自他サ》①もとの状態に〈かえる/かえす〉こと。「白紙に—する・研究成果を社会に—する」②《理》酸化した物質から酸素が除かれること。(↕酸化)

**かんげん**【×諫言】《名・他サ》〔文〕〔おもに目上の人を〕いさめることば。忠言。「殿様(とのさま)への—」

**がんけん**【眼×瞼】《生》まぶた。「—下垂(かすい)」

**がんけん**【頑健】《名・ナダ》じょうぶで、むりをしても病気にならないようす。[派]-さ。

**がんげんせい**【〔×癌〕原性】《医》がんを発生させる作用があること。「—物質」

**かんこ**【歓呼】《名・自サ》〔文〕〔大ぜいが〕喜んで大きな声を出すこと。「—の声」

**かんこ**【喚呼】《名・他サ》鉄道員が、信号などを確認(かくにん)して声に出すこと。例、「出発〔=出発信号は〕、進行！」。

☆☆**かんご**【漢語】①漢字を音読みすることば。多くは、昔、中国からはいってきたことば。例、雨天・山脈・国会。(↕和語・外来語)②中国語。

**かんご**【閑語】《名・自サ》〔文〕むだばなし。「閑人(かんじん)—」〔題目などに使う〕

**かんご**【看護】《名・他サ》けが人や病人の手当て・せわをすること。看病。「—人」●☆☆**かんごし**【看護師】医師を補助し、病人やけが人を看護する資格を持った人。特に、〔准(じゅん)看護師に対して〕正看護師。ナース。〔二〇〇二年からのことば。☞看護婦〕●**かんごふ**【看護婦】〔古風〕女性の看護師の、もとの呼び名。〔男性は、もと看護士〕

**かんご**【監護】《名・他サ》監督(かんとく)・保護すること。「親には—の義務がある・—者」

**かんご**【観護】《名・他サ》《法》事件を起こした少年を少年鑑別(かんべつ)所などに確保して、家庭裁判所が調査すること。「—措置(そち)・—教官」

**がんこ**【頑固】《ナダ》①自分が こうだと思ったことを変えないようす。かたくな。「—一徹(いってつ)」②しつこくて、取り除けないようす。「—な水虫・—なよごれ」[派]-さ。

**かんこう**【官公】↑官公庁。「—職員・—労働者」●**かんこうじゅ**【官公需】官公庁からの需要・注文。●**かんこうしょ**【官公署】役所。官庁。●**かんこうちょう**【官公庁】官庁と公共団体の役所。●**かんこうろう**【官公労】官公庁の労働組合の総称(そうしょう)。〔もと、日本官公庁労働組合協議会〕

**かんこう**【慣行】〔その社会の〕習わしとしておこなわれていることがら。「国際—によれば」

**かんこう**【緩効】《農》〔肥料の〕効果が ゆっくりとあらわれ、長く持続すること。「—性肥料」

**かんこう**【完工】《名・自サ》工事を完了(かんりょう)すること。「—高(だか)」(↕起工)

**かんこう**【感光】《名・自サ》《理》光を受けて変化すること。●**かんこうし**【感光紙】写真の焼き付け・文書の複写などに使う紙。☞印画紙。

**かんこう**【緩行】《名・自サ》①自動車がゆっくり同じ速度で走ること。②列車が各駅に停車して進むこと。

鈍行〔俗〕。「―線」(↔急行)

かんこう【還幸】《名・自サ》〔文〕天皇のお帰り。還御。(↔行幸)

かんこう【刊行】《名・他サ》印刷して出版すること。「―物」

かんこう【勘考】《名・他サ》〔文〕あれこれと念入りに、考えること。

かんこう【敢行】《名・他サ》危険を覚悟して おこなうこと。「盗塁を―した」

*かんこう【観光】《名・他サ》旅行をして、名所やけしきを見物すること。「―客・―都市・―バス」 •かんこうちょう【観光庁】《法》日本を魅力的な観光地にして、海外から多くの人に来てもらうための事業をあつかう官庁。国土交通省の外局。 •かんこうビザ【観光ビザ】観光目的で入国する人に あたえられる査証。

かんこう【寛厚】《名・ナダ》〔文〕心が広く温厚なこと。「―な人がら」派-さ。

かんごう【巻号】雑誌の「巻」と「号」。「第三十六巻第七号」のように言うもの。「―一覧」

がんこう【眼孔】〔文〕①目玉のはいっている穴。②見識の範囲。「―がせまい」

がんこう【眼光】①目の光。「―するどい」②〔文〕ものの本質を見分ける力。 •眼光紙背に徹する句 内容を深く読みとる。

がんこう【×雁行】《名・自サ》〔文〕①ガンが とぶときの行列。②ななめにならんで ゆくこと。③ほとんど まさりおとりがないこと。「―する技術力」

がんこうしゅてい【眼高手低】〔文〕批評することばかりじょうずで、実際に作ると へたなこと。

かんこうばい【寒紅梅】ウメの変種。花びらは八重で紅色。寒中にさく。

かんこうへん【肝硬変】《医》肝臓の細胞がこわされ、その代わりに線維がふえて、しだいに肝臓がかたくなる病気。治りにくい。

☆☆かんこうれい【(×箝口)令・(×緘口)令】〔「箝口」は「けんこう」の慣用読み〕外部に発表することを禁じる命令。口どめ。「―を敷く」

かんごえ【寒声】寒中に発声の練習をすること。

かんごえ【寒肥】寒中にやる肥料。

*かんこく【韓国】「大韓民国」の通称。首都、ソウル。「―のり(=ごま油をぬった焼きのり)」☞朝鮮。

かんこく【勧告】《名・他サ》正式に、このようにしてはどうか、と言ってすすめること。「退職を―する」

かんごく【監獄】①「刑務所」の、明治〜大正時代の呼び名。②刑務所・拘置所などをまとめて言った、以前の呼び名。「―法」〔今は「刑事施設」と言う〕

かんこつ【×顴骨】〔「けんこつ」の慣用読み〕《生》ほおぼね。

☆☆かんこつだったい【換骨奪胎・換骨脱胎】《名・他サ》〔文〕①昔の作品〔詩や文など〕の内容を生かしながら、新しく作りかえること。パロディーは、その一種。由来 もと道教で、骨や身を変えて仙人になること。そこから、詩文の語句や表現方法を変えて新しくする意味になった。②⇩焼き直し②。「―にすぎない」

かんこどり【:閑古=鳥】かっこう(郭公)。由来「かんこ」は、「かっこう」と同じく鳴き声から。 •閑古鳥が鳴く句 極端にさびれる。店などが さっぱり はやらない。

かんコピ【完コピ】《名・他サ》(↑完全にコピー)〔俗〕そっくりに再現すること。「ビートルズの―」

かんごり【寒(×垢離)】寒中に水をあびて、心・からだを清めること。

☆☆かんこんそうさい【冠婚葬祭】成人式(=昔の元服)・婚礼・葬式および祖先の祭礼。人の一生の うちでの、だいじな儀式。

かんさ【感作】《名・自他サ》《医》その人が はじめてその物質に ふれたり、からだの中に入れたりしたとき、自覚しなくても過敏に反応する状態を作り出すこと。☞減感作。

☆☆かんさ【監査】《名・他サ》会社や団体の会計を監督し検査すること。「―役・会計―」

かんさ【鑑査】《名・他サ》芸術作品などをよく調べて、優劣・適否などの評価をすること。「出品作品を―する」

かんさい【関西】京都・大阪(を中心とした)地方。上方。(↔関東)☞近畿。

かんさい【簡裁】《法》↑簡易裁判所。

かんさい【完済】《名・他サ》借金をすっかり返すこと。

かんさい【完載】《名・他サ》〔文〕〔文章などを〕最後まですっかりのせること。

かんさい【艦載】《名・他サ》軍艦に物をのせること。「―機」

かんざい【寒剤】温度を低くするための混合剤。起寒剤。例、氷と食塩を混合したもの。

かんざい【管財】財産を管理すること。「―人・―部長」

がんさい【顔彩】《美術》日本画ふうの色合いの出る、水彩絵の具。

☆☆かんさいぼう【幹細胞】《生》特定の機能を持つ細胞に分化する能力をたもったまま、自己増殖を続ける特別な細胞。例、受精卵。

かんさく【×奸策・×姦策】〔文〕わるがしこい計略。「―をめぐらす」

かんさく【間作】《名・他サ》《農》次の作物がとれるまでのあいだに〈ほかの作物を栽培すること/栽培する作物〉。

がんさく【×贋作】《名・他サ》〔文〕本物に にせた、うその作品(を作ること)。「ゴッホの―」(↔真作)☞偽作。

かんざくら【寒桜】ヤマザクラの変種。せは低く、冬の寒いころにさく。花は うす赤。

かんざけ【(×燗)酒】かん(燗)をしてあたためた日本酒。(↔冷や酒)

かんざし【(×簪)】女性の髪にさすかざり。

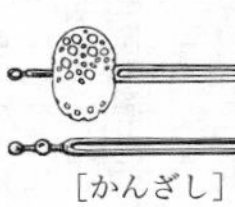

[かんざし]

かんさつ【鑑札】役所が発行する、許可証。

←かんさつ【監察】《名・他サ》〔文〕とりしまって調べる〈こと/人〉。とりしまり。 •かんさつい【監察医】《法》変死した人の死因を知るために、死体を調べる医師。

→*かんさつ[観察]《名・他サ》ありのままの状態を、注意深く見ること。「—眼」☞保護観察。

かんざまし[(×燗)冷まし] ひえた かんざけ。

かんざらし[寒(×晒し)] ①寒気にさらすこと。②白玉粉。

かんさん[甘酸]〔文〕①あまいことと すっぱいこと。②苦楽。「人生の—」

かんさん[換算]《名・他サ》別の単位で数え直すこと。かんざん。「メートル法に—する」

かんさん[閑散]《トタル・ダナ》①人が少なくて静かなようす。「—とした町筋・—な道路」②ひまなようす。「商売—・—期(↔繁忙期)」

かんし[干支] ⇩えと②。

かんし[冠詞]《言》〔西洋などの文法で〕名詞の前に置いて、数・性・格などをあらわす ことば。例、a, the, der, die など。

かんし[漢詩]〔漢字・漢語でつくる〕中国(ふう)の詩。唐歌。

かんし[×鉗子]《医》はさみの形をした外科の器具。ものをはさむときに使う。

←かんし[環視]《名・自サ》〔文〕まわりで見ていること。「衆人—の中で〔⇩「衆人」の用例〕」

↔かんし[看視]《名・他サ》〔まちがいが起こらないように〕気をつけて見る〈こと/役目〉。「—者」

→かんし[監視]《名・他サ》変わったことが起こらないか、きびしい目で見続ける〈こと/人〉。「敵の行動を—する・レーダーを—する・—員・—所」

かんし[×諌止]《名・他サ》〔文〕いさめて とめること。

かんし[関し]《に関しで格助》⇩関して。

←☆☆かんじ[幹事] ①政治団体・学会などの事務を、中心となってすすめる役目(の人)。「—長」②〔宴会や社内旅行などの〕世話人。

→かんじ[監事]《法》法人の業務の監督役(の人)。

**かんじ[感じ] ①目や耳、鼻、はだなど、からだの はたらきを通して、頭で とらえたもの。感覚。「手足の—がなくなる・からだが だるい—・ざらざらした—」②そのものから、心が受け取ったもの。印象。雰囲気。「古くさい—がする・—の悪い言い方」③本物らしさ。「冬に雪がなくては—が出ない・—を出す」④〔だいたいの〕様子。「ふだんの生活は こんな—だ」⑤発言をぼかして言うことば。「もう行く—ですか〔=行きますか〕」●かんじい・る[感じ入る]《自五》心の底まで感動する。●かんじと・る[感じ取る]《他五》目や耳などの感覚を通じて〈受け取る/わかる〉。「風に海の気配を—・批判的な意味を—」直感じ取れる《下一》。●かんじやす・い[感じ(△易い)]《形》ちょっとしたことにも〈すぐ感じる/きずつきやすい〉ようすだ。「—年ごろ」派—さ。

かんじ[漢字] もともと中国の文字で、いま日本でもかなとまぜて使っている文字。また、その一字一字。「和製—〔⇩国字②〕」

かんじ[完治]《名・自サ》《医》かんち。

かんじ[×莞×爾]《タトル》〔文〕にっこり笑うようす。

がんし[(×癌)死]《名・自サ》〔文〕がんで死ぬこと。

がんじがらめ[(×雁字×搦め)] ①〈ひも/なわ〉をたてよこに幾重にも巻きつけること。②いろいろな関係にしばりつけられて、ぜんぜん自由に動けないこと。▽がんじがらみ。

かんしき[乾式]〔工業などで〕液体や溶剤を使わないやり方。(↔湿式)

かんしき[鑑識] ①作品の価値、ほんものかどうかなどを見分けること。「—眼」②犯罪の様子や犯人を知るために、指紋・文字・血などを分析して調べること。「—課」

かんじき[(×檋)]〔雪の中に ふみこまないように〕はきものの下につける(輪の形をした)もの。

がんしき[眼識] ものごとのよしあしを見分けることのできる力。鑑識眼。「—のある人」

カンジダしょう[カンジダ症]〔ラ candida〕《医》口の中・膣・気管支などが、カンジダという かびに おかされて起こる病気。モニリア症。

がんじつ[元日] 一年の最初の日。一月一日。〔一九四九年からは国民の祝日の一つ〕

かんしつきゅう しつどけい[乾湿球湿度計]《理》二つの温度計のうち一方は水でぬらした布で包み、一方はそのまま気温をはかるもの。空気中の湿度をはかるのに使う。乾湿計。

かんじつげつ[閑日月]〔文〕①ひまな月日。「—を楽しむ」②ゆとりのある心。「英雄—あり、の心境だ」

かんして[関して]《に関してで格助》関係して。ついて。関し。「例の問題に—質問する」丁寧関しまして。

かんしゃ[甘×蔗] さとうきび。かんしょ。

かんしゃ[官舎] 公務員宿舎。公舎。

かんしゃ[感謝]《名・自他サ》ありがたいと〈思う/思って礼を言う〉こと。「ご親切〈に/を〉心から—します・偶然を神に—する」●感謝 感激 雨あられ句 非常に感謝するようす。〔日露戦争を歌った琵琶歌の一節、「乱射 乱撃 雨あられ」をもじったことば〕

**かんじゃ[患者] 病気に かかったり、けがをしたりして、治療を受ける人。

かんじゃ[間者]〔古風〕まわしもの。スパイ。

かんしゃく[(×癇×癪)] 怒りを一度にぶちまける性質。「—持ち」●かんしゃくを起こす句 腹を立てる。●かんしゃくだま[(×癇×癪)玉] ①火薬を紙に包んだ おもちゃ。地面に投げつけると大きな音を出して爆発する。②〔俗〕かんしゃく。「—が破裂する」

かんじゃく[閑寂]《名・ダナ》〔文〕物音が聞こえず、さびしいほど しずかなようす。「—を楽しむ・—の境地」派—さ。

かんしゅ[看守] 刑務所・拘置所に入れられた人を監督する役人。(役づきでない)刑務官。「—部長」

かんしゅ[管主]《仏》貫首。座主。「薬師寺の—」

かんしゅ[館主]〔文〕旅館や映画館など、館と呼ばれるところの〈主人/主任〉。

かんしゅ[艦首] 軍艦の へさき。(↔艦尾)

かんしゅ[艦種] 軍艦の種類。「—は不明」

←かんしゅ[看取]《名・他サ》〔文〕見てとること。見て知ること。「相手の意向を—する」

→かんしゅ[感取]《名・他サ》〔文〕感じとること。

かんじゅ[官需] 官(公)庁からの需要・注文。官公需。(↔民需)

かんじゅ[貫首・貫主]《仏》その宗の総本山の管

長、または大きな寺の住職をさすことば。貫長。かんす。

**かんじゅ**【甘受】《名・他サ》しかたがないと思って受け入れること。「非難を―する」

**がんしゅ**【(×癌)腫】《医》がんによってできる腫瘍。

**がんしゅ**【願主】神仏に願いごとをする当人。「社殿再建の―」

**かんしゅう**【慣習】社会の習わしとして固定しているやり方。「永年の―」 ●**かんしゅうほう**【慣習法】《法》法律で決まってはいないが、法律上効力のある慣習。

**かんしゅう**【観衆】見物している人々。見物人。

**かんしゅう**【監修】《名・他サ》①自分が責任を持つことにして、ほかの人に編集や著述をさせること。〔自分も編集・著述にかかわる場合もある〕 ②有名店の店主が、商品の味つけなどのアドバイスをすること。〔必ずしも店と同じ味とは限らない〕

**がんしゅう**【含羞】〔文〕(心の内にふくまれる)はじらい。はにかみ。「―をおびた目」

←**かんじゅく**【甘熟】《名・自サ》(「完熟」から) あまく熟(成)すること。「―バナナ・―酢」

→**かんじゅく**【完熟】《名・自サ》実やたねが完全に熟すこと。「―トマト」

**かんじゅく**【慣熟】《名・自サ》(専門技術などに)慣れて、簡単にできるようになること。習熟。「―飛行」

**かんじゅせい**【感受性】外のものごとにふれたときに、心が動かされて影響を受けやすい傾向。また、外のものごとをすなおに受け入れる、心のはたらき。「この子は―が強い・ゆたかな―」

←**かんしょ**【甘×蔗】(「かんしゃ」の慣用読み) さとうきび。「―糖」

→**かんしょ**【甘×藷】さつまいも。

**かんしょ**【官署】官庁。役所。「警察―・気象―」

**かんしょ**【寒暑】〔文〕さむさとあつさ。

**かんじょ**【寛×恕】《名・自他サ》〔文〕心が広くて思いやりがあること。また、あやまちなどをとがめずにゆるすこと。「ご―を乞う」

**かんじょ**【緩徐】《名・ナダ》〔文〕ゆるやかでしずかなようす。「―楽章(=ゆっくり演奏する楽章)」

**がんしょ**【×雁書】〔文〕手紙。かり(雁)の使い。

**がんしょ**【願書】学校などに願い出る内容を書きつけた書面。「入学―」

**かんしょう**【×奸商・×姦商】〔文〕悪い商人。

**かんしょう**【冠省】《手紙》〔文〕初めに書く、あいさつのことば。「前書きをはぶく」の意味。かんせい。〔終わりには「草々」「不一」などを使う〕

**かんしょう**【感傷】わずかなことですぐ感情が動かされること。特に、すぐにさびしくなったり泣きたくなったりする〈こと/状態〉。「―にひたる・―旅行」 ●**かんしょうてき**【感傷的】《ナダ》①感じやすくてなみだもろいようす。「―な人」 ②しんみりして〈悲しい/さびしい〉ようす。「―な音楽」

**かんしょう**【緩衝】衝突をやわらげる〈こと/もの〉。「大国の間の―地帯・―材(=荷物を包んだりして守るもの)」

**かんしょう**【環礁】《地》輪の形になったサンゴ礁。「ムルロア―・ビキニ―」

**かんしょう**【干渉】《名・自サ》①相手が自由にすればいいことに関して、さしずをすること。「親の―を受ける・過―(=干渉しすぎること)」(↔放任) ②《法》ある国が、ほかの国の政治に関してさしずをすること。「内政―」 ③《理》二つの波がかさなり、強めあったり弱めあったりする〈こと/現象〉。 ④あるものが別のものにぶつかって、うまくはたらかないこと。「フェンダーがタイヤに―する・パソコンのソフトどうしが―する」

**かんしょう**【完勝】《名・自サ》文句のつけようがないほどみごとに勝つこと。(↔完敗)

**かんしょう**【冠称】《名・自他サ》名前の上につける〈こと/ことば〉。例、「新編日本史辞典」の「新編」。

**かんしょう**【勧奨】《名・他サ》〔文〕こうしたほうがい、とすすめること。「退職―(=肩たたき)」

**かんしょう**【管掌】《名・他サ》①〔文〕事務をつかさどり、管理すること。「財務を―する」 ②《法》社会保険事業などを、国が管理経営すること。「政府―」

←**かんしょう**【観照】《名・他サ》〔文〕ものの本質を〔直観もまじえて〕見つめること。「自然を―する」

↔**かんしょう**【観賞】《名・他サ》美しいものを見て心を楽しませること。「花を―する」

→**かんしょう**【鑑賞】《名・他サ》芸術作品などの美しさを、自分なりに味わうこと。「詩を―する」

**かんしょう**【×癇症・×癇性・×疳性】《名・ナダ》〔文〕①感情が激しやすく、ちょっとしたことですぐおこる性質。②神経質で、異常に潔癖な性質。

**かんじょう**【冠状】〔文〕かんむりのようなかたち。 ●**かんじょうどうみゃく**【冠状動脈】《生》⇩かんどうみゃく(冠動脈)。

**かんじょう**【感状】《軍》てがらをほめて上官があたえる、書きつけ。

*__かんじょう__【感情】①ものごとに感じたことがきっかけとなって起こる、喜び・怒り・悲しみなどの気持ち。「―家(=すぐ感情をおもてにあらわす人)」 ②気分。「―を害する」 ●**かんじょういにゅう**【感情移入】《名・自サ》①対象に気持ちがはいりこむこと。②作品の中の登場人物になりきること。 ●**かんじょうてき**【感情的】《ナダ》冷静さを失って、感情に従って動くようす。(↔理性的) ●**かんじょうろうどう**【感情労働】自分の感情とは別に、むりに笑ったりしながら相手に応対することが必要になる業務。例、接客の仕事。 ●**かんじょうろん**【感情論】理性を忘れて、感情に走った議論。

**かんじょう**【管状】〔文〕管や筒のような形。「―組織」

**かんじょう**【環状】〔文〕輪のかたち。 ●**かんじょうせん**【環状線】①環状の〈道路/鉄道線路〉。②東京の「山手線」の、別の呼び名。〔大阪の「大阪環状線」は、正式の呼び名〕

**かんじょう**【艦上】(乗りこんでいる)軍艦の上。

**かんじょう**【完乗】《名・他サ》〔鉄道の〕全路線の列車に乗ること。「全線―(=乗りとげること)」

**かんじょう**【勘定】㊀《名・他サ》①お金の計算(をすること)。「金―・損得―・―奉行(⇩奉行)」 ②計算をして、代金をしはらうこと。また、しはらう代金。会計。「―をすませる・お―」 ③その要素も考えること。「世論を―に入れる」 ㊁《経》〔簿記で〕個々の勘定科目の呼び名。「現金―」 ●**かんじょうがき**【勘定書き〕請求する代金を書いた紙。•かんじょうかもく〔勘定科目〕帳簿で、現金・預金・前渡し金・立て替え金などに分かれた、それぞれの科目。•かんじょうずく〔勘定(▵尽く)〕(ーづく) かねずく。そろばんずく。•かんじょうだか・い〔勘定高い〕《形》お金の上の損得を、すぐ考える性質だ。そろばんだかい。派ーさ。

かんじょう〔勧▵請〕《名・他サ》神や仏の霊を別の場所に移してまつること。

がんしょう〔岩床〕《地》土台のように地中に広がった岩。

がんしょう〔岩(×漿)〕《地》⇩マグマ①。

がんしょう〔岩礁〕海中にかくれている岩。暗礁。

がんじょう〔頑丈〕(ナダ)〔からだや機械などの作りが〕じょうぶでこわれそうもないようす。派ーさ。

かんしょく〔官職〕①官僚の〈職業/職務〉。「ーにあること三十年」②国家公務員の官名(=事務官・技官・教官)と、担当する職名(=局長・課長など)。

↔かんしょく〔寒色〕見る人に寒い感じをあたえる色。青や青に近い色。冷色。(↔暖色)

↑かんしょく〔間色〕中間色。

かんしょく〔閑職〕ひまな職務。重要でない職。(↔激職)

かんしょく〔間食〕《名・自サ》食事と食事とのあいだにたべる〈こと/もの〉。あいだぐい。

かんしょく〔感触〕《名・自サ》①外界の刺激にふれて感じること。特に、手ざわり(の感じ)。「羊毛のやわらかいー・視線が冷たくーされる」②思いどおりになるかどうかという、見こみ。手ごたえ。「自分にもできるというーを持つ・好ーを得る・賛否のーをさぐる」

かんしょく〔完食〕《名・他サ》(量の多い料理を)ぜんぶ食べてしまうこと。「二人前ー」

がんしょく〔顔色〕〔文〕かおいろ。血色。「ーなからしめる(=すっかり圧倒する)」☞かおいろ(顔色)。•顔色なし 句 すっかり圧倒されて顔が青くなること。「さすがのプロもーである」•顔色を失う 句〔文〕あわてたり おそれたりして、顔が青くなる。「おどろいてー」

↑**かん・じる〔感じる〕一《自他上一》①目や耳、鼻、はだなど、からだのはたらきを通して、頭でとらえる。「〈まぶしいと/まぶしさを〉ー・痛みをー」②頭の中に、自然にその感覚を持つ。また、自然にそう思う。「不便をー・昔のことを恩義にー」二《自上一》きっかけがあって、心に何かが生まれる。「皮肉を言っても感じない・(社会情勢に)ーところがあって投書した」▽一二感ずる。可能 感じることができる。感じられる(自発の意味の場合が多い)。感じれる〔俗〕。

↑かん・じる〔観じる〕《他上一》①《仏》心に思いうかべて〈観察する/真理などを〉さとる。②〔文〕さとって、あきらめる。▽観ずる。

かんしん〔×奸臣・×姦臣〕〔文〕主君のためにならないことをする臣下。

かんしん〔感震〕〔文〕地震を感知すること。「ー器つきガス器具」

↑*かんしん〔関心〕そのことについて知ろう、自分もかかわってみようとする〈気持ち/こと〉。「一般のーが高まる・ーがない・ー事」

↔かんしん〔歓心〕〔文〕〔おだてられたり、ひいきされたりして〕喜ぶ心。「上司のーを買う(=うまく取り入って、気に入られる)・おせじで女性のーを得る・相手のーを求める」

↔かんしん〔寒心〕《名・自サ》〔文〕心配のあまり、ぞっとすること。「ーにたえない(=非常に心配だ)」

↑かんしん〔感心〕一《名・自サ》すばらしいと、ほめたい気持ちになること。「熱心なのにはーした・あまり長すぎるメールはーしない(=いいとは思えない。よくない)」二(ナダ)ほめたくなるほど、よくやっているようす。「ーな子ども・ーに泣かないわね」区別「感心」には相手を評価する気持ちがあり、目上には使わない。「感服」「敬服」は、すばらしさに おどろく気持ちがあり、目上に(も)使う。☞「ほめる」の区別

かんじん〔閑人〕〔文〕ひまで用のない人。ひまじん。

かんじん〔勧進〕《名・他サ》《仏》寺や仏像を作ったりするために、広く寄付をつのること。•かんじんずもう〔勧進相撲〕①何かの目的で一般から お金を集めるためにおこなうすもう。②料金を取っておこなうすもう。•かんじんちょう〔勧進帳〕①勧進のさいに持って歩く、その寺の縁起などを書きつけた帳面。②〔俗〕書いていないことを、もっともらしく読み上げること。由来 ②は、歌舞伎の「勧進帳」の一場面から。•かんじんもと〔勧進元〕①勧進ずもうの世話人。②ものごとを計画し、世話役を務める者。「文学賞のーの出版社」

かんじん〔肝心・肝腎〕《名・ナダ》(=肝と心、または肝臓と腎臓)それを〈欠く/おろそかにする〉と、全体がだめになる〈もの/ようす〉。肝要。「最初がーだ・ーなときにいないとは何事だ」•かんじんかなめ〔肝心要〕「肝心」を強めた言い方。「ーの本人が来ない」

かんしんせい〔完新世〕《地》地質時代の最も新しい時代。氷河期が終わった約一万年前から現代まで。もと、沖積世。☞更新世。

かんじんたいど〔寛仁大度〕〔文〕目下の者にやさしくしてとがめず、心が広いこと。

かんしんの‐またくぐり〔韓信の股(▵潜り)〕大志をもつ人が、自制して争いをさけること。由来 中国の前漢の武将、韓信が若いころ、侮辱されても争わず、相手の股をくぐったという故事から。

↑かんじんより「かんじん(×縒り)」⇩かんぜより。

かんす〔貫▵首・貫主〕《仏》⇩かんじゅ(貫首)。「興福寺のー」

↑かん・す〔冠す〕《他五》〔文〕⇩冠する。

かんすい〔(×梘水)・(×鹹水)〕中華そばを作るときに粉にまぜる、天然ソーダの水。

かんすい〔×鹹水〕①〔文〕海水。しおみず。「ー湖」(↔淡水)②⇩かんすい(梘水)。

☆☆かんすい〔冠水〕《名・自サ》〔大水などで〕水をかぶること。「畑がーする」

かんすい〔×灌水〕《名・自サ》〔文〕水をかけること。特に植物に水をやること。「根元にーする」

かんすい〔完遂〕《名・他サ》大きな事業を完全にやりとげること。「目的ー」

がんすい〔含水〕《理》水分をふくむこと。また、ふくまれている水分。「ー鉱物」

かんすう〔巻数〕書物の巻の数。「ー順に並べる」

かんすう〔関数・×函数〕《数》ある数(=y)がほかの

数〔＝$x$〕の変化にしたがって変化するとき、$x$に対する$y$の呼び名。「$y$は$x$の関数」と言う。

**かんすうじ**［漢数字］ 漢字の中で数(字)をあらわすもの。和数字。例、一・二・十・百など。(↕アラビア数字・ローマ数字)

**カンスト**《名・自サ》〔↑カウンター ストップ〕〔俗〕①〔ゲームで〕スコアの数値が上限に達して止まること。「レベル―」②最大になること。「かわいさが―してる」

****かん・する**［関する］《自サ》関係がある。かかわる。「水害に―〔＝関係のある〕報道」☞関して。

**かん・する**［冠する］《他サ》〔文〕①上にかぶせる。②名前のはじめにつける。「チーム名に創設者の名を―」▽冠す。

**かん・する**［×緘する・×箝する］《他サ》〔文〕封をする。〔口を〕とじる。「口を緘して語らない」

**かんせい**［官制］〔旧法で〕行政上の事務を受け持つ機関についての規定。

**かんせい**［官製］①政府の製造(品)。②政府の手で作りあげること。「―団体・―相場・―はがき〔現在は『通常はがき』〕」▽(↕私製)

**かんせい**［陥×穽］〔文〕おとしあな。わな。「思わぬ―にはまる・近代社会の―」

**かんせい**［乾性］乾燥〈する／しやすい〉性質。水分の少ない性質。(↕湿性) ●**かんせいゆ**［乾性油］空気中ではやくかわく植物油。(↕不乾性油)

←**かんせい**［喚声］さけびごえ。「―をあげる」

↔**かんせい**［×喊声］①ときの声。「―をあげて突撃する」②わあわあわめく声。

→**かんせい**［歓声］喜びの声。「―がわく」

☆☆**かんせい**［感性］刺激を受けて何かの感覚を引き起こす、心のはたらき。感受性。「ゆたかな―」(↕理性)

**かんせい**［慣性］《理》物体が、外部からの力の作用を受けないかぎり、もとの状態を変えない性質。●**かんせいゆうどう**［慣性誘導］ロケットやミサイルが、セットしてあるコンピューターによって軌道のずれを修正しながら目標に向かうこと。「―装置」

***かんせい**［完成］《名・自他サ》最後まで全部〈作る／仕上げる〉こと。「―を見る〔＝完成する〕」

**かんせい**［管制］《名・他サ》①〔国家が強制的に〕管理・制限すること。「灯火―」②航空機が安全に運航できるよう、各機に指示などをあたえること。また、その部署。航空(交通)管制。「―官」●**かんせいとう**［管制塔］飛行機に対して、飛行の許可、離陸・着陸の指示などをあたえる、空港の設備。(コントロール)タワー。

**かんせい**［監製］《名・他サ》〔文〕監督して製造させること。

**かんせい**［閑静］《ナダ》町の中で、あたりの物音が聞こえず、しずかなようす。「―な住宅街」派―さ。

☆☆**かんぜい**［関税］《法》貨物を輸入したり輸出したりするときに取り立てる税金。

**がんせいひろう**［眼精疲労］《医》目がつかれて頭痛を起こし、本などが長く読めなくなる状態。

**かんぜおんぼさつ**［観世音×菩×薩］《仏》⇩観音①。

**かんせき**［漢籍］漢文の書籍。(↕和書・洋書)

**がんせき**［岩石］いわ。いし。大きく、火成岩・堆積岩・変成岩に分ける。

**かんせつ**［乾雪］《天》水分が少なく、さらさらとした雪。パウダースノー。(↕湿雪)

**かんせつ**［間接］①あいだにある〈もの／人〉をへだてですること。「―肥料・―に相談する・―キス」②とおまわし。「―に言う」▽(↕直接) ●**かんせつしょうめい**［間接照明］天井・かべなどを照らし、反射光で部屋を明るくする照明。●**かんせつぜい**［間接税］《法》税金をおさめる人〔たとえば消費者〕と実際に負担する人〔たとえば製造者〕とが同じでない税。間税。例、消費税・酒税。(↕直接税) ●**かんせつせんきょ**［間接選挙］候補者の当選が、あらかじめ選挙でえらばれた何人かの選挙人の投票で決まるやり方。例、アメリカの大統領選挙。(↕直接選挙) ●**かんせつてき**［間接的］《ナダ》間接〈である／にする〉ようす。(↕直接的) ●**かんせつわほう**［間接話法］《言》人のことばを引用するとき、そのままの言い方ではなく、人称などを置きかえて のべる方法。(↕直接話法)

**かんせつ**［関節］《生》骨と骨とをつないで、動くときの曲がりかどとなる部分。「―炎」

**かんせつ**［冠雪］《名・自サ》雪がふりつもって、帽子をかぶったように白くなること。また、ふりつもった雪。「〔山の いただきの〕初―・―した山々」

**かんぜつ**［冠絶］《名・自サ》〔文〕とびはなれて すぐれていること。「世界に―する」

**がんぜな・い**［〔頑是ない〕］《形》幼くて〈ききわけがない／ものが よくわからない〉。「まだ―子ども」由来 頑是〔＝分別〕がない、の意味。

**かんぜより**［〔観世×縒り〕］和紙を細く切って よった、細い ひも。こより。〔なまって「かんじんより」〕

**かんせん**［汗腺］《生》皮膚にあって、あせを出す腺。

**かんせん**［官選］住民の投票によらず、政府が えらんで決めること。「―首長」(↕公選・民選)

**かんせん**［乾×癬］《医》からだの あちこちが赤くなり、白い かさぶたができる皮膚病。

**かんせん**［幹線］おもな道筋となる線。「鉄道の―・―道路」(↕支線・ローカル線)

**かんせん**［艦船］軍艦と一般の船。

**かんせん**［感染］《名・自サ》①病原体が からだの中にはいってくること。「ウイルスに―する・ヒトヒト―〔＝動物から人間にうつった病気が、さらに別の人間にうつること〕」②ほかのものの影響を受けて、それに〈染まる／かぶれる〉こと。「相手の不安に―する・過激思想に―する」③《情》コンピューターウイルスがパソコンなどにコピーされ、不正な動作ができる状態になること。●☆☆**かんせんしょう**［感染症］《医》感染によって起こる病気。人から人へ伝染するものが多い。法律上、危険性や影響の大きさなどにより段階をもうけて指定するものがある。もと法定伝染病として決められていたコレラ・赤痢なども、この中にふくまれる。

**かんせん**［観戦］《名・他サ》戦争・競技・勝負などの様子をみること。「―記」

**かんぜん**［間然］《名・他サ》●**間然する所がない** 句〔文〕批評をする余地がない。言うことがない。

****かんぜん**［完全］《ナダ》①少しも〈不十分な／そうでない〉ところがないようす。「―な人間などいない・よごれを―にふき取る」(↕不完全) ②まったく そうであるようす。まちがいないようす。「—な失敗作・あの声は—に課長だ・〔俗に『に』をつけず副詞的に〕—びびってるじゃないか」派—さ。●かんぜんこよう［完全雇用］《名・他サ》《経》働く意思のある人すべてが失業していない状態。●かんぜんじあい［完全試合］《野球》ひとりの投手が完投して相手に勝ったうえ、ランナーも出さず、ひとりの投手が完投して相手に勝った試合。パーフェクトゲーム。●かんぜんしつぎょうりつ［完全失業率］《経》完全失業者〔=働く能力と意志を持ち、求職活動をしても、就業できないでいる人〕の数を、労働力人口〔=十五歳以上の人口のうち、就業者（休業者をふくむ）と完全失業者の合計〕で割った率。●かんぜんねんしょう［完全燃焼］《名・自サ》①《理》酸素がじゅうぶんで、最後まで燃えること。②目的を達成するために、全力を使いはたすこと。▽（↔不完全燃焼）●かんぜんはんざい［完全犯罪］犯罪がおこなわれたという証拠をまったく残さない犯罪。●かんぜんむけつ［完全無欠］《名・ナダ》完全で、かけているところがないこと。派—さ。

**かんぜん**［敢然］《副》無理があっても、思いきって。「—と立ち向かう」

**がんぜん**［眼前］目のまえ。目前。

**かんぜんちょうあく**［勧善懲悪］善をすすめ、悪をこらすこと。勧懲。

**かんそ**［簡素］《名・ナダ》むだや よけいなものをはぶいたようす。質素。「—化」派—さ。

**がんそ**［元祖］①一家の おおもとになる先祖。②ものごとを始めた、おおもとの人・店など。「牛鍋屋の—」③おおもとに あたるもの。「田楽は、おでんの—だ」

**かんそう**［間奏］《音》①歌を休止している間の演奏。②歌劇のとちゅうで、気分をあらわすため、器楽だけで演奏する部分。「—曲」③幕間の演奏。

**かんそう**［感想］見聞きしたこと、体験したことなどについて、心に うかぶ感じ（をことばにしたもの）。「複雑な—を〈持つ／抱く〉・素朴な—をもらす・記者に—を求められる・参加してみたご—は？・—文」●かんそうせん［感想戦］《将棋・囲碁など》対局後に局面を再現し、検討しあうこと。

**かんそう**［観相］〔文〕人相を見ること。

**かんそう**［観想］〔文〕心をしずめて、深くものの本質を考え、ながめること。「人生—」

**かんそう**［完走］《名・自他サ》〔競走で〕終わりまで はしりぬくこと。「フルマラソンを—する」

**かんそう**［乾燥］《名・自他サ》かわくこと。かわかすこと。「—剤」☞無味乾燥。

**かんそう**［換装］《名・他サ》〔性能を高めるため〕装置や部品を取りかえること。「PCパーツの—」

**かんそう**［歓送］《名・他サ》喜び はげまして、出発をおくること。（↔歓迎）●かんそうげい［歓送迎］歓送と歓迎。「—会」

**かんぞう**㊀［（甘草）］ハギに似た草。秋にむらさき色の小さな花をつける。㊁［甘草］「甘草㊀」の根から作る漢方薬の名。黄色で、あまみがある。

**かんぞう**［肝臓］《生》肺の右下にある、大きな三角形の器官。たんぱく質を作り、グリコーゲンをたくわえ、アルコールなどを分解し、胆汁を出す。「—肥大」

**かんぞう**［館蔵］《名・自サ》〔文〕美術館・図書館などで所蔵していること。「—品の展示」

**がんそう**［顔相］その人の性格や運勢を知る目じるしとする、顔にあらわれた特徴。「—術」

**がんそう**［含×嗽］《名・自サ》〔文〕うがい。

**がんぞう**［×贋造］《名・他サ》〔文〕にせもの（をつくること）。偽造。「—紙幣」

**かんそく**［緩速］〔文〕ゆっくりした速度。「—走行」

**かんそく**［観測］《名・他サ》①〔自然現象の移り変わりや変化を〕観察・測定すること。「天体—・震度4を—した」②〔将来のことについて〕そうなるだろうという考え（をもつこと）。「希望的—」●かんそくききゅう［観測気球］①《天》気象を観測するための気球。②偵察用の気球。③世論や相手の反応を見るために、わざと流す情報や発言。アドバルーン。バロンデッセ（フ ballon d'essai）。「—を揚げる」

**かんそん**［寒村］さびしく貧しい むら。

**かんそんみんぴ**［官尊民卑］政府・役人をとうとび、人民をいやしめること。「—の風潮」

**カンタータ**〔イ cantata〕《音》独唱・重唱・合唱や、せりふのような歌い方などの組み合わせで できている、複雑な声楽の曲。交声曲。

**カンタービレ**〔イ cantabile〕《音》歌うように（美しく）。カンタビ（ー）レ。

**かんたい**［寒帯］《地》地球の北緯・南緯それぞれ六六・三三度から両極までの地帯。（↔熱帯）☞温帯。

**かんたい**［艦隊］《軍》軍艦二隻以上で編制した海上部隊。「連合—」

**かんたい**［歓待］《名・他サ》心をこめて もてなすこと。「—を受ける」

**かんだい**［寛大］《名・ナダ》心が広くて大きいこと。相手に対して思いやりがあること。「—な処置」派—さ。

**がんたい**［眼帯］《医》眼病の患者が目にあてる布。

**かんたいじ**［簡体字］中国で使われている、簡単にした字体の漢字。例、战（=戦）、机（=機）、习（=習）、义（=義）。☞繁体字。

**かん-たいへいよう**［環太平洋］太平洋を取りまくこと。「—諸国」

**かんだか**［甲高・×疳高］《ナダ》〔古風〕かんだかいようす。「—な声」●かんだか・い［甲高い・×疳高い］《形》声や音が高くて するどい。「—女の声・—金属音」派—さ。

**かんたく**［干拓］《名・他サ》湖や海の水を取り除いて耕地や宅地にすること。「—地」

**かんたまご**［寒卵］ニワトリが寒中にうんだ卵。

**かんたる**［冠たる］《連体》〔文〕いちばんすぐれている。「世界に—灘の酒」

**がんだれ**［（×雁垂れ）］漢字の部首の一つ。「原」「雁」などの、上から左がわにかけての「厂」の部分。

**かんたん**［肝胆］〔文〕心の中。●肝胆相照らす 句 心の奥底までわかりあう。●肝胆を砕く 句〔文〕心をくだく。「修行に—・説明に—」

**かんたん** ㊀かんたん［×邯×鄲］中国河北省の古都。㊁かんたん［（×邯×鄲）］うす緑色をした、小形で細長い虫。秋、すんだ美しい声で鳴く。●かんたんのゆめ［×邯×鄲の夢］〔文〕うきしずみが多い人の一生も、過ぎてみれば つかのまの夢のような はかないものだ、というたとえ。盧生の夢。一炊の夢。黄粱(一炊)の夢。【由来】出世を望んで都の邯鄲に来た盧生という若者が、ふしぎな枕を道士から借りてひと寝入りしたところ、栄枯盛衰の人生を夢に見たが、目がさめると注文した黄粱のかゆ(粥)がまだ炊き上がっていなかったという、中国の故事から。

**かんたん**[感嘆・感×歎]《名・自サ》すばらしいと、ため息が出る(ような気持ちになる)こと。「—の声を上げる・—これを久しゅうした(=感嘆がしばらく続いた)」 ●**かんたんし**[感嘆詞]《言》⇩感動詞。 ●**かんたんふ**[感嘆符]感嘆の気持ちをあらわすしるし。「!」や「!」。エクスクラメーション マーク。

**かんたん[簡単]【一】《ナダ》①(わかったり、したりするのに)手間がかからないようす。「—にできる・そう—な話ではない」②こみいっていないようす。「—な図面」(↔複雑)【派】-さ。【二】《数》(計算・説明などを)わかりやすくすること。「—のために $n$ は偶数とする」【表記】「簡短」とも書いた。 ●**かんたんふく**[簡単服]《服》女性が家庭で着る、夏向きの簡単なワンピース。アッパッパ。

**かんだん**[寒暖]さむさとあたたかさ。「—の差がはなはだしい」 ●**かんだんけい**[寒暖計]気温の高低をはかるための、温度計。

**かんだん**[間断]たえま。きれめ。「—なく(=ひっきりなしに)車が通る」

←**かんだん**[閑談]《名・自サ》〔文〕話を楽しむ目的で、のんびりと話をすること。

→**かんだん**[歓談]《名・自サ》うちとけて、ゆかいに話し合うこと。

**がんたん**[元旦]〔旦=朝。はじめ〕①元日の朝。元朝。「一年の計は—にあり(=その年の計画は元旦に立てるべきだ)」②元日。「—の夜」✎②は昔から例があり、漢字の意味とも合うが、今では違和感を持つ人もいる。

**かんち**[×奸知・×奸×智]〔文〕悪がしこい知恵。「—にたけた男」

**かんち**[寒地]〔文〕寒い土地。(↔暖地)

**かんち**[閑地]〔文〕①ものしずかな土地。②ひまな地位。職務のない身分。

**かんち**[完治]《名・自サ》《医》完全に治ること。かんじ。

←**かんち**[関知]《名・自サ》関係して知ること。あずかり知ること。「ぼくの—しないことだ」

→**かんち**[感知]《名・他サ》①心に感じてわかること。②機械が、刺激を受けとること。「火災—器」

**かんちがい**[勘違い]《名・自サ》①うっかりしていて、まちがえること。「自分が呼ばれたと—した」②自分ひとりだけで得意になること。「—野郎・—広告」〔俗に、形動でも使う。「—な人」〕▽思い違い。

☆☆**がんちく**[含蓄]《名・他サ》①ことばの、おもてにあらわれない意味。②意味が深く、味わいのあること。「—に富むことば・—のある表現」

**かんちゅう**[巻中]本や雑誌の中ほど。「—カラー(=カラーページ)」

**かんちゅう**[寒中]寒い時期。特に、寒の内。「—水泳大会」(↔暑中) ●**かんちゅうみまい**[寒中見舞い]寒い時期に、相手の様子をたずねる〈こと/たより〉。✎「寒中お見舞い申し上げます」などと書き始める。松の内の翌日(関東では一月八日、関西では十六日)から立春の前日までに出す。喪中の人など〈が/に〉年賀状の代わりに書くことが多い。

**かんちゅう**[閑中]〔文〕用事のないとき。ひまな間。 ●**閑中忙あり**【句】〔文〕ひまなようでも、たまにはいそがしい用がある。(↔忙中閑あり)

**がんちゅう**[眼中]〔文〕①目のなか。②関心・意識のうち。 ●**眼中にない**【句】問題にしない。かろんじる。

**かんちょう**[干潮]潮がいちばん引いた状態。(↔満潮)

**かんちょう**[完調]からだなどの調子が完全なこと。ベストコンディション。

**かんちょう**[官庁]《法》公務員で組織し、国家の政務を受け持つ機関。「中央—・地方—」

←**かんちょう**[貫長・貫頂]《仏》⇩かんじゅ(貫首)。

→**かんちょう**[管長]〔仏教・神道で〕一つの宗派を管理する、いちばん上の人。

**かんちょう**[間×諜]〔文〕スパイ。

**かんちょう**[館長]図書館など、館と呼ばれるところで働く人の、いちばん上の人。

**かんちょう**[観潮]〔文〕潮の満ち引きを見て楽しむこと。特に、うずしおを見物すること。「—船・鳴門—」

**かんちょう**[艦長]《軍》その軍艦で働く軍人の、いちばん上の人。

**かんちょう**[(×浣)腸・(×灌)腸]《名・自他サ》《医》肛門から直腸の中に、便通をよくするための薬などをそそぎ入れること。

**がんちょう**[元朝]〔文〕元日のあさ。元旦。

**かんつう**[×姦通]《名・自サ》〔文〕密通。特に旧法で、夫のある女性がほかの男性と通じること。「—罪」

**かんつう**[貫通]《名・自他サ》①(当たって)つきぬけること。「—銃創」②鉄道・道路が通ること。③トンネルが通りぬけられる状態になること。

**カンツォーネ**〔イ canzone=歌〕《音》イタリアの、民謡その他の歌謡。

**かんづく**[感(付く)・勘(付く)]《自五》はっと、気がつく。

**かんづくり**[寒造り]冬の寒さを利用してつくる清酒。

**かんつばき**[寒(×椿)]寒中にさくツバキ。

**かんづめ**【一】[缶詰]加工した食品を真空の状態でかんにつめて、かたく封をし、長く保存できるようにしたもの。【二】[缶詰め・カンヅメ]ある場所から外に〈出さないようにする/出られなくなる〉こと。「ホテルに—にして仕事をさせる・事故で電車内に—になる」

**カンテ**〔ド Kante=へり〕①岩壁の、つき出た所。②《スキー》ジャンプの踏み切り台。

☆☆**かんてい**[官邸]①総理大臣などが国の事務をとる建物。「首相—」(↔私邸)②総理大臣・官房長官などをさすことば。「—の意向」

**かんてい**[艦艇]大小各種の軍艦。〔艦は大型、艇は小型のもの〕

**かんてい**[鑑定]《名・他サ》ほんものかにせものかなどを見分けること。めきき。「刀剣の—・DNA—」 ●**かんていにん**[鑑定人]①鑑定をする人。②《法》裁判所から求められて、証拠などを鑑定する人。 ●**かんていりゅうち**[鑑定留置]《名・他サ》

《法》心身の状態を鑑定するために、被告人を病院などに留置すること。「—を終える」

**がんてい**【眼底】《生》眼球の そこ。目の そこ。「—出血(=眼底の網膜の出血。高血圧の しるしとされる)」 ●**眼底に残る** 句 〔目をつぶると〕その光景が はっきり浮かぶ。「—亡き父」

**かんていりゅう**【勘亭流】〔歌舞伎などの〕番付などを書くときの、筆太の書体。〔図は、「勧進帳」と書いてある〕

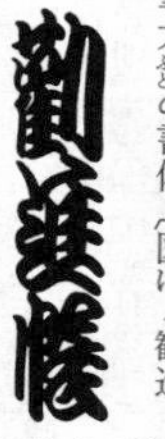

［かんていりゅう］

**かんてき**〔関西方言〕⇩しちりん(七輪)。

←**かんてつ**【完徹】《名・自サ》〔俗〕↑完全徹夜。

→**かんてつ**【貫徹】《名・自他サ》〈志/要求〉などをあくまで実現〈する/させる〉こと。「初志を—する」

**カンテラ**〔オ kandelaar〕ブリキ板などの筒の中で石油灯をともす、手にさげて持つ あかり。

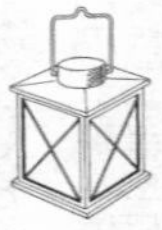

［カンテラ］

**カンデラ**〔candela=ろうそく〕《理》光度の単位〔記号 cd〕。一カンデラは、ほぼ、以前の一燭光〔=特定の ろうそく一本分の明るさ〕にあたる。

**かんてん**【干天・×旱天】〔文〕ひでり。 ●**かんてんのじう**【干天の慈雨】〔文〕ひでりつづきに降る、ありがたい雨。

**かんてん**【官展】↑官設〔=政府主催〕展覧会。

**かんてん**【寒天】①〔文〕冬の空。さむぞら。②テングサなどを煮たしるを凍らせて かわかしたもの。水でもどして火にかけたあと冷まして固め、食用にする。「—ゼリー」

*__かんてん__【観点】①ものごとを見る、一定の立場。見地。「—がちがう」②〔…〈する/の〉—から〕…〈する/の〉ために。「安全を確保する—から」

**かんでん**【乾田】《農》水はけのいい、すぐかわく田。(↕湿田)

**かんでん**【感電】《名・自サ》電流が肉体に通じて、ショックを受けること。「—死する」

**かんてんきち**【歓天喜地】〔文〕天地に向かって喜ぶこと。非常な喜び。

**かんでんち**【乾電池】《理》電解液を固体などにしみこませて液もれさせない構造にした、使い捨ての電池。懐中電灯などに使う。

**かんてんぼうき**【観天望気】空・雲・風の状態や生物の行動などから天気を予想すること。昔から伝わる、経験にもとづいてするものを言う。

**かんと**【官途】〔文〕役人の仕事・地位。「—に就く・—をしりぞく」

**かんど**【感度】①光・電波などに反応する程度。「カメラの—・—良好」②ものごとを感じ取る能力の程度。「—をみがく」▽「—が高い」

**がんと**《副》■一■**がんと** かたいものが、強く当たる音のようす。「—ぶつかる」■二■**がんと** 大きなショックをあたえるようす。「あの一言が—きた」

**かんとう**【官等】官職の等級。

**かんとう**【巻頭】〈まきもの/本〉のはじめ。「—論文」(↕巻末) ●**かんとうげん**【巻頭言】雑誌や本の、いちばん はじめにのせる、短い文章。

**かんとう**【×竿×燈】〔燈=灯の正字〕①八月三〜六日の夜、秋田市でおこなう七夕祭り。秋田竿燈まつり。②「竿燈①」に使う、たくさんの ちょうちんをつり下げた竹ざお。

**かんとう**【寒冬】〔文〕特別に寒さの きびしい冬。(↕暖冬)

**かんとう**【関東】①ⓐ(↑関東地方)茨城・栃木・群馬・埼玉・千葉・東京・神奈川の一都六県。「—甲信〔=関東に山梨・長野を加えた地方〕」ⓑ昔、畿内から東へ下る道にあった関所〔=鈴鹿・不破・愛発〕から先の諸国。また、箱根から東の諸国。▽①(↕関西)②〈鎌倉/江戸〉幕府。 ●**かんとうだき**【関東〈△煮き〉・関東炊き】〔関西方言〕おでん。関東煮。かんとだき。 ●**かんとうはっしゅう**【関東八州】箱根から東の八か国。相模・武蔵・安房・上総・下総・常陸・上野・下野を指す。関八州。 ●**かんとうま**【関東間】関東に多い たたみの大きさ。長辺が五尺八寸〔=約一七六センチ〕で、短辺は その半分。江戸間。☞京間。

**かんとう**【関頭】〔文〕分かれめとなる、大切な場面。やまば。「生死の—」

**かんとう**【完投】《名・自サ》《野球》ひとりの投手が一試合を投げとおすこと。「—勝ち」

**かんとう**【敢闘】《名・自サ》相手をおそれず積極的に戦うこと。「《すもうなど》—賞〔☞三賞〕・—精神」

**かんとう**【完登】《名・自他サ》①〔クライミングで〕上まで登りきること。「高難度ルートを—」②ある範囲の山をすべて登ること。「百名山—」

**かんどう**【完動】〔中古の機械で〕完全に動く〈こと/もの〉。「—品」

**かんどう**【間道】ぬけみち。「—づたいに にげる」(↕本道)

**かんどう**【感動】《名・自サ》ものごとに感じて、心を強く動かされること。感じ入ること。「深く—する・—的〔=感動させる〕場面・—の実話」 ●**かんどうし**【感動詞】《言》品詞の一つ。感動・応答などをあらわす ことば。間投詞。感嘆詞。例、ああ・おや・はい・いいえ。

**かんどう**【勘当】《名・他サ》〔=法に てらしあわせて罪を定めること〕悪いおこないをした人を、親子・師弟の縁を切って、追い出すこと。勘気。「—される」

**がんとう**【岩頭・×巌頭】〔文〕①切り立った大きな岩の〈上/先端〉。がけっぷち。②ぎりぎりのところ。「死の—に立つ」

**かんとうし**【間投詞】《言》⇩感動詞。

**かんどうみゃく**【冠動脈】《生》心臓の表面にあって、心臓を養う動脈。狭心症・心筋梗塞は、これの故障。冠状動脈。

**かんとく**【感得】《名・他サ》〔文〕〔深い道理などを〕感じ さとること。ぴんと来ること。「真理を—する」

*__かんとく__【監督】■一■《名・他サ》①上に立って見守りつつ、指示をあたえる〈こと/人〉。「—官庁」②見張ること。「試験—・荷物の—」■二■①《映画・演劇》演出者。②↑現場監督。③《スポーツ》チームをまとめ、指導する人。

**かんどく**【完読】《名・他サ》始めから終わりまで読みとおすこと。

**かんどころ**【勘〈所〉】①〔弦楽器で〕正しい高さの

音を出すために、指でおさえる、弦の部分。②大切なところ。「—をおさえる」

**がんとして**【頑として】《副》かたく自分の意見を主張して、人のことばを聞き入れないようす。「—ゆずらない」

**カントリー**【country】①国。②いなか。③〔音〕⇩カントリーミュージック。●**カントリー（アンド）ウエスタン**【country and Western】〔音〕⇩カントリーミュージック。●**カントリークラブ**【country club】ゴルフなどをして楽しむために、郊外に作ったクラブ。カンツリークラブ。CC。●**カントリーミュージック**【country music】〔音〕アメリカの南部および西部の民謡から発達した大衆音楽。カントリー（アンド）ウエスタン。カントリー。●**カントリーリスク**【〈和製〉country risk】外国に投資した資本が、〔戦争や内乱など〕相手国の状況の変化のために危険にさらされること。

**かんとん**【×嵌頓】《名・自サ》〔医〕腸など、内臓の一部分が、組織のすきまからとび出して、もとへもどらなくなること。「腸—」

**かんな**【〈×鉋〉】材木の表面をけずって平らにする道具。「—くず」

**カンナ**【canna】西洋草花の名。葉は非常に大きく、夏のさかりに、赤（黄）の花をひらく。

**かんない**【管内】管轄区域のうち。

**かんない**【館内】①図書館など、館と呼ばれる建物の中。②ホテル・デパートなど、大きな建物の中。「—放送」

**かんない**【艦内】〔文〕軍艦の内部。

**かんなづき**【神無月】〔文〕⇩かみなづき。

**かんなん**【×艱難】〔文〕たいへんな苦労。苦難。「—辛苦」●**艱難汝を玉にす** 句〔文〕苦労を重ねると人間がりっぱになる。

**がんにく**【眼肉】タイなどの、目のまわりの、やわらかい身。食用。

**かんにゅう**【観入】《名・自サ》〔文〕深く分け入って、ものの本質を見ること。「自然への—」

**かんにゅう**【貫入】《名・自他サ》①つきぬけて〈はいる／入れる〉こと。「—岩（＝マグマが地下の割れ目に貫入してできた岩）」②【貫乳】うわぐすりをぬった陶磁器の表面に出る、細かいひび。「—がはいる」

**かんにん**【堪忍】《名・自他サ》怒りをおさえて、相手をゆるすこと。勘弁。●**かんにんぶくろ**【堪忍袋】●**堪忍袋の緒が切れる** 句 がまんができなくなる。

**カンニング**【cunning＝ずるい】《名・自サ》〔学生が試験のときに、本やノートや他人の答案などを見たりする〕不正行為。

**かんぬき**【〈×閂〉】（←かんのき〈貫の木〉）①門や戸をしっかりしめるための横木。②〔すもう〕もろ差しになった相手の腕を、かかえこんで強くしめつけるわざ。「—にきめる」

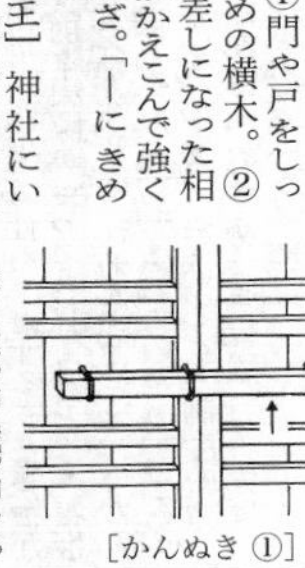

［かんぬき ①］

**かんぬし**【神主】神社にいて、神をまつる儀式をおこなう人（の長）。神職。神官。

**かんねい**【×奸×佞・×姦×佞】《名・ナダ》〔文〕心が曲がってわるぢえのある〈こと／人〉。「—邪知（＝わるぢえ）」

**かんねつし**【感熱紙】熱したところが黒くなる紙。プリンターやレジスターなどの機械で文字を印刷するのに使う。感熱記録紙。

**かんねん**【観念】㊀①形・色・音・においなど、感覚を通じて知覚したり、頭で想像したりするもの。「奇怪な—が頭にうかぶ」②世の中には こういうものがある、それは こういう性質のものだ、という考え。「経済—・時間の—のない人・子どもは純真だという—」☞概念。㊁《名・自他サ》あきらめ。覚悟。「—しろ」●**かんねんてき**【観念的】《ナダ》実際からはなれて頭の中だけで考えるようす。「—な内容」●**かんねんろん**【観念論】〔もと、哲学の用語〕頭だけで考えた、現実ばなれした理論。「それは単なる—だ」

**がんねん**【元年】①その年号の最初の年。「明治—」②新しいことの始まる年。「改革—・社会復帰—」

**かんのいり**【寒の入り】「寒㊁①」の期間にはいること。

**かんのう**【官能】①〔生〕感覚を起こす器官のはたらき。「—検査（＝舌や鼻、目などを使っておこなう検査）」②性的な感覚（を刺激すること）。「—的・—描写」

**かんのう**【間脳】〔生〕大脳と中脳とのあいだにある、脳の一部分。知覚の中心で、生命を維持するためのいろいろの器官が集まっている。

**かんのう**【感応】《名・自サ》①（心が ものごとに）感じてそれに応じるように動くこと。②信心が神や仏に通じること。

**かんのう**【完納】《名・他サ》〔おさめるべきものを〕全部おさめること。「税金の—」

**かんのう**【堪能】《ナダ》〔文〕⇩たんのう（堪能）㊁。

**かんのむし**【×疳の虫】①かん（疳）を起こすもとになる（と考えられた）虫。②かん（疳）。ひきつけ。

**かんのむし**【×癇の虫】かんしゃくを起こさせる（と考えられた）虫。「—が起きる」

**かんのもどり**【寒の戻り】春になってから、一時的に寒さがもどって来ること。寒もどり。

**かんのん**【観音】（←観世音）①慈悲深い徳があり、救いの求めに応じて姿をあらわすと言われる菩薩。観自在。観音菩薩。②〔古風・俗〕しらみ。▽「—さま」●**かんのんびらき**【観音開き】①〔観音の厨子のように〕まんなかから左右にひらく〈ひらき戸／こと〉。②〔料〕肉に切りこみを入れ、左右にひらくこと。

☆**かんば**【×悍馬】〔文〕性質の あらあらしい馬。

☆**かんぱ**【寒波】〔天〕冬に、気温が急に下がって はげしい寒さがやって来る現象。（↔熱波）

**かんぱ**【看破】《名・他サ》かくされた意図などを見破ること。

☆**カンパ**《名・自他サ》（←カンパニヤ（ロ kampaniya））資金の募集運動（に応じて お金を出すこと）。また、そのお金。「資金—」

**カンパーニュ**【フ campagne＝いなか】丸い形の大きなフランスパン。

**かんばい**【寒梅】寒中にさくウメ。

**かんばい**【観梅】〔文〕梅見。

**かんばい**【完売】《名・自他サ》売りつくすこと。売り切れ。「即日—」

かんぱい【完敗】《名・自サ》文句のつけようがないほど、完全に負けること。(↔完勝)

かんぱい【乾杯】《名・自サ》杯(さかずき)をさし上げて祝福しながら飲みほすこと。「―の音頭(おんど)をとる」

かんぱい【感×佩】《名・自サ》〔文〕深く心から感謝してわすれないこと。「養育の恩に―する」

かんばく【観×瀑】《名・他サ》〔文〕滝(たき)を見物すること。「―台」

かんぱく【関白】①昔、成人後の天皇をたすけて、政治をとった最高位の官職。②〔俗〕いばって、わがままをする人。「亭主(ていしゅ)―」

かんパケ【完パケ】〔俗〕①《テレビ》(↑完全パッケージ)編集をすべて終え、放送できる状態(の番組)。②(↑完全にはける)終演して、観客がすべて退場すること。

かんばしい【芳しい・×馨しい】《形》(↑かぐわしい)①〔多く否定の形で〕〔成績や評判が〕いい。りっぱだ。「売れ行きが芳しくない・―うわさを聞かない」②〔古風〕〔梅の花などの〕いいにおいがたちこめるようす。派―さ。

かんばしる【甲走る】《自五》声が高く、するどくひびく。「子どもの甲走った声」

カンバス〔canvas〕⇩キャンバス①〜③。

かんばせ【(△顔ばせ)】〔雅〕かお。かおばせ。「なんの―あって(=どの面(つら)下げて)・花の―(=花のように美しいかお)」

かんぱち【(間八)】海にすむ大形のさかな。形がブリに似る。頭を上から見ると、八の字の模様がある。

かんばつ【干(×魃)・(×旱×魃)】夏、雨が少なくて、農作物などに水が不足すること。ひでり。水がれ。

かんばつ【間伐】《名・他サ》林業などで、木がよく育つように、密生した樹木の一部を適当に切ること。すかしぎり。「―材」

かんぱつ【間髪】ほんのわずか(のすきま・時間)。間一髪(かんいっぱつ)。「―の差」●間髪を入れず句 ⇩間、髪(はつ)を入れず〔「間(かん)」の句〕。

かんぱつ【×煥発】《名・自サ》〔文〕光りかがやいてあらわれること。「才気―」

かん-はっしゅう【関八州】⇩関東八州。

カンパニー 造〔company〕会社。商会。コンパニー。

**がんばる【(頑張る)】《自他五》①一生懸命(けんめい)に努力する。「勉強を―」☞がんばれ。②考えを変えず、ずっと言い張る。「絶対売らないと―」③その場所や立場をずっと守る。「門番が入り口で―」名がんばり。

がんばれ【(頑張れ)・ガンバレ】《感》はげますときのことば。くじけるな。その調子で行け。がんばって。がんば〔俗〕。

心のこもったことばだが、言われると負担になると言う人もいる。「応援(おうえん)してるからね」などの言い方もできる。スポーツではその人の名前をさけぶのもいい。阪神(はんしん)・淡路(あわじ)大震災(しんさい)の際に「がんばろう」と呼びかける形が広く使われた。☞しっかり 二。

かんばん【看板】①店の名前や広告などを大きな板に書き、商店の店先や人の目につく所などに出すもの。「―をかかげる・―を出す・―を下ろす」②商売などの活動や、そこから生まれる信用・伝統。「―を背負う・―を守る」☞のれん②。③特長として〔宣伝する〕人に示す〕もの。「―商品(=目玉商品)・―教授・―番組・安さを―にする・―にいつわりはない」④紋所(もんどころ)や家号(やごう)をつけたはっぴ。「紺(こん)―」⑤〔「看板①」をしまって〕その日の営業を終えること。「―になる・もう―です」⑥おもてむきの名目。「商事会社を―にする」●看板が泣く句 建て前と実際がまったくちがうこと。●看板を下ろす句 営業をやめる。のれんを下ろす。

かんばんだおれ【看板倒れ】ふれこみはりっぱだが、実際は〔そうでない〕そのようにしない〕こと。「制度改革が―になる」●かんばんむすめ【看板娘】店先に出して客を引きつける、美人のむすめ。

かんぱん【甲板】船の上のほうの、広くて平らな部分。デッキ。こうはん。

かんぱん【肝斑】〔医〕多くおとなの女性の顔の、左右同じところにできる茶色のしみ。

かんぱん【乾板】写真感光板の一つ。ガラスに感光乳剤(にゅうざい)を塗(ぬ)ったもの。

かんパン【乾パン】長方形で、ひとくち大のかたいパン。水分が少ないため、保存食・登山の食料などに使う。

←がんばん【岩板】《地》⇩プレート⑤。

→がんばん【岩盤】①地面の下で土台のように広がった、ひと続きの大きな岩。②つきくずすのが非常に難しいものごと。「規制の―・―支持層」●がんばんよく【岩盤浴】温めた岩の上に横たわって、サウナのような効果を得ること。

かんび【艦尾】軍艦のうしろの部分。(↔艦首)

かんび【完備】《名・自他サ》必要なものはすべてそなわっていること。(↔不備)

かんび【甘美】《ナダ》①舌がとろけるようにおいしいようす。②心がとろけるように気持ちがいいようす。「―なくだもの・―な音楽」派―さ。

かんぴ【官費】①政府から支出する費用。②〔俗〕その人個人の負担でない費用。

がんぴ【(×雁皮)】林にはえる落葉樹。樹皮は和紙の原料。●がんぴし【(×雁皮)紙】ガンピの皮の繊維(せんい)で作った、うすくてつやのある上等の紙。謄写版(とうしゃばん)の原紙に使う。

かんぴしょう【乾皮症】〔医〕皮膚(ひふ)がかわいて、がさがさになる病気。子どもと高齢(こうれい)者に多い。

かんびょう【看病】《名・他サ》病人の介抱(かいほう)をすること。看護。

かんぴょう【(干×瓢)】ユウガオの実を細長くひものようにむいてほしたもの。食用。

かんぴょう【鑑評】〔酒の〕鑑定・品定めをすること。ききざけ。「新酒―会」

がんびょう【眼病】目の(慢性(まんせい)的な)病気。眼疾(がんしつ)。

かんぴょうき【間氷期】《地》氷河時代のうち、氷期と氷期の間の、比較(ひかく)的温暖な時期。(↔氷期)

かんぶ【官武】〔文〕文官と武官。「―一途(いっと)(=官武が心を合わせること)」

☆☆かんぶ【患部】〔医〕病気・症状(しょうじょう)のある部分。

☆☆かんぶ【幹部】①〔団体・会社などで〕仕事の上で主になる人。「―候補生」②〔軍〕自衛隊の、士官。三尉(さんい)以上。(↔士・曹(そう))

かんぶ【監部】造 防衛大臣の下にある機関。☞幕僚(ばくりょう)監部。

かんぷ【完膚】〔文〕きずのない皮膚(ひふ)。●完膚なきまでに句 徹底(てってい)的に。「―たたく・―追及(ついきゅう)した」

☆☆かんぷ【還付】《名・他サ》《法》国などが、納めすぎたお金などを元の持ち主に返すこと。「〔税金の〕—金」

**カンファレンス**〔conference〕①〔専門的な〕会議。コンファレンス。「—ルーム」②《医》〔大病院で〕医師や看護師が集まり、患者の治療について検討する会議。症例検討会。カンファランス。カンファ。「術前—」③《アメリカンフットボールなど》ひとつのリーグを構成する小リーグ。「アメリカン—」

**かんぷう**【寒風】ひどく寒く感じる風。さむかぜ。「—がふきすさぶ」

**カンフー**【〈:功夫〉】〔中国語〕〔香港製の映画の中で見られる〕中国空手。中国拳法。クンフー。

**かんぷう**【完封】《名・他サ》①活動する余地をまったくうばうこと。「相手の わざを—する」②《野球》投手が完投して、相手チームに一点も あたえないこと。シャットアウト。「—勝ち」③完全に封入〈すること/したもの〉。「—箸」

**かんぷく**【官服】国の費用でつくって公務員にあたえる制服。(↔私服)

**かんぷく**【感服】《名・自サ》すぐれた おこないや態度に感嘆して、かしこまること。「—の至り」 区別 ⇩感心。

**がんぷく**【眼福】〔文〕すぐれた物を見るたのしみ。「—を得る」

←**かんふぜん**【肝不全】《医》肝臓の はたらきがひどく低下した状態。肝硬変や肝臓がんによるものなどがある。

→**かんふぜん**【冠不全】《医》冠(状)動脈の硬化などによって、心臓に必要な酸素が じゅうぶんに供給できない状態。狭心症や心筋梗塞などの原因となる。

**かんぶつ**【×奸物・×姦物】〔文〕心のまがった人。

**かんぶつ**【乾物】乾燥した食品。例、かんぴょう・ほした豆・こんぶ・ほしざかな など。

**かんぶつ**【換物】《名・自サ》〔文〕お金を貯金などにしないで、土地や株などに かえること。(↔換金)

**がんぶつ**【×贋物】〔文〕にせもの。まがいもの。

**かんぶつえ**【×灌仏会】《仏》釈迦の誕生日〔=四月八日〕に、その像に甘茶をかける行事。花祭り。

**かんぷまさつ**【乾布摩擦】かわいたタオルなどで皮膚をこする健康法。(↔冷水摩擦)

**かんぶり**【寒〈×鰤〉】寒い時期にとれる、脂の のったブリ。「氷見の—」

**カンフル**〔オ kamfer〕①精製された、しょうのう液。かつて強心剤として使われた。②↑カンフル注射。「起死回生の—」●**カンフルちゅうしゃ**【カンフル注射】①《医》カンフルの注射。かつて心不全に対しておこなわれた。②だめになりかけた ものごとに対してする、ききめのある手段。カンフル剤。▽カンフル。

**かんぶん**【漢文】中国固有の文章(に ならって作った文章)。☞古典③。

**かんぷん**【感奮】《名・自サ》〔文〕心に感じて ふるいたつこと。「—興起する」

**カンペ**〔↑カンニング ペーパー〕〔俗〕〔テレビの収録や映画の撮影で〕〔出演者を助けるために〕画面に映らないところにしめす せりふや指示。

**かんぺい**【観兵】《名・自サ》《軍》国家元首などが、軍隊を視察すること。閲兵。「—式〔=軍事パレード〕」☞観閲。

**かんぺき**【×癇癖】かんしゃくを起こしやすい性質。「—が強い」

**かんぺき**【完璧】《名・ナダ》〔=きずのない円形の玉〕①欠点が少しもないこと。完全無欠。「—な演奏・—を期す」②〔俗〕まったく そうであるようす。完全。「—によっぱらう・—なミス・〔『に』をつけず副詞的に〕もう—覚えた」 表記 俗に、「カンペキ」とも。 派 -さ。

←**がんぺき**【岩壁】かべの ように切りたった岩。

→**がんぺき**【岸壁】船を横づけに することが できるほど水深の ある、波止場。バース。

**かんべつ**【鑑別】《名・他サ》〔特殊な技能によって〕見分けること。めきき。「—師」●**かんべつしょ**【鑑別所】《法》↑少年鑑別所。

**かんべん**【勘弁】㊀《名・自他サ》①〔事情を考えて〕あやまちなどを ゆるすこと。「どうかご—を・もう—ならぬ」②免除すること。「残業を—してもらう・きょうは—してくれ〔=さそいを ことわるときのことば〕」㊁《名・自サ》〔**—して(ください)**など〕とどめること。「これ以上のミスは もう—してくれ・〔ほめられすぎて〕照れくさいので もう—してください」

**かんべん**【簡便】《名・ナダ》手軽で便利なこと。派 -さ。

**かんぺん**【官辺】〔文〕役所方面。政府関係。「—筋」

**かんペン**【缶ペン・カンペン】〔↑缶ペンケース〕〔俗〕金属製の うすい筆箱。

**かんぽ**【完歩】《名・他サ》目標まで歩きぬくこと。「百キロを—する」

**かんぼ**【完母】↑完全母乳。「—で育てる」

**かんぼう**【×奸謀・×姦謀】〔文〕悪だくみ。奸計。奸策。「—をめぐらす」

**かんぼう**【官房】《法》大臣・長官のすぐ下で事務をとる補助機関。「内閣大臣—・—長」●**かんぼうちょうかん**【官房長官】内閣官房長官。

☆☆**かんぼう**【感冒】《医》①普通感冒。かぜ〔風邪〕のこと。「総合—薬」。②流行性感冒。インフルエンザ。

**かんぼう**【監房】刑務所で、服役している人を入れておく部屋。

**かんぼう**【観望】《名・他サ》〔文〕①広く遠くまで ながめること。「天体を—する」②事のなりゆきをうかがうこと。「形勢を—する」

**かんぽう**【官報】一般国民に広く知らせるために、毎日発行される、政府の公告文書。

**かんぽう**【漢方】中国伝来の医術。「—医」●**かんぽうやく**【漢方薬】漢方で医療に使う くすり。草の根、動物の内臓・骨などをかわかして使う。

**かんぽう**【艦砲】《軍》軍艦にそなえつけてある大砲。「—射撃」

**がんぼう**【顔貌】〔文〕顔のようす。

**がんぼう**【願望】《名・他サ》そう あってほしい、そうなって くれれば いい、と思うこと。願い。がんもう〔古風〕。「強い—をいだく」

**かんぼく**【×灌木】《植》「低木」の、もとの呼び名。(↔喬木)

**カンボジア**〔Cambodia〕インドシナ半島の南部にある王国。アンコールワットなどの遺跡がある。首都、プノンペン(Phnompenh)。

**かんぼつ**［陥没］《名・自サ》〔地面などが〕落ちこんで、くぼみができること。「道路が―した・頭蓋骨―」

**がんほどき**［願△解き］《名・自サ》神や仏などにかけた願いがかなったとき、そのお礼まいりをすること。

**かんぽん**［刊本］①印刷・出版された本。②近世に版木や活字を使って印刷された本。版本。▽（↔写本）

**かんぽん**［完本］①全集などで、一冊も欠けないで全部そろっている本。（↔欠本・端本）②造本上・内容上、欠点のない本。

☆☆**がんぽん**［元本］①もとになるお金。②《法》利益や収入のもととなる〈物件／権利〉。●**がんぽんわれ**［元本割れ］《経》投資したものの価値が、元本の金額より下がること。

**カンマ**〔comma〕⇩コンマ①。

**ガンマ**［Γ・γ］〔gamma〕ギリシャ文字の三番目の字。ガンマー。●**ガンマグロブリン**［(γ)グロブリン］〔gamma globulin〕《生》血液にふくまれる、免疫グロブリンの一種。●**ガンマジーティー**［γ-GT］〔←γ-glutamyl transpeptidase〕《医》肝臓などにある酵素。アルコールを飲みすぎたり、肝臓が悪くなったりすると、血液中に多く出てくる。γ-GTP。●**ガンマせん**［(γ)線］《理》放射線の一つ。放射性物質から出る、波長のごく短い電磁波。物質の中をよく通り、さえぎるためには厚いなまりの板などが必要。医療などに使われる一方、人体に悪い影響がある。☞α線・β線。

**かんまいり**［寒参り］《名・自サ》寒の間、毎晩、神仏におまいりする〈こと／人〉。

**かんまつ**［巻末］〈まきもの／本〉の終わり。巻尾。（↔巻頭）

**かんまん**［干満］潮の〈みちひ／さしひき〉。

**かんまん**［緩慢］《ナダ》①のろのろしているようす。「動作―」②手ぬるいようす。「―な処置」派-さ。

**ガンマン**〔gunman〕〔アメリカの西部で〕拳銃一つで世をわたった無宿男。

**かんみ**［甘味］あまい味(の食べ物・飲み物)。あまみ。「―品(=菓子・ジュースなど)」●**かんみどころ**［甘味△処］あんみつやかき氷など、日本ふうの菓子を食べさせる店。甘味屋。あまみどころ。●**かんみりょう**［甘味料］食品にあまい味をつけるための調味料。例、砂糖・サッカリン。

**がんみ**［ガン見］《名・他サ》〔俗〕じっと見つめること。凝視。「店員さんに―された」（↔チラ見）

**がんみ**［玩味・×翫味］《名・他サ》〔文〕①かみわけて味わうこと。②意味や内容をよく考え、味わうこと。「熟読―」

**かんみん**［官民］官庁がわと民間。「―一体」

**かんみんぞく**［漢民族］中国古来の民族。中国の人口の大部分をしめる。漢族。

**かんむり**［冠］①広く、頭にかぶるものをさすことば。「王さまの―・花―」②〈束帯／衣冠〉のときに使うかぶりもの。③漢字の、上のほうを形づくっている部分。例、雨かんむり(=⻗)・ワかんむり(=冖)。（↔脚）④スポーツ大会やテレビ番組などの名前に、スポンサー名・商品名・タレント名などがかぶせられていること。また、その名。「―大会・―番組」●**冠を曲げる**句 きげんを悪くする。☞おかんむり。

**かんむりょう**［感無量］《ナダ》感慨無量。

**かんめ**［貫目］①(貫ではかった)重さ(=目方)。「一―」②貫禄。「―が足りない」

**かんめい**［官名］官職の名前。

**かんめい**［漢名］昔の中国での呼び名。〔植物について言うことが多い〕「アオギリ(青桐)の―は梧桐である」☞和名②。

**かんめい**［感銘・肝銘］《名・自サ》忘れられない強い印象(を受けること)。「―を受ける」

**かんめい**［簡明］《ナダ》簡単ではっきりしているようす。「―直截・―な説明」派-さ。

**がんめい**［頑迷］《ナダ》がんこで道理がわからないようす。わからず屋。派-さ。

**かんめん**［乾麺］乾燥させて、長持ちするようにした麺類。（↔生麺）

**がんめん**［顔面］かお(の表面)。「―神経・―蒼白」

**がんも**↑がんもどき。

**かんもく**［完黙］↑完全黙秘。

**かんもく**［×緘黙］《名・自サ》〔文〕ものを言わないこと。だまり続けること。「―症(=無言症)」

**がんもく**［眼目］(=め。まなこ)いちばんだいじなところ。要点。

**かんもじ**［閑文字］〔文〕むだな〈ことば／字句〉。かんもんじ。

**かんもち**［寒餅］寒の期間中につくもち。かびにくく、長持ちがする。

**がんもどき**［(×雁△擬き)］細く切った野菜などを中に入れた、あぶらあげの一種。ひりょうず。がんも。

**かんもん**［関門］①(=関所(の門))簡単に突破できない〈もの／ところ〉。大切な出入り口。「入学試験の―」②山口県の下関と、福岡県北九州市の門司区。「―トンネル」

☆☆**かんもん**［喚問］《名・他サ》〔法律上の手続きとして〕呼び出して問いただすこと。「証人を―する」

**がんもん**［願文］〔神仏にささげる〕願いごとを書いた文。

**かんや**［寒夜］〔文〕寒いよる。冬のよる。

**かんやく**［監訳］書物の翻訳を監督し、責任を持つこと。

**かんやく**［完訳］《名・他サ》〔文〕原典をすべて翻訳〈すること／したもの〉。全訳。（↔抄訳・選訳）

**かんやく**［漢訳］《名・他サ》外国語や日本語の文章を漢文に〈訳すこと／訳したもの〉。「―仏典」

**かんやく**［簡約］《名・ナダ・他サ》要点をおさえて、簡単にまとめる〈こと／ようす〉。手みじか。「原書を―する」

**がんやく**［丸薬］ねりあわせて小さくまるめたくすり。

**かんゆ**［肝油］タラ・サメなどの肝臓からとったあぶら。栄養補給に使う。「―ドロップ(=もと、肝油を使ったつぶ状の食品)」

**かんゆ**［換喩］修辞法の一つ。あるものを、それと縁の深いものによってあらわす方法。メトニミー(metonymy)。例、「めがね(=めがねをかけた人)が話しかけてきた」。☞提喩。

**かんゆう**［勧誘］《名・他サ》会にはいったり買い求めたりするようにしむけること。「保険の―員・―状」

がんゆう【含有】《名・他サ》見ただけではわからない形で、ふくんでいること。「ビタミンの―率・―量」

☆☆かんよ【関与・干与】《名・自サ》ものごとが成立するために〔その人・ものが〕かかわること。「軍人が政治に―する・マグマが―した噴火」

かんよう【×涵養】《名・他サ》〔文〕①〔実力・精神などを〕やしなうこと。「ゆたかな情緒を―する」②水をたくわえること。「水源―林」

かんよう【慣用】《名・他サ》〔規則にはなくても、また、正式ではなくても〕世の中で広くおこなわれていること。「世間の―」●かんようおん【慣用音】漢音・呉音・唐音以外に、日本で〈昔から/誤って〉ふつうに使われている、漢字の音。例、耗を「モウ」、輸を「ユ」と読むなど。●かんようく【慣用句】《言》句の形で特別の意味をあらわし、言い回しにくふうのあることば。例、骨を折る〔=努力する〕・くちばしが黄色い〔=未熟だ〕。〔この辞書で句とするものの多くはこれ。一般に「大器晩成」など単語であっても慣用句とする場合があるが、この辞書では句としない〕☞付録 文法解説「連語と句」。

かんよう【寛容】《名・ナダ》心が広くて、人を分けへだてしないこと。人のあやまちをとがめず、許すこと。「ご―のほどお願い申し上げます」派―さ。

かんよう【簡要】《名・ナダ》〔文〕簡単だが要点をよくおさえていること。「―にして便利」

☆☆かんよう【肝要】《ナダ》ものごとをするにあたって、大切であるようす。肝心。「毎日続けることが―だ」

かんようしょくぶつ【観葉植物】葉の美しさを楽しむ植物。例、ハゲイトウ・オモト・ドラセナ。

がんらい【元来】《名・副》はじめ(から今まで)。もともと。「―〔=本来〕は演劇用語・―(が)陽気な性格だ・―のきまじめさ」

がんらいこう【×雁来紅】〔文〕⇩はげいとう(葉鶏頭)。

かんらから《副》豪快に高笑いする声。かんらかんら。

かんらく【歓楽】飲んだり食べたりおどったりする楽しみ。「―街〔=さかり場〕・―境〔『―郷』とも〕」●歓楽極まりて哀情多し 句〔文〕楽しむ気持ちが極まると、かえって、かなしい思いが増してくる。

☆☆かんらく【陥落】《名・自サ》①〔地盤が〕落ちこむこと。「―湖〔例、琵琶湖〕」②〔要塞などが〕攻めおとされること。③下の地位へ落ちること。「大関〔から〕―」④〔俗〕説得されて承知すること。

かんらん【甘藍】〔文〕キャベツ。

かんらん【〔×橄×欖〕】⇩オリーブ。●かんらんせき【〔×橄×欖〕石】《鉱》ガラスのようなオリーブ色の光沢をもつ鉱物。火成岩に多くふくまれる。☞ペリドット。

かんらん【観覧】《名・他サ》〔劇などを〕見ること。「―券」●かんらんしゃ【観覧車】遊園地にある、高いところからの ながめを楽しむ乗り物。巨大な水車のような わくに、人の乗る箱がたくさんつるされていて、ゆっくり回る。

かんり【官吏】①役人。「古代中国の―・地方―」②「国家公務員」の古い言い方。(↔公吏)

↔＊＊かんり【管理】《名・他サ》①全体に責任を持って、指示したり、調整したりすること。取り仕切ること。「アパートの―人・―職〔=部長・課長・校長など〕・―棟〔=事務室・役員室などがある建物〕」②問題なくうまくいくように気をつけること。「安全―・製品―・スケジュール―・健康―」③《農》作物・家畜などの世話をすること。●かんりえいようし【管理栄養士】病人などに対する栄養の指導や、給食管理などをおこなう資格を持った人。☞栄養士。●かんりかかく【管理価格】《経》少数の大企業が、利益を得るために需要と無関係に決める価格。●かんりしゃかい【管理社会】すべての人間がいずれかの集団に組みこまれ、強く支配される社会。現代社会のマイナス面を強調したことば。

→かんり【監理】《名・他サ》〔=監督・管理〕指示・指導しながら管理すること。「設計―〔=設計に引き続き、工事も監理すること〕」

がんり【元利】《経》元金と利子。「―合計・―均等返済」

がんりき【眼力】ものごとのよしあし・性質などを見きわめる力。「おれの―には かなうまい」☞がんりょく(眼力)。

かんりゃく【簡略】《名・ナダ》だいじなところを残して簡単にしたようす。派―さ。

かんりゅう【寒流】《地》両極地方から赤道地方に向かって流れる、温度の低い海流。(↔暖流)

かんりゅう【韓流】〔ドラマ・音楽などの大衆文化に関して〕韓国のもの(であること)。ハンリュー。「―スター」

←かんりゅう【還流】《名・自サ》〈流れが/流れて〉もとへかえること。「資金が―する」

→かんりゅう【環流】《名・自他サ》液体・気体などが循環して流れること。「血液の―・空気が室内を―する」

かんりゅう【乾留・乾×溜】《名・他サ》《理》固体を空気から遮断して、高温で熱し、成分を分離すること。例、石炭から石炭ガスを得る。☞蒸留。

かんりゅう【貫流】《名・他サ》つらぬいて流れること。「市内を―する川」

☆☆かんりょう【官僚】国の行政に関する事務をあつかう人。中央の役人。「―主義・律令―」●かんりょうてき【官僚的】《ナダ》人民の気持ちも考えず、規則やなわばりだけに とらわれるようす。

かんりょう【感量】はかりではかれる、最低単位の重さ。「―十グラム」(↔秤量)

かんりょう【完了】《名・自他サ》①完全に〈終わる/終える〉こと。②《言》ある動作が終わって、その状態が現在まで残っていること。〔助動詞「た」は過去と完了と、二つの意味をあらわす〕

がんりょう【含量】〔文〕含有量。

がんりょう【顔料】紙・プラスチック・ペンキなどに色をつける材料。

がんりょく【眼力】物を見る、目の はたらきの度合い。視力。「―が おとろえる」☞がんりき(眼力)。

かんりんいん【×翰林院】①〔唐代以降、中国で〕学者を集めて、詔勅などを作らせたりした役所。②アカデミー。

かんるい【感涙】《名・自サ》感激して出る なみだ。「―にむせぶ」

かんれい【慣例】文章としてはっきり書いてはないが、

その集団の中でしきたりとしておこなわれている決まり。習わし。「―に従って」

☆☆**かんれい**【艦齢】（その）軍艦が造られてからの年数。

**かんれい**【寒冷】《名・ナダ》つめたくてひえるようす。「―地・―な気候」（↔温暖）派-さ。●**かんれいしゃ**【寒冷×紗】綿や麻(あさ)などをうすくあらく編んだ布。農作物のおおいや、服の芯地(しんじ)などにする。●**かんれいぜんせん**【寒冷前線】〔天〕寒気団が暖気団の下にもぐりこんで進むときの不連続線。にわか雨を降らせ、気温を下げる。（↔温暖前線）

☆☆**かんれき**【還暦】干支(えと)が一巡(いちじゅん)して、数え年で六十一歳(さい)（満年齢(まんねんれい)では六十歳）をむかえる年。たとえば、寅(とら)年生まれの人の還暦は寅年。「―をむかえる・―のお祝い（現在、多く誕生日ごろにおこなう）」✎「還暦をむかえた大会」などと言う場合、しばしば六十回目（第一回の五十九年後で、干支が一巡する前年）のこともある。

＊**かんれん**【関連・関×聯】《名・自サ》〈あるものごとに／ものごとが たがいに〉つながること。連関。「―項目(こうもく)・―性」

**かんろ**【甘露】（あまくて）おいしいこと。「ああ、―、―」●**かんろに**【甘露煮】〔料〕小魚・果実などをあま（から）く煮つめること。また、その食品。「フナの―」

**かんろ**【寒露】〔天〕二十四節気の一つ。十月八日ごろ。

**がんろう**【玩弄】《名・他サ》〔文〕手でさわったり、動かしたりして遊ぶこと。もてあそぶこと。「―物(ぶつ)（=おもちゃ。なぶりもの）」

**かんろく**【貫×禄】①人の顔やからだ、また人格などから感じられる威厳(いげん)。「―がある・―がつく・―十分」②〔俗〕「肥満」の遠まわしな言い方。「ずいぶん―がついたね」

**かんわ**【閑話】《名・自サ》〔文〕①むだばなし。余談。②しずかに談話をすること。●**かんわきゅうだい**【閑話休題】《接》（休題=題(い)うことを休(や)める）〔文〕余談は終わって。それはさておき。さて。〔俗に、余談を始めるときに使う〕

☆☆**かんわ**【緩和】一《名・自他サ》（厳しい、苦しいと感じられるものごとの）程度をゆるやかにすること。また、そうなること。「痛みの―・規制―・金融(きんゆう)―・住宅難を―する」二（ナダ）〔医〕程度がおだやかなようす。「作用の―な薬」●**かんわケア**【緩和ケア】〔医〕末期がんなどの患者(かんじゃ)の身体的・精神的苦痛をやわらげるためのケア。ターミナルケア。「―病棟(びょうとう)」

**かんわじてん**【漢和辞典】漢字・漢語の読みや意味などを、漢字から引く辞典。漢和。

# き　キ

＊＊**き**【木・△樹】①植物の一類。冬でも枯(か)れないかたい幹を持ち、分かれた枝から葉がたくさん出る。見上げるほど大きく育つものも多く、集まって森や林になる。樹木。（↔草）②〔俗〕その植物の全体。株。「トマトの―」③材木。「―の香(か)」④たきぎ。⑤⇨き（柝）。●**木から落ちた猿(さる)** 句 ①たよるものを失って、どうすることもできないたとえ。②自分の最もとくいな分野で、思わぬ失敗をした人のたとえ。☞猿も木から落ちる〔「猿」の句〕。●**木で鼻をくくる（括る）** 句 そっけない態度をとる。●**木に竹を接(つ)ぐ** 句 調和しない。前後のつりあいが悪い。●**木によ（縁）りて魚(うお)を求む** 句（=木によじ登ってさかなを取ろうとする）〔文〕手段をまちがっては、求めようとしても得られない。〔「孟子(もうし)」のことば〕●**木を見て森を見ず** 句 部分にこだわりすぎて、全体をとらえられないことのたとえ。

**き**【生】一**き** まじりけのないこと。「ウイスキーを―で飲む」二〔造〕①純粋(じゅんすい)な。「―まじめ」②まぜもののない。「―じょうゆ」③精製しない。「―糸」☞なま（生）。

**き**【危】〔視覚語〕「危険物積載(せきさい)」の意味の記号。〔燃料を積んだ自動車に、黒地に黄色で示す〕

＊＊**き**【気】一**き** ①〔文〕大気。空気。「天(てん)晴れ、―澄(す)み」②〔文〕全体から感じられるようす。ふんいき。「陰惨(いんさん)の―」③そのものに独特の、においや味。「―のぬけたビール」④心（のはたらき）。「清新の―・―の持ちよう」⑤気分。気持ち。「―が変わる・―(い)悪い〔関西方言〕」⑥つもり。「どうする―だ」✎非難や疑いの感じが強い。⑦ようす。勢い。「復興の―」⑧〔漢方〕生気。（↔血(けつ)・水(すい)）☞気のせい・気の毒・気の病・気を付け・その気。二〔造〕〔ぎ〕きもち。「親切―・商売―」

●**気が合う** 句 その人の考え方や好みなどが自分に似ていて、うまく調子を合わせて何かをすることができる。●**気がある** 句 ①そのことに関心がある。②恋愛(れんあい)感情をもっている。▽（↔気がない）●**気がいい** 句 性質がすなおで、おとなしい。●**気が多い** 句 ①興味や関心があれこれと移りやすく、一つのものごとに集中できない。②浮気(うわき)である。●**気が大きくなる** 句 細かいことを気にしなくなる。大胆(だいたん)になる。気持ちが大きくなる。「酒を飲んで―」●☆☆**気が置けない** 句 ①〈気がね／えんりょ〉しなくていい。「―仲・この店は気が置けなくていい」②〔俗〕気がゆるせない。▽（↔気が置ける）✎①の「置ける」は「自然と置かれる」の意味。②は、それを「信用が置ける」のような可能の意味に誤解したもの。☞置ける。●**気が重い** 句 好ましくない結果が予想されたり、何かを負担に感じたりして、気持ちがしずむ。●**気が勝つ** 句 気性(きしょう)が激しく、決して人に弱みを見せないようにする。●**気が軽い** 句 そのことをするのに負担を感じない。●**気が利(き)き過ぎて間(ま)が抜(ぬ)ける** 句 注意が行き届いているようで、かえって手おちがある。●**気が利(き)く** 句 ①細かなところまで気がついて行き届く。「『お水をどうぞ』『おっ、なかなか―ね』」②洗練されているようす。「気の利いたデザイン・宣伝文句も気が利いている」●**気が気でない** 句 気になって、じっとしていられない。●**気が腐(くさ)る** 句 いやなことがあって、気持ちがはればれしない。●**気が狂(くる)う** 句 発狂(はっきょう)する。気が違(ちが)う。気がふれる。●**気がさす** 句 悪いことをしたと思って、気にかかる。やましい気持ちになる。●**気が沈(しず)む** 句 いやなことや気にかかることがあって、暗い気持ちになる。●**気が知れない** 句 なぜそんなことをするのか、その人の気持ちがわからない。●**気が進まない** 句 積極的にそれをしようという気持ちになれない。●**気が済む** 句 何かをすることによって不満などがおさまり、気持ちがおちつく。●**気がする** 句〔修飾(しゅうしょく)語をともなって〕①なんとなく、そう思われる。「そんな―・発売はあしただった―・寝(ね)た気がしない（=じゅうぶんに寝たと感じない）・できる気がしない〔俗〕」②〔否定の形で〕そうする気持ちになれない。「油っこくて食べる気がしない」 ●**気がせ(急)く** [句] 急がなければいけないと思い、おちつかない気分になる。 ●**気が立つ** [句] 心がたかぶって おちつかない状態になる。 ●**気が小さい** [句] 細かいことをくよくよ気にする。小心。 ●**気が違う** [句] ⇩気が狂う [句]。 ●**気が散る** [句] まわりのことが気になって、一つのことに集中できなくなる。「気が散って本が読めない」 ●**気が付く** [句] ①目や耳をはたらかせたり、考えたりして、わかる。「新しい事実に―」 ②意識をとりもどす。「失神していた女の子が―」 ③注意が行き届く。「細かいところに(よく)―」 ●**気が詰まる** [句] 相手やその場のふんいきにおされて、たえがたい気持ちになる。 ●**気が強い** [句] ①気性が激しく、他人にしたがわない。「―むすめ」 ②心強い。「みんなが味方なので気が強くなった」▽気強い。 ●**気が遠くなる** [句] ①意識がぼんやりする。 ②常識では想像できないほど規模が大きかったり遠くへだたっていたりする。「考えるだけで―ような距離」 ●**気が とがめる** [句] 自分の行動や態度にやましさを感じて、不快な気持ちが残る。 ●**気がない** [句] ⇩気のない [句]。 ●**気が長い** [句] ①のんびりしていて、めったにあせらない。 ②あせらずに時間をかけて何かをする。▽(↕気が短い) ●**気が抜ける** [句] ①はりつめていた気持ちがなくなる。「試合が終わって―」 ②〔ビール・サイダーなどの〕炭酸や特有の風味などが抜ける。 ●**気が乗らない** [句] ほかのことに心を奪われていたりして、そのことをする意欲が出てこない。気乗りがしない。 ●**気が弾む** [句] ⇩心が弾む〔「心」の [句]〕。 ●**気が早い** [句] 何か実現すると決まったわけではないのに、そのつもりになって行動を起こす状態になる。 ●**気が張る** [句] 緊張しつづける。気を張る。 ●**気が晴れる** [句] 何かをすることによって、それまでの不愉快な気分がなくなる。 ●**気が引ける** [句] 引け目を感じて、ためらわれる。 ●**気がふさぐ** [句] 気晴らしになるようなことがなく、暗い気持ちになっている。 ●**気がふれる** [句] ⇩気が狂う [句]。 ●**気が紛れる** [句] 何かをすることで、いやな気分がしばらく忘れられる。 ●**気が回る** [句] 細かな点にまで注意が行き届いて、臨機応変の処置をしたり、相手の意向を敏感に察したりすることができる。 ●**気が短い** [句] ①おこりっぽい。 ②ゆっくり待っていられない気持ちだ。▽(↕気が長い) ●**気が向く** [句] そのことを〈したい/してもいい〉という気持ちになる。 ●**気が めいる** [句] 将来に夢も希望もないように感じられて、ゆううつになる。 ●**気が もめる** [句] どんな結果になるか心配で、おちつかないでいる。 ●**気が休まる** [句] 何の心配ごともなく、のんびりした気分になれる。 ●**気が緩む** [句] 緊張が解けてほっとし、ものごとに注意が行き届かない状態になる。 ●**気が弱い** [句] 他人のことを気にしたりして、自分の思いどおりにふるまえない。気弱だ。「―けれど、いい人だ」 ●**気が若い** [句] 年のわりには、気の持ち方が若い人と同じようにはつらつとしている。 ●**気で持つ** [句] 気力でもちこたえる。 ●**気に入る** [句] 気持ちに かなう。好みに合う。☞気に入り。 ●**気にかかる** [句] 悪い結果になるのではないかなどと不安になって、あることが心から離れずにいる。気になる。 ●**気にかける** [句] 〔引き続き/あとまで〕心配する。気にする。「遠くの息子を―・意地悪されても気にかけない」 ●**気に食わない** [句] 気に入らなくて不愉快だ。 ●**気に障る** [句] 相手の言ったことやしたことを不愉快に思って、感情を害する。 ●**気にする** [句] ①いつも そのことを〈不安/残念〉に思う。 ②注意を向ける。 ●**気に添う** [句] 自分の気持ちにぴったりする。 ●**気に染まない** [句] なんとなく いやで、心にしっくりこない。「―仕事」 ●**気に留める** [句] 〔多く否定の形で〕注意を向ける。「物音がしても気に留めない・この件は気に留めておこう」 ●**気になる** [句] ①〔うわさ・評価などに〕興味をそそられる。結果が心配になる。 ②心にひっかかる。「ことばの乱れが―」▽気にかかる。 ●**気に病む** [句] 気にして、くよくよする。 ●**気の置けない** [句] ⇩気が置けない [句]。「―人・―店」 ●**気の利いた** [句] ⇩気が利く [句]②。 ●**気のない** [句] ①興味を持っていない。「―返事をする」 ②そのことに集中していない。「―バッティングをする」▽気がない。 ●**気は心** [句] ちょっとした気づかいでも、その人の まごころを映すものだ。「―ですから、つまらないものですが、お納めください」 ●**気もそぞろ** [句] なんとなく気持ちがおちつかないようす。 ●**気を入れる** [句] 本気になって打ちこむ。集中する。 ●**気を失う** [句] 〔ショックで〕意識がなくなる。 ●**気を置く** [句] (相手に)気をつかう。遠慮する。 ●**気を落とす** [句] がっかりする。 ●**気を兼ねる** [句] 他人の気持ちを考えて、遠慮する。気兼ねする。 ●**気を利かせる** [句] 相手の気持ちやその場の状況に注意を行き届かせ、進んで適切な処置をとる。気を利かす。 ●**気を配る** [句] あれこれと気をつかう。 ●**気を静める** [句] 高ぶる感情をおさえて、気持ちをおちつかせる。 ●**気を確かに持つ** [句] 〔たいへんな状況のとき〕がんばって、しっかりした意識を保つ。気をしっかり持つ。 ●**気を散らす** [句] 集中する気持ちを乱す。「気を散らさずに勉強する・選手たちの―」 ●**気を使う** [句] あれこれと心をはたらかせる。「身だしなみに―・相手に―」 ●**気をつける** [句] 注意を行き届かせる。 ●**気を取られる** [句] ほかのことに注意が向けられ、なすべきことを忘れた状態になる。 ●**気を取り直す** [句] なげやりな気分になっていた人が、何かをしようと思い直す。 ●**気を抜く** [句] ①はりつめていた気持ちをゆるめる。「気〈を/が〉抜けない」 ②ものごとをいいかげんにする。 ●**気をの(呑)まれる** [句] 相手に圧倒される。 ●**気を吐く** [句] 意気のさかんなようすを、みんなの前にしめす。 ●**気を晴らす** [句] 何かをして、うっぷんをなくする。 ●**気を張る** [句] しっかりしなければ、と自分に言い聞かせて気持ちを引きしめる。 ●**気を引く** [句] それとなく、相手が興味をしめすようなことをする。 ●**気を紛らす** [句] 何かをして、不愉快なことを忘れる。 ●**気を回す** [句] 相手が考えないようなことまで、あれこれ心をはたらかせる。 ●**気を持たせる** [句] ①それとなく、相手に期待をさせる。 ②思わせぶりをする。 ●**気をもむ** [句] あれこれ心配する。 ●**気を許す** [句] 相手を信用したり、危険でないと判断したりして、警戒心や緊張を解く。 ●**気を緩める** [句] 緊張を解く。 ●**気を良くする** [句] うまく行って、いい気分になる。 ●**気を楽にする** [句] 細かいところに神経を使わず、気分をゆったりとする。気楽にする。気を楽に持つ。[直]気が楽になる。 ●**気を悪くする** [句] 不愉快な思いをして、いやな気分になる。

**き**「奇」〔文〕一 めずらしいこと。(いっぷう)変わったこと。

「なんの―もない・世界史上、―とするに足る」 三《ナリ》変わっているようす。「事実は小説よりも―なり〈⇩「事実」の句〉」 ●**奇をてらう(衒う)** 句 変わったことをして、目立つようにする。

←**き【季】** 一 き (=春・夏・秋・冬の、四つの区分) 俳句によみ入れる、季節をあらわす天候・動植物・風俗・行事など。〔歳時記では、新年を加えて、五つに区分するのがふつう〕 二 造 ①季節。「行楽―」 ②《スポーツ》シーズン。「五―連勝」

↑****き【期】** 一 き とき。時期。 二 接尾 ①〔ある長さでくぎった〕期間。「一―は三年とする」 ②〔会社で〕半年または一年をくぎりとして数える期間。「今―の売り上げ」 ☞月期・四半期。 三 造 時期。「幼児―・成長―」

**き【×柝】** 拍子木。「さえた―の音・―がはいる」

**き【軌】** (=わだち)〔文〕道筋。●**軌を一にする** 句 ①理屈や考え方が同じである。「二つの作品の発想は軌を一にしている」 ②連動する。時期が同じである。「高度成長と軌を一にして人気が高まった音楽」

**き【記】** 一 き 〔文〕①書きしるす〈すこと/したもの〉。記録。「花を見るの―」 ☞「記す①」の表記。 ②手紙や通知で、箇条書きの部分(=記書き)の前に書くことば。〔最後に「以上」と書きそえる〕 二 造 ①記録。「航海―」 ②しるしとして書きつけたもの。「学位―」

**き【黄】** きいろ。きい。

****き【機】** 一 き 〔文〕①(ちょうどいい)機会。「―を見て攻める・これを―〈に/として〉方針を変えた」 ②航空機。乗機。「被弾して炎上する―」 二 接尾 航空機・機関車などを数えることば。 三 造 ①機械。「工作―・送風―」 ②航空機。「戦闘―・当―」 ●**機が熟す** 句 ものごとを始めるのにちょうどいいときになる。 ●**機に乗じる** 句 うまくチャンスを利用する。機に乗ずる。 ●**機を見るに敏** 句 チャンスをつかむことがすばやい。

***き** 《助動特殊型》〔文〕〔過去の助動詞〕過去の事実を回想する意をあらわす。…た。「しみじみと見―(=見た)・苦しきことのみ多かり―(=多かった)」 ☞し四。

**き【貴】** 接頭 〔文〕(尊敬すべき)あなたの。「―商会・―大学・〔インターネットで〕―サイト」(↑弊・当)

**き【紀】** 接尾 〔地〕地質の年代をあらわす大きな区分〔古生代、中生代など〕の中の、小さな区分。現代は、新生代の第四紀。「カンブリア―(=古生代の最初)」

**き【基】** 一 接尾 ①すえつけてあって、動かせないものを数えることば。「石油タンク五―・石塔一―・信号灯二―・エスカレーター二―・エンジン一―」 ②ふだんすえてあるが、移動できるものを数えることば。「ミサイル四―・熱気球百―・山ぼこ十―・みこし三―・いかり(錨)二―・顕微鏡一―・花かご一―」 二 造 ①〔理〕原子の集団で化合物の一部分をなすもの。「炭化水素―」 ②もとになる物質。「培養―」

**き【騎】** 一 接尾 馬に乗った者を数えることば。「武者一―」 二 き 〔軍〕↑騎兵。「歩―砲工」

**き【希】** 一【×稀】造 〔理〕①うすい。希薄な。「―硫酸」(↑濃) ②まれな。「―ガス元素」 二 き ↑ギリシャ(希臘)。

**き【帰】** 造 〔文〕かえること。「―英(=イギリスへ帰ること)・―阪(=大阪へ帰ること)」

**き【既】** 造 〔文〕〈もう/すでに〉…した。「―発表・―逮捕」

**き【忌】** 造 死んだ人の命日。「三年―・へちま―(=正岡子規の命日)」

**き【鬼】** 造 おにのように おそろしい(感じの)人。「殺人―・吸血―」

**き【旗】** 造 はた。「国連―・信号―」

***き【器】** 造 ①入れもの。うつわ。「ガラス―・洗面―・卵焼き―(=専用の四角いフライパン)」 ②(簡単な)道具やしかけ。器具。器械。「消火―・盗聴―・加湿―」 ③〔生〕からだの器官。「消化―」

**ぎ【技】** 一 ぎ 〔文〕わざ。うでまえ。「心―体」 二 造 〔競技の〕プレー。「個人―にたよる」 ●**技、神に入る** 句 まるで神業だ。

**ぎ【義】** 一 ぎ 〔文〕①ものごとの正しい道理。また、おこないがその道理にかなうこと。〔儒教の根本的な考え方の一つ〕 ☞五常。 ②意味。「『まつげ』は『目の毛』の―」 二 造 血はつながらないが、家族(同様)になった。義理の。「―父母・―兄弟・―実家(=結婚相手の実家。新しい言い方)」 ●**義を見てせざるは勇なきなり** 句 〔文〕正しい道理を知っていながら、そのとおりにしないのは、勇気がない。

**ぎ【儀】** 一 ぎ 〔文〕①儀式。式典。「婚礼の―」 ②こと(がら)。「その―ばかりはお許しを」 二 接尾 …に関したことだが。…は。「私―このたび」 三 造 ①器械。「水準―」 ②模型。「地球―」

**ぎ【議】** 〔文〕〔審議・決議をもふくむ〕相談。「教授会の―をへて」

**ぎ【擬】** 接頭 見せかけの。「―古典主義」

**ぎ【気】** 造 ⇩き(気)二。

**ぎ【着・衣】** 造 きもの。「外出―・ふだん―・柔道―」

**ギア** 〔gear〕 ①歯車。 ②(↑ギアレバー)〔自動車〕トランスミッション(=変速機)の歯車を組みかえて、速度を変えるレバー。シフトレバー。「―をチェンジする」▽ギヤ。 ③スポーツやレジャーなどで使う道具。「キャンピングー」 ●**ギアが入る** 句 本格的に、やる気が出る。「投手の―」 他 ギアを入れる。 ●**ギアを上げる** 句 いっそうやる気になって、スピードを上げる。「議論の―」 直 ギアが上がる。

**きあい【気合】** ①やろうとする気持ち。「―が乗る」 ②呼吸。いき。「ふたりの―があわない」 ③精神を一つのことに集中してことに当たる〈勢い/かけ声〉。「―がはいる・―をかける」 ●**きあい まけ【気合負け】**《名・自サ》相手の気合におされて負けること。

**ぎあく【偽悪】** 〔文〕悪い心を持っているように見せかけること。(↑偽善)

**きあけ【忌明け】** ⇩いみあけ。

**きあつ【気圧】** ①大気の圧力。「―型(=地図にあらわした、高気圧・低気圧の分布の型)・―配置・―の谷(↑気圧の峰)」 ②〔理〕気圧の単位。一気圧は一〇一三・二五ヘクトパスカル。〔海面上での「気圧①」の平均値をもとにしている。記号atm〕「一〇―防水」

**ギアラ** 牛の第四胃。焼き肉などにする。赤センマイ。ギャラ。☞ミノ・ハチノス・センマイ。

**きあわ・せる【来合わせる】** (自下一) ちょうどそこに来て、そのことに出あう。「折よく警官が―」

**きあん【起案】** 《名・自他サ》草案を作ること。

**ぎあん**［議案］会議で審議するために出す原案。「—を提出する」

**きい**［忌×諱］〔「きき」の慣用読み〕〔文〕いみはばかること。●**忌諱に触れる** 句 目上の人のいやに思うことを言ったりしたりしてきげんをそこねる。

**きい**［紀×伊］旧国名の一つ。今の和歌山県と、三重県の南部。紀州。

**きい**［△黄］〔話〕き。「赤、白、青、—」

**きい**［貴意］〔文〕「相手の意志・意見」の尊敬語。「—に添う」●**貴意を得たい** 句 お考えをお聞きしたい。

**きい**［奇異］《名・ナダ》ふしぎ(で変わっているようす)。「—の感」

☆☆**キー**〔key〕①鍵。「自動車の—・—リング〔=鍵をたばねる輪〕・問題解決の—〔=大切な手がかり〕・—センテンス〔=文章理解のための基本となる文〕」②〔コンピューターやタイプライターで〕文字・記号などを〈入力する／打ちつける〉ため、指でおす部分。③〔ピアノ・オルガンなどの〕指でおして鳴らす部分。鍵盤。鍵。④《音》ハ調、ト調などの、調子。「—が高い」

**きいきい**《副》①かたいものをひっかいたりこすり合わせたりしたときに出る、高い音。「黒板を爪でひっかくと—音がする・ブレーキの—音」②かん高くてうるさい声。「子どもが—さわぐ・—声」

**キーきょく**［キー局］⇩キーステーション。

**ギーク**〔geek〕〔もと、技術系の〕オタク。「コーヒー—」

**キークラブ**〔和製 key club〕会費をはらって洋酒を買い、自分用にあずけておくやり方の高級なバー。

**キーステーション**〔key station〕〔おもに民間放送で〕全国的な放送網の中心となる放送局。親局。キー局。

**キーセン**［〈：妓 生〉］〔朝鮮 gisaeng〕朝鮮の芸者。キーサン〔古風〕。

**キータッチ**〔和製 key touch〕パソコン・ピアノなどのキーを操作すること。また、キーをおしたときの感じ。「—の習得・—が重い」

**きいたふう**［〈利いたふう〉］《名・ナダ》〔ふう=風〕①いかにも気の利いたように見せかけるようす。「—なことをするな・—なことば」②［〈聞いたふう〉］聞いてよく知っているように見せかけるようす。「—なことを言うんじゃない」▽①②とも、江戸時代からある用法。

**きいちご**［〈木×苺〉］野原にはえる、小さな木の名。とげがあり、実はイチゴに似ていて、食べられる。フランボワーズ。ラズベリー。

**きいつ**［帰一］《名・自サ》〔文〕同じ一つのものに行きつくこと。

**きいつかい**［気い遣い］《名・ナダ》〔気い=「気」をのばしたことば。関西方言〕人によく気をつかう〈性格／ようす〉。また、そういう人。きいつかいい。「めっちゃ—」

**ぎいっと**《副》木製のとびらなどがきしむ音のようす。「—木戸を開ける」

**きいっぽん**［生一本］《名・ナダ》①まじりけのないこと。純〈粋〉。「灘の—〔=兵庫県の灘地方で造る、上等の清酒〕」②一本気であること。派 -さ。

**きいと**［生糸］カイコの繭を煮て引き出した繊維をより合わせて作った、まだ精練する前の糸。☞絹糸。

**キーノート**〔keynote〕①《音》⇩主音。②基調。

**キーパー**〔keeper〕①〈落ち／外れ／たおれ〉ないように、支えるもの。「ブーツ—」②《サッカー・ホッケーなど》↑ゴールキーパー。

☆☆**キーパーソン**〔key person〕①中心となる人物。「チームの—」②ものごとの決定権を持っている人。▽「キーマン」に対し、性別を限定しない言い方。

☆☆**キープ**《名・他サ》〔keep〕①維持すること。「首位を—する」②買うつもりの商品を、しばらく取っておいてもらうこと。取り置き。③〔バーなどで〕自分用のウイスキーなどを、びんごとあずけておくこと。「ボトル—」④《フットボール・バスケットボールなど》ボールを相手がわにわたさないこと。⑤《テニス》サーブを打つがわが、そのゲームに勝つこと。サービスキープ。(↔ブレイク)

**キーポイント**〔key point〕手がかりとなるだいじな点。問題点。

**キーボード**〔keyboard〕①《音》ピアノなどの鍵盤。②《音》鍵盤を使う(電子式の)楽器。「—奏者」③〔コンピューターやタイプライターで〕キーの並んだ部分。

**キーホルダー**〔和製 key holder〕ドアや自動車などのかぎを、なくさないようにまとめるもの。

**キーマカレー**〔keema curry〕ひき肉をおもな具にしたカレー。「マトン—」

**キーマン**〔keyman〕〔男性に言う〕⇩キーパーソン。

**キール**〔keel〕⇩竜骨①。

**きいろ**［黄色］レモンの皮や、菜の花のような色。黄。「—の信号〔=黄信号。道路横断中や、安全に止まれない場合などを除いて、止まるよう指示する〕」●**きいろ・い**［黄色い］《形》黄色だ。「—帽子・くちばしが—〔⇩「くちばし」の句〕」派 -み。●**きいろいこえ**［黄色い声］女性や子どもの高い声。「—を張り上げる」〔昔は男の高い声もさした〕由来 よく目立つ声と黄色とに共通点を認めた言い方。「明るい声」のように、聴覚を視覚にたとえることがある。

☆☆**キーワード**〔key word〕情報の検索や内容を理解するためのかぎとなる(重要な)ことば。

**きいん**［気韻］〔文〕風雅なおもむき。「—生動」

**きいん**［棋院］囲碁を職業とする人の団体。「日本—・関西—」

**きいん**［貴院］〔文〕病院・寺院など、院と呼ばれる相手方を尊敬していう言い方。

☆☆**きいん**［起因・基因］《名・自サ》それが、原因になること。「不注意に—する事故」

**きいん**《副》①耳鳴りの音。きんきん。「耳が—とする」②冷たいものを食べて頭が痛くなるようす。「氷を食べて頭が—となる」③非常によく冷えているようす。きんきん。「ビールが—と冷えている」④〔キーン〕機械が出す、大きなするどい音。「ジェット機が—と飛ぶ・マイクが—と言う」

*** ぎいん**［議員］①《法》国会・議会などを組織し、議決権を持つ人。②会議を組織する人。「刷新会議の—」●**ぎいんりっぽう**［議員立法］国会議員が法案を提出すること。また、そうして法律を作ること。

**ぎいん**［議院］①国会。②衆議院または参議院。「両—」●**ぎいんないかくせい**［議院内閣制］《法》内閣が議会の信任のもとに活動し、議会に対して責任を負う制度。大臣は原則として議会に議席を持つ。日本は代表的な議院内閣制の国。

**ぎいんせい**［偽陰性］《医》まちがって陰性の判定が出てしまうこと。(↔偽陽性)

**きう**［気宇］〔文〕気の持ち方。器量。「―壮大」

**キウイ**〔kiwi〕①ニュージーランドにいるつばさのない鳥。「キーウィ」と鳴く。②〔↑キウイ フルーツ〕ニュージーランド名産のくだもの。「キウイ①」に形が似ている。皮は褐色で、果肉はうす緑色。「―ヨーグルト」

**きうけ**［気受け］世間の評判。他人の感情。うけ。「―がよい」

**きうつ**［気鬱］《名・ナダ》〔文〕気分がふさぐこと。「―症」

**きうつり**［気移り］《名・自サ》注意や関心が〈ほかに／つぎつぎと〉移ること。

**きうん**［機運・気運］ある方向に強まってくる、世の中のようす。「復興の―・値上げの―が高まる」

**ぎうん**［議運］①↑〈議院／議会〉運営。「―委・―理〔=議院運営理事会〕」②↑議事運営委員会。「―席」

☆☆**きえ**［帰依］《名・自サ》《仏》〔仏とその教えを〕信じて、身をまかせること。帰命。

**きえい**［機影］〔文〕飛行機の〈かげ／姿〉。

**きえい**［帰営］《名・自サ》〔文〕兵営に帰ること。

**きえい**［気鋭］《名・ナダ》元気があふれて、勢いがはげしいようす。「新進―・―の論客」

**きえいる**［消え入る］《自五》〔たましいが〕消えてなくなる。息が切れて死ぬ。「―ような声」

**きえうせる**［消え△失せる］《自下一》消えて見えなくなる。いなくなる。「とっとと消えうせろ」

**きえぎえ**［消え消え］《ナダ》消えそうになるようす。「雪が―に残っている」

**きえつ**［喜悦］《名・自サ》〔文〕よろこぶこと。よろこび。「―の念をあらわす」

**きえのこる**［消え残る］《自五》〔ほかのもの、なかまが消えたのに〕消えないで、あとに残る。图消え残り。

**きえもの**［消え物］《映画・放送》〔俗〕撮影に使う食べ物など、消耗品。

****きえる**［消える］《自下一》①あかるい状態、燃えている状態がなくなる。「光が―・火が―」②そこにあったものが(解けたように)なくなる。「字が―・雪が―・悪いうわさが―・にくしみが―・とげとげしさが―・優勝の夢が―」③〔今までついていた〕電気・ガスなどが、とまる。「電灯が―・ネオンが―」④その場から、いなくなる。「このへんで消えようか」⑤〔俗〕〔殺されて〕死ぬ。「消えてもらうぜ」

**きえん**［気炎・気×焔］話しぶりなどにあらわれる、さかんな勢い。●**気炎を上げる**句 得意げに元気のいいことを言う。●**きえんばんじょう**［気炎万丈］ものすごい気炎をあげること。

**きえん**［奇縁］ふしぎな縁。「合縁―」

**きえん**［機縁］①《仏》ⓐ仏の教化を受けるべき縁。ⓑ因縁。ちなみ。②機会。きっかけ。

**きえん**［貴園］〔文〕動物園・幼稚園など、園と呼ばれる相手方を尊敬していう言い方。

☆☆**ぎえん**［義援・義×捐］〔文〕不幸や災難にあった人を助けるために出す、見舞いの寄付。「―金・―品」

**きえんさん**［希塩酸］《理》水をまぜてうすめた塩酸。消化剤・便器の清掃用。

**きおい**［気負い］①気負うこと。②↑きお(競)い肌。「―の若者」●**きおいたつ**［気負い立つ］《自五》勇みたつ。しきりに勇む。

**きおいはだ**［△競い肌］勇みはだ。きおい。

**きおう**［既往］〔文〕すぎさったこと。「―はとがめず」●☆☆**きおうしょう**［既往症］《医》以前にかかった病気。

**きおう**［畿央］近畿地方の中央部。三重県・滋賀県・京都府・奈良県にまたがる地域。

**きおう**［気負う］《自五》〔=きお(競)う《=争う》〕〔負けまいと〕はりきる。「気負った調子」

***きおく**［記憶］《名・他サ》①経験したことや学んだことを頭に残しておくこと。また、頭に残っている内容。もの覚え。「―力・―がいい・その事件は―に新しい・―のかなた」②《情》コンピューターやディスクなどが、情報をためること。「―装置」●**きおくそし**［記憶素子］《情》情報を記憶するはたらきを持つ、記憶装置の部品。●**きおくばいたい**［記憶媒体］《情》コンピューターなどで、データを記録するためのもの。記録媒体。メディア。例、USBメモリー・CD-ROM。●**きおくようりょう**［記憶容量］《情》コンピューターの記憶装置に入れられるデータの量。

**きおくれ**［気後れ］《名・自サ》〔やろうとする〕気持ちが〈弱くなる／くじける〉こと。臆すること。「人前に立つと―する」

**キオスク**〔kiosk=もと、トルコ語〕駅の構内にある、新聞などを売る小さな店の呼び名。〔JR東日本以外のJR各社では「キヨスク」〕

**きおち**［気落ち］《名・自サ》がっかりして気が弱ること。落胆。

**きおも**［気重］《ナダ》気持ちが重くしずむようなようすで、何をするのもいやな状態。気重い。

**きおん**［気温］大気の温度。(↔水温・地温)

**ぎおん**［×祇△園］①《仏》↑祇園精舎。②〔↑祇園社〕京都市東山区にある八坂神社。また、その近くの芸者町。「―祭り〔=八坂神社の祭礼〕」●**ぎおんしょうじゃ**［×祇△園精舎］《仏》古代インドで大金持ちが釈迦のために建てた寺。

**ぎおん**［擬音］①本当のおとに似せて出すおと。映画・放送劇などに使う。②擬音語(と擬態語)。オノマトペ。「漫画の―」●**ぎおんご**［擬音語］音やこえをまねて作ったことば。擬声語。擬音。例、わんわん・がたぴし・ぎゃあぎゃあ。(↔擬態語)☞オノマトペ。

**きか**［机下］〔=つくえの下。おそば〕《手紙》〔文〕あて名の左わきに書きそえる尊敬語。

**きか**［奇貨］〔=めずらしい品物〕〔文〕思いもしなかった絶好の機会。「今回の問題を―として〔=いい機会として〕、新しいしくみを作ろう」●**奇貨居くべし**句〔文〕この機会をのがさず利用すべきだ。

**きか**［奇禍］〔文〕思いがけない災難。「―にあう」

**きか**［幾何］《数》↑幾何学。

**きか**［貴家］〔文〕「相手の家庭」の尊敬語。お宅。「―の繁栄をいのり上げます」

**きか**［×麾下］〔文〕①将軍のけらい。はたもと。②ある人の指揮下。部下。「―に入る」

**きか**［気化］《名・自サ》《理》〈液体／固体〉が気体に変

化すること。「―熱」☞液化・昇華①。

**きか**【帰化】〈名・自サ〉①〔法〕今までの国籍をすてて、よその国の国民となること。②外国からの動植物が、その国の環境に適応して繁殖すること。「―生物」

**きか**【貴下】〈代〉〔手紙など〕〔文・男〕同等(以下)の相手を呼ぶ尊敬語。あなた。

**きが**【飢餓・×饑餓】飢え。「―にひん(瀕)する」

**きが**【帰×臥】〈名・自サ〉〔文〕官職をやめて故郷に帰り、静かにゆったりと暮らすこと。「故山に―する」

**きが**【起×臥】〈名・自サ〉〔文〕①起きたりねたりすること。起き伏し。「―も自由にならない」②毎日の生活。「―を共にする」

**ぎが**【戯画】ふざけてかいた、風刺的な絵。カリカチュア。「政治を―化(=風刺)する」

☆☆**ギガ**〔giga〕①十億倍(記号G)。「―ヘルツ・―バイト(=千メガバイト。一〇二四(=二の十乗)メガバイトで換算することも多い。記号GB)」☞テラ①・メガ㊀①。②↑ギガバイト。③〔俗〕データ通信料。「―使い切った」

**きかい**【棋界】碁・将棋の社会、または、世界。

**きかい**【貴会】〔文〕「相手の会」の尊敬語。

↑**きかい**【器械】①(簡単な)しかけ。「光学―(=望遠鏡など)」 区別 「器械」は、手動をふくむ簡単なもの。「機械」は、電気・エンジンなどを利用して、高度な仕事をするもの。②道具。●**きかいたいそう**【器械体操】鉄棒・平行棒・あんば(鞍馬)などの道具を使っておこなう体操。(↔徒手体操)

↑*__きかい__【機械】①電気・エンジンなどを使った(複雑な)しかけ。「精密―・建設―・―工業・―翻訳」 区別 ⇩器械①。②自分の意志がない人。他人に自由に使われる人。●**きかいか**【機械化】〈名・自他サ〉仕事を機械でするように変えること。「―(された)社会」●**きかいてき**【機械的】〈ナダ〉①機械でするようす。「―に処理する」②頭をはたらかせず、決まったとおりに〈する/くり返す〉ようす。「―な学力評価・―に手を動かす」

**__きかい__【機会】何かをするきっかけとなるいいとき。チャンス。「―をつかむ・ちょうどいい―だ」●**きかいきんとう**【機会均等】希望する人にはだれにでも、同じ機会をあたえること。●**きかいそんしつ**【機会損失】本来なら得られたはずの機会や利益をのがすこと。「―の回避」

**きかい**【奇怪】〈ナダ〉①人間の知恵や常識では、考えられないようす。ふしぎ。「―な運命」②⇩きっかい(奇っ怪)。派―さ。

**きがい**【危害】①いのちや からだに、加わる〈危険/害〉。「―を加える」②わざわい。

**きがい**【気概】何があってもやりぬくという、強い気持ち。「会社をしょって立つ―がほしい」 表記 「気慨」とも書いた。

**きがい**【機外】飛行機のそと。(↔機内)

**ぎかい**【議会】〔法〕①選挙でえらばれた、国民の代表が集まり、法律を作ったり議決をおこなったりする機関。国会。②県議会・市議会など、地方団体に置かれる、条例を作ったり議決をおこなったりする機関。●**ぎかいせい**【議会制】議会で、多数決でものごとを決める制度。「―民主主義(=間接民主制)」●**ぎかいせいじ**【議会政治】法律や国の政策を議会の決議によって決める、政治のやり方。

**きがいしゅうしゅく**【期外収縮】〔医〕不整脈の一種。心臓が、本来よりも早い時点で収縮するために、脈がとんだり、消えたりすること。

**きがえ**【着替え】〈名・他サ〉①衣服を着がえること。きかえ。②着がえるための衣服。替え着。

**きが・える**【着替える】〈自他下一〉着ているものをぬいで、他の衣服を着る。「パジャマに―」✓もとは「きかえる」。「きがえる」は戦前からあり、一九六〇年代には優勢になった。

**きかがく**【幾何学】〔数〕点・線・面・立体、あるいはそれらからできている図形の性質を研究する数学。幾何。 由来 「幾何(中国語発音でジーホー)」の部分は、「幾何」の意味と、英語 geometry の geo の発音をふまえた訳語。中国で作られ、近代に輸入された。●**きかがくてき**【幾何学的】〈ナダ〉形状・図案などが規則的であるようす。「―なデザイン」●**きかがくもよう**【幾何学模様】線・円・多角形などが規則的に組み合わさった模様。

**きがかり**【気(掛かり)・気(懸かり)】〈名・ナダ〉どういう様子であるか、気にかかること。「試験の結果が―だ」派―げ。

**きがき**【記書き】手紙や通知で、具体的な内容を箇条書きにしてまとめた部分。「記」と書いたあとに続ける。〔その前の本文では「下記のとおり決定しました」などと書く〕

**きかきゅうすう**【幾何級数】〔数〕①等比級数。②等比数列。「―的に(=加速度的に)ふえる」

**きかく**【規格】製品・生産物に関する標準。「―品(↔規格外品)」●**きかくがい**【規格外】①規格から外れていること。②なみはずれていること。「―の人物・―の過酷なマラソンコース」

**きかく**【企画】〈名・他サ〉もよおし・事業などの計画。また、そのもよおし・事業など。「―を立てる・―を組む・―だおれ・出版―・新聞での新―(=コーナー)」

**きがく**【貴学】〔文〕「相手の〈大学/学校〉」の尊敬語。

**きがく**【器楽】〔音〕楽器によって演奏する音楽。「―曲」(↔声楽)

**ぎがく**【△伎楽】〔音〕七世紀、朝鮮をへて、中国からはいって来た、面をつけてまう舞。「―面」

**きかげき**【喜歌劇】〔音〕⇩オペレッタ。

**きかざ・る**【着飾る】〈自他五〉きれいな衣服を着て、姿をきれいに見せる。

**きガス**【希ガス・貴ガス】〔理〕空気の中に、気体の形でごく少しだけふくまれ、ほかの元素と化合しない元素の総称。例、アルゴン・ヘリウムなど。

↑**きか・せる**【利かせる】〈他下一〉じゅうぶんにはたらかせる。利かす。「気を―・機転を―・皮肉を―・わさびを―」

↑**きか・せる**【効かせる】〈他下一〉〔時間とともに〕〈はたらき/効果〉があらわれるようにする。効かす。「鼻薬を―(=ちょっとしたわいろをわたす)・冷房を―」

**きか・せる**【聞かせる】㊀〈他下一〉聞こえるようにする。聞いてもらう。「歌を―」㊁〈自下一〉おもしろくて、思わず先が聞きたくなる。「なかなか—ね」▽㊀㊁聞かす。[可能]聞かせられる。

**きがた**[木型]〈鋳型/くつや足袋など〉を作るための木製の型。

**きかつ**[飢渇]〔文〕うえと かわき。飲食物が極端に不足すること。

**きか・ない**[(利かない)]《形》①[(聞かない)] きかん気だ。「—子だ」②〔…では—〕〔数量が〕少なくとも、それより もっとあると思われる。「誤りの数は十や二十では—」[丁寧]ききません。

**きがね**[気(兼ね)]《名・自サ》人に遠慮して、自分の気持ちをおさえること。「妻に—する」

**きがまえ**[気構え] 何かをしようとし、また、何かことが起きるのを待つときの、心の準備の状態。「—が ちがう」

**きがる**[気軽]《ナダ》あっさりして ものに こだわらないようす。気軽い。●**きがる・い**[気軽い]《形》きがるだ。[派]-さ。

**きかん**[机間]〔文〕机と机との間。「—巡視〔=授業中、教員が机間を回って、様子を見ること〕」

**きかん**[気管]《生》呼吸器の一部。のどの下のほうから気管支に続いている、空気の通り道。●**きかんし**[気管支]《生》気管の下のはしから左右に分かれて、肺にはいる二本の くだ。「—炎」●**きかんしかくちょうしょう**[気管支拡張症]《医》肺炎・気管支炎などが原因で、気管支の中が広がって大きくなる症状。せき・たんが多く出る。●**きかんしぜんそく**[気管支(×喘息)]《医》炎症のために気管支がせまくなり、のどをぜいぜい言わせるほど呼吸が苦しくなる病気。●**きかんしはいえん**[気管支肺炎]《医》気管支炎が原因となって起こる、肺の炎症。カタル性肺炎。

**きかん**[汽缶] ボイラー。

**きかん**[奇観]〔文〕めずらしい ながめ。「天下の—」

**きかん**[季刊] 一年に四回刊行する〈こと/もの〉。クオータリー。

**きかん**[軌間] 鉄道のレールとレールの間隔。ゲージ。「標準—」

**きかん**[既刊]〔文〕(前に)もう刊行した〈こと/もの〉。(↔未刊)

☆☆**きかん**[基幹] ものごとの土台、または中心の部分となるもの。どだい。「—産業〔=その国の産業の基本になる重要な産業〕」

**きかん**[亀鑑]〔文〕かがみ。てほん。模範。「軍人の—」

****きかん**[期間] 一定の時期のあいだ。「選挙—」●**きかんじゅうぎょういん**[期間従業員] 工場などの繁忙期に、期間を区切ってやとわれる従業員。季節工。期間工。

**きかん**[貴簡・貴×翰]〔文〕「相手の手紙」の尊敬語。お手紙。おもに、男性が、文書や手紙などに用いる。「—拝受」

**きかん**[貴艦]〔文〕「相手の軍艦」の尊敬語。

**きかん**[旗艦]《軍》艦隊司令(長)官が乗る軍艦。●☆☆**きかんてん**[旗艦店]〔チェーンストアの中で〕シンボルとなるような中心的な店。フラッグシップショップ。

**きかん**[器官]《生》生物体の生活作用をつかさどる部分。「感覚—・消化—」

****きかん**[機関] ①動力によって機械を運転する装置。エンジン。「—室」②ある目的に役立てるために作った組織(を持つしくみ)。「報道—」「議決—」③〈組織/有機体〉の活動を受け持って働くもの。●**きかんし**[機関紙] 政党や団体が、政策や活動内容などを宣伝・連絡するために発行する新聞。●**きかんし**[機関誌] 研究団体などが、その活動や研究などを発表するための雑誌。●**きかんしゃ**[機関車] ①客車・貨車を引っぱって線路の上を運転する鉄道車両(と、それが引っぱる車両)。②⇩牽引車③。「経済回復の—」●**きかんじゅう**[機関銃]《軍》短い時間に たまを続けてうてる銃。機銃。マシンガン。「—のように しゃべりまくる」●☆☆**きかんとうしか**[機関投資家]《経》業務として株式などに投資をおこなっている法人。例、保険会社・信託銀行。(↔個人投資家)●**きかんほう**[機関砲]《軍》口径が二十ミリ以上の、機関銃より大型の兵器。

←**きかん**[帰還]《名・自サ》〔もとの所へ〕帰ること。「—兵・避難住民の—・お父さんの ご—〔⇩帰館②〕」

→**きかん**[帰館]《名・自サ》①〔やかた・建物に〕帰ること。「ホテルに—する」②帰宅。「〔からかって〕お父さんの ご—だ」

**きかん**[貴官]《代》〔文〕「相手の〈軍人/役人〉」の尊敬語。

**きがん**[奇岩・奇×巌]〔文〕めずらしい形の いわ。「—怪石」

**きがん**[祈願]《名・他サ》願いごとがあって、神や仏にいのること。「安全を—する・—をこめる〔=心をこめていのる。『—を凝らす』とも〕」

←**ぎかん**[技官]《法》技術関係の仕事を受け持つ国家公務員。(↔教官・事務官)

→**ぎかん**[技監] 技術関係の仕事を受け持つ国家公務員の、最高の官名。

**ぎがん**[義眼]〔病気やけがで〕目を失ったあとへ入れた、目と同じ形のもの。入れ目。

**きかんき**[(利かん)気・(聞かん)気]《名・ナダ》〔(聞かぬ気)から〕 勝ち気で、人に従ったり、負けたりするのがきらいな〈性質/ようす〉。「—〈の/な〉子ども」

**きかんぼう**[(利かん)坊・(聞かん)坊]《名・ナダ》 きかん気(の子ども)。きかんぼ。「—で困ります」

***きき**[危機] 大切なものを失うかもしれない、危ない状況。「地球の—・破産の—・—を乗りこえる」☞危機一髪・危機感・危機管理。

←**きき**[利き] きくこと。「塩の—がよい・左—」

→**きき**[効き] ききめ。効能。「薬の—が はやい」

**きき**[記紀] 古事記と日本書紀。「—歌謡・—神話」

**きき**[鬼気] ●☆☆**鬼気迫る**[句]〔文〕ぞっとするような おそろしい気配が感じられる。「—情景・—ものがある〔=ものすごい気迫を感じる〕」

**きき**[機器・器機] 器具・器械・機械の類。「オーディオ—・電子—」

**きき**[忌×諱]《名・自サ》〔文〕⇩きい(忌諱)。

**きき**[毀棄]《名・他サ》《法》こわしたり破ったりして、だめにすること。「公用文書—」

**きき**［×嬉々・喜々］《トタル》うれしそうなようす。「ーとして遊ぶ」

**きぎ**［木々］多くの さまざまな木。「ーの濃い緑」

**きぎ**［機宜］〔文〕そのことをするのに いい機会。時機に応じていること。「ーを得た処置」

**ぎぎ**［疑義］〔文〕文章などの内容や意味についてはっきりしないことがあること。「ーをただす」

**ぎぎ**［×巍々］《トタル》〔文〕山などが高くそびえているようす。「ーたる山々」

**ききあし**［利き足］動かすときに、じゅうぶん力が はいり、自由に動かせるほうの足。(↔利き手)

**ききあわ・せる**［聞き合わせる］《他下一》問いあわせる。聞き合わす。

☆☆**きき-いっぱつ**［危機一髪］かみの毛ひとすじの ちがいで助かるかどうか、という あぶない状態。「ーというところで助かった」

**ききい・る**［聞き入る・聴き入る］《自五》注意を集中して、聞く。「熱心にー聴衆」

**ききい・れる**［聞き入れる］《他下一》要望・命令などを聞いて、それでいいと認める。「申し出をー」

**ききうで**［利き腕］動かすときに、じゅうぶん力がはいり、自由に動かせるほうのうで。☞利き手。

**ききお・く**［聞き〈置く〉］《他五》相手の言い分を聞いただけで、そのままに すませる。〔聞き入れるかどうかは別〕「ー程度に終わる」

**ききおと・す**［聞き落とす］《他五》〔話の一部などを〕うっかり聞きもらす。「大事な点をー」名聞き落とし。

**ききおぼえ**［聞き覚え］①前に聞いて、覚えていること。「ーのある声」②耳から聞くだけで、覚えること。「ーで習う」動聞き覚える《他下一》。

**ききおよ・ぶ**［聞き及ぶ］《他五》人から聞いて、耳にはいる。「お聞き及びのとおり・協議が始まったと聞き及んでいる」

**きき-かいかい**［奇々怪々］《ナダ》〔「奇怪」を強めた形〕〔文〕非常に奇怪なようす。

**ききかえ・す**［聞き返す］《他五》①相手の〈発言/質問〉に質問を返す。「『本気ですか』とー」②相手の発言が よくわからず、くり返すよう求める。「『えっ、何ですか』とー」▽問い返す。③もう一度聞く。「録音をー」名聞き返し。

**ききがき**［聞き書き］《名・他サ》話を聞いて〈書き取ること/書き取った記録〉。

**ききかじ・る**［聞き(×齧る)］《他五》〈少し/表面〉だけ聞いて知る。名聞きかじり。

**ききかた**［聞き方］①話などを聞く方法・態度。「ーが悪い」表記音楽は「聴き方」。②聞くがわの人。「ーに回る」

**ききかん**［危機感］危機が すぐそばまで せまっているという不安な感じ。「ーをいだく・ーをつのらせる」

☆☆**ききかんり**［危機管理］①災害・テロなどの危機に、適切に対処すること。また、そうできるように、対策や手順をととのえておくこと。「ー能力」②組織内で不祥事が起こらないように、不祥事が起きたときに、適切な対策を練っておくこと。また、万が一不祥事が起きたときに、迅速に対応できるような体制をととのえておくこと。

**ききぐるし・い**［聞き苦しい］《形》①よく聞こえない。聞きにくい。「おー点は お許しを」②〔言っている内容が不愉快で〕聞いて いたくない。「ー悪口・へたな演説でー」▽聞きづらい。派ーさ。

**ききごたえ**［聞き応え］聞いて感銘を受けた、という感じ。「ーのある講演」

**ききこみ**［聞き込み］〔警察などが〕事件に関する情報を得るため、人々に話を聞くこと。「ー捜査」

**ききこ・む**［聞き込む］《他五》①〔うわさや情報を〕ほかの人から聞く。②〔音楽・芸能などを〕時間をかけて、じゅうぶんに きく。「たんねんにー」

**ききざけ**［利き酒・聞き酒・×唎き酒］《名・自サ》〔少し口に ふくんで〕酒の よしあしを鑑定すること。また、そのための酒。

**ききじょうず**［聞き(上手)］《名・ナダ》〔うまく受け答えをしたり、話を引き出したりして〕相手の話をじょうずに聞く〈こと/人〉。聞き巧者。(↔話しじょうず)

**きぎす**［(×雉子)］〔雅〕きじ。「焼け野の ー〔⇩「焼け野」の句〕」

**ききすご・す**［聞き過ごす］《他五》聞いて そのままにすてておく。「だいじな話をー」

**ききずて**［聞き捨て］聞いて そのままにしておくこと。きすて。「ーならない ことば」動聞き捨てる《他下一》。

**ききすま・す**［聞き(澄ます)］《他五》注意を集中して、よく聞く。「人の来る気配をー」

**ききそこな・う**［聞き損なう］《他五》①聞く機会をのがす。「道路情報をー」②話の内容をまちがって聞く。聞き誤る。「質問の主旨をー」名聞き損ない。

**ききだ・す**［聞き出す］《他五》聞いて秘密をさぐる。

**ききただ・す**［聞き(×糺す)・聞き(△質す)］《他五》聞いて、(調べ)たしかめる。

**ききちがい**［聞き違い］〔「聞き違う」の名詞形〕聞き違えること。「番号のー」

**ききちが・える**［聞き違える］《他下一》はっきり聞かないで、別の(発音の)ことばだと かんちがいする。聞き間違える。聞き間違う。聞き違う。「日比谷を渋谷とー」名聞き違え。

**ききつ・ける**《他下一》❶［聞き(付ける)］偶然聞く。「うわさをー・物音をー」❷［聞きつける］聞きなれる。「ふだん聞きつけた声」

**ききつた・える**［聞き伝える］《他下一》人から伝え聞く。名聞き伝え。

**ききづら・い**［聞き(△辛い)］《形》①〔心が痛んで〕相手にたずねることが、つらい。「ぼくからはーなあ」②聞き苦しい。派ーさ。

**ききて**［利き手］動かすときに じゅうぶん力がはいり、自由に動かせるほうの手。たとえば、右ききの人は右手。利き腕。ききで。(↔利き足)

**ききて**［聞き手］①聞く人。(↔話し手) 表記音楽は「聴き手」。②質問する人。(↔答え手)

**ききとが・める**［聞き(×咎める)］《他下一》不審に思って、それを言った人に問いただす。

**ききどころ**［聞き(所)］聞くねうちのある〈ところ/部分〉。表記音楽は「聴き所」。

**ききとど・ける**［聞き届ける］《他下一》聞いて引き受ける。「たのみをー・なにとぞお聞き届けのほどを」

←**ききと・る**［聞き取る］《他五》聞いて理解する。聞いて知る。名聞き取り。自聞き取れる《下一》。

**ききと・る**［聴き取る］《他五》よくわかるように、くわしくきく。聴取する。「事情を―」名聴き取り。

**ききなが・す**［聞き流す］《他五》聞いても気にかけないでおく。「話を―」

**ききなし**［聞き(×做し)］野鳥の鳴き声を、意味のあることばに置きかえて聞くこと。例、ホオジロの鳴き声を「源平つつじ白つつじ」とか、「札幌ラーメンみそラーメン」と聞くなど。

**ききな・す**［聞き(×做す)］《他五》①聞いて、そのように受け取る。②「ききなし」をする。

**ききにく・い**［聞き(△難い)］《形》①〔声が はっきりしないために〕聞き取るのが むずかしい。②相手に たずねるのが、遠慮されるようすだ。「あんたは―ことをはっきり言う人だね」③〔言われている内容が不愉快で〕聞きたくない。派-さ。

**ききのが・す**［聞き逃す］《他五》①聞かないでしまう。聞きそこなう。「名前を聞き逃した」②聞かないことにする。「冗談として聞き逃そう」

**ききふる・す**［聞き古す］《他五》何度も聞いて めずらしくなくなる。「聞き古したセリフ」

**ききほ・れる**［聞き(×惚れる)］《自下一》一心に聞いて夢中になる。聞きとれる〔古風〕。「名人の話芸に―」名聞きほれ。

**ききみみ**［聞き耳・聴き耳］一生懸命に聞いている耳。●**聞き耳を立てる**句 声や音に注意を集中する。「となりの部屋の話に―」

**ききめ**［利き目］ものを見るときに、はっきり見えるほうの目。〔人によってちがう〕

**ききめ**［効き目］きいたしるし。効能。「薬の―がない」

**ききもの**［聞き(物)］①聞くねうちの あるもの。「この日いちばんの―」②聞いて楽しむ芸能・芸術・放送など。「見もの―」▽(↔見もの)

**ききもら・す**［聞き漏らす］《他五》①〔話の一部などを〕聞くことに失敗する。聞き落とす。「一言も―まいとメモを取る」②質問し忘れる。「相手の名前を―」名聞き漏らし。

☆☆**ききゃく**［棄却］《名・他サ》①〔文〕とりあげないですてること。②《法》裁判所が、申し立て・請求をしりぞけること。「上告―」

**ききやく**［聞き役］人の言うことを聞く役目(の人)。「〔話の〕―に回る」

**ききゅう**［危急］〔文〕危険・災難が近づくこと。●**ききゅうそんぼう**［危急存亡］危険が近づき、生き残るか ほろびるかという せとぎわ。「―のとき(秋)」

**ききゅう**［気球］熱した空気や空気より軽い気体を入れて、その浮力で空中にあげる、球形の ふくろ。大きいものは乗り物として使われる。軽気球。「観測―」

**ききゅう**［企及］《名・自サ》〔文〕せのびをして追いつくこと。比肩。「他人の―すべからざる著述」

**ききゅう**［帰休］《名・自サ》〔必要なときは、いつでも職場・軍隊に もどる約束で〕仕事を休んで家に帰ること。☞一時帰休。

**ききゅう**［希求］《名・他サ》〔文〕得たいと願い、手に入れようと のぞむこと。「平和を―する」

**ききょ**［起居］《名・自サ》①立ったり すわったりすること。「―動作〔＝立ち居ふるまい〕」②日常の生活。「―をともにする」

**ぎきょ**［義挙］〔文〕正義のための りっぱな おこない。「志士たちの―」

**ききょう**［気胸］《医》肺にあいた穴から空気が出て、胸膜腔にたまる症状。

**ききょう**［(×桔△梗)］秋の七草の一つ。秋、つりがね形で、五つに割れた青むらさき色の花をひらく野草。庭にも植える。「―色」

**ききょう**［帰京］《名・自サ》①東京に帰ること。②〈みやこ/京都〉に帰ること。

**ききょう**［帰郷］《名・自サ》郷里に帰ること。

**ききょう**［棄教］《名・自他サ》〔文〕(強制されて)信じていた宗教をすてること。「―者」

**ききょう**［奇矯］《名・ナダ》〔文〕ことばや おこないが ふつうと変わっていること。「―〈な/の〉ふるまい」派-さ。

**☆☆きぎょう**［企業］利益を求めて事業をする会社・団体。「大―〔＝大会社〕・中小―・零細―・―統治〔⇩コーポレートガバナンス〕・―戦士〔＝必死で働いて会社に つくす人〕」●**きぎょうじょうかまち**［企業城下町］ある企業を中心に発達した都市。例、トヨタ自動車の愛知県豊田市やパナソニックの大阪府門真市。●**きぎょうねんきん**［企業年金］〔公的年金に対して〕企業が独自におこなう私的年金(制度)。厚生年金基金など。●**きぎょうひみつ**［企業秘密］①〔製法など、経済的に価値のある情報を〕企業が外部に公開しないこと。トレード シークレット。営業秘密。②仕事の こつなどを秘密にすること。「―のプロのテクニック」

☆☆**きぎょう**［起業］《名・自他サ》自分で事業を新しく始めること。「―家」

**ぎきょうしん**［義×侠心］正義を重んじ、弱い立場の人を助けようとする気持ち。おとこぎ。

**ぎきょうだい**［義兄弟］①きょうだいの約束を結んだ間がら(の人)。②義理の きょうだい。きょうだいの夫や妻、夫や妻の きょうだいなど。

**ぎきょく**［戯曲］演劇の脚本の形式で書いた文学。

**きぎれ**［木切れ］木の切れはし。木片。

**ききわけ**［聞き分け］なっとくして、言うことを聞くこと。「―のいい子・―のない むすめ」

**ききわ・ける**［聞き分ける］《他下一》①聞いて区別する。「飼い主の声を―」②なっとくする。「よく聞き分けてくれた」

**ききん**［(飢×饉)・(×饑×饉)］①〔農作物が〕とれないために食物が たりなくなること。②たりないこと。不足。「水―」

☆☆**ききん**［基金］①《経》ⓐ事業の経済的基礎となるお金。ⓑ一定の目的・使い道を持つ基本金。②一定の基金を有効に運用するために設けられた団体。「国際交流―」

**きぎん**［寄金］《名・他サ》目的に賛同して、お金を寄付すること。また、そのお金。「政治―」

**ぎきん**［義金］〔文〕義援金。

**ききんぞく**［貴金属］《理》簡単には化学変化を受けない金属。たくさん とれないので、値段が高い。装飾用に使う。例、金・銀・白金など。(↔卑金属)

**きく**［菊］草花の名。秋の末、花びらの多い黄色・白な

どの花をひらく。種類が多く、食用のものは刺身のつまにも使われる。〔厳密には、花びらに見える一つ一つが花〕

**きく【規×矩】**〔=コンパスと定規〕〔文〕規準。規則。「—にはめる」☞規矩準縄。

**きく【危×懼】**《名・他サ》〔文〕心配。不安。危惧。「内心の—をおさえる」

***き・く【利く】**㊀《自五》①じゅうぶんにはたらく。「自転車のブレーキが—・目が—人〔=目利き〕・わさびの利いたすし・機転が—・ユーモアが—」②思いどおりになる。「行動の自由が—・うでが利かなくなる」③可能だ。「修理が—・保険が—〔=利用できる〕」㊁《他五》①ものを言う。「口を—〔⇩「口」の句〕」②⇩聞く㊀⑥。☞利かない・利かん気。

**き・く【効く】**《自五》〔時間とともに〕〈はたらき・効果〉があらわれる。「薬が—・暖房が—〔『利く』とも書く〕・宣伝が—」

****き・く【聞く】**㊀《他五》①音・声を耳に感じて知る。「汽笛の音を—・さけび声を—」②人の話を、注意して理解しようとする。「説明を—・ねえ、聞いて聞いて」(↔話す)③情報を耳に入れる。人から知らされる。「聞いた話では、退院したそうだ」④相手の話を承知する。聞き入れる。「願いを聞いてくれた・言うことを聞け」⑤〔×訊く〕〔相手の考えを耳で聞くために〕質問する。「犯行の動機を—」⑥〔利く・×唎く〕味やかおりのぐあいを判断する。「味を—・酒を—」☞香を聞く〔「香」の句〕。尊敬 お聞きになる。謙譲 ②～④伺う・承る。⑤伺う・お伺いする・お聞きする。自 聞ける《下一》。可能 聞ける。☞聞けば。㊁《自他五》〔文〕耳をかたむけて、参考にする。「国民の意見に—」〔「意見を—」は㊀②の意味〕☞聞くならく。●**聞いてあきれる** 句 ①〔その話や説明を〕聞いて、ことばを失う。「何も知らないなんて、—」②人の言うことと実際とがかけはなれているときに使うことば。本物の…が聞いたら、あきれる。ちっとも…ではない。「これが民主主義だって? 民主主義が—よ」●**聞いて極楽見て地獄** 句 話では極楽のようにすばらしいが、実際は非常に悪い。聞くと見るとは大ちがいだ。●**聞きしに勝る** 句 実際は、聞いていた以上である。「—絶景だ」●**聞くは一時の恥** 句 知らないことははずかしがらずに聞くべきである。問うは一時の恥。「—、聞かぬは〈一生〉末代の恥」●**聞く耳を持たない** 句 他人の意見など、はじめから聞くつもりがない。聞く耳持たぬ。「そんな話など—」●**聞くも涙、語るも涙** 句 涙なしには、聞いたり話したりすることができない。

**き・く【聴く】**《他五》①〈くわしく／注意して〉きく。「講義を—・民の声を—」②音楽をきく。「ジャズを—」自 聴ける《下一》。可能 聴ける。

**きぐ【器具】** 手作業に使う道具のほか、ものを入れたり、はかったり、そなえつけておいたりする、わりあい小さな物をまとめた言い方。「調理—〔=包丁・なべなど〕・医療用—〔=メス・注射器など〕・電気—〔=電球・プラグなど〕」

**きぐ【機具】** 動力のついた大きな道具。「農—」

**☆☆きぐ【危惧】**《名・他サ》悪くなりはしないかと思って、心配すること。「—の念をいだく」

**ギグ**〔gig〕①一夜かぎりのライブ。②〔インターネットを通じて〕仕事を単発で請け負う方式。「—ワーク・—エコノミー」

**きぐう【奇遇】** 思いがけず出会うこと。「ここで会うとは—だね」

**きぐう【寄×寓】**《名・自サ》〔文〕よその家にしばらく同居し世話になること。いそうろう。かりずまい。「親類の家に—する」

**きくか【菊花】**〔文〕⇩きっか。

**ぎくしゃく**《副・自サ》①ことばや動作がなめらかでないようす。「—した言い方・—と歩く」②意見がくいちがったりして、自然につきあえないようす。しっくりいかないようす。「—した関係」

**きくじゅんじょう【規×矩準縄】**〔準=水準器。縄=墨縄〕〔文〕人の行動などの規準。☞規矩。

**きくず【木×屑】** 木材を切ったりけずったりしたときに出る、細かい木のくず。

**きくず・す【着崩す】**《他五》本来の着方を、わざとくずして着る。例、ジャケットのそでをまくって着る。「カジュアルに—」

**きぐすり【生薬】**《漢方》しょうやく(生薬)。

**きく・する【×掬する】**《他サ》〔文〕①〔水を〕両手ですくう。むすぶ。「滋味掬すべき作品」〔=そのよさをしみじみ味わうことのできる作品〕②〔心持ちを〕おしはかる。「真情を—」▽掬す。

**きくずれ【気崩れ】**《名・自サ》《経》特別の原因もないのに相場が下がること。動 気崩れる《自下一》。

**きくずれ【着崩れ】**《名・自サ》着ている間に和服の形が崩れてくること。動 着崩れる《自下一》。

**きくたびれ【気〈:草臥れ〉】**《名・自サ》〔気をつかいすぎて〕精神的につかれること。

**きぐち【木口】** ①材木の性質。②材木の切り口。③買い物ぶくろなどの口につけた、木の取っ手。

**ぎくっと**《副・自サ》⇩ぎくりと。

**きくな【菊菜】**〔関西などの方言〕しゅんぎく。

**きくならく【聞くならく】**《副》〔文〕聞くところによると。

**きくにんぎょう【菊人形】** 菊の花の着物を着たように仕立てた人形。

**きくのせっく【菊の節句】** ⇩重陽。

**きくばり【気配り】**《名・自サ》ことがまちがいなく行くように、細かいところに注意すること。「—をする」

**きくばん【菊判】** ①紙の大きさの一種。縦九三・九センチ、横六三・六センチ。②書籍の大きさの一種。縦二一・八センチ、横一五・二センチの大きさ。A5判よりやや大きい。

**きくびより【菊日和】** 菊がさくころの、いい日和。

**きぐみ【木組み】** 材木を切って組むこと。

**きぐみ【気組み】** 意気ごみ。心組み。

**きぐらい【気位】** 品位をたもとうとする、心の持ち方。●**気位が高い** 句 家がらや教養などについて、ほこりが高い。

**きくらげ【〈:木耳〉】** 木の幹などにはえる、人の耳の形に似た、キノコの一種。こりこりした食感。「たまごと—のいためもの」

**ぎくりと**《副・自サ》①関節やけん〔腱〕を痛めるようす。「足首が—した」②不意なことに出あって、どきっとするようす。「弱みをつかれて—した」▽ぎくっと。

きぐるみ【着〈△包み〉】動物・人物などをかたどった中に人がはいって動く人形。等身大ぬいぐるみ。「パンダの━・━ショー」

きぐろう【気苦労】《名・自サ》気がね・心配など、気持ちの上での苦労。「━がたえない」

きくん【貴君】《代》〔手紙など〕〔文・男〕同等(以下)の相手を呼ぶ尊敬語。あなた。

ぎぐん【義軍】〔文〕正義のための〈軍隊／いくさ〉。

きけい【奇形・×畸型】〔生物の〕ふつうとちがった、不完全なかたち。

↑きけい【奇計】〔文〕人をあっと言わせる計略。「━が功を奏する」

↑きけい【×詭計】〔文〕人をだます計略。「━を弄する」

きけい【奇景】〔文〕ふつうとは変わった、めずらしいけしき。

きけい【貴兄】《代》〔手紙など〕〔文・男〕同等またはやや目上の相手を呼ぶ尊敬語。あなた。

きけい【奇警】《ナダ》〔文〕思いがけないようす。奇抜。派━さ。

ぎけい【偽計】〔文〕相手をだますための計略。「━取引」●ぎけいぎょうむぼうがい【偽計業務妨害】〔法〕うその情報や人をだます計画によって、業務のじゃまをする罪。(↔威力業務妨害)

ぎけい【義兄】〔文〕①義理の兄。〈夫／妻〉の兄。また、〈義理の〉姉の夫。②親の再婚相手の子どもまたは親の養子で、自分より年上の男。③約束をして兄と決めた人。▽(↔実兄)

ぎげい【技芸】美術・工芸や芸能の〈技術／うでまえ〉。

きげき【喜劇】①おもしろおかしいことを織りこんだ劇。コメディー。「━俳優・人情━」②笑うしかない できごと。▽(↔悲劇)

きけつ【気血】〔漢方〕からだの状態をととのえる、気(=生気)と血のめぐり。

きけつ【既決】①〔文〕もう決まっていること。もう〈処理／決裁〉したこと。「━事項」②〔法〕刑事事件で、もう判決が確定したこと。「━囚(=受刑者など、既決の拘禁者を言う、以前の言い方)」▽(↔未決)

きけつ【帰結】《名・自サ》りくつで行けば当然そうなる結果。

ぎけつ【議決】《名・他サ》〔議会・会議などで〕実行させるために、決めること。また、決まった結論。「━機関」

きけば【聞けば】《副》①聞いた話では。うわさでは。「━、お前は仕事もせず遊んでいるそうだが」②質問してみると。「━、友だちはみんな持っているという」

きけもの【利け者】〔古風〕先のよく見通せる、利口者。ききもの。

きけん【貴見】〔文〕「意見」の尊敬語。「━のとおり」

きけん【貴顕】〔文〕身分が高く、名前がよく知られている〈こと／人〉。「━紳士」

きけん【帰県】《名・自サ》〔文〕自分の〈住む／出身地の〉県に帰ること。

きけん【棄権】《名・他サ》自分の権利をすてて使わないこと。「投票を━する・途中━で敗退」

*きけん【危険】《名・ナダ》①(いのちに)あぶないことが起こると予想されること。「━物・━運転・━性・━信号」(↔安全)②おそれ。「倒産の━がある」●きけんきゅう【危険球】〔野球〕投手が打者の頭部などをめがけて投げる、危険なたま。●きけんすいいき【危険水域】①海・川などで、進入すると危険がある範囲。②危険がある事態。「政治腐敗が━に達する」●きけんドラッグ【危険ドラッグ】法律の規制をすりぬけてはいるが、違法な麻薬などのように危険な薬。「脱法ドラッグ」に代わって二〇一四年から使われることば。

きげん【紀元】①年数を数えるもとになる年。「西暦紀元━二〇〇〇年」②↑西暦紀元。「━前六〇〇年」③(新しい)時代。エポック。「新━を画す」

きげん【期限】前もって限られた時期。また、そのときまでの期間。「━を切る・━が長い・賞味━」

ぎげん【機嫌】①そとから見て、いい・悪いがはっきりわかる、心の状態。「たいへん━がいい・━をうかがう(=相手の機嫌を気にしておそれる)・━よく帰った」②⇩ごきげん㊁②。●機嫌を取る 句 相手の気持ちをやわらげ、気に入られるようにふるまう。機嫌気づま(褄)を取る。「上司の━」●きげんかい【機嫌買い】(↑機嫌変え)①そのときの気分で、人に対する好ききらいの感情が変わりやすい〈こと／人〉。②相手のきげんがよくなるようにつとめる〈こと／人〉。●きげんきづま【機嫌気(×褄)】そのときどきで変わる、相手の気持ち。「━を取る」

きげん【起源・起原】《名・自サ》①ものごとのおこり。いちばんはじめ。「文学の━」②それが、もとになること。「生物━のエネルギー」

ぎけん【技研】↑技術研究所。

きげんそ【希元素・×稀元素】〔理〕地球上には、まれにしか存在しないと考えられていた元素。アルゴン・ウラン・チタンなど。希有元素。

きこ【旗鼓】〔=軍旗と鼓〕〔文〕陣容。「━堂々と攻めたてる」

きこ【帰庫】《名・自サ》〔トラック・タクシーなどが仕事を終えて〕営業所などに帰ること。

きご【季語】俳句によみこむ、四季の感じをあらわすためのことば。季題。例、「菜の花」は「春」の季語。

きこう【気孔】〔植〕植物の表皮にあって呼吸や蒸散をするための、小さい穴。

きこう【気功】深呼吸と体操とを組み合わせておこなう、中国古来の健康法。

↑きこう【気候】(その地方の)一年間を通してみた、天気の状態。「温和な━・━不順」

↑きこう【季候】〔文〕季節。時候。「━のあいさつ」

きこう【奇行】ふつうと変わったおこない。「━の多い人」

きこう【奇効】〔文〕ふしぎなききめ。

きこう【紀行】旅行記。「━文・━作家・━番組」

きこう【貴行】〔文〕「相手の銀行」の尊敬語。(↔弊行・当行)区別⇩御社。

きこう【貴校】〔文〕「相手の学校」の尊敬語。御校。

きこう【機甲】〔軍〕機械化した兵器や装甲をされた車両で武装すること。「━兵団」

きこう【機構】①〔官庁・会社・団体などの〕組織。「━改革」②機械の内部のしくみ。

きこう【帰校】《名・自サ》①〔外出・出張・試合など

に行った先から〉学校へ帰ること。②学校から自分の家へ帰ること。下校。

↔**きこう**［帰航］《名・自サ》帰りの航海。

↔**きこう**［帰港］《名・自サ》〈航海／漁〉に出た船が、港に帰ること。

**きこう**［起工］《名・自サ》工事を始めること。（↔竣工・完工）

**きこう**［起稿］《名・自サ》原稿を書き始めること。（↔脱稿）

↔**きこう**［寄航］《名・自サ》①飛行中の航空機が、とちゅうの空港にたちよること。②⇩寄港。

↔**きこう**［寄港・寄航］《名・自サ》航海中の船が、とちゅうの港にたちよること。「単独無―太平洋横断」

**きこう**［寄稿］《名・自サ》たのまれて、原稿を〈新聞社／雑誌社〉に送ること。「―家」

**きこう**［希×覯・×稀×覯］《名・ナダ》〔文〕〈本などについて〉めったに見られないこと。めずらしいこと。「―本・―な古写本」

**きこう**［貴公］《代》もと、同等（以下）の者に使った呼び方。おまえ。きみ。

**きごう**［記号］一定の内容をあらわす約束のもとに、その集団で使われるしるし。特に、符号・標識の類。「発音―」

**きごう**［揮×毫］《名・他サ》〔毫＝ふで〕〈えらい人／大家〉が〈たのまれて〉文字や日本画を筆でかくこと。「首相の―」

**ぎこう**［技工］手で加工する技術（を持った人）。

**ぎこう**［技巧］〈表現や製作の〉技術の上のくふう。●**ぎこうてき**［技巧的］《ナダ》技巧〈がすぐれている／に走って内容がないようす〉。

**きこうし**［貴公子］身分ある家の、若い男。

**きこえ**［聞こえ］①聞こえること。「母音の―・耳の―（＝聴力）が悪い」②聞いた感じ。人聞き。「役員と言えば―はいいが、おかざりだ」③評判。「名人の―が高い」

**きこえた**［聞こえた］《連体》よく知られた。有名な。「音に―（＝評判の）大家」

**きこえよがし**［聞こえよがし］《名・ナダ》わざと聞かせようとするようす。「悪口を―に言う」☞がし。

＊＊**きこ・える**［聞こえる］《自下一》①音・声が耳に感じられる。「足音が―・耳が―（＝聴力がある）」表記「聴こえる」とも〈音楽の場合など〉。②〈意味が〉とれる。「ほめているように―」③広く伝わる。知れわたる。「名声世に―」④〔古風〕〔言っていることの内容が〕わかる。なっとくできる。「そりゃ聞こえませぬ」

**きこく**［鬼×哭］〔文〕死者のたましいが泣く〈こと／声〉。●**きこくしゅうしゅう**［鬼×哭×啾々］《トタル》〔文〕死者のたましいがしくしく泣いているのが聞こえるようす。

**きこく**［貴国］〔文〕「相手の国」の尊敬語。おくに。

**きこく**［旗国］〔文〕船や飛行機が登録されている国。

**きこく**［帰国］《名・自サ》①本国に帰ること。②〔文〕帰郷。●☆☆**きこくしじょ**［帰国子女］外国で育ち、帰国した子ども。帰国〈児童／生徒〉。帰国生。

☆☆**ぎごく**［疑獄］〔＝複雑で調べにくい、裁判事件〕政治にからんで、政府高官が関係する大規模な不正事件。

**きごこち**［着心地］衣服を着たときの気持ち。「―のよい服」

**きごころ**［気心］気持ちや性質。「―の知れた友だち」

**きこしめ・す**［聞こし召す］□一《他四》〔雅〕お聞きになる。□二《他五》〔俗〕酒を飲む。「一杯―」

**ぎこちな・い**《形》①〈動作などが〉なめらかでない。「―手つき」②ぶあいそうだ。▽ぎごちない。由来「あらっぽいようす」「ぶあいそう」の意味の「ぎこつ」と、強調の「ない」から。派―げ。―さ。

**きこつ**［気骨］なかなか人に屈服しない心。気概。「―のある人」☞きぼね（気骨）。

**きこな・す**［着こなす］《他五》衣服の材料・柄などを自分のからだにあわせて、うまく着る。名着こなし。

**きこの一いきおい**［騎虎の勢い］〔騎虎＝トラに乗る〕〔文〕〈トラに乗って走る者が おりられないように〉とちゅうでやめられない勢い。

**ぎこぶん**［擬古文］〔江戸時代の国学者や歌人が〕平安朝の文体をまねて作った文章。

**きこ・む**［着込む］《他五》①上着の下に着る。②たくさん着る。③特別に着る。「タキシードを―」

**きこり**［〈×樵〉］〈山や林の〉木を切りたおす〈こと／人〉。

**きこん**［気根］①ものごとにたえられる気力。②〔植〕くきから地上に向かってたれ下がる根。

**きこん**［既婚］すでに結婚していること。「―者」（↔未婚）

**きざ**［気△障・キザ］《ナダ》（↑気ざわり）〈ふつう男が〉気取っていて、いやみがあるようす。派―さ。

**ぎざ**〔俗〕ぎざぎざ。「―を入れる・―をつける・―十（＝ふちにぎざぎざのある十円玉）」

↔**きさい**［奇才］めったにない才能（の人）。

↔**きさい**［鬼才］〔人間ばなれをした〕するどい才能（の人）。

**きさい**［奇祭］〔文〕やり方がふつうと変わっている祭り。

**きさい**［既済］〈お金の返済や処理すべきことが〉すでにすんでいること。（↔未済）

**きさい**［機才］〔文〕その場でひらめくようにあらわれる、するどい頭の働き。

**きさい**［起債］《名・自サ》《経》公債や社債を発行すること。

＊**きさい**［記載］《名・他サ》〈必要な内容を〉書くこと。「台帳に―する・―がある（＝書いてある）」

**きざい**［基材］製品にするための、もとになる物質。例、絵の具をまぜてクレヨンにするための ろう。「けしょう品の―」

↔**きざい**［器材］器具と、それを補助する道具。「医療―・照明―」

↔**きざい**［機材］①機具と、それを補助する道具。「建設―・カメラの―」②航空機そのもの。「―故障・―繰りのため遅延（＝使用する航空機が到着していないための遅延）」

**きさき**［△妃・△后］①天皇の妻。皇后。②皇族・国王・王族の妻。

**きざき**［季咲き］〔促成栽培などでなく〕花が、その咲くはずの季節に咲くこと。「―のアヤメ」

**ぎざぎざ** ぎざぎざ《名・ナダ》・ぎざぎざ《自サ》のこぎりの歯のような刻み目（があるようす）。「―のある硬貨」

**きさく**［奇策］ふつうは考えつかない、変わった策略。

「―縦横の人物」

**きさく**[気さく]《ナダ》〔さく←さくい〕 だれにでも気軽にうちとけるようす。「―な性質」 派 ‐さ。

**ぎさく**[偽作]《名・他サ》〔文〕本当はないものを、あるように〈作ったもの／作ること〉。「手紙を―する」(↔真作) ☞贋作。

**きざけ**[生酒] まぜもののない、純粋の清酒。生一本の酒。

☆☆**きざし**[兆し・萌し] ものごとが起こるしるし。「春の―・回復の―が見える」

**きざ・す**[兆す・萌す]《自五》(≒芽ばえる) ものごとが起こり始まろうとする。

**きざっぽ・い**[(気障っぽい)]《形》 きざな感じ(をあたえるようす)だ。派 ‐さ。

**きざはし**[(階)] 〔雅〕階段。

**きさま**[貴様]《代》〔古風・男〕人をののしって呼ぶことば。てめえ。「―、やりやがったな」 ✎江戸時代初期は尊敬語で、松尾芭蕉にあてて年の近い門人が書いた手紙にも出てくる。のちに敬意がうすれ、江戸時代末期には乱暴なことばになった。軍隊では、同期の仲間どうしが「貴様、おれ」と呼び合うこともあったが、現代の仲間どうしは使わない。表記 俗に「キサマ」とも。

**きざみ**[刻み] 二 きざみ ①刻んだ状態(のもの)。「―目・―うどん(≒刻んだ油あげをのせたうどん)」 ②↑刻みタバコ。 二 きざみ 造 細かい間隔で数えるときの区分をあらわす。「百円―・分―の日程」 ●**きざみあし**[刻み足] 小またに早く歩くこと。●**きざみタバコ**[刻み(:煙草)] 細かく刻んだタバコ。キセルやパイプにつめて吸う。(↔紙巻きタバコ・葉巻) ●**きざみつ・ける**[刻み(付ける)]《他下一》 ①刻んで形をつける。「石に文字を―」 ②忘れないように、よく覚え(させ)る。「〈自分の／人々の〉心に―・脳裏に―」

**きざ・む**[刻む]《他五》 ①同じような形に、細かく切る。「ねぎを―」 ②彫刻する。「仏像を―」 ③浅く細い切れ目を入れる。「文字を―・ひたいに刻まれたしわ」 ④〔時が〕細かく区分して進む。「秒を―」 ⑤しっかりと覚えておく。「心に―・まぶたに―」 ⑥《ゴルフ》少しずつピンに寄せる。可能 刻める。

**きさらぎ**[(:如月)] 〔文〕旧暦二月。

**きざわり**[気障り]《名・ナダ》 ①相手の言うことやすることが何となく不快に感じられること。 ②いっしょにいることが、気づまり・目ざわりであること。

**きさん**[帰参]《名・自サ》〔文〕武士が、いったん暇をとった主人に、もう一度つかえること。「―がかなう」

**きさん**[起算]《名・自サ》 数えはじめること。「着工の日から―する」

**ぎさん**[蟻酸・ギ酸] 《理》一部のハチやアリ、マツの葉などにふくまれる酸。ひふにつくと炎症を起こす。

**きさんじ**[気散じ]《名・ナダ》〔古風〕 ①気晴らし。「―に散歩してくる」 ②気をつかわないこと。気楽なこと。「―な人だねえ」

**きし**[岸] 川・湖・海などの、へりに当たる地面。

**きし**[棋士] 職業として、碁・将棋をする人。碁打ち。将棋指し。

**きし**[棋史] 碁・将棋の歴史。

←**きし**[貴紙] 〔文〕「相手方の新聞」の尊敬語。

→**きし**[貴誌] 〔文〕「相手方の雑誌」の尊敬語。

**きし**[旗幟] 〔文〕 ①はた(じるし)。 ②態度。方針。はたいろ。「―鮮明」

**きし**[騎士] ①馬に乗った人。 ②〔ヨーロッパ中世の〕領主につかえた武士の称号。ナイト。☞騎士道。

←**きじ**[木地] ①もくめ。 ②塗らないままの木の表面。 ③もくめをあらわしたうるし塗り(の器具)。木地ぬり。「―職人」

→**きじ**[生地・素地] ①〔手を加えない〕そのものが持っている本来の性質。「―を出す」 ②〔衣服などを作る材料としての〕布。「上等の―を使う」 ③〔陶磁器やフィルムなどで〕上からくすりを塗らないもの。 ④〔パンやめん、菓子などを作るため〕粉に水やほかの材料を加えてこねたもの。「パイ―・シュー―」 ☞せいち(生地)。

**きじ**[記事] ①〔新聞・雑誌などで〕報道や解説の文章。「経済―・インタビュー―・署名(入りの)―」〔広い意味では、連載小説や投書なども ふくむ〕 ②《情》コンテンツとなる文章。「ブログの―」 ③〔文〕日記・記録の文章。「九月一日の―」

**きじ**[棄児] 親や保護者に捨てられた子ども。

**きじ**[(雉)・(:雉子)] ニワトリぐらいの大きさの野鳥。尾は長く、雄ははねが美しい。日本特産で、国鳥とされる。鳴き声は、けんけん。由来 古くは「きぎす」「きぎし」。「きぎ」は鳴き声から、「す」「し」は鳥を指す接尾語。●**きじも鳴かずば撃たれまい** 句 よけいなことを言わなければ災難にあわなかったろうに。

←**ぎし**[技士] 特定の技術や技能の資格をもつ人。「アマチュア無線―」

→**ぎし**[技師] 専門の技術を受け持つ人。

**ぎし**[偽史] 本当のことのように語られている、うその歴史。

**ぎし**[義士] 〔文〕正義を守る〈人／さむらい〉。

**ぎし**[義姉] 〔文〕 ①義理の姉。〈夫／妻〉の姉。また、(義理の)兄の妻。 ②親の再婚相手の子ども または親の養子で、自分より年上の女。 ③約束をして、姉と決めた人。▽(↔実姉)

**ぎし**[義肢] 義手や義足。

**ぎし**[義歯] 〔文〕ぬけた歯の代わりに入れる、人造の歯。入れ歯。

**ぎじ**[疑似・擬似] それらしく見えるが、実はそうでないこと。「―日本脳炎・―体験」

**ぎじ**[擬餌] 釣りのえさの一種。えさにする虫などの形に似せて作ったり、さかなの注意をひくような形に作ったりしたもの。疑似餌。「―ばり(鉤)(≒ルアー)」

**ぎじ**[議事] 集まって相談すること。また、そのことがら。「―の進行をはかる・―日程」

☆☆**きしかいせい**[起死回生] 死にかかっているところを生きかえらせること。だめになるところを立ち直らせること。「―の策」

**きしかた**[来し方] 〔雅〕⇩こしかた。

**きしがた・い**[期し(難い)]《形》〔文〕期待しにくい。「生還は―(≒望みうすだ)」

**きしかん**[既視感]《心》⇩デジャブ。

**ぎしき**[儀式] ①人々が集まり、きまりにしたがって、おごそかにおこなう行事。「仏教の―・学校の―」 ②何かをする前などに、習慣的におこなうこと。「数を数えるのがねる前の―」 ●**ぎしきば・る**[儀式(張る)]《自五》 儀式のときのように、ていさいをかざり、おもおもしくする。

**きしきし**《副》かたいものが こすれて出る、小さな音。「雪を—とふむ・髪の指通りが悪くて—言う」

**ぎしぎし**《副》木や金属などが こすれて きしむ音。「階段が—と鳴る」

**きじく**［基軸］考え・組織などの、土台となり、また中心となるところ。「—通貨」

→**きじく**［機軸］①活動の中心となる軸。②方式。やり方。「新—を出す」

**きしつ**［気室］①リュックサックなどの、ものを入れる部分(の数)。「二—」②《動》卵の、とがっていないほうの底にある、殻と内側の膜の間にある空間。

**きしつ**［気質］感情の方面から分けた性質。気立て。気性。「はげしい—」☞かたぎ(気質)。

**きしつ**［器質］《医》からだの一部または内臓などの、実質。「—的障害」

**きじつ**［忌日］《仏》⇩きにち。

**きじつ**［期日］①期限の日。「—にまにあう」②決められた日。●☆☆**きじつまえとうひょう**［期日前投票］→〈—ま—へ〉《名・自サ》《法》仕事やレジャーなどで投票所へ行けないとき、投票日より前に投票をすませること。選挙人名簿の登録地でおこなう。きじつぜん とうひょう。☞不在者投票。

**きしどう**［騎士道］「騎士②」の特色である気風。キリスト教をとうとび、勇気・礼儀・名誉、貴婦人への奉仕などを重んじた。

**ぎじどう**［議事堂］①議事をおこなうために建てた建物。「県議会—」②↑国会議事堂。

**きしな**［来しな］来る、その時。来るとちゅう。きがけ。「—に立ち寄る」☞しな 接尾。

**きしねんりょ**［希死念慮］《医》死にたいと思う気持ち。〔うつ病の症状の一つ〕

**きじばと**［〈×雉×鳩〉］⇩やまばと。

**ぎじばり**［擬餌〈×鉤〉］擬餌を釣りばりにつけたもの。毛ばりなど。ルアー。

**きしべ**［岸辺］岸のそば。

**きしぼじん**［鬼子母神］《仏》⇩きしもじん。

**きしむ**［〈×軋む〉］《自五》①戸・障子・車輪などが、なめらかに動かないで、ぎしぎし音を立てる。②小さく、きしきし言う。「小石が—・髪が—・ベッドが—」③ぎくしゃくする。「両国関係が—」名 きしみ。

**きしめん**［〈×棊子麺〉］平たく作ったうどん。ひもかわ(うどん)。〔名古屋の名物〕「冷やし—」

**きしもじん**［鬼子△母神］《仏》たくさんの子どもを持つ、美しい女神。お産と育児の神として信仰される。きしぼじん。

**きしゃ**［汽車］①蒸気機関車。「けむりを吐いて—が走る」②〔古風/方〕(長距離)列車。気動車。

**きしゃ**［記者］①文章を書く人。②〔新聞・雑誌・放送などで〕取材をして記事を書いたり、編集をしたりする人。「新聞—・—団・高田—」

**きしゃ**［貴社］〔文〕相手の会社・神社などを尊敬していう呼び方。(↕弊社・当社) 区別 ⇩御社。

**きしゃ**［帰社］《名・自サ》社員・記者などが、自分の会社へ帰ること。

**きしゃ**［喜捨］《名・他サ》進んで寺などに寄付をすること。

**きしゃかいけん**［記者会見］報道記者たちの前に出て、ニュースになるような重要なことを話したり、質問に答えたりすること。会見。

**きじやき**［〈×雉〉焼き］①とうふに しょうゆや塩をつけて焼き、酒をかけた料理。きじ焼きどうふ。②ニワトリの肉を切り、しょうゆ・みりんなどで味つけして焼いた料理。「—丼」

**きしゃく**［希釈・×稀釈］《名・他サ》液に水を加えてうすめること。「—用の そばつゆ」

**きじゃく**［着尺］《服》おとなの着物一枚を仕立てるだけの反物(の長さと はば)。着尺物。(↕羽尺) ●**きじゃくじ**［着尺地］着物に使えるだけの寸法の布地。

**きしゃクラブ**［記者クラブ］内閣・官庁・国会などに行っている新聞社の記者が集まって作る団体(の部屋)。

**きしゃぽっぽ**［汽車ぽっぽ］〔ぽっぽ＝けむりをはき出す音〕〔児〕汽車。

←**きしゅ**［奇手］〔文〕ふつうは やらない、変わったやり方・手段。「—を放つ」

→**きしゅ**［鬼手］《碁・将棋》〔文〕おどろくほど大胆できびしい打ち方。☞鬼手仏心。

**きしゅ**［期首］ある期間のはじめ。「—の予算・—編成〔＝テレビ界で四月・十月の番組改編期に、冒頭をかざるゴールデンアワーの特別番組群〕」(↕期末)

**きしゅ**［貴種］〔文〕高貴な家柄の生まれ(の人)。「—流離譚〔＝高貴な生まれの主人公が、さすらいの旅で苦労を重ね、成功する物語〕」

**きしゅ**［旗手］①〔行動の先頭に立って〕はたを持つ人。「開会式の—」②《軍》軍旗を持つ人。③先頭に立って活躍する人。「恋愛小説の—」

**きしゅ**［機首］飛行機の前の部分。(↕機尾)

**きしゅ**［機種］①機械・器具などの種類。「スマホの—変〔＝機種変更〕」②飛行機の種類。

**きしゅ**［騎手］競馬に出る乗り手。ジョッキー。

←**きじゅ**［紀寿］(数え年の)百歳(の祝い)。百寿。由来 一世紀を生きたことに ちなむ。

→☆☆**きじゅ**［喜寿］(数え年の)七十七歳(の祝い)。喜の(字の)祝い。由来「喜」の草書体「㐂」は「七十七」と読めることから。

**ぎしゅ**［技手］会社などで、技師の下で技術を担当する人。ぎて。

**ぎしゅ**［義手］〈先天的にない/けがや病気で なくした〉手の、形や機能を補うために つける、人工の手。

**きしゅう**［奇習］〔文〕めずらしい風習。

←**きしゅう**［既修］〔文〕〔必要な課程を〕もう学んでいること。「法学—者試験」(↕未修)

→**きしゅう**［既習］《名・他サ》〔文〕すでに〈学習/習得〉したこと。「—単語」(↕未習)

**きしゅう**［奇襲］《名・他サ》①思いがけないしかたで敵を攻撃すること。「—戦法」②〔俗〕不意に人をたずねること。

**きじゅう**［機銃］《軍》↑機関銃。「—掃射」

**きじゅう**［帰住］《名・自サ》以前住んでいた場所に帰って住むこと。「ふるさと—センター・—先」

**きじゅうき**［起重機］⇩クレーン。

**きしゅく**［〈×耆宿〉］〔文〕経験を積んだ老大家。「学界の—」

**きしゅく**［寄宿］《名・自サ》①よその土地から出て来て、一時、人の家などに住むこと。「東京の―先」②寮(りょう)で生活すること。「―学校(=全寮制学校)」 ●**きしゅくしゃ**［寄宿舎］学生・従業員などを共同で生活させるための建物。寮(りょう)。

**きしゅつ**［既出］すでに出て、知られていること。「―の話題・―の試験問題」(↔未出)

**きじゅつ**［奇術］〔中ぐらいの大きさの道具を使ってする〕てじな。「―師」☞魔術(まじゅつ)②・イリュージョン②。

**きじゅつ**［既述］《名・自サ》〔文〕文章の中で、すでにのべたこと。「―のように」

**きじゅつ**［記述］《名・他サ》見たり感じたりしたままを文章の形で のべること。(観察したとおりに)のべること。また、それを書きしるしたもの。「―式(=テストで、文章の形で答えるやり方)」

**ぎじゅつ**［技術］①理論にもとづいた、ものごとをうまくおこなう方法(や能力)。「デッサンの―を学ぶ・魚をとる―・高い―(=技能)をもった人」②科学技術。「―者・―革新・高度―化社会」③中学校の教科「技術・家庭」の一部。木材・金属加工やコンピューターなどの「技術①」を学ぶ。 ●**ぎじゅつし**［技術士］〔機械、化学、電気・電子など〕各種の科学技術について高い専門知識と応用能力を持ち、研究やコンサルティングなどに従事する人。 ●**ぎじゅつてき**［技術的］《ナダ》①技術に関係があるようす。②実際の運営・運用に関係があるようす。「―に不可能だ」

**きしゅぶっしん**［鬼手仏心］外科(げか)の医者は、メスをざんこくなほど大胆に入れるが、気持ちは あたたかい、ということのたとえ。

←**きじゅん**［基準］①くらべるときの もとになる数量・もの・人など。「血圧が―の値(あたい)をこえる・自分を―に考える」②守ることを法律で決めた、必要な水準・状態。「建築―法」〔「規準」と区別するために「もとじゅん」と読むこともある〕 ●**きじゅんかんご**［基準看護］《医》入院患者(かんじゃ)数に対する看護する人の数が、厚生(こうせい)労働省告示の基準を満たしているもの。 ●**きじゅんないちんぎん**［基準内賃金］《経》決められた作業時間におこなわれた労働に対して しはらわれる賃金。基準賃金。所定内賃金。(↔基準外賃金)

→**きじゅん**［規準］〔文〕よりどころとするように定められた水準・状態。〔「基準」と区別するために「のりじゅん」と読むこともある〕

**きじゅん**［帰順］《名・自サ》〔文〕〔そむいていたものが〕心を改めて、つきしたがうこと。

←**きしょ**［希書・×稀書］〔文〕たやすくは見られない めずらしい本。

→**きしょ**［奇書］〔文〕奇抜(きばつ)な内容の本。

**きしょ**［貴所］〔文〕一「相手の〈いるところ/所(しょ)〉」の尊敬語。二《代》《手紙など》〔男〕あなた。貴君。

**きじょ**［鬼女］〔文〕①女の姿をした おに。②おにのように おそろしい女。

**きじょ**［貴女］〔文〕一 身分の高い女性。二《代》《手紙》相手の女性を尊敬して呼ぶことば。あなた。

**きじょ**［機序］〔文〕仕組み。メカニズム。「がんの発生―」

**ぎしょ**［偽書］《名・他サ》その人が書いたように見せかけて作った〈文書/本〉。

**きしょい**《形》〔もと、関西などの方言〕〔俗〕気色(きしょく)が悪い。気持ちが悪い。きもい。「―人形」

←**きしょう**［気性］生まれつきの性質。気質。「―の はげしい女・やさしい―・進取の―に富む」 表記「気象」とも書いた。

→**きしょう**［気象］①〔風・雨・温度などについての〕大気の現象。「―概況(がいきょう)」②「気象①」の学問。気象学。「―で使う用語」③⇩気性(きしょう)。 ●**きしょうえいせい**［気象衛星］気象の観測を目的に打ち上げられる人工衛星。 ●**きしょうだい**［気象台］気象や地震(じしん)の観測・調査をし、予報を出すなどする、気象庁の管下にある施設(しせつ)。「管区―」 ●**きしょうちょう**［気象庁］《法》気象関係業務の最高機関としての官庁。国土交通省の外局。 ●**きしょうびょう**［気象病］病状が気象とかかわりのある病気。例、リウマチ・神経痛。 ●☆☆**きしょうよほうし**［気象予報士］民間で独自に天気予報を出す資格を持った人。

**きしょう**［奇勝］〔文〕①ふつうと変わった、すぐれたけしき。②［奇×捷］思いがけない勝利。「―を博する」

**きしょう**［記章］①［×徽章］所属・地位などを示す、バッジや、布製の しるしなど。「帽子(ぼうし)の―」②リボンがついていて、胸に下げる、記念のメダル。「従軍―」③名前を書いて胸に下げるリボン。☞胸章。

**きしょう**［起床］《名・自サ》ねどこからおきること。とこをはなれること。離床(りしょう)。(↔就寝(しゅうしん)・就床)

**きしょう**［希少・×稀少］《ナダ》めったにないくらい、少ないようす。「―価値(=希少であるということに価値が認められる状態)・―性・―動植物・―がん」 ●**きしょうきんぞく**［希少金属］《理》⇩レアメタル。

**きじょう**［机上］〔文〕①つくえの上。②頭で考えたり、紙に書いたりしただけのこと。 ●☆☆**きじょうのくうろん**［机上の空論］実際に応用できない理論。「―にすぎない」

**きじょう**［軌条］⇩レール①。「第三―」

**きじょう**［貴状］〔文〕「相手が書いた手紙」の尊敬語。貴簡。

**きじょう**［機上］〔飛んでいる〕飛行機の中。「―の人となる」

**きじょう**［騎乗］《名・自サ》〔文〕馬に乗ること。

**きじょう**［気丈］《ナダ》〔〈悲しい/苦しい〉場合にも〕気の持ち方がしっかりしているようす。気丈夫。「―にも泣かなかった」 派―さ。

☆☆**ぎしょう**［偽証］《名・他サ》①いつわりの〈証拠(しょうこ)/証言〉。②《法》〔裁判などで〕うそのことを証言すること。「―罪」

**ぎじょう**［儀×仗］〔=儀式(ぎしき)のときに持つ武器〕《軍》軍隊・自衛隊が、国賓(こくひん)の栄誉(えいよ)礼の際などに おこなう、一糸乱れぬ警護。「自衛隊の―隊・―兵」

**ぎじょう**［議場］会議をする部屋。

☆☆**きしょうてんけつ**［起承転結］①漢詩、ことに絶句の組み立て方。はじめの句(=起句)でおこし、次の句(=承句)でうけ、第三の句(=転句)で一転し、最後の句(=結句)で全体をむすぶ。②〔物語などで〕はじまり・ひろがり・どんでん返し・むすびの構成。

**きじょうぶ**［気丈夫］一《ナダ》〔古風〕①心強い。心じょうぶ。②気丈。派―さ。二 気丈な人。

**きしょうもん**【起△請文】昔、神や仏にかけて、うそでないことをちかった文書。

**きじょうゆ**【生×醤油】ほかのものをまぜたり、煮(に)立てたりしていないしょうゆ。「—うどん」

**きしょく**【気色】見たりさわったりしたときの、鳥はだが立つような〈気持ち／気分〉。「—(が)悪い(☞きしょい)」☞けしき(気色)。•**きしょくば・む**【気色ばむ】《自五》☞けしきばむ。

**きしょく**【喜色】〔文〕喜びの〈顔つき／ようす〉。「—満面」(↔憂色(ゆうしょく))

**きしょく**【貴職】〔文〕㊀高い位の官職。㊁《代》その職務についている相手を尊敬して言うことば。「—におかれては」▽㊀㊁(↔小職)

**きしょく**【寄食】《名・自サ》〔文〕いそうろう。

**キシリトール**〔xylitol〕シラカバなどからとれる成分を原料とした、甘味(かんみ)料。虫歯となる菌(きん)の活動をおさえるとされる。

**きし・る**【×軋る】《自五》金属などのかたいものどうしがこすれあって、いやな音を立てる。名きしり。

**ぎじろく**【議事録】議会・会議の内容を記録したもの。

**きしん**【帰心】〔文〕帰りたいと思う心。•**帰心矢のごとし** 句〔文〕(故郷や自分の家に)いちずに帰りたく思う。

**きしん**【鬼神】〔文〕☞きじん(鬼神)①。

**きしん**【貴信】〔文〕「相手からの通信」の尊敬語。

**きしん**【寄進】《名・他サ》神社や寺に財産・お金・品物などを寄付すること。喜捨。

**きじん**【奇人・×畸人】ふうがわりな人。変人。

**きじん**【鬼神】〔文〕①あらあらしく、おそろしい神。おにがみ。きしん。②ばけもの。

**きじん**【貴人】〔文〕身分の高い人。「—の墓」

**ぎしん**【義心】〔文〕正義のためなら身を投げ出してもいいと考える心。義侠(ぎきょう)心。

**ぎしん**【疑心】〔文〕うたがう心。•☆☆**ぎしんあんき**【疑心暗鬼】(↑疑心、暗鬼を生(しょう)ず)①疑う心が強くなると、ありもしない鬼(おに)の形まで見えてくるように、なんでもないことまで おそろしく感じられること。②何が本当かわからず、不安になること。「情報が錯綜(さくそう)して—になる・—が広がる」

**ぎじん**【義人】〔文〕正義のためなら死んでもいいと思う心の強い人。

**ぎじん**【擬人】ことばで説明するときに、人間以外のものを人間と同じに見立てること。「—化・—法」

**きしんごう**【黄信号】①(交通標識で)注意をうながす黄色の信号。②作業の進行や計画の実現への支障をしめすものごとのたとえ。「景気の先行きに—がともる」▽黄色信号。

**きす**【×鱚】砂地の海にすむ、細長い小形のさかな。食用。一般(いっぱん)にシロギスを言う。「—の天ぷら」

**き・す**【帰す】《自他五》〔文〕☞帰する。

**き・す**【記す】《他五》〔文〕記する。☞しる(記)す。

**き・す**【期す】《他五》〔文〕☞期する。

**キス**《名・自サ》〔kiss〕(愛情をあらわすために)相手のくちびる・顔・手などに自分のくちびるをつけること。接吻(せっぷん)。キッス。「—マーク(=ⓐ口紅のあと。ⓑはだを吸ったあとが赤くなったもの)」

**きず**【傷・キズ】①からだやものの表面を切ったり突(つ)いたりして、つけたあと。「—が痛む・あとが—になる・柱に—をつける」②心に受けた痛手。「心の—をいやす」③【×瑕】欠点。「—の多い文章・玉に—」④失敗。不名誉(ふめい)。「古い—(=ふるきず)をあばく」表記 小さな「きず①③」は「×疵」とも。刀や銃弾(じゅうだん)による場合は「△創」とも。•**傷をなめ合う** 句 心に痛手を受けた者どうしがなぐさめ合う。傷のなめ合いをする。

**ぎ・す**【擬す】《他五》〔文〕☞擬する。

**ぎ・す**【議す】《他五》〔文〕☞議する。「会して議さず」

**きずあと**【傷痕・傷跡】①きずの〈ついた／治った〉あと。瘢痕(はんこん)。「—が残る」②戦争・大災害などが残した被害(ひがい)のあと。「戦争の—が消えていない」

**キスアンドクライ**〔kiss and cry〕《フィギュアスケート》選手とコーチが採点結果を見守る場所。キスクラ〔俗〕。由来 喜んでキスしあったり、泣いたりするから。

**きすい**【汽水】海水と淡水(たんすい)が混じり合った、塩分のうすい水。海岸近くの川や、海とつながった湖の水など。「—湖・—域」

**きすい**【既遂】《法》すでにしてしまったこと。「—犯」(↔未遂(みすい))

**きずい**【奇×瑞】〔文〕めでたいことの前ぶれとなる、ふしぎな きざし。

**きずい**【気随】《ナダ》自分のしたいように したがるようす。「—気まま」

←**きすう**【奇数】《数》二で割り切れない整数。(↔偶数(ぐうすう))

→**きすう**【基数】①「基」をそえて数えるものの、かず。②基準となる数量。

**きすう**【機数】飛行機の かず。

**きすう**【帰×趨】《名・自サ》〔文〕最後に行きつくところ。帰結。「勝敗の—」

**きずきあ・げる**【築き上げる】《他下一》りっぱに きずく。「苦労して築き上げた地位」

**ぎすぎす**《副・自サ》①やせて、ふくらみのないようす。「—したからだ」②ぶあいそうで親しみにくいようす。「—した性格」③円滑(えんかつ)な人間関係のないようす。「—した世の中」

**きず・く**【築く】《他五》①土や石を突(つ)きかためて造る。②(土台から)しっかりと作り上げる。「不動の地位を—」

**きずぐすり**【傷薬】傷につける薬。

**きずぐち**【傷口】①皮膚(ひふ)にできたきずの部分。「—をふさぐ」②(ふれてほしくない)心の痛手や失敗。「古い—にふれる」•**傷口に塩をすりこむ** 句 心の傷にふれることを、わざわざ〈言う／する〉。「—ような助言」(「すりこむ」は「ぬりこむ」なども)

**きすげ**【黄×菅】初夏の夕方、あざやかな黄色の、ユリに似た花がさく草。「日光—」

**きずし**【生(=寿司)】〔西日本方言〕しめさば。

**きずつ・く**【傷付く】《自五》①きずができる。けがをする。②(精神的に)痛みを受ける。名傷つき。

**きずつ・ける**【傷付ける】《他下一》①きずをつける。「美術品を—」②そこなう。「自尊心を—」③(精神的に)痛みをあたえる。「感情を—・相手を—」

**きずな**【△絆・(×紲)】①人をつなぎとめるもの。「俗世(ぞくせ)の—をたち切る」②(人と人との、大切な)つながり。「夫婦(ふうふ)の—・—が強まる・—が深まる」由来 動物をつなぎとめる綱の意味。表記 現代語では「綱」の意識がないとみて、かなでは「きずな」と書くが、「きづな」も許容。

**きずもの**［傷物］①きずの ついた、不完全な商品。②〔古風〕結婚前に男性と関係した女性。「むすめを―にされた」〔女性を物あつかいした、失礼な言い方〕

**キスリング**〔ド Kissling＝もと、人名〕登山用の、大きなリュックサック。ふたはなく、両横に大きなポケットがついている。

**き・する**［帰する］〔文〕㊀《自サ》あるところに おちつく。最後には そうなる。「失敗に―」㊁《他サ》負わせる。なすりつける。「罪を人に―」▽㊀㊁帰す。☞かえ(帰)す。●**きする ところ**［帰するところ］《副・接》〔文〕つまり。結局。

**き・する**［記する］《他サ》〔文〕書きつける。しるす。記す。「その事実は―に堪えがたいほどである」

☆☆**き・する**［期する］《他サ》〔文〕①あらかじめ期限や時刻を定める。「来年度を期して改正する」②〔なしとげようと〕決心する。「成功を―・深く―ところがある」③必ず実現するつもりで約束する。「再会を―」④期待する。「君に―ところが大きい」▽期す。☞期せずして。

**ぎ・する**［擬する］《他サ》〔文〕①あてはめる。…だと見なす。「自分をキリストに―・次期会長に擬せられる」②つきつける。「銃を胸に―」▽擬す。

**ぎ・する**［議する］《他サ》〔文〕〔会議に かけて〕相談する。議す。

**きせ**《服》〔裁縫で〕布の合わせ目よりも、ややぬいしろに寄った位置でぬったときにできる、合わせ目とぬい目との間の ゆとり。●**きせをかける** 句《服》「きせ」ができるように ぬう。〔できあがりが ゆったりする〕

**きせい**［気勢］人々が集まって何かしようとするときの熱っぽいふんいき。●**気勢を上げる** 句 なかまを組んで さけんだり、活発に動いたりして、元気のいいところを見せる。

**きせい**［希世・稀世］〔文〕世間にめったにないこと。希代。「―の英傑」

**きせい**［奇声］〈妙な/変わった〉声。

←**きせい**［既成］すでに できあがっていること。「―事実・―概念にとらわれず」

→**きせい**［既製］前もって作ってあること。レディーメイド。「―品・―服」

**きせい**［期成］〔文〕〈成功/成立〉を期待すること。「―会・―同盟」

**きせい**［棋聖］〔文〕〈碁/将棋〉の達人。また、その称号。

**きせい**［機制］〔文〕仕組み。メカニズム。

**きせい**［帰省］《名・自サ》〔よそに住んでいる人が〕一時、郷里に帰(って親の様子を見)ること。「―ラッシュ・年末―」

**きせい**［寄生］《名・自サ》①《生》生物が、ほかの生物に取りついて、栄養分などを得ながら生活すること。②ほかの生物に寄生して生活する動物。例、回虫。●**きせいちゅう**［寄生虫］《動》⇩パラサイト。

**きせい**［祈誓］《名・他サ》〔文〕自分の願いが かなうように、神や仏に いのること。

←**きせい**［規正］《名・他サ》〔悪い点を〕正しいほうへ直すこと。「政治資金―法」

→*__きせい__［規制］《名・他サ》混乱しないように、制限すること。「交通―・片側一車線に―する」●☆☆**きせいかんわ**［規制緩和］《名・自サ》民間の経済活動を活発にするため、政府や地方自治体が、許可・認可などの規制をゆるめたり やめたりすること。●**きせいせん**［規制線］警察が一般の立ち入りを禁じるために張るテープやロープ。現場保存テープ。

**ぎせい**［擬制］《法》異なるものを法律上は同じと見なすこと。失踪宣言を受けた者を死亡と見なすなど。「―資本・―親族」

**ぎせい**［擬勢］〔文〕うわべだけの勢い。「―をしめす」

**ぎせい**［犠牲］①〔文〕いけにえ。②ほかのものの利益のために損害を(引き)受けるもの。また、その損害。「自分を―にする・―をはらう」③〔災難にあって〕死ぬこと。「戦争で市民が―になる」●**ぎせいしゃ**［犠牲者］①ある目的をとげるために、いのちをすてた人。②〔災難にあって〕死んだ人。●**ぎせいてき**［犠牲的］《ナダ》自分を犠牲にして おしまないようす。「―精神」●**ぎせいフライ**［犠牲フライ］《野球》捕球されて打者はアウトになるが、走者をタッチアップでホームインさせる、大きな外野フライ。犠飛。

**ぎせい**［議政］〔文〕政策を審議すること。「―壇上(＝国会)」

**ぎせいご**［擬声語］⇩擬音語。

**ぎせいどうふ**［擬製豆腐］つぶしたとうふに たまご・野菜などをまぜあわせ、あまみをつけて焼いたもの。

**きせかえ**［着せ替え］それまで着ていた着物をぬがせて、別の着物を着せること。「―人形」動 着せ替える《他下一》。

**きせか・ける**［着せ(掛ける)］《他下一》着せるように、うしろから肩にかける。「オーバーを―」

**きせき**［奇石］〔文〕変わった形の石。

**きせき**［奇跡・奇×蹟］ありそうもないほど ふしぎで すばらしいできごと。「―を信じる・出会ったのは―だ」●**きせきてき**［奇跡的］《ナダ》奇跡のよう。「―に生き返る」

**きせき**［軌跡］①《数》点または線が、あたえられた条件のもとに動いたあとをしめす図形。②〔文〕移り変わって来たあと。「心の―をたどる」

**きせき**［鬼籍］〔文〕過去帳。点鬼簿。●**鬼籍に入る** 句〔文〕死ぬ。

**きせき**［貴石］①宝石の中で、最高の等級にはいるもの。ダイヤモンド・エメラルド・ルビー・サファイアなど。②かざりに使う、きれいな鉱石。

**きせき**［輝石］《鉱》ガラスのような光沢がある鉱物。中に、カルシウム・マグネシウム・鉄などをふくむ。☞ひすい(翡翠)①。

**ぎせき**［議席］①議場にある、議員の席。②議員としての地位。「過半数の―を確保・―を失う」

**きせずして**［期せずして］《副》申しあわせたわけでもないのに。「―意見が一致した」

**きせつ**［気節］〔文〕やりぬこうとする強い気持ちと、環境に負けない生き方。「士族の―」

*__きせつ__［季節］①気象の変化に応じて一年をいくつかに分けた期間。「はだ寒い―・―の替わり目・―感・―労働者(＝出かせぎ)」②〔あることが〕さかんに おこなわれる時期。「入試の―・政治の―」▽シーズン。●**きせ**

**つかでん**［季節家電］夏または冬を中心に使われる家電。例、扇風機・電気ストーブ・エアコン。●**きせつはずれ**［季節外れ］その時季には ふさわしくないこと。「―のセーター」●**きせつふう**［季節風］《天》冬は大陸から大洋へ、夏はその反対にふく風。モンスーン。

**きせつ**［既設］すでに こしらえてあるもの。「―の発電所」

**きぜつ**［気絶］《名・自サ》一時的に意識を失うこと。「―するぐらい おいしい」

**ぎぜつ**［義絶］《名・他サ》肉親の縁を切ること。

**キセノン**〔xenon〕《理》空気中にごくわずかにある気体元素〔記号Xe〕。ストロボなどに封入する。

**き・せる**［着せる］《他下一》①〔衣服を〕着るようにさせる。着た状態にする。「着物を着せてもらう〔『着させてもらう』《↑着る＋させてもらう》とも〕」（↕脱がす）②その人のせいにする。かぶせる。「罪を―・ぬれぎぬを―」

**キセル**［:煙管・きせる］〔カンボジア khsier〕①刻みタバコをつめて吸う用具。ふつう、両はしが金属、とちゅうが竹でできている。②〔俗〕乗車駅・下車駅近くだけの切符を持ち、中間をただ乗りする、不正乗車。キセル乗り。〔不正乗車全体をさすことも〕由来 ②は、両はしだけに金を使うことから。

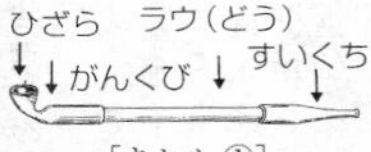

［キセル ①］

**きぜわ**［生世話］《歌舞伎》その劇を作った当時の世相・風俗を写した劇。生世話物。

**きぜわし・い**［気（忙しい）］―ぜはしい《形》①気持ちがせくようで、おちつかない。「年末は―」②気が短い。せっかちだ。派 ―げ。―さ。

**きせん**［汽船］①蒸気の力で進む船。蒸気船。②《法》機械の力で進む大型の船。

**きせん**［機船］↑発動機船。

**きせん**［基線］《地》①〔三角測量で〕長さの分かっている、基準の線。「―測量」②領海などを定めるための基準線。

**きせん**［棋戦］碁または将棋の勝負。

**きせん**［貴×賤］〔文〕身分のとうとい〈こと/もの〉と、いやしい〈こと/もの〉。「―の別なく」

**きせん**［輝線］①《理》気体元素から出るスペクトルの中の かがやいた線。「―スペクトル」②〔たとえば、レーダーの上を回転する〕かがやいた線。

**きせん**［機先］事の始まろうとするとき。●**機先を制する** 句 先手をとる。

**きせん**［帰船］《名・自サ》〔文〕①船が もとの みなとに帰ること。②自分の乗ってきた船・宇宙船に帰ること。

**きぜん**［(×毅然)］《(タルト)》心がしっかりしていて、ゆるがないようす。「―たる態度」派 ―さ。

☆☆**ぎぜん**［偽善］心や おこないが正しいように見せかけること。「―者・―的」（↕偽悪）

***きそ**［基礎］①〔建物の〕土台。「―工事」②何かをしたり考えたりするもとになることがら。「―教育・―知識・―票〔=政党や団体による支持で最低限見こまれる票〕・―けしょう品」

☆☆**きそ**［起訴］《名・他サ》《法》検察官が裁判所に対して公判を求めること。「―状」（↕不起訴）

**きそう**［奇想］〔文〕ふつうの人には考えられない、変わった思いつき。●**きそうきょく**［奇想曲・×綺想曲］《音》決まった形式によらない、軽快な器楽曲。狂想曲。カプリッチョ。●**きそうてんがい**［奇想天外］《ナダ》あっと言わせるほど、発想が変わっているようす。「―なストーリー」派 ―さ。

**きそう**［帰巣］《動》わたり鳥・昆虫などが、巣から遠くはなれても、またそこに もどること。「つばめは―性が強い・―本能」

**きそう**［基層］〔文〕かさなった いろいろなものの下にある、もとになる部分。「日本文化の―」

**きそう**［機窓］〔文〕飛行機の まど。

**きそう**［起草］《名・他サ》草案や原稿を書くこと。

**きそう**［貴僧］《代》〔古風〕相手の僧を尊敬して呼ぶことば。（↕愚僧）

**きそ・う**［競う］《他五》勝ち負けをあらそう。競争する。「わざを―・競ってアイデアを出す」

**きぞう**［寄贈］《名・他サ》物をおくること。贈呈。きそう。

←**ぎそう**［偽装］《名・他サ》細工をして人の目をあざむくこと。「産地を―して表示する・―工作」

↔**ぎそう**［擬装］《名・他サ》戦車・軍艦・軍事施設などを、まわりのものと まぎらわしくして、敵の目をごまかす〈こと/手段〉。カムフラージュ。

→**ぎそう**［×艤装］《名・他サ》進水した船に、航海に必要なものを取りつけること。船装。

**ぎぞう**［偽造］《名・他サ》書類や紙幣などの にせものをつくること。贋造。「文書―」

**ぎそうかん**［×蟻走感］《医》アリが、はだを歩くような、むずむずした感じ。

**きそく**［気息］〔文〕いき。呼吸。いきづかい。●**きそくえんえん**［気息×奄々］《タルト》〔文〕いきも たえだえであるようす。

***きそく**［規則］①守るべき決まり(を箇条書きにまとめたもの)。「はいってはいけない―になっている・―書・就業―」②動きや状態の中に認められる、一定の決まり。法則。●**きそくただし・い**［規則正しい］《形》規則的で、のぞましいようすだ。「―生活」派 ―さ。●**きそくてき**［規則的］《ナダ》動きや状態が、ある決まった法則にしたがっているようす。「―な変化・―にならぶ」（↕不規則）

**きぞく**［貴族］①社会の上流にあって、代々特権を持つ一族。「平安―・―制〔=貴族が政治をおこなう形態〕」②めぐまれた環境にある人。「独身―」●**きぞくてき**［貴族的］《ナダ》いかにも貴族らしいようす。「―な〔=優美な〕容姿・―な〔=優雅な〕趣味」（↕庶民的）

☆☆**きぞく**［帰属］《名・自サ》〔文〕力のあるものに従ったり、集団の中のひとりになったりすること。●**きぞくいしき**［帰属意識］自分が ある集団・団体の一員である、という強い自覚。「会社への―」

**ぎそく**［義足］〈先天的にない/けがや病気で なくした〉あしの、形や機能を補うために つける、人工のあし。

**ぎぞく**［義賊］義侠心の ある どろぼう。

**きそご**［基礎語］《言》学習を能率よく おこなうためなどの目的でえらんだ、よく使われることば(の集まり)。基

き

礎語彙。☞基本語。

**きそこうじょ**［基礎控除］〘法〙税金を計算する前に、所得から一定の金額をさし引くこと。

**きそしっかん**［基礎疾患］〘医〙ほかの病気のもとになる病気。持病。

**きそたいしゃ**［基礎代謝］〘生〙人間が生きている状態を続けてゆくのに必要な最低のカロリー。静かにねている状態で消費されるカロリーをはかる。

**きそつ**［既卒］〔文〕すでに卒業していること。「―者」〔求人では、卒業後一度も正規の職についていない人をさして言うことがある〕（↕新卒・未卒）☞第二新卒。

**きそづ・ける**［基礎（付ける）］《他下一》基礎を〈あたえる／つくる〉。「運動を―理論」名基礎づけ。

**きそねんきん**［基礎年金］〘法〙〔国民年金で〕老齢基礎年金・障害基礎年金・遺族基礎年金。十けたの基礎年金番号がひとりひとりに付与されている。

**きそば**［生（:蕎麦）］質のよいそば。〔本来は、小麦粉などをまぜないでそば粉だけで作ったそばを指した〕表記のれんなどに「生（=楚・者）から来た変体など、濁点」などとも。☞十割そば。

**きぞめ**［着初め］《名・自サ》新しい衣服をはじめて着ること。

**きそゆうよ**［起訴猶予］〘法〙犯人の事情や罪の状態を考えて、起訴を見あわせること。〔不起訴処分の一つ〕

**きそん**［帰村］《名・自サ》〔文〕自分のむらに帰ること。（↕離村）

**きそん**［毀損］《名・他サ》〔だいじなものを〕こわしたり、きずをつけたりすること。「名誉―」

**きぞん**［既存］《名・自サ》前からあること。「―の建物・―メディア」〔伝統的には「きそん」〕

***きた**［北］①方角の一つ。日の出る方向に向かって左のほう。「―の大地（=北海道）」②北風。「―寒し」▽（↕南）③↑北朝鮮。☞北する・北の方。

**きた**［来た］連①〔話〕うながされたり、たのまれたりしたとき、進んで引き受けることば。「よし―・ほい―」②〔俗〕期待していたものが登場した。ほしかったものが手にはいった。「新人王来たー！〔『キター！』とも書く〕」③〔…と―〕…といった。…ということになった。「コンビニもないと―もんだ（=ないとはおどろきだ）・その映画と来たら（=といったら）全然おもしろくなかった」☞来る。

●**来た日には**句〔…と―〕…といったら。…と来たら。「うちの男たちと―困ったものだ」

**ぎだ**［犠打］〘野球〙打者はアウトになるが、走者を進ませる打撃。犠牲バント（=送りバント）や犠牲フライ。犠打飛。

**ギター**〔guitar〕〘音〙指先やピックでひく、おもに六本の弦を張った西洋の楽器。

［ギター］

**きたアメリカ**［北アメリカ］六大州の一つ。西半球の北の部分にある大陸。アメリカ合衆国・カナダ・メキシコなどがある。北米。（↕南アメリカ）

**きたい**［危×殆］〔文〕あぶない状態になること。●**危殆にひん（瀕）する**句〔文〕非常にあぶなくなる。

**きたい**［気体］〘理〙一定の形や体積がなく、自由に動いて容器をみたすもの。ガス。例、空気。（↕固体・液体）

**きたい**［機体］飛行機の胴体。また、胴・翼など、飛行機の大部分をさすことば。

**きたい**［帰隊］《名・自サ》〔文〕〔軍隊などで〕自分の所属する隊に帰ること。

***きたい**［期待］《名・自他サ》①そうなってほしいと心の中で思っていること。「―外れ・―に応える・―に沿う・―を裏切らないできばえ・豊作を―する・若手の奮起に―する・―の新人（=活躍を楽しみにされている新人）」②そうなってほしいとだれもが思うふんいき。「円高―」▽（↕懸念）●**きたいち**［期待値］①〘数〙確率にもとづいて計算した、生じると期待される値。②期待する度合い。「―が高い・―が上がる」

**きたい**［希代・×稀代］《名・ナダ》〔文〕⇩きだい（希代）。

**きたい**［奇態・奇体］《ナダ》〔文〕ふつうとかわっているようす。奇妙なようす。「―なかっこう・―な人物」

**きだい**［季題］⇩季語。

**きだい**［希代・×稀代］《名・ナダ》〔文〕〔世の中に〕まれなようす。希世。きたい。「―の名編」

**きだい**［貴台］《代》〘手紙〙〔文・男〕相手を改まって呼ぶ尊敬語。

**ぎたい**［擬態］《名・自サ》①〘動〙動物が身を守ったり敵を攻撃したりするために、色や形をまわりのものに似せること。「木の葉に―するチョウ」②見せかけること。「一般人に―する」●**ぎたいご**［擬態語］身ぶりや状態を、もし音が聞こえたらこんな感じだろうと、それらしくあらわしたことば。例、ずっしり・にっこり・ゆらゆら。（↕擬音語）☞オノマトペ。

**ぎだい**［議題］会議で相談することがらの題目。「―に上せる」

**きたえあ・げる**［鍛え上げる］《他下一》〈じゅうぶん／完全に〉きたえる。

**きた・える**［鍛える］《他下一》①熱した金属を打って強くする。②何度も同じことをくり返して〈心身を強くする／技術をみがく〉。鍛錬する。「運動部で鍛えられる」名鍛え。

**きだおれ**［着倒れ］《名・自サ》衣服にぜいたくをして、財産をなくしてしまうこと。「京の―」☞食い倒れ。

**きたかいきせん**［北回帰線］〘地〙夏至の日に太陽が真上を通る、北緯二三度二七分の緯線。（↕南回帰線）

**きたかぜ**［北風］北のほうからふく風。「―と太陽（=厳しい対処と、やさしい対処）」（↕南風）

**きたきりすずめ**［着たきり（×雀）］〔舌切りすずめ（雀）のもじり〕いま着ている衣服のほかに着がえのない〈こと／人〉。

**きたく**［貴宅］〔文〕「相手の人の家」の尊敬語。お宅。

**きたく**［帰宅］《名・自サ》自分の家に帰ること。●**きたくぶ**［帰宅部］〔=放課後に帰宅する部〕〔学〕部活動にはいっていないこと。

**きたく**［寄託］《名・他サ》〘法〙自分の持ち物を、図書館・博物館などにあずけて利用させること。

**きたぐに**［北国］雪が積もって寒い、北の国。（↕南国）

**きたけ**［着丈］〘服〙①〔洋裁で〕ワンピース、コートなどの長さ。②〔和裁で〕長じゅばん・着物などを着たときの、首のうしろから かかとまでの寸法。☞身丈②。

**きた・す**[来す]《他五》くるようにする。招く。「損失を—・破局を—」

**きた・する**[北する]《自サ》〔文〕北へ進む。(↔南する)

**きたちょうせん**[北朝鮮]「朝鮮民主主義人民共和国」の通称。首都、ピョンヤン。☞朝鮮。

**きたつ**[既達]〔文〕公文書などで、すでに知らせたこと。「—事項」

**きだて**[気(立て)]〔おもに子ども・女性について〕すなおでやさしい思いやりのある気持ち。「—のいい子」

**きたな・い**[汚い・×穢い]《形》①よごれていたりして、いやな感じをあたえる状態だ。「—手・—服」②〔形などが〕整わない。「字が—」③ひきょうで、いやな感じをあたえるようすだ。「やり方が—」④使うべきお金をおしむ状態だ。いやしい。「お金に—」⑤上品でなく、不愉快だ。「—ことば」▽(↔きれい) 派 -がる。-げ。-さ。

**きたならし・い**[汚らしい・×穢らしい]《形》いかにもきたなく〈見える/思われる〉感じだ。派 -がる。-げ。-さ。

**きたのかた**[北の方]昔、公家など、身分の高い人の正妻をさしたことば。由来 寝殿の北に住むことから。

**きたはま**[北浜]〔=大阪市中央区の、大阪取引所のある地名〕大阪の証券〈市場/界〉。(↔兜町)

**きたはんきゅう**[北半球]《地》地球の、赤道から北の部分。(↔南半球)

**きたまえぶね**[北前船]《歴》江戸時代から明治時代にかけて、大坂と蝦夷(=北海道)の間を、瀬戸内海・日本海を通って行き来した貿易船。

**きたまくら**[北枕]①〔死んだ人などが〕まくらを北に向けて ねること。②〔俗〕ふぐ(河豚)。

**ぎだゆう**[義太△夫]江戸時代前期、竹本義太夫が始めた、浄瑠璃の一派。人形浄瑠璃や一部の歌舞伎の語り。義太夫節。

**きたり**[来たり]〔文〕一◇動詞「来たる」の連用形。「ある人—て問う・冬—なば春遠からじ〔⇩「冬」の句〕」二 連〔文語動詞「来く」+完了の文語助動詞「たり」〕来た。「われも—・遠き国にぞ—ける」▽もと、一は漢文に、二は和文に使った。終止形として使うのは二のほう。●**きたり-かい・する**[来たり会する]《自サ》〔文〕あちこちからやって来て、いっしょになる。「あまたの若人が—」

**ギタリスト**[guitarist]ギターの演奏家。ギターひき。

←**きた・る**[来たる]〔↑来至る〕〔文〕一 きたる《自五》くる。「台風—・待ち人 来たらず」二 造 …して今までやってくる。「用い—」☞来たり。●**きたるべき**[来たるべき]《連体》〔文〕これからくるはずの。この次にくる。今度の。「—選挙」

→**きたる**[来る]《連体》〔「来たる」から〕近いうちにくる。今度の。「—十日」(↔去る)

☆☆**きたん**[(忌×憚)]言うことを避けて えんりょすること。えんりょ。「—のない意見・—なく言えば」

**きたん**[奇×譚・×綺×譚]〔文〕奇談。

**きだん**[気団]《天》広い範囲に広がる、気温や湿度がほぼ同じの、空気の かたまり。「シベリア—」

**きだん**[奇談・×綺談]〔文〕ふしぎな話。奇譚。「珍談—」

**きだん**[基壇]寺社などの建物で、地面より一段高く石や土を積み上げて作った基礎。「講堂の—」

**ぎだん**[疑団]〔文〕心の中にある〈うたがい/しこり〉。

**きち**[危地]〔文〕あぶない〈場所/状態〉。「—におちいる・—を脱する」

**きち**[吉]①〔うらないで〕縁起が いいこと。「—と出るか凶と出るか」(↔凶) ☞大吉。②〔…が—〕いいこと。「今は がまんが—」〔二十一世紀になって広まった用法〕

←**きち**[奇知・奇×智]〔文〕奇抜な ちえ。

→**きち**[機知・機×智]その場に応じて うまい表現を使ったりできる、すぐれた頭の はたらき。とんち。ウイット。「—に富む人」

**きち**[既知]すでに知られていること。「—の事実・—の問題〔=すでに確認されている、ソフトウエアの不具合〕」(↔未知)

**きち**[基地]①〔軍隊・探検隊などの〕根拠地〔に造られた施設〕。「米軍—・南極—」②拠点となる場所や施設。「〔鉄道の〕車両—〔=車庫〕・〔通信の〕—局・情報発信—」

**きち**[貴地]〔文〕「相手のいる土地」の尊敬語。御地。

**きち**[×窺知]《名・他サ》〔文〕うかがい知ること。「事実の一端を—しえた」

**きち**[キチ・△狂]造〔↑きちがい〕〔俗〕…に熱中する人。「音—〔=オーディオマニア〕・トラ—〔=阪神タイガースの熱心なファン〕」

**きちがい**[気違い・気△狂い]〔俗〕①精神病の人を、〈かろんじて/侮辱して〉言うことば。②ふつうに考えられないような、〈変わった/ひどい〉言動をする人を、ののしって言うことば。③一つのものごとに熱中して、それ以外のことを考えない〈こと/人〉。「野球—」▽差別的なことば。「気違い水」などの複合語も、この意味を連想させて、現代では語感が悪い。●**気違いに刃物** 句〔俗〕どんなあぶないことをするかわからない、という たとえ。〔差別的なことば〕 ●**きちがいざた**[気違い沙汰]〔俗〕ふつうでは考えられないようなことをすること。●**きちがいじ・みる**[気違い(染みる)]《自上一》〔俗〕ふつうでは考えられないように見える。●**きちがいみず**[気違い水]〔俗〕酒。

**きちきち** 一 **きちきち**《副・自サ》①きしんでたてる音。「歯車が—いう」②規則正しく、確実であるようす。きちんきちん。「—計算する」二 **きちきち**《ナダ》①すきまがなくなるほど、きついようす。ぎちぎち。「箱に—につめる」②時間のゆとりがないようす。「—に間に合う」

**ぎちぎち** 一 **ぎちぎち**《副》きしんでたてる重い音。二 **ぎちぎち**《ナダ》⇩きちきち二①。「衣類を—につめこむ」

**きちく**[鬼畜]おにと畜生。人でなし。「—の所業」

**きちじ**[吉事]〔文〕めでたいこと。きつじ。(↔凶事)

**きちじつ**[吉日]よい日がら。めでたい日。きちにち。きつじつ。「大安—・〔慶事の案内状などで発信日をぼかして〕三月—」(↔凶日)

**きちすう**[既知数]①《数》方程式の中で、値がすでにわかっている数。②内容などの、すでに わかっているもの。「彼れは—だ」▽(↔未知数)

**きちっと**《副・自サ》⇩きちんと。

**きちにち**[吉日]⇩きちじつ。「黄道—〔=何をするにも良い日とされる日」

**きちむ**［吉夢］〔文〕縁起のいい ゆめ。きちゆめ。（↔凶夢）

**きちゃく**［貴着］《手紙》〔文〕送った物が相手のところへ届くこと。「一の節は〔=着きましたら〕」

**きちゃく**［帰着］《名・自サ》〔文〕①帰りつくこと。「ホテルに一する・一時刻」②〔議論などが ある点に〕おちつくこと。「ひとつの結論に一する・うまい まずいは、結局、好みの問題に一する」

☆☆**きちゅう**［忌中］家のものが死んで、喪に服している〈四十九日の〉期間。〔人が死んでから葬式までの間、「忌中」と書いて家の前に はり出す〕

**きちゅう**［期中］その期間(の途中)。「預金残高の一平均」

**きちゅう**［機中］飛行機〈の中／に乗っているあいだ〉。「一泊」

**きちょう**［基調］①全体の調子のもとになるもの。基本となる調子。「赤を一とした絵・経済の一」②《音》主音(の高さ)。基音。 ●**きちょうえんぜつ**［基調演説］その政府や政党の大切な政策・考え方をもりこんだ演説。〔学会・シンポジウムなどの場合は、基調報告・基調講演と言う〕

**きちょう**［機長］航空機の乗務員の指揮者。ふつう、正操縦士があたる。キャプテン。

**きちょう**［帰庁］《名・自サ》自分の役所に帰ること。

**きちょう**［帰朝］《名・自サ》外国から、日本〔=本朝〕に帰ること。帰国。

**きちょう**［記帳］《名・他サ》①事務用の帳簿に書き入れること。②署名を帳面に書きつけること。「一所」

**きちょう**［貴重］《ナダ》①めったに得られなくて、大切にしなければならないようす。「一な体験・一な資料・一なご意見をいただきました・戦争中、砂糖は一(品)だった」②なくしたら、自分が困るようす。「さいふは一(品)だからロッカーに入れておこう」派 -さ。

**ぎちょう**［議長］①会議の議事進行にあたる〈中心人物／司会者〉。②議会の長で、議会を代表する者。

**きちょうめん**［(×几帳面)］《ナダ》規則などをよく守り、きちんとして、いいかげんにしないようす。「一な性格」

**きちれい**［吉例］めでたい例。きつれい。

**キチン**〔chitin〕《理》カニ・エビなどの殻にふくまれる物質。手術用の糸などに使う。☞キトサン。

*__きちんと__《副・自サ》①整って、みだれがないようす。「一した服装」②正確であるようす。「合計が一合う」③確実であるようす。「相手に一わたす」④いいかげんでなく、まじめにするようす。「一した〈説明／生活〉」▽きちっと。

**きちんやど**［木賃宿］安い、そまつな宿屋。由来「木賃」は燃料代。もと、とまり客が自炊して燃料代をはらったことから。

**きつ・い**《形》①気が強い。「一性格」②〔責め方が〕きびしい。「きつくしかる・一お達し・じょうだん一よ」③からだや心にこたえる。きびしい。「一仕事・一けいこ」④〔気持ちが〕つらい。苦しい。「一人で戦うのは一・彼氏と会えなくて一」⑤〔俗〕困る。「電子レンジがないのは一」⑥〔俗〕むずかしい。無理がある。「二十歳過ぎて高校生の役は一」⑦きゅうくつで、ゆとりがない。「くつが一・きつく〔=かたく〕しばる・予定が一・予算的に一」⑧刺激が強い。「風が一・日ざしが一・においが一」⑨程度が強い。「方言が一土地」派 -さ。

**きつえん**［喫煙］《名・自サ》タバコを吸うこと。「一室・一者」

**きつおん**［(×吃音)］どもる〈こと／音声〉。吃音症。

**きっか**［菊花］〔文〕菊の花(の模様)。きくか。「一賞〈☞クラシック 二④〉」

**キッカー**〔kicker〕①《サッカー・ラグビー》フリーキックやペナルティーキックなどでボールをける選手。②《アメリカンフットボール》プレースキック専門のポジション(の人)。③《スノーボード》ジャンプ台。

**きっかい**［奇っ怪］《ナダ》わけがわからない、あやしいようす。奇怪。「一なことを言う」派 -さ。

**きづかい**［気遣い］《名・自サ》①いろいろと〈気をつかう／心配する〉こと。「健康への一・母へのやさしい一」②〔…する一はない〕〔悪くなる〕おそれ。「失敗する一はない」

**きづか・う**［気遣う］《他五》いろいろと〈気をつかう／心配する〉。「安否を一」

*__きっかけ__〔=切っ掛け。切り始めること〕①〈何かが起こる／何かをする〉もとになる ものごと。「音楽を始めた一は何ですか」②何かをする(いい)おり。タイミング。「話を切り出す一をつかむ・せりふの一をとちる」

**きっかり**《副》①〔時間・金額などに〕端数がないようす。ちょうど。きっちり。かっきり。「一五時・一百字・千円一」②⇩かっきり①。「一と ふちどる」

**きづかれ**［気疲れ］《名・自サ》あれこれ気をつかったり緊張したりしたあとなどに出る、気持ちのつかれ。

**きづかわし・い**［気遣わしい］《形》心もとない。心配だ。「病状が一」派 -げ。-さ。

**きづき**［気(付き)］①気づくこと。②特に、事実・真理などに気づくこと。「子どもの一をうながす・新しい一を得る」〔二十世紀末からの用法〕

**きつきつ**《副》余裕がなくて、きついようす。「ウエストが一だ・一の財政」

**きっきゅうじょ**［(×鞠×躬如)］《トタル》〔文〕身を低くして、かしこまるようす。「一として仕える」

**きっきょう**［吉凶］いいことと悪いこと。「一をうらなう」

**きっきん**［喫緊］《名・ナダ》大切で解決が急がれるようす。「一の課題・一(の関心)事」

**キック**《名・他サ》〔kick〕《スポーツ》〔ボールや地面・水などを〕足でけること。 ●**キックオフ**《名・自サ》〔kickoff〕①《サッカー・ラグビーなど》ⓐ攻めるチームが、ボールを相手陣内にけりこんで試合を〈始める／再開する〉こと。「日本の一で再開」ⓑ試合開始(の時刻)。「正午一」②〔一連のものごとの〕始まり。「一イベント・一ミーティング」 ●**キックバック**〔kickback〕リベート。わりもどし(金)。バックチャージ。 ●**キックベース**〔↑和製 kick baseball〕野球に似た、子ども向けのスポーツ。ボールを、打者はバットで打たず足でけるが、守備がわは野球と同じように手であつかう。フットベース(ボール)。 ●**キックボクシング**〔kickboxing〕足でけったり、ひじ打ち・頭突きなども使ったりしておこなうボクシング。ムエタイの変形。

**__きづ・く__［気(付く)］《自五》①注意がそちらに向いて、

ものがあることや変化したことを知る。気がつく。「まちがいに―・大事なことに―」②正気に返る。他 気づかす《五》。「大切さに気づかされる」可能 気づける 気づくことができる。〔比較的新しい言い方。「本当の自分に気づけた」〕。

**ぎっくり**《副・自サ》非常におどろくようす。●**ぎっくりごし**[ぎっくり腰] ちょっとした動きがきっかけで、とつぜん腰がぎくっと痛む、急性の腰痛。動くのもつらい状態が数日間続く。

**きつけ** 一[気(付け)] 気絶した者を正気にもどせる〈こと/ための くすり〉。「―薬」 二[気付]⇩きづけ。

**きつけ**[着付け]《名・自サ》①衣服〔特に、和服〕をきちんと〈着る/着せてやる〉こと。また、着せてやる人。「花嫁の―をする・―教室」②着こなし方。着たぐあい。「―がいい」動 着付ける《他下一》。

**きづけ**[気付] その人がよく立ち寄る所などに郵便を出すときに書くことわり書き。きつけ。「大使館―鈴木様」☞方 二②。

**きっこう**[△亀甲]①カメの甲。②カメの甲のような六角形が続いている模様。きっこうがた。③↑亀甲括弧。〔 〕の形のもの。亀の子括弧。●**きっこうばか**[△亀甲墓] 沖縄にある、カメの甲羅の形をした、大きな墓。

[きっこう ②]

☆☆**きっこう**[×拮抗・頡×頏]《名・自サ》〔「けっこう」の慣用読み〕同等の力・勢力で、たがいにあらそうこと。「―関係」

**ぎっこん-ばったん** 一《副》シーソーが動く音。 二〔児〕シーソー。▽一二 ぎったんばっこん。

**きっさ**[喫茶]①お茶を飲むこと。きっちゃ〔古風/俗〕。②↑喫茶店。「まんが―・―部門」〔店名にも使う〕●**きっさてん**[喫茶店] コーヒー・紅茶などの飲み物やケーキ、また、サンドイッチなどの軽食を出す店。喫茶。茶店・きっちゃてん〔古風・俗〕。

**きっさき**[切っ先・×鋒]①刀の刃のさき。②そいでとがらしたもののさき。「竹の―」

**きつじつ**[吉日]⇩きちじつ。

**ぎっしゃ**[△牛車] 平安時代に、ウシにひかせた屋根のあるくるま。御所車。身分の高い人が乗った。ぎゅうしゃ。うしぐるま。

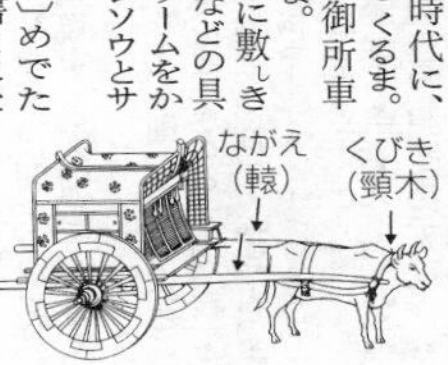

[ぎっしゃ]

**キッシュ**〔フ quiche〕型に敷きつめたパイ生地に野菜などの具を入れ、ときたまごと生クリームをかけて焼いた料理。「ホウレンソウとサーモンの―」

**きっしゅん**[吉春]〔文〕めでたい新春。〔年賀状などに書くことば〕

**きっしょう**[吉祥]〔文〕縁起がよくておめでたいこと。「―文字〔=『長生無極』などの文字〕・―文様〔=松竹梅など〕」

**きっしょく**[喫食]《名・他サ》〔文〕食べること。食事すること。「―調査〔=食中毒のときに何を食べたかたずねる調査〕」

**ぎっしり**《副》すきまなく、いっぱいつまっているようす。「予定が―〈と〉つまっている」

**きっしん**[吉×辰]〔文〕日柄のいい日。吉日。「十月―」

**キッス**《名・自サ》〔kiss〕〔古風〕キス。「投げ―」

**キッズ**〔kids〕子どもたち。「―用品」

**きっすい**[△生粋]〔同類の中で〕まじりけのないこと。純粋。「―の江戸っ子」

**きっすい**[喫水・×吃水] 船がうかんだとき、水面から船の底までの深さ。ふなあし。●**きっすいせん**[喫水線] 船が水にうかんだとき、水の面と船体とがふれてできる線。水線。

☆☆**きっする**[喫する]《他サ》〔文〕①飲む、または食う。「茶を―」②そうする事態になる。させられる。「三振を―・一驚を―〔=おどろかされる〕・惨敗を―」

**きつぜん**[×屹然]《タル》〔文〕①山や木などが高くそびえ立つようす。「堂が―と立つ」②一人だけ ぬきんでているようす。「―として頭角をあらわす」③きびしい顔つきになるようす。「―となる〔=きっとなる〕」

↑**きっそう**[吉△左右]〔文〕①いい〈たより/知らせ〉。②善悪どちらかの知らせ。

↑**きっそう**[吉相]〔文〕幸運にめぐまれる人相。

**きづた**[木×蔦]〔:常春藤〕つるになる常緑樹。葉はたまご形で厚く、気根を出して壁や石がきなどにそって長くのびる。

**きった・つ**[切っ立つ]《自五》切ったようにまっすぐに〈そびえ〉立つ。他 切っ立てる《下一》。

**きったはった**[切った張った]①切ったり平手でたたいたりするような乱暴をしあうこと。暴力をともなうあらそい。「―の大騒動」②〔俗〕〔勝負事などで〕乱暴にやりあうこと。「―のマネーゲーム・―の世界」▽切ったり張ったり。

**きづち**[木〈×槌〉] 木で作ったつち。木製ハンマー。

**きっちゃ**[喫茶]〔古風/俗〕⇩きっさ①。「―店」

**キッチュ**《名・ナダ》〔ド Kitsch〕①俗悪な〈まがいもの/ようす〉。②俗悪なものをうまく生かした芸術やファッション。また、そのようす。「―な髪飾り」派 ―さ。

**ぎっちょ**〔俗〕ひだりきき。ひだりぎっちょ。

**きっちょう**[吉兆] めでたいことが起こりそうなきざし。「―用品〔=正月用の三方・とそ器など〕」〔↔凶兆〕

**きっちり**《副・自サ》①すきまのないようす。「―〈と〉はめこむ」②確実におこなうようす。「―した調査」▽きちっと。③少しの〈端数/前後〉もないようす。ちょうど。きっかり。「―千円・五時―」

**キッチン**〔kitchen〕一 キッチン 台所。料理場。「アイランド―〔=流しやガス台が、島のように真ん中にある台所〕・―タイマー」二 造 洋食店。〔店の名前に使う〕●**キッチンカー**〔和製 kitchen car〕弁当や料理などを売る、調理設備のついた車。フードトラック。「―のカレー店」●**キッチンドリンカー**〔和製 kitchen drinker〕〔俗〕主婦の飲酒常習者。キッチンドランカー。●**キッチンペーパー**〔kitchen paper〕台所で使う、使い捨ての紙タオル。☞ペーパータオル。

**きつつき**[:啄木鳥] アカゲラ・クマゲラなど、中形の野鳥。くちばしはするどくかたく、木の皮の下にいる昆虫をつついて食う。けら。

**きって**[切手]①↑郵便切手。②↑商品切手〔=

商品券〕。

**きってす・てる**【切って捨てる】《他下一》①［斬って捨てる］刀で切り殺す。「けさがけに―」②簡単にしりぞける。「つまらぬ意見と―」▽切り捨てる。

**きってと・る**【切って取る】《他五》《野球》アウトにする。「三振に―」

**きっての**【切っての】〔接尾〕〔連体詞をつくる〕…で一番の。「町内―金持ち」

**きっと**《副》㊀**きっと** ①予想・推測が外れないだろう、という気持ちをあらわす。まず まちがいなく。「あしたは―晴れる」②必ず そうしよう、という気持ちをあらわす。「―助けに行くからね」③相手にたしかめる気持ちをあらわす。「―（=絶対に）来てね・『何でも歌いますよ』『―か（=まちがいないか。少し古風な言い方）』」④〔古風〕きびしく。「―しかりおく」〔表記〕「：屹度」「：急度」とも書いた。㊁**きっと** 急にきびしく変わるようす。「〔態度が〕―なる・―室内を見回す」〔表記〕かたく「：屹と」とも。

**キット**〔kit〕簡単な〈道具／材料〉の ひとそろい。「救急―・組み立て―」

**キッド**〔kid=子ヤギ〕なめした子ヤギの革。「―のくつ」☞カーフ。

**きつね**【〔×狐〕】①日本犬に似て、ほっそりした野獣の名。俗に、人をだますと言われた。鳴き声は、こんこん。☞いなり。②わるがしこい人。③あぶらあげを使った料理につける名前。「―そば・―ずし（=いなりずし）」④〔←きつねうどん。大阪などの方言〕あまからく味つけをしたあぶらあげをのせた うどん。●**きつねと たぬき**〔狸〕**の〈化かし合い／だまし合い〉**〔句〕ずるい者どうしの かけひき。●**きつねに つままれる**〔句〕キツネにだまされる。「きつねに つままれたような顔」●**きつねいろ**【〔×狐〕色】うすい こげ茶色。「こんがり―になるまで焼く」●**きつねけん**【〔×狐〕拳】拳の一種。両手で、キツネ・庄屋・鉄砲の まねをして勝ち負けを争う遊び。●**きつね つき**【〔×狐×憑き〕】昔、キツネのたましいが とりついたとされた異常な精神状態（の人）。●**きつねの よめいり**【〔×狐の〕嫁入り】①日が照っているのに小雨が降る状態。日でり雨。天気雨。②きつね火が いくつも ならんだもの。●**きつねび**【〔×狐〕火】おにび。燐火。

**きっぱり**《副・自サ》思い切って決めるようす。はっきり。「―（と）ことわる」

**きっぷ**【切符】①乗り物の料金や入場料などを受け取ったしるしに出す ふだ。チケット。②品物の受けわたし・配給などのしるしに使う ふだ。「〔戦中・戦後の〕衣料―」③交通違反をおかしたときに受け取る通告書。「反則―・―を切られた」④出場の資格・権利。「甲子園への―」

**きっぷ**【〔気っ風〕】〔俗〕気の持ち方。●**きっぷがいい**〔句〕やることがさらりとして、いやみがない。

**きっぽう**【吉報】喜ばしい知らせ。（↔凶報）

**きづまり**【気詰まり】《名・ナダ》人から きゅうくつな感じを受けるようすだ。「いつもいっしょでは―がする」〔派〕―さ。

**きつもん**【詰問】《名・他サ》むりにでも返答させること。問いつめること。「真相を―する」

**きづよ・い**【気強い】《形》①心強い。「友人が いっしょで―」②意志を強くもつようすだ。気性が激しい。「未練を気強くふり捨てる・―女」（↔気弱い）▽気が強い。〔派〕―げ・―さ。

**きつりつ**【〔×屹立〕】《名・自サ》〔文〕山などが、急な傾斜でそびえていること。

**きて**【来手】来る人。来てくれる人。「嫁の―がない」（↔行き手）

**きてい**【既定】すでに そうすることに決まっていること。「―の方針・―路線」（↔未定）

**きてい**【基底】〔文〕どだいとなる底面。もとい。

↑**きてい**【規程】事務や手続きなどに関する決まり。規則。「図書貸し出し―」〔「規定」と区別して「きほど」とも読む〕

↑****きてい**【規定】《名・他サ》①規則などで〈決めること／決めたことがら〉。規則などを決めること。〔「規程」と区別して「きさだ」とも読む〕②ある性格を持つものとして、決めること。「問題の性格を―する・―づける」

**きてい**【旗亭】〔文〕小料理店。

**ぎてい**【義弟】〔文〕①義理の弟。〈夫／妻〉の弟。また、（義理の）妹の夫。②親の再婚相手の子ども または親の養子で、自分より年下の男。③約束をして、弟と決めた人。▽（↔実弟）

**ぎてい**【議定】《名・他サ》〔文〕評議して決めること。

●☆☆**ぎていしょ**【議定書】《法》条約・協定などに関係のある規定や用語の解釈のしかたなどを書いた、外交上の書類。もと、ぎじょうしょ。

**きているい**【奇×蹄類】《動》うしろ足の ひづめが奇数個の哺乳類。例、ウマ・サイ・バク。☞偶蹄類。

**きてき**【汽笛】信号として、蒸気をふき出して音を出すふえ。「船の―」

**き・てる**【来てる】《自下一》〔俗〕①［キてる］頭が変になってしまっている。イッてる。「あいつ、そうとう―ぞ」②なみだが出そうになっている。「わたし、いま、きてます」③旬である。人気がある。「今期いちばん―アニメ」

**きてれつ**【〔：奇天烈〕】〔：キテレツ〕《ナダ》〔俗〕非常に へんなようす。「このごろは奇妙―な日本語が はやる」〔派〕―さ。

↑**きてん**【起点】ものごとの〈始まる／生じる〉点。「東海道線の―・景気回復の―・攻撃の―」（↔終点）

↑**きてん**【基点】距離をはかったりするときの、もとになるところ。

**きてん**【貴店】〔文〕「相手の店」の尊敬語。

**きてん**【輝点】〔文〕小さく かがやく点。「レーダースコープ上の―」

**きてん**【機転・気転】とっさの場合に応じた、頭のはたらきや気くばり。「―が利く・店長が―を利かせて いさかいを収めた」

**きてん**【帰天】《名・自サ》〔宗〕〔カトリックで〕死去。

**きでん**【機電】〔文〕機械工学・電気工学・電子工学などの総称。「―産業」

**きでん**【貴殿】《代》〔文〕手紙などで、相手を改まって呼ぶ尊敬語。あなた。〔公的な場合以外は、目上には使わない〕

**ぎてん**【疑点】〔文〕うたがわしい ところ。「―をただす」

**ぎてん**【儀典】〔文〕おもに、外交上の儀式〔についての決まり〕。「―長」

**ぎでん**【偽電】〔文〕にせの電報。

**きでんたい**【紀伝体】《歴》個人の伝記を中心に歴

史の記述をする形式。本紀〔=帝王の伝記〕、列伝〔=臣下などの伝記〕など。〔中国での正史編纂の形式で、「史記」にはじまる〕（↔編年体）

**きと**【帰途】〔文〕かえりみち。帰路。「―に就っく〔=帰り道を行き始める〕・〔副詞的に〕―、パリに寄った」

**きと**【企図】《名・他サ》〔文〕何かをねらった、くわだて。何かをねらってくわだてること。

**きど**【木戸】①屋根のない ひらき戸の門。「―口」②興行場の出入り口。「―番」③城門。④↑木戸銭。「―御免〔=無料ではいれること〕」

**きど**【輝度】〔理〕〔テレビ・電灯など、広さのある光源で〕単位面積あたりの明るさ。☞明度。

☆☆**きどあいらく**【喜怒哀楽】喜び・いかり・かなしみ・楽しみ〔の感情〕。「―をあらわさない・―をともにする〔=ともに人生を歩む〕」

**きとう**【気筒】⇒シリンダー①。「八―」

**きとう**【亀頭】〔生〕ペニスの先端の部分。

**きとう**【貴党】〔文〕「相手の党」の尊敬語。

**きとう**【帰投】《名・自サ》基地に帰り着くこと。「無事―する」

**きとう**【帰島】《名・自サ》〔文〕自分の住んで〈いる／いた〉島へ帰ること。（↔離島）

**きとう**【祈×禱】《名・他サ》いのりの儀式。おいのり。「ご―・―師」

**きどう**【気道】〔生〕息の通路となる器官。鼻から肺まで。

**きどう**【奇道】〔文〕ふつうと変わった行き方。（↔正道）

**きどう**【軌道】①列車・電車の通るみち。レール。線路。②〔天〕天体が別の天体を回る道筋。「人工衛星の―」③ことを進める手順・方法。「―修正をせまられる」●**軌道に乗る** 句（ものごとが）調子よくはこぶ。「仕事が―」他 軌道に乗せる。

**きどう**【棋道】〔文〕碁・将棋のみち。

↑**きどう**【機動】①〔軍〕いつ、どんな状況にあってもすぐ戦えること。②状況に応じてすばやく活動できること。「―力」「―的」●☆☆**きどうたい**【機動隊】（↑警察機動隊）集団行動に対する警備や集団による犯罪の予防・検挙のための、特別の装備を持った警察官の部隊。●**きどうぶたい**【機動部隊】〔軍〕①いつでも、どこへでも、ただちに出動できる遊撃部隊。②航空母艦を中心とした艦隊。

↑**きどう**【起動】《名・自他サ》①行動を起こすこと。「促進の―力」②エンジン・機械〈を動かし／が動き〉始めること。③コンピューターやプログラム〈を動かし／が動き〉始めること。（↔停止）立ち上げ。

**きどう**【帰道】《名・自サ》〔文〕北海道へ帰ること。

**ぎとう**【擬闘】〔映画・放送〕格闘などの演技〔の指導〕。表記 俗に「擬△斗」とも。☞殺陣。

**きどうしゃ**【気動車】ディーゼル エンジンなどを原動機として運転する、鉄道の車両。

**きどうらく**【着道楽】衣服を着ることが楽しみで、それにたくさんのお金を使う〈こと／人〉。

**ぎとぎと**《副・自サ》①脂肪分の多いようす。「おつゆが―する」②油がついて取れないようす。「手が―する」

**きとく**【危篤】〈病気／けが〉が重くて、死にそうなこと。「―状態・―におちいる」

**きとく**【既得】すでに自分のものになっていること。「―権・―権益」

☆☆**きとく**【奇特】《ナダ》①〔ふつう、なかなか できない ことをして〕感心なこと。殊勝。きどく。「―な おこない」②〔俗〕めずらしくて変わったことを熱心にするようす。「―なコレクター」派 ―さ。

**きどく**【既読】もう読んだこと。「―作品・〔SNSで〕メッセージに―〔のマーク〕がつく・―スルー〔=読んだだけで返信しないこと〕」（↔未読）

**キトサン**〔chitosan〕〔理〕キチンから作る物質。再生医療素材や食品への添加物などに使う。☞キチン。

**きどせん**【木戸銭】もと、興行物の入場料。木戸。

**きどり**【木取り】《名・他サ》①大形の材木をひいて小形の材木を切り取ること。②用材の見積もり。

**きど・る**【気取る】㊀《自五》〈品がよさそう／教養がありそう〉な態度をとる。「気取った話し方」㊁《他五》それをまねて、得意そうにする。「落語家を―」✓昔は「けど〔気取〕る」の意味でも使った。☞けど〔気取〕る。名 気取り。

**きどるい**【希土類・×稀土類】〔理〕⇒レアアース。

**キナ**〔オ kina〕アンデス山脈に自生する木。この皮をほしたものがキニーネの原料になる。表記「幾那」は、古い音訳字。

**きない**【器内】器具・器械の中。

↑**きない**【機内】飛行機・エレベーターなどの中。「―食〔=旅客機の乗客に出す食事〕・〔スマートフォンの〕―モード〔=通信を遮断するモード〕」（↔機外）

**きない**【畿内】〔畿=都のある地域〕もと、日本を八つに分けた地域の一つ。山城・大和・河内・和泉・摂津の五国。五畿。☞近畿。

**きなが**【気長】《名・ナダ》気が長い〔こと〕。「―に待とう」（↔気短）派 ―さ。

**きながし**【着流し】《名・他サ》男の人の、はかまをはかない、ふだんの和服を着た姿〔をすること〕。動 着流す《他五》。

☆☆**きなくさ・い**【きな臭い】《形》①布・紙などがくすぶって、くさい。②戦争でも始まりそうなようすだ。「国境が―」③事件が起こりそうで あやしい。「何か―話だ」派 ―さ。

**きなこ**【黄な粉】煎ったダイズをひいた、黄色いこな。だんご・もちなどにつけて食べる。

**きなり**【生成り】①〔麻や もめんの〕さらさない、自然の状態。灰白色をしている。「―地」②素材そのままの色。きなり色。

**きなん**【危難】命を落としかねない あぶない め。「―を避ける」

**キニーネ**〔オ kinine〕〔医〕キナから作った一種のアルカロイド。マラリア熱などによくきく薬。キニン〔quinine〕。

**きにいり**【気に入り】立場が上の者に理屈なしに好かれる〈ものごと／人〉。「先生のお―」

**きにち**【忌日】〔仏〕その人が死んだ日にあたる〈毎年／毎月〉のその日。命日。きじつ。

**きにち**【帰日】〔文〕日本の国に帰ること。

**きにゅう**【記入】《名・他サ》用紙などの決められた欄

に、書くこと。書き入れること。「住所を―する」

**ギニョール**〔フ guignol〕手ぶくろのように片手にはめてする指人形(の芝居)。

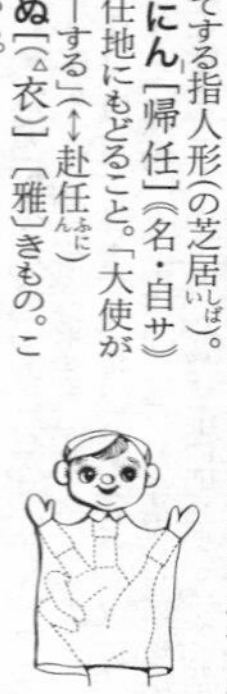
[ギニョール]

**きにん**【帰任】《名・自サ》任地にもどること。「大使が―する」(↔赴任)

**きぬ**【(△衣)】〔雅〕きもの。ころも。

**きぬ**【絹】絹糸で織った織物。●**絹を裂くよう** 句 女性の かん高い さけび声の形容。

**キヌア**〔ス quinua〕南米原産の植物でスーパーフードの一つ。つぶは米より小さい。ゆでたものをサラダやスープに入れたり、煎ったものをお菓子の生地に入れたりする。キノア。

**きぬいと**【絹糸】カイコの繭から取った、細くてつやのある上等な糸。生糸も指すが、ふつう、生糸を精練した糸(=練り糸)を言う。けんし。

**きぬおりもの**【絹織物】絹糸で織った織物。絹。きぬおり。

**きぬかつぎ**【(△衣△被ぎ)】サトイモの子いもを、皮つきのまま〈ゆでた/蒸した〉もの。皮をむき、塩などをつけて食べる。

**きぬかわ**【絹皮】タケノコの姫皮。

**きぬぎ**【着脱ぎ】《名・他サ》〔衣服を〕着たり ぬいだりすること。ぬぎき。「―の楽なセーター」

**きぬぎぬ**【(△後△朝)】〔雅〕昔、男女が共寝をした翌あさ。「―の別れ」

**きぬけ**【気抜け】《名・自サ》気が抜けること。「仕事が完成して―(が)する・―(した)ビール」

**きぬごし**【絹(×漉し)】〔↑絹ごし豆腐〕絹でこしたように、きめを細かく固まらせた、やわらかめの とうふ。絹どうふ。☞木綿②。

**きぬさや**【(絹×莢)】〔↑きぬさやえんどう〕サヤエンドウの一種。さやが細くてやわらかい。

**きぬじ**【絹地】絹織物の布地。

**きぬずれ**【(△衣)擦れ】歩いているとき、着ている着物がすれあう〈こと/音〉。「かすかな―の音」

**きぬた**【(×砧)】昔、織った布をのせて たたいた、木や石の台。布をなめらかにし、つやを出すために使う。

[きぬた]

**きぬもの**【絹物】絹織物(の衣服)。

**きね**【(×杵)】臼に穀物や蒸した米などを入れてつく、丁字形または棒形の道具。

☆☆**ギネス**〔↑Guinness《=イギリスのビール会社の名》World Records〕さまざまな分野での世界一の記録を集めた本。ギネス世界記録。「―に登録」〔もと、ギネスブック〕

**きねずみ**【(木×鼠)】りす。

**きねづか**【(×杵△柄)】きねの柄。「昔取った―」(⇩「昔」の句)

**きねん**【紀年】①紀元から数えた年数。「―法」②器物に記された、製作などの年。「―銘」

**きねん**【祈念】《名・他サ》〔神や仏に〕いのること。いのり。「平和を―する」

*****きねん**【記念】《名・他サ》特別のできごと・行事などを心にとどめようとすること。「―切手・―品・創立―日・―受験(=合格する見こみは ないが、記念に受験すること)」✎いいできごとに使うことが多いが、「震災記念碑」のように悪いできごとにも使う。表記「紀念」とも書いた。●**きねんひ**【記念碑】①記念のために建てた石碑。②記憶にとどめるべき重要な ものごと。

**ぎねん**【疑念】〔文〕うたがい(の心)。「―をいだく」

*****きのう**【(昨日)】①きょうの 一日前の日。さくじつ。「―火事があった」②これまで。今まで。「―の敵は きょうの友」③もう過ぎてしまった日々。過去。「―の人」●**きのうきょう**【(昨日今日)】①非常に近い過去。ごく最近。きのうや きょう。「あの男とは―のつき合いではない」②このごろ。「心待ちにしている―です」●**きのうのきょう**【(昨日の今日)】きのう できごとがあったばかりの、翌日の きょう。「―で すみませんが、またお願いです」☞今日の今日。

******きのう**【機能】■一 機械・組織などの持つ能力(の種類)。「心臓の―・首都―・スマートフォンの辞書―・―美(=機能的な美しさ)を追求する」■二《名・自サ》機械・組織などの能力が はたらくこと。「国会が―していない」●**きのうしょうがい**【機能障害】《医》からだの機能がうまく はたらかないこと。「肝―」●**きのうせいひょうじしょくひん**【機能性表示食品】科学的根拠にもとづき、からだによい はたらきを持つことを表示した食品。消費者庁への届け出が必要。☞保健機能食品。●**きのうづける**【機能(付ける)】《他下一》全体の中で果たすべき役割について位置づける。「空間を―・じゅうぶんに―」名 機能づけ。●**きのうてき**【機能的】《ナダ》①機能に関するようす。「―な欠陥」②むだが少なく、機能を生かせるようす。「―な都市づくり」

**きのう**【帰農】《名・自サ》都会での生活をやめて農村に帰り、農業をすること。

☆☆**きのう**【帰納】《名・他サ》《哲》一つ一つの具体的なことがらから一般的原理をひき出すこと。例、毎回目にするカラスが黒いことから、カラスは黒い鳥だ、と考えるなど。「―法・―的に考える・法則を―する」(↔演繹)

**ぎのう**【技能】(職業的な)技術と、それを的確に使う能力。「熟練―者・《すもうなど》―賞(☞三賞)」

**きのえ**【(△甲)】十干の第一。こう。「―ね(子)」

**きのか**【木の香】〔新しく建てた家の〕材木の かおり。「―も新しい家」

**きのこ**【(×茸)・(×蕈)】〔=木の子〕菌類の一種。マツタケ・シイタケなど、しめったところや木の皮などに はえ、柄と かさがある。食用になるが有毒なものもある。「―の天ぷら・―のクリームパスタ」✎⇩たけ(茸)。●**きのこぐも**【きのこ雲・キノコ雲】爆発のあとに立ちのぼる、巨大なキノコ形の雲のようなもの。特に、原子雲。

**きのじ**【喜の字】喜寿。喜の祝い。喜の寿。

**きのせい**【気のせい】たしかな理由もなく、そう感じられること。「―か、少し太ったようだ・―だよ、だれもいないよ」

**きのと**【(△乙)】十干の第二。きのえ(甲)の次。おつ。

**きのどく**【気の毒】■一《名・ナダ》他人の苦しみ・悲しみ

などを見聞きして、心が痛む感じ(を起こさせるようす)。「病気の先生を―に思う・―な生活を送る人々・―に、ふられたらしい」 二《名・ナダ・自サ》めいわくをかけて申し訳ない〈ようす／気持ち〉。「遠いところをお―でした・君には―したね」 ✓「かれに気の毒だ」は 二 の申し訳ない気持ち、「かれが気の毒だ」は 一 の同情する気持ちをあらわす。 区別 ⇩かわいそう。 派 -がる。-げ。-さ。☞お気の毒さま。

**きのぼり**［木登り］《名・自サ》〔遊びで〕木にのぼること。

**きのみ**［木の実］木になる実。ふつう、ドングリなどを言う。このみ。

**きのみきのまま**［着の身着のまま］ きのみ-きのまま《名》・きのみきのまま《副》(ふだん着を)着ただけで、着がえ・お金など何も持っていない〈こと／ようす〉。「―(で)にげだす」

**きのめ**［木の芽］①木の新芽。このめ。「―どき(=早春)」 ②サンショウの若芽。「―あえ・―田楽」

**きのやまい**［気の病］ノイローゼの、昔の言い方。きやみ。

**きのり**［気乗り］《名・自サ》やってみようという気持ちになること。「―うす」

**きば**［木場］材木をたくわえておく場所。

**きば**［牙］動物の前歯の両わきにある、大きくてするどい歯。 ●**牙を研ぐ** 句 相手をやっつけようと準備をする。 ●**牙を抜かれる** 句 反抗的・挑戦的な気持ちをくじかれる。「牙を抜かれたジャーナリズム」 ●**牙をむ(剝)く** 句 はっきりと敵意をあらわす。「大国が―」

**きば**［騎馬］①馬に乗ること。「―警官」 ②〔乗るための〕馬。

**きばい**［木灰］草や木が燃えたあとにできる灰。肥料や食品のあくぬきなどに用いる。もっかい。

**きばえ**［着映え］《名・自サ》着ないうちはそれほどでもないが、着るとりっぱに見えること。「―のする洋服」

**きはく**［気迫・気×魄］はげしい気力・精神力。「―に欠ける」

**きはく**［希薄・×稀薄］《ナダ》①〔液体・気体が〕うすいようす。(↔濃厚) ②とぼしいようす。「内容が―だ」 派 -さ。

**きばく**［起爆］《名・自サ》《理》火薬を爆発させること。「―薬」 ●**きばくざい**［起爆剤］①爆発を起こさせるのに用いる火薬。②ある事態を引き起こすきっかけになるもの。「地域活性化の―」

**きばこ**［木箱］木で作られた箱。

**きばさみ**［木(×鋏)］庭木・生けがきなどを切るはさみ。木の長い柄がついている。

**きはずかしい**［気恥ずかしい］《形》自分自身の気持ちとしてはずかしく思っている状態だ。 派 -がる。-げ。-さ。

**きばせん**［騎馬戦］運動会の競技の一つ。馬役の三人の上に乗った騎手が、たがいに争う。相手を落としたり、はちまきなどを取ったりすると勝ち。

**きはだ**［木肌］木の幹の外がわの皮。

**きはだ**［(黄肌)］マグロの一種。ひれが黄色いので、こう言う。きはだまぐろ。きわだ。「―マグロのづけ」

**きばたらき**［気働き］その場にふさわしい、心のはたらき。「―のある子」

**きはちじょう**［黄八丈］よ(縒)った絹糸で織った、黄色いしま(縞)の織物。東京都八丈島の名産。

**きはつ**［既発］〔文〕①すでに発行したこと。「―株・―国債」 ②すでに〈発売／発表〉したこと。「―の曲」(↔未発)

**きはつ**［揮発］《名・自サ》《理》ふつうの温度で液体が気体になること。 ●**きはつゆ**［揮発油］《理》①⇩ベンジン。②⇩ガソリン。

**きばつ**［奇抜］《ナダ》ふつうでは考えつかないほど、ふう変わりなようす。「―な思いつき」 派 -さ。

**ぎはつ**［義髪］はげをかくしたりするための、ほんものそっくりに作ったかつら。

**きばむ**［黄ばむ］《自五》黄色みをおびる。 名 黄ばみ。

**きばや**［気早］《名・ナダ》気が早い〈こと／ようす〉。せっかち。 派 -さ。

**きばらい**［既払い］〔文〕すでにしはらったこと。きばらい。(↔未払い)

**きばらし**［気晴らし］《名・自サ》ゆううつな気持ちを、はればれさせる〈こと／おこない〉。気分転換。

**きばる**［気張る］ 一《自五》①息をつめて、おなかに力を入れる。いきむ。②何かしようとして精神が高まる。はりきる。 二《他五》思い切って多くのお金を出す。はずむ。「チップを―」

**きはん**［軌範］〔文〕てほん。のり(則)。

☆☆**きはん**［規範］〔自分や他人の〕行動の手本(となる型)。もとづくべき決まり。「人々の―となる」

**きはん**［×羈×絆］〔文〕きずな。束縛。

**きはん**［帰帆］《名・自サ》〔文〕①港へ帰って来る帆船。②〔ヨット・帆船の〕帰港。

**きばん**［基板］電子部品が組みこまれている、絶縁体の板。「―を取りかえる・プリント―(=プリント配線された基板)」

**きばん**［基盤］ものごとを支える土台となるもの。「政権の―をかためる・情報通信の―整備・生活―」

**きばんごう**［記番号］お札などにしるしてある記号と番号。記番。

**きはんせん**［機帆船］発動機つきの小型の帆船。

**きひ**［忌避］《名・他サ》①〔文〕いやがってさけること。「徴兵―」 ②《法》訴訟の当事者が、ある裁判官の裁判をことわること。

**きび**［(×黍)・(×稷)］①穀物の名。実はマッチの頭ぐらいの大きさで、赤茶色。もち・だんごを作る。②〔方〕とうもろこし。

**きび**［機尾］〔文〕飛行機のうしろの部分。(↔機首)

**きび**［機微］ 一 表面だけからは簡単にはわからない微妙なことがら・事情。「人生の―にふれる」 二《名・ナダ》取りあつかいに注意を要すること。他人に知られたくないこと。「個人の―にかかわる内容・―な情報」

**きび**［×驥尾］(=駿馬の尾)〔文〕すぐれた人のうしろ。「先輩の―に付して(=…のあとについて。…に見習って)」

**ぎひ**［犠飛］〔視覚語〕《野球》⇩犠牲フライ。

**きびがらざいく**［(×黍×稈)細工］キビやトウモロコシの茎の髄と、細くさいたその皮を材料として、人形などを作る手細工。

**きびき**［忌引］《名・自サ》家族(に近い親類)が死んだため、学校や勤めなどを休んでひきこもること。また、そのための欠席・欠勤。

きびきび《副・自サ》動作にむだがなく、気持ちがいいようす。「―した歩き方」

**きびし・い【厳しい】《形》①いいかげんなところで許すということをしない。「しつけが―・―芸の世界・―〔=批判的な〕意見」（↔甘い）②緊張して、こわばったようすだ。「―表情」③がまんができないほど、程度が大きい。はげしい。「暑さが―・厳しくしかりつける」④むずかしい。「このままでは合格は―・あした会うのは―」〔やや俗〕⑤〔俗〕無理がある。「体型的に―服」⑥〔俗〕困る。「近くに書店がないのは―」派―さ。

きびす【×踵】〔古風〕かかと。くびす。●☆☆きびすを返す 句 ひきかえす。●きびすを接して 句 ぞくぞく。あとからあとから。

きびだんご【×黍団子・(△吉備団子)】「きび(黍)①」の粉で作っただんご。

きひつ【起筆】《名・自サ》〔文〕ふでをおこすこと。書きはじめること。書きおこし。（↔擱筆）

ぎひつ【偽筆】《名・他サ》他人の書いた字に似せた文字。（↔真筆）

きびなご【(×黍△魚子)・(△吉備奈×仔)】あたたかい海にすむ小形の さかな。夏が旬で、さしみや干物にする。

きひょう【起票】《名・自他サ》新しく伝票を書くこと。伝票を起こすこと。

きびょう【奇病】めったにない病気。

ぎひょう【戯評】漫画や ふざけた文章の形でおこなう批評。「社会―」

きびょうし【黄表紙】草双紙から出て、江戸時代後期に流行した、絵が主体の大人の読み物。表紙が黄色。

↔きひん【気品】その〈人/もの〉の、〈ふるまい/表面〉にそなわって自然にあらわれる、上品な感じ。「―の高い作品・―が感じられる」

↔きひん【気×稟】〔文〕生まれつきそなわっている、すぐれた気質。「詩人的―」

きひん【貴賓】〔文〕身分の高い客。「―席・―室」

きびん【機敏】《ナダ》すばやく判断して、すぐ行動するようす。「―な行動」派―さ。

きふ【棋譜】碁・将棋の、勝負のあとをしめす図面。

きふ【貴腐】〔農〕ブドウの実に灰色のカビがはえること。その結果水分が蒸発し、あまみが強くなるので、上等の白ワインができる。「―ワイン」

きふ【寄付・寄附】《名・他サ》〈社会/事業〉のために、もうけや見返りを考えないで、お金・品物を出すこと。「―集め・―金」表記「寄附」は、特に法令・公用文で使う。☞寄付行為

きぶ【基部】〔文〕機械・道具・建物などの〈もと/土台〉になる部分。

ぎふ【義父】義理の父。〈夫/妻〉の父。また、養父・継父。（↔実父）

ギブ〔俗〕↑ギブアップ。「もう、―！」

ギブアップ《名・自他サ》〔give up〕①降参。あきらめること。ギブ〔俗〕。②絶望。お手上げ。

ギブアンドテイク〔give-and-take=やりとり〕相手に利益をあたえる代わりに自分も利益を手に入れること。ギブアンドテーク。

きふう【気風】社会や集団の人々に共通に見られる、性質・心の持ち方。「悪い―に染まる」

きふう【棋風】碁や将棋をするときの、その人の型ややり方。

きふく【帰服・帰伏】《名・自サ》〔文〕抵抗をやめて、相手の支配にまかせること。

きふく【起伏】《名・自サ》①〔土地が〕高くなったり低くなったりすること。「―に富む地形」②さかんだったり、おとろえたりすること。「感情の―がはげしい」③高まったり、しずまったりすること。

きぶく【忌服】《名・自サ》〔文〕喪に服すること。「―期間」

きぶくれ【着膨れ】《名・自サ》たくさん服を着て、からだがふくれたようになること。「冬の電車は―ラッシュになる」動着膨れる〈自下一〉。

きふこうい【寄付行為】①寄付する行為。②〔法〕財団法人や学校法人を設立するために定める、その法人の運営や組織に関する基本的規則。「―を認可する〔=法人の設立を認める〕」

きふじん【貴婦人】身分の高い女性。

ギプス〔オ gips=石膏〕①骨折などの治療のために、からだの一部分を固定するもの。石膏の粉やプラスチックなどをふくませた包帯を巻き、水をつけてかたまらせる。ギプス包帯。②「ギプス①」の材料。「―ベッド」▽なまって、ギブス。

きぶつ【木仏】①木ぼりの仏像。②人情やユーモアなどのわからない人。▽きぼとけ。

きぶつ【器物】建物や部屋に備えつけてある道具。器具。☞うつわもの(器物)

キブツ〔ヘブライ kibbutz〕イスラエルで、私有を否定した共同生活の形で運営される、農業を中心とした集団社会。

きぶっせい【気ぶっせい】《ナダ》〔古風・俗〕気づまり。「下宿に他人がいるのは―だ」派―さ。

ギフト〔gift〕おくりもの。進物。「―券〔=その商品や店にだけ通用する、商品券。ギフトカード〕・カタログ―〔=もらう人が、カタログから選べる方式の おくりもの〕」

きぶとり【着太り】《名・自サ》〈服を着ると/厚着をしたために〉実際より太って見えること。（↔着痩せ）

きふるし【着古し】着て古く〈なること/なった衣服〉。動着古す〈他五〉。

**きぶん【気分】①そのときどきの できごとや からだのぐあいなどによって変わる、心の状態。「きょうは朝から―がすぐれない〔=ⓐからだの調子がよくない感じだ。ⓑゆううつだ〕・―転換に歌を歌う・年度初めに―を一新する」②雰囲気。「お祭り―」③心に受ける印象。「―のいい人」④〔俗〕今の「気分①」にあうこと。また、今っぽいこと。「きょうはアイスコーヒーが―だ」〔おそくとも一九八〇年代からある用法〕●気分がいい 句 ①病気が〔少し〕よくなった感じだ。「熱が下がって―」②心がはれる感じだ。ゆかいだ。「満点を取って―」▽（↔気分が悪い）●気分が悪い 句 ①〔なんとなく〕からだの調子が悪い。頭が重かったり、はきけがしたりする感じだ。「日に当たりすぎて気分が悪くなる」②不愉快だ。「いいかげんな応対をされて―」▽（↔気分がいい）●きぶんしょうがい【気分障害】〔医〕うつ病・そううつ病などの精神的な病気。●きぶんや【気分

屋」〔俗〕すぐに気分が変わり、言動が あてにならない人。

**きぶん**【奇聞】〔文〕めずらしい話。

**ぎふん**【義憤】正義のために憤慨(ふんがい)すること。公憤(こうふん)。「ーを感じる」

**ぎぶん**【戯文】〔文〕ふざけた表現で書いた、おもしろおかしい文章。

**きへい**【騎兵】馬に乗った〈軍隊／兵士〉。「ー隊・軽ー」

**ぎへい**【義兵】〔文〕道義のためにおこす兵。義軍。

**きへき**【奇癖】〔文〕ふつうと変わったくせ。

**きへん**【木〈偏〉】漢字の部首の一つ。「校」「村」などの、左がわの「木」の部分。

**きへん**【机辺】〔文〕つくえのそば。

☆☆**きべん**【×詭弁】〈こじつけ／ごまかし〉の議論。「ー家・ーを弄(ろう)する」

＊＊**きぼ**【規模】〔大小の差がけたちがいであるものの〕大きさ。「事業のー・地震のー・学校のー・大ーな計画」

**ぎぼ**【義母】義理の母。〈夫／妻〉の母。また、養母・継母(けいぼ)。(↔実母)

**きほう**【気泡】空気をふくんだあわ。

**きほう**【奇峰】〔文〕変わった形のみね。

**きほう**【貴方】〔文〕㊀「相手の住む所」の尊敬語。㊁〔代〕あなた。貴下。

**きほう**【機×鋒】〔文〕①ほこ先。切っ先。②〔言論での〕するどい攻撃(こうげき)。「ーをかわす」

**きほう**【既報】〔名・他サ〕〔文〕すでに知らせたこと。

**きぼう**【鬼謀】〔文〕⇩神算(しんさん)鬼謀。「ーの持ち主」

＊**きぼう**【希望】〔名・他サ〕①〔自分から〕そう〈して／なって〉ほしいと思うこと。のぞみ。「ーを持つ・ー者・ー退職・ー小売価格」②将来への「希望①」をあたえる〈もの／人〉。希望の星。「子どもは われわれのーだ」 ●**きぼうてき**【希望的】〔ナダ〕そう なってくれれば いいがと、自分だけそう思うようす。「ー観測」

**ぎほう**【技法】技巧(ぎこう)の点から見た、ある効果を出すための〈技術／方法〉。「作曲ー・藍(あい)染めのー」☞手法。

**きぼく**【亀×卜】古代、カメの甲羅(こうら)を焼いて できた割れ目で、吉凶(きっきょう)などを知ろうとしたうらない。

**ぎぼく**【擬木】セメントと塗料(とりょう)を使って、ほんものの木に似せて作ったもの。「ーの柱」

**ぎぼし**【〈擬△宝△珠〉】①欄干(らんかん)の柱の頭につける、ネギの花の形の かざり。②湿地(しっち)にはえる草花。夏に、白または うすむらさきの花が ふさ状に さく。庭にも植える。▽ぎぼうし。ぎぼうしゅ。

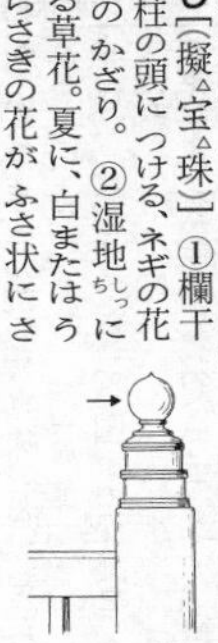

[ぎぼし ①]

**きぼね**【気骨】気苦労。☞きこつ(気骨)。 ●**気骨が折れる** 句 気をつかわなければならないので精神的に苦労する。

**きほよう**【気保養】〔名・自サ〕きばらし。きさんじ。

**きぼり**【木彫り】木をほって、形を〈作ること／作ったもの〉。

＊＊**きほん**【基本】㊀いくつかある中で、いちばんもとになるだいじなもの。「ーに忠実なプレー・政策のー線は変わらない・ー給」㊁〔副〕基本的に。「ー、毎日出勤する」〔二十一世紀になって広まった用法〕 ●**きほんご**【基本語】〔言〕ある資料を調べたとき、多く使われていることば(の集まり)。基本語彙(ごい)。☞基礎(きそ)語。 ●＊**きほんてき**【基本的】〔ナダ〕①基本となるようす。「ーなルール」②〔ーに〕原則として。だいたい。「ーに土日は休みです・ーに からいものは苦手です」 ●☆☆**きほんてきじんけん**【基本的人権】〔法〕人間が人間らしく幸福に生きてゆくための、基本の権利。例、思想・言論の自由、宗教の自由などの権利、働く権利、団結の権利など。 ●**きほんのき**【基本のキ・基本のき】基本中の基本。「料理のー」 ✎「イロハのイ」と同じ語法。

**ぎまい**【義妹】〔文〕①義理の妹。〈夫／妻〉の妹。また、〈義理の〉弟の妻。②親の再婚(さいこん)相手の子ども または親の養子で、自分より年下の女。③約束をして、妹と決めた人。▽(↔実妹)

**キマイラ**〔ギ Khimaira〕⇩キメラ①。

**きまえ**【気前】〔お金や品物をおしまずに ふるまう〕性質。「いいーだ〔⇩気前がいい 句〕・ー〔=いい気前〕を見せる」 ●**気前がいい** 句 お金や品物を〈使う／あたえる〉ことを、おしまない。

**きまかせ**【気任せ】〔名・ナダ〕その時その時の気分にしたがってふるまう〈こと／ようす〉。「ーの旅」

**ぎまく**【偽膜】〔医〕ジフテリアのとき、口の奥(おく)などの粘膜(ねんまく)にできる、膜のようなもの。

**きまぐれ**【気〈△紛れ〉】〔名・ナダ〕①気の変わりやすいようす。「ーな人」②そのときの思いつき。「シェフのーサラダ」派ーさ。

**きまけ**【気負け】〔名・自サ〕相手の気力におされて負けること。

**きまじめ**【生真面目】〔名・ナダ〕まったく まじめな(だけで、ゆうずうの きかない)ようす。派ーさ。

**きまずい**【気〈:不味い〉】〔形〕おたがいの気持ちがとけあわないで、ぐあいが悪い。「ー沈黙(ちんもく)が続いた・ー関係」派ーげ・ーさ。

**きまつ**【季末】季節の終わり。「ー大バーゲン」

↑**きまつ**【期末】①〈期限／期間〉の終わり。「ー手当〔=ボーナス〕」(↔期首) ②〔学〕学期末(試験)。

**きまって**【決まって・△極まって】〔副〕〔くり返して〕必ず。「ー遅刻(ちこく)する」

**きまま**【気〈×儘〉】〔名・ナダ〕自分の思ったとおりに行動するようす。「勝手ー」派ーさ。

**きまめ**【生豆】煎(い)る前のコーヒー豆。なままめ。

**きまよい**【気迷い】〔名・自サ〕①心が まようこと。②〔経〕相場の上がり下がりの見当がつかず、人気が まようこと。「ー人気」動 気迷う〔自五〕。

**きまり**【決まり・△極まり】①どうするか決まること。結論が出ること。「これで話はーだ・焼き鳥にはビールでー〔=ビールしかない〕！」②決まったもの。規定。ルール。「ーに従う・正式のーはない」③続いていた問題を終わらせること。決着。「過去のことにーをつける」④いつもそうすることに決まっていることがら。「毎朝散歩するのがーだ」☞お決まり。 ●**きまりが悪い** 句 かっこうがつかなくて、なんだか はずかしく、おちつかない気持ちだ。間(ま)が悪い。きまり悪い。表記「:気まりが悪い」とも書いた。 ●**きまりきった**【決まり切った】〔連体〕①いつもと変わらず、新しさのない。「ー言い回し・ースーツ姿」②当然の。「仕事がきびしいのはー話だ」▽「決まり切っている」の形で述語にもなる。●**きまりて**[決まり手]『すもう』勝負が決まるときのわざ。〔俗に四十八手と言うが、八十二手ある〕●**きまりもんく**[決まり文句]その場面でいつも言う同じ文句。●**きまりわる・い**[きまり悪い]《形》⇩きまりが悪い 句。派ーがる。ーげ。ーさ。

**きま・る[決まる・△極まる]《自五》①いくつか考えられることのうちから一つが選ばれ、もうそれで変わらない状態になる。「考えがー・〈君が受賞者に/受賞者が君に〉決まった・決まった人〔=婚約者など〕がある」②おちつく。安定する。「腰が決まらない」③ねらいどおりの〈形/結果〉になる。「おどりの型がー・シュートがー」④『すもう・柔道など』〔しかけたわざがうまくいって〕勝負がつく。「内がけがー・西土俵でー」⑤[キマる]〔俗〕〔服装などが〕すきもなく、かっこよくととのう。「姿がキマってる」⑥〔**決まっている**〕そう〈である/なる〉ことが言う前からわかっている。「夏は暑いに決まっている・勝つに決まっている」

**きまわし**[着回し] 組み合わせを替えることで、一つの服をいろいろなよそおいに使うこと。「ーが利くスーツ」動 着回す《他五》。

☆☆**ぎまん**[欺×瞞]《名・他サ》〔文〕だますこと。ごまかし。「自己ー・他人をーする」

**きみ** 一 きみ[気味]①そのものから受ける感じ。きび。☞いい気味。②望ましくない状態になりかけていること。傾向。「かぜのーだ・慢心のーがある」二〔(気味)〕接尾〔「ぎみ」と読み、名・形動をつくる〕望ましくない状態になりかけていること。ある傾向が見られるようす。「太りー・あせりー・かぜー」●**気味が悪い** 句 ①異様で、見たりさわったりしたくない。「ーへビ」②〈何が起こるか/何をされるか〉わからず、いやな感じだ。「ー場所・みょうにすなおでー」▽気味悪い。

**きみ 一[君]〔文〕①帝王。君主。②とのさま。主君。「わがー」③人を尊敬して言うことば。お方。「師のー〔=先生〕・白ゆりのー〔=女性〕」☞ぎみ(君)。二[(君)]《代》①〔男〕同等(以下)の者を呼ぶときに使うことば。「ーにあげるよ・ーが好きだ・〔上司が〕ー、ちょっと来てくれないか」(↔ぼく) ✓追悼のことばでは、改まった気持ちをこめて使う。詩歌や最近の歌謡曲では男女とも使う。②〔雅〕あなた。「なつかしのーよ」彼か。③〔文〕〔自分が「○○君」と呼ぶ人について〕彼。「ーは私と同郷である」

←**きみ**[黄身] 鳥のたまごの中の、黄色い部分。卵黄。(↔白身)

→**きみ**[黄(:味)] 黄色い感じ(の色)。「ーがかった赤」

**ぎみ**[君] 接尾〔文〕相手の家族・親戚や身分の高い人を尊敬してそえることば。「父ー・弟ー・姫ー」

**きみあい**[気味合い]〔文〕おもむき。心持ち。

**きみかげそう**[君影草]〔文〕すずらん。

**きみがよ**[君が代] 日本の国歌の名。〔現在の歌詞と同じものが、古くは「和漢朗詠集」に見える〕

**きみじか**[気短]《名・ナダ》気が短い(こと)。せっかち。短気。(↔気長) 派ーさ。

**きみず**[黄身酢] たまごの黄身に、味をととのえた酢を加えたもの。

←☆☆**きみつ**[機密] 大切な秘密。「ー書類・国家ー」●**きみつひ**[機密費] 機密のことがらに使うために、使い道をはっきりしめさなくていい費用。

→**きみつ**[気密]《名・ナダ》《理》気体が出入りできない密閉された状態。「ー性が高い住宅・ー服」

**ギミック**〔gimmick〕しかけ。からくり。「ー満載の映画」

**きみどり**[黄緑] 黄色の加わった緑色。

**きみゃく**[気脈]〔=血管〕●**気脈を通じる** 句 ひそかに連絡して、気持ちや考えをかよわせる。

**きみょう**[奇妙]《ナダ》①ふつうとはちがって、へんなようす。「ーなことを言う・ーきてれつ〔=非常にへん〕」②ふしぎなほど。「心がーに安らぐ」派ーさ。

**きみわる・い**[気味悪い]《形》気味が悪い。きびわるい。派ーがる。ーげ。ーさ。

**きみん**[棄民]〔文〕見すてられて、国家の保護を受けられない人たち。

**ぎみん**[義民] 命をかけて正義のためにつくす人。特に江戸時代、百姓一揆を指導した農民をいう。

*__ぎむ__[義務]〈決まりによって/立場上〉絶対にしなければならないこと。「労働のー・ーを果たす・君には答えるーがある」(↔権利)

☆☆**ぎむきょういく**[義務教育] 国民の義務として、学齢にある子どもに受けさせなければならない、小学校・中学校の教育。日本では九か年。●**ぎむきょういくがっこう**[義務教育学校] 小学校と中学校の教育を一貫しておこなう、九年制の学校。

**きむずかし・い**[気難しい]《形》①どういう気持ちでいるかがわからなくて、あつかいにくい。なかなか満足しないで、きげんがとりにくい。「ー老人」②不愉快な表情をしているようすだ。「ー顔」派ーげ。ーさ。

**きむすめ**[生娘] うぶなむすめ。処女。

**キムチ**〔朝鮮 gimchi〕まるのままのハクサイに、トウガラシ・ニンニク・塩辛などをはさみこみ、発酵させてつくる朝鮮のからいつけもの。また、これと同じ味つけのいろいろなつけもの。「オイー〔=キュウリのキムチ〕・ーチゲ・ーチャーハン」

**ぎむづ・ける**[義務付ける]《他下一》義務としてそうするようにさせる。「提出をー」名 義務づけ。

**ぎむてき**[義務的]《ナダ》〔したくなくても〕しなければならないことをするようす。「ーに答える」

**ギムナジウム**〔ド Gymnasium〕〔ドイツで〕大学進学を目的とした、八年制の学校。十歳ぐらいで入学し、十八歳ぐらいで卒業する。

←**きめ**[木目(:木理)] ⇩もくめ。

→**きめ**[(:肌理)] ①皮膚の表面に目を近づけると見える、細かいみぞが組み合わさってできた模様。「ーの粗いはだ」②ものの表面の、細かいでこぼこ。「ーの細かい壁土」

**きめ**[決め・△極め] ①決めてあること。約束。「ーの宿銭」②せりふや動作にうまくしめくくりをつけること。「ー(の)ポーズ」

**きめい**[貴名]〔文〕あなたの名前。お名前。尊名。「ー受〔=来訪者の名刺を入れる箱〕」

**きめい**[記名]《名・自サ》決まった場所に名前を書き入れること。「ー投票・ー押印・ー捺印」(↔無記名) 区別 法的には、「記名」は本人が書くことが必要。「署名」は代筆や印刷、はんこでもいいが、

**きめい**[記銘]《名・他サ》《心》見たり聞いたりした内

容を覚えこむこと。「―力」

**ぎめい**【偽名】〔よくないことに使う〕にせの名前。「―を使う」(↔実名)

**きめうち**【決め打ち】《名・自他サ》①〔碁石・ボールなどを〕あらかじめ決めたとおりに打つこと。「ストライクを―する」②あらかじめ段取りを決めて、そのとおりにすること。「―報道」

**きめきめ**【キメキメ】《ナダ》(=決め決め)〔俗〕〔服装などが〕かっこよくととのって、すきがないようす。「ライブに―で行く」

**きめこまか**《ナダ》一〔(:肌理)細か〕はだの きめが細かいようす。「―なほお」二〔きめ細か〕細かいところまで行き届いたようす。「―な政策」▽一二きめこまやか。

●**きめこまか・い**《形》一〔(:肌理)細かい〕はだの きめが細かい。「子どものように―」二〔きめ細かい〕細かいところまで行き届いている。「―サービス」派―さ。

**きめこまやか**《ナダ》一〔(:肌理)細やか〕⇩きめこまか一。二〔きめ細やか〕⇩きめこまか二。派―さ。

**きめこみにんぎょう**【木目込み人形】ヤナギなどの木ぼりに ちりめんの切れ地を張り、衣服を着たように作った人形。

**きめこ・む**【決め込む】《他五》①自分ひとりで そうだと思う。「相手を弱いものと―」②ずっと変えないつもりで、その態度をとる。「だんまりを―・知らんぷりを―」

**きめぜりふ**【決め(:台詞)】ここぞというときに発する相手の心をつかむ せりふ。

**きめだし**【決め出し】《すもう》相手のさしたうでの関節を強く はさみつけたまま、土俵の外に出す わざ。動決め出す《他五》。

**きめだま**【決め球】《野球・テニスなど》勝負を決めようとして〈投げる/打つ〉、得意なボール。ウイニング ショット。

**きめつ・ける**【決め(付ける)】《他下一》①本当は ちがうかもしれないのに、絶対そうだ、と〈考える/考えて言う〉。「くだらない、と頭から―」②〔古風〕しかるように、強く言う。「『待ってなさい』と―」名決めつけ。

**きめて**【決め手】①《将棋など》もう一手で勝負が決まってしまう〈手/手段〉。②それだけあればものごとが決まる、強力なもの。「有罪の―」

**きめどころ**【決め所・△極め所】①決めるべき〈ところ/とき〉。きめどこ。「ここが―だ」②ものごとの大事なところ。要点。

**キメラ**〔Chimera〕①〔ギリシャ神話で〕頭はライオン、からだはヤギ、しっぽはヘビの すがたをした、火をはく怪獣。キマイラ。②複数の性質をあわせもつもの。「―植物(=つぎ木などで作った植物)・古い体質と新しいビジョンの―」

****き・める**【決める・△極める】《自他下一》①いくつか考えられることのうちから一つを選んで、もう それで変えないようにする。「旅行先を北海道に―・委員長を―・話を―・もう会うまいと〈心〈を/に〉〉―」(↔迷う) ②勝手に そう思いこむ。「自分が勝つものと決めている・そうに ちがいないと心に―・決めてかかる」③考えや態度をずっと続ける。「昼はパンに決めている・だんまりを―(=決めこむ)」④ねらいどおりの〈形/結果〉にする。「ポーズを―・シュートを―・勝ち越しを―・ギャグを―・どろんを―〔⇩「どろん」の句〕」⑤《すもう・柔道など》わざをうまくしかけ(て、勝負をつけ)る。「一本を―」⑥《すもう》相手のうでをかかえて動けなくする。「両うでをかんぬきに―」⑦〔キメる〕〔俗〕ⓐ決着をつける。終わりにする。「帰りはラーメンで―・きょうこそは決めてやる!(=好きな人を自分のものにしようとするときなどに言う)」ⓑすきがないように、かっこよく ととのえる。「ぱりっとしたスーツで―・メイクをばっちり―」可能決めれる〔俗〕。

**きめん**【鬼面】〔文〕おにの〈顔/仮面〉。●**鬼面人を驚かす**句〔おにの面をかぶって〕すごんで見せる。うわべだけの勢いでおどかす。

**きも**【肝】①肝臓。②鳥・ブタ・フグなどの内臓。③〔△胆〕心。胆力。④〔キモ〕〔俗〕肝心なところ。ねらい。●**肝が煎れる**句 いらいらさせられる。「ぐずぐずしているのを見て―」●**肝が据わる**句 しっかりした〈心構え/考え〉があって、ささいなことでぐらつくことがない。他肝を据える。●**肝が太い**句 大胆だ。●**肝に銘じる**句 心に深くとめて忘れないようにする。肝に銘ずる。●**肝をつぶす**句 ひどく おどろく。直肝がつぶれる。●**肝を冷やす**句 ひやひやする。直肝が冷える。

**きも・い**《形》(↑気持ち悪い。「キモい」とも書く)〔俗〕気持ちが悪い。いやな感じだ。ぶきみだ。きしょい。

**きもいり**【肝煎り】①世話(人)。「高松さんの―でしのぶ会が開かれた」②主導。「会長―の人事」

**きもう**【起毛】《名・自他サ》編み物・織物などをふっくらさせるために毛羽を立てること。「―機・裏―の生地」

**ギモーブ**〔フ guimauve〕くだもののピューレを煮につめ、ゼラチンで固めたマシュマロのような菓子。ギモーヴ。

**きもすい**【肝吸い】ウナギの肝を入れたすまし汁。

**きもだめし**【肝試し】《名・自サ》勇気があるかどうかをためすこと。「キャンプでの―大会」

****きもち**【気持ち】一①感情や意思をともなった、心の状態。「―を打ち明ける・人の―を考える・明るい―になる・さびしい―がした・これは ほんの―だけの(=じゅうぶんな金品ではないが、気持ちだけは こめた)お礼です」②からだが受ける、いい感じと悪い感じ。快と不快。「―のいい朝・足の裏をもむと―がいい・食べすぎて―が悪い」③心が受ける印象。「―のいい人・―の悪い声(=いやな感じの声)」二《副》〔俗〕ほんの少し。こころもち。「―大きめの くつ」●**気持ちを入れる**句 ①気合を入れる。「気持ちを入れて、がんばろう」②感情移入をする。直気持ちが入る。●**きもちいい**【気持ちいい】《形》〔方/俗〕。①からだが受ける感じがいい。「風が―・朝走るのは―」②ものごとに こだわらず、感じがいい。こころよい。きもちいい。(↔気持ち悪い) 派気持ちよさ。●**きもちわる・い**【気持ち悪い】《形》①からだの中が へんな感じだ。はきけや胃もたれがする感じだ。「胸が―・車に酔って―(=気分が悪い)」②見たり さわったりなどした感じが悪い。きもい〔俗〕。「にやにやして―男・ぬるぬるして―」▽気持ちが悪い。(↔気持ちいい) 派―がる。―げ。―さ。

**きもちい・い**【気持ちいい】《形》〔方/俗〕↑気持ちいい。「おふろが気持ちかった・ひんやり気持ちく冷える」

**きもったま**【肝っ玉】〔玉=魂〕胆力。きもだま。

「—が小さい・—母さん〈=肝っ玉のある母〉」

**きもと**［生×酛］ 清酒を造るときに使う、蒸し米にこうじ(麴)を加えて発酵させたもの。「—辛口」

**きもの**［着物］ ①寒さを防いだり、姿を整えたりするために、からだにつけるもの。衣服。②和服。「洋服と—」 表記「△著物」とも書いた。 ●**きものじ**［着物地］和服に使うために織った生地。

**きもん**［気門］《動》虫の からだの表面にある、呼吸器の開口部。

**きもん**［奇問］〔文〕奇抜な質問。「—を発する・珍問—」

**きもん**［鬼門］ ①迷信で、鬼が出入りするうしとら(艮)〈=北東〉の方角。そっちに行ったり、ものを置いたりするのを避ける。②いいことが起こら(ず、行きたく)ない場所。「職員室は ぼくには—だ」③いつも失敗する、苦手な方面・場面。「二連続ジャンプが—だ」

**きもん**［旗門］《スキー》アルペン種目で、コースを示したポール(に旗がついたもの)。

*__ぎもん__［疑問］《名・ナダ》①〈本当かどうか、それが何であるかが〉わからないこと。あやしいと思うこと。「—を抱く・—を生じる・—が残る〈=まだわからないところがある〉・専門家に—をぶつける・—(な)点」②〈よくない/賛成できない〉と思うこと。「規制に—を投げかける・—を呈する〈=述べる〉・《将棋・チェス》—手」 ●**ぎもんし**［疑問詞］《言》疑問または不定の事物・事態をあらわすことば。例、なに・だれ・どこ・いつ・どう・なぜ・どの。 ●**ぎもんし**［疑問視］《名・他サ》うたがいの目で見ること。「能力を—する」 ●**ぎもんふ**［疑問符］①疑問をあらわす しるし。「?」。はてなマーク。クエスチョンマーク。②疑問。「—がつく〈=疑問が出される〉・—を浮かべる〈=疑問がある(表情をする)〉」

**きや** 一《副助》〔俗〕⇩っきゃ。 二◇〔話〕「ければ」の変化。けりゃ。きゃあ。「もう行かなー・ほしー、やるよ」 ☞なきゃ。

**ギヤ**〔gear〕〔古風〕⇩ギア①②。

**きゃあ**《感》〔女/児〕おどろいたり、こわがったり、はしゃいだりしたときに出す声。「きゃあ(↓)、すてき!」

**ぎゃあ**《感》〔話〕とつぜん こわい目にあったり、激しい痛みを感じたりして出す声。「ぎゃあ(↓)、でた!」

**きゃあきゃあ**《副》 おどろいたり、こわがったり、はしゃいだり〈して出す声/するようす〉。「—(と)さけぶ」

**ぎゃあぎゃあ**《副》 うるさく〈不平や不満を言う/泣く〉ようす。「—(と)文句を言う」

**__きゃく__［客］ 一きゃく ①招かれて来る人。むかえられ、もてなされる人。客人。②たずねて来る人。「観光—・見舞い—」③〔商店などで〕ものを買ったりサービスを受けたりして、お金をはらう人。「—が来る・固定—・—を—とも思わない・—を取る〈=売春する〉」▽〈乱暴/失礼〉な感じをさけて「お客(さん)」と言うことが多い。店・会社などでは「お客さま」と言う。④〔文〕旅人。「不帰の—となる〈=死ぬ〉」⑤⇩お客②。「お—に呼ばれる」 二 接尾 接待に使う道具・器を数えることば。「すいものわん五—〈=五人前〉」

**きゃく**［脚］ 一きゃく〔飛行機の〕足。 二 接尾〔いす・机など〕足のある道具を数えることば。「机一—」

**きやく**［規約］ 規則として定めた約束。

*__ぎゃく__［逆］《名・ナダ》①ある向きと反対の向きであること。反対。「前後が—になる・—回転(↔順回転)」②向かうべきでない方向に向かっていること。「考え方が—だ・—差別〈=差別をさけようと優遇しすぎて、逆にほかへの差別になること〉」③《哲》ある命題の仮定と結論を入れかえた命題。「—もまた真である」④《柔道など》↑逆手。「—を取る」☞逆に。

**ぎゃく**［偽薬・擬薬］《医》⇩プラセボ。

**ギャグ**〔gag〕 ①《映画・演劇など》見ている人を笑わせるための、(筋の進行の間に入れる)本筋とは関係のないせりふや動作。「一発—」②場をなごませたり、笑わせるための冗談や だじゃれ。「オヤジー」

**きゃくあし**［客足］〔商店・興行場に〕客が来る〈こと/度合い〉。「—がつく・—が落ちる」

**きゃくあしらい**［客あしらい］ 客をもてなす〈こと/しかた〉。客あつかい。

**きゃくあつかい**［客扱い］ 一 ⇩客あしらい。 二《名・他サ》①客として待遇すること。「私を—しないでください・—を受ける」②〔鉄道で〕ドアを開けて客を乗り降りさせること。

**きゃくいん**［客員］〔大学や研究所などに まねかれ〕ある資格で教えたり研究したりする人。かくいん。「—教授」

**きゃくいん**［脚韻］〔詩で〕ことばの終わりに同じ音をくり返して使うこと。例、みかん、きんかん、酒のかん。「—を踏む」(↔頭韻)

**きゃくうけ**［客受け］ 客からの評判。「—がいい」

**きゃくえん**［客演］《名・自サ》 ほかの団体に招かれて、出演すること。「有名俳優の—・—指揮者」

**ぎゃくえん**［逆縁］ ①《仏》ⓐ〔子が親より先に死ぬなど〕年下の者が年上の者よりも先に死ぬこと。ⓑ悪いことをしたということが、かえって仏道に はいる縁となること。▽(↔順縁) ⓒ死者と縁のない者が、その死者を供養するようになること。②順当でない関係(の結びつき)。

**ぎゃくおうて**［逆王手］ ①《将棋》王手を防ぎ、逆にその手で王手をかけ返すこと。②〔俗〕〔野球などのプレーオフで〕優勝に王手をかけていたチームが負けて、相手チームも王手をかけること。

**ぎゃくオークション**［逆オークション］〔インターネット上で〕買い手がわが希望価格や条件を示し、それに対して売り手がわが入札した中で、いちばん安い価格を示したところと取引をするしくみ。

**ぎゃくぎれ**［逆切れ・逆ギレ］《名・自サ》〔俗〕責められた人が、逆に はげしくおこること。「注意されて—する」

**ぎゃくこうか**［逆効果］ 予想と反対の(悪い)効果。ぎゃっこうか。「—を招く」

**ぎゃくこうせん**［逆光線］《写真など》⇩逆光。

**ぎゃくコース**［逆コース］ ①ふつうとるのと反対の〈コース/道順〉。②社会全体が向かっている動きと反対の(よくない)動き。

**きゃくさき**［客先］（仕事で訪ねて行く)取引先(の場所)。顧客先。「—を回る」

**ぎゃくさつ**［虐殺］《名・他サ》 むごたらしい殺し方をすること。

**ぎゃくざや**［逆(×鞘)］《経》①売値が買値より安いこと。②中央銀行の公定歩合が市中銀行の貸出金利より大きいこと。③相場で、本来高い銘柄が安く、安い銘柄が高いこと。④〔保険会社の資産運用で〕実際の利回りが、予定した利回り（=予定利率）を下回ること。▽（↔順鞘）

**ぎゃくさん**【逆算】《名・他サ》逆（の順序）に計算すること。

**ぎゃくさんかっけい**【逆三角形】①底辺が上、頂点が下にある三角形。▽。②肩が盛り上がり、腰がしまった、筋肉質の（男性の）体形。▽ぎゃくさんかくけい。

**きゃくし**【客死】《名・自サ》〔文〕旅先で死ぬこと。かくし。「先生はロンドンでーした」

**ぎゃくし**【虐使】《名・他サ》〔文〕痛めつけるように、ひどく使うこと。「身体をーする」

**きゃくしつ**【客室】①客を通す部屋。客座敷。客間。②〔ホテル・旅館で〕客がとまる部屋。「ー数」③乗り物で、客が乗ってすわる所。●☆**きゃくしつじょうむいん**【客室乗務員】旅客機の中で乗客の案内やせわをする係の人。キャビンアテンダント。

**ぎゃくしめい**【逆指名】《名・他サ》指名される立場の人が、逆に相手を指名すること。「〔ドラフトで〕入団先をーする」

**きゃくしゃ**【客車】旅客を乗せて輸送する、鉄道の車両。（↔貨車）

**ぎゃくしゅう**【逆襲】《名・自他サ》〔形勢の悪いほうが〕逆に攻撃に出ること。「ーに転じる」

**ぎゃくじゅん**【逆順】ふつうとは逆の順番。「名前を五十音のーに並べかえる」（↔正順）

**ぎゃくじょう**【逆上】《名・自サ》①いかったりあわてたりして、頭に血がのぼること。「ーして切りつける」②〔漢方〕のぼせ。

**きゃくしょうばい**【客商売】客をもてなす商売。飲食店や旅館、デパートなどの仕事。

**きゃくしょく**【脚色】《名・他サ》①小説・事件を、映画や劇にするために、脚本の形に書くこと。②話をおもしろく誇張すること。「ーがはいっている」

**きゃくじん**【客人】客。〔呼びかけにも使う〕

→**ぎゃくしん**【逆心】〔文〕主君にそむく心。「ーをいだく」

→**ぎゃくしん**【逆臣】主君にそむく家来。

**ぎゃくしん**【逆進】〔税金・保険料などで〕所得などが少ないほど、負担する割合が大きくなること。「ー制度・ー性が強い」●**ぎゃくしんぜい**【逆進税】〔法〕所得などが多くなるほど、税率が低くなるしくみの税。（↔累進税）

**ぎゃくシングル**【逆シングル】〔野球〕グラブをはめた片手を反対がわ（=ききうでのがわ）へのばして、ボールを取ること。バック ハンド。☞シングル⑥ⓐ。

**ぎゃくすう**【逆数】《数》ある数で1を割って得た数の、もとの数に対する呼び方。例、$\frac{1}{3}$は3の逆数。

**きゃくすじ**【客筋】客層。

**ぎゃくせいせっけん**【逆性石×鹸】《理》リンスや消毒薬になるせっけん。陽イオン界面活性剤。

**きゃくせき**【客席】〔乗り物・劇場・映画館などの〕客の座席。

→**ぎゃくせつ**【逆接】《言》話の筋が、期待される方向とは逆につながること。逆接の接続詞には、「しかし」「だが」などがある。（↔順接）

→☆**ぎゃくせつ**【逆説】真理または結論に矛盾するように見えて、じつはそうでない説。パラドックス。「ーをとなえる」「ー的」

**きゃくせん**【客船】旅客を乗せる船。

**きゃくぜん**【客膳】客に出す食事（をのせる膳）。

**ぎゃくせんでん**【逆宣伝】《名・他サ》①相手に不利な宣伝。「反対党に対するー」②逆効果になる宣伝。

**きゃくせんび**【脚線美】女性の脚の、曲線の美しさ。由来「曲線美」のもじり。昭和初期に映画会社が「脚線美女優」を募集して広まった。

**きゃくそう**【客層】職業・年齢などで分けた、客の種類。客筋。

→**ぎゃくそう**【逆走】《名・自他サ》逆の方向に走ること。「高速道路〈を／で〉ーする」

→**ぎゃくそう**【逆送】《名・他サ》〔法〕検察官から家庭裁判所に送られた少年事件を検察官にもどすこと。十四歳以上の少年について、刑事処分が必要と認める場合におこなう。検察官送致。逆送致。

**ぎゃくぞく**【逆賊】〔文〕むほんを起こした者ども。逆徒。

**きゃくたい**【客体】①意志を持って はたらきかけるさいの、目的となるもの。対象。②意志を持ったものの はたらきかけとは関係なく、存在するもの。（↔主体）

**ぎゃくたい**【虐待】《名・他サ》①残酷にあつかうこと。「動物ー」②⇒児童虐待。

**きゃくだね**【客種】客の種類。「ーがいい」

**ぎゃくたまのこし**【逆玉の×輿】〔俗〕地位や財産のある女性と結婚すること。逆玉。〔一九八〇年代末からのことば〕

**ぎゃくたんち**【逆探知】《名・他サ》かかってきた電話から、逆にたどって発信元をつきとめること。逆探。

**きゃくちゅう**【脚注・脚×註】本のページの下のほうにある注。（↔頭注）

**ぎゃくて**【逆手】①〔柔道など〕相手の関節を、まがる方向と反対にむりにまげる わざ。逆。「ーを取る」②〔器械体操で〕⇒さかて（逆手）②。（↔順手）③〈ひきょうな／いじの悪い〉やり方。④逆のやり方。「ーを使う」

●**逆手に取る** 句 ⇒さかてに取る（「逆手」の句）。

**きゃくでん**【客殿】〔寺などで〕客をもてなすための建物。

**ぎゃくてん**【逆転】《名・自他サ》①〈進んできた方向／あるべき状態〉と逆の方向に回転すること。②〔今までの様子が〕ひっくりかえって、逆になること。また、そうすること。「形勢ー・ー勝ち」●**ぎゃくてんそう**【逆転層】《天》〔ふつう、高い所ほど気温が低くなるものであるが〕高い所の気温が低い所より高温の空気の層。〔放射冷却現象などで形成される〕

**きゃくど**【客土】土質をよくするために他の土地から性質のちがう土を運び入れ混ぜること。また、その土。おきつち。かくど。

**ぎゃくと**【逆徒】〔文〕⇒逆賊。

**きゃくどめ**【客止め】《名・自サ》〔見せ物・興行物などで〕大入りのため、客の入場をことわること。札止め。

**ぎゃくに**【逆に】《副・接》①反対に。かえって。「ーこちらから質問する・味がうすいので しょうゆを入れたらーまずくなった」②〔俗〕〈ふつう／予想〉とは ちがって。「百年前にこんないい製品を作る人がいたとは、―(言うと)すごい」③〔俗〕むしろ。それよりも。「『正面玄関で待ってます』『それなら―どこかの店で待ち合わせたほうがいい』」

**ぎゃくばり**[逆張り]《名・自サ》①《経》値の下がった株を、〔いい機会だと思って〕あえて買うこと。(↕順張り)②だれも価値を認めないことを、〔いい機会だと思って〕あえてすること。「―の発想」▽ぎゃくはり。

**きゃくひき**[客引き]《名・自サ》(自分の)店の客になるように、道ばたで人をさそう〈こと/人〉。

**ぎゃくひれい**[逆比例]《名・自サ》《数》⇩反比例。(↕正比例)

**きゃくぶ**[脚部]〔文〕①あし(の部分)。②箱や板を支える、棒の形の部分。

**ぎゃくふう**[逆風]①進む方向から逆にふいてくる風。向かいかぜ。「―を受ける」②前へ進みにくい、〈困難な/不都合な〉状況。「会社経営が―にさらされる」▽(↕順風・追い風)

**きゃくぶん**[客分]〔その家にとめてもらっていて〕客としてもてなされる人。

**きゃくほん**[脚本]演劇や映画のせりふ・動作・舞台装置などを書いたもの。台本。シナリオ。「―家」

**きゃくま**[客間]客を通す部屋。客座敷。

**きゃくまえ**[客前]〔俗〕〈お客/観客〉の前。「―でネタを披露する」

**きゃくまち**[客待ち]《名・自サ》〔タクシーなどが〕客が来るのを待つこと。「駅前に―のタクシーが並ぶ」

**ぎゃくもどり**[逆戻り]《名・自サ》今まで来た方向と逆の方向にもどること。

**ぎゃくゆしゅつ**[逆輸出]《名・他サ》〈いったん/今まで〉輸入したものを、輸出すること。

**ぎゃくゆにゅう**[逆輸入]《名・他サ》①〈いったん/今まで〉輸出したものを、輸入すること。②日本のメーカーが外国で生産したものを、日本へ輸入すること。

**きゃくよう**[客用]客のために使うもの。「―のふとん」

**ぎゃくよう**[逆用]《名・他サ》反対の目的に利用すること。

**きゃくよせ**[客寄せ]《名・自サ》〔もよおしなどをして〕客を集めること。●**きゃくよせ パンダ**[客寄せパンダ]客を集めるために使われる人気者。人寄せパンダ。

**ぎゃくりゅう**[逆流]《名・自サ》流れる方向とさかさまのほうに流れること。

**きゃくりょく**[脚力]〔走ったりけったりする〕足の力。

**ギャザー**〔gathers〕《服》〔洋服の〕こまやかなひだ(をつけること)。「―スカート・―をよせる」

**きゃしゃ**[(△華×奢)・(△花車)]《ナダ》①〔からだが〕かぼそくて上品なようす。②〔作り方が〕がんじょうでないようす。

**きやすい**[気安い]《形》らくな気持ちで〈いられる/つきあえる〉ようす。「―友だち・気安く話しかける」派―げ。―さ。「独身の―」

**キャスケット**〔フ casquette〕《服》短い前びさしのついた帽子。カスケット。

**キャスター**〔caster〕①家具の脚につけて動かしやすくした、小さな車輪。②塩・こしょう・からしなどを入れて、食卓に置く台。薬味台。カスター。③⇩ニュースキャスター。「スポーツ―」

**キャスティング**《名・他サ》〔casting〕①配役。②《釣り》遠投。キャスト。▽キャスチング。●☆☆**キャスティング ボート**〔casting vote〕①〔賛成と反対が同数になったときの、議長の〕決定投票。②決定権。「―をにぎる」▽キャスチング ボート。

**キャスト**〔cast〕①役割。配役。②従業員。「テーマパークの―」

**きやすめ**[気休め]そのときだけ、気持ちを安心させる〈こと/ことばやおこない〉。「―を言う」

**きやせ**[着痩せ]《名・自サ》服を着ると、かえってやせて見えること。「―する たちだ」(↕着太り)

**キャセロール**〔フ casserole〕〔西洋料理用の〕ふたつきの厚手のなべ。また、それを使った料理。カセロール。〔オーブンなどで調理し、なべのまま食卓に出すことが多い〕

**きゃたつ**[脚立]短いはしごを両がわから寄せかけた形の、ふみだい。

[きゃたつ]

**キャタピラ**〔↑キャタピラー(caterpillar)=商標名〕〔戦車・ブルドーザーなどで〕車輪を包むように取りつけてある、帯のような装置。無限軌道。クローラー。カタピラ。

**きゃつ**[(△彼△奴)]《代》〔古風・俗〕人をいやしんだり、ののしったり、時には親しみをこめて呼ぶことば。あいつ。

**きゃっか**[脚下]〔文〕あしもと。●**きゃっかしょうこ**[脚下照顧]〔文〕りくつを言う前に、自分のあしもとをよく見ろ。

☆☆**きゃっか**[却下]《名・他サ》①採用せず、しりぞけること。「提案を―する」②《法》〔裁判所・官庁が〕取りあげないでさしもどすこと。「申し立てを―する」

☆☆**きゃっかん**[客観]①自分の心のはたらきや考えをはなれて、外にあるもの。かっかん。「―性にとぼしい議論・―視する(=客観的に見ること)」②《映画など》〔登場人物自身でなく〕第三者の視点から見た映像・画像。▽(↕主観)●**きゃっかんてき**[客観的]《ナダ》①自分だけでなく、だれの目にもそのように見えるようす。「―に考察する」②主観とは関係なく、外にあるようす。「―な事実」▽(↕主観的)●**きゃっかんテスト**[客観テスト]採点に主観がはいらないよう、問題と答え方をくふうしたテスト。例、○×式テスト。

**きゃっきゃっ**《副》①サルの断続的なさけび声。②〔特に子どもや若い女性の〕はしゃぎさわぐかん高い声。「くすぐると赤ちゃんが―と喜ぶ」▽きゃっきゃ。

**ぎゃっきょう**[逆境]なにごともぐあいよくいかない、めぐまれない境遇。「―にめげずに生きる」(↕順境)

**きゃっこう**[脚光]舞台のゆかの前に取りつけて、下から照らす光。フットライト。●**脚光を浴びる**句みんなに注目される。

☆☆**ぎゃっこう**[逆光]〔↑逆光線〕《写真など》対象のうしろから光がさす状態。ものが黒く写りやすい。ぎゃくこう。(↕順光)

**ぎゃっこう**[逆行]《名・自他サ》反対の方向に進むこと。「時代に―する・今来た道を―する」

**キャッサバ**〔cassava〕熱帯で栽培する木。根茎からタピオカをとる。タピオカの木。

パーの—」

**キャッシャー**〔cashier〕⇩レジ②。「ホテルの—・スー

**キャッシュ**〔cache=かくし場所〕《情》[一]①〔コンピューターで〕データの読み書きが高速でできる一時的な記憶装置〔=キャッシュ メモリー〕。また、そこに記憶されたデータ。②閲覧したウェブサイトの内容が、コンピューターに一時的に記憶されたもの。次回の閲覧時、その内容がすぐに表示される。☞クッキー[二]。[二]《名・他サ》データを一時的に記憶すること。「—された画像」

**キャッシュ**〔cash〕支払いに使う現金。「—で払う」 •**キャッシュ オン**〔←cash on delivery〕①配達物を受け取るときに代金を支払うこと。②〔酒場で〕一杯飲むごとに、その場で代金を支払うこと。 •**キャッシュ カード**〔cash card〕《経》銀行などの自動預金出し入れ機で、現金を受け取るときなどに使う、磁気やICのカード。 •**キャッシュ バック**〔和製 cash back〕①支払った金額の一部がもどること。②ものを買った人が、次回以降の買い物で値引きを受けること。CB。 •**キャッシュ フロー**〔cash flow=現金の出入り〕《経》企業の税引き後の利益に減価償却費を加え、配当金と役員賞与を差し引いた金額。企業財務の健全性を示す指標になる。 •**キャッシュ レス**〔cashless〕現金を使わないで、(カードなどで)支払いをすませること。

**キャッシング**〔cashing〕(小口の)現金の貸し付け。「—サービス」

**キャッチ**《名・他サ》〔catch〕①動いているものをつかまえること。つかむこと。「情報を—する」②受けて、つかむこと。取ること。キャッチング。「ボールを—する」③《野球》⇩キャッチャー。④《競泳・ボートなど》手やオールで水をとらえること。⑤←キャッチ コピー。⑥←キャッチセールス。⑦←キャッチ ホン。 •**キャッチ アップ**《名・自サ》〔catch up〕追いつくこと。「発展途上国が先進国に—する」 •**キャッチ アンド リリース**《名・他サ》〔catch and release〕釣った魚を生きたまま海や川にもどすこと。 •**キャッチ コピー**〔和製 catch copy〕広告で、相手に強い印象をあたえる文句・文章。キャッチ。 •**キャッチ セールス**〔和製 catch sales〕通行人に声をかけて物を売りつけたり契約させたりする商売方法。キャッチ。 •**キャッチ バー**〔和製 catch bar〕客引きをつかって客を店につれこみ、高い金をとる酒場。 •**キャッチ フレーズ**〔catch phrase〕広告で、相手に強い印象をあたえる、短い文句。うたい文句。惹句。キャッチ コピー。 •**キャッチ ボール**《名・自サ》〔和製 catch ball〕①〔野球の練習などで〕ボールを投げあうこと。②やりとり。「ことばの—」 •**キャッチ ホン**〔和製 catch phone=商標名〕通話中に別の電話がかかってきたとき、それまでの話し相手を待たせて、あとの人と話すことができる方式。割りこみ電話。キャッチ。

**キャッチー**《ナダ》〔catchy〕人に受けそうなようす。人の興味を引きそうなようす。

**キャッチャー**〔米 catcher=つかまえる人〕《野球》捕手。キャッチ。

**キャッツアイ**〔cat's-eye=ネコの目〕①《鉱》はちみつ色の宝石。動かすと、ネコのひとみのように細い一本の反射光線が現れる。ねこめいし。「クリソベリル—」②自動車のヘッドライトを受けて反射する、道路にうめこまれたびょう(鋲)。

**キャット** 造〔cat〕ねこ(猫)。「—フード〔=飼いネコ用のえさとして作った食べ物〕」 •**キャット ウォーク**〔catwalk〕①劇場・工場などの高いところにわたした、作業用の通路。②ファッションショーでモデルが歩く、細長いステージ。ランウェイ。③飼いネコが歩き回れるよう高いところに設置した、ネコ用の細い通路や階段。

**キャップ**〔cap〕[一]**キャップ**①運動するときなどにかぶる、〈つばのない/前にひさしのついた〉帽子。(↔ハット)②万年筆・えんぴつのさや。③びんのふた。 •**キャップ すう**〔キャップ数〕《ラグビー》テストマッチ〔=国際試合〕への出場数。[由来]出場選手には小さな帽子があたえられることから。[二]**キャップ**〔←キャプテン〕責任者。主任。

**ギャップ**〔gap=われめ〕ずれ。くいちがい。「現実と理想の—・ジェネレーション〔=世代間の〕—・—萌え〔=俗に、印象と実際にずれがある人などに対してときめくこと〕」

**キャディー**〔caddie〕ゴルフ場で、ゴルフをする人に付いて世話をする係の人。キャデー。

**キャド**〔CAD〕〔←computer-aided design〕コンピューターを使って設計や製図をするシステム。☞CAM。

**キャニスター**〔canister〕ふたのついた、ガラスや陶器などの容器。コーヒー・紅茶・砂糖・パスタなどの保存用。

**キャノーラ ゆ**〔キャノーラ油〕〔canola=アブラナの一種〕キャノーラからとった食用油。菜種油。

**キャパ** ←キャパシティー。

**キャバクラ**〔←和製 フ cabaret + club〕若い女性が横についてもてなす、「クラブ[一]③」より大衆的な酒場。キャバ〔俗〕。「—嬢〔=キャバクラで接客する女性従業員。『キャバ嬢』とも〕」

**キャパシティー**〔capacity〕①容量。容積。②(収容)能力。「会場の—」▽キャパ。

**ギャバジン**〔gabardine〕サージに似た、あや織物の一種。レインコート・洋服などに使われる。ギャバ。〔サージよりも、ななめ模様が急角度〕

**キャバレー**〔フ cabaret〕ダンスショーやバンドの演奏があり、女性が横についてもてなす酒場。〔現在、日本では少ない〕

**きゃはん**〔脚半・脚×絆〕すねに巻きつける細長い布。

**キャビア**〔caviar〕チョウザメのたまごの塩づけ。高級な食品で、「黒いダイヤ」とも言われる。カビア。「—の冷製パスタ」

**きゃぴきゃぴ**《副・自サ》〔俗〕〔若い女性が〕ふざけてさわいだりして、陽気なようす。「—したギャル」〔一九八〇年代前半から流行したことば〕

**キャピタル**〔capital〕①《経》資本。もとで。②〔←キャピタル レター〕かしら文字。大文字。 •**キャピタル ゲイン**〔capital gain〕《経》資産の価値が上がったことで得られる利益。

**キャビネ**〔フ cabinet〕少し大きめ〔縦一六・五センチ、横一二センチ〕の写真判。

**キャビネット**〔cabinet〕①かざりだな。②テレビ・ラジオの受信機や、スピーカーなどの外箱。③書類・備品などを収納する戸棚。④内閣。「シャドー―」

**キャビン**〔cabin〕①船室。②自動車・飛行機などの、客室。▽ケビン。●☆☆**キャビンアテンダント**〔cabin attendant〕旅客機の客室乗務員。フライトアテンダント。CA。〔一九八〇年代後半～九〇年代前半に複数の航空会社が採用し、二十一世紀になってしだいに広まった呼び名。☞スチュワーデス〕

**キャフェテリア**〔cafeteria〕カフェテリア。

**キャブオーバー**〔和製 cab《=運転席》over〕運転席がエンジンの上にあること。「―トラック」

**キャプション**〔caption〕〔新聞・雑誌などで〕写真につけた説明。

**キャプスタン**〔capstan〕録音機のテープを一定の速度で送るための、回転軸。

**キャプチャ(ー)**《名・他サ》〔capture〕《情》パソコン上で見ている動画などを、自分用の動画・静止画のデータとして取りこみ、保存すること。また、そのデータ。キャプ〔俗〕。「ビデオ―」

**キャプテン**〔captain〕①運動チームの主将。②船長。艦長。③機長。

**ぎゃふんと**《副》おどろいて降参するようす。「相手の返事に―なる・―言わせる」

**キャベツ**〔↑cabbage〕野菜の名。なめらかな表面の葉は厚くて大きく、玉のような形になる。甘藍。たまな。キャベジ。「―の千切り・春―」 表記 店で「きゃべつ」とも。かんちがいから「キャ：別」とも。

**ギヤマン**〔↑オ diamant(ジヤマン)=ガラス切り用のダイヤ〕〔古風〕ガラス。ふつう、カットグラスのうつわ。ギヤマン。

**きやみ**［気病み］《名・自サ》心配の ために起こる病気。

**キャミソール**〔camisole〕《服》①胸から腰までをおおう、肩ひもつきの女性用の下着。〔長さがスリップほど長いものもある〕②〔↑キャミソール ブラウス〕肩ひもでつる、そでなしのブラウス。▽キャミ。

**キャム**［CAM］〔↑computer-aided manufacturing〕〔CADのデータをもとに〕コンピューターを使って製造・加工をするシステム。☞CAD。

**キャメル**〔camel=らくだ〕①ラクダの毛を使った毛織物。②らくだ色。少しくすんだ茶色。

**きゃら**［(×伽羅)］①じんこう(沈香)。②ジンコウの芯の部分からとった香料。

**キャラ**↑キャラクター。「アニメ―・―が立つ〔=個性がきわだつ〕・―がかぶる〔=ほかの人と特徴がかさなる〕・―変〔=性格・印象を変えること〕」

**ギャラ**〔↑ギャランティ(ー)〕報酬。特に、出演料。

**キャラウェイ**〔caraway〕ハーブの一種。細い たねは、さわやかな かおりがあり、菓子・料理などに使う。ひめういきょう。キャラウエー。

☆☆**キャラクター**〔character〕①性質。性格。②漫画・アニメ・商品などのために創作した人物・動物など。▽キャラ。●**キャラクターしょうひん**［キャラクター商品］人気のある「キャラクター②」をえがいたり、かたどったりした商品。

**キャラコ**〔calico〕平織り、広幅の白もめん。

**キャラだち**［キャラ立ち］《名・自サ》〔俗〕個性が きわだつこと。キャラが立つこと。

**キャラバン**〔caravan〕①〔ラクダに乗って〕隊を組んで砂漠を移動する商人。隊商。②長く続く隊列。③隊を組んで〈さすらい歩く/山地を行く〉こと。④売りこみ・宣伝のために車をつらねて各地を歩くこと。「―隊」

**きゃらぶき**［(×伽羅×蕗)］フキを、しょうゆとトウガラシで煮にしめたもの。

**キャラべん**［キャラ弁］〔↑キャラクター弁当〕漫画・アニメのキャラクターなどを食材で えがいた弁当。

**キャラメリゼ**《名・他サ》〔フ caramélisé〕①砂糖をこがしてキャラメルのように〈すること/したものを使った菓子〉。②《料》野菜などをあまさが出るまで煮につめること。▽キャラメリーゼ。

**キャラメル**〔caramel〕砂糖・牛乳などを煮につめたもの。また、それをかためた あめ菓子。「―ソース・―マキアート・―ポップコーン」

**ギャラリー**〔gallery〕①広間。長廊下。②美術品陳列室。画廊。ギャルリ。③〔ゴルフ競技などの〕観衆。

**ギャランティ(ー)**〔guarantee〕⇩ギャラ。

**きやり**［木(△遣り)］大きな岩や木を大ぜいで音頭をとりながら引く〈こと/ときの歌〉。

☆☆**キャリア**〔career〕①経歴。特に、実務・試合・出演など、実地の経験。「―アップ〔=経歴を高めること〕・―ウーマン〔やや古風〕」②職業。「―センター〔=大学などの就職支援機関〕」③〔上級公務員職の〕有資格者。役人の中のエリート。●**キャリアパス**〔career path〕仕事についたり、地位を上ったりするために必要な経験や経歴。

**キャリア**〔carrier〕①物を運ぶ器具。「ルーフ―」②〔=運搬者〕《医》その病原菌やウイルスを保有している人。保菌者。感染者。「B型肝炎の―・エイズウイルスの―」③運送業者。航空会社など。④電気通信事業者。「大手携帯電話―」▽キャリアー。

**キャリー**〔carry=運ぶ〕①《ゴルフ》ボールが打ち上げられてから着地するまでの距離。空中を行く一打。「―で二百ヤード飛ばす」(↕ラン)②↑キャリー バッグ。「保冷―」●**キャリーオーバー**〔carry over〕①次回へ くりこす〈もの/金額〉。「―制〔=賞金などのくりこしをする やり方〕」②原材料に使われた添加物が、完成した食品にも微量に ふくまれること。また、その微量の添加物。●**キャリーケース**〔carry case〕⇩キャリーバッグ。●**キャリーバッグ**〔carry bag〕①旅行などに持っていく、車がついて引きずって歩けるバッグ。②ペットを入れて運ぶバッグ。▽キャリー(ケース)。

**ギャル**〔gal=girl の俗語〕〔俗〕①若い女性。「テニスー・―ズ」〔一九七〇年代からの用法〕②ファッションの どぎつい少女。「―系メイク」〔一九九〇年代末からの用法〕

**ギャルソン**〔フ garçon=少年〕〔レストランなどの〕ボーイ。ガルソン。

**ギャレー**〔galley〕①船の調理室。②飛行機で食事の準備をするところ。

**キャロット** [造]〔carrot〕にんじん。「―ジュース・―ラペ〔=せん切りにしたにんじんのサラダ〕」

**ギャロップ**〔gallop〕〔馬の〕最も速い走り方。ガロップ。☞キャンター・トロット。

**きゃん**[〈×俠〉]《名・ナダ》〔古風〕⇩おきゃん。

**きゃんきゃん**《副》〔おもに苦痛や警戒心をあらわす〕小さい犬の鳴き声。

**ギャング**〔gang=一群。一団〕大がかりな強盗団や暴力団(のなかま)。●**ギャングエイジ**〔gang age〕大ぜいの同性の友だちとかたまって遊びまわるようになる、小学校の中・高学年の年ごろ。徒党時代。ギャングエージ。

**ギャングスター**〔gangster〕①ギャングの一味。②〔スター(star)と誤解して〕ギャングの親分。

**キャンセル**《名・他サ》〔cancel〕予約や約束の取り消し(をすること)。解約。「―待ち」

**キャンター**〔canter〕〔馬の〕ギャロップとトロットの中間の走り方。☞ギャロップ・トロット。

**キャンディ(ー)**〔candy〕砂糖やシロップを煮にてひやした、西洋ふうのあめ菓子。キャンデー。

**キャンドル**〔candle〕〔火をともした〕ろうそく。「―ライト」●**キャンドルサービス**〔←candlelight service〕①〔教会で〕ろうそくをともしておこなう礼拝。②〔結婚披露宴で〕新郎と新婦が、各テーブルのろうそくに火をつけて回ること。③〔キャンプで〕めいめいがろうそくを持って、歌を歌ったりすること。キャンドルファイア(ー)。

**ぎゃんなき**[ギャン泣き]《名・自サ》〔俗〕激しく泣きさけぶこと。〔多く、乳幼児に言う〕

**キャンパー**〔camper〕キャンプをする人。

**キャンバス**〔canvas〕①麻布。帆布。ズック。②〔油絵の〕画布。③ボクシングの、試合場。「―にしずむ〔=ボクシングで負ける〕」▽カンバス。「―シューズ」④《野球》本塁以外のベース。「ファースト―〔=一塁〕」

**キャンパス**〔campus〕①〔大学の〕構内。敷地。②学園。

**キャンピング**〔camping〕テント生活。野外生活。

**キャンプ**《名・自サ》〔camp〕①テントを張って、外で生活すること。野営。「―場」②兵舎。③〔捕虜などの〕収容所。④〔↑トレーニング キャンプ〕《野球など》合宿訓練(の宿舎)。「―イン〔=キャンプ入り〕・―を張る〔=合宿訓練をする〕」⑤テントや仮設住宅などの集まった避難所。●**キャンプファイア(ー)**〔campfire〕「キャンプ①」で、夜、たき火を囲んで歌ったりおどったりすること。また、そのときのたき火。キャンプファイヤ(ー)。「―カー〔=台所・ベッドなどをそなえた自動車〕」

**ギャンブラー**〔gambler〕ばくち打ち。賭博師。

**ギャンブル**〔gamble〕賭けごと。ばくち。

**キャンペーン**《名・他サ》〔campaign〕啓発・宣伝・売り出しなどの、大がかりな活動。キャンペイン。CP。「優待―・新人歌手の―」●**キャンペーンガール**〔和製 campaign girl〕企業の新製品などを、人前に出て宣伝する若い女性。キャンギャル。●**キャンペーンセール**〔和製 campaign sale〕期間を限って大々的におこなう大売り出し。創業記念セール・歳末感謝セールなど。

**きゅう[九]** 八より一つだけ多い数。ここのつ。く。[区別](1)「きゅう」は、多く単独で、またはいろいろな助数詞などをつけて使う。「数字の九・九本・九枚・九パーセント」(2)「く」は、多く決まったことばだけに使う。「九月・九時・第九交響曲・九条ねぎ〔=ネギの一種〕」(3)両方に読む例。「九人・九年・九十九年」[表記]アラビア数字では「9」。

**きゅう[旧]** [一]きゅう ①〔文〕古いものごと。(↕新) ②〔文〕むかし。もとのまま。「―に復する・―に倍する〔=以前にまさる〕盛況」③↑旧暦。(↕新) ④《経》↑旧株。(↕新) [二][造]①もとの。「―街道」(↕新) ②きゅう― かつての名称につけることば。「―日本軍・―ソ連」

**きゅう**[〈×灸〉] もぐさに火をつけ、皮膚の一部の、ツボと呼ばれる定まった場所を焼いて病気を治す方法。やいと。おきゅう。「―をすえる〔⇩「おきゅう」の[句]〕」

**きゅう[級]** [一]きゅう ①順位・程度によって分けた区分。「第一―・―が上がる・課長―の人物を求める」②学級。クラス。「同じ―」③学年。「一年上の―」④《印刷》⇩級数②。[二][接尾]①〔武道や碁・将棋などで〕段の下の位の区分をしめすことば。②技能の検定で、すぐれている度合いの区分をしめすことば。▽一級がいちばん上。③学年。「一―上の先輩」

**きゅう**[〈×笈〉]〔文〕⇩おい(笈)。●**笈を負って**[句]〔文〕志を立てて。「―上京した」

**きゅう[球]** [一]きゅう ボールのように、かどやゆがみのない、どこから見ても同じ形。丸い形。たま。「―の形」[二][造]①電球。「百ワット―」②〔野球などの〕たま。ボール。「硬式―・内角―」

**きゅう[急]**《名・ナダ》①前ぶれがないようす。突然。「留学だなんて、―だね・―の呼び出し・そんなこと、―に言われても困る・―に走り出した・―停車・―ブレーキ」②状況がたちまち変化するようす。「気温の―な低下・人気の―上昇・―に寒くなってきた・川を越えると町並みが―に変わる」③速いようす。どんどん進むようす。「―な〔=はげしくて速い〕流れ・海外進出の動きが―だ・―ピッチ」④かたむきや曲がり方などが大きいようす。「―な坂・―角度・―カーブ・―旋回」⑤〔文〕急ぐ〈こと/ようす〉。「―を要する・―の用がある・西洋を学ぶに―であった」⑥〔文〕危険がせまった状況。「事態は―を告げた・―を聞いてかけつける」

**きゅう[休]** [二][造] 休業(日)。「三勤一―〔=三日働いて一日休む〕制」

**きゅう[丘]** [造] おか。「火口―」

**きゅう[宮]** [造] ①宮殿。「エリゼー―〔=パリのフランス大統領官邸〕」②《天》天球の区分。「十二―」

**きゅう[給]** [造] 給与。きゅう。「時間―・初任―」

**キュー** [一][Q・q] アルファベットの十七番目の字。[二][Q] ①〔↑question〕問い。(↕A) ☞Q&A ②〔↑quarter〕《印刷》⇩級数②。③《放送》⇩キュー(cue)②。☞クイーン②。

**キュー**〔cue〕①〔ビリヤードで〕たまをつく棒。②《放送》演技や進行など(のきっかけ)を指示するために出すあいず。記号はQ。

**きゆう**[〈×杞憂〉] 起こりそうもないことについてする、心配。取りこし苦労。「ーにすぎない」

**きゅう**［帰幽］《名・自サ》〔文〕死ぬこと。死去。「本日六時五分、九十歳をもってーいたしました」

**ぎゅう**［牛］①牛肉。「ー肩ロース・ーすき・ーすじ」②〔革製品の材料としての〕ウシ。

**ぎゅう**［義勇］ **一** ぎゅう〔文〕〈正義／忠義〉のためにふるう勇気。「ーを公に奉じる〔＝天皇にささげる〕」 **二** 〔遺〕民間の人が、国のために自発的に組織すること。「ー軍・ー兵」

**キューアールコード**［QRコード］〔QR《↑quick response＝高速読み取り》Cord〕〔商標名〕代表的な二次元コード。一次元のバーコードより情報量が多い。

**きゅうあい**［求愛］《名・自サ》愛してほしいと求めること。「ーに応じる・ーをこばむ・鳥のー行動」

**きゅうあく**［旧悪］〔文〕昔おかした、悪いこと。

**キューアンドエー**［Q＆A］〔Q↑question, A↑answer〕問いと答え。質疑応答。

**きゅうい**［球威］『野球』投手の投げるボールの威力。速さや曲がり方など。

**きゅういん**［休院］《名・自サ》病院が業務を休むこと。

**きゅういん**［吸引］《名・他サ》①管を通して、すいこむこと。「ー力の強い掃除機・酸素のー・脂肪ー」②麻薬・大麻などを鼻や口にすいこむこと。 表記 ②あへんなどでは「吸飲」とも。

**ぎゅういんばしょく**［牛飲馬食］《名・自サ》〔牛や馬のように〕やたらにたくさん飲み食いすること。

**きゅううん**［球運］野球の勝ち負けを支配する運勢。

**ぎゅうえき**［牛疫］《医》牛などがかかる、ウイルス性の家畜伝染病。高い確率で死に至る。

**きゅうえん**［球宴］野球の饗宴。特に、プロ野球のオールスターゲーム。「真夏のー〔＝社会人の都市対抗野球大会〕」

**きゅうえん**［休園］《名・自サ》①遊園地・幼稚園などが その日の仕事を休むこと。「本日ー」②幼稚園や保育園に行かないで、休むこと。

**きゅうえん**［休演］《名・自サ》〈出演／公演〉を休むこと。

**きゅうえん**［吸煙］《名・自サ》パイプなどを使って大麻をすうこと。「ー用具」

**きゅうえん**［救援］《名・他サ》①困っている人たちを組織的に助けること。「被災地へのー・ー物資」②『野球』リリーフ。「ー投手」

**キューオーエル**［QOL］〔↑quality of life〕生活の質。クオリティ（ー）オブ ライフ。「ーを重んじた、病気の治療」

**きゅうおん**［旧恩］〔文〕昔、受けた恩。「ーを忘れる」

**きゅうおん**［球音］〔文〕バットやラケットでボールを打ったときの おと。

**きゅうおん**［吸音］《名・自他サ》材料の表面に当たった音を反射せずに、吸いこむこと。「ー材」☞防音。

**きゅうか**［旧家］古くから続いている、いい家柄の家。

**きゅうか**［休暇］①勤めている人が、〔一日単位で〕とるやすみ。「ーを取る・有給ー」②〔学校・会社などで〕日曜・祝日以外の休み。「夏季ー」 ●**きゅうかむら**［休暇村］↑国民休暇村。

**きゅうかい**［球界］〔プロ〕野球関係者の社会。「ーの年俸・高校ー」

**きゅうかい**［休会］《名・自サ》①議会が議事を休むこと。②取引所が立ち会いを休むこと。③定期的な会合を一時中止すること。

**きゅうかく**［嗅覚］①《生》鼻でにおいをかいだときに起こる、〔かぎ分ける〕感覚。臭覚。②勘。▽「ーがするどい」

**きゅうがく**［休学］《名・自他サ》病気や留学などで、学期・学年を単位として学校を休むこと。

**きゅうかざん**［休火山］《地》長いあいだ、噴火活動をやめている火山。〔今は使われない言い方〕

**きゅうかつ**［久×闊］〔文〕ひさしく たよりをしないこと。「ーを叙する〔＝ごぶさたの あいさつをする〕」

**きゅうかなづかい**［旧仮名遣い］ーづかい ［旧仮名遣い］⇩歴史的仮名遣い。（↔新仮名遣い）

**きゅうかぶ**［旧株］《経》増資や株式分割以前に発行した株式。親株。（↔新株）

**ぎゅうがわ**［牛革］ーがわ かばん・くつなどに使う、牛のかわ。ぎゅうかわ。「ーのハンドバッグ」

**きゅうかん**［旧刊］〔文〕古い（時代の）刊行。（↔新刊）

**きゅうかん**［旧慣］〔文〕昔からの習わし。古い習慣。

**きゅうかん**［旧館］新館より前から建っている建物。（↔新館）

**きゅうかん**［旧観］〔文〕〈昔／以前〉の ありさま。「ーを改める」

**きゅうかん**［休閑］《農》土地の力を養うために、耕作を休むこと。「ー地」

**きゅうかん**［急患］急病の患者。

**きゅうかん**［休刊］《名・自サ》刊行を休むこと。〔事実上、廃刊のこともある〕「新聞ー日」

**きゅうかん**［休館］《名・自サ》館と呼ばれるところがその日の仕事を休むこと。「ー日・本日ー」

**きゅうかん**［吸汗］《名・自サ》〔文〕あせをすい取ること。「ー性のあるシャツ」

**きゅうかんちょう**［九官鳥］カラスに似た中形のとり。よく人のことばをまねる。

**きゅうかんび**［休肝日］〔新聞の「休刊日」の もじり〕酒の好きな人が、酒を飲むのをやめて肝臓を休ませる日。

**きゅうき**［吸気］①すい入れる息。（↔呼気）②空気をすいこむこと。「部屋のー口」

**きゅうぎ**［球技］ボールを使ってする競技。例、テニス・野球など。

**きゅうぎ**［球戯］①ボールを使ってする遊び。②ビリヤード。

**きゅうきゅう**［救急］①急な場合に人をすくうこと。②急病やけがをした人を手当てしたり、病院につれて行ったりすること。 ●**きゅうきゅうきゅうめいし**［救急救命士］救急車の中で、点滴や、心臓の電気ショックなど、高度の治療をほどこす資格を持つ救急隊員。 ●**きゅうきゅうしゃ**［救急車］〔消防署に用意されている〕急病人やけがが人を病院に運ぶための自動車。「ーを呼ぶ」 ●**きゅうきゅうばこ**

［救急箱］急病やけがの応急手当てに必要な薬・包帯などを入れておく箱。●**きゅうきゅう びょういん**［救急病院］急病人やけが人を、いつでも受け入れて手当てできるように指定されている病院。

**きゅう きゅう**［×汲々］《タトル》それだけを考えて努力するようす。「出世に―としている」

**きゅう きゅう**《副・自サ》〔俗〕①びんぼうで ゆとりがないようす。②⇩ぎゅうぎゅう。

**ぎゅう ぎゅう**《副》〔俗〕①すきま・ゆとりがなくなるほど強く〈おしつける／つめる〉ようす。「―(に)つめこむ・―のカバン」②苦しみをあたえるようす。「―しぼられた」③くつの革などがきしんで鳴るようす。▽きゅうきゅう。●**ぎゅうぎゅう づめ**［ぎゅうぎゅう詰め］それ以上入れるすきまのないほど おして、つめこむこと。ぎゅうづめ。「―の電車」

**きゅうぎゅう の いちもう**［九牛の一毛］〔文〕たくさんの中の、ごく一部分。問題にならないほどわずか。

**きゅう きょ**［旧居］〔文〕もとの〈住所／すまい〉。「仙台の―」(↔新居)

**きゅう きょ**［急(×遽)］《副》にわかに。あわてて。急ぎ。「―上京する」

**きゅう きょう**［旧教］《宗》⇩カトリック。(↔新教)

**きゅう きょう**［窮境］〔文〕苦しい境遇。

**きゅう ぎょう**［休業］《名・自サ》仕事を休むこと。「本日―」

**きゅう きょく**［究極・窮極］㊀《名・自サ》①ものごとをおし進められるだけおし進め〈ること／て〉、行き着くところ。「―の目的・―(=最高)のメニュー(一九八〇年代からの用法)・両者は―において(=結局)は同じものだ・―するところ(=結局。文章語)・―的に」②(―に)非常に。「―に新鮮なさしみ」㊁《副》最後には。「―、神にすがりついた・―(=よくよくの場合は)コンビニで買えばいい」

**きゅう きょく**［×嬉遊曲・喜遊曲］《音》独奏楽器を中心とする、自由な形式の器楽組曲。ディベルティメント。

**きゅう きん**［球菌］《生》たまの形をした細菌。「ブドウ―」(↔桿菌)

**きゅう きん**［給金］給料として はらう お金。「お―」●**給金を直す**[句]《すもう》⇩給金直し。●**きゅうきん ずもう**［給金相撲］《すもう》給金直しとなる、勝ち越しをかけた一番。●**きゅうきん なおし**［給金直し］《すもう》勝ち越して昇給すること。

**きゅう くつ**［窮屈］《ナダ》①動ける範囲が非常に限られているようす。「ネクタイが―だ・―な予算」②のびのびとふるまえないようす。気づまり。「よその家に とまると―だ」[派]-がる。-さ。

**きゅう ぐん**［旧軍］以前の体制における軍隊。特に、第二次大戦での旧日本軍。

**きゅう けい**［弓形］①〔文〕弓のように曲がったかたち。ゆみがた。ゆみなり。②《数》円周上の二点を結ぶ弦と弧とでつくられる図形。

**きゅう けい**［急啓］《手紙》〔文〕「急いで申し上げます」という意味で、初めに書くあいさつのことば。

**きゅう けい**［球形］ボールのような、まるい形。

**きゅう けい**［休憩］《名・自サ》①〔作業・会議・演劇などの〕とちゅうで休むこと。「―をはさむ・―時間」②〔ラブホテルなどで〕宿泊せず、部屋を使うこと。

☆☆**きゅう けい**［求刑］《名・他サ》《法》検察官が被告人の刑罰を請求すること。

**きゅう げき**［旧劇］〔新劇に対して〕能や歌舞伎など古くからある演劇。また、映画で時代劇を言う。(↔新劇)

**きゅう げき**［急激］《ナダ》〔ものごとの動き方が〕急ではげしいようす。「―な変化」[表記]「急劇」とも書いた。[派]-さ。

**きゅう けつ**［吸血］《名・自サ》血をすうこと。●**きゅうけつ き**［吸血鬼］①人の血をすう怪物。②むごいことを平気でする人間。

**きゅう けつ**［給血］《名・自サ》《医》〔輸血に使う〕血液を、必要な人にあたえること。

**きゅう げん**［給源］〔文〕供給する みなもと。「ビタミン―」

**きゅう げん**［急減］《名・自他サ》急に〈へる／へらす〉こと。(↔急増)

**きゅう けんぽう**［旧憲法］一八八九年から、一九四七年まで存続した「大日本帝国憲法」。〔現在の憲法は、一九四七年に施行された「日本国憲法」〕

**きゅう ご**［救護］《名・他サ》けが人や病人のせわ・治療をすること。「―班」

**きゅう こう**［旧交］古くからの交際。昔からの友だちづきあい。●**旧交を温める**[句] 昔の友だちと久しぶりに会って、以前のようにつきあう(機会を持つ)。

**きゅう こう**［旧稿］〔文〕昔の原稿。「―を読み返す」(↔新稿)

**きゅう こう**［救荒］〔文〕ききんのさいに助けとなるもの。「―作物」

**きゅう こう**［休工］《名・自サ》工事を休むこと。「―期間・―中」

**きゅう こう**［休校］《名・自サ》①学校が授業を休むこと。②〔抗議のため〕学校に行かず、休むこと。「同盟―(略して『盟休』)」

**きゅう こう**［休耕］《名・自サ》米などを作ることを、一年以上休むこと。「―地」

**きゅう こう**［休航］《名・自サ》〔船や飛行機が〕運航を休むこと。

**きゅう こう**［急行］㊀《名・自サ》〔とちゅうで休んだりしないで〕目的地に急いで ゆくこと。「事故の現場に―する」㊁(↑急行列車)おもな駅以外には とまらない列車。(↔緩行・鈍行)

**きゅう こう**［急降］《名・自サ》①《登山》急な道をおりること。(↔急登)②〔文〕〔温度などが〕急に下がること。(↔急昇)

**きゅう こう**［休講］《名・自他サ》講師が講義を休むこと。「自主―(=俗に、学生が講義を欠席すること)」

**きゅう ごう**［糾合・×鳩合］《名・他サ》〔文〕寄せ集めること。あわせて いっしょにすること。「同志を―する」

**きゅう こうか**［急降下］《名・自サ》①〔温度などが〕急に下がること。②飛行機が機首を下げて、急な角度でおりること。「―爆撃」

**きゅう こく**［救国］〔文〕国の難儀をすくうこと。「―の英雄」

**きゅう こく**［急告］《名・他サ》〔文〕〈急いで／早く〉知らせること。

**きゅうごしらえ**［急×拵え］ーごしらへ（その場をしのぐため）急いでつくること。また、そのもの。急造。「―の小屋」

**きゅうこん**［旧婚］新婚時代から長く年月がたったこと。〔新婚に対して作ったことば〕「―旅行」

**きゅうこん**［球根］〈たまの形の／かたまりのように〉なったくきや根。

**きゅうこん**［求婚］《名・自サ》結婚を申しこむこと。プロポーズ。

**きゅうさい**［休載］《名・自サ》〔雑誌や新聞の〕続きものなどを休むこと。「今月号―」

**きゅうさい**［救済］《名・他サ》災害や不幸から、人をすくって助けること。「難民―」

**きゅうざか**［急坂］急な坂。急坂(きゅうはん)。

**きゅうさく**［旧作］①以前の作品。②公開されてからある程度時間のたった作品。「―のDVDはレンタル料が安い」▽（↔新作）

**きゅうさく**［休作］《名・自サ》野菜などの耕作を一回だけ休むこと。

**きゅうし**［九死］〔文〕ほとんど死にそうになること。●**九死に一生を得る** 句 助かる見こみがなかったのに、やっと助かる。

**きゅうし**［旧×址］〔文〕昔の建物などのあと。

**きゅうし**［旧師］〔文〕昔習った先生。

**きゅうし**［臼歯］〔生〕口の奥(おく)にあって、先が平らな歯。うすば。おくば。

**きゅうし**［急使］〔文〕〔危急を伝える〕急ぎの使者。

**きゅうし**［球史］野球の歴史。「―に残る一戦」

←**きゅうし**［急死］《名・自サ》心臓まひ・脳出血などの急な病気のために、短い時間のうちに死ぬこと。

→**きゅうし**［窮死］《名・自サ》〔文〕苦しい生活のなかで死ぬこと。

**きゅうし**［休止］《名・自他サ》休むこと。やめること。「運転―」●**きゅうしふ**［休止符］《音》⇩休符。

**きゅうし**［給紙］《名・自他サ》コピー機やプリンターなどに、用紙を一枚ずつ送りこむこと。「―トレー」（↔排紙(はいし)）

**きゅうじ**［旧字］旧字体。（↔新字）

**きゅうじ**［球児］野球に打ちこむ若者。「高校―」

**きゅうじ**［給仕］《名・自サ》①食事のせわをする〈こと／人〉。「お―する」②もと、店や会社などで、いろいろの用事をした使用人。

**きゅうじ**［給餌］《名・自サ》〔文〕えさをあたえること。「魚に―する」

**ぎゅうし**［牛脂］牛の脂肪(しぼう)を精製したもの。あぶら・薬・せっけん・料理用。ヘット。

**ぎゅうじ**［牛耳］ウシの耳。●**牛耳を執(と)る** 句 なかま・団体などを思うままに支配する。牛耳る。由来 中国の春秋戦国時代に、盟主となる者が牛の耳をさいて血をとり、これを順番にすすって同盟をちかったという故事から。

**キューシー**［QC］〔←quality control〕品質管理。「―運動」

**きゅうしき**［旧式］《名・ナダ》古い〈形式／様式〉。（↔新式）

**きゅうじたい**［旧字体］当用漢字・常用漢字で標準とされた新字体に対し、それ以前に使われた字体。旧字。例、圓(＝円)・應(＝応)・鑵(＝缶(かん))。（↔新字体）☞正字。

**きゅうしつ**［球質］①野球で使うボールの品質。「―の統一」②《野球》投手が投げたボールの性質。「重い―」③《球技》打ったボールの性質。

**きゅうしつ**［吸湿］《名・自サ》水分・しめりけをすい取ること。「―性・―力」

**きゅうしつ**［休室］《名・自他サ》図書室や展示室などが休みになること。「本日―・―期間」（↔開室）

**きゅうじつ**［休日］休み(の日)。

**きゅうしゃ**［旧車］製造されなくなって何年もたった自動車やオートバイの型式。

**きゅうしゃ**［×柩車］〔文〕ひつぎを運ぶ車。霊柩(れいきゅう)車。

**きゅうしゃ**［×鳩舎］ハトを飼う小屋。

**きゅうしゃ**［×厩舎］①うまや。馬小屋。②競走用の馬をあずかって訓練をし、競走にそなえて世話をする所。

**きゅうしゃ**［休車］《名・自サ》タクシーが営業しないで車庫にいること。

**ぎゅうしゃ**［牛車］①牛が引くくるま。②⇩ぎっしゃ。

**ぎゅうしゃ**［牛舎］牛小屋。

**きゅうしゅ**［旧主］〔文〕もとの主君。

**きゅうしゅ**［球種］《野球》投手の投げる、ボールの種類。カーブや直球など。

**きゅうしゅ**［球趣］〔文〕野球など、ボールを使ってする競技のおもしろみ。「もり上がる―」

**きゅうしゅ**［×鳩首］《名・自サ》〔文〕大ぜいの人が、頭をつきあわせるようにして相談すること。「―協議・―凝議(ぎょうぎ)」

**きゅうしゅう**［九州］〔州＝くに。もと、九つの国だった〕本州のすぐ西南にある大きな島。福岡・佐賀・長崎・熊本・大分・宮崎・鹿児島の七県。「―地方〔沖縄県をふくむ〕」

**きゅうしゅう**［旧習］古くからの習慣。

**きゅうしゅう**［吸収］《名・他サ》①液体を組織の中に取りこむこと。すいこむこと。「水分を―する」②知識などを取り入れて自分のものとすること。「西欧(せいおう)文化を―する」③ほかの組織を取りこんで一つにすること。「小企業(きぎょう)を―合併(がっぺい)する」④うめあわせをすること。「経費を―して黒字にする」

**きゅうしゅう**［急襲］《名・他サ》〔文〕急に相手をおそうこと。

**きゅうじゅう［九十］①十の九倍。②九十歳(さい)。▽くじゅう。

**きゅうしゅつ**［休出］《名・自サ》〔文〕←休日出勤。「―手当」

**きゅうしゅつ**［救出］《名・他サ》危険にさらされている人を安全な所に移すこと。「災害時の―活動」

**きゅうじゅつ**［弓術］ゆみを射る武術。

**きゅうじゅつ**［救×恤］《名・他サ》〔文〕困っている人を助けるために金品などをあたえること。「―品」

**きゅうしゅん**［球春］〔文〕野球が始まる季節。〔プロ野球の〕二月のキャンプ開始や、三月のオープン戦のころ。

**きゅうしゅん**［急×峻］《名・ナダ》〔文〕傾斜(けいしゃ)が急で、けわしい〈こと／ようす〉。「―な岩山」派 ―さ。

**きゅうしょ**［休所］①所(しょ)などと呼ばれる施設(しせつ)が、

その日の仕事を休むこと。「デイケア センターの―日」②⇩御休所。

**きゅうしょ**【急所】①〔からだで〕傷つくと命にかかわる場所。②大切なところ。「―をつく」

**きゅうじょ**【救助】《名・他サ》災害などにあって命のあぶない人を助けること。「人命―」 ●**きゅうじょぶくろ**【救助袋】ビルの火事などのとき、高い窓から地面にかけわたし、すべりおりて避難するための長い ふくろ。

**きゅうしょう**【旧称】以前の呼び名。旧名。「ペルシャはイランの―」

**きゅうしょう**【急症】《医》急に起こった症状。

**きゅうしょう**【急昇】《名・自サ》〔文〕〔温度などが〕急に上がること。(↕急降)

**きゅうじょう**【弓状】〔文〕弓形。ゆみなり。

**きゅうじょう**【宮城】「皇居」の、昔の呼び名。〔一九四八年六月末まで使われた〕

**きゅうじょう**【球場】↑野球場。「神宮―」

☆☆**きゅうじょう**【窮状】困っているようす。「―をうったえる」

**きゅうじょう**【休場】《名・自サ》①興行場などが興行を休むこと。②〔力士などが〕出場を休むこと。③《経》取引所が立ち会いを休むこと。

**きゅうしょうがつ**【旧正月】旧暦の正月。新暦では、一月下旬から二月中旬の どれかの日にあたる。「―の お祝い」☞春節。

**きゅうしょく**【休職】《名・自サ》〔公務員や会社員が〕身分はそのままで、しばらく仕事を休むこと。

**きゅうしょく**【求職】《名・自サ》職業をもとめること。「―者」(↕求人)

**きゅうしょく**【給食】《名・自サ》〔学校で生徒に、また、会社で社員に〕食事を出すこと。また、その食事。「―費・―マスク」

**ぎゅうじ・る**【牛耳る】《他五》⇩牛耳を執る〔「牛耳」の句〕。由来「牛耳」を動詞化したことば。

**きゅうしん**【丘×疹】《医》〔平たく〕もり上がった発疹。

**きゅうしん**【求心】〔文〕〔回転して〕中心に近づこうとすること。「―的」(↕遠心) ●**きゅうしんりょく**【求心力】①《理》「向心力」の古い言い方。②〔政治的組織などで〕人心を集める力。「派閥の―・―を失う」(↕遠心力)

**きゅうしん**【急診】〔文〕急いで手当てする必要のある患者を診察すること。「―をたのむ」

**きゅうしん**【球信】〔文〕野球だより。

**きゅうしん**【球審】《野球》ボールか、ストライクかなどを見分ける審判員。主審。(↕塁審)

**きゅうしん**【休心・休神】《名・自サ》《手紙》〔文〕安心。〔相手について言う〕「ご―ください」

**きゅうしん**【休診】《名・自サ》〔医者・病院などが〕診察・診療を休むこと。「本日―」

←**きゅうしん**【急伸】《名・自サ》①〔文〕売り上げや利益などが、急にのびること。②《経》〔相場で〕値段が、急に上がること。

→**きゅうしん**【急進】《名・自サ》①〔文〕急に進むこと。「円高が―する」②急いで理想を実現しようとすること。「―的な経済改革・―主義」▽(↕漸進)

**きゅうじん**【九×仞】〔一仞＝八尺〕〔文〕非常に高いこと。 ●**九仞の功を一簣に欠く** 句〔一簣＝もっこ一ぱいの土〕〔文〕ほとんど成功しかけたことを、今ひといきのところで失敗する。

**きゅうじん**【旧人】①《歴》原人についで出現した、原始時代の人類。例、ネアンデルタール人。☞猿人・原人・新人④。②その社会に古くからいる人。「われわれ―には理解できない流行」(↕新人)

**きゅうじん**【吸×塵】《名・自サ》〔文〕ごみやほこりを吸いこむこと。「―力の強い掃除機」

**きゅうじん**【求人】《名・自他サ》自分のところの職場で働いてくれる人をさがすこと。「―広告」(↕求職)

**きゅうす**【急須】湯をついで お茶をいれる、取っ手と口のついた器。

**きゅう・す**【休す】《自サ》〔文〕終わる。休する。「万事―」〔⇩「万事」の句〕

**きゅうすい**【吸水】《名・自サ》水分を吸いとること。「―性」

**きゅうすい**【給水】《名・自サ》①〔飲料〕水を供給すること。「―車・―塔」(↕排水) ②⇩補水。「―タイム」

**きゅうすう**【級数】①《数》決まった法則にしたがって ふえたり へったり する数を、決まった順序にならべた数列の和。「等差―・等比―」〔俗に、「数列」をさすこともある〕②《印刷》〔写真植字で〕活字の大きさの単位。一級の一辺は〇・二五ミリ。級。記号はQ。表記②は略記して「Q数」。

☆☆**きゅう・する**【窮する】《自サ》行きづまる。〔どうしようもなくて〕困る。「衣食に―・返事に―」 ●**窮すれば通じる** 句 行きづまったときに、かえって道が開ける。

**きゅう・する**【給する】《他サ》〔文〕給料としてあたえる。支給する。「月三十万円を―」

**きゅうせい**【九星】人の生まれた年を九つの星と十二支に当てはめておこなう うらない。☞五黄。

**きゅうせい**【旧制】〈昔の／古い〉制度。「―高校・―大学」(↕新制)

**きゅうせい**【旧姓】〔結婚したり、養子に行ったりした人の〕もとの姓。「―使用〔＝職場などで旧姓を使い続けること〕」(↕新姓・現姓)

☆☆**きゅうせい**【急性】《医》病気が急に起こって、症状のはげしいこと。「―肺炎」(↕慢性)

**きゅうせい**【救世】〔文〕世の中をすくうこと。「―者」 ●**きゅうせいぐん**【救世軍】《宗》民衆にキリスト教を伝えることと救済事業とに力をそそぐ、新教の一派。 ●**きゅうせいしゅ**【救世主】①人類をすくう人。②《宗》〔キリスト教で〕キリスト。救い主。③危機をすくってくれる人。「チームの―」

☆☆**きゅうせい**【急逝】《名・自サ》〔文〕急に死ぬこと。急死。「脳出血のため―した」

**きゅうせかい**【旧世界】⇩旧大陸。(↕新世界)

**きゅうせき**【旧跡・旧×蹟】後世に残る できごとなどのあった場所。「名所―」

**きゅうせき**【求積】《数》面積や体積を求めること。「―法」

**きゅうせつ**【旧説】古い説。「しばらく―に従う」(↕新説)

**きゅうせっきじだい**【旧石器時代】《歴》石器時

代の初期。打ち割って作った石器や骨・角などで作った道具を用い、狩猟と採集で生活していた。(↔新石器時代)

**きゅうせん**［急戦］《将棋など》相手が守りを固める前にせめ合うこと。「序盤から―模様」

**きゅうせん**［休戦］《名・自他サ》①《法》〔交戦国が〕合意の上で戦いを中止すること。「―協定」②ある期間争いをしないことにすること。「論争を―する」

**きゅうぜんじつ**［休前日］休日の前日。旅館などでは利用客が多くなる。「―料金」

**きゅうせんぽう**［急先×鋒］勢力の先頭に立って進む〈役目/人〉。「反対派の―」

**きゅうそ**［窮×鼠］〔文〕追いつめられたネズミ。●**窮鼠猫をかむ**句〔文〕追いつめられて必死になれば、弱い者も強い者に勝つ。

**きゅうそ**［急訴］《名・自サ》〔文〕〔助けてほしいという〕急ぎの知らせ。「一一〇番への―」

**きゅうそ**［泣訴］《名・自他サ》〔文〕泣いてうったえること。「哀願―」

**きゅうそう**［急送］《名・他サ》〔文〕急いでおくること。

**きゅうぞう**［急増］《名・自他サ》急に〈ふえる/ふやす〉こと。(↔急減)

**きゅうぞう**［旧蔵］《名・他サ》〔文〕①以前、所蔵していたこと。「島津家の―品」②昔から所蔵していること。

**きゅうぞう**［急造］《名・他サ》急いでつくること。急ごしらえ。

**きゅうそく**［球速］〈投げた/打った〉ボールのはやさ。

**きゅうそく**［休息］《名・自サ》休んでゆっくりすること。やすみ。

**きゅうそく**［急速］《ナダ》〔ものごとの進みぐあいなどが〕はやいようす。すみやか。

**きゅうぞく**［九族］〔文〕自分をふくめ、先祖から子孫まで九代の、すべての親族。「罪―におよぶ」

**きゅうそつ**［旧卒］〔↑旧卒業者〕(何年か)前の年に学校を卒業〈すること/した者〉。「―者」(↔新卒)

**きゅうたい**［旧態］以前(から)のありさま。「―依然・―を脱する」

**きゅうたい**［球体］たまのような形の物体。

**きゅうだい**［及第］《名・自サ》試験に合格すること。(↔落第)

**きゅうたいりく**［旧大陸］〔新大陸到達以前からヨーロッパ人に知られていた〕アジア・アフリカ・ヨーロッパの三大陸。旧世界。(↔新大陸)

**きゅうたく**［旧宅］〔文〕昔のすまい。

**きゅうたん**［急×湍］〔文〕流れの急な浅瀬。「―におどる銀鱗」

**きゅうだん**［球団］〔↑野球団〕プロ野球のチーム(を持つ団体)。

**きゅうだん**［休団］《名・自サ》〈劇団や舞踊団/団員〉としての活動を休むこと。

☆☆**きゅうだん**［糾弾・×糺弾］《名・他サ》その人の社会的な罪をしめして、とがめること。「責任者を―する」

**ぎゅうタン**［牛タン・牛:舌］〔タン=tongue〕牛の舌の肉。「―シチュー・―の塩焼き」

**きゅうち**［旧知］昔からの知りあい。昔の知りあい。「―の間がら」

☆☆**きゅうち**［窮地］追いつめられてどうしようもない〈立場/境遇〉。「―に追いこまれる」

**きゅうちしん**［求知心］〔文〕知識を得ようとするこころ。新しいことを知ろうとする意欲。

**きゅうちゃ**［給茶］《名・自他サ》〔文〕お茶をさしだすこと。「―機」

**きゅうちゃく**［吸着］《名・自他サ》①すいつくこと。②《理》気体・液体にふくまれる物質が、活性炭などの小さな穴に吸いこまれること。(↔脱着)

**きゅうちゅう**［吸虫］《動》吸盤で、人のからだの中にすいつく、小さな寄生虫。静脈・肺・肝臓などに寄生する。ジストマ。「肝―」☞住血吸虫・肺吸虫・肝吸虫。

**きゅうちゅう**［宮中］皇居のなか。

**きゅうちょう**［急潮］〔文〕流れのはやいしお。

**きゅうちょう**［急調］〔文〕急な調子。はやい調子。

**きゅうちょう**［級長］学級を代表する生徒。「副―」〔「学級委員」の古い呼び名〕

**きゅうちょう**［窮鳥］〔文〕追いつめられた鳥。●**窮鳥ふところに入る**句〔文〕窮地におちいった人がすくいをもとめて来る。

**きゅうつい**［急追］《名・他サ》はげしくおうこと。

**ぎゅうづめ**［ぎゅう詰め］ぎゅうぎゅうづめ。「―に入れる」

**きゅうてい**［旧邸］〔文〕昔のやしき。

**きゅうてい**［宮廷］天皇・国王のすまい。宮中。

**きゅうてい**［休廷］《名・自サ》法廷の裁判を(一時)休むこと。

**キューティクル**〔cuticle〕①かみの毛の表面を、うろこ状におおっている層。②つめの根元の甘皮。

←**きゅうてき**［×仇敵］〔文〕かたき。にくい敵。

→**きゅうてき**［旧敵］昔から敵対してきた相手。

**きゅうてん**［九天］〔文〕高い天。

**きゅうてん**［×灸点］きゅう(灸)をすえる場所に墨でつけた点。「―をおろす〔=しるしをつける〕」

**きゅうてん**［休店］《名・自サ》〔文〕みせが営業を休むこと。「本日―」

**きゅうてん**［急転］《名・自サ》急に変わること。「局面が―する」●**きゅうてんちょっか**［急転直下］《名・自サ・副》急に形勢が変わって、解決に向かうこと。「―話し合いがまとまった」

**きゅうでん**［宮殿］天皇・国王が住むため、また、行事をおこなうための建物。御殿。

**きゅうでん**［給電］《名・自他サ》〔文〕電力を供給すること。「―システム」

**きゅうテンポ**［急テンポ］《名・ナダ》速度や調子がはやい〈こと/ようす〉。「―な過疎化」

**きゅうと**［旧都］〔文〕古いみやこ。(↔新都)

**キュート**《ナダ》〔cute〕かわいくて、心がひかれるようす。「―なアイドル・―なバッグ」

**きゅうとう**［旧冬］〔文〕去年の十二月。旧臘。〔新年に言う語〕

**きゅうとう**［旧×套］〔文〕古い〈やり方/様式〉。「―を脱しない」

**きゅうとう**［急登］《名・自サ》《登山》①急な道をのぼること。(↔急降)②急なのぼり道。

☆☆**きゅうとう**［急騰］《名・自サ》《経》物価・相場など

が急に上がること。「株価—」(↕急落)
**きゅうとう**【給湯】《名・自サ》〔家庭や事務所などで〕使うための湯が出るようにすること。「—設備」
**きゅうどう**【弓道】ゆみを射る術。
**きゅうどう**【旧道】昔からある〈道路／街道(かいどう)〉。「—沿(ぞ)い」(↕新道)
**きゅうどう**【求道】〔真理の〕みちをもとめること。「—者」☞ぐどう(求道)。
**きゅうどう**【球道】□一 **きゅうどう**《野球》ボールのコース。「低い—」□二 **きゅうどう** 野球道。「—一筋に生きる」
**ぎゅうとう**【牛刀】〔牛を切りさく〕先のとがった大きな肉切り包丁。「鶏(にわとり)を割(さ)くに—を用いる〔⇩「鶏」の句〕」
**ぎゅうどん**【牛丼】うす切りの牛肉を玉ねぎ・しらたきなどと煮(に)て、しるごとかけたどんぶりごはん。牛飯(ぎゅうめし)。肉丼(にくどん)〔関西方言〕。「—をつゆだくでたのむ」
**ぎゅうなべ**【牛鍋】①「すき焼き」の古い呼び名。②すき焼きふうの、簡単ななべもの。▽肉鍋。
**きゅうなん**【救難】〔文〕災難をすくうこと。∧急。
**きゅうに**【急に】◇〔形容動詞「急だ」の連用形〕⇩急。
**ぎゅうにく**【牛肉】〔食品としての〕牛の肉。ぎゅう。「—コロッケ・—のしぐれ煮(に)」
**きゅうにゅう**【吸入】《名・他サ》すいこむこと。特に、霧(きり)状になった薬をのど・鼻の中にすいこむこと。「酸素—・—器〔=ネブライザー〕」
**ぎゅうにゅう**【牛乳】牛からしぼった乳(を加熱・殺菌(さっきん)したもの)。ミルク。〔業界では、生乳(せいにゅう)に百パーセントのものを言う。脱脂(だっし)粉乳・バターに水をまぜた「加工乳」、栄養分や果汁(かじゅう)などを加えた「乳飲料」などとは区別する〕「—プリン・—パック」●**ぎゅうにゅうびん**【牛乳瓶】牛乳を入れて売る、ぶあついガラスびん。〔紙パック以前に主流だった〕「—の底のようなめがね」
**きゅうねつ**【急熱】《名・他サ》〔文〕急に熱を加えること。(↕急冷)
**キューねつ**【Q熱】《医》家畜(かちく)からうつる病気。発熱・頭痛などがあり、肺炎(はいえん)になることもある。病原体はQ熱リケッチア。
**きゅうねん**【旧年】〔文〕去年。昨年。〔新年に言う語〕「—中はおせわになりました」
**きゅうのう**【救農】〔文〕困っている農民をすくうこと。「—土木事業」
**きゅうは**【旧派】古くからの流派・流儀(りゅうぎ)。(↕新派)
**きゅうは**【急派】《名・他サ》急いで派遣(はけん)すること。
**きゅうば**【弓馬】〔文〕①ゆみを射ることと馬に乗ること。武芸。②戦争。③武士。
**きゅうば**【急場】急な場合。さしせまった場合。「—の間にあわない・—しのぎ」
**ぎゅうば**【牛馬】ウシやウマ。「—のようにこき使う」
**きゅうはい**【休配】《名・自サ》〈配達／配送〉を休むこと。「—日・土曜—」
**きゅうはい**【朽廃】《名・自サ》〔文〕古くなってこわれ、だめになること。「校舎の—」
**きゅうはい**【九拝】《名・他サ》①九回または何回も〈おがむ／おじぎをする〉こと。「三拝—」②《手紙》〔文〕終わりに書いて敬意をあらわすことば。
**きゅうばい**【休売】《名・自他サ》ある商品の販売(はんばい)を、一時やめること。
**きゅうはいぎょう**【休廃業】《名・自他サ》〔会社などの〕休業と廃業。
**きゅうはいし**【休廃止】《名・他サ》休止と廃止。「路線の—」
**きゅうはいすい**【給排水】《名・自サ》給水と排水。水道で水を供給することと、下水を流すこと。
←**きゅうはく**【急迫】《名・自サ》〔文〕①さしせまること。せっぱつまること。「—不正の侵害(しんがい)に対する正当防衛」②もうすぐ追いつくような状態になること。「六対五と—」
→**きゅうはく**【窮迫】《名・自サ》〔文〕行きづまって苦しい状態になること。「財政が—する」
**きゅうばく**【旧幕】明治維新(いしん)後に、徳川幕府をさした呼び名。「—時代」
**きゅうはん**【旧版】改訂(かいてい)や増補などをおこなう以前に出版した版。(↕新版)
**きゅうはん**【旧藩】①旧幕時代の藩。②古くからある藩。
**きゅうはん**【急坂】〔文〕⇩きゅうざか。
**きゅうばん**【吸盤】①《動》〔タコなどの〕ものにすいつく器官。小さくて さかずきの形をしている。②「吸盤①」に似た形のもの。「—付き鏡」
**きゅうひ**【給費】《名・自他サ》学資などにあてるために、あたえる費用。「—生・—制度」(↕貸費(たいひ))
**ぎゅうひ**【△求肥】白玉粉に砂糖を入れて練り上げた、和菓子(わがし)の材料。生菓子の皮や、みつ豆の そえものなどに使う。
**キューピー**〔kewpie←cupid〕はだかで目の大きい、おもちゃの人形。
**キュービズム**〔cubism〕二十世紀のはじめ、フランスに起こった美術上の運動。立体主義。立体派。キュビスム(フ cubisme)。
**きゅうひつ**【休筆】《名・自サ》〔文〕文筆活動を、一時休むこと。
**キュービック**《(ナダ)》〔cubic〕立体的。
**きゅうピッチ**【急ピッチ】《名・(ナダ)》調子やものごとの進行がはやい〈こと／ようす〉。「工事が—で進む」
**キューピッド**〔Cupid〕①〔ローマ神話で〕恋愛(れんあい)の神。〔ギリシャ神話の「エロス」にあたる〕「—役〔=縁(えん)結びの役〕」②美少年。▽なまって、キューピット。
**きゅうびょう**【急病】急に起こる病気。
**きゅうびん**【急便】〔文〕至急の〈たより／通信〉。
**きゅうふ**【休符】《音》曲のとちゅうで休む長さをしめす符号(ふごう)。休止符。「四分(しぶ)—」

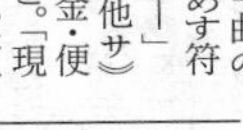

［きゅうふ］

☆☆**きゅうふ**【給付】《名・他サ》①役所などが品物・お金・便宜(べんぎ)などをあたえること。「現物—・—金」②お金をあたえる代わりに、お金以外のものやサービスをあたえること。「医療(いりょう)—」
**きゅうぶ**【休部】《名・自サ》〈部／部員〉としての活動を休むこと。
**キューブ**〔cube〕①立方体。②立方体の形にしたもの。「—にしたスープの素(もと)・—シュガー〔=角砂糖〕」

き

**きゅうふう**【旧風】〔文〕古くからの風習。「—を一新する」

**きゅうふり**【給振り】↑給与(きゅうよ)振りこみ。

**きゅうぶん**【旧聞】前に聞いて、耳新しくない話。「—に属するが(=古い話題になるが)」

**ぎゅうふん**【牛(×糞)】牛のくそ。

**きゅうへい**【旧弊】《名・ナダ》①古くからの弊害(へいがい)。②古い風習にいつまでもとらわれているようす。「—を打ち破る」派—さ。

**きゅうへん**【急変】《名・自サ》①〔様子が〕〔悪いほうへ〕急に変わること。「病状が—する可能性がある(=近日中に亡(な)くなるかもしれない)」②にわかに起きた事変。

**きゅうぼ**【急募】《名・他サ》急いで募集すること。〔求人広告などの表題にも使う〕(↔緩募(かんぼ))

**ぎゅうほ**【牛歩】牛の〔ように おそい〕あゆみ。「—遅々(ちち)として・—戦術(=わざと のろのろ投票して、議事の進行をおくらせるやり方)」

**きゅうほう**【旧法】〔文〕①昔おこなわれていた法令。〔特に、日本国憲法施行(しこう)以前のものを言う〕②古い方法。▽(↔新法)

**きゅうほう**【急報】《名・他サ》〔文〕急ぎの知らせ。急いで知らせること。

**きゅうぼう**【窮乏】《名・自サ》びんぼうになって生活に苦しむこと。「—生活」

**キューポラ**〔cupola〕①〔鋳物(いもの)工場などで〕鋳鉄(ちゅうてつ)をとかすための、円筒(えんとう)形の炉(ろ)。②《軍》戦車の上がわにあって、乗員が見張りのために頭を出せる部分。

**きゅうぼん**【旧盆】旧暦(きゅうれき)でおこなうお盆。年によって八月上旬(じょうじゅん)~九月上旬にあたる。〔八月十五日前後の一般(いっぱん)的なお盆もさす〕

**きゅうみん**【窮民】〔文〕生活に困っている人々。

**きゅうみん**【休眠】《名・自サ》①《生》動植物が、ある期間ほとんど活動をやめること。例、冬眠。「—打破(=冬、寒さが続くと花になる芽が成長をはじめること)」②利用・活動しないこと。「—口座」

**きゅうむ**【急務】急いで しなければ手おくれになる仕事。「目下の—」

**きゅうむいん**【×厩務員】〔競馬用の〕馬の世話を担当する人。もと「馬丁(ばてい)」と言った。

**きゅうめい**【旧名】以前の呼び名。旧称(きゅうしょう)。〔人名にも使う〕

**きゅうめい**【救命】いのちを助けること。「—具(=例、船が難破したときに使う うきぶくろ)・—ボート・—救急センター」

↑**きゅうめい**【究明】《名・他サ》つきつめて あきらかにすること。「事故の原因を—する」

↑**きゅうめい**【糾明・×糺明】《名・他サ》〔責めたてるために〕追及(ついきゅう)して事情をあきらかにすること。「責任を—する」

**きゅうめん**【球面】球の表面。「—鏡」

**きゅうもん**【糾問・×糺問】《名・他サ》〔文〕罪などの真相が明らかになるまで問いただすこと。

↑**きゅうやく**【旧約】①〔文〕昔の約束。②《宗》↑旧約聖書。(↔新約) ●**きゅうやくせいしょ**【旧約聖書】《宗》キリスト教の教典の一つ。天地の始まりやユダヤ民族の歴史をえがき、救世主の出現を約束する。本来はユダヤ教の聖典。旧約。(↔新約聖書)

↑**きゅうやく**【旧訳】以前の翻訳(ほんやく)。「—に手を入れる」(↔新訳)

**きゅうやく**【休薬】《名・他サ》薬をしばらく飲まないでおくこと。「—期間・—して様子を見る」

**きゅうゆ**【給油】《名・自サ》①あぶらをさすこと。「—口」②〔液体〕燃料を補給すること。「—所」

**きゅうゆう**【旧友】①古くからの友だち。②昔、友だちだった人。

**きゅうゆう**【旧遊】〔文〕昔、旅行したことがあること。曽遊(そうゆう)。「—の地」

**きゅうゆう**【級友】同じ学級の友だち。

**きゅうゆう**【球友】野球・ゴルフなどの友人。

**きゅうよ**【給与】一 勤務の報酬(ほうしゅう)として もらう お金。給料・手当・ボーナスなど。「—明細」区別⇩報酬。二《名・他サ》お金や品物を支給すること。また、そのお金や品物。●**きゅうよしょとく**【給与所得】《法》給与として受け取った収入から、必要経費を差し引いた金額。

**きゅうよ**【窮余】〔文〕どうにも困ったあげく。苦しまぎれ。「—の(一)策(=苦しまぎれの思いつき)・—の強弁」

**きゅうよう**【急用】急ぎの用事。

**きゅうよう**【休養】《名・自サ》休息して体力をつけること。

**きゅうらい**【旧来】〔文〕以前から。「—の習慣」

**きゅうらく**【及落】〔文〕及第(きゅうだい)か落第か。「—を分かつ」

☆☆**きゅうらく**【急落】《名・自サ》《経》物価・相場などが急に下がること。(↔急騰(きゅうとう))

**きゅうり**【(:胡瓜)】野菜の名。とがった いぼのある細長い実を、青いうちに食べる。「—の つけもの・—の酢のもの」

**きゅうり-き・る**【久離切る・旧離切る】《自五》〔古風〕親子などの縁(えん)を切る。久離を切る。「久離切って勘当(かんどう)だ」

**きゅうりゅう**【×穹×窿】〔文〕①弓を引きしぼったように まるく見える大空。アーチ。②ドーム。

**きゅうりゅう**【急流】勢いが強くて速い、水の流れ。「ボートで—を下る」(↔緩流(かんりゅう))

**きゅうりょう**【丘陵】小山。おか。

**きゅうりょう**【給料】ある期間の労働に対して、やとい主から もらう お金。ふつう、一か月単位。「—日(び)・お—」区別⇩報酬(ほうしゅう)。

↑**きゅうりょう**【休猟】《名・自サ》鳥やけものをとるのを、ある期間休むこと。「—区」

↑**きゅうりょう**【休漁】《名・自サ》漁に出かけるのを休むこと。きゅうぎょ。

**きゅうれい**【急冷】《名・自他サ》〔文〕急に ひやすこと。急に ひえること。(↔急熱)

**きゅうれき**【旧暦】日本で、明治五(一八七二)年までの暦(こよみ)。太陰(たいいん)太陽暦(=陰暦)を用いた。旧。〔新暦に移るために、明治五年は十二月二日までしかなかった〕(↔新暦)

**きゅうれき**【球歴】野球・テニス・ゴルフなどでの経歴。

**きゅうれん**【久恋】〔文〕ひさしく あこがれること。「—

の地」

**きゅうろう**［旧×臘］〔文〕⇩旧冬。

**きゅうろう**［休廊］《名・自サ》〔文〕画廊が休むこと。

**きゅっと**《副・自サ》①強く〈しめつける／しまる〉ようす。「手を―にぎる・身が―したエビ」②心にせまるようす。「胸が―なる」③酒を一気に飲むようす。「―一杯」

**ぎゅっと**《副・他サ》「きゅっと①②」より強い力がはたらく感じをあらわすことば。「―だきしめる・ぬいぐるみを―する」

**キュプラ**〔cupra〕化学繊維の一種。ベンベルグは、それを使った織物の商標名。

**キュラソー**〔フ curaçao〕リキュールの一種。オレンジの皮で味をつけた、あまい酒。「ホワイト―」

**キュレーション**《名・他サ》〔curation＝博物館や美術館の展示〕《情》インターネット上の情報を集めてしめすこと。「―サイト〔＝まとめサイト〕」

**キュレーター**〔curator〕①博物館や美術館の学芸員。②《情》キュレーションをする人。▽キュレイター。

**キュロット**〔フ culotte〕《服》半ズボンふうのスカート。キュロット スカート。

**きゅんきゅん**《副・自サ》愛らしいものに胸が しめつけられるようす。「子ねこに―する・―動画」

**きゅんと**《副・自サ》①〔緊張や さびしさ、なつかしさなどで〕心が少し しめつけられる感じがするようす。「胸が―なるような曲」②〔俗〕愛らしいものに、心が ときめくようす。胸キュン。「クマのぬいぐるみに―する」

**きょ**［居］〔文〕すまい。すみか。「―を定める・―を構える・―を移す」

**きょ**［挙］〔文〕行動。「反逆の―に出る」

**きょ**［虚］①ゆだんしているところ。不用意な箇所。すき。②うそ。「―(と)実」(↔実) ③実体をともなわないもの。 ●**虚を突く**［句］相手の思いがけないことを〈する／言う〉。「敵の―・虚を突かれて はっとした」［表記］「虚を衝く」とも。

**きよ**［寄与］《名・自サ》役に立つこと。貢献。「研究に―する」

**ぎょ**［魚］［造］さかな。うお。「深海―」

**きょあく**［巨悪］巨大な悪。「―の根源」

**きよ・い**［清い］《形》①けがれがない。〔水に〕にごりがない。〔月の光に〕くもりがない。②気持ちが すっきりするようだ。「―風」③行動に やましいところがない。「〔選挙で〕清き一票・―交際」［派］-げ。-さ。

**ぎょい**［御意］①〔文〕お考え。お気持ち。「―に召す〔＝お気に入る〕・―に入る〔＝お気に入る〕」②〔古風〕お考えのとおり。おっしゃるとおり。「〔時代劇で〕―にござります・―！」 ●**御意を得る**［句］〔文〕①お目にかかる。「はじめて御意を得ます」②お考えをうかがう。「御意を得たく存じます」

****きょう**［〔今日〕］①いま経過している、この日。こんにち。「―も―とて〔＝『きょうも』を強めた言い方〕・―と言う―は〔＝きょうこそは〕許さないぞ」②同じ日付の日。「去年の―」☞今日明日・きょうイチ・今日この頃・今日の秋・今日び。

**きょう**［凶］〔うらないで〕縁起が悪いこと。(↔吉)

**きょう**［京］①みやこ。首都。「平安―」②京都。「―のみやこ・―野菜」③東京。「上―・滞―中は」④⇩けい(京)①。 ●**京の着倒れ**［句］京都の人は、衣服にお金をかけて財産を失う。「―、大阪の食い倒れ」

**きょう**［香］《将棋》↑香車。

**きょう**［強］［一］**きょう** 強い〈こと／もの〉。「エアコンを―にする・三―の顔合わせ」［二］**きょう**［接尾］それより やや多いこと。「五キロ―」［三］［造］強い。強力な。「―毒性・―ビタミン錠」▽［一］～［三］(↔弱)

**きょう**［経］《仏》①仏の教えを書いた書物。また、経文。「―を読む・―をとなえる・―をあげる〔＝仏にむかって、経文を声に出して読む〕」②経文をとなえる〈こと／声〉。読経。「―が流れる」▽日常語としては「お経」のほうが ふつう。☞お経。 ●**経を読む**［句］ウグイスが「ほう ほけきょ」と鳴く。［由来］鳴き声を「法華経」ととらえたもの。

**きょう**［×卿］［一］**きょう** ①〔律令制や、明治の太政官制で〕各省の長官。「外務―」②貴族を尊敬して言うことば。［二］［接尾］〔イギリスで〕爵位を持つ人の名前につける、尊敬した呼び名。ロード。「ラッセル―」

**きょう**［境］〔文〕［一］**きょう** 境地。「無我の―・こうこつ(恍惚)―」［二］［造］場所。「閑寂―・人外―」

**きょう**［興］おもしろみ。「―に乗る」

**きょう**［狂］［造］猛烈に熱中する人。「マージャン―」

**きょう**［協］［造］①↑協会。「合成ゴム―」②協議会。「○○連絡―」

**きょう**［峡］［造］峡谷の名前につけることば。「恵那―」

**きょう**［教］［一］**きょう** ↑教育学部。［二］**きょう**［造］おしえ。宗教の一派。「天理―」

**きょう**［郷］［造］①〔居ごこちのいい〕土地。ところ。「理想―」②〔居ごこちのいい〕村里。「温泉―」

**きょう**［橋］［造］はし。「高架―・鉄道―」

**きょう**［鏡］［造］かがみ。「三面―・反射―」

**きょう**［響］［造］↑交響楽団・管弦楽団。「ボストン―・東―〔＝東京交響楽団〕」

**きよう**［紀要］大学などで定期的に出す研究報告書。「―論文」

**きよう**［起用］《名・他サ》取り立て(て仕事をやらせ)ること。「新人を―する」

**きよう**［器用］《ナダ》①手先の技術が うまいようす。「手先が―だ・ナイフを―に使う」②(気が きいて)うまく ものごとが処理できるようす。「あらゆる役を―にこなす」［注意］②は、ほめている場合と、「小手先で ごまかしている」と けなしている場合とがある。▽(↔不器用) ［派］-さ。 ●**きようびんぼう**［器用貧乏］何をやらせても器用なため、かえって一つのことに成功しない〈こと／人〉。

**ぎょう**［行］［一］**ぎょう** ①上から下へ、または、左から右への、文字の ひと続き。「―を変える」②《数》数字の表などで、横の ならび。(↔列) ③五十音図で、縦の ならび。例、ア行の仮名は、「あいうえお」。(↔段) ④《仏》仏道の修行。⑤〔文〕おこない。行動。「知と―」⑥↑行書。「楷、―、草」［二］［接尾］文字のひと続きの ならびを数えることば。「三―広告」

**ぎょう**［御宇］〔文〕みよ(御代)。治世。

****ぎょう**［業］①生活をいとなむための仕事。なりわい。職業。「製造―・農を―とする」②〔文〕学業。「―を習う」③(↑業界) 実業界。経済界。「政官―」

**きょうあい**［狭×隘］《名・ナダ》〔文〕①面積が せまいようす。せま苦しいようす。「―をつげる〔＝せまくなる〕」②心がせまいようす。窮屈。［派］-さ。

き

**きょうあく**［凶悪・×兇悪］《ナダ》 残忍で非常に悪いようす。「―犯人」派―さ。

**きょうあす**［今日明日］ きょうか あす（というぐらいの、ごく近い日）。「―に必要なわけではない・―の生活を考える」

**きょうあつ**［強圧］《名・他サ》〔文〕強い圧力（で、相手をおしつけること）。「―的な態度」

**きょうあらい**［京洗い］ 着物を（洗い張りせずに）丸洗いすること。丸ごとドライクリーニングすること。

**きょうあん**［教案］ 授業の計画（を具体的に書いたもの）。「―を立てる」

**ぎょうあん**［暁△闇］〔文〕日の出まえの、うす明るいやみ。

**きょうい**［胸囲］ むねの まわり（の長さ）。わきの下の位置で はかる。☞バスト。

**きょうい**［脅威］ 自分にとって危険だ、という おそろしさ（を持つもの）。「―をあたえる・―に さらされる・わが軍にとって―だ」

**きょうい**［強意］〔文〕気持ちを強調して、ことばや文章にあらわすこと。「―的表現」

**きょうい**［教委］ ↑教育委員会。「市―」

**きょうい**［驚異］ ふつうではないと、おどろくこと。「―的〔=びっくりするほど〕・―の目をみはる」

**きょういき**［境域］〔文〕①〔土地の〕境界。②ものごとの領域。

****きょういく**［教育］《名・他サ》 知識・技能だけでなく、ものの考え方や ふだんの態度までを教えて、人を育てること。「学校で―を受ける・―がある〔=りっぱな教育を受けている〕・店員の―が なっていない・家庭―・―者〔=教育を仕事とする（りっぱな）人〕・―ママ〔=教育に熱心すぎる母親〕」 ●☆☆**きょういくいいんかい**［教育委員会］ 各地方自治体の教育行政をおこなう機関。教委。 ●**きょういくがく**［教育学］ 教育の方法、教育制度などについて研究する学問。 ●**きょういくかてい**［教育課程］ 学校で教える科目や そのほかの内容・種類・時間数などを、学年に応じて割り当てたもの。カリキュラム。 ●**きょういくかんじ**［教育漢字］ ⇩学習漢字。 ●**きょういくじっしゅう**［教育実習］ 教員になろうとする学生が学校現場でおこなう、授業などの実習。 ●**きょういくてき**［教育的］《ナダ》 ①教育に関係があるようす。「―な職業」②教育する上で、のぞましいようす。「―な環境」

**きょういぞん**［共依存］《名・自サ》〔心〕依存症患者の家族などが、本人を支えられるのは自分だけだと思いこみ、はなれられなくなること。

**きょういち**［(今日)イチ］《名・副》〔俗〕きょうの中で、一番。「―の衝撃・―笑った」〔二〇一〇年代に広まったことば。「今年イチ《=今年一番》」なども〕

**きょういん**［教員］ 教育することを職業とする人。教師。

**きょうう**［強雨］ 風をまじえたり して、強く降るあめ。

**きょううん**［凶運］ ひどい悪運。「―に みまわれる」

**きょううん**［強運］ 運勢が強いこと。強い運勢。

**ぎょううん**［暁雲］〔文〕夜明けのくも。

**きょうえい**［共栄］《名・自サ》 そろって さかえること。「共存―（する）」

**きょうえい**［競泳］《名・自サ》 水泳でスピードをきそう競技。

**きょうえい**［共営］《名・他サ》 共同の経営。

**きょうえい**［競映］《名・他サ》 映画館が、競争して上映すること。

**きょうえき**［共益］ 共同の利益。「―費〔=アパートなどに住む人が共同で負担する費用〕」

**きょうえつ**［恐悦］《名・自サ》〔文〕つつしんで喜ぶこと。「―至極に存じます」

**きょうえん**［狂宴］〔文〕常識外れの大さわぎ（をするパーティー・宴会）。

**きょうえん**［×饗宴・供宴］〔文〕①客をもてなすための酒もり。宴会。「―をもよおす」②みごとな見もの・聞きものなど。

←**きょうえん**［共演］《名・自サ》〔ドラマ・舞台などで〕いっしょに出演すること。「主役と―する・情報番組で―する・オーケストラとの―」

↔**きょうえん**［協演］《名・自サ》 協力して〈出演／演奏〉すること。

→**きょうえん**［競演］《名・自サ》 ①演技（の じょうずへた）を競争すること。②美しさや良さをきそいあうように表現すること。「音と光の―」

**きょうえん**［競艶］《名・自サ》〔舞台などで〕女性が、あでやかさをきそうこと。〔「競演」の もじり〕「映画祭での―」

**きょうおう**［協応］ からだを、物の動きや状態にうまくあわせること。「―性・―動作」

**きょうおう**［胸奥］〔=むねのおく〕〔文〕心のおく。きょうおく。「―深くしみこんでいる印象」

**きょうおう**［教皇］《宗》⇩きょうこう（教皇）。

**きょうおう**［供応・×饗応］《名・他サ》 ごちそうしてもてなすこと。もてなし。接待。

**きょうおん**［×跫音］〔文〕あしおと。「戦争の―が近づいてくる」

**きょうおんな**［京女］ 京都で生まれた（おくゆかしい）女。「あずま男に―」

**きょうか**［狂歌］ ①おもしろおかしい和歌。「―師」②異様に興奮して、歌いわめくこと。「―乱舞」

**きょうか**［供花］〔文〕仏前にそなえる花。くげ（供花）。

**きょうか**［教科］ 学校で教える分野の大わく。教科目。例、国語・算数・理科・社会。「―教育」☞科目②。 ●**きょうかしょ**［教科書］ ①教えるために使う（ように作った）本。教科用図書。②みんなが手本にするもの。「コメディーの―となる映画」 ●**きょうかしょたい**［教科書体］ おもに小学校の教科書で使う、筆で書いた楷書体に近い書体。教体。「―活字」〔この辞書の見出しの漢字欄では、学習漢字を教科書体で示す〕

***きょうか**［強化］《名・他サ》 ①強くすること。強めること。（↔弱化）②ビタミン・ミネラル・たんぱく質などを加えて栄養価を高めること。「―食品」

**きょうか**［教化］《名・他サ》 教えて感化すること。

**きょうが**［恭賀］〔文〕うやうやしく祝うこと。謹賀。「―新年〔年賀状の文句〕」

**ぎょうか**［凝華］《理》気体から直接、固体になる現象。☞昇華①。

**ぎょうが**［仰×臥］《名・自サ》〔文〕あおむけに ねるこ

と。「ー位（☞臥位）」（↕伏臥）

＊**きょうかい**［協会］ ある目的のために会員が協力して続けていく会。

**きょうかい**［胸懐］〔文〕胸の中の思い。「ーを吐露する」

**きょうかい**［教会］〔キリスト教・ユダヤ教などで〕①人々が集まって教えを聞いたり、礼拝をおこなったりする建物。教会堂。「ー音楽」②「教会①」をもつ組織。

●**きょうかいどう**［教会堂］〔キリスト教などで〕礼拝などをおこなうための会堂。教会。会堂。

**きょうかい**［教界］《宗》宗教を職業とする人々の社会。「ーだより」

**きょうかい**［境界］ さかい。「ー線」 ●**きょうかいいき**［境界域］ さかいめに近い、どっちつかずの部分。「正常血圧と高血圧とのー」

**きょうかい**［教×誨・教戒］《名・他サ》〔文〕教えさとすこと。「ー師（＝刑務所で、受刑者に教えさとす人）」

**きょうがい**［境涯］〔ふりかえって見た〕一生の暮らし。「不幸なー」

**ぎょうかい**［業界］ 同じ種類の事業をしている人々の社会。「ー新聞」

**ぎょうかいがん**［凝灰岩］《鉱》堆積岩の一種。火山灰がかたまってできたもの。火に強く、湿度を調節するので、建築材料に使われる。☞大谷石。

**きょうかく**［×侠客］〔文〕〔江戸時代に〕弱い者を助け、強い者をこらしめることを主義とした人。

**きょうかく**［胸郭］《生》むねをとりまく骨組み。

**きょうがく**［教学］〔文〕①教育と学問。「〔私学の〕ー審議会」②教義の学問。

**きょうがく**［共学］《名・自サ》〔男女が〕同じ学校・場所で勉強すること。「ー制」（↕別学）

**きょうがく**［驚×愕］《名・自サ》 ひどく おどろくこと。おどろき。「ーの事実」

**ぎょうかく**［仰角］ 高い所にある物を見る視線と、水平面とがつくる角度。（↕俯角）

☆☆**ぎょうかく**［行革］ ↑行政改革。「ー審」

**きょうかたびら**［経（：帷子）］〔仏式の葬式で〕死んだ人に着せる白い着物。

☆☆**きょうかつ**［恐喝］《名・他サ》 お金や品物を出させようとして、こわがらせ おどしつけること。おどし。ゆすり。たかり〔俗〕。「ー罪・ーまがいの発言」

**きょうがのこ**［京鹿の子］ 京都で染めた、かのこしぼり。

**きょうがる**［興がる］《自五》〔楽しそうに〕おもしろがる。

**きょうかん**［共管］ ↑共同〈管轄／管理〉。

**きょうかん**［胸間］〔文〕①胸のあたり。「バッジをーに付す」②心のうち。「ーに往来する想念」

**きょうかん**［強肝］《医》肝臓のはたらきを強くすること。「ー剤」

**きょうかん**［教官］①《法》学問や技術を〈教える／研究する〉国家公務員。（↕技官・事務官）②教育や指導に当たる人。「自動車教習所のー」

**きょうかん**［共感］《名・自サ》 同じ気持ちを感じること。「若者のーを呼ぶ・主張にーを寄せる」

**きょうかん**［叫喚］《名・自サ》〔文〕わめきさけぶこと。☞阿鼻叫喚。

**ぎょうかん**［行間］ 行と行との あいだ。「ーをあける」 ●**行間を読む**（句） 文章に直接には表現されていない、書き手の心をくみ取る。

**ぎょうかん**［業間］ 小学校の二時間目と三時間目の間など、授業の間。「ー休み」〔千葉県など各地で使う〕

**きょうかんかく**［共感覚］《心》数字を見ると色が感じられるなど、ある知覚刺激から、別の感覚が呼び覚まされること。シネステジア（synesthesia）。

**きょうき**［凶器・×兇器］ 人を殺したり、きずつけたりする器具。「車は走るーだ」

**きょうき**［狂気］ 気が くるっていること。「ーの沙汰」（↕正気）

**きょうき**［×侠気］ おとこぎ。「ーに富む男」

**きょうき**［狭軌］ 鉄道のレールの間隔が一・四三五メートル（＝標準軌）より せまいもの。（↕広軌）

**きょうき**［共起］《名・自サ》《言》二つの ことばが 一つの文中に（よく）現れること。例、「うららか」と「春」。

←**きょうき**［狂喜］《名・自サ》 気がくるいそうなほど喜ぶこと。「合格の報にーする・ー乱舞」

→**きょうき**［驚喜］《名・自サ》〔文〕思いがけないことに出あって、喜ぶこと。

**きょうぎ**［狭義］〔文〕せまい意味。（↕広義）

**きょうぎ**［教義］ 宗教での教え。教説。教理。

**きょうぎ**［経木］ 木材をうすく紙のようにけずったもの。食品などを包むのに使う。へぎ。由来 これにお経を書いたことから。

**きょうぎ**［競技］《名・自サ》①おたがいにうでをくらべあって優劣を争うこと。「ー会」②大ぜいが一定の約束のもとに優劣を争う運動。「県立ー場」

☆☆**きょうぎ**［協議］《名・自他サ》 相談して決めること。話し合うこと。「ー離婚（＝夫婦が相談の上でする離婚）」

**ぎょうぎ**［行儀］〔礼儀にかなった〕動作のしかた。「ー作法・おー」 ●**行儀がいい**（句）〔（お）ー〕①行儀をよく守っている。「ー子ども」②ととのっている（ので、おもしろくない）。「ー名文」▽（↕行儀が悪い）

**ぎょうぎ**［凝議］《名・自他サ》〔文〕熱心に相談すること。

**きょうきゃく**［橋脚］ 橋を支える、あしのようなもの。

**きょうきゅう**［供給］《名・他サ》①ものを（つくって）あたえること。「食料をーする」②《経》販売または交換のために品物などを市場に出す〈こと／分量〉。（↕需要）

**きょうぎゅうびょう**［狂牛病］〔俗〕⇩ビーエスイー（BSE）。

**きょうぎょう**［協業］ 協力して事業をおこなうこと。「官民のー体制」

**ぎょうきょう**［業況］《経》企業や産業ごとの景気のようす。「ー判断」

**ぎょうぎょうし**［行々子］ よしきり。〔その鳴き声から〕

**ぎょうぎょうしい**［仰々しい］《形》 おおげさだ。「ー言い方」（派）ーさ。

**きょうきん**［胸筋］《生》胸の筋肉。小胸筋を大胸筋が おおう。☞大胸筋。

き

**きょうきん**【胸襟】（＝むねとえり）〔文〕心の中。はら。

●**胸襟を開く** 句 うちとけて、自分の気持ちをそのままあらわす。

**きょうく**【狂句】おもしろおかしい俳句。

**きょうく**【教区】〔宗〕同じ宗教・宗派が普及している地域を分割した、一つの区域。

**きょうく**【恐×懼】《名・自サ》〔文〕おそれおおいと感じること。「―感激する」

**きょうぐ**【教具】〔学校で〕教えるときに使う道具。指し棒・カード・運動用具・タブレット端末など。

**きょうくう**【胸×腔】〔生〕肺・心臓などがおさまる、胸の中の空間。〔「きょうこう」の、医師による慣用読み〕

**きょうぐう**【境遇】仕事・お金・家族などについて、どのくらいめぐまれているかの状況。「みじめな―・貧しい学生の―」

**きょうくん**【教訓】《名・他サ》将来に役立ちそうなことを言ってきかせること。また、そのようなおしえ。いましめ。「―をたれる・―的な（＝教訓となる）事件」

**ぎょうけい**【行啓】《名・自サ》〔文〕太皇太后・皇太后・皇后・皇太子・皇太子妃・皇太孫がお出かけになること。⇨行幸。

**きょうげき**【京劇】北京に伝わる、中国の古典的な劇。

**きょうげき**【挟撃】《名・他サ》〔文〕はさみうち。

**きょうげき**【矯激】《ナダ》〔文〕わざとはげしい議論や行動をするようす。「―な意見をはく」

**きょうけつ**【供血】《名・自サ》〔医〕輸血用に自分の血を提供すること。「―者」（↔受血）

**ぎょうけつ**【凝血】《名・自サ》〔医〕からだの外に出た血が固まること。また、固まった血。

**ぎょうけつ**【凝結】《名・自サ》①〔文〕〔からだが〕こおりついたように かたくなること。②〔理〕水蒸気が集まって、水の粒になること。

**きょうけん**【狂犬】①「狂犬病①」にかかって人にかみつく犬。②凶暴な人物。●**きょうけんびょう**【狂犬病】〔医〕①主として犬に流行する、急性の伝染病。②「狂犬病①」にかかった犬などにかまれて起こる感染症。発症すると治療法がなく、ほぼ確実に死亡する。恐水病。

**きょうけん**【強肩】〔野球〕ボールを遠くまで投げられる、じょうぶなかた。（↔弱肩）

**きょうけん**【強権】国家の、強制的な権力。「―発動」

**きょうけん**【教研】①↑教育研究。「―集会」②↑教育研究所。

**きょうけん**【教権】〈教育／宗教〉上の権力。

**きょうけん**【恭謙】《名・ナダ》〔文〕つつしんで、けんそんするようす。「―な態度・―の君子」

↑**きょうけん**【強健】《名・ナダ》からだが〔強くて〕じょうぶな〈こと／ようす〉。「身体―」

↓**きょうけん**【強堅】《ナダ》〔文〕強くてしっかりしているようす。「―な信仰」派―さ。

☆☆**きょうげん**【狂言】①能楽のあいまに演じる、笑いをさそう古典劇。能狂言。〔今は、独立した公演も多い〕②歌舞伎の一つ一つの劇。歌舞伎狂言。しばい。「―強盗」③相手をだますための計画。自作自演。「―強盗（＝強盗におそわれたようにいつわること）・―自殺」

●**きょうげんきご**【狂言×綺語】ありもしないことをかざりたてて言うことば。きょうげんきぎょ。〔仏教・儒教の立場から小説や物語をいやしんで言った語〕

●**きょうげんまわし**【狂言回し】①舞台にあらわれて、芝居の進行のきっかけを作ったり、うまく進行させたりする役をする人。②裏でものごとを進行させる役目をする人。

**きょうこ**【強固・×鞏固】《ナダ》強くてしっかりしているようす。「―な意志」派―さ。

**きょうご**【教護】《名・他サ》〔法〕非行に走る子どもを指導し保護する〈こと／人〉。●**きょうごいん**【教護院】〔法〕「児童自立支援施設」の古い呼び名。

**ぎょうこ**【凝固】《名・自サ》〔理〕液体が固まること。●**ぎょうこてん**【凝固点】〔理〕凝固の始まる温度。（↔融点）

**きょうこう**【凶行・×兇行】〔殺人などの〕凶悪な犯行。

☆☆**きょうこう**【恐慌】①人々がこわがって、どうしていいかわからなくなること。「―をきたす」②〔経〕景気のいいときから不景気に急に移るときに起こる、経済界の混乱状態。「金融―」▽パニック。

**きょうこう**【恐×惶】〔文〕①おそれいってつつしむこと。②〔手紙〕〔男性が〕終わりに書く、あいさつのことば。「―謹言（＝おそるおそる申し上げました）」

**きょうこう**【胸×腔】〔生〕⇨きょうくう。

**きょうこう**【教皇】〔宗〕カトリックの首長の、正式の呼び名。〔ローマ〕法王。ローマ教皇。「―庁」

↑**きょうこう**【強行】《名・他サ》むりやりに、してしまうこと。「ストライキを―する・―突破」

↓**きょうこう**【強攻】《名・他サ》〔文〕むりを承知でせめること。

**きょうこう**【強硬】《ナダ》強くてしたがわないようす。手ごわいようす。「―に主張する・―な姿勢・―分子」（↔軟弱）派―さ。

**きょうごう**【強豪】勢いがさかんで強い〈人／チーム／こと〉。「海外の―・―校」

☆☆**きょうごう**【競合】《名・自サ》①せりあうこと。「―が激化する・―他社」②かさなること。「―するIPアドレス」

**きょうごう**【△校合】《名・他サ》〔文〕もとが同じ本をくらべて、文章・文字のちがいを調べること。こうごう。

**ぎょうこう**【暁光】〔文〕夜明けの光。

**ぎょうこう**【×僥×倖】〔文〕予想もしなかった幸運。こぼれざいわい。

**ぎょうこう**【行幸】《名・自サ》〔文〕天皇のお出まし。みゆき。（↔還幸）⇨行啓・巡幸。

**きょうこうぐん**【強行軍】《名・自サ》①〔軍〕一日に進める距離をむりにのばしておこなう行軍。②むりなことを承知の上で仕事をすること。

**きょうこく**【峡谷】はばがせまくて、がけがけわしいたに。「黒部―」

**きょうこく**【強国】軍事・経済などの点で強い国。（↔弱国）

**きょうこつ**【×侠骨】〔文〕弱い人を見ると助けようとする気性。「―のある男」

**きょうこつ**【胸骨】〔生〕むねの前がわにあって、肋骨をつなぎあわせているほね。

きょうこのごろ【今日この頃】〔けふ―〕ちかごろ。ごく最近。昨今。

☆☆きょうさ【教唆】《名・他サ》《法》犯罪を実行するようにしむけ、そそのかすこと。〔実行犯と同様に見なされる〕「殺人―」☞幇助。

ギョウザ【(:餃子)・ぎょうざ】⇩ギョーザ。

きょうさい【恐妻】①夫が妻の言うとおりになること。「―家」②〔夫にとって〕しっかりしているが、こわい妻。▽おそくとも大正時代からあることば。漫談家の徳川夢声、または評論家の大宅壮一が作ったという説は誤り。

きょうさい【共済】《名・他サ》共同で助けあうこと。「―制度」●きょうさいくみあい【共済組合】〔―くみあひ〕組合員となった者がかけ金を積み立て、病気・出産・退職などのさいにお金がもらえるしくみになっている組合。●きょうさいねんきん【共済年金】《法》公務員などが対象となった、かつての公的年金の一つ。〔二〇一五年に厚生年金に統合〕●きょうさいほけん【共済保険】共済組合で運営する健康保険。

きょうさい【共催】《名・他サ》〔複数の団体による〕共同主催。

きょうざい【教材】授業・講義などの材料として使う、教科書その他のもの。

ぎょうさい【業際】《文》異なる事業分野にまたがること。「―化・―の時代」

ぎょうざいせい【行財政】行政と財政。「―改革」

きょうさく【凶作】ひどい不作。(↔豊作)

きょうさく【警策】(↑警覚策励)《仏》座禅中に気のゆるんだ人の肩や背中を打つ、平たい棒。けいさく。「―をいただく(=打たれる)」

きょうさく【狭窄】《名・自サ・ナダ》《文》せまく〈すぼまって〉いるようす〈すぼまること〉。「視野―」

きょうさく【共作】《名・他サ》いっしょに作ること。「この曲は二人の―だ」

きょうさく【競作】《名・他サ》競争して作品をつくること。

きょうさつ【挟殺】《名・他サ》《野球》ランナーをはさみうちにして、アウトにすること。

きょうざつ【夾雑】《名・自サ》《文》よけいなものが入りまじること。「―物」

きょうざめ【興(醒め)・興(冷め)】《名・自サ・ナダ》おもしろみがなくなる〈こと/ようす〉。「―する種明かし・―な音楽」動興ざめる(自下一)。

きょうさん【共産】①財産をみんなが共同で所有すること。「―制」②↑共産〈主義/党〉。「―圏」●きょうさんしゅぎ【共産主義】①私有財産制度をやめ、工場や農地などを社会の共有とすることによって、理想の社会を築こうとする考え方。②⇩マルクス主義。

きょうさん【協賛】《名・自他サ》もよおしものの趣旨に賛成して、費用や労力について協力すること。賛助。

ぎょうさん【(:仰山)】《副・ナダ》①〔西日本などの方言〕たくさん。「酒を―飲んだ」②大げさ。「―なものの言い方」

きょうし【狂詩】おもしろおかしい漢詩。●きょうしきょく【狂詩曲】《音》きわめて自由な形式の、はなやかな楽曲。民族的・叙事的な内容を表現することが多い。ラプソディ(1)。「ハンガリー―」

†きょうし【教士】《剣道・弓道など》一定の水準以上の者にあたえられる称号のうち中位のもの。☞範士・錬士。

†*きょうし【教師】学問や技術・芸術を教える人。教員。

きょうし【狂死】《名・自サ》《文》気がくるって死ぬこと。くるいじに。

きょうじ【凶事】《文》①悪い、いやなこと。わざわい。②〔死亡などの〕不幸。▽(↔吉事)

きょうじ【(夾侍・脇侍)】《仏》わきじ(脇侍)。

☆☆きょうじ【(矜持・矜恃)】《文》自分はすぐれている、だからきちんとしよう、と思う気持ち。プライド。「出版人としての―」

きょうじ【教示】《名・他サ》①個別の問題について、具体的に教えること。「出典についてご―いただいた」「大方(=みなさん)のご―をたまわりたい」区別「教示」は個別具体的なことを教えるのに対し、「教授」は総合的で高度なことを教える。「ある英単語の意味」は「教示」するものだが、「現代英文法」は「教授」するもの。②〔試験場などで〕さしずすること。

ぎょうし【凝脂】《文》白くてなめらかな肌。

ぎょうし【凝視】《名・他サ》〔目を大きくあけて〕じっと見つめること。「一点を―する」

ぎょうじ【行司】《すもう》土俵の上で、勝負を判定する役の人。

ぎょうじ【行事】①社会や団体が、〈あらかじめ決めて/習わしとして〉おこなうもよおし。「年中―・学校―・三月の―」②いつも決まった時期にすること。「値上げはもう恒例―だ」

*きょうしつ【教室】①学校で、授業や講義などをする部屋。②〔大学の理科系の学部で〕専攻科目ごとに作られた、組織としての研究室。「数学―・―員」③学校ふうに、順序を立てて教える所。「料理―・手芸―」

きょうじつ【凶日】不吉な日。悪日。(↔吉日)

きょうじてき【共時的】《ナダ》ものごとのある時点でのありさまをとらえるようす。〔歴史的な要素を考えない〕「―な比較」(↔通時的)

きょうしゃ【狂者】《文》狂人。

きょうしゃ【狭斜】(=中国唐代の長安の街の名)《文》色町。「―のちまた(巷)」

きょうしゃ【香車】《将棋》前にだけ動く駒。香。香子。やり。

きょうしゃ【強者】〈力/勢力〉の強い人。(↔弱者)☞つわもの(強者)。

きょうしゃ【競射】射撃の競技で、点数を争うこと。

きょうじや【経師屋】書画を表装し、ふすま・びょうぶなどをはる〈職業/店〉。

ぎょうしゃ【業者】①商工業をいとなんでいる人・会社。②同業者。

ぎょうじゃ【行者】①〈仏教/道教〉の道を修行する人。②修験者。

**きょうじゃく**[強弱] 強さと弱さ。
**きょうしゅ**[凶手・×兇手]〔文〕わるものの、おそろしい手段。「―にたおれる」
**きょうしゅ**[強手]〘碁・将棋〙強力な攻め手。
**きょうしゅ**[教主] ①宗教をひらいた人。②現在、その宗教・教派を代表する人。
**きょうしゅ**[興趣]〔文〕おもしろみ。「―満点」
**きょうしゅ**[×拱手]《名・自サ》〔文〕①うでを組むこと。②何もしないこと。ふところ手。「―傍観」▽こうしゅ。
**きょうしゅ**[×梟首]《名・他サ》〔文〕さらしくび。獄門。
☆☆**きょうじゅ**[享受]《名・他サ》①〔権利・位などを〕受け入れて満足すること。「利益を―する」②〔芸術などを〕味わい楽しむこと。「文学の―」
＊**きょうじゅ**[教授] 一《名・他サ》学問や技術・芸術を教えさずける〈こと／人〉。区別⇩教示①。二 きょうじゅ〔大学・高等専門学校などで〕教育や研究をする最上位の教員(の職名)。「―会・山中―」〔ドラマや小説などでは、呼びかけにも使う〕
**ぎょうしゅ**[業種]〈商工業／事業〉の種類。
**きょうしゅう**[郷愁] ふるさとをはなれて、ふるさとをなつかしむ心。ノスタルジー。「―にかられる」
**きょうしゅう**[共修]《名・自サ》〔文〕〔男女が〕いっしょに勉強すること。「家庭科―」
**きょうしゅう**[強襲]《名・他サ》はげしい勢いで攻撃すること。
**きょうしゅう**[教習]《名・他サ》〔技術などを〕教えて練習させること。「―を受ける・自動車の路上―」●**きょうしゅうじょ**[教習所] ①教習するための施設。「ダンス―」②〔↑自動車教習所〕自動車の運転を教習する施設。自動車学校。車校〔愛知県などの方言〕。
**ぎょうしゅう**[凝集・凝×聚]《名・自サ》成分が一か所に集まってきて、かたまること。「血小板が―する」
**ぎょうじゅうざが**[行住座×臥] 一〘仏〙たちいふるまい。ふだんの生活。二《副》日常。つねづね。
**きょうしゅく**[恐縮]《名・自サ・ナダ》はずかしさ・申し訳なさなどで、からだが縮まるように感じる〈こと／ようす〉。「おほめにあずかり―の至りです・ごめいわくをおかけしたと―する・私事で―です〔=すみません〕が…」派―がる。―げ。
**ぎょうしゅく**[凝縮]《名・自他サ》広がっているものが一か所に集まって、かたまること。また、集めてかためること。「最新技術が―された車」
**きょうしゅつ**[供出]《名・他サ》①公共のために、物資・食糧などを政府に売ること。②むくいられることを考えないで、さし出すこと。「労力の―」
☆☆**きょうじゅつ**[供述]《名・他サ》〘法〙刑事上の事件について、被告人などが事実に関して〈のべること／のべた内容〉。●**きょうじゅつちょうしょ**[供述調書]〘法〙供述を記録した文書。供述録取書。
**きょうじゅん**[恭順]《名・自サ》〔文〕つつしんでさからわないようにすること。「―の意をあらわす」
**きょうしょ**[狭所]〔文〕せまいところ。「―の作業」
**きょうしょ**[教書] ①〔アメリカで〕大統領が議会に対して情勢を報告し、また審議を勧告するための意見〈文書／演説〉。〔一般教書演説・予算教書・大統領経済報告が三大教書〕②〘宗〙教皇の〈布告／命令書〉。
**きょうしょ**[競書] 毛筆で字を書いて会場に出し、順位をつけること。「―会」
**きょうじょ**[狂女]〔文〕発狂した女性。
**きょうじょ**[共助]《名・自サ》①力をあわせて助けあうこと。互助。☞自助・公助。②〘法〙〔仕事をすすめる上で〕裁判所どうし、行政機関どうしで助けあうこと。「捜査―を円滑にする」
**ぎょうしょ**[行書] 手書きでよく使う漢字の書体。楷書を少しくずしたもの。(↔楷書・草書)
**きょうしょう**[胸章]〔目じるしとして〕むねにつける記章。
**きょうしょう**[強将]〔文〕武力のすぐれた、強い〈将軍／大将〉。
**きょうしょう**[×嬌笑]〔文〕なまめかしい、きゃあきゃあ言う笑い。「―がひびく」
**きょうしょう**[協商]《名・自サ》〘法〙利害関係のある国家が協議して約束すること。
**きょうしょう**[狭小]《ナダ》〔文〕範囲・空間がせまいようす。「―住宅」(↔広大) 派―さ。
**きょうじょう**[凶状・×兇状]〔文〕罪状。犯罪。「―持ち〔=前科者〕・けんか―〔=けんかの罪〕で牢にはいる」
**きょうじょう**[教条]〘宗〙教会が公認した教義(の箇条)。ドグマ。●**きょうじょうしゅぎ**[教条主義] 古典、権威のある説を、そのまま受け入れたり、あてはめたりするやり方。
**きょうじょう**[教場]〔やや古風〕教授する場所。教室。
**ぎょうしょう**[暁鐘]〔文〕夜明けを知らせる鐘。(↔晩鐘)
**ぎょうしょう**[×驍将]〔文〕①強く勇ましい大将。「戦国の―」②先頭に立ってものごとをおし進める人。旗手。「新感覚派の―・推理小説の―」
**ぎょうしょう**[行商]《名・他サ》商品を持ち運びながら、家から家へ売り歩く〈こと／人〉。「―人」
**ぎょうじょう**[行状]〔文〕日ごろのおこない。身持ち。〔おもに、よくないほうについて言う〕
**きょうしょく**[教職] 教育者という職業。「―につく」●**きょうしょくいん**[教職員] 学校の、教員と職員〔=事務員〕。
**きょうしょく**[共食]《名・自サ》だれかといっしょに食事をすること。「家族が―する」(↔孤食)
**きょう・じる**[興じる]《自上一》遊びをおもしろがってする。興ずる。「トランプに―」
**きょうしん**[共振]《名・自サ》①〘理〙外部の特定の振動に影響されて、いっしょになって特に大きく振動すること。☞共鳴①。②心理や行動が、外のものごとの動きといっしょになること。「文学が政治〈と／に〉―する」
**きょうしん**[狂信]《名・他サ》理性をなくしたようにはげしく〈信仰する／信じこむ〉こと。「―的」
**きょうしん**[強振]《名・他サ》〘野球〙打者がバットを強く振ること。
**きょうじん**[凶刃・×兇刃]〔文〕凶行に使うはもの

の。人を殺すのに使う はもの。「―に たおれる」

**きょうじん**［狂人］〔文〕発狂した人。狂者。

☆☆**きょうじん**［強×靭］《ナダ》強くて〈しなやかな/ねばりづよい〉ようす。「―な腰・―な精神」派 -さ。

**きょうしんかい**［共進会］いろいろの産物・製品を集めならべて、優劣を調べて公表する会。

**きょうしんざい**［強心剤］《医》心臓の はたらきを強める薬。

**きょうしんしょう**［狭心症］《医》冠動脈の血の流れが悪くなり、心臓に強い痛みを感じる症状。動いているときにだけ起こる。

**きょうしんぞう**［強心臓］度胸がすわっていて、平常心を失わない性質。「―の持ち主」

**きょうす**［香子］《将棋》香車。

**きょう・す**［供す］《他五》⇩供する。

**きょうすい**［胸水］《医》腫瘍などが原因で、胸膜腔に〈たまる液体/液体が たまる症状〉。

**ぎょうずい**［行水］《名・自サ》〔夏に、おもに庭などで〕たらいに湯・日なた水を入れて からだの あせを洗い流すこと。「―を使う」

**きょうすいびょう**［恐水病］《医》⇩狂犬病②。

**きょう・する**［狂する］《自サ》〔文〕気が くるう。「狂せんばかりだ」

**きょう・する**［供する］《他サ》①ものをそなえる。「神前に―」②人に食べるか使うかしてもらうために、さし出す。さしあげる。「茶菓を―」③役立てる。ある目的のために使う。「参考に―・薬用に―」▽供す。

**きょうせい**［叫声］〔文〕さけびごえ。「―をあげる」

**きょうせい**［胸声］《音》胸のほうに ひびかせて出す、低い声。「―発声」(↔頭声)

**きょうせい**［強精］〔おもに男性の〕精力を強くすること。「―剤・―料理」

**きょうせい**［教生］教育実習をおこなう学生。

**きょうせい**［×嬌声］〔文〕なまめかしい、きゃあきゃあ言う(さけび)声。

☆☆**きょうせい**［共生］《名・自サ》①［共×棲］《生》種類のちがうものどうしが いっしょに生活すること。「アリとアリマキの―」②〔助けあったり、認めあったりして〕いっしょに生活すること。「男女―の時代」

←☆☆**きょうせい**［強制］《名・他サ》むりやりにさせること。「―労働・立ちのきを―する・《法》―性交〔⇩強姦〕」 ●**きょうせいしっこう**［強制執行］《名・他サ》《法》裁判所などが、さしおさえ・引きわたしなどの方法によって、強制的に債権を取り立てること。また、行政上の命令を守らない者に対し、国が、強制的に従わせる方法をとること。 ●**きょうせいしょぶん**［強制処分］《名・他サ》《法》犯罪の事実を調べる必要から、逮捕・勾留・捜索などの処分をすること。 ●**きょうせいそうかん**［強制送還］《名・他サ》外国人の不法滞在者や犯罪者を、本国に強制的に送りかえすこと。 ●**きょうせいてき**［強制的］《ナダ》強制するようす。 ●**きょうせいわいせつ**［強制(×猥×褻)］《法》相手に むりにいやらしい行為をすること。「―罪〔十三歳未満に対しては、合意があっても成り立つ〕」

→**きょうせい**［強請］《名・他サ》〔文〕そうするようにと、むりにたのむこと。「署名を―する」

**きょうせい**［矯正］《名・他サ》曲がった、悪いところをなおして、正しくすること。「性格を―する・歯を―する」

**きょうせい**［強勢］《名・ナダ》①〔文〕勢いが強いようす。「―な言語」②《言》アクセントを強くおく部分。ストレス。「第二音節に―がある」

**ぎょうせい**［行政］《法》①国家の統治作用のうち、立法・司法以外の、すべてのもの。「―府」(↔立法・司法)②法律・政令の範囲内でおこなう、政治上の事務。また、事務を受け持つもの〔=官庁・役人〕。「―文書・―側」 ●**ぎょうせいかいかく**［行政改革］行政の組織や運営を社会の変化に応じて改めること。行革。 ●**ぎょうせいく**［行政区］《法》政令指定都市の区。 ●**ぎょうせいけん**［行政権］《法》行政をおこなう国家のはたらき。(↔立法権・司法権) ●☆☆**ぎょうせいしどう**［行政指導］《名・他サ》《法》行政機関が、政策に沿うように業界(や下級行政機関)に強くはたらきかけること。 ●**ぎょうせいしょし**［行政書士］役所に提出する書類を、本人に代わって作ることを仕事とする人。 ●**ぎょうせいしょぶん**［行政処分］《名・他サ》《法》行政機関がおこなう処分。「監督責任を問う―」 ●**ぎょうせいそしょう**［行政訴訟］《法》行政官庁の処分によって権利をおかされたと思う者が、それを救ってもらうために裁判所に対して起こす訴訟。

←**ぎょうせい**［偽陽性］《医》まちがって陽性の判定が出てしまうこと。(↔偽陰性)

→**ぎょうせい**［疑陽性・擬陽性］《医》ツベルクリン反応で、陽性に近い反応であること。〔今は陰性とされる〕

**ぎょうせき**［行跡］〔文〕道徳の点から見た、ふだんのおこない。品行。

**ぎょうせき**［業績］〈事業/学術研究〉の上での成績。「顕著な―・―を上げる」

**きょうせん**［胸腺］《生》内分泌腺の一つ。胸骨のうしろがわにあって、子どものときの骨の発育を助ける。

**きょうせん**［教宣］組合・政党などの、教育・宣伝。「―活動」

**きょうせん**［共選］《名・他サ》①ふたり以上の人が、いっしょに作品をえらぶこと。②くだものなどを、共同の設備でより分けること。

**ぎょうぜん**［凝然］《トタル》〔文〕(じっと立ったまま)動かないようす。

**きょうそ**［教祖］その宗教・宗派を始めた人。「―様」

**きょうそ**［教組］↑教職員組合。「県―」

**きょうそう**［狂騒・狂×躁］〔文〕気でもちがったように さわぐこと。 ●**きょうそうきょく**［狂騒曲］〔「狂想曲」の もじり〕くるったような さわぎ。「選挙―」

**きょうそう**［狂走］《名・自サ》気でもちがったように、オートバイなどで走りまわること。

←**きょうそう**［競争］《名・自サ》勝とうとして、ほかをおしのけて あらそうこと。「生存―・―心・〔入学試験などの〕―率」

→**きょうそう**［競走］《名・自サ》ほかの人より はやく走る競争。レース。「自動車―・四百メートル―」

**きょうそう**［競×漕］《名・自サ》ボートなどをはやくこ

ぐ競争。ボートレース。レガッタ。

**きょうそう**［強壮］《名・ダナ》〔文〕じょうぶで元気がいいようす。「—剤」

**きょうぞう**［胸像］〔人のからだの〕むねから上だけをあらわす肖像。(↔座像・立像)

**きょうぞう**［鏡像］鏡に映った(ような)、左右が逆になった像。「たがいに—の関係にある」

**ぎょうそう**［行草］行書と草書(との中間の書体)。「—体」

☆☆**ぎょうそう**［形相］(ものすごい)顔のようす。かおつき。「怒りの—すさまじく」

←**きょうそうきょく**［狂想曲］①《音》奇想曲。②《俗》狂騒曲。

←**きょうそうきょく**［協奏曲］《音》独奏楽器と管弦楽とが合奏する曲。コンチェルト。「ピアノ—」

**きょうそく**［脇息］すわったとき、ひじをかけてからだをもたせかけるもの。ひじかけ。

［きょうそく］

**きょうぞく**［凶賊・×兇賊］〔文〕人を殺傷して金品をうばうなど、残忍で極悪な賊。

**きょうそくぼん**［教則本］《音》〔楽器の演奏の〕基本から順々に練習するための本。きょうそくほん。「ピアノの—」

**きょうぞめ**［京染め］京都ふうの染め物。

**きょうぞん**［共存］《名・自サ》同じ場所に、二つ以上のものが同時に存在すること。「—共栄・平和—」〔伝統的には「きょうそん」〕

**きょうだ**［強打］《名・他サ》①強く打つこと。「頭を—する」②《野球》強い打撃。

**きょうだ**［×怯×懦］《名・ダナ》〔文〕臆病でいくじのないようす。

**きょうたい**［狂態］〔文〕正気とは思われない状態。

**きょうたい**［×筐体］機器の外がわの部分。「パソコンの—」

**きょうたい**［×嬌態］〔文〕なまめかしい態度や動作。「—を見せる」

***きょうだい**［兄弟］①(自分の)あにとおとうと。けいてい。(↔姉妹) ②(自分と)母親・父親が同じである子どもたち(のひとり)。はらから。〔片方の親がちがう場合や「義兄弟②」もふくむ〕「五人—・女—・たったひとりの—」 表記 場合により、「:兄妹」「きょうだい」などと書く。③(自分と)非常に親しい間がらの人。〔呼びかけにも使う。「おい、—」〕 ●**きょうだいでし**［兄弟弟子］同じ先生に学問や技芸を学んだ人どうし。「—の間がら」 ●**きょうだいぶん**［兄弟分］①兄弟の約束をした間がら。②兄弟のように親しい人。

**きょうだい**［教大］↑教育大学。「大(=大阪)—」

**きょうだい**［鏡台］かがみを台の上に立てるようにした、けしょう用の家具。

**きょうだい**［強大］《ダナ》強くて大きいようす。(↔弱小) 派—さ。

**ぎょうたい**［業態］①店がまえと、取りあつかっている商品の種類。「—を調査する」②事業・営業の形態。「出版社としての—をととのえる」

**きょうたく**［教卓］教室で、教師が使う演台。

**きょうたく**［供託］《名・他サ》《法》保証金としてお金や有価証券を供託所〔地方法務局などにある〕にあずけること。「—金」

**きょうたん**［驚嘆・驚×歎］《名・自サ》おどろき感心すること。「—に値する」

☆☆**きょうだん**［凶弾・×兇弾］〔文〕悪漢のうったたま。「—にたおれる」

**きょうだん**［教団］宗教を中心として組織された集団。

**きょうだん**［教壇］教師がそこにのぼって教えるために、ゆかより高くした台。「—に立つ(=教師として人を教える)」

**きょうち**［境地］〔修練や経験を積んで得られた〕心の状態。「無我の—に達する」

**きょうちくとう**［(×夾竹桃)］庭木の名。夏に八重ざきの、赤や白色の花をひらく。

**きょうちゅう**［胸中］むねのなか。こころ。「—お察しします・—を語る」

**ぎょうちゅう**［(×蟯虫)］白いくず糸のような形をした寄生虫。夜、子どものしりから出てかゆがらせる。

**きょうちょ**［共著］ふたり以上の共同の著述。「—者」(↔単著)

**きょうちょう**［凶兆］〔文〕何かわるいことが起こりそうなきざし。(↔吉兆)

**きょうちょう**［協調］《名・自サ》〔考え方のちがう人と〕力をあわせること。「—性のある人・—精神・国際—」 区別 ⇩協力。

**きょうちょう**［強調］《名・他サ》〈あること／一部分〉を、力をこめて(言い)あらわすこと。「重要性を—する」

**きょうちょく**［強直］《名・自サ》《医》こわばること。硬直。「関節—・死後—」

**きょうつい**［胸椎］《生》脊椎の一部。頸椎と腰椎との間にあり、からだの骨組みのもととなる。

**きょうつう**［胸痛］《医》むねの部分の痛み。

**きょうつう**［共通］《名・自サ・ダナ》二つ以上のもののどちらにも通じること。「世界—・—点・—の友人」

●**きょうつうご**［共通語］①全国のどこにでも通じることば。(↔方言) ②世界のどこの国でも通じる〈言語／単語〉。「英語は世界の—だ・『すし』は世界—となった」

**きょうづくえ**［経机］仏壇などの前に置き、お経の本や仏具をのせておく机。

**きょうてい**［胸底］〔文〕心のおく深いところ。「悲しみを—に秘める」

**きょうてい**［教程］順を追って、一つ一つ教える組み立て(の本)。

**きょうてい**［×筐底・×篋底］〔文〕箱の中。箱の底。「—深く蔵された古文書」

**きょうてい**［競艇］〔職業選手による〕モーターボートの競走。けいてい。

**きょうてい**［協定］《名・他サ》①相談して決めること。また、決めた内容。とりきめ。②《法》特定の対象についての、国と国との間のとりきめ。「通商—」

**きょうてき**［強敵］強い敵。手ごわくてゆだんのできない相手。(↔弱敵)

←**きょうてん**［教典］①宗教の教義を記した書物。経典。②教育上のよりどころを記した書物。

→**きょうてん**［経典］①仏教の経文を書いた本。②教典。

**きょうでん**［強電］発電機や電動機などに使う、強い電力。「ー設備」（↕弱電）

**ぎょうてん**［暁天］〔文〕夜明け（の空）。「ーの星〔＝ごく少ないもののたとえ〕」

**ぎょうてん**［仰天］《名・自サ》非常に おどろくこと。「びっくりー」

**きょうてんどうち**［驚天動地］〔文〕世の中を大いに おどろかすこと。

**きょうと**［凶徒・×兇徒］〔文〕①殺人・強盗などをする悪者。②暴動を起こした者ども。暴徒。

**きょうと**［教徒］その宗教を信じる人。

**きょうど**［強度］①強さの度合い。「支柱のー・受信ー」②度合いの強いこと。「ーの近視」（↕軽度）

**きょうど**［郷土］①自分の生まれ育った土地。「ー愛・ーの味」②〔都会にない特色を持つ〕地方。「ー色・ー芸能」

**きょうとう**［×侠盗］〔文〕義侠心のある どろぼう。

**きょうとう**［教頭］校長（・副校長）の次の位の先生。

**きょうとう**［郷党］〔文〕郷里の なかま。「ーの大先輩」

**きょうとう**［橋頭］〔文〕はしの ほとり。●**きょうとうほ**［橋頭×堡］①《軍》ⓐはしの向こうがわをかためている陣地。ⓑ川や海をへだてた敵地に作る、上陸の足場となる地点。▽①橋頭陣地。②相手をせめるための あしがかり。▽きょうとうほう。

**きょうとう**［共闘］《名・自サ》↑共同闘争。「ー委」

**きょうとう**［狂騰］《名・自サ》〔文〕〔物価が〕異常にあがること。「物価ー」

**きょうとう**［驚倒］《名・自他サ》〔文〕非常に〈おどろく／おどろかす〉こと。

←＊**きょうどう**［共同］《名・自サ》ふたり以上の人が いっしょに〈する／使う〉こと。「ー研究・ー浴場」●**きょうどうせいはん**［共同正犯］《法》ふたり以上の者が共同して犯罪をおこなうこと。また、その者。〔全員が同等に処罰される〕（↕単独正犯）●**きょうどうせんせん**［共同戦線］（考え方の異なる）複数の団体などが共通の目的に向かって、協力しあうこと。「ーを張る」●**きょうどうたい**［共同体］おたがいにかかわりが深く、共同で行動する集団。「村落ー・運命ー」●**きょうどうぼうぎ**［共同謀議］《法》ふたり以上の者が犯罪の計画や方法を話し合って決めること。共謀。●**きょうどうぼきん**［共同募金］社会福祉事業などに寄付するために、募金をおこなう運動。☞赤い羽根。

↔**きょうどう**［協同］《名・自サ》同じ目的のために、しくみを作って、力をあわせること。「地域の人とーする・産学ー」区別⇩協力。●**きょうどうくみあい**［協同組合］おたがいの利益を守るために、小さな規模の〈生産者／消費者〉によって作られている組合。

→**きょうどう**［協働・共働］《名・自サ》〔別の所属の人どうしが〕同じ目的のために、力をあわせて働くこと。「官民ー」区別⇩協力。

**きょうどう**［教導］《名・他サ》〔文〕人の進むべき方向を教え、みちびくこと。「民衆をーする」

**ぎょうとう**［行頭］〔文〕（文章の）行のはじめ。（↕行末）

**きょうどく**［強毒］《医》毒性が強いこと。「ー性鳥インフルエンザ」（↕弱毒）

**きょうな**［京菜］⇩水菜。

**きょうにん**［（×杏△仁）］アンズの たね。漢方薬として使う。あんにん。☞あんにんどうふ。

**ぎょうにんべん**［（行人偏）］漢字の部首の一つ。「後」「待」などの、左がわの「彳」の部分。〔行くことなどに関係がある〕

**きょうねつ**［狂熱］〔文〕①気が変になるほどの はげしい熱情。「ーの一夜」②理性をなくしたように はげしく熱中すること。「ー的信者」

**きょうねつ**［強熱］《名・他サ》〔文〕①強い熱。②強く熱すること。

**きょうねん**［凶年］①農作物が不作の年。（↕豊年）②悪いことのあった年。

☆☆**ぎょうねん**［享年］〔＝この世で受けた年数〕〔文〕死んだときの年齢。行年。「ー八十〔『ー八十歳』とも〕」

**ぎょうねん**［行年］〔文〕享年。こうねん。

**きょうのあき**［今日の秋］《俳句》立秋。

**きょうのきょう**［（今日の今日）］①きょう できごとがあったばかりで、間もない今。「べつにー出て行けとは言わない」②〔ーまで〕「きょうまで」を強めた言い方。「ーまで知らなかった」☞昨日の今日。

**きょうは**［教派］宗教の分派。「ー神道〔⇩神道②〕」

**ぎょうば**［行場］修行をする場所。

**きょうばい**［競売］《名・他サ》①せりうり。オークション。②《法》さしおさえたものを法律で決めた売買の方法で売ること。「ーにかける」〔法律では慣用的に「けいばい」と言う〕

←**きょうはく**［脅迫］《名・他サ》おどしつけて むりにさせ（ようとす）ること。

→**きょうはく**［強迫］《名・他サ》むりやり そう させ（ようとす）ること。「ー状」〔刑法の用語〕

●☆☆**きょうはくかんねん**［強迫観念］〔民法の用語〕《心》はらいのけようと努力しても強くうかんでくる、いやな考え。「ーに とらわれる」●**きょうはくしんけいしょう**［強迫神経症］《医》⇩強迫性障害。●**きょうはくせいしょうがい**［強迫性障害］《医》気にしてもしかたがないと自分でもわかっていることがらに強くとらわれ、同じことを何度もくりかえしたりする精神障害。強迫神経症。ＯＣＤ〔↑obsessive-compulsive disorder〕。

**きょうはながみ**［京花紙］鼻紙に使う、上等の ちりがみ。京花。

**きょうはん**［共犯］《法》①ふたり以上の者がいっしょになって罪をおかすこと。②ほかの者といっしょになって罪をおかした者。

**きょうはん**［共販］↑共同販売。「ー商品」

**きょうはん**［橋畔］〔文〕はしの ほとり。

**きょうび**［今日（日）］〔俗〕いまの時代。このごろ。

**きょうふ**［恐怖］《名・自他サ》おそろしいと思う気持ち。おそれること。「ーの一夜・ーをいだく・ー心」●**きょうふしょう**［恐怖症］《医》特定のものや状況に対して強い不安に苦しむ症状。フォビア。「高所恐怖症」

ー」

きょうぶ【胸部】〔人のからだの〕むね（の内部）。「ーを強く打つ・ー（＝呼吸器）疾患」

↑きょうふう【狂風】〔文〕あれくるう風。

↑きょうふう【強風】強い風。「ー注意報」

きょうふうう【強風雨】強い風雨。

きょうぶか・い【興深い】《形》興味があって おもしろい。派ーげ。

ぎょうふかく【仰×俯角】仰角と俯角。

きょうぶん【狂文】おもしろおかしい文章。おもに、江戸時代の戯作者の作ったものをさす。

きょうへい【強兵】〔文〕①強い〈兵隊／軍隊〉。（↔弱兵）②軍事力を高めること。「富国ー」

きょうへき【胸壁】〔軍〕敵の射撃を防ぐために、土を一メートル以上積み上げたもの。

きょうへん【凶変】㊀〔文〕悪いできごと。「ーが起こる」㊁《名・自サ》〔俗〕とつぜん凶悪になること。「飲むとキャラがーする」

きょうへん【共編】《名・他サ》共同で編集〈すること／したもの〉。

きょうべん【教×鞭】〔鞭＝むち〕〔文〕授業のときに持つ、ものをさししめす棒。●教鞭を執る 句 教師となって教える。

きょうべん【強弁】《名・他サ》自分の言うことは正しいと、むりに言い張ること。「問題はないとーする」

↑きょうほ【強歩】〔学校などで〕心身をきたえるための、長距離を歩き通す行事。「ー大会」

↑きょうほ【競歩】《名・自サ》〔常に一方のかかとを地面につけて〕はやく歩く競走。

きょうほう【凶報】①〔縁起の〕悪い知らせ。（↔吉報）②人が死んだという知らせ。

きょうぼう【共謀】《名・自他サ》いっしょになって悪いことを計画すること。「ー者」

きょうぼう【凶暴・×兇暴】《ナダ》凶悪で乱暴なようす。「ーな犯罪者・ー化する」派ーさ。

↑きょうぼう【狂暴】《ナダ》暴れたり、周囲に危害を加えたりして、乱暴なようす。「酒を飲んでーになる・ー性」派ーさ。

↑ぎょうぼう【仰望】《名・他サ》〔文〕①見上げること。「山脈をーする」（↔俯瞰）②あおぎ見て尊敬すること。「世間のーする学者」

↑ぎょうぼう【×翹望】《名・他サ》〔文〕強く待ち望むこと。「新時代をーする」

きょうぼく【×喬木】〔植〕「高木」のもとの呼び名。（↔灌木）

きょうほん【教本】教科書。「ピアノー」

きょうほん【経本】〔文〕お経を書いた本。

きょうほん【狂奔】《名・自サ》あることに夢中になって〈走りまわる／奔走する〉こと。やっきとなること。「金策にーする」

きょうま【京間】関西に多いたたみの大きさ。長辺が六尺三寸（＝約一九一センチ）で、短辺は その半分。☞関東間。

きょうまい【京舞】京都（や大阪）に伝わる舞。地唄につれて舞う。

きょうまく【胸膜】〔生〕肋骨のうらがわにそって肺を二重におおう膜。肋膜。●きょうまくえん【胸膜炎】〔医〕細菌が胸膜の中にはいりこんだりして起こる炎症。肋膜炎。●きょうまくくう【胸膜×腔】〔生〕胸膜と胸膜とのすきま。肋膜腔。〔「きょうまくこう」の、医師による慣用読み〕

きょうまく【強膜・×鞏膜】〔生〕眼球を包む、外がわの、白い膜。しろめ。

ぎょうまつ【行末】〔文〕行の終わり。（↔行頭）

きょうまん【×驕慢】《名・ナダ》〔文〕自分がえらいと思い、人を見くだす〈こと／ようす〉。「ーな態度・ーにふるまう」派ーさ。

*きょうみ【興味】心がひきつけられて、おもしろいと思うこと。おもしろみ。「ーを引かれる・ーある事実」●✿きょうみしんしん【興味津々】《名・タルト・ナダ》次から次へと興味がわく〈こと／ようす〉。「ーたる成り行き」●きょうみぶか・い【興味深い】《形》心が非常に ひきつけられる感じだ。強い関心が起こる感じだ。「ー記事・ー事実」派ーげ。ーさ。●きょうみほんい【興味本位】《名・ナダ》おもしろさだけを求めているようす。「ーで報道する」

きょうむ【教務】①〈教授／教育〉についての事務。②宗教についての事務。

**ぎょうむ【業務】商売・事業の上の仕事。「ー内容・ー命令・ー上（での）過失傷害」

きょうめい【×嬌名】〔文〕とても美人だ、などという色っぽい評判。「ーをはせる」

きょうめい【橋名】〔文〕橋の名前。「ー板」

きょうめい【共鳴】《名・自サ》①〔理〕共振。特に、音の場合（＝共鳴り）に言う。②他人の ことばや行動に同感すること。

きょうめつ【共滅】《名・自サ》〔文〕いっしょに ほろびること。

きょうもう【凶猛・×兇猛】《ナダ》〔文〕あらくて たけだけしいようす。派ーさ。

きょうもん【経文】〔仏〕経典に書いてある文句。お経。

きょうやく【協約】《名・自サ》①相談して約束すること。「団体ー・労働ー」②〔法〕二つ以上の国の間で文書をとりかわしてする約束。条約と同じ効力を持つ。

きょうやく【共訳】《名・他サ》共同して訳すこと。

きょうゆ【教諭】《名・他サ》①教えさとすこと。②小学校・中学校・高等学校や、幼稚園・特別支援学校などの正規の教員。

きょうゆう【教友】〔文〕同じ宗教を信じる友。

きょうゆう【×梟雄】〔文〕残忍で強い武将や かしら。「戦国のー」

↑きょうゆう【共有】《名・他サ》①共同で自分たちのものとすること。「夫婦ーの財産」（↔専有）②ある情報をほかの人にも知らせること。また、データをほかの人にも送ること。「情報ーありがとうございます・画面ー」

↑きょうゆう【享有】《名・他サ》〔文〕生まれつき持っていること。「人間は自由をーする」

きょうよ【供与】《名・他サ》〔物や利益を〕相手にあたえる〈こと／行為〉。

きょうよう【教養】すぐれた行動力・理解力の成長を助けるものとしての、広い知識と豊かな心〈が持てるように自分をきたえること〉。「ーを積む」●きょうようしゅぎ【教養主義】読書などを通して教養を身につけ、社会をよくしようとする考え方や立場。

←**きょうよう**［共用］《名・他サ》共同で使うこと。「マンションの―部分」(↔専用)

→**きょうよう**［供用］《名・他サ》〔文〕ある目的のために、使わせること。「水道水の―を開始する」

☆☆**きょうよう**［強要］《名・他サ》むりに要求すること。「金銭を―する」

**ぎょうよう**［業容］〔文〕事業の内容。

**きょうらく**［京×洛］〔文〕みやこ。特に、京都。けいらく。

**きょうらく**［享楽］《名・他サ》欲望のままに快楽を味わうこと。「―主義・人生を―する」●**きょうらくてき**［享楽的］《ナダ》享楽を追い求めるようす。

**きょうらく**［競落］《名・他サ》〔文〕競売になったものをせりおとすこと。けいらく。「―価格」

**きょうらん**［狂×瀾］〔文〕あれくるう波。「―怒濤」●**狂瀾を既倒にめぐ(廻)らす** 句〔=くだけかけた大波をもとへおし返す〕〔文〕ひどく悪くなった形勢を、再びもとにもどす。回瀾を既倒に反す。

**きょうらん**［狂乱］《名・自サ》①気でもちがったように、言うことやおこないがふつうでなくなること。②ものごとが異常な状態であること。「―物価」

**きょうらん**［供覧］《名・他サ》〔文〕大ぜいの人に見せること。

**きょうり**［胸裏・胸×裡］〔文〕むねの中。こころ。

**きょうり**［教理］宗教上の道理。

**きょうり**［郷里］ふるさと。故郷。

**ぎょうりき**［行力］〔文〕修行をしたために得た力。

**きょうりきこ**［強力粉］たんぱく質を多くふくむ小麦粉。ねばりけが強く、パン・マカロニなどに使う。(↔薄力粉・中力粉)

**ぎょうりつ**［凝立］《名・自サ》〔文〕動かないでじっと立っていること。

**きょうりゅう**［恐竜］《動》中生代に栄えたが絶滅した爬虫類。からだの大きなものが多く、化石として残っている。

**きょうりょう**［凶漁］〔文〕ひどい不漁。(↔豊漁)

**きょうりょう**［橋×梁］〔文〕橋。「―工事」

**きょうりょう**［狭量］《名・ナダ》心のせまいようす。「―な人」(↔広量) 派―さ。

**きょうりょく［協力］《名・自サ》①〔いっしょに活動するときに〕力をあわせること。「クラスのみんなで―して準備する」②〔人の活動に対して〕自分もできるだけのことをする。「―的・ご―ねがいます」区別「**協力**」は、目的のために力を合わせる場合に広く使う。少しだけ手を貸す場合にも言う。「**協調**」は、国と国など、考え方のちがう者どうしが力を合わせる場合に使う。「**協同**」は同じ目的で集まるところに、「**協働**」は同じ目的で働くところに重点がある。

**きょうりょく**［強力］《ナダ》力強いようす。「―な内閣・改善を―に申し入れる」派―さ。☞ごうりき(強力)。

**きょうれき**［教歴］〔文〕教育の経歴。「―の有無」

**ぎょうれき**［業歴］〔会社などの〕事業の上での、経歴。

**きょうれつ**［強烈］《ナダ》強くてはげしいようす。「―な印象」派―さ。

**ぎょうれつ**［行列］一《名・自サ》ならんで〈列を作ること/作った列〉。「ちょうちん(提灯)―・―を作って切符を買う」二①《数》数字や文字を長方形に並べたもの。マトリックス。②行と列。「―を入れかえる」

**きょうれん**［教練］もと、学校でおこなった軍事上の訓練。学校教練。

←**きょうわ**［共和］独裁でなく、共同で方針・政策を決めること。●**きょうわこく**［共和国］共和政治をおこなう国。●**きょうわせい**［共和制］共和政治の制度。●**きょうわせい**［共和政］共和政治。●**きょうわせいじ**［共和政治］国の主権が国民にあり、選挙された大統領・議会などの組織によっておこなう政治。共和政。(↔君主政治)

→**きょうわ**［協和］《名・自サ》〔文〕心をあわせて、おたがいに親しくなかよくすること。●**きょうわおん**［協和音］《音》とけあってこころよい感じをあたえる、二つ(以上)のおと。(↔不協和音)

**きょうわらべ**［京童］〈みやこ/京都〉の若者たち。口さがない連中のことを言った。きょうわらんべ。

**きょうわん**［峡湾］《地》⇩フィヨルド。

**きょうわん**［強腕］つよい腕力。

**きょえい**［虚栄］うわべだけの名誉。みえ。●**きょえいしん**［虚栄心］うわべをかざりたがる心。みえをはろうとする心。「―の強い人」

**ぎょえい**［魚影］水中のさかなの〈かげ/姿〉。●**魚影が濃い** 句《釣り》さかながたくさんいる。

**ぎょえい**［御詠］〔文〕天皇や皇族の作った詩歌。「―一首」

**ぎょえん**［御×苑］〔文〕皇室のお庭。

**きょおく**［巨億］〔文〕ばくだい(莫大)なかず。〔「巨万」よりさらに多い感じ〕「―の富」

**ギョーザ**［(:餃子)］〔中国語。チャオズ(餃子)の中国東北部での発音がなまったもの〕小麦粉の皮で、ブタのひき肉や野菜などを包んだもの。焼いたりゆでたりして食べる。ぎょうざ。「水―・揚げ―」

**きょか**［×炬火］〔文〕たいまつ。トーチ。「国体の―ランナー」

**きょか**［許可］《名・他サ》〔してもいい、と言って〕ゆるすこと。「入学を―する・―が〈出る/下りる〉・―を〈あたえる/出す〉・―証・不―」

**ぎょか**［魚価］《経》さかなの(取引の)値段。

**ぎょか**［漁火］〔文〕夜、魚をおびきよせるために、たく火。いさりび。

**ぎょか**［漁家］漁業で生計を立てている家庭。

**きょかい**［巨×魁・×渠×魁］〔文〕賊のなかまのかしら。悪党の親玉。

**ぎょかい**［魚介］①［魚貝］さかな類と貝類。②さかななどの水産物。「―類・―系ラーメン」

**きょがく**［巨額］《名・ナダ》(お金の)量が非常に多いこと。多額。「―の費用」派―さ。

**ぎょかく**［漁獲］《名・他サ》水産物をとること。また、とった水産物。「―高」

**きょかん**［巨漢］〔文〕大男。

**きょかん**［巨艦］非常に大きな軍艦。

**きょかん**［居館］〔文〕住んでいるやしき。「城主の―・豪族の―」

**きょがん**［巨岩］〔文〕大きないわ。

**ぎょかん**［御感］〔文〕天皇が、感心なさること。「帝の―にあずかる」

**ぎょがんレンズ**［魚眼レンズ］広角レンズの、いちばん視野の広いもの。フィッシュアイレンズ。

**きょき**［×歔×欷］《名・自サ》〔文〕すすり泣き。「―の声」

☆☆**きょぎ**［虚偽］うそ。いつわり。「―の申告」（↔真実）

**ぎょき**［御忌］〔仏〕宗派の開祖などを供養(くよう)すること。「―法要・―詣(もう)で」

**ぎょき**［漁期］⇩りょうき(漁期)。

**きょぎょう**［虚業］〔文〕堅実(けんじつ)でない事業。いちどに大もうけをねらう事業。「―家」

**ぎょきょう**［漁協］↑漁業協同組合。

**ぎょきょう**［漁況］〔漁業で〕りょうのようす。

**ぎょぎょう**［漁業］海や川などの動植物をとったり、育てたりする〈産業／職業〉。•**ぎょぎょうすいいき**［漁業水域］〔法〕沿岸国が漁業資源の保護・管理のための管轄(かんかつ)権を行使できる、公海上の一定水域。漁業専管水域。☞排他的(はいたてき)経済水域。

**きょきょじつじつ**［虚々実々］たがいに相手の弱いところを突っいたり、相手をだます方法を考えたりして、やりあうこと。虚実。「―のかけひき」

**きょきん**［拠金・×醵金］《名・自サ》お金を出しあうこと。義金。

**きょく**［巨×軀］〔文〕大きなからだ。巨体。

****きょく**［曲］①ふし。メロディー。「―を付ける・―（＝作曲）山田耕筰(こうさく)」（↔詞）②音楽による作品。〔能・狂言(きょうげん)の曲目もふくむ〕③曲芸。「―乗り」④おもしろみ。「―がない」

****きょく**［局］（＝小分け）［一］きょく ①官庁・会社などの、組織の上でのいちばん大きな区分。「財務省主計―・書記―・出版―」②〔郵便局・放送局など〕局と呼ばれるところの略。「―留(ど)め」③〔文〕さしあたっての〈ことがら／場合〉。「―に当たる」④碁(ご)・将棋(しょうぎ)などの〈盤面(ばんめん)／一回の勝負〉。「―を追うごとに」［二］［接尾］《碁・将棋・マージャンなど》勝負を数えることば。

**きょく**［極］［一］きょく ①磁極。電極。「プラスの―」②これ〈以上／以下〉はないというところ。きわみ。「興奮の―に達する」③対立するそれぞれの、力。「二―世界」［二］きょく《副》〔文〕〔…の〕あげく。はて。「悲嘆(ひたん)の―、重病におちいった」［三］［接頭］極端(きょくたん)な。「―低温」［四］［遺］南極と北極。「―気候」

**ぎょく**［玉］［一］ぎょく ①ⓐたま。宝石。ⓑなかばすきとおっている、〈灰色／うすい緑色〉の石。②芸者・娼妓(しょうぎ)のあげ代(だい)。玉代(ぎょくだい)。はな。③〔飲食店で〕たまご。✎③は、客がまねて使うのをきらう人もいる。［二］ぎょく ①《経》取り引きされた〈証券／商品〉。「―整理」②《将棋》↑玉将。

**ぎょく**［漁区］漁業をする区域。

**ぎょぐ**［漁具］漁業に使う器具・器械。

**きょくいん**［局員］局と呼ばれるところの職員。「放送局の―・郵便局の―」

**きょくう**［極右］思想が極端(きょくたん)に右翼(うよく)へかたむいていること。（↔極左）

**きょくうち**［曲打ち］《名・他サ》〔太鼓(たいこ)などの〕曲芸のように変化のある打ち方。

**ぎょくおん**［玉音］〔文〕①きよらかな音声。②〔天皇の〕お声。「〔終戦の際の〕―放送」

**きょくがい**［局外］その事件に関係がない〈こと／立場〉。「―者」•**きょくがいちゅうりつ**［局外中立］⇩中立③。

**きょくがくあせい**［曲学×阿世］〔文〕真理にそむいた学問で時勢にへつらうこと。

**きょくぎ**［曲技］曲芸。

**きょくげい**［曲芸］危険なはなれわざや、手足を使ってする芸当。アクロバット。

↔☆☆**きょくげん**［極限］それ以上進んだら今までの状態でなくなる、ぎりぎりの段階。「―状態」

↑**きょくげん**［局限］《名・他サ》範囲(はんい)を限ること。

**きょくげん**［極言］《名・他サ》〔文〕これ以上は言えないところまで言うこと。「―すれば」

**きょくご**［局後］《碁・将棋》対局後。（↔戦前）

**きょくごま**［曲（：独楽）］こまを回してする曲芸。

**きょくさ**［極左］思想が極端(きょくたん)に左翼(さよく)へかたむいていること。（↔極右）

**ぎょくざ**［玉座］〔文〕〔天皇・王の〕お席。

**きょくざい**［局在］《名・自サ》〔文〕ある限られた部分にあること。「機能が―する」

**ぎょくさい**［玉砕］《名・自サ》（＝玉のように美しくくだける）①戦って〈死ぬ／全滅(ぜんめつ)する〉こと。「部隊が―する」②〔俗〕もともと無理なことにいどんで、はでに失敗すること。「試験は受けたが、あえなく―した」

**きょくし**［曲師］なにわ節の三味線(しゃみせん)をひく人。

**きょくじつ**［×旭日］〔文〕あさひ。•**きょくじつき**［×旭日旗］日の丸から十六本の赤い線が放射状に出ている旗。もと、軍旗として使われた。☞日章旗。

•**きょくじつしょうてんのいきおい**［×旭日昇天の勢い］〔文〕朝日がのぼるような、さかんな勢い。

**きょくしゃ**［局舎］〔郵便局・放送局など〕局と呼ばれるものの建物。

**きょくしょ**［局所］①限られた一部分。「《医》―麻酔(ますい)〔略して『局麻』〕」（↔全身麻酔）②陰部(いんぶ)。▽局部。

**きょくしょう**［極小］①〔文〕きわめて小さいこと。②《数》数量がだんだんへってきてこれからふえはじめる点。ミニマム。▽（↔極大）

**ぎょくしょう**［玉将］《将棋》〔下手(したて)の者が持つ〕王将。玉(ぎょく)。☞王将。

**ぎょくずい**［玉髄］《鉱》〈白／紅／緑〉色で、ろうのようなつやがある石。アクセサリー用。

**きょくせい**［極西］〔文〕西のはて。「―の島」

**きょくせい**［極盛］〔文〕勢いが、いちばんさかんなこと。「―期」

**ぎょくせき**［玉石］〔文〕①たまといし。②すぐれたものとおとったもの。☞たまいし(玉石)。•☆☆**ぎょくせきこんこう**［玉石混交・玉石混×淆］《名・自サ》いいものと悪いものとがまじりあっていること。粒(つぶ)がそろわないこと。

**きょくせつ**［曲節］〔文〕ふし。調子。

**きょくせつ**［曲折］［一］《名・自サ》〔文〕おれまがること。［二］〔同じ方向には進まない〕複雑な経過。いきさつ。「幾多(いくた)の―を経て実現した」

**きょくせつ**［曲説］《名・他サ》〔文〕事実をまげて説明すること。また、その説明。

**きょくせん**［曲先］作曲してから作詞すること。〔俗

に、「メロ先《=メロディーが先》」(↔詞先)

**きょくせん**【曲線】①曲がった線。②《数》連続的に曲がっている線。▽(↔直線) ●**きょくせんび**【曲線美】〔女性のからだなどの〕まるみのある美しさ。

**きょくそう**【曲想】《音》音楽の曲の、構想。

**きょくだい**【極大】①〔文〕きわめて大きいこと。②《数》数量がだんだんふえてきて これから へりはじめる点。マクシマム。▽(↔極小)

**ぎょくたい**【玉体】〔文〕〔天皇や身分の高い人の〕おからだ。

**ぎょくだい**【玉代】芸者などをよんで遊ぶときの代金。あげ代。花代。ぎょく。

**きょくたん**【極端】《名・ダナ》非常に かたよること。「―な意見」派―さ。

↔**きょくち**【局地】限られた土地。一部分の土地。「―戦」

↔**きょくち**【極地】南極・北極の地方。「―探検」

→**きょくち**【極致】これ以上はないという段階。きわみ。「美の―」

**きょくちょう**【曲調】《音》曲全体から受ける特色。「―に変化がない」

**きょくちょう**【局長】局と呼ばれるところの事務全体に責任を持ち、その局の職員を監督する人。「郵便局の―・財務省主税―」

**きょくちょく**【曲直】〔文〕曲がったことと、まっすぐなこと。正と邪。「理非―を正す・是非―」

**きょくてん**【極点】①《地》北緯・南緯それぞれ九〇度の地点。②これ以上はない、という最後の段階。「興奮は―に達した」

**きょくど**【極度】《名・ダナ》これ以上のひどさはない、という程度。「―に・―の寒さ」

☆☆**きょくとう**【極東】〔=ヨーロッパから見て東の はて〕日本・朝鮮・中国・東シベリアなどのある地域。東アジア。☞近東・中東。

**きょくどめ**【局留め】郵便物を配達せずに郵便局にとめておき、あて名の本人が受け取りに行くようにする出し方。

**きょくのり**【曲乗り】《名・自サ》馬・自転車などに乗って、曲芸をすること。

**きょくば**【曲馬】馬〔に乗り/を使って〕曲芸をすること。「―団〔=サーカス〕」

**ぎょくはい**【玉杯】〔文〕玉で作ったさかずき。さかずきの美称。

**きょくばん**【局番】〔局=昔の電話局〕加入者の電話番号の前にそえる、地域番号。「市外―」

**きょくび**【極微】《名・ダナ》〔文〕目に見えないほど細かいようす。ごくび。「―の世界」

**きょくびき**【曲弾き】《名・他サ》楽器を曲芸のようにあつかってじょうずにひくこと。

**きょくひどうぶつ**【×棘皮動物】《動》海にいる球形・星形・円板形などをした動物。多く外皮にとげを持つ。例、ウニ・ヒトデ・ナマコなど。

**きょくふ**【曲譜】〈歌/音楽〉の譜。

**きょくぶ**【局部】①ある一部分。「―的」②陰部。▽局所。

**きょくほう**【局方】《医》↑薬局方。「―薬」

**きょくほく**【極北】①北極に近い〈こと/ところ〉。北のはて。②極み。極致。「省略の―」③頂点をきわめた作品や人。「私小説の―」

**きょくめん**【曲面】球の表面のように、連続して曲がっている表面。

☆☆**きょくめん**【局面】①《碁・将棋》勝負の形勢。②移り変わる中での、ある状況。「困難な―」

**きょくもく**【曲目】コンサートなどで演奏する曲の名前(の一覧)。「―が発表された」

**きょくや**【極夜】〔緯度の高い地方で〕一日じゅう太陽がのぼらず、日が差さない〈こと/期間〉。(↔白夜)

**きょくりょう**【極量】《医》〔劇薬などの〕一回に使っていいと規定した、最大の分量。

**きょくりょく**【極力】〔文〕《副》力をつくして。

**きょくれい**【極例】〔文〕極端な例。「―をあげる」

**ぎょくろ**【玉露】〔=たまのようなつゆ〕茶の木の新芽におおいをかけて作った、上等の お茶。ぬるい湯でゆっくりあまみをひきだして飲む。☞煎茶。

**きょくろく**【曲×彔】よりかかるところを曲げて作ったいす。法会などのとき、僧が使う。

↔**きょくろん**【曲論】《名・自サ》〔文〕正しくないことを正しいことのように論じること。また、その議論。

↔☆☆**きょくろん**【極論】一《名・他サ》極端な議論(をすること)。「―すれば、学問は出世の手段だ」二《副》〔俗〕極端に言えば。「―、お金さえ もらえれば何でもやる」〔二〇一〇年代に広まった用法〕

**ぎょぐん**【魚群】泳いでいる、さかなの むれ。「―探知機」

**きょげい**【巨鯨】〔文〕大きなクジラ。

**ぎょけい**【御慶】〔文〕お喜び。「めでたく新年の―申し上げ候」〔年賀状に、「おめでとう」の代わりに「御慶」とだけ書くこともある〕

**きょけつ**【虚血】《医》動脈がつまって、血がほとんど認められなくなる、強い貧血。●**きょけつせいしんしっかん**【虚血性心疾患】《医》狭心症・心筋梗塞の総称。虚血性心臓病。

**きょげつ**【去月】〔文〕先月。

**きょけん**【挙県】〔文〕県全体。「―一致」

**きょげん**【虚言】《名・自サ》うそ。そらごと。

**きょこう**【挙行】《名・他サ》〔式などを〕おこなうこと。「卒業式を―する」

☆☆**きょこう**【虚構】《名・他サ》つくりごと(をすること)。フィクション。(↔現実)

**きょごう**【×倨傲】《名・ダナ》〔文〕おごり高ぶること。

**ぎょこう**【漁港】漁業の中心となる みなと。

**きょこく**【挙国】くに全体。くにじゅう。「―一致」

**きょこん**【巨根】〔文〕大きな陰茎。

**きょこん**【許婚】〔文〕いいなずけ。「―者〔=フィアンセ〕」

**きょざい**【巨材】〔文〕①非常に大きな材木。②非常にえらい人物。

**きょざい**【巨財】〔文〕たくさんの財産。「―をたくわえる」

**ぎょさい**【魚菜】さかなや野菜類。

**きょさつ**【巨刹】〔文〕大きな寺院。大寺。

**きょさん**【巨△杉】〔文〕背の高い、大きなスギ。

**きょし**【巨資】〔文〕多くの資本。「―を投じる」

**きょし**［挙止］〔文〕たちいふるまい。挙措。挙動。

**きょし**［挙市］〔文〕市全体。「一一体となって」

**きょし**［×鋸歯］①〔文〕のこぎりの歯。「一状」 ②《植》葉のまわりの ぎざぎざになっているところ。

**きょじ**［挙児］《医》妊娠・出産して子どもを得ること。「一希望」

**ぎょじ**［御璽］①天皇の名前で出す書類におす印。「天皇御璽」とほってある。「御名御璽」 ②神璽。「氷川神社一」

**きょしき**［挙式］《名・自サ》（結婚）式をおこなうこと。「一当日をむかえる」

**きょしつ**［居室］いつも〈住んで／使って〉いる部屋。居間。

**きょじつ**［虚実］〔文〕①ないことと あること。②うそとまことと。③⇩虚々実々。 ●**きょじつ‐ひまくのかん**［虚実皮膜の間］〔皮膜は「ひにく」とも読む。近松門左衛門のことば〕〔文〕虚構と現実の、紙一重の間。「文学の美は一にある」

**きょしてき**［巨視的］《ナダ》大きな立場に立って見るようす。マクロ。（⇔微視的）

**ぎょしゃ**［御者・×馭者］馬車に乗って、馬をあつかう人。

**きょじゃく**［虚弱］《ナダ》からだが弱いようす。「一児（童）」 派 ‐さ。

**ぎょしやす・い**［御し（△易い）］《形》〔馬・人を〕あつかいやすい。 派 ‐さ。

**きょしゅ**［挙手］《名・自サ》①〔ひじをはって、ひたいのところへ〕手をあげること。「一の礼」 ②質問・意思の発表などをするために、手をあげること。

**きょじゅ**［巨樹］〔文〕大きな立ち木。

**ぎょしゅ**［魚種］〔文〕魚の種類。「保護対象の一」

☆☆**きょしゅう**［去就］その地位から立ちさるか、とどまるか。どちらについて、どちらから はなれるか、ということ。「一を決める・一に迷う・一が注目される」

**きょじゅう**［巨獣］〔文〕大きなけもの。

**きょじゅう**［居住］《名・自サ》①すみつくこと。すみついていること。「一権・一地」 ②〔自動車〕車内で人が（ここちよく）すわること。「一空間・一性」

**ぎょしゅう**［魚臭］〔文〕なまの さかなの、におい。さかなくさい におい。

☆☆**きょしゅつ**［拠出・×醵出］《名・他サ》〔ある目的のために〕お金や品物を出し合うこと。出し合い。

**きょしょ**［居所］①〔文〕いどころ。すみか。「この地に一を定める」 ②《法》生活の中心ではないが、引き続いて住んでいる場所。（⇔住所）

**きょしょう**［巨匠］大芸術家。「一ピカソ」

**きょしょう**［挙証］〔文〕証拠を示すこと。「一責任」

**きょじょう**［居城］住んでいる しろ。

**きょじょう**［挙上］《名・他サ》《医》上にあげること。「下肢一」

**ぎょしょう**［魚礁］〔漁業で〕さかなが集まりやすい、海の中の岩のある所。「人工一」

**ぎょしょう**［魚×醬］さかなを塩づけにしてつくる、しょうゆに似た調味料。うおじょうゆ。例、しょっつる・いしる・ナンプラー・ニョクマム。

**ぎょじょう**［漁場］漁業をする場所。ぎょば。

**きょしょく**［虚飾］〔文〕表面だけの かざり。

**ぎょしょく**［漁色］〔文〕新しい情事の相手を（いつも）あさること。「一家」

**ぎょしょく**［魚食］《名・自サ》〔文〕〔習慣として〕さかなを食べること。「一文化・一量」

☆☆**きょしょくしょう**［拒食症］《医》摂食障害の一つ。食事を受けつけず、あたえても はき出す症状。思春期の女性などに多い。

**きょしん**［虚心］《名・ナダ》こだわりのない、心の状態。「一に耳をかたむける」 ●**きょしんたんかい**［虚心（×坦懐）］《名・ナダ》こだわりがなくて、さっぱりした心（を持つようす）。「一に話し合う」 派 ‐さ。

**きょじん**［巨人］①からだの非常に大きな人。ジャイアント。②非常に すぐれた人。

**ぎょしん**［魚信］《釣り》⇩アタリ 二①。

**ぎょ・す**［御す・×馭す］《他五》⇩御する。

**きょすう**［虚数］《数》二乗すると負になる数（と実数の和）。$i$〔$=\sqrt{-1}$〕を虚数単位と言う。（⇔実数）

**キヨスク**〔kiosk=商標名〕⇩キオスク。

**ぎょ・する**［御する・×馭する］《他サ》①馬を、自分の思うようにあつかう。②人を、自分の思いどおりに動かす。▽御す。

**きょせ**［季寄せ］〔俳句の〕季語を集めた本。

**きょせい**［巨星］①《天》形・光度が非常に大きくなった恒星。②〔文〕えらい人物。〔文〕影響力の大きい、偉大な人が死ぬ。 ●**巨星墜つ** 句

**きょせい**［虚勢］うわべだけの元気。からいばり。「一をはる」

**きょせい**［去勢］《名・自他サ》①こうがん（睾丸）を取りさること。②〈抵抗／反対〉する気力をうばうこと。

**ぎょせい**［御製］天皇がお作りになった詩や歌。

**きょせき**［巨石］〔文〕大きな石。おおいし。

**きょせつ**［虚説］〔文〕根拠のない うわさ。浮説。（⇔実説）

**きょぜつ**［拒絶］《名・他サ》要求を受け入れないこと。「勧告を一する・証言を一する」 ●**きょぜつはんのう**［拒絶反応］①《医》皮膚や内臓を移植したとき、からだが これを排除しようとして起こす反応。②ある ものごとに対して、まったく受け入れられないこと。▽拒否反応。

**きょせん**［巨船］〔文〕大きな船。おおぶね。

**ぎょせん**［漁船］漁業をする船。いさりぶね。「一員（=漁船の乗組員）」

**きょそ**［挙措］〔文〕たちいふるまい。おこない。挙止。「一動作（=挙措）・一を失う（=取り乱す）」

**きょぞう**［巨象］〔文〕大きなゾウ。「一のような力士」

**きょぞう**［巨像］〔文〕大きな（彫刻の）姿。

**きょぞう**［虚像］①《理》鏡やレンズの向こうにあるように映って見える像。②〔実際と かけはなれた〕作られたりっぱな印象・外観など。▽（⇔実像）

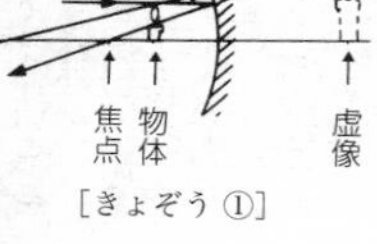

［きょぞう ①］

**ぎょそう**［魚層］《釣り》棚。泳層。

**ぎょぞく**［魚族］〔文〕魚類。

**きょそん**［居村］〔文〕住んでいるむら。

**ぎょそん**【漁村】海に近く、漁師が漁に出たり、生活したりする むら。(⇔山村・農村)

**きょたい**【巨体】非常に大きな からだ。

*__きょだい__【巨大】《ナダ》非常に大きいようす。(⇔微小) 派ーさ。

**ぎょたい**【魚体】さかなの からだ。

**きょたく**【居宅】〔文〕日常、暮らしている家。すまい。

**きょだく**【許諾】《名・他サ》ききいれること。承諾。「転載をーする」

**ぎょたく**【魚拓】①釣ったさかなの形を墨などで和紙や布に写して、記録や観賞用として残すもの。②〔俗〕特定のホームページの複製を保存〈したもの/するサービス〉。▽「ーを取る」

☆☆**きょだつ**【虚脱】《名・自サ》①〔医〕からだが弱って気力がなくなり、死にそうになること。②気がぬけたようになること。「ー状態・ー感」

**きょたん**【去×痰・×祛×痰】〔医〕たんを取り除くこと。「ー剤」

**きょだん**【巨弾】〔文〕大きな〈砲弾/爆弾〉。

**ぎょたん**【魚探】(↑魚群探知機) 超音波を出し、その反射の状態によって、さかなの いどころなどを知る装置。

☆☆**きょっかい**【曲解】《名・他サ》相手の言ったことなどを、わざと曲げて受け取ること。「ーも はなはだしい・意図をーしている」

**きょっかん**【極冠】〔天〕火星の両極地方に見られる、かんむりのような形をした白い地帯。

**きょっけい**【極刑】いちばん重い刑。死刑。「ーに処する」

**きょっこう**【×旭光】〔文〕朝日の光。

**きょっこう**【極光】〔天〕⇒オーロラ。

**ぎょっこう**【玉稿】〔文〕「相手の原稿」の尊敬語。お原稿。

**ぎょっと**《副・自サ》図星をさされたりして、息がとまるほど おどろくようす。「思わずーする」(感動詞的に「ぎょっ」「ぎょぎょっ」と言うのは、一九四九年から流行した用法)

☆☆**きょてん**【拠点】活動の おおもとなる地点・地域。「戦略上のー・関西をーとするスーパーマーケット」

**きょでん**【虚伝】〔文〕いつわりの うわさ。

**きょとう**【巨塔】〔文〕大きくて高い塔。

**きょとう**【巨頭】(=大きな あたま) 大きな組織の長。首領。大御所。「財界のー」

**きょとう**【挙党】党全体。「ー体制をつくる」

**きょどう**【挙動】①(人の)動作。行動。「ー不審の人物」②ものの動き方。「パソコンのー・地震の際の建物のー・液体のー・細胞のー」

**ぎょどう**【魚道】さかなが通る みち(にするために、特別に作った水路)。

**きょときょと**《副・自サ》(目つきが) おちつかないようす。「ー見回す」

**きょとんと**《副・自サ》意外なことに出あって、目をみはったまま ぽかんとしているようす。「ーした顔」

**ぎょにく**【魚肉】(食品としての) さかなの肉。 ●**ぎょにくソーセージ**【魚肉ソーセージ】魚肉のすり身に味つけをして、棒状にしたもの。ぎょにソ〔俗〕。

**きょにんか**【許認可】〔法〕許可と認可。

**きょねん**【去年】ことしの前の とし。昨年。「ー放送されたドラマ」(⇔来年)

**ぎょば**【漁場】⇒ぎょじょう。

**きょはく**【巨×擘】(擘=おやゆび)〔文〕特にすぐれた〈人/もの〉。「法律家のー」

**ぎょばん**【魚板】さかなの形に ほった木の板。禅寺などで、時刻を知らせたりするのに たたいて鳴らす。

**きょひ**【巨費】多くの費用。「ーを投じる」

**きょひ**【許否】〔文〕(願いなどを)許すことと許さないこと。「ーを確かめる」

**きょひ**【拒否】《名・他サ》いやだ、と〈ことわる/受け入れない〉こと。「申し入れをーする・現実をーする・迷惑メールの着信ー(『着拒』とも)」☞拒否る。

**ぎょひ**【魚肥】さかな(の かす)で作った肥料。

**きょひけん**【拒否権】〔法〕議決に反対して、その決定が成り立たないようにすることのできる権利。

**きょひはんのう**【拒否反応】〔医〕拒絶反応。

**きょひる**【拒否る】《他五》〔俗〕拒否する。「さそっても拒否られる」(二十一世紀になって広まった ことば)

**きょふ**【巨富】〔文〕非常に大きな財産。「ーを成す」

**ぎょふ**【漁夫】〔文〕漁業をする人。りょうし。☞漁夫の利。

**きよぶき**【清拭き】《名・他サ》ぞうきんなどで ふいたあと、しめりけなどをかわいた布で ふきとること。

**きょふく**【巨腹】〔文〕非常に大きな おなか。「ーをゆする」

**ぎょぶつ**【御物】〔文〕皇室所有の宝物。ごもつ。

**ぎょふのり**【漁夫の利】争いに直接関係しない者が得る利益。由来 中国の古典「戦国策」の故事「漁父の利」から。

**きょぶん**【虚聞】〔文〕①事実でない うわさ。②事実とちがう、いい評判。

**ぎょふん**【魚粉】魚類をかわかして こなにしたもの。おもに家畜の えさや肥料にする。フィッシュミール。

**きょへい**【挙兵】《名・自サ》〔文〕兵をあげること。反乱などの行動を起こすこと。

**きょへん**【巨編・巨×篇】〔文〕(文学・映画などの)非常に大きな作品。超大作。

**きょほ**【巨歩】(=おおまたの あゆみ)〔文〕①大きな てがら・業績。「ーを残す」②力強い出発。「ーをふみだす」

**きょほう**【巨峰】①〔文〕非常に高くて、けわしい山。「ヒマラヤのー」②ブドウの品種の一つ。皮は黒むらさき色。大つぶで、あまみが強い。

**きょほう**【巨砲】①〔文〕大きな大砲。②〔野球〕強いバッターの たとえ。

**きょほう**【虚報】〔文〕うその〈報道/知らせ〉。デマ。

**ぎょほう**【漁法】さかなをとる方法。

☆☆**きよほうへん**【毀誉褒×貶】〔文〕ほめたり けなしたりの評判。「ーが はげしい」

**きょぼく**【巨木】〔文〕大きな木。

**きょまん**【巨万】非常に大きな数。「ーの富」

**きよみずのぶたい**【清水の舞台】京都市清水寺の本堂の一部。高い がけの上にはり出すように作った板敷き。●**清水の舞台から飛び下りる** 句 非常に思いきった決心をすることのたとえ。「ー思いで買った」由来 江戸時代、願かけのために、本当に飛び下りたことによる。

**ぎょみん**【漁民】漁業で生活する人々。

**きょむ**【虚無】①何もなくて、からっぽなこと。空虚(くうきょ)。②何ものにも価値を認めず、すべてむなしいと考えること。「―思想・―的」

**きょむしゅぎ**【虚無主義】既成(きせい)の価値や規範(きはん)などをすべて否定しようとする主義。ニヒリズム。

**きょめい**【虚名】〔文〕根拠(こんきょ)のない、実力以上の名声。「―を博する」

**ぎょめい**【御名】〔文〕天皇のお名前。法律・詔書(しょうしょ)などに、署名の所をこう印刷する。「―御璽(ぎょじ)」(=天皇の署名とはんこ)

**きよめる**【清める・浄める】《他下一》精神上のけがれやもののよごれをはらいとって、きれいにする。「身を―・土俵を―」名清め。「(お)―の塩」自清まる《五》。

**きょもう**【虚妄】〔文〕うそ。いつわり。〔仏教では「こもう」〕

**ぎょもう**【漁網・魚網】さかなをとるあみ。

**きよもと**【清元】〔↑清元節〕浄瑠璃(じょうるり)の一派。

**ぎょゆ**【魚油】イワシ・ニシンなどからとったあぶら。

☆☆**きょよう**【許容】《名・他サ》ここまでは〈かまわない/やむをえない〉と認めること。「異文化を―する・―の範囲(はんい)・手荷物の―量」

**きょらい**【去来】《名・自他サ》〔文〕行ったり来たりすること。消えたりあらわれたりすること。「万感(ばんかん)が胸中〈を/に〉―する」

**ぎょらい**【魚雷】〔↑魚形水雷(すいらい)〕《軍》軍艦(ぐんかん)や航空機から発射され、水中を進んで敵艦をしずめる兵器。

**きよらか**【清らか】《ナダ》清い感じをあたえるようす。「―な心・―な水」派―さ。

**ぎょらん**【魚卵】〔文〕さかなのたまご。〔イクラ・すじこなどもふくむ〕「カレイの―」

**きょり**【巨利】〔文〕大きな利益。大利(たいり)。

****きょり**【距離】①場所や物がはなれている〈こと/度合い〉。「車間―を取る・目的地までは―がある・東京大阪間の―」②心理的・社会的にはなれている〈こと/度合い〉。「相手の主張との間に―を感じる・悪い友だちと―を置く」▽へだたり。③《数》二つの点の間の、直線の長さ。④〔↑距離競技〕《スキー》「クロスカントリー」の、以前の言い方。

**きょりかん**【距離感】〈向こう/相手〉とどのくらいはなれているかという感じ。「―をつかむ・子どもとのほどよい―」

**きょりゅう**【巨竜】巨大な竜。

**きょりゅう**【居留】《名・自サ》条約によって、外国の領土の一部に住むこと。「―地・―民」

**ぎょるい**【魚類】《動》魚のなかま。えらで呼吸して水中にすむ脊椎(せきつい)動物。「硬骨(こうこつ)―」

**きょれい**【虚礼】うわべだけの、形式的な礼儀(れいぎ)。「―廃止(はいし)」

**きょれい**【挙例】《名・自他サ》〔言語学や文献(ぶんけん)学などで〕例をあげること。「以下にいくつか―しよう」

**ぎょれん**【漁連】〔↑漁業協同組合連合会〕「県―」

**ぎょろう**【漁労・漁×撈】さかなや貝・海藻(かいそう)などをとること。

**きょろきょろ**《副・自サ》おちつかないようすでまわりを見るようす。「―と見わたす」

**ぎょろめ**【ギョロ目】〔俗〕大きくて、ぎょろりとした感じの目。

**ぎょろり**《副》目玉が大きく不気味に光ったり、動いたりするようす。「―とした目・―とにらむ」

**きよわ**【気弱】《名・ナダ》気が弱い〈こと/人〉。●**きよわい**【気弱い】《形》気弱だ。(↕気強い)派―げ。―さ。

**きょん**【×羌】中国や台湾(たいわん)原産の、小形のシカ。目の下にある切れこみが目のように見えるので「四つ目じか」とも言う。〔特定外来生物〕

**きら**【×綺羅】〔=あや織りの絹とうすぎぬ〕〔文〕①きれいな衣服。「―をかざる(=着かざる)」②〔服装・地位などが〕りっぱなようす。「―、星のごとく(=それぞれ星のようにりっぱなようすで)いならぶ人々」☞きらぼし。

**キラー** 造〔killer=殺人者〕強力なもの。相手を〈負かす/まいらせる〉もの。「―コンテンツ(=テレビ番組などで、大人気まちがいなしの内容)・《サッカー》―パス(=ゴールにつながるパス)・《野球》左腕(さわん)―(=左腕に強い打者)・年上―(=年上にもてる人)」

**きらい**【機雷】〔↑機械水雷(すいらい)〕《軍》水中にしかけて、敵艦(てきかん)がふれると爆発(ばくはつ)するようにした兵器。●**きらいげん**【機雷原】機雷を一面にしかけた海域。

**きらい** 一 **きらい**【嫌い】《ナダ》好きでなくて、心が受けつけないようす。「勉強は―だ・野菜〈が/を〉―な子ども・あなたなんか大―!」(↕好き) 二 **きらい**〔否定的なことばを受ける〕どうかするとそうなること。傾向(けいこう)。「軽視する―がある」 三 **きらい**【嫌い】〔文〕区別。差別。「男女の―なく」 四 **ぎらい**【嫌い】造〔「ぎらい」と読み、名・形動ナダをつくる〕①…を嫌う性質(の人)。「勉強―」(↕好き(ずき)) ②⇩ずぎらい。●**きらいばし**【嫌い箸】無作法とされる、箸の使い方。移り箸・くわえ箸・直(じか)箸・なみだ箸・にぎり箸・ねぶり箸・迷い箸など。

**ぎらい**【嫌い】造〔名・形動ナダをつくる〕⇩きら(嫌)い四。

**きらう**【嫌う】《他五》①好まないようすを見せる。好きでなくて遠ざける。「交際を―・部下に嫌われる」②(相手からされた動作を)いやがる。避(さ)ける。「外出を―・《すもう》差し手を―」▽(↕好く・好む) ③よりごのみをする。「相手を嫌わない」④それがあるとよくない〔ので避けるべきだ〕。「塩は湿気(しっけ)を―」

**きらきら**《副・自サ》・**きらきら**《ナダ》美しく〈かがやく/光る〉ようす。「目を―とかがやかせる・―な一日」

●**きらきらしい**《形》きらきらと光りかがやいている。きわだっている。派―さ。●**きらきらネーム**【キラキラネーム】〔俗〕一般(いっぱん)的でない当て字などを使った、目立つ名前。〔二〇一〇年前後に広まったことば〕

**ぎらぎら**《副・自サ》①目を射るように、強く照らし続けるようす。「太陽が―と照りつける」②どぎついようす。「あぶらが―したスープ・―した欲望」

**きらく**【帰×洛】《名・自サ》〔文〕みやこ、特に京都に帰ること。

**きらく**【気楽】《ナダ》①のんびりして、気をつかわなくてすむようす。「―なひとり旅・―に読める本」②⇩お気楽②。「―なことを言う」派―さ。

**きらす**【切らす】《他五》切れた状態にする。切らせる。「息を―・しびれを―(⇩「しびれ」の句)・商品を―」

**きらず**【(:雪花菜)】おから。うのはな(卯の花)。由来

とうふと ちがって切らずに食べられるから。

**ぎら つ・く**《自五》〔「ギラつく」とも書く〕ぎらぎらする。「一日ざし・欲望が―」名ぎらつき。他ぎらつかせる《下一》。「犬が目を―」

**きらび やか**〔(×煌やか)〕《ナダ》〔着物・建物・家具などが〕かがやくように はでなようす。派-さ。

**きら ぼし**〔(×綺羅)星〕 美しく かがやく星(々)。すばらしい顔ぶれなどのたとえ。「―のように個性的なメンバーたち」由来「綺羅、星のごとく〔⇩「綺羅②」の用例〕」および「きらきら かがやく星」から。「きらぼし」の形は おそくとも江戸時代からある。戦前の昭和天皇即位のニュースでも聞かれる。

**きら め・く**〔(×煌めく)・(×燦めく)〕《自五》 きらきら光る。「―星座」名きらめき。他きらめかせる《下一》。「ひとみを―」

**きらら**〔(:雲母)〕《鉱》⇩うんも。

**きら らか**《ナダ》〔雅〕きらきらと かがやくようす。

**きらりと**《副》 少しの時間、美しく光りかがやくようす。きらっと。「流れ星が―光る」

**ぎらりと**《副》 少しの時間、不気味に光るようす。ぎらっと。「目が―光る」

**きり** ■一 **きり**〔切り〕 ①〔続いていることがらの〕切れ目。「―のいいとこでやめる・五の倍数の数字は、―がいい」☞切り番。②《能楽・歌舞伎・浄瑠璃など》その段、または全体の終わりの部分。(↕《浄瑠璃》口) ③《歌舞伎など》↑切り狂言。■二 **きり**〔(切り)〕〔続いていることがらの〕終わり。「―がない・―をつける」☞キリ。■三〔切り〕造 ①切ること。「切符―・五枚切りの食パン・バイト切り〔=切り捨ててやめさせること〕」②〔動詞の連用形＋―〕ⓐ終わりまで…すること。そこで終わりにすること。「使い―・言い―・ドラマの撮り―の日」ⓑ完全に…すること。「貸し―・アニメの主人公になり―」ⓒそのままにすること。「渡し―の交付金・撮り―〔=修整しない映像〕」■四 造〔動詞の連用形＋―〕ずっと…すること。「かかり(っ)―・つき(っ)―での看病」☞「きり《副助》④」の✔。

**きり**〔(×桐)〕 庭に植える落葉樹の名。葉は大形。材木は軽くて、たんす・げた(下駄)などを作る。「―箱」 ●桐

**一葉落ちて天下の秋を知る** 句 ⇩一葉落ちて天下の秋を知る〔「一葉」の句〕。

**きり**〔(×錐)〕 小さな穴をあけるための道具。☞嚢中のきり(錐)。

**きり**〔霧〕 ①目に見えないほど細かい水滴が、地表近くなどに たちこめたもの。特に秋のものを言う。もや(靄)よりは水滴が大きく、見通せる距離は一キロまで。☞もや①。②水・液体を「霧①」のように細かにして、空気中にとばしたもの。「―をふく」

***きり**《副助》〔=切り〕 ①限定・限界をあらわす。だけ。「ふたり(っ)―で」②最後の時点をあらわす。「去年見た―です」③〔東京・神奈川方言〕(だけ)しか。「これ(っ)―残っていない」④その状態だけをいつまでも続けていることをあらわす。「寝た(っ)―」✔「かかりきり」などの造語成分「きり」と似るが、「かかりきる」と言えるのに対し、「寝たきる」と言えないところがちがう。⑤それをしたままで終わったことをあらわす。「行った―(帰らない)」▽ぎり。

**キリ** いちばん下等(のもの)。「ピンキリの―」(↕ピン) 由来 ポルトガル語 cruz〔=十字〕からとも、「終わり」の意味の「切り」からともいう。

**ぎり**〔義理〕 ①受けた恩は返す、たのまれれば いやとは言わないなど、つきあいを続けるために、いやでも守るべきことがら。「―(と)人情に厚い人・―を欠く・―が悪い〔=義理の点から言って、相手に悪い〕・そんなことが言えた―か〔=義理の点から言って、そんなことが言えるのか〕」②〔心からでない〕つきあい。「―で顔を出す・―チョコ〔=バレンタインデーに義理でわたすチョコ〕」☞お義理。③血族と同じような関係を結ぶこと。「―の兄」(↕実)

**ぎり**〔ギリ〕《副》〔俗〕↑ぎりぎり。「終電―まで仕事をする・―(で)間に合った」

**ぎり**《副助》⇩きり《副助》。「これ―」

**ぎり あい**〔義理合い〕 交際上の関係。つきあい。

**きり あ・げる**〔切り上げる〕《他下一》 ①あるところまでで終わりにする。「仕事を―」②《数》端数を一と見なして もとの数の最後のけたに加える。例、一八・四を一九にする。(↕切り捨てる) ③〔外国為替で〕通貨の価値を引き上げる。「円を―」(↕切り下げる) 名切り上げ。自切り上がる《五》。

**きり あめ**〔霧雨〕 ⇩きりさめ。

**きり うり**〔切り売り〕《名・他サ》 ①細かく〈切って/分けて〉売ること。「布を―する・地所の―」②けちくさく、小出しにして かせぐこと。「知識の―」

**きり え**〔切り絵〕 紙を切って台紙に はり、絵のような作品に仕上げたもの。切り紙。「―作家」

**きり えず**〔切絵図〕 ひとつの地域を何枚かに分けて示した、昔の地図。「江戸―」

**きり おとし**〔切り落とし〕〔商品として売られる〕肉などの、切れはしの部分。「豚もも―・かす漬け―・バウムクーヘンの―」

**きり おと・す**〔切り落とす〕《他五》 ①一部を切って落とす。「枝を―」表記 刀を使う場合は「斬り落とす」とも。②省略する。「不要なところを―」

**きり おろ・す**〔切り下ろす・斬り下ろす〕《他五》 刀を一気にふりおろして、切る。

**きり かえし**〔切り返し〕 ①切り返すこと。②《映画》⇩カットバック。③《すもう》相手のひざの外がわに自分のひざをおし当て、うしろへそらせて たおす わざ。

**きり かえ・す**〔切り返す〕《他五》 ①切りつけてきた相手を逆に切る。②〔論争などで〕すぐに やり返す。③〔自動車の運転で〕ハンドルをすばやく反対がわに回す。「切り返して、せまい道を曲がる」

**きり か・える**〔切り替える〕《他下一》 ①ボタン・スイッチなどを操作して、機械の動き方を変える。「車のギアを―・テレビのチャンネルを―」②今までとは別の方法・方向に変える。「安い料金プランに―・頭を―〔=考え方をあらためる〕」③《服》洋裁で、体形に合わせたり、変化をつけたりするため、別の布〔=ヨーク〕をつぎ足す。名切り替え。自切り替わる《五》。

**きり かか・る**〔切り(掛かる)〕《自他五》 ①切り始めた状態になる。②〔斬り(掛かる)〕 相手に切りつけようと向かって行く。切ってかかる。

**きり かき**〔切り欠き〕 材料の一部を切り取った部分。例、牛乳パックの上部に入れた切りこみ。

**きり か・ける**〔切り(掛ける)〕《自他下一》 ①切り始める。名切りかけ。②〔斬り(掛ける)〕 相手に切りつける。

る。切りかかる。

**ぎりがた・い**［義理堅い］《形》義理を重んじる状態だ。「実直で━性格・〈皮肉をこめて〉つまらない映画を最後まで義理堅く見てしまった」派━さ。

**きりかね**［切り金・×截り金］金箔などを線状・円形などに切り、文様としてはりつける工芸。細金。

**きりかぶ**［切り株］草木を〈切り／刈り〉とったあとに残った株。

**きりがみ**［切り紙］紙を切って、ものの形や模様などをあらわしたもの。切り絵。「━細工」

**きりきざ・む**［切り刻む］《他五》①細かく切る。「紙を━」②〔からだを〕ひどく苦しめる。きりさいなむ。「身を切り刻まれる思い」

**きりぎし**［切り岸］きり立ったけわしいがけ。断崖。がけ。

**きりきず**［切り傷］刃物などで切ったきず。

**きりきょうげん**［切り狂言］《歌舞伎など》その日の最後に演じるしばい。大切り。切り。

**きりきり**《副・自サ》①弦などがきしる音。「弓を━と引く」②強く巻くようす。「ひもを━巻きつける」③はげしく回るようす。「たこが━と回る」④するどく痛むようす。「胃が━する」⑤さっさとするようす。「━と働く」⑥神経質になるようす。いらだつようす。「試合前で━している」●**きりきりしゃんと**《副》たいへんかいがいしく。「━はちまきをしめる」●**きりきりまい**［きりきり舞い］《名・自サ》目がまわりそうにいそがしくすること。「人手がなくて━した」

**ぎりぎり** 一 ぎりぎり《俗》頭のつむじ。二 ぎりぎり《副・自サ》①歯をくいしばるようす。②きしるようす。三 ぎりぎり《副》ゆとり・残りがほとんどないようす。ギリ《俗》。「━いっぱい・時間━でまにあった・━のところ」

**きりぎりす**［:螽蟖］秋に鳴く昆虫の名。大形で、「ちょんぎいす」と鳴く。はたおり。ぎす。〔昔は、コオロギのこと〕

**きりくず・す**［切り崩す］《他五》①切って低くする。「砂山を━」②切りこんで そなえをくずす。相手がわの団結をくずす。③⇒取り崩す①。「貯金を━」名 切り崩し。

**きりくち**［切り口］①切りおとした、または切りはなしたあとの、刃物の当たった所。「するどい━」②ふくろなどの、切りはなすための目じるしとなる場所。③今までと視点やせまり方を変えた発想や処理方法。断面。「新しい━が見られる」④〈考え／話〉のきっかけ。手がかり。

**きりぐも**［霧雲］⇒そううん〈層雲〉。

**きりこ**［切り子］四角なもののかどを切った形。「━ガラス〈=カットグラス〉・━細工」

**きりこうじょう**［切り口上］〈形式の整った〉改まった調子の〈口上／ことばつき〉。「━であいさつする」

**きりごたつ**［切り〈×炬×燵〉］炉を切って、すえつけるこたつ。腰かけて火にあたる。掘りごたつ。〈↔置きごたつ〉

**ぎりごと**［義理〈事〉］つきあい上、しないではすまされない用事。

**きりこまざ・く**［切り細裂く］《他五》切って細かにさく。

**きりこみ**［切り込み］①切りこむこと。また、その部分。「カードにはさみで━を入れる」②刻んださかなの肉を、塩づけにしたもの。「イカの━」●**きりこみたいちょう**［切り込み隊長・斬り込み隊長］①戦争で、先頭に立って敵の中に切りこんでいく隊長。②先頭に立って立ち向かっていく人。「野球チームの━〈=打順の早い打者〉」

**きりこ・む**［切り込む］《自他五》①［斬り込む］敵の中に、刀などをふりかざしてはいって行く。②刃物を深く入れて切る。③問題点についてことばするどく〈たずねる／攻め入る〉。「政治家の疑惑に━」

**きりさいな・む**［切り〈苛む〉］《他五》〔からだを〕切り刻むようにして、苦しめる。

**きりさ・く**［切り裂く］《他五》まっすぐに切って、さけめを作る。「そでを━」

**きりさ・げる**［切り下げる］《他下一》①切って低くする。②上から下へと切る。③切ってたらす。④〔外国為替で〕通貨の価値を引き下げる。「円を━」〈↔切り上げる〉名 切り下げ。自 切り下がる《五》。

**きりさめ**［霧雨］霧のように細かな雨。きりあめ。

**キリシタン**〔ポ Christão〕戦国時代に日本に伝わり、江戸時代に禁止されたカトリック教。また、その信者。「━宗」☞バテレン。表記「:切支丹」「:吉利支丹」は、古い音訳字。

**きりじに**［切り死に・斬り死に］《名・自サ》きりあって、相手にきられて死ぬこと。

**ギリシャ**〔ポ Grecia〕バルカン半島の南端部とクレタ島などを領土とする共和国。首都、アテネ〈ラ Athenae〉。古代にギリシャ文明がさかえ、西洋文化はこの地に始まる。ギリシア。希。表記「:希臘」は、古い音訳字。●**ギリシャせいきょう**［ギリシャ正教］《宗》カトリック教と分かれて成立したキリスト教の一派。ギリシャや東ヨーロッパで信仰され、イコンをあがめる。正教。

**きりすて**［切り捨て］①切り捨てること。「弱者━」②［斬り捨て］江戸時代、武士が無礼なことをした町人・百姓を切り捨てたこと。「━ごめん〈=切り捨てにしても罪にならないこと〉」③《数》ある量より小さい端数をはぶくこと。例、一八・五を一八とすること。〈↔切り上げ〉

**きりす・てる**［切り捨てる］《他下一》①切って〈いらない部分を〉捨てる。②不要なものとして見捨てる。反対意見をおしのける。「消極論をばっさりと━」③［斬り捨てる］人を切って、その場に捨てておく。④《数》「切り捨て③」の計算をする。〈↔切り上げる〉

**キリスト**〔ポ Christo〕キリスト教をひらいたイエスの敬称。イエスキリスト。クリスト。ヤソ。「━者〈=クリスチャン〉」表記「:基督」とも書いた。●**キリストきょう**［キリスト教］《宗》キリストを教祖とする宗教。天にいるただひとりの神によって魂の救いを得ようとする。ヤソ教。

**きりそ・ぐ**［切り〈削ぐ〉・切り〈殺ぐ〉］《他五》先がとがるように切りとる。「切りそいだような岩山」

**きりだし**［切り出し］①切り出す〈こと／もの〉。「木材の━」②〔↑切り出し小刀〕先がはば広く、ななめになった小刀。切り出しナイフ。

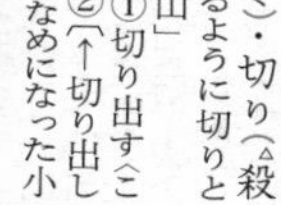

［きりだし ②］

**きりだ・す**［切り出す］《他五》①切り取って、はこび出す。②切り始める。③〔かまえて〕話し始める。「用件を―」④《経》ある会社の事業の一部を、〈新しい／別の〉会社に移す。

**きりた・つ**［切り立つ］《自五》〔ふつう **切り立っ〈た／て〉**〕何かで垂直に切ったような面が、高くそびえる。「切り立ったがけ」

**ぎりだて**［義理立て］《名・自サ》〔自分の感情や意思よりも〕義理を重んじること。

**きりたんぽ**［切りたんぽ］ごはんをすりつぶし、スギの串にぬりつけて焼いた、秋田地方特産の食品。とり肉や野菜といっしょに鍋ものにする。

**きりつ**［起立］《名・自サ》〔腰かけている人が〕立ち上がること。(↕着席)

**きりつ**［規律］《名・他サ》①〔社会生活・集団生活を営む〕人間の行為のよりどころとして定めたもの。おきて。のり。「―違反」②決められたとおりに、きちんとおこなわれること。「―正しい生活」

**きりつ・ける**［切り〈付ける〉］《自他下一》①切って刻みをつける。ほりつける。②［斬り〈付ける〉］相手に刀などを〈いきなり〉当てて傷つける。

**きりっ・と**《副・自サ》①引きしまってするどい感じがするようす。「―した口もと」②気持ちいい刺激があるようす。「―した冬の朝」▽きりりと。

**きりづま**［切り妻］二枚の板を「へ」の字にあわせたような形の、屋根の作り方。「―造り・―屋根」(↕寄せ棟・入母屋)

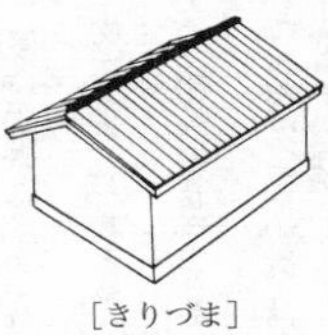

［きりづま］

**きりつ・める**［切り詰める］《他下一》〔むだなことに使わないように〕節約する。「生活費を―」名切り詰め。

**きりど**［切り戸］大きな門のとびらや戸につけた、小さな出入り口。

**きりどおし**［切り通し］山などを切りひらいて作った、両がわがけの道路。切り割り。きりとおし。

**きりとり**［切り取り］①切り取ること。②人を殺してお金や物をうばうこと。「―強盗」

**きりと・る**［切り取る］《他五》切って、一部分を取り去る。「雑誌の写真を―・データを切り取って別の場所にはりつける〈☞カットアンドペースト〉」

**きりぬ・く**［切り抜く］《他五》一部分を切って、ぬきとる。「新聞を―・ベニヤ板を―」名切り抜き。「記事の―を保存する・動画の―」

**きりぬ・ける**［切り抜ける］《他下一》①敵の囲みに切りこんで、のがれ出る。②苦しいところをやっとのがれる。「難を―」

**きりは**［切り羽・切り端］鉱石・石炭・トンネルをほる工事の、先端の現場。

**きりばな**［切り花］生け花などに使うために切り取った花。

←**きりはな・す**［切り放す］《他五》〔ひもなどを〈切って／といて〉〕つないであったものを放す。「風船を―」名切り放し。

→**きりはな・す**［切り離す］《他五》〔一つのもの、またはつながっているものを〕切って〈はなす／分ける〉。「問題を―」名切り離し。

**きりはら・う**［切り払う］《他五》①切って、そのあたりをきれいにする。「枝を―」②切りこんで、敵を追いはらう。

**きりばり**［切り張り・切り貼り］《名・他サ》①〔障子などの〕破れた所を切り取ってはりかえること。②〔紙・材料を〕切りぬいて、はりつけること。③〔俗〕他人の研究成果を寄せ集めてすますこと。「他の文献からの―のレポート」▽きりはり。

**きりばん**［切り番・キリ番］〔俗〕切りのいい番号。例、二〇〇〇・七七七。

**きりび**［切り火］〔からだを清める まじないとして〕火打ち石を打ち合わせて出す火。「―をかける」

**きりひら・く**［切り開く・切り▵拓く］《他五》①開墾して〈道路／田畑〉を作る。②敵の中に切りこんで進路を作る。③新しい状況・世界などを作る。「新分野を―」

**きりふき**［霧吹き］水や液体の薬などを、霧のようにふきかけること。また、そのための器具。

**きりふ・せる**［切り伏せる・斬り伏せる］《他下一》①切りたおす。②征服する。

**きりふだ**［切り札］①《トランプ》他のカードよりも強いと決めたカード。②相手をおさえつけるために、最後に出す有力な手段。

**きりぼし**［切り干し］ダイコン・サツマイモなどを切ってほしたもの。「―大根」

**きりまわ・す**［切り回す］《他五》①仕事や計算などを、うまく さばいて かたづける。「家計を―・会を―」②刃物をぐるりと〈ひとまわり させて／回して〉切る。③刀などをふって、四方八方を切る。名切り回し。

**きりみ**［切り身］あらく切った(さかなの)肉。「サケの―」

**きりむす・ぶ**［切り結ぶ・斬り結ぶ］《自五》①刀の刃を打ち合わせて、はげしく切りあう。②はげしく争う。「政敵と―」

**きりめ**［切り目］①切ったあとに残る しるし。②ものごとの決まり。「折り目―」

**きりもち**［切り餅］のしもちを〔すぐ焼けるように〕四角く切ったもの。

**きりもみ**［(×錐×揉み)］《名・自サ》〔=穴をあけるために、きりを両手で はげしく左右に回すこと〕飛行機が機体を小さく回しながら落ちること。

**きりもり**［切り盛り］《名・他サ》ものごとの処置。とりはからい。「家事を―する」

←**きりやく**［奇略］〔文〕ふつうの人では思いつかない、変わった計略。「―縦横の人」

→**きりやく**［機略］〔文〕そのとき そのときに応じた計略。「―に富んだ人物」

**きりゅう**［気流］〈大気／空気〉の流れ。

**きりゅう**［旗×旒］〔文〕(信号に用いる)旗。「―信号」

**きりゅう**［寄留］《名・自サ》他人の家に、長く滞在すること。

**きりょ**［×羈旅・×覊旅］〔文〕旅。☞羈旅歌。

**きりょう**［器量］①〔文〕その地位にふさわしい才能。「大臣としての―・―人〔古風〕」②〔古風〕きれいかきれいでないかを基準として考えた、(女性の)顔だち。

「—よし〈=美人〉・—好み〈=美人を好むこと〉」 ●**器量を下げる** [句] (男としての)ねうちを下げる。 ●**きりょうまけ**[器量負け]《名・自サ》器量がよすぎて、かえって不幸になること。

**きりょう**[帰寮]《名・自サ》〔文〕外出先から寮にもどること。

**ぎりょう**[技量・△伎×倆] うでまえ。手腕。「すぐれた—」

**ぎりょう**[議了]《名・他サ》〔文〕審議を終えること。

**きりょか**[×羈旅歌] 旅情をよんだ和歌(をおさめる部立て)。

**きりょく**[気力] ①くじけないでがんばろうとする、精神の力。「ピッチャーは、最後は—だけで投げていた」 ②元気。やる気。「—のない返事」

**きりょく**[棋力] 碁や将棋の〈能力/うでまえ〉。

**きりりと**《副・自サ》⇩きりっと。

**きりわ・ける**[切り分ける]《他下一》①切って分ける。「肉を—」 ②はっきり区別する。「事実と意見を—」 [名] 切り分け。

**きりわり**[切り割り] ①ものを切って割ること。 ②万年筆のペン先の、インクが通るみぞ。 ③山や堤防などを切りくずして通した道。切り通し。

↑**きりん**[×騏×驎] 一日に千里を走るという、すぐれた馬。 ●**騏驎も老いては駑馬に劣る** [句] 〈駑馬=のろい馬〉どんなにすぐれた人でも、年を取るとふつうの人にさえ負けるようになる。

↑**きりん** [一][(×麒×麟)] 熱帯産で背が高く、首の長い動物。黄色い地に茶色のまだらがある。ジラフ。 [二][×麒×麟]〈[一]の由来〉中国で、想像上の神秘な動物の一つ。口から火をふきながらはやく走るという。 ●**きりんじ**[×麒×麟児]〔文〕〈技芸/才能〉のすぐれている少年。

[きりん [二]]

**き・る [一] きる[切る]《他五》①刃物などで、一つのものをはなればなれにする。断つ。「枝を—・糸を—」 ②刃物などできずつける。「指を—」 ③切ってあける。「封を—」 ④金属に刻みつける。「銘を—」 ⑤切って内がわに作る。「ポケットを—・炉を—」 ⑥〈切りはなして〉作る。「伝票を—・手形を—」 ⑦配布する印刷物を作る。「レジュメを—」 [由来] ガリ版を「切る〈=謄写版のやすりの上で字を書く〉」ことから。 ⑧〈空間に〉まっすぐに線を引く。「空を—・十字を—」 ⑨〈よけいな水分などを〉取り去る。「水を—・揚げものの油を—」 ⑩〈関係を〉きっぱりなくす。「縁を—」 ⑪切り捨てる。「下請けを—・苦手な授業を—〈=もう出席しない〉」 ⑫とちゅうでやめる。「話を—」 ⑬〈スイッチを動かして〉電流をとめる。 [表記] スイッチのボタンには、記号的に「切」とも。 ⑭〈カメラのシャッターボタンを〉おす。 ⑮顔を動かして、その方角に向く。また、左右に回す。「正面を—・ハンドルを—」 ⑯あるかまえや態度をとる。「みえを—・鯉口を—〈⇩「鯉口」の用例〉・しらを—」 ⑰[斬る] 刀できる。殺す。「寄らば—ぞ・泣いて馬謖を—〈⇩「泣く」の [句]〉」 ⑱[斬る] えんりょなく、批判する。「現代の世相を—」 ⑲そのときまでで、それ以後は受けつけないことにする。「百番で—・期限を—」 ⑳ある数より下になる。「残り二〇秒を—」 ㉑(中を分けて)勢いよく〈進む/進み出る〉。「先頭を—・スタートを—」 ㉒思い切って手放す。「飛車を—・札ビラを—」 ㉓ふだをさし出す。「カードを—〈=切りふだを出す〉・名刺を—」 ㉔そろえたままのふだをまぜあわせる。「カルタを—〈=よくまぜ(て、くば)る〉・カードを—」 ㉕水面に当たってはねかえる。「投げた石が水を切ってとぶ」 ㉖《すもう》まわしにかかった相手の手をはなさせる。 [二][(切る)] [造] ①終わりまで…する。そこで終わりにする。「泳ぎ—・逃げ—・使い—・言い—」 ②これ以上ないほど…する。「澄み—・困り—・にがり—・弱り—・勝ち—〈=完勝する〉」 ☞切った張った・切って捨てる・切って取る。 ③ずっと…する。「かかり—・詰め—」 [可能] 切れる。 ●**切っても切れない** [句] 結びつきが強く、関係を絶ち切れない。「—親子の縁」 ●**切れば赤い血が出る** [句] 人間らしい感情を持っている。「—生身の人間」 ●**切れば血の出るよう** [句] いきいきしたようす。「—な生きたことば」

**きる[着る]《他上一》①〈衣服を〉からだをおおうようにつける。「着物を—・セーターを—」(↔脱ぐ) [尊敬] 召す(「お召しになる・召される」の形で使う)。 ②〈ものごとを〉自分の身に受ける。「罪を—〈⇩「罪」の [句]〉・恩に—〈⇩「恩」の [句]〉・かさに—〈⇩「かさ(笠)」の [句]〉」 [表記] 「△著る」とも書いた。 [可能] 着られる。着れる〔俗〕。

**きるい**[帰塁]《名・自サ》《野球》走者が、いったんはなれたベースにもどること。

**キルク**〔オ kurk〕⇩コルク。「—ぞうり」

**キルシュ**〔↑キルシュワッサー(ド Kirschwasser)〕サクランボを発酵させて造ったブランデー。☞チェリー②。

**キルティング**《名・自サ》〔quilting〕《服》二枚の布の間に、芯や綿などを入れ、ステッチを〈すること/したもの〉。キルト。「—ガウン」

**キルト**〔kilt〕《服》①スコットランドの伝統的な男性の衣装。スカートのように腰に布を巻き付けたもの。 ②「キルト①」に似たデザインのスカート。

**キルト**〔quilt〕《服》⇩キルティング。

**ギルド**〔guild〕《経》十〜十五世紀ごろ、ヨーロッパの都市に発達した、商工業者の同業組合。

**きれ**[切れ] [一] きれ。 ①切れること。「—の長い目〈=長く切れたように見える目。ほめて言うことば〉・弾切れ」 ②頭のはたらきや技などのさえ。切れ味。「頭の—がいい・—のいい〈=するどく変化する〉球」 ③すっきりした味わい。「—のいいビール」 ④[△布・△裂] 織物(の切れはし)。布。切れ地。 [表記] ②③「キレ」とも。 [二] [接尾] 切ったものを数えることば。「ハム二—」 [三] [造] 〔ぎれ〕有名な昔の人の筆跡の断片を呼ぶ名前。「高野—」

**ぎれ**[切れ] [造] ⇩きれ[三]。

**きれあが・る**[切れ上がる]《自五》上のほうへ向けて切れ目ができる。「するどく切れ上がった目」

**きれあじ**[切れ味] ①〈刃物で〉切ったときの切れぐあい。「—のいい刃物」 ②頭のはたらきや技などのさえぐあい。「—のいい〈=議論の中心がよくわかる、すぐれた〉評論」

**きれい[(×綺麗)・(奇麗)] [一]《ナダ》①かざり立ててい

て、目を楽しませるようす。「—な模様」②「美しい①」の、より話しことば的な言い方。「すはだが—・—な湖・お—な方」〔感動詞的にも使う。「わあ、—!」〕③よごれたところがなくて気持ちがいいようす。「—好き・—な座敷」④悪いことをしないようす。清らか。「金に—な人・身辺を—にする・口では—な〔=不正なお金をもらったりしない〕ことを言う」▽↕きたない ⑤手ぎわがよくて気持ちがいいようす。「—にやられた・—な〔=いさぎよい〕引き際」⑥〔ふつう—に〕すっかり。完全に。「—に平らげる・—さっぱり〔=一つも残らず〕忘れた」▽俗に、形容詞化して「きれ(い)かった」「きれ(い)くない」「きれいから」などと言う。派—さ。二〔俗〕きれいなこと。きれいさ。「—をみがく」表記 美容などで「キレイ」とも。●きれい ごと〔×綺麗事〕①口先だけでつじつまをあわせようとすること。「—を言う」②ていさいだけをととのえること。「—ですませる」●きれい どころ〔×綺麗所〕きれいな〈芸者/女性〉。「—をそろえる」●きれいめ《ナダ》きれいな感じのするようす。「—なコーデ・—カジュアル」

**ぎれい** [儀礼] 礼式。礼儀。●**ぎれい てき** [儀礼的]《ナダ》礼儀として、形だけ そうしておくようす。「—な訪問〔=表敬訪問〕」

**きれき** [棋歴]〔文〕碁や将棋の経験や経歴。

**きれきれ** [キレキレ]《名・ナダ》①動きが きびきびしているようす。「—〈の/な〉ダンス」②するどく、さえているようす。「—の演奏・—のプレゼン」派—さ。

**きれぎれ** [切れ切れ]《ナダ》切れては続き、切れては続く状態であること。

**きれこ** [切れ子] たらこ・すじこなどが、欠けたり、うす皮がはがれたりしたもの。☞折れ子。

**きれこみ** [切れ込み] 切れて はいりこんだ形。「—のあるはっぱ」

**きれこ・む** [切れ込む]《自五》①切れて、深くはいりこむ。「するどく切れ込んだ傷口」②〈曲がって/折れて〉はいる。「左手へ—横丁」③《球技》するどく内がわに走りこむ。「ドリブルで—」

**きれじ** [(切れ)地・(△布)地] ①反物。織物。②反物の切れはし。

**きれじ** [切れ字]〔俳句などに よみこんで〕一句を言い切り、調子を整えるための助詞・助動詞など。例、助詞の「や」、助動詞の「けり」。

**きれじ** [切れ×痔・△裂れ×痔]《医》痔のために、便をするさい肛門のまわりの一部が切れる症状。肛門裂創。さけじ。裂肛。

**きれつ** [亀裂]《名・自サ》①ひびが はいって さけること。さけめ。「壁に—が生じる」②人間関係での、断絶や離反。

**きれっと** [キレット]〔↑切れ所〕《登山》尾根にできた、深い切れこみ。

**きれなが** [切れ長]《名・ナダ》細長く切れているようす。「—の美しい目」

**きれはし** [切れ端]〈端のほう/一部分〉が切れて できた、小さなもの。切れっぱし。「なわの—・野菜の—・記憶の—」

**きれはなれ** [切れ離れ] かねばなれ。

**きれま** [切れ間] ①ものが切れてできた、あいだ。「雲の—」②とぎれてできる、たえま。「—なしに」

**きれめ** [切れ目] ①切れた〈ところ/あと〉。②文章の中の くぎり。段落。③とぎれて なくなるとき。「金の—が縁の—」〔⇩「金」の句〕

←**きれもの** [切れ物] (よく切れる)刃物。

→**きれもの** [切れ者] 頭がよくはたらき、うでのある人。敏腕家。

**き・れる**《自下一》一 [切れる] ①切った状態になる。ふたつに はなれる。「糸が—」②刃物などによってきずがつく。「手が—・手の—ような〔=真新しい〕札」③長いものの とちゅうが こわれる。「堤防が—」④とちゅうから先がなくなる。「道が—・ホームページへのリンクが—・電話が—」⑤長く続かなくなる。「息が—」⑥関係がまったくなくなる。「女と—」⑦あとに残らず、さっとなくなる。「まな板の水が—」⑧終わりになる。「期限が—」⑨すっかりなくなる。「米が—」⑩〔古風〕不足する。「十万円に二千円切れた」⑪〔刃物の〕切れぐあいがいい。「よく—刀だ」⑫頭が よく はたらく。「—人」⑬技などが さえる。「技が切れている」⑭急に〈曲がる/それる〉。「右へ—」⑮わくの外に出て、見えなくなる。「画面から—」⑯〔しびれが〕発生する。⑰「切る」の可能形。「ささいなことで—」二 [キレる]〔俗〕腹が立って、がまんできなくなる。〔一九九〇年代からの用法〕

**ぎれん** [議連] ↑議員連盟。「情報産業—」

☆☆**きろ** [岐路] ふたまたの道。わかれみち。「人生の—に立つ」

**きろ** [帰路] かえり道。もどり道。「—に就く〔=帰り道を行き始める〕・〔副詞的に〕—、雨に降られた」↕往路

***キロ**〔フ kilo〕①千倍〔記号 k〕。「—ヘルツ・—トン・—バイト〔=千バイト。一〇二四《=二の十乗》バイトで換算することも多い。記号 KB〕」☞メガ 一①・ヘクト。②↑キロメートル。「〔時速〕一四五—の球速」③↑キログラム。

**きろう** [棄老]〔文〕老人を山の中に捨てること。●**きろう でんせつ** [棄老伝説]〔「うばすて山」など〕老人を山の中などに置き捨てて死なせたという言い伝え。

**ぎろう** [×妓楼]〔文〕遊女を置いて、客を遊ばせる店。

**キロカロリー**〔kilocalorie〕熱量の単位〔記号 kcal〕。千カロリー。☞カロリー。

**ぎろぎろ**《副・自サ》目をはげしく光らせるようす。

***きろく** [記録]《名・他サ》①書きつけ〈ること/た文書〉。「戦いの—・—に残す」②(最高)数値として残る成績や結果(を生じること)。レコード。「新—・—破り」③《映画・放送》⇩スクリプター。●**きろく てき** [記録的]《ナダ》記録に残るほどの状態。「—な暑さ」

**キログラム**〔フ kilogramme〕〔メートル法で〕質量・重量の基本単位〔記号 kg〕。千グラム。キロ。表記「×瓩」とも書いた。

**キロすう** [キロ数] キロメートル・キログラム・キロワットであらわす数。

**ギロチン**〔guillotine=もと、人名〕〔フランス革命の時代に考案された〕死刑をおこなうときの首切り台。断頭台。

**キロてい** [キロ程] キロであらわした〈道のり/距離〉。

**キロヘルツ**〔kilohertz〕《理》千ヘルツ〔記号 kHz〕。〔もと、「キロサイクル」と言った〕

き

**キロメートル**〔フ kilomètre〕〔メートル法で〕長さの単位〔記号 km〕。千メートル。キロ。〔標識や看板などの表示で「Km」「KM」とも〕 表記「×粁」とも書いた。

**キロリットル**〔フ kilolitre〕〔メートル法で〕液体などの体積の単位〔記号 kL, kl〕。千リットル。 表記「×竏」とも書いた。

**ぎろりと**〔副〕目玉がするどく光って動くようす。ぎろっと。「―にらむ」

**キロワット**〔kilowatt〕〔理〕電力の単位〔記号 kW〕。千ワット。●**キロワットじ**〔キロワット時〕〔理〕電力量の単位〔記号 kWh〕。キロワットアワー。

**きろん**〔貴論〕〔文〕「相手の〈論文/論考〉」の尊敬語。「―拝見しました」

*__ぎろん__〔議論〕《名・他サ》筋道を立てて(おたがいに)意見を〈のべること/のべたもの〉。「―百出・―倒れ・―のある〔=まだ意見のまとまらない〕問題」●**議論を上下する** 句 さかんに議論する。

**きわ**〔際〕はき ①(ほとんど接するくらいの)すぐそば。「がけの―・壁―」②ちょうどそのとき。「今わの―・別れ―」

**きわきわ**〔キワキワ〕きはきは《名・ナダ》〔俗〕きわどいようす。ぎりぎり。すれすれ。「―のことまで書く・―な話」

**ぎわく**〔疑惑〕悪いことをしたのではないかという、うたがい。「裏金―・―の念を生じる」

**きわだ**〔黄△肌〕きはだ ⇩きはだ。

**きわだ・つ**〔際立つ〕きは《自五》ほかのものとの差がめだつ。「際立った存在」他 際立てる《下一》。

**きわど・い**〔際どい〕きは《形》①〈危険/失敗〉すれすれであるようす。「―ところで助かる・―外角球」②露骨すれすれであるようす。「―じょうだん」③一つまちがえば、別の結果になっていたかもしれないようす。「―判定」 由来 もとは「際疾し」で、きわだつことがはなはだしい〔=疾し〕の意味。

↑**きわまりな・い**〔極まりない〕きはま《形》〔ここで終わり、ということがないほど〕非常に…だ。「不健全〔なこと〕―」 区別 ⇩極まる①。

↑**きわまりな・い**〔窮まりない〕きはま《形》どこまで進んでも終わりがない。「―宇宙」

↑**きわま・る**〔極まる〕きはまる《自五》①これ以上はない、という状態になる。「失礼―話・快楽ここに―・商業主義もここに極まれり〔=極まった。文語の例〕」 区別「極まる」よりも「極まりない」のほうが程度が大きい感じがある。前者は終点まで行く感じ、後者は終点をこえる感じ。②限度にくる。極度に達する。「感極まって泣き出す」

↑**きわま・る**〔窮まる〕きはまる《自五》①終わりになって、それ以上進めなくなる。「道が―」②〔△谷まる〕行きづまって、どうにもならなくなる。「進退―」 名 窮まり。

↑**きわみ**〔極み〕きはみ これ以上ないというところ。極点。「喜びの―」

↑**きわみ**〔窮み〕きはみ そこが終わりで、進めないこと。はて。「―なく発展する」

☆☆**きわめつき**〔極め付き〕きはめ ①〔刀剣・書画などで〕鑑定した証明書〔=極め書き〕のついていること。保証付き。②定評があること。「―の名作」③〔俗〕最もすごい例。「彼の武勇伝の―」▽きわめつけ。

**きわめつけ**〔極め付け〕きはめ きわめつき。

**__きわめて__〔極めて〕きはめ《副》この上なく。非常に。「―良好・―残念」

↑**きわ・める**〔究める・窮める〕きはめる《他下一》ものごとをどこまでも明らかにする。「学問の道を―・真理を―」

↑**きわ・める**〔極める〕きはめる《他下一》①これ以上はないという状態に〈持っていく/行きつく〉。「栄華を―・混乱を―」②いちばん高いところに行きつく。「山頂を―」

**きわもの**〔際物〕きは ①その季節にだけ売る品物。例、しめかざり・ひな人形。②そのときだけ、世間の好奇心をあおるもの。

**きわやか**〔際やか〕きは《ナダ》ひどく目立つようす。 派 ―さ。

**きをつけ**〔気を付け〕《感・名》〔付け=付けよ〕その場にまっすぐ立って、前を注目させる号令。また、その姿勢。〔幕末から使われる〕(↔休め)

**きん**〔斤〕①〔尺貫法で〕質量・重量の単位。一斤はふつう六百グラム。②食パンのかたまりを数える単位。重さは、だいたい三百〜四百グラム。

**__きん__〔金〕一 きん ①〔理〕黄色いつやのある金属〔元素記号 Au〕。うすく のばすことができ、お金や装飾品を作るのに使う。貴金属としてとうとばれる。こがね。②お金。「―三千円也」☞金一封。③〔文〕昔のお金の単位。「百―〔=百両〕」④金色。黄金色。「―紙」⑤《将棋》↑金将。⑥たいへん価値のあるもの。「沈黙は―」☞金の卵。⑦〔俗〕↑きんたま。「―つぶし」⑧↑金メダル。「―三個、銅二個」⑨↑金曜(日)。「―土は定休日です」 二 造〔↑金位〕金をどれだけふくむかをしめすことば。純金は、二十四金。☞十八金。

**きん**〔菌〕細菌。「コレラ―」

**きん**〔筋〕筋肉。「―繊維・骨格―」

**きん**〔禁〕〔文〕一 きん してはいけない、という おきて。禁止。「―をおかす」 二 造 それを禁じる意味をあらわす。「―転載・―帯出」

**きん**〔勤〕造 勤務。「深夜―」

**きん**〔琴〕造 こと。「十三弦―」

**ぎん**〔吟〕〔文〕一 ぎん ①詩や歌を歌うこと。また、歌う詩や歌。②⇩銀 一④。 二 造 吟詠(した作品)。「旅中―」

**ぎん**〔銀〕一 ぎん ①〔理〕白く光って美しいつやをもつ金属〔元素記号 Ag〕。うすく のばすことができ、お金や装飾品を作るのに使う。しろがね。②昔の銀貨。「二分―」③銀色。「―紙」④〔吟〕〔なめしがわの〕表がわの部分。(↔スエード)⑤《将棋》↑銀将。⑥↑銀メダル。「金一個、―二個」 二 造 ↑銀行。「都―」

**きんあつ**〔禁圧〕《名・他サ》権力によって、むりにとめること。「キリスト教を―する」

**きんいき**〔禁域〕〔文〕はいっては いけない区域。

**きんいしゅく**〔筋萎縮〕《医》筋肉がやせおとろえて、運動・歩行がむずかしくなる状態。☞筋ジストロフィー・ALS。

**きんいつ**〔均一〕《名・ナダ》〔性質や金額が〕どれも同じであること。「千円―・―な品質」

☆☆**きんいっぷう**〔金一封〕ひと包みの お金。金額を書かないでおくる、祝儀や見舞いなどの お金。

**きんいろ**〔金色〕金の色。こんじき。

**きんいん**〔近因〕直接の原因。(↔遠因)

**きんいん**【金員】〔文〕お金。「―の授受」
**きんうん**【金運】お金に関する運勢。
**きんえい**【近詠】〔文〕最近作った詩や歌。
**きんえい**【近影】〔文〕最近写した顔写真。「著者―」
**きんえい**【禁泳】〔文〕①〔海岸などで、場所を決めて〕およぎを禁止すること。「―区」②〔病気などのため〕およぐことを禁じること。「完全に治るまで―」
**ぎんえい**【吟詠】《名・他サ》〔文〕①ふしをつけて漢詩や和歌を歌うこと。②詩歌を作ること。
**きんえん**【近縁】①血のつながりの こい親類。②《生》生物の分類で、近い関係にあること。「―種」
**きんえん**【筋炎】《医》筋肉に化膿菌が はいって起こる炎症。
**きんえん**【禁園・禁×苑】〔文〕①はいっては いけない庭園。②宮中のお庭。
**きんえん**【禁煙】㊀タバコを吸うのを禁止すること。「車内―・―席」㊁《名・自サ》タバコをやめること。「病気を機に―する」
**ぎんえん**【銀塩】フィルムに塗ってある塩化銀などの感光乳剤。「―フィルム・―写真・―カメラ(=銀塩フィルムを使うカメラ)」(↔デジタル カメラ)
**きんか**【近火】〔文〕近くの火事。「―お見舞い」
**きんか**【金貨】金をおもな成分とする硬貨。
**きんか**【×槿花】〔文〕ムクゲの花。 ●**きんか-いっちょうのゆめ**【×槿花一朝の夢】〔文〕はかない栄華のたとえ。槿花一日の栄え。由来 ムクゲは朝ざいて夕方しぼむことから。
**きんが**【謹賀】〔文〕つつしんで喜びを申しのべること。「―新年」
**ぎんか**【銀貨】銀をおもな成分とする硬貨。
**ぎんが**【銀河】①〔文〕あまのがわ。銀漢。②《天》銀河系のような、多くの恒星・星雲などの集合体。島宇宙。「アンドロメダ―」 ●**ぎんがけい**【銀河系】《天》太陽系をふくむ、多くの恒星・星雲などの集合体。天の川銀河。
**きんかい**【近海】陸地に近い海。(↔遠海・遠洋)
**きんかい**【金塊】(精製した)金の かたまり。
**きんかい**【×欣快】《名・ナダ》〔文〕うれしくて たまらないようす。喜び。「―の至り」
**きんかぎょくじょう**【金科玉条】(その人にとっての)行動の絶対的な規準。「―とする」
**＊＊きんがく**【金額】数字にあらわした お金の量。かねだか。きんだか。
**きんかくし**【金隠し】(しゃがんでする、日本式の大便所で)便器の前のほうにつけた おおい。
**きんかこ**【近過去】〔文〕(自分の子ども時代ぐらいの)ごく近い過去。「なくなりつつある―の発見」(↔近未来)
**ぎんがみ**【銀紙】銀色の紙。ふつう、チョコレート・タバコなどを包むアルミの はく(箔)、また、それに似たものをさす。
**ギンガム**【gingham】格子じま(縞)の平織りもめん。「―チェック」
**きんかん**【近刊】①近いうちに刊行される〈こと/本〉。②最近出版された〈こと/本〉。
**きんかん**【金冠】①〔文〕金で作った かんむり。②《医》金で作って、治療した歯のあとに かぶせるもの。
**きんかん**【金×柑】かんきつ類の一種。実は、黄色で、指先ぐらいの長円形。皮ごと食べる。
**きんかん**【金管】〔↑金管楽器〕《音》金属の管楽器。しんちゅう(真鍮)または その合金で作ったラッパのなかま。例、ホルン・トランペット・トロンボーンなど。(↔木管)
**きんがん**【近眼】①近視(眼)。ちかめ。「―鏡(=近眼の人がかけるめがね)」②⇩近視眼②。
**ぎんかん**【銀漢】〔文〕あまのがわ。銀河。
**きんかんしょく**【金環食・金環×蝕】《天》金の輪の形に見える日食。月が太陽より小さく見える時期に起こる。金環日食。
**きんかんばん**【金看板】①金文字の看板。②世間に堂々としめす主義・商品など。また、権威を象徴する〈もの/人〉。「―の番組」
**きんき**【近畿】〔↑近畿地方〕京都・大阪・滋賀・兵庫・奈良・和歌山・三重の二府五県。〔気象では、三重は東海にふくむ〕☞関西・畿内・畿央。
**きんき** おもに日本列島の東沖にすむ、あざやかな赤色の海水魚。食用。きちじ。
**きんき**【×欣喜】《名・自サ》〔文〕心が はずむような喜び。 ●**きんきじゃくやく**【×欣喜×雀躍】《名・自サ》〔文〕こおどりして喜ぶこと。
**きんき**【禁忌】《名・他サ》①《宗》〔文〕⇩タブー①。②《医》症状が悪化したり、重い副作用が出るような療法・投薬をしてはいけないこと。「温泉の―症(=温泉にはいると かえって悪化してしまう症状)」
**ぎんき**【銀器】食器などの銀製品。銀で作った道具。
**ぎんぎつね**【銀×狐】毛のねもとが黒くて先が灰白色のキツネ。シルバー フォックス。
**きんきゅう**【緊急】《名・ナダ》重大で、非常に急ぐようす。「―事態・―に資料を取りそろえる・―地震速報(=まもなく ゆれが来ることを知らせる速報)」 ●**きんきゅうどうぎ**【緊急動議】《法》議事のとちゅうで、予定にない緊急の議題を、会議の出席者が持ち出すこと。 ●**きんきゅうひなん**【緊急避難】①大急ぎで避難すること。②《法》自分または他人におそいかかる危険をさけるために やむをえず相手に被害をあたえる行為。
**きんきょ**【近居】《名・自サ》〔文〕近いところに住むこと。「親子―」
**きんぎょ**【金魚】家で飼う、小形の さかな。ふつう、赤くて腹がふくれ、種類が多い。 ●**きんぎょ の-ふん**【金魚の(×糞)】人やものが、ただくっついていることのたとえ。「(人)数は関係がない」「―のようについて回る」
**きんきょう**【近況】近ごろの ようす。「―報告」
**きんきょう**【禁教】〔文〕ある宗教を禁止すること。また、禁止された宗教。
**きんぎょう**【近業】〔文〕最近の〈作品/業績〉。
**きんきょく**【琴曲】〔文〕琴の曲。
**きんぎょく**【金玉】(=金と玉)〔文〕珍重し、ほめるべき ものごと。「―の作品」☞きんたま(金玉)。
**きんきょり**【近距離】近い距離。(↔遠距離)
**きんきらきん**《名・ナダ》(「きんきら」を強めた語)〔俗〕はでで きらびやかに かざりたてる〈こと/ようす〉。「―の衣装」

**きんきん**［近々］《副》近いうちに。近く。

**きんきん**［僅々］《副》〔文〕年月が、わずかなようす。「―三か月の間に」

**きんきん** ㊀ きんきん《副・自サ》①音や声が高くするどく、ふゆかいに ひびくようす。「―した歌声」②頭や耳がするどく痛むようす。「頭が―痛む」 ㊁ きんきん《副》よく冷えたようす。「―に冷やしたビール」

**きんぎん**［金銀］①〔財宝としての〕金と銀。「―さんご」②金銭。お金。「―をためこむ」③《将棋》金将と銀将。

**ぎんぎん**《副》〔俗〕①はでで、きらびやかなようす。「―の衣装」②力がみなぎって夢中になるようす。「―勇気がわいてきた」

**きんく**［禁句］①〔和歌・俳諧で〕使ってはならない語や句。②〔晴れの場所で〕口に出して言ってはいけないことになっていることばや文句。

**キング**〔king〕①帝王。国王。王様。王者。②《トランプ》王様の絵のついたカード。記号はK。「ホームラン―」(↕クイーン) ③いちばん すぐれたもの。王者。「ホームラン―」 ●**キングサーモン**〔king salmon〕サケ・マスのなかまでいちばん大きなさかな。マスノスケの別名。 ●**キングサイズ**〔king-size〕特大の大きさ。「―のベッド・―のパフェ」☞クイーンサイズ①。 ●**キングメーカー**〔king-maker〕首相などの権力者を選ぶときに大きな発言権を持つ、かげの実力者。

**きんぐち**［金口］口にあたる部分を金色の紙で巻いたり、金色に塗ったりしたもの。「―タバコ」

**きんけい**［近景］〔文〕近くの景色。近くに見えるもの。前景。「―の山・《美術》人物を―(=手前)に配置する」(↕遠景)

**きんけい**［謹啓］(=つつしんで申しあげます)《手紙》〔文〕初めに書く、あいさつの ことば。〔「拝啓」よりも敬意が高い〕

**きんけつ**［金欠］〔俗〕お金が なくなること。「―病」

**きんけん**［近県］〔文〕近くの〈県/地方〉。

☆☆**きんけん**［金券］特定の範囲内で、お金の代わりに使うことのできる券。商品券・ビール券など。「―ショップ」

**きんけん**［金権］お金を持っているおかげで自由なことができる、能力。かねにものを言わせる権力。「―政治・―選挙」

**きんけん**［勤倹］〔文〕仕事・事業に はげみ、倹約すること。

**きんげん**［金言］ 真理を簡単に言いあらわした、価値あることば。

**きんげん**［謹言］(=つつしんで申し上げました)《手紙》〔文〕終わりに書く、あいさつの ことば。「恐惶―」

**きんげん**［謹厳］《名・ナダ》いかめしくて、めったに笑い顔を見せたりしないようす。「―実直・―をもって聞こえる」 派 ―さ。

**きんげんだい**［近現代］近代と現代。「―社会〔日本文学・日本語学などで〕中世。

**きんこ**［近古］〔日本文学・日本語学などで〕中世。〔古い言い方〕(↕上古)

**きんこ**［(金子)］(こ=なまこ(海鼠)) ナマコを煮て干したもの。中国料理に使う。

**きんこ**［金庫］①〔火災・盗難などから守るため〕現金や宝石、大切な書類などを入れておく、特別がんじょうに作った〈箱/設備〉。「―破り・貸し―」②《法》国家の現金の保管や出し入れをつかさどる機関。 ●**きんこかぶ**［金庫株］《経》使途を定めないで取得、保有する自社株。 ●**きんこばん**［金庫番］(=金庫の番人) お金を管理する人や部門。「財務省は国の―だ」

☆☆**きんこ**［禁錮］《名・他サ》《法》刑務所に入れるが、労働はさせない刑罰。

**きんこう**［近郊］ 都市や町の近くの地域。郊外。「東京―」

**きんこう**［金工］ 金属を使ってする工芸(品を作る職業の人)。

←**きんこう**［金坑］ 金鉱をほり出すために、深くほった穴。

→**きんこう**［金鉱］ 金をほり出す鉱山。金山。

**きんこう**［均衡］《名・自サ》二つ(以上)のものの間に安定した関係ができていること。つりあい。バランス。「―を破る」

**きんごう**［近郷］〔文〕(都会の)近くの いなか。

＊＊**ぎんこう**［銀行］①《経》人から資金をあずかり、足りない人へ貸し出す金融機関。「―預金」②ないもの、足りないものを融通しあう しくみ。「血液―・人材―」▽バンク。 ●**ぎんこうけん**［銀行券］《経》中央銀行が発行する紙幣。「日本―」

**ぎんこう**［吟行］《名・自サ》俳句や短歌を作るために、〔何人かで〕郊外や名所などに出かけること。

**きんこうたいしょう**［菌交代症］《医》抗生物質などを使って病気をおさえた場合、別の菌がふえて、新しい病気を起こす状態。

**きんこく**［謹告］《名・他サ》〔文〕つつしんで申しあげること。〔商店などの あいさつ文に多く使う〕

**きんこつ**［筋骨］①筋肉とほね。②からだつき。「―たくましい」

**きんこんいちばん**［緊×褌一番］〔緊褌=ふんどしをかたくしめること〕〔文〕気持ちをひきしめて とりかかること。

**きんこんかん**《副》教会などの かねの鳴りひびく音。きんこんかんこん。

**きんこんしき**［金婚式］ 結婚してから、五十年目の記念日(を祝う式)。☞婚。

**ぎんこんしき**［銀婚式］ 結婚してから、二十五年目の記念日(を祝う式)。☞婚。

☆☆**きんさ**［僅差］ わずかの差。「―で勝つ」

**ぎんざ**［銀座］ ㊀ ぎんざ 東京都中央区にある目ぬき通り。 ㊁ ぎんざ 造 ①その町の、中心となる商店街に使われる呼び名。「熱海―」②集中しているところ。「原発―」

**きんさい**［金彩］〔文〕〔陶磁器などの〕金でふちどったもの。「―の花模様」

**きんざい**［近在］〔文〕(都会の)近くの村。

**きんさく**［近作］〔文〕近ごろの作品。

**きんさく**［金策］《名・自サ》必要なお金を、くふうして用意すること。「―に奔走する」

**ぎんざけ**［(銀×鮭)］ サケの一種。皮が銀色をしている。ぎんます。ぎんじゃけ。

**きんさつ**[禁札] 禁止の制札。

**きんざん**[金山] 金をほり取る鉱山。金鉱。

**ぎんざん**[銀山] 銀をほり取る鉱山。銀鉱。

**きんざんじみそ**[金山寺(味×噌)・△径山寺(味×噌)] なめみその一種。刻んだナス・ウリなどを入れる。あまい。金山寺。

**きんし**[近視]《医》遠くのものが はっきり見えない状態(の目)。近視眼。近眼。(↕遠視) ●**きんしがん**[近視眼] ①近視の目。②先見の明がない〈こと/人〉。「―的(=ものの見方が、目先のことに限られ せまいようす)」▽近眼。

**きんし**[金糸] 金箔で巻いた糸。金色の糸。

**きんし**[菌糸]《生》カビやキノコなどの、ごく細い糸状の細胞列。

**きんし**[禁止]《名・他サ》〔命令や規則で〕してはいけないと〈言う/決めた〉こと。禁制。「立入―・通行―・外出―」

**きんじ**[金地] 金色の地。金箔を一面にはりつけた紙・布など。

**きんじ**[金字] 金色の文字。●☆☆**きんじとう**[金字塔] いつまでも ねうちのある、大きな業績のたとえ。「―を打ち立てる」 由来 ピラミッドのこと。「金」の字の形の建造物だから。

**きんじ**[近似]《名・自サ》 にかよっていること。「―値(=真の値に近い数)」

**きんじ**[近時]《名・副》〔文〕近ごろ。このごろ。(↕往時)

**ぎんし**[銀糸] 銀箔で巻いた糸。銀色の糸。

☆☆**きんじえ・ない**[禁じ(得ない)]《形ヌズ》〔文〕〔気持ちや考えを〕おさえることが できない。「怒りを―・疑問を―・危惧の念を―」 丁寧 禁じえません。

**きんしかんざい**[筋×弛緩剤]《医》手術のときなどに、筋肉をゆるめるために使う麻酔薬。

**きんしくんしょう**[金×鵄勲章]〔金鵄=金色に かがやくトビ〕《軍》特にすぐれた手がらを立てた軍人にあたえた勲章。一九四七年廃止。

**きんジストロフィー**[筋ジストロフィー]〔ジストロフィー=dystrophy〕《医》筋肉の力が低下していく、遺伝的な病気。男の幼児が多くかかる。筋ジス。

**きんしたまご**[錦糸卵] うすく焼いて、糸のように細く切ったたまご。ちらしずしの上に散らす。きんし。

**きんしつ**[琴×瑟]〔文〕ふつうの琴と、弦の多い大形の琴。●**琴瑟相和す** 句 〔文〕夫婦の仲が非常にいいたとえ。

**きんしつ**[均質]《ナダ》 成分や品質に むらがなく一様であるようす。

**きんじつ**[近日]〔日で数える〕近い将来。そのうち。近々。「―開店」

**きんじて**[禁じ手]《すもう・碁・将棋など》それを使ってはいけないことになっている手。禁手。

**きんしゃ**[金×紗・錦×紗]〔↑きんしゃちりめん(縮緬)〕細い生糸で織った、つやのある ちりめん。よそ行きの着物地として使う。

**きんしゃ**[×禽舎]〔文〕〔動物園などの〕鳥小屋。

**ぎんしゃ**[吟社]〔文〕詩や歌を作る人々の結社。

**ぎんしゃり**[銀シャリ]〔俗〕白米のごはん。

**きんしゅ**[金主]〔文〕〔事業などをするための〕〈資金/費用〉を出してくれる人。

**きんしゅ**[金種]〔しはらうときの〕お金の額による種類。「―表」

**きんしゅ**[筋腫]《医》筋肉にできる腫瘍。

**きんしゅ**[禁酒] 一《名・自サ》 酒を(しばらく)やめること。「あしたから―しよう」 ☞断酒。 二 酒を飲むのを禁止すること。「―令」

**きんしゅう**[錦秋]〔文〕にしきのように美しく もみじする秋。

**きんしゅう**[錦×繡]〔文〕①にしきと、ぬいとりをした布。美しい織物や衣服。②美しい〈もみじ/花〉。

**きんじゅう**[×禽獣] ①鳥とけもの。鳥獣。②〈道理/恩義〉を知らない者のたとえ。

**きんしゅく**[緊縮]《名・自他サ》 かたく〈しまる/しめる〉こと。「―財政(↕積極財政)」

**きんしょ**[禁書] 国が、出版や普及を〈とめること/とめた本〉。

**きんしょ**[謹書]《名・他サ》〔文〕つつしんで書くこと。

**きんじょ**[近所] 近いところ。近くの家。「隣―・ご―さん」 ●**きんじょめいわく**[近所迷惑]《名・ナダ》 隣近所の生活をみだすようなことを平気でされて めいわくするようす。はためいわく。

**きんしょう**[近称]《言》代名詞などのうち、自分のがわにあるものごとをさすもの。最初に「こ」がつく。例、これ・こっち・ここ。(↕中称・遠称・不定称)

**きんしょう**[金将]《将棋》なめ後方以外の方向に動く駒。金。

**きんしょう**[金賞]〔展覧会・コンクールなどで〕第一位の入賞。

**きんしょう**[僅少]《ナダ》〔文〕わずか。少し。「―の差で勝つ」

**きんじょう**[今上]〔文〕現在の天皇の呼び方。「―天皇・―陛下」

←**きんじょう**[近状]〔文〕近況。

→**きんじょう**[近情]〔文〕このごろの情勢。

**きんじょう**[金城]〔文〕(金でできた)守りの かたい城。●**きんじょうてっぺき**[金城鉄壁](=守りの非常に かたい城壁)〔文〕守りが非常に かたい〈こと/もの ごと〉。「―の要塞」 ●**きんじょうとうち**[金城湯池]〔湯池=熱湯の堀〕〔文〕だれも攻めこめないほど、守りが かたい場所。「〔選挙で〕○○県はA党の―(=強固な地盤)だ」

**きんじょう**[錦上]〔文〕にしきの上。●**錦上(に)花を添える** 句 〔文〕りっぱなものをさらにりっぱにする。

**ぎんしょう**[銀将]《将棋》両横とうしろ以外の方向に動く駒。銀。

**ぎんしょう**[銀賞]〔展覧会・コンクールなどで〕第二位の入賞。

**ぎんじょう**[吟醸]《名・他サ》〔清酒などを〕材料や造り方を特別に吟味して造ること。「―酒」

**ぎんしょく**[銀×燭]〔文〕①銀で作ったろうそく立て。②美しい光の ともしび。

**きん・じる**[禁じる]《他上一》〔してはいけない、と言って〕させないようにする。さしとめる。禁ずる。「外出を―」 ☞禁じえない。

**ぎん・じる**[吟じる]《他上一》 ①声に出して、歌うようにとなえる。「詩を―」 ②〔詩や俳句を〕作る。

**きんしん**［近臣］〔文〕主君の近くで仕える臣下。側近。
**きんしん**［近親］血のつながりの近い親類。「―者・―相姦」 ●**きんしん ぞうお**［近親憎悪］〈血のつながり／性格〉の近い者をにくむこと。似たものどうしのいがみ合い。
☆☆**きんしん**［謹慎］《名・自サ》自分のおかした罪を反省して、また、罰として、ある期間自分の家などに とじこもること。「一週間の―を命じる」
**きんす**［金子］〔古風〕お金。貨幣。
**きん・ず**［禁ず］《他サ》〔文〕禁じる。「無断転載を―」
**きんすい**［禁水］〔消防で〕水にふれると、ガスが発生し、爆発する危険があることをしめすことば。「―の表示をする」
**きんせい**［均整・均斉］きちんとした つりあい。「―のとれた体格」
**きんせい**［近世］①〔文〕近ごろの世。②『歴』中世と近代との間。日本史では、ふつう、江戸時代をさす。
**きんせい**［金星］①『天』太陽系の第二惑星。夜明け前と日没後に かがやいて見える。ビーナス。明けの明星・宵の明星とも言われる。②〔図案などの〕金色の星。「―章」☞きんぼし(金星)。
**きんせい**［金製］金で作ってある〈こと／もの〉。
**きんせい**［禁制］《名・他サ》〔文〕①さしとめること。「―品〔=法律で製造・販売をとめられた品物〕・男子―」☞女人禁制。②法度。「ご―を破る」
**きんせい**［謹製］《名・他サ》〔文〕つつしんで作ること。
**ぎんせい**［銀製］銀で作ってある〈こと／もの〉。
**ぎんせかい**［銀世界］雪で まっしろな けしき。「一面の―」☞雪景色。
**きんせき**［金石］①金属と岩石。②金属器と石器。 ●**きん せきぶん**［金石文］鐘や石碑など に刻まれた、昔の文字や文章。金文と石文。
**きんせつ**［近接］《名・自サ》〔文〕①ぶつかるほどに近づくこと。②ある地点に近いこと。
**きんせつ**［緊切］《ナダ》〔文〕緊急で切実なようす。

**ぎんせつ**［銀雪］〔文〕銀色にかがやくゆき。
**きんせん**［金銭］お金。「―感覚・―問題」 ●**きんせ んずく**［金銭（△尽く）］かねずく。 ●**きんせん てき**［金銭的］《ナダ》お金に関すること。「―に細かい」
☆☆**きんせん**［琴線］〔文〕感動・共鳴する気持ちを、琴の糸にたとえた言い方。 ●**琴線に触れる** 句 ものごとに感動して心がはげしくゆさぶられることのたとえ。☞逆鱗に触れる〔「逆鱗」の句〕。
**きんぜん**［×欣然］《副・トタル》〔文〕喜んで(するようす)。「―(として)参加する」
**きんせんい**［筋線維・筋繊維］『生』筋肉をつくる線維。
**きんせんか**［〈金×盞花〉］西洋草花の名。初夏、さかずき形で赤みをおびた黄色い花をひらく。
**きんそく**［禁則］禁止するようにきめた〈規則／約束〉。「―処理〔=文章を印刷するとき、行の最初に句読点や、かっこの受けなどが こないようにすること〕」
**きんそく**［禁足］《名・他サ》①〔命令で〕外出をとめること。②〈土足でふれる／足をふみ入れる〉ことを禁止すること。「―地」
**きんぞく**［金属］鉱物の一種。岩や石にまじってとれ、とかしていろいろの道具に作るもの。多くは、かたくて光る。かね。「―製・―バット・―探知機・―性の声〔=かん高くて、頭にひびく感じの声〕」 ●**きんぞくげんそ**［金属元素］そのものだけで金属を作る元素。例、金・カリウム。 ●**きんぞくひろう**［金属疲労］金属材料が荷重をくりかえし受けて、劣化すること。
**きんぞく**［勤続］《名・自サ》同じつとめ先に続けて(長く)つとめること。「―三十五年」
**きんそん**［近村］〔文〕近くの むら。
**きんだ**［勤惰］〔文〕⇩きんたい(勤怠)。
**きんたい**［勤怠］つとめることと なまけること。勤惰。「―管理・―連絡」
＊**きんだい**［近代］①現代にいちばん近い世。この時代。「設備の―化」②(封建的思想をぬけだした)合理化された時代。「―性・―女性」③『歴』近世と現代との間。日本では、一般に明治維新から第二次世界大戦の終結まで。 ●**きんだい ごしゅきょう**［近代五種競技］ひとりの選手が、一日にフェンシング・水泳・馬術・射撃・ランニングの五種目をおこない、総合得点を争う競技。近代五種。 ●**きんだいてき**［近代的］《ナダ》近代(思想)らしい感じがするようす。
**きんだか**［金高］金額。かねだか。
**きんたけ**［菌×茸］〔文〕きのこ。「―類」
**きんだち**［△公△達］〔文〕貴族の青少年。
**きんたま**［金玉］①旗ざおの先に つける、金色の玉。②［∴睾丸］〔俗〕睾丸。☞きんぎょく(金玉)。
**ぎんだら**［〈銀×鱈〉］深い海にすむ、スケソウダラに似たさかな。タラより脂がのっている。
**きんたろう**［金太郎］①平安時代の武士、坂田金時の、子ども時代の名前。おとぎ話の主人公。ふとって顔が赤かったという。②子どもの腹がけ。金太郎さん。〔「金太郎①」がしていたという〕 ●**きんたろうあめ**［金太郎（×飴）］①棒の形のあめの一種。どこを切っても金太郎の顔が出る。②〔俗〕変わりばえのしないこと。「―の意見」▽金時あめ。

［きんたろう ②］

**きんだん**［金談］《名・自サ》〔文〕お金の上の相談。
**きんだん**［禁断］《名・他サ》さしとめること。禁制。「―の地〔=はいってはならない場所〕」 ●**きんだんしょうじょう**［禁断症状］『医』麻薬などの中毒者が、薬の切れたときに起こす、はげしい苦しみの症状。離脱症状。 ●**きんだんのこのみ**［禁断の木の実］エデンの園の、食べることを禁じられていた、知恵の木の実。味わっては ならないもののたとえ。
**きんちゃ**［金茶］金色がかった茶色。黄色っぽい、明るい茶色。「―の羽織」
**きんちゃく**［巾着］布や革で作った、口ひものついた小形の ふくろ。小ぜになどを入れる。 ●**きんちゃくきり**［巾着切り］〔古風〕すり。由来 巾着を切って金品をぬすんだことから。

［きんちゃく］

**きんちゃく**［近着］《名・自サ》〔文〕最近発行されて到着〈したばかり/する予定〉であること。「―雑誌」

**きんちゅう**［禁中］〔文〕宮中。禁裏。

**きんちょ**［近著］ある人が最近出した著書。

**きんちょう**［禁鳥］⇩保護鳥。

**きんちょう**［×禽鳥］〔文〕鳥。鳥類。「極楽にすむ―の声」

**きんちょう**［金△打］《名・自サ》武士が約束を守ることをしめすために、刀の刃やつばを打ち合わせたりしたこと。

**きんちょう**［緊張］《名・自サ》①きちんとしなければ、と思うあまり、自然に話したり、行動したりできなくなること。あがること。「―してこちこちになる」②気持ちにゆるみがなく、細かいことにも注意をはらう状態になること。「―感を持って仕事に当たる」③〔筋肉などが〕引きしまって固く張ること。▽②③（↔弛緩）④今にも争いが起こりそうな状態になること。「―する国境」

**きんちょう**［謹聴］㊀《名・他サ》〔文〕つつしんで聞くこと。㊁《感》〔古風〕〔演説などを〕まじめに聞いていない人たちに向かって、「よく聞け」の意味で さけぶことば。「―、―!」

**きんちょく**［謹直］《ナダ》〔文〕つつしみ深くて正直なようす。まじめ。派 -さ。

**きんつぎ**［金継ぎ］陶磁器のこわれた部分を漆で接着し、金や銀の粉を使って仕上げをする技法。金繕い。金直し。

**きんつば**［（金×鍔）］うすくのばした小麦粉で あんをつつみ、鉄板の上で直方体の形に焼いた和菓子。〔昔は、刀のつばの形に焼いた〕

**きんて**［禁手］禁じ手。

**きんてい**［×欽定］《名・他サ》〔文〕君主の命令で さだめること。「明治憲法は―憲法だ」

**きんてい**［謹呈］《名・他サ》〔文〕つつしんで さしあげること。「― 小林良男様〔自分の書いた本をおくるときに書くあいさつ〕」

**きんでい**［金泥］《美術》金粉をにかわで といたもの。日本画に使う。

**きんてき**［金的］①〔射的で〕直径一センチほどの金色の まと。②大きな目的物や、めあてなど。③〔格闘技などで〕急所であるこうがん(睾丸)。「―蹴り」

●**金的を射止める** 句 最高の目標物を手に入れる。

**きんてつ**［金鉄］〔文〕非常に堅固なこと。「―の守り」

**きんてん**［均×霑］《名・自サ》〔文〕〔めぐみが〕すべての人に等しく行きわたること。「富が―する」

**きんでんぎょくろう**［金殿玉楼］〔=金の ごてんと玉のたかどの〕〔文〕きわめて美しいごてん。

**きんでんず**［筋電図］《医》筋肉が縮むときの電流の移り変わりをグラフにしたもの。筋肉や神経の障害の診断に応用される。

**きんど**［襟度］〔文〕どんな人でも受け入れる、心の広さ。雅量。「大国の―をしめす」

**きんとう**［近東］〔=ヨーロッパに近い東方〕もと、オスマン帝国の領土だったバルカン半島と地中海東岸地方。〔今は用いられない〕☞中東・極東。

**きんとう**［均等］《名・ナダ》差がないようにするようす。平等。「―に配分する」●**きんとうわり**［均等割］《法》所得に関係なく、均等に割り当てて取る税金。（↔所得割）

**きんとうん**［（×觔斗）雲］「西遊記」の主人公、孫悟空が乗る、非常に速く飛ぶ雲。

**きんとき**［金時］①⇩金太郎①。②〔↑きんときあずき〕赤くて つぶの大きいアズキ。また、それをあまく煮たもの〔=ゆであずき〕（をかき氷にのせたもの〔=氷あずき〕）。③サツマイモの品種。皮が赤い。●**きんときの-かじみまい**［金時の火事見舞い］（酒を飲んだりして）顔が非常に赤いことのたとえ。

**きんトレ**［筋トレ］〔↑筋力トレーニング〕筋力をきたえるための運動。

**きんとん**［（金団）］あまく煮て つぶしたサツマイモに、あまく煮たクリなどをまぜた食品〔=くりきんとん〕。また、白インゲンをあまく煮てつぶし、つぶのまま あまく煮た白インゲンをまぜた食品〔=まめきんとん〕。口取りなどに使われる。

**ぎんなん**［（銀×杏）］〔↑「銀杏」の唐音「ぎんあん」〕イチョウの実。「茶わんむしに―を入れる」

**きんにく**［筋肉］からだや内臓の運動に役立つ、肉の部分。骨とともに、からだの輪郭を作る。「―労働〔=肉体労働〕」☞すじにく(筋肉)。●**きんにくしつ**［筋肉質］《名・ナダ》①よく きたえられて、むだな脂肪がないようす。②むだな要素がそぎ落とされたようす。「―の経営体制」

**ぎんねず**［銀（×鼠）］銀色の感じのする ねずみ色。銀ねずみ(色)。銀ねず色。

**きんねん**［近年］〔現在を基準として〕①比較的近い過去の年。②ここ数年。▽ちかごろ。

**きんのう**［勤王・勤皇］《歴》幕末に、天皇のためにつくしたこと。「―の志士・―攘夷」（↔佐幕）

**きんのう**［金納］《名・他サ》〔租税や小作料を〕お金で おさめること。（↔物納）

**きんの-たまご**［金の卵］①手に入れることがむずかしい、将来性のある、若い人材。由来 人手不足だった一九六四年の流行語から。②企業にとって、将来の発展が期待されている〈商品/企画〉。

**きんば**［金歯］虫歯を治して、金をかぶせた歯。

**きんぱ**［金波］〔文〕〔太陽や月の〕光が映って金色に見えるなみ。

**キンパ**〔朝鮮 gimbap=のりごはん〕ごま油で味つけして食べる のり巻き。すしめしは使わない。キムパプ。キムパ(ッ)。キンパプ。キンパッ。「チーズ―」

**ぎんば**［銀歯］虫歯を治して、銀色の金属をかぶせた歯。☞金歯。

**ぎんぱ**［銀波］〔文〕〔月の〕光が映って銀色に見えるなみ。

←**きんぱい**［金杯］①［金×盃］金で作った さかずき。②金で作ったカップ。

→**きんぱい**［金×牌］〔文〕金のメダルや盾。

←**ぎんぱい**［銀杯］①［銀×盃］銀で作った さかずき。②銀で作ったカップ。

→**ぎんぱい**［銀×牌］〔文〕銀のメダルや盾。

**きんばく**［緊縛］《名・他サ》かたく しばること。「両手の―を解く」

**きんぱく**［金×箔］①金を紙のように うすく のばしたもの。②りっぱな肩書き。保証。「―付き」

**きんぱく**【謹白】〔文〕手紙・お知らせなどの終わりに書く、あいさつのことば。敬白。「店主—」

☆☆**きんぱく**【緊迫】《名・自サ》情勢が緊張し、切迫すること。「—(化)した空気・—感」

**ぎんぱく**【銀白】銀色のような感じの白。

**ぎんぱく**【銀×箔】銀を紙のようにうすくのばしたもの。

**きんぱつ**【金髪】〔西洋人の〕金色のかみの毛。ブロンド。パッキン〔俗〕。

**ぎんぱつ**【銀髪】銀色のかみの毛。白髪。

**きんばり**【金張り】表面に金をうすくのばしたものをはりつけ〈ること/たもの〉。「—時計バンド」

**きんばん**【勤番】《名・自サ》江戸時代、諸侯の家来が交替で江戸・大坂の藩邸などにつとめたこと。「—武士」

**ぎんばん**【銀盤】①〔文〕銀で作ったさら。②〔雅〕氷の表面。③〔雅〕スケートリンク。「—の女王」

**きんぴ**【金肥】化学肥料など、代金をはらって買う肥料。堆肥などに対して言う。かねごえ。

**きんぴか**【金ぴか・金ピカ】《名・ナダ》〔俗〕金色にぴかぴか光る〈こと/もの〉。

**きんぴら**【〈金平〉】①←きんぴらごぼう。②野菜を、きんぴらごぼうと同じ方法で料理したもの。「レンコンの—・セロリの—」 ●**きんぴらごぼう**【〈金平△牛×蒡〉】細切りのゴボウ・ニンジンなどを砂糖・しょうゆ・トウガラシなどで あまからく いためたもの。きんぴら。由来 江戸時代の金平浄瑠璃の主人公・坂田金平にあやかった名前。

**きんぴん**【金品】〔文〕お金と品物。

**きんぷう**【金風】〔文〕あきかぜ。

**きんぶち**【金縁】ふちが金(色)である〈こと/もの〉。「—のめがね」

**きんぷら**【金(×麩羅)】そば粉にたまごの黄身をまぜたころもであげた天ぷら。

**ぎんぶら**【銀ブラ・銀ぶら】《名・自サ》〔やや古風〕東京の銀座の街を、ぶらぶら散歩すること。〔大正時代からのことば〕 由来「銀座をぶらぶら」の略語で、古い例はみなこの意味で使う。「もと、銀座でブラジルコーヒーを飲むことだった」という説は誤り。

**きんぶん**【金文】〔古代中国の〕青銅器などに刻まれた文字や文章。☞金石文。

**きんぶん**【均分】《名・他サ》平等に分けること。「—相続」

**きんぷん**【金粉】金(色)のこな。きんこ。

**ぎんぷん**【銀粉】銀(色)のこな。ぎんこ。

**きんぺき**【金×碧】〔文〕金色とあおみどり色。「—襖絵」

**きんべん**【勤勉】《名・ナダ》一心に仕事をするようす。「—家」派—さ。

**きんぺん**【近辺】〔ある場所・地域の〕近く。「東京—」

**きんぼう**【近傍】〔文〕近所。近辺。

**きんぽうげ**【〈金×鳳△花〉】野原などにはえ、春、金色で花びらが五枚ある花をつける草。毒がある。うまのあしがた。

**きんぼし**【金星】①〔図案などで〕金色の星。②〔すもう〕平幕の力士が横綱をたおしたときの勝ち星。「—を挙げる・—を配給する(=あたえる)・大—」③格上の相手に勝つこと。④〔すもう〕〔俗〕美人。☞きんせい(金星)。

**ぎんぼし**【銀星】①〔図案などで〕銀色の星。②〔すもう〕平幕の力士が大関をたおしたときの勝ち星。「—を挙げる」

**きんほんい**【金本位】《経》金貨を本位貨幣とする制度。

**きんまく**【筋膜】《生》筋肉を包む膜。「—炎」

**ぎんまく**【銀幕】①映写幕。スクリーン。エクラン(フ écran)。②〔文〕映画。「—のスター」

**きんまん**【金満】〔文〕お金をあまるほど持っていること。かねもち。「世界一の—国」 ●**きんまんか**【金満家】かねもち。富豪。

**きんまん**【緊満】《医》ひどく膨張していること。「腹部の—感」

**ぎんみ**【吟味】《名・他サ》①内容・品質などが〈正しい/じゅうぶんに いい〉かどうか、確かめること。「—した品物・ことばを—する」②江戸時代、つかまえた容疑者を取り調べたこと。

**きんみつ**【緊密】《ナダ》ぴったりとついて すきまがないようす。「—な連絡」派—さ。

**きんみゃく**【金脈】①金の鉱脈。②資金を出してくれる人。金主。

☆☆**きんみらい**【近未来】今からあまり遠くない未来。二、三十年ぐらい先。「—小説」(↔近過去)

**きんむ**【勤務】《名・自サ》給料をもらってはたらくこと。つとめ。「—先・早朝—」 ●**きんむひょうてい**【勤務評定】〔公務員の〕勤務の成績・能力などを上役の者が評価して決めること。勤評。

**きんむく**【金(無×垢)】純金。

**きんむりょくしょう**【筋無力症】《医》全身の筋肉の力がぬけていく病気。重症になると、物をのみこんだり呼吸したりすることが困難になる。重症筋無力症。

**きんめだい**【〈金目×鯛〉】深い海にすむ、タイに似たさかな。からだは赤くて、目が大きく、金色にかがやく。食用。きんめ。「—の煮つけ」

**きんメダル**【金メダル】〔オリンピックやパラリンピックなどで〕優勝者にあたえられる、金色のメダル。

**ぎんメダル**【銀メダル】〔オリンピックやパラリンピックなどで〕準優勝者にあたえられる、銀色のメダル。

**きんモール**【金モール】金糸を使ったモール。

**きんもくせい**【〈金木×犀〉】秋に赤黄色の花をひらくモクセイ。あまいかおりが強くただよう。白い花のモクセイは、ギンモクセイといい、かおりがうすい。

**きんもつ**【禁物】〔経験から言って〕してはいけないこと。「寝不足は—だ」

**きんゆ**【禁輸】《名・他サ》輸出入を禁止すること。

***きんゆう**【金融】《名・自サ》①《経》資金の需要・供給の関係。「—緩和・—逼迫」②お金の融通。資金を貸すこと。「小口—・—業」 ●**きんゆうきかん**【金融機関】《経》〔銀行など〕資金の融通・仲介・貸し出しなどをおこなう機関。 ●**きんゆうこうこ**【金融公庫】《法》銀行などふつうの金融機関では貸さない資金を貸すために、政府が資本を出して作った機関。「日本政策—」 ●**きんゆうさい**【金融債】《経》長期の安定的な資金を得る目的で、限られた金融機関が発行する債券。金融債券。 ●きん

**ゆうしさん**[金融資産]《経》現金・預貯金・証券などの資産。〔土地・貴金属などの実質資産に対していう〕 ●**きんゆうちょう**[金融庁]《法》金融制度に関する企画・立案や金融機関に対する検査・監督などをおこなう官庁。内閣府の外局。 ●**きんゆうひん**[金融品]〔金ぐりのために〕市価よりかなり安く売る品物。「換金処分の―」

**ぎんゆうしじん**[吟遊詩人]〔中世、西洋で〕各地を旅行して叙事詩を〈朗読/吟詠〉した人。

**きんよう**[金曜]一週の五番目の日。木曜の次。金曜日。

**きんよう**[緊要]《ナダ》〔文〕非常に大切なようす。派―さ。

**きんよく**[禁欲・禁×慾]《名・自サ》感情・欲望をおさえること。特に、性欲をおさえること。「―生活・―的(=ストイック)」

**ぎんよく**[銀翼]〔文〕〔飛行機の〕銀色に見えるつばさ。

**きんらい**[近来]近ごろ。近時。

**きんらん**[金×襴]錦のきれに金糸で模様を織り出したもの。織金。「―緞子」

**きんり**[金利]《経》〈貸した/借りた〉お金に対する利息。「―生活者(=働かないで、預金・債券などの利息だけで生活する人)」

**きんり**[禁裏・禁×裡]〔文〕皇居。御所。「―様(=天皇)」

**きんりょう**[斤量]はかりで量った重量。

←**きんりょう**[禁猟]狩猟を禁じること。「―区(↕猟区)」

→**きんりょう**[禁漁]魚類などをとるのを禁じること。「―区」

**きんりょく**[金力]お金を使うことによって得られる(社会的な影響)力。財力。

**きんりょく**[筋力]筋肉の力。腕力。

**きんりょくしょく**[金緑色]みどりいろに反射する金色。

**きんりん**[近隣]となり近所。

**ぎんりん**[銀輪]〔雅〕〔自転車の〕銀色の車輪。また、自転車。

**ぎんりん**[銀×鱗]〔文〕銀色のうろこ。さかな。 ●**銀鱗躍る**句〔文〕とれたさかなが勢いよくはねる。

**きんるい**[菌類]《生》キノコ・カビ・酵母などをまとめた呼び名。葉緑素を持たず、光合成をおこなわない。

**きんれい**[金鈴]〔文〕金のすず(の音)。

**きんれい**[禁令]〔文〕禁止の〈法令/命令〉。「―の声」

**ぎんれい**[銀鈴]〔文〕銀のすず(の音)。

**ぎんれい**[銀×嶺]〔文〕〔雪が積もって〕銀色にかがやく山。

**きんろう**[勤労]《名・自サ》①給料・報酬をもらって、決まった仕事をすること。②からだを使って働くこと。「―奉仕」 ●**きんろうかんしゃのひ**[勤労感謝の日]国民の祝日の一つ。十一月二十三日。まじめに労働することの大切さを感じ、働く人に感謝する日。〔一九四八年から実施。新嘗祭の日に当たる〕 ●**きんろうしゃ**[勤労者]給料生活者・労働者などの呼び名。

**きんわ**[謹話]《名・自サ》〔文〕〔総理大臣などが〕皇室にかかわることをつつしんで話すこと。また、その話。

# く ク

**く**[九]きゅう。くう。「平成―年」区別⇩きゅう(九)。

****く**[区]一く(=小分け)①目的に応じて、地域を、ある広さごとにくぎったもの。「選挙―」②《法》ⓐ特別区。東京都の行政区画・地方自治体。二十三区ある。ⓑ行政区。政令指定都市の行政区画。ⓒ地域自治区。市町村の中に置かれる自治組織。「南相馬市原町―」③ある区域や地区の事務を取りあつかい、人・物を管理する所。「電車―」二造 バスなどの料金を決めるための区間。「一―一八〇円」

**く**[句]一く ①詩や歌・文章のひとくぎり。〔和歌・俳句・漢詩では、五字または七字ずつを言う〕②俳句。③《言》単語がつらなって、文の一部になったもの。フレーズ。例、「おもしろい本」「本を読む」。〔この辞書では、連語のうち、複数の文節から成り、特別の意味をあらわすものを指す。項目を立てる場合は句と表示する〕☞付録文法解説「連語と句」。二接尾 俳句を数えることば。「一―浮かんだ」☞上の句・下の句・二の句。

**く**[苦]①〔文〕苦しむこと。苦しみ。「生活―・―あれば楽あり、楽あれば―あり(=人生には苦しいことも楽しいこともある)」(↔楽)②心配。心の荷物。負担。「―になる」③〔文〕にがみ。「甘、酸、―」☞苦もなく。 ●**苦にする**句 気にして思いなやむ。苦に病む。「失敗を苦にして〔『苦に』とも〕自殺した」 ●**苦に病む**句 気にして思いなやむ。「失敗を―・あんまり―な」 ●**苦は楽の種**句 今の苦労は将来の幸せのもとだ。「楽は苦の種、―」

**ぐ**[具]一ぐ〔文〕ある目的のための〈道具/手段〉。「政争の―に供する」二ぐ 料理に(細かく)刻んで入れる材料。具材。「ちらしずしの―・カレーの―」

**ぐ**[愚]〔文〕一ぐ《名・ナダ》おろか(もの)。ばか(もの)。「―な話・―をくり返す」☞愚の骨頂。二謙 自分がわの人・ものをさすことば。「―弟・―作」〔現代では、人に使うと「おろか」の意味がにじんで語感が悪い〕 ●**愚にもつかない**句 ばかばかしい。「―話をする」

***ぐあい**[具合]・(△工合)①よしあしのようす。「からだの―はどうですか・何とも―の悪いことになった・〔お金の〕集まり―」②やり方。あんばい。「こんな―にやるといい」③からだのようす。「なんだか―が悪い」④つごう。あんばい。「今夜は―が悪いなあ」

**グアバ**[guava]熱帯アメリカ原産の、小ぶりの丸いくだもの。皮はうす緑色で、果肉はピンク色。強くあまいかおりがあるが、味はうすい。グァバ。「―茶(=グアバの葉などをせんじたお茶)」

**クアハウス**〔ド Kurhaus=治療・保養の家〕総合的な健康づくりをめざした温泉利用施設。入浴・スポーツ施設があり、専門の指導員がいる。

**クアルテット**〔フ quartette〕《音》⇩カルテット。

**ぐあん**[愚案]《名・自サ》(=おろかな考え)〔文〕自分の考えを、けんそんして言うことば。

**くい**[句意]〔文〕〈俳句/句〉の意味。

**くい**[(×杭)・(×杙)]地面の中に打ちこむ、柱のような形の木材。

**くい**【悔い】くいること。後悔(こうかい)。「あとに―を残す」

**くいあ・う**【食い合う】(くひあふ)《自他五》①おたがいに相手を食う。②〔歯車などが〕かみあう。③おたがいの〈領分/勢力範囲(はんい)〉をおかす。图食い合い。

**くいあげ**【食い上げ】(くひ)〔俗〕収入がなくなって、〈食べて/生活して〉いくことができなくなること。「めしの―だ」

**くいあら・す**【食い荒らす】(くひ)《他五》①食べて損害をあたえる。「イノシシが畑を―」②相手の領分をおかして、めちゃめちゃにする。

**くいあらた・める**【悔い改める】《他下一》今までの失敗・罪・考えちがいなどに気がついて、改める。图悔い改め。

**くいあわせ**【食い合わせ】(くひあはせ)《名・他サ》一回の食事で、二種類以上の食べ物を食べること(により中毒を起こすこと)。たべあわせ。「―が悪い」

**くいいじ**【食い意地】(くひ) 食べたいと思う欲望。「―の張った人」

**くいい・る**【食い入る】(くひ)《自五》①〔表面をやぶって〕はいりこむ。「弾丸(だんがん)が肉に―・心身に―つかれ」②顔を近づけて、視線をつきさす。「テレビの画面に―・メニューを―ように見る」

**クイーン**〔queen〕①女王。(↔キング)②《トランプ》女王の絵のついたカード。記号はQ。③花形の女性。「二座の―」▽クイン。●**クイーンサイズ**〔queen size〕①キングサイズより少し小さいもの。「―のベッド」②女性の服などの、大判。

**くいうち**【(×杭)打ち】(くひ) 地盤(じばん)を固めるために、工事の前にコンクリート製の太いくいを打ちこむこと。

**くいき**【区域】ある範囲(はんい)の地域。「遊泳禁止―」

**くいぎみ**【食い気味】(くひ)《ナダ》〔俗〕相手が話し終わらないうちに話すようす。「―の発言」〔芸能用語から、二十一世紀になって広まったことば〕

**くいき・る**【食い切る】(くひ)《他五》①歯でかみきる。②ぜんぶ食べる。

**くいくい**《副》①続けて軽く引っぱるようす。「そでを―と引く」②さかずきの酒などを、続けて飲むようす。

**ぐいぐい**《副》①強い力が続いて加わって、おしたり引いたりするようす。「―(と)引っぱる」②勢いよく進むようす。「―(と)引きはなす」③続けて勢いよく飲むようす。「酒を―あおる」

**くいけ**【食い気】(くひ) 食欲。「色気より―」

**くいこ・む**【食い込む】(くひ)《自五》①〔おしつけられたりして〕中のほうへはいりこむ。「ひもが首に―・ネコのつめがうでに―」②ほかの領分まではいりこむ。「現地市場に―・次の発表者の時間に―」③上位にはいりこむ。「三位に―」④〔権力を持つ〕相手と密接な関係をつくる。「相手国の首脳に―・取材対象に―」图食い込み。

**くいさが・る**【食い下がる】(くひ)《自五》①かみついて、ぶら下がる。②ねばり強く、強い相手とやりあう。「食い下がって交渉(こうしょう)する」③《すもう》相手のからだの下のほうに組みつく。图食い下がり。

**くいしば・る**【食い(縛る)】(くひ)《他五》強くかみあわせる。「歯を―」

**くいしろ**【食い(代)】(くひ)〔俗〕食費。食事代。

**くいしんぼう**【食いしん坊】(くひしん)《名・ナダ》〔「いやしんぼう」に引かれた言い方〕食い意地の張った〈人/ようす〉。くいしんぼ。

**クイズ**〔米 quiz=質問〕問題を出して答えさせる あそび。また、その問題。あてもの・パズルなど。「―番組」

**くいぞめ**【食い初め】(くひ)【おー】生まれた日を入れて百二十日目(女の子は百日目)に、はじめて乳以外のものを食べさせる行事。たべぞめ。

**くいたお・す**【食い倒す】(くひたふす)《他五》①飲み食いした代金をはらわないですます。②食いつぶす。③〔俗〕食いまくる。

**くいだおれ**【食い倒れ】(くひだふれ)《名・自サ》ぜいたくな飲食のために財産をなくすこと。「大阪の―」☞着倒(きだお)れ。

**くいだめ**【食い(×溜め)】(くひ)《名・他サ》一度にたくさん食べて腹にためておくこと。食いおき。動食いだめる《他下一》。

**くいたりない**【食い足りない】(くひたりない)《形》(ヌ)①食べ足りない。②じゅうぶんには満足できない。丁寧食い足りません。派―さ。

**くいちが・う**【食い違う】(くひちがふ)《自五》①たがいに交差〈する/して〉うまく あわなくなる〉。②へだたりがある。一致(いっち)しない状態になる。「主張が―」图食い違い。

**くいちぎ・る**【食い(千切る)】(くひ)《他五》かみついて、ちぎる。くわえて、ちぎる。

**くいちら・す**【食い散らす】(くひ)《他五》①食べたあとをちらかして、きたない状態にする。▽食べちらす。②いろいろなものを、あれこれと少しずつ食べて残す。③いろいろなことを少しずつやってみる。▽食いちらかす。

**クイック**〔quick〕▬**クイック**①〔ダンスで〕速いステップ。(↔スロー)②《バレーボール》すばやいスパイク。速攻(そっこう)。☰遺 速い。「―モーション・―サービス」☰**クイック**《ナダ》すばやいようす。派―さ。

**くいつ・く**【食い(付く)】(くひ)《自五》①口を近づけて、かむ。また、そのまま はなさなくなる。くらいつく〔俗〕。「ハンバーガーに―・魚が針に―・すっぽんが―」②ずっとまとわりつく。「前を走るランナーに―・刑事(けいじ)が―」③〔話などの内容に〕強い関心を〈示す/示して〉とびつく〉。「観客が―・もうけ話に―」图食いつき。「―がいい」

**くいつな・ぐ**【食い(×繋ぐ)】(くひ)《自五》①食べ物を少しずつ食べて、長い間もたせる。②お金を少しずつ使ったりして、なんとか暮らす。「アルバイトで―」图食いつなぎ。

**くいっぱぐ・れる**【食いっぱぐれる】(くひ)《自下一》①食う機会を失う。②失業したために、生活できなくなる。▽食いはぐれる。图食いっぱぐれ。

**くいつぶ・す**【食い(潰す)】(くひ)《他五》働かないで暮らして、財産をなくす。食いたおす。图食いつぶし。

**くいつ・める**【食い詰める】(くひ)《自下一》〔財産をつかいはたして〕生活できなくなる。「食い詰め者」

**くいで**【食いで】(くひ)〔俗〕たくさん食べた、という感じがする分量(があること)。たべで。「―がある」

**ぐいと**《副》〈力をこめて/一気に〉するようす。ぐいっと。「―引きぬく・―飲む」

**くいどうらく**【食い道楽】(くひ)⇩しょくどうらく〈食道楽〉。

**くいと・める**【食い止める】(くひ)《他下一》防ぎとめる。「延焼(えんしょう)を―」自食い止まる《五》。

**くいな**【(:水鶏)】(くひな) 小形の水鳥。初夏の夜明けなどに、木をたたくような声で鳴く。☞たたく⑩。

**クイニーアマン**〔フ kouign amann〕フランスの丸い焼き菓子。バターをたっぷり使った塩けのある生地で、外がわは あまく かりかりしている。

**くいにげ**［食い逃げ］《名・自サ》①飲食店で、食事の代金をはらわずに立ち去ってしまう〈こと／人〉。②食事をごちそうになって、すぐに帰ること。「―のようですが、失礼します」③利益を得たのに、それに見合う責任をはたさないこと。「税金の―」

**くいのば・す**［食い延ばす］《他五》〈食べ物／お金〉を、長くもつように少しずつ〈食べる／使う〉。食いつなぐ。「給料日まで、残ったお米を―」 名食い延ばし。

**ぐいのみ**［ぐい飲み］《名・他サ》①勢いよく、ひと口に飲むこと。②大形の ちょこ。また、茶飲み茶わんの一種。

**くいぶち**［食い（扶△持）］ 食料にあてる費用としてあたえられたもの。食費。「―をあてがう」

**くいもの**［食い物］①たべもの。食物。「―の うらみは恐ろしい」②他人の利益のために利用されるもの。「悪徳業者の―にされる」

**くいやぶ・る**［食い破る］《他五》かじって、穴をあける。「ネズミが袋を―」

**く・いる**［悔いる］《他上一》 あやまちなどに気がついて、そうしなければよかったと思う。後悔する。「前非を―」

**クインテット**〔イ quintetto〕《音》①五重唱。五重奏。②五重唱団。五重奏団。▽クィンテット。

**くう**［△九］〔話〕く。〔数えるときに言うことば〕「八、―、十」

**くう**［空］①空間。空中。「―を切る・地対―ミサイル・―陸一体で捜索」②〔文〕むだ。「努力が―に帰する」③そら。暗記。「―で話す」④《仏》（心以外に）実体というものは何も存在しない、ということ。「―即是色」⑤↑空軍。⑥↑航空自衛隊。⑦〔視覚語〕〔駐車場で〕↑空車。（↔満）

***く・う**［食う・×喰う］ 一《他五》①「食べる」の ぞんざいな言い方。「めしを―・トラに食われる・―には困らない〔=生活はできる〕」②〔虫が〕かじったり、さしたりする。「〈ノミ／蚊〉に食われる・虫の食ったセーター」③《釣り》〔魚が〕えさに引っかかる。「ちっとも食わない」④《マージャン》〔捨てられたパイを〕とりこむ。⑤くわえる。「この毛ぬきは よく―よ」⑥〔むだに〕使わせる。ついやす。「時間を食われる・かねを―」⑦〔被害を〕受ける。こうむる。「小言を―・おいてけぼりを―・その手は食わない」⑧自分の利益になるように、利用する。食い物にする。「歌手を―芸能プロ」⑨〔俗〕誘惑して性的関係を結ぶ。⑩《すもう》上位の相手を負かす。「平幕が大関を―」⑪〔競争の場で〕相手の分をうばう。「裏番組の視聴率を―・他店に客を食われる」⑫《芸能》注目をあびて、ほかの出演者をかすませる。「主役を―・しろうとに食われた」⑬《芸能》相手のせりふに かぶせて言う。☞食い気味。名食い。可能食える。二《自五》〔俗〕だまされる。「いっぱい―」☞食えない・食える・食ってかかる。●食うか食われるか句 相手を完全に負かすか、相手に完全に負かされるかの戦いをすること。●食うや食わず句 ごはんを食べたり食べなかったりするほど まずしいようす。「―の生活」

**くう**［×腔］造《生》からだで、中が からになっているところ。「胸膜―」〔「こう」の、医師による慣用読み〕

**ぐう**［×寓］〔文〕かりずまい。〔名字だけの表札に書く〕「村井―」

**ぐう**［宮］造 神社の呼び名。「鎌倉―」

**ぐう**［隅］造〔文〕すみ。「東北―」

**ぐー**［グー］①〔じゃんけんの〕石。指をにぎって出す。「―パー〔=グーとパーだけで組分けをする方法〕」②指をにぎった形。こぶし。「―〔パンチ〕で なぐる・―タッチ〔=おたがいに こぶしでタッチすること〕」

**グー**《感・ナダ》〔↑good〕〔俗〕いい。すてき。すばらしい。グッド。「調子は―だ・―な選曲・ばっちり―〔=ばっちり いい〕」

**くうい**［空位］①〔文〕その地位についている人がいないこと。「大臣が―となる」②《数》数をあらわすとき、ある位に何もないこと。0などで あらわす。

**くうい**［空尉］《軍》航空自衛官の階級の一つ。空佐の下、准空尉の上。（↔海尉・陸尉）

**ぐうい**［×寓意］《名・他サ》〔文〕ほかのことに かこつけて ほのめかす〈考え／こと〉。「―をこめた話」

**くういき**［空域］〔文〕ある地域の上空にあたる、空間の区域。「羽田―」

**ぐういん**［偶因］〔文〕（根本的な原因ではなく）たまたまそうなった原因。「悪天候が―の事故」

**くううん**［空運］〔文〕航空機でする運送。

**ぐうえい**［偶詠］《名・他サ》〔文〕ふと心に うかんだことを詩歌に詠むこと。また、その詩歌。

**クーガー**〔cougar〕⇨ピューマ。

***くうかん**［空間］①上下・左右・前後の すべての方向にわたる広がり。「―図形〔=立体的な図形〕・宇宙―」（↔時間）②〔人の〈いる／集まる〉〕ところ。「居住―・生活―・言論―」

**ぐうかん**［偶感］〔文〕ふと、頭にうかんだ感想。「新春―」〔文章の題目などに使う〕

**くうかんち**［空閑地］〔文〕建築・農業などの目的に使わないで、あけてある土地。あき地。

***くうき**［空気］①地球をつつみ、われわれが それを吸って生きている気体。〔窒素と酸素を主成分とする混合気体〕②その場のようす。ふんいき。「険悪な―・うんざりした―が流れた」③〔俗〕存在感がまったくない人。「―あつかいされる〔=無視される〕」●☆☆空気を読む句 今、どういう状況か、そこにいる人が どう思っているかを、うまく感じ取る。「その場の―」〔二十一世紀になって広まった言い方〕☞KY。●くうきいす［空気椅子］いすに かけているような中腰の姿勢を〈とるトレーニング／とらせる体罰〉。●くうきいれ［空気入れ］タイヤ・ボールなどに空気を送りこむ道具。●くうきかん［空気感］ふんいき。「ユーモラスな―」●くうきかんせん［空気感染］《医》病原体が空気中に ただよい、他の人に感染すること。エアロゾル感染。空気伝染。例、はしか。☞接触感染・飛沫感染。●くうきじゅう［空気銃］圧縮された空気の力で たまをうち出すように作った銃。狩猟・競技用。エアライフル。☞エアガン。●くうきせいじょうき［空気清浄機］よごれた空気をきれいにする装置。●くうきまくら［空気枕］空気を入れてふくらませる まくら。

**くうきょ**［空虚］《名・ナダ》①何もないようす。から。②

内容がないようす。価値のあるものが ふくまれていないようす。「—な思想」派-さ。

**ぐうきょ**[×寓居]《名・自サ》〔文〕かりずまい。〔おもに、自分の家をけんそんして言うときに使う〕

**くうぎょう**[空行]〔文書で〕文字や記号が一つもない行。〔電子テキストでは改行記号だけの行〕

**ぐうぐう**《副》①ねむって いびきをかいている〈ようす/音〉。②腹がすいて鳴る音。「空腹で—いう」

**くうくうばくばく**[空々漠々]《トタル》〔文〕何もなくて、ひろびろとしているようす。

**くうぐん**[空軍]《軍》空中の攻撃や防御を受け持つ軍隊。(↔海軍・陸軍)

**くうけい**[空×閨]〔文〕〈夫/妻〉のいない、さびしい寝室。「—を守る」

**くうげき**[空隙]〔文〕すき(ま)。間隙。「政治の—をうめる」

**くうけん**[空拳]〔=素手〕〔文〕⇩徒手空拳。

**くうげん**[空言]〔文〕実行するつもりのないことを言うこと。また、そのことば。空語。「—を吐く」

**ぐうげん**[×寓言]〔文〕たとえばなし。寓話。

***くうこう**[空港] 公共の(大規模な)飛行場。エアポート。「国際—」

**くうこく**[空谷]〔文〕人気のない、さびしい谷。「—の跫音〔=孤独に暮らしているところに思いがけない来客があったり、便りが届いたりするうれしさのたとえ〕」

**くうさ**[空佐]《軍》航空自衛官の階級の一つ。空将補の下、空尉の上。(↔海佐・陸佐)

**ぐうさく**[偶作]〔文〕〔詩や歌などの〕ふと、できあがった作品。偶成。

**くうさつ**[空撮]《名・他サ》空中からの撮影。

**くうし**[空士]《軍》航空自衛官の いちばん下の階級。空士長の下。(↔海士・陸士) ●**くうしちょう**[空士長]《軍》航空自衛官の階級の一つ。空曹の下、空士の上。

**くうじ**[空自]↑航空自衛隊。

**ぐうじ**[宮司] 神社の、最高の神主。

**くうしつ**[空室]〔宿・アパート・オフィスなどで〕〈宿泊/入居〉する人が(まだ決まって)いない部屋。あきま。あきべや。あきしつ。「—情報」

**くうしゃ**[空車]①乗客や貨物をのせていない自動車。特にタクシーで、客をのせていない状態の車。(↔実車) ②車庫・駐車場に あきがあること。(↔満車)

**くうしゅう**[空襲]《名・他サ》飛行機による襲撃。

**くうしょ**[空所]〔文〕あいているところ。

**くうしょう**[空床]〔病院で〕あいているベッド。

**くうしょう**[空将]《軍》航空自衛官の階級のうちで最高のもの。〔もとの大将・中将に当たる〕(↔海将・陸将) ●**くうしょうほ**[空将補]《軍》空将の一つ下の階級。もとの少将に当たる。(↔海将補・陸将補)

**くうしんさい**[空心菜] 中国野菜の一種。くきが空洞になっている。いためものや おひたしなどにする。「—のニンニクいため」

**くーす**[(:古酒)・クース] 熟成させた泡盛。

**ぐう・す**[遇す]《他五》〔文〕⇩遇する。

**ぐうすう**[偶数]《数》二で割ったときに、余りの出ない整数。0も偶数にふくめる。(↔奇数)

**ぐうすか**《副》大きないびきをかいて ねむるようす。

**グーズベリー**〔gooseberry〕木の実の名。小形で緑色。ジャムにして食べる。グスベリー。

←**ぐう・する**[×寓する]〔文〕[一]《自サ》仮ずまいをする。[二]《他サ》かこつける。たとえる。ほのめかす。「社会風刺を寓した童話」

→**ぐう・する**[遇する]《他サ》〔文〕〔そういう地位・立場の人として〕とりあつかう。もてなす。遇す。「友人として—」

**くうせき**[空席]①あいている座席。②欠員になっている職や地位。

**くうせん**[空船]〔文〕人や貨物をのせていない船。からぶね。

**くうせん**[空戦]《軍》⇩空中戦①。(↔海戦・陸戦)

☆☆**くうぜん**[空前]くらべられるものが以前にないこと。「—の大事業」(↔絶後) ●☆☆**くうぜんぜつご**[空前絶後] 過去にも例がなかったし、将来もないだろうと思われること。「—の大記録」

**ぐうぜん**[偶然][一]はじめから決まったことでなく、思いがけず起こること。「—を当てにしてはいけない・—の一致」派-さ。[二]《副》思いがけないことに。たまたま。ふと。「—(に)出くわした」▽[一][二](↔必然) ●**ぐうぜんせい**[偶然性] たまたま そうなるかもしれない性質。「—は少ない」(↔必然性)

**くうそ**[空疎]《名・ナダ》〔文〕〈はっきりした内容/しっかりした中身〉がないようす。「—な文章」派-さ。

**くうそう**[空曹]《軍》航空自衛官の階級の一つ。准空尉の下、空士長の上。(↔海曹・陸曹)

**くうそう**[空想]《名・他サ》(今のところ)現実ではないものごとを、自由に思いうかべること。また、その内容。「大学に合格した自分を—する・—にふける」

☆☆**ぐうぞう**[偶像]①神や仏に かたどって作った像。「—崇拝」②崇拝・信仰やあこがれの対象となる人。アイドル。「スターは大衆の—・落ちた—」

**くうそくぜしき**[空即是色]《仏》万物はもともと空だが、それを生んだ因縁によって有と見られる、ということ。☞色即是空。

**ぐうたら**《名・ナダ》〔俗〕①ぐずぐずする〈ようす/人〉。②なまけ者。

**くうちゅう**[空中] 地上をはなれた(目よりも高い)ところ。そら。「—高くとび上がる」 ●**くうちゅうけん**[空中権]《法》土地の上空を使って、高いビルなどを建てる権利。建物を低層に とどめて、この権利を周辺の土地所有者に売ることもできる。 ●**くうちゅうせん**[空中戦] ①《軍》航空機どうしの空中での戦い。空戦。航空戦。②《サッカーなど》高い位置でのボールをめぐる せり合い。③《野球》ホームランをめぐる点の取り合い。④役所の間での予算の取り合い。「財源をめぐる—」⑤街頭演説や選挙カーでの連呼など、不特定多数へ呼びかける選挙戦術。〔支持者への あいさつ回りをする「地上戦」に対して言う〕⑥具体的な根拠にもとづかない、不毛な議論。 ●**くうちゅうぶらんこ**[空中(:鞦韆)]〔サーカスで〕高いところにつるしたブランコを使って おこなう曲芸。 ●**くうちゅうぶんかい**[空中分解]《名・自サ》①製造上の欠陥や点検の不十分などのために、飛行中の航空機が、とつ

ぜん ばらばらにこわれること。②問題が生じて、ものごとが一気にだめになること。「協議が―する」 ●**くうちゅうろうかく**【空中楼閣】〔文〕空中に築いた楼閣のように、根拠のないものごと。

**くうちょう**【空腸】《生》小腸の一部。十二指腸と回腸とのあいだの部分。

**くうちょう**【空調】《名・他サ》〔↑空気調節〕自動的に部屋の温度や湿度を調節して保つ〈こと／装置〉。エアコンディショニング。「―設備・―が効かない」

**くうてい**【空×挺】〔↑空輪挺進〕《軍》敵地を攻撃するために、航空機からパラシュートでとびおりたり、武器をおろしたりすること。「―(部)隊・―作戦」

**ぐうているい**【偶×蹄類】《動》足のひづめが偶数個の哺乳類。例、ウシ・カバ・キリン。〔現在は分類が見直され、クジラやイルカの仲間と統合し「クジラ偶蹄目」と呼ぶ〕 ☞奇蹄類・鯨偶蹄目。

☆☆**クーデター**〔フ coup d'État=国家への打撃〕内部の者が(武力などによって)むりに政治の権力をうばうこと。「軍事―・役員の―で社長が解任された」

**くうてん**【空転】《名・自サ》からまわり。「議論が―する」

**くうどう**【空洞】①中に何もないこと。から(の部分)。「地下が―になっている・心の中の―」②ほらあな。●☆☆**くうどうか**【空洞化】《名・自サ》①中心部がおとろえること。「都市の―が進む・工場の海外移転が進んで国内産業が―する」②形だけが残って、中身がなくなること。「民主主義の―」

**クーニャン**〔(:姑娘〕〔中国語〕むすめ。少女。

**ぐうのね**【ぐうの音】ぐうという声。●**ぐうの音も出ない**㊞ 完全にやられて、ひとこともものが言えない。

**くうはく**【空白】①何も書き入れてない、しろい〈部分／紙面〉。ブランク。「―をうめる」②何もおこなわれない〈こと／状態〉。「政治の―」

**くうばく**【空幕】《法》↑航空幕僚監部。☞幕僚監部。

**くうばく**【空爆】《名・他サ》航空機でおこなう爆撃

**くうばく**【空漠】《タルト》〔文〕(広すぎて)とりとめのないようす。

☆☆**ぐうはつ**【偶発】《名・自サ》思いがけず起こること。「―的事件」

**くうひ**【空費】《名・他サ》役に立たない使い方をすること。むだづかい(すること)。「時間を―する」

**くうふく**【空腹】《名・ダ》はらがすくこと。すきっぱら〔俗〕。「―時」(↔満腹)

**くうぶん**【空文】〔文〕実際の役に立たない文章・条文。あって、ないのと同じ文章。「―化する」

**クーペ**〔フ coupé〕屋根が小さく、ドアが二つでスポーティーな形の乗用車。

**くうぼ**【空母】《軍》↑航空母艦。

**くうほう**【空包】実弾がはいっていない、火薬だけの銃弾。(↔実包・実弾)

**くうほう**【空砲】火薬をつめて、音だけを出す〈銃／大砲〉。「―を鳴らす」

**クーポン**〔フ coupon〕①ひとつづりの切符。②決まった商品やサービスと交換できる券。また、割引券。▽クーポン券。

**くうむ**【空無】〔文〕からっぽ。何もないこと。

**くうゆ**【空輸】《名・他サ》航空機で(人や貨物を)はこぶこと。

**クーラー**〔cooler〕①冷房装置。エアコン。「ルーム―」②食品などを冷やしておく入れもの。「―ボックス・ワイン―」

**くうらん**【空欄】(書きこまれることになっているが)何も書かれていない欄。

**くうり**【空理】〔文〕実際の役に立たないりくつ。「―空論」

**くうりく**【空陸】①空中と陸上。②空軍と陸軍。

**ぐうりょく**【偶力】《理》一つの物体に平行にはたらく、大きさが同じで向きが反対の、二つの力。〔物体を回転させる力となる〕

☆☆**クーリングオフ**〔cooling off〕《法》(訪問販売や電話勧誘などで)商品などを買う契約をしてから、一定期間内なら無条件でその契約が解除できる制度。法定解約。

**クール**〔フ cours〕《放送》連続番組の放送期間のくぎり。ワン(=一)クールは、三か月、十三回。

**クール**〔ド Kur=治療〕《医》治療をおこなう期間。「一―(=ひとまわり)」

**クール**《ダ》〔cool〕①すずしそうなようす。「夏の―なスタイル」②冷静で、感情におぼれないようす。「―な人物・―ビューティー(=クールな美人)」③洗練されていて、かっこいいようす。「―なデザイン」派―さ。●**クールダウン**《名・自他サ》〔cool down〕①熱をさますこと。熱がさめること。②はげしい運動のあとにおこなう整理体操。クーリングダウン。「肩の―をする」(↔ウォーミングアップ) ●☆☆**クールビズ**〔和製 cool biz《↑business》〕(省エネのために)夏、職場で、ノーネクタイなどの軽装をすること。〔二〇〇五年、環境省が提唱〕(↔ウォームビズ)

**くうれい**【空冷】(エンジンなどを)高温にならないように、空気でひやすこと。「―式」(↔水冷)

**くうろ**【空路】[一]飛行機が通る、空中の道。[二]《副》飛行機に乗って。「―出国した」▽[一][二](↔陸路・海路)

**くうろん**【空論】実際の役に立たない議論や理論。「空理―」

**クーロン**〔coulomb=もと、人名〕《理》電気量の実用単位(記号C)。一クーロンは、一アンペアの電流が一秒間にはこぶ電気量。

**ぐうわ**【×寓話】教訓の意味をこめた、たとえばなし。アレゴリー。「イソップの―」

**くえ**【九絵】本州中部から南シナ海にかけてすむ、茶褐色で大形のさかな。アラに似ているが、とげがない。

**くえい**【区営】区が経営〈すること／しているもの〉。「―プール」

**クエーカー**〔Quaker〕《宗》キリスト教新教の一派。平和主義をとなえる。フレンド派。

**クエーサー**〔quasar〕《天》⇒準星。

**くえき**【苦役】〔文〕①くるしい労働。②懲役。徒刑。

**クエスチョン**〔question〕問い。質問。クエッション。(↔アンサー) ●**クエスチョンタイム**〔question time〕①質問の時間。②⇒党首討論。●**クエス**

チョンマーク〔question mark〕疑問符(ふ)。「?」。クエッションマーク。「―が付く〔=疑問が出される〕」

くえ・ない【食えない】くへ《形ヌズ》ゆだんできない。「―やつ」丁寧食えません。☞食える。

クエリ〔query=質問〕〔情〕情報を検索(けん)するときに入力する語句。クエリー。「検索―」

く・える【食える】くへ《自下一》①食べてうまい。「なかなか―」②生活できる。「絵では食えない」

くえんさん【クエン酸】〔理〕かんきつ類にふくまれる、すっぱい成分物質。清涼(せいりょう)飲料に使う。表記「×枸×櫞酸」は、本来の用字。

クォーク〔quark〕〔理〕陽子や中性子などを構成する素粒子(そりゅうし)の一つ。クオーク。

クオーター〔quarter〕①四分の一。「〔洋酒の〕―びん」②〔フットボールなど〕規定の試合時間を四つに分けた一つ。「第一―」③〔俗〕両親の一方がハーフである子。▽クォーター。●クオーターバック〔quarterback〕〔アメリカンフットボール〕攻撃(こうげき)するがわのポジション(の選手)。攻撃の中心で、作戦のかなめとなる。クォーターバック。QB。

クオータせい【クオータ制】〔quota=割り当て〕〔男女平等を進めるために〕一定の割合の女性を議員や役員などにする制度。

クオータリー〔quarterly〕年に四回発行する定期刊行物。季刊。クォータリー。

クオーツ〔quartz=水晶(すいしょう)〕〔↑クオーツ ウォッチ〕水晶時計。特に、腕(うで)時計をさす。クォーツ。

クオーテーション〔quotation〕引用。クォーテーション。●クオーテーションマーク〔quotation mark〕引用符(いんよう)。「“ ”」や「‘ ’」など。コーテーションマーク。クォーテーションマーク。

クオート〔quart〕〔ヤードポンド法で〕牛乳などの体積の単位。アメリカの一クオートは約〇・九五リットル。コート。クォート。

クオリア〔qualia〕目や耳などを通して受け止める、ものの感じ。感覚質。例、ある波長の光が目にはいったとき、「青だ」「すずしい色だ」ととらえられる、その感じ。「青の―」

☆☆クオリティ(ー)〔quality〕水準。(品)質。「―の高い作品・―オブライフ〔⇨QOL〕・A社―(=A社ならではの品質)」

くおん【久遠】〔仏〕永久。「―の昔」

くか【区歌】その区をイメージして作られ、行事のときなどに歌う歌。

くか【句歌】俳句や和歌。「―集」

くが【△陸】〔雅〕りく。おか。「―路(じ)」

くかい【句会】集まって俳句を発表したり、批評を受けたりする会。

くがい【苦界】①〔仏〕苦しみや なやみの多い人間界。②遊女のつらい境遇(きょうぐう)。「―に身をしずめる」

くかく【区画・区×劃】《名・他サ》①くぎった〈場所/範囲(はんい)〉。「〔市街地の〕―整理」②〔土地などを〕くぎること。

くがく【苦学】《名・自サ》学費をかせぎながら学校に通うこと。「―生」●くがくりっこう【苦学力行】《名・自サ》苦学しながら努力すること。「―の士(=人)」

*くがつ【九月】一年の第九の月。☞長月(ながつき)。

くかつよう【ク活用】〔言〕文語形容詞の活用の一つ。語尾(び)が「く(から)・く(かり)・し・き(かる)・けれ・かれ」のように活用する。例、高し。(↔シク活用)

くがら【句柄】俳句の〈品格/できばえ〉。

くかん【区間】ある地点から別の地点までのあいだ。「乗車―・―賞」

くかん【×軀幹】〔文〕頭と手足を除いた、からだの主要な部分。胴体(どうたい)。「―四肢(し)」

ぐがん【具眼】〔文〕見識があること。「―の士」

くき【茎】植物の軸(じく)になる器官。

くぎ【区議】↑区議会議員。

くぎ【〔×釘〕・クギ】一方のはしが とがっていて板などに打ちつける、細長いもの。鉄・木・竹などで作る。ものをとめたり、かけたりするために打つ。●くぎを刺(さ)す 句 まちがいの起こらないよう、あらかじめ警告する。

くぎかい【区議会】〔法〕区民から選ばれた議員が、区の行政に必要なことを決める議会。

くぎかくし【〔×釘〕隠し】建物の目立つ所に打ったくぎの頭をかくすためにかぶせる、かざり。

くぎざき【〔×釘〕裂き】衣服などを、出ている釘にひっかけてさくこと。また、そのさけめ。かぎざき。

くきちゃ【茎茶】煎茶(せんちゃ)や玉露(ぎょくろ)などの精製過程で取り除かれた、くきや葉脈の部分を集めた緑茶。かおりが楽しめる。棒茶。☞芽茶(めちゃ)。

くぎづけ【〔×釘〕付け】《名・他サ》①くぎを打ちつけて、二つのものが動かないようにすること。②ある場所から動けないこと。「一塁(るい)に―にする・目が―になる」③〔↑目がくぎづけ〕目をそらすことができないこと。「画面に―になる」

くぎに【〔×釘〕煮】イカナゴの幼魚の つくだ煮。由来 さびたくぎのように見えるから。

くぎぬき【〔×釘〕抜き】打ちつけたくぎをぬく道具。

ぐきょ【愚挙】〔文〕おろかな〈おこない/くわだて〉。愚行。「―に出る」

くきょう【句境】〔文〕①俳句のじょうずさの段階。「―とみに進む」②俳句を作るときの心境。

☆☆くきょう【苦境】苦しい〈境遇(きょうぐう)/立場〉。「―に立つ・―を乗り切る」

くぎょう【△公×卿】昔、朝廷(ちょうてい)につかえた人で、大臣・大納言(だいなごん)・中納言・三位(さんみ)以上の人。くげ(公卿)。

くぎょう【句業】〔文〕(作句をはじめとする)俳句の分野における活動。「―ますます盛(さか)ん」

くぎょう【苦行】〔宗〕苦しい修行(しゅぎょう)。「―僧(そう)・難行―」

くぎり【区切り・句切り】くぎる〈こと/もの〉。「百年ごとの―・活動に―をつける・―が悪い文章」●くぎりふごう【区切り符号】句読点(「。」と「、」)とその同類(「・」など)をまとめて言う呼び名。

くぎ・る【区切る・句切る】《他五》〔しるしをつけたり、行き来をさえぎったりして〕部分に分ける。「太線で―・フェンスで―・音を一つ一つ―」名区切れ。直区切れる《下一》

くぎん【苦吟】《名・自サ》①苦心して〈詩や歌を作ること/作った詩や歌〉。②苦しそうに うなること。

くく【九九】〔数〕一から九までの間の、二つの数をかけあわせる〈表／数え方〉。「ににんがし」など、一けたの積の場合は「が」を入れる。

**くく**［区々］《―タル》〔文〕①小さくて、重要でないようす。ささい(些細)。「―たる小事」②一つ一つばらばらであること。「―まちまち」

**くぐつ**［×傀×儡］〔文〕あやつり人形(を舞(ま)わせる芸)。かいらい。

**くぐま・る**［△屈まる］《自五》〔文〕①手足を縮めて、背中を丸く〈する／して うずくまる〉。「墓の前に―」②かたく縮まる。「くぐまった胸の中」[名]くぐまり。

**くぐ・める**［△屈める］《他下一》〔文〕足や腰(こし)を曲げて、からだをまるくする。

**くぐも・る**《自五》①声や音が、中にこもって、ぼんやりする。「低くくぐもった声」②光がぼんやりする。「くぐもった光沢(こうたく)」

**くぐら・せる**［△潜らせる］《他下一》《料》(水・熱湯などに)材料をつけて、すぐ引きあげる。くぐらす。

**くぐり**［△潜り］①くぐってはいること。②↑くぐり戸。●**くぐりど**［△潜り戸］くぐって出入りする、たけの低い戸。切り戸。くぐり。●**くぐりぬ・ける**［△潜り抜ける］《他下一》①くぐって、通りぬける。②苦労して、無事に通り過ぎる。「逆境を―」

**くくりあご**［△括り顎］ふくよかなために、段がついて二重になっているあご。

**くくりぞめ**［△括り染め］⇩しぼりぞめ。

**くくりつ・ける**［△括り付ける］《他下一》〔動かないように〕むすびつける。しばりつける。「荷台に大きな箱を―」[名]くくりつけ。

**くくりまくら**［△括り枕］⇩ぼうずまくら。

**くく・る**［△括る］《他五》①(中のものをまとめるために)ひもなどで巻いてとめる。「輪ゴムで―」②ひとまとめにする。「雑草としてくくられる植物・数式をかっこで―」③(自殺するために、首を)つる。「首を―」[名]くくり。[自]くくれる《下一》。

**くぐ・る**［△潜る］《他五》①(からだをかがめて)ものの下や間を通る。「門を―・トンネルを―・のれんを―」②(陸上にすむものが)水面の下をもぐって進む。③すきをねらって にげる。「警戒(けいかい)の網(あみ)を―」

**ググ・る**《他五》〔俗〕グーグル(商標名)など、インターネットの検索(けんさく)エンジンを使って、目的の情報を探す。「わからないときは、まず―!」〔二十一世紀になって広まったことば〕由来「グーグル」を動詞化したもの。

**くげ**［△公家］昔、朝廷(ちょうてい)につかえた、身分の高い人。朝臣(あそん)。「お―さん」(↕武家(ぶけ))

**くげ**［△公×卿］⇩くぎょう(公卿)。

**くげ**［供△花・供華］《仏》仏前にそなえる はな。きょうか。

**くけい**［句形］①(俳句などの)句全体の かたち。②〔漢文で〕きまった意味をあらわす基本的な句の形。句法。

**くけい**［×矩形］《数》長方形の、もとの呼び名。

**ぐけい**［愚兄］〔文〕①おろかな兄。「―賢弟(けんてい)」②〔古風・男〕「自分の兄」の謙譲(けんじょう)語。▽(↕愚弟・賢兄)

**くけだい**［(×絎け)台］《服》布をくけるとき、布がたるまないように一方のはしをひもで つっておくための台。

［くけだい］

**く・ける**［×絎ける］《他下一》《服》布のはしを始末するとき、ぬい目が表に はっきり見えないように ぬう。「すそを―」

**くけん**［区検］《法》↑区検察庁。「青森―」

**くげん**［苦△患］〔文〕苦しみ。なやみ。

☆☆**くげん**［苦言］《名・自他サ》①正論を述べて、相手をしかることば。相手にとって苦しいことば。「若い者への―・マスコミに対する―」②単に、批判や非難。「選手が監督(かんとく)に―」〔二〇一〇年代から目立つ用法〕▽「―を呈(てい)する(=述べる)」

**ぐけん**［愚見］〔文〕「自分の意見」の謙譲(けんじょう)語。

**ぐげん**［具現］《名・自他サ》〔文〕はっきり形に あらわすこと。「理想を―する・―化」

**くけんさつちょう**［区検察庁］《法》簡易裁判所が受け持つ事件をあつかう検察庁。区検。

**くこ**［(×枸×杞)］グミに似て、とげがある落葉低木。実は薬用、葉は干して飲用に使う。「―茶・杏仁豆腐(あんにんどうふ)に―の実をのせる」☞ゴジベリー。

**くこう**［句稿］〔文〕俳句を書いた原稿。

**ぐこう**［愚行］〔文〕おろかな おこない。

**ぐこう**［愚考］《名・他サ》〔文〕①愚案。②「自分が考えること」の謙譲(けんじょう)語。

**くごころ**［句心］俳句を〈作ろうとする／理解できる〉心。

**くさ**［草］[一]くさ ①植物の一類。細い茎(くき)から、葉がたくさん出る。集まれば、地面をおおって、あたりを緑色にする。ふつう、冬には枯(か)れる。(↕木)②雑草。つまらない草。「―が生える・田の―・―むしり・―取り・―刈(か)り」③牛馬のえさにする草。まぐさ。④(屋根をふくときの)カヤ。わら。「―ぶ(葺)き」⑤〔俗〕マリファナ。⑥〔俗〕笑ってしまうこと。「一問も わからなくて―」〔二〇一〇年代からの用法。多く、インターネット上の文章で使う〕☞草生(はえ)る〔「草」の[句]〕。[二][造]①本物と似ているが、ちがう。「―ひばり」②正式でない。しろうとの。「―ずもう・―野球」☞草の根。●**草生(は)える**[句]〔俗〕思わず笑ってしまう。草。「留年しそうで―」〔二〇一〇年代からの ことば。多く、インターネット上の文章で使う〕由来 笑いの表現「www」が草原の形に似るから。☞ダブリュー[二]⑤。

**ぐさ**［草・△種］[造]材料。たね。「お笑い―・語り―・しのび―・質(しち)―」

**くさ・い**[一]［臭い］《形》①いやなにおいがするようすだ。「―息」②うたがわしい。あやしい。「彼(かれ)の身辺が―」③《演劇》表情や動作が大げさだ。わざとらしい。「―芸」[派]-がる。-さ。[二]［(臭い)］[接尾]①〔…の〕いやなにおいがする。「タバコ―・しょんべん―」②いかにも…のよう(で、いやな感じ)だ。「陰気(いんき)―・しろうと―・学者くさない学者・うそ―」[派]-さ。[三]《助動形型》〔俗〕〔おもによくないことについて〕どうやら…らしい。「試験は落ちた―」●**臭い飯を食う**[句]〔俗〕刑務(けいむ)所にはいる。●**臭い物に蓋(ふた)をする**[句]悪(あく)・不都合の原因を取り除かないで、うわべを取りつくろい、解決を先へのばす。

**くざい**［句材］〔文〕俳句〈を作るときの／に よみこむ〉材料。

**ぐさい**［愚妻］〔文・古風〕「自分の妻」の謙譲(けんじょう)語。〔夫を「愚夫」とは言わず、不公平なことば。☞愚

㊁」

**ぐざい**【具材】料理の具となる食材。「ラーメンの—」

**くさいきれ**【草いきれ】夏に、一面の草が日の光に照らされて〈出す熱気／熱気を出すこと〉。「むせかえるような—」

**くさいち**【草市】お盆の時期に必要な草花などを売る市。

**くさいろ**【草色】〈青み／黄色〉がかった緑色。

**くさかり**【草刈り】雑草や家畜のえさなどにする草をかりとる〈こと／人〉。「—歌」●**くさかりば**【草刈り場】①〈家畜の えさなどにする〉草を刈る場所。②みんなが先をあらそって はいりこむ〈領域／対象〉。「同業各社の—となる・票田が—と化す」

**くさかんむり**【草〈冠〉】漢字の部首の一つ。「草」「花」などの、上がわの「艹」の部分。

**くさき**【草木】草と木。そうもく。●**草木も なびく**㊒ 勢いが さかんで、多くの人々がそれに〈従う／ひきつけられる〉ようす。「—権勢」●**草木も眠る**㊒ 夜がふけて、気味が悪いほど静かになる。「—丑三つ時」●**くさきぞめ**【草木染め】草や木の色素を使って染める、昔からの染め方。

**くさく**【句作】《名・自サ》〔文〕俳句を作ること。

**ぐさく**【愚作】〔文〕①つまらない作品。②「自分の作品」の謙譲語。

**ぐさく**【愚策】〔文〕①つまらない計画。②「自分の計画」の謙譲語。

**くさくさ**《副・自サ》気分がすっきりしないようす。「—を弄する」くしゃくしゃ。「気が—する」

**くさぐさ**【△種々】〔雅〕いろいろ。さまざま。

**くさけいば**【草競馬】①いなかなどで娯楽としておこなわれる、小規模の競馬。②〔俗〕地方競馬。

**くさ・す**【△腐す】《他五》けなす。

**くさずもう**【草相撲】いなかなどで しろうとがするすもう。

**くさずり**【草〈×摺り〉】よろい〈鎧〉の胴から たれ下がって、腰から下をおおう部分。

**くさぞうし**【草双紙】江戸時代中期、江戸で出版された絵入りの読み物。

**くさたけ**【草丈】《農》〈イネ・牧草などの〉のびた高さ。

**くさち**【草地】草がはえている土地。

**ぐさっと**《副》⇩ぐさりと。

**くさとり**【草取り】雑草を取り除く〈こと／人〉。草むしり。「庭の—をする」

☆☆**くさのね**【草の根】①草の根っこ。②〔grass roots の訳語〕庶民のひとりひとり。民衆。一般大衆。「—〔=民衆の生活の中から育った〕民主主義・—運動〔=庶民の立場での政治運動〕」●**草の根を分けて(も)探す**㊒ すみずみまであらゆる場所をさがす。

**くさば**【草葉】草の葉。くさっぱ。●☆☆**くさばのかげ**【草葉の陰】墓の下。あの世。「故人も—で喜んでいることでしょう〔亡くなった人に思いをはせて言う〕」

**くさばな**【草花】〈庭に植える〉花のさく草。

**くさはら**【草原】一面に草のはえた原。くさわら。くさっぱら。

**くさび**【〈×楔〉】V字形の〈木／金属〉。木や石に打ちこんで二つに さくときに使う。「—形」●**くさびを打ち込む**㊒ 敵の中に割り込んで、勢力を二分する。●**くさびがたもじ**【〈×楔〉形文字】古代メソポタミア地方で、粘土板にアシの くきで書いた、くさびを組み合わせたような文字。けっけい文字。せっけい文字。

**くさひき**【草引き】草取り。草むしり。

**くさぶえ**【草笛】草の葉を〈まるく巻いて〉ふき鳴らすもの。

**くさぶか・い**【草深い】《形》①草が はえほうだいになっているようすだ。②かたいなか の感じだ。「—いなか」▽くさぶかい。㊖-さ。

**くさぶき**【草〈×葺き〉】カヤや わらなどで〈屋根をふくこと／ふいた屋根〉。

**くさまくら**【草枕】〔雅〕旅先でねること。たびね。旅まくら。

**くさみ**【臭〈:味〉】①そのものに ついて離れない、いやなにおい。②きどったところ。いやな ところ。いやみ。「—のある人」

**くさ・むす**【草〈△生す〉】《自五》〔雅〕〈放置されて〉自然のままに草が生える。「草むした墓」●**くさむす かばね**【草〈△生す×屍〉】〔雅〕〈戦場で死んで〉草むらの中に うちすてられたままの死体。(↔水漬くかばね)

**くさむら**【草むら・〈×叢〉】高く草の はえしげった所。

**くさめ**【〈×嚏〉】〔古風〕くしゃみ。

**くさもち**【草餅】ヨモギの葉を入れて ついたもち。

**くさもみじ**【草紅葉】秋、野山の草が もみじすること。また、もみじした草。

**くさや** ひらいたムロアジなどを塩水に つけて干した ひもの。独特のにおいがする。

**くさやきゅう**【草野球】しろうとのチームが楽しみとしてする野球。

**くさやぶ**【草〈×藪〉】草が たけ高くしげり、やぶになった所。草むら。

**くさら・す**【腐らす】《他五》①〈不注意で〉くさった状態にさせる。②意気ごみをなくす。「気を—」▽くさらかす。くさらせる。

**くさり**【腐り】①くさること。「—の早い食べ物」②くさった〈程度／部分／もの〉。

**くさり**【鎖】①金属で作った輪をつなぎあわせて ひものようにしたもの。②つなぎ。きずな。③段落。くぎり。きり。「一—」●**くさりがま**【鎖鎌】鎌に長い鎖をつけ、そのはしに鉄のたまをつけたもの。昔、武器として使われた。●●**くさりじょう**【鎖錠】⇩チェーンロック。

**くさりど**【鎖戸】閉店後、ショーウインドウなどの前におろす格子状のシャッター。

**ぐさりと**《副》①勢いよく深くささるようす。「刀が—ささる」②心がきずつくようす。「胸に—きた」▽ぐさっと。

**くさ・る** ㊀【腐る】《自五》①長くほうっておいたために、食べ物などが くさくなって食べられない状態に変わる。「—ほどある〔=ありすぎるほどある〕・腐ったミカン〔『集団の価値を下げる者』の意味の罵倒語にも〕」②死体や、からだの組織などが、くずれる。③〔雨や湿気などに当たった〕材木・鉄などが、〈さびて〉ぼろぼろになる。④堕落して救われない状態になる。「腐った根性」「そう—な」⑤〔古風・俗〕やろうとする意気ごみをなくす。㊁《補動五》〔俗〕ののしる意味をつけ加えることば。「何を言い—」●**腐っても たい**〈鯛〉㊒ すぐれたものは、だめになった場合でも、まだ それなりのねうちがある。

**くされ**【腐れ】㊀くされ ①くさること。②くさった〈程度／部分／もの〉。㊁接頭 下等な。けいべつすべき。「―金」●**くされえん**【腐れ縁】はなれようとして はなれられない〈悪い縁／関係〉。

**くさ・れる**【腐れる】《自下一》くさった状態になる。

☆☆**くさわけ**【草分け】①そのことをはじめて〈すること／した人〉。創始(者)。「プロ野球の―」②あれ地を開拓した人。

**くし**【句誌】〔文〕俳句の雑誌。俳誌。

**くし**【串】①〈竹／鉄〉を箸のように細くし、先をとがらせたもの。(食べ)物をさし通すのに用いる。「―にさす・―を打つ・―だんご・竹―」②《情》〔俗〕⇩プロキシ(1)。

**くし**【(×櫛)】かみの毛を〈とかす／かざる〉ときに使う、歯のたくさんならんだ道具。●**くしの歯が欠けるよう** 句 くしの歯のように そろっているべき物が、ところどころ欠けているようす。「―に昔の友だちが亡くなっていく」●**くしの歯をひ(挽)くよう** 句〔ひく＝のこぎりで ひいて作る〕人の往来などが ひっきりなしに続くようす。

**くし**【駆使】《名・他サ》思いのままに使うこと。「最新の技術を―する」

**くじ**【九字】身を守る まじないとして となえられる、「臨兵闘者皆陣列在前」の九つの文字。●**九字を切る** 句 九字の秘法をとなえる。

**くじ**【公事】①朝廷の儀式。②〔古風〕裁判。訴訟。「―ごと」

**くじ**【(×籤)・(×鬮)】紙きれなどに、番号・記号・文句などを書いたものをぬき取らせたりして、勝ち負け・当たり外れなどを判定するもの。「―を引く」

**ぐじ**〔関西方言〕あまだい。

**くしあげ**【串揚げ】〔おもに関東で〕肉・さかな・貝・野菜などを竹ぐしにさして、あげたもの。くしカツ。

**くじうん**【(×籤)運】くじに当たるかどうかの運。「―が強い人」

**くしがき**【串柿】しぶがきの皮をむいて、竹ぐしに さして干したもの。

**くしがた**【(×櫛)形】弓形と直線を合わせた、くし(櫛)のような形。「トマトを―に切る・―切り〔『くし切り』とも〕」

**くしカツ**【串カツ・串かつ】①〔おもに関東で〕小さく切った豚肉とネギとをたがいちがいに竹ぐしにさして、あげたもの。②〔関西で〕くしあげ。「牛の―」

**くしき**【(△奇しき)】《連体》〔文語形容詞「くし」の連体形から〕〔文〕ふしぎな。「―運命」

**くじ・く**【(△挫く)】《他五》①関節をむりに曲げたりして、痛める。②相手の力をおさえて、弱くする。「弱きをたすけ、強きを―」③何かをしはじめようとした勢い・気持ちをおさえる。「雨で出足をくじかれる」名 くじき。

**ぐじぐじ**《副》不平や不満を、未練がましく言い続けるようす。ぐちぐち。「いつまで―文句を言っているのか」

☆☆**くしくも**【(△奇しくも)】《副》ふしぎにも。「二人は―同じ日に生まれた」

**くしけず・る**【(×梳る)】《他五》〔文〕くしで かみの毛をとかす。

**くじ・ける**【(△挫ける)】《自下一》①何かをしようとする勢い・気力が弱まる。「くじけないでがんばる」②不自然に曲げて、関節が傷つく。「足首が―」

**くじごじ**【九時五時】〔俗〕仕事が、朝の九時に始まり、夕方の五時に終わる、勤め人の基本的な働き方。「―の勤務」☞月金。

**くしざし**【串刺し】①くしにさし通すこと。くしにさし通したもの。②〔くしで さしたように〕からだをやり(槍)などで さし通すこと。③《情》複数のデータベースや辞書をいっぺんにまとめて取りあつかうこと。「―検索」

**ぐしぬい**【(△串)縫い】《服》ひと針ずつ細かくぬう、ぬい方。運針縫い。

**くじびき**【(×籤)引き】《名・自サ》くじを引くこと。抽選。

**くしめ**【(×櫛)目】くしで かみの毛をとかした あとの筋。「―の通ったかみ」

**ぐしゃ**【愚者】〔文〕おろかもの。(↔賢者・知者)

**くしやき**【串焼き】肉・さかな・貝・野菜などを、くしにさして〈焼くこと／焼いた食べ物〉。「豚バラとネギの―」

**くじゃく**【(△孔×雀)】大形の鳥。雄は、緑色の蛇の目の紋のある、美しい はねを広げる。

**くしゃくしゃ** ㊀くしゃくしゃ《副・自サ》⇩くさくさ。㊁くしゃくしゃ《ナダ》ひどく しわがよっているようす。「シャツが―だ」

**ぐしゃぐしゃ** ㊀ぐしゃぐしゃ《副》水分をたっぷり ふくんで、形がくずれているようす。「雨で―の道」㊁ぐしゃぐしゃ《ナダ》形がくずれたり、乱れたりしているようす。「箱の中でケーキが―になる」▽㊀㊁ぐじゃぐじゃ。

**ぐじゃぐじゃ** ㊀ぐじゃぐじゃ《副》①しつこく くり返し文句を言うようす。「―言うな」②⇩ぐしゃぐしゃ㊀。㊁ぐじゃぐじゃ《ナダ》⇩ぐしゃぐしゃ㊁。

**くしゃくにけん**【九尺二間】間口九尺(＝約二・七メートル)、奥行き二間(＝約三・六メートル)の、せまい家。「―の裏長屋」

**くしゃみ**【(×嚏)・クシャミ】《名・自サ》鼻の中が くすぐったくなり、大きな音をたてて急に息が ふき出ること。くさめ。「はくしょん、と大きな―をした」

**くしゅう**【句集】連句・俳句を集めて本にしたもの。

**くじゅう**【苦汁】〔文〕にがい しる。●**苦汁を〈なめる／飲む〉** 句 にがい思いをする。つらい経験をする。

☆☆**くじゅう**【苦渋】〔文〕〔顔にあらわれている〕心の苦しみ。「―の色がこい・―の決断」

**くしゅくしゅ** くしゅくしゅ《副・自サ》・くしゅくしゅ《名・ナダ》①鼻水が出て、不快なようす。「花粉が飛んで鼻が―する」②布や衣類などが〈たるんで／しわになって〉いるようす。「ソックスを―させる・紙ナプキンを―とねじる・―のブーツ」

**くじょ**【駆除】《名・他サ》〔害虫・害獣などを〕〈おいはらう／すっかり殺す〉こと。「シロアリ―・コンピューターウイルスの―」

**くしょう**【苦笑】《名・自サ》①不愉快に思いながらも笑うこと。にが笑い。「痛いところを指摘されて―した」②笑えない状況で、苦しまぎれに笑うこと。「〔メールで〕残業ですか、たいへんですね(苦笑)」〔二十一世紀になって広まった用法〕

**くじょう**【苦情】これでは困る、何とかしてほしい、と責任者に言うこと。文句。抗議。「―を言う・―が寄せられる・住民から―が出る」

**ぐしょう**【愚将】〔文〕指揮の能力がない武将や指揮官。(↔名将)

**ぐしょう**［具象］《名・他サ》〔文〕目に見える かたち（にあらわすこと）。具体。「―性・―的」（↔抽象）
●**ぐしょうが**［具象画］何をかいたのかわかるように、物の形をそのまま かく絵。（↔抽象画）

**ぐしょぐしょ**《ナダ》しぼれるほど ひどくぬれているようす。「雨で服が―になる」

**ぐしょぬれ**［ぐしょ（×濡れ）］着物などに水がすっかりしみこむほど ぬれること。

**くじら**［鯨］①シロナガスクジラ・マッコウクジラなど、地球上でいちばん大きい動物。海にすみ、さかなに似るが、子を乳で育てる。②↔鯨尺。（↔かね（矩））
●**くじらぐうていもく**［（鯨）偶×蹄目］《動》クジラやイルカの仲間と偶蹄類を統合した、哺乳類の分類。鯨偶蹄目。☞偶蹄類。
●**くじらじゃく**［鯨尺］布をはかるときに使ったものさし。鯨尺の一尺は、曲尺の一・二五尺（＝約三七・九センチ）。くじら（ざし）。（↔曲尺）
●**くじらまく**［鯨幕］黒と白の布を一枚おきに ぬいあわせた幕。葬式などに使う。

**くじ・る**［（×抉る）］《他五》〔俗〕手をねじるように動かして、穴をあける。

**くしん**［苦心］《名・自サ》（うまく やるために）いろいろとくふうして考えること。「―談」

**ぐしん**［具申］《名・他サ》〔文〕目上の人に、くわしくもうしのべること。「意見を―する」

**くす**［（×楠）・（×樟）］↔くすのき。「大―」

**くず**［（×屑）・クズ］①細かく割れたり、粉状になったりして、使えないもの。「材木の―・パン―・―米」②使ったあとに残る、役に立たない部分。「野菜―」③箱などに捨てられる大きさの、いらなくなったもの。ごみ。「紙―・―ばこ・―入れ・―かご」④役に立たないもの。かす。「人間の―」

**くず**［葛］①長く のびる つる草の名。葉のうらが白い。秋のはじめ、マメに似た赤むらさき色の花をひらく。根からくず粉をとる。秋の七草の一つ。②↔くず粉。「吉野―」③↔くずあん（餡）。④↔くずふ（葛布）。

［くず ①］

**ぐず**［（：愚図）］《名・ナダ》活発でない〈ようす／人〉。はきはきしない〈ようす／人〉。

**くずあん**［葛（×餡）］くず粉やかたくり粉をといて とろみをつけた しる。くずだまり。くず。

**くずお・れる**［（×頽れる）・（：崩折れる）］《自下一》（悲しみにしずんだりして）くずれるように すわる。名くずおれ。「心の―」

**くずかご**［（×屑）籠］紙くずなどを入れる〈かご／入れもの〉。くず入れ。

**くずきり**［葛切り］水にといたくず粉を煮てひやして、うどんのように切った菓子。みつをかけて食べる。

**くすくす**《副》声がもれないように笑うようす。「陰で―笑う」

**クスクス**［フ couscous］北アフリカやフランスなどの料理に使う、小麦でできた食材。米よりも小さい粒状で、蒸してから、煮こんだ肉や野菜（の汁）をかけて食べる。「ラムの―・―のサラダ」

**ぐすぐす**《副・自サ》鼻がつまっている〈音／ようす〉。「鼻が―する」

**ぐずぐず**［（：愚図愚図）］㊀ぐずぐず《副・自サ》①てばやく しないで、時間を取るようす。「―するな」②ぶつぶつ、不平を言うようす。「―（文句を）言う」③なかなか定まらないようす。「―した天気」㊁ぐずぐず《ナダ》固くしまらず〈くずれやすい／くずれた〉ようす。「形が―になる」

**くすぐった・い**［（×擽ったい）］《形》①くすぐられて がまんできない。②（ほめられたりして）てれくさい。▽こそばゆい。派―がる・―げ・―さ。

**くすぐり**［（×擽り）］①相手の気持ちをくすぐるようなこと。「―を言う」②ギャグ。

**くすぐ・る**［（×擽る）］《他五》①皮膚を〈さすり／軽くかいて〉、むずむずするような感じを起こさせる。「わきの下を―」②ほめたり、おだてたりして、相手をいい気分にさせる。また、うまいことばで、相手をそそのかす。「自尊心を―・娘心を―・母性本能を―（＝母親のような気持ちを起こさせる）・子どもの興味を―」③〔演芸などで〕おかしなことを言ったりして、わざと人を笑わせるようにする。

**くずこ**［葛粉］クズの根からとった でんぷん。食用。くず。〔小麦やサツマイモのでんぷんで代用するものと区別して「本葛（粉）」とも言う〕

**くずざくら**［葛桜］桜の葉で包んだ くずまんじゅう。

**くずしがき**［崩し書き］〔行書・草書のように〕形をくずして〈書くこと／書いた漢字〉。

**くずしじ**［崩し字］くずし書きにした漢字。

**くず・す**《他五》㊀［崩す］①（くだいて）かたちをこわす。「山を―」②みだす。「列を―・体調を―」③姿勢を楽にする。たいらにする。「足を―・どうぞ お崩しください〈あぐらなどをすすめるときの ことば〉」④字画をはぶき、続けて やわらかく書く。⑤《経》相場を下げる。「値を―」㊁お金を細かくする。両替する。「千円札を―」可能崩せる。

**くすだま**［（△薬）玉］造花などで玉の形に作り、かざり糸をたらしたもの。進水式・運動会などにかざる。割れると、中から紙ふぶきなどがとび出す。

**ぐずつ・く**［（：愚図つく）］《自五》①ぐずぐずする。②〔天気・病状などが〕いつまでも はっきりしない。「天気が―」

**くずてつ**［（×屑）鉄］くずになった、鉄や鋼製品。スクラップ。

**くずに**［葛煮］《料》水でといたくず粉を入れて、煮物にとろみをつけること。また、その料理。

**くす・ねる**《他下一》〔俗〕すきを見て、ちょっとぬすむ。「親のかねを―・軍の物資を―」由来「薬煉」（＝すべり止めの松やに）を動詞化したことば。☞手ぐすね。

**くすのき**［（×楠の木）・（×楠）・（×樟）］大きな常緑樹の名。全体にいいにおいがする。しょうのう（樟脳）をとる。くす。

**くずふ**［葛布］クズの繊維で織ったぬの。くず。

**くすぶ・る**［（×燻ぶる）］《自五》①燃えそうで燃えあがらない状態を続けて、けむりを出す。ふすべる。他くすべる（下一）。②家や部屋の中にとじこもって暮らす。③〈発展／活動〉しないで過ごす。「いなかに―」④問題や考えが、消えないで残る。「不満が―・慎重論が―」名くすぶり。

**くずまんじゅう**［葛（×饅△頭）］くず粉を練ったすきと

おった皮で あんをくるんだ、夏向きの和菓子。みずまんじゅう。くずもち。☞くずざくら。

**くす・む**《自五》(じみな ようす／さえない色)に見える。「くすんだ色」名くすみ。

**くずもち**[葛餅]①くず粉を煮て冷やし、かためたもの。きな粉・黒砂糖の みつをつけて食べる。②〔関西方言〕くずまんじゅう。表記 縁起よく「久寿餅」とも。

**くずもの**[(×屑)物]使い古して、いらなくなったもの。

**くずや**[(×屑)屋]〔古風〕廃品を集める職業を言ったことば。

**くずゆ**[葛湯]くず粉に砂糖を入れ、熱い湯でといた、とろみのある飲み物。

***くすり**[薬]①病気・きずを治すために飲み、塗り、または注射するもの。薬剤。「ーが効く・ーびん」②何かの目的のために作った、化学的な物質。薬剤。薬品。「畑にーをまく」③〔やきものの〕うわぐすり。④火薬。⑤からだ・精神のために役立つものごと。「失敗がー(=反省材料)になる」⑥〔俗〕⇩ドラッグ(drug)②。●**薬が効く** 句 忠告・罰・見せしめなどの効果があらわれる。●**薬九層倍** 句 薬は利益が非常に大きいこと。●**薬にしたくもない** 句 ほとんど見つからないほど少ない。●**くすりづけ**[薬漬け]①医者が長期間にわたって必要以上の薬を病人にあたえること。②〔俗〕麻薬を常習させること。●**くすりや**[薬屋]薬を売ったり調剤したりする店。薬店と薬局がある。●**くすりゆ**[薬湯]薬や薬草を入れたふろ。やくとう。●**くすりゆび**[薬指]親指を一番目としたとき、四番目の指。無名指。名無し指。お姉さん指。

**くすりと**《副》かすかに息をもらして笑うようす。くすっと。「ーほほえむ・ーも来ない(=客席が笑わない)」

**ぐずりなき**[(:愚図り)泣き]子どもや赤ちゃんが、むずかって泣くこと。

**ぐ・する**[具する・(×倶する)]《他サ》〔文〕つける。そなえる。具す。「理由を具して(=そえて)申し出よ」

**ぐず・る**[(:愚図る)]《自五》①乳幼児が むずかる。②〔俗〕言いがかりをつける。「不良にぐずられる」

**くずれ**[崩れ] 一 **くずれ** くずれること。くずれたもの。「天気のー」 二 **くずれ** 造 もとの身分・職業から、おちぶれたもの。「役者ー・雑誌記者ー」 ●**くずれた・つ**[崩れ立つ]《自五》(まとまっていた)大ぜいの人が、何かのきっかけで ばらばらになる。「おじけづいてー」

**くず・れる**[崩れる]《自下一》①小さく分かれて落ちる。「かべがー」②整っていた形が、(だんだん)みだれる。「ひざがー・敵陣がー」③いい天気だったのが、だんだん悪くなる。雨模様になる。④《経》強かった相場が下がる。⑤お金を細かくすることができる。

**くすんごぶ**[九寸五分]〔俗〕あいくち(匕首)。

***くせ** 一 **くせ**[癖]①習慣のようにくり返され、その人の特色となっている、行動の型。「いいーをつける・ーが悪い・うそをつくーがある・使いー・食べー」②かみの毛や布の、縮れたり、力が加えられて曲がったりした状態。「ーがつく(『ーづく』とも)・ーを取る・ポスターの巻きー」③《服》からだの形にあうように整えた、ふくらみやへこみ。「ーをつける」表記〈俗に／読みやすく〉「クセ」とも。 二 [(癖)]《接助》⇩くせに。「知っているー(して)教えない」☞そのくせ。●**癖になる** 句 ①何度もくり返す。(悪い)習慣になる。「ぎっくり腰がー」②何度でも それを楽しみたくなる。「この味はー」

**くせい**[区制]選挙区の、区割りのしかた。

**くせい**[区政]区の行政。

**くせい**[区勢]〔文〕数字で あらわした、区の(経済上の)状態。

**くぜい**[区税]区が課税する地方税。

**ぐせい**[愚生]《代》〔文・古風・男〕〔けんそんして〕わたし。「ーまで お知らせいただきたく」

**くせげ**[癖毛]縮れたり、うねったりして、まっすぐでない毛。くせっ毛。

**くせじ**[癖字]形に特徴のある、読みにくい筆跡。

**くせだま**[癖球・(△曲球)]①《野球・テニスなど》不規則に曲がったり落ちたりするため、打ち返すのがむずかしい球。②〔交渉ごとで〕応じるのに困ったり、判断にとまどったりする提案や主張。「ーを投げる」

**くせつ**[苦節]逆境にたえて〈仕事をする／志をつらぬく〉こと。「ー十年」

**くぜつ**[口舌・口説]〔文〕①〔恋人どうしの〕言い争い。ちわげんか。②⇩こうぜつ。

**ぐせつ**[愚説]〔文〕①ばかげた説。②「自分の説」の謙譲語。

**くせなおし**[癖直し]《名・他サ》湯気であたためて、かみの毛や布の「くせ 一②」を直すこと。

**くせに**[(癖に)]《接助》〈かろんじて／非難をこめて〉、人の様子をさすことば。…(な)のに。…にもかかわらず。「くせ(して)」。「勇気もないー、口だけは達者だ・しろうとのーなまいきだ」

**くせもの**[(△曲)者・癖者・クセモノ]①(勝手にしのびこんだりする)あやしい者。「ーだ、出合え!」②ひとくせあって、油断できない人。「ーぞろいのチーム」③何でもないようだが、油断できない ものごと。「この ただし書きがーだ」

**くせん**[苦戦]《名・自サ》〈苦しい／不利な〉戦い(をすること)。

**くそ**[(×糞)・クソ]〔俗〕 一 **くそ** ①大便。②あか(垢)。かす。「鼻ー」③価値がないもの。できが悪いもの。「この作品はーだ・ーほども値打ちがない・ーゲー(=つまらないゲーム)」④〔…もーもない など〕へったくれ。「りくつもーもない」⑤〔ーほど〕程度が大きいこと。「ーほどねむい」 二 **くそ**《ナダ》無価値。ふでき。最低。「ーな本・ーなことを言われた」 三 **くそ**《副》非常に。くっそ。「ー泣いた・ーかわいい・ーイケメン」 四 **くそ**《感》①思いどおりにならないとき、ののしるときに出すことば。②自分をふるい立たせるときに言うことば。なにくそ。「ー、負けるものか」▽くそっ。くそう。 五 造 ①いやな。ろくでなしの。〔ののしるときに言う〕「ー坊主・ーがき」②いやになるほど。「ーおちつきに おちついている・ー度胸のある男・ー暑い(=ばか暑い)」▽ 一⑤・二・三は、特に二十一世紀に広まった用法。●**くそ食らえ** 句〔俗〕①〔相手のことばや しうちに〕ののしり返すことば。「おまえなんかーだ」②〔やけになって〕どうにでもなれ。「それから先はーであった」▽くそを食らえ。●**くその役にも立たない** 句〔俗〕なんの役にも立たない。

**くそう**［区葬］区としておこなう葬儀。

**ぐそう**［愚僧］《代》〔古風〕僧が、自分をけんそんして言うことば。（↔貴僧）

**ぐそく**［愚息］〔文・古風・男〕「自分の むすこ」の謙譲語。

**ぐそく**［具足］《名・自サ》〔文〕①じゅうぶんにそなわっていること。「円満—」②よろい。

**くそぢから**［（×糞）力］〔俗〕いやに強い力。

**くそったれ**［（×糞っ垂れ）］《感》〔俗〕相手・他人などをののしって言うことば。うんこったれ。

**くそどきょう**［（×糞）度胸］〔俗〕ずぶとい度胸。「—がすわっている」

**くそまじめ**［（×糞）真面目］《ナダ》〔俗〕必要以上にまじめなようす。派-さ。

**くそみそ**［（×糞味×噌）］《ナダ》〔俗〕①ねうちのあるものとないものとの区別がつかないようす。「名作も駄作も—に（して）論じる」②相手をさんざんにやりこめるようす。ぼろくそ。「—にけなす」▽みそくそ。

**くだ**［管］細長い筒。「ゴムの—」●**管を巻く** 句 酒に酔って くどくどしゃべる。

**くたい**［（×軀体）］〔=からだ〕《建築》建築物の主要な構造部分。ゆか・かべ・柱など。「コンクリートの—」

***ぐたい**［具体］㊀（目に見えるような）はっきりした形のあるもの。「—化する・—案・—策〔=具体的な対策〕」（↔抽象）㊁《ナダ》〔役所などで〕具体的。「—な対策」●***ぐたいてき**［具体的］《ナダ》〔頭の中だけでなく〕実際に一つ一つが形をとっていて、はっきりわかるようす。「—に話を進める」（↔抽象的）

**くだ・く**［砕く］《他五》①こわして小さくする。②〔心を〕いろいろにつかう。「心を—」③わかりやすく説明する。「砕いて話す」名砕け。

**ぐだくさん**［具（沢山）］《名・ナダ》料理で、いろいろな具がたくさん はいっている〈こと/ようす〉。「—の五目ずし・—の みそしる」

**くたくた** くたくた《副》・くたくた《ナダ》①からだが ひどくつかれたようす。「働いて—になる」②力が ぬけたようす。「その場に—と〈へたりこむ〉」③形の くずれたようす。「—な背広・—になるまで煮る」

**くだくだ**《副》くどくど。●**くだくだし・い**《形》わずらわしい。細かすぎる感じだ。くどい。派-さ。

**ぐだぐだ** ㊀ぐだぐだ《副・自サ》①だらしなく時を過ごすようす。「—(と)酒を飲む」②つまらないことをいつまでも〈言う/考える〉ようす。「—(と)りくつをならべる」㊁ぐだぐだ《ナダ》①いろいろなものが入り乱れているようす。「材料を—に まぜる」②流れが悪く、さえない具合になり、収拾がつかなくなるようす。「話が—になる」

**くだ・ける**《自下一》㊀［砕ける］形が こわれて、小さくばらばらになる。「波が白く—・コップが落ちて こなごなに—」㊁［（砕ける）］①うちとける。「くだけた態度」②気どらない。「くだけた文章」

**ください**［（下さい）］◇〔動詞・補助動詞「くださる」の命令形〕相手に ものをたのむときに使う。「〔店で〕これ一つ—〔=売ってください〕・待って—〔目上には『お待ちください』『お待ちいただけますか』を使う〕」

****くださ・る** ㊀［下さる］《他五》「くれる」の尊敬語。「ほうびを—・ひとつ下さらない？〔女〕」㊁［（下さる）］《補動五》〈て—・〈お/ご〉＋動詞連用形または名詞＋—〉「…くれる」の尊敬語。なさる。「持って—・お考え—・ご一報—」✓(1)「〔相手が〕お送りくださった」と相手の行動を直接的に表現するよりも、「〔自分が〕お送りいただいた」と自分の行動として表現するほうが、敬語として こなれている。(2)「みなさんが応援してくださった」を「みなさんが応援していただいた」と言うことがあるが、「みなさん」が応援を受けたと誤解される。「みなさんに応援していただいた」と言うといい。▽㊀㊁「くださっ〈た/て〉」を「くだすっ〈た/て〉」と言うのは古風。命令形は「ください」で、「くだされ」は古風。☞ください。

**くだされもの**［下され物］目上の人から いただいたもの。ちょうだいもの。〔改まった言い方〕

**くださ・れる**［下される］《他下一》「下さる」より敬意が高い尊敬語。たまわる。

**くださん・す**［（下さんす）］《自マス・補動マス》〔活用は「せ・しょ」「し」「す」「すれ」「せ」〕〔古風〕下さいます。くだ（しゃ）んす。「貸してくださんせ」

**くだ・す**［下す］《他五》㊀①高い所から低い〈所/ほう〉へ移す。②上の人の意思を、下の人に伝える。「命令を—」③どう〈する/見る〉べきかを決める。「判決を—・処分を—・結論を—・診断を—・解釈を—」④〔文〕上の人が、あたえる。「下しおく・下したまわる・試練を—」⑤下痢をする。「腹を—・ひどく下した」⑥〔薬の力などで〕おなかから出す。「虫を—」㊁［（降す）］①戦って、負かす。降参させる。「敵を—」②〔文〕〔位を〕下げる。③〔文〕〔いかだにして〕材木をはこぶ。「いかだを—」

**くだって**［下って・降って］〔文〕㊀《副》もっとあとの時代になって。「—明治になると」㊁《接》〔手紙〕相手の安否をたずねたあと、自分側のことをけんそんして書き出すときの ことば。「—私ども一同元気でおりますから…」

**くたっと**《副・自サ》①力がぬけて、いきいきとしていないようす。「つかれて—する」②〔かたさがとれて〕やわらかくなったようす。「白菜を—なるまで煮る・—したバッグ」

**ぐたっと**《副・自サ》「くたっと」より強い感じをあらわすことば。ぐったり。

**くたば・る**《自五》〔俗〕死ぬ。「だまれ、この くたばりぞこない〔=死にぞこない〕め」〔ののしる言い方〕

**くたびれ**［（:草臥れ）］くたびれること。くたぶれ〔話〕。●**くたびれもうけ**［（:草臥れ=×儲け）］つかれるばかりで、いいことがないこと。「骨折り損の—」

**くたび・れる**［（:草臥れる）］《自下一》①からだや心がつかれて、元気がなくなる。「ああ、くたびれた」②長く使ったため、品がいたみ、形がくずれる。「くたびれた洋服」▽くたぶれる〔話〕。

**くだもの**［果物］食事のあとなどに食べる、水けの多い、草木の実。水菓子。フルーツ。由来「木の物」の意味。☞けだもの。

**くだら・ない**［（下らない）］《形ヌズ》価値が低〈くて興味が起こらな〉い。つまらない。「—小説・—話」由来 もと「筋が通らない」の意味。「京都から関東へ下る上等な酒に対し、関東の酒を下らない酒と言ったから」という説は誤り。派-さ。☞くだる㊀③。

←**くだり**［下り］①くだる〈こと/とき〉。「道が—〔=下り坂〕になる・—エスカレーター」②昔、都から地方へ行くこと。「あずま(東)ー」③東京から地方へ、また、幹線から支線へ行く〈こと／列車〉。④都心から市外へ向かう〈こと／もの〉。「ー車線」⑤《情》ファイルをダウンロードするときなどの通信速度。「ー最大〇〇Mbps」▽(↕上り・〔山の場合〕登り) ●**くだりあゆ**[下り(×鮎)] たまごをうむために、秋に川を下るアユ。(↕上りあゆ) ●**くだりざか**[下り坂] ①下りとなっている坂道。②だんだんに〈おとろえて／悪くなって〉ゆく状態。▽(↕上り坂) ③天気がだんだん悪くなること。●**くだりばら**[下り腹] はらくだり。下痢。

→**くだり**[△件] ①[△行] 〔文〕文書の行。「三ー半(=離縁状)」②[△条] 〔文章の〕部分。箇所。「…を論じるー」

**くだ・る**[下る] 一《自他五》①高い所から低い所へ、だんだんに移る。「坂をー・階段をー」(↕上る・〔登山の場合〕登る) 区別 ⇩下りる 一①。②川の上流から下流に移る。「運河をー」(↕上る・さかのぼる) ③〔おもに否定の形で〕基準となる数・順位より下になる。「参加者は一万人をーまい・一と言って(=一番ということはあっても)二と下らない大金持ち」④もっとあとの時代になる。「年代をー資料」(↕さかのぼる) ☞下って。二《自五》①下のほうに続く。「道がー」②昔、都から地方へ行く。「九州へー」▽(↕上る) ③上の人の判断や意思が、受ける人に伝わる。「命令がー・判決がー」④下痢をする。「腹がー」⑤〔文〕降参する。「軍門にー」⑥〔文〕〔牢屋に〕はいる。「獄にー」 表記 「下降」「降参」などの熟語を意識する場合は「△降る」とも。 可能 下れる。☞下らない。

**くだんの**[△件の]《連体》〔くだん←くだり〕例の。「ー男」☞よってくだんのごとし。

**くち[口] 一 くち ①(鼻の下にあって)ものを食べ、声・ことばを出すところ。「君のーから(=君自身で)話してくれ・ーで言うほど簡単ではない」②食べ物や味の好み。味覚。「ーがおごっている(=食べ物にぜいたくだ)・ーにあわない」③ものを出し入れするところ。「どびんのーがかける・ふくろのー」④栓。ふた。「びんのーがかたい」⑤奥に通じる、手前のところ。「湾のー・ー伊豆」(↕奥) ⑥ものの言い方。ことば。「ーがたっしゃだ・ーには言えない苦しみ・ーに出す・ーに毒がある(=悪意のある言い方をする)・ーを入れる・ーをつつしむ・ーをにごす・ーじょうず」⑦口かず。「ーが多い・ーのへらないやつだ」⑧〔食事をする〕人の数。「ーをへらす」⑨つとめぐち。就職先。「パートのーがある」⑩[クチ] そのうちの〈ひとり／ひとつ〉。「学生時代は勉強しなかったーだ・君はいける(=酒が飲める)ーかい」⑪始まりの部分。「宵のー」⑫《芝居》〔浄瑠璃で〕はじめ(の部分)。(↕切り) 二 接尾 ①口に入れること。口を動かすこと。「ひとーに食べる・ひとーに言えば」②申しこむ金額などの単位を言う語。「ひとー五千円・もうけ話なら、おれもひとー乗せろ」③コンロの、バーナーの部分を数えることば。「二ーガスコンロ」④コンセントを数えることば。⑤味の感じ。「甘ー・薄ー」 三 造 〔ぐち〕①〔食事をする〕人の数。「ひとりーは食えないがふたりーは食える」②〔建物などの〕出入りするところ。「出入りー・非常ー・〔駅の〕東ー」③ものを出し入れするところ。「〈食器／おつり〉の返却ー・水差しのそそぎー・エアコンのふき出しー」④山にのぼるときや、大都市へはいるときに通るべき場所。「吉田ー〔富士登山〕・粟田ー〔京都〕」 ●**口がうまい** 句 おせじを言ったり、話を信じこませたりするのがうまい。●**口がうるさい** 句 ①何かとやかましく言う。「世間のー」②あれこれとうわさされる。「隠居はー」●**口が重い** 句 あまりしゃべらない。ことばかずが少ない。口重い。●**口がかかる** 句 (お金になる)仕事に呼ばれる。他 口をかける。●**口が堅い** 句 言ってはいけないことは言わない。(↕口が軽い) ●**口が軽い** 句 不用意にしゃべって、秘密を人にもらすようすだ。口軽い。(↕口が堅い) ●**口が腐っても** 句 ⇩口が裂けても 句。「ー言えない」●**口が肥える** 句 いろいろのおいしい物を食べて、味のいい悪いがよくわかる。舌が肥える。「口の肥えた消費者」●**口が裂けても** 句 絶対に言わないことの形容。口がくさっても。「反対などとはー言えない」●**口が過ぎる** 句 言ってはならないことまで言う。ことばが過ぎる。●**口が滑る** 句 言ってはいけないことをうっかりしゃべる。他 口を滑らせる。●**口が減らない** 句 言いこめられても、いつまでもりくつをこねて言い続ける。へらず口をきく。「口の減らないやつだ」●**口がほぐれる** 句 〔だまっていた人が〕やっと話すようになる。●**口が曲がる** 句 尊敬すべき人の悪口を言うと、ばちがあたって口がゆがむ。悪口を言う無礼をたしなめることば。●**口が回る** 句 ①うまくしゃべれる。②〔子どもが〕じょうずにことばが出せる。●**口から先に生まれる** 句 よくしゃべる人をあざけって言うたとえ。●**口から心臓が飛び出そう** 句 ①非常に緊張したようすのたとえ。②非常に おどろいたようすのたとえ。▽(口から)心臓が飛び出しそう。●**口から火が出る** 句 非常にからいたとえ。口から火を噴く。「カレーを食べてー」●**口が悪い** 句 遠慮のない話し方で人をけなしたりする。「人はいいが、ー」●**口にかける** 句 言う。●**口にする** 句 ①食べる。②話す。言う。●**口になる** 句 〔俗〕それが食べたくなる。「今、ラーメンの口になっている」●**口に上る** 句 口から出る。話題になる。「人のー」 他 口に上せる。●**口に糊する** 句 〔文〕⇩口を糊する 句。●**口に入る** 句 食べる機会がある。「庶民の口に入らない高級品」●**口の下から** 句 〔「そのー！・言うー」など〕そう言ったすぐあとで。●**口は災いの門** 句 うっかり言ったことばから わざわいを招くことがある。ことばに気をつけろ。口はわざわいのもと。●**口ほどに(も)ない** 句 〈えらそうな／大げさな〉ことを言うが、実際はそれほどでもない。口ほどで(も)ない。「ーやつだ・相手の怒りはー」●**口も八丁、手も八丁** 句 ⇩口八丁手八丁〔「口八丁」の 句〕。●**口を開けて待つ** 句 〔何もはたらきかけず〕手に入れたいものをひたすら待つようす。「仕事が来るのをー」 由来 ひなが親鳥からえさをもらうときのしぐさから。●**口を合わせる** 句 ①相手に調子をあわせて、同じことを言う。「まったくそのとおりです、とー」②口裏を合わせる。●**口を緘する** 句 〔文〕口をとじる。●**口を利く** 句 ①ものを言う。話をする。②間に立って、話がまとまるようにつとめる。●**口を切る** 句 ①(最初に)発言する。②封を切る。「ウイスキーのー」●**口を極めて** 句 これ以上の言い方はないと思うほどのことばで。ことばをつくして。「ーほめちぎる」●**口を酸っぱくして** 句 同じことを、いやになるほどくり返して言うことのたとえ。口がすっぱくなるほど。●**口をそろえて** 句 〔多くの人が〕同じ趣旨のことを言って。「―否定する」 ●**口を出す** 句 相手のすることに、横から提案やさしずをする。「よけいな―な・会長が人事に―」 ●**口を突いて出る** 句 ①〔自分の意志からではなく〕思いがけないことばが出る。②〈すらすらと／つぎつぎと〉ことばが出る。▽「責めることばが口をつく」のような形でも使う。 ●**口をつぐむ** 句 〔口をとじて〕だまる。 ●**口を詰める** 句 好きなだけ食べさせないようにする。 ●**口をとがらせる** 句 不満そうにくちびるを突き出す。口をとがらす。 ●**口を閉ざす** 句 かたく口をとじる。だまる。 ●**口を濁す** 句 ⇩ことばを濁す 句。 ●**口をぬぐって** 句 何も言わなかった顔をして。何も知らないふりをして。 ●**口をぬらす** 句 〔文〕⇩口を糊する 句。 ●**口を糊する** 句 〔文〕〔貧しくて〕やっと生活する。口をぬらす。口に糊する。☞糊口。 ●**口を挟む** 句 よけいな口出しをする。 ●**口を開く** 句 話しはじめる。 ●**口を開けば** 句 何か言うと必ず。ふたことめには。 ●**口を封じる** 句 ものを言わせないようにする。むりにだまらせる。 ●**口を塞ぐ** 句 悪口を言わせないようにする。「世間の―」 ●**口を結ぶ** 句 口をとじる。 ●**口を割る** 句 〔取り調べられたりして〕かくしていたことを話す。白状する。

**ぐち**［(愚痴)・グチ］〔＝おろか〕言ってもかいのないことを言って、なげくこと。「―をこぼす」

**ぐち**［口］造 ⇩くち 目。

**くちあけ**［口開け］〔＝びんづめなどの口をあけること〕ものごとの最初。はじめ。「きょうの商売の―」

**くちあたり**［口当たり］①食べ物を口に入れたときの感じ。「―のいい酒」②聞いたときの、ことばの感じ。「―のいい言説・―のいい〔＝ことばのやわらかい〕人」

**くち・い**《形》〔東日本方言〕食べて、おなかにいっぱいつまった状態だ。「腹がくちくなった」

**くちいれ**［口入れ］《名・他サ》もと、奉公人の周旋をした〈こと／人〉。「―屋」

**くちうつし**［口写し］話し方や話す内容が、ほかの人のそれにそっくりであること。

**くちうつし**［口移し］《名・他サ》①自分の口にふくんだ飲み物・食べ物を相手の口に入れてあげること。「―〈で／に〉飲ませる」②〔本や楽譜などを使わず〕口で言って伝えること。

**くちうら**［口裏］(はっきり言わない)口ぶり。「―でにおわせる・―を引く〔＝相手がはっきり言わないことを、うまく聞き出す〕」 ●**口裏を合わせる** 句 人の話とくいちがわないように ごまかす。また、そのための相談をする。「私も知らない、と―・みんなで―」

**くちうるさ・い**［口うるさい］《形》ちょっとしたことでも、文句を言うようすだ。くちやかましい。派 -げ。-さ。

**くちえ**［口絵］本の、本文の前に入れる絵。

**くちおし・い**［口惜しい］《形》〔文〕本当なら、もっとうまくいくはずだったと、不満な気持ちだ。〔「くやしい」よりもやや客観的に言うことば〕「―思いをする」派 -げ。-さ。☞くや(口惜)しい。

**くちおも**［口重］《ナダ》口が重いようす。(↔口軽) ●**くちおも・い**［口重い］《形》口重だ。(↔口軽い) 派 -さ。

**くちかず**［口数］①口に出すことばの かず。②ひと口単位で数えるもののかず。くちすう。

**くちがた・い**［口堅い］《形》秘密などをかるがるしくほかに もらさない。口が堅い。

**くちがね**［口金］入れ物などの口に取りつける金具。「びんの―〔＝王冠〕・バッグの―・クリームをしぼり出すふくろの―・電球の―」

**くちがる**［口軽］《ナダ》口が軽いようす。(↔口重) ●**くちがる・い**［口軽い］《形》口軽だ。(↔口重い) 派 -さ。

**くちがわり**［口代わり］《料》「くちとり」の代わりに、三種ぐらいの簡単な料理をもりあわせて出すもの。

**くちき**［朽ち木］①くさった木。②不遇のまま一生を終わろうとする〈人／状態〉。

☆☆**くちきき**［口利き］《名・他サ》①交渉などの うまい人。②仲をとりもって、うまくおさめる〈こと／人〉。③勢力家。「町内の―」④紹介(者)。「就職の―をたのむ」

**くちぎたな・い**［口汚い］《形》①ものの言い方がいやしい。②いじきたない。派 -さ。

**くちきり**［口切り］①くちあけ。②新茶をはじめて使う茶会。 ●**くちきりいっぱい**［口切り(一杯)］コップなどの、口もとまで いっぱい入れること。

**くちく**［駆逐］《名・他サ》追いはらうこと。「敵を―する」 ●**くちくかん**［駆逐艦］《軍》魚雷・爆雷・ミサイルなどをそなえた、速力にすぐれた軍艦。

**くちぐせ**［口癖］①話すときの くせ。②言いなれたことば。決まり文句。

**くちぐち**［口々］めいめいがしゃべるようす。 ●**口々に言う** 句 みんなが、それぞれ(同じことを)言う。「やめるようにと―」

**ぐちぐち**《副》①しつこく不平・不満を言うようす。「―文句を言う」②ずっとなやみ続けるようす。ぐじぐじ。「考えてもしかたのないことを―なやむ」

**くちぐるま**［口車］口先の言いまわし。 ●**口車に乗せられる** 句 うまいことを言われてごまかされる。「店員の口車に乗せられて、買ってしまった」〔「(相手を)口車に乗せる」の形でも使う〕

**くちげんか**［口(×喧×嘩)］《名・自サ》〔なぐりあったりしないで〕ことばでする けんか。

**くちこごと**［口小言］おりにふれて出る、細かなことについての こごと。

**くちごたえ**［口答え］《名・自サ》目上の人の言うことに さからって言い返す〈こと／ことば〉。口返答。

☆☆**くちコミ**［口コミ・クチコミ］マスコミによらず、個人の口から口へと伝わる〈こと／情報〉。「―で広がる」

**くちごも・る**［口(籠もる)］《自五》〔言いにくくて〕だまる。また、ことばが あいまいになる。「言いかけて―」

**くちさがな・い**［口さがない］《形》つつしみを忘れて人のうわさなどを言いたがるようすだ。「―連中の言うことだ」由来「さがない」は、「性質がよくない」という意味の古語「さがなし」から。派 -さ。

**くちさき**［口先］①口の先端。「―に小枝をくわえる鳥」②〔うわべだけの〕ものの言い方。「―だけのこと」

**くちさびし・い**［口寂しい・口×淋しい］《形》〔食べ物・タバコなどが口にないために〕口の中が ものたりない。くちさみしい。派 -さ。

**くちざわり**［口触り］くちあたり。

**くちしのぎ**［口(×凌ぎ)］①どうにか暮らすこと。「当座の―」②ちょっと食べること。「お―に ひとつどうぞ」

**くちじゃみせん**[口三味線]　口で三味線の音色や節をまねること。「―を弾く」

**くちじょうず**[口上手]《名・ナダ》口先がうまい〈こと／ようす／人〉。口巧者。口達者。(↔口べた)

**くちすぎ**[口過ぎ]　暮らし(て行くこと)。生活。

**くちずさ・む**[口(△遊む)]《他五》〔歌・詩の文句などを〕心にうかぶままに〈小声で歌う／となえる〉。くちずさぶ。「テーマ曲を―・和歌を―・覚えた住所を―」名口ずさみ。

**くちすす・ぐ**[(×嗽ぐ)・(×漱ぐ)]《自五》口の中を洗い清める。うがいをする。

**くちすっぱく**[口酸っぱく]《副》注意など、同じことを何度も くり返し、言うようす。口をすっぱくして。くちずっぱく。「あれほど―言ったのに」

**くちぞえ**[口添え]《名・自サ》うまく いくように、口をきいてあげること。

**くちだし**[口出し]《名・自サ》わきから ことばをはさむこと。「よけいな―」

**くちだっしゃ**[口達者]《名・ナダ》①⇩くちじょうず。②よくしゃべる〈こと／ようす／人〉。

**くちぢゃ**[口茶]　⇩差し茶。

**くちつき**[口付き]　①口の かっこう。口もと。②くちぶり。③吸い口が ついている〈こと／紙巻きタバコ〉。「―タバコ」

**くちづけ**[口付け]《名・自サ》キス。接吻。「―をかわす」動口づける《自下一》。

**くちづたえ**[口伝え]　①口頭で伝授すること。くでん。②人から人へ語り伝えること。くちづて。

**くちづて**[口(△伝)]　⇩くちづたえ②。

**くちどけ**[口(溶け)]　口の中での とけ方。「―のよいチョコレート」

**くちどめ**[口止め]《名・他サ》①ほかの人に言うのを禁じること。②「口止め①」のためにあたえる お金。口止め料。

**くちとり**[口取り]〔↑口取りざかな〕《料》日本料理の最初に出る、きんとん・かまぼこ・だて巻きなどを少しずつ もりあわせたもの。

**くちなおし**[口直し]《名・自サ》前に食べたものが口の中に残した感じを消すために〈別のものを食べること／食べる別のもの〉。

**くちなし**[(×梔)・(:梔子)]　常緑の庭木の名。夏、かおりの強い、白い花をひらく。実は赤みのある黄色(＝くちなし色)で、染料にする。

**くちならし**[口慣らし・口×馴らし]　①すらすら言えるようになるまで練習して、ならすこと。②食べて舌を味になれさせること。「―をする」

**くちなわ**[(△蛇)]〔雅〕へび。

**くちのは**[口の端]〔文〕ことばの はし。●**口の端に上る**句 うわさされる。

**くちば**[朽ち葉]　枯れおちて、生気を失った葉。「―色(＝赤みをおびた黄色)」

**くちぱく**[口パク]〔俗〕音声に合わせてそれらしく口を動かし、実際には〈歌わ／しゃべら〉ないこと。☞当て振り。

**くちばし**[(×嘴)・(口×嘴)・(×喙)]《動》長く突き出ていて かたい、鳥の口。●**くちばしが黄色い**句 未熟だ。●**くちばしを入れる**句 口出しをする。

**くちばし・る**[口走る]《他五》①調子にのって、よけいなことを言う。「あらぬことを―」②〔言うつもりでないことを〕言う。「思わず―」

**くちはっちょう**[口八丁]　口のきき方が早くてじょうずなこと。●**口八丁手八丁**句 口もたっしゃだが、やることもよくやる。口も八丁、手も八丁。

**くちは・てる**[朽ち果てる]《自下一》①すっかりくさってくずれる。「朽ち果てたお堂」②世に知られることなく、人が死ぬ。また、物事が終わる。「都会の隅で―・研究が―」

**くちはばった・い**[口幅ったい]《形》えらそうなことを言う。広言する。「―言い方」

**くちばや**[口早]《ナダ》はやくち。「―に言う」

**くちび**[口火]　①昔の鉄砲の火薬や、爆薬につける火。②〔ガスぶろ・湯わかし器などで〕つまみを回せばすぐ火がつくように、いつも燃やしておく小さな火。●**口火を切る**句 ①攻撃を始める。②〔先に立って〕始める。「反乱の―」③いちばん はじめに発言する。「話の―」

**くちひげ**[口(×髭)]　鼻の下の ひげ。

***くちびる**[唇・×脣・:口唇]　口の形をつくる、うすい膜でおおわれたやわらかな、上下の部分。飲み食いや発音を助ける。口唇。「―を重ねる(＝キスをする)」●**唇をかむ**句 くやしさをがまんする。●**唇を突き出す**句 不満や不快をあらわすときなどの動作。下唇を突き出す。●**唇を〈盗む／奪う〉**句 強引にキスをする。

**くちふうじ**[口封じ]〔知られては困ることについて〕発言をさせないこと。「―に殺された」

**くちぶえ**[口笛]　くちびるをまるめ、息を強く ふきながら節をつけて音を出すこと。また、そうして出す、笛のような音。「―を吹く」

**くちふさぎ**[口塞ぎ]　①くちどめ。②ちょっとした食事。客に出す料理などをけんそんして言うことば。「ほんのお―ですが」

**くちぶちょうほう**[口不調法]《名・ナダ》あいさつ・応対など、他人に対する口のきき方が、うまくないようす。〔ふつう自分について言う〕

**くちぶり**[口(振り)]　話のようす。「あの―では出席しそうもない・行ってもいいような―だった」

**くちべた**[口(下手)]《名・ナダ》ものの言い方がへたなこと。(↔口じょうず)

**くちべに**[口紅]　くちびるに つける紅。ルージュ。「―を塗る・―をつける」

**くちべらし**[口減らし]《名・自サ》貧しさのために養えない子どもを養子や奉公に出すこと。

**くちまかせ**[口任せ]　口からことばが出るにまかせて〔勝手なことを〕言うこと。でまかせ。「―を言うな」

**くちまね**[口(:真似)]《名・自他サ》他人の言うとおりにまねて言うこと。

**くちまめ**[口まめ]《名・ナダ》〔古風〕よく しゃべる〈ようす／人〉。「―に話す」

**くちもと**[口元・口△許]　①くちびるのあたり(のようす)。「思わず―が〈ゆるむ／ほころぶ〉(＝うれしくて口元で笑う)」②〔乗り物などの〕出入り口の近く。

**くちやかまし・い**[口(×喧しい)]《形》①少しのことにもうるさく言うようすだ。「口やかましく指図する」②ことばが多くうるさい。「口やかましくしゃべる」派ーさ。

☆☆**くちやくそく**[口約束]《名・自他サ》〔書面を書かずに〕口でする約束。「ーだけでは心配だ」

**くちゃくちゃ** [一]**くちゃくちゃ**《副》ものをかんだり、こねたりする〈音/ようす〉。「ガムをーかみながら歩く」[二]**くちゃくちゃ**《ナダ》もまれて形がくずれたり、乱れたりしているようす。「紙をーにまるめて捨てる」

**ぐちゃぐちゃ** [一]**ぐちゃぐちゃ**《副》①水分をたくさんふくんだものが、つぶれたりこねられたりする〈ときのようす/音〉。②ひどく乱れているようす。「ー(と)書く」③不平や不満を言うようす。「ー(と)ぐちを言う」[二]**ぐちゃぐちゃ**《ナダ》①水分で〈やわらかく/きたなく〉なったようす。「ーになったごはん・なみだと鼻水で顔がーだ」②複雑に乱れ(て、もとの形がわからなくなっ)たようす。「順番がーだ・部屋の中がーだ・人間関係がーになる」

**くちゅう**[苦衷]〔文〕苦しい、心のうち。

**くちゅう**[駆虫]《名・自サ》寄生虫や害虫を取り除くこと。「ー法・ー薬」

**くちゅくちゅ**《副・自サ》①少しの水などを口にふくんで鳴らす〈音/ようす〉。「ーうがいをする」②指などでもむ〈音/ようす〉。「食材をーまぜる」

**くちょう**[口調]①口で言ってみたときの、ことばの調子。「ーがいい」②声の出し方、ことばのえらび方などにあらわれる、特色。「演説ー・先生ー」

**くちょう**[区長]①「区[一]②」の行政の最高責任者。②「区[一]③」のかしら。

**くちょう**[句帳]俳句を書きつける手帳。

**ぐちょく**[愚直]《名・ナダ》①ばかしょうじき。「ーに努力する」②わきめもふらないようす。ただひたすら。「ーに反復練習をくり返す」派ーさ。

**くちよごし**[口汚し]客に出した料理がそまつで、口をよごすにすぎないというけんそんのことば。「ほんのおーですが」

**くちよせ**[口寄せ]《名・自サ》みこ(巫女)が、死んだ人の霊(れい)を呼んで、霊のことばを自分の口で伝えること。また、そのみこ。

**く・ちる**[朽ちる]《自上一》①立ち木・材木などの組織が、湿気(しっけ)や虫食いのためにくずれる。「朽ちた門」②世に知られないままで終わる。「片いなかでー」

**ぐち・る**[愚痴る・グチる]《自五》〔俗〕ぐちを言う。

***くつ**[靴]革(かわ)・ゴム・布などで作った、足をおおうはきもの。「おー〔児〕」

**くつ**[窟]造ほらあな。あなぐら(のような所)。「あへん(阿片)ー・貧民(ひんみん)ー」

**くつう**[苦痛][一]苦しみや痛み。「ーをうったえる・ーをやわらげる・心のー」[二]《ナダ》苦しくていやな〈ようす/気持ち〉。「ーな仕事・立っているのがーだ」

**くつおと**[靴音]靴をはいて歩く足音。「ーがひびく」

**くつがえ・す**[覆す]《他五》①ひっくりかえす。うらがえす。「手のひらをー・舟(ふね)をー」②うちたおす。つぶす。「幕府をー」③根本から変える。「前言をー・定説をー」自覆る《五》。

**クッキー**[一]〔米 cookie〕小麦粉にたまご・バター・砂糖などをまぜ、一口サイズに焼いた菓子(かし)。ビスケットよりあまく、コクがある。「バターー・型抜(かたぬ)きー」[二]〔Cookie〕《情》ウェブサイトの閲覧(えつらん)時に入力した情報などが、ブラウザーに記憶(きおく)されたもの。次回、再利用される。☞キャッシュ(cache)[一]②。

←**くっきょう**[△究×竟]《名・ナダ》(=目立ってすぐれている)〔文〕うってつけ。もってこい。「ー〈な/の〉場所」

→**くっきょう**[屈強]《ナダ》力がすぐれているようす。「ー〈な/の〉若者」

**くっきょく**[屈曲]《名・自サ》〔文〕折れ曲がること。

**くっきり**《副》輪郭(りんかく)がはっきりして、きわだつようす。「山がー(と)見える」

**クッキング**〔cooking〕料理(法)。「ースクール・ーペーパー〔=あげものの油を切ったりするときに使う紙〕」

**ぐつぐつ**《副》よく煮(に)えている〈音/ようす〉。「なべがーいう」

**くっさく**[掘削・掘×鑿]《名・他サ》砂・石などを機械でほり取(って穴をあけ)ること。

☆☆**くっし**[屈指]〔五本の〕指を折って数える中にはいるほどすぐれていること。ゆびおり。「ーの大都会・業界ーのやり手」

**くつした**[靴下]〔おもにくつをはくためや、防寒のために〕足に直接はいて足をおおうもの。☞ストッキング。

**くつじゅう**[屈従]《名・自サ》〔文〕相手の力に負けてしたがうこと。屈服(くっぷく)。「権力にーする」

**くつじょく**[屈辱]人におさえつけられてはじを受けること。「ー感・ー的な待遇(たいぐう)」

**グッジョブ**《感》〔good job〕〔話〕(むずかしいが、大事な)仕事をうまくやった人に言うことば。上出来だ。よくやった。グッドジョブ。表記 頭(かしら)文字から「ＧＪ」とも。

**ぐっしょり**《副》ひどくぬれているようす。「ゆうべは寝汗(ねあせ)をかいた・汗でーとなる」

**クッション**〔cushion〕①いすなどに置いて使う、ふくらみがあって弾力(だんりょく)のある、ざぶとんのような形のもの。②いすや座席のすわりごこち。「ーのいい車」③中間にあって、ショックをやわらげるもの。「ーをもうける・ワンー置く・《野球》ーボール〔=フェンスに当たってはね返った球〕・ー封筒(ふうとう)〔=緩衝(かんしょう)材のはいった封筒〕」

**くっしん**[掘進]《名・自サ》〔文〕土地や石炭などをほって前へ進むこと。

**くっしん**[屈伸]《名・自他サ》縮めることとのばすこと。のびちぢみ。「ー運動」

☆☆**グッズ**〔goods〕商品。品物。「スポーツー・キャラ(クター)ー」〔なまって、グッツ〕

**くつずみ**[靴墨]くつにぬって、革(かわ)の保護・つや出しをするクリーム。

**ぐっすり**《副》じゅうぶんにねむるようす。

**くっ・する**[屈する][一]《自サ》①くじける。②〔相手の力に負けて〕したがう。「権力にー・犯人の要求にー」[二]《他サ》〔文〕①曲げる。「指をー〔=数えあげる〕」②かがめる。「身をー」

**くつずれ**[靴擦れ]《名・自サ》はいたくつが足にあわないで、〈すれること/すれてできたきず〉。

**くっせつ**[屈折]《名・自サ》①折れたように(何回も)曲がること。②性格や心情が複雑にゆがむこと。「ーした心理」③《理》光線・音波が、ある物質からほかの物質へはいる境目で、方向を変えること。「光のー率・ー望遠鏡」

**くつぞこ**[一][靴底]くつの底。[二][(靴底)]シタビラメの別名。

☆☆**くったく**［屈託］《名・自サ》気にかけて、こだわること。「―のない表情」

**く(っ)たって**◇〔話〕形容詞(型助動詞)連用形の語尾「く」に、助詞「たって」がついたもの。「苦し―、平気だ」☞たって[二]②。

**ぐったり**《副・自サ》〔つかれたり がっかりしたりして〕力がぬけるようす。「―(と)横になる」

**くっちゃね**［食っちゃ寝］《名・自サ》〔俗〕食べては寝てをくり返すだけの、何もしない生活。「―正月」

**くっちゃべ・る**《自他五》〔俗〕ぺらぺらと よくしゃべる。〔いやしめて言う〕「自慢げに―」

**くっつ・く**《自五》①ぴったりとつく。「折れた骨が―・シャベルに雪が―・まぶたが―」②いくつかのものが合わさる。「省庁が―」③〔俗〕〈恋人どうし/夫婦〉の関係になる。[他]くっつける《下一》。

**くって**◇〔形容詞(型助動詞)連用形の語尾「く」に、接続助詞「て」がついたもの〕〔話〕そのようであって。…くて。「おかし―、なみだが出そうだ」

**くってかか・る**［食って(掛かる)］《自五》はげしい口調で相手にせまる。

**ぐっと**《副》①力をこめるようす。「手を―にぎる」②一気に飲むようす。「―飲みほす」③一瞬 息をとめるようにするようす。「―がまんをする」④今までと大きく変わるようす。ぐんと。「成績が―上がる」●**ぐっと来る**[句]①魅力を感じる。②感激してなみだが出(そうにな)る。「胸に―ものがある」

**グッド**〔good〕[一]グッド《感》〔話〕よし! [二][遺]いい。優秀な。「―アイデア・―ジョブ〔⇩グッジョブ〕」▽[二]なまって、グット。●**グッドタイミング**〔good timing〕ちょうどぴったりの、いい機会。●**グッドバイ**〔good-bye〕[古風][一]《感》さようなら。[二]《名・自サ》別れるときのことば(を言うこと)。▽[一][二]グッバイ。●**グッドラック**《感》〔good luck〕幸運をいのります。お元気で。〔別れるときのことば〕

**くつぬぎ**［(×沓)脱ぎ］〈戸口/縁がわ〉の、はきものをぬぐ所。また、そこに置く石。

**クッパ**〔朝鮮 gukbap=しるごはん〕スープにごはんを入れた料理。「カルビー」〔ブタの肉や内臓を入れたものは「テジクッパ」、モヤシを入れたものは「コンナムルクッパ」〕☞チゲ。

**くつばこ**［靴箱］建物の上がり口にある、くつをしまう戸だな。げたばこ。

**グッピー**〔guppy=もと、人名〕小形の熱帯魚。大きさは四～五センチぐらい。にじめだか。

**くつひも**［靴(×紐)］くつの甲の穴に通して結び、くつがぬげないようにする ひも。

**くっぷく**［屈服・屈伏］《名・自サ》〈勢いにおそれて/負けて〉したがうこと。

**くつべら**［靴(×篦)］くつをはくとき、かかとに当てて使うへら。

**くづめらくがみ**［苦爪楽髪］苦労しているときは、つめの のび方がはやく、楽をしているときは、かみの毛の のび方がはやい。〔逆に「苦髪楽爪」とも言う〕

**くつろ・ぐ**［(△寛ぐ)］《自五》心や からだが、ゆったりして楽になる。「わが家で―・くつろいだ集まり・どうぞ、おくつろぎください」[名]くつろぎ。[他]くつろげる《下一》。

**くつわ**［(×轡)］馬の口にふくませ、たづなをつけて、馬をあつかう道具。「―をならべて進む」●**くつわむし**［(×轡虫)］秋に鳴く昆虫の一種。キリギリスに似て、全身が緑色。やかましく「がちゃがちゃ」と鳴きたてる。がちゃがちゃ。

**ぐてい**［愚弟］〔文〕①おろかな弟。「賢兄―」②〔古風・男〕「自分の弟」の謙譲語。▽(↔愚兄・賢弟)

**くてん**［句点］文の終わりの しるしに、右下に小さくつける点。「。」。まる。☞読点。

**くでん**［口伝］《名・他サ》〔文〕弟子や後輩に知識を口で伝えること。くちづたえ。

**ぐでんぐでん**《ナダ》酒に酔って、なんにも わからなくなるようす。「飲みすぎて―になる」

**くど**［苦土］《理》酸化マグネシウム。「―石灰」

**くど・い**［(×諄い)］《形》①同じようなことをしつこくくり返すようすだ。「―文章・―やつだ」②味などがこくて、あとに残る感じだ。「―〔=あまったるい〕おしるこ」[派]-さ。

**くとう**［句読］①点〔「、」〕や まる〔「。」〕で くぎった、文章の中の切れ目。また、文章の くぎり方。②句読点。「―法」●☆☆**くとうてん**［句読点］句点〔「。」〕と読点〔「、」〕。「―を打つ」

**くとう**［苦闘］《名・自サ》〔戦いが有利に運ばず〕苦しみながら戦うこと。「悪戦―」

**くどう**［区道］〔東京の〕区の費用で造って、管理する道路。

**くどう**［駆動］《名・他サ》①動力を伝えて動かすこと。「前輪―」②モーターを回すこと。

**ぐどう**［(△求道)］《仏》さとりをひらくために、正しい仏法の道をもとめること。☞きゅうどう(求道)。

**くどきおと・す**［口説き落とす］《他五》くどいて、承知させる。[名]口説き落とし。

**くどく**［功徳］①《仏》あとでいい結果がかえってくる、いいおこない。「―をほどこす・いい―をした」②おかげ。「親孝行の―だ」

**くど・く**［口説く］《他五》〔思いどおりになってもらおうとして〕しきりに たのむ。「女を―・口説かれて社長に就任した」[名]口説き。

**くどくど**《副》くり返して しつこく。「―(と)言う」●**くどくどし・い**《形》たいへんくどい感じだ。

**ぐどん**［愚鈍］《名・ナダ》〔文〕おろかで にぶいようす。のろま。[派]-さ。

**くないちょう**［宮内庁］《法》皇室や、天皇の国事行為などに関する事務をあつかう官庁。内閣府に所属。

**くなん**［苦難］苦しみや なんぎ。「―の道」

＊＊**くに**［国］①国家。国土。「日本の―」②(日本の)政府。「―を相手どった訴訟」③ある一定の広がりを持った土地。「夢の―・北の―」④〔:故郷・:郷里〕ふるさと。故郷。郷里。「お―・―へ帰る」⑤昔、いくつかの郡をまとめた行政区画。「大和―」[アク]「この―を」のように、前にことばがつく場合は、くにとも。●**国破れて山河あ(在)り**[句]内乱や戦いで国はほろび、城はもとの姿ではないが、自然はそのままだ。

**くにおこし**［国(興し)］国を活性化・発展させる〈こと/取り組み〉。

**くにおもて**［国表］〔諸侯がおさめている領地としての〕国もと。(↔江戸表)

**くにがえ**［国替え］─ガ─ヘ ①江戸時代、諸侯の領地を移しかえたこと。転封。②〔俗〕国会議員が、これまでとは別の選挙区から立候補すること。

**くにがまえ**［国構え］─ガマヘ 漢字の部首の一つ。「国」「図」などの、外がわの「囗」の部分。

**くにがら**［国柄］ ①国の政治・社会の性格を決める、その国の歴史的な事情や特色。②その国独特の制度・風俗・習慣。「お─」

**くにがろう**［国家老］ 江戸時代、諸侯が参勤交代で江戸にいる間、留守をあずかった家老。城代家老。（↔江戸家老）

**くにく**［苦肉］〔←苦肉の策〕 苦しまぎれ。「─の表現・─の合意」 •☆☆**くにくのさく**［苦肉の策］ ほかに方法がなく、しかたなく とる方法。苦しまぎれの策。「─を講じる・値上げを避けるための─として、内容量を減らす」 由来 「反間苦肉の策〔=敵をおとしいれる策〕」から意味が変わり、「窮余の策」に近くなったもの。☞反間苦肉。

**くにぐに**［国々］ 多くの さまざまな国。「アジアの─」

**くにことば**［国〈言葉〉］ ⇩お国ことば。

**くにざかい**［国境］─ザカヒ ①昔の日本の中にあった、国と国との境界。こっきょう。②〔雅〕⇩国境①。「星が凍りつくよな─」

**くにざむらい**［国侍］─ザムラヒ 江戸時代、地方の藩に住む さむらい。

**くになまり**［国〈×訛り〉］ ①地方のなまり。いなかのことば。方言。②郷里の〈なまり／ことば〉。「お─」▽（お）くにことば。

**くにはら**［国原］ 〔雅〕ひろびろとした国土。「大和─」

**くにもと**［国元・国△許］ ①郷里（にいる身内の者）。「─へ送金する」②諸侯の本国。領地。くにおもて。

**ぐにゃぐにゃ** ㊀ **ぐにゃぐにゃ**《副・自サ》やわらかくて形が変わりやすいようす。「からだを─くねらせる」㊁ **ぐにゃぐにゃ**《ナダ》熱や力が加わって、よじれたり曲がったりするようす。「地震で鉄骨が─になった」▽㊀㊁ くにゃくにゃ。

**くぬぎ**［〈×櫟〉］ 山林に はえる落葉樹。葉はクリに似て、大きくて まるいドングリがなる。木材は たきぎ・炭にする。

**くねくね**《副・自サ》 ゆるく何度も曲がりくねるようす。「─（と）した山道・腰を─させておどる」

**くねつ**［苦熱］ 〔文〕苦しいほどの熱さ。

**くね・る**《自五》（長いものが）何度も ゆるく曲がる。「うねうね─道・からだをくねらせる」

**くねんぼ**［〈九年母〉］ 大形のミカンの一種。実は、かおりがよく あまい。食用。

**くのいち**［くノ一］〔漢字「女」を三つの部分に分けて言った隠語〕〔俗〕おんな（の忍者）。

**くのう**［苦悩］《名・自サ》 苦しみ なやむこと。なやみ。「─の表情」

**ぐのこっちょう**［愚の骨頂］ この上なく おろかなこと。「外見にこだわるのは─だ」

**くのじ**［くの字］ ひらがなの「く」の字（の形）。「からだを─に曲げる・─なり〔=形〕」 •**くのじてん**［くの字点］〔縦書きの〕かな またはかなまじり文で、すぐ前にある二字以上の語句が反復されることを示す符号。「〱」。例、「いろ〱」「散り〲」。

**くはい**［苦杯］ 〔文〕にがい水を入れた さかずき。•**苦杯を〈なめる／喫する〉** 句 つらい経験をする。「わずか十票差で苦杯をなめた〔=落選した〕」

**くば・る**［配る］《他五》 ①〔同じものを複数の人に〕（割り当てて）わたす。「ビラを─・トランプを─・ひっこしそばを─」②行きわたらせる。「心を─」③適当に配置する。「人を─」 名 配り。

**ぐはん**［△虞犯］《法》罪をおかすおそれがあること。「─少年」☞触法・犯罪少年。

**くひ**［句碑］ 俳句をほりつけた石碑。

**くび［首］ ①［×頸］頭と胴の間の、細くくびれた部分。「─を伸ばす・─を絞める〔『苦しい立場にする』の意味にも〕」②衣服の「首①」にあたる部分。「セーターの─」③「首①」の形をした所。「ビールびんの─」④「首①」より上の部分。あたま。かしら。「─を振る・─がすわる〔=赤ちゃんの頭が、ぐらぐらしなくなる〕」⑤〔俗〕地位。「─があぶない」⑥［:馘首］職をやめさせられること。「お前は─だ」 表記 ⑤⑥は〈俗に／読みやすく〉「クビ」とも。 •**首がつながる** 句 ①〈勤めている所／その地位〉をやめさせられずにすむ。②打ち首にならなくてすむ。 •**首が飛ぶ** 句 ①刀で首を切られる。②「首になる」を強めた言い方。 •**首が回らない** 句 借金が多くてどうにもならない。 •**首にする** 句 職をやめさせる。解雇する。 •**首になる** 句 職をやめさせられる。解雇される。 •**首に縄をつける** 句 むりやり連れてくるたとえ。首に縄をかける。「首に縄をつけてでも連れてこい」 •**首の皮一枚** 句〔ほんの少しのところで、まだつながっていることから〕 助かる可能性がゼロにはなっていない状態。 •**首を洗って待っていろ** 句 覚悟していろ。〔処分をあたえようとする相手や、やっつけようとする相手に言う〕 •**首をかし（傾）げる** 句 ①考えこむ動作。②〈本当かな／それでいいのかな〉と思う。 •**首を切る** 句 〈勤めている所／その地位〉をやめさせる。 •**首をすげ替える** 句 その地位の人を入れかえる。 直 首がすげ替わる。 •**首を縦に振る** 句 うなずく。うん、と言う。承諾する。引き受ける。（↔首を横に振る） •**首を突っ込む** 句 ①あるものごとに興味を持って関係する。②そのことに深入りする。▽頭を突っ込む。 •**首を長くする** 句 待ちこがれる。 •**首をひねる** 句〈意味が／どうしたらいいか〉わからなくて、考える。疑問に思う。 •**首を振る** 句 ①首を縦に ふる。②首を横に ふる。③（左右に）方向を変える。「扇風機が─」 •**首を横に振る** 句 ことわる。ちがう、と言う。（↔首を縦に振る）

**ぐび**［具備］《名・自他サ》 〔文〕じゅうぶんに〈そなわる／そなえる〉こと。「条件を─する」

**くびかざり**［首飾り・×頸飾り］ 宝石などを輪の形につないで首にかけ、かざりとするもの。ネックレス。

**くびかせ**［首〈×枷〉・×頸〈×枷〉］ ①（刑罰として）首が自由に動かせないようにするために、首にはめる わく。②自由をしばるもの。首っかせ。「子は三界の─」

**くびかり**［首狩り］ 〔未開社会で〕宗教の儀式をおこなうために、つかまえた人の首を切ること。くびがり。

**くびき**［〈×頸〉木・〈×軛〉］ ①車を引く棒の先に取りつけてある、牛馬の首にかける横木。☞「ぎっしゃ（牛車）」の絵。②〔文〕動きをしばるもの。制約。「家族の─からのがれる」

**くびきり**［首切り］①［首斬り］首を切る刑(をおこなう役目の人)。②雇われている人が急にやめさせられること。解雇。人員整理。リストラ。「—反対」

**くびくくり**［首(×縊り)］首つり。

**ぐびぐび**《副》のどを鳴らして酒を飲むようす。

**くびさ**［首差］《競馬》馬の首から先だけの、わずかの差。「—後れをとる」☞頭差・鼻差。

**くびじっけん**［首実検］《名・自他サ》①昔、討ち取った敵の「首④」が本物かどうか調べたこと。②実際に顔を見て、本人かどうかをたしかめること。めんとおし。

**ぐびじんそう**［△虞美人草］⇩ひなげし。

**くびす**［(×踵)］〔古風〕きびす。

**くびすじ**［首筋・×頸筋］首のうしろがわ(のあたり)。えりくび。

**くびちょう**［首長］⇩しゅちょう(首長)①。〔「市長」とまぎれないように言う〕

**くびづか**［首塚］昔の戦いで死んだ人の首をとむらう塚。「平将門の—」

**くびったけ**［首(っ丈)］〔俗〕すっかりほれこんで夢中なこと。「あの子に—」

**くびったま**［首っ玉］〔俗〕首。「—にしがみつく」

**くびっぴき**［首っ引き］《名・自サ》一つ一つ辞書や参考書などをあたって、一心に〈読書する/調べる〉こと。「辞書と—で勉強する」

**くびつり**［首(×吊り)］①首をつって死ぬこと。首くくり。「—自殺」②〔俗〕既製服。つるし。●**首つりの足を引っ張る**句 ひどく困った人に対し、さらにひどいしうちをすることのたとえ。

**くびなげ**［首投げ］《すもう・レスリング》相手の首を片うでで巻いて、投げたおすこと。

**くびねっこ**［首根(っ子)］首のうしろ。●**首根っこを押さえられる**句 どうしようもないように おさえつけられる。〔「(相手の)首根っこを押さえる」の形でも使う〕

**くびひき**［首引き］《名・自サ》①おたがいの首にひもをかけて引き合う昔の遊び。②くびっぴき。

**くびまき**［首巻き］〔古風〕首に巻く布。マフラーやストール。

**くびもと**［首元］①首の付け根のあたり。「—がはだ寒い」②服の首の回りにあたる部分。「Tシャツの—が伸びる」

**ぐびりと**《副》のどを鳴らしながら、酒をひと口飲むようす。「酒を—やった」

**くび・る**［(×縊る)］《他五》〔古風〕〔首を〕しめる。「くびり殺す」

**くびれ**［(△括れ)］くびれている〈こと/ところ〉。「腰の—」

**くびれし・ぬ**［(×縊れ)死ぬ］《自五》〔古風〕首をつって死ぬ。

**くび・れる**［(△括れる)］《自下一》中ほどが〈しまる/細くなる〉。

**くび・れる**［(×縊れる)］《自下一》〔古風〕首を〈つる/つって死ぬ〉。

**くびわ**［首輪・×頸輪］①首にかけて かざる輪。②犬やネコの首につける輪。

**くひん**［句品］俳句の品格。「高雅な—」

**くぶ**［区部］〔東京で〕区になっている地域。(↔郡部・市部)

**くふう**［句風］俳句の作り方の特色。

**くふう**［(工夫)］《名・他サ》いい方法を見つけたり、いい結果を得ようとしたりして、いろいろ考えること。また、その方法。「—をこらす」☞こうふ(工夫)。

**ぐふう**［×颶風］①《天》熱帯地方に起こる、強い暴風雨。②〔文〕暴風。

**くぶくりん**［九分九厘］《名・副》(=九九パーセント)ほとんど(全体に近いこと)。「—成功するだろう」

**ぐぶつ**［愚物］〔文〕おろかな人。愚者。

**くぶどおり**［九分(通り)］《副》十のうち九ぐらいまで。ほとんど全部。おおかた。

**くぶん**［区分］《名・他サ》全体をいくつかに くぎって分け〈ること/た結果〉。区分け。「大—・小—」

**くべつ**［区別］《名・他サ》①性質・特色などに応じて取りあつかいを別にすること。「公私の—」②二つ(以上)のものの間に ちがいを認めること。「—がつかない」

**く・べる**《他下一》〔燃えるものを〕火の中に入れる。「まきを—」

**くぼ**［(×窪)］(土地の)くぼんだ所。くぼみ。

**くほう**［区報］区役所が区民にくばる、区についての知らせをのせた印刷物。

**くほう**［句法］①詩歌(特に俳句)の作り方。②漢文を〈作る/読む〉ための文法。

**くぼう**［△公方］〔文〕将軍(家)。「—様」

**くぼち**［(×窪)地］平地の一部が落ちこんで低くなっている土地。

**くぼま・る**［(×窪まる)］《自五》くぼんだ状態になる。名 くぼまり。

**くぼ・む**［(×窪む)］《自五》他 くぼめる《下一》。平らなところの一部分が、まわりより少し低くなる。へこむ。「道が—」名 くぼみ。

**くま**［(×隈)］①〔目の届かない、また光の届かない〕奥まって かくれた所。すみ。「残る—なく照らし出す」②かげのように黒ずんだ所。「目に—ができる」③↑くまどり。

**くま**［熊］一 くま ヒグマ・ツキノワグマなど、大形の野生のけもの。黒っぽい色で、前足の力が強い。二 接頭 ①強くおそろしい。「—ばち(蜂)」②形が大きい。「—ざさ(笹)」

**ぐまい**［愚妹］〔文・古風・男〕「自分の妹」の謙譲語。(↔〔まれに〕愚姉)

**ぐまい**［愚昧］《名・ナダ》〔文〕道理を知らないようす。おろか。「—の者・—な連中」派 -さ。

**くまおくり**［熊送り］⇩イヨマンテ。

**くまぐま**［(×隈々)］〔雅〕すみずみ。

**くまざさ**［(熊×笹)］ササの一種。葉は大きく、秋にはへりが白くなる。

**くまぜみ**［(熊×蟬)］大形のセミ。頭からはねの先まで約六センチ。からだは黒色で、はねは透明。夏の朝、「シャーシャー」と大声で鳴く。

**くまそ**［熊△襲］〔記紀神話で〕古代、九州の南部地方に住んでいた一族。

**くまたか**［(熊×鷹)］非常に大きなタカ。顔が黒く、腹に白い斑点がある。

**くまで**［熊手］①長い柄の先に鉄のつめをいくつかつけた、昔の武器。②竹で「くまで①」の形に作った、落ち葉などをかき集める道具。③とり(酉)の市で売る、竹で作った縁起物。

**くまどり**［〈×隈取り〉］《名・他サ》①〔芝居〕〔歌舞伎俳優が〕紅・青などの絵の具で顔に〈線をかくこと／かいた線〉。②《美術》〔日本画で〕ぼかして遠近・高低などをあらわすこと。▽くま。動くまどる《他五》。

［くまどり ①］

☆☆**くまなく**［〈×隈なく〉］《副》①明るく。くもりなく。「月は―照る」②すみからすみまで。「―さがす」

**くまのい**［熊の〈△胆〉］クマの たんのう（胆嚢）。非常ににがく、胃の薬となる。

**くまのみ** イソギンチャクと共生する熱帯魚。オレンジ色で、三本の白い しまのあるカクレクマノミが有名。

**くまばち**［〈熊蜂〉］フジの花などの蜜を吸う、大形のハチ。からだは黒くて太く、胸の色は黄色。くまんばち。

**くまんばち**［〈熊ん蜂〉］①スズメバチの俗称。②クマバチの俗称。

***くみ** ㊀［組］①大きな団体の中の一つの単位で、そろって行動するなかま。②学校で、学年の中での区分。クラス。学級。「六年二―」③目的と行動を同じくするグループ。④暴力団の構成単位。「―の若い者」⑤〔音〕↑組歌。㊁［組み］①対。そろい。「―になる・ひと―の ふだ」②組むこと。組んだもの。「活字の―がゆるむ」

**ぐみ**［〈:茱萸〉］小形の木の名。赤く熟した小さい実は、しぶみがあるが食べられる。

**ぐみ**［組］接尾 一つのグループと みなせるもの。〔建設会社の名前にも使う〕「五人―の男・三年B―・ばら―」

**グミ**〔ド Gummi=ゴム〕ゼラチンでできた、ゴムのように歯ごたえのある あめ。グミキャンデ(ィ)ー。「ぶどう―」

***くみあい**［組合］①《法》ふたり以上の者が資本を出し、共同で事業をする約束でできた団体。「出荷―」②↑労働組合。「―運動・―活動」

**くみあ・う**［組み合う］《自他五》①おたがいに組む。「肩を―」②おたがいになかまになる。③おたがいに組みついて争う。「がっぷり―」

**くみあ・げる**［〈×汲み〉上げる］《他下一》①水などをくんで高い所へ移す。「くみ上げ豆腐〔=おぼろ豆腐〕」②水などを全部くんでしまう。③組織の上層部が末端の意見や希望を取り入れる。名くみ上げ。

**くみあ・げる**［組み上げる］《他下一》①しまいまで組む。組み終える。②組んで積み上げる。名組み上げ。自組み上がる《五》。

**くみあわ・せる**［組み合わせる］《他下一》①いくつかのものを〈集めて／取り出して〉、組みにする。②競技・試合で、勝負を争う組を決める。▽組み合わす。名組み合わせ。自組み合わさる《五》。

**くみい・れる**［組み入れる］《他下一》①組み合わせの中に入れる。「工場見学をツアーに―」②組織の中に新しく入れる。「東国を支配下に―」名組み入れ。

**くみいん**［組員］①組のメンバー。②暴力団員。

**くみうた**［組歌］《音》〔琴・三味線の曲で〕短い歌をいくつか組み合わせて一曲としたもの。組。

**くみうち**［組み打ち・組み討ち］《名・自サ》組みついて〈争う／さし殺す〉こと。

**くみおき**［〈×汲み〉置き］あとで使うために、くんでおく〈こと／もの〉。「―の水」

**くみおどり**［組踊］せりふと歌と おどりをまじえた、沖縄の伝統芸能。くみうどぅい。

**くみがえ**［組替え］学級編成を新しくし直すこと。クラスがえ。くみかえ。

**くみか・える**［組み替える］《他下一》一度組んだものをやめて〈新しく／別の組み方で〉組む。「予算を―」名組み替え。⇒遺伝子組み換え。

**くみかわ・す**［酌み交わす］《他五》さかずきをやりとりして(いっしょに親しみながら)酒を飲む。

**くみき**［組み木］小さな木などを、はめこんだり、組み合わせたりして、大きな形に仕上げる おもちゃ。

**くみきょく**［組曲］《音》いくつかの楽曲を組み合わせて、一つにまとめたもの。

**くみこ・む**［〈×汲み〉込む］《他五》〔大きな入れものに〕水をくんで入れる。

**くみこ・む**［組み込む］《他五》そのものの一部として、中に入れる。「ICチップをカードに―」

**くみさかずき**［組み杯・組み×盃］大きさのちがう いくつかの さかずきを、ひと組みにまとめたもの。

**くみし・く**［組み敷く］《他五》取り組んで おさえつける。

**くみした**［組下］組の かしらの部下。組子。

**くみしゃしん**［組み写真］何枚かの写真を組み合わせて、ひと組みにまとめたもの。(↔単写真)

**くみしやす・い**［〈△与し△易い〉・組し〈△易い〉］《形》相手として おそろしくない。「―相手と見てあなどる」派―さ。

**くみじゅう**［組み重］同じ大きさの いくつかの重箱をかさねあわせて ひと組みにしたもの。

**くみしょう**［組章］組を代表するしるし。

**くみ・す**［〈△与す〉・組す］《自五》〔文〕⇩くみする。

☆☆**くみ・する**［〈△与する〉・組する］《自サ》〔文〕同意して、同じなかまになる。味方する。くみす。「専務派に―」

**くみたいそう**［組み体操］人の上に人がのったりして、ある形をつくる運動種目。運動会でおこなう。

**くみだし**［〈×汲み〉出し］〔↑くみ出し茶わん〕番茶を飲む、やや大きな茶わん。

**くみたて**［組み立て］①組み立てる〈こと／方法〉。②構造。構成。

**くみた・てる**［組み立てる］《他下一》組んで作りあげる。構成する。

**くみちがい**［組違い］〔宝くじなどで〕番号は同じでも、組をあらわす数字がちがうこと。「一等の―賞」

**くみちょう**［組長］①工場・団体などで、何人かをまとめた組の、長。②暴力団の組の、長。

**くみつ・く**［組み(付く)］《自五》〔あらそって〕相手のからだに自分の手足をまわして、取りつく。「後ろから―」

**くみつ・ける**［組み(付ける)］《他下一》動かないように、しっかりと組み合わせて取りつける。「部品を―」

**くみて**［組み手］①《柔道・すもうなど》「―をほどく」②《バレーボール》相手との組み方。また、組んだうで。③［組手］〔空手で〕相手と対して、攻防の技をかけ合うこと。(↔形(の型))。④《建築など》部材と部材を組み合わせたところ。

**くみと・める**［組み止める］《他下一》相手に組みついて、動きをおさえる。「敵の突進を―」

**くみとり**[(×汲み)取り] 便所の ふん尿をくみ出してかたづけること。「―口」

**くみと・る**[(×汲み)取る]《他五》①〔水などを〕くんで取り出す。②おしはかる。「事情を―」

**くみはん**[組み版] 活字を〈組む作業/組んだ版〉。くみ。

**くみひも**[組み(×紐)] 糸をななめに組み合わせて作った(平たい)ひも。くみお。うちひも。

**くみふ・せる**[組み伏せる]《他下一》 組みついて、相手をたおして おさえつける。

**くみほ・す**[(×汲み)干す]《他五》 くんで、からにする。

**くみやぐ**[組み夜具] かけぶとん・敷きぶとん・丹前などをひと組みにした夜具。組みふとん。

**くみわ・ける**[(×汲み)分ける]《他下一》〔事情を〕くみとる。

**くみん**[区民] 区に住んでいる人。

**クミン**〔cumin〕 ハーブの一種。たねは細かく、刺激的なかおりがあり、カレーなどに使う。

**ぐみん**[愚民]〔文〕おろかな人民。「―政策」

**く・む**[(×汲む)]《他五》 ①水などを入れものですくい取る。②[酌む] おしはかる。察する。「苦しい気持ちを―」③系統・流派などを受けつぐ。「源氏の流れを―」可能 くめる。

**く・む**[酌む]《他五》 ①さかずきなどに ついで飲む。「酒を―」②⇩汲む②。可能 酌める。

*__く・む__[組む] 一《他五》 ①たがいに からませたりくいこませたりして、まとまった形にする。「うでを―・木を十字に―・両手の指を―・ひもを―」②順番・調和などを考えて まとめる。「予定を―・打順を―」③目的のため、仲間を作る。組織する。「バッテリーを―・団体を―・闘争を―」④〔原稿のとおりに〕活字をわくの中に入れてならべる。⑤〔為替を〕送る手続きをとる。二《自五》 ①組みつく。取り組む。「四つに―」②目的のため、仲間になる。「他社と組んで事業を始める」可能 組める。☞組んずほぐれつ。

**ぐ・む** 接尾〔自五をつくる〕〔…が〕出そうになる。「なみだ―・芽―」

☆☆**くめん**[(×工面)]《名・他サ》 くふうして、お金を手に入れること。算段。「かねを―する・―がつかない」

*__くも__[雲] 白いわたのように空にうかんで見えるもの。細かな水滴などの集まりが空中にうかんだもの。●雲突っくばかり 句 〔頭が雲に届くばかりに〕背が たいそう高いようす。「―の大男」●雲をかすみ(霞)と 句 いちもくさんに にげて姿を消すようす。●雲をつかむよう 句 事情がぼんやりしていて、とらえどころがない。

**くも**[(:蜘蛛)] 小形の虫の名。八本足で腹が大きい。多くは腹の先から糸を出して巣を作る。「―の巣」●くもの子を散らすよう 句 いっせいに ちりぢりに にげるようす。

**くもあし**[雲脚・雲足] ①雲の動くありさま。「―が速い」②雨雲が低くたれ下がって見えるもの。③机・鉢などの あしで、曲がって雲の形の かざりがあるもの。

**くもい**[雲居]〔雅〕雲の〈ある/かかっている〉場所。空。「―の かなた」

**ぐもう**[愚×蒙]《名・ナダ》〔文〕おろかなようす。愚昧。「―のやから」

**くもがくれ**[雲隠れ]《名・自サ》 ①(月が)雲にかくれること。②ゆくえをくらますこと。

**くもがた**[雲形] 雲の(ような)形。「―定規〔=雲のような形で、さまざまな曲線が えがける定規〕」

**くもすけ**[雲助]〔江戸時代、宿場・街道などで〕かごをかついだ、(住所のさだまらない)人夫。よく、客にめいわくをかけた。「―タクシー」

**くもつ**[供物] 神や仏に そなえるもの。「お―」

**くもなく**[苦もなく]《副》 苦労なしに。ぞうさなく。「―受けとめた・何の―(『何の苦もなしに』とも)」

**くものうえ**[雲の上] ①〔文〕宮中。九重。「―人」②高い地位。「―の存在」

**くものみね**[雲の峰]〔雅〕山の みねのように高くわきたつ夏の雲。入道雲。

**くもま**[雲間] ①雲の〈切れ間/切れた ところ〉。②晴れ間。

**くもまく**[(:蜘蛛)膜・クモ膜]《生》脳や脊髄をおおっている三層の膜の中間にある膜。硬膜の内がわにある。●☆☆くもまくかしゅっけつ[(:蜘蛛)膜下出血・クモ膜下出血]《医》おもに脳の動脈瘤の破裂によって、くも膜の下の すきまに出血する症状。脳卒中の一種。くもまっかしゅっけつ。

☆☆**くもゆき**[雲行き] ①雲の動くようす。「悪い―だ」②なりゆき。形勢。「会議の―・―があやしい」

**くもら・せる**[曇らせる]《他下一》 ①くもるようにする。「寒さがガラスを―」②〈心配/悲し〉そうな顔や声をする。「表情を―」▽曇らす。

**くもり**[曇り] ①〔空が〕くもること。くもった状態。「―のち晴れ・―空」②〔表面が〕くもったように はっきりしない〈こと/ところ〉。「―のない鏡」

**くも・る**[曇る]《自五》 ①雲が空を(ほとんど)うめる。(↕晴れる) ②〈すきとおって/かがやいて〉いたものが、はっきりしなくなる。「曇った鏡・めがねが―・月が―」(↕澄む) ③はればれしなくなる。「心が―」(↕晴れる)

**くもん**[苦×悶]《名・自サ》〔文〕苦しみ もだえること。苦悩。「日夜―する」

**ぐもん**[愚問] ばかげた質問。「―愚答〔=くだらない問答〕・―賢答〔=くだらない質問に りっぱな答えをすること〕」

**くやくしょ**[区役所] 区の事務を取りあつかう役所。

**くやし・い**[悔しい・:口惜しい]《形》 人に負けたり、はずかしい思いをさせられたりして、腹が立つような、泣きたいような気持ちだ。「ホームランを打たれて―・ばかにされて―・問題が解けないのが―・―が、あいつのほうが すぐれている」派 -がる。-げ。-さ。☞くちお(口惜)しい。

**くやしなき**[悔し泣き]《名・自サ》 くやしがって泣くこと。

**くやしなみだ**[悔し涙] くやしがって流すなみだ。

**くやしまぎれ**[悔し紛れ] くやしさのために見さかいがなくなること。「―につばをはきかける」

**くやみ**[悔やみ] ①くやむこと。②⇩お悔やみ。

**くや・む**[悔やむ]《他五》 ①〔すんでしまったあとで〕ああすればよかった、こうしなければよかったと、残念に思う。後悔する。「悔やんでも悔やみきれない」②人の死を悲しが(りなぐさめ)る。

**くゆう**[区有]〔文〕区の所有。「―地」

**ぐゆう**[具有]《名・他サ》 性質や条件などを、そなえ持っていること。「両性―の生物」

**くゆら・す**［(×燻らす)］《他五》〔タバコを吸って〕ゆるやかにけむりを立てる。くゆらせる。「紫煙を—」自くゆる《五》。

**くよう**［九曜］〔文〕七曜に羅睺・計都という二つの星を加えたもの。九曜星。「—の紋」

☆☆**くよう**［供養］《名・他サ》〔仏〕①仏に ものをそなえて いのること。②死んだ人の霊に ものをそなえて、冥福をいのること。「死者の—」③〔長く〕愛用し、もう〈使わなく/使えなく〉なったものを寺社に納めて、感謝の気持ちを表すこと。「針—・人形—」④〔思った形で〕公開できなかった作品を、捨てる前に誰かに鑑賞してもらうこと。「ボツ—・下書き—」

**くよくよ**《副・自サ》〈小さい/取り返しのつかない〉ことを思いなやむようす。「いつまでも—するな」

**くら**［倉・蔵・△庫］家財・貨物・商品・穀物などをしまっておく大きな建物。「—に しまう」表記「蔵」は、土蔵など古風なものに使うことが多い。●**蔵が建つ**句 成功して、たいへんな金持ちになる。他蔵を建てる。

**くら**［×鞍］㊀**くら** 馬の せなかにつけて人や荷物をのせる台にするもの。㊁接尾 馬に乗って走る回数を数えることば。「七—乗る」

**くら**［(△競)］接尾〔古風〕競争。くらべ。「おし—・かけっ—」

****くらい**［位］㊀**くらい** ①〔国をおさめる〕地位。「王の—に つく」②昔、朝廷で、皇族・臣下などが座につく順序(をあらわす称号)。③てがらのある者にあたえる階級(をあらわす称号)。④官職。⑤等級。優劣。⑥品位。⑦《数》数をあらわすために、十倍ごとにつける名。「千の—」㊁《副助》①だいたいの数量・程度をあらわす。「十万円ぐらい かかる・よくあることだ、—に考えている」②…のような(大きな)程度。「君ぐらい のんきな人は いない」③…のような地位・立場など。「母ぐらいになると、こわいものはない」▽ほど。④〔どちらかというと〕…の程度。「大きすぎる—のほうが いい」⑤〔—なら〕…よりも別のことをするほうがまし、の意味をあらわす。「捨てる—なら私に ください」⑥ほぼ それしかないことをあらわす。「知らないのは本人ぐらい〈の/な〉ものだ」⑦軽く見る気持ちをあらわす。「ぼくだって英語ぐらい話すさ」✍(1)江戸時代は「このくらい」の形が多く、明治時代以降に「これぐらい」が増えた。「このぐらい」「これくらい」とも言う。「そのくらい」なども同様。(2)体言につくときは、「十万円ぐらい」のように本来「ぐらい」となるが、今は「くらい」も多い。アクウシくらい・ネコーくらい・イヌーくらい。●**位人臣を極める**句〔文〕臣下として最高の位になる。●**くらい・する**［位する］《自サ》〔文〕場所をしめる。地位を持つ。●**くらいだおれ**［位倒れ］《名・自サ》位が高いだけで、それにふさわしい収入や力が ともなわないこと。●**くらいどり**［位取り］「位㊀⑦」を定めること。●**くらいまけ**［位負け］《名・自サ》①実力以上に位が高すぎて かえって不利になること。②相手の位に圧倒されること。

***くら・い**［暗い］《形》①光が たりなくて、ものがよく見えない。光が ない。「—部屋・空が暗くなった・見通しは—〔=希望がない〕」②黒や灰色をふくむ状態だ。「—色」③それから受ける感じが、はれやかでなくて しずむような感じだ。「—顔」④よくわからない。明らかでない。「法律に—」▽(↕明るい) ⑤いやなことがあって、かくしておきたい。「—過去」派 -さ。

**ぐらい**《副助》⇩くらい㊁《副助》。

☆☆**クライアント**〔client〕①広告代理店・弁護士・税理士など専門性の高いサービス業の客。「—に気に入られる」②カウンセリングを受けに来る人。来談者。③《情》ネットワークを通じてサービスを受けるがわのコンピューター。(↕サーバー)

**くらいこ・む**［食らい込む］《自五》〔俗〕刑務所・留置場に入れられる。

**クライシス**〔crisis〕①危機。②経済の危機。恐慌。

**グライダー**〔glider〕エンジンやプロペラがなく、気流に乗って空をとぶ、飛行機の形をしたもの。滑空機。

**くらいつ・く**［食らい付く］《自五》〔俗〕食いつく。

**クライマー**〔climber〕〔岩登りの〕登山者。

☆☆**クライマックス**〔climax〕〔劇や事件などの〕頂点。最高潮。やま。「試合の—をむかえる」●**クライマックスシリーズ**〔和製 climax series〕〔プロ野球で〕日本シリーズの出場チームを決めるため、セ・パそれぞれのリーグでおこなう一連の試合。三位以上のチームが対戦する。CS。

**クライミング**《名・自サ》〔climbing〕〔山や岩壁などを〕よじのぼること。「ロック—・フリー—・スポーツ—」●**クライミングウォール**〔climbing wall〕〔スポーツセンターなどに作られた〕フリークライミング訓練用のかべ。

**グラインダー**〔grinder〕回転させて使う、まるい形のといし(砥石)。研磨機。

**くら・う**［食らう・×喰らう］《他五》〔俗〕①食べる。②〔酒を〕飲む。「大酒を食らって酔いつぶれる」③受ける。「一撃を—・停学を—」

**クラウチングスタート**〔crouching start〕《陸上》短距離走のスタート方法。両手を地面につけ、片ひざを立て、後ろに のばした足をけって走る。(↕スタンディング スタート)

☆☆**クラウド**〔cloud=雲〕〔↑クラウド コンピューティング〕《情》インターネット上のサーバーにあるデータやソフトウェアを利用するシステム。端末がわの負担が軽くなる。●**クラウドコンピューティング**〔cloud computing〕《情》⇩クラウド。

**クラウドファンディング**〔crowd《=大衆》 funding〕プロジェクトの資金をインターネットでつのること。ソーシャル ファンディング。クラファン。CF。

**クラウン**〔crown〕①冠。王冠。②〔帽子の〕高くなっていて、頭にかぶせる部分。山。帽体。

**グラウンド**〔ground〕①運動場。競技場。②球場。「—ボーイ」▽グランド。③〔↑グラウンド レスリング〕レスリングの、ねわざ。●**グラウンドゴルフ**〔和製 ground golf〕広場などで簡単に できるゴルフ。木製のクラブでボールを打ち、金属の輪に何打で入れられるかをきそう。●**グラウンドスタッフ**〔ground staff=地上の職員〕空港で働く、航空会社の人。グランド スタッフ。〔女性は「グラ(ウ)ンド ホステス」とも言った〕

**くらがえ**【×鞍替え】—へ —が《名・自サ》職業や行動する場所などをとりかえること。「他社に—する・参議院から衆議院に—して当選する」

**くらがり**【暗がり】暗くなっている〈こと/ところ〉。(↔明るみ)

**くらく**【苦楽】苦しみと楽しみ。「—をともにする」

**クラクション**〔klaxon=もと、商標名〕自動車の警笛。警音器。ホーン。

**くらくら**《副・自サ》①目まいがするようす。「頭が—する」②湯が煮えたつようす。「なべの湯が—(と)煮えたった」

**ぐらぐら**《副・自サ》①ゆれ動くようす。「建物が—ゆれる・—っと〈地震が〉来た」②しっかり固定されていなくて、おすと動くようす。「歯が—する」③湯が煮えたぎるようす。「お湯が—(と)わく」

**くらげ**【〈水母〉・〈海月〉】海の中にうかぶ動物。多くは、おわんをふせたような形で、からだは寒天質。カツオノエボシは人に害をあたえるが、ビゼンクラゲなどは食用になる。「—の冷菜」

**くらざらえ**【蔵〈×浚え〉】—ざらへ《名・他サ》蔵ばらい。くらざらい。

**グラサン**〔俗〕サングラス。

**くらし**【暮らし】①暮らすこと。②ふだんの生活。③生計。「外国暮らし・やもめ暮らし」

●**暮らしが立つ**〔句〕生活して行ける。〔他〕暮らしを立てる。

●**くらしむき**【暮らし向き】暮らしを立てるための、家のお金や財産の状態。「—が豊かになる」

**グラジオラス**〔gladiolus〕西洋草花の名。葉はアヤメに似て、夏、赤・白・黄などの花を、下から上に順々につける。

**クラシカル**〔classical〕[一]《ナダ》古典的であるようす。[二]〔スキー〕〔クロスカントリーで〕左右のスキーを平行にしてすべる走法。☞スケーティング②。

**くらしきりょう**【倉敷料】貨物や商品を倉庫にあずけたときにはらう保管料。倉敷。

**クラシシズム**〔classicism〕古典主義。

☆☆**クラシック**〔classic=最高級の。第一級の〕[一]《ナダ》古典的なようす。「—な英国車」[二]①古代のギリシャ・ラテンの作家または作品。②古典(をまねした作品)。③西洋の古典音楽。クラシック音楽。例、ベートーベンの曲。④(↔クラシック レース)〔競馬〕三歳馬による五大レース。日本では、桜花賞・皐月賞・オークス・日本ダービー・菊花賞。

***くらす**【暮らす】《自他五》①毎日を送る。生活する。「島で—・一人で—・しあわせに—・毎日を楽しく—・サルの—山・安月給で暮らしていけない」②〔古風〕一日を過ごす。「散歩で—」☞待てど暮らせど〔「待つ」の句〕。〔可能〕暮らせる。

**クラス**〔class〕①階級。階層。「次官—の会談」②学級。「A—の人物・ファースト—の席」

●**クラスメイト**〔classmate〕同級生。級友。クラスメート。

**グラス**〔glass〕[一]グラス ①ガラス。②〔洋酒を飲むための〕コップ。〔一本足のものをふくむ〕「カクテル—・—をあける」③めがね。「サン—」④(↔オペラグラス)双眼鏡。[二]〔造〕グラスファイバーを使った。「—ロッド〔=グラスざお(竿)〕」

●**グラスを傾ける**〔句〕酒〔特に、洋酒〕を飲む。「バーで—」

●**グラスウール**〔glass wool〕グラスファイバーの層を重ねて、敷物のマットのような形にしたもの。断熱材・絶縁材に使う。

●**グラスファイバー**〔glass fiber〕〔理〕とけたガラスを、繊維のように、細く かたまらせたもの。絶縁材料、保温・冷蔵用などに使う。ガラス繊維。

●**グラスボート**〔和製 glass boat〕船底のところがガラスになっていて、海の中を観察できるボート。「—遊覧」

**グラス**〔grass〕草。芝。「—スキー」

●**グラスコート**〔grass court〕表面が芝生になったテニスコート。ローンコート。☞クレーコート・ハードコート。

**クラスター**〔cluster〕〔cluster=房〕①同種のものや人の集まり。「トーン—〔=ある音程内の音が かたまって ひびく不協和音〕」②〔ふつう クラスタ〕特に、インターネットのSNSなどで、同じ関心・考え方などを持つ人のグループ。「建築—」③感染者の集団。「—が確認された」▽クラスタ。

●**クラスターばくだん**【クラスター爆弾】中に小さな爆弾が多数つめてあり、爆発と同時にそれらがとびだすしかけの爆弾。散弾爆弾。

●**クラスターぶんせき**【クラスター分析】〔数〕全体をいくつかの特徴によってグループに分ける分析方法。

**クラスト**〔crust〕[一]《名・自サ》積もった雪の、表面がかたく〈なること/なったもの〉。[二]パン〔特に、フランスパン〕の外がわの、茶色いぱりぱりした部分。☞クラム(crum)。

**グラスノスチ**〔ロ glasnost'〕情報公開。

**くらだし**【蔵出し・倉出し】《名・他サ》①くらの中から物を取り出すこと。「—の酒」(↔蔵入れ)②非公開だったものを公開すること。「—音源」

**グラタン**〔フ gratin〕肉や野菜・パスタなどを料理したものにホワイトソースなどを加え、チーズやパン粉をかけて、表面がきつね色になるまでオーブンで焼いたもの。「マカロニ—・エビ—・フルーツ—〔=くだものにカスタードクリームを加え、オーブンで焼いたもの〕」

**クラッカー**〔cracker〕①〔塩あじの〕さくさくしたビスケット。②ひもを引くとパンと音がして紙テープがとび出す、円錐形の紙のおもちゃ。クリスマスなどに使う。③くるみ割り器。ナッツクラッカー。④⇩ハッカー②。

**ぐらつく**《自五》安定せず、ぐらぐらゆれる。ゆらぐ。「足元が—・土台が—・主張が—・自信が—」〔名〕ぐらつき。

**クラッシャー**〔crusher〕①〔鉱石などの〕粉砕機。②〈人間関係/人格〉を次々こわしていく人。

**クラッシュ**〔crash〕《名・自サ》①衝突(してこわれること)。②コンピューターの故障で、データがこわれること。

**グラッセ**〔フ glacé〕材料を、砂糖・バターなどとともに煮て、つやを出した料理。「ニンジンの—」☞マロングラッセ。

**クラッチ**〔clutch=ぐっとつかむ〕①軸の回転運動を断続させるつぎ手。②起重機のつめ。③(↔クラッチペダル)自動車の「クラッチ①」を動かすふみ板。

●**クラッチバッグ**〔clutch bag〕わきにかかえる、持ち手のないハンドバッグ。セカンドバッグ。

**クラッチ**〔crutch〕ボートのオールを受ける、ふたまたの金具。

**くらっと**《副・自サ》①目がくらんだり目まいがしたりするようす。「―してたおれそうになる」②一瞬で魅せられるようす。「彼女のしぐさに―来た」

**ぐらっと**《副・自サ》⇩ぐらりと。「家が―ゆれた」

**グラッパ**〔イ grappa〕ブドウのしぼりかすを発酵させて造る、イタリアのブランデー。食後酒として飲むことが多い。

☆☆**グラデーション**〔gradation〕①〔絵画・写真・けしょうなどで〕明暗や色調を段階的に変化させる〈こと／技法〉。階調。グラデ。グラ〔俗〕。「―をつける」②境界があいまいで、段階的に変化する状態。「現実と虚構が―でつながる」

**くらつぼ**〔×鞍坪〕くらの中央の、平らな部分。

**グラドル** ↑グラビア アイドル。

**グラニューとう**〔グラニュー糖〕〔granulated《=粒状にした》sugar〕ざらめよりも結晶の小さい砂糖。

**グラノーラ**〔granola〕エンバクなどの穀物にナッツやドライフルーツをまぜた、あまいシリアル。グラノラ。〔あまくないものは「ミューズリー(muesli)」〕☞オートミール。

**クラバット**〔フ cravate〕ネクタイ。

**くらばらい**〔蔵払い〕(―ばらひ)《名・他サ》蔵に残っている商品を、安く売りはらうこと。くらざらえ。

**グラビア**〔gravure〕①金属を腐食させて、写真のとおりに印刷する凹版印刷。写真凹版。②〔↑グラビア ページ〕雑誌の巻頭などに掲載される、写真のページ。▽グラビヤ〔古風〕。●**グラビア アイドル**〔和製 gravure idol〕雑誌のグラビアのモデルになる、女性アイドル。グラドル。

**くらびらき**〔蔵開き〕その年はじめて蔵をひらき、本式に商売を始めること。昔は一月十一日。

*__クラブ__〔club〕■クラブ ①同じ目的を持つ人々の〈交流〉団体。「日本記者―」〔政党の名前にも使う〕②楽しみながら趣味や運動、勉強などの活動をする〈集まり／施設〉。「学校の―活動・サッカー―・フィットネス―〔=ジム〕」③女性が横についてもてなす、高級な酒場。「―のママ」④↑ナイト クラブ。「ジャズ―」⑤ゴルフの、ボールを打つ用具。⑥新体操やジャグリングで投げ上げる、こん(棍)棒状のもの。⑦《トランプ》黒い♣形〔=三つ葉のクローバー形〕のしるし(のカード)。クローバー。表記 ①②「:倶楽部」は、「倶に楽しむ部」という意味を持たせた、古い音訳字。■クラブ 若者がダンス音楽に合わせておどって楽しむ店。☞ディスコ。●**クラブ ハウス**〔club house〕①会員の、集会場・社交場(の建物)。②〔スポーツ施設に付属する〕更衣室などのある建物。●**クラブ ハウス サンド**〔↑club house sandwich〕〔トーストした〕食パンに、チキン・ベーコン・トマト・レタスなどをはさんだ、食べごたえのあるサンドイッチ。由来 アメリカのクラブハウスで作られたことから。

**グラフ**〔graph〕①《数》数量についての法則・関係などを、線や円などの図形であらわしたもの。図表。②写真を主にした記事(をのせる雑誌)。「巻頭―」

**グラブ**〔glove〕《野球》捕手や一塁手以外が使う、大きな厚い、革の手ぶくろ。グローブ。☞ミット①。

☆☆**グラフィック**〔graphic〕■①写真や絵を主にした雑誌。「カー―」②〔↑グラフィック アート〕《美術》文字・線書きの絵・版画などによる、印刷した美術。商業美術。■《ナダ》〔写真・さし絵・グラフ・図解など〕目にうったえて、わかりやすいようす。「―な誌面」●**グラフィック デザイナー**〔graphic designer〕グラフィックデザインの専門家。●**グラフィック デザイン**〔graphic design〕印刷や画像などの形で表現するデザイン。例、オリンピックのポスター。

**グラフィティ(ー)**〔graffiti〕落書き。「青春―〔=思い出帳〕」〔なまって、グラフィティ(ー)〕

**クラブサン**〔フ clavecin〕《音》⇩ハープシコード。

**クラフト**〔craft〕■クラフト 工芸(品)。手仕事。「ペーパー―」■ 漢 少量生産の。「―ビール」

**クラフトし**〔クラフト紙〕〔kraft=強さ〕セメントぶくろや荷札などに使う、厚くてじょうぶな紙。

**くらぶべくもない**〔比ぶべくもない〕《形》〔文〕くらべることもできない。「都心の混雑とは―」丁寧 比ぶべくもありません。

**くらべあわせる**〔比べ合わせる〕(―あはせる)《他下一》くらべて、ちがう所を見つける。「書いた字を手本と―」

**くらべて**〔比べて〕《接》〔文〕それにくらべて。一方。「A社は黒字。―、B社は大赤字だ」

**くらべもの**〔比べ物〕くらべるのにちょうどいいもの。力・優劣のつりあったもの。●**比べものにならない** 句 一方の程度が大きすぎて比較にならない。比ではない。

**__くらべる__〔比べる・△較べる〕《他下一》①二つ(以上)のものごとについて、それぞれのちがい・特徴などを考える。「二人の身長を―・前回〈に/と〉比べて成績が上がった・昔と今(と)を―・読み―・食べ―」②〔△競べる〕争う。はりあう。「剣術のうでを―」名 比べ。可能 比べられる。☞比べて・比ぶべくもない。

**グラマー**〔glamour=ふしぎな魅力〕■《ナダ》⇩グラマラス。■〔↑グラマー ガール〕グラマラスな女性。

**グラマー**〔grammar〕①文法(書)。②〔学科としての〕英文法。

**グラマラス**《ナダ》〔glamorous〕〔女性が〕からだつきがよく、性的魅力があるようす。グラマー。「―なボディー」

**くらます**〔×晦ます〕《他五》〔=暗ます〕①〈見つから／わからない〉ようにする。かくす。「ゆくえを―」②ごまかす。「人目を―」▽くらませる。

**くらみ**〔暗み〕①暗く感じる所。②暗い所。

**クラミジア**〔chlamydia〕《医》細菌の一種。オウム病〔=鳥類の伝染病〕・トラホームなどの病原体。また、性行為によって尿道炎などを起こす原因菌。「―感染症」

**くらむ**〔×眩む〕《自五》〔=暗む〕目の前が見えなくなる。「目が―」〔⇩「目」の句〕

**くらむ**〔暗む〕《自五》〔文〕暗くなる。「暗みゆく道」

**クラム**〔crum〕パン〔特に、フランスパン〕の内がわの、白いふわふわした部分。☞クラスト。

**クラム** 漢〔clam〕ハマグリなどの貝類。「―チャウダー」

*__グラム__〔フ gramme〕〔メートル法で〕質量・重量の単位〔記号g〕。一円貨幣の重さは、約一グラム。表記「:瓦」とも書いた。

**くらもと**〔蔵元〕酒蔵を持っていて、日本酒を造っている〈人／家〉。

**くらやしき**【蔵屋敷】江戸時代、大名が江戸・大坂などに作った、倉庫をかねた屋敷。

**くらやみ**【暗闇】①光がなくて見えない（こと・ところ）。「うす—」②人目につかない（こと・ところ）。「—の はじを明るみに出される」●**暗闇から牛を引き出す** 句 行動がのろのろしている。暗がりから牛を引き出す。

**ぐらりと**《副・自サ》急に大きくゆれるようす。ぐらっと。「地震が—きた」

**クラリネット**【イ clarinetto】《音》たて笛の形をした木管楽器。リードは一枚。クラリオネット（clarionet）。

［クラリネット］

**くらわ・す**【食らわす】《他五》（=食らわせる）《俗》なぐる。打撃をあたえる。食らわせる。「一発—」

**クランク**【crank】①往復運動と回転運動をつなぐ装置。②折れ曲がった道路。「—コース」③《映画》昔の撮影機のハンドルを回すこと。●**クランクアップ**《名・自他サ》（和製 crank up）《映画・放送》①映像作品の撮影の終わり。②ある俳優の出演シーンの撮り終わり。▽撮了。撮り切り。オールアップ。●**クランクイン**《名・自他サ》（和製 crank in）《映画・放送》映像作品の撮影開始。撮入。

［クランク①］

**クランケ**【ド Kranke】《医》患者。

**クランチ**【crunch】①あおむけで、ひざを曲げたまま頭を上げて、腹筋をきたえる運動。②くだいたナッツ・ビスケットなどを、チョコレートなどで固めた、ぼりぼり食べる菓子。「—チョコバー」

**グラウンド**【ground】⇨グラウンド①②。

**グランド** 選【grand】①最高の。「—チャンピオン」②大規模の。「—セール（=大売り出し）」③りっぱな。壮麗な。「—バレエ」④基本的。「—デザイン」●**グランドオープン**《名・自サ》（和製 grand open）正式な開業。グランドオープニング。（↔プレオープン）●**グランドオペラ**【grand opera】《音》歌と音楽だけで、せりふをふくまない歌劇。大歌劇。（↔オペレッタ）●**グランドスラム**【grand slam】①《トランプ》ブリッジで、十三組み全部を取って勝つこと。②《テニス・ゴルフなど》年間の主要な大会すべてに優勝すること。③《野球》満塁ホームラン。●**グランドデザイン**（和製 grand design）大きな計画についての長期的な構想。基本設計。●**グランドピアノ**【grand piano】《音》大型で平たい、三本足のピアノ。（↔アップライトピアノ）

**グランピング**【glamping←glamorous＋camping】大きなテントなど、高級感のある施設で過ごす、ぜいたくなキャンプ。〔二〇一〇年代後半から流行〕

☆☆**グランプリ**【フ grand prix】①（展覧会・コンクールなどで）いちばんすぐれた作品・出演者にあたえられる賞。大賞。②自動車レースやスポーツなどの大会で、最高位のもの。「モナコ—」▽GP。

**クランベリー**【cranberry】高山の湿地にはえる小さい木。実は小さくて赤く、コケモモによく似ており、ジャムなどにする。つるこけもも。

**くり**【庫裏・庫×裡】《仏》①寺の台所。②住職（の家族）の住まい。

**くり**【（×栗）】①初夏に、穂の形をした花をつける落葉樹。材木は かたい。クリの木。②「くり①」の実。茶色で、いがに包まれている。中身は黄色であまい。

**ぐり**【繰り】造 やりくり。くりまわし。「資金—」

☆☆**クリア**【clear】㊀《ナダ》①透明。澄んだ。「—ラッカー」②明瞭。はっきり。「—な頭脳」派—さ。㊁《名・他サ》①かたづけること。きれいになくすこと。②《走り高とび・ハードルなどで》きれいに とびこすこと。③《サッカー》相手が攻めこんできたボールを、安全なところまで大きくけりかえすこと。「—ミス・—ボール」④目的を達成すること。⑤基準を満たすこと。⑥コンピューターゲーム（の一段階）を無事に終了すること。「ステージ—」▽㊀㊁クリヤ（ー）。クリアー。●**クリアファイル**【clear file】書類をはさむ文具。透明なシートを、ノートの表紙のように二つ折りにして、底の部分をとじたもの。

**くりあが・る**【繰り上がる】《自五》①くり上げた状態になる。②《数》たした結果、けたが一段上のほうへ移る。▽（↔繰り下がる）名繰り上がり。

**くりあ・げる**【繰り上げる】《他下一》①（あいだがぬけたために）順ぐりに前に送る。「以下、番号を—」②（時間・日を）予定よりも早める。▽（↔繰り下げる）名繰り上げ。「—当選」

**クリアランスセール**【clearance sale】在庫をきれいさっぱり整理するための安売り。在庫一掃セール。

**くりあわ・せる**【繰り合わせる】《他下一》つごうをつける。やりくりする。「万障繰り合わせて出席する」名繰り合わせ。

**グリー**【glee】《音》（三部以上の）合唱曲。ふつう、伴奏がなく、おもに男性だけで歌う。●**グリークラブ**【glee club】（主に男声の）合唱団。〔合唱団名に使う〕

**クリーク**【米 creek】①用水堀。②（特に、中国の上海付近に多い）水路。

**くりいし**【×栗石】①クリの実ぐらいの石。②石垣や地盤固めに用いる、直径十数センチの石。わりぐり石。ぐり。

**グリース**【grease】①⇨グリス。②「ポマード」に似た整髪料。

**グリーティングカード**【greeting（=あいさつ）card】誕生祝い、四季のあいさつ、クリスマスのお祝いなどのことばを印刷したカード。

**クリーナー**【cleaner】①（電気）掃除機。②みがき粉。食器用洗剤。

**クリーニング**《名・他サ》【cleaning】①きれいにすること。「ハウス—」②↑ドライクリーニング。「—店」

**グリーフケア**【grief care】家族・近親者などをなくした人の、深い悲しみに対する、心のケア。

**クリーミー**《ナダ》【creamy】生クリームのように、（濃厚で）なめらかなようす。「—なソース・—な泡立ちのせっけん」

**クリーム**【cream】①ⓐ牛乳から作る脂肪。生クリーム。「—ポーション（=コーヒーなどにそえる一回分のクリーム）・—パン（=カスタードクリームの入ったパン）」ⓑ牛乳や生クリームに小麦粉でとろみをつけたもの。「―スープ〔=ポタージュ〕・―煮(に)・―シチュー」ⓒ↑アイスクリーム。「―サンデー〔⇩サンデー(sundae)〕・―ソーダ」②けしょう下や肌(はだ)の手入れに使う、とろっとしたけしょう品。「保湿(ほしつ)―」③くつずみ。くつクリーム。●クリームいろ〔クリーム色〕うすい黄色。●クリームコロッケ〔和製 cream＋フ croquette〕ホワイトソースで作ったコロッケ。「かに―」●クリームチーズ〔cream cheese〕熟成させていない、白っぽくなめらかなチーズ。パンにぬったり、チーズケーキに使ったりする。●クリームブリュレ ⇩クレームブリュレ。

**くりい・れる**〔繰り入れる〕《他下一》①順々に送りこんで、入れる。②ある区分けのほうへ移して、入れる。「予定に―・一兆円を一般(いっぱん)会計に―」(↔繰り出す)〔経済関係の熟語では「繰入」と書く。名 繰り入れ。「繰入額」〕

**くりいろ**〔(×栗)色〕クリの皮のような赤茶色。マロン。

☆☆**クリーン**《ナダ》〔clean〕①清潔。「―な水・―ルーム〔=ちりやほこりが入らないようにした部屋〕」②行いが正しくやましいところがないようす。「―なイメージ・―な政治」③みごと。あざやか。クリン。「―ヒット」派 ―さ。●クリーンアップ〔米 cleanup〕①《野球》安打を打ってランナーを全部ホームへ帰すこと。クリ(ー)ンナップ。「―トリオ〔=三、四、五番の強打者、三人〕」②きれいにすること。「海岸の―を呼びかける」●☆☆クリーンエネルギー〔和製 clean＋ド Energie〕環境(かんきょう)を汚染(おせん)することのないエネルギー。太陽光・太陽熱・風力・地熱を利用する発電など。●クリーンヒット〔clean hit〕[一]《野球》あざやかなヒット。[二]《名・自サ》見事に当たること。「パンチを―させた」

☆☆**グリーン**〔green〕[一]グリーン ①緑色。「―のスーツ・―ティー〔=緑茶〕」②草の はえた土地。しばふ。緑地。③ゴルフのボールを入れる穴のまわりの、しばふ場。④ゴルフ場。⑤〔緑色の〕野菜や植物。「―カーテン〔=つるがのびる植物をネットの上でそだてたもの〕」⑥〔JRで〕上等の客席。「―車・―券」[二]遺 環境(かんきょう)の保全に配慮(はいりょ)した。「―カンパニー〔=環境に配慮した商品をあつかう会社〕・―カー〔=環境配慮型自動車〕」▽[一][二]グリン。●グリーンアスパラガス〔green asparagus〕〔日光を当てて育てた〕緑色をしたアスパラガス。グリ(ー)ンアスパラ。☞ホワイトアスパラガス。●グリーンカレー〔green curry〕緑色をした、タイのカレー。パクチーや青とうがらしを入れて作る。●グリーンでんりょく〔グリーン電力〕再生可能エネルギーで作った電力。●グリーンピース〔green peas〕⇩グリンピース。●グリーンベルト〔green belt〕①広い道路の中央分離(ぶんり)帯などにつくられた、細長い緑地帯。②大都市のまわりにもうけた、田園的な環境(かんきょう)の土地。●グリーンボール〔green ball〕キャベツの一種。旬(しゅん)は春で、ふつうのキャベツよりもやわらかい。●グリーンリーフ〔↑green leaf lettuce〕球状にならないレタス。サニーレタスに似ているが、緑色で、少しにがみがある。サラダなどにする。

**クリエイター**〔creator〕①新しいものを作る人。創造者。創設者。②創造的な仕事にたずさわる人。デザイナー・ディレクターなど。③広告の制作者。▽クリエーター。

**クリエイティビティ(ー)**〔creativity〕新しくものごとを作り出そうとする〈こと／能力〉。創造性。クリエーティビティ(ー)。

☆☆**クリエイティブ**〔creative〕[一]《ナダ》創造的。独創的。「―な計画」[二]制作物。作品。「広告―」▽[一][二]クリエーティブ。

**クリエイト**《名・他サ》〔create〕創造。創作。クリエート。

**クリオネ**〔clione〕半透明(とうめい)で、鬼(おに)のつののような部分を持つ、ちりめんじゃこぐらいの大きさの海中生物。立って、はばたくように泳ぐ。はだかかめがい(裸亀貝)。

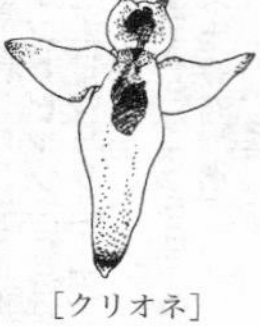

［クリオネ］

**くりかえし**〔繰り返し〕―かへし《名・副》くりかえすこと。「同じことの―・―注意する・―巻き返し〔強めた言い方〕」●くりかえしふごう〔繰り返し符号〕同じ文字を繰り返すことをしめすために使う符号。「山々・益〻(ますます)・いさゝか・アハヽ、ゝ・返す〱」などの、々〔=同の字点〕・〻〔=二の字点〕・ゝ〔=ひらがなの一つ点〕・ヽ〔=カタカナの一つ点〕・〱〔=くの字点〕など。踊(おど)り字。おどり。畳字(じょうじ)。〔現在は、「々」のほかは あまり使わない〕

****くりかえ・す**〔繰り返す〕―かへす《他五》もう一度、または何度も同じことをする。反復する。「繰り返して言う・失敗を―な」

**くりか・える**〔繰り替える〕―かへる《他下一》①入れかえる。振(ふ)り替える。「日程を―」②やりくりして つごうをつける。流用する。「予備費を―」

**くりから**〔×倶△梨×伽羅〕《仏》竜(りゅう)が剣(けん)に巻きついた形。「―焼き〔=ウナギをくしに巻きつけて焼いたもの〕」●くりからもんもん〔×倶△梨×伽羅紋々〕倶梨伽羅(くりから)などをほったいれずみ(の人)。

**くりくり** [一]くりくり《副・自サ》まるい(ものが よく動く)ようす。「目を―させる」[二]くりくり 頭の毛をすっかりそったようす。「―(の)頭」●くりくりぼうず〔くりくり坊主〕かみの毛を〈すっかりそった／ごく短く刈(か)った〉頭(の人)。

**ぐりぐり** [一]ぐりぐり《副・自サ》かたいものをおしつけて回すようす。また、まるくて かたい でっぱりが動くようす。「つぼを―おす・目玉を―と むく・―した しこり」[二]ぐりぐり〔俗〕①首筋などにできるリンパ節の はれ。②〔首などの〕リンパ節。

**くりげ**〔(×栗)毛〕馬の毛色の一つ。クリの皮のような、茶色(の馬)。

**クリケット**〔cricket〕十一人ずつふた組みに分かれ、投手の投げる木のボールを打者がバットで打ち合い、得点を争う競技。クリッケット。

**グリコーゲン**〔ド Glykogen〕《理》動物の肝臓(かんぞう)・筋肉などに たくわえられる糖質。動物でんぷん。エネルギーのもとになる。

**くりこしきん**〔繰り越し金〕《経》次の会計年度に引きつがれる、〈あまった／足りない〉お金。

**くりこ・す**〔繰り越す〕《他五》①ある順番よりあとのものを、次の区分のほうへ入れる。②次の時期へ繰り入れる。「翌年度へ―」名 繰り越し。〔経済関係の熟語では「繰越」と書く。「繰越金」〕

**くりごと**［繰り言］〔言っても しかたないことを〕繰り返し くどく言うこと。ぐち。「老いの―」

**くりこ・む**［繰り込む］[一]《自五》①順々にはいりこむ。②つれだって はいる。「威勢よく―」[二]《他五》①順々にひきいれる。②手もとへ たぐり寄せる。「つり糸を―」③繰り入れる。「予定に―」[名]繰り込み。

**くりさが・る**［繰り下がる］《自五》①繰り下げた状態になる。②《数》引いた結果、けたが一段下のほうへ移る。▽(↕繰り上がる) [名]繰り下がり。

**くりさ・げる**［繰り下げる］《他下一》①〔間に はいったために〕順ぐりにあとに送る。「一日―・木曜に―」②〔時間・日を〕予定よりおくらせる。▽(↕繰り上げる) [名]繰り下げ。

**クリシエ**〔フ cliché〕決まり文句。「型に はまった―」

**グリス**〔grease〕潤滑油に せっけん類をまぜて半分固体にした あぶら。軸受けに使う。潤滑剤。グリース。「―アップ〔=機械などの必要な場所に全部グリスを入れること〕」

**クリスタル**〔crystal=結晶〕①《鉱》水晶。②〔↑クリスタル ガラス〕すき通って、光を受けるとよくかがやく、高級ガラス(の器具)。クリスタル グラス。

**クリスチャン**〔Christian〕《宗》キリスト教〈徒/信者〉。キリスト者。●**クリスチャン ネーム**〔Christian name〕クリスチャンに、洗礼のときに つける名前。例、ジョージ、マリアなど。

**クリスト**〔Christ〕⇩キリスト。

**クリスピー**《ナダ》〔crispy〕(こうばしく焼けて)かりっとしたようす。「―ピザ・―チキン」[派]-さ。

**クリスマス**〔Christmas; Xmas〕《宗》キリストが生まれた日を祝う祭り。十二月二十五日におこなう。(キリスト)降誕祭。聖誕祭。「―セール・―プレゼント」[表記]タイトルなどで「Xマス」とも。●**クリスマスイブ**〔Christmas Eve〕①クリスマスの前夜(祭)。聖夜。②クリスマスの前日。▽イブ。●**クリスマス カード**〔Christmas card〕クリスマスを祝って送る、美しいカード。●**クリスマス キャロル**〔Christmas carol〕クリスマスを祝って歌う、賛美歌。クリスマス カロル。●**クリスマス ケーキ**〔Christmas cake〕クリスマス用のデコレーションケーキ。●**クリスマス ツリー**〔Christmas tree〕クリスマスを祝うために、かざりもの、おくりものなどをかけて部屋の中に立てる木。ふつう、モミの木を使う。ツリー。

**グリセリン**〔フ glycérine〕《理》脂肪・油脂からとる、あまみを持つ粘性の強い無色の液体。けしょう品・医薬・爆薬の原料。グリセロール。リスリン。

**くりだ・す**［繰り出す］[一]《他五》①〔細いものを〕手で、少しずつ出す。「たこあげの糸を―・シャープペンシルの芯を―」②つぎつぎに出す。「軍勢を―・あの手この手を―」③〔やり(槍)などを〕しごいて突き出す。「剣を―」④〔わざを〕出す。「突っ張りを―・直球を―」⑤〔予算などを〕ある区分けから別の区分けに出す。「特別会計から―」(↕繰り入れる) [二]《自五》①つれだってにぎやかに出かける。「銀座へ―」②にぎやかに たくさん出てくる。「山車が―」[名]繰り出し。

**くりつ**［区立］〔地方自治体としての〕区が作り、維持する〈こと/もの〉。「―図書館」

*__クリック__《名・他サ》〔click=かちっという音(をさせる)〕〔コンピューターで〕マウスのボタンをかちっと押して、入力すること。「右―」☞ダブルクリック。

**グリッシーニ**〔イ grissini〕棒状で かりかりしたイタリアのパン。生ハムを巻いたりして食べる。

**くりっと**《副・自サ》①まるくて大きな目のようす。「―した ひとみ」②かたくて まるいもののようす。「―した しこり」

**グリッド**〔grid〕格子(じま)。「―線」●**グリッド ロック**〔grid lock〕①交差点の交通渋滞。②解決がつかず、身動きが とれなくなること。「―状態」

**クリップ**〔clip〕①書類などをはさむ金具など。紙ばさみ。☞ゼムクリップ。②留め金具。③短い映像。映画の一場面や、音楽につけた映像など。「ビデオ―・―映像」●**クリップボード**〔clipboard〕①書類をとめる金具のついた筆記用の板。紙ばさみ。②《情》〔コンピューターで〕データを一時的に保存するメモリー領域。

**グリップ**《名・他サ》〔grip〕①つかむ〈こと/ところ〉。「―つき」②〔ラケットなどの〕にぎり方。

**クリティカル**《ナダ》〔critical〕①重大。致命的。「―な局面・―ヒット〔=ゲームなどで、致命的な一撃〕・―マス〔=商品やサービスが急速に普及する境目となる普及率〕」②批判的。「―シンキング〔=批判的思考〕」●**クリティカル パス**〔critical path=困難な通り道〕①作業の各段階で、いちばん むずかしく時間のかかる作業。②《医》入院から退院まで、各段階で必要な治療方法をまとめた計画書。

**くりど**［繰り戸］雨戸など、戸袋から一枚ずつ順に出して、溝の上をすべらせて、あけしめする戸。

**クリトリス**〔ラ clitoris〕《生》陰核。

☆☆**クリニック**〔clinic〕《医》①診療所。②〔病院の〕外来診察室。「ペイン―」

**グリニッジじ**［グリニッジ時］〔Greenwich〕イギリスのグリニッジ天文台を通る零度の子午線を基準とする時刻。グリニッジ標準時。世界時。

**くりぬ・く**［(×刳り)抜く・(×刳り)△貫く］《他五》えぐって〈穴をあける/まるごと取り出す〉。[名]くり抜き。

**くりの・べる**［繰り延べる］《他下一》①順々にのばす。②延期する。[名]繰り延べ。

**くりひろ・げる**［繰り広げる］《他下一》①順々に繰って広げる。まくって広げる。「絵巻物を―」②つぎつぎに新しい場面や段階に進む。展開する。「熱戦が繰り広げられる・祭典を―」

**くりふね**［(×刳り)舟］太い木を縦に二つに割り、中をくりぬいて作ったふね。くりぶね。

**くりまわ・す**［繰り回す］《他五》(金銭などを)やりくりする。「家庭を―」[名]繰り回し。

**くりまんじゅう**［(×栗×饅△頭)］〔クリの はいった〕あんを包み、クリの〈形にした/色に焼いた〉まんじゅう。くりまん。

**くりめいげつ**［(×栗)名月］〔クリをそなえるので言う〕旧暦九月十三夜の月。豆名月。☞芋名月。

**くりもど・す**［繰り戻す］《他五》①順々に もとへもどす。②別な区分けのほうから移して、もどす。[名]繰り戻し。

**くりや**［(×厨)・(×廚)］《雅》台所。

**クリヤ(ー)**《ナダ・名・他サ》⇩クリア。

☆☆**くりょ**[苦慮]《名・自サ》〔文〕心の中でいろいろと苦しみながら、考えること。「対策に—している」

**グリル**〔grill〕①ⓐ《料》肉・さかななどの網焼き。「ミックス—」ⓑ焼き網。ⓒ焼き網のついた調理器。家庭ではガスレンジに取りつけてあることが多い。②高級な一品料理を主とした、洋風の料理店。

**グリル**〔grille=格子〕自動車・ルームクーラーなどの前面にあって、熱・冷気などを出す、格子状の部分。

**くりん**[九輪]《仏》塔のすぐ上に作った柱(をかざる九つの輪)。

[くりん]

**グリン**〔green〕⇩グリーン。●**グリンピース**〔green peas〕まだ青いままのさやから出したエンドウ。かんづめにもする。青豆。グリーンピース。ピース。☞青えんどう。

**クリンチ**《名・自サ》〔clinch〕《ボクシング》〈つかみあって/組みついて〉相手の攻撃をかわすこと。「—で切りぬける」

**くる**[×佝×僂]〔文〕くる病にかかった人。

****くる** [一][来る]《自カ》(終止形は、文語由来の「く」もまれに使う。☞「まい《助動》」の✎)①「ここ」と感じられる場所に、動いて〈近づく/移る〉。「こっちへ来い・おおぜいの観光客が—・はがきが—・来はしない(『来やしない』とも)」[尊敬]いらっしゃる。お越しになる。[謙譲]伺う。お伺いする。参る(「参ります」の形で使う)。②別の所から、ここに所属を変える。「転校生が来た・お嫁に—」▽(↔行く) ③〔時刻・季節・順番が〕そのときになる。「春が—」④自然現象が、身のまわりにおよぶ。「雨が来そうだ」⑤ある結果や状態になる。「つかれから—病気・芝に枯れが—」⑥刺激などが、からだや心に達する。「においが鼻に—・〔痛みが〕腰に—・精神的に—(=つらくなる)・〔心に〕ぐっと—(=感動する)」⑦相手がこちらに向けておこなう。「反撃が—・そう—だろうと思った・『よし、引き受けた』『そう来なくっちゃ(=期待どおりだ)』」⑧反応がある。「〔客席が〕どっと—(=大いに受ける)」⑨得られる。「〔学校で〕無事に単位が—」⑩〔俗〕自分の賭けた馬などが〈先頭に近づく/一着になる〉。「第五レースで来た」⑪〔俗〕ブームになる。「次はこのグループが—だろう」⑫〔九州・沖縄・富山方言〕今いるところから聞き手のところへ行く。「これからそちらに来ますね」⑬〔**…と—**〕ⓐ…に話題がおよぶ。「ウィーンと来れば(=言えば)モーツァルトだ・おやじと—と(=言ったら。来たら)こづかいもくれない」ⓑ…という事情・状況だ。「まずい上に値段も高いと来ている」☞来た・来たる・来てる。[二]《補動》〔**て—**〕①こちらに向かっておこなわれることをあらわす。「波が寄せて—・人が話しかけて—・先方が条件をつけて—」✎それが不愉快だ、という感じをともなうこともある。二〇一〇年代には、「犬がめっちゃ見てくる(=犬がじっとこちらを見ている)」など、従来は「…てくる」を使わなかった文にも使う例が増えた。②動作・作用が続いたことをあらわす。「今までしゃべってきたが」③だんだんにそうなる。「わかって—」④すぐすませて、もどる感じをあらわす。「様子を見て—」[三][造]こちらに〈近づく/場所を移る〉。「せまり—・めぐり—・生まれ—子どもたち」[可能]来られる。来れる。✎「来れる」の形は、明治時代から例がある(☞「見る」の[可能])。本来俗用だが、カ変動詞に特有の可能形と見ることもできる(☞「れる③」の✎)。●**来る日も来る日も**[句]毎日続けて。「—練習した」●**来る者は拒まず**[句]仲間になりたいと来る人はだれでも、仲間として受け入れる。「—、去る者は追わず」

**く・る**[(×刳る)]《他五》①刃物などを使って〈くぼみを作る/穴をあける〉。②《服》弧をえがくように、布を切る。「えりを—」[名]くり。[自]くれる《下一》。

**く・る**[繰る]《他五》①順々に引っぱって出す。「〔まゆから〕糸を—」②順々に送って動かす。「雨戸を—・数珠を—」③順々に数える。「日数を—」④〔順々にページ・こよみを〕めくる。[可能]繰れる。

**ぐる**〔俗〕〔悪いことをする〕なかま。「—になる」

**くるい**[狂い][一]くるうこと。「おれの目に—はない」[二]**ぐるい**[造]〔**ぐるい**〕〔…に〕夢中になる〈こと/人〉。「女—・競艇—」●**くるいざき**[狂い咲き]《名・自サ》その花のさく時節でないのに花がさくこと。[動]狂い咲く《自五》。●**くるいじに**[狂い死に]《名・自サ》狂死。

**くる・う**[狂う]《自五》①心のはたらきがふつうの人と同じでなくなる。「気が—」②正しく〈ある/進む〉はずのところ、そうでなくなる。「時計が—・調子が—」③予期しなかった状態になる。「見こみが—・手もとが—(=ちょっと手の動かし方がずれる)」

☆☆**クルー**〔crew〕①〔船・飛行機などの〕乗組員。乗務員。②《ボート》選手なかま。③テレビの撮影隊。「取材—」●**クルーネック**〔crew neck〕《服》⇩丸首。

**クルーザー**〔cruiser〕寝室などの設備のある、大型の〈モーターボート/ヨット〉。

**クルージング**《名・自サ》〔cruising〕①船で周航すること。巡航。クルーズ。②《自動車》長距離を〔ゆっくり〕ドライブすること。

☆☆**クルーズ**〔cruise〕客船に乗って観光地をめぐる旅。〔観光〕船旅。周遊航海。クルージング。「—船・ヨット—」

**グルービー**《ナダ》〔groovy〕グルーブ感のあるようす。「—なサウンド」

**グルーピー**〔groupie〕〔芸能人に〕いっしょについて歩く、熱狂的な女性ファン。親衛隊。

**グルーピング**《名・他サ》〔grouping〕グループに分けること。分類すること。

**グルーブ**《名・自サ》〔groove〕音楽が、聞き手のリズム感にぴったり合う〈感じ/こと〉。ノリのいい感じ。グルーヴ。「—感」

***グループ**〔group〕①なかま。集団。「—旅行」②〔分類によってできる〕似たものの集まり。「三つの—に分ける」●**グループサウンズ**〔和製 group sounds〕エレキギター・ドラム・歌手などから成るポップスグループ(の曲)。GS。〔一九六〇年代後半に流行〕●**グループディスカッション**〔group discussion〕集団討論。グルディス〔俗〕。●☆☆**グループホーム**〔group home〕認知症の人や障害者が介助を受けながら少人数で共同生活する、家庭的な施設。

**グルーミー**〔gloomy〕①うすぐらい。見通しが暗い。②陰気(いんき)だ。

**グルーミング**〔grooming〕①《動》毛づくろい。②かみの毛・ひげ・肌(はだ)などの手入れ。「―サロン」

**くるおし・い**［狂おしい］(くるほしい)《形》〔文〕気が〈ちがいそう／ちがっているよう〉だ。「狂おしく彼女を思う・空の―赤さ」派―げ。―さ。

**くるくる**《副》①〈輪をかくように〉軽く何回も〈回る／まきつく〉ようす。「つるが―(と)巻きつく」②変化がめまぐるしいようす。「言うことが―かわる」

**ぐるぐる**《副》①「くるくる①」より回り方が重い感じをあらわすことば。「うでを―回す」②同じ所を何度も回るようす。「園内を―とさがした」●**ぐるぐる まき**［ぐるぐる巻き］ひもやロープなどを何重にも巻きつけ〈ること／たもの〉。「―にしばる」

**ぐるくん**［グルクン］〔沖縄方言〕あたたかい海にすむさかな。からだは青で、釣(つ)り上げると赤くなる。さしみやからあげにして食べる。沖縄の県魚。〔本土では「タカサゴ」〕

**グルコサミン**〔glucosamine〕《生》皮膚(ひふ)や軟骨(なんこつ)にふくまれる糖類。食品などにも使われる。

**くるし・い**［苦しい］《形》①からだや心の自由なはたらきがおさえつけられたりして、がまんしにくいような感じだ。「息が―・―心の中」②〈動きがとれなくて〉困ったようすだ。「―説明・生活が―」③さしつかえるようすだ。むずかしい。「金曜はちょっと―ですね」派―がる。―げ。―さ。☞苦しからず・苦しゅうない。●**苦しい息の下から** 句〈死ぬまぎわなどに〉息が苦しい状態で。苦しい息の下で。「―弟子(でし)の名を呼んだ」●**苦しいときの神頼(だの)み** 句 ふだんは信仰(しんこう)心を持たない者が、困ったときだけ、神にいのり、あてにすること。

**くるしからず**［苦しからず］運〔文〕さしつかえない。かまわない。「ここでの商売は―とのお達し」

**くるしまぎれ**［苦し紛れ］①ほかに方法がなく、困りきってすること。「―にうそをつく」②苦しさのあまりにすること。「―にあばれる」

**くるし・む**［苦しむ］《自五》①〈からだや心が〉苦しい状態になる。「胃けいれんで―・恋愛(れんあい)問題で―」②困る。「答弁に―・解釈(かいしゃく)に―(=相手が何を言いたいのか、わからない)」名苦しみ。

**くるし・める**［苦しめる］《他下一》苦しむ状態にする。「人々を―重税」

**くるしゅう な・い**［苦しゅうない］(くるしうない)《形》〔古風〕かまわない。さしつかえない。「―、近(ちこ)う寄れ」〈殿様(とのさま)などが使ったことば〉

**クルス**〔ポ cruz〕十字架(じゅうじか)。十字。

**グルタミンさん**［グルタミン酸］〔glutamine〕《理》アミノ酸の一種。化合物のグルタミン酸ナトリウムは、コンブの味のもとになる成分で、うま味調味料の原料。

**くるっと**《副》⇩くるりと。

**ぐるっと**《副》⇩ぐるりと。

**グルテン**〔ド Gluten〕《理》小麦粉に水を加えるとできるたんぱく質。ねばりと弾力(だんりょく)性があり、パン生地(きじ)のもとになる。「―フリー(=グルテンが入っていない)」

**クルトン**〔フ croûton〕細かくさい〈賽(さい)〉の目に切ったパンを〈油であげた／バターで焼いた〉もの。スープの浮(う)き実にする。☞シーザーサラダ。

**くるびょう**［×佝×僂病］《医》ビタミンDが不足して、骨がじゅうぶん発育しないために起こる病気。せなかが突(つ)き出てまるくなる。

**くるぶし**［×踝］足首の両がわに、かたくまるく出っぱった部分。〔おもに、外がわを言う〕

**くるま［車］①軸(じく)を中心として回る輪。車輪。「―のついた台」②車輪で進む乗り物や運搬(うんぱん)具。「手おしの―」③自動車。「―をころがす(=運転する)」表記 愛好者などは「クルマ」とも。④［×俥］〔古風〕人力車。「―引き・―屋さん」●**くるま いす**［車椅子］歩行の不自由な人が、腰(こし)かけたまま移動できるように、いすに車をつけたもの。●**くるま えび**［車えび］［車：海老］中形のエビの名。からだをまるくすると、しま模様が車のや〈輻〉のように見える。天ぷらなどにして食べる。●**くるまざ**［車座］大ぜいがまるい形にすわること。「―になる」●**くるまだい**［車代］自動車などに乗ったときの料金。足代。交通費。「お―(=講演会などの会に出席したことに対するお礼として出す少額のお金)」●**くるまどめ**［車止め］①車の通行を禁じる〈こと／ための〉障害物。②線路の終わった所に設置した、車両の暴走をとめるための物。③車・飛行機などが動かないように車輪にかませておく物。●**くるまの りょうりん**［車の両輪］どちらが欠けても ものごとが進まなくなる、二つのもの。「大学では研究と教育は―だ」●**くるま よせ**［車寄せ］車を止めて乗りおりするために、玄関(げんかん)口に張り出した、屋根つきの部分。

**くるま・る**［(△包まる)］《自五》からだに巻きつけるようにする。「毛布にくるまって寝(ね)る」

**グルマン**〔フ gourmand〕食いしんぼう。美食家。

**くるみ**［(:胡桃)］大きくなる落葉樹の名。種は かたいからをかぶり、白い肉は油が多い。食用。「―パン・―もち」

**ぐるみ** 接尾〈名・副をつくる〉①…をふくめて全部。…ごと。「土地―の値段」②…の中のすべての人が関係する。「組織―の犯行・企業(きぎょう)―の(=企業に関係する人が全部支持する)候補」③包むものを全部。「身―はぐ」

**くる・む**［(△包む)］《他五》中のものを巻くようにして包む。

☆☆**グルメ**〔フ gourmet〕①食通。②おいしい料理。「ご当地―・―本(ぼん)(=食べ歩きのガイドブック)」

**くるめがすり**［久留△米×絣］福岡県久留米地方で作られる、もめんの紺(こん)がすり。

**くるめ・く**［(×眩めく)］《自五》光や、その場のふんいきにおされて一瞬(いっしゅん)目が回るように感じる。名くるめき。

**くる・める**［(△括める)・(△包める)］《他下一》ひっくるめる。ふくめる。「一つにくるめて論じる」

**ぐるり** まわり。周囲。「城の―」●**ぐるりと**《副》①回るようす。見回すようす。「町内を―回る」②すっかり取り囲むようす。「まわりを―囲む」▽ぐるっと。

**くるりと**《副》①軽く回るようす。「―ふり向く」②急に変えるようす。「考えを―変える」▽くるっと。

**くるりんぱ** 女性の髪(かみ)を後ろでY字形にたばね、たれた部分を上のV字形の間にくるりと通した髪型。〔二十一世紀になって一般(いっぱん)化〕

**くるわ**［(△郭)・(×廓)・(△曲輪)］①遊郭(ゆうかく)。②〈①の由来〉とりでにめぐらす囲い。

**くるわし・い**［狂わしい］（くるはしい）《形》〔文〕くるおしい。派 ―げ・―さ。

**くるわ・す**［狂わす］（くるはす）《他五》⇩狂わせる。

**くるわ・せる**［狂わせる］（くるはせる）《他下一》くるうようにする。乱す。狂わす。「リズムを―」

**くれ**［暮れ］①夕方。ひぐれ。②ある季節の末。「春の―」③一年の終わり。年末。

**グレイ**〔gray=もと、人名〕《理》放射線が、一キログラムの物体に吸収されたときのエネルギー量をあらわす単位〔記号 Gy〕。〔放射線ごとの、からだへの影響力のちがいは考えない〕☞シーベルト。

**クレイジー**《ナダ》〔crazy〕気のくるった。熱狂した。クレージー。☞マッド。

**グレイッシュ**《ナダ》〔grayish〕灰色を帯びたようす。「―トーン」

**グレイハウンド**〔greyhound〕大形の猟犬。からだが細長く、足が速い。グレーハウンド。

**クレー**〔clay〕①粘土。②粘土を皿の形に焼いたもの。射撃の競技のときのまとに使う。「―射撃」▽クレイ。●**クレーコート**〔clay court〕表面が粘土などの土でできたテニスコート。☞グラスコート・ハードコート。

**グレー**〔gray; grey〕一 灰色。ねずみ色。「―のスーツ」二《名・ナダ》いいか悪いか、はっきりしないようす。「法律的に―〈の/な〉商売」▽一二 グレイ。●**グレーアウト**〔gray out〕《名・他サ》《情》パソコンの画面などで、そのときに使えないボタンなどが、うすい灰色になった状態。●☆☆**グレーゾーン**〔gray zone〕二つのものの間にある、どっちつかずの部分。

**グレージュ**〔和製←gray+フ beige〕グレーとベージュの中間の色。「―のバッグ」

**グレーズ**〔glaze〕①ドーナツにまぶすとかした砂糖。②魚を冷凍保存するために、表面に作る氷の膜。

**クレーター**〔crater=噴火口〕（月などにある）噴火口のような地形。

**グレーダー**〔grader〕地ならし用の機械。

**グレート**《ナダ》〔great〕巨大。偉大。グレイト。「―な夢をいだく・―アーティスト」●**グレートデ(ー)ン**〔Great Dane〕非常に大形の犬。体型はスマートで毛が短い。耳はたれているが、一部を切断して立たせることもある。番犬などにする。

**グレード**〔grade〕等級。階級。●**グレードアップ**《名・他サ》〔和製 grade up〕〈等級/ランク〉を上げること。「生活水準の―」（↔グレードダウン）

**グレービー**〔gravy〕カレーソースのもとになるペースト。玉ねぎ・トマト・ショウガなどとスパイスで作る。ここに、あとで肉などのいろいろな具材を加える。グレイビー。●**グレービーソース**〔gravy sauce〕肉を焼いたあとのこげや、肉汁に、調味料を加えて作るソース。グレイビーソース。

**クレープ**〔フ crêpe〕①ちりめんのように表面を縮らせた織物。縮み。「―シャツ」②小麦粉をうす焼きにして材料を包んだ菓子。「―生地」☞ミルクレープ。●**クレープデシン**〔フ crêpe de Chine〕⇩デシン。●**クレープペーパー**〔crepe paper〕ちりめんのようなしわをよせた紙。手芸に使う。

**グレープ**〔grape〕食材としてのブドウ。また、ブドウ味。「―ジュース・―のグミ」●**グレープフルーツ**〔grapefruit〕アマナツカンに似た水分の多い大形のくだもの。「―ゼリー・―のタルト」由来 ブドウのようにふさになって実がつくところから。

**クレーマー**〔claimer〕〔商品などについて〕とかくクレームをつける人。苦情屋。

☆☆**クレーム**〔claim〕①《経》〔損害賠償の〕請求。②苦情。「―がつく」●**クレームタグ**〔claim tag〕飛行機に乗るときに預けた荷物の引換券。バゲージクレームタグ(baggage-claim tag)。

**クレームブリュレ**〔フ crème brûlée=こげたクリーム〕プリンのようなクリームを容器に入れて焼き、砂糖をふりかけて、表面をあめ状になるまであぶった洋菓子。クリームブリュレ。クレムブリュレ。

**クレーン**〔crane=つる(鶴)〕重い荷物をあげおろししたり、また移動したりするための機械。起重機。「―車」●**クレーンゲーム**〔crane game〕景品をクレーンでうまくつかみ取れるかどうかをためす、店頭にあるゲーム機。例、UFOキャッチャー〔商標名〕。

**クレオール**〔creole〕①《言》ピジンから生まれた言語で、生まれつきそれを使う人たちがいる言語。クレオ(ー)ル語。☞ピジン。②複数の地域のものが入りまじってできたもの。「―文化」

**クレオソート**〔creosote〕《理》鼻をさすようなにおいがする液体。医薬品として使う木クレオソートと、防腐剤として使う石炭クレオソートがある。

**くれお・ちる**［暮れ落ちる］《自上一》日がくれて、太陽がしずむ。

**くれがた**［暮れ方］〔夕方のうち〕日がくれるころ。(↔明け方)

**くれき**［句歴］⇩俳歴。

**くれぐれも**《副》よくよく念を入れて。「―お大事に」由来「繰り返す」の「繰り」と関係のあることば。表記「:呉々も」とも書いた。

**グレコローマン**〔Greco-Roman=ギリシャ・ローマの〕〔↑グレコローマン スタイル〕《レスリング》上半身だけを使うやり方。グレコ。(↔フリー スタイル)

☆☆**クレジット**〔credit=信用〕一 ①《経》ⓐ信用貸し。ⓑ〔月ばらい・あとばらいなどによる〕信販。②↑クレジットカード。③〔スロットマシンなどで〕機械にためておくコイン。二《名・他サ》作者・出演者・関係者などの名前の表示(をすること)。「映画の―タイトル」●☆☆**クレジットカード**〔credit card〕《経》現金を使わないで買い物ができることを保証した、磁気やICのカード。クレジット。カード。クレカ。☞デビットカード。

**グレシャムのほうそく**［グレシャムの法則］〔Gresham=人名〕《経》「悪貨は良貨を駆逐する」という法則。質の悪い貨幣と質のいい貨幣が同時に使われていると、いい貨幣はたくわえられるので姿を消し、結局市場には悪い貨幣だけ流通するようになるというもの。

**クレスト**〔crest〕紋章。「―柄〔=ネクタイなどで、紋章を点々とえがいた柄〕」

**クレセント**〔crescent=三日月〕引きちがい戸のサッシ中央部にある、「d」の形の錠。クレセント錠。

**クレゾール**〔ド Kresol〕《理》〈石炭/木〉のタールからとった、うす黄色い液体。消毒に使う。「―せっけん液」

クレソン〔フ cresson〕西洋料理にそえる、セリに似た少しにがい野菜。オランダがらし。

ぐれつ[愚劣]《ナダ》ばかげていて、くだらないようす。「—な見解」派—さ。

クレッシェンド〔イ crescendo〕《音》しだいに強く大きく〈演奏せよ〉。クレシェンド。(↕デクレッシェンド)

くれてや・る[〈△呉れてやる〉]《他五》〔目下に、または、けいべつする相手に〕あたえる。「宝は全部お前にくれてやろう・こんなものくれてやらあ〔=くれてやるわ〕」

くれない[紅]①あざやかな赤。まっか。②⇩べに②。

☆☆くれなず・む[暮れ〈△泥む〉]《自五》日がくれようとしているのに、あたりがなかなか暗くならないでいる。「—春の空」

くれのあき[暮れの秋]《俳句》晩秋。

くれのこ・る[暮れ残る]《自五》日がくれたあとに残って、目に見える。「—庭にさく花」

くれのはる[暮れの春]《俳句》晩春。

クレバー《ナダ》〔clever〕かしこい。また、計算高い。ぬけめない。「—なタイプのボクサー」派—さ。

クレバス〔crevasse〕氷河や雪の深いわれめ。

クレパス〔CRAY-PAS=商標名〕クレヨンとパステルの特色をあわせもった棒の形の画材。クレヨンよりもぬりつぶすのに向いている。

クレマチス〔clematis〕背の低いつる草。初夏、おもちゃのかざぐるまのような、大形の花をひらく。花の色は白・むらさきなど。〔テッセンは、この一種〕

くれむつ[暮れ六つ]〔江戸時代の時刻で〕くれ方の六つ時。今の午後六時ごろ。(↕明け六つ)

クレムリン〔Kremlin←ロ kreml'=城〕①モスクワにある宮殿の名。ロシア連邦政府の諸機関がある。②ロシア政府のこと。

クレヨン〔crayon〕ろうをまぜてかためた、棒の形の画材。クレオン〔フ crayon〕。

クレリックシャツ〔和製 cleric《=聖職者の》shirt〕《服》えりとカフスだけが白い、色ものやがらもののシャツ。

く・れる[暮れる]《自下一》①[×昏れる]〔昼のあいだが終わって〕暗くなる。「日が—」②年や季節が〈末になる/終わる〉。「その年も暮れた・秋が—」▽(↕明ける)③…しながら、または、…のうちに、時をすごす。「悲しみに—・思案に—・涙に—」

**く・れる ㊀[〈△呉れる〉]《他下一》①利益になるものを、相手が自分にあたえる。「友だちが漫画をくれた・水を一ぱいくれ〔命令形。『くれろ』は、古風または方言的〕」(↕もらう・やる)尊敬くださる。たまわる。②〔古風〕〔動植物やものに〕あたえる。「馬にひとむち—・鳥にえさを—・ひしゃくで道にしめりを—」③〔視線を〕投げかける。「目を—・一瞥を—」④〔方〕〔人に〕あげる。やる。☞くれてやる。㊁《補動下一》〔て—〕①〔相手が自分に〕利益をあたえる行動をする。「かあさんが手ぶくろを編んで—・教えてくれませんか・聞いておくれよ・貸してくれない？〔くだけて『貸してくんない？』〕」(↕もらう・やる)☞くださる㊁。②〔相手が自分に〕〈害になる/おどろく〉ようなことをする。「よけいなことはして—な・やって—じゃないか」③〔古風〕〔自分が相手に〕〈こらしめる/やっつける〉ことをする。「返り討ちにして—わ」

ぐ・れる《自下一》〔俗〕悪の道にそれる。堕落する。

ぐれん[〈△紅×蓮〉]〔=まっかなハスの花〕〔文〕燃えあがるようなまっかな色。真紅。「—のほのお」

クレンザー〔cleanser〕(粉せっけん入りの)みがき粉。

クレンジング《名・自他サ》〔cleansing〕①けしょう落とし(をするためのけしょう品)。「—クリーム」②表面のよごれを落とすこと。「タイルを—する」

ぐれんたい[(:愚連)隊]〔ぐれん←ぐれ《=ぐれること》〕〔古風〕非行少年のグループ。〔明治時代からのことば〕

グレンチェック〔glen check〕千鳥格子やしま模様を組み合わせた柄。

くろ[〈△畔〉]〔方〕あぜ。〔東日本で多く使う〕

**くろ ㊀[黒]①明るさのまったくない色。炭やカラスの羽の色。「—ずくめ」(↕白)②喪服。「—を着る」③《碁》黒いほうの石。〔先に打つ番の人が持つ〕(↕白)④〔簿記などで〕↑黒字②。(↕赤)⑤よくないもの。邪悪なもの。「—魔術」☞黒歴史。㊁[クロ]〔俗〕犯罪のうたがいがはっきりすること。有罪。(↕シロ)

グロ《名・ナダ》↑グロテスク。「—な趣味・エロ—」

*くろ・い[黒い]《形》①黒の色だ。「—豆・—紋付き」②皮膚が日に焼けて色がこい。▽(↕白い)③[×黝い]あおぐろい。④よごれた感じ(の色)だ。「—手」⑤悪い考えを持っているようすだ。「腹の—人」⑥かんばしくない。悪い。「—うわさ」⑦不正な(手段による)。「—入試」派—さ。

グロ・い《形》〔「グロ」を形容詞化した語〕〔俗〕異様で気味が悪いようすだ。「—映像」派—さ。

くろいし[黒石]《碁》黒い石。(↕白石)

クロイツフェルトヤコブびょう[クロイツフェルトヤコブ病]〔Creutzfeldt も Jakob も人名〕《医》プリオンの異常から起こる、命にかかわる脳の病気。神経系に障害が出て、立てなくなり、からだが弱っていく。ヤコブ病。

くろう[苦労]《名・自サ・ナダ》苦しんでほねをおること。「親に—をかける・—してさがし回る」☞ご苦労。●くろうしょう[苦労性]《名・ナダ》わずかのことも気にかける性質。●くろうにん[苦労人]いろいろな苦労をして、よく人情に通じた人。

☆☆ぐろう[愚弄]《名・他サ》ばかにしてからかうこと。「ファンを—する発言」

ぐろう[愚老]《代》〔文〕〔老人が〕自分をけんそんして言うことば。

☆☆くろうと[玄人]①(芸術・技術に熟達した)専門家。②芸者。遊女。▽くろと。(↕素人)●くろうとはだし[玄人(:裸足)]専門家でないのに、専門家も負けるぐらいよく研究して知っていたり、技能がすぐれていたりすること。☞素人離れ。由来くろうとがはだしでにげる意味から。

クローク〔↑クロークルーム(cloakroom)〕ホテル・劇場などの、上着や持ち物のあずかり所。

クローザー〔closer〕《野球》おさえの投手。救援投手。ストッパー。

グローサリー〔grocery〕①スーパーなどであつかう食品。ふつう、生鮮食品はふくまない。②「グローサリー①」をあつかう店。▽グロッサリー。

クロージング〔closing〕㊀《名・他サ》商談や演説などをしめくくること。「今月中に—したい案件」㊁①番組などの結び。「—映像」②閉店。閉会。(↕オープ

ニング〕

**クロース**〔cloth〕⇩クロス(cloth)。

**クローズ**《名・自他サ》〔close〕①閉じること。②閉店。▽(↔オープン) ●☆☆**クローズアップ**《名・自他サ》〔close-up〕〔英語読みはクロースアップ〕①〔撮影で〕大写し。アップ。(↔ロングショット) ②〔社会上の問題として〕大きくとりあげること。「問題点が━される」 ●**クローズド**《名・ダナ》〔closed〕①範囲が限定されたようす。「━ネットワーク」②閉鎖的。「━な業界」▽(↔オープン)

☆☆**クローゼット**〔closet〕洋服などをしまう〈戸だな/小部屋〉。クロゼット。

**クローナ**〔スウェーデン krona・アイスランド króna〕スウェーデン・アイスランドのお金(の単位)。

**クローネ**〔デンマーク・ノルウェー krone〕デンマーク・ノルウェーのお金(の単位)。

**クローバー**〔clover〕①牧草の名。白い花がさく。ふつう三つ葉で、四つ葉のクローバーは、幸運のしるしとされる。つめくさ(詰草)。クロバー。クローバ。クロバ。②〔トランプ〕⇩クラブ[一]⑦。

**グローバリズム**〔globalism〕地球全体をひとつの共同体と考え(て行動す)る主義。地球主義。(↔ローカリズム)

**グローバリゼーション**〔globalization〕世界的な規模に広げること。「━をめざす企業」

☆☆**グローバル**《ダナ》〔global〕(全)地球的。世界的な規模。「━な視野・━な市場競争・━企業〔=多国籍企業〕」 ●☆☆**グローバル スタンダード**〔global standard〕国際的な基準。国際標準。「金融システムの━」

**くろ おび**［黒帯］《柔道・空手など》有段者(がしめる黒い帯)。

**クローブ**〔clove=チョウジ〕チョウジのつぼみを干したもの。小さいくぎ形で黒い。香辛料に使う。

**グローブ**〔globe〕電球をすっかり包みこむ、たまの形のガラス器具。

**グローブ**〔glove〕①《野球》⇩グラブ。②ボクシングで使う、まるっこくて厚い、革の手ぶくろ。③ゴルフで使う手ぶくろ。句《ボクシング》試合をする。 ●**グローブを〈合わせる/交える〉**

**グローランプ**〔glow lamp〕蛍光灯の点灯を助ける小さなランプ。グロー。

**クロール**〔crawl〕[一]両足でかわるがわる水をたたき、両手で水をかきながら進む、泳ぎ方。☞自由形。[二]《名・他サ》《情》検索サイトのプログラムが、いろいろなサイトの更新情報をあつめること。クローリング。

☆☆**クローン**〔clone〕①《生》一個の〈細胞/個体〉から無性生殖によって二つ以上作り出された、同じ遺伝子を持つ複製。「━羊・━植物」②本物そっくりにまねた複製品。

**くろがね**［(△鉄)］〔=黒金〕〔雅〕てつ。

**くろかみ**［黒髪］色が黒くてつやのある、かみの毛。

**クロカン**↑クロス カントリー。

**グロキシニア**〔gloxinia〕〔人名 Gloxin から〕はち植えにして楽しむ草花。葉は厚ぼったく、花はベルベットのようなかがやきを持ち、小形のつりがねを上に向けたような形。夏に花をひらく。

**くろくま**［黒熊］つきのわぐま。

**くろぐろ**［黒々］《副・自サ》黒いことがきわだって感じられるようす。

**くろこ**［黒子・黒△衣］①《芝居》〔歌舞伎・文楽で〕黒い衣服を着た後見役や人形つかい。また、その衣服。くろご。黒ん坊〔俗〕。②かげで支える人。「━に徹する」☞ほくろ(黒子)。

**くろこげ**［黒焦げ］こげて、まっくろになること。「━のパン」

**くろこしょう**［黒(×胡×椒)］熟しかけたコショウの実を、外がわの黒い皮といっしょに干したもの。かおりが高い。ブラックペッパー。「牛肉と野菜の━いため」☞白こしょう。

**クロコダイル**〔crocodile〕①口が細長くとがっているワニのなかま。世界中の熱帯地方にすむ。大形のナイルワニなどは人をおそう。☞アリゲーター。②「クロコダイル①」からとった革。クロコ。「━のバッグ」

**くろごめ**［黒米］①古代に作られた米の一種。もみがらや、中の皮が黒むらさき色。くろまい。☞赤米・緑米。②⇩玄米。

**くろざとう**［黒砂糖］⇩黒糖。

**くろじ**［黒地］①織物の地色の黒いもの。②黒い色の下地。

**くろじ**［黒字］①黒い色で書いた字。②お金が残ること。利益。黒。(↔赤字)

**クロシェ**〔crochet〕《服》かぎ針編み。「━ニット」

**くろしお**［黒潮］《地》日本列島の南岸に沿って南から北へ流れる暖流。別名、日本海流。(↔親潮)

**くろしろ**［黒白］⇩白黒。「━の水引・━〔=こくびゃく〕をはっきりさせる」

**クロス**〔cloth〕①布地。「ビニール━」②書物の装丁に使う布。「━装」③↑テーブル クロス。④かべ紙。「━材」▽クロース。

**クロス**《名・自他サ》〔cross〕①十字架。「━のペンダント」②(十の形に)交差すること。重なること。また、そうさせること。「道が━する・多様な文化が━する都市」③《ボクシング》↑クロス カウンター。④《テニス・卓球など》ななめ。対角線。「━ボール」⑤〔↑クロスパス〕《サッカー》サイドから中央に、またはその逆にボールをパスすること。特に、センタリング。「━を送る」⑥↑クロス バイク。 ●**クロスオーバー**《名・自サ》〔crossover=交差〕ちがった分野のものをうまく組み合わせて新しいものをつくること。音楽では、特に一九七〇年代後半に流行した、ロック・ソウルミュージックの要素を取り入れたジャズを言う。 ●**クロス カウンター**〔cross-counter〕《ボクシング》相手のうでをかわして、あごなどに打ちこむこと。クロス。 ●**クロス カントリー**〔cross-country〕山や野原を〈自転車・自動車で走る/スキーですべる〉競走。陸上競技としてもおこなう。クロカン。〔スキーでは、ノルディック種目の一つで、「距離」とも言った〕 ●**クロス ステッチ**〔cross-stitch〕《服》Xの形に交差させたステッチ。 ●**クロス チェック**〔cross check〕二つ以上の方法で、事実かどうかをたしかめること。 ●**クロス バー**〔crossbar=横にわたした木〕①《ラグビー・サッカーなど》ゴールポストの間にわたした横木。②〔走り高とび・ハードルで〕とびこえる横木。▽バー。 ●**クロス バイク**〔cross bike〕マウンテンバイクの車体にロードバイク用のタイヤを組み合わせた、スポーツ用自転車。クロス。●**クロスボウ**〔crossbow〕引き金を引いて矢を発射する弓。洋弓銃。クロス ボー。ボーガン。ボウガン。●**クロスレファレンス**〔cross reference〕本の中で関連する語を、どちらからひいても見つけられるようにしてあること。相互参照。●**クロスワードパズル**〔crossword puzzle〕碁盤の目のようにしきったます目の中に、あたえられたことばの鍵から推理した語をうめる遊び。クロスワード。

**くろず**［黒酢］①玄米などを発酵させてつくった、黒っぽい酢。「—の酢豚」②焼いたコンブやシイタケをすって、酢とまぜたもの。

**グロス**〔gloss=光沢〕〔くちびるなどの〕つや出し用のけしょう品。「リップ—」

**グロス**〔gross〕①十二ダース。百四十四個。②全体。合計。(↔ネット)③〔↑グロス スコア〕《ゴルフ》総打数。(↔ネット)

**クロスゲーム**〔close game〕〔競技で〕追いつ追われつの接戦。白熱戦。

**クロスプレー**〔close play〕《野球》走者と、守備がわの選手とが、ベース上でぶつかりあうプレー。

**くろず・む**［黒ずむ］《自五》黒みをおび(てよごれたような感じにな)る。「目のふちが—」名黒ずみ。

**クロゼット**〔closet〕⇩クローゼット。

**くろぞめ**［黒染め］《名・自サ》①黒く〈染めること/染めたもの〉。「—の紋付き」②〈脱色した/別の色の〉髪を黒く染めること。

**くろだい**［(黒×鯛)］タイの一種。マダイに似て、黒いつやがある。食用。関西で、チヌ。

**くろダイヤ**［黒ダイヤ］①《鉱》不純物をふくむ、黒いダイヤモンド。②〔俗〕〔第二次大戦直後ごろまで〕石炭。☞キャビア。

**くろち**［黒血］黒みがかった血。

**クロッカス**〔crocus〕サフランの園芸用品種。春、黄・むらさき・白などの花がさく。クローカス。

**クロッキー**〔フ croquis〕《美術》デッサンの一種。短い時間で簡単にまとめた絵。「ヌード—」

**グロッキー**《ナダ》〔groggy〕①《ボクシング》強く打たれて意識がなくなりかけるようす。②〔つかれなどで〕ふらふらになるようす。「一口飲んだら—」▽グロッギー。

**クロック**〔clock〕掛け時計。置き時計。

**クロックムッシュ**〔フ croque-monsieur=かりっとした紳士〕ハム・チーズ・ホワイトソースなどをはさんで焼いたサンドイッチ。〔これに目玉焼きをのせたものは「クロックマダム」〕

**グロッケンシュピール**〔ド Glockenspiel〕《音》鉄琴。グロッケン。

**グロッサリー**〔glossary〕用語集。術語集。

**グロッサリー**〔grocery〕⇩グローサリー。

**グロッシー**〔glossy〕■《ナダ》つやのあるようす。「—なリップ〔=口紅〕」■光沢のある写真印画紙。

**くろつち**［黒土］黒くて、くずれやすい土。養分を多くふくみ、耕作に適している。くろぼく。☞赤土・こくど(黒土)。

**クロップドパンツ**〔cropped pants〕《服》すそのところを切り落としたような、すねの見えるズボン。クロ(ッ)プトパンツ。

**くろっぽ・い**［黒っぽい］《形》黒みをおびているようすだ。「—ズボン・—〔=漢字の多い〕文章」(↔白っぽい) 派—さ。

☆☆**グロテスク**《ナダ》〔grotesque〕異様で気味が悪いようす。醜怪。グロ。「—な絵」派—さ。

**くろてん**［(黒×貂)］外国産の、テンに似た動物。セーブル。

**くろと**［(△玄△人)］くろうと。(↔しろと)

**クロニクル**〔chronicle〕年代記。編年史。回想録。

**くろぬき**［黒抜き］《名・他サ》染色や印刷で、模様や、枠内の文字などを黒く〈残すこと/残したもの〉。(↔白抜き)

**くろぬり**［黒塗り］《名・他サ》黒く〈ぬること/ぬったもの〉。「—の車・公開しない部分を—(に)した報告書」

**くろねずみ**［黒(×鼠)］①黒っぽい色のネズミ。②主人の家のお金や品物を取ったり、また主人の家に不利益をあたえたりするやとい人。▽(↔白ねずみ)

**クロノグラフ**〔chronograph〕ストップウォッチ機能のついたうで時計。

**クロノメーター**〔chronometer〕誤差の少ない、精密な時計。

**クロノロジー**〔chronology〕できごとの推移を、年月日や時刻を示してまとめたもの。時系列表。クロノロ。

**くろパン**［黒パン］①ふすまを取り除かないライ麦の粉で焼いた、黒茶色のパン。「ロシアの—」②黒茶色のほんのりあまい菓子パン。「給食の—」

**くろビール**［黒ビール］こがした麦芽から造った、黒茶色のビール。「牛肉の—煮こみ」

**くろびかり**［黒光り］黒く光ってつやがあること。「—がする」

**くろふく**［黒服］①黒いスーツ(を着た人)。②風俗店などの男性従業員。

**くろぶさ**［黒房］《すもう》土俵の西北のすみに、つり屋根からたらした黒いふさ。もと「黒柱」のあった位置。(↔赤房・青房・白房)

**くろぶた**［黒豚］(バークシャー種の)黒い豚。「—のとんかつ」

**くろふね**［黒船］①江戸時代の末、欧米から来た黒塗りの艦船の呼び名。②外国からの圧倒的な勢力のたとえ。

**くろぼし**［黒星］①黒いしるし。②《すもう》負けたしるしの黒いまる。負け星。「—をつける〔=負かす〕」③〔俗〕落ち度。失敗。「警察の—」▽(↔白星)④まとのまんなかにある、黒い点。くろ玉。

**くろまく**［黒幕］①芝居に使う、黒い幕。②かげでさしずする人。フィクサー。「政界の—」

**くろまつ**［黒松］庭木として植え、また海べにはえるマツ。葉はかたい。材は建築に使う。おまつ(雄松)。(↔赤松)

**くろまめ**［黒豆］ダイズの一種。皮が黒く、正月の煮豆に使う。「—煮」

←**くろみ**［黒身］〔カツオ・ブリなどの〕皮のすぐ下の赤黒い身の部分。

→**くろみ**［黒(:味)］黒い感じ(の色)。

**くろみずひき**［黒水引］半分を〈黒/紺色〉、半分を白にした水引。香典などを包むのに使う。あおみずひき。

くろみつ【黒蜜】黒砂糖を水にとかして こく煮た汁。「―きなこ」

くろ・む【黒む】《自五》〔文〕黒くなる。

クロム〔ド Chrom〕〔理〕銀白色で つやのあるかたい金属〔元素記号Cr〕。めっきに用いられる。合金として特殊鋼・ニクロムを作る。クロミウム(chromium)。

くろめ【黒目】目の中央の黒い部分。瞳孔と虹彩。「―がちの ひとみ〔=黒目の部分の多い目〕」(↔白目)

くろもじ【黒文字】つまようじ(の一種)。もと、クロモジの木〔=山や野にはえる小さな木。全体にさわやかな かおりがある〕から作った。

くろやき【黒焼き】〔薬にするために〕動植物を蒸し焼きに〈すること/したもの〉。

くろやま【黒山】人の むらがっている たとえ。「―の(ような)人だかり」〔人の頭が黒いから言う〕

くろゆり【黒▽百合】高山植物の一つ。ユリに似て、全体が小形。黒むらさき色の花がさく。

くろよん【クロヨン】〔=九六四〕〔俗〕個人所得の総額のうち、勤め人は九割が、自営業者は六割が、農家は四割が実態をおさえられていること。税負担の不平等感をあらわすことば。☞トーゴーサン。

くろれきし【黒歴史】〔俗〕人に知られては〈困る/はずかしい〉、消したい過去。「―が明かされる」〔一九九九年、テレビアニメ「▽ターンエーガンダム」から出たことば〕

クロレラ〔chlorella〕池で培養する藻の名。食べられる。

クロロフィル〔chlorophyll〕〔植〕葉緑素。

クロロホルム〔ド Chloroform〕〔理〕特有のにおいのある無色の液体。燃えにくい性質。麻酔薬・溶媒に使う。トリクロロメタン(trichloromethane)。クロロフォルム。

くろわく【黒枠】①黒い わく。②死亡〈通知/広告〉。

クロワッサン〔フ croissant=三日月〕バターを多く使い、三日月形に焼いたパン。「―サンド・チョコ―」

ぐろん【愚論】①ばかばかしい議論。②〔文〕自分の議論のことをけんそんして言うことば。

くろんぼう【黒ん坊】〔俗〕①もと、黒人の蔑称。②〔日焼けして〕はだの色が黒くなった人。③黒子。▽くろんぼ。

く・わ【句話】俳句についての話。俳話。

くわ【桑】畑に植える落葉樹の名。葉は大きく、カイコに食わせる。黒むらさき色に熟した実は あまい。

くわ【▽鍬】畑をたがやしたり地ならしをしたりするときに使う農具。●くわを入れる㊕開拓する。

くわい【▽慈姑】水田で栽培する野菜の名。青みがかった色の、球状の地下茎を食用とする。

クワイア〔choir〕聖歌隊。合唱団。「ゴスペル―」〔合唱団名にも使う〕

くわいれ【▽鍬入れ】《名・自サ》木を植えたり、工事をしたりするとき、儀式として、最初にくわで少しほること。「―式」

くわうるに【加うるに】〔本来、発音はクオールニ〕〔文〕㊀《に加うるにで格助》〔…に〕加えて。「雨に―風も強まって」㊁《接》それに加えて。「業績がいい。―、人材も多い」▽㊀㊁加えるに。

くわえこ・む【▽銜え込む】《他五》①〔犬や鳥などが〕すみかに くわえて〈持ちこむ/中へ入れる〉。②〔俗〕〔女性が〕情人を家に つれこむ。

くわえて【加えて】㊀《に加えてで格助》…だけでなく。加え。「観察力に―想像力も必要だ」㊁《接》まだ、そのほかに。さらに。加うるに。それに加えて。「部屋が広い。―、日当たりもいい」

くわえばし【▽銜え箸】はしの先を口でくわえ〔手は他の動作を〕すること。無作法とされる。☞嫌い箸。

**くわ・える【加える】《他下一》①そえる。たす。かさねる。「砂糖を―・スピードに加え、持久力もある」②ます。「速度を―」③〔なかまに〕入れる。「メンバーに―」④加算する。プラスする。「三倍して五を―」⑤こうむらせる。あたえる。「打撃を―」可能 加えられる。☞加えて。●くわえるに〔加えるに〕《に加えるにで格助・接》〔文〕⇨加うるに。

くわ・える【▽銜える・▽咥える】《他下一》〈歯/くちびる〉にはさんで持つ。「くわえタバコ」☞指をくわえる〔「指」の㊕〕。

くわがた【▽鍬形】①かぶとの前立ての一種。かぶとの まびさしの上に つののように二本出たもの。②〔↑くわがたむし〕からの かたい、大形の黒(茶)色の昆虫。おすは頭に、「くわがた①」のような突起がある。

くわけ【区分け】《名・他サ》いくつかに くぎって分けること。区分。

**くわし・い【詳しい・▽委しい】《形》①細かなところまで、よく わかるようにするようすだ。「―地図・―説明」②よく知っているようすだ。「野球に―」③〔詳しくは〕くわしい〈説明/話〉は。くわしいことは。「詳しくは公式サイトをご覧ください」派―さ。

クワス〔ロ kvas〕ライ麦を軽く発酵させた、麦茶かコーラのような味の飲み物。クバス。

くわずぎらい【食わず嫌い】《名・ナダ》〈食べないで/やってみないで〉、わけもなく きらう性質(の人)。食べず嫌い。「―を克服する」

↑くわせもの【食わせ物】見せかけだけの、にせもの。「―のつぼ」

↑くわせもの【食わせ者】相手を信用させてだます、あぶない人物。「とんだ―だ」

くわ・せる【食わせる】㊀《他下一》①やしなう。「家族を―」②害を受けさせる。くらわす〔俗〕。「デッドボールを―」③あざむく。「一ぱい―」㊁《自下一》おいしく食べさせる。「ここは―店だ」▽㊀㊁食わす。

くわだ・てる【企てる】《他下一》思い立つ。計画する。「悪事を―・天下統一を―」名企て。

グワッシュ〔フ gouache〕⇨ガッシュ。

くわばら【▽桑原】《感》〔話〕①雷が おちないように となえる まじない。②いやなことを避けようとするときに言うことば。▽「くわばら、くわばら」と、かさねて使う。

くわやき【▽鍬焼き】肉に かたくり粉をつけ、しょうゆ・みりんなどで味つけして焼いた料理。

くわり【区割り】《名・他サ》土地などを くぎって分けること。区分け。区分。「分譲地の―」

*くわわ・る【加わる】《自五》①〔あるものに、さらに〕添う。プラスする。「調味料が―」②ふえる。およぶ。「速度が―」③〔なかまに〕はいる。④あたえられる。「危

害が━」[可能] 加われる。
☆☆**くん**【訓】 一 くん 漢字を、その意味に当たる本来の日本語〔=やまとことば〕で読んだもの。訓よみ。字訓。例、「手」「川」の訓は「て」「かわ」。(↔音) 二 [造] 教訓。おしえ。「料理十━・養生━」
**くん**【勲】 [接頭] 勲章の等級をあらわすことば。「━一等〔=いちばん上の等級〕」
****くん**【君】 [接尾] 〔おもに同等・目下の男性に使う〕名前にそえて、軽い敬意や親しみをあらわすことば。「山本━・〔子どもに〕健太━と美紀ちゃん」〔目下の女性に使うのは古風、または、かろんじた感じがする。議会では、発言者を呼ぶときなどに使う〕 [表記]〈親しんで／かろんじて〉「クン」とも。
****ぐん**【軍】 一 ぐん ①軍隊。軍部。②《軍》二つの師団以上で編制する、軍隊の単位。 二 [造] 一団。チーム。「女性━・巨人━・ヤー━〔=ニューヨークヤンキース〕」
←**ぐん**【郡】 都道府県の中にあり、町・村をふくむ地理上の区画。「埼玉県北足立━」
→**ぐん**【群】 一 ぐん 人間・動物の集まり。むれ。「━をなしておしよせる」 二 [造] 同じ種類のものの集まり。グループ。「食品━・遺跡━」 ●**群を抜く** [句] 多くの人の中で非常にすぐれている。抜群である。
**ぐんい**【軍医】 《軍》軍隊で診察や治療を受け持つ将校。
←**くんいく**【訓育】《名・他サ》〔文〕児童・生徒の品性を高めることを目的として教育すること。
→**くんいく**【薫育】《名・他サ》〔文〕その人のすぐれた人格で他人を教育すること。しつけすること。
**くんえん**【×燻煙・薫煙】《名・他サ》〔文〕①けむりでいぶすこと。②薬品をふくんだけむりで、害虫を殺すこと。「━剤」
**ぐんか**【軍靴】〔文〕兵隊のはくくつ。「━の ひびき〔『戦争の きざし』の意味にも〕」
**ぐんか**【軍歌】 軍隊で、士気をさかんにするためにうたう歌。また、戦時中に作られた愛国的な流行歌。
**ぐんが**【郡×衙】 郡〔=昔の行政区画の一つ〕を治めた役所。
**くんかい**【訓戒】《名・他サ》〔文〕悪いことをしないように教えさとすこと。「━を垂れる」
☆☆**ぐんかく**【軍拡】《名・自サ》↑軍備拡張。(↔軍縮)
**ぐんがく**【軍学】〔文〕兵法。兵学。「━書」
**ぐんがく**【軍楽】〔文〕軍隊の演奏(する楽曲・音楽)。「━隊」
**ぐんかん**【軍官】 軍事を担当する役人。
**ぐんかん**【軍艦】 ①敵と戦うための武器をもった船。②↑軍艦巻き。 ●**ぐんかんまき**【軍艦巻き】 すしだねが落ちないように、側面に のりを巻きつけた にぎりずし。軍艦。「イクラの━」 ☞巻きずし。
**くんき**【勲記】 政府が受勲者に勲章とともに あたえる証書。勲等〔たとえば勲三等〕をおくるということが書かれている。
←**ぐんき**【軍紀】 軍隊の風紀。
↔**ぐんき**【軍規】 軍隊の規律。
→**ぐんき**【軍機】 軍事上の機密。
**ぐんき**【軍記】 戦争の〈話／事実〉を書いた書物。「━物語〔=平家物語、太平記など〕・━物」
**ぐんき**【軍旗】《軍》連隊を代表する旗。特に、旧陸軍の連隊旗。
**ぐんぎ**【群議】〔文〕大ぜいで する議論・相談。「━まちまち」
**ぐんきょ**【群居】《名・自サ》〔文〕同類といっしょにむらがっていること。
**くんくん**《副・自サ》 においをかいだり、鼻を鳴らしたりするときの〈音／ようす〉。「子犬が━(と)鳴く」
**ぐんぐん**《副》〔量や値が〕勢いよく変わり続けるようす。「水かさが━ふえる・気温が━上がる」
**ぐんけん**【軍犬】〔文〕軍用犬。
**くんこ**【訓×詁】〔古典の〕文字や語句の解釈。「━学」
**くんこう**【君公】〔文〕自分の主君をうやまって言うことば。わがきみ。
**くんこう**【勲功】〔文〕てがら。いさお。
**くんこう**【薫香】〔文〕①薫き物の かおり。②いいにおい。芳香。
**ぐんこう**【軍功】〔文〕戦争で たてた、てがら。
**ぐんこう**【軍港】 海軍の根拠地となる港。
☆☆**くんこく**【訓告】《名・他サ》 文書または口頭で注意する処分。〔公務員では、戒告よりも軽い〕「━処分」
**ぐんこく**【軍国】 軍事を重んじる国。 ●**ぐんこくしゅぎ**【軍国主義】 一国の組織をあげて軍備をととのえ、軍事力で国家の威力をしめそうとする主義。ミリタリズム。
**くんし**【君子】 人格者。徳の高い人。(↔小人) ●**君子(は)危うきに近寄らず** [句] 君子は行動をつつしんで、危険なものごとに近寄らない。 ●**君子(は)豹変す** [句] ①君子は、自分のまちがいに気づくとすぐに改める。②〔俗〕態度や意見をがらりと変える。▽君子豹変。
←**くんじ**【訓辞】《名・自サ》 下の者に、自覚をうながすためにする演説(のことば)。「校長の━」
→**くんじ**【訓示】《名・自他サ》〔=教え しめす〕 上役が部下に対してしめす、仕事の上の心得。「━を垂れる・職員━」
**ぐんし**【軍使】 使命をおびて敵の陣に行く使者。
**ぐんし**【軍師】 ①〔古代の中国などで〕軍の中心にいて、作戦を考える人。参謀。②自分たちのがわが有利になるように、知恵を出す人。
**ぐんじ**【軍事】 軍備・戦争に関すること。「━費・━力・━演習」
**ぐんしきん**【軍資金】 ①戦争などに必要な資金。②行動を起こすのに必要な資金。「デートの━」
**くんしゅ**【君主】 世襲による、国の元首。国王。皇帝。「━国・━制・━政〔=君主制の政治〕・━政体」
**くんしゅ**【×葷酒】〔文〕においの強い野菜〔たとえば、ニラ〕と酒。 ●**葷酒山門に入るを許さず** [句] 葷酒を寺に持ちこむな。
**ぐんじゅ**【軍需】 軍事上〈の需要／必要な物資〉。「━産業・━品」(↔民需)
←**ぐんしゅう**【群衆】 一か所に集まった、不特定多数の人々。「見物の━」
→**ぐんしゅう**【群集】《名・自サ》 不特定多数が集まること。また、その集まった まとまり。「やじうまの━・サンゴの—・民家が—する」●ぐんしゅうしんり【群集心理】〘心〙個人が、群集の中では興奮しやすく、他人の行動にひきずられやすくなる心理。

☆☆ぐんしゅく【軍縮】〘名・自サ〙↑軍備縮小。「—交渉(こうしょう)」(↔軍拡)

くんしょう【勲章】国家のためにつくした功労のしるしとして国がさずける記章。

くんじょう【×燻蒸・薫蒸】〘名・他サ〙①〔文〕いぶすこと。②薬品をふくんだガスで害虫・病菌(びょうきん)を殺すこと。「—剤(ざい)」

ぐんしょう【群小】〔文〕多くの小さいもの。「—国家」

ぐんじょう【群青】あざやかな青色(の絵の具)。

ぐんしょく【軍職】〔文〕軍隊の官職。

くん・じる【訓じる】〘他上一〙漢字を訓で読む。訓ずる。例、「訓」を「おしえる」と読むなど。

ぐんしれいかん【軍司令官】〘軍〙「軍[一]②」をひきいて指揮する長官。

ぐんしれいぶ【軍司令部】〘軍〙軍司令官が軍事上の事務をとる所。

くんしん【君臣】〔文〕君主と臣下。

ぐんしん【軍神】①いくさの神。その神にいのると戦争に勝つと信じられる。②軍人の模範(もはん)となるようなてがらを立てて戦死した人を神としてまつったもの。

ぐんしん【群臣】〔文〕多くの臣下。

ぐんじん【軍人】①戦争に従事する職務の人。②軍籍(ぐんせき)にある人。

ぐんじん【軍陣】〔文〕軍隊の陣営(じんえい)。軍営。

くんずほぐれつ【(組んず▽解れつ)】〘副・自サ〙〔↑組みつ解れつ〕組みついたり、はなれたり。「たがいに—争う・—の争い」 表記 現代語では「組みつ」の意識がないとみて、かなでは「くんず」と書くが、「くんづ」も許容。

くんせい【×燻製・薫製】肉などをいぶして、かわかした食べ物。「さけ(鮭)の—・チーズの—」

ぐんせい【軍政】①戦時・事変のときに、軍がおこなう政治。(↔民政)②軍事についての政務。

ぐんせい【群星】〔文〕むらがって かがやく 多くの星。

☆☆ぐんせい【群生】〘名・自サ〙①〘植〙むらがって〈はえる／あらわれる〉こと。「スズランの—地」②【群×棲】〘動〙むれを作ってすむこと。集団を作って生活すること。「イルカの—」

ぐんぜい【軍勢】①軍人の人数。②軍隊。

ぐんせき【軍籍】〔文〕軍人としての地位・身分。兵籍。

ぐんせん【軍扇】軍配(ぐんばい)うちわ。

ぐんせん【軍船】海上で戦う設備がある船。

ぐんそう【軍曹】〘軍〙旧陸軍の下士官の階級の一つ。伍長(ごちょう)の上。☞鬼(おに)軍曹。

ぐんそう【軍装】〘名・自サ〙①軍人の服装(をすること)。②軍隊の装備(品)。「—をかつぐ」

☆☆ぐんぞう【群像】①絵画で、一つの画面に多くの人物をえがいたもの。また、多くの人物を一つの彫刻(ちょうこく)にまとめたもの。②多くの人物をえがいた作品。「青春—・—劇」

くんそく【君側】〔文〕君主のそば。●くんそくのかん【君側の×奸】〔文〕君主のそばにいて勢力をふるう悪者。

ぐんぞく【軍属】軍人以外で、従軍する人。

ぐんたい【軍隊】国家で編制した、軍人の集まり。〔旧日本軍では、士官・下士官・兵からなる〕

くんだり 接尾〔↑下(くだ)り〕〔…のような〕遠い場所。「わざわざ東京—まで来てやったのに」〔行くのがめんどうだ、そこはいなかだ、などの気持ちで言う〕

ぐんだん【軍団】①〘軍〙歩兵二個師団以上で編制した部隊。②〘俗〙集団。グループ。

ぐんだん【軍談】①戦争にもとづいた、江戸(えど)時代の通俗(つうぞく)小説。②軍記物の講談。

くんち〔↑九日(くにち)〕九州北部の秋祭り。おくんち。唐津(からつ)くんち・長崎くんち・博多おくんちなど。〔祭りにより特色がちがう〕

くんちょう【君×寵】〔文〕主君の特別な愛情。「—をほしいままにする」

くんづけ【君(付け)】〘名・自サ〙人の名前の下に「君(くん)」をつけて呼ぶこと。〔同等・目下の人への呼び方〕

ぐんて【軍手】〔↑軍用手ぶくろ〕太い白もめんで作った手ぶくろ。作業などに使う。

くんてん【訓点】漢文を訓読するためにつけた、送りがなや返り点など。

くんでん【訓電】〘名・自他サ〙訓令の電報。電訓。

ぐんと【軍都】〔文〕軍人や軍の施設(しせつ)の多い都市。

ぐんと〘副〙①強く力を加えるようす。ぐっと。「—引っぱる」②今までと大きく変わるようす。ぐっと。「—発展する・成績が—〈上がった／下がった〉」☞がくんと②。

くんとう【勲等】勲章(くんしょう)の等級。

☆☆くんとう【薫陶】〘名・他サ〙〔文〕その人の人徳によって感化すること。「—を受ける・—〈よろしく／よろしきを得て〉(=教えや導きを受けて)」

くんどう【訓導】(=教え、導く)旧制小学校の正規の教員。現在の教諭(きょうゆ)。

ぐんとう【軍刀】〈軍人の下げる／戦争に使う〉かたな。

ぐんとう【群島】〘地〙海洋のある場所にむらがっている、多くのしまじまの呼び名。「歯舞(はぼまい)—」

ぐんとう【群盗】〔文〕なかまを作って、いっしょに仕事をする盗賊(とうぞく)。

くんどく【訓読】〘名・他サ〙①漢文を、日本語のことばの順序にしたがって読みくだすこと。②訓読み。(↔音読)

ぐんどく【群読】〘名・他サ〙多くの人が〈声をそろえて／つぎつぎに〉朗読すること。

くんな〔↑くれなさい〕〔古風・俗／方〕[一] 連 くれ。「もう一杯(いっぱい)—」[二]〔(てくんな)で終助〕…てくれ。「待って—」

ぐんば【軍馬】軍隊で使う馬。

ぐんばい【軍配】↑軍配うちわ。●軍配を上げる 句 ①〘すもう〙行司が勝った力士のほうに軍配をさし上げ、勝ちを告げる。②判定して、勝ちと認める。 直 ●軍配を返す 句〘すもう〙仕切り時間がいっぱいになり、行司が軍配を裏返すような形で手元に引く。●ぐんばいうちわ【軍配(:団扇)】①昔、大将が軍の配置・進退を指揮するのに使った、うちわに似た形の道具。軍扇(ぐんせん)。②すもうの行

［ぐんばいうちわ ①］

司が使う、うちわに似た形の道具。▽軍配。

☆☆**ぐんばつ**【軍閥】軍部を中心とする政治上の勢力。

**ぐんぱつ**【群発】〔地震(じしん)が〕限られた範囲(はんい)の土地に何回も続けて起こること。「―地震」

**ぐんび**【軍備】戦争に使う乗り物や武器、弾薬(だんやく)、設備など(を用意すること)。〔自衛隊では「装備」と言う〕

**ぐんぴ**【軍費】〔文〕軍事費。

**ぐんぴょう**【軍票】〔戦地などで〕軍隊が発行した紙幣(しへい)。

**ぐんぶ**【軍部】〔政府・国民に対して〕軍人を中心とした組織。

**ぐんぶ**【郡部】〔都道府県の中で〕郡に属する部分。〔↔区部・市部〕

**ぐんぶ**【群舞】《名・自サ》〔文〕大ぜいがいっしょになっておどる〈こと/おどり〉。

**くんぷう**【薫風】〔文〕初夏に(青葉の香(か)をただよわせて)ふく風。

**ぐんぷく**【軍服】軍人の制服。

**ぐんぼう**【軍帽】軍人の制帽。

**ぐんぽう**【軍法】〔軍〕軍隊の刑法(けいほう)。●**ぐんぽうかいぎ**【軍法会議】〔軍〕軍人・軍属がおかした罪をさばくため、軍隊の中にもうけた裁判所。

**ぐんむ**【軍務】軍事上の〈事務/勤務〉。

**くんめい**【君命】〔文〕主君の命令。

**ぐんめい**【軍命】〔文〕軍からの命令。軍命令。

**ぐんもう**【群盲】〔文〕多くの盲人。〔「おろかな人」という ふくみがあって、語感が悪い〕●**群盲(ぐんもう)象(ぞう)を〈撫(な)でる/評する〉** 句 自分たちの理解をこえたものについて、めいめいが勝手な推測をする。

**ぐんもん**【軍門】〔文〕陣営(じんえい)の出入り口。陣門。●**軍門に下(くだ)る** 句〔文〕降参する。陣門(じんもん)に下る。表記「くだる」は「△降る」とも。

**ぐんゆう**【群雄】〔文〕多くの英雄(えいゆう)たち。「―割拠(かっきょ)」

**ぐんゆう**【群×游・群遊】《名・自サ》〔文〕むらがりおよぐこと。「カツオの―する海」

**ぐんよう**【軍用】①〈軍事/軍隊〉に使うこと。②〈軍事/軍隊〉の費用。●**ぐんようきん**【軍用金】①軍用のお金。②〔俗〕事業をするのに必要な費用。遊ぶのに必要なこづかい。▽軍資金。●**ぐんようけん**【軍用犬】軍隊が、警戒(けいかい)・捜索(そうさく)などに使う犬。軍犬。

**ぐんよう**【軍容】〔文〕戦闘(せんとう)にあたる軍隊の規模。軍勢。「―がふくれあがる」

**くんよみ**【訓読み】《名・他サ》漢字にやまとことばをあてて読む〈こと/あてた読み方〉。訓読(くんどく)。訓。例、年月(とし つき)・初春(はつ はる)。〔↔音読み〕

**ぐんらく**【群落】〔植〕同じ種類の植物がむらがってはえる〈こと/ところ〉。

**ぐんりつ**【軍律】〔文〕軍隊の規律。軍規。

**ぐんりつ**【群立】《名・自サ》〔文〕むれをなして立つこと。

**ぐんりゃく**【軍略】〔文〕いくさに関する計略。戦略。

☆☆**くんりん**【君臨】《名・自サ》①君主として臣下にのぞむこと。②上の地位にあって、思うままに仕事をすること。「スポーツ界に―する」

**くんれい**【訓令】《名・自他サ》①〔文〕訓示して命じる〈こと/命令〉。②〔法〕ⓐ上級の官庁が、仕事のやり方に関して下級の官庁に出す命令。ⓑ上役の公務員が出す、仕事の上の命令。●**くんれいしき**【訓令式】日本語をローマ字で書く方式の一種。「シ」を「si」、「ヂ」を「zi」と書くのがおもな特色。学校教育で使われる。〔↔ヘボン式・日本式〕

**ぐんれい**【軍令】軍の命令やきまり。「―違反(いはん)」

**ぐんれき**【軍歴】〈軍隊での/軍人としての〉経歴。

**くんれん**【訓練】《名・他サ》何度もくり返して、必要なことができるようにすること。「防火―・論理的な思考の―」

**くんろ**〔↑「くれる」の命令形「くれろ」〕〔方〕一◇くれ。ください。「ひとつ―」二《てくんろで終助》…てくれ。…てください。「やめて―」

**ぐんろう**【群×狼】〔文〕むれをなして行動するオオカミ。

**くんろく**【△九六・クンロク】《すもう》〔俗〕九勝六敗。「―大関(＝かろうじて勝ち越(こ)すくらいの成績が続く大関をからかって言うことば)」

**くんわ**【訓話】《名・自サ》〔文〕〔悪いおこないをしないように〕教えさとすはなし。

## け　ケ

**け**【毛】①人間やけものの はだに はえている、細い糸のようなもの。体毛。②「毛①」に似たもの。「じゅうたんの―を立てる・タンポポの―」③かみの毛。毛髪(もうはつ)。④羽毛(うもう)。⑤羊毛。「―のシャツ」☞毛ほど。●**毛の生えたよう** 句〔…よりも〕少しましな程度。「屋台に―な店」●**毛を吹(ふ)いてきず(疵)を求める** 句 他人の欠点を無理に探そうとする。また、他人の欠点をあばいて、かえって自分の欠点をさらけ出す。

**け**【〈気〉】一け 気配。傾向(けいこう)。感じ。「火の―のある部屋・かぜの―が抜(ぬ)けない」二 接尾 ①…が〈いる/ある〉と感じられるようす。「人―がない・おしろい―がない・塩―のある水」②…を好む気持ち。「食い―」▽⇨け。

**け**【×卦】〔易(えき)で〕陰(いん)と陽の算木(さんぎ)を三つずつ組み合わせてできる形〔八卦(はっけ)という〕。また、八卦を組み合わせてできる、六十四の形。うらないを決める基本の形。

**け**【〈×褻〉・ケ】〔祭りなどのない〕日常。ふだん。〔↔ハレ(晴れ)〕●**けにも晴れにも** 句 ふだんでも改まった時でも。いつでも。「―ただ一つ(＝持ちあわせが一つだけ)」

**け**《終助》〔話〕⇩っけ。

**け** 接頭〔―＋動詞・形容詞〕なんとなく。気持ちの上で。「―おされる・―だるい」

**け**【ヶ・ケ】接尾 ①〔発音はコ〕〔俗〕⇩こ(個)二。「トマト―」②〔発音はカ・ガ〕⇩か 接尾。「二―月・三―日」由来「箇」の略字「个」が、日本でカタカナの「ケ」と混同されたもの。

**け**【家】造〔姓(せい)・身分などをあらわすことばにつけて〕家(え)。一門。「山本―・将軍―・創業―」

**げ**【下】①した。しも。②おとったこと。「―の成績」③(本の)下巻。▽〔↔上(じょう)〕

***げ**【〈気〉】接尾 一 それらしいようす。「あぶな―がない」二《形動ダをつくる》①そういう気持ちが、表情や動きにあらわれているようす。…そう。「悲し―な顔・なつかし

ー・たよりなー・心地よー・得意ー・用ありー」②〔関東方言〕見た感じや推量をあらわす。…そう。「うまー〔=おいしそう〕・弱ーな子・そうじゃ なさーだ・よさーな品物」✎②の「なさげ」「よさげ」は、最近では全国的に使う。①の場合に「たよりなさげ〔↑なげ〕」「心地よさげ〔↑よげ〕」などと言うのは、最近の言い方。

☆☆**ケア**《名・他サ》〔care〕①《医》看護。介護。「患者の一・在宅ー」②手入れ。手当て。管理。「スキンー」③気にかけて対応すること。「アフターー・例の件、きちんとーするように」▽ケアー。

**けあがり**［蹴上がり］鉄棒などにぶら下がり、両足をそろえて前方にふりあげ、その反動で上半身を棒の上に持ち上げること。

**けあげ**［蹴上げ］階段の、一段の高さ。けこみ。(↕踏み面)

**けあし**［毛脚・毛足］①じゅうたん・毛皮などの、毛の長さ。「ーが長い」②毛ののびる ぐあい。「ーが速い〔=かみの毛がはやくのびる〕」

**けあな**［毛穴・毛△孔］はだの表面にある、毛の はえる小さな穴。「ーよごれ」

**ケアハウス**〔和製 care house〕軽費老人ホームの一つ。食事・入浴などのサービスが受けられる集合住宅。

**ケアプラン**〔和製 care plan〕〔介護保険制度で〕ケア マネージャーと相談して、介護サービスの内容・日時・本人負担額などを決める在宅介護計画。介護サービス計画。

☆☆**ケアマネージャー**〔和製 care manager〕〔介護保険制度で〕介護サービスについて相談に乗り、一人一人のケアプランを作ることを、おもな業務とする人。介護支援専門員。ケア マネジャー。ケアマネ。

**ケアレスミス**〔↑careless mistake〕不注意によるミス。うっかりミス。

**ケアワーカー**〔和製 care worker〕特別養護老人ホームなどの施設で働く介護職員。特に、介護福祉士。☞ホームヘルパー。

**けい**［兄］〔文〕㊀**けい** あに。「異母ー」㊁**けい**《代》同輩を呼ぶ尊敬語。㊂接尾 ①おもに先輩・同輩の名に そえる尊敬語。「君」より ていねい。「《手紙》田中ーへ・山本ーをしのぶ」②《宗》〔プロテスタントで〕男性信者の名に そえる尊敬語。•**兄たりがたく弟たりがたし** 句〔文〕どちらがすぐれている とも言えない。

**けい**［刑］国家が、罪をおかした人に加える罰。「ーに服する」

＊＊**けい**［系］㊀**けい**《数》一つの定理から理論的に推理できる、別の定理。㊁**けい** 造 ①〔一つのものから分かれた〕系統。「左派ー・医ー大学・多産ー」②〔俗〕ある特色をぼかしてさすことば。「いやしーのタレント・かわいいーの男の子」

**けい**［京］①数の単位。兆の一万倍。きょう。「一ー」②ⓐ↑東京。「ー浜」ⓑ↑京都。「ー阪神」

**けい**［径］〔文〕直径。「ー三センチ」

**けい**［計］㊀**けい** ①〔文〕計画。はかりごと。「百年のー」②合計。「ー八個」㊁**けい** 造 分量・はやさ・程度などをはかる器具。「体重ー・温度ー・風力ー」

**けい**［×桂］《将棋》↑けいま(桂馬)。

**けい**［経］㊀**けい** ①〔=織物の縦糸〕〔文〕物語などの中心となる筋。たていと。(↕緯) ②↑経済(学部)。㊁造《医》…の器官を〈通る／通す〉こと。「ー呼吸器的に〔=呼吸器を通して〕有害物質を摂取する」

**けい**［景］㊀**けい**〔文〕けしき。ようす。「関東第一のー」㊁造〔劇などの〕場面。「第一ー」

**けい**［(×罫)］㊀造 ①字を書くときに曲がらないように、紙の上に何本も引いた線。②〈碁盤／将棋盤〉の面に引いた、縦横の線。

**けい**［×卿］《代》〔文〕君主が臣下を呼ぶ ことば。なんじ。おんみ。「ーら〔=諸君〕は…」

**けい**［軽］㊀造 ①かるい。「ー金属」②てがるな。大がかりでない。「ー音楽」③かるくて、小さい。「ー自動車」④程度が かるい。「ー犯罪」㊁**けい** ↑軽自動車。「ー四(車)〔=軽四輪車〕・ーに乗っている」

**けい**［形］造 ①…に似た かたち。「半月ー」②《言》活用形。「終止ー」

**けい**［渓］造 絶壁になって、けしきのいい谷。渓谷。〔多く、名所の名として使う〕「耶馬ー」

**げい**［芸］①〔職業とするために〕習い覚えた特別の技術。②芸能・曲芸などの わざ。•**芸が細かい** 句〔やり方が〕細かく気を配って、行き届いているようす。•**芸がない** 句 ぱっとしない。•**芸は身を助ける** 句〈平凡／無風流〉で感心できない。ぱっとしない。遊びのつもりで覚えたことが、貧乏になったときに役立つ。芸は身を助く。

**ゲイ**〔米 gay〕男性の同性愛者。

**けいあい**［敬愛］《名・他サ》〔文〕尊敬して したうこと。「私のーする作家」

☆☆**けいい**［経緯］〔=縦糸と横糸〕いきさつ。事情。「事のーを説明する・一度断られたーがある」

**けいい**［敬意］相手を尊敬する気持ち。「ーを表する」•**けいいひょうげん**［敬意表現］《言》敬語・婉曲表現・丁寧な語調などをふくめた、相手に敬意をあらわすための表現。

**けいい**［軽衣］〔文〕身軽な服装。

**けいい**［軽易］《ナダ》〔文〕からだをあまり使わず、簡単でやさしいようす。「ーな作業」

**げいいき**［芸域］その人が その芸術の中でやりこなせる範囲、また、活動できる領分。

**けいいん**［契印］〔文〕発行の証拠として、原簿と書類の両方にまたがらせて おす印。また、ひとつづきの書類であることをしめすために、それぞれの紙面にまたがらせて おす印。わりいん。

**げいいん**［△原因］《名・自サ》〔話〕⇩げんいん。

**げいいんばしょく**［鯨飲馬食］《名・自サ》〔文〕まるでクジラや馬のように、たくさん飲み食いすること。

＊＊**けいえい**［経営］《名・他サ》〔=なわばりをして建築する〕①〔文〕計画を立てて事業をおこなうこと。「天下をーする・領地ー・森林ー」②《経》〔利益があがるように〕事業をいとなむ〈こと／組織〉。「ー者・ー規模」③↑経営者。「ー側」•**けいえいがく**［経営学］企業の活動について研究する学問。•**けいえいしげん**［経営資源］《経》企業活動に必要なもの。人・物・お金・情報など。•**けいえいどりょく**［経営努力］《名・自サ》むだをはぶいたり、サービスをよくしたりして、経営を順調にする努力。

**けいえい**［警衛］《名・他サ》〔文〕護衛。警護。

**けいえん**［敬遠］《名・他サ》①尊敬するふりをして、実は相手にしないこと。けむたがること。「社長を―する」②好まないこと。「スパイスの強い料理は―されがちだ」③《野球》強い打者を、わざとフォアボールにして、打たせないこと。

**けいえんげき**［軽演劇］笑劇などの、かるい気分で楽しむ演劇。

**けいおん**［警音］〔文〕警告する音。「―器〈＝クラクション〉」

**けいおんがく**［軽音楽］《音》ジャズ・流行歌などの、かるい気分で楽しむ音楽。軽音。

**けいか**［経過］《名・自サ》①ある まとまった時が過ぎること。「三分―・二十年が―した」②時とともに、ものごとが移り変わるぐあい。なりゆき。「事件の―」●**けいかそち**［経過措置］新しい制度をつくるとき、前の制度に従っていた人のために、しばらくの間、特別の あつかいを認めること。

**けいが**［慶賀］《名・他サ》〔文〕よろこび いわうこと。

**げいか**［×猊下］《代》《仏》徳の高い僧やその宗派の管長を尊敬して(下につけて)呼ぶ名。「大僧正―」

**けいかい**［啓開］〔文〕災害時、がれきなどを動かして、車や船がひとまず通れるようにすること。「道路―」

**けいかい**［警戒］《名・自他サ》①〔悪いことが起こらないように〕少しでも変わったことがあれば、すぐ行動できるかまえを取ること。「周囲を―する・高潮に―する・相手の話に―の色を見せる・―心」②監視やパトロールなど。「―中の警察官」●**けいかいしょく**［警戒色］①《動》ある動物が、ほかの動物の攻撃を防ぐための、目立った色や模様。(↔保護色)②警戒するようす。「―を強める」●**けいかいせん**［警戒線］①それをこすと警戒しなければならない、目じるしの線。「水位は―をこえた」②非常線。「―を突破」

**けいかい**［軽快］㊀《ナダ》①〔からだなどが〕軽くて、すばやく動けるようす。「―に走る・―な服装・―な自動車・―車〈＝俗に言う、ママチャリ〉」②かるい感じで、ここちよいようす。「―なリズム」派―さ。㊁《名・自サ》《医》病気・症状が かるくなること。

☆☆**けいがい**［形骸］〔文〕からだ。骨組み。「自治の―化〈＝見せかけだけで、内容のないものとなること〉」●**形骸をとどめない**句 あとかたもない。

**けいがい**［×謦×咳］〔文〕せきばらい。●**謦咳に接する**句〔文〕尊敬する人に親しくお目にかかって、その話を、じかに聞く。

**げいかい**［芸界］〔文〕芸人の社会。芸能界。

**けいかく**［×圭角］〈＝かど〉〔文〕かどがあって円満でない性質や おこない。「―の多い人物」

****けいかく**［計画］㊀けいかく《名・他サ》何かを実現するための、手順・方法をふくむ予定(を考えること)。プラン。「旅行の―を立てる・―倒れ」㊁遺 あらかじめ予定を作っておいて、おこなうこと。「―停電・―運休・―倒産」●**けいかくてき**［計画的］《ナダ》計画を立ててするようす。「―犯行・やることが―だ」(↔衝動的)

**けいがく**［掲額］《名・他サ》〔文〕額にして かかげること。また、その額。「肖像画を―する・―式」

**けいかん**［×桂冠］〔文〕⇩月桂冠。●**けいかんしじん**［×桂冠詩人］イギリス王室の優遇を受ける詩人。例、ワーズワース。

**けいかん**［景観］〔ある場所からながめたとき〕目にはいるけしき。ながめ。「沿線の―・―地区〈＝良好な景観を作るために定められた地区〉」

**けいかん**［警官］警察官。「―隊・武装―」

←**けいがん**［×炯眼・×烱眼］《名・ナダ》〔文〕光った目。ものの本質をするどく見きわめる眼力。

→**けいがん**［×慧眼］《名・ナダ》〔文〕かしこくて するどい眼力。(↔凡眼)

**けいかんえいよう**［経管栄養］《医》〔食事を口から取れないとき〕鼻や おなかからチューブを通して、胃や腸に流動食を入れること。

**けいき**［刑期］刑に服する期間。

**けいき**［契機］①〔ものが急に変化する〕きっかけ。「生活一新の―とする」②《哲》ものごとの変化や発展を決める本質的要素。モメント。

**けいき**［計器］ものの数量をはかる器械。メーター。例、はかり。「―飛行(↔有視界飛行)」

**けいき**［景気］〈＝ありさま。気配〉①〔ものごとをするときの〕元気。威勢。「―のいい かけ声・―をつける」②売れ行き・かね回りを中心とした、商売のようす。「どうです、―は」③《経》企業活動の程度、またそれを中心とする経済活動のありさま。特に、かね回りの状態。「―がいい・不―」●**けいきづけ**［景気(付け)］元気や勢いをつけること。「―の酒」

**けいき**［継起］《名・自サ》〔文〕相ついで おこること。続いて あらわれること。

**げいぎ**［芸×妓］芸者。

**けいきへい**［軽騎兵］もと、ヨーロッパの、軽快な武装の騎兵。驃騎兵。

**けいきょ**［軽挙］《名・自サ》〔文〕かるがるしい行動(をとること)。不注意。●**けいきょもうどう**［軽挙妄動］《名・自サ》〔文〕かるはずみな行動(をすること)。

**けいきょう**［景況］①〔文〕ありさま。ようす。②《経》経済活動の状態。「二月の―・―感」

**けいきんぞく**［軽金属］《理》比重四以下のかるい金属。例、アルミニウム。(↔重金属)

**けいく**［掲句］〔文〕批評や解説を加えるため、先に示した俳句。

**けいく**［警句］〔文〕短い形で、ものごとの真理をするどく表現したことば。アフォリズム。「―を吐く」

☆☆**けいぐ**［敬具］《手紙》〔文〕終わりに書く、あいさつのことば。つつしんで申し上げます。拝具。〔初めが「拝啓」「拝復」などの場合に使う〕☞草々。

**けいぐん**［鶏群］〈＝ニワトリの むれ〉〔文〕凡人の集まり。●**けいぐんのいっかく**［鶏群の一鶴］〈一鶴＝一羽のツル〉〔文〕目立って すぐれた人。

**けいけい**［軽々］《ナダ》〔文〕かるがるしいようす。「―に論じてはならない」☞かるがる(軽々)。

**けいけい**［(×炯々)・(×烱々)］《トタル》〔文〕〔目が〕するどく光るようす。「―たる眼光」

**げいげき**［迎撃］《名・他サ》〔戦争や試合で、攻撃してくる相手を〕むかえうつこと。「―ミサイル」

**けいけつ**［経穴］〔東洋医学で〕〈はり(鍼)を打つ／きゅう(灸)をすえる〉人体の点。きゅう点。つぼ。

**けいけつ**［経血］《生》月経のときに出る血。

****けいけん**［経験］《名・他サ》①その後に影響する

ようなできごとの中に身を置くこと。また、そうして身についた知識や技能。「優勝を—する・出産を—する・—を積む・—的に知っている・—者・—談・—不問〔=経験は、なくてもかまわない〕」 区別 「経験」も「体験」も、「戦争を〈経験/体験〉する」のように、実際にその場に身を置く点では同じだが、「経験」は影響が後におよぶということに、「体験」は実感を得ることに重点がある。「経験」は「社会の変化を経験する」のようにばくぜんとした場合や、「日本が高度成長を経験する」のように人以外の場合にも使う。「体験」は「竹細工を体験する」のように、ちょっとやってみる場合にも使う。②性交の「経験①」。「女性—」 ●けいけんそく［経験則］経験を通して自然につかんだ法則。 ●けいけんち［経験知］経験によって身につく知恵。「日本人の—」 ●けいけんち［経験値］経験を重ねて得る力の度合い。「—が上がる」〔一九八〇年代からコンピューターゲームで使われ、二十一世紀になって広まったことば〕

☆☆けいけん［敬×虔］《ナダ》①尊敬し、つつしむようす。②神や仏に誠意をもって帰依するようす。「—な信者」 派 -さ。

けいげん［軽減］《名・他サ》へらしてかるくすること。「—税率」(↕加重)

けいけんわんしょうこうぐん［×頸肩腕症候群］《医》⇩けいわん(頸腕)しょうこうぐん。

けいこ［稽古］《名・他サ》武術・芸能などを習うこと。練習。「師匠に—をつけて〔=教えて〕もらう・朝—・ピアノのお—」 ●けいこごと［稽古(事)］技術や作法を身につけるために習うもの。生け花・ピアノなど。習い事。 ●けいこだい［稽古台］練習の相手。「—になる」

☆☆けいご［敬語］相手や第三者を高く位置づけたり、相手に礼儀正しさを示したり、相手と距離を置こうとするときに使うことば(づかい)。尊敬語・謙譲語・丁重語・丁寧語・美化語に分けられる。「—で話す・—がつかえない」

←けいご［警固］《名・他サ》ある場所を警戒して守りをかためること。

→けいご［警護］《名・他サ》ある人を警戒して守ること。護衛。警衛。「要人を—する」

げいこ［芸×妓・芸子］〔文〕芸者。「—はん」

☆☆けいこう［経口］《医》口の中を通ること。「—感染・—避妊薬〔⇩ピル②〕・—摂取〔=口から栄養を取り入れること〕」

けいこう［蛍光］《理》ある物体に、光やX線などを当てたとき、その物体から出る光。「—塗料」 ●けいこうとう［蛍光灯］①ガラスの内がわに蛍光を出す物質を塗った、管の形の電灯。白熱電球にくらべて、同じ消費電力なら数倍明るく、耐久性にも富む。②〔古風〕〔昔の蛍光灯のように〕反応がにぶい人。 ●けいこうペン［蛍光ペン］蛍光顔料を使ったペン。おもにマーカー用〔=ラインマーカー〕。

*けいこう［傾向］①ある性質を強める方向に向かうこと。かたむき。「肥満の—がある・言葉を軽視する—が強い」②〔思想上の〕特定の「傾向①」を持つこと。「—文学〔=主に社会主義文学〕」 ●けいこうてき［傾向的］《ナダ》〈社会主義/ある特定〉の傾向を持つようす。

けいこう［鶏口］〔=ニワトリの口〕〔文〕小さな団体のかしらのたとえ。 ●鶏口となるも牛後となるなかれ 句〔牛後=ウシのしり〕大きな団体で下っぱでいるより、小さな団体でもいいから、そのかしらになれ。

けいこう［携行］《名・他サ》持っていくこと。「—に便利」

☆☆げいごう［迎合］《名・自サ》〔気に入られようとして〕相手にあわせた態度をとること。「権力に—する」

けいこうぎょう［軽工業］消費財を生産する工業。例、食品工業・繊維工業。(↕重工業)

けいこく［渓谷］たに。「—ぞいの道路」

けいこく［経国］〔文〕国を経営する〔=おさめる〕こと。「—の大事業・—済民〔=国をおさめ、人々をすくうこと。☞経世済民〕」

けいこく［傾国］〔文〕⇩傾城。「—の美女」

けいこく［警告］《名・他サ》気をつけるように注意すること。「—を発する」

←けいこつ［×脛骨］《生》すねに二本ある骨のうち、内がわにある太い骨。☞腓骨。

→けいこつ［×頸骨］《生》首の骨。

げいごと［芸(事)］芸能に関することがら。

げいこん［芸魂］〔文〕芸にうちこむ気力。

けいさい［×荊妻］〔文〕自分の妻をへりくだって言う語。愚妻。 由来 中国・後漢の梁鴻の妻が、荊のかんざしをさしていた故事から。

けいさい［継妻］〔文〕後妻。のちぞい。

けいさい［掲載］《名・他サ》〔新聞・雑誌などに〕のせること。「広告を—する・—料」

**けいざい［経済］ 一 ①《経》社会生活をいとなむのに必要な、売買や生産・消費などの活動。「—状態・—力」②財政状態。お金のやりくり。「わが家の—」 二 《ナダ》〔古風〕費用がかからない(ようにする)ようす。「このほうが—だ」(↕不経済) 由来 ⇩経世済民。 ●けいざいかいはつ［経済開発］工業を中心として、各種の産業を開発すること。 ●けいざいがく［経済学］経済に関する現象を研究する学問。「マクロ—・マルクス—」 ●けいざいかんねん［経済観念］〈経済上の/お金に対する〉考えや知識。「—のない人」 ●けいざいさんぎょうしょう［経済産業省］《法》経済・産業・通商などの行政事務をあつかう中央官庁。経産省。〔もと通商産業省《通産省》〕 ●☆☆けいざいすいいき［経済水域］経済水域。 ●☆☆けいざいせいさい［経済制裁］《法》↑排他的経済水域。 ●☆☆けいざいせいさい［経済制裁］国際的なとりきめを守らない国に対し、高い関税をかけたり、貿易をとめたりして、圧力をかけること。「—を発動する」 ●☆☆けいざいせいちょうりつ［経済成長率］《経》国の経済の規模が大きくなる割合。物価の値上がり分を差し引いた国民総生産の増加率であらわす。 ●けいざいてき［経済的］《ナダ》①経済に関係があるようす。②費用の節約になるようす。(↕不経済) ●けいざいなんみん［経済難民］まずしいために国外へのがれ出た人々を、難民にたとえて言うことば。

けいざい［軽罪］〔文〕かるいつみ。微罪。

けいさぎょう［軽作業］からだをあまり使わない、簡単な作業。

**けいさつ[警察]** ㊀①《法》社会の安全を守り、法令違反を取りしまる、公的な機関。「—官・—力」②↑警察官。「—が来た」▽サツ〔俗〕。㊁「けいさつ」㊣〔俗〕特定のことを細かく点検して、何かというと批判する人。「マナー—」〔二〇一〇年代に広まった用法〕●**けいさつかん[警察官]** 警察の仕事をする人。巡査・警部・警視などの階級がある。警官。●**けいさつけん[警察犬]** 犯人や物を追跡・発見するために、特別に訓練した犬。●**けいさつけん[警察権]**《法》「警察㊀①」の目的のために人民を強制する、国家の権力。●**けいさつこっか[警察国家]** 政府が無制限に権力を持ち、警察を使って個人の生活に立ち入り、国民の自治を認めない国家。●**けいさつしょ[警察署]**《法》一定の地域の中の警察事務を取りあつかう役所。●**けいさつちょう[警察庁]**《法》警察に関する事務を取りあつかい、都道府県の警察を指揮・監督する官庁。国家公安委員会の管理下にある。「—長官」●**けいさつてちょう[警察手帳]** 二つ折りで表紙のついた、警察官の身分証明書。メモはできない。

**けいさん[×珪酸・ケイ酸]**《理》ケイ素・酸素・水素の化合物。乾燥剤・吸着剤などに使う。☞シリカゲル。

***けいさん[計算]**《名・他サ》①たしたり引いたりなどして、求める数を出すこと。一、二、三…と数えること。「人数を—する・時間を—に入れる〔=ふくめる〕・—機」②あらかじめ、細かく〈予想する／段取りを決める〉こと。「—どおりの結果・—された演出・—外」③損得を考えること。「これは商売になると—する」●**けいさんじゃく[計算尺]** 対数の理論を応用して、複雑な計算を簡単におこなう、ものさし形の器具。二本の目盛り尺とカーソルを使って、乗除・平方・立方・根〔=平方根・立方根など〕の値を出す。●**けいさんしょ[計算書]**〔仕事などの〕費用の内訳を書いた書類。●**けいさんずく[計算〈尽く〉]**—づく お金や将来のことなど、自分の損にならないように考えた上で行動すること。「—の行動」●**けいさんだか・い[計算高い]**《形》けちだったり、打算的だったりして、自分の損得をまず考える性質だ。勘定高い。「—人物」

**←→けいさんしょう[経産省]**《法》↑経済産業省。

**けいさんしょう[経産相]**〔文〕経済産業大臣。経産大臣。

**けいさんぷ[経産婦]**《医》お産をしたことがある女性。(↕未産婦)

**けいし[兄姉]**〔文〕あにとあね。☞諸兄姉。

**けいし[形姿]**〔文〕すがたや、かたち。「美しい—」

**けいし[×罫紙]**〔縦または横に〕同じ間隔で線を引いた紙。事務に使う。けいがみ。

**けいし[警視]**《法》警察官の階級の一つ。警部の上。警視正、警視長、警視監、警視総監と、順に位が上がる。●**けいしそうかん[警視総監]**《法》警視庁の最高責任者。●**けいしちょう[警視庁]**《法》東京都の警察に関する事務を取りあつかう本部。

**けいし[刑死]**《名・自サ》〔文〕罪をおかした罰として死ぬこと。

**けいし[軽視]**《名・他サ》かろんじること。かるく考えること。「人命を—する」(↕重視)

**☆☆けいじ[刑事]** ①《法》国家の刑罰権に関することがら。「—事件・—裁判・—被告人」(↕民事) ②〔↑刑事巡査〕刑事事件の捜査を受け持つ〔私服の〕警察官。●**けいじしせつ[刑事施設]** 犯罪者や犯罪の疑いのある人を収容する施設。刑務所・少年刑務所・拘置所。●**けいじせきにん[刑事責任]**《法》刑法の禁じる罪をおかした責任。「—を追及する」●**けいじそしょうほう[刑事訴訟法]**《法》刑事裁判に関係する手続きを定めた法律。刑訴法。●**けいじほしょう[刑事補償]**《法》刑事事件の裁判で無罪となった人に対して、拘束その他の被害について国が補償すること。

**けいじ[経時]**〔文〕時間を経ること。「—変化・—的な観察」

**けいじ[慶事]**〔文〕〔結婚・出産などの〕おめでたいこと。喜ばしいこと。吉事。おめでた。「—が続く」(↕弔事)

**けいじ[兄事]**《名・自サ》〔文〕その人を兄として、つかえること。

**けいじ[計時]**《名・他サ》〔文〕ストップウォッチを使って〔競技などの〕時間をはかること。「—係」

**けいじ[啓示]**《名・他サ》人間の前に、神が真理をしめすこと。「神の—を受ける」

**けいじ[掲示]**《名・他サ》人の目につくところに、お知らせなどの文書を出すこと。また、その文書。「—を外す」●**☆☆けいじばん[掲示板]** ①掲示をはる板。「町内の—」②〔インターネットで〕不特定多数の人が書きこみをするサイト。

**けいじか[形×而下]**《哲》かたちのあるもの。有形。(↕形而上)

**←*けいしき[形式]** ①外から見たようす。外形。「手紙の—で書かれた小説」②決まっている、一定の〈やり方／手続き〉。「—をふむ・単なる—にすぎない〔=形をととのえるかどうか、ということにすぎない〕・—ばる〔=形式にこだわる〕」(↕内容・実質) ●**けいしきてき[形式的]**《ナダ》①形式に関するようす。「—に整っていない書類」②型にはまったようす。「—な表現」③形式だけで、実質がないようす。「—なおわび」④実質はともかく、形式としてそうであるようす。「—には退職だが、実は解雇だった」▽③④(↕実質的) ●**けいしきはん[形式犯]**《法》法的な侵害(の危険性)が生じない犯罪。例、運転免許の不携帯。(↕実質犯) ●**けいしきめいし[形式名詞]**《言》名詞の一種。実質的な意味を持たずに用いられるもの。必ず前に連体修飾語をともなう。例、こと・とき・はず・ため。●**けいしきろん[形式論]** 手続きその他の、形式を重んじる議論。

**→けいしき[型式]** ⇩かたしき。

**けいじじょう[形×而上]**《哲》かたちを知覚できないもの。かたちをこえたもの。無形。(↕形而下) ●**けいじじょうがく[形×而上学]**《哲》ものごとの根本原理を研究する学問。宇宙の根本の本体を考える学問。

**けいしつ[形質]**《生》生物の、からだの上での特徴。また、遺伝上の特色のもととなる性質。「—人類学」

**けいしつ[×憩室]**《医》食道・胃・大腸などの内壁

の一部が、外がわに向かってとびだして袋状になった形態異常。「大腸—」

**けいじつ**［経日］〔文〕一日ごと。「—的変化を観察する」

**けいじどうしゃ**［軽自動車］小型の自動車。排気量六六〇cc以下。Kカー。軽。

**けいしゃ**［鶏舎］《農》にわとり小屋。

**けいしゃ**［傾斜］《名・自サ》①かたむいてななめになること。「台が—する」②かたむいた(平)面。「—をすべり降りる」③かたむきの度合い。勾配。「—がゆるい・急—」④あることに(気持ちが)かたよること。「悪の世界に—する」●**けいしゃ はいぶん**［傾斜配分］必要性や重要性などに応じて、お金・時間・点数などを差をつけて割りふること。「予算の—」

**げいしゃ**［芸者］歌や舞・音楽などで酒もりを楽しくすることを職業とする女性。

**げいしゃ**［迎車］〔タクシーやハイヤーなどが〕客をむかえに行く〈こと／車〉。

**けいしゅ**［警手］〔鉄道で〕事故の防止などにあたる職員。「踏切—」

**けいしゅう**［×閨秀］〔文・古風〕学芸にすぐれた女性。女流。「—作家」

**けいじゅう**［軽重］〔文〕⇩けいちょう(軽重)。

**けいしゅく**［慶祝］《名・他サ》〔文〕喜んでいわうこと。「—行事」

**けいしゅつ**［掲出］《名・他サ》〔文〕掲示して〈出す／みんなに見せる〉こと。

***げいじゅつ**［芸術］①美を表現する人間の活動と、その結果できあがったもの。絵・彫刻・音楽など。「—家・—品・—味・—的」②「芸術①」を学ぶ、高等学校の教科。●**芸術は長く人生は短し**㊗〔古代ギリシャの医学者ヒポクラテスの言ったことば〕人の命は短いが芸術作品はいつまでも残る。●**げいじゅついん**［芸術院］りっぱな仕事をした芸術家を優遇する機関。「日本—・—賞」●**げいじゅつさい**［芸術祭］文化の日を中心にしておこなわれる、芸術に関する行事。●**げいじゅつしじょうしゅぎ**［芸術至上主義］芸術は、ほかの目的のためでなく、芸術そのもののためにあるという考え方。●**げいじゅつせんしょう**［芸術選奨］芸術の分野ですぐれた活動をした人に文部科学大臣がおくる賞。●**げいじゅつてき**［芸術的］《ナダ》芸術の性質を持つようす。芸術の鑑賞にたえるようす。

**けいしゅん**［慶春］〔＝新春を喜ぶこと〕〔文〕年賀状のあいさつのことば。

**げいしゅん**［迎春］〔文〕①〈新春／新年〉をむかえること。②年賀状のあいさつのことば。●**げいしゅんか**［迎春花］〔文〕春をむかえるかのように、春先にさく花。例、クロッカス・レンギョウ。

**けいしょ**［経書］〔四書五経など〕儒学のよりどころとなる、中国の古典。

←**けいしょう**［形勝］〔文〕①地勢のすぐれている〈こと／土地〉。要害の地。②景勝。

→☆☆**けいしょう**［景勝］〔文〕けしきのすぐれている〈こと／土地〉。「—地」

**けいしょう**［形象］〔文〕内容が外にあらわれたかたち。形態。

←**けいしょう**［軽症］かるい〈症状／病気〉。(↕重症)

→**けいしょう**［軽傷］かるいけが。(↕重傷)

☆☆**けいしょう**［警鐘］①警戒して鳴らすかね。急をつげるかね。②ほうっておくと危険であることを知らせるもの。「—を鳴らす〔＝警告する〕」

**けいしょう**［敬称］《名・他サ》相手のほうを、敬意をこめて言う〈言い方／こと〉。特に、名前の下につけることば。例、さん・氏・先生・貴社。(↕謙称)

**けいしょう**［継承］《名・他サ》〔文〕ある時期の人から次の時期の人に、仕事・財産・思想などをうけつぐこと。ひきつぐこと。

**けいしょう**［軽少］《名・ナダ》〔文〕程度の小さいようす。わずか。「まことに—ですが」㊓—さ。

**けいしょう**［軽×捷］《名・ナダ》〔文〕動きがかるくてすばやいこと。「—な身のこなし」

**けいじょう**［刑場］死刑をおこなう場所。しおきば。

**けいじょう**［形状］物がどういう形をしているかということ。ありさま。「物体の—」●**けいじょうきおくごうきん**［形状記憶合金］変形しても、記憶してあるもとの形にもどる性質をもっている合金。

**けいじょう**［経常］〔会計の上で〕毎年または毎月必ず必要とされていること。「—的な支出・—費(↕臨時費)」☞けいつね(経常)。●**けいじょうしゅうし**［経常収支］《経》外国とのあいだで取り引きされた物やサービスに関する収入と支出。貿易収支・サービス収支・所得収支・経常移転収支から成る。●☆☆**けいじょうりえき**［経常利益］《経》会社の決算で営業上の利益とその他の利益を合計したもの。所得税・特別損益をふくむ。けいつね。

**けいじょう**［敬譲］①〔文〕人をうやまい、自分がへりくだること。②《言》話し手が、相手あるいは第三者に対して尊敬・謙譲の気持ちをあらわす言い方。「—表現〔⇩敬意表現〕」

**けいじょう**［警乗］《名・自サ》(警察官が)犯罪防止などのため、船・列車などに乗りこんで警戒すること。「—警官」

☆☆**けいじょう**［計上］《名・他サ》費用の項目としてとりあげ、その数字を示すこと。「交際費を予算に—する」

**けいじょう**［啓上］《名・他サ》《手紙など》〔文〕申しあげること。☞一筆啓上。

**けいしょく**［軽食］食堂などで出す、かるい食事。簡単な一品料理。

**けいしょく**［慶色］〔文〕喜びのようす。

**けいしょくどう**［軽食堂］簡単な料理を出す店。

**けいじょし**［係助詞］《言》文語で、いろいろな語について、述語の結びを一定の形にする助詞。「ぞ・なん・や・か・こそ」など。係り助詞。☞係り結び。

**けいしん**［敬神］〔文〕神を尊敬すること。「—の念」

**けいしん**［軽信］《名・他サ》〔文〕かるがるしく信じること。

**けいじん**［軽×塵］〔文〕かるいちり。かるく積もったちり。

**けいず**［系図］祖先から伝わる、家の系統を書きつけた記録。

**けいすい**［軽水］《理》重水に対して、ふつうの水の呼び名。(↕重水)●**けいすいろ**［軽水炉］原子炉の一種。炉心の冷却と、中性子の減速のために、軽

水を使うもの。原子力発電所の大半がこの型。(↔重水炉)

**けいすう**【係数】①《数》〔代数で〕その項こうの中にふくまれている、数字の部分。例、5xyの5。②《理》比例関係をあらわす式の定数。y=axのaにあたる数。

**けいすう**【計数】①かずを数えること。算用。「―に明るい」②計算した数字。

**けい・する**【刑する】《他サ》〔文〕死刑にする。

**けい・する**【敬する】《他サ》〔文〕尊敬する。うやまう。

●**敬して遠ざける** 句 敬遠する。

**けいせい**【形声】六書りくしょの一つ。意味をあらわす部分と発音をあらわす部分とを組み合わせて新しい漢字を作る方法。例、「水(意味)」と「可か(発音)」から「河か」を作るなど。「―文字」

**けいせい**【形勢】これからどうなるかというようす。なりゆき。くもゆき。「天下の―・―不利」

**けいせい**【経世】〔文〕世の中をおさめること。「―家」●**けいせいさいみん**【経世済民】〔文〕世の中をおさめ、人々をすくうこと。〔「経国(=国をおさめること)済民」などとともに、「経済」の由来〕

**けいせい**【傾△城】〔文〕①遊女。「―に誠まことなし」②〔①の由来〕その女性の色香いろかにまよい、城主が城をあやうくするほど美しいこと。「―の美女」▽傾国。

*__けいせい__【形成】《名・他サ》①形を作ること。まとまったものを作ること。「深い谷を―する・ネットワークの―・子どもの人格―」②《医》先天的な からだの表面の異常や、けが・やけどなどによる変形を治すこと。「顔の―をする」●**けいせいげか**【形成外科】「形成②」をおこなう外科の部門。〔形成外科医院などの名前にも使う〕☞整形外科。

↔**けいせい**【警世】《名・他サ》〔文〕世間の人をいましめること。「―の一文・一大―策」

→**けいせい**【警醒】《名・他サ》(=いましめて目ざめさせる)〔文〕世の中のまよいをやぶり、注意をうながすこと。

**けいせき**【形跡】何かをしたあと(かた)。「食べた―はない・試みた―がある」

**けいせつ**【蛍雪】(=ホタルの光や、窓からもれる雪のあかり)〔文〕苦心して学問すること。

●**蛍雪の功を積む** 句 たいそう努力して学問をする。

**けいせん**【経線】《地》赤道と直角にまじわって、北極と南極を結ぶように仮定した線。子午線。(↔緯線いせん)

**けいせん**【継戦】〔文〕戦争で、戦いを続けること。「―能力」

**けいせん**【×罫線】①輪郭りんかく、仕切りの線(などとして、活字と共に組みこむもの)。けい。②〔↑罫線表〕《経》⇨チャート③。

**けいせん**【係船・×繋船】《名・自サ》①船をつなぎとめること。②船の使用をいちじ中止すること。また、いちじ使用を中止した船。

**けいそ**【×珪素・×硅素・ケイ素】《理》金属と非金属の中間の性質をしめす元素〔記号Si〕。ほとんどの岩石にふくまれ、半導体などに用いられる。シリコン。

**けいそう**【×珪藻】淡水たんすい・海水に生活する、単細胞さいぼうのごく小さな藻もの類。細胞膜まくがケイ酸質の殻からでつつまれている。植物性プランクトンなど。珪藻類。

●**けいそうど**【×珪藻土】《地》珪藻が死んで、水の底に積もってできた土(の層)。吸水性があり、保湿剤ざい・かべ土・バスマットなどに使う。

**けいそう**【継走】〔文〕リレーして走ること。

☆☆**けいそう**【係争・×繋争】《名・自サ》《法》当事者の間であらそうこと。「現在、地裁で―中」

**けいそう**【軽装】《名・自サ》身がるな服装(をすること)。

**けいそう**【恵送】《名・他サ》〔文〕「ものを送ってくれること」の尊敬語。「ご―くださり ありがたく存じます」☞恵贈けいぞう。

**けいそう**【軽×躁】《ナダ》①〔文〕かるはずみで、すぐにさわぎたてるようす。②《医》軽い躁状態。「―を抑おさえる」

**けいぞう**【恵贈】《名・他サ》〔文〕「ものを贈おくってくれること」の尊敬語。けいそう。恵投。恵与けいよ。「ご―にあずかり…」☞恵送。

**けいそく**【計測】《名・他サ》ものさしや器械などを使ってはかること。「体重―」

**けいぞく**【係属・×繋属】《名・自他サ》《法》訴訟そしょうが続いていること。「―中の事件」

**けいぞく**【継続】《名・自他サ》続くこと。続けること。「―的・放送を―する」●**継続は力なり** 句 小さなことでも続けておこなえば、大きな成果につながる。

**けいそつ**【軽率】《ナダ》①よく考えないでおこなうようす。かるはずみ。「―な判断」(↔慎重しんちょう)②〔俗〕気軽。「アニメの主人公を―にかいてみた」〔二〇一〇年代後半からの用法〕表記 俗に「軽卒」とも。派 -さ。

**けいそん**【×鮭×鱒】〔漁業で〕サケ・マス。

**けいぞん**【恵存】(=保存してくだされば さいわいです)〔文〕〔自分の書いた本などを〕おくりものにするときに書くことば。「岸田真一様―」〔伝統的には「けいそん」〕

**けいだ**【軽打】《名・他サ》〔文〕かるく打つこと。かるい打撃だげき。

*__けいたい__【形態】①物の、かたち。「魚類の―・―学」②組織的に組み立てられたもののかたち。「国家の―・―づけ(る)」●**けいたいあんてい**【形態安定】〔生地きじに加工してあるため〕洗っても、しわになりにくく、縮まない性質を持っていること。形状安定。「―ワイシャツ」●**けいたいもしゃ**【形態模写】《名・自サ》身ぶりでする、ものまね(の芸)。

**けいたい**【敬体】《言》⇩丁寧ていねい体。(↔常体)

*__けいたい__【携帯】㊀《名・他サ》身につけたり、手に持ったりして持ちはこぶこと。「―品・―食料・―燃料」㊁↑携帯電話。「―にメールする」●☆☆**けいたいでんわ**【携帯電話】①持ち歩いて使える電話。インターネットに接続してメールの やりとりなどもできる。〔スマートフォンは、この一種〕②スマートフォンの登場より前に一般いっぱん的だった「携帯電話①」の機種。ガラケー〔俗〕。▽携帯。ケータイ〔俗〕。(↔固定電話・一般電話)

**けいだい**【経大】↑経済大学。

**けいだい**【境内】〈神社/仏閣〉の、敷地しきちの中。「―を歩く」

**けいだい**【掲題】《名・他サ》〔文〕題目として あげること。「〔メールで〕―の件、よろしくお願いします」

**げいだい**【芸大】↑(東京)芸術大学。

**けいたく**【恵沢】〔文〕〔天からあたえられる〕めぐみ。恩恵おんけい。「自由のもたらす―」

**げいだっしゃ**【芸達者】《名・ナダ》たくみに芸をこなす

け

〈ことようす〉。げいたっしゃ。「ほんとに―だね」

**げいだん**【芸談】芸道に関する話。

**げいだんれん**【経団連】〔↑日本経済団体連合会〕代表的な経済団体。〔もとの経団連《↑経済団体連合会》と日経連《↑日本経営者団体連盟》が統合〕

**けいちつ**【啓×蟄】〔=冬ごもりの虫が穴から出る〕《天》二十四節気の一つ。三月六日ごろ。

**けいちゅう**【傾注】《名・他サ》ある方向へ力を出しきること。「全力を―する」

**けいちょう**【軽重】〔文〕かるいことおもいこと。小事と大事。けいじゅう。「事の―をわきまえる・かなえ(鼎)の―を問う(⇩「かなえ」の句)」

**けいちょう**【慶弔】結婚・出産などの喜びと、葬式などの悲しみ。「―電報・―費」

**けいちょう**【傾聴】《名・自他サ》①熱心に聞くこと。「―に値する・父のことばを―する・専門家の意見に―する」②なやみ・不安などの聞き役になること。「―ボランティア」

**けいちょう**【軽×佻】《ナダ》〔文〕かるはずみ。「―浮薄」派―さ。

**けいつい**【×頸椎】《生》首の部分の脊椎。

**けいつね**【経常】《経》《話》経常利益。〔同音の「計上」と区別するため〕

**けいてい**【兄弟】〔文〕兄と弟。きょうだい。「―相和す・―姉妹」

**けいてい**【径庭・×逕庭】〔文〕へだたり。差。「考えることと実行することの間には大きな―がある」

**けいてき**【警笛】列車・自動車などで、危険を知らせ、注意をうながすために鳴らすふえやラッパ(の音)。☞クラクション。

**けいてん**【経典】①聖人・賢人の教えを記した本。きょうてん。②宗教の神髄を書いた本。

**けいでん**【軽電】〔↑軽電機〕家庭用などの小型の電気機械。掃除機・冷蔵庫など。「―製品」〔↔重電〕

**けいてんあいじん**【敬天愛人】〔文〕天をおそれうやまい、人民をいつくしむこと。

**けいと**【毛糸】羊などの毛をつむいだ糸。編み物に使う。「―玉」

**けいど**【経度】《地》地球の上を南北に通ると考えた線であらわす位置(の関係)。〔↔緯度〕☞東経・西経。

**けいど**【敬度】《言》敬意の程度。「『お会いする』よりも『お目にかかる』のほうが―が高い」

**けいど**【軽度】かるい程度。〔↔強度・重度〕

**けいとう**【系統】①ひとつながりのまとまり。「事務―・路線バスの―・―づけ(る)・―立てる」②同じ血筋をひくもの。「高血圧の―」•**けいとうじゅ**【系統樹】《生》生物の系統が枝分かれするようすを、樹木の幹や枝の形に似せた図であらわしたもの。•**けいとうてき**【系統的】《ナダ》系統があるようす。順序正しいようす。

**けいとう**【鶏頭】庭に植える草の名。秋、ニワトリのとさかに似た赤むらさき色の花をひらく。☞葉鶏頭

**けいとう**【傾倒】《名・自サ》心を寄せてしたうこと。「シュバイツァーに―する」

**けいとう**【継投】《名・自サ》①《野球》前の投手のあとを受けついで投球すること。「―策」②《俗》つないでいくこと。「ロースの次はカルビで―する」

**けいとう**【恵投】《名・他サ》〔文〕「ものをくれること」の尊敬語。恵贈。「ご著書を―いただく」

**げいとう**【芸当】①演芸。曲芸。②人をおどろかせるようなこと。はなれわざ。「そんな―ができるか」

**げいどう**【芸道】(技芸〈芸能〉の)みち。

☆☆**けいどうみゃく**【×頸動脈】《生》のどの両がわを通る、太い動脈。〔↔頸静脈〕

**げいどころ**【芸所】芸能に熱心で、技術のすぐれた所。「―、名古屋」

**けいどろ**〔「ケイドロ」とも書く〕おおぜいで警察とどろぼうに分かれてする鬼ごっこ。どろぼうが全員つかまったら終わり。どろけい。

**げいなし**【芸無し】何の芸も身につけていない〈こと/人〉。無芸。「―の身・私は―猿だ」

**けいにく**【鶏肉】〔文〕とりにく。

**げいにく**【鯨肉】〔文〕〔食品としての〕クジラの肉。

**げいにん**【芸人】①芸能を職業とする人。「お笑い―」②多芸な人。

**けいねん**【経年】〔文〕年月を経ること。「―変化・―劣化」☞高経年化。

**げいのう**【芸能】歌・おどり・劇・話芸など、人に見せて楽しませるための芸事。「大衆―・―界」•**げいのうじん**【芸能人】芸能の世界で活動する人。特に、テレビなどに出る芸人。タレント。

**けいば**【競馬】(職業選手が)馬を走らせて争う勝負。「―場」

**ゲイバー**〔米 gay bar〕①ゲイの店員がサービスするバー。②ゲイたちが集まるバー。

**けいはい**【×珪肺】《医》鉱物の粉・ほこりなどを吸いこんで肺がつまる病気。鉱山に多い。よろけ。

**けいはい**【軽輩】〔文〕①身分の低い人。「微禄―」②経験の浅い人。

**けいばい**【競売】《名・他サ》《法》⇩きょうばい(競売)②。

**けいはく**【経博】〔文〕↑経済学博士。

**けいはく**【敬白】〔文〕手紙・お知らせなどの終わりに書く、丁重なあいさつのことば。つつしんで申し上げます。謹白。「しばらく休業いたします。店主―」

**けいはく**【軽薄】■《ナダ》ものを深く考えず、いいかげんなようす。うすっぺら。「―な社員・―なヒット曲」〔↔重厚〕派―さ。■《古風》おべっか。おせじ。「―を言う」•**けいはくたんしょう**【軽薄短小】《名・ナダ》(工業製品などが)軽く、うすく、短く、小さいこと。手軽なようす。〔↔重厚長大〕

**けいはつ**【啓発】《名・他サ》気のつかないところ、たりないところを教えみちびくこと。「―を受ける」

**けいばつ**【刑罰】①《法》国家が、罪をおかした者に加える制裁。②刑と罰。とがめ。しおき。

**けいばつ**【×閨閥】〔文〕妻の親類を中心としてできた、なかま・党派・勢力。

**けいばつ**【警抜】《名・ナダ》〔文〕人をおどろかせるほどすぐれているようす。「―な着眼点」

**けいはん**【鶏飯】奄美の郷土料理。ごはんに具をのせ、ニワトリのスープをかけてお茶づけのように食べる。

**けいはんざい**【軽犯罪】《法》社会生活をいとなむ上

で、されては困る、かるい犯罪。例、立ち小便。

**けいはんしん**[京阪神] 京都と大阪と神戸(を中心とする地域)。

**けいひ**[×桂皮] 〔漢方薬で〕ニッケイ(肉桂)の皮。

**けいひ**[経皮] 《医》皮膚を通しておこなうこと。「ー吸収パッチ」

**けいひ**[経費] 活動や事業をおこなうのに必要なお金。「必要ー」

**けいひ**[軽費] 〔文〕あまり多くない費用。「ー老人ホーム」

**けいび**[経鼻] 《医》鼻を通しておこなうこと。「ー内視鏡検査」

**けいび**[警備] 《名・他サ》 警戒して防備すること。

**けいび**[軽微] 《ナダ》 程度が軽いようす。あまり問題にならないようす。「ーなミス・ーな発作」 派ーさ。

**けいひん**[京浜] 東京と横浜(を中心とする地域)。「ー工業地帯」

**けいひん**[景品] 商品といっしょに、客にあげる物。景物。おまけ。

**げいひん**[迎賓] 〔文〕大切な客をむかえること。●**げいひんかん**[迎賓館] 外国の元首などを、そこでもてなすために建てた建物。

**けいふ**[系譜] ①先祖代々の系図。②つぎつぎと影響を受けてきたつながり。「自然主義文学のー・哲学のー」

**けいふ**[継父] 〔文〕ままちち。(↔実父)

**けいぶ**[×頸部] 〔文〕首(の部分)。また、首のように細くなっている部分。「子宮ー・半島のー」

**けいぶ**[警部] 《法》警察官の階級の一つ。警部補の上、警視の下。

**けいぶ**[軽侮] 《名・他サ》 〔文〕かるく見て あなどること。

**げいふう**[芸風] 芸の ようす。演技の やり方。

**けいふく**[敬服] 《名・自サ》 人のおこないや態度をすぐれていると思い、かしこまること。「ひたむきな努力にーする」 区別 ⇩感心。

**けいぶつ**[景物] ①四季おりおりの、自然の ようす。「春のー、かげろう・農村のー詩、ホタル」 ②景品。おまけ。

**けいふん**[鶏(×糞)] 《農》肥料にする、ニワトリの ふん。

**けいべつ**[軽蔑] 《名・他サ》 おとったものと考えて、ばかにし、きらうこと。「世間知らずの男をーする」 派ーさ。

**けいべん**[軽便] 一《ナダ》 〔文〕手軽で便利なようす。二(↑軽便鉄道) 小型の機関車・車両を使う鉄道。軽鉄。

**けいぼ**[継母] 〔文〕ままはは。(↔実母)

**けいぼ**[敬慕] 《名・他サ》 〔文〕尊敬して したうこと。

**けいほう**[刑法] 《法》犯罪・刑罰に関する法律。

**けいほう**[警報] 災害や事故を警戒して出す知らせ。「〔踏切の〕ー機・火災ー器・〔気象庁が出す〕強風ー」

**けいぼう**[×閨房] 〔文〕〔夫婦の〕寝室。ねや。

**けいぼう**[警防] 災害を警戒して防ぐこと。「ー課・ー活動・ー団〔一九三九年設立、一九四七年廃止〕」

**けいぼう**[警棒] 警察官が、勤務するとき腰に下げて持つ棒。

**けいま**[×桂馬] 一《将棋》なめ前に二つ進むだけの動きをする駒。桂。うま。「ー跳び」 二《名・自サ》《碁》一つおいて、ななめに打つこと。

**けいみょう**[軽妙] 《ナダ》 らくらくと書いたり、動いたりして、じょうずなようす。「ーなしゃれ」 派ーさ。

**けいみん**[傾眠] 《医》必要以上に〈ねむってしまう/ねむくなる〉こと。「ー状態にある」

**けいむ**[刑務] 〔文〕①刑罰に関する仕事。②刑罰として させられる仕事。「ー官〔=看守など〕・ー行政」 「ーに服する・ー作業」 ●**けいむしょ**[刑務所] 刑の決まった犯罪人を入れて、とどめておく施設。☞拘置所。

**けいむ**[警務] 〔文〕①警察に関する仕事。②建物などの警備に関する仕事。「ー員」

**けいめい**[鶏鳴] 〔文〕夜明けを知らせる、ニワトリの鳴き声。

**げいめい**[芸名] 芸能人として、本名以外に持つ名前。

☆☆**けいもう**[啓×蒙] 《名・他サ》 ふつうの人々に知識をあたえること。啓発。「ー思想家・ー書・ー的な〔=わかりやすく書いた〕本」 ●**けいもうしゅぎ**[啓×蒙主義] ヨーロッパで、十六世紀の末から十八世紀後半にかけて流行した思想。合理主義に もとづいて、古い思想を打ち破ろうとした。

**けいやく**[契約] 《名・他サ》 《法》法律上の効果を持つ約束。「売買ー・ー金・ー書にサインする・ー農家から直接仕入れる」 ●☆☆**けいやくしゃいん**[契約社員] その会社の正社員ではなく、短期契約で、専門的な仕事をする社員。〔その会社と直接、雇用契約を結ぶ〕 ☞派遣社員。

**けいゆ**[軽油] 《理》①原油を蒸留して とれる、沸点の低い あぶら。ディーゼルエンジンの燃料。発動機油。②石油タールを蒸留してとれる、水よりかるい あぶら。▽(↔重油)

**けいゆ**[経由] 《名・自他サ》 ①目的地に行くのに、ある場所を通ること。②事務上の順序として、中間の機関を通ること。

**げいゆ**[鯨油] クジラの油。

**けいよ**[刑余] 〔文〕刑罰を受けたことがあること。「ーの人」

**けいよ**[恵与] 《名・他サ》 〔文〕①めぐんで あたえること。②恵贈。

**けいよう**[形容] 《名・他サ》 ①様子を〈かたどる/言いあらわす〉こと。たとえること。「何とーしてよいかわからない」 ②〔文章・談話の〕あや。「それは、ことばのーにすぎない」 ●**けいようし**[形容詞] ①《言》品詞の一つ。性質・状態をしめし、「白い」のように「い」で言い切る活用語。〔文語は「(白)し」で言い切る〕 ☞付録「形容詞活用表」。②そのものの性質や状態をあらわすことば。「史上最大級というーがつく」 ●**けいようどうし**[形容動詞] 《言》品詞の一つ。性質・状態をしめす活用語。①口語の場合。ⓐ「静かだ」「静かな」のように、終止形・連体形が「だ」「な」で終わるもの。〔この辞書では「ダナ活用」と言う。学校文法で口語の形容動詞と言えば、この活用を指す〕 ⓑ「堂々と」「堂々たる」のように、連用形・連体形が「と」「たる」で終わるもの。〔この辞書では「トタル活用」と言う〕 ②文語の場合。「静かなり」「堂々たり」のように「なり」「たり」の形で言い切るもの。〔一般に「ナリ活用」「タリ活用」と言う〕

☞付録「形容動詞活用表」。

**けいよう**［掲揚］《名・他サ》高くあげること。「国旗の―」(↔降納)

**けいよう**［×繋養］《名・他サ》〔競馬〕繁殖馬や引退した競走馬を牧場でやしなうこと。

**けいら**［警（×邏）］《名・自サ》警戒して見回る〈こと／人〉。パトロール。「―隊」

**けいらく**［京×洛］〔文〕⇨きょうらく(京洛)。

**けいらん**［鶏卵］〔食品としての〕ニワトリのたまご。

**けいり**［経理］《名・他サ》会計・給与についての事務。

**けいりし**［計理士］「公認会計士」の古い言い方。

**けいりゃく**［計略］人をだましたりして、自分の思いどおりのことをする計画。はかりごと。「―をめぐらす・―にひっかかる・裏切り者をあぶり出す―・おじさんにおごらせようという―」

**けいりゅう**［渓流］谷川(の流れ)。「清らかな―」

**けいりゅう**［係留・×繋留］《名・他サ》〔船などを〕つなぎとめること。「港に船を―する」

**けいりょう**［計量］《名・他サ》①分量や重さをはかること。「―器」②ものごとを量にもとづいて分析すること。「―経済学」

**けいりょう**［軽量］《名・ナダ》①重さがあまりない〈こと／ようす〉。かるい目方。「―級・―なアルミ・車体の―化」②重みの感じられない〈こと／ようす〉。「―内閣」▽(↔重量)

**けいりん**［競輪］〔職業選手が〕競技場で自転車を走らせて争う勝負。〔「ケイリン」としてオリンピックなど、国際種目に採用されている〕

**けいりん**［経×綸］《名・他サ》〔文〕政治(についての考え)。「さかんに―をおこなう」

**けいるい**［係累・×繋累］〔文〕生活のめんどうを見てやらなければならない、家族・肉親。「―が多い」

**けいれい**［敬礼］《名・自サ》尊敬の気持ちをあらわして〈礼をすること／する礼〉。おじぎ。「挙手の―(=軍隊や警察でおこなう、右手の指先を頭の横に上げる敬礼)」

**けいれき**［経歴］今までどういう仕事・職業について過ごして来たかということ。「―書(=履歴書)」

**げいれき**［芸歴］今までに演じた芸の経歴。〔デビューしてからの年数を言うことも多い〕

**けいれつ**［系列］①系統だてたものごとや数の配列。②資本関係などで関連がある企業グループ。「―会社」

☆☆**けいれん**［(×痙×攣)］《名・自サ》〔医〕筋肉が急に強く縮まること。ひきつり。「―を起こす」

**けいろ**［毛色］①毛の色。②全体のようす。性質。「―の変わった小説」

**けいろ**［経路］①どこを通るかというみち(すじ)。「通勤―・入手の―」②すじ(みち)。「変革の―」

**けいろう**［敬老］老人をうやまうこと。「―会」●**けいろうのひ**［敬老の日］国民の祝日の一つ。九月の第三月曜日。お年寄りに感謝の気持ちを示し、長寿を祝う日。〔一九六六年から実施。一九五一年に「としよりの日」がつくられ、「老人の日」を経て祝日になった。当初は九月十五日〕

**けいわんしょうこうぐん**［×頸腕症候群］〔医〕首や二のうでの神経が圧迫されて、首・肩・うでなどに痛みやしびれを起こす症状。頸肩腕症候群。

☆☆**けう**［(△希有・×稀有)］《ナダ》めったにないようす。非常にめずらしいようす。「―なできごと」

**けうとい**［気疎い］《形》〔古風〕うとましい。いとわしい。不愉快だ。「あの人と会うのは―」派―げ。―さ。

**ケー** [一]ケー［K・k］アルファベットの十一番目の字。[二]ケー［K］①(↑kitchen)台所。「3―(=部屋が三つと台所の間取り)」②(↑strikeout)〔野球〕三振。奪三振。③(↑ド Kalium)〔理〕カリウムの元素記号。[三]［K］〔造〕(↑Korea)韓国の。「―ポップ(『K-POP』とも書く)」▽[一]〜[三]ケイ。☞キロ①・キング②・ケッヘル・ケルビン。

**ゲー**〔造〕〔俗〕↑コンピューターゲーム。「音―(=音楽を使うゲーム)・―クリ(=ゲームクリエイター)・無理―(=クリアできないゲームや課題)」

**ケーオー**［KO］《名・他サ》(↑knockout)ノックアウト。「―勝ち」

**ケーキ**［cake］小麦粉・バター・たまご・生クリームなどで作る、西洋ふうの菓子の総称。

**ケーケー**［KK］(↑Kabusiki Kaisya)株式会社。〔会社名のあと、または前にそえて書く〕

**げえげえ**《副》人が吐く〈音／ようす〉。「飲みすぎて―やっている」

**ケージ**［cage］[一]ケージ(犬やネコなど、主に小動物を入れる)おり(檻)。鳥かご。「ペット―・バード―」[二]ケージ①エレベーターの、人や荷物をのせるところ。かご。②〔野球〕↑バッティングケージ。③〔総合格闘技で〕金網で囲まれた格技場。

**ゲージ**［gage; gauge］①⇨軌間。②〔長さ・厚さなどの〕測定に使う計器。③〔編み物で〕一定の寸法内にある、編み目の目と段の数。編み目の密度。「ハイ―(=高い密度)・ロー―」④パチンコの、くぎの間隔。

*__ケース__［case］①入れもの。「カード―・カメラの―・―ごと買う」②場合。事例。「テスト―・モデル―」●**ケーススタディー**［case study］ある特殊な例を研究して、一般的な傾向をたしかめる方法。事例研究(法)。ケース研究。●☆☆**ケースバイケース**［case by case=個別的に］場合場合で(やり方を変えること)。「―で判断する」●**ケースワーカー**［case-worker］生活保護を受ける人に対し、面接や、生活・就労の支援などを専門におこなう人。☞ソーシャルワーカー。

**ゲーセン**〔俗〕↑ゲームセンター。

**ケーソン**［caisson］⇨せんかん(潜函)。

**けーたい**［ケータイ］〔俗〕↑携帯電話。

☆☆**ケータリング**［catering］注文に応じて、でき上がった料理のほか、料理人やテーブルなどの出前もする業務。「―サービス」

**ケーてん**［K点］(↑ド Konstruktionspunkt=建築基準点)〔スキー〕ジャンプ競技で飛距離の点数計算の基準になる地点。「―二百メートルのジャンプ台」

**ゲート**［gate］①門。正門。出入り口。「スタジアムの入場―・空港の出発―(=ターミナルから飛行機へ向かう出口)」②〔競馬場で〕出発点の、仕切り。③〔ダムの〕水門。●**ゲートイン**［和製 gate in］①〔競馬〕

馬がゲートにはいること。「各馬—」②飛行機に乗る客がゲートにはいること。●**ゲートウエイ**〔gateway〕①出入り口。②《情》異なるネットワークを接続するための装置やソフトウェア。●**ゲートキーパー**〔gatekeeper=門番〕重大な事態を避ける役目。なやむ人によりそって、専門家を紹介する役目など。●**ゲートボール**〔和製 gate ball〕木のたまを、柄の長い木づち(槌)〔=スティック〕でたたいて、三つの門〔=ゲート〕をくぐらせたあとポールに当てて上がりとする競技。〔第二次大戦後、日本で考案され、高齢者のスポーツとして普及〕

**ゲートル**〔フ guêtre〕〔行動しやすいように〕ズボンのすそをおさえてすねに巻きつける、帯のように細長い布。巻き脚半。

**ケーナ**〔ス quena〕《音》アシのくきで作った、南米のたて笛。

**ケーパー**〔caper〕⇩ケッパー。

**ケープ**〔cape〕《服》〔幼児・女性用の〕そでのない、短いマント。

［ケープ］

**ケーブル**〔cable〕①電気を通さない物質でおおった、電線・光ファイバーなどのたば。〔電線の場合は「電纜」とも言う〕「地中—・海底—」②ものをはこぶためにはった、針金などをよりあわせた綱。索道。③↑ケーブル カー。④↑ケーブルテレビ。●**ケーブル カー**〔cable car〕急な傾斜の軌道の上を、鋼鉄の綱を巻いて動かす〈車/登山鉄道〉。ケーブル。☞ロープウエイ。●☆☆**ケーブルテレビ**〔↑ケーブル テレビジョン〕①電波を共同アンテナで受信し、各家庭に有線で送るテレビ。②放送局が、テレビ電波のほか各種の情報を、加入者の家庭に有線で送るテレビ。▽有線テレビ。CATV。

**ゲーマー**〔gamer〕(コンピューター)ゲームをする人。「プロ—」

**ゲーミング**〔gaming〕(コンピューター)ゲームをすること。「—PC〔=ゲーム用に特化したパソコン〕」

***ゲーム**〔game〕①勝負を争ったり、決められた課題を達成したりして楽しむ遊び。「—オーバー〔=ゲーム終了〕」②《野球など》試合。「—運び・シーソー—・—チェンジャー〔=試合の流れを変えてしまう人〕」③《テニス・卓球など》ひと試合中の それぞれの勝負。〔テニスでは四点を先取したほうが、そのゲームの勝ち。☞セット〕 **二** ②ⓐ〕「二—先取」④↑ゲーム セット。●**ゲームさ**〔ゲーム差〕〔プロ野球のペナントレースなどで〕各チームの勝敗による順位の差。「—二」●**ゲームセット**〔和製 game set〕勝負がついたこと。試合終了。ゲーム。(↔プレー ボール)●**ゲームセンター**〔和製 game center〕いろいろなゲーム機器のある遊技場。ゲー セン〔俗〕。●**ゲームポイント**〔game point〕《テニス・卓球など》あと一点取れば、そのゲームに勝つという状態。また、その最後の一点。☞セットポイント・マッチポイント。

**ケール**〔kale〕キャベツの一種。球状にならず、くきの上部に葉が密生する。葉を青汁にして飲む。

**ケーワイ**〔KY〕《名・ナダ》〔「空気、読めない」の頭文字〕〔俗〕その場の空気を読めない〈人/ようす〉。「—な人間・—発言」〔二〇〇七年ごろから流行したことば〕

**けおさ・れる**〔(気△圧される)〕《自下一》相手の意気ごみにおされる。圧倒される。「勢いに—」

**けおと・す**〔蹴落とす〕《他五》①足でけって落とす。けり落とす。②地位などを得るために、他をおしのける。失脚させる。「ライバルを—」

**けおり**〔毛織り〕①毛糸で織った〈こと/もの〉。毛織物。②もめんをけばだたせて織ったもの。

**けおりもの**〔毛織物〕毛糸で織った織物。毛織り。

**けが**〔(△怪我)・ケガ〕《名・自他サ》①ものにぶつかったり、刃物で切ったりなどして、からだの一部がそこなわれること。負傷。「—をした手・足を—する・—人・(お)—の具合はどうですか」「しろうとが手を出すと—をするよ」☞けがの功名。②痛手。損害。

**げか**〔外科〕病気やけがを手術や処置によって治す、医学・診療の一部門。「—医・内臓—」〔外科医院などの名前にも使う〕(↔内科)

**げかい**〔下界〕①〔文〕〔天界から見て低いところにある〕人間の世界。この世界。②〔非常に高いところから見下ろした〕地上。

**けかえし**〔蹴返し〕《すもう》組み合っているとき、足のうらを使って、相手の足の内くるぶしのあたりを、内がわから外にけってたおすわざ。

**けがき**〔×罫書き・×罫描き〕工作材料に、加工上必要な線や点の印をつけること。

**けが・す**〔汚す・×穢す〕《他五》①いやだ、ふれたくないと人が感じるものを、つけたり、まぜたりする。「下品な冗談で耳をけがされた」②〔とうとさ・名誉を〕そこなう。「職を—〔=汚職をする〕」③強姦する。犯す。④その地位にいることを、けんそんして言うことば。「末席を—」

**けがに**〔(毛×蟹)〕かたい毛が生えた食用のカニ。北海道でとれる。「—をゆでる」

**けがのこうみょう**〔(△怪我の)功名〕失敗や不運が、結局はいい結果につながったこと。例、発表された詩にあった誤植が、かえって詩の効果を高めた場合など。

**けがらわし・い**〔汚らわしい・×穢らわしい〕《形》けがれている感じがして、見聞きしたりふれたりしたくない。「—虫けらのようなやつ」派-げ。-さ。

**けがれ**〔汚れ・×穢れ〕けがれること。不潔。不浄。「—を知らない ひとみ」

**けが・れる**〔汚れる・×穢れる〕《自下一》①いやだ、ふれたくないと感じるものが、ついたり、まざったりする。「そんな本を読んだら目が—・汚れた世の中」②〔とうとさ・名誉が〕そこなわれる。「家名が—」

**けがわ**〔毛皮〕けもの の毛のついた皮。

**げき**〔劇〕 **一** 演劇や映画、ドラマなどの形で、加工した物語。特に、演劇。「音楽—・人形—」 **二** 造 世間の目を見張らせるような、一連のできごと。「逆転—・買収—・政変—」

**げき**〔×檄〕自分の主義や行動の正しさを人々に知らせる文章。檄文。●☆☆**檄を飛ばす** 句〔=檄を急いであちこちに送る〕①広くうったえかける。②〔げきを飛ばす・ゲキを飛ばす〕〔俗〕あらっぽく注意したりしてはげます。活を入れる。「業績回復のために社長が社員に—」

**げき**〔激〕造〔俗〕はなはだ。たいへん。「—やせ・—混み・—似・—ウマ〔=とてもおいしい〕・—吸収タオル」

**げき**[撃]造 打撃。攻撃。「第一—」

**げきえいが**[劇映画]〔記録映画などに対して〕劇としての筋を持つ映画。

**げきえつ**[激越]《ナダ》〔文〕①音声が強くて はげしいようす。②感情が はげしくあらだつようす。派-さ。

**げきか**[激化]《名・自他サ》はげしく〈なる/する〉こと。げっか。

**げきか**[劇化]《名・他サ》小説そのほかの文芸作品を脚色すること。

**げきが**[劇画] 物語の筋を持つ、写実的な漫画。〔一九六〇年代後半～七〇年代に流行〕

**げきかい**[劇界]〔文〕演劇にかかわる人の社会。演劇界。

**げきから**[激辛]《名・ナダ》〔俗〕①味が とてつもなく からいこと。「—のカレー」〔一九八六年に広まったことば〕②評価が たいへん手きびしいこと。「—批評」

**げきげん**[激減]《名・自サ》急に、ひどく へること。(↔激増)

**げきご**[激語]《名・自サ》〔文〕はげしいことば(で言うこと)。

**げきこう**[激×昂・激高]《名・自サ》おこって興奮すること。いきりたつこと。憤激。げっこう。「—して退席した」

**げきさい**[撃砕]《名・他サ》〔相手の勢力を〕うちくだくこと。「敵を—する」

**げきさく**[劇作]《名・自サ》劇の脚本をつくること。「—術」

**げきさっか**[劇作家] 劇作をする人。アク げきさっかは「劇＋作家」と考えたアクセント。

**げきし**[劇詩] 戯曲の形に書いた詩。

**げきしゃ**[激写]《名・他サ》〔俗〕〈おどろくような/決定的な〉写真をとること。「密会現場を—」〔一九七五年ごろからの ことば〕

**げきしゅう**[激臭・劇臭]〔文〕非常にくさいにおい。

**げきしょ**[激暑・劇暑]〔文〕はげしい暑さ。酷暑。

☆☆**げきしょう**[劇症]〔医〕病気の症状が急速に進むこと。「—肝炎」

**げきしょう**[激賞]《名・他サ》〔おこない・できばえを〕非常に ほめること。

**げきじょう**[劇場] 一 げきじょう ①劇・映画を見せるための建物。「国立—・ドラマの—版(=映画館用の映画)」②人々が興味津々で見つめる状況。「政治の—化・—型犯罪」 二 げきじょう 造〔放送〕〔テレビで〕劇・映画・ドラマなどの放送枠の名前。「洋画—」

**げきじょう**[激情] はげしく起こる感情。「—をおさえる」

**げきしょく**[激職・劇職] いそがしい職務。(↔閑職)

**げきしん**[激震・劇震] ①非常に はげしい変動。「政局に—が走る」②〔地〕震度7の昔の呼び方。最も激しい地震。

**げきじん**[激甚]《ナダ》〔文〕非常に はげしいようす。激烈。「—な打撃」派-さ。●**げきじんさいがい**[激甚災害]〔法〕国が援助の対象に指定する、被害の非常に大きな災害。

**げき・する**[激する]《自サ》〔文〕①はげしくなる。あらくなる。②強く当た(ってくだけ)る。「岩に—大波」③おこる。興奮する。「激した声で なじる」

**げきせい**[激成]《名・他サ》〔文〕いっそう はげしくすること。

**げきせん**[激戦]《名・自サ》はげしい〈戦い/戦争〉。「—を勝ちぬく・—区(=競争の はげしいところ)」

**げきそう**[激走]《名・自サ》はげしく(きそって)走ること。「—の末、二位でゴール」

**げきぞう**[激増]《名・自サ》急に、ひどく ふえること。(↔激減)

**げきたい**[撃退]《名・他サ》攻めてきた敵や害虫などを追いはらうこと。

←**げきだん**[劇団] 劇を上演する人々の団体。

→**げきだん**[劇壇] 演劇人の社会。

**げきちゅう**[劇中] 劇のなか。「—の人物・—歌」●**げきちゅうげき**[劇中劇] ある劇のなかで演じる、ほかの劇の場面。

**げきちん**[撃沈]《名・自他サ》①攻撃を受けた船がしずむこと。②〔俗〕みじめな失敗をすること。酔いやつかれでぐったりすること。

**げきつい**[撃墜]《名・他サ》飛行機をうちおとすこと。

**げきつう**[激痛・劇痛] はげしい痛み。(↔鈍痛)

**げきてき**[劇的]《ナダ》劇のようだ。ドラマチック。〔緊張・感激させられるようすのときに使う〕「—シーン」

**げきてつ**[撃鉄] 銃身の後ろにある金具。ひきがねを引くと、これが下がって雷管を強打し、たまが飛ぶ。うちがね。ハンマー。「—を起こす」

**げきど**[激怒]《名・自サ》ひどく おこること。「たび重なる不正に—する」

**げきとう**[激闘]《名・自サ》〔文〕はげしく たたかうこと。

☆☆**げきどう**[激動]《名・自サ》①はげしく うごくこと。②世の中が はげしく変化すること。「—の昭和」

**げきどく**[劇毒]〔文〕はげしい毒。猛毒。

**げきとして**[×闃として]《副》〔文〕物音ひとつしないようす。「—静まりかえる」

**げきとつ**[激突]《名・自サ》はげしく〈つき当たる/ぶつかる〉こと。

**げきは**[撃破]《名・他サ》敵や勝負の相手をうち負かすこと。「各個—」

**げきはく**[激白]《名・自他サ》自分の正直な気持ちや、世の中に知られていない事実などを、ためらわずに打ち明けること。〔おもに書きことばで使う〕「事件の真相を—」

**げきはつ**[激発]《名・自他サ》〔文〕爆発する(ように何かが起こる)こと。「—物・感情の—・クーデターが—した」

**げきばん**[劇伴]〔↑劇伴奏〕《映画・放送》劇の ふんいきを高めるために流す音楽。劇伴音楽。「—作曲・—作家」

**げきひょう**[劇評] 演劇の批評。

☆☆**げきぶつ**[劇物] 毒物ほどではないが、毒性の強い物質。例、塩酸・水酸化ナトリウム。☞毒物。

**げきふん**[激憤]《名・自サ》〔文〕はげしく おこること。憤激。

**げきぶん**[×檄文] ⇩げき(檄)。

**げきへん**[激変・劇変]《名・自サ》はげしく かわること。「環境の—」

**げきむ**[激務・劇務] いそがしい つとめ。「—をこなす」

**げきめつ【撃滅】**《名・他サ》敵をうちほろぼすこと。

☆☆**げきやく【劇薬】**①《医》「毒薬②」ほどではないが、作用がはげしい医薬品。例、クレオソート。☞毒薬②。②効果もあるが、害も大きい方法。「景気回復のための―」

**げきやす【激安】**《名・ナダ》《俗》ひどく安いこと。「―の〈商品〉」

**けぎらい【毛嫌い】**《名・他サ》特別の理由もなく、ただ感情的にきらうこと。「よく知りもせず―するものではない」

**げきりゅう【激流】**勢いのはげしい流れ。

**げきりょ【△逆旅】**《文》宿屋。旅人をむかえ入れる所。「天地は万物の―」

**げきりん【△逆×鱗】**《文》竜のあごの下にある、逆さにはえたうろこ(鱗)。〈人がさわると、竜がたいそうおこるという〉 ●☆☆**逆鱗に触れる**《句》〈天子/えらい人〉をひどくおこらせる。☞琴線に触れる〔「琴線」の《句》〕。

**げきれい【激励】**《名・他サ》はげまして元気づけること。「叱咤―」

**げきれつ【激烈】**《名・ナダ》非常にはげしいようす。「―をきわめる・―な競争・―なことば」派―さ。

**げきろう【激浪】**《文》あらいなみ。

**げきろん【激論】**《名・自他サ》はげしい〈議論/論争〉。表記「劇論」とも書いた。

**げくう【外△宮】**伊勢神宮のうち、豊受大神をまつるお宮。豊受大神宮。げぐう。(↔内宮)

**げげ【下々】**いちばん下等なこと。「―の下だ」(↔上々)

**げけつ【下血】**《名・自サ》《医》血が肛門から出ること。

**けげん【(△怪×訝)】**《ナダ》ふしぎでわけがわからないようす。「―な顔をする」

**げこ【下戸】**酒を飲めない人。(↔上戸)

**げこう【下向】**《名・自サ》《文》①都から地方へ行くこと。②〔△還向〕神仏にお参りして帰ること。

**げこう【下校】**《名・自サ》学校から家に帰ること。(↔登校)

**げごく【下獄】**《名・自サ》《文》裁判を受けて、牢屋・刑務所にはいること。

☆☆**げこくじょう【下克上・下×剋上】**下級の者が上級の者をさしおいて、勢力をふるうこと。「―の時代・―をねらう」

**けこみ【蹴込み】**⇩蹴上げ。

**けころがす【蹴転がす】**《他五》①けって転がす。②けって倒す。

**けさ【今朝】**きょうのあさ。こんちょう。「―はとても寒い・―の新聞」

**けさ【×袈×裟】**①《仏》僧が肩にかけてからだをかざるもの。法衣。②↑けさがけ。

**げざ【下座】**《名・自サ》①しもざ。末座。(↔上座)②《歌舞伎・寄席など》舞台の下手奥にある、音楽を演奏する場所。また、演奏する人(=はやしかた)。「―音楽・《寄席》―さん」③えらい人に対して、座っていたところからおりて ひれふすこと。☞しもざ(下座)。

**げざい【下剤】**腸にたまったものを出すための、排便をうながす薬。通じ薬。☞緩下剤。

**けさがけ【×袈×裟懸け】**①〔けさをかけたように〕一方の肩からもう一方のわきに かけること。②肩からななめに刀できりおろすこと。けさぎり。「―にきる」▽けさ。

**けさがた【(今朝)方】**けさ。けさほど。〔はばを持たせた言い方〕「―帰ってきた」

**げざかな【下魚】**食用として下等な さかな。「サンマは昔、―だった」

**けさき【毛先】**〔髪や歯ブラシなどの〕毛の部分で、根元からいちばん遠いところ。

**げさく【下策】**《文》へたな方法・戦術。「むずかしい仕事から取りかかるのは―だ・下の―」(↔上策)

**げさく【△戯作】**〔=たわむれの著作。なぐさみの読み物〕江戸時代後期におこなわれた娯楽小説類。ぎさく。「―者」

**けざやか**《ナダ》《文》くっきりとしたようす。ひときわ目立つようす。「―な眉」

**けさのあき【今朝の秋】**《俳句》立秋。

**げざん【下山】**《名・自他サ》山を下って行くこと。ふもとに下りること。げさん。(↔登山・入山)

**けし【(×芥子)・(:罌粟)】**①庭に植える草花の名。初夏、花びらの大きな花をひらく。たねは あんパンなどにのせる。あへん(阿片)をとる白い花の品種は栽培できない。②↑けしつぶ。

**けし** 接尾〔形クをつくる〕《文》…の(多い)状態に感じられるようすだ。「露っ―」派―さ。

**げし【夏至】**《天》二十四節気の一つ。北半球では、一年じゅうで昼の時間がいちばん長い。六月二十二日ごろ。(↔冬至)

**げじ【下知】**《名・他サ》《文》⇩げち。

**けしいん【消印】**①消したしるしに〈おす印/印をおすこと〉。②郵便局で、郵便物を受け付けたしるしにおす、日づけの印。

**けしかける【(×嗾ける)】**《他下一》①そそのかして相手に向かわせる。「犬を―」②おだてて自分の思いどおりのことをさせる。名けしかけ。

**けしからん【(△怪しからん)】**《形ヌ》〔終止形・連体形しかない。かたく「けしからぬ」とも。「けしからない」は まれ〕①《話》道徳や礼儀、きまりなどに反していて、許せないようすだ。「人のせいにするとは―・―小説」②《俗》にくらしいほど、すばらしい。「―味」

**けしき【気色】**《文》①何かが起ころうとする気配。②顔いろや態度にあらわれる、心のようす。「恐れる―もなく」☞きしょく(気色)。 ●☆☆**けしきばむ【気色ばむ】**《自五》①〔顔に〕おこったようすが あらわれる。「気色ばんだ声」②やる気が あらわれる。「『戦いはこれから』と―」▽きしょくばむ。

**けしき【景色】**①自然や町並みなどの ながめ。風景。「―がいい・山頂から見た―・冬―」区別⇩風景。②境地。「優勝して、見てみたい―がある」

**げじげじ** ①小形の虫の名。形はムカデに似ているが、短い。②ほかの人から いやがられ、きらわれている人。●**げじげじまゆ【げじげじ眉】**太くて、感じの悪いまゆ。

**けしゴム【消しゴム】**えんぴつなどで書いたあとをこすって消すための、ゴム状の道具。ゴム消し。字消し。〔今は、ふつうプラスチック製〕

**けしさる【消し去る】**《他五》消して、なくす。「記憶を―」

**けしずみ**［消し炭］〈たきぎ／炭〉の火をとちゅうで消したもの。炭に火をつけるときの助けに使う。

**けしつぶ**［（×芥子）粒］①ケシのたね。②きわめて小さなものの たとえ。「―ほどに見える車」

**けしつぼ**［消し（×壺）］炭の火を消すときに使う、ふたのある つぼ。火消しつぼ。

**けしと・ぶ**［消し飛ぶ］《自五》簡単に とばされて消える。「ブームが―」他消し飛ばす《五》。「あまい考えは消し飛ばされた」

**けしと・める**［消し止める］《他下一》①火を消して、燃え広がるのをとめる。②広がるのをとめて、なくす。「反対運動を―」

**けしぼうず**［（×芥子）坊主］①〔皮つきの〕ケシの実。②子どもの頭の毛をそって、てっぺんだけ まるく残したもの。

**けじめ**〔はっきりさせておく必要のある〕ものごとの区別。さかいめ。「善悪の―」•**けじめをつける**句①区別をはっきりさせる。「公私の―」②道義上の責任を取る。

**げしゃ**［下車］《名・自サ》電車やバスなどの乗り物からおりること。降車。〔駅の改札を出ることにも使う〕（↕乗車）

**ケジャン**〔朝鮮 gejang〕ワタリガニの〈キムチ／しょうゆづけ〉。ゲジャン。「カンジャン（=しょうゆ）―」

**げしゅく**［下宿］《名・自サ》〔学生などが〕よその家の一室やアパートなどを賃借りして住むこと。また、その住まい。「―人・―生（↕自宅生）」

**ゲシュタポ**〔ド Gestapo〕ナチス時代の、ドイツの秘密警察。

**ゲシュタルトほうかい**［ゲシュタルト崩壊］《名・自サ》〔ド Gestalt=形態〕①《心》文字・図形などが、全体で ひとつの意味のあるものと感じられなくなる現象。②〔俗〕わけが わからなくなること。

**げしゅにん**［下手人］〔古風〕人を殺した犯人。

**げじゅん**［下旬］月の二十一日から月末までの約十日間。（↕上旬・中旬）

**げじょ**［下女］やとわれて、炊事・そうじなどの雑用をした女性。（↕下男）

**けしょう**［化生］〔文〕①化身。②化け物。

**けしょう**［化粧］《名・自他サ》①はだの色を整えたり、口紅をつけたりして、顔を美しく見せること。また、それに使うもの。メイク。お作り。「―品・―くずれ・―（の）ノリがいい・お―」②（よごれを落として）見た目をきれいに見せること。「壁を―する」•**けしょうけ**［化粧（気）］けしょうをしたようす。けしょうっけ。「―がない」•**けしょうした**［化粧下］けしょう品の のりをよくするために、下地につけるクリームや乳液など。おしろいした。•**けしょうしつ**［化粧室］〔商業施設などで〕洗面所。トイレ。•**けしょうすい**［化粧水］顔を洗ったあと、肌に水分をあたえるために使う けしょう品。•**けしょうだい**［化粧台］その前に腰かけて けしょうをする、鏡と引き出しのついた台。「三面―」•**けしょうだち**［化粧立ち］《すもう》その気がないのに、立ち上がるような ようすを見せること。•**けしょうだち**［化粧裁ち］〔表装や製本をするとき〕紙のはしをそろえて切ること。•**けしょうなおし**［化粧直し］①くずれた けしょうを直すこと。②いたんだ建物を改装すること。•**けしょうばえ**［化粧映え］《名・自サ》けしょうをすることによって、ぐっとひきたつこと。「―のする顔」•**けしょうばこ**［化粧箱］①けしょう道具を入れておく箱。②おくりものに使う美しい箱。•**けしょうまえ**［化粧前］劇場・放送局の楽屋などにある、前の かべが鏡になった けしょう台。•**けしょうまわし**［化粧回し］《すもう》力士が土俵入りのときにしめる、ししゅうなどをした、きれいな前だれのついたまわし。

**げじょう**［下乗］《名・自サ》（=おりること）〔文〕①〔神社や寺などの境内で〕車や馬で乗り入れることを許さないこと。②車や馬から おりること。☞下馬。

**げじょう**［下城］《名・自サ》城から家に帰ること。（↕登城）

**けじらみ**［（毛×虱）］人の陰毛などにたかるシラミ。

**けしん**［化身］《仏》神や仏の生まれ変わり。「美の―」

**げじん**［外陣］〈神社の本殿／寺の本堂〉で、内陣の外がわにある、参拝のための場所。（↕内陣）

*__け・す__［消す］《他五》①燃えるのをとめる。「火を―」②あとが見えないようにする。なくす。「姿を―・書き損じを―・黒板を―（=黒板に書かれた字を消す）」③除く。取り去る。「痛みを―・毒を―・証拠を―」④ついている電灯・テレビ・ガスコンロなどを操作してとめる。⑤〔俗〕殺す。可能消せる。

**げす**［（下△種）・（下△衆）・（下△司）・ゲス］一 根性のいやしい者。また、おろかな者。「だまれ、―ども」由来古くは、身分の いやしい人を言った。対義語は上種（=身分の高い人）。二《名・ナダ》①下品。下劣。悪趣味。「―な だじゃれ」②やり方が きたないようす。「―な手を使う」☞ゲスい・げすの勘ぐり。

**げ・す**《でげすで助動マス型》（活用は「えせ・しょ｜し｜す｜す｜○｜○」）〔古風・俗〕ございます。「まだで―・そうで（は）げえせん（=ございません）」

**げすい**［下水］①家事などに使ったあとの よごれた水や、雨水。②↑下水道。「―管・―溝」▽（↕上水）•**げすいどう**［下水道］下水を集めて川や海に流す設備。下水。「―管」

**げす・い**［ゲスい］《形》〔俗〕ゲスな感じだ。下品だ。やり方が きたない。えげつない。「―下ネタ・―質問」〔江戸時代からある ことば〕

**けすじ**［毛筋］①一本一本の、かみ（の毛）。②くしでとかしたあとの、かみの筋目。•**毛筋ほども**句 まったく。「―ない」

**ゲスト**〔guest〕①お客。来客。（↕ホスト）②〔テレビ番組などに〕特に たのまれて臨時に〈出演／出席〉する人。「スペシャル―」（↕レギュラー）•**ゲストハウス**〔guesthouse〕①観光客・外国人などのための、料金の安い宿泊所。②来客が宿泊するための建物。「会社の―」

**けずね**［毛（×臑）・毛（×脛）］〔男の〕毛の多くはえたすね。

**げすのあとぢえ**［（下△種の）後知恵］おろかな人が、そのときは名案が うかばず、あとになってから「ああすれば よかった」と気づくこと。〔「げすの知恵は あとから」なども〕

**げすのかんぐり**［（下△種の）勘（繰り）］根性の いやしい者は下品な推測をする、ということ。

**げすば・る**［(下種張る)］《自五》 いやしい〈心になる／態度を見せる〉。

**けずりぶし**［削り節］ かつお節などをうすくけずったもの。花がつお。けずりがつお。おかか。

**けず・る**［削る］《他五》①ものの表面を、刃物ではうすく取り去る。「えんぴつを―」②〔一部分を〕へらす。はぶく。「予算を―・項目を―」 自削れる《下一》。

**けず・る**［(×梳る)］《他五》〔文〕くしを使って、かみの毛をとかす。くしけずる。

**ケセラセラ**〔Que será, será《くずれたスペイン語》〕なるようになる、あれこれ考えてもしかたない、ということ。〔一九五六年のアメリカ映画「知りすぎていた男」の主題歌から〕

**げ・せる**［解せる］《自下一》〔相手の言うことの意味が〕わかる。「解せない顔をする」

**げせわ**［下世話］ 一 世間で俗に言う〈ことば／はなし〉。「―にも『腹も身の内』と言うとおり…」 二《ナダ》俗っぽいようす。下品なようす。「―にくだけた話」

**げせん**［下船］《名・自サ》 船をおりること。(↔乗船)

**げせん**［下×賤］《名・ナダ》〔文〕身分のいやしいようす。「―の身」(↔高貴)

**げぜん**［下膳］《名・他サ》 お膳を片づけること。下げ膳。「―口・―台」

**げそ**［ゲソ］〔←下足〕〔すし店などで〕イカの足。「―天(=天ぷら)」

**けそう**［懸想］《名・自サ》〔古風〕思いをかけること。恋いしたうこと。「―文(=ラブレター)」

**げそく**［下足］ ①〔料理店・劇場などで、客がぬいであずける〕はきもの。②「下足①」の〈係／料金〉。

**けた**［桁］ ①〔家屋で〕柱の上にわたし、間口の方向に沿って、上の材木を支えている木。棟木とは平行。②橋桁。③そろばんのたまを通す、縦の棒。④〔数の〕くらい(どり)。「―をまちがえる」 ●**桁が違う** 句 まったく

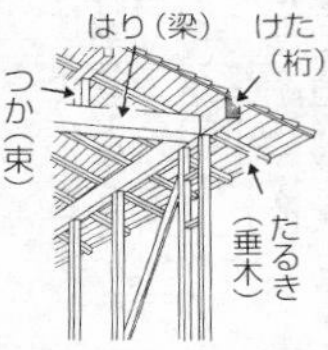

［けた ①］

かけはなれている。

**げた**［(下駄)］ ①二枚の歯のある木の板に鼻緒をすげたはきもの。☞げたの雪。②［ゲタ］《印刷》「二」の形の伏せ字。由来 必要な活字がないとき、活字を裏返して組んでおき、それが「げた①」の歯のように印字されることから。●**げたを預ける** 句 処理をまかせる。●**げたを履かせる** 句 ①〔試験の〕点数をふやす。②数量をかさ上げしてごまかす。●**げたを履くまで分からない** 句 勝負事は決まったように見えても、終わってみるまではどうなるかわからない。勝負事はげたを履くまで。

**けたい**［×懈怠］《名・自サ》①〔文〕なまけること。おこたり。けだい。②《法》おこなうべき義務をおこたること。▽かいたい。

**げだい**［外題］ ①表紙に書いてある書名。(↔内題) ②《芝居》〔浄瑠璃・狂言・脚本などの〕表題。題号。

**けだか・い**［気高い］《形》 気品があって、おかしがたいようす。上品だ。「―精神」 派 -さ。

**けたぐり**［蹴手繰り］《すもう》立ち合いのとき、相手の足の内くるぶしあたりをけりながら、前へ引くか、はたくかしてたおすわざ。

**けたけた**《副》 無作法にけたたましく笑う〈ようす／声〉。「つまらないギャグに―笑う」

**けだし**［蹴出し］《服》すそよけ。

☆☆**けだし**［(△蓋し)］《副》〔文〕考えてみると。たしかに。「―名言である」

**けたたまし・い**《形》 人をおどろかすような、大きな音が出るようすだ。「けたたましく笑う・―爆音」 派 -げ。-さ。

**けたちがい**［桁違い］《名・ナダ》 けたがちがうほど、大きくかけはなれているようす。「去年とは―の強さ」

**げだつ**［解脱］《名・自サ》《仏》煩悩と業との束縛からのがれること。「妄執からの―」

**けた・てる**［蹴立てる］《他下一》①足にふれるものを、勢いよくけって立たせる。「波を―」②あらあらしくふむ。「たたみを蹴立てて帰る」

**げたのゆき**［(下△駄の)雪］ ふみつけられても、権力のある人にずっとつき従っていくたとえ。「つけ毛の―」

**けたば**［毛束］(かみの)毛のたば。

**げたばき**［(下△駄)履き］ ①げたを〈はく／はいている〉こと。②マンションの一階などが商店になっていること。「―住宅」

**げたばこ**［(下△駄)箱］ くつばこ。〔昔は、げたを入れた〕

**けたはずれ**［桁外れ］《名・ナダ》 標準をはるかにぬいているようす。なみはずれ。「―の金額」

**けだま**［毛玉］ ①メリヤスや編み物の毛の一部がかたまって、小さな玉になったもの。ピリング。②ネコがのみこんだ毛が、胃の中で玉になったもの。

**けだもの**［(△獣)］ ①けもの。由来「毛の物(=毛のはえた生き物)」の意味。☞くだもの。区別「けだもの」「けもの」はほぼ同じ意味だが、「けだもの」には人をののしる用法があるので、客観的な場合には「けもの」が多く使われる。「獣」は「水棲獣(=クジラなど)」のように、広く哺乳類に使う。②〈残酷／下劣〉な人をののしって言うことば。「人間の顔をした―だ・この―！」

**けだる・い**［(気△怠い)］《形》 なんとなく だるい。派 -げ。-さ。

**げだん**［下段］ ①下の段。②刀ややり(槍)を低く構えること。「―の構え」▽(↔上段・中段)

**けち** 一［(:吝嗇)・ケチ］《名・ナダ》①出すべきものやお金を、おしむ〈ようす／人〉。しわい〔俗〕。②くだらない。つまらない。「―な野郎〔自分でけんそんしても言う〕・―な(=卑劣な)やり方」 派 -さ。 二〔「ケチ」とも書く〕 縁起の悪いこと。●**けちがつく** 句 ①いやなことが起こって、ものごとの価値や、先の見通しが悪くなる。「商売に―・信用に―」②苦情・批判が出される。「圧力団体から―」 ●**けちをつける** 句 苦情を言う。批判する。また、そうして何かをやめさせようとする。「広告に―・リーダーのやり方に―」

**げち**［下知］《名・他サ》〔文〕さしず。指揮。命令。げじ。「全軍に―する・―をくだす」

**けちがん**［(△結願)］《名・自サ》《仏》願をかけたときの日数や、お寺めぐりが、すべて終わること。「―の日・―寺」

**けちくさ・い**［(:吝嗇=臭い)・ケチくさい］《形》〔俗〕け

ちだ。吝嗇だ。派ーさ。

**けちけち**《副・自サ》けちなようす。「ーするな」

**ケチャップ**〔ketchup〕野菜などで作ったソース。ふつう、トマトケチャップを言う。

**けちょんけちょん**《副》〔俗〕思いきりいためつけるようす。こてんこてん。「ーにやっつける・ーにけなす」

**けちら・す**[蹴散らす]《他五》①けって散らす。「雪をー」②おおぜいを追い散らす。「敵をー・野次馬をー・ライバルをー」▽けちらかす。

**けち・る**《他五》〔「ケチる」とも書く〕〔俗〕(出し)おしむ。けちけちする。「修理費をー」

**けちんぼう**[けち(ん)坊]《名・ナダ》やたらにものをおしむ〈ようす/人〉。しわんぼう〔俗〕。しみったれ。けちんぼ。

**けっ**《感》〔俗〕気にくわず、ののしる気持ちをあらわすことば。「けっ(↓)、たいしたことないな」

**けつ**[欠] 一 **けっ** ①一部分なくなっ〈ていること/たところ〉。「カバーー・ーをおぎなう」②欠席。(↔出) 二 **けつ** 造 〔俗〕欠乏。「ガスー・金ーー」

**けつ**[(△尻)・ケツ]〔俗〕①しり。「ーバット(=バットでしりを打つこと)」②いちばん終わり(の部分)。「ドラマのーのせりふ」③納期。しめきり。●**ケツの穴が小さい**句 気が小さくて、することがけちくさい。●**ケツをまくる**句〔俗〕いなおってけんかごしになる。しりをまくる。「何が悪いとー」●**ケツを持つ**句 最後の責任を持つ。名ケツ持ち。●**ケツを割る**句〔俗〕ものごとの①とちゅうでくじける。「たった二日でー」②かくしていた悪いことを知られる。☞尻が割れる(「尻」の句)。

**けつ**[決]〔文〕決定。「ーをくだす」●**決を採る**句 採決する。

**けつ**[穴] 接尾 あなを数えることば。「三〇ーのルーズリーフ用紙」

**けつ**[血] 一 造 ち。血液。「輸血用の保存ー」 二 **けつ** 《漢方》全身をめぐる血液。(↔気・水)

**けつ**[傑] 造 特にすぐれた人物。「打撃十ー」

**げっ**《感》〔俗〕〔よくない状況だとわかって〕おどろいたときのことば。げげ(っ)。げ。「げっ(↓)、まじかよ」

**げつ**[月] 一 **げつ** ↑月曜(日)。「ー火は定休日です・ー9」〔=テレビで、月曜日午後九時からのドラマ〕」 ☞月金。 二 接尾 《法》…か月。「懲役一年六ーに処する」

**けつあつ**[血圧]《生》血管の中の、血の圧力。ふつう、心臓から血を送り出すときの圧力〔=最大血圧〕をさす。血圧は、水銀柱ミリメートル(mmHg)の単位であらわす。

**けつい**[欠位]〔文〕その地位につくべき人がいないこと。

**けつい**[決意]《名・自他サ》〔そのことを実行しようと〕はっきり、心の中できめること。決心。

**けついん**[欠員]定員にたりない〈こと/人数〉。

**けつえき**[血液]《生》⇩血①。●**けつえきがた**[血液型]《生》血球が凝集するようすによって分けた、血液の型。例、A・B・AB・Oの四種類。●**けつえきせいざい**[血液製剤]ヒトの血液からつくった医薬品。●**けつえきセンター**[血液センター]《医》急ぎの輸血にまにあうように、血液を保存しておく所。〔もと「血液銀行」と呼んだ〕●**けつえきとうせき**[血液透析]《医》人工透析の一つ。血液を体外の装置に送って不純物を濾過し、体内にもどす方法。

**けつえん**[血縁]①血のつながり。ちすじ。ちつづき。「ー関係」②ちすじをひくもの。血族。

**けっか**[決河]〔文〕堤が切れて川の水があふれること。「ーの勢い」

**けっか**[欠課]《名・自サ》(学校の)ある時間の課業だけ、欠席すること。

**けっか**[結果] 一 **けっか**《名・自他サ》①あることがもとで、そうなる〈ことがら/状態〉。「ーが出る・ーを待つ・不幸なーを招く〔=不幸な結果に終わる〕・インフレをーする〔文〕・ー的には〔=結果から見て〕正しい・〔接続助詞的に〕調べたー、判明した」(↔原因) ②目に見える成果。「ーを出す・ーを残す」〔一九九〇年代に広まった用法〕 二 **けっか**《名・自サ》《農》実をむすぶこと。むすんだ実。 三 **けっか**《接》その結果として。「ー、ノイローゼにおちいった」●**けっかオーライ**[結果オーライ]失敗や不運が、結果としては〈問題にならない/むしろよかった〉こと。「注文とちがう料理が来たが、おいしかったのでーだ」●**けっかもくてきご**[結果目的語]《言》目的語の一種。何かをした結果生じるものを「…を」であらわした文節。例、「湯をわかす」の「湯を」。✎「湯をわかす」は、湯を加熱して湯にするわけではなく、「水をわかして湯という結果にする」の意味。「穴をほる」「セーターを編む」「ごはんをたく」なども同様。また、「湯がわく」の「湯が」は、「結果主語」と言うべきもの。●**けっかろん**[結果論]結果だけにもとづいてのべる、もっともらしい議論。

**げっか**[月下]〔文〕月光の下。●**げっかびじん**[月下美人]サボテン科の熱帯植物。六月ごろの夜、かおりのいい、白くて大きい花をたくさんひらき、数時間でしぼむ。●**げっかひょうじん**[月下氷人]〔文〕なこうど(仲人)。

**げっか**[激化]《名・自他サ》⇩げきか(激化)。

**けっかい**[血塊]〔文〕血のかたまり。

**けっかい**[決壊・決潰]《名・自他サ》〔決=切れる〕川の堤が切れてくずれること。「土手がーする」

**けっかい**[結界]《名・他サ》①《宗》〔仏道修行のさまたげにならないように〕なわを張ったりして、外の人がはいれないように〈すること/した聖域〉。「ーを張る」②世界と世界のさかいめ(を作ること)。「あの世とこの世のー・ーの向こうがわの非日常」③商家の帳場にある、三方面または二方面の囲い。帳場格子。

**けっかく**[欠格]《法》必要な資格がないこと。「ー条項〔=ある条件に当たる者は、公的な資格や免許を取れないと定めた条項〕」☞適格。

**けっかく**[結核]〔↑結核症〕《医》結核菌によって起こる炎症性の病気。「ー性・肺ー」

**げつがく**[月額]一か月分の金額。「ー千円」

**けっかふざ**[結×跏×趺×坐・結×跏×趺坐]《名・自サ》《仏》両足を組み合わせ、足の甲をももの上にのせるすわり方。

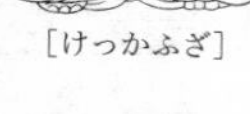

[けっかふざ]

**けつか・る**《補動五》〔てー〕〔俗・方〕「いる」「ある」を、ののしる気持ちで言うことば。「見てー・何をしてー」

**けっかん**[欠陥]〔はたらき・作り方の〕一部分がなかったり、ぐあいが悪かったりして、全体として不満足なこと。「守備に―がある・―車」

**けっかん**［血管］《生》からだの中をめぐる血を通す、くだ。

**けつがん**［×頁岩］《鉱》⇩シェール。

←**げっかん**［月刊］毎月の刊行。「―雑誌」

→**げっかん**［月間］①（その）一か月の間。「―ニュース」②特別の行事や運動のために定めた一か月間。「労働安全―」

**けっき**［血気］さかんな意気。「―さかんな武将」 ●**血気にはやる** 句 向こう見ずに勢いよくものごとをする。 ●**けっきざかり**［血気盛り］《名・ナダ》一生のうちでいちばん意気のさかんな年ごろ（であるようす）。「―の若者」 ●**けっきのゆう**［血気の勇］よく考えないで、ただ意気ごみだけですること。

**けっき**［決起・×蹶起］《名・自サ》ある目的のために、勢いよく立ち上がり、行動を起こすこと。「―大会」

**けつぎ**［決議］《名・他サ》〔会議で〕意見をきめること。きまった結論。「―事項・―文」

**けっきゅう**［血球］《生》血液中の有形成分。赤血球・白血球・血小板がある。

**けっきゅう**［結球］《名・自サ》《植》キャベツなどの葉が重なりあって、球状に〈なること／なったもの〉。「―白菜」

**げっきゅう**［月給］仕事をした報酬として、一か月ごとに受け取る給料。サラリー。月例給与。月例給。「―日・―取り〔＝会社社員など〕・―どろぼう〔＝あまり働かない人〕」

**げっきゅうぎ**［月球儀］月の模型。たまの表面に月の地図をかいたもの。

**げっきゅうでん**［月宮殿］〔文〕月の中にあると言われる、宮殿。

**けっきょ**［穴居］《名・自サ》〔文〕ほらあなの中に住むこと。

*__けっきょく__［結局］一〔文〕終わり。はて。「―において」 二 **けっきょく**《副・接》①〔とちゅうのいきさつは ともかく〕最後には。「―（のところ）中止になった」 ②結論を言えば。つまり。「美とは―相対的なものだ」

**けっきん**［欠勤］《名・自サ》つとめを休むこと。（↕出勤）

**げっきん**［月金］〔俗〕仕事が、月曜に始まり、金曜に終わる、勤め人の基本的な働き方。「―の勤務」 ☞九時五時。

**けっく**［結句］一 詩や歌の、おしまいの句。 二《副》①結局。ついに。②かえって。むしろ。

**けづくろい**［毛繕い］けものが舌・つめ・手などを使って、毛やからだをきれいにすること。サルの「ノミ取り」などもこの例。グルーミング。

**げっけい**［（月×桂）］↑げっけいじゅ。 ●**げっけいかん**［月×桂冠］〔古代ギリシャで〕競技の優勝者にかぶらせた、ゲッケイジュの枝や葉で作った冠。 ●**げっけいじゅ**［（月×桂樹）］地中海沿岸地方原産の常緑樹。葉と実は香味料用。オリーブとは別のもの。

**げっけい**［月経］《生》⇩生理②。

**げっけん**［撃剣］竹刀や木剣で相手を攻め自分を守る術。剣術。げきけん。

**けつご**［結語］〔文〕①文章の結びのことば。②手紙の結びに使うことば。例、敬具。▽（↕頭語）

**けっこう**［血行］血の循環。血のめぐり。「―をさかんにする・―障害」

**けっこう**［欠航］《名・自サ》事故・悪天候などのため、定期の〈航海／航空〉をやめること。

**けっこう**［欠講］《名・自他サ》講義〈がない／をしない〉こと。

**けっこう**［決行］《名・他サ》〈決心して／思い切って〉おこなうこと。「小雨―・スト―中」

**けっこう 一 けっこう［（結構）］《ナダ》①〈相手のがわのようす・ことばなどが〉たいへんいいようす。「―なお住まい・いつも おじょうぶで―です・―毛だらけ、猫灰だらけ〔＝『けっこう』をふざけて言ったもの〕」 ②〔…で―など〕さしつかえがないようす。「この品で―です・飛びこみ参加でも―です」 ③〔これ以上〕ほしくないようす。えんりょしたいようす。「〔勧誘に対し〕うちは―です」▽いい。 ✎ (1)食事にさそわれたとき、「けっこうですね」と答えると、「そのプランはけっこうですね」と賛成する意味になり、「けっこうです」と答えると、「私は行かなくてもけっこうです」と断る意味になることが多い。「いいですね」「いいです」も同様。 (2)電車で席をゆずられた側が「けっこうですから」と言うのは、えんりょの場合もある。ゆずる側は「でも、まあ どうぞ」と重ねてすすめるのも礼儀にかなう。 派 ―さ。 二 **けっこう**［（結構）］《副・ナダ》①〈予想／ふつう〉以上であるようす。かなり。「食べてみると―うまい・訳すのは―苦労する・―な分量」 ✎「けっこう おじょうずですね」と目上に使うのは失礼。今まで低く評価していたことになるし、そもそも、目上を評価すべきではないから。☞「案外」の✎。 区別 ⇩大変 二。②〔俗〕よくない、いやだと思う気持ちを、それほどでもないように表現することば。わりと。「今回の映画は―つまらなかった・―へんな人・定期入れを落として―ショックです」 三 **けっこう**［結構］〔文〕作り方。かまえ。「壮大な―の寺院」 ●**けっこうずくめ**［（結構ずくめ）］《名・ナダ》いいことばかりである〈こと／ようす〉。「―な話」 表記 ⇩ずくめ。

**けつごう**［欠号］そろっている雑誌などの、かけた号。

**けつごう**［結合］《名・自他サ》むすびあうこと。また、むすびあわせること。 ●**けつごうそしき**［結合組織］《生》からだの中のいろいろな組織をつないだり、保護したり、固定したりする組織。結合織。結締組織。

**げっこう**［月光］月の光。つきかげ。

**げっこう**［激×昂・激高］《名・自サ》⇩げきこう。

**けっこん**［血痕］〔文〕血の（ついた）あと。

**けっこん**［結婚］《名・自サ》男女が（愛しあって／おたがいを認めあって）正式にいっしょに生活するようになること。夫婦になること。〔同性どうしが、夫婦に相当する関係になる場合にも言う〕「―祝い・―式・職場―・恋愛―・愛のない政略―」 ☞婚姻。

**けっさい**［潔斎］《名・自サ》〔文〕酒を飲まず、肉を食べず、おこないをつつしみ、からだや心を清めること。ものいみ。「精進―」

←**けっさい**［決済］《名・他サ》《経》お金の受けわたしをすませ、売買取引を終えること。支払い。「ドルで―する」

→**けっさい**［決裁］《名・他サ》〔仕事に責任を持つ人が〕きめること。「部長の―が必要だ」

**けっさく**［傑作］《名・ナダ》①たいへんできばえのいい〈こと／作品〉。②〔俗〕とっぴで珍妙な〈ようす／ことがら〉。「そいつは―だ」

**けっさつ**【結×紮】《名・他サ》〔医〕血管などをしばること。「卵管―」

**けっさん**【決算】《名・自サ》〔経〕一定期間内の収入・支出の総計算。「―期・―報告・予算と―」

**げっさん**【月産】一か月の生産(高)。

**けっし**【決死】〈死を覚悟して／たいへんな勇気を出して〉ことに当たること。「―の勇をふるう・―の覚悟で」

●**けっしたい**【決死隊】死をおそれずに危険なことに当たる人々(のグループ)。「―を結成する」

**げつじ**【月次】〔文〕つきごと。毎月。「―報告」

**けっしきそ**【血色素】《生》⇩ヘモグロビン。

**けっしつ**【欠失】《名・自サ》失われて機能がなくなること。「染色体の一部が―する」

**けつじつ**【結実】《名・自サ》①《農》実をむすぶこと。②〈努力のすえ〉りっぱな結果があらわれること。「努力が―する〈＝みのる〉」

****けっして**【決して】《副》〈後ろに否定や禁止のことばが来る〉絶対に。けして〔俗〕。「―動こうとはしない・―うそは申しません」

**けっしゃ**【結社】大ぜいの人が共同の目的のために、組織した団体。「政治―・俳句―」

**げっしゃ**【月謝】①毎月の〈謝礼／授業料〉。「お―」②⇩授業料②。

**けっしゅ**【血腫】《医》出血によって、血が体内の表面近くにたまった状態。「脳―」

**けっしゅう**【結集】《名・自他サ》一つにまとめ集めること。また、まとまり集まること。「総力を―する」

**げっしゅう**【月収】毎月の収入。

**けっしゅつ**【傑出】《名・自サ》とびぬけてすぐれていること。「―した人物」

**けっしょ**【血書】《名・自サ》〈決意をしめすために〉自分の血で文字を〈かくこと／かいたもの〉。

**けつじょ**【欠如】《名・自サ》その部分がなくてたりないこと。「能力の―・主体性の―」

**げっしょ**【月初】月はじめ。(↕月末)

**けっしょう**【血(×漿)】《生》血液の成分の一つである液体。

**けっしょう**【決勝】①勝負をきめること。「―点」②優勝をきめる〈こと／試合〉。「―戦・―進出」

**けっしょう**【結晶】《名・自サ》①《理》粒子の配列が規則正しい固体。「雪の―・方解石の―」②活動した結果が、目に見える形をとって〈あらわれること／あらわれたもの〉。「努力の―」☞愛の結晶。

**けつじょう**【欠場】《名・自サ》〈試合や、芝居の出演などで〉その場に出ないこと。(↕出場)

**げっしょう**【月商】一か月間の販売総額。「―百万」

**けっしょうばん**【血小板】《生》血液の成分の一つ。出血したとき、血をかたまらせる はたらきをする。

**けっしょく**【血色】〈健康状態をあらわす〉顔の いろつや。「―のいい顔」

**けっしょく**【欠食】《名・自サ》①満足に食事をしていないこと。「―児童」②食事をとらないこと。「朝食の―率」

**げっしょく**【月食・月×蝕】《天》〈太陽と月の間に来た〉地球の影が、月の〈全部／一部〉をかくすこと。

**げっしるい**【(×齧)歯類】《動》門歯が大きく長い哺乳類。げっ(齧)歯目。ネズミ目。例、ネズミ・リス。

**けっしん**【結審】《名・自サ》《法》〈裁判で〉弁論が終わって、審理を打ち切ること。

**けっしん**【決心】《名・自他サ》やろうと、心にきめること。

**げっすう**【月数】経る月の数。つきすう。

**けっする**【決する】〔文〕[一]《自サ》①堤が切れて水が流れ出る。②きまる。「運命が―」[二]《他サ》①堤を切って水を流す。②きめる。「運命を―」

**けっする**【結する】《自サ》〔古風〕便秘する。「結して困っている」

**けっせい**【血清】《生》かたまった血からとりだした、黄色をおびてすきとおった液体。病気の診断・治療に利用する。●**けっせいかんえん**【血清肝炎】《医》輸血などによって感染する、ウイルス性の肝臓の病気。

**けっせい**【結成】《名・他サ》〈団体や連盟などを〉つくりあげること。「―大会」

☆☆**けつぜい**【血税】血の出るような苦心をしておさめる税金。「国民の―」

**げっせかい**【月世界】〔文〕〈想像上の〉月の世界。

**けっせき**【結石】《医》からだの器官の中にできる、かたい石のようなもの。「腎臓―」

**けっせき**【欠席】《名・自他サ》①会合の席に出ないこと。「同窓会〈に／を〉―する・無断―」②生徒・学生が授業に出ないこと。「長期―者」▽(↕出席) ●**けっせきさいばん**【欠席裁判】①《法》被告人が欠席している状態でおこなう裁判。刑事訴訟で例外的におこなわれる。②本人のいないところで、その人を批判したり、その人に不利となることを決めたりすること。

**けっせつ**【結節】①〔文〕むすばれ(たように かたまっ)てふしとなったもの。「運動の―点となる」②《医》皮膚にできる、豆つぶ大のかたまり。

☆☆**けっせん**【血栓】《医》血管の中にできた、血のかたまり。「脳―」

←**けっせん**【決選】①予選を通った者についておこなう、最終の選考。本選。②↑決選投票。●**けっせんとうひょう**【決選投票】最初の投票で当選者がきまらないとき、上位の得票者ふたりについて、もう一度やり直す投票。

↔**けっせん**【血戦】《名・自サ》〔文〕血みどろになって戦うこと。「―数合」

→**けっせん**【決戦】《名・自サ》最後の勝敗をきめる戦い。「―の火蓋を切る・関が原の―」

**けつぜん**【決然】《副・トタル》覚悟をきめるようす。「―たる態度」[派]‐さ。

**けっそう**【血相】顔いろ。「―を変える」

**けっそう**【傑僧】〔文〕人物の すぐれた僧。

**けっそく**【結束】《名・自他サ》①団結。「―してことにあたる」②〔文〕ひもなどを使って たばねること。また、ひもで むすぶこと。

**けつぞく**【血族】血統の続いた親族。血縁。「―関係」

**げっそり**《副・自サ》①急にやせるようす。「―(と)やつれる」②気落ちするようす。げんなり〔俗〕。「二時間待ちと聞いて―する」

**けっそん**[欠損]《名・自サ》①〔文〕一部分がなくて、不完全であること。「尾翼の一部が一する」②〔経〕事業などの決算で、金銭上の損をすること。くいこみ。

**けったい**[結滞]《名・自サ》〔医〕脈が、ちょっととまったり、みだれたりすること。脈切れ。

**けったい**《ナダ》〔関西方言〕奇妙。へん。「一な話やな」由来「縁起が悪い」という意味の「卦体が悪い」を略した「けたい(=いまいましいようす)」の変化。

☆☆**けったく**[結託]《名・自サ》よくないことをたくらんで、複数の人が力を合わせること。「一して悪事をはたらく」表記 俗に「ケッタイ」とも。

**けったくそわる・い**[けったくそ悪い]《形》〔方〕ひどくいまいましい。けたくそ悪い。

**けったん**[血×痰]〔医〕血のまじったたん。

**けつだん**[決断]《名・自他サ》どうすればいいかということについて、思い切って心をきめること。「一力」

**けつだん**[結団]《名・他サ》団体を(正式に)作ること。「一式」(↔解団)

**げったん**[月旦]〔文〕人物についての批評。月旦評。「人物一」

**けっちゃく**[決着・結着]《名・自サ》続いていた問題が、最終的に決まること。「裁判で一をつける・問題が一する」

**けっちゃく**[結着]《名・他サ》〔文〕くっつけること。「細かい肉を一してサイコロステーキを作る・一剤」

**けっちょう**[結腸]〔生〕盲腸・直腸以外の、大腸の主要部分。上行結腸・横行結腸・下行結腸・S状結腸に分けられる。

**けっちん**[血沈]〔医〕←赤血球沈降速度。

**ゲッツー**〔米 get two=ふたりアウトにする〕《野球》⇩ダブルプレー。「一〈を/に〉とる」

＊＊**けってい**[決定]《名・自他サ》(どれかに)〈決める/決まる〉こと。「採用〈を/が〉一する・一点が勝利を一づける(=確実に決める要因になる)・優勝一戦」 ●**けっていだ**[決定打]①《野球》勝利の決め手となる安打。②(ものごとの)決め手。「対策の一」 ●**けっていてき**[決定的]《ナダ》①まちがいなくそうなるようす。「優勝は一だ」②たしかで、打ち消すことができないようす。「一な写真・一瞬間の記録」 ●**けっていばん**[決定版]①字句のちがいや内容などについてそれ以上直す必要のない、最後の出版物。②(品質などについて)これが今までの最高というもの。「ニューモードの一」表記 CD・レコードなどは「決定盤」と書く。

**けってん**[欠点]不十分で、補わなければならない部分。短所。「一のない文章」(↔美点・利点)

**ケット**(↑ブランケット)〔古風〕毛布。

**ゲット**《名・他サ》〔get〕①(スポーツで)点などを得ること。「ゴールを一した」②〔俗〕得ること。手に入れること。「チケットを一した・二社から内定一・恋人を一する」

**けっとう**[血統]ちすじ。ちつづき。「一を受けつぐ」 ●**けっとうしょ**[血統書](馬・犬・ネコなどの)血縁関係を証明するための書類。

**けっとう**[血糖]〔生〕血液の中にふくまれるブドウ糖。「一値(=血糖の量)が高い」

☆☆**けっとう**[決闘]《名・自サ》うらみ・争いなどを解決する手段として、両方が約束しあってたたかうこと。果たし合い。「一を申しこむ」

**けっとう**[結党]《名・他サ》党派を(正式に)作ること。(↔解党)

**げっとう**[月桃]沖縄などにはえる植物。初夏に白い花がふさ状にさく。

**ゲットー**〔イ ghetto〕①昔、ユダヤ人が強制的に住まわされた地区。②(アメリカで)特定の少数民族が密集して住む地区。

**けっとばし**[蹴っ飛ばし]〔俗〕⇩けとばし。

**けっとば・す**[蹴っ飛ばす]《他五》〔俗〕けとばす。

**げつない**[月内]〔文〕その月のうち。

**けつにく**[血肉]〔文〕①血のつながった一族。「一の争い」②⇩ちにく。

**けつにょう**[血尿]〔医〕血のまじった小便。

**ケッパー**〔caper〕地中海沿岸が原産の低い木。かおりとにがみのあるつぼみを、酢づけにして西洋料理に使う。ケーパー。

**けっぱい**[欠配]《名・自他サ》配給・配達などがなくなること。「主食の一・給料の遅配一」

☆☆**けっぱく**[潔白]《名・ナダ》行動・金銭について非難を受けるようなことがないようす。やましいところがないようす。「一を証明する」派一さ。

**けっぱつ**[結髪]《名・自サ》〔文〕かみをゆうこと。(↔垂髪)

**けつばん**[欠番]その番号に当たるところが、かけている番号。

**けっぱん**[血判]《名・自サ》(ちかいの書類などに)自分の指を切り、その血で〈印をおすこと/おした印〉。

**げっぱん**[月販]①↑月賦販売。②↑月間販売。「一目標」

**けつび**[結尾]〔文〕終わり。結び。結末。

**けっぴょう**[結氷]《名・自サ》〔文〕氷がはること。また、はった氷。「湖面が一する」

**げっぴょう**[月評](雑誌・新聞などで)毎月のせる、論文・文芸作品などについての批評。

**けつびん**[欠便](航空機・船・バスの定期便の)〈運航/運行〉中止。

**けっぴん**[欠品]《名・自サ》商品の在庫を切らすこと。また、在庫のない商品。「一補充」

**げっぷ**[月賦]〔古風〕(買い物などの)代金を月づきに分けてしはらうこと。月ばらい。(↔年賦)

**げっぷ**(「ゲップ」とも書く)胃の中の〈ガス/空気〉が口の外へ出たもの。おくび。噯気〔医〕。「一が出る」 ●**げっぷがでるほど**[げっぷが出るほど]句 いやになるほど多く。おくびが出るほど。「そんな映画は一見た」

**けつぶつ**[傑物]特にすぐれた人物。

**げっぺい**[月餅]中国菓子の一つ。木の実やラードなどを入れたあんを、小麦粉の生地でつつんで円形に焼いたもの。

**けっぺき**[潔癖]《名・ナダ》①不潔を異常にきらう性質。きれいずき。「一家」②不正を非常ににくむ性質。派一さ。

☆☆**けつべつ**[決別・×訣別]《名・自サ》①もう会わないつもりでわかれること。②(けんかして)縁を切ること。「過去と一する」

**ケッヘル**〔Köchel=オーストリアの音楽家〕〔音〕モーツァルトの全作品につけた整理番号。ケッヘル番号。K.

と略す。

**けつべん**［血便］〔医〕血のまじった大便。

**けつぼう**［欠乏］《名・自サ》〔ないと非常に困るものが〕ごく少ないか、ほとんどないこと。「食糧がーする・愛情のー」

**げっぽう**［月俸］〔古風〕一か月の給料。月給。

**げっぽう**［月報］毎月 定期的に出す報告書や お知らせ。「全集の付録のー」

**けっぽん**［欠本］ひとそろいの本や全集などの中で、たりない部分。(↕完本)

**けつまく**［結膜］《生》おもに まぶたのうらと眼球の表面とをおおう粘膜。「ー炎」

**けつまず・く**［蹴（×躓く）］《自五》⇩つまずく①。

**けつまつ**［結末］これで終わりとしたこと。「意外なー」

●**結末をつける** 句 終わりにする。直 結末がつく。

●**結末を告げる** 句 終わる。

**げつまつ**［月末］その月の終わり。つきずえ。(↕月初)

**けつみゃく**［血脈］①血のつながり。血族。血縁。「ーをたどる」②《仏》師から弟子へと伝わる、仏法の伝統。けちみゃく。

**けづめ**［蹴爪・△距］《動》①ニワトリなどの足の下のほうにある、するどく突き出たもの。②牛・馬などの足の下のほうにある、突き出た所。

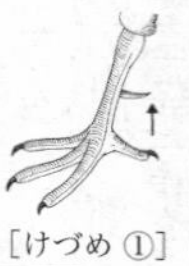

［けづめ ①］

←**けつめい**［血盟］《名・自サ》〔文〕〈血をすすりあって／血判をして〉かたくちかうこと。「ーをかためる・ー団」

←**けつめい**［結盟］《名・自サ》〔文〕同盟をむすぶこと。かたい約束をすること。「ーの誓い」

**げつめい**［月名］旧暦での、各月の和風の名称。例、睦月(=一月)・如月(=二月)。

**げつめい**［月明］〔文〕月の あかるいこと。あかるい月の光。

**げつめん**［月面］月の表面。月の、地球で言えば地面にあたる所。「ー着陸」

**けづや**［毛（艶）］動物の毛のつや。「ーがいい犬・競走馬のー」

**けつゆうびょう**［血友病］〔医〕出血したときに血がかたまらず、とまらなくなる、遺伝性の病気。

**げつよ**［月余］〔文〕一か月あまり。

**げつよう**［月曜］〔仕事を始める〕一週の最初の日。日曜の次。月曜日。●**げつようびょう**［月曜病］〔週末に遊びすぎたり、心身の調子をくずしたりして〕月曜の朝、出社・登校する気持ちがなくなる〈こと／症状〉。

**けつらく**［欠落］《名・自サ》あるはずのものが、かけて、ないこと。「歴史のーをおぎなう・道徳感覚がーした男」

**げつり**［月利］《経》一か月の利息。(↕年利・日歩)

**けつりゅう**［血流］《医》血管内の、血の流れ。

**けつるい**［血涙］つらいときに流す なみだ。●**血涙をしぼる** 句 ひどく悲しんで泣く。

**けつれい**［欠礼］《名・自サ》礼儀として〈あいさつ／出席〉すべきところ、しないですませること。「年賀ーのはがき」

**げつれい**［月例］毎月決まって おこなわれること。「ーの会議・ー経済報告」

**げつれい**［月齢］①《天》月の満ち欠けの程度をしめす日数。満月は十五日。②生まれてから過ぎた、月の数。「ー三か月」☞年齢 一。

**けつれつ**［決裂］《名・自サ》〔決=切れる〕会議・交渉が まとまらないこと。破裂。「話し合いがーした」

**けつろ**［血路］①敵の囲みを切りぬけて にげる道。「ーをひらく」②困難を切りぬける道。

☆☆**けつろ**［結露］《名・自サ》《理》ひえたもの〔例、ガラス・コンクリートの壁〕の表面にあたたかい空気がふれ、水蒸気が しずくになってつくこと。また、そうしてできたしずく。「ー防止」

**けつろん**［結論］《名・自サ》①しめくくりの考えや議論。「ーづける(=結論をあたえる)」②三段論法の最後の命題。断案。断定。

**げてもの** 一［「ゲテモノ」とも書く］〔俗〕ふつうの人のいやがる、変わったもの。「ー食い」二［下手物］〔古風〕あまり手のこんでいない、ふだん使う(工芸)品。(↕上手物)

**けど**《接助・終助》・**けど**《接》〔話〕「けれど(も)」よりもくだけた言い方。「さがしたー、なかったよ・このドラマ、全然つまらないんだー！・つかれた。ー、楽しかった」〔接続詞は、関西などの方言でよく使う〕

**けとう**［毛唐］(↑毛唐人)〔俗〕昔、欧米人をけいべつして言ったことば。

**げどう**［外道］①《仏》仏教以外の教え。②真理にそむいたみち(を信じる人)。③〔ののしって〕人でなし。「この腐れーが！」④《釣り》釣るつもりのない、別の種類のさかな。

**げどく**［解毒］《名・自サ》毒を消すこと。毒消し。「ー剤」

**けとばし**［蹴飛ばし］〔俗〕馬肉。けっとばし。

**けとば・す**［蹴飛ばす］《他五》①けってとばす。けりとばす。「ボールをー」②「ける」を強めた言い方。「かべをー・要求をー」③無視する。ないも同然にする。「肩書をー生き方・主役をー(=かすませる)存在感」▽けっとばす〔俗〕。

**けども**《接助・終助》・**けども**《接》〔話〕「けれど(も)」よりも少しくだけた言い方。「興味はあるんですーね・心配ですよ。ー、どうしようもないでしょう」

**ケトル**〔kettle〕底の平たい やかん。ケットル。

**けど・る**［気取る］《他五》様子を見て、事情をさとる。感づく。「けどられたか」☞きど(気取る)。

**げな**《終助》〔俗〕そうだ。「あったー」

**けなげ**［△健気］〔ナ〕〈年の行かない／弱い〉者が〉困難にくじけず、りっぱに〈事／人〉に立ち向かうようす。「ーに働く」派ーさ。

**けな・す**［×貶す］《他五》値打ちがないかのように、悪く言う。くさす。「人の文章をー・相手チームをー」

**ケナフ**〔kenaf〕インド・アフリカ原産の一年草。二酸化炭素を多く吸収する。生長が早く、紙の原料になる。

**けなみ**［毛並み］①毛の ならびぐあい。「犬のー」②種類。毛色。「ーの変わったもの」③〔俗〕血統。そだち。「あいつはーがいい」

**げなん**［下男］やとわれて、主人の家の雑用をした男性。(↕下女)

**げに**［△実に］《副》〔文〕まことに。いかにも。なるほど。げにも〔古風〕。「ーおそろしきは世論である」

**げにん**［下人］〔文〕①身分の いやしい もの。②しもべ。めし使い。

**けぬき**【毛抜き】毛・とげなどをはさんでぬき取る道具。

☆☆**げねつ**【解熱】《名・自サ》《医》①〔病気などで〕高くなった体温を下げること。「―剤」②【下熱】熱が下がること。

**ゲネプロ**〔↑ド Generalprobe〕初日の前日などに、本番どおりにおこなう舞台げいこ。通しげいこ。ゲネ。

**けねん**【懸念】《名・他サ》①どうなるかと、不安に思うこと。「―を抱く」②だれもが不安に思うふんいき。「インフレ―」▽〔↔期待〕

☆☆**ゲノム**〔ド Genom〕《生》ある生き物が持つ遺伝子の全体。遺伝情報を持つDNAの塩基配列の全体。「イネ―・―編集」☞ヒトゲノム。

**けば**【〈毛羽〉・〈×毳〉】①やわらかい布などがこすれて、表面に出る、細い糸のようなすじ。「―が立つ」②〔地図で〕高低をあらわすために使う小さな線。

**げば**【下馬】《名・自サ》〔文〕①馬からおりること。(↔乗馬) ②〔神社や寺などの境内で〕馬に乗ったまま通るのを禁じること。☞下乗。

**ゲバ**〔学〕↑ゲバルト。「―さわぎ・―学生」

**けはい**【気配】〔古語「けはひ」の当て字〕①そこに〈いる/ある〉ことを感じさせるもの。「人の―を感じる」②そう〈なりそう〉だと感じさせるもの。「誤解されている―がある・いっこうに雨の―がない」③《経》〔株式取引で〕売り買いの動向。「買い―〔=その株を買う注文はあるが、売る注文がないこと〕」

**けば・い**【ケバい】《形》〔俗〕服装やけしょうが、ひどくはでなようす。

**けはえぐすり**【毛生え薬】かみの毛を生やすための薬。育毛剤。

**けばけば**《副・自サ》けばけばしいようす。「―した衣装」●**けばけばし・い**《形》品がなく、たいへんはでなようすだ。[派]-さ。

**けばたき**【毛〈×叩き〉】鳥の羽をはたきのような形にまとめたもの。

**けばだ・つ**【〈毛羽〉立つ・〈×毳〉立つ】《自五》(ものの表面がこすれて)「けば①」が立つ。[名]けば立ち。[他]けばだてる《下一》。

**げばひょう**【下馬評】そのことに関係のない人たちのあいだでの評判やうわさ。「―では巨人が有利と言われていた」

**ケバブ**〔トルコ kebab〕西アジアの、肉の串焼き。羊・ニワトリ・牛などの肉を使う。カバブ(ー)。「―サンド・―丼」☞シシカバブ・ドネルケバブ。

**ゲバぼう**【ゲバ棒】〔ゲバ↑ゲバルト〕〔学〕学生がデモや闘争などのときに使った、長い角材。

**けばり**【毛〈×鉤〉】《釣り》鳥の羽をつり針に巻きつけて虫の形に見せかけたもの。フライ。かばり。

**ゲバルト**〔ド Gewalt=暴力〕〔学〕闘争・デモのさいの実力行動。ゲバ。

**げはん**【下阪】《名・自サ》〔文〕東京から大阪へ行くこと。

**けびいし**【〈検非違使〉】《歴》平安時代、警察・裁判の仕事を取りあつかった職。

**けびょう**【仮病】見せかけの病気。にせ病。●**仮病を使う**[句]病気のように見せかける。

**げび・る**【下卑る】《自上一》品格がおとって見える。

**げひん**【下品】《ナダ》つつしみがなくきたなくて、価値が低いようす。品が悪いようす。「―な話・笑い方が―だ」(↔上品)[派]-さ。

**けぶ・い**【〈煙い〉】《形》〔俗〕けむい。[派]-がる。-さ。

**ケフィア**〔kefir〕カフカス地方(=黒海とカスピ海の間の地方)原産の、ヨーグルト飲料のようなすっぱい発酵乳。ケフィール。

**けぶか・い**【毛深い】《形》〔人の〕毛が多くてこい。[派]-さ。

**けぶり**【〈気振り〉】本心をうかがわせる手がかりとなるようす。「そんな―は見せない」

**けぶ・る**【〈煙る〉】《自五》⇩けむる。

**げぼく**【下僕】〔文〕雑用をする、めし使いの男。下男。

**げほげほ**《副》むせたりせきこんだりする〈音/ようす〉。

**けほど**【毛ほど】〔後ろに否定が来る〕少し。「―のうたがいも持たない・―もない」

**けぼり**【毛彫り】毛筋のように細い線で、細かな模様を〈ほること/ほったもの〉。

**けまり**【蹴〈×鞠〉】けって遊ぶ、革で作ったまり。また、まりをけって遊ぶこと。平安時代以後の、貴族の遊び。

**けまん**【華×鬘】《仏》仏像の周りにつり下げる、うすいうちわのような形の仏具。金銅や牛革で作り、仏教にちなんだ模様が透かし彫りにされている。

**ケミカル**〔chemical〕[一]**ケミカル**《ナダ》化学的。[二]〔造〕化学的に合成した。「―シューズ〔=合成皮革製のくつ〕・―レース〔=化学処理で作ったレース〕」

**ケミストリー**〔chemistry〕①化学。②人との相性。「―が合う」

**けみ・する**【〈閲する〉】《他サ》〔文〕①あらためる。調べる。「歴史を―」②年月を経る。

**けむ**【〈煙〉】〔古風〕けむり。●**けむに巻く**[句]大げさなことや意外なことを言って、うまくごまかす。

**け・む**《助動四型》〔文〕⇩けん《助動》。

**けむ・い**【煙い】《形》⇩けむたい①。〔「けぶい」とも〕[派]-がる。-さ。

**けむくじゃら**【毛むくじゃら】《ナダ》〔けもののように〕こい毛が多くはえているようす。

**けむし**【毛虫】木の葉などを食いあらす虫。ガの幼虫で、体の上側に黒・茶色などの毛があり、人をさすものもある。「―のようにきらわれる」

**けむた・い**【煙たい】《形》①けむりが顔にかかって息苦しい。けぶたい。けむったい。けむい。②その人がいるために、きゅうくつな気持ちだ。[派]-がる。-げ。-さ。

**けむだし**【〈煙〉出し】①けむりを出すための〈穴/筒〉。②けむりを出すこと。▽けむりだし。

**けむり**【煙】①ものが燃えるとき立ちのぼる〈白/黒〉い色のもの。けぶ(り)。けむ。「―に巻かれて死ぬ・線香の―」②「けむり①」のように立ちのぼるもの。「湯の―・ドライアイスの―」●**煙になる**[句]①跡形もなく消えうせる。②火葬される。●**煙を立てる**[句]暮らしを立てていく。「ほそぼそと―」

**けむ・る**【煙る】《自五》①けむりが立つ。②かすんで見える。▽けぶる。

**けもの**【獣】〔=毛物〕毛のはえた四本足の動物。けだもの。〔人間以外の陸上の哺乳類に当たる。カバ・サイ・ゾウなど、毛がないものもふくむことがある〕「―のようなうなり声」[区別]⇩けだもの①。●**けものへん**〔獣偏〕漢字の部首の一つ。「独」「犯」などの、左がわの「犭」の部分。〔犬をかたどったもの。上が頭、左があし、下がしっぽ〕 ●けもの みち【獣道】山の中をシカ・イノシシなどのけものが何度も通るうちにできた、細い道。

**げや**【下野】〈名・自サ〉①〔文〕〔高い〕官職をやめて民間にくだること。②〔与党が〕政権を手放して野党になること。「総選挙に敗北して―する」

**けやき**【×欅】関東に多い、大きくなる落葉樹。家の囲いなどに多く植える。材木は、建築・家具用。

**けやぶ・る**【蹴破る】〈他五〉①けって破る。②けちらす。「敵を蹴破って進む」

**けやり**【毛×槍】大名行列の先頭を進む、さやを鳥の毛でかざったやり。

**けら**【螻蛄】うす茶色の昆虫。地面の中にすみ、前足で土をかきのけて進む。おけら。

**げら**〔もと関西方言〕〔俗〕げらげらよく笑う人。

**ゲラ**〔↑galley〕①活字の組み版をのせておく盆。②↑ゲラ刷り。

**けらい**【家来】①武家の家臣。②めし使い。家人。従者。表記 本来、「家△礼」と書いた。

**けらく**【△快楽】〔仏〕仏教的な快楽。☞かいらく(快楽)。

**げらく**【下落】〈名・自サ〉①値段や相場が下がること。(↔騰貴) ②〈等級/品格〉が下がること。

**けらけら**〈副〉軽く立てる(品のない)笑い声。

**げらげら**〈副〉品のない、大きな笑い声。

**ゲラずり**【ゲラ刷り】校正刷り。ゲラ。

**ケラチン**〔keratin〕〔生〕⇩角質。

**け・り** ❶〈助動ラ型〉〔文〕〔過去の助動詞〕①過去の事実をよそから伝え聞いたこととして、のべるのに使ったことば。…たそうだ。「昔男あり―〔=あったという〕」②詠嘆をあらわす。…なあ。「心なき身にも哀れは知られ―〔=わかるものだなあ〕」❷けり〔「ケリ」とも書く〕結末。決着。由来 ❷は、和歌や俳句に助動詞「けり」で終わるものが多いところから。●☆☆けりをつける 句〔「ケリをつける」とも書く〕〔めんどうなものごとについて〕しめくくりをする。終わりにする。自けりがつく。☞けり❷。

**げり**【下痢】〈名・自サ〉大便が〈かゆ/水〉のようになって出ること。くだりばら。はらくだし。「―止め・―便」

**けりあ・げる**【蹴り上げる】〈他下一〉①けって上にあげる。「ボールを高く―」②下からける。「おしりを―」▽けあげる。

**けりおこ・す**【蹴り起こす】〈他五〉足でけって、目をさまさせる。

**けりこ・む**【蹴り込む】〈他五〉〔サッカー〕ボールをけってゴールに入れる。「右から―」

**けりだ・す**【蹴り出す】〈他五〉①けって外へ出す。②操作して、余裕を生み出す。「利益を―・時間を―」

**けりゃ** ◇〔話〕「ければ」の変化。きゃ。けりゃあ。「中途で投げ出すのなら、はじめからしな―いい」

**げりゃく**【下略】〈名・自サ〉〔文〕あとの〈文句/文章〉を略すこと。かりゃく。(↔上略・中略)

**ゲリラ**〔guerrilla〕①〔正規の軍隊に属さず〕小部隊で敵のうしろのほうをかきみだす〈兵/戦法〉。遊撃〈部隊/戦〉。「―戦」②〔俗〕予告しないでおこなうこと。「―ライブ・―配信」●☆☆ゲリラ ごうう【ゲリラ豪雨】〔前もって予測することがむずかしい〕局地的な激しい大雨。

**け・る**【蹴る】〈他五〉①足を勢いよく振って〈当てる/当てて、そのものを急激に動かす〉。「ボールを―・ひざで相手の腹を―・蹴りつける」②〈地面/ゆか〉を強くふんで、はずみをつける。「舗道を蹴って歩く・席を蹴って退場する」③〔要求・提案などを〕受け付けず、はっきり断る。はねつける。「申し入れを―」▽けとばす。注意 (1)文語では「まりを蹴て〔=蹴って〕」のように下一段に活用する。現代語でも「蹴り落とす」を「蹴落とす」などと言うのは、そのなごり。(2)命令形は「けれ」だが、俗に「けろ」とも。名蹴り。「―を入れる〔=ける〕」可能蹴れる。

**ゲル**〔ド Gel〕〔理〕コロイド溶液が流動性を失って、ゼリーのようにかたまったもの。例、寒天・ゼラチン。「―インク〔=新式のボールペンに使う、流れにくい水性顔料インク〕・―状のけしょう水」☞ゾル。

**ゲル**〔モンゴル ger〕モンゴルの遊牧民の組み立て式住居。円筒形のかべと円錐形の骨組みにフェルトをかけたもの。パオ。

**ケルビン**〔kelvin=もと、人名〕〔理〕絶対温度の単位〔記号 K〕。

**ゲルマニウム**〔ド Germanium〕〔理〕金属元素の一つ〔記号 Ge〕。トランジスタラジオの部品に使う半導体。ゲルマ。

**ゲルマン**〔ド Germane〕①ローマ帝政期にヨーロッパの中部に住んでいた民族。〔広い意味のドイツ民族〕②ドイツ民族。

**ケルン**〔cairn〕頂上のしるし、また登山の道しるべとするために、積み上げた石。

**げれつ**【下劣】〈ナダ〉いやしくておとっているようす。「不道徳で―な人物・―な行為」派―さ。☞お下劣。

**けれど**〈接助・終助〉・**けれど**〈接〉「けれども」の、より話しことば的な言い方。「強がっている―、さびしがり屋だ・とても暑い。―、気分がいい」

****けれども** ❶〈接助〉①逆の関係をしめしてあとに続ける。「風は強い―、寒くない・〔倒置の場合〕やはり賛成できない。気持ちはわかる―」②〔話〕そこで言い切らず、あとに続ける。「あの、わたしです―、今から行きます」❷〈終助〉〔話〕①ひかえめに言う気持ちをあらわす。「実はお願いがあるんです―・〔質問して〕今回の方針には批判もあります―？」②疑問・不安・不満などが解消されない気持ちをあらわす。「たしかにここに置いたんです―・そこに立ってるとじゃまなんです―」❸**けれども**〈接〉逆の関係をしめす。でも。しかし。「重ねて質問した。―、相手は答えない」▽❶～❸けれど。けども。

**ければ** ◇形容詞〔型助動詞〕仮定形の語尾に、接続助詞「ば」がついたもの。けりゃ。きゃ。「価格は安―安いほどいい・ほし―まだあるよ」

**けれん**【△外連】①〔なにわ節などで〕客受けをねらって、わざと笑わせたりして語ること。②〔歌舞伎〕早変わりや曲芸のような動作など、客があっとおどろくようなはでな演出をすること。俗受け。③受けをねらった、はでなやり方。ごまかしやはったり。「なんの―もなく」●**けれんみ**【△外連:味】①わざとらしく大げさなこと。「―のない文章」②おどろくようなしかけを用意してひきつけること。「—あふれる歌舞伎の演出」

**ゲレンデ** 〔ド Gelände=土地〕 整備したスキー場。

**げろ** 〔俗〕 ■一 **げろ**《名・自サ》①へど。②自白。「ついに—した」 ■二 遺 ひどく。「—まず〔=味がまずい〕・—かわ〔=かわいい〕」

**ケロイド** 〔ド Keloid〕《医》深い やけどのあとなどに残った、皮膚の でこぼこ。

**げろう**[下郎] 人にめし使われる、身分の低い男。

**ケロシン** 〔kerosene〕 ジェットエンジンなどの燃料に使う灯油。

**けろっと**《副・自サ》⇩けろりと。

**けろりと**《副・自サ》①あとかたもなく、消えてなくなるようす。「—忘れた」②何事もなかったかのように平気でいるようす。「負けても—している」▽けろっと。

**けわし・い**[険しい]《形》①地勢が急な傾斜をしている。のぼるのに むずかしい。「—山道」②きつい感じをあたえるようすだ。「—顔つき」③困難で、安心できないようすだ。「病状が—・前途は—」 派 -さ。

***けん**[件] ■一 **けん** こと(がら)。「ご依頼の—は・例の—」 ■二 接尾 ことがらを数えるのに使う。「数—」

**けん**[見] 〔文〕見方。考え。「皮相の—」

**けん**[券] ■一 **けん** ①証書。切手。②入場券・乗車券などを略して呼ぶことば。 ■二 造 ①ふだ。「入場—」②証書。株券。「千円—」

**けん**[×妍] 〔文〕顔かたちなどの美しいこと。「美女が—を競う」

****けん**[県] ①《法》知事がおさめる地方行政区画・地方自治体。市の上位にあたる。②中国の行政区画。省の下。③ヨーロッパ・アジア・アフリカ・南米などの行政区画。「イタリアのトスカーナ州シエナ—」

**けん**[剣・×劍] ①刃が両がわにある太刀。つるぎ。②剣術。「—をよくする」③銃の先につける短い刀。④ハチなどの尻の とげ。⑤時計の長短の針。

**けん**[拳] ①手・指などで いろいろの形を作って勝負を争う遊び。例、きつねけん。②拳法。「太極—」

**けん**[健] 〔文〕からだが じょうぶなこと。健康。「母子—〔=お産のあと順調〕」

**けん**[険] ①[×嶮] けわしい〈こと/場所〉。「箱根の山は天下の—」②顔の きついところ。「—のある顔」

**けん**[間] ■一 **けん** 長さの単位。六尺〔=約一・八二メートル〕。 ■二 接尾 ①日本の建物の、柱と柱との あいだを数えることば。「十八—四面」②碁盤や将棋盤の目を数えることば。「二—」③〔おうぎ・うちわの〕骨を数えることば。「三十五—ものの扇子」

**けん**[(×腱)] 《生》筋肉が骨につくところにある、じょうぶなすじ。「アキレス—」

****けん**[権] ■一 **けん** 〔=はかり(の おもり)〕 〔文〕①権力。「天下の—をにぎる」②〔武力や権威・機構などを背景にして持つ〕権限。「兵馬の—」③↑権利金。「—敷〔=敷金〕なし」 ■二 造 ①権利。「所有—・選挙—」②〔支配する〕力。「制海—・チャンネル—」

**けん**[鍵] 〔ピアノ・オルガンなどの〕キー。鍵盤。

**けん** 日本料理のつけあわせ。さしみの つまなど。

**けん**[兼]《接》 本務のほかにもう 一つの役目をかねること。「首相—外相」

**け・ん**《助動四型》〔文〕〔推量の助動詞〕過去の推量をあらわす。…たであろう。「いかが思い—〔=何と思ったのだろう〕」 ✓「けむ→けん」と変化したため、文語文では「けむ」とも書く〔発音は「ケン」〕。

**けん**[軒] 接尾 ①家を数えることば。「家二—・三—」②雅号・屋号に使うことば。「来来—」

**けん**[嫌] 遺 〔文〕きらいなこと。いやがること。「—消費・—日〔=日本をきらうこと〕」

**けん**[犬] 造 いぬ。「日本—・救助—」

**けん**[研] 造 ①↑研究所。「原—〔↑原子力研究所〕」②↑研究会。③↑研究室。

**けん**[圏] 造 (ある力のおよぶ)一定の範囲。「勢力—・暴風—・首都—」

**けん**[検] 造 ↑検察庁。「最高—」

**げん**[元] ■一 **げん** ①《数》ⓐ代数方程式の未知数。「二—一次方程式」ⓑ集合の要素。②人民元。③《歴》蒙古族が中国に建てた国。宋の次。〔一二七一～一三六八〕 ■二 接尾 場所・系統を数えることば。「三—〔=三地点からの〕中継・二—〔=別々の経路での〕外交・多—〔=いくつもある〕宇宙」

**げん**[言] 〔文〕口に〈する/した〉ことば。「その—や よし〔=いいことを言う〕・著者の—によれば」 •**言を構える** 句 〔文〕ほかのことを口実にする。「何かと言を構えて会おうとしない」 •**言を左右にする** 句 〔文〕いろいろ言うが、はっきりした返事を避ける。 •**言をま(俟)たない** 句 〔文〕言うまでもない。論をまたない。「好著であることは—」

**げん**[弦] ■一 ①つる。弓づる。②《数》円周の上の二つの点を結ぶ直線。 ■二 [×絃] ①弦楽器には りわたした糸。いと。②はった糸を振動させて鳴らす楽器。弦楽器。

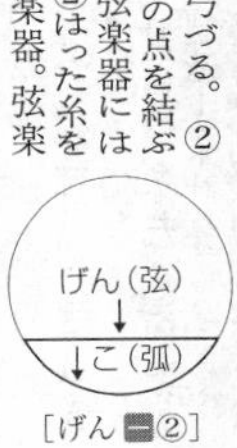

[げん ■一②]

**げん**[現] ■一 **げん** 〔選挙で〕↑現職。「無所属—」 ■二 **げん-** 遺 今の。現在の。「—首相」 ☞現時点・現段階。

**げん**[舷] 〔文〕ふなばた。ふなべり。

**げん**[減] ■一 **げん** へること。へらすこと。減少。「五千万円の—・定員—」 ■二 遺 …をへらすこと。「—ページ」 ▽■一■二(↕増)

**げん**[験] 〔=修行を積んだ しるし〕 ①ききめ。けん。「—が見える・—がない」②[ゲン] 縁起。「—がいい・—をかつぐ・—直し」

**げん**[厳]《(タト/タル)》 〔文〕動かしがたいようす。きびしいようす。「格差が—として存在する・—たる おきて」

**げん**[玄] 遺 外皮のついたままの、白くない。「—小麦・—ソバ」

←**げん**[原] ■一 造 もとの。「—判決・—日本人」 ■二 造 野原のように広がったところ。「火口—」

→**げん**[源] 造 もとに なるもの。「栄養—・取材—」

**げん**[限] 造 ①しきり。さかい。「最低—」②↑時限②。「第一—・六—の授業」

**けんあく**[険悪]《(ナダ)》 ①すぐおこりだしそうな、顔・態度のようす。「—な表情」②よくないことが起こりそうな、ゆだんができないようす。「情勢—」 派 -さ。

**げんあつ**[減圧]《名・自他サ》 圧力が小さくなること。圧力を小さくすること。(↕加圧)

**けんあん**[懸案] 解決されないでいる問題。「—を処理する」

**けんあん**【検案】《名・他サ》〔=調べ考える〕〔監察医(かんさつい)が〕死体を調べること。「死体—書」
**げんあん**【原案】会議で考える土台となる案。
**けんい**【健胃】〔文〕胃の はたらきをさかんにすること。「—剤(ざい)・—錠(じょう)」
**けんい**【権威】すぐれた力を持っていて、社会的にえらいと思われている〈こと/人〉。オーソリティー。「—のある大学・—づけ(る)・生物学の—」 ●**けんいしゅぎ**【権威主義】〈権威を最上のものとしてふりかざす/権威に無批判にしたがう〉やり方。 ●**けんいすじ**【権威筋(ずじ)】そのことについて〈最も関係の深い/よく知っている〉人。〔新聞などで、取材した相手を発表できないとき、そのニュースの信頼度(しんらいど)が高いことを示すのに用いる〕
**げんい**【原意】〔文〕〈もと/本来〉の意味。
**けんいき**【県域】県を一つの範囲(はんい)とする地域。「—放送」
**けんいき**【圏域】何かを基準にしてまとめた、一定の地域。
**けんいん**【検印】①〈検定/検閲(けんえつ)〉したしるしに おす印。②著者が著書の奥付(おくづけ)に おす印。〔現在では、ふつう省略する〕
**けんいん**【×牽引】《名・他サ》①重いものを引っぱること。「機関車の—力」②人の先に立って、ものごとを進めること。「チームを—する」③〔整形外科(げか)などで〕治療(ちりょう)を目的に、からだを引っぱること。「—療法」 ●**けんいんしゃ**【×牽引車】①トラクター。②エンジンをつけて、車両を引っぱる くるま。③人の先に立って、何かをする役。機関車。「問題解決の—」
**げんいん【原因】《名・自サ》何か(困ること)が起こるときの、もとになることがら。わけ。「失敗の—を考えよう・不注意に—する事故」(↕結果) ☞理由。
**げんいん**【減員】《名・自他サ》〔文〕人員をへらすこと。人員が へること。(↕増員)
**けんうん**【△巻雲】《天》空の いちばん高いところにある、細い繊維(せんい)状の雲。氷の つぶが集まってできている。すじぐも。まきぐも。 表記 「絹雲」とも書いた。
**げんうん**【×眩×暈】《医》めまい。
**けんえい**【県営】 県が経営〈すること/しているもの〉。「—球場」
**けんえい**【兼営】《名・他サ》〔文〕二つ以上の事業をかねること。
**けんえい**【献詠】《名・他サ》〔文〕詩や歌を献上(けんじょう)すること。献上する詩や歌。
**げんえい**【幻影】〔文〕まぼろし。「ただの—にすぎない」
☆☆**けんえき**【権益】(国の)権利と利益。「—を守る」
☆☆**けんえき**【検疫】《名・自サ》外国から来る感染症(かんせんしょう)・害虫などを防ぐための検査(をおこなうこと)。「—所」
**げんえき**【原液】 うすめて使う前の、もとの液体。「コーラの—・ワクチンの—」
**げんえき**【現役】①いま社会で活動している〈こと/人〉。「—のスポーツ選手」②学校を卒業してすぐに上の段階の学校にはいる〈こと/学生〉。「—の受験生」(↕浪人(ろうにん))③《軍》常備兵役の一つ。所属部隊に編入されて軍務に服するもの。
**げんえき**【減益】《名・自サ》〔文〕利益が へること。(↕増益)
☆☆**けんえつ**【検閲】《名・他サ》①〔権力者が〕郵便物・出版物・貨物などの内容を調べること。憲法で禁止。「新聞の—」②〔古風〕点検。「先生が作文を—する」
**けんえん**【犬猿】〔文〕犬とサル。仲の悪いもののたとえ。「—の間がら」 ●**犬猿もただならぬ仲** 句 犬とサルどころではなく、もっと悪い仲。犬猿の仲。
☆☆**けんえん**【嫌煙】 人のタバコのけむりを吸わされるのを〈きらう/こばむ〉こと。「—運動・—権」
**けんえん**【×倦×厭】《名・自サ》〔文〕あきて いやになること。「自己—」
**げんえん**【減塩】《名・自サ》①《医》高血圧を防ぐために、塩分を少なくした食事をとること。「—食」②食品にふくまれる塩の量をへらすこと。「—しょうゆ」
**けんお**【嫌悪】《名・他サ》〔悪=にくむ〕〈いやな/よくない〉ものだ、ときらうこと。「不正を—する・—感をいだく」
**けんおう**【県央】 その県の中央部。
**けんおん**【検温】《名・自サ》〈体温/温度〉をはかること。 ●**けんおんき**【検温器】〔古風〕体温計。
**げんおん**【原音】〔文〕もとの〈音(おん)/発音〉。
**けんか**【県下】〔文〕県内。「愛知—」
**けんか**【県花】 その県を代表するものとして、県ごとに定めた花。例、島根県は、ボタン。
**けんか**【県歌】 県として正式に作り、行事のときなどにうたう歌。
**けんか**【懸架】《自動車・バイク》車体をばねで支えること。けんが。「—装置〔=サスペンション〕」
**けんか**【(×喧×嘩)】《名・自サ》①(なぐりあいの)あらそい。言いあらそい。「—口論・—するほど仲がいい・—上等」②〔くせの強いものどうしを組み合わせることで〕全体として調和しないこと。「味が—する・色が—する」 表記 俗に「ケンカ」とも。 ●**けんかを売る** 句 けんかをしかける。 ●**けんかを買う** 句 しかけられたけんかの相手になる。 ●**けんかごし**【(×喧×嘩)腰】 けんかを〈しかける/いとわない〉態度。 ●**けんかっぱや・い**【(×喧×嘩っ)早い】《形》何かというとけんかを始めやすい。けんかばやい。 ●**けんかよつ**【(×喧×嘩)四つ】《すもう》一方は左手をさし、相手は右手をさそうとすること。(↕相(あい)四つ) ●**けんかりょうせいばい**【(×喧×嘩)両成敗】 けんかをするのは、どっちも悪いからだと、両方を罰(ばっ)すること。 ●**けんか わかれ**【(×喧×嘩)別れ】《名・自サ》けんかした状態のまま(仲直りしないで)別れること。
☆☆**けんか**【献花】《名・自他サ》神前、死者の霊前(れいぜん)などに〈花をそなえること/そなえる花〉。「—をささげる・—台」
**けんが**【懸河】〔文〕はげしく流れる かわ。 ●**けんがのべん**【懸河の弁】〔文〕よどみのない弁舌(べんぜつ)。
**げんか**【言下】 言われて すぐ。ごんか。「—に はっきりと答える・—に否定する」
**げんか**【弦歌・×絃歌】〔文〕三味線(しゃみせん)をひき、歌をうたうこと。「—の さんざめき」
**げんか**【原価】①仕入れの値段。もとね。②商品を作るためにかかった費用。「製造—・—計算」
**げんか**【原歌】〔文〕元歌(もとうた)。「和歌の—・賛美歌の—」
**げんか**【現下】〔文〕(ただ)いま。「—の情勢」
**げんか**【減価】《名・自サ》①定価を割引〈すること/した値段〉。②製品・貨幣(かへい)などの、価値が へること。減損額。 ●☆☆**げんかしょうきゃく**【減価償却】《名・

他サ》《経》使ったり、古くなったりして、固定資産の価値が減少した分を、決算期ごとに費用として計上すること。「―が終わった(=元をとった)」

**げんが**【原画】①(複製でない)もとの絵。「絵本の―」②(アニメの制作で)絵コンテにもとづいて作られた、動画のもとになる絵。☞動画③。

**けんかい**【見解】〔ある問題に対する〕意見・評価。みかた。「―の相違(そうい)だ」

**けんかい**【県会】①↑県議会。「―議員」②「県議会」のもとの呼び名。

**けんかい**【県界】県と県との境界。県ざかい。

**けんかい**【×狷介】《名・ナダ》〔文〕がんこで心がせまく、人と調和しない〈こと/ようす〉。「―孤高(ここう)」派―さ。

**けんがい**【県外】その県の範囲(はんい)のそと。「―就職」(↔県内)

**けんがい**【圏外】①〈勢力のおよぶ/条件に合う〉範囲(はんい)のそと。「競争―・射程―・受賞―」②電波の届く範囲のそと。「スマホが―になる」▽(↔圏内)

**けんがい**【懸崖】(=切り立った、がけ)〔文〕枝・葉がたれ下がったもの。「〔キクの〕―作り」

**げんかい**【限界】それ以上は不可能な、ぎりぎりの〈ところ/さかい〉。かぎり。「能力の―・―状況(じょうきょう)(=これ以上はだめ、という ぎりぎりの状況)」•**げんかいしゅうらく**【限界集落】過疎(かそ)が進み、共同体としての活動がむずかしくなった地域。〔人口の半数以上が六十五歳(さい)以上の地域を言う〕

**げんかい**【厳戒】《名・他サ》きびしく警戒(けいかい)すること。また、その警戒。「―態勢」

**げんかい**【幻怪】《ナダ》〔文〕人をまどわすような感じで、あやしいようす。ふしぎ。派―さ。

**げんがい**【言外】ことばに直接には あらわれない部分。「―にほのめかす・―に拒否(きょひ)する(=それとなくことわる)」

**けんかく**【剣客】〔文〕⇩けんきゃく(剣客)。

**けんかく**【懸隔】《名・自サ》〔文〕かけはなれて いること。かけへだて。

**けんかく**【堅確】《名・ナダ》〔文〕しっかりしていて、ゆるぎのないこと。「―不変」

**けんがく**【建学】《名・自サ》学校を新しくつくること。「―の精神」

**けんがく**【研学】《名・自サ》〔文〕学問を研究すること。

**けんがく**【見学】《名・他サ》実際を見て知識を広めること。

**げんかく**【幻覚】《心》神経の異常なはたらきのために、そこにないものが見えたり聞こえたりする感じ。

**げんかく**【厳格】《ナダ》きびしくて、規律ただしいようす。「―な家庭」派―さ。

**げんがく**【弦楽・×絃楽】《音》弦楽器で演奏する音楽。「―四重(じゅう)奏(そう)」

**げんがく**【×衒学】〔文〕知識があることを見せびらかすこと。「―的(=ペダンチック)」

**げんがく**【減額】《名・自他サ》金額〈を減らす/が減る〉こと。「―修正」(↔増額)

**けんかしょくぶつ**【顕花植物】《植》「種子植物」の古い言い方。(↔隠花(いんか)植物)

**げんかつぎ**【験担ぎ・ゲン担ぎ】縁起(えんぎ)をかつぐこと。「―をおこなう・食べれば合格するという―の菓子(かし)」

**げんがっき**【弦楽器・×絃楽器】《音》弦をはった楽器。例、バイオリン・三味線(しゃみせん)。(↔管楽器・打楽器)

**けんがみね**【剣が峰】①〔すもう〕土俵のたわらの、いちばん高いところ。「―でこらえる」②追いつめられた、きわどいところ。「賛否の―に立たされる」③噴火口(ふんかこう)の周辺。

**けんかん**【顕官】〔文〕地位の高い〈官職/役人〉。「政府の―」

**けんかん**【建艦】《名・自サ》《軍》軍艦を建造すること。「―競争」

**けんがん**【検眼】《名・自サ》視力を検査すること。

**けんがん**【献眼】《名・自サ》《医》死後、アイバンクに自分の目を提供して、目の見えない人に角膜(かくまく)を使ってもらうこと。

*__げんかん__【玄関】家の正面の入り口。「―先・―番」•**げんかんぐち**【玄関口】①玄関である出入り口。「―まで荷物を運ぶ」②外から来たとき、必ず通る入り口。「北アルプスの―・空の―(=主要空港)」•**げんかんばらい**【玄関払い】訪問客を〈玄関で応対して/面会せずに〉帰らせること。☞門前払い②。

**げんかん**【厳寒】〔文〕きびしい寒さ。「―の候」(↔厳暑・酷暑(こくしょ))

**げんかんさ**【減感作】《名・自他サ》《医》アレルギー性の病気の発作(ほっさ)〈を少なくする/が少なくなる〉こと。脱(だつ)感作。「―療法(りょうほう)」☞感作。

**けんき**【建機】(↑建設機械)建築・土木作業などに使う機械。

**けんき**【県旗】その県を代表するもの として、県ごとに定めた旗。

**けんぎ**【県議】↑県議会議員。

**けんぎ**【剣技】〔文〕剣の技術。

☆☆**けんぎ**【嫌疑】〔悪いことを〕したのではないかという うたがい。「―を晴らす・―不十分」•**嫌疑がかかる** 句 うたがわれる。

**けんぎ**【建議】《名・自他サ》①意見を申しのべること。建白。②《法》衆議院・参議院などが政府に意見や希望をのべること。

*__げんき__【元気】一①心や からだの活動のもとになると考えられる力。「―がある・―をつける・―をもらう」②「元気一①」のあらわれた状態。「―がいい(=勢いがいい)」二《ナダ》①健康。「お―ですか・では、お―で(=相手の無事をいのる、別れのことば)」②「元気一②」であるようす。活発。「―な子ども」派―さ。•**げんきづける**【元気付ける】《他下一》〔落ちこんでいる人を〕元気になるように はげます。名元気づけ。自元気づく《五》。

**げんき**【原器】①長さや重さの基準にするために作った物体。「キログラム―」②ものを作る場合の見本・型など。

**げんき**【×衒気】〔文〕てらう気持ち。気取り。

**げんぎ**【原義】〔文〕ことばの、〈もと/本来〉の意味。原意。(↔転義)

**けんぎかい**【県議会】《法》県民から選ばれた議員が、県の行政に必要なことを決める議会。

**けんきせいさいきん**【嫌気性細菌】《生》酸素をきらう細菌。例、破傷風菌。(↔好気性細菌)

**けんきゃく**【剣客】〔文〕剣道(けんどう)にすぐれた人。剣士(けんし)。けんかく。

**けんきゃく**［健脚］《名・ナダ》〔文〕足がじょうぶで、長時間歩けるようす。「―家」[派]―さ。

**けんきゅう［研究］《名・他サ》①よく調べて事実や道理を深く知ること。「―室・―者・―的態度」②どうするかを、考えること。「よく―しておきます・将来の―課題だ」●**けんきゅうかいはつ**［研究開発］新しい研究を始めたり、新しい技術や製品を実用化したりすること。

**けんぎゅう**［×牽牛］〔↑牽牛星〕〔文〕わし座の大きな星〔＝アルタイル〕。彦星。〔↔織女〕[由来]「牽牛」は牛飼いの意。☞七夕。

**げんきゅう**［原級］①もとの学級。「―にとどまる〔＝進級しない〕」②《言》英語などの形容詞で、程度をほかと比べない形。例、good〔＝よい〕。☞比較級・最上級③。

☆☆**げんきゅう**［言及］《名・自他サ》〔文〕その話題にふれること。話や文章の中で取り上げること。「問題点にはまったく―していない・自らの責任〈に／を〉―する」

**げんきゅう**［減給］《名・自他サ》〔懲戒処分として〕給料をへらすこと。減俸。「財政難を理由に―する・―処分」〔↔増給・加給〕☞懲戒。

☆☆**けんきょ**［検挙］《名・他サ》警察などの捜査機関が、事件を起こした本人をつきとめ〔て、つかまえ〕ること。あげること。「―率」

**けんきょ**［謙虚］《ナダ》〔自分にきびしく〕ひかえめで、でしゃばらないようす。「―に耳をかたむける」[派]―さ。

**けんぎょ**［県魚］その県を代表するものとして、県ごとに定めたさかな。例、沖縄県は、グルクン。

**けんきょう**［県境］県と、県〔または都・府〕との境界。けんざかい。

**けんきょう**［×牽強］〔文〕こじつけ。●**けんきょうふかい**［×牽強付会×牽強附会］《名・他サ》〔文〕むりやり関係づけて説明すること。こじつけ。「語源に関する―の説」

**けんきょう**［検鏡］《名・他サ》顕微鏡で検査すること。

**けんぎょう**［検△校］昔、盲人にあたえられた最上の官名。「八橋―」

**けんぎょう**［顕教］〔＝教義のわかりやすい仏教〕《仏》密教以外の仏教。けんきょう。〔↔密教〕

**けんぎょう**［兼業］《名・他サ》本業のほかに、別の〈仕事／営業〉をかねること。かねている〈仕事／営業〉。●**けんぎょうのうか**［兼業農家］家族のだれかが、農業以外の仕事で収入を得る農家。〔↔専業農家〕

☆☆**げんきょう**［元凶・元×兇］〔＝もととなる悪者〕〔悪いことの〕いちばんの原因となる〈もの／人〉。「環境破壊の―」

**げんきょう**［原郷］〔文〕もともとのふるさと。「日本の―としての海や山」

**げんきょう**［現況］〔文〕現在のありさま。「―調査」

**げんぎょう**［現業］現場の工事・作業などの労働。「―部門・―員」〔↔非現業〕

**げんきょく**［原曲］《音》もとの曲。

**げんきょく**［限局］《名・他サ》〔文〕〈内容／意味〉をせまく限ること。限定。

**けんきん**［献金］《名・自サ》①〔有力な者・組織への〕寄付。「政治―」②《宗》お金をささげること。さしだすお金。

**げんきん**［一］［現金］①いま、手もとにあるお金。「―と預金」②〔手形やクレジットカードなどに対して〕その場で受けわたしするお金。「―収入・―売り・―取引」[二]〔現金〕《ナダ》目の前の利益などを見て、急に態度を変えるようす。[派]―さ。●**げんきんかきとめ**［現金書留］現金を封筒に入れて送ることのできる書留郵便。

**げんきん**［厳禁］《名・他サ》絶対してはいけないと禁じること。「はり紙―」

**けんぐ**［賢愚］〔文〕利口とばか。「―を問わず」

**げんく**［原句］〔文〕もとの句〔＝俳句や詩の一句など〕。

**けんくん**［賢君］〔文〕かしこい君主。

**けんぐん**［建軍］《軍》軍隊の制度・組織を作ること。「―の精神」

**げんくん**［元勲］国家につくした大きなてがらのある老臣。「維新の―」

**げんげ**［〈紫雲英〉］⇩れんげそう。

**けんけい**［県警］↑県警察本部。

**けんけい**［賢兄］〔文〕[一]①かしこい兄。②〔古風・男〕「相手の兄」の尊敬語。▽〔↔愚兄〕[二]《代》〔男〕同等の男性を尊敬して呼ぶことば。▽[一][二]〔↔賢弟〕

↔**げんけい**［原形］〈もと／はじめ〉のかたち。●**げんけいしつ**［原形質］《生》細胞の生活を支配するもとになる物質。

↔**げんけい**［原型］〔製作物などの〕もとのかた。

**げんけい**［現計］〔文〕〔レジで〕合計に税金を加えたりした、現在の計算高。「〔レシートで〕―￥450」

**げんけい**［厳刑］〔文〕きびしい刑罰。「―に処する」〔↔寛刑〕

↔**げんけい**［減刑］《名・自他サ》①刑罰を軽くすること。②《法》恩赦の一つ。犯罪人の刑の執行の一部を取り消すこと。

↔**げんけい**［減軽］《名・他サ》《法》〔刑罰を〕軽くすること。「刑の―」〔↔加重〕

↔**けんげき**［剣×戟］〔文〕つるぎ〔とほこ〕。「―の〔＝刀で切りあう〕ひびき」

↔**けんげき**［剣劇］刀で切りあう場面が中心の〈演劇／映画〉。チャンバラ。

**けんけつ**［献血］《名・自サ》輸血に使う血を、血液センターなどに無料で提供すること。

**げんげつ**［弦月］〔文〕上弦・下弦の月。ゆみはりづき。

**けんけん**《名・自サ》片足でぴょんぴょんとぶ〈こと／遊び〉。

↔**けんげん**［権限］①役目として、好きなように処理していいという権利。「編集者には作品を書きかえる―がない」②《法》政府・役人などが、法令の規定にもとづいて仕事をすることができる範囲。「職務―」③《法》代理人が法律行為をなしうる範囲。

↔**けんげん**［権原］《法》〔土地・建物などを使用したりする〕法律上の根拠。「管理―者」〔「権限」と区別して「けんばら」とも読む〕

↔**けんげん**［建言］《名・自他サ》〔文〕意見を政府・上役などへ申しのべること。

↔**けんげん**［献言］《名・他サ》〔文〕目上の人に意見をのべること。また、その意見。「社長に―する」

**けんげん**[顕現]《名・自他サ》〔文〕はっきり〈あらわれる／あらわす〉こと。

**げんげん**[言々]〔文〕いちいちの ことば。ことばの はしばし。●**言々火を吐く**[句] はげしく言う。●**げんげんくく**[言々句々] ひとこと ひとこと。

**けんけんがくがく**[(×喧々 ×諤々)]《トタル》〔「喧々囂々」と「侃々諤々」が合わさった ことば〕さわがしく、えんりょなく議論すること。

☆☆**けんけんごうごう**[(×喧々×囂々)]《トタル》〔文〕大ぜいの人が勝手な意見を言って、やかましいようす。「―の反論」☞侃々諤々。

**けんけんふくよう**[拳々服×膺]《名・他サ》〔文〕訓戒などを、深く心に刻みつけ、忘れないで実行につとめること。「―すべき教訓」

**けんこ**[×眷顧]《名・他サ》〔文〕かわいがること。「ご―(=ごひいき)・―をこうむる」

**けんご**[堅固]《ナダ》①かたくて動かないようす。「道心―」②〔城などの〕攻めても なかなか破れないようす。「要害―」[派]-さ。

**げんこ**[(△拳固)]〔古風・俗〕にぎりこぶし。げんこつ。●**げんこを食らわす**[句]〔俗〕げんこつで なぐる。

***げんご**[言語] ①考えたことや気持ちなどを、音声や文字、さらには手の動きなどで他の人に伝えることのできる、社会的な手段。ことば。「音声―(=話しことば)・文字―(=書きことば)」②ある地域で使われる「言語①」。例、英語・フランス語。「二つの―が話せます・四―で対応可能です」〔「国語」とちがって、使われる地域は、必ずしも国と一致しない〕③「言語①」に似て、決まったルールで命令・意思などを伝えるもの。「プログラミング―・イルカの―」●**言語に絶する**[句] 言いあらわすことばがない。ごんごに絶する。「―悲惨な境遇」●**げんごがく**[言語学] 言語を、形式・機能・体系・歴史など、さまざまな面から研究する学問。日本語学はその一分野。●**げんごしょうがい**[言語障害] ことばを正しく言ったり、理解したりできなくなる障害。吃音、はっきりしない発音、失語症など。●**げんごせいかつ**[言語生活] 読み、書き、話し、聞くなどの、言語を使ってする生活の行動。●**げんごちょうかくし**[言語聴覚士] 言語障害者の診断・治療を専門とする人。言語療法士。ST(=スピーチ セラピスト)。●**げんごりょうほうし**[言語療法士] ⇩言語聴覚士。

**げんご**[原語] ①外来語や訳語の直接のもとになった外国語。☞語源。②〈訳した／改めた〉ものの、もとのことば。

**けんこう**[兼行]《名・自サ》夜昼に わたって〈急ぐ／急いでする〉こと。「昼夜―」

****けんこう**[健康]《名・ナダ》①〔病気であるかないかの〕からだや心の状態。「―がすぐれない・―管理・―被害(=健康を害されること)」②「健康①」がすぐれているようす。からだや心の調子がよくて、元気なようす。「―な毎日を過ごす・―法・―ランド(=休憩や食事、ゲームなどが楽しめる大型の公衆浴場)」(↔不健康) 述語「すぐれている」の意味を、主語「健康」がふくむようになった用法。☞「天気③」の。③健全。「明るくて―な読み物」[派]-さ。●**けんこうじゅみょう**[健康寿命] 介護などを必要とせず、自立して日常生活が送れる期間。「―をのばす」●**けんこうしょくひん**[健康食品] 健康にいいとされる食品。●**けんこうしんだん**[健康診断] 病気の早期発見などのため、医師が健康状態をしらべること。健診。「―を受ける・集団―」●☆☆**けんこうほけん**[健康保険] 病気やけがなどの費用をおぎなうための社会保険。健保。「―証(=健康保険にはいっていることを証明するカード)」

**けんこう**[軒×昂・軒高]《トタル》〔文〕意気が高くあがるようす。「意気―」[派]-さ。

**けんごう**[剣豪] 剣道の名人。

**げんこう**[元×寇]《歴》文永十一(一二七四)年と弘安四(一二八一)年、元の国が日本への侵略をくわだてた事変。蒙古襲来。

**げんこう**[言行] 言うことと おこなうこと。「―一致・―録(=言行を記録した文章・書物)」

**げんこう**[原鉱] ほりだしたままの鉱石。

**げんこう**[原稿] ①印刷物などの もとになる文章・絵・写真など。「―をパソコンで書く・メール マガジンの―・―用紙・―料」②読み上げるために書く文章。「演説―」「お原稿」「ご原稿」の両方とも使えるが、前者が ふつう。

**げんこう**[現行] 現に〈おこなう／おこなわれている〉こと。「―の法律・―法」●**げんこうはん**[現行犯]《法》現に〈おこなっている／おこない終わった〉ときに見つかった犯罪。

**げんこう**[減光]《名・自サ》〔照明などの〕光の強さをへらすこと。

**げんごう**[元号]〔文〕年号。

**けんこうこつ**[肩甲骨・肩×胛骨]《生》両肩のうしろにある、まるみのある三角形の ほね。かいがらぼね。

**けんこく**[圏谷]《地》⇩カール(ド Kar)。

**けんこく**[建国]《名・自他サ》新しく国をたてること。●**けんこくきねんのひ**[建国記念の日] 国民の祝日の一つ。二月十一日。〔「日本書紀」によると〕初代の天皇、神武天皇がこの日に即位したという。〔一九六七年から実施。終戦直後までは紀元節と言った〕

☆☆**げんこく**[原告]《法》訴訟を起こして裁判をもとめる当事者。「―の主張」(↔被告)

**げんこく**[現国]〔↑現代国語〕高校で、現代文をあつかう授業の通称。〔「現代国語」は、以前の教科の名前〕

**げんこつ**[(△拳骨)] にぎりこぶし。げんこ。●**げんこつを見舞う**[句] げんこつで なぐる。げんこつをお見舞いする。

**げんごろう**[(源五郎)] 池や沼などを泳ぎまわる昆虫の名。長円形で、せなかは黒びかりがする。●**げんごろうぶな**[(源五郎×鮒)]〔もと、琵琶湖特産のフナ〕へらぶな。へら。

**けんこん**[(△乾×坤)]〔文〕天地。●**けんこんいってき**[(△乾×坤一×擲)]〔文〕運を天にまかせて思い切った行動をすることのたとえ。「―の大勝負」

**げんこん**[現今]〔文〕(ただ)いま。

***けんさ**[検査]《名・他サ》ものごとに問題や異状がないかどうか、調べること。「水質を―する」

**けんさい**[賢妻]〔文・古風〕〔夫のためになる〕かしこ

い妻。賢夫人。〔以前の価値観によることば〕

**けんざい**［建材］↑建築資材。☞新建材。

**けんざい**［顕在］《名・自サ》〔文〕表面に あらわれて、目に見えること。(↕潜在)

**けんざい**［健在］《名・ナダ》①〔年配者などが〕じょうぶで暮らしているようす。「老父の—を喜ぶ」②〔おとろえたかと思われたが〕まだじゅうぶんに力があるようす。「—ぶりを示す・毒舌は—だ・人気—」

**げんさい**［減災］ 災害による被害を可能なかぎり少なくすること。「—対策」

**げんさい**［減殺］《名・他サ》〔文〕少なくすること。げんさつ。「興味を—する」

**げんさい**［減債］《名・他サ》〔文〕公債などの負債を少なくすること。「—基金」

**げんざい**［原罪］《宗》人間が生まれながら持っているという つみ。由来 アダムとイブが禁断の木の実を食べたという、旧約聖書にある話から。

****げんざい**［現在］㊀げんざい ①時間の流れのなかで話し手がここで経験している時。このとき。いま。(↕過去・未来) ②「いま」を強めた言い方。「(いま)—ここに いるではないか」 ③その時点。「三月—の生産量・いま—の気温・あす—の推計人口」 ④《仏》現世。⑤《言》現に続く動作・状態をあらわす語法。助動詞「た」をつけず、言いきりの形であらわす。例、「降った(過去)」に対して「降る」。「動詞の—形」 ㊁げんざい《名・自サ》〔文〕いまここに〈いる／ある〉こと。「人が—する(=現に人がいる)」 ●**げんざいかんりょう**［現在完了］《言》〔英文法などで〕現在すでに動作が完了していることをあらわす言い方。●**げんざいしんこうけい**［現在進行形］①《言》〔英文法などで〕「…しつつある」という言い方。②⇩進行形②。「—の問題」●**げんざいだか**［現在高］《経》いまある残高。●**げんざいち**［現在地］いま〈いる／ある〉ところ。「〔地図の看板で〕—(=あなたのいる地点)・社屋が—に移転する」

**げんざいりょう**［原材料］ 工業製品の素材。「—と製品」

**けんざかい**［県境］ 県と県との境界。

**けんさき**［剣先］①剣などの先の とがった部分。②「剣先①」のような形(の部分)。「けん玉の—・—いか」

**けんさく**［研削］《名・他サ》〔文〕けずって、表面をなめらかにすること。「超精密—」

**けんさく**［検索］《名・他サ》〔索引・インターネットなどから〕さがしたいものを見つけ出すこと。「データベースを—する・レシピを—する」●**けんさくエンジン**［検索エンジン］ インターネット上で目的の情報を検索するシステム。サーチエンジン。

**けんさく**［献策］《名・他サ》〔文〕上の人に政策・計画などを提案すること。

**げんさく**［原作］①〈訳す／改める〉前の、もとの作品。②脚本のもとになった小説・戯曲。

**けんさつ**［検札］《名・自サ》 乗客の切符などを調べること。〔鉄道で、「車内改札」の古い呼び名〕

**けんさつ**［検察］《名・他サ》①《法》犯罪・規則違犯の証拠を集めること。②↑検察庁。「—が動く」●**けんさつかん**［検察官］《法》検察の仕事をおこなう役人。検事・検事長・検事総長などをまとめて言う呼び名。●**けんさつしんさかい**［検察審査会］《法》検察官が被疑者を起訴しなかったとき、その判断が適正かどうかを審査する機関。国民十一人が選ばれて検察審査員となる。検審。●**けんさつちょう**［検察庁］《法》検察官が事務を取りあつかう官庁。

**けんさつ**［賢察］《名・他サ》〔文〕相手がうまく推察してくれることを尊敬した言い方。「ご—ください」

**げんさつ**［減殺］《名・他サ》〔文〕⇩げんさい(減殺)。

☆☆**けんさん**［研×鑽］《名・他サ》〔文〕学問や技術の能力を高めるよう努力すること。「—を積む」

**けんざん**［剣山］〔生け花で〕太い針の とがったほうを上にして植えつけた道具。草花や木の枝などをさしこむときに使う。

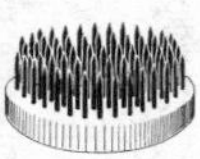

［けんざん］

**けんざん**［見参］《名・自サ》〔もと、目上の人が目下の人に会ってやること〕〔文〕目上の人にお目にかかること。げんざん。

**けんざん**［検算・験算］《名・他サ》 計算したものを調べて、正しいかどうか たしかめること。ためしざん。

**げんさん**［原産］《名・自サ》〔ふつう動植物について〕①元来、そこで産出したこと。「南米(の)—」②原産地。「南米が—」●**げんさんち**［原産地］ 動植物や製品の、元来の産地。

**げんさん**［減産］《名・自他サ》 生産〈が減る／を減らす〉こと。(↕増産)

**げんざん**［減算］《名・自サ》《数》引き算。げんさん。(↕加算)

**げんさんしょう**［減酸症］《医》⇩低酸症。

**けんし**［犬歯］《生》門歯の両がわにある、上下おのおの二本の とがった歯。糸切り歯。〔犬やライオンなどでは、牙に相当する〕

**けんし**［県史］〔文〕県の歴史(をまとめた本)。「—編〈集」

**けんし**［剣士］ 剣客。

**けんし**［拳士］〔文〕拳法を専門とする人。

**けんし**［献詞］〔文〕⇩献辞。

←**けんし**［絹糸］〔文〕きぬいと。「人造—」

→**けんし**［繭糸］ カイコが はき出す、繭を作る糸。生糸を取る。

**けんし**［検視］《名・他サ》①［検死・検×屍］ 変死者の からだを検査すること。「—に立ち会う・—官」②〔文〕事実をくわしく調べること。「現場の—」

**けんじ**［健児］〔文〕元気な わかもの。

**けんじ**［検字］〔漢字の字書で〕本文の見出し漢字を総画順にならべた索引。

**けんじ**［検事］①《法》検察官の階級の一つ。検事長の下、副検事の上。②検察官。●**けんじせい**［検事正］《法》地方検察庁の長。

**けんじ**［献辞］〔文〕自分の作品などをその人にささげる、という意味のことを書いた ことば。献詞。☞エピグラフ。

**けんじ**［堅持］《名・他サ》〔考え・態度を〕しっかり保持すること。「信念を—する」

**けんじ**［顕示］《名・他サ》〔文〕目立つように はっきり示すこと。「力の差を—する」☞自己顕示。

***げんし**［原子］《理》その元素の特性を失わないで到達しうる、いちばん小さい粒子。一個の原子核と、それをとりまく何個かの電子とから成る。電気的には中性。アトム。☞イオン。●**げんしか**［原子価］《理》

ある元素の原子が、水素原子や塩素原子と何個結合するかの数。〔水素一原子を原子価1とする〕 ●**げんしかく**【原子核】《理》原子の中心にあって、原子の質量の大部分を持つもの。陽子と中性子とから成る。正の電気をおび、そのまわりに電子が分布する。核。●**げんしぐも**【原子雲】原子爆弾・水素爆弾が爆発してできるきのこ雲。●**げんしばくだん**【原子爆弾】《軍》ウランやプルトニウムの原子核が分裂するときに出る強大なエネルギーを利用した爆弾。原爆。●**げんしばんごう**【原子番号】《理》原子核の中にある陽子の数。元素ごとに決まっている。●**げんしびょう**【原子病】《医》原水爆やX線などの放射能による病気。放射能症。☞原爆症。●**げんしへいき**【原子兵器】《軍》原子力を利用した兵器。核兵器。●**げんしりょう**【原子量】《理》質量数が一二の炭素原子をもとにしてあらわした、それぞれの元素の原子の質量。水素の原子量は一。☆☆●**げんしりょく**【原子力】《理》ウランなどの原子核が分裂するときのエネルギー。原子エネルギー。「一政策・一災害」●**げんしりょくきせいいいんかい**【原子力規制委員会】《法》原子力の安全利用や、使用規制に関する事務をあつかう行政機関。環境省の外局。〔原子力規制庁は、その事務局〕●**げんしりょくはつでん**【原子力発電】《理》核燃料を原子炉の中で核分裂させて湯をわかし、蒸気の力でタービンを回す発電方式。原発。「一所」●**げんしろ**【原子炉】《理》中にウラン・トリウムなどを入れて、核分裂反応を起こさせる設備。発電や同位体の製造などに使う。☞動力炉。

**げんし**【原糸】〔文〕織物の原料としての糸。

**げんし**【原始】(=はじめ。もと) ①自然のままで、人間の手が加えられていないこと。「《植》一林」②大昔の未開の状態。「一人」●**げんしてき**【原始的】(ナダ) 自然のままで、進歩していないようす。「一な考え」

**げんし**【原紙】①コウゾの皮からす(漉)いた、厚いじょうぶな紙。②謄写版の原版に使う、ろう(蠟)を塗った紙。

**げんし**【原詩】〔文〕〈もと/はじめ〉の詩。

**げんし**【原資】《経》新しく何かをするときの もとになる、資金。「ボーナスの一」

**げんし**【減資】(名・自サ)《経》資本金をへらすこと。(↔増資)

**げんし**【幻視】(名・他サ)《心》実際には見えないのに、見えるように感じること。

**げんじ**【言辞】〔文〕ことば(づかい)。●**言辞を弄する** 句〔文〕誠意をしめさず、ああだ、こうだと言う。「無礼な一」

**げんじ**【現時】〔文〕今の時代。現今。

**げんじ**【源氏】①《歴》源の姓を名のる一族。源家。(↔平氏) ②〔↑源氏物語。書名〕平安時代に紫式部が書いた物語。③〔↑光る源氏〕「源氏物語」の主人公。美男のたとえ。●**げんじぐるま**【源氏車】⇩ごしょぐるま(御所車)。●**げんじな**【源氏名】芸者・ホステスなどにつける、優美な名前。由来 源氏物語の巻の名をつけたことから。●**げんじぼたる**【源氏蛍】ホタルの一種。ヘイケボタルよりも大形で、体長一・五センチぐらい。

**けんしき**【見識】①独自の、判断力や意見。「高い一・一のない人」②きぐらい。「一が高い」●**けんしきば・る**【見識(張る)】(自五) 見識があるように みせかける。見識ぶる。「臆面もなく一」

**けんじつ**【堅実】(ナダ) 人の性質や仕事のやり方について、しっかりして あぶなげのないようす。てがたいようす。「一な仕事ぶり」派一さ・一み。

**げんしつ**【玄室】《歴》古墳の奥に作った、遺体をおさめる部屋。☞石室①。

**げんじつ【現実】一(夢や物語でなく)この世界そのもの(の、ごまかしようのない状態)。「一に目ざめる・一はきびしい・一から遊離した議論・一逃避」(↔理想・虚構)派一み。二(副) 実際には。現実には。「一、それだけの費用はない」●**げんじつしゅぎ**【現実主義】⇩リアリズム①。(↔理想主義) ●**げんじつてき**【現実的】(ナダ) ①現実に存在するようす。「起業の夢が一になる」②実際的。「一な対応」▽(↔非現実的) ●**げんじつばなれ**【現実離れ】(名・自サ)理想や議論ばかりを重んじて、現実からうき上がること。

**げんじてん**【現時点】現在の時点。今という時点。「一では(=今のところ)制限しない」

**けんしゃ**【犬舎】〔文〕犬小屋。

**けんじゃ**【賢者】〔文〕知恵が深くて かしこい人。賢人。けんしゃ。(↔愚者)

**げんしゃ**【現車】(カタログなどでなく)実際の車。「店頭で一確認」

**げんしゃ**【減車】(名・自他サ)〔文〕(運行させる)車両の かず〈を減らす/が減る〉こと。(↔増車)

**げんしゃく**【現尺】実物どおりの寸法。原寸。(↔縮尺)

**けんしゅ**【犬種】犬の種類。例、チワワ。

**けんしゅ**【券種】〔文〕商品券や日銀券(=紙幣)、各種カードや回数券などの種類。

**けんしゅ**【堅守】(名・他サ)〔文〕かたく まもること。「〔サッカー〕一速攻」

**けんじゅ**【献寿】(=寿命をさし上げます)〔文〕「いつまでもお元気で」の意味で、年賀状のあいさつに使うことば。

☆☆**げんしゅ**【元首】国のかしらとして国家を代表する人。「国家一」

**げんしゅ**【原酒】①造ったままで、まだアルコールや水などをまぜてない酒。②熟成をさせた、ウイスキーの原液。

**げんしゅ**【原種】①《農》たねをとるために植える、たね。「一農場」②ある動植物の もとと なった、野生の動植物。(↔変種・改良種)

**げんしゅ**【厳守】(名・他サ) きびしく まもること。「時間一」

**けんしゅう**【検収】(名・自サ) 納入された品物を点検して受け取ること。「一作業」

**けんしゅう**【研修】(名・他サ) その方面の必要な勉強や実習(をすること)。「社内一・語学一・一期間」●**けんしゅうい**【研修医】大学病院や臨床研修指定病院で、実地に研修している医師。

**けんしゅう**【兼修】(名・他サ)〔文〕二つ以上を一度に〈おさめる/習う〉こと。「文武を一する」

**けんしゅう**【献酬】(名・他サ)〔文〕さかずきの やりと

け

り。

**けんじゅう**［県獣］その県を代表するものとして、県ごとに定めたけもの。例、山形県は、カモシカ。

**けんじゅう**［拳銃］片手で発射できる、小型の銃。ピストル。

**げんしゅう**［減収］《名・自サ》収入・収穫が へること。また、へった収入・収穫。「―減益」（↕増収）

**げんしゅう**［厳修］《名・他サ》〔仏〕⇩ごんしゅ。

**げんじゅう**［原住］《名・自サ》その土地に、もとから住んでいること。「―民族」●**げんじゅうみん**［原住民］①「先住民」の、もとの呼び名。②〔台湾で〕先住民。〔行政でも使う〕

**げんじゅう**［現住］《名・自サ》①〔文〕いま住んでいること。「―地」②《仏》現在の住職。

**げんじゅう**［厳重］《ナダ》①万一のことがないように、きびしく念入りにするようす。「警戒―・―な管理・―に包装する」②いいかげんなことでは許さないようす。「―に取りしまる・―な抗議・―注意」派―さ。

**げんじゅうしょ**［現住所］いま住んでいる場所（の名前・番地）。

**げんしゅく**［厳粛］《ナダ》まじめで、おごそかなようす。「―な おももち・―な儀式・―に受けとめる」派―さ。

**けんしゅつ**［検出］《名・他サ》調べて、成分などを取り出すこと。「患者からウイルスが―された」

**けんじゅつ**［剣術］剣道。撃剣。「―師範」

**げんしゅつ**［現出］《名・自他サ》〔文〕あらわれ出ること。あらわし出すこと。

**げんじゅつ**［幻術］〔文〕ふしぎな術。妖術。魔法。

**けんしゅん**［険×峻・×嶮×峻］《名・ナダ》〔文〕山などが高くけわしい〈こと／ようす〉。また、その場所。「―な岩壁」

**けんしょ**［見所］《能・狂言》客席。けんじょ。☞みどころ（見所）。

**けんじょ**［賢女］〔文〕〈かしこい／頭のいい〉女性。

**げんしょ**［原初］〔文〕いちばん はじめ。できはじめ。「宇宙の―・―期」

**げんしょ**［原書］①「原語②」で書いた本。「―講読」（↕訳書）②もとの本。原本。

**げんしょ**［厳暑］〔文〕きびしい暑さ。酷暑。（↕厳寒）

**けんしょう**［肩章］①〈制服／礼服〉の肩に、所属や階級などを示すためにつける しるし。②《服》シャツやコートで、肩の ぬい目にそって つける かざり。▽エポ(ー)レット（フ épaulette）。

**けんしょう**［健勝］〔文〕じょうぶ。健康。〔相手の状態について言う〕「ご―のことと存じます」

☆☆**けんしょう**［憲章］〔文〕国家などが、理想として定めた、いちばん大切な原則。「児童―」

**けんしょう**［懸賞］〔多くの人の関心をひくように〕賞品や賞金をかけて勝負ごとをおこなったり応募させたりすること。また、そのお金（=懸賞金）。「―がかかっている・―募集」

☆☆**けんしょう**［検証］《名・他サ》①取り調べて〈正確に／証明〉すること。「安全性を―する」②《法》〔裁判官などが〕〈実地／実物〉にあたって正確に調べること。「現場―」

**けんしょう**［謙称］《名・他サ》〔文〕自分のほうを、けんそんして言う〈言い方／こと〉。例、小生・愚妻。（↕敬称）

**けんしょう**［顕彰］《名・他サ》功績などをたたえて、広く世間に知らせること。「長年の功労を―する」

**けんじょう**［堅城］〔文〕防備の堅固な しろ。「―をぬく（=攻めおとす）」

**けんじょう**［献上］《名・他サ》①〔身分の高い人に〕さしあげること。「―品」②点数をとられること。「二点を―」③↑献上はかた。「紺―」●**けんじょうはかた**［献上△博多］とっこ(独鈷)形のうき織りの紋のはいった、はかた織の帯地。献上。

**けんじょう**［謙譲］《名・ナダ》〔文〕けんそんして、相手にゆずること。「―の美徳」派―さ。●☆☆**けんじょうご**［謙譲語］《言》敬語の一種。けんそん語。①自分がわから、〈相手がわ／第三者〉に向かう行為・ものごとなどについて、その向かう先の人物を立てて（=高めて）述べるときの ことばや言い方。例、伺う・申し上げる・さしあげる・お目にかかる・〔立てるべき人への〕お手紙・〔立てるべき人を〕ご案内する。②「丁重語①」のこと。自分がわの行為・ものごとなどを、相手に対して丁重に述べるときのことばや言い方。例、参る・申す・いたす・拙著・小社。☞丁重語・尊敬語・丁寧語・美化語。

**けんじょう**［健常］《ナダ》心身に障害がなく健康であるようす。「―者」

***げんしょう**［現象］㊀自然や社会の中にあらわれて、見たり聞いたり感じたりすることの できることがら。「自然―・社会―・―的には（=見た目には）そうだ」㊁《名・自サ》〔文〕目に見える形をとって あらわれること。

***げんしょう**［減少］《名・自他サ》へって少なくなること。へらして少なくすること。（↕増加・増大）

←**げんじょう**［原状］〈もと／はじめ〉の状態。「―回復」

→***げんじょう**［現状］㊀現在の状態。「―維持・―分析・―有姿（=物件に手を加えず、引きわたしをするときの状態のまま）売買」㊁《副》現在のところ。「―、期待が持てない」〔二十一世紀になって広まった用法〕

**げんじょう**［現場］事件が起きた場所。げんば。

**けんしょうえん**［〈×腱×鞘〉炎］《医》手の指を曲げたりのばしたりすると、痛みが生じたり、指の曲げのばしができなくなる病気。

**けんしょく**［顕職］〔文〕高い地位の官職。

**けんしょく**［兼職］《名・他サ》〔本来のつとめの ほかに〕職務をかねて受け持つこと。また、その職務。（↕本職）

**げんしょく**［原色］①まぜあわせて いろいろの色を作るとき、もとになる赤・黄・青の三色。三原色。②ほかの色とまぜあわせない、刺激の強い色。「―を使う」▽（↕中間色）③もとのものに忠実な色。「―図鑑」

**げんしょく**［現職］①現在の職業・職務。「―の教員・―教育」（↕前職）②〔選挙で〕現在、その〈議院／議会〉の議員または地方自治体の長である候補者。〔衆議院の解散後の選挙では、議員は失職しているので、現職はいない〕「A党の―」☞新人③・前職②・元職。

**げんしょく**［減食］《名・自サ》〔文〕食事の量をへらすこと。

**けん・じる**［献じる］《他上一》〔文〕たてまつる。さしあげる。献ずる。「〔酒を〕一献―」

**げん・じる**[現じる]〔文〕[一]《自上一》あらわれる。[二]《他上一》あらわす。▽[一][二]現ずる。

**げん・じる**[減じる]〔文〕[一]《他上一》①へらす。弱める。「苦痛を―・罪一等を―」②引き算をする。引く。[二]《自上一》へる。弱くなる。「価値が―」▽[一][二]減ずる。

←**けんしん**[健診]↑健康診断。「定期―」

→**けんしん**[検診]《名・他サ》病気があるかないかを調べるために診察することこと。「集団―」

**けんしん**[検審]《法》↑検察審査会。

**けんしん**[検針]《名・自サ》ガス・電気・水道などの使用量をしめす目もりを調べること。「―日」

**けんしん**[献身]《名・自サ》自分のことは考えないで、ほかの〈人/ものごと〉につくすこと。「教育に―する」●**けんしんてき**[献身的]《ナダ》自分を犠牲にして力をつくすようす。「―な協力」

**けんじん**[県人]ある県の出身者。「―会」

**けんじん**[堅陣]〔文〕まもりの かたい陣地。

**けんじん**[賢人]〔文〕かしこい人。賢者。●**けんじんかいぎ**[賢人会議]有識者・学識経験者が集まって おこなう会議。

**げんしん**[原審]《法》その裁判の一つ前の段階でおこなわれた裁判。原裁判。「―を破棄する」

**げんじん**[原人]《歴》猿人に次いで出現した、原始時代の人類。例、ジャワ原人・北京原人。☞猿人・旧人①・新人④。

**げんず**[原図]（複写・加筆・着色などをするときの）もとの図面。

**けんすい**[建水]お茶の てまえ(点前)で、湯や水をすてる入れもの。こぼし。水こぼし。

**けんすい**[懸垂]《名・自他サ》①〔文〕たれさがること。たれさげること。「―式モノレール」②鉄棒につかまってぶらさがり、うでを曲げのばしする運動。

**げんすい**[元帥]《軍》軍人の最高位の称号。また、大将の上の階級。☞大元帥。

**げんすい**[原水]飲料水などいろいろな用途に使う前の、もとになる水。「谷川岳の―」

**げんすい**[減水]《名・自サ》〔文〕水の量がへること。「―量」(↕増水)

**げんすい**[減衰]《名・自他サ》〔文〕勢いが、しだいに弱ること。また、弱らせること。

**げんすいばく**[原水爆]原子爆弾と水素爆弾。「―禁止運動」

**けんすう**[件数]〈ことがら/事件〉の かず。

**けん・する**[検する]《他サ》〔文〕(とり)しらべる。

**げん・ずる**[減ずる]《他サ》〔文〕⇩減じる。「死一等を―」〔⇩「死」の句〕

**げんすん**[原寸]現物と同じ寸法。「―大」

**げんせ**[現世]《仏》現在の世。この世。げんぜ。(↕前世・来世)●**げんせりやく**[現世利益]《仏》信仰のおかげでこの世で受けるめぐみ。病気が治ったり、お金がはいったりすること。

**けんせい**[県政]県の行政。

**けんせい**[県勢]〔文〕数字であらわした、県の(経済上の)状態。☞けんぜい(県勢)。

**けんせい**[剣聖]剣の技術に非常にすぐれた人。

**けんせい**[権勢]権力と威勢。いきおい。「―をふるう」

**けんせい**[憲政]立憲政治。「―史上まれに見る暴挙だ」

**けんせい**[顕性]《生》「優性②」の、新しい言い方。(↕潜性)

**けんせい**[×牽制]《名・他サ》①相手が思い切った行動に出ないように、おどしたり警告したりすること。「たがいに―しあう」②《野球》牽制球を投げること。「一塁走者を―で刺す」●**けんせいきゅう**[×牽制球]①《野球》投手が盗塁を防いだり、走者をアウトにしたりするために内野手に投げるボール。②自分の意志に反する行動を相手にさせないような言動。▽「―を送る」

**けんぜい**[県税]県が割り当てて取り立てる地方税。

**けんぜい**[県勢]県の選手団。「―、勝ち進む」☞けんせい(県勢)。

**げんせい**[現姓]〔結婚などをして変わった〕いまの姓。(↕旧姓)

**げんせい**[現勢]現在の〈情勢/勢力〉。

**げんせい**[原生]《名・自サ》〔文〕自然の状態で発生したまま、人手を加えないこと。原始。「―地・〔林業で〕―林」●**げんせいかえん**[原生花園]北海道のオホーツク海沿岸の砂丘などで、ハマナスやエゾキスゲなどが群生する自然のままの花畑。●**げんせいどうぶつ**[原生動物]《生》動物の性質をもつ、単細胞の生物。例、アメーバ・ゾウリムシ。☞原虫。

**げんせい**[現生]《名・自サ》〔文〕現在、生存していること。●**げんせいじんるい**[現生人類]《歴》⇩新人④。

**げんせい**[厳正]《名・ナダ》きびしくて ただしいようす。「―中立」[派]-さ。

**げんぜい**[減税]《名・自他サ》税金をへらすこと。(↕増税)

**けんせき**[×譴責]《名・他サ》①〔文〕悪いおこないやあやまちを、きびしくしかること。「―を加える・―を受ける」②書面でおこなう懲戒処分。〔公務員では「戒告」の古い言い方〕

**げんせき**[言責]〔文〕自分が言ったことばに対する責任。「―を果たす」☞文責。

**げんせき**[原石]①原鉱。②加工する材料としての宝石。③すぐれた才能を秘めた人。

**げんせき**[原籍]①結婚・移転する前の本籍。②それまでの所属や役職。「―校」

**けんせきうん**[△巻積雲]《天》秋の高い空にあらわれる、うろこのような模様の雲。氷のつぶでできていて、うすく広がる。さば雲。いわし雲。うろこ雲。[表記]「絹積雲」とも書いた。

*__けんせつ__[建設]《名・他サ》①〔建物・道路などを〕新しく〈建てる/造る〉こと。(↕破壊)②〔学説などを〕うち立てること。●**けんせつてき**[建設的]《ナダ》ものごとをぶちこわしたりせず、もりたてて よくしていこうとするようす。「―意見」(↕破壊的)

**けんぜつ**[懸絶]《名・自サ》〔文〕非常に かけはなれていること。「兵力の差が―している」

**げんせつ**[言説]〔文〕ことばに あらわして のべる説。「評論家の―」

**けんせん**[献×饌]神式による行事で、神前に食物〔=

洗った米、なまの野菜など〕をそなえること。(↔撤饌(てっせん))

**けんぜん**［健全］《名・ナダ》①からだや心が、きちんとはたらく(ことに役立つ)ようす。「―な精神・青少年の―な〔=健全になるような〕育成・―な食生活」②〔考えや表現が〕社会の常識や礼儀(れいぎ)に かなうようす。「―な考えの持ち主」③ゆがみや ほころびがなく、望ましいようす。「―財政・設備の―性」▽(↔不健全) 派 ―さ。

**げんせん**［原潜］↑原子力潜水艦(せんすいかん)。

**げんせん**［源泉］①水のわき出る みなもと。②ものごとの おおもとになるもの。「知識の―」③温泉が わき出るもととなる井戸(いど)。「―かけ流し」表記「原泉」とも書いた。●☆☆**げんせんちょうしゅう**［源泉徴収］《法》給与(きゅうよ)・利子などをわたす前に、前もって税金を差し引くこと。源泉課税。「―票」

**げんせん**［減船］《名・自サ》漁船を減らすこと。「―政策」(↔増船)

**げんせん**［厳選］《名・他サ》きびしい基準で えらぶこと。「―の結果・―素材」

**げんぜん**［現前］《名・自サ》〔文〕目の前(に あらわれること)。「―の事実・―化する」

**げんぜん**［厳然］《(トタル)》①少しのすきも見せず、りっぱで重みのあるようす。「―とかまえる」②〔事実として〕動かしがたいようす。「―として存在する」

**けんそ**［険阻・×嶮×岨］《名・ナダ》けわしい〈こと/場所〉。「―な山道」

**げんそ**［元素］〔=もと〕《理》原子の種類。現在約一二〇種類が知られる。化学元素。エレメント。「―記号」

**けんそう**［献奏］《名・他サ》〔文〕神に演奏をささげること。「神楽(かぐら)―」

☆☆**けんそう**［×喧騒・×喧×噪］《名・ナダ》〔文〕〔街の いろいろな物音などの〕そうぞうしさ。さわがしさ。「都会の―をはなれる」派 ―さ。

**けんそう**［険相］《ナダ》けわしい〈顔つき/人相〉をしているようす。

**けんぞう**［建造］《名・他サ》建物や船などをつくること。●**けんぞうぶつ**［建造物］①建物。②石・コンクリート・金属などで地上につくったもの。

**げんそう**［幻想］《名・他サ》非現実的なことを、心の中に思いえがくこと。また、その内容。ファンタジー。「―をいだく・―的シーン」●**げんそうきょく**［幻想曲］《音》作曲者の空想によって、形式にとらわれずに作った楽曲。ファンタジア。

**げんそう**［現送］《名・他サ》《経》〈現金/現物〉をおくること。「―車」

**げんぞう**［幻像］〔文〕実際は ないのに、あるように見える形・姿。幻影(げんえい)。

**げんぞう**［原像］〔文〕〔そのものの〕もとになった像。「日本人の―」

**げんぞう**［現像］《名・他サ》《写真》乾板(かんぱん)・フィルム・印画紙に写った像を、薬を使って見えるようにすること。

**けんそううん**［△巻層雲］《天》高いところで空一面にうすく広がる白い雲。太陽や月に かさが かかる原因。うすぐも。表記「絹層雲」とも書いた。

**けんそく**［検束］《名・他サ》①〔旧法で〕保護の必要な人物や、公安に害のある人物を、一時警察などに とどめおいたこと。②〔古風〕欲をおさえ、行動をつつしむこと。「―のない〔=気楽な〕生活」

**けんぞく**［×眷属・×眷族］〔文〕血のつながった一族。また、家来をふくむ一族。「一家―・キツネは おいなりさんの―だ」

***げんそく**［原則］■一〔大部分の場合に あてはまる〕基本となる法則。「情報は―として公開すべきだ・大―」■二《副》基本(的なきまり)として。原則的に。「―、本人が行くこと」〔おそくとも一九八〇年代からある用法〕

**げんそく**［舷側］〔文〕ふなばた。ふなべり。船側。

**げんそく**［減速］《名・自他サ》速度を落とすこと。また、速度が落ちること。「カーブで―する・景気の―」(↔加速)

**げんぞく**［△還俗］《名・自サ》《仏》僧(そう)になった人が、もとの俗人にかえること。

**けんそん**［謙遜］《名・自サ・ナダ》自分を相手よりも下の者、おとった者として ふるまうこと。へりくだること。「―した言い方」

**げんそん**［玄孫］〔文〕ひまごの子。やしゃご。

**げんそん**［減損］《名・自他サ》〔文〕物や財産〈が減る/を減らす〉こと。「―会計処理」

←**げんぞん**［現存］《名・自サ》①昔のものが残っていて、今もあること。②今も生きていること。「―者」▽伝統的には「げんそん」。

→**げんぞん**［厳存］《名・自サ》〔文〕まちがいなく たしかに存在すること。〔伝統的には「げんそん」〕

**けんたい**［検体］《医》検査や分析(ぶんせき)の対象となる物体・食品。

**けんたい**［×倦怠］《名・自サ》①あきあきすること。新鮮(しんせん)な興味が持てない状態。退屈(たいくつ)。「〔夫婦(ふうふ)の〕―期」②だるくて、動くのがいやなこと。「―感〔=けだるさ〕」

**けんたい**［献体］《名・自サ》《医》解剖(かいぼう)実習のために、自分の遺体を提供すること。

**けんたい**［兼帯］《名・他サ》〔文〕二つ以上をかねて一つにすること。かけもち。兼用。「朝昼―の食事」

**けんだい**［見台］①昔、書物をのせて見た台。また、謡曲(ようきょく)・浄瑠璃(じょうるり)で、演者の見る本をのせる台。②〔上方(かみがた)落語で〕演者の前に置く台。〔上に小拍子(こびょうし)を置き、前に膝隠(ひざかく)しを置く〕☞釈台(しゃくだい)。

［けんだい ①］

**けんだい**［兼題］和歌・俳句などの会で、前もって出しておく題。(↔席題・即題(そくだい))

**げんたい**［原隊］〔軍隊・自衛隊などの〕自分が もといた隊。「―に復帰する」

**げんたい**［減退］《名・自サ》意欲や力が小さくなること。「食欲―・精力―」(↔増進)

**げんだい**［原題］〔改めたり翻訳(ほんやく)したりした題に対して〕もとの題。

***げんだい**［現代］①今、現に生きている人間が属する時代。今の時代。「―人・―語・―病・―っ子」②《歴》近代の次の時代。日本では、第二次世界大戦の終結から現在までの時期をさすことが多い。●**げんだいかなづかい**［現代仮名遣い］(―かなづかひ) 現代語の音

韻を仮名で書きあらわすときの規則。ほぼ発音どおりだが、助詞の「は・へ・を」は歴史的仮名遣いのまま、「じ・ぢ」「ず・づ」は意識に応じて書き分ける。新仮名遣い。新仮名。〔一九四六年に前身「現代かなづかい」が内閣告示、一九八六年に改定〕(↕歴史的仮名遣い)

**•げんだいてき**【現代的】《ナダ》 現代にふさわしいようす。モダン。

**げんたいけん**【原体験】 (その人がこだわり続ける)記憶にいつまでも残っている幼いころの体験。「—を語る」

**けんだか**【権高・見高】《ナダ》 気位が高くて、相手を頭からおさえつけるようす。「—な、女の声・—な応対」

**•けんだか・い**【権高い・見高い】《形》 けんだかだ。

**けんだく**【懸濁】《名・自他サ》 どろ水のように、粒子が液体にまざってにごっているようす。「—液」

**けんだま**【(剣)玉・(拳)玉】 木で作ったおもちゃ。穴のあいた玉を糸につけ、先のとがった部分や、三つのくぼんだところに入れて遊ぶ。

［けんだま］

**けんたん**【健×啖】《ナダ》〔啖＝食べる〕〔文〕なんでもよく食べるようす。「—家」

**げんたん**【減反】《名・他サ》《農》耕作の面積をへらすこと。(↕増反)

**げんだんかい**【現段階】 今の段階。

**けんち**【見地】 ①ものごとを観察し結論をくだすときの立場。観点。②宅地などを検分すること。「気軽にご—ください」

**けんち**【検地】《名・自サ》《歴》年貢高などを決めるため、田畑の面積や生産力などを調べること。「(豊臣秀吉の)太閤—」

**けんち**【検知】《名・他サ》〔文〕機械などで検査して知ること。「—装置」

☆☆**げんち**【言質】 のちの証拠となる ことば。「—を取る」〔「げんしち」「げんしつ」は慣用読み〕

**げんち**【現地】 ①〔よそから見て〕その〈土地/国〉。「—調査・—集合・—からの報告」 ②仕事先の国や土地。「—採用・—妻〔＝仕事先の国にいる愛人〕」

***けんちく**【建築】《名・他サ》 ①家やビルなどの建物をたてること。「—家・—費・—物」 ②建物。「りっぱな—・木造—」

**•けんちくし**【建築士】 建築物の設計・工事監理などの業務をおこなう技術者。一級建築士・二級建築士などがある。

**•けんちくめんせき**【建築面積】 ⇩建て面積。

**げんちく**【減築】《名・他サ》 部屋や設備を減らして、家や建物を小さくすること。「二階部分の—」(↕増築)

**けんちゃ**【献茶】 《宗》神や仏に、薄茶などをささげる〈こと/行事〉。また、ささげたお茶。

**げんちゃく**【現着】《名・自サ》 現場に到着すること。「警察官が—する」

**げんちゃり**【原チャリ】〔チャリ↑チャリンコ〕〔俗〕原動機付き自転車。原チャ。

**げんちゅう**【原虫】 《医》原生動物。特に、腸・血液などにはいりこんで病気を起こすもとと なるものを言う。例、マラリアは、マラリア原虫によって起こる。

☆☆**けんちょ**【顕著】《ナダ》 はっきりしていて目立つようす。いちじるしいようす。「—な功績」

**げんちょ**【原著】 〔文〕もとの著作。原作。

**けんちょう**【県庁】 県の事務をあつかう役所。「—所在地」

**けんちょう**【県鳥】 その県を代表するものとして、県ごとに定めた鳥。例、新潟県はトキ。

**けんちょう**【健聴】 ふつうの聴力があること。「—者」

**けんちょう**【検潮・験潮】 海面の潮位を調べること。「気象庁の—所」

**けんちょう**【堅調】《名・ナダ》 ①堅実な調子であること。「売り上げが—に伸びる」 ②《経》相場が上がりぎみのこと。しっかり。(↕軟調) 派 -さ。

**げんちょう**【幻聴】 《心》実際には音がしないのに、聞こえるように感じること。

**げんちょう**【現調】 ①↑現地調査。「建設予定地の—」 ②↑現地調整。「回線の—サービス」 ③↑現地調達。「部品の—化」

**けんちん**【(△巻△繊)】 ニンジン・ダイコン・ゴボウなどを、とうふといっしょに いためたもの。「—汁〔＝けんちんを煮こんだ料理〕・—うどん」

**げんつき**【原付き】 ↑原動機付き自転車。「—自転車」

**けんつく** 〔俗〕ひどい小言。「—をくう」

**けんてい**【賢弟】 〔文〕■一 ①かしこい弟。「愚兄—」 ②〔古風・男〕「相手の弟」の尊敬語。▽(↕愚弟) ■二《代》〔男〕年下の男性を尊敬して呼ぶことば。▽■一■二(↕賢兄)

☆☆**けんてい**【検定】《名・他サ》 ①検査して、等級・合格などをさだめること。「—試験」 ②《数》〔統計で〕母集団についての仮説を、標本によって検証すること。「—式」

**けんてい**【献呈】《名・他サ》 〔文〕つつしんで人にあげること。

**げんてい**【限定】《名・他サ》 〔数・範囲などを〕くぎって決めること。「—版・季節—商品」

**•げんていそうぞく**【限定相続】 《法》遺産相続のしかたの一つ。相続財産の範囲で残された借金をしはらう。

**けんてん**【圏点】 〔字のわきにつける〕小さいまる。語句を強調するときなどに使う。

**けんでん**【×喧伝】《名・他サ》 〔文〕やかましく言い伝えること。「一世に—される」

**げんてん**【原典】 〔翻訳・現代語訳・引用などの〕もとになった本。

**げんてん**【原点】 ①そこから ものごとが発展し、作られる、基本となる点。「—に返る」 ②《数》座標軸のまじわる、基準の点。 ③《マージャン》最初の持ち点。

**げんてん**【減点】《名・自サ》 点数をへらすこと。へらした点。

**•げんてんしゅぎ**【減点主義】 満点の状態から始めて、ミスがあるたびにその分を減点して評価する方法。減点法。(↕加点主義)

**けんと**【建都】 〔文〕首都を建設すること。

**けんと**【県都】 〔文〕県庁のある、都市。

**けんど**【県土】 〔文〕県内の土地(全体)。

**げんど**【限度】 それ以上は こえられない くぎり。かぎり。ほど。

**けんとう**【見当】 ■一けんとう ①だいたい こうだろう、という予想。「犯人の—がつく・—が外れる・—をつける」 ②時間や場所、数量などについての、だいたいの感じ。「深さの—がつく・賛成は六割から七割という—だ」 ③《印刷》〔多色印刷で〕位置がずれないように紙に付けたしるし。 ■二けんとう 接尾 ぐらい。程度。「四十—の人」

●**けんとうしき**［見当識］《心》時間・場所・状況などを正しくとらえ判断する機能。「―障害」●**けんとうちがい**［見当違い］《名・ナダ》①正しいところから かけはなれているようす。「―の場所をさがす・―な批評」②その場合に ふさわしくないようす。それまでの流れに あわないようす。「―〈の／な〉ことを答える」

**けんとう**［拳闘］〔古風〕ボクシング。

**けんとう**［軒灯］〔文〕のきにつける〈電灯／灯火〉。

**けんとう**［献灯］神や仏にささげる灯明。

**けんとう**［健闘］《名・自サ》①〔競技などで、負けそうでも〕くじけずに たたかうこと。②元気に、一生懸命努力すること。「ご―をいのります」

*__けんとう__［検討］《名・他サ》それでいいか、どうすればいいかと、いろいろ調べてよく考えること。「前向きに―する〔⇩「前向き②」の用例〕・再―する」

**けんどう**［県道］県の費用で造って、管理する道路。

**けんどう**［剣道］防具を身につけて竹刀で戦う武道。

**けんどう**［権道］〔文〕目的をとげるためにとる〈臨機応変の／正しいとは言いがたい〉手段。

**げんとう**［幻灯］絵・写真・実物をレンズで拡大し、幕に映して見せるもの。「昭和の―機・―のような光景」

←**げんとう**［玄冬］〔文〕冬。由来「玄」は黒を意味する。五行説で、冬に黒色を当てることから。☞青春・朱夏・白秋。

→**げんとう**［厳冬］〔文〕寒さの きびしい冬。真冬。「―期」

**げんとう**［原頭］〔文〕のはら(の ほとり)。

**げんとう**［減灯］《名・他サ》〔文〕節電のため、街灯などの一部を消すこと。

**げんどう**［言動］言うことと おこなうこと。「―に注目する」

**げんどう**［原動］〔文〕〈運動／活動〉の もと。●**げんどうき**［原動機］《理》自然界に存在するさまざまなエネルギーを機械的な仕事に変換する装置。電動機(=モーター)・内燃機関(=エンジン)など。●**げんどうきつきじてんしゃ**［原動機付き自転車］エンジンの排気量が五〇cc以下の二輪車。原付き。原チャリ〔俗〕。●**げんどうりょく**［原動力］①機械に運動を起こさせるもとになる力。②ものごとの活動を起こす力。

**げんどう**［現道］現在の道。「新道によって―の交通量が減少」

**ケントし**［ケント紙］〔Kent=地名〕絵をかいたり、製図したりするのに使う、なめらかで厚い用紙。

**けんどじゅうらい**［×捲土重来］《名・自サ》〔文〕一度〈やぶれ／失敗し〉た者が、ふたたび、全力をあげて〈くる／やり直す〉こと。けんどちょうらい。「―を期す」

**けんどん**［(×慳貪)］《名・ナダ》①〔文〕欲がふかい〈こと／ようす〉。②⇩つっけんどん。

**けんない**［県内］その県の範囲のなか。県下。「―各地」(↕県外)

**けんない**［圏内］勢力のおよぶ範囲のなか。「優勝―」(↕圏外)

**げんなおし**［験直し］⇩縁起直し。

**げんなま**［現生］〔俗〕(多額の)現金。

**げんなり**《副・自サ》〔俗〕①がっかりしたようす。あきたようす。「同じ話に―する」②(つかれて)弱ったようす。「暑さに―している」

**けんなん**［県南］その県の、南の部分。(↕県北)

**けんなん**［剣難］刃物で きずつけられ、または殺される災難。「―の相」

**げんに**［現に］《副》(いま)実際に。「―そう言ったじゃないか」

**げんに**［厳に］《副》〔文〕きびしく。厳重に。「―つつしみたい」

**げんにゅう**［原乳］加工していない、しぼったままの牛乳。生乳。

**けんにょう**［検尿］《名・自サ》《医》病状などを知るために、患者の小便について色・反応などを調べること。

**けんにん**［堅忍］《名・自サ》〔文〕がまん強くこらえること。「―持久」●**けんにんふばつ**［堅忍不抜］《名・ナダ》〔文〕一生懸命がまんして、意見・態度を変えないようす。

**けんにん**［兼任］《名・他サ》〔本務のほかに〕別の職務をかねること。併任。「―教員」(↕専任)

**けんにん**［検認］《名・他サ》《法》調べて、書いてあることに まちがいがないことを確認すること。「保険証の―」

**げんにん**［現任］現在、その任務に ついている〈こと／人〉。また、その任務。「―校」(↕前任・後任)

**げんにん**［現認］《名・他サ》〔文〕あることが本当にあったことだと認めること。

**ケンネル**〔kennel〕犬小屋。〔ペットショップの名前にも使う〕

**けんのう**［権能］《法》権利を主張・行使することのできる能力。

**けんのう**［献納］《名・他サ》(神社や国に)さしあげること。奉納。「鳥居を―する・軍資金の―」

**げんのう**［(玄△翁)・(玄:能)］(大形の)金づち。由来 南北朝時代、玄翁和尚が、栃木県那須の殺生石をこれで打ちくだいたという故事から。

**げんのしょうこ**［(現の証拠)・(験の証拠)］原野にはえる多年草。花は紅または白色。茎・葉は、下痢どめなどの薬用。由来「現実の、動かぬ証拠」で、煎じて飲むと、すぐに ききめが あらわれるという意味。

**けんのん**［(:剣呑)・(険△難)］《ナダ》〔俗〕あぶないようす。危険。派―さ。

**けんば**［犬馬］〔文〕犬と馬。●**犬馬の労をとる** 句 その人のために骨身をおしまず働く。

*__げんば__［現場］①事件が起きた場所。「―に急行する・事故―」②〔事務をおこなう部署に対して〕実際に動きまわって仕事をしている場所。「―からの意見・―監督」

**けんばい**［券売］券を売ること。「―所・〈駅／軽食コーナー〉の自動―機」

**けんぱい**［献杯・献×盃］《名・自サ》さかずきを相手に〈さし出す／さし出して酒をつぐ〉こと。〔法事などの酒席では乾杯の代わりに使う〕

**げんぱい**［減配］《名・自他サ》配給量・配当をへらすこと。(↕増配)

**けんぱく**［建白］《名・自他サ》〔文〕官庁や上役に、意見を文章に書いて のべること。「―書」

**げんばく**［原爆］《軍》↑原子爆弾。●**げんばく**

しょう［原爆症］《医》原子爆弾の熱や放射能を受けた人にあらわれる症状。ひどいやけどの あと（＝ケロイド）が残ったり、白血球がへったりする。

げんばつ［厳罰］《名・他サ》きびしい罰。「ーに処する」

☆☆げんぱつ［原発］㊀↑原子力発電(所)。㊁《名・他サ》《医》最初に そこに病気があらわれること。「ー巣（＝腫瘍が原発したところ）・〔転移したのでなく〕ー(性)のがん(癌)」

けんばん［検番・見番］芸者のいる置屋と、料亭との間をとりもつ事務所。また、そこにいる芸者。「長崎ー・ー芸者」

けんばん［鍵盤］①〔ピアノ・オルガンなどで〕整然と並んだ、指で鳴らす部分。キーボード。「ー楽器（＝鍵盤を使って演奏する楽器）」②「鍵盤①」の 一つ一つ。キー。「白いー」③〔古風〕〔タイプライターなどの〕キー(が並んだ部分)。●けんばんハーモニカ［鍵盤ハーモニカ］《音》息をふきこみながら鍵盤をおさえて音を出す楽器。〔「ピアニカ」は商標名〕

←げんばん［原板］《写真》焼き付けたり、引きのばしたりするもとになる、乾板・フィルムなど。陰画。ネガ(ティブ)。げんぱん。

↔げんばん［原版］①複製の もとになる版。「地図のー・リマスター版のー」②⇩げんぱん。

→げんばん［原盤］複製の もとになるレコードなど。

げんぱん［原版］《印刷》①紙型をとる前の組み版。②写真印刷版のもとになる版。▽げんばん。☞げんばん(原版)。

けんび［兼備］《名・他サ》二つ以上の性質や能力をあわせ持っていること。ふつうは長所に使う。「才色ー」

けんぴ［県費］県の〈経費/費用〉。

けんぴ 細長く切ったサツマイモなどを油で かりかりに揚げ、みつをからめた菓子。「いもー・ごぼうー」〔高知県が発祥〕

けんぴ［建碑］《名・自サ》〔文〕石碑をたてること。「ー式」

げんぴ［厳秘］〔文〕厳重な秘密(に すること)。「ーに付する」

けんびき［〔：肩引き〕］〔古風/方〕肩甲骨のあたり。また、そこが こること。「ーが張る」

けんびきょう［顕微鏡］《理》きわめて小さいものを大きくして見る装置・機械。

けんびじゅせい［顕微授精］《医》顕微鏡で見ながら、卵細胞に精子を注入しておこなう体外受精。

けんぴつ［健筆］たっしゃに字を書き、または詩・文章を作ること。「ー家・ーをふるう」

げんぴょう［原票］事務処理のための、もとになる用紙や伝票類。「外国人登録ー・統計ー」

けんぴん［検品］《名・他サ》製品の質や数などを検査すること。「ーして出荷する」

げんびん［減便］《名・自他サ》船・飛行機・自動車などの定期便の回数〈を減らす/が減る〉こと。(↔増便)

げんぴん［現品］〔書類上ではなく〕そこに実際ある品物。「ーと引きかえにわたす・ー限り」

けんぶ［剣舞］〔詩吟に あわせて〕剣を持って まう舞。

けんぷ［絹布］〔文〕きぬ織物。

げんぶ［玄武］カメの形をした、中国の神獣。北の守護神とされる。●げんぶがん［玄武岩］《鉱》火山岩の一種。暗い灰色や黒色をしている。由来 兵庫県の玄武洞に見られることから。

げんぶ［減歩］《名・自サ》〔文〕〔区画整理などで〕道路・公園などの公共用地を生み出すため、割り当てて、宅地を少しずつへらすこと。

げんぷ［厳父］〔文〕①きびしい父。(↔慈母・慈父)②「(他人の)父」の尊敬語。

げんぷう［厳封］《名・他サ》厳重に封をすること。

げんふうけい［原風景］①幼いころから持っていたイメージ(が、絵の形で あらわれたもの)。「ーとしての ふるさとの秋」②昔ながらの風景。「日本のー」

げんぷく［元服］《名・自サ》武士の時代、男子が成人になったしるしとして、まげを結い、おとなの着物を着た儀式。げんぶく。

けんぷじん［賢夫人］〔文・古風〕〔夫をよく助ける〕かしこい夫人。賢妻。〔以前の価値観による ことば〕

けんぶつ［見物］《名・他サ》①〈そばから/もよおしものなどを〉見ること。②「見物①」をする人。見物人。観客。☞みもの(見物)。

←げんぶつ［原物］もとの(品)物。

→げんぶつ［現物］①実際の(品)物。②〔金銭でなく〕品物。「ー支給」③《経》〔取引所で〕債券・株式・小豆などの現品。(↔先物)

けんぶん［見聞］《名・他サ》見ることと聞くこと。みきき。けんもん。「ーを広める・ー録（＝見聞きしたことの記録）」

けんぶん［検分］《名・他サ》たちあって調べること。みとどけ。「現場のー」

げんぶん［言文］〔文〕話しことばと書きことば。●げんぶんいっち［言文一致］〔明治初期に起こった〕文章を書くとき、文語の文体によらず、できるだけ口語に近い形で書く〈こと/運動〉。「ー体」

げんぶん［原文］もとの文章。(↔写し・訳文)

けんぺい［憲兵］《軍》陸軍で、主として軍事警察を受け持つもの。

げんぺい［源平］①源氏と平氏。②赤組と白組、また味方と相手の、競争するふた組み。「ー合戦（＝赤組と白組に分かれてする団体競技）」

けんぺいずく［権柄△尽く］《ナダ》〔権柄＝権力〕権力・実権をにぎっている者が、相手をおさえつけるようにして、何かをするようす。

けんぺいりつ［建(蔽)率・建(△坪)率］（その面積までは許される）敷地の面積に対する、建て面積の割合。建築面積率。「ー五〇パーセント」

けんべん［検便］《名・自サ》《医》寄生虫・病原菌・潜血などを調べるため、大便を検査すること。

けんぼ［賢母］〔文〕〔子どもをりっぱに そだてる〕かしこい母。「良妻ー」

けんぼ［建墓］《名・自サ》はかを建てること。「ー費用」

けんぽ［健保］↑健康保険。「ー制度」

げんぼ［原簿］①もとの帳簿。②元帳。

けんぼう［健忘］よくわすれること。●けんぼうしょう［健忘症］①《医》脳の機能がそこなわれて起こる記憶障害。②〔俗〕ものわすれをしがちなこと。

けんぼう［権謀］〔文〕状況に応じた計略。●けんぼうじゅっすう［権謀術数］〔術数＝たくらみ〕

〔文〕人をあざむく計略。権謀術策。「—をめぐらす」
**けんぽう**【剣法】剣の技術。剣術。「実践(じっせん)—・殿様(とのさま)—」
**けんぽう**【拳法】武器を使わず、足でけり、こぶしで突き、また、手で打つことを主とする武術。ふつう、中国起源のものを言う。
＊**けんぽう**【憲法】①〔法〕国を動かしていくための おおもとになるきまり。国の仕組みや、国民の権利・義務などを定めるもの。「日本国—」②おおもとになるきまりや考え方。「商売の—」●**けんぽうきねんび**【憲法記念日】国民の祝日の一つ。五月三日。一九四七年のその日に日本国憲法が施行(しこう)されたことを祝う日。〔一九四九年から実施(じっし)〕
**げんぽう**【減法】〔数〕ある数からほかの数を引き去ってその差を出す法。引き算。(↔加法)
**げんぽう**【減俸】《名・自サ》給料の額を減らすこと。減給。「—処分」(↔増俸(ぞうほう))
**けんほく**【県北】その県の、北の部分。けんぽく。(↔県南)
**けんぼく**【県木】その県を代表するものとして、県ごとに定めた木。例、長野県は、シラカバ。
**けんぼく**【献木】《名・他サ》〔寺社に〕木を植えてささげること。
**けんぽく**【×硯北】〔=すずりの北。おそばの意〕〔手紙〕わきづけの一種。
**げんぼく**【原木】①原料や材料になる木。切ったままの状態の木。「パルプの—」②ある種類のいちばんもとになる木。「河津桜(かわづざくら)の—」
**けんぽん**【絹本】書画をかくきぬ。書画がきぬにかいてあるもの。(↔紙本(しほん))
**けんぽん**【献本】《名・自他サ》自分が関係した本を知人にさしあげること。さしあげる本。また、宣伝のために出版社から本をさしあげること。
**げんぽん**【原本】①もとの本。②〔写したのでない〕もとの文書。(↔謄本(とうほん)・抄本(しょうほん))③翻訳(ほんやく)する前の、もとの本。(↔訳本)
**けんま**【研磨・研摩】《名・他サ》〔文〕といで みがくこと。「—材・—剤(ざい)〔薬剤(やくざい)などの場合〕・—工」
**げんまい**【玄米】もみがらを取り去っただけで、まだ精白していない米。くろごめ。「—食・—茶〔=煎(い)った(玄米とあわせた茶〕」(↔白米)
**けんまく**【(:剣幕)・(:見幕)】(おこった)顔つき。はげしくてあらあらしい、怒(いか)りのようす。「たいへんな—でどなりこむ」
**げんまん**【(△拳万)】《名・自サ》〔児〕ゆびきり。「ゆびきり—」
**げんみつ**【厳密】《ナダ》細かなところまで注意して、手をはぶかないようす。「—性」派—さ。
**けんみゃく**【検脈】《名・自サ》〔医〕脈の数や打ち方を調べること。「検温—」
**げんみょう**【玄妙】《ナダ》〔文〕おく深くて すぐれているようす。「—なしくみ」派—さ。
**けんみん**【県民】その県の住民。「—性〔=県民に共通の性格〕」
**けんむ**【兼務】《名・他サ》職務をかねること。かねている職務。(↔本務)
**けんめい**【件名】①分類のための項目(こうもく)名。「本を—で検索(けんさく)する」②書類・メールなどにつける見出し。表題。「メールの—」
**けんめい**【県名】県の名前。
**けんめい**【賢明】《ナダ》〈かしこくて〈情勢に明るくて〉問題を適切に処理できるようす。「読者の—な判断にまかせる」派—さ。
**けんめい**【懸命】《ナダ》一心。力いっぱい。「—な努力」派—さ。
**げんめい**【原名】〔文〕翻訳(ほんやく)したものの、もとの名前。(↔訳名)
**げんめい**【言明】《名・他サ》〔文〕はっきり言うこと。「首相(しゅしょう)は増税しないと—した」
**げんめい**【厳命】《名・他サ》〔文〕きびしく命じること。きびしい命令。
**げんめつ**【幻滅】《名・自サ》幻想(げんそう)からさめて つめたい現実に返ること。「—の悲哀(ひあい)」
**けんめん**【券面】①入場券・招待券などの表面。②〔経〕ⓐ証券の、金額が書いてある表面。ⓑ〔↑券面額〕「券面②ⓐ」の金額。
**げんめん**【原綿・原×棉】〔綿糸紡績(ぼうせき)の〕原料としてのわた。
**げんめん**【減免】《名・他サ》負担を〈軽く〈免除(めんじょ)〉すること。「税の—」
**げんもう**【原毛】〔織物の〕原料としての、けものの毛。
☆☆**けんもほろろ**《名・ナダ》少しも〈同情の心〈あたたかみ〉がないようす。「—のあいさつ・—に断られる」
**けんもん**【権門】〔文〕権力や勢力のある〈家〈人〉。「—勢家(せいか)〔=権力や勢力のある、えらい人の家〕」
☆☆**けんもん**【検問】《名・他サ》〔警察官などが〕調べて問いただすこと。「—所」
**げんや**【原野】自然のままの野原。
**けんやく**【倹約】《名・他サ・ダ》費用をはぶいて むだづかいしないこと。きりつめること。「—家」
**げんゆ**【原油】くみあげたままで、まだ精製していない石油。色は黄色がかった茶色。(↔精油)
**げんゆ**【原由】《名・自サ》〔文〕事の起こり。もとづくこと。「不安定な精神状態に—する」
**けんゆう**【県有】〔文〕県が持っていること。「—地」
**けんゆう**【剣友】〔文〕いっしょに剣の修業(しゅぎょう)を〈する〈した〉なかま。「—会」
**けんゆう**【兼有】《名・他サ》そのほかに、何かをいっしょに持っていること。
**げんゆう**【現有】《名・他サ》いま持っていること。「議会でのわが党の—勢力〔=現在の人数〕」
**けんよう**【兼用】《名・他サ》①〈いっしょに〈両方に〉使うこと。「晴雨—・客間—の書斎(しょさい)」(↔専用)②両方をかねること。兼帯(けんたい)。「朝昼—の食事」
**けんよう**【顕揚】《名・他サ》〔文〕世にあらわして、あげること。「国威(こくい)の—」
**げんよう**【幻妖】《ナダ》〔文〕幻想的であやしいふんいきがただようようす。「—怪奇(かいき)」
**けんようすい**【懸×壅垂】〔生〕⇒こうがいすい〔口蓋垂〕
**けんよく**【謙抑】《名・ナダ》〔文〕けんそんで、ひかえめなようす。派—さ。
**けんらん**【賢覧】〔文〕相手が見ることの尊敬語。高覧。「内容見本ご—の上」
**けんらん**【×絢×爛】《タル・ナダ》〔文〕①はなやかでりっぱなようす。「—豪華(ごうか)な大ホール」②ことばのつかい方が、はできれいなようす。「―たる文章」派―さ。

**けんり[権利]①あることをする自由があると、その人に〈もともと/社会的に〉保証されているもの。(法律上)特定の利益を他人に対して主張できる力。「教育を受ける―・人の―を侵す・君には とがめる―〔=資格〕がない」(↔義務) ②〔土地・家・店などの〕使用権。「店の―をゆずる」 ●けんりきん[権利金] 土地や家屋を借りるとき、貸し主にしはらう お金。返金はされない。 ●けんりしょ[権利書] 不動産に関する登記がすんでいることを証明する文書。権利証。

げんり[原理] ①根本的な理論。「教育―」 ②根本的な しくみ。「市場―・競争―・てこの―で動く」 ●☆☆げんりしゅぎ[原理主義]《宗》教義の根本にもどろうとする立場。根本主義。ファンダメンタリズム。「―者」〔テロなどを認める「原理主義過激派」とは区別される〕

けんりつ[県立] 県が作り、維持する〈こと/もの〉。「―病院・―〔=県立高校〕にはいる」

げんりゅう[源流]〔文〕①ながれの みなもと。 ②起源。由来。表記「原流」とも書いた。

けんりょ[賢慮]〔文〕①かしこい考え。「旧来の発想を打ち破る―」 ②相手がうまく考えてくれることを尊敬した言い方。「何とぞ ご―いただきたく」

けんりょう[見料] ①見物の料金。観覧料。 ②運勢をみてもらう手数料。

けんりょう[検量]《名・他サ》 重量などをはかって確認すること。

げんりょう[原料] 物を製造するもとになる材料。「たね。「ビールの―」

げんりょう[減量]《名・自他サ》 ①分量〈が へる/を へらす〉こと。 ②〔運動選手などが〕体重をへらすこと。▽(↔増量)

けんりょく[権力] ①〔人を支配する立場にあるものが持つ〕他人を強制し服従させる力。「―家・絶大な―をふるう・―の濫用」 ②政府・経営者などの、権力〔を持っている人たち〕。「―側・―べったり」

けんるい[堅塁]〔文〕そなえの かたい とりで。「―をぬく〔=攻めおとす〕」

けんれん[県連] ↑…県〔組合・政党支部〕連合会。

けんれん[×眷恋]〔文〕思い こがれること。「―の情」

けんろ[険路]〔文〕けわしい道。

けんろう[堅×牢]《名・ナダ》〔文〕しっかりしていてじょうぶなようす。「―な橋・―性をそなえる」派―さ。

げんろう[元老] ①評判が高く、経歴の特にりっぱな政治家。 ②その方面に てがらのあった年寄り。 ●げんろういん[元老院]〔共和国などで〕上院。

げんろくそで[元×禄袖]《服》和服の そで型の一つ。かどに まるみをつけた女性の着物の そで。たけは短い。げんろく。

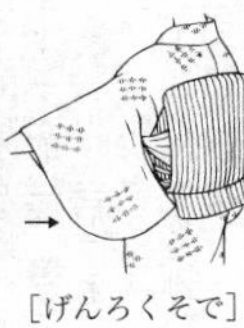

[げんろくそで]

げんろん[言論] 言語や文章によって〈発表された思想/思想を発表すること〉。「―機関〔=新聞・雑誌・放送など〕・―の自由」

げんろん[原論]〔ある分野の〕基本の理論。「資本主義―」

げんわ[原話] その作品のもととなった説話。

げんわく[×眩惑・幻惑]《名・他サ》 相手の目をくらませ、判断をまよわせること。「お金に―される」

げんわく[減枠]《名・他サ》 割り当てのわくをへらすこと。(↔増枠)

けんわん[健腕]〔文〕①力が強い うで。 ②すぐれた技術をもつ うで。

けんわんちょくひつ[懸腕直筆]〔書道で〕ひじを上げ、筆を垂直に立てて書く筆法。大きな字を書くのに適する。

# こ
# コ

**こ[子] 一 こ ①[△児]〈自分/妻〉の おなかから生まれた人。また、養子。こども。「おなかの―〔=胎児〕」(↔親) ②[△児] おさない人。こども。「よその―」 ③若い〈女/男〉。「あの―に ほれてるね」 表記 俗に「コ」とも。女は「△娘」とも。 ④〔キリスト教で〕キリスト。「父と―と聖霊」☞三位②。 ⑤(自分の)ペット。「うちの―」 ⑥[×仔] 雌の動物の腹から生まれたもの。また、たまごから かえった動物。「猫の―・―犬」(↔親) ⑦さかなの腹の中につまっている、小つぶの たまご。殻はない。「タラの―」 ⑧本になる部分から分かれて生まれ出たもの。「竹の―・しょうがの―」 ⑨利息。「元も―もなくなる」 ⑩《マージャン・トランプ・花札など》主導権を持たない役(の人)。(↔親) 二 造 親となるものに従属するもの。「―会社・電話の―機」(↔親) 三 造 その役目の人。「売り―・縫い―」☞っ子 一。 四 接尾 女性の名前につけることば。「洋―・友―・わたしってダメーちゃんだ」☞っこ 二・んこ。 ●子はかすがい(鎹) 句 たとえ仲の悪い夫婦でも、子どもがいれば、その子への愛情で つなぎとめられて、うまくやっていけるものだということ。 ●子は三界の首(っ)かせ(枷) 句 親というものは、子どものことを思って、一生、苦労がたえないということ。 ●子ゆえの闇 句〔親が〕子どもへの愛情がすぎて、理性を失うこと。 ●子を持って知る親の恩 句 親のありがたさは、自分が親になってみて、はじめて わかるものだ。

こ[孤]〔文〕ひとりきり。「―を守る〔=孤立する〕」

こ[弧] ①ゆみ(がた)。「―をえがいて とぶ」 ②《数》〈円周/曲線〉の一部分。☞「弦 一②」の絵。

*こ[個] 一 こ〔文〕〔全体を形づくる〕ひとつ。(自分)ひとり。「―としての自覚・―と全〔=全体〕」(↔全) 二 接尾〈かたまり/まとまり〉を数えることば。「リンゴ三―・二―の金メダル・惑星一―・〔軍隊の〕一―師団・五―の台風・部屋には趣味の品一―〔=一個さえ〕かざられていない」〔俗に、年齢・学年などの差に用いる。「一―上の先輩」〕表記 二は「△箇」とも書き、俗に「ヶ」「ケ」とも。簡単に「コ」とも。☞一個・ケ。

こ[粉] こな(状のもの)。「小麦―・タピオカ―・〈じゃがいも/はだ〉が―を吹く・身を―にして〔⇩「身」の句〕」

こ[戸] 接尾 戸数を数えることば。☞一戸。

こ 接尾〔もと、幼児語〕①〔擬態語など+―〕その状態で止まったようすをあらわす。「ぺしゃん―・ごっつん―する」 ②〔「事」から〕相手と、そのようにすること。「代わり番―・半分―・順番―」 ③〔「子」と同語源。〈親しみのある/小さい〉ものにつけることば。「酒(っ)ー・湯(っ)ー(=ふろ)」☞っこ〔接尾〕。

こ[小]〔造〕①小さい。少しの。「ー声・ーー犬・ー雨」(↔大)②取るに足りない。「ーせがれ・ーむすめ」③〔少し足りないが〕ほとんど。だいたい。「ー一年」☞小一時間。④〔副詞的に〕ⓐ少し。なんとなく。なかなか。「ー首をかしげる・ーぎれいな・ーざっぱりした・相場がーゆるむ(=少し安くなる)・ーじっかりした(=相場が少し高めのようす)」✓「小首をかしげる」の場合、「小首」というものがあるわけではなく、「少し首をかしげる」の意味。「小耳にはさむ」「小腹がすく」なども同様。ⓑそれがなんだか不愉快だ、という気持ちをあらわす。「ーずるい・ー利口な」

こ[古]〔造〕むかしの。いにしえの。「ー民家・ー地図・ー美術」

こー[故]〔造〕亡くなった。「ー高橋氏」

こ[庫]〔造〕〔ものを入れておく〕建物・部屋。くら。「貯蔵ー・収蔵ー・冷蔵ー」

こ[湖]〔造〕みずうみ。「火口原ー・十和田ー」

**ご[五]〔造〕四より一つだけ多い数。いつつ。ごお。〔表記〕アラビア数字では「5」。

ご[呉]〔歴〕中国の春秋時代の国の一つ。長江下流を領地とした。〔前四七三年以前〕☞呉越同舟

ご[(:豆汁)] ダイズを水にひたして細かくひいたもの。とうふの材料。また、染め物用。

ご[期]〔文〕(大切な・かけがえのない)おり。とき。☞この期。

ご[碁] 縦横十九本ずつの線のまじわる所に、黒石・白石の順で交互に石を置き、囲んだ陣地の多さをきそうゲーム。烏鷺の争い。手談。囲碁。●**碁を打つ**〔句〕碁盤に石を置いて勝負をする。

**ご[語]㊀ご①〔文〕ことば(づかい)。「ーを改めて」②〔言〕⇒単語。㊁〔造〕言語。ことば。「フランスー・外来ー・自立ー・接頭ー」

**ご㊀[(御)]〔接頭〕〔ふつう、漢語につく。☞「お(御)ー」の〔区別〕〕①美化した言い方。「ー飯・ー馳走」②尊敬した言い方。ⓐ〔ー+サ変動詞の語幹+**になる**など〕〈他人〉相手〉の行為を尊敬する。「ー利用になる・ー帰国なさる・ー説明くださる」✓(1)尊敬のつもりで、「お客さまがご注文してくださる〉お客さまがご来店される」のように言うことがあるが、謙譲語の「ご…する」に形が似るのできらう人もいる。「お客さまがご注文くださる〉お客さまにご注文いただく」「お客さまがご来店になる」のように言うといい。(2)尊敬の可能表現のつもりで「(お客さまが)ご利用できます」のように言うことがあるが、「(私が)ご協力できます」などけんそんの形と同じになり、きらわれる。「ご利用になれます」のように言うといい。ⓑ〈他人〉相手〉に関するものごとを尊敬する。「ー両親・ー家庭・ー意見」③けんそんした言い方。ⓐ〔後ろに「する・できる・いたします・申し上げます」などをともなって〕自分(がわ)の行為をけんそんする。「ー報告します・ー案内申し上げます・いつでもー用意できます」ⓑ自分(がわ)に関するものごとをけんそんする。「ー報告・ー案内」✓「ご質問」「ご依頼」など、尊敬語としてもよく使うことばは、けんそんの感じが出にくい。「お尋ね・お伺い」「お願い」とすると、けんそんの感じが出る。④皮肉やからかいの気持ちをあらわす。「ひどいー面相(=顔)」㊁[御]〔接尾〕〔文〕尊敬してつけることば。「親ー・母ー(=母上)・花嫁ー・娘ー」

ご[誤]〔造〕〔文〕誤った。「ー操作・ー配達・ー変換」

**ご[後]㊀〔造〕あと。のち。「一年ー」(↔前) ㊁ご〔視覚語〕↑午後。(↔前) 〔表記〕俗に「△后」とも。☞その後。

☆☆コア〔core〕㊀①核。中核。核心。中心部。②《地》⇩核③。㊁《ナダ》①〈中心的〉中核的〉であるようす。②マニア(向け)であるようす。「ーな視聴者」「ーな趣味・ーな本」

こあい[濃藍] こい藍色。「ーのかすり」

ごあいさつ[(御挨拶)]①「あいさつ」の尊敬語。「あいさつ」の謙譲語。「一言ーを申し上げます」②③失礼な〈あいさつ〉言い方〉。「『だれだ、お前は』『だれだとはーだな』」〔文字どおりの意味は「けっこうなあいさつ」だが、皮肉で言う〕

こあお[濃青]〔雅〕こい青色。「ーの海」

こあがり[小上がり]〔小料理店などで〕いす席より一段高く設けた、追いこみの座敷。☞追い込み③。

こあきない[小商い] 小さな規模の商売。(↔大商い)

こあきんど[小(△商△人)] 小さな規模の商売をしている商人。

こあくま[小悪魔] ①魔力がそれほどでない、小さな悪魔。②年上の男をまどわせる、魅力的な若い女。

こあざ[小字] 大字より小さい区画。字。

こあじ[小味]《ナダ》こまやかな味わいの感じられるようす。「ーな喜劇」(↔大味)

コアタイム〔core time〕フレックスタイム制で、必ず勤務していなければならない時間帯。(↔フレキシブルタイム)

こあたり[小当たり]《名・自サ》ちょっと他人の気持ちをさぐってみること。

ゴアテックス〔Gore-Tex=商標名〕水ははじくが、中の湿気は外に出ていく素材。細かい穴がたくさんある。衣類やフィルターなどに使う。

コアラ〔koala〕オーストラリアだけにいる、小形のけもの。顔はおもちゃのクマに似ている。雌の腹にふくろがある。こもりぐま(子守熊)。

ごあんない[(御)案内] ご存じ。「ーのように・ーのとおり」〔改まった言い方〕

☆☆こい[故意] わざとすること。「ーに(=わざと)当たる」(↔過失)☞未必の故意。

こい[恋] 人を好きになって、会いたい、いつでもそばにいたいと思う、満たされない気持ち(を持つこと)。「ーに落ちる・ー多き(=いろいろな人と次々に恋愛をする)人生・あなたにーをする」☞恋する。●**恋に恋する**〔句〕すばらしい恋愛がしたい、とあこがれる。恋を恋する〔古風〕。●**恋は思案の外**〔句〕恋は、理屈では解釈できない。●**恋は盲目**〔句〕恋をすると理性を失うことのたとえ。〔Love is blind の直訳〕

こい[請い・乞い]〔文〕こうこと。「ーを入れる」

こい[(×鯉)] 池などに飼う大きなさかな。ゆうゆうとおよぐ。食用または観賞用。「ーの吹き流し(=こいのぼり)・錦ー・ーのあらい」

***こ・い**【濃い】《形》①色の感じが強い。「—みどり色・おしろいを濃く塗る」(↔薄い・淡い) ②とけこんだものが多(くて、味がしつこ)い。「—塩水・—めのスープ」③すきまが少なく、こんでいるようすだ。「—ひげ・密度が—」④度合いが大きい。「血のつながりが—・疑いが—」⑤〔釣りや猟で〕獲物がたくさんいるようすだ。「さかなが—」▽②〜⑤(↔薄い) ⑥〔俗〕どぎつい印象をあたえるようすだ。「—顔」▽こいい。派—さ。

**こ・い** 接尾 ⇩っこい。「脂—」

☆☆**ごい**【語彙】①ことばの集まり。「—と文法」②ことばを類別して集めたもの。「近松—(=近松門左衛門の作品にある語の集まり)」③個人が使ったり理解したりすることばの数。「—が少ない・—を増やす」④単語。「『もったいない』という—」

**ごい**【語意】〔文〕ことばの意味。

**こい・い**【濃いい】《形》〔西日本方言〕こい。こゆい。

**こいう・ける**【請い受ける】《他下一》〔古風〕お願いしてもらい受ける。「蔵書を—」

**こいうた**【恋歌】恋の気持ちを歌った歌。れんか。「悲しき—」

**こいかぜ**【恋風】〔雅〕こいしい思いを風にたとえたことば。「—が身にしみる」

**こいがたき**【恋敵】恋の競争相手。ライバル。

**こいき**【小粋】《ナダ》なかなかいきな(=しゃれた)ようす。「—な着物姿」派—さ。

**こいくち**【濃い口】〔しょうゆの色などの〕こい〈こと/もの〉。「—しょうゆ(=各地でふつうに見られるしょうゆ)」(↔薄口)

**こいぐち**【(×鯉)口】①刀のさやの口。「—を切る(=刀をぬこうと身がまえる)」②筒そで。「—のはんてん・—シャツ(=祭りなどで着る、ダボシャツに似たシャツ。わきの下がゆるやかにカーブしている)」

**ごいけんばん**【(御)意見番】はばかりなく自分の考えを述べて、人をいましめる役の人。

**こいこが・れる**【恋い焦がれる】《自下一》こいしさに思いなやむ。

**こいこく**【(×鯉△濃)】コイを輪切りにして、みそしるで煮こんだもの。

**こいごころ**【恋心】恋する気持ち。「年上の人に—をいだく」

**ごいさぎ**【(五位×鷺)】頭やせなかは黒く、足の短いサギ。後頭部に白いはねがある。五位。

**こいし**【小石】小さい石。☞石ころ。

**こいじ**【恋路】恋(の道)。「しのぶ—」

**ごいし**【碁石】碁に使う、平たくてまるい小石。

**こいし・い**【恋しい】《形》〔会いたい、いっしょになりたいなど〕強くあこがれて、なつかしくなる気持ち(にさせるようす)だ。「—人・ふるさとが—・水—季節」派—がる。—げ。—さ。

**こいした・う**【恋い慕う】《他五》会いたい、そばに行きたいという気持ちをおさえきれないほど、強く思う。

**こいじわる・い**【小意地悪い】《形》〔古風〕なんとなく、意地が悪い。小意地が悪い。「—質問」

**こい・する**【恋する】《自他サ》①恋をする。恋を感じる。「—人(=恋しい人)に一目会いたい」②手に入れたい、いつもそのそばにいたいと強く思う。「オペラに—」

**こいちじかん**【小一時間】(やや少ないが)だいたい一時間(弱)。「町まで—かかる」

**こいちゃ**【濃茶】①《茶道》抹茶を湯でねり、こく点てたもの。人数分を作って、回し飲みにする。「お—」(↔薄茶) ②こい茶色。

**こいつ**《代》(↑こやつ。やや乱暴な言い方)〔俗〕①この人物。「—、やりやがったな・—はおれの仲間だ」②これ。「—はしゃくだった」表記 かたく「:此奴」、俗に「コイツ」とも。

**ごいっしょ**【(御)一緒】㊀「一緒」の美化語。「みなさんも—に手拍子を」㊁《名・自他サ》「いっしょに何かをすること」の謙譲語。「食事を—する・Aさんと植物園に—する(=いっしょに行く)」

**ごいっしん**【御一新】明治維新。

**こいづま**【恋妻】〔古風〕⇩恋女房。

**こいなか**【恋仲】おたがいに恋している間がら。

**こいにょうぼう**【恋女房】恋愛して結婚した妻。恋妻。

**こいぬ**【子犬・×仔犬】犬の子。

**こいぬ**【小犬】小さな犬。小型犬。

**こいねが・う**【(:庶幾う)・(×冀う)・(△希う)】《他五》〔文〕願いのぞむ。

**こいねがわくは**【(:庶幾くは)・(×冀くは)・(△希くは)】《副》〔文〕願いのぞむことには。なにとぞ。こいねがわくば。☞願わくは。

**こいねこ**【恋猫】《俳句》春、さかりのついたネコ。恋の猫。

**こいのぼり**【(×鯉×幟)】コイの形に作ったのぼり。端午の節句には、ふき流しとともにさおに結んで、風になびかせる。

**こいばな**【恋バナ】(↑恋話)〔俗〕恋愛に関する話。「—でもりあがる」

**こいびと**【恋人】おたがいに恋しく思う人。〔まれに、一方的に恋しく思う相手〕「—ができる・—になる・—宣言・—つなぎ(=たがいの指を一本ずつからませる、手のつなぎ方)」〔会話では、多く「彼氏」「彼女」と言う〕

**こいぶみ**【恋文】〔古風〕ラブレター。

**こいめ**【濃い(目)】少しこいくらいの程度。こめ。「—に味つけする」(↔薄め)

**こいも**【子芋】サトイモの親芋についてできた、小さい芋。芋の子。(↔親芋)

**コイル**〔coil〕《理》針金などの金属線を、らせん状に巻いたもの。巻き線。

**こいわずらい**【恋煩い・恋患い】《名・自サ》片思いがつのったあまり、食欲がなくなったりして、まるで病人のようになること。

**こいん**【雇員】〔文〕〔官庁などで〕正規の職員の仕事を手伝うために、一時的にやとわれた人。

**コイン**〔coin〕①(小額の)貨幣。硬貨。「—の裏表(=別の面から見た一つの物事)」②貨幣のかわりに使うもの。「ゲーム機用の—」 ●**コイントス**〔coin toss〕試合の先攻などを決めるため、コインを投げ上げること。 ●**コインパーキング**〔coin parking〕利用者がお金をはらって一時的に借りる駐車場。 ●**コインランドリー**〔coin laundry〕コインを入れて利用する全自動洗濯機を置いてある無人の店。●**コインロッカー**〔和製 coin locker〕利用者がお金をはらって、荷物を一時的に預けておくことができるロッカー。

☆☆**ごいん**[誤飲]《名・自他サ》〔文〕〔飲みこんではいけない物を〕誤って飲みこむこと。「幼児の―事故」☞誤嚥。

**こう**[工]【一】**こう** ①↑工学部。「医―薬理」②《軍》↑工兵。「歩騎砲―」【二】【造】①工事。「防雪―」②工事に従事する人。職工。「機械―」③↑工業高校。

**こう**[公]【一】**こう**〔文〕①身分の高い人を尊敬して言うことば。②公国の元首。③↑公立(大学)。「国、―、私」【二】**こう**《代》〔文〕身分の高い人を尊敬して呼ぶことば。【三】【造】①公人としての。「―生活」(↕私)②公共の。「―教育」【四】【接尾】①身分の高い人の氏名の下にそえる尊敬のことば。「徳川慶喜―」②〔俗〕人・動物をかろんじて呼ぶことば。〔仲間の場合は、親しみの気持ちもある〕「留―〔=『留吉』など〕・先―〔=先生〕・ポリ―〔=警察官〕・エテ―〔=サル〕・ワン―〔=犬〕」

↑**こう**[功]〔文〕①大きな仕事。「改訂の―を終えた」②てがら。「―をあせる・―をゆずる」③てがらになるような成果。やりがい。「労して―無し〔⇩「労する」の【句】〕」●**功成り名遂げる**【句】りっぱな仕事をして名前をあげる。●**功を奏する**【句】成功する。奏功する。☞効を奏する〔「効」の【句】〕。

↑**こう**[効]ききめ。効果。「医薬の―もなく」●**効を奏する**【句】ききめをあらわす。奏効する。☞功を奏する〔「功」の【句】〕。

**こう**[甲]①からだをおおう、かたい甲羅。「カメの―」②手や足の表のかたい部分。「足の―」③第一位。(↕乙)④十干の第一。きのえ。

**こう**[行]【一】**こう**〔文〕①行くこと。行動。「―を共にする〔=いっしょに行動する〕」②銀行。「わが―」【二】【造】①〈各地/あちこち〉を歩くこと。「逃避―」②行くこと。出かけること。「捜索―」③漢詩の一体。また、その名前を借りた、長い詩歌。転じて、文章にもいう。「老水夫―・少年―」④銀行。「上位―・他―」

**こう**[×劫]①《仏》非常に長い時間。ごう。「―を経た」(↕刹那)②[コウ]《碁》一手ずつ間をおいて取ろうと争う石。「―争い」

**こう**[坑]【一】**こう**〔=あな〕炭坑。【二】【造】〔鉱山の〕坑道。

**こう**[孝]〔文〕孝行。(↕不孝)☞忠②。

**こう**[攻]《野球》↑攻撃。「―、走、守」

**こう**[幸]さいわい。しあわせ。「―不幸」●**幸か不幸か**【句】いいことか悪いことか判断できないが。〔おもに、いい結果のときに使う〕「―バスがおくれたため、事故に巻きこまれなかった」

↑**こう**[侯]【一】**こう**〔文〕大名・小名。諸侯。【二】【接尾】大名の姓の下にそえることば。「島津―」

↑**こう**[候]〔文〕(今の)時候。(今の)気候。「春暖の―」

**こう**[香]①香木をたいた、いいにおい。また、香木。たきもの。「お―・―をたく」②香木をたいてそのにおいを楽しむこと。香道。【名】聞香。●**香を聞く**【句】香をかいで、その香の名前などを当てる。

**こう**[校]【一】**こう** 学校。「わが―・名門―・三―」【二】【造】校正(刷り)。〔初校・再校・三校…と続く〕「色―・著者―」

*__こう__[高]【一】**こう** ①高いこと。「西―東低・打―投低〔=打力が投手力にまさる〕」②↑高等学校。「―一・小中―」【二】【造】①数値や程度が高い。「―血圧・―緯度・―学歴」②年上の。「―学年」③ふくまれる量が多い。「―カロリー食・―湿度」▽【一】【二】(↕低)

**こう**[硬]〔文〕かたいこと。「―、軟取りまぜ」(↕軟)

**__こう__[項]①箇条。「第一―」〔予算の区分では款の下、法令では条の下〕②《数》数式を組み立てる要素となる数や文字。

**こう**[鉱・×礦]〔礦=鉱の古い用字〕【一】**こう**〔文〕鉱物。「動〔=動物〕、―、植〔=植物〕」【二】【造】①鉱業。「アルミニウム―」②鉱山。「三池―」

**こう**[綱]《生》生物の分類で、「門」の下、「目」の上。「哺乳―」

**こう**[稿]【一】**こう**〔文〕原稿。【二】【造】原稿。「未定―・第一―」●**稿を改める**【句】〔文〕①新しく別の原稿を書く。「稿を改めて考えたい」②原稿を書き直す。

**こう**[講]【一】**こう** ①《仏》ⓐ仏教を講義する会。ⓑ信徒がする法会。②神社や寺などに参拝に行ったり寄進したりする信者の団体。講社。「富士―」③金融上の組合。「無尽―」【二】【造】〔文〕講義。講釈「第一―」

↑**こ・う**[乞う]《他五》〔文〕①くださいとお願いする。「食〔=食べ物〕を―・許しを―・助命を―・暇を―」②希望する。「―ご期待〔=ご期待を乞う〕」▽音便の形は「乞うた」「乞うて」。

↑**こ・う**[請う]《他五》〔文〕ほしいと言う。たのむ。「教えを―・助力を―」〔音便の形は「請うた」「請うて」〕

**こ・う**[恋う]《他五》〔文〕こいしく思う。こいする。〔音便の形は「恋うた」「恋うて」〕☞恋うる。

**__こう__〔↑斯く〕【一】《副》このよう(に)。「あまりああしろ―しろとは〔=うるさくは〕言わない・―〔=こんなにまで〕雨が続くと困る」【区別】⇩指示語。【アク】「は」「も」などがつく場合、述語になる場合は、**こう**。「―も雨が続くとは・真相は―だ」☞こういう・こうして。【二】《感》〔話〕うまく言えないときなど、間にはさむことば。「何か―、もやもやするね」【表記】「×斯う」とも書いた。

**こう**[巧]【造】たくみな。「―バント」(↕拙)

**こう**[広]【造】ひろい。「―範囲・―視野」

**こう**[好]【造】①このましい。望ましい。「―影響・―印象・―釣果・徒歩二分の―アクセス」②ちょうどいい。「―事例・二人は―対照をなす〔=ちょうど反対だ〕」③《生》〔ある性質や環境を〕このむこと。「―酸性」(↕嫌)

**こう**[抗]【造】…に抵抗する。…をおさえる。「―貧血作用・―がん剤」

**こう**[後]【一】【造】〔文〕①あとの(ほうの)。「―半生・―年度・―二者」②うしろの。「―半分」【二】【接頭】⇩後期②。「―印象派」▽【一】【二】(↕前)

**こう**[皇]【造】〔文〕天皇の。「―男子・―長子」

**こう**[紅]【造】くれないの(色をおびた)。「―紫色」

**こう**[黄]【造】きいろの。きいろをおびた。「―白色」

↑**こう**[口]【造】くち。「突破―・排水―〔『排水孔』とも〕」

↑**こう**[孔]【造】あな。「掘削―・噴気―〔『噴気口』とも〕」

**こう**[光]造〔文〕ひかり。「直射―・白色―」

**こう**[江]造〔大きな〕川。「揚子―〔=長江(の下流)〕」

**こう**[考]造〔文〕考え(たこと)。「国号―」

**こう**[港]造 みなと。「輸出―・積み出し―・横浜―」

**こう**[×腔]造《生》⇩くう(腔)。

**こう**[溝]造 みぞ。「排水―・下水―」

**こう**[×膏]造 こうやく。「絆創―・頭痛―」

**こう**[鋼]造 はがね。鋼鉄。「特殊―」

****ごう**[号] ■一■ ごう ①本名・別名のほかにつける名。雅号。②《法》法令の条・項の中で、数字をつけてならべる項目。③〔雑誌などで〕順番に発行したものを区別して言うことば。「次の―・―を重ねる」■二■接尾 ①「つばめ―・メイフラワー―」②順序をあらわす数にそえることば。「第三―・三―ホームラン〔=ホームラン三本目〕・台風十五―・〔雑誌で〕第十一巻第十六―」(☞巻■二■)」③〔住所で〕丁目・番の下のくぎり。「二丁目三番四―」④《印刷》もと、活字の大きさをあらわしたことば。〔数字が大きいと、字は小さくなる〕⑤油絵の大きさをあらわすことば。〔一号は、ほぼ はがき大〕⑥服などの大きさをあらわすことば。「十三―のドレス」

**ごう**[合] ■一■ ごう ①坪の十分の一。一合は〇・三三平方メートル。②升の十分の一。一合は約一八〇ミリリットル。③《登山》ほぼ山の高さの十分の一。「七―九勺・地点」☞合目。■二■接尾〈戦い/刀〉をまじえる度数。「二―、三―と打ち合う」

**ごう**[剛]〔文〕強い〈こと/もの〉。「柔よく―を制す」(↔柔)☞剛の者。

**ごう**[郷] ■一■ ごう〔文〕地域社会。■二■接尾 村里。「白川―」●**郷に入りては郷に従え**句 その土地で生活することになったら、そこの習慣にしたがえ。

**ごう**[業] ①《仏》ⓐ善悪の行為。ⓑ前世でのおこないの むくい。「―さらし・女は―が深い〔=前世に積んだ悪業が大きい〕」②宿命。「女の―」●**業を煮やす**句 がまんが しきれなくなる。

**ごう**[豪・×濠]↑豪州。

**ごう**[〈×濠〉・〈×壕〉] ほって、つくった穴。ほり。「水―・防空―」

**こうあつ**[降圧]《医》血圧を下げること。「―剤」(↔昇圧)

**こうあつ**[高圧] ■一■ ①〔ガスなどの〕高い圧力。「―ガス・―酸素」②《理》高い電圧。「―線」③高い気圧。「―帯」▽(↔低圧) ■二■《ナダ》高圧的。「―な人」●**こうあつてき**[高圧的]《ナダ》えらそうに、相手を従わせようとするようす。高飛車。「―な態度」

☆☆**こうあん**[公安] ①一般社会(人)の安全。②「公安①」を守るための警察組織。「―当局」●**こうあんいいんかい**[公安委員会]《法》警察制度の運営を民主的にするために国や都道府県に もうけられた委員会。●**こうあんじょうれい**[公安条例]《法》人々が安心して暮らせるように、集会や集団行進などを取りしまる条例。●**こうあんちょうさちょう**[公安調査庁]《法》右翼・左翼の過激な団体などを取りしまる官庁。法務省の外局。

**こうあん**[公案]《仏》〔禅宗で〕真理をさとらせるために考えさせる問題。

**こうあん**[考案]《名・他サ》〔文〕考え くふうすること。「新しい製品を―する」

**こうい**[好位]《競馬・競輪など》先頭に近い位置。「―に着ける〔=位置する〕」

**こうい**[好意] ①〔親しみを感じて〕人を思いやる気持ち。親切。「―に あまえる・―で言ってやってるのに!・ご―に満ちた推薦文」区別「**好意**」は親しみの気持ちがあるのに対し、「**厚意**」は親しみの有無は関係がなく、また、自分には使わない。どちらも、思いやりの気持ちがある点では同じ。②恋心。「―をいだく・―を寄せる」●**こういてき**[好意的]《ナダ》①好意を示すようす。「―な助言・―に〔=悪気がないと〕受け取る」②いいものだと考えるようす。「―な評価」

**こうい**[厚意]〔相手からの〕思いやりの気持ち。親切。「ご―に感謝します」区別⇩好意①。

**こうい**[更衣] 着がえること。「―室」

**こうい**[皇位]〔文〕天皇・皇帝の くらい。「―継承」

**こうい**[校医] 学校からたのまれて、生徒の健康を管理・診断する医師。学校医。

**こうい**[校異] 複数の本を照合して、語句の ちがいなどを調べること。また、その結果。

**こうい**[高位]〔文〕①高い くらい。「―高官」②高い〈位置/水準〉。(↔低位)

****こうい**[行為]《名・自サ》①〔人間が〕何かをすること。おこない。「マナーに反した―・適切な医療―・違法―・国事―」区別「**行為**」は、人がする一つ一つのことに使う。「**行動**」は、ある目的のために おこなう一連のことをさす。「投票行為」は用紙を投票することだが、「投票行動」は、だれに投票するかを考えて、投票所に行く(または行くのをやめる)ことをふくむ。②↑性行為。「―に およぶ」

**ごうい**[合意]《名・自他サ》〔交渉などで〕それぞれの意見が一致すること。一致した意見。

**こういう**《連体》このような。こんな。こういった。「(こうこう)―わけで」

**こういか**[〈甲:烏賊〉] 舟形の こうらをもつイカ。すみはセピアの原料となった。食用。すみいか。まいか。

**こういき**[広域] 広い区域。「―行政」

☆☆**こういしょう**[後遺症] ①《医》病気や けがが治ったあとに残る、からだや精神の故障。手足の まひ(麻痺)など。「―に苦しむ」②あとまで残る悪影響。「バブル経済の―」

**こういつ**[後逸]《名・他サ》《野球》ボールをとりそこなって うしろへ のがすこと。「ゴロを―する」

**ごういつ**[合一]《名・自他サ》〔文〕一つに あうこと。一つに あわせること。

**こういっつい**[好一対] ①よく似合った一対のもの。②似合いの夫婦。

**こういってん**[紅一点]〔=青葉の中に赤い花が一つ咲いていること〕男性たちの中に まじっている、ひとりの女性。また、そうなった状態。「万緑叢中―」(⇩「万緑」の句)(↔黒一点)

**こういん**[工員] 工場で働く労働者。職工。

**こういん**[公印] 官公庁の、公式の はんこ。(↔私印)

**こういん**[光陰]〔文〕つきひ。年月。●**光陰矢のご**

こ

とし㊁ 月日のたつことの はやいたとえ。

**こういん**［行印］銀行の、公式のはんこ。

**こういん**［行員］↑銀行員。

**こういん**［校印］学校の、公式のはんこ。

**こういん**［鉱員］鉱石をほる労働者。

**こういん**［勾引］《名・他サ》①《法》裁判所が被告人などを尋問のため、強制的に一定の場所につれて来ること。②［拘引］むりやり連行すること。

**ごういん**［強引］《ナダ》〈むりに／しゃにむに〉おこなうようす。派-さ。

**こうう**［降雨］〔文〕雨が降ること。降る雨。「－量」

**ごうう**［豪雨］強く降る雨。大あめ。ゲリラ豪雨。

**こううつざい**［抗(鬱)剤］《医》うつ病の治療に使う薬。抗鬱薬。

**こううん**［耕(×耘)］《名・他サ》《農》田畑をたがや〈す／して、草を取る〉こと。耕土。「－幅」 ●**こううんき**［耕(×耘)機・耕運機］《農》田や畑の耕作・除草をする機械。カルチベーター。カルチ。ティラー。

**こううん**［幸運・好運］《名・ナダ》運がいいようす。ラッキー。「－にも間に合った・－児(=幸運な人)」(↕不運・非運)

**こううんりゅうすい**［行雲流水］(=空を行く雲と、川を流れる水)〔文〕気楽に なりゆきに まかせ(て行動す)ること。

**こうえい**［公営］国家・地方自治体などによる経営、または、運営。「－住宅」(↕民営)

**こうえい**［後×裔］〔文〕〔何代もあとの〕子孫。

**こうえい**［後衛］①うしろの ほうの護衛。あとの ほうにいて守ること。②《テニス・バレーボールなど》うしろの ほうを守る選手。▽(↕前衛)

**こうえい**［光栄］《名・ナダ》自分にとって名誉である こと。「身に余る－」派-さ。

☆☆**こうえき**［公益］公共の利益。「－施設」(↕私益) ●**こうえきほうじん**［公益法人］《法》慈善・学術など、公益に関することを目的とし、営利を目的としない法人。制度として、公益社団法人と公益財団法人がある。(↕営利法人)

**こうえき**［交易］《名・自サ》外国と品物を売り買いすること。貿易。

**こうえつ**［高閲］〔文〕「相手が〈目を通すこと／調べること〉」の尊敬語。「ごーの上…」

**こうえつ**［校閲］《名・他サ》読んで、文書の誤りを調べること。「－部(=新聞社や出版社で、記事の文字・用語・内容などに誤りがないように、調べたり直したりするところ)」

**こうえん**［口縁］〔文〕土器や陶器などの口のはし。くちべり。「うすい－部」

**こうえん**［公×苑］動物・森・池などを、自然のままに近い状態で、公衆に見せる所。「野猿－・森林－」

*＊**こうえん**［公園］①木・草花や、子どもの遊ぶ設備があったりして人々がくつろげる、広い場所。「日比谷－」②自然を保護した山・川・林・海などをふくむ広い地域。「国立－」

**こうえん**［香煙］〔文〕〔葬式などの〕香の けむり。「－縷々として立ちのぼる」

**こうえん**［講×筵］〔文〕講義(の場所)。「－に〈列する／連なる〉(=出席する)」

**こうえん**［降園］《名・自サ》〔その日の教育・保育が終わって〕幼稚園・保育園から自分の うちへ帰ること。退園。(↕登園)

**こうえん**［講演］《名・自サ》集まった人の前で、ためになる、まとまった内容を話すこと。「－会・受賞記念－」

**こうえん**［口演］《名・自他サ》芸能などを、大ぜいの前で語ること。「落語を－する」

**こうえん**［公演］《名・自他サ》〔演劇・音楽などを〕公衆の前で〈上演／演奏〉すること。「定例－・海外－」

**こうえん**［好演］《名・自他サ》〔文〕〈いい／りっぱな〉演技や演奏(をすること)。「シリアスな役を－する」

**こうえん**［後援］《名・他サ》うしろで(活動を)助けること。うしろだて。「－会・－者」

**こうえん**［広遠・×宏遠］《ナダ》〔文〕広くて遠大なようす。「－な理想」派-さ。

**こうえん**［高遠］《ナダ》〔文〕考えていることが、とびぬけて高く深(くて、たやすく理解しにく)いようす。「－な思想」派-さ。

**こうえんきん**［好塩菌］《医》「腸炎ビブリオ」の、もとの呼び名。

**こうお**［好悪］〔文〕好ききらい。「－が はげしい」

**こうおつ**［甲乙］優劣。「－(を)つけがたい」

**こうおん**［厚恩］〔文〕相手から受けた、深い恩。

**こうおん**［高恩］〔文〕「相手が自分にあたえた恩」の尊敬語。「ごーは忘れません」

**こうおん**［恒温］〔文〕いつも一定した温度。「－恒湿」 ●**こうおんどうぶつ**［恒温動物］《動》外の温度に関係なく、いつも一定の体温をたもっている動物。哺乳類・鳥類など。定温動物。(↕変温動物)

**こうおん**［高音］①高い調子の おと。②(↑高音部)《音》ソプラノ。▽(↕中音・低音)

**こうおん**［高温］高い温度。「－多湿」(↕低温)

**ごうおん**［号音］〔文〕あいずの おと。「－一発」

**ごうおん**［×轟音］〔文〕〈はげしい／とどろくような〉おと。

**こうか**［工科］①工業に関する学科。②工学部。

**こうか**［公課］〔文〕国家・地方自治体が取る税金。

**こうか**［功過］〔文〕功績と過失。てがらと まちがい。「－を考える」

**こうか**［考課］〔文〕実績や成績を考えて優劣を決めること。「人事－・－表」

**＊＊**こうか**［効果］①それによって あらわれる、望ましい結果。ききめ。「トレーニングの－が出る・－が上がる・－が大きい・－が高い・－てきめん(覿面)」 自然科学などでは、望ましい結果か そうでないかに関係なく使う。「ドップラー－・温室－ガス」②〔芸術などで〕材料などをくふうして生み出す、目立った特徴。「ぼかしの－」③《映画・放送など》ⓐふんいきを出すために加えるもの。「視覚－・音響－・－音」ⓑ特に、音響効果。 ●**こうかてき**［効果的］《ナダ》効果があるようす。「－な方法」

**こうか**［校歌］その学校の精神をあらわすものとして作られた歌。

**こうか**［高架］①地上より高い所に かけわたすこと。「－線・－道」②↑高架線。「－下(=高架線の下の土地・空間)」

**こうか**［黄禍］〔文〕黄色人種が勢力をふるって、白人におよぼす わざわい。「－論」

**こうか**【硬貨】金属のお金。コイン。（⇔紙幣）

**こうか**【降嫁】《名・自サ》〔文〕皇女が皇族以外に嫁ぐこと。

**こうか**【高歌】《名・自サ》〔文〕大きな声で歌うこと。「―放吟する」

**こうか**【降下】《名・自他サ》①〈高い所から〉おりること。おろすこと。②〈温度が〉低くなること。「急―」③パラシュートでとびおりること。「―部隊」④高い地位の人からあたえられること。「大命―」

**こうか**【硬化】《名・自他サ》①かたくなること。「動脈―」②強硬な〈意見・態度〉になること。「態度が―する」③相場が上がること。▽（⇔軟化）

**こうか**【高価】《名・ナダ》値段が高いこと。（⇔廉価・安価）派―さ。

**こうが**【高雅】《ナダ》〔文〕けだかくて優雅なようす。派―さ。

↑**ごうか**【×劫火】《仏》世界がほろびるときに起こるという大火事。

↑**ごうか**【業火】①《仏》地獄で罪人を焼くはげしい火。②ものすごい大火事。

**ごうか**【豪華】《名・ナダ》ぜいたくではでなようす。「―な生活」派―さ。●**ごうかばん**【豪華版】①きれいでぜいたくな本。②豪華な作りのもの。すばらしいこと。「―の食事」

☆**こうかい**【公海】〔法〕どこの国の海域でもなく、自由に漁や航海ができる海。☞領海。

**こうかい**【航海】《名・自サ》①船で海をわたること。②〔俗〕〈長距離トラックの〉運行。●**こうかいし**【航海士】船の運航や船員の指揮、船荷の監督にあたる船舶の職員。〈国家免許が必要〉「一等―」

**こうかい**【降灰】《名・自サ》〔文〕⇒こうはい（降灰）。

*__こうかい__【公開】《名・他サ》だれもが自由に〈見聞き・利用〉できる状態にすること。「情報の一般―・〈映画の〉劇場―・―討論」（⇔非公開）●**こうかいじょう**【公開状】特定の人（々）にあてた手紙の形で公開した文章。例、公開質問状。●**こうかいしょけい**【公開処刑】《名・他サ》①公開の場で処刑すること。②大ぜいの前にさらして〈はじをかかせる／酷評する〉こと。「人前で歌わせるなんて―そのものだ」

**こうかい**【更改】《名・他サ》〔文〕今までの契約をやめて、新しい条件で契約すること。「保険契約の―」

☆**こうかい**【後悔】《名・他サ》すんだあとでくやむこと。「高い買い物を―する・―の念をいだく」✓「あとで後悔する」は重言だが、「今は後悔しなくても、あとで（＝そのうち）後悔するよ」と言う場合はおかしくない。●**後悔先に立たず** 句 起こってしまってからくやんでも、どうにもならない。

**こうかい**【×狡×獪】《ナダ》〔文〕悪がしこいようす。狡猾。

**こうがい**【口蓋】《生》口の内部の上がわの部分。●**こうがいすい**【口蓋垂】《生》上あごのおくにたれ下がる、やわらかいもの。もと、懸壅垂。のどちんこ〔俗〕。のどひこ。●**こうがいれつ**【口蓋裂】《医》生まれたときに上あごがさけている状態。発音がうまくできない。☞口唇裂。

☆**こうがい**【公害】生産活動などがもとで発生する、空気や水のよごれ、うるさい音、いやなにおいなど、多くの人々（＝公）におよぶ被害。「―対策・低―車」●**こうがいびょう**【公害病】公害が原因となって起こる病気。大気汚染による呼吸器障害や、水俣病・イタイイタイ病など。

**こうがい**【光害】夜、照明の光のために受ける害。特に、星を観察するのにさまたげとなる光。ひかりがい。

**こうがい**【行外】銀行の外。（⇔行内）

**こうがい**【坑外】炭鉱・鉱山の、坑道の外。（⇔坑内）

**こうがい**【郊外】都会のまわりの、田畑の多い地域。「―住宅地」

**こうがい**【香害】強い香りによる害。〈香りにふくまれる化学物質によって体調が悪くなることがある〉

**こうがい**【校外】学校以外の場所。（⇔校内）

**こうがい**【梗概】〔文〕〈物語や論文の〉あらすじ。

**こうがい**【港外】みなとの外。（⇔港内）

**こうがい**【×笄】女性の日本髪のまげ（髷）に、横にさすかざり。

**こうがい**【鉱害】鉱物をとったり精錬したりすることによって起こる害。

**こうがい**【構外】建物や敷地などの外。（⇔構内）

**こうがい**【×慷慨】《名・自他サ》〔文〕世の中の不正や自分の不運を怒りなげくこと。「悲憤―する・―の士」

**こうがい**【口外】《名・他サ》他人に話すこと。人の前で、ことばに出すこと。「―無用（＝人に話してはいけない）」

**ごうかい**【豪快】《ナダ》力があふれていて、気持ちがいいようす。「―な背負い投げ」派―さ。

**ごうがい**【号外】〈新聞などが〉正規の号以外に出す臨時の報道。ふつう、一枚の紙に刷る。

**こうかいどう**【公会堂】公衆の会合のために建てた建物。

☆**こうかがくスモッグ**【光化学スモッグ】光化学反応（＝太陽の光が当たったために起こる化学反応）の結果起こる、スモッグの一種。紫外線が自動車の排ガスなどに作用して発生する。「―注意報」

**こうかく**【口角】口の両わきの部分。「―を上げる」●**口角泡を飛ばす** 句 さかんに論じる。

**こうかく**【広角】①広い角度。「球を―に打ち分ける」②《写真》レンズに写る範囲が広いこと。「―レンズ」

**こうかく**【降格】《名・自他サ》格式や階級〈が下がる／を下げる〉こと。格下げ。「―人事」（⇔昇格）

**こうがく**【工学】物理・化学などの理論を工業生産に応用するための学問・技術。「土木―」〈工業以外の目的に使うために、工学技術を利用した装置・くふうも言う。「教育―」〉

**こうがく**【光学】《理》物理学の部門の一つ。光の性質を研究する学問。「―器械（＝望遠鏡・顕微鏡など）」

*__こうがく__【向学】〔文〕学問にはげもうと思うこと。「―心・―の念に燃える」

↑**こうがく**【好学】〔文〕学問が好きであること。「―の士」

**こうがく**【好楽】〔文〕音楽が好きであること。「―家」

**こうがく**【後学】①〔文〕あとから研究する者。学問上の後輩(こうはい)。(↔先学) ②将来のためになる知識。「―のために見ておく」

**こうがく**【高額】《名・ナダ》金額が大きいこと。「―所得」(↔低額・小額) 派―さ。

**ごうかく**【合格】《名・自サ》①条件・資格にかなうこと。②〈入学/採用/資格〉試験に受かること。「―者」

**こうかくか**【好角家】〔文〕すもうの好きな人。

**こうがくねん**【高学年】〔小学校で〕上の学年(=五、六年)。(↔中学年・低学年)

**こうかくるい**【甲殻類】《動》からだの表面が、かたい殻(から)でおおわれている小動物をまとめて言う呼び方。例、エビ・カニなど。

**こうがくれき**【高学歴】《名・ナダ》①〔大学(院)に行くなど〕学歴が高いこと。「―化」②〔俗〕難関大学を出たこと。

**こうかつ**【口渇】〔医〕のどがかわくこと。

**こうかつ**【広×闊】《ナダ》〔文〕ひろびろとひらけているようす。派―さ。

**こうかつ**【×狡×猾】《ナダ》〔文〕わるがしこいようす。「―なたくらみ」派―さ。

**こうかん**【公館】公務のために使う建物。特に外交上の施設(しせつ)。「知事―(=公邸(こうてい))・在外―(=大使館・公使館・領事館など)」

**こうかん**【向寒】〔文〕寒さに向かう〈こと/季節〉。「―期・―のおりから」(↔向暑)

**こうかん**【好感】㊀〔相手に対する〕好ましいと思う気持ち。いい感じ。「―をあたえる・―の持てる相手」㊁《名・他サ》《経》相場の先行きがよくなると感じること。「政権交代を―してユーロが上昇(じょうしょう)する・―材料」(↔嫌気(いやき)) ●**こうかんど**【好感度】好ましいと〈思う/思わせる〉度合い。「―が高い芸能人・―アップをはかる」

**こうかん**【好漢】〔文〕〈いい/りっぱな〉男。「―自重(じちょう)せよ」

**こうかん**【×巷間】〔文〕世間。「―伝えるところによれば」

**こうかん**【皇漢】〔文〕日本と中国。「―薬(=漢方薬)」

**こうかん**【高官】大臣・次官など、地位の高い〈官職/役人〉。「高位―・外務省―」

**こうかん**【鋼管】鋼鉄でできた管(くだ)。

**こうかん**【交感】《名・自サ》〔文〕心がかよいあって、おたがいに相手の気持ちがわかること。●**こうかんしんけい**【交感神経】《生》自律神経の一つ。からだの活動をさかんにする作用をする。(↔副交感神経)

**こうかん**【交歓・交×驩】《名・自サ》〔文〕〔外国の人・外部の人などと〕おたがいに楽しむこと。「―試合」

***こうかん**【交換】㊀《名・自他サ》①とりかえること。ひきかえること。「シーツの―・名刺(めいし)を―する・―日記(=複数の人で順番に書く日記)・―条件(=あることを引き受けるかわりとして出す条件)」②電話をつなぐこと。③自動車・列車が、すれちがうこと。㊁①↔交換手。「―嬢(じょう)」②↔交換台。●**こうかんしゅ**【交換手】交換台で電話をつなぐ業務をおこなう人。●**こうかんだい**【交換台】①公共のトイレに設けた、子どものおむつを交換するための台。「おむつ―」②会社・役所などで、かかってきた電話を目的の部署につなぐ業務をおこなう所。

**こうかん**【公刊】《名・他サ》おおやけに出版すること。「近く―する予定」

**こうかん**【校勘】《名・他サ》複数の本を照合して、ちがいを調べること。「―学」

**こうかん**【×浩×瀚】《ナダ》〔文〕書物の巻数やページ数が非常に多いようす。大部(たいぶ)。「―な書物」

**こうがん**【抗×癌】〔医〕がんをおさえる〔作用のある〕こと。制癌(せいがん)。「―剤(ざい)」

**こうがん**【紅顔】〔文〕〔少年や青年の〕血色のいいかお。「―の美少年」

**こうがん**【×睾丸】《生》男子の生殖腺(せいしょくせん)。精子をつくり、内分泌(ないぶんぴつ)をつかさどる。精巣(せいそう)。俗に、きんたま。

**こうがん**【厚顔】《ナダ》〔文〕〈あつかましい/ずうずうしい〉ようす。「―な行動」派―さ。●**こうがんむち**【厚顔無恥】《名・ナダ》ずうずうしくて、はじを感じないようす。「―な言いのがれ」

**ごうかん**【〔強×姦〕】《名・他サ》力ずくで性交の相手とすること。(性的)暴行。レイプ。〔強制性交等罪に問われる〕☞和姦。

**ごうがん**【傲岸】《ナダ》〔文〕いばっていて、人に頭を下げないようす。「―不遜(ふそん)な態度」派―さ。

**こうかんげんしょう**【×宏観現象】《地》大地震(だいじしん)が起こる前の〔科学的に解明されていない〕いろいろな前ぶれ。宏観異常(現象)。

**こうき**【口気】〔文〕口ぶり。ものの言い方。「不満な―」

**こうき**【工期】工事をする期間。

**こうき**【公器】〔文〕おおやけのためにあるもの。「新聞は天下の―だ」

**こうき**【広軌】鉄道のレールの間隔(かんかく)が一・四三五メートル(=標準軌)をこえるもの。在来線よりも広いため、標準軌である新幹線にも言う。(↔狭軌(きょうき))

**こうき**【光輝】〔文〕光とかがやき。「―ある(=名誉(めいよ)ある)伝統」

**こうき**【好奇】変わったものやまだ知らないものを知りたがること。「―の目」●**こうきしん**【好奇心】好奇の心(のはたらき)。「―にかられる」

↑**こうき**【好期】ちょうどいい〈時期/とき〉。

↑**こうき**【好機】ちょうどいい機会。チャンス。

**こうき**【後期】①〔二つのうち〕あとの時期。〔三つのうち〕最後の時期。「大学の―授業・江戸(えど)―」(↔前期・中期) ②〔post の誤訳〕後(ご)。ポスト。「―印象派(=二十世紀はじめに、印象派をうけて起こった画家の一派。情調・気分に重きをおく)」

**こうき**【皇紀】神武(じんむ)天皇が即位(そくい)したとされる西暦(せいれき)紀元前六六〇年を紀元とする、年の数え方。

↑**こうき**【香気】〔文〕鼻に感じる、いいにおい。

↑**こうき**【校紀】〔文〕校規に従って行動すること。学校の風紀。

↑**こうき**【校規】〔文〕学校のきまり。

**こうき**【校旗】学校を代表する旗。

**こうき**【綱紀】〔文〕公務員などの守るべき秩序(ちつじょ)・規則。「―粛正(しゅくせい)」

↑**こうき**【降機】《名・自サ》〔文〕飛行機をおりること。「途中(とちゅう)―(=経由地でおりて二十四時間以上すごすこと)」(↔搭乗(とうじょう))

**こうき**【興起】《名・自サ》〔文〕①勢力がさかんになること。「武士階級の―」②いさましく、立ち上がること。「感奮―する」
**こうき**【後記】《名・他サ》①あとがき。「編集―」②あとに書くこと。「―の三社は」▽（↔前記）
**こうき**【高貴】《名・ナダ》①身分が高くてたっといようす。「―な身分」（↔下賤・卑賤）②値段が高くて、貴重なこと。「―薬」派―さ。
**こうぎ**【公儀】〔文〕①朝廷。②幕府。「御―」
**こうぎ**【巧技】〔文〕じょうずなわざ・技術。（↔拙技）
**こうぎ**【広義】〔文〕広い意味。「―に解釈する」（↔狭義）
←**こうぎ**【交×誼】〔文〕親しく交際すること。「―が絶える・いっそうのご―をお願い申し上げます」
↔**こうぎ**【好×誼】〔文〕好意的に、親しく交際してくれること。「日ごろのご―に謝意を表する」
↔**こうぎ**【厚×誼】〔文〕思いやりを持って、親しく交際してくれること。「ご―深謝いたします」
→**こうぎ**【高×誼】〔文〕相手が親しく交際してくれることの尊敬語。「在任中は格別のご―をたまわり」
**こうぎ**【好技】〔文〕〈いい／すぐれた〉演技、また、そのような技術。
**こうぎ**【抗議】《名・自サ》不当だと思うことに対して、反対の意見を〈主張する／申し立てる〉こと。また、その意見。「政府（の決定）に―する」
**こうぎ**【講義】《名・他サ》①学問・技術などを口頭で学生に教えること。また、その内容。②大学などでおこなわれる、教員が学生に説明する方式の授業。座学。座講。「集中―」
←**ごうき**【豪気・剛気】《名・ナダ》〔文〕人のことを気にせず、強い態度を見せる気性（であるようす）。派―さ。
→**ごうき**【剛×毅】《ナダ》〔文〕意志が強くて、気持ちがしっかりしているようす。「沈着―」派―さ。●**剛毅朴訥仁に近し** 句〔文〕意志が強く、また、かざりけがなくて無口なことは、仁の心に近い。〔「論語」のことば〕
**ごうぎ**【合議】《名・自他サ》みんなで相談して決めること。「―制」
**ごうぎ**【豪儀・強気】《ナダ》〔俗〕りっぱですばらしいようす。「そいつは―だ」派―さ。
**こうきあつ**【高気圧】《天》中心付近の気圧が、まわりの気圧にくらべて高くなっている所。（↔低気圧）
**こうきぎょう**【公企業】《経》国や地方自治体が経営する企業。例、鉄道・水道など。（↔私企業）
**こうきゅう**【公休】①休日・祝日のほかに認められる、休み（の日）。②定休。「―日」
**こうきゅう**【好球】《野球》打者にとって打ちやすいボール。「―必打」（↔悪球）
**こうきゅう**【後宮】〔文〕（おきさきなどの住んでいる）おくごてん。
**こうきゅう**【高給】高い給料。「―取り」（↔薄給）
**こうきゅう**【恒久】〔文〕いつまでも続けておこなうこと。「―的・―対策」
**こうきゅう**【硬球】野球・テニスなどに使う、かたいボール。（↔軟球）
**こうきゅう**【降級】《名・自他サ》等級や階級〈が下がること／を下げること〉。（↔昇級）
←**こうきゅう**【考究】《名・他サ》〔文〕ものごとについて深く考えること。
→**こうきゅう**【攻究】《名・他サ》〔文〕（学芸などについて）深く研究すること。「美術史を―する」
**こうきゅう**【購求】《名・他サ》〔文〕買いもとめること。
**こうきゅう**【高級】《名・ナダ》①等級が高いようす。「―品・―官僚」②品質（とねだん）が高いようす。「―な文学・―紙（↔大衆紙）」③知性が高いようす。「―魚」④《理》化合物の炭素原子の数が多いようす。「―脂肪酸」⑤《情》プログラム言語が人間に理解しやすいようす。「―言語」▽（↔中級・低級）派―さ。
**ごうきゅう**【強弓】〔文〕つるを強く張ったゆみ。
**ごうきゅう**【豪球・剛球】《野球》球質が重く、威力のある投球。「―投手」
☆☆**ごうきゅう**【号泣】《名・自サ》〔号=さけぶ〕①大声で泣くこと。また、その声。「―が ひびく」②〔俗〕大いになみだを流すこと。「静かに―する」
**こうきょ**【皇居】天皇のすまい。〔一九四八年七月からの呼び名。もと「宮城」と言った〕
**こうきょ**【抗拒】《名・自サ》《法》抵抗して、拒否すること。「―不能に乗じる」
**こうきょ**【×薨去】《名・自サ》〔文〕「皇族・三位以上の人の死去」の尊敬語。おかくれ。
**こうきょ**【公許】《名・他サ》〔文〕官許。「―を得る」
**こうぎょ**【香魚】〔文〕あゆ。由来 かおりがいいことから。
*__こうきょう__【公共】①社会一般の人に関係するものごと。「―の建物・―性が高い・―交通機関」②「公民②」の科目の一つ。〔二〇二二年度に導入〕●**こうきょうさい**【公共債】《経》国債や地方債など、国家や公共団体が発行する債券。公債。●☆☆**こうきょうじぎょう**【公共事業】学校・道路・水道など、公共の利益を目的とする事業。●**こうきょうしょくぎょうあんていじょ**【公共職業安定所】国民が希望する職業につけるようにせわをする役所。（職業）安定所。職安。愛称、ハロー ワーク。●**こうきょうだんたい**【公共団体】《法》法令にもとづき、国の監督のもとに、その地域の行政などをおこなう団体。「地方―」●**こうきょうとうし**【公共投資】国や地方自治体が公共事業にお金を出すこと。●**こうきょうほうそう**【公共放送】営利が目的ではなく、公共のためにおこなわれる放送。おもに受信料によって経営される。例、日本のNHK、イギリスのBBCなど。（↔民間放送）●**こうきょうりょうきん**【公共料金】政府や地方自治体が決めたり、認可したりする、国民全体の生活に関係の深い料金。電気・ガス・水道・郵便・電話・公共放送の受信などの料金や、電車・バスの運賃など。
**こうきょう**【広狭】〔文〕広いことと せまいこと。
**こうきょう**【好況】景気の いいこと。（↔不況）派―さ。
**こうきょう**【高教】〔文〕「相手の〈教え／教訓〉」の尊敬語。ご教訓。お教え。
**こうきょう**【鋼橋】〔文〕鋼鉄の橋。
**こうきょう**【交響】《名・自サ》〔文〕音が、たがいにひびきあうこと。●**こうきょうがく**［交響楽］《音》「交響曲」の、もとの呼び名。「—団（=大編成の楽団）」●**こうきょうきょく**［交響曲］《音》ソナタの形式による、いちばん規模の大きい管弦楽曲。シンフォニー。●**こうきょうし**［交響詩］《音》特定の文学的・絵画的内容をあらわす管弦楽曲。

*__こうぎょう__［工業］自然の原料を加工して、生活に必要なものを作る産業。「—的・発明を—化する」●**こうぎょうしょゆうけん**［工業所有権］《法》⇩産業財産権。●**こうぎょうだんち**［工業団地］計画的に造成された一定の地域に、多くの工場が集まった工業地区。●**こうぎょうデザイン**［工業デザイン］大量生産される工業製品のデザイン。インダストリアル デザイン。

**こうぎょう**［功業］〔文〕仕事をしたてがら。功績。

**こうぎょう**［鉱業・×礦業］鉱物をほりと(って精錬す)る産業。

**こうぎょう**［興業］〔文〕産業をさかんにすること。「殖産—」

**こうぎょう**［興行］《名・他サ》料金を取って映画・演劇・すもうなどの もよおしものをすること。「—師・一週間の—」

**こうきょういく**［公教育］国や地方自治体によって管理され、公的性格をもつ教育。私立学校も ふくむ。

**こうきょく**［好局］《碁・将棋》〔文〕いい対局。

**こうぎょく**［紅玉］①《鉱》⇩ルビー。②リンゴの品種の一つ。実は小ぶりで、深い紅色。酸味が強く、ジャム・菓子などに使う。

**こうぎょく**［硬玉］《鉱》緑や白色の硬い岩石。緑色が美しいものはヒスイとして宝石とされる。

**こうぎょく**［鋼玉］《鉱》⇩コランダム。

☆☆**こうきん**［公金］政府や公共団体、また会社などの所有する お金。「—を横領する」

**こうきん**［行金］〔文〕銀行の所有する お金。

☆☆**こうきん**［抗菌］《医》〔有害な〕細菌が ふえるのに抵抗すること。「—作用・—剤」

**こうきん**［拘禁］《名・他サ》①〔文〕つかまえて、一定の場所にとじこめておくこと。「—状態・—反応（=長期の拘禁による異常な精神的反応）」②《法》留置場・刑務所などに、比較的長い間入れておいて、外に出さないこと。（↔抑留）

**こうぎん**［高吟］《名・他サ》〔文〕大きな声で吟詠すること。「寮歌を—する・放歌—」

**ごうきん**［合金］《理》二種以上の金属をとかし、まぜあわせて作った金属。

**こうく**［工区］いくつかに分けた、工事の区間。

**こうく**［校区］〔西日本方言〕学区。

**こうく**［鉱区］鉱山の業者が、鉱物をほり取ることのできる区域。

**こうぐ**［工具］工作に使う器具。

**ごうく**［業苦］《仏》前の世の悪業のために、現在受ける苦しみ。

**ごうく**［合区］《名・他サ》〔選挙で〕となり合う地方自治体を一つの選挙区にまとめること。

**こうくう**［口×腔］《生》口蓋と舌との間の空間。うしろのほうは、のどに つながる。「—外科」〔「こうこう」の、医師による慣用読み〕

*__こうくう__［航空］〔航空機で〕空中をとぶこと。●**こうくうき**［航空機］①飛行機・ヘリコプター・飛行船・気球の類。②飛行機。●**こうくうけん**［航空券］飛行機を利用するための切符。☞搭乗券。●**こうくうじえいたい**［航空自衛隊］自衛隊の一つ。防衛省に属し、空を守る。空自。●**こうくうしゃしん**［航空写真］航空機から地上を写した写真。空中写真。●**こうくうびん**［航空便］①飛行機で送る郵便。エア メール。②飛行機でする輸送。（↔船便）●**こうくうぼかん**［航空母艦］《軍》飛行機をはこび、甲板から飛行機をとび立たせる軍艦。空母。

**こうくう**［高空］空の高い所。（↔低空）

**こうぐう**［皇宮］〔文〕皇居。こうきゅう。「—警察・—宮—」▽（↔前屈）

**こうぐう**［厚遇］《名・他サ》〔文〕てあつくもてなすこと。「—を受ける」（↔冷遇）

**こうくつ**［後屈］《名・自他サ》①からだをうしろに曲げること。②《医》うしろのほうに曲がっていること。「子宮—」

**こうくん**［校訓］その学校の教育方針を短い文に表現したもの。

**こうぐん**［行軍］《名・自サ》軍隊の〈行進/移動〉。また、それをすること。

**こうげ**［香華］《仏》仏前にそなえる香と草木の花。こうばな。

**こうげ**［高下］〔文〕■一①〔身分・値段の〕高低。②〔品質の〕まさり おとり。■二《名・自サ》上がり下がり。☞乱高下。

**こうけい**［口径］①筒の口の、直径。「大—レンズ」②銃砲の内径。「二十二—（=口径が〇・二二インチ、約五・六ミリ）のライフル」

**こうけい**［光景］目の前で起こる、できごとのようす。「おどろくべき—が〈くり広げられる/展開される〉・当時の—が まざまざと目に浮かぶ」区別 ⇩風景。

**こうけい**［肯×綮］〔文〕ものごとの急所。「—に当たる〔『中る』とも〕意見」

**こうけい**［後景］〔文〕遠くの景色。遠くに見えるもの。遠景。「舞台の—・問題が—に しりぞく」（↔前景）

**こうけい**［後継］あとつぎ(の人)。「—者」

**こうけい**［後傾］《名・自サ》姿勢が、うしろのほうにかたむくこと。（↔前傾）

**こうげい**［工芸］実用性を備えた美術作品を作る〈こと/技術〉。また、その作品。「ガラス—・—家・—品（=陶磁器・漆器・織物・染め物など）」

**ごうけい**［合計］《名・他サ》二つ以上の数をあわせて、数えること。また、その結果の値や額。「元利—」●**ごうけいとくしゅしゅっしょうりつ**［合計特殊出生率］一人の女性が生涯に産む子どもの平均の数。

**こうけいき**［好景気］《名・ナダ》いい景気。好況。（↔不景気）

**こうけいねんか**［高経年化］〔役所などで〕「老朽化」の言いかえ。「原発の—」

**こうげき**［好劇］〔文〕演劇を好むこと。「—家」

**こうげき**［口撃］《名・他サ》〔「攻撃」の もじり〕

〔俗〕ことばで激しく攻撃すること。

*こうげき【攻撃】《名・他サ》〈敵/相手〉を攻めること。「基地を—する・—をかける・—の手をゆるめない・—は最大の防御・〔ことばでの〕個人—・—的言辞」(↔守備・防御)

こうけつ【×膏血】(=あぶらと血)〔文〕苦労して手に入れた収入。●**膏血を絞る** 句 重い税金をかけるたとえ。

こうけつ【公欠】《名・他サ》〔学校で〕課外活動・忌引などが理由の、公式に許される欠席。〔出席などとしてあつかう〕「—届」

こうけつ【高潔】《ナダ》〔文〕利害損得を気にせず、りっぱな考えを持ってはっきりした行動をとるようす。「—な人格」派—さ。

ごうけつ【豪傑】①力が強くて、武勇にすぐれた人物。「—笑い」②〔俗〕いっぷう変わっていて、ふつうの人ならできないことも平気でできる人。大胆な人。

☆☆こうけつあつ【高血圧】《医》正常より高い血圧。ふつう、最大血圧が一四〇以上、または、最小血圧が九〇以上をいう。(↔低血圧)

こうけん【公権】《法》公法で認められた、国と個人がたがいに持つ権利。国の刑罰権、個人の参政権など。(↔私権)

こうけん【効験】〔文〕神仏に願ったことのききめ。「—あらたか」

こうけん【後件】《哲》「AならばB」のような仮定や条件の文で、Bの部分。(↔前件)

こうけん【高見】〔文〕「相手の〈識見/意見〉」の尊敬語。「ご—」(↔卑見)

こうけん【高検】《法》↑高等検察庁。

こうけん【貢献】《名・自サ》何かのために力をつくし、役に立つこと。寄与。「平和に—する」

こうけん【後見】《名・他サ》①〔文〕(おさない人の)うしろだてとなって補佐する〈こと/人〉。「—を得る」②《法》親権者のいない未成年者や、成年後見制度で対象になる人を保護し、財産の管理をする〈こと/人〉。後見人。後見役。「—を受ける」③《能・歌舞伎など》役者の出演中、うしろにすわっていて、いろいろのせわをする人。

こうげん【巧言】〔文〕口先だけのうまいことば。「—を用いる・—にのる」●**こうげんれいしょく**【巧言令色】(令=よい)〔文〕じょうずにことばをかざり、やさしい顔つきをすること。おせじなどのたとえ。由来「論語」の「巧言令色鮮なし仁(=巧言や令色にはまごころがほとんどこもらない)」から。

←こうげん【広原】〔文〕ひろびろとした原野。

↔こうげん【荒原】〔文〕あれはてた野はら。

→こうげん【高原】①高い土地にある、一面の平地。夏はすずしい。②〔グラフなどで〕高い状態が続いていること。「—景気」

こうげん【光源】《理》太陽や電球など、光を出すもと。

こうげん【抗原】《生》からだにはいると、からだの中で抗体ができるようにはたらく物質。例、たんぱく質・細菌など。

←こうげん【広言】《名・自サ》〔文〕ぶえんりょなことばを口に出して言うこと。「—をはく」

↔こうげん【高言】《名・自サ》〔文〕えらそうに大きなことを言うこと。えらそうなことば。大言壮語。

→☆☆こうげん【公言】《名・他サ》公然と言うこと。「—してはばからない」

ごうけん【合憲】〔文〕憲法(の趣旨)にかなうこと。(↔違憲)

ごうけん【豪剣・剛剣】〔文〕豪快な剣(さばき)。「—をふるう」

ごうけん【剛健】《名・ナダ》〔文〕心がしっかりしていてゆるがず、正常な状態を保つようす。「質実—の気風」派—さ。

こうげんがく【考現学】〔「考古学」に対する造語〕現代の社会現象を組織的に研究し、現代について考察しようとする学問。モデルノロジー〔和製〕。

こうげんびょう【×膠原病】《医》皮膚と筋肉、細胞と血管などをつなぐ結合組織の炎症によって起こる全身の病気。女性に多い。

こうけんりょく【公権力】《法》国や地方自治体の権力。

こうこ【公庫】《法》一般の金融機関から融資を受けにくい分野で資金を貸しつける政府系金融機関。

こうこ【好古】〔文〕古いものを好むこと。「—家」

こうこ【好個】〔文〕ちょうどいいこと。持ってこいであること。「—の資料」

こうこ【江湖】(=長江と洞庭湖)〔文〕広い世間。世の中。「—の絶賛を博する」

こうこ【考古】遺跡や遺物によって過去のものごとや生活を研究すること。「—館・—展」●**こうこがく**【考古学】遺跡や遺物によって、過去の人類の生活や文化を調べる学問。

こうこ【↑香々】〔古風〕こうのもの。おこうこ。

こうご【口語】①現代のふつうの書きことば。「古典の—訳」〔この辞書の説明も口語。古い文語に対し、話しことばにもとづくもので、明治時代のなかばに広まった〕②話しことば(に特有のことば)。口頭語。「—的な表現」▽(↔文語)●**こうごたい**【口語体】「口語①」でつづった文体。(↔文語体)●**こうごぶん**【口語文】口語体の文。(↔文語文)

こうご【交互】かわるがわる。「—に話す」

こうご【向後】《名・副》〔文〕今後。きょうこう。

☆☆ごうご【豪語】《名・自サ》意気さかんに、大きなことを言うこと。大言壮語。「『絶対に勝てる』と—する」

こうこう【口×腔】《生》⇩こうくう(口腔)。

こうこう【工高】↑工業高等学校。

こうこう【坑口】炭坑などの、坑道の入り口。こうぐち。

こうこう【後項】〔文〕あとのほうの事項。(↔前項)

*こうこう【高校】↑高等学校。「—生・—野球」

こうこう【港口】港の入り口。みなとぐち。

こうこう【×膏×肓】〔文〕からだの中でいちばんおく深く、治療しにくいと考えられている所。心臓の下のほう。「病—に入る(⇩「病」の句)」

こうこう【後攻】《名・自サ》〔試合などで〕あとにせめる〈こと/ほう〉。あとぜめ。(↔先攻)

こうこう【孝行】《名・自サ・ナダ》親の言いつけを守り、親をだいじにすること。孝。「親—・〔俗に〕妻—」(↔不孝)

こうこう【航行】《名・自他サ》〔船や航空機が〕航路

を進むこと。「インド洋を―する」

←**こうこう**［×耿々］《トタル》〔文〕明るく かがやくようす。「―たる〈太陽/星〉・―たる志」

↔**こうこう**［×皓々］《トタル》〔文〕〔月光（や あかりなど）が〕明るく かがやくようす。「―とかがやく月」

↑**こうこう**［×煌々］《トタル》〔文〕〔あかり（や月光など）が〕まぶしいくらい かがやくようす。「電灯を―と つけている」

**こうこう**《副》〔「斯く斯く」の音便〕かようかよう。しかじか。「―こういうわけで」

**こうごう**［×咬合］《医》歯の、上下のかみ合わせ。「不正―」

**こうごう**［皇后］ 天皇・皇帝の妻。きさき。「―陛下・―さま」 ●**こうごうぐう**［皇后宮］ ①皇后のすまう御殿。 ②皇后。

**こうごう**［香合・香×盒］ 香を入れる入れもの。

**こうごう**［交合］《名・自サ》〔文〕性交。

←**ごうごう**［(×囂々)］《トタル》〔声・発言が〕やかましいほどに高くなるようす。「非難―」

↑**ごうごう**［(×轟々)］《トタル》〔音が〕大きく ひびきわたるようす。「―たる水音」

**こうこうがい**［硬口蓋］《生》口蓋の前半部で、裏に骨があって かたい部分。「―音」（↔軟口蓋） ☞口蓋。

**こうごうしい**［神々しい］《形》 いかにも神がそこにいるようで、心を打たれる感じだ。「―姿」 [派]-さ。

**こうごうせい**［光合成］《理》植物や藻類などの葉緑素を持つ生物が、太陽の光を利用して、二酸化炭素と水からでんぷんと酸素を作るはたらき。

**こうこうぜん**［公々然］《トタル》〔文〕「公然」を強めた言い方。

**こうこうど**［高高度］ 約七千メートルから一万メートルの高さ。「―飛行」（↔低高度）

**こうこうや**［好々×爺］ 円満で人の いい おじいさん。

**こうごき**［小動き］《経》〔相場などが〕小幅な動きであること。

**こうこく**［公国］ 大公または公爵がおさめる、ヨーロッパの小さい国。例、リヒテンシュタイン（=スイスとオーストリアの間にある国）。

**こうこく**［皇国］〔文〕天皇がおさめる〈国/日本〉。〔第二次大戦が終わるまで使われた〕「―史観（=天皇を中心に考える歴史観）」

**こうこく**［興国］〔文〕国をさかんにすること。（↔亡国）

☆☆**こうこく**［抗告］《名・自サ》《法》裁判所の決定・命令に対する不服の申し立てを上級裁判所に対しておこなうこと。☞上訴。

←**こうこく**［公告］《名・他サ》〔裁判官・官庁・公共団体が〕官報・掲示などで一般の人に知らせること。「法定―」

↑**こうこく**［広告］《名・他サ》 ①広く世間に知らせること。「謝罪―」 ②〔宣伝などの目的で〕広く一般に知らせる〈こと/文章など〉。 ●**こうこくだいりてん**［広告代理店］ たのまれて広告活動を代行する会社。広告の制作のほか、市場調査やイベントなどをおこなう。 ●**こうこくとう**［広告塔］ ①屋上などにつくった広告用の建造物。 ②企業などの宣伝に効果がある人。「動く―」

**こうこつ**［硬骨・×鯁骨］ [一]《生》人や動物のからだの中にある かたい骨。「―魚」（↔軟骨） [二]《ナダ》権力に対して なかなか自分の態度を変えないようす。「―漢（=意志が強い男）」 [派]-さ。

**こうこつ**［×恍×惚］ [一]《トタル》 心をうばわれてうっとりするようす。「―として聞きほれる」 [二]〔やや古風〕年をとって認知症になった〈こと/人〉。 [由来] [二]は、有吉佐和子の一九七二年の小説「恍惚の人」から。

**こうこつもじ**［甲骨文字］ カメの腹の甲や けものの骨などに刻まれた、古代中国の象形文字。亀甲文字。甲骨文。

［こうこつもじ］

**こうこのうれい**［後顧の憂い］〔文〕あとあとの心配。「―なく」

**ごうコン**［合コン］（↑合同コンパ）〔俗〕恋人などとの出会いを求めて、グループどうしでするコンパ。

**こうさ**［公差］ ①《理》誤差の、認められる範囲。「―〇・五ミリ」 ②《数》等差数列で、となりあう二つの数の差。

**こうさ**［黄砂］《天》中国北西部で、黄土が強い風にふき上げられて空をおおう現象。春先など、日本まで飛んでくることも多い。

**こうさ**［交差・交×叉］《名・自サ》 ①二つ（以上）の線状のものが、一つの点でまじわ（ってい）ること。「道が―する」 ☞立体交差。 ②別々のものが重なりあうこと。「二つの思いが―する」 ●**こうさてん**［交差点］〔道と道が〕交差している所。よつかど。

**こうさ**［考査］《名・他サ》 ①〔文〕考え調べること。 ②〔学校で〕試験。テスト。

☆☆**こうざ**［口座］ ①銀行・証券会社などで、利用者ごとに設けられた、お金を出し入れする（帳簿上の）場所。「―をひらく・―番号・普通預金―・お―」 ②帳簿で、それぞれの勘定科目を分けて記入・計算するための欄。勘定口座。 ●**こうざふりかえ**［口座振替］《経》〔銀行などで〕公共料金や代金などを、預金者の口座から引き落とし、相手方の口座に振り替えること。

**こうざ**［高座］《寄席》演芸をおこなう、客席よりも高い所（での口演）。「―に上る・―を務める」

**こうざ**［講座］ ①〔大学などで〕講義する学科についての分担。一つの講座ごとに、教授・准教授などの数が決まっている。 ②講義ふうに組織された〈出版物/講習会/放送番組〉。「文章―」

**こうさい**［公債］《経》国（国債という）や都道府県（地方債という）が、必要な経費をつくるために発行する債券。公共債。（↔社債）

**こうさい**［光彩］〔文〕美しい かがやき。「―を放つ」 ●**こうさいりくり**［光彩陸離］《トタル》〔文〕まぶしく光りかがやくようす。「―とした宝石」

**こうさい**［△虹彩］《生》黒目のうち、瞳孔のまわりにある部分。日本人の場合は茶色などの色。はいってくる光の量を調節する。

**こうさい**［香菜］ ⇩パクチー。

☆☆**こうさい**［高裁］《法》↑高等裁判所。

**こうさい**［鉱×滓］〔「こうし」の慣用読み〕 ⇩スラグ①。

**こうさい**【交際】《名・自サ》①〔人間どうしの〕つきあい。つきあうこと。まじわり。「―相手」「―費」②恋人としてのつきあい。●**こうさいか**【交際家】交際の〈じょうずな／広い〉人。

**こうざい**【公財】〔視覚語〕↑公益財団法人。☞公益法人。

**こうざい**【功罪】〔文〕てがらとつみ。いいところと悪いところ。「新政策の―」●**功罪相半ばする** 句 功と罪が半々で、いいとも悪いとも言えない。

**こうざい**【鋼材】機械・建築などの材料となる鋼鉄。

**ごうさい**【合祭】《名・他サ》⇩ごうし(合祀)。

**ごうざい**【合剤】二種類以上の くすりをまぜあわせたもの。

**こうざいりょう**【好材料】①ちょうどいい材料。②《経》相場を上げるのにプラスになる要因。▽(↕悪材料)

**こうさく**【高作】〔文〕「相手の作品」の尊敬語。「ご―」

**こうさく**【鋼索】はがねで つくった針金をよりあわせた綱。索条。ワイヤ ロープ。

**こうさく**【工作】《名・自サ》①紙・ねんど・木切れなどを使って、器具や模型などを作ること。②土木工事などをすること。③ある目的がかなうように、前もってはたらきかけること。「政治―」●☆☆**こうさくいん**【工作員】他国の情報収集など、秘密の活動をする人。スパイ。●**こうさくきかい**【工作機械】金属を切ったりけずったりして機械の部品を作る機械。例、旋盤。(↕産業機械)●**こうさくぶつ**【工作物】《法》土地に固定して作られたもの。建物・橋・トンネル・電柱など。

☆☆**こうさく**【交錯】《名・自サ》線がまじわるような形でいりまじること。「期待と不安が―する」

**こうさく**【耕作】《名・他サ》田や畑をたがやして穀類・野菜などを作ること。農作。「―権・―放棄地」

**こうさつ**【高札】昔、法令や犯罪人の手配などの内容を書いて公衆に知らせた立て札。「―場」

**こうさつ**【高察】〔文〕「相手の推察」の尊敬語。「ご―ください」

**こうさつ**【考察】《名・他サ》〔ものごとを明らかにしようとして〕よく考えてみること。「―を加える」

**こうさつ**【絞殺】《名・他サ》〔文〕〔ひもなどで〕首をしめて殺すこと。「―体」☞扼殺。

**こうざつ**【交雑】《名・自他サ》①〔文〕〔いろいろな種類が〕いりまじること。②《生・農》〔品種改良の手段として〕種類のちがう生物の間で交配をおこなうこと。「―種」☞交配。

**ごうさつ**【強殺】《名・他サ》↑強盗殺人。「―事件」

**ごうさらし**【業(×晒し)】前の世の悪業のため、この世で はじをさらす〈こと／人〉。ごうざらし。はじさらし。

☆☆**こうさん**【公算】①〔数学で「確率」の古い言い方〕〔あることが将来起こる〕見こみ。たしからしさ。「実現する―が〈大きい／高い／強い〉」②「公算①」が大きいこと。「大はばに おくれる―だ」✎②は、述語「大きい」の意味を、主語「公算」が ふくむようになった用法。☞「天気③」の✎。

**こうさん**【恒産】〔文〕生活してゆけるだけの、まとまった資産。●**恒産無き者は恒心無し** 句 恒産のない者は金銭上の誘惑に負けないという心を持てない。☞恒心。

**こうさん**【鉱産】鉱山からの生産(物)。「年間の―額」●**こうさんぶつ**【鉱産物】鉱山でとれる物。

**こうさん**【降参】《名・自サ》①戦争や議論などに負けて、相手の強さを認めること。②威力のあるものごとに対抗できないこと。閉口。ごめん。「人ごみは―だ」

**こうざん**【高山】高い山。(↕低山)●**こうざんびょう**【高山病】《医》高い山に登ったとき、気圧が下がり酸素が少なくなるために起こる病気。山酔い。

**こうざん**【鉱山】鉱物をほり取る山。

**こうさんか**【抗酸化】活性酸素をおさえる(作用のある)こと。「―物質」

**こうし**【子牛・×仔牛・×犢】牛の子ども。表記 メニューには「×仔牛」と書くことが多い。

**こうし**【工試】↑工業試験〈所／場〉。

**こうし**【公司】〔中国で〕会社。コンス。「○○有限―」

**こうし**【公私】公人の面と個人の面。「―ともによろしくお引き立て願います・―混同(=公務に関することと私的なこととの、けじめがない)」

**こうし**【公使】(↑特命全権公使)《法》外交使節の長である、大使に次ぐ外交官。

**こうし**【孔子】〔人名〕中国の春秋時代の思想家。仁を説いた。その教えを儒教という。〔前五五一～前四七九〕

**こうし**【光子】《理》光をエネルギーと運動量を運ぶ粒子としてとらえた概念。

**こうし**【孝子】〔文〕孝行な子。

**こうし**【厚志】〔文〕〔相手の〕心からの気持ち。

**こうし**【後肢】《動》あとあし。(↕前肢)

**こうし**【後嗣】〔文〕あとつぎ。「将軍の―」

**こうし**【皇嗣】〔文〕次の天皇になることが決まっている皇族。天皇のお世つぎ。

**こうし**【香資】《仏》〔文〕香典。

**こうし**【格子】①細い〈木／竹〉を縦横に組んだもの。建具に使う。「―窓・京都の―造りは連子になったものが多い」②↑格子戸。③↑格子じま。「―柄」●**こうしじま**【格子(×縞)】多くの線を縦横に組み合わせた〈しま／模様〉。格子。●**こうしど**【格子戸】格子を取りつけた戸。木を格子の形に組み合わせて作った戸。格子。

**こうし**【校史】〔文〕その学校の歴史。

**こうし**【高士】〔文〕人格の すぐれた人。

**こうし**【高師】(↑高等師範学校)旧制の中学校・高等女学校・師範学校の教員を養成した学校。「東京―・女(=女子)―」

☆☆**こうし**【×嚆矢】〔文〕ものごとのはじめ。始まり。「日本の近代文学は『浮雲』をもって―とする」由来 むかし中国で戦いを始める合図として かぶら矢(=嚆矢)を射たことから。

**こうし**【講師】①塾・講習会などの先生。②〔大学などで〕准教授の下の教員(の職名)。専任講師。③〔中学・高校などで〕教諭に準じる教員。☞こうじ(講師)。

☆☆**こうし**【行使】《名・他サ》〔文〕権利にもとづいて、事をおこなうこと。「選挙権を―する」

**こうじ**【△小路】大通りから横にはいった、はばの せまい道。「袋―」(↕大路)由来「こじ」の変化。

「じ」は、道の意味の古語「ち」がにごったもの。

**こうじ**【好字】縁起のよい字。

**こうじ**【好事】〔文〕喜ばしいこと。めでたいこと。●**好事魔多し** 句 いいこと、うまくいきそうなことには、とかくじゃまがはいるものだ。

**こうじ**【好餌】(=うまいえさ)〔文〕思うとおりにされてしまうもの。「悪人の―となる」

**こうじ**【後事】〔文〕自分が〈やめた／死んだ〉あとのこと。「―を託す」

**こうじ**【×柑子】古くからあるミカン。小さくて、すっぱい。こうじみかん。

**こうじ**【校時】⇩時限②。「―表(=学校の通常のスケジュール表)」表記 大学では「講時」とも。

**こうじ**【講師】歌会始で、節をつけないで和歌を読み上げる役の人。☞講頌・発声③・こうし(講師)。

**こうじ**【×麴・×糀】たいた米などに、コウジカビという一種のかびをつけて発酵させたもの。甘酒・酒・しょうゆ・みそなどを造るのに使う。「米―」●**こうじきん**【×麴菌】かびの一種。でんぷんやたんぱく質を分解する力が強く、醸造に利用する。こうじかび。

*__こうじ__【工事】《名・自サ》土木・建築などの作業。「道路―・―現場・―中(作りかけのホームページにも言う)」

☆☆**こうじ**【公示】《名・他サ》①おおやけの機関が、一般の人に発表してしめすこと。「―価格」②《法》国会議員の選挙がおこなわれることを一般に知らせること。「参院選の―」☞告示。●**こうじちか**【公示地価】《法》国土交通省が毎年、官報に公示する、一月一日時点の全国の代表的地点の土地価格。☞路線価。

**こうじ**【高次】《名・ダ》〔文〕高い〈次元／程度〉。「―機能障害」(↔低次)

**ごうし**【合資】資本を出し合うこと。●**ごうしがいしゃ**【合資会社】《法》事業を経営する無限責任社員と、資本を提供するだけの有限責任社員とで組織する会社。

**ごうし**【郷士】①いなかに住みついた武士。②武士の待遇をうけた農民。

**ごうし**【合×祀】《名・他サ》〔複数の神や霊を〕同じ所にいっしょにまつること。合祭。

**ごうじ**【合字】二つ以上の文字を組み合わせて作った文字。リガチャー(ligature)。例、杢(←木工)、ゟ(←より)、ﬁ(←fi)。

**こうしえん**【甲子園】[一]①兵庫県の阪神甲子園球場。②「甲子園[一]①」で夏におこなう高校野球大会。全国高等学校野球選手権大会。夏の甲子園。☞センバツ。▽〔商標名〕[二] 造 高校生などの全国的な競技大会やもよおしに使う呼び名。「まんが―」

**こうしき**【公式】①正式のものとして、一般に示す〈こと／もの〉。「―に発表する・〔プロ野球の〕―戦・―サイト」(↔非公式) ②《数》どんな数の場合でも通用する法則を、記号で書きあらわした式。③決められた考え方、または法則。「マルクス主義の―」

**こうしき**【硬式】《野球・テニスなど》かたいボールを使うやり方。「―テニス」(↔軟式)

**こうじき**【高直】《ナダ》〔古風〕〔値段が〕高いこと。「諸式(=物価)―の折」

**こうしけつしょう**【高脂血症】血液の中の中性脂肪やコレステロールが異常に多い症状。☞脂質異常症。

**こうしせい**【高姿勢】《名・ナダ》人の考えなどを無視した、自分本位の強い態度。(↔低姿勢)

**こうした**《連体》このような。こういった。「―場合・―ことから(=このため)政府は検討を始めた」

**こうしつ**【公室】①知事・市長などを直接助けて仕事をする組織。「市長―」②執務などに使う、公的な部屋。「長官―」(↔私室)

**こうしつ**【後室】〔文〕身分のある人の死後に残された妻。「ご―」

**こうしつ**【皇室】天皇とその一族。天皇および皇族。

**こうしつ**【高湿】〔文〕高い湿度。「高温―」

☆☆**こうしつ**【硬質】《名・ダ》かたい〈性質／感じ〉。「―陶器・―な足音・―な文章」(↔軟質)

**こうじつ**【口実】何かをするときの、表向きの理由。「―をもうけて欠席する」

**こうじつ**【好日】〔文〕気持ちのいい日。〔多く題目に使う〕「パリ―」

**こうじつせい**【向日性】《植》植物が光の強い方向に向かってのびる性質。向光性。(↔背日性)

**こうして**《副・接》このようにして。こんなやり方で。かくて。

**こうしゃ**【公社】①かつて、国が全額を出資して作った、公共のための企業団体。日本専売公社・日本電信電話公社・日本国有鉄道などがあった。②《法》地方自治体が設立する、公共性の高い事業をおこなう法人。地方公社。③〔視覚語〕↑公益社団法人。☞公益法人。●**こうしゃさい**【公社債】公債と社債の両方を合わせて呼ぶことば。

**こうしゃ**【公舎】公務員の住宅。官舎。「警察署長―」

**こうしゃ**【後車】うしろの車。うしろから来る車。(↔前車)

**こうしゃ**【後者】①あとに のべた〈もの／こと〉。②〔文〕あとから続く〈人／もの〉。▽(↔前者)

**こうしゃ**【校舎】学校の建物。

**こうしゃ**【稿者】〔文〕①原稿を書いた人。②〔原稿を書いている〕私。

**こうしゃ**【講社】⇩講[一]②。

**こうしゃ**【降車】《名・自サ》〔文〕車からおりること。「バスの―口」(↔乗車)

**こうしゃ**【巧者】《名・ナダ》ものごとをじょうずにこなす〈ようす／人〉。「聞き―(=聞きじょうず)・すもう―」

**ごうしゃ**【号車】〔急行・特急列車などで〕番号のついた客車。

**ごうしゃ**【豪×奢】《名・ナダ》〔文〕たいへんぜいたくなようす。豪華。「―な暮らし・―な気分」派―さ。

**こうしゃく**【公爵】〈もとの華族／ヨーロッパの貴族〉の階級の第一位。また、その階級の人。☞爵位。

**こうしゃく**【侯爵】〈もとの華族／ヨーロッパの貴族〉の階級の第二位。また、その階級の人。☞爵位。

**こうしゃく**【講釈】《名・自他サ》①文章や字句の意味を説明して聞かせること。②講談。「―師」③細かいことについて、りくつをつけて説明すること。「―が始まる・―をたれる・後―」

**こうしゃほう**【高射砲】《軍》〔陸上から〕飛行機を

射撃(しゃげき)する砲。〔旧海軍では、高角砲(こうかくほう)と呼んだ〕

**こうしゅ**【工手】鉄道・電気などの工事をする人。工夫。

**こうしゅ**【公主】〔中国で〕天子・君主のむすめ。

←**こうしゅ**【巧手】〔文〕うまいやり方。うまい手段。

→**こうしゅ**【好手】①〔碁・将棋など〕いい手。「長考に—なし」(⇔悪手) ②〔文〕いいやり方。「戦略的には—だ」▽好手段。

**こうしゅ**【攻守】せめることと守ること。●**攻守所を変える** 句 せめるほうと守るほうの立場が反対になる。●**こうしゅどうめい**【攻守同盟】〔法〕二つ以上の国が共同してほかの国を攻撃(こうげき)し、また、ほかの国からの攻撃を防ごうとする同盟。

**こうしゅ**【絞首】〔文〕首をしめつけて殺すこと。「—刑(けい)」

**こうしゅ**【好守】《名・自サ》《野球など》よく守ること。「強肩(きょうけん)—」

**こうしゅ**【×拱手】《名・自サ》〔文〕⇨きょうしゅ(拱手)。

**こうじゅ**【皇寿】〔文〕〔数え年の〕百十一歳(さい)〔の祝い〕。由来 皇の字は、白(九十九)と王(十二)を合わせたものだからという。

**こうじゅ**【口授】《名・他サ》〔講義・原稿(げんこう)の内容を〕口で言って書き取らせること。くじゅ。

**ごうしゅ**【豪酒】〔文〕大ざけを飲むこと。「—家」

**ごうしゅ**【強取】《名・他サ》〔文〕むりやりに取りあげること。「金品の—をくわだてる」

**こうしゅう**【口臭】口から出るいやなにおい。

**こうしゅう**【公衆】〈社会〉世間〉の人々。「—の目にふれる所」●**こうしゅうえいせい**【公衆衛生】社会の人々の健康。また、それを守るための活動(=感染症(かんせんしょう)の予防、公害対策、上下水道の完備など)。●**こうしゅうでんわ**【公衆電話】駅や街頭などに置かれ、有料で使える電話。●**こうしゅうどうとく**【公衆道徳】社会の人々が、おたがいにめいわくをかけないようにするための道徳。●**こうしゅうべんじょ**【公衆便所】一般(いっぱん)の人が使えるように、町なか・公園などに作った便所。公衆トイレ。

**こうしゅう**【興収】↑興行収入。「—を上げる・—百億円」

**こうしゅう**【講習】《名・他サ》ある一定の知識や技術を学習する〈こと/ための集まり〉。「—会」

**ごうしゅう**【豪州・×濠州】⇨オーストラリア②。

**こうしゅうは**【高周波】〔理〕周波数の高い電波・電流。「—加熱・—ミシン」(⇔低周波)

**こうしゅつ**【後出】〔文〕文章中で、それよりあとにあらためて示すこと。「—のように例外もある」(⇔前出)

←**こうじゅつ**【公述】《名・自他サ》〔法〕公聴会(こうちょうかい)で意見をのべること。「—人」

→**こうじゅつ**【口述】《名・他サ》口でのべること。「—試験(⇔筆記試験)・—筆記」

**こうじゅつ**【後述】《名・他サ》〔文〕あとでのべること。「理由については—する」(⇔前述)

**こうじゅほうしょう**【紅×綬褒章】危険をおかして人の命を助けた人に国があたえる、赤いリボンのついた記章。

**こうじゅん**【降順】数値や文字を、〈大きい/文字コードが後ろの〉ほうからならべる方式。(⇔昇順(しょうじゅん))

**こうじゅんかん**【好循環】いい状態がいい結果を生み、それがまたいっそういい結果を生むこと。「—が生まれる」(⇔悪循環)

**こうしょ**【向暑】〔文〕暑さに向かう〈こと/季節〉。「—のおりから」(⇔向寒)

**こうしょ**【高所】〔文〕高い〈所/立場〉。「大所(たいしょ)—から判断する・—恐怖症(きょうふしょう)(=高い所にのぼると、強いめまいがしたり、極度にこわくなったりする症状(しょうじょう))」

**こうしょ**【講書】《名・自他サ》〔文〕〔身分の高い人に〕学者が書物の内容を講義すること。「御(ご)—始め」

**こうじょ**【公助】困っている人を、公的な組織が助けること。☞自助・共助。

☆**こうじょ**【公序】〔法〕一般(いっぱん)の人がだれでも守らなければならない秩序(ちつじょ)。「—良俗(りょうぞく)に反する行為(こうい)」

**こうじょ**【皇女】天皇・皇帝(こうてい)の女の子。おうじょ。(⇔皇子(おうじ))

☆**こうじょ**【控除】《名・他サ》〔法〕税金の計算などで、数字でしめされたものの一部をさし引くこと。「—額・—対象」

**こうしょう**【工匠】〔文〕職人。大工。

**こうしょう**【工×廠】〔軍〕もと、陸海軍に直属した工場。「海軍—」

**こうしょう**【公×娼】もと、許可を得て営業していた売春婦。(⇔私娼(ししょう))

**こうしょう**【公証】〔法〕公務員が職権によってする証明。●☆**こうしょうにん**【公証人】〔法〕民事に関する公正証書を作成し、個人が作った書類に認証(にんしょう)をあたえる権限を持つ人。●**こうしょうやくば**【公証役場】公証人が職務をおこなう場所。公証人役場。

**こうしょう**【公傷】①公務〈のため/中に〉負ったけが。(⇔私傷) ②〔プロのスポーツで〕競技中に負ったけが。〔大ずもうには、休んでも、地位や待遇(たいぐう)が保障される公傷制度があった〕

←**こうしょう**【好尚】〔文〕①好み。「個人の—」②はやり。流行。「時代の—」

→☆**こうしょう**【高尚】《ナダ》〔文化・教養の〕程度が高いようす。「—な趣味(しゅみ)」派—さ。

**こうしょう**【行章】銀行の〈記章/シンボルマーク〉。

**こうしょう**【行賞】〔文〕〔おおやけの立場から〕ほうびをあたえること。「論功—」

**こうしょう**【×咬傷】〔医〕〔けものに〕かまれたきず。かみきず。

**こうしょう**【校章】学校の記章。

**こうしょう**【高承】〔文〕「ご承知」より、もっと相手を尊敬した言い方。〔あいさつ文で使う〕「ご—のとおり」

**こうしょう**【鉱床】《鉱》地殻(ちかく)の中で、価値のある鉱物などをふくむ所。「金(きん)の—」

**こうしょう**【講×頌】歌会始で、和歌の第二句以下を、声をそろえて朗詠(ろうえい)する役。☞発声③。

**こうしょう**【交渉】《名・自サ》①取り決めをするために相手と話し合うこと。かけあうこと。「—の余地がない」②かかわりあい。関係。「—を持つ・性—」

**こうしょう**【×哄笑】《名・自サ》〔文〕〔大ぜいが〕どっと笑うこと。たかわらい。

**こうしょう**【公称】《名・自他サ》①おもてむき、そのように言うこと。「—部数百万・独身と—する」②〔文〕正式に呼ぶこと。「大日本帝国〈とを〉—する」

**こうしょう**【口承】《名・他サ》〔文〕人々が口から口へと(伝説などを)伝えること。「—文芸(=伝説・民話など)」

**こうしょう**【口×誦】《名・他サ》〔文〕①暗記している文などを、声に出して言うこと。②(本を)声に出して読むこと。

**こうしょう**【考証】《名・他サ》文書などを証拠にして昔の事実を考え説明すること。「時代—」

**こうしょう**【高唱】《名・他サ》〔文〕大きな声で〈歌う/となえる〉こと。「自由を—する・応援歌を—する・—放吟」(↔低唱)

**こうじょう**【口上】①あいさつや商売などで言う、一定の形式にしたがった、ひとまとまりのことば。「使者が—を述べる・たたき売りの—」②(興行で)劇の筋などの説明や、襲名の披露など。③口のきき方。「切り—」 •**こうじょうしょ**【口上書】口で伝えるべきことをメモの形にした、外交上の書類。

***こうじょう**【工場】多くの機械を使ってものを生産する所。「自動車—・—長・—廃液」☞こうば(工場)。 •**こうじょうだんち**【工場団地】一定の地域に集まった、中小企業の工場の集団。工業団地。

↑**こうじょう**【交情】〔文〕①つきあっている相手に対して持つ、親しみの気持ち。②情交。

↑**こうじょう**【厚情】〔文〕てあついなさけ。ねんごろな親切。〔相手から受けた好意に対して使う〕「ご—に浴し」

**こうじょう**【恒常】〔文〕(時間がたっても)状態が変わらないこと。「—的・—性」

**こうじょう**【荒城】〔文〕あれはてたしろ。「—の月」

***こうじょう**【向上】《名・自サ》程度の高いほうへ向かうこと。いいほうへ向かうこと。「実力が—した」(↔低下) •**こうじょうしん**【向上心】向上しようとする気持ち。「—を持つ」

**こうじょう**【攻城】《名・他サ》〔文〕城をせめること。「—戦」

**ごうしょう**【豪商】金持ちの商人。

**ごうじょう**【強情】《名・ダ》自分の考えをなかなか変えないようす。いじっぱり。「—をはる」派—さ。☞強情っぱり。

**こうしょうがい**【後障害】〔医〕原爆・放射線をあびたことによる後遺症。

**こうじょうせん**【甲状腺】〔生〕のどの下のほうにある、内分泌腺。「—がん(癌)」

☆**こうしょく**【公職】①公務員としての職務。「—に就く」②国会・地方議会の議員としての職務。「—選挙法」

**こうしょく**【交織】絹と綿などのように、種類の異なる糸をまぜて織ること。また、その織物。まぜおり。

**こうしょく**【紅色】〔文〕べにの色。「淡—」

**こうしょく**【黄色】〔文〕⇩おうしょく。

**こうしょく**【降職】《名・他サ》〔文〕(特別な事情があって)職員を、下の位の職に移すこと。格下げ。☞降任。

**こうしょく**【好色】《名・ダ》いろごのみ。「—家」派—さ。

**ごうじょっぱり**【強△情っ張り】《名・ダ》がんこに意地を張る〈ようす/人〉。意地っ張り。

**こう・じる**【△困じる】《自上一》〔文〕こまる。こうずる。「こうじ果てる」

**こう・じる**【高じる・×昂じる・×嵩じる】《自上一》①増長する。たかぶる。②勢いが進む。「病気が—」▽高ずる。

**こう・じる**【×薨じる】《他上一》〔文〕(皇族・三位以上の人が)なくなる。死去される。薨ずる。

***こう・じる**【講じる】《他上一》①〔文〕講義をする。②〔文〕(仲直りの)とりきめをする。「和を—」③〈考えくふうして/おこなう〉。はかる。「対策を—」▽講ずる。

**こうしん**【口唇】〔生〕くちびる。「—ヘルペス」 •**こうしんれつ**【口唇裂】〔医〕生まれたときに上くちびるが縦にさけている状態。唇裂。☞口蓋裂。

**こうしん**【功臣】〔文〕国や主君にてがらのあった〈臣下/家臣〉。

**こうしん**【孝心】〔文〕孝行のこころ。「—が厚い」

**こうしん**【×庚申】①干支の一つ。かのえさる。「—の年・—待ち(=庚申にあたる夜の行事)」②《仏》青面金剛(=帝釈天の使者。全身が青い)の別の名。庚申さま。 •**こうしんづか**【×庚申塚】「庚申②」をまつって、道ばたにたてた石塔。三びきのサルを刻んであったりする。☞三猿。

**こうしん**【後身】①うまれかわり。②境遇がすっかり変わった身。③以前の形から〈変化/発展〉したもの。▽(↔前身)

**こうしん**【恒心】〔文〕いつも一定していて動揺しない心。「恒産無き者は—無し(⇩「恒産」の句)」

**こうしん**【紅唇】〔文〕(女性の)口べにを塗った、赤いくちびる。朱唇。

**こうしん**【交信】《名・自サ》(無線で)通信をかわすこと。「—記録・霊界との—」

**こうしん**【後進】《名・自サ》①同じ分野の後輩。「—の指導にあたる」②文明・産業がおくれていること。「ジェンダー面での—性」▽(↔先進)③(船・車などが)うしろへ進むこと。(↔前進) •**後進に道を開く** 句 後輩に地位をゆずって引退する。 •**こうしんこく**【後進国】①ある分野や対策がおくれた国。「デジタル行政の—」②「発展途上国」の古い言い方。

**こうしん**【高進・×亢進・×昂進】《名・自サ》①たかぶること。「心悸—」②(物価が)高くなること。上昇

**こうしん**【行進】《名・自他サ》多くの人・車などが、列を作って(そのすがたを周りに示しながら)進むこと。「開会式で選手たちが堂々と—する・戦車の—」 •**こうしんきょく**【行進曲】《音》行進の歩調にあうように作られた曲。マーチ。

**こうしん**【更新】《名・自他サ》〔契約・記録・設備などを〕新しくすること。また、新しくなること。「アパートの—料・最高値を—する・運転免許を—する・ブログを—する」 •**こうしんせい**【更新世】《地》地質時代の区分の一つ。約二六〇万年前から約一万年前まで。氷河時代。もと、洪積世。☞完新世。

**こうじん**【工人】①〔文〕工作を職業とする人。職人。「人形製作の—」②(中国で)労働者。

☆**こうじん**【公人】〔文〕公職にある人。「—としての発

言」(↔私人)

**こうじん**【行人】〔文〕道を通る人。

**こうじん**【幸甚】《手紙》〔文〕非常に〈ありがたい/幸せな〉こと。「おいでいただければ—に存じます」

**こうじん**【×巷×塵】〔文〕世間のわずらわしさや、日常のつまらないこと。

**こうじん**【後人】〔文〕のちの(世の)人。(↔先人・前人)

**こうじん**【後陣】①うしろの ほうの陣。ごじん。「—にひかえる」(↔先陣) ②〔卓球で〕台から大きくはなれてプレーするポジション。(↔前陣・中陣)

**こうじん**【後×塵】〔文〕馬や車が通ったあとに立つ、土けむり。●**後塵を拝する** 句 〔文〕①他人に先んじられる。風下に立つ。「—のは不本意だ」②〔力がたりないため〕すぐれた人の あとからついて行く。

**こうじん**【荒神】 かまどの かみ。三宝荒神。荒神さま。「—棚」 ●**こうじん まつ**【荒神松】 さかき(榊)と松をたばにした そなえもの。荒神に そなえる。

**こうじん**【黄×塵】〔文〕①黄色い土けむり。「—万丈」 ②うるさい俗事。

**こうしんえつ**【甲信越】〔↑甲斐・信濃・越後〕 山梨・長野・新潟の三県の総称。「関東—」

**こうしんじょ**【興信所】 会社や個人の信用状態を調査報告する会社。

**こうじんぶつ**【好人物】 気だての いい人。おひとよし。

**こうしんりょう**【香辛料】 料理に風味をつけ、食品の味をととのえるための、かおりの高い植物の調味料。スパイス。例、こしょう・ショウガ。

**こうしんりょく**【向心力】《理》物体が円運動をするとき、その物体に はたらく、円の中心に向かおうとする力。〔もと「求心力」と言った〕(↔遠心力)

**こうしんろく**【興信録】 取引に役立つように、財産・営業状態などを調べて書いた本。

**こうず**【公図】 土地登記簿につけられている、境界・地目・面積などをしめした地図。

**こうず**【構図】 ①〔絵画・写真などで〕要素を適当に配置〈すること/したもの〉。「すぐれた—」 ②ものごとの全体の しくみ。「事件の—」

**こうすい**【香水】 けしょう品の一つ。いいにおいのする香料をアルコールにとかしたもの。衣服や はだにふりかける。〔ふつう、パルファム(フ parfum)をさす。以下、オードパルファム(フ eau de parfum)、オードトワレ、オーデコロンの順に かおりが弱くなる〕

**こうすい**【降水】《天》雨・雪・あられ・ひょうなど、地上に降るもの。「—量〔たまった深さをミリメートルであらわすが、雪などは、とかして はかる〕・—確率」

**こうすい**【硬水】《理》カルシウムやマグネシウムを多くふくむ、天然の水。せっけんが泡立ちにくい。(↔軟水)

**こうずい**【洪水】 ①大雨や雪どけなどのために川の水があふれ出すこと。おおみず。 ②あふれるほどたくさんあること。「車の—・情報の—」

**こうすう**【工数】 仕事を完成させるために必要な工程の数。「開発にかかる—」

**ごうすう**【号数】「号 二②〜⑥」をあらわす かず。

**こうずか**【好事家】 ①損得を考えず、すきでする人。ものずき。 ②風流を好む人。

**こうずけ**【:上野】 旧国名の一つ。今の群馬県。上州。

**こう・する**【抗する】《自サ》〔文〕てむかう。反抗する。「敵に—」

**ごう・する**【号する】《自他サ》〔文〕①名前をつけてよぶ。雅号をつける。「漱石と—」 ②言いたてる。豪語する。「日本一と—」▽号す。

**こうぜ**【校是】〔文〕その学校の、教育の根本精神をあらわす、短いことば。

**こうせい**【向性】《心》内向性・外向性をまとめた呼び名。「—検査・—指数〔数字が大きいほど、外向性が強い〕」

**こうせい**【攻勢】 せめかかる〈勢い/情勢〉。「—に転じる」(↔守勢) ☞労働攻勢。

***こうせい**【厚生】 ①生活を豊かにすること。 ②体力・生命力を増すこと。 ●☆☆**こうせいねんきん**【厚生年金】《法》公的年金の一つ。会社員・公務員などが対象で、老齢厚生年金・障害厚生年金などが支給される。 ●**こうせいねんきんききん**【厚生年金基金】 企業年金の一種。企業が基金を設立し、厚生年金の一部を代行して給付したり、独自に給付を上乗せしたりするもの。調整年金。 ●**こうせいろうどうしょう**【厚生労働省】《法》社会保障・社会福祉・労働関係などの行政事務をあつかう中央官庁。厚労省。〔もと厚生省・労働省〕

↓**こうせい**【後世】 ①のちの世。「—に伝える」 ②その人の一生のうちで、あとの部分。「—〔=あとになって〕天下に名をあげる」

↑**こうせい**【後生】〔文〕①自分のあとから〈生まれる/学ぶ〉人。後輩。 ②のちの世に生まれる人。子孫。☞ごしょう(後生)。 ●**後生畏るべし** 句 後進の者は、将来どんなにりっぱな人物になるかわからないので、おそれるに値いする。

**こうせい**【恒星】《天》太陽のように、それ自身光を出し、たがいの位置をほとんど変えない星。(↔惑星)

**こうせい**【高声】〔文〕大きい声。おおごえ。(↔低声)

**こうせい**【鋼製】 鋼鉄でできていること。

↓☆☆**こうせい**【更生・×甦生】 一《名・自サ》①〔文〕生きかえること。 ②みだれた生活から立ち直ること。「悪の道から—する」 二《名・他サ》①役に立たなくなった衣服などを作りかえたりして利用すること。リフォーム。「—品」 ②《法》倒産した会社を、債権者や株主などの利害を調整しながら立ち直らせること。「—会社〔=更生中の会社〕」

↑**こうせい**【更正】《名・他サ》《法》①変えて適正な状態にすること。「議員定数の—」 ②申告した税の金額が少なすぎる場合、税務署が訂正すること。「所得税の—決定」

↓**こうせい**【校正】《名・他サ》 印刷したもの〔=校正刷り〕を原稿とくらべあわせて、文字・色などの誤りなどを正すこと。

↑**こうせい**【△較正・校正】《名・他サ》 基準にもとづいて、〈計器/結果の数字〉の くるいを直すこと。

***こうせい**【構成】《名・他サ》 要素を組み合わせて一つの まとまりのあるものに〈すること/したもの〉。「文章の—・家族—」

**こうせい**【公正】《名・ナダ》 ひいきをしないで、正しい方法でおこなうようす。「—な取引・—に判断する・公平—」(↔不公正) 派—さ。 ●**こうせいしょうしょ**[公正証書] 〔法〕公証人が作成した、法律上の行為や権利についての証書。 ●☆☆**こうせいとりひきいいんかい**[公正取引委員会] 〔法〕独占禁止法の目的を達成するための行政機関。総務省の外局。公取委。公取。

**ごうせい**[剛性] 物体が、外から加えられる力に抵抗して、もとの形をたもとうとする性質。

**ごうせい**[合成] 《名・他サ》①二つ以上のものをあわせて一つの〈状態とする・ものを作る〉こと。「—写真」②〔理〕化学反応を利用して、もとの材料とまったく別のものを作ること。「—ゴム」 ●**ごうせいご**[合成語] ①〔言〕複合語と派生語とをあわせた呼び名。(↔単純語) ②二語が混交してできたことば。例、やぶく(←やぶる・裂く)。 ●**ごうせいじゅし**[合成樹脂] 〔理〕熱や圧力を加えることによって目的とする形に成形することができる性質を持つ高分子材料。プラスチック。 ●**ごうせいせんい**[合成繊維] 化学繊維の一つ。石油・石炭などを原料として、化学的に合成して作った繊維。例、ナイロン・ビニロンなど。合繊。 ●**ごうせいせんざい**[合成洗剤] 石油化学製品から合成された洗剤。中性洗剤。合洗。

**ごうせい**[豪勢] 《ナダ》ひどくぜいたくなようす。「—に暮らす・—な食事」 派—さ。

**こうせいきょく**[交声曲] 〔音〕⇨カンタータ。

**こうせいしんびょうやく**[抗精神病薬] 〔医〕精神疾患の治療に使う薬。

**こうせいしんやく**[向精神薬] (向=はたらきかける) 〔医〕中枢神経に直接はたらいて、精神状態に大きく影響する物質。例、トランキライザー。

☆☆**こうせいぶっしつ**[抗生物質] 〔医〕細菌の繁殖に抵抗する物質。抗生剤。例、ペニシリン。「—の投与」

**こうせき**[口跡] 〔演劇など、口を使う芸で〕せりふの言い方。発音がはっきりして、ことばづかいの正しさが要素となる。エロキューション。「—がいい」

**こうせき**[功績] 国・社会・団体などにとって利益になるようなはたらきをしたこと。てがら。いさお。「—をたてる・—を残す」

**こうせき**[光跡] 〔文〕光って動いているものを〈見たときに感じ・写した写真に見〉られる、光の筋。「星の—」

**こうせき**[後席] 〔文〕うしろの座席。「乗用車の—モニター」(↔前席)

**こうせき**[皇籍] 〔文〕皇族である身分の籍。「—離脱」

**こうせき**[航跡] ①汽船が走ったあとに残る、白い波の筋。②航空機が飛んだ道筋。

**こうせき**[鉱石・×礦石] 〔鉱〕ほり出した、役に立つ鉱物をふくむ岩石。あらがね。

**こうせきうん**[高積雲] 〔天〕丸いかたまりが群れをなしたり、畝状に並んだりした雲。ひつじぐも。むらくも。「「雲海」は、多くこの雲」

**こうせきせい**[洪積世] 〔地〕「更新世」の旧称

**こうせきそう**[洪積層] 〔地〕更新世(=洪積世)にできた地層。☞沖積層。

**こうせつ**[公設] 市町村などが設立すること。「—市場」(↔私設) ●**こうせつひしょ**[公設秘書] 国費によって国会議員につけられる秘書。

**こうせつ**[巧拙] 〔文〕ものごとのじょうずとへた。「文章の—・技の—」

**こうせつ**[×巷説] 〔文〕まちのうわさ。風説。「街談—」

**こうせつ**[降雪] 〔文〕雪が降ること。降る雪。「—量」

**こうせつ**[高説] 〔文〕「相手の説」の尊敬語。「ご—を拝聴する」

**こうせつ**[交接] 《名・自サ》①〔動〕交尾。「—器」②〔文〕性交。

**こうぜつ**[口舌] 〔文〕口さきだけのことば。くぜつ。 ●**こうぜつのと**[口舌の徒] 〔文〕口さきのうまい人間。

**ごうせつ**[合説] 〔企業が就職希望者に向けた〕↑合同説明会。

**ごうせつ**[豪雪] 〔文〕おおゆき。

**こうせん**[口銭] 手数料。コミッション。

**こうせん**[工専] ①↑〔もとの〕工業専門学校。②↑工業高等専門学校。

**こうせん**[高専] ↑高等専門学校。「—生」

**こうせん**[工船] とれたさかな・カニなどをすぐかんづめなどにする設備をもつ船。「かに—」

**こうせん**[公船] 政府のもつ船。

**こうせん**[光線] 〔筋として見た〕ひかり。「—を当てる・太陽—」

**こうせん**[好戦] 〔文〕戦闘・戦争を好むこと。「—的」

**こうせん**[香煎] ①穀類などを煎った、こうばしい粉。湯・茶をそそいで飲む。②麦こがし。

**こうせん**[黄泉] (=地底のいずみ) 〔文〕冥土。よみ。

**こうせん**[鉱泉] 〔地〕鉱物質を多くふくむ、ぬるい温泉(の湯)。

**こうせん**[交戦] 《名・自サ》おたがいに戦うこと。戦いをまじえること。「—国」

**こうせん**[抗戦] 《名・自サ》優勢な敵・勢力に対して戦うこと。

**こうせん**[降船] 《名・自サ》〔文〕船からおりること。下船。(↔乗船)

**こうせん**[公選] 《名・他サ》①国民や住民の投票によって決めること。「—区長」(↔官選) ②公開の場でおこなう選挙。「〔政党の〕総裁—」 ●**こうせんほう**[公選法] 〔法〕↑公職選挙法。

**こうぜん**[×昂然] 《トタル》〔文〕①気持ちのたかぶるようす。②意気のさかんなようす。

**こうぜん**[公然] 《副・トタル》表だったようす。おおっぴら。「—たる事実・—の秘密(=広く知れわたった、もはや名ばかりの秘密)」

**ごうせん**[合洗] ↑合成洗剤。

**ごうせん**[合繊] ↑合成繊維。

**ごうぜん**[傲然] 《トタル》〔文〕いばって人を見くだすようす。「—たる態度」

**ごうぜん**[×轟然] 《トタル》〔文〕爆発するような大きな音を立てるようす。

**こうぜんのき**[×浩然の気] 〔文〕〔大自然のけしきにふれたりしたときのように〕のびのびした、広い大きな気持ち。「—を養う〔=ストレスを発散してリフレッシュする〕」

**こうそ**［公租］《法》国税・地方税をまとめた呼び名。「—公課」

**こうそ**［皇祖］〔文〕天皇の（神代の）先祖。「—神〔=天照大神など〕・—皇宗〔=神代から前代までの、天皇の先祖〕」

☆☆**こうそ**［酵素］《生》生物の細胞の中で作られ、化学反応の触媒となる物質。「たんぱく質分解—」☞コエンザイム。

☆☆**こうそ**［控訴］《名・自サ》《法》第一審の判決に対し、上級裁判所に不服を申し立てること。☞上訴。

**こうそ**［公訴］《名・他サ》《法》検察官が裁判所に、特定の犯罪人に対する審理・裁判をもとめること。

**こうぞ**［(×楮)］主として畑に植える落葉樹。葉はクワに似て大きく、幹の皮は和紙の原料。

**ごうそ**［強訴］《名・自サ》なかまを集め、正式の手続きをふまずに うったえること。

**こうそう**［公葬］〔文〕おおやけの機関や団体が（費用を負担して）とりおこなう葬儀。

**こうそう**［香草］いいかおりのするくさ。ハーブ。

**こうそう**［校葬］〔文〕学校が主体となって おこなう葬式。

**こうそう**［降霜］《農》しもが おりること。

**こうそう**［高僧］①徳や おこないの すぐれた僧。②位の高い僧。

**こうそう**［高層］①（建物が）非常に高いこと。「—建築」②（高い建物の）上の方の階層。「—階」③《天》空の、高いところ。「—気象」☞中層・低層。●**こうそううん**［高層雲］《天》空全体に広がる、灰色がかったベール状の雲。雨や雪の前兆。おぼろぐも。

**こうそう**［巧走］《名・自サ》《野球》うまい走塁（をすること）。

**こうそう**［好走］《名・自サ》〈うまく/よく〉走ること。「ランナーが—して生還・駅伝で—・—した競走馬」

**こうそう**［抗争］《名・自サ》たがいに はりあい、あらそうこと。「内部—〔=うちわもめ〕」

**こうそう**［後送］《名・他サ》①（前線などから）うしろのほうへ送ること。「負傷者の—」②あとから送ること。

**こうそう**［構想］《名・他サ》考えを筋道立てて組み立てること。また、その考え。「文章の—・—を練る」「領収書は—します」

**こうそう**［高燥］《名・ナダ》〔文〕土地が高く湿気の少ないようす。「—の地」（↕低湿）

**こうそう**［広壮・×宏壮］《ナダ》〔文〕ひろびろとして りっぱなようす。「—な建物」派-さ。

＊＊**こうぞう**［構造］〔機械・組織・文章などの〕全体を成り立たせる、内部の組み立て。「からだの—・—的な〔=そのものの構造と関係のある〕危機」●**こうぞうしき**［構造式］《理》分子中の原子の結びつきを線〔=価標〕で表した化学式。例、O=C=O〔=二酸化炭素〕。

**ごうそう**［豪僧］〔文〕人間としてのスケールの大きい僧。

**ごうそう**［豪壮］《ナダ》〔文〕建物のかまえが大きくてりっぱなようす。「—な建築」派-さ。

**こうそうるい**［紅藻類］《生》葉緑素のほかに紅色の色素を持ち、赤色・むらさき色に見える海藻。例、アサクサノリ・テングサ。

**こうそく**［光速］①《理》光が伝わる速さ。真空中で光が進む速さは、一秒間におよそ三〇万キロメートル。光速度。②〔俗〕ものすごい速さ。「—で仕上げる」

**こうそく**［校則］生徒に守らせる、学校の規則。

**こうそく**［高足］〔文〕高弟。

**こうそく**［高速］①（乗り物・機械などの）はやい速度。高速度。「—列車・—回転」（↕低速・中速）②↑高速道路。「東名—」●**こうそくぞうしょくろ**［高速増殖炉］〔原子力発電で〕使用ずみ燃料から作るMOX燃料を使って発電する、特別の原子炉。発電しながら燃料のプルトニウムをふやすことをねらう。〔世界的に、実用が むずかしくなっている〕☞核燃料サイクル。●**こうそくどうろ**［高速道路］高速で走れる、自動車専用の国道。ハイウェイ。高速（道）。（↕一般道（路））

**こうそく**［梗塞］《名・自サ》《医》動脈がふさがって、その部分の組織が死ぬこと。☞心筋梗塞・脳梗塞。

☆☆**こうそく**［拘束］《名・他サ》①自分勝手な行動・思考がゆるされないこと。「絶対条件に—される」②《法》からだの自由をうばうこと。「身柄を—する」③〔医療の必要から〕患者の手足などを一時、ベッドなどに固定すること。身体拘束。抑制。④ある時間帯を仕事などのために使わせること。「一日じゅう—される」●**こうそくじかん**［拘束時間］休み時間もふくむ、職場にいて労働すべき時間。（↕実働時間）

**こうぞく**［皇族］天皇家の一族。〔天皇は除く〕

**こうぞく**［後続］《名・自サ》あとから続いて〈来る/行く〉こと。「—列車」

**こうぞく**［航続］《名・自サ》〔文〕船や飛行機が、一度積んだ燃料で〈走り/飛び〉続けられること。「—距離〔自動車にも言う〕・—力」

**ごうぞく**［豪族］昔の、大きな勢力を持つ一族。

**こうそくど**［高速度］速度の はやいこと。高速。●**こうそくどさつえい**［高速度撮影］毎秒の撮影コマ数を多くして撮影すること。撮影したものをふつうの速度で映写すると、映像がスローモーションで見える。（↕微速度撮影）

**こうそつ**［高卒］最後に卒業した学校が、高校である〈こと/人〉。●**こうそつにんていしけん**［高卒認定試験］〔↑高等学校卒業程度認定試験〕合格者に大学入学資格をあたえる試験。高認。〔かつての「大検」にあたる〕

**ごうそっきゅう**［豪速球・剛速球］《野球》スピードが速く、威力のある投球。☞豪球・速球。

**こうそふ**［高祖父］祖父母の祖父。ひいひいおじいさん。（↕高祖母）

**こうそぼ**［高祖母］祖父母の祖母。ひいひいおばあさん。（↕高祖父）

**こうそん**［皇孫］〔文〕天皇・皇帝の孫。

**こうた**［小唄］《音》江戸時代の末にできた、つまびきの三味線にあわせて歌う、短い曲。☞端唄。

**こうだ**［巧打］《名・他サ》《野球》うまい打撃（をすること）。「俊足—」

**こうだ**［好打］《名・他サ》《野球》〈いい/すぐれた〉打撃（をすること）。「—者」

**ごうだ**［豪打］《名・他サ》《野球》豪快な打撃（をすること）。

**こうたい**【光体】〔文〕光る物体。

☆☆**こうたい**【抗体】〔生〕病気にかかった動物のからだの中にできる物質。病原体とたたかい、また同じ病気にかからせないようにする。免疫体。☞抗原。

**こうたい**【交代】《名・自他サ》①前の人がゆずり、あとの人が受けつぐこと。「議長の━・政権━・世代━」②【交替】おたがいにかわりあうこと。「昼夜三━・━要員・はさみを━で使う・━━」

**こうたい**【後退】《名・自他サ》①あとへ〈下がる〉こと。しりぞくこと。「その場〈から/を〉━する」②〈ものごとが〉おとろえること。あともどりすること。「景気が━する・考えが━する(=消極的になる)」▽(↔前進)

**こうだい**【工大】↑工業大学・工科大学。

**こうだい**【後代】〔文〕のちの世。後世。

**こうだい**【広大・×宏大】《ナダ》広くて大きいようす。「━な天地」(↔狭小) 派━さ。

**こうたいごう**【皇太后】先代の天皇・皇帝の皇后。こうたいこう。

**こうたいし**【皇太子】天皇・皇帝の位をつぐはずの皇子。「━妃(=皇太子のきさき)」

**こうたいそん**【皇太孫】皇太子の次に皇位をつぐはずの、天皇・皇帝の孫。

**こうだか**【甲高】《名・ナダ》①足の甲が高く盛りあがっていること。②靴や足袋などで甲の部分が高く作ってあるもの。

**こうたく**【光沢】つや。「━がある・━を放つ」

**こうだく**【黄濁】《名・自サ》〔文〕〈川の水が〉どろなどで黄色くにごること。おうだく。

**ごうだつ**【強奪】《名・他サ》おおっぴらに、むりやりうばいとること。

**こうたん**【後端】〔文〕うしろのはし。(↔前端)

**こうたん**【降誕】《名・自サ》〔文〕帝王や神、また仏や聖人などが生まれること。●**こうたんえ**【降誕会】〔仏〕仏祖・宗祖の誕生日を祝う法会。ごうたんえ。●**こうたんさい**【降誕祭】①聖人などの誕生日を祝う祭典。②〔宗〕⇨クリスマス。

**こうだん**【公団】かつて、政府・地方自治体などの出資により、公益事業をおこなった特殊法人。

**こうだん**【×巷談】〔文〕世間のうわさばなし。

**こうだん**【後段】①作品・事件などの、うしろのほうのくぎり。②一つあとの〈段階/段落〉。「━で述べるとおり」▽(↔前段)

**こうだん**【高段】〔武道や碁・将棋などで〕高い段位(であること)。「━者」

**こうだん**【講談】おもしろく話して聞かせる軍記・武勇談・あだ討ち話など。講釈。「━師」

**こうだん**【講壇】講義・講演をする〈壇/場所〉。●**講壇に立つ** 句 大学で講義をする。

**こうだん**【降段】《名・自サ》段位が下がること。(↔昇段)

**こうだん**【降壇】《名・自サ》壇の上からおりること。(↔登壇)

**こうだん**【高談】《名・自サ》〔文〕①〈大声で/ぶえんりょに〉話すこと。②すぐれた談話。〔他人の談話の尊敬語として使う〕

**ごうたん**【豪胆・剛胆】《ナダ》〔文〕おそれないで勇気をもってすることができるようす。きもったまが大きいようす。大胆。「━な人物」派━さ。

**ごうだん**【強談】おどすような、強い調子で交渉の話を進めること。「おし売り、━」

**こうだんし**【好男子】①気性のさっぱりした、好感のもてる男性。②顔だちの〈きれいな/りっぱな〉男性。美男子。

**こうち**【公知】〔文〕世間によく知られていること。周知。

**こうち**【巧遅】〔文〕じょうずではあるが、しあがりのおそいこと。(↔拙速)

**こうち**【×狡知・×狡×智】〔文〕ずるがしこい知恵。「━にたけた人」

**こうち**【校地】〔文〕学校の敷地。「━内禁煙・━の移転」

**こうち**【耕地】耕作をする土地。「━整理」

**こうち**【高地】〔標高の〕高い土地。(↔低地)

**こうち**【拘置】《名・他サ》①〔法〕刑務所・拘置所など、刑事施設の中に、人をとどめておくこと。②「勾留」を指す、以前の報道用語。●**こうちしょ**【拘置所】〔法〕まだ判決の確定していない被告人や、まだ刑が執行されない死刑囚をとどめておく施設。☞刑務所。

**こうち**【巧緻】《ナダ》〔文〕細かいところまでよくできているようす。精巧。派━さ。●**こうちせい**【巧緻性】運動するときのからだの動きが、なめらかですばやいこと。

**こうちく**【構築】《名・他サ》基礎から順に組み立てて〈きずく/こしらえあげる〉こと。「陣地を━する・理論を━する・データベースを━する」

**こうちせい**【向地性】〔植〕植物の根が地下に伸びる性質。(↔背地性)

**こうちゃ**【紅茶】お茶の一種。作るとちゅうで葉を発酵(=酸化)させて黒茶色に仕上げる。また、それに湯をさした飲み物。(ブラック)ティー。「お━〔女〕」

**こうちゃく**【降着】《名・自サ》①〔文〕航空機が〈着陸/着水〉すること。「━装置」②〔競馬〕進路を妨害した馬を、妨害された馬よりもあとの着順にすること。

☆☆**こうちゃく**【×膠着】《名・自サ》固定して少しも動きがないこと。固着。「━状態」「二位に━」

**こうちゅう**【口中】〔文〕口の中。「━にふくむ・━調味(=ごはんとおかずを口の中に入れて合わさった味を楽しむこと)」

**こうちゅう**【甲虫】〔動〕からだがかたい昆虫。例、カブトムシ・ホタル。☞かぶとむし(甲虫)。

**こうちゅう**【校注・校×註】古典の文章を校訂し、注釈を加えること。また、その注釈。

**こうちょ**【好著】〔文〕好感のもてる、いい著書。〔書評などに、多く使われる〕

**こうちょ**【高著】〔文〕「相手の著書」の尊敬語。「ご━拝見」(↔拙著)

**こうちょう**【候鳥】〔動〕わたり鳥。☞漂鳥・留鳥。

**こうちょう**【校長】その学校を代表し、最高の責任を持つ人。「━先生」〔大学は、学長・総長など〕

**こうちょう**【紅潮】《名・自サ》〔人の顔などに〕赤みがさすこと。「ほおが━する」

**こうちょう**【高潮】《名・自サ》勢いがいちだんと高まること。極度。「最━に達する」

**こうちょう**【高調】《名・自サ》〔文〕高い調子(になる

こと)。気分の高まること。

**こうちょう**【広聴】《名・他サ》〔文〕住民の意見を聞いて集めること。「広聴ー課」

**こうちょう**【好調】《名・ナダ》(することの)調子がいいようす。いい調子。「ーを続ける」(⇔不調) 派ーさ。

☆**こうちょうかい**【公聴会】おおやけの機関が重要なことがらを公正に決めるため、関係者・学識経験者などを集めて意見をきく会。

**こうちょうどうぶつ**【×腔腸動物】《動》腔腸(=口から体内までの空所)を持つ、かさやつつの形をした水中動物。例、クラゲ・イソギンチャク・サンゴ。〔今は「刺胞動物」と言う〕

**こうちょく**【硬直】《名・自サ》①こわばって曲がらなくなること。強直。「からだがーする」②〔態度・方針・値段などが〕固定化して、まわりの変化に対処できないこと。「財政のー化」

**ごうちょく**【剛直】《ナダ》〔文〕意志が強くて、考えを変えないようす。派ーさ。

**こうちん**【工賃】作業の手間賃。工銭。

**ごうちん**【×轟沈】《名・自他サ》《軍》軍艦や船を攻撃して一分間以内にしずめること。また、攻撃を受けて、一分間以内にしずむこと。

＊**こうつう**【交通】《名・自サ》道や乗り物を利用して、人や車が行ったり来たりすること。「ー機関・ー事故・ー費・ーがはげしい・ーの便がいい・ー三悪〔⇩「三悪①」の用例〕」●**こうつうし**【交通死】《名・自サ》交通事故で死ぬこと。●**こうつうせいり**【交通整理】《名・他サ》①行き来する自動車や人などをうまく誘導して整理すること。②こみ入った部分をときほぐして、ものごとを進めること。「議論をーする」●**こうつうもう**【交通網】いろいろな交通機関の通る道筋によってえがかれる網の状態。

**ごうつくばり**【業突く張り】《名・ナダ》(ひどく)欲ばりでごうじょうな〈人/ようす〉。ごうつく。

**こうつごう**【好都合】《ナダ》つごうがいいようす。いいつごう。派ーさ。

**こうつと**《感》〔古風〕適当なことばを思いつかないとき、考えているときなどに出す声。ええと。こうっと。「ー、この角で王手とすると…」

**ごうっと**《副》あたりの空気をふるわせるようにとどろく、重くて低い音のようす。「ジェット機がー爆音をひびかせる」

↑**こうてい**【工程】①〈仕事/工事〉のはかどりぐあい。②工事などを進めていく手順・段階。●**こうていひょう**【工程表】仕事や工事を進める手順を定めた表。「作業のー」☞行程表。

↕**こうてい**【行程】①みちのり。「三日のー」②旅行の日程。「東京、横浜を回るー」●**こうていひょう**【行程表】いつまでに何をやる、という目標・方法を定めた表。ロードマップ。「民主化のー」☞工程表。

↑**こうてい**【航程】船・航空機で行くみちのり。

**こうてい**【公邸】高級公務員がその職にいる間あたえられる住宅。「首相ー・知事ー」(⇔私邸)

**こうてい**【後庭】〔文〕建物のうしろのほうのにわ。うしろにわ。

**こうてい**【皇帝】(国王よりも強大な)君主。「中国ー・ローマー」●**こうていペンギン**【(皇帝)ペンギン】体長が一メートル以上ある最大のペンギン。頭と背中は黒、腹は白で、首のあたりが黄色い。エンペラーペンギン(emperor penguin)。

**こうてい**【校庭】学校の敷地のうち、児童・生徒が遊んだり、運動をしたりする、外の場所。

**こうてい**【高低】高いことと低いこと。たかひく。「ー差・ーアクセント」☞高①。

**こうてい**【高弟】すぐれた弟子。高足。

**こうてい**【公定】《名・他サ》政府または、それに近い機関が、値段などを決めること。「ー価格」●**こうていぶあい**【公定歩合】《経》中央銀行が決めた、市中銀行への貸出金の基準金利。〔現在、日本銀行では「基準割引率および基準貸付利率」と言う〕

**こうてい**【考定】《名・他サ》〔文〕わからないことを、考えてはっきりさせること。

**こうてい**【肯定】《名・他サ》①そうだと認めること。そうだと言うこと。「相手の説をーする」②〈いい/かまわない〉と認めること。「現状をーする」▽(⇔否定)

↑**こうてい**【校定】《名・他サ》ある書物の文章の語句や文字を、ほかの本とくらべあわせて、もとの文章の形を決めること。

↑**こうてい**【校訂】《名・他サ》同じ文章を収めた何種類かの本を比べて、ちがいを見つけ、どれが正しい本文かを決めていく作業。「源氏物語のー・全集のー」

☆**こうでい**【拘泥】《名・自サ》〔文〕こだわること。「ものごとにーしない」

**ごうてい**【豪邸】大きくてりっぱなやしき。

**こうていえき**【口×蹄疫】《医》牛・ブタ・羊などがかかる、ウイルス性の家畜伝染病。感染力が強い。

**こうてき**【好適】《名・ナダ》〔文〕(何かをするのに)ふさわしいようす。「運動会にーなシーズン・ー地」

**こうてき**【公的】《ナダ》①国・役所・団体など、公共に関係があるようす。「ーな肩書き・ー病院(=日赤病院など、団体が経営する病院)」②仕事に関係があるようす。「ー活動」▽(⇔私的) ●☆**こうてきしきん**【公的資金】《経》税金から出ている、国の資金。銀行・企業の支援や再建などのために使われる。「ーの投入」●**こうてきねんきん**【公的年金】国民年金・厚生年金・共済年金など、法律にもとづき国が費用の一部を負担する年金。(⇔私的年金)

**ごうてき**【剛敵】〔文〕強くて、手ごわい敵。

**こうてきしゅ**【好敵手】競争相手として、ちょうどつりあう人。いい相手。好敵〔文・古風〕。

**こうてつ**【鋼鉄】《理》銑鉄にふくまれている炭素を減らして、かたくじょうぶにした鉄。はがね。鋼。スチール。

☆**こうてつ**【更迭】《名・他サ》〔「更」も「迭」も代える意味〕責任を取らせるため、その職にある人を代えること。「大臣のー」〔戦前は、単に交代〈させる/する〉意味でも使った。「内閣のー」〕

**こうてん**【交点】《数》二つの線がまじわる点。

**こうてん**【光点】〔文〕光を発する点。光るように見える点。「ーを中心に回転する」

↑**こうてん**【好天】〔文〕いい天気。好天気。「ーにめぐまれる」(⇔悪天)

↑**こうてん**【荒天】〔文〕風雨のはげしい(あれた)天候。

**こうてん**【後天】〔文〕この世に生まれたあとに身にそなわること。「ー性心疾患」(⇔先天) ●**こうてん**

**せいめんえきふぜんしょうこうぐん**［後天性免疫不全症候群］《医》⇩エイズ。●☆☆**こうてんてき**［後天的］《ナダ》①生まれたあとで、経験によって身につけるようす。②生まれたあとに原因があるようす。「―な病気」▽(↕先天的)

**こうてん**［高点］〈高い/多い〉点数。

**こうてん**［公転］《名・自サ》《天》中心となる星のまわりを、その星の系統に属するほかの星が回ること。「地球の―」(↕自転)

**こうてん**［好転］《名・自サ》情勢がいいほうへ変わること。「事情が―する」(↕悪化)

**こうてん**［後転］《名・自サ》〔体操で〕からだをうしろの方向に回転させること。☞前転・側転。

**こうでん**［公電］官庁が、公用で打つ電報。

**こうでん**［香典・香×奠］《仏》霊前にそなえる、お金・品物。香資。香料。「―袋・〔表書きで〕御―」〔広くは、宗教を問わず使う〕●**こうでんがえし**［香典返し］―が 香典に対する返礼の品物。

**こうでんち**［光電池］《理》光のエネルギーを電気エネルギーに換える装置。太陽電池や露出計などに使われる。ひかりでんち。

**こうと**［後図］〔文〕このあと どうするか、という計画。「―を策する・―をめぐらす」

**こうと**［×狡×兎］〔文〕すばしこいウサギ。●**狡兎死して走狗烹らる** 句(=狡兎が死ねば、役目を終えた猟犬が煮られる)〔文〕目的が達成されれば、その人のいる意味がなくなるたとえ。敵をほろぼしたあとは、有能な武将も必要がなくなるなど。

**こうど**［光度］《理》光源から ある方向に出る光の、強さの度合い。単位はカンデラ〔記号cd〕。☞照度。

**こうど**［耕土］《農》耕作する土の、いちばん上の層の部分。作土。

***こうど**［高度］㊀①《地》海水面からの高さ。②地面からの高さ。㊁《名・ナダ》程度の高いようす。「―化・―の技術・―(経済)成長期(=日本では一九六〇～七〇年代初頭が中心)」派-さ。

**こうど**［黄土］中国大陸北部に多い、黄色で細かなつぶの土。風で とびやすい。おうど。

**こうど**［硬度］①物質の かたさの程度。かたさ。「モース―(=ドイツの鉱物学者モースによる、鉱物の かたさの指標)」②《理》水がカルシウム・マグネシウムなどの塩類をふくむ程度。〔塩類を多くふくむ水を硬水と言う〕

←**こうとう**［口答］質問に対して、口でこたえること。(↕筆答)

→**こうとう**［口頭］〔書くことに対し〕口で言うこと。「―で申し出る・―語(=話しことば。(↕文章語))」●**こうとうしもん**［口頭試問］試験官が口で たずね、受験者が口で答える試験。口述試験。●**こうとうぜん**［口頭禅］(=研究・修行もせずに口先だけで説く禅) えらそうに口で言うだけで実行しないこと。●**こうとうべんろん**［口頭弁論］〔裁判で〕訴訟の当事者が裁判官の前で口頭でおこなう弁論。

**こうとう**［公党］広く一般から党として認められ、公然と主義・政策を発表した政党。(↕私党)

**こうとう**［光頭］〔文〕はげて光るあたま。

**こうとう**［後頭］《生》あたまの うしろの ほう。「―部」(↕前頭) ●**こうとうよう**［後頭葉］《生》大脳のうち、うしろのほうの部分。視覚をつかさどる機能を持つ。☞前頭葉・側頭葉。

**こうとう**［皇統］〔文〕天皇・皇帝の血統(につながる人)。「―譜」

**こうとう**［紅灯］〔文〕①赤く光って見える あかり。「―のちまた(巷)(=いろまち)」②赤い小さな ちょうちん。べにぢょうちん。ほおずきぢょうちん。

**こうとう**［喉頭］《生》のどの奥の部分で、のどぼとけのある あたり。咽頭の下。「―がん」

**こうとう**［×叩頭］《名・自サ》〔文〕(頭を地面につけて)深く おじぎすること。「―の礼・―外交」

←**こうとう**［巧投］《名・自サ》《野球》ボールをうまく投げること。たくみな投球。

→**こうとう**［好投］《名・自サ》《野球》投手が、うまく相手のチームをおさえて投げること。「―を続ける」

☆☆**こうとう**［高騰・×昂騰］《名・自サ》値段が急に、大幅に上がること。「物価の―」

**こうとう**［高投］《名・他サ》《野球》相手が取れないような高いボールを投げること。(↕低投)

←**こうとう**［高踏］《名・ナダ》〔文〕俗世間に関心を持たず、それよりも程度の高い世界にいる(と思っている)こと。「―的・―派」(↕通俗)

→**こうとう**［高等］《ナダ》〈程度/等級〉が高いようす。「―戦術・―教育(=大学や専門学校など)」(↕中等・初等) ●**こうとうがっこう**［高等学校］中学校の上、大学の下の学校。高校。●**こうとうけんさつちょう**［高等検察庁］《法》高等裁判所が受け持つ事件をあつかう検察庁。高検。●**こうとうさいばんしょ**［高等裁判所］《法》地方裁判所より一つ上級の裁判所。高裁。●**こうとうしょうがっこう**［高等小学校］尋常小学校を終えた子どもが学んだ小学校。高等科。〔一八八六年の設置当初は四年制、一九〇八年から二年制。一九四一年から国民学校(高等科)〕●**こうとうせんもんがっこう**［高等専門学校］中学校の上の学校。工業(五年)と商船(五年六か月)に関する専門の教育をさずける。高専。●**こうとうどうぶつ**［高等動物］《動》進化が進んで、からだの しくみが複雑にできている動物。哺乳類・鳥類など。(↕下等動物) ●**こうとうべんむかん**［高等弁務官］①本国から派遣されて植民地などの行政を指導する役人。②難民および人権の問題をあつかう、国連の行政官。

**こうどう**［公道］①公衆のため国・地方自治体がつくった道。(↕私道) ②〔文〕〔社会一般に認められる〕正しい みち。●**公道を踏む** 句 正しい おこないをする。

**こうどう**［坑道］鉱山などの、地下にほった通路。

**こうどう**［香道］⇩こう(香)②。

**こうどう**［高堂］〔文〕①高い堂。②「相手(の家)」の尊敬語。

**こうどう**［黄道］《天》太陽が一年かけて一周する、大きな円軌道。●**こうどうきちにち**［黄道吉日］縁起のいい〈日がら/日取り〉。

**こうどう**［講堂］〔学校などで〕式・講演などをする、広い部屋。

****こうどう**［行動］《名・自サ》〔人間・動物などが〕①あちこちへ行くこと。「現地では一人で―するな」②(目的を持ち、からだを動かして)何かをすること。おこない。「必要な―を取る・市民が―を起こす・―力がある(=なんでもやってみる)・消費―」区別⇩行為①。●こうどうかがく【行動科学】実験と観察を通じ、人間や動物がさまざまの環境でどのように行動するかを研究する科学。●こうどうはんけい【行動半径】①飛行機などが、燃料を補給しないで行って帰れる範囲の、片道の距離。②行動範囲の広さ。

**ごうとう**【剛刀】〔文〕大きくてよく切れるりっぱな刀。

**ごうとう**【強盗】人をおどしつけて、力ずくでお金やものをうばいとる〈こと／者〉。

**ごうとう**【豪×宕】《名・ナダ》〔文〕ずぶとく、おおらかな〈感じをあたえる〉ようす。「―な精神・―な山」

**ごうどう**【合同】━《名・自他サ》二つ以上のものが一つになる〈を一つにする〉こと。━《名・ナダ》〔数〕二つ以上の図形の形・面積がまったく同じであること。「三角形の―条件」●ごうどうがいしゃ【合同会社】〔法〕社員全員の合意で自由な経営ができ、出資の範囲で責任を負う形態の会社。

**こうとうむけい**【荒唐無稽】《名・ナダ》〔話や考えの内容が〕筋道が通らず、ばかばかしいようす。でたらめ。「―な映画・―なアイデア」派―さ。

**こうとく**【公徳】公衆道徳。「―心」

**こうとく**【高徳】〔文〕すぐれて高い徳。

**こうどく**【鉱毒】鉱物の採掘や精錬のときに出る〈害毒／毒物〉。

↑**こうどく**【講読】《名・他サ》文章を読んで、ことばを説明し、内容がわかるように教えること。「古事記―」

↑**こうどく**【購読】《名・他サ》新聞や雑誌を〈定期的に〉買って読むこと。「―料の改定(=値上げ)」

**こうとりい**【公取委】〔法〕↑公正取引委員会。

**こうない**【口内】〔文〕口の〈中／うちがわ〉。(↕口外) ●こうないえん【口内炎】〔医〕口の中の粘膜に起こる炎症。

**こうない**【行内】銀行の中。(↕行外)

**こうない**【坑内】炭鉱・鉱山の、坑道の中。「―員」(↕坑外)

**こうない**【校内】学校の中。「―暴力(=学校の中で、生徒が先生に暴力をふるうこと。学校内暴力)」(↕校外)

**こうない**【港内】みなとの中。(↕港外)

**こうない**【構内】建物や敷地などの囲いの中。(↕構外)

**こうなご**【小△女子】⇩いかなご。

**こうなん**【後難】〔文〕あとのわざわい。「―をおそれる」

**こうなん**【硬軟】〔文〕かたいこととやわらかいこと。「―よろしきを得た対処」

**こうにち**【抗日】〔歴〕〔第二次世界大戦以前から終戦まで、中国などが〕日本の侵略に抵抗したこと。「―運動」

*__こうにゅう__【購入】《名・他サ》買い入れること。「事務用品を―する・マンションの―」

**こうにん**【後任】現在の人に代わって、その任務につく〈人／こと〉。「―を選ぶ」(↕前任・現任)

**こうにん**【高認】↑高卒認定試験。

**こうにん**【公認】《名・他サ》〈正式／おおやけ〉に認めること。「党の―候補・―記録・家族―の交際」●こうにんかいけいし【公認会計士】国家試験に合格し、もとめに応じて、株式会社の会計の監査その他、会計に関する事務をおこなう職業〈の人〉。

**こうにん**【降任】《名・他サ》〔文〕公務員の等級・官職を下の位のそれに変えること。(↕昇任)☞降職。

**こうね**【↑髪根】①⇩たてがみ②。②〔広島方言〕牛の前足と肩の間の肉。あぶら身が多い。

**こうねつ**【口熱】〔文〕口の中の熱。「―を去る」

**こうねつ**【光熱】おもに家庭生活で使う、あかりや熱。「―費(=電気・ガスやその他の燃料の費用)・―水費(=光熱費と水道代)」

**こうねつ**【高熱】①高い熱。②〔医〕高い体温。〔ふつう、三九度以上をいう〕「―で苦しむ」(↕微熱)

**こうねん**【光年】〔天〕遠くの星などとの距離をあらわす単位。一光年は光が一年間に進む距離で、約九兆四六〇〇キロメートル。

**こうねん**【行年】〔文〕⇩ぎょうねん(行年)。

**こうねん**【後年】〔文〕あとのほうの年代・時。「―(=のちに)学者として名を成した・明治―」

**こうねん**【高年】〔文〕高齢。「―者・―出産(=高齢出産)」

☆☆**こうねんき**【更年期】成熟期から初老期へ移り、からだにいろいろな変化が出てくる時期。特に、女性の生理が止まる時期(四十代なかばから五十代なかば)。「―障害(男女ともに、更年期に起こる不調)」

**こうのう**【効能】〔薬などの〕ききめ。しるし。●こうのうがき【効能書き】①薬などのききめを書いたもの。②宣伝・売りこみのために言う、ねうちや長所。「―をならべたてる」

**こうのう**【後納】《名・他サ》〔文〕〔代金などを〕あとからおさめること。「料金―郵便」(↕前納)

**こうのう**【降納】《名・他サ》〔文〕〔しまうために〕国旗などをおろすこと。(↕掲揚)

**ごうのう**【豪農】〔文〕多くの土地や財産を持っていて、その地方の有力者である農家。

**こうのとり**【×鸛】ツルに似た大きな鳥。からだは白く、はねは黒い。「松にツル」というのは、この鳥のこと。特別天然記念物。こうづる。〔ヨーロッパでは、人間の赤ちゃんを運んでくるという〕

**こうのもの**【香の物】〔香=みそ〕〔古風〕つけもの。(お)こうこ。

**ごうのもの**【剛の者・強の者】強くて、くじけない人。つわもの。

**こうは**【光波】〔理〕波動としてのひかり。ひかりの波。

☆☆**こうは**【硬派】《名・ナダ》①遊びの感じがなく、まじめに、力強く主張するようす。「―な記事・―の映画」②恋愛を遠ざけて、〈粗野な／きまじめな〉行動をとる人々。「―の学生・―を張る(=硬派として行動する)」③〔文〕強硬派。「社会主義運動の―」▽(↕軟派)

**こうば**【工場】〔小規模な〕工場。

**こうはい**【光背】〔仏〕仏像のうしろにつける、ほのおなどの形のかざり。光明をあらわす。

［こうはい］

**こうはい**【向背】〔文〕したがうことと そむくこと。去就。「―を明らかにする」

**こうはい**【好配】①〔文〕いい配偶者。「―にめぐまれる」②《経》いい配当。

**こうはい**【後輩】①年齢・経験などの少ない人。②同じ学校・勤務先などに あとからはいった人。▽(↔先輩・同輩)

**こうはい**【高配】①〔文〕「相手の気くばり」の尊敬語。「ご―」②《経》高い配当。

**こうはい**【興廃】〔文〕さかんになるか、おとろえるか。「皇国の―」

**こうはい**【荒廃】《名・自サ》①自然・町などがあれるままになっていること。「―した国土」②人々の心がすさんでいること。「人心が―する」

**こうはい**【降灰】《名・自サ》〔文〕火山・水爆などの爆発のため地上に灰が降ること。また、降る灰。こうかい。

**こうはい**【交配】《名・自他サ》〔生・農〕〔次の世代をつくるために〕雌雄の間で受精させること。「―種」☞交雑②。

**こうばい**【勾配】①傾斜(の程度)。かたむき。②斜面。「急―を登る」

**こうばい**【紅梅】①こいもも色の花をひらくウメ。また、その花のような色。②「紅梅①」の花のような色。紅梅色。

**こうばい**【公売】《名・他サ》《法》公告して競売すること。

**こうばい**【購買】㊀《名・他サ》買い〈とる/入れる〉こと。「―者・―意欲・―力が落ちる・会社の―部」㊁↑購買部・購買店。

**こうばいすう**【公倍数】《数》二つ以上の整数に共通する倍数。(↔公約数)

**こうはいち**【後背地】港や都市の、うしろに広がる地域。ヒンターランド。

**こうはく**【工博】〔文〕↑工学博士。

**こうはく**【厚薄】〔文〕あついことと うすいこと。

**こうはく**【紅白】①赤と白。「―の水引・―幕」②↑紅白歌合戦。NHKが毎年、大みそかに放送する、対抗形式の大型歌番組。●**こうはくせん**【紅白戦】赤組と白組に分かれてする試合。〔特に、同じチームが二組に分かれてする試合を言う〕●**こうはくぼう**【紅白帽】〔東日本方言〕赤白帽。

**こうはく**【航泊】〔船の〕航行と停泊。「この海域は―が禁止されている・―日誌」

**こうはく**【黄白】〔文〕金銀。お金。

↔**こうばく**【広漠】《タル》〔文〕広くて はてしないようす。「―たる原野」

↔**こうばく**【荒漠】《タル》〔文〕あれはてた土地が、どこまでも続いているようす。「―たる大平原」

**こうばこ**【香箱】香を入れる箱。香合。「―座り〔=ネコやウサギが『香箱を作る』こと。箱座り〕」●**香箱を作る** 句 ネコやウサギが背中をまるめ、からだの下に脚をかくして うずくまる。

**こうばし・い**【(香ばしい)】《形》〔↑かぐわしい〕①〔煎ったような〕においが気持ちよく感じられるようすだ。「―におい」②〔俗〕言動がおかしい。「―人々」〔二〇一〇年代からの用法〕派-さ。

**こうはつ**【好発】《名・自サ》《医》わりに多く発生すること。「―症状」

**こうはつ**【後発】《名・自サ》①〔乗り物などが〕あとから出発すること。「―列車」②新しい事業に、あとから手をつけること。「―メーカー」▽(↔先発) ●**こうはついやくひん**【後発医薬品】⇩ジェネリック①。

**ごうばつ**【×劫罰】〔劫=永劫〕〔文〕地獄の苦しみを味わわせる罰。

**ごうはら**【業腹】《ナダ》腹が立って しかたがないようす。しゃく。ごうっぱら。派-さ。

☆☆**こうはん**【公判】《法》公開の法廷で、犯罪の事実があるかどうかを審理すること。「―が開かれる」●**こうはんまえせいりてつづき**【公判前整理手続き】《法》裁判を効率的に進めるため、当事者の間で事前に問題点を整理しておくこと。こうはんぜん てつづき。

**こうはん**【孔版】謄写版。

**こうはん**【甲板】かんぱん。〔船員用語〕「―員〔=漁船・汽船の乗組員〕・―長」

**こうはん**【後半】あとの半分。「―戦〔=試合(日程)の、後半の部分〕」(↔前半)

**こうはん**【紅斑】《医》皮膚にできる、赤い まだらな点。

**こうはん**【鋼板】鋼鉄の板。こうばん。

**こうはん**【降版】《名・自他サ》〔新聞で〕原稿を完成させて、印刷に回すこと。下版。「―時間」

**こうはん**【広範・広汎】《ナダ》〔文〕広い範囲にわたるようす。「―な知識」派-さ。

**こうばん**【交番】〔=交替で勤務すること〕その地区を守るために置いた、警察官の詰め所。交番所。〔西日本方言〕。〔もと「派出所」と言った〕

**こうばん**【香盤】①格子状の おおいのついた香炉。②《演劇・映画など》俳優の名と出演する場面を表にしたもの。香盤表。③劇場の座席表。

**こうばん**【降板】《名・自他サ》①《野球》投手が打たれて、マウンドを去ること。「五回途中で―する」②責任ある役職をやめること。また、俳優などが途中で出演をやめること。「手術のため番組を―する」▽(↔登板)

**ごうはん**【合板】うすく むいた木材を、木目の方向を変えて何枚も はりあわせたもの。ごうばん。☞ベニヤ・コンパネ・積層。

**こうはんい**【広範囲】《名・ナダ》広い範囲。範囲が広いこと。「―にわたる」派-さ。

**こうはんせい**【後半生】人生のあとの半分。〔たいてい四十歳以後を言う〕(↔前半生)

**こうひ**【口碑】〔文〕言い伝え。伝説。

**こうひ**【工費】工事の費用。「総―」

←**こうひ**【公妃】〔文〕公国の元首の きさき。

↔**こうひ**【后妃】〔文〕天子の きさき。

→**こうひ**【皇妃】〔文〕皇帝の きさき。「オーストリア―」

**こうひ**【公費】〈官庁/公共団体〉が はらう費用。(↔私費)

**こうひ**【校費】学校の予算。特に、大学が研究室に支給する、研究用のお金。

**こうび**【後尾】〔文〕長く続いたものの、うしろのほう。「列車の―・最―」
**こうび**【交尾】《名・自サ》《動》動物の雌(めす)と雄(おす)がまじわること。つるむこと。
**ごうひ**【合皮】〔↑合成皮革〕布に合成樹脂(じゅし)をぬり、皮に似せた生地(きじ)。フェイク レザー。
**ごうひ**【合否】合格するかしないか。「―判定」
**こうヒスタミンざい**【抗ヒスタミン剤】〔histamine〕《医》からだの中のヒスタミンの作用を消す薬。アレルギー性の病気〔=じんましん・ぜんそくなど〕にきく。抗ヒ剤。
**こうひつ**【硬筆】先がかたい、字を書く用具。えんぴつやペン。「―習字」(↔毛筆)
**こうひょう**【好評】㊀いい評判。「―を博する・大―を得る」(↔悪評・不評) 派―さ。㊁《副》いい評判を得ながら。「―発売中」
**こうひょう**【高評】《名・他サ》〔文〕「相手の批評」の尊敬語。「ご―をあおぐ」
**こうひょう**【講評】《名・他サ》〔指導する立場にある人が〕説明を加えながら批評すること。
**こうひょう**【降(×雹)】《名・自サ》《農》ひょう(雹)が降ること。
**こうひょう**【公表】《名・他サ》広く世間に知られるように発表すること。
**ごうびょう**【業病】〔文・古風〕〔前世(ぜんせ)で悪いことをしたために かかると考えられた〕治りにくい病気。〔差別的なことば〕
**こうひん**【公賓】政府が正式に出むかえて待遇(たいぐう)する、外国からの客〔=皇族・大臣など〕。☞国賓。
**こうびん**【幸便・好便】〔文〕㊀①ちょうどいいついで。「―に託(たく)する」②うまく機会をとらえること。「―に攻(せ)める」③他人に持参させる手紙に書きそえる文句。㊁《ナダ》便利がいいようす。
**こうびん**【後便】〔文〕〈あと/この次〉のたより。(↔前便・先便)
**こうふ**【工夫】鉄道・土木事業で働く労働者の古い言い方。☞くふう(工夫)。
**こうふ**【坑夫】坑内で働く労働者の古い言い方。
**こうふ**【鉱夫】鉱山で働く労働者の古い言い方。☞鉱員。
**こうふ**【公布】《名・他サ》新しく決まった法律などを、官報によって、広く国民に知らせること。
☆☆**こうふ**【交付】《名・他サ》〔官庁が一般(いっぱん)の人に〕手続きをふませてお金や書類をわたすこと。「証明書の―・―金」
**こうぶ**【後部】〔文〕うしろの〈ほう/部分〉。(↔前部)
**こうぶ**【荒×蕪】《名・自サ》〔文〕〔土地が〕雑草などがしげって、あれていること。「―地」
**ごうふ**【豪富】〔文〕大金持ち。富豪。
**こうふう**【校風】学校の気風。
**こうふう**【高風】〔文〕けだかい風格。「―をしたう」
**こうふうせいげつ**【光風×霽月】〔文〕〔雨のあとの晴天にふく風や、は(霽)れた空の月のように〕さっぱりしてわだかまりのない気持ち。
**こうふきょう**【好不況】好況と不況。「景気の―」
**こうふく**【口福】〔文〕食べた物がおいしいことによる満足感。口に感ずる味覚の幸福。
**こうふく**【口腹】〔文〕口とはら。飲み食い。「―を楽しませる・―の欲」
**こうふく**【校服】その学校の生徒が着るように決められている服。学校の制服。
**こうふく**【降伏・降服】《名・自サ》〔ある国が ほかの国に〕降参して したがうこと。
**こうふく**【幸福】《名・ナダ》生きる楽しさが感じられる〈状態/気持ち〉。しあわせ。さいわい。「―を追求する権利・二人でいられて―だ・―な一生」(↔不幸) 派―げ。―さ。
**ごうふく**【剛腹】《名・ナダ》〔文〕ふとっぱら。派―さ。
**ごうふく**【剛×愎】《ナダ》〔文〕がんこで人にしたがわないようす。派―さ。
**こうふちょう**【好不調】好調と不調。「―の波」
**こうぶつ**【好物】好きな食べ物・飲み物。「大―」
**こうぶつ**【鉱物・×礦物】《鉱》岩石や砂などの形で自然界にある無機物。ミネラル。
**こうふん**【口×吻】〔=くちさき〕①〔文〕はっきりとは言わないが、ことばのはしばしにその気持ちがあらわれているしゃべり方。くちぶり。「賛成しがたいような―だった」②《動》虫などの口先のつき出た部分。●口吻を漏(も)らす 句 ことばのうちに それとなく気持ちをあらわす。
**こうふん**【公憤】〔文〕社会の悪に対する いかり。(↔私憤)
**こうふん**【興奮・×昂奮】《名・自サ》①刺激(しげき)を受けて、神経や からだのはたらきが さかんになること。「―して ねむれない」②刺激を受けた結果、気持ちが高まったり、おこったり、不安になったりして、じっとしていられない気持ちになること。「―した聴衆(ちょうしゅう)」●こうふんざい【興奮剤】中枢(ちゅうすう)神経に作用して精神状態を高める薬。カフェインなど。
**こうぶん**【公文】政府・官庁・会社などが作る、公式の手紙や書類。「―の依頼(いらい)書」
**こうぶん**【行文】〔文〕文章の書き進め方。
**こうぶん**【構文】〈文/文章〉の組み立て(方)。「動詞―」
**こうぶんしかごうぶつ**【高分子化合物】《理》高分子〔=分子量が約一万以上〕の化合物。例、でんぷん・たんぱく質・合成繊維(せんい)・プラスチック・ゴムなど。
**こうぶんしょ**【公文書】《法》官庁などで作る、公式の手紙や書類。「―偽造(ぎぞう)」(↔私文書)
**こうべ**【(△首)・(△頭)】〔文〕①あたま。かしら。②くび。「―〔=首〕をはねる」●こうべを垂(た)れる 句〔文〕うなだれる。●こうべをめぐらす 句〔文〕ふりかえる。
**こうへい**【工兵】《軍》技術的任務にあたる兵隊。道路や橋、陣地(じんち)の建設・爆破(ばくは)などをおこなう。
**こうへい**【公平】《名・ナダ》ひいきをしないで、すべてを平等にあつかうようす。「ケーキを―に分ける・―な見方・―かつ公正」(↔不公平) 派―さ。
**こうへん**【口辺】〔文〕口もと。「―に微笑(びしょう)をただよわせる」
**こうへん**【好編・好×篇】〔文〕いい作品。
**こうへん**【後編・後×篇】〔小説・映画などで〕二部または三部に分けたものの、最後の部分。(↔前編・中編)
**こうべん**【口弁】〔文〕ものの言い方。口さきだけ達者なこと。「―のうまい男」
**こうべん**【抗弁】《名・他サ》①〈対立し/さからっ〉て議

論すること。②《法》相手方の申し立てを打ち消し、またこれに反対すること。

ごうべん［合弁］いくつかの国や企業の出資によって共同で行われる、経営の形態。「日米—・—会社」

こうほ［候補］選ばれる可能性があるもの。「首相の有力—・〔パソコンなどで〕変換—の漢字・建設—地・選挙の—者・—に立つ〔=立候補する〕」

こうほ［好捕］《名・他サ》《野球》バッターが打ったボールを、野手がうまくとること。

こうぼ［酵母］糖類を発酵させてアルコールを作る菌類。酵母菌。

こうぼ［公募］《名・他サ》一般から広く募集すること。「参加者を—する・—要項」

↔こうほう［工法］工事の方法。「最新の—」

↔こうほう［構法］《建築》材料や部品の構成方法。「—を検討する」

こうほう［公法］《法》〈統治／権力〉の関係を決めた法律。憲法・行政法・刑法など。(↔私法)

↔こうほう［公報］①役所(から)の知らせを書いた文書。②都道府県の知事が官報にならって出す文書。

↔こうほう［広報・×弘報］《名・他サ》①役所・企業などが広く人々に知らせる〈こと／文書〉。「—課・—活動・政府—」②↑広報係。

こうほう［後方］①うしろの方角。先頭から遠いほう。(↔前方)②《軍》戦線の「後方①」。兵站。「—部隊・—支援」

こうほう［航法］船や航空機を運航する技術。

こうほう［高峰］〔文〕①高い みね。たかね。「アルプスの—」②〔その世界で〕たいへんすぐれた存在。

こうほう［後報］《名・他サ》〔文〕あとからの知らせ。あとから知らせること。ごほう。

こうぼう［工房］（美術家・工芸家の）仕事場。アトリエ。

こうぼう［×弘法］〔↑弘法大師〕真言宗の開祖、空海。書道の名人としても知られる。●**弘法にも筆の誤り**句 名人・達人でも時には失敗する。●**弘法筆を選ばず**句 名人・達人は、どんな道具を使っても力を発揮する。能書筆を選ばず。

こうぼう［光×芒］〔文〕先のほうが広がって見える、光のすじ。「サーチライトの—・—を放つ」

こうぼう［好望］〔文〕将来に いい見こみがあること。有望。

こうぼう［攻防］〔争いごとや試合で〕せめたり、防いだりすること。「与野党の—・首位—戦」

こうぼう［興亡］《名・自サ》〔文〕〔国家などが〕さかんになったり、ほろびたりすること。「ローマ帝国—史」

ごうほう［号砲］①あいずのために うつ銃砲。②〔競技で〕スタートのあいずのために鳴らすピストル。

ごうほう［豪砲］《野球》豪快なホームラン。

ごうほう［合法］《名・ナダ》〈法律／規則〉にかなうこと。「—性」(↔非合法)●**ごうほうてき**［合法的］《ナダ》〈法律／規則〉にあっているようす。

ごうほう［豪放］《ナダ》〔文〕ふとっぱらで、小さいことにこだわらないようす。「—磊落」派—さ。

こうほうじん［公法人］《法》公共の仕事をおこなうための法人。独立行政法人・特殊法人・地方公共団体など。(↔私法人)

こうぼく［公僕］〔僕=しもべ。めし使い〕公衆に奉仕する人(としての公務員)。

こうぼく［香木］た(薫)きものに使う、においのいい木。例、沈香・白檀。

こうぼく［高木］《植》幹が かたくて、高さが三メートル以上になる木。例、スギ・サクラ。〔もと、喬木〕(↔低木)

こうほね［(△河骨)・(△川骨)］池や沼などに生える水草。花は黄色。根茎は強壮剤や止血剤に使う。かわほね。

↔こうほん［校本］一つの古典の写本をいろいろくらべて、字句のちがいを一か所に まとめた本。

↔こうほん［稿本］①したがき。草稿。②原稿・写本など、手で書かれた文書。

こうまい［高×邁］《ナダ》〔文〕〔精神が〕すぐれてけだかいようす。「—な人格」派—さ。

ごうまい［豪×邁］《名・ナダ》〔文〕性格が豪放で、人よりすぐれていること。

こうまく［硬膜］《生》三層になっている、脳と脊髄をおおう膜の、いちばん外がわの かたい膜。「—外麻酔」

ごうまつ［×毫末］〔=毛すじの先〕〔文〕わずか。「—もうたがわない」

こうまん［高慢］《ナダ》うぬぼれて人をばかにするようす。「—な人」派—さ。●**こうまんちき**［高慢ちき］《名・ナダ》〔俗〕高慢な〈こと／人〉をけいべつして言うことば。由来「高慢」を、かね(鉦)の音の「ちゃんちき」のように言ったもの。派—さ。

ごうまん［傲慢］《ナダ》いばった態度をとって、人をばかにするようす。「—無礼」派—さ。

こうみ［香味］かおりと風味。「—料・—野菜〔=ウド・ミツバ・セロリ・パセリ・にんにくなど〕・—揚げ〔=香味を入れた調味料に食材をつけこみ、ころもをつけて揚げた料理〕」

こうみゃく［鉱脈］①《鉱》岩石のすきまに、広い範囲にわたって つまった、板状の鉱床。「金の—」②そこから多くの〈利益／成果〉が得られるもの。「ビジネスの—」▽「—をほり当てる」

こうみょう［功名］てがら(を立てて有名になること)。「—心」

こうみょう［光明］くらやみを照らす、明るい光。「前途に—〔=希望〕を見いだす」

こうみょう［高名］〔文〕⇩こうめい(高名)①。

こうみょう［巧妙］《ナダ》たいそう じょうずな ようす。「—なやり方」派—さ。

こうみん［公民］①選挙を通じて間接に、国や地方の公務に参加する権利や義務のある住民。②高等学校の教科の一つ。公共・倫理・政治経済の三科目。●**こうみんかん**［公民館］市区町村の住民の教養と文化の向上のために作った施設。●☆☆**こうみんけん**［公民権］《法》公民としての権利。選挙権・被選挙権など。「—運動・—の停止」

こうむ［工務］①土木工事・建築などの仕事。「—店」②工場の仕事。「—員〔=工員〕」

☆☆こうむ［公務］国家や公共団体の〈事務／職務〉。「—災害〔=公務員の労災〕」●**こうむいん**［公務員］国や地方の公務に従事する者。役人・警察官・消防隊員など。

**こうむ**【校務】学校の事務。「ー多端(たたん)」●**こうむいん**【校務員】〔学校で〕いろいろな用事を仕事とする人。(学校)用務員。

**こうむ・る**【被る・×蒙る】(かうむる)《他五》①〔被害(ひがい)・おかげなどを〕受ける。「損害をー・重傷をー(=負う)・恩恵(おんけい)をー」②そうすることを許していただく。「ご免(めん)をー」

**こうめ**【小梅】小さい実のなるウメの品種。また、その梅干し。

**ごうめ**【合目】接尾〔登山〕山の高さの…割まで登った地点。「富士山の八ー」☞合■③。

**こうめい**【抗命】《名・他サ》〔文〕命令にさからうこと。「ー罪」

**こうめい**【校名】〔文〕学校の名前。

**こうめい**【行名】〔文〕銀行の名前。

**こうめい**【高名】《名・ナダ》①〔その方面で〕たいへん有名であること。こうみょう。「ーな作家」②「相手の名前」の尊敬語。「ごーは かねがね うかがっております」派ーさ。

**こうめい**【公明】《ナダ》〔文〕公平で かくしだてをしないようす。「ー選挙」派ーさ。●**こうめいせいだい**【公明正大】《ナダ》〔文〕心が公明で、やましいところがないようす。派ーさ。

**ごうめいがいしゃ**【合名会社】《法》出資者が社員だけであり、社員全員が会社の債務(さいむ)に対して どこまでも責任を負う組織の会社。

**こうめん**【後面】〔文〕うしろがわ。うらのがわ。(↔前面)

**ごうも**【×毫も】《副》〔文〕少しも。ちっとも。

**こうもう**【孔×孟】孔子(こうし)と孟子(もうし)。「ーの教え(=儒教(じゅきょう))」☞老荘(ろうそう)。

**こうもう**【紅毛】①赤いかみの毛。「ー人(=江戸(えど)時代、オランダ人などの、外国人)」②西洋人。●**こうもうへきがん**【紅毛×碧眼】(=赤いかみの毛と青い目)〔文・古風〕西洋人を言ったことば。

**こうもう**【×鴻毛】(=おおとりの羽毛(うもう))〔文〕非常に軽いもののたとえ。「死はーより軽し」

**ごうもう**【剛毛】かたい毛。こわい毛。

＊**こうもく**【項目】①文書で、表や箇条(かじょう)書きなどの形になった、一つ一つの内容。「チェックー」②〔辞書などの〕見出しと、それに続く解説などのまとまり。「新規ー・ーは数だけでなく質も大切だ」

**ごうもくてき**【合目的】《名・ナダ》〔文〕目的に〈合う/役立つ〉こと。「ー性・ー的な選択(せんたく)」

**こうもり**【(:蝙蝠)】(かうもり)①小形の けもの。からだはネズミに似ている。暗くなると前足をはねのように広げて とぶ。かわほり。②←こうもりがさ。●**こうもりがさ**【(:蝙蝠)傘】細い鉄の骨に(黒い)布をはった、西洋ふうの かさ。こうもり。

**こうもん**【×肛門】《生》直腸の はしにあって、ふん(糞)を出す穴。しりの穴。

**こうもん**【後門】〔文〕うら門。(↔前門)

**こうもん**【校門】学校の門。

**こうもん**【黄門】「中納言(ちゅうなごん)」の中国ふうの言い方。特に、水戸(みと)黄門(=徳川光圀(みつくに))。

**こうもん**【×閘門】〔運河などで〕二つの水面の高さのちがいを調節して、船を通すしかけの水門。「ー式運河」

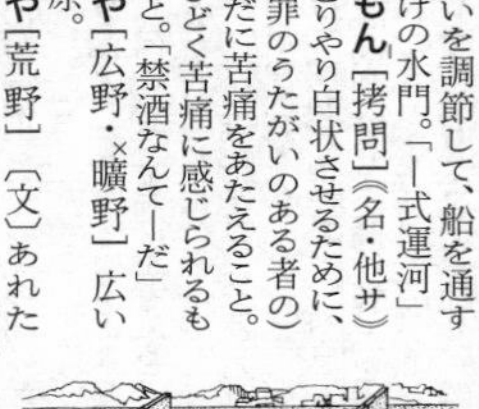

[こうもんしきうんが]

**ごうもん**【拷問】《名・他サ》①むりやり白状させるために、〔犯罪のうたがいのある者の〕からだに苦痛をあたえること。②ひどく苦痛に感じられるものごと。「禁酒なんてーだ」

←**こうや**【広野・×曠野】広い野原。

←**こうや**【荒野】〔文〕あれた野原。あれの。☞あらの(荒野)。

**こうや**【紺屋】染め物屋。こんや。●**こうやのあさって**【紺屋の(:明後日)】(紺屋は、客に約束した日よりも仕上がりがおくれることから)約束した期限があてにならないこと。●**こうやのしろばかま**【紺屋の白(×袴)】他人のせわばかりやいて、自分のことが〈できない/おろそかになる〉こと。医者の不養生(ふようじょう)。

**ごうやー**【ゴウヤー】⇩ゴーヤー。

**こうやく**【×膏薬】あぶら(およびグリセリン)でねったくすり。傷口などにつける、あぶらぐすり。

←**こうやく**【口約】《名・自他サ》〔文〕くちやくそく。

☆☆**こうやく**【公約】《名・他サ》国民など大ぜいの前で約束すること。おおやけに約束すること。また、その約束。「政党のー」

**こうやくすう**【公約数】①《数》二つ以上の数を共通に割り切ることのできる数。(↔公倍数)②共通する部分。「いろいろの主張のーを取る」

**こうやさい**【後夜祭】学園祭などの しめくくりに おこなう、なごりの行事。(↔前夜祭)

**こうやどうふ**【高野豆腐】こおりどうふ。しみどうふ。高野山で作り始めたという。

**こうゆ**【香油】①かみの毛につける、においのいい あぶら。②食用油に、ネギやエビなどの かおりをつけたもの。「ーラーメン」

**こうゆ**【鉱油】鉱物性の あぶら。

←**こうゆう**【交友】〔文〕つきあっている友だち。「ー関係」

←**こうゆう**【交遊】《名・自サ》〔文〕交際。つきあい。

**こうゆう**【校友】〔文〕同じ学校の卒業生。●**こうゆうかい**【校友会】その学校の在校生・卒業生などで作る会。

**こうゆう**【公有】《名・他サ》①大衆のものであること。だれでも利用できること。パブリックドメイン。「ーに属する」②公共団体の所有。「ー地」(↔私有・国有)

**ごうゆう**【豪遊】《名・自サ》お金をはでに使って遊ぶ〈こと/遊び〉。「社用族のー」

**ごうゆう**【豪勇・剛勇】《名・ナダ》〔文〕すぐれた勇気のある〈こと/ようす〉。「ー無双(むそう)」派ーさ。

**こうよう**【公用】①〔国・国際会議・官庁・公共団体などで〕正式のものとして使うこと。②〈官庁/公共団体〉の用務。公務。▽(↔私用)③世間で広く使っていること。「公知ーのもの」●**こうようご**【公用語】①いくつかの言語がおこなわれている国で、公(おおやけ)の場で使うことが認められている言語。②国際会議などで使うことがゆるされている言語。●**こうようぶん**【公用文】公文書に使う、決まった形式の文章。「ーは左横書きが原則だ」

**こうよう**［効用］①つかいみち。「うその—」 ②ききめ。効果。「薬の—・文学の—」

**こうよう**［後葉］①〔文〕ある時代の後半。「十九世紀—」 ②下垂体の後部。

**こうよう**［綱要］〔文〕(根本となる)大切なところ。骨子。概論。

**こうよう**［孝養］《名・自サ》〔文〕孝行をして親をやしなうこと。「—をつくす」

**こうよう**［紅葉］《名・自サ》秋の終わりに、木の葉が赤くなること。また、その葉。もみじ。☞もみじ(紅葉)。

**こうよう**［黄葉］《名・自サ》秋の終わりに、木の葉がきいろくなること。また、その葉。もみじ。おうよう。

**こうよう**［高揚・×昂揚］《名・自他サ》①気持ち〈が高まる／を高める〉こと。「士気の—をはかる・戦意を—する・—感に包まれる」 ②〔人々の気持ちが高まり〕勢いがさかんになること。「反対運動が—する」

**こうようじゅ**［広葉樹］《植》ひらたくてはばの広い葉を持つ木の呼び名。もと、闊葉樹。(↔針葉樹)

**ごうよく**［強欲］《名・ナダ》欲が強いようす。非常な欲ばり。「—な人間」 派—さ。

**こうら**［甲羅］①(カメなどの)せなかのかたい所。甲。②〔俗〕人間のせなか。「—を干す」 ③年の功。こう(劫)。 ●**甲羅にこけ(苔)が生える** 句〔カメの甲羅にコケがはえるほど〕古くなったようすのたとえ。 ●**甲羅を経る** 句 年功を積む。 ●**こうらぼし**［甲羅干し］腹ばいになって背中に日光をあびること。「海岸で—をする」

**こうらい**［光来］〔文〕相手がたずねてくることを尊敬して言うことば。「ご—を仰ぐ」

**こうらい**［高麗］昔の朝鮮の呼び名。こま(高麗)。「—茶わん」 ●**こうらいにんじん**［高麗人参］「朝鮮人参」の新しい言い方。

**こうらく**［行楽］郊外や温泉地などに行って、遊んで楽しむこと。「—のシーズン・—客・—地・—日和」

**こうらく**［黄落］《名・自サ》〔文〕木の葉が枯れて散ること。

**こうらん**［高覧］〔文〕「相手の見ること」の尊敬語。御覧。「ご—いただければ幸いです」

**こうらん**［高欄・勾欄］〔文〕欄干。

**こうらん**［×攪乱］《名・他サ》〔文〕⇩かくらん(攪乱)。

**こうり**［公吏］「地方公務員」の古い言い方。(↔官吏)

**こうり**［公理］①一般に通じた道理。わかりきった真理。②《数》推理・判断・結論の基礎となる、根本の仮定。例、二つの点の間の最短距離は直線である。

**こうり**［功利］そうすることによって、どんな利益が手にはいるか、ということだけを考えること。「—主義者・—的な考え」

**こうり**［(行×李)］着物などを入れる、ヤナギや竹で編んだ、箱形の入れもの。

**こうり**［高利］《経》高い利息。(↔低利) ●**こうりがし**［高利貸し］高い利息を取ってお金を貸す〈こと／人〉。こうりかし。

**こうり**［小売り］《名・自他サ》《経》おろし商から買った品物を、消費者であるお客に売ること。また、その業者。「店での—・電力の—」(↔卸売り) 表記 熟語では「小売」と書く。「小売業者・小売商・小売店」

**ごうり**［合理］道理・理論にかなうこと。「—性を欠く」 ●☆☆**ごうりか**［合理化］《名・他サ》①(自分の行動を)もっともらしく理由をつけること。②むだをはぶくこと。「経営の—・生活の—」 ③(↑人員合理化)「リストラ②」の、以前の言い方。人員整理。首切り。「五万人の—」 ●**ごうりしゅぎ**［合理主義］①合理性を重視する態度。②《哲》〔経験でなく〕理性によってものごとを知ることができるとする考え方。理性論。(↔経験主義) ●☆☆**ごうりてき**［合理的］《ナダ》道理・理論にあっているようす。「—な理由がなければ解雇できない」(↔非合理的)

**ごうりき**［強力・剛力］①強い力(を持った人)。②登山者のために重い荷物をかついで、いっしょに登る人。☞きょうりょく(強力)。

**ごうりき**［豪力］ふつうの人よりはるかに強い力。

**ごうりき**［合力］《名・自サ》〔文〕お金や品物をめぐむこと。「—を仰ぐ・—をたのむ」 ☞ごうりょく(合力)。

**こうりつ**［公立］地方自治体が作り、維持する〈こと／もの〉。「—学校」(↔国立・私立)

***こうりつ**［効率］〔かけた費用・労力などに対して〕得られる効果の大きさ。「—が悪い・—化(=効率を高めること)を図る・—よく勉強する」

**こうりつ**［高率］《名・ナダ》率が高いこと。高い率。「—の課税」(↔低率) 派—さ。

**こうりゃく**［後略］《名・自他サ》〔文〕文章などのあとの部分をはぶくこと。(↔前略)

**こうりゃく**［攻略］《名・他サ》①敵の陣地を攻め(て取)ること。「城の—」 ②〔目的を果たそうと〕積極的に攻めること。課題にいどむこと。「横綱を—する・好きな人を—する・ゲームの—本」

**こうりゅう**［興隆］《名・自サ》〔文〕勢いがさかんになること。「国家の—・文化の—」

**こうりゅう**［交流］一《名・自他サ》①系統のちがうものが、たがいにまじりあうこと。「人事の—・文化の—・意見を—する・プロ野球のセ パ—戦」 ②会ったり、手紙をやりとりしたりして、つきあうこと。「昔の同級生と—がある・—サイト」 二(↑交流電流)《理》周期的に流れの方向が変わる電流。AC。「—電圧」(↔直流)

☆☆**こうりゅう**［勾留］《名・他サ》《法》容疑者や刑の まだ決まらない者を、拘置所などに とどめておくこと。「未決—」 ☞拘置。

**こうりゅう**［拘留］《名・他サ》《法》軽い犯罪に対する刑の一つ。三十日未満の日数を限って、刑務所にとどめておくこと。労役はさせない。

**ごうりゅう**［合流］《名・自サ》①(二つ以上の川が あわさって)一つになること。②(人が)(おちあって)いっしょになること。

**こうりょ**［行旅］《名・自サ》〔文〕①旅行(をすること)。②旅行をする人。旅行者。 ●**こうりょびょうしゃ**［行旅病者］道路や乗り物の中でたおれた、身元のわからない病人。ゆきだおれ。行路病者。〔死者は「行旅死亡人」と言う〕

**こうりょ**［考慮］《名・他サ》〔ほかの ものごとも ふくめて〕よく考えること。「日ごろの努力も—して評価する・

「—の余地はない」

**こうりょう**［工料］工賃。

**こうりょう**［光量］①光の量。「—の少ない地下室・—を上げる」②《理》ある時間に、光源から出る光の総量。単位はルーメン秒など。

**こうりょう**［香料］①いいにおいを出す物質。香水の原料。②《仏》⇩お香料。

**こうりょう**［黄×粱］〔文〕おおあわ(大粟)。「—一炊の夢(⇩邯鄲の夢)」

**こうりょう**［綱領］①〔文〕要点。「哲学—」②政党・組合・学校などの根本方針。「企業の倫理—」

**こうりょう**［稿料］〔文〕原稿料。

**こうりょう**［校了］《名・自サ》校正が完了すること。

**こうりょう**［考量］《名・他サ》〔文〕①考えあわせること。「比較—する」表記 法律では「衡量」と書く。②考慮。「—に入れる」

**こうりょう**［広量・×宏量］《名・ダナ》〔文〕心がひろいようす。「—な態度」(↕狭量) 派 -さ。

**こうりょう**［荒涼・荒×寥］《トタル》〔けしきが〕あれはててさびしいようす。「—たる原野」

**こうりょく**［効力］①〔法律などの〕はたらき。「—発生」②〔薬などの〕ききめ。

**ごうりょく**［合力］《理》同時にはたらく二つ以上の力を合わせた力。(↕分力) ☞ごうりき(合力)。

**こうりん**［光輪］〔宗教画などで〕聖人などの頭の周囲にえがいた、光の輪。ハロー。

**こうりん**［後輪］自動車・自転車などの、うしろのほうについている車輪。(↕前輪)

**こうりん**［光臨］《名・自サ》〔文〕〈身分の高い人／相手〉がその場に来ることの尊敬語。「—を仰ぐ・歓迎—(=中国語で『ようこそ いらっしゃいませ』。中国語の発音は『ホワンイン コワンリン』に近い)」

**こうりん**［降臨］《名・自サ》〔神や仏などが〕〈地上／人間の世界〉に おりてくること。「天孫—」

**こうる**［恋うる］◇〔文語動詞「恋う」(上二段)の連体形〕〔文〕こいしがる。「母親を—心情」

**こうるい**［紅涙］〔文〕女性のなみだ。●**紅涙を絞る** 句〔文〕〔かなしい劇や小説で〕女性を泣かせる。

**こうるさ・い**［小うるさい］《形》細かいことをいろいろと言って、なんだか うるさい。派 -さ。

←**こうれい**［交霊］生きている人の声を借りて あらわれた死者のたましいと話をすること。「—会」

→**こうれい**［降霊］死者のたましいを呼びよせること。「—術」

**こうれい**［好例］〔文〕ちょうどいい例。

**こうれい**［恒例］〔その時に その行事が〕いつも決まって おこなわれること。「—の行事」

**こうれい**［高冷］〔文〕土地が高くて気温が低いこと。「—地」

***こうれい**［高齢］①年寄りであること。「—の母」②年齢が高めであること。「—出産」▽高年。●☆☆**こうれいかしゃかい**［高齢化社会］総人口に対する高齢者の比率が高くなっていく状態にある社会。高齢社会。「—をむかえた日本」●☆☆**こうれいしゃ**［高齢者］高齢である人。〔役所で、六十五歳から七十四歳までの人を前期高齢者、七十五歳以上の人を後期高齢者とも言う〕「—のケア」

**ごうれい**［号令］《名・自サ》①大声で動作を命じる〈こと／ことば〉。「—をかける」②支配者が命令を出すこと。「天下に—する」

**こうれつ**［後列］うしろの ほうの(隊)列。(↕前列)

**こうろ**［行路］〔文〕①道を行く〈こと／人〉。「—病者(⇩行旅病者)」②世わたり。「人生—」

**こうろ**［香炉］香をたく入れもの。

**こうろ**［航路］船や航空機が通るように決められた、海上や空中の道筋。「外国—」●**こうろひょうしき**［航路標識］船が安全に進むことができるように用意した標識。灯台・灯標・無線方位信号所など。

**こうろ**［高炉］鉱石をとかして銑鉄をつくる炉。溶鉱炉。

**こうろう**［功労］てがらと ほねおり。「—者」

**こうろう**［高楼］〔文〕高い建物。「春—の花の宴」

←**こうろうしょう**［厚労省］《法》↑厚生労働省。

→**こうろうしょう**［厚労相］〔文〕厚生労働大臣。厚労大臣。

**こうろく**［高×禄］(=多くの禄高)〔文〕高い給与。「—をは(食)む」

**こうろん**［公論］〔文〕①一般の人が正しいと思う意見。世論。②公平で正しい議論。正論。

**こうろん**［行論］〔文〕論の進め方。また、進める論。「—で明らかになる・—上の都合」

**こうろん**［高論］〔文〕①すぐれた議論。「—卓説」②「相手の議論」の尊敬語。

**こうろん**［硬論］〔文〕強硬な議論。「—をはく」(↕軟論)

**こうろん**［口論］《名・自サ》口で言い争うこと。言いあい。「—がたえない」

**こうろんおつばく**［甲論乙×駁］《名・自サ》ある人があることを主張すると だれかが反対するというふうで、議論ばかりして、まとまらないこと。

**こうわ**［口話］耳の不自由な人が、相手のくちびるを読んだり、少し聞こえる音をたよりにしたりしながら話すこと。「—法」(↕手話) ☞読話。

**こうわ**［高話］〔文〕「相手の話」の尊敬語。「ご—」☞たかばなし(高話)。

☆☆**こうわ**［講和・×媾和］《名・自サ》国と国とが戦争をやめて平和な状態にもどるようにすること。「—を結ぶ・—条約」

**こうわ**［講話］《名・自サ》わかりやすく説明して聞かせる〈こと／話〉。「経済—」

**こうわん**［港湾］船の停泊や乗客・貨物の あげおろしなどに便利な設備のある、みなと。「—労働者(=船の荷を積みおろしする人)」

**ごうわん**［豪腕・剛腕］①《野球》〔投球のさいの〕つよい腕力。②すごうで。「—知事」

****こえ**［声］①のどを使って出す音。音声。「—を出す・人の—がする・小鳥の—・—が大きい(『主張が強い』の意味にも)」②〔虫の〕鳴き声。③〔文〕おと。ひびき。「水の—・鐘の—」④それとなくわかる気配。「秋の—」⑤人々の意見。「国民の—・改革を求める—が高い」●**声が裏返る** 句 急にかん高い声になる。裏声になる。声がひっくり返る。他 声を裏返す。●**声がかか**

る句 ①声をかけられる。「町を歩くと、あちこちから—」〔客席から〕『中村屋！』と—」②特に呼ばれて、仕事をたのまれる。お声がかかる。「テレビ局から—」 ●**声なき声**句 表だって発言されていないが、大衆が持っている意見や気持ち。「—に耳をかたむける」 ●**声にならない声**句 はっきり出ない声。声にならぬ声。声ならぬ〔=声でない〕声。「—でわびる」〔「声にならないつぶやき」なども言う〕 ●**声の下から**句 〔古風〕そのことばを言い終わるか終わらないうちに。『おい』と言う—、『はい』と答える」 ●**声を落とす**句 〔第三者に聞かれたくないことを話すために〕声を低くする。 ●**声をかける**句 ①声で相手を呼ぶ。話しかける。あいさつする。助けを求める。声援を送る。「通りすがりに—・『おつかれさま』と—・〔客席から〕『成田屋！』と—」②〔いっしょにやろうと〕さそう。「数人に—・新党を作ろうと—」 ●**声を聞く**句 〔の—〕そのときに〈近づく/なる〉。「師走の—・四十(歳)の—」 ●**声を大にする**句 ①声を大きくする。いちだんと声をはりあげる。②〔意見をのべるときに〕あることを特に強くうったえる。「声を大にして反対する」 ●**声を詰まらせる**句 なみだが出そうになって、何も言えなくなる。「弔辞で—」 ●**声をとが(尖)らす**句 おこったような、不機嫌な言い方で言う。 ●**声をの(呑)む**句 ①言いかけてやめる。②ひどく感動したりおどろいたりして、声が出なくなる。 ●**声を弾ませる**句 うれしそうに言う。うきうきした様子で話す。「いよいよ全国大会だ、と—」

**こえ**【肥】①地味をよくし収穫をふやすために田や畑に入れるもの。こやし。肥料。②ふん尿。

←**ごえ**【越え】造 ①越えること。「国境—・柵—の大ホームラン」②越える道。「天城—」

→**ごえ**【超え】造 …を超えた。「前年—の売上」

**こえい**【孤影】〔文〕〔さびしそうに見える〕一つの影。「—悄然として」

**ごえい**【護衛】《名・他サ》つきそって守る〈こと/人〉。

●**ごえいかん**【護衛艦】《軍》自衛艦の一つ。外国の駆逐艦に当たる。

**ごえいか**【(御)詠歌】 巡礼の際にうたう歌。巡礼歌。

**こえがかり**【声(掛かり)】⇩お声がかり。

**こえかぎり**【声限り】《副》あるだけの声を出しつくすようす。声の限り。「—さけぶ」

**こえかけ**【声(掛け)】《名・自サ》声をかけること。こえがけ。「患者に—する・不審者による—事案」〔「お」がつくと「おこえがけ」の形が多い。「スタッフにお声がけください」〕

**こえがら**【声柄】 声の性質・ようす。

**こえがれ**【声(×嗄れ)】《名・自サ》《医》かぜや声の使いすぎ、のどの病気のために、声がかれたり、かすれたりすること。させい(嗄声)。

**こえがわり**【声変わり】《名・自サ》 少年期から青年期に移るとき、男の子の声帯が変化して、声が低く変わること。

**こえごえ**【声々】 めいめいが声に出して言うこと。「—にさけぶ」

**こえしつ**【声質】〔高低・大小などの〕声の質や特徴。せいしつ。

**こえだ**【小枝】 木の、小さな枝。

**こえたご**【肥(×桶)】 こやしをはこぶおけ。こえおけ。

**こえだし**【声出し】《名・自サ》声を大きく出すこと。「試合前に円陣を組んで—する・店員が—につとめる・コンサート前の—」

**こえだめ**【肥(×溜め)】 肥料にするふん尿をためておくところ。

☆☆**ごえつどうしゅう**【呉越同舟】〔文〕敵同士やライバル同士が、(その時の都合やある目的のために)いっしょに〈いる/行動する〉こと。由来 呉・越は中国の、春秋時代の国の名。仲の悪い両国の人も、たまたま同じ舟に乗り合わせて嵐にあったときは、おたがいに協力しあうという、「孫子」の文章から。

**こえど**【小江戸】 江戸時代のような古い町なみが残る町。例、埼玉県川越市。

**こえふとる**【肥え太る】《自五》〔人や動物が〕まるまると太る。(↕やせ細る)

**こえもち**【肥持ち】①【肥保ち】 土が、肥料を長くたもつこと。「—の悪い畑」②肥おけをかつぐこと。

**ごえもんぶろ**【五右衛門風呂】 鉄で作った、かまの形のふろ。底ぶたをふみしずめて入浴する。長州風呂。由来 かまゆでにされた盗賊、石川五右衛門にちなんだ名前。☞据え風呂。

**こえる**【肥える】《自下一》①〔人・動物などが〕太る。「結婚して少し肥えた」②こやしをやったのと同じように農作物がよくできる状態にある。「地味が—」▽(↕やせる)③いろいろの経験を積んで、いいもののねうちがわかる。「目が—・舌が—」

←＊＊**こえる**【越える】《他下一》①上空を通り過ぎて向こうがわに行く。「頭上を—」②障害になるものを通り過ぎて向こうがわに行く。「山を歩いて—・川を泳いで—」③〔難しい状況などを〕過ぎる。「苦難を—・仕事が山場を—」④ある時刻を過ぎる。「十時を—」⑤〔順序を〕とびこす。「順番を—」区別「越える」は移動して通過することに重点があり、「超える」はもとのより〈多く/大きく〉なることに重点がある。可能 越えられる。

→**こえる**【超える】一《他下一》①それより〈多く/大きく〉なる。「十万円を—・三十歳を—・役者として父を—〔=追いこす〕」②それのおよばない状態になる。絶する。「想像を—・人間の能力を—」③わくからはみ出す。超越する。「現代を—・党派を—」区別⇩越える。二《自下一》〔文〕まさる。絶する。「力量が人に—・風景が他に—」可能 超えられる。

☆☆**ごえん**【誤×嚥】《名・自他サ》①《医》飲食物などが誤って気管にはいること。「—性肺炎」②〔俗〕⇩誤飲。

**コエンザイム**〔coenzyme〕《生》酵素と結びついて、代謝をうながす物質の総称。補酵素。

**ごお**【△五】〔話〕ご。ごう。〔数えるときなどに使うことば〕「—LDK」

**ゴー**《名・自他サ》〔go〕①進め・行け(の信号)。「—ホーム〔=〈うち/本国〉へ帰れ〕」②進行させること。実行。「計画を—することになった」▽(↕ストップ)

**ゴーイングマイウエイ**〔going my way=アメリカ映画の題名〕 ほかの人のことは気にせず、自分のやりたいようにやること。わが道を行く。

**こおう**【呼応】《名・自サ》①たがいに同じ〈方向/考

え〉の動き方をすること。「両者が相ー する」②《言》前後の語句が決まった形で関係しあうこと。『おそらく』は推量の言い方とーする・ー副詞〔☞付録 文法解説「副詞」〕」

**ごおう**［五黄］ 九星の一つ。五黄の寅年生まれの人は、気が強く、人の上に立つなどと言われる。

**ゴーカート**〔go-cart〕 遊戯・競技用の、構造が簡単な小さな自動車。カート。

［ゴーカート］

**コーカソイド**〔Caucasoid〕 白色人種。

**コーキング**《名・自サ》〔caulking〕 窓わくや つぎめなどから、雨もりや水もれのしないように、小さいすきまにパテなどをうめる〈こと／もの〉。コーキン。

**コークス**〔ド Koks〕《理》石炭をむし焼きしてできた、小さな穴のあいた炭素のかたまり。無煙で火力の強い燃料。

**ゴーグル**〔goggles〕 風よけ用や水中・作業などで使う、目もとをおおう形の特殊な めがね。「VRー」

**ゴーゴー**〔gogo←フ à gogo＝たっぷり、好きなだけ〕《音》はげしく からだをくねらせながら、ひとりで おどるダンス(の音楽)。〔一九六〇年代後半に流行〕「ーダンス・ー喫茶」

**ゴーサイン**〔和製 go sign〕 ①ものごとを進めていいという許可。青信号。「ーが出る」 ②出発の あいず。「先発隊にーを出す」

**コージェネレーション**〔cogeneration〕 原油や都市ガスなどでエンジンやタービンを回して発電するとともに、その排熱を利用して、給湯や冷暖房もするシステム。熱電併給システム。コジェネレーション。コ(ー)ジェネ。

**ゴージャス**《ナダ》〔gorgeous〕 はなやかで りっぱなようす。豪華。 派ーさ。

**コース**〔course〕 ①経路。進路。「ハイキングー」 ②走路。「ーレコード〔＝オートレース・競馬などで、そのコースの最高記録〕」 ③《陸上・競泳》「レーン③」の古い言い方。 ④《ゴルフ場で》ボールを打って回る、決められた経路。 ⑤《野球》投手の投げたボールの通る道。「球道。「低いー・ーがあまい」 ⑥針路。「予定のー」 ⑦学科。課程。「教職ー」 ⑧決まった順序で出る料理。「フルー・和食のー料理」 ●**コースアウト**《名・自サ》〔和製 course out〕 競技で、規定のコースを外れること。

**ゴーズ**〔gauze＝地名 Gaza から〕《服》ごく薄地の、絹または もめんの布。しゃ(紗)。ゴース。

**コースター**〔coaster〕 ①コップなどをのせる、平たいもの。コップ敷き。 ②⇩ジェットコースター。

**ゴースト**〔ghost〕 ①幽霊。 ②《写真》強い光がはいって写りこむ、斑点状の光の像。 ③テレビの画面にかさなって映る像。 ●**ゴーストタウン**〔米 ghost town〕〔鉱山の廃止などで〕建物だけ残して住む人がいなくなり、あれはてた町。幽霊都市。 ●**ゴーストライター**〔ghost writer〕 本人にかわって陰で文章を書く人。代作者。

**ゴーストップ**〔和製 go stop＝進め・止まれ〕〔古風〕十字路などの交通信号(機)。

**コーダ**〔イ coda＝尾〕《音》その楽章を盛り上げるための、はなやかな終わりの部分。

**ゴーダチーズ**〔Gouda《＝オランダの地名》cheese〕 オランダ南部ハウダ原産の、うす黄色で やや固いチーズ。プロセスチーズの原料にもする。

**コーチ**《名・他サ》〔coach〕〔競技に出る選手やチームの〕指導をする〈こと／人〉。コーチャー。

**コーチャー**〔coacher〕 ①コーチをする人。 ②《野球》一塁・三塁の近くで、ランナーやバッターに指示をあたえる人。「ーズボックス〔＝コーチがいる場所〕」

**コーチン**〔cochin〕 ニワトリの一品種。中国原産で食肉用。「名古屋ー」

**コーチング**〔coaching〕 ①コーチをすること。「野球のー」 ②目標の達成に必要な能力や行動を、当人の話を聞きながら自然に引き出す能力開発法。

**コーデ** ←コーディネート①。「春ー・カラーー」

☆☆**コーディネーター**〔coordinator〕 ①専門的な技術や知識を持ち、アドバイスや提案をする人。「インテリアー・カラーー・フードー・現地ー」 ②間に立って調整する人。「臓器移植のー・国際会議のー」

☆☆**コーディネート**《名・他サ》〔coordinate〕 ①同じ色や材料を組み合わせて全体を統一すること。統合。コーデ。「ファッションー・ー術」 ②間に立って調整すること。「たがいのニーズをーする」▽コーディネーション。

**コーティング**《名・他サ》〔coating＝上塗り〕 表面を、ほかの物でうすく おおうこと。布・木材の防水・耐熱やレンズ・金属の損失防止の加工のほか、錠剤を糖分で、菓子をチョコレートでおおったりするなど。

**コーディング**《名・自他サ》〔cording〕《情》プログラムのソースコードを書くこと。コード化。

**コーデュロイ**〔corduroy〕 縦に うねの形の筋を織り出した、けばのある やわらかい手ざわりの織物。コール天。

**コート**〔coat〕 ①上着。「ブレザーー」 ②出かけるとき、寒さ・雨などをよけるために、上に着る服。「オーバーー・毛皮のー・〔和服の〕雨ゴート」 ③コーティング。「撥水ー」

**コート**〔court〕《テニス・バドミントン・バレーボールなど》競技をする長方形の場所。☞フィールド②。

**コード**〔chord〕《音》和音。

**コード**〔code〕 ①分類のための数字または文字(の組み合わせ)。「コンピューターの漢字ー」 ②暗号。「ーブック・ーネーム〔＝スパイの名前・作戦名などにつける暗号名〕」 ③《情》↑ソースコード。

**コード**〔cord〕 ①ゴムなどで絶縁した、電線。 ②タイヤの骨組みに はりつける布(にかわるもの)。 ●**コードレス**〔cordless〕（本来あるべき)コードのないもの。「ーホン〔＝コードなしの電話機〕」

**こおとこ**［小男］ からだの小さい男。背の低い男。(↕大男)

**コードバン**〔cordovan〕 馬の しりの皮をなめしたもの。きめが細かで、くつ・ベルトなどに使う。

**こおどり**［小躍り］《名・自サ》 喜んで思わず おどりあがること。「ーして喜ぶ」

**コーナー**〔corner〕 ①かど。すみ。「リングのー」 ②競走路の曲線部分。「第三ー」 ③《野球》ストライクゾーンの すみ。「インー・ー いっぱいを突く」 ④テニスコートや、サッカーのグラウンドなどの、すみ。 ⑤デパートや もよ

こ

おし物などの会場に、特に設けられた一区画。「特売—・相談—」⑥〔番組・紙面・誌面などの中の〕区分。「お楽しみ—・クイズ—」 ●コーナーキック〔corner kick〕《サッカー》守備がわの選手がゴールラインからボールを出したとき、攻撃がわが、守備がわのコーナーからおこなうフリーキック。CK。 ●コーナーワーク〔corner work〕①《野球》投手が内角・外角をじょうずに攻めるわざ。②〔自動車レースなどで〕カーブを高速で通りぬける技術。

**コーナリング**〔cornering〕〔自動車・スケートなどで〕カーブを曲がること。「—の技術」

**コーパス**〔corpus〕書きことばや話しことばを大量に収集した、ことばのデータベース。「日本語話しことば—」

**コーヒー**〔オ koffie〕黒くて、独特のかおりとにがみがある飲み物。コーヒー豆〔=中部アフリカ原産の「コーヒーの木」のたね〕を煎って粉にし、湯か水をそそいで、液を抽出する。飲むと目がさえる。「—ショップ・—店・—ゼリー」 表記「:珈琲」は、〈古い/しゃれた〉当て字。 ●コーヒーブレイク〔coffee break〕コーヒーを飲むための、中休み(の時間)。コーヒー ブレーク。 ●コーヒーポット〔coffeepot〕コーヒーを入れてわかす、ふた付きの器。 ●コーヒーメーカー〔coffee maker〕〔電動ドリップ式の〕コーヒーをいれる道具。

**ゴーフル**〔フ gaufre=商標名〕洋菓子の一つ。うすく焼いた二枚の洋風せんべいの間に、クリームをはさんだもの。

**コーポ**〔↑コーポラス〕［一］コーポ 集合住宅。［二］造 アパートに つける名前。

**コーポラス**〔↑和製 corporate house=集合住宅〕☞コーポ。

**コーポラティブハウス**〔和製 cooperative house〕住む人たちで協同組合を作り、間取りや環境づくりに自分たちの希望を取り入れることのできるようにした、集合住宅。コープ住宅。

**コーポレーション**〔corporation=法人〕株式会社。有限会社。〔多く、社名に使う〕

☆☆**コーポレートガバナンス**〔corporate governance〕企業が適切に経営されるように、株主などが監視する仕組み。企業統治。

**ごーやー**［ゴーヤー］〔沖縄方言〕にがうり。ゴウヤ(ー)。ゴーヤ。「—チャンプルー・—の おひたし」

**コーラ**〔cola〕コーラの木〔熱帯アフリカ原産〕の実を原料とする、(茶色の)炭酸清涼飲料。「クラフト—」

**コーラス**〔chorus〕①合唱(隊)。②合唱曲。

**こおら・せる**［凍らせる］《他下一》こおるようにする。凍らす。「ジュースを—・血を—ような事件」

**コーラル**〔coral=さんご〕さんごのような、赤っぽいオレンジ色。「—ピンク〔=よりピンクに近い色〕」

**コーラン**〔Koran〕《宗》イスラム教の聖典。クルアーン(アラビア Qur'an)。

**こおり**［氷］①水がひえてかたまった、つめたいもの。「—が張る・—詰め・—のような〔=つめたい〕視線」②〔↑氷水〕かきごおり。 ●こおりがし［氷菓子］つめたくこおらせた菓子。例、アイスキャンディー。☞氷菓。 ●こおりざとう［氷砂糖］質のいい砂糖を、氷のかけらのような形にかたまらせたもの。 ●こおりだい［氷代］①氷の代金。②〔俗〕夏に、派閥に属する政治家に配られる活動資金。☞餅代。 ●こおりのやいば［氷の(△刃)］するどい刃物。 ●こおりまくら［氷枕］病気で熱があるとき、中に氷を入れて頭をひやす、ゴム製のふくろ。氷嚢。 ●こおりみず［氷水］①氷を入れた水。②⇩かきごおり①。〔「こおりすい」とも〕

**こおり**［△郡］昔の国の中での行政区画。〔今の郡に当たる〕

**こおりつ・く**［凍り(付く)］《自五》①凍ってくっつく。「きびしい寒さで まぶたが—」②完全に かたく凍る。「凍りついた土・心が—」③緊張や恐怖などで、身動きできなくなる。また、そんな ふんいきになる。「表情が—・会場の空気が—」④まったく動かなくなる。「市場が—」

**こおりどうふ**［凍り豆腐］うすく切った とうふをこおらせて、かわかしたもの。高野どうふ。しみどうふ。

**コーリャン**［(:高粱)］〔中国語〕中国北部で栽培されるモロコシの一種。こうりょう。こうりゃん。「—酒」

**こお・る**［凍る・△氷る］《自五》①氷になる。「水が—」②ふくまれている水分がひえてかたくなる。「道が—・大根が—」③たいへん冷たく感じる。「身も—思い」

**コール**〔call〕［一］《名・自サ》①大ぜいが いっせいに呼ぶ〈こと/声〉。「—〔=声援〕に こたえる・山田—・帰れ—」②電話をかけること。また、呼び出し。「ワン—〔=電話を一度だけ鳴らすこと〕・ナース—」③〔審判の〕宣告。「—は、ボール」［二］《経》ごく短期の資金取引。短資。「—市場・—レート」 ●コールガール〔米 call girl〕(電話で呼ぶことのできる)売春婦。 ●コールサイン〔call sign〕〔放送の前後に言う〕その放送局・無電局の符号。 ●☆☆コールセンター〔call center〕電話で寄せられた問い合わせや注文などに、専門に応対する〈部署/ことを請け負う会社〉。

**コール** 還〔↑コールド〕ひやした。「—コーヒー〔=関西などで、アイスコーヒーをさす〕」 ●コールミート〔cold meat〕⇩コールドミート。

**ゴール**〔goal〕［一］①〔競走などで〕勝負が決まる地点。決勝点。フィニッシュ。「—テープ」(↔スタート) ②目標。［二］《名・自サ》①《サッカー・ホッケーなど》得点になる区域(にボールを入れて得点すること)。②↑ゴールイン。 ●ゴールを割る 句《サッカー》シュートして得点を入れる。シュートを決める。 ●ゴールイン《名・自サ》〔和製 goal in〕①「ゴール［一］①・［二］①」にはいること。②結婚すること。▽ゴール。 ●ゴールエリア〔goal area〕《サッカーなど》ゴールキーパーのプレーが保護される区域。 ●ゴールキーパー〔goalkeeper〕《サッカー・ホッケーなど》「ゴール［二］①」を守る選手。キーパー。GK。 ●ゴールポスト〔goal post〕《ラグビー・サッカーなど》「ゴール［二］①」に立てた二本の柱。☞クロスバー。 ●ゴールライン〔goal line〕①《ラグビー・サッカーなど》長方形のフィールドの、ゴールがわの辺に当たる線。②到着地点に引いた線。「マラソンの—」

**コールスロー**〔coleslaw〕せん切りにしたキャベツをマヨネーズなどで あえたサラダ。

**コールタール**〔coal tar〕《理》石炭を処理してガスや

コークスを作るときに出る、黒くてねばねばした液体。染料・爆薬・医薬・道路の舗装に使う。石炭タール。コールター。

**コールてん**［コール天・コールテン］〔コール←corduroy〕〔天←天鵞絨《=ビロード》〕〔古風〕⇩コーデュロイ。

**ゴールデン**〔golden〕㊀造 ①金でできた。「―トロフィー」②金色の。③すばらしい。「―コンビ」㊁ゴールデン《放送》↑ゴールデンタイム①。●**ゴールデンウイーク**〔和製 golden week〕四月の終わりから五月はじめにかけての、休日の多い期間。黄金週間。大型連休。ゴールデン ウィーク。表記 略して「GW」「G・W」。●**ゴールデンタイム**〔和製 golden time〕①《放送》〔テレビで〕午後七時から十時までのよく見られる時間帯。ゴールデン アワー。ゴールデン(帯)。☞プライムタイム。②とても〈貴重/効果的〉な時間。「睡眠の―」●**ゴールデンレトリ(ー)バー**〔golden retriever〕イギリス原産の大形の犬。耳が大きくたれて、金色がかった ふさふさした毛をしている。猟犬・補助犬にする。

**コールド**《野球》↑コールド ゲーム。●**コールドゲーム**〔called game〕《野球》雨天や日没、あるいは得点が大差となったため、とちゅうで審判が打ち切りにした試合。ふつう、五回以上進行した場合は正式試合と認める。コールド。「七回―」☞ノーゲーム。

**コールド**造〔cold〕つめたい。●**コールドクリーム**〔cold cream〕あぶら分をおぎなうためにつけるクリーム。油性クリーム。(↔バニシング クリーム) ●**コールドチェーン**〔米 cold chain〕さかな・肉・野菜などを低温状態のまま生産地から店へ届け、家庭の冷蔵庫におさめるやり方。低温流通機構。●**コールドパーマ**〔←cold permanent wave〕薬液だけでパーマをか け〈ること/たもの〉。●**コールドミート**〔cold meat〕煮たり焼いたりして冷ました肉や、テリーヌ、ハム、ソーセージなど。冷肉。コール ミート。

**ゴールド**〔gold〕①金。黄金。「―メダル」②金色。③特別のランクをあらわすことば。「―会員・―免許〔=過去五年間、違反のない運転者がもつ免許証〕」●**ゴールドラッシュ**〔gold rush〕①〔金鉱などの〕金をもとめて、多くの人が殺到すること。②金の相場をめぐる投機。

**こおろぎ**［(:蟋蟀)］エンマコオロギなど、秋に鳴く虫。全体は黒茶色で、つやがある。家の近くで、「ころころ」と鳴く。〔昔は、キリギリスのこと〕

**コーン**〔cone=円錐〕①アイスクリームを入れる、円錐形をした入れもの。食べられる。「アイスクリーム―」②スピーカーの、円錐形の部分。③パイロン。〔「カラーコーン」は商標名〕

**コーン**〔corn〕(調理した)とうもろこし。「―ミール(=ひきわりのトウモロコシ)・―ポタージュ〔略して『コンポタ』〕」●**コーンスターチ**〔米 cornstarch〕トウモロコシの でんぷん。食用・せんたくのり用。コン スターチ。●**コーンビーフ**〔corned beef〕⇩コンビーフ。●**コーンフレーク**〔cornflakes〕ひきわりのトウモロコシを平たくつぶした食べ物。牛乳などをかけて食べる。●**コーンロウ**〔cornrow=トウモロコシが並んだ形〕頭皮に沿って細い編みこみをいくつも作った髪型。コーン ロー。

**ごおん**［呉音］日本に伝わった漢字字音の一つ。漢音より古く、仏教語に多い。例、「人」を「にん」。☞漢音・唐音。

**ごおん**［(御)恩］「恩」の尊敬語。「―にむくいる・―報じ〔=ご恩返し〕」

**ごおん**［語音］〔文〕ことばの〈音/音韻〉。「現代―」

**ごおん**《副》鐘の ひびく音。

**こか**［古歌］〔文〕古い歌。古人の歌。

**こか**［×糊化］《名・自サ》《理》でんぷんに水を加えたものが熱によって糊のようになること。

**こか**［固化］《名・自他サ》〔文〕〔やわらかいものや、とけたものなどが〕かたくなること。かたまること。かためること。「油を薬品で―する」

**コカ**〔coca〕南米ペルー原産の低木。葉からコカインを取る。コカの木。

**こが**［古画］〔文〕古い絵。昔の絵。

**こが**［個我］〔文〕⇩アイデンティティ(1)①。「強い―の主張」

**こが**［古雅］《名・ナダ》〔文〕古風で優雅なようす。古めかしくて風流に見えるようす。

**こがい**［子飼い］①ひなのときから養うこと。「―の うぐいす」②子どものときから育てること。「―の番頭」③未熟なときから養成すること。「―の部下」

**こがい**［戸外］家の外。屋外。「―運動」

**ごかい**［五戒］《仏》してはならない、五つの いましめ。殺生・偸盗〔=ぬすみ〕・邪淫・妄語〔=うそつき〕・飲酒をするな、という いましめ。

**ごかい**［(:沙蚕)］海岸の土中にいる、細長くて平たい動物。釣りの えさに使う。

**ごかい**［誤解］《名・他サ》①うっかり まちがえて、ちがった意味に受けとること。「一時を七時と―する・相手の意図を―する・―を解く」✓「発言が誤解を招いたことをおわびします」という謝罪は、「あなたが誤解したのだ」という責任のがれにも使われる。発言を訂正したほうが誠意が伝わる。②まちがった見方(を持つこと)。「日本語が あいまいだというのは―だ・今まで あなたを―していた」

**こがいしゃ**［子会社］《経》同じ系統の大きな会社に属して、その支配を受ける会社。(↔親会社)

**ごかいしょ**［碁会所］料金をはらって、碁を打って遊ぶ所。碁席。ごあいしょ〔古風〕。

**ごかいどう**［五街道］《歴》江戸時代、江戸の日本橋から各地に通じた、五つの主要道路。東海道、中山道、奥州街道、甲州街道、日光街道。

**こかいもの**［小買い物］日常生活に使うような、ちょっとした買い物。

**コカイン**〔ド Kokain〕コカの葉から取った、局所麻酔に使う薬。習慣性が強く、慢性中毒を起こす。麻薬として規制されている。

**こがお**［小顔］①小さな顔。②小さく見えるように、けしょうなどをした顔。「―メイク」

**こがき**㊀［小書き］①文書の中に小さく書き入れること。また、書き入れた注。②拗音や促音を小さく書きあらわすこと。(↔大書き) ㊁［小書］《能・狂言》特殊な演出(に関する指定)。

**こかく**［古格］〔文〕昔の格式。昔の やり方・形式。「—を保つ」

**こがく**［古楽］〘音〙古い時代の音楽。特に、バロック以前の西洋音楽。

**ごかく**［互角］《名・ナダ》たがいにどちらが強く、どちらが弱いとも いえない状態。「—の力」

**ごがく**［語学］外国語(の学習)。

**こがくれ**［木隠れ］木陰にかくれること。

**こかげ**［小陰］ちょっとしたものかげ。

**こかげ**［木陰］木の陰。樹陰。

**ごかし** 接尾 それに かこつけて、自分の利益をはかること。「おためー・親切ー」

**こがしら**［小頭］小さな部隊・作業のひと組みの かしら。「消防のー」

**こかす**［△転かす］《他五》〔方〕①動かす。ころがす。②(投げ)たおす。

**こがす**［焦がす］《他五》①〈火で/日に〉焼いて黒くする。②〈心などを〉苦しめ なやます。「思いをー」

**こかた**［子方］〘能・狂言〙子どものする役。また、その役をする子ども。

←**こがた**［小形・小型］《名・ナダ》形の小さな〈こと/もの〉。(↕大形・中形) 表記 小さい魚は「〈小形/小型〉の魚」、小さい魚のグループは「小型魚」。

→**こがた**［小型］《名・ナダ》①〔同じような形のものに大きい小さいの種類があるとき〕小さいほう。「ー車・ー辞書」②⇩小形。▽(↕大型・中型)

**ごがたき**［碁敵］力量が同じぐらいで、いつも手合わせをする碁の相手。

**こがたな**［小刀］雑用に使う小さな刃物。日本式ナイフ。☞しょうとう(小刀)。●**こがたなざいく**［小刀細工］①小刀を使ってする細工。②こせこせした策略。小細工。

☆☆**こかつ**［枯渇・×涸渇］《名・自サ》①水が かれてなくなること。「ダムの水がーする」②もとのものが なくな(りか け)ること。「財源がーする」

***ごがつ**［五月］一年の第五の月。☞さつき(五月)。●**ごがつにんぎょう**［五月人形］五月五日の節句に かざる人形。(↕ひな人形) ●**ごがつばれ**［五月晴れ］⇩さつきばれ①。●**ごがつびょう**［五月病］おもに大学新入生や新入社員などが、新しい環境に適応しないために、一か月たった五月ごろから あらわれる、登校や出社をしたくなくなるなどの症状。

**こがね**［小金］①わずかの お金。②少し まとまった〈お金/財産〉。「ーをためる」

**こがね**［黄金］〔文〕①金。おうごん。②金貨。③こがね色。金色。●**こがねむし**［黄金虫］カナブン・ダイコクコガネなど、かたい羽をもつ昆虫。林の中や電灯などのまわりを音を立ててとぶ。

**こがねもち**［小金持ち］ちょっとした金持ち。

**こかぶ**［子株］①植物の、ある株から分かれた株。②〘経〙新株。▽(↕親株)

**こがら**［小柄］《名・ナダ》①からだが小さいようす。「ー〈な/の〉男」②模様や しま(縞)が細かいようす。▽(↕大柄)

**こがらし**［木枯らし・×凩］秋の末から冬のはじめにかけて ふく、冷たい風。

**こがれじに**［焦がれ死に］《名・自サ》その人のことばかり考え、思いがつのり、からだが弱って死ぬこと。

**こがれる**［焦がれる］《自下一》深くこいしたう。

**こがわせ**［小為替］↑定額小為替。

**こかん**［股間］①またの あいだ。またぐら。②〘野球〙両足の あいだ。足もと。「ーをぬかれる」③陰部から太ももの内がわへかけての部分。「ーが痛い」

**こがん**［湖岸］〔文〕みずうみの きし。

←**ごかん**［五官］五感が はたらく、目・耳・鼻・舌・皮膚の五つの器官。感覚器官。

→**ごかん**［五感］〘生〙視覚・聴覚・嗅覚・味覚・触覚の五種の感覚。

☆☆**ごかん**［互換］〔規格や仕様が同じで〕取りかえが きくこと。「ー性」

**ごかん**［語間］〔文〕①話すことばと ことばの あいだ。②書かれた語と語の あいだ。スペース。

**ごかん**［語幹］〘言〙活用語〔=用言と助動詞〕の頭の、変化しない部分。例、「書く」の「か」、「ようだ」の「よう」。(↕活用語尾) ●**ごかんようほう**［語幹用法］〘言〙活用語を、語尾をつけず、語幹だけで使うもの。例、「わあ、きれい〔↑きれいだ〕」「まるで夢のよう〔↑ようだ〕」「おもしろグッズ〔↑おもしろい＋グッズ〕」。✍「寒っ〔↑寒い〕」なども、古代の「あな、寒〔=ああ、寒い〕」のような言い方を受けつぐ語幹用法。

**ごかん**［語感］①そのことばから受ける微妙な感じ。語のニュアンス。②ことばに対する感覚。「ーをみがく」

☆☆**ごがん**［護岸］川・海などの岸を浸食や水害から保護する〈工作物/こと〉。「ー工事」

**こかんせつ**［股関節］〘生〙またの付け根のところの関節。「ー脱臼〔=またの関節が外れること。先天性のものは女の子に多い〕」

**こき**［子機］電話などで、機械本体からはなれた場所で使える機器。(↕親機)

☆☆**こき**［古希・古×稀］(数え年の)七十歳(の祝い)。「ーをむかえる」 由来 杜甫の詩の「人生七十古来稀なり」から。

**こき**［呼気］はく息。(↕吸気)

**こぎ**［×狐疑］《名・自サ》〔文〕迷って決心がつかないこと。「ー逡巡」 由来 キツネは疑い深いと考えられたから。

**ごき**［碁器］碁石を入れるうつわ。ごけ(碁笥)。

**ごき**［語気］話すことばの勢い。ことばの調子。「ーするどく問いつめる」

**ごき**［誤記］《名・他サ》〔文〕書き〈誤り/まちがい〉。「ー誤植・ーの多い文」

**ごぎ**［語義］〔文〕単語・熟語の意味。

**コキール**〔フ coquille=貝がら〕貝やエビなどを貝がら(の形の皿)にのせ、オーブンで焼いた料理。コキーユ。

**こきおろす**［(△扱き)下ろす］《他五》めちゃくちゃに けなす。悪口を言う。名 こき下ろし。

**ごきげん**［(御)機嫌］一 ①「きげん」の尊敬語。「ー取り」②達者で暮らしているかどうかの様子。「ーいかがですか」 二《ナダ》①いいきげん。上きげん。②〔俗〕すばらしい。いかす。「ーな音楽」〔少し古い言い方〕 ●**ご機嫌斜めならず** 句 きげんが たいへんいい。(↕ご機嫌斜め) ●**ご機嫌を伺う** 句 ①目上の人の機嫌を気にして、気に入られるようにする。「いつも上司のー」②

(目上の人に)無事に暮らしているかどうかたずねる。③落語を上演する。「『時そば』で—」

「—に行く・—の電話」●**ごきげんよう**〔御機嫌良う〕《感》〔話・古風〕別れるとき・会ったときなどに使う、上品なあいさつのことば。ごきげんよろしゅう。

**こきざみ**〔小刻み〕《ナダ》①細かい動きや変化をくりかえすようす。「ひざが—にふるえる・—なくつ音」②細かく何回かに分けてするようす。「—にしはらう」

**こぎだ・す**〔×漕ぎ出す〕《自五》船を漕いで出発する。「海に—」

**こぎたな・い**〔小汚い〕《形》なんだかきたない。こきたない〔古風〕。「—身なり」派—さ。

**こきつか・う**〔△扱き使う〕《他五》相手がくたくたになるまで、人を休みなく使う。「使用人を—」

**こぎつ・ける**〔×漕ぎ着ける〕《自下一》努力してやっとある状態にする。「計画の実現に—」

**こぎって**〔小切手〕《経》指定した金額を、その場で受取人にしはらうことを銀行に依頼する証券。「—を切る(=発行する)」☞手形②。

**ごきぶり**〔(:蜚蠊)〕①黒や茶色で平たい形をした、台所などによく出る害虫。クロゴキブリ・チャバネゴキブリなど。あぶらむし。G〔俗〕。②〔俗〕いやなもの・きらわれるもののたとえ。「—野郎」由来 関西で古くから「御器かぶり(=食器をかじる虫)」と言った。明治前期の「生物学語彙」で、これを「ゴキブリ」と誤植し、この形が広まった。

**こきま・ぜる**〔(△扱き)交ぜる〕《他下一》まぜあわせる。

**こきみ**〔小気味〕(=少し、気味が…であること。「こぎみ」とも)●**小気味がいい**句⇩小気味よい。●**こきみい・い**〔小気味いい〕《形》⇩小気味よい。

●**こきみよ・い**〔小気味(良い)〕《形》①(調子よく進んだりして)気持ちがいい。すがすがしい。「—口調・—勝ち方」②ちょっと、いい気味だ。「—復讐」▽小気味(が)いい。派—がる。—げ。—さ。

**こきゃく**〔顧客〕(商売などで)(お得意の)客。こかく。「—の獲得」

**コキュ**〔フ cocu〕妻を寝取られた夫。寝取られ亭主。コキュー。

**こきゅう**〔固給〕〔視覚語〕〔求人広告などで〕↑固定給。「—三〇万円」

**こきゅう**〔故旧〕〔文〕昔からの知りあい。

**こきゅう**〔故宮〕〔文〕〈古い/もとの〉宮殿。

**こきゅう**〔×胡弓・鼓弓〕《音》三味線に似て、それより小さい、東洋の弦楽器。ゆみでこすってひく。

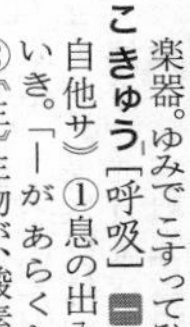
[こきゅう]

**こきゅう**〔呼吸〕㊀《名・自他サ》①息の出入り。いき。「—があらくなる」②《生》生物が、酸素を取り入れて二酸化炭素を外へ出すこと。「皮膚—・—作用」㊁①相手といっしょに何かをするときの、調子。いき。「—が合わない」②その場の調子にあわせてうまくやる、やり方。「演説の—をのみこむ」●☆☆**こきゅうき**〔呼吸器〕①《生》呼吸作用をいとなむ器官。のど・気管支・肺臓。②肺。肺臓。「—が悪い」

**ごきゅうしょ**〔御休所〕天皇が、外出先で一時休息される場所。もと、便殿。

**こきょう**〔故京・古京〕〔文〕〈昔の/もとの〉都。

**こきょう**〔故郷〕(一度ほかの土地へ移り住んだ人が)自分の生まれた土地を言う呼び名。ふるさと。●**故郷〈へ/に〉錦を飾る**句 立身出世して、故郷へ帰る。

**こきよう**〔小器用〕《ナダ》なかなか器用なようす。こきよう〔古風〕。「何でも—にこなす」(あまりほめていない)派—さ。

**ごぎょう**〔五行〕五行説で、すべての物質を形づくるもとと考えられた元素。木・火・土・金(=金属)・水の五つ。年や日をあらわすことば(☞十干)や、「木↓青、火↓朱、金↓白、水↓玄(=黒)」として、季節をあらわすことば(☞青春・朱夏・白秋・玄冬)などにも使われている。●**ごぎょうせつ**〔五行説〕世界は五つの元素(=五行)から成り立っているという考え方。古代中国で生まれ、日本にはいってきた。五行思想。「陰陽—(=易の陰陽の考え方と五行説が合わさったもの)」

**ごぎょう**〔(御形)〕⇩ははこぐさ。

**こきょく**〔古曲〕〔文〕古い時代の曲。

**こぎよ・せる**〔(×漕ぎ)寄せる〕《自他下一》(ふねを)こいで〈近づける/近づく〉。

**こぎれ**〔小切れ・小△布・小△裂〕布の、小さな切れはし。

**こぎれい**〔小(×綺麗)〕《ナダ》(はでではないが)なかなかきれいなようす。「—な服装」派—さ。

**こく**〔古句〕〔文〕古い句。古人の句。

**こく**〔石〕①米・酒などの、体積の単位。斗の十倍。一石は約一八〇リットル。昔は、武士の給与の単位でもあった。②和船の積み荷の、体積の単位。一石は十立方尺(=約〇・二八立方メートル)。☞才㊀②。③材木の体積の単位。一石は十立方尺。

**こく**〔告〕〔文〕〔掲示した文書などで〕以下のことを通達する、という意味をあらわすことば。

**こく**〔刻〕①昔、一日を十二支に割り当てて分けた時刻。「子の—(=夜十二時(ごろの二時間))」②「刻①」を等分した時刻。「上・中・下」または「一・二・三・四」に分けた。「寅の下—」☞とき(刻)。

**こく**〔コク〕(=濃く)①おいしくて、あとまで舌に残る、そのものの味。「—のある酒・チーズを入れると—が出る」②文章・作品などの、あとを引く味わい。「—のある芝居」

**こ・く**〔(△扱く)〕《他五》①かきおとす。むしり取る。「稲を—(=もみを落とす)」②間に〈はさんで/通して〉引く。しごく。「(指で)ひもを—」

**こ・く**《他五》〔俗〕①はなつ。「へ(屁)を—」②言う。ぬかす。「うそを—」③する。なる。「びっくり—・いい年こいたおとな・必死—」④いい気になる。「調子—(=調子に乗る)・余裕—(=余裕を見せる)」

**こく**〔酷〕《ナダ》きびしすぎるようす。ひどい。「—な処分」●**酷に過ぎる**句〔文〕ひどすぎる。

**こく**〔黒〕遺 黒い。黒みをおびた。「—紫色」

**こく〔国〕㊀遺 くに。「日本—・相手—・二—間の交渉」㊁こく ①↑国立(大学)。「—、公、私」②〔学〕↑国語科。「英、数、—」

**こ・ぐ**〔(△扱ぐ)〕《他五》〔方〕根もとから引きぬく。「木を—」

**こ・ぐ**［〈×漕ぐ〉］《他五》①舟を進めるために、ろ(櫓)やかい(櫂)を手前に引くように動かす。「ろ(櫓)を―」②自転車を進めるために、ペダルをふむ。「自転車を―・ペダルを―」③ブランコを大きくふるために、ひざを曲げて勢いをつける。④〔雪ややぶなどを〕かき分けて進む。「雪を―」名こぎ。「自転車―」可能こげる。

**ごく**［獄］〔文〕①牢屋。「―につながれる」②訴訟(事件)。「安政の―」

**ごく**［語句］単語と句。「―の意味」

***ごく** ㊀ごく［〈極〉］《副》きわめて。非常に。「―最近・―簡単に」㊁［極］造 極端な。「―超短波・―早咲き・―旨」

**ごくあく**［極悪］《ナダ》〔性質が〕きわめて悪いようす。「―非道・―人」派―さ。

**こくあんあん**［黒暗々］《トタル》〔文〕墨を流したように〈まっくろ/まっくら〉なようす。

**こくい**［国威］〔文〕国の威光。「―を発揚する」

**こくい**［黒衣］①黒い衣服。②墨染めの僧衣。▽こくえ。

**ごくい**［極意］おくのて。奥義。「歌道の―・柔道の―・―を伝える」

**ごくい**［獄衣］〔文〕監獄で囚人が着る衣服。囚衣。

**こくいっこく**［刻一刻］《副》しだいしだいに。一刻一刻。「―と水かさがふえる」

**こくいってん**［黒一点］女性たちの中にまじっている、ひとりの男性。また、そうなった状態。〔「紅一点」からつくったことば〕(↕紅一点)

**こくいん**［刻印］《名・自他サ》①彫刻した印。②しるしを刻みつけること。③⇩ごくいん(極印)。

**ごくいん**［極印］①品質を証明するために品物におす印。②〔悪いと決める〕しょうこ(のしるし)。「―を押される」▽刻印。

**こくう**［虚空］〔文〕①そら。おおぞら。「―はるかにとびさる」②何もない空間。「―をつかんでたおれる」

**こくう**［穀雨］〔=穀物をうるおす雨が降る〕《天》二十四節気の一つ。四月二十日ごろ。

**ごくうす**［極薄］非常にうすいこと。「―のディスプレイ」(↕極厚)

**こくうん**［国運］〔文〕国の〈なりゆき/運命〉。

**こくうん**［黒雲］〔文〕黒いくも。くろくも。

**こくえい**［国営］国が経営すること。「―事業」(↕民営)

☆☆**こくえき**［国益］国の利益。「―にかなう・―をそこなう」

**こくえん**［黒煙］黒いけむり。

**こくえん**［黒鉛］炭素が結晶した、黒っぽい鉱物。粘土とまぜて高温で焼き、えんぴつの芯をつくる。石墨。

**こくおう**［国王］①国の君主。②王と呼ばれる、国家の統治者。

**こくがい**［国外］国の領土の外。(↕国内)

**こくがく**［国学］江戸時代、日本の古典研究を〈主/基本〉とする学問。古学。和学。皇学。「―者」(↕漢学・洋学)

**こくぎ**［国技］その国の代表的な競技・武術。例、日本のすもう。「―館」

**こくぐら**［穀倉］⇩こくそう(穀倉)。

**こくぐん**［国軍］その国の軍隊。

**こくげき**［国劇］〔文〕その国の代表的な演劇。例、日本の歌舞伎。

**ごくげつ**［極月］〔文〕十二月。しわす。「―十四日」

**こくげん**［刻限］〔古風〕〈決められた/だいたいの〉時刻。「約束の―・夜が明ける―」

**こくご**［国語］①〈それぞれ/自分〉の国で標準的な言語として認められている言語。②〔日本人にとって〕日本語。「―史」③「国語②」の読み書きや話し方、聞き方などを学ぶ教科。「―教科書」●**こくごがく**［国語学］⇩日本語学。●**こくごじてん**［国語辞典］日本語の単語や句などを一定の順序にならべ、表記・意味・使い方などを日本語で説明した辞典。●**こくごもんだい**［国語問題］その国のことば・文字をどのように統一し、どのように改良・整理するか、ということについての問題。言語問題。〔日本では、標準語・敬語・正しいことばづかいの問題など〕☞国字問題。

**こくごう**［国号］国の名前。

**ごくごく**［〈極々〉］《副》「ごく」をくり返して強めた言い方。

**ごくごく**《副》飲み物を勢いよく続けて飲む〈音/ようす〉。「―(と)のどを鳴らす」

☆☆**こくさい**［国債］公債の一種。国が発行する債券。「赤字―・―の増発」(↕地方債)

****こくさい**［国際］造〈ある国と別な国との/いくつかの国にまたがる〉関係。「―関係・―競争力・―結婚〔=外国人との結婚。(↕国際離婚)〕・―電話」●**こくさいうちゅうステーション**［国際宇宙ステーション］大気圏のごく高い所にある、研究・観測用の施設。アメリカ・ロシア・ヨーロッパ・日本などが共同で利用する。ISS。●**こくさいか**［国際化］《名・自サ》国際的な規模に広がること。「―が進む・研究が―する」●**こくさいかいきょう**［国際海峡］一国の領海に属するが、迂回しにくいために、国際航行に使われる海峡。例、津軽海峡・ジブラルタル海峡。●**こくさいしほうさいばんしょ**［国際司法裁判所］国家間の紛争を裁判によって解決する、国連の機関。オランダのハーグに本部がある。ICJ〔←International Court of Justice〕。●**こくさいしゃかい**［国際社会］たくさんの国の人と関係を持っている社会。●**こくさいしゅうし**［国際収支］他国との一定期間の経済取引額の総額。「―の赤字」●**こくさいしょく**［国際色］さまざまな国の人が(他国の人と)入りまじるようす。「―ゆたかな街」●**こくさいじん**［国際人］国籍や国境のわくをこえて世界的に活躍している人。「真の―」●**こくさいたんいけい**［国際単位系］自然科学の分野で国際的に用いられている、合理的な単位の体系。メートル・キログラム・秒・アンペアに、ケルビン〔=温度の単位〕・モル〔=物質量の単位〕・カンデラ〔=光度の単位〕を加えた七つを基本単位とする。SI。●**こくさいつうかききん**［国際通貨基金］⇩アイエムエフ(IMF)。●**こくさいてき**［国際的］《ナダ》①国と国との交際に関係するようす。「―な信義」②たくさんの国に関係するようす。「―な問題だ」●**こくさい**

ほう［国際法］《法》国と国との間で、たがいに守らなければならない法律。国際公法。●こくさいれんごう［国際連合］一九四五年、第二次世界大戦後の国際関係の調整や平和の維持確立のために作られた国際機構。国連。UN〔←United Nations〕。

ごくさいしき［極彩色］非常に〈精密/きれい〉ないろどり。極彩。「—の鳥の絵」

こくさく［国策］その国の政策。

こくさん［国産］①自分の国の産物。②日本の〈産物/生産〉。「—品」(↕舶来)

こくし［国士］①〔文〕自分の国のためなら、利害を考えないでつくす人。②〔文〕国の中ですぐれた人物。③《マージャン》↑国士無双②。●こくしむそう［国士無双］①〔文〕並ぶ者がない、すぐれた人物。〔中国の前漢の武将、韓信の呼び名〕②《マージャン》十三種類の么九牌すべてをそろえる役の名。国士。

こくし［国司］《歴》おもに奈良時代、中央政府から地方に派遣されて、その地方の政治をおこなった役人。

こくし［国史］(わが)国の歴史。日本史。

こくし［国師］《仏》朝廷から徳の高い僧におくられた称号。「夢窓—」

☆☆こくし［酷使］《名・他サ》ひどく使うこと。こきつかうこと。「目を—する」

こくじ［国字］①その国のことばを書きあらわすための、正式の文字。「国語—問題」②日本人が作った漢字。例、畑・働・峠。和製漢字。和字。③ひらがなとカタカナ。和字。●こくじもんだい［国字問題］その国の文字をどのように改良・整理するか、ということについての問題。〔日本では、漢字の種類・読み方の整理、送りがなの問題など〕☞国語問題。

こくじ［国事］〔文〕国の政治に直接関係のあることがら。●こくじはん［国事犯］《法》国の政治に関する犯罪。例、内乱罪。

こくじ［国璽］〔文〕その国を代表する印。「—と御璽」

こくじ［告辞］《名・自サ》〔文〕〔卒業生・新入生などに〕おくることば。「学長—」

☆☆こくじ［告示］《名・他サ》①〔一般の人に〕役所で決まったことを公式に知らせること。「内閣—」②《法》国会議員の補欠選挙・地方選挙・最高裁判所裁判官の国民審査がおこなわれることを一般に知らせること。☞公示。

☆☆こくじ［酷似］《名・自サ》〔文〕〈ひどく/よく〉似ていること。「人間に—したロボット」

ごくし［獄死］《名・自サ》牢屋で死ぬこと。牢死。

ごくしゃ［獄舎］〔文〕牢屋。

こくしゅ［国手］〔文〕①名医。医師の尊敬語。②《碁》名人。

こくしゅ［国主］一つの国以上の領地を支配するさむらい。(↕城主)

こくしゅ［国守］《歴》①国司の長官。②一国(以上)をおさめる大名。国主大名。

こくじゅ［国樹］その国を象徴するものとして決まった木。

こくしょ［国初］〔文〕国をたてたはじめ。

こくしょ［国書］①国の名前で出す外交文書。②〔文〕日本(語)で書かれた書籍。和書。「—解題」

こくしょ［黒書］《俗》〔白書に対して〕欠点・害悪などをあばいて、非難する本。「マスコミ—」

こくしょ［酷暑］〔文〕きびしい暑さ。「—を乗り切る」(↕酷寒・厳寒)

ごくしょ［極暑］〔文〕暑さがいちばんひどいこと。(↕極寒)

こくしょう［国章］その国を代表する紋章。

こくじょう［国情・国状］国(の中)の状態。

ごくしょう［極小］きわめて小さいこと。「—カメラ」

ごくじょう［極上］非常に上等な〈こと/もの〉。「—の品物」

こくしょく［黒色］〔文〕黒い色。くろいろ。●こくしょくしゅ［黒色腫］《医》⇩悪性黒色腫。●こくしょくじんしゅ［黒色人種］はだの色の黒い人種。アフリカなどに住む。ネグロイド。

こくじょく［国辱］国のはじ。「—ものだ」

こくじん［黒人］黒色人種に属する人。●こくじんれいか［黒人霊歌］《音》アメリカの黒人が生みだしたキリスト教的宗教歌。

こくすい［国粋］自分の国の伝統的なよさ。●こくすいしゅぎ［国粋主義］他国のものを排斥し、自分の国の伝統を守っていこうとする考え方。

こく・する［×哭する］《自サ》〔文〕(人の死を悲しんで)大声をあげて泣く。

こく・する［刻する］《他サ》〔文〕かたい物にほりつける。「石に文字を—」

こくぜ［国是］その国の、政治上の根本的な方針。

こくせい［国政］国の政治。「選挙を通じて—に参加する」●こくせいちょうさけん［国政調査権］衆議院と参議院に認められた、国政に関する調査ができる権限。証人の出頭を求めることができる。

こくせい［国勢］〔文〕数字であらわした、国の(経済的)状態。●☆☆こくせいちょうさ［国勢調査］政府が国の状態を知るために、時期を決めて人口などを調べること。〔日本では五年ごとにおこなわれる〕「—が実施される」

こくぜい［国税］①《法》国が経費をまかなうために、会社・個人などに割り当てる税。例、所得税。(↕地方税)②↑国税庁。●こくぜいちょう［国税庁］《法》国税の徴収、税務署の指揮・監督などをおこなう官庁。財務省の外局。

こくぜい［酷税］〔文〕手きびしく取り立てる税金。

こくせき［国籍］《法》①〔ある国の〕国民として登録された身分。②ある国家に所属すること。

こくせつ［克雪］雪による被害や困難をなくすこと。「—の村・—住宅」

こくせん［国選］国が選ぶこと。「—弁護人(=裁判所が国の費用で被告人につける弁護人)」

☆☆こくそ［告訴］《名・他サ》《法》被害者自身が、犯罪の加害者を検察や警察にうったえて、処罰を求めること。「—状」☞告発②。

こくそう［国葬］国が主体となっておこなう葬式。

こくそう［穀倉］穀物をたくわえる倉。こくぐら。「—地帯(=米・麦などがたくさん取れる地帯)」

ごくそう［獄窓］〔文〕①刑務所・牢屋のまど。

②刑務所の中。獄中。

**こくぞうむし**【穀象虫】米や麦を食いあらす小さな虫。黒褐色(こっかっしょく)で、頭の形が象の鼻のように長い。米の虫。米食い虫。こくぞう。

**こくぞく**【国賊】国家に害をおよぼす者。

**ごくそつ**【獄卒】①もと、牢屋(ろうや)の罪人を取りあつかった下級の役人。②〔仏〕地獄で罪人をせめる鬼(おに)。

**こくたい**【国体】①主権がどこにあるかということを基準とした、国のあり方。君主国・民主国など。☞政体。②←国民体育大会。

**こくたい**【国対】←国会対策。「—委員長」

**こくだい**【国大】←国立大学(法人)。

**こくだか**【石高】武士の俸禄(ほうろく)の高。扶持高(ふちだか)。

**こくたん**【黒×檀】熱帯原産の木の名。材は黒くてかたい。家具・細工物などに使う。

**こくち**【告知】《名・他サ》①案内や宣伝のため、情報を知らせること。お知らせ。「ライブの—」②相手に事実を知らせること。「がん(癌)の—」

**こぐち**【小口】①少ない〈額/量〉。少し。「—の預金」(↔大口・中口)②(製本・印刷で)背(せ)以外の三方の紙の断面。「—染(ぞ)め」(↔ノド) 表記 もと、「木口」と書いた。③(←小口切り)〔料〕食材を、はしからうすく輪切りにする切り方。「ネギを—に切る」

**こぐち**【木口】横に切ったときの、木材の切り口。

**こぐち**【個口】接尾 ①荷物をいくつかに分けて送るとき、その数を数えることば。「三—の荷」②電気のタップのコンセントを数えることば。「七—のテーブルタップ」

**ごくちゅう**【獄中】刑務(けいむ)所・牢屋(ろうや)の中。

**こくちょう**【国鳥】その国を象徴(しょうちょう)する鳥。日本ではキジ。

**こくちょう**【黒鳥】ハクチョウの一種。全身が黒茶色。

**ごくちょうたんぱ**【極超短波】〔理〕波長が十センチ〜一メートルの電波。テレビ放送や各種の通信に使う。UHF。

**こくつぶ**【穀粒】穀物のつぶ。

**ごくつぶし**【△穀潰し】飯を食うだけで、ほかに能力のない人。おもに、ののしるときに使う。

**こくてい**【国定】国が制定〈すること/したもの〉。●**こくていこうえん**【国定公園】国立公園に準じる公園。知事が管理する。

**こくてつ**【国鉄】①国有鉄道。「フランスの—」②←〔もとの〕日本国有鉄道。

**コクテール**〔cocktail〕〔古風〕カクテル。

**こくてん**【黒点】①〔文〕黒い色の点。②〔天〕太陽の表面にある、黒っぽく見える部分。周囲より温度が低い。太陽黒点。

**こくでん**【国電】もとの国鉄電車の略称(りゃくしょう)。特に、都市部の路線を言った。

**こくと**【国都】〔文〕国の首都。首府。

**こくど**【国土】その国に属し、いろいろに利用される土地(や海)。くにつち(雅)。「—開発」●**こくどこうつうしょう**【国土交通省】〔法〕国土の利用、社会資本の整備、交通政策の推進などの行政事務をあつかう中央官庁。国交(こっこう)省。〔もと運輸省・建設省・国土庁など〕

**こくど**【黒土】〔地〕小麦や綿花などの農業に適した黒色の土地。ウクライナからシベリア南部の一帯が有名。チェルノーゼム(ロ chernozyom)。黒色土。「—層」☞くろつち(黒土)。

**こくとう**【黒糖】まだ精製していない、黒褐色(こっかっしょく)の砂糖。鉄分・カルシウムなどをふくむ。黒砂糖。〔消費者庁の規定では、サトウキビのしぼり汁(じる)をそのまま固めたもの〕「—まんじゅう・—パン」(↔白糖)

**こくどう**【国道】国の費用で作って管理する幹線道路。

**こくどう**【酷道】〔俗〕国道なのに整備されていない、走りにくい道をからかって言うことば。

**ごくどう**【極道】《名・ナダ》①放蕩(ほうとう)をする〈ようす/人〉。「—むすこ」②やくざ。派 —さ。

***こくない**【国内】国の〈領土内/内部〉。(↔国外)●**こくないがい**【国内外】国の中と外。「—で活躍(かつやく)する」●**こくないそうせいさん**【国内総生産】〔経〕⇩GDP。

**ごくない**【獄内】刑務(けいむ)所・牢屋(ろうや)の中。(↔獄外)

**こくないしょう**【黒内障】〔医〕見たところ、目の異状はないのに、目が見えなくなる病気。くろそこひ。

**こくなん**【国難】国の存在があぶなくなるような、たいへんなこと。「来たるべき—にそなえる」

**こくねつ**【酷熱】〔文〕ひどい熱さ。酷暑。

**ごくねつ**【極熱】①〔文〕非常に熱いこと。酷熱(こくねつ)。②(←極熱地獄(じごく))〔仏〕八大地獄の一つで、はげしいほのおと熱さの地獄。

**こくばい**【国賠】〔法〕←国家賠償(ばいしょう)。「—請求(せいきゅう)」

**こくはく**【告白】《名・他サ》①(秘密などを)うちあけて知らせること。「真実を—する・罪の—」②特に、愛をうちあけること。「先輩(せんぱい)に—する」(☞告(こく)る)

**こくはく**【酷薄】(ナダ)〔文〕むごく、いじわるで思いやりがないようす。派 —さ。

☆**こくはつ**【告発】《名・他サ》①許せない、と(世の中に)うったえること。「貧困(ひんこん)問題を—する」②〔法〕被害者(ひがいしゃ)以外の人が、犯罪の加害者を検察や警察に知らせて、処罰(しょばつ)を求めること。「刑事(けいじ)—・内部—」☞告訴(こくそ)。

**こくばん**【黒板】チョークで文字が書けるように、黒または緑色に塗(ぬ)った板。塗板(とばん)。「—を消す(=黒板に書いてある字を消す)」●**こくばんけし**【黒板消し】黒板に書いた字を消す道具。〔東日本では「黒板ふき」とも言った。鹿児島などで「ラーフル」とも言う〕

**こくひ**【国費】国がはらう経費。

**こくび**【小首】(=少し首を…すること)●**小首をかし(傾)げる** 句 ①ちょっと首をかたむける。②本当かなあ、変だ、というようすを見せる。▽小首をかたむける。

**ごくひ**【極秘】《名・ナダ》ぜったいに秘密であること。「—(のうち)におこなう・—公電」

**ごくび**【極美】《名・ナダ》〔文〕①非常に美しいこと。「—の仏像」②(中古品が)新品のように状態がいいこと。「—品」

**ごくび**【極微】《名・ナダ》〔文〕きょくび。

**こくびゃく**【黒白】①白と黒。「—の幕」②正しいか正しくないか。善悪。●**黒白をつける** 句 善悪などをはっきりさせる。「裁判で—」●**黒白を弁じない** 句 いいこと、悪いことの区別ができない。

**こくひょう**【酷評】《名・他サ》欠点ばかりとりあげて、ほめるところのない手きびしい批評。「―を加える」

☆☆**こくひん**【国賓】政府が正式に出むかえ、皇室も接待する、外国からの客（＝元首・首相など）。「大統領が―として来日した」☞公賓。

**ごくひん**【極貧】非常にびんぼうなこと。赤貧。「―生活・―からぬけ出す」

**こくふ**【国父】国の独立・革命の功労者として、国民から父のように尊敬されしたわれる人。

**こくふ**【国府】《歴》奈良時代、国司のいた役所。国衙。こくぶ。「―跡」

**こくふ**【国富】〔文〕国の経済力。

**こくふう**【国風】その国の生活習慣やしきたり。「―文化（＝平安時代に発達した日本独自の文化）」

↑**こくふく**【克服】《名・他サ》困難に負けないで乗り切ること。「難病を―する」

↑**こくふく**【克復】《名・他サ》〔文〕①勝ってとりもどすこと。②戦争をやめて平和にかえること。

**ごくぶと**【極太】（同じ種類の中で）非常に太い〈こと・もの〉。「―の毛糸・―の麺」（↔極細）

**こくふん**【穀粉】穀物のこな。

**こくぶん**【告文】神にちかうことば。つげぶみ。こうもん。こうぶん。☞おつげぶみ。

**こくぶん**【国文】①〔文〕日本語で書いた文章。②↑国文学（科）。

**こくぶんがく**【国文学】日本の文学（を研究する学問）。国文。「―者・―史」

**こくぶんぽう**【国文法】日本語の文法。

**こくべつ**【告別】《名・自サ》①死者に別れのあいさつをすること。②〔文〕別れをつげること。お別れ。「―して去る」 ●☆☆**こくべつしき**【告別式】①葬式のとき、一般の人が死者に別れのあいさつをする儀式。「―に参列する」②送別の式。

**こくへん**【黒変】《名・自サ》〔文〕色が黒くかわること。

**こくほ**【国保】《法》↑国民健康保険。

**こくぼ**【国母】〔文〕国民の母。こくも。〔皇后、国父の妻などをさす〕

**こくほう**【国宝】①国のたから。②文化史の上で特に価値を認められて、国家の保護・管理を受けるもの。

**こくほう**【国法】国の〈法規／法律〉。

**こくぼう**【国防】外からの敵に対する、国の守り。

**ごくぼう**【獄房】〔文〕監獄の部屋。牢屋・刑務所の部屋。

**ごくぼそ**【極細】（同じ種類の中で）非常に細い〈こと・もの〉。「―タイプのペン・―の麺」（↔極太）

**ごくみ**【極味】酒の、コクのある深い味わい。

**＊＊こくみん**【国民】その国を構成し、その国の国籍を持つ人。「―感情・―的英雄・―のひとりとして喜びにたえない」 ●☆☆**こくみんえいよしょう**【国民栄誉賞】広く国民に敬愛され、大きな業績をあげて社会に明るい希望と話題をあたえた人に内閣総理大臣がおくる賞。 ●**こくみんがっこう**【国民学校】一九四一年から一九四七年までの小学校。六年制の初等科と二年制の高等科があった。☞尋常小学校。 ●**こくみんきゅうかむら**【国民休暇村】国立公園・国定公園の中にもうけた、宿泊・保養の設備を持つ場所。休暇村。 ●**こくみんけんこうほけん**【国民健康保険】社会保険の一つ。共済保険にはいっていない人や商工業をいとなむ人などのための健康保険。国保。 ●**こくみんしゅくしゃ**【国民宿舎】国民がわずかの費用で利用できるように、地方自治体が国立公園などに作った宿泊・休養のための建物。 ●**こくみんしょく**【国民食】その国の人たちが特に好む、代表的な食べ物。例、日本のカレーライス・ラーメン。 ●☆☆**こくみんしょとく**【国民所得】《経》その国が一年間に〈生産／分配／支出〉した財貨とサービスの総額。「生産―・支出―」〔もともと国民総所得を言う語だが、現在は生産面・支出面もまとめて言う〕 ●**こくみんしんさ**【国民審査】《法》最高裁判所の裁判官がその任務にふさわしいかどうかを、国民の投票で決めること。総選挙のときにおこなう。 ●**こくみんせい**【国民性】その国民一般に共通した性質。「自由な―・―のちがい」 ●**こくみんせいかつセンター**【国民生活センター】国民生活の安定と向上をはかるため、情報の提供や調査・研究をおこなう独立行政法人。☞消費生活センター。 ●**こくみんそうしょとく**【国民総所得】《経》国民所得を分配面から見たもの。GNI。 ●**こくみんそうせいさん**【国民総生産】《経》⇩GNP。 ●**こくみんたいいくたいかい**【国民体育大会】毎年、都道府県の代表選手が出場しておこなわれる、全国的なスポーツ大会。国体。〔二〇二三年の大会から「国民スポーツ大会」に改称〕 ●**こくみんてき**【国民的】《ナダ》広く国民に親しまれているようす。「―アイドル・―行事」 ●**こくみんとうひょう**【国民投票】《法》〔通常の議員などの選挙以外の〕国政の重要なことがらについて、国民一般がおこなう投票。〔憲法改正の国民投票は満十八歳以上の日本国民でおこなう〕 ●☆☆**こくみんねんきん**【国民年金】《法》公的年金の一つ。すべての国民が対象となる。老齢基礎年金・障害基礎年金などが支給される。 ●**こくみんのしゅくじつ**【国民の祝日】《法》法律で定められた日本国民の祝日。元日（＝一月一日）・成人の日（＝一月の第二月曜日）・建国記念の日（＝二月十一日）・天皇誕生日（＝二月二十三日）・春分の日（＝三月二十一日ごろ）・昭和の日（＝四月二十九日）・憲法記念日（＝五月三日）・みどりの日（＝五月四日）・こどもの日（＝五月五日）・海の日（＝七月の第三月曜日）・山の日（＝八月十一日）・敬老の日（＝九月の第三月曜日）・秋分の日（＝九月二十三日ごろ）・スポーツの日（＝十月の第二月曜日）・文化の日（＝十一月三日）・勤労感謝の日（＝十一月二十三日）。 ●**こくみんびょう**【国民病】国民の多くがかかる病気。「花粉症は―だ」

**こくむ**【国務】国家の政務。 ●**こくむしょう**【国務省】アメリカの、外交関係をあつかう役所。 ●**こくむだいじん**【国務大臣】《法》内閣を構成する大臣のうち、ふつう総理大臣以外の大臣。各省大臣・特命担当大臣・無任所大臣。 ●**こくむちょうかん**【国務長官】アメリカの、国務省の長官。閣僚の首席。

**こくめい**【国名】国の名前。くにめい。

**こくめい**【克明】《ナダ》小さなことまでもらさず、ていねいにするようす。「日記を―につける」派―さ。

**こくもつ**［穀物］ 米・麦・アワ・トウモロコシなどの、まとめた呼び名。穀類。

**ごくもん**［獄門］ ①〔文〕牢獄の門。 ②江戸時代に、斬罪にされた重罪人の首を、台にのせてさらしたこと。さらしくび。梟首。「―台」

**ごくや**［獄屋］〔文〕牢獄。牢屋。ひとや。

**こくゆう**［国有］ 国家の所有。「―財産・―林」（↔公有・私有）

**こくようせき**［黒曜石］《鉱》火山岩の一種。黒いガラスのようで、つやがある。かざり・ガラスの原料などに使う。石器時代には、やじりなどの材料にした。

**こぐら・い**［小暗い］《形》 少し暗い。おぐらい。

**こぐらか・る**《自五》〔古風〕もつれる。こんがらがる。こぐらがる。

**ごくらく**［極楽］ ①《仏》↑極楽浄土。 ②安楽で心配のない〈身分／境遇〉。「聞いて―見て地獄」〔⇩「聞く」の句〕▽（↔地獄） ●**ごくらくおうじょう**［極楽往生］《名・自サ》 ①《仏》死んで、極楽浄土に行って生まれかわること。 ②らくに死ぬこと。 ●**ごくらくじょうど**［極楽浄土］《仏》阿弥陀仏のいるという浄土。苦しみのない平和な世界。西方浄土。極楽。 ●**ごくらくとんぼ**［極楽（：蜻蛉）］〔俗〕極楽にいるトンボのように、何事も気にしないで気楽な人。気楽とんぼ。

**こくり**《副》 ①小さくうなずくようす。こくん。 ②軽くいねむりをしているようす。「――といねむりを始める」

**ごくり**［獄吏］〔文〕昔、囚人を取りあつかった、監獄の役人。

**ごくり**《副》 飲み物・食べ物などをのみこむ〈音／ようす〉。ごくん。ごくっ。「生つばを―と飲む」

**こくりつ**［国立］ 国が作り、維持する〈こと／もの〉。「―国会図書館」（↔公立・私立） ●**こくりつこうえん**［国立公園］ 国を代表する美しい自然を保護し、利用者を楽しませるために、国がえらんで決めた広い地域。国が直接管理する。

**こくりょく**［国力］ 国の〈勢力／財力〉。「―が高まる・―が強い・―が おとろえる」

**こく・る**［告る・コクる］《他五》〔俗〕（好意を）告白する。「突然告られる」

**こくるい**［穀類］ 穀物の類。

**こくれつ**［酷烈］《名・ナダ》〔文〕受けた打撃が大きくてはげしいようす。

☆☆**こくれん**［国連］ ↑国際連合。「―決議・―加盟国」 ●**こくれんあんぽり**［国連安保理］〔↑国連安全保障理事会〕 国際平和・安全の維持を目的とする、国連の機関。 ●**こくれんぐん**［国連軍］平和を破壊するものに対して強制措置をとるために国連が組織する軍隊。

**ごくろう**［（御）苦労］ 一《名・ナダ》 ①「相手の苦労」の尊敬語。「なかなか―が絶えませんね」 ②相手の努力などを皮肉って言うことば。「まったく、―なこった」派―さ。 二《感》〔話〕「ご苦労さま」のぞんざいな言い方。〔目下に使う〕「やあ、―」 ●☆☆**ごくろうさま**［（御）苦労（様）］ 一《感》 労をねぎらう、あいさつのことば。 (1)二十一世紀にはいって、同等・目下の人に使うという意見が強くなったが、本来、「ご苦労さまで（ございます）」の形で目上にも使える。 (2)江戸時代、「ご苦労（さま）」は目上にも使った。「本来、主君が臣下に使った」という説は誤り。☞お疲れさま。 二《ナダ》 見返りが少ないのに、労力ばかり大きくて、気の毒なようす。「―な話だ」▽一二〔ぞんざいに〕ご苦労さん。

**こくろん**［国論］ その国としての議論。国民全体の意見。「―を二分する」

**ごくわせ**［極（：早生）］《農》〔くだもの・野菜・イネで〕早生よりも さらに早くとれるもの。

**こくん**《副》 ①小さくうなずくようす。「―と頭を下げる」 ②のどを小さく鳴らすようす。「ミルクを―と飲む」

**こぐん**［孤軍］〔文〕味方のいない、少人数の軍隊。 ●**こぐんふんとう**［孤軍奮闘］《名・自サ》 ただひとり一生懸命〈たたかう／努力する〉こと。

**ごくん**《副》 飲み物・食べ物などをのみこむ〈音／ようす〉。ごくり。ごっくん。「麦茶を―と一口飲む」

**こけ**［（×苔）］ 岩や しめった土地などに平たく一面にはえる植物。花は さかない。「―庭」☞こけむす。

**こけ**［（虚仮）］ おろかな〈こと／人〉。「―の一念・―（『コケ』とも書く）にする（＝ばかにする）」

**ごけ**［後家］〔古風〕 ①未亡人。やもめ。 ②対の一方が かけていること。「―蓋」

**ごけ**［碁×笥］ 碁器。

**こけい**［固形］ かたくて、ある決まった形をしたもの。「―スープのもと」 ●**こけいしょく**［固形食］《医》〔おかゆ・スープなどに対して〕形のある ふつうの食べ物。固形物。（↔流動食） ●**こけいねんりょう**［固形燃料］ かたまった形の燃料。固形アルコールなど。 ●**こけいぶつ**［固形物］ ①液体などにまじった、かたくて形のあるもの。 ②《医》固形食。▽（↔流動物）

**こけい**［孤×閨］（＝ひとりでねる部屋）〔文〕夫の長い留守の間、妻がひとりですごすこと。「―を守る（＝夫の死後、妻が独り身を通す）」

**ごけい**［互恵］〔文〕おたがいに特別の便利や恩恵を受けること。「―条約」

**ごけい**［語形］ ことばの形。

**こけおどし**［（虚仮△威し）］ 中身がなく、うわべだけ ぎょうぎょうしい〈こと／おどしかた〉。「―の宣伝文句」

**こげくさ・い**［焦げ臭い］《形》 ものの こげる においがする感じだ。派―さ。

**こけこっこう** 一《副》 ニワトリの鳴き声。 二〔児〕にわとり。

**こけし**［（：小芥子）・（：木形子）］ おもに、東北地方で作られる、木製の人形。頭はまるく、胴は筒形。

**こけだま**［（×苔）玉］ 植物の根を土で丸く包み、苔をはりつけた、鉢を使わない盆栽。草玉。

**こげちゃ**［焦げ茶］ こい茶色。「―色」

**こけつ**［虎穴］〔文〕 ①トラのすむ あな。 ②危険な場所。 ●**虎穴に入らずんば虎児を得ず**句 危険をおかさなければ のぞみのものは えられない。表記「虎児」は「虎子」とも。

**こげつ・く**［焦げ（付く）］《自五》 ①こげて、なべなどにくっつく。「ごはんが―」 ②《経》〔相場などが〕動かなくなる。 ③貸したお金が とり返せなくなる。名焦げつき。

**コケットリー**〔coquetry〕 なまめかしいこと。

**こけつまろびつ**［（△転けつ△転びつ）］《副》〔文〕ころんだり、ころがったり。あわてて走るようす。「―かけ出てくる」

**コケティッシュ**《ダ》〔coquettish〕①なまめかしいようす。②少女が、男をまどわす魅力(みりょく)のあるようす。派ーさ。

**ごけにん**【御家人】《歴》①鎌倉(かまくら)時代、将軍と主従関係を結んださむらい。②〔徳川幕府の直参(じきさん)で〕「お目見え⑤」以下のさむらい。

**こけむ・す**【×苔△生す】《自五》〔雅〕こけが はえる。「―石垣(いしがき)」

**こげめ**【焦げ目】こげて黒くなった部分。「―を付ける」

**こけもも**【×苔桃】高山に はえる小さい木。実は赤く熟し、果実酒などにする。

**こけら**【×杮】①木の けずりくず。こっぱ。こけらいた。②屋根をふくのに使う、ヒノキなどの うすい板。「―ぶき」表記「杮(かき)」とは ちがい、つくりは「一」に「巾」の上がわがつらぬく形だが、昔から、明確に区別されたわけではない。

☆☆**こけらおとし**【×杮落(と)し】〔新築の劇場や映画館の〕最初の興行。「―にコンサートをおこなう」

**こ・ける**【△転ける】《自下一》〔俗〕①ものに つまずいたりしてころぶ。たおれる。「マラソンで―」②失敗する。だめになる。「芝居(しばい)が―・会社が―〔=倒産(とうさん)する〕」☞こけつまろびつ。

**こ・ける**【△痩ける】《自下一》肉がおちる。「ほおが―・やせ―」

**こ・ける** 接尾《自下一をつくる》①ひどくそう〈する／なる〉。「眠り―・笑い―・ませ(っ)こけた子ども」②⇩こ(痩)ける。

**こ・げる**【焦げる】《自下一》〔火で／日に〕焼けて、ものの表面が〈黒く／茶色に〉なる。「パンが―・日焼けサロンで―」名焦げ。

**こけん**【×沽券】ねうち。品位。体面。●**こけんにかかわる**句 その人の体面・名誉(めいよ)にさしつかえる。「ここで負けては―」

**こけん**【孤剣】〔文〕たった一本の剣。

**こげん**【古×諺】〔文〕古いことわざ。

☆☆**ごけん**【護憲】〔文〕〈憲法／立憲政治〉を守ること。「―運動」(↕改憲)

**ごげん**【語源・語原】その単語の、もともとの起源(的な意味・用法)。☞原語①。

**ここ**【△九】〔古風〕ここのつ。〔数えるときに言うことば〕☞ひい(一)。

**ここ**【×呱々】〔文〕赤ちゃんが、生まれたときに出す泣き声。おぎゃあ。●**呱々の声を上げる**句〔文〕〔赤ちゃんが〕生まれる。誕生する。

**ここ**【個々・△箇々】一つ一つ。いちいち。「―に検討する・―の問題」☞個々人・個々別々。

**ここ《代》①自分(たち)のいる場所、また、自分が指を近づけて示せる部分をさすことば。「―までおいで・―は六階です・―だけの〔=秘密の〕話(だが)、わが社は危ない・―〔=この箇所(かしょ)〕が痛いんです」②すぐ前の話(に出したものごと)を、地点のようにさすことば。この点。「―を考えてほしい」③この場面。この状態。「―ぞ〔=今だ〕とばかり反論した」④この段階・程度。「―まで苦労すると思わなかった」⑤きょうまでの短い期間。最近。「―一週間ばかり会っていない」⑥これからの短い期間。「病人は―二、三日が山だ・―数日が勝負だ」〔大事な期間の場合に言う〕区別⇩指示語。表記かたく「:此処」「:此所」「×茲」とも。☞ここのところ・ここをもって。●**ここで会ったが百年目**句 ここで出会った今が、お前の最期(さいご)だ。あだうちのときの口上(こうじょう)。「―、親の かたき、尋常(じんじょう)に勝負!」●**ここに来て**句 最近になって、急に。ここへ来て。〔変化が起こったときに使う〕「―調子が上がっている」●**ここを先途(せんど)と**句 今この時が運命を決めるだいじな場面だと思って、一生懸命(いっしょうけんめい)になること。「―戦う」

**こご**【古語】昔〔=だいたい江戸(えど)時代まで〕使われて、現代では使われていないことば。「―辞典」☞死語・廃語(はいご)。

**ごご【午後】①正午から夜の十二時まで。「―八時」②正午過ぎから夕方まで。昼過ぎ。「―に会おう」▽(↕午前)表記俗に「午△后」とも。☞p.m.(ピーエム)。

**ココア**〔cocoa〕ココアパウダー〔=カカオのたねを煎(い)った粉〕を湯でといて、砂糖やミルクを加えた、茶色の飲み物。「ホット―・―色」

**ごごいち**【午後一・午後イチ】〔俗〕その日の午後、第一番におこなうこと。ひるいち。〔午後一時ごろをさすことが多い〕「―で届けます」☞朝一(あさいち)。

**ここいちばん**【ここ一番】ここは大いに がんばらなければならない局面。「―というときに ふんばりがきかない」

**ここいら**《代》〔俗〕⇩ここら。

**ここう**【股×肱】〔=ももと ひじ〕〔文〕手足。「―とたのむ臣〔=いちばんたよりにする部下〕」

**ここう**【虎口】〔=トラの口〕〔文〕非常に危険な〈場所／場合〉。危地。「―をのがれる」

**ここう**【×糊口】〔本来は「餬口」。「餬」は、おかゆ〕〔文〕いのちを保つだけの暮らし。●**糊口をしのぐ**句〔文〕毎日の生活をなんとか過ごす。☞口を糊(のり)する〔「口」の句〕。

**ここう**【孤高】《名・ダ》〔文〕ひとりだけ かけはなれて高い境地にいること。「―を守る」派ーさ。

**ここう**【古豪】経験を積んだ強い〈人／チーム〉。ふるつわもの〔古強者〕。(↕新鋭(しんえい))

**こごう**【呼号】《名・自サ》〔文〕〈大げさ／はで〉に言うこと。言いたてること。「最大の成果と―する」

**ごこう**【後光】《仏》威力(いりょく)のしるしとして、仏・菩薩(ぼさつ)のからだから かがやいて出る光。また、それをかたどった、仏像のかざり。「―がさす」

**ごこうふん**【五香粉】シナモン・クローブ・八角(はっかく)など、何種類もの香辛(こうしん)料をまぜあわせたもの。中国料理に使う。ウーシャンフェン。

**こごえ**【小声】小さな声。低い声。(↕大声)

**こごえじに**【凍え死に】《名・自サ》寒さにこごえて死ぬこと。凍死(とうし)。

**こご・える**【凍える】《自下一》寒さのためにからだの感じがなくなる。動凍え死ぬ(自五)。

**ここかしこ**《代》あちこち。ほうぼう。「―と さがし歩く」

**ここく**【故国】〔文〕母国。「―日本」

**ここく**【湖国】〔文〕みずうみのある国。〔おもに、琵琶(びわ)湖のある滋賀県をさす〕

**ごこく**【五穀】五種類の穀物。米・麦・アワ・キビ・マメ。「―豊穣(ほうじょう)をいのる」

**ごこく**【後刻】〔文〕のちほど。「―ご回答します・―を約する」(↕先刻)

**ごこく**【護国】〔文〕国家を守ること。「—の神」

**こごし**【小腰】〔=少し腰を…すること〕 ●**小腰をかがめる**［句］ 腰をちょっとかがめる。

**ここじん**【個々人】〔文〕個々の人。ひとりひとり。「—の自覚に待つ」

**ここち**【心地】［一］①〔快・不快などの〕心やからだで感じる気分。「天にものぼる—・生きた—がしない」②〔古風〕〔…だという〕気持ち。「悲しき—して」［二］［造］〔ごこち〕それがからだにあたえる、気分のよさ。「乗り—・住み—・使い—」 ●**ここちよ・い**【心地(良い)】《形》心やからだに受ける感じがいい。心地いい。「—そよ風」［派］-げ。-さ。

**ごこち**【心地】［造］ ⇩ここち［二］。

**ここつ**【枯骨】〔文〕①死んでから時をへた、人の骨。②死んだ人。死者。

**ココット**〔フ cocotte〕 溶いたたまごなどを入れて焼くのに使う、陶器で作ったカップ。また、それに入れた料理。

**ごごで**【午後出】《名・自サ》〔俗〕午後から出勤すること。「あしたは—します」

**こごと**【小言】①〔:叱言〕 目上の人が、〈注意をする/しかる〉ときに言うことば。「—を言う・親に(お)—を食う」②〔古風/方〕不平や苦情のことば。「—の多い人」 ●**こごとこうべえ**【小言幸△兵△衛】〔俗〕口うるさく注意する人のたとえ。

**ここと**【戸ごと】〔ごと=毎〕〔古風〕一軒ごと。戸々。「—に訪問する」

**ここな**《連体》〔←ここなる〕〔古風〕ここにいる。この。「—おちゃく者」

**ココナッツ**〔coconut〕 ヤシの実。ココナツ。「—ミルク〔=ココナッツの胚乳〕・—オイル」

**ここに**《接》〔文〕前の文を受けて、あとに続けるときに使うことば。「〔死亡通知などで〕—つつしんでお知らせ申し上げます」［表記］かたく「×茲に」とも。

**ここの**【九】［一］ここの 〔古風〕ここのつ。〔数えるときに言うことば〕☞ひい(一)。［二］［遺］ 九つの。「—たび・たんす—さお(棹)」 ●**ここのえ**【九重】〔雅〕宮中。 ●**ここのか**【九日】①その月の九番目の日。②日かずで数えて、九つ。▽ここぬか。 ●**ここのそじ**【(九△十:路)】〔=九十〕①〔雅〕九十歳。②九十代。［由来］⇩じ［接尾］［三］。 ●**ここのつ**【九つ】①八つより一つ多い数。きゅう。く。②九歳。③昔の時刻の名。今の〈昼/夜〉の十二時ごろ。ここのつどき。

**ここのところ**【ここの(所)】［一］ここのところ《副》今までの短いあいだ。ここしばらく。「—お目にかかりませんでした」［二］ここのところ この場の取りあつかい。「—はわたしにまかせて」

**ここべつべつ**【個々別々】①それぞれ。おのおの。②それぞれみなちがうこと。

**こごまい**【古古米】《農》とれてから夏を二度過ごした、古い米。☞古米。

**こごみ** クサソテツの若芽。先がぜんまいのように巻いている。あえ物や天ぷらにする。

**こごめ**【小米・粉米】つくときにくだけた米つぶ(の粉)。

**こご・める**【(△屈める)】《他下一》〔古風〕かがめる。「からだを—・背を—」［自］こごむ・こごまる《五》〔古風〕。

**ここもと**【(×茲△許)】《接》〔文〕〔商業用の手紙で〕ここに。「—領収証をお送り申しあげます」

**ココやし**【ココ(×椰子)】〔coco〕 いちばんふつうの、ヤシ。実はココナッツ。

**ここら**《代》①このあたり。このへん。「—にいい店があるらしい」②今およびその前後。「—でお茶にしよう」③この程度。「—で手を打とう」▽ここいら〔俗〕。

**こご・る**【(△凝る)】《自五》〔冷えて〕かたまる。「さかなの煮汁が—」

****こころ**【心】［一］こころ ①人間の中にあって、喜び・怒り・悲しみや、感動、相手への思いやりなどを生み出すおおもとと考えられるもの。精神。「—とからだの成長・—の病気・—のひだ〔=細かな部分〕を伝えることば」②ものに対する感情。思い。「—が残る」③考え。思慮。「—にうかぶ・—にもないことを言う」④魂。しょうね。「—のくさったやつ・—の糧」⑤人に対する同情。なさけ。おもいやり。「—のこもった手紙」⑥その人の持っている気持ち。心持ち。「—がかたむく・—がかよう・—を開く」⑦〔心のやどるところとしての〕胸。「自分の—にしまっておく・—が苦しくなる」⑧意味。わけ。「その—は?」☞なぞかけ。［二］［遺］「心が」「心を」の意味をあらわす。「—はずむ・—うばわれる・—凍らせる」［三］ごころ［造］〔ごころ〕①絵・歌などについての心得。「歌—」②それなりの気持ち・考え。「子ども—」 ●**心が洗われる**［句］心がすっきりして、晴れ晴れする。「—ような美しい自然」 ●**心が動く**［句］①感じて、心がその方向に動く。②欲望で、心がゆれ動く。 ●**心が折れる**［句］①気持ちがくじける。もうがんばれなくなる。「スランプとけがで心が折れそうになる」〔一九九〇年、女子プロレスラー神取忍の「相手の心を折る」という発言を記した本が出た後、広まった〕②〔古風〕降参して、相手にゆずる気持ちになる。折れる。「父も心が折れて、結婚を許した」［他］心を折る。 ●**心が弾む**［句］うれしさや希望などのために、気がうきうきする。気が弾む。 ●**心ここにあらず**［句］ほかのことに気をとられて、目の前のことに注意がおよばない。 ●**心に穴が開く**［句］はりあいをなくして、さびしくぼんやりとした気持ちになる。胸に穴が開く。「葬儀がすみ、—」 ●**心にかかる**［句］①〔そのことが〕忘れられないでいる。②ずっと心配しつづけている。 ●**心にかける**［句］①〔そのことを〕思う。②どうなるかと心配する。気をつけていて忘れないようにする。 ●**心に染まない**［句］自分の気持ちに合わない。「—縁談」 ●**心に留める**［句］忘れないようにする。「批判的な意見も—」 ●**心にもない**［句］本当にそう思っているわけではない。「—おせじを言う」 ●**心を合わせる**［句］心をひとつにして協力する。 ●**心を致す**［句］心をこめる。そのことだけを深く思っておこなう。 ●**心を痛める**［句］ひどく心配する。胸を痛める。［自］心が痛む。 ●**心を入れ替える**［句］〔悪かった、と気がついて〕考えや態度を改める。 ●**心を動かす**［句］①興味をいだく。やってみようと思う。②感動する。 ●**心を打つ**［句］強く感動させる。胸を打つ。「手紙に心を打たれた」 ●**心を奪われる**［句］①ほかのことがかすんでしまうほど、心が強く引きつけられる。「景色に—」②関心が、本来のところからそれて、そちらに行く。「目先のことに—」▽「(相手の)心を奪う」の形でも使う。 ●**心を鬼にする**［句］気の毒だと思いながらも、相手のためを思ってその場は冷たいしうちをする。●**心を砕**(だ)**く** 句 ①さまざまに苦心する。②いろいろ心配する。●**心を配る** 句 相手や周囲のことをよく考える。気を配る。●**心をこめる** 句 ①いいかげんでなく、そのことに集中する。②まじめに相手を思って、そのことをする。「心をこめたもてなし」 直 心がこもる。●**心を許す** 句 警戒(けいかい)する気持ちをすてる。気をゆるす。●**心を寄せる** 句 ①〔強い〕関心を持つ。②好意をいだく。思いを寄せる。●**こころあたたま・る**[心温まる]《自五》 人情の美しさにふれて、しみじみした気持ちになる。「―物語」●**こころあたり**[心当たり] 心に思い当たる〈こと/ところ〉。「―がない・―をたずねる」●**こころあて**[心当て]〔文〕〔いいことが〕起こりそうだと思っていること。「―にする」●**こころある**[心ある]《連体》 ①その問題をまじめに考えている。分別(ふんべつ)がある。「―人々は現状をうれえている」②意欲がある。「―者はぜひ名乗り出よ」③思いやりがある。「―文章」(↔心ない) ●**こころいき**[心意気] 進んで事に当たろうとする気持ち。「江戸(えど)っ子の―を見せる」●**こころいれ**[心入れ] 心づかいのあること。「(お)―の おくりもの」●**こころいわい**[心祝い](―いはひ) ①心の中で祝うこと。「―に粗酒(そしゅ)差し上げたく」②心ばかりの祝い。「―までにひとり飲む」●**こころえ**[心得] ①心得る(べき)こと。「管理職の―」②〔技術・習い事などを〕ひととおり身につけること。たしなみ。「武道の―がある」③下級の役の人が、いちじ上級の役の職務をおこなうこと。「課長―」●**こころえがお**[心得顔](―がほ)《名・ナダ》 心得ている〈顔つき/ようす〉。「―にうなずく」●**こころえがた・い**[心得(難い)]《形》 本当の気持ちがわからない。のみこめない。派 -さ。●**こころえちがい**[心得違い](―ちがひ) ①思いちがい。「こちらの―(=ミス)でした・自分はえらいと―をする」②道理に外れた〈考え/おこない〉。「一時の―から家庭を失う」●**こころ・える**[心得る]《他下一》 ①こういうものだ、こうすればいいとわかっている。「役割をよく―・客をなんと―(=なんだと思っているの)か!・店の人も心得たもので、すぐに通してくれる」②習って覚える。たしなむ。「夜討(ようち)ちかと心得ます・―」③〔古風〕事情を察する。

心得た(=よし、わかった)」●**こころおきなく**[心置きなく]《副》〔心置き=えんりょ〕①えんりょなく。「お―お休みください」②心配なく。「―死ねる」●**こころおぼえ**[心覚え] ①記録しないで、記憶(きおく)していること。②正式に書き残すのではなく、忘れない程度に書きつける記録。メモ。●**こころがかり**[心(掛かり)・心(懸かり)]《名・ナダ》 そのことがいつも気になり、心配であること。気がかり。●**こころがけ**[心(掛け)] 心がけること。たしなみ。用意。●**こころが・ける**[心(掛ける)]《他下一》 ①いつも注意する。②たえず努力する。●**こころがまえ**[心構え](―がまへ) いざというときにそなえてする心の準備。●**こころから**[心から]《副》 心の底から。しんそこから。「―お喜び申し上げます」●**こころがわり**[心変わり](―がはり)《名・自サ》 相手に何かをしてやろうと思う気持ちが変わること。〔おもに愛情について言う〕●**こころきいた**[心利いた]《連体》〔古風〕気のきいた。頭のよくはたらく。「―おくりもの」●**こころくばり**[心配り]《名・自サ》〔相手に対する〕細かいところまで行き届く注意。配慮(はいりょ)。「やさしい―」●**こころぐみ**[心組み] これからこうしようという考え。考えている計画。●**こころぐるし・い**[心苦しい]《形》〔せわになったり、めいわくをかけたりして〕そのままにはすまされない気持ちだ。派 -げ。-さ。●**こころしずかに**[心静かに](―しづかに)《副》 おちついて。平静に。●**こころして**[心して]《副》〔文〕気をつけて。「―受けよ」●**こころじょうぶ**[心丈夫]《ナダ》 ①心強いようす。②気持ちをしっかり持つようす。「―に生きていく」派 -さ。●**こころ・する**[心する]《自サ》 とるべき態度などについて、注意する。気をつける。「心すべきである」●**こころせ・く**[心(△急く)]《自五》 気持ちがあせっておちつかなくなる。「―ままに」●**こころぞえ**[心添え](―ぞへ) 相手のことを思ってのやさしい注意。「いっそうのお―をいただきたく」●**こころだのみ**[心頼み]〔ことばには出さないが〕心でそっとたのみに思う〈こと/人〉。●**こころづかい**[心遣い](―づかひ)《名・自サ》 相手のためになるように、あたたかい気持ちで考えること。「お―をいただきまして」●**こころづ・く**[心(付く)]《自五》 心にとまる。思いつく。気がつく。名 心づき。●**こころづくし**[心尽くし] 相手が満足するように、できるかぎりの心くばりをすること。「お―の おくりもの」●**こころづけ**[心付け] ほねおりをねぎらって出す、少しばかりのお金。祝儀(しゅうぎ)。チップ。●**こころづま**[心妻]〔雅〕自分が心の中で妻と決めた、女の人。●**こころづもり**[心積もり]《名・自サ》 ことばに出さないで、ひそかに考えていること。●**こころづよ・い**[心強い]《形》 たよれる〈人/もの〉があって、心配せずに、積極的になれる気持ちだ。「そばにいてくれると―」(↔心細い) 派 -さ。●**こころな・い**[心ない]《形》 ①思いやりがない。「―仕打ち・心なく人を傷つける」(↔心ある) ②人の めいわくになることをして恥(は)じない。「―観光客」③何の〈意図/感情〉もない。「心なく たずねた」派 -さ。●**こころなし**[心(×做し)]《副》 こちらがそう思って見るせい(か)。やや。「―(か)、青ざめた顔つきで」●**こころならずも**[心ならずも]《副》 自分の気持ちに反するが。不本意だが。「たのみこまれて―承知する」●**こころにく・い**[心憎い]《形》〈みごとで/気がきいていて〉、にくらしいと思うほどだ。にくい。〔ほめた言い方〕「―演出・―ばかりの気くばり・―までに落ち着きはらう」派 -さ。●**こころね**[心根] ①人間らしい、やさしい気持ち。「その―がうれしい」②根性(こんじょう)。「その―がにくらしい」▽しんこん。●**こころのこり**[心残り]《名・ナダ》 あとまで気になって、気持ちがさっぱりしないこと。「―(=思い残すこと)のないように・完成を見ないで去るのが―だ」●**こころのたけ**[心の丈] 心に思っていること全部。「―をのべる」●**こころのとも**[心の友] 心の支えとなる友人やものごと。「音楽を―とする」●**こころのやみ**[心の闇] ①ひとも自分もはっきり知ることのできない、おそろしい心のおく。「犯人の―は深い」②〔古風〕愛する わが子のことで、思いなやむ気持ち。「―に まよう」●**こころばえ**[心ばえ](―ばへ) 心の持ち方。こころばせ。●**こころばかり**[心ばかり] 自分の、そうしたいという気持ちをあらわしただけ。〔けんそんした言い方〕「―の おくりもの」●**こころひか・れる**[心(引かれる)]《自下一》〔興味や魅力(みりょく)を感じて〕心がひきつけられる。●**こころひそかに**

［心（△密かに）］《副》 心の中でそっと。●こころぼそ・い［心細い］《形》 たよれる〈人／もの〉がなくて心配だ。「ひとりでは―」（↔心強い）派―がる。―げ。―さ。 ●こころまかせ［心任せ］ 思うまま。気まかせ。 ●こころまち［心待ち］《名・他サ》 実現すればいいなと、〔ことばや行動にあらわさないで〕心の中で待っていること。「―にする」 ●こころもち ㊀［心持ち］〔古風〕気持ち。「いい―」 ㊁［（心持ち）］《副》わずかに。やや。「―大きい」 ●☆こころもとな・い［心（△許ない）］《形》〔どうなることかと思って〕心配だ。たよりない。「―収入」 由来「もとな」は「むしょうに」の意味の古語。心がむしょうにゆれ動く状態から。派―がる。―げ。―さ。 ●こころもよう［心模様］ 心のようす。心境。「複雑な―・主人公の―をえがく」 ●こころやさし・い［心優しい］《形》 気づかいや思いやりのある感じだ。派―さ。 ●こころやす・い［心安い］《形》①えんりょなしにものが言えるほど、親しい。懇意だ。②安心である。「老後を心安く過ごす」派―げ。―さ。 ●こころやすだて［心安（立て）］〔古風〕親しさになれてぶえんりょな行動をすること。「―にたのむ」 ●こころやり［心（△遣り）］〔古風〕①ゆううつな気分をはらすこと。うさばらし。「せめてもの―に歌をよむ」②思いやり。同情。「妻をかばう―」 ●こころゆ・く［心（行く）］《自五》 気がはれる。満足する。「―まで語る」

ごころ［心］ 造 ⇩こころ ㊂。

こころざし［志］（＝心指し） ①（大きなことを）しよう、なしとげよう、と思いえがく気持ち。また、思いえがいた目的。「―のある若い人にまかせたい・―を立てる・―が高い・―半ば〈で／にして〉たおれた」②親切。好意。「せっかくの―を無にした」③気持ちをあらわすために事をおこない、また、ものをおくること。「ほんの―です」④〔文〕香典返し・お布施などの表に書くことば。

こころざ・す［志す］《他五》（＝心指す）①〈大きなことを〉しよう、なしとげよう、と思いえがく。「日本縦断旅行を―」②努力する目標とする。めざす。「政治家を―」

こころみ［試み］ こころみること。ためし。 ●こころみに［試みに］《副》 ためしに。「―読んでみよう」

こころ・みる［試みる］《他上一》 結果がどうなるかはともかく、（少し）それをする。やってみる。「実験を―」可能 試みられる。

こころよ・い［快い］《形》（＝心良い）①気持ちがいい。受ける感じがいい。「―そよ風・快く引き受ける・快く思わない（＝不愉快に思う）」②〔病気の〕ぐあいがいい。「病も日ましに快くなり」派―げ。―さ。

こころよしと・しない［快しとしない］《形セズ》（「快しとする」の否定形から）〔文〕〈それを〉いいこととして受け入れるわけにはいかない。快しとはしない。「会の現状を―」丁寧 快しとしません。

ここをもって［（△是を△以て）］《接》〔文〕これがために。こういうわけで。

ここん［古今］ むかしといま。むかしからいまにいたるまで。「―東西（＝古今および世界じゅう）」 ●ここんみぞう［古今未曽有］〔文〕むかしからいままで、あったためしがないこと。前古未曽有。「―の記録」

ごこん［語根］〔言〕単語の一部分で、歴史的にそれ以上分割できない、意味をあらわす最小単位。例、「ほのめく」の「ほの」。

こざ［孤座］《名・自サ》〔文〕ひとりですわっていること。

ごさ［誤差］ ①くいちがい。②《数》真の値と測定した値とのちがい。

ござ［（×茣×蓙）・（×蓙）］ イグサのくきで編んだ敷物。

コサージュ［corsage］ 女性の服の胸・えりもとなどにつける花かざり。コルサージュ。コサージ。

こさい［小才］ ①ちょっとした知恵。②少し知恵がはたらくこと。「―が利く・―が回る」

こさい［（△巨細）］（＝大と小）〔文〕一部始終。委細。「―に（わたって）」

こざい［古材］ 古い民家などから得られる廃材。建材や家具の用材として再利用する。

ごさい［五彩］〔文〕五色。

ごさい［後妻］〈死んだ／別れた〉妻のあとに結婚した妻。（↔先妻・前妻）

ごさい［碁才］〔文〕碁の才能。

ござい《でございで終助》〔古風・俗〕↑ございます。「いきのいいサバで―・『評論家で―』といばっている」

こざいく［小細工］㊀ちょっとした細工。㊁《名・自他サ》根本的な解決を考えない、つまらない策略や手段。「―を弄する」

ござ・い・ま・す〔活用は「せ・しょ／し／す（する）／す（する）／（すれ）／○」〕㊀［（御座います）］《自マス》「ある」の、非常にていねいな言い方。「おふろはここに―」㊁《補動マス》①「…ある」の、非常にていねいな言い方。「ここに書いて―・高こう―・よろしゅう―（このように、形容詞はウ音便になる）」②（て―）〔役所などで〕「…いる」の、非常にていねいな言い方。「このように考えて―〔一般には『考えております』と言う〕」㊂《でございます で助動マス型》「…です」の、非常にていねいな言い方。「こちらが保証書で―・さようで―か」㊃《ましてございます で助動マス型》〔古風〕「…た」の、非常にていねいな言い方。「助かりまして―（＝助かりました）」▽㊀～㊃ござります。✎丁寧語だが、尊敬の意味がないので、相手のことに使うと失礼。「先生でございますか」「予定がございますか」でなく、「先生でいらっしゃいますか」「予定がおありですか」と言う。一方、「水野でございます」のように、自分のことに使うと、ていねいでけんそんした感じが出る。由来「御座」は「おわします（＝いらっしゃる）」を漢字で書いたもの。それが「御座あります」「ござります」となり、さらにイ音便化した。表記「御座：居ます」「×在います」とも書いた。

こさ・える［（×拵える）］《他下一》〔俗〕こしらえる。「頭にこぶを―」

こざかし・い［小（△賢しい）］《形》①利口ぶっているようすだ。なまいきだ。「―口を利く」②小才がある。ずるい。派―げ。―さ。

こざかな［小魚］ 小さなさかな。成長しても大きくならないさかなをふくみ、多くは骨まで食べられる。

こさく［小作］ 地主から土地を借りて耕作する〈こと／人〉。「―人・―農・―料」（↔自作）

こさじ［小（×匙）］ ①小さなさじ。②《料》計量用の五cc入りのさじ。「―二杯」▽（↔大さじ）

ござしょ［御座所］ 天皇・皇后などの、おられる場所。

こさずけ［子授け］ 子どものない人に、子宝をさずけること。「―地蔵」

ござそうろ・う［（御座候）］《自四・補動四》

〔文〕ございます。ござそろ。「はなはだ愉快に―」〔候文で使う〕

**こさつ**【古刹】〔文〕古い寺。ふるでら。

**こさつ**【故殺】《名・他サ》〖法〗〔計画的でなく〕かっとなって人を殺すこと。〔旧刑法で、謀殺と区別して用いた〕

**ごさつ**【誤殺】《名・他サ》〔文〕まちがえて(人を)殺す↷こと。

**コサック**〔Cossack〕ロシア南部の農民から起こり、帝政時代は勇敢な騎兵として知られた集団。カザーク。カザック。コザック。「―ダンス」

**コザック**〔オ kozak〕コサック。

**こざっぱり**《副・自サ》〈どことなく/ちょっと〉さっぱりしているようす。こぎれい。「―した身なり」

**ごさどう**【誤作動】《名・自サ》コンピューターなどの機械が誤った動きをすること。誤動作。

**こざとへん**【〔△阜偏〕】〔こざと＝小里〕漢字の部首の一つ。「階」「陽」などの、左がわの「阝」の部分。〔土を高く盛った所に関係がある〕[由来]「おおざと」より小さく書くことから。

**こさめ**【小雨】①少し降る雨。「―模様」②細かく降る雨。

**こざら**【小皿】小さめの(浅い)皿。「おかずを―に取り分ける」(↕大皿)

**ござりま・す**【〔御座ります〕】《自マス・補動マス・〈で/まして〉ござります で助動マス型》〔古風〕⇩ございます。〔「ござりまする」とも〕[表記]「×厶ります」とも書いた。

**ござ・る〔↑御座ある〕**〔古風/方〕[一]【〔御座る〕】《自五》①「いる・ある・来る・行く」の尊敬語。「何をしにござった?」②「いる・ある」の丁寧語。「うでには覚えが―」[二]《補動五》「…いる」の丁寧語・尊敬語。「感じ入って―〔＝おります〕・お地蔵さんが見て―〔＝いらっしゃる〕」[三]《でござる で助動五型》「…である」の丁寧語。「武士の情けで―」「これで厶る」☞ございます。[表記]「×厶る」とも書いた。

**こさん**【古参】古くからその職についている〈こと/人〉。「―社員・―兵・最―」(↕新入り・新参)

**こさん**【湖産】琵琶湖・浜名湖などの みずうみからとれる〈こと/もの〉。「―のウナギ」

**こざん**【故山】〔＝ふるさとの山〕〔文〕ふるさと。

**ござん**【五山】〖仏〗五つの大きな禅寺。ござん。「京都―〔＝天竜寺・相国寺・建仁寺・東福寺・万寿寺〕・鎌倉―〔＝建長寺・円覚寺・寿福寺・浄智寺・浄妙寺〕」

**ごさん**【午×餐】〔文〕昼食。「―会〔＝昼食会〕」

**ごさん**【誤算】《名・自他サ》①計算ちがい。②見こみちがい。「うれしい―」

**ごさんけ**【御三家】①徳川将軍家の一門である、尾張・紀伊・水戸の三つのいえがらをうやまって言うことば。②その分野で代表的な、三つの会社・学校・人など。「業界の―」

**ござん・す**【〔御座んす〕】《自マス・補動マス・でござんす で助動マス型》〔活用は「せ・しょ|し|す(する)|す(する)|すれ|〇」〕〔古風〕「ございます」より軽い丁寧語。「よう―」〔女〕・関東の生まれで―〔俗〕」

**ござんなれ**《感》〔↑にこそあるなれ。もと、「ごさんな↷石」。〕〔文〕さあ来たな。「よき敵―」

**こし**【古×址】〔文〕昔、建物があったあと(に残る土台石)。

**こし**【古紙・故紙】一度使っていらなくなった紙。〔新聞・雑誌・段ボールなど〕

**こし**【古詩】〔文〕昔の詩。「ギリシャの―」

****こし**【腰】[一]こし ①脚が胴体につながったところで、からだを回したり、曲げたりする部分。「―幅が広い・―を痛める・―をかがめる・―をおろす・《すもうなど》―を落とす」②「腰[一]①」より上の、細くなっている部分。ウエスト。③衣服・はかま(袴)で「腰[一]②」の部分にあたる所。④壁・障子などの、中間から下の部分。⑤〔コシ〕ⓐ〔めん類・織物・髪などの〕弾力。「―がある・―が強い」ⓑ〔酒などの〕余韻。後味。「―があってさわやか」⑥和歌の第三句。腰の句。[二][接尾]①はかま(袴)を数えることば。☞振り[四]。②さやに入れた刀を数えることば。●**腰が重い**[句]①〈なかなか/気軽に〉からだを動かそうとしない。②〈なかなか/気軽に〉行動に出ない。③なかなかその気にならない。動き出さない。▽(↕腰が軽い)④《すもう》腰がくずれない。●**腰が軽い**[句]①気軽に動き出すようすだ。(↕腰が重い)②軽率に動き回るようすだ。●**腰が据わる**[句]少々のことには動じず、どっしりおちついている。●**腰が高い**[句]えらそうな態度をとるようすだ。おうへいである。(↕腰が低い)●**腰が立たない**[句]立ち上がれない。②〔コシが強い〕①強気で、なかなか相手に負けない。●**腰が強い**[句]⇩腰[一]⑤。▽(↕腰が弱い)●**腰が低い**[句]けんそんした態度をとるようすだ。あいそがいい。(↕腰が高い)●**腰が引ける**[句]自信がなくて、堂々とした態度を示さないでいる。および腰になる。「腰が引けた報道」●**腰を上げる**[句]①立ち上がる。②動き出す。行動に移る。「重い―〔＝やっと動き出す〕」▽しりを上げる。おみこしを上げる。●**腰を入れる**[句]①本気になる。[直]腰が入る。②腰をしずめて、からだの重心を安定させる。●**腰を落ち着ける**[句]①その場所に長い間いるようにする。「故郷に―」②ほかのことをせず、じっくりそれに取り組む。腰をすえる。「腰を落ち着けて語り合う」[直]腰が落ち着く。●**腰を折る**[句]①おじぎをする。「腰を折って ものをたのむ」②じゃまを入れて、続けにくくする。「話の―〔＝とちゅうで ことばをはさんで、とぎれさせる〕」●**腰を据える**[句]①その場所に〈すわりこむ/おちつく〉。②腰を低くして、おされても動かないような姿勢を取る。③少々のことではくじけないよう、じゅうぶんな用意をする。●**腰を抜かす**[句]①腰の関節が外れて、立てなくなる。②あまりにおどろいて、からだが動かなくなる。[直]腰が抜ける。●**腰を割る**[句]《すもう》足を開き、ひざを曲げて、からだをまっすぐにした姿勢で腰を下げる。[直]腰が割れる。

**こし**【〔×輿〕】①屋根のついた囲いの中に人を乗せ、下に取り付けた二本の長柄をかつぎ、または手に持って行く、昔の乗り物。②みこし。

**こし**【枯死】《名・自サ》〔文〕草木が かれて死ぬこと。

**こじ**【古寺】古い寺。ふるでら。

**こじ**【居士】[一]〖仏〗出家しないで仏門にはいっている男子。[二][接尾]〖仏〗男性の戒名にそえる語。(↕大姉)[三][造](男性について)ひと。お方。「円満―・慎重―」☞一言居士。

**こじ**【孤児】両親のいない子。みなしご。

**こじ**【故事】昔から伝わる、いわれのあることがら(をあらわしたことば)。例、漁夫の利・コロンブスの卵。「―来歴を調べる・―ことわざ」☞故事成語。

**こじ**[固持]《名・他サ》〔文〕〔自分の意見・説などを〕かたく持ち続けること。

☆☆**こじ**[固辞]《名・他サ》かたく辞退すること。「さそいを―する」

**こじ**[誇示]《名・他サ》自慢そうに見せること。みせびらかすこと。「勢力を―する」

**ごし**[五指]〔文〕〔手の〕五本のゆび。 •**五指に余る** 句 五つ以上ある。 •**五指に入る** 句 すぐれたものの、五番目以内にある。

←**ごし**[語史] その〈ことば/単語〉の歴史。

→**ごし**[語誌] その〈ことば/単語〉の意味・用法や、歴史を記述したもの。

**ごし**[語詞]〔文〕ことば。

**こし**[越し] 造 ①へだてているものの、むこうがわ〈へ/から〉届くこと。「かべ―に聞こえる」 ②ある年月のあいだ続いていること。「三年―の交渉」

**ごじ**[誤字] まちがった〈形/用法〉の字。「―脱字が多い」〔俗に、動詞化して「誤字る」〕(↕正字)

**ごじ**[護持]《名・他サ》〔文〕だいじにして守ること。「仏法―」

**こしあげ**[腰上げ・腰揚げ]《名・自サ》《服》子どものたけに合わせて、腰の部分のぬいあげをすること。☞身上げ。

**こじあ・ける**[(×抉じ)開ける]《他下一》 物をさしこんで、むりにあける。「戸を―」

**こしあん**[(×漉し×餡)] 煮たアズキをうらごしして皮を取り除き、砂糖を加えてねったあん。(↕つぶあん・つぶしあん)

**こしいた**[腰板] ①はかまの腰につける板。 ②壁・障子・かきねの下の部分などにはる板。

**こしいれ**[(×輿)入れ]《名・自サ》〔古風〕⇩おこしいれ。

**こじい・れる**[(×抉じ)入れる]《他下一》①せまいすきまにむりやり入れる。 ②《すもう》むりやり、相手のうでの下に自分のうでを入れる。

**コジェネレーション**〔cogeneration〕⇩コージェネレーション。

**こしお**[小潮・小×汐] 新月と満月の間で、潮の満ち干の差がいちばん小さい〈こと/日〉。(↕大潮)

**こしおび**[腰帯] ①腰にしめる帯。 ②腰ひも。

**こしおれ**[腰折れ] 一 ①へたな詩や歌。 ②自分の歌をけんそんして言うことば。 二《名・自サ》とちゅうからだめになること。「景気の―」

**こしかけ**[腰掛け] ①腰をかける台。 ②かりに身を〈置く/寄せる〉場所。かりのつとめ。「いちじの―・―社員」

**こしか・ける**[腰掛ける]《自下一》 いすなどに腰をおろす。腰をかける。「ベンチに―」

**こしかた**[来し方] 〔雅〕①過去。「―行く末」 ②過ぎてきた〈場所/方向〉。▽きしかた。

**こしがる**[腰軽]《ナダ》 ①気軽に行動するようす。「―に動く」 ②〔職業などを〕気軽に変えるようす。腰がすわらないようす。

**こしき**[古式] 昔どおりの〈やり方/礼式〉。「―にのっとる(=古いやり方に従う)・―ゆかしく」

**こしき**[(×甑)] 米などをむす調理器具。湯をわかしたかめの上にのせて使う。底に湯気の通る穴がある。

**こじき**[(△乞食)]《名・自サ》お金や食べ物をめぐんでもらって生活する〈こと/人〉。ものもらい。ものごい。

**ごしき**[五色] ①青・黄・赤・白・黒の、五つの色。五彩。 ②五種類の色。

**こしぎんちゃく**[腰巾着]〔俗〕勢力のある人にいつもつきしたがってはなれない人。

**こしくだけ**[腰砕け]《名・自サ》 ①《すもうなど》うけこたえる、腰の力がなくなってころがること。 ②〔仕事などを〕とちゅうまでして、あとが続かなくなること。

**こしけ**[(腰気)・(:帯下)]〔俗〕子宮や膣から分泌される液体。おりもの。

**ごしごし**《副》 力をいれて強くこするようす。「足を―(と)あらう」

**こしじ**[越路]〔雅〕北陸道。こしのくに。

**こししょうじ**[腰障子] 腰板をはった障子。腰付き障子。☞腰高障子。

**こじせいご**[故事成語] 中国の古い書物に出ている話をもとにしてできた、語句・格言・ことわざ。例、推敲

**こしだか**[腰高]《ナダ》 ①人や物の重心が高くて〈おちつきが悪い/かっこうがいい〉ようす。 ②「腰 一④」が高い位置にあるようす。「―窓(=かべの中ほどから上にある窓)」 ③尊大なようす。「―な言い方」 •**こしだかしょうじ**[腰高障子] 腰板を高く張った障子。☞腰障子。

・虎穴に入らずんば虎児を得ず。

**こしだめ**[腰だめ] ①銃を腰に当て(て、およその見当で発射す)ること。「―の構え」 ②およその見当(ですること)。「―の数字・―(式)でやる」

**こしたやみ**[木下闇] 木の葉がしげって日光をさえぎったため、木の下がほの暗いこと。したやみ。このしたやみ。

**こしたんたん**[虎視(×眈々)]《トタル》 機会をねらってじっと見ているようす。「―とすきをうかがう」

**ごしちちょう**[五七調]〔長歌や詩で〕語句を五音・七音とつづいた形でくり返すもの。☞七五調。

**ごしちにち**[五七日]《仏》その人が死んだ日を入れて三十五日目。三十五日。五七忌。

**こしつ**[個室] ①ひとりだけが使うための部屋。 ②ほかから独立している部屋。「―のあるレストラン」

**こしつ**[(×痼疾)]〔文〕長く治らない病気。持病。

**こしつ**[固執]《名・自他サ》〔無理があるのに〕自分の考え・方法などを変えないこと。こしゅう。「自説に―する〔『自説を―する』は古風〕」

**こじつ**[故実] ①古代の法令や儀式の規定・慣例など。 ②武家が先例として心得ていなければならない、儀式の規定や慣例、また、生活習慣。☞有職。

**ごじつ**[後日] ①のちの日。将来。ごにち。「―のために」 ②できごとが終わったあと(の日)。「―談(=できごとのあとの話)・―物語」

**こじっかり**[小じっかり] ①《経》「しっかり 一⑩」の、やや程度の弱いようす。 ②〔古風〕わりとしっかり。「―した男」

**こしつき**[腰(付き)] 腰の〈かっこう/動き〉。

**ゴシック**〔Gothic〕 ①活字の書体の一つ。肉太で縦横の太さが一定。ゴシック体。ゴチ。 ②十二～十五世紀にフランスを中心として発達した芸術。 ③↑ゴシック式。「―建築」▽ゴチック。 •**ゴシックしき**[ゴシ

ック式」西洋建築の様式の一つ。先のとがったアーチとドームを主とする。

［ゴシックしき］

**こじつ・ける**《他下一》本来関係のないものどうしを、自分のつごうのいいようにりくつでむりに結びつける。名こじつけ。

**ゴシップ**［gossip］興味をそそるような、ちょっとしたうわさ話。

☆☆**ごじっぽひゃっぽ**［五十歩百歩］どちらにしてもたいしてちがわないこと。似たりよったり。「どの製品も品質は一だ」

**こしなわ**［腰縄］犯人などを護送するとき、犯人の腰のあたりにかける白い細引き。「手錠てじょう・一姿」

**こしぬけ**［腰抜け］①いくじのない〈こと／人〉。臆病おくびょう者。②(病気などで)腰が立たないこと。

**こしのくに**［越の国］《雅》⇒こしじ(越路)。

**こしのもの**［腰の物］①腰にさすかたな。帯刀。②《女》こしまき。

**こしばい**［小芝居］①規模の小さい芝居。「いなか回りの一」②即興そっきょうでする、ちょっとした演技(のような動作)。〔二十一世紀になって広まった用法〕

**こしばり**［腰張り］ふすま・土壁つちかべなどの下のほうに紙をはること。☞腰一④。

**こしひも**［腰（×紐）］女性が和服を着るとき、着物のたけを自分のたけにあわせるために、腰のあたりにしめるひも。こしおび。

**ゴジベリー**［goji berry］くこ(枸杞)の実。

**こしべん**［腰弁］〔←腰弁当〕［古風］①腰にさげる弁当。腰に弁当をさげること。②安月給取り。

**こしぼね**［腰骨］①腰の骨。②〈おし通す／がまんしぬく〉気力。▽こしっぽね。

**こじま**［小島］小さな島。

**こしまき**［腰巻き］①女性が和服を着るとき、はだにつけて腰から下をつつむ布。ゆもじ。②⇒おび③。③上着を腰に巻いて、その部分を前で結ぶファッション。「一スタイル」

**こしまわり**［腰回り］《服》ヒップ。

**こしみの**［腰（×蓑）］腰に巻く、短いみの。

**こしもと**［腰元］①腰のあたり。②昔、身分の高い人のそばにつかえた侍女じじょ。

**こしゃ**［個社］〔業界やグループ会社に対して〕一つ一つの会社。「一別対応」

**ごしゃ**［誤写］《名・他サ》〔文〕①まちがえて書き写すこと。②写真をまちがえて写すこと。

**ごしゃ**［誤射］《名・他サ》〔文〕〔銃じゅう・ミサイル・矢などを〕①目標をまちがえて発射すること。「一事件」②うっかり発射すること。

**こしゃく**［〔小×癪〕］《ナダ》ちょっとしゃくにさわる感じ。「一な奴やつ」派一さ。

**ごしゃく**［語釈］《名・自他サ》〔辞書などで〕語句の解釈・説明(をすること)。「簡明な一」

**ごしゃごしゃ**《副・自サ》〔俗〕ものが集まって混雑するようす。ごちゃごちゃ。

**こじゃ・れる**［〔小：洒落る〕］《自下一》ちょっとおしゃれな印象をあたえる。「こじゃれた服装・あの店はちょっとこじゃれている」

**こしゅ**［戸主］〔旧法で〕今の世帯主に当たることば。法律上の権力は、今よりずっと強かった。

**こしゅ**［古酒］〔文〕長い間しまっておいて味をよくした、古い酒。(↔新酒)☞くーす(古酒)。

**こしゅ**［鼓手］太鼓たいこをたたく役の人。

**こしゅ**［固守］《名・他サ》〔文〕どんなことがあってもゆずれないと、最後まで守ること。「方針を一する」

**こしゆ**［腰湯］腰から下だけ湯につかること。

**こじゅ**［古樹］樹齢じゅれいの高い木。古木こぼく。

**ごしゅ**［〔御〕酒］「酒」の美化語。おさけ。

**ごしゅ**［語種］〔言〕もとがどこのことばであったかという見方で分類した、日本語の語彙ごいの種類。和語・漢語・外来語など。

**ごしゅいん**［〔御〕朱印］①「朱印」の美化語・尊敬語。「一状」②神社や寺の人が、参拝者の帳面に、社寺の名前などを書いたうえでおす朱印。「一帳」

**こしゅう**［孤愁］〔文〕ひとりっきりの身に感じる、かなしい思い。

**こしゅう**［湖周］〔文〕みずうみの周囲。

**こしゅう**［固執］《名・自他サ》［古風］⇒こしつ(固執)。

**こしゅう**［呼集］《名・他サ》〔文〕よびあつめること。「非常一」

**こじゅう**［〔×扈従〕］《名・自サ》〔文〕おとも(をすること)。こしょう。

****ごじゅう**［五十］①十の五倍。②五十歳さい。●**五十にして天命を知る**㊀〔文〕五十歳さいになって自分にあたえられた使命を知る。〔「論語」のことば〕☞知命ちめい。●☆☆**ごじゅうおん**［五十音］すべてのかな文字を規則的に並べたもの。「あいうえお」に続けて、同じ子音しいんをあらわす文字を、母音ぼいんが「あいうえお」の順になるように並べてある。全体は、「あいうえお かきくけこ さしすせそ たちつてと なにぬねの はひふへほ まみむめも やいゆえよ らりるれろ わゐうゑを」。〔「ん」は、本来ふくまれない。実用上は、最後を「…やゆよ らりるれろ わをん」とする〕「一順に並べる・一図(=五十音を五段・十行に並べた表)」●**ごじゅうかた**［五十肩］五十歳さいごろになって、肩の関節のまわりが痛み、動かしにくくなる症状しょうじょう。五十うで。四十しじゅう肩。肩関節周囲炎えん《医》。☞四十腕うで。●**ごじゅうさんつぎ**［五十三次］江戸えど日本橋から京都三条大橋までの間にあった、五十三の宿場。東海道五十三次。

**ごじゅう**［五重］五つのかさなり。●**ごじゅうそう**［五重奏］〔音〕五つの楽器を使った演奏。クインテット。●**ごじゅうのとう**［五重塔］〔仏〕屋根を五層に作った塔。五階建ての塔。

**ごしゅうぎ**［〔御〕祝儀］①「祝儀」の美化語。〔日常語として ふつうに使う〕「一袋ぶくろ(=お祝いの金品を入れる袋)」②お祝いの意味がこもったものごと。「一相場(=お祝い気分で高くなる相場)や、世論調査の数字」・一期間(=首相しゅしょうや大統領が就任した直後などの、世論が好意的な期間)」

☆☆**ごしゅうしょうさま**［〔御〕愁傷（様）］《感》①〔話〕人が死んだとき、その家族の人に向かって言うあいさつのことば。「このたびは一で…」②⇒お悔くやみ①。②

〔俗〕少しからかいつつ、なぐさめることば。「禁煙やめたの? —」☞愁傷。

**こじゅうと**【小〈×姑〉】〈夫/妻〉の姉妹。こじゅうとめ。●**小じゅうとは鬼千匹**〔句〕小じゅうとは嫁にとって鬼千匹に相当するほどおそろしく、苦労するものだ。

**こじゅうと**【小〈×舅〉】〈夫/妻〉の兄弟。

**ごしゅきょうぎ**【五種競技】走りはばとび、二百メートル競走などの五種目の陸上競技をひとりの選手がおこない、合計得点をきそう競技。もと、オリンピック種目。〔現在のオリンピックでは、男子は十種競技、女子は七種競技〕☞近代五種競技。

**こじゅけい**【小×綬鶏】ウズラより少し大きい鳥。背がうすいこげ茶色。あまり飛ばず、雑木林や草むらにすみ、「チョットコイ」とかん高い声で鳴く。

**ごしゅじん**【(御)主人】他人の夫を尊敬して呼ぶ言い方。「—さま(↔奥さま)・—さん・〔見知らぬ年配男性に〕もしもし、—」⇩配偶者。

**ごじゅん**【語順】〔その言語として決まっている〕文の中での、単語の順序。語序。

**こしょ**【古書】古い〈書籍/文書〉。古本。「—展(↑古書即売展)」

**ごしょ**【御所】①天皇・皇太子・皇太后などの住居(を尊敬した呼び名)。「皇居の—・京都—」②昔、将軍家などの住居(を尊敬した呼び名)。

**ごじょ**【互助】〔文〕おたがいにたすけあうこと。「—会」

**こしょう**【小姓】昔、身分の高い人の身近につかえた少年。「お—」

**こしょう**【(×胡×椒)】①香辛料の一つ。コショウの木(=熱帯産の常緑樹)の実を粉にしたもの。②〔九州方言〕とうがらし。☞ゆずこしょう。

**こしょう**【湖沼】〔文〕みずうみとぬま。

**こしょう**【故障】㊀《名・自サ》①〔機械などの一部がこわれたりして〕運転がうまく行かなくなること。「自動車が—する」②〔けが・からだの痛みなどによって〕正常なはたらきがそこなわれること。「—上がり(=からだの故障が治ること)」㊁異議。不服。「—をとなえる」●**こしょうしゃ**【故障者】けがなどのため、通常どおり働けない状態の人。「—の多いチーム」

**こしょう**【誇称】《名・自他サ》〔文〕自慢して おおげさに言うこと。「世界一〈と/を〉—する」

**こしょう**【呼称】《名・他サ》①〔文〕名づけること。呼び名。②声を出して安全などを確認すること。「指差し—」▽称呼。

**こじょう**【古城】〔文〕古いしろ。

**こじょう**【孤城】〔文〕①一つだけあるしろ。②孤立して、援軍のないしろ。●**こじょうらくげつ**【孤城落月】〔文〕勢いがおとろえて心細いこと。孤城落日。

**こじょう**【弧状】〔文〕弓のようにそった形。

**こじょう**【湖上】〔文〕みずうみの上。

**ごしょう**【後生】①〔仏〕ⓐのちの世。来世。ⓑ極楽への往生。②哀願するときに使うことば。「—だからゆるしてくれ・— 一生のお願いだ」☞こうせい(後生)。●**ごしょうだいじ**【後生大事】長い間、大切にすること。〔その必要もないのに、という意味合いでも使う〕「古い考えを—に守っている」由来 日本の仏教語。後生を大切に考え、仏を信仰することから。●**ごしょうらく**【後生楽】心配ごとを少しも苦にせず、安心していること。のんき。

**ごじょう**【五常】〔儒教で〕①「仁・義・礼・知(智)・信」という根本的な考え方。②⇩五倫。

**ごじょう**【互譲】〔文〕おたがいにゆずりあうこと。「—の精神」

**ごじょう**【御×諚】〔文〕おおせ。おことば。

**こしょうがつ**【小正月】〔地方で〕正月十五日または十四日から十六日までの、正月の祝い。

**ごしょうち**【(御)承知】「承知」の尊敬語。「—のとおり」●**ごしょうちおき**【(御)承知(置き)】〔尊敬語〕あらかじめ知っておくこと。「—いただけますと幸いです・万一の場合は責任を負えませんので、—ください」☞お含み置き。

**こしょく**【古色】〔文〕古びた〈おもむき/いろつや〉。●**こしょくそうぜん**【古色×蒼然】《(トタル)》①〔建物などが〕いかにも古そうなようす。「—とした たたずまい」②〔考え・説などが〕古めかしい。

**こしょく**【孤食・個食】ひとりで食事をすること。ひとり食べ。「—の増加・子どもの—を防ぐ」(↔共食) 表記「孤食」は、特に ひとりぼっちの感じが強い場合に使う。

**こしょく**【個食】①食べ物を、一人分ずつ包装したもの。「単身者向けの—商品」②⇩孤食。

**ごしょく**【誤食】《名・他サ》食べてはいけないものを誤って食べてしまうこと。

**ごしょく**【誤植】《名・他サ》〈活字/文字〉のまちがい。ミスプリント。「—の多い本」

**ごしょぐるま**【御所車】牛車の俗称。源氏車。

**こじょたい**【小所帯・小△世帯】①小人数の家庭。②小人数の集団。▽(↔大所帯)

**ごしょどき**【御所解き】(↑御所解き模様)染め模様の一種。りっぱな建物・山水などに公家の使う器具などを取り合わせたもの。

**こしよわ**【腰弱】《名・ナダ》①腰の力の弱い〈こと/人〉。②〈がまんする/おし通す〉力の弱いこと。また、そういう人。派 -さ。

**こしらえ**【(×拵え)】①こしらえ〈ること/た様子〉。つくり。②したく。服装。「はでな—」③役者のメーキャップ。けしょう。

**こしら・える**【(×拵える)】《他下一》①〔くふうして〕ものをつくる。「箱を—・こぶを—」②子どもを持つ。③特に、いい状態にして見せる。「話を—・顔を—(=けしょうする)・しなを—」④とりつくろう。とりなす。「その場を—」▽こさえる。

**こじら・せる**【(×拗らせる)】《他下一》①〔病気などを〕治りにくくさせる。「かぜを—」②解決をむずかしくする。「問題を—」③〔俗〕よくない状況・考え方などを、ますますひどくする。「受験生を—・人生を—」〔二〇一〇年代からの用法〕▽こじらす。

**こじり**【湖尻】みずうみの水が川に流れ出るはしの部分。

**こじり**【(×鐺)】刀のさやのはし(のかざり)。

**こじ・る**【(×抉る)】《他五》〔ふたを取ったり、あけたりするために〕すきまなどに物をさしこんで、強くねじるようにす

る。「ドライバーで こじって開ける」〔「こじて」など、上一段にも活用する〕

**ごじる**【呉汁・△豆汁】ダイズを水につけ やわらかにしてつぶしたものを入れたみそしる。

**こじ・れる**【〈×拗れる〉】《自下一》①〔病気が治りそこなって〕治りにくくなる。②めんどうになる。「話が━」 名こじれ。

**こじわ**【小〈×皺〉・小ジワ】〔顔などにできる〕細かなしわ。

**こしん**【湖心】〔文〕みずうみの まんなか。

**こじん**【古人】昔の人。「━いわく」

**こじん**【故人】①死亡した人。「━となった〔=死亡した〕・━をしのぶ」②〔文〕旧友。

**こじん**【×胡人】〔唐時代の中国で〕北方・西方にいた異民族。おもにペルシャ人。

**こじん【個人】①〔社会を形づくる者としての〕ひとりひとり。②〔団体(の地位)などの立場をはなれたものとしての〕ひとりの人格をもった人間。「━の資格で出席する・━教授」③↑個人競技。「体操、女子━」〔↔団体〕④↑個人タクシー〔=個人営業のタクシー〕。 ●**こじんさ**【個人差】それぞれの個人によってちがう、心やからだの はたらきや、能力・資産のちがい。「━が大きい」 ●**こじんしゅぎ**【個人主義】①個人というものの ねうちを認め、個人の自由と独立を重んじる立場。〔↔全体主義〕②自分本位の考え方。利己主義。 ●☆☆**こじんじょうほう**【個人情報】ひとりひとりの人間についての〔私的な〕情報。氏名・住所・年齢・職業など。「━がもれる」 ●**こじんてき**【個人的】〈ナダ〉個人を主とするようす。個人としてするようす。〔↔社会的〕 ●☆☆**こじんねんきん**【個人年金】〔公的年金や企業年金とちがって〕金融機関や生命保険会社にお金をはらいこんでおき、将来、年金としてしはらいを受けるしくみの金融商品。 ●**こじんプレー**【個人プレー】〔団体競技や共同作業で〕一人で行動すること。「━に走る・━にたよる」〔↔チーム プレー〕 ●**こじんメドレー**【個人メドレー】《競泳》ひとりでバタフライ・背泳ぎ・平泳ぎ・自由形の順に泳ぐ競技。個メ。

**ごしん**【護身】危害から からだを守ること。「━術」

☆☆**ごしん**【誤診】《名・自他サ》まちがった診断(をすること)。「━の疑いがある」

**ごしん**【誤審】《名・自他サ》①《スポーツなど》まちがった審判(をすること)。ミスジャッジ。「━だと抗議する」②〔文〕まちがった審理。

**ごしん**【誤信】《名・他サ》〔文〕まちがって信じこむこと。

**ごじん**【後陣】⇩こうじん(後陣)①。

**ごじん**【御仁】「人」を尊敬して呼ぶ、少し古い言い方。おかた。「あの━」

**ごじん**【×吾人】《代》〔文〕われわれ。われら。

**ごしんえい**【〔御〕真影】〔もと、宮内省から各学校に貸与された〕天皇・皇后のお写真。

**ごじんか**【御神火】①〔伊豆大島の〕三原山の噴火の火。「━様」②「神火①」の尊敬語。▽ごしんか。

**ごしんぞ**【〔御〕新△造】〔古風〕中流社会の人の妻を尊敬して呼ぶことば。〔ご〕しんぞう。じんぞ。「御家人の━さま・━さん」

**ごしんとう**【御神灯】神にそなえるあかり。また、ちょうちんの火。ごじんとう。

**ごしんぷ**【〔御〕親父】「相手の人の父」の尊敬語。〔改まった言い方〕

**こじんまり**【〔小じんまり〕】《副・自サ》⇩こぢんまり。

↑**こ・す**【越す】■一《他五》①上空を過ぎて行く。「飛行機が山を━」②障害になるものを過ぎて行く。「歩いて山を━・━に越されぬ〔=越そうとしても越せない〕大井川」③〈山場/絶頂〉を過ぎる。「ピークを━」④ある時点・時期を過ぎる。「期限を━・長い冬を━」■二《自五》①引っ越す。移る。「近所に━」②まさる。☞越したことはない 句。可能 越せる。☞お越し。 ●**越したことはない** 句〔…に━〕〔大きな得になるわけではないが〕それが いちばん〈いい/まちがいが少ない〉。「早めに行くに━・用心に━」

↑**こ・す**【超す】《他五》それ以上になる。「千人を━・度を━」〔『越す』とも〕

**こ・す**【鼓す】《他五》〔文〕⇩鼓する。「勇を鼓せ」

**こ・す**【〈×漉す〉・〈×濾す〉・〈×沪す〉】《他五》紙や布などの細かなすきまを通して液体に ふくまれる かすを取り除く。

**ご・す**【×伍す】《自五》〔文〕⇩伍する。「世界に━技術」

**こすい**【湖水】〔文〕みずうみ(の水)。「━地方〔=イギリス・イングランドの、みずうみの多い名所〕」

**こすい**【鼓吹】《名・他サ》〔=太鼓を打ち、笛をふくこと〕宣伝すること。〔思想などを〕教えこむこと。

**こす・い**【〈×狡い〉】《形》自分の利益を考えて、ずるい。「━交渉者」派━さ。

**ごすい**【午睡】《名・自サ》〔文〕ひるね。

**こすう**【戸数】〔一軒一軒数えたときの〕家の かず。

**こすう**【個数・△箇数】①〔ものの〕かず。②「個」をそえて数えるものの かず。

**ごすう**【語数】〈ことば/文字〉の かず。

**こずえ**【〈×梢〉・〈×杪〉】〔=木末〕〈幹/枝〉の先。

**こすから・い**【〈×狡辛い〉】《形》⇩こすっからい。派━さ。

**コスタリカ**〔Costa Rica〕中央アメリカにある共和国。首都、サンホセ(San José)。 ●**コスタリカほうしき**【コスタリカ方式】〔衆議院議員の選挙で〕同じ政党の二候補が共存をはかるため、選挙ごとに小選挙区選挙と比例代表選挙とに交替で立候補する方式。由来 コスタリカでは同一選挙区での議員の連続当選を禁じることから。

☆☆**コスチューム**〔costume〕①扮装のための衣装。「宇宙人の━」②舞台などで着て、見せる衣装。「ダンスの━・フィギュア スケートの━」③女性の改まった服。ドレス。「黒の━に身を包む」 ●**コスチュームプレイ**〔costume play〕①衣装や扮装が重要となる演劇や映画。時代劇や史劇に多い。②⇩コスプレ。

**こすっから・い**【〈×狡っ辛い〉】《形》ぬけめがなくて、お金のことに敏感だ。こすからい。「━連中」派━さ。

☆☆**コスト**〔cost〕①原価。生産費。「━アップ〔=コストが高くつくこと〕〔↔コストダウン〕・━カット」②値段。費用。「生活━が高い」 ●☆☆**コストパフォーマンス**〔cost performance〕かかった費用に対する得られた〈効果/満足度〉の大小。費用対効果。C.P.。コスパ〔俗〕。「—がいい」

**コスパ**〔俗〕↑コスト パフォーマンス。「—が高い・高—・〔形容動詞化して〕—なランチ」

**コスプレ**《名・自サ》〔↑コスチューム プレイ〕〔俗〕アニメ・漫画のキャラクターや、いろいろな職業などの扮装をして楽しむこと。

**コスプレイヤー** コスプレをする人。コスプレーヤー。レイヤー〔俗〕。「プロの—」

**ゴスペル**〔gospel〕《宗》①〔キリスト教で〕福音（書）。②《音》アメリカの黒人教会から生まれた福音賛美歌。黒人霊歌の一種。ゴスペル ソング。

☆☆**コスメ**〔↑コスメティック〕けしょう品。「春の—・—コーナー」

**コスメティック**〔cosmetic〕⇩コスメ。

**コスモス**〔cosmos〕①大形でじょうぶな西洋草花の一つ。秋、枝の先ごとに花びらが八枚のように見える花をひらく。あきざくら。表記「:秋桜」は、一九七七年のヒット曲「秋桜」から広まった当て字。②秩序（のある）宇宙。（↔カオス）

**コスモポリス**〔cosmopolis〕国際都市。

**コスモポリタン**〔cosmopolitan〕①国籍などにとらわれず、世界を自分の国であると考える人。世界主義者。②外国の人との交際の多い人。国際人。

**コスモロジー**〔cosmology〕①宇宙論。「日本神話の—」②ものの見方。世界観。「自分の—を構築する」

**こす・る**〔△擦る〕《他五》強くおしつけた状態で、表面に沿って（何度も）動かす。「手をこすりあわせる・車を—〔=接触事故を起こす〕・からだをこすりつける」

**こ・する**〔鼓する〕《他サ》〔文〕ふるい起こす。鼓す。「勇を—」

☆☆**ご・する**〔×伍する〕《自サ》〔文〕〔同じ立場で〕ならぶ。なかまにはいる。伍す。「先輩に伍して働く」

**ご・する**〔期する〕《他サ》〔文〕①その事を予想して心構えをする。覚悟を決める。②期待する。「再会を—」▽期する。期す《五》。

**こす・れる**〔△擦れる〕《自下一》こすった状態になる。すれる。「布がこすれて光る」

**ゴスロリ**〔↑和製 Gothic Lolita〕古い西洋の少女人形のように、ぶきみで美しい感じを出した、女性のファッション。

**ごすんくぎ**〔五寸（×釘）〕ふつう、長さ二寸〔=約六センチ〕のくぎ。由来 もとは五寸〔=約一五センチ〕のものを言った。

**ごせ**〔後世〕《仏》来世。後生。「—をとむらう」（↔前世・現世）

**ごぜ**〔(:瞽女)〕〔↑めくらごぜ。ごぜ=御前〕〔主として新潟県で〕三味線をひきながら、物語や歌を聞かせた、目の見えない女旅芸人。

**ごぜ**〔御△前〕接尾〔↑御前〕〔古風〕女性を尊敬して、そえることば。「尼—・母—」

**こせい**〔古聖〕〔文〕昔の聖人。

**こせい**〔個性〕才能や感性など、その個人の特性。「ゆたかな—」 ●**こせいてき**〔個性的〕《ダナ》個性がよくあらわれるようす。「—な作品」

**こせい**〔湖西〕みずうみのにしがわ。こさい。（↔湖東）

**こぜい**〔小勢〕少ない人数。小人数。（↔大勢）

**ごせい**〔悟性〕《哲》経験にもとづき、合理的に考えて判断する、心のはたらき。

**ごせい**〔碁聖〕〔文〕碁の名人。

**ごせい**〔語勢〕〔文〕ことばの勢い。「きつい—で言いつのる」

**ごせい**〔互生〕《名・自サ》《植》葉が、ふしごとに一枚ずつ、たがいちがいにはえること。（↔対生・輪生）

**ごせいこうき**〔五星紅旗〕中華人民共和国の国旗。赤地の左上に、黄色い五つの星がある。

**こせいだい**〔古生代〕《地》地質時代の大区分の一つ。先カンブリア時代の後で、約五億四一〇〇万年前から約二億五二〇〇万年前まで。無脊椎動物や魚類、両生類、爬虫類が現れた。

**こせがれ**〔小（×倅）〕〔俗〕①自分のむすこをけんそんして言うことば。②年若いものをののしって言うことば。こわっぱ。

**こせき**〔戸籍〕①《法》夫婦を単位として、家族の氏名・続き柄・生年月日・出生地などを登録した、公式の台帳。「—謄本・—抄本・—筆頭者〔⇩「筆頭②」の用例〕」②〔俗〕出身地や家族関係。出自や関係。「—調べ」

**こせき**〔古跡・古×蹟〕〔文〕昔〈事件/建物〉のあったあと。旧跡。「名所—」

**ごせき**〔碁席〕碁会所。

**こせこせ**《副・自サ》①小さなことばかり気にして、心がゆったりしていないようす。「—と目先の利益を求める・—した態度」②場所がせまくて、ゆとりのないようす。「—した町なみ」

**こせつ**〔古拙〕《名・ダナ》〔文〕〔古い美術品などが〕へたなように見えるが、じつは味があって上品なこと。派 -さ。

**こぜつ**〔孤絶〕《名・自サ》〔文〕まわりから〈切りはなされて/取り残されて〉孤立していること。

**こせつ・く**《自五》〔俗〕こせこせする。

**ごせっく**〔五節句〕大切な五つの節句。人日〔一月七日〕・上巳〔三月三日〕・端午〔五月五日〕・七夕〔七月七日〕・重陽〔九月九日〕。

**こぜに**〔小銭〕①小さい単位の お金。硬貨。「—入れ」②ちょっとした額のまとまった お金。「—をかせぐ」

☆☆**こぜりあい**〔小競り合い〕《名・自サ》①小さな兵力による、ちょっとした戦闘。「国境で—が起きる」②いさかい。ごたごた。

**こぜわし・い**〔小（△忙しい）〕《形》なんとなく せわしい。「小ぜわしく歩き回る」派 -さ。

**こせん**〔古泉〕①〔文〕古くからある温泉。「日本三大—」②⇩古銭。

**こせん**〔古銭〕普通用し、今はこっとう品としてねうちのある お金。「—収集」表記「古泉」とも書いた。「古泉学」

**ごせん**〔五線〕《音》楽譜を書きこむための、五本の平行線。「—紙」

**ごせん**〔互選〕《名・他サ》特定の人々の間で、ある役をその中からえらぶこと。「委員長を—する」

****ごぜん**〔午前〕①夜の十二時過ぎから正午までの間。「—二時」☞a.m.。②朝から正午まで。昼前。「—中に会う」▽（↔午後）●**ごぜんさま**〔午前様〕酒を飲んだり遊んだりして、真夜中を過ぎてから家に帰る人。〔「御前様」のもじり〕

**ごぜん**〔御前〕— ごぜん ①天皇など、身分の高い人の

〔座席の〕まえ。「―会議・―演奏」②位の高い僧。「帝釈天(の奥方)を尊敬して呼んだことば。「―さま」㊁ **ごぜん**《代》江戸時代、主君(の奥方)を尊敬して呼んだことば。「―様」㊂ **ごぜん** 接尾 ①昔、身分の高い人を尊敬して、その名の下にそえたことば。「六代―」②昔、女性を尊敬して、その名の下にそえたことば。「仏―」

**ごぜん**［〔御〕膳］①「ぜん」の美化語。②「食事・飯」の美化語。●**ごぜんじるこ**［〔御〕膳汁粉］こしあんのしるこの、別の呼び名。(↕いなかじるこ) ●**ごぜんそば**［〔御〕膳〔：蕎麦〕］上等のそば粉にたまごを入れて作ったそば。卵切り。

**こせんきょう**［×跨線橋］線路をまたぐようにかけた橋。渡線橋。陸橋。ブリッジ。

**こせんじょう**［古戦場］昔、大きな戦いがあった場所。

**こせんりゅう**［古川柳］江戸時代の川柳のうち、初期のもの。

**こそ《副助》①ほかのものと区別して、特にとり立てて強める。「これ―本物だ」②強調をあらわす。「よう―いらっしゃいました」〔「こちら―」のように、とちゅうでとめる場合がある〕③〔―＋動詞仮定形《文語の已然形に相当》〕一応の肯定をあらわす。…はするが、しかし。「喜び―すれ、怒るはずがない・じゃまに―なれ、何の役にも立たない・進む道―ちがえ、思いは一つだ」〔「成績―優秀だが、気が弱い」のように、逆接の接続助詞を続けることもある〕④〔…**ば―**〕全然(し)ない意味をあらわす。「動かば―〔＝てこでも動かない〕」 アク ウシこそ・ネコ―こそ・イヌ―こそ。

**こぞ**［〔△去△年〕］〔雅〕昨年。きょねん。

**こそあど**《言》何かを指し示すはたらきを持つことばをまとめた呼び名。「これ・それ・あれ・どれ」〔＝代名詞〕、「この・その・あの・どの」〔＝連体詞〕、「こう・そう・ああ・どう」〔＝副詞〕など、それぞれ最初に「こ・そ・あ・ど」がつく。こそあどことば。

**こそう**［古層］〔文〕歴史上の古い時期に形づくられた、ものごとの根底にあるもの。「日本文化の―」

**こぞう**［小僧］①僧の見習いの子ども。②〔古風〕少年の店員。でっち。③少年を見さげて言うことば。「小僧っ子。④男を〈見さげて/親しんで〉言うことば。「ねずみ―・カメラ―」

**ごそう**［誤想］《名・自サ》〔文〕思いちがいをすること。「―防衛〔＝かんちがいで、正当防衛のつもりで行動すること〕」

**ごそう**［誤送］《名・他サ》〔文〕まちがった所へ送り届けること。「荷物の―事故」

**ごそう**［護送］《名・他サ》①〔にがさないように〕つきそって送り届けること。②《法》刑事被告人などをある場所からほかの場所へ移すこと。「犯人の―」●**ごそうせんだん**［護送船団］①《軍》民間船の護衛をする、軍の船団。〔速度のおそい民間船に合わせて進む〕②業界内に競争がなく、業績が悪くても、行政によって手厚く保護されるしくみ。「―方式」

**ごぞう**［五臓］《漢方》肺臓・心臓・脾臓・肝臓・腎臓。内臓。●**ごぞうろっぷ**［五臓六×腑］五臓と六腑。「〔酒が〕―にしみわたる・―が煮えくり返る〔＝はらわたが煮えくり返る〕」

☆☆**こそく**［〔×姑息〕］《ナダ》〔＝姑らく息む〕①またすぐだめになるが、しばらくはまにあうようす。その場しのぎ。いちじのがれ。「―な手段」②〔俗〕卑劣。「―なやから」 派 ―さ。

**こそ・ぐ**《他五》けずりおとす。こすりけずる。こそげる。「ゴボウを―・こそぎ落とす」

**ごぞく**［語族］《言》もとは同じ系統と考えられる言語をまとめた呼び名。「インド・ヨーロッパ―」

☆☆**ごそくろう**［〔御〕足労］相手にわざわざ〈来て/行って〉もらうことの尊敬語。「―をわずらわす」

**こそ・げる**《他下一》ものの表面のいらない部分を、刃物などでけずりおとす。こそぐ。「ゴボウの皮を―」

**こそこそ**《副・自サ》〈人に知られ/目立た〉ないように、かくれてするようす。「―(と)話す」

**ごそごそ**《副・自サ》①こわばったものが、こすれあう〈ようす/音〉。「―(と)動き回る」②見た感じやさわった感じがあらいようす。「―した布」

**こぞことし**［〔△去△年〕今年］《俳句》一年の変わり目。

**こそだて**［子育て］《名・自サ》子どもをそだてること。

**こぞって**［〔△挙って〕］《副》〔文〕人々がすべて参加するようす。残らず。みな。「―参加する」「―地蔵・―支援」

**こそっと**《副》⇩こっそり。

**ごそっと**《副》⇩ごっそり。

**こそで**［小袖］①今の和服によく似た、昔のふだん着。②絹の綿入れ。(↕ぬのこ)

**こそどろ**［こそ(泥)］〔俗〕①わずかなものをぬすむどろぼう。②こっそりものをとって行くどろぼう。

**こそばゆ・い**《形》〔西日本方言〕くすぐったい。こそばい。派 ―げ。―さ。

**ごぞんじ**［〔御〕存じ・〔御〕存：知］①知っていることの尊敬語。御承知。②〔恋文などで〕あなたの知っている人。「―より」

←**こたい**［固体］《理》一定の形や体積を持っていて、形を変えにくいもの。(↕液体・気体)

→**こたい**［個体］①空間の中でほかのものと区別され、独立してあるもの。個物。「―差」②《生》それぞれ独立生活をいとなむ、一つ一つの生物〔＝動物・植物〕。「―の発生」

**こたい**［鼓隊］太鼓〔＝大太鼓・小太鼓など〕で行進用のリズムを演奏する楽隊。

**こだい**［古代］①大昔(の時代)。「―魚」②《歴》日本史では、古墳時代から飛鳥・奈良・平安時代までをさす。「―社会」●**こだいむらさき**［古代紫］〔江戸紫にくらべて〕やや暗い感じのむらさき。

**こだい**［誇大］《ナダ》事実よりも大げさなようす。「―に言いふらす・―広告」●**こだいもうそう**［誇大妄想］《医》自分の現在の状態を過大に評価する妄想。

**ごたい**［五体］①頭・両手・両足のこと。また、頭・首・胸・手・足のこと。全身。「―満足」②篆書・隷書・楷書・行書・草書など、五つの書体。「―字類〔＝書体を集めた字典の名〕」●**ごたいとうち**［五体投地］《名・自サ》《仏》地面に〈頭と両手両足/全身〉をつけておこなう、最上級の礼拝。〔チベット仏教のものが有名〕「感謝のなみだを流して―する〔大げさな表現〕」

**こだいこ**［小太鼓］小形の太鼓。

**ごたいそう**[御大層]《ナダ》〔俗〕大げさ。「—な態度」〔あざけって言うことば〕派—さ。

***こたえ**[答え]①答えること。返事。②問題の〈解答/答案〉。「—合わせ〈=答えが合っているかどうか確かめること〉」▽〈↔問い〉

**こたえられ・ない**[〈堪えられない〉]《形》がまんができないほど気持ちいい。たまらない。「—おいしさだ」丁寧 こたえられません。

↓**こた・える**[応える]《自下一》①からだや心にとって打撃になる。「寒さがからだに—・事件がだいぶ応えたようだ」②相手のはたらきかけに対して、応じる。むくいる。「恩に—・期待に—」可能 応えられる。

↑****こた・える**[答える]《自下一》①相手の問いかけ・呼びかけに対して、ことばなどを返す。返事をする。「『はい』とはっきり—・取材に—・目で—」〈↔問う〉②解答・回答する。「問いに答えよ・アンケートに—」③反響する。「こだまが—」可能 答えられる。

**こだか・い**[小高い]《形》ちょっと高い。「—丘」

**こだから**[子宝]親にとって宝である、子ども。

**ごたく**[〈御託〉]〈↑御託宣〉①くどくど言うことば。②ごうまんな言い分。「—を並べる」

**こだくさん**[子〈沢山〉]《名・ナダ》産んだ子どもが多いこと。「貧乏人の—」

**ごたごた** ■**ごたごた** もめごと。いざこざ。「—が起こる」■**ごたごた**《副・自サ》①乱雑なようす。「—した室内」②争いが起こっているようす。「境界線のことで—する」

**こだし**[小出し]《名・他サ》少しずつ出す〈こと/もの〉。「—に使う」

**こだち**[小太刀]①小形のたち。②小さな刀でおこなう武術。

**こだち**[木立]むらがってはえている木。

**こたつ**[〈×炬×燵〉・〈△火×燵〉]内がわにヒーターを取りつけたテーブルのような木のわくにふとんをかけて、からだをあたためる器具。「—にはいる」〔もともとは炭火などを使った〕

**ごたつ**[悟達]《名・自サ》〔文〕さとりきること。

**ごだつ**[誤脱]《名・他サ》〔文〕文章で、字のまちがいとぬけおちたところ。文章の表記上の不完全さ。

**ごたつ・く**《自五》ごたごたする。名 ごたつき。

**こだて**[小盾・木盾]からだを守るための、まにあわせのたて。●**小盾に取る** 句 身を防ぐ手段とする。小盾にする。「立ち木を—」

**こだて**[戸建て]〔集合住宅に対して〕独立した一軒の住宅。一戸建て。

**こだね**[子種]①子どもをつくるもとになる、精子。「—がない」②家を継ぐべき子ども。●**子種を宿す** 句 妊娠する。

**こたび**[×此度]〔古風〕このたび。今度。「—のいくさ」

**ごダブリュー いちエイチ**[5W1H]「いつ・どこで・だれが・何を・なぜ・どのように」の、英語の頭文字〈=when, where, who, what, why, how〉をまとめた言い方。報道などで、事実を正確に伝えるために必要な要素。ごおダブリューいちエイチ。

**ごたぶん**[〈御〉多分]多くの〈例/場合〉。●☆**ご多分に漏れず** 句 ほかと同じように。「この村も—高齢化が進んでいる」

**こだま**[小玉]①小さな玉。②果実・たまごなどの、小さなもの。「—スイカ」▽〈↔大玉〉③古代のアクセサリーに使われたガラスや石など。「—の首かざり」

**こだま**[〈×谺〉・〈木霊〉]《名・自他サ》①山や谷で、音や声がはねかえって聞こえてくる〈こと/もの〉。山びこ。②あたりにひびきわたること。「警報が町中に—する」

**ごたまぜ**[ごた混ぜ]⇩ごちゃ混ぜ。

**こだわ・る**[〈△拘る〉]《自五》①それぱかりを〈いつまでも〉気にする。「お金に—・勝ち負けに—・小さいことに—」②つきつめてよく考える。「この点にもう少しこだわってみたい」③自分の好みを深く追い求める。「ビールは銘柄に—」▽②③一九八〇年代からの用法。名 こだわり。「—を持つ・—の逸品」

**こたん**[枯淡]《名・ナダ》〔文〕〈人間が年をとって/無欲で〉あっさりしているようす。「—の境地」派—さ。

**コタン**〔アイヌ kotan〕集落。村落。「カムイ—〈=神の住む地〉」

**ごだん**[誤断]《名・他サ》〔文〕まちがった判断〈をすること〉。

**ごだんかつよう**[五段活用]《言》動詞の活用の種類の一つ。語尾が「ア・イ・ウ・エ・オ」の、五段に活用するもの。例、読む。〔文語では四段活用〕

**こち**[〈東風〉]〔雅〕ひがしかぜ。☞南風。

**こち**[故地]〔文〕ふるさとの土地。

**こち**[故知・故×智]〔文〕昔の人の知恵。「家康の—に倣って〈学んで〉敵をあざむいた」

**こち**[〈×鯒〉]浅い海にすむ、頭の大きなさかな。海の底に腹ばいになっている。さしみなどにする。

**ごち**[ゴチ]〔俗〕↑ごちそう。「—になる」

**ゴチ**〈↑ゴチック〉⇩ゴシック①。「丸—」

**こぢから**[小力]ちょっとした力。「—のある男」

**こちこち**《副》■**こちこち** かたいものどうしが軽く当たって出す高い音。■**こちこち** ①非常に〈かたい/がんこな〉ようす。「—にかたまる」②緊張しているようす。「面接で—になる」

**ごちそう**[〈御×馳走〉]《名・他サ》①〈手間をかけた/豪華な〉食事〈でもてなすこと〉。「ゆうべは—だった・私にはそばだけでも—だ」由来 走り回って〈=馳走して〉用意した食事という意味から。②飲食物をおごること。「冷たいジュースを—する」▽〔お礼で〕どうも—になりました」☞ゴチ。③ちょっとぜいたくな飲食物。「—サラダ」〔二十一世紀になって広まった用法〕●**ごちそうさま**[〈御×馳走様〉]《感》〔話〕①食後のあいさつ。「—でした」✓言われた側は、来客には「いえいえ、お粗末さま〈でした〉」、飲食店の客には「ありがとうございます」などと返す。関西では「よろしゅうおあがり」と返す言い方もある。☞いただきます。②食事などのもてなしを受けたときの、お礼のあいさつ。③恋人どうしなどの仲のよさを見せつけられたりしたときに、冷やかして言うことば。

**こちたき**《連体》〔古風〕くどくどとわずらわしい。うんざりするほどの。「—区別がある」

**ゴチック**〔ド Gotik〕⇩ゴシック。

**こちとら**《代・副》〔俗〕自分〈たち〉をさすことば。こっちは。「—江戸っ子だい」由来「こちと〈↑こちひと〈此方人〉〉」に「ら」がついた形。

**こちゃく**[固着]《名・自サ》〔文〕かたまってつくこと。

くっついてはなれないこと。

**ごちゃごちゃ** **ごちゃごちゃ**《副・自サ》・**ごちゃごちゃ**《ナダ》①多くのものが入り乱れているようす。「部屋の中が―だ」②不平や不満を言うようす。「―言うな」

**ごちゃまぜ**［ごちゃ混ぜ］いろいろなものが〈ごちゃごちゃと〉入りまじっているようす。ごた混ぜ。「―にする」

**ごちゅう**［湖中］〔文〕みずうみの中。「―にしずむ」

**ごちゅう**［語中］〔文〕単語の始め(=語頭)と終わり(=語末)以外の部分。「―で発音が変わる」

**こちゅうのてんち**［×壺中の天地］〔文〕俗界(ぞっかい)とかけはなれた別天地。

**コチュジャン**〔朝鮮 gochujang〕調味料の一つ。トウガラシみそ。コチジャン。「ビビンバに―を入れる」

**こちょう**［古調］〔文〕〈古い／古代の〉調子。

**こちょう**［×胡×蝶］〔雅〕ちょう(蝶)。●**こちょうらん**［×胡×蝶×蘭］洋ランの一種。夏、チョウのような白い花をつける。高級感があり、お祝い用に使われる。ファレノプシス(ラ Phalaenopsis)。

**こちょう**［誇張］《名・他サ》実際より大げさに言うこと。「事実を―して言う」

**ごちょう**［×伍長］〔軍〕旧陸軍の下士官の階級で、いちばん下。

**ごちょう**［語調］①話をしているときの、ことばの調子。「―をやわらげる」②ことばの音数や続きぐあい。語呂(ごろ)。「―をととのえる」

**こちょこちょ**《副・自サ》①くすぐるようす。「―動くな・―」②〈こまごまと／あれこれと〉ものごとをするようす。「―(と)かたづける」

****こちら**《代》(「こっち」よりもていねいな言い方)①自分に近い方向の〈人／もの〉をさすことば。「だれかが―を見ている・ひかえ室は―です・―は雨だ・―(=これ)が領収書です・―(=このかた)は青木先生です」②二つ(以上)のうち、自分に近いものを選んでさすことば。「―のほうがおいしい」③直前に述べたものごとが、話題の中心になる場合に使うことば。「A案のほかにB案があった。―(=B案)が採用された」④自分(のがわ)をさすことば。「―は警察です・―から取りにうかがいます」⑤目の前にいる相手(のがわ)をうやまって言うことば。「―さん・―の男性」⑥《副助詞的に》そのとき以来ずっと。「卒業してから―、一度も会っていない」 区別 ⇩指示語。 表記 かたく「:此方」とも。

**こちん**《副》「こつん」よりするどい感じをあらわすことば。●**こちんと来る** 句 相手のことばや態度に対し、腹立たしい気分になる。かちんとくる。こつんとくる。「冷たい態度がこちんと来た」●**こちんこちん**《副》「こちこち 二」を強めた言い方。「―の石頭」

**こぢんまり**［小ぢんまり］《副・自サ》小さくまとまって、なんだか感じがいいようす。「―(と)したすまい」 由来 「ちんまり」に、「少し、なんとなく」の意味の「小」がついたもの。「こざっぱり」と同様。 表記 「ちんまり」の意識がうすれて「こじんまり」とも。

**こつ**［骨］一 **こつ** ①死んだ人のほね。特に、火葬(かそう)にしたほね。お骨。②《医》人間のほね。「―を削(けず)る」 二 造 ほね。「大腿(だい)―」

**こつ**［コツ］(↑骨法)ものごとをうまくやるための大切なところ。かんどころ。「仕事の―を覚える」

**こつあげ**［骨揚げ］《名・自サ》「骨(こつ) 一①」をひろってつぼに入れること。こつひろい。

**ごつい**《形》〔俗〕①(大きくて)ごつごつとかどばっているようす。「―手・―顔」②手ごわい。「―相手」 派 ―さ。

**こつえん**［×忽×焉］《副》〔文〕たちまち変わるようす。にわか。「―と逝(ゆ)く」

**こっか**［刻下］〔文〕ただいま。目下。「―の急務」

**こっか**［国花］その国を代表する花。日本では、桜(または菊(きく))。

****こっか**［国家］特定の土地・人民から成り立ち、統治組織をもつ社会。くに。●**こっかげんしゅ**［国家元首］国家を代表する人。君主国の君主、共和国の大統領など。●**こっかこうあんいいんかい**［国家公安委員会］〔法〕国の公安にかかわる警察行政を統括(とうかつ)する最高機関。警察庁を管理する。内閣府の外局。●**こっかこうむいん**［国家公務員］〔法〕分担して国家の仕事をおこなう公務員。(↔地方公務員)●**こっかしけん**［国家試験］国が一定の資格を認め、また免許(めんきょ)をあたえるためにおこなう試験。国試。●**こっかしゅぎ**［国家主義］①国家を中心として考え、個人の自由を軽く見る行き方。②自分の国を中心として考え、外国を排斥(はいせき)する行き方。ナショナリズム。

**こっか**［国歌］その国を代表し、儀式(ぎしき)のときなどに歌う歌。日本では、「君が代」。

**こづか**［小△柄］刀・脇差(わきざし)などのさやの内がわに差す小刀。

**コッカースパニエル**〔cocker spaniel〕イギリス原産の犬。耳は大きくたれ、からだは毛でふさふさしている。猟犬(りょうけん)やペットにする。

***こっかい**［国会］〔法〕憲法で定めた、国の議会。選挙された議員で組織する。日本では衆議院と参議院。●**こっかいぎいん**［国会議員］国会を組織する議員。衆議院議員と参議院議員がある。●**こっかいぎじどう**［国会議事堂］国会がひらかれる建物。議事堂。

**こっかい**［骨灰］〔文〕⇩こっぱい①②。

**こっかい**［告解］《名・他サ》〔宗〕カトリックで、神父の前で罪を告白すること。「―室」(現在、正式には「ゆるしの秘跡(ひせき)」と言う)

←**こづかい**［小使い］―づかひ〈学校・官庁・会社などで〉いろいろの用事をする人。「校務員・用務員」の古い呼び名。

→**こづかい**［小遣い］―づかひ 雑費にあてる、ちょっとしたお金。小づかい銭。ポケットマネー。「子どもの―・―かせぎ」

**こっかく**［骨格・骨×骼］①骨の組み立てから見た、からだつき。「―標本」②〈ものごとの〉だいたいの組み立てぐあい。▽骨組み。

**こっかっしょく**［黒褐色］黒っぽいこげ茶色。

**こっから**《副》〔話〕↑ここから。「―ぬけ出そう」

**こつがら**［骨柄］骨組みから受ける、その人の性質などについての感じ。「人品―」

**こっかん**［骨幹］〔文〕ほねぐみ。「政策の―」

**こっかん**［酷寒］〔文〕きびしい寒さ。(↔酷暑(こくしょ))

**ごっかん**［極寒］〔文〕寒さがいちばんひどいこと。「―期・―と戦う」(↔極暑(ごくしょ))

**こっき**［国旗］その国を代表する旗。

**こっき**［克己］《名・自サ》〔文〕自分の欲や悪い考えをおさえること。「―心」

**こっきょう**［国教］国が特に保護を加え、国民に信仰させる宗教。

**こっきょう**［国境］①国家と国家との境界。くにざかい。「―線を突破する」②⇩くにざかい①。「上越―」 「国境の長いトンネルを抜けると雪国であった〔川端康成の小説『雪国』の冒頭〕」は、作者は「こっきょう」と考えていたらしい発言をしているが、「くにざかい」と読むべきだという人もいる。意味的にはどちらでも同じ。●**こっきょうなき-いしだん**［国境なき医師団］国際的な医療活動や人道援助をおこなうNPO。MSF〔←フ Médecins sans frontières〕。

**こっきり** 接尾〔俗〕これきりと、限る意味をあらわす。だけ。「一度―」

**こっきん**［国禁］〔文〕国家の禁制。「―をおかす」

**こっく**［刻苦］《名・自サ》〔文〕心身を苦しめ ほねをおること。「―勉励」

**コック**〔cock〕横にねじって開閉する栓。「ガスの―」

**コック**〔オ kok〕料理人。クック。「―さん・―帽」

**こづく**［（小突く）］《他五》軽く突っく。ゆすぶるようにして手で おす。「肩を―・先輩に こづきまわされる〔=いじめられる〕」

**コックス**〔cox〕ボート（レースのとき）の、かじとり役の人。舵手。コクスン（coxswain）。

**コックピット**〔cockpit〕飛行機・競走用自動車の操縦席。コクピット。

**こっくり**《副・自サ》①〔色・味などが〕こいようす。②大きくうなずくようす。③いねむりをするようす。

**こづくり**［子作り］《名・自サ》〔夫婦や、動物のおすとめすが〕子どもをつくること。「―の計画」

**こづくり**［小作り］《名・ナダ》①〔顔や からだが〕小さいようす。「―〈な／の〉顔・―な〔=小がらな〕人物」②小さくつくったようす。「―な建物」

**こっくりさん**［（:狐狗狸さん）］硬貨などに指をのせておこなう うらない。無意識に指が動いて、その硬貨などが お告げを知らせるように見える。

**こっくん**［国訓］訓。特に、もとの漢字の意味にない読み方。例、「鮎」の「あゆ」、「芝」の「しば」。和訓。

**ごっくん**《副・他サ》「ごくん」を強めた言い方。「食べ物を―する〔=のみこむ〕」

**こづけ**［小付け］①小鉢。②《料》お通し。つきだし。

**こっけい**［国警］↑国家警察。「―本部」

**こっけい**［滑稽］《名・ナダ》①おもしろおかしい〈こと／ようす〉。おどけ。「―な演劇」②ばかばかしくて、笑うしかないようす。「―な弁明」③常識を外れて、おかしいようす。「―な かっこうをする」 派 -さ。●**こっけいぼん**［滑稽本］江戸時代後期に流行した、おかしみのある小説。例、十返舎一九の「東海道中膝栗毛」。

**こっけいせつ**［国慶節］中華人民共和国の、建国記念日。十月一日。

**こっけん**［国権］〔文〕国の権力。

**こっけん**［国憲］〔文〕国家のおおもととなる法規。憲法。

**こっけん**［黒鍵］《音》ピアノ・オルガンなどの、黒い鍵盤。シャープやフラットの音を弾くときに使う。（↕白鍵）

☆☆**こっこ**［国庫］国の現金を〈保管／出納〉する機関。「―補助〔=国庫からの補助〕」

**ごっこ** 接尾 まねをして遊ぶ、子どもの遊び。「おに―・電車―」 ●**ごっこあそび**［ごっこ遊び］ やおやごっこ・探検ごっこ・ままごとなど、おとなのすることのまねをして遊ぶ、子どもの遊び。

**こっこう**［国交］国と国との間の交際。「―の樹立」 ●**こっこうしょう**［国交省］《法》↑国土交通省。こくこうしょう。 ●**こっこうしょう**［国交相］〔文〕国土交通大臣。国交大臣。こくこうしょう。

**ごつごうしゅぎ**［（御）都合主義］〈自分／そのときの情勢〉につごうのいいように ふるまって、決まった意見を持たない（生活）態度。オポチュニズム。

**こっこうりつ**［国公立］国立と公立。「―大学」

**こっこく**［刻々］《副》一刻ごとに。刻一刻。「試合開始が―と近づく」

**こつこつ**《副》休まず（目立たない努力を）するようす。「―（と）勉強する」

**ごつごつ**《副・自サ》①かたくて、でこぼこなどがあるようす。「―（と）した岩」②かたいものが続けて当たるようす。「荷物の かどが―（と）当たる」

**こつざい**［骨材］コンクリートに使う砂利・砂〔=天然骨材〕、また、それに代わるもの〔=人工骨材〕。

**こつざけ**［骨酒］熱かん（燗）に あぶった魚の骨をひたした酒。「アユの―」

☆☆**こつし**［骨子］中心となるだいじな部分。要点。「声明の―」

**こっしつ**［骨質］《生》①骨のような物質。②骨の成分などの質。「―が悪い」

☆☆**こつずい**［骨髄］①《生》骨の中の空所をみたす、やわらかな組織。②心の底。「うらみ、―に徹する」 ●**こつずいいしょく**［骨髄移植］《医》白血病や再生不良性貧血などの難病の患者に、正常な骨髄細胞を注入し移植する治療法。

**こっせつ**［骨折］《名・自他サ》〔けがをして〕骨が折れること。「足の―」

**こつぜん**［（×忽然）］《タル・副》〔文〕とつぜん何かがあらわれたり消えたりするようす。たちまち。ぽっかり。こつねん。「―と（して）消える・―すがたを消す〔古風〕」

**こっそう**［骨相］顔や骨組みにあらわれた、その人の性質・運勢を知る相。「―学」

☆☆**こつそしょうしょう**［骨粗（×鬆）症］《医》カルシウムが不足して、ほねがもろくなる病気。（女性の）高齢者に多い。骨多孔症。

**こっそり**《副》ほかの人に気づかれないように するようす。こそっと。「―出て行く」

**ごっそり**《副》たくさんの物を全部。ごそっと。「―やられた」

**ごった** 連〔俗〕↑ことだ。「なんちゅう―〔=なんということだ〕・そんなこってすよ〔=そんなことですよ〕」

**ごった**《ナダ》乱雑なようす。ごっちゃ。 ●**ごったがえす**［ごった返す］《自五》非常に混雑する。「車内が―」 ●**ごったに**［ごった煮］①いろいろな材料を一度に煮る料理。②〔性質の ちがうものが〕めちゃくちゃにまざっていること。「さまざまな情報が―になっている」

**こっち**《代》①〔話〕自分に近い方向をさすことば。「―に来い」②〔話〕二つ(以上)のうち、自分に近いものを選んでさすことば。「―の服がいい」③〔話〕自分(たち)のがわ、または自分(たち)自身をさすことば。「―にも考えがある」④〔話〕〔副助詞的に〕その時以来ずっと。「四月から―、仕事が増えて困る」⑤〔俗〕この世。「―の世界」 丁寧 こちら。 区別 ⇩指示語。 表記 「∴此方」とも書いた。 ●**こっちのもの**〔こっちの(物)〕自分のもの。自分の思いどおりになるもの。「この試合は―だ〔=こっちの勝ちだ〕」

**こづち**〔小(×槌)〕小さなつち(槌)。「打ち出の―」

**こっちゃ** 連 ①〔↑ことじゃ。関西などの方言〕ことだ。「今に始まった―ない・知った―ない」②〔俗〕↑ことでは。「ああ、えらい―・なんの―」③〔俗〕↑こっちや。「あっちゃー大変だ」

**ごっちゃ**〔「ゴッチャ」とも書く〕いりまじること。「記憶が―になる」

**こっちょう**〔骨頂・骨張〕最高の程度であること。第一。「愚の―・悪の―」

**ごっつぁん**《感》〔↑ごちそうさん〕〔話〕〔すもうとりが〕ありがたいという気持ちをあらわすことば。ごっちゃん。「―です・―相撲〔=八百長相撲〕」

**こつつぼ**〔骨(×壺)〕火葬にした人(やペット)の骨を入れるつぼ。こつがめ(骨瓶)。

**こつづみ**〔小鼓〕《音》左手で右肩の上に支えて持ち、右手で打つ鼓。能楽や長唄に使う。こづつみ。

**こづつみ**〔小包〕荷物をつつんで送る郵便物。小包郵便。〔今は、制度上の名称ではない〕

**こってり**《副・自サ》①〔味や色などが〕こくて、しつこいくらいであるようす。「―(と)した味」②〔俗〕くどいほどにじゅうぶん。みっちり。「―(と)しぼられた」 派 -さ。

**ごってり**《副》やたらにぬったり、かざりつけたりするようす。「日焼け止めを―ぬる」

**こつでんどう**〔骨伝導〕〔振動する物を耳の近くに当てて〕頭骸骨が振動することによって、音が聞こえること。「―ヘッドホン」

**コット**〔cot〕赤ちゃん用のベッド。「ベビー―」

**ゴッド**〔God〕①(キリスト教の)神。②偉大な存在。「―ハンド〔=神業のようなうでまえ(の人)〕」

●**ゴッドファーザー**〔godfather=赤ちゃんの名付け親。後見人〕①マフィアの首領。②黒幕。〔女の場合は「ゴッドマザー」〕

**こっとう**〔骨×董〕①種々雑多の(高価な)古道具や古美術品。「書画―」②古いだけで、ねうちのないもの。

**こつどう**〔骨堂〕遺骨を納める堂。

**コットン**〔cotton=綿花〕①もめん。「―パンツ〔=もめん地のズボン〕」②〔切り分けた〕けしょう用の脱脂綿。③〔↑コットン紙〕表面のざらざらした、軽くて厚い洋紙。

☆☆**こつにく**〔骨肉〕〔=ほねと肉〕〔文〕肉親。「―の情」 ●**骨肉相は(食)む** 句 〔文〕肉親どうしが争う。

**こつにくしゅ**〔骨肉腫〕《医》手・足の骨にできる悪性の肉腫。青少年に多い。

**こっぱ**〔(木っ端)〕①木のけずりくず。木の切れはし。②〈取るにたりない/つまらない〉もの。「―役人」 ●**こっぱみじん**〔(木っ端△微×塵)〕こなごなに くだけること。こなみじん。

**こつばい**〔骨灰〕⇩こっぱい①②。

**こっぱい**〔骨灰〕①遺骨を焼いてくだき、灰にしたもの。「骨つぼに はいった―」②けものの骨を焼いてくだき、灰にしたもの。磁器・肥料などに使う。▽こつばい。こっかい。③〔△粉灰〕〔文〕こなみじんに〈する/なる〉こと。「無残―の廃墟」

**こつばこ**〔骨箱〕お骨を納める箱。

**こっぱずかし・い**〔(小っ)恥ずかしい〕《形》〔俗〕〈なんとなく/とても〉恥ずかしい。「―記憶」 派 -さ。

**こつばん**〔骨盤〕《生》腰の所にある、大きく平たいほね。

**こっぴつ**〔骨筆〕牛の骨などを先に取り付けた、複写などの書き物に使う筆記用具。

**こっぴど・い**〔こっ(△酷い)〕《形》〔俗〕非常に ひどい。手ひどい。「―目にあう・こっぴどく しかられた」 派 -さ。

**こつひろい**〔骨拾い〕⇩こつあげ。

**こつぶ**〔小粒〕《名・ナダ》①つぶが小さいこと。小さなつぶ。「―の真珠・―の歯・―な実」②〔からだつきが〕小がら。③見識・態度・できばえなどが、あまりすぐれていないこと。「―な人間」

**コップ**〔オ kop〕水などを飲んだり、口をゆすいだりするときに使う、筒形の簡単な入れもの。「ガラスの―・紙―」 表記 「∴洋杯」とも書いた。 ●**コップざけ**〔コップ酒〕日本酒をコップで飲むこと。また、コップで飲ませる安い酒。 ●**コップのなかの あらし**〔コップの中の嵐〕〔外部とは無関係の〕その集団の中だけの もめごと。

**こっぷん**〔骨粉〕動物の骨を焼いて こなにしたもの。肥料・えさに使う。

**コッペパン**〔「コッペ」は、フ coupé《=切った》の変化という〕サツマイモの形に似た、底の平たいパン。コッペ。

**コッヘル**〔ド Kocher=コンロ〕登山に使う、組み立て式の炊事道具。

[コッヘル]

**こっぺん**〔骨片〕〔文〕骨のかけら。

**こっぽう**〔骨法〕①〔文〕技術の中心をなす、だいじな骨組み。急所。「話術の―」②素手でおこなう武術の一つ。

**こつまく**〔骨膜〕《生》骨をおおいつつむ膜。「―炎」

**こつみつど**〔骨密度〕《医》骨にふくまれるカルシウムの密度。骨量検査で判定する。

**こづめ**〔小爪〕つめの はえぎわに白くすけて見える、三日月形の部分。つめ半月。三日月。

**ごづめ**〔後詰め〕援助のため、うしろにひかえている軍勢。

**こづらにく・い**〔小面憎い〕《形》なんとなく、顔を見てさえ にくらしい。 派 -さ。

**こつりょう**〔骨量〕《医》骨にふくまれるカルシウムの量。

**こづれ**〔子連れ〕〔自分の〕子どもをつれていること。「―の客」

**こつん**《副》①かたいものに軽く当たる音。②軽くてはっきりした手ごたえのあるようす。

**ごつん**《副》かたいものに、強く当たる音。「頭を―とやる」

**こて**【小手】㊀①うで。特に、ひじから手首。「《すもう》―に振る(=小手投げをする)」☞高手小手。②少し、手〈が／を〉…すること。〔句で使う〕㊁【△籠手】①よろいの付属品の一つ。うでをおおって守る用具。②《剣道》手の指・うで先をおおって守る道具(を打つわざ)。〔打つときの かけ声は「(お)―!」〕●**小手が利く**句 ちょっと器用である。ちょっと気がきく。「小手が利いた作品」他 小手を利かせる。●**小手をかざす**句 (遠くを見るときや まぶしいとき)ちょっと片手を目の上に上げる。

**こて**【(×鏝)・コテ】①どろ・しっくいなどを塗りつけて、表面をなめらかに仕上げる道具。②やきごて。③かみの毛をカールしたりするのに使う、棒状のアイロン。ヘアアイロン。④お好み焼きなどを焼いたり食べたりするときに使う、うすい金属製の道具。起こし金。てこ。へら。〔もんじゃ焼きでは、はがし〕

**ごて**【後手】①対応が(相手に)おくれること。「対策が―に回る・とかく―になる」☞後手後手。②《碁・将棋》〈うつ／さす〉順があとになること。▽(↔先手)

**こてい**【湖底】〔文〕みずうみの底。

**こてい**【固定】《名・自他サ》①一か所に付いて動かなく〈なる／する〉こと。②数・金額がいつも決まっていること。同じ状態で変わらないこと。「―した収入・―読者」●**こていかんねん**【固定観念】①何かある一つのことだけにこだわって、それからはなれられない考え。固着観念。②思いこみ。「―にとらわれる・―を捨てる」●**こていきゅう**【固定給】仕事の量にかかわりなく決まっている給料。(↔歩合給)●**こていしさん**【固定資産】《経》資産の一つ。土地・建物・機械など。「―税」(↔流動資産)●**こていでんわ**【固定電話】家庭などに設置している有線の電話。(↔携帯電話)●**こていひ**【固定費】毎月、決まってはらわなければならない費用。電気・水道・ガス・電話・放送などの料金。

**こてい**【小体】《ナダ》〔俗〕〔住居・生活などが〕こぢんまりしているようす。「―な店」

**コテージ**〔cottage〕西洋ふうの、木造の小さい〈家／別荘〉。コッテージ〔古風〕。

**こてき**【鼓笛】《音》太鼓と ふえ(による、行進用のリズム)。「―隊・―バンド」

**こてこて**㊀**こてこて**《副・自サ》〔味や色などが〕くどいほど こいようす。こってり。「―(と)ぬる・―したスープ」す。また、徹底して大阪ふうであるようす。べたべた。㊁**こてこて**〔俗〕①〔芸が〕上方ふうで、くどいようす。「―の笑い・―の大阪弁」②徹底しているようす。「―の名古屋弁・―の進学塾」

**ごてごて**【後手後手】何度も「後手①」になること。「―に回る・―の対応」

**ごてごて**《副・自サ》①「こてこて」より強い感じをあらわすことば。「―(と)かざりたてる」②くどくどと言うようす。「―(と)文句ばかりつける」

**こてさき**【小手先】①〔頭で考えないで〕習慣的に動かす手・指の先。「―の芸」〔手先ですることを軽いものとして言うことば〕②うわべだけをごまかすこと。「―の手直しでは解決しない」

**こてしらべ**【小手調べ】《名・自他サ》ためしにちょっとやってみること。

**ごてつ・く**《自五》〔古風〕①ごちゃごちゃして、うるさい感じがする。「ごてついた柄の服」②くどくど文句を言う。③もめる。「党内が―」

**ごてどく**【ごて得】〔古風〕⇩ごねどく。

**こてなげ**【小手投げ】《すもう》相手の うでを、上からかかえて巻くようにして投げる わざ。

**こでまり**【(小手×毬)】背の低い庭木の名。初夏、白い小さな花が、まりのように むらがって さく。

**ご・てる**《自下一》〔古風〕①争いなどが起こって、ごたごたする。②⇩ごねる①。

**こてん**【古典】①古い時代に書かれて、人々に読みつがれてきた、すぐれた内容の書物。「―に親しむ」②その道のよりどころと あおがれる、古くに成立した学問・技芸。「―芸能・―力学・―音楽(=クラシック)」▽クラシック。③学校教育の国語で、古文・漢文をあわせた言い方。●**こてんかなづかい**【古典仮名遣い】⇩歴史的仮名遣い。●**こてんてき**【古典的】《ナダ》①古典を〈重んじる／まねする〉ようす。②古典として価値を持っているようす。「―な名曲」

**こてん**【個店】①それぞれの(地域に根ざした)店。「―ごとの品ぞろえ」②〔文〕個人経営の店。

**こてん**【個展】個人が自分の作品を見せるためにひらく展覧会。

**こでん**【古伝】〔文〕①昔からの言い伝え。②昔の記録。

**ごてん**【御殿】身分の高い人のりっぱな邸宅。●**ごてんじょちゅう**【御殿女中】①〈将軍家／大名〉につかえた奥女中。②底意地の悪い人間の たとえ。

**ごでん**【誤電】〔文〕内容のまちがった電報。

**ごでん**【誤伝】《名・自他サ》〔文〕誤り〈伝え／伝わ〉ること。誤った伝え。

**ごてんい**【御典医・御殿医】江戸時代、徳川幕府や藩主につかえた医者。てんい。

**こてんぐ**【小(天×狗)】①小さな てんぐ。②(からだは小さいが)若くて武芸にすぐれた者のたとえ。

**こてんこてん**《副》〔俗〕さんざん。こてんぱん。「―に負ける」

**こてんと**《副》急に〈ころぶ／ねむる／死ぬ〉ようす。「―ころがされる」

**こてんぱん**《副》〔俗〕⇩こてんこてん。

**こと**【古都】〔文〕古い みやこ。古くからある みやこ。「―、奈良」(↔新都)

**ことㅤ㊀こと【(事)】①いろいろな物・人などの、あらゆる動きや変化、状態をひっくるめて さす ことば。ことがら。「日本に古くから伝わる物や―(=行事・習慣など)・祝い―・相談―」(↔もの)②仕事。任務。「―をなしとげる」③事態。「―を荒だてる」④〔―だ〕困った事態。「人に知られたら―だ」⑤事情。理由。「―と次第によっては許してやってもいい」⑥議論している内容。問題。「―音楽に関しては妥協しない・―が学問に関するかぎり」㊁**こと**①〔連体形のあとについて〕名詞と同じ資格のことばをつくる。「泳ぐ―(=泳ぎ)」が得意だ・計画を見直す―(=計画の見直し)が必要だ・待つ―(=待ち時間は)五分」②そのときに起こった、ひとまとまりの動きや変化。できごと。「(それは)きのうの―だった・めったにない―だ」③〔―に(は)〕ある ものごとについての、気持ちや評価をあらわす ことばを受ける。「ありがたい―に(は)雨が やんだ(=雨がやんで ありがたい)」 ④〔…の―だから・…の―とて など〕事情・場合が…だから。「夏の―〈だから/とて〉(=夏だから)食べ物が くさりやすい・あいつの―だから、おくれて来るかもしれない」 ⑤場合。「歩いて行く―もある」 ⑥話の内容。「人の言う―をよく聞く・夫が言う(―)には、るすだったらしい・まちがった―を話す・クマが出るという―(=うわさ)だ・電話してほしいとの―(=伝言)です」 ⑦指し示す内容。意味。「それはどういう―か・『お前がやったんだろう』『何の―ですか』」 ⑧経験。「留学した―がある」 ⑨〔―はない〕必要。「急ぐ―はない」 ⑩予定。決定。きまり。「進学する―にする・例外は認めない―とする」 ⑪〔言い切りの形で〕間接に命令をあらわす。「枝を折らない―」 ⑫〔―だ〕…のが いちばんいい。「やはり働く―だな・気にしない―です」 ⑬結末。結論。…わけ。「結局、ふり回されたという―らしい・君とは考えが ちがうという―だ」 ⑭〔…って―よ〕〔古風・俗〕…んだよ。「いいって―よ」 ⑮〔…の―〕対象を示す。「母の―が気になる・あいつが ぼくの―をなぐった」 ✓「母が気になる」と言うと、母が何かを気にしている意味にもなる。「母のことが気になる」と言えば、誤解が さけられる。 ⑯連用修飾語を作り、全体で副詞のような役目をする。「早い―やってしまえ・長い―しんぼうした」 ⑰〔…ん―を〕そうなるように。「主の祝福の あらん―を・奮闘努力せられん―を」 表記 ㊀㊁「身の回りのモノやコト」「あなたのコト」など「コト」とも。㊁は、「コト」の かなを合わせて「ヿ」とも書いた。「知ルヿヲ得ン」 ㊂ 接尾 ①〔文〕手紙などで、「〈私/その人物〉は…」と事情をのべるときのことば。「さて、わたくし―、このたび…」 ②雅号・芸名などを説明するときのことば。「六代目(尾上菊五郎)―寺島幸三」 ☞こともなげ・ないことには。 ●事あるごとに 句 ちょっとしたことが あるたびに、すぐ。何かというと。「―口をはさむ」 ●事あれかし 句 事件が起こってほしい、と待ちのぞむようす。 ●事ここに至る 句 ものごとが、ここまで(ひどく)進む。「―までには、新聞やテレビの責任も大いにあった・事ここに至って、やっと気がついた・事ここに至って(は)(=ここまで来た以上(は))、にげるわけにはいかない」 ●事志と違う 句 〔発音はタゴーとも〕〔文〕自分が思いえがいていたことと違う結果になる。 ●事とする 句 〔文〕そればかり(を仕事に)する。「もっぱら文筆を―」 ☞こと(事)㊁⑩。 ●事なきを得る 句 無事ですむ。「どうやら事なきを得た」 ●事に当たる 句 やりとげなければならない仕事に とりかかる。 ●事に触れて 句 何かがあるたびに。事あるごとに。「―思い出す・―たよりを出す」 ●事によると 句 事情によっては。もしかしたら。ことによったら。 ●事もあろうに 句 それだけは ありえない、あるべきでない、と思われることが起こるようす。「―(=よりによって)あんなやつにたのむなんて・わが校に―タバコを吸う者がいる」 ☞あろうに。 ●事もなし 句 特にかわったことは何もない。無事である。「すべて世は―」 ●事を起こす 句 新しく行動する。事件を起こす。「政権に対して―(=はむかったりする)・人妻と―(=あやまちをおかす)」 ●事を構える 句 争いごとを〈始める/する〉。「外国と―」 ●事を好む 句 自分から事件を起こそうとする。 ●事を進める 句 計画や作業などを、先へ進める。「極秘裏に―」 ●事を成す 句 何かを成しとげる。大きな目標を実現する。 ●事を運ぶ 句 ものごとを順を追って実行する。「てきぱきと―」 ●事を分ける 句 筋道を立て(て説明す)る。

**こと**〔湖都〕〔文〕みずうみのほとりにある都市。「―大津」

**こと**〔琴〕《音》何本かの弦を木で作った中がからの胴の上に はり、これをはじくようにして鳴らす楽器。ふつう、十三本の弦の箏をさす。

**こと**〔×糊塗〕《名・他サ》〔文〕その場のつじつまをあわせること。とりつくろうこと。「一時を―する」

**こと**《終助》〔古風・女〕やわらかに感動をあらわしたり、質問したりするときに使う。「きれいだ―・見てもいい―?」〔現在では、演劇的な言い方〕

***ごと** 接尾 ㊀**ごと** ①それを一つの〈単位/区切り〉とすることをあらわす。「グループ―に集まる・五分―に(=五分間隔で。五分おきに)発車する・四年―の開催」 ☞お(置)き。 ②一つ一つのどれも、みな同じように〈なる/する〉ことをあらわす。「会う人―(=みんな)に たずねてみた」 ③一つ一つが、それぞれ ちがうことをあらわす。「地域―の(=地域によって ちがう)特色・曜日―の担当者」 ④そのたびに程度が進むことをあらわす。「一雨―(=雨が降るたび)に暖かくなる」 表記 かたく「△毎」とも。 ㊁**ごと**〔副詞をつくる〕…も いっしょに。全部。「皮―食べる・橋―流された」

**ごと**〔△如〕◇〔文語助動詞「ごとし」の語幹〕〔雅〕ごとく。「春の―」

**ことあげ**〔言挙げ〕《名・自サ》〔文〕特に(ことばに出して)取り立てて言うこと。「いちいち―しない」

**ことあたらし・い**〔事新しい〕《形》わざわざ新しいことのようにあつかうようすだ。「事新しく言うまでもない」 派 -げ。-さ。

**ことあらためて**〔事改めて〕《副》わざわざ あらためて。「―たしかめるまでもなく」

**ことう**〔古刀〕①古い かたな。②慶長元(一五九六)年以前に作られた日本刀。▽(↔新刀)

**ことう**〔古陶〕〔文〕古い時代の陶器。

**ことう**〔古塔〕〔文〕古い塔。

**ことう**〔古湯〕古くからある温泉。「日本有数の―」

**ことう**〔孤灯〕〔文〕一つだけともっているあかり。

**ことう**〔孤島〕海上に、はなれて ただ一つある島。☞陸の孤島。

**ことう**〔湖東〕みずうみの ひがしがわ。「―地区」(↔湖西)

**こどう**〔古道〕〔昔の様子が残っている〕古い道。「熊野の―」

**ごとう**〔語頭〕〔文〕単語の はじめの部分。(↔語尾・語末)

**こどう**〔鼓動〕《名・自サ》《生》拍動。

**ごとう**〔誤答〕《名・自他サ》〔文〕まちがった答え(をすること)。(↔正答)

**ごどう**〔悟道〕《仏》仏教の真理をさとること。

**ごどう**〔誤導〕《名・他サ》〔文〕まちがった方向へみちびくこと。ミスリード。「国民を―する」

**こどうぐ**〔小道具〕①身のまわりの こまごました道具。②《芝居》舞台で使う、動かせる道具。茶わん・せんす・ライターなど。(↔大道具)

**ごどうさ**〔誤動作〕《名・自サ》⇩誤作動。

**ごとうしょ**【(御)当所】《すもう》力士の、出身地。郷里。「ーずもう〔=その土地出身の関取を勝たせるすもう〕」

**ごとうち**【(御)当地】⊟**ごとうち** 相手の住む土地に行って、その土地をさして言う尊敬語。⊟遠 その土地に特有の。「ーソング〔=その土地を主題とした歌謡曲〕・ーラーメン・ーグルメ」

**ごとおび**【五十日】ごとをー《経》月のうち、五と十のつく日〔五日・十日・十五日・二十日・二十五日・三十(一)日〕。取引のしはらいをこの日にまとめてすることが多いので、町が車でこむ。ごとび。

**ことか・く**【事欠く】《自五》必要なものがなくて不自由する。お金が不足する。事を欠く。「衣食にもー生活・電車賃にー・言うに事欠いて〔⇩「言う」の句〕・選ぶに事欠いて、こんな店かよ」

**ことがら**【(事柄)】事の〈ありさま/筋道〉。事情。「重要なー」

**ことかわ・る**【事変わる】ーかはる《自五》すっかり様子が変わる。「前半とは事変わった展開」

*__ごとき__【(△如き)】接尾〔↑文語助動詞「ごとし」の連体形〕①〔連体詞・名詞をつくる〕ような(もの)。「山のー借金・歌う(が)ー口調・ぼくの好みは やさしい人、たとえば明子さんのー(人)です・今回の事件のーは まことに困ったもので〔批判的に例に挙げる言い方〕」〔前に名詞が来る場合は「のごとき」、用言が来る場合は「(が)ごとき」の形をとる〕②〔けいべつ・けんそんなどをあらわして〕など。「学者ーに何が わかる・私ーが責任は持てません」

**こときれる**【事切れる・×縡切れる】《自下一》息がとまる。死ぬ。

**こどく**【孤独】《名・ナダ》なかま・味方がなくてさびしそうなようす。ひとりぼっち。派ーさ。●**こどくし**【孤独死】《名・自サ》だれにも気づかれず、(自分の部屋などで)ひっそりと死ぬこと。「高齢者のー」☞孤立死。

**ごとく**【五徳】①やかんなどを下から支えるため、火ばちの中に置く、〈輪に足のついた/輪から つめが上に出た〉形の、鉄製などの道具。②コンロの上に置く、「五徳①」に似た形の道具。

［ごとく ①］

*__ごとく__【(△如く)】⊟接尾〔副詞をつくる〕①たとえをあらわす。〔文〕〔↑文語助動詞「ごとし」の連用形〕「風のー(に)現れる・眠る(が)ー死んだ・今さらのーおどろいた」②例示をあらわす。「東京、大阪のー人口の多い都市は」③前後などにある内容を指す。「次のー〔=とおりに〕決定した」▽「ように」に相当。前に名詞が来る場合は「のごとく」、用言が来る場合は「(が)ごとく」の形をとる。⊟〔…と〕同じ状態であること。とおり。「もはや以前のーではないかもしれない」●**ごとくんば**【(△如くんば)】接尾〔↑ごとくは。接続詞をつくる〕〔文〕(もし)…の とおりならば。「かくのー〔=もし こうなったら〕・はたして言うがー」

**ごどく**【誤読】《名・他サ》〔文字や意味について〕まちがったよみ方(をすること)。

**ことこと**《副》①軽く音を立てて、ものが煮えるようす。「とろ火でー(と)煮る」②軽くて かたいものが、何度もものにふれて立てる、あまり ひびかない音。「振動でコップがーいう」③何度も軽くたたく〈音/ようす〉。「心臓がーいう」

**ごとごと**《副》重く、大きくて かたいものが、何度も当たって立てる音。「列車がー走る・本をー整理する」

☆☆**ことごとく**《名・副》一つ残らず。全部。「財産をー失う・発言のーがでたらめだ」表記かたく「×悉く」とも。

**ことごとし・い**【事々しい】《形》大げさだ。ものものしい。派ーげ。ーさ。

**ことごとに**【事ごとに】《副》〔ごと=毎〕事あるごとに。何事につけても。「ー争う二人」

**ことこまか**【事細か】《ナダ》くわしい ようす。詳細。ことこまやか。「ーに説明する」〔形容詞化して「事細かい」とも〕

**ことさら**【(殊更)】《副・ナダ》①わざと。故意に。「ー(に)冷淡にする」②わざわざ。特別。「ー公表するまでもない」③ことのほか。「きょうはー忙しい」●**ことさらめか・す**【(殊更めかす)】《他五》わざとしたように見せかける。自ことさらめく《五》。

*__ことし__【(今年)】いま経過している、一月から十二月までの間。こんねん。

**ことじ**【琴△柱】ーぢ 琴の胴の上に立てて弦を支えるもの。

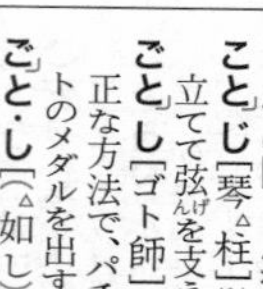
［ことじ］

**ごとし**【ゴト師】〔↑仕事師〕不正な方法で、パチンコの玉やスロットのメダルを出す者。

**ごと・し**【(△如し)】《助動形ク型》〔文〕〔たとえの助動詞〕①…に似ている。ちょうど…のようだ。「白きこと雪のー・泣くがごとく、うらむがー・ほとんど無きがー・泣けとごとくに〔=泣けというように〕」②…と推測される。ようだ。「大差なきもののー〔=大差ないようだ〕」▽(1)名詞につく場合は「…のごとし」、動詞・形容詞など用言につく場合は「…(が)ごとし」となる。(2)口語文の中で使う場合は、助動詞「だ」をつけて「『雪のごとし』だ」などと言う。「ごとし」自身では言い切れないので、口語の助動詞とは言えない。ただし、「ごとき」「ごとく」は接尾語化して、口語でも使う。☞ごとき・ごとく。

**ことだま**【言霊】ことばに宿る たましい。その ことばどおりに現実を変えると信じられてきた。「ーの幸う国〔=ことばの力で幸福に栄える国。日本のこと〕」

**ことた・りる**【事足りる】《自上一》〔文〕用が足りる。不自由のない状態になる。事足る。「事足りた生活」

**ことたれり**【(事)足れり】〔文〕用事が すんだこと。じゅうぶんなこと。足れり。「事典の丸写しでーとするな」

**ことづか・る**【(言付かる)・(△託かる)】《他五》〔ほかの人から〕その人に〈伝えて/届けて〉くれるように、たのまれる。「先生からの伝言をー」

**ことづけ**【(言付け)・(△託け)】《名・他サ》ことづけること。ことづける内容。ことづて。

**ことづ・ける**【(言付ける)・(△託ける)】《他下一》人にたのんで、〈言って/届けて〉もらう。

**ことづて**【(言△伝)】ことづけ。〔おもに、ことばについて言う〕動ことづてる《他下一》。

**ことづめ**【琴爪】琴をひくとき指先に はめる、つめの形のもの。

**ことなかれ**⊟**ことなかれ**【事なかれ】めんどうな事を起こさないようにしよう、という やり方。「ー主義・ーですまそうとする」 二《終助》〔文〕禁止をあらわす。…な。なかれ。「あすを思いわずらう—」

**こと なく**［事なく］《副》めんどうな問題もなく。ぶじに。「修学旅行も—終わった」

**ことなり**［異なり］①異なること。「意見の—」②同じものがいくつあっても、一つと数えること。「—の数は、必ず延べの数以下になる」(↔延べ)

**ことな・る ＊＊**［異なる］《自五》ほかとちがう。「意見が—」名異なり。

**ことに**［(殊に)］《副》(その中でも)特別に。とりわけ。「動物、—犬は好きだ・ローマでのことは—(も)忘れがたい」

**ごとに** 連 ⇩ごと 接尾 一。

**ことに・する ☆☆**［異にする］《他サ》〔文〕ほかのちがったものとする。「意見を—(＝別な意見を持つ)」

**ことの おこり**［事の起こり］何かが始まった原因。

**ことの ついで**［事の(△序で)］何かをするときのついで。「—に書きしるす」

**ことのは**［言の葉］〔雅〕ことば。由来 ⇩ことば。

**ことの ほか**［(殊の外)］《副》①思っていたより。意外に。「—むずかしかった」②特別に。格別に。

**ことば ＊＊**［(言葉)・(△詞)］①できごとや考え、気持ちなどを伝えあうために使うもので、決まった発音と意味とが結びついたもの。単語・句・文などをまとめた言い方。言語。「別れの—(＝ひとこと)・枕—・—に気をつける・—の端(＝ちょっとしたことばづかい)から伝わる思い」②話しかた。言いよう。「—に できない」由来「こと(＝言・事)(の)端」からで、本来「葉」は関係がない。平安時代には「言(の)葉」と意識されるようになっていた。☞おことば。●ことばが過ぎる 句 相手に失礼なことを言う。言ってはいけないことまで言う。●ことばがない 句〔表現することばが見つからず〕何も言えない。「あの応対ぶりには あきれて—・ご両親の心痛を思うと—」●ことばに甘える 句 ⇩おことばに甘える〔「おことば」の 句〕。●ことばに余る 句 ことばでは じゅうぶんに言いつくせない。「—喜び」●ことばを失う 句〈何を/どう〉言っていいか わからなくなる。●ことばを返す 句 ①返事をする。②(目上の人に対して)言い返す。口答えをする。「お—ようですが」●ことばを尽くして 句 ことばで言えることは全部言って。口をきわめて。●ことばを濁す 句〔つごうの悪いことなどを言うときに〕言い方をあいまいにする。口を濁す。●ことばあそび［(言葉)遊び］①ことばを使った遊び。例、回文・だじゃれ・早口ことば。②表現をちょっと変えたりするだけで、本質的には何も変わらないこと。「官僚の—にすぎない」▽言語遊戯。●ことばがき［△詞書き］〔文〕①和歌の前書き。②絵巻物の説明文。③絵本の、会話の文。●ことば かず［(言葉)数］①語数。②口かず。「—が多い」●ことば がり［(言葉)狩り］特定のことばを悪いものとして、出版・放送などで〈使わないように圧力をかける/使用を過剰にひかえる〉こと。●ことば じり［(言葉)尻］①〔相手が言いそこなった〕話の本筋からはなれた、大切でない部分のことば。「—を捉えて批判する」②ことばの最後のほう。「—を濁す・—をのみこむ」●ことば ずくな［(言葉)少な］《ナダ》あまりしゃべらないようす。ことばすくな。「—に答えた」〔「ことば少ない」と形容詞でも使う〕●ことば づかい［(言葉)遣い］(人に対して言う)ことばの使い方。「礼儀正しい—・赤ちゃんのような—」●ことば つき［(言葉付き)］ものの言い方。「ていねいな—」●ことば とがめ［(言葉)×咎め］他人のことばづかいのまちがいを非難すること。●ことば の あや［(言葉の×綾)］①わかりやすさ、おもしろさなどをねらっただけで、必ずしも事実でない表現。「紳士というのは—で、ただの おじさんだ」②⇩レトリック①。「—に富んだ話しぶり」

**こと はじめ**［事始め］①正月を区切りとして、はじめて、ある仕事に とりかかること。②〔ものごとの〕歴史的に見た はじめ。「印刷—」③正月をむかえる準備をはじめること。正月事始め。

**ことぶき**［寿］結婚や長生き、新年など、めでたいこと〈の お祝い〉。〔お祝いの おくりものの表書きにも書く〕「新春—寄席」由来「ことほぐ(＝喜びを言う)」の名詞形「ことほぎ」から。●ことぶき たいしゃ［寿退社］《名・自サ》〔俗〕(女性社員が)結婚が決まって退社すること。結婚退社。〔一九九〇年代からの ことば〕

**ことぶれ**［事触れ］〔文〕広く人に知らせる〈こと/もの/人〉。「落ち葉は秋の—」

**ことほ・ぐ**［(△寿ぐ)・(言△祝ぐ)］《他五》〔文〕喜びを言う。いわう。「平和を—」名ことほぎ。

**ことほど さように**《接》(＝事程然様に) 以上、いろいろ説明したように。それほど。「—事態は深刻である」由来 もと、so… that の訳語で、「これが同じ国かと思われることほどさように(＝思われるほど)、様子が変わった」のように「…ほど。…までに」の意味をあらわした。

**こども ＊＊**［子(供)］①おとなになる前の人。〔動物にも言う〕「—あつかい・おなかの—(＝胎児)」(↔おとな) ②むすこや むすめ。「彼には—が二人いる」③考えの未熟な者。「きみもまだ—だな」(↔おとな) 表記「小供」とも書いた。●子どもができる 句 ①子どもが うまれる。②妊娠する。「子どもができたらしいの」●子どもは風の子 句 子どもはつめたい風の中でも平気で遊ぶものだ。●こども えん［こども園］〔↑認定こども園〕幼稚園と保育所をあわせた役割を持つ施設。●こども ごころ［子(供)心］〔おとなの世界のことがまだ わからない〕子どもの心。おさなごころ。●こどもだまし［子(供)×騙し］子どもならば だませるような、あさはかで程度の低い〈こと/もの〉。●こどもした［子(供)した］《連体》いかにも子どもらしい感じの。●こども の つかい［子(供)の使い］言われたとおりのことを相手に伝えることしかしないこと。●こども の ひ［こどもの日］国民の祝日の一つ。五月五日。子どもの しあわせを願い、喜ぶことをしてあげたりする日。端午の節句に当たる。〔一九四九年から実施〕

**こと も なげ**［事もなげ］《ナダ》事を簡単に考えるようす。無造作。「—に言う」

**ことよ・せる**［事寄せる］《自下一》〔文〕自分の〈したい/言いたい〉ことのために、ほかのことを理由にする。「月見に事寄せて招いた」

**ことり**［小鳥］〔飼うための〕小形の鳥。「—が さえずる」

**こと わざ**［(×諺)］生活の中から生まれて伝わってきた、なるほどと思わせる短いことば。例、「急がばまわれ」。

**ことわり**［断り］①相手の たのむとおりにはしない、と伝えること。辞退。「お━します・━状」②前もって知らせること。何かをするに先立って、了解(りょうかい)をもとめること。「なんの━もなしに・━書(が)き」由来⇩断る。

**ことわり**【▵理】〔文〕①ものごとの筋道。理屈(りくつ)。道理。摂理(せつり)。「世(よ)の━・大自然の━」②あたりまえ。当然。「見覚えがあるのも━である」③〔古風〕わけ。理由。「何か━でもあるのか」由来⇩断る。

***ことわ・る**【断る】《他五》①相手のたのむとおりにはしない、と伝える。「申し出を━」②前もって知らせる。了解(りょうかい)をもとめる。「ひとこと断って出かける」③結んでいた関係を打ち切る。「今後の取り引きを━」由来「事」を「割る」(=判断する)」からで、「理(ことわり)」と同語源。可能 断れる。

**ことん**《副》①かたいものが軽く当たる音。②瞬時(しゅんじ)にそうなるようす。「ベッドにはいると、━と寝入(ねい)ってしまう」▽ことり。

**ごとん**《副》重いものがぶつかる にぶい音。「列車は━と動きだした」

**こな**【粉】①目に見えないほどごく細かい〈つぶ/かけら〉の集まり。粉末。「━砂糖・━チーズ」②〔俗〕ヘロイン。☞お粉・こ(粉)。●**粉をかける** 句〔俗〕①ちょっと好きな相手に、声をかけて気を引く。②殺し文句で相手の気分をよくする。

**こない**【庫内】冷蔵庫・倉庫などの中。(↔庫外)

**こないだ**(こなひだ)〔話〕このあいだ。こないだうち。「━のパーティーで会った」

**こなぐすり**【粉薬】粉状の薬。散薬。こぐすり〔古風〕。

**こなごな**【〔粉々〕】細かく、こなの状態になること。こなみじん。「━にくだく」

**こなざとう**【粉砂糖】グラニュー糖などを細かく ひいて、さらさらにしたもの。パウダーシュガー。

**こなし** ①やわらかい動作。動き。「身の━(=立ち居ふるまい)」②自由なあつかい。「着━」

**こな・す**《他五》①細かくくだく。「土を━」②〔胃の中で〕食べたものをとかす。消化する。③〔技術などを〕自分のものにして、自由にあつかう。「英語を━・乗り━」④残さず かたづける。処理する。「仕事を━・数を━」⑤〔古風〕けなす。「相手を軽く━」可能 こなせる。

**こなた**【〔此方〕】《代》〔雅〕①こちら。こっち。「川の━・━かなた(=あちこち)」☞片や。②あなた。おまえ。

**こなちゃ**【粉茶】茶の葉をふるいにかけたりしてつくる、粉状の茶。こちゃ。

**こなべ**【小鍋】〔一人または少人数用の〕小さな鍋。

●**こなべじたて**【小鍋仕立て】小鍋を使って、簡単な〔鍋〕料理をこしらえること。小鍋立て。

**こなまいき**【小生意気】《ナダ》なんとなく なまいきなようす。派 -さ。

**こなみじん**【粉〔▵微×塵〕】非常に小さく くだけること。こなごな。「━になる」

**こなミルク**【粉ミルク】牛乳から水分を取り去り、粉の状態にしたもの。お湯でといて、赤ちゃんに飲ませる。粉乳。

**こなもの**【粉物】お好み焼きやたこ焼きなど、小麦粉で作る料理の総称(そうしょう)。粉物料理。こなもん〔関西方言〕。

**こなゆき**【粉雪】粉のように細かな雪。こゆき。☞パウダースノー。

**こな・れる**【〔▵熟れる〕】《自下一》①〔胃の中で〕食べたものが とける。②かたさや不自然さがなくなる。「文章がこなれている・バッグの革(かわ)が━・こなれたデザイン」③経験を積んで円満になる。「人間が こなれている」④〔値段が〕買いやすい程度に下がる。「価格がこなれてくる」名 こなれ。

**こなん**【湖南】みずうみの みなみがわ。「━方面」(↔湖北)

**ごなん**【〔御難〕】「困難・災難」の尊敬語。「とんだ━でしたね・━続き」

**コニーデ**〔ド Konide〕《地》円錐(えんすい)形の火山。例、富士山。〔今は「成層火山」に分類する〕

**こにくらし・い**【小憎らしい】《形》なんとなく にくらしく感じられるようすだ。こにくい。こにくたらしい。派 -さ。

**ごにち**【後日】〔文〕のちの日。ごじつ。

**コニャック**〔フ cognac=地名〕フランスのコニャック地方で造られるブランデー。最高級とされる。

**ごにゅう**【悟入】《名・自サ》《仏》さとりの世界にはいること。

**ごにょごにょ** 一《副》はっきり聞き取れないことばをつぶやくようす。「━ひとり言を言う」二《他サ》〔俗〕何かをするようすをぼかしたことば。「コンサートのチケットを━して(=人に言えない方法で)手に入れる」

☆**ごにん**【誤認】《名・他サ》まちがえて それと認めること。「事実━・━逮捕(たいほ)・優良━(=商品やサービスを実際よりもよく見せて、消費者に誤解をあたえること)」

**ごにんぐみ**【五人組】江戸(えど)時代、五戸から成り立った、町村の自治団体。

**こにんずう**【小人数】〔やや古風〕少しの人数。少人数。こにんず〔古風〕。(↔大人数)

**ごにんばやし**【五人〔×囃子〕】五人で ひと組みの、ひな人形の一つ。謡(うたい)・笛・太鼓(たいこ)・大鼓(おおつづみ)・小鼓(こつづみ)を、それぞれ受け持つ。

**こぬか**【小×糠・(粉×糠)】〔方〕ぬか。「━三合持ったら養子に行くな(=わずかの ぬかだけでもあるなら、苦労の多い養子には行くな)」●**こぬかあめ**【小×糠雨】細かく静かに降る雨。ぬかあめ。

☆**コネ**〔←コネクション〕ある人との特別な関係。縁故(えんこ)。つて。引き。「━で出世する」

**コネクション**〔connection=つながり〕①⇩コネ。②麻薬(まやく)密売人(の組織)。

**コネクター**〔connector〕電線と電線または電気装置とを接続するもの。

**こねく・る**【〔×捏ねくる〕】《他五》〔俗〕こねる。「こねくり返す」

**こねこ**【子猫・×仔猫】ネコの子。

**こねこ**【小猫】小さなネコ。

**こねた**【小ネタ】ちょっとした簡単な見せもの・話題・趣向(しゅこう)など。「━を披露(ひろう)する・━の多いドラマ」

**ごねどく**【ゴネ得】〔俗〕しつこくごねて、自分の要求をまんまと通すこと。ごねただけ得をすること。「関係者の━は許さない」〔本来は「ごてどく」〕

**こ・ねる**【〔×捏ねる〕】《他下一》①粉や土に水をまぜて かたくねる。②よく かきまぜて ねる。「あんを━・こねまわす」③《野球》ボールを両手に持って、「こねる①」ような かっこうをする。④あれこれ無理を言う。「理屈(りくつ)を━・だだを━」名 こね。

**ご・ねる**《自下一》〔「ゴネる」とも書く〕〔俗〕①むりな

要求を通そうとする。「客が―」 由来「こねる」と「ごてる」の合成語。よくない意味を強調して「こねる」を濁音化(だくおん)したとも言える。②〔↑ごねはん（御涅槃）〕〔古風〕死ぬ。名ごね。

**ごねん**【御念】「念」の尊敬語。お心づかい。「―の入ったお手紙・―にはおよびません」

**この**【△九】〔東京方言〕ここのつ。「―、とお」

**＊＊この** 一《連体》①自分に近いものごとをさす。「―時計、あげるよ・―夏（＝ことしの夏）・―身（＝自分の身）の安全・〔ほかのだれでもない〕―私が保証する」（↕その・あの）②すぐ前の話（に出したものごと）をさす。「―ことから、次の結論が得られる・―道（＝この分野）のプロ」（↕その） 区別 ⑴⇩指示語。⑵話題の中心になる場合に「この」を、話題の中心でない場合に「その」を使うとわかりやすい。「何が売れるかという、そのことは横に置いて、何を売りたいかという、このことを話したい」③今の状態や、今問題にしているものごとをさす。「―調子でいけば成功だ・―話はちょっと待ってくれ」④これから言うものごとをさす。「ちょっと考えたんだが、―ようにしてはどうだろう」⑤〔話〕目の前の人やものを〈ののしる／うらやむ〉気持ちをあらわす。「―ばか（が）！・―幸せ者！」 表記 かたく「×此の」とも。 二《感》〔話〕①適当なことばを思いつかないとき、つなぎに使うことば。「―、なんと言いますか」（「このう」「この―」とのばしても言う）②相手を〈ののしる／うらやむ〉気持ちをあらわす。「のろけちゃって、―（―）！」 ●**この親にしてこの子あり** 句 親がりっぱだから、子どももりっぱに育った。〔「親が悪いから、子どもも悪くなった」の意味でも使う〕

**このあいだ**【この間】―あひだ 今よりも何日か前のころ。先日。さきごろ。こないだ。

**ごのう**【御悩】〔文〕御病気。

**このうえ**【この上】―うへ《副》これよりさらに。「―税金を引かれたらもうけはなくなる」 ●**このうえとも**【この上とも】《副》今後ともなおいっそう。「―よろしく」 ●**このうえな・い**【この上ない】《形》これより程度の大きいものが考えられない。この上もない。「―名誉(めいよ)・この上なく感謝する」 ●**このうえは**【この上は】《接》こうなったからには。「―早くにげ出そう」

**このえ**【△近△衛】天皇や君主の近くにいて守る人。「―兵」

**このかた**【この（方）】一 以後。以来。「三年―・別れてから―会っていない」 表記「∴以来」とも書いた。 二 **このかた**《代》「この人」の尊敬語。

**このかん**【この間】〔文〕ある時期とある時期のあいだ。そのあいだ。「―の消息」

**このこ**【〈∴海鼠子〉】ナマコの卵巣(らんそう)。珍味(ちんみ)とされる。

**このご**【この期】〔文〕いよいよという、だいじな時期。「―におよんで何を言うか」

**このごろ**【この頃】少し前から今までの期間。近ごろ。「―の寒さはひどい」

**このさい**【この際】こういう（切れ目をつけるのにいい）〈場合／とき〉。「―打ち明けてしまおう」

**このじ**【コの字】カタカナの「コ」の字（の形）。「―形のカウンター」

**このしろ**【〈×鮗〉・〈×鰶〉】海でとれる小形のさかな。銀色で、網(あみ)のように規則的な黒い点々の模様がある。背びれの一本だけが長い。食用。☞こはだ。

**このせつ**【この節】「このごろ」の改まった言い方。当節。

**このたび**【この（度）】〔文〕「今回」の改まった言い方。「―はご結婚(けっこん)おめでとうございます・どうも、―は…（＝あいまいに言う おくやみ）」

**このため**《接》これが理由で。このために。「赤字がふくらんでいた。―、合理化に着手した」

**このところ**【この（所）】このごろ。

**このは**【木の葉】①木(き)の葉。②落ち葉。「―が舞(ま)う」 ●**このはてんぐ**【木の葉（天×狗）】小さなてんぐ。 ●**このはどん**【木の葉丼】かまぼこ・ネギなどを煮(に)たものを、たまごとじにしてのせた、どんぶりごはん。関西でよく食べる。 由来 具を木の葉に見立てた。

**このぶん**【この分】今の、このようす。「―〈では／なら〉出発できそうだ」

**このへん**【この辺】①自分のいるあたり。「―にレンズが落ちたはずだ・―は昔、海だった」②この程度。「では―で（終わります）」

**このほど**〔文〕ごく最近。このごろ。「―明らかになった」

**このま**【木の間】〔雅〕木と木のあいだ。「―越(ご)し」

**このまえ**【この前】―まへ ①このあいだ。せんだって。「―、おもしろい番組があった」②前回。「―来たのはおととしの夏だった」

**このまし・い**【好ましい】《形》①いい印象をあたえるようすだ。心がひかれる感じだ。「―青年・梅の花を好ましく思う」②そう〈なる／する〉のがいい。のぞましい。「好ましくない発言・―影響(えいきょう)をもたらす」▽このもしい。 派 ―げ。―さ。

**このみ**【木の実】⇩きのみ。

**このみ**【好み】一 ①自分の好きなもの・人（の傾向(けいこう)）。「私の―にあわない・この服は―じゃない・時代の―（＝流行）」②自分の好きなように選ぶこと。「お―の料理をどうぞ」☞お好み。 二 造〔**ごのみ**で名・形動(ナダ)をつくる〕①…が好むもの。「私―の動物・利休―の（＝千利休(せんのりきゅう)が好んだという）色」②…を好む性質（の人）。「洋風―・色―」

**ごのみ**【好み】造〔名・形動(ナダ)をつくる〕⇩この（好）み 二。

**この・む**【好む】《他五》①好きだと思う。いつもそれをしたいと思う。もし選ぶなら、それを選びたいと思う。「スポーツを―・和食を―・明るい曲が好まれる・英雄(えいゆう)色を―」②〔進んで〕もとめる。「―と好まざるとにかかわらず（＝望んでも望まなくても）」▽（↕嫌(きら)う）☞好んで。

**このめ**【木の芽】〔雅〕⇩きのめ①。 ●**このめづき**【木の芽月】旧暦(きゅうれき)の二月。

**このもし・い**【好もしい】《形》〔古風〕このましい。「そのやさしさが―・―結果」 派 ―げ。―さ。

**このや**【この家】〔文〕このいえ。「―のあるじ」

**このやろう**【この（野郎）】《名・感》〔俗〕相手をののしることば。親しみをこめる場合もある。こんにゃろ（う）。

**このゆえに**【この（故に）】―ゆゑに《接》〔文〕こういうわけだから。

**このよ**【この世】生きて暮らしている今の世。現世(げんせ)。「―ならぬ（＝この世のものでない）美しさ」（↕あの世）

**このよう**（ナダ）〔よう↑助動詞「ようだ」〕こういう〈ようす／ふう〉。（「こんなふう」よりもかたい言い方）「―なことが二度とないようにしたい」

**このわた**【（：海鼠腸）】〔こ＝ナマコ〕ナマコの はらわたの塩づけ。

**このんで**【好んで】《副》自分から進んで。そういうことがすきで。「―事を構える」

**こば**〔「コバ」とも書く〕①〔方〕〈かど／すみ／周囲〉の部分。「たんすの―が欠ける」②靴底の周囲の、甲よりも外にはみ出た部分。

**ごば**【後場】《経》〔証券などの取引所で〕午後におこなう取引。(↔前場) ☞のちば(後場)。

**こばい**【故買】ぬすんだ品とわかっていながら買うこと。「―者・―ルート」

**ごはい**【誤配】《名・他サ》〔郵便物や荷物を〕まちがって配達すること。

**ごばい**【誤売】《名・他サ》〔文〕ある物を別の物とまちがえて売ること。「ガソリンと灯油との―事故」

**こは-いかに**【（こは（：如何に）】《感》〔こは＝これは〕〔文〕意外なことに ぶつかったときに発することば。これはおどろいた。「―、顔も知らない者ばかり」

**こばえ**【（小×蠅）】小さいハエ。

**こばか**【小（：馬鹿）・小（：莫迦）】少し ばかな〈こと／人〉。「大ばか―」 ●**小ばかにする** 句〔小＝なんとなく〕人を軽く見て、ばかにする。

**こはく**【（×琥×珀）】①《鉱》木のやにが化石のようにかたまったもの。透明、または半透明の黄色。アクセサリーにする。②〔↑こはく織り〕横の方向に うねのある、平織りの絹織物。帯地・はかま地にする。タフタ。

**ごばく**【誤爆】《名・自他サ》①目標をまちがえて〈爆撃／爆破〉すること。②取りあつかいをまちがえたために、爆発すること。③〔俗〕〔メールやSNSなどで〕〈送信／投稿〉先を、まちがえること。

**こばこ**【小箱】①小さい箱。「蒔絵の―」②少ない人数のみ はいれる店や施設。▽(↔大箱)

**ごはさん**【（御）破算】①〈最初／白紙〉の状態に〈もどす／もどる〉こと。「計画が―になる」②〔①の由来〕〔そろばんで〕計算をもとに返して、零にすること。「―で〔＝ご破算にして〕願いましては」☞願いましては。▽ごわさん。

**こばしら**【小柱】①小さな柱。②バカガイの貝柱。食用。

**こばしり**【小走り】《名・自他サ》〔歩いていては おそい場合に〕ゆっくり走ること。「道を―〈で／に〉行く」

**こはぜ**【（×鞐）・（：甲馳）】帙・足袋などの あわせ目の はしにつけて とめる、つめの形のもの。

［こはぜ］

**こはだ**【（小×鰭）・（小肌）】コノシロの若魚。すしなどに使う。

**こばた**【小旗】小さい旗。「日の丸の―を振る」

**こばち**【小鉢】①小形で底の深い食器。「皿―」②《料》「小鉢①」に もりつけた料理。「なっとうと―の朝食」③植木ばちの小さいもの。

**ごはっと**【（御）法度】〔「法度」の尊敬語・美化語〕禁じられていること。「不義は御家の―・ノーネクタイは―だ」

**こばな**【小鼻】鼻柱の左右の ふくらみ。鼻翼。 ●**小鼻をうごめかす** 句 いかにも得意そうな様子をする。小鼻をひくつかせる。 ●**小鼻を膨らませる** 句 ①得意げな様子を示す。小鼻をうごめかす。「小鼻を膨らませて話す」②不満な様子を示す。「小鼻を膨らませて、文句を言う」

**こばなし**【小話・小×咄】短い、笑い話。

**こばなれ**【子離れ】《名・自サ》親が子どもへの干渉をやめて、子どもの自主性にまかせられるようになること。(↔親離れ)

**こはば**【小幅】㊀《名・ナダ》変動の程度の小さいようす。「―増資・―な値動き」(↔大幅) ㊁《服》〔反物で〕並幅。(↔大幅・中幅)

**こば・む**【拒む】《他五》求められても受け入れない気持ちをあらわす。ことわる。「申し出を―・受け取りを―」

**こばら**【小腹】少し腹が…すること。「―が痛む・―がすいた〔＝少し空腹だ〕・―の出かかった中年男」 ●**小腹が立つ** 句 ちょっと腹が立つ。

**ごはらい**【誤払い】まちがって〈しはらう／はらいもどす〉こと。ごばらい。

**ごばらい**【後払い】〔文〕あとばらい。(↔前払い・先払い)

**こはる**【小春】旧暦の十月。由来 春の気分がすることから。初冬の〈日／日ざし〉。 ●**こはるび**【小春日】春のようにあたたかい、初冬の〈日／日ざし〉。 ●**こはるびより**【小春日和】十一月から十二月にかけての、よくはれた春のような感じがする、あたたかい ひより。「―のおだやかな日」

**コバルト**〔cobalt〕①《理》ニッケルに似た金属〔元素記号Co〕。灰白色で磁性が強い。合金の材料。②⇩コバルトブルー。 ●**コバルトブルー**〔cobalt blue〕あざやかなこい青色。コバルト(色)。「―の海」

**こはん**【湖畔】〔文〕みずうみの ほとり。

**こばん**【小判】㊀ こばん 紙・本などの、小形のもの。㊁ こばん〔江戸時代の〕長円形の金貨。一枚が一両に当たる。▽㊀㊁(↔大判) ●**こばんざめ**【（小判×鮫）】①頭部に小判形の吸盤がある海魚。サメなどに くっついて移動する。こばんいただき。②〔俗〕大物のすぐそばで、利益を得る小物。

*__ごはん__【（御）飯】①たいた米。「―をたく〔☞結果目的語〕・―を〈よそう／盛る〉・―つぶ・白―〔＝たいた白米〕」②食事。「もう―(の時間)だ・―にしましょう」▽「めし」の美化語で、日常語として ふつうに使う。③ペットの えさ。 ●**ごはんのとも**【（御飯の）供・（御飯の）友】のり・こんぶなど、たいた ごはんに そえて味つけにするもの。ごはんの お供。 ●**ごはんむし**【（御飯）蒸し】ひえた ごはんを蒸して あたためる用具。蒸し器。 ●**ごはんや**【（御飯）屋】食堂やレストラン、カフェなど、手ごろな値段で食事を出す店。「―さん」

**ごはん**【誤判】〔文〕あやまった〈判断／判決〉。

**ごばん**【碁盤】碁を打つ、四角で足のついた盤。たてよこに それぞれ十九本の線を引く。 ●**ごばんじま**【碁盤（×縞）】碁盤の目のような しま。格子じまの一種。 ●**ごばんのめ**【碁盤の目】①碁盤上の、たてよこの線が交わる点。②「碁盤の目①」のように、たてよこきちんと並んでいること。「―の町並み」

**こはんとき**【小半時】〔昔の時間で〕①半時の半分。約三十分。四半時。②半時。約一時間。

**こはんにち**【小半日】昼間の半分近くの時間。三、四時間。「―かかる」

**こひ**【古碑】〔文〕古い石碑。

**こび**【（×媚）】こびる〈こと／ようす〉。 ●**こびを売る** 句

①おせじを使って こびる。へつらう。②色気を見せて気を引く。「ホステスが―」

**ごび**［語尾］①単語または談話の終わりの部分。「―をはっきり言う」（↔語頭）②《言》⇩活用語尾。

**コピー**〔copy〕㊀《名・他サ》①機械を使って、もとの書類・図面などの内容を、別の紙などに写すこと。また、写したもの。複写。「―を取る・保険証の―・―機」②複製。「かぎを―する・ディスクの内容を―する」③《情》ほかの部分にペーストしたいデータを、コンピューターに一時的に記憶させること。また、ペースト。「文字を―する」④模造。「―ブランド（=模倣商品）」㊁広告の文章。「―ライター（=広告の文案を書く人）」

●☆☆**コピー アンド ペースト**〔copy and paste〕《情》〔コンピューターで〕文章や画像の必要な部分を写しとって、ほかの所にはりつけること。コピペ。☞カットアンドペースト。●**コピーしょくひん**［コピー食品］別の素材を使って、本物と外見や味をそっくりに作った食品。例、カニ風味かまぼこ・人工イクラ。●**コピーライト**〔copyright〕著作権。☞まるシー。

**こびき**［木（×挽き）］木をのこぎりでひいて材木にすること（を仕事にしている人）。

**こひざ**［小膝］（=少し ひざを…すること）●**小膝を〈打つ／たたく〉**句 感心したり思い出したりして、ひざを軽く打つ。

**こひつ**［古筆］昔の人のじょうずな筆跡（の残る紙）。〔特に、平安時代から鎌倉時代までのもの〕「―切（=古筆の断片）」

**こびと**［（小人）］①〔物語で〕からだが ごく小さく、ふしぎな力を持つ、人に似た存在。「白雪姫と七人の―」②〔古風〕からだの ごく小さい人。〔差別的なことば〕☞しょうじん（小人）・しょうにん（小人）。

**コピペ**《名・他サ》①《情》↑コピー アンド ペースト。②〔どこかから「コピペ①」したような〕丸写し。盗用。「―疑惑」〔二十一世紀になって広まったことば〕

**こび-へつら・う**［（×媚び×諂う）］《自五》相手に気に入られようとして、おせじを言ったり きげんをとったりする。おもねる。

**ごひゃくらかん**［五百羅漢］《仏》釈迦の弟子で心の中で、徳のすぐれた五百人の人。木や石に刻んでお寺にまつる。

**ごびゅう**［誤×謬］〔文〕誤り。まちがい。「―を犯す」

**こひょう**［個票］〔アンケートなどで〕個別の記入用紙。

**こひょう**［小兵］《名・ナダ》体格の小さな〈こと／人〉。「―力士」（↔大兵）

**こびょうし**［小拍子］〔上方落語で〕見台の上に置く、小さな一対の拍子木。場面が変わるときなどに、片手で台に打ちつけて鳴らす。☞見台②。

**こびりつ・く**《自五》〔俗〕ねばりけのあるものが かたくくっつく。「ごはんつぶが―」

**こ・びる**［（×媚びる）］《自上一》①相手の気に入るような言動をする。へつらう。おもねる。「権勢に―」②色っぽくさそうようすを見せる。「―ような目」

**コピ・る**《他五》〔俗〕コピーをする。「これ、コピっといて」

**こびん**［小（×鬢）］ひたいのわきのほうの かみの毛。「―に白いものがまじる」

**こぶ**［昆布］〔食品としての〕こんぶ。「―茶・―巻き」

**こぶ**［（×瘤）］①〈病気の／強く打った〉ために からだの一部が小高く かたまったもの。②表面に小高くあらわれたもの。「ラクダの背中の―」③やっかいもの。じゃまもの。

**こぶ**［鼓舞］《名・他サ》〔文〕大ぜいの人の気持ちをさかんにさせるようにすること。ふるいたたせること。「士気を―する」

**ごふ**［碁譜］碁の勝負のあとを黒丸と白丸の形で図にしめしたもの。棋譜。

**ごふ**［護符］人間をわざわいから守る力があるという、神や仏の ふだ。ごふう。

**ごぶ**［五分］①一寸の半分。約一・五二センチ。「―刈り（=実際の五分よりも短く刈りそろえた髪型）・一寸の虫にも―の魂（⇩「一寸」の句）」②一割の半分。五パーセント。③半分。「―そで」④半々。五〇パーセント。「見通しは―だ」⑤対等。「―に戦う」

**ごぶいん**［（御）無音］《手紙》〔文〕ごぶさた。「―に打ち過ぎ」

**こふう**［古風］《名・ナダ》①〔文〕昔の姿。②昔ふう（であるようす）。派 -さ。

**ごふうじゅうう**［五風十雨］（=五日目ごとに風がふき十日目ごとに雨が降ること）〔農作に都合のいい〕順調な気候。

**こぶか・い**［木深い］《形》〔文〕木立がしげって、おく深い。「―山奥」

**ごふく**［呉服］（=絹織物）和服用の織物。「―類」

**こぶくしゃ**［子福者］〔古風〕たくさんの子どもに めぐまれた人。

**こぶくろ**［コブクロ］（=子袋）〔食用の〕ブタの子宮。

**こぶこぶ**［（×瘤々）］〔児〕（多くの）こぶ。

**ごぶごぶ**［五分五分］〔両方の力・成績・見通しなどをくらべて〕どちらも同じくらいであること。

**こぶさ**［小房］〔野菜などの〕小分けした ふさ。こふさ。

●**小房に分ける**句《料》野菜やキノコのつけ根を切って、食べやすい大きさに小分けする。「ブロッコリーを―」

**ごぶさた**［（御）無沙汰］《名・自サ》〈訪問／たより〉をしないことの謙譲語。「―の おわび」

**こぶし**［小節・コブシ］《音》民謡・演歌などに多い歌い方。音を同じ高さでのばしながら細かくふるわせる。揺り。「―をきかせる」

**こぶし**［古武士］〔信義を重んじた〕昔の武士。

**こぶし**［（:辛夷）］落葉高木の一つ。春先、葉のないこずえに白い大形の花をひらく。

**こぶし**［拳］五本の指を折りまげて かたくにぎった状態。げんこつ。「―をにぎりしめて力説する・―をふり上げる・―でなぐる」●**こぶし の おろしどころ**［拳の下ろし所］⇩振り上げた拳の下ろし所〔「振り上げる」の句〕。

**こぶじめ**［昆布締め］白身のさかな などをうすく切り、コンブの間に はさみ、味をしみこませたもの。「ヒラメの―」

**ごふしょう**［（御）不承］《名・ナダ・自サ》①〔文〕相手の不承（=いやに思うこと）を尊敬して言うことば。「―でしょうが」②（=いやいや承諾する）〔古風〕御承諾。「―願います」

**ごふじょう**［（御）不浄］〔古風・女〕お便所。おてあらい。ごふ。

**こぶちゃ**【昆布茶】コンブを粉にして、湯をさした飲み物。また、そのコンブ。

**こぶつ**【古仏】昔の仏像。

**こぶつ**【古物】①使い古しの品。ふるもの。「—商」②古い時代のもの。「—破壊」

**こぶつ**【個物】〔文〕見たりさわったりすることによって、認識することができる物。

**こぶつき**【(×瘤)付き】〔俗〕子どもなど、やっかいな者がいる〈こと／人〉。〔子どもを「じゃまなもの」にたとえていて、語感が悪い〕

**ごぶつぜん**【(御)仏前】①み仏の前。②《仏》〔文〕香典や供物などに書くことば。〔一般に、四十九日の法要のあとで使う〕

**こふで**【小筆】細い字を書くときに使う筆。

**こぶとり**【小太り】《名・ナダ・自サ》少し ふとっていること。「—した男」

**こぶね**【小舟・小船】小さな ふね。おぶね。(↔大船)

**こぶまき**【昆布巻き】ニシン・ハゼなどをコンブで巻いて煮た料理。こんぶ巻き。

**コブラ**〔cobra〕インドなどにすむ毒蛇。せなかに めがねをかけたような模様がある。

**コプラ**〔copra〕ココヤシの果実の胚乳をかわかしたもの。やし油の原料。

**こぶらがえり**【(×腓)返り】—がへり《名・自サ》〔関西方言〕こむらがえり。

**ゴブランおり**【ゴブラン織】〔Gobelins=人名〕壁かけに使う厚い織物(をまねて作った品)。縦糸で模様を出す。ゴブラン。

**こぶり** ㊀【小振り】〔バット・ブランコなどを〕小さくふること。(↔大振り) ㊁【小ぶり】《名・ナダ》〔他とくらべて〕少し小形なようす。「—〈の／な〉くだもの」(↔大ぶり・中ぶり)

**こぶり**【小降り】雨や雪の降り方が弱いこと。「雨が—になる」(↔大降り・本降り)

**コフレ**〔フ coffret=小箱〕小箱には いった、けしょう品のつめ合わせ。「クリスマス—」

**ごふれい**【(御)不例】〔文〕天皇(や身分の高い人)が重い病気にかかること。

**ゴブレット**〔goblet〕ビールやジュースを飲むときに使う、一本足のグラス。

**こふん**【古墳】三〜七世紀ごろに つくられた、身分の高い人の墓。土を盛り上げて、小高い丘のようにしたもの。前方後円墳・方墳・円墳など。●**こふんじだい**【古墳時代】《歴》弥生時代より後、奈良時代より少し前までの、古墳が多く作られた時代。三〜七世紀ごろ。☞飛鳥時代②。

**こぶん**【子分・△乾分】手下。部下。(↔親分)

**こぶん**【古文】昔の文章。特に、文語で書かれた、江戸時代までの文章。〔学校教育では、漢文は ふくまない。☞古典③〕(↔現代文)

**ごふん**【(×胡粉)】《美術》日本画で使う白い顔料。貝がらを天日にさらし、くだいた粉から作る。

**ごぶん**【誤聞】〔文〕①聞き誤り。聞きちがい。②まちがったうわさ。誤伝。

**こへい**【古兵】古くからそこにいる兵隊。古参兵。古年兵。(↔新兵) ☞ふるつわもの(古兵)。

**ごへい**【御幣】神前にそなえる、細長い〈紙／布〉をくしにはさんだもの。神主がおはらいをするときに使う。「—かつぎ(=縁起を気にする〈こと／人〉)」●**御幣を担ぐ** ㊖ 縁起のいい・悪いを気にする。

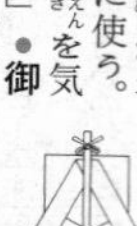

［ごへい］

☆☆**ごへい**【語弊】ことばづかいが不適当なために起こる〈弊害／誤解〉。「へただ と言うと—があるが…」

**こへき**【個癖】〔文〕個人が持っているくせ。

**こべつ**【戸別】家ごと。「—訪問」

**こべつ**【個別・△箇別】一つ一つ別にすること。「—(の)折衝・—的」

**コペルニクスてきてんかい**【コペルニクス的転回】〔Copernicus=人名〕意見や説を〈すっかり逆のほうに／根本的に〉変えること。百八十度の転回。

**こへん**【湖辺】〔文〕みずうみの まわり。

**ごへん**【御辺】《代》〔文〕そこもと。貴公。貴殿。

**こほう**【孤峰】〔文〕一つだけ はなれて、そびえ立つ みね。「厳冬の—」

**ごほう**【後報】〔文〕⇩こうほう(後報)。

**ごほう**【御報】〔文〕お知らせ。「—(即)参上」

**ごほう**【語法】①文法。②(正しい)ことばの使い方。

**ごほう**【護法】《仏》①ばけもの・病気を調伏する法力。②仏法を守る〈こと／鬼神〉。

**ごほう**【誤報】《名・他サ》まちがった〈報道／知らせ〉。「新聞の—」

**ごぼう**【(△牛×蒡)】野菜の名。根は茶色で長く、食用。「—の煮しめ・—の天ぷら〔略して『ごぼ天』〕」

●☆☆**ごぼうぬき**【(△牛×蒡)抜き】①草などの根を、とちゅうで切れないように、勢いよく引きぬくこと。また、そのように引っぱり上げること。②デモのすわりこみの中から、目ざす者をひとりずつ、むりやりに つれ去ること。③〔人事異動などで〕大ぜいのうちからひとりをむりやり動かすこと。「—人事」④《釣り》はりにかかったさかなを、一気に引き上げること。⑤一気に何人かの者を走って追いぬくこと。

**ごぼう**【御坊】〔文〕「僧・寺」の尊敬語。

**こぼうず**【小坊主】①年の若い僧。②男の子。〈親しみをこめた／あなどった〉言い方。「手のかかる—だ」

**ごぼうせい**【五×芒星】一筆で書く、かどが五つある星。真ん中に正五角形ができる。ペンタグラム(pentagram)。

［ごぼうせい］

**ごほうぜん**【御宝前】①「宝前」の尊敬語。②〔文〕お布施を包んだ紙に書くことば。さい銭ばこのあるところ。

**こほうそう**【個包装】《名・他サ》菓子などを一個一個分けて包装〈すること／したもの〉。個装。

**ごほうび**【(御)褒美】①「褒美」の美化語。②がんばったあとに あたえられる楽しみ。「お客さまの笑顔が—・自分への—として旅行に行く」

**こほく**【湖北】みずうみの きたがわ。「—地区」(↔湖南)

←**こぼく**【古木】〔文〕古い立ち木。老い木。

→**こぼく**【枯木】〔文〕かれた木。かれき。

**ごほごほ**《副》続けて せきをする音。「—と むせかえる」

**こぼし**【(△翻し)】〔↑みずこぼし〕⇩建水。

**こぼ・す**【(△零す)】㊀《他五》①いっぱい〈たまった／つまった〉ものを、外に出してしまう。「なみだを—」②下へ落とす。「ごはんつぶを―」③入れものをかたむけて、流す。④不平などを言う。「ぐちを―」[二]《自五》ぐちを言う。ぼやく。「かねがない、と―」

**こぼ・つ**【(△毀つ)】《他五》〔雅〕こわす。くずす。

**こぼね**【小骨】〔さかなの〕小さな骨。

**こぼれ**【(△零れ)】こぼれること。こぼれたもの。☞おこぼれ。●**こぼれお・ちる**【(△零れ)落ちる】《自上一》①あふれて外に出る。「なみだが―・砂が指のあいだから―」②対象からもれる。「リストから―」●**こぼれざいわい**【(△零れ)幸い】思いがけない幸い。僥倖。●**こぼれだね**【(△零れ)種】①地面におちこぼれたたね。②おとしだね。③こぼればなし。●**こぼれだま**【(△零れ)球】《サッカーなど》ミスなどによって、どちらのチームも保持しない状態になったボール。「ゴール前の―を拾ってシュート」●**こぼればなし**【(△零れ)話】ある事件などに関係のある(短い)話。余聞。余話。こぼれだね。●**こぼれび**【(△零れ)日】雲のあいまからさす、わずかな日の光。

**こぼ・れる**【(△毀れる)】《自下一》〔刃物の刃が〕少し欠ける。

**こぼ・れる**【(△零れる)】《自下一》①いっぱい〈たまった/つまった〉ものが、あまって(あふれて)少し外に出てしまう。「たまった/なみだが―・こぼれ出る」②はずみで、外へ出る。「原稿が五文字―〔=オーバーする〕」③決められたわくに おさまらない。「木々の間から日ざしが―・白い歯が―・〈笑み/笑顔〉が―・あいきょうが―〔=うかがえる〕」④少し見える。

**ごほん**《副》一回、せきをする音。「―、―という せきばらい」

**こぼんのう**【子(煩悩)】《名・ナダ》自分の子をむやみにかわいがる〈ようす/親〉。

**こま**【小間】①小さな部屋。②展示会などの会場を小さくくぎった所。「―番号」

**こま**【(:独楽)】軸を中心として回るように作った おもちゃ。「―回し」

**こま**【駒】〔=馬の子。子馬〕①〔雅〕馬。②将棋盤の上にならべて動かす、五角形の木片。「持ち―」〔将棋以外のボードゲームでも、動かす物をさして言う〕③ものの間に はさむ、三角形の小さな木。☞「しゃみせん」の絵。④動かしやすいように、箱などの下に取り付けた、小さな車。⑤〔何かの目的のために〕自由に動かせる人や物。「―不足」⑥腕時計のバンドの一片。また、その糸バンドピース。「H(形の)―」⑦駒撚り。また、その糸を使った絹織物。「―綸子・―絽」●**駒を進める**[句]〔試合に勝って〕次の段階へ進み出る。「決勝戦へ―」

**こま**【(×齣)・コマ】〔「小間」から〕①動画を構成する、一つ一つの画像。「―送り〔=こまを手動で一つ一つ進めながら、ゆっくり再生すること〕・―撮り〔=あとでつないで動画にするため、ひとこまずつ撮影すること〕」②漫画を作る、一つ一つの絵。「四―漫画・―割り〔=こまを区切ること。こまの区切り方〕」③大学の時間割の ひとくぎり。「ひと―は九十分だ・空き―」

**ごま**【(×胡麻)】〔「コマ」とも書く〕↑こま切れ。「牛―」

**ごま**【(×胡麻)】①畑で作り、食用にする草の たね。小つぶで、色は黒または白。煎ったり、油をしぼったりする。「すり―・―で よごす〔=あえる〕」②点のようなつぶ。「柿の実が―をふく・へその―〔⇩「へそ①」の用例〕」●**ごまをす(擂)る**[句] おべっかを使って、利益をえようとする。☞ごますり。

**ごま**【護摩】《仏》〔密教で〕火をたき、仏にいのる儀式。「―壇・―をたく・お―を始める」

**ごまあえ**【(×胡麻△和え)】煎ったゴマをすって味をつけ、ゆでた野菜などとまぜあわせた料理。ごまよごし。「ホウレンソウの―・インゲンの―」

**コマーシャリズム**〔commercialism〕営利主義。商売本位。

**コマーシャル**〔commercial〕[一]コマーシャル〔↑コマーシャル メッセージ〕〔民間放送で〕番組にはさむ広告・宣伝や、その文句。CM。「―ソング」[二][造]商業の。商業的。「―ベース」●**コマーシャルペーパー**〔commercial paper〕《経》企業が、短期資金調達のために発行する手形。CP。

**ごまあぶら**【(×胡麻)油】ゴマの種からとった食用油。「―で天ぷらを揚げる」

**こまい**【木舞・小舞】土壁の下地に、縦横に編みわたす細い竹。

**こまい**【古米】《農》古い米。前の年にとれて、梅雨をこした米。(↕新米)☞古古米。

**こまい**【(:氷下魚)】体長三〇センチほどの海水魚。干物や練り物にする。

**こま・い**【(細い)】《形》〔方〕小さい。細かい。

**ごまいおろし**【五枚下ろし】さかなを三枚に下ろして、片身をそれぞれ背と腹とに切り分け〈ること/たもの〉。

**こまいぬ**【(×狛)犬】神社の拝殿の前に向かい合わせて置いてある、魔よけの犬。

［こまいぬ］

↔**こまおち**【駒落ち】《将棋》対戦者の実力がかなりちがうとき、強いがわが駒をいくつか使わない状態で戦うこと。例、飛車角落ち。(↕平手)

→**こまおち**【(×齣)落ち・コマ落ち】《名・自サ》動画がなめらかに再生されずに、とちゅうの部分がぬけ落ちること。☞音飛び。

**こまおと**【駒音】《将棋・チェス》駒を打ったときの、駒が盤に当たる音。「―高く打つ」

**こまおとし**【(×齣)落とし・コマ落とし】①《映画・放送》ふつうよりもカメラをゆっくり回して〔=こま数を少なくして〕撮影すること。できあがった映像は、動きが速くなる。「―で撮る」②速く、ちょこまか動くこと。「―で出て行く」

**こまか**【細か】《ナダ》こまかいようす。「タマネギを―に刻む・―なことまで書いてある」〔「細かに・細かな」以外は あまり使わない〕(↕大まか)●***こまか・い**【細かい】《形》①つぶ・模様などが小さい。「―字・きめが―」(↕粗い)②小さなことまで はぶかない。くわしい。「―注意」③少しのことでも損得を計算するようすだ。「―人だなあ」④額面が小さい。「―お金がない・千円札を細かく〔=両替〕する」[派]-さ。●**こまかし・い**【細かしい】《形》こまかな感じがする状態だ。[派]-さ。

**ごまか・す**【(:誤魔化す)】《他五》①〔注意をそらしたり、ちょっとうそをついたりして〕事実をあいまいにする。

「笑って―・年を―〔=本当の年齢を言わない〕・本物がないので代用品で―・おれの目は ごまかされないぞ」②人のすきをねらって ぬすむ。「会社の かねを―」[名]ごまかし。

**こまぎれ**【(細)切れ・(:小間)切れ】①細かいきれはし。こま。「牛肉の―」②細かく〈切る/くぎる〉こと。「―運転〔=機械などを動かしたり止めたりする〕」

**こまく**【鼓膜】《生》耳の穴の奥にあり、振動して音を伝える長円形の膜。

**こまぐみ**【駒組み】《将棋》駒をならべて陣形を組み立てること。

**こまげた**【駒(下△駄)】歯も台も同じ材木をくりぬいて作ったげた。(↕足駄)

**こまごま**【(細々)】《副・自サ》①細かいようす。②行き届くようす。ねんごろ。「―と注意する」③小さくてあまり ねうちのないようす。「―した品物」●**こまごまし・い**【(細々しい)】《形》①いかにも細かい。②くだくだしい。[派]-さ。

**ごましお**【(×胡麻)塩】①黒ごまに塩と少しの水を加え、ごく弱い火で煎ったもの。ごはんにふりかける。②しらがの まじった かみの毛。「―頭」

**ごますり**【(×胡麻×擂り)】将来自分の利益になるように、上役などのきげんをじょうずに取る〈こと/人〉。

**こませ**《釣り》さかなを集めるためにまく えさ。

**コマソン**〔古風・俗〕↑コマーシャル ソング。

**こまた**【小股】①またを前後に小幅に広げること。「―で走る」(↕大股)②少し、またが…であること。[句]で使う〕●☆☆**小股の切れ上がった**[句]〔=またが、ふつうより少し上の位置まである〕〔女性の〕足が長くて腰が高く、すらりとしたようす。「―女」●**こまたすくい**【小股(×掬い)】①《すもう》相手のまたを内がわからすくい上げて たおす わざ。②相手のすきをねらって自分の利益をはかる やり方。

**ごまだれ**【(×胡麻だれ)】〈すりつぶした/刻んだ〉ごまを入れたたれ。「―冷やし中華・―のバンバンジー」

**こまち**【小町】[造](その土地で評判の)美しいむすめ。小町むすめ。「新橋―」[由来]小野小町が美人だったことから。

**ごまつ**【語末】〔文〕単語の終わりの部分。語尾。(↕語頭)

**こまづかい**【:小間=使い】〔こま=細か〕主人の身のまわりの雑用をする、女性のめし使い。

**こまっしゃく・れる**《自下一》〔ふつう **こまっしゃくれ〈た/て〉**〕ませていて、さしでがましくする。こまっちゃくれる。こましゃくれる。「こまっしゃくれた口をきく」[人]こまっしゃくれ。

**こまったちゃん**【困ったちゃん】〔俗〕まわりを困らせる人を、じょうだんめかして さす ことば。

**こまっちゃく・れる**《自下一》⇩こまっしゃくれる。こまちゃくれる。[人]こまっちゃくれ。

**こまつな**【(小松菜)】アブラナの一種。葉はやわらかく、一年中とれる青菜。食用。「―のみそしる・―の煮びたし」

**こまど**【小窓】小さな窓。

**ごまどうふ**【(×胡麻)豆腐】すった白ゴマと葛粉に水を加え、火にかけて練り、型に入れて冷やし固めたもの。見た目は豆腐に似るが、舌ざわりは ねっとりとしている。

**こまどり**【(駒鳥)】小鳥の名。顔・胸は赤茶色で腹は灰白色。鳴き声が美しい。

**こまぬ・く**【(×拱く)】《他五》「こまねく」の、もとの形。

☆☆**こまね・く**【(×拱く)】《他五》うでぐみをする。こまぬく。☞手をこまねく〔「手」の[句]〕。

**こまねずみ**【(:独楽=×鼠)】小形のハツカネズミ。全身まっ白で、輪をかいて走り回る性質がある。まいねずみ(舞鼠)。「―のように働く」

**ごまのはい**【(護摩の灰)】自分も旅人のふりをして、旅行者のものを うばい取る わるもの。ごまの はえ(蝿)。

**こまむすび**【(細)結び・(:小間)結び】ひもなどの両はしを二度からませて、かたく結ぶ結び方。固結び。(↕ちょう《蝶》結び)

**こまめ**《ナダ》〔=小忠実〕①(動き回って)あれこれと熱心に仕事をするようす。「―に立ち働く」②なまけないで、機会があるごとに、何度もそれをするようす。「―に電気を消す・―にノートを取る・会合に―に顔を出す」

**ごまめ**【(:田作)】カタクチイワシの小ざかなをほしたもの。あめ煮にして、正月料理に使う。たづくり。●**ごまめのはぎしり**【(:田作の)歯(×軋り)】〈力の弱い/能力の おとる〉者が、いくら気ばってみても、むだだということの たとえ。

**こまもの**【:小間=物】〔こま=細か〕(女性の)けしょうに使う こまごましたもの。(↕荒物)●**小間物屋を開く**[句]〔俗〕酒などに酔って、はきちらす。

**こまやか**【細やか・△濃やか】《ナダ》①いかにも細かい感じだ。「―な手の動き・―な表現」②こまごまとよく気がつくようす。「愛情が―だ・―な心づかい」[派]-さ。

**こまより**【駒(×撚り)】強くよった絹糸を何本か合わせて、さらに反対がわに〈よること/よった糸〉。厚くて はりのある生地になる。「―の絽・―お召し」

**こまりごと**【困り(事)】めいわくを受けたりして、困っていることがら。「住民の―相談」

↔**こまりもの**【困り(物)】始末に困るものごと。「車内で大声で話されるのは―だ」

↑**こまりもの**【困り者】どうしようもない者。もてあまし者。

****こま・る**【困る】《自五》①どうしていいか わからず、重苦しい気持ちになる。「返事に―・生活に―・そのころ、うちは困って〔=びんぼうして〕いました」②どうすることもできず、いやな思いをする。めいわくする。「困った〔=私を困らせる〕男だ・となりの騒音に―」

**こまわり**【小回り】①少しの回り道。②〈小さく/より近い距離を〉回ること。「スキーで斜面を―ですべる」▽(↕大回り)●**小回りがきく**[句]①車などが、小さな半径で回転できる。②状況に応じて、すばやく方針・やり方などが変えられる。

**コマンド**〔command〕《情》⇩命令③。「―を打ちこむ」

**コマンド**〔commando〕《軍》突撃隊員。戦士。

**ごまんと**《副》ありあまるほど。じゅうぶんに。「証拠は―ある」[表記]俗に「ゴマンと」「:五万と」とも。

**こみ** [一]【込み】いっしょにすること。あわせること。「税―・―にする」[表記]俗に「コミ」とも。[二]【コミ】《碁》たがい先〔=一局ごとに先手をかわること〕のときの、ハンディキャップ。「五目半の―・―出し」
**ごみ**【五味】すっぱい・にがい・〔とうがらしのように〕からい・しおからい・あまいの、五種類の味。〔昔からの分け方〕
***ごみ**【(×芥)・(×塵)・(:塵芥)・ゴミ】①土・砂・紙きれなどの、細かい、きたないもの。ちり。塵芥（じんかい）。「目に―がはいる」②〔使えなくなって（いらなくなって）〕すてたもの。「台所の―・―収集車」③価値のないもの。「―同様にあつかわれる・データの―〔=目的外の不要部分〕」
**こみあ・う**【混み合う・込み合う】（自五）せまい場所に大ぜいの人がはいりこんで、自由に動けない。混雑する。「車内が―」名混み合い。
**こみあ・げる**【込み上げる】（自下一）①中におさまっていたものが、わき上がって外へ出る。「なみだが―・悲しさが―」②吐（は）きそうになる。「吐き気が―」
**こみい・る**【込み入る】（自五）①細かく、複雑なしくみになる。「込み入った議論」②人間関係が複雑で、おだやかでない状態にある。もつれる。「込み入った〔=複雑な〕事情」
**コミカライズ**（名・他サ）〔「コミック」を「ノベライズ〔=小説化〕」からの類推で変化させた和製語〕小説やアニメ、ゲームなどを漫画（まんが）にすること。コミック化。
**コミカル**（ダ）〔comical〕おもしろおかしくて、人を笑わせるようす。「―にえがいた作品・―タッチ」
**コミケ**〔←コミックマーケット〕（俗）漫画（まんが）の同人誌の展示即売（そくばい）会。コミケット。
←**こみこみ**【込み込み・コミコミ】〔旅館・飲食店で〕税込み・サービス料込み。広く、送料と手数料、礼金と敷金（しききん）などにも言う。
←**こみこみ**【混み混み】（俗）大混雑。「連休で―の行楽地」
**ごみごみ**（副・自サ）せまくて雑然としているようす。「―した裏町」
**こみだし**【小見出し】〔新聞・雑誌の記事などで〕文章をいくつかの部分に分け、それぞれにつける小さな見出し。〔↔大見出し〕
**ごみだし**【ごみ出し】〔清掃（せいそう）車で運んでもらうため〕捨てるごみを決められた場所に出しておくこと。

**ごみため**【ごみ(×溜め)】ごみをすてる場所。はきだめ。
**こみち**【小道】せまい道。細道。
**コミック**〔comic〕㊀①（ストーリーのある）漫画（まんが）。②コミックス。「―雑誌・―カフェ〔=漫画喫茶（きっさ）〕」㊁（ダ）①おもしろおかしいこと。「―オペラ」「―ソング・―バンド」②筋が喜劇的であるようす。●**コミックス**〔comics〕漫画（まんが）の単行本（のシリーズ）。コミック。
☆☆**コミッショナー**〔commissioner〕〔プロスポーツの協会などで〕最高の決定権をもつ長。
**コミッション**〔commission〕①委員会。「スポーツ―」②手数料。また、わいろ。
☆☆**コミット**〔commit〕㊀（名・自サ）責任を持ってかかわること。「環境（かんきょう）問題に―する」㊁（名・他サ）確約すること。「収益拡大を―する」
**コミットメント**〔commitment〕コミットすること。①責任のある関与（かんよ）。「紛争（ふんそう）地域への―」②確約。「ポリティカル―〔=公約〕」
**コミニュケーション**（名・自サ）「コミュニケーション」の聞き誤りからできた形。
**ごみばこ**【ごみ箱】ごみを入れる容器。くず入れ。表記 美化して、「:護美=箱」「:御美=箱」とも。
**こみみ**【小耳】①耳の内がわ。「―の手入れ」②少し耳に…すること。（句で使う）●**小耳に はさむ** 句 ちらりと聞く。聞きかじる。「よくない うわさを―」
**ごみやしき**【ごみ屋敷】足のふみ場もないほど、ごみでうめつくされた家。
**コミュ** 造（俗）①←コミュニケーション。「―力・―障〔=コミュニケーション障害。会話が苦手な人も言う〕」②←コミュニティ(ー)。「―参加」
**コミューター**〔commuter=通勤客〕①近距離（きょり）の移動に使う乗り物。「シティー―〔=小型自動車〕」②←コミューター航空。「―機・―空港」●**コミューターこうくう**【コミューター航空】短・中距離（きょり）用の小型航空機を使った、定期的な地域間輸送。
**コミューン**〔commune〕仲間どうしの生活共同体。コンミューン。
**コミュニケ**〔フ communiqué〕〔主として外交上の〕公文書。声明書。「共同―」

☆☆**コミュニケーション**（名・自サ）〔communication〕①情報が送り手から受け手に伝わること。通信。伝達。「マス―」②意思疎通（そつう）。「―が悪い・―をとる・―能力」☞コミュ。
**コミュニケーター**〔communicator〕①専門家と一般（いっぱん）の人との橋わたしをする人。「科学技術―」②（情）情報をやりとりするための端末（たんまつ）機器。コミュニケータ。
**コミュニケート**（名・自サ）〔communicate〕考えや感じたことを伝えあうこと。
**コミュニスト**〔communist〕共産主義者。
**コミュニズム**〔communism〕共産主義。
☆☆**コミュニティ(ー)**〔community〕一定の地域で、共同の社会生活をいとなむことによって形づくられた集団。地域社会。近隣（きんりん）社会。「―の形成・―に溶（と）けこむ・―FM〔⇩コミュニティ(ー)放送〕」●**コミュニティ(ー)サイト**〔community site〕（情）人々が情報を交換（こうかん）したりして交流できるウェブサイト。SNSやゲームサイトなど。●**コミュニティ(ー)スクール**〔community school〕地域社会と一体となって教育をおこなう学校。●**コミュニティ(ー)センター**〔community center〕公民館・集会所・スポーツ施設（しせつ）など、地域社会の中心となる共同施設。●**コミュニティ(ー)バス**〔community bus〕地元の地方自治体が運行する、その地域の住民のためのバス。●**コミュニティ(ー)ほうそう**【コミュニティ(ー)放送】市町村単位の、地域に密着したFM放送。コミュニティ(ー)FM。
←**こ・む**【込む】㊀**こむ**（自五）①⇩混（こ）む。②数が多くなる。「負けが―」③細かな手数をたくさんかける。「手の込んだ細工」㊁造①入れる。はいる。「書き―・落ち―・駆（か）け―」②すっかり…する。「信じ―・ふさぎ―・ふけ―」③じゅうぶんな程度になるまで…する。「みがき―・走り―・煮（に）―」可能 込める。
←**こ・む**【混む・込む】（自五）人やものが〔せまい場所に〕たくさんつまる。「電車が―」〔↔すく(空く)〕
**ゴム**〔オ gom〕①ゴムの木〔=熱帯植物の名〕の汁（しる）からとって作った、弾力（だんりょく）のあるもの。合成されたものもあり、用途が広い。「―風船・―まり・髪―」②〔俗〕消しゴム。「―で消す」③〔俗〕コンドーム。ゴムサック。表記「:護謨」は、古い音訳字。

**ゴムあみ**［ゴム編み］〔棒針の編み物で〕表目と裏目を交互に編む方法。セーターのえり・そで口・すそなどに使う。

**ゴムいん**［ゴム印］ゴムに彫ったはんこ。

**こむぎ**［小麦］ムギの一種。実を粉にして食べる重要な穀物。「―アレルギー」 ●**こむぎいろ**［小麦色］つやのある、うす茶色。健康的に日焼けした肌の色の形容。 ●**こむぎこ**［小麦粉］小麦をひいて粉にしたもの。パンやうどんの材料。メリケン粉。うどん粉。

**ゴムけし**［ゴム消し］〔古風〕⇩消しゴム。

**こむずかし・い**［小難しい］《形》なんとなく むずかしい。こむつかしい。「―理屈をこねる・―顔をする」

**こむすび**［小結］『すもう』関脇の次の位。三役のいちばん下。〔けなした言い方〕

**こむすめ**［小娘］まだ一人前でない女。〔かろんじて言うことが多い〕

**こむそう**［虚無僧］《仏》深い編みがさ〔＝天蓋〕をかぶり、尺八をふいて各地を回って歩いた、普化宗という宗派の僧。こもそう。ぼろ(んじ)。普化僧。

［こむそう］

**ゴムて**［ゴム手］〔作業用の〕↑ゴム手袋。

**ゴムとび**［ゴム跳び］《名・自サ》ある高さに張ったゴムひもを、〔だんだん高くしながら〕とびこえる遊び。ゴム段。ゴムなわ。

**ゴムなが**［ゴム長］ゴム製の長ぐつ。ゴム長ぐつ。

**ゴムのり**［ゴム(×糊)］アラビアゴムから作ったのり。

**ゴムボート**〔和製オ gom＋boat〕ゴム製の小型ボート。

**こむら**［木×叢］〔雅〕木の枝の しげみ。

**こむら**［(×腓)・(×膊)］ふくらはぎ。こぶら。 ●**こむらがえり**［(×腓)返り］《名・自サ》〔急に泳いだときなどに起こる〕ふくらはぎの けいれん。足がつること。こぶらがえり。

**こむらさき**［濃紫］黒色をおびたこい紫色。

**ごむり-ごもっとも**［(御)無理(御×尤も)］《名・ナダ》相手の言うことが無理でも、「ごもっとも」と言ってしたがうこと。「―という、卑屈な態度」

**ゴムわ**［ゴム輪］⇩輪ゴム。

**こめ**［米］主食にする、重要な穀物の名。稲の実で、つ(搗)いて、もみがらを取り去って食べる。また、酒・菓子をつくる。「―の飯・―をとぐ・〔たいた〕お―が立っている・産業の―〔＝ぜったいに必要なもの〕、半導体・『すもう』お―〔＝お金〕」 表記 報道では「コメ」とも。

**こめあぶら**［米油］米ぬかからとった油。こめゆ。

**こめい**［古名］〔文〕古い呼び名。「キギスはキジの―」

**ごめいさん**［(御)名算・(御)明算］〔他人の〕計算の正しいことを言うことば。特に、珠算で言う。ごめい。

**こめかみ**［(:顳顬)・(:蟀谷)］〔＝米をかむと動くところ〕『生』耳の上、かみの毛の はえぎわの部分。

**こめぐら**［米蔵］米をたくわえる倉庫。よねぐら。

**こめこ**［米粉］米をひいて粉にしたもの。こめのこ。べいふん。「―パン・―クッキー」 ☞ビーフン。

**こめじるし**［米印］注記などを示す「米」の字に似た記号。「※」。

**こめだわら**［米俵］わらなどを編んで作った、米を入れる袋。「―十俵」

**こめつき**［米(×搗き)］米をつく〈こと／人〉。 ●**こめつきばった**［(米×搗:飛蝗)］①ショウリョウバッタの俗称。②頭をぴょこぴょこ〈下げる／下げて おせじを言う〉人。

**こめつぶ**［米粒］〈なまの／たいた〉米の つぶ。「―ほどの大きさ」 ☞飯粒。

**コメディアン**〔comedian〕喜劇俳優。〔女優の場合は「コメディエンヌ」とも〕

**コメディ(ー)**〔comedy〕笑いの多い劇。喜劇。☞ブラックコメディ(ー)・ラブコメディ(ー)。

**こめどころ**［米(所)］(いい)米の たくさんとれる土地。

**こめぬか**［米(×糠)］玄米を白くするときに出る、うす黄色の粉。米粒の皮や はい芽が つぶれたもの。ぬか。こぬか。

**こめびつ**［米(×櫃)］①米を入れておく箱。②〔俗〕生活費をかせぎ出す〈人／もと〉。

**こ・める**［込める・△籠める］《他下一》①〔中へ〕つめる。入れる。「たまを―」②じゅうぶんに〈努力する／その気持ちになる〉。「丹精―・心を―・祈願を―〔＝心をこめていのる〕」③その中にふくめる。「警告の意味を―」④その中をいっぱいにする。「夕やみが草原を―ころ」

**こめん**［湖面］〔文〕みずうみの表面。

**ごめん** 一 **ごめん**［(御免)］①〔お上などから〕認められていること。「天下―の通行手形」②お許し。「―をこうむって、お先に休みます〔古風〕・長話は―こうむりたい〔＝聞きたくない〕」③避けたいこと。「もう けんかは―〔＝いや〕だ」④〔古風〕〔上位の者が〕その職をやめさせること。「頭取を―にする」 ☞お役御免。 二 **ごめん**《感》〔話〕ちょっと〈あやまる／ことわりを言う〉ことば。「さっきは―ね」 三 **ごめん**《感》〔古風・男〕人の家をたずねたとき、許可を求めるとき、別れるときなどの、〈軽い／いばった〉あいさつ。「では、これにて―」 ●**ごめんあそばせ**《感》〔古風・女〕①上品に あやまることば。「あらまあ、―」②上品な、別れの あいさつ。 ●**ごめんください**《感》①〔話〕人の家に たずねてきて、呼びかけることば。「『―』『はい、どちらさま?』」②〔話〕別れるときの、ていねいな あいさつ。「では―」③めいわくの許しを、ていねいに求めることば。「―、前を通ります・前略―」▽「ごめんくださいませ」は、より ていねいな言い方。 ●**ごめんなさい** 一《感》〔話〕①親しい間がらで〔きちんと〕あやまるときの ことば。「心配かけて―」 ✓他人に きちんと あやまるときは、「申し訳〈ありません／ございません〉」などを使う。☞「申し訳ない」の 区別。②めいわくの許しを、軽く求めることば。「―、ちょっと通してください」 二《名・自サ》あやまること。「ママに―しなさい・ここは先方に―するしかない」

**ごめんそう**［(御)面相］〔俗〕顔つき。顔かたち。「ひどい―だ」

**コメンタリー**〔commentary〕解説。「オーディオー〔＝テレビやDVDなどの副音声解説〕」

☆☆**コメンテーター**〔commentator〕〔討論会や放送番組の中で〕説明や意見などをのべる人。解説者。コメンテイター。「—の発言」

☆☆**コメント**《名・自サ》〔comment〕①論評。見解をのべること。「—を求める」②注釈(ちゅうしゃく)。説明。③〈インターネットで〉ほかの人の〈文章／作品〉に寄せる意見や返事。コメ〔俗〕。「—欄(らん)」

**こも**〔△薦・×菰〕マコモの葉を、あらく織ったもの。むしろに使う。

**こもかぶり**〔△薦△被り〕①こもで包んだ四斗(と)入りの酒だる。②〔古風〕〈こもをかぶった〉こじき。

**ごもく**〔五目〕〔=五種類〕①いろいろの〈もの／材料〉がまじっていること。「—そば・—焼きそば・—釣(づ)り」②ⓐ↑五目ずし。ⓑ↑五目飯。「とり—」③↑五目ならべ。●**ごもくずし**〔五目(：寿司)〕いろいろの野菜やさかなにそれぞれ味をつけて、すしめしにまぜたもの。ばらずし。ちらしずし。五目。●**ごもくならべ**〔五目並べ〕碁石(ごいし)でする遊びの一つ。碁盤(ごばん)の目の上に白または黒の石を先に五つつなげてならべたほうが勝ちとなる。五目。☞連珠(れんじゅ)。●**ごもくめし**〔五目飯〕せん切りにした野菜をたきこんだ、味つけ飯。五目。☞まぜごはん。

**こもごも**〔△交々〕《副》①〔文〕入れかわり立ちかわり。かわるがわる。「万感(ばんかん)——語る」②〔俗〕正反対のものが入りまじったようす。「賛否—の意見」表記「△交」「△交く」とも書いた。☞悲喜こもごも。

**こもじ**〔小文字〕①小さな文字。②〈ローマ字などで〉文章や固有名詞のはじめには書かない、小さな書体の字。例、Aに対してa。▽↔大文字

**こもち**〔子持ち〕①子を持っている〈こと／人〉。「三人の—」②腹にたまごがはいっている〈こと／さかな〉。「—シシャモ・—わかめ〔=ニシンのたまごが産みつけてあるワカメ〕」

**コモディティ(ー)**〔commodity〕《経》日用品。生活必需(ひつじゅ)品。「—化〔=メーカー間の差がなくなって、商品がありふれたものになること〕」

**こもどり**〔小戻り〕《名・自サ》少しもどること。「行きかけて—する」

**こもの**〔小物〕①こまごました付属品。特に、身につけるアクセサリー・時計・さいふ・手帳など。②軽くあつかわれる者。小人物。(↔大物)

**こもり**〔子守〕《名・自サ》子どものもりをする〈こと／人〉。もり。●**こもりうた**〔子守歌〕①〈子守をしながら〉子どもをねかせるための歌。②聞いているとねてしまう〈音／声〉。「波の音を—に聞く」●**こもりおび**〔子守帯〕おさない子どもをだっこしたりおんぶしたりするときに使うひも。だっこひも。☞スリング②。

**こも・る**〔籠もる〕《自五》①中にはいったまま外に出ないでいる。ひきこもる。「家に—」②中にはいる。ふくまれる。「意味が—・心のこもったおくりもの」③参籠(さんろう)する。「寺に—」④よごれた空気などが外に出ないで、部屋の中にたまる。「においが—」⑤何かにおおわれて〈い〉るように、音や声がぼんやりする。「スピーカーの音が—」☞お籠もり。

☆☆**こもれび**〔木漏れ日・木×洩れ△陽〕木の葉と葉の間からもれる太陽の光のきらめき。「—を浴びる」

**こもん**〔小紋〕《服》布地一面に染めだした、細かな染色(せんしょく)模様。また、その着物地。

**こもん**〔顧問〕①会社や会などの中で、相談を受ける役目の人。「—弁護士」②学校のクラブ活動を担当する先生。

**こもんじょ**〔古文書〕古い時代の文書。古い記録。

**コモンセンス**〔common sense=共通感覚〕常識。良識。

**こや**〔小屋〕①小さくて、作りのかんたんな家。「山中の—」②家畜(かちく)を入れておく建物。「うさぎ—(ごや)」③〔俗〕興行の会場となる劇場・ホールなど。ハコ。④江戸(えど)時代、藩邸(はんてい)や城中にあった、藩士(はんし)の住宅。

**こやうら**〔小屋裏〕屋根と天井(てんじょう)の間の空間。屋根裏。「—収納」

**こやがけ**〔小屋掛け〕《名・自サ》芝居(しばい)や見せ物などのための仮小屋(を作ること)。「—演芸」

**こやく**〔子役〕子どもの役(者)。

**ごやく**〔誤訳〕《名・他サ》まちがった翻訳(ほんやく)(をすること)。

**こやくにん**〔小役人〕身分の低い役人。

**こやし**〔肥やし〕①肥料。「—だ(溜)め」②成長や上達の糧(かて)となるもの。「芸の—」

**こや・す**〔肥やす〕《他五》①肥えるようにする。ふとらせる。「私腹を—」②いろいろの経験を積んで、もののねうちをわからせる。「目を—」③肥料などをあたえて耕作地の質をよくする。

**こやつ**〔×此△奴〕《代》〔古風・俗〕こいつ。

**こやま**〔小山〕小さな山。低い山。

**こやみ**〔小△止み〕①しばらくやむこと。おやみ。「雨が—になる・—なく降る」②〔俗〕小降り。

**こゆ・い**〔濃ゆい〕《形》〔西日本方言／俗〕濃い。「—ルックス」

**こゆう**〔固有〕《名・ナダ》①もとからあるようす。「日本—の文化」②ほかにはなく、それに限ってあるようす。もちまえ。「版画(に)—の世界」●**こゆうしゅ**〔固有種〕《生》特定の地域だけに生育する動植物。「琵琶(びわ)湖の—」(↔外来種)●**こゆうめい**〔固有名〕その〈人／土地／物〉につけられている、他と区別するための名前。●**こゆうめいし**〔固有名詞〕《言》固有名をあらわす名詞。

**こゆき**〔小雪〕少し降る雪。(↔大雪)☞しょうせつ(小雪)。

**ごゆっくり** [一]《副》「ゆっくり」の尊敬語。ごゆるりと。「—おくつろぎください」[二]《感》〔話〕時間を気にせずお過ごしください、の意味のあいさつ。「どうぞ—」✓和語に「ご」がつくめずらしい例。昔は「おゆっくり」とも言った。

**こゆび**〔小指〕親指を一番目としたとき、五本目のゆび。いちばん小さな指。赤ちゃん指。〈小指を立てて、愛人である女性をさすことがある。☞親指

**こゆるぎ**〔小揺るぎ〕少しゆらぐこと。「—もしない」

**ごゆるり**《副》〔古風〕ごゆっくり。「—とおくつろぎください・—なさい」✓和語に「ご」がつくめずらしい例。表記「御△緩り」とも書いた。☞ゆるり。

**こよい**〔△今宵(よい)〕〔雅〕今夜。今晩。

**こよう**〔小用〕〔古風〕⇩しょうよう(小用)。

**こよう**〔古謡〕ふるくからある、節をつけて歌う歌。「日本—『さくらさくら』」

*__こよう__〔雇用・雇×傭〕《名・他サ》人をやとうこと。「—主・完全—〔=失業者のいない状態〕」●**こようしゃ**〔雇用者〕①やといぬし。(↔被(ひ)雇用者・被用者)

②やとわれている人。(↕雇用主) ●☆☆**こよう ほけん**［雇用保険］ 失業している労働者に対し、一定の期間、お金を出して生活を助ける保険。もと「失業保険」と言った。

**ごよう** ㊀［(御)用］「用事・入用」の尊敬語。㊁［御用］①宮中・官庁の用務。「―商人」②〈支配者／資本家〉のために働くこと。「―学者・―組合・―新聞」③〈政府／おかみ〉の命令で、人をつかまえること。「―だ！」 ●**ごよう おさめ**［御用納め］〔官庁で〕仕事納め。また、その日〔=十二月二十八日〕。(↕御用始め) ●**ごよう きき**［(御)用聞き］①得意先の注文を聞いて回る〈こと／店員〉。②おかっぴき。 ●**ごよう きん**［御用金］①江戸時代、幕府や藩が、町人などに強制的に割りあてた借金。②国や、上の者のために用立てるお金。「国債という―」 ●☆☆**ごようたし**［御用△達］①昔、〈宮中／官庁〉の用品をおさめたこと。また、その商人。御用商人。「宮内庁―」 由来 御用を足すことから。江戸時代、江戸では「ごようたし」、大坂などでは「ごようたつ」と言った。②〔俗〕〈えらい／有名な〉人が ひいきにする店や品物。「芸能人―」▽ごようたつ。 ●**ごようてい**［御用邸］ 皇室の別邸。 ●**ごよう はじめ**［御用始め］〔官庁で〕仕事始め。また、その日〔=一月四日〕。(↕御用納め)

**ごよう**［誤用］《名・他サ》 まちがって使うこと。まちがった使い方。「ことばの―」(↕正用)

**ごよう まつ**［五葉松］ 山にはえるマツの一種。葉は五本ずつ集まって出る。庭木・盆栽用。五葉の松。

**コヨーテ**〔coyote〕 北アメリカ大陸の草原にすむ野獣の名。オオカミに似ているが、からだは小さく、口先がとがる。

**こよなく**《副》〔文語形容詞「こよなし」の連用形から〕この上もなく。これ以上は考えられないほど。「―愛する・―晴れた青空」〔連体詞の形もある。「こよなき喜び・こよない美味」〕

**こよみ**［暦］ ①カレンダー。「―をめくる」 ②季節の区分や季節による おもな行事などをまとめた一覧表。「―の上では春〔=立春〕だ」

**こより**［(△紙×縒り)］ 細く切った紙をよったもの。紙のたばをとじたりするのに使った。かんぜより。かんじんより。

**こら**［子(△等)］〔文〕子どもたち。

**こら**《感》〔話〕とがめるとき、しかりつけるときの ことば。「―待て・――、何をしている」〔もと、鹿児島方言で「もしもし」の意味。☞おいこら〕

**コラ**〔↑コラージュ〕〔俗〕合成した、にせの画像や動画。「ネット上に出回る―画像」

☆☆**コラーゲン**〔ド Kollagen〕《理》動物の皮・軟骨・腱などを構成する、繊維状の たんぱく質。ゼラチンにして けしょう品にも用いる。「―配合クリーム」

**コラージュ**〔フ collage=にかわづけ〕《美術》雑誌の切りぬきや布きれなど、さまざまなものをはりつけて、画面を組み立てるやり方。また、そのようにした絵。☞コラ。

**コラール**〔ド Choral〕〔ドイツの〕賛美歌(の合唱曲)。コーラル。「バッハの―」

**こらい**［古来］《副》 昔から。「―愛されてきた」〔「古来から」は重言〕

**ごらいが**［(御)来×駕］〔文〕「来訪」の尊敬語。おたずねくださること。

**ごらいこう**［(御)来光］ ⇩ごらいごう②。

**ごらいごう**［(御)来△迎］ ①《仏》「来迎①」の尊敬語。②山の頂上からおがむ日の出。ご来光。

**ごらいしゃ**［(御)来車］〔文〕車でおいでくださること。「―ください」

**こらえ しょう**［(△堪え)性］ ものごとをがまんする気力。「―がない」

**こら・える**［(△堪える)・(×怺える)］《他下一》 ①〔つらいことを〕がまんする。忍耐する。②《すもう》相手の攻めにたえる。もちこたえる。③〔西日本方言〕ゆるす。かんべんする。「悪かった。こらえてくれ」

**ごらく**［娯楽］〔仕事をはなれて〕たのしむこと。「―費・―番組・―施設」

**こらし・める**［懲らしめる］《他下一》〔ばつをあたえて〕こりるようにさせる。「悪者を―」 名 懲らしめ。

**こら・す**［凝らす］《他五》 ①こりかたまった状態に する。こらせる。「肩を―」 ②集中させる。「心を―・目を―」 ③あることに 一生懸命になる。「くふうを―・意匠を―・作戦を―」

**こら・す**［懲らす］《他五》 こりるようにする。こらしめる。「ひとつ懲らしてやれ」

**コラボ**《名・自サ》 ↑コラボレート・コラボレーション。「―作品」

☆☆**コラボレーション**《名・自サ》〔collaboration〕 共同作業。合作。コラボ。「絵画と音楽の―」

**コラボレート**《名・自サ》〔collaborate〕 共同で制作すること。コラボ。「歌舞伎と現代音楽が―した舞台」

**コラム**〔column〕 ①新聞などで、短い評論などを書く特別の欄。また、その記事。短評欄。囲み。 ②軸。円柱。「ハンドルの―」

**コラムニスト**〔columnist〕 コラムを書く人。

**ごらん**［(御)覧］ ㊀ 見ることの尊敬語。「―ください・―あれ」 ㊁◇〔↑ご覧なさい〕 ①見なさい。 ②…してみなさい。「書いて―」 ●**ご覧に入れる** 句 お見せする。ご覧に供する。

**コランダム**〔corundum〕《鉱》ダイヤモンドの次にかたい鉱石。ルビー・サファイアはその一種。アクセサリー・研磨材などに使う。鋼玉。

**こり**［×狐×狸］〔文〕〔人をばかす〕キツネとタヌキ。「―妖怪」

**こり**［(×梱)］ ㊀**こり** 荷造りした荷物。 ㊁ 接尾 荷造りした荷物を数えることば。こん。「二十―」

**こり**［(凝り)・コリ］ 血行が悪く、からだの筋肉がかたくなること。「肩の―」

**ごり**［(×鮴)］ ①ヨシノボリ・チチブなど、川にすむ小形のハゼの類。食用。②かじか(鰍)。

**コリア**〔Korea〕 朝鮮。コーリア。

**コリアン**〔Korean〕 ㊀ 韓国人。朝鮮人。「在日―」 ㊁ 造 韓国の。朝鮮の。「新宿の―タウン」

**コリアンダー**〔coriander〕 ⇩パクチー。

**コリー**〔collie〕 大形の犬。耳は多くは立ち、顔は細長く、からだの毛は ふさふさしている。

**ごりおし**［ごり押し・ゴリ押し］《名・他サ》 強引に自分の考えをおしとおすこと。「自分の主張を―する」 由来 「ごりごり押す」から。

**こりかたま・る**［凝り固まる］《自五》 ①こって かたく

なる。「肩の筋肉が―」②特定の考え方などに執着する。「国粋主義に―」

**こりこう**【小利口】《ナダ》ちょっと利口そうなようす。「―に立ち回る」〔けなした言い方〕派―さ。

**こりこり**《副・自サ》①歯切れがいいものを、かみ切る〈ようす/音〉。「―したくらげの酢の物」②筋肉がこって、かたくなったようす。「肩が―する」

**こりごり**【懲り懲り】《副・自サ》すっかりこりるようす。こりこり。「失敗ばかりで―した」

**ごりごり** 一 **ごりごり**《副・自サ》①かたいものをおしつけ(て、ものをつぶしたりす)る〈音/ようす〉。「石うすを―回す・―おしまくる(☞ごりおし)」②かたくて、さわるとでっぱりが感じられるようす。「首のうしろの―した骨」③芯があって、簡単には切ったり折ったりできないようす。二 **ごりごり**《名・ナダ》①一つの考えや主義にこりかたまっているようす。がちがち。「―の保守派」「―したカブ」②〔俗〕どこから見てもそうであるようす。「―の恋愛ドラマ」

**こりこりやく**【個利個略】個人の利益と、それを得るための かけひき。「―で動く議員」☞党利。

**こりしょう**【凝り性】《名・ナダ》ものごとに夢中になる性質。

**こりずまに**【懲りずまに】《副》〔雅〕こりもしないで。

**こりつ**【孤立】《名・自サ》①まわりとのつながりがなく、〈ひとり/自分たち〉だけでいること。「集団から―する・土砂くずれで―した村」②ほかと関係なく、それだけがあること。「―した要素」 ●**こりつし**【孤立死】《名・自サ》外部からの助けがなく、自分(たち)だけでひっそりと死ぬこと。「被災者の―」☞孤独死。 ●**こりつむえん**【孤立無援】《名・ナダ》なかまもなく、助けてくれる人もいないこと。

☆☆**ごりむちゅう**【五里霧中】〔五里霧＝古代中国の道術で作ることができたという五里四方に広がる霧〕見通しがつかなくて、どうしていいかわからなくなること。「捜査のゆくえは―だ」注 意味上は「五里霧＋中」と分かれるが、発音上は「ごり＋むちゅう」ととらえたアクセントになっている。

**こりや**《感》一 **こりゃ**〔話〕これは。こりゃあ。「―またどういうわけだ」二 **こりゃ** ①〔古風〕注意したり、しかったりすることば。「―、そこの者」②〔話〕歌の はやしことばなどに使う。「ああ、――」

**こりや**【凝り屋】凝り性の人。

**ごりやく**【(御)利益】①《仏》衆生にあたえる めぐみ。御利生。②その〈人/もの〉による めぐみ。「お守りの―」

**こりゅう**【古流】〔文〕昔からの流儀。「―柔術(↔柔術)」

**こりょ**【顧慮】《名・他サ》〔文〕そのことも頭において、配慮すること。「相手の立場を―する」

**ごりょう**【御料】①〔皇室の〕使用。「―車」②皇室の所有。「―地・―林・―牧場」

**ごりょう**【御陵】みささぎ。

**ごりょう**【御寮】①〔古風〕嫁を呼ぶ敬称。「嫁―」②〔文/方〕⇩御寮人。 ●**ごりょうにん**【御寮人】〔文/方〕〔商家などで〕おくさん。また、おじょうさん。ごりょんさん。

**ごりょう**【御霊】〔文〕怨霊。「―信仰・―会(＝御霊をしずめるための祭り)」☞みたま(御霊)。

**ごりょうしょ**【(御)両所】〔文〕おふたり。

**ごりょうにん**【(御)両人】おふたり。「大橋、前田―・〔呼びかけて〕いよう、―!」

**こりょうりや**【小料理屋】ちょっとした手軽な料理と酒を出す、和風の小さな店。小料理店。

**ゴリラ**〔gorilla〕全身黒茶色で大形の類人猿。西アフリカの森林にすむ。

**こ・りる**【懲りる】《自上一》失敗して ひどい目にあったために、二度とやるまいという気持ちになる。

**ごりん**【五倫】〔儒教で〕君臣・父子・夫婦・長幼・友人間の守るべき道。五常。

**ごりん**【五輪】〔おもに視覚語〕オリンピック。「―大会・東京―」由来 オリンピックのシンボルである「五輪のマーク」から。 ●**ごりんとう**【五輪塔】塔の形をした墓石。五輪卒塔婆。

**こ・る**【凝る】《自五》①筋肉がかたくなる。「肩が―」②一心に思いこむ。夢中になる。「切手収集に―」③意匠を〈くふうする/こらす〉。「デザインに―」④〔文〕気体のようなうすいものが一か所に集まって、かたまる。

**コル**〔col〕《登山》山の尾根のうちの くぼんだ所。鞍部。

**こるい**【孤塁】〔文〕〔助けの来ない〕ただ一つの とりで。 ●**孤塁を守る** 句 奮闘して最後のよりどころを守る。「ひとり―」

**ごるい**【語類】ある基準で分類した語の集まり。

**コルク**〔cork〕コルクガシという落葉樹の皮。軽くて小さな穴が多く、弾力がある。びんの せんなどに使う。キルク。

**ゴルゴンゾーラ**〔イ Gorgonzola＝地名〕イタリアで作るブルーチーズ。黄色の地に模様のようなアオカビがはいっている。そのまま食べたり、パスタやリゾットに入れたりする。ゴルゴンゾラ。

**コルセット**〔corset〕①〔女性の〕腹から おしりを包み、締めつけて、からだの形を整えるもの。コーセット。②《医》〔腰のまわりに つける〕ギプス。

**コルト**〔Colt＝発明者の名。商標名〕回転式の連発ピストル。

**コルネット**〔cornet〕《音》金管楽器の一つ。トランペットに似るが、前後が短い。やわらかい音色を出す。

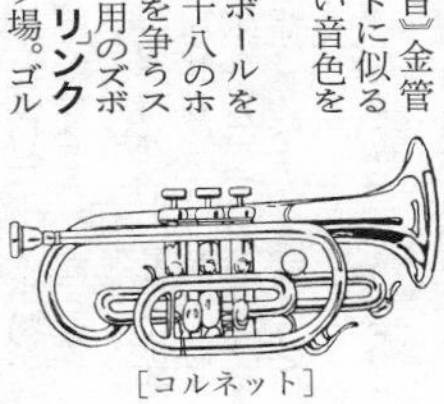
［コルネット］

**ゴルフ**〔golf〕クラブで、ボールを打ち、順々にコースにある十八のホール(＝穴)に入れて勝負を争うスポーツ。「―パンツ(＝ゴルフ用のズボン)・―場」 ●**ゴルフリンク(ス)**〔golf links〕ゴルフ場。ゴルフコース。☞リンクス。

**ゴルファー**〔golfer〕ゴルフをする人。

****これ** 一 **これ**《代》①自分に近い ものごとをさす ことば。「―は母の形見です」②この〈人/者〉。「〔写真をさして〕―は担任の先生です」注 目の前の人を直接「これ」とさすのは失礼だが、外部の人に対し、目下の身内をさす場合には使える。「―は私の せがれです」▽(↔それ・あれ) ③すぐ前の話(に出した ものごと)に焦点を当てて言うことば。「だれも見なかったと言う。―が ふしぎである・―らの問題点・―ばかりは(＝このことに限っては〕本人に聞くしかない・お役に立てれば、幸い―に過ぎるもの(=これ以上の幸い)はない」[区別] (1)⇩指示語。(2)話題の中心になる場合に「これ」を、話題の中心でない場合に「それ」を使うと わかりやすい。「だれが書いたか、それは どうでもいい。何が書いてあるか、これが大事だ」④今、このとき。「―からのことを考える・―までのことは水に流して」⑤身ぶりをまじえながら、遠まわしに さすことば。「〔小指を立てて〕―(=愛人)のせいで会社をやめた」☞これもん。⑥〔古風〕ここ。「―にひかえて(=待って)おれ」[表記]かたく「×此れ」「×之」「△是」とも。⑤は俗に「コレ」とも。[二]これ《副》〔文〕①口調を強めるときに使うことば。「弁明(に)―つとめる・全身―筋肉」②特に、「あり」「なし」の前に使う。「準備の都合も―あり」[表記]かたく、①は「△是」、②は「×之」とも。[三]これ《感》〔話〕よびかけるとき、軽くしかるとき、注意するときなどのことば。〔「こら」よりは上品〕●これ有るかな[句]〔文〕これでなくっちゃ。待ってました。●これ幸い[句] これは ちょうどよかった。「授業が休みになったので、―と街に出た」●これでもか[句] ①何度もしつこく責めたり攻撃したりするようす。「―と相手をなぐる」②じゅうぶんすぎるほど あたえたり見せたりするようす。「―というほど たくさんの料理が出た・―という厚げしょう」●これより先[句] この時よりも前。この時以前。●これをもって[句]〔文〕これで。「―式を終了いたします」[丁寧]これをもちまして。●これを要するに[句]〔文〕これをまとめて言うと。要するに。

**コレ**[造]↑コレクション[二]。「ミラノ―」

**これい**［古例］①昔からの慣例。②古い例。

**ごれい**［語例］単語の例。「辞書の説明で―を示す」

**ごれいかい**［互礼会］ある団体の人々が集まって、新年のあいさつをしあう会。「新年―」

**ごれいぜん**［(御)霊前］①死んだ人のみたまの前。②〔文〕みたまの前に供える供物・香典などに書くことば。〔仏式では、ふつう四十九日の前まで使う〕

**これから** 今、このときから。「―が たいへんだ・―という時」

**これきり**《名・副》①これだけ。「残りは―」②これで終わり。「もう―にしよう」▽これっきり〔話〕。

☆☆**コレクション** [一]《名・他サ》〔collection〕〔趣味などで〕集めたもの。集めること。収集(品)。[二]〔フ collection=作品〕〔シーズン前に開く〕高級な流行服の新作発表会。ショー形式でおこなう。「パリ―」

**コレクター**〔collector〕収集家。

**コレクティブハウス**〔和製 collective house〕共用のスペースをもうけ、複数の家族で食事や育児などをともに できるようにした集合住宅。

**これこれ** [一]**これこれ**《代》多くのものごとを一つ一つとりあげる代わりに言うことば。しかじか。「理由は―だ・―こういうわけで」[二]**これ-これ**《感》〔話〕目下の人に注意をするときなどに使う呼びかけのことば。〔「こら」より は上品〕

**これしき**〔俗〕これぐらい。「―のことで へこたれるな」

☆☆**コレステロール**〔cholesterol〕《生》細胞のはたらきを保ち、ホルモンの材料になる、脂肪に似た物質。この血中濃度が高くなると、動脈硬化を引き起こすもとになる。コレステリン(cholesterin)。「―の多い食品」☞HDLコレステロール・LDLコレステロール。

**これっぱかり**《名・副》〔俗〕ごく わずか。これっぱかし。「アイデアなんか―もない」

**これっぽっち**《名・副》〔俗〕ごく わずか。これっぽち。「自信なんて―もない」

**これといって**［これと(言って)］《副》〔後ろに否定が来る〕特に取り上げるほど。「―変わった症状もない」〔連体詞の形もある。「これと〈いった/いう〉変化も見られない」〕

**これは**《感》①〔話〕強い感動をあらわす。こりゃ。「―しまった・―気づかなかった」②これは〈すばらしい/ふさわしい〉。「―と思う人物」●**これはこれは**《感》〔話〕ひどくおどろいたり、恐縮したりしたときのことば。「―みなさん おそろいで」●**これはしたり**《感》〔古風〕意外なことに気づいたときの ことば。これは〈おどろいた/あきれた/しまった〉。「いや、―、どうしたんだね」☞したり。

**これほど**《副》このように大きな程度。こんなにまで。「―(ひどい)とは思わなかった・―言ってもわからないのか」

**これまで**《副》①今まで。②ここまで。③これで終わり。「きょうは―」

**これみよがし**［これ見よがし］《名・ナダ》(=これを見ろと言わんばかり) 人目を引くように、わざと大げさにするようす。「―に さわぎ立てる」☞がし。

**これもん**［これ(△者)］〔俗〕①しぐさで示す、〈好ましくない〉ことがら。例、手刀で首を切れば解雇。これもの。「しゃべれば―(=解雇)」②やくざ。[由来]②は、顔にきずあとのあるしぐさで示したことから。

**コレラ**〔オ cholera〕《医》コレラ菌によって小腸がおかされる急性の感染症。ころり。[表記]「:虎列刺」は、古い音訳字。

****ころ**［頃］[一]**ころ** ①〔文〕時期。時分。「―もよし、花見にでも行くか」②その〈時期/時刻〉。「子どもの―・もう帰る―だ」[二][造]〔**ごろ**〕①だいたい その時分。「六時―・五月―・春―」〔にごらず「ころ」とも〕②ちょうどいい〈時期/状態〉。「食べ―・見―」

**ころ** 下に敷いて(大きな)ものを動かしやすいようにするまるい〈棒/管〉。

**ごろ**［語呂・語路］ことばの音の続きぐあい。「―がいい・―を合わせる」

**ごろ**［ゴロ］〔俗〕↑ごろつき。「政治―」

**ごろ**［頃］[造]⇩ころ(頃)[二]。

**ゴロ**《野球》地面をころがる打球。匍球〔文・古風〕。(↔フライ)[由来]grounder の変化で、「ごろごろ」の連想も加わってできた形。

**ころあい**［頃合い］①何かをするのに ちょうどいいとき。しおどき。「―を見はからう」②程度がちょうどいいこと。ふさわしいこと。「―の大きさ・―の贈り物」

**ごろあわせ**［語呂合わせ］①数字や頭文字などのつらなりから、意味の通る文句を作ること。例、「四一二九」から「良い肉」。②別の文句をふまえて、新しい文句を作ること。例、「休刊日」から「休肝日」。③語調をととのえる文句。例、「いやも へったくれも ない」の「へったくれ」。

**コロイド**〔colloid〕《理》分子よりは大きい粒子。また、その粒子が別の物質の中に分散している状態。膠質(しつ)。例、にかわ・寒天・卵白(らんぱく)・牛乳。

**ころう**【古老・故老】(昔の ことをよく知っている)としより。老人。「土地の―」

**ころう**【虎×狼】〔=トラとオオカミ〕〔文〕残酷(ざんこく)なことをする者。

**ころう**【孤老】〔文〕ひとりぐらしの老人。孤独な老人。

**ころう**【固×陋】《(ナダ)》〔文〕がんこで〈ものの考え方がせまい/保守的な〉ようす。「頑迷(がんめい)―」

**ごろう・じる**【(御△覧じる)】《他上一》〔古風〕ごらんになる。「さあさあ、ごろうじろ・食べてごろうじ(ろ)」

**ころおい**【頃おい】〔古風〕時分。

**ころがき**【(:枯露)柿・(△転)柿】一つずつ、ほしたほしがき。小形で、白く粉をふいたようになる。

**ころがし**【転がし】転売してもうけること。「土地(の)―」

**ころが・す**【転がす】《他五》ころがる ようにする。ころばす。「たるを―・車を―〔=自動車を運転する〕」

**ころがりこ・む**【転がり込む】《自五》①ころが〈って/る〉ようにして〉はいりこむ。②不意に来る。「幸運が―」③〔俗〕とつぜん おとずれて、やっかいになる。「友人の家に―」

**ころが・る**【転がる】《自五》①〈たまや まるい棒などが〉回って進む。「転がり落ちる」[名]転がり。②たおれる。③ころぶ。ねころぶ。▽転げる。④〔**転がっている**〕ⓐ無造作に置いたような状態で、そこにある。「茶わんが転がっている」ⓑ簡単に手にはいるような状態で、そこにある。「どこにでも転がっている話」

**ごろく**【語録】高僧(こうそう)や大学者などの説いたことばを集めた書物。

**ころくがつ**【小六月】小春(こはる)。旧暦(きゅうれき)の十月。

**ころげこ・む**【転げ込む】《自五》ころがりこむ。

**ころ・げる**【転げる】《自下一》①たおれる。「土俵の上に―・ころり転げた木の根っ子」②ころがる。「笑い―・転げまわって笑う」

**ころころ**《副・自サ》①小さな軽いものがころがる〈ようす/音〉。「まりが―(と)ころがる」②ふとってまるみがあるようす。「―した子犬」③目まぐるしいようす。「話が―変わる」④明るくすんだ音や声のようす。「―(と)笑いころげる」

**ごろごろ** [一] **ごろごろ**《副・自サ》①大きな重いものがころがる〈ようす/音〉。「岩が―(と)落ちる」②かたまりがたくさんあるようす。「―野菜のスープ」③あちこちに〈ある/いる〉ようす。「そんな話は―している」④目の中に異物があって きもちがわるいようす。「目が―する」⑤何もしないでいるようす。「家で―する」⑥かみなりが鳴る音。⑦ネコがのどを鳴らす音。[二] **ごろごろ**〔児〕かみなり。「―さま」

**コロシアム** ①〔Colosseum〕ローマ帝政(ていせい)時代にローマ市に造られた円形闘技(とうぎ)場。コロセウム。コロッセオ(イ Colosseo)。②〔coliseum〕「コロシアム①」をまねた、大競技場。

**ころしも**【頃しも】《副》〔文〕ちょうど そのころ。

**ころしもんく**【殺し文句】相手の気持ちを強く引きつける、短くて気のきいたことば。

**ころしや**【殺し屋】人を殺すことを職業とする者。プロの暗殺者。

**＊＊ころ・す**【殺す】《他五》①命をうばう。「罪もない人を―」②〔生かしておきたかった人や動物を〕死なせる。「おしい人を殺した」▽(↔生かす)③おさえて表に出ないようにする。「息を―・自分を―・殺して〔=酔(よ)わないように〕飲む酒」④機能・効果を〈おさえる/なくす〉。「スピードを―・相手のパンチを―・《映画・放送》マイクを―」⑤〔よけいなことをして〕せっかくの価値をなくす。「味を―・才能を―」⑥心をうばう。「男を目で―」⑦《野球》走者をアウトにする。さす。⑧《すもう》相手の差し手を封(ふう)じる。「右(うで)を―」[名]殺し。[可能]殺せる。

**ごろたいし**【ごろた石】〔俗〕ごろごろところがっている、大きめの まるい石。

**コロタイプ**〔collotype〕《印刷》写真製版の一つ。ガラスに感光液を塗(ぬ)り、写真の陰画(いんが)を焼きつける。美術印刷に使う。

**ごろつき**〔「ゴロツキ」とも書く〕〔俗〕①ならずもの。②職もなく、ぶらぶらしている わるもの。▽ゴロ。[表記]「:破落戸」とも書いた。

**ごろつ・く**《自五》〔俗〕①職もなく ぶらぶらする。②ごろつきとなる。③布をぬいあわせた部分などが ぶあつくなって、はだに不快に感じられる。

**コロッケ**〔フ croquette〕ひき肉などと、ゆでて つぶしたジャガイモやホワイトソースをまぜて まるめたものに、パン粉をまぶして あげたもの。「かにクリーム―・カレー―」

**ころっと**《副・自サ》①小さな軽いものが〈一回転する/落ちる〉ようす。「穴に―はいる」②小さくて まるっこい形をしているようす。「―した卵」▽ころんと。③あっけないようす。「―負ける」④急に変わるようす。「―忘れる」▽ころりと。

**ごろっと**《副・自サ》①大きな重いものが〈一回転する/落ちる〉ようす。「荷が―落ちる」②大きなものが横になるようす。「ソファーに―横たわる」③大きくて まるっこい形をしているようす。「―したカボチャ」▽ごろりと。ごろんと。

**コロナ**〔corona=冠(かんむり)〕①《天》太陽のまわりに広がるガス。皆既(かいき)日食のとき、青白く光って見える。②↑コロナウイルス。●**コロナウイルス**〔Coronavirus〕《医》かぜや肺炎(はいえん)の原因ウイルス。コロナ。「新型―」[由来]表面の いがいがした突起(とっき)が「コロナ①」に見えることから。

**コロニー**〔colony〕①植民地。植民者の集落。②長く療養(りょうよう)している人たちなどのための、保護・訓練の施設(しせつ)。③《生》一定地域に定着する、生物の集団。「ペンギンの―のある島」④《生》培地(ばいち)での、細菌(さいきん)の集落。

**ごろね**【(△転)寝】《名・自サ》〔ふとんも敷(し)かず、着替(きが)えもせず〕ごろっと横になって ねること。

**ころば・す**【転ばす】《他五》①ころがす。②たおす。

**ころ・ぶ**【転ぶ】《自五》①〔つまずいたりして〕たおれる。「すべって転んだ」(↔起きる)②江戸(えど)時代、キリシタン信者が仏教徒になる。③ころがる。「子犬が―ように駆(か)けて来る」④〔ものごとの なりゆきが〕別の方向へ動く。「どっちに転んでも損のない話だ」[名]転び。●**転ばぬ先のつえ(杖)**[句] 失敗しないように、用心してかかれというたとえ。●**転んでも ただでは起きない**[句] 失敗や災難に際しても、要領よく、何かの利益を得るたとえ。例、つぶれた自分の会社を、人に高く売りつける。

**コロポックル**〔アイヌ koropokkuru=フキ(蕗)の下の

人」アイヌの伝説に出てくる小人(こびと)。コロボックル。
**ころも**【衣】①〔文〕衣服。②僧(そう)の着物。③天ぷら・フライなどの、種のまわりをくるんであるもの。●**ころもがえ**【衣替え・衣△更え】―がへ《名・自他サ》①その季節の衣服に着がえること。生徒・警察官などは六月一日から夏服、十月一日から冬服に着がえる。②見かけ・性格などを変えること。「商店街の―」③改正。「労働金庫法―」●**ころもで**【衣手】〔雅〕そで。●**ころものしたのよろい**【衣の下の×鎧】―よろひ とりつくろったうわべの下から ちらつく〈正体/本音(ほんね)〉。●**ころもへん**【衣〈偏〉】漢字の部首の一つ。「複」「補」などの、左がわの「ネ」の部分。
**コロラチュラソプラノ**〔coloratura soprano〕《音》技巧(ぎこう)的で、はでな歌い方のソプラノ(の歌手)。
**ころりと**《副・自サ》⇩ころっと。
**ごろりと**《副・自サ》⇩ごろっと。
**コロン**〔cologne〕←オーデコロン。
**コロン**〔colon〕欧文(おうぶん)の句読点の一つ。「:」。あることがらの例を挙げるときや、「2:30」のように、時刻を示すときなどに使う。☞セミコロン。
**ころんと**《副・自サ》①⇩ころっと①②。②ちょっと横になるようす。「―ねる」③軽く ひびくようす。「すずを―鳴らす」
**ごろんと**《副・自サ》⇩ごろっと。
**コロンブスのたまご**【コロンブスの卵】〔Columbus=人名〕気がつきそうで気がつかない事実。気づいてしまえば ひょうしぬけのする盲点(もうてん)。由来 コロンブスが、卵を立てる方法を問いかけたあと、卵の端(はし)を割って立てて見せた故事から。
**コワーキング**〔coworking〕だれでも利用できる共有の仕事場(=コワーキングスペース)で仕事をすること。
**こわ・い【怖い・△恐い】こはい《形》①あぶない目にあい(そうで)、からだがふるえる感じだ。「高い所が―」「―犬」「―目でにらむ・あとが―(=不安だ)」「―もの知らず・―もの見たさでついて行く・カーナビがあれば―ものなしだ」②はかり知れない力があるようすだ。「習慣とは―(=無意識に出てくる)ものだ」派―がる。―さ。
**こわ・い**【△強い】こはい《形》①かたい。「ごはんが―」「―ネギ」②(せんたくした衣服に)のりがきいて、かたい。③つよい。「情が―」④〔東北・北海道・北関東方言〕たいぎだ。つかれる。派―さ。
**こわいけん**【△強意見】こは―〈強硬(きょうこう)な/手きびしい〉意見。
**こわいろ**【声色】①〔役者などの〕せりふや言いまわしのまね。②こわね。☞せいしょく〈声色〉。
**こわがり**【怖がり・△恐がり】こは―《名・ナダ》ちょっとしたことでも、すぐこわいと思う〈性質/人〉。
**こわき**【小脇】(=少し わきに…すること)●**小脇にかかえる**句 ちょっと わきに かかえる。「バッグを―」
**こわく**【×蠱惑】《名・他サ》〔文〕女の魅力(みりょく)で男の心をみだしまどわすこと。「―的なくちびる」
**こわけ**【小分け】《名・他サ》小さく分け〈ること/た部分〉。小区分。
**こわごわ**【〈怖々〉】こはごは《副》おそるおそる。
**ごわごわ** ごはごは **ごわごわ**《副・自サ》・**ごわごわ**《ナダ》〔紙・布などが〕かたくて、しなやかでないようす。「―したシャツ」
**こわざ**【小技】《すもう・柔道など》ちょっとしたわざ。(↔大技)
**ごわさん**【〈御〉△破算】ごは― ⇩ごはさん。
**こわ・す**【壊す・△毀す】こはす《他五》①力を加えて、もとの形をなくさせる。破壊(はかい)する。②だめにする。「からだを―・話を―(=うまく進んでいた商談などをだめにする)」③〔お金を〕くずす。可能 壊せる。
**ごわ・す**《自マス・補動マス・助動マス型》〔活用は「せ・しょ」「し」「す」「す」「〇」「〇」〕〔方〕ございます。です。〔東北から九州まで各地で使うが、特に鹿児島方言っぽさを出すのに使う〕「西郷隆盛(たかもり)で―・賛成―」
**こわだか**【声高】《ナダ》声を高く、大きくするようす。〔理性的でないという ふくみがある〕「主張を―に さけぶ・―にののしる」
**こわたり**【古渡り】古く(=近世以前に)外国から わたってきた〈こと/もの〉。(↔新渡(しんと))
**こわだんぱん**【〈△強〉談判】こは―〈強硬(きょうこう)な/手きびしい〉談判。強談(ごうだん)。
**こわづかい**【声遣い】―づかひ 声のつかい方。声のようす。
**ごわつ・く** ごは―《自五》(のりづけした布などが)なめらかさに欠けて、ごわごわする。名ごわつき。
**こわっぱ**【小△童】〔俗〕〈少年/経験の浅い者〉をののしることば。
**こわね**【声音】〔文〕声の〈調子/ようす〉。
**こわば・る**【△強張る】こは―《自五》〈動きがとまって/やわらかなものが〉かたくなる。「表情が―・筋肉が―」名こわばり。他こわばらせる《下一》。「顔を―」
**こわめし**【〈△強〉飯】こは―(アズキをまぜて)もち米をむした飯。赤飯。おこわ。
**こわもて**【△恐持て・△強持て】こは―《名・自サ》こわがられながら、よくもてなされること。「―のする人」表記 俗に「コワモテ」とも。
↑**こわもて**【△強△面】こは―《名・ナダ》(↑こわおもて)〈相手をおさえつけるような〉〈こわい/こわばった〉顔つき。「―の姿勢・―な態度」表記 俗に「コワモテ」とも。●**こわもてに出る**句 相手をおさえつけるような、強い態度に出る。
**こわれ**【壊れ】こはれ こわれること。●**こわれもの**【壊れ物】こわれやすい物。
**こわ・れる**【壊れる・△毀れる】こはれる《自下一》①ものにほかの力が加わって、もとの形がなくなる。②うまくいかないで、だめになる。「話が―」③〔お金が〕細かくなる。④〔俗〕おかしくなる。「ついに あいつ、壊れちゃった」
**こん**【根】■こん ものごとに たえることのできる気力。根気。「―が続かない・―を切らす」■こん《数》①平方根・立方根などの累乗(るいじょう)根。②方程式の解。●**根を詰(つ)める**句 休まず、一心に仕事をする。
**こん**【紺】むらさきがかったこい青色。「―がすり」
**こん**【×梱】接尾 荷造りした荷物を数えることば。こり(梱)。「五十―」
**こん**【献】接尾〔宴会(えんかい)の席で〕杯(さかずき)に酒をつぐ回数を数えることば。「一―かたむける」
**こん**【今】■遺①いまの。この。「―世紀(↔前世紀・来世紀)・―シーズン(↔昨シーズン・来シーズン)・―場所(↔先場所・来場所)」②今回の。「―事件・―交渉(こうしょう)」■こん《連体》〔文〕きょうの。「―十日・―早朝」(↔昨・明(みょう))
**こん**【婚】遺①婚姻(こんいん)。結婚。「事実―・スピード―」

②結婚してからの節目となる日。…婚式。「ダイヤモンドー」☞紙婚式・木婚式・銅婚式・錫婚式・水晶婚式・銀婚式・真珠婚式・ルビー婚式・金婚式・エメラルド婚式・ダイヤモンド婚式。

**こん**［混］造 まぜて織ること。「テトロンー」

**こん**［痕］造 あと。痕跡。「注射ー」

**こん**［懇］造 懇談会。懇話会。「放送ー」

**コン** 造 ①↑コンクール。「国際ー・合唱ー」②↑コンクリート。「生ー」③↑コンディショニング。「エアー」④↑コントロール。「ラジー〔=無線操縦〕」⑤↑コンピュータ(ー)。「パソー・マイー」⑥↑コンダクター。「ツアーー」⑦↑コンプレックス。「マザー」⑧↑コンサート。「駅ー」⑨↑コンパ。「合ー」⑩↑コンテスト。「ミスー」⑪↑コンシャス。「ボディー」⑫↑コンポーネント。「システー〔⇩システムコンポ〕」

**ごん**［権］接頭 ①定員外の。「ー大納言」②副。「ー僧正」

**ごん**［△五］還 ご。「一升ー合・ー合升」

**こんい**［懇意］《ナダ》心を許して親しくつきあうようす。「ごくーな友人・ごーに願っております」

**こんいん**［根因］〔文〕根本の原因。

**こんいん**［婚姻］《名・自サ》《法》「結婚」の、法律での言い方。男女が届けを出して、新しく一つの家族の単位を作ること。「ー届・ー関係」●**こんいんしょく**［婚姻色］《動》動物の繁殖する時期だけに見られる、美しく変化した(雄の)からだの色。

**こんか**［今夏］〔文〕ことしの夏。

**こんか**［婚家］〈よめ/むこ養子〉に行ったさきの家。(↔実家)

**コンガ**〔conga〕《音》たるのように長い太鼓。ラテン音楽で使い、二つでひと組みになっている。☞ボンゴ。

**ごんか**［言下］〔文〕⇩げんか(言下)。「ーにことわる」

**こんかい［今回］ ①何回かくり返されるものごとのうち、今の回。「ーのゲスト」②できごとをもとにくぎった時のうち、今にあたる時。このたび。「ーの事故・ーはおさわがせし、申し訳ございません」

**こんがい**［婚外］正式の結婚生活以外のことがらであること。「ー交渉・ー子〔=非嫡出子〕」

**こんかぎり**［根限り］《副》あるだけの根気を出しつくすようす。「ー働く・ーの力」

**こんかく**［混獲］《名・他サ》〔文〕漁のとき、目的のさかなに まじって、ほかの さかなや動物が あみに かかること。「マグロとーされるサメ」

**こんかつ**［婚活］《名・自サ》〔↑結婚活動〕結婚するために、積極的に おこなう活動。「ーパーティー」〔二〇〇八年からの ことば〕

**こんがらが・る**《自五》①もつれる。こぐらかる。「糸がー」②〔話や交渉などが〕めんどうになる。▽こんがらかる。こんぐらかる〔俗〕。由来 古い形は「こぐらかる」で、「こん〈ぐ/が〉らかる→こん〈ぐ/が〉らがる」と変化した。他 こんがらかす《五》。「問題をー」

**こんがり**《副》火や太陽で、餅や肌などが ちょうどいいうす茶色に焼けるようす。

**こんかん**［根幹］〔=根とみき〕ものごとを成り立たせる、いちばん だいじな〈もの/ところ〉。「立案のーをなす」

**こんがん**［懇願］《名・他サ》〈ねんごろに/ひたすら〉ねがうこと。「許可をーする」

**こんき**［今季］今年の、この季節。特に、スポーツの今シーズン。(↔昨季・来季)

**こんき**［今期］現在の期間。特に、現在の決算期。(↔昨期・来期) ☞当期。

**こんき**［根気］ものごとに たえることの できる気力。根こん。「ー負け〔=相手の根気の強さに負けること〕」

**こんき**［婚期］結婚に適した年ごろ。

**こんぎ**［婚儀］〔文〕結婚の儀式。婚礼。

**こんきゃく**［困却］《名・自サ》〔文〕すっかり困ること。

**こんきゅう**［困窮］《名・自サ》〔文〕毎日の暮らしを維持するのに非常に〈困る/苦しむ〉こと。「住宅ー者・生活ー者」

**こんきょ**［根拠］何かを言ったり したりするときの、理由になる事実。よりどころ。「何をーに言うのか・ーづけ(る)」●**こんきょち**［根拠地］活動の中心となる場所。

**こんぎょう**［今暁］〔文〕きょうの夜明け(がた)。

**ごんぎょう**［勤行］《仏》〔僧が〕仏前で読経など をすること。おつとめ。

**こんく**［困苦］《名・自サ》〔文〕困難や苦しみ。「ー欠乏にたえる」

**コンク**〔conc←concentrated〕濃縮したもの。「ージュース」

**ごんく**［言句］〔文〕ことば。げんく。「ーにつまる」

**ごんぐ**［×欣△求］《名・他サ》《仏》喜んで もとめること。「ー浄土〔=極楽浄土に生まれ変わることを願うこと〕」

**ゴング**〔gong〕①銅鑼。②《ボクシングなど》各ラウンドの開始・終了を知らせる鐘。

**コンクール**〔フ concours〕審査員がいて、優勝や入賞を決める、競技会。競演会。

**こんぐらか・る**《自五》〔俗〕こんがらがる。こぐらかる。他 こんぐらか(ら)せる《下一》。

**コングラチュレーション**《感》〔congratulation〕おめでとう。コングラッチュレーション。

**こんくらべ**［根比べ・根△競べ］《名・自サ》根気の強さを競争すること。

**コンクリート**〔concrete〕セメントと砂・砂利を水でまぜあわせて、かたまらせたもの。土木・建築工事に使う。コンクリ。表記「:混凝土」は、「混ぜて凝らせた土」という意味を持たせた、古い音訳字。●**コンクリートジャングル**〔concrete jungle〕ビルが立ち並ぶ都会の様子をジャングルに見立てたことば。●**コンクリートブロック**〔concrete block〕⇩ブロック(block)━③。

**コングレス**〔congress〕(国際的な)会議・会合。

**コングロマリット**〔conglomerate〕種類のちがういくつかの企業を一つの経営にまとめたもの。複合企業(体)。コングロ。

**ごんげ**［権化］①《仏》仏や菩薩の化身。②ある性質が人間の形をとって あらわれたもの。「知恵のー・悪のー」

**こんけい**［根茎］《植》ふつう、地中で横にはえる根のようなくき。竹やハス、フキなどに見られる。

**コンゲーム**〔con game〕相手の人のよさにつけこんで詐欺をおこなうこと。信用詐欺。

**こんけつ**［混血］《名・自サ》〈人種／民族〉のちがう父母の血を引くこと。ハーフ。●**こんけつじ**［混血児］ 混血によって生まれた子ども。〔純血でないことが悪いかのような呼び名をさけて、「ダブル」「国際児」とも言う〕

**こんげつ**［今月］ この月。本月。当月。

**こんげん**［根源・根元・根原］ おおもと。根本。「悪の─を断つ・─的な問題」

**ごんげん**［権現］ ①《仏》仏や菩薩が日本の神に姿を変えてかりに〈あらわれること／あらわれたもの〉。②昔の神の尊号の一つ。「東照大─」

**こんご［今後］ いまからのち。以後。「─ともよろしく」

**ごんご**［言語］〔文〕ことば。「─に絶する（⇩「げんご（言語）」の句）」 ●☆☆**ごんごどうだん**［言語道断］《名・ナダ》①〔文〕（ことばにつくせないほど）非常識で、許されないようす。もってのほか。「無断欠勤など─だ・─〈な／の〉ふるまい」②〔古風〕ことばにつくせないようす。「─の苦しみ」 由来 もと仏教語。仏がどんなものかは、ことばで語る手段（＝道）が断たれている、ということ。

**こんこう**［混交・混×淆］《名・自サ》〔文〕ちがった種類のものが一つにいりまじること。「玉石─」

**こんごう**［金剛］《仏》かたくて破れない〈もの／こと〉。「─神（＝仁王）・─心」 ●**こんごうしゃ**［金剛砂］《鉱》不純な鋼玉の粉。研磨に使う。●**こんごうせき**［金剛石］《鉱》ダイヤモンド。●**こんごうづえ**［金剛（×杖）］ 修験者が持つ白木のつえ。●**こんごうりき**［金剛力］ もうれつに強い力。

**こんごう**［混合］《名・自他サ》①ちがったものどうしが、区別できないほどに〈まじりあう／まぜあわせる〉こと。「─ワクチン」②ちがったものどうしが組み合わさること。「─（＝男女の）ダブルス」 ●**こんごうしんりょう**［混合診療］ 健康保険のきく診療と、健康保険外の診療とをあわせて受けること。●**こんごうぶつ**［混合物］ ①二種類以上のものがまじりあって一つになったもの。②《理》二種類以上の物質が、化学的に結合せずにまじりあったもの。例、空気。☞化合物。

**コンコース**〔米 concourse〕 駅や空港の建物の中で、通路をかねたホールふうの場所。

↔**こんこん**［（×昏々）］《副》 意識のないようす。「─と（して）ねむる」

↔**こんこん**［（×滾々）］《副》〈水などが〉わき出てつきないようす。「清水が─とわく」

→**こんこん**［懇々］《副》 ていねいに、くり返し説くようす。「心を入れかえるよう─とさとす」

**こんこん** 一《副》①ものが軽く続けて当たる〈音／ようす〉。「─（と）ノックする」②雪が降るようす。「─（と）降りつもる」③せきをする音。④キツネが鳴く声。二〔児〕キツネ。「─さま」 ●**こんこんちき**（＝キツネ）〔古風・俗〕ことばのあとにつけて、語調をよくすることば。「あったりまえの─だあ・見えっぱりの大ばかの─」

**コンサート**〔concert〕 音楽会。（合奏による）演奏会。「チャリティー─」 ●**コンサートマスター**〔concertmaster〕《音》オーケストラの団員の中の首席演奏者。第一バイオリン部の首席が当たる。コンマス。

**こんさい**［根菜］ 野菜類のうちで、根・地下茎を食べるもの。ダイコン・サツマイモなど。根物。（↔果菜・花菜・葉菜）

**こんさい**［混載］《名・他サ》〔物流などで〕ちがった種類のものをまぜて、のせること。「貨客─機・デジタルとアナログの─回路」

**こんざい**［混在］《名・自サ》 一か所に、種類のちがうものがまじって存在すること。

**こんさく**［今作］〔文〕今回の作品。

**こんさく**［混作］《名・他サ》《農》同じ土地に二種類以上の作物を栽培すること。「─農法・─で病害虫を防ぐ」（↔単作）

**こんざつ**［混雑］《名・自サ》①〔人や車などが多いために〕こみあうこと。動きがとれないこと。②ごたごた（すること）。いざこざ。派 ─さ。

**コンサバ**《ナダ》〔↑コンサバティブ（conservative）〕〔俗〕〔ファッションなどで〕保守的。「─なかっこう」

**コンサル** ↑コンサルタント・コンサルティング。「─サービス・─会社」

☆☆**コンサルタント**〔consultant〕 あることがらについて相談を受け、助言や指導をする専門家。技術士。コンサル。「経営─」

**コンサルティング**〔consulting〕〔事業上の〕相談に応じること。コンサル。「─販売」

**こんし**［懇志］〔文〕〈ねんごろ／親切〉なこころざし。〔お寺では「寄付」の意味に使う〕

**こんじ**［今次］〔文〕今回。今度。「─の大戦」

**こんじ**［恨事］〔文〕うらめしいこと。残念なこと。「千秋の─」

**こんじ**［根治］《名・自他サ》 ⇩こんち。

**コンシーラー**〔concealer〕 目のくまや、顔のしみなどをかくすためにぬる、けしょう品。

☆☆**コンシェルジュ**〔フ concierge〕 ①〔ホテルで〕泊まり客の求めに応じて、観劇の切符や旅行の手配などをするサービス係。②特定の分野の情報を紹介・案内する人。「住まいの─」 ▽コンシエルジュ。

**こんじき**［金色］〔文〕金の色。黄金色。きんいろ。「─燦然たる仏像」〔古くは「きんしょく」とも〕

**こんじゃく**［今昔］〔文〕いまとむかし（のちがい）。「銀座の─」 ●**こんじゃくのかん**［今昔の感］〔文〕現在と、自分の知る昔とをくらべ、変化の大きさにおどろく気持ち。「─に堪えない」

**ごんしゅ**［厳修］《名・他サ》《仏》儀式をおごそかにとりおこなうこと。げんしゅう。「大遠忌を─する」

**こんしゅう**［今秋］〔文〕ことしの秋。

**こんしゅう**［今週］ この週（間）。☞一週①。

**こんじゅう**［混住］《名・自サ》 民族・出身地などの異なる人々が、まじりあって暮らすこと。「─地」

**コンシューマー**〔consumer〕 消費者。

**こんしゅご**［混種語］《言》ちがう語種の語がむすびついてできた単語。例、「重箱（漢語＋和語）」「ヒットする（外来語＋和語）」。

**こんじゅほうしょう**［紺×綬褒章］ 公益のために自分の財産を寄付した人に国があたえる、紺色のリボンのついた記章。

**こんしゅん**［今春］〔文〕ことしの春。

**こんしょ**［懇書］（＝ていねいな手紙）〔文〕「相手の手紙」の尊敬語。

**こんじょう**［今生］《仏》この世（に生きているあいだ）。「─の別れ」（↔他生）

**こんじょう**［根性］ ①（身についた）性質。心の持ち方。〔多く、悪い意味に使う〕「─が悪い・─のくさったやつ・島国―」②やり通そうとする心。精神。「―のある男・ど―〔俗〕」

**こんじょう**【紺青】〔文〕はっきりした藍色（の顔料）。プルシアンブルー（Prussian blue）。

**こんじょう**【懇情】〔文〕親切な気持ち。

**こんじょう**【混乗】《名・自サ》同じ乗り物に、別のグループどうしが乗り合うこと。「スクールバスに一般の客が―する」

**ごんじょう**【言上】《名・他サ》〔文〕〔天皇など身分の高い人に〕申しあげること。「お礼―」

**こんしょく**【混色】《名・自他サ》《美術》色をまぜ合わせること。色がまじりあうこと。また、その色。

**こんしょく**【混食】《名・自他サ》〔文〕肉や野菜などをいろいろ取り合わせて食べること。

**こんしょく**【混植】《名・自他サ》①《農》種類のちがう植物をいっしょに植えること。②《印刷》種類のちがう字種などを組み合わせること。こんちょく。「和欧―」

**こん・じる**【混じる】〔文〕㊀《自上一》まじる。まざる。㊁《他上一》まぜる。▽㊀㊁混ずる。

**こんしん**【×渾身】①全身。からだじゅう。「―の力をこめて」②全力をこめて作りあげること。「―の作品」

**こんしん**【懇親】親しみ（あうこと）。「―会」

**こんしん**【混信】《名・自サ》その局以外の送信・放送がまじって受信されること。

☆☆**こんすい**【×昏睡】《名・自サ》《医》意識を失ってさめない状態（になること）。人事不省。「―状態・―強盗（＝人をねむらせておこなう強盗。刑法では『昏酔強盗』）」

**コンスターチ**〔米 cornstarch〕⇩コーンスターチ。

☆☆**コンスタント**《ナダ》〔constant〕一定しているようす。「―に売れる・―な打率」

**コンストラクション**〔construction〕①構造。組み立て。②建造。建設。

**こんせい**【混声】《音》男声と女声がいっしょになった組み合わせ。「―合唱」

**こんせい**【混成】《名・自他サ》ちがうものをまぜあわせて〈作る〉編成する〉こと。「男女―（チーム）・―部隊」

**こんせい**【懇請】《名・他サ》〔文〕ていねいにたのむこと。「出席を―する」

**こんせいき**【今世紀】この世紀。今の世紀。「―最大の発見」

**こんせき**【今夕】〔文〕今夜。本夕。こよい。こんゆう。

**こんせき**【痕跡】〔文〕あと（かた）。「―をとどめる」

**こんせつ**【懇切】《ナダ》細かい点にも気をくばり、親切にするようす。「―ていねい」派―さ。

☆☆**こんぜつ**【根絶】《名・他サ》〔よくないものごとを〕根もとから絶やすこと。悪をすっかりなくすこと。「悪習を―する」

**コンセッション**〔concession〕空港などの公共施設の運営権を民間に売却すること。

☆☆**コンセプト**〔concept＝概念〕計画の根本にある考え。（新しい）基本構想。「―ショップ（＝品ぞろえや売り方に一つの主張を持たせた、実験的な店）」

**こんせん**【混戦】《名・自サ》①敵味方が入りみだれて戦うこと。②力が同じくらいで、試合や選挙運動の結果がどうなるかわからない状態。

**こんせん**【混線】《名・自サ》①〔電信・電話などで〕別な信号・通話がはいること。②話の最中に、別の筋の話がはいって、ごたごたすること。

**こんぜん**【婚前】結婚する前。「―旅行」

**こんぜん**【×渾然・混然】《タルト》〔文〕一つにとけあって、区別のないようす。「―一体となる」

☆☆**コンセンサス**〔consensus〕意見の一致。合意。「ナショナル―（＝国民の合意。世論の一致）」

**コンセント**〔↑concentric plug〕①かべなどに取り付けて、プラグを受けるもの。さしこみ。電源コンセント。②ガス器具を取りかえて使うとき、簡単にガス栓と接続するための器具。「ガス―」③〔俗〕プラグ。「―をぬく」

**コンソーシアム**〔consortium〕〔共通の目的のために結成する〕団体・企業などの連合。「人材育成―」

**コンソール**〔console〕①乗用車の、運転席と助手席との間にある物入れ。コンソールボックス。②《情》コンピューターの入出力装置。キーボードやディスプレイ。「―から入力する」③スイッチやメーターなどをまとめた、調整用の装置。「スタジオのミキシング―」④ゆかにすえ置く（足付きの）大型のテレビやステレオ。

**コンソメ**〔フ consommé〕澄んだスープ。西洋料理のすまし汁。「―スープ・―キューブ」（↔ポタージュ）☞ブイヨン。

**こんだ**【〈今△度〉】〔古風・俗〕こんど。「―、そうしてみよう・―の日曜」

**こんだく**【混濁・×溷濁】《名・自サ》〔文〕にごること。ぼんやりすること。「意識が―する」

**コンダクター**〔conductor〕①《音》（オーケストラの）指揮者。②添乗員。「ツアー―」

☆☆**コンタクト**〔contact〕㊀《名・自サ》接触。連絡。「―を取る」㊁↑コンタクトレンズ。「ハード―・ソフト―」

●**コンタクトレンズ**〔contact lens〕角膜の表面に直接あてる、小さなレンズ。めがねの代わりに使う。コンタクト。

**こんだて**【献立】①その日の料理の、種類や取り合わせ。「―表」②一品料理の名前を紙に書きならべたもの。品書き。▽メニュー。

**こんたん**【魂胆】何かしてやろうというたくらみ。考え。〔悪い意味に使う〕「何か―があるようだ」

**こんだん**【懇談】《名・自サ》うちとけあって〔非公式に〕話すこと。「―会」

**こんち**【根治】《名・自他サ》病気〈が根本から治る〉を根本から治すこと。こんじ。「―手術」

**コンチェルト**〔イ concerto〕《音》⇩協奏曲。コンツェルト。「バイオリン―」

**こんちくしょう**【こん畜生】《感》〔↑この畜生〕〔俗〕腹を立てたりくやしがったりするときに発することば。こんちきしょう。

**コンチネンタル**〔continental〕（ヨーロッパ）大陸ふう。「―タンゴ」

**こんちは**【〈今△日は〉】《感》〔俗〕こんにちは。表記 発音どおり「こんちわ」とも書く。

**こんちゅう**【昆虫】《動》頭・胸・腹の三つの部分に分かれ、ふつう、胸に三対の足を持つ虫。種類が非常に多い。例、アリ・ハチ・セミ。

**コンツェルン**〔ド Konzern〕《経》いくつかの独立会社が、主として株式の持ちあいを通じて結びついている、企業の集団。

**コンテ**〔フ conté〕クレヨンの一種。えんぴつよりもこいうすいがはっきり出る。

**コンテ**〔←コンティニュイティー(continuity)〕シナリオを一つ一つの細かな場面に分けて書きかえた、撮影または放送用の台本。「絵—」

**こんてい**【根底】ものごとの〈土台〈よりどころ〉となっていることがら。「—からくつがえす」

**コンディショナー**〔conditioner〕①調節装置。②〔←ヘアコンディショナー〕洗った髪をしなやかにし、手ざわりをよくするための液体。リンス。

**コンディショニング**〔conditioning〕いつも気をつけて好ましい状態にしておくこと。調節。調整。「カラー—・エアー—」

☆☆**コンディション**〔condition〕①(必要)条件。②〔何かをするための〕(健康)状態。調子。「からだの—が悪い・グラウンドの—」▽コンデション。

**コンテキスト**〔context〕文章などの前後のつながり。文脈。コンテクスト。

**コンテスト**〔contest〕〔成績・技能・品質・容姿などについて〕おおぜいが順位を争うもよおし。「フォト—」

**コンテナ**〔container〕①入れもの。「アイスクリーム—・—栽培〔=植木ばちやプランターなどで栽培すること〕」②貨物を運ぶための金属製の大きな箱。「—船・—ヤード」▽コンテナー。

**コンデンサ(ー)**〔condenser〕《理》電気をたくわえたり、放出したりできる電子部品。キャパシタ(ー)(capacitor)。蓄電器。

**コンデンス**《名・他サ》〔condense〕凝縮すること。●**コンデンスミルク**〔condensed milk〕さとうを加えた練乳。

☆☆**コンテンツ**〔contents〕①本などの内容。目次。②情報の内容。特に、放送やインターネット・電子出版などで配信・提供される動画・音声・テキストなど。「—を再生する・—産業」

**コンテンポラリー**《ナダ》〔contemporary〕現代的。今日的。「—ダンス・—な情報」

**コント**〔フ conte〕①ギャグを盛りこんだ寸劇。「ショート—・—番組」②風刺と機知に富んだ短編小説。掌編。

*__こんど__【今度】①何度もくり返されるものごとのうち、今の分。「—の新作はおもしろい・—と言う—は〔=今度こそは〕思い知った・—の電車〔=今来ている、または、もうすぐ来る電車〕(↔次の電車)」②できごとをもとにくぎった時のうち、今にあたる時。「—の大事件・—転校してきた白川です」③この次。「—会えるのはいつですか」④近いうちに。「—結婚するんです」✎「今度、いっしょにめしでも食べよう」と、いつと決めずに言うことがある。おあいその場合も多く、「こんめし」などと呼んできらう人もいる。

**こんとう**【今冬】〔文〕ことしの冬。

**こんとう**【×昏倒】《名・自サ》〔文〕目がくらんでたおれること。

**こんどう**【金堂】①黄金でかざった堂。②《仏》本堂。〔平安時代までの古い寺で呼ぶことが多い〕

**こんどう**【混同】《名・自他サ》もともと区別すべきものを、一つにしてあつかうこと。また、あつかわれること。「公私を—する」

**コンドーム**〔フ condom〕《医》避妊・性感染症予防のために男性の性器にはめる、うすいゴム製のふくろ。スキン。サック。ゴム〔俗〕。「—を着ける」

**こんとく**【懇篤】《ナダ》〔文〕ていねいで、心のこもったようす。「ご—なお手紙をいただく」

**コンドミニアム**〔condominium=共同所有〕①分譲マンション。②キッチンのついた、長期滞在型のホテル。コンド。

**ゴンドラ**〔イ gondola〕①イタリアのベネチア(Venezia)名物の舟。②気球・飛行船からつり下げた、人の乗る箱。③〔ロープウェイなどで〕つり下げて人を乗せる箱。「—リフト」④《野球》球場のネット裏の高い所にもうけた特別席。⑤高層ビルの壁面などで作業するためのつりかご。「作業用—」

［ゴンドラ①］

☆☆**コントラスト**〔contrast〕①対照。対比。②〔テレビ・写真などの画面で〕明るいところと暗いところの対比。「—が強すぎる」

**コントラバス**〔ド Kontrabass〕《音》弓でひく楽器のうち、いちばん大形で低音部を演奏するもの。(ダブル)ベース。(ダブル)バス。アップライトベース。ウッドベース。

［コントラバス］

**コンドル**〔condor〕大形の猛鳥。アンデス山脈にすみ、頭に毛がない。はげたか。

**コンドロイチン**〔chondroitin〕《理》軟骨などに多くふくまれる糖類。組織の結合にはたらく。けしょう品や食品にも使われる。

**コントローラー**〔controller〕①制御装置。特に、ゲーム機を操作する装置。「ゲーム—」②企業の経営の管理者や管理部門。

☆☆**コントロール**《名・他サ》〔control〕①管理。統制。「—センター」②制御。調節。「—室・バース—」③《野球》制球力。「—がいい」●**コントロールタワー**〔control tower〕管制塔。タワー。

**こんとん**【混×沌・×渾×沌】《名・トタル》〔形などが〕はっきりしないようす。「—の時代・先行きが—としてきた」派—さ。

**__こんな__《ナダ》①このよう(な)。「—ことははじめてだ・—だとは知らなかった・からだの調子が—なので」✎〈かろんじた〈非難する〉感じをともなうことがある。「こんな店、来るんじゃなかった」②〔—に〕程度が大きいようす。これほどまで。「—に大きくなった・まちがいが—にある」▽連体形はふつう語幹を使うが、これを連体詞とする説もある。区別⇩指示語。

*__こんなん__【困難】《名・ナダ》①苦しんで困ること。苦しみ。「財政が—だ・—を乗りこえる」②おこなうことがむずかしいようす。「—視されている〔=むずかしいと見られている〕」(↔容易)派—さ。

**こんにち**【今日】①「きょう」のやや改まった言い方。「—限り」②このごろ。現在。「私の—あるのは」③いま。現代。「—の科学」 •**こんにちさま**【今日様】〔古風〕「太陽」を尊敬した言い方。おてんとうさま。 •**こんにちせい**【今日性】現代に役立ち通用するような性質。現代性。 •**こんにち-ただいま**【今日〈×只今〉】①〔強調して〕いま。現在。「—の状況」②今すぐ。ただちに。「—より改革に着手する」 •**こんにちてき**【今日的】《ナダ》①現代のことにかかわりのあるようす。現代的。「—課題」②現代ふう。「—な東京風景」 •**こんにちは**【〈今日は〉】《感》昼に〈会った/訪問した〉ときなどのあいさつ。こんちは・ちわ〔俗〕。✓家族の間では使わない。目上にも失礼ではないが、若い世代では避ける人が多い。☞お疲れさま。由来「今日(=きょう)は天気もよく…」などと話しかけるあいさつが略されたもの。江戸時代からある。表記「きょうは」とまぎれないように、かな書きが多い。☞おはよう・こんばんは。

**こんにゃく**【〈×蒟×蒻〉・コンニャク】こんにゃく玉(=コンニャクという植物の、いも)(の粉)から作った食品。半透明で、弾力がある。「—いため・—のおでん」 •**こんにゃくもんどう**【〈×蒟×蒻〉問答】〈とんちんかんな/見当外れの〉やりとりや返事。由来落語で、旅の僧から禅問答をしかけられたこんにゃく屋が、とんちんかんな返事をくり返したという話から。

**こんにゅう**【混入】《名・自他サ》種類のちがうものをまぜていれること。また、まじってはいること。

**こんねん**【今年】〔文〕ことし。

**こんねんど**【今年度】〈この/ことしの〉年度。

**コンパ**〔↑コンパニー〕〔学〕(酒が出される)懇親会。「新人歓迎—・追い出し—」

**コンバージョン**〔conversion〕①変換。転換。②建物を改装して用途を変えること。③《情》ウェブサイトを見た人に、商品の購入などをしてもらえること。「—率」

**コンバータ(ー)**〔converter〕《理》交流の電気を直流に変えたり、周波数を変えたりする機器。変換器。

**コンバーチブル**〔convertible=変換できる〕①折りたたみ式の屋根の付いたオープンカー。②ファスナーを外すなどして形を変えて着られる洋服。カフスなどにも言う。「—ジャケット」▽コンバーティブル。

**コンバート**《名・他サ》〔convert〕①《情》〔コンピューターで〕変換すること。②《野球・サッカーなど》ポジションの変更。

**コンパートメント**〔compartment=仕切り〕客車などの、部屋のようにくぎった座席。コンパート。

**こんぱい**【困×憊】《名・自サ》〔文〕くたびれて弱ること。困窮。「疲労—(する)」

**コンパイル**《名・他サ》〔compile〕①《情》プログラムをコンピューターが読める形に変換すること。②一定のテーマで曲を集めること。☞コンピレーション。

**コンバイン**〔combine=結合〕《農》作物の刈り取り・脱穀や選別をする大型の機械。収穫機。

[コンバイン]

**こんぱく**【魂×魄】〔文〕たましい。霊魂。

☆☆**コンパクト**〔compact〕一《ナダ》①ぎっしりつまったようす。②こぢんまりしたようす。小型の。「—サイズ・—カー(=小型乗用車)」③《野球》ボールを打つときのバットの動きにむだがないようす。「—にふりぬく」派-さ。二鏡のついた、平たくて小さいおしろい入れ。

**コンパス**〔オ kompas〕①円などをかくための二本足の器具。一方を固定して円の中心とし、他方で円周をえがく。ぶん回し〔古風〕。②方位磁針。羅針盤。③〔古風〕足の長さ。また、前後に開いた両足のへだたり。「—が長い」

**コンパニー**〔company〕〔古風〕①⇩カンパニー。②〔学〕会費制の懇親会。〔「コンパ」の語源〕

**コンパニオン**〔companion〕①もよおし物などで、案内や接待をする女性。〔一九六四年の東京オリンピックで採用〕②酒の席で、客を接待する女性。

**コンパネ**〔↑concrete panel〕コンクリートを成型したりするのに使う、厚めの合板。☞型枠。

**こんばん**【今晩】きょうの晩。今夜。 •**こんばんは**【〈今晩は〉】《感》夜に〈会った/訪問した〉ときなどのあいさつ。✓家族の間では使わない。目上にも失礼ではないが、若い世代では避ける人が多い。☞お疲れさま。由来「今晩はいかがお過ごしですか」などと話しかけるあいさつが略されたもの。江戸時代からある。☞おはよう・こんにちは。

**こんぱん**【今般】〔文〕今回。今度。

**コンビ**〔↑コンビネーション〕同じ仕事を二人でいっしょにするときの組み合わせ。また、その関係にある人。「名—・—を組む」

**コンビーフ**〔corned beef〕塩づけにした牛肉をほぐして固め、かんづめにしたもの。コーンビーフ。「—のサンドイッチ」

**コンビナート**〔ロ kombinat〕《経》原料を総合的に利用し、多角的に経営するために、いくつかの企業が一か所に集まって作る工場群。

**コンビニ**〔↑コンビニエンス ストア。「—店・—弁当」

☆☆**コンビニエンス ストア**〔convenience store〕二十四時間、または深夜まで営業する、食料品・雑貨などを売る小型スーパー。コンビニ。CVS。

**コンビネーション**〔combination〕①いろいろのものを組み合わせること。「—サラダ」②(スポーツなどで)プレーの連携のしかた。③《服》〈女性/子ども〉の着る、上下の続いた下着。

**コンビネゾン**〔フ combinaison〕《服》上着とズボンがひと続きの、女性の服。オール イン ワン。ロンパース。

☆☆**コンピュータ(ー)**〔computer〕《情》集積回路(IC)・エルエスアイ(LSI)・マイクロプロセッサー(MPU)などを利用して、入力された大量のデータを非常に速く処理して出力する装置。数値の計算や管理、情報の記憶や検索などに広く用いられる。電子計算機。電算機。 •☆☆**コンピュータ(ー)ウイルス**〔computer virus〕《情》保存してあったデータを消したりこわしたりする、コンピューターのプログラム。つぎつぎと別のコンピューターに伝染していくので、ウイルスと呼ばれる。「—に感染する」 •**コンピュータ(ー)グラ**

**フィックス**〔computer graphics〕⇩CG。●**コンピュータ(ー)ゲーム**〔computer game〕コンピューターの画面に映し出される映像を見ながら、レバーやボタンを操作して遊ぶゲーム。☞ゲー。●**コンピュータ(ー)ネットワーク**〔computer network〕《情》何台ものコンピューターを通信回線で結んで、データの交換や相互利用ができるようにしたシステム。

**コンピュータリゼーション**〔computerization〕《情》コンピューターを取り入れ、情報収集・処理の合理化・効率化をすること。

**コンピュートピア**〔computopia ← computer ＋ utopia《=理想郷》〕高度に発達したコンピューターの利用で実現する、理想的な未来社会。

**こんぴら**［金×毘羅・金比羅］《仏》仏法の守り神。航海の安全を守ると言われる。

**コンピレーション**〔compilation=編集〕一定のテーマで曲を集めたアルバム。コンピレーションアルバム。コンピ。「—CD」

**こんぶ**［昆布］マコンブ・リシリコンブなど、北の海の底に黒茶色で帯のような形にはえる海藻。〔食品は「こぶ」とも言う〕「—のつくだ煮」 表記 結納のときなどは「:子生婦」とも。●**こんぶまき**［昆布巻き］⇩こぶまき。

**コンプ**〔俗〕㊀《名・他サ》↑コンプリート㊀。「フィギュアの全種類を—する」㊁↑コンプレックス①ⓐ。「学歴—」㊂↑コンプレッサ(ー)。「—のかけ過ぎ」

**コンファレンス**〔conference〕⇩カンファレンス①。

**コンフィ**〔フ confit〕①くだものの砂糖漬け。「オレンジの—」☞コンポート①。②肉を大量の脂肪のなかで低温で煮こんだあと、さまして固めたもの。食べるときには、肉だけを取り出して焼く。「鶏もも肉の—」

**コンフィチュール**〔フ confiture〕ジャム。〔種類が多く、あまみが少ないものもふくむ〕「イチゴの—」

**コンフィデンシャル**《名・ナダ》〔confidential〕内密であるようす。秘密。「—な情報」

☆☆**コンプライアンス**〔compliance〕法令を遵守すること。コンプラ。「企業の—・—の徹底」

**コンフリー**〔comfrey〕外国から来た草の名。たんぱく質に富み、牧草・薬草とするほか、若葉を食用にする。

☆☆**コンプリート**〔complete〕㊀《ナダ》完全であるようす。完備しているようす。「—コレクション」㊁《名・他サ》①全部集めること。「好きな作家の作品を—する」②最後まで終えること。「ゲームを—する」▽コンプリ・コンプ〔俗〕。

**コンフリクト**《名・自サ》〔conflict〕①葛藤。摩擦。不和。②《情》複数のソフトウェアなどが同じリソースを使おうとして、動作が不安定になること。競合。

☆☆**コンプレックス**〔complex〕①ⓐ〔↑インフェリオリティーコンプレックス〕劣等感。コンプ〔俗〕。「—を持つ」ⓑ《心》無意識の中にとどまって、行動や考えに(悪く)影響するもの。「エディプス—」②複合(体)。「ビタミンB—」

**コンプレッサ(ー)**〔compressor〕気体や音声信号を圧縮する機器。コンプ〔俗〕。「エア—」

**コンペ**〔↑コンペティション〕①〔ゴルフなどの〕競技会。試合。②建築設計(案)をきそうこと。また、その会。建築設計競技。

**コンベア**〔conveyor〕材料・貨物をのせてものをはこぶ、ベルトまたはくさり式の装置。コンベヤ(ー)。コンベアー。「ベルト—」

**コンペートー**［(:金米糖)・(:金平糖)］〔ポ confeito〕まわりにつののようなものがたくさん突き出た、小つぶの砂糖菓子。ケシの実を、しんに用いる。コンペイトー。こんぺいとう。

**こんぺき**［紺×碧］黒みをおびた紺色。

**コンペティション**〔competition〕①競争。②競技会。コンペ。

**ごんべん**［(:言偏)］漢字の部首の一つ。「記」「計」などの、左がわの「言」の部分。

**コンベンショナル**《ナダ》〔conventional〕昔からふつうにあるようす。「—コンタクトレンズ・—方式」

**コンベンション**〔convention〕集会。会議。大会。「—ホール〔=国際的な会議や見本市をひらける施設〕」

**コンボ**〔米 combo←combination〕①《音》ジャズで、七、八人ぐらいの小さな楽団。②〔コンピューターゲームで〕連続技。「フル—〔=一つもミスをしない連続技〕」③組み合わせ。「—メニュー・頭痛と発熱の—でつらい」

**コンポ**↑コンポーネント(ステレオ)。

**こんぼう**［(×棍)棒］①にぎって持つ、短い棒。②警棒。③徳利の形をした体操用具。

**こんぼう**［混紡］《名・他サ》種類のちがう繊維をまぜて糸をつむぐこと。

**こんぽう**［×梱包］《名・他サ》紙などでつつみひもをかけたり、箱につめたりして荷造り〈すること/したもの〉。「—を解く・書籍を—する」

**コンポート**〔compote〕①くだものの砂糖煮。「リンゴの—・洋ナシの—」☞コンフィ①。②脚付きの盛り皿。また、それに似た形の花器。

**コンポーネント**〔component〕①構成部品。「—パソコン〔=自由に周辺機器を組み合わせて作るパソコン〕」②⇩システムコンポ。「—ステレオ」▽コンポ。

**コンポジション**〔composition=組み立て〕①絵画・写真などの構図。小説の構成。②〔英語の〕作文。③作曲。

**コンポスター**〔composter〕「コンポスト①」を作るための容器。生ごみ処理容器。

**コンポスト**〔compost〕①生ごみなどを発酵させて作る肥料。②コンポスター。

**こんぽん**［根本］もとになっている、いちばん重要なもの。「—精神・—原理・誤りの—」●**こんぽんてき**［根本的］《ナダ》根本に関係があるようす。「—に〔=根本から〕・—な問題」〔↔末梢的〕

**コンマ**〔オ komma〕①〔欧文・ローマ字文・横書きの日本文で〕句読点の一つ。「，」。文中の切れ目に使う。カンマ。②《数》小数点。ポイント。「—五〔=0.5〕・—台〔=一パーセント未満〕の視聴率」●**コンマいか**［コンマ以下］①小数点以下。一未満の数。「—の金利変動」②標準以下。とるにたりないもの。

**こんまい**［混米］〔文〕〈ちがった等級の米/新米と古米〉をまぜあわせること。

**こんまけ**［根負け］《名・自サ》①根くらべをして負けること。②根気が続かなくなること。

**コンミューン**〔フ commune〕⇩コミューン。

**こんみょうにち**［今明日］〔文〕きょうか あす。こんみょう。「―中にも発表される」

**こんめい**［×昏迷］《名・自サ》《医》正常な意識が失われ、どうしたらいいか わからなくなること。

**こんめい**［混迷］《名・自サ》〈いろいろなことが いりまじって／混乱して〉わけが わからなくなること。「政局の―・―を極める」派 ‐さ。

**こんもう**［懇望］《名・他サ》ぜひにとたのむこと。こんぼう。「出席を―する」

**こんもり**《副・自サ》①まるく、少し盛り上がっているようす。「―(と)土を盛る」②盛り上がる感じで、木や草がしげるようす。「―(と)した森」

**こんや**［今夜］きょうの夜。今晩。こよい。

**こんや**［紺屋］染め物屋。こうや。

**こんやく**［婚約］《名・自サ》結婚の約束(をすること)。「―者」

**こんゆう**［今夕］〔文〕きょうの夕方。こんせき。

**こんよう**［混用］《名・他サ》〔文〕まぜて使うこと。

**こんよく**［混浴］《名・自サ》男女が同じ浴場で入浴すること。

**こんらん**［混乱］《名・自サ》きちんとしていたものが、ひどく乱れ(て、わけが わからなくな)ること。秩序がなくなること。「列車のダイヤが―する・頭が―する・情報不足で人々が―に おちいる・戦後の―期」

**こんりゅう**［建立］《名・他サ》寺などを建てること。

**こんりんざい**［金輪際］《副》〔=仏教で、大地の底〕〔後ろに否定が来る〕どこまでも。どんなことがあっても。「―承知しない」

**こんれい**［婚礼］①結婚式。婚儀。②結婚。「―セット〔=新婚生活で使う家具・調度のセット〕」

**こんろ**［(×焜炉)・コンロ］①ガス・石油・電気などを使って、煮にたきする道具。②⇩しちりん(七厘)。

**こんわ**［懇話］〔文〕うちとけて話し合うこと。「―会」

**こんわ**［混和］《名・自他サ》〔文〕まじりあうこと。まぜあわせること。「東西文化の―」

**こんわく**［困惑］《名・自サ》どうしていいか わからず、困(りはて)ること。「相手が しつこくて―する・―の表情」派 ‐げ。

# さ　サ

**さ**［左］一 さ ①〔文〕ひだり。「―に かかげる文章」②〔文〕以下。次。「―の とおり」③〔視覚語〕《野球》↑左翼(手)。「―飛」 二 造 ひだりの。「―心室」▽一二(↕右)

*__さ__［差］一 さ ①ちがい。へだたり。「実力の―・―を付ける〔=ⓐちがうようにする。ⓑ引きはなす〕」②《数》ある数からほかの数を引いた〈数／残り〉。(↕和) 二［×叉］造 交差。また。「五―路〔=五つまた〕」

**さ**《感》〔話〕「さあ」の軽い言い方。「さ(↓)、早くしろ」

**__さ__ 一《終助》〔話〕①〔男〕〈あたりまえだ／きっと そのはずだ〉と、相手に強く知らせることば。「もちろん、そう―・なあに、つまらない話―・だいじょうぶ、できる―」〔古風または俗な言い方では、女性も使う〕②〔女性の〈古風／演劇的〉な言い方〕問いただしたり、なじったりするときに使う。「なに―、知ってるくせに」③ぞんざいに呼びかけることば。「君―、これ知ってる?」④ことばを続けたいとき、つなぎに使う。「それから―、ぼくが―…」 二《格助》①〔東北などの方言〕に。へ。「どこ―行く」②〔他地域の人が〕方言めかして言うために使う助詞。「雨―〔=が〕降って来た・かね―〔=を〕送ってきた」

**さ**［小］接頭 ことばの調子をよくするために つけることば。「―枝・―夜・―男鹿」

**さ**［早］接頭 ①早い。「―わらび」②稲を植えつけること。「―乙女・―苗」

**__さ__ 接尾 ①〔形容詞・形容動詞の語幹や、一部の副詞などにそえて名詞をつくる〕こと。程度。「おもしろ―・しずか―・広大―・デリケート―・しっかり―」〔状態をあらわす漢語につくこともある。「積極―・必然―」〕✎ 二〇一〇年代から、俗に「行ってみたさ ある」、「とてもほしい」を「ほしさしかない」のように言う例が増えた。自分の感情などを強く出すことをさけた表現。区別 (1)「さ」は程度、「み」はそういう要素をあらわす。(2)「さ」は客観的な場合に、「み」は主観的な場合に使うことが多い。「厚さ」は「何センチ」と測れるのに対し、「厚み」は単に厚い感じを言う。「親の ありがたさ」よりも「親の ありがたみ」のほうが心に ひしひしと感じられる。(3)「さ」は多くの語につくが、「み」は限られた語にしかつかない。②〔気持ちをあらわす形容詞の語幹などについて〕そのあまり。「こづかい ほし―に手伝う・会いた―見た―に こわさを忘れ」③〔雅〕とき。おり。「帰る―」

**さ**［(△然)］造〔文〕そう。そういう。「―あらぬ・―ほど・―ようなら」(「さ＋有り」から動詞「然り《=そうだ》」が生まれ、それが現代語の「さらば」「さりとて」「さる者」「されど」などの一部になっている)

**さ**［△三］造 さん。「―三が九・十―日〔古風〕・―吉―、与―〔=吉三郎、与三郎〕」

**サ**〔視覚語〕↑サービス料。「税―込み・―別」

**ざ**［座］一 ざ ①話すために集まった人々が、それぞれすわる席。「―につく・―を占める・―を立つ〔=去る〕・―を外す〔=去る〕」②人々が話すために集まっている場。「―を盛り上げる」③〔権力のある〕地位。「政権の―を射止める・妻の―を守る」 二 造 ①星座。星宿。「さそり―」②能楽や演劇を興行する劇場。「歌舞伎―」③演劇を興行する団体。「俳優―」④ものをのせる台。「機銃―」 三 接尾 ①神社に まつられる神を数えることば。②山を数えることば。「名峰百―」③座像を数えることば。④座席を数えることば。「四―オープンカー」 ●**座が白ける** 句 その場の人々の興がさめ、しずかになる。「にぎやかだった―」 ●**座が乱れる** 句 集まった人々が酔っぱらって、あちこちで好きなように ふるまう。 ●**座を持つ** 句〔うまく話をつないだりして〕人々が集まっている場の、いい ふんいきをたもつ。直 座が持つ。

**ザ** 接頭〔the〕〔英語の場合は定冠詞で、使い方もちがう〕①〔題名などで〕主題をしめす。「―商社」②その名に最も ふさわしいことをしめす。これこそ。「まさに―駅伝」☞ジエンド。

*__さあ__《感》〔話〕①さそったり、うながしたりする声。「―行こう・―来い!」②今にも〈始めよう／始まろう〉とするときの声。「―帰ろうという時・―選挙だ」③状況が変わったときの声。「―困った・―、これで安心」④はっきり答えられず、考えこんで出す声。「―、どうなんでしょう」

**さあ**《終助》①〔話〕終助詞「さ[一]③④」をのばして言う形。「君―、これやってくれる?・それで―」②〔話〕なかなかわからない相手にうったえかけることば。「〔非難して〕君―、もっとちゃんとしてよ・お願いだから―」③〔沖縄方言〕よ。ね。「いくら食べてもいい―」

**サー**〔Sir〕〔イギリスで〕〈ナイト/バロネット(baronet)〔=准男爵〕〉の名につける称号。卿。「―ウィンストン チャーチル」

**ざあ**〔↑ずは=「ずば」のもとの形〕[一]《接助》〔古風〕なければ。「知ら―言って聞かせやしょう〔芝居の弁天小僧のせりふ〕」[二]《終助》〔中部などの方言〕意志をあらわす。…(よ)う。「帰ら―〔=帰ろう〕」▽[一][二]ざ。

**サーカス**〔circus〕動物を使ったり、自分のからだを使ったりして曲芸をする〈見せ物/ことを職業とする人の一団〉。曲馬団。

**サーキット**〔circuit〕①巡回(競技会)。「―ゴルフ」②《理》電気の回路。③オートレース・オートバイレースなどの、競技場のコース。 ●**サーキットトレーニング**〔circuit training〕異なった種類の運動を、休みなくくり返すトレーニング。

**サーキュレーター**〔circulator〕室内の空気を循環させる、扇風機のような機械。エア サーキュレーター。

☆☆**サークル**〔circle=円形。輪〕[一]**サークル** 同好会(のなかま)。「大学の―・文学―・―活動」[二]**サークル** ↑ベビー サークル。

**さあさあ**《感》〔話〕相手をさそったり、何かをうながしたりするときに言うことば。「―どうぞお上がりください」

**ざあざあ**《副》[一]はげしく雨が降ったり、水が流れたりする〈音/ようす〉。「滝の音が―聞こえる・―降りの雨」[二]〔ザーザー〕放送や通信での雑音。「古いラジオの―という音」

**ザーさい**〔:搾=菜・ザーサイ〕中国のつけものの一種。四川省でとれる、カラシナの一種の塩づけ。ザーツァイ。「中華がゆに―を入れる」〔「搾」は中国語。中国では「榨菜」と書く〕

**サージ**〔serge〕ななめ模様の、毛や合成繊維などの織物。制服などに使われる。

**さーせん**《感》〔俗〕↑すみません。〔二十一世紀になって広まったことば〕

**さーたーあんだ(ー)ぎー**〔サーターアンダ(ー)ギー〕〔サーター=砂糖。アンダ=油。アギー=揚げ〕子どものにぎりこぶしぐらいの大きさの、沖縄の揚げドーナツ。生地は(黒)砂糖を多めに使う。

**サーチ**《名・他サ》〔search〕さがすこと。しらべること。検索。「―エンジン〔⇩検索エンジン〕」 ●**サーチライト**〔searchlight〕いろいろな方向に回して夜空を照らす しかけ(の光)。探照灯。

**サーチャージ**〔surcharge〕追加料金。「燃油―〔=石油価格や為替レートの変動を吸収するために、国際線の航空運賃に追加される料金〕」

**ザーツァイ**〔[:搾菜]〕〔中国語〕⇩ザーさい。

**さあっと**《副》すばやく〈変化する/おこなう〉ようす。「―血の気が引く・―目をとおす」

**ざあっと**《副》①雨が急に強く降り出す〈ようす/音〉。②おおまかにするようす。「―かたづける」

**サーディン**〔sardine〕〔↑オイル サーディン〕イワシのオリーブオイルづけ(のかんづめ)。

**サード**〔third〕[一]**サード** ①《野球》ⓐ〔↑サード ベース〕三塁。ⓑ〔↑サード ベースマン〕三塁手。②《自動車》〔ギアで〕セカンドより さらに速い段階。(第)三速。☞ロー[一]・セカンド[一]③・トップ⑧。[二]〔遺〕三番目の。第三の。 ●**サードパーティ(ー)**〔third party=第三者〕あるメーカーの作った電気製品などに使える部品や周辺機器を作っている、別のメーカー。

☆☆**サーバー**〔server〕[一]**サーバー** ①《テニス・バレーボールなど》サーブをする人。(↔レシーバー) ②料理を取り分ける大形のスプーンとフォーク。「サラダ―」③飲み物をコップにそそぐポットや器械。「コーヒー―」④料理などをのせる盆。[二]**サーバー**《情》ネットワークを通じてほかのコンピューターにサービスを提供するコンピューター。サーバ。鯖〔俗〕。「ウェブ―・レンタル―」(↔クライアント)

****サービス**《名・自他サ》〔service〕①人のために つくすこと。奉仕。「―精神・行政―・グラスに―する〔=そそぐ〕」②無料で提供すること。「一個―〔=おまけ〕する・ランチ―付きのホテル」③安い料金で提供すること。「―料金・出血大―・きょうの―ランチ」④《経》物をつくること以外の労働(の提供)。役務。「動画配信―・ホテルの―料」⑤利用できるもの。「エレベーターの―階〔=とまる階〕」⑥《テニス・バレーボールなど》⇩サーブ①。「強烈な―」 ●**サービスエース**〔service ace〕《テニス・バレーボールなど》相手が打ち返せないサーブ(による得点)。エース。 ●**サービスエリア**〔service area〕①放送などの〈受信可能/営業〉区域。②高速道路の、休息・給油などの設備のある所。SA。☞ドライブイン①・パーキングエリア。 ●**サービスぎょう**〔サービス業〕生産に直接の関係がなく、人のせわをすることを仕事にする職業。旅館・美容・医療・修理・広告・娯楽など。 ●☆☆**サービスざんぎょう**〔サービス残業〕時間外手当のつかない残業。(賃金)不払い残業。サビ残〔俗〕。 ●**サービスステーション**〔service station〕①案内や いろいろのサービスをする所。サービス センター。②ガソリンスタンド。 ●**サービスヤード**〔和製 service yard〕〔せんたくなどのため〕台所の外に作った土間。

**サーブ**《名・自サ》〔serve〕①《テニス・バレーボールなど》はじめにボールを打ち出す〈こと/しかた〉。サービス。(↔レシーブ) ②〔飲食店やパーティーで〕料理などを客に運ぶこと。

**サーファー**〔surfer〕サーフィンをする人。

**サーフィン**〔surfing〕サーフボードの上に立って海上をすべり、波の上に乗る〈レジャー/スポーツ〉。波乗り。

**サーフボード**〔surfboard〕サーフィン用の、波乗り板。サーフ。

**サーベイ**《名・他サ》〔survey〕①調査。②その分野の先行研究を広く〈調べること/調べて書いた論文〉。

**サーベイランス**〔surveillance〕監視(制度)。

**サーベル**〔オ sabel〕西洋ふうの刀。

**ざあま・す**《助動マス型》〔活用は「せ・しょ|し|す|す|〇|〇」〕〔古風・女〕でございます。ざます。「たいへんおもしろう―・必要(で)―・―ことば」〔東京山の手の上流女性の、非常に ていねいな ことばづかい。現在は、多

くドラマや漫画などで使う」由来⇩ざんす。

**ザーメン**〔ド Samen=たね〕《生》精液。

**サーモグラフィ(ー)**〔thermography〕からだやものの表面温度を画像としてあらわす装置。医療では、皮膚の温度分布の画像によって、病気を診断する。

**サーモスタット**〔thermostat〕自動温度調節装置。サーモ。

**サーモン**〔salmon〕①(さかなの)サケ。「―釣り・―ステーキ・スモーク―」②「トラウト②」や、アトランティックサーモンという、サケに似たさかな。「漬け―」(すし店などでは、多くこの意味で使う) ●**サーモンピンク**〔salmon pink〕サケの身の色に近い、少し黄色みをおびたピンク。

**さ-あらぬ**《連体》(=然有らぬ)〔文〕なんでもない。表面をつくろうときに言う。「―体で」

**さ-あれ**《接》(↑然は有れ)〔文〕それはそうとして。さわれ。

**サーロイン**〔sirloin〕牛の腰の上部の、上等なやわらかい肉。「―ステーキ」☞イチボ・テンダーロイン・ランプ(rump)①。

**さい**【才】㊀さい ①知恵の はたらき。能力。知能。「天賦の―・―たけた(=才にすぐれた)女性」②積み荷や石材などの、体積の単位。石の十分の一。一才は一立方尺(=約〇・〇二八立方メートル)。「―数・約一三―の段ボール箱」㊁接尾〔俗〕①⇩歳㊁①。②⇩裁㊁。

**さい**【西】㊀さい にし。「東―南の三方から」㊁〔造〕にし(のほう)の。「―海」

**さい**【妻】〔古風〕(自分の)つま。「うちの―がね」

**さい**【差異・差違】ちがう〈こと/点〉。ちがい。「―が生じる・―化を図る」

**さい**【細】〔文〕細かな点。「微に入り―をうがつ(⇩「微」の句)」

**さい**【菜】㊀さい〔古風〕おかず。おさい。㊁〔造〕(和食で、汁以外の)料理の種類を数えることば。「一汁五―」

**さい**【(×犀)】熱帯地方にすむ、鼻の頭につのがある動物。陸上動物ではゾウに次いで大きい。

*__さい__【(際)】そのような状況に〈めぐりあわせた/なった〉とき。「売り切れの―はご容赦ください・利用する―の注意点・危急の―」☞この際。

**さい**【(×賽)・(:骰子)】〔文〕さいころ。☞賽の目。 ●**さいは投げられた**句(カエサルがルビコン川をわたってローマに進軍するときに言ったという)一度こうしようと決めた以上、最後までやりぬくほかはない。やることはもはや決定した、ということ。☞ルビコン(川)を渡る(「ルビコン」の句)。

**さい**【斎】接尾 屋号・雅号にそえることば。「一刀―」

**さい【歳】接尾 ①年齢をあらわす数にそえることば。表記〈俗に/小学校で簡単に〉「才」とも。「十五―」②〔文〕年。「大正八―」

*__さい__【再】㊀〔造〕二度目の。改めての。「―確認・―教育・―切り上げ・―放送」㊁さい ①〔文〕↑再選。「(投票結果で)山下―」②(視覚語)再放送。

**さい**【最】〔造〕いちばん。第一等の。「―上位・―優秀・―接近する」☞最たる。

**さい**【彩】〔造〕〔文〕いろどり。「七―」

**さい**【祭】〔造〕①まつり。もよおし。「例―・文化―」②(神道で)仏教の法事に当たる行事。「五十日―(=『四十九日』に当たる)・一年―(=『一周忌』に当たる)」

**さい**【裁】㊀〔造〕↑裁判所。「最高―」㊁接尾 四六判などの紙を何等分したかをあらわすことば。「八―(=八つ切り)」表記㊁は、俗に「才」とも。

**さい**【債】〔造〕↑債券。「学校―・地方―」

**ざい**【在】㊀ざい ①都市から少しはなれたいなか。在所。「―のことば・青森の―」②〔文〕いること。「―不在」㊁〔造〕〔文〕…に〈ある/いる〉。「―阪(=大阪にある)企業」

**ざい**【材】①材木。木材。「いい―を使う・ひのき―」②(何かのための)材料。素材。「印の―に象牙を用いる・断熱―・小説の―を取る」③〔文〕才能(のある人)。人材。「有用の―」

**ざい**【座位】〔文〕すわった姿勢。「―をとる」(↔立位)

**ざい**【財】①〔文〕財産。「―を成す・文化―」②《経》商品やサービス。財貨。「生産―」③↑財界。「政官―の癒着」

*__ざい__【剤】㊀接尾 調合した一回分の薬を数えることば。「三―」㊁〔造〕くすり。薬剤。「消化―・消毒―」

**ざい**【罪】〔造〕つみ。「横領―」

**さいあい**【最愛】いちばんかわいがっていること。「―の子」

**さいあく**【最悪】㊀《名・ナダ》いちばん悪いこと。「―の状態」(↔最良・最善)㊁《副》最も悪い場合は。「―、事故も考えられる」㊂《感》〔俗〕いやだ。「ねぼうしちゃったよ、―」

**ざいあく**【罪悪】道徳・法律・宗教のいましめ、社会の習慣などにそむく、悪いおこない。つみ。「―感(=つみをおかしたという意識)」

**ざいい**【在位】《名・自サ》①天皇・帝王・教皇が位についていること。②その地位にいること。「横綱―八場所」

**さいいき**【西域】⇩せいいき(西域)。

**ざいいん**【在院】《名・自サ》〔文〕病院・少年院など院と呼ばれるところに(はいって)いること。

**さいう**【細雨】〔文〕細かい雨。きりさめ。

**さいうす**【最薄】いちばんうすい〈こと/部分〉。さいはく。「世界―のディスプレイ」

**さいうよく**【最右翼】いちばんすぐれていること。最も有力なもの。「業界の―・優勝候補の―」由来 士官学校などで、成績順に右から並んだことから。

**さいうん**【彩雲】①《天》日光の加減で、雲がにじ色になること。また、その雲。巻雲などに見られる。②〔文〕美しい夕焼けや朝焼け。あやぐも。

**さいえい**【再映】《名・他サ》もう一度〈映画を上映/テレビを放送〉すること。

**さいえん**【才媛】才能や教養のある女性。「(結婚披露宴で)新婦は〇〇大学出身の―で…」

**さいえん**【菜園】野菜をつくる畑。「家庭―」

**さいえん**【再縁】《名・自サ》(夫と(死に)別れた女性が)もう一度ほかの人と結婚すること。再婚。

**さいえん**【再演】《名・自他サ》もう一度〈出演/上演/演奏〉すること。(↔初演)

**ざいえん**[在園]《名・自サ》幼稚園その他、園と呼ばれるところにいること。「―者」

☆☆**サイエンス**〔science〕科学。特に、自然科学。「コンピューター―」

**さいおう**[最奥]〔文〕いちばん おく。さいおく。「―部」

**さいおうが-うま**[塞翁が馬]⇩人間万事塞翁が馬〔「人間」の句〕。

**さいおく**[最奥]〔文〕⇩さいおう(最奥)。

**さいか**[才華]〔文〕はなやかな才能。「絢爛たる―をほこる」

**さいか**[災禍]〔文〕わざわい。災難。「―にあう」

**さいか**[西下]《名・自サ》〔文〕東京から西の地方(特に関西方面)に行くこと。(↔東上)

**さいか**[採火]《名・自サ》太陽光線から、凹面鏡を通して、オリンピックの聖火をとること。「―式」

**さいか**[裁可]《名・他サ》〔文〕元首など、上位の者が決裁すること。「天皇の―を得る」

**ざいか**[在荷・在貨]〔文〕現在手もとにある品物や商品。

**ざいか**[財貨]〔=たからものや お金〕《経》⇩財②。

←**ざいか**[罪科]〔文〕つみ。刑罰。「―に問われる」

→**ざいか**[罪過]〔文〕つみ。あやまち。「―をくやむ」

**さいかい**[西海]①〔文〕西のほうの海。②↑西海道。●**さいかいどう**[西海道]もと、日本を八つに分けた地域の一つ。筑前・筑後・豊前・豊後・肥前・肥後・日向・大隅・薩摩・壱岐・対馬の十一国。

←**さいかい**[再会]《名・自サ》〔別れていた人と〕またあうこと。「家族との―を果たす・―を期する」

→**さいかい**[際会]《名・自サ》〔文〕ちょうどその重要な事態に出くわすこと。「千載一遇のチャンスに―する」

**さいかい**[斎戒]《名・自サ》〔文〕祭りや神聖な仕事をする者が飲食・行動をつつしんで、心やからだを清めること。「―沐浴」

**さいかい**[再開]《名・自他サ》休んでいた会などを、またひらくこと。

＊**さいがい**[災害]①自然現象〈による/がかかわる〉災難。例、風水害・地震・火災。「自然―・―救助・―関連死〔=災害のあとの避難や病気などによる死〕」②事故などの思いがけない災難。「労働―」

☆☆**ざいかい**[財界]産業・金融機関を中心とする社会。経済界。

**ざいがい**[在外]外国に〈いる/ある〉こと。「―公館〔⇩「公館」の用例〕・―資産・―邦人」

☆☆**さいかいはつ**[再開発]《名・他サ》ある地区に新しく手を加えて、もう一度開発し直すこと。「駅前―・―ビル」

**さいかく**[才覚]《名・他サ》①心のはたらき。機転。「―のある人」②うまくくふうして手に入れること。くめん。「お金を―する」

**さいがく**[才学]〔文〕才能と学問的知識。「―ともにすぐれる」

**ざいがく**[在学]《名・自サ》〔〈学生/生徒〉として〕学校に籍を置いていること。在校。「―中」

**さいかち**[〈×皁×莢〉]①枝・幹にとげのある、大きな落葉樹。秋、葉の落ちたこずえに黒いさやをつける。②↑さいかちむし。●**さいかちむし**[〈×皁×莢虫〉]かぶとむし。さいかち。

**さいかん**[才幹・△材幹]〔文〕才能。はたらき。

**さいかん**[彩管]〔文〕えふで。「―をとる」

**さいかん**[菜館]〔中国で〕料理店。

**さいかん**[再刊]《名・他サ》ふたたび刊行すること。

**ざいかん**[在監]《名・自サ》〔文〕監獄〔=刑務所〕にはいっていること。

**ざいかん**[在館]《名・自サ》大使館・博物館など、館という名のつく機関の中で、いま勤務していること。

**さいき**[才気]〔文〕すぐれた、頭のはたらき。「―を感じさせる文章」●**さいきかんぱつ**[才気×煥発]《名・自サ・ナダ》〔文〕才気が、ひらめくようにあらわれること。才気縦横。才気横溢。「―〈の/な〉作曲家」派―さ。●**さいきばし・る**[才気(走る)]《自五》〔ふつう**才気ばしっ**〈た/て〉〕〔文〕①(なまいきなほど)才能が感じられる。「才気ばしった若者」②才能にまかせて、小細工をする。「みょうに才気ばしった文章」▽才ばしる。

**さいき**[債鬼]〔文〕〔人情味のない〕借金取り。

**さいき**[再帰]《名・自サ》〔文〕もとに もどること。「少年時代に―する・―的定義〔=Aについての定義に、Aそのものをふくむもの。例、『悪者とは、悪者を助ける者だ』〕」

**さいき**[再起]《名・自サ》〈立ち直る/元気になる〉こと。「病床から―する・―不能」

**さいぎ**[祭儀]〔文〕神としての祖先をまつる儀式。

**さいぎ**[再議]《名・他サ》もう一度会議にかけること。

☆☆**さいぎ**[×猜疑]《名・他サ》〔文〕(人を)うたがうこと。「―心」

**さいきけいせい**[催奇形性]《医》胎児を奇形にしやすい、薬の性質。

**サイキッカー**〔和製 psychic + er〕霊能力者。超能力者。サイキック。

☆☆**さいきどう**[再起動]《名・自他サ》①ふたたび起動すること。「エンジンの―」②《情》情報機器を起動し直すこと。また、そうして起動すること。ソフトウエアをインストールしたときなどにおこなう。リブート。

**さいきょ**[再挙]《名・自サ》〔文〕以前に失敗したくわだてや事業をもう一度起こすこと。「―を図る」

**さいきょう**[西京]①〔文〕西の都。②〔東京に対して〕京都。③〔京都地方で作られる〕白みその料理。「―煮」●**さいきょうやき**[西京焼き]白みそを使った、白身のさかなの みそ漬け〔=西京漬け〕を焼いた料理。「サワラの―」

**さいきょう**[最凶]〔俗〕いちばん凶悪・不吉・危険であること。「―のサメ・―〔=最悪〕の味」

**さいきょう**[最狭]〔文〕いちばん せまいこと。「―部」

**さいきょう**[最恐]〔俗〕いちばん こわいこと。「―ホラー」

**さいきょう**[最強]㊀いちばん強いこと。「―のチーム」(↔最弱)㊁《名・ナダ》〔俗〕いちばん。最高。「史上―のアイドル・―にかわいい」

**ざいきょう**[在京]《名・自サ》①東京に〈いる/ある〉こと。「―会員・―の民放キー局」②京都にいること。

**ざいきょう**[在郷]《名・自サ》郷里にいること。☞在郷「―御家人」

郷軍人。

☆☆さいきん【細菌】〔生〕微生物の一つ。ほかのものに寄生して、発酵させ、くさらせ、また、病原菌となる。ばいきん。バクテリア。

**さいきん【最近】①現在に近い過去。「―あった事件」◪どこまで古くさかのぼるかは場合による。ふつうは、過去二、三か月、二、三年など、記憶に新しい時期をさすが、数百年前をさすこともある。「この火山がいちばん―噴火したのは六百年前」②少し前から今まで。このごろ。「―五年間・―の流行語」③〔古風〕現在に近い将来。「どうせ―会うのに」

ざいきん【在勤】〈名・自サ〉勤務していること。在職。「支社に―の者」

さいぎんみ【再吟味】〈名・他サ〉もう一度〈吟味する／よく考えてみる〉こと。

さいく【細工】〈名・他サ〉①小さくてこみいったものの製作。②小さなたくらみ。「へんな―はやめろ」●細工は流々仕上げをごろうじろ 句 自分なりにくふうしてあるから、できあがったものについて批評してほしい。

さいくつ【採掘】〈名・他サ〉鉱物などの資源をほってとること。

さいぐ【祭具】〔文〕祭祀に使う道具。

サイクリスト〔cyclist〕サイクリングをする人。

サイクリング〈名・自他サ〉〔cycling〕楽しみ・健康のための、自転車の遠乗り。☞ポタリング。

☆☆サイクル〔cycle〕①周期。「ライフ―」②〔←サイクル毎秒〕〔理〕「ヘルツ」の古い言い方。③自転車。「―レース」●サイクル ヒット〔和製 cycle hit〕〔野球〕ひとりの選手が、その試合中に単打・二塁打・三塁打・本塁打のすべてを打つこと。

サイクロトロン〔cyclotron〕〔理〕イオンを磁石の力で加速させる装置。原子核の人工破壊などに用いる。

サイクロン〔cyclone〕①〔天〕インド洋で発生し、ベンガル湾沿岸地方などをおそう、強い熱帯低気圧。☞台風・ハリケーン。②〔掃除機で〕吸った空気から、遠心力でごみを分離する方式。

さいくん【細君・妻君】〔古風〕①他人の妻。〔尊敬の気持ちは軽い〕②自分の妻。▽呼びかけには使わない。由来 昔の中国で、もと、自分の妻をへりくだって言った。

ざいけ【在家】〔仏〕〔出家した僧に対して〕ふつうの人。俗人。在俗。「―信者・―仏教」(↔出家)

さいけい【再掲】〈名・他サ〉〔文〕〔文章・図表などを〕もう一度のせること。「前章のグラフを―」

ざいけい【財形】〔←勤労者財産形成制度〕〔経〕勤労者が住宅を持ったり、貯蓄がしやすいように税制などで優遇する制度。「―住宅・―貯蓄・―年金」

さいけいこく【最恵国】〔法〕通商上、第三国よりも不利にならない取りあつかいを常に受ける国。「―待遇」

ざいけいほうていしゅぎ【罪刑法定主義】〔法〕どのような行為も法律のさだめがなければ罰することはできないとする主義。

さいけいれい【最敬礼】〈名・自サ〉上体を前に深く曲げ、両手をひざの下まで おろしてする、いちばん ていねいな おじぎ。

☆☆さいけつ【採血】〈名・自サ〉〔医〕検査や輸血のために体内の血をとること。

↕さいけつ【採決】〈名・自他サ〉議案が いいかどうかを、賛成意見の数によって決めること。決をとること。「挙手による―」

↕さいけつ【裁決】〈名・他サ〉①ことがらの よしあしを上級の人が決めること。「社長の―をあおぐ」②〔法〕行政機関が、不服の申し立てなどに対して判断・決定をくだす〈こと／もの〉。「海難審判の―」〔裁判所の判決に当たる〕

さいげつ【歳月】としつき。年月。●歳月人を待たず 句 年月は人にかまわずどんどん過ぎてゆく。

サイケデリック〈ナダ〉〔psychedelic〕薬物を体験しているかのような感じ。はでな色と模様のファッションや、幻想をさそうようなロック音楽などに言う。サイケ。「―な音楽・―アート」〔一九六〇年代末から流行したことば〕

↕さいけん【債券】〔経〕国家・公共団体・銀行・会社などが借金するために発行する証券。

↕*さいけん【債権】〔法〕貸したお金や財産を返してもらう権利。「―者・不良―〔=回収のみこみのない債権〕」(↔債務)

さいけん【再見】〈名・他サ〉〔文〕もう一度見ること。「古都―」〔中国語では「ツァイチェン」で、「さようなら」の意〕

さいけん【再建】〈名・他サ〉①〔建物を〕もう一度建てること。「城を―する」☞さいこん(再建)。②団体・組織などを、もう一度つくりあげること。たてなおし。③〔医〕失われたからだの一部を手術などで もう一度つくること。「乳房の―手術」

さいけん【再検】〈名・他サ〉もう一度〈検査／検討〉すること。

さいけん【細見】〔文〕㊀〈名・他サ〉くわしく見ること。㊁くわしい〈地図／図面／案内〉。「吉原―」

さいげん【際限】きり。かぎり。「―がない」

さいげん【再現】〈名・自他サ〉目の前にない ものごとが、もう一度あらわれること。また、あらわすこと。「悪夢の―・―ドラマ・実験の―性を確認する」

ざいげん【財源】事業などの もとになる お金。また、その出所。「―不足」

さいけんとう【再検討】〈名・他サ〉もう一度よく調べ考えてみること。

さいこ【最古】いちばん古いこと。(↔最新)

サイコ〔psycho〕㊀〔造〕精神の。心理の。「―アナリシス〔=精神分析〕・―ドラマ〔=心理劇〕」㊁サイコ〈名・ナダ〉行動が異常でこわい〈こと／人〉。「―な役がら」●サイコパス〔psychopath〕①〔医〕精神病質。②異常で冷酷な行動を平気でとる人。

さいご【災後】〔文〕災害〔特に、大震災〕が起こったあと。「―の復興」

↕**さいご【最後】①いちばん〈あと／うしろ〉。終わり。「―まで努力する」(↔最初)②〔したら―など〕どんなことがあっても考えを変えないこと。「言い出したら―ゆずらない」●さいごつうこく【最後通告】話し合いによる交渉を打ち切って、実力行動に移る前に通告する、最後の要求。最後通牒。「―を突きつける」●さいごつうちょう【最後通牒】⇩最後通告。

●**さいごの-しゅだん**[最後の手段]〈暴力・戦争などの〉実力による行動。「―にうったえる」●**さいごのしんぱん**[最後の審判]〔宗〕キリスト教で、世界の終わりにイエス キリストがふたたびこの世にあらわれて人類をさばく、という教義。

☆☆**さいご**[最期]①滅亡(めつぼう)。「平家の―」②死にぎわ。「―をとげる(=死ぬ)」

☆☆**ざいこ**[在庫]《名・自他サ》品物が、倉庫などにあること。倉庫などにある品物。「―品・―減少をまねく」

*__さいこう__[最高]㊀いちばん〈高い/すぐれている〉こと。「―の地位」㊁(ナダ)①本当にすばらしいようす。「気分は―だ・―に(=興奮するほど)おもしろい」②〔話〕〈感動詞的に〉すばらしい。やった。「Aチーム、―!」〔一九五〇年代に広まった用法〕 表記 ㊁は、俗に「サイコー」とも。▽㊀㊁(↔最低) ●**さいこうがくふ**[最高学府]いちばん高度な教育を行う学校。〔現代では、大学〕●**さいこうけん**[最高検]〔法〕↔最高検察庁。●**さいこうげん**[最高限]いちばん高いほうの限界。(↔最低限)●**さいこうけんさつちょう**[最高検察庁]〔法〕最高裁判所が受け持つ事件をあつかう検察庁。最高検。〔その長は、検事総長〕●☆☆**さいこうさい**[最高裁]〔法〕↔最高裁判所。●**さいこうさいばんしょ**[最高裁判所]〔法〕いっさいの法律が憲法に合っているかどうかや、それまでの裁判の結果が妥当(だとう)かどうかを決める、最終の裁判所。最高裁。

**さいこう**[採光]《名・自サ》〈窓をつけたり、鏡で反射させたりして〉明かりを取り入れること。「―のいい部屋・―通風」

**さいこう**[再興]《名・自他サ》もう一度さかんに〈なる/する〉こと。「国を―する」

**さいこう**[採鉱]《名・自他サ》鉱石をほりとること。

**さいこう**[再考]《名・他サ》考え直すこと。「―の余地がない」

**さいこう**[再構]《名・他サ》〔文〕元どおりに、組み立てること。「祖語を―する」

**さいこう**[催行]《名・他サ》〔文〕〈団体旅行などの〉もよおしを実施(じっし)すること。「最少―人員五名」

**ざいこう**[在校]《名・自サ》在学。「―生」

**ざいごう**[罪業]〔仏〕①つみとなる業(ごう)。②つみの結果としてのむくい。

**ざいごうぐんじん**[在郷軍人]〔軍〕予備役(よびえき)にある軍人や退役軍人。

**さいこうちょう**[最高潮]いちばん高まった状態・場面。クライマックス。「―に達する」

**さいこうほう**[最高峰]①いちばん高いみね。②いちばんすぐれたもの。「楽壇(がくだん)の―」

**さいこく**[催告]《名・他サ》〔法〕相手に対して、ある一定の行為(こうい)をするように請求(せいきゅう)する〈こと/通告〉。

**さいごく**[西国]①西のほうの国。②九州地方。③〔仏〕↔西国三十三所。「―巡礼(じゅんれい)」▽さいこく。●**さいごく-さんじゅう-さんしょ**[西国三十三所]〔仏〕近畿(きんき)地方を中心とする三十三か所の霊場(れいじょう)。

**さいころ**[(:骰子)]すごろくやばくちなどに使う、小形で立方体の用具。一から六までの目が刻んである。さい〔賽〕。「―ステーキ(=肉を一口大の立方体の形に仕上げたステーキ)」

**サイコロジー**[psychology]心理学。心理(状態)。

**さいこん**[再婚]《名・自サ》二度目(以降)の結婚をすること。再縁(さいえん)。

**さいこん**[再建]《名・他サ》〈寺などを〉もう一度建立(こんりゅう)すること。☞さいけん(再建)。

**さいさい**[再々]㊀さいさい《副》たびたび。くりかえし。「―注意を受ける」㊁[造]三度目の。「ドラマの―放送」

**さいさい**[歳々]《副》〔文〕毎年。「年々―(=毎年毎年)」

☆☆**さいさき**[△幸先]①いいことの起こる前ぶれ。吉兆(きっちょう)。②何かをしようとするときの前ぶれ。「初戦で勝って―がいい・―のいいスタートを切る」✓「幸先が悪い(=いやな前ぶれだ)」は、①の用法と考えると意味が通じないが、古くから②の用法でもふつうに使われてきた。

☆☆**さいさん**[採算]〈商工業などで〉利益になるかどうかの計算。そろばん。「―割れ(=ひきあわないこと)」●**採算が取れる** 句 ひきあう。

**さいさん**[再三]《副》二度も三度も。「―さいそくする」●**さいさんさいし**[再三再四]《副》たびたび。

*__ざいさん__[財産]①個人や団体が持っている、お金・土地・建物・株券・品物など。資産。身代(しんだい)。②貴重なものごと。「親友は一生の―」●**ざいさんか**[財産家]財産の多い人。かねもち。●**ざいさんけい**[財産刑]〔法〕財産を徴収(ちょうしゅう)・没収(ぼっしゅう)する刑罰(けいばつ)。

**さいし**[才子]①頭のはたらきのすぐれた人。「―才に〈おぼれる/たおれる〉(=自分の才能を過信してかえって失敗する)」②〈悪い意味で〉ぬけめのない人。●**さいしたびょう**[才子多病]知識・才能のすぐれた人はとかく病気がちであること。

**さいし**[妻子]妻と子。つまこ。

**さいし**[祭司]①祭典を受け持つ神主(かんぬし)。②〔宗〕宗教上の職務を専門に受け持つ人。

**さいし**[祭×祀]〔文〕まつり。祭典。「―料(=お供物(くもつ)料)・祖先の―」

**さいし**[再思]《名・他サ》〔文〕〈反省して〉もう一度考えること。

**さいし**[再試]《名・他サ》①ふたたび実験・調査すること。②〔↔再試験〕ふたたび試験をすること。☞追試。

**さいじ**[祭事]〔文〕神をまつる行事。

**さいじ**[細字]細かな文字。ほそじ。「―書き」(↔太字(ふとじ))

**さいじ**[細事]〔文〕〈ちょっとした/細かな〉こと。「―にこだわるな」

**さいじ**[催事]〈デパートなどで〉展示会・展覧会・特売などの、特別のもよおし。「―場(じょう)」

**さいしき**[才識]〔文〕才能と知識。「―豊か」

**さいしき**[祭式]①まつりの方式・作法。②儀式(ぎしき)としての、まつり。

**さいしき**[彩色]《名・自他サ》〈美しい〉色をつけること。いろどり。さいしょく。

☆☆**さいじき**[歳時記]①(↔俳句歳時記)俳句の季題を集めて解説し、例句をしめした本。季寄せ。②一年の季節の移り変わりや行事を書いた本。

**さいしつ**[才質]才能の質。

**さいじつ**[祭日] ①神々のまつりをおこなう日。②〔神葬で〕死んだ人をまつる当日。③「国民の祝日」の通称。

**ざいしつ**[材質] 〈材料／材木〉の性質。

**ざいしつ**[罪質] 《法》犯罪の性質。「—と量刑の関係」

**ざいしつ**[在室] 《名・自サ》〔文〕(勤務する)部屋の中にいること。

**さいして**[際して] 《に際して で格助》…のときに。際し。「使用に—注意する・事件に—の〔=のときの〕行動」 丁寧 際しまして。

**ざいしゃ**[在社] 《名・自サ》〔文〕会社に(つとめて)いること。

**さいじゃく**[最弱] いちばん弱いこと。「—の軍隊」(↔最強)

**さいしゅ**[祭主] 祭事を主となっておこなう人。「儀式の—」

**さいしゅ**[採種] 《名・自他サ》《農》〔栽培のために〕植物のたねをとって集めること。「自家—」

**さいしゅ**[採取] 《名・他サ》拾いとること。選びとること。「指紋・砂金の—」

*__さいしゅう__[最終] ①いちばん〈終わり／すえ〉。「—案・—的」(↔最初) ②〔交通機関で〕その日の最後に出る電車・バスなど。終発。「—におくれる」(↔始発)

•**さいしゅうしょう**[最終章] ①〔本や映画などの〕いちばん最後の章。②いちばん最後の段階。「人生の—」 •**さいしゅうへいき**[最終兵器] ①最後に使う、最も強力な兵器。〔現代では、核兵器〕 ②最後に出す最も強力な〈人／物〉。

**さいしゅう**[採集] 《名・他サ》研究や趣味のために、広く集めること。「植物の—」

**ざいじゅう**[在住] 《名・自サ》〔その土地に〕住んでいること。「—者」

☆☆**さいしゅつ**[歳出] 〔国家や公共団体などの〕一会計年度中の支出(の全体)。(↔歳入)

**さいしゅっぱつ**[再出発] 《名・自サ》①出発し直すこと。②(気分を新たにして)出直すこと。再スタート。「新会社として—する」

**さいしゅん**[最旬] 《名・ナダ》最も旬なようす。今いちばん人気があるようす。「—バッグ」

**さいしょ**[最初] いちばんはじめ。「—の印象・—で最後〔=一度きり〕・〔強調して〕一番—」(↔最後・最終)

**さいじょ**[才女] 才能にすぐれた、頭のいい女性。「—紫式部」

**さいじょ**[妻女] 〔文〕つま。「武家の—」

**さいじょ**[細叙] 《名・他サ》〔文〕くわしくのべること。

**ざいしょ**[在所] ━〔=すみか〕①いなか。在。「山深い—」②国元。━《名・自サ》〔文〕事務所・研究所など、所と呼ばれるところに(つとめて)いること。

**さいしょう**[宰相] 〔文〕①〔昔、中国で〕天子をたすけて政治をとった官。②総理大臣。「鉄血—〔=ドイツの政治家ビスマルク〕」

**さいしょう**[最小] いちばん小さいこと。「—限度」(↔最大) •**さいしょうけつあつ**[最小血圧] 《医》心臓の収縮がもとにもどって血液をためているあいだに、血管にあたえる圧力。拡張期血圧。最低血圧。(↔最大血圧) •**さいしょうげん**[最小限] ━ある〈範囲／条件〉の中で、いちばん〈小さい／少ない〉こと。「被害を—におさえる」━《副》少なくとも。「—、これだけは必要」▽━━最小限度。(↔最大限) •**さいしょうこうばいすう**[最小公倍数] 《数》いちばん小さい公倍数。

**さいしょう**[最少] いちばん少ないこと。(↔最多)

**さいしょう**[再勝] 《名・自サ》〔文〕もう一度勝つこと。「—を果たす」(↔再敗)

**さいじょう**[祭場] 祭典をおこなう場所。

☆☆**さいじょう**[斎場] ①葬儀場。「青山—」②火葬場。③祭場。

**さいじょう**[最上] ①いちばん上。「—階」②いちばんすぐれていること。「—の品」 •**さいじょうきゅう**[最上級] ①いちばん上級。「—の三年生」②程度が最も大きいこと。「—の賛辞・陳腐の—だ」③《言》英語などの形容詞で、程度が最も大きいことをあらわす形。例、best〔=最もよい〕。☞原級②・比較級。

**さいじょう**[催場] 〔デパートなどの〕もよおしをおこなう会場。催事場。もよおし場。「大—」

**ざいしょう**[罪証] 《法》犯罪の証拠。「—隠滅のおそれ」

**ざいしょう**[罪障] 《仏》さとりや往生をさまたげる悪いおこない。「—感〔=罪悪感〕」

**ざいじょう**[罪状] 犯罪の〈状態／内容〉。 •**ざいじょうにんぴ**[罪状認否] 《法》法廷に被告を呼び出して、起訴状に書かれた罪状を認めるかどうかを答えさせる手続き。

**さいしょく**[才色] 頭脳と顔かたち。 •**さいしょくけんび**[才色兼備] 《名・ナダ》頭脳も顔かたちもともにすぐれていること。〔女性だけに求められる理想像で、きらう人もいる表現〕

**さいしょく**[菜食] 《名・自サ》野菜類を中心に食事をすること。「—主義」(↔肉食) ☞ベジタリアン。

**ざいしょく**[在職] 《名・自サ》その職についていること。在勤。「—期間・—年限」

☆☆**さいしょり**[再処理] 〔↑核燃料再処理〕原子力発電所で燃やした使用ずみ核燃料から、プルトニウムと残りのウランを取り出すこと。〔MOX燃料に加工する〕

**さいしん**[再診] 二度目(以降)の診察。(↔初診)

**さいしん**[最深] 〔文〕いちばん深いこと。「—積雪」

**さいしん**[最新] いちばん新しいこと。「—版・—の技術」(↔最古)

**さいしん**[再信] 《名・他サ》手紙やメールを再度送ること。再送信。「メールを—する」

**さいしん**[再審] 《名・他サ》もう一度〈審査／審理〉すること。

**さいしん**[細心] 《名・ナダ》心のはたらきが、細かなところまで行き届くようす。「—の注意」 派 -さ。

**さいじん**[才人] 才能にすぐれ、なんでもうまくやりこなす人。

**さいじん**[祭神] 神社にまつる神。さいしん。

**サイズ**〔size〕〔はかったときの〕大きさ。寸法。型。「洋服の—・—が合わない・L—」

**ざいす**[座椅子] たたみにすわって背をもたせかけることのできる、脚のないいす。

**さいすい**［採水］《名・自他サ》〔文〕水をとること。「地下から―する・―地・〔消防用の〕―口」

**さい・する**［際する］《他サ》〔文〕①ある局面に出合う。「問題に―」②…のときに起こる。「開国に―混乱」☞際して。

**さいすん**［採寸］《名・自他サ》〔洋服を作るときなどに〕寸法をはかること。

**さいせい**［祭政］〔文〕神をまつることと、政治をおこなうこと。●**さいせいいっち**［祭政一致］神をまつることを政治の根本とするやり方。

**さいせい**［最盛］いちばんさかんなこと。「―期・出荷の―時」

←**さいせい**［再生］《名・自他サ》①生き返ること。「―の思いをする」②生まれかわること。生まれかわった気持ちになること。「―をちかった」③失われたからだの部分を新たに作り出すこと。「―手術」④古くなって使えなくなったものを、もう一度使えるようにすること。「―品」⑤記録された音や画像を出すこと。「動画を―する・―ボタン」●☆☆**さいせいいりょう**［再生医療］《医》障害を受けたりうしなったりしたからだの組織や臓器を、人工的に再生させる医療。「皮膚の―」●☆☆**さいせいかのうエネルギー**［再生可能エネルギー］太陽光・水力・地熱・風力・バイオマスなど、いつまでも使い続けられるエネルギー。自然エネルギー。再生エネ。(↕枯渇性エネルギー) ●☆☆**さいせいし**［再生紙］〔森林保護のため〕一度利用した紙を溶かして再生パルプとし、すき直してつくった紙。●**さいせいふりょうせいひんけつ**［再生不良性貧血］《医》骨髄で赤血球・白血球などが作られなくなる病気。放射線の照射や薬剤によって起こることがある。

→**さいせい**［再製］《名・他サ》①(くずになったものから)作り直すこと。「―毛」②いったん加工したものを、また加工して作ること。「―あめ」

***ざいせい**［財政］①《経》国や地方自治体が成り立って行くためにいとなむ経済活動。「―的」②金まわり。個人の家計。「―不如意」●**ざいせいさいけんだんたい**［財政再建団体］《法》財政の赤字が大きくて、自力では回復できず、国の助けを借りて赤字の解消をはかる地方自治体。●**ざいせいとうゆうし**［財政投融資］《経》国の財政活動として、住宅・道路・地域開発などに向けられる投資および融資の総称。財投。

**ざいせい**［在世］《名・自サ》〔文〕①この世に生きていること。ざいせ。「故人―中は」②〔天皇・王などが〕位についていること。

**さいせいさん**［再生産］《名・他サ》《経》生産されたものを使って新たな生産を生み出すというように、生産をくり返しておこなうこと。「拡大―・縮小―」

**さいせき**［砕石］《名・自サ》石を細かくくだくこと。また、くだかれた石。バラスト。

**さいせき**［採石］《名・自サ》石材や鉱石を切り出すこと。

**ざいせき**［罪責］〔文〕犯罪をおこなった責任。「―重大」

←**ざいせき**［在席］《名・自サ》①〔職場で〕自分の席にいること。(↕離席) ②在勤。

→**ざいせき**［在籍］《名・自サ》団体・学校などに、籍があること。●**ざいせきせんじゅう**［在籍専従］労働者が、会社・官庁などに籍を置いたままで、労働組合の事務だけに従事すること。

**さいせつ**［再説］《名・他サ》〔文〕くり返してもう一度説明すること。

**さいせつ**［細説］《名・他サ》〔文〕細かなところまで説明すること。

**さいせん**［(×賽)銭］神社や寺におまいりしたときに出す(心ばかりの)お金。「お―・―箱」

**さいせん**［再戦］《名・自サ》もう一度〈戦う／試合する〉こと。

**さいせん**［再選］《名・自他サ》①もう一度〈選出／選挙〉すること。②もう一度当選すること。「―を果たす」

**さいぜん**［最前］①さきほど。さっき。「―から言うように」②いちばん前。「―の席」

**さいぜん**［最善］①いちばんすぐれていること。「―の方法・―手」(↕最悪) ②〔あたえられた条件の中で〕できる限りの方法。「―をつくす」

**さいぜん**［×截然］《タト》〔文〕「せつぜん」の慣用読み。

**さいぜんせん**［最前線］①《軍》味方の陣地のいちばん前。敵にいちばん近いところ。②直接、実際の仕事をするところ。「販売の―」③⇩最先端②。

**さいせんたん**［最先端・最×尖端］①細長いものの、いちばん先の部分。②その分野でいちばん進んでいるところ。最前線。「―の技術」「現代物理学の―」

**さいそう**［採草］牛馬のえさとする草をとること。「―地」

**さいそう**［再送］《名・他サ》〔文〕もう一度送ること。

**さいぞう**［才蔵］〔正月の万歳で〕たゆう(太夫)の相手をして人を笑わせる男。

**さいそく**［細則］こまかな規則。(↕概則・総則)

**さいそく**［最速］①速度がいちばんはやいこと。「世界―車」②時期がいちばんはやいこと。「リーグ―で百安打に到達」▽(↕〔俗に〕最遅)

**さいそく**［催促］《名・他サ》早くするように、相手に要求すること。うながすこと。「―がましいことを言う」

**ざいぞく**［在俗］《仏》在家。

**さいた**［最多］いちばん多いこと。「―記録」(↕最少)

**サイダー**〔cider＝リンゴ酒〕炭酸水に(すっぱく)あまい味をつけた飲み物。☞ラムネ①。

**さいたい**［(×臍)帯］《生》胎児と胎盤をつなぐ、ひものような器官。内部に動脈・静脈が走る。へそのお。せいたい。●**さいたいけつ**［(×臍)帯血］《生》臍帯にふくまれる血液。血球を作る造血幹細胞に富み、白血病などの治療に使う。「―バンク・―移植」

**さいたい**［妻帯］《名・自サ》妻を持つこと。「―者」

←**さいだい**［細大］〔文〕細かなことと大きなこと。一部始終。●**細大漏らさず** 句〔文〕全部。

→****さいだい**［最大］いちばん大きいこと。「―限度・―級の賛辞」(↕最小) ●**さいだいけつあつ**［最大血圧］《医》心臓が収縮して血液を送り出すときに、血管にあたえる圧力。収縮期血圧。最高血圧。(↕最小血圧) ●**さいだいげん**［最大限］一 ある〈範囲／条件〉の中で、いちばん〈大きい／多い〉こと。「解決に

向けた―の努力」㊁《副》できるかぎり。「チャンスを―(に)生かす」▽㊀㊁最大限度。(↕最小限)

●☆☆**さいだいこうやくすう**[最大公約数]①《数》公約数の中で いちばん大きいもの。②二つ以上のことがらに認められる、いちばん大きな共通点。「―的意見」

**ざいたい**[在隊]《名・自サ》〔文〕〔軍隊・自衛隊などの〕隊にいること。「―期間」

**さいたいほ**[再逮捕]《名・他サ》《法》すでに逮捕・勾留されている被疑者を、〈勾留中/釈放直後〉に、別の容疑で逮捕すること。

**さいたかね**[最高値]①最も高い値段。「オークションの―」②《経》高値の中でも、最も高い値段。「史上―」▽(↕最安値)「さいこうち」と読めば、最も高い数値の意味。

**さいたく**[採択]《名・他サ》いくつかある案の中から、えらびとること。とりあげること。「議案を―する」

**ざいたく**[在宅]《名・自サ》(自分の)家にいること。「きょうは―しています・―のまま起訴する・―勤務〔『―ワーク』とも〕・―ケア〔=看護〕・―医療」

●☆☆**ざいたくかいご**[在宅介護]ねたきりの高齢者などを家庭で介護すること。そのための公的支援としては、ホームヘルパーの派遣、デイサービス、ショートステイなどがある。

**さいたる**[最たる]《連体》同類の中で第一である。最も代表的な。「傑作の―ものだ」

**さいたん**[最短]〔距離・時間が〕いちばん短いこと。「―コース」(↕最長)

**さいたん**[歳旦]〔文〕①一月一日の朝。「―祭」②元日。▽元旦。

**さいたん**[採炭]《名・自他サ》〔文〕石炭を採掘すること。

**さいだん**[祭壇]祭事をおこなう壇。「花―〔=花でうめつくした葬儀用祭壇〕」

**さいだん**[細断]《名・他サ》〔紙などを〕細かく切ること。「シュレッダーで書類を―する」

**さいだん**[裁断]《名・他サ》①紙・布などをたち切ること。断裁。「―機」②ある基準で、ことがらのよしあしを決めること。「―を下す」

**さいだん**[×截断]《名・他サ》「せつだん」の慣用読み。

☆☆**ざいだん**[財団]《法》①特定の目的のために結合された財産の集合体。(↕社団)②↑財団法人。

●**ざいだんほうじん**[財団法人]《法》一定の目的のために提供された財産をもとにして設立された法人。公益財団法人〔例、日本オリンピック委員会〕と一般財団法人〔例、日本気象協会〕がある。財団。(↕社団法人)

**ざいだん**[在団]《名・自サ》〔文〕楽団・選手団など、団と名のつく団体・グループに籍を置くこと。

**さいち**[才知・才×智]〔文〕頭の はたらき。知恵。「―にたけた人」

**さいち**[細緻]《名・ナダ》〔文〕〔仕事などのしかたが〕細かく行き届くようす。「―をきわめる・―な研究」派―さ。

**さいちく**[再築]《名・他サ》〈建築/構築〉し直すこと。

**さいちゅう**[最中]ものごとの(さかんに)おこなわれているとき。「仕事の―・食事をしている―にベルが鳴った」☞さなか(最中)・もなか(最中)。

**ざいちゅう**[在中]《名・自サ》〔文〕中にはいっていること。「領収書―」

**さいちょう**[最長]〔距離・時間が〕いちばん長いこと。「―不倒距離」(↕最短)

**ざいちょう**[在庁]《名・自サ》〔文〕出勤して、〔県庁・警視庁など、庁と呼ばれる〕官庁にいること。

**さいちん**[最賃]《経》↑最低賃金。「―制」

**さいづち**[〔才×槌〕]胴の部分のふくらんだ、小形の木のつち。●**さいづちあたま**[〔才×槌〕頭]ひたいと後頭部のでっぱった頭。

**さいてい**[最低]㊀いちばん〈低い/おとっている〉こと。「―限度・―の生活」㊁《ナダ》①本当に ひどいようす。「―な気分・―な発言」②〔話〕〔感動詞的に〕あきれた。ひどい。「うそだって？ ―！」〔一九五〇年代に広まった用法〕●**さいていげん**[最低限]㊀ある〈範囲/条件〉の中で、いちばん〈低い/少ない〉こと。「課税―〔=最低限度額〕・―〔=必要最低限〕の常識もない」㊁《副》少なくとも。「―、これだけは知っておこう」▽㊀㊁(↕最低限度)

●☆☆**さいていちんぎん**[最低賃金]《経》労働者の生活を保障する最低限度の賃金。最賃。〔国が定め、使用者はそれ以上の賃金をしはらわなくてはならない〕

**さいてい**[再訂]《名・他サ》もう一度訂正すること。「―版」

**さいてい**[裁定]《名・他サ》ことがらの よしあしを考えて決めること。「委員会の―・仲裁―」

**ざいてい**[在廷]《名・自サ》《法》法廷に出頭していること。「―証人」

**サイディング**〔siding〕人工の外壁材。工場で作ったものを、パネルのように家の表面にはりつける。

**さいてき**[最適]《名・ナダ》いちばん適しているようす。「レジャーに―の土地・―量・―解〔=いちばん適切な答え・解決方法〕」

**ざいテク**[財テク]〔↑財務テクノロジー〕資産をたくみに投資して、大きく増やすこと。〔バブル期に流行〕

☆☆**さいてん**[祭典]①神をまつる儀式。まつり。「民族の―」②大きな もよおし。おまつり。「スポーツの―」

**さいてん**[再転]《名・自サ》〔文〕(なりゆきが)もう一度かわること。

**さいてん**[採点]《名・自他サ》点数をつけること。

**さいでん**[祭殿]祭事をおこなう建物。

**ざいてん**[在天]《名・自サ》〔文〕天に いること。「―の霊」

＊**サイト**〔site〕①敷地。用地。「キャンプ―・ダム―」②〔建築の〕現場。③《情》〔インターネットで〕ホームページなど、ひとまとまりの情報の置かれている場所。ウェブサイト。「ニュース―」●**サイトマップ**〔site map〕《情》そのウェブサイトの構成が、目次のように一覧できるページ。

**さいど**[再度]〔文〕もう一度。ふたたび。「―たのむ」

**さいど**[彩度]《美術》白や黒、灰色以外の色の、あざやかさの度合い。〔同じ赤でも、こい赤は彩度が高く、水でうすめたような赤は、彩度が低い〕☞明度・色相。

**さいど**[済度]《名・他サ》《仏》人々をすくって、成仏させること。「衆生―」

**サイド**〔side=側面。方面〕 **一** ①横。わき。「プール—・—テーブル」 ②主要でないもの。副。「—ギター(↔リードギター)」 ③〔フットボール・テニスなどで、〈相手がわ/こちらがわ〉の〕陣地。「—が変わる・逆—〔俗に略して『逆サイ』〕」 **二** 造 がわ。方面。立場。「日銀—の見解」 •**サイド カー**〔sidecar〕 ①横に一輪車〔=側車〕を取りつけたオートバイなど。また、その一輪車。②ブランデー・キュラソー・レモンジュースをシェークしたカクテル。 •**サイド スロー**〔↑米 sidearm throw〕《野球》(投手が)ボールをからだの横から投げること。横手投げ。サイド ハンド。☞オーバースロー・アンダースロー。 •**サイド チェンジ**《名・自サ》〔side change〕《サッカー》ボールのあるタッチラインの近くから、もう一方のタッチラインの近くの選手へと大きくパスを出すこと。 •**サイド バック**〔sideback〕《サッカー》自陣の ゴールを守る左右のディフェンダー。SB。 •**サイド ビジネス**〔side business〕 副業。内職。サイド ワーク。 •**サイド ブレーキ**〔和製 side brake〕 自動車の駐車用の手動ブレーキ。 •**サイド ベンツ**〔side vents〕《服》スーツなどで、左右のすそに、たてに入れた切りこみ。(↔センター ベント) •**サイド ボード**〔sideboard〕 食卓のそばに置く、低めの食器だな。また、リビングなどに置く、横長の かざりだな。 •**サイド ミラー**〔和製 side mirror〕 自動車などの、車体の左右に取りつけてある、うしろやわきを見るための鏡。 •**サイド メニュー**〔和製 side menu〕〔飲食店で〕メインの料理以外に注文するもの。「—でポテトを選ぶ」 •**サイド ライン**〔sideline〕 ①《テニス・バレーボールなど》競技場の長いほうの線。〔フットボールでは、タッチラインと言う〕(↔ベースライン) ②字句の横に引く線。傍線。 •**サイド リーダー**〔和製 side reader〕〔外国語教材などの〕副読本。 •**サイド ワーク**〔和製 side work〕 ⇩サイドビジネス。

**さいどう**［細動］《医》心臓の筋肉が細かくふるえ、血液を全身にうまく送れなくなる状態。「心房—・心室—〔=心停止の一種〕」

**ざいとう**［財投］《経》↑財政投融資。

**さいどうみゃく**［細動脈］《生》大動脈が枝分かれして、直径が〇・五ミリ以下になったもの。

**さいとく**［才徳］〔文〕才能と人徳。「—をそなえる」

**さいどく**［再読］《名・他サ》 ①もう一度読むこと。②〔漢文訓読で〕同じ漢字を二度読むこと。「—文字〔例、須(すべからく…べし)〕」

**さいとつにゅう**［再突入］《名・自サ》 宇宙空間に出た宇宙船などが、ふたたび地球の大気圏に はいること。〔原語は reentry で、「re」は「再帰」の意味〕

☆☆**さいな・む**［(△苛む)］《他五》 痛み・なやみなどをあたえて苦しめる。「自分自身を—・身をさいなまれる・不安にさいなまれる」

**さいなら**《感》〔俗〕さようなら。

**さいなん**［災難］ 降りかかってくる、〈悪い/不幸な〉できごと。わざわい。「国家的—・はかり知れない—をこうむる・八つ当たりされるほうこそ いい〔=相当な〕—だ」

**さいなん**［最南］ いちばん南。(↔最北)

**ざいにち**［在日］《名・自サ》 ①日本に(住んで)いること。「—外国人」 ②↑在日韓国・朝鮮人。「—三世」

☆☆**さいにゅう**［歳入］〔国家や公共団体などの〕一会計年度中の収入(の全体)。「—欠陥〔=税収の不足〕」(↔歳出)

**さいにょう**［採尿］《名・自他サ》《医》検査のために尿をとること。

**さいにん**［再任］《名・自他サ》 もう一度、前の役に任命〈される/する〉こと。

**ざいにん**［罪人］ つみをおかした人。つみびと。

**ざいにん**［在任］《名・自サ》〈任務/任地〉にあること。「—中はお世話になりました」

**さいにんしき**［再認識］《名・他サ》 あらためて〈認識する/価値を認める〉こと。「重要性を—する」

**サイネージ**〔signage=図形。記号〕 案内。標識。☞デジタルサイネージ。

**サイネリア** 鉢に植える西洋草花の名。春、むらさき・赤・白などの、花びらの多い花をひらく。シネラリア。〔シネ(死ね)をさけたいみことば〕

**さいねん**［再燃］《名・自サ》〔=ふたたび燃える〕 ①下火になっていたものがまた盛り上がってくること。「ブームが—する」 ②しずまっていたものが、もう一度さわぎになること。「問題が—した」 ③《医》軽くなっていた病状がふたたび悪化すること。

**さいのう**［才能］ ものごとをりっぱに やりぬくための、頭のはたらきや能力。「—のある人物・音楽の—」

**さいのかわら**［×賽の河原］《仏》死んだ子どもが地獄で、父母の供養のために、石を積んで塔を作り、作っては鬼にくずされる といわれる所。

**さいのめ**［(×賽の)目］ ①さいころの表面にあらわした数。②さいころの形。立方体。「—に切る」

☆☆**サイバー** 造〔cyber←cybernetics〕 コンピューター(ネットワーク)を使った。「—犯罪・—攻撃〔=サイバーテロ〕」 由来 ⇩サイバネティックス。 •**サイバー スペース**〔cyberspace〕 ①バーチャルリアリティーの世界。②コンピューターのネットワーク上に作られる仮想空間。▽サイバー空間。 •**サイバー テロ**〔↑cyber terrorism〕 ハッカーなどがインターネットを悪用して、国家や社会基盤を混乱させること。サイバー攻撃。 •**サイバー ビジネス**〔cyber business〕 インターネットを使った通信販売。

**さいはい**［再敗］《名・自サ》〔文〕もう一度負けること。「—を喫する」(↔再勝)

**さいはい**［再拝］《名・自他サ》〔文〕 ①もう一度敬礼すること。②《手紙》終わりに書く、丁重な あいさつのことば。

**さいはい**［采配］《名・他サ》 ①昔、大将が兵の指揮に使った道具。②指揮。 •**采配を振る** 句 さしずする。采配をとる。采配を振るう〔=ふり動かす〕。「監督が—」

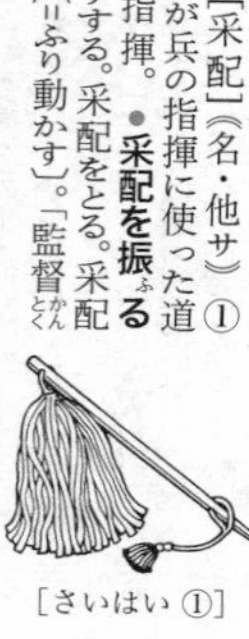

［さいはい ①］

**さいばい**［栽培］《名・他サ》 植物をうえて育てること。「温室—」 •**さいばい ぎょぎょう**［栽培漁業］ ある程度まで育てたさかなや貝類を、すみやすい環境に移して、大きくしたり ふやしたりしてからとる漁業。 •**さいばい ひんしゅ**［栽培品種］《農》収穫用に、かけあわせて新しく作り出した品種。

**さいばし**［菜箸］ ①料理を作っているときに使う、長いはし。②おかずを取り分けるためのはし。

さいはじ・ける【才▵弾ける】《自下一》〔ふつう 才はじけ（た/て）〕頭のはたらきが、するどく表にあらわれる。「才はじけた子だ」

さいばし・る【才（走る）】《自五》〔ふつう 才ばしった（た/て）〕〔文〕才気走る。「才走った男」

さいはつ【再発】《名・自他サ》①もう一度〈発病/発生〉すること。〔おもによくないことについて言う〕（↔初発）②〔廃盤になったレコードやCDなどの〕再発売。「—盤」

ざいばつ【財閥】大きな財力によって結ばれた資本家グループ。

さいはっけん【再発見】《名・他サ》①あらためて発見すること。「ふるさとの魅力を—する」②最初の発見とは無関係に、同じ法則などを発見すること。「メンデルの遺伝の法則〔一八六五年に発見〕は一九〇〇年に—された」

さいはて【（最果て）】〔文〕それより先はない、いちばんはずれの所。いやはて。「—の国」

サイバネティックス〔cybernetics〕生物と機械の共通点に注目する学問。第二次大戦後に提唱され、オートメーションやコンピューターの発達につながった。サイバネティクス。由来「舵手」の意味のギリシャ語から。後の「サイバー」の語源。

さいばら【催馬▵楽】平安時代の歌謡。素朴な民謡に、貴族がみやびやかな旋律と伴奏を加えて歌ったもの。

さいはん【再販】①〔↑再販売価格維持契約〕《経》製造元が卸・小売りの価格を指定すること。独占禁止法によって書籍・CDなどの商品に限られている。「—制・—価格」②再販売。「—の要望」

さいはん【再犯】《名・自サ》《法》〔釈放後五年以内に〕また罪をおかすこと。「—防止」（↔初犯）

さいはん【再版】《名・他サ》①もう一度出版すること。②二度目の版（の書籍）。（↔初版）

さいばん【歳晩】〔文〕歳末。

*さいばん【裁判】《名・他サ》①《法》うったえを聞き、法律を適用して、どうすべきかを定めること。「—所」②権威によって、ものごとのよしあしなどを決めること。「宗教—」▽さばき。●☆☆さいばんいん【裁判員】《法》①重大な刑事事件の裁判に参加するよう選ばれた一般の市民。「—制度（=裁判官と裁判員が有罪かどうかを判断する制度）」☞参与員。②弾劾裁判所で裁判をする人。国会議員から選ばれる。●さいばんかん【裁判官】《法》裁判所の長官・判事・判事補をまとめて言う呼び名。

さいひ【採否】採用するかしないか。「—未定」

さいひ【歳費】〔国会議員の〕一年間の手当。☞報酬②。

ざいひ【在否】〔文〕〔自分の家・事務室などに〕いるかいないか。在不在。

さいひつ【才筆】〔文〕じょうずな文章。また、それを書く才能（があること）。「—をふるう・かれは—だ」

さいひょう【砕氷】《名・自サ》〔文〕①氷をくだくこと。「—船」②くだいた氷。

さいひょうか【再評価】《名・他サ》改めて評価すること。見直し。

さいひん【最貧】いちばんまずしいこと。「—層」

さいひん【最頻】〔文〕最もよく現れるようす。「—回答・—値（⇩モード④）」

さいふ【財布】①お金を入れる入れもの。昔は布で作り、ひもを巻きつけて、ふところにしまった。「お—」②使えるお金。家計。小づかい。「—（のひも）をにぎる（=お金の出し入れの権利を持つ）・—（=ふところ具合）と相談する」●財布の口を締める句むだなお金を使わないようにする。節約する。財布のひもをしめる。●財布（の底）をはたく句持っているお金を全部出す。●財布（のひも）が堅い句（むだな）お金を使わない。●財布のひもを緩める句①余計なお金を使う。むだづかいをする。②余分にお金を出す。直財布のひもが緩む。

さいふ【採譜】《名・他サ》《音》音楽を聞いて、その節を楽譜に書きとること。☞耳コピ。

さいぶ【細部】細かな部分。

ざいふ【在府】《名・自サ》江戸時代、地方の藩の武士が、江戸でつとめたこと。（↔在国）

サイフォン〔siphon〕①《理》圧力差を利用し液体を高い所から低い所へ移すのに使う管。液体を満たして使う。②ガラス製のコーヒーわかしの一種。③〔家庭で〕炭酸水を作るしかけのびん。▽サイホン。

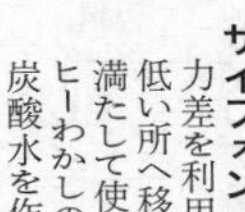

［サイフォン ①］

さいぶつ【才物】〔文〕才能のすぐれた人物。（↔鈍物）

ざいふざい【在不在】在否。

ざいぶつ【財物】（=たからや品物）《法》お金など、価値のあるもの。「—を窃取する」

さいぶん【細分】《名・他サ》細かに分けること。

ざいべい【在米】〔他国の人や会社などが〕アメリカに〈住む/ある〉こと。「—邦人」

さいべつ【細別】《名・他サ》細かに区別すること。（↔大別）

さいへん【砕片】〔文〕くだけたかけら。「ガラスの—」

さいへん【細片】〔文〕細かいかけら。

さいへん【再編】《名・他サ》〈編成/編制/編集〉し直すこと。再編成。再編制。再編集。

さいほ【採捕】《名・他サ》〔文〕〔水産の〕動植物をとること。「ワカサギの—」

さいぼ【歳暮】〔文〕年末。歳晩。

さいほう【西方】《仏》↑西方浄土。☞せいほう（西方）。●さいほうじょうど【西方浄土】《仏》阿弥陀仏のいるという極楽浄土。西方極楽。西方。

さいほう【裁縫】《名・自サ》布地をたち切って衣服などにぬいあげること。「お—をする」

さいほう【再訪】《名・自他サ》〔文〕もう一度おとずれること。

さいほう【採訪】《名・他サ》〔民俗学で〕よその土地をおとずれて、資料を採集すること。「民話を—する」

*さいぼう【細胞】《生》生物体を作っている、おもな単位。核をふくむ原形質のかたまり。さいほう（古風）。●さいぼうしん【細胞診】《医》がん（癌）と思われる部分の組織をとり、顕微鏡でおこなう診断。

**ざいほう**［財宝］たくさんの たからもの。「金銀—」

**サイボーグ**〔cyborg〕人工臓器などで からだの一部を改造した人。

**さいほく**［最北］いちばん北。(↔最南)

**さいほけん**［再保険］《経》〔危険を分散させるために〕保険会社が引き受けた、保険責任の一部または全部を、さらに ほかの保険会社に引き受けさせること。

**さいまつ**［歳末］〔おもに行事について〕年のくれ。年末。歳晩。「—大売り出し」

**サイマル**〔←simultaneous〕①同時に おこなうこと。②同時通訳。•**サイマル ほうそう**［サイマル放送］同時放送。サイマルキャスト(simulcast)。「ラジオとインターネットでの—」

**さいみつ**［細密］《ナダ》細かくて くわしいようす。「—画〔⇨ミニアチュール〕」派—さ。

**さいみん**［催眠］〔文〕ねむけをもよおすこと。ねむった状態にさせること。「—剤」•**さいみんじゅつ**［催眠術］《心》暗示によって ねむったような状態に ひきいれる技術。•**さいみんしょうほう**［催眠商法］会場に高齢者などを集め、日用品をただ同然で売って、安いという暗示をあたえたあとで、値段の高い商品を売りつける やり方。

*__さいむ__［債務］《法》借金を返さなければならない義務。また、契約の内容を実行する義務。「—者・—超過〔=負債が資産を上回ること〕」(↔債権)

**ざいむ**［財務］財政上の事務。「—相談〔=税金・財産などに関する相談〕」•**ざいむしょう**［財務省］《法》国の財政などの行政事務をあつかう中央官庁。〔もと大蔵省〕•**ざいむしょひょう**［財務諸表］《経》企業が決算期に、経営の状態を示すために作成する表。貸借対照表・損益計算書など。•**ざいむだいじん**［財務大臣］①《法》財務省の最高の地位(の人)。財務相。②〔俗〕家計の責任者。主婦。「わが家の—」

**ざいめい**［罪名］犯した罪の名前。「—および罰条〔=犯罪の刑罰を定めた法令の条文〕」

**さいもく**［細目］細かな項目。「—を決める」(↔大綱)

**ざいもく**［材木］建築・器具などの材料としてすぐ使えるようにした木。「—店」

**さいもん**［祭文］祭りのとき、神に告げることば。祝詞。さいぶん。

**ざいや**［在野］①公職や研究職につかないで、民間にいること。「—の考古学者」②政権をとらず、野党であること。

**さいやく**［災厄］〔文〕災難。

**さいやす**［最安］いちばん安いこと。「—運賃」•**さいやすね**［最安値］①最も安い値段。「地域—!」②《経》安値の中でも、最も安い値段。「—更新」▽(↔最高値)

**さいゆ**［採油］《名・自サ》①石油をほりとること。②あぶらを取り出すこと。

**さいゆう**［再遊］《名・自サ》〔文〕同じ所にもう一度〈遊びに行く/旅行する〉こと。

**さいよう**［採用］《名・他サ》①〔社員などとして〕人をえらびとること。②〔意見・方法などの〕適当だと思われるものをえらび用いること。▽(↔不採用)

**さいらい**［再来］《名・自サ》〔文〕①もう一度やって来ること。「不況の—」②〔偉大な人が〕もう一度この世に生まれ出ること。うまれかわり。「弘法大師の—か」

**ざいらい**［在来］①今まで(あったこと)。「—線(↔新幹線)・—の方式」②今までどおりで新しみのないこと。ありきたり。「—の文学」

**さいらん**［採卵］《名・自サ》①たまごを産ませてとること。②卵子を取り出すこと。

**さいり**［×犀利］《ナダ》〔文〕〔頭の はたらき・文章などが〕するどいようす。「—な批評」派—さ。

**さいりゃく**［才略］〔文〕才知と計略。「—に長けた武将」

**さいりゅう**［細流］〔文〕ほそい流れ。小川。

**さいりゅう**［細粒］細かいつぶ。「—のかぜ薬」

**ざいりゅう**［在留］《名・自サ》いちじ、外国に とどまり住むこと。「—邦人」

**サイリューム**〔Cyalume=商標名〕蛍光を発する棒。まんなかから一度折って、ふると光る。コンサートで観客が使ったりする。ケミカル ライト。サイリウム。

**さいりょう**［最良］〔品質などが〕いちばん いいこと。「—の品質」(↔最悪)

←**さいりょう**［宰領］《名・他サ》多くの人・荷物などを監督する〈こと/人〉。

→**さいりょう**［裁量］《名・他サ》自分の考えどおりにものごとを決めて処置すること。「自由—」•**さいりょうろうどう**［裁量労働］《法》労働時間の範囲が、労働者にゆだねられている労働。実際の労働時間にかかわらず、一定時間の労働とみなされる。みなし労働。「—制度」

**__ざいりょう__［材料］①ものを〈作る/考える〉もとになるもの。「建築の—・論文の—」②《経》相場を上げたり下げたりする原因。「悪—が出た・—視する」

**ざいりょう**［在寮］《名・自サ》〔学生や独身者が〕寮に(住んで)いること。

**ざいりょく**［財力］①財産に もとづく勢力。②費用を負担することのできる力。

**さいりん**［再臨］《名・自サ》①《宗》世界の終わりに救世主が ふたたび現れること。②〔尊者が〕ふたたび現れること。

**ザイル**〔ド Seil〕〔登山、特に岩登りに使う〕綱。ロープ。

**さいるい**［催涙］なみだを出させること。「—ガス・—弾」

**さいれい**［祭礼］まつりの儀式。まつり。

**さいれことば**［さ入れ(言葉)］《言》必要のない「さ」を入れた、俗な言い方。例、帰らさせていただきます(↑帰らせていただきます)・言わなさそうだ(↑言わなそうだ)。

**サイレン**〔siren〕あいずのための、高くうなるような音を出す装置。

**サイレンサー**〔silencer〕消音装置。「—付きの拳銃」

**サイレント**〔silent〕①沈黙。無言。②無声映画。(↔トーキー)•**サイレントマジョリティ(ー)**〔silent majority〕積極的には発言しない多数派の人。

**サイロ**〔silo〕①《農》家畜の えさにする なまの草や

穀物をしまっておく、塔のような倉庫。②「サイロ①」に似た形の貯蔵庫。「セメント―」③《軍》〔そこから発射できる〕ミサイルの地下格納庫。

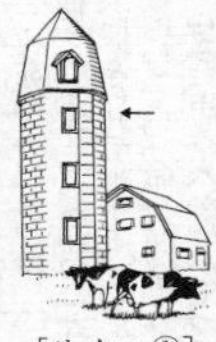
[サイロ ①]

**さいろう**［×豺×狼］〔文〕ヤマイヌとオオカミ。残酷で思いやりのない人のたとえ。「―の むれ」

**さいろく**［再録］《名・他サ》①もう一度活字にして〈のせること／のせたもの〉。②もう一度録音〈すること／したもの〉。

**さいろく**［採録］《名・他サ》とりあげて記録すること。「方言の―」

**さいろく**［載録］《名・他サ》〔文〕書いて のせること。「書物に―される」

**さいろん**［再論］《名・他サ》もう一度論じる〈こと／議論〉。「あえて―しない」

**さいわ**［再話］《名・他サ》今までにある物語を(子ども向きに)わかりやすく書き直すこと。「イソップの―」

**さいわい**［幸い］〔「さきわい」の音便〕㊀《名・ナダ》うまく行って、満足だと感じる状態にあること。「―をいのる・お送りいただければ―です・―なことに合格した」㊁《名・自サ》つごうのいい結果になるように作用する〈こと／もの〉。「風が―した・人目のないのを―(に)、はだかになった」☞当たるを幸い〔「当たる」の句〕・これ幸い〔「これ」の句〕。㊂《副》しあわせなことに。つごうよく。さいわいに(して)。さいわいと〔古風〕。「―けが人は出なかった」

**さいわん**［才腕］すぐれたうでまえ。「―を発揮する」

**サイン**《名・自サ》〔sign〕①しるし。あいず。「―を出す・発車―音」②名前を書くこと。署名。「―ブック・―ぜめ〔＝サインをしてくれとせめたてること〕」●**サインペン**〔和製 sign pen＝もと、商標名〕名前などを書くのに使う、(水性で細字の)フェルトペン。●**サインポール**〔sign pole〕理髪店を示す、赤・白・青のしま模様が回転する円柱形のもの。

**ざいん**［座員］一座の人員。

**ザウアークラウト**〔ド Sauerkraut〕⇩ザワークラウト。

**サウザンドアイランドドレッシング**〔Thousand Island dressing〕マヨネーズ・ケチャップ・酢などを混ぜて、細かく刻んだ野菜などを入れたドレッシング。サウザンアイランドドレッシング。

**サウジアラビア**〔Saudi Arabia〕アラビア半島の大部分を占める王国。イスラム教の発祥地メッカがある。首都、リヤド(Riyadh)。サウジ。

**サウスポー**〔米 southpaw〕《野球・ボクシングなど》左きき(の投手・選手)。

**サウダージ**〔ポ saudade〕失った大切なものに対するせつない気持ち。サウダーデ。

**サウナ**〔フィンランド sauna〕フィンランドふうの蒸しぶろ(の浴場)。サウナ バス。

**ざうり**［座売り］《名・自他サ》たたみにすわって、呉服類を売ること。

**サウンド**〔sound〕①音楽などの、耳に心地よい音。「スピーカーから流れる―」②音声。「―エフェクト〔⇩音響効果〕」●**サウンドトラック**〔sound-track＝映画フィルムで、音声が記録してある部分〕映画・テレビドラマなどに使用した曲の音源。サントラ。●**サウンドバイト**〔sound bite〕メディアに引用される、発言や映像などの短い一部分。

**さえ**［(×冴え)］さえること。あざやかな ところ。「うでの―をみせる」

**さえ**《副助》①極端な例をあげて、ほかのものを想像させるときに使う。「むすこに―気がねしている」②ものごとが さらにつけ加わる意味をあらわす。「雨―降ってきた」③ただ一つの〈もの／こと〉が必要であることをあらわす。だけ。「これ―あればいい」アク ウシさえ・ネコーさえ・イヌーさえ。

**さえかえ・る**［(×冴え)返る］《自五》①強く さえる。「月が―」②春になっていちどあたたかくなりかけたが、また寒さがもどる。

**さえき**［差益］《経》〔売買の収支、為替の変動などの〕差額により生まれる利益。「円高―・―金」(↔差損)

**さえぎ・る**［遮る］《他五》①あいだに物を置いて、向こう〈を見えなく／へ行けなく〉する。「ついたてで―・目を―ものもない・丘が町を海から―」②とちゅうでとめる。〔じゃまして〕続かなくする。「話を―・道を―」可能 遮れる。

**さえざえ**［(×冴え×冴え)］《副・自サ》〔文〕いかにも さえたようす。「―とした顔つき」

**さえずり**［(×囀り)］①さえずること。②小鳥が、繁殖期に複雑な節をつけて鳴くこと。(↔地鳴き)③クジラの舌。「―煮」

**さえず・る**［(×囀る)］《自五》①小鳥が しきりに鳴く。②〔俗〕やかましくしゃべりたてる。「黄色い声で―」

**さえつ**［査閲］《名・他サ》〔文〕見て調べること。「書類の―」

**さえ・ない**［(×冴えない)］《形ヌズ》①いきいきしたようすがない。「顔色が―」②かっこ悪い。みすぼらしい。「―中年男」丁寧 さえません。

**さ・える**［(×冴える)］《自下一》①冷たく澄みわたる。「さえた冬の空」②光・音・色などが純粋でまじりけがなく すきとおる。「さえた色」③くもらず はっきりする。「きょうは さえてる・さえない天気」④うでまえなどがみごとにあらわされる。調子が出る。「投球が―」☞さえない。

**さえわた・る**［(×冴え)渡る］《自五》一面に さえる。

**さお**［(×竿)・(×棹)・サオ］㊀①竹の幹から枝や葉を取り去ったもの。②↑つりざお。③↑ものほしざお。④弦楽器の糸をはる、長い棒のような形の部分。☞「しゃみせん」の絵。⑤たんす・長持をかつぐ棒。⑥数字の、一の形。「がん(雁)が―になる」(↔かぎ《鉤》)⑦〔俗〕陰茎。㊁接尾 たんす・長持・旗・ようかんなどを数えることば。●**さおを差す** 句 ⇩さおさす。

**さおいし**［(×竿)石］①〔墓石で〕まっすぐに立っている柱状の石。戒名や没年などを刻む。②〔石どうろうで〕火をともす部分を支える柱状の石。

**さおがしら**［×竿頭］《釣り》その日にいちばん魚をつった人。

**さおさ・す**［(×棹差す)］《自五》①さおを水の底に突いて、舟を進める。②乗じる。「幸運に―」③

〔俗〕さからう。「流行に—」▽さおを差す。

**さおだけ**［(×竿)竹］—さを 物干ざおにする竹。

**さおだち**［(×竿)立ち］—さを 馬がおどろいたときに、両前足を高く上げて立ち上がること。「—になる」

**さおとめ**［早乙女］—をとめ 〔雅〕田植えをする少女。

**さおばかり**［(×竿×秤)・(×棹×秤)］—さを 目もりのついた棒のはしにものをつるし、反対がわにつるしたおもりとのバランスで重さをはかるはかり。

**さおひめ**［佐△保姫］—さほ 春の女神。(↔竜田姫)

**さおもの**［(×棹)物］—さを ようかんなど、直方体に固めた和菓子。

**さか**［坂］①先のほうが〈高く/低く〉なっている場所。「—を下る」②人生の節目。「四十の—(=ⓐ四十代。ⓑ四十歳)」

**さか**［茶菓］〔客に出す〕お茶と菓子。ちゃか。「—のもてなし」

**さか**［酒］遺「酒」が語の上がわに来るときの形。「—だる(樽)・—つぼ(壺)・—焼け」

**さが**［(△性)］〔文〕①生まれつき。性質。「おのれの—」②習わし。「うき世の—」

**ざが**［座×臥・×坐×臥］《名・自サ》〔文〕すわることとねること。おきふし。日常生活。☞行住座臥。

**さかあがり**［逆上がり］鉄棒やつり輪で、両足をそろえて前に上げながら、その方向にからだを一回転させること。しりあがり。

**さかい**［境］①〔性質のちがう〕土地のくぎり。境界。「となりの土地との—・一丁目と二丁目の—・村—」②ものごと・状態の変わるところ。分かれ目。「生死の—をさまよう・事件を—にして憎みあうようになった」③〔文〕境地。状態。「安心立命の—」●**さかい・する**［境する］《自他サ》①境界をつくる。「隣と垣根で—」②境界を接する。隣接している。「モンゴルはロシアと中国とに境している」●**さかいめ**［境目］さかいとなるところ。「生死の—」

**さかうらみ**［逆恨み］《名・他サ》①すじちがいのことで相手をうらむこと。「好きな人に ふられて—する」②相手の好意に対して、反対に うらむこと。「命を助けられた ことを—する」✎本来は、うらみに思う人から かえってうらまれることを言った。

**さか・える**［栄える］《自下一》〔国や人などの〕勢いがさかんになる。繁栄する。名栄え。

**さかおとし**［逆落とし］①まっさかさまに落とすこと。「地獄へ—」②［坂落とし］急な坂を(馬で)かけおりること。「鵯越の—」

**さかき**［(×榊)］神社などに植える常緑樹。葉のついた枝を神前にそなえる。「—料(=神式で、死んだ人にそなえるお金)」

**さがく**［差額］さしひきしたあとの〈数量/お金〉。●**さがくベッド**［差額ベッド］(↑差額徴収ベッド)〔医〕健康保険による医療費との差額を個人が負担する、料金の高い病室。(↔保険ベッド)

**ざがく**［座学・×坐学］《名・自サ》〔実技・実習に対して〕机に向かって〈する学習/学習をおこなうこと〉。

**さかぐら**［酒蔵］①酒を醸造したり、たくわえたりするくら。さけぐら。②居酒屋。酒店。☞しゅぞう(酒蔵)。

**さかげ**［逆毛］ふくらみのある髪型にするため、かみの毛の根もとのほうに さかさにくしけずること。「—を立てる」

**さかご**［逆子］赤ちゃんが足のほうから生まれてくること。骨盤位。

**さかさ**［逆さ］さかさま。ぎゃく。「—の姿勢・—にふっても鼻血も出ない〔⇩「鼻血」の句〕」●**さかさことば**［逆さ(言葉)］①意味を反対にしたことば。反語。例、「好き」を「嫌い」と言うなど。②もとの ことばの上下を入れかえた ことば。倒語。例、「種」を「ネタ」、「場所」を「ショバ」、〔ジャズメンが〕「ラッパ」を「パツラ」とするなど。〔隠語に多い〕●**さかさづり**［逆さ(×吊り)］さかさまにつり下げること。●**さかさふじ**［逆さ富士］池や湖面に、逆さに映った富士山。●**さかさまつげ**［逆さまつ毛］ふつうとは逆に、目玉のほうにのびる まつげ。さかまつげ。

**さかさま**［逆(様)］《ナダ》①上になるはずのものが下になり、下になるはずのものが上になり、入れかわって反対になるようす。「—に落ちる」②正しい順序・状態が入れかわって反対になるようす。「世は—・それでは話が—だ」

**さがしあ・てる**［捜し当てる・探し当てる］《他下一》ほうぼうをさがして見つける。

**さかし・い**［(△賢しい)］《形》〔文〕①かしこい。②こざかしい。派—さ。

**さかしお**［酒塩］—しほ 《料》ものを煮るとき、味をよくするため〈酒を加えること/加える酒〉。

**さかしげ**［(△賢しげ)］《ナダ》〔文〕利口そう。なまいき。「—な顔・—に説教する」

**さがしだ・す**［捜し出す・探し出す］《他五》さがして見つけ出す。

**さかしま**［逆しま］〔雅〕さかさま。「白扇—にかかる東海の天」

**さがしもの**［捜し物・探し物］〔見当たらないものを〕さがすこと。また、見つけようとしているもの。

**さかしら**［(△賢しら)］《名・ナダ》〔文〕いかにも かしこいかのように ふるまうこと。「—をする」

**ざがしら**［座頭］一座の かしら。☞ざとう(座頭)。

←**さが・す**［捜す］《他五》〔見えなくなったものを〕見つけ出そうとして、ほうぼうを調べる。「犯人を—・箱の中を—」可能 捜せる。

→****さが・す**［探す］《他五》①〔ほしいものを〕〈見つけよう/手に入れよう〉として、動き回る。「職を—・家を—・昼食の場所を—・カギをなくして部屋の中を—」②見つけようとしてほうぼうを見る。「辞書でことばを—・あらを—」可能 探せる。

**さかずき**［杯・×盃］—さかづき ①酒をついで飲む(小さな)うつわ。「—をあげる(=(祝福して)酒をくみかわす)・—をかわす」②↑盃事。由来 酒を入れる「つき(=土器の一種)」の意味。表記 現代語では「酒のつき」という意識がないとみて、かなでは「さかずき」と書くが、「さかづき」も許容。☞「はい(杯)」の表記。●**杯を含む**〔句〕酒をちびりちびり飲む。酒を含む。●**さかずきごと**［(×盃)(事)・杯(事)］新郎新婦・兄弟分・親分子分などの関係を結んだとき、さかずきをとりかわすこと。

**さかぞり**［逆(×剃り)］《名・他サ》かみそりで、ひげ・毛のはえている方向とは ぎゃくの方向に そること。

**さかだい**［酒代］酒の代金。

**さかだち**［逆立ち］《名・自サ》①さかだつこと。②両手を地につけ、足を上にあげた姿勢になること。しゃっちょこだち〔古風・俗〕。●**さかだちしても**［逆立ちしても］《副》〔後ろに否定が来る〕どんなに がんばっても。「―かなわない・―鼻血も出ない〔⇩「鼻血」の句〕」

**さかだ・つ**［逆立つ］《自五》さかさまに立つ。「かみの毛が―」他逆立てる《下一》。

**さかだる**［酒（×樽）］酒を入れる たる。

**さかて**［逆手］①〔短刀などを〕刃が小指の先のほうに出るようにして にぎること。②〔器械体操で〕手のひらを上に向けて にぎる、にぎり方。ぎゃくて。（↕順手）

●**逆手に取る** 句 相手の攻撃・非難などを逆に利用して、やっつけること。ぎゃくてに取る。

**さかて**［酒手］決まった代金のほかに あたえるお金。チップ。「―をはずむ〔＝チップをたくさん出す〕」

←**さかな**［（×肴）］①酒をおいしく味わうために食べるもの。②酒を飲むときに楽しみをそえる、歌や おどり。また、話のたね。「人の失敗を―にする」

↑***さかな**［魚］水の中にすみ、ひれとうろこがあって、よくおよぐ動物。食用になるものが多い。うお。●**さかなや**［魚屋］さかなを売る〈店／職業の人〉。鮮魚店。

**さかなで**［逆（×撫で）］《名・他サ》①毛のはえている方向と反対向きになでること。②刺激して、不愉快にすること。「神経を―する・感情を―する」動逆なでる《他下一》。

**さかなみ**［逆波］さかまく波。

**ざがね**［座金］①ボルトをしめるとき、ゆるまないようにナットの内がわに入れるうすい金属板。ワッシャー。②打ちつける物の表面を保護したり、くぎの頭をかくしたりするための、金属のかざり板。

**さかねじ**［逆（×捩じ）・逆（△捻じ）］〔―ねじ〕〔＝さかさまに ねじること〕反対に責めること。「『君こそ うそつきじゃないか』と―をくら(ら)わせる」

**さかのぼ・る**［（遡る）・（×溯る）］《自他五》①流れに さからってのぼる。「川を―」②過去や おおもとへ もどる。「時代を―・夫との出会いは十年前〈に／まで〉―」▽（↕下る）由来「逆さまに上る」から。

**さかば**［酒場］客に酒を飲ませる店。居酒屋。バー。「大衆―」

**さかばやし**［酒林］⇩杉玉。

**さかびん**［酒瓶・酒×甕］酒を入れる びん。さけびん。

**さかまい**［酒米］酒の原料用につくった米。しゅまい。

**さかま・く**［逆巻く］《自五》①川の波が流れにさからって巻きあがる。「濁流が―」②〔あらしなどの場合〕海の波が内がわに巻きこむように立つ。③炎が はげしく巻きあがる。「―炎」

**さかまんじゅう**［酒（×饅△頭）］あま酒を入れた小麦粉であんをくるみ、むした和菓子。酒まん。

**さがみ**［△相△模］旧国名の一つ。今の神奈川県の大部分。相州。

**さかみち**［坂道］坂になっている道。「長崎市は―が多い・―発進・―を転げ落ちるように〔＝急激に〕悪化する」

**さかむけ**［逆（△剝け）］《名・自サ》〔西日本方言〕つめのねもとの皮が指のつけねの方向に むけ〈ること／た状態〉。ささくれ。

**さかむし**［酒蒸し］塩をふった さかなや貝などに、酒をふりかけて〈むすこと／むした料理〉。「アサリの―」

**さかめ**［逆目］①木目・芝目・紙の繊維などの方向に さからっていること。「―で かんなをかけてはいけない」（↕順目）②思いどおりに いかない状態。「運が―に出る」

**さかもぎ**［逆茂木］敵の攻めこむのを防ぐために立てておく、枝をとがらせた大きな木。

［さかもぎ］

**さかもり**［酒盛り］《名・自サ》大ぜいで酒を飲んで楽しむこと。酒宴。

**さかや**［酒屋］①酒を売る店。酒店。②酒を造る店。造り酒屋。

**さかやき**［（：月代）］江戸時代、成人男子が ひたいから頭の中央にかけて かみの毛をそった〈こと／部分〉。つきしろ。

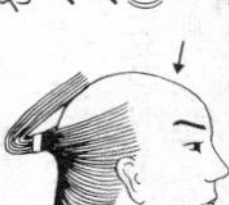

［さかやき］

**さかやけ**［酒焼け］《名・自サ》いつも酒を飲む人の顔などが、日に焼けたように赤くなったり、声がかすれたりすること。さけやけ。

**さかゆめ**［逆夢］☞夢は逆夢〔「夢」の句〕。事実と反対の（悪い）夢。（↕正夢）

**さから・う**［逆らう］《自五》①自分のほうに加わる力に向かって、逆に進む。「流れに逆らって岸を目指す・重力に―」②〔目上のもの、自分より強いものに〕したがわないで、逆のことを言ったりしたりする。はむかう。「軍人に―・政府の方針に―」

**さかり**［盛り］一さかり ①さかえている〈こと／とき〉。さかんな〈こと／とき〉。「花の―」②精神・からだが さかんなとき。壮年。「―の年ごろ」③発情すること。「―がつく」二ざかり 造〔ざかり〕いちばん さかんなこと。「花―・のび―」●**さかりば**［盛り場］〔古風〕飲食店や娯楽施設のある、にぎやかな場所。歓楽街。繁華街。

**さがり** 一さがり［下がり］下がること。（↕上がり）二さがり《すもう》力士の まわしの前に下げる、ひものようなもの。「―をさばく」三［下がり］造 ものにかかってぶら下がること。「―藤」四［下がり］造 その〈時間／時刻〉が過ぎること。「昼―・七つ―〔＝午後四時過ぎ〕」☞お下がり。●**さがりめ**［下がり目］一さがりめ 目じりのほうが下がった目。たれ目。二さがりめ ①下がりはじめる〈ところ／とき〉。「相場の―」②やや下がっていること。▽一二（↕上がり目）

**さがり**［サガリ］〔＝下がり〕⇩ハラミ①。

**ざかり**［盛り］造 ⇩さかり二。

**さか・る**［盛る］《自五》①勢いが さかんになる。「病気が―」②繁盛する。さかえる。「市場が―」③発情する。

***さが・る**［下がる］《自五》①〈低い／下の〉位置になる。「エレベーターが―・ズボンが ずるずると―・字の右がわが下がっている」②〔上が付いたままで〕下へ まっすぐにたれる。「つららが―・幕が―」③度合い(をあらわす数字)が低くなる。「体温が―・血圧が―・就職率が―」④金額が低くなる。「値段が―」⑤はたらき・調子・うでまえが、悪くなる。「能率が―・うでが―」⑥時期が、新しいほうへ移る。「時代が―」▽（↕上がる）⑦前を向いたまま、うしろへ移る。「三歩―」⑧身分の高い人の所

から帰る。「宿に—・下がってよい」 ⑨〔古風〕役所から、許可・お金などがあたえられる。「旅券が—」 ⑩〔京都市中で〕南へ行く。(↕上がる) 可能 下がれる。

**さかん**[左官] かべをぬる職人。

**さかん**[佐官] 《軍》 ①自衛官の、一佐・二佐・三佐をまとめた呼び名。②大佐・中佐・少佐をまとめた呼び名。

**さかん**[茶館] 喫茶店。カフェ。ちゃかん。〔多く、店の名前に使う〕

**さかん**[盛ん] 《ナダ》 ①勢いがよくて おとろえないようす。「—に燃える・野球が—だ」 ②(元気で)勢いがよく、おとろえない ようす。「老いて ますます—だ」 ☞お盛ん。③大ぜいで にぎやかにするようす。「—な拍手・行を—にする」 ④〈熱心に/威勢よく〉くり返すようす。「—に信号を送る」 派 -さ。

**さがん**[左岸] 〔川の上流から下流に向かって〕ひだりがわの きし。(↕右岸)

**さがん**[砂岩] 《鉱》 堆積岩の 一種。砂つぶが積もって固まってできたもの。

**さき**[左記] 〔文〕〔たて書きの文章で〕次に しるしてあること。「—のとおり」(↕右記)

****さき**[先] ①ほかのものよりも前の位置。「行列の一番—・一歩も二歩も—を行く〔より進歩している意味にも〕」(↕後) ②〈もと/根もと〉から〔いちばん〕遠い部分。はし。「枝の—をちょんぎる・鼻の—が赤い」 ③長いものの、とがったはし。「針の—・ナイフの—」 ④そこから、向こうへ続いている部分。「話の—・静岡から—は不通だ」 ⑤将来。ゆくえ。のち。「一年—・—が心配だ」 ⑥(それ)以前。☞先に・先の。⑦相手。先方。「訪問—・融資—・—様」 ⑧〔順序が〕前。早いこと。「—に行ってください・お—にどうぞ・荷物を—に送る」(↕後) ⑨〔行列の〕さきばらい。「—をつとめる」 ⑩まっさきに しなくては ならないこと。「まず あいさつが—だ」 ⑪目的・到着の場所。「旅行—」 区別 「あと(後)」「先」は対義語だが、どちらも場合によって「以前」の意味でも「以後」の意味でも使う。 (1)「以前」の意味では、「先」は「先に述べたように」など かたい言い方として、「あと」は「十年あと〔=十年前〕」など、非常に古風な言い方として使う。 (2)「以後」の意味では、「あと」は直後をふくみ、「先」は直後をふくまない。「〔会社をやめた〕あとのことを心配する」と「先〔=将来〕のことを心配する」のように使い分ける。☞あとさき。 ●**先に立つ** 句 ①先頭に立つ。「先に立って運動する」 ②順序が、先になる。「うれしいよりも心配が—」 ●**先を争う** 句 自分がいちばん先になろうとして、順番を争う。 ●**先を越す** 句 ⇩せんを越す〔「先」の句〕。

**さき**[崎] 造 みさき。「観音—」

**☆☆さぎ**[詐欺] 《法》 (自分が得をするために)わざと うそをついて、ほかの人に損害をあたえること。「—罪」

**さぎ**[〈×鷺〉] アオサギ・ゴイサギなど、ツルに似るが、それより小さい 水鳥。 ●**さぎ(鷺)をからす(烏)と言いくるめる** 句 白いサギをさして黒いカラスだと言い張るように、ものの善悪・是非をわざと反対に言い張る。白を黒と言いくるめる。

**さきいか**[〈裂き:烏賊〉] スルメイカをあぶって焼き、細く裂いたもの。酒のつまみ。

**さきお・う**[〈△幸う〉] 《自五》 〔雅〕さきわう。

**さきおくり**[先送り] 《名・他サ》 ①〈処理すべき/予定している〉ことを、先にのばすこと。「開発計画の—」 ②前もって物資や荷物を輸送しておくこと。 動 先送る《他五》。

**さきおととい**[〈:一昨々日〉] おとといの前の日。さきおとつい。

**さきおととし**[〈:一昨々年〉] おととしの前の年。

**さきおり**[裂き織り] 古い布地を細長く裂いたものを横糸にして織り直した、厚手の織物。

**さきがい**[先買い] 《名・他サ》 ①これから先を見こして買うこと。「土地の—」 ②〈ほかの人よりも/あとで買うはずのものを〉先に買うこと。

**さきかお・る**[咲き薫る] 《自五》 〔花が〕いっぱいに さいて いいにおいがする。

**さきがけ**[先駆け・先×駈け・×魁] 《名・自サ》 ①まっさきに敵の中に攻めこむこと。②ほかより先に何かを〈すること/したもの〉。「近代絵画の—・春の—〔=春、いち早くさく花〕」

**さきが・ける**[先駆ける・先×駈ける] 《自下一》 さきんじる。「春に先駆けて さく」

**さきがし**[先貸し] 《名・他サ》 前貸し。(↕先借り)

**さきがり**[先借り] 《名・他サ》 前借り。(↕先貸し)

**さきぐい**[先食い] 《名・他サ》 〔予算などを〕まだその時期でないのに、先に使うこと。「予算の—」

**さきくぐり**[先〈△潜り〉] 《名・自サ》 ①さきまわり〔して、こっそり何かを〕すること。②邪推。

**さきこぼ・れる**[咲き〈×溢れる〉] 《自下一》 枝からこぼれそうに〔たくさん〕さく。

**さきごろ**[先頃] このあいだ。先日。

**さきざき**[先々] ①これまで。「—のべてきたように」 ②これから。将来。「—が心配だ」 ③〔その人が行く〕ほうぼうの場所。「行く—で」

**さきさま**[先様] 〔商店などで〕先方の人のことをうやまって言うことば。

**さぎし**[詐欺師] うまく人をだまして お金や品物を取る人。いかさま師。ペテン師。

**サキソホ(ー)ン** 〔saxophone〕 《音》 ⇩サクソフォ(ー)ン。

**さきぞめ**[先染め] 《名・他サ》 織物に使う糸を、織る前に染めること。トップ染め。(↕後染め)

**さきそ・める**[咲き初める] 《自下一》 〔文〕花が さきはじめる。「桜が—」

**さきそろ・う**[咲き〈×揃う〉] 《自五》 花が全部さいた状態になる。「菊が—」

**さきだか**[先高] 《経》 将来、値段が高くなる見こみであること。「—感〔『—観』とも〕が強い」(↕先安)

**さきだ・つ**[先立つ] 《自五》 ①〈前/先頭〉に立つ。②〔順序として〕前に〈ある/なる〉。「開会に先立ち〔=の前に〕」 ③第一に必要となる。「—ものは お金だ」 ④先に死ぬ。「親に—・夫に先立たれる」 名 先立ち。 他 先立てる《下一》。

**さぎちょう**[〈:左義長・△三×毬×杖〉] ⇩どんど焼き。

**さきづけ**[先付け] ①将来の日づけ。「—の辞表を書く・—小切手」 ②《料》本式の料理の前にとりあえず出す、簡単な料理。

**さきっぽ**[先っぽ] 〔俗〕物の先のところ。さきっちょ。

**さきどなり**[先隣] となりの もう一つ先の となり。

**さきどり**[先取り] 《名・他サ》 ①ほかの人や相手が取

るより前に取ること。②お金や利子を、期日よりも先に受け取ること。③そうならないうちに、自分のものにすること。「未来を—する」動先取る《他五》。

↔さきどり［先撮り］《名・他サ》〔放送〕〔テレビで〕放送するずっと先の回の分まで撮影をすませること。

→さきどり［先△録り］《名・他サ》前もって録音すること。「—のテープに口を合わせて歌う」

さきに［先に・×曩に］《副》〔文〕以前に。前に。「—のべたとおり」

さきにお・う［咲き匂う］《自五》美しくさく。

さきの［先の・△前の］《連体》この前の。「—国会・—大戦〔＝第二次世界大戦〕・前の関白」

さきのこ・る［咲き残る］《自五》①時季がすぎてもさいている。②時季がきたのに、まださかない花がある。

さきのばし［先延ばし］《名・他サ》予定のことやするべきことを先にのばすこと。動先延ばす《他五》。

さきのり［先乗り］《名・自サ》①行列の先頭に立つ〈人の乗った〉馬。②先に乗りこむこと。先発隊。「旅興行で—する・—した捜査員」☞前乗り①。

さきばし・る［先走る］《自五》そうなる前に、また、ほかの人が行動する前に、（はやまって）行動する。「先走って失敗する・案が—」名先走り。

さきばらい［先払い］《名・他サ》①前払い。「料金—」（↔後払い）②運賃や郵便料金を受取人にしはらわせること。（↔元払い）③身分の高い人などの先に立って、前にいる通行人を追いはらう〈こと／人〉。「行列の—」

さきぶと［先太］《名・ダ》先が太くなっている〈状態／もの〉。（↔先細）

さきぶれ［先触れ］《名・他サ》①身分の高い人が来ることを先に知らせる〈こと／人〉。②前もって知らせること。予告。「春の—」

さきぼう［先棒］ふたりで物をかつぐとき、棒の前をかつぐ〈者／こと〉。（↔後棒）☞お先棒。

さきほこ・る［咲き誇る］《自五》ほこらしげにさく。いまをさかりとさく。

さきぼそ［先細］《名・ダ》先が細くなっている〈状態／もの〉。（↔先太）

さきぼそり［先細り］《名・自サ》①先のほうが細く〈なる／なっている〉こと。②のちになるほど〈おとろえる／へる〉こと。「事業が—だ」動先細る《自五》。

＊さきほど［先ほど］〔時間について〕少し前。さっき。「—来〔＝さきほどから〕」

さきまわり［先回り］《名・自サ》相手より先に〈行く／おこなう〉こと。さきがけ。

さきみだ・れる［咲き乱れる］《自下一》一面にきれいにさく。

さきみ・ちる［咲き満ちる］《自上一》満開の花が、うめつくすようにさく。「大空に咲き満ちた桜」

☆☆さきもの［先物］《経》将来、売買することを約束する契約。また、その商品〔＝金・銀・あずき・だいずなど〕や株式・為替など。「—取引・商品—」（↔現物・直物）●さきものがい［先物買い］《名・他サ》①《経》先物を買うこと。②将来どうなるか わからないもののねうちを、先走って認めて〈採用する／買い取る〉こと。

さきもり［防人］〔＝崎守〕《歴》奈良時代、東国などから派遣されて、九州のだいじな所を守った兵士。

さきやす［先安］《経》将来、値段が安くなる見こみであること。「—感〔『—観』とも〕が強まる」（↔先高）

さきやま［△岬山］〔文〕一部分が みさきになっている山。

さきゅう［砂丘］《地》〔海岸や砂漠で〕風に運ばれてきた砂でできたおか。「鳥取—」

さきゆき［先行き］ゆくすえ。将来。さきいき。「—が案じられる」

＊＊さぎょう［作業］《名・自サ》仕事などの活動の一部として、手やからだを使っておこなうこと。「単純な—・運搬—・予算案作成の—・—員・—衣・—場」

区別「仕事」が、成果の必要な ひとまとまりの活動であるのに対し、「作業」は部分的な活動。人にメイクをするのは仕事で、まゆをかくのは作業。●さぎょうかせつ［作業仮説］実験や研究を始める前に、ひとまず正しいと仮定して立てる論。本当に正しいかどうか、あとで検証する。●さぎょうりょうほう［作業療法］《医》農耕・木工・手芸などの作業を通して、身体面や精神面の改善をめざす治療法。●さぎょうりょうほうし［作業療法士］作業療法をおこなう専門家。OT〔←occupational therapist〕。

ざきょう［座興］①その場に おもしろさをそえるための〈遊芸／遊び〉。「—をそえる」②その場の たわむれ。「ほんの—だ」

ざぎょう［座業・×坐業］すわっていてする仕事。職人・著述家など。

さぎょう-へんかくかつよう［サ行変格活用］〔言〕動詞の活用の種類の一つ。「す(為)る」〔文語では「す」〕に見られる不規則な活用。サ変。〔「する」がついてできた「勉強する」なども ふくむ〕☞付録「動詞活用表」。

さきよみ［先読み］《名・他サ》これから起こることがらを見通すこと。先を読むこと。「株価を—する」

さぎり［△狭霧］〔雅〕霧。

さきわ・う［△幸う］《自五》〔発音はサキオーとも〕〔雅〕幸福になる。さかえる。さきはう《自四》。「言霊の—国〔⇩『言霊』の用例〕」名幸い。

さきわたし［先渡し］《名・他サ》①お金を受け取る前に品物をわたすこと。②お金〈の一部〉を先に わたすこと。前わたし。

さきわれスプーン［先割れスプーン］先が三つに割れたスプーン。フォークとスプーンを兼ねる。〔学校給食で使われた〕

さきん［砂金］《鉱》砂・砂利の中から、細かな つぶの形でとれる金。

さきん［差金］差し引いて残ったお金。差額。

さきん・じる［先んじる］《自上一》人より先に〈する／行く〉。先んずる。

さきん・ずる［先んずる］《自サ》〔文〕⇩先んじる。●先んずれば人を制す句 人より先におこなえば、ほかの人に勝つことができる。

さく［作］一さく ①製作。著作。「川端康成の—」②作品。「北斎の—・話題—・お—を拝読しました」③〈農作物の〉できばえ。「—がいい」④収穫。「—が落ちる」二造 ①耕作。栽培。「春—・のり〈海苔)—」②一年にできる耕作・収穫の回数。「一年に二—」③〔俗〕(けいべつして)男。やつ。「ぬけ—・のろ—」

**さく**【柵】①木やくいなどを立てならべて つないだ囲い。②〔文〕とりで。「出羽—」

**さく**【策】①策略。戦術。「—をめぐらす・—におぼれる」②対策。手段。「最善の—・救済—」●**策を弄する** 句〔文〕小細工をする。

**さく**〔「サク」とも書く〕《料》マグロなどの身を、さしみに作りやすい大きさに切った、細長いかたまり。「—取り・マグロ赤身一—五百円」

*__さ・く__【咲く】《自五》花のつぼみが ひらく。「今にも咲こうとしている」名 咲き。動 咲かせる《下一》。可能 咲ける。

**さ・く**【割く】《他五》①切り目を入れ〈る/て ひらく〉。「ウナギを—」②一部分を、ある用途にあてる。「時間を—・紙面を—」③一部分を分けあたえる。「領土を—」可能 割ける。

**さ・く**【裂く】《他五》①紙や布など、ひと続きになっている(平らな)ものを、手で引っぱって二つ(以上)にする。「紙を—」②人間関係をむりにたち切る。はなす。「ふたりの仲を—」可能 裂ける。

**さく**【昨】㊀造 今の一つ前の。「—シーズン」(↔今・来) ㊁**さく**《連体》〔文〕きのうの。去年の。「—十五日・—大正十一年」(↔今・明)

**さく**【索】造 ロープ。「救助—」

**ざく**【ザク】すき焼きや鍋料理にそえて いっしょに煮る、大きく切った、ネギなどの野菜。

**さくい**【作意】①そうしようとする、たくらみ(の心)。②製作の〈意匠/意図〉。

☆☆**さくい**【作為】《名・自サ》①〈わざと/不自然に〉作ったこと。つくりごと。「—の あとが見える」(↔無作為)②《法》積極的におこなうこと。積極的な行為。(↔不作為)●**さくいてき**【作為的】《ナダ》〈わざと/不自然に〉作ったようす。「—な感がある」

**さく・い**《形》〔古風・俗/方〕さっぱりしている感じだ。気さくだ。「—人だ」

**さくいん**【索引】書物・書類などに出てくることがら・語句などを、さがしやすいように一定の順序で ならべたもの。インデックス。「—で さがす・総—」

**さくおとこ**【作男】農家の仕事をするために やとわれている男性。

**さくが**【作画】《名・自サ》〈絵/写真〉を作ること。

**さくがら**【作柄】①《農》作物の できぐあい。②作品のできばえ。

**さくがん**【削岩・鑿岩】岩石に穴をあけること。「—機」

**さくき**【昨季】⇩さっき(昨季)。

**さくき**【昨期】⇩さっき(昨期)。

**さくぎょう**【昨暁】〔文〕きのうの夜明け(がた)。

**ざくぎり**【ざく切り】《名・他サ》《料》まるのままの野菜を、大きく切ること。「キャベツを—(に)する」

**さくげき**【作劇】《名・自サ》〔文〕〔脚本の形で〕劇を構成すること。「—術・—法」

**さくげつ**【昨月】〔文〕先月。

**さくげん**【削減】《名・他サ》〔経費・人員・使用量などを〕へらすこと。「予算—」

**さくげんち**【策源地】戦地の軍隊に いっさいの供給をおこなう、背後の地点。「悪の—(=根拠地)」

☆☆**さくご**【錯誤】①〔文〕誤り。まちがい。「試行—・時代—」②《法》〈観念と事実/意思と表示〉との不一致。「—登記」

**さくさく**【(嘖々)】《トタル》〔文〕口々にうわさするようす。「好評—(たるものがある)」 単に「嘖々たる評判」と言うと、いい評判。悪評の場合は「紛々」を使うことが多い。

**さくさく** ㊀《副》①雪や霜をふんで歩く〈音/ようす〉。「霜柱を—とふむ」②作業がスムーズに進むようす。「仕事が—進む」㊁《副・自サ》軽くかんだり切ったりする〈音/ようす〉。「—したビスケット」

**ざくざく** ㊀《副》①米つぶや小石などがふれあう〈音/ようす〉。「米を—とぐ」②お金がたくさん〈あらわれる/ある〉ようす。「小判が—出てきた」㊁《副・自サ》切り方や切り口があらいようす。「野菜を—(と)刻む」

**さくざつ**【錯雑】《名・自サ》〔文〕いりみだれて乱雑になること。

**さくさん**【酢酸・醋酸】《理》酢のおもな成分。食用・薬品の原料。

**さくし**【策士】有利な〈方法/戦術〉を考えるのがじょうずな人。「なかなかの—だ」●**策士策に溺れる** 句 策士は策を使いすぎて、かえって失敗する。

**さくし**【錯視】《心》目の錯覚。図形によって、同じ長さの線がちがう長さに見えたり、うず巻き模様が動いているように見えたりする。「—図形」

**さくし**【作詞】《名・自サ》歌曲のことば(=歌詞)を作ること。「—者・—家・—作曲」

**さくし**【作詩】《名・自サ》詩を作ること。詩作。

**さくじ**【作事】〔文〕工事。普請。「—場」

**さくじつ**【昨日】「きのう」の、やや改まった言い方。(↔明日)

**さくしゃ**【作者】①作品を作った人。著者。製作者。「物語の—」 区別 文章の書き手のうち、「作者」は小説などの創作を書いた人、「筆者」は創作以外の文章を書いた人、「著者」は本を書いた人を言う。論文の内容を問題にする場合は「筆者の考え方」のように言うが、一つの資料として見る場合は「論文を著者の名前で検索する」のように言う。②〈狂言/脚本〉を作る人。「座付き—」

☆☆**さくしゅ**【搾取】《名・他サ》①しぼり取ること。「生乳を—する」②人を働かせて、利益をしぼり取ること。「諸侯が人民から—する」③《経》資本家が、労働者を安く働かせ、利益をしぼり取ること。「—階級」

**さくしゅう**【昨秋】〔文〕昨年の秋。

**さくじゅう**【搾汁】《名・自他サ》しるをしぼること。「果実〈を/から〉—する」

**さくしゅつ**【作出】《名・他サ》〔文〕新しく作り出すこと。

**さくしゅん**【昨春】〔文〕昨年の春。

**さくじょ**【削除】《名・他サ》①字句や文章、絵などを、けずり取ること。「一字—・全文—」②《情》データやファイルなどを消すこと。「フォルダの—」

**サクション**〔suction〕吸い上げ。吸引。「—ポンプ・—カップ」

**さく・す**【策す】《他五》〔文〕⇩策する。「内乱を—

者」

**さくず**「作図」《名・自他サ》①図を作ること。②《数》あたえられた条件にあうように、図形を作ること。

**さく・する**「策する」《他サ》〔文〕策略・戦術を立てる。策す。「倒幕を―・復権を―」

**さくせい**「×鑿井」《名・自サ》〔文〕井戸をほること。ボーリング(boring)。「―業」

←***さくせい**「作成」《名・他サ》〔文章・書類・計画などを〕作りあげること。「問題の―・目録―」

→**さくせい**「作製」《名・他サ》〔品物・図面などを〕作ること。製作。「Tシャツの―・地図―」

☆☆**サクセス**《名・自サ》〔success〕成功。●**サクセスストーリー**〔success story〕成功物語。出世物語。

**さくせん**「作戦」《名・自サ》①《軍》軍隊が、ある期間にわたって戦闘(・救助などの活動)をおこなうこと。「―開始・―行動」②目的を達成するための、思い切った計画。「―を立てる・―会議・省エネ―」 表記「策戦」とも書いた。●**さくせんがち**「作戦勝ち」《名・自サ》作戦がよくて、勝負に勝つこと。

**さくぜん**「索然」《タト》〔文〕つまらない気持ち〈である/になる〉ようす。「―たる思い・興味―とする〔=おもしろみを感じなくなる〕」

☆☆**さくそう**「錯×綜」《名・自サ》複雑にいりまじること。「情報が―する・利害が―する・いろいろの要素が―した問題」

**サクソフォ(ー)ン**〔saxophone〕《音》ジャズ音楽の代表的な管楽器。筒の先にラッパが曲がってついた形をしている。サクソホ(ー)ン。サキソホ(ー)ン。サキソフォ(ー)ン。サックス。

［サクソフォ(ー)ン］

**さくたい**「昨対」 昨年と対比して。「―約八割の売り上げ」

**さくちゅう**「作中」 作品の中。「―人物」

**さくちょう**「昨朝」〔文〕きのうの朝。(↕明朝)

**ざくつ**「座屈」《名・自サ》《理》柱状の物に、たて方向の圧力をかけていくと、あるところで一挙に折れ曲がること。「地震で建物が―する」

☆☆**さくづけ**「作付け」《名・他サ》《農》作物を植えつけること。さくつけ。「作付面積」

**さくっと** ■一《副》①軽く一回切る(音の)ようす。「―包丁を入れる」②一部分を軽くすくいとる(音の)ようす。「メロンを―ひとすくい」③《俗》時間をかけずに。さっさと。「仕事を―仕上げる」■二《副・自サ》しめりけがなく、歯ごたえがいいようす。「―したあげたての天ぷら」

**さくてい**「作庭」《名・自サ》庭を作ること。「―家」

**さくてい**「策定」《名・他サ》〔文〕〔政策・計画などを〕考えて決めること。

**さくてき**「索敵」《名・自サ》《軍》敵をさがしもとめること。「―機」

**さくとう**「昨冬」〔文〕昨年の冬。

**さくとう**「作陶」《名・自サ》〔文〕陶磁器を製作すること。製作された陶磁器。「―体験・―展」

**さくどう**「索道」〔↑架空索道〕〔文〕ロープウェイやリフトなど、空中ケーブルを利用して物や人を運ぶ設備。

**さくどう**「策動」《名・自サ》ひそかに計画を立てて活動すること。〔悪い意味に使う〕「陰で―する・―家」

**さくにゅう**「搾乳」《名・自サ》ちちをしぼること。ちちしぼり。「牛から―する・乳児のため、前の晩に母が―する」

**さくねん**「昨年」「去年」の、やや改まった言い方。(↕明年)

**さくねんど**「昨年度」今年度の前の年度。(↕明年度)

**さくばく**「索漠・索×莫」《タト》〔文〕心が満たされないでさびしいようす。派―さ。

**さくばん**「昨晩」きのうの晩。〔「ゆうべ」よりも改まった感じ〕(↕明晩)

**さくひょう**「作表」《名・自サ》表を作ること。「ソフトウェアを使って―する」

****さくひん**「作品」①制作したもの。「生徒―」②文学・美術などの制作物。

**さくふう**「作風」①作品にあらわれた、作者の傾向や特徴。②〔中国で〕仕事の、やり方。やり口。

**さくぶつ**「作物」〔文〕作品。☞さくもつ(作物)。

**さくぶん**「作文」《名・自サ》①表現の練習や確認のために〈書いた文章/文章を書くこと〉。「子どもの―・英語で―してみる」☞つづり方②。②責任者の代わりに、もっともらしく〈書いた文章/文章を書くこと〉。「役人の―」

**さくほう**「作法」〔文〕〔文章などの〕作り方。さほう。「小説―」

**さくほう**「昨報」《名・自サ》〔文〕〔新聞で〕きのうの報道。

**さくほう**「冊封」《名・他サ》《歴》古代中国で、皇帝が周辺諸国の王に位をさずけて、上下関係を結ぶこと。さっぽう。「―体制」

**さくぼう**「×朔望」《天》旧暦の一日〔新月の日〕と十五日〔満月の日〕。「―月〔=月の満ち欠けの周期。約二九・五日〕」

**さくぼう**「策謀」《名・自サ》〔文〕ただごとでない策略。「政治的な―・―をめぐらす」

**ざぐみ**「座組み」《芝居》〔歌舞伎・文楽・新派・寄席などの〕出演者の構成。「バラエティー番組の―」

**さくもく**「作目」《農》作物の種目。

**さくもつ**「作物」田畑に植えるイネ・ムギ・マメ・野菜類。☞さくぶつ(作物)。

**さくもん**「作問」《名・自他サ》〔文〕試験問題などを作ること。

**さくや**「昨夜」「ゆうべ」の、やや改まった言い方。「―来」(↕明夜)

**さくやく**「×炸薬」《軍》爆弾・魚雷などの中に入れて、それを爆発させる火薬。

**さくゆ**「搾油」《名・自サ》植物の種・実などをしぼって油をとること。

**さくゆう**「昨夕」〔文〕きのうの夕方。(↕明夕)

**さくよう**「×腊葉」《植》植物をうすく平たくおして、かわかした標本。おしば。

*さくら ■一[桜] ①代表的な落葉樹。ソメイヨシノ・ヤマザクラなど、春にうすくれないや白色の花を一面に美しくひらき、散りぎわが いさぎよい。花見の対象。国花。木材は建築・家具に使う。「―咲く、―散る〔=それぞれ、入試の合否電報で『合格』『不合格』の意で使った〕」☞染井吉野。②↑桜肉。■二[サクラ]〔俗〕①客のふりをして、品物をほめたりする仲間。「大道商人の―・ウェブサイトに―が書きこむ」由来 桜の花のように人寄せに使い、商売がすむと、ぱっと散ることから。②聴衆にまじって拍手したりして、進行を助ける役。●さくらいろ[桜色] うすい赤色。淡紅色。●さくらえび[(桜:海老)] 駿河湾で多くとれる小さなエビ。生きているときは、すきとおったさくら色をしている。食用。●さくらがい[(桜貝)] 二枚貝の一種。からは二センチほどで うすくて もろく、色は美しいさくら色。貝細工などに使う。●さくらがり[桜狩り] サクラの花を見ながら野山を歩くこと。●さくらぎ[桜木] サクラの木。「花は―、人は武士」●さくらぜんせん[桜前線] 桜の開花の時期を示す(地図上の)線。〔天気図の前線にたとえたもの〕「―が北上中」●さくらそう[(桜草)] 野草の名。春、サクラに似た小さい花をつける。☞プリムラ。●さくらだい[(桜×鯛)] ①五月の産卵が近づいてからだの色が美しくなった、瀬戸内海のマダイ(真鯛)。〔産卵が すむとムギワラダイと言われる〕②アフリカ沿岸などでとれる、タイに似た さかなの俗称。●さくらだより[桜便り] 桜が さいたという知らせ。「各地からの―」●さくらにく[桜肉] 馬肉。さくら。由来 桜のような色だから。☞かしわ(黄鶏)・ぼたん②・もみじ④。●さくらふぶき[桜吹雪] サクラが ふぶきのように さかんに散ること。●さくらめし[桜飯] 酒をまぜたしょうゆで薄茶色にたいたごはん。ちゃめし。●さくらもち[桜餅] 小麦粉をねって うすく焼き、中にあずきあんを入れ、塩づけのサクラの葉で包んだ菓子。関西では、蒸したもち米の粉〔=道明寺〕を使う。●さくらゆ[桜湯] サクラの花の塩づけを入れた湯。めでたいときに、お茶の代わりに飲む。●さくらんぼ[(:桜桃)・(桜ん△坊)] 赤くて小形の くだもの。丸くて柄が長い。初夏に熟し、あまずっぱい。桜桃。チェリー。さくらんぼう。

さくらだもん[桜田門] ①皇居の南がわにある門。②警視庁の通称。由来「桜田門①」の向かいがわにあることから。

サクラメント〔sacrament〕《宗》〔カトリックで〕秘跡。

☆☆さくらん[錯乱]《名・自サ》①頭のはたらきが こんがらがること。「考えが―する」②頭が変になること。「精神―・―状態」

さぐり[探り] ①さぐる〈こと/器具〉。「手―」②はんこの前の部分にあって、人さし指をそえるための へこんだ所。●探りを入れる 句 様子をさぐる。●さぐりあし[探り足] 足で、下の様子を調べながら進むこと。●さぐりあ・てる[探り当てる]《他下一》①手でさぐって、さがし当てる。②いろいろ様子を調べて、目的のものを見つける。「相手の本心を―」●さぐりだ・す[探り出す]《他五》〔〈あちこち/いろいろ〉たずねて〕かくしているものを見つけ出す。

さくりゃく[策略] 自分の思いどおりにするために考え出した(ずるい)計画。「相手に気に入られるための―・―をめぐらす・―を弄する」

さぐ・る[探る]《他五》①さがしもとめて、手足などをしずかに動かす。「ポケットを―」②〔相手に気づかれないように〕調べる。「様子を―」③〔いろいろの手がかりにもとづいて〕調べ考える。「問題点を―」④いいけしきなどをさがして見物する。「名勝を―」可能 探れる。

さくれい[作例] ①作り方の手本としての、実例。作品の一例。②〔辞書や論文で〕著者が作った用例。(↔実例)

さくれつ[×炸裂]《名・自サ》①(破裂して)勢いよく光・音などを出すこと。「爆弾が―する・かみなりが―する」②勢いよく あらわれること。「若さが―する」

ざくろ[(△石×榴)・(×柘×榴)] 庭に植える果樹の名。六月ごろ、赤黄色の花をひらく。まるい実の大部分はたねで、食べられる部分は少なくてすっぱい。じゃくろ。「―ジュース」

**さけ[酒] ①アルコール分をふくむ飲み物。「祝いの―・―の上での〔=酒を飲んだときの〕あやまち・―で肝臓をやられた」②特に、日本酒。「―のさかな・お―ですか、ビールですか」③「酒①」を飲んだときの態度。「飲んでも乱れない、いい―ですねえ」▽日常語としては やや乱暴で、「お酒」のほうが ふつう。缶入り酒のラベルにも「お酒」とある。●酒に飲まれる 句 酒を飲みすぎて本心を失う。●酒は百薬の長 句 くすりにもいろいろあるが、酒はなかでもいちばんだ。

さけ[(×鮭)] シロザケ・ベニザケなど、海でとれる、身が〈ピンク/オレンジ/紅〉色の さかな。秋、故郷の川をさかのぼって産卵する。さしみ・すしねたなどにする。たまご〔=すじこ・イクラ〕も食用。サーモン。しゃけ。「秋―・―のホイル焼き」

さげ[下げ] ①下げること。②《経》〔相場の〕下落。「―幅」▽(↔上げ) ③[サゲ]《落語》おち。

さげあし[下げ足]《経》〔相場の〕下げる足どり。(↔上げ足)

さけい[左傾]《名・自サ》〔文〕①左のほうへ かたむくこと。②〈急進/共産〉思想に かたむくこと。▽(↔右傾)

ざげい[座芸・×坐芸]〔落語や講談など〕すわってする芸。

さげお[下げ緒] 刀の さやに結びつけて下げる ひも。

さけかす[酒(×粕)・酒(×糟)]「もろみ」から酒をしぼったあとに残る かす。

さげかばん[提げ(×鞄)] 手にさげて持つ かばん。

さげがみ[下げ髪] 女性の髪型の一つ。髪の全部をうしろで たばねて下げたもの。おさげ。

さけくさ・い[酒臭い]《形》アルコールのにおいがする状態だ。「―息をはきかける・たるがきが酒臭くなる」派 ―さ。

さけぐせ[酒癖] 酒に酔ったときに出る癖。さかくせ。さけくせ。「―が悪い」

さけげ[裂け毛] かみの毛が かわいたりして、先が さけた状態(のもの)。えだげ。

さけじ[裂け×痔]《医》⇩切れ痔。

さげしお[下げ潮] ひきしお。(↔上げ潮)

さげしぶ・る[下げ渋る]《自五》《経》下がっていた相

場・金利などが、これ以上は下がりにくくなる。(↔上げ渋る・伸び悩む)

**さげす・む**［蔑む・×貶む］《他五》 相手は自分より おとっている、価値がない、という態度を見せる。「蔑んだ目つき」 由来「下げ墨（=糸を垂直に下げて柱の ゆがみなどを測ること）」を動詞化したもの。ゆがみを測る意味から、人を否定的に評価する意味になった。名蔑み。

**さげ ぜん**［下げ膳］ お膳をかたづけること。下膳。☞上げ膳。

**さけ てん**［酒店］ ①酒を売る店。酒屋。 ②居酒屋。▽しゅてん。

**さけ どころ**［酒(所)・酒(△処)］ (いい)酒をたくさん造る土地。さかどころ。〔居酒屋の名前にも使う〕

**さけ とば**［×鮭(△冬葉)］ サケの身をおろして たてにさき、寒風にあてて干した保存食。塩味がついており、酒のつまみとして好まれる。

**さげ どまり**［下げ止まり］ 下がり続けていた相場や数値が、ある水準でとまって、それ以上は下がらなくなること。(↔上げ止まり) 動下げ止まる《自五》。

**さけ のみ**［酒飲み］ 酒を好んで たくさん飲む〈こと／人〉。上戸。

**さけび ごえ**［叫び声］ 〔あぶない目にあったり、おどろいたりして〕さけぶ声。「—をあげる」

**さけ びたり**［酒浸り］ まるで酒の中にひたっているように、いつも酒を飲んでいること。「—の生活だ」

***さけ・ぶ**［叫ぶ］《自他五》 ①大きな声を出す。 ②強くうったえる。「無実を叫んで三十年」 名叫び。 可能叫べる。

**さけ ぶとり**［酒太り］《名・自サ》 酒をたくさん飲んだために ふとること。

**さげ まえがみ**［下げ前髪］ 少女などが ひたいの前にたらして下げた髪。

**さけ め**［裂け目］ さけ(て、口をあけたようになっ)た所。

**さ・ける**［裂ける］《自下一》 ひと続きになっているもの(の一部)が切れて、はなれる。「〈紙／木／大地〉が—」

***さ・ける**［避ける］《他下一》 ①のぞましくないものに近づかないようにする。「悪友を—・暑さを—」 区別「**さける**」は なるべく遠く はなれるのに対し、「**よける**」は近づいてもよく、ただし それに当たらないように進路や位置を変える。前方に水たまりがある場合、遠くに「さけ」なくても、そばを「よけ」て通ればいい。 ②気をつけて、出あったりしないようにする。「人目を—」 ③気をつけて、しないようにする。えんりょする。「そういう言い方は—べきだ」 可能避けられる。

***さ・げる**［下げる］ 一《他下一》 ①上から下へ動かす。「頭を—・ベルトの位置を—」(↔上げる) ②ひっかけたり、とめたりして、下がった状態にする。「腰に刀を—・のれんを—・まぬけづらを—（=する。顔を看板のように下げるから）」 ③度合い(をあらわす数字)を低くする。「温度を—・半音—」 ④金額を低くする。「値段を—」 ⑤悪くする。「品質を—・成績を—・男を—（=評判を悪くする）」 ⑥けなす。「上げたり下げたりする」▽③～⑥(↔上げる) ⑦うしろへ移す。「机を教室の うしろに—」 ⑧表から見えない所へ移す。「おぜんを—（=片づける）・先発投手を—（=降板させる）」 ⑨〔古風〕〔貯金などを〕おろす。 二《自下一》 ①〔海水が〕へる。「潮が—」 ②《経》〔相場が〕下落する。「主力株が—・野菜相場が下げてきた」▽(↔上げる) 可能下げられる。下げれる〔俗〕。

**さ・げる**［提げる］《他下一》 〈手に持って／肩にかけて〉下につるすようにする。「ハンドバッグを—」

**さげ わた・す**［下げ渡す］《他五》 官庁から民間に下付する。名下げ渡し。

**さ げん**［左舷］ 〔船首に向かって〕左がわの ふなばた。(↔右舷)

**ざ こ**［雑魚］ ①いろいろの こざかな。②下っぱの者。「—は群れたがる」☞雑魚のとと交じり。

**ざ こう**［座高・×坐高］ いすに腰かけたときの、しりから頭の上までの高さ。

**サ こう じゅう**［サ高住］〔←サービス付き高齢者向け住宅〕 安否確認や生活相談などのサービスが受けられる、高齢者向けのバリアフリー住宅。サ付き。

**さ こう べん**［左顧右×眄］《名・自サ》〔文〕⇩うこさべん(右顧左眄)。

**さ こく**［鎖国］《名・自サ》 外国との通商・交通をさしとめること。(↔開国)

**さ こそ**《副》〔=然こそ〕〔文〕さぞ。「悲しみのほども—（=さぞ はげしいだろう）と思われた」

**さ こつ**［鎖骨］《生》首の下と両肩を結ぶ、左右にならんだ横長の ほね。胸の上がわに うき出て見える。

**ざ こつ**［座骨・×坐骨］《生》腰から しりのあたりにあって骨盤を作っている ほね。「—神経痛」

**サコッシュ**〔フ sacoche〕 肩から ななめがけにする、ひものついた小型のかばん。

**ざ こね**［雑魚寝］《名・自サ》 大ぜいの者が同じ部屋で いっしょに ねること。

**ざこの ととまじり**［雑魚の(△魚)交じり］ 小もののくせに、大ものにまじって、一人前らしく ふるまうこと。

**さ さ**［△酒］〔古風〕さけ(酒)。〔もと女性語〕

**さ さ**［(×笹)］ 竹類の中で、細くて背の低いもの。生長しても皮が くきに長くついている。

**さ さ**《感》〔話〕さあさあ。「—、こちらへ」

**さ さい**［(×些細)・(×瑣細)］《ナダ》〔取り上げる ねうちがないほど〕小さなようす。「—なことから口論する」

**ざ ざい**［座剤・×坐剤］《医》⇩ざやく(座薬)。

**ささえ**［支え］ 支える〈こと／もの〉。「心の—」 ●**ささえて**［支え手］ 支える人。「制度の—」

**さ ざえ**［(:栄螺)］ 海にすむ巻き貝の名。げんこつに似て、つのがあるものが多い。食用。「—のつぼ焼き」

***ささ・える**［支える］《他下一》 ①それ以上たおれたり落ちたりしないように、とめる。 ②しっかりと、もちこたえるようにする。「一家を—・心を—」 ③支援する。「皆に支えられて」 ④〔攻撃を〕防ぐ。くいとめる。「支えきれず、にげた」 可能支えられる。

**ささ がき**［(×笹×搔き)］《料》ゴボウなどをうすくななめにそぐこと。「—ゴボウ」 動ささがく《他五》。

**ささ かざり**［(×笹)飾り］ 七夕のとき、ササに短冊や、いろいろな かざりを下げたもの。

**ささ かまぼこ**［(×笹×蒲×鉾)］ ササの葉に似た形のかまぼこ。ささかま。〔仙台の名物〕

**ささ・ぐ**［(×捧ぐ)］ 一《他五》 ささげる。〔新しい言い方〕「いとしい人に—歌」 二《他下二》〔文〕ささげる。「母に捧ぐる歌・〔献辞で〕○○君に—」

**ささくれ だ・つ**［ささくれ立つ］《自五》 ①ささくれて

けばだったようになる。「ささくれ立った指」②気持ちが荒れて、いらいらする。ささくれる。「神経が—」

**ささく・れる**《自下一》①先が細かくさけて割れる。②つめの根もとあたりの皮が、小さくさかむけになる。③⇩ささくれだつ②。「心が—」名ささくれ。

**ささげ**[(:大角豆)] アズキに似たマメ。赤飯に入れる。ささぎ。

**ささげつつ**[×捧げ△銃]《感・名》〔捧げ=捧げよ〕軍隊での敬礼の一つ。銃をからだの中央に垂直にささげ持つ。〔幕末にできた号令から〕

**ささげも・つ**[(×捧げ)持つ]《他五》(うやうやしく)ささげるようにして、持つ。

**ささげもの**[(×捧げ)物] 神などへ ささげるもの。また、神などへ供物をささげること。

**ささ・げる**[(×捧げる)]《他下一》①両手に持って(うやうやしく)目の高さに上げる。②神や目上の人に さしあげる。また、好きな人に あげる。「神に—・君に—バラの花」③生活や人生を、大事なもののために使う。「社会事業に余生を—」

**ささたけ**[(×笹)竹]〔文〕小さい竹類の呼び名。ささ。ささだけ。

**ささたる**[×些々たる]《連体》〔文〕わずかばかりの。取り上げて言うだけの ねうちもない。

☆☆**ささつ**[査察]《名・他サ》〔文〕〔決められたとおりにおこなっているか〕様子を調べること。「空中—・—官」

**ささっと**《副》すばやい、簡単な動作のようす。「—作れる おかず・雑な字で—書く」

**ささなき**[(×笹)鳴き]《名・自サ》 冬、ウグイスが やぶのあたりで舌つづみを打つように鳴くこと。動ささ鳴く《自五》。

**さざなみ**[(△小)波・(×漣)] ①細かに立つ波。「—立つ」②少し ぎくしゃくした関係。「両者の間に—が広がる」

**ささにごり**[(△細)濁り]《名・自サ》〔雅〕少し にごること。「川の水の—」

**ささはら**[(×笹)原] ササがはえている原。

**ささぶね**[(×笹)舟] ササの葉を舟の形に作ったもの。ささおぶね。

**ささみ**[(×笹)身] ニワトリの胸の あたりの肉。脂肪が少なく、味は淡泊。「—のサラダ」

**ささめ・く**《自五》〔古風〕ささやく。「口を近づけて—」名ささめき。

**さざめ・く**《自五》①にぎやかに、ざわざわと声を立てて話す。「笑い—」②ざわざわと音を立てる。「木々の葉が風に—」③いちめんに きらめく。「—星たち・—あかり」名さざめき。

**ささめゆき**[(△細)雪]〔雅〕細かに降る雪。粉雪。

**ささやか**《ナダ》目立たない、ちょっとしたようす。「—なおくりもの・—に暮らす」派—さ。

**ささや・く**[(×囁く)]《自他五》①声〔=のどの音〕を使わず、息だけで話しかける。「愛を—」②ひそかに うわさする。「引退がささやかれる」名ささやき。

**ささやぶ**[(×笹×藪)] ササがたくさん集まって はえている所。

**ささら**[(×簓)] ①針金ほどの細さに割った竹をたばねた用具。なべをみがいたりするのに使う。②〔↑ささらこ(簓子)〕家の外がわの下見板をおさえつける角棒。板の重なりに ぴったり合うように、一面が いなずま形に ぎざぎざしている。「刀が、刃はこぼれで—のようになる」③《音》百八枚の板を重ねて ひもでゆわえた、細長い、日本の楽器。両手で逆U字形に曲げて持ち、ゆすって鳴らす。びんざさら。

［ささら ①］

**ささ・る**[刺さる]《自五》①先のとがったものが、さした状態になって立つ。「とげが—」②するどく はいりこむ。「胸に—痛烈な一言」③強い印象をあたえ、心を動かす。「(相手に)—表現」〔二〇一〇年代からの用法〕

**さざれいし**[さざれ石]〔雅〕小さな石。「—の〔成長して〕いわお(巌)となりて」

**さざんか**[(△山△茶花)] ツバキに似た常緑樹。冬のはじめ、〈白/赤〉のきれいな花をひらく。由来「山茶」はツバキの漢名。「さんざか」の音が ひっくり返ったことば。

**さし**[刺し] 一さし」さすこと。二造 ↑さしみ。「いか—・ふぐ—・馬—」

**さし**[砂×嘴]《地》海岸や湖岸から、くちばしのように長くのびた土地。砂が運ばれてきて たまったもの。例、静岡県の三保の松原。☞砂州。

**さし**[差し] 一さし」①さしむかい。一対一。「—で飲む」②[△尺] ↑ものさし。「—で測る・—を当てる・くじら—」③《競馬・競輪など》↑差し足。④↑差し湯②。「—がきく〔=何度も差し湯できる〕」表記①②「サシ」とも。二接頭〔—+動詞〕①手などを近づけて、何かをする感じをあらわす。「—出す・—もどす」②とどめる。「—おさえる・—ひかえる」③近づく。「—かかる・—せまる」④ある方向に〈向かう/向ける〉。「日が—のぼる・—うつむく」三接尾 舞の曲を数えることば。「ひとー」四造 さすための器具。「油—・しょうゆ—」

**さし**[サシ] ①牛肉の しもふり。「—が はいる」②⇩差し 一①②。

**さし**[(△止し)]造 動作をとちゅうまでして、あとは やめること。「読み—の本・吸い—のタバコ」

**さじ**[(×些事・×瑣事)]〔文〕小さな つまらないこと。小事。「—にこだわる」

**さじ**[茶事]〔文〕ちゃじ。「正午の—」

**さじ**[(×匙)] ①粉・茶の葉などをちょっと すくう道具。「茶—」②〔古風〕スプーン。「お—」由来 漢語「茶匙〔=茶さじ〕」から。●**さじを投げる**句 ①医者が患者を見はなす。②見はなす。あきらめる。

**ざし**[座視・×坐視]《名・他サ》見ているだけで手出しをしないこと。「—するに しのびない」

**さしあ・げる** 一[差し上げる]《他下一》①手に持って、高く上げる。「カメラを頭の上に差し上げて撮る」②「やる・あげる」の謙譲語。「そのチラシは—」二《補動下一》〔て—〕「てあげる」のけんそんした言い方。「代わりに書いてさしあげた」✓相手に直接「〈書いて/作って〉さしあげましょうか」と言うと おしつけがましい。「〈お書き/お作り〉しましょうか」がいい。

**さしあし**[差し足] ①つまさきの ほうから、そっと足を地につける歩き方。「ぬき足—」②《競馬・競輪など》前の馬などを追いこもうとする走り方。さし。

**さしあたり**[差し当たり]《副》〔先のことは別として〕いまのところ。当面。さしあたって。「—心配はない」

丁寧 差し当たりまして。

**さしあみ**［刺し網］ さかなの通り道に網をはり、さかなが網の目にはいって動けなくなったところをとる方法。

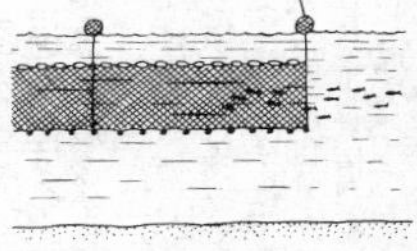
［さしあみ］

**さしい・る**［差し入る・△射し入る］《自五》 光がさして、中にはいる。さしこむ。「朝日が―」

**さしいれ**［差し入れ］《名・他サ》 ①刑務所・拘置所に入れられた人に、お金・日用品などを届けること。また、その届ける物。 ②特別の仕事をしている人などを応援するため、食べ物など必要な物を届けること。また、その届ける物。

**さしい・れる**［差し入れる］《他下一》 ①せまいところから中へ入れる。「郵便受けに―」 ②手付けとして、相手に出す。「保証金を―」 ③さしいれをする。

**さしいろ**［差し色］ アクセントとして地色に入れる目立つ色。

**さしうつむ・く**［差し〈×俯く〉］《自五》〔文〕じっとうつむく。

**さしえ**［挿絵］ 内容の理解を助け、興味を持たせるために、文章の中にはさむ絵。イラスト。

**サジェスチョン**〔suggestion〕 ①示唆。 ②提案。忠告。▽サゼスチョン。サジェッション。サゼッション。

**サジェスト**《名・他サ》〔suggest〕 ①〈示唆/提案〉すること。 ②《情》検索語が入力されると、コンピューターが候補を示すこと。「―機能」

**さしお・く**［差し置く・差し△措く］《他五》 ①そのままにする。とちゅうでやめる。「何を差し置いても出かける」 ②目上の人がいることを無視する。「親を差し置いて口を出す」

**さしおさえ**［差し押さえ］《名・他サ》《法》債権者が国家の力により、債務者の財産の処分を禁じること。また、その財産を確保すること。動 差し押さえる《他下一》。

**さしか・える**［差し替える］《他下一》 ①〈とり/いれ〉かえる。「説明の文を―」 ②とりかえて さす。さす位置をかえる。「ヘアピンを―」 名 差し替え。

**さしかか・る**［差し〈掛かる〉］《自五》 (ちょうど)その場所(の手前)まで来る。「坂道に―・事件の山場に―」

←**さしかけ**［指し〈掛け〉］《将棋》とちゅうまでさし、そのままにして(別の日まで)休むこと。

→**さしかけ**［差し〈掛け〉］ ①母屋に増築した、片流れの屋根のついた物置など。 ②片流れの屋根のついた、そまつな小屋。「―の露店」

**さしか・ける**［差し〈掛ける〉］《他下一》 上から〈おおう/かざす〉。「かさを―」

**さしかざ・す**［差し〈×翳す〉］《他五》〔文〕手に持ってかざす。「扇を―」

**さじかげん**［〈×匙〉加減］《名・自サ》 ①薬を調合するときの加減。 ②調節の ぐあい。手加減。「しかり方の―がむずかしい」

**さしか・つ**［差し勝つ］《自五》《すもう・レスリング》自分に有利な差し手を差す。(↔差し負ける)

**さしがね**［差し金］ ①〔大工の使う〕かねじゃく。 ②芝居で、チョウや小鳥をかげで動かす針金。また、あやつり人形で、人形の うでにさしこんで、かげで動かす細い鉄棒。 ③かげで さしずをして、人を動かすこと。「だれの―だ」

**さしがら**［差し柄］ 無地の中にアクセントとして入れる、目立つ柄。

**さしかわ・す**［差し交わす］《他五》 両方からさし出す。「枝を―」

**さしき**［挿し木］《名・自他サ》 木や草花の ふやし方の一つ。草木のくき・枝を折って土に さしこんで根を出させる方法。☞つぎ木・取り木。

**さじき**［桟敷］ 祭礼の行列や芝居などの見物のために高く作った席。

**ざしき**［座敷］ ①たたみを敷いた〈客間/居間〉。 ②接待や酒宴の〈席/時間〉。「(お)―が長い」 ☞お座敷。 ●**ざしきろう**［座敷×牢］ 昔、屋敷の一部を仕切って、人をとじこめておいた部屋。 ●**ざしきわらし**［座敷〈△童〉］〔東北地方で〕家の繁栄を守るという、子どもの姿をした精霊。

**さしきず**［刺し傷］ 皮膚を何かで さしたために できたきず。

←**さしき・る**［指し切る］《自他五》《将棋》 ①手に持っている駒を使い切って、さす手がなくなる。 ②指し終わる。名 指し切り。

→**さしき・る**［差し切る］《他五》 ゴール前でぬいて勝つ。「ゴール直前で―」 名 差し切り。

**さしぐ・む**［差し〈△含む〉］《自五》〔雅〕(なみだが)目からこぼれそうになる。なみだぐむ。「涙差しぐみ かえりきぬ」

**さしく・る**［差し繰る］《他五》 くりあわせる。都合をつける。「予定を―」 名 差し繰り。

**さしくわ・える**［差し加える］《他下一》〔演芸の出し物などを〕あとから加える。

**さしこ**［刺し子］《服》綿布をかさねあわせて細かく刺し縫いにしたもの。さしっ子。例、柔道着。

［さしこ］

**さしこみ**［差し込み］ ①さしこむ〈こと/もの〉。 ②胃腸のあたりが急に、はげしく痛む症状。胃けいれん・胆石などの古い呼び名。しゃく(癪)。 ③〔電気の〕プラグ。また、コンセント。「―口」

**さしこ・む**［差し込む］ 一《他五》 ①さして、中に入れる。「かぎをかぎ穴に―」 ②あとから、間に入れる。「文章中に写真を―」 ③〔差し込まれる〕《野球・テニスなど》ボールが速くて、打つのが おくれる。「直球に差し込まれる」 二《自五》 ①［△射し込む］〔太陽の〕光が はいりこむ。「西日が―」 ②急に胸・腹などが強く痛む。「胸先が きゅっと差し込んでくる」

**さしころ・す**［刺し殺す］《他五》〔刃物で〕さして殺す。

**さしさわり**［差し障り］ ①さしつかえ。 ②ほかの人のめいわくになるような事情。「―があるといけないから言わない」 動 差し障る《自五》。

**さししお**［差し潮］ 満ちてくる潮。満ち潮。上げ潮。

**さししめ・す**［指し示す］《他五》 ①(指の)先をそれに向けて、気づかせる。 ②〔それは何か、ということを〕気づかせる。「問題の所在を━」

**さしず**【指図】《名・他サ》相手の好きにさせず、ああしろ、こうしろと言うこと。「あなたの━は受けない」

**さしすせそ**〔=五十音で「さ」以下の五文字。「サシスセソ」とも書く〕〔料〕調味料を入れる順番を言うことば。砂糖・塩・酢(す)・しょうゆ(「せうゆ」とも書いたから。正しい字音仮名遣(じおんかなづか)いは「しやうゆ」)・みそ。「料理の━」

**さしずめ**《副》①あえて〈たとえる／あてはめる〉ならば。「目がカメラだとすれば、水晶(すいしょう)体は━レンズだ」②いちばん ありうるのは。いちばん ふさわしい例をあげるなら。「次の社長は━A氏か・沖縄の野菜の代表は━ゴーヤーだろう」③〔古風〕さしあたり。とりあえず。「━来月も続けよう・━困らない」【表記】「差し詰め」は語源的表記。現代語では「詰め」の意識がないとみて、かなでは「さしずめ」と書くが、「さしづめ」も許容。

**さしせま・る**【差し迫る】《自五》事態が間近にせまる。切迫(せっぱく)する。「差し迫った危険」

**さした**《連体》〔文〕これといった。さしたる。「━後悔(こうかい)もない」

**さしだし**【差し出し】郵便物や荷物を出すこと。「大量の━がある」(↔受け取り)【表記】熟語では「差出」と書く。「差出人・差出地」

**さしだ・す**【差し出す】《他五》①(手・首などを)前のほうへ出す。②〔役所などへ書類などを〕出す。提出する。③郵便物を、出す。④大切なものをあたえようとする。「命を━」

**さした・てる**【差し立てる】《他下一》郵便局が、郵便物を、ほかの郵便局へ送り出す。【名】差し立て。

**さしたる**《連体》〔文〕これというほどの。さほどの。「━ちがいはない」【由来】「指したる」から。【表記】「△然したる」とも書いた。

←**さしちが・える**【刺し違える】《自他下一》①〔戦って、またはふたりで死ぬ目的で〕おたがいに刃物(はもの)で胸をさしあう。「兄弟刺し違えて死んだ」②相手〈に不利益な結果をあたえる／をしりぞかせる〉目的で、自分も〈犠牲(ぎせい)になる／身を引く〉。「専務は社長と━覚悟(かくご)を決めている」③まちがってさす。【名】刺し違え。

↔**さしちが・える**【指し違える】《他下一》《将棋》まちがえてさす。指し違う【名】指し違い)。【名】指し違え。

→**さしちが・える**【差し違える】《他下一》《すもう》行司が軍配をまちがって負けた力士のほうに上げる。差し違う【名】差し違い)。【名】差し違え。

**さしちゃ**【差し茶】出なくなったお茶に新しいお茶の葉を足して、お茶をいれること。口茶(くちぢゃ)。

**さしつかえ**【差し支え】つごうの悪いこと。「━がある・━(が)ない・━ありません・━ございません・八月一日は━です(=つごうが悪い。弁護士の言い方)」

**さしつか・える**【差し支える】《自下一》つごうの悪い状態になる。「業務に━」

**さしつかわ・す**【差し遣わす】《他五》〔文〕〔使者として〕人を行かせる。派遣(はけん)する。

←**さして**【指し手】《将棋》駒(こま)を〈進める／新たに置く〉方法。

→**さして**【差し手】《すもう・レスリング》相手のわきの下にさしこんで組む〈うで／取り口〉。さしで。「━争い」

**さして**《副》たいして。それほど。「━大きくない」【由来】「指して」から。【表記】「△然して」とも書いた。

**さしでがまし・い**【差し出がましい】《形》でしゃばるようだ。「━口をきく」【派】━げ。━さ。

**さしでぐち**【差し出口】でしゃばったことば。口出し。「いらぬ━」

**さし・でる**【差し出る】《自下一》自分の身分や立場以上に、出すぎた行動をする。でしゃばる。

**さしとお・す**【刺し通す】《他五》反対がわまで通して、つきさす。

**さしと・める**【差し止める】《他下一》〔命令して〕やめさせる。禁止する。「外出を━」【名】差し止め。

**さしぬい**【刺し縫い】《服》何枚も重ねた布を、一回ごとに針を抜(ぬ)き出して縫うこと。

**さしぬき**【指△貫】衣冠(いかん)・のうし(直衣)、または狩衣(かりぎぬ)をつけるときにはくはかま。幅(はば)が広く、すそにひもがついている。☞のうし(直衣)。

［さしぬき］

**さしね**【指し値】《名・自サ》《経》〔取引所で〕客が売買の値段を指定すること。客が指定した値段。(↔成り行き)

**さしの・べる**【差し伸べる】《他下一》〔ある方向に向けて〕ずっとのばす。「両うでを━・救いの手を━(=たすける)」

**さしのぼ・る**【差し昇る】《自五》〔文〕〔太陽が〕のぼる。〔地平線・山ぎわなどから のぼる状態をさす〕

**さしば**【差し歯】①《医》つぎば。②足駄(あしだ)の台に歯を入れること。

**さしはさ・む**【差し挟む】《他五》①間に入れる。はさむ。「口を━」②〔うたがい・不信の気持ちを〕持つ。「異論を━」

**さしひか・える**【差し控える】【一】《自下一》〔「ひかえる」のかしこまった言い方〕わきにいる。「左右に━」【二】《他下一》しようとしたことをしないでおく。えんりょする。「行動を━・発言を━」【名】差し控え。

**さしひき**【差し引き】【一】《名・他サ》①差し引くこと。②数を引いた残り。「━ゼロ」【表記】経済関係の熟語では「差引」と書く。「差引勘定(かんじょう)・差引簿(ぼ)」【二】《名・自サ》〔古風〕①〔潮の〕みちひ。②体温の上がり下がり。「熱の━」

**さしひ・く**【差し引く】【一】《他五》①数を引く。「税金を━」②考えに入れないようにする。「経験が浅いことを差し引いても、おそまつな仕事ぶりだ」【二】《自五》〔古風〕潮がみちたり引いたりする。

**さしひび・く**【差し響く】《自五》〔文〕影響(えいきょう)する。「仕事に━」【名】差し響き。

**さしぼう**【指し棒】スクリーンや黒板の文字など、説明するものを指すための棒。

**さしまね・く**【差し招く・×麾く】《他五》〔手で〕まねく。呼ぶ。

**さしまわ・す**【差し回す】《他五》ある人のために、行かせる。「車を━」【名】差し回し。

**さしみ**【刺身】新鮮(しんせん)な さかなの肉などを、なまのままでうすく細く切った食品。そのまましょうゆをつけて食べる。つくり。つくりみ。「マグロの━・━じょうゆ」☞カルパツチョ。●さしみのつま［刺身のつま・刺身のツマ］①千切りの大根や海藻など、さしみにそえるもの。②何かのつけたしになっているだけで、たいした価値のないもの。●さしみぼうちょう［刺身包丁］刺身をつくるのに用いる包丁。刃のはばがせまくて、長い。

さしみ［差し身］〘すもう〙自分の得意のほうのさし手を、早く相手のわきにさすこと。「―がいい」

さしみず［差し水］〘名・自サ〙①水をつぎたすこと。つぎたす水。②〘料〙⇩びっくり水。

さしむかい［差し向かい］二人でむかいあうこと。さし。「―で食べる」動差し向かう〘自五〙。

さしむき［〈差し向き〉］〘副〙すぐ考えるべきこととして。今のところ。

さしむ・ける［差し向ける］〘他下一〙ある場所へ行かせる。派遣する。「〈車／軍勢〉を―」

さしも〘副〙〔文〕あれほど。そんなにも。「―の（＝あれほどの）敵も」

☆☆さしもど・す［差し戻す］〘他五〙①やり直させるために、もとの所へもどす。②〘法〙下級の裁判所の判決を上級の裁判所が否定して、もとの裁判所に裁判のやり直しをさせる。名差し戻し。「―審」

さしもの［指し物］①よろいの背にさした〈旗／かざり物〉。☞旗指物。②板を組み立てて作る家具・器具。「―師」

さしゅ［詐取］〘名・他サ〙〔文〕だまして取ること。

さしゆ［差し湯］〘名・自サ〙①湯をさして、さめないようにすること。また、そのときの湯。②〔せん茶で〕お茶を入れたあとで、もう一度湯をさすこと。差し。

さしゅう［査収］〘名・他サ〙〔文〕調べて受け取ること。「ご―ください」

さじゅつ［詐術］〔文〕人をだますやり方・言い方など。「―を用いる・―に満ちた文章」

さしゆる・す［差し許す］〘他五〙〔文〕〔目上の人が〕許す。許可する。

☆☆さしょう［詐称］〘名・自他サ〙うその氏名・住所・職業などを言うこと。「経歴―・医師〈だと／を〉―する」

さしょう［査証］〘名・他サ〙ビザ（を発行すること）。

さしょう［×些少］〘名・ナダ〙〔文〕〔金額などが〕わずか。少し。〔けんそんして使うことが多い〕「―ですが、お礼のおしるしに」

さじょう［砂上］〔文〕すなの上。「―に立つ」●さじょうのろうかく［砂上の楼閣］〔文〕①基礎がしっかりしていないために、くずれやすい〈こと／もの〉。②実現不可能な〈こと／もの〉。

さじょう［鎖錠］〘名・自サ〙〔文〕〔ドアなどに〕かぎをかけること。

☆☆ざしょう［座礁・×坐礁］〘名・自サ〙船が暗礁に乗りあげること。（↔離礁）

ざしょう［挫傷］〘名・自サ〙〘医〙打ったりころんだりして、皮膚などの下に〈きずを受けること／受けたきず〉。打撲傷。うちみ。「脳―」

ざじょう［座乗・×坐乗］〘名・自サ〙〔文〕軍艦や船に乗りこんで〈いる／指揮する〉こと。

ざしょく［座食・×坐食］〘名・自サ〙〔文〕〔たよるべき財産があって〕無職のままで暮らすこと。いぐい。

さしりょう［差し料］〔文〕腰にさして使う刀。「拙者の―にいたす」

さしわけ［指し分け］〘将棋〙ひきわけ。〔勝ち負けの数が同じ場合〕

さしわけ［差し分け］〔↑差し分け染め〕ゆかたの模様をいろいろな色で染め分けること。

さしわたし［〈差し渡し〉］①直径。②両はしまでの長さ。

さじん［砂×塵・沙×塵］〔文〕すなぼこり。しゃじん。

さす［砂州・砂×洲］〘地〙砂嘴がのびて、二つの海岸・湖岸のあいだを橋のようにつないだ地形。例、京都府の天橋立。☞砂嘴。

↔*さ・す［差す］㊀〘自五〙①表面にあらわれる。「赤みが―・いや気が―」②〔影が〕あらわれる。「障子に影が―」③［△射す］〔光が〕あらわれて、ものに当たる。「薄日が―・光の差してくる方向（＝光源）」④〔古風〕上げ潮になって、〔潮が〕寄せる。「潮が差して来る」（↔引く）⑤〔枝が〕のびる。⑥〘競馬・競輪など〙ゴール前で、ぬき去る。「好位から―」㊁〘他五〙①長いものを中に入れる。さしこむ。「刀を―（＝腰にはさむ）・さおを―（⇩さおさす）」②手に持って、頭の上をおおうようにする。「かさを―」☞指す①。③〔指を〕その方向に向ける。「指を―（＝つを―）」④［△注す］加える。「水を―（＝色をつける）」⑤〘すもう〙相手のうでの下から手を入れて、まわしをつかむ。「左を―」⑥さかずきに酒を入れてすすめる。「さかずきを―」・目薬を―・くちびるに朱を―（＝色をつける）」可能差せる。●差しつ差されつ句さかずきを相手にさしだして酒をすすめたり、すすめられたり。

↔さ・す［刺す］〘他五〙①突き入れる。つっこむ。「とげを―・アユをくしに刺して焼く」②［×螫す］虫などが、針で突く。食う。かむ。「蚊に刺される」③針でぬう。「畳を―」④強く刺激する。「鼻を―におい・北風がはだを―」⑤相手を殺す目的で、刀などで突きさす。「胸を―一言」⑥心にショックをあたえる。「とどめを―」⑦〘野球〙走者をアウトにする。可能刺せる。

↔さ・す［指す］〘他五〙①指でしめす。「家の方角を―」☞差す㊁③。②〔教室などで〕人を決めてしめす。指名する。当てる。「指されて答える」③さししめす。「八時を―」④めざす。「都を指して行く」⑤将棋の駒を〈動かす／動かして勝負する〉。「将棋を―」⑥〔俗〕〔ある人を〕密告する。可能指せる。

→さ・す［挿す］〘他五〙①〔さし〕はさむ。「かんざしを―」②さし木をする。③〔かびんなどに〕花をいける。可能挿せる。

さ・す［△鎖す］〘他五〙〔文〕とじる。しめる。「木戸を―」

さ・す㊀〘助動五型〙〔使役の助動詞。上一段・下一段・カ変の動詞につく〕「させる㊀」の話しことば的・方言的な形。「子どもに食べ―・ここへかけさしてください」区別⇩す㊀。☞させていただく。㊁連〔動詞「する」の未然形に助動詞「す」がついたもの〕〔話〕（…）させる。「つらい思いをさした・検討さしてもらいます」㊂さす〘他下二〙〔文〕…させる。「合格点に足らぬ者は落第―べし」〔本来の文語は「せさす・せしむ」〕

さ・す［〈△止す〉］造〔動五をつくる〕とちゅうでやめる。「言い―」☞さし造。

さず［左図］〔文〕左の（ほうの）図。（↔右図）

ざす［座主］〘仏〙①寺の事務をとりしまる僧職。②〔延暦寺などで〕首席の僧。「天台―」

ざす［座州・×坐×洲］〘名・自サ〙〔船が〕浅瀬に乗

り上げて動かなくなること。

*さすが《副》期待に そむかないようすをほめて言うことば。「よくやった、ーだ・ーはリーダーだ」〔感動詞ふうにも使う。「さすがあ！」〕 由来 もとは「さ〔＝そう〕＋す〔＝する〕＋がに〔＝ほどに〕」で、のちに「に」がない形が現れた。 表記 かたく「∴流石」とも。〔「石に枕し流れに漱ぐ」の故事から〕 《⇩「石」の 句》」を誤った人が、みごとにごまかしたようすをほめて言うことば。 ●さすがに《副》①それに ふさわしいようすをほめて言うことば。「ー中学生だけあって しっかりしている」②ふつうなら ないことだが、〈この場合は／ここまで限度をこえたら〉当然だ、という見方をあらわすことば。「徹夜が続いて、ーつかれた」 ●さすがの《連体》少しぐらいでは影響されないはずの。あれほどの。さしもの。「ー猛者もまいったらしい」

さずかりこん［授かり婚］おなかに赤ちゃんを授かったのをきっかけに結婚すること。〔同義語の「おめでた婚」とともに、二十一世紀になって広まったことば〕☞でき婚。

さずかりもの［授かり物］〔神や仏から〕さずかったもの。「子は天からのーだ」

さずか・る［授かる］《他五》さずけてもらった状態になる。「子どもをー〔＝ありがたいことに、子どもが生まれる〕」

さず・ける［授ける］《他下一》①目上の人から目下の人に、あたえる。授与する。「勲章をー」②伝える。教える。「知恵をー」③わたす。交付する。

さすて［差す手］〔舞で〕前へ さし出す手。「ー引く手」

サステナビリティ(ー)〔sustainability〕サステナブルである性質。持続可能性。サステイナビリティ(ー)。〔なまって〕サスティナビリティ(ー)。

☆☆サステナブル《ナダ》〔sustainable〕持続可能。環境やようを持続するのに役立つようす。例、資源を取りつくさないなど。サステイナブル。〔なまって〕サスティナブル。「ーディベロップメント〔＝持続可能な開発〕」

サスペンション〔suspension〕《自動車・バイク》車輪と車体の間にあって、路面からの衝撃や振動を吸収する装置。☞懸架。

☆☆サスペンス〔suspense〕①不安。②〔映画・小説などで〕次は どうなるかと思って はらはらさせる、発展のさせ方。「ードラマ・スリルとー」

サスペンダー〔suspenders〕①ズボンつり。②つりスカートのつりひも。▽サスペ。③くつしたどめ。

サスペンデッド〔suspended〕《野球・ゴルフなど》降雨や日没などによる、試合の一時停止。続きは後日おこなわれる。「ーゲーム」

さすまた［刺股］どろぼうなどを取りおさえるための道具。U字形の金具に長い柄をつけたもの。

さすらい［∴流離］〔文〕さすらうこと。放浪。漂泊。「ーの旅」

さすら・う［∴流離う］《自他五》はっきりした目あてもなく歩き回る。「諸国をー・異境にー」

さす・る［△摩る・△擦る］《他五》①〔痛みがなくなるように〕からだを、手で何度も軽く こする。「背中をー」②なでる。「生地をー」 名 さすり。

ざ・する［座する・×坐する］《自サ》〔文〕すわる。座す。「座して〔＝何もせずに〕死を待つ」

さすれば《接》〔＝然すれば〕〔文〕①そうで あるから。②それならば。

させい［×嗄声］《医》声がかれること。声がれ。かせい。

ざせき［座席］〔乗り物・劇場などの〕すわる席。「後部ー〔＝乗用車の後ろの席〕・ー指定券・ー表」〔↔立ち席〕

させつ［左折］《名・自サ》車などが道を左のほうへ曲がること。〔↔右折〕

ざせつ［挫折］《名・自サ》成功させようとしていたことが、とちゅうで できなくなること。「ー(感)を味わう」

させていただ・く《助動五型》〔↑連語または助動詞「させる」の連用形＋接続助詞「て」＋補助動詞「いただく」〕①許しをもらってするときの、けんそんした言い方。「先生の本をコピーー・かばんの中身を改めー・蔵書を見ー〔動詞『見せる』を使う『見せていただく』のほうが伝統的〕」②許しをもらってするかのように、自分の行為をけんそんする言い方。「私が司会をさせていただきます・新年の ごあいさつは ひかえー・お会いー」③思いどおりにするとき、うわべだけ礼儀を示した言い方。「断固 反対ー」▽戦後、関西から東京に はいって広まり、二十世紀末に使用が増えた〔ただし、昭和初期の東京の例もある〕。「させてもらう」より ていねい。さしていただく〔話〕。 ✎ ⑴動詞を「ご…いたします」などの形で謙譲表現にできない場合、それに代わる表現として便利に使われる。たとえば、「案内する」は「ご案内いたします」の形にできるので、ことさら「案内させていただきます」と言う必要はない。ところが、「中止する」は「ご中止いたします」とは言えないので、けんそんや おわびの気持ちをこめて「中止させていただきます」とも言う。「中止いたします」でいい場合も多い。⑵「感動させていただきました」のように、相手と関係ないことに使うのは、ていねいすぎる。⑶「読まさせていただく」の形は標準的でない。「読む」など五段の動詞には「読ませていただく」のように「せていただく」をつける。☞さ入れことば。

させる《連体》〔文〕さしたる。たいした。「ー功績はないが」 由来 「指す」に文語助動詞「り」の連体形がついたもの。 表記 「△然せる」とも書いた。

**させる 一 させる 連 動詞「する」の未然形に助動詞「せる」がついたもの。「だれにさせようか・好きなようにさせておこう」 ✎ 「人を笑顔にする」「実現を困難にする」などを、使役の意味を強調して「人を笑顔にさせる」「実現を困難にさせる」などと言うことが増えている。 可能 させられる。 二《助動下一型》〔使役の助動詞。上一段・下一段・カ変の動詞につく〕⇩せる。「受けー・来ー」 区別 ⇩す 一。☞させていただく。

☆☆させん［左遷］《名・他サ》低い官職・地位に下げること。「支店にーされる」〔↔栄転〕

ざぜん［座禅・×坐禅］《仏》足を組んですわったまま、さとりをひらくくふうをすること。禅。「ーを組む」

さぞ《副》実際の程度を想像して言うことば。さだめし。「〔同情して〕ー苦しかったでしょう」 表記 「×嘸」とも書いた。

さそい［誘い］さそうこと。「ーに乗る・ーを受ける・ーをことわる」 ●さそいか・ける［誘い〈掛ける〉］《自他下一》相手に はたらきかけて、何かをするように さそう。 ●さそいだ・す［誘い出す］《他五》①相手にはたらきかけて、こちらに合流させる。「遊びにー」②表面に出ていないものを引き出す。「ある思いを―」●さそいみず【誘い水】⇩呼び水。

*さそ・う【誘う】《他五》①〔…しませんか、と言って〕自分と同じ行動をとるようにすすめる。「釣りに―」②〈つれ/呼び〉出す。「春に誘われる」③ある状態が、自然にそうさせる。「なみだを―・ねむりを―」④誘惑する。「悪の道に―」 可能 誘える。

ざそう【挫創】《医》ころんだり、打ちつけたりして、皮膚に〈きずを受けること/受けたきず〉。

ざぞう【座像・×坐像】すわっている像。「仏の―」(↔立像・胸像)

さぞかし《副》「さぞ」を強めて言うことば。

さそく【左側】《文》ひだりがわ。「―通行」(↔右側)

さぞや《副》《文》「さぞ」の感動した言い方。「―苦しかったろう」

さそり【〈×蠍〉】暑い地方などの日かげにすむ虫。種類が多い。カニのようなはさみを持ち、尾の先の針には、はげしい毒がある。

☆☆さそん【差損】《経》〔売買の収支、為替の変動などの〕差額により生じる損失。(↔差益)

さた【沙汰】《名・自サ》〔=砂から砂金などをより分けること〕①できごと。事態。「正気の―ではない・銭金の―ではない(=お金でかたづく事態ではない)・裁判―(=裁判になる事態)」②《古風》処置。処分。「追って―をする・ご―が下される」③《古風》連絡。「なんの―もない」☞沙汰の限り。

さだか【定か】《ナダ》はっきりしているようす。たしか。「記憶が―でない・―にはわからない」〔後ろに否定が来る。古文では「―に知らせたまへ」のように肯定形もある〕

ざたく【座卓・×坐卓】たたみにすわって使う、机。

さたのかぎり【沙汰の限り】《古風》①ふつうの判断の限界をこえていること。もってのほか。論外。「ほかの客にまでめいわくをかけるにいたっては、―だ」②ふつうには考えられない、めちゃくちゃなおこない。「大声で泣いたり笑ったり、―をつくす」

さだま・る【定まる】《自五》①決まる。「制度が―」②〔みだれた状態が〕おちつく。「天気が―・ねらいが―」③しずまる。おさまる。「乱が―」④はっきりする。「態度が―」⑤《文》やすむ。ねしずまる。「深夜、人定まって」 名 定まり。

さだめ【定め】①決まり。規定。「法の―に従う」②おきて。③〔:運命・:宿命〕定まっている運命。さだめごと。④一定して変わらないこと。「人の世は―ない(=無常な)もの」

さだめし【〈定めし〉】《副》《文》①さぞ。「―名医だったろう」②きっと。「―家族もあるだろう」

さだめて【〈定めて〉】《副》《文》「さだめし」の、さらに改まったことば。「―ご満足のことと存ずる」

**さだ・める【定める】《他下一》①決める。おさめる。「憲法を―」②おちつかせる。「心を―」③しずめる。「内乱を―」④はっきりさせる。「態度を―」

さたやみ【沙汰〈△止み〉】計画の中止。おながれ。「―になる」

さたん【左端】《文》ひだりのはし。(↔右端)

さたん【×嗟嘆・×嗟×歎】《名・自他サ》《文》①〔思わず声を出して〕なげくこと。「おのが身の不運を―する」②〔思わず声を出して〕ほめること。

サタン〔Satan〕悪魔(の王)。

ざだん【座談】《名・自サ》いっしょにすわって〈話すこと/する談話〉。「―の大家・―会(=座談の形で、出席者が自由に話す会)」

さち【幸】《文》①幸福。さいわい。「―あれ・―が薄い」②海や山でとれた、食用になるもの。「海の―」

さちゅう【砂中】《文》すなのなか。「―にうずもれた遺跡」

さちゅうかん【左中間】《野球》レフトとセンターの間。(↔右中間)

ざちょう【座長】①座という名前を持つ劇団のかしら。「―公演(=人気のある俳優や歌手を座長としておこなう、劇などの公演)」②会議・懇談会などで議事の進行を受け持つ人。

さつ【冊】一 さつ 本。また、芳名録など、一冊、二冊と数える、本の形のもの。「―をかさねる」 二 接尾 書物を数えることば。

さつ【札】紙幣。「千円―・ドル―」〔単独で使うのは、日常語としてはやや乱暴で、「お札」のほうがふつう〕

さつ【刷】⇩刷り③。

さつ【撮】《文》一 さつ 撮影。「―秋山庄太郎」 二 造 撮影〈すること/したもの〉。「スクープ―・潜水―」

さつ【サツ】《俗》↑警察。「―だ、逃げろ・記者の―回り」

さつ【殺】造 〔…を〕ころす。「―ダニ剤」

ざつ【雑】一 ざつ《ナダ》①整頓されていないようす。「―な考え方・―に作ってある」②大ざっぱで、ていねいさが感じられないようす。「―に散らかった部屋」 派 ―さ。 二 ざつ 何かの基準ではっきりと分類することができないもの(の部類)。「―の部」

さつい【殺意】人を殺そうとする気持ち。「―をいだく」

さついれ【札入れ】紙幣を入れて持ち歩く、さいふ。紙入れ。

*さつえい【撮影】《名・他サ》①写真・ビデオなどをとること。「高速度―」②映画をとること。「―所」

ざつえい【雑詠】自由に題を決めて短歌・俳句などをよむこと。また、その歌・句。(↔題詠)

ざつえき【雑役】いろいろの〈労役/労働〉。「―夫・―婦」

ざつおん【雑音】①いろいろのおと。さわがしいおと。「まちの―」②ラジオ・無線通信・電話などにはいってじゃまをする、よけいなおと。③〈じゃまになる/よけいな〉批評や圧力。「―がはいる」

*さっか【作家】①小説家など、〔文学的な〕本を書くことを仕事にする人。「ノンフィクション―」②芸術品を制作する人。「工芸―」

さっか【昨夏】《文》昨年の夏。

さっか【作歌】《名・自サ》《文》和歌を作ること。また、作った和歌。

さっか【擦過】《名・他サ》《文》〔表面を〕かする。「銃弾がうでを―する」●さっかしょう【擦過傷】《医》かすりきず。

ざっか【雑貨】毎日の生活に使う、ちょっとしたいろいろの物。〔売り物としての言い方〕「日用―・輸入―・

店」

**サッカー**〔sacker〕商品をふくろづめにする〈こと/人〉。「スーパーで―のバイトをする・―台」☞キャッシャー・チェッカー㊀①。

**サッカー**〔米 soccer〕ボールをけったりして相手のゴールに入れる球技。ゴールキーパー以外は手を使わない。一チームは十一人。ア式蹴球〔=アソシエーションフットボール〕・蹴球〔文・古風〕。☞フットボール。

**サッカー**〔←シアサッカー（seersucker）〕しぼを寄せた、もめんなどの織物。夏服用。

**さつがい**［殺害］《名・他サ》〔人を〕殺すこと。「―におよぶ」

**さっかく**［錯覚］《名・自サ》①《心》おもに、見たり聞いたりしたときに起こす、誤った知覚。②勘ちがい。思いちがい。「―を起こす」

**ざつがく**［雑学］〔系統だった学問ではない〕雑多なものごとについての知識。

**ざっかけな・い**《形》〔東京・静岡方言〕細かいところを気にしない。粗雑だ。「―〔=がさつな〕連中・―服装」

**ざつがみ**［雑紙］〔新聞や段ボール以外の〕リサイクルできる古紙。

**サッカリン**〔saccharin〕人工甘味料の一種。砂糖の数百倍あまい。

**さっかん**［錯簡］竹簡や書物の とじちがいで、文章の順序が乱れていること。

**ざっかん**［雑感］①いろいろな、まとまらない感想。「文学―」②［雑観］中心となる報道記事〔=本記〕以外の、いろいろな観察の記事。③周辺の様子などをついでにとった写真・映像。「―をとる」

**さっき**［（△先）・（：先刻）］さきほど。先刻。〔くだけた言い方〕「つい―まで いた」

**さっき**［昨季］今から一年前の、同じ季節。特に、スポーツの昨シーズン。さくき。〔その前年は、一昨季〕（↔今季・来季）

**さっき**［昨期］〔今から見て〕一つ前の期間。特に、一つ前の決算期。さくき。（↔今期・来期）☞前期。

**さっき**［殺気］〔人が殺し合いでもしそうな〕緊張した険悪な気配。「―を感じる」●**さっきだ・つ**［殺気立つ］《自五》興奮したあらあらしい気持ちが、態度にあらわれる。殺気がかもし出される。「場内が―・観客席が―」

**さっき**［△数奇］《ナダ》〔古風〕⇩すうき（数奇）。

**さつき**㊀［五月・×皐月］〔文〕旧暦五月。今の六月ごろ。㊁［（×皐月）］ツツジの一種。葉が細かく、ツツジにおくれて、赤または白の花をひらく。●**さつきあめ**［五月雨］〔文〕さみだれ。梅雨。●**さつきばれ**［五月晴れ］①五月の、よく晴れた天気。ごがつばれ。②〔本来の意味〕つゆの はれま。●**さつきやみ**［五月闇］〔文〕つゆのころの、夜の やみ。

**ざっき**［雑記］いろいろのことを書きつけ〈ること/たもの〉。「―帳・身辺―」

**ざっき**［雑器］毎日の生活に使う、せともの類。

**ざつき**［座付き］芝居などの座の、専属。「―作者」

**ざつぎ**［雑技］〔中国で〕曲芸。サーカス。「上海―団」

**さっきゅう**［△遡及］《名・自サ》〔文〕「そきゅう（遡及）」の変化。

**さっきゅう**［早急］《名・ナダ》⇩そうきゅう（早急）。派―さ。

**ざっきょ**［雑居］《名・自サ》①いろいろの人がいっしょに〈住む/いる〉こと。「両国―の地・―房〔=複数の受刑者を入れる部屋。（↔独房）〕」②一つの建物にいろいろの店・会社がはいること。「―ビル」③いろいろのものがいっしょにあること。「異質なものが―する」

**☆☆さっきょう**［作況］《農》農作物の できぐあい。「―指数」

**さっきょく**［作曲］《名・自他サ》《音》詩や歌に節をつけること。楽曲を作ること。「―家」

**さっきん**［殺菌］《名・他サ》《医》病気を起こす細菌を殺すこと。「低温―」☞滅菌。

**ざっきん**［雑菌］〔役に立つ菌以外の〕いろいろな菌。「―がはいる」

**さっく**［作句］《名・自サ》〔文〕俳句を作ること。また、作った俳句。

**サック**〔sack=ふくろ〕①保護するための、小型の入れもの。「めがねの―」②指にはめる、ゴム製のふくろ。指サック。③芯を保護するために、えんぴつの先にはめるもの。キャップ。④〔←ルーデ サック（オ roed-zak）〕コンドーム。●**サックドレス**〔sack dress〕《服》ウエスト部分に合わせ目のない、上下ひと続きの簡単なワンピース。〔一九五〇年代末から流行〕

**ザック**〔ド Sack=ふくろ〕登山に使うリュックサック。

**サックス**〔sax〕《音》サクソフォン。「アルト―」

**サックス**〔saxe〕〔織物の〕緑がかった、くすんだ水色。「―ブルー」

**ざっくばらん**《ナダ》思ったことをかくさないで言うようす。あけすけで さっぱりしているようす。「―に話す」派―さ。

**さっくり**㊀《副・自サ》あっさりしているようす。「―した味」㊁《副》①あまり力を加えないで、切れたり割れたりするようす。「―（と）二つに割れる」②手みじかにおこなうようす。「小麦粉と水を手早く―混ぜ合わせる」③思い切りよく〈終わる/やめる〉ようす。

**ざっくり**㊀《副・自サ》太い糸で、あらく〈織った/編んだ〉感じ。「―したセーター」㊁《副》①切り口が大きく割れているようす。「スイカを―（と）割る」②議論などが、大ざっぱであるようす。「―言うと」

**ざっけん**［雑犬］雑種の犬。

**ざっけん**［雑件］①いろいろの〈事件/用件〉。②おもな議題以外のもの。「―が少々ございます」

**ざっこう**［雑稿］〈いろいろの/細かな〉記事。

**ざっこく**［雑穀］コメ・ムギ以外の、いろいろな穀類。マメ・ソバ・キビ・ヒエの類。「―米〔=雑穀をまぜた米〕」

**さっこん**［昨今］〔文〕きょうこのごろ。「―の情勢では」

**さっさつ**［×颯々］《トタル》〔文〕①風が さあっと吹く〈音/ようす〉。「秋風―」②さっさと移動するようす。「―と馬で去る」

**さっさと**《副》ぐずぐずしないで、早くするようす。「―歩け・―片づける」

**さっし**［冊子］〔文〕（うすい）書物。「―状の目録」

**さっし**［察し］察すること。「―がいい・だいたいの―がついた・お―の とおり」

**サッシ**〔sash〕窓わく。ガラス戸の わく。サッシュ。〔多く、ガラスを入れた既製品〕「アルミ―」

*ざっし［雑誌］多くの人による文章や絵、写真などをのせて、定期的に〔多くは、毎週または毎月〕出す、簡単にとじて作った本。

ざつじ［雑事］〈いろいろ〈雑多〉な用事。「―に取りまぎれて」

さっしゃ・る 一 さっしゃる《他五》〔俗〕「する」の尊敬語。なさる。される。「見物―」 二《助動五型》〔文〕…なさる。〔尊敬した言い方〕「見―」

サッシュ〔sash〕①サッシ。②《服》かざりにつける、はばの広いベルト。サッシュ ベルト。

ざっしゅ［雑種］種類のちがう雌雄の間から生まれた〈動〉〈植〉物。ミックス。「―の犬」

ざつしゅうにゅう［雑収入］《経》おもな収入以外の収入。ざっしゅうにゅう。

ざっしょ［雑書］①どの分類にもはいらない書物や書類。②〈いろいろ〈雑多〉な書物。

さっしょう［殺傷］《名・他サ》殺したり きずをつけたりすること。「〈爆弾の〉―力・―能力」

ざっしょく［雑食］《名・他サ》①《動》動物性・植物性のものをとりまぜて食べること。〈↔肉食・草食〉②あれこれ〈関心を持つ〉取り入れること。「―人間」▽「―性」

さつしょぶん［殺処分］《名・他サ》〔行政機関などが〕捨てられたペットや病気の動物を殺して処理すること。さっしょぶん。

さっしん［刷新］《名・他サ》これまでの悪い点を改めて、新しくすること。一新。「人事の―」

さつじん［殺人］〔殺そうと思って〕人を殺すこと。「―罪・―予備罪〔⇩予備罪〕・第一級―〔＝アメリカで、死刑相当の殺人〕」 ●さつじんてき［殺人的］《ナダ》〔人の命までうばいそうな〕ものすごいようす。「―な混雑・―スケジュール」

さっすう［冊数］書物・ノートなどの かず。

さっ・する［察する］《他サ》①事情をおしはかる。「危険を―・文面から―に、本気ではないらしい」②〔相手の気持ちや言いたいことを〕そうではないかと考え〔て同情する〕。思いやる。「少しは察してくれよ・―に余りある」▽察しる〔古風〕。

さっせい［刷成］《名・他サ》〔文〕〔役所などの文書の〕印刷。「―費」

ざつぜん［雑然］《タル》いりまじって、ごちゃごちゃしているようす。「―とした部屋・―とならべる」派―さ。

さっそう［〈颯爽〕《タル》姿勢や動作から元気が感じられ、かっこうがいいようす。「―たる武者姿・―と銀座通りを歩く・―と登場」

さつぞう［撮像］撮影対象を〔電気信号に変えて〕記録すること。「―素子〔＝デジタルカメラなどの、光を感じ取るセンサーの集まり〕」

ざっそう［雑草］田畑や庭、道ばたなどにはえる、じゃまな草。〔生命力の強いもののたとえに用いる〕

*さっそく［早速］《副》①〔できるだけ急いで〕はやく。すぐ〔に〕。「―おうかがいします」②はやくも。もう。「発売が発表されて、―注文が殺到している」

ざっそく［雑則］《法》法令の、規則以外の技術的・手続き的なこまごました規則。

さっそざい［殺〈鼠剤］ネズミを殺す薬剤。

ざっそん［雑損］《経》こまごました、いろいろの損失。

ざった［雑多］《ナダ》いりまじって いろいろあるようす。「―な品物・種々―」派―さ。

さつたば［札束］①札〔＝紙幣〕をかさねて束にしたもの。②多額のお金。「―を積む・―が舞う」

ざつだん［雑談］《名・自サ》はっきりした目的やまとまりのない話。世間話〔をすること〕。

さっち［察知］《名・他サ》様子で知ること。「危険を―する」

さっちゅう［殺虫］《名・自サ》害虫を殺すこと。「―剤」

さっちょう［〈薩長］《歴》薩摩と長州〔＝長門〕。明治維新のときに活躍した二つの藩。「―連合」

サッツ〔↑ド Satz（ザッツ）〕《スキー》ジャンプでふみ切ること。

さっと《副》①風や雨が急に吹いたり降ったりするようす。②手ばやく、簡単にするようす。「―ゆでる」③急に。にわかに。「―顔色が変わった」表記 かたく「〈颯と」とも。

ざっと《副》①あらまし。およそ。「―こんなところだ」②だいたいのところ。おおざっぱに。「―読む」

さっとう［殺到］《名・自サ》〔多くの人・連絡などが〕ものすごい勢いでおしよせること。「空港にファンが―する・苦情が―する・注文―」

ざっとう［雑踏・雑〈沓］《名・自サ》混雑〔すること〕。ひとごみ。「歩行者天国の―」

ざつどく［雑読］《名・他サ》〔はっきりした目標もなく〕いろいろの本を読むこと。

ざつにく［雑肉］①牛肉などの、上等でない部分の肉。②〔ハム・ソーセージなどで〕牛肉・豚肉以外の肉。「―は使用しておりません」

さつにゅう［撮入］《名・自他サ》《映画・放送》⇩クランクイン。「朝ドラ―二日目」〈↔撮了〉

ざつねん［雑念］気持ちを統一するのにじゃまないろいろの考え。

ざつのう［雑〈嚢］いろいろなものを入れ〔て肩からさげ〕て持ち歩くふくろ。

ざっぱい［雑俳］〔＝雑体の俳諧〕前句づけ・笠づけ・折句などをまとめた呼び名。機知を主とし、江戸時代中期から末期に流行した。

ざっぱく［雑〈駁］《ナダ》あれこれ いりまじって統一がないようす。「―な知識」派―さ。

☆さつばつ［殺伐］《タル・ナダ》〔人を殺したり、きずつけたりしてもなんとも思わないような〕あらっぽいようす。「―とした世相・―な気風」派―さ。

ザッハトルテ〔ド Sachertorte〕アンズのジャムをぬったチョコレートスポンジに、さらにチョコレートをかけたケーキ。ホイップクリームをそえる。

さっぱり 一《副・自サ》①よけいなものがなく、〈印象〉気持ちがいいようす。「部屋を―とかたづける・ふろであせを流して―〔と〕する」②味が しつこくないようす。「―〔と〕しておいしい」③今までのことにこだわらないようす。「―〔と〕した気性」④残りがないようす。「きれい―〔と〕平らげた」 二《副》〔後ろに否定が来る〕①まったく。ほとんど。「―わからない」②もう長いこと、まったく。「―音沙汰がない」 三《ナダ》まったくだめ。「売れ行きは―だ・舞台では―な芸人」▽一二 さっぱし〔俗〕。

ざっぴ［雑費］いろいろの細かな費用。

さっぴ・く［差っ引く］《他五》〔俗〕さしひく。△引き。名差っ引き。

さつびら［札（△片）］〔俗〕（多くの）紙幣。●札びらを切る句 気前よくお金を使う。

ざっぴん［雑品］細かい、いろいろの物。「―を入れた段ボール箱」

ザッピング《名・他サ》〔zapping〕リモコンでつぎつぎとチャンネルを変えながらテレビを見ること。
☆☆さっぷうけい［殺風景］《名・ダ》ゆとり・あたたかみ・うるおいなどのない雰囲気・外観。「―な所」派―さ。
ざつぶつ［雑物］〔文〕①こまごました、いろいろなもの。「その他の―」②まじってはいっているもの。夾雑物。③とるにたりないもの。

ざつぶん［雑文］〔小説・論文などの まとまった文章でない〕いろいろな内容の文章。

さっぽう［殺法］相手を〈殺す/たおす〉わざ。「怪力―」

ざっぽう［雑報］こまごまとした記事やお知らせ。彙報。「―欄」

ざっぽん［雑本］たいした値打ちもない、いろいろの本。

さつま［×薩摩］旧国名の一つ。今の鹿児島県の西部。薩州。●さつまあげ［(×薩摩)揚げ］さかなのすり身にニンジン・ゴボウなどをまぜ小麦粉とこねあわせ、油であげた食品。●さつまいも［(×薩摩芋)］イモの一種。皮の色はふつう赤むらさき色で、長くて両はしが細い。味はあまい。かんしょ(甘藷)。おさつ。「―の天ぷら・―の甘煮」●さつまじる［(×薩摩)汁］鳥肉・豚肉に、ゴボウ・ネギ・サトイモ・ダイコンなどをまぜた、味のこい みそしる。●さつまのかみ［×薩摩△守］〔古風・俗〕ただ乗り。無賃乗車(をする人)。由来 薩摩守(=薩摩の長官)であった平忠度とかけたしゃれ。●さつまはやと［×薩摩×隼△人］①薩摩の武士。②鹿児島県出身の男性。(↕薩摩おごじょ)●さつまびわ［×薩摩×琵×琶］〔音〕薩摩の国で発達した、四本の弦のびわ(の歌)。演奏は豪快・悲壮な感じがする。

ざつみ［雑味］〔酒・茶・コーヒーなどの〕うまさをそこなう不純物の味。「―成分」


ざつむ［雑務］〔本来の仕事ではない〕いろいろの細かな仕事。「―をこなす」

さつよう［撮要］〔文〕要点をぬき出して簡単にのべたもの。「憲法―」

ざつよう［雑用］いろいろの細かな用。「―に追われる」
☆☆さつりく［殺×戮］《名・他サ》〔文〕〔戦争などで〕多くの人を一度に殺すこと。「住民を―する」
さつりょう［撮了］《名・自他サ》《映画・放送》⇩クランクアップ。「連ドラ―」(↕撮入)

ざつろく［雑録］いろいろのことを、順序なく記録したもの。

ざつわ［雑話］まとまりのない、いろいろな はなし。「身辺―」

**さて 一《接》①話を変えて、次の話題を持ち出すときなどに使うことば。ところで。②話のはじめに使うことば。では。「―始めますか」▽さてと。二《感》〔話〕〔相手のことば、まわりの様子などを受けて〕さあ。「―どうしよう」表記 かたく「×扨」「×偖」「×扠」とも。

さであみ［(×叉手)網］すくいあみの一つ。網のわくが三角形のもの。さで。

［さであみ］

☆☆さてい［査定］《名・他サ》〔責任者が〕調べて金額・等級などを決めること。「予算の―・成績を―する」
サディスト［sadist］《心》サディズムの傾向がある人。サド。S。(↕マゾヒスト)
サディズム［sadism=人名Sadeから］《心》相手をいじめて満足を感じる、ふつうと異なる性欲。サド。(↕マゾヒズム)
さてお・く［(×扨置く)・(×扨△措く)］《他五》〔ひとまず〕除外する。すておく。「じょうだんはさておいて〔=じょうだんはやめにして〕本題にはいろう」
さてこそ《副》〔文〕①それでこそ。だからこそ。②思ったとおり。「―一大事だ」
さてさて《感》〔話〕おどろいたり、感心したり、あきれたりしたときに発する語。まあ。なんと。「―感心な子どもたちだ・―困ったものだ」

さてつ［砂鉄］《鉱》磁石につく、砂のような黒い酸化鉄。火成岩の成分だったものが細かくくだけて、海岸などにたまったもの。☞磁鉄鉱。

さてつ［×蹉×跌］《名・自サ》〔=つまずくこと〕〔文〕ものごとが〔一時的に〕うまくいかなくなること。「事業を始めてから多くの―があった」

さては 一《副》今 知ったことをもとに、〔よくない〕事実を推理することば。ということは、きっと。「あやしい物音。―どろぼうだな」二《接》〔文〕…だけでなく、さらにその上に。「道具、衣類、―夜具にいたるまで」

さてまた《接》〔文〕そして また。「右に走り、―左に寄る」

さても《感》〔古風〕さてさて。「―みごとな出来ばえだ」

サテライト［satellite=衛星］①本部からはなれたところに作った関連施設。「―キャンパス・―会場」②↑サテライト スタジオ。「―番組・―放送」③〔空港で〕タラップを使わないで、直接飛行機に乗りこめる待合室。●サテライトオフィス〔和製 satellite office〕都市の近くに分散させた事務所。本社との間を、コンピューターなどで結ぶ。●サテライトきょく［サテライト局］電波を中継するための、へんぴな地域などにある小放送局。サテライト(ステーション)。●サテライトスタジオ［satellite studio］〔ラジオで〕放送局の外に作った、中継放送用の小さなスタジオ。サテライト。

さてん［茶店］〔古風・俗〕↑喫茶店。☞ちゃみせ(茶店)。

サテン［オ satijn］⇩しゅす(繻子)。

さと［里・△郷］①〔山のふもと・平地などで〕人の住む家が集まっている小さな集落。〔いなかについて言う〕②〈妻/養子〉の生まれた家。実家。「―に帰る」③奉公人の実家。④そのことで名高い土地。「文学の―」☞おさと。

さど［佐△渡］旧国名の一つ。今の新潟県の佐渡島。佐州。

サド ①↑サディスト。②↑サディズム。▽(↕マゾ)

さと・い［(×聡い)・(△敏い)］《形》①わかりがはやくてかしこい。②よく気がついて わかるようだ。「利に―」

**さといも**【里芋】イモの一種。がさがさした皮をかぶり、中身は白くてねばりけがある。おやいも・ずいきも食べられる。「―の煮っころがし・―のそぼろあんかけ」
**さとう**【左党】①〔文〕左翼の政党。急進党。②酒飲み。左きき。▽(↔右党)
**さとう**【砂糖】〈サトウキビ/サトウダイコン〉などからとる、あまみの強い調味料。「お―・―菓子(=砂糖を〈煮つめて/豆などにまぶして〉作る菓子)」 ●**さとうきび**【〈砂糖×黍〉】トウモロコシに似た、農作物の一種。くきのしるから砂糖を作る。かんしょ(甘蔗)。ウージ〔沖縄方言〕。●**さとうだいこん**【砂糖大根】⇩てんさい(甜菜)。
**さとう**【差等】〔文〕〔二つ(以上)のものの間の〕ある幅を持ったちがい。差。「能力に―がある」
**さどう**【茶道】お茶をたてる作法。お茶。〔流派によっては「ちゃどう」と言う〕
**さどう**【作動】《名・自サ》〔機械・しかけなどが〕はたらくこと。「センサーが―する・権力が―する」
**ざとう**【座頭】①昔、盲人にあたえられた下位の官名。②昔、琵琶などをひいて語り物をした、頭をそった盲人。③〔古風・俗〕盲人。☞ざがしら(座頭)。
●**ざとうくじら**【〈座頭鯨〉】長い胸びれをもつクジラ。体長は一四メートルに達する。
**さとうみ**【里海】人の手で環境が保たれ、豊かな生態系を持つ海岸の地域。
**さとおや**【里親】①里子をあずかる親。フォスターペアレント。(↔里子)②飼い主のいないペットを引き取って育てる人。
**さとがえり**【里帰り】《名・自サ》①出身地をはなれて暮らす人が、一時、出身地に帰ること。帰省。「―の客でこみあう・お―」〔昔の習慣で、女性が結婚後、はじめて実家に帰ることも言った〕②よその土地にわたった人やものが、もとの所にもどってくること。「浮世絵が海外から―する」
**さとかぐら**【里神楽】〔宮中の神楽に対して〕多く地方に残る、民間の神楽。おかぐら。
**さとかた**【里方】結婚した女性の実家(のがわ)。
**さどく**【査読】《名・他サ》学術雑誌にのせるかどうかなどを審査するため、専門家が論文を読むこと。
**さとご**【里子】他人の家にあずけて養ってもらう子。里っ子。「―に出す」(↔里親)
**さとごころ**【里心】〈実家/親のところ〉を恋いしがる心。「―がつく」
**さとす**【諭す】《他五》①〔親・先生などが〕よくわかるように〈やさしく〉言う。「懇々と―」②教えみちびく。「不心得を―」名諭し。
**さとち**【里地】里山に、集落や商工業施設などをふくめた地域。
**さとびと**【里人】〔雅〕①村里の人。②その土地の者。③いなか者。
**さとやま**【里山】人里近くにある、生活とかかわりの深い〈雑木林/低い山〉。(↔奥山)
☆☆**さとゆき**【里雪】〔天〕平野部にも降る雪。(↔山雪)
**さとり**【悟り】①〔仏〕迷いを去って〈真理を知ること/知った真理〉。「―をひらく」②【覚り】〔古風〕理解。「―がにぶい(=のみこみが悪い)」 ●**さとりすます**【悟り澄ます】《他五》〔真理を〕すっかりさとる。さとりきったようすをする。「悟り澄ました聖人」
**さとる**【悟る】■《自他五》〔仏〕迷いを去って真理を知る。「悟ったお坊さん」■【覚る】《他五》①〔理屈ぬきで〕はっきりと知る。見ぬく。「事の重大性を―・危機を―」②感づく。「敵に悟られるな」
**サドル**〔saddle=くら(鞍)〕〔自転車・オートバイなどの〕腰をのせる所。
**サドンデス**〔sudden death=突然死〕〔ゴルフ・アメリカンフットボールなど〕延長戦をおこない、先に得点したほうを勝ちとする方式。
**さな**《終助》〔話・古風〕…だな。「そう―」〔考えるときのことば〕
**さなえ**【早苗】〔文〕苗代から田に移し植える、イネの苗。「―取る(=手で植える)」
**さなか**【〈最中〉】〔文〕その状態がいちばん強まった時期。いちばん大変な時期。「暑い―・いそがしい―・あらしの―」☞さいちゅう(最中)・もなか(最中)。
**さながら**〔文〕■さながら《副》まるで。ちょうど。「―手品だった・―戦前を思わせる風景」■〔造〕そのまま。そっくり。「本番―のリハーサル」由来「さ」は「そう」、「ながら」は「…のまま」で、「そのまま」の意味。表記「宛ら」とも書いた。
**さなぎ**【〈×蛹〉】《動》カイコ・ウジ・ケムシなどが成虫になるとちゅうで、ちぢこまって動かないもの。
**さなきだに**《副》(=然無きだに)〔文〕そうでなくてさえ。もともと。「―白い顔がいっそう青ざめる」
**さ-なくば**《接》(=然無くば)〔文〕さもなくば。さなくは。
**さなだひも**【〈真田×紐〉】平たく編んだ、もめんのひも。さなだ。
**さなだむし**【〈真田虫〉】寄生虫の一種。平らで多くの節があり、長いひも状となる。脊椎動物の腸に寄生する。条虫。
**サナトリウム**〔↑ド Sanatorium(ザナトリウム)〕環境のいいところにある、結核などの療養所。サナトリアム。
**さに-あらず**《感・名》(=然に非ず)〔文〕そうではない、ということ。「ところが―・事実は―だった」
**サニーレタス**〔和製 sunny lettuce〕レタスの一種。葉は縮れて、上部が赤むらさき色。☞ロメインレタス。
**サニタリー**〔sanitary〕衛生(的)。「―コーナー(=洗面所・トイレの部分)・―ボックス」
**さぬき**【〈×讃岐〉】旧国名の一つ。今の香川県。讃州。「―うどん」
**さね**【〈札〉】よろいを作る材料の一つ。うすい鉄やなめしがわの小さい板状のもの。うろこのようにつづる。
**さね**【〈実〉・〈核〉】ウメやモモなどのたねの中の、白いもの。胚。
**さね**《終助》〔話・古風〕…だな。…だよ。「いやな商売―」
**さのう**【左脳】〔生〕人間の脳の左半分。言語処理や計算にすぐれるとされる。ひだりのう。(↔右脳)
**さのう**【砂〈×嚢〉】①砂を入れた〈ズック製の〉ふくろ。陣地づくりや堤防がこわれたときなどに使う。②《動》鳥類の胃の一部で、食べ物をくだくところ。砂ぎも。砂ずり。③〔かんきつ類で〕果実のふくろの中にある、果汁をふくんだつぶつぶ。〔植物学では「砂瓤」。ふくろを「瓤嚢」と言う〕▽砂ぶくろ。

**さのみ**《副》〔=然のみ〕〔文〕さして。そんなに(ひどく)。「—熱心ではない」

**さは**[左派] 左翼の党派。急進的な派(の人)。(↔右派)

**さば** ■一[(×鯖)] マサバ・ゴマサバなど、海でとれる中形の青ざかな。皮にまだらがある。すし・煮につけなどにする。「—ずし・—の文化干し・—の生き腐れ〔=サバはいたみ方が非常に早いということ〕」■二[×鯖]《情》〔俗〕⇩サーバー■一。「—落ち」●**さばを読む** 句〔自分の得になるように〕数をごまかす。「十歳も若く—」

**サパークラブ**〔supper club〕 食事を中心とした、小さくてぜいたくなナイトクラブ。

**さは-あれ**《接》〔=然は有れ〕〔文〕そうではあるが。さはあれど。

**さはい**[差配]《名・他サ》①責任を持って指図すること。「人事を—する」②〔古風〕持ち主に代わって、貸家や貸し地を管理する〈こと・人〉。「長屋の—」

**サバイバー**〔survivor=生還者〕 苦しい状況を生きぬいてきた人。「がん—・性暴力の—」

☆☆**サバイバル**〔survival〕①〔天災で、またきびしい自然の悪条件の中で〕生き残ること。②競争社会で脱落せず生き残ること。●**サバイバルゲーム**〔survival game〕①敵と味方に分かれ、遊戯用のエアガンをうちあうゲーム。サバゲー。②生存競争。●**サバイバルナイフ**〔survival knife〕(軍用の)大形のナイフ。

**さばおり**[(×鯖)折り]〔すもう〕上から両手で相手のまわしを引きつけ、あごで相手の肩をおさえて両ひざをつかせるわざ。

**さばき**[裁き] ①さばくこと。「法による—・—を受ける」②〔宗〕〔キリスト教で〕神の審判。●**さばきのにわ**[裁きの庭]〔雅〕法廷。

**さばく**[佐幕]〔歴〕幕末、徳川幕府の政策に賛成して、これを助けたこと。(↔勤王)

**さばく**[砂漠・沙漠] ①〔地〕かわいて(草木のほとんどない)あれはてた、砂や石や岩などの多い広い土地。「サハラ—」②うるおいのないこと、まったく行き届かないことのたとえ。「都市—・医療—」

↑**さば・く**[(×捌く)]《他五》①ものごとをうまく始末する。「事務を—」②じょうずにあつかう。「たづなを—」③〔商品などを〕手ぎわよく売って始末する。「品物を—」④〔みだれている状態を〕そろえる。「そうめんを—」⑤とり肉やさかなの身を骨から切り分ける。「とりを—」 名さばき。

↑**さば・く**[裁く]《他五》〔事件・紛争などがあったとき〕その者に罪があるかないか、どうすればいいかなどを決める。「人を—・罪を—・現代の基準で過去を—べきではない」

**さばぐも**[(×鯖)雲] サバのせなかの模様のような形の雲。秋の空によく出る。巻積雲。

**さば・ける**[(×捌ける)]《自下一》①手持ちの商品が売り切れる。「品物が—」②世間になれてがんこでなくなる。「さばけた人がら」

**さばさば**《副・自サ》〔俗〕①気持ちがさっぱりするようす。「借金をはらって—した」②ものごとにこだわらない性格。「—した人」

**さは-さりながら**《接》〔=然は然りながら〕〔文〕それはそうだが。

**さばし・る**[さ走る]《自五》〔雅〕〔若いアユなどが川瀬を〕勢いよく泳ぐ。

**ざばっと**《副》大量の水が、ものに勢いよく当たってはねる音のようす。「水に—飛びこむ」

**サバティカル**〔sabbatical〕 長期有給休暇。研究などのために大学の教員などにあたえられる。サバチカル。「—制度」

**さばぶし**[(×鯖)節] サバを原料として、かつおぶしのように作ったもの。

**さばよみ**[(×鯖)読み]《名・他サ》さばを読むこと。数をごまかすこと。「年を—する」

**サバラン**〔フ savarin〕 ラムにひたした丸型のケーキ。

**さはんじ**[茶飯事] ⇩日常茶飯事。

**サバンナ**〔savanna(h)〕〔地〕アフリカ・南アメリカなど熱帯地方の、木のまばらな草原地帯。サバナ。

**さび**[(寂)] ①古びたり、年をとったりして、はなやかさはないが、静かで落ち着いたよさがあるようす。枯淡。「わ(侘)びと—・—の神髄」〔俳句で重んじる要素〕 由来「さびしい」「錆」と同語源。②〔声に〕表面的なはなやかさがなくなって、低くしぶみを持った感じに聞こえること。「—のある声・—のきいた声」

**さび**[(×錆)・(×銹)・サビ] ①〔理〕金属の表面が、水や酸素にふれてできる、色の変わった部分。鉄にできる赤さびや黒さび、銅にできる青さび〔=緑青〕など。「—がつく」②悪い結果。「身から出た—〔⇩「身」の句〕」

**さび**[サビ] ①〔すし店で〕↑わさび。「—ぬき」 ✓客がまねて使うのをきらう人もいる。②歌などの聞かせどころの部分。さわり。「演歌の—」〔語源は不明〕

**さびいろ**[(×錆)色] 鉄さびのような、赤っぽい茶色。

**さびさび**(ナ) さびだらけなようす。「—の自転車」

**サビざん**[サビ残]〔俗〕↑サービス残業。

***さびし・い**[寂しい・(×淋しい)]《形》①親しい人とはなれたり、親しんだものがなくなったりして、満たされない気持ち(にさせるようす)だ。「ひとりぼっちの—生活」②ひっそりして、心細くなる感じだ。「—山道」③残念だ。「—ことを言う」④あるべきものがなくて〈困る/もの足りない〉。「ふところが—・タバコをやめて口が—」▽さみしい。 派—がる。「寂しがり屋」—げ。—さ。

**さびし・む**[寂しむ・(×淋しむ)]《自五》〔文〕さびしいと思う。名寂しみ。

**さびた**〔北海道・東北方言〕ノリウツギ〔=アジサイの一種〕の呼び名。夏に白い花をつける。くきをタバコのパイプなどに使う。

**さびつ・く**[(×錆び付く)]《自五》①さびて、ほかのものとくっつく。「錠が—」②すっかりさびが出る。「さびついた金具」③能力がおとろえる。「職人のうでが—・からだが—」

**さびどめ**[(×錆)止め]《名・自サ》金属がさびないように、塗料をぬること。また、その塗料。「鉄に—をぬる」

**さびょう**[詐病]〔文〕仮病。

**ざひょう**[座標]〔数〕〈平面上/空間〉の〉点の位置をいくつかの数であらわしたもの。また、一つ一つの数。たがいに直角にまじわる〈二つ/三つ〉の直線上に目もりをつけた数値であらわす。図の点P

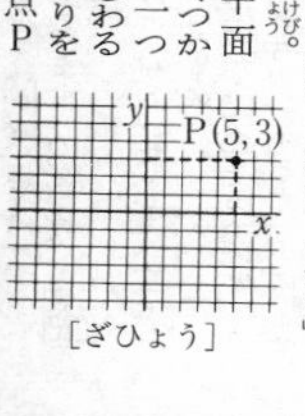

[ざひょう]

は、$x$座標が5、$y$座標が3。●**ざひょうじく**[座標軸]①《数》座標を決めるための標準となる、まじわった二本の直線。②思想を形成したり、行動を起こしたりするときの出発点とする立場。

**さ・びる**[(△寂びる)]《自上一》①古めかしくて、おちついたおもむき〈がある/を持つようになる〉。②声の表面的なはなやかさが取れて、低くしぶみが出た感じになる。「さびた声」

**さ・びる**[(×錆びる)]《自上一》金属が水や空気に長くふれたために、色が茶色に変わって表面があらくなる。「包丁が—」

**さ・びる** 接尾〔自上一をつくる〕〔文〕ふさわしくなる。それらしくなる。「おきな(翁)—・神—」

**さび・れる**[寂れる]《自下一》おとろえてゆく。「町が—・店が—」

**さぶ**[△三]遺 さん。「—六、十八・—〔↑さぶろう〕ちゃん」

**サブ**〔sub〕①副。補助。「—にはいる(=補助する役につく)・—キャプテン・—グラウンド・—ザック・—リーダー」②補欠。③下位。「—グループ・—システム・—テーマ」

**サファイア**〔sapphire〕《鉱》青色ですきとおったきれいな鋼玉。青玉。指輪などアクセサリー用。九月の誕生石。

**サファリ**〔スワヒリ safari〕①アフリカの、狩りのための旅行。「—コート」②↑サファリ パーク。「ナイト—」●**サファリパーク**〔safari park〕ライオン・ゾウなどの野生動物を放し飼いにして見物させる動物園。サファリ。●**サファリルック**〔safari look〕《服》「サファリ①」に出かけることを想像させるような、目立たない色の軽快な服装。

**さぶ・い**[(△寒い)]《形》〔西日本方言〕寒い。「めっちゃ—・—ギャグ」

**さぶいぼ**[(△寒×疣)]〔西日本方言〕鳥はだ。「—が立った」

**サブカル** ↑サブ カルチャー。

☆☆**サブカルチャー**〔subculture〕〔一つの文化の中で〕正統な文化に対する、うらの文化。大衆文化。サブカルチュア。サブカル。

**サブコン**〔↑subcontractor〕ゼネコンの仕事を下請けする建設会社。「—大手」

**ざぶざぶ**《副》水がかきまぜられたり、波立ったりする〈音/ようす〉。「—(と)洗う」

**サブスク**〔↑サブスクリプション〕有料の使い放題サービス。例、ある期間中は電子書籍をいくらでも読めるなど。

**サブスクリプション**〔subscription〕⇩サブスク。

**サブタイトル**〔subtitle〕作品のタイトルにそえて、内容をよりくわしくするタイトル。副題。サブ タイ〔俗〕。(↔メイン タイトル)

**ざぶとん** 一[座布団]たたみなどに敷いてすわる(正方形の)ふとん。「—を〈あてる/敷く〉・〔うまいことを言った人に〕—一枚!〔テレビ番組『笑点』で、うまく答えた人にざぶとんをあたえたことから〕」二[ザブトン]牛の肩ロースの中でも あぶらの多い、やわらかい部分。はねした。「—でローストビーフを作る」

**サブノート**〔和製 sub+note〕〔内容整理のための〕補助ノート。

**サブマリン**〔submarine〕潜水艦。

**サプライ**〔supply〕供給。「—サイド〔=資源や製品、サービスを供給するがわ〕」(↔デマンド)●**サプライチェーン**〔supply chain〕〔製造業で〕原料の調達から製品の販売までの ひと続きの流れ。供給網。「—を確立する」

☆☆**サプライズ**〔surprise〕一 おどろくべきこと。意外なこと。「—にとぼしい・—人事」二《名・自他サ》相手が喜ぶことをして おどろかせること。また、おどろくこと。「誕生日の—」

**サプライヤー**〔supplier〕原料・商品を供給する〈人/国〉。売り手。(↔バイヤー)

**サフラワー**〔safflower〕⇩べにばな。

**サフラン**〔オ saffraan〕小形の西洋草花。秋、むらさき色の花がさく。めしべは赤く かおりがあり、水に とかすと黄色くなる。パエリアなどの料理や薬などに使う。「—ライス」☞クロッカス。

**ざぶり**《副》①水を勢いよく かけたり あびたりする音。②水が勢いよく打ちよせる音。ざぶん。「波が—と岩を洗う」

**サブリミナル**《名・ダナ》〔subliminal〕映像・音などを、それとなく見せたり聞かせたりして、人の潜在意識に影響をあたえる〈こと/ようす〉。「—の手法・—な効果をねらう」

☆☆**サプリメント**〔supplement=補遺。付録〕ビタミン類・カルシウム・アミノ酸などの栄養成分を〈錠剤/カプセル〉タイプや飲料にした食品。栄養補助食品。健康補助食品。サプリ。

**サブレ(ー)**〔フ sablé〕バターを多くふくんだ さくさくした食感のクッキー。

**さぶん**[差分]①修正前後の二つの文書などで、ちがっている部分。「データの—」②《数》ⓐ関数のとる値の差。ⓑ数列でとなり合う項の差。階差。

**ざぶん**《副》①勢いよく水に飛びこむ音。「プールに—と飛びこむ」☞ざんぶと。②⇩ざぶり②。

**さべつ**[差別]《名・他サ》①偏見や不当な基準などをもとに、特定の人に対して不利益・不平等なあつかいをすること。「人種—・—待遇・—語」②ある基準に もとづいて、(差をつけて)区別すること。「—なくあつかう」●**さべつか**[差別化]《名・他サ》他とのちがいを明確にすること。「製品の—をはかる」

**さへん**[左辺]①《数》〈等号/不等号〉でつながれた数式の、左がわの部分。②《碁・将棋》碁盤・将棋盤の中央の部分のすぐ左がわに続く部分。▽(↔右辺)

**さへん**[サ変]《言》↑サ行変格活用。

**サボ**〔フ sabot〕①ヨーロッパの木ぐつ。②前半分を、革などで ふっくらと丸く おおったサンダル。サボ サンダル。〔「サボ①」に形が似る〕

**サボ** ↑サボタージュ①②。

**さほう**[左方]〔文〕ひだりの ほう。(↔右方)

**さほう**[作法]①〈礼儀/伝統/道理〉にかなったやり方。「食事の—・礼儀—・恋愛の—」②⇩さくほう(作法)。

**さぼう**[砂防]土や砂が くずれたり飛んだりするのを防ぐこと。「—(用の)ダム・—林」☞防砂。

**さぼう**[茶房]〔文〕紅茶・コーヒーなどを飲ませる店。喫茶店。〔店の名前につけても使う〕

☆☆**サポーター**〔supporter〕一 サポーター《スポーツなど》

関節などを守る、のび縮みする包帯や下着。二**サポーター**」支援者。特に、プロサッカーの応援者。サポ〔俗〕。

☆☆**サポート**《名・他サ》〔support〕①支援すること。「前進を―する・―隊」②メーカーが使用者に対して、情報提供や保守のサービスをおこなうこと。「ユーザー―」●**サポートこう**〔サポート校〕不登校や高校中退などで通信制高校にはいった生徒が卒業できるように支援する教育施設。●**サポートセンター**〔support center〕客からの問い合わせに答えたり、苦情を聞いたりする部署。サポセン。●**サポートハウス**〔和製 support house〕長期入院の子どもなどにつきそう家族のための宿泊施設。ファミリーハウス。

**サボタージュ**《名・自サ》〔フ sabotage〕①労働者が要求を通す手段として、仕事の能率を下げて使用者に損害をあたえること。怠業。②しなければならないことをわざと のろのろやること。▽サボ。③〔スパイなどの〕破壊活動。破壊工作。

**サボテン** 砂漠などに多い植物。しゃもじの頭の部分やバットなどに似た形のものなど種類が多く、とげのあるものが多い。シャボテン〔古風〕。「―の花」表記「:仙人掌」「:覇王樹」とも書いた。

**さほど**《副》〔=然程〕〔ふつう、後ろに否定が来る〕それほど。「―大きくない・―のおこころざしならば…〔古風〕」表記「:左=程」とも書いた。

**サボ・る**《自他五》〔「さぼる」とも書く〕〔俗〕①サボタージュをする。②なまける。「学校を―〔=授業に出ない〕・最近サボっている」名サボり。

**ザボン**〔(:朱欒)・ざぼん〕〔ポ zamboa〕かんきつ類でいちばん大きいくだもの。実はうすむらさき色。ボンタン。文旦。

**さま**〔^△狭間〕城壁に作ってそこから矢やたまを放つ穴。はざま。「鉄砲―」

**さま〔(様)〕 一さま ありさま。ようす。「けむりのたなびく―が見えた」 二 接尾 ①〔人をあらわすことばなどのあとにつけて〕「さん」より高い敬意をあらわすことば。「あちら―・お客―・皆々―・母上―〔古風〕・〔報道で、天皇以外の皇族を呼ぶ場合に〕皇后―・〔他社を指して〕〇〇証券―」〔地位が高いことを強調したり、皮肉に言ったりすることもある。「あいつも今では社長―だ」〕

⌐(1)「高橋様」のように人名にそえるのは、ふつうは、手紙のあて名や、接客での呼びかけなどに限られる。接客でも、「高橋様のお車」より、単に「お車」と呼び名をさけるほうが自然。 (2)「社長・部長」など役職名には「様」をつけない。会話では「社長」「(社長の)白田さん」と呼び、あて名では「白田直子様」のようにするといい。☞殿・御中。

②神・仏など、人間をこえた存在に対し、敬意や親しみをあらわすことば。「金毘羅―・八幡―・おいなり―・かみなり―・お星―」③…の方。…の皆様。「会員―限定・〈学生/女性〉―〔不自然な言い方〕」〔二十一世紀になって、病院で「患者さん」にもどす動きもある〕④相手のものであることをあらわす。「お名前―」〔ていねいすぎる言い方〕⑤〔ふだ・テーブルなどが〕その番号である客を呼ぶのに使う。「七番―」〔失礼な言い方。ふつうは、「七番のふだをお持ちの方」のように言う〕⑥〔俗〕すごく好きな役者などの名前にそえることば。「海老―〔=市川海老蔵〕」⑦〔〈お/ご〉…―〕ていねいに言う気持ちをあらわすことば。「おつかれ―・ご苦労―・ご愁傷―・ようこその おはこび―で」表記 二は、改まった場合は漢字、親しみをあらわす場合は かな書きにする傾向がある。●**さまになる** 句 かっこうがつく。「スーツを着ると―・まるでさまにならない」

**ざま** 一 ざま〔「ザマ」とも書く〕〔俗〕〔よくない〕ようす。かっこう。「その―は なんだ・―(を)見ろ〔⇩ざまあ見ろ〕・―(は)ねえな!〔=かっこ悪いな〕」由来「様」から。濁音化して、よくない意味を強調した。 二 ざま〔(様)〕 接尾 ①方向。むき。「うしろ―にたおれる」②…と同時(に)。「かけより―(に)切りつけた」③ありさま。ようす。「たくましい生き―・戦い―」

**サマー** 造〔summer〕夏。サンマー〔古風〕。「―コート・―ギフト」●**サマーウール**〔summer wool〕夏服用の、うすく織ったウール。●**サマースクール**〔summer school〕夏期学校。夏期講習会。●**サマータイム**〔summer time〕夏時間。

**ざまあみろ**〔ざまあ見ろ〕《感》〔↑ざま(を)見ろ〕〔俗〕〈相手/敵〉が不幸・不利になったり、自分が成功したりしたときに言う、にくまれ口。ざまあみやがれ。ざまみろ。ざまあ。

**さまかた**〔様方〕接尾《手紙》〔あて名で〕同居または下宿している相手の家の名にそえることば。「鈴木―山田洋一様」

**さまがわり**〔様変わり〕《名・自サ》様子が以前とすっかり変わること。「沿線のながめが―した・意識の―」

**さまさま**〔(様々)〕接尾〔人やものごとに対して〕感謝の気持ちを、大げさに言うことば。「デジタル技術―だ・暑さ―」

**さまざま**〔(様々)〕《名・ダナ・副》いろいろ。「種々―〈な/の〉デザイン・うき世の―をえがく・―くふうする」

**さま・す**〔冷ます〕《他五》①熱くない状態にする。「湯を―」②気持ちや興味の高まりをしずめる。「興を―」〔☞醒ます〕

**さま・す**〔覚ます〕《他五》〔ねむりなどから〕さめるようにする。「目を―」

**さま・す**〔(^△醒ます)〕《他五》〔酒の酔い・いい気持ちなどを〕なくす。「興を―〔『冷ます』とも〕」

**ざま・す**《助動マス型》〔古風・女〕⇩ざあます。「私、だめなん―・そう(で)―」

**さまた・げる**〔妨げる〕《他下一》①じゃまをする。「交通を―」②〔…を妨げない〕…であってもかまわない。「重任を妨げない」名妨げ。「通行の―となる」

**さまつ**〔(×瑣末)・(×些末)〕《名・ダナ》こまごましていて、大切でないようす。「―な事務」派-さ。

**さまで**《副》〔=然まで〕〔文〕それほど(まで)。「―興味をしめさなかった」

**さまよ・う**〔さ(迷う)・(:彷徨う)〕《自他五》①あてもなく歩き回る。「荒野〈を/に〉―・さまよえる人々」②ある所に とどまらずに、移り動く。「生死のさかいを―」名さまよい。

**サマリー**〔summary〕要約。概要。

**さみし・い**〔(^△寂しい)・(×淋しい)〕《形》「さびしい」のやわらかい言い方。さむしい〔古風〕。派-がる。-げ。-さ。

さ

**さみせん**［▵三味線］《音》⇩しゃみせん。

**さみだれ**［五月雨］①つゆどき(=旧暦(きゅうれき)五月)に降る雨。②少しずつ何回にも分けてすること。「—式・—値上げ」動 五月雨れる《自下一》。

☆☆**サミット**〔summit=頂上〕①主要国首脳会議。毎年、欧米(おうべい)や日本などの首脳が参加しておこなう。「東京—」②〔各国や各団体の〕トップ会談。頂上会談。「地球(環境(かんきょう))—(=国連環境開発会議)」

**さみどり**［さ緑］〔雅〕若草の みどりいろ。「—かおる」

**さむ**［作務］《仏》〔禅宗(ぜんしゅう)で〕そうじなどの作業をすること。

＊**さむ・い**［寒い］《形》①まわりの空気が、からだ全体に冷たく感じられ(て、がまんできなくな)る状態だ。「—冬の朝・背中が—」(↔暑い・暖かい) ②お金が少ない。「ふところが—」(↔暖かい) ③さびしい。「心が—」④〔俗〕気持ちがさめるほど つまらない。「—ギャグ」派 -がる。-げ。☞お寒い。

**さむえ**［作務▵衣］《服》僧(そう)が作務のとき着る、柔道着(じゅうどうぎ)に似た作業着。

**さむがり**［寒がり］《名・ナダ》ふつうの人よりも、よけい寒さを感じる〈性質／人〉。(↔暑がり)

**サムギョプサル**〔朝鮮 samgyeopsal=三層肉〕ブタのばら肉(をうす切りにして焼いた料理)。サムギョッサル。サンギョプサル。サンギョッサル。

**さむけ**［寒(気)］(熱が出るさいに)からだがふるえて寒く感じる状態。悪寒(おかん)。「—がする」☞かんき(寒気)。

●**さむけだ・つ**［寒(気)立つ］《自五》①急に寒けを感じる。②恐(おそ)ろしく感じる。ぞっとする。

**サムゲタン**［(:参鶏湯)］〔朝鮮 samgyetang〕ひな鳥の腹に、もち米・チョウセンニンジン・ナツメ・クリ・ニンニクなどをつめて煮(に)た料理。

**さむさ**［寒さ］①寒い〈こと／程度〉。「—知らずのハワイ」②冬の寒い季節。「—に向かう」▽(↔暑さ)

**さむざむ**［寒々］《副・自サ》①いかにも寒く感じるようす。「—とした冬の夜空」②殺風景なようす。みすぼらしいようす。「家具一つない—(と)した部屋」③うるおいが感じられず、気持ちがしずむ感じ。「—とした家庭」●**さむざむし・い**［寒々しい］《形》寒々とした〈ようす／気持ち〉だ。「—冬空・—気分になる」派 -さ。

**サムシング**〔something〕あるもの。何か。「—がプラスされて完璧(かんぺき)になる・—ブルー」

**さむぞら**［寒空］冬の寒い天候。

**サムネイル**〔thumbnail=親指のつめ〕《情》コンピューターの画面上に、データやページ内容の見本として表示する画像。元の画像(または動画の一場面)を縮小したもので、クリックすると、そのデータやページが開く。サムネール。サムネ〔俗〕。

**さむらい**［侍(さむらひ)］一〔侍〕①武士。もののふ。②気骨(きこつ)のある人物。ものに動じない人物。武士。「なかなかの—だ」二［サムライ］日本(人)の代表格としての言い方。「—債(さい)」

**さめ**［(×鮫)］アオザメ・ホオジロザメなど、海にすむ さかな。口は横に裂(さ)け、皮は ざらざらしている。食用。人をおそう大形のものをフカとも言う。

**さめざめ**《副》なみだを流して静かに泣くようす。

**ざめつ**［挫滅］《名・自サ》《医》外からの衝撃(しょうげき)で、筋肉や内臓などが つぶれること。「脳—」

**さめはだ**［(×鮫)肌］〔サメの皮のように〕はだが かさかさにかわいて、ざらざらした状態。

**さめやらぬ**［冷めやらぬ・覚めやらぬ・▵醒めやらぬ］《連体》〔文〕まだ完全には さめない。「興奮冷めやらぬ おもち・悪夢から覚めやらぬ状態」

⇔**さ・める**［冷める］《自下一》①〔熱いものが〕熱い状態でなくなる。「お茶が—」②高まった気持ちや興味が、なくなる。「ゴルフ熱が—・興が—」(☞醒(さ)める)」③〔**冷めた・冷めている**〕冷静である。感情をぬきにする。「冷めた見方」

⇔**さ・める**［覚める］《自下一》〔ねむり・迷いなどからもどって〕心が はっきり はたらく状態になる。「目が—・麻酔(ます)から—・夢ならば覚めないでほしい」

⇒**さ・める**［▵醒める］《自下一》〔酒の酔(よ)い・いい気持ちなどが〕消える。ふだんの状態になる。「酒が—・興が—〔『冷める』とも〕・さめた目で見る」名 さめ。「酒の—がよい」

**さ・める**［(×褪める)］《自下一》日光にあたったり、長い時間がたったりして、あざやかな色がうすくなる。白っぽくなる。「洗ってもさめない色・日焼けの色が—」

**ざめん**［座面］〔いすの〕しりを当てるところ。

**さも**《副》(=然(さ)も)①〔文〕そのようにも。「—あろう(=そういうこともあるだろう。なるほど そうだろう)」②いかにも。「—おもしろそうに笑う」

●**さもありなん** 句〔文〕それならそれでしかたがない。どうであろうとも。まま よ。

●**さもあらばあれ** 句〔文〕なるほど、そうだろう。もっともだ。さもあらん。「この作品が受賞したのは—と思う」

**サモサ**〔samosa〕インド式の揚(あ)げギョーザ。カレー味のジャガイモなどが はいっている。

**さもし・い**《形》ものほしそうなようすだ。いやしい。「—根性(こんじょう)」派 -げ。-さ。

**ざもち**［座持ち］《名・自サ》その場の いい ふんいきをたもつため、話をつないだり、芸を見せたりすること。座を持つこと。「—が〈うまい／いい〉人・かれは—する(=うまく座を持つ)」

**ざもと**［座元］①興行の主催(しゅさい)者。②興行場の持ち主。

**さも-な・い**《形》(=然(さ)も無い)何ということもない。たいしたことはない。「ぺんぺん草は—雑草だが」●**さも-ないと**《接》そうでないと。さもなければ。「急げ。—間にあわないぞ」

**さも-なければ**《接》(=然(さ)も無ければ)そうでなければ。さもなくば〔文〕。「退くか、—進むしかない」

**サモワール**〔ロ samovar〕ロシアふうの湯わかし器。金属で作り、まるくて大きい。

［サモワール］

**さもん**［査問］《名・他サ》調べて質問すること。「—委員会」

**さや**［(×莢)］①〔マメ類の植物で〕中に たねを包み持つ部分。②←さやえんどう。「きぬ—」

**さや**［(×鞘)］①刀身を入れる筒(つつ)。「刀の—」②筆の穂(ほ)を入れる筒。③《経》価格や利率の〈ちがい／差額〉。「—を取る(=差額をもうける)・—取引」●**さやを払(はら)う** 句 刀などをさやからぬく。「やりの—」

**さやあて**［(×鞘)当て］《名・自サ》①行きちがった武

士が、おたがいに刀のこじりの打ち当たったのをとがめること。②好きな人を取りあって、二人で争うこと。「恋(こい)の―」

**さやいんげん**[×莢隠元] さやのまま食べられる、インゲンマメ。どじょういんげん。「―のごまあえ・―の肉巻き」

**さやえんどう**[×莢×豌豆] さやのまま食べられる、エンドウマメ。さやまめ。さや。「―のたまごとじ」

**さやか**[▵清か]《ダ》〔雅〕①明るくてはっきりとしているようす。「―な月かげ」②音がすんで聞こえるようす。「―な笛の音(ね)」派―さ。

**さや・ぐ**《自五》〔雅〕ざわざわと音がする。「五月の風にケヤキはさやいでいる」名さやぎ。

**ざやく**[座薬・×坐薬]《医》肛門(こうもん)などにさしこむくすり。さしこみぐすり。座剤(ざざい)。

**さやけさ**[▵清けさ]〔雅〕さやかであること。「秋の月の―」

**さやさや**《副》葉などがふれあって、軽く音を出すようす。「―とふれあうこずえ」

**さやどう**[×鞘堂] 建物を風や雨から守るため、外がわをおおうように建てた堂。

**さやばし・る**[×鞘走る]《自五》①刀の中身がさやからぬけ出る。②出すぎたことをする。名さや走り。

**さやばらい**[×鞘払い]―ばらひ〔刀を〕さやからぬくこと。「すらりと―をする」

**さやまめ**[×莢豆] さやえんどう。

**さゆ**[▵白湯] 味をつけたり、ほかのものを入れたりしない、ただの湯。「『お茶ですか』『いや、―がほしい』」☞パイタン(白湯)。

**さゆう**[左右] ㊀①みぎとひだり。②〔文〕そば(にいる人)。「―をかえりみる」㊁《名・他サ》自由に動かすこと。支配すること。「運命を―する」

**ざゆう**[座右] ①〔文〕座席の右。②身辺。身近(みぢか)。「―にそなえる」▽ざう。●☆☆**ざゆうのめい**[座右の銘] 座右に置いて毎日のいましめとする格言。座右銘(ざゆうめい)。

**さゆり**[▵小▵百合]〔雅〕ゆり。

**さよ**[▵小夜]〔雅〕よ。よる。「―ふけて・―千鳥」

***さよう**[作用]《名・自サ》①あるものが、ほかのものに影響(えいきょう)をおよぼすこと。「重力の―・相互(そうご)―・薬の整腸(ちょう)―」②《生》生物が生きていくため、その組織の中でおこなわれること。「消化―・蒸散―」▽はたらき。●**さようてん**[作用点]《理》物体に対して力がはたらく点。(↔力点・支点)

**さよう**[(=然様(さよう))] ㊀《ダ》そのとおり。そのよう。(ていねいな言い方)「―でございます・―ですか(くだけて『さいですか』とも)」㊁《感》〔古風〕そうだ。しかり。(改まった言い方) 表記「:左=様」とも書いた。●**さようしからば**[▵然様▵然らば]・(:左=様▵然らば)〔接〕〔古風〕それならば。(武士が使ったかたくるしい言い方)「―ごめん」●**さようなら**[(=然様(さよう)なら)] ㊀《感》別れるときのあいさつ。さよなら。「―、またあした・みなさん、―」注意 人によって「もう会わない感じがする」「目上に使いにくい」などの理由から、「(親しく)じゃあね」「(改まって)失礼します」などを多く使うが、「さようなら」もていねいであり、ふつうに使える。由来「さようなら、ご機嫌(きげん)よう(=それならば失礼しますので、お元気で)」などの後半が略されたもの。江戸(えど)時代からある。㊁《名・自サ》⇩さよなら㊁。表記「:左=様なら」とも書いた。

**さよきょく**[▵小夜曲]《音》⇩セレナーデ。

☆☆**さよく**[左翼] ①左のつばさ。②隊(列)の左。左の(ほうに位置する)部隊。③社会主義や共産主義、急進主義の団体。また、その主義の人。④《野球》外野の、三塁(るい)がわのほう(を守る人)。左翼手。レフト。▽(↔右翼)

**ざよく**[座浴・×坐浴]《名・自サ》腰湯(こしゆ)。

**さよしぐれ**[▵小夜時雨]〔雅〕夜に降るしぐれ。

**さよなきどり**[▵小夜鳴鳥] ⇩ナイチンゲール。

**さよなら** ㊀《感》〔話〕⇩さようなら㊀。「―、またあした」㊁《名・自サ》〔「サヨナラ」とも書く〕別れる(こと)。さようなら。「恋人(こいびと)と―した・この世に―する・―を言う・―公演(=最後の公演)・―セール」㊂[サヨナラ]《野球》最終回のうらで勝ち越(こ)し点が入り、試合が終わりになること。「―のチャンス・―勝ち・―ホームラン」

**さより**[(:細魚)・(:針魚)] 海にすむ、細長い小形のさかな。下あごが長く、腹は銀白色。すしねたに使う。

**さら**[皿] ①食べ物をのせる、浅くて平たい器(うつわ)。②「皿①」にもって出す料理。③全体が平たくて「皿①」の形のもの。「はかりの―・ひざの―(⇩ひざざら)・お―(=CDやレコードなど)」

**さら**[更]・(▵新)〔関西・四国方言〕〔俗〕新しい(こと/もの)。「―の帽子(ぼうし)」☞まっさら。

**さら**[(×娑羅)・(沙羅)]〔梵語(ぼんご) sāla の音訳〕インド原産の常緑高木。夏、うす黄色の小花をたくさんつける。さらじゅ(娑羅樹)。さらの木。しゃら(の木)。☞さらそうじゅ・しゃらのき。

**サラ**《造》〔俗〕①↑サラリー。「安(やす)―」②↑サラリーマン。「脱(だつ)―」

**ざら**《ダ》〔「ザラ」とも書く〕〔俗〕いくらもあるようす。めずらしくないようす。「―にある話」

**さらあらい**[皿洗い]―あらひ 食事に使った皿などを洗う(こと/仕事をする人)。

**さらい**[再来]〔漢〕次の次。翌々。「―期」(俗に、その次を「再々(さいさい)来」と言う。「再々来週」)●**さらいげつ**[再来月] 来月の次の月。翌々月。●**さらいしゅう**[再来週] 来週の次の週。翌々週。●**さらいねん**[再来年] 来年の次の年。明後年(みょうごねん)。翌々年。

↑**さら・う**[(×浚う)・(×渫う)]さらふ《他五》①(水の底に)たまっている土砂(どしゃ)などをすっかり取る。②(底にあるものを)全部取る。「かまの底を―」▽〔西日本で〕さらえる。名さらい。「どぶ―」

↑**さら・う**[×攫う]さらふ《他五》①(ゆだんにつけこんで)急にうばい去る。「さらってにげる・波に足をさらわれる(=急に足を取られる)」②(みんながねらっているものを)自分のものにする。「優勝を―」

**さら・う**[(:復習う)]さらふ《他五》くり返して習う。復習する。〔西日本で〕さらえる。☞おさらい。

**さらうどん**[皿×饂×飩] ①〔長崎で〕中華(ちゅうか)めんをあげて(いためて)、具のはいったあんをかけたもの。細めんと太めんがある。☞かた焼きそば。②〔福岡で〕太い中華めんを、具といためた、焼きそばのような料理。

**サラウンド**[surround=取り巻く] 周囲のいくつものスピーカーから音を出す仕組み。「―システム」

**ざらがみ**【ざら紙】表面がざらざらした、やすでの西洋紙。わら半紙。ざら。

**サラきん**【サラ金】〔←サラリーマン金融(きんゆう)〕《俗》⇩消費者金融。

**さらけだ・す**【さらけ出す】《他五》〔中のものを出して、いいものも悪いものも〕すっかり見せる。「内情を―」

**さら・ける** 一《他下一》さらけだす。二《自下一》さらしたように白くなる。

**さらさら**【〈更〉々】《副》〔後ろに否定が来る〕少しも。決して。万々(ばんばん)。

**サラサ**【〈更紗〉・さらさ】〔ポ saraça〕人物・花鳥などの連続模様をいろいろの色で織りこみ、または型染めした〈綿布〉(綿布(めんぷ))。「―染め・ジャワ―」

**さらさら**《副・自サ》①川の水が浅い所を流れる〈音〉ようす。「小川が―(と)流れる」②軽くよどみないようす。「―とペンを走らせる・お茶づけ―」③しめりけやねばりけのないようす。「―した かみの毛・―した砂」

**ざらざら**《副・自サ》①表面に細かい でこぼこがあったり、砂などがついたりしているのが、さわると感じられるようす。「―した紙・たたみが―だ」(↔つるつる・すべすべ)②多数の粒(つぶ)状の物が こぼれたりするときに立てる音。「豆が―(と)こぼれる」

**さらし**【×晒し】①さらして白くした〈麻布(あさぬの)〉(もめん)。「腹に―を巻く」②水に さらすこと。「玉ねぎの―が足りない」③【×曝し】江戸(えど)時代、罪人を外に しばりつけて人々に見せた刑罰(けいばつ)。●**さらしあめ**【×晒し×飴】麦のもやしで作った白い あめ。●**さらしあん**【×晒し×餡】なまの あんを、干して粉にしたもの。ほしあん。●**さらしくじら**【×晒し鯨】クジラの尾(お)びれの あぶら肉をさらした食べ物。白くてやわらかい。おば(い)け。●**さらしくび**【×晒し首・×曝し首】江戸(えど)時代、罪人の首を牢獄(ろうごく)の門や刑場(けいじょう)のそばの台の上にさらして人々に見せたこと。また、そういうふうにした首。●**さらしこ**【×晒し粉】《理》消石灰(しょうせっかい)に塩素を吸収させて作る白い粉。漂白(ひょうはく)したり、細菌(さいきん)を殺したりするのに使う。カルキ。●**さらしもの**【×晒し者・×曝し者】①「さらし③」の刑(けい)にされた罪人。②大ぜいの人の前で、はじをかかされる人。●**さらしもめん**【×晒し木綿】さらして白くしたもめん。さらし。

**さらしな**【更△科・更△級】〔=長野県の地名。そばの名産地〕①ソバの実の中心部をひいた粉(=さらしな粉)を使った白いそば。さらしなそば。②「さらしな①」を出すそば店の屋号。☞砂場③。

**さら・す**【×晒す】《他五》一【×曝す】①〔光・気体などに〕じかにあてる。「日に―・風雨に―」②おおいかくすものがない状態に置く。「人目に―・死体を戦場に―」③あぶない状態に置く。「生命を危険に―」④さらけ出す。みんなに見せる。「自分の はじを―・はだを人目に―」⑤さらしものにする。みんなに見せて、侮辱(ぶじょく)する。「罪人の首を―・人の写真を掲示(けいじ)板に―」二①〔布を〕漂白(ひょうはく)するため、水洗いしたり、日に当てたりする。「布を川に―」②あくや からみをぬくため、水につける。「野菜を水に―」

**さら・す**〔関西などで、ののしることば〕《俗》一**さらす**《他五》する。「何を―」二**さらす**《補動五》…やがる。「とっとと消えさらせ」

**さらそうじゅ**【×娑羅双樹・沙羅双樹】《仏》釈迦(しゃか)が死ぬときに、四方に生えていたサラ(娑羅)。東西、南北の木がそれぞれつながり、合わせて二本の木(=双樹)が病床(びょうしょう)をおおっていたという。しゃらそうじゅ。

**サラダ**〔salad〕①なまの野菜を主に取り合わせた洋風料理。サラド。「―ドレッシング・ハム―・ポテト―・チョレギ―(=ごま油やニンニクなどを入れたサラダ)」②←サラダオイル。「―味のスナック」●**サラダオイル**〔salad oil〕澄(す)んだ色の植物性あぶら。サラダ油(ゆ・あぶら)。●**サラダチキン**〔和製 salad chicken〕ゆでたりして味つけした、とりの胸肉。カロリーが低い。●**サラダな**【サラダ菜】サラダに使う野菜。葉は緑色のしゃもじ形で、やわらかい。ちしゃ(萵苣)。「サンドイッチに―を入れる」●**サラダバー**〔salad bar〕〔飲食店で〕サラダの取りほうだい(を用意したコーナー)。●**サラダボウル**〔salad bowl〕サラダをまぜあわせる、底がまるくてすぼまった形の入れもの。

**さらち**【更地・△新地】建物などが建っていない土地。

**ざらつ・く**《自五》①ざらざらする。「ゆかが砂で―・画面が―(=砂のようなものが見える)」②砂でも はいったような、いやな感じがある。「心が―」名ざらつき。

**さらっと**《副・自サ》①さわった感じが軽くて、ねばったり、くっついたりしないようす。「―した着ごこち」②あっさりして深入りしないようす。「―言ってのける」③正面から立ち向かわないようす。「―かわす」④思い切りがよくさっぱりしているようす。「過去を―すてる」▽さらりと。

**ざらっと**《副・自サ》①ざらざらした感じ。「―した手ざわりのカーテン」②違和(いわ)感があるようす。「―したいやな読後感」③《俗》ざっと。「―調べる」▽ざらりと。

**さらでだに**《副》〔=然(さ)らでだに〕《文》そうでなくてさえ。さらぬだに。

**さらなる**【更なる】《連体》いっそうの。もう一つの。「―発展を期待する」

**さらに**【更に】一《副》①あらためて。もう一度。「―すすめる」②前からある状態に、新しく加わるようす。もっと。いっそう。「雨が―はげしく降る」③〔後ろに否定が来る〕《文》いっこう。少しも。さらさら。「帰るようすが―ない」二《接》そのうえに。●**さらには**【更には】《接》「さらに二」を強めた言い方。

**さらば**〔=然(さ)らば〕一《接》《文》それなら。しからば。二《感》《古風》別れるときの あいさつ。「―友よ・―青春」☞おさらば。

**さらばかり**【皿ばかり】【皿×秤】物をのせる皿のある、計量器。上皿(うわざら)ばかり。

**サラバンド**〔フ sarabande〕《音》古典組曲の一部としての、三拍子のゆっくりしたダンス曲。

**サラファン**〔ロ sarafan〕ロシアの女性用民族衣装(いしょう)。長そでのブラウスの上に着る、肩(かた)ひものついた、足首にかけてゆるやかに広がった形のドレス。「赤い―」☞ルバシカ。

［サラファン］

**サラブレッド**〔thoroughbred=純血種の(馬)〕①イギリス産の馬にアラビア系の馬を交配した、すぐれた競

さ

馬の馬。②家柄のいい〈人/もの〉のたとえ。「業界の―」▽サラブレット。

**さらまわし**［皿回し］皿を棒などの先にのせて回す曲芸(をする人)。

**サラミ**〔イ salami〕乾燥させて作った、かたいソーセージ。ピザやサラダに使う。

**ざらめ**［(△粗目)・(△双目)］あらいつぶの形をした(茶色の)砂糖。ざら糖。「―雪〔=ざらざらの雪。雪の一部がとけて、またこおったもの〕」

**さらゆ**［(更)湯・(△新)湯］わかしたままで、まだだれもはいっていないふろの湯。あらゆ。

**サラリー**〔salary〕給料。月給。俸給。●**サラリーマン**〔和製 salary man〕会社などにつとめて、月給をもらっている(男の)人。月給取り。給料生活者。つとめ人。リーマン〔俗〕。英語ではふつう office worker などと言い、特に日本のサラリーマンを指して salaryman と言う。☞ビジネスパーソン。

**さらりと**《副・自サ》⇩さらっと。

**ざり**◇〔文〕文語助動詞「ず」の連用形(で止めた形)。…ない。「知らーき〔=知らなかった〕・楽にならー」

**サリー**〔sari〕《服》インドなどで、女性が衣服として着る細長いきれ。あざやかな色のものが多く、胸・腰に巻きつけ、肩・頭からたらす。

**さりがて**［去り(△難)］〔雅〕立ち去りにくそう。「―に立ちつくす・―のようす」

**ざりがに**［(×蝲×蛄)］川にすむ、エビの一種。いちばん前の足ははさみのような形をしている。えびがに。例、アメリカザリガニ。

**さりげな・い**《形》〔=然り気無い〕①〔本心をかくして〕なんとも思っていないかのようだ。「―声で問う」②自然な感じだ。「―心づかい」▽さりげ〈も/の〉ない。派―さ。

**さりげに**《副》〔俗〕さりげなく。「―アピールする」〔一九九〇年代からのことば。「さりげな女らしさ」など連体詞の形や、「サングラスのさりげ使い」など名詞の形もある〕

**さりじょう**［去り状］〔文〕離縁状。

**サリチルさん**［サリチル酸］〔ド Salizyl〕《理》有機化合物の一種。無色の結晶体で、鎮痛剤などに使う。サルチル酸。

**さりとて**《接》〔=然りとて〕〔文〕そうだからと言って。かと言って。「―今さら助力もたのめない」

**さりとは**《接》〔=然りとは〕〔文〕そうとは。これはまあ。「―つらいね」

**サリドマイド**〔thalidomide〕《医》血液のがんなどの治療薬。昔は睡眠薬に使われ、一九六〇年代、生まれた子に奇形があらわれて問題化した。

**さりながら**《接》〔=然りながら〕〔文〕しかしながら。そうではあるが。「さほ―」

**さりゃく**［詐略］〔文〕人をだます計略。「―を用いる」

**さりょう**［茶寮］〔=茶室のある風流な建物〕①日本料理の店。②喫茶店。▽ちゃりょう。〔店の名前につけても使う〕

**サリン**〔sarin〕《理》有機リン化合物の一種。毒性の強い神経ガス。

**さる**［△申］①十二支の第九。ひつじ(未)の次。「―の年・―年」〔年のほか、月・日にも言う〕②昔の時刻の名。今の午後四時ごろに当たる。七つ。「―の刻」③昔の方角の名。西南西。

**さる**［猿］①ニホンザル・チンパンジーなど、人間によく似たけもの。あと足で立つこともでき、前足はものをにぎることができる。種類が多い。「―のノミ取り〔=サルが親しみをあらわすために相手にしてやる毛づくろい〕・―でも〔=俗に、おろかな者にも〕わかる」☞猿の尻笑い。②雨戸の桟に取りつけた、戸じまりの道具。③自在かぎを上げたとき、下におちないようにとめておく用具。●**猿も木から落ちる**句 その道にすぐれていても、失敗することがある。

**さ・る**《自下二》〔文〕…される。「内閣信任―」〔本来の文語は「せらる」〕

**さ・る**［去る］㊀《自他五》①〔今までいた場所を〕はなれてよそへ行く。「東京を―・走り―」②なくなる。うせる。「痛みが(からだを)―」㊁《他五》〔文〕①取り除く。「よごれを―・雑念を―」②離別する。「妻を―」③へだたる。「今を―〔=さかのぼる〕(こと)十年前・城を―六里余」㊂造 完全に…する。「否定し―・変化し―」可能㊀～㊂去れる。㊃《連体》過ぎ去った。「―十五日」〔↔来たる〕●**去る者は追わず**句 はなれていく者は、こちらにあきらめきれない気持ちがあっても追わない。●**去る者は日々に疎し**句 ①死んだ者はしだいに忘れさられる。②親しかった者でも、はなれるとしだいにつきあいが絶えてしまう。

**さる**《連体》〔=然る〕①〔文〕そのような。②ある。〔名前や事情をふせて言うときに使う〕「―代議士」☞さる者。

**ざる**［(×笊)・ザル］①細い針金や細く割った竹を編んで作った入れもの。洗ったあと水を切るときなどに使う。「竹―」②何かを防いだり、守ったりする役に立たないこと。「―法」③〔俗〕酒をいくら飲んでも平気な人。④↑ざるそば。「天―」⑤↑ざるご。

**ざる**◇〔文〕文語助動詞「ず」の連体形。…ない。「知られ―世界・いたら―なき〔=行かない所はない〕足跡・もてなしいたら―はなかった〔=いたれりつくせりだった〕」☞ざるべからず・ざるべけんや・ざるをえない。

**サルーン**〔saloon〕①⇩セダン。「スポーツ―」②⇩サロン〔フ salon〕①②。

**サルエル**〔フ sarouel〕《服》またを下げてゆったりさせ、すそをしぼったズボン。サルエル パンツ。〔特に子ども用で〕サルール。

**さるがく**［猿楽・△散楽・△申楽］能楽のもととなった演芸。

**さるぐつわ**［猿(×轡)］声を立てさせないために〈口にかませるもの/布などをかませて口をしばること〉。

**ざるご**［(×笊)碁］へたな碁。ざる。

**サルコウ**〔salchow=もと、人名〕《フィギュアスケート》六つのうち、難度が五番目のジャンプ。☞ジャンプ④。

**さることながら**《副》〔…〈も/は〉―〕〔文〕…はもちろんだが、それよりも。「値段も―品質がいい」

**サルコペニア**〔sarcopenia〕老化のため、筋力がおとろえる現象。☞フレイル。

**サルサ**〔salsa〕①《音》キューバ音楽をもとにアメリカで広まった、強烈なリズムをもつダンス音楽。②中南米の料理に使うソース。トマト・トウガラシ・タマネギなどの具がはいる。「タコスに―を入れる」

**さるしばい**［猿芝居］①サルを訓練して芝居のま

ねをさせる見せ物。②形だけを整えた、あさはかな計画。内容のないことがすぐ見ぬかれるような事の運び方。「国会は―をやめよ」

**さるすべり**【(:百日紅)】 庭に植える落葉樹の名。木の皮は なめらかで、夏、赤または白い花が長い間さく。百日紅。

**ざるそば**【(×笊:蕎麦)】 せいろにもって(のり《海苔》をふりかけて)出す そば。つけじるにつけて食べる。ざる。〔ざるに もったことから言う。うどんの場合は、ざるうどん〕「―一枚」☞もりそば①。

**サルタン**〔sultan〕⇩スルタン。

**さるぢえ**【猿知恵・猿×智×慧】 あさはかな知恵。こざかしい知恵。

**さるのこしかけ**【(猿の腰掛け)】 キノコの一種。かさが半円形で、木の幹に腰掛けのように水平にはえる。薬用・食用になるものもある。

**さるのしりわらい**【猿の尻笑い】 自分の欠点に気づかずに、他人の欠点をあざわらうことの たとえ。

**サルビア**〔salvia〕 ①葉を香辛料に使う、西洋種の植物。花は むらさき色。☞セージ。②西洋草花の一種。秋、まっかな花を穂の形にひらく。ひごろもそう。

**サルベージ**《名・他サ》〔salvage〕 ①海難の救助。②〔しずんだ船の〕引きあげ作業。③捨てられたものの回収。「消したファイルを―する」

**ざるべからず** 連〔文〕①…ないわけにはいかない。…べきだ。…しかない。「信ずる道を行か―・よくよく注意せ―だね」②…ないはずはない。…はずだ。「これ天職なら―〔=きっと天職だ〕」

**ざるべけんや** 連〔文〕…ないでいられようか。「あに〔=どうして〕書か―」

**ざるほう**【(×笊)法】 ぬけ道が多く、実際には あまり効果のない法律。

**さるまた**【(猿股)・(△申又)】〔古風〕腰から股のあたりだけをおおう、短い、男性用の下着。

**さるまね**【猿(:真似)】《名・他サ》①他人の動作のうわべだけをまねすること。〔けいべつして言う〕②サルが人の動作のまねをすること。

**さるまわし**【猿回し】 サルに芸をさせて人に見せ、お金をもらう職業(の人)。さるひき。

**ざるみみ**【(×笊)耳】〔ざるの目から水がもれるように聞いてもすぐ忘れてしまう〈こと/人〉。かごみみ。(↔ふくろ耳)

**サルモネラきん**【サルモネラ菌】〔salmonella=人名 Salmon から〕《医》桿菌の一種。腸チフス・パラチフスや食物中毒の原因となる多くの病原菌をふくむ。

**さるもの**【さる者】〔=然る者〕〔文〕それなりに強い者。負けてはいない者。「相手も―だ」☞敵もさる者〔「敵」の句〕。

☆☆**ざるをえない**【ざるを(得ない)】《助動形ヌ型》〔文〕…ないわけには いかない。「読ま―・中断せ―」

**ざれうた**【(△戯れ)歌】 おもしろおかしい内容の〈和歌/歌謡〉。

**されき**【砂×礫】《地》砂と小石。しゃれき。「河原の―」

**されこうべ**【(:髑髏)】〔=曝され首〕 どくろ。しゃれこうべ。

**ざれごと**【(△戯れ)言】〔文〕じょうだん(に言うことば)。「酒場の―」

**されたい** 連〔文〕してください。されたし。「三〇ページを参照―」✎改まった言い方。話しことばで使うと、いばった感じになる。☞たい《助動》②。

**されど**《接》〔=然れど〕〔文〕しかし。だが。

**されば** 〔=然れば〕 ━《接》①〔文〕そうであるから。だから。「情勢は好転せず。―、断念もやむなし」②〔古風〕そうすれば。「味方が増える。―、士気も上がる」③〔=さらば〕〔古風〕そうであるなら。では。「―、申し上げまする」 ━《感》〔文〕答えるときのことば。そのことですが。「―でござる・―さ」 ●**さればこそ**《接》〔文〕それだからこそ。「人がらを信じた。―、かねも貸した」〔古くは「思ったとおり。やっぱり」の意味〕 ●**さればとて**《接》〔文〕かと言って。さればと言って。「給料では買えない。―、借金もできない」

**さ・れる**【(×晒れる)】《自下一》 さらした状態になって、色が白くなる。

**される** 連 ①動詞「する」などの未然形に助動詞「れる」がついたもの。「ひどいあつかいを―〔=受ける〕・美容効果があると―〔☞とする━〕・先生が退職―〔=ご退職になる。『ご退職される』は きらう人もいる。☞御②〕」✎⇩れる④。②〔助動詞「す」の未然形＋助動詞「れる」〕 使役を受けることをあらわす。「書か―・一日じゅう働か―」✎助動詞「せる」を使った「書かせられる・働かせられる」よりも ふつう。

**ざ・れる**【(△戯れる)】《自下一》〔文〕ふざける。

**サロペット**〔フ salopette〕《服》胸当てと肩ひものついた、作業着(ふう)の〈ズボン/スカート〉。

**サロン**〔フ salon〕 ①広間。社交室。「ティー―〔=喫茶室〕」②酒場。▽サルーン。③美容をおこなう店。「ネイル―・ヘアー―」④美術展覧会。「フォト―」

**サロン**〔マレー sarong〕〔ジャワ人・マレー人、そのほかイスラム教徒の使う〕スカートふうのきれ。 ●**サロンエプロン**〔和製 マレー sarong＋apron〕 客間用のエプロン。装飾がしてあって、たけは短く、腰から下に着ける。サロン前かけ。

**さわ**【沢】 ①低くて草の はえている湿地。②小さな谷川。③頂上からふもとへ いくすじものびる「尾根②」の間の、細長い谷。(↔尾根)

**サワー**〔sour=すっぱい〕 ①ウイスキー・ジンなどにレモンジュースなどを加えた、酸味のあるカクテル。「ブランデー―」②果汁や炭酸水などを加えた酎ハイ。〔関東でよく使う言い方〕「レモン―〔略して『レサワ』〕」☞ハイ造。 ●**サワークリーム**〔sour cream〕 乳酸菌で発酵させた生クリーム。酸味があり、洋風煮こみ料理やサラダドレッシングなどに用いる。

**ザワークラウト**〔ド Sauerkraut=すっぱいキャベツ〕 千切りにしたキャベツに、塩や香辛料などを加えて発酵させた、ドイツのつけもの。シュークルート(フ choucroute)。ザウアークラウト。「ホットドッグに―を入れる」

**さわかい**【茶話会】 お茶とお菓子ぐらいで、くつろいで話をする会。ちゃわかい。

**さわがし・い**【騒がしい】《形》 ①さわいでいると感じられる状態だ。そうぞうしい。「教室の中が―・―駅前」②〔議論や事件、争いなどが起こって〕おだやかでない。「タレントの周辺が―・世の中が―」派 -げ。-さ。

**さわが・せる**【騒がせる】《他下一》 ①〔心などを〕おだ

やかでなくする。「胸を―」②人々のうわさ・心配・混乱などを引き起こす。「世間を―・お騒がせして、まことに申し訳ございません〔謝罪の ことば。深刻な事件などには使いにくい〕」▽騒がす。

**さわがに**【沢（×蟹）】谷川にすむ小さいカニ。

**さわぎ**【騒ぎ】①さわぐこと。「どんちゃん―・大―」②ふだんとちがって おだやかでないこと。騒動。「盗難―」③〔**…どころの―ではない**〕その程度〈までいかない〉ではすまない。「いそがしくて旅行どころの―ではない・事故が起これば けがどころの―ではない」●**さわぎた・つ**【騒ぎ立つ】《自五》ざわざわ騒いで、おだやかでなくなる。「海面が―・からだの血が―」●**さわぎた・てる**【騒ぎ立てる】[一]《自下一》大きな声や物音を出し、ひどく騒ぐ。[二]《自他下一》大げさに取りあげて、事を大きくする。「マスコミが―」

**さわ・ぐ**【騒ぐ】《自五》①大声をあげたり、音を立てたりして、やかましくする。「子どもたちが教室で―・観客が―」②あわてふためいて、いろいろなことを言ったり、さけんだりする。「―な、落ち着け」③にぎやかに遊ぶ。「酒を飲んで―」④〔予感・期待などで、心が〕おだやかでなくなる。「胸が―」⑤やかましくうわさをする。「いちじはだいぶ騒がれた」

**さわさわ**《副》風が草や木の葉をそよがせて、さわやかに吹くようす。

**ざわざわ**《副・自サ》①風などが木の葉や草などに当たり、しずけさを破って立てる音。②大ぜいの人が集まって、話し声などがあちこちでして おちつきのないようす。③〔気持ちが〕おちつかないようす。むなさわぎがするようす。「心が―する」

**さわしがき**【×醂し柿】渋をぬいた〔＝さわした〕カキ。アルコールをつけたカキをふくろにつめたりして作る。☞樽柿。

**さわちりょうり**【〔△皿△鉢〕料理】高知の郷土料理。宴会用の大皿に、さしみ・すし・焼き物などをもり合わせる。さはちりょうり。

**ざわつ・く**《自五》①大ぜいの人の話し声でさわがしくなる。「会場が―」②〔気持ちが〕おちつかなくなる。「心が―」③世の中、特にインターネットで話題になる。「大臣の発言にネットが―」[名]ざわつき。[他]ざわつかせる《下一》。「心を―」

**さわに**【沢煮】煮じるをたくさん入れて、うすあじに作った煮物。●**さわにわん**【沢煮（×椀）】ブタのあぶら身と野菜をせん切りにして作った、塩あじのしる物。

**さわのぼり**【沢登り】《名・自サ》谷川にそって山をのぼる〈こと／技術〉。

**さわべ**【沢辺】〔文〕沢のほとり。「―のホタル」

**さわみず**【沢水】沢を流れる(きれいな)水。

**ざわめ・く**《自五》どことなく、ざわざわする。「木々が―・教室が―・心が―」[名]ざわめき。

**さわやか**【爽やか】《ダナ》①空気が ほどよく冷たくて、気持ちがいいようす。「―な風」 俳句では秋の季語だが、一般には、初夏など ほかの季節にも使う。②酸味など、ほどよい刺激のある味・かおりのようす。「―なレモンの味・ミントが―」③よごれやにごりが感じられず、気持ちがいいようす。「―な青葉・―な水音」④不快感がなくなって、気持ちがいいようす。「早朝のジョギングで―になる・―な結末のドラマ」⑤気性がさっぱりしていて、ほかの人に好感を持たせるようす。「―な好青年」⑥ことばに よどみがなく、筋道がたっているようす。「弁舌―」[由来]「さわ」は「さっぱり」と同源。「やか」は接尾語。[派]―さ。

**さわら**【（×鰆）】海にすむ中形の さかな。肉は白身で食用。

**さわらび**【（△早×蕨）】〔雅〕芽を出したばかりのワラビ。

☆☆**さわり** [一]【触り】①さわること。また、さわった感じ。「―が やわらかい・手触り」②〔古風〕人に接したときの感じ。「―の あたたかい人」[二]①〔演説・劇・映画などで〕全体のなかで、いちばん〈聞かせたい／見せたい〉部分。「―を話す」②歌詞の、いちばんの聞かせどころ。さび。③〔俗〕歌詞の〈最初の部分／一部分〉。④〔[二]①②の由来〕《芝居》浄瑠璃の主人公の気持ちをのべる、節の はなやかな聞かせどころ。さわり文句。

**さわり**【障り】〔文〕さしつかえ。「お―もなく〔＝ご無事で〕お過ごしでいらっしゃいますか」

**さわ・る**【障る】《自五》①害になる。さしつかえる。「からだに―・出世に―」②不快になる。「気に―・しゃくに―」

**さわ・る**【触る】[一]《自他五》①手のひら・指などを表面に当て(て、様子をたしかめ)る。「かべに触ってみる・手でかべを―・からだを―」[区別](1)「**触る**」は意図的な感じ、「**触れる**」は意図せずに、または ちょっとだけ当てる感じがある。(2)「かべを触る」は意図的だが、「かべに触る」はうっかり触った場合もふくむ。②使う。「包丁〈に／を〉触ったことがない」[二]《自五》①軽く当たる。「ものが触ってコップが たおれた」②近寄る。「寄ると―と」③関係する。「そのことには触らないほうがよい」[可能]触れる。●**触らぬ神に たたりなし**[句]手出しをしなければ めんどうなことにかかわりにならず、安全だ。

**さわん**【左腕】①〔文〕ひだりうで。②《野球》左投げ(の投手)。「―投手〔＝サウスポー〕」▽(↔右腕)

****さん**【三】①二より一つだけ多い数。み(っ)つ。「三―が九」[表記]アラビア数字では「3」。重要な文書で、金額などを書く場合、「参」と書く。②みっつめ。「―のとり(酉)・―の鳥居」③〔←三の糸〕三味線の糸のうち、いちばん細くて高い音を出すもの。☞三下がり。④〔視覚語〕《野球》ⓐ←三塁(手)。ⓑ←三振。

**さん**【参】①⇩さん(三)①。②←参議院。「衆―」

**さん**【桟】①戸・障子などの骨組みにする細い板。②板が そるのを防ぐために横にわたす、細い木材。「机の天板の下に―を取りつける」

**さん**【産】[一]**さん** ①⇩お産。②出生(地)。うまれ。「九州の―」③財産。身代。「―をなす」④←産業界。「官―一体・―学官」[二]**さん**[造]生産された〈こと／もの〉。でき。「魚沼―のコシヒカリ・日本―カメラ」[三][造]…を産出すること。「―ガス国」[四][接尾]出産の回数を数えることば。「ブタは一―に六子以上産む」

**さん**【算】[一]**さん**〔文〕①算木。②(そろばんの)計算。「―が合う・一―入れる」③公算。[二][造]〔**ざん**〕計算(のしかた)。「読み上げ―・鶴亀―」●**算を乱す**[句]ばらばらに列をみだす。「算を乱して にげる」

**さん**【酸】①すっぱい〈こと／もの〉。「甘、―、苦、辛」②《理》水にとけたとき水素イオンを生じる物質。すっぱ味があり、青いリトマス試験紙を赤に変える。(↔アルカリ)☞酸性。

**さん**【賛・×讃】①漢文の文体の一つ。人やものごとをほめる、韻をふんだ文章。②絵にそえ書きすることば。③礼賛。④⇩「さん 接尾 ①」の 表記。

**さん**【惨】《名・トタル》〔文〕①悲惨。「事故の―」②心をいためるようす。「―として声なし」

**さん**【×燦】《トタル》〔文〕きらきらかがやくようす。「―たる功績・―としてかがやく」

**さん**【散】接尾 粉薬の名前にそえることば。「延命―」(↔丸)

**さん 接尾 (↑さま)①〔人をあらわすことばなどのあとにつけて〕軽い敬意や親しみをあらわすことば。「高橋―・患者―・お客―・本屋―・のんびり屋―・めがね―・ぽっちゃり―」(1)「さま」より敬意は低いが、会話や文章で最もふつうに使う。(2)「由美さんと健太くん」のように、やや改まって女の子にも〔または平等に男の子にも〕使う。(3)「むすこさん・店員さん」のように、「さま」のつかないことばにも使える。(4)同業どうしで「○○銀行さん」のように呼びあう例は戦前からある。地図中の会社名にまで「さん」をつける例は二〇〇〇年ごろから指摘がある。表記 花輪や役者へのおくりものなどで「:賛」「:讃」とも。「島京子賛江〔=さんへ〕」☞「より 一」の 表記。②神・仏〔など気高いもの〕や、動物、食べ物などの名前につけて、親しみをあらわすことば。「大仏―・八坂―〔=京都の八坂神社〕・おてんとう―・ぞう―・おさる―・おいも―〔関西方言〕」③〔〈お/ご〉…―〕ていねいさと親しみをあらわすあいさつのことば。「ご苦労―・おつかれ―・おはよう―〔関西方言〕」表記〈親しんで/かろんじて〉「サン」とも。

**さん**【山】一 造 ①やま。「富士―・外輪―」②寺の山号であることをあらわすことば。☞山号。二 接尾 ①山を数えることば。「四―〔=四つの鉱山〕で人員整理」②寺を数えることば。☞五山。

**ざん**【残】一 ざん のこり。残高。「―が合わない」二 造 のこりの。「―数・―債務額」

**ざん**【算】造 ⇩さん(算)二。

**さんあく**【三悪】①三つの悪いこと。「交通―〔=飲酒運転・無免許運転・スピード違反〕・―追放〔=社会から、売春・麻薬・性病をなくすこと〕」②三人の悪人。

**さんい**【三尉】(↑三等〈陸/海/空〉尉)《軍》自衛官の階級の一つ。〔もとの少尉に当たる〕

**さんい**【賛意】賛成の気持ち。「―を表する」

**さんいき**【山域】山脈・山岳地帯の、ある範囲・区域。

**さんいつ**【散逸・散×佚】《名・自サ》ちらばって、ゆくえがわからなくなること。散失。「資料の―」

**さんいん**【山陰】①〔↑山陰地方〕鳥取・島根両県のほか、京都府・兵庫県および山口県のうち日本海に面している地域。②↑山陰道①。▽(↔山陽)

●**さんいんどう**【山陰道】①もと、日本を八つに分けた地域の一つ。丹波・丹後・但馬・因幡・伯耆・出雲・石見・隠岐の八国。②↑山陰自動車道。▽(↔山陽道)

**さんいん**【参院】↑参議院。(↔衆院)

**さんいん**【産院】お産だけを取りあつかう病院。

**さんう**【山雨】〔文〕山に降る雨。山から吹きおろしてくる雨。「沛然たる―」●**山雨来たらんと欲して風楼に満つ** 句〔文〕大変な事が起こる前に、あたりが何となくさわがしくなることのたとえ。

**ざんえい**【残映】〔文〕①ゆうばえ。夕焼け。②なごり。「江戸文学の―」

**ざんえい**【残影】〔文〕なごり。おもかげ。「古都―」

**さんえん**【三猿】両手で、それぞれ両耳〔=聞かざる〕、口〔=言わざる〕、両目〔=見ざる〕をふさいだ三びきのサルの像。封建時代の処世法をしめす。さんざる。「―主義」☞庚申塚。

**サンオイル**〔sun oil〕けしょう品の一つ。美しく日焼けするように肌にぬる油。

**さんおんとう**【三温糖】上白糖やグラニュー糖を作ったあとに残る糖蜜を、さらに加熱して作る砂糖。

**さんか**【山×窩・サンカ】山から山へと移住し、竹細工作りや狩りなどをして生活をしていた人々。

**さんか**【参稼】〔プロ野球などで〕選手が、自分の技能を生かして活動すること。「―報酬」

**さんか**【惨禍】〔文〕痛ましいわざわい。「―をこうむる」

**さんか**【産科】妊娠・出産・新生児に関する、医学・診療の一部門。「―医」

☆☆**さんか**【傘下】〔会社・団体・軍などの〕支配下。翼下。「メジャーの―にはいる」

**さんか**【賛歌・×讃歌】①あるものごとを賛美する歌。「雪山―」②〔作品などで〕すばらしさをたたえること。「人間―の物語」

**さんか【参加】《名・自サ》なかまに加わって、行事や事業をいっしょにやること。「―者」

**さんか**【酸化】《名・自他サ》《理》ある物質が酸素と化合すること。鉄がさびて酸化鉄になるなど。「―作用」(↔還元)

**さんが**【山河】〔文〕やまとかわ。さんか。「ふるさとの―」

**さんが**【参賀】《名・自サ》国民が皇居に行って、お祝いの気持ちをあらわすこと。「新年一般―」

**ざんか**【残価】車を買うとき、あらかじめ決めておく下取り価格。「―設定型ローン〔=売価から残価を差し引いた額で組むローン〕」

**さんかい**【山海】山と海。「―の珍味」

**さんかい**【山塊】《地》山脈からはなれた山地。「丹沢―」

**さんかい**【参会】《名・自サ》会に集まること。「―者」

**さんかい**【散会】《名・自サ》集会が終わりになること。「これをもって―といたします」

**さんかい**【散灰】《名・自サ》〔文〕⇩さんぱい(散灰)。

**さんかい**【散開】《名・自サ》①散り広がること。②《軍》広がった隊形になること。「部隊が―する」

**さんがい**【三界】一 さんがい《仏》①いっさいの生き物が形を変えて生まれ変わり、めぐり歩くという三つの世界。欲界・色界・無色界。転じて、全世界や人の一生をあらわす。「女―に家なし〔⇩「女」の 句〕」②過去・現在・未来。「子は―の首かせ〔⇩「子」の 句〕」二 さんがい 接尾〔古風〕遠くはなれた所。くんだり。「アメリカ―まで流れる」

**さんがい**【惨害】〔文〕ひどい損害。

**ざんがい**【残骸】①ばらばらにこわされたり、用ずみになったりして、残ったもの。残片。「飛行機の―・カラ

さ

スが食い散らかした━」②すてておかれた死体。

**さんかいき**【三回忌】〔仏〕死んだ年の翌々年の忌日。三年忌。〔一周忌の翌年が三回忌〕☞回忌。

**さんかく**【三角】①三つの かどがある〈こと／形〉。「━地帯・━ずわり〔⇩体育ずわり〕」②〈対立する／たがいに関係のある〉三つのもの。「━貿易」③〔△〕○と×の間の評価。「テストで━になる」④⇩ぼんじり。

●**さんかくかんけい**【三角関係】①三人の間に生じる、やっかいな恋愛関係。②〈三人／三つのもの〉の間にある、複雑な関係。

●**さんかくかんすう**【三角関数】〔数〕直角三角形の直角でない一つの角できまる関数。サイン・コサイン・タンジェント・コタンジェント・セカント・コセカントの六種。

●**さんかくきん**【三角巾】三角の形に切った大はばの もめんの布。救急処置のときなどに使う。三角布。さんかっきん。

●**さんかくけい**【三角形】〔数〕⇩さんかっけい。

●**さんかくコーナー**【三角コーナー】流しのすみに置いて生ごみを捨てる、三角形の水切り。

●**さんかくす**【三角州・三角×洲】〔地〕川が海へそそぐあたりに、三角の形に できる砂や小石の低地。デルタ。「ナイル━」

●**さんかくすい**【三角(×錐)】〔数〕底面が三角形の角すい。

●**さんかくそくりょう**【三角測量】〔地〕地形図などを作るとき、基準となる線や地点(=三角点)をもとにして いくつかの地点を三角形に結んでいって、その地点の位置を計算、測量する方法。

●**さんかくてん**【三角点】〔地〕三角測量の基準として えらぶ、決まった点。目じるしとして地上に石をすえる。

●**さんかくなみ**【三角波】〔天〕方向のちがう二つ以上の波がかさなってできた、高い波。台風の中心が通る所の海などにできる。

●**さんかくのり**【三角乗り】子どもが おとな用の自転車に乗る方法。片足をペダルにのせ、もう片方の足を三角形のフレームに通して、反対がわのペダルをこぐ。

**さんかく**【参画】《名・自サ》計画や活動に加わること。「事業に━する」

**さんがく**【山岳】陸地の表面が高く もり上がったもの。やま。「━病・━信仰」

**さんがく**【産学】産業界と大学。

●**さんがくきょうどう**【産学協同】産業界が資金を出し、共通の目的を持って企業に役立つ研究を大学がすること。

**さんがく**【産額】〔文〕〈生産／産出〉される数量(をお金に見積もったもの)。

**さんがく**【算額】江戸時代、数学の問題と答えを書きつけた絵馬や額。「━奉納」

**ざんがく**【残額】残りの〈金額／数量〉。

**さんかた**【三方】「三人」の尊敬語。「お━(さま)」

***さんがつ**【三月】一年の第三の月。☞弥生。

**さんかっけい**【三角形】〔数〕三つの線分で囲まれた形。さんかくけい。

**さんがにち**【三が日】(が=箇)正月の最初の三日間。

**さんかん**【三冠】(triple crown の訳語)三つの賞を手に入れること。「━成らず」

●**さんかんおう**【三冠王】①〔野球〕同じシーズンに首位打者・ホームラン王・打点王をひとりで獲得した選手。②〔放送〕全日・ゴールデンタイム・プライムタイムでの平均視聴率が一位になったテレビ局。

●**さんかんば**【三冠馬】〔競馬〕三歳馬による、皐月賞・日本ダービー・菊花賞の三つのレースに優勝した馬。

**さんかん**【山間】〔文〕山の〈なか／あいだ〉。「━へき(僻)地・━部」

←**さんかん**【参看】《名・他サ》〔文〕参考として見ること。参照。「━すべき本」

→**さんかん**【参観】《名・他サ》ふだんの活動の様子を見に行くこと。「授業(の)━」

☆☆**さんかんしおん**【三寒四温】冬、三日間ぐらい寒く、次の四日間ぐらいが あたたかいことが、くり返されること。

**ざんかんじょう**【斬×奸状】〔文〕悪人を切り殺す理由を書いた書状。

**さんき**【山気】〔文〕山の中の〈空気／ふんいき〉。「つめたい━にふれる」

**さんぎ**【算木】うらないに使う角棒。陰と陽に分かれた棒を、三本任意に組み合わせてならべて うらないの元にする。

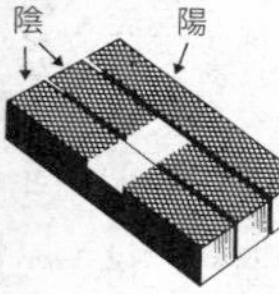

［さんぎ］

**ざんき**【×慙×愧・×慚×愧】《名・自サ》〔文〕〔自分のおこないを〕はじること。赤面。「━のなみだ」

●**慚愧に堪えない** 句 ①非常に はずかしい。慚愧の念に堪えない。「不勉強をかえりみて━」②〔「残念」との音の類似から〕〔俗〕残念でならない。「部下を亡くして━」

**ざんぎ**【ザンギ】〔北海道方言〕(とり肉の)からあげ。(せん)ざんき(愛媛方言)。「サケの━」

☆☆**さんぎいん**【参議院】〔法〕国会を構成する議院の一つ。権限は衆議院よりも弱い。解散はない。議員の任期は六年。三年ごとに半数改選。参院。(↔衆議院)

**ざんぎく**【残菊】〔晩秋から初冬ごろまで〕さき残ったキクの花。

**さんきゃく**【三脚】①三本足。「二人━」②折りたたみのできる、三本足の腰かけ。③自由に、ひらいたりのばしたりできる三本の足からできた台。カメラなどをのせる。三脚架。

**ざんぎゃく**【残虐】《名・ナダ》見ていられないほどひどくいじめたり、無慈悲に殺したりするようす。「━(な)行為」派━さ。

☆☆**さんきゅう**【産休】〔法〕役所や会社などで、女性が出産のために取ることのできる、産前産後の休暇。産前産後休業。「━を取る」

**サンキュー**《感》〔thank you〕ありがとう。

**さんきょ**【山居】《名・自サ》〔文〕(修行などの目的で)山の中に住む〈こと／住まい〉。

**さんきょう**【山峡】〔文〕山と山との間。やまかい。「━の地」

**さんぎょう**【三業】料亭・待合・置屋の、三つの業種。「━地(=三業が集まった地域。花街)」

**さんぎょう**【蚕業】〔文〕カイコを飼う事業。

****さんぎょう**【産業】〔経〕農業・鉱業・製造業・自由業・サービス業など、生産とそれに関係のある事業のすべて。☞一次産業・二次産業・三次産業。

●**さんぎょうい**【産業医】職場で従業員の健康管理に当たる医師。

●**さんぎょうかくめい**【産業革命】〔経〕十八世紀後半にイギリスで始まった、手工業から機械工業への大きな転換。蒸気機関などを利用した工場の機械化による。●**さんぎょうざいさんけん**［産業財産権］《法》特許権・実用新案権・意匠権・商標権をまとめた言い方。特許庁に登録されて、はじめて権利が発生する。工業所有権。☞知的財産権。●**さんぎょうしほん**［産業資本］《経》商品の生産のために投入される資本（を持っている者や団体）。●**さんぎょうスパイ**［産業スパイ］企業の経営や技術などの秘密情報をさぐりだすスパイ。●☆☆**さんぎょうはいきぶつ**［産業廃棄物］工場などで物を作ったあとに残る、いらないもの。木くず・紙くず・よごれた油や酸類・どろ・金属くずなど。産廃。●**さんぎょうようロボット**［産業用ロボット］〔生産現場で〕人間の代わりに作業をおこなうロボット。

**さんぎょう**［賛仰・×讃仰］《名・他サ》〔文〕徳をたたえとうとぶこと。さんこう。さんごう。「仏を―する」

**ざんきょう**［残響］〔文〕音がやんでも あとまで残るひびき。

**ざんぎょう**［残業］《名・自サ》規定の時間のあとまで残って仕事をすること。また、その仕事。「―代」

**さんきょく**［三曲］琴・三味線と、尺八または胡弓（でする合奏）。

**ざんぎり**［（：散＝切り）］〔ちょんまげや長髪に対して〕明治初期、短く かった髪を言ったことば。じゃんぎり。「―あたま」

**さんきん**［産金］〔文〕金の〈産出／生産〉。「―高」

**さんきん**［参勤・参×覲］《名・自サ》《歴》江戸時代、大名が江戸に出て将軍に謁見し、幕府に勤務したこと。●**さんきんこうたい**［参勤交代］《歴》江戸時代、大名が原則として一年交代で参勤したこと。

**ざんきん**［残金］①収入から支出を差し引いて残ったお金。②借金や月賦などの、未はらいの分。▽残額。

←**さんく**［惨苦］〔文〕〈ひどい／つらい〉苦しみ。「人生の―をなめる」

→**さんく**［酸苦］〔文〕たえがたい苦しみ。「辺境の苦難―の旅」

**さんく**［産△駒］《競馬》ある馬の子であることを言うことば。「サンデーサイレンス（の）―」

**さんぐう**［参宮］《名・自サ》（伊勢）神宮に参拝すること。

**サンクス**《感・名》〔thanks〕ありがとう（と思う気持ち）。「―セール」

**サンクチュアリ**〔sanctuary〕①聖域。②動物の保護地域。「バードー」③安全地帯。かくれ家。「わたしだけの―」

**サングラス**〔sunglasses〕日光や雪の反射などから目を守るために かける、色つきの めがね。

**サングリア**〔ス sangría〕赤ワインにレモン・オレンジなどの くだものを入れた、スペインの飲み物。

**さんぐん**［三軍］①陸軍・海軍・空軍をまとめた呼び名。②〔文〕全軍。

**さんけ**［産気］出産が始まる感じ。●**さんけづく**［産気（付く）］《自五》子どもが うまれ出そうな感じになる。

**さんげ**［散華］《名・自サ》①《仏》仏を供養するために、仏前に花をまきちらすこと。②〔文〕はなばなしく戦死すること。

**ざんげ**［（×懺△悔）］《名・他サ》過去の罪やあやまちを、悪かったと思って告白し、くい改めることをちかうこと。「〔神父を通して〕神に―する・―録（＝告白記録）」

**さんけい**［山系］《地》二つ以上の山脈が一つに まとまったもの。「伊吹―」

**さんけい**［参詣］《名・自サ》寺や神社に おまいりに行くこと。また、おまいりすること。ものもうで。「―客」

**さんケー**［3K］〔俗〕「きつい」「きたない」「危険」という、Kのつく三語で あらわされる仕事や職場。〔一九八〇年代からのことば〕

**さんげき**［惨劇］〔文〕〈悲惨な／むごたらしい〉できごと。

**ざんげき**［斬撃］〔文〕刃物などで斬りつける攻撃。「―をかわす」

**さんけつ**［三決］〔トーナメント戦の〕↑三位決定戦。〔見出しなどで使う〕

**さんけつ**［酸欠］〔↑酸素欠乏〕①ある場所の空気中の酸素が足りなくなること。「―空気・―事故」②からだの酸素が足りなくなること。「脳が―状態になる」

**ざんけつ**［残欠・残×闕］〔美術品・書物などで〕一部が欠けている〈こと／もの〉。

**ざんげつ**［残月］〔文〕有り明けの月。残りの月。

**さんけん**［三権］《法》統治権の三種の区別。立法権・行政権・司法権。●☆☆**さんけんぶんりつ**［三権分立］《法》国のしくみが立法・行政・司法の三つに分かれ、それぞれ議会・政府・裁判所にまかされていること。これによって権力の集中を防ぐ。〔法律家は「さんけんぶんりゅう」と言う〕

**さんけん**［散見］《名・自他サ》〈ところどころに／ちらばって〉見えること。「文字の誤りが―〈する／される〉」

**さんげん**［三弦・三×絃］〔文〕三味線。

**ざんげん**［×讒言］《名・自サ》〔文〕他人をおとしいれるため、目上の人に ことさら悪く告げ口すること。中傷。

**さんげんしょく**［三原色］まぜあわせることによって すべての色を作り出すときの、もとになる三つの色。光の場合は赤・青・緑、印刷インクの場合はマゼンタ・シアン・黄。一般には、赤・黄・青をさす。

**さんこ**［三顧］《名・自サ》〔文〕何回も訪問して たのむこと。●**さんこのれい**［三顧の礼］〔文〕何かをたのむために何回も訪問して礼儀をつくすこと。由来 三国時代の中国で、劉備が諸葛孔明を軍師にむかえるときにした故事から。

**さんご**［（×珊×瑚）］①暖海にすむ腔腸動物。海底の岩などに多数集まって付着し、かたまりを作る。種類が多い。サンゴ虫。②「さんご①」が死んで、その骨格だけが木の枝のような形で残ったもの。これを細工して、首かざり・帯どめなどを作る。●**さんごじゅ**［（×珊×瑚）珠］「さんご②」を細工して作ったたま。●**さんごしょう**［（×珊×瑚）礁］《地》暖かい地方の海にイシサンゴ（＝サンゴの一種）などが集まってできた、石灰質の浅瀬。「―の保全」

**さんご**［産後］お産の あと。（↔産前）

＊**さんこう**［参考］自分で〈考える／調べる〉ための助けにする〈こと／もの〉。「―文献・―までにうかがいますが・辞書を―にする（『―する』は古い言い方）」●**さんこ**

うしょ［参考書］学習・受験・教授・研究などの参考のために見る本。●☆☆さんこうにん［参考人］①警察に呼ばれ、犯罪について知っていることを話すように求められる人。☞重要参考人。②〔法〕国会や行政官庁に呼ばれ、行政上の問題について意見をのべる人。

さんこう［産高］↑産業高等学校。

さんこう［山行］《名・自サ》登山に行くこと。「―記録・日帰り―」

さんこう［(×鑽)孔］《名・自サ》①岩・鉄などの固いものに穴をあけること。「―機」②紙のテープに穴をあけること。「―タイプ・―テープ」

さんこう［賛仰・×讃仰］《名・他サ》〔文〕⇩さんぎょう〔賛仰〕。

さんごう［山号］〔仏〕寺の名前の上にそえる、山のつく称号。例、金竜山浅草寺の「金竜山」。☞寺号。

ざんこう［残光］〔文〕①日がくれる前後の、弱い日光。「あかね色の―」②なごりの光。「前時代の―」③光らせる刺激を受けなくなったあとも、しばらく光ること。「―時間」

ざんごう［(×塹×壕)］〔軍〕歩兵の守備線にみぞをほり、ほった土で盛り土をした設備。トレンチ。

さんごく［三国］①三つの国。②インド・中国・日本。〔昔の日本人にとっての〕全世界。☞第三国。●さんごくいち［三国一］「三国②」でいちばんすぐれていること。世界一。「―の富士の山・―の花むこ」●さんごくでんらい［三国伝来］インドから中国へ、さらに日本に伝わって来たこと。

ざんこく［残酷・惨酷］《ナダ》人などを強く苦しめたり、殺したりして、とても見ていられないようす。〈ひどい/むごい〉ようす。「―きわまる場面・―なことば・―な運命」［表記］「残刻」とも書いた。［派］―さ。

☆☆さんこつ［散骨］《名・自他サ》細かくくだいた遺骨を海や山などにまくほうむり方。☞自然葬・散灰。

さんこん［三混］↑三種混合。

さんさ［三佐］〔↑三等〈陸/海/空〉佐〕〔軍〕自衛官の階級の一つ。〔もとの少佐に当たる〕

さんざ《副》↑さんざん。「―ぐちを聞かされた」

ざんさ［残×渣］〔文〕残ったかす。

さんさい［三彩］〔文〕三種の色〔たとえば、緑・黄・藍〕で焼きつけた陶磁器。☞唐三彩。

さんさい［山妻］〔文〕山里育ちの妻。自分の妻をけんそんして言うことば。愚妻。

さんさい［山菜］山や野原にはえる植物で食べられるもの。例、ワラビ・ウド。

さんさい［山塞・山×砦］〔文〕山賊のこもっているすみか。

さんざい［散在］《名・自サ》〈あちこちに/ちらばって〉あること。「農家が―している」

さんざい［散財］《名・自サ》お金をたくさん使うこと。「―させてすまない」

ざんさい［残債］〔↑残存債務〕〔経〕借り入れ金の残高。「ローンの―」

ざんさい［残×滓］〔文〕「ざんし」の慣用読み。

ざんざい［斬罪］昔、罪人の首を切った刑罰。うちくび。「―に処する」

さんさがり［三下がり］三味線の三の糸の調子を低くすること。〔↔二上がり・本調子〕

さんさく［散策］《名・自他サ》気ばらしに、外をぶらぶら歩くこと。「郊外〈を/に〉―する」

さんざし［(山査子)］春、ウメに似た白い花をつける庭木。秋に赤い実がなる。中国原産。

さんさしんけい［三×叉神経］〔生〕脳から出て目と上あごと下あごにのびる、三対の神経。

←ざんさつ［惨殺］《名・他サ》むごたらしく殺すこと。「―体」

→ざんさつ［斬殺］《名・他サ》〔文〕斬り殺すこと。

さんざっぱら［(さんざっ腹)］《副》〔俗〕「さんざん」を強めたことば。さんざんぱら。「―食べたあげく、お金ははらわない」

さんざめ・く《自五》〔↑さざめく〕〔文〕①大ぜいでにぎやかにさわぐ。②〔雅〕いちめんにきらめく。「―星たち」［名］さんざめき。

さんざる［三猿］⇩さんえん〔三猿〕。

さんさろ［三差路・三×叉路］道が三方向に分かれている道路。みつまた。

さんさん［×潸々］《タト》〔文〕①なみだを流すようす。②雨が降るようす。「雨が―と落ちる」

さんさん［×燦々］《タト》まぶしくかがやくようす。「太陽が―とふりそそぐ」

さんざん［散々］㊀《ナダ》〔経験したことが〕ひどいようす。「―な目にあった・テストの結果は―だ」㊁さんざん《副》ひどく。思いきり。さんざ(っぱら)。「―待たされた」

さんさんくど［三三九度］〔日本ふうの〕結婚式で、さかずきをくみかわす儀式。新郎新婦が、一つのさかずきでそれぞれ酒を三度ずつ飲み、三つのさかずきで合計九度飲む。

さんさんごご［三々五々］《副》人々が三人、五人と連れ立って道を〈行く/歩く〉ようす。「―集まる」

さんさんななびょうし［三三七拍子］〔スポーツの応援などで〕三・三・七のまとまりで打つ拍子。

さんし［三思］《名・自サ》〔文〕何度も考え直すこと。

さんじ［三時］⇩お三時。

さんじ［参事］〔公的機関などで〕主事・主査などの上に立つ役職。

☆☆さんじ［惨事］むごたらしいできごと。「目をおおいたいほどの―」

さんじ［産児］うまれて来る子ども。●さんじせいげん［産児制限］子どもがうまれるのを制限すること。産児調節・産制・産調〔古風〕。

さんじ［賛辞・×讃辞］ほめることば。「―を呈する」

ざんし［残×滓］〔文〕のこりかす。ざんさい。

ざんし［惨死］《名・自サ》〔文〕むごたらしい死に方(を)すること。

ざんし［(×慙死・×慚死)］《名・自サ》〔文〕深くはじて死ぬこと。死ぬほど深くはじること。

ざんじ［暫時］《副》〔文〕しばらく。「―休憩する」

さんしき［算式］〔数〕運算の順序・方法をあらわした式。

さんしきすみれ［(三色×菫)］⇩パンジー。

さんじげん［三次元］①長さ・はば・高さの三つからなる次元。立体の世界。②〔俗〕〔漫画などでない〕現実。☞二次元。

**さんじさんぎょう**［三次産業］《経》ものを生産・加工する以外の産業。商業・金融・交通・通信・娯楽など、種類が多い。サービス産業。第三次産業。

**さんしすいめい**［山紫水明］〔文〕山は紫色にかすみ、水の流れが清らかなようす。山・川・湖などのけしきが美しいこと。「―の地」

**さんした**［三下］〔↑三下やっこ(奴)〕ばくち打ちなどのなかまで、身分がいちばん下のもの。

**さんしちにち**［三七日］①二十一日。「―の行」②《仏》その人が死んだ日を入れて二十一日目。みなぬか。三七忌。

**さんしつ**［産室］お産をする部屋。うぶや。

**さんしつ**［散失］《名・自サ》〔文〕散逸。

**ざんじつ**［残日］〔文〕しずむ夕日。入り日。「―録（＝人生の残りの日々に書く記録）」

**さんしのれい**［三枝の礼］〔文〕ハトの子は親鳥のとまっている枝から三本下の枝にとまるということ。鳩でも礼儀を知っているというたとえ。鳩に三枝の礼あり。

**さんしゃ**［三舎］（＝行軍に三日かかる距離）●**三舎を避ける** 句 〔文〕〈おそれて／遠慮して〉、近づかないようにする。

**さんしゃ**［三者］〔文〕三人。また、三つのもの。「―三様の動き・―会談」●**さんしゃたくいつ**［三者択一］三つのものから、どれか一つをえらぶこと。三択。●**さんしゃぼんたい**［三者凡退］《名・自サ》《野球》出塁することなく、三人の打者だけでその回の攻撃を終わること。●**さんしゃめんだん**［三者面談］（進学校などを決めるため）教師が生徒とその保護者を呼んで、三人で話し合うこと。

**さんしゃく**［参酌］《名・他サ》〔文〕くらべあわせていいほうをとること。斟酌。

**さんじゃく**［三尺］（＝鯨尺で約一・一メートル）①〔↑三尺帯〕長さ三尺ほどの、短い帯。〔職人・侠客などがしめる〕「―物（＝侠客をあつかった講談など）」②子どものへこ帯。●**三尺下がって師の影を踏まず** 句 自分の先生を尊敬することのたとえ。三歩下がって師の影を踏まず。由来 弟子が自分の先生について行くとき、先生の影を踏まないように、三尺下がって行くということから。●**さんじゃくのしゅうすい**［三尺の秋水］〔文〕長さ三尺ぐらいの、とぎすました刀。

**さんしゅ**［三種］①三つの種類。②↑第三種郵便物（＝新聞・雑誌など、定期刊行物）。●**さんしゅこんごう**［三種混合］〔↑三種混合ワクチン〕《医》百日ぜき・ジフテリア・破傷風〔あるいは、はしか・おたふくかぜ・風疹〕の三種のワクチンをまぜた、予防接種用のワクチン。三混。☞DPT。●**さんしゅのじんぎ**［三種の神器］①皇位のしるしとして、代々の天皇が受けつぐ三種類の宝物。八咫鏡・天叢雲剣・八尺瓊勾玉。②〔俗〕その時代の人がほしがる、三種類の道具。

**さんじゅ**［傘寿］（数え年の）八十歳（の祝い）。由来 傘の略字「仐」が八十と読めることから。

**ざんしゅ**［斬首］《名・自サ》〔文〕首を切ること。断首。「―の刑」

**さんしゅう**［参集］《名・自サ》集まって来ること。

****さんじゅう**［三十］①十の三倍。②三十歳。「―男」表記「×卅」とも書いた。●**三十にして立つ** 句 〔文〕三十歳で精神的に自立する。〔「論語」のことば〕☞而立。●**さんじゅうさんしょ**［三十三所］《仏》観音をまつった、三十三か所の霊場。「西国―」●**さんじゅうろっけい**［三十六計］①〈多く／すべて〉の計略。②〔↑三十六計逃げるにしかず〕〔俗〕にげだすこと。●**三十六計逃げるにしかず** 句 計略にもいろいろあるが、ここはにげだすのがいちばんだ。●**さんじゅうろっぽう**［三十六峰］京都市東山の、なだらかな山々の総称。「東山―」

**さんじゅう**［三重］三つかさなること。「―苦」●**さんじゅうさつ**［三重殺］《野球》⇩トリプルプレー。●**さんじゅうしょう**［三重唱］《音》〔ソプラノ・メゾソプラノ・アルトのような〕三種類の声をあわせて三人で歌う合唱。トリオ。●**さんじゅうそう**［三重奏］《音》〔ピアノ・バイオリン・チェロのような〕三種の楽器で演奏する合奏。トリオ。

**さんしゅうき**［三周忌］「三回忌」の誤った言い方。

**さんしゅつ**［産出］《名・自他サ》〔鉱物などの自然物を〕自然が産み出すこと。また、自然から取り出すこと。生産。「石油の―高」

**さんしゅつ**［算出］《名・他サ》計算して数値を出すこと。

**さんじゅつ**［算術］①計算のしかた。算法。②国民学校になる前の小学校で、「算数②」のこと。●**さんじゅつへいきん**［算術平均］《数》⇩相加平均。

**さんしょ**［(山×椒)］〔話〕さんしょう。●**さんしょは小粒でも〈ぴりり／ひりり〉と辛い** 句 〔見かけは〕小さいからといって、あなどれない力を発揮する。

**さんじょ**［賛助］《名・他サ》趣旨に賛成して、経済的に助けること。「―会員・―金・―出演」

**ざんしょ**［残暑］立秋（＝八月八日ごろ）以後、九月はじめごろまで残る暑さ。「《手紙》―厳しい折、いかがお過ごしでしょうか」（↔余寒）●**ざんしょみまい**［残暑見舞い］残暑のころ、相手の様子をたずねる〈こと／たより〉。✎「残暑お見舞い申し上げます」などと書き始める。立秋以後、八月末までに書く。☞暑中見舞い。

**さんしょう**［三賞］《すもう》殊勲賞・敢闘賞・技能賞をまとめた呼び名。

**さんしょう**［(山×椒)］とげのある落葉樹の一種。実は小つぶでまるく、若葉とともに香辛料にする。「うな重に―をかける・ちりめん―（＝ちりめんじゃことサンショウのつくだ煮）」☞さんしょ。●**さんしょううお**［(山×椒魚)］深い山の谷川にすむ、イモリに似た大形の両生類。薬用にする。オオサンショウウオ・ハコネサンショウウオなど。

**さんしょう**［三唱］《名・他サ》三度となえること。「万歳―」

***さんしょう**［参照］《名・他サ》参考のために、別の資料などを見て確かめること。「注を―してください・古典を―して新しい作品を作る」☞シーエフ(cf.)。

**さんじょう**［山上］〔文〕山の上。●**さんじょうの**

すいくん【山上の垂訓】《宗》キリストが山の上でおこなった説教。山上の説教。

☆☆**さんじょう**【惨状】〈みじめな/むごたらしい〉ありさま。「―を呈する」

**さんじょう**【参上】《名・自サ》「行くこと」の謙譲語。「即刻―いたします」

**さんじょう**【三乗】《名・他サ》《数》同じ数を三度かけあわせること。

**ざんしょう**【残照】①〔文〕夕日のしずみきる直前に、なお照りはえて残っている日光。②〔文〕なごり。「王朝文化の―」③《経》〔俗〕↑残高照会。

**さんしょく**【三食】朝・昼・晩の三度の食事。「―昼寝付き」

**さんしょく**【山色】〔文〕山の〈いろ/けしき〉。

**さんしょく**【蚕食】《名・他サ》(=カイコのように食べる)〔文〕少しずつ(はしのほうから)うばうこと。「領土を―する・他社の販路を―する」

**さんじょく**【産×褥】〔文〕お産のときのねどこ。●**さんじょくねつ**【産×褥熱】《医》お産のときにできた子宮の内面のきずに化膿菌がはいって高熱を出す症状。

**さんしょくすみれ**【三色×菫】⇩パンジー。

**さんじる**【参じる】《自上一》〔文〕①加わる。参加する。「枢機に―・膝下に―」②…のもとで参禅する。「道元に―」▽参ずる。

**さんじる**【散じる】〔文〕㊀《自上一》①あちらこちらへ行って、なくなる。「家財が―」②めいめいの方向へ向かって、いなくなる。「会が終わって人が―」㊁《他上一》①なくす。「家財を―」②はらす。「うれいを―」▽㊀㊁散ずる。

**さんじる**【賛じる・×讃じる】《他上一》〔文〕ほめたたえる。賛ずる。「賛じ嘆じる小文」

**さんしん**【三△線】《音》三味線によく似た沖縄の楽器。胴にヘビの皮を張ってある。蛇皮線(本土での言い方)。

**さんしん**【三振】《名・自サ》《野球》バッターがストライクを三度とられてアウトになること。ストラックアウト。

**さんしん**【三進】《名・自サ》《野球》ランナーが三塁へ進むこと。

**さんじん**【山人】①山の中に住む人。②雅号にそえることば。「紅葉―」

**ざんしん**【残心】〔武道・茶道で〕動作が終わったあとまで緊張をとかず、気持ちをよそへ向けないこと。また、その心構え。

☆☆**ざんしん**【斬新】《ダ》〔思いつき・型などが〕まったく新しいようす。最新。「―な模様・―なデザイン」派―さ。

**さんしんとう**【三親等】《法》二親等より一つ遠い親族関係。自分と、自分のおじ・おば・〈自分のおい・めい〉などとの関係。三等親。☞一親等・二親等。

**ざん・す**《助動マス型》〔活用は「せ・しょ・し・す・す・〇・〇」〕でございます。だんす。「そう―の・わたくし、思うん―が」〔ドラマや漫画などで、上流女性やきざな人物のことばに使う〕由来「でございます」から。もとは遊郭のことばで、のちに「ざます」「ざあます」の形が生まれた。

**さんすい**【山水】①山と〈水/川〉。②「山水①」の〈けしき/絵〉。「―画」

**さんすい**【散水・×撒水】《名・自サ》水をまくこと。「―車」〔「撒水」は「さっすい」の慣用読み〕

**さんずい**【三水】①漢字の部首の一つ。「池」「泳」などの、左がわの「氵」の部分。さんずいへん。②〔俗〕汚職。由来「汚」がさんずいの字であることから。

**さんすう**【算数】①計算。「―に明るい」②小学校で学ぶ教科の一つ。初歩の数学。

**ざんすう**【残数】まだ残っている数。「〔商品の〕―わずか・〔ゲームの武器の〕―が増える」

**さんすくみ**【三(×竦み)】〔ヘビはナメクジをおそれ、ナメクジはカエルをおそれ、カエルはヘビをおそれるように〕三つのものが おたがいに敵をおさえあうこと。

**サンスクリット**〔Sanskrit〕梵語。

**さんすけ**【三助】昔の銭湯で、客の からだを洗ったり、湯加減を見たりした男性。

**さんずのかわ**【三△途の川】《仏》死んだ人が、冥土へ行くとちゅうで わたるという川。

**さん・する**【産する】《自他サ》〔文〕〔産物として〕できる。うみ出す。作る。「リンゴを―・名馬を―・石炭を―」

**さん・する**【賛する】《自他サ》〔文〕①力をそえて助ける。②賛成する。③〔×讃する〕ほめたたえる。〔絵などに〕賛のことばを書く。

**さん・する**【算する】《他サ》〔文〕数える。…に のぼる。「月産は六千台を―」

**さんぜ**【三世】《仏》前世・現世・来世〔「後世」とも〕。または、過去・現在・未来。☞一世・二世。

**さんせい**【三聖】①釈迦・孔子・キリスト。②その道で最もすぐれた三人。「書道―」(=空海、菅原道真、小野道風)

**さんせい**【参政】政治に参与すること。●☆☆**さんせいけん**【参政権】《法》国民が、選挙によって政治に参与し、また、公務につくことのできる権利。

**さんせい**【酸性】《理》酸の反応をしめす性質(を持つこと)。リトマス試験紙を赤くする。(↕アルカリ性)

●☆☆**さんせいう**【酸性雨】水素イオン濃度(=pH)が五・六以下の、強い酸性の雨。環境への害が大きい。●**さんせいし**【酸性紙】インクのにじみ防止に硫酸アルミニウムを用いた洋紙。長期の保存には適さない。(↕中性紙)●**さんせいしょくひん**【酸性食品】食品にふくまれている無機質のうち、酸をつくるものがアルカリをつくるものよりも多い食品。魚・肉・豆・穀類・卵など。(↕アルカリ性食品)

**さんせい**【賛成】《名・自サ》人の意見や立場に同意すること。「もろ手をあげて―する・―票を投じる」(↕反対)

**さんせい**【三省】《名・他サ》〔文〕日に〈三度/なんべんも〉反省すること。「再思―」由来「論語」の「われ、日にわが身を三省す」から。三省堂の名はこれに由来する。

**さんせい**【産生】《名・他サ》〔文〕〔物質・エネルギーなどを〕生み出すこと。また、生まれること。「熱が―される・社会問題を―する」

**ざんせい**【残生】〔文〕〔老人に〕残された、短い生涯。余生。

**さんせき**【山積】《名・自サ》山のように、うずたかく〈つもる/たまる〉こと。やまづみ。「問題が―する」

**ざんせき**［残席］ まだ予約されないで、残っている座席。「—わずか」

**さんセク**［三セク］ ↑第三セクター。

**ざんせつ**［残雪］ 消え残った雪。

**サンセット**〔sunset〕 日没。「—クルーズ」

**サンセビリア**〔sansevieria〕 観葉植物の一つ。厚みのある長い葉に、緑の横じまがはいり、葉のふちは黄色い。チトセラン。サンスベリア。

**さんせん**［三遷］〔文〕⇩孟母三遷。

**さんせん**［山川］〔文〕山と川。「—草木」

**さんせん**［参戦］《名・自サ》①すでに始まっている戦争に新しく加わること。②競争・競演などに加わること。「ジャズフェスティバルに—する」

**さんぜん**［産前］ お産の前。（↕産後）

**さんぜん**［参禅］《名・自サ》《仏》禅の修行をすること。

**さんぜん**［×燦然］《トタル》 星や宝石などが、美しく かがやくようす。きらきら。「—と かがやくダイヤモンド」

**さんぜんせかい**［三千世界］ ①《仏》須弥山を中心とする世界〔=一小世界〕を千倍し、また、千倍し、さらに、千倍した大きな世界。三千大千世界。②広い世界。

**さんそ**［酸素］《理》色・味・においがなく、空気の五分の一を占める気体〔元素記号O〕。生き物が呼吸をしたり、ものが燃えたりするのに必要。「—ボンベ」●**さんそきゅうにゅう**［酸素吸入］《医》呼吸を助けるために、道具や装置を使って高濃度の酸素をすうこと。

**ざんそ**［×讒訴］《名・他サ》〔文〕他人をおとしいれるために、〔目上の人に〕その他人の悪口を言うこと。

**さんそう**［三曹］〔↑三等〈陸/海/空〉曹〕《軍》自衛官の階級の一つ。〔もとの伍長に当たる〕

**さんそう**［山草］ 山にはえる草。

**さんそう**［山荘］ 山の中の別荘。

**ざんぞう**［残像］《心》ものを見たあとに、短いあいだ目に残る感覚。

**さんそく**［三速］《自動車》①〔↑第三速〕⇩サード■②。②〔↑三段変速〕三段に変速すること。

**さんぞく**［山賊］ 山の中に根城を持つ盗賊。「—焼き〔=ニワトリの（骨付きで）大きなからあげ〕」（↕海賊）

**さんそん**［山村］ 山の中の村。（↕農村・漁村）

**さんぞん**［三尊］〔↑三尊仏〕《仏》まんなかの おもな仏と両わきの仏とをまとめた呼び名。〔おもな仏の名を取って阿弥陀三尊・釈迦三尊などと言う〕

**ざんぞん**［残存］《名・自サ》①昔のものが、残っていること。②生き残ること。「—者」▽伝統的には「ざんそん」。

**サンタ**〔ポ Santa〕■㊁ 聖なる。セント。「—マリア」■㊁サンタ ↑サンタクロース。「—のおじ（い）さん」●**サンタクロース**〔Santa Claus〕 クリスマスの前夜、煙突からはいって来て子どもたちにおくりものをするという老人。サンタ。●**サンタマリア**〔ポ Santa Maria〕《宗》イエス キリストの母を尊敬して言う呼び名。聖（母）マリア。

**さんたい**［三体］ 真・行・草の書体。

**さんたい**［山体］ 山の〈形/姿〉。

**さんだい**［三代］ ①三つの世代・年代・時代。②父・子・孫の三つの代。「—相恩の主君」

**さんだい**［参内］《名・自サ》〔文〕皇居に参上すること。参入。

**さんだい**［散大］《名・自サ》《医》〔ひとみが〕ひらいて大きくなること。「瞳孔が—する」

**さんだい**［三大］㊁ 三つの大きな。「世界の—企業」

**さんだいばなし**［三題（×噺）］ 三つの題目をその場でつづりあわせて〈落語にすること/つくる落語〉。

**ざんだか**［残高］ 差し引き勘定をして、残った金額。残額。

**さんたく**［三択］ ↑三者択一。「—問題」

**さんだつ**［×簒奪］《名・他サ》〔文〕〔帝位などを〕うばいとること。「領土—」

**さんだゆう**［三太△夫］ 華族や金持ちの家などの家事・会計を受け持つ（年取った）男の通称。

**さんだらぼっち**［（桟△俵△法△師）］〔俗〕⇩さんだわら。〔「さんだらぼうし」とも〕

**サンダル**〔sandal〕 足全体をおおわないで、かけひもやバンドなどで足にとめる はきもの。

**さんたろう**［三太郎］ おろかな人を人名のように言うことば。「大ばか—」

**さんだわら**［桟俵］ 米俵の、わらの ふた。さんだらぼっち〔俗〕。

**さんたん**［産炭］ 石炭を産出すること。「—国」

**さんたん**［三嘆・三×歎］《名・自サ》〔文〕何度も感心すること。「一唱—・一読—」

**さんたん**［賛嘆・×讃×歎］《名・他サ》〔文〕深く感じ入ってほめること。「—の辞」

**さんたん**［（惨×憺）・（惨×澹）］《トタル》 見ていられないほどひどいようす。「—たる失敗・苦心—」

**サンタン**〔suntan〕 日焼け。「—オイル〔=美しい小麦色に はだを焼くために、からだにぬる油〕」

**さんだん**［散弾・×霰弾］ 鳥を撃つときに使う、発射すると小さなたまが あられのように ちらばる弾丸。ばらだま。「—銃〔『ショットガン』とも〕」

**さんだん**［算段］《名・他サ》①手段を考えること。「かねを借りる—をする」②〔お金などの〕つごうをつけること。「—が つく・やりくり—」

**さんだんとび**［三段跳び］ ①《陸上》助走して ふみきり〔=ホップ〕、同じ足でとび〔=ステップ〕、反対の足でとび〔=ジャンプ〕、着地するまでの距離をきそう競技。②三つ続けて とぶこと。「—の出世」

**さんだんめ**［三段目］《すもう》幕下〔=二段目〕の下、序二段の上の階級。

**さんだんろんぽう**［三段論法］《哲》大前提・小前提・結論の三つの判断からできた、推理の方式。例、魚には骨がある〔大前提〕。ウナギは魚だ〔小前提〕。だから、ウナギには骨がある〔結論〕。

**さんち**［山地］《地》山が多くある土地。山の中にある土地。（↕平地）

**さんち**［産地］ ①物が生産される土地。「静岡はお茶の—だ」②動物などの生まれた土地。「この馬の—はアフリカだ」

**ざんち**［残置］《名・他サ》〔文〕置いたままにすること。「—物」

**さんちゃく**［参着］《名・自サ》〔文〕人が、到着すること。つくこと。

**さんちゃん のうぎょう**［三ちゃん農業］〔俗〕〔農家のあるじが、出かせぎなどで不在のため〕じいちゃん・ばあちゃん・かあちゃんの手で支えられている農業。

**サンチュ**〔朝鮮 sangchu〕チシャの一種。「―で焼き肉をつつんで食べる」

**さんちゅう**［山中］山の中。●**山中暦日なし** 句〔暦日＝こよみ〕世間をはなれて山の中に住むと、月日のたつのも忘れる。

**さんちょう**［山頂］山の頂上。山巓。「―をきわめる・富士―」（↔山麓）

**さんちょく**［三直］①作業などを三交替でおこなうこと。「―制」②《野球》三塁へのライナー。

**さんちょく**［産直］〔↑産地直送・産地直結〕新鮮で上質のさかなや野菜を安く手に入れるために、消費者が産地と直接取り引きすること。

**さんつう**［産痛］《医》お産のときの痛み。陣痛。

**さんづけ**［さん（付け）］人の名前の下に「さん」をつけて呼ぶこと。敬意や親愛の気持ちを示し、目下の者に対してはていねいな言い方となる。

**さんてい**［算定］《名・他サ》計算して決めること。「―方式」

☆☆**ざんてい**［暫定］かりに決めること。「―予算・―措置・―的に」

**サンデー**〔sundae〕アイスクリームの上に、くだものやチョコレート・生クリームなどをかけたもの。「チョコレート―・ストロベリー―」☞パフェ。

**サンデー**〔Sunday〕日曜（日）。「―スクール〔＝日曜学校〕」

**ざんてき**［残敵］〔文〕うちもらされた敵。残っている敵。「―掃討」

**サンデッキ**〔sun deck〕日光をあびるように作った、船の甲板や家の縁側。

**さんてん**［山×巓］〔文〕山のいただき。山頂。

**さんでん**［参殿］《名・自サ》〔文〕御殿に参上すること。

**さんと**［三都］三つの大きな都市。江戸時代は、京都・江戸・大坂。

**さんど**［三度］三回。「―の食事〔＝一日三回食べる毎日の食事〕」●**三度の飯より** 句 何よりも。「―映画が好き」●**さんどがさ**［三度×笠］飛脚や旅人などがかぶる、すげがさ。上が平たいものが有名。由来 江戸・大坂間を毎月三度往復した飛脚〔＝三度飛脚〕がかぶったから。●**さんどめ のしょうじき**［三度目の正直］なんでも、三回目には、望んだとおりに〈なる/うまく行く〉こと。

**サンド**〔sand〕砂。「―スキー」●**サンドウエッジ**〔sand wedge〕《ゴルフ》バンカーに落ちたボールを出すためのアイアン。ＳＷ。●**サンドバッグ**〔sand bag〕①《ボクシングなど》打撃の練習用に、砂を入れて上からつるしたふくろ。②一方的に非難されたり悪口を言われたりする人。「何も言い返せずーになってしまった」▽なまって、サンド バック。●**サンドペーパー**〔sandpaper〕ガラス・金剛砂などの粉を紙につけたもの。紙やすり。

**サンド** 一 ↑サンドイッチ。「ハム―・カツ―」二《名・他サ》間にはさむこと。「チーズを―する・チョコクリームを―したクッキー」

**ざんど**［残土］土木工事で、穴をほったりして出る、いらない土。「建設―」

**サンドイッチ**〔sandwich＝もと、人名〕①うすく切ったパンの間に肉・野菜などをはさんだ食べ物。サンド。「―用の食パン」由来 十七世紀イギリスの第四代サンドイッチ伯爵が食べたことから。②両方からはさまれること。「―になる」▽サンドウィッチ。●**サンドイッチマン**〔sandwich man〕街頭で、広告板をからだの前後につるして宣伝する人。〔大正時代から見かけられ、戦後に増えた〕

**さんとう**［三等］①三番目の等級。「宝くじの―」②〔もと、鉄道・客船で〕三番目の等級（による、ごくふつうの客のあつかい方）。「―乗車券」③〔俗〕程度の低いこと。「―国・―重役」

**さんとう**［三盗］《名・自サ》《野球》三塁へ盗塁すること。

**さんどう**［山道］やまみち。

**さんどう**［参道］参拝・参詣の道路。「表―」

**さんどう**［桟道］切り立ったがけの面に沿って取りつけた板の道。

**さんどう**［産道］《医》子どもをうむとき胎児が通る所。子宮の口から膣の入り口まで。

**さんどう**［参堂］《名・自サ》〔文〕①神仏をまつってある建物におまいりすること。②「相手の家を訪問すること」の謙譲語。「―つかまつりたく」

**さんどう**［賛同］《名・自サ》〔多くの人が〕その意見などに賛成すること。「皆様方のご―を得て」

**ざんとう**［残党］①戦いにやぶれて、生き残った者たち。「平家の―」②勢いを失った集団の生き残り。

**さんとうしん**［三等親］⇩三親等。

**さんとうな**［山東菜］ハクサイの一種。丸く結球せず、おもにつけ菜にする。さんとうさい。

**さんどく**［散読］《名・他サ》〈一冊の本をあちこち/いろいろの本を〉少しずつ読むこと。

**サントラ** ↑サウンド トラック。「―盤〔＝サウンドトラックを収録したＣＤやレコード〕」

**さんない**［山内］《仏》寺の境内。

☆☆**さんにゅう**［参入］《名・自サ》①〔文〕〔皇居を〕訪問すること。参内。②《経》市場に新しくはいって、競争に加わること。「地元の企業が公共工事に―する」

**さんにゅう**［算入］《名・他サ》①計算して（全体の）数のうちに入れること。②計算機のキーをおして、数字を入れること。

**ざんにょう**［残尿］《医》排尿のあと、まだぼうこう（膀胱）の中に残っている尿。「―感」

**さんにん**［三人］●**三人寄れば文殊の知恵** 句 三人集まって相談すれば、文殊菩薩ほどのいい知恵が出るものだ。

**ざんにん**［残任］〔文〕残りの任務。「―期間」

**ざんにん**［残忍］《ナダ》むごたらしいことを平気でするようす。「―な男・―な仕打ち」派 -さ。

**さんにんしょう**［三人称］《言》話し手・書き手と相手以外の、人やものごとをさす言い方。日本語文法では「他称」とも言う。第三人称。例、かれ・これ。

**さんぬる**［去んぬる］《連体》〔文〕過ぎ去った。この前の。さる。「—年」

***ざんねん**［残念］《ナダ》①期待したようにならないで、不満が残る〈ようす／気持ち〉。「—ながらこれで散会・—なこと〔=してもらいたくないこと〕をしてくれた」②くやしい〈ようす／気持ち〉。「—無念・—会〔=残念な気持ちをなぐさめる会〕」③〔俗〕がっかりするほど程度が低いようす。だめ。「—な〔=まずい〕味」派 -がる。-さ。

**さんのぜん**［三の膳］《料》二の膳の次に出す膳。☞与の膳。

**さんのとり**［三の×酉］十一月の、三番目のとり〔酉〕の日におこなわれるとりの市。俗に、三の酉まである年は、火事が多いという。

**さんのまる**［三の丸］城の二の丸の外がわの区域。

**さんば**［産婆］「助産師」の古い呼び名。「お—さん」

**さんば**［産馬］造〔その場所で／その年に〕生まれた馬。「日本—・二〇一〇年—」

**サンバ**〔ポ samba〕《音》ブラジルの音楽。リズム楽器を使った、四分の二拍子のはやい曲。

**さん-はい**《感》〔↑一、二、三、はい〕〔話〕歌やおどりなどを始めるきっかけをあたえるかけ声。☞せえの。

**さんぱい**［産廃］↑産業廃棄物。産廃物。「—処理」

**さんぱい**［散灰］《名・自サ》遺灰を海や山などにまくほうむり方。さんかい。☞自然葬・散骨。

**さんぱい**［酸敗］《名・自サ》〔文〕酒や脂肪などの味が変わって、すっぱくなること。

↑**さんぱい**［三拝］《名・自他サ》三度、拝礼すること。

●**さんぱいきゅうはい**［三拝九拝］《名・自サ》①〔文〕手紙の終わりに書いて、深い敬意をあらわすことば。②くり返して、しきりにたのむこと。

↑**さんぱい**［参拝］《名・自他サ》寺社におまいりしておがむこと。「神社に—する〔『神社を—する』とも〕・—者・—人」

**ざんぱい**［惨敗］《名・自サ》みじめな負け方（で負けること）。スコンク。さんぱい。「—に終わる」

**サンバイザー**〔sun visor〕①頭にかぶる、日よけのひさし。アイシェード。バイザー。②自動車のフロントガラスからの直射日光をさけるための日よけ。

**さんばいず**［三杯酢・三×盃酢］〈みりん／砂糖〉としょうゆと酢を、決まった割合でまぜあわせて作る調味料。〔本来は、酢・しょうゆ・みりんを一杯ずつ合わせた〕

**さんばがらす**［三羽〈×鳥〉］①部下や門弟の中で特にすぐれた三人。②ある方面でそろってすぐれた三人。「外務省の—」

**さんばく**［三幕］〔自衛隊で〕陸上・海上・航空それぞれの幕僚監部。

**さんぱくがん**［三白眼］黒目が下まぶたからはなれているために、ひとみのまわりの三方が白く見える感じの目。人相学上悪いとされる。さんぱくまなこ。

**さんばし**［桟橋］貨物の積みおろしや、乗客の乗りおりのために、波止場・ふとう（埠頭）から海中に突っき出して造った部分。

**さんばそう**［三△番×叟・三△番△三］正月の歌舞伎などで、幕開きの前におこなう、めでたい舞。ゆかをふみ鳴らしながらまう。

**さんぱつ**［散髪］《名・自サ》かみの毛を〈刈ること／刈って形を整えること〉。「—屋〔=理髪店〕」

**さんぱつ**［散発］《名・自他サ》①〔たまなどが〕まばらに出ること。また、出すこと。〔↔連発〕②間をおいて、ときどき〈起こる／出す〉こと。「事件が—する」〔↔続発・頻発〕

**ざんばらがみ**［ざんばら髪］〔結ってあったものがくずれて〕ばらばらに乱れたかみの毛。ざんばら。

**さんばん**［三バン］〔俗〕選挙に大切な三つのもの。地盤・看板〔=評判〕・かばん〔=お金〕。

**ざんぱん**［残飯］食べ残しのめし（や料理）。

**さんはんきかん**［三半規管］《生》耳の中にあって、平衡感覚をつかさどる器官。半規管。

**さんばんしょうぶ**［三番勝負］三回の戦いで、勝ち負けを決めること。一方が二回勝ったところで終わり。☞一番勝負。

**さんび**［賛美・×讃美］《名・他サ》ほめたたえること。

●**さんびか**［賛美歌］《宗》〔キリスト教で〕神・キリストの徳をほめたたえる歌。

**さんび**［酸鼻］《名・ナダ》〔文〕むごたらしくて、見ていられない状態であること。「—をきわめる事故現場」由来「酸」はつらいこと。鼻のおくがつんと痛くなるようすから。

**さんぴ**［賛否］①賛成と不賛成。「—両論」②賛成か不賛成か。「—を問う」

**さんぴつ**［算筆］〔文〕計算と筆記。読み書きそろばん。「—ができる」

**さんびゃくだいげん**［三百代言］〔=明治時代、三百文の日当で弁護をした、いいかげんな代言人《=弁護士》〕①〔俗〕弁護士をかろんじて呼ぶことば。②人を言いくるめる理屈（を言う人）。▽三百。

**さんびゃく-ろくじゅうど**［三百六十度］《名・副》①《数》円を一周した角度。「—回転する」②あらゆる方向や方面。「—ドライブレコーダー・—活躍する」

**さんぴょう**［散票］〔選挙で〕ひとりの候補者に集中しないで、何人かの候補者に少しずつ入れられる票。

**さんびょうし**［三拍子］①《音》「強・弱・弱」のように、三回のうち一回、強い音があらわれる拍子。②〔必要な〕三つの条件。「走攻守の—そろった選手」由来②は、邦楽で、三種の楽器で拍子をとることから。

**さんぴん**［産品］↑生産品。「地元の—・一次—」☞農産品。

**さんピン**［三一・サンピン］〔俗〕①ばくちで、二つのさいころの目に、三と一〔=ピン〕とが出ること。②〔↑サンピンざむらい〕低い身分のさむらい。町人が、さむらいをけいべつして呼んだことば。由来②は、給与が年に三両一人扶持だったことから。

**ざんぴん**［残品］必要がなくなったり、途中でやめたりして残ったもの。「—の整理」

**さんぴんちゃ**［さんぴん茶］〔↑中国 香片茶〕半発酵茶にジャスミンでかおりをつけた、沖縄の茶。

**さんぶ**［三部］①三つの部分。②三つの部類。●**さんぶがっしょう**［三部合唱］《音》高い声・中間の声・低い声の三部でおこなう合唱。●**さんぶきょく**［三部曲］《音》三部作の楽曲。●**さんぶさく**［三部作］三つの部分が集まってできている作品（の形態）。

**さんぷ**［産婦］①お産の前後の女性。②《法》お産から一年以内の女性。

**さんぷ**［参府］《名・自サ》江戸時代、大名が江戸に参勤したこと。

**さんぷ**［散布・×撒布］《名・他サ》まんべんなく まきちらすこと。「一剤・薬剤を一する」〔「撒布」は「さっぷ」の慣用読み〕

**ざんぶ**［残部］①残っている部分。②（出版物の）残りの部数。「一僅少」

**さんぷく**［山腹］山の中腹。頂上とふもとの間。

**さんぷくせん**［三複線］複線が三つならんで設けられたもの。☞複々線。

**さんぷくつい**［三幅対］三つで ひと組みの かけ軸。また、三つで ひとそろいのものの たとえ。

**さんふじんか**［産婦人科］産科と婦人科。

**さんぶつ**［産物］その土地で〈とれる／できる〉もの。

**ざんぶつ**［残物］〔文〕のこりもの。

**ざんぶと**《副》〔古風〕重いものが勢いよく水に飛びこむ音のようす。ざぶんと。「海へ一身を投げる」

**サンプリング**《名・自他サ》〔sampling〕①見本をぬき出すこと。標本抽出。「一調査〔⇩標本調査〕」②《音》〔ソウルミュージックなどで〕過去の（ヒット）曲からぬき出した音源をさまざまに加工し、別の曲を作ること。③見本〔＝サンプル〕などを、人々に くばること。「街頭一」

**サンプル**〔sample〕①見本（の品物）。②⇩標本。「一調査〔⇩標本調査〕」

**さんぶん**［散文］音節の数や調子に制限のない、ふつうの文章。（↔韻文）●**さんぶんし**［散文詩］散文の形式で書かれた詩。●**さんぶんてき**［散文的］《ナダ》①散文の性質を持つようす。（↔詩的）②おもしろみがなく、殺風景なようす。

**さんぷん**［散粉］農薬・殺虫剤などの、こなをまくこと。「一機」

**さんぺいじる**［三平汁］ぬかと塩でつけたニシンまたは塩ザケなどの ぶつ切りに、野菜やこんにゃくを加えて煮こんだもの。北海道の郷土料理。☞石狩鍋。

**さんべつ**［産別］↑産業別。「一共闘・一会議」

**さんべん**［三〔遍〕］三回。三度。●**三べん回って煙草にしょ**句 急いで休もうとせず、念を入れて確認するよう気をつけること。由来 夜回りが三回見回ってから休むことから。

**ざんぺん**［残片］〔文〕残りの かけら。

**サンボ**〔ロ sambo〕柔道とレスリングをあわせたようなルールでおこなう、ロシアの格闘技。

**さんぽ**［散歩］《名・自他サ》行く先・道順などをくわしく決めないで、外に出て気楽に歩くこと。「近所を一する・犬の一・お一」

**さんぼう**［三方］一 さんぼう 三つの方角。三方面。さんぽう。二 さんぼう〈神や仏などにそなえる食べ物を／儀式のときにものを〉のせる四角な台。前・右・左の三方に穴があけてある。●**さんぼういちりょうぞん**［三方一両損］立場のことなる三者が少しずつ損をして、結果として うまくおさまること。さんぽう いちりょうぞん。由来「一両」は江戸時代のお金。大岡裁きの話から。●**さんぼうよし**［三方〔良し〕］売買の当事者も地域も利益を得る、いい商売。さんぽうよし。由来「売り手よし、買い手よし、世間よし」から。

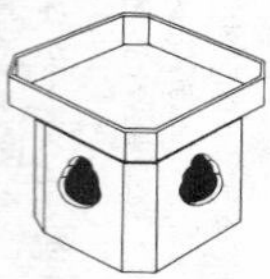
［さんぼう 二］

**さんぼう**［三宝］《仏》仏教で いちばん だいじな三つのもの。仏・法・僧。●**さんぼうかん**［〔三宝×柑〕］かんきつ類の一種。ネーブルに似て、へその部分が大きい。食用。さんぽうかん。

☆☆**さんぼう**［参謀］①作戦・計画に加わって、知恵を出す人。②《軍》作戦・用兵などの計画・指導を受け持つ将校。「一長・一総長・一本部」

**ざんぼう**［×讒×謗］〔文〕人の悪口を言うこと。そしること。「罵詈一」

**さんぼん**［三盆］⇩三盆白。●**さんぼんじろ**［三盆白］つぶの細かい白砂糖。三盆。☞和三盆。

**ざんぽん**［残本］売れ残りの本。

**さんぼんじめ**［三本締め］〔手締めで〕「いよーっ」という発声のあと、三・三・三・一の拍子で手を打つことを、三回くり返すやり方。☞手締め。

**さんま**［〔秋刀魚〕］海で とれる、細長い中形の青ざかな。あぶらが多い。秋、焼きたてを味わう。「一の塩焼き・一の骨が のどに ささる」

**さんまい**［三枚］一 さんまい ↑三枚おろし。「一におろす」二 さんまい「枚」と数えるもの、三つ。「はがき一」●**さんまいおろし**［三枚下ろし］さかなの頭を切りおとし、背骨の部分と両がわの身の三つの部分に切り分け〈ること／たもの〉。三枚。●**さんまいにく**［三枚肉］牛肉・豚肉で、あばらに付いた肉。あぶらと肉が三枚にかさなったように見える。ばら肉。●**さんまいめ**［三枚目］①おもしろおかしい役をする俳優。喜劇役者。由来 芝居の番付で、名前が三番目に書かれたことから。②人をよく笑わせたりして、親しみやすい人。☞二枚目。

**さんまい**［三昧］〔梵語 samādhi の音訳〕《仏》精神を集中して気を散らさないこと。「一境〔＝無我の状態〕」☞ざんまい 造。

**さんまい**［産米］〔その〈場所で／年に〉〕できた米。「一の輸送路・県一・昨年一」

**ざんまい**［三昧］造 ①そのことばかりに ふけって ほかのことを忘れる状態。「読書一・念仏一・ぜいたく一の生活」②何かというと、すぐ そうなりがちな状態。「刃物一」

**さんまん**［散漫］《ナダ》まとまらない ようす。しまりのない ようす。「一な考え・注意一で、どうしようもない」派一さ。

**さんみ**［三位］①位の一つ。上から三番目。正三位・従三位の二つに分かれる。②《宗》〔キリスト教で〕父である神〔＝天帝〕・子である神〔＝キリスト〕・聖霊の三つ。●**さんみいったい**［三位一体］①《宗》〔キリスト教で〕父と子と聖霊はすべて神のあらわれで、もともと一体のものであるという説。②三つのものが一つに〈なる／心をあわせる〉こと。

**さんみ**［酸味］すっぱい味（の感じ）。すっぱみ。すみ（酸味）。

**さんみゃく**［山脈］①《地》長く列をなして山地を作る、ひと続きの山々。②交流のあった偉大な人々。

**ざんむ**［残務］残っている事務。「一整理」

**さんめん**［三面］①三つの面。②新聞の第三面。〔昔の四面の新聞で、第三面にあった〕社会面の記事。●**さんめんきじ**［三面記事］　●**さんめんきょう**［三面鏡］三方から姿が見えるように、三つのかがみを取りつけた鏡台。●**さんめんろっぴ**［三面六×臂］〔文〕⇩八面六臂。

**さんもん**［三文］■一 さんもん〔＝一文の三倍〕わずかのお金。「―の価値もない」■二 〔造〕ねうちがないこと。「―小説・―文士・―オペラ」●**さんもんばん**［三文判］できあいの、安いはんこ。

**さんもん**［三門］①中央と左右の三つが連続した門。②《仏》山門。

**さんもん**［山門］《仏》寺院の本堂の前の門。寺院の門。●**さんもんふこう**［山門不幸］《仏》その寺の住職の死。ふつうの家の、喪中に当たる。

**さんや**［山野］〔文〕山や野原。「―をかけめぐる」●**さんやそう**［山野草］山野にはえる草花。庭に植えたり鉢植えにしたりする。例、サギソウ・ネジバナ。

**さんやく**［三役］①《すもう》大関・関脇・小結の総称。〔横綱をふくめることもある〕「―そろい踏み」②〔政党・組合などで〕三つの重要な役。

**さんやく**［散薬］粉になったくすり。こなぐすり。

**ざんやく**［残薬］処方されたあと、飲み忘れたり、飲むのをやめたりして、患者の手元に残った薬。

**さんゆうかん**［三遊間］《野球》三塁手と遊撃手の守備位置の中間。

**さんゆこく**［産油国］石油を産出し輸出している国。

**さんよ**［参与］《名・自サ》〔学識・経験などが買われて〕事業や組織の動かし方に関係し相談を受ける〈こと／職名〉。●**さんよいん**［参与員］《法》家庭裁判所の家事審判に立ち会い、意見をのべる民間の有識者。☞裁判員①。

**ざんよ**［残余］〔文〕あまったもの。残り。

**さんよう**［山容］〔文〕山のかたち。

**さんよう**［山陽］①〔↑山陽地方〕岡山県・広島県と山口県南部。②↑山陽道①。▽（↕山陰）

●**さんようどう**［山陽道］①もと、日本を八つに分けた地域の一つ。播磨・美作・備前・備中・備後・安芸・周防・長門の八国。②↑山陽自動車道。▽（↕山陰道）

**さんよう**［算用］《名・他サ》数を計算すること。勘定。●**さんようすうじ**［算用数字］⇩アラビア数字。（↕漢数字・ローマ数字）

**サンラータン**［〈中国語〉酸辣湯］酢・トウガラシ・コショウのはいった、中国のすっぱくてからいスープ。野菜・とうふ・肉などを入れ、かたくり粉でとろみをつけて、かきたまにする。スアンラータン。スーラータン。「―麺」

**さんらく**［惨落］《名・自サ》①〔文〕ひどく落ちぶれること。「―した姿」②《経》相場がひどく下落すること。

**さんらん**［産卵］《名・自サ》たまごをうむこと。

**さんらん**［散乱］《名・自他サ》ばらばらにちらばること。「紙きれが―している・光を―する」

**さんらん**［×燦×爛］《トタル》きらきらと美しくかがやくようす。「イチョウが夕日に―と散る」

**さんり**［三里］きゅう（灸）をすえる場所の一つ。膝頭の外がわの下のほう。足三里。

**さんりく**［三陸］陸前・陸中・陸奥。特に、宮城・岩手・青森県の海岸地方。「―沖」

**さんりゅう**［三流］①三つの流派。「福王・宝生・高安の―〔＝能のワキ方の流派〕」②三つに分けた等級のうち、いちばん〈低い／ねうちのない〉もの。「―会社」

☆☆**ざんりゅう**［残留］《名・自サ》あとに残ること。「―部隊・―農薬」

**さんりょう**［山陵］〔文〕天皇・皇后の、大きな墓。みささぎ。

**さんりょう**［山×稜］〔文〕山のみねからみねへつながる部分。尾根。

**ざんりょう**［残量］（使い）残りの量。「インクの―・電池の―」

**さんりん**［三輪］①三つの車輪。②↑三輪車②。「オート―」●**さんりんしゃ**［三輪車］①三つの車輪のついた、子どもの乗り物。②三つの車輪の自動車。（↕二輪車・四輪車）

**さんりん**［山林］①山や林。②山に広く木のはえている土地。（↕平地林）

**さんりんぼう**［三隣亡］九星の迷信の一つ。建築をしてはいけないという日。

**さんるい**［三塁］《野球》二塁の次のベース（を守る人）。サード（ベース）。●**さんるいしゅ**［三塁手］《野球》三塁を守る人。サード。●**さんるいだ**［三塁打］《野球》バッターが一度に三塁まで進むことができる安打。スリーベースヒット。

**ざんるい**［残塁］《名・自サ》《野球》攻守交替のとき、ランナーが塁に残っていること。「三者―」

**サンルーフ**〔sunroof〕自動車・建物などの屋根の一部分が、開閉できるようになっているもの。

**サンルーム**〔sunroom〕日光浴をするためのガラスばりの部屋。日光（浴）室。

**さんれい**［山霊］〔文〕山の神。

**さんれい**［山×嶺］〔文〕山のみね。

**さんれつ**［惨烈］〔文〕非常にむごたらしいこと。「―をきわめる」

**さんれつ**［参列］《名・自サ》儀式に加わって列席すること。「卒業式に―する」

**さんろう**［参籠］《名・自サ》〔文〕神社やお寺に、ある期間こもっていのること。おこもり。

**さんろく**［山麓］ふもと。やますそ。「富士―」（↕山頂）

**さんわおん**［三和音］《音》ある音をもとにして、その三度上と五度上の音を同時にひびかせた音。例、ドミソ。

## し　シ

＊**し**［士］■一 し ①〔文〕さむらい・学問のある人など、庶民の一段上にあった人。「わいろを取るなどは―のはじとするところだ」②〔文〕男の人を尊敬した言い方。かた。「同好の―・練達の―」③《軍》〔自衛隊で〕いちばん下の階級。士長・一士・二士。（↕幹部・曹）■二 〔造〕①さむらい。「四十七―」②特定の資格を持つ人。「栄養―・弁護―・税理―・社会福祉―」区別 ⇩師■三。

**し［氏］【一】し」⇩うじ（氏）【一】①。「夫の―」【二】し」《代》〔文〕〔「○○氏」ということばを受けて〕このかた。「―の言によれば」【三】【接尾】①〔相手以外の〕人の姓や姓名にそえることば。〔敬意をふくんだ客観的な呼び方〕「中村（秋子）―・森、松本の両―」〔俗に、職業など人をあらわすことばにそえる。「記者―・めがね―」〕②〔俗〕〔マニアどうしなどで〕人の姓名にそえる、軽い尊敬語。…さん。〔相手にも使う〕「中村―も来ませんか？」③〔文〕〔敬意をふくみ、客観的に〕人を数えることば。「男女五―」

**し」［四］よん。しい。「―五人・三―百万〔＝さんよんひゃくまん。古風〕」【区別】⇩よん（四）。

**し」［市］《法》行政区画・地方自治体の一つ。原則として人口五万人以上で、都市としての条件をそなえているもの。「千葉県柏―」〔外国の都市にも言う。「アテネ―」〕

**し［死］【一】し」①死ぬこと。「―を覚悟する・なぞの―を遂げる〔＝原因不明の死に方をする〕・―を死ぬ〔⇩死ぬ【三】〕」〔↔活・生〕②〔―の〕死にいたる。死をもたらす。「―の門出」☞死の灰・死の商人。【二】【造】《野球》アウト。「一―満塁」•**死一等を減ずる**【句】〔文〕死罪になるべきところを一段軽い刑にする。•**死の転帰をとる**【句】経過が悪くて死ぬ。•**死を賜う**【句】罪をおかした者に、切腹させる。

し［糸］【一】し」〔お金・重さなどで〕毛の十分の一。「日歩二銭一厘八毛三―」【二】【造】①いと。「紡績―」②生糸。「中国―」

し［私］【一】し」↑私立（大学）。「国、公、―」【二】【造】個人の。私的な。「―生活」〔↔公〕

し［使］【一】し」↑使用者〔＝経営者〕。「官、労、―」【二】【造】視察のため、中央から出された役人。「査察―」

し」［刺］〔文〕名札。•**刺を通じる**【句】〔文〕名刺を出して、会いたい人に取り次いでもらう。

*し［師］【一】し」①教授・伝道・説教などをする人。先生。「―とあおぐ」②《軍》↑師団。「三個―」【二】【接尾】宗教家・教師・邦楽家などの名前にそえる尊敬語。「宝井馬琴―〔＝講談師の名前〕」【三】【造】特定の技能を持った人。「看護―・ふぐ調理―・指し物―・浪曲―」【区別】国家資格では、「栄養士・弁護士」など「士」が多く、「師」は「薬剤師・理容師」など、医療・衛生関係などの一部にかたよる。「師」はこのほか、資格のいらない職業の人にも広く使う。「家」は、「美容師」に対する「美容家」のように、仕事で個性的な活動をする人に使う。

し」［詞］曲にのせたことば。「―〔＝作詞〕北原白秋」〔↔曲〕

し［歯］【一】し」↑歯学部。【二】【造】《生》歯。「永久―」

*し［詩］①気持ちや感動を、ことばの響きやリズム、イメージの力を借りて表現した作品。「定型―・散文―」②漢詩。「七言―〔＝一句が七文字のもの〕」〔↔歌〔＝和歌〕〕

し［資］【一】し」〔文〕①資金。「生活の―」②もと。たすけ。「勉学の―」③材料。「反省の―とする」④資本家。「官、労、―」【二】【造】資本。「外―系の会社」

**し【一】《接助》①事実をならべて述べる。「月がのぼる―、日がしずむ」②理由を〈ならべて／そえて〉述べる。「給料もいい―、休みも多い―、けっこうな会社だ・もう帰ろうか、風も冷たい―」☞する【連】。【二】《終助》①〔関西方言／俗〕〈知らせる／念をおす〉ことば。…よ。…から。「あたし、見送りに行かへん―〔＝行かないよ〕・じゃあ、帰る―」②〔山梨方言／俗〕命令をあらわす。…よ。「早く告れ―〔＝告白しろよ〕」③からかい・あざけり・あきれた気持ちなどをあらわす。「報道の使命とか言っちゃってる―」【三】《副助》〔文〕ことばの意味を強める。「名に―負わば」【四】◇文語助動詞「き」の連体形。①過去の事実を回想する。…た。「ふるさとにあり―〔＝いた〕とき・楽しかり―〔＝楽しかった〕昔」②〔近代以降の用法〕状態をあらわす。〔「曲がった道」の「た」に当たる〕「なみだに秘め―恋〔＝秘めた恋。伝統的な古文では『秘めたる恋』と言う〕・選ばれ―者」☞き《助動》。

し［至］【接頭】〔視覚語〕〔…に〕いたる。まで。「―東京・―九時」〔↔自〕

*し［子］【一】【接尾】①子ども。「三―・第一―」②《碁》置き石を数えることば。「三―を置かせる」☞目【二】。【二】【造】①〔文〕〔男の〕人。「編集―・川柳―」②〔文〕自分の名前・肩書きの略称などにつけてけんそんした意味をあらわすことば。「短評―〔＝短評欄を受け持つ人〕」③《俳句》学生。「受験―」④小さな器具。「回転―」⑤成分。因子。「遺伝―・拡張―」【三】し」〔文〕孔子。「―いわく・―のたまわく〔『子いわく』の尊敬した言い方〕」

し［姉］〔文〕【一】【接尾】《宗》〔プロテスタントで〕女性信者の名にそえる尊敬語。「清水（久美子）―もご出席」【二】【造】あね。「同母―」

し［指］【接尾】〔文〕ゆびを数えることば。「五―にあまる・三―〔＝上位三位〕にはいる」

し［視］【接尾】〔名・他サをつくる〕…と思うこと。…だと見ること。「同一―・問題―する・対岸の火災―する」

し［支］【造】〔文〕①中央から分かれた。地方の。「―金庫」②〈おもなもの／中心〉からはなれた。「―戦場」

し［仕］【造】動詞「する」の連用形「し」が単語の一部になったもの。「―上がる・―方がない・―事」【表記】「仕」の字は、音を当て字に使ったとも、また、「仕」には「する」の意味があるので、訓で読んだとも考えられる。

し［試］【一】【造】ためしにやってみる。こころみの。「―運転」【二】【造】試験。「入―・追―」

し［司］【造】取りあつかう役（の人）。「保護―・児童福祉―・お菓子―〔本来は『おんかしつかさ』〕」

し［史］【一】【造】歴史。「西洋―・裏面―・自分―」【二】し」〔文〕歴史。「―をひもとく」

し［×址・×趾］【造】〔文〕〔建物・住みかの〕あと。「住居―」

し［×趾］【造】《医》足のゆび。「第四―」

し［志］【造】記録。「東京名物―・戦国―」

し［紙］【造】①かみ。「西洋―」②新聞。「機関―・全国―・三―〔＝三種類〕を購読」

し［誌］【一】【造】①雑誌。「機関―・農業―」②その地方の生物・鉱物などの総目録。「植物―」【二】し」〔文〕雑誌。「その―の編集者」

シ」〔イ si〕《音》ラの一つ上の音の名。

じ［地］【一】じ」①地面。土地。ち。②その土地。「―の人間」③《碁》石で囲んで、自分の勢力範囲にした部分。④もちまえの性質。ふだんの状態。「―が出る・―でやれる役」⑤織物の生地。「―が厚い・洋服―」⑥〔織物の生地・石・紙などの〕表面の組織。きめ。はだ。⑦〔小説などで、会話の文に対して〕作者の説明の文。「一の文」⑧歌にあわせて演奏する音曲。⑨実地。☞地で行く句。⑩《能・狂言》↑地謡。[二]造 ①その土地で〈できる/おこなわれる〉。「一酒・一芝居」②ふだんのまま。その人本来の。「一腹・一声」③下地の。もとになる。「一金」表記「地震」「地面」を「ぢしん」「ぢめん」と書く人がいるが、「じ」は「ち」とは別の音読みで、「はなぢ(鼻血)」のように「ち」がにごったものでもない。現代仮名遣いでは「じしん」「じめん」。●地で行く句 物語やことわざなどにそっくりのことを、実際にする。「推理小説を一事件」

*じ【字】①文字。「一を書く・四百一づめの原稿用紙・Z一状」②漢字。「このごろの学生は一を知らない」③筆跡。「きれいな一」④〔「イロハのイの一も知らない」など、単語の最初の かなを取り出して言う〕そのことに関して、少しも…ない。「不満の『ふ』の一も言わない」●字になる句〔↑活字になる〕記事として、取り上げるだけの価値がある。「いつも一コメントを言う」

じ【自】[一]じ ①〔文〕自分自身。「一と他」②〔視覚語〕↑自由形。[二]造 ①自分自身(について)の。「一意識・一民族」②自分で…する。「一作一演」[三]接頭〔視覚語〕…より。…から。「一東京・一六時」(↕至)

じ【持】〔↑持碁〕《碁・将棋》引き分け。「五勝四敗一一」

**じ【時】[一]じ 一昼夜の二十四分の一を単位としてしめす、時刻のしめし方。「午後一一」[二]造〔文〕とき。場合。「空腹一・非常一」

じ【×痔】《医》肛門(の付近)の病気。痔疾。表記 歴史的仮名遣いを使い、「ぢ」とも。

じ【辞】①〔文〕(あいさつの)ことば。「開会の一」②漢文の文体の一つ。韻をふむ。「帰去来の一(=陶淵明の文章)」●辞を低くする句〔文〕〔ていねいなことばを使って〕下手に出る。

じ【璽】〔文〕⇩こくじ(国璽)。「〔勲章をさずける証書などの終わりに〕一をお(捺)させる」

じ《助動特殊型》〔文〕〔否定意志・否定推量の助動詞〕①否定の意志をあらわす。ないようにしよう。「のがさ一(=にがさないぞ)と追いすがる」②否定の推量をあらわす。ないだろう。「色は変わら一」

*じ【寺】接尾 てら〈の名前の下に つける/を数える〉ことば。「円覚一・末寺一万一」

じ ぢ 接尾 [一]【路】①みち。街道。「伊勢一」②一日の行程。「三日一」由来 道の意味の古語「ち」がにごったもの。[二]【(:路)】〔雅〕〔人の年について〕くぎりのいい数の下に そえることば。「いそ(五十)一(=五十歳)」由来 もとは「ち」で、「はたち(二十歳)」の「ち」と同語源。

*じ【次】[一]造 つぎの。「一年度・一駅・一条」(↕前回)[二]接尾 ①〔展開・進展するものごとの〕回数をあらわすことば。「二一にわたる攻撃・第一一案」②《数》累乗の回数をあらわすことば。区別⇩ $x^3$は三次。また、$x$は一次。

じ【児】造 ①児童。子ども。「肥満一・二歳一・二一の母」②人。「幸運一・風雲一」

じ【事】造〔文〕こと。ことがら。「関心一・偶然一ではない」

じあ【次亜】接頭《理》〔酸素原子が〕二つ少ないこと。「一塩素酸」☞亜。

シアー《名・ナダ》〔sheer〕〔衣服・けしょう品などが〕うすくて、すける感じ。「一感のあるアイシャドウ」

*しあい《名・自サ》[一]【(:試=合)】〔競技・武芸などで〕おたがいにうでまえをくらべ争うこと。「一を決める(=失点をおさえる)・〔野球など〕一を作る(=失点をおさえる)・対校一・他流一」表記 武芸の場合は「仕合」とも。[二]【仕合】たがいに争うこと。「泥一」由来[一][二]とも、動詞「し合う(=やり合う)」の連用形から。☞仕。

じあい【地合い】①地質。織り地。②《経》相場の、全体のようす。「ドルを買いづらい一・一が悪い」

じあい【時合い】《釣り》魚がえさをよく食べる時間帯。

じあい【慈愛】 やさしく かわいがる気持ち。「一に満ちたまなざし・一深い母」

じあい【自愛】[一]《名・自サ》〔文〕《手紙》自分のからだを大切にすること。〔相手に使う〕「時節がらご一(専一)のほど おいのり申し上げます」[二]①自分への愛。自己愛。「一心・一が足りない」〔最近は、好ましいものとしても使う〕②〔俗〕自分への ごほうび。「ごースイーツ」〔二〇一〇年代からの用法〕

しあが・る【仕上がる】《自五》①作業が最後まですむ。②作った結果、ある状態になる。「きれいな色に一」③〔からだの〕コンディションが ととのう。名 仕上がり。☞仕。

じあげ【地上げ】①〔不動産業界で〕土地の複雑な権利関係を一つにまとめること。②住民をむりやり立ちのかせるようにして土地を買収すること。「一屋」

しあ・げる【仕上げる】《他下一》 しあがるようにする。名 仕上げ。☞仕。

しあさって【(:明々後日)】 あさっての翌日。☞やのあさって。

ジアスターゼ〔ド Diastase〕《理》アミラーゼの別名。特に麦芽から作られたものをさす。

☆☆シアター〔theater; theatre〕 劇場。「レストランー(=舞台のショーを見ながら食事をするレストラン)」

じあたま【地頭】①かつらなどをつけていない頭。②生まれつきの頭のはたらき。「一がいい」☞じとう(地頭)。

しあつ【指圧】《名・他サ》手のゆび・手のひらなどで、からだをおし、また、たたくこと。「一療法」

じあつ【地厚】《ナダ》生地が厚いようす。

シアバター〔shea butter〕 シアという木の種から取るあぶら。せっけん・けしょう品などに使う。

じあまり【字余り】和歌や俳句の音節数が規定より多い〈こと/もの〉。「一の句」(↕字足らず)

じあめ【地雨】 だいたい決まった強さで、本式に降り続く雨。「一になる」

しあわせ [一]【幸せ・仕合わせ・×倖せ】《名・ナダ》①【:幸福】生きる楽しさが感じられる〈状態/気持ち〉。幸福。「子どもの一を考える・二人は一に暮らしました」②満ち足りた〈状態/気持ち〉。「ああ、食った。一だ」③幸運。「一なことに補欠で合格した」▽(↕不幸せ)[二]【仕合わせ】〔古風〕めぐり合わせ。「一が〈よい/悪い〉人・ありがたき一(⇩「ありがたい③」の用例)」✓[二]の「仕合わせが よい」の述語「よい」の意味を、主語「仕合わせ」が ふくむようになって、[一]の「幸せ(=めぐりあわせがよい状態)」という用法ができた。☞「天気③」の[注]。[由来]動詞「し合わす〔=うまく合うようにする〕」の連用形から。☞仕。

しあん[私案] 自分ひとりの〈案／考え〉。

しあん[試案] 一つのこころみとして出す考え。

しあん[思案]《名・自他サ》①いろいろと考えること。考え。「ここが一のしどころだ・一深い」②心配して考えこむこと。「一顔」●思案に余る[句] どうしたらいいかわからない。●しあん-なげくび[思案投げ首]《名・自サ》しきりに思案して首をかたむけること。名案がなく、困っていること。

シアン ①〔cyan〕印刷インクの三原色の一つ。緑がかった水色。②〔オ cyaan〕《理》炭素と窒素の化合物〔=ジシアン〕。有毒な気体。また、炭素と窒素の構造〔=シアン基。化学式 -CN〕をもつ物質。「一化合物〔=青酸カリ・青酸ナトリウムなど青酸系の化合物〕・一公害〔=シアン化合物による公害〕」

じあん[事案]〔文〕問題になっていることがら。

しい[△四]〔話〕し。〔数えるときに言うことば〕「二に、一、六、…」

しい[四囲]〔文〕まわり。周囲。「一の情勢」

しい[私意]〔文〕自分ひとりの勝手な考え。「一をさしはさむ」

しい[恣意]〔心《=意》のまま《=恣》にすること〕〔文〕規則がなく、勝手気ままな〈こと／考え〉。「ものごとを一によって決める・一性」☞恣意的。

しい[〈△椎〉] 大きな常緑樹の一つ。枝も葉も深くしげる。たねは食べられる。材は建築・器具に使う。しいのき。「一の実」

しい[思×惟]《名・自他サ》〔文〕〔宗教や哲学上の問題などについて〕深く考えること。しゆい〔古風〕。「自我を一する」

し・い [接尾] 形容詞をつくる語尾。「うとうと一・おろか一・子ども子ども一」

しい[造]〔もと関西方言〕よく…する人。…する傾向がある人。「緊張一」

シー [一] シー[C・c] アルファベットの三番目の字。[二] シー[C] ①名を出さないで(A・Bに続けて)言うときに使う符号。「少年一」②等級の三番目。「一クラスに落ちる」③〔↑carbon〕《理》炭素の元素記号。[三][C][接尾]〔↑Celsius〕セ氏温度計の温度の記号。「一六〇度一〔多く『160℃』と書く〕の油」☞クーロン。

じい[侍医] 天皇・王・将軍などの病気をみる役目の医者。

じい[〈×爺〉] [一] 年とった執事・めし使いなどの男性。じいや。〔呼びかけにも使う〕[二][接尾]〔俗〕年とった男性の名にそえて、親しみをあらわすことば。「しげ一」

じい[辞意]〈辞退／辞職〉の意志。「一をもらす」

じい[自慰]《名・自サ》〔文〕⇩マスターベーション。

じい[示威]《名・自他サ》〔文〕威勢・勢力をしめすこと。「一運動・一行動・軍事力を一する」

ジー [一][G・g] アルファベットの七番目の字。[二][G] ①〔↑gravity〕《理》加速度の単位をあらわす記号。地球上で、重力の作用だけで落下するものに加わる加速度が、一G。「三一〔=地球上のGの三倍の加速度〕・一がかかる〔=重力が加わる〕」②〔↑group〕〔視覚語〕グループ。「犯罪一」③〔↑gokiburi〕〔俗〕「ゴキブリ」の婉曲な言い方。「一が出た!」☞ガウス・ギガ・グラム。

シーアールき[CR機]〔CR←card reader〕プリペイドカードを使って玉を借りるパチンコ機。

シーアイ[CI]〔↑corporate identity〕企業のイメージを世間に印象づけるための企業戦略。社名変更やキャッチフレーズの制定など。コーポレートアイデンティティ(1)。

ジーアイ[GI]〔↑government issue=官給品〕アメリカ兵の俗称。

シーアイエー[CIA]〔↑Central Intelligence Agency〕〔アメリカの〕中央情報局。

☆☆シーイーオー[CEO]〔↑chief executive officer〕〔社長など〕企業の最高経営責任者。

ジーエイチキュー[GHQ]〔↑General Headquarters=総司令部〕一九四五年、日本を占領するために設置された連合国軍最高司令官総司令部。一九五二年、講和条約の発効とともに廃止。

シーエー[CA] ⇩キャビンアテンダント。

シーエーティーブイ[CATV]〔↑community antenna television=共同アンテナテレビ〕⇩ケーブルテレビ。

シーエス[CS] ①〔↑communications satellite〕通信衛星。「一テレビ放送」☞BS。②〔↑Climax Series〕⇩クライマックスシリーズ。

ジーエス[GS] ①⇩ガソリンスタンド。②⇩グループサウンズ。

シーエスアール[CSR]〔↑corporate social responsibility=企業の社会的責任〕企業は地域住民などもふくめた利害関係者全体に対して責任を負い、人権や環境にも配慮が求められるという考え方。

☆☆ジーエヌアイ[GNI]〔↑gross national income〕《経》国民総所得。

シーエヌジー[CNG]〔↑compressed natural gas〕圧縮天然ガス。自動車などの燃料にする。

ジーエヌピー[GNP]〔↑gross national product〕《経》国民所得を生産面から見たもの。国民総生産。☞GDP。

シーエフ[CF] ①〔↑commercial film〕テレビのCM用映画。②⇩クラウドファンディング。

シーエフ[cf.]〔↑ラ confer〕…を〈参照／比較〉せよ。

シーエフオー[CFO]〔↑chief financial officer〕〔企業の〕最高財務責任者。

シーエム[CM]〔↑commercial message〕⇩コマーシャル[一]。

ジーエム[GM] ①⇩ゼネラルマネージャー。②〔↑genetically modified〕《生》⇩遺伝子組み換え。「一食品」

シーオー[CO]〔化学式COから〕《理》一酸化炭素。「一中毒」

シーオーオー[COO]〔↑chief operating officer〕〔企業の〕最高業務責任者。最高執行責任者。

☆☆**シーオーツー**【$CO_2$】〔化学式$CO_2$から〕《理》二酸化炭素。「―を削減(さくげん)する」

**シーオーディー**【COD】①〔←chemical oxygen demand〕水質汚染(おせん)のめやす。水を採取して、中の有機物を酸化剤(ざい)で酸化させたときに使われる、酸素の量。化学的酸素要求量。☞BOD・TOC・TOD。②〔←cash on delivery〕代金引換(ひきかえ)。キャッシュオン。

**ジーオーティー**【GOT】〔←glutamic oxaloacetic transaminase〕《生》⇩エーエスティー(AST)。

**シーオーピーディー**【COPD】〔←chronic obstructive pulmonary disease〕《医》慢性(まんせい)閉塞(へいそく)性肺疾患(はいしっかん)。慢性気管支炎と肺気腫(きしゅ)をまとめた病名。

**しいか**【詩歌】①詩や歌。②漢詩と和歌。「―管弦(かんげん)の遊び」▽しか。

**しいき**【市域】〔文〕市の区域。

**しいく**【飼育】《名・他サ》家畜(かちく)などを、かうこと。

**シークエンス**〔sequence=連続〕①《映画・放送》一連の場面。②《教育で》単元が展開する順序。③《トランプ》数の連続した同種の三枚以上のカード。▽シーケンス。

☆☆**シークレット**〔secret〕秘密。「トップ―・―ブーツ(=背を高く見せるブーツ)」 ●**シークレットサービス**〔secret service〕要人の警護や情報収集にあたる(アメリカの)機関。

**しーくわーさー**【シークワーサー】〔沖縄方言〕ミカンに似た小さな緑色の実のなる木。実には、さわやかな酸味とかおりがある。ヒラミレモン。シークヮーサー。シークァーサー。シークワーシャー。「―サワー」

**しーさー**【シーサー】沖縄の唐獅子(からじし)像の焼き物。魔よけとして、家の屋根や門に取りつける。

**シーザーサラダ**〔Caesar《=店名》salad〕レタスを半熟たまごなどで作ったドレッシングとまぜあわせ、粉チーズなどをふりかけてクルトンをそえたサラダ。

**シーサイド**〔seaside〕海岸。海浜(かいひん)。

**しいざかな**【強い×肴】《料》①《会席料理で》最後のごはんの前に出す一品。②《懐石(かいせき)料理で》ごはんや煮物にも、焼き物などのあとに出す一品。

**じいさん**【〈×爺さん〉・〈:祖父さん〉】「おじいさん」の、ぞんざいな言い方。(↔ばあさん)

**じいじ**〔児〕《子どもから見て》おじいちゃん。《家族も、自分自身も使う》(↔ばあば)

**しいしい** 運 ⇩する一①。

**シーシー** 一【cc・CC・Cc】《名・他サ》〔←carbon copy〕《メールで》本来の受取人以外の人にメールのコピーを送る〈機能/こと〉。同報。「―で送る・―する」☞bcc。二【CC】⇩カントリークラブ。三【cc】〔←cubic centimeter〕液体などの体積の単位。立方センチ(メートル)。《ミリリットルに等しい》

☆☆**シージー**【CG】〔←computer graphics〕コンピューター(ー)グラフィックス。「―映像・―アニメ」

**シージーエスたんいけい**【CGS単位系】〔CGS←centimeter, gram, second〕長さはセンチメートル、質量はグラム、時間は秒(=セコンド)を基本単位とする体系。

**じいしき**【自意識】自分はこうだとか自分の存在とかについての意識。「―過剰(かじょう)(=他人が自分をどう見ているかを気にしすぎる状態)」

**ジージャン**〔←ジーンズジャンパー(和製 jeans jumper)〕〔俗〕ジーンズの生地(きじ)で作ったジャンパー。表記「Gジャン」とも。

**シース**〔sheath=さや〕万年筆・ナイフなどをさしこむ、(革(かわ)製の)入れもの。

**シーズ**〔seeds=種子〕事業化などの見こみのある、新しい技術や考え。「ニーズ(=需要(じゅよう))と―」

**シーズー**〔中国 獅子〕チベット原産の小形の犬。毛が非常に長くのびる。耳はたれ、足は短い。ペットにする。

**シーズニング**《名・自他サ》〔seasoning〕①(いろいろの材料をまぜた)調味料。また、それをかけること。「―パウダー」②新品のなべを熱しては油を引くことをくり返し、調理に使えるようにすること。

**しい・する**【×弑する】《他サ》〔文〕主君や父を殺す。

**シースルー**〔see-through〕①内部が、すけて見えること。②《服》すけて見える生地(きじ)を使った衣類。

☆☆**シーズン**〔season〕①季節。時候。②あることがさかんにおこなわれる〈季節/時期〉。「スポーツの―・―パス(=期間限定の、何度も利用できる入場券など)」③《スポーツ》リーグ戦のおこなわれる期間。レギュラーシーズン。④《連続ドラマなどの》ひと続きの話。シリーズ。「―2(ツー)・第三―」 ●**シーズンオフ**〔和製 season off〕①季節外れ。②ものごとのおこなわれない時期。あることの休止時期。▽オフシーズン。オフ。

**ジーセブン**【G7】〔←Group of Seven〕アメリカ・イギリス・イタリア・カナダ・ドイツ・日本・フランスの主要七か国。「―サミット・―財務相(しょう)会議」

**ジーゼルエンジン**〔diesel engine〕《理》⇩ディーゼルエンジン。

**シーソー**〔seesaw〕両はしに人が乗ってたがいちがいに上下させる板(の遊び)。 ●**シーソーゲーム**〔seesaw game〕点数を取ったり取られたり、ぬいたりぬかれたりの試合。接戦。

**しいたけ**【〈△椎×茸〉】食用キノコの一種。かさは黒茶色。だしをとるのにも使う。

☆☆**しいた・げる**【虐げる】《他下一》残酷(ざんこく)にあつかって苦しめる。ひどくいじめる。「動物を―・部下を―」

**しーっ**《感》〔音調は(‾→)〕〔話〕人を静かにさせるときに言うことば。のばした人さし指をくちびるの前に当てて言う。しっ。

**シーツ**〔sheet〕敷(し)きぶとんの、敷布(しきふ)。

**じいっと**《副・自サ》「じっと」を強めた言い方。

**しいて**【〈強いて〉】《副》むり(やり)に。おして。「―行く必要もない・―言えば」

☆☆**シーティー**【CT】〔←computerized tomography〕コンピューターを使ったX線断層撮影(さつえい)法。また、その装置。CTスキャナー。CTスキャン。「―検査」☞MRI。

***シーディー**【CD】①〔←compact disc〕音楽・音声(や文字・画像)を収録した、直径十二センチの光ディスク。コンパクトディスク。「―プレーヤー・―シングル〔⇩シングルCD〕」②〔←cash dispenser〕現金自動支払(しはら)い機。 ●**シーディーアール**【CD-R】〔R←recordable〕情報を一度記録すると書きか

えられないCD。追記型CD。〔くり返し記録し消去できるのは、CD-RW〕 ●シーディーロム〔CD-ROM〕〔ROM←read only memory〕 CDを、コンピューターの読み出し専用の記憶媒体としたもの。

**ジーティー**〔GT〕〔←イ gran turismo〕 長距離・高速走行用の高性能自動車。スポーツカー。

**シーティーオー**〔CTO〕〔←chief technical officer〕〔企業の〕最高技術責任者。

**シーティーシー**〔CTC〕〔←centralized traffic control〕 列車の運行状況を、一か所にまとめて制御し、集中的に管理する方式。列車集中制御（装置）。

☆☆**ジーディーピー**〔GDP〕〔←gross domestic product〕《経》国内で一年間に生産した物やサービスの全体を、金額であらわしたもの。景気をはかるものさしの一つ。国内総生産。☞GNP。

☆☆**しいてき**〔恣意的〕《ダ》〔文〕①思いつきや都合にもとづくようす。勝手。「ルールを—にねじまげる・文章を—に〔=都合よく〕解釈する」✓都合よく判断するところから「意図的」と重なるが、まったく同じ意味ではない。②これといった規則がないようす。「ある動物の呼び名は、言語によって—に決まる」☞恣意。

**しいては**〔△延いては〕《副》〔話〕⇩ひいては。

**シート**〔seat〕①座。座席。腰かけ。「リクライニング—」②《野球》野手の守備する位置。●**シートノック**《名・自サ》〔和製 seat knock〕《野球》守備位置についた野手に、ボールを打って守備の練習をさせること。●**シートベルト**〔seat belt〕からだを固定するために自動車・飛行機の座席に取りつけた、ベルト。座席ベルト。安全ベルト。

**シート**〔sheet〕①紙（のように平たくのばしたもの）。「チエック—」②一枚の紙に切手を何枚かまとめて印刷したもの。③おおい・日よけなどに使う、防水した一枚の布。「—をかける・ブルー—」●**シートパイル**〔sheet pile〕地中に打ちこんで、土がくずれないように支える、細長い鉄の板。鋼矢板。

**シード**〔seed〕⊟シード《名・他サ》トーナメントなどで、強豪チームや選手を、選抜がある程度進んでから出場させること。〔強豪だけが勝ったり、強豪同士が最初から戦ったりするのをさける〕「—校・—権・ノー—〔=シードされていないこと〕」⊟シード たね。「バジル・インコ用の—」

**シードル**〔フ cidre〕リンゴから造った（発泡性の）酒。りんご酒。〔「サイダー」と同語源〕☞カルバドス。

**しいな**〔×粃・×秕〕①皮ばかりで実のはいっていないもみ（籾）。②しなびて、じゅうぶんにみのらない実。

**しいのき**〔△椎の木〕⇩しい（椎）。

**シーバース**〔sea berth〕沖にとまったタンカーから、原油をパイプでおろすための設備。

**シーハイル**《感》〔ド Schi Heil=スキー万歳〕 スキーヤーのあいさつのことば。

**ジーパン**〔←和製 jeans pants〕《服》〔古風〕⇩ジーンズ①。表記 俗に「Gパン」とも。

**シーピー**〔CP〕①⇩コストパフォーマンス。②《経》⇩コマーシャルペーパー。③《医》⇩脳性まひ。④〔←chief producer〕映画や放送番組の制作責任者。チーフプロデューサー。⑤⇩キャンペーン。

**ジーピー**〔GP〕⇩グランプリ。

**ジーピーエー**〔GPA〕〔←Grade Point Average〕〔大学で〕各科目の成績の平均点。就職や留学の判断材料となる。

☆☆**ジーピーエス**〔GPS〕〔←Global Positioning System〕全地球測位システム。人工衛星を利用して、地球上のどこにいても現在位置を正確に知ることができる。「スマホの—機能」

**ジーピーティー**〔GPT〕〔←glutamic pyruvic transaminase〕《生》⇩エーエルティー（ALT）②。

**シーピーユー**〔CPU〕〔←central processing unit〕《情》コンピューターの本体で、演算などをおこなう装置。中央処理装置。

**シープ**〔sheep〕羊の皮。シープスキン。

**ジープ**〔米 jeep=商標名〕馬力の強い四輪駆動の小型自動車。

**シーブイ**〔CV〕〔←和製 character voice〕その声を担当する声優。「—・山田康雄」

**シーフード**〔seafood〕〔西洋料理で〕食べられる海産物。さかな・貝・海藻。「—グラタン・—カレー」

☆☆**シーベルト**〔sievert=もと、人名〕《理》①からだが放射線をあびたときに受ける、影響力の強さをあらわす単位。一シーベルトは、もとの百レム。〔日本では、一年間におよそ二・一ミリシーベルトの自然放射線をあびる〕②大気中のガンマ線などの量をあらわすとき、単位グレイを言いかえたもの。〔この場合、一グレイが一シーベルトになるから言う。日本での大気中の放射線量の平均値は、一時間あたりおよそ〇・〇五マイクロシーベルト〕▽〔記号Sv〕

**シームレス**《名・ダ》〔seamless〕①つなぎ目がないようす。「医療と福祉が—につながる」②女性用のストッキングで、うしろのぬいあわせ目〔=シーム〕がない〈こと/もの〉。

**ジーメン**〔Gメン〕〔米 G-men〕①〔←Government men〕アメリカの連邦捜査局の捜査官。②警察官以外で、特別に捜査・監察をおこなう人。「麻薬—・産廃—」

**じいや**〔×爺や〕主人の家の仕事をする、年とった男性（を親しんで呼ぶことば）。じい。（↔ばあや）

**シーラカンス**〔coelacanth〕生きた化石といわれる、大形のさかな。暗い灰色で、白い点々がある。中生代後期に絶滅したと考えられたが、アフリカ東岸の深海などで発見されている。

☆☆**シーリング**〔ceiling〕①天井。「—ファン」②予算の要求をするときの、最高限度額。概算要求基準。「ゼロ—〔=対前年度比ののび率がゼロ〕」

**し・いる**〔強いる〕《他上一》むりにさせる。おしつける。「寄付を—・苦戦を強いられる〔=苦戦させられる〕」

**し・いる**〔×誣いる〕《他上一》〔文〕①つくりごとを言う。讒言（ざんげん）する。②こじつける。☞強いて。

**シール**〔seal〕①印章をおすこと。②封印。③手紙などの封に使う、切手ぐらいの大きさの紙。「クリスマス—」④アザラシ（の皮）。

**シールド**〔shield=盾〕①トンネルなどをほるときに、まわりの土がくずれないようにするわく。②おおい。遮蔽（しゃへい）

しゃ。「フェイスー」●**シールド こうほう**〔シールドエ法〕穴をほり進めながら、その周りを固めてトンネルを造る工事法。

**シーレーン**〔sea lane〕有事のさいに守るべき、海上の交通路。海上輸送路。「一防衛」

**しい・れる**〔仕入れる〕《他下一》生産・販売のための原料・商品を買い入れる。買いこむ。[名]仕入れ。☞仕。

**じいろ**〔地色〕〔布・紙などの〕下地の色。

**ジーワン**〔G1〕〔↑grade one〕《競馬》最も格づけの高い競走。「一レース」

**しいん**〔子音〕《言》発音の際、舌・歯などによって、出す息の通路がとじたり、せまくなったりして出る音。しおん。例、か〔ka〕の頭の部分〔k〕。(↕母音)

**しいん**〔子院・支院〕《仏》大きな寺の敷地に付属して建てた寺。塔頭。

**しいん**〔死因〕死亡の原因。

**しいん**〔私印〕個人の印。「一偽造」(↕公印)

**しいん**〔指印〕《名・自サ》〔文〕ぼいん(拇印)。ゆびいん。「署名一する」

**しいん**〔試飲〕《名・他サ》〔酒などを〕ためしにのむこと。「一会」

**シーン**〔scene〕①光景。情景。「劇的一・忘れられない一」②〔映画・劇・小説などの〕一場面。「ラブー・ラストー」③現場。分野。「ビジネスー・日本のミュージックー」

**じいん**〔寺院〕てら。教会。「仏教ー・〔ロンドンの〕ウエストミンスターー」

**ジーンズ**〔jeans〕《服》①デニムのズボン。ジーパン。「ブルーー」②デニムの布。

**しいんと**《副・自サ》「しんと」を強めた言い方。漫画で音がしない場面に「シーン」と書いたのは手塚治虫が最初。「しいんと」はそれ以前からある。

**じいんと**《副・自サ》「じんと」を強めた言い方。

**じう**〔慈雨〕〔文〕ほどよくうるおいをもたらす雨。

**じうた**〔地唄〕〔=土地の歌〕《音》上方に伝わる、三味線を伴奏とする歌。〔江戸で〕上方唄。☞長唄。●**じうた まい**〔地唄舞〕地唄にあわせて舞う舞。京舞。上方舞。

**じうたい**〔地謡〕《能・狂言》地の文のうたい(をうたう人々)。状況説明や心理描写などをおこなう。地。

**しうち**〔〔仕打ち〕〕〔他人に対してつらくあたる〕ふるまい。あつかい方。「むごいーを受ける」☞仕。

**しうん**〔紫雲〕〔文〕むらさき色の雲。〔仏教で、極楽浄土にたなびくという雲〕

**じうん**〔時運〕その時のまわり合わせ。時の運。「一に乗る」

**しうんてん**〔試運転〕《名・他サ》①〔新しく作った乗り物・機械などの安全をたしかめるために〕ためしに運転すること。②〔機械や からだを〕ためしに、少しだけ動かしてみること。

**しえ**〔紫△衣〕〔文〕〔位の高い僧の着る〕むらさき色の着物。しい。

☆☆**シェア**〔share〕[一]《名・他サ》①共有すること。シェアリング。「カーー・ワークー・情報をーする」②〔飲食店で〕一つのものを、複数の人で分けて食べること。「サラダをーする」[二]〔↑マーケット シェア〕《経》⇩市場占有率。「ーを拡大する」

**シェアウエア**〔shareware〕インターネットなどを通じて提供されるソフトウエアで、本格的に使う場合に利用料が必要なもの。☞フリーウエア。

**シェア ハウス**〔share house〕一つの住居を複数の人で利用すること。また、その住居。個室はあるが、台所・ふろなどは共用の場合が多い。

**しえい**〔市営〕市が経営する〈こと/もの〉。「一住宅・ーバス」

**じえい**〔自衛〕《名・自サ》自分をまもること。「一手段」●**じえいかん**〔自衛官〕自衛隊に勤務し、防衛・治安などのために出動する制服の隊員。外国の軍人にあたる。●**じえい かん**〔自衛艦〕海上自衛隊に所属し、戦闘能力を持つ船。外国の小型の軍艦にあたる。●☆☆**じえい たい**〔自衛隊〕日本の平和と独立を守り、国の安全をたもつ目的で つくられた防衛組織。一九五四年発足。

**じえい**〔自営〕《名・他サ》自分(ひとり)で営業すること。「一業・クリーニングー」

**シェイプ アップ**《名・他サ》〔shape up〕美容や健康のために、運動などで からだをひきしめること。シェープアップ。

**ジェー** [一]ジェー〔J・j〕アルファベットの十番目の字。[二]ジェー〔J〕↑Jリーグ。「ー2」[三]〔J〕[遺]〔↑Japan〕日本の。「ーホラー」▽[一]～[三]ジェイ。☞ジャック①・ジュール。

**ジェーアール**〔JR〕〔↑Japan Railway(s)〕もとの国鉄を地域ごとに分けて民営にしてできた、旅客鉄道会社と貨物会社。☞「ジュニア」の[表記]。

**ジェーエー**〔JA〕〔↑Japan Agricultural Cooperatives〕農業協同組合。

**ジェーオーシー**〔JOC〕〔↑Japanese Olympic Committee〕日本オリンピック委員会。

**シェーカー**〔shaker〕カクテルを作るときに、はげしくふり動かして酒をまぜる入れもの。

**シェーク**《名・他サ》〔shake〕①ふり動かすこと。②容器をふって、中の液体をまぜること。また、そうして作った飲み物。シェーキ。「ミルクー」③↑シェーク ハンド②。▽シェイク。●**シェーク ハンド**〔shake hands〕①握手。②〔↑シェーク ハンド グリップ〕〔卓球で〕握手するときのようなラケットの にぎり方(をして使うラケット)。シェーク。☞ペンホルダー②。

**ジェーケー**〔JK〕〔俗〕女子高生。〔ローマ字表記の頭文字から〕

**ジェーシーティー**〔JCT〕⇩ジャンクション。

**ジェーターン**〔Jターン〕《名・自サ》〔和製 J turn〕大都会に出ていた人が、自分の故郷に近い中核都市で職につくこと。☞Uターン④・Iターン。

**シェード**〔shade〕①〔いらないときは巻きあげておく〕窓に当たる日ざしをよけるもの。日よけ。②電球・電気スタンドにかぶせる おおい。電灯の かさ。ランプシェード。セード。

**シェーバー**〔shaver〕電気かみそり。

**シェービング**〔shaving〕ひげそり。「ークリーム」

**ジェーブイ**〔JV〕〔↑joint venture〕共同経営の企業。合弁事業。共同企業体。ジョイント ベンチャー。

**ジェーペグ**［JPEG］〔←joint photographic expert group〕《情》写真などの画像の記録に使うデータ形式。ジェイペグ。

**ジェーポップ**［Jポップ・J-POP］〔J←Japan〕日本で作られたポップス。〔一九九〇年代に広まったことば。それ以前の歌もさす〕

**ジェーリーグ**［Jリーグ］〔J←Japan〕日本プロサッカーリーグ。J。〔選手を「Jリーガー」と言う〕

**シェール**〔shale〕《鉱》どろが水中でつみかさなって固まった岩。うすく割れやすい。原油や天然ガスをふくむものが多い。頁岩(けつがん)。泥板(でいばん)岩。☞オイルシェール。●**シェールオイル**〔shale oil〕《鉱》シェール層にふくまれる原油。●**シェールガス**〔shale gas〕《鉱》シェール層にふくまれる天然ガス。

**しえき**［私益］〔文〕自分ひとりの利益。(↔公益)

**しえき**［使役］《名・他サ》①人を、からだを動かす仕事に使うこと。働かせること。「伐採(ばっさい)に―する」②《言》ほかのものに何かをさせるときの言い方。助動詞「せる・させる」をそえてあらわす。

**シエスタ**〔ス siesta〕〔南欧(なんおう)で〕昼寝(ひるね)。

**ジェスチャー**〔gesture〕①みぶり。手まね。「―ゲーム・―たっぷりの演説」②うわべだけの勢い。見せかけ。▽ゼスチュア。ゼスチャー。ジェスチュア。

**しえつ**［視閲］《名・他サ》〔文〕〔警察の幹部が〕警察の装備や職員を儀礼(ぎれい)的に視察すること。「―式」

**ジェット**〔jet〕①噴射(ふんしゃ)。噴出。「―式・―音」②噴射口。③⇩ジェットエンジン。「―をふかす」④⇩ジェット機。「ジャンボ―」●**ジェットエンジン**〔jet engine〕燃料を霧(きり)のようにしてたくさんの空気とまぜ、爆発(ばくはつ)させて後ろからふき出すしくみのエンジン。ジェット。●**ジェットき**［ジェット機］ジェットエンジンで飛ぶ飛行機。ジェット。●**ジェットきりゅう**［ジェット気流］《天》偏西(へんせい)風の中で、特に強くふいている風。ジェットストリーム。●**ジェットコースター**〔和製 jet coaster〕遊園地にある乗り物の一つ。高い所からまがりくねったレールの上をスピードをあげて走る。コースター。〔速すぎる展開や激しい変化にもたとえる。「―のような人生」〕●**ジェットバス**〔jet bath〕浴槽(よくそう)の〈下/横〉から湯がふき出す風呂(ふろ)。ジャグジー。

**ジェネラル**［遺］〔general〕⇩ゼネラル。

☆☆**ジェネリック**〔generic＝(商標でなく)一般(いっぱん)名の〕①新薬の特許が切れたあと、同じ成分・効能で売り出される安価な医薬品。後発医薬品。ジェネリック医薬品。②あとから発売する類似(るいじ)の製品。「―家電」

☆☆**ジェネレーション**〔generation〕世代(の人々)。ゼネレーション。「―ギャップ〔俗に『ジェネギャップ』とも〕・オールド―」

**ジェノサイド**〔genocide〕人種差別・宗教上の偏見(へんけん)による、集団虐殺(ぎゃくさつ)。

**ジェノベーゼ**〔イ genovese＝ジェノバの〕バジル・松の実・ニンニク・チーズなどを混ぜてペースト状にした緑色のソース。パスタやピザに用いる。バジルソース。バジルペースト。ジェノヴェーゼ。

**シェパード**〔shepherd＝羊飼い〕ドイツ原産の大形犬。耳が立ち、鼻先がつき出ている。番犬・警察犬・軍用犬などに使う。セパード。

☆☆**シェフ**〔フ chef〕料理長。コック長。

**ジェラート**〔イ gelato〕イタリア風の〈アイスクリーム/シャーベット〉。

☆☆**ジェラシー**〔jealousy〕嫉妬(しっと)。ねたみ。やきもち。〔俗に、動詞化して、ジェラる《自五》〕

**シェリー**〔sherry〕スペイン産の白ワイン。

**ジェル**〔gel〕ゼリー状の整髪(せいはつ)料やけしょう品など。

☆☆**シェルター**〔shelter〕①避難(ひなん)所。「防災―」②核(かく)戦争にそなえた地下防空ごう(壕)。

**シェルパ**〔Sherpa〕①ネパールの山地に住むチベット系の民族。山案内などをする。②〔サミットなどの国際会議で〕首脳を補佐する高官。

**しえん**［私怨］〔文〕個人としてのうらみ。

**しえん**［紫煙］〔文〕〔タバコの〕むらさき色のけむり。

*__しえん__［支援］《名・他サ》うまくできるように力を貸して助けること。「―の手をさしのべる」

**しえん**［試演］《名・他サ》ためしに〈上演/演奏〉すること。「―会」

**じえん**［自演］《名・自サ》自分の作品〈に自分が出演/を自分で演出〉すること。「自作―」

☆☆**ジェンダー**〔gender〕①社会的・文化的に形づくられる性差。例、男らしさ・女らしさ。☞性役割。②《言》⇩性■⑤。●**ジェンダーフリー**〔gender-free〕社会的・文化的に、性差にとらわれない〈こと/考え方〉。●**ジェンダーレス**〔genderless〕性差がないこと。中性的。「―ファッション」

**ジエンド**〔the end〕〔俗〕おしまい。終わり。ザエンド。「これで―だ」

**ジェントルマン**〔gentleman〕紳士(しんし)。ゼントルマン〔古風〕。(↔レディー)

↓*__しお__［塩］①重要な調味料の一つ。精製したものは雪のように白く、塩からい味がする。おもな成分は塩化ナトリウム。日本では清めにも使う。食塩。「清めの―を盛る・―ゆで・―パン」②塩加減。塩気(しおけ)。「―があまい」③〔俗〕そっけないこと。「―対応」●**塩をする**〔句〕塩を〈ふる/まぶす〉。「さかなに―」●**塩をまく**〔句〕〔塩に清めの力があるということから〕不吉(ふきつ)なものや不浄(ふじょう)なものを、(塩をまいて)清める。

→**しお**［潮・×汐］①海の水が太陽や月の引力のために高くなったり低くなったりする〈現象/状態〉。「―が悪い」②海水。「―の満ち引き・―のかおり」③しおけ(潮気)。「―をふくんだ風」④(いい)機会。「来客を―にいとまをつげる」⑤クジラなどが背中から吹(ふ)き出す水。「―吹き」

**しおあい**［潮合い］海の水が満ちたり引いたりする加減。しおどき。

**しおあし**［潮脚・潮足］潮の満ち引きの早さ。「―が早い」

**しおあじ**［塩味］①塩の味。「―のポテトチップス」②しおからい感じ。えんみ。「―を加える」

**じおい**［地生い］⇩地生(じば)え。

**しおかげん**［塩加減］料理などの塩あじのつけ方。「―がいい」

**しおかぜ**［潮風］海上〈を/から〉ふく風。

**しおから**［塩辛］イカや、さかなの身・たまご・腸などを塩づけにしたもの。●**しおからごえ**［塩辛声］しわがれているのに、むりに出す声。●**しおからとん**

ぼ〔塩辛・蜻蛉〕からだが青みのある灰色で、白い粉がかかったように見えるトンボ。めすはムギワラトンボとも。

**しおから・い**〔塩辛い〕《形》塩けが強くて舌をさすような味だ。しょっからい〔話〕。派ーさ。

**しおき**〔仕置き〕《名・他サ》①江戸時代、見せしめのため、法によって人を処罰したこと。「ー場〔＝死刑場〕」②⇩おしおき。☞仕。

**しおくり**〔仕送り〕《名・自他サ》生活費や学費を送ること。「親もとからのー」動仕送る《他五》。☞仕。

↔**しおけ**〔塩（気）〕①食べ物の塩味。塩を成分としてふくむ度合い。「ーが強い」②成分としてふくまれる塩。

↔**しおけ**〔潮（気）〕海上の〈水け／しめりけ〉。

**しおけむり**〔潮煙〕海水の しぶき。しおけぶり。

**しおこうじ**〔塩（×麴）〕こうじに塩や水を混ぜて発酵させたもの。野菜などを漬けるときや調味料に使う。

**しおこしょう**〔塩（×胡×椒）〕《名・自サ》《料》塩とこしょうを使って、味をつけること。

**しおこんぶ**〔塩昆布〕コンブを、しょうゆと砂糖で煮しめたもの。しおこぶ。

**しおさい**〔潮（△騒）〕①潮の さすときに、波が音を立てること。波が高くて音を立てる〈こと／ひびき〉。しおざい。「ーを聞く」②波の音。

**しおざかい**〔潮境〕性質のちがう二つの海の流れがぶつかってできる、潮のさかいめ。

**しおさき**〔潮先〕〔文〕①よせてくる潮の波のさき。②変化が起こりはじめたころ。「流行のーに乗る」

**しおざけ**〔塩（×鮭）〕塩づけにしたサケ。〔東京で、しおじゃけ〕

**しおさめ**〔仕納め〕ある仕事や行動（をすること）の最後。☞仕。

**しおじ**〔潮路〕〔雅〕①潮のさしひく道筋。②海路。ふなじ。

**しおしお**《副》がっかりして力のぬけたようす。「負けてー（と）引き下がる」

**しおぜ**〔塩瀬〕縦糸に太い横糸を織りこんで、うねのような筋を出した、地の厚い羽二重。ふくさ地・帯地などにする。

**しおせんべい**〔塩（煎餅）〕①米の粉で作り、しょうゆを塗って塩からく焼いたせんべい。例、草加せんべい。②小麦粉で作り、塩で味をつけて焼いたせんべい。例、南部せんべい。

**しおだし**〔塩出し〕《名・自サ》《料》〔塩からい食品を〕水にひたして塩けを取り除くこと。しおぬき。

**しおだち**〔塩断ち〕《名・自サ》神や仏に願をかけて、ある期間、塩あじのものを食べないこと。

**しおだまり**〔潮（×溜まり）〕引き潮の時にも海水が残っている、岩場のくぼんだ所。

**しおた・れる**〔潮垂れる〕《自下一》①潮にぬれて水がたれる。②勢いが弱まる。元気がなくなる。しおれる。③みじめなかっこうをする。しょぼくれる〔俗〕。

**しおづけ**〔塩漬け〕①くさらないように、また、味をつけるために、塩をふって〈つけること／つけた食べ物〉。②《経》値が下がったため、その株を持ち続けること。③そのままの状態にしておくこと。

☆☆**しおどき**〔潮時〕①満潮または干潮の時刻。②ちょうどいい時期。チャンス。「ーを見て相談する」③特に、やめるのにちょうどいい時期。「今がーと辞任する・そろそろー〔＝別れどき〕かも」✓現在は③の用法が増えたが、昔からある②の用法の一部であり、かけはなれた用法ではない。

**しおなり**〔潮鳴り〕打ち寄せる海の波が〈たがいに／岩や岸に〉ぶつかって音を立てること。

**しおぬき**〔塩抜き〕《名・他サ》《料》⇩塩出し。

**しおひ**〔潮干〕①海水が引くこと。②↑潮干狩り。●**しおひがり**〔潮干狩り〕《名・自サ》四、五月ごろ、潮の引いた〈はまべ／浅瀬〉で貝などをとる遊び。しおひ。

**しおびき**〔塩引き〕サケやマスなどを塩づけに〈すること／したもの〉。しおもの。

**しおまち**〔潮待ち〕《名・自サ》船をこぎ出すのにいい潮を待つこと。「ーの港」（↔風待ち）

**しおまねき**〔（潮招）〕海べの砂地にすむ、小形のカニ。片方のはさみが大きく、潮が引いたとき、砂の上ではさみを上下に動かす。

**しおみず**〔塩水〕塩分の とけた水。「ーのようなおつゆ・ーでうがいをする」（↔真水）

**しおめ**〔潮目〕①（暖流と寒流など）異なる潮の流れが接するあたりの海域。いい漁場となる。しおのめ。②状況がいいか、悪いかが変化するさかいめ。「相場のー」▽「ーが変わる」

**しおもみ**〔塩（×揉み）〕《名・他サ》《料》余分な水分を出すため、生野菜などに塩をふってもむこと。また、その食べ物。「キュウリのー」

**しおやき**〔塩焼き〕《名・他サ》さかなや肉に塩をふりかけて〈焼くこと／焼いたもの〉。「アユのー」

↔**しおやけ**〔塩焼け〕《名・自サ》あせがしみ出たために、衣類の色が変わること。

↔**しおやけ**〔潮焼け〕《名・自サ》潮風にふかれて皮膚の色が赤黒くなること。

**しおらし・い**《形》①おとなしくて、かわいらしい。「すぐにあやまるとはー」②おだやかで、もっともらしい。「ーことを言うじゃないか」派ーげ・ーさ。

**ジオラマ**〔フ diorama〕博物館や映画などで使われる立体模型。ディオラマ。「昔の生活を再現したー」

↔**しおり**〔（：枝折り）〕①〔文〕木の えだを折って、道しるべとすること。由来「撓り〔＝たわめること〕」から。「枝折り」は、意味も読み方もたまたま一致した当て字。②↑枝折り戸。●**しおりど**〔：枝折り＝戸〕木の えだなどで作った簡単な戸。

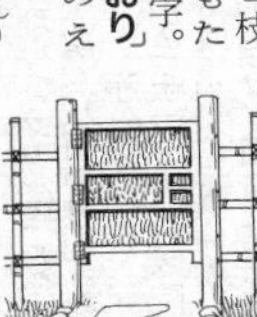

〔しおりど〕

↔**しおり**〔（×栞）〕〔「枝折り」から〕①案内書。手引き。「旅のー」②読みかけの書物にはさむ、しるしの ひもや紙片など。「ーひも」

↔**しおり**〔（×撓り）〕《俳句》松尾芭蕉の重んじた作風の一つ。心の中のこまやかな余情が句にあらわれた姿。☞軽み②・細み・侘び。

**しお・れる**〔（△萎れる）〕《自下一》①（草木などが）弱って元気がなくなる。「葉がー」②元気をなくして、悲しそうにする。「いやにしおれているね」

**しおん**〔子音〕〔言〕⇩しいん（子音）。

**しおん**〔（紫×苑）〕大形のノギク。夏・秋のころ、むらさき色の花をひらく。

**じおん**［字音］⇩音④。(↕字訓) ●**じおんかなづかい**［字音仮名遣い］歴史的仮名遣いで、字音を書きあらわすときの規則。例、「円」は「ゑん」、「教」は「けう」。

**しか**［史家］〔文〕歴史家。

**しか**［市価］《経》その地域で実際に取り引きされる値段。

**しか**［市歌］その市をイメージして作られ、行事のときなどに歌う歌。

**しか**［紙価］〔文〕紙の値段。「洛陽の一を高からしめる〔⇩「洛陽」の句〕」

**しか**［鹿］山林にすむ、大形のけものの名。足は細長く、雄の頭には枝のように分かれたつのがある。●**鹿を追う者は山を見ず** 句 ひとつのことに夢中になっている者には、ほかのことをかえりみるゆとりがない。

**しか**［歯科］歯に関する病気をあつかう、医学・診療の一部門。「一医師」〔歯科医院などの名前にも使う〕

**しか**［詩歌］⇩しいか(詩歌)。

**しか**［(△然)］《副》そう。そのように。〔「しかも」などの複合語のもとになった、古いことば。「しか＋有り」から動詞「然り《=そうだ》」が生まれ、それが現代語の「しからば」「しかるに」「しかれども」などの一部になっている〕

****しか**《副助》〔後ろに否定が来る〕①程度が小さいことをあらわす。「半分一ない〔『半分もある』は、程度が大きいように言う表現〕・七百円一かからない」 ②それ以外のものがないことをあらわす。「高級品一置いていない〔=高級品だけ置いてある〕・おかゆ一食べられない」 ③ほかに方法がないことをあらわす。「やる一ない〔=やるべきだ〕・じっと見守る一(すべが)ない・これ、買う一！〔俗〕」 ④〔**で一ない**〕それ以外でないことをあらわす。「言いのがれで一ない」 ✓ ④は「それでは〈よくない/不十分だ〉」という語感があるが、二〇一〇年代に、「〈まったく/非常に〉…だ」の意味で使う例が増えた。▽しきゃ・っきゃ〔俗〕。アク ウシしか・ネコーしか・イヌーしか。

**しが**［歯牙］〔=歯ときば〕歯。●**歯牙にもかけない** 句 まったく問題にしない。

**じか**［自火］〔文〕自分の住んでいる所から出した火事。

**じか**［自家］〔文〕①自分の所〔=家庭・店・会社など〕。「一製品・一精米」 ②自分自身。「一中毒・一移植」(↕他家) ☞自家薬籠中の物。

**じか**［(△直)］直接。「一の役に立つ・一の ふれあい」 ☞じかに。

**☆☆じか**［時価］そのときの〈相場/市価〉。

**じか**［磁化］《名・自他サ》《理》物質が磁石としての性質を持つように〈なる/する〉こと。

**じか**［時下］《副》〔文〕このごろ。目下。

**じが**［自我］①他人またはまわりの世界と区別し、ちがった存在として意識した、自分。「一にめざめる・一意識」 ②意志・欲望・おこないなどのもとになるものとしての、自分。「一をおしとおす」

**シガー**〔cigar〕葉巻。(↕シガレット)

**しかい**［支会］支部の会。

**しかい**［四海］〔文〕四方の海。「一波静か」 ●**しかい-けいてい**［四海兄弟］〔文〕世界各国の人はみなきょうだいのように親しいこと。

**しかい**［市会］①↑市議会。「一議員」 ②「市議会」のもとの呼び名。

**しかい**［視界］①見通し(のきく距離)。視程。「ふぶきで一がきかない・一ゼロ」 ②視野。「一がひらける」

**しかい**［×斯界］〔文〕同じ専門の者が集まって作る世界。その道。「一の権威」

**しかい**［歯科医］歯医者。歯科医師。

**しかい**［詩界］〔文〕詩(人)の社会。

**しかい**［司会］《名・自他サ》必要な発言をして、会・もよおし物・番組などを進行させる〈こと/役〉。「一者・一進行」

**しがい**［市外］市(街)の外。(↕市内)

**しがい**［市街］①人家がならんでいる土地。「旧一」 ②にぎやかな通り。ちまた。「一戦・一地」

**しがい**［死骸・×屍骸］〔動物・虫・人間などの〕死んだからだ。区別 ⇩遺体。

**じかい**［次回］〈今の/その〉回の次の回。(↕前回)

**じかい**［耳介］《生》耳の穴のまわりに広がってついている、貝がらのような形のもの。もと、耳殻。

**じかい**［持戒］《仏》仏教での いましめを守ること。(↕破戒)

**じかい**［磁界］《理》磁力のはたらく空間。磁場。

**☆☆じかい**［自戒］《名・自サ》〔文〕自分で自分をいましめること。「一のことば・一をこめて言うと」

**じかい**［自壊］《名・自サ》〔文〕〈自然に/自分から〉こわれること。「一作用」

**じがい**［自害］《名・自サ》〔文〕〔刀・ピストルなどによる〕自殺。

**☆☆しがいせん**［紫外線］《理》スペクトルの、むらさきより外側にある、目に見えない光線。殺菌や日焼けなどの化学変化を起こす光。UV。☞赤外線。

**しかえいせいし**［歯科衛生士］〔歯科医院で〕歯石の除去、歯みがきの指導などの資格を持つ人。

**しかえし**［仕返し］《名・自サ》自分に害をあたえた相手に、今度は自分が害をあたえること。やり返すこと。返報。「いじめっ子に一する」 動 仕返す《自五》。☞仕。

**じがお**［地顔］⇩すがお(素顔)①。

**←しかく**［死角］①《軍》銃砲で射撃できない〈角度/範囲〉。②かげにかくれて、見通しのきかない範囲。「一になって見えない」 ③欠点。「この新製品には一が見当たらない」

**→しかく**［視角］①《理》物体の両はしと目を結ぶ二つの直線のなす角。②見る立場。観点。

**しかく**［刺客］〔文〕⇩しきゃく。

**☆☆しかく**［視覚］《生》①目で見たときに起こる感覚。「一的〔=見た目の感じ〕」 ②物を見る、神経のはたらき。「一が弱る・一障害者〔=目の(よく)見えない人〕」

●**しかくご**［視覚語］〔この辞書の用語〕文字を記号的に使うだけで、ふつう発音しないことば。例、空・満〔=空車・満車〕。☞付録 文法解説「名詞」。

***しかく**［資格］①そう〈する/名のる〉ことを許される条件。「出場(する)一がない・夫たる一」 ②立場。「会長の一で発言する」 ③国家試験などを経て認められる地位。例、医師・弁護士。「一を取る・国家一」

**しかく**［四角］《名・ナダ》①四つの かどがある〈こと／形〉。方形。「—形」②しかくばったようす。「—な顔」 ●**しかく・い**［四角い］《形》①四角だ。「紙を四角く折る・—皿」②かどばっている。「—顔」 ●**しかくしめん**［四角四面］《ナダ》〔=真四角〕 非常に まじめで かた苦しい ようす。 ●**しかくば・る**［四角（張る）］《自五》①かどができて、四角な形になる。「肩が—」②しかつめらしくする。まじめな態度をとって、かたくなる。「四角ばって口上を述べる」

**しかく**《副》〔=然く〕〔文〕そのように。そう。「—名づける・事情は—簡単ではない」

**しがく**［史学］ 歴史を研究する学問。歴史学。

**しがく**［志学］〔文〕十五歳のこと。由来「論語」の「十有五にして学に志す」から。☞而立・不惑・知命・耳順。

**しがく**［私学］ 私立の学校。（↔官学）

**しがく**［視学］ ①学校を視察すること。「—官」②もと、学校教育の現状を見て回り、監督・指導をする役職（の人）。

**しがく**［×斯学］〔文〕その道の学問。

**しがく**［歯学］《医》歯科の医学。「—部」

**しがく**［詩学］〔文〕詩を研究する学問。

**じかく**［字画］ 漢字の点や画（の数）。

**じかく**［耳殻］《生》「耳介」の古い呼び名。

**じかく**［×痔核］《医》肛門の周囲の静脈が こぶのように ふくれる痔。いぼじ。

**じかく**［自覚］《名・自他サ》①自分で〈わかる／感じる〉こと。「無知を—する」②自分の立場やつとめを、よくわきまえること。「—が足りない・—をうながす」 ●☆☆**じかくしょうじょう**［自覚症状］《医》〔痛み・かゆみなど〕自分で直接感じる症状。（↔他覚症状）

**じがく**［自学］《名・自他サ》〔先生につかず〕自分で学ぶこと。独学。「—自習」

**しかけ**［仕掛け］①くふうされた しくみ。たね。「奇術の—」②人の目をごまかす しくみ。「お金を入れると動く—」▽からくり。③《釣り》糸や針、おもり、うきなどを仕組んだ全体。☞仕。 ●**しかけにん**［仕掛け人］①殺し屋。仕掛け屋。〔池波正太郎の時代小説から広まったことば〕②〔もよおし・流行などを〕しかける人。「ブームの—」 ●**しかけはなび**［仕掛け花火］地上や水中に、絵や字・模様などがあらわれるように作った花火。☞打ち上げ花火。

**しか・ける** 一［仕掛ける］《他下一》①〔相手に対して〕行動を起こす。「攻撃を—・わざを—」②装置を〈取りつける／セットする〉。「爆薬を—・目覚まし時計を—」③煮たきができるように、準備する。「お釜を—・ごはんを—」④〔もよおし・流行などを〕用意して実現させる。「ヒットを—」 二《他下一》①とちゅうまでおこなう。「仕事をしかけたまま」②しはじめる。「仕事を—と、客が来た」 三［仕掛ける］《自下一》〔マラソン・駅伝などで〕先頭に出るため、スパートをかける。「三十八キロ地点で—」☞仕。

**しかざん**［死火山］《地》活動した記録のない火山。〔今は使われない言い方〕

****しかし**《接》①前の部分からは予想されないことをあとに続けることば。逆接のことば。そうではあるが。「気持ちは わかる。—、認めるわけにはいかない・—も かかしもない〔=言い訳無用だ〕」 ✓「しかし」などの逆接表現を多用すると、論旨が複雑になる。不要な「しかし」は けずるか、逆接以外の表現に変えるといい。例、「運動量を増やした。しかし、その成果はすぐには出なかった。しかし、私は あきらめずに続けた」の「しかし」は、全部けずれる。また、「東京は雨だ。しかし、京都は晴れだ」の場合は、「一方」「片や」に言いかえられる。区別「しかし」は、評論・論文・演説では ふつうだが、話しことばでは やや かたい。「でも」は、話しことばや やさしい文章で使う。「だけど」は、少しくだけた話しことば。「だが」は、新聞の論説などでは ふつうだが、学術論文では避ける人もいる。話しことばでは男性が同輩・目下などに使う。②ふと〈思いついて／思いが強まって〉言うことば。「—、どうして わかったのだろう・—、きょうは寒いですね」 表記 かたく「△然し」「△併し」とも。 ●**しかしながら**《接》「しかし」を〈強調した／きちんと言った〉ことば。「両者は よく似ている。—、本質は まったく異なる」〔かたい言い方〕 由来「しか」は「そのように」、「し」は動詞「す〔=する〕」の連用形、「ながら」は「…のまま」で、「そのようにしたまま」が元の意味。「しかし」は、その省略形。

**しかじか**〔=然々〕 くわしく言う代わりに略して言うときの ことば。うんぬん。「これこれ—の理由で」 表記「∴云々」とも書いた。

**じがじさん**［自画自賛］《名・自サ》①自分のかいた絵〔=自画〕に自分で賛をすること。②自分で自分のしたことをほめること。「得意顔で—する」▽自賛。

**しかして**［(×而して)］《接》〔文〕そうして。しこうして。

**しかしゅう**［詞華集］〔文〕⇩アンソロジー。「あるときは会社員、あるときは作家、—その実体は」

**じかじゅふん**［自家受粉］《植》めしべが、自分と同じ根の花から花粉を受けること。

**しかず**［(△如かず)］〔文〕①およばないこと。「百聞は一見に—」②…するほうがいいこと。「にげるに—だ」

**じかせい**［自家製］ 自分の家や工場などで〈作ること／作ったもの〉。「—のケーキ」

**じかせん**［耳下腺］《生》耳たぶの真下にある、つばを出す腺。「流行性—炎〔=おたふくかぜ〕」

**じがぞう**［自画像］ 自分でかいた、自分の肖像。「ゴッホの—」

***しかた**［(仕方)］①やり方。方法。手段。「勉強の—」②身ぶり。てまね。☞仕。 ●**しかたがな・い**［(仕方がない)］《形》①ほかにいい方法がない。「—から待っていよう・自分で考えるより（ほかに）—」②あきらめるしかない。「すんだことは—・その言い方では誤解されても—〔=当たり前だ〕」③役に立たない。「今さら金をもらっても—」④いけない。困ったようすだ。「なまけてばかりいて—やつだ」⑤たまらない。非常に…だ。「気の毒で—」▽しようがない。しょうがない。しかたない。丁寧 しかたがありません。 ●**しかたな・い**［(仕方ない)］《形》 しかたがない。ほかにいい方法がないので。しかたなし。「—あきらめた」〔連体詞の形もある。「しかたなしの返事」〕 ●**しかたなしに**［(仕方なしに)］《副》ほかにいい方法がないので。派-げ。

**しかたばなし**［仕方（×咄）］ 身ぶりを加えて話す落語。

**じかた**［地方］〔日本舞踊で〕おどりの伴奏を受け持つ人。（↔立ち方）☞ちほう（地方）。

じがた【地肩】《野球》特別に練習しないで投げる、ふだんの肩(かた)の力。じかた。「―が強い」

じかたび【地下足袋】〔じか＝直(じか)〕（屋外の作業ではく）ゴム底のたび。ちかたび。

じがため【地固め】《名・自サ》①家を建てる前に、地面を突(つ)いてかためること。地形(じぎょう)。②〈地盤(じばん)/基礎(きそ)〉をかためること。「優勝への―」

じかだんぱん【〈△直〉談判】《名・自サ》〔相手に会って〕じかに談判すること。ひざづめ談判。じきだんぱん。じかだん。「―して決着をつける」

じかちゅうどく【自家中毒】《医》熱はないが、腹が痛み、食べたものをはく、子どもに多い病気。周期性嘔吐症(おうとしょう)。自家中毒症。自家中。

しかつ【死活】死ぬか生きるか。生き死に。「―にかかわる・―問題〔＝死ぬか生きるかに関係する、大きな問題〕」

*しがつ【四月】一年の第四の月。☞うづき(卯月)。

●しがつばか【四月(:馬鹿)】⇩エープリルフール。

じかつ【自活】《名・自サ》独立して生活すること。「―の道」

しかつめらし・い【(:鹿爪らしい)】《形》もったいぶって、かた苦しいようすだ。「―表情・―あいさつはやめろ」 派―げ。―さ。

しかと【シカト】《名・他サ》〔↑しかとう〔＝鹿十(しかとお)〕〕《俗》無視すること。「友だちを―するな」 由来 花札で、シカが首をうしろに向けて無視しているような絵の、十点の札から。

しかと【〈△確と〉・(×聢と)】《副》〔文〕①かたく。たしかに。「―約束したぞ・―さようか」②はっきり。「―は見えませぬ」

じかどうちゃく【自家×撞着】《名・自サ》〔文〕⇩自己矛盾(じこむじゅん)。

しがな・い《形》取るにたりない。みすぼらしい。「―暮らし」

じかに【〈△直に〉】《副》直接(に)。「はだに―シャツを着る・本人と―話す」 区別 ⇩直接。

じがね【地金】①刃物(はもの)に刃をつけるときの台になる鉄。②〔とりつくろっていた〕本来の、よくない性質。「―が出る」〔↕めっき〕

ジカねつ【ジカ熱】〔Zika＝地名〕《医》ジカウイルス感染症(かんせんしょう)。蚊(か)が媒介(ばいかい)し、発熱や発疹(はっしん)などが現れる。

じかのみ【〈△直〉飲み】《名・他サ》〔コップなどを使わず〕容器に口をつけて、じかに飲む〈こと/もの〉。「―の水筒(すいとう)」

しかのみならず《接》〔＝然(しか)のみならず〕〔文〕それだけでなく。そのうえ。 表記「:加之」とも書いた。

じかばき【〈△直〉履き・〈△直〉×穿き】素足(すあし)にはく〈もの/こと〉。

じかばし【〈△直〉箸】大皿のおかずを取り分けるときに、取りばしではなくめいめいのはしを使うこと。「―でどうぞ」☞嫌(きら)い箸。

じかはつでん【自家発電】発電所からの供給によらず、自分のところで電気を起こすこと。

しかばね【(×屍)】死んだからだ。「生ける―〔＝何もできず、ただ生きているだけの人〕」

しかばん【私家版】出版社を通さないで、自分の作品や著書を出版〈すること/したもの〉。

じかび【〈△直〉火】㊀〔なべなどを使わず〕直接材料に火を当てること。また、その火。「―で焼く」㊁《名・自サ》地面に〔石や台をおかず〕直接まきをおいて火をおこすこと。「―禁止のキャンプ場」

じかまき【〈△直〉×蒔き】《名・他サ》《農》苗床(なえどこ)を使わないで、種を直接田畑にまくこと。じきまき。

じがみ【地紙】扇(おうぎ)・傘(かさ)などにはる、その形に切った紙。

↑じがみ【地髪】⇩地毛(じげ)。

↑じがみ【自髪】〔かつらでない〕自分の髪。

しがみつ・く《自五》①はなさないように、しっかり取りつく。「うき輪に―」②〔無理があるのに〕それからはなれまいとする。「大臣のいすに―・古い考えに―」

しかめっつら【(×顰めっ)面】まゆの根もとにしわをよせた〔ふきげんな〕顔。しかめつら。

しか・める【(×顰める)】《他下一》まゆをよせて、しわをつくる。「顔を―」

**しかも《接》〔＝然(しか)も〕①そのうえ。②それでもなお。

じか・やくろうちゅうのもの【自家薬籠中の物】〔すっかり身につけた/いつでも利用できるようにした〕もの。「―とする」

じかよう【自家用】自分の家庭や会社などで使う〈こと/もの〉。「農家の―米(まい)」●じかようしゃ【自家用車】自分(の会社)で持ち、自分(の会社)のために利用する自動車。自家用自動車。

しからざる《連体》〔＝然(しか)らざる〕〔文〕そうでない。まちがっている。「―ゆえん(所以)」

しからし・める《他下一》〔＝然(しか)らしめる〕〔文〕そうさせる。「時勢の―ところで」

しからずんば《接》〔＝然(しか)らずんば〕〔文〕そうでなければ。しからざれば。「生か、―死か」

しからば《接》〔＝然(しか)らば〕〔文〕それなら。さらば。「―聞こう」

☆☆しがらみ【(△柵)】①まとわりついてはなれない〈状態/もの〉。「人情の―」②《雅》くいを打ちならべ、これに竹や木を横にゆわえつけて水の流れをとめる設備。

しか・り【(△然り)】〔文〕㊀《自ラ》そうだ。そのとおりだ。「A社―、B社―〔＝両社ともそうだ〕」㊁《感》賛成をあらわすことば。そうだ。そのとおりだ。●しかり‐しこうして〔―しかうして〕《接》〔＝然(しか)り而(しこう)して〕〔文〕「そうして」を強めた言い方。しかも。おまけに。

しかりつ・ける【叱り(付ける)】《他下一》強くしかる。しかりとばす。

しかりとば・す【叱り飛ばす】《他五》きびしくしかる。しかりつける。「子どもを―」

しか・る【叱る】《他五》〔ふつう同等・目下の人に対し〕その人の行動・態度がよくないと〔強く〕言う。「子どもを―・部下を―」 区別 相手を「怒(おこ)る」場合は感情的になっているが、「叱る」場合は、必ずしも感情的になっていない。 名 叱り。「お客さまからお―を受ける」 可能 叱れる。

しかる【(△然る)】◇〔文〕「しかり」の連体形。「はたして―か〔＝そうであるか〕」●しかるが‐ゆえに〔―ゆゑに〕《接》〔＝然(しか)るが故(ゆえ)に〕〔文〕そうであるから。それだから。●しかるに《接》〔＝然(しか)るに〕〔文〕それなのに。ところが。「―何ぞや」●☆☆しかるべき《連体・名》〔＝然(しか)るべき〕〔文〕そうするのが当然(な)。それ相当(な)。「―手

続きに もとづく・一言あって―(=あってもよさそう。『しかるべし』とも)だね」●**しかるべく**《副》(=然るべく)〔文〕いいように。適切に。「―取り計らわれたい(=適切に取り計らってください)・〔法廷で〕『弁護人、いいですか?』『―(=いいです。任せます)』」

**シガレット**〔cigarette〕⇩紙巻きタバコ。「―ケース」(↕シガー)

**しかれども**《接》(=然れども)〔文〕そうでは あるが。それでも。

**しかれば**《接》(=然れば)〔文〕①だから。②そこで。

**しかん**〔士官〕①《軍》軍隊の幹部級(の軍人)。将校。〔旧日本軍では、上から大将・中将・少将・大佐・中佐・少佐・大尉・中尉・少尉。士官の下に、陸軍は准尉、海軍は兵曹長が続く〕「―学校(=士官を養成する学校)・准―(=准尉と兵曹長)」(↕下士官・兵)②高級船員。

**しかん**〔子×癇〕《医》妊婦や産婦に起こる、妊娠高血圧症候群の一種。気を失って全身のけいれんを起こす。

**しかん**〔支管〕〔水道・ガスなどの〕本管から分かれた、細い管。(↕本管)

**しかん**〔史観〕〔文〕歴史を解釈する際の、根本の考え方。歴史観。「唯物―・独自の―を展開する」

**しかん**〔私感〕〔文〕個人としての感想。

**しかん**〔歯冠〕《生》歯の、歯ぐきから出ている部分。エナメル質でおおわれている。(↕歯根)

**しかん**〔仕官〕《名・自サ》主君に新しくつかえること。

☆☆**しかん**〔×弛緩〕《名・自サ》〈心/筋肉〉がゆるむこと。たるむこと。ちかん。「規律が―する・筋―剤」(↕緊張)

**しがん**〔×此岸〕①〔文〕こちらがわ(の きし)。②《仏》この世。現世。▽(↕彼岸)

**しがん**〔詩眼〕〔文〕①俳句を作ろうとする発想力。「透徹した―・―を大にせよ」②詩歌に関する見識。

**しがん**〔志願〕《名・他サ》〔何かをしたいと〕自分から進んで願い出ること。「―兵・大学の―者」

**じかん**〔字間〕字と字との あいだ。「―をあけて書く」

**じかん**〔次官〕《法》各省の大臣・副大臣の次の地位の役人。事務方の長。事務次官。

＊＊**じかん**〔時間〕①過去・現在から未来へと、少しもとどまらずに進んで行くもの。とき。「―がたつ」(↕空間)②過去・現在・未来と進んで行く間の、一定の部分。「楽しい―(=ひととき)が過ぎた・―を割く・通勤―・―がかかる仕事・―をかせぐ・―的に きゅうくつだ」③「時間②」の単位。一時間は一日の二十四分の一。「一―雨量」☞時刻。④用事がなく、自由になる ひととき。ひま。「―ができる・きょうは―がない・今、お―(いただいても)よろしいですか?」⑤特に定められた時刻。「―になる・お―がまいりました・発車―・―厳守」⑥一回の授業をおこなう間。時限。「一―目」●**時間を稼ぐ**㊀句 準備をするための時間を、なんとかして作り出す。「話をそらして―」㊁名 時間稼ぎ。●**じかんがい**〔時間外〕①決められた時間の範囲の外。「―労働」②↑時間外労働。「―拒否」●**じかんきょり**〔時間距離〕そこへ行くのにかかる時間ではかった遠さ。「新幹線の開通で―がぐんと短くなった」●**じかんぎれ**〔時間切れ〕〔何かをしている とちゅうで〕予定の時間が終わってしまうこと。「―引き分け」●**じかんこうし**〔時間講師〕毎週決まった時間にだけ勤務に出る、〔学校などの〕講師。非常勤講師。(↕専任講師)●**じかんさこうげき**〔時間差攻撃〕《名・自サ》①《バレーボール》一人がスパイクを打つと見せかけてジャンプし、相手がブロックのタイミングを外したすきに、別の人がスパイクを打つ攻撃方法。②少しおくれてくる攻撃や刺激など。●**じかんじく**〔時間軸〕①〔図表で〕時間を示す直線。「Xを―とする」②時間の流れを、過去から未来へ向かう直線にたとえたもの。「―に沿って説明する」●**じかんたい**〔時間帯〕〔一日のうちの〕ある一定のはばの時間。●**じかんつぶし**〔時間(潰し)〕《名・自サ》①あまった時間を、何かをして過ごすこと。②時間をむだに過ごすこと。▽ひまつぶし。●**じかんとのたたかい**〔時間との戦い〕むずかしい仕事や作業などを、なんとかして時間内に終えなければならない状況。時間との勝負。●**じかんどろぼう**〔時間泥棒〕人の時間をうばうものごと。「〈ゲーム/遅刻〉は―だ」●**じかんのもんだい**〔時間の問題〕おそかれ早かれ、そのことが起こるのが確実なこと。「犯人逮捕は―だ」●**じかんひょう**〔時間表〕①時間割。②時刻表。●**じかんわり**〔時間割〕〔学校の授業などで〕毎日の予定を、あらかじめ時間に割り当てて あらわした表。時間表。

**じがん**〔慈眼〕《仏》⇩じげん(慈眼)。

**じがん**〔慈顔〕〔文〕〔仏などの〕慈愛のこもった顔。「聖母マリアの―」

**しかんブラシ**〔歯間ブラシ〕歯と歯の間に つまった食べ物のかすや歯垢を取り除くための、細かい毛を植えたブラシ。

**しき**〔士気〕①兵士の意気。「―大いにあがる」②〔志気〕やる気。モラール。「仕事に対する―が高い」

**しき**〔子規〕〔文〕⇩ほととぎす。

**しき**〔四季〕春・夏・秋・冬の、四つの季節。「―折々(=季節ごと)の草花」

＊＊**しき**〔式〕㊀**しき** ①儀式。「お―(=結婚式)を挙げる・―を執り行う・卒業―」☞式次第。②一定の〈標準/規定〉。また、ていさい・方法。「ヘボン―ローマ字」③《数》計算の順序や、一般的な法則などを、数字や符号、記号を使って あらわしたもの。「計算―・化学反応―・論理―」㊁造 一定の形式・やり方。「改良―・手動―」

**しき**〔死期〕①死ぬとき。②死ぬべきとき。

**しき**〔始期〕はじめの時期。(↕終期)

**しき**〔紙器〕紙で作った器具。紙箱・紙パックなど。「―工業」

**しき** ㊀**しき**〔敷〕↑敷金。「礼―各一つ」㊁〔敷き〕造 器物の下に敷くもの。「どびん―」㊂〔敷〕造 敷地。「道路―(=道路を構成する土地)・軌道―」

**しき**〔指揮・指×麾〕《名・他サ》①指示を出して、集団を動かすこと。「作戦の―を執る・―命令系統」②〈演奏する/歌う〉人たちに合図しながら、音楽をまとめあげること。「―者」

**しき**《副助》くらい。ほど。「なんの、これ―」

**しき**〔色〕造 いろ。「三―すみれ・五―の雲」☞しょく(色)。

**しぎ**[仕儀]〔文〕〔自然に そうなった〕なりゆき。事情。「船に乗りこむーになった・やむを得ないーで」

**しぎ**[市議]↑市議会議員。

**しぎ**[試技]〔重量あげ・走りはばとびなど〕一種目について一定回数わざをためすことのできる競技の、一回ごとのわざ。トライアル。

**しぎ**[(×鴫)・(×鷸)] チュウシャクシギ・イソシギなど、中形の水鳥。からだは まるみがあって、くちばしと足が長い。

**じき**[次期] ①次の時期。「ー会長」 ②次の決算期。翌期。(↔前期・当期) ☞来期。

**じき**[自棄]〔文〕自分で自分を見すてて、極端な ことをすること。やけ。「ー的な態度」

↔**じき**[時季]〔何か〈をする/がある〉〕季節。シーズン。「行楽のー・台風のー・ー外れの野菜」

↔✱✱**じき**[時期] できごとをもとに、時をくぎった言い方。ちょうど〈それをする/そうなる〉時。おり。「収穫のー・人気のあったー・ーを同じくして起こった事件・ー外れの異動・ー尚早」

↔**じき**[時機] 適当な機会。おり。しお。チャンス。「ーを待つ・ーを〈失する/逸する〉(=のがす)・ー到来」

☆☆**じき**[磁気]〔理〕鉄を引きつける性質。録音など情報の記録にも応用される。「ーを帯びる・ーディスク」

**じき**[磁器] 陶石という石を原料にして作り、高温で焼いた焼き物。うすくて、表面は なめらか。吸水性がない。たたくと、高い音がする。例、九谷焼。☞陶器。

**じき**[自記]《名・他サ》〔文〕①自分で しるすこと。②自動的に しるすこと。「ー雨量計」

**じき** ━ じき《副》(=直)〔話〕じきに。「ー終わります」

━ [直]造 直接の。「ー弟子」

**じき**[敷き]造 たたみなどを敷いてあること。「八畳ー」

**じぎ**[字義]〔文〕漢字一字一字の意味。「ーどおりに解釈すれば」

**じぎ**[児戯]〔文〕〔たわいない〕子どもの遊び。●**児戯に〈等しい/類する〉**句〔文〕子どもの遊びみたいなものだ。

**じぎ**[時宜]〔文〕ちょうどいい時期。ころあい。「ーを得た・ーにかな(適)った・ーに適した」

**じぎ**[辞儀・辞宜]《名・自サ》〔文・古風〕おじぎ。

**じきあらし**[磁気嵐]《地》地球上に起こる磁気の急激な変化。太陽の表面の爆発(=フレア)による。

**しきい**[敷居] ①門の下、または、障子・ふすまなどの下に敷く横木。「ー越し・二度とうちのーをまたぐな」(↔鴨居) ②気軽に近づくのをじゃまするかべ。「研究のーが下がる・クラシックのーが低くなる」●☆☆**敷居が高い**句(=敷居が高くなった感じがする) ①義理を欠いたりして、その人の家に行きにくい。「ごぶさたしたのでー」 ②近寄りにくい。「庶民にとって お役所はー」 ③気軽に体験できない。「オペラはーと思いがちだ」▽①は江戸時代から、②は戦前から、③は一九八〇年代には もうあった用法。(↔敷居が低い) 区別「敷居が高い」は、①〜③いずれも、心理的な抵抗が大きい場合に使う。「**ハードルが高い**」は、心理的な抵抗はなくても、実現が むずかしい場合に使う。「敷居が高い③」が新しい用法であるため、「ハードルが高い」と言いかえることがあるが、これもまた新しい用法。

**しきいし**[敷石] 地面に敷きならべた石。

**しきいち**[×閾値] ①反応や変化を起こさせるために必要な、最小のエネルギーの値。②〔生〕生体を興奮させるために必要な、最小の刺激の強さの値。▽いきち(閾値)。

**しきうつし**[敷き写し]《名・他サ》書画をうすい紙の下に敷いて、その上から写しとること。透き写し。動 敷き写す《他五》。

**じきカード**[磁気カード] データを記憶させた磁気面を持つカード。例、キャッシュ カード。☞ICカード。

**しぎかい**[市議会]《法》市民から選ばれた議員が、市の行政に必要なことを決める議会。

☆☆**しきかく**[色覚]《生》色の ちがいを見分ける感覚。色神。●**しきかく いじょう**[色覚異常]《医》赤と緑などを見分けるのが難しい目の性質。日常生活に大きな支障はないことが多い。〔昔は「色盲」「色弱」と言った〕

**しきがく**[式楽]〔文〕儀式のときに演奏する音楽。「能楽は徳川幕府のーだった」

**しきがし**[式菓子]⇩引き菓子。

**しきかん**[色感] ①色彩の感じ。②色を見分ける感覚。

**しきぎょう**[私企業]《経》民間人が経営する企業。(↔公企業)

**しききん**[敷金] 貸家・貸間を借りるとき、家主にあずける保証金。☞礼金②。

☆☆**しきけん**[指揮権] 組織を指揮する権利。特に、法務大臣が検察を指揮する権限。「ーの発動」

**しきけん**[識見] 学識にうらづけられた意見。見識。しっけん。「ーを有する」

**しきご**[識語] 古い写本に あとから書き加えた、その本の情報。奥書。「文化元年のーがある」

**しきさい**[色彩] ①〔物が持っている〕色。「ーの調整」 ②いろどり。「ー感覚・ーのある文章」 ③それらしい特色。傾向。「野党的ー」

**じきさん**[直参]《歴》江戸時代、将軍家に直接つかえた旗本・御家人。(↔陪臣)

**しきさんば**[式三△番] さんばそう(三番叟)を中心として作った舞のうち、いちばん改まった感じのもの。式さんばそう。

**しきし**[色紙] ①和歌・絵・有名人のサインなどを書きつける、厚い四角形の紙。②《料》うすい正方形。「ー切り」 ③《服》地の うすくなったところに うら打ちする、四角のきれ。「ーつぎ」☞いろがみ(色紙)。

**しきじ**[式次]〔文〕式の順序。式次第。

**しきじ**[式辞] 式場で参加者に対してのべる、あいさつのことば。「市長のー」

**しきじ**[識字]〔社会生活に必要な〕文字の読み書きができること。「ー運動・ー率」

**じきじき**[(直々)]《副》〔地位の高い人〈が/に〉〕直接。じかに。「王様(が)ー(に)目を通す・支配人とー(に)会う・総理ーの電話」

**しきしだい**[式次第] 式が おこなわれる順序。式次。「卒業式のー」

**しきしま**[敷島]〔雅〕①大和国。②日本国の古い呼び名。●**しきしまのみち**[敷島の道]〔雅〕和歌の道。歌道。

**しきしゃ**［識者］識見のある人。有識者。

**しきじゃく**［色弱］⇩色覚異常。

**しきじょう**［式場］儀式をおこなう場所。

**しきじょう**［色情］〔文〕性欲の感情。「―にくるう・―におぼれる」

**しきじょう**［指揮×杖］〔行進するブラスバンドの指揮に使う〕短いつえの形の指揮棒。

**しきそ**［色素］物に色がつくもとになる、目に見えない細かなつぶ。

☆☆**じきそ**［直訴］《名・自他サ》正式の順序をふまないで、直接上位の者にうったえること。「総理に―する」

**しきそう**［色相］《美術》色の種類。たとえば、虹の一つ一つの色。いろどり。いろあい。☞彩度・明度。

**しきそくぜくう**［色即是空］《仏》この世にあるいっさいのものの本質は空だということ。☞空即是色。

**じきそん**［直孫］〔文〕父方の関係でつながる、孫または子孫。直系の〈孫／子孫〉。

**しきだい**［式台］玄関先の一段低い板敷き。

**しきたり**［〔仕来たり〕］〔家族・団体などで〕これまでやってきたやり方。習わし。「わが家の―」 由来 動詞「し来たる〔=してきている〕」の連用形から。☞仕。

**ジギタリス**〔オ digitalis〕南ヨーロッパ原産の多年草。夏、つりがねの形をした赤むらさき色の花を、ふさのようにつける。観賞用。薬用。ジキタリス。

**じきだん**［直談］《名・自サ》直接あって話すこと。

**しきち**［敷地］建物などのために使う土地。「住宅の―・鉄道―」

**しきちょう**［色調］画面の全体にわたって感じられる、色の調子。トーン。「おちついた―」

**しきつめ**［敷き詰め］部屋の広さいっぱいに〈敷物を敷くこと／敷く敷物〉。（↔中敷き）

**しきつ・める**［敷き詰める］《他下一》ある広さにわたり、すきまなく敷く。「ござを―」

**じきでし**［直弟子］直接に教えを受ける弟子。（↔孫弟子）

**しきてん**［式典］おおやけの儀式。「記念―」

**じきでん**［直伝］昔からのやり方を口で教え〈る／られる〉こと。「開祖―」

**しきどう**［色道］色情に関する方面。

**じきとう**［直答］《名・自サ》⇩ちょくとう（直答）。

**じきに**《副》〔=直に〕それほど時間がたたないようす。じき。「―帰ってきます・おまえも―わかるだろう」

**しきねん**［式年］〔式=定め〕神宮などで、ある行事をおこなうことに定められている年。「―祭」〔三重県の伊勢神宮では、二十年ごとに神殿を建て直す「式年遷宮」をおこなう〕

**じきひ**［直披］《手紙》〔文〕⇩ちょくひ。

**じきひつ**［直筆］本人が直接〈かくこと／かいたもの〉。「芸能人の―サイン・―の日記」

**しきふ**［敷布］敷きぶとんの上に敷くぬの。シーツ。

**しきふく**［式服］儀式のときに着る服。

**しきぶとん**［敷き布団］ねるときに、下に敷くふとん。しきふとん。（↔掛け布団）

**しきべつ**［識別］《名・他サ》見分けること。みきわめ。「善悪を―する」

**しきほう**［四季報］年四回に分けて出す報告。「景気―・会社―」

**しきぼう**［指揮棒］《音》「指揮②」に使う、細い棒。タクト。

**しきま**［色魔］〔古風〕多くの女性をだまして貞操をうばう男。女たらし。

**しきみ**［〔×樒〕］墓場などに植える常緑樹の一つ。枝や葉を仏前にそなえる。しきび。

**じきみや**［直宮］天皇と直接血縁関係にある皇族。皇子・内親王、天皇の弟など。

**じきめい**［直命］〔文〕直接命令すること。

**しきもう**［色盲］⇩色覚異常。

**しきもの**［敷物］下に〈敷く／敷いてすわる〉もの。

**じきもん**［直門］〔文〕先生から直接教えを受ける〈人／こと〉。

**しきゃ**《副助》〔俗〕しか。「半分―ない」

**しぎやき**［〔×鴫〕焼き］縦に割ったナスに油を塗って焼き、練りみそを塗った料理。

**しきゃく**［刺客］①〔文〕たのまれて他人を暗殺する人。殺し屋。②〔選挙で〕ねらった候補者を当選させないように送りこむ対立候補。▽しかく。

**しぎゃく**［×嗜虐］《名・自サ》〔文〕〔拷問や暴行など〕残虐なことを好むこと。「―趣味」

**しいぎゃく**［×弑逆］《名・他サ》〔文〕子や臣下など目下の者が、親や主君などを殺すこと。しいぎゃく。

☆☆**じぎゃく**［自虐］《名・自サ》〔文〕自分で自分をいじめること。「―的」

**しきゅう**［子宮］《生》女性の下腹にある器官。胎児を宿すところ。●**しきゅうがいにんしん**［子宮外妊娠］《医》妊娠が子宮以外のところ〔おもに卵管〕で起こったもの。外妊。●**しきゅうがん**［子宮〔×癌〕］《医》⇩子宮頸がん・子宮体がん。●**しきゅうきんしゅ**［子宮筋腫］《医》中年の女性に多い病気。子宮にできる、こぶのような腫瘍。多くは良性。●**しきゅうけいがん**［子宮〔×頸×癌〕］《医》子宮の入り口付近がおかされるがん。●**しきゅうたいがん**［子宮体〔×癌〕］《医》子宮本体の内膜がおかされるがん。

**しきゅう**［四球］《野球》⇩フォアボール。

**しきゅう**［死球］《野球》⇩デッドボール。

**しきゅう**［支給］《名・他サ》〈お金／品物〉を規則どおりにあたえること。「制服を―する・年金の―」

**しきゅう**［至急］《名・副》非常に急ぐこと。「大―・―報」

**じきゅう**［時給］一時間あたりの賃金。時間給。

**じきゅう**［持久］《名・自サ》長くもちこたえること。「―力」●**じきゅうせん**［持久戦］①〔戦争や試合などで〕短期決戦をさけ、時間をかけて敵の消耗を待つ戦法。②〔交渉などで〕ねばり強く相手の気持ちが変わるのを待つ作戦。「―に持ちこむ」●**じきゅうそう**［持久走］〔小学校などで〕〈中・長距離／ある程度長い時間〉走ること。

**じきゅう**［自給］《名・他サ》自分に必要な物資を自分の力で供給すること。●**じきゅうじそく**［自給自足］《名・他サ》自分（の国）に必要な物資は自分（の国）でまにあわせること。アウタルキー（ド Autarkie）。

**しきゅうしき**［始球式］球技が始まる前に、来賓が最初にボールを投げる行事。「プロ野球の―〔『ファーストピッチ セレモニー』とも〕」

**しきょ**［死去］《名・自サ》〔文〕〔人が〕死ぬこと。「心不全のため—」 区別 ⇩死ぬ 一①。

**しぎょ**［×仔魚］《動》さかなの幼生。孵化してから、ひれや骨格などがそろうまでの段階。

**しぎょ**［死魚］〔文〕死んださかな。

**じきょ**［辞去］《名・自サ》〔文〕(あいさつをして)相手の所を去ること。「途中で—する」

**しきょう**［司教］《宗》〔カトリックで〕大司教の次の位の僧職。司祭の上。

**しきょう**［市況］《経》①市場の景気。「—の回復を待つ」 ②株や商品の相場・取引の状況。「本日の—」

**しきょう**［市境］市とほかの市区町村との境界。

**しきょう**［詩境］〔文〕①詩のじょうずさの段階。「—とみに進む」 ②詩を作るときの心境。

**しきょう**［詩興］〔文〕詩が作りたくなる興味。

**しきょう**［示教］《名・他サ》〔文〕しめし教えること。教示。

**しぎょう**［士業］弁護士・会計士など、「士」のつく仕事。

**しぎょう**［×斯業］〔文〕その道の〈事業/業務〉。「—の発展につくす」

**しぎょう**［詩業］〔文〕詩作上の業績。

**しぎょう**［仕業］《名・自サ》〔鉄道・自動車で〕運行の仕事。「—点検〔=仕業の前の点検〕」

**しぎょう**［始業］《名・自サ》①一日の仕事を始めること。「—時間」 ②授業を始めること。「—式・—ベル」 ▽(↔終業)

**じきょう**［自×彊］《名・自サ》〔彊=強い〕〔文〕みずからはげむこと。「—術〔=健康のための体操〕」

☆☆**じきょう**［自供］《名・自他サ》《法》警察署などで取り調べられている容疑者が、自分から犯罪などについて〈のべること/のべたことがら〉。

**じぎょう**［地形］①家を建てる前に地面を突っいてかためること。じがため。 ②［地業］建築物の基礎の下の地盤を整える作業。☞ちけい(地形)。

＊＊**じぎょう**［事業］①〔社会的な〕しごと。わざ。「辞書の編集は大—だ・慈善—・—中の道路」 ②《経》生産や営利を目的としておこなう仕事。「—家・鉄道—」

●**じぎょうじょう**［事業場］「事業②」をしている所。事業所。例、工場・鉱山・事務所など。●**じぎょうしょとく**［事業所得］《法》「事業②」をして得た収入から、必要経費を差し引いた金額。

**しきょうひん**［試供品］宣伝のために客にわたして、ためしに使ってもらう商品。

**しきょく**［支局］その地域にかかわることをうけもつ局。(↔本局)

**しきよく**［色欲］人と性的に愛し合いたいという(じゃまでよくない)欲望。「—をいましめる」 区別 ⇩性欲。

**じきょく**［時局］①国や社会の情勢。「—多難」 ②特に、戦争中の国や社会の情勢。「—下・—に迎合する」

**じきょく**［磁極］①《理》磁石の両はし。鉄をいちばん強く引きつけるところ。 ②《地》北半球・南半球に一か所ずつある、方位磁針が鉛直になる地点。北磁極と南磁極。

**しきり**［(△頻り)］ 一 〔文〕〔…が〕切れ目がないこと。また、くり返すこと。「反省することー(だ)」 二《副》〔雅〕しきりに。「青あらしー吹く日の」 ●**しきりに**《副》①(ほとんど)切れ目なく続くようす。「アイスクリームを—ほしがる・なみだが—出る」 ②何度もくり返すようす。頻繁に。「—入会をすすめる・映画館に—通う」 ▽しきりと。 表記 かたく「△頻りに」とも。

**しきり**［仕切り］《名・自他サ》①しきる〈こと/もの〉。「—〔=へだて〕を取りはらう・会の—がうまい」 ②《すもう》力士が土俵の上で両手をおろして、身がまえること。「—線〔=仕切りの目やすにする二本の白線〕」 ●**しきりなおし**［仕切り直し］①《すもう》仕切りをやり直すこと。 ②〔もとに たちもどって〕やり直すこと。「人生の—」 動 仕切り直す《自他五》。●**しきりね**［仕切り値］製造元が卸し売り業者などに売りわたすときの値段。仕切り値段。

**しき・る**［仕切る］《自他五》①区画する。くぎる。「障子で仕切られた家屋」 ②《経》手数料などもふくめて計算する。 ③もよおし・計画などをうまく進める。とりしきる。「歓迎会を—・その場を—」 ④《すもう》仕切りをする。☞仕。

**ジキルとハイド**〔Jekyll and Hyde〕二重人格者のたとえ。 由来 スチーブンソンの小説「ジキル博士とハイド氏」から。

**じきわ**［直話］《名・自サ》①本人が直接に〈話すこと/した話〉。 ②本人から直接に聞いた話。

**しきん**［至近］〔文〕〈いちばん/非常に〉近いこと。「—距離」

＊＊**しきん**［資金］あることをおこなう基礎とするために、必要なお金。「結婚—」 事業をつづけていくための、お金のやりくり。「—が苦しい」 ●**しきんぐり**［資金繰り］ ●**しきんせんじょう**［資金洗浄］⇩マネーロンダリング。

**しぎん**［市銀］①↑市中銀行。 ②↑都市銀行。

**しぎん**［詩吟］漢詩に節をつけて吟じること。

**しきんせき**［試金石］〔それによって〕本当のねうちがわかるものごと。「力をためす—」 由来 特殊な石を使って金などの貴金属の鑑定をおこなったことから。

**しく**［市区］市街の区画。「—改正」

**しく**［死苦］〔文〕死ぬということの苦しみ。「—と戦う」

**しく**［詩句］詩の句。

**し・く**［(△如く)・(△若く)］《自五》〔文〕およぶ。匹敵する。「帰るに—はない〔=帰るのがいちばんいい〕。『しくはなし』とも」 ☞しかず。

**し・く**［敷く］ 一《他五》①〔床などに〕広げて置く。「ふとんを—・ハンカチを—」 ②ものの下に置く。「しりに—」 ▽なまって「ひく」。 ③一面にまきちらす。「道路に砂利を—」 二［△布く］《他五》①地面などに長く〈線の形に〉〈置く/もうける〉。「鉄道を—」 ②兵などを配置する。かまえる。「背水の陣を—」 ③〔制度などを〕行きわたらせる。「軍政を—・市制を—・箝口令を—」 三《自五》①〔文〕広まる。「名声四海に—」 ②〔霜が〕白く一面におりる。 可能 敷ける。

**じく**［字句］〔文章の中の〕文字と語句。「—の修正・—の解釈」

**じく**［軸］ 一 じく ①車の心棒。 ②〈まるい/巻いた/回転する〉ものの中心の棒(状のもの)。「こまの—・地球の自転—」 ③巻物。 ④かけじく。かけじ。「お—」 ⑤くき。また、くだもの・葉・はねなどの柄(え)。「マツタケの―」⑥キャベツ・ブロッコリーなどのしんの、かたい柄のような部分。⑦〔筆の〕手に持つ部分。⑧マッチの、軸木(じくぎ)。⑨中心となる〈ものごと／人〉。「それを政治改革の―にすえる・七月下旬(げじゅん)を―に調整する」⑩基準となるもの。「対決―・評価―」⑪〔数〕座標の基準となる直線。「x―」 ▣ 接尾 巻物を数えることば。本。「巻物一―」

**じくあし**【軸足】①軸のように、その場で自分のからだを支える足。「ピッチャーは―を外しました」②力を入れる中心。「景気対策に―を移す」

**じくう**【時空】時間と空間。時空間。「―をこえる」

**じくうけ**【軸受け・軸▵承け】⇩ベアリング。

**しくかつよう**【シク活用】〔言〕文語形容詞の活用の一つ。語尾(ごび)が「しく・しく・し・しき・しけれ・しかれ」のように活用する。例、うれし・たのし。(↔ク活用)

**じくぎ**【軸木】①マッチの薬品を塗(ぬ)りつけた、細長い木の棒。マッチ棒。軸。②掛(か)け物の軸に使う木。③えんぴつなどの軸に使う木。

**しぐさ**【〔仕草〕・(仕▵種)】からだや手足の動かし方。「かわいらしい―・舌を出す―・パントマイムの―」 由来 「する」の連用形「し」に、方法をあらわす「くさ」がついたもの。☞仕。

**ジグザグ** ジグザグ《名・ナダ》・ジグザグ《自サ》〔zigzag〕絵にかいたいなずまのように、ぎざぎざに折れ曲がった形〔をしているようす〕。ジグザク。「―をえがく・―コース・―デモ」

☆☆**じくじ**【×忸×怩】《タル》①〔文〕〔心の中で〕はずかしく思うようす。「名人と言われると、ちょっと―たるものがある・内心―たる思い」②〔俗〕〈くやしい／もどかしい／残念だ〉と思うようす。「降格させられて―たる思いがある」

**しくしく**《副・自サ》①弱々しくすすり泣くようす。「―(と)泣く」②にぶく痛むようす。「腹が―する」

**じくじく**《副・自サ》水分がにじみ出ているようす。「樹液が―しみ出す・傷口が―してうみが出る」

**しくじる**《他五》①失敗する。しくる〔俗〕。「試験を―・女性問題で―〔=つまずく〕」②〔古風〕過失などのために、地位などを失う。「会社を―・得意先を―」 表記 文脈により「:失敗る」「:失策る」とも。「:縮尻る」は、音を使った古い当て字。名 しくじり。

**じくずれ**【地崩れ】―くづれ《名・自サ》地盤(じばん)がゆるんで、くずれること。「―を起こす」

**じくそう**【軸装】〔文〕掛(か)け軸の形の表装。

**ジグソーパズル**〔jigsaw puzzle〕よく似た形の細かい断片(だんぺん)をつなぎあわせて、もとの絵に仕上げるもの。はめ絵。〔なまって、ジグゾーパズル〕

**じぐち**【地口】もとのことばと同じ、または近い音(おん)で、意味のちがう、おもしろいことばを作るしゃれ。例、「猫(ねこ)に小判」→「下戸(げこ)にご飯」。☞駄(だ)じゃれ。

**しくつ**【試掘】《名・他サ》鉱物などをほり出そうとして、ためしに土地をほってみること。

☆☆**シグナル**〔signal〕①しるし。あいず。②信号(機)。

**シグネチャー**〔signature〕▣ シグネチャー 署名。「―メールの―」 ▣ 選 ①〔店やブランドの〕代表的な。「―メニュー」②有名人の名前を冠(かん)した。「―シューズ」

**しくはっく**【四苦八苦】《名・自サ》〔どうにもならなくなって〕非常に苦しむこと。「返答に―する」

**じくばり**【字配り】一つ一つの文字の、配置のしかた。「―に気をつける」

**シグマ**〔sigma〕▣[Σ・σ] ギリシャ文字の十八番目の字。▣[Σ]〔数〕複数の数の総和を表す記号。▣[σ]〔数〕〔統計で〕標準偏差(へんさ)を表す記号。

*__しくみ__【仕組み】①つながり合って、ものごとを成り立たせたり、はたらかせたりしているもの。「脳の―・原始的な―で動く機械・年金の―〔=制度〕・世の中は、楽ではできない―になっている」②物語の構造。「重層的な―の小説」☞仕。

**しくむ**【仕組む】《他五》①たくらんで、ひそかに用意する。「社長交代劇を―〔=くわだてる〕・仕組まれたわな」②そうなるように、あらかじめ用意する。「仕組まれた運命のレール」③〔古風〕芝居(しばい)などにする。仕立てる。「美談を芝居に―」☞仕。

**じくもの**【軸物】掛(か)け軸。

**シクラメン**〔cyclamen〕鉢(はち)植えにする西洋草花の一つ。春、花びらがうしろにそり返った形の、赤・白・むらさきの花をひらく。ぶたのまんじゅう。

**しくる**《他五》(↑しくじる)〔俗〕失敗する。「ヘアアイロンをしくった」〔一九五〇年代にはもうあったことばで、今の若い世代も使う〕

**しぐれ**【時雨】①秋から冬にかけて降る雨。低い雨雲につつまれて降ったりやんだりする。②「しぐれ①」が降るように、起こったりやんだりするもの。「虫―〔=鳴くようすについて言う〕」③↑しぐれ煮(に)。「―茶〔=しぐれはまぐりの茶づけ〕」 ●**しぐれに**【時雨煮】煮つめて、つくだ煮ふうに煮たもの。ショウガを刻みこんで煮る。しぐれ。〔「しぐれはまぐり」は、ハマグリのしぐれ煮〕「牛肉―」

**しぐれる**【:時雨れる】《自下一》しぐれが降る。

**じぐろ**【地黒】《名・ナダ》もともとのはだの色が黒っぽいこと。色黒。

**じくん**【字訓】⇩訓▣。(↔字音)

**じぐん**【自軍】〔文〕自分の属する〈軍隊／チーム〉。

**しくんし**【四君子】〔中国の絵で〕ラン〔蘭〕・竹・梅・菊(きく)の、四つの植物。

**しけ**【:時化】①風雨のため、海があれること。あれ。②風雨のため、魚類がとれないこと。不漁。③興行物などで、客の入りが悪いこと。

↑**じげ**【地毛】頭にはえているかみの毛。地髪(じがみ)。「―で日本髪をゆう」

↑**じげ**【自毛】自分のかみの毛。「―を生かして増毛〔医師は「じもう」と言う〕」

**しけい**【死刑】〔法〕犯罪者を死なせる刑罰(けいばつ)。「―囚(しゅう)・―台」

**しけい**【私刑】⇩リンチ。

**しけい**【紙型】〔印刷〕組んだ活字の表面に、やわらかい厚手の紙をおしつけて取った型。

**しけい**【詩形・詩型】リズムや音数で区別される、詩の形式。

**しげい**【至芸】〔文〕最高の技芸。「―に酔(よ)う」

**じけい**【字形】文字の形。 区別 「字形」は、実際に書かれた文字の形。「字体」は、その字を成り立たせている骨組み。たとえば、「栄」は、人によっては下がわを「ホ」にした「栄」を書くが、字形はちがっても、字体は変わらない。一方、「栄」「榮」は、同じ漢字だが、前者は常用

し

漢字の字体、後者は従来の正字体で、字体がちがう。さらに、「栄」「営」は別の漢字で、「**字種**〔=漢字の種類〕」がちがう。「栄」は楷書体・明朝体・ゴシック体など、さまざまな様式・デザインでしるすこともできる。この様式・デザインのことを「**書体**」と言う。

**じけい**【次兄】〔文〕二番目の兄。

**じけい**【自警】《名・自サ》〔文〕予測される災難・災害から身を守るため、自分(たち)でまわりを警戒すること。「―団」

**じけいれつ**【時系列】①ものごとを定期的に測定して出した数値をならべたもの。②〔俗〕できごとの起こった順番。「事件を―で まとめる」

**しげき**【史劇】歴史上の事件を材料にした劇。

**しげき**【詩劇】詩の形で書かれている劇。

**しげき**【刺激・刺×戟】《名・他サ》①生物・人間のからだや心に、外から加わる はたらき。「皮膚を―する」(↔反応) ②人間(の集団)に はたらきかけて、はげましたり おこらせたりする〈こと／もの〉。「相手を―する・いい―になる」 ③そのために おちついていられなくなる、外からの(強い)はたらき。「都会は―が強い・―臭〔=鼻をさすような におい〕」 ●**しげきてき**【刺激的】《ダナ》①強く神経を刺激するようす。②考える力を刺激するようす。「―な論文」

**しげく**【〈繁く】《副》〔文語形容詞「しげし」の連用形から〕〔文〕①間をおかずに くり返すようす。「友の家を―〔=足しげく〕たずねた」 ②切れ目がないようす。「虫の音が―聞こえる・雨も―なり」▽口語の形容詞として使うこともある。「虫の声が しげかった」

**しけこむ**《自五》〔俗〕①〔遊郭・ラブホテルなどに〕はいりこむ。②金回りが悪くて、活動できずに じっとしている。

**じけし**【字消し】えんぴつ・インクなどの字を消す、ゴム(のようなもの)。消しゴム。「プラスチック―」

**しげしげ**《副》①【〈繁々】しきりに。何度も。「―かよう」 ②〔もとは「しけじけ」〕よくよく。「―(と)見る」

**しけつ**【止血】《名・自他サ》出血をとめること。出血がとまること。ちどめ。「―剤」

**じけつ**【自決】《名・自サ》①〔文〕自分の責任で自分の行動を決めること。「民族―」 ②〈責任を取って／ある主義の もとに〉自殺すること。

**しげみ**【茂み・〈繁み】草木などの しげった所。

**しけもく**【シケモク】〔俗〕①吸いがらを集めて作ったタバコ。②タバコの吸いがら。

←**しける**【(:時化る)】《自下一》①強い風や雨のために、海上が あれる。②〔俗〕不景気になる。「(ふところが)しけている」 ③〔俗〕元気を失う。「しけた顔」

→**しける**【〈湿気る】《自下一》水分をふくんで、だめになる。しめる。しっける。「お茶の葉がしけている」〔「しけったせんべい」など、五段にも活用する〕

**しげる**【茂る・〈繁る】《自五》①草木が たくさん(の葉・枝を出して)生える。「雑草が―・アシが―」 ②たくさんの草木のように、さかんに あらわれる。「文化が―」 名茂り。他茂らせる《下一》。「木が葉を―」

**しけん**【私見】〔文〕自分だけの〈意見／見解〉。

**しけん**【私権】《法》私法で認められる個人の権利。例、財産権・相続権など。「―制限」(↔公権)

*__しけん__【試験】《名・他サ》①こころみること。ためすこと。「品質を―する」 ②問題を出して答案を作らせ、学業などの力をためしたり、入学や入社などの許可・採用を決めたりすること。「―官・―勉強・―科目」▽テスト。●**しけんかん**【試験管】《理》化学実験などに使う、一方のはしが閉じたガラス管。●**しけんし**【試験紙】《理》試薬をしみこませた紙。物質の性質や有無を調べる。「リトマス―」 ●**しけんてき**【試験的】《ダナ》ためしに おこなうようす。「―に使う」

**しげん**【至言】〔文〕いかにも道理に かなった、正しいことば。「まさに―だ」

**しげん**【始原・始源】〔文〕〔ものごとの〕はじめ。

*__しげん__【資源】①産業などの原料や材料になる物資。「地下―」 ②産業や事業を支える、もとになるもの。「人的―・観光―」 ●**しげんエネルギーちょう**【資源エネルギー庁】《法》鉱物資源の開発、電力などのエネルギーの安定供給などの事務をあつかう官庁。経済産業省の外局。エネ庁。

**__じけん__【事件】①ふつうではない(悪い)できごと。「暴力―を起こす・文学的―」 ②訴訟の対象となる できごと。訴訟事件。「―にする〔=立件する〕」 ●**じけんきしゃ**【事件記者】警察関係の事件を受け持つ、新聞記者。

**じげん**【字源】一つ一つの文字の起こり。

**じげん**【次元】①《数》ものの広がりを決める、いちばん基本的な方向(の数)。ディメンション。〔直線は一次元《=長さ》、平面は二次元《=長さと はば》〕 ②〔段階によって ちがう〕ものの見方や立場。「―がちがう・―の低い〔=低級な〕ことを言う・別―」

**じげん**【時限】①時間・有効期間などを限定すること。「―スト・―発火装置」 ②授業時間(の くぎり)。校時。…限。「(第)一―」 ●**じげんばくだん**【時限爆弾】①時間が来ると爆発する爆弾。②そのうち危険になるかもしれないもの。☞爆弾を抱える〔「爆弾」の句〕。 ●**じげんりっぽう**【時限立法】有効期限を明示した法律。時限法。限時法。(↔恒久法)

**じげん**【慈眼】《仏》仏・菩薩の、慈悲のまなざし。じがん。

**じげん**【示現】《名・自他サ》〔文〕①神や仏が あらわす奇跡。②あらわれること。あらわすこと。

**しこ**【四股】《すもう》仕切りや けいこの前に、足を高くあげ、力強く地面をふんで、準備運動をおこなうこと。「―を踏む・―のけいこ」

**しこ**【指呼】《名・他サ》〔文〕①ゆびさして呼ぶこと。「あたりを―する・―確認」 ②呼べば答えるほど近いこと。「―の間に のぞむ」

**しご**【死後】死んだあと。(↔生前)

**しご**【死語】①昔〔=だいたい明治時代以降〕の流行語など、現在は使わなくなった単語。廃語。例、サイノロ〔=妻にあまい男〕。☞古語・廃語。②現在の日常生活では使われなくなった言語。例、古代ギリシャ語・ラテン語。

**しご**【詩語】〔文〕詩に使われる特別のことば。

**しご**【私語】《名・自サ》ひそかに話すこと。ひそひそ話。「―はつつしむこと」

**__じこ__【自己】自分。おのれ。〔「自分」よりも かたいことば〕「―の権利を主張する・―弁護・―否定・―満足〔俗に略して『自己満』〕・―完結〔=それだけで まとまる

こと)・━責任(=責任を全部 自分で持つこと)で投資する・━同一性(⇩アイデンティティ(━)①)」(↕他者)

**じこ【事故】①不注意から起こる〈危険/不都合〉なできごと。「━を起こす・無━で過ごす・交通━(=乗り物が原因で起こる事故)・━調(=事故調査(委員)会)」②〔古風〕不都合な事情。「前任者に━があり、委員が代わった・━物件(=殺人事件や自殺などのあった家)」

じご【事後】ことが終わったあと。「━報告」(↕事前)

じご【×爾後】〔文〕〈この/その〉のち。以後。

じご【持碁】《碁》引き分け。持(じ)。

じこあい【自己愛】《心》⇩ナルシシズム①。

じこあんじ【自己暗示】《心》自分でそう思うことによってはたらく暗示。

しこう【至高】〔文〕最高。「━至善(=最善)・━の逸品」

しこう【私行】〔文〕個人としての行為。

しこう【歯×垢】《医》歯の表面にくっつくよごれ。虫歯や歯周病の原因となる。プラーク。

しこう【詩稿】〔文〕詩の原稿。

しこう【伺候】《名・自サ》〔文〕〔身分の高い人の〕そば近くつかえること。また、参上すること。

しこう【施工】《名・自他サ》⇩せこう(施工)。
☆☆しこう【施行】《名・他サ》①(政策・建築・行事などを)実地におこなうこと。実施。②《法》法令の効力を現実に発生させること。「━細則」▽せこう。☞せぎょう(施行)。
しこう【志向】《名・他サ》(それにあこがれて)めざすこと。「革命を━する・権力━・ブランド━・未来━」

しこう【指向】《名・他サ》〔文〕(決まった方向を)向くこと。向かうこと。「━性(=ある方向からの音・電波を特によくとらえる性質)・性的━」
☆☆しこう【×嗜好】《名・他サ》〔文〕愛好すること。好み。「━にあわない・━調査」 ●しこうひん【×嗜好品】 主食・副食のほかに、好きで口にするもの。例、酒・タバコ・コーヒー。
しこう【思考】《名・他サ》(冷静に論理をたどって)考えること。考え。「━力・━停止・━回路・プラス━」 ●しこうじっけん【思考実験】(起こりにくいことが)もし実際に起こったらどうなるか、考えてみること。頭の体操。

しこう【試行】《名・他サ》〔文〕ためし(に やってみること)。●しこうさくご【試行錯誤】《名・自サ》①あれこれためして、何度もやり直すこと。②《心》学習の様式の一つ。失敗をかさね、だんだん適応すること。

しごう【×諡号】〔文〕⇩おくりな。

じこう【自校】〔文〕自分の学校。(↕他校)

*じこう【事項】ことがら。箇条。「注意━」
☆☆じこう【時効】①《法》一定の期間が過ぎたために、法の効力がなくなること。「━にかかる」②時間が経過して、〈無効になる/許される〉こと。「もうあの約束は━だ」
じこう【時候】そのときどきの、暑さ寒さや天候。「━のあいさつ(『暑いですね』『秋も深まりました』など)」

じごう【寺号】《仏》寺院(として)の呼び名。☞山号。

じごう【次号】〔文〕雑誌などの、次の号。「━完結」(↕前号)

しこうして【(×而して)】《接》〔文〕そして。

じごうじとく【自業自得】《仏》自分の(悪い)おこないの結果を自分の身に受けること。「━とあきらめる」

じごえ【地声】生まれつき持っていて、ふつうの出し方をしたときの声。「━が大きい」(↕裏声・作り声)

しごき【(▵扱き)】①きびしい訓練。「運動部の━」②(↑しごきおび) ひとはばの布を適当な長さに切って作る帯。表記 俗に「シゴキ」とも。

しこく【四国】瀬戸内海の南にある大きな島。徳島・香川・愛媛・高知の四県。四国地方。●しこくさぶろう【四国▵三郎】日本の、有名な三つの川の一つ。四国の、吉野川。☞坂東太郎①・筑紫次郎。

しごく【(▵扱く)】《他五》①(一方の手でにぎり、他方の)手で、強くこするようにして引く。「あごひげを━・やり(槍)を━(=勢いよく手前に引く)」②きびしく訓練する。「選手を━」

しごく ━【至極】造〔名・形動ナダをつくる〕これ以上はないと思うようす。「残念━な結果」 ━ しごく【(至極)】《副》この上なく。「━おもしろい」 ━ しごく【至極】この上ないこと。「━の逸品」

じこく【自国】〔文〕自分の国。(↕他国)

じこく【時刻】時間の、ある決まったところ。(時間をものさしにたとえたとき、目もりにあたるところ)「到着の時刻を記入した〈表/本〉。時間表。ダイヤ。 ●じこくひょう【時刻表】乗り物などの、発着の時刻を記入した〈表/本〉。時間表。ダイヤ。

じこく【自刻】《名・他サ》〔文〕自分で(自分の像を)彫刻すること。「━像」

じごく【地獄】①《仏》六道の一つ。罪をおかした者が死んでから行って苦痛にあうと言われる所。「━に落ちる」(↕極楽)②《宗》救われないたましいが落ちていく世界。(↕天国)③つらい苦しみにあう〈所/境遇〉。「試験━・聞いて極楽見て━(⇩「聞く」の句)・━の一丁目(=入り口)・━を見る(=ひどいめにあう)・進むも━、しりぞくも━」(↕極楽)④火山のけむりや温泉の熱湯などの、たえず ふき出す所。「━めぐり」 ●地獄で仏 句(↑地獄で仏に会ったよう) 困っているときに思いがけず助けられて非常にうれしいようす。地獄に仏。 ●地獄の釜(の蓋)が開く 句 ①正月やお盆は、地獄の鬼にも罪人を煮る釜の蓋を開けて休む。この時期だけは ぜひ休もう。②ただならぬことが始まる。「目の前に━」 ●地獄の沙汰も金次第 句 世の中はすべてお金で動く。地獄の裁判でさえも、お金でどうにでもなる。 ●じごくえ【地獄絵】①地獄の様子をえがいた絵。②むごたらしい光景。「戦場は━そのものだった」▽地獄絵図。 ●じごくみみ【地獄耳】①聞いたことを忘れないこと。②人の秘密などを、すばやく聞いて知っていること。

しこくしょく【紫黒色】〔文〕むらさきをおびた黒色。

じこけんお【自己嫌悪】《名・自サ》(自分のしたことが原因で)自分がいやになること。「━におちいる」

じこけんじ【自己顕示】《心》社会生活で自分を目立たせるようにすること。「━欲の強い人」

しごこうちょく【死後硬直】人や動物が死んで一定の時間がたつと、筋肉がかたくなること。死後強直。

しごころ【詩心】詩を〈作ろうとする/理解できる〉心。「━がある」

じこし【事故死】《名・自サ》事故のために死ぬこと。

**しこしこ**《副・自サ》①表面はやわらかいが、芯に歯ごたえのあるようす。「―したうどん」②じみに気長に続けるようす。こつこつ。「―(と)仕事を進める」

**じこじつげん**[自己実現]《名・自サ》〔もと、心理学用語〕自分の能力を発揮(して目標を達成)すること。

**じこしほん**[自己資本]《経》企業の総資本のうち、返済の必要がない資金。株主が出資した資本、剰余金、その他の含み益からなる。(↔他人資本)

**じこしゅちょう**[自己主張]《名・自サ》自分の意見や考えを強く言いはること。

**じこしょうかい**[自己紹介]《名・自サ》自分の名前や経歴などを、自分の口から相手に知らせること。(↔他己紹介)

**じごしょうだく**[事後承諾] ことのすんだあとで承諾すること。「勝手にやっておいて―をもとめる」

**しごせん**[子午線]〔「子」は北、「午」は南の意〕①《天》地平線上の真北から天頂を通って真南を結ぶ、天球上の円。②《地》⇩けいせん(経線)。

**じこそがい**[自己疎外]《哲》資本主義社会のもとで、人間が本来の人間らしさを失って、商品としてあつかわれること。疎外。

**しこたま**《副》〔俗〕①たくさん。「―もうける」②ひどく。「ひざを―打つ」

**じこちゅう**[自己中・自己チュー・ジコチュー]《名・ナダ》〔↑自己中心(的)〕〔俗〕なんでも自分中心に考えたり行動したりする〈こと/人〉。

**しごと**[仕事]《名・自サ》①しなければならない、ひとまとまりの活動。「後かたづけの―・台所(の)―〔=炊事〕・単調な―」[区別]⇩作業。②お金を得るためにする活動。「賃―・―場・父の―〔=職業〕は医者です・お―、おつかれさま」③その人の力がよくあらわれた成果。「いい―を残した」④調理。細工。「たんねんな―がしてある一品」⑤《理》物体に対する力の大きさと、物体が動いた距離との積。単位はジュール〔記号J〕。仕事量。[由来]「する」の連用形「し」に「こと」がついたもの。「すること」の意味。☞仕。[表記]「△為事」とも書いた。●**しごとおさめ**[仕事納め]〈こと/日〉。御用納め。―をさめ 年末、その年の仕事を終わりにする〈こと/日〉。御用納め。(↔仕事始め) ●**しごとし**[仕事師]①事業を(つぎつぎと)うまくやりこなす人。やりて。②とびしょく(鳶職)。とびのもの。●**しごとはじめ**[仕事始め] 新年になって、はじめて仕事をする〈こと/日〉。御用始め。(↔仕事納め) ●**しごとりょう**[仕事量]①仕事の量。②《理》⇩仕事⑤。

**しこな**[:四股=名・△醜名]《すもう》力士としての呼び名。例、双葉山。

**じごな**[地粉] 地元の小麦やソバの実から取れる粉。「―うどん」

☆☆**じこはさん**[自己破産]《名・自サ》《法》経済的にいきづまり、借金を返せなくなった債務者が、みずから裁判所に申し立てて、全ての借金を免除してもらう手続き。

**じこひはん**[自己批判]《名・自サ》自分で自分の誤りを批判すること。

**しこみ**[仕込み] [一] しこみ ①しこむこと。「きびしい―・〔飲食店で〕―中」②舞妓になる修業をする少女。「お―さん」[二] じこみ [造]〔じこみ〕その〈場所/やり方〉でしこんだこと。「本場―の語学力・三段―の酒」 ●**しこみづえ**[仕込み(×杖)] 中に刀を入れたつえ。

**じこみ**[仕込み][造] ⇩しこみ[二]。

**しこむ**[仕込む]《他五》①手をとって教えこむ。身につけさせる。「芸を―」②中に入れこむ。「つえに刀を―」③前もって〈手に入れる/用意する〉。「情報を―・食材をスーパーで―〔=買い入れる〕・やらせをするためにサクラを―」④〔店で〕料理の下ごしらえをする。「スープを―」⑤〔酒・みそなどの〕原料をまぜ、かきまわして造る。⑥〔俗〕受精させて、子どもができるようにする。「子どもを―」☞仕。

**じこむじゅん**[自己矛盾] その人自身の考えやことば、行動の中に、同時に両立しなかったり、前後で食いちがったりする部分があること。自家撞着。自己撞着。

**しこめ**[〈△醜女〉]〔文〕顔のみにくい女。しゅうじょ。

**じこめんえき**[自己免疫]《医》何らかの原因で、自分自身の組織を異物とみなして、それを攻撃する抗体が生みだされること。

**しこり**[(×痼り)・(△凝り)・シコリ]①筋肉や組織が〈こりかたまること/こりかたまったもの〉。②ものごとがすんだあとまで残る、いやな気持ち。「―を残す」[動]しこる《自五》。

**じこりゅう**[自己流] 自分で考え出した流儀。自分だけのやり方。「―の体操」

**じこる**[事故る]《自五》〔俗〕(交通)事故を起こす。

**しころ**[×錏・×錣] かぶとの、首のまわりを守る部分。

**ジゴロ**〔フ gigolo〕女性にたかって生活する男。ヒモ〔俗〕。

**しこん**[士魂]〔文〕武士として持っているたましい。「―商才」

**しこん**[紫紺] むらさき色をおびた紺色。「―の優勝旗」

**しこん**[歯根]《生》歯の、歯ぐきの中におさまっている部分。(↔歯冠)

**しこん**[詩魂]〔文〕詩を作ろうとする心。

**じこん**[自今・×爾今]《副》〔文〕いまからのち。以後。「―厳禁たるべし・―以後」

**しさ**[視差] 視点のちがい。「両眼の―によってものが立体的に見える・二地点の―を利用して、星までの距離を測る」

☆☆**しさ**[示唆]《名・他サ》〔こうする、こうすればいい、など〕それとなく示すこと。「解散を―する・―に富む〔=おおいに参考になる〕・―的〔=考えさせるようす〕」

**しさ**[指差]《名・他サ》〔文〕〔確認のため〕ゆびさすこと。ゆびさし。「―呼称・信号を―する」

**しざ**[視座]〔文〕見かたの基礎になる、立場。

**じさ**[時差]①《地》地球上の各地方によってちがう、標準時刻の差。「五時間の―がある」☞時差ボケ。②時刻をずらすこと。「―出勤」

☆☆**しさい**[子細・×仔細] [一]①わけ。事情。「―ありげな顔」②一部しじゅう。「―を物語る」③〔文〕さしつかえ。「―ない」[二]《名・ナダ》念が入って、細かいようす。詳細。「―に点検する・―な説明が必要だ」●**しさいらしい**[子細らしい]《形》いかにも特別のわけでもあるような状態だ。もっともらしい。「―顔つきで現れた」

しさい【司祭】①〔宗〕〔カトリックで〕司教の次の位の僧職。教会をとりしまり、サクラメントを授ける。神父。②祭事を司会する人。

しさい【詩才】詩を作る才能。「—がある」

しざい【死罪】①死刑。②死に相当するつみ。

しざい【私財】個人として持っている財産。「—を投げ出す」

しざい【詩材】詩を作るための材料。

↑しざい【資材】何かを作る材料となるもの。「—難」

↑しざい【資財】生活や事業のもととなる財産。

じさい【自裁】《名・自サ》〔文〕自殺。

じざい【自在】㊀《名・ナダ》どのように動いても〈さまたげ／さしさわり〉のないこと。自由。「自由—〈な／の〉動き」派—さ。㊁↑自在かぎ。●じざいかぎ【自在〈×鉤〉】炉の上に鉄びんやなべなどをかぎでつるして、自由に上げ下げするしかけ。自在。☞「いろり」の絵。

じざかい【地境】所有地のさかい(め)。じさかい。

じざかな【地魚】その土地の近海でとれたさかな。

じさき【地先】⇩ちさき。

しさく【詩作】《名・自サ》詩を作ること。

しさく【思索】《名・自他サ》ものごとの本質を知るために深く考えること。「—にふける・—の秋」

*しさく【施策】《名・他サ》政策を実行するための具体策。また、政策を実行すること。せさく。「重点—・強力に—する」

しさく【試作】《名・他サ》〔本式に作る前に〕ためしに作ってみること。「—品」

じさく【次作】次の作品。〈↔前作〉

じさく【自作】《名・自他サ》①自分で〈作ること／作ったもの〉。「—の詩」②〔農〕自分の土地を自分で耕作すること。「—農」〈↔小作〉●じさくじえん【自作自演】《名・自サ》①脚本を自分で書いて、自分が主役として〈演出／出演〉すること。②準備から実行までのいっさいを自分でやること。③⇩狂言③。「ぬすまれたなんて、—だ」

じざけ【地酒】その土地でできる酒。

しさつ【刺殺】《名・他サ》①刃物でさし殺すこと。②〔野球〕味方からの送球を受けて、また、フライをとるなどして、走者や打者をアウトにすること。☞補殺。

しさつ【視察】《名・他サ》そこへ出かけて行って実情を見ること。「—団・海外—」

じさつ【自殺】《名・自サ》①自分で自分の命を終わらせること。自死。「ガス—・—未遂・—体」〈↔他殺〉②みずから〈失敗をまねく／機能をなくす〉ばかげたこと。「—(的)行為・民主主義の—」
☆☆じさない【辞さない】《形ヌ》〔=辞退しない〕〔…しても〕かまわない。気にかけない。辞せず。「決裂も—」
じさぼけ【時差ボケ】《名・自サ》飛行機で旅行したため、時差の関係で体内のリズムがくるうこと。

しさる【△退る】《自五》〔文〕前を向いたまま、あとへ下がる。しざる。すさる。

*しさん【資産】①財産。「—家・—株」②〔経〕会社の経営活動に用いることのできる財産〔=現金・預金・債権・製品・土地・工場など〕。

しさん【四散】《名・自サ》〔文〕いっしょに〈いた人たち／あったもの〉が、ばらばらになること。「一家—」

しさん【試算】《名・他サ》①ためしに計算すること。②計算に誤りがないかどうかをたしかめること。

しざん【死産】《名・自他サ》〔医〕赤ちゃんが、死んだ状態でうまれること。しさん。〔法律では、妊娠四か月以後の場合に言う〕☞流産①。

じさん【自賛・自×讃】《名・自サ》〔文〕⇩自画自賛。

じさん【持参】《名・他サ》持って〈行く／来る〉こと。▶謙譲語ではないので、相手に「ご持参ください」と使ってもさしつかえない。●じさんきん【持参金】〈嫁／婿〉が、結婚するとき実家から持って来るお金。

しし【四肢】〔文〕両手と両足。手足。

しし【市史】〔文〕市の歴史(をまとめた本)。「横浜—」

しし【死×屍】〔文〕死骸。しかばね。「—累々」

しし【志士】国家の仕事に奔走する人。

しし【師資】〔文〕師匠と、師匠を助ける弟子。師弟。☞師資相承。

しし【〈×猪〉】いのしし。「—打ち・—なべ」

しし【嗣子】〔文〕あととり。よつぎ。

しし【×獅子】①⇩ライオン。②からじし。③↑獅子頭・獅子舞。「お—」☞獅子の子落とし・獅子身中の虫。

しし【誌紙】雑誌や新聞。

しし【〈×孜々〉】《副》〔文〕一心につとめてやすまないようす。せっせ。こつこつ。「—としてはげむ」

しじ【四時】〔文〕四季。「—の別なくおとずれる観光客」

しじ【死児】〔文〕①死んだ子ども。「—の齢を数える〔=どうにもならない昔のことをくやむたとえ〕」②死んで生まれた子ども。

しじ【私事】〔自分の〕個人的なことがら。「—にわたって恐縮ながら」☞わたくしごと〔私事〕。

しじ【指事】六書の一つ。抽象的なものごとを記号的に表現して、漢字を作る方法。例、「一」「二」「上」「本」。「—文字」

しじ【師事】《名・自サ》その人の弟子になっておそわること。

しじ【支持】《名・他サ》①いいと認め(て支えて助け)ること。「学説を—する・内閣の—率・政党の—母体」②〔文〕ものを支えること。「—柱」

しじ【指示】《名・他サ》①〔指で〕物・方向をさししめすこと。②〔責任者として〕そうするように言うこと。「本社の—に従う・—待ち」

じし【次子】〔文〕二番目に生まれた子。

じし【次姉】〔文〕二番目の姉。

じし【侍史】〔=身分の高い人のそばにいる書記〕《手紙》〔文〕わきづけの一種。

じし【自死】《名・自サ》自殺。「—遺族」

じじ【自×恃】〔文〕自分自身を信頼すること。自負。「—の念が強い」

↑じじ【〈△祖△父〉】祖父。おじいさん。〈↔ばば《祖母》〉

↑じじ【〈×爺〉】年とった男の人。〈↔ばば《婆》〉
☆☆じじ【時事】〈その当時／現代〉のできごとやことがら。「—解説」
じじ【次々】〔遺〕つぎのつぎの。「—号」

し

**じじい**[(×爺い)]〔俗〕年とった男の人。〔かろんじた言い方〕(↕ばばあ)
**ししおき**[△肉置き]〔文〕にくづき。「―のゆたかな からだ」
**ししおどし**[(△鹿△威し)] ⇩そうず(添水)。
**ししがしら**[×獅子頭]「獅子②」の あたまに似せて作った木の かぶりもの。獅子。
**シシカバブ**〔shish kabob〕肉の串焼き。トルコの料理。〔トルコ語ではシシ ケバブ。ヒンディー語ではシークカバ(ー)ブ〕☞ケバブ。
**ししき**[司式]《名・自サ》〔文〕儀式・葬式などの進行を受け持つこと。
**しじきゅう**[四死球]《野球》四球(=フォアボール)と死球(=デッドボール)。
**ししく**[×獅子×吼]《名・自サ》(=獅子が ほえること)〔文〕真理・正義を大いに主張すること。大演説。
**しじご**[指示語]《言》「これ・その・あんな・どう」などのように、何かをさししめす はたらきを持つ ことば。指示詞。〔多く、最初に「こ・そ・あ・ど」がつく。文語的な「かしこ」「いずれ」なども ふくむ〕 区別 (1)「**こ**」は自分に近いものごと、「**そ**」は相手に近いものごと、「**あ**」は自分からも相手からも遠いものごとをさすのが基本。相手に背中をかいてもらうとき、自分の背中なのに「そこ、そこ」と言うのは、背中が相手に支配されているから。(2)相手と同じ場所にいる場合は、「こ」は近いものごと、「そ」は あまり遠くないものごと、「あ」は遠いものごとをさす。「ちょっとそこ(=近所)まで買い物に行く」の「そこ」も、これで説明できる。(3)⇩この・これ。
**じじこっこく**[時々刻々]《副》時刻を追って。しだいしだいに。「―と変わる」
**しししんちゅう の むし**[×獅子身中の虫]〔もと仏教用語〕味方でありながら味方に不利なことをするもの。内部から わざわいを起こすもの。
**ししそうしょう**[師資相承]〔文〕師弟の間で受けつぐこと。
**ししそんそん**[子々孫々] まごや子どもの末。子孫代々。ししそんぞん。「―に伝える」
**しじだいめいし**[指示代名詞]《言》代名詞の一種。物・事・場所・方角をさししめす。例、これ・そこ・あちら。(↕人称代名詞)
**ししつ**[私室] 個人として使う部屋。(↕公室)
**しつ**[紙質]〔文〕紙の質。かみしつ。
☆☆**ししつ**[脂質]《理》栄養素の一つ。動植物からとれる、水にとけない物質。あぶらやコレステロールなどが ふくまれる。からだにとって、エネルギーの もとになる。〔「脂肪分」の新しい呼び名〕(↕たんぱく質・糖質) ●**ししついじょうしょう**[脂質異常症]《医》LDLコレステロール、中性脂肪のいずれかが基準より多いか、または、HDLコレステロールが基準より少ない症状。〔「高脂血症」の新しい呼び名〕
**ししつ**[資質](生まれつき)もっている性質や才能。「音楽家としての すぐれた―・―を向上させる」
**しじつ**[史実] 歴史上の事実。「―にもとづく」
**じしつ**[地質] 布地の質。☞ちしつ(地質)。
**じしつ**[次室]〔文〕(主な部屋の)となりの部屋。
**じしつ**[耳疾]《医》耳の病気。
**じしつ**[自室]〔文〕自分の部屋。
**じしつ**[×痔疾]《医》肛門が はれ、または痛み、血が出る病気。痔。
**じしつ**[自失]《名・自サ》〔文〕われを忘れて、ぼんやりすること。「ぼう(茫)然―する」
**じじつ**[事実] 一 ①実際に確認できることで、その人の気持ちや考えだけでは動かすことの できないことがら。「―誤認・―上(=実質的には)決着した・―関係(=事実と事実とのつながり)を明らかにする・リスクが高いのは―だ」 ②《法》それが あったか なかったか、証拠にもとづいて判断できることがら。「虚偽の―(=実際にはなかったこと)」 区別 「**事実**」は、単に「起こったこと」の意味でも使うが、「**真実**」は、それが うそでない、という場合に使う。「事実をきちんと報告する」に くらべて、「真実をきちんと報告する」は、「うそをつかずに」という意味合いが加わる。法律では、「虚偽の事実」はあっても、「虚偽の真実」はない。 二《副》実際。たしかに。「―そうなのだ」 ●**事実は小説よりも奇なり** 句 実際に起こる出来事には、作られた小説より変化に富んでふしぎなことがある。 ●☆☆**じじつこん**[事実婚] 正式に届け出をしていないが、事実上、夫婦である関係。内縁の類。 ●**じじつ むこん**[事実無根] 事実だという根拠が まったくないこと。
**じじつ**[時日]〔文〕ひにち。時間(の ゆとり)。「―を要する・―を経る・―を定める」
**ししっぱな**[×獅子っ鼻]〔俗〕「獅子②」の鼻に似た、低くて小鼻のひらいた鼻。ししばな。
**ししとう**[(×獅子唐)・(×獅子:頭)](↑ししとうがらし) ピーマンのごく小形の品種。辛みは少ない。
**ししの こおとし**[×獅子の子落とし] 子どもに あえて苦労をあたえること。 由来 獅子は、谷底に落としても上がってくる子だけを育てるという言い伝えから。
**ししふんじん**[×獅子奮迅]《名・自サ》〔文〕獅子のように はげしく奮闘すること。「―の はたらき」
**しじま**[(:静寂)・(:沈黙)・(:無言)]〔雅〕しずまりかえっていること。「夜の―」
**ししまい**[×獅子舞] 獅子頭をかぶってする舞。もと、厄よけの儀式。獅子。
**しじみ**[(×蜆)] 川・河口などにすむ、小さな二枚貝。からは黒茶色。みそしるの具などにする。「―の砂ぬき」
**じじむさ・い**[×爺むさい]《形》じじいのようだ。じじくさい。 由来 もとは「きたなくて むさくるしい」の意味。山陰などの方言では、今も「きたない」を「じじい」と言う。 派 -さ。
**ししむら**[△肉×叢](=肉の かたまり)〔文〕肉体。
**ししゃ**[支社] 本社から分かれた、地方の中心となる事務所。(↕本社)
**ししゃ**[死者] 死んでしまった者。(↕生者)
**ししゃ**[使者] 命令を受けて使いに行く人。使い(の者)。
**ししゃ**[視写]《名・他サ》〔文〕手本を見ながら書き写すこと。
**ししゃ**[試写]《名・他サ》映画を公開する前に、特定の人だけに見せるために上映すること。「―会」
**ししゃ**[試射]《名・他サ》①ためしに射撃すること。②ミサイルなどをためしに発射すること。
**じしゃ**[寺社] 寺と神社。社寺。「―奉行〔⇩奉行①〕」
**じしゃ**[自社] 自分の(会)社。(↕他社)

**じしゃ**［自車］〔文〕自分の乗る自動車。（↕他車）

**ししゃく**［子爵］〈もとの華族／ヨーロッパの貴族〉の階級の第四位。また、その階級の人。☞爵位。

**じしゃく**［磁石］①《理》鉄を吸いつける性質を持つ物体。マグネット。②針が北の方角をしめす性質を持った、方位をはかる道具。磁石盤。方位磁石。

**じじゃく**［示寂］《名・自サ》《仏》〈菩薩／高僧〉が死ぬこと。

**じじゃく**［自若］《トタル》〔文〕おちついていて、いつもと変わらないようす。「泰然─として」

**ししゃごにゅう**［四捨五入］《名・他サ》《数》計算したとき、端数の第一のけたが四以下のときは切り捨て、五以上のときは切り上げること。

**シシャモ**［(:柳葉魚)・ししゃも］〔アイヌ susam〕干物などにして売られる、細い小形のさかな。「子持ち─・─を焼く」〔本来は北海道の川にもどってくる種類を指すが、今はカラフトシシャモ《＝カペリン(capelin)》を指すことが多い〕

**ししゅ**［詩趣］〔文〕詩を思わせる味わい。「─に富む」

**ししゅ**［死守］《名・他サ》死を覚悟して守ること。「陣地を─する」

**じしゅ**［字種］①〈文字／漢字〉の種類。〔同じ字種でも、字体がちがうこともある。例、円と圓、亜と亞〕 区別 ⇩字形。②漢字・ひらがな・アルファベットなど、文字体系の種類。

**じしゅ**［自主］独立して、ほかから〈保護／さしず〉を受けないこと。「─的・─規制〔＝自主的におこなう規制〕・─性がない」☞自主トレ。

☆☆**じしゅ**［自首］《名・自サ》《法》罪をおかした者が自分から警察などに申し出ること。

**ししゅう**［死臭・×屍臭］死体から出るいやなにおい。

**ししゅう**［歯周］《生》歯の周囲。●**ししゅうえん**［歯周炎］《医》歯肉炎が悪化し、歯を支えている周囲の組織がおかされる病気。歯槽膿漏をふくむ。●☆☆**ししゅうびょう**［歯周病］《医》歯肉炎と歯周炎をまとめた呼び名。〔虫歯とは、まったく別の病気〕

**ししゅう**［詩集］詩を集めた本。

**ししゅう**［刺〈×繡〉］《名・他サ》布地の表面に糸で模様をぬいあらわ〈すこと／したもの〉。ぬい。ぬいとり。

****しじゅう**［四十］①十の四倍。②四十歳。「─の坂を越す・─男」▽よんじゅう。●**四十にして惑わず** 句〔文〕四十歳になると、心がまよわない。〔「論語」のことば〕☞不惑。●**しじゅううで**［四十腕］〔俗〕四十歳ごろになって(ある日とつぜん)原因もなくうでが痛むこと。☞五十肩。●**しじゅうかた**［四十肩］⇩五十肩。●**しじゅうから**［〈四十×雀〉］多く家の近くに飛んでくる小鳥の名。スズメぐらいの大きさで、目のうしろが白くなっている。しじゅうがら。●☆☆**しじゅうくにち**［四十九日］《仏》人が死んで四十九日目(におこなう法事)。しじゅうくんち。●**しじゅうはって**［四十八手］①《すもう》相手をたおす四十八種の決まり手。〔今は八十二手〕②〔目的をとげるための〕いろいろな手段。「就職─」●**しじゅうしょう**［四重唱］《音》〔ソプラノ・アルト・テノール・バスのような〕四種類の声をあわせて四人で歌う合唱。カルテット。●**しじゅうそう**［四重奏］《音》四種のちがった楽器で演奏する合奏。カルテット。「弦楽─〔＝第一・第二バイオリンとビオラ、チェロの合奏〕」

**しじゅう**［始終］〔＝始めと終わり〕一〔文〕始めから終わりまで(の全部)。「事の─を明らかにする」二《副》〔古風〕しょっちゅう。「─うわさする」

**じしゅう**［次週］〔文〕次の週。

←**じしゅう**［自修］《名・他サ》〔文〕自分で学問を修得すること。「─書」

→**じしゅう**［自習］《名・他サ》先生なしで、学科の勉強をすること。

**じじゅう**［自重］〔機械・車体などの〕それ自身の重さ。「─三十二トン」☞じちょう(自重)。

**じじゅう**［侍従］君主、特に天皇や皇族につかえる役(の人)。

**ししゅく**［止宿］《名・自サ》〔文〕とまること。やどること。「─人」

**ししゅく**［私淑］《名・自サ》ひそかにある人を先生としてしたい、書物などを通して学ぶこと。「福沢諭吉に─する」

**しじゅく**［私塾］〔自分の家に設けた〕個人の塾。

**じしゅく**［自祝］《名・自他サ》〔文〕自分の喜びごとを、自分で祝うこと。

**じしゅく**［自粛］《名・自他サ》自分から、おこないや態度をつつしむこと。「─自戒・─を呼びかける・深夜営業を─する」

**ししゅつ**［支出］《名・他サ》お金をしはらうこと。しはらい。（↕収入）

**しじゅつ**［施術］《名・自サ》〔文〕⇩せじゅつ。

**じしゅトレ**［自主トレ］〔トレ↑トレーニング〕スポーツ選手が自発的におこなう練習。特にシーズンオフにプロ野球選手が自主的にする練習。

**しじゅほうしょう**［紫×綬褒章］学問・芸術の上でてがらのあった人に国があたえる、むらさき色のリボンのついた記章。

**しじゅん**［至純］《ナダ》〔文〕この上もなく純粋なようす。「─な愛」派─さ。

**じじゅん**［耳順］〔＝聞いたことがすべて、よくわかること〕〔文〕六十歳のこと。由来「論語」の「六十而耳順〔＝六十にして耳順う〕」から。☞志学・而立・不惑・知命。

**ししゅんき**［思春期］しだいにおとなのからだに変わって行き、恋愛や性に関心をもちはじめる年ごろ。ふつう、十二、三歳から十七、八歳を言う。春機発動期。

←**ししょ**［支所］本社・本部などから分かれた、出張所。

→**ししょ**［支署］本署から分かれた出張所。（↕本署）

**ししょ**［司書］〔図書館などで〕書籍の整理・保管などをあつかう資格のある人。

**ししょ**［史書］〔文〕歴史の書物。

**ししょ**［死処・死所］〔文〕死ぬ(べき)場所。死に場(所)。「─を得る」

**しじょ**［子女］〔文〕①〔保護者にとって〕子ども。「─の教育・帰国─」②むすめ。女子。「満都の─」由来「子」はむすこ、「女」はむすめの意味。

**じしょ**［地所］〔財産または建物を建てる場所としての〕地面。土地。

←**じしょ**［字書］①漢字を集めて一定の順序にならべ、その漢字の形・音訓・意味などを説明した本。字引。字典。②辞書。

**じしょ**［辞書］①ことばをたくさん集めて一定の規準で〈整理／分類〉し、発音・表記・意味・用法などを説明した本やソフトウェア、機械。「―を引く」 区別 ⇩辞典①。②《情》〔コンピューターで〕かな漢字変換に使う、かなと漢字の対応関係などを示したデータ。③こういうことばがある、それはこういう意味だという、人(々)の頭の中にある考え。心的辞書。「余の―に不可能という文字はない〔＝ナポレオンが言ったことにされている文句〕・―的な〔＝一般に使われる〕意味」

**じしょ**［自署］《名・自サ》〔文〕自分で自分の名前を〈書くこと／書いたもの〉。サイン。

**じじょ**［次女・△二女］ 女の子のうち、二番目に生まれた子。二女。

**じじょ**［自助］ 苦しいところを、自分の力だけでぬけだすこと。「―努力」 ☞共助・公助。

**じじょ**［自序］〔文〕著者が書いた序文。(↔自跋)

**じじょ**［侍女］ 身分の高い人の身のまわりの世話をする女性。

**ししょう**［市章］ その市を代表するしるし。

**ししょう**［私傷］ 公務についていないときに負ったけが。(↔公傷)

**ししょう**［師匠］ ①学問・技術を教える人。先生。②日本のおどり・長唄・生け花などを教える人(の尊敬語)。「お―さん」 ③落語家の真打ちの(名前にそえる)尊敬語。▽(↔弟子)

**ししょう**［視床］《生》間脳の主体をなす部分。嗅覚以外の知覚を大脳へ中継する。●**ししょうかぶ**［視床下部］《生》視床の前下方にある部分。自律神経の中枢がある。

**ししょう**［詞章］〔文〕①ふしをつけて口ずさんだり、歌ったりする文句。「浄瑠璃の―」 ②詩歌と文章。

**ししょう**［死傷］《名・自サ》①死ぬこととけがをすること。「―者」 ②死んだ人やけがをした人。「事故による―九名」

**ししょう**［支障］《名・自他サ》ものごとの進行をさまたげることがら。「―なく〔＝とどこおりなく〕・―をきたす・トラックが踏切を―する〔＝踏切内にとどまる〕」

**ししょう**［刺傷］《名・他サ》〔文〕刃物などでつきさして、けがをさせること。また、そのけが。

**しじょう**［史上］ 歴史にあらわれているところ。「―最大の海難・―(第)二位〔＝歴代二位〕」

**しじょう**［市場］ ①いちば。「青果―」 ②《経》物やサービスが商品として売り買いされる場の総体。「―に出回る・金の―・為替―」 ▽マーケット。●**しじょうげんり**［市場原理］《経》「市場②」で人々が自由に競争すれば、合理的な結果になるという原理。「―にゆだねる・―主義」 ●**しじょうせんゆうりつ**［市場占有率］《経》「市場②」に出回る同種の製品すべての中で、ある製品がしめる割合。シェア。●**しじょうちょうさ**［市場調査］《経》〔新製品を売り出す前におこなう〕客の好みや購買力、品物の売れ行きなどについて調べること。マーケット リサーチ。マーケティングリサーチ。MR。

**しじょう**［至上］〔文〕この上もないこと。最上。「―の幸福・闘争―主義ではだめ」 ●**しじょうめいだい**［至上命題］ 最重要課題。至上命令。「法案の成立が―だ」 ✓「命題」は本来、別の意味の哲学用語。●**しじょうめいれい**［至上命令］ ①どうしてもしたがわなければならない、最高の命令。②⇩至上命題。

**しじょう**［至情］〔文〕①まごころ。まこと。「愛国の―」 ②ごく自然な(人)情。

**しじょう**［私情］ 公正さをそこなう、個人的な感情。「採点に―を〈さしはさむ／まじえる〉・―がからんだ書評」

**しじょう**［紙上］〔文〕①紙の上。机上。〔「実際には合わない」という語感がある〕「―の計算」 ②新聞や雑誌の、紙面。「―をにぎわせる」

**しじょう**［誌上］〔＝雑誌の上〕 雑誌の、記事をのせたページ。「―で論争する」

**しじょう**［詩情］〔文〕①詩的な味わい。詩趣。②詩を作りたい気持ち。「―がわく」

**しじょう**［試乗］《名・自サ》〔試運転をする乗り物に〕ためしに乗ること。「新車―会」

**じしょう**［事象］〔文〕実際に起こるできごとや現象。

〔役所などで「事故」「トラブル」を言いかえて使うことがある。「爆発的―」〕

**じしょう**［自傷］《名・自サ》〔文〕自分で自分のからだをきずつけること。「―行為〔例、リストカット〕」 ●**じしょうたがい**［自傷他害］《法》自分自身をきずつけ、他人に害をあたえること。「―のおそれのある者」

**じしょう**［自称］ ━《名・自他サ》自分のことを自分でそう名のること。「―カメラマン・弟子で〈だと／を〉―する男」(↔他称) ━《言》一人称。(↔対称・他称)

****じじょう**［事情］ ①〔人が知りたがる〕そこで起こっているものごとの様子。「現地の―・交通―・―通〔＝消息通〕」 ②それまでにどういうことがあったか、ということ。いきさつ。「―聴取〔＝警察などが、その事件・事故などについて、参考人から聞くこと〕」 ③そうしなければいけない、特別のわけ。「家庭の―で欠席する・―があって閉店した」

**じじょう**［自乗・△二乗］《名・他サ》⇩にじょう。

**じじょう**［自浄］《名・他サ》〔文〕そのもののはたらきだけで不純なものをきれいにすること。「川の―能力」

**じじょうぎ**［持将棋］《将棋》引き分け。

**じじょうじばく**［自縄自縛］ 自分のことばや行動のために、かえって自分が苦しむこと。「―におちいる」

**ししょうせつ**［私小説］ ①作者の身ぢかに起こった事実をそのまま材料とした、日本独特の小説。②⇩わたくししょうせつ(私小説)①。

**ししょく**［紫色］〔文〕むらさき色。「明―」

**ししょく**［試食］《名・他サ》〔味を見るために〕食べてみること。「―品」

**ししょく**［試織］《名・他サ》〔文〕試験的に織物を織ること。「新製品の―」

**じしょく**［辞職］《名・自サ》自分から職をやめること。

**ししょごきょう**［四書五経］ 儒学の教えの基本が書かれた経典である、四書〔＝大学・中庸・論語・孟子〕と五経〔＝易経・書経・詩経・礼記・春秋〕。

**じじょでん**［自叙伝］ 自分で書いた、自分の伝記。

**ししょばこ**［私書箱］ 特定の個人や団体の専用とし

て、郵便局に設置した郵便受け。郵便私書箱。

**しじら**［〈×縬〉］糸の張り方や より方をくふうすることで、表面に しぼ〔=凹凸〕を出した織物。また、その織り方。しじら織り。

**ししん**［私心］〔文〕自分だけの利益をはかる心。「—を去る」

**ししん**［私信］〈個人の／個人的な用事を書いた〉手紙。

**ししん**［使臣］〔文〕使者として派遣される〈君主の代理／国家の代表者〉。

**ししん**［指針］①磁石盤・メーターなどの針。②たよるべき方針。てびき。「教育の—」

**ししん**［詩心］〔文〕詩を〈作ろうとする／理解できる〉心。しごころ。

**ししん**［詩神］〔文〕詩をつかさどる神。ミューズ。

**ししん**［視診］《名・他サ》《医》病人の顔色やからだの様子を見て診断すること。

**しじん**［士人］〔文〕①さむらい。②教養や社会的地位のある人。

☆☆**しじん**［私人］①〔文〕公共の地位や資格を外して考えた、個人。「—として行動する・一—」（↔公人）②《法》〔公権力のない〕民間人・民間団体。

**しじん**［詩人］詩を作る(ことを職業とする)人。詩のじょうずな人。詩的な感覚を持った人。

*__じしん__［地震］《地》地下の岩盤が ずれて、地面がゆれる現象。大きな被害が出ることがある。「—計」 表記 ⇩地。 ●**地震雷火事おやじ(親父)** 句 世の中でこわいものを順にならべたことば。 ●**じしんどう**［地震動］《地》地震による ゆれ。「長周期—」 ●**じしんは**［地震波］《地》震源から地中を伝わっていく波動。P波〔=縦波〕・S波〔=横波〕など。

**じしん**［自信］自分の価値・能力を信じること。「—たっぷり・—を失う・—喪失」

**じしん**［侍臣］〔文〕主君のそばに つかえる臣下。おそば。近侍。

**じしん**［時針］時計の、時をさす、短いほうのはり。短針。(↔分針・秒針)

**じしん**［磁針］回転して、いつも南北をさすようにしたはりの形の磁石。

**じしん［自身］ 一 造 ①〔ほかの人でなく〕その人。「きみ—がやれ〔人にやらせるな〕・〔副詞的に〕私—、満足しています・自分—」 ✓「自分自身」は、「ほかの人でなく、自分」と区別する言い方。「この子は自分の名前が書ける」のように、人と区別する必要がない場合には「自分自身の…」とは言わない。②自体。「作品—に力がある」 二 じしん〔やや改まった言い方〕その人自身。「—の経験にもとづく意見・〔文章で副詞的に〕—、よくわかっている・ご—〔=ⓐその方自身。ⓑあなた自身〕のお気持ち」 ●**じしんばん**［自身番］江戸時代、江戸市中を警戒するため、ところどころに置かれた番所。

**じじん**［自陣］〔文〕自分の〈陣地／陣営〉。(↔敵陣)

**じじん**［自刃］《名・自サ》〔文〕刀で自殺すること。

**ししんけい**［視神経］《生》大脳から眼球に通じていて、網膜の受けた刺激を脳に伝える神経。

**ししんでん**［紫×宸殿］平安京など、内裏の正殿。ししいでん。

**し・す**［資す］《自五》〔文〕⇩資する。「国益に資さない」

**し・す**［死す］《自サ》〔文〕死ぬ。死する。「パリに—・死する者・自由は死せず」 ●**死して後(のち)や(已)む** 句 ⇩「倒れて後(のち)や(已)む」〔「倒れる」の 句〕。 ●**死せる孔明生ける仲達(ちゅうたつ)を走らしむ** 句 (死んで)もう いない人のために、ほかの人が影響を受けること。 由来 中国の三国時代、蜀の諸葛孔明が死んだ後、魏の司馬仲達が その力をおそれて にげた故事から。

**しず**［×賤］〔雅〕身分が低い〈こと／もの〉。「—のおのこ〔=男〕・—が伏せ屋〔=まずしい住まい〕」

**じ・す**［持す］《他五》〔文〕⇩持する。「みずからを—ことが大事だ」

**じ・す**［辞す］《他五》〔文〕⇩辞する。

☆☆**ジス**［JIS］〔← Japanese Industrial Standard〕日本産業規格。鉱工業製品やデータ、サービスの品質統一のために法律で決められた、標準の規格。☞JIS漢字・JISマーク。

**しすい**［止水］《名・自他サ》〔文〕①流れない水。静水。(↔流水) ☞明鏡止水。②水の出入りをとめること。「—栓・—板」

**しずい**［歯髄］《生》歯の中心の やわらかい部分。血管や神経がある。

**じすい**［自炊］ 一 《名・自サ》自分で自分の食事を作ること。「—生活」 二 《名・他サ》〔俗〕出版された本を、自分で電子化すること。「文庫本を—する」

☆☆**しすう**［指数］①どのくらい変化したか、どのくらい多いか少ないかなどを、基準を一〇〇として あらわした数字。「消費者物価—・業種別—・知能—」②《数》数字の右肩に小さく書いて、その数字を何乗するかを示す数字。例、「$3^2$」の「2」。 ●**しすうかんすう**［指数関数］《数》$y=a^x$の形の関数。グラフは急激な〈増加／減少〉を示す曲線になる。「—的に増加する〔=一気に増える〕」

**しすう**［紙数］ページ数。紙幅。「—を増やす」

**じすう**［字数］文字の かず。文字数。

*__しずか__［静か］《ナダ》①物音や声がしないようす。動かないようす。「—な湖・—にしろ」②〔気持ちや態度が〕おちついているようす。「—に話す」③目立った動きや出来事などがないようす。おだやか。「世の中が—になってきた」 派 —さ。

**ジスかんじ**［JIS漢字］JISで定められている、コンピューターで使用できる漢字。それぞれの漢字に、入力に必要な一連のコードがつけられている。「新—」 ☞JIS。

**しずく**［滴・×雫］上から たれて落ちる、水や液体のつぶ。

**しずけ・し**［静けし］《形ク》〔雅〕しずかだ。 派 —さ。

**しずごころ**［静心］〔雅〕しずかに おちついた心。

**しずしず**［静々］《副》ふるまいのしずかなようす。

**シスター**［sister=女の きょうだい］《宗》カトリックの修道女。(↔ブラザー)「—(と)あゆむ」

**システマチック**《ナダ》〔systematic〕組織的・体系的であるようす。システマティック。

**システム［system］①組織。体系。「会社の—」②制度。しくみ。「便利な—」③方式。…式。「東大—」

④〔企業などで〕コンピューターを使って情報処理や機器の制御をおこなう一連のしくみ。また、そのコンピューター。「POS—・大規模な—障害」●システムエルエスアイ〔システムLSI〕〔system LSI〕《情》メモリーに、特殊機能のマイクロプロセッサーを組み合わせた大規模集積回路。●システムエンジニア〔systems engineer〕コンピューターシステムの分析・設計・開発をおこなう技術者。情報処理技術者。SE。●システムキッチン〔和製 system kitchen〕流し台・調理台・ガス台が使いやすく一体化された台所。●システムコンポ〔←system component〕アンプ・スピーカー・プレーヤー・チューナーなどの各部品を組み合わせて一つにまとめたもの。システムコン。●システムてちょう〔システム手帳〕予定表・住所録・日誌・メモなど、用紙を、自分の好みに合わせて組みかえられる手帳。

**ジステンパー**〔distemper〕《医》子犬に多い急性の感染症。（ディス）テンパー。ジステンバー。

**ジストマ**〔distoma〕《動》⇩吸虫。「肺—・肝—」

**じすべり**〔地滑り〕《名・自サ》①《地》山腹などの斜面にある土や岩が（ゆるやかに）すべりおちる現象。②大きな〈変革／変化〉。「最終段階で—が起こる」●じすべりてき〔地滑り的〕《ナダ》①ある結果に向かってはげしく進み、だれにも止められなくなるようす。「—大勝利」②少しずつ、しかし はげしく進むようす。「—変化」

**ジスマーク**〔JISマーク〕〔JIS mark〕JISの認証を受けた製品につけるしるし。☞JIS。

**しすま・す**〔し（済ます）〕《他五》うまくやってのける。

**しずまりかえ・る**〔静まり返る〕《自五》すっかりしずかになる。

→**しずま・る**〔静まる〕《自五》①しずかになる。「町が—」②おちつく。「気が—」③勢いがおとろえる。「風が—」名静まり。

→**しずま・る**〔鎮まる〕《自五》①さわぎが おさまる。世の中が平和になる。「内乱が—」②痛みなどがとれる。③鎮座する。「代々木の森に—神」名鎮まり。

**しずみこ・む**〔沈み込む〕《自五》①深いところまで沈む。「泥沼に—・からだがクッションに—」②暗く目立たなくなる。「灰色に沈み込んだ山々」▽〈↔浮き上がる〉③何かの下へ はいりこむ。「海洋プレートが大陸の下へ—」④すっかり気が ふさいで元気がなくなる。「悲しみに—・沈み込んだ表情」名沈み込み。他沈み込ませる《下一》。「声の調子を—」

**しず・む**〔沈む〕《自五》①水の表面よりも〈下に動く／下がわになる〉。また、底に着く。「船が—〈↔浮かぶ〉・洪水で橋が—・水に石灰分が—〈↔浮く〉」②まわりのものよりも〈下に動く／下がわになる〉。「地盤が—・腰が ふとんに—」〈↔浮く〉③空中の低いところへ来る。「霧が あたりに 沈んでいる」④〔太陽・月などが〕地平線などに かくれる。〈↔昇る〉⑤よくない状態におちて、元気を失う。〔気持ちや声などが〕はればれしなくなる。「憂いに—・沈んだ表情」⑥〔日がたって〕色が おちつく。⑦《ボクシング》打たれてたおれ、起きられなくなる。「マットに—」⑧《マージャン》〔俗〕最初の持ち点より減る。へこむ。〈↔浮く〉名沈み。

→**しず・める**〔沈める〕《他下一》①「沈む①②」ようにする。「船を—・いすに腰を—」②よくない状態に落とす。「身を—」③《ゴルフ》ボールを穴に入れる。④《ボクシング》相手をダウンさせる。「マットに—」

↔**しず・める**〔静める〕《他下一》①しずかにする。「鳴りを—」②おちつかせる。「気を—」③勢いをおとろえさせる。「あらしを—」

→**しず・める**〔鎮める〕《他下一》①さわぎをおさめる。世の中を平和にする。「反乱を—」②痛みなどを軽くする。「痛みを—」

**しずも・る**〔静もる・鎮もる〕《自五》〔文〕しずまる。名静もり。

**し・する**〔死する〕《自サ》〔文〕⇩死す。

**し・する**〔資する〕《自サ》〔文〕役に立つ。たすける。資す。「会の発展に—」

**しする**〔運〕〔接続助詞「し」＋動詞「する」〕〔古風〕〔「から・ので」をつけて〕理由を〈ならべて〉述べることば。…という状態で（も）ある。「夏は暑いし冬は寒い—ので」

**シズル**〔sizzle=油が じゅうじゅう音をたてる〕①飲食物の映像などの、見るからに おいしそうな感じ。「—感に富む・—効果」②その場に あるような、リアルな感じ。「—感のある作品」

**じ・する**〔侍する〕《自サ》〔文〕そば近く つかえる。はべる。

**じ・する**〔持する〕《他サ》〔文〕たもつ。まもる。持す。「清潔に身を—・みずから高く—」

**じ・する**〔辞する〕《他サ》〔文〕①〔後ろに否定が来る〕ことわる。「死をも辞せず（=万一、死ぬことがあってもかまわない）」☞辞さない。②〔職を〕やめる。「職を—」③いとまごいをする。「世を—（=死ぬ）」▽辞す。

**しせい**〔四声〕〔中国語で〕単語の発音にともなってあらわれる、四種の上がり下がりのアクセント。

**しせい**〔市井〕〔文〕庶民の住む まち。「—の人々・—の声」

**しせい**〔市制〕〔地方自治体としての〕市の制度。「—をしく」

**しせい**〔市政〕〔地方自治体としての〕市の行政・政治。

**しせい**〔市勢〕〔文〕数字で あらわした、市の〈経済上の〉状態。

**しせい**〔死生〕〔文〕①生と死と。「—観」②死ぬか生きるか。●死生天にあり句〔文〕人間の生き死には天が支配している。●死生命あり句〔文〕死ぬのも生きるのも運命だ。

**しせい**〔至誠〕〔文〕きわめて誠実な心。まごころ。「—天に通ず・—をもって〔=至誠で〕事に当たる」

*__しせい__〔姿勢〕①からだの向きや、背すじ・手足などの曲げのばしによって作る、からだの形。「—がいい〔=背すじがまっすぐに のびている〕・ねたままの—・低い〔=腰を落とした〕—」②相手に対する出方。「低—」③心がまえ。態度。「外交の—」●姿勢を正す句 まじめにやろうとして、態度や考えを改めるようす。

**しせい**〔施政〕政治をおこなうこと。おこなう政治。「—演説・—方針・—権」

**しせい**〔詩聖〕①〔文〕非常にすぐれた大詩人。②唐の詩人、杜甫のこと。☞詩仙。

**しせい**〔資性〕〔文〕生まれつき持っている性質や才能。

**しせい**〔私製〕《名・他サ》〔文〕個人的に〈作ること

作ったもの〉。「―はがき(↕通常はがき)」(↕官製)

**しせい**［試製］《名・他サ》〔文〕ためしに製造してみること。「―品」

**しぜい**［市税］市が割り当てて取り立てる地方税。

←**じせい**［時世］〔移り変わって行く〕世の中。「このご―では」

→**じせい**［時勢］ときの〈勢い／なりゆき〉。「―に流される」

**じせい**［時制］《言》⇩テンス。「現在―」

**じせい**［辞世］①死にぎわに残す詩や歌など。「―の句」②この世に別れをつげて死ぬこと。「―のことば」

**じせい**［磁性］《理》磁気(として)の性質。「―体(=磁場の中で磁性をもつ、金属の物体)」

**じせい**［自生］《名・自サ》①自然にはえること。「山野に―する」②自然に発生すること。「―的変化」

←**じせい**［自制］《名・自他サ》〔自分で〕自分の欲望をおさえること。「―心」

→**じせい**［自省］《名・自他サ》〔文〕自分のおこないや態度を反省すること。「―の念・―録」

**じせい**［自製］《名・他サ》〔文〕自分で〈作ること／作ったもの〉。

**しせいかつ**［私生活］個人としての生活。「―には過度に立ち入らない」

**しせいし**［私生子］〔旧法で〕正式の結婚をしていない男女の間に生まれ、父親から子として認められない子。私生児。

**しせき**［史跡・史×蹟］歴史に残る事件に関係のあった建物・場所・遺跡など。「国―」

**しせき**［史籍］〔文〕歴史の書物。史書。

**しせき**［×咫△尺］〔文〕非常に近い距離。「―の間・―を弁ぜず(=視界がきかない)」

**しせき**［歯石］《医》歯の根もとなどについた、歯垢の石灰化したもの。歯周病の原因となる。

**じせき**［次席］二番目の席次(の人)。「―で入賞した・―検事」(↕首席)

**じせき**［耳石］《生》耳のおくにある小さなつぶ。からだがかたむくと動き、それでかたむきの感覚が生じる。

**じせき**［自席］自分の(座)席。

**じせき**［自責］自分で自分のあやまちをせめてとがめること。「―の念にかられる・―的(=自罰的)」(↕他責的)」　●**じせきてん**［自責点］《野球》投手の責任となる失点。

←**じせき**［事跡・事×蹟］〔文〕あるできごと・事件のあと。

→**じせき**［事績］〔文〕その人があとに残した仕事や事業。

☆☆**じせだい**［次世代］①次の世代。②次の時代に向けて開発されたもの。「―型コンビニ・―旅客機」

**しせつ**［私設］個人または民間の設立。(↕公設)

**しせつ**［使節］国家の代表または君主の代理として外国につかわされる人。使臣。

＊＊**しせつ**［施設］㊀①多くの人が出入りして利用する、建物や設備。「公共―・米軍―(=米軍基地)」②↑福祉施設。ホーム。「―のお年寄り」㊁《名・他サ》〔文〕設備・制度などをつくること。

←**じせつ**［自説］自分の〈説／意見〉。「ケーブルを―する」「―を曲げない」

→**じせつ**［持説］常にとなえる自分の意見。持論。

**じせつ**［時節］①時候。②(いい)時機。チャンス。「―到来」　●**じせつがら**［時節(柄)］《副》そういう時節なので。「―(=体調をくずしやすい季節なので)ご自愛ください」

**しせん**［支線］①〔鉄道や道路などの〕〈本線／幹線〉から分かれた〈線路／道〉。(↕幹線・本線)②電柱や鉄塔などを支える鉄線。

**しせん**［死線］〔文〕生きるか死ぬかのさかいめ。「―を越える・―をさまよう」

**しせん**［脂腺］《生》皮膚の表面に皮脂を分泌する腺。

＊**しせん**［視線］①物を見るとき、目とその物を結ぶ線。目線。「―が合う・―を移す」②目つき。見ている目。「つめたい―・するどい―・後ろに―を感じる・国民からそそがれる―」▽目。　●**視線を浴びる**句 いっせいに見られる。　●**視線を集める**句 注目される。

**しせん**［詞先］作詞してから作曲すること。(↕曲先)

**しせん**［詩仙］①〔文〕〔世俗を超越した〕天才的な詩人。②唐の詩人、李白のこと。☞詩聖。

←**しせん**［私×撰］《名・他サ》〔文〕〔書物を、天皇などの命令でなく〕個人が編集すること。「―和歌集」(↕勅撰)

→**しせん**［私選］《名・他サ》〔国や公的機関でなく〕個人が選ぶこと。「―弁護人」

＊＊**しぜん**［自然］㊀①人の手が加わらない、もとのままの状態。「―の湖・―石・―光・―言語(=人間がふつうに話している言語)」(↕人工)②人をとりまく山野や川、海など。自然環境。「―に親しむ・大―・―放射線(=自然の中にある放射線)」③人の力とは関係なく、あらゆるものを動かしたり、作ったりする作用。「―のいとなみ」(↕人為)④もとからそなわっている性質。「天地―の理」㊁《ナダ》①むりがないようす。「ごく―な動作・友だちなら助け合うのが―だ」(↕不自然)②特にそうしようと思わなくてもそうなること。「―死・税収の―増」派―さ。㊂《副》ひとりでに。おのずから。「―そういうことになる・感覚が―と養われる」▽㊀～㊂じねん。　●**しぜんエネルギー**［自然エネルギー］⇩再生可能エネルギー。　●**しぜんかい**［自然界］認識の対象となる外界。天地のすべてのものが存在する範囲。　●**しぜんかがく**［自然科学］自然の現象を一定の方法で研究して一般的法則を見いだそうとする科学。科学。(↕人文科学・社会科学)　●**しぜんきゅうようりん**［自然休養林］《農》国民の保健・休養のために、指定され開放されている国有林。　●**しぜんげんしょう**［自然現象］①自然界に見られるいろいろな現象。②尿意・便意の婉曲表現。生理的欲求。　●**しぜんし**［自然死］《名・自サ》①老衰で死ぬこと。②特別な治療は受けずに、自然にまかせて死ぬこと。　●**しぜんじ**［自然児］①社会の常識に従わないで、自分の思うとおりに生きる人。②社会の(悪い)風習に染まっていない、純粋な心の人。　●**しぜんしゅぎ**［自然主義］①自然(の発達)に従う主義。②自然の真実をありのままに表現しようとする主義。「―文学」　●☆☆**しぜんしょくひん**［自然食品］人工の色素や防腐剤などを加えていない、より自然に近い食品。自然食。　●**しぜんすう**［自然数］《数》一・二・三…と、一に一を足していってできる数。正の整数。　●**しぜん**

**しぜんたく**【自然選択】《生》生物のうち、外界に適応したものは栄え、適応しないものはほろびること。自然淘汰(とうた)。(↔人為(じんい)選択) ●**しぜんそう**【自然葬】散骨・散灰(さんぱい)などによって、死者を自然に返すこと。●**しぜんたい**【自然体】①柔道(じゅうどう)や剣道(けんどう)の基本姿勢。からだに力を入れず、自然に立った姿。②かまえたり意識したりしない、ありのままの態度。「―で暮らす・―で臨(のぞ)む」 ●**しぜんとうた**【自然×淘汰】《生》⇒自然選択(せんたく)。(↔人為(じんい)淘汰)

**しぜん**【至善】《名・トタル》〔文〕この上なく善(よ)いこと。絶対的な善。「―に止(とど)まる(=さとりを開いてからも修行(しゅぎょう)を続けること)」

**じせん**【次戦】〔スポーツなどで〕その〈選手/チーム〉の次の試合。「―出場停止」

**じせん**【自薦】《名・自サ》〔文〕〔自分で〕自分を推薦(すいせん)すること。(↔他薦(たせん))

**じせん**【自選・自×撰】《名・他サ》〔文〕〔自分で〕自分の作品をえらぶこと。「―展・―句集」

**じぜん**【次善】最善の次(の方法)。「―の策」

*__じぜん__【事前】ことの起こる前。「―にわかる」(↔事後) ●**じぜんうんどう**【事前運動】選挙などの前に、いろいろ準備のために活動すること。

☆☆**じぜん**【慈善】経済的に困っている人を、お金や物を出して助けること。「―市(いち)・―(=収入を寄付する)事業」

**しせんき**【死戦期】死ぬ直前の時。「―呼吸」

**しそ**【始祖】〔文〕①家系の最初の人。「徳川家の―」②最初に始めた人。創始者。「すもうの―」

**しそ**【紙塑】コウゾ・ミツマタなどの、和紙にする繊維(せんい)をフノリなどで練りかため、型に入れて かわかしたもの。「―人形」

**しそ**【紫×蘇】葉は むらさき または緑色で、実とともに食用にする草。かおりが いい。ちそ。「―ギョーザ・―の葉の天ぷら」

**しそう**【市葬】市としておこなう葬儀(そうぎ)。

**しそう**【死相】死の せまっていることが わかる、顔のようす。「―があらわれる」

**しそう**【志操】〔文〕〔誘惑(ゆうわく)に負けず〕かたく持っている〈主義/こころざし〉。「―堅固(けんご)」

**しそう**【刺創】《医》さしきず。つききず。

*__しそう__【思想】その人の社会生活や行動のしかたを決める、根本的な考え。「封建(ほうけん)―・啓蒙(けいもう)―」 ●**しそうはん**【思想犯】反体制的な思想をもつことによる犯罪(者)。

**しそう**【詞藻】〔文〕詩歌や文章(の中の美しい語句)。「古代の―」

**しそう**【歯槽】《生》歯の根の はまっている穴。 ●**しそうのうろう**【歯槽×膿漏】《医》歯槽から うみ(膿)が出て、やがて歯がぬける病気。

**しそう**【詩想】〔文〕①詩の着想や構想。「―を得る」②詩に表現した思いや考え。「ツルゲーネフの―」

**しそう**【試走】《名・自他サ》〔文〕①車・馬などの具合を調べるため、ためしに乗って〈走る/走らせる〉こと。「初―」②実際の競走の前に、走ってみること。「コースを―する」

**しそう**【使×嗾】《名・他サ》〔文〕けしかけて、そう させること。

**しぞう**【死蔵】《名・他サ》〈使わないで/むだに〉しまっておくこと。

**しぞう**【私蔵】《名・他サ》個人で持っていること。「―の絵画」

**じそう**【次走】〔競馬・マラソンなどで〕その〈馬/選手〉の次のレース。「―は菊花(きっか)賞」

**じそう**【児相】《法》↑児童相談所。

**じそう**【事相】〔文〕ことがらの〈ようす/ありさま〉。「社会の―」

**じそう**【自走】《名・自サ》車輪や動力をそなえていて、自分の力で走ること。「対空―砲(ほう)・―式駐車(ちゅうしゃ)場(=駐車する場所まで車で行く立体駐車場)」

**じぞう**【地蔵】《仏》①(↑地蔵菩薩(ぼさつ))釈迦(しゃか)が死んでから、弥勒(みろく)菩薩があらわれるまでの、仏のいない時期に、すべての生き物をすくう菩薩。「巣鴨(すがも)のとげぬき―」②〔多くお―〈さん/さま〉〕「地蔵①」を、親しみやすい丸っこいすがたに造った石の像。道ばたなどに建つ。旅人や子どもを守るとされる。

[じぞう ②]

**じぞう**【自蔵】《名・他サ》〔文〕機械の中に組みこんであること。内蔵。「アンテナ―」

**シソーラス**〔thesaurus〕①類語辞典の一種。意味の近い語句を集めて配列した語彙(い)集。②《情》情報検索(けんさく)に使うキーワードと関連語との関係をしるしたリスト。

**しそく**【子息】〔文〕〈他人/相手〉の〉むすこ。「ご―」

**しそく**【四則】《数》たし算・引き算・掛(か)け算・割り算の、四つの規則。「―算」

**しぞく**【士族】もと、戸籍(こせき)に書いた身分の区別の一つ。もとの、士分(しぶん)に当たる。☞平民②。 ●**しぞくのしょうほう**【士族の商法】商売に慣れない人が商売を始めて失敗すること。

**しぞく**【氏族】祖先が同じである血族の団体。「―社会」

**じそく**【時速】一時間に〈動く/進む〉距離(きょり)(で示したはやさ)。「―六十キロメートル」

**じそく**【自足】《名・自サ》〔文〕①自分で自分の必要をみたすこと。「自給―」②自分で満足すること。

**じぞく**【持続】《名・自他サ》①手元において、持ちつづけること。「―か利食(りぐ)いか」②同じ状態が続くこと。「―可能(⇒サステナブル)」

**しそこな・う**【(仕)損なう】《他五》やり方がまずくて、失敗する。やりそこなう。名し損ない。☞仕。

**じそだち**【地育ち】①その土地で生まれ育つこと。②最初からその職場で働いていること。はえぬき。「―の職員」

**しそちょう**【始祖鳥】鳥類の祖先の一種と考えられる化石動物。爬虫(はちゅう)類に似たところがある。アーケオプテリクス(archaeopteryx)。

**しそつ**【士卒】〔文〕兵士。つわもの。

**しそん**【子孫】①子どもとまご。「―の繁栄(はんえい)」(↔父祖)②あとをつぐ、代々の人。(↔先祖)

**じそん**【自尊】自分というものにほこりを持ち、品位をたもつこと。「独立―・―心(=プライド)」

**じそん**【自損】自分のしたことによって自分が損害を

受けること。「―事故・―行為（＝自殺未遂）」

**じそん［児孫］**〔文〕子孫。●**児孫のために美田を買わず** 句 子孫に財産を残すと苦労することを知らなくなり、かえってよくない。

**じそん［自存］**《名・自サ》〔文〕自分の力で生存すること。「自立―・―自衛」

**しそん・じる［（仕）損じる］**《他上一》しそこなう。仕損ずる。「せいては事を―」 名 し損じ。☞仕。

＊＊**した［下］** 一 した ①位置が低い〈こと／ところ／がわ〉。「水が―に向かって流れる・―（の階）は応接間です・机の―にかくれる」 ②文書・絵などの、垂直に立てたときに位置が低くなるがわ。〔水平に置いたときにも、そちらのがわを言う〕「文字の―に赤線を引く」 ③ことばのあとがわ。「姓の―に『さん』をつける・―の名前（＝『花子』など）」 ④内がわ。「ワイシャツの―」 ⑤おとっていること。「だいぶ人間が―だ」 ⑥階級・地位が低いこと。「相手から―に見られる・―からの要求」 ⑦（年が）より少ないこと。「―の世代・（兄弟で）―の子ども」 ▽（↔上） ⑧すぐそのあと。「言う―から まちがえる」 ⑨下座。 ⑩下道。「―を使う」 アク「机の―に」のように、前にことばがつく場合は、したとも。 二 造 先を見こして前もってすること。「―打ち合わせ・―稽古・―準備」 ☞下に下に。●**下にも置かない** 句 非常に丁重にあつかう。「―ようにする・―もてなし」

**した［舌］** ①動物の口の中にある大切な器官。人間の場合は、ものを味わい、ことばの発音に使う。「―をやけどした・―をかみそうな（＝発音しにくい）名前」 ②ことば。弁舌。「―がなめらか・―（の）先でごまかす」 ③見た目が「舌①」に似たもの。「炎の―（＝先の部分）・―（＝しおり）を出した雑誌」 ④［×簧］《音》⇩リード（reed）。●**舌が肥える** 句 ⇩口が肥える（「口」の句）。●**舌が回る** 句 ①かげで、悪口を言ったりばかにしたりする。●**舌を出す** 句 ①かげで、悪口を言ったりばかにしたりする。②自分の失敗をはずかしがってする動作。●**舌を鳴らす** 句 ①舌打ちをして、不快な気持ちをあらわす。☞ちえっ。②したつづみを打つ。☞したつづみ。●**舌を巻く** 句 できばえに感心して ひどくおどろく。

**しだ［（:羊歯）］** ウラジロ・ワラビなど、花のさかない植物。多くは、根から直接、葉のついた柄を出す。

**しだ［試打］**《名・他サ》ためしに打つこと。「新しいバットで―する」

**じた［自他］** ①自分と他人。 ②《言》自動詞と他動詞。●**自他 共に許す** 句 自分も他人もともに（自分のすぐれていることを）認める。

＊**じだ［耳×朶］**〔文〕耳。耳たぶ。「―に触れる（＝耳にする）」

**したあご［下（顎）］** 下の歯ぐきに続くあご。動かすことができる。（↔上あご）

**したあじ［下味］**《料》料理を作り上げる前に、あらかじめ塩・しょうゆなどでつけておく味。「からあげの―」

**したあらい［下洗い］**《名・他サ》せんたく物や野菜などを、あらかじめ ざっと洗っておくこと。予洗。

**シタール**〔ヒンディー sitār〕《音》北インドの弦楽器。うでにかかえて演奏する。幻想的な音が出る。

**したい［死体・×屍体］**〔おもに人間の〕死んだ（ばかりの）からだ。「―を発見する」（↔生体） 区別 ⇩遺体。

**したい［肢体］**〔文〕手足。「―障害」●**したいふじゆうじ［肢体不自由児］**《医》小児まひ・関節の病気などのために、からだの不自由な子ども。

**したい［姿態］**〔文〕〔動きをふくむ〕からだの ようす。「なまめかしい―」

←**しだい［市大］**↑市立大学。「大阪―」

→**しだい［私大］**↑私立大学。

＊**しだい** 一 しだい［次第］ ①順序。「式（の）―」 ②〔これまでの経過などをふくめた〕事情。わけ。「事と―によっては・自信をもって おすすめする―です」 二〔（次第）〕 造 ①…に まかせること。…の まま。「手当たり―・ほうびは望み―だ」 ②…によって結果が変わるようす。「話は相手―だ・その日の気分―で行き先を決める」 ③あることに引き続いて、次のことがおこなわれるようす。「見つけ―（＝見つけたらすぐに）知らせる・到着（し）―電話する」 ✓ 二③は、名詞につく「到着次第」と、動詞につく「到着し次第」の どちらも言う。戦前は前者が多い。●**しだいがき［次第書き］**〈由来／順序〉を書いた文書。●**しだいに［次第に］**《副》〔きっかけがあるごとに〕変化が少しずつ大きくなるようす。だんだん。しだいしだいに。「―心細くなってきた」

←**しだい［紙代］**〔文〕新聞の代金。「―据え置き」

→**しだい［誌代］**〔文〕雑誌・機関誌などの代金。

**じたい［字体］** ①一つの文字の、点や線でできたまとまりのある形。「新―（↔旧字体）」 区別 ⇩字形。 ②文字の書きぶり。書風。「奇妙な―」

＊**じたい［事態］** 進行するものごとの（大変な）状態。「―を重視して・非常―・重大―」

**じたい［辞退］**《名・他サ》えんりょして ことわること。「就任を―する」

＊**じたい［自体］** 一 造〔ほかの ものごとでなく〕そのものごと。「店―はいいが、場所が悪い・質問―がおかしい」 二 じたい《副》〔古風〕元来。いったい。「―、学者には変わり者が多い」

**じだい［地代］**《法》借地料。ちだい。

**じだい［次代］**〔文〕次の〈時代／世代〉。「―の国民」

**じだい［事大］**〔文〕強大なものに〈つかえる／つきしたがう〉こと。「―思想・―主義」

＊＊**じだい［時代］** ①ある特徴によって前後と区別される、まとまった年月・期間。「明治―・次の―をになう青年・学生―」 ②その「時代①」。「―感覚」●**時代がつく** 句 時代がたって、古い感じになる。●**じだいおくれ［時代後れ・時代遅れ］**《名・ナダ》その時代の流行・考え方などより古いこと。「―の服装」●**じだいがか・る［時代がかる］**《自五》昔の時代の感じがする。古びている。「時代がかった〈せりふ／しぐさ〉」●**じだいげき［時代劇］** 江戸時代や、それ以前の〔武家の〕時代を演出した〈劇／映画〉。（↔現代劇）●**じだいさくご［時代錯誤］**《名・ナダ》①昔の考え方で今の世の中を生きて行こうとすること。時代おくれの やり方。②ちがった時代のものをいっしょにして取りあつかう誤り。▽アナクロ（ニズム）。●**じだいしょうせつ［時代小説］** 江戸時代や、それ以前を舞台に、社会や人情をえがいた小説。☞歴史小説。●**じだいしょく［時代色］** その時代の特色。●**じだいそう［時代相］** ある時代の考え方や風潮。時代のようす。「流行は―を反映する」●**じだいもの［時代物］** ①多くの時代を経過したもの。 ②《芝居》〔浄瑠璃・歌

舞伎などで)昔の史実を脚色したもの。(↔世話物)③江戸時代以前をあつかった小説や映画。

**した・う**[慕う]《他五》①尊敬する。「みんなに慕われる先生・学風を慕って入門する」②〈目上の人に〉恋心を持つ。「お慕い申し上げております」③相手に会いたい、近くに行きたいと思う。慕わしく思う。「親を慕って泣く・亡き子のあとを慕って身を投げる」④そこに行こうとする。「虫があかりを慕って来る」由来「恋しく思って、ついて行く」という意味から変化した。

☆☆**したうけ**[下請け]《名・他サ》仕事を請けおった人(=元請け)からさらに請けおうこと〈こと/人〉。下請負。「―工場(=協力工場)」

**したうち**[舌打ち]《名・自サ》〔不愉快なときなどに〕舌で上あごをはじいて音を出すこと。

**したうちあわせ**[下打ち合わせ]《名・他サ》正式の打ち合わせの前にする、打ち合わせ。

**したえ**[下絵]下がきにかいた絵。

**したえだ**[下枝]木の、下のほうに出ている枝。しずえ〔雅〕。「―を切る」

**したおし**[下押し]《名・他サ》〔経〕相場や経済を悪くすること。「デフレが景気を―する」動下押す《他五》。

**したおび**[下帯]ふんどし。腰巻き。

**したが**《接》〔古風〕それはそうだが。だが。

**したが・う[従う]《自五》①〈言われた/決められた〉ことにそむかないようにする。言うとおりにする。「忠告に―・法に―・決定事項に―」②自然だと思うもののとおりにする。「常識に従って行動する・本能に―・大勢に―」③屈服する。つかえる。「諸国の武士は源氏に従った」④[△随う]〔文〕つきそって行く。「師に従って旅をする」⑤〔文〕たずさわる。おこなう。「業務に―」⑥〔…が/は―〕〔数〕みちびかれる。「ここから以下の定理が―」可能従える。☞したがって。

**したが・える**[従える]《他下一》①[△随える]ひきつれる。②服従させる。征服する。「賊を―」

**したがき**[下書き]《名・他サ》①〈清書する前に/練習のために〉書くこと。また、書いたもの。②草稿。草案。表記 絵は「下描き」。

**したかげ**[下陰]木などにおおわれたかげ。

**したがけ**[下掛け]こたつぶとんなどの下にかける、うすい布。

*__したがって__[(従って)・(△随って)]〔文〕一《接》〔前からのことばを受けて〕それだから。よって。二(**にしたがって**で接助)ものごとが、そのように進むにつれて。したがい。「努力するに―、成果もあがってきた」丁寧したがいまして。

**したがり**[下刈り]《名・自サ》下草を刈ること。

**したぎ**[下着・下△衣]①じかに、はだに着ける衣類。はだぎ。(↔上着)②スタイルを整えるために身に着ける、ガードル・ブラジャーなど。

**したく**[私宅]〔公舎などに対して〕その人個人の家。「―を訪問する」

**じだきゅう**[自打球]〔野球〕打者が自分で打って自分に当てたボール。「―を右足に当てる」

**したく**[支度・仕度]《名・自他サ》①準備。用意。「食事の(お)―・する・おふろを―する・冬―」②外出の服装をすること。身じたく。「旅―」③食事の用意。「今、何か―しますから」●**したくきん**[支度金]就職や結婚、開業などの準備に必要な費用。●**したくべや**[支度部屋]〔すもう〕力士が取組の前後に過ごす、広いひかえ室。東西二つある。

**しだ・く**[△拉く]遁(動五をつくる)形をこわしたり、状態を乱したりする。「草を踏み―」

*__じたく__[自宅]〔生活のよりどころとなる〕自分の家。

**したくさ**[下草]庭木や林の木の下をおおう草、ごく低い木。したぐさ。

**したぐつ**[下靴]〔関西などの方言〕〔幼稚園・学校などで〕したばき。(↔上靴)

**したげんこう**[下原稿]推敲する前の下書きの原稿。「資料の―を書く」

**したけんぶん**[下検分]《名・他サ》前もって検分しておくこと。したみ。

**したごころ**[下心]①ひそかに、前からしようと思っている気持ち・たくらみ。「―を見ぬく」②本当の気持ち。本心。③漢字の部首の一つ。「思」「恭」などの、下がわの「心」「⺗」の部分。

**したごしらえ**[下×拵え]《名・自他サ》①料理する前に、ざっとこしらえておくこと。「エビの―」②かねてからの準備。「交渉の―」

**したさき**[舌先]舌の先。●**したさきさんずん**[舌先三寸]ことばたくみにしゃべること。「―にあやつられた」

**したざさえ**[下支え]《名・他サ》〈下がってこないように/目立たないところから〉支えること。底支え。「景気を―する・成長を―する」動下支える《他下一》。

**したざわり**[舌触り]食べ物などが舌にさわったときの感じ。「―がいい」

**したじ**[下地]①(土台となる)準備。(加工などの)基礎。②地色。③本来の性質。素質。④心の底。「―は好きなり御意はよし(=もともと好きなところに、ほかの人からもすすめられて好都合であること)」⑤⇩おしたじ。

**しだし**[仕出し]①料理を作って配達すること。でまえ。「―弁当」②〔演劇〕「その他大ぜい」と呼ばれる、ごく軽い役。「―屋(=応援出演者を手配する人)」☞仕。

**したし・い**[親しい]《形》①おたがいに気持ちがわかって、えんりょなくつきあっている状態だ。「―間柄」②いつも見たり聞いたりして、〈いい/自然だ〉と感じられる状態だ。「耳に―曲」派―げ。―さ。☞親しく。

**したじき**[下敷き]①ものの下に敷くもの。「花瓶の―」②字を書くとき紙の下に敷く、うすい板のような文具。③ものの下に敷かれること。「たおれた柱の―になる」④その作品の構想などに影響をあたえた、もとの作品や事件。

**したしく**[親しく]《副》〔形容詞「したしい」の連用形から〕〔文〕〔身分の高い人が〕みずから事にあたるようす。「―指導する・―視察した」

**したしみ**[親しみ]〈いつも見たり聞いたりして/自分と似ていて〉いい、好きだと思う気持ち。「主人公に―を感じる・―(=愛情)のこもった目・―深い〈風景/表情〉」

**したし・む**[親しむ]《自五》①親しくする。「友と―・ファンに親しまれる」②その中に、とけこんで楽しむ。なじむ。「自然に―」可能親しめる。

**したしょく**［下職］したうけの〈職業／職人〉。したじょく。
**したしょり**［下処理］《名・自他サ》あらかじめ食材の内臓やすじを取ったりして、調理しやすくすること。「アサリの―」
**したしらべ**［下調べ］《名・自他サ》①前もって調べること。②予習。
**したず**［下図］下書きの絵。下絵。エスキス。☞かず(下図)。
**したそうだん**［下相談］《名・自サ》前もってしておく相談。
**したたい**［舌代］〔文〕⇩ぜつだい(舌代)。
**したたか**［(△強か)］■《副》①つよく。「―(に)打たれる」②多く。ひどく。「―(に)飲む」■《ナダ》しぶとくて、一筋縄ではいかないようす。「―な抵抗・―者」派―さ。
**したた・める**［(△認める)］《他下一》〔文〕①食事をする。②文字・文章・手紙を書く。「書を―」
**したたらず**［舌足らず］《名・ナダ》①〔舌がよく回らず〕発音が不自由なこと。②言いたりないこと。「―の発言」▽舌っ足らず。
**したた・る**［滴る］《自他五》〔水などが〕たれて落ちる。「雨の―音・なみだが ほおを―・血の―ようなステーキ」名滴り。他滴らせる《他下一》。「あせを―」
**したたる・い**［舌たるい］《形》〔文〕〔あまえたりして〕舌がよく回らない。したったるい。派―さ。
**じたつ**［示達］《名・自サ》〔文〕組織の上から下へ、指示・命令などを伝えること。したつ。
**したつき**［下付き］〔印刷文字で〕ふつうの字の右下に小さく字をつけること。注の番号や化学式などに用いる。(↔上付き)
**したつづみ**［舌鼓］おいしいものを食べて、舌をちゅっと鳴らすこと。したづつみ。「―を打つ」
**したづつみ**［舌△鼓］⇩したつづみ。
**したっぱ**［下っ(端)］〔俗〕地位の低い者。
**したっぱら**［下っ腹］〔俗〕したはら。
**したづみ**［下積み］①ほかのものの下に〈積む／積まれる〉こと。また、そうなるもの。「―厳禁」(↔上積み)②才能を発揮できず、人の下に使われる〈こと／人〉。「―が長い」
**したて**［下手］①下のほう。②へりくだること。したで。③〔すもう〕四つに組んだとき、相手のわきの下にさした手。④〔碁・将棋〕段・級の下の人。また、弱いほうの人。▽②～④(↔上手)☞しもて(下手)・へた(下手)。•**下手に出る** 句 へりくだった、ていねいな態度をとる。したでにでる。•**したてなげ**［下手投げ］①〔野球〕アンダー スロー。②〔すもう〕相手のうでの下から手を入れ、まわしをつかんで投げたおす わざ。▽(↔上手投げ)
**したて**［仕立て］■**したて** 仕立てること。仕立てたできばえ。「洋服の―・いい―だ」■**じたて** 造〔じたて〕①…〈に／で向けに〉仕立てること。「特別―・にわか―・英国―・男―」②…のように作ること。「西部劇―のドラマ」③…を主に使って作ること。「〔料理で〕みそ―のあさり」•**したてあがり**［仕立て上がり］仕立ててでき〈あがること／あがったもの〉。•**したておろし**［仕立て下ろし］新しく作った衣服(を着ること)。•**したてなおし**［仕立て直し］古くなった衣服をほどいて、別の衣服に作り直すこと。また、その衣服。動仕立て直す《他五》。•**したてもの**［仕立物］①仕立てるもの。②裁縫。「お―〔=注文で、ぬいあげた着物〕」
**じたて**［仕立て］造⇩した(仕立)て■。
**したて・る**［仕立てる］《他下一》①布地を裁って衣服に ぬいあげる。②〔乗り物を〕特別に用意する。「車を―・釣り船を―」③材料を整えて、こしらえる。「コース料理を―」④教育して、完成した状態にする。「一人前に―」⑤いろいろ準備して、そう見えるように作り上げる。「西部劇に―・悪者に仕立て(上げ)る」☞仕。
**したどり**［下取り］《名・他サ》同じ種類の品物を新しく買いかえるときに、店が古いほうの品物を適当な値段で引き取ること。「自動車の―・―価格」動下取る《他五》。
**したなめずり**［舌(×舐めずり)］《名・自サ》〔ごちそうの前やあとで〕舌を出して、くちびるをなめること。
**したに**［下煮］《名・他サ》《料》かたくて煮るのに時間がかかるものなどを、先に煮ておくこと。
**したに-したに**［下に下に］《感》〔話・古風〕大名行列の先に立つ人が、人々を土下座させたかけ声。下にい下にい。
**したぬり**［下塗り］《名・他サ》上塗りの前に下地を塗ること。また、塗ったもの。あらぬり。「壁の―」(↔上塗り)
**したね**［下値］《経》今の値段より下の値段。「―がある」(↔上値)
**したのね**［舌の根］舌のねもと。•**舌の根も乾かぬうちに** 句 言い終わってすぐ〔言う〕。言うか言わないうちに。声の下から。舌の根の乾かぬうちに。
**したばえ**［下生え］木の下の地面にはえている草や低い木。
**したばき**［下(×穿き)］腰から下に、じかに はだに着ける衣類など。
**したばき**［下履き］家の外ではくはきもの。したぐつ。(↔上履き)
**じたばた**《副・自サ》①手足を動かして抵抗するようす。「―(と)もがく」②あわてて ふためくようす。「今さら―しても始まらない」
**したばたらき**［下働き］①他人の部下になって働く〈こと／人〉。②炊事や雑用をする〈こと／人〉。
**したはら**［下腹］腹の下のほうの部分。したっぱら〔俗〕。
**したばり**［下張り］《名・他サ》仕上げの上張りの前に、下地に張っておく〈こと／もの〉。「びょうぶの―」(↔上張り)
**したび**［下火］①火の勢いの おとろえること。②勢いの弱くなること。「うわさも―になった」③《料》〔オーブンやグリルで〕下から加える火。「―をきかせる」(↔上火)
**したびらめ**［(舌平目)］カレイに似て、それより平べったい さかなの名。食用。うしのした(牛の舌)。「―のムニエル」
**したぶれ**［下振れ］《名・自サ》《経》〔株価・売上高などが〕予想したよりも低くなること。「景気に―リスクがある」(↔上振れ)動下振れる《自下一》。
**したまえ**［下前］〔衣服の〕前をあわせたとき、下に

なるほう。(↕上前)

**じたまご**[地卵] その土地でとれる卵。地鳥の卵。じたま。

**したまち**[下町]〔都会の〕ひくい所にある町。おもに商工業のさかんな地域。〔東京では、日本橋・神田(・上野・浅草)方面〕「威勢のいい―ことば(=『何言ってやんでえ、べらぼうめ』などのことば)」(↕山の手)

**したまわり**[下回り] ①雑用を受け持つ役(の人)。②《歌舞伎》下積み。「―役者」

**したまわ・る**[下回る]《自他五》〔数量・性質などが〕あるものより下になる。「氷点下三十度を―・前年度より今年度のほうが―」(↕上回る)

**したみ**[下見] 一 したみ《名・他サ》①あらかじめそこへ行ってよく調べておくこと。下検分。②下読み。二 したみ 家の外がわに、少しずつかさなりあうように〈横/縦〉に打ちつけた板の壁。「―板(=下見に はる板)」

**したみち**[下道] 高速道路ではない、ふつうの道。一般道。下。「高速がこんでいたので、―を走った」

**した・む**[(×湑む)]《他五》〔古風〕入れものをかたむけて、液体を全部〈こぼす/出す〉。「湯を茶わんへ―」

**したむき**[下向き] ①下のほうに向くこと。②おとろえてくること。③《経》相場・物価が下がりかかること。▽(↕上向き) 動下向く《自五》。

**しため**[下目] ①目を下に向けること。(↕上目) ②人を見下げること。「―に見る」 ●**しためづかい**[下目遣い]《名・自サ》顔は向けずに、目だけを下に向けて見ること。(↕上目遣い)

**したもえ**[下(×萌え)] 春先に、地面の中から草の芽が出ること。

**したやく**[下役] ①部下の役人。②下の位の役の人。▽(↕上役)

**したやく**[下訳]《名・他サ》翻訳の下原稿を作る〈こと/人〉。また、その原稿。

**したゆで**[下(×茹で)]《名・他サ》《料》食材を調味する前に、あらかじめゆでておくこと。

**したよみ**[下読み]《名・他サ》前もって読んでおくこと。

☆☆**じだらく**[自堕落]《ナダ》(生活の)態度がだらしないようす。「―な生活」派-さ。

**じたらず**[字足らず] 和歌や俳句の音節数が規定より少ない〈こと/もの〉。「―の短歌」(↕字余り)

**したり**《感》(↑動詞「する」の連用形+完了の文語助動詞「たり」。もと「うまくやった」の意味)〔文〕やっぱりだ。きっとそうだ。「『―』というようにうなずいた」☞これはしたり。 ●**したりがお**[したり顔]《名・ナダ》①得意そうな顔。「いい試合だった、と―で話す」②ものごとがわかったような顔。「―で解説する」 ●**したりげ**《ナダ》したり顔。「―にほくそえむ・―に説をなす」

**しだれ**[(∴枝垂れ)] えだが、たれ下がること。しだり。「―桜」 ●**しだれやなぎ**[(∴枝垂=柳)] えだが長くたれ下がった、一般的なヤナギ。(いと)やなぎ。

**しだ・れる**[(∴枝垂れる)]《自下一》(えだが)たれ下がる。

**したわし・い**[慕わしい]《形》あこがれるもののそばに近づきたい気持ちだ。派-げ。-さ。

**したん**[(紫×檀)] 熱帯原産の木の名。材は赤みをおびた黒色で、かたい。家具などに使う。

**しだん**[師団]《軍》陸軍の編制で、いちばん大きな単位。☞連隊。

**しだん**[詩壇] 詩人の〈社会/なかま〉。

**しだん**[指弾]《名・他サ》①つまはじき(すること)。「世の―を受ける」②非難。「偽善者を―する」

**しだん**[試弾]《名・他サ》《音》〔ピアノを〕ためしにひくこと。「ピアノ―室」

**じたん**[時短] ↑(労働)時間短縮。「―推進・朝の―スキンケア」

☆☆**じだん**[示談] 裁判にかけないで争いを解決するための話し合い。和談。しだん。「―にする・―屋(=弁護士でないのに、示談の仲介をしてもうける者)」

**じだんだ**[(地:団駄)・(地:団太)] 鋳物を作るのに使う「地蹈鞴(=足で踏む大きなふいご)」が変化したことば。 ●**じだんだ(を)踏む** 句 くやしがって、足をふみならすこと。(「じたんだ(を)踏む」とも)

****しち**[七] なな。〔なまって〕ひち。「―時間・第―日・―百年(=ななひゃくねん。古風)」 区別 ⇩なな(七)一。

**しち**[死地]〔文〕生きては帰れない〈場所/場合〉。「―におちいる・―におもむく」

**しち**[質] ①〔約束の〕保証としてあずけておくもの。「人―」②(↑質物)借金の担保として、期限を決めてあずける品物。「―に入れる・―に置く」

***じち**[自治] ①自分のことを自分で〈おさめる/処理する〉こと。「―会」②地方自治体や大学などが、自主的に行政・公選事務をおこなうこと。

**しちいれ**[質入れ]《名・他サ》質として(質屋に)あずけること。

***しちがつ**[七月] 一年の第七の月。☞ふみづき(文月)・ふづき(文月)。

**しちかはちれつ**[七花八裂]《名・自サ》〔文〕花びらが細かく分かれているように、ばらばらにちぎれること。

**じぢから**[地力] ⇩じりき(地力)。

**しちぐさ**[質草・質△種] 質に入れる品物。質物。

**しちくど・い**《形》〔俗〕やたらにくどい。派-さ。

**しちけん**[質権]《法》お金を返してもらうまで、品物をあずかる権利。「―設定」

**しちごさん**[七五三] 男子は三歳と五歳、女子は三歳と七歳とに当たる年の十一月十五日におこなう祝い。七五三の祝い。

**しちごちょう**[七五調]〔韻文で〕七音・五音と続いた形をくり返すもの。☞五七調。

**しちさい**[七彩]〔文〕七色。美しいいろどり。「―の雲」

**しちさん**[七三] ①七分と三分との割合。②七と三の割合に分ける、かみの毛の分け方。「―分け」③《歌舞伎》花道で、揚げ幕から七、舞台まで三の割合の場所。役者がそこで立ち止まって、みえを切ったりする。

**しちしちにち**[七七日]《仏》四十九日。なななぬか。七七忌。

****しちじゅう**[七十] ①十の七倍。②七十歳。▽ななじゅう。 ●**しちじゅうにこう**[七十二候]《天》二十四節気のそれぞれをさらに三つに分け、名前をつけたもの。例、半夏生。

**しちしょう**[七生]〔文〕①七度うまれかわること。

「―報国(=七回うまれかわって国家のためにつくす)」

**じちたい**［自治体］↑地方自治体。

**しちてん**［質店］質屋。質舗。

**しちてんばっとう**［七転八倒］《名・自サ》①何度もころび たおれること。②のたうちまわって苦しむこと。▽しちてんはっとう。しってんばっとう。

**しちどうがらん**［七堂×伽藍］《仏》お寺の各種の堂や塔の、すっかりそなわったもの。七堂。

**しちながれ**［質流れ］借りた お金を返さないために、質にあずけた品物が、店のものになること。また、その品物。「―品」

**しちならべ**［七並べ］《トランプ》7の札のとなりに、連続する数字を順番にならべていって、手持ちの札を早くなくすことをきそうゲーム。

**しちなん**［七難］①《仏》いろいろな災難。②七つの欠点。「色の白いは―かくす」 ●**しちなんはっく**［七難八苦］《仏》いろいろの災難や苦しみ。「我に―をあたえたまえ(=山中鹿之介が言ったという ことば)」

**しちぶ**［七分］全体の七割ぐらいの範囲をさすことば。「《写真》―身」(=ひざまで)・―袖(=ひじと手首の中間の長さの袖)・―たけ(=ひざと足首の中間の長さ)・―づ(搗)き(=七割ぐらい精米した米)」

**しちふくじん**［七福神］七人の福徳の神。大黒天・恵比寿・毘沙門天・弁財天・福禄寿・寿老人・布袋。七福。

**しちふだ**［質札］質に入れた品物をあずかったしるしにわたす ふだ。質券。

**しちへんげ**［七変化］①舞踊の形式の一つ。ひとりの おどり手が、つぎつぎに七役を早変わりして おどるもの。ななへんげ。②アジサイの別名。

**しちほ**［質舗］〔文〕質店。質屋。

**しちみ**［七味］①七つのおいしい味。②↑七味とうがらし。 ●**しちみとうがらし**［七味(唐辛子)］トウガラシ・ゴマ・サンショウ・ケシ・ナタネ・アサの実・陳皮(=ミカンの皮)をくだいてまぜた薬味。なないろとうがらし。しちみ。

**しちむずかしい**［(:七)難しい］《形》〔俗〕やたらに むずかしい。派―げ。

**しちめんちょう**［(七面鳥)］北アメリカ原産の、太った鳥。興奮すると、首の色が白・青などに変わる。家畜にして、クリスマスなどに食べる。ターキー。

**しちめんどう**［(:七):面倒］《ナダ》〔俗〕やたらに めんどうなようす。由来「手数が かかって いやだ」という気持ちをあらわす「しち」に、「面倒」がついたもの。 ●**しちめんどうくさい**［(:七):面倒(臭い)］《形》〔俗〕しちめんどうな感じだ。派―さ。

**しちや**［七夜］⇩おしちや。

**しちや**［質屋］品物などをあずかって、お金を貸す店。質店。質舗。七つ屋〔古風〕。一六銀行〔俗語〕。一＋六＝七から)。✎「ひちや」と言う地域も多く、中部地方などでは看板にも そう書く。

**しちゃく**［試着］《名・他サ》①〔店で、服を〕ためしに着てみること。「―室」②ためしに つけてみること。「うで時計を―する・自動車のホイールの―」

**しちゅう**［支柱］①支える はしら。つっかいぼう。②支えとなる大切なもの。「日本経済の―」

**しちゅう**［市中］市街の なか。まちなか。 ●**しちゅうぎんこう**［市中銀行］《経》民間の銀行。特に、都市銀行。市銀。(↔中央銀行)

**しちゅう**［死中］死を待つよりほかはない、というような状況。 ●**死中に活を求める**句 絶対に助かりそうもない状態の中で、生きる方法をさがす。

**シチュー**〔stew〕肉・野菜などをいため、とろ火で煮こんだ料理。「クリーム―・―をごはんにかけますか」

**しちゅうすいめい**［四柱推命］生まれた年月日と時刻をもとに運命をうらなう、東洋のうらない。

☆☆**シチュエーション**〔situation〕①状況。②〔劇・小説の〕設定。▽シチュ〔俗〕。

**じちょ**［自著］自分で書きあらわした本。

**しちょう**［士長］①(↑〈陸/海/空〉士長)《軍》自衛官の階級の一つ。〔三曹の下〕②↑消防士長。

**しちょう**［支庁］本庁からはなれた場所に置く、都道府県の出先機関。「東京都大島―」〔振興局、県民局などの名称を使うところもある〕(↔本庁)

**しちょう**［市庁］〔文〕市役所。

**しちょう**［市長］市の行政の最高責任者。

**しちょう**［思潮］〔文〕その時代の一般の〈考え方/思想〉。「文芸―」

**しちょう**［師長］看護師の長。「―さん」〔「婦長」は古い呼び名〕

**しちょう**［×輜重］〔旧陸軍で〕輸送や補給をする食糧・武器・弾薬などの物資。「―兵」

**しちょう**［視聴］【一】《名・他サ》〔テレビ・動画を〕見て聞くこと。「―者」☞聴取①。【二】〔文〕注目。注意。「世間の―を集める」 ●**しちょうかく**［視聴覚］視覚と聴覚。「―教育(=放送・映画・ビデオなどを取り入れた教育)」 ●☆☆**しちょうりつ**［視聴率］テレビの番組が どれぐらいの個人または家庭に見られているかをしめす率。〔ラジオは「聴取率」と言う〕

**しちょう**［試聴］《名・他サ》①〔音楽を〕ためしに聞くこと。「―会・―室」②〔イヤホンや補聴器などを〕ためしに使ってみること。「―機・―器」

**しちよう**［七曜］①〔文〕日・月と水星・火星・金星・木星・土星の五つの星。②一週七日の一つ一つの日に「七曜①」を当てはめた呼び名。

**じちょう**［次長］長(官)の次の地位(の人)。「小山―・警察庁―」☞部長。

**じちょう**［自嘲］《名・自サ》〔文〕自分をあざけること。「―の笑みをうかべる」

**じちょう**［自重］《名・自他サ》①自分の行動をつつしむこと。「隠忍―する・発言を―する」②自分のからだを大切にすること。自愛。☞じじゅう(自重)。

**しちょうそん**［市町村］市とまちと むら。

☆☆**しちょく**［司直］〔文〕①裁判官。「―の手に ゆだねる」②検察官。「―の手がはいる」

**じちりょう**［自治領］ある国に属していながら、完全な独立国と同じ資格で存立する領土。例、独立以前のオーストラリア・ニュージーランド。

**しちりん**［(七厘)・(七輪)］炭で煮たきするための、持ち運びのできる土製の道具。コンロ。かんてき。

**じちん**［自沈］《名・自サ》〔文〕〔敵の攻撃の結果でなく〕船が自分で しずむこと。

**じちんさい**［地鎮祭］《建築》地形にかかる前に、土地の神をまつるまつり。

**しっ**《感》〔音調は(↓)〕〔話〕①⇩しっしっ。②⇩しーっ。

＊＊**しつ**［室］［一］しつ ①部屋。「診察—・自分の—に帰る〔文〕」②組織の一部として仕事をする部署。「調査—・読者応答—」③〔文〕奥方。［二］［接尾］部屋を数えることば。「二百—」

**しつ**［質］［一］しつ ①物・人などを形づくっているもので、そのよしあしを評価されるもの。「量は多いが—が悪い・教師の—〔=資質〕を問う・生活の—〔=水準〕が低い」②性質。「紙の—・蒲柳の—・—的変化」▽(↕量)［二］〔造〕①成分となる物質。「動物—」②気質。「多血—」③性質。「粘土—」

**しつ**［失］［一］〔造〕《バレーボールなど》(セットを)負けること。落とすこと。「—セットはゼロ」［二］〔造〕《野球》↑失策。「三—〔=サードのエラー〕」

**じっ**［十］〔造〕じゅう。☞「じゅう(十)」の✎。

＊＊**じつ**［実］［一］じつ ①実質。内容。「名をすてて—を取る」②まこと。真実。「—を言うと・虚と—」(↕虚) ③実意。「—がある・—を見せる」④血がつながっていること。「—の兄」(↕義理) ⑤りっぱな成果。「—を上げる・反省の—をしめす」⑥↑実業(高校)。「丸子—」［二］〔造〕実際の。「—年齢・—人員・—勢力・—店舗」

**しつい**［失意］思うようにならないで、力を落とすこと。「—のどんぞこ」(↕得意)

**じつい**［実意］相手のためを考える気持ち。「—のある人〔=誠実な人〕」

**しついん**［室員］研究室など、室という名のつく組織に属する人員。

**じついん**［実印］市区町村長に届け出て、本人であることの証明におす印。(↕認め印)

**じついん**［実員］実際の人員。

**しつう**［止痛］〔文〕痛みをとめること。「—薬」

**しつう**［歯痛］《医》歯の痛み。はいた。

**しつう**［私通］《名・自サ》〔文〕密通。「—関係」

**じつう**［耳痛］《医》耳の痛み。

**しつうはったつ**［四通八達］《名・自サ》〔文〕道路・交通が各方面に通じていること。

**じつえき**［実益］実際の利益。「趣味と—をかねる」

**じつえん**［実演］《名・自他サ》①〔説明だけでなく〕実際にやってみせる〈こと／もの〉。「—販売」②客の前で実際に演じる〈こと／もの〉。

**じつおや**［実親］血のつながった親。生みの親。じっしん。(↕養い親)

**しつおん**［室温］部屋の(中の)温度。

**じつおん**［実音］《放送など》実際の音や声。「—だけで語りのない番組」

**しっか**［膝下］〔文〕①ひざもと。「父母の—」②ひざより下。足もと。「—にひざまずく」

**しっか**［失火］《名・自サ》〔文〕過失から起こった火事。

**じっか**［実科］実用的な技術を中心に教える、授業の科目。

**じっか**［実家］①生まれた家。両親の家。「—に帰省する」②〔旧法で〕結婚したり養子に行ったりしてはなれた、もとの自分の家。さと。「—に帰らせていただきます」(↕婚家・養家)

**しっかい**［悉皆］《副》〔文〕ことごとく。一つ残らず。みな。「—調査・山川草木—成仏」●**しっかいや**［悉皆屋］着物の染め直しやしみぬき、洗い張りなどをする店(の人)。

**しつがい**［室外］部屋の外。(↕室内)●**しつがいき**［室外機］部屋の外に設置する、エアコンの機械。(↕室内機)

**じっかい**［十戒］①《仏》修行をするために守るべき十の いましめ。②［十誡］《宗》〔旧約聖書で〕神がモーセ(Moses)にあたえたという、十か条の いましめ。

**じつがい**［実害］〈実際の／実質的な〉損害。

**しつがいこつ**［膝蓋骨］《生》ひざの関節の前にある、まるい さらの形をしたほね。ひざの(お)さら。

**しっかく**［失格］《名・自サ》資格を失うこと。「リーダー—・—処分」

**じつがく**［実学］実際の生活にそのまますぐ役立つ学問。医学・商学・工学など。(↕虚学〔=哲学・文学など〕)

**しっかと**《副》しっかり。しかと。「—だき合う・—受け止める」

＊＊**しっかり**［表記］「確と」「聢と」とも書いた。［一］《副・自サ》①土台が かたくて〈動かない／ゆるまない〉ようす。「—(と)した建物」②簡単には離れないようす。「—(と)にぎる・—つかまれ」③心や からだのはたらきが たしかなようす。「まだ耳も—している・〔だらけた人に〕もっと—しろ！」④あぶなっかしいところがなく、信頼できるようす。「—した製品・中学生になって—してきた〔=分別が ついてきた〕」⑤不十分でなく、確実なようす。「朝食を—とる・酢が—きいている・改革を—実行する〔二十一世紀になって ふえた言い方〕」⑥まじめに努力するようす。「〔はげまして〕まあ、—やりなさい」⑦手ぬかりがないようす。「お金のことには—している・—もうける・いつの間にか—〔=あつかましく〕恋人になっている〔俗〕」⑧味が こいようす。「—した味つけ」⑨〔俗〕まちがいなく。すっかり。「—見られた・—ばれてる」〔一九七〇年代に広まった用法〕⑩《経》〔相場が〕堅調で、下落する心配のなさそうなようす。「きょうは—です」(↕あまい)［二］《感》〔古風〕はげますときの ことば。「—、—〔=がんばれ、がんばれ〕・—ね！」✎昔は子どもでも使ったが、「がんばれ」に取って代わられた。今では、［一］③の しかりつける意味に取る人もいるので、やわらかく言うといい。●**しっかりもの**［しっかり者］［表記］「確り」「聢り」とも書いた。①考えや行動が たしかで、たよりになる人。②倹約家。しっかり屋。

**シッカロール**〔Siccarol=商標名〕⇩ベビーパウダー。

☆☆**しっかん**［疾患］《医》病気。「心—・アレルギー—」

**しっかん**［失冠］《名・自他サ》《将棋・囲碁など》〔文〕タイトルを失うこと。「名人を—した」

**しつかん**［質感］〈物／材料〉の性質の ちがいから受ける、感じ。「ガラスのような—・ざらざらした—のコンクリート」

**じっかん**［十干］五行を「え〔=兄〕」と「と〔=弟〕」に分けたもの。きのえ〔=木の兄〕(甲)・きのと〔=木の弟〕(乙)・ひ〔=火〕のえ(丙)・ひのと(丁)・つち〔=土〕のえ

(戊)・つちのと(己)・か(=金)のえ(庚)・かのと(辛)・みず(=水)のえ(壬)・みずのと(癸)。音で読めば、甲・乙・丙・丁・戊・己・庚・辛・壬・癸。じゅっかん。〔十二支〕とあわせて、年や日をあらわすのに使った。例、甲子。☞十二支。

**じっかん**[実感]《名・他サ》①実際の感じ。「―がわく」②実際に感じとること。「現実の厳しさを―する」

**しっき**[湿気]しっけ。「―をきらう」

**しっき**[漆器]うるし塗り(のうつわ)。

**しつぎ**[質疑]《名・自サ》疑問に思う点をたずねること。質問。「―応答」

**じっき**[実機]①実物の機械。「―での動作検証」②実物の飛行機。「―で訓練する」

**じつき**[地付き]①その土地に昔からいて、はなれていないこと。はえぬき。土着。「―の東京っ子」②〔魚が〕その海にすみついていること。「―のタイ」

**じつぎ**[実技]実際の技術。わざ。

☆☆**しっきゃく**[失脚]《名・自サ》〔=足をふみはずすこと〕ものごとに失敗して、地位を失うこと。「大臣が―する」

☆☆**しつぎょう**[失業]《名・自サ》職を失って、就職できないでいること。失職。「―者」(↕就業) ●**しつぎょうほけん**[失業保険]「雇用保険」の古い呼び名。

**じっきょう**[実況]㊀実際のありさま。「―放送(=実況をその場から放送すること)」㊁《名・他サ》↑実況放送。●**じっきょうけんぶん**[実況見分]《名・自他サ》《法》捜査機関が、犯罪現場などの状況を確認すること。

**じつぎょう**[実業]経済上の事業。農業・工業・商業・水産業など。「―界・―につく」●**じつぎょうか**[実業家]経済的事業をいとなむ人。●**じつぎょうだん**[実業団]実業をいとなむ諸企業で構成される団体。実業団体。「―バレー」

**しっきん**[失禁]《名・自サ》《医》病気や老衰などのため、意思と関係なく尿や大便をもらすこと。

**じっきん**[×昵近]《名・ナダ・自サ》①〔文〕関係の親しいようす。また、親しくなること。「首相―のグループ」②《歴》室町時代以後、将軍に従った公家。武家昵近衆。

**しっく**[疾駆]《名・自他サ》〔文〕〔車や馬、人などが〕はやく走ること。「荒野を―する馬車」

**シック**〔thick〕《服》ズボンの股のあたりの当て布。

**シック**《ナダ》〔フ chic〕〔服装やふんいきが〕しゃれて、あかぬけたようす。派-さ。

**しっくい**[(:漆喰)]〔石灰の唐音〕石灰に粘土を加え、フノリをとかした液体でねったもの。壁を塗る材料。

**シックス**造〔six〕六。「ビッグ―(=大手六社)」・―パック〔=六つに割れた、きたえられた腹筋〕

**シックハウスしょうこうぐん**[シックハウス症候群]〔和製 sick-house〕《医》新建材や接着剤にふくまれるホルムアルデヒドなどの化学物質による、目・皮膚などに出る症状。

**しっくり**《副・自サ》①ほかのものと調和しておちつくようす。「チェック柄の服にこのネクタイは―こない」②気持ちが一致して、すきまのないようす。「家庭が―いっていない」

**じっくり**《副》時間をかけ、おちついてものごとをやるようす。「―(と)研究する」

**しっけ**[湿気]〔空気などの〕しめった状態。しっき。「―を帯びる・―を取る」

**しつけ**[(×躾)]しつけること。「親の―が悪い」由来「仕付け」と同語源。

**しつけ**[(仕付け)]《服》㊀《名・自他サ》ぬい目を正しくするため、しつけ糸でぬって、かりにおさえておくこと。「―をかける・スカートを―する」㊁↑しつけ糸。☞仕。●**しつけいと**[(仕付け)糸]《服》ぬい目を正しく整えるために、ざっとぬいつける糸。しつけ。

**しっけい**[失敬]㊀《名・自サ・ナダ》〔古風・男〕①礼儀をおろそかにすること。「〔あいさつで〕きのうは―しました」②人をかろんじたやり方をすること。「―なやつ(奴)」▽失礼。㊁《名・他サ》〔俗〕ぬすみ取ること。「雑誌を―する」㊂《感》〔古風・男〕別れるときや、かるくあやまるときのあいさつ。失礼。「じゃ、―・おくれてどうも―」

**しつげい**[漆芸]うるしを使った工芸。「―家」

**じっけい**[実兄]〔文〕血のつながった兄。(↕義兄)

☆☆**じっけい**[実刑]《法》実際に受ける刑。ふつう、自由刑を言う。「―判決」(↕執行猶予)

**じっけい**[実景]実際の〈景色/情景〉。「―を詠んだ和歌」

**しっけつ**[失血]《名・自サ》《医》〔出血や売血などのため〕血がたりなくなること。「手術後の―」

**じつげつ**[日月]〔文〕①太陽と月。「―空にかがやく」②としつき。つきひ。

**しっ・ける**[湿気る]《自下一》しける。「せんべいが―・マッチが―」

**しつ・ける**[(仕付ける)]《自他下一》《服》衣服に糸でしつけをする。「すそを―」☞仕。

**しつ・ける**[(×躾ける)]《他下一》礼儀・行儀・毎日の過ごし方などを身につけさせる。「子どもを―」由来「仕付ける」と同語源。

**しっけん**[執権]①政治の権力を手に持つこと。「時の―者」②《歴》〔鎌倉時代〕将軍を助けて政治をした人。「―職」

**しっけん**[失権]《名・自サ》〔文〕〈権力/権利〉を失うこと。

**しつげん**[湿原]《地》水が流れこんで湿気の多い草原。「―地帯・尾瀬の―」

**しつげん**[失言]《名・自サ》言ってはいけないことをつい言ってしまうこと。また、そのことば。「―を取り消す」

**じっけん**[実権]実際の権力。「―をにぎる」

**じっけん**[実見]《名・他サ》〔文〕実際に見ること。

＊**じっけん**[実験]《名・他サ》①実際にやってみること。②一定の状況をつくり、その状況を人為的に変化させ、どうなるかを観察すること。「―室・化学―・―科学」●**じっけんだい**[実験台]①その上で実験をする台。②実験の対象。「患者を―にするな」

＊**じつげん**[実現]《名・自他サ》実際に〈そうなる/できるようにする〉こと。「平和が―した・計画の―」

**しつこ・い**《形》①味などが、口に残ってさっぱりしない感じだ。「―味」②〈どこ/いつ〉までもつきまとって、うるさく感じられるようすだ。「しつこく言う」▽しつっこい。派-さ。

しっこう［漆工］うるしを塗った工芸品。また、その職人。

☆☆しっこう［失効］《名・自サ》効力を失うこと。「運転免許の—・付与されたポイントが—する」(↕発効)

しっこう［△膝行］《名・自サ》〔文〕(神前や身分の高い人の前に)ひざをついて進むこと。

☆☆しっこう［執行］《名・他サ》法律・規則で決まっていることを実際におこなうこと。「死刑の—・—委員(=執行部を構成する人)」 ●しっこうぶ［執行部］政党や労働組合などで、決まったことを責任をもっておこなう機関。 ●しっこうやくいん［執行役員］取締役会の委託を受けて、業務の執行に当たる役員。 ●☆☆しっこうゆうよ［執行猶予］《法》判決を受けた者に対して、情状により一定の期間、刑の執行を猶予し、その間ふたたび罪をおかさない場合は刑を実行しないこと。「—三年」(↕実刑)

じっこう［実効］〔文〕実際の効力・ききめ。「—がない・—支配」

*じっこう［実行］《名・他サ》①(思うだけでなく)実際におこなうこと。「計画を—する・約束を—する・—力」②《情》プログラムをはたらかせること。

しっこく［×桎×梏］〔桎=足かせ。梏=手かせ〕〔文〕自由な行動をさまたげるもの。強い束縛。「家族の—をのがれる」

しっこく［漆黒］〔文〕うるしのように黒くて、つやのあること。「—の髪」

しっこし［△尻腰］〔俗〕しっかりしたところ。意地や根気。ひっこし。「—がない(=だらしがない)」

しつごしょう［失語症］《医》言語障害の一つ。脳の障害のために、ことばを思い出すことができなくなったり、聞いても意味がわからなくなったりする。

じつごと［実事］《歌舞伎》ふつうの人を表現する演技。☞荒事・和事・じつじ(実事)。

☆☆じっこん［(×昵懇)・(△入魂)］《名・ナダ》親しくつきあっていて、えんりょのないようす。「—の間がら」☞にゅうこん(入魂)。

**じっさい［実際］㊀(ことばや想像の上ではなく)直接たしかめて わかるものごと。やってみて わかる結果。「—の年齢より若く見える・—(に)はもっと時間がかかる・教育現場の—」㊁《副》①「実際㊀」の様子はどうかというと。「今回のドラマは おもしろい。—、視聴率も高い」②(やや古風)(ことばの上だけでなく)本当に。まったく。「—、困るんだよ」 区別 ⇩本当に①。 ●じっさいてき［実際的］《ナダ》実際の場合に よく当てはまるようす。 ●じっさいもんだい［実際問題］《名・副》実のところ。実際の話。「—としては、両者はほとんど変わらない・—、チェックは不可能だ」

じつざい［実在］《名・自サ》実際に〈ある／いる〉こと。「—の人物」

しっさく［失策］《名・自サ》①取り返しのつかない、まずいやり方。②《野球》捕球や送球の失敗。エラー。

じっさく［実作］《名・他サ》芸術作品などを実際に作ること。実際の作品。「短歌の—を指導する」

しっし［嫉視］《名・他サ》〔文〕ねたむこと。そねみ。

しつじ［執事］身分・地位のある人のそばにいて用事をする人。

じっし［十死］〔文〕絶対に生きられる見こみのないこと。じゅっし。「—に一生を得る」

じっし［十指］〔文〕十本のゆび。じゅっし。「—にはいる」 ●十指に余る 句 十本のゆびでは数えきれない。十より多い。 ●十指の指すところ 句 みんなが そろって認めるところでは。「十目の見るところ、—(⇩「十目」の句)」

じっし［実子］実の親から生まれた子ども。(↕ままこ(《継子》)・養子)

じっし［実姉］〔文〕血のつながった姉。(↕義姉)

**じっし［実施］《名・他サ》決めたことを、実際に やること。「計画の—」

じつじ［実事］①〔文〕本当のこと。事実。「—のままにしるす」②男女が情を通じること。「—に至る」〔文学研究の用語〕☞じつごと(実事)。

しっしき［湿式］〔工業などで〕液体や溶剤などを使う方式。(↕乾式)

しっ-しっ《感》〔話〕じゃまな動物・人などを追いはらう声。しっ。「—、あっちへ行け」

しつじつ［質実］《ナダ》かざりけがなくて まじめなようす。「—剛健」派-さ。

じっしつ［実質］㊀(実際の)内容。「名前に—がともなわない・—上の(=実質的な)影響はない」(↕形式・名目) ㊁《副》実質的に。「どちらも—同じだ」 ●じっしつきんり［実質金利］《経》数字上の金利から物価の変動を差し引いた、実際にかかる金利。(↕名目金利) ●じっしつちんぎん［実質賃金］《経》その時の物の値段との つりあいで見た、賃金の実質。(↕名目賃金) ●じっしつてき［実質的］《ナダ》①見せかけでなく、実質があるようす。「—な議論をしよう」②形式や名前はともかく、実質としてそうであるようす。「—に(=事実上。実質上)私が責任者だ」▽(↕形式的)

じっしゃ［実車］①(模型の車などに対して)本当の車。②(タクシーで)客を乗せている状態の車。(↕空車)

じっしゃ［実写］《名・他サ》実際の風景や場面を写真や映画にうつし〈とること／とったもの〉。

じっしゃ［実射］《名・他サ》(実弾などを)実際に発射すること。「—訓練」

じっしゃかい［実社会］(きびしい)実際の社会。「卒業して—に出る」

じつじゅ［実需］《経》実際の(消費のための)需要。(↕仮需)

じっしゅう［実収］実際の〈収入／収穫〉。

じっしゅう［実習］《名・他サ》実地について学び習うこと。「—生」

じっしゅきょうぎ［十種競技］男子の陸上競技の種目。百メートル競走・走りはばとび・砲丸投げ・走り高とび・四百メートル競走〔以上第一日〕、百十メートルハードル・円盤投げ・棒高とび・やり投げ・千五百メートル競走〔以上第二日〕をひとりの選手が おこない、総合点をきそう。じゅっしゅきょうぎ。

しつじゅん［湿潤］《名・ナダ》〔文〕しめって、水気のあるようす。派-さ。

☆☆しっしょう［失笑］《名・自サ》〔失=もらす〕〔文〕(相手にあきれて)思わず、ふっと笑いをもらすこと。また、その笑い。「世間から—を買う(=失笑される)・まわりから—がもれる・—をさそう」

じっしょう［実正］〔古風〕まちがいないこと。本当。

☆☆じっしょう［実証］《名・他サ》〈実地について/手がかりや材料をもとにして〉証明すること。「理論を─する・─的研究」●じっしょうじっけん［実証実験］〔技術・しくみなどを〕実際に導入するとどうなるかを、事前に同じ条件で調べる実験。

←じつじょう［実状］実際のありさま。

→じつじょう［実情］〔表には あらわれにくい〕本当の事情。「─をうったえる」

しっしょく［失職］《名・自サ》〔文〕現在の職業・職務を失うこと。「リストラで─する」

じっしょく［実食］《名・他サ》実際に食べること。

しっしん［湿×疹］《医》皮膚病の一種。はだが赤くはれて ただれ、かゆみが強い。くさ・ただれ・あせもなど。

しっしん［失神・失心］《名・自サ》意識を失うこと。気が遠くなること。人事不省。

じっしん［実親］〔文〕⇩じつおや。

じつじんせい［実人生］実際の人生。「─に役立つ教訓」

じっしんほう［十進法］《数》十倍ごとに、上の「桁④」に上げ、新しい呼び名で数える数え方。現在の日本での、数・お金・長さなどの数え方。じゅっしんほう。

じっすう［実数］①〔帳簿の上などでなく〕実際の数。②《数》有理数と無理数をまとめた呼び方。(↕虚数)

しっ・する［失する］〔文〕㊀《自サ》すぎる。「寛大に─」㊁《他サ》うしなう。なくす。「機会を─」

じっすん［実寸］①実際に測ったサイズ。仕上がりの寸法。「服の─」②実物の寸法どおりであること。「─大のロボット・─模型」

←しっせい［叱声］〔文〕しかる〈声/ことば〉。「─が飛び出す」

→しっせい［叱正］《名・他サ》〔文〕しかって ただすこと。「ご─を請う」

しっせい［失政］〔文〕まちがった政治。

しっせい［執政］〔文〕政治をとる〈こと/人〉。「─官」

じっせい［実勢］見せかけではない、実際の情勢。「─地価(=土地の実際に売買される価格)」

じっせいかつ［実生活］実際の生活。「─の苦労」

しっせき［失跡］《名・自サ》〔文〕失踪。

☆☆しっせき［叱責］《名・他サ》〔文〕しかって せめること。しかること。「─を受ける」

じっせき［実績］①実際の成績・業績。「─をあげる」②結果として残った数字や事実。「利用─・給料がしはらわれた─はない」

しっせつ［湿雪］《天》水分が多く、べちゃっとした重い雪。(↕乾雪)

しつぜつ［湿舌］《天》水蒸気を非常に多くふくんだ空気の一団が、熱帯の海から舌のような形にのびたもの。梅雨どきの大雨のもとになる。

じっせつ［実説］〔文〕実際にあったとおりの話。(↕虚説)

←じっせん［実戦］実際の戦い。「─に参加」

→じっせん［実践］《名・他サ》自分で実際におこなうこと。「ボランティア活動を─する・─的な(=実際に役立つ)知識」(↕理論) ●じっせんきゅうこう［実践×躬行］《名・自他サ》〔文〕実際に自分がおこなって、手本をしめすこと。

じっせん［実線］連続していて、とぎれない線。(↕点線)

しっそ［質素］《名・ナダ》倹約にして、かざらないようす。「─な生活」派─さ。

☆☆しっそう［失踪］《名・自サ》〔文〕(家を出て)ゆくえをくらますこと。ゆくえ不明。失跡。●しっそうせんこく［失踪宣告］《名・他サ》《法》七年間生死不明の人を、申し出によって、裁判所が、死んだものと みなすこと。

しっそう［疾走］《名・自他サ》はやく走ること。「野山を─する」

じっそう［実相］〔文〕実際の〈ありさま/姿〉。

じっそう［実装］《名・他サ》①機器などの装置や部品を、実際に取りつけること。「─配備」②〔コンピューターに〕ある機能を組みこむこと。

じつぞう［実像］①《理》光がレンズを通し、また鏡で反射されて、ある場所に作る像。〔カメラのファインダーの場合は、虚像だけが見えることがある〕②うわさ・地位・肩書などをはなれた、実際の姿・概念。「スターの─」▽(↕虚像)

しっそく［失速］《名・自サ》①航空機の翼の浮力が機体を支えきれなくなり、落ちそうになること。速度を落としすぎたりすると起こる。「─状態」②急に勢いがなくなること。「景気が─する」

じっそく［実測］《名・他サ》実際に測量すること。(↕目測)

じっそん［実損］実質上の損害。

じつぞん［実存］《名・自サ》①《哲》ほかの だれでもない、自分という現実的な存在。「─的ななやみ・─哲学」②〔文〕〈実際/現実〉に存在すること。「─すること ば」●じつぞんしゅぎ［実存主義］《哲》「実存①」をもとにして世界を考え、行動しようとすること。「─文学」

しった［叱×咤・叱×咤］《名・他サ》〔文〕大声〈でしかる/を出して はげます〉こと。「─激励する」

シッター〔sitter=めんどうをみる人〕「ベビーシッター」「ペットシッター」などの略。「─さん」

しったい［失対］↑失業対策。「─事業」

しったい［失態・失体］体裁の悪いことをして、立場がなくなること。「─を演じる」

←じったい［実体］①そのものの基本を作る、具体的なあるもの。「─のないダミー会社」②《哲》ⓐ属性の主体になるもの。ⓑいつも変わることのない本質。☞じってい(実体)。●じったいけいざい［実体経済］《経》商品やサービスの売買によって成立する経済活動。(↕資産経済・金融経済)

→*じったい［実態］〔表面からはわかりにくい〕ありのままの状態。「言語生活の─」

じったいけん［実体験］《名・他サ》実際に自分で体験すること。「いなか暮らしを─する」

しったかぶり［知ったか〔振り〕］知らないのに知っているような ようすをする〈こと/人〉。知ったか〔俗〕。動知ったかぶる《自五》。

じつだん［実弾］①銃砲にこめる、本物のたま。実包。(↕空包) ②〔俗〕〔選挙運動などに使う〕現金。

し

**しっち**【失地】①〔文〕〈戦争などで〉失った土地。②失った〈立場／好調な状態〉。▽「―回復」

**しっち**【湿地】しめりけの多い土地。「―帯」

**じっち**【実地】実際(の現場)。「―にためす・―調査」

**しっちゃかめっちゃか**《副》〔俗〕めちゃくちゃ。

**しっちゃく**【失着】①〔碁〕負けにつながる、正しくない石の置き方。②〔文〕失敗。

**じっちゅうはっく**【十中八九】《副》十のうち八か九か。おおかた。たいてい。じゅうちゅう はっく。じゅっちゅうはっく。「―成功する」

**しっちょう**【失調】調和を失うこと。調節がきかなくなること。「運動―・栄養―」

**しっちょう**【失聴】《名・自サ》〔医〕耳が聞こえなくなること。「―者」

**しっちょう**【室長】その部屋の〈長／かしら〉。

**じっちょく**【実直】《名・ナダ》忠実で正直なこと。「―な担当者」派―げ・―さ。

**しっちん**【七珍】〔仏〕⇩七宝(しっぽう)①。●**しっちんばんぽう**【七珍万宝】ありとあらゆる たからもの。しっちんまんぽう。

☆☆**しっつい**【失墜】《名・他サ》落とすこと。失うこと。「権威(けんい)を―する」

**じつづき**【地続き】①そこからある土地まで、地面が続いていること。②直接 続いていること。「日常と―のファンタジーの世界」

**じって**【十手】江戸(えど)時代、罪人をとらえる役人が持った、捕(と)り物用の道具。多く、手もとに かぎ(鉤)のある、鉄の棒。じゅって。

［じって］

**じってい**【実弟】〔文〕血のつながった弟。(↔義弟)

**じってい**【実体】《ナダ》実直らしいようす。⇨じったい(実体)。

**じってき**【質的】《ナ》質に関(係)したようす。(↔量的)

**しってん**【失点】《名・他サ》①〔競技や勝負で〕相手(のチーム)に〈点をあたえること／あたえた点〉。(↔得点) ②失敗。失策。「外交面での―」

**しつでん**【湿田】〔農〕どろの深い田。(↔乾田(かんでん))

**しっと**【嫉妬】《名・自他サ》①自分よりも めぐまれた人をにくむ〈こと／気持ち〉。ねたむこと。「ライバル(の才能)に―する・―心」②好きな人が別の人を好きになることをうらむ〈こと／気持ち〉。▽「―深い人」

**しつど**【湿度】空気が乾いているか湿っているかを示す度合い。数値が高いほど湿っている。「―が高い」

*__じっと__ 一《副》①目を動かさないようす。「―見つめる」②がまんするようす。「―こらえる」 二《副・自サ》しずかにして動かないようす。「そこに―していなさい」▽一二〔強調して〕じいっと。表記 かたく「△凝と」とも。

**しっとう**【失投】《名・自サ》〔野球〕投手が打者に投げたボールが ねらったコースをそれること。「―してホームランを打たれる」

**しっとう**【執刀】《名・自他サ》〔外科(げか)手術や解剖(かいぼう)のために〕メスを持つこと。また、手術や解剖を担当すること。「名医に―してもらう」

**しっとう**【失当】《ナダ》〔文〕道理に外れるようす。不当。「原告の主張は―だ」

⇅**じつどう**【実動】《名・自サ》①実際に行動すること。「―部隊」②実際に運転すること。

⇅**じつどう**【実働】《名・自サ》実際に労働すること。「―時間(↔拘束(こうそく)時間)」

**じっとく**【十徳】すおう(素襖)に似て、わきをぬいつけた上着。はかまは、わきをぬいつけない。じゅっとく。「―姿」

［じっとく］

**しっとり**《副・自サ》①かるく しめりけが行きわたるようす。「夜露(よつゆ)に―(と)ぬれる」②しずかで おちついたようす。「―した文章」

**じっとり**《副・自サ》水分が細かくにじみ出て、しめりけをおびるようす。「―(と)あせばむ」

**しつない**【室内】①部屋の中。「―温度・―ゲーム(=碁(ご)・将棋(しょうぎ)など、室内でするゲーム)・―遊技(=パチンコ・マージャンその他の、室内でする遊技)」(↔室外) ②自動車で、座席のある空間。●**しつないがく**【室内楽】〔音〕室内や小さな音楽堂で演奏するために作った器楽曲(の合奏)。

**じつに**【実に】《副》心から強調することば。「―すばらしいアイデア・―ゆかいだ」区別⇩本当に①。

**しつにん**【失認】《名・他サ》〔心〕見えたり聞こえたりしているのに、それが何であるかなどが認識できない状態。認知症(しょう)や高次機能障害などの症状の一つ。

**しつねん**【失念】《名・他サ》〔文〕うっかり忘れること。

**じつねん**【実年】〔五、六十歳(さい)代の〕中高年。熟年。「一九八五年に当時の厚生(こうせい)省が選定」

**じつの**【実の】《連体》実際の。本当の。「―親・―ところよくわからない」

*__じつは__【実は】《副》①本当(の ところ)は。②打ち明けて言うと。

**ジッパー**〔米 zipper=もと、商標名〕ファスナー。

**しっぱい**【失敗】《名・自他サ》やり方が まずくて、悪い結果に〈なる／する〉こと。しくじること。「交渉(こうしょう)に―する・サーブを―する・―を犯(おか)す・―を重ねる」(↔成功)

**じつばい**【実売】実際に売られること。また、その数。「―価格・―数」

**じっぱ-ひとからげ**【十把一(△絡げ)】①いろいろのものを区別しないで、ひとまとめにすること。②数は多くても ねうちのないこと。▽じゅっぱ ひとからげ。⇨把(わ)。

**しっぴ**【失費】〔文〕(むだに)かかった費用。ものいり。「思わぬ―」

**しっぴ**【×櫛比】《名・自サ》〔文〕くしの歯がならぶように、建物がすきまなくたくさん建っていること。

**じっぴ**【実否】〔文〕本当か、うそか。「―をただす」(古くは「じっぷ」)

**じっぴ**【実費】実際にかかった費用。「―生産・受講無料、資料代―」

**しっぴつ**【執筆】《名・他サ》文章や作品をかくこと。「小説を―する」

**しっぷ**【湿布】《名・自サ》〔医〕布を湯・薬などにしめして悪いところに当て、炎症(えんしょう)を治す方法。また、そのときの布。

**じっぷ**【実父】血のつながった父。(↔養父・継父(けいふ)・義父)

**しっぷう**【疾風】はげしい勢いでふく風。「―怒濤(どとう)」

〔＝はげしい動乱〕の時代」 ●**しっぷうじんらい**［疾風迅雷］〔文〕はげしい風と、はげしい かみなり。「―の勢い」

**じつぶつ**［実物］①実際の〈もの／物体〉。「―大の模型」②《経》現物。「―取引」☞みもの（実物）。

**しっぺ**［〈△竹×篦〉］①禅宗で、修行する者をたたくために使う、竹で作った細長い道具。②人さし指と中指をそろえて、相手の手首のあたりを打つこと。▽しっぺい。 ●**しっぺがえし**［〈△竹×篦〉返し］《名・自サ》すぐさま しかえしをすること。しかえし。しっぺい返し。「―を食う」

☆☆**しっぺい**［疾病］《医》病気。「―の予防」

**しっぽ**［〈尻尾〉］①〔動物のしりにある〕お。②〔細長いものの〕はしの部分。「帯の―・たくあんの―」 ●**尻尾を出す** 句 ごまかしていた正体を見せる。 ●**尻尾をつかまえる** 句 相手のごまかし、悪事などを見やぶる。しっぽをつかむ。 ●**尻尾を振る** 句 ごきげんを取る。 ●**しっぽきり**［尻尾切り］⇩とかげの尻尾切り。 ●**尻尾を巻く** 句 おそれ入る。降参する。

**じつぼ**［実母］血のつながった母。うみの母。（↕養母・継母・義母）

**しつぼう**［失望］《名・自サ》①希望を失うこと。「会社の将来に―して退職した」②あてが外れて、がっかりすること。「断られて―する」

**しっぽう**［七宝］①《仏》七種類のたから。ふつう、金・銀・瑠璃・玻璃・硨磲〔＝白さんご〕・赤珠〔＝赤真珠〕・瑪瑙。七珍。しちほう。②〔↑七宝焼き〕銅・金・銀などの下地にガラス質のうわぐすりを焼き付け、いろいろの模様をあらわしたもの。

**じっぽう**［十方］①四方〔＝東・西・南・北〕と四すみ〔＝東北・東南・西南・西北〕と上下。②あらゆる場所・方角。▽じゅっぽう。

**じっぽう**［実包］実弾。（↕空包）

**しつぼく**［質朴・質×樸］《名・ナダ》かざりけがなく、すなおなこと。「―な性質」 派 ‐さ。

**しっぽく**［〈△卓×袱〉］〔＝中国ふうのテーブルクロス〕 かけ〈うどん／そば〉にシイタケ・かまぼこ・厚焼きたまご・ミツバなどをのせたもの。 ●**しっぽくりょうり**［〈△卓×袱〉料理］伝来した中国料理が日本化したもの。さかな・肉などを材料とする。長崎料理。

**しっぽり**《副》①すっかりぬれて、水分をふくんでいるようす。「朝霧に―ぬれる」②男女の間の情がこまやかであるようす。「―語り合う」

**じつまい**［実妹］〔文〕血のつながった妹。（↕義妹）

**じつみょう**［実名］〔古風〕⇩じつめい。

**しつむ**［執務］《名・自サ》事務を取りあつかうこと。

**じつむ**［実務］実際の〈業務／事務〉。

**じづめ**［字詰め］〔原稿用紙・印刷物などの〕文字の〈つめ方／ならべ方〉。

**しつめい**［失名］〔文〕名前が書いてないために、だれだかわからないこと。「―氏」

**しつめい**［失明］《名・自サ》目が見えなくなること。盲目になること。「事故で―する」

**じつめい**［実名］〔戸籍上の〕本当の名前。じつみょう。（↕仮名・偽名）

＊＊**しつもん**［質問］《名・自他サ》わからないことや知りたいことについて、相手に ことばを求めること。尋ねること。聞くこと。「先生に―する・―をぶつける」

☆☆**しつよう**［執×拗］《ナダ》しつこいようす。「―に つきまとう」 派 ‐さ。

**じつよう**［実用］《名・他サ》実際に〈使う／使って役立つ〉こと。「―化」 ●**じつようしんあん**［実用新案］〔↑実用新案権〕今までの品物の形・構造などにくふうを加え、実用上便利なように改めた考案。 ●**じつようたんい**［実用単位］国際的に統一された単位とは別に、実用上使われる単位。例、馬力・オーム。 ●**じつようてき**［実用的］《ナダ》実用に適するようす。

**じづら**［字面］①文章の表面的な意味。「―だけを読む」②文字の形や組み合わせから受ける感じ。「―が悪い」③《印刷》活字で、インクの付く面。▽もじづら。

**しつらえ**［〈△設え〉］部屋の備えつけや かざり。部屋の造り。また、それらをととのえること。「宿の―・小体な―の店」

**しつら・える**［〈△設える〉］《他下一》〈用意／設備〉する。しつらう。「テーブルを―」

**じつり**［実利］現実の利益。実際の効用。

**しつりょう**［室料］部屋を一時使うときの料金。部屋代。

**しつりょう**［質量］①質と量。「―ともに すぐれている」②《理》物体をてんびんにのせたとき、どれだけ おもりをのせると つり合うかを示す数値。重力が変わっても一定。基本単位はキログラム。☞重さ。 ●**しつりょうすう**［質量数］《理》原子核中の陽子の数と中性子の数の和。原子の重さの目安となる。☞同位体。

**じつりょく**［実力］①〔見せかけでなく〕本当の〈力／うでまえ〉。「―をつける・―者〔＝実際上の権力を持つ人。派閥の かしら〕・―がある〔＝力量が高い〕」②〔議論や交渉で うまく行かないときに あらわす〕武力や腕力。わんりょく。「―にうったえる・―行使」

**しつれい**［失礼］一《名・自サ・ナダ》①礼儀に外れること。非礼。「―な質問・―の段、何とぞお許しください・なんですか、―な！」②退出・欠席などをあらわす、へりくだった言い方。「きょうは お先に―したいのですが・今回は―するよ」 二《感》〔話〕別れるときや わびるとき、声をかけるときなどの ことば。「じゃ、―・〔ぶつかりそうになって〕あっ、―！・―、橋本さんじゃないですか？」〔ややかたく、ぞんざいな言い方〕 ●**しつれいしました**［失礼しました］《感》①相手に失礼や ちょっとしたミスなどをわびる ことば。「存じ上げなかったとはいえ―・『お つりが ちがってますよ』『―』・先日は―〔何日ぶりかで 会ったときの ことば。知らずに失礼なことをしたかもしれない、という気持ちで言う〕」 区別 ⇩申し訳ない。②部屋を出るときなどの ことば。▽礼儀正しい あいさつ。「失礼いたしました」は、より丁重な言い方。 ●**しつれいします**［失礼します］《感》①別れるときの ことば。☞「さようなら 一」の ✓。②部屋に はいるときや、人のものを手に取るときなどの ことば。▽礼儀正しい あいさつ。「失礼いたします」は、より丁重な言い方。 ●**しつれいですが**［失礼ですが］《感》①〔話〕声をかけるときの ことば。「―、林先生でいらっしゃいますか」②立ち入ったこと、迷惑なことなどをたずねるときの ことば。「―、お名前は何とお読みするのでしょうか」 ✓ 電話をかけてきた相手に「失礼ですが」とだけ言い、「どちらさまでしょうか」を略すことがあるが、最後まで言うほうがいい。▽礼儀(れいぎ)正しいあいさつ。③本当に失礼なことを承知で言うときのことば。「―、あなたは勉強不足ですね」▽失礼ながら〔古風〕。

**じつれい**［実例］実際〈の／にあった〉例。(↕作例)

**じつれき**［実歴］〔文〕①実際の経歴。②実際に経験したこと。「―談」

**しつれん**［失恋］《名・自サ》思う恋(こい)がとげられないこと。(↕得恋(とくれん))

**じつろく**［実録］事実をありのままに記録したもの。

**じつわ**［実話］実際〈の／にあった〉話。

**して** 一 **して**［仕手］①〈何かを〉する人。「―がいない」 表記 「為手」とも書いた。☞仕。②《経》投機の目的で、大量の株を売買する人。☞仕手株。 二 **して**〔シテ〕《能・狂言》主人公〈となる役者〉。(↕《能》ワキ・ツレ・《狂言》アド)

**して** 一《格助》で。「みんな―調べる・二人―出歩く」 二《接助》〔文〕前後をつなぐことば。て。「任重く―道遠し・これなく―一日も過ごせない」 三 **して**《接》〔文〕そして。それで。「―、どうなった?」☞ずして・する 二④・として・にして。

**しで**［:紙垂・:四手］たまぐし・しめなわなどに下げる、細長く切った白い〈もめん／紙〉。

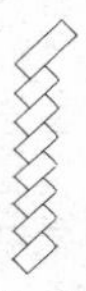

［しで］

**してい**［子弟］〈=子や弟〉〔文〕その人が保護し、教育を受けさせる子〈や年下のきょうだい〉。「資産家の―」(↕父兄)

**してい**［私邸］〈その人の〉個人のやしき。(↕官邸(かんてい)・公邸(こうてい))

**してい**［師弟］師と弟子(でし)。「―関係・―愛」

**してい**［視程］〔文〕見とおし〈のきく距離(きょり)〉。

***してい**［指定］《名・他サ》はっきり、それと決めること。「期日を―する・全席―」●**していせき**［指定席］①〈乗り物や劇場などで〉どの人がどこにすわるかが決まっている席。②いつも同じ〈もの／人〉が占(し)める位置。定位置。「母のひざの上が弟の―だ」●**していとし**［指定都市］《法》⇩政令指定都市。

**じてい**［耳底］〔文〕耳の奥(おく)のほう。「亡(な)き母の声が今も―に残る」

**じてい**［自邸］〔文〕〈その人の〉自分のやしき。

**じてい**［時程］時間ごと・分ごとの予定。「本日の―・―表」

**シティ(ー)** 一 造〔city〕都会。都市。「―感覚・―派・―サイクル〈=近所のちょっとした用事で使う自転車〉」 二 **シティ(ー)**〔City〕イギリスのロンドンにある、金融(きんゆう)の中心地。☞ウォール街。●**シティ(ー)ホール**〔city hall〕①市役所。市庁舎。②市役所・市議会議場・市公会堂・市民広場などが一つになった施設(しせつ)。③⇩セレモニーホール。●**シティ(ー)ホテル**〔和製 city hotel〕市街地にあるホテル。会食や会議などにも利用される。

**しでかす**《他五》〔俗〕してしまう。やらかす。「とんでもないことを―」

**してかぶ**［仕手株］《経》「仕手 一②」がよく売買する株。(↕雑株(ざつかぶ))

**してからが**《にしてからがで格助》〈…が〉まず第一に。「専門家に―これほど無責任であるとは」

***してき**［指摘］《名・他サ》取り出して、問題点をはっきりしめすこと。「弱点を―する」

**してき**［史的］《ナダ》歴史に関係しているようす。「―事実・―研究」

**してき**［私的］《ナダ》個人に関係があるようす。おおやけでないようす。プライベート。(↕公的)●**してきねんきん**［私的年金］企業(きぎょう)年金や個人年金。(↕公的年金)

**してき**［詩的］《ナダ》詩のような感じをあたえるようす。「―な表現」(↕散文的)

**じてき**［自適］《名・自サ》〔文〕境遇(きょうぐう)に順応して、心のままに楽しむこと。「悠々(ゆうゆう)―する」

***してつ**［私鉄］〈JR以外の〉民間で経営する鉄道。民営鉄道。

**じてっこう**［磁鉄鉱］《鉱》火成岩にふくまれる、磁気をおびた黒い酸化鉄。砂状になったものが砂鉄。

**しでのたび**［死出の旅］死出の山におもむくこと。死ぬこと。

**しでのやま**［死出の山］《仏》死んでから行く、冥土(めいど)にあるという山。

**しては**◇①⇩として 二 ①②。「私と―」②⇩にしては。

**してまた**《接》〔古風〕そしてまた。「国も県も、―大学も口をそろえる」

**してみると**［して〈見ると〉］《接》そうだとすると。それから判断すると。してみれば。「表情が変わった。―、やはり知っているのだ」

**しても**◇⇩としても・にしても。

**してやる**《他五》思いどおりに〈負かす／だます〉。「してやったりとほくそ笑(え)む・まんまとしてやられた」

**してん**［支店］本店から分かれて置かれている店。「銀座―」(↕本店)

**してん**［支点］《理》てこやてんびんを支える、固定した点。(↕力点・作用点)

**してん**［始点］ものごとの始まる点。「変化の―・道路の―・季節の―」(↕終点)

***してん**［視点］ものを見るさいの、具体的な立場。観点。「―を変える」

**しでん**［史伝］①歴史上の伝え。②歴史上の考証をまじえて書いた伝記。

**しでん**［市電］①市営の電車。②市街地を走る路面電車。

**しでん**［紫電］〔文〕①むらさき色の電光。②とぎすました刀の光。「―一閃(いっせん)」

↕**じてん**［字典］〈漢字の〉字書。字引。もじてん。

↕**じてん**［事典］もの・ことがらの説明をした本。「植物―・哲学(てつがく)―・百科―」〈「辞典」と区別して「ことてん」とも読む〉

↕**じてん**［辞典］①辞書。〈「事典」と区別して「ことばてん」とも読む〉 区別 「辞典」は「国語辞典」など複合語でよく使われる。「国語辞書」とも言うが、書名は「辞典」が多い。「辞書」は意味が広く、パソコンのかな漢字変換(へんかん)に使うデータもふくむ。「国語辞典などの辞書」のように表現しわけることもできる。②事典。「医学大―」

**じてん**［次点］〈受賞者や当選者の〉次の得票数または得点〈の人〉。「―者」

*じてん【時点】 時間の流れの中の、ある一点。「現在の—ではなんとも申し上げられない」
じてん【自転】《名・自サ》①自分で回転すること。②《天》天体が、その内部の一直線を軸として回転すること。(↔公転) ●じてんしゃ【自転車】 乗った人がペダルをふんで車輪を回しながら走るしかけの二輪車。じでんしゃ〔話〕。「—をこぐ・—操業〔=資金の回転〔=金ぐり〕が止まれば たちまちたおれる〔=倒産する〕、むりな事業のやり方〕」
じでん【自伝】 自叙伝。
してんのう【四天王】 ①《仏》帝釈天につかえて、四方を守るという神。持国天・増長天・広目天・多聞天。②部下・門人・同類の中で、いちばんすぐれた四人。または四つの団体。
しと【史都】〔文〕歴史上の古跡・遺物の多い都市。「—鎌倉」
しと【死都】〔文〕〔天災や戦争で〕住民の死にたえた都市。「—ポンペイ」
しと【使徒】 ①《宗》キリストの証人・使者としてえらばれた、十二人の弟子。②〔文〕身命を投げうって、人々のためにつくす人。「平和の—」
☆☆しと【使途】〔文〕〔お金の〕つかいみち。「税金の—・—不明金」
しど【示度】〔文〕計器の目もりにあらわれた数字。「晴雨計の—・台風の中心—〔=気圧〕」

しとう【私党】 自分の利益のために作った党派。(↔公党)

しとう【私闘】〔文〕個人的なうらみによる闘争。

しとう【死闘】《名・自サ》〔決死の覚悟で〕死にものぐるいで戦うこと。

しとう【試投】《名・他サ》《野球》投手が ためしに投げてみること。「覚えたばかりのカーブを—する」

しとう【至当】《ナダ》〔文〕きわめて〈適当/当然〉であるようす。「—な処置」 派—さ。

しどう【市道】 市の費用で造って管理する道路。

しどう【私道】《法》道路の形をした私有地。「—負担〔=土地を買うときに、私道の部分に対して別にはらうお金〕」(↔公道)

しどう【祠堂】〔文〕ほこら。

しどう【斯道】〔=このみち〕〔文〕その方面の学問・技術。

しどう【始動】《名・自他サ》〔機械などが〕動きはじめること。また、動かしはじめること。

**しどう【指導】《名・他サ》 ①人を教えて、いい方向へ向かわせること。みちびくこと。「専門家の—を受ける・—員・—者・—的立場・—原理・〔登山路の〕—標」②よくないことを正すよう教えること。「教師の—がはいる・〔柔道〕—〔=最も軽い罰則〕を取られる」③役所が、命令の形を取らずに、実行を求めること。「行政—」 ●しどうようりょう【指導要領】⇩学習指導要領。 ●しどうようろく【指導要録】 教師が、受け持ちの児童や生徒の学習・性格・健康などについて記録したもの。〔もと「学籍簿」と言った〕

じとう【地頭】《歴》鎌倉時代、荘園をおさめ、税を取り立てた職の名。☞じあたま(地頭)。

**じどう【自動】 ①機械のボタンをおしたりスイッチを入れたりするだけで、決められた一つのまとまった仕事や動作をすること。「—式・—販売機〔⇩自販機〕」(↔手動) 表記「自働」とも書いた。②〔言〕↑自動詞。(↔他動) ●じどうし【自動詞】〔言〕「…を」にあたる要素をおぎなわなくても、動作・作用などをあらわせる動詞。例、「すわる」「燃える」。(↔他動詞) ☞付録文法解説「動詞」。 ●*じどうしゃ【自動車】 ①エンジンの動力で車輪を回して、道路を走る車。②乗用車。「—学校〔⇩教習所②〕」 ●じどうせいぎょ【自動制御】《名・他サ》〔機械・装置の仕事の〕条件に変化が起こっても自動的に調節すること。「—装置」 ●じどうたいがいしきじょさいどうき【自動体外式除細動器】《医》⇩エーイーディー(AED)。 ●じどうてき【自動的】《ナダ》 ①ある条件が整うと、ひとりでに動いたり止まったりするようす。オートマチック。「—に減速する」②ある条件が整うと、必ずそうなるようす。「返信しないと—に無効になる」

*じどう【児童】 ①子ども。〔児童福祉法では十八歳未満〕②小学校に行って授業を受ける子ども。「—会」(↔生徒・学生) ●じどうかん【児童館】 地域の子どもが、運動したり遊んだりして過ごす、公共の建物。 ●じどうぎゃくたい【児童虐待】〔自分の〕子どもに暴行を加えたり、精神的においつめたり、ほったらかしにしたりして、苦しみをあたえること。☞ネグレクト②。 ●じどうけんしょう【児童憲章】 子どもの人権と幸福を守るために作られた決まり。 ●じどうじりつしえんしせつ【児童自立支援施設】 更生が必要と判断された十八歳未満の少年の指導をおこなう施設。「教護院」の新しい呼び名。 ●じどうしんりし【児童心理司】〔児童相談所で〕児童の心理面の特徴を検査で判定したり、保護者などに助言したりする職員。 ●☆☆じどうそうだんじょ【児童相談所】《法》児童の福祉をはかるため、家庭などからの相談に応じ、指導をおこなう機関。児相。 ●じどうてあて【児童手当】 児童を養育している人に一定条件のもとに国が支給する手当。 ●じどうふくしし【児童福祉司】〔児童相談所で〕児童の福祉の相談を受けたり、児童・保護者などを援助・指導したりする職員。 ●じどうゆうえん【児童遊園】 子どもが安全に遊べるように、ブランコ・砂場・すべり台などの設備を整えた場所。 ●じどうようごしせつ【児童養護施設】 保護者のいない児童や、虐待を受けている児童などを入所させて、せわをする施設。〔もと、養護施設〕

じとき【字解き】《名・他サ》〔かなやアルファベットが〕まぎれなく わかるように、簡単な説明をつけること。「『川』は『さんぼんがわ』、『セ』は『セカイのセ』、『D』は『デルタのD』と—する」

しどく【試読】《名・他サ》〔文〕ためしに読むこと。ためし読み。「〔新聞の〕—紙」

じとく【自得】《名・自他サ》〔文〕①自分でさとること。②自分で満足すること。「—の色」

しどけな・い《形》〔服装が〕だらしなく みだれて、色っぽい。「—下着姿」 派—さ。

しと・げる【し遂げる】《他下一》やりとげる。

しどころ【し(所)】 ①するべき場面。「ここが がまんの—だ」②《芝居》演技を見せる場面。「—の多い役」

しとしと《副》①雨などが しずかに降るようす。②

〔講談師などが〕しずかに語りすすめるようす。

**じとじと**《副・自サ》軽くねばりつくように、不快なしめりけをおびているようす。「長雨でたたみが―する」

**じとっと**《副》①〔水などが〕ゆっくりにじんでくるようす。じっとり。②〔性質が〕粘液質で陰気なようす。

**しとどに**《副》〔雅〕ひどく〈ぬれる/ぬらす〉ようす。「―ぬれた着物・―降る雨」

**しとね**［(×茵)・(×褥)］〔雅〕すわったり、ねたりするときに敷くもの。敷物。ふとん。

**しと・める**［仕留める］《他下一》①〔けものを〕銃などを使って殺す。「一発で―」②〔俗〕やっつける。かたづける。「ピッチャーゴロに―」③〔俗〕手に入れる。「特賞を―」☞仕。

**しとやか**［(△淑やか)］《ナダ》上品でおちついているようす。「―な性格・お―」〔従来、女性に求められてきた性質〕派-さ。

**シトラス**〔citrus〕かんきつ類。

**しとら・せる**《他下一》〔料〕しっとりさせる。「粉ゼラチンを水で―・牛乳でしとらせたパン粉」

**じどり**［地取り］①地面の区画。②〔碁〕広く地を取ること。③〔警察〕実地捜査。

**じどり**［地△鶏・地鳥］①古くからその土地で飼われているニワトリ。②農家の庭先などで育てたニワトリ。▽じとり。「―のロースト」

**じどり**［自撮り］《名・自他サ》カメラを自分自身に向けて写真や動画をとること。また、その写真や動画。自分撮り。セルフィー(selfie)。「―棒」〔二〇一〇年代に広まったことば〕

**しどろもどろ**《ナダ》〔話のつじつまなどが〕みだれて とりとめのないようす。

**シトロン**〔citron〕①ブシュカンの一種。まるぶしゅかん(丸仏手柑)。②〔古風〕レモンの味をつけた清涼飲料。

**しな**［支那・シナ］〔秦の変化という〕「中国」の、かつて使われていた呼び名。

←**しな**［品］㊀しな ①品物。商品や、価値のある物。「注文の―・けっこうな お―・祝いの―・母の形見の―」②身近に置いて使う物。「身の回りの―」③品質。「―がいい・―がちがう」④人間の品格。「だいぶ―が落ちる」⑤ものごとの種類。「手を替え―を替え(=いろいろなやり方で)」㊁接尾 品物・料理などを数えることば。「二―、三―」

→**しな**［(△科)］〈なまめかしい/気取った〉姿勢や動作。「―よく(=気取って)おどれ」●**しなを作る** 句 なまめかしいようすをする。「口もとに手を当てて―」

**しな** 接尾 ①ある動作をする そのとき。「出て来―」②とちゅう。「帰り―に」③直前。「寝―」

**しない**［市内］市の区域の中。(↔市外)

**しない**［竹刀］剣道に使う、割り竹で作ったかたな。由来「撓い竹(=よく しなって、竹刀をつくるのにいい竹)」から。

**じない**［地内］その区域内。ちない。「寺の―」

**じない**［寺内］お寺の境内。

**しな・う**［(×撓う)］《自五》〔棒・板などが〕弾力があり、加わった力に応じて、ゆるやかに曲がる。たわむ。しなる。「強風に枝が―」名しない。

**しなうす**［品薄］《名・ナダ》品物が たりないこと。

**じなおし**［地直し］《名・他サ》〔服〕⇩じのし(地伸し)。

**しなお・す**［し直す］《他五》〔うまく いかなかった点を改めて〕もう一度する。やり直す。名し直し。「―がきかない」

**しながき**［品書き］品物の名を書きならべたもの。「お―(=飲食店のメニュー)」

**しなかず**［品数］品物の〈数/種類〉。「―をそろえる」

**しながれ**［品枯れ］品物がほとんど出回らないこと。

**じなき**［地鳴き］小鳥が季節を問わず発する、短い鳴き方。居場所を知らせたり、警戒・喜び・さそいかけなどをあらわしたりする。(↔さえずり)

**しなぎれ**［品切れ］品物が売り切れること。商品がなくなること。

**シナゴーグ**〔synagogue=古代ギリシャ語で、集会〕ユダヤ教の会堂。礼拝もここで おこなう。

**しなさだめ**［品定め］《名・他サ》品物・人物などのよしあしを比べて、どれがいいか決めること。品評。「みやげ物の―・政治家の―」

**シナジー**〔synergy〕相乗効果。

**しなしな**《副・自サ》①やわらかくて弾力があるようす。「―した枝」②動作などが、やわらかで上品なようす。〔多く女性について言う〕「―と歩く」③はりがなく、しぼんでいるようす。「玉ねぎを―になるまで いた(炒)める」

**しな・す**［死なす］《他五》⇩死なせる。「チャンスを生かすも―も自分しだい」

**しな・せる**［死なせる］《他下一》〔相手を〕死ぬようにする。死なす。「愛児を―(=失う)」

**しなぞろえ**［品(×揃え)］《名・他サ》いろいろな商品を用意すること。また、その商品。「―が増える・―が多い店・豊富に―する」

**しなだれかか・る**［(×撓垂れ掛かる)］《自五》①からだの重みを相手に あずけるように寄りそう。「酔って―」②〔①の由来〕〔枝などが〕そちらに向かって、しなって垂れる。「フジの花が―」

**しなちく**［シナチク・支那竹］〔古風〕⇩メンマ。

**しなの**［(△信△濃)］旧国名の一つ。今の長野県。信州。

**しな・びる**［(△萎びる)］《自上一》〔野菜・肌などに〕みずみずしさが なくなって、しわが寄る。

**しなぶそく**［品不足］商品が たりなくなること。品薄。

**シナプス**〔synapse〕《生》ニューロンとニューロンとの接合部。

**しなぶれ**［品触れ］《名・自サ》なくなったり ぬすまれたりした物をさがすために、警察が物の名前や特徴などを知らせる〈こと/ビラ・写真など〉。

**しなもの**［品物］①商品。「―の そろった店」②価値のある物。「お祝いに贈る―」③品質。「―が ちがう(=上等だ)」

**シナモン**〔cinnamon〕ニッケイ〔特に、その一種セイロンニッケイ〕の皮から採る香辛料。かおりが高く、あまみと、ぴりっとした からみがあり、菓子などに使う。「―ケーキ・―ロール」

**しなやか**《ナダ》①〔棒・板などが〕弾力があり、加わった力に応じて、ゆるやかに曲がるようす。「—な枝・—な指」②やわらかいが、弾力もあるようす。「—な髪」③動きがやわらかく なめらかなようす。柔軟。「—な身のこなし」 由来「しな」は「しなう」の「しな」と同源。「やか」は接尾語。派—さ。

**じならし**［地〈△均〉し］《名・自サ》①地面をならす〈こと／道具〉。②あるものごとの準備のための、工作。

**じなり**［地鳴り］《名・自サ》地震などのとき、地面の下に聞こえる ごうっという音。また、そういう音がすること。

**シナリオ**〔scenario〕①《映画・放送》脚本。台本。②前もって〈しくんだ／予想した〉筋書き。「—どおりにはこぶ・最悪の—」 ●**シナリオライター**〔scenario writer〕〔映画などの〕脚本を書く人。脚本家。

**しな・る**［〈×撓る〉］《自五》しなう。名しなり。

**しなん**［指南］《名・他サ》〔武芸などを〕教えみちびく〈こと／人〉。「剣術—」 ●**しなんばん**［指南番］昔、諸侯の武士を指南した役。

**じなん**［至難］《名・ナダ》非常に むずかしいこと。「—のわざ」派—さ。

**じなん**［次男・△二男］男の子のうち、二番目に生まれた子。二男。「—坊」

☆☆**シニア**〔senior〕①年長者。特に、高齢者。「—の部・—層・—グラス（＝老眼鏡）」②上級（生）。「—アナリスト」▽（↔ジュニア）

**ジニア**〔zinnia＝人名 Zinn から〕百日草。

**しにいそ・ぐ**［死に急ぐ］《自五》命を大切にせず、早く死ぬような生き方をする。

**しにおく・れる**［死に後れる］《自下一》〈その人といっしょに／そのとき〉死なないで、あとに残る。生き残る。

**しにがお**［死に顔］死んだ〈人／とき〉の顔。

**しにがくもん**［死に学問］実際の役に立たない価値のない学問。

**しにがね**［死に金］①ただ、ためておくだけの お金。②使っても、役に立ってくれない お金。むだがね。

**しにがみ**［死に神］人を死に みちびくという神。

**シニカル**《ナダ》〔cynical〕皮肉をこめたようす。冷笑的。シニック。派—さ。

**しにかわ・る**［死に変わる］《自五》①死んで姿がほかのものに変わる。②いちど死んで、ほかのものに生まれ変わる。

**しにぎわ**［死に際］死ぬ まぎわ。臨終。

**しにく**［死肉・×屍肉］死体の肉。死んだ動物の肉。

「戦場で—をあさるハゲタカ」

**しにく**［歯肉］《生》歯ぐき（の肉）。〔医師は「はにく」とも言う〕 ●**しにくえん**［歯肉炎］《医》歯垢や歯石が原因で起こる、歯ぐきの炎症。悪化すると、歯周炎になる。☞歯周病。

**ジニけいすう**［ジニ係数］〔Gini＝人名〕《経》ある社会での所得分配の不平等さをあらわす数値。0から1までの値で示され、不平等であるほど1に近づく。

**しにげしょう**［死に化粧］〔棺に入れる前に〕死に顔にけしょうをしてきれいに見せること。

**しにざま**［死に様］〈死ぬときの／死んだ〉ありさま。「無残な—」

**シニシズム**〔cynicism〕ものごとをひねくれて見る態度。冷笑主義。シニスム（フ cynisme）。

**しにしょうぞく**［死に装束］①死んだ人に着せる着物や わらじ。②切腹のときなどに着る白い正装。

☆☆**しにせ**［老舗］何代も商売を続けている、古い店。「業界の—」

**しにぞこない**［死に損ない］〔俗〕〔ののしって／卑下して〕①死にそこなった人。②老人。▽くたばり損ない。しにそこない。

**しにそこな・う**［死に損なう］《自五》①死のうとして しくじる。②死ぬはずだったが生き残る。

☆☆**しにたい**［死に体］①《すもう》もつれて両方が同時にたおれるとき、足のつま先が うらがえって上を向いた状態。負けと判定される。（↔生き体）②組織などの活動力や影響力が失われた状態。レームダック。「—の政権」

**しにた・える**［死に絶える］《自下一》みんな〈死ぬ／死んで、あとに続くものがなくなる〉。「一族が—・村が—・文学が—・すべて死に絶えたような静けさ」

**シニック**《ナダ》〔cynic＝皮肉屋〕⇩シニカル。

**しにどき**［死に時］死ぬ（べき）とき。

**しにどころ**［死に所］死ぬ（べき）ところ。死にどこ。

**しにはじ**［死に恥］①死にぎわの はじ。②死んだあとの はじ。（↔生き恥）

**しにばしょ**［死に場所］死ぬ（べき）場所。死に場。

**しにばな**［死に花］ ●**死に花を咲かせる**句 あとに名誉が残るような、りっぱな死に方をする。

**しにみ**［死に身］①死ぬべき身。②必死になること。

**しにみず**［死に水］末期の水。 ●**死に水を取る**句 死ぬときまで、そばにいて せわをする。

**しにめ**［死に目］死ぬ場面。「親の—に会えない」

**しにものぐるい**［死に物狂い］必死になって〈奮闘する／あばれる〉こと。

**しにゅう**［市乳］〔原料用でなく〕市販している牛乳・乳飲料など。

**しにょう**［〈×屎〉尿］〔文〕大便や小便。はいせつ物。「—処理・—浄化槽」

**しによく**［死に欲］死期が近づくにつれて ますます欲が深くなること。また、その欲。

**シニヨン**〔フ chignon＝束髪〕①髪をたばねて わきや うしろで丸く まとめた髪型。おだんご。②「シニヨン①」にピンでとめる小さな帽子や かざり。▽シニョン。

［シニヨン②］

**しにわか・れる**［死に別れる］《自下一》相手が死んだために、別れる結果になる。死別する。「親に—」（↔生き別れる）名死に別れ。

**しにん**［死人］死んだ人。死者。 ●**死人に口なし**句 死んだ人からは何も聞き出せない。

**しにん**［視認］《名・他サ》〔文〕目で見て確認すること。「航空機が—進入する・—性が高い（＝ぱっと見て わかりやすい）」

**じにん**［自任］《名・自他サ》〈それが自分のつとめである／自分は それにふさわしい〉と考えること。「第一人者をもって—する」

**じにん**［自認］《名・他サ》自分自身で認めること。「自らの過失を—する」☞性自認。

**じにん**［辞任］《名・他サ》〈任務／職務〉をやめること。「会長を―する」

****し・ぬ**［死ぬ］㊀《自五》①息が絶え、心臓が止まり、脳がはたらきをやめて、命がなくなる。「病気で―・死んだふりをする」区別「**死ぬ**」は人以外もふくめて使うが、露骨で冷たい感じもある。「**死亡**」は人の死を示す客観的な語で、報道などで使う〔ペットなどの死にも使う〕。「**死去**」は「死亡」よりやや丁重。「**亡くなる**」「**永眠**」「**逝去**」「**他界**」は婉曲な言い方。「お亡くなりになる」「亡くなられる」「ご逝去（になる）」「〈永眠／逝去／他界〉される」の形で尊敬語として使うことが多い。「父は亡くなりました」のように、「亡くなる」「永眠」「他界」は身内にも使う。「**物故**」は以前に死んだ人に使う。「**往生**」「**成仏**」は仏教的、「**召天**」はキリスト教的な意味合いがある。②自分で自分の命を終わらせる。自殺する。「毒を飲んで―・はずかしくて死にたい（＝非常につらい）」③生き生きしたところがなくなる。「その一句で文章が―」④むだになる。「そんな使い方では お金が―」⑤はたらきを失う。「《碁》石が―・神経が―・民主主義が―」⑥《野球》アウトになる。⑦〔**死んでいる**〕ⓐ電流が切れている。ⓑくぎがゆるんで、はたらかなくなっている。▽（↔生きる）⑧〔文〕〔風が〕やむ。⑨過去のものになる。「文学は死んだか」⑩〔俗〕つかれはてる。「きょうはもう死んだ、続きはあすだ」⑪〔俗〕非常に苦しい状態になる。「仕事を引き受けすぎて死んだ・日焼け止めをぬらず海へ行って死んだ」⑫〔俗〕失敗に終わる。「期末テストは―」㊁《他五》〔**死を死ぬ**〕〔雅〕死をむかえる。「自分らしい死を―」〔翻訳調の言い方〕名死に。可能死ねる。☞死ぬほど。●**死んで花実が咲くものか**句 死んではなんにもならない。死んで花実がなるものか。●**死んでも死にきれない**句 心配やくやしさで、安心して死ねない。死んでも死なれぬ。死ぬに死なれぬ。死ぬに死ねない。「このままでは―」

**じぬし**［地主］土地の持ち主。「山林―・大―」

**じぬし**［×痔主］〔「地主」のもじり〕〔俗〕痔をわずらっている人。「大―」

**しぬほど**［死ぬほど］《副》①苦しいほど。たえられないほど。「―好き・―退屈だ」②非常に。いくらでも。「絵がうまいやつなんて―いる」

**シネ**［フ ciné］映画。シネマ。「―クラブ」

**シネコン** ↑シネマ コンプレックス。

**じねつ**［地熱］《地》⇩ちねつ。

**シネマ**［フ cinéma］映画。キネマ。●**シネマ コンプレックス**［cinema complex］建物の中に小さな映画館をいくつもつくり、切符売り場などを一か所にまとめたもの。複合（型）映画館。シネコン。●**シネマスコープ**［CinemaScope＝商標名］画面が横に長く、音響を立体的にした映画。シネスコ。

**シネラリア**［cineraria］⇩サイネリア。

**しねん**［思念］《名・自他サ》〔文〕心に思うこと。心にうかぶ（まとまった）考え。

**じねん**［自然］〔古風〕⇩しぜん（自然）。●**じねんじょ**［〈自然〉×薯］野生のヤマノイモ。つえのように長く、すりおろしたいもは、ねばって濃い。じねんじょう（自然生）。

**しの**［×篠］①幹が細く、やぶのようにたくさんむらがってはえる竹。あまり大きくならない。しのだけ。②《音》↑しのぶえ。●**篠突く**句 シノをたばにしてつきおろすように、雨がはげしく降るようす。しのを突く。「―雨」

**しのう**［志納］《名・他サ》〔文〕気持ちを示すお金を、寺にわたすこと。また、そのお金や金額。拝観料・寄付金など。「ご―受付・ご―でけっこうです・―金」

**しのぎ**［×鎬］刀の両面に走る、峰に沿って小高くなっている部分。●**しのぎを削る**句 はげしく争う。

**しのぎ**［シノギ］〔俗〕暴力団の資金かせぎ（の仕事）。「でかい―」

**しのきみ**［師の君］〔雅〕「師（＝先生）」の尊敬語。

**しの・ぐ**［×凌ぐ］《他五》①こえる。…にまさる。「主人公を―人気・壮者を―活躍」②防いで、もちこたえる。「雨露を―・軽い食事で空腹を―・《手紙》朝晩しのぎやすくなりました」名しのぎ。

**しのごの**［四の五の］《副》めんどうなことを、あれこれ言うようす。「―言うな・―言っていびり出す・―批評をする」

**じのし**［地〈伸し〕《名・他サ》《服》きれを裁つ前にアイロンなどをかけて、布目を詰めたり、ととのえたりすること。地直し。

**しの-しょうにん**［死の商人］兵器を大量に製造・販売して、あくどくもうける資本家。

**しのだ**［〈信田〕］あぶらあげを使う料理に言うことば。「―飯」由来大阪府信田の森の稲荷神社から。●**しのだずし**［〈信田：寿司〕］〔方〕いなりずし。●**しのだまき**［〈信田〉巻き］野菜やさかなを刻みあわせ、あぶらあげにつめて、かんぴょうで巻いた料理。「キャベツの―」

**しのだけ**［×篠竹］⇩しの①。

**シノニム**［synonym］同じ意味のことば。同意語。同義語。類義語。例、「本」と「書物」など。（↔アントニム）

**しののめ**［〈：東雲〕］〔雅〕あけがた。よあけ。

**しのはい**［死の灰］核爆発や原子力施設の事故などのときに出る、放射能をふくむはい。それを浴びれば死ぬかもしれない、放射能をふくむはい。

**しのば・せる**［忍ばせる］《他下一》①こっそり入れておく。「ポケットにナイフを―」②〔音や声を〕目立たないように出す。「足音を―」▽忍ばす。

**しのば・せる**［×偲ばせる］《他下一》思い出させる。しのばす。しのぼす。「若いころを―」

**しのび**［忍び］①しのぶこと。内密。☞お忍び。②↑しのびの術。③↑しのびの者。④↑しのびこみ窃盗。●**しのびあい**［忍び会い］恋人どうしがひそかにあうこと。「霧の夜の―」動忍び会う《自五》。●**しのびあし**［忍び足］〔人に知られないように〕音を立てないでそっと歩く足どり。●**しのびある・く**［忍び歩く］《自五》人に見つからないように、そっと歩く。名忍び歩き。●**しのびがえし**［忍び返し］どろぼうよけのため、塀などの上に、とがった竹やガラス片・くぎなどをならべて取りつけたもの。●**しのびこ・む**［忍び込む］《自五》人に見つからないようにして、こっそりはいりこむ。忍び入る。名忍び込み。●**しのび・ない**［忍びない］《形ズ》〔**…するに―**〕〔心が痛んで〕とても…することができない。「やせこけたすがたを見るに―」丁寧忍びません。●**しのびなき**［忍び泣き］《名・自サ》声を立てずに泣くこと。動忍び泣く《自五》。●**しのびね**［忍び音］〔雅〕①そっと出す声。

②旧暦四月に聞くホトトギスの鳴き声。「—をもらす」 由来 ②は、ホトトギスの本格的な季節の前なのでひそかに鳴くと思われていたことから。●**しのびのもの**［忍びの者］忍者。●**しのびやか**［忍びやか］《ナダ》〔文〕〈ひっそり／こっそり〉何かをするようす。「—に歩く」●**しのびよる**［忍び寄る］《自五》そっと近づく。「—秋の気配」●**しのびわらい**［忍び笑い］声をひそめて笑うこと。動 忍び笑う《自五》。

**しのびぐさ**［(×偲び△種)］〔文〕(死んだ人などを)思い出すよすが。「形見の帯を母の—とする」

←**しのぶ** 一 **しのぶ**［忍ぶ］《自他五》①人の目にふれないように行動する。「—恋路・縁の下に—(=かくれる)・世を—」②ひそかに通う。「夜ごとに忍んで来る」③がまんする。「はじを—」☞忍びない。 二 **しのぶ**［(忍)］↑しのぶぐさ。●**しのぶぐさ**［(忍草)］小形のシダ類。風鈴をつけて軒につるしたりして楽しむ。しのぶ。

→**しのぶ**［(×偲ぶ)］《他五》①〔昔のこと、遠くの人、亡くなった人などを〕なつかしく思い出す。「おもかげを—・先生を—会」②〔**しのばれる**〕おしはかられる。「お人がらがしのばれる」

**しのぶえ**［(×篠)笛］《音》「しの①」で作り、穴が七つある横笛。しの。

**シノプシス**〔synopsis〕映画などの、あらすじ。梗概。概要。

**しば**［死馬］〔文〕死んだ馬。●**死馬に むちうつ** 句 やめた人などを責める。

←**しば**［芝］〔庭・ゴルフ場などの〕地面に一面にはやす、葉の細く、細かい草。しばくさ。「人工—」

→**しば**［(×柴)］ 一 **しば**〔たきぎなどに使う〕雑木の小枝など。そだ。「—の戸(=そまつな家)」 二 **しば** ↑しばいぬ。

**じば**［地場］①地元。「—産業(=地元の資本による産業。略して『地場産』)」②《経》その土地の取引所に属する小さい証券会社や、常連の くろうとの客。

**じば**［磁場］①《理》磁力の作用する空間。磁界。じじょう。②人を引きつけたり、しばったりする力の およぶ範囲。「相手の—を脱する」

**ジハード**〔アラビア jihād=努力〕①《宗》〔イスラム教で〕信仰のための奮闘・努力。②聖戦。

**しはい**［紙背］〔文〕〔文章の書いてある〕紙の うら。「—文書(=うらを他の書類に使用した古文書)・眼光—に徹する(⇩「眼光」の 句)」

**しはい**［賜杯］①天皇などが、競技に勝った〈人／チーム〉にくださる優勝杯。②［賜×盃］天皇などが、記念としてくださる さかずき。

*__しはい__［支配］《名・他サ》①上に立って さしずや取りしまりをすること。「国を—する(=治める)・—的な権力をふるう・—者」②思いのままにすること。「会議を—する・味方がボールを—する」③〔ふんいきなどが〕広くおおうこと。「沈黙がその場を—する・不可能という見方が—的(=大多数)だ」●**しはいか**［支配下］支配されていること。「大国の—にある」●**しはいにん**［支配人］主人に代わって、営業についての さしずや取りしまりをする役目の人。「ホテルの総—」

**しばい**［芝居］①演劇。特に、歌舞伎・新派をさして呼ぶことば。「—小屋・お—」②〔俳優の〕演技。「達者な—」③人をだまそうとしてする作り事。「あの涙も(お)—だったのか」☞一芝居。●**芝居を打つ** 句 ①〔舞台で〕芝居をする。②芝居の興行をする。③人をだまそうとして、うその行動をする。「大—」●**しばいがかる**［芝居がかる］《自五》ことばや動作が、芝居でもしているように、大げさで かざった調子になる。●**しばいぎ**［芝居気］①人まえで自分をかざって見せようとする性質。「—たっぷり」②人が あっと おどろくような、芝居のような筋をたてたがる気持ち。▽しばいっけ。

**しばい**［試買］《名・他サ》〔文〕〔味や中身をたしかめるために〕ためしに買うこと。「—調査」

**じばいせき**［自賠責］〔↑自動車損害賠償責任保険〕《法》自動車事故による損害を賠償するために強制的に はいらされる損害保険。

**しばいぬ**［(×柴犬)・(芝犬)］小形の日本犬。耳は立ち、からだは短い毛で もこもこしている。尾は左右どちらかに巻く。天然記念物。しばけん。しば。

**じばいほう**［自賠法］《法》↑自動車損害賠償保障法。

**じばえ**［地生え］その土地に生まれ育つこと。じおい。「—の人・—のフナ」

**しばえび**［(芝:海老)］クルマエビに似て、もっと小形のエビ。からだは うす青色。食用。「—のかき揚げ」

←**しばかり**［芝刈り］《名・自サ》芝生などの芝を刈って、長さをそろえること。「—機」

→**しばかり**［(×柴)刈り］《名・自サ》たきぎに使う小枝を切り取る〈こと／人〉。「おじいさんは山へ—に」

**しばく**《他五》〔関西などの俗な方言〕①たたく。痛めつける。「むちで—」②食べる。飲む。する。「茶あ、—(=お茶する)」

**じはく**［自白］《名・他サ》①自分のしたことについて〈白状／告白〉すること。②《法》自分のしたことの刑事上の責任を認めること。「—の任意性」

**じばく**［自爆］《名・自サ》①飛行機・自動車などを敵に突入させたりして、自分もろとも爆破すること。「—テロ」②〔俗〕自分から勢いよくぶつかって〈こわれる／死ぬ〉こと。「ガードレールに激突して—した」③〔俗〕自分から進んで〈おろか／むちゃ〉なことをして失敗すること。「—発言・—営業」

**しばくさ**［芝草］⇩しば(芝)。

**しばぐり**［(×柴×栗)］クリの一種。実は小さい。

**じばくれい**［地縛霊］強い思いや うらみが残って成仏できず、死んだ場所にとどまっているとされる霊。

**しばざくら**［(芝桜)］四、五月ごろに花を開く草花。広い花畑では、うす桃色や白の じゅうたんのように見える。はなつめくさ。モスフロックス(moss phlox)。

**じばさん**［地場産］①↑地場産業。「—センター」②地場でとれたもの。地元産。「—の食材」

**しばし**［(△暫し)］《副》〔文〕しばらく。ちょっとの間。「—声もなかった」

*__しばしば__《副》〔文〕たびたび。何度も。表記 かたく「×屢々」とも。「×屢」「×屢ゝ」とも書いた。

**しばしば**《副・自サ》しきりに まばたきが起こるようす。しぱしぱ。「けむりで目が—する」

**しはす**［師走］〔文〕「しわす」の変化。

←**しバス**［市バス］市営のバス。

→しバス［私バス］私営のバス。民営バス。

じはだ［地肌］①けしょうなどをしていない もともとの はだ。②大地の表面。③生地のままの表面。

しばたたか・せる［瞬かせる］《他下一》⇩しばたたく。

しばたた・く［瞬く］《他五》しきりに まばたきをする。しばだたく。しばたく。しばたかせる。「目を―」由来「何度も・しばしば」の意味の「しば」に「叩く」が ついたもの。「しばたく」は音が一つ落ちた形。

しはつ［始発］①そこを起点として出発する〈こと／列車など〉。「―駅・上野駅―」（↔終着）②その日最初に出発する〈こと／電車など〉。初発。「―電車（＝初電）」（↔終発・最終・終電・終車）

じはつ［次発］［駅の表示で］「先発」の次に発車する列車。〔その次は「次々発」〕

じはつ［自発］《名・自サ》①自分から進んで すること。「―的に申し出る」②自然に発生すること。「心の中に―する声・―痛（＝何もしないのに感じる痛み）」③〔言〕自然にそうなる気持ちをあらわすときの言い方。助動詞「れる・られる」をそえて あらわす。例、昔が しのばれる。

じばつ［自跋］〔文〕〔書物の〕著者が書いた あとがき。（↔自序）

しばづけ［柴漬け］京都名産の、赤むらさき色の つけもの。ナス・キュウリ・ミョウガなどを赤ジソとともに塩づけにする。

じばつてき［自罰的］《ナダ》①〔文〕自分を罰しようとして、からだを傷つけたりするようす。「―行為」②〔心〕自分が悪いと考えがちなようす。自責的。「―傾向」▽（↔他罰的）

しばふ［芝生］芝の はえた土地。芝原。ローン。

しばぶえ［柴笛］ヤツデ・ナンテンなどの若葉をくちびるに当て、節をつけてふき鳴らす〈こと／音〉。

しばめ［芝目］芝の はえている方向。「グリーンの―を読む」

→じばら［地腹］（妊娠していない）ふつうの状態のときの腹。「―が大きい」

→じばら［自腹］〔俗〕①自分の腹。②自分の所持金。また、自分の お金を出すこと。「費用は―だ」●自腹を切る 句 費用を自分で出し、個人として負担する。

*しはらい［支払い］《名・他サ》〔お金を〕はらうこと。「―能力」表記 経済関係の熟語では「支払」と書く。「支払額」。官庁では、もと「仕払」とも書いた。

*しはら・う［支払う］《他五》〔お金を〕はらう。〔「はらう」よりも ていねいな言い方〕表記 官庁では、もと「仕払う」とも書いた。

**しばらく《副・自サ》①少しの間。「―（の間）お待ちください・―すると（＝少したつと）・―してもどってきた」②少し長い間。「―ぶり・やあ、―（でした）（＝あいさつのことば）」③〔文〕いちじ。かりに。「その問題は―置いて」表記 かたく「暫く」とも。

しばら・れる［縛られる］《自下一》そのせいで、自由に考えたり行動したりできなくなる。とらわれる。「ルールに―・常識に―」

しばり［縛り］①しばること。②制約。従うべき約束ごと。「社名を出さないという―がある・―をかける・アニソン―（＝カラオケで、アニメソングだけを歌うことにすること）」●しばりあ・げる［縛り上げる］《他下一》ぐるぐると厳重にしばる。●しばりくび［縛り首］首をなわでしめつけて死なせる刑罰。絞首刑。●しばりつ・ける［縛り付ける］《他下一》何かをなわ・ひもなどで巻いて結びつけ、はなれないようにする。「木に―」名 縛りつけ。

しば・る［縛る］《他五》①中のものが動かないように、なわ・ひもなどで巻く。「新聞の たばを―・ふくろの口を―」②結びつけて はなれないようにする。「たづなを木に―」③つかまえてくくる。「どろぼうを―」④〔行動の自由を〕制約する。「規則で―」☞縛られる。

じばれ［地腫れ］《名・自サ》皮膚が、一面にはれること。

しば・れる［凍れる］《自下一》①〔東北・北海道方言〕凍りつくような寒さである。「今夜は―なあ」②〔北海道方言〕はげしい寒さで、凍る。いてる。「土が―」名 しばれ。

→しはん［死斑］〔医〕死体にあらわれる、むらさき色がかった まだらな点。

→しはん［紫斑］〔医〕内出血のため皮膚にあらわれた、むらさき色の まだらな点。●しはんびょう［紫斑病］〔医〕血液や血管の障害がもとで、皮膚・粘膜に紫斑のあらわれる病気。

しはん［師範］（＝てほん。模範）①学問・技芸を教える人。②↑師範学校。●しはんがっこう［師範学校］〔明治初期から戦後まで〕教員を養成した学校。師範。●しはんだい［師範代］「師範①」に代わって教授する人。

しはん［市販］《名・他サ》商品として一般に売ること。「―品」

しはん［四半］造 四分の一の。「―音・―周・―世紀」●しはんき［四半期］〔会社などで〕一年度を四つに分けた期間の一つ。「第三―・―決算」☞月期。●しはんとき［四半時］〔昔の時間で〕一時の四分の一。約三十分。小半時。●しはんぶん［四半分］四分の一。

じはん［自販］↑自動車販売。●じはんき［自販機］（↑自動販売機）硬貨を入れると飲み物・タバコなどが出てくる装置。

じはん［事犯］〔法〕刑罰をあたえるべき〈行為／ことがら〉。「暴力―」

じばん［地盤］①建築・工事をするさいの土台となる土地・地面。「―がやわらかい・―をかためる」②何かをおこなう根拠地。勢力範囲。☞三バン。●じばんちんか［地盤沈下］《名・自サ》①地下水のくみ上げなどが原因で「地盤①」が下がること。②勢力が弱まること。

ジパング〔Zipangu〕マルコ ポーロの「東方見聞録」で、日本をさした地名。中国東方の黄金の島と伝えられた。〔「ジャパン」の もとになったことば〕

しひ［市費］市の〈経費／費用〉。

しひ［私費］個人の費用。「―留学」（↔公費）

しひ［紙碑］〔文〕死んだ人の業績を本などに紹介することによってたたえること。

しひ［詩碑］〔文〕詩をほりこんだ石碑。

しび［詩美］〔文〕詩の持つ美しさ。

**しび**［×鴟尾］宮殿・仏殿などの棟木の両はしに取り付けられたかざり。鳥や魚が尾を上げた形に かたどる。とび(鴟)の尾。

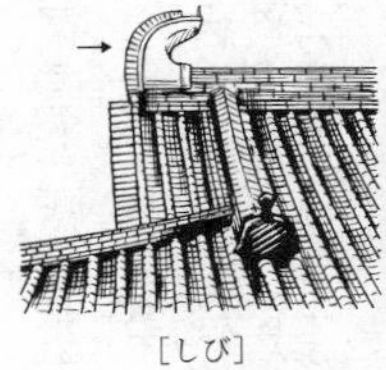

［しび］

**しび**［×鮪］〔方〕（キハダ）マグロ。

**じひ**［自費］自分で支出する費用。私費。「―で賄う・―出版」

**じひ**［慈悲］①〘仏〙〔人々への〕いつくしみと あわれみ。「仏様の(お)―」②困っている人に やさしくする気持ち。なさけ。「―深い人」⇨お慈悲。

**じび**［耳鼻］〘医〙みみと はな。「―科」

☆☆**シビア**〔ナ〕〔severe〕きびしいようす。容赦しない。「―な見方・―アクシデント」派―さ。

**じビール**［地ビール］その土地でできるビール。

**じびいんこうか**［耳鼻咽喉科］耳・鼻・のどなどの病気に関する、医学・診療の一部門。耳鼻科。「―医」〔耳鼻咽喉科医院などの名前にも使う〕

**ジビエ**〔フ gibier〕狩りの対象となる、食用のけものや鳥(の肉)。シカ・イノシシ・ウサギ・キジなど。「―料理」

↑**じびき**［字引］字(やことば)を調べるための書物。字書。辞書。

↑**じびき**［辞引］ことばを調べるための書物。辞書。

**じびきあみ**［地引き網・地×曳き網］沖のほうに網をはり、これを陸地に引き寄せて さかなをとること。また、その網。じびき。

**じひしんちょう**［慈悲心鳥］深山にすむ中形の鳥。夜、するどい声で「じゅういち」と鳴く。十一。

**しひつ**［試筆・始筆］〘名・自サ〙〔文〕かきぞめ。「元旦―」

**じひつ**［自筆］〘名・他サ〙自分で〈かくこと／かいたもの〉。「氏名を―する」(↔代筆)

**しびと**［死人］〔文〕死んだ人。死者。しにん。

**じひびき**［地響き］〘名・自サ〙地盤が振動してひびくこと。地鳴り。「―を立ててたおれる」

**じひぶかい**［慈悲深い］〘形〙あわれみの気持ちが深い。派―さ。

**しひゃくしびょう**［四百四病］〘仏〙人間のいっさいの病気。「―の外(=恋わずらい)」

**しひょう**［死票］投票先の人が落選し、生かされなかった票。小選挙区制で多く出やすい。死に票。「―が大量に出た」

☆☆**しひょう**［指標］〔文〕めじるし。「経済―」

**しひょう**［師表］〔文〕〔世の中の人の〕模範。「世の―となる」

**しびょう**［死病］死ぬほかはない病気。「―にとりつかれる」

**じひょう**［次表］〔文〕次にある表。

**じひょう**［時評］時事(問題)についての批評。

☆☆**じひょう**［辞表］辞職を申し出る文書。「―を提出する」

**じびょう**［持病］①いつも なやまされる病気。②なかなか直らない悪いくせ。

**しびょうし**［四拍子］〘音〙⇨よんびょうし。

**シビリアン**〔civilian〕文民。「―コントロール(⇨文民統制)」

**しびれ**［×痺れ］しびれること。「―薬」●**しびれが切れる** 句 ①しびれが発生する。②待ち切れなくなる。他しびれを切らす。

**しびれる**［×痺れる］〘自下一〙①からだの感じがなくなったり、動かなくなったりする。「長くすわって足が―・指が―ほど冷たい水」②からだが動かなくなるほど強い刺激を感じる。「電気にふれて―・―ような情熱」③〔俗〕興奮してうっとりとなる。感動する。「音楽に―」〔一九五〇年代末からの用法〕④〔俗〕息づまる。「―試合」〔一九九〇年代に例があり、二十一世紀になって広まった用法〕他しびらせる〘下一〙・しびらす〘五〙〔古風〕。「感動が手足を―」〔使役形「しびれさせる」が一般的〕

**しひん**［詩品］〔文〕詩歌の作品。また、詩の品格。

**しびん**［×溲瓶］・〔:尿=瓶〕〔↑しゅびん(溲瓶)〕病人などが〈部屋／とこ〉の中で使う、小便をする びん。

**しふ**［師父］〔文〕①師匠と父。②父のように敬愛する師。

**しぶ**［支部］本部から分かれて、事務をあつかう所。(↔本部)

**しぶ**［市部］市に属する地域。(↔郡部・区部)

**しぶ**［渋］①熟さないカキを食べたときなどに、舌の表面がしびれて縮むような感じをおこさせるもの。②かきしぶ。「―色」

**じふ**［慈父］〔文〕愛情の深い父。(↔厳父・慈母)

**じふ**［自負］〘名・自他サ〙自分の能力に自信を持つこと。「才能を―する・―心」

**ジフ**〔GIF〕〔↑graphics interchange format〕〘情報〙色数の わりあい少ない画像や動画の記録に向いたデータ形式。ギフ。「―アニメ」

**しぶい**［渋い］〘形〙①「しぶ(渋)①」の味がする感じだ。(↔甘い) ②はでには目立たないが、味わいがあって好ましい。「―好み・〘野球〙―当たり」③進んでしたくはないような感じだ。「―返事」④ふきげん(そう)だ。「―顔」⑤〔古風〕けちだ。「さいふが―」⑥〔俗〕期待ほどでない。また、それでは困る。「―点数」〔二〇一〇年代後半に広まった用法〕派―さ。

**しぶいろ**［渋色］「かきしぶ」のような赤黒い色。

**しふう**［師風］〔文〕師匠の学問や芸術の傾向。「―を受け継ぐ」

**しふう**［詩風］〔文〕詩の作り方の特色。

**じふう**［地風］〔文〕織物などの生地が持っている手ざわりの感じ。「絹のような―」

**シブースト**〔フ chiboust(=もと、人名)〕パイ生地の上に、メレンゲのはいったカスタードクリームをたっぷりのせたケーキ。表面に砂糖をふりかけて、ぱりっとこがす。シブスト。

**しぶうちわ**［渋(:団扇)］かきしぶを塗った、茶色で大形のうちわ。

**シフォン**〔フ chiffon〕うすくやわらかい絹織物。●**シフォンケーキ**〔chiffon cake〕たまごの白身をよく泡立てて加えた、ふんわりして口どけのいいスポンジケーキ。「紅茶―」

**しぶおんぷ**［四分音符］〘音〙全音符の四分の一の長さをしめす音符。「♩」。しぶんおんぷ。

**しぶがき**［渋柿］食べると実がしぶいカキ。干し柿にするとあまくなる。かきしぶの原料とする。しぶかき・しぶっか

き〔古風〕。（↔甘柿(あまがき)）

**しぶがみ**［渋紙］紙をはりあわせて、かきしぶを塗(ぬ)ったもの。防水性が高く雨具などに使われた。

**しぶかわ**［渋皮］(ーかは)〔木の実などの〕かたい皮の内がわにある、うすくてしぶい味のする皮。「クリの―」（↔鬼皮(おにかわ)） ●**渋皮のむ(剝)けた** 句〔古風〕あかぬけした。「―お師匠(ししょう)さん」〔多く女性に使ったことば〕

**しぶき**［（：飛沫）］勢いよくとび散る、細かい水のつぶ。飛沫(ひまつ)。「波の―・川が―を上げる・血―」

**しふく**［仕服・仕覆］《茶道》なつめなどを包むふくろ。おもに、由緒(ゆいしょ)ある織物で作る。

**しふく**［至福］〔文〕この上もない幸福。

☆☆**しふく**［私服］①個人が私的に着る服。（↔官服・制服）②ふだん、外に着て行くような服。平服。「会場へは―でおこしください」③〔俗〕↑私服刑事(けいじ)。④〔防衛省の〕自衛官ではない職員。「―組」（↔制服）

**しふく**［私腹］（＝自分の腹）私利。●**私腹を肥やす** 句（地位を悪用して）自分の〈財産／利益〉をふやす。腹を肥やす。

**しふく**［紙幅］（＝紙のはば）文章を〈書く／印刷する〉紙面の分量。スペース。「―に制限がある」

**しふく**［雌伏］《名・自サ》〔文〕（実力を養いながら）活躍(かつやく)の機会を待って、じっとしていること。「―三年」（↔雄飛(ゆうひ)）

**しぶ・く**《自五》①雨が風にふかれて降りそそぐ。②水が細かにくだけてかかる。

**じぶくろ**［地袋］ゆか板の上に作った袋戸棚(ふくろとだな)。（↔天袋(てんぶくろ)）

**しぶごのみ**［渋好み］はでではないが味わいのあるおもむきを好むこと。「―の服装」

**ジプシー**（Gypsy）①⇩ロマ。②〔俗〕ひとところにおちついていない〈人／こと〉。

**しぶしぶ**［（：渋々）］《副》気が進まないようす。不承不承(ふしょうぶしょう)。「―承知する」

**しぶちゃ**［渋茶］味のしぶい茶。

**しぶちん**［渋ちん］《名・ナダ》〔俗な西日本方言〕けちんぼう。

**しぶつ**［死物］〔文〕①生命のないもの。②利用できるのに、利用されていないもの。

**しぶつ**［私物］個人の（持っている）もの。●**しぶつか**［私物化］《名・他サ》公的なものを不当に自分のもの〈にする／としてあつかう〉こと。

**じぶつ**［事物］〔文〕ものごと。

**じぶつどう**［持仏堂］守り本尊を安置する お堂。

**ジフテリア**（diphtheria）〔医〕子どもに多い感染症(かんせんしょう)。のどの粘膜(ねんまく)に白っぽい黄色の偽膜(ぎまく)ができる。ジフテリー（ド Diphtherie）。

☆☆**シフト**《名・自他サ》（shift）①位置の移動。「横に―する」②重点を移すこと。「政策を増税に―する」③《野球》守備の陣形(じんけい)を、臨時に変えること。変形守備。「バント―」④交代制で受け持つ、勤務の曜日や時間。「七時から―を入れる・―表」⑤切り替(か)え。「パラダイム―（＝基本的な考えの転換(てんかん)）・〔自動車〕―レバー（＝ギア）・〔キーボードの〕―キー」

**しぶと・い**《形》①強情(ごうじょう)だ。②ねばりづよい。派 -さ。

**じぶに**［（：治部）煮］〔じぶ＝煮たつときの音〕野鳥やニワトリの肉に小麦粉をまぶし、しょうゆ・砂糖などで味をととのえたしるに入れて煮た料理。〔金沢(かなざわ)の郷土料理〕

**じふぶき**［地吹雪］積もった雪を巻き上げて、水平に近くふくふぶき。

**しぶみ**［渋（：味）］①しぶい味（の感じ）。②くすんだおもむき。

**しぶり**［（：仕振り）］するようす。しかた。「仕事の―が悪い」☞仕。

**しぶりばら**［渋り腹］下痢(げり)の一種。ひどくくだりそうで、少しずつしかくだらない状態。

**しぶ・る**［渋る］【一】《他五》やりたくない様子を見せる。「受け入れを―・お金を出し―」【二】《自五》①要領よくいかなくなる。ぐずぐずする。「足が―・筆が―（＝なかなか書けない）」②しぶり腹の状態になる。③〔雨にぬれて〕競技場のトラックが走りにくい状態になる。

**しぶろく**［四分六］四分（＝四割）と六分（＝六割）の割合。「―で、こちらが有利だ」

**しふん**［私憤］〔文〕個人的ないかり。（↔公憤）

**しふん**［脂粉］〔文〕べにとおしろい。けしょう。●**脂粉の香(か)に迷う** 句 女にまよう。

**しぶん**［士分］〔文〕さむらいの身分。

**しぶん**［死文］〔文〕〔法令などの〕実際に〈合わない／適用できない〉文章。

**しぶん**［詩文］〔文〕詩と文章。文学全般(ぜんぱん)。「―の才がある」

**じふん**［時分］分単位で数えた時間。「停車―・通話―」☞じぶん（時分）。

**じふん**［自噴］《名・自サ》〔文〕〔温泉などが〕自分の力でふき出ること。「―泉」

＊＊**じぶん**［自分］【一】その人から見たときの、その人。私にとって、私。あなたにとって、あなた。「―のことは―でしなさい・去年とはちがう―がいることに気づく・―を見失う（＝どうすべきかわからなくなる）・費用は―持ち（＝個人負担）・〔相手に〕ご―ではどう思われますか（『ご自身』のほうがていねい）・―自身（☞自身【一】①）」【二】《代》①私。「―、不器用ですから」✓もと、昔の陸軍での言い方。のちに、男性の俗な言い方に残った。現在、若い男女で「ぼく」「わたし」よりも改まった言い方として使う人が目立つ。☞私(わたし)。②〔古風〕ひとりごとふうの文章で、書き手をさすことば。「―は宿を出た」③〔関西方言〕あんた。おまえ。「―、行く？」●**（自分で）自分の首を絞(し)める** 句 自分の言動が自分を苦しい立場に追いこむ。●**じぶんかって**［自分勝手］《名・ナダ》①自分の考えで自由に行動すること。②わがままにするようす。▽じぶんがって。●**じぶんごと**［自分事］①自分に関係する、さしせまったこと。わがこと。「―としてとらえる」（↔他人(たにん)ごと・人ごと）②わたくしごと。「しょせん―だ」●**じぶんさがし**［自分探し］もっと自分らしく生きる方法を探すこと。「―の旅に出る」〔一九九〇年代に広まったことば。積極的な意味でも、現実からにげる意味でも使う〕●**じぶんし**［自分史］自分がこれまで生きてきた様子を記録したもの。「―を書く」

**じぶん**［時分］①ある時刻・日を中心とした、短い範囲(はんい)の時間。「昼―」②ころ。「子どもの―から」☞じふん（時分）。●**じぶんどき**［時分時］食事の時刻。めしどき。「―になる」

**しぶんごれつ**［四分五裂］《名・自サ》〔文〕たくさんに分裂すること。「国内が―の状態となる」

**しぶんしょ**［私文書］《法》公文書以外の文書。「―偽造」（↕公文書）

**しべ**［(×稭)］↑わらしべ。

**しべ**［(×蕊)・(×蘂)・(×蕋)］《植》花の中心部に、糸のようにたくさんある細いもの。雄しべと、雌しべに分ける。

**しへい**［私兵］個人が、私的な目的のために養成した兵士。

**しへい**［紙幣］紙のお金。お札。（↕硬貨）

**じへい**［時弊］〔文〕その時代の弊害や悪習。「―をうれえる」

**じへい**［自閉］《名・自サ》①自分自身のからにとじこもって、他人や社会との交流をきらうこと。②ひとりでに閉まること。「―式のとびら」 ●**じへいしょう**［自閉症］《医》⇩自閉スペクトラム症。 ●**じへいスペクトラムしょう**［自閉スペクトラム症］《医》発達障害の一つ。人づきあいは苦手だが、好きなことには集中する。知的障害はない。自閉症スペクトラム（障害）。ASD〔←autistic spectrum disorder〕。〔程度にはばがあり、もとの「アスペルガー症候群」は軽度、「自閉症」は重度に相当〕

**しへき**［×嗜癖］〔文〕あるものごとを異常に好むくせ。

**じべた**［地べた］〔すわったり物を置いたりするとよごれる〕地面。

**しべつ**［死別］《名・自サ》死にわかれること。「夫〈と／に〉―する」（↕生別）

**シベリア**〔Siberia〕①ロシアのウラル山脈より東の、広大な寒い地域。「―寒気団」 表記「∴西比利亜」は、古い音訳字。②カステラにようかんをはさんだ菓子。▽シベリヤ〔古風〕。

**シベリアンハスキー**〔Siberian Husky〕シベリア原産の犬。耳は立ち、多くは背中が黒っぽく、腹が白い。からだはたくましく、そりを引くのが得意。

**しへん**［四辺］①〔文〕あたり。近所。②《数》四つの辺。「―形（＝四角形）」

**しへん**［紙片］〔文〕かみきれ。

**しへん**［詩編・詩×篇］〔文〕①詩の文章。②詩を集めた書物。詩集。③《宗》旧約聖書の一書。一五〇編の詩を収める。

**しべん**［支弁］《名・他サ》〔文〕費用をまかなうこと。

**しべん**［思弁］《名・他サ》《哲》純粋に思惟だけで構成する認識。「―的」（↕―）

**しべん**［至便］《ナダ》〔文〕非常に便利なようす。「交通―」

**じへん**［事変］①〔文〕いつもと変わったできごと。②警察力でしずめることのできない騒乱。③国と国との間に生じたあらそいを実力で解決するために起こる、宣戦布告のない戦闘行為。「上海―」

**じべん**［自弁］《名・他サ》自分で費用を出すこと。

**しぼ**［(×皺)］革・織物などの表面にあらわれた、しわのように縮れたもの。

**しぼ**［思慕］《名・他サ》〔文〕なつかしく思うこと。心の中で恋しく思うこと。「―の情にたえかねる」

**じぼ**［字母］①音声を書きあらわすのに使う、一つ一つのちがった文字。アルファベットの場合は二十六。②活字を作るもとになる型。母型。

**じぼ**［慈母］〔文〕愛情の深い母。「―の元で育つ」（↕厳父・慈父）

☆☆**しほう**［司法］《法》国家が法にもとづいて法律関係を処理し、また犯罪者を処罰するはたらき。「―府（＝裁判所）」（↕立法・行政） ●**しほうかいぼう**［司法解剖］《名・他サ》《法》法律にもとづいて、犯罪に関係がある（と疑われる）死体を解剖して、死因などを明らかにすること。 ●**しほうかん**［司法官］裁判官。 ●**しほうけん**［司法権］《法》司法をおこなう国家のはたらき。（↕立法権・行政権） ●**しほうしけん**［司法試験］裁判官・検察官・弁護士になるための学識・能力を判定する国家試験。 ●**しほうしょし**［司法書士］《法》裁判所や法務局の登記関係の書類を、本人に代わって作ることを仕事とする人。 ●**しほうとりひき**［司法取引］《法》①〔アメリカなどの刑事裁判で〕最後まで裁判で争わずに、検察側と弁護側が話し合って適当な処分を決めること。②日本における「協議・合意制度（＝他人の犯罪について証言し、自分の刑を軽くする制度）」の通称。

**しほう**［四方］①東西南北の、四つの方角。よも。②〔ある面積にわたって〕ぜんぶ。「一キロ―」③〔文〕諸国。天下。あらゆる方向。あちこち。 ●**しほうはっぽう**［四方八方］

**しほう**［市報］市役所などが、市民に知らせたいことをのせて家庭に配る印刷物。

**しほう**［至宝］〔文〕この上もない大切なたから。「わが社の―だ」

**しほう**［私法］《法》私人としての利益や生活関係について決めた法律。民法・商法など。（↕公法）

**しぼう**［子房］《植》花の、めしべの下部にあるふくらんだ部分。中に胚珠がある。受精すると発達して果実となる。

**しぼう**［脂肪］①《理》あぶら分の中で、ふつうの温度で固体のもの。「―分（＝脂質）」②ぜい肉。 ●**しぼうかん**［脂肪肝］《医》脂肪がたまって肝臓がはれる病気。 ●**しぼうさん**［脂肪酸］《理》脂肪を作る物質で、脂肪を加水分解すると得られる酸。 ●**しぼうぶとり**［脂肪太り］からだに脂肪がたまって、やわらかくふとっていること。（↕固太り）

**しぼう**［死亡］《名・自サ》〔人が〕死ぬこと。「―広告・―者・―通知」 区別 ⇩死ぬ ㊀①。 ●**しぼうりつ**［死亡率］①総人口に対する、一定期間に死亡した人の割合。②病気にかかった人に対する、その病気で死亡した人の割合。「がんの―」 ☞生存率。

**しぼう**［志望］《名・他サ》将来そうなりたい、そうしたいとのぞむこと。「第一―・タレント―の少女」

**じほう**［寺宝］〔文〕お寺のたからもの。

**じほう**［次×鋒］《剣道・柔道など》団体戦で二番目に出て戦う選手。☞先鋒②。

**じほう**［時報］①時刻を知らせること。「正午の―」②〔文〕定期的に発行する、そのときどきの報知。「海事―」

**じぼうじき**［自暴自棄］《名・ナダ》やけくそ（になるようす）。「―におちいる」

**しほうじん**［私法人］《法》私法上の法人。会社・財団法人・協同組合など。（↕公法人）

**しぼつ**［死没・死×歿］《名・自サ》〔文〕死ぬこと。死亡。

**しぼ・む**［（△萎む）・（×凋む）］《自五》しおれ縮む。しなびる。「朝顔の花が―」

←**しぼり**［絞り］①しぼること。②↑絞り染め。「―の羽織・総―」③花びらの色のまだらになっているもの。④《写真》レンズに取りつけて光のはいる量を調節する装置。●**しぼりあ・げる**［絞り上げる］《他下一》①完全にしぼる。②苦しい声をはりあげる。●**しぼりこ・む**［絞り込む］《他五》①たくさんの中から、〈一つ／いくつか〉に決める。「目標を―」②しぼって入れる。「レモンのしるを―」 名 絞り込み。●**しぼりぞめ**［絞り染め］布地をところどころ糸でしぼって白い模様を出す染め方。しぼり。くくりぞめ。●**しぼりだ・す**［絞り出す］《他五》①強くしめて中身を出す。「絵の具を―」②無理に出す。「声を―ように話す・知恵を―」

→**しぼり**［搾り］しぼること。「―かす（滓）・―出し・乳―」●**しぼりあ・げる**［搾り上げる］《他下一》むりにたくさん出させる。「税金を―」

←**しぼ・る**［絞る］《他五》①強くねじったりしごいたりして、水分などを出しつくす。「手ぬぐいを―・チューブを―」②出ないものを、努力して出す。「声を―・知恵の―」③たくさん〈出す／出させる〉。「あせを―・読者のなみだを―」④まわりをせまくする。「ズボンのすそを―・からだを―〔＝きたえて引きしめる〕」⑤範囲をせまくする。「的を―・問題を―・この点に絞って討議したい」⑥ラジオなどの音を小さくする。または、レンズからはいる光線の量を少なくする。⑦おして一方へ片寄せる。「幕を―」⑧しぼり染めにする。⑨⇩引き絞る①。 自 絞れる《下一》。 可能 絞れる。

→**しぼ・る**［搾る］《他五》①強くしめて、液体を得る。「油を―・牛乳を―」②むりに出させて取る。「税金を―」③強くしかったり取り調べたりして、ひどい目にあわせる。〔「油を―」とも〕 可能 搾れる。

**しほん**［紙本］〔文〕紙に文字や絵を筆でかいたもの。「―の墨絵」（↔絹本）

＊**しほん**［資本］①利益を上げるためにおこなう事業のもとになるお金。もとで。②「資本①」を持った組織。「海外―・大―」③活動のもととなるもの。「からだが―だ」●**しほんか**［資本家］①資本を提供する人。②多くの資本を持ち、それを事業に使って利益を生ませる人。ブルジョア。（↔労働者）●**しほんきん**［資本金］《経》〔株式会社で〕株主が出しあう、会社運営のもとになるお金。●☆☆**しほんしゅぎ**［資本主義］資本家が労働者を使用し、無限に利益を求める社会制度。（↔社会主義）

**しま**［死魔］〔文〕死という、まもの。死に神。

**しま**［志摩］旧国名の一つ。今の三重県の志摩半島。志州。

＊**しま**［島］①四方が水で囲まれた陸地。〔日本の本州・四国・九州・北海道は島であるが、ふつうこれらをあわせて本土と呼ぶ。本土以外の島が、島と呼ばれる〕②泉水の中の築山。③まわりとはまったく別の、せまい地域。「方言の―」④〔俗〕土地。「この―にいられない」⑤〔俗〕証券街。⑥〔俗〕やくざの勢力範囲。なわばり。⑦周囲と区別されたかたまり。部・課ごとの机などに言う。「〔職場で〕向こうの―・―什器」 表記 ④～⑦「シマ」とも。

**しま**［（×縞）］①染めた糸で、縦または横に織り出した筋（のある織物）。「―織物」②「しま①」のような模様。

**しまあじ**［（×縞×鰺）］アジの一種。夏が旬。さしみやすし種、塩焼きなどにする。

←**しまい**［仕舞］《能》はやし（囃子）・装束なしで演じる、略式の舞。

→**しまい**［（△終い）・（⁝仕舞い）］ 一 終わり。最後。「―には泣き出した・はじめから―まで読む・知られたら―だ」 ⇨おしまい。 二 造 〔じまい〕それを終わらせること。「店―・墓―・年賀状―」 ⇨ずじまい。●**しまいゆ**［（△終い）湯］みんながはいったあと、最後にはいるふろ。しまいぶろ。

＊**しまい**［姉妹］①（自分の）あねといもうと。（↔兄弟）②同じ〈系統／型〉のもの。「―会社・―船」③特別な関係を結んでいるもの。「―校」●**しまいとし**［姉妹都市］外国の都市と文化交流や親善のための協定を結び、民間外交につとめる都市。例、京都市とパリ。

**しまいわす・れる**［（△蔵い）忘れる］《他下一》①〔出した物を〕しまうことを忘れる。②物をどこかへかたづけたまま、その場所を忘れる。しまいなくす。

←＊＊**しま・う** 一［（△終う）・（⁝仕舞う）］《自他五》①終わる。終える。すます。②やめる。「店を―・仕事を―」 二《補動五》〔て―〕①終わりまでする。することが終わる。「宿題をやって―」②思いきって…する。「自宅を売って―・いやならやめてしまえ」③〔もとにもどらない、という意をふくんで〕そのつもりでないのに、あることが起こる。「グラスを落として―」 可能 しまえる。

→**しま・う**［（△蔵う）］《他五》かたづける。中へ、だいじに〈入れる／かたづける〉。「心の中にしまっておく」 可能 しまえる。

**じま・う**《助動五型》〔俗〕「ちまう」の変化。「もうすんじまったこと」

**しまうた**［島唄・シマ唄］奄美・沖縄などで歌われる民謡の総称。

**しまうちゅう**［島宇宙］《天》⇩銀河②。

**しまうま**［（×縞馬）］南アフリカにすむ、馬に似たけもの。白と黒のしまがある。ゼブラ。

**じまえ**［自前］①自分が持っているもの。「―の買い物ぶくろ・―のかみの毛」②〔お金を出したりして〕全部自分ですること。「―で技術者を育成する・―メイク」③芸者が独立して営業すること。また、そうしている芸者。「―になる」▽②③（↔丸抱え）

**しまおくそく**［×揣摩臆測・×揣摩憶測］《名・自他サ》〔揣摩＝おしはかること〕あれこれと根拠もなく推測すること。「―が飛びかう」

**しまか**［（×縞蚊）］⇩やぶか。

←**しまかげ**［島陰・島×蔭］①島にかくれて見えない所。②島の内側で、外から見えない所。「―の港」

→**しまかげ**［島影］島の姿。「緑の―」

**しまがら**［（×縞）柄］しまの模様。

**じまく**［字幕］説明の文句などを文字で映し出すもの。タイトル。テロップ。「―付きの動画・―が出る」

**しまぐに**［島国］四方が海に囲まれた国。●**しまぐにこんじょう**［島国根性］島国の人に特有の、自分の世界にだけとじこもって、心やものの見方のせまい性格。

**しましま**[(×縞々)] しましま模様。「―のシャツ」

**しまじま**[島々] 多くのさまざまな島。「南海の―」

**しまだ**[島田] ↑島田まげ。「髪を―にゆう」

●**しまだまげ**[島田(×髷)] おもに未婚の女性がゆった日本髪。島田。☞高島田。

[しまだまげ]

**しまだい**[島台] 蓬萊山の形をまねた、祝儀のかざり物。

[しまだい]

**しまつ**[始末] ㊀《名・他サ》①〔文〕始めと終わり。始めから終わりまで(の事情)。「脱走グマ―記」②〔結果として(悪い)〕ありさま。「この―です」③かたづけること。処理すること。「―をつける・火の―をする・布の端がほつれないように―する・裏切り者を―する〔=殺す〕」㊁《名・他サ・ナダ》〔古風〕倹約。「―して使う・―な人・―がいい・―屋〔=しまりや〕」●**始末が悪い**㊀ あつかうのに困る状態だ。手にあまる状態だ。●**始末に負えない**㊀ その人の力では処理ができない。●**しまつしょ**[始末書]〔事故・不始末をわびるため〕事情をくわしく書いた文書。

**しまった**《感》〔話〕しくじった。困ったことになった。「―、一足おそかった」(↕しめた)

**しまづたい**[島伝い] 島から島へとわたっていくこと。「―に舟を進める」

**じまど**[地窓] 〔部屋やろうかの〕外に面する下のほうにつけた、そうじ用の小さい窓。はき出し窓。

**しまながし**[島流し] ①遠島。流罪。②〔俗〕遠いへんぴな土地に転勤させられること。

**しまぬけ**[島抜け]《名・自サ》島流しになった罪人が、島をそっとぬけ出すこと。また、ぬけ出した罪人。島破り。

**しまびらき**[島開き]《名・自サ》①無人島を、キャンプ用に公開すること。「佐渡の―」②島をあげて祭りの行事をおこなうこと。

**しまへび**[(×縞蛇)] ヘビの一種。からだは黄色で、頭から尾の方向に黒いしま(縞)がある。無毒。

**じまま**[自(×儘)]《名・ナダ》〔古風〕自分勝手。気まま。

**しまむき**[(×縞△剝き)]《料》野菜の皮を細長く残しながらむき、しま模様にすること。「ナスを―にする」

**しまめ**[(×縞)目] しまの織物の、色や模様のぐあい。

**しまもり**[島守]〔文〕島の番人。

**しまやぶり**[島破り] ⇩島抜け。

**しまら・ない**[締まらない]《形ヌズ》①緊張感がない。しまりがない。「―顔」②ぶざまで、なさけない。だらしない。〔へまなことをしたときなどに言う〕「―話」[丁寧]締まりません。[派]-さ。

**しまり**[締まり] ①しまること。②ひきしまること。緊張。「―がない」③〔古風〕戸じまり。●**しまりや**[締まり屋] 倹約家。しまつや。

←**しま・る**[閉まる]《自五》①内と外が分かれるように、ぴったりとさえぎられる。「戸が―・ガスの栓が―」(↕開く・開く)②〔錠が〕かかる。(↕開く)③〔営業が〕終わる。〈休み/廃業〉になる。「日曜は問屋が閉まっている」(↕開く・開く)[名]閉まり。

↔**しま・る**[絞まる]《自五》〔巻きつけられたり、おさえつけられたりして〕首などにまわりから強く力を加えた状態になる。「首が―」

→**しま・る**[締まる]《自五》①ゆるんだところがなくなる。「ボルトがしっかりと―」②かたく結ばれて、とけない状態になる。「ひもが―」③肉がかたくつまる。「締まったからだ・身が締まったさかな」④〔気持ちが〕ひきしまる。「締まって行こう!」⑤むだづかいをしなくなる。「締まった人」⑥《経》相場が上がりそうになる。▽(↕緩む) ☞締まらない。

**じまわり**[地回り] ①近在をいつも回って歩く〈こと/商人〉。②〔俗〕ならず者がさかり場をうろつくこと。また、そのならず者。

**じまん**[自慢]《名・他サ》〔他人に対して〕自分に関することを、すばらしい、りっぱだと、ことばや態度で示すこと。「学歴を―する・―の息子・―するわけじゃないが〔⇩じゃないが〕・―話・力―・―高慢ばかの内」[派]いかにも自慢するようすだ。●**じまんたらし・い**[自慢たらしい]《形》-げ。

**しまんろくせんにち**[四万六千日]《仏》観音の縁日。七月十日。この日に参拝すると、ふだんの四万六千日分に当たる功徳がさずけられるという。

**しみ**[(:衣魚)・(:紙魚)] 和紙を使った本や衣服を食いあらす昆虫。からだは細長く、銀白色。例、ヤマトシミ。

**しみ**[染み・:汚点・シミ] ①しみてよごれたあと。「―がつく・油の―・―ぬき」②ホルモンの作用や老化によって皮膚の表面にあらわれる、色の濃い部分。

**しみ**[詩味]〔文〕詩の〈味わい/おもむき〉。

**じみ**[滋味]〔文〕ゆっくり味わうとわかる、深い〈味/印象〉。「―きく(掬)すべき名作」

**じみ**[(地味)]《ナダ》①はなやかでなく、目立ったところもないようす。(↕派手)②〔―に〕〔俗〕おもてにはっきり出さないが。「―にうれしい・―に痛い・―に値上げしてる」[派]-さ。☞ちみ(地味)。

**シミーズ**〔フ chemise〕《服》〔古風〕⇩シュミーズ。

**しみい・る**[染み入る]《自五》〔文〕しみこむ。

**しみこ・む**[染み込む]《自五》中までしみる。

**しみじみ**《副・自サ》深く心にしみて。しんみり。「―(と)思い出す」

**しみず**[清水] 地中や岩の間などからわき出る、澄みきった水。「こけ(苔)―」

**じみち**[(地道)]《ナダ》目立つことなく、手がたいようす。着実。「―な研究」[派]-さ。

**しみつ・く**[染み(付く)]《自五》①しみて、とれなくなる。②しっかりとついて、はなれなくなる。「教えがからだの中に―」[他]染みつける《下一》。

**しみったれ**《名・ナダ》〔俗〕①お金を出しおしみする〈こと/人〉。けち。②心がせまく、みみっちい〈こと/人〉。[動]しみったれる《自下一》。

**しみ・でる**[染み出る]《自下一》しみて〈外/表面〉へ出る。

**しみどうふ**[(△凍み)豆腐] こうやどうふ。こおりどうふ。

**しみとお・る**[染み(△透る)・染み通る]《自五》①

しみこんで、うらまで通る。②心に深く感じる。

**しみゃく**[支脈]〔文〕山脈・鉱脈・水脈などで、もとになる太い筋から分かれたもの。(↔主脈)

☆☆**シミュレーション**《名・他サ》[simulation] ①模擬実験。モデル実験。「―ゲーム(=登場人物の立場になって体験するゲーム)」②〔サッカー〕相手の反則を受けたかのようにしてわざと転倒するなど、審判をあざむく反則行為。

**シミュレーター**[simulator] 飛行機などの操縦訓練をおこなうための、実物同様の装置。模擬実験装置。

**しみょう**[至妙]《ナダ》〔文〕この上もなくじょうずなようす。「―な芸」

**し・みる**[染みる・×滲みる・×沁みる]《自上一》①水などがごく細いすきまを通って〈中にはいる/うらまで通る〉。②表面からはいりこんだ刺激が、痛みとなる。「きずに塩水が―・冷たさが歯に―・歯が―」③心に深く感じる。「心に―」→身に染みる〔「身」の句〕。

**し・みる**[〈凍みる]《自上一》〔方〕こおる(ほど、寒さがきびしく感じられる)。

**じ・みる**[〈染みる]接尾《自上一》①しみつく。「あか(垢)―・油―」②〔非難して〕…の感じがある。「説教じみた言い方・年寄り―」

**しみわた・る**[染み渡る]《自五》①全体にしみて広がる。「煮物に味が―」②〔心やからだに〕深く感じられる。「やさしさが心に―」

****しみん**[市民]①市の住民。「―税・―公園・―感情として割り切れない」②国政に関係する地位にある国民。公民。「―運動・政治への―参加」③一般住民。「―ランナー・―大学」④ブルジョアの訳語。「―階級〔=ブルジョアジー〕」●**しみんけん**[市民権]①〈国民/市民〉として自由が保障され、国政に参加できる権利。「アメリカに移住して―を取る」②〔特殊だったものが〕広く世におこなわれて一般化すること。「このことばは、もう―を得た」●**しみんしゃかい**[市民社会] 個人の自由・平等が保障された社会。(↔封建社会)

**し・む**[染む]《自五》①〔文/方〕しみる。「目に―空の青・味が―」②〔文〕そまる。「血に染んだハンカチ」

**し・む**《助動下二型》〔文〕⇩しめる(助動)。

**シム**[SIM][←subscriber identity module] 携帯電話の契約者情報を記録したICカード。SIMカード。

**じ・む**[寺務] お寺の事務(をつかさどる僧)。「―所」

****じむ**[事務] 主として机の上でする、書類・計算などをあつかう仕事。「―室・―用品・―をとる」

**ジム**[gym=体育館] ①屋内にあるトレーニングのための施設。トレーニング ジム。「―に通う」②ボクシングの道場。ボクシング ジム。

**じむいん**[事務員]〔会社・銀行などの〕事務をとる人。

**ジムカーナ**[ヒンディー gymkhana] 広場などで、自動車が順番に走る障害物レース。

**じむかた**[事務方]①裏で支える、事務局のがわ。「役員に―一名がついて行く」②〔大臣や首長をたすける〕役人のがわ。「中央省庁の―のトップ(=事務次官)」

**じむかん**[事務官]〔法〕行政官庁に属して、事務をとる役人。(↔技官・教官)

**じむきょく**[事務局] もよおし物・団体・大学などの事務を取りあつかうところ。「会に―を置く」

**しむ・ける**[仕向ける]《他下一》①ある〈おこないをする/状態になる〉ように、その人にはたらきかける。「行くように―」②そこへあてて送る。名しむけ。「―地」

**じむし**[地虫]①コガネムシ類の幼虫。土の中にすみ、うす黄色で太り、作物の根をあらす。②地面や土の中にすむ虫の呼び名。「―鳴く」

☆☆**じむじかん**[事務次官]〔法〕大臣をたすけて行政上の事務を監督する役の人。一般職国家公務員の最高位の職。次官。

**じむしょ**[事務所] 事務をとるところ。

**じむてき**[事務的]《ナダ》①事務に関するようす。「―な検討を急ぐ」②個人的な感情をまぜないで、仕事本位にかたづけるようす。「―な書き方」

**しむる**◇〔文〕助動詞「しむ」の連体形。「私をして言わしむる―ならば(=私に言わせるなら)」

**しめ**[〈注連]〔雅〕しめなわ。「―を結う」

**しめ**[締め]■しめ ①しめること。「―のスピーチ」②半紙・ちり紙の、百じょう(帖)(=二千枚)。③封筒の封じ目に書く「〆」。④〔シメ〕酒を飲んだあと、最後に腹を満たすために食べるごはんや麺。「―のラーメン」■接尾 たばねたものを数えることば。

**しめあ・げる**[締め上げる]《他下一》①〔首などを〕まわりから強くおさえながら持ち上げるようにする。②強く責めて苦しめる。名締め上げ。

**しめい**[氏名] みょうじと名前。姓名。「住所―」

**しめい**[死命] 死と生命。死ぬか生きるか。●**死命を制する** 句 生死・運命などを決定づける。「敵の―作戦・国の―重要課題」

**しめい**[使命]①〔文〕使者として、あたえられた言いつけ。②あたえられた任務。(運命的な)任務。「人間の―」●**しめいかん**[使命感] 使命をなしとげようとする責任感。「―に燃える」

**しめい**[詩名]〔文〕詩の方面での評判。

**しめい**[誌名]〔文〕雑誌の名前。

**しめい**[指名]《名・他サ》何かをやらせるために、その人の名をはっきり言うこと。なざし。「―を受ける・委員を―する・全国に―手配する」●**しめいかいこ**[指名解雇]《名・他サ》会社が従業員を名ざしでやめさせること。●**しめいだしゃ**[指名打者]〔野球〕投手が打つ番になると代わって打つ、打撃専門の選手。DH。●**しめいてはい**[指名手配] 警察が被疑者の氏名を知らせて、逮捕への協力を捜査機関に広く求めること。

**じめい**[自明]《名・ナダ》議論をしたり考えたりするまでもなく、はじめからはっきりしていること。「―の理」派―さ。

**じめいしょう**[自鳴鐘] 歯車で時を刻んで、鐘を打った、昔の時計。

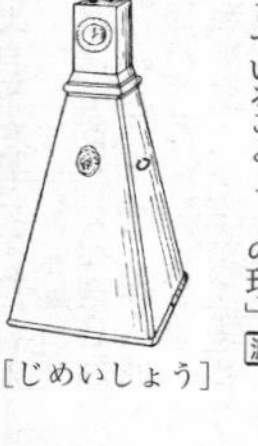

［じめいしょう］

**しめいろ**[締め色]〔服装やメイクアップで〕印象をは

っきりさせるために使う、濃い色。

**しめかざり**【(：注連)飾り】しめなわをはってかざること。また、そのしめなわ。神だなや正月の玄関などにかざる。

**しめきり**【締め切り】①締め切ること。「一日」②〔受け付けを〕締め切る日。表記 俗に「×〆切」とも。

←**しめき・る**【閉め切る】《他五》かたくしめて、あかないようにする。「窓を一」名 閉め切り。

→**しめき・る**【締め切る】《他五》申しこみや応募の受け付けなどを打ちきる。「申しこみを一」

**しめぐ**【締め具】何かをかたく結びつけるための器具。

**しめくく・る**【締め(△括る)】《他五》①かたくしめてたばねる。②まとまりをつけて終わりにする。「話を一」名 締めくくり。

**しめこのうさぎ**【占め子の(×兎)】〔占め子＝ウサギの吸い物という〕〔古風〕「しめた」のしゃれ。「ありがたい、一だ」

**しめこみ**【締め込み】《すもう》まわし。

**しめころ・す**【絞め殺す】《他五》首をしめて殺す。絞殺する。

**しめさば**【(締め×鯖)】塩と酢で身をしまらせたサバ。きずし。表記 俗に「×〆×鯖」とも。

**しめし**【示し】①しめすこと。さとし。「神のお一」②見せしめ。●**示しがつかない** 句〔年下・目下の者の〕手本にならない。●**しめしあわ・せる**【示し合わせる】《他下一》①同じ行動がとれるように前もって相談しあう。「示し合わせて犯行におよぶ」②あいずして知らせあう。▽示し合わす。

**しめじ**【(湿地)・(占地)】白茶色の小形のキノコ。むらがってはえる。食用。「香りまつたけ、味一〔＝ホンシメジ〕」・一のスパゲッティ」☞ぶなしめじ。

**しめしめ**《感》〔話〕しめた。「一、うまく行ったぞ」

**じめじめ**《副・自サ》①しめりけ・水分などが多くていやな気持ちのするようす。「一した天気」②陰気なようす。「一した話・一した性質」

**しめ・す**【示す】《他五》①はっきりわかるように、相手に〔出して／やって〕見せる。「案内状を一・模範を一」②〔見せて〕知らせる。「時計は八時を一・例を一・末期症状を一」③あらわす。「反応を一・難色を一」可能 示せる。

**しめすへん**【(示偏)】漢字の部首の一つ。「社」「祇」などの、左がわの「ネ」「示」の部分。〔神や祭りに関係がある〕

**しめ・す**【湿す】《他五》軽くぬらす。水分をあたえる。湿らせる。「ビールでのどを一・かみの毛を一」名 湿し。☞一筆湿し参らせ候〔一筆〕の 句。

**しめた**《感》〔話〕思ったとおりになって喜ぶときのことば。しめたり。(↔しまった)

←**しめだ・す**【閉め出す】《他五》門・とびらをしめて人を入れないようにする。名 閉め出し。

→**しめだ・す**【締め出す】《他五》(外部の者を)なかまに入れないようにする。名 締め出し。

**しめつ**【死滅】《名・自サ》(すべて死んで)ほろびること。死に絶えること。「恐竜が一する・ウイルスの一・制度が一する・文化の一」

**じめつ**【自滅】《名・自サ》①自然に〈ほろびる／負ける〉こと。②自分のしたことのために〈ほろびる／負ける〉こと。「一行為」

**じめつ・く**《自五》じめじめした感じになる。

**しめつ・ける**【締め(付ける)】《他下一》〈強く／きびしく〉しめる。「ベルトで腰を一・胸が締めつけられるような気持ち・規則でぐいぐい一」名 締めつけ。

**しめっぽ・い**【湿っぽい】《形》①しめりけがあるようすだ。「一風」②しめやかだ。陰気くさい。意気があがらないようすだ。「一話」派 -さ。

**しめて**【締めて】《副》合計して。全部で。表記 俗に「×〆て」とも。

**しめなわ**【(：注連)縄・(：七五三)縄・(×〆)縄】魔物を入れないために、神社や神だななどに張るなわ。しめ。由来「神聖な場を占める縄」の意味。漢字の「七五三縄」は、昔は張った縄から垂直にわらを七本・五本・三本と垂らしたから。

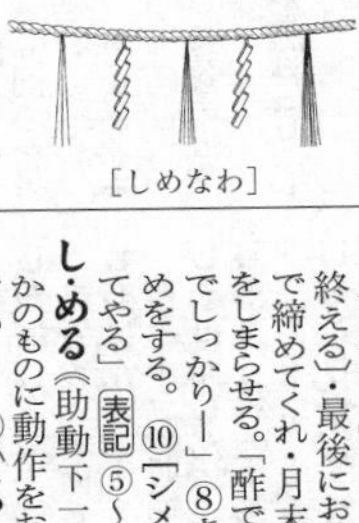

[しめなわ]

**しめび**【締め日】お金をしはらう(毎月の)期日。表記 俗に「×〆日」とも。

**しめやか**《ナダ》①静かなようす。②静かで悲しげなようす。「葬儀が一におこなわれた」③心が落ち着いていて、相手のことばなどを深く感じるようす。しみじみ。「一に話す」派 -さ。

**しめり**【湿り】①しめること。うるおい。②しめりけ。③⇩おしめり。●**しめりけ**【湿り(気)】しっけ。水分。

**しめ・る**【湿る】《自五》①さわるとわかるくらいの水気をおびる。「洗濯物がまだ湿っている」②しずんだふんいきになる。「通夜の湿った空気・打棒が一〔＝野球で、攻撃がふるわない〕」他 湿らせる《下一》。「のどを一〔＝湿す〕」

**しめ・る**【占める】《他下一》①ほかのものが、その場所にはいってこないようにする。「部屋をひとりで一〔＝独占する〕・一定の場所を一・私の心を一女性」②ある位置にいる。「上手に座を一・首位を一」③それだけの(大きな)割合になる。「反対意見が大勢を一」可能 占められる。

←**しめ・る**【閉める】《他下一》閉まるようにする。「戸を一・かぎを一・もう店を閉めよう」(↔開ける・開く) 可能 閉められる。

↔**しめ・る**【絞める】《他下一》①〔巻きつけたり、おさえつけたりして〕首などに、まわりから強く力を加える。「首を一・のどを一」②ニワトリなどの首をひねって殺す。ひねる。表記 俗に「×〆る」とも。

→***しめ・る**【締める】《他下一》①ゆるんだところをなくす。「ドライバーでねじを一」②からだに回して、かたく着ける。「おびを一・ネクタイを一」③気持ちをひきしめるようにする。「気持ちを締めて本番にのぞむ」④節約する。「家計を一」▽(↔緩める) ⑤しめくくる。「会を一〔＝終える〕・最後にお茶づけで一」⑥合計する。「そこまで締めてくれ・月末で一」⑦塩・酢・氷水などで、身をしまらせる。「酢で締めたナマコ・めんがゆであがったら水でしっかり一」⑧さかなを「活きじめ」にする。⑨手じめをする。⑩〔シメる〕〔俗〕締め上げる。「あいつ、シメてやる」表記 ⑤〜⑧は、俗に「×〆る」とも。

**しめる**《助動下一型》〔文〕〔使役の助動詞〕①ほかのものに動作をおこなわせることをあらわす。「人をして言わ一」②〔しめられる・しめたもう〕強い尊敬をあらわす。「手をとらしめたもう」▽しむ。

**しめん**［四面］①四つの面。「―体」②四方の面。③まわり。四方。「日本は―に海をめぐらした島国だ」

●☆☆**しめんそか**［四面×楚歌］〔文〕敵の中ですっかり孤立すること。

**しめん**［紙面］①紙の表面。「―のよごれ」②新聞の、記事をのせたページ。「―をにぎわす・―を割く」

**しめん**［誌面］雑誌の、記事をのせたページ。「―をかざる」

**じめん**［地面］①〔地上・地下の さかいめとなる〕陸地の表面。「―を掘ってみる・ボールが―に落ちる」②土地。地所。「―を買う」表記⇩地。●**じめんし**［地面師］所有者のふりをして、他人の土地を売りつける詐欺師。

**じめん**［字面］〔文〕字づら。「―で判断する」

**しも**［下］①川の流れ・土地などの、低いほう。②〔二つまたは三つに分けたものの〕あとのほう。「―半期・―二けた〈=おしまいから数えて二けた〉・―の句」③身分・地位の低いほう。「―じも」④主になるもの・中心にあるものから遠いこと。「―座」⑤しもて。「―へ退場」▽〈↕上〉⑥大小便や性に関すること。「―の世話・―ネタ」☞下がかる。

**しも**［霜］①空気中の水蒸気が小さな氷のつぶとなって、地面や物の表面についたもの。「―が おりる」②冷蔵庫の中などにつく、「霜①」のような氷のつぶ。●**霜を置く** 句 しらががはえる。「頭に―・びんぱつ〈鬢髪〉―」

**しも**《副助》意味を強めるとき使うことば。「だれ―・これを―非難すると言うのか・なきに―あらず」

**しもいちだんかつよう**［下一段活用］《言》動詞の活用の種類の一つ。語尾が五十音図のエ段にだけ活用するもの。例、こえる・たてる。

**じもう**［自毛］⇩じげ〈自毛〉。「―植毛」

**しもうさ**［下△総］旧国名の一つ。今の千葉県の北部と、茨城県の一部。

**しもがか・る**［下〈掛かる〉］《自五》話が下品になる。

**しもがれ**［霜枯れ］《名・自サ》霜のために草木が枯れること。また、冬の空が さむざむとして、草木が枯れているようす。「―時」動 霜枯れる《自下一》。

**しもき**［下期］下半期。「―の決算」〈↕上期〉

**じもく**［耳目］〈=耳と目。聞くことと見ること〉〔文〕多くの人の注意・関心。「世間の―を集める〈=関心を集める〉」

**しもぐもり**［霜曇り］《名・自サ》霜のおりるような寒さのころ、空が くもること。

**しもご**［下五］《俳句》五七五のうちの、最後の五文字。「―がよい」

**しもごえ**［下肥］人の ふん〈糞〉や尿を肥料にしたもの。

☆☆**しもざ**［下座］したの位の座席。日本間では、床の間から遠く、入り口に近いほうの座。〈↕上座〉☞げざ〈下座〉。

**しもじも**［下々］〈身分の低い〉一般の庶民。

**しもせき**［下席］《寄席》その月の下旬の興行。〈↕上席・中席〉

**しもたや**［〈仕舞〉屋］〈=商売をやめた家〉商店街などの中にある、和風の住宅。しもうたや。

**しもつき**［霜月］〔文〕旧暦十一月。

**しもつけ**［〈下野〉］旧国名の一つ。今の栃木県。野州。

**しもて**［下手］①しもの ほう。②《芝居》見物席から、向かって左のほう。▽〈↕上手〉☞したて〈下手〉・へた〈下手〉。

**しもと**［〈×笞〉］〔雅〕〈罪人を打つための〉木の つえ。むち。

*__じもと__［地元］①その〈土地/地域〉。「―チーム・―民」②自分の〈住んでいる所/根拠地〉。「―の高校に進む・議員の―」③ふるさと。「―に帰ろう」

**しもどけ**［霜解け］霜や霜柱が日光で とけること。「―の道」

**しもにだんかつよう**［下二段活用］《言》文語動詞の活用の種類の一つ。語尾が五十音図の「ウ・エ」の二段に活用するもの。例、こゆ。

**しもねた**［下ネタ］〔俗〕性や大小便にかかわる、下品な話題。

**じもの**［地物］その土地でとれる産物。「―の野菜」☞ちぶつ〈地物〉。

**しものく**［下の句］和歌の第四・第五の句。〈↕上の句〉

**しもばしら**［霜柱］冬、土の中の水分がこおり、柱のようになって、地面を持ち上げるもの。霜とは別。

**しもはんき**［下半期］〔会社や役所で〕ある年度の、あとの半分の時期。〈↕上半期〉

**しもはんしん**［下半身］⇩かはんしん①。

**しもぶくれ**［下膨れ］《名・自サ》①したのほうが ふくれていること。②ほおから したが ふくれている顔。

**しもふり**［霜降り］一①布地で、白と黒の点が細かく入りまじっている〈こと/もの〉。②牛肉で、あぶら身が白くあみの目のように入りまじっている〈こと/もの〉。サシ。「―肉」〈↕赤身〉二《名・他サ》《料》さかなの身や牛肉などを、熱い湯を通して表面を白くすること。「さっと―〈に〉する」

**しもべ**［〈△僕〉］〔文〕めし使い。下男。

**しもやけ**［霜焼け］①《医》つめたい空気に長くふれたために、手足・耳などに起こる凍傷。②植物が、霜にあたって色が変わること。

**しもやしき**［下屋敷］《歴》江戸時代、大名などが、江戸の郊外に もうけた別邸。☞上屋敷・中屋敷。

**しもよ**［霜夜］〔雅〕霜のおりる、寒いよる。

**しもよけ**［霜〈△除け〉］作物や草花が霜にいためつけられないように、こも・わらなどで おおうこと。また、その おおい。

**しもん**［指紋］手の ゆび先の内がわにある、多くの線からできている模様。〔身元の確認などに利用する〕「―の検出・―〈のあと〉が残る」

**しもん**［試問］《名・他サ》学力・能力・人物などをためすために、問題を出して答えさせること。「口頭―」

☆☆**しもん**［諮問］《名・他サ》〔官庁などで上の者が下の者に〕政策などについての意見をたずねること。「―機関〈=諮問に答える機関〉」

**じもん**［地紋・地文］布地に織り出し、または染め出した模様。

**じもん**［寺門］《仏》①寺院の門。②寺院。

**じもん**［自問］《名・他サ》自分の心に たずねること。

●じもんじとう【自問自答】《名・自サ》自分の心の中で問答すること。

**しゃ【社】【一】しゃ ①会社。「わが—・—の方針・出版—」②〔学〕↑社会科。「英、数、—」【二】〖造〗神社。「八坂—」

しゃ【舎】【一】しゃ 寄宿舎。【二】〖造〗建物。「第四—・家畜—・飼育—」

しゃ【×紗】夏の羽織などに使う、目のあらいうすい絹織物。☞ろ(絽)。

しゃ【斜】【一】しゃ ななめ。はす(かい)。【二】〖造〗ななめの。「—滑降」●斜に構える〖句〗〔刀をななめに構えることから〕①ことさら皮肉な、あるいは、からかいぎみな態度をとる。はすに構える。「いつも斜に構えて口ばっかりだ」②改まって身構える。

**しゃ【車】〖造〗①くるま。「三輪—」②自動車。「国産—・外—・大型—」③貨車。「冷蔵—」

**しゃ【者】〖造〗①〔…をする〕人。「賛成—・消費—・重傷—」②当事者。「三—会談」

しや【視野】①その場から目に見える範囲。「—がひらける」☞視野角。②考え方や見方のおよぶ範囲。「—が広い・—に入れる・—に置く・長期的—に立つ・立件も—に〔=視野に入れて〕調べる」③《理》望遠鏡や顕微鏡のレンズに映る範囲。④《医》目を動かさないで見える範囲。「—がせまくなる」

じゃ【邪】①〔道徳的に〕まちがっていること。よこしま。不正。「—をにくむ」〔↔正〕②〔不吉な〕邪気。「—を払う」

じゃ【蛇】〔文〕〔大きな〕ヘビ。●蛇の道はへび〖句〗同類の者のすることは、おたがいによくわかる。●蛇は寸にして人をの(呑)む〖句〗〔=ヘビは小さいときから人をのもうとする〕〔文〕すぐれた才能は、子どものときからあらわれる。梅檀は双葉より芳し。

*じゃ【一】《助動特殊型》〔↑である。活用は「○|じゃっ|じゃ|○|○|」「だ」の、中国・四国・九州などの方言。〔ドラマ・アニメなどでは、老人や昔の人、博士などのことばづかい〕「だれ—・ご苦労じゃった・行きました—〔=行ったのです〕」〔推量の形は、助動詞「だろう」に当たる「じゃろう・じゃろ」を使う。「これじゃろう」〕【二】〖連〗〔話〕↑では【一】。「ここ—話しにくい・そんなことは問題—ない・宿題が多いん—(ないか)?」【三】《接助》〔話〕↑では【二】。「それを踏ん—だめ」【四】じゃ《接》〔話〕〔それ〕では。「—、やめよう」【五】じゃ《感》〔話〕ごく軽い、くだけた別れのあいさつ。▽【二】～【五】じゃあ。【四】【五】それじゃ(あ)。

じゃあ〔「じゃ」よりも感情をこめたり、強めたりした言い方〕〔話〕【一】〖連〗⇩じゃ【二】。「そんな書き方—、全然わからない」【二】じゃあ《接》⇩じゃ【四】。「—、私がやっておきましょう」【三】じゃあ《感》別れるときの、くだけたあいさつ。「—ね」☞「さようなら【一】」の☞。【四】《接助》⇩じゃ【三】。「絶対にここで泳い—いけない」

ジャー〔jar〕①口の広いびん。「—サラダ」②保温できる容器。「ランチ—」③保温できる炊飯器。ジャー炊飯器。炊飯ジャー。

ジャーキー〔jerky〕乾燥肉。「ビーフ—」

じゃあく【邪悪】《名・ナダ》①〔道徳的に〕悪いようす。よこしま。「—な心を持つ・—の念」②不幸をもたらすようす。「—な魔物」〖派〗-さ。

ジャーク〔jerk〕重量あげの一種目。バーベルを胸の上まで持ち上げ、足を前後に開いて体を沈めた反動で頭上に差し上げる。差し上げ。

シャークスキン〔sharkskin=サメの皮〕少しざらっとして、つやのある感じの、化繊の平織りの生地。また、あや織りの毛織物。「—のスーツ」

ジャーゴン〔jargon〕特別な集団の中だけで通じる用語。専門的な隠語。

ジャージ〔jersey〕①ジョギングなどのときに着る運動着。ジャージー。「—姿・—上下」②⇩ジャージー①②。

シャーシ(ー)〔chassis〕⇩シャシー。

ジャージー〔jersey〕①《服》毛・絹・もめんを糸にして作った、編み目の細かいメリヤス地(の製品)。「—素材」②ユニフォームのシャツ。「オフィシャル—」▽ジャージ。③⇩ジャージ①。④牛の品種の一つ。からだは小柄で茶色く、乳牛として飼育する。ジャージー牛。「—牛乳」☞ホルスタイン。

しゃあしゃあ《副・自サ》はずかしいとも思わないで、ずうずうしく平気でいるようす。「—(と)うそをつく・遅刻しても—(と)している」

ジャージャーめん【(:炸醤)麺】〔「炸醤」は中国語〕ゆでためんに、みそ〔=炸醤〕で味つけしたひき肉などをのせた中国料理。〔盛岡の「じゃじゃめん」、韓国の「チャジャンミョン」のおおもと〕

しゃあな・い《形》〔↑しょうがない。もと、関西などの方言〕しかたがない。

ジャーナリスティック《ナダ》〔journalistic〕時事的な問題〈をあつかう/に関心を向ける〉ようす。「—な話題・—な感覚」〔↔アカデミック〕

☆☆ジャーナリスト〔journalist〕新聞・雑誌・放送などで、報道や批評の仕事をする人。記者・編集者など。

ジャーナリズム〔journalism〕①新聞・雑誌・放送などによって、事実を報道し、また批評する手法。「—の基本を守る」②報道や批評(にかかわる人々の業界)。「—が発達する」〔↔アカデミズム〕

ジャーナル〔journal〕①定期刊行物。〔新聞・雑誌の名前に使う〕②時の話題の解説・評論。〔番組・コラムの名前に使う〕

シャープ〔sharp〕【一】《ナダ》ものをすぱっと切るように、するどくあざやかなようす。先鋭。鋭敏。「—な〔=切れる〕人・—に分析する・—な感覚」〖派〗-さ。【二】①《音》半音だけ上げる〈こと/記号〉。嬰記号。記号は♯。〔↔フラット〕②↑シャープペンシル。③〔正しくは「♯《=番号記号》」を書く〕第…回。「—7」●シャープペンシル〔和製 sharp pencil〕軸をおしたりして、芯をくり出して使うえんぴつ。シャープ(ペン)。シャーペン〔俗〕。

シャープナー〔sharpener〕①〈えんぴつ/けしょう用のペンシル〉をけずる器具。②刃物をとぐ道具。

シャーベット〔sherbet〕果汁に砂糖などを入れてこおらせた、しゃりしゃりした菓子。「—カラー〔=もとの色に明るい灰色をまぜた、冷たい感じの色〕」

シャーペン〔俗〕↑シャープペンシル。「—の芯〔略して『シャーシン』〕」

シャーマニズム〔shamanism〕原始宗教の一つ。シャーマンが呪術を使って、予言や吉凶のうらない、悪霊のはらいなどをおこなう。

**シャーマン**[shaman] 神霊・死霊などと直接的に交わる能力を持っている人。予言・口寄せ・治療などをする。呪術師。みこ。いたこ。

**ジャーマン** 接頭 [German] ドイツ〈の/ふう〉。「ーアイリス」 ●**ジャーマン ポテト**[←German fried potatoes] ベーコンやソーセージとじゃがいもをいためた料理。ジャーポテ〈俗〉。「ー風ポテトサラダ」

**シャーリング**[shirring]《服》洋服の表面に、かざりでつけたひだ。「ーニット」

[シャーリング]

**シャーレ**[ド Schale=皿] ①《医》検査のときに使う、ガラス製の浅いふたつきの入れもの。ペトリ皿。②[←ド Meisterschale=優勝者の皿] 平たい優勝杯。「優勝ー」

[シャーレ ①]

**しゃい**[謝意]〔文〕お礼や感謝、またはおわびの気持ち。「ーを表する・心からのー」

**しゃい**◇《助動詞「しゃる」の命令形》〔古風〕…なされ。…なさい。しゃれ。「だまらっー(=だまりなさい)・名前を言わっー(=おっしゃい。言いなさい)」

**シャイ**《ナダ》[shy] 内気。はにかみや。

**ジャイアント**[giant] ①巨人。ジャイアンツ。②大型。「ータンカー」 ●**ジャイアント パンダ**[giant panda] 中国の山地にすむ、ずんぐりしたパンダ。目のまわり・耳・肩から前足にかけてと後足が黒くて、他は白い。竹などを食べる。

**ジャイカ**[JICA][←Japan International Cooperation Agency] 国際協力機構。発展途上国に対し、資金・技術・人材協力など、ODAを実施する。

**ジャイロ** ←ジャイロスコープ。 ●**ジャイロスコープ**[gyroscope] 常に一方向を向いて高速回転するこまが はいった、円形の器械。羅針盤や、船体などの安定に使う。ジャイロ。〔同じはたらきをする器械も言う〕

[ジャイロスコープ]

**しゃいん**[社印] 会社の、公式の はんこ。

*__しゃいん__[社員] ①会社に勤務する人。従業員。②《法》社団法人などを組織する人。例、赤十字社の社員。

**じゃう**《助動五型》〔話〕「ちゃう」の変化。「飛んー・読んじゃった」

**シャウト**《名・自サ》[shout] さけぶ(ように歌う)こと。

**しゃうん**[社運] 会社の運命。「ーをかける」

**しゃおく**[社屋] 会社の、事務をとる建物。

**しゃおん**[遮音]《名・自他サ》音をさえぎって、聞こえて〈いかない/こない〉ようにすること。「ー壁」☞防音。

**しゃおん**[謝恩]《名・自サ》恩に感謝すること。「卒業式の後のー会」

**しゃか**[社歌] その会社の精神をあらわし、行事などで歌う歌。

**しゃか**[△釈×迦]〔梵語 sakya の音訳〕仏教の教えを打ち立てた人。釈迦牟尼(仏)。釈迦如来。釈尊。世尊。〔その属していた一族の名でもあった〕☞お釈迦・お釈迦様。 ●**釈迦に説法** 句 その道のことをよく知っている人に、しろうとが ものを教えようとすること。

**しゃが**[△著×莪] 山野の日かげの土地に はえる草。葉は剣状。四、五月ごろ、アヤメに似たうすむらさき色などの花をひらく。

**ジャガ**[じゃが] ←じゃがいも。「おー・新ー・ーバタ(ー)(=ジャガイモにバターをつけたもの)」

**ジャガー**[jaguar] アメリカにすむ猛獣。ヒョウに似て大きく、きれいな まだらがある。

**ジャカード**[jacquard=もと、人名][←ジャカード織り] 厚い地の、紋織物。洋服・帯・カーテンなどにする。ジャガード。

**__しゃかい__[社会] ①人々が集まって作り上げる、共同生活の集団。「ー活動・ー生活」〔動物の場合にも言う〕②同じ職業の なかまなどが作り上げる集まり。「芸人ー」③世の中。「ーに出る・実ー」④←社会科。

●**しゃかいあく**[社会悪] 社会生活にともなってどうしても起こる、悪だと考えられること。「びんぼうをーとして見すごしてはいけない」 ●**しゃかいうんどう**[社会運動] ①社会問題に関する運動。②弊害をなくして、住みよい社会に改善する運動。 ●**しゃかいか**[社会科] 小学校・中学校の教科の一つ。社会人として生活するのに必要な知識を学ぶ教科。地理的分野・歴史的分野・公民的分野にわたる。社会。 ●**しゃかいかがく**[社会科学] ①社会のいろいろな現象を研究する科学。(↔自然科学・人文科学) ②マルクス主義。 ●**しゃかいがく**[社会学] 社会の組織や構造、人の社会的行動などを研究する学問。 ●**しゃかいきょういく**[社会教育] 社会人として必要なことがらについて、一般市民のためにおこなう教育。 ●**しゃかいけんがく**[社会見学]〔児童・生徒などが〕企業や生産現場などに見学に行くこと。社会科見学。 ●☆**しゃかいげんしょう**[社会現象] ①社会の中の さまざまな現象。「犯罪から日常に至るー」②ブーム。「ーになる」▽社会的現象。 ●**しゃかいこうがく**[社会工学] 都市計画・公害・教育・政治など各種の社会問題を解決するために、人間の行動を工学的立場から研究する学問。 ●**しゃかいじぎょう**[社会事業] ①大衆の生活を改善するための、組織的な事業。②生活に困る人などを助けたり、職業をあたえたりして、社会を住みよくする仕事。「ー家」 ●**しゃかいじっけん**[社会実験] 行政が、事業や制度を本格的に はじめる前に、期間や地域を限って ためしてみること。「節電のー」 ●**しゃかいしほん**[社会資本]「インフラ」を、資本として見た言い方。「ーの充実をはかる」 ●**しゃかいしゅぎ**[社会主義] 資本主義の社会を合理的に改革して階級をなくし、勤労階級のために、民主的な社会を実現しようとする主義。(↔資本主義) ●**しゃかいじん**[社会人] 実社会に出て、自立して生活している人。「ー野球」 ●**しゃかいせい**[社会性] ①社会のものごとに広く関心を持つ性格。「ーのある問題」②社会一般に広く通じる性質。「ーをやしなう」 ●**しゃかいせいぎ**[社会正義] 人間が社会生活をおこなう上で必要な、正しい道理。「ーを実現する」 ●**しゃかいつうねん**［社会通念］ その社会の人が共通に持つ考え。 ●**しゃかいてき**［社会的］《ダ》 広く社会に関係があるようす。「—〔=社会での〕地位・不正入学は—問題だ・—制裁・—距離〔⇩ソーシャルディスタンス〕」（↕個人的） ●**しゃかいてきにゅういん**［社会的入院］ 入院する必要がないのに、家族や地域で支えられずに、長期間、入院している状態。 ●**しゃかいなべ**［社会鍋］ 救世軍が年末におこなう、街頭募金のためのなべ形の入れもの。 ●**しゃかいのぼくたく**［社会の木×鐸］ 世間の人々を目ざめさせ、みちびく人。「新聞は—」 ☞木鐸。 ●**しゃかいのまど**［社会の窓］〔俗〕ズボンの〈ファスナー／前ボタン〉。「—が開いている」 ●**しゃかいは**［社会派］ 社会問題を積極的に取り上げる〈作品／人〉。「—ドラマ」 ●☆☆**しゃかいふくし**［社会福祉］ 生活に困っている人や、心身障害者・高齢者などに対する社会的援助。福祉。「—事業」 ●**しゃかいふくしし**［社会福祉士］ 福祉について相談を受け、助言・指導をする専門家。 ●☆☆**しゃかいふっき**［社会復帰］《名・自サ》 ①《医》病気・けがなどで療養していた人が全快して、ふたたび社会で活動すること。また、そのための医療。リハビリテーション。 ②〔出所したり更生したりして〕ふたたび社会生活を送ること。 ●**しゃかいべんきょう**［社会勉強］ 実社会の中で学ぶこと。「いい—になった」 ●☆☆**しゃかいほけん**［社会保険］ 社会保障のために必ずはいらなくてはならない公共的な保険。健康保険・雇用保険・労災保険・公的年金保険など。社保。 ●**しゃかいほけんろうむし**［社会保険労務士］ 各種の社会保険の提出書類の作成・提出を代行する専門家。社労士。 ●☆☆**しゃかいほしょう**［社会保障］ 国が、社会保険などによって、国民の生活を守ること。 ●**しゃかいみんしゅしゅぎ**［社会民主主義］〔議会政治や労働組合の組織を通じて〕民主的・合法的に社会主義を実現しようとする主義。社民主義。 ●**しゃかいめん**［社会面］ 事件・事故など、社会のできごとを主としてのせる、新聞の面。☞三面記事。 ●☆☆**しゃかいもんだい**［社会問題］ ①社会にふくまれる不合理・矛盾から起こる問題。貧困・差別・環境破壊などの問題。「—となる」 ②その社会全体に影響をあたえる問題。

**しゃがい**［社外］ 会社のそと。「—の人間・—秘」（↕社内）

**しゃがい**［車外］ 列車・自動車などの外。「—に投げ出される・バスの—広告」（↕車内）

**ジャガいも**［じゃが（芋）］〔↑ジャガタラいも〕 イモの一種。まるみをおび、でこぼこしている。食用にし、また、でんぷんを作る。ばれいしょ。ポテト。「—コロッケ・—のチーズ焼き」

**しゃかく**［車格］ 排気量や大きさによって決まる、車の等級。「—が高い」

**しやかく**［視野角］ 液晶画面で、ななめから見ても、色や明るさが正常に見える範囲。「—が広い」

**じゃかご**［蛇籠］ まるい筒の形に編んだかごに石をつめたもの。川岸をじょうぶにしたり、水の流れを調節したりするのに使う。

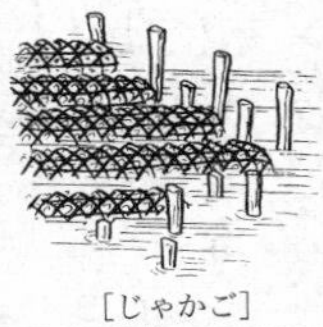
［じゃかご］

**しゃかさんぞん**［△釈×迦三尊］《仏》まんなかに釈迦像、両わきに二菩薩〔例、左わきに文殊、右わきに普賢〕を置く仏像の形式。

**しゃかしゃか**《副・他サ》 ①容器に入れた液体などをふったり、道具でまぜたりするときの音（を出すこと）。「ペットボトルを—ふる」 ②かたい化繊などがこすれ合う音（を出すこと）。「ウインドブレーカーが—言う」 ③イヤホンからもれてくる音。「—音がもれてうるさい」

**じゃかじゃか**《副》 ①〔俗〕じゃんじゃん。「お金を—使う」 ②さわがしく鳴る音。「ギターを—ひく・—さわぐ」

**じゃかすか**《副》 ①〔俗〕じゃんじゃん。「メールが—届く・ビール、—持ってこい」 ②音楽の鳴り続ける音。「ギターを—かき鳴らす」

**ジャガタラ**〔ポ Jacatra〕 ①ジャワ島にある、インドネシアの首都ジャカルタ（Jakarta）の、もとの名前。 ②〔↑ジャガタラいも〕じゃがいも。

**しゃかにょらい**［△釈×迦如来］《仏》釈迦を尊敬して言う呼び方。

**しゃかパン**［シャカパン］〔俗〕化繊などでできたズボン。由来 こすれ合って、音がしゃかしゃかとすることから。

**しゃがみこ・む**［しゃがみ込む］《自五》 しゃがんで、じっとしている。

**しゃが・む**《自五》 ひざをまげ、しりを下げたかっこうになる。名 しゃがみ。

**しゃかむにぶつ**［△釈×迦×牟尼仏］《仏》⇩釈迦。

**しゃかりき**〔俗〕〔仕事などに〕躍起になること。いっしょうけんめい。大車輪。「—になって勉強する」

**しゃが・れる**［〔×嗄れる〕］《自下一》 しわがれる。「しゃがれ声」

**しゃかん**［車間］ 前を走る自動車と自分の自動車との間。「じゅうぶんな—距離を取る」

**しゃかん**［舎監］ 寄宿舎の監督。

**しゃき**［社規］ 会社の決まり。

**しゃき**［社旗］ 会社を代表する旗。

**じゃき**［邪気］ ①悪いことを考える心。「—のない人」 ②不吉な感じや雰囲気。「—を払う」

**じゃき**［邪鬼］《仏》たたりをすると言われる、悪い神。

**シャギー**〔shaggy=毛むくじゃらの〕 ①毛脚の長い毛織物。「—カーペット」 ②毛先を切りそろえないで、ふぞろいにカットした髪型。「—を入れる」

**しゃきしゃき**《副・自サ》 ①かんだり切ったりするときに、歯切れがいい〈音／ようす〉。「—した野菜」 ②ことばや動作が軽快でさわやかなようす。「—(と)話す」

**しゃきっと**《副・自サ》 ①背すじをのばした、元気のよさそうなようす。また、はりきって、いきいきしたようす。「背すじが—する思い」 ②歯切れがよくてしまりのあるようす。「—したネギの歯ごたえ」▽しゃっきり。

**しゃきょう**［写経］《名・自他サ》《仏》経文を書き写すこと。書き写した経文。

**しゃぎょう**［社業］ 会社の事業。

**じゃきょう**［邪教］ 正しくない宗教。害になる宗教。

**しゃきん**［謝金］ お礼としてのお金。「講師—」

**しゃく**［×勺］〔尺貫法で〕 ①米・酒などの、体積の単位。合の十分の一。一勺は〇・〇一八リットル。②土地の面積の単位。坪の百分の一。一勺は約〇・〇三三平方メートル。③《登山》合の十分の一。「七合九―」

**しゃく**［尺］①〔尺貫法で〕長さの単位。寸の十倍。丈の十分の一。一尺は、曲尺で約三〇・三〇センチ。②↑一尺。「一五〔=一尺五寸〕」③たけ。長さ。「―をはかる」④ものさし。「―を当てる」⑤《映画・放送》上映時間。放送時間。「―が長い・番組―」

**しゃく**［(×杓)］⇩ひしゃく。

**しゃく**［(×笏)］束帯のとき右手に持つ、細長くうすい板。由来「笏」の音読み「コツ」が「骨」を思わせるのをさけ、その長さが一尺ほどであることから「尺」の音をあてた。

**しゃく**［酌］酒をさかずきにつぐこと。「お―をする」

**しゃく**［釈］①〔文〕文章やことばの意味の解釈。②《仏》ⓐ昔、僧が一般に使った姓。例、釈瓢斎。ⓑ〔浄土真宗で〕法名の上にそえることば。

**しゃく**［(×癪)］一 胃けいれんなど、胸や腹の痛みの、昔の呼び名。さしこみ。二《名・ナダ》かんしゃく(を起こしたくなるようす)。「―のたね〔=原因〕」●**しゃくに障る** 句〔…のせいで〕不愉快さや怒りが生まれる。「相手の言い方が―」

**しやく**［試薬］①《理》化学分析や実験で反応させるために作られた薬品。②ためしに飲んでみるくすり。「―品」

**じゃく**［弱］一 **じゃく** 弱い〈こと/もの〉。「扇風機を―にする・―をもって強に当たる」二 接尾 それよりや少ないこと。「五キロ―」三 造 弱い。「―酸性・―冷房」▽一〜三(↕強)

**じゃく**［寂］《仏》僧が死ぬこと。「明治十六年―」

**じやく**［持薬］いつも(持っていて)飲むくすり。

**しゃくい**［爵位］〈もとの華族/ヨーロッパの貴族〉の階級。華族には、公・侯・伯・子・男の五爵があった。

**しゃくう**［(×杓う)］《他五》〔俗〕すくう。しゃくる。「水を―」

**じゃくおん**［弱音］①〔文〕弱いおと。(↕強音) ②《音》楽器のおとを弱くすること。「―器」

**しゃくぎ**［釈義］《名・他サ》〔文〕文章や語句の意味の解釈(をすること)。「聖書の―」

**しゃくざい**［借財］《名・自サ》〔文〕借金。

**しゃくし**［(×杓子)］⇩おたま。「金―」〔もと、「しゃもじ」の意味にも使った〕●☆☆**しゃくしじょうぎ**［(×杓子)定規］《名・ナダ》ただ一つの標準ですべてを決めようとするやり方で、ゆうずうのきかないこと。「―なやり方」●**しゃくしな**［(×杓子菜)］つけ菜の一種。葉は、しゃもじ形。体菜。

**しゃくじ**［借字］漢字の意義とは関係なく、その音や訓を借りて表記したもの。梵語の音訳や万葉仮名など。例、阿弥陀・夏樫。

**じゃくし**［弱視］《医》視力が弱く、めがねをかけても物が見えにくい状態。

**ジャグジー**〔Jacuzzi=商標名〕泡ぶろ。気泡ぶろ。ジェットバス。ジャクジー。ジャクージ。

**じゃくしゃ**［弱者］①〈力/勢力〉の弱い人。(↕強者) ②保護を必要とする人。「災害―・買い物―〔=近くに店のない高齢者など〕」

**しゃくしゃく**［(×綽々)］《タル》おちついていて、あせらないようす。「余裕―」

**しやくしょ**［市役所］市の事務を取りあつかう役所。市庁。

**しゃくじょう**［(×錫×杖)］《仏》僧・修験者が持って歩く、環のついたつえ。☞「しゅげんじゃ」の絵。

**じゃくしょう**［弱小］《名・ナダ》〔文〕①弱くて小さいこと。「―国家」(↕強大) ②年若。弱年。派―さ。

**しゃくすん**［尺寸］〔文〕広さ・長さがほんのわずかなこと。せきすん。「―の土地」

**しゃくせん**［借銭］《名・自サ》〔古風〕借金。負債。

**しゃくぜん**［釈然］《タル》りくつに合っていると思い、疑問や不満がなくなるようす。「相手を許しはしたが、どうも―としない」〔後ろに否定形が来る。まれに「ああそうか、と―とした」など肯定形もある〕

**じゃくそつ**［弱卒］〔文〕弱い兵隊。「勇将のもとに―なし」

**しゃくそん**［釈尊］《仏》釈迦を尊敬して言う呼び名。

**しゃくだい**［釈台］講談で演者の前に置く机。張り扇でたたき、講談の調子を取る。☞見台。

**じゃくたい**［弱体］一〔文〕弱いからだ。二《ナダ》〔体制や組織などが〕よわよわしいようす。「―化」派―さ。

**しゃくち**［借地］《名・自他サ》①土地をかりること。②かりた土地。かりち。「―権〔=建物を建てる目的で宅地をかり、使用する権利。地上権とは別〕」

**じゃぐち**［蛇口］水道管からの水を出したり止めたりする装置のついた、金属製の口。カラン。

**じゃくてき**［弱敵］〔文〕弱い敵。「―と見てあなどらず」(↕強敵)

**じゃくてん**［弱点］弱み。「相手の―をつかむ」

**じゃくでん**［弱電］家庭で使う程度の、弱い電力。「―部門・―機」(↕強電)

**しゃくど**［尺度］①ものさし。②ものをはかる標準。「優劣を決める―」

**しゃくどう**［赤銅］銅に、わずかの金と銀をまぜた金属。色はむらさきがかった黒。「―色」

**じゃくどく**［弱毒］《医》毒性または、病気の原因となる性質を弱めたもの。毒性が弱いこと。「―ワクチン」(↕強毒)

**しゃくとりむし**［(尺取虫)］小さいはだか虫の名。うす黄色で、からだを上下にくねらせて反物の寸法をとるように進む。しゃくとり。

**しゃくなげ**［(石南△花)］高山にはえる、小さな常緑樹。夏、うす赤色などの、ツツジに似た花をひらく。

**じゃくにくきょうしょく**［弱肉強食］弱い者が強い者〈のえじきとなる/に征服される〉こと。優勝劣敗。

**しゃくにゅう**［借入］《名・他サ》〔文〕借り入れ。「―金」

**しゃくねつ**［(×灼熱)］《名・自サ》①焼けて熱くなること。「―した鉄」②焼けつくように熱いこと。白熱。「―の恋」

☆☆**じゃくねん**［若年・弱年］まだ一人前にならない年

代。二十歳(はたち)前後。「—労働者」
**じゃくねん**【寂然】〈タル〉〔文〕⇩せきぜん(寂然)。
**じゃくはい**【若輩・弱輩】①年の若い者。②未熟な者。
**しゃくはち**【尺八】〔←一尺八寸〕〔音〕竹で作った、長さ五五センチほどの和楽器の縦笛。
**しゃくふ**【酌婦】〔古風〕料理屋などで、酒をつぐなど客の相手をした女性。
**じゃくふう**【弱風】弱い風。「エアコンを—に設定する」(↔強風)
**しゃくぶく**【△折伏】《名・他サ》《仏》仏の教えを広めるために、悪人・悪法をくじくこと。
**しゃくぶん**【釈文】古文書の文字などをわかりやすく書き改めたもの。しゃくもん。
**じゃくへい**【弱兵】〔文〕弱い兵隊。弱卒。(↔強兵)
**しゃくほう**【釈放】《名・他サ》《法》拘束(こうそく)をといて自由にさせること。「身柄(みがら)を—する」
**しゃくま**【借間】《名・自サ》まがり(すること)。また、かりた部屋。
**しゃくめい**【借名】〔文〕他人の名前をかりること。また、かりた名前。「—口座」
**しゃくめい**【釈明】《名・自他サ》①うたがいを持たれている自分の立場や事情などを説明して、相手をなっとくさせようとすること。「—を求める(=ⓐ相手に、釈明するように求める。ⓑ釈明したい、と申し出る)」②あやまること。
**じゃくめつ**【寂滅】《名・自サ》《仏》①煩悩(ぼんのう)の境地をはなれること。ねはん。②死ぬこと。
**しゃくもん**【釈文】①仏教の経典(きょうてん)の解釈。「法華経(ほけきょう)—」②⇩しゃくぶん。
**しゃくもん**【借問】《名・自サ》〔「しゃもん」の慣用読み〕〔文〕(ためしに)たずねてみること。「—す、はたして解決策ありや」
**しゃくや**【借家】かりて住む家。しゃっか。(↔貸家・持ち家)
**しゃくやく**【(×芍薬)】庭に植える草花。夏のはじめ、ボタンに似た、大形で〈赤/白〉い花がさく。
**じゃくやく**【×雀躍】《名・自サ》〔文〕こおどりして喜ぶこと。「欣喜(きんき)—」

**しゃくよう**【借用】《名・他サ》①かりて使うこと。「無断で—する・—証」②〔言〕ある言語に、外国語からの単語を取り入れること。「—語」
**ジャグラー**〔juggler〕ジャグリングをする芸人。
**しゃくらん**【借覧】《名・他サ》〔文〕かりて見ること。
**しゃくりあ・げる**【(×噦り上げる)】《自下一》息を急に吸いこむようにしながら、泣く(動作をする)。
**しゃくりょう**【酌量】《名・他サ》(事情を)くみとること。「情状—」
**ジャグリング**〔juggling〕(玉やナイフなどをあやつる)曲芸。大道芸。☞ジャッグル。
**しゃく・る**【(×杓る)】《他五》①中がくぼむようにけずる。②しゃくう。③すくうように上げる。「あごを—」
**じゃくれい**【若齢・弱齢】〔文〕年の若いこと。若年。
**しゃく・れる**【(×杓れる)】《自下一》〔ふつう **しゃくれた(て)**〕三日月のように、中が弓なりにへこむ。「しゃくれたあご」名しゃくれ。
**しゃくん**【社訓】社員の行動の指針として決めた、簡単なことば・文章。
**しゃけ**【(×鮭)】〔話〕(食べ物としての)さけ。「秋—(じゃけ)」
**ジャケ**〔俗〕〔CDなどの〕↑ジャケット②。「紙—」☞ジャケ買い。
**しゃけい**【舎兄】〔文〕(自分の)兄。(↔舎弟(しゃてい))
**しゃけい**【斜×頸】〔医〕首の筋肉にしこりができたため、首をかしげ、頭が一方にかたむいている状態。赤ちゃんに多い。
**ジャケがい**【ジャケ買い】《名・他サ》〔↑ジャケット買い〕〔俗〕CDなどを、ジャケットのデザインにひかれて買うこと。
**しゃげき**【射撃】《名・自他サ》目標に当たるように、銃砲(じゅうほう)でたまをうつこと。
**ジャケツ**〔↑ジャケット〕〔服〕〔古風〕①ジャケット。②毛糸で編んだ上着。
**ジャケット**〔jacket〕①〔服〕たけが腰(こし)ぐらいまでの上着。スーツの上着の形をしたものなど。②本・CDなどのカバー。ジャケ〔俗〕。

**しゃけん**【車券】競輪で、どの選手が勝つかに賭(か)けて買う券。〔正式の呼び名は勝者投票券〕
**しゃけん**【車検】自動車の車両検査(証)。
**じゃけん**【邪険・邪×慳】〈ナダ〉やさしくせず、〈つきはなすように/あらっぽく〉ふるまうようす。「—な人・お客を—に〈する/あつかう〉」派—さ。
**しゃこ**【車庫】電車・自動車などを入れておく建物。「—入れ」
**しゃこ**【(×硨×磲)】南の海にいる大形の貝。貝がらは厚く、ふちは波打っている。かざりに使う。
**しゃこ**【(×蝦×蛄)】どろ深い海にいるエビに似た動物。色は青みをおびたうす茶色。食用。「—をゆでる」表記 俗に「:車子」とも。
**じゃこ**【(:雑魚)】①ざこ。②〔↑だしじゃこ〕にぼし。
**しゃこう**【社交】なかまや新しい知りあいとのつきあい。その社会でのつきあい。「—術」●**しゃこうかい**【社交界】上流社会の人たちが、つきあいをする社会。●**しゃこうじれい**【社交辞令】社交のための〔まともに受け取られると困るような〕あいそのいいことば。外交辞令。例、「〔引っ越(こ)しの通知で〕近くにお越しの際は、ぜひお立ち寄りください」など。●**しゃこうせい**【社交性】外に出て、ほかの人とじょうずにつきあって行ける性質。●**しゃこうダンス**【社交ダンス】〔宴会(えんかい)場・ダンスホールなどで〕音楽にあわせて、男女が二人ひと組みでおどるダンス。ソーシャルダンス。●**しゃこうてき**【社交的】〈ナダ〉外に出て、ほかの人とじょうずにつきあうようす。
**しゃこう**【車高】車の高さ。地面から車体の最上部または最下部まで。
**しゃこう**【射幸・射×倖】〔文〕偶然(ぐうぜん)の利益や幸福を得ようとすること。「—心をあおる」
**しゃこう**【斜光】〔文〕ななめにさす光。
**しゃこう**【斜坑】ななめにほった坑道。
**しゃこう**【斜行】《名・自サ》〔文〕ななめに進むこと。「競走馬が—する」
**しゃこう**【×藉口】《名・自サ》〔文〕あることを言いわけにすること。口実にすること。「事故に—して遅刻(ちこく)する」

**しゃこう**［遮光］《名・自他サ》光をさえぎること。「—板・—カーテン」

**じゃこう**［×麝香］ジャコウジカ〔＝アジア大陸にすむ、シカの一種〕の雄のへそのあたりからとる香料。また、それに似た、いいにおい。

**しゃこく**［社告］《名・他サ》会社・新聞社などの、一般の人に対するお知らせ。

**しゃこたん**［シャコタン］〔↑車高＋短〕〔俗〕車体の下部を地面すれすれまで下げた改造自動車。

**シャコンヌ**〔フ chaconne〕《音》三拍子のゆるやかなダンス曲。

**しゃさい**［社債］《経》株式会社が募集する債券。（↔公債）

**しゃさい**［車載］車にのせること。「—カメラ・ETC—器」

**しゃざい**［謝罪］《名・自他サ》つみをわびること。あやまること。「—広告」

**しゃさつ**［射殺］《名・他サ》銃で、うち殺すこと。「—体」

**しゃし**［社史］創立以来の、会社の歴史（を書いた本）。

**しゃし**［斜視］《医》ものを見るとき、一方の目が正しく目標に向かわないこと。やぶにらみ〔俗〕。よりめ。

**しゃし**［×奢×侈］〔文〕〈必要/身分〉以上にぜいたくにすること。おごり。ぜいたく。「—をきわめる」

**しゃじ**［社寺］〔文〕神社とお寺。寺社。

**しゃじ**［謝辞］〔文〕お礼のことば。「—をのべる」

**シャシー**〔chassis〕①車体を支える台。車台。②テレビやラジオの、回路を取り付けてある枠。▽シャーシ（ー）。

**しゃじく**［車軸］〔文〕車の〈軸/心棒〉。●**車軸を流す**句 非常にはげしく降る雨の形容。「—ような大雨」

**しゃしつ**［車室］①電車・自動車などの、客が乗る車の中。②駐車場の一区画。

**しゃじつ**［写実］《名・他サ》実際の状態を写すこと。「—的・—主義〔⇩リアリズム②〕」

**じゃじゃうま**［じゃじゃ馬］〔俗〕①あばれうま。②〔古風〕わがままで勝ち気な女性。「—ならし〔＝シェークスピアの戯曲の名〕」

**しゃしゃらくらく**［×洒々落々］《トタル》〔文〕あっさりして、ものごとにこだわらないようす。

**しゃしゃりでる**［しゃしゃり出る］《自下一》〔俗〕あつかましく前へ出る。出しゃばる。

**しゃしゃる**《自五》〔俗〕しゃしゃり出る。調子に乗る。「有名人気取りで—」〔二十一世紀になって広まったことば〕

**しゃしゅ**［社主］〔文〕会社の〈持ち主/かしら〉。

**しゃしゅ**［車種］〔用途や型などで分けた〕自動車の種類。

**しゃしゅ**［射手］①弓をいる人。いて。②銃・ピストルをうつ人。うちて。「機関銃の—」

**じゃしゅう**［邪宗］①正しくない、害になる〈宗教/宗旨〉。②江戸時代のキリシタン宗〔＝キリスト教〕。邪宗門。●**じゃしゅうもん**［邪宗門］⇩邪宗②。

**しゃしゅつ**［射出］《名・他サ》〔文〕①弾丸などを打ち出すこと。②小さい穴から勢いよく出すこと。「—成型〔＝材料を金型に射出して成形すること〕」③一点から放射状に出すこと。「陽光が—する」

**しゃしょう**［社章］会社の記章。

**しゃしょう**［車掌］〔電車・バスなどで〕発車のあいず・車内の事務などを受け持つ乗務員。

☆☆**しゃしょう**［捨象］《名・他サ》①《哲》概念を抽象する際に、必要でない性質・要素をすて去ること。☞抽象①。②〔文〕考察の対象から外すこと。「特殊事情を—する」

**しゃじょう**［写場］〔古風〕写真館（のスタジオ）。「板倉—」

**しゃじょう**［車上］①自動車の中。「—ねらい〔『—荒らし』とも〕・—からの ひったくり・—の人となる〔＝車に乗る〕」②自動車の荷台・屋根などの上。

**しゃじょう**［射場］①弓をいる練習をする所。②射撃の練習をする所。射撃場。③ロケットを発射する場所。

**しゃしょく**［写植］《印刷》↑写真植字。〔印刷関係者は「しゃちょく」とも言う〕

**しゃしょく**［社食］↑社員食堂。

**しゃしょく**［社×稷］〔文〕国家。「—を興す・—の臣〔＝国家の運命をになう臣下〕」由来 中国で建国のときに祭った、土地の神〔＝社〕と五穀の神〔＝稷〕から。

****しゃしん**［写真］①ものの形をカメラで写し、紙に焼きつけたり、印刷したり、静止画像として表示したりしたもの。「—を撮る・—写りのいい顔・お—を拝見する・卒業—」②〔↑活動写真〕〔古風〕映画。「客のはいる—」●**しゃしんき**［写真機］〔古風〕写真をとるためのカメラ。●**しゃしんしょくじ**［写真植字］《印刷》文字盤から必要な文字を写真にとって原稿どおりにならべ、オフセット印刷できるようにすること。写植。

**しゃしん**［車身］接尾〔自転車・自動車のレースで〕距離の差を、車の一台分の長さであらわすことば。「二—の差」

**じゃしん**［邪心］〔文〕〔道徳的に〕正しくない心。「—をいだく」

**じゃしん**［邪神］〔文〕人をまよわす、正しくない神。

**しゃす**［謝す］《他サ》〔文〕⇩謝する。

☆☆**ジャス**［JAS］〔↑Japanese Agricultural Standard〕日本農林規格。農林水産物や、その加工品について、法律で決められた標準の規格。☞JASマーク。

**ジャズ**〔米 jazz〕《音》アメリカの黒人音楽から起こった、即興性の強い大衆音楽。「—シンガー・—ソング・—バンド」

**しゃすい**［遮水］《名・自他サ》〔文〕汚水などがもれ出すのを防ぐこと。

**じゃすい**［邪推］《名・他サ》わざと悪く想像して考えること。ゆがんだ推量・推察。「意図を—する」

**ジャスダック**［（JASDAQ）］〔↑Japan Association of Securities Dealers Automated Quotations〕《経》東京証券取引所が運営する株式市場。一定の実績を重視する「スタンダード」と、成長性を重視する「グロース」に区分される。☞ナスダック。

**ジャスティファイ**《名・自他サ》〔justify〕①りくつに合っていること。「ライフサイクルに—する商品」②正当化すること。「自分の行動を—する」

**ジャスト**《副・ナダ》〔just〕ちょうど。きっかり。「九時―・―(な)サイズ」●**ジャストミート**《名・自他サ・ナダ》〔和製 just meet〕①《野球・ゴルフ・サッカーなど》最も適切な位置でボールをとらえること。②ぴったり〈合う/当てはまる〉こと。「今の自分に―する本」

**ジャスマーク**〔JASマーク〕〔JAS mark〕JAS(ジャス)の品質規定に合格した食品や農林水産物につけるマーク。☞JAS・特定JASマーク。

**ジャスミン**〔jasmine〕庭に植える常緑樹。夏のはじめ、白くてにおいのいい花をつける。花から香水(こうすい)をつくる。●**ジャスミンちゃ**〔ジャスミン茶〕緑茶などに乾燥(かんそう)させたマツリカの花を加え、かおりをつけた中国茶。ジャスミンティー。

**ジャズメン**〔米 jazzmen〕ジャズの演奏家たち。〔単数は「ジャズマン」〕

**しゃ・する**〔謝する〕《他サ》〔文〕①あやまる。「無礼を―」②ことわる。「申し出を―」③礼を言う。「好意を―」▽謝す。

**ジャズ・る**《自他五》〔俗〕①ジャズを演奏する。②ジャズ化する。「バッハを―」〔戦前からあることば〕

**しゃぜ**〔社是〕〔文〕会社経営の根本精神をあらわした、短いことば。

**しゃせい**〔射精〕《名・自サ》《動》〈男性/雄(おす)〉の生殖器(せいしょくき)から精液を出すこと。

**しゃせい**〔写生〕《名・他サ》(=生命の動きを写す)目に見えるものをそのまま写すこと。スケッチ。「―文・―画」●**しゃせいちょう**〔写生帳〕スケッチブック。

**しゃせつ**〔社説〕その社の主張として新聞などに発表する論説。「―をかかげる」

**しゃぜつ**〔謝絶〕《名・他サ》(「謝」「絶」ともに、ことわること)ていねいにことわること。「面会―・申し入れを―する」

**じゃせつ**〔邪説〕〔文〕まちがった、悪い説。

**しゃせん**〔車線〕自動車が一列に走る幅(はば)ごとに区分された道路。「四―道路(=片側二車線の道路)・追いこし―」

**しゃせん**〔斜線〕ななめに引いた線。スラッシュ。

**しゃぜん**〔社前〕①神社の前。「熊野権現(くまのごんげん)の―」②会社の前。「―での集会」

**しゃそう**〔社葬〕会社が主体になっておこなう葬儀(そうぎ)。

**しゃそう**〔車窓〕〔文〕電車・自動車などの まど。「―から風景を見る・―をながめる」

**しゃそく**〔社則〕(文章の形にまとめた)会社の規則。

**しゃたい**〔車体〕車の、〈乗客/荷物〉をのせる部分。ボディー。

**しゃたい**〔斜体〕ななめにかたむいた書体。特に、イタリック。斜字(体)。(↔立体)

**しゃだい**〔車台〕車体を支える台。シャシー。

**じゃたい**〔蛇体〕〔文〕ヘビの〈形/からだ〉。「―(=ヘビの正体)をあらわす」

**しゃたく**〔社宅〕会社で、社員を住まわせるために建てた家。

**しゃだつ**〔×洒脱〕《名・ナダ》〔文〕さっぱりしていて俗気(ぞくけ)がないようす。脱俗。「―味」派―さ。

**しゃだん**〔社団〕《法》①団体としての組織をそなえ、規約を定めて活動する、人々の集まり。(↔財団)②↑社団法人。●**しゃだんほうじん**〔社団法人〕《法》法律上の人格を認められた社団。公益社団法人(例、経済同友会)と一般(いっぱん)社団法人(例、日本レコード協会)がある。社団。(↔財団法人)

**しゃだん**〔射弾〕発射された弾丸。「―をあびせる」

**しゃだん**〔遮断〕《名・他サ》たち切ること。さえぎること。「交通を―する」●**しゃだんき**〔遮断機〕〔踏切(ふみきり)で〕上がったり下がったりして、交通をいちじとめるしかけ。開閉機。

**しゃち**〔×鯱〕①頭はトラ、からだは さかなの形をしていると考えられた生き物。②城などの屋根の上の両はしに取りつけられる、「しゃち①」の形の かざり。しゃちほこ。③イルカの仲間の大形の海獣(かいじゅう)。からだの上半分は黒く下半分は白く、性質は あらい。さかまた。

[しゃち ②]

**じゃち**〔邪知・邪×智〕〔文〕わるぢえ。「―に長(た)けた人物」

**しゃちく**〔社畜〕〔俗〕自分を犠牲(ぎせい)にして、家畜のように会社につくす社員。〔一九八〇年代末から使われ、二〇一〇年代に特に広まったことば〕

**しゃちこばる**《自五》〔古風〕しゃっちょこばる。しゃちばる。

**しゃちほこ**〔(×鯱)・(×鯱×鉾)〕⇩しゃち②。「金の―」●**しゃちほこだち**〔(×鯱)立ち〕《名・自サ》〔古風・俗〕⇩しゃっちょこだち。●**しゃちほこば・る**〔(×鯱)張る〕《自五》〔俗〕⇩しゃっちょこばる。

**しゃちゅう**〔社中〕①社内。②〔邦楽(ほうがく)などの〕同門のなかま。③結社のなかま。

**しゃちゅう**〔車中〕車内。「―泊(はく)・―談(=政治家などが列車の中でする、非公式な談話)」

***しゃちょう**〔社長〕①会社のいちばん上の人。株式会社では、取締(とりしまり)役のうち、いちばん上の位の人。「代表取締役―・―出勤(⇩重役出勤②)」☞会長②。②〔俗〕中高年の男性に呼びかけることば。

**シャツ**〔shirt〕①上半身に着るはだ着。アンダーシャツ。〔Tシャツのように、ふだん着にするものもふくむ〕②(はだ着の上に着る)薄手(うすで)の動きやすい服。例、ポロシャツ・ワイシャツ。「白―」表記「:襯衣」とも書いた。☞シャツブラウス・シャツワンピース。

**しゃっか**〔借家〕⇩しゃくや。「借地―法」

**じゃっか**〔弱化〕《名・自他サ》〔文〕だんだん弱く〈なる/する〉こと。(↔強化)

**ジャッカー**〔↑ハイジャッカー〕ジャックした犯人。「電波―」

**ジャッカル**〔jackal〕㊀キツネに似た夜行性のけもの。小動物や死肉などを食べる。アジア・アフリカ・ヨーロッパに分布。㊁《名・他サ》《ラグビー》タックルを受けてたおれた選手から、(ラックが作られる前に)敵がボールをうばい取ること。

☆☆**しゃっかん**〔借款〕《経》〔国と国との間の、長期の〕お金の貸し借り。

↞**じゃっかん**〔若干〕㊀〔文〕数量がはっきりしていないこと。〔少ない数量について言う〕「補欠―名」㊁

し

《副》いくらか。少し。「—うたがわしい」

↑☆☆**じゃっかん**［弱冠］〔文〕年の若い〈こと／者〉。「—二十四歳で社長になる」 由来 昔の中国で、男子二十歳を「弱」と言い、冠をかぶった（＝元服した）ことから。現在は、若いと言える年齢に使うことが多い。

**しゃっかんほう**［尺貫法］長さは「尺」、質量・重量は「貫」、体積は「升」を基本単位とする、古くからのはかり方。一九五九年廃止。☞メートル法・ヤードポンド法。

**じゃっき**［×惹起］《名・他サ》〔文〕ひきおこすこと。「問題を—する」

**ジャッキ**［jack］車体などを下から持ち上げる簡単な機械。「—アップ（＝ジャッキで持ち上げること）」

**しゃっきり**《副・自サ》①〔姿勢が〕まっすぐで、曲がっていないようす。「背すじを—させる」②心がしっかりして、いきいきしているようす。「—した老人」③〈歯ごたえのある／ぱりっとしている〉ようす。「モヤシの—いため」▽しゃきっと。

**しゃっきん**［借金］《名・自サ》①お金をかりること。また、かりたお金。「—をかかえる」（↕貸し金）②〔プロ野球などで〕負けこしているゲームの数。「—三」（↕貯金）

●**しゃっきんとり**［借金取り］借金を取り立てる〈こと／人〉。

**しゃっく**［赤口］（↑赤口日）俗に、正午を除いて凶とされる日。しゃっこう。☞六曜。

**じゃっく**［×惹句］⇩キャッチフレーズ。

**ジャック**［jack］①《トランプ》兵士の絵のついたふだ。記号はJ。②〔電気器具の〕音声や映像を送るさしこみに使う器具。「マイク—」

●**ジャックナイフ**［jackknife］折りたたみ式の大形ナイフ。

**ジャック**（↑ハイジャック） 一 **ジャック**《名・他サ》①飛行機などの乗っ取り。②〔広告などで〕あたりをうめつくすこと。「銀座一帯を—した」 二 造《名・他サをつくる》乗っ取り。占拠。「バス—・ホテル—・シー—（＝船の乗っ取り）・ラジオ—」

**しゃっくり**［（×噦）・（：吃逆）・シャックリ］《名・自サ》《生》横隔膜のけいれんによって、ひきつけるように空気を吸いこんで みょうな音が出ること。しゃくり。

**ジャッグル**《名・他サ》〔米 juggle＝曲芸〕《野球》うまくボールをつかみきれず、グラブの中でお手玉のようにはずませてしまうこと。お手玉。 ✓ 曲芸の意味の「ジャグリング」も同じ英単語から。

**しゃっけい**［借景］庭先のけしきの一部分としてうまく取り入れた、敷地の向こうの けしき。「山を—にする」

**じゃっけん**［弱肩］《野球》ボールを〈遠くまで／速く〉投げられない、弱いかた。（↕強肩）

**じゃっこう**［寂光］①〔文〕しずかな さびしい光。②《仏》ⓐ完成した真理と、これをさとるための知恵の光。ⓑ↑寂光浄土。

●**じゃっこうじょうど**［寂光浄土］《仏》仏の住みかである浄土。常寂光土。寂光土。寂光。

**じゃっこく**［弱国］〔文〕弱い国。（↕強国）

☆☆**ジャッジ**《名・他サ》〔judge〕①審判員。②《ボクシング・レスリングなど》副審。（↕レフェリー）③審判。判定。ジャッジメント。

**シャッター**〔shutter〕①細い鉄板を横にならべて連結した戸。巻き上げてあける。巻き上げ戸。よろい戸。「—通り（＝商店のシャッターがしまったままの通り）」②《写真》〔カメラで〕光線のはいる穴をひらいたり とじたりする装置（を動かすボタン）。「—（ボタン）をおす」③スライドさせて開け閉めする ふた。「電源タップのほこり防止用—」

●**シャッターを切る** 句 カメラのシャッターボタンをおして、シャッターを動かす。撮影する。

●**シャッターチャンス**〔和製 shutter chance〕シャッターを切るのに最もいい瞬間。

**しゃっちょこだち**［しゃっちょこ立ち］《名・自サ》〔古風・俗〕さかだち。しゃちほこだち。

**しゃっちょこば・る**［しゃっちょこ（張る）］《自五》〔俗〕①緊張してかたくなる。②しゃちほこ（鯱）のように、いかめしく構える。▽しゃち（ほ）こばる。

**シャットアウト**《名・他サ》〔shutout〕①さえぎって、中に入れないこと。しめだし。「関係者以外を—する」②《野球》⇩完封②。

**シャットダウン**〔shutdown〕《情》〔コンピューターで〕電源を切る前におこなう、システムを終わらせる手続き。

**ジャップ**〔米 Jap〕〔俗〕〔アメリカ人が〕日本人をいやしめて呼ぶことば。

**シャツブラウス**〔和製 shirt blouse〕《服》開襟シャツふうのブラウス。女性用スーツの下にも着る。☞ワイシャツ。

**シャッフル**《名・他サ》〔shuffle〕①《トランプ》きちんと重ねたカードを、手で いろいろに まぜて、順番を変えること。カードを切ること。②〔音楽プレーヤーで〕曲をランダムに再生すること。

●**シャッフルボード**〔shuffle-board〕コート上の円盤を長い棒で突いて、コートにえがかれた三角形に入れ、その位置によって得点を争う競技。シャフル ボード。

**シャッポ**〔フ chapeau〕〔古風〕帽子。

●**シャッポを脱ぐ** 句 〔古風〕〔強さや うまさを認めて〕降参する。

**シャツワンピース**〔和製 shirt one-piece〕《服》上部が、えりと前ボタンつきのシャツになったワンピース。シャツドレス。シャツ ワンピ。

**しゃてい**［舎弟］①〔文／東日本方言〕（自分の）弟。（↕舎兄）②〔俗〕おとうとぶん。

**しゃてい**［射程］①《軍》弾丸の届く距離。射程距離。「全島が—〈圏内〉に収まる」②勢力や能力などのおよぶ範囲。「上位入賞も—〈内〉に入った」

**しゃてき**［射的］〔空気銃で〕まとをねらって、コルクのたまをうつ遊び。「—場」

**しゃでん**［社殿］神体をまつった建物。

**しゃど**［斜度］数字であらわした、斜面の傾斜の度合い。「平均—二十五度」

**しゃとう**［社頭］〔文〕神社の〈付近／ある所〉。

**しゃとう**［斜塔］〔文〕かたむいて立つ塔。

**しゃどう**［車道］自動車・路面電車などが通る道。（↕人道・歩道）

**じゃどう**［邪道］①〔目的は果たせるかもしれないが〕正しくない〈やり方／方法〉。「和食にウスターソースを使うのは—だ」②悪の道。「—に落ちる」▽（↕正道）

**シャトー**〔フ château＝城〕 一 造 マンションにつける名前。 二 **シャトー** ワインの醸造元。●**シャトー**

ブリアン〔フ châteaubriand〕牛ヒレ肉の中心部分(のステーキ)。希少で、最も肉質がいい。

シャドー〔shadow〕①〔写真〕ⓐ影。ⓑ光を受けていない、暗い部分。暗部。(↔ハイライト) ②↑シャドーボクシング。「—の練習」▽シャドウ。●シャドーボクシング〔shadow boxing〕〔ボクシング〕相手が前にいると考えて、ひとりでする練習。シャドー。

シャトル〔shuttle〕①⇨ひ(杼)。②〔飛行機などの〕定期往復便。「—便・—バス」③〔↑シャトル コック〕バドミントンで打ち合う羽根。

しゃない〔社内〕会社の中。「—結婚」(↔社外) ●しゃないほう〔社内報〕会社が従業員に会社の動きや社内のニュースを知らせるために定期的に出す印刷物。

しゃない〔車内〕列車・自動車などの中。車中。「—改札(=検札)・—販売・—に取り残される」(↔車外)

じゃない 一 連〔話〕↑ではない。「君は一人—よ」二《終助》〔話〕①問いかけや推量をあらわす。でしょう。じゃね〔俗〕。「あれ富士山—？・そろそろ来るん—？」②同意や共感を求める。(だ)よね。でしょう。「さっき言った—・負けたらくやしい—」[注]自分のことについて言うと、おしつけがましく聞こえる場合もある。「私、いろんな選手を見てきた—(ですか)」③意志やさそいかける気持ちをあらわす。「やってやろう—」④印象を述べる。(だ)よ。(だ)ね。「なかなか似合う—」▽ではないか。じゃない〈か/の〉。じゃん〔俗〕。[丁寧]じゃないですか。三 じゃない《形》〔俗〕①それとはちがう。「ファンも、—人も」②主ではない。「—ほうの仕事」●じゃないが 連〔話〕表現が自分の意図とちがっているかもしれない、とことわることば。ではないが。「自慢—(=自慢のつもりはないが)、満点だった〈実は自慢している〉・ゲーテのことば—(=ゲーテをまねるわけではないが)、『もっと光を』と言いたいね」☞とてもじゃないが。●じゃないと《接》〔話〕⇨でないと。じゃなきゃ。じゃなくちゃ。「よく休みなさい。—、治らないよ」

しゃなり しゃなり《副・自サ》からだをくねらせるように動かして気取るようす。「—とあゆみ出る」

しゃにくさい〔謝肉祭〕〔謝肉=肉を食べないこと〕〔宗〕〔カトリックで〕四旬節(=イースターの前の四十日間)が始まる三日前からにぎやかにおこなわれる、民間の祭り。カーニバル。

しゃにむに〔遮二無二〕《副》ほかのことは考えないで、めちゃくちゃに。「—勉強する」

じゃね《終助》〔俗〕⇨じゃない 二①。「それでいいん—？・多すぎ—？」〔二十一世紀になって広まった用法。しり上がりの調子で言う〕

しゃねつ〔遮熱〕《名・自他サ》〔文〕熱の放射を防ぐこと。「—性舗装」

じゃねん〔邪念〕①〔道徳的に〕悪い考え。「—をいだく」②雑念。妄想。「—を追いはらう」

じゃのめ〔蛇の目〕①ヘビの目のような、◉の模様。「—紋・—ちょこ」②〔↑じゃのめがさ〕紺地などに白い、太い輪の形をあらわしたからかさ。③土俵の円のすぐ外がわをとりまく、砂の部分。「—の砂」

しゃば〔車馬〕〔文〕くるまと馬。乗り物。

しゃば〔(×娑婆)〕〔梵語 sahā の音訳〕①〔仏〕いろいろな苦しみをしのぶべき、この世。人間世界。②〔シャバ〕〔俗〕〔監獄などから見て〕外の自由な世界。「—に出る」

しゃばく〔射爆〕〔軍〕軍用機がおこなう、射撃と爆撃。「—場」

しゃばけ〔(×娑婆気)〕俗世間に執着を持つ心。しゃばっけ。

ジャパニーズ〔Japanese〕日本(の)。日本〈人/語〉。「—イングリッシュ」

ジャパネスク〔Japanesque〕日本調。日本の、過去の文化遺産や文化様式。

しゃはば〔車幅〕自動車のはば。しゃふく。

しゃばふさぎ〔(×娑婆)塞ぎ〕〔古風・俗〕この世に生きているだけで、じゃまにしかならない〈こと/人〉。

じゃばら〔蛇腹〕①〔アコーディオン・ちょうちんなどの〕ヘビの腹のように、のび縮みのできる〈形/部分〉。②ヘビの腹の形に似た〈もの/かざり〉。

しゃはん〔社販〕〔俗〕社員販売割引制度。社内販売。

しゃばん〔社判〕会社のはんこ。社印。

しゃばん〔車番〕〔↑車両番号〕自動車・鉄道車両などにつけられた番号。車体番号。

ジャパン〔Japan〕日本。「メイド イン—・—マネー」

しゃひ〔社費〕〈会社/社団〉の費用。

しゃひ〔舎費〕寄宿舎を維持するために寄宿人に割り当てる、共同の費用。

じゃひ〔邪飛〕〔視覚語〕〔野球〕ファウルフライ。「右—」

シャビー〔ナダ〕〔shabby〕①古びて みすぼらしい(のがかえって好ましい)ようす。「—な古いテーブル・—なファサード」②〔俗〕ぱっとしないようす。「—な提案」

じゃびせん〔蛇皮線〕〔音〕⇨さんしん(三線)。

しゃふ〔車夫・(×俥夫)〕人力車を引く人。くるまひき。くるまや。

しゃふ〔写譜〕《名・自他サ》〔音〕楽譜を書き写すこと。

しゃぶ〔シャブ〕〔俗〕覚醒剤。

しゃぶ 造 ↑しゃぶしゃぶ。「ぶた—・かに—・焼き—(=しゃぶしゃぶの肉を焼いて食べるもの)」

ジャブ〔jab〕①〔ボクシング〕うでだけを細かく動かしてしかける、軽い攻撃。②〔俗〕〔ことばなどによる〕軽い攻撃や牽制。「—の応酬」

しゃふう〔社風〕会社の気風。

しゃぶしゃぶ うすく切った肉を、火にかけたなべの湯にくぐらせ、たれをつけて食べる料理。〔本来は牛肉を使う〕

じゃぶじゃぶ《副》①たくさんの水をかきまぜたり、そそいだりする〈音/ようす〉。ざぶざぶ。「せんたく物を—洗う・浅瀬を—わたる」②お金をおしげもなく つぎこむようす。

☆☆しゃふつ〔煮沸〕《名・他サ》ぐらぐら煮たたせること。「ふきんを—消毒する」

しゃぶつ〔写仏〕《名・他サ》〔文〕〈仏画/仏像〉を模写すること。「—のすすめ」

シャフト〔shaft〕①長い柄。②軸。回転軸。

しゃぶる《他五》〔口の中へ入れて〕なめたり、吸ったりする。「骨を—・あめ玉を—」

☆☆しゃへい〔遮蔽〕《名・他サ》外から見えないように、幕などでかくすこと。おおい。

**しゃべく・る**《自他五》〔俗〕しゃべる。【名】しゃべくり。

***しゃべ・る**［(×喋る)］《自他五》①ことばを口に出す。ものを言う。「ここで見たことはしゃべってはならない」②〈軽い調子で〉口数多く話す。「よく―やつだ」▽命令形は「しゃべれ」だが、俗に「しゃべろ」とも。【名】(お)しゃべり。【可能】しゃべれる。

**シャベル**〔shovel〕①園芸などに使う、片手に持って土をほる道具。移植ごて。②〔関西などの方言〕「スコップ①」をさすことば。▽ショベル。

**しゃほ**［社保］↑社会保険。「―完備・―料」

**じゃほう**［邪法］〔文〕①まちがった、悪い教え。②魔法。

**シャポー**〔フ chapeau〕帽子。シャッポ。

**ジャポニカまい**［ジャポニカ米］〔Japonica〕おもに日本でつくられる米。粒が短く、ねばりけがある。(↕インディカ米)

**ジャポニスム**〔フ japonisme〕印象派の絵画など、十九世紀後半のヨーロッパ芸術にみられる、日本の芸術様式の影響。〔表面的な日本趣味はジャポネズリー(japonaiserie)〕

**しゃほん**［写本］(筆で)書き写した本。(↕刊本・版本)

**シャボン**〔ハボン(ス jabón)の古い発音〕〔古風〕せっけん。「―の泡」 ●**シャボンだま**［シャボン玉］〔子どもの遊びで〕せっけんをとかした水を管の先につけ、管の口から息をふきこんで飛ばす、泡の玉。

**じゃま**［(邪魔)］【一】《名・他サ》ものごとの進行や、何かをしようとする動きをとめる原因となる〈こと/もの〉。「―者」☞おじゃま・じゃまだて。【二】《ナダ》「じゃま【一】」になるようす。「―な電柱」【派】-がる。

**じやま**［地山］①〔人工的な盛り土などに対して〕自然の山。「―の林」②トンネルなどを掘る対象の山。「―とたたかう」

**しゃまく**［×紗幕］ベールのようにうすい幕。

**じゃまくさ・い**［(邪魔臭い)］《形》〔関西方言〕①じゃまだ。「―からあっちへ行け」②めんどうくさい。「―仕事」

**じゃまだて**［(邪魔立て)］《名・他サ》わざわざじゃまをすること。「人のすることを―する」

**じゃまっけ**［(邪魔っ気)］《ナダ》〔俗〕じゃまに感じるようす。

**しゃみ**［△三味］しゃみせん。さみ。「お―」

**しゃみ**［△沙△弥］〔梵語 śrāmaṇera の音訳〕《仏》〈修行をあまり積んでいない/なったばかりの〉僧。

**しゃみせん**［三味線］《音》日本音楽に使う、三本糸の楽器。ばち(撥)で鳴らす。三弦。さみせん。しゃみ。さみ。「―を弾く・お―」

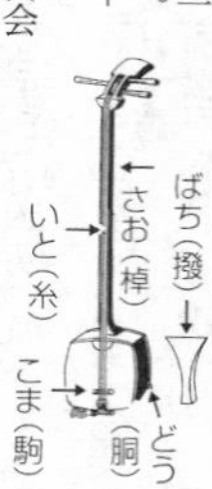

［しゃみせん］

**しゃむ**［社務］〈会社/神社〉の事務。

**シャム**〔Siam〕①タイ王国の、もとの呼び名。【表記】「∴暹羅」は、古い音訳字。②タイ原産のネコ。目は青く、からだはクリーム色、顔・耳・足・尾は黒茶色。毛が短い。シャムねこ。

**ジャム**〔jam〕①くだものに砂糖を加えて煮つめた食品。コンフィチュール。「―パン・イチゴ―」②〔①とは別語源〕⇩ジャムセッション。

**しゃむしょ**［社務所］神社の事務を取りあつかう所。

**ジャムセッション**〔米 jam session〕〔ジャズの演奏中に〕即興的に曲を変奏すること。また、その演奏会。ジャム。

**しゃメ**［写メ］〔↑写メール《=携帯電話で、写真をそえて送るメール。商標名》〕〔俗〕【一】携帯電話で撮る写真。【二】《名・自他サ》携帯電話で写真を〈撮る/送る〉こと。「領収書を―する〔『写メる』とも〕」▽【一】【二】二〇〇三年〜一六年ごろに、特によく使われたことば。

**しゃめい**［社名］〈会社/結社〉の名前。

**しゃめい**［社命］会社の命令。

**しゃめん**［斜面］かたむいた(平)面。ななめの面。「山の―」

**しゃめん**［赦免］《名・他サ》〔文〕罪をゆるすこと。

**シャモ**［(∴軍鶏)・しゃも］ニワトリの一品種。やせて骨ばり、けんかを好む。闘鶏用・食用。「―鍋」【由来】江戸時代、タイ〔=旧称シャム〕から渡来した。

**シャモ**〔アイヌ shamo〕〔アイヌから見た〕アイヌ以外の日本人。和人。

**しゃもじ**［(×杓文字)］ごはんを茶わんにもる、柄のさきが平たい形になったもの。へら。

**しゃもん**［△沙門］〔梵語 śramaṇa の音訳〕《仏》僧。出家。

**しゃもん**［△借問］《名・自サ》〔文〕⇩しゃくもん。

**しゃゆう**［社友］①社員以外で、その会社に関係のある人。②もと、その会社につとめていた人。

**しゃゆう**［社有］会社の所有。「―地」

**しゃよう**［社用］会社の用事。「―車・―ゴルフ」 ●**しゃようぞく**［社用族］会社の用事で客を接待し、それを口実に自分も会社の費用ではでに飲み食いする社員。【由来】一九五一年に「斜陽族」をもじってできたことば。☞「斜陽②」の【由来】。

**しゃよう**［斜陽］①〔文〕夕日。入り日。②おちぶれること。「―化・―産業」【由来】②は太宰治の一九四七年の小説の題から。作品は戦後に没落した上流階級をえがき、「斜陽族」のことばを生んだ。

**じゃよく**［邪欲］〔文〕①不正な欲望。私欲。②みだらな情欲。

**しゃらくさ・い**［(∴洒落=臭い)］《形》〔俗〕気取っていて、しゃくにさわる。なまいきだ。「しろうとのくせに、―ことをぬかすな」

**じゃらじゃら**《副・自サ》①小さな金属がふれあう〈音/ようす〉。「かぎが―する」②〔俗〕〈いろっぽくて/きらびやかで〉いやらしいようす。「―した女」

**しゃらっと**《副》平然とした(顔で言う)ようす。しれっと。「うそを―言う」

**しゃらのき**［(×娑羅の木)・(△沙羅の木)］〔娑羅=梵語 sāla の音訳〕①山中にはえる落葉高木。夏、ツバキのような白い花がさく。庭木にもする。なつつばき。②⇩さら(娑羅)。

**しゃり**【一】［舎利］〔梵語 śarīra の音訳〕①《仏》仏陀または聖者の遺骨。②火葬にしたあとに残った骨。【二】［シャリ］①〔すし店で〕めし。【✓】客がまねて使うのをきらう人もいる。②米。「銀―〔=白米〕」

**じゃり**【一】［砂利］岩石が細かくくだけたもの。「―トラ

〔=砂利を運ぶトラック〕」 [由来]「じゃりじゃり」という音、または「小さい」の意味の「さざれ」の変化で、「砂利」の表記は本来 当て字。[区別]⇩岩。[二]［ジャリ］〔俗〕〔もと、興行界で〕子ども。「―タレ(ント)」

**しゃりかん**［しゃり感］〔俗〕織物の、しゃりっとしたはだざわり。しゃり味。

**しゃりしゃり**《副・自サ》①(水分のある)かたくうすいものがくだける〈音/ようす〉。「―(と)したナシの食感・霜柱をーとふむ音がする」②〔布が〕うすくて軽く、しかも張りのあるようす。「―(と)した麻」

**じゃりじゃり**《副・自サ》細かいじゃりや砂にふれたり、かんだりしたときの〈感じ/音〉。「口の中が―する」

**しゃりっと** [一]《副・自サ》①あらく、またはかたく織ってはだにべったりつかず、気持ちのいいようす。「―した麻の服」②歯ごたえがあって、食感がさわやかなようす。しゃりしゃり。「―した歯ざわり」[二]《副》うすい氷などを割るときの音のようす。「―割れる」

**しゃりょう**［車両・車×輛］自動車・電車・客車などの総称。「警察―・次の―〔=客車〕」

**しゃりん**［車輪］①くるまの輪。②⇩大車輪③。

**しゃ・る**《助動五型》〔古風〕尊敬をあらわす。…なさる。「行かー・待たっしゃれ」☞しゃい。

**シャルドネ**〔フ Chardonnay=地名〕①ブドウの品種。皮が緑色で、たねがある。白ワインの原料。②「シャルドネ①」から造るワイン。

**しゃれ**［(:洒落)・シャレ］①同音や似た音のことばを利用して、おかしみをねらった表現。例、「めんつゆが切れていたとは つゆ知らず」。「―を飛ばす」「「地口」」「軽口②」なども、この一種」☞駄じゃれ。②〈おもしろがって/からかって〉言う じょうだん。「―を真に受ける」③たわむれに すること。「―ではすまされない いたずら」☞おしゃれ。

**しゃれい**［謝礼］《名・自サ》感謝の気持ちをあらわした〈お金/おくりもの〉。お礼。

**しゃれき**［社歴］①入社してからの経歴。「―十年」②会社の歴史。「半世紀の―をほこる」

**しゃれこうべ**［(:髑髏)］〔=曝れ首〕どくろ。されこうべ。

**しゃれこ・む**［(:洒落=込む)］《自五》①ひどくしゃれる。②ひどく気のきいたことをする。「夕食はステーキとしゃれこんだ」

**しゃれつ**［車列］車両の列。「パレードの―」

**じゃれつ・く**［(△戯れ付く)］《自五》じゃれて、相手にとりつく。「犬が飼い主に―」

**しゃれっけ**［(:洒落=っ気)］①(お)しゃれの感覚。いいセンス。「―のある映画」②おしゃれを好む気持ち。「―が出てきた」▽しゃれけ。

**しゃれのめ・す**［(:洒落のめす)］《他五》最後まで、じょうだんという形でおしとおす。

**しゃれぼん**［:洒落=本］江戸時代後期に流行した小説。遊郭を舞台に、会話で進行する。例、山東京伝の「通言総籬」。

**しゃ・れる**［(:洒落る)］《自下一》①きれいな身なりをする。おしゃれをする。「きょうは精いっぱい しゃれてみた」②〔ふつう **しゃれ〈た/て〉**〕きれいで かっこいい感じをそなえる。「しゃれたスカート」③気のきいたことをする。「ホテルでランチと しゃれてみた」④〔ふつう **しゃれた**〕気のきいたような、なまいきなことをする。「しゃれた まねをしやがって」⑤「しゃれ①」を言う。「二十九日を『肉の日』と―」 [表記]〈俗に/軽く〉「シャレる」とも。

**じゃ・れる**［(△戯れる)］《自下一》〔子どもや犬・ネコなどが〕からみつくようにして遊ぶ。「犬と―・子どもがじゃれ合う」 [他]じゃらす《五》。「動物を―」

**じゃれん**［邪恋］〔文〕道に外れた恋。

**しゃろ**［車路］〔駐車場などで〕車が通る道。「―歩行禁止」

**しゃろうし**［社労士］↑社会保険労務士。

**しゃろん**［社論］その新聞社としての主張。「―をリードする記者」

**シャワー**〔shower〕①からだを洗うために、水や湯を〈じょうろのように〉小さい穴から勢いよく出す〈装置/こと〉。②からだ全体に受けるもののたとえ。「英語の―をあびる」 ●**シャワートイレ**〔↑和製 shower toilet〕中から温水シャワーが出て、おしりを洗う便器。温水洗浄便座。

**しゃわり**［社割］〔↑社員割引〕社員が自分の会社の商品を買うときに してもらえる割引。

**シャン**《名・ナダ》〔↑ド schön (シェーン)〕〔古風・学〕①〔女性の〕美しいようす。②美人。☞バックシャン。

**じゃん** [一]《副》①楽器などを打ち鳴らす音。「ギターを―とかき鳴らす」☞じゃんじゃん①。②〔俗〕〔じまんして〕相手に見せるようす。▽じゃーん。[二]［ジャン］〔競輪で〕最後の一周半になると連打される鐘。また、打鐘。「―が鳴る」

**じゃん**《終助》〔俗〕…ではないか。…じゃないか。「そう―・よかった―・あいつ来てん〔=来てる〕―」〔中部地方から横浜に伝わり、一九六〇年代までに東京にはいったことば〕

**ジャン**［(:雀)］[造]〔中国語〕〔俗〕↑マージャン。「―卓・―力」

**ジャン** [造]〔俗〕↑ジャンパー。「革―・スター―〔=スタジアムジャンパー〕」

**ジャンキー** [一]ジャンキー〔junkie〕①麻薬中毒者。②マニア。「旅行―」 [二]ジャンキー《ナダ》〔junky〕健康に悪そうなようす。「―な食べ物」〔「ジャンク(フード)」から〕

**ジャンク**〔junk=もと、ジャワ語〕中国の川・海を走る伝統的な木造帆船。[表記]「:戎克」は、古い音訳字。

**ジャンク**〔junk=がらくた〕①こわれた機械(のうち、まだ部品が使えるもの)。「―品のカメラのレンズ」②↑ジャンクフード。 ●**ジャンクフード**〔junk food〕カロリーが高く栄養価の低いスナック菓子・インスタント食品・ファストフードなどをけいべつして呼ぶことば。ジャンク。

**ジャンクション**〔junction〕〔高速道路の〕合流点・分岐点。JCT。「大月―」☞インターチェンジ。

**シャングリラ**〔Shangri-La〕①理想郷。ユートピア。②歓楽郷。

**ジャングル**〔jungle〕①密林。特に熱帯地方の原始林。②複雑にいりくんだところ。「コンクリート―〔=大都会〕」 ●**ジャングルジム**〔jungle gym〕子どもの遊び場などにある、鉄棒などを組み立てた遊び道具。つかまったり、のぼったりして遊ぶ。

**じゃんけん**[じゃん(拳)・ジャンケン]《名・自サ》拳(けん)の一つ。片手で石・紙・はさみの形をまねて勝負する遊び。「じゃんけんぽん」とかけ声をかけてする。

**ジャンし**[(:雀)士]〔俗〕マージャンが強い人。

**しゃんしゃん** 一《副》①いくつものすずが鳴る音。②手拍子(てびょうし)をとる音。③〔無事に終わって〕みんなで手打ちをする音。④もめごともなく終わること。「―総会」 二《副・自サ》年をとっても元気で、よく働くようす。「祖母はまだ―している」

**じゃんじゃん**《副》①半鐘(はんしょう)などを打ちならす音。②続けて同じことが起こるようす。どんどん。「―申しこみがある・さあ、―食べて」

**しゃん・す**《助動マス型》〔↑しゃ(り)ます。活用は「せ・しょ」「し」「す」「すれ」「せ」〕〔女〕江戸(えど)時代、〈他人/相手〉の行為(こうい)を尊敬し、ていねいに言ったことば。さんす。「書か―」〔前に来る動詞によって「やしゃんす」とも。「見やしゃんす」〕

**ジャンそう**[(:雀)荘]〔俗〕マージャンをやらせる店。マージャン荘。

**シャンソン**〔フ chanson〕フランスの歌謡(かよう)曲。

**シャンツァイ**[(:香菜)]〔中国語〕⇩パクチー。

**シャンツェ**〔ド Schanze〕〔スキーの〕ジャンプ台。跳躍(ちょうやく)台。

**シャンデリア**〔chandelier〕天井(てんじょう)からつるす〈花形/枝形〉のかざりの電灯。

**しゃんと**《副・自サ》①姿勢や気持ちにみだれがないようす。「背すじを―のばす」②態度や内容がしっかりしているようす。「―した態度」

**ジャンパー**〔jumper〕①《服》上半身をおおう、活動的な防寒用の上着。そでやすそがすぼまり、前はファスナーやスナップで止める。ブルゾン。〔なまって、「ジャンバー」〕②〔①とは別語源〕〔スキー・フィギュアスケートなど〕ジャンプをする人。ジャンプの選手。●**ジャンパースカート**〔和製 jumper skirt〕《服》上下ひと続きの、女性の服。上はそでがなく(肩(かた)ひもでつり)、下はスカート。ジャンスカ。

[ジャンパースカート]

**シャンパン**〔フ champagne〕炭酸ガスをふくむ白ワイン。おもに祝いの席に使う。せんをぬくと、ぽんと音がしてふきこぼれる。フランスのシャンパーニュ地方の特産。シャンパーニュ。シャンペン。 表記「(:三鞭酒)」とも書いた。 ☞スパークリングワイン。

**シャンピニオン**〔フ champignon〕マッシュルーム。

**ジャンピング**〔jumping〕とび上がること。ジャンプすること。「―スロー(=とび上がった姿勢でボールを投げること)・―キャッチ・―トス」

**ジャンプ**《名・自サ》〔jump〕①とび上がること。跳躍(ちょうやく)。飛躍。②《陸上》⇩跳躍②。③〔↑ジャンプ競技(ぎ)〕《スキー》ノルディック種目の一つ。上からすべり降りて、遠くへとぶ。④《フィギュアスケート》片足でふみ切ってとび上がり、回転してから片足で着氷する技(わざ)。〔アクセル・ルッツ・フリップ・ループ・サルコウ・トウループの六種類〕●**ジャンプがさ**[ジャンプ傘]ボタンひとおしでひらくかさ。●**ジャンプスーツ**〔jump suit〕《服》ズボンと〈上着/シャツ〉がひと続きになった服。

**シャンプー**《名・自サ》〔shampoo〕かみの毛を洗うときに使う、泡(あわ)立ちのいい液体。また、それで洗うこと。ヘアシャンプー。

**シャンペン**〔フ champagne〕⇩シャンパン。

**ジャンボ**〔jumbo〕一①特別大型の飛行機。②〔↑ジャンボサイズ〕《写真》縦約七・六センチ、横約一一・二センチの大きさ(の写真)。③トンネル・坑道(こうどう)をほり進む、特別大型の機械。▽ジャンボー。二《ナダ》ものすごく大きいようす。特別大型。「―(な)スタイル(=超(ちょう)大型)・―ジェット機・年末―宝くじ」

**ジャンボリー**〔jamboree〕①(野外での)祭典。「ミュージック―」②ボーイスカウトの大会。

**ジャンゆう**[(:雀)友]〔俗〕マージャン友だち。

**ジャンル**〔フ genre〕①部類。種類。②文芸の部門。詩・小説・劇などの区別。「文学の―」

***しゅ**[主] 一しゅ ①〔文〕主君。しゅう。(↔従) ②おもな点。中心。大切なこと。「研究が―となる」(↔従) ③《宗》〔キリスト教で〕神またはキリスト。「―よ、あわれみたまえ」 二 造 おもな。「―成分・―戦場・―旋律(せんりつ)〔略して『主旋』〕」 三 造 ①ぬし。「造物―(=神)」②主人。「りんご園―」 ☞主たる・主として。

**しゅ**[守]《野球》↑守備。「攻(こう)―、―走」

**しゅ**[朱] 一しゅ ①だいだい色に近い赤。しゅいろ。「満面―を注ぐ(⇩「満面」の 句)」②↑朱墨(しゅずみ)。 二しゅ [(×銖)] 江戸(えど)時代のお金の単位。一朱は一分(ぶ)の四分の一。銭(ぜに)二百五十文(もん)。●**朱に交われば赤くなる** 句 つきあう相手によって人はよくも悪くもなる。●**朱を入れる** 句 (赤い字で)文章を直す。朱筆を入れる。

***しゅ**[種] ①種類。「この―の・第二―・犬―」②《哲》「類」をいくつかに分けたもの。③《生》生物の分類で、いちばん下位に位置する基本単位。「属」の下。「イネ属イネ―」 ☞亜種(あしゅ)。

**しゅ**[首] 接尾 漢詩・和歌を数えることば。「歌一―」

**しゅ**[手] 造 〔作業を受け持つ〕ひと。担当者。「運転―・ラッパ―」

**しゅ**[酒] 造 さけ。「ぶどう―」

**しゅ**[衆] 造 〔古風〕多くの人をあらわす軽い尊敬語。…方(がた)。「子ども―・だんな―」

**しゅ**[腫] 造 《医》腫瘍(しゅよう)。「骨髄(こつずい)―」

**じゅ**[寿]〔文〕〔長く生きて、おめでたい〕いのち。年齢(ねんれい)。「八十の―」

**じゅ**[(×綬)] 勲章(くんしょう)などをつるすひも。☞褒章(ほうしょう)。

**じゅ**[従] 造 正(しょう)の次に位する等級。「―四位」(↔正(しょう))

**じゅ**[樹] 造 木。樹木。「街路―」

**シュア**《ナダ》〔sure〕確実。たしか。「―なバッティング」

←**しゅい**[主位]〔文〕おもな地位。主となる地位。

→**しゅい**[首位] 第一の地位。一位。「―打者」

←**しゅい**[主意]〔文〕①おもな意味や考え。主眼。「〔国会で〕質問―書」②意志を主とすること。「―的」(↔主情・主知)

→**しゅい**[趣意]〔文〕①どういう気持ちでそれをしようとするか、ということについての考え。「―書」②文章にあらわそうとしている意味・内容。

**じゅい**[樹医]〔文〕枯れかかった名木・古木をよみがえらせる人。樹木医。

**しゅいろ**[朱色]⇩しゅ(朱)[一]①。

**しゅいん**[主因]〔文〕おもな原因。(↕副因)

**しゅいん**[朱印]①朱色の印。②《歴》戦国大名や将軍が「朱印①」をおして出した命令書。朱印状。☞御朱印。●**しゅいんせん**[朱印船]《歴》江戸時代のはじめ、幕府が認めて海外貿易をさせた船。御朱印船。

**しゅいん**[手淫]《名・自他サ》〔文〕〔性器を〕手で刺激すること。☞マスターベーション①。

**じゅいん**[樹陰]〔文〕こかげ。

**しゅう**[△主]〔文〕主人。主君。しゅ。「—思い」

**しゅう**[州・×洲][一]**しゅう**〔=くに〕外国の行政区画の呼び名。「〔アメリカの〕テキサス—・—政府」[二][造]①《地》地球上の、〔六つの〕大陸。「アジア—」②日本の、昔の国を、漢語ふうに呼ぶときにそえることば。「信—〔=信濃の国〕・十—展望台」

**しゅう**[秀]成績・等級を評価することばの一つ。優のさらに上。「メロンの—品」

←**しゅう**[周][一]**しゅう**《数》ある図形のまわり(の長さ)。「四角形の—の長さ」[二][接尾]〔名・自他サをつくる〕ある場所のまわりを回る回数。「校庭を三—する」

→**しゅう**[週]七日をひとまわりとしてくぎった期間。一週間。「次の—・第一—・—初め」

**しゅう**[宗]宗旨。しゅ。宗門。「天台—」

**しゅう**[衆][一]**しゅう**①多くの人。「—に先んじる・皆の—〔=みなさん〕」②なかま。しゅ。「若い—」③人数の多いこと。「—をたのむ」④↑衆議院。「—参」[二][造]人々。軽い尊敬語。しゅ。「六人—・だんな—〔=だんな方〕・お子ども—」

**しゅう**[集][一]**しゅう**詩・歌・文章などを集めた書物。「自選(の)—・金言—」[二][造]絵・写真・映像などを集めたもの。「写真—・NG—」[三][接尾]「集[一][二]」を数えることば。「第二—」

**しゅう**[醜]〔文〕①みにくいこと。②調和・つりあいを欠いたもの。▽(↕美)

**しゅう**[終][造](いちばん)終わり。「—列車」

**しゅう**[囚][造]囚人。しゅう。「死刑—・模範—」

**しゅう**[臭][造]〔文〕①におい。「腐敗—」②くさみ。…らしい感じ。「役人—」

**シュー**①↑シュークリーム。「生—・—セット」②シュークリームの皮。シュー生地。「さくさくした—・—アイス」

**シュー**[造]〔shoe〕①くつ。「スノー—」☞シューフィッター。②くつ形の器具や部品。足。「〔カメラの〕アクセサリー—〔=アクセサリーをはめこむ みぞ〕」

←**しゅう**[市有]〔文〕〔地方自治体である〕市の所有。「—地」

→**しゅう**[私有]《名・他サ》〈私人/個人〉の所有。「—財産・—地」(↕公有・国有)

**しゅう**[師友]〔文〕師匠と友人。

**しゅう**[雌雄]めすと おす。●**雌雄を決する**[句]〔文〕勝負を決める。

**しゅう**[試遊]《名・他サ》新しいゲームを、ためしにやってみること。「—台」

**じゅう**[十]九より一つだけ多い数。とお。「—円・—数人・—の位〔=一の一つ上の位〕・—万〔=一万の十倍〕」 [注](1)「十回・十点」などは、伝統的には「ジッ」と発音する。「十」の古い音読み「ジフ」の変化。「ジュッ」は江戸時代にはなく、近代以降に一般化し、現在は多数派。 (2)常用漢字表では、従来「十」に「ジュウ・ジッ」の音を示していたが、二〇一〇年、備考欄に「『ジュッ』とも」と示した。 (3)「ジッ」または「ジュッ」になるのは、後ろがカ・サ・タ・ハ行音の場合。ハ行音は、「十本・十箱・十袋」などは半濁音化し、「十房・十部屋・十品目・十平方メートル」などは半濁音化しない。 [表記]重要な文書で、金額などを書く場合、「拾」と書く。

**じゅう**[住]すみか。すまい。すむこと。「衣食—・—環境・—空間」

**じゅう**[柔]〔文〕おだやかな〈こと/もの〉。やわらかな〈こと/もの〉。(↕剛) ●**柔よく剛を制す**[句]しなやかなものは、かえって かたくて強いものに勝つことができる。

**じゅう**[従]①〔文〕主君の けらい。②おもでない〈こと/もの〉。▽(↕主) ☞じゅ(従)。

**じゅう**[銃]①弾丸を発射する火器。銃砲。じゅう。②「銃①」のような形をした、物をとび出させる道具。「びょう打ち—・放水—」

**じゅう**[重][一][接尾]かさねたものを数えることば。かさね。え。「五—」[二][造]①おもい。「—火器」②負担が大きい。「—労働・—介護〔=要介護度が高いこと〕」③厳重な。「—装備」[三]**じゅう**↑重箱。「—のもの・ちらし—〔=ちらしずしを重箱ふうの入れものに入れたもの〕・カツ—」●**重且つ大**[句]〔文〕重くて大きい。重大。「責任は—だ」

**じゅう**[〈中〉][造]①…の うち〈残らず/すべて〉。「世界—」②…のあいだ(続けて)。「一日—」 [表記]「中」のにごった形だが、仮名では「じゅう」と書く。いつも前の部分と一体で使われ、単独では使われないため、「ちゅう」という元の仮名遣いが無視される。「はなぢ(鼻血)」の場合に「血」が単独で使われるのとは異なる。ただし、「ぢゅう」も許容。

**じゅう**[獣][造]人間以外の哺乳類。特に、けもの。「肉食—・水棲—〔=クジラなど〕」 [区別]⇩けだもの①。

**じゅう**[事由]〔文〕そうなったことについての理由。「—のいかんにかかわらず」

**じゅう**[自由]《名・ナダ》①(自分で考えて)思ったとおりにする〈ようす/こと〉。思いのまま。「手足を—に動かす・手足の—が うばわれる・〔チラシを〕ご—に〔=好きなように〕お取りください・おかわり—・—行動・—研究・—気ままな暮らし」②ほかから制限を受けない〈ようす/こと/権利〉。「解放されて—(の身)になった・恐怖からの—・表現の—・貿易の—化・—に競争できる社会・—恋愛」③人のことを考えず、したいようにすること。「—勝手に ふるまう」[派]-さ。 ●**じゅうい し**[自由意志]他人や制度・権威にしばられず、自分の考えだけで行動しようとする心。 ●**じゅう がた**[自由形]《競泳》型の制限がない自由な泳ぎ方。ふつうはクロール。フリー スタイル。 ●**じゅう ぎょう**[自由業]人にやとわれず、独立にいとなむ職業。医者・弁護士・著述家などの職業。 ●**じゅう きょうそう**[自由競争]《名・自サ》《経》〔政府の干渉や規制を受けずに〕企業などが自由に競争すること。●**じゆうけい**［自由刑］《法》犯罪者に自由をあたえない刑。懲役・禁錮・拘留など。●**じゆうけいざい**［自由経済］国家の統制や干渉を受けない経済。●**じゆうけいやく**［自由契約］①相手を自由にえらんで おこなう契約。②《野球・サッカーなど》所属するチームから契約を打ち切られた状態。他チームと自由に契約できる。「A球団を━になる」●**じゆうこう**［自由港］外国からの貨物への関税がなく、自由に出入りができる港。●**じゆうし**［自由詩］内容・形式の自由な詩。(↔定型詩) ●**じゆうじざい**［自由自在］《ナダ》まったく自由で、なんでも思うとおりにできるようす。「自動車を━に乗りまわす」●☆☆**じゆうしゅぎ**［自由主義］①個人の自由意志および自由な活動を重んじる主義。②国家が、個人の社会的活動に制限を加えない主義。▽リベラリズム。●**じゆうしんりょう**［自由診療］健康保険を使わない診療。●**じゆうちょう**［自由帳］自由に書きこめる白紙のノート。自由ノート。●**じゆうぼうえき**［自由貿易］《経》国家の干渉や保護のない貿易。(↔保護貿易) ●**じゆうぼうえききょうてい**［自由貿易協定］⇩エフティーエー(FTA)。●**じゆうほうにん**［自由放任］その人の思いどおりにさせて、何も規制しないこと。「━主義」●**じゆうらっか**［自由落下］《名・自サ》《理》空気の抵抗を受けずに、重力のままに落下すること。●**じゆうりつ**［自由律］定型にとらわれない詩歌。「━俳句〔=音数や季語の有無が自由な俳句〕」

**しゅうあく**［醜悪］《ナダ》ひどく みにくいようす。「━なあらそい」派━さ。

**しゅうあけ**［週明け］新しい週が始まったとき。〔通常は月曜日〕

**しゅうあし**［週足］《経》一週間ごとの株価の動きを、ローソク足で示した図。

**じゅうあつ**［重圧］重くて、はねかえせない圧迫。「━感」

*__しゅうい__［周囲］①〔それを取りまく〕まわり。「家の━・━三キロの池」②身のまわり。「━の事情」③身ぢか〔な人〕。「━の意見」

**しゅうい**［拾遺］〔文〕もれて落ちていた文章・作品などを、拾って おぎなったもの。「短歌━」

**しゅうい**［秋意］〔文〕秋の気配。「すでに━は深い」(↔春意)

**しゅうい**［就位］《名・自サ》《碁・将棋など》ある位につくこと。「名人の━式」

**じゅうい**［重囲］〔文〕いくえにも囲むこと。「敵の━におちいる」

**じゅうい**［獣医］「獣医師」の通称。動物の病気を診断・治療する医師。

**しゅういち**［週一・週イチ］〔俗〕一週間に一度だけ何かをすること。「━のペース」

*__じゅういちがつ__［十一月］一年の第十一の月。☞霜月。

**しゅういつ**［秀逸］《名・ナダ》〔文〕①ほかより すぐれている〈こと／もの〉。②いちばん すぐれた作品。

**じゅういつ**［充×溢］《名・自サ》〔文〕みちあふれること。「気力━」

**しゅういん**［衆院］↑衆議院。(↔参院)

**しゅういん**［集印］〔文〕寺社の印〔=御朱印〕や観光地のスタンプを集めること。「━帳」

←**しゅうう**［秋雨］〔文〕秋の雨。あきさめ。「春風━七年間」

→**しゅうう**［×驟雨］〔文〕にわかあめ。夕立。

**しゅううん**［舟運］〔文〕〔河川で〕舟を使った運送。「━で栄えた町」

**しゅううん**［秋雲］〔文〕秋の空にうかぶ雲。

**しゅうえい**［終映］《名・自サ》〔映画館で〕映写が終わること。「━時刻」(↔開映)

**じゅうえいそう**［重営倉］《軍》旧陸軍の懲罰で、営倉〔=留置うち〕の重いもの。「これに遅れりゃ━」(↔軽営倉)

☆☆**しゅうえき**［収益］事業からうまれた利益。

**しゅうえき**［就役］《名・自サ》〔=仕事につくこと〕《軍》できあがった軍艦などが、任務につくこと。☞退役。

**しゅうえん**［周縁］〔文〕①周囲との境界に近い、はしのほう。「━部」(↔中心)②周囲。「目の━」

☆☆**しゅうえん**［終×焉］《名・自サ》〔文〕人の命が終わること。最期。「━の地」

**しゅうえん**［終演］《名・自サ》上演が終わること。(↔開演)

**しゅうえん**［就園］《名・自サ》〔文〕幼稚園にはいって教育を受けること。「━児・━率」

**じゅうおう**［縦横］①たてとよこ。②南北と東西。東西南北。③心のまま。自由自在。「━の活躍」●**じゅうおうむじん**［縦横無尽］《名・ナダ》自由自在で とめどがないこと。「━に あばれる」派━さ。

**しゅうおん**［集音］《名・他サ》〔文〕音を集めること。「━マイク」

**じゅうおん**［重恩］〔文〕かさなる恩義。「━に むくいる」

**しゅうか**［州花］〔アメリカなどで〕その州を代表するものとして決めた花。

**しゅうか**［秀歌］すぐれた和歌。

**しゅうか**［臭化］《理》臭素と化合すること。「━カリウム」

**しゅうか**［衆寡］〔文〕多数と少数。●**衆寡敵せず**句 わずかの人数では、大ぜいには かなわない。

←**しゅうか**［集荷］《名・他サ》農水産物や荷物などを集める〈ために まわる〉こと。

→**しゅうか**［集貨］《名・他サ》貨物を一か所に集めること。

**じゅうか**［住家］〔文〕住宅。「━十一棟全焼」(↔非住家)

**じゅうか**［銃火］〔文〕銃器の射撃。「━をあびる」●**じゅうかき**［銃火器］小銃やピストルなどをまとめて呼ぶ言い方。

**じゅうか**［重課］《名・他サ》〔文〕つけ加えて課す〈こと／重い税金〉。「━の区分」

**しゅうかい**［宗会］《仏》その宗派の意思を決める、最高の機関。「━議員」

**しゅうかい**［終回］〔続き物などの〕最終の回。(↔初回)

**しゅうかい**［集会］《名・自サ》〔人々が、何かをいっしょになって するために〕集まること。集まり。「━所」

しゅうかい【周回】《名・他サ》①〔ある物のまわりを〕ぐるりと回ること。また、ひと回りすること。「地球を―する人工衛星」②出発したところへもどるように、ひと回り〈すること／したときの距離〉。「―コース・―三キロ」 ●しゅうかいおくれ【周回遅れ】①〔競走などで〕一周遅れること。②よそでは次の段階に進んでいるのに、やっとその前の段階まで来ること。「―の議論」

しゅうかい【醜怪】《ナダ》〔文〕ぞっとするほど みにくいようす。「―な容貌」派―さ。

しゅうがい【臭害】いやなにおいによる公害。

じゅうがい【獣害】けものによる農作物などの被害。

しゅうかいどう【秋海×棠】庭草の一種。葉が大きく、秋の半ばに、ピンク色でしべが黄色の花をひらく。「―事件(=クマなどが人をおそうこと)」

じゅうかき【重火器】大砲などの重い銃砲。(↔軽火器)

しゅうかく【臭覚】《生》⇒きゅうかく(嗅覚)①。

しゅうかく【収穫】《名・他サ》①農作物をとりいれること。また、できた農作物。「―物・豊かな―」②〔収獲〕えものをとること。また、とったえもの。「魚を―する・狩りの―」③得た〈もの／結果〉。「古書店めぐりの―」

☆☆しゅうがく【修学】《名・自サ》学問を身につけるために勉強すること。「―資金」●しゅうがくりょこう【修学旅行】見学などの形で教育をするために、学校の行事としておこなう旅行。

☆☆しゅうがく【就学】《名・自サ》〔文〕小学校にはいって教育を受けること。「―児童」●しゅうがくせい【就学生】大学・短期大学以外の、日本語学校や専修学校などで学ぶ外国人学生。

しゅうがくてき【集学的】《ナダ》《医》病気治療にあたって、多くの専門分野の医師が協力するようす。「―治療」

じゅうかさんぜい【重加算税】《法》脱税をしようとした者に対してかける、追加の税金。

じゅうかしつ【重過失】《法》当然注意すべきことを注意しない重大な過失。(↔軽過失)

じゅうかぜい【従価税】《法》物品の価格を標準として かける税金。例、関税。(↔従量税)

しゅうかつ【終活】《名・自サ》〔遺言を書くなど〕人生の最期をむかえるために準備すること。〔二〇〇九年に、「就活」から作られたことば〕

☆☆しゅうかつ【就活】《名・自サ》〔学生の〕就職活動。〔一九九〇年代からのことば〕「―セミナー・―生」

*じゅうがつ【十月】一年の第十の月。☞神無月

しゅうかん【習慣】同じことを長い間くり返しおこなってきた結果、自然に でき上がった生活上の決まり。しきたり。「早起きの―をつける・―づける・これは土地の―です」

*しゅうかん【週間】①その一週間。「―天気予報」②特別の行事などのために定めた一週間。「新聞―」

しゅうかん【週刊】一週一度の刊行(物)。「―誌」

しゅうかん【終刊】《名・自他サ》〔文〕新聞・雑誌など、定期刊行物の刊行を終えること。(↔創刊)

しゅうかん【収監】《名・他サ》〔文〕刑務所・拘置所に入れること。「―状」

じゅうかん【重患】〔文〕①重い病気。重病。②重い病人。

じゅうかん【縦貫】《名・他サ》①たてに つらぬくこと。②〔広い土地を〕南北の方向に走ること。「―鉄道」▽(↔横断)

じゅうがん【銃眼】《軍》外をのぞき、また小銃射撃をおこなうために、とりでなどの壁にあけた穴。

しゅうき【周期】①ひと回りするのにかかる時間。「人工衛星の―」②《理》一定時間ごとにくり返して起こる〈変化／運動〉の、一定間隔の時間。「振り子の―」●しゅうきてき【周期的】《ナダ》ある決まった時間をおいて、同じことがくり返して起こるようす。「熱が―に上がる」

しゅうき【宗規】宗教団体のきまり。「―にふれる おこない」

しゅうき【秋気】〔文〕①秋の気配。②秋の大気。

しゅうき【秋季】秋。「―例大祭・―体育大会」(↔春季)

しゅうき【秋期】秋の間。「―講座・―スケジュール」(↔春期)

しゅうき【臭気】いやな におい。くさみ。

しゅうき【終期】終わりの時期。(↔始期)

しゅうき【周忌】造《仏》⇒回忌。「一―」

☆☆しゅうぎ【祝儀】①お祝いごと。「―を行う」(↔不祝儀)②お祝いのときに、人におくるお金や品物。ひきでもの。③芸人・使用人などに、好意のしるしとしてあげるお金。心づけ。チップ。はな。▽②③「―を包む(=包んでわたす)」④〔文〕お祝いの ことば。「新年の―を申し上げる」☞ご祝儀。

しゅうぎ【衆議】〔文〕多人数の〈合議／相談〉。「―一決」●☆☆しゅうぎいん【衆議院】《法》国会を構成する議院の一つ。予算を先に審議する、解散をおこないうるなど、参議院より大きい権限を持つ。衆院。(↔参議院)

じゅうき【×什器】①〔文〕ふだん使う家具類。器具。うつわ。②〔店舗やオフィスなどで使う〕たなや つくえなど。「店舗―・陳列―(=店で、商品をならべるたな)」

じゅうき【住基】↑住民基本台帳。●じゅうきネット【住基ネット】(↑住民基本台帳ネットワーク)住民票などの情報を全国的なネットワークで結んで利用するシステム。

じゅうき【重機】〔ブルドーザーや掘削機など〕大型の建設機械。「土木用―」

じゅうき【銃器】小銃・ピストルの類。「―店」

しゅうきゃく【集客】《名・自他サ》客を集めること。客集め。「―活動・―力」

しゅうきゅう【週休】一週の間に、決まったやすみの日があること。「―制・―二日制(=一週間に二日(続けて)休みがある制度)」

しゅうきゅう【週給】一週間ごとに しはらう〈給料／給与〉。

しゅうきゅう【蹴球】〔文・古風〕フットボール。特に、サッカー。

しゅうぎょ【集魚】《名・自サ》えさをまいたり、海上を照らしたりして、さかなをさそい寄せること。「―灯」

じゅうきょ【住居】《名・自サ》①住んでいる〈家／場

し

所)。すみか。「—表示(=市街地の住所のしめし方)・—番号」②〔文〕住むこと。▽すまい。

**しゅうきょう**【州境】〔アメリカなどで〕州とその州に接する他の自治体との境界。「—の画定」

***しゅうきょう**【宗教】神や仏など、人間をこえた絶対的なものを信じることによって、なぐさめ・安心・幸福を得ようとすること。また、そのための教え。「—心」●**しゅうきょうほうじん**【宗教法人】〔法〕法人としてあつかわれる、宗教団体。利益をあげるための事業以外の収入は免税(めんぜい)。

←**しゅうぎょう**【修業】《名・自サ》〈学業/課程〉を終えること。修了(しゅうりょう)。「—証書・—年限」☞しゅぎょう(修業)。

→**しゅうぎょう**【終業】《名・自サ》①一日の仕事を終えること。「—時間」②授業を終えること。「—式・—のチャイム」▽(↔始業)

☆☆**しゅうぎょう**【就業】《名・自サ》①業務につくこと。「—規則」②職業につくこと。「—者・若者の—支援(しえん)」(↔失業)

**じゅうぎょう**【従業】会社・商店などで、業務についていること。「—員・—者」

**しゅうきょく**【終曲】〔音〕⇒フィナーレ。

←**しゅうきょく**【終極】〔文〕はて。終わり。「—の目的」

→**しゅうきょく**【終局】《名・自サ》①〔碁・将棋〕打ち終わり。②〔文〕終わること。「質疑の—・—的な(=最後にはどうなるかという)見通し」

**しゅうきょく**【×褶曲】《名・自サ》〔地〕平らな地層が横からの圧力で波状に曲げられ、山や谷ができること。「—山脈」

**しゅうきん**【集金】《名・自他サ》①〈料金や会費など〉お金を集めに行くこと。②集めたお金。

**しゅうぎん**【秀吟】〔文〕すぐれた〈吟詠(ぎんえい)/詩や歌〉。

**じゅうきんぞく**【重金属】〔理〕比重が四より大きい金属。例、金・鉄。(↔軽金属)

**しゅうく**【秀句】①すぐれた〈俳句/詩句〉。②「しゃれ①」の古い言い方。

**しゅうぐ**【衆愚】〔文〕多くの、おろか者。「民主主義はときに—政治におちいる」

**じゅうく**【重苦】〔文〕たえがたいひどい苦しみ。「—にあえぐ」

**ジュークボックス**〔米 jukebox〕お金を入れてボタンをおすと、指定したレコードが自動的にかかる機械。

［ジュークボックス］

**シュークリーム**〔←フ chou à la crème〕たまごと小麦粉で作った、うすくやわらかい皮(=シュー生地(きじ))に、クリームをつめた洋菓子(ようがし)。「クッキー—(=クッキー生地をのせて焼いた、さくさくしたシュークリーム)」

**じゅうぐん**【従軍】《名・自サ》軍隊にしたがって戦地に行くこと。「—記者」

**しゅうけい**【周径】〔医〕〔からだの各部分の〕周囲の長さ。「大腿(だいたい)—」

**しゅうけい**【秋景】〔文〕秋のけしき。

**しゅうけい**【修景】〔文〕もとの風景をこわさないように、計画的に都市の風景を整備すること。「町並み保全の—工事」

**しゅうけい**【醜形】みにくい形。「—恐怖症(きょうふしょう)(=自分の見た目がみにくいのではないかと苦しむ病気)」

**しゅうけい**【集計】《名・他サ》寄せ集めて合計〈すること/したもの〉。「投票の—」

**じゅうけい**【重刑】〔文〕重い刑罰(けいばつ)。

**じゅうけい**【従兄】〔文〕自分より年上の、男のいとこ。(↔従弟(じゅうてい))

**じゅうけい**【銃刑】〔文〕銃殺の刑罰(けいばつ)。

**じゅうけいしょう**【重軽傷】重傷と軽傷。「—を負う」

**じゅうけいてい**【従兄弟】〔文〕男のいとこ。(↔従姉妹(じゅうしまい))

**しゅうげき**【襲撃】《名・他サ》不意に攻(せ)めること。「敵を—する」

**じゅうげき**【銃撃】《名・他サ》小銃で射撃(しゃげき)すること。「—戦」

**しゅうけつ**【終結】《名・自他サ》終わること。しめくくり。「戦争の—」

**しゅうけつ**【集結】《名・自他サ》一か所に〈集まる/集める〉こと。「選手を—させる」

**じゅうけつ**【充血】《名・自サ》〔医〕からだの一部に動脈の血が異常にふえる状態。「—した目」☞鬱血(うっけつ)。

**じゅうけつきゅうちゅう**【住血吸虫】水田などで手足の皮膚(ひふ)からはいりこみ、血管の中で発育する吸虫。肝硬変(かんこうへん)・肝臓肥大などの病気を起こす。「—症(しょう)・日本—」

**しゅうけん**【州権】〔アメリカなどで〕州が持つ、法律上の権力。

**しゅうけん**【舟券】⇒ふなけん(舟券)。

**しゅうけん**【集検】〔医〕←集団検診(けんしん)。「胃—」

**しゅうけん**【集権】権力を一か所に集めること。「中央—」(↔分権)

**しゅうげん**【祝言】〔文〕婚礼(こんれい)。嫁入(よめい)り。

**じゅうけん**【銃剣】①銃と剣。②〔軍〕小銃の先につける、短い剣。

**じゅうげん**【重言】意味のかさなったことばを続ける言い方。重ねことば。✎「馬から落馬する」などくどいものは避(さ)けられるが、ことばによって、くどく感じられる度合いはちがう。「歌を歌う」「大学に入学する」などは、あまり抵抗(ていこう)なく使われる。「だがしかし」のような強調や、「ラム酒(=ラム)」のような説明のための重言もある。

**じゅうこ**【住戸】マンションの形をとる住宅の一つ一つ。

**じゅうご**【銃後】戦場に〈なっていない国内/出ていない国民〉。

**しゅうこう**【舟航】〔文〕舟(ふね)で川や海をわたること。「—の便に富む」

**しゅうこう**【秋光】〔文〕秋の日光。

**しゅうこう**【終航】〔船や飛行機の〕その日の最後の運航。

**しゅうこう**【衆口】〔文〕多くの人のことば。

**しゅうこう**【修好・修交】《名・自サ》〔文〕貿易をしたりして、外国となかよくすること。「—通商条約」

←**しゅうこう**【就航】《名・自サ》〔できあがった汽船・航

→空機などが〕はじめて、航路につくこと。

**しゅうこう**【周航】《名・自他サ》出発したところへもどるように、船であちこち航海すること。「世界―記」

**しゅうこう**【終講】《名・自他サ》①続いてきた講義など〈が終わる／を終える〉こと。②最終の講義。

**しゅうこう**【集光】《名・他サ》〔理〕レンズや反射鏡を利用して、光線を一か所に集めること。「―力」

**しゅうごう**【習合】《名・自他サ》〔文〕異なる二つ以上の考え方などを混ぜ合わせること。混交。「神仏―」

**しゅうごう**【集合】《名・自他サ》①一か所に〈集まること／集めること〉。「全員が現地に―する・小さな花が―している・知識を―する」②集まり。むれ。「細胞の―（体）」③〔数〕ある条件にあうものを一つにまとめた、全体。「―論」 ●**しゅうごうじゅうたく**【集合住宅】一つの棟が、複数の独立した住居として使えるように建てられた住宅。アパート・マンションなど。●**しゅうごうち**【集合知】多くの人の知識が集まったもの。集団的知性。「ネットの―を利用する」

**じゅうこう**【銃口】銃の、たまの出るくち。「―を向ける」

**じゅうこう**【重厚】《ナダ》おもおもしくてどっしりしているようす。「―な画風・―な布陣」（↔軽薄）派―さ。―み。●**じゅうこうちょうだい**【重厚長大】《名・ナダ》〔工業製品などが〕重く、厚く、長く、大きいこと。「―産業（＝製鉄業・造船業など）」（↔軽薄短小）

**じゅうごう**【重合】《名・自サ》〔理〕同じ種類の分子がいくつか結合して、分子量の大きな別の化合物になること。「―反応・―体（⇩ポリマー）」☞縮合。

**じゅうこうぎょう**【重工業】生産財を生産する工業。例、製鉄業・機械製造工業。（↔軽工業）

**じゅうこうぞう**【柔構造】①地震のゆれを吸収できるよう、しなやかに造られた建築の構造。（↔剛構造）②状況に合わせうまく変わる性質。「政治の―」

**しゅうこつ**【収骨】《名・自サ》①火葬したあとのほねを骨つぼなどにおさめること。②埋葬するために、遺骨を収集すること。

**じゅうこつ**【獣骨】〔文〕けものの骨。「出土―」

**じゅうごや**【十五夜】旧暦（特に八月）十五日の夜。月がほぼ満月になる。☞いざよい（十六夜）。

**じゅうこん**【重婚】《名・自サ》〔法〕すでに結婚している者が さらにほかの人と結婚すること。「―罪」

**しゅうさ**【収差】〔理〕レンズを通った映像が ぼけたりゆがんだり、色がついたりすること。「―補正」

**じゅうざ**【銃座】〔軍〕射撃しやすいように、小銃・機関銃をすえておく台。

**ジューサー**〔juicer〕野菜・くだものなどをすりおろしたりしてジュースを作る、（電動の）調理器具。☞ミキサー②。

**しゅうさい**【州際】〔interstate の訳語〕〔文〕〔アメリカなどで〕州と州にまたがること。「―公社・―商業」

**しゅうさい**【秀才】才能があり学問もできる人。

**しゅうさい**【収載】《名・他サ》書物や雑誌にのせること。「論文を―する」

**しゅうざい**【集材】《名・自他サ》切りたおした材木を、はこび出すために一か所に集めること。「―機」

**じゅうざい**【重罪】重いつみ。例、殺人罪。（↔微罪）

**しゅうさく**【秀作】すぐれた作品。

**しゅうさく**【習作】《名・他サ》練習のつもりで〈作ったもの／作ること〉。エチュード。

**しゅうさつ**【集札】《名・自サ》〔文〕〔乗り物などで〕きっぷを回収すること。

**しゅうさつ**【愁殺】《名・他サ》〔文〕ひどく さびしがらせ、悲しませること。「人を―する」

**じゅうさつ**【銃殺】《名・他サ》銃で うち殺すこと。「―刑」

**しゅうさん**【衆参】衆議院と参議院。「―両院」

**しゅうさん**【×蓚酸・シュウ酸】〔理〕水にとけやすい無色の結晶。植物にふくまれていることが多く、料理のあくの成分。染料や漂白などに用いる。

**しゅうさん**【集散】《名・自他サ》①人が一か所に集まったり散ったりすること。「〔ラグビー〕フォワードの―がすばやい」☞離合集散。②生産物が、産地から集められ、各地へ送り出されること。「農産物の―地」

**しゅうさんき**【周産期】〔医〕出産前後の期間。妊娠二十二週から出産後一週間までの間を言う。「―医療」

**じゅうさんや**【十三夜】旧暦九月十三日の、満月に近い夜。

**しゅうし**【宗旨】①その宗派の教義の中心として説くことがら。②その人の信じる宗派。③〔俗〕方面。部門。「―を変えて法律をやる・―変えする」

**しゅうし**【秋思】〔文〕秋の〈さびしい〉もの おもい。

**しゅうし**【修士】大学の学部を卒業して、大学院にふつう二年在学し、論文の審査に合格した者にあたえられる学位（を持った人）。マスター。「―課程」（↔学士・博士）

☆☆**しゅうし**【収支】《名・自サ》①収入と支出。②収入と支出を〔差し引きして〕計算すること。「―決算」

**しゅうし**【終止】《名・自サ》〔文〕終わること。しまい。●**しゅうしけい**【終止形】〔言〕活用形の一つ。おもに文の終止に使う。例、「今から行く」「行くといえども」の「行く」。〔日本語教育では「辞書形」と言う〕●**しゅうしふ**【終止符】①文の終わりのしるし。ピリオド。②事の終わり。おしまい。「―を打つ」

**しゅうし**【終始】《副・自サ》（＝終わりと始め）①始めから終わりまで。常に。「―一貫（＝最後まで同じ調子で）」②始めから終わりまで同じ調子であること。「低調な試合に―した」

**しゅうじ**【修辞】⇩レトリック①。「―学・―的（＝レトリカル）」

**しゅうじ**【習字】〔おもに筆で〕文字の書き方を習うこと。てならい。「ペン―・お―」

**じゅうし**【従姉】〔文〕自分より年上の、女のいとこ。（↔従妹）

**じゅうし**【獣脂】獣類からとれる脂肪。

**じゅうし**【重視】《名・他サ》重く見ること。〈重要／重大〉だと思うこと。「事態を―する」（↔軽視）

**じゅうじ**【十字】①十の字（の形）。十文字。②十字架。③交差すること。「―砲火をあびる」●**十字を切る** 句〔キリスト教徒が神にいのるとき〕手で胸に十字架の形をえがく。●**じゅうじか**【十字架】①罪人をはりつけにする、縦に長い十の字の形の柱。②

《宗》キリスト教徒の しるしとして持つ、「十字架①」をかたどったもの。また、キリスト教のしるし。③犠牲と して負わされる負担。●十字架を背負う 句 罪の意識、のがれられない苦しみに なやむ。●じゅうじぐん[十字軍] ①《歴》中世にヨーロッパ各地のキリスト教徒が、エルサレム(Jerusalem)の聖地をイスラム教徒から うばい返すために起こした遠征軍。②使命を感じて熱心に おこなう社会運動。「草刈りー」●じゅうじろ[十字路]「十」の形に まじわる道。よつつじ。よつかど。

**じゅうじ**[住持]《名・自サ》《仏》寺の住職(として住むこと)。

**じゅうじ**[従事]《名・自サ》その仕事〈をする/につく〉こと。「農業にーする」

**ジューシー**《ナダ》〔juicy〕果汁分や水分が多いようす。「ーなフルーツ・ーなステーキ」派ーさ。

**じゅうしちもじ**[十七文字] 俳句。☞三十一文字

**しゅうじつ**[週日] ①(土曜および)日曜以外の日。平日。ウイークデー。②一週間の日。「ーは月曜に始まって日曜に終わる」

**しゅうじつ**[終日]《名・副》一日じゅう。朝から晩まで。「ー雨が降る」

***じゅうじつ**[充実]《名・自他サ》①ゆたかなものが中に満ちていること。「気力ー・ーした作品」②質のいいものが そろうこと。また、そろえること。「教員をーする」

**じゅうしまい**[従姉妹]〔文〕女の いとこ。(↕従兄弟)

**じゅうしまつ**[(十姉▵妹)] 家で飼う小鳥。羽の色は主として白。

**しゅうしゃ**[終車] その日の最後に出るバス・電車。終バス。終電。(↕始発)

**しゅうしゃ**[就社] 職業で選ぶのではなく、特定の会社を志望して そこに勤めること。「就職」と区別して使う。

**じゅうしゃ**[従者]〔文〕お供。供の者。

**じゅうしゃ**[獣舎]〔動物園などで〕動物を飼育する建物。「パンダー」

**しゅうじゃく**[執着・執▵著]《名・自サ》〔古風〕⇩しゅうちゃく(執着)。

**しゅうじゅ**[収受]《名・他サ》〔文〕料金などを受け取ること。「運賃をーする」

**しゅうしゅう**[修習]《名・自サ》〔文〕〔特に、法律・司法の〕学問・技術を習得すること。「司法ー」

←**しゅうしゅう**[収拾]《名・他サ》乱れている状態をおちつかせること。とりまとめること。「事態をーする・ーがつかない」〔収・拾=おさめる。昔は同義語「拾収」も使われた〕

→**しゅうしゅう**[収集]《名・他サ》①[×蒐集] 研究や趣味のために集めること。また、集めたもの。コレクション。「切手のー・ー家」②ごみなどを、あちこちから集めること。「ごみー車」

**しゅうしゅう**《副》空気や水などが勢いよく出る〈音/ようす〉。「ガスがーもれる」

**しゅうじゅう**[▵主従]〔文〕⇩しゅじゅう。

**じゅうじゅう**[重々]《副》①何度もくり返して。かさねがさね。「ーぼくが悪かった・ーおわびいたします」②じゅうぶんに。よくよく。「ー承知の上のことです」

**じゅうじゅう**《副》肉のあぶらなどが高温で焼ける〈音/ようす〉。「フライパンで肉がーいっている」

**しゅうしゅく**[収縮]《名・自他サ》縮まること。縮めること。「筋肉のー」(↕膨張)

**しゅうじゅく**[習熟]《名・自サ》〔文〕なれて じょうずになること。「操作にーする」

**じゅうしゅつ**[重出]《名・自サ》重複して同じものが出ること。二度以上出ること。

**じゅうじゅつ**[柔術] 柔道や合気道の元となった日本古来の格闘技。

←**じゅうじゅん**[柔順]《ナダ》①おとなしくて、すなおなようす。「ーに人に接する」②⇩従順。派ーさ。

→**じゅうじゅん**[従順・柔順]《ナダ》指図や命令にさからわず、言うことをきくようす。「ーな嫁・お上にーな国民」派ーさ。

**しゅうじょ**[醜女]〔文〕みにくい女の人。醜婦。(↕美女)

***じゅうしょ**[住所] ①住んでいる場所。すみか。「ー録」②《法》そこに住んで、生活の中心としている場所。「ー不定」(↕居所)📝会社などの場合は「所在地」だが、「住所」と言う人もいる。

**しゅうしょう**[終章] ①〔論文・小説などの〕終わりの章。②最後の段階。「人生のー」▽(↕序章)

**しゅうしょう**[周章]《名・自サ》〔文〕あわてること。「ーぶり」●しゅうしょうろうばい[周章(×狼×狽)]《名・自サ》うろたえ さわぐこと。あわて ふためくこと。

**しゅうしょう**[就床]《名・自サ》〔文〕ねるために とこにはいること。(↕起床)

**しゅうしょう**[愁傷]《名・自サ》〔文〕かなしみに〈しずむこと/しずんだ気持ち〉。☞ご愁傷さま。

←**じゅうしょう**[重症] ①重い〈症状/病気〉。「ー患者」(↕軽症)②〔俗〕〔趣味などの〕程度が過ぎること。「彼の電車好きは かなりーだ」

→**じゅうしょう**[重傷]《名・自サ》〔命にかかわるような〕大けが(をすること)。「ーを負う・ーをこうむる〔=負う〕」(↕軽傷)

**じゅうしょう**[重賞]《競馬》高額な賞金(がかかったレース)。「ーレース・ー初勝利」

**じゅうしょう**[銃床] 銃身を取りつけた木の部分。

**じゅうしょう**[銃傷] 小銃のたまなどで受けた きず。たまきず。銃創。

**じゅうしょう**[重唱]《名・他サ》《音》ひとりずつ ちがった高さの声の部分を受け持って、合唱すること。

**しゅうしょく**[秋色]〔文〕秋のけしき。秋らしいようす。「ーが深まる」(↕春色)☞あきいろ(秋色)。

**しゅうしょく**[愁色]〔文〕うれいをふくんだ、やるせないようす。心配そうな顔つき。

☆☆**しゅうしょく**[就職]《名・自サ》職業につくこと。職を得ること。「ー口・ー難」(↕離職・退職)

**しゅうしょく**[修飾]《名・他サ》①(見かけをととのえ)かざること。「ーの多い表現」②《言》語句の前について、あらわそうとする意味をくわしくしめすこと。●しゅうしょくご[修飾語]《言》文の成分の一つ。修飾のはたらきをする文節。連体修飾語・連用修飾語の区別がある。(↕被修飾語)

**じゅうしょく**【重職】責任の重い職務。

**じゅうしょく**【住職】《名・自サ》《仏》その寺のかしら（となること）。「〈ご/お〉—」

**しゅうじょし**【終助詞】《言》文や文節の終わりについて、話し手の態度や気持ちをあらわす助詞。口語では「か・な・ね・よ」など。

**しゅうしん**【修身】〔＝努力して、悪を改め善をおこなうようにする〕戦前・戦中の小学校で教えた教科。今の「道徳」にあたる。

**しゅうしん**【終身】〔文〕一生の間。終生。「—雇用・—保険」

**しゅうしん**【執心】《名・自サ》深く心にかけて、手に入れようとすること。「ご—だね」

**しゅうしん**【就寝】《名・自サ》とこにはいってねむること。就床。「—分離〔＝夫婦と子どもが、ねる部屋を別にすること〕」（↔起床）

**しゅうじん**【囚人】刑務所にはいっている人。

**しゅうじん**【衆人】〔文〕多くの人々。「—環視の中で〔＝みんなが見ている中で〕」

**しゅうじん**【集（×塵）】《名・自サ》小さいごみや空気中のごみなどを一か所に集めること。「—機〔＝けむりの中のごみを集める装置〕」

**じゅうしん**【重心】《理》物体の各部分にはたらく重力が一つに集まって、つりあいのとれる点。「—が低いからたおれにくい・—を失ってよろけた」

**じゅうしん**【重臣】〔文〕身分の重い臣下。

**じゅうしん**【銃身】〔小銃で〕たまをこめて発射する、筒の部分。

**シューズ**〔shoes〕くつ。「バレエ—・レイン—〔＝雨ぐつ〕」

**ジュース**〔deuce〕《テニス・バレーボールなど》勝負が決まる直前に同点となること。一方が二点連取すれば勝ちとなる。デュース。「—アゲン〔＝ジュースをくり返すこと〕」

**ジュース**〔juice〕くだもの・野菜をしぼったしる。また、それに水・砂糖を加えて作った飲み物。「ミックス—」

**しゅうすい**【秋水】〔文〕①秋の澄みきった水。②くもりのない刀のたとえ。「三尺の—」

**しゅうすい**【集水】《名・自他サ》〔文〕水を集めること。「—ます・—溝」

**じゅうすい**【重水】《理》重水素をふくむ水。（↔軽水）

**じゅうすいそ**【重水素】《理》ふつうの水素より中性子が一つ多くて重い水素。水素の同位体。

**じゅうすう**【十数】遺 十いくつ。十三、四。十五、六。「—人」

**しゅう・する**【執する】《自サ》〔文〕こだわる。「一つのテーマに—」

**しゅう・する**【修する】《他サ》〔文〕とりおこなう。「法会を—」

**じゅう・する**【住する】《自サ》〔文〕住む。

**しゅうせい**【習性】生まれつきの性質のようにあらわれる、行動の型。「光に集まるのは虫の—だ」

←**しゅうせい**【修正】《名・他サ》①よくないところを〈適切/自然〉な感じに直すこと。「字句の—・軌道—・—液〔＝まちがえた字などを消す液〕」②《スポーツ》フォームを直すこと。「スイングを—する」 区別「修正」は、必ずしも正解はひとつでないが、自分がいいと考える状態に直す場合に使う。「訂正」は、誤植や数字の誤りを直すなど、正解がわかっている場合に使う。「修整」は、特に画像に使う。 ●しゅうせいしゅぎ【修正主義】理論やものの見方を修正する考え方。特に、修正マルクス主義〔＝マルクス主義を現実にあわせる考え方を批判した言い方〕。

→**しゅうせい**【修整】《名・他サ》画像の色や形をととのえたり、直したりすること。レタッチ。「写真の—」 区別 ⇩修正。

**しゅうせい**【集成】《名・他サ》集めて一つに〈まとめること/まとめたもの〉。「近代文学—〔書名〕」 ●しゅうせいざい【集成材】《建築》小さな板を、木目の方向を平行にして張り合わせた木材。☞無垢材。

**しゅうせい**【終生・終世】《名・副》死ぬまでの間。一生。「—忘れない」

**じゅうせい**【銃声】銃をうつ音。つつおと。

**じゅうせい**【獣性】〔文〕人間の心にひそむ、けだもののようなみにくい性質。

**じゅうぜい**【重税】負担の重い税金。

**しゅうぜいり**【収税吏】〔文〕税金を取り立てる役人。

**しゅうせき**【集積】《名・自他サ》たくさんの物が集まってつみかさなること。たくさんの物を集めてつみかさねること。「ごみの—所」 ●しゅうせきかいろ【集積回路】《情》半導体を加工して、トランジスタ・ダイオード・抵抗などをたくさん取りつけたと同じはたらきをする電子回路。コンピューターなどの小型化に役立つ。IC。

**じゅうせき**【重責】重い責任。「会長の—をになう」

**じゅうせつ**【住設】〔↑住宅設備〕住宅にそなえ付ける機器。浴槽・洗面台・照明など。

**しゅうせん**【終戦】①戦争が終わること。（↔開戦）②太平洋戦争の終わり。〔終戦の玉音放送は、一九四五年八月十五日〕「—後の新風俗」

**しゅうせん**【周旋】《名・他サ》間に立って、売買やとい入れなどのせわをすること。とりもち。「土地の—」

☆☆**しゅうぜん**【修繕】《名・他サ》こわれたり、悪くなったりした状態を、もとどおりにすること。直すこと。

**じゅうぜん**【従前】以前(から今まで)。これまで。「—どおり・—の方法」

**じゅうぜん**【十全】《名・ダナ》手おちがまったくないようす。万全。「—の対策」

**しゅうそ**【宗祖】〔文〕その宗派をひらいた人。開山。

**しゅうそ**【臭素】《理》揮発しやすい赤茶色の液体〔元素記号 Br〕。医薬・染料・写真材料などに使う。多量では有害。ブロム。

**しゅうそ**【愁訴】《名・自サ》①〔文〕なげきうったえること。②《医》痛み・症状についての、うったえ。☞不定愁訴。

←**しゅうそう**【秋爽】〔文〕秋の空気のさわやかさ。「—の気」

→**しゅうそう**【秋霜】〔文〕秋におくしも。「—の原野・—のきびしさ」 ●しゅうそうれつじつ【秋霜烈日】〔文〕〔秋のしもや、夏のはげしい日光のように〕刑罰・権威などが非常にきびしくておごそかなこと。

**しゅうぞう**【収蔵】《名・他サ》〔文〕ものをしまってお

し

くこと。
**じゅうそう**［住僧］〔文〕住職。住持。
**じゅうそう**［重曹］〔↑重炭酸ソーダ〕《理》ふくらませるために、小麦粉にまぜたりして使う、白い粉。医薬・工業などにも使う。炭酸水素ナトリウム。
**じゅうそう**［銃創］銃砲のたまで受けたきず。銃傷。
**じゅうそう**［重層］《名・自サ》〔文〕いくつもの層になって、かさなること。「―感・―的な日本文化」（↔単層）
**じゅうそう**［重奏］《名・他サ》《音》ひとりずつちがった〈音の部分/楽器〉を受け持って合奏すること。
**じゅうそう**［縦走］《名・他サ》①南北の方向に走ること。②尾根づたいに行くこと。「北アルプスを―する」
←**しゅうそく**［終息・終×熄］《名・自サ》さかんだったものが終わること。やむこと。「ブームが―する・戦争の―・インフルエンザの―〔=流行が終わること〕」
→**しゅうそく**［収束］《名・自他サ》①広がっていたものがおさまること。また、おさめること。「事態〈が/を〉―する・混乱の―・議論の―・インフルエンザの―〔=感染拡大がおさまること〕」②《碁・将棋》寄せ。
**しゅうそく**［集束］《名・自他サ》〔文〕たばのように〈集まる/集める〉こと。「光を―する」
**しゅうぞく**［習俗］その土地の習慣や風俗。習わし。
**しゅうぞく**［衆俗］〔文〕一般大衆。「―を離れる」
**じゅうそく**［充足］《名・自他サ》みちたりること。じゅうぶんにみたすこと。「欲望を―する」
**じゅうぞく**［従属］《名・自サ》支配を受けて、その下につきしたがうこと。「―的地位・―物」
**じゅうそつ**［従卒］《軍》将校につきしたがい、世話をする兵士。従兵。
**シューター**〔和製 chute+r〕〔すべり台式の〕非常用脱出装置。シュート。
**シューター**〔shooter〕《サッカー・バスケットボールなど》シュートする人。
**しゅうたい**［醜態］《名・ナダ》見苦しい状態。「―を演じる」派―さ。
**じゅうたい**［重体・重態］病気・けがで、容体が命にかかわるほど悪いこと。
**じゅうたい**［×紐帯］〔文〕⇩ちゅうたい(紐帯)。
**じゅうたい**［縦隊］たてにならんだ隊形。(↔横隊)
**じゅうたい**［渋滞］《名・自サ》①自動車がつかえ(て進まなくな)ること。「交通―・一キロの―」②〔文〕はかどらないでとどこおること。「事務が―する」③〔俗〕受け止めきれないほど〈多い/強い〉こと。「かわいさが―してる」
**じゅうだい**［十代］①十歳から十九歳まで。②〔teen-ageの訳〕十三歳から十九歳までの少年少女時代。ティーンエイジャー。
**じゅうだい**［重代］〔文〕先祖から代々伝わること。「―の宝物」
**じゅうだい**［重大］《ナダ》①ただごとでないようす。たいへん。「―性・―な危機・天下の―事」②重要。「―な役割」派―さ。●**じゅうだいし**［重大視］《名・他サ》ただごとでないと、重く見ること。「事態を―する」
**しゅうたいせい**［集大成］《名・他サ》①多くのものごとを集めてまとめること。「長年の研究を―する」②しめくくり。「今までの―としての演技」
＊＊じゅうたく［住宅］住むべき家。すみか。「木造―・―地・―難・―事情が悪い」
**しゅうだつ**［収奪］《名・他サ》〔文〕強制的に取りあげること。
**しゅうたん**［終端］〔文〕ひとつながりのものの最後の部分。「人生の―」
**しゅうたん**［愁嘆・愁×歎］《名・自サ》〔文〕なげき悲しむこと。●**しゅうたんば**［愁嘆場］《演劇・映画》見物客を泣かせる、かなしい場面。
**しゅうだん**［終段］《演劇・映画など》全体を、始め・中・終わりと分けたときの、終わりの部分。
＊しゅうだん［集団］①人や物がたくさん寄り集まった、ひとかたまり。「―でおし寄せる・―生活」②同類が集まったもの。集まり。「星の―」●**しゅうだんけんしん**［集団検診］《医》学校・職場・地域で、すべての人を対象としておこなう検診。集検。●☆☆**しゅうだんてきじえいけん**［集団的自衛権］ある国が武力攻撃を受けた場合、その国と密接な関係にある他の国が、共同で防衛に当たる権利。
**じゅうたん**［(×絨×毯)・(×絨×緞)・ジュータン］①ゆかの敷物として使われる、毛の立った厚い織物。カーペット。②一面にすきまがないもののたとえ。「雲の―・落ち葉の―」●**じゅうたんばくげき**［(×絨×毯)爆撃］一定の地域を、すみずみまで徹底的に爆撃するやり方。
**じゅうだん**［銃弾］小銃・ピストルなどのたま。「―が飛びかう・―にたおれる」
**じゅうだん**［縦断］《名・他サ》①たての方向に切ること。「―面」②〔広い土地を〕南北の方向に通ること。「本州を―する」▽(↔横断)
**じゅうたんさんソーダ**［重炭酸ソーダ］《理》じゅうそう(重曹)。
←**しゅうち**［衆知・衆×智］多くの人の知恵。「―を集める」
→☆☆**しゅうち**［周知］㊀《名・自サ》みんなが知(ってい)ること。「―の事実・―のように・法律を―させる」表記「―の」は「衆知の」とも。㊁《名・他サ》みんなに知らせること。「関係各所に―徹底する」
**しゅうち**［羞恥］《名・自サ》はずかしく思うこと。はじらい。「―心」
**しゅうちく**［修築］《名・他サ》建物・橋などを修理すること。「―工事」
**しゅうちゃく**［祝着］〔文〕喜ばしく思うこと。「このたびの御婚儀ご―に存じます」
**しゅうちゃく**［終着］最後の到着。「―駅・―列車・―点」(↔始発)
**しゅうちゃく**［執着・執△著］《名・自サ》それがほしい、それをはなしたくないと、見苦しいほど強く考えること。しゅうじゃく。「〈お金/過去〉に―する・―心」
**しゅうちゅう**［集中］㊀《名・自他サ》①あちこちから一か所に〈集まる/集める〉こと。「質問が―した・見事な―打」②一つのことに意識を向けること。「注意を―する・―力」㊁その歌集・句集・作品集などの中。「―の圧巻」●☆☆**しゅうちゅうごうう**［集中豪雨］《天》せまい地域で、数時間にわたり強く多く降る雨。どかあめ。●しゅうちゅうごうせつ［集中豪雪］《天》どかゆき。●しゅうちゅうちりょうしつ［集中治療室］《医》重症患者の状態を常に観察し、治療を総合的におこなう設備の整った病室。ICU。●しゅうちゅうほうか［集中砲火］①一地点に的をしぼった砲撃。②あるものだけにむけられる、はげしい非難。「マスコミの—を浴びる」

じゅうちゅうはっく［十中八九］《副》⇩じっちゅうはっく。

しゅうちょう［州庁］〔外国の〕州の事務を取りあつかう役所。

しゅうちょう［×酋長］部族の長。〔今は「首長」などと言う〕

しゅうちん［袖珍］〔文〕ポケット判。「—本」

☆☆じゅうちん［重鎮］〔=重いおさえ〕一方のかしら。その方面での中心人物。「政界の—」

しゅうてい［舟艇］〔文〕こぶね。「上陸用—」

しゅうてい［修訂］《名・他サ》（本などの）文字や文章を、よりよいものに直すこと。「—版」

じゅうてい［従弟］〔文〕自分より年下の、男のいとこ。（↔従兄）

じゅうてい［重訂］《名・他サ》〔文〕本の初版が出たあと〈最初／二度目〉の改訂。再訂。ちょうてい。「—版」

じゅうていおん［重低音］《音》腹にひびくような、低く重い感じの音。

シューティング《名・自サ》〔shooting〕（目標を）撃つこと。射撃。「—ゲーム・トラブル—」

じゅうてき［獣的］《ナダ》けもののようであるようす。「—な欲望」

しゅうてん［秋天］〔文〕あきぞら。

しゅうてん［終点］ものごとの終わる点。特に、交通機関の路線の終わる所。「移動の—・—の東京に着く」（↔起点・始点）

しゅうでん［終電］↑終電車。（↔初電・始発）

じゅうてん［重点］重要な点。大切なところ。「人材育成に—」●重点を置く 句 大切と考えて、力を入れる。●じゅうてんてき［重点的］《ナダ》大切なところに重点をおいてするようす。「—に配置する」

じゅうてん［充塡］《名・他サ》あいているところに、物をすきまなくつめること。「—豆腐（=原料を流しこみパックごと加熱して固まらせた豆腐）」

じゅうでん［重電］〔↑重電機〕工場や発電所などで使う大型の電気機械。「—機器・—メーカー」（↔軽電）

じゅうでん［充電］《名・自サ》①蓄電池に電気をためること。（↔放電）②〔俗〕しばらく休んで活力をたくわえること。「—期間」

しゅうでんしゃ［終電車］その日の、いちばん終わりに出る電車。終電。

じゅうでんち［充電池］《理》充電式の電池。リチウムイオン電池・鉛蓄電池など。二次電池。

しゅうと［囚徒］〔文〕囚人。

しゅうと［州都］〔アメリカなどの〕州の政庁がある都市。例、カリフォルニアのサクラメント。

←しゅうと［（×姑）］↑しゅうとめ。「お—さん・よめ—の間がら」

→しゅうと［（×舅）］〈夫／妻〉の父。（↔しゅうとめ）

←しゅうと［宗徒］《仏》その宗の信徒。

→しゅうと［衆徒］〔文〕（武装した）多くの僧。しゅと。

シュート〔chute; shoot〕①鉱石・荷物・ごみなどを、すべらせて落とす筒またはすべり台のしかけ。「ダスト—」②⇩シューター（chuter）。

シュート〔shoot〕■一《名・自他サ》①《サッカー・バスケットボールなど》ゴールをねらってボールを〈ける／投げる〉こと。「—を打つ・ロング—」②《野球》投球が打者のところで、投手の利きうでの方向へまがること。また、そのボール。■二〔バラなどの〕根もとから分かれてのびる、枝や芽。

ジュート〔jute〕熱帯・亜熱帯産のツナソ（綱麻）（=アサのなかま）のくきからとれる繊維。

じゅうど［重度］①症状の程度が重いこと。②愛好の度が過ぎること。「—のファン」▽（↔軽度）

しゅうとう［周到］《ナダ》よく行き届いて、手ぬかりのないようす。「用意—」派-さ。

しゅうどう［修道］《名・自サ》〔文〕宗教の道を修行すること。「—士・—尼」●しゅうどういん［修道院］《宗》カトリックの教えに沿って共同生活を送る〈修道士／修道女〉の住む寺院。

じゅうとう［住棟］（集合住宅など）住居用の建物。

じゅうとう［重盗］〔視覚語〕《野球》⇩ダブルスチール。

じゅうとう［充当］《名・他サ》あてはめること。

じゅうどう［柔道］日本の武術の一つ（から生まれた競技）。刺し子の道着を着て、素手で組み打ちする。やわら。☞柔術。

☆☆じゅうとうほう［銃刀法］《法》↑銃砲刀剣類所持等取締法。「—違反」

←しゅうとく［収得］《名・他サ》〔文〕自分のものにすること。手に入れること。「—賞金」

→しゅうとく［拾得］《名・他サ》〔文〕落とし物をひろうこと。「—物・〔駅のホームで〕荷物の—作業」

←しゅうとく［修得］《名・他サ》〔文〕学芸を身につけること。技術を覚えること。「単位を—する」

→しゅうとく［習得］《名・他サ》習い覚えること。「ことばを—する」

じゅうとく［重篤］《名・ナダ》〔文〕病状がたいへん悪い〈こと／ようす〉。「—な患者」

しゅうとつ［臭突］悪いにおいを外へ出す、煙突のような形の装置。

しゅうとめ［（×姑）］〈夫／妻〉の母。しゅうと（姑）。（↔しゅうと（舅））●しゅうとめこんじょう［（×姑）根性］〔婿や嫁に対し、しゅうとめがするように〕細かいことまで干渉して言いたてる性格。しゅうと根性。

しゅうない［週内］その週のうち。

じゅうなん［柔軟］■一《ナダ》①やわらかなようす。しなやかなようす。「—なからだ・—体操・—剤」②まわりや相手の動きに応じて、ゆうずうをきかせるようす。「—な態度でのぞむ」派-さ。■二↑柔軟体操。

じゅうにおんおんかい［十二音音階］《音》ドからその上のドまで半音ずつ上がる音階。十二音。

*じゅうにがつ［十二月］一年の中で最後の月。☞師走。

じゅうにきゅう［十二宮］《天》春分点を基準に、黄道に沿って並ぶ十二の星座。星うらないで、その月日に誕生した人の運命を支配するとされる。例、双魚宮(そうぎょきゅう)〔=うお座〕。

☆☆**じゅうにく**【獣肉】けものの肉。

☆☆**じゅうにし**【十二支】昔、年・時刻や方角をあらわすのに使った、十二種の動物にちなむ呼び名。ね(子)・うし(丑)・とら(寅)・う(卯)・たつ(辰)・み(巳)・うま(午)・ひつじ(未)・さる(申)・とり(酉)・いぬ(戌)・い(亥)。☞十干(じっかん)

**じゅうにしちょう**【十二指腸】〔生〕小腸の一部で、胃に続くところ。胆汁(たんじゅう)とすい液が、ここに出される。

**じゅうにひとえ**【十二△単】〔—ひとえ〕昔の女官(にょかん)の正装を俗に呼ぶ名。実際は五～二十枚。

**じゅうにぶん**【十二分】《ナダ》〔十分(じゅうぶん)以上〕たっぷり。「—にいただきました」

*__しゅうにゅう__【収入】働いたり事業をいとなんだりして、はいってくるお金。(↔支出) ●**しゅうにゅういんし**【収入印紙】国へ税金・手数料を納めたるしとしてはる、切手のような紙。〔地方の場合は収入証紙と言う〕 ●**しゅうにゅうやく**【収入役】もと、市町村などの会計事務の責任を取った、上級の公務員。〔今は、首長自身が会計責任を取る〕

**しゅうにゅう**【集乳】《名・自他サ》〔農〕酪農(らくのう)家で生産された牛乳を集めること。「—所・—車」

☆☆**しゅうにん**【就任】《名・自サ》任務につくこと。(↔離任(りにん)・退任)

**じゅうにん**【住人】そこに住んでいる人。「マンションの—」

**じゅうにん**【重任】㊀重大な任務。㊁《名・自他サ》かさねて、前の役に任命〈される|する〉こと。

**じゅうにんといろ**【十人十色】好みや考えは人によってちがう、ということ。

**じゅうにんなみ**【十人並み】《名・ナダ》顔だち・才能がふつうであること。「—の器量」

**しゅうねい**【執△念い】《形》〔文〕執念深い。

**しゅうねん**【執念】〔もと、仏教用語〕あることをしようとかたく思いこんで動かない心。「—を燃やす」 ●**しゅうねんぶかい**【執念深い】《形》いつまでもあきらめないで、自分の気持ちを通そうとするようすだ。「執念深くつけねらう」派—さ。

**しゅうねん**【周年】㊀**しゅうねん**《名・副》〔文〕①一年じゅう。「マダイは—漁獲(ぎょかく)される。—出荷(しゅっか)」②満…年になるのを記念すること。「—企画(きかく)」㊁接尾 満…年になる〔記念すべき〕時。「七月一日に市政五十—をむかえる」

**じゅうねんいちじつ**【十年一日】じゅうねんいちにち。長い期間、同じことをくり返していること。「—のごとく、同じ仕事を続ける」

**しゅうのう**【就農】《名・自サ》農業に従事すること。「—人口」(↔離農(りのう))

**しゅうのう**【収納】《名・他サ》①〔たんす・たななどに〕しまうこと。②お金や品物を受け取っておさめること。③ものをしまうところ。「床下(ゆかした)—」

**じゅうのう**【十能】炭火を入れてはこぶ道具。金属製の入れものに木の柄(え)をつけたもの。

**しゅうは**【宗派】同じ宗教の中での分派。

**しゅうは**【秋波】〔文〕①色っぽくさそう目つき。色目。●**秋波を送る** 句 ①色っぽくさそう目つきをする。②下心をもってさそいかける。「与党(よとう)が野党に—」

**しゅうはい**【集配】《名・他サ》〔郵便物・荷物などを〕集めることとくばること。「—車」

**しゅうばい**【終売】《名・自他サ》商品の販売(はんばい)を終わりにすること。「—商品のお知らせ」

**じゅうばく**【重爆】〔軍〕↑重爆撃機(じゅうばくげきき)〔=大型の爆撃機〕。

**じゅうばこ**【重箱】食べ物をつめてかさねる入れ物。●**重箱の隅(すみ)を(ようじ《楊枝》で)〈つつく|ほじくる〉** 句 ごく小さな、つまらないことまでうるさく言う。●**じゅうばこよみ**【重箱読み】漢字二字でできている熟語を、上を音(おん)で、下を訓で読むこと。例、重箱・自腹(じばら)。(↔湯桶(ゆとう)読み)

**しゅうバス**【終バス】その日の、いちばん終わりに出るバス。

**しゅうはすう**【周波数】〔理〕電波・音などが一秒間に振動(しんどう)する回数。単位はヘルツ〔記号Hz〕。

**じゅうはち**【十八】●**じゅうはちきん**【十八金】金の純度が二十四分の十八〔=七五パーセント〕であること〔記号K18〕。「—の指輪」☞金(きん)㊂。●**じゅうはちきん**【十八禁】〔「十八金」から〕〔俗〕↑十八歳(さい)未満禁止。●☆☆**じゅうはちばん**【十八番】①歌舞伎(かぶき)俳優の市川家に伝わった、新旧それぞれ十八番の得意の狂言(きょうげん)。②いちばん得意のことがら。おはこ。

**しゅうはつ**【終発】最終の発車。(↔始発)

**しゅうばつ**【修×祓】《名・自サ》〔本来は「しゅうふつ」〕神式の行事の始まりにするおはらい。しゅばつ。

**しゅうばつ**【秀抜】《ナダ》とびぬけてすぐれているようす。「—な作品」派—さ。

**じゅうばつ**【重罰】おもい処罰(しょばつ)。

**じゅうばん**【終盤】①〔碁・将棋〕終わりに近い局面。「—戦」②終わりに近い段階。「—国会」▽(↔序盤・中盤)

**しゅうばん**【週番】一週間ごとに交替(こうたい)して勤務する〈こと|人〉。

**じゅうはん**【重犯】①かさねてする犯罪。累犯(るいはん)。(↔初犯)②重い犯罪。また、重罪犯。

**じゅうはん**【従犯】〔法〕犯罪を手助け〈した者|する罪〉。(↔正犯)

**じゅうはん**【重版】《名・自他サ》①〔同じ出版物が〕印刷〔=刷り〕の回数をかさねること。また、印刷をかさねた書籍(しょせき)など。「—がかかる〔=重版になる〕・—出来(しゅったい)」②第二版。(↔初版)

**しゅうび**【終尾】〔文〕ものごとの最後。掉尾(とうび)。「—をかざる」

**しゅうび**【愁眉】〔文〕心配そうなまゆ。●**愁眉を開く** 句 やっと安心する。ほっとする。

**しゅうひょう**【週評】一週間のできごとの批評。

**しゅうひょう**【衆評】〔文〕多くの人の批評。

**しゅうひょう**【集票】《名・自サ》〔文〕選挙の前に、票などを取りまとめること。「—能力」

**じゅうびょう**【重病】命にかかわる、重い病気。

**しゅうふ**【醜婦】〔文〕醜女(しゅうじょ)。

**シューフィッター**【和製shoe-fitter】〔靴(くつ)の専門店などで〕客の足にぴったり合う靴を選ぶ仕事をしている人。

**しゅうふう**【宗風】〔文〕ある宗派の教理の特色。

**しゅうふう**【秋風】〔文〕あきかぜ。

**しゅうふく**【修復】《名・自他サ》①〈こわれた／傷ついた〉部分をなおして、もとどおりにすること。「仏像を━する・DNAを━する・財政を━する」②〔人や国どうしの〕こじれた関係をもとどおりにすること。また、そうなること。「二人の関係〈を／が〉━する」

**じゅうふく**【重複】《名・自サ》⇩ちょうふく。

**しゅうふつ**【修×祓】《名・自サ》⇩しゅうばつ(修祓)。

**しゅうぶん**【秋分】《天》二十四節気の一つ。秋、昼の時間が短くなって来て、夜と同じ長さになるとき。秋の彼岸の中日で、九月二十三日ごろ。(↔春分) ●**しゅうぶんのひ**【秋分の日】国民の祝日の一つ。九月二十三日ごろ。先祖や亡くなった人をしのぶ日。〔一九四八年から実施。もとの秋季皇霊祭〕

**しゅうぶん**【醜聞】⇩スキャンダル。「━を暴露する」

**しゅうぶん**【修文】《名・他サ》〔文〕文書を修正すること。「法案を━する」

**じゅうぶん**【重文】①《言》二つ(以上)の単文が、同じ資格で結びついた文。例、「きのうは晴れで、きょうは雨だ」。(↕単文・複文) ②↑重要文化財。

**じゅうぶん【十分・:充=分】《ナダ・副》①〔数量・程度が〕不足がなく、必要なだけあるようす。「━いただきました・もう━です」(↔不十分) ②可能性が小さくないようす。「成績が下がることも━(に)ありうる」③《すもう》自分に有利な体勢をとるようす。「━になる」【表記】本来「十分」だが、「十分(じっぷん)」とまぎれそうな場合は「充分」も多い。副詞は かな書きにもする。●**じゅうぶんじょうけん**【十分条件】《哲》この条件を満たしていれば、あることが当然 成立しているという条件。例、カラスであることは、鳥であるための十分条件。(↔必要条件)

**しゅうへき**【習癖】〔文〕くせ。習わし。「変わった━・日本人の━」

***しゅうへん**【周辺】〔文〕①まわり。「━の農村・━事態」②関係のあることがら。「文学の━」

**じゅうぼいん**【重母音】《言》⇩二重母音。

**しゅうほう**【州法】〔アメリカなどの〕州の法律。

**しゅうほう**【秀峰】〔文〕形のすぐれたみね。「━富士」

**しゅうほう**【週報】①一週間ごとに出す報告書やお知らせ。②毎週決まって発行される刊行物。

**しゅうぼう**【衆望】〔文〕多くの人がかけている期待・のぞみ。「━をになう」

**しゅうぼう**【醜貌】〔文〕みにくい顔。

**じゅうほう**【重宝】〔文〕大切なたからもの。☞ちょうほう(重宝)。

**じゅうほう**【重砲】《軍》口径が大きくて砲身の長い大砲。

**じゅうほう**【銃砲】①銃。「━店」②小銃と大砲。

**じゅうぼく**【従僕】〔文〕男性の めし使い。

**シューマイ**【(:焼売)】〔中国語〕中華料理の一つ。ブタのひき肉などに野菜をまぜたものを、小麦粉の皮で小さく包み、蒸したもの。シウマイ。「エビ━」

**じゅうまい**【従妹】〔文〕自分より年下の、女のいとこ。(↔従姉)

**しゅうまく**【終幕】《名・自サ》①《芝居》最後の幕。(↔序幕) ②閉幕。「夕日のシーンで映画が━する」(↔開幕) ③もよおしなどの終わり。(↔序幕)

**しゅうまつ**【終末】〔文〕ものごとの行きつく最後のところ。最終。「世界の━・屎尿の━処理」●☆☆**しゅうまついりょう**【終末医療】《医》回復の見こみのない病人の苦痛をやわらげ精神的に支える医療。終末期医療。ターミナル ケア。●**しゅうまつかん**【終末観】《哲》世界の終わりが どのようにしておとずれ、そのあとが どうなるかということについての考え方。「最後の審判」は、その一例。●**しゅうまつき**【終末期】〔生命などの〕終わりの時期。「━医療」〔⇩終末医療〕

**しゅうまつ**【週末】一週間の終わり。ウイークエンド。〔ふつう土曜・日曜をさす〕「━旅行」(↔週初)

**じゅうまん**【充満】《名・自サ》いっぱいになること。「ガスが━する・不満が━していた」

**じゅうまんおくど**【十万億土】《仏》死んだ人が行くと言われている、非常に遠い所。極楽浄土。●**十万億土へ旅立つ**【句】死ぬ。

**しゅうみ**【臭味】〔文〕①くさみ。②ある地位や職業の人がもつ、いやな感じ。「役人の━」

**しゅうみつ**【周密】《ナダ》〔文〕行き届いて手ぬかりのないようす。「━な調査」【派】━さ。

**しゅうみん**【州民】〔文〕〔アメリカなどの〕州の住民。

**しゅうみん**【就眠】《名・自サ》〔文〕とこにはいってねむること。就寝。「━時間」

***じゅうみん**【住民】その土地に住む人々。「━参加の都市計画」●☆☆**じゅうみんうんどう**【住民運動】住民がその地域で起こった問題を解決するために起こす運動。●**じゅうみんきほんだいちょう**【住民基本台帳】個人を単位とする住民票を世帯ごとにまとめて作成した台帳。住基。●**じゅうみんぜい**【住民税】《法》その土地に住所を持つ個人や会社に対してかける地方税。●**じゅうみんとうひょう**【住民投票】《法》〔法律や条例にもとづいて〕地域にかかわることがらについて意思を示すため、住民がおこなう投票。●**じゅうみんとうろく**【住民登録】役所に住民として住んでいることを記録すること。●**じゅうみんひょう**【住民票】《法》市区町村の住民について生年月日や性別、世帯主との続き柄などを記した台帳。

**しゅうめい**【醜名】〔文〕〈よくない／けがらわしい〉評判。「━を流す」☞しこな(醜名)。

☆☆**しゅうめい**【襲名】《名・他サ》芸名などを受けつぐこと。「━披露」

**じゅうめん**【渋面】〔文〕しかめっつら。「━を作る」

**じゅうもう**【(×絨)毛】《生》小腸など内臓の粘膜に、毛がはえたようにならぶ、短くて細い突起。

**しゅうもく**【衆目】〔文〕多くの人の〈目／見方〉。「━を集める…という評価は━の一致するところだ」

**じゅうもく**【十目】〔文〕十人の目。●**十目の見るところ**【句】みながそろって認めるところでは。「━、十指のさすところ」

**しゅうもん**【宗門】一つの宗教の中での分派。宗旨。宗派。

**じゅうもんじ**【十文字】①十の字の形。②縦横に交差した形。

**しゅうや**［秋夜］〔文〕秋の夜。秋のよい。

**しゅうや**［終夜］《名・副》ひとばんじゅう。よどおし。「―営業」

**しゅうやく**［集約］《名・他サ》一つに寄せ集めること。「意見を―する」●**しゅうやくのうぎょう**［集約農業］限られた農地からできるだけ収穫をあげるために、お金と人手をつぎこむ農業。（↕粗放農業）

**じゅうやく**［重役］①銀行・会社の役員。取締役と監査役。②〔文〕藩などの、責任の重い役目。●**じゅうやくしゅっきん**［重役出勤］《名・自サ》①重役が、部下のあとからゆっくり出勤すること。②〔俗〕〔会社・学校などに〕重役であるかのように、おそく来ること。社長出勤。「―する生徒」

**じゅうやく**［重訳］《名・他サ》原文の翻訳を、さらにほかの言語に翻訳〈すること/したもの〉。

**じゅうゆ**［重油］《理》原油を蒸留したあとに残った、粘性の強いあぶら。燃料、アスファルトなどの製造に使う。（↕軽油）

**しゅうゆう**［周遊］《名・他サ》〔文〕あちこちを旅行して歩くこと。「伊豆の―プラン・―券（＝指定された観光地域内で乗り降りが自由な割引乗車券。ＪＲの周遊きっぷは二〇一三年に廃止）」

**しゅうよう**［修養］《名・自他サ》心をみがき人格を高めること。「―をつむ」

☆☆**しゅうよう**［収用］《名・他サ》《法》公共事業のために、特定のものを強制的に国などが買い取ること。「土地―」

**しゅうよう**［収容］《名・他サ》①人や荷物を、建物や部屋の中、または一定の場所に入れること。「―人員百名・施設に―する・遺体の―・捕虜―所」②《法》犯罪少年を鑑別所などに入れること。

**じゅうよう**［重用］《名・他サ》〔人を〕重くもちいること。ちょうよう。

＊＊**じゅうよう**［重要］《ナダ》大きな意味をもっていて、それがないと、ものごとが成り立たなくなるようす。大事。大切。「―事項・―な決定・健康の―性」派―さ。●☆☆**じゅうようさんこうにん**［重要参考人］あ

る犯罪について重要な情報を持つとされている人。「―として事情聴取する」●**じゅうようし**［重要視］《名・他サ》重要だと考えること。重視。●☆☆**じゅうようぶんかざい**［重要文化財］文化財を保護する法律にもとづいて指定された、価値の高い建物・美術品・書物など。重文。●**じゅうようむけいぶんかざい**［重要無形文化財］無形文化財のうち、特に重要なものとして国が指定したもの。「―保持者（＝それについての高度の技能を持つと認められた人。人間国宝）」

**じゅうよく**［獣欲］〔文〕けだもののような欲望。「肉欲」をいやしめた言い方。区別⇩性欲。

**しゅうらい**［襲来］《名・自サ》力のきわめて強いものがおそってくること。来襲。「台風の―」

＊**じゅうらい**［従来］《名・副》以前から今まで（ずうっと）。「―の習慣」「「従来から」は重言」

☆☆**しゅうらく**［集落・×聚落］①家などが一か所に集まった所。村里。②《医》培養してふえた、細菌の集まり。

**しゅうらん**［収×攬］《名・他サ》〔文〕手もとに集めること。にぎって持つこと。「人心を―する」

**じゅうらん**［縦覧］《名・他サ》〔見たい人が〕自由に見ること。「選挙人名簿の―」

**しゅうり**［修理］《名・他サ》機械や道具などの、こわれた部分を直すこと。「家の―・車の―」

**しゅうりつ**［州立］〔アメリカなどの〕州が作り、維持する〈こと/もの〉。

**しゅうりょう**［収量］《農》収穫の量。

**しゅうりょう**［秋涼］〔文〕秋の すずしい風。

＊**しゅうりょう**［終了］《名・自他サ》終わること。終えること。終わり。（↕開始）

**しゅうりょう**［修了］《名・他サ》一定の〈学業/課程〉を最後まで学ぶこと。修業。「―証書」

**じゅうりょう**［十両］《すもう》幕内の一つ下の階級。十枚目。由来 江戸時代、一年の給料が十両だったことから。

**じゅうりょう**［重量］①重さ。②非常に重いこと。「―級」（↕軽量）③安定して力強いこと。「―打線」（↕軽量）●**じゅうりょうあげ**［重量挙げ］バーベルを頭の上まで持ち上げて力の強さを争う競技。ウエイトリフティング。☞パワーリフティング。●**じゅうりょうかん**［重量感］持ってみて重い感じ。また、重そうな感じ。

☆☆**じゅうりょう**［従量］〔固定でなく〕使用量に応じて課金すること。「―制・―料金」●**じゅうりょうぜい**［従量税］《法》物品の数量を標準としてかける税金。例、酒税。（↕従価税）

**じゅうりょう**［銃猟］銃で鳥やけものをうちとる猟。

**じゅうりょく**［重力］《理》地球上の物体にはたらく、地球がその中心に向かって引く力。万有引力と地球の自転による遠心力とが合わさった力。☞万有引力。

**しゅうりん**［秋×霖］《天》秋の長雨。

**じゅうりん**［×蹂×躙］《名・他サ》①ふみにじること。②権利をおかすこと。「人権―」

**シュール**〔フ sur〕㊀↑シュール レアリスム。㊁《ナダ》超現実的であるようす。「―な発想」●**シュールレアリスム**〔フ surréalisme〕一九二〇年ごろに始まった芸術上の流派。写実をはなれ、作者の主観を自由に表現する。超現実主義。シュール。

**ジュール**〔joule＝もと、人名〕《理》エネルギー・仕事・熱量・電力量の単位〔記号 J〕。一ニュートンの力がはたらいて、その力の方向に物体を一メートル動かすときの仕事。☞カロリー①。

**しゅうれい**［秋冷］〔文〕秋の ひややかさ。「―の候」（↕春暖）

**しゅうれい**［秋麗］〔文〕うららかな秋の日。秋うらら。「―の空」

**しゅうれい**［終礼］一日の仕事や授業の終わりにする、短い会。（↕朝礼）

**しゅうれい**［秀麗］《ナダ》〔文〕すぐれて、きれいなようす。「眉目―」派―さ。

**じゅうれつ**［縦列］たてに ならぶこと。また、その列。「―で行進する・―駐車」（↕横列）

**しゅうれっしゃ**［終列車］その日のいちばん終わりに出る列車。（↕初列車）

☆☆**しゅうれん**［収×斂］《名・自他サ》〔文〕①ある一点に向かって〈まとまる／集まる〉こと。また、そうさせること。「意見が一する・理由は結局二つに一する・一火災（＝太陽光が集まって起こる火災）」②ひきしまること。ひきしめること。「一剤・一性」

**しゅうれん**［修練・修錬］《名・他サ》〔心・からだを〕みがきねること。

**しゅうれん**［習練］《名・他サ》〔文〕くり返し習うこと。練習。「一を積む」

**じゅうれん**［重連］①機関車を二両連結して列車などを引っぱること。②二つ以上つなげて動かすこと。「一水車」

☆☆**しゅうろう**［就労］《名・自サ》仕事に〈とりかかる／とりかかっている〉こと。「一時間」

**じゅうろうどう**［重労働］はげしく からだを使う力仕事。重労。（↔軽労働）

**しゅうろく**［収録］《名・他サ》①〔書物などに〕おさめ〈しるす／のせる〉こと。②〈放送／記録〉のために、録音・録画すること。音入れ。音取り。

**しゅうろく**［集録］《名・他サ》集めて、記録として〈まとめること／まとめたもの〉。

**しゅうろん**［修論］〔学〕↑修士論文。

☆☆**しゅうわい**［収賄］《名・他サ》わいろを受け取ること。「一罪」（↔贈賄）

**じゅうわり**［十割］一割の十倍。百パーセント。「一の成功率（＝何回かやって全部成功すること）」●**じゅうわりそば**［十割（：蕎麦）］小麦粉などのつなぎを使わず、そば粉だけで作ったそば。☞生そば。

**ジューンブライド**〔June bride〕六月の花嫁。〔西洋で、六月に結婚する女性は祝福される、という〕

**しゅえい**［守衛］①役所・会社などの建物を守り、警備する職務（の人）。②「衛視」の旧称。

**じゅえい**［樹影］〔文〕木の〈かげ／姿〉。

**じゅえき**［樹液］木の表面ににじみ出る液体。

**じゅえき**［受益］《名・自サ》〔文〕利益を受けること。「一者負担」

☆☆**ジュエリー**〔jewelry; jewellery〕宝石とアクセサリー。宝飾品。

**しゅえん**［酒宴］〔文〕さかもり。「一を張る」

**しゅえん**［主演］《名・自サ》《映画・演劇》主役となって演じる〈こと／人〉。（↔助演）

**しゅおん**［主音］《音》その音階の中心となる、第一音。長音階ではド、短音階ではラ。主調音。キーノート。

**しゅか**［主家］〔文〕主人の家。

**しゅか**［朱夏］〔文〕夏。由来 五行説で、夏に朱色を当てることから。☞青春・白秋・玄冬。

**しゅか**［首夏］〔文〕初夏。

**しゅか**［酒家］〔文〕酒を出す（料理）店。〔多く、店の名前に使う〕

**じゅか**［樹下］〔文〕木の下。（↔樹上）

**シュガー**〔sugar〕砂糖。「一ポット（＝砂糖つぼ）・一スポット（＝バナナの皮の黒い斑点）」●**シュガーレス**〔sugarless〕砂糖ぬき。砂糖なし。「一ガム」

**しゅがい**［酒害］酒にふくまれるアルコールから受ける害。例、アルコール中毒。

**じゅかい**［樹海］広く森林が続いていて、上から見おろすと海面のように見える所。「シベリアの一」

**じゅかい**［受戒］《名・自サ》《仏》戒律を受けること。

**じゅかい**［授戒］《名・自サ》《仏》戒律をさずけること。

**しゅかく**［主客］〔文〕⇩しゅきゃく。

**しゅかく**［主格］《言》主語をしめす格。

**しゅかく**［酒客］〔文〕さけのみ。

**じゅがく**［儒学］儒教を研究する学問。中国の伝統的な学問。

**しゅかん**［主幹］〔文〕①中心となる、おもなもの。「重工業を一とする経済」②とりしまり。主任。「編集一・研究一」

**しゅかん**［主管］《名・他サ》〔文〕①支配人。主任。②主となって〈取りしまる／管理する〉〈こと／人〉。

☆☆**しゅかん**［主観］①ものごとをとらえる、個人の心のはたらき。「一をはなれた存在」②自分だけの見方。「一性の強い作品」③《映画など》登場人物自身の視点から見た映像・画像。「一で撮る・一視点」▽（↔客観）●**しゅかんてき**［主観的］《ナダ》①主観をもとにするようす。②自分だけの見方にかたよるようす。▽（↔客観的）

**しゅがん**［主眼］主要な〈ところ／点〉。かなめ。

**じゅかん**［樹間］〔文〕木と木のあいだ。このま。

**しゅき**［手記］■一〔関係者が〕自分で書いた文章。「従軍記者の一」■二《名・他サ》〔文〕〔文章などを〕自分で書くこと。「事情を一する」

**しゅき**［首記］〔文〕文書のはじめに書いてあることがら。標記。「一の件につき」

**しゅき**［酒気］①酒を飲んだ人の酒くさいにおい。「一をおびる・一おび運転」②酒の酔い。「一検査・一をさます」

**しゅき**［酒器］〔文〕酒を〈入れる／飲む〉うつわ。

**しゅぎ**［手技］〔手術や工芸などで〕手を使っておこなう仕事のわざ。「一をみがく」

＊＊**しゅぎ**［主義］（いつも守る）一定の考えや主張、また意見。「民主一・一主張をつらぬく」

**しゅきゃく**［主客］〔文〕①主人と客。「一一体」②〈重要な／主になる〉ものと そうでないもの。③主賓。▽しゅかく。●**しゅきゃくてんとう**［主客転倒］《名・自サ》〔文〕①主導権が入れかわること。②ものごとの軽重が入れかわること。「手段が目的になるという一」

**しゅきゃく**［主脚］飛行機の重心近くに左右一対ある、車輪のついたあし。☞前脚。

**しゅきゅう**［守旧］〔文〕古い習慣を守ること。保守。「一派」

**じゅきゅう**［需給］《経》需要と供給。「一状態」

☆☆**じゅきゅう**［受給］《名・他サ》配給・給与などを受けること。「年金一資格」

**しゅきょう**［酒興］〔文〕酒を飲むときの おもしろみ。さかもりの座興。「一をそえる」

**しゅぎょう**［修行］《名・自他サ》①《仏》ⓐさとりを得るために、仏の教えにしたがって日々はげむこと。「仏道を一する」ⓑ「修行①ⓐ」のためにたくはつ（托鉢）して歩くこと。②武芸などをみがく（ために、各地をめぐる）こと。「武者一」

**しゅぎょう**［修業］《名・自他サ》一人前の技術を得

るために、特別に学ぶこと。「板前ー・医学をーする」☞しゅうぎょう(修業)。

**じゅきょう**[儒教] 中国の孔子を祖とし、仁を根本とする、政治・道徳の教え。

**じゅぎょう**[授業]《名・自サ》〔学校などで、教師が〕学業や技術を教えること。「ー参観日」•**じゅぎょうりょう**[授業料] ①授業を受けるために学校や塾にしはらうお金。②失敗から何かを学んだときにはらう代償。月謝。「高いーをはらったよ」

☆☆**しゅぎょく**[珠玉]〔文〕①美しいたま。②美しいもの。とうといもの。「ー編・ーの作品」

**しゅく**[祝]〔文〕①いわうこと。「ー入学(=入学おめでとう)」②←祝日。「ー休業・土日ー」

**しゅく**[宿]①〔文〕宿場。「品川のー」②〔文〕星座。「二十八ー」③←宿直。「ー明け」

**しゅぐ**[手具]〔新体操で〕手に持って演技する道具。ロープ・フープ(=輪)・ボール・クラブ(=こん(棍)棒)・リボンの五種類。

**じゅく**[受苦]〔文〕苦しみを受けること。「ーの生」

**じゅく**[塾]〈個人/民間〉でひらいている、学業・技術などを教える所。「学習ー・ーへかよう」

**しゅくあ**[宿×痾]〔文〕長い間わずらっている病気。持病。「ーの眼病」

**しゅくあく**[宿悪]《仏》前世でした悪事。「ーのむくい」(↔宿善)

**しゅくい**[祝意]〔文〕おいわいの気持ち。「ーをのべる」

**しゅぐう**[殊遇]《名・他サ》〔文〕手厚い待遇。「ーを受ける・ーに浴する」

**しゅくうん**[宿運]〔文〕前の世から決まっている運命。

**しゅくえい**[宿営]《名・自サ》①軍隊が兵営以外でとまる〈こと/ところ〉。②テントをはって、とまること。

**しゅくえき**[宿駅]〔文〕宿場(のもととなった、馬を備えた中継所)。駅。

**しゅくえん**[祝宴] おいわいの宴会。

**しゅくえん**[宿縁]《仏》前世からの因縁。

**しゅくか**[祝歌]〔文〕おいわいの歌。「結婚ー」

**しゅくが**[祝賀]《名・他サ》〔文〕おいわい。「ー式」

**しゅくがん**[宿願] 以前からのねがい。「ーをはたす」

**じゅくぎ**[熟議]《名・他サ》じゅうぶんに評議すること。

**しゅくきゅうじつ**[祝休日] 祝日と休日。「ー休館」

**しゅくけい**[粛啓]〔手紙〕〔文〕初めに書く、あいさつのことば。〔「謹啓」より改まった言い方〕

**しゅくげん**[縮減]《名・自他サ》〔規模を〕減らして小さくすること。また、そうなること。「予算のー」

**じゅくご**[熟語] ①二つ以上の漢字を組み合わせてできたことば。熟字。例、社会。②二つ以上の単語を組み合わせてできたことば。複合語。例、山桜。③〔英語などで〕イディオム。慣用句。

**しゅくごう**[宿業]《仏》前世での善悪のおこないに対して、現世で受けるむくい。すくごう。

**しゅくごう**[縮合]《名・自サ》《理》複数の分子から、水などの簡単な構造の分子が外れて別の分子になること。「ー反応」☞重合。

**じゅくこう**[塾講]〔←塾講師〕〔学〕塾で教える〈人/仕事〉。

**しゅくこん**[祝婚]〔文〕結婚をいわうこと。「ー歌」

**しゅくさい**[祝祭]〔文〕①お祝いの祭り。②祝いと祭り。•**しゅくさいじつ**[祝祭日] 祝日と祭日。

**しゅくさつ**[縮刷]《名・他サ》新聞などの、もとの大きさを縮め、小さくして印刷〈すること/したもの〉。「ー版」

**しゅくし**[祝詞]〔文〕祝辞。☞のりと(祝詞)。

**しゅくし**[宿志]〔文〕前からの〈志/望み〉。

**しゅくじ**[祝辞] おいわいの気持ちをのべることば。祝詞。

**じゅくし**[熟△柿]〔文〕よく熟したカキ。熟し柿。•**じゅくしくさ・い**[熟△柿臭い]《形》酒を飲んだために、息が熟したカキのようににおうようすだ。派ーさ。

**じゅくし**[熟思]《名・他サ》〔文〕じゅうぶんに考えること。熟考。熟慮。

**じゅくし**[熟視]《名・他サ》注意してよく見ること。見つめること。

**じゅくじ**[熟字] ⇩熟語①。•**じゅくじくん**[熟字訓] 明日・二十歳などのように、二字以上の漢字でできた単語にあてた訓。

**しゅくじつ**[祝日] おいわいの日。特に、国民の祝日。「日曜ー開館」

**しゅくしゃ**[宿舎] ①旅先で、とまるところ。宿泊所。「国民ー」②寄宿舎。住宅。「公務員ー」

**しゅくしゃ**[縮写]《名・他サ》実物の大きさを縮めて写すこと。「ー写真」

**じゅくしゃ**[塾舎] 塾の建物。

**しゅくしゃく**[縮尺]《名・他サ》地図・設計図を、実物より縮めて書く〈こと/ときの割合〉。「ー図・ー五万分の一」(↔現尺)

**しゅくしゅ**[宿主]《生》〔寄生虫などの〕寄生生物に寄生される生物。やどぬし。「中間ー」

**しゅくしゅく**[粛々]《タル》①〔文〕おごそかで、ものしずかなようす。「ーとして進む人馬の列」②何が起こっても、予定どおり着実におこなうようす。「ーと業務をこなす」

**しゅくしょ**[宿所]〈その人が泊まっている/人を泊める〉所。やど。「簡易ー」

**しゅくじょ**[淑女] 上品で礼儀正しい女性(を尊敬して言うことば)。レディー。(↔紳士)

**じゅくじょ**[熟女] 成熟した魅力を持つ女性。おとなの色気のある女性。

**しゅくしょう**[祝勝]〔文〕勝利をいわうこと。「ー会」

**しゅくしょう**[縮小]《名・自他サ》①長さや二つの間の差など〈が縮まる/を縮める〉こと。②面積や範囲など〈が縮まる/を縮める〉こと。▽(↔拡大)•**しゅくしょうきんこう**[縮小均衡]《経》経済のすべての面で規模を小さくし、しかも収支のつりあいをとること。(↔拡大均衡)

**しゅく・す**[祝す]《他五》〔文〕⇩祝する。「再会を祝そうと思う」

**しゅくず**[縮図] ①原形を縮めた図。縮尺図。②実際のありさまを小さくしてしめしたもの。「社会のー」

**じゅく・す**[熟す]《自五》①くだもの・野菜などの実がじゅうぶんみの(って、食べておいしい状態にな)る。「トマトがー」②それをするのに適当な状態になる。「機がー・計画がー」③こなれる。「表現が熟していない」▽熟する。

**しゅくすい**【宿酔】〔文〕ふつかよい。
**じゅくすい**【熟睡】《名・自サ》ぐっすり ねむること。
**しゅく・する**【祝する】《他サ》〔文〕いわう。祝す。
**じゅく・する**【熟する】《自サ》⇩熟す。
**しゅくせい**【宿星】〔星うらないで〕人の運命を決める星。
↑**しゅくせい**【粛正】《名・他サ》きびしく取りしまって、不正を除き去ること。「綱紀―」
↑**しゅくせい**【粛清】《名・他サ》きびしく取りしまって、反対派を追放・処分すること。
**じゅくせい**【塾生】塾(と呼ばれるところ)に通う生徒や学生。「慶応義塾の―」
**じゅくせい**【熟成】《名・自サ》①〔食べ物や酒を〕長い時間置いておくことで、酵素などの はたらきによって風味がよくなること。「―肉・ワインを―させる」☞寝かせる④・発酵。②成長して うまくはたらくこと。「チームが―する」
**しゅくぜん**【粛然】《トタル》〔文〕心をひきしめ、かしこまるようす。「―として えりを正す」
**しゅくだい**【宿題】①(家でやるように)前もって出しておく問題。家庭学習。「学校の―」②あとで解決すべき問題。
**じゅくたつ**【熟達】《名・自サ》やり方になれて上達すること。派―さ。
**じゅくだん**【熟談】《名・自サ》〔文〕じゅうぶん相談すること。「内容を―する」
**じゅくち**【熟知】《名・他サ》〈よく/くわしく〉知っていること。
**じゅくちょう**【塾長】塾の運営でいちばん上の人。
**しゅくちょく**【宿直】《名・自サ》官庁・会社などで、交替でとまって、夜の番をする〈こと/人〉。夜直。「―室」(↔日直)☞とのい(宿直)。
**しゅくてき**【宿敵】以前からの敵。
**しゅくてん**【祝典】〔文〕おいわいの儀式。
**しゅくでん**【祝電】おいわいの電報。
**じゅくど**【熟度】〔文〕熟した程度。「果実の―・議論の―」
**しゅくとう**【粛党】《名・自サ》〔文〕政党などを粛正すること。
**しゅくどう**【縮瞳】《名・自サ》《医》病気などで瞳孔が ひどく縮むこと。
**じゅくとう**【塾頭】①その、塾の かしら。②塾生の中の代表となる者。
**じゅくどく**【熟読】《名・他サ》じゅうぶんに読み味わうこと。「―玩味する」
**しゅくとして**【粛として】《副》〔文〕声を立てないで、しずかにしているようす。「―声なし」
☆☆**じゅくねん**【熟年】成熟した年齢。中高年。
**しゅくば**【宿場】江戸時代、旅人をとめたり、人や馬の輸送を受けつぎしたりする設備のあった所。宿。宿駅。「―町」
**しゅくはい**【祝杯・祝×盃】おいわいの酒を飲む さかずき。「―をあげる」
**しゅくはく**【宿泊】《名・自サ》〔自宅以外の所に〕とまること。やどること。「―料」
**しゅくふく**【祝福】《名・他サ》①幸福であるようにいのること。「前途を―する」②《宗》〔キリスト教で〕神からさずけられる めぐみ。「―をあたえる」③いわうこと。「卒業を―する」
**しゅくへい**【宿弊】〔文〕長い間の改めにくい習慣によって起こる弊害。
**しゅくべん**【宿便】《医》長い間 腸の中にたまっている ふん(糞)便。
**じゅくべん**【塾弁】〔俗〕塾で食べる弁当。
**しゅくほう**【祝砲】おいわいの気持ちをあらわすために うつ空砲。
**しゅくぼう**【宿坊】お参りした人がとまる、寺の宿泊所。
**しゅくぼう**【宿望】長年の のぞみ。
**じゅくみん**【熟眠】《名・自サ》〔文〕熟睡。
**しゅくめい**【宿命】うまれる前から定まっていて、どうにもならない運命。「―的・おれは―論者だ」
**しゅくもう**【縮毛】縮れた かみの毛。「―矯正(=縮れ毛を直毛にする技術)」
**しゅくやく**【縮約】《名・他サ》全体を短くまとめる〈こと/たもの〉。簡約。「―版」
**じゅくらん**【熟覧】《名・他サ》〔文〕よくよく見ること。「ご―の上よろしく」
**じゅくりょ**【熟慮】《名・他サ》時間をかけて じゅうぶん考えること。「―して決める」•**じゅくりょだんこう**【熟慮断行】《名・自サ》じゅうぶん考え、思い切って実行すること。
**じゅくれん**【熟練】《名・自サ》よくなれていて、じょうずなこと。「―工(↔未熟練工)」派―さ。
**しゅくろう**【宿老】①〔文〕経験のゆたかな老人。②《歴》武士の時代の高官。③《歴》江戸時代の町内の世話役。
**しゅくん**【主君】〔文〕自分の主人である とのさま。
**しゅくん**【殊勲】特別にすぐれた てがら。「―をたてる・―賞(=すもうでは、横綱などをたおした力士におくる賞)」☞三賞。
**じゅくん**【受勲】勲章を受けること。「―者」
**しゅけい**【主計】会計(係)。「―官」
**しゅげい**【手芸】編み物・ししゅうなどの、手先を使ってする技芸。「―品」
**じゅけい**【樹形】幹や枝などが作る、樹木全体の形。「―を整える」
**じゅけい**【受刑】《名・自サ》刑の執行を受け(てい)ること。「―者」
**じゅけつ**【受血】《名・自サ》《医》自分の輸血に使う血を受け入れること。「―者」(↔供血)
**じゅげむ**【寿△限無】(=寿命が限りないこと) 落語に出て来る子どもの名前。長命を祝った、「じゅげむじゅげむ」に始まる長い名前。転じて、長い名前のたとえ。
☆☆**しゅけん**【主権】《法》国家が持つ、最高で独立の権力。国家の〈意思力/統治権〉。•**しゅけんこっか**【主権国家】国家としての独立の主権を持った、国家。•**しゅけんざいみん**【主権在民】主権が国民にあること。国民主権。•**しゅけんしゃ**【主権者】国の主権をにぎっている者。しゅけんじゃ。
↑**じゅけん**【受検】《名・自他サ》検査・検定を受けること。「―者・公立高校の―」
↑**じゅけん**【受験】《名・自他サ》試験を受けること。「―勉強・―生・私立高校の―」☞お受験。
**じゅけん**【授権】《名・他サ》《法》特定の人に権限をあたえること。

し

**しゅげんじゃ**【修験者】〘仏〙ふだんは山にこもって心身をきたえる行者(ぎょうじゃ)。山伏(やまぶし)。

［しゅげんじゃ］

**しゅげんどう**【修験道】〘仏〙密教の一派。ある期間、山にとじこもって心身をきたえる。

**しゅご**【主語】〘言〙文の成分の一つ。動作・作用・性質・状態などの主体になるものをあらわす文節。例、「雨が降る」の「雨が」。(↔述語) ●**主語が大きい** 句 すべてがそうだとは限らないのに、ひとまとめに論じられている状態だ。「『日本人は口べただ』というのは一」［二〇〇八年に例があり、二〇一〇年代に広まった用法。論法自体は昔からある］

**しゅご**【守護】《名・他サ》①守ること。守り。②〘歴〙鎌倉(かまくら)・室町(むろまち)時代、地方の治安維持(いじ)を担当した職の名。「一大名」

**しゅこう**【手工】手先の工芸。

**しゅこう**【手稿】〔文〕手書きの原稿。「一を解読する」

**しゅこう**【酒×肴】〔文〕酒と〈料理/さかな〉。「一料」

**しゅこう**【趣向】①会やもよおしのやり方。おもむき。「一を変える」②おもしろく見せるための、くふう。「一をこらす」③おもしろいアイデア。「これは一だ！」④「嗜好(しこう)」の誤り。「個人的一」

**しゅこう**【首肯】《名・自サ》〔文〕うなずくこと。賛成。「一できる提案」

**しゅこう**【手交】《名・他サ》〔文〕(正式に)書いたものをてわたすこと。「抗議(こうぎ)文を一する」

**しゅごう**【酒豪】酒に強い人。おおざけのみ。

**じゅこう**【樹高】〘植〙木の高さ。

**じゅこう**【受講】《名・他サ》講義・講習を受けること。「一者・一票」

**しゅこうぎょう**【手工業】〘経〙大型機械を使わず、手を使ってものを作る工業。「工場制一」［⇩マニュファクチュア］(↔機械工業)

**しゅこうげい**【手工芸】手先を使ってする工芸。

**しゅごしん**【守護神】①まもりがみ。しゅごじん。②マスコット。③〘野球・サッカーなど〙たよりになる救援(きゅうえん)投手やゴールキーパー。

**ジュゴン**【dugong】あたたかい地域の、浅い海にすむ海獣(かいじゅう)。小さなクジラのように流線形で、灰色。鼻がブタのように大きい。人魚のモデルといわれる。表記「儒艮」は、古い音訳字。⇨マナティ(ー)。

**しゅさ**【主査】①主となって〈調査/審査(しんさ)〉をする人。(↔副査)②〔公的機関などで〕主事の上に立つ役職。

**しゅざ**【主座】〔文〕かしらとしての地位。「一を降りる」

**しゅざ**【首座】〔文〕最上の地位(の人)。首席。

**しゅさい**【主菜】①おもな副食。(↔副菜)②中心となる、おもな料理。

**しゅさい**【主宰】《名・自他サ》主となってものごとをおこなう〈こと/人〉。「劇団を一する」

**しゅさい**【主催】《名・自他サ》〈中心/責任者〉となって、会などをもよおすこと。また、もよおしの主体となるもの。「大会の一者」

**しゅざい**【主材】生け花などの、おもな材料。

**しゅざい**【主剤】主成分となる〈くすり/薬剤〉。

**しゅざい**【取材】《名・自他サ》報道・創作などの材料をとること。「現場を一する・聖書に一した小説」

**じゅさつ**【呪殺】《名・他サ》〔文〕のろい殺すこと。「政敵を一する」

**しゅざん**【珠算】そろばんを使ってする計算。たまざん。

**じゅさん**【授産】《名・自サ》失業者などに仕事を教えて生活させること。「一所・一施設(しせつ)(=障害をもつ人たちが働く所)」

**しゅし**【手指】①手と指。「手話で一を使う・一の消毒」②手の指。▽てゆび。

**しゅし**【主旨】話や文章の、中心となる内容。「立案の一」

**しゅし**【趣旨】①あることをしようとするについての、もとになる考え。「ご一には賛成ですが」②話や文章で、おもに言おうとしていることがら。「手紙の一」

**しゅし**【種子】〘植〙たね。

**しゅじ**【主事】〔公的機関などで〕その事務をあつかう〈こと/係〉。

**じゅし**【樹枝】〔文〕木のえだ。

**じゅし**【樹脂】①⇩やに①。天然樹脂。②↑合成樹脂。「一加工」

☆☆**しゅじい**【主治医】〘医〙①中心となってその人の治療(ちりょう)を受け持つ医者。②いつも診察(しんさつ)や治療をしてもらう、かかりつけの医者。

**しゅしがく**【朱子学】中国の南宋(なんそう)時代に、朱子(しゅし)が大成した儒学(じゅがく)。日本では江戸(えど)時代、幕府の正式な学問とされた。

**しゅじく**【主軸】①中心になる軸。「プロペラの一」②事を進めるうえで中心となるもの・人など。「チームの一となる選手・アジア市場に一を〈移す/すえる〉」

**しゅししょくぶつ**【種子植物】〘植〙花がさき、たねができる植物。裸子(らし)植物と被子(ひし)植物がある。顕花(けんか)植物。(↔胞子(ほうし)植物)

**しゅしつ**【主室】〔旅館・ホテルで〕客室のうちで、客がおもに過ごすところ。(↔次の間(ま)・二の間)

**しゅじつ**【主日】〔主=キリスト〕〘宗〙〔キリスト教で〕日曜日。「一礼拝式」

**しゅしゃ**【取捨】《名・他サ》〔文〕必要なものだけを選び取り、必要でないものを捨てること。「一選択(せんたく)・一にまよう」

**じゅしゃ**【儒者】儒学(じゅがく)を修める人。

**シュシュ**【フ chouchou=お気に入り】輪にしたゴムのまわりに布などを巻いた髪(かみ)かざり。ポニーテールなどをたばねるときに使う。

［シュシュ］

**しゅじゅ**【×侏儒】〔文〕①背が非常に低い人。こびと。②見識のない人をののしって言うことば。

**しゅじゅ**【種々】《名・副・ナダ》種類が多いようす。いろいろ。「一〈の/な〉意見・一雑多・一様々(さまざま)・一相(そう)(=いろいろの姿)」

**じゅしゅ**【樹種】〔文〕樹木の種類。「外来一」

じゅじゅ【授受】《名・他サ》〔文〕わたすことと受け取ること。やりとり。「金銭の―」

しゅしゅう【取集】《名・他サ》集配人が郵便物をポストから集めること。とりあつめ。しゅうしゅう。

しゅじゅう【主従】〔文〕主君と家来。主人と従者。しゅうじゅう。「―は三世(=主従の関係は前世・現世・来世にわたる強い結びつきである)」

しゅじゅつ【主述】《言》主語と述語。主部と述部。「―の呼応」

しゅじゅつ【手術】《名・自他サ》①《医》治すために、きずや病気のあるところを切りひらくこと。「―室・―台」②ものごとの再建のために状態をよくするため、大はばに改めること。「会社の再建のために思いきった―をする」

じゅじゅつ【呪術】〔文〕まじない。

じゅしゅん【寿春】〔文〕春をことほぐこと。「謹賀新年」の代わりに使うことば。

しゅしょ【朱書】《名・他サ》〔文〕朱で書くこと。

しゅしょう【主将】①チームをひきいるかしら。キャプテン。(↔副主将) ②【首将】〔文〕全軍の総大将。「敵の―」▽(↔副将)

しゅしょう【首相】内閣総理大臣。

しゅしょう【主唱】《名・他サ》〔文〕中心になってとなえる〈こと/人〉。「自由民権を―する」

しゅしょう【首唱】《名・他サ》〔首=はじめ〕〔文〕最初にとなえること。「進化論の―者ダーウィン」

しゅしょう【殊勝】《ナダ》感心。けなげ。「―な心がけ」 派―さ。

しゅじょう【主上】〔文〕天皇を尊敬して呼ぶ名。

しゅじょう【主情】〔文〕主として感情にもとづくこと。「―的な歌風」(↔主知・主意)

しゅじょう【衆生】《仏》いっさいの〈生物/人類〉。「―済度(=仏が衆生をすくうこと)」

じゅしょう【受傷】《名・自サ》〔文〕けがをすること。負傷。

じゅしょう【受賞】《名・自他サ》賞を受けること。

じゅしょう【授賞】《名・自他サ》賞をさずけること。贈賞。「―式」

じゅしょう【受章】《名・他サ》文化勲章・記念の記章などを受けること。「―者」

じゅしょう【授章】《名・他サ》文化勲章・記念の記章などをさずけること。「―式」

じゅじょう【樹上】〔文〕木の上。(↔樹下)

じゅじょう【樹状】〔文〕木の枝の形。「―細胞」

しゅしょく【主食】食事の中心となる、ごはん・パンなど。主食物。(↔副食)

しゅしょく【酒色】〔文〕酒を飲んだり、恋愛のまねごとをしたりすること。「―にふける」

しゅしょく【酒食】〔文〕酒や食事。「―の供応」

しゅじん【主神】〔文〕おもな祭神。

しゅしん【主審】《競技で》主となって審判する〈こと/人〉。《野球では、ふつう球審》(↔副審・線審)

しゅしん【朱唇】〔文〕⇩こうしん(紅唇)。

**しゅじん【主人】①その家や店を守る人。「この家の―・女―・―の代理で参りました・〔使用人が〕ご―さま、奥さま」②他人に、自分の夫を言うときの、少しかたい呼び方。「―は外出しております」(↔家内)〔他人の夫は「ご主人(さん/さま)」。(↔奥さん・奥さま)〕 ⑴旧民法では、夫婦のうち夫が戸主(=主人)だったため、自然に夫を指すことばになった。特に戦後、夫の意味でよく使われるようになった。一方、「使用人に対する主人」という意味合いを感じて、避ける人も多くなった。⑵⇩配偶者。③飼い主。「ペットの―」

●しゅじんこう【主人公】①事件・文学作品・映画などの中心人物。ヒーロー。ヒロイン。②〔古風〕主人を軽く尊敬して言う呼び名。「わが家の―」

じゅしん【受診】《名・自他サ》診察を受けること。「病院で―する・内科を―する・―カード」

じゅしん【受信】《名・他サ》①よそから出した電波を受けること。「―機・―料」②郵便物・メールなどを受け取ること。「―人」▽(↔送信・発信)

しゅじんもん【主尋問】《法》裁判で、証人を申請した側が最初にする尋問。(↔反対尋問)

しゅす【×繻子・朱子】縦糸または横糸が、長く出ているような感じに織った、つやがあってなめらかな感じの織物。サテン。「―織り(↔平織り・綾織り)」

じゅず【数珠・△珠数】《仏》手にかけて持ち、仏をおがんだりするときに使う、まるいたまを糸に通したもの。念珠。「お―・―玉」

しゅすい【取水】《名・自他サ》農業・水道などに使う水を、取り入れること。「―口」

じゅすい【受水】水の供給を受けること。「―タンク・―企業」

じゅすい【△入水】《名・自サ》〔文〕海や川などに身投げ(すること)。投身。にゅうすい。

じゅずつなぎ【数珠(×繋ぎ)】①多くのものがひとつながりになること。「車が―になる」②何人もの人をしばって、ひとつながりにすること。

しゅずみ【朱墨】朱をにかわでねって、墨の形にこしらえたもの。

しゅせい【守勢】①敵の攻撃を防ぎ守るだけの態勢。「―に立つ」(↔攻勢)②〔文〕守る軍勢。

しゅせい【酒精】⇩アルコール①。

しゅせい【守成】《名・他サ》〔文〕創業のあとを受けて基礎をますますかたくすること。

しゅぜい【主税】税金を取りまとめる仕事。「―局」

しゅぜい【酒税】《法》酒類にかける税金。さけぜい〔話〕。

じゅせい【樹勢】〔文〕木の、生長する勢い。

☆じゅせい【受精】《名・自サ》《医》〈雄と雌/男と女〉の生殖細胞が結合すること。「―卵」

じゅせい【授精】《名・自サ》《医》〔人工で〕精子を卵子と結合させること。人工授精。

しゅせいぶん【主成分】①その物質を形成している、おもな成分。(↔副成分)②《数》〔統計で〕データの特徴をよくあらわすような変数の組み合わせ。「―分析」

しゅせき【手跡・手×蹟】〔文〕書いた文字。筆跡。

しゅせき【主席】政府・団体のかしら。「〔中国などの〕国家―・党―」

しゅせき【首席】〈最上位/第一位〉の席次(の人)。「―奏者・―全権・クラスの―」(↔次席)

しゅせき【酒席】酒を飲む席。酒もりの場。「―に連なる」

しゅせきさん【酒石酸】《理》ブドウの実やワインにふ

くまれるすっぱい成分。薬用、清涼飲料水用。

**しゅせん**［主戦］①戦争を始めるように主張すること。「―論(↔非戦論)」②主となって戦う〈こと／選手〉。「―投手」

**しゅせん**［酒仙］①俗事をはなれ、心から酒を楽しむ人。②非常に酒が好きな人。

**じゅせん**［受洗］《名・自他サ》《宗》キリスト教の洗礼を受けること。「―名・―式」

**しゅせんじょう**［主戦場］①おもな戦いの場。「テロとの―・議論の―」②おもに活動し、勝負をかけている場。「テレビを―とする」

**しゅせんど**［守銭奴］けちで、お金をためることばかりに熱心な人(をいやしんで言うことば)。

**しゅそ**［主訴］《医》患者が医者にうったえる おもな症状。

**しゅそ**［首×鼠］穴から首だけ出して外をうかがっているネズミ。●**首鼠両端を持す**[句]〔文〕どちらにしようかと、あたりの様子をながめる。

**じゅそ**［呪×詛］《名・他サ》〔文〕のろうこと。のろい。まじない。

←**しゅぞう**［酒造］酒をつくること。「―家」

→**しゅぞう**［酒蔵］さかぐら。〔居酒屋の名前に使う。「玉乃光―・黒田―」〕

**じゅぞう**［寿像］〔文〕生きているうちに作っておく、その人の像。

**じゅぞう**［寿蔵］〔文〕生前に建てておく墓。寿陵。

**じゅぞう**［受像］《名・他サ》テレビ電波を受けて、受信機に像を映し出すこと。また、その像。「―機」(↔送像)

**じゅぞう**［受贈］《名・他サ》〔文〕おくりものを受けること。「―図書」

**しゅそく**［首足］〔文〕くびと あし。「―ところを異にする〔=首を切られて死ぬ〕」

**しゅぞく**［種族］①民族の中で、同じ祖先、共通の言語・風俗・習慣を持つ集団。②同じ部類に属するもの。たぐい。

***しゅたい**［主体］①〔自分の意志にもとづいて〕相手にはたらきかける、その本体。(↔客体)②〔組織などの〕中心。主となるもの。●**しゅたいせい**［主体性］自分の考えや立場をはっきり持ち、まわりからの影響を受けずに動く性質。「―がない」●**しゅたいてき**［主体的］《ナダ》①主体に関係のあるようす。「―な側面〔=主体という側面〕からながめる」②相手に影響されず、主体性を持っているようす。

←**しゅだい**［主題］①作品の中心となる考えや ものの見方。「小説の―・―歌〔=テーマソング〕」②《音》その曲の始めに現れる、中心となる短い旋律。③主となる題名。(↔副題)▽テーマ。

→**しゅだい**［首題］〔文〕書類や商業用の手紙のはじめに書きつける題目。「―の件につき」

**じゅたい**［受胎］《名・自サ》〔人間などの〕卵子が精子と結合すること。みごもること。妊娠。「―調節〔=産児調節〕」

**じゅだい**［△入内］《名・自サ》〔文〕〈皇后／中宮〉となって正式に内裏にはいること。

**しゅたく**［手沢］〔文〕長く使っているうちに、手のあぶらによって出たつや。手元の愛用品に言う。「―の増した革の財布・―本〔=書きこみなどのある愛読書〕」

**じゅたく**［受託］《名・他サ》①委託を受けること。②寄託を受けること。あずかること。③信託を受けること。●**じゅたくしゅうわい**［受託収賄］《法》〔公務員など〕職務権限を持つものが特別の便宜をはかることを依頼されて、わいろを要求したり受け取ったりすること。「―罪」

**じゅだく**［受諾］《名・他サ》ひきうけること。承諾。「申し入れを―する」

**しゅたる**［主たる］《連体》〔文〕おもな。「―問題」

**しゅたん**［主担］《名・他サ》〔文〕おもに担当すること。主担当。「開発本部―・業務を―する」

***しゅだん**［手段］①目的をとげるために用いる〈方法／てだて〉。「―を選ばない・―をつくす」②何かをするために、役立つもの。「交通―〔=電車など〕・通信―〔=電話など〕」

**しゅち**［主知］〔文〕主として理知にもとづくこと。「―的な作風」(↔主情・主意)

**しゅちく**［種畜］《農》優良品種を得るための、雄の家畜。種馬・種牛の類。

**しゅちにくりん**［酒池肉林］〔=酒をたたえた池と、肉をかけた林〕〔文〕非常にぜいたくな酒宴。「―の楽しみ」

**しゅちゅう**［手中］手の うち。●**手中に収める**[句]自分のものにする。手に入れる。●**手中に帰す**[句]〔文〕〈自分の／…の〉ものになる。「敵の―」

**しゅちゅう**［主柱］〔文〕①中心となる柱。②中心となる、大切な〈人／もの〉。「一家の―を失う」

**じゅちゅう**［受注・受×註］《名・他サ》注文を受けること。(↔発注)

**しゅちょ**［主著］〔文〕おもな著書。

←**しゅちょう**［主潮］〔文〕時代や社会の主となる〈潮流／思想〉。

→**しゅちょう**［主調］①〔文〕全体をつらぬく、基本的な調子・傾向。②《音》その曲の中心となる調子。☞主音。●**しゅちょうおん**［主調音］①《音》⇩主音。②主調となる〈音／要素〉。

**しゅちょう**［首長］①地方自治体の長。知事・市長など。くびちょう。②クウェート・カタールなどのイスラム国家の元首。③〔文〕かしら。長。酋長。「部族の―」

**しゅちょう**［腫×脹］《名・自サ》《医》炎症などのため、からだの一部がはれあがること。「急性脳―」

***しゅちょう**［主張］《名・他サ》①はっきりした意見(を言うこと)。「強く―する・―を展開する」②いつもとなえる説。「わが党の―」

**しゅちん**［〔×繻珍〕・〔朱珍〕・シュチン］繻子の地に模様を織り出した織物。しちん。

**しゅつ**［出］㊀しゅつ ↑出席。(↔欠)㊁[造]…を〔ぬけ〕出ること。「―エジプト記」

**じゅっ**［十］[造]「じっ(十)」の、近代以降の発音。〔「十指・十手」などは、「じっし・じって」などを参照〕☞「じゅう(十)」の[?]。

**じゅつ**［述］〔文〕〔文章にしてもらうため〕話をすること。「夏目鏡子―」(↔著)

**じゅつ**［術］①技芸。わざ。「木彫りの―」②計略。

わな。「—におちいる」③てだて。手段。方法。「整理—・仕事—」④魔法や忍術などの、ふしぎな方法。「—を使う・分身の—」
**しゅついき**［出域］《名・自サ》〔文〕その区域・水域から外に出ること。(↕入域)
**しゅつえん**［出演］《名・自サ》映画・放送・舞台に出(て、演じ)ること。「〈ドラマ/クイズ番組〉に—する・—者」
**しゅっか**［出火］《名・自サ》火事を出すこと。「—地点・—現場」(↕鎮火・消火)
**しゅっか**［出荷］《名・自他サ》①にもつを送り出すこと。②商品を市場へ出すこと。(↕入荷)
**じゅつか**［術科］①〔自衛隊で〕通信・語学などの科目。「—学校」②《警察》柔道・剣道などの訓練科目。
**じゅっかい**［述懐］《名・自他サ》自分のしたことや経験などにふれて、気持ちをのべること。「しみじみと—する」
**しゅっかん**［出棺］《名・自サ》葬式のときに、棺を家から送り出すこと。
**しゅつがん**［出願］《名・自他サ》ねがい出ること。
**しゅつぎょ**［出御］《名・自サ》〔文〕〔神・天皇・将軍などが〕出かけること。「みこしが—する」
**しゅつぎょ**［出漁］《名・自サ》〔文〕しゅつりょう。
**しゅっきょう**［出京］《名・自サ》〔文〕〈東京/みやこ〉へ出てくること。上京。
**しゅっきょう**［出郷］《名・自サ》〔文〕故郷を出ること。
**しゅっきん**［出金］《名・自サ》①お金を出すこと。②支出したお金。▽(↕入金)
**しゅっきん**［出勤］《名・自サ》つとめに出ること。「—簿」(↕欠勤・退勤)
**しゅっけ**［出家］《仏》一《名・自サ》世俗からはなれて、僧になること。「—得度」二僧。「—の身・ご—」(↕在家)
**じゅっけい**［術計］〔文〕術策。「敵の—にはまる」
**しゅつげき**［出撃］《名・自サ》城・陣地などから出て攻撃すること。
**しゅっけつ**［出欠］①出席と欠席。出席か欠席か。②出勤と欠勤。出勤か欠勤か。
**しゅっけつ**［出血］《名・自サ》①《医》血管が切れたために、血が(血管の)外に出ること。「—多量」②人の犠牲(をはらうこと)。「—作戦」③〔俗〕採算の上で犠牲をはらうこと。また、原価以下で商品を売ること。「—受注・—大サービス」
**しゅつげん**［出現］《名・自サ》(おどろくようなことが)あらわれること。「大型新人が—する・新しい状況が—する・ウイルスの—・—率」
**しゅっこ**［出庫］《名・自他サ》①倉庫からものを出すこと。くらだし。②電車・自動車などが車庫から出ること。また、車庫から出すこと。▽(↕入庫)
←**じゅつご**［述語］《言》文の成分の一つ。主体となるものについて、その動作・作用・性質・状態などをあらわす文節。例、「雨が降る」の「降る」。(↕主語)
→**じゅつご**［術語］学問や技術のほうで使う専門語。(テクニカル)ターム。
**じゅつご**［術後］手術したあと。「—の経過がよい」(↕術前)
**しゅっこう**［出広］《名・自サ》〔文〕広告を出すこと。「—料」
**しゅっこう**［出向］《名・自サ》籍をもとのところに置いたままで、よその官庁や会社につとめること。
**しゅっこう**［出校］《名・自サ》①勉強や仕事のために、学校に出ること。「先生の—日」②〔文〕学校から出ること。③校正刷りが出ること。
←**しゅっこう**［出航］《名・自サ》船が出発すること。
→**しゅっこう**［出港］《名・自サ》船や軍艦が港を出ること。ふなで。(↕入港)
**しゅっこう**［出講］《名・自サ》学校へ行って講義をすること。「—日」
**しゅっこう**［出稿］《名・自他サ》①〔記者や外部の筆者が〕原稿を編集担当者にわたすこと。「—部〔=社会部など、記事を書く部局〕」入稿②。②企業が、広告を新聞社・放送局などにわたすこと。「CMの—量」③《放送》ニュースを放送用に原稿化すること。
**じゅっこう**［熟考］《名・他サ》じゅうぶんに考えること。じゅくこう。「—をかさねる」
**しゅっこく**［出国］《名・自サ》〈その国/日本を〉出て、外国へ行くこと。しゅつごく。(↕入国)
**しゅつごく**［出国］《名・自サ》⇩しゅっこく。
**しゅつごく**［出獄］《名・自サ》刑務所を出ること。出所。(↕入獄)
**しゅっこん**［宿根］《名・自サ》《植》くきや葉が枯れても、根や地下茎の部分は枯れないで冬をこすこと。しゅくこん。「—性の草花・—草〔⇩多年草〕」
**じゅっさく**［術策］〔文〕相手をだますために考える方法。はかりごと。たくらみ。「—を弄する」
**じゅっさく**［述作］《名・他サ》〔文〕本を書きあらわすこと。また、その本。著述。じゅつさく。
**しゅっさつ**［出札］《名・自サ》〔駅で〕客に切符を売ること。「—口」
**しゅっさん**［出産］《名・自他サ》赤ちゃんをうむこと。赤ちゃんがうまれること。お産。
**しゅっし**［出仕］《名・自サ》(民間から出て)官につかえること。
☆☆**しゅっし**［出資］《名・自サ》資金を出すこと。「—者・共同—」
**しゅつじ**［出自］《名・自サ》〔=…より い(出)ず〕〔文〕①自分が生まれたところ〔=血統・家柄・土地など〕。出身。②ものごとの起源。「この語の—」
**じゅつしき**［術式］《医》手術するときの、きまった方式。「従来の—」
**しゅっしゃ**［出社］《名・自サ》会社へ出勤すること。(↕退社)
**しゅっしゃ**［出車］《名・自サ》車庫・駐車場から、車が出ること。(↕入車)
←**しゅっしょ**［出処］①〔文〕官職につくことと、やめて民間にしりぞくこと。②⇩出所①。●**しゅっしょしんたい**［出処進退］①⇩出処①。〔出処と進退は、この場合同じ意味〕②今の地位・仕事にとどまることとやめること。また、それをふくめた、おおやけの人としての正しい行動。「—を明らかにする」
→**しゅっしょ**［出所］《名・自サ》①出(て来)た所。でどころ。出処。「うわさの—」②〔刑が終わって刑務所な

どを〕出ること。(↔入所) ③事務所や所と呼ばれるところへ〈行く/出勤する〉こと。(↔退所)

**しゅっしょう**【出生】《名・自サ》〔母体から〕うまれること。しゅっせい。「男子ー・ー届」●☆☆**しゅっしょうぜんしんだん**【出生前診断】《医》生まれる前の子どもの健康状態を調べること。しゅっしょうまえしんだん。●☆☆**しゅっしょうりつ**【出生率】人口全体に対する、新しく生まれた子どもの割合。しゅっせいりつ。「ーが下がる」☞合計特殊出生率。

**しゅつじょう**【出場】《名・自サ》①〔演技・競技などをするために〕その会場に出ること。(↔欠場) ②消防自動車・救急車が現場へかけつけること。出動。③駅の改札口から外へ出ること。(↔入場) ☞でば(出場)。

**しゅっしょく**【出色】ほかとくらべて、目立ってすぐれていること。「ーのできばえ」

**しゅっしん**【出身】その〈土地/学校/身分〉の出であること。「ー地・東大ー」

**しゅつじん**【出陣】《名・自サ》戦陣に出ること。「学徒ー・ー式〔勝利や成功を願う集まりの意味にも〕」

**しゅっすい**【出水】《名・自サ》〔文〕①大雨や雪どけ水などで川の水がふえたり、あふれ出たりすること。でみず。②水が出ること。また、その水。「アサリのー管・ー量」

**しゅっすい**【出穂】《名・自サ》《農》〔イネやムギなどの〕穂が出ること。でほ。

**しゅっせ**【出世】《名・自サ》社会での地位がりっぱになること。「ー頭・立身ー」●**しゅっせうお**【出世魚】①成長の時期に応じて名前の変わるさかな。縁起を祝って食べる。例、ワカシ→イナダ〔=ハマチ〕→ワラサ→ブリ。オボコ→イナ→ボラ→トド。②〔コイのたきのぼりの伝説にちなんで〕コイの別名。●**しゅっせさく**【出世作】その作家が、世の中に認められるようになった、いちばんはじめの作。●**しゅっせばらい**【出世払い】〔お金を貸し借りしたときの〕〈出世/成功〉したときにはらうという約束。また、その証文。

**しゅっせい**【出生】《名・自サ》⇩しゅっしょう。

**しゅっせい**【出征】《名・自サ》軍隊に加わって戦地に行くこと。「ー兵士」

**しゅっせいねびき**【出精値引き】《名・自サ》〔見積もりなどで〕特別に値段を安くすること。勉強。

**しゅっせき**【出席】《名・自サ》会合や授業の席に出ること。「クラス会にーする・ーを取る」(↔欠席)

**じゅつぜん**【術前】手術するまえ。(↔術後)

**しゅっそう**【出走】《名・自サ》競走に出ること。「ー馬・駅伝にーする」

**しゅったい**【出△来】《名・自サ》(↑しゅつらい)〔文〕①できごとが起こること。「大事件がーした」②できあがること。でき。「重版ー」

**しゅつだい**【出題】《名・自サ》①詩や歌の題を出すこと。②〔試験の〕問題を出すこと。「ー範囲」

**しゅったいきん**【出退勤】出勤と退勤。「ー時の打刻」

**しゅったつ**【出立】《名・自サ》旅だち。出発。☞出で立ち。

**しゅったん**【出炭】《名・自サ》石炭をほり出すこと。

**じゅっちゅう**【術中】〔文〕計略のわなの中。「相手のーにおちいる〔=わなにかかる〕・ーにはまる」☞じゅつちゅう(術中)。

**じゅつちゅう**【術中】〔文〕手術中。「ー死」☞じゅっちゅう(術中)。

**しゅっちょう**【出超】《経》↑輸出超過。「ー額」(↔入超)

**しゅっちょう**【出張】《名・自サ》〔短い期間〕仕事で〔職場から〕よその土地や職場へ行くこと。「ー旅費」●**しゅっちょうじょ**【出張所】官庁・会社などがよその場所で業務をおこなうために置く、出先機関。〔銀行の無人ATMがある場所にも言う〕

**しゅっちん**【出陳】《名・他サ》〔文〕出品して陳列すること。「ー目録」

**しゅってい**【出廷】《名・自サ》《法》〔被告・証人などが〕法廷に出席すること。「証人としてーする」(↔退廷) ☞入廷。

**しゅってん**【出典】故事や引用語などの出どころ(である本)。「ーの明示」

**しゅってん**【出店】《名・自他サ》店を新しく出すこと。「地方都市にーする」(↔退店)

**しゅってん**【出展】《名・他サ》展示会などに作品や商品を出すこと。「絵画をーする・ブースをーする」

**しゅっと**《副・自サ》〔スタイルなどが〕細くてかっこうのよいこと。「ーした女の子」

**しゅつど**【出土】《名・自サ》《歴》考古学の資料となる化石や遺物が、土の中から出ること。「ー品」

☆☆**しゅっとう**【出頭】《名・自サ》〔呼び出しを受けて〕役所・警察などに出向くこと。「本人がーする」

**しゅっとう**【出湯】《名・自他サ》〔ポットや湯わかし器などで〕お湯〈が出る/を出す〉こと。

**しゅつどう**【出動】《名・自サ》出ていって行動すること。「消防車のー・機動隊のー」

**しゅつにゅう**【出入】《名・自サ》出ることとはいること。でいり。ではいり。●**しゅつにゅうこく**【出入国】出国と入国。「ー管理」●**しゅつにゅうこくざいりゅうかんりちょう**【出入国在留管理庁】《法》日本に出入りする人の管理などをあつかう機関。法務省の外局。二〇一九年発足。入管庁。〔もとの入国管理局〕

**しゅつば**【出馬】《名・自サ》①〔文〕〔馬に乗って〕その場に出ること。②〔身分の高い人が〕その場に出向くこと。のりだすこと。③〔選挙などで〕立候補すること。④《競馬》レースに出ること。「ー表〔『でんまひょう』とも〕」

**しゅっぱつ**【出発】《名・自サ》①〔目的地をめざして〕出かけること。しゅったつ。かどで。②〔鉄道で〕↑出発信号機。「〔運転士が〕ー、進行〔=出発信号機が青なので、進行します〕」●**しゅっぱつてん**【出発点】①出発する場所。②ものごとの始まり(のところ)。「ーにもどって考え直す」

**しゅっぱん**【出帆】《名・自サ》船が港を出ること。ふなで。

**しゅっぱん**【出版】《名・他サ》書物や絵・CDなどを印刷あるいは複製して売り出すこと。「ー社」●**しゅっぱんぶつ**【出版物】出版された書物など。

**しゅっぴ**【出費】《名・自サ》何かをするためにかかった費用(を出すこと)。「ーがかさむ」

**しゅっぴん**【出品】《名・自他サ》展覧会・品評会な

どに、作品・生産品などを出すこと。

**じゅつぶ**【述部】〔言〕文の中で、二文節以上があわさって、述語と同じ はたらきをする部分。例、「かえるの・歌が・聞こえて・くる」の「聞こえて・くる」。(↔主部)

**しゅっぺい**【出兵】《名・自サ》軍隊を出すこと。(↔撤兵(てっぺい))

**しゅつぼつ**【出没】《名・自サ》あらわれたり かくれたりすること。「あやしい人かげが―する」

**しゅっぽん**【出奔】《名・自サ》〔文〕その土地からにげて、ゆくえをくらますこと。

**しゅつもん**【出問】《名・自サ》〔文〕試験問題を出すこと。

**しゅつやく**【出役】《名・自サ》出役(でやく)(をすること)。「工場に―する」

**しゅつらんのほまれ**【出藍の誉れ】〔文〕弟子(でし)が先生よりもすぐれていること。〔「青は藍(あい)より出(い)でて藍より青し」という ことわざにもとづく〕

**しゅつりょう**【出猟】《名・自サ》狩(か)りに出かけること。

**しゅつりょう**【出漁】《名・自サ》漁に出かけること。しゅつぎょ。

**しゅつりょく**【出力】《名・他サ》一 しゅつりょく《理》電気機械などが、ある時間に生み出すエネルギーの量。アウトプット。「―十万キロワット」 二 しゅつりょく《情》⇩アウトプット②。▽一二(↔入力)

**しゅつるい**【出塁】《名・自サ》《野球》安打・四球などで塁へ出ること。

**しゅてい**【酒亭】〔文〕居酒屋。〔多く、店の名前に使う〕

**しゅでい**【朱泥】赤茶色の焼き物(に使う土)。「―の急須(きゅうす)・―色のタイル」

**しゅてん**【酒店】酒を売る店。さけてん。

**じゅでん**【受電】《名・自サ》〔文〕①電線で送られて来た電力を受け入れること。「―設備」(↔送電) ②電話を受け取ること。「―件数」(↔架(か)電) ③電信・電報を受け取ること。(↔打電・発電)

**しゅと**【主都】〔その地方の〕主要な都市。大都会。

**しゅと**【首都】①一国の中央政府のある都市。首府。キャピタル。「―東京」 ☞首都圏(けん)。②〔その地方で〕第一の都市。

**しゅと**【酒徒】〔文〕酒飲み(のなかま)。

**しゅとう**【手刀】《空手》てがたなで打つわざ。

**しゅとう**【手×套】〔文〕手ぶくろ。「革(かわ)の―」〔軍隊などで「てとう」〕

**しゅとう**【主塔】①つり橋を支える大きな柱・塔。橋の中央や両端(りょうたん)にある。②ヨーロッパの城の中心にある、大きな塔。

**しゅとう**【酒盗】カツオの内臓で作る塩辛(しおから)。

**しゅとう**【種痘】《名・自サ》《医》牛の天然痘(てんねんとう)のウイルスを人の からだにうえつけて、天然痘に対する免疫(めんえき)力をつけること。うえぼうそう。〔現在は、天然痘がなくなったので、中止されている〕

**しゅどう**【手動】手で動かして仕事をさせること。「―式ブレーキ」〔「自動」とまぎれないように「てどう」とも言う〕(↔電動・自動)

**しゅどう**【△衆道】〔←若衆(わかしゅ)道〕江戸(えど)時代に、男子の同性愛を言ったことば。しゅうどう。

**しゅどう**【主導】《名・他サ》中心となって、ものごとを〈進める／みちびく〉こと。「―権をにぎる・国連―・犯行を―する」

**じゅどう**【受動】①〔文〕ほかからの はたらきかけを受けること。②〔言〕主語が、ほかから動作を受けること。例、「(わたしが)打たれる」。「―態」▽受け身。(↔能動) ●☆☆**じゅどうきつえん**【受動喫煙】自分はタバコを吸わないのに、そばで吸う人のタバコの煙をやむなく吸わされてしまうこと。●**じゅどうてき**【受動的】《ダナ》〔文〕ほかからはたらきかけられるようす。受け身であるようす。(↔能動的)

**シュトーレン**〔ド Stollen=坑道(こうどう)〕ドライフルーツやナッツを混ぜて焼いた、ドイツのケーキ。表面に粉砂糖がまぶしてある。クリスマス前の時期に食べる。シュトレ(ー)ン。

*__しゅとく__【取得】《名・他サ》〔文〕〔財産・権利・資格などを〕自分のものにすること。手に入れること。「―権・単位を―する」

☆☆**しゅとけん**【首都圏】東京を中心とする近くの県一帯。法律では、東京・埼玉・千葉・神奈川・茨城・栃木・群馬・山梨の一都七県の区域をさす。

**しゅとして**【主として】《副》「おもに」の、よりかたい言い方。「和歌は―ひらがなでしるされた」 区別「主として」は「おもに」よりも「それが基本的だ」という感じが強い。「主として学生が利用する施設(しせつ)」は、本来 学生向けの施設という感じがあり、「おもに学生が利用する施設」は、だれもが利用するが、特に学生が多いという感じがある。

**シュナウザー**〔ド Schnauzer=大きな口ひげ(の人)〕ドイツ原産の犬。色は、白と黒の混合など。目の上の毛がまゆげのように長く、口の まわりも、ひげのような長い毛でふさふさしている。「ミニチュア―(=小形の種類)」

**じゅなん**【受難】《名・自サ》①苦難を受けること。②《宗》キリストが十字架(か)で受けた苦しみ。「―曲」

☆☆**ジュニア**〔junior〕①年少者。〔多く、中高生ぐらいの少年少女を言う〕②下級(生)。「―コース」▽(↔シニア) ③二世。むすこ。表記 略して「Jr.」。

**しゅにく**【朱肉】朱色の印肉。

**じゅにく**【受肉】《宗》〔キリスト教で〕神が人間の形になって、この世に現れること。

**じゅにゅう**【授乳】《名・自サ》幼児に ちちを飲ませること。「―期・―時間」

**しゅにん**【主任】①主となってその任務を受け持つ〈こと／人〉。②〔組織の中の〕小さな区分の責任者。

**じゅにん**【受忍】《名・自サ》《法》危険・不便などをがまんすること。「利用者に―の義務がある・―限度(=がまんできる限度)」

**じゅにん**【受任】《名・他サ》〔文〕任命・委任を受けること。「弁護士が事件を―する」

**しゅぬり**【朱塗り】朱色に〈塗ること／塗ったもの〉。

**ジュネーブじょうやく**【ジュネーブ条約】〔Geneva=スイスの地名〕武力紛争(ふんそう)による傷病者と捕虜(ほりょ)を保護するための国際条約。赤十字条約。

☆☆**しゅのう**【首脳】〔政府・会社・団体などの〕いちばんおもな人。中心人物。「―会談・―部・政府―(=記事では、官房(かんぼう)長官など。☞筋(すじ)一⑪)・与党(よとう)―(=幹事長など)」

**じゅのう**【受納】《名・他サ》〔文〕受け入れ(て おさめ

ること。

**シュノーケリング**[snorkeling] シュノーケルとマスクとフィン[=足ひれ]だけを使い、水面や浅い水中を遊泳するスポーツ。スノーケリング。

**シュノーケル**[ド Schnorchel] ①水の中を泳ぎながら息ができるように口にくわえる、Jの形にまがったパイプ。スノーケル。②[↑シュノーケル車] ⇩スノーケル①。③もぐったままの潜水艦が海の表面にくだを出し、通風・排気ができるようにした装置。

**しゅば**[種馬]《農》たねうま。

**しゅはい**[酒杯・酒×盃][文]さかずき。●**酒杯を傾ける** 句 [文]酒を飲む。

**じゅはい**[受杯]《名・自他サ》[文]功労のあった人が、政府から、記念のさかずきを受けること。

**じゅばく**[呪縛]《名・他サ》[文]まじないをかけて動けなくすること。

**しゅばつ**[修×祓]《名・自サ》⇩しゅうばつ(修祓)。

**しゅはり**[守破離][武道・茶道などで]師匠の教える型を、はじめはまもり、やがて成長してやぶり、ついにはなれること。

**しゅはん**[主犯] 中心となって犯罪を実行した者。正犯。「—格の男」

**しゅはん**[首班][古風]内閣の首席の人[=総理大臣]。「—指名[=首相指名]」

**しゅはん**[酒販][↑酒類販売] 酒を売ること。「—店」

**ジュバン**[:襦袢・じゅばん][ポ gibão]《服》[和服のとき]腰から上のはだにつける、下着。じばん。▷長じゅばん。

☆☆**しゅひ**[守秘]《名・自他サ》[文][仕事の上で知った]秘密を守ること。「—義務」

**しゅび**[首尾][=くびと尾] ①始めと終わり。前後。「—一貫」②[文]ものごとの始めから終わりまで。「—を語る」③都合。ぐあい。「上—」●**首尾は上々** 句 ものごとの結果がたいへんいい。

**しゅび**[守備]《名・他サ》[戦争・試合などで]敵の攻撃を防いで味方をまもること。まもり。そなえ。(↔攻撃)

**じゅひ**[樹皮][文]樹木の外皮。木のかわ。

**ジュピター**[Jupiter] ①[ローマ神話で]最高の神。天を支配する。ユピテル(ラ Jupiter)。[ギリシャ神話のゼウスにあたる] ②木星。

**しゅひつ**[主筆][新聞社・雑誌社で]記者の首席。

**しゅひつ**[朱筆] 朱墨をふくませた筆。しゅふで。●**朱筆を入れる** 句 ⇩朱を入れる[「朱」の 句]。

**しゅびはんい**[守備範囲] ①《野球など》守備を受け持つ範囲。「—が広い」②[その人が]得意とすることがら。くわしい分野。

**しゅびょう**[種苗] ①[農業・園芸などで]たねとなえ。②[養殖漁業で]さかなのたまごや、かえったばかりの小さなさかなや貝。「水産—」

**じゅひょう**[樹氷]《天》冬、強い風でふきつけられた霧のつぶが、木の幹や枝にこおりつき、白くかがやいて見えるもの。霧氷の一種。

**しゅびよく**[首尾よく]《副》うまいぐあいに。[成功したときに言うことば]「—救出に成功」

**しゅひん**[主賓] おもな客。正客。

↔**しゅふ**[主夫][「主婦」のもじり] 家にいて家事を受け持つ夫。ハウスハズバンド。「—業にせいを出す」

↔**しゅふ**[主婦] 妻であって、家庭の仕事の中心となる人。ハウスワイフ。「専業—[=職業を持たない主婦]」

**しゅふ**[首府] 首都。キャピタル。

**しゅぶ**[主部][言]文の中で、二文節以上があわさって、主語と同じはたらきをする部分。例、「山の・お寺の・かねが・鳴る」の「山の・お寺の・かねが」。(↔述部)

**じゅふ**[呪符][文][魔よけの]まじないに使うふだ。お守りふだ。

**シュプール**[ド Spur=跡] スキーですべった跡。「—をえがく」

**じゅぶつ**[呪物]《宗》民間信仰で、まじないの力があると考えて神聖にあつかう物。

**ジュブナイル**[juvenile] 少年少女[向きの読み物]。ジュヴナイル。

**シュプレヒコール**《名・自サ》[ド Sprechchor][もと演劇用語][何かをうったえるために]大ぜいが、声をそろえて、あることばを〈となえる〉さけぶ〉こと。

**しゅぶん**[主文]《法》[判決文の中で]刑を宣告するなどの結論部分。

↔**じゅふん**[受粉]《名・自サ》《植》めしべが、おしべの花粉を受けること。

↔**じゅふん**[授粉]《名・他サ》《植》めしべに、おしべの花粉をつけてやること。花合わせ。「人工—」

**しゅへい**[手兵][文]手もとにある兵士。

**しゅへき**[酒癖][文]酒に酔ったときの(悪い)くせ。さけぐせ。

**しゅべつ**[種別]《名・他サ》[文]種類によって区別すること。種類による区別。「資料の—」

**しゅほ**[酒保]《軍》兵営の中の売店。PX。

**しゅほう**[手法] やり方。「表現の—・卑劣な—」▷技法。

**しゅほう**[主峰] 一つの山脈の中でいちばん高いみね。

**しゅほう**[主砲] ①《軍》軍艦の大砲のうち、いちばん強力なもの。②《野球》主力打者。

**しゅぼう**[酒房][文]酒を飲ませる店。飲み屋。

**しゅぼう**[首謀・主謀]《名・他サ》悪事・陰謀などを、中心となってたくらむ〈人物〉こと〉。「—者・事件を—した」

**しゅぼば**[種×牡馬] 繁殖用の雄馬。(↔種牝馬)

**しゅまい**[酒米] ⇩さかまい。

**しゅみ**[趣味] ①そのものにふくまれる味わい・おもしろみ。「音楽の—を解する人」②[実用や利益などを考えずに]好きでしているものごと。「—と実益をかねる・多—」③[選んだものごとを通して知られる]その人の好みの傾向。「—のいいネクタイ」

**シュミーズ**[フ chemise]《服》[古風]スリップに似た形の、ゆったりした女性用の下着。シミーズ。

**しゅみせん**[須△弥△山][須弥=梵語 sumeru の音訳]《仏》世界の中心にあるという山。しゅみ。

**しゅみだし**[主見出し] ⇩本見出し。(↔副見出し)

**しゅみだん**[須△弥壇]《仏》お寺で、仏像を置く壇。仏の座。

**しゅみゃく**[主脈][文] ①山脈や鉱脈の中で、いち

ばん中心となって走る部分。②おもな系統。▽(↕支脈)

**じゅみょう**[寿命] ①(生まれたときに決まっているとされる)命の続く期間。または、その終わり。「これも―です」②使える期間。「―が切れた」 ●**寿命が縮まる** 句 ①命が短くなる。②たいそう〈つらい/おそろしい〉思いをする。

**シュミレーション**《名・他サ》「シミュレーション」の聞き誤りからできた形。

**しゅむ**[主務]〔文〕①主となって管理する事務。②主となってその事務を管理すること。「―大臣」

**しゅめい**[主命] 主人・主君の命令。しゅうめい。「―にそむく」

**しゅもく**[種目] 種類によって分けた項目。種類の名。「競技―」

**しゅもく**[×撞木] ①つり鐘を鳴らすために つり下げた棒。②半鐘などをたたく、丁字形のつち。

**じゅもく**[樹木] 立ち木。木。 ●**じゅもくい**[樹木医]樹木の診断や治療をする資格を持った人。 ●**じゅもくそう**[樹木葬] 遺骨を、寺などの所有する山林にうめ、植樹して墓標とする葬礼。

**しゅもつ**[腫物]《医》はれもの。できもの。おでき。

**じゅもん**[呪文] 〈まじない/のろい〉の文句。

**しゅやく**[主役] ①劇の中心となる役割(の人)。主人公の役。②中心となる役目(の人やもの)。「和平交渉の―」▽(↕わき役)

**しゅやく**[主薬]《医》調合した薬の、おもな成分となる薬。主剤。

**しゅゆ**[△須×臾]〔文〕(時間が)ほんのちょっと。「―のあいだ・―にして(=まもなく)」

**しゅゆう**[酒友]〔文〕酒をいつもいっしょに飲む友だち。飲み友だち。

**じゅよ**[授与]《名・他サ》 さずけ あたえること。「卒業証書の―」

☆☆**しゅよう**[腫瘍]《医》からだに できる、異常な はれもの。新生物。例、がん(癌)。「脳―・悪性―(=がん・肉腫などをまとめた呼び名)」 ●**しゅようマーカー**[腫瘍マーカー]《医》腫瘍が発生すると、血液にふくまれる量が増加する物質。「―の検出」(腫瘍がなくても増加することがある)

***しゅよう**[主要]《ナダ》 いろいろ ある中で、特に大切で中心となるようす。「―な条件」 ●**しゅようどう**[主要動]《地》地震の本格的なゆれ。S波が伝わって起こる。(↕初期微動)

**じゅよう**[受容]《名・他サ》〔文〕受けいれること。「異文化の―」 ●**じゅようたい**[受容体]《生》生物の細胞にあり、ウイルスやホルモンなど特定の物質と結びついて、反応を起こすもの。

←**じゅよう**[需用]《名・他サ》 電気・ガスなどの、需要。「―費」

→***じゅよう**[需要]《名・他サ》①《経》商品などを買い入れること。また、買い入れようとする〈要求/分量〉。「消費者の―」(↕供給) ②必要として もとめる〈こと/もの〉。「市民の―にこたえる」

**しゅよく**[主翼] 胴体から両がわに はり出した、飛行機に うき上がる力をあたえる翼。(↕尾翼)

**しゅら**[修羅] ①《仏》↑あしゅら(阿修羅)。②⇩しゅらば(修羅場)①。☞修羅のちまた・修羅の妄執。

**しゅらじょう**[修羅場] ⇩しゅらば①。

**シュラスコ**〔ポ churrasco〕 ブラジルの、肉の くし焼き。シュハスコ。

**しゅらどう**[修羅道]《仏》六道の一つ。阿修羅として たたかいつづけなければならない、死後の世界。阿修羅道。

**しゅらのちまた**[修羅の(×巷)]〔文〕生きるか死ぬかの戦い・争いの場所。

**しゅらのもうしゅう**[修羅の妄執]〔文〕死んでもあきらめきれない、うらみ・ねたみ。

☆☆**しゅらば**[修羅場] ①はげしい戦いの場所。しゅらのちまた。しゅらじょう。しゅら。②人間関係、特に恋愛関係のもつれによる、感情をむき出しにした争いの場。③しめきりなどの時間に追われて非常にあせっている状態。▽「―と化す・―をくぐる」④〔講談などで〕はげしい戦いの場面。長い文句をまくしたてる。ひらば。

**シュラフ**〔↑シュラーフ ザック(ド Schlafsack)〕 寝袋。

**ジュラルミン**〔duralumin〕《理》銅・マグネシウム・マンガン・ケイ素などをふくむ軽いアルミニウム合金。飛行機・建築物などの材料。「―のスーツケース」

**しゅらん**[酒乱] 酒に酔ょって あばれる〈こと/人〉。

**じゅり**[受理]《名・他サ》 願書・書類を受け取ること。「辞表を―する」

**しゅりけん**[手裏剣] 手の中に持って敵に投げつける、小形の剣。または、十字の形などをした とがった金物。しりけん(話)。

**じゅりつ**[樹立]《名・自他サ》(樹=たてる) 打ち立てること。作り上げること。「国交―・世界記録を―する」

**しゅりゅう**[主流] ①川などの おもな流れ。②〔学問・思想などの〕おもな流派。③〈中心となる/おもな〉傾向または勢力。(↕反主流)

**しゅりゅう**[腫×瘤]《医》はれもの。こぶ。

**しゅりゅうだん**[手(×榴)弾]《軍》手で投げる小型の爆弾。手投げ弾。てりゅうだん。

**しゅりょう**[首領](=あたまとくび) (悪い)集団の かしら。「馬賊の―」

**しゅりょう**[酒量] 飲む酒の量。「ストレスで―が増える」

**しゅりょう**[狩猟]《名・自サ》 銃・網・わななどで、野生の鳥やけものをつかまえること。

**じゅりょう**[寿陵]〔文〕⇩寿蔵。

**じゅりょう**[受領]《名・他サ》〔文〕受け取ること。「―証」

**じゅりょう**[受療]《名・他サ》〔文〕診療を受けること。「―率」

**しゅりょく**[主力] ①おもな力・努力。「―をそそぐ」②中心になって力を発揮するもの。「―艦・―商品」

**じゅりょく**[呪力]〔文〕まじないの力。「ことばの―」

**じゅりん**[樹林]〔文〕(木のむらがった)はやし。

**シュリンク**《名・自サ》〔shrink〕 縮むこと。小さくなること。「―パック(=ビニールぶくろなどに商品を入れ、余分な空気をぬいて作ったパッケージ)・市場が―する」

**シュリンプ**〔shrimp〕《料》シバエビなどの小エビ。「―カクテル・ガーリック―」 ☞ロブスター。

**しゅるい**[酒類]〔文〕酒と、その同類〔たとえば果実酒・みりんなど〕をふくめた呼び名。さけるい。

**しゅるい【種類】おたがいに似ているものを、ほかのものから区別して まとめたときの、ひとまとまり。「犬にもいろいろ一がある」

ジュレ〔フ gelée〕①やわらかめの、ゼリー(状の食品)。「トマトの一・コンソメの一」②ジェル。「スタイリング一(=ゼリー状の整髪料)」

しゅれい【守礼】〔文〕礼儀作法を正しく守ること。「一の国、沖縄」

じゅれい【樹齢】木の年齢。
☆☆シュレッダー〔shredder〕〔機密を守るために〕いらなくなった書類をひものように細長く切る機械。文書細断機。「一にかける」
しゅれん【手練】〔文〕よくなれてじょうずな てぎわ。「一のはやわざ(早業)」☞てれん(手練)。
しゅろ【×棕×櫚】庭木の一つ。幹は直立して枝を出さず、頂上から葉が出る。
しゅろう【酒楼】〔文〕酒を出す料理店。〔店の名前につけても使う〕
じゅろうじん【寿老人】七福神のひとり。頭が長くて、つえをつき、シカを連れている。長寿をさずけるという。

［じゅろうじん］

☆☆しゅわ【手話】耳の不自由な人〈が/に〉、決まった手ぶりや表情などで話をすること。また、そのための言語。「一通訳」(↔口話)☞読話。
じゅわき【受話器】〔電話で〕相手の話を聞くための器械。〔正式には、送受話器〕(↔送話器)

しゅわしゅわ《副・自サ》たくさんの細かい泡が続けて生じる〈ようす/音〉。「入浴剤が一溶ける・一の日本酒・一した口あたり」

しゅわつうやくし【手話通訳士】公的資格をそなえた手話通訳者。

じゅわっと《副》①内側から水分があふれて広がるようす。「口の中に肉汁が一広がる」②〔メイクなどで〕血色がよくつやつやしているようす。「一色っぽいメイク・一カラー」

しゅわん【手腕】仕事をうまくやりとげる能力。うでまえ。てなみ。「一を発揮する・一家」

しゅん【旬】■①さかなや野菜などの いちばん味のいいとき。「一のもの」②〔何かをおこなうのに〕最も適した時機。■《名・ナダ》時流にのっていること。「今いちばん一な俳優」

じゅん【旬】■じゅん〔文〕十日間。「一を追って」■造〔一か月を十日ずつに分けたときの、それぞれの〕十日間。「二一・上一」

*じゅん【順】■じゅん①何をもとにして〈ならぶ/ならべる〉かというときの、よりどころ。「五十音一・先着一に受け付けます」②順番。順序。「一を追って説明する・一にお詰めください・一不同(=ならべ方に基準がないこと)」■造 進む方向と同じ方向であること。「一回転」(↔逆)

じゅん【純】■じゅん《ナダ》純真。「本当に一な人だ」(↔不純)■造 そのもののほかに何もまじらないようす。純粋。「一日本式」

じゅん【巡】接尾 まわり。周。「一一」

じゅん【準】造 ①準じることをあらわす。「一会員」②一つ前の段階をあらわす。「一決勝」

じゅんあい【純愛】純粋な愛。「一をつらぬく・一ドラマ」

しゅんい【春意】〔文〕①春の気配。「一が動く」(↔秋意)②色気。性欲。

じゅんい【准尉】〔軍〕①旧陸軍の階級の一つ。士官と下士官の間。〔旧海軍の兵曹長とともに、准士官と言う〕②自衛官の階級の一つ。陸上自衛隊では、陸尉と陸曹の間の准陸尉。

じゅんい【順位】〔すぐれていることの〕順序をあらわすくらい。順番。

じゅんいつ【純一】《ナダ》〔文〕純粋。「一無雑(=純粋でまじりけがない)」

しゅんえい【俊英】〔文〕〔学問や才能が〕すぐれて、ひいでている〈こと/人〉。英俊。

じゅんえき【純益】〔経〕利益の総額から経費を引き去った残りの、純粋の利益。(↔粗利)

じゅんえん【巡演】《名・自他サ》〔文〕ほうぼうを回って上演すること。

じゅんえん【順延】《名・自他サ》順ぐりに日をのばすこと。「雨天一」

じゅんおくり【順送り】《名・他サ》順々に次へ送ること。

しゅんが【春画】性行為の様子をかいた昔の絵。笑い絵。枕絵。

じゅんか【×馴化・順化】《名・自サ》〔文〕〔気候・風土などに〕なれて適応すること。

じゅんか【純化・×醇化】《名・他サ》〔文〕まじりけのないものにすること。純粋にすること。

じゅんかい【巡回】《名・他サ》①場所を順番に回ること。「得意先を一する・一展示」②見回り。「店内を一する」

じゅんかいてん【順回転】《名・自サ》進む方向と同じ方向に回転すること。(↔逆回転)

じゅんがくし【準学士】高等専門学校を卒業した者の呼び名。☞学士。

しゅんかしゅうとう【春夏秋冬】はる・なつ・あき・ふゆ。四季。

じゅんかつ【潤滑】機械などの、ふれあう面の摩擦を少なくすること。「一液」◆じゅんかつゆ【潤滑油】①摩擦を減らし、すべりをよくするための油。「ちょうつがいに一を差す」②ものごとを円滑に進めるためのもの。「笑いが人間関係の一になる」

しゅんかん【春寒】〔文〕春さきの寒さ。

しゅんかん【瞬間】■〔まばたきをする間ぐらいの〕きわめて短い時間。「一的にそう思った・(最大)一風速・一湯沸かし器〔『すぐに おこる性格の人』の意味にも〕・一芸(=瞬間的な芸。一発芸)」■《副》①まさにそのとき。その瞬間(に)。「一、試合終了の笛が鳴った」〔「それを見た一、わかった」のように「…瞬間」の形にするほうが本来的〕②一瞬の間。「一、私はとまどった」

↑じゅんかん【旬刊】十日ごとに刊行する〈こと/新聞/雑誌〉。

↑じゅんかん【旬間】①(その)十日間。②特別の運動や行事などのために定めた十日間。「交通安全―」
**じゅんかん**［准看］↑准看護師。(↕正看)
**じゅんかん**［循環］《名・自他サ》ひとまわりして元にかえること。「血液が人体を―する・―線(=出発点にもどってくるように作られた、鉄道・バスの路線)・―バス・―的(=順ぐりに、するようす)・―論法(⇩トートロジー③)」 ●**じゅんかんがたしゃかい**［循環型社会］廃棄物をへらし、資源を循環的に有効利用する社会。 ●**じゅんかんき**［循環器］《生》血液・リンパ液を循環させて からだの器官に栄養を送り、また、それから老廃物をはこび去る器官。心臓・血管など。
**じゅんかんごし**［准看護師］ 看護師に準じる資格を持った人。准看。
←**しゅんき**［春季］ 春。「―例大祭・―体育大会」(↕秋季)
→**しゅんき**［春期］ 春の間。「―授業・―限定品」(↕秋期)
**しゅんぎく**［春菊］ キクの なかまの野菜。葉は、独特のかおりがある。きくな(菊菜)。「―の おひたし・―の天ぷら」
**しゅんき-はつどうき**［春機発動期］〔文〕⇩思春期。
**じゅんきゅう**［準急］〔↑準急行列車〕 停車駅が急行より少し多いぐらいの電車。
**しゅんきょ**［×峻拒］《名・他サ》〔文〕きびしく〈拒絶/拒否〉すること。
☆☆**じゅんきょ**［準拠］《名・自サ》〔文〕よりどころとなるもの(を定め、そのとおりにすること)。「法令に―する」
**じゅんきょう**［順境］ 不自由なことがなく、なにごともぐあいよくいく境遇。(↕逆境)
**じゅんきょう**［殉教］《名・自サ》〔文〕信じる宗教のために命をすてること。
**じゅんぎょう**［巡業］《名・自他サ》 各地を興行して回ること。「一座が全国を―する」
**じゅんきょうじゅ**［准教授］〔大学などで〕教授より一級下の教員(の職名)。〔従来の「助教授」にかわることば〕
**じゅんきん**［純金］ まじりけのない金。「―の指輪」
**じゅんぎん**［純銀］ まじりけのない銀。
**じゅんぐり**［順繰り］ 決められた順序を一つずつ進むこと。「―に答える」
**しゅんけい**［春景］〔文〕春のけしき。
**しゅんけつ**［俊傑］〔文〕すぐれた人。「英雄―」
←**じゅんけつ**［純血］〔人間・動物の〕純粋な血統。「―種」
→**じゅんけつ**［純潔］《名・ナダ》〔心や からだが〕けがれていないようす。「―運動・―を守る」 派 -さ。
**じゅんけつ**［準決］↑準決勝。〔記事の見出しや、口頭で使う〕
**じゅんけっしょう**［準決勝］ 決勝(戦)の一つ前の段階(の試合)。準決。 表記「准決勝」とも書いた。
**しゅんけん**［×峻険・×峻×嶮］《名・ナダ》〔文〕〔山が〕けわしいこと。
**しゅんげん**［×峻厳］《ナダ》〔文〕きわめて きびしいようす。「―な態度」 派 -さ。
**じゅんけん**［純絹］ ⇩しょうけん(正絹)。
←**じゅんけん**［巡見］《名・他サ》〔文〕見回ること。回って見ること。
→**じゅんけん**［巡検］《名・他サ》〔文〕見回って調べること。
**じゅんげん**［純減］《経》差し引き計算したあとの、正味の減少。(↕純増)
**じゅんこ**［純×乎・×醇×乎］《タルト》〔文〕まじりけのないようす。「―たる(=きっすいの)日本美人」
**しゅんこう**［春光］〔文〕①春の日光。 ②春めいたけしき。春色。
**しゅんこう**［春耕］《農》春になって おこなう田畑の耕作。
☆☆**しゅんこう**［×竣工・×竣功］《名・自サ》 工事が しあがること。竣成。「―式」(↕起工) 表記「竣功」は、現在では橋の銘板や神社関係などに見られる。本来「竣工」と区別はない。
**じゅんこう**［順光］《写真など》〈写す/見る〉人の うしろから対象に向かって光がさす状態。(↕逆光)
←**じゅんこう**［巡行］《名・自他サ》〔文〕あちら こちらと、めぐり歩くこと。「県内の旧跡を―する・おみこしが―する」
→**じゅんこう**［巡幸］《名・自他サ》 天皇が各地をめぐり歩かれること。「東北を―される」
**じゅんこう**［巡航］《名・自他サ》 ①ほうぼうを航海して回ること。「世界の海を―する・―船(=島から島を回る、小型の定期船)」 ②船・飛行機などが一定の速さで進むこと。「超音速で―する・―速度・―高度(=巡航速度で とべる高さ)」 ●**じゅんこうミサイル**［巡航ミサイル］《軍》コンピューター制御によるジェット推進の、翼のついたミサイル。超低空飛行などもできる。命中精度が高い。☞弾道ミサイル。
**じゅんこうこく**［準抗告］《法》一定の裁判や処分に対して、その取り消しや変更を求める申し立て。
**じゅんこく**［殉国］〔文〕国の ために命をすてること。
**じゅんさ**［巡査］ ①《法》警察官の階級の一つ。いちばん人数が多く、公安の維持・犯罪の捜査・犯人の逮捕などの仕事をする。 ②〔古風〕警察官。 ●**じゅんさちょう**［巡査長］ 実務経験の豊富な巡査の中から選ばれた者の職名。〔正式な階級名ではない〕 ●**じゅんさぶちょう**［巡査部長］《法》巡査の上、警部補の下の階級。
**しゅんさい**［旬菜・旬彩］〔文〕旬の食材。「―膳」
**しゅんさい**［俊才・×駿才］〔文〕すぐれた才能(の人)。
**じゅんさい**［(×蓴菜)］ 水草の名。若い くきと葉は寒天のようなもので おおわれている。葉は左右が内がわに丸まって、小舟のような細長い形になる。吸い物などにして食べる。
**しゅんさつ**［瞬殺］《名・他サ》〔俗〕①〔格闘技などで〕あっという間に打ち負かすこと。「―勝利」 ②〔申し出をことわる、相手の心をつかむなど〕結果を、あっという間に出すこと。「提案したが―された・笑顔に―される・―(で)売り切れ」▽秒殺。 表記 俗に「：順才」とも。
**しゅんじ**［瞬時］〔文〕〔まばたきをする間ぐらいの〕ごくわずかな時間。「―も忘れえない」
**じゅんし**［殉死］《名・自サ》 昔、主君・主人のあとを追って、家来が自殺したこと。
**じゅんし**［巡視］《名・他サ》〔警戒・監督などの

ために〉回って見ること。「—船・—艇」

**じゅんじ**［順次］《副》順序を追ってだんだんと。つぎつぎに。「状況は—判明するだろう」

**じゅんしさん**［純資産］《経》資産から負債を除いた分。〔複式簿記の貸借対照表で使うことば〕

**しゅんじつ**［春日］〔文〕春の〈日／太陽〉。●**しゅんじつちち**［春日遅々］《名・タト》〔文〕うららかな春の一日の、日が長くのどかなようす。

**じゅんじつ**［旬日］〔文〕十日(間)。

**じゅんしゃく**［巡×錫］《名・自他サ》《仏》僧が ほうぼうを回って人々を教化すること。「東国〈を／に〉—する」

☆☆**じゅんしゅ**［遵守・順守］《名・他サ》法律や教えなどに少しも そむかず、よく守ること。「法規を—する」

**しゅんしゅう**［俊秀］〔文〕頭がよく、すぐれている〈こと／人〉。

**しゅんしゅう**［春愁］〔文〕春の ものうい思い。

**しゅんじゅう**［春秋］〔文〕①春と秋。②一か年。「七—〔＝七年〕」③とし。年齢。④将来。●**春秋に富む** 句 としが若く、将来が長い。●**しゅんじゅうせんごくじだい**［春秋戦国時代］《歴》古代中国で戦乱の多かった春秋時代〔前七七〇～前四〇三〕と戦国時代〔前四〇三～前二二一〕。●**しゅんじゅうのひっぽう**［春秋の筆法］〔「春秋」は、古代中国の歴史書〕間接の原因を直接の原因として表現する書き方。「—で言えば、高速道路の発達があの人を殺したとも言えよう」

**じゅんしゅう**［準州］〔連邦制国家で〕本土に編入されていない自治領。「アメリカの—グアム」

**しゅんじゅん**［×逡巡］《名・自他サ》〔文〕思い切ってできずに、いつまでも ためらうこと。「改革を—する」

**じゅんじゅん**［〈×諄々〉］《タト》よくわかるように一つ一つくわしく言うようす。「—と(して)説く」

**じゅんじゅん**［準々］㊀造 準の一つ前。㊁**じゅんじゅん** ↑準々決勝。●**じゅんじゅんけっしょう**［準々決勝］〔勝ちぬき戦で〕準決勝の前の試合。準々。

**じゅんじゅんに**［順々に］《副》ある決まった順序を追って〈する／そう なる〉ようす。順に。

**じゅんじょ**［順序］何が先に来て、何が後に来るか、ということの関係。順。「せいの—に ならぶ」●**じゅんじょだてる**［順序立てる］《他下一》順序をととのえる。自順序立つ《五》。●**じゅんじょふどう**［順序不同］人の名前・会社の名前などを、ある決まった順序によらないで ならべるときに使うことば。順不同。

**しゅんしょう**［春宵］〔文〕春の よい。春の夜。●**春宵一刻値千金** 句〔文〕春のよいは、高いお金をはらってもいいほど、ねうちがある。

**じゅんしょう**［准将］《軍》①旧陸軍で、士官〔＝将校〕と下士官の間の階級。②〔アメリカなどで〕少将と大佐との間の階級。

**じゅんじょう**［純情］《名・ナダ》相手を信じてうたがわない〈気持ち／ようす〉。「—をふみにじる・—可憐なおとめ」派-さ。

**しゅんしょく**［春色］〔文〕春の けしき。春光。(↔秋色)☞はるいろ(春色)。

**じゅんしょく**［純色］《理》同じ系統の色の中で、いちばんあざやかな色。例、太陽光線のスペクトルの色。

☆☆**じゅんしょく**［殉職］《名・自サ》職務の〔責任をはたす〕ために死ぬこと。「事故で—する」

**じゅんしょく**［潤色］《名・他サ》おもしろくするために、もとになる材料に手を加えること。

**じゅん・じる**［殉じる］《自上一》①死んだ人のあとを追って自殺する。「主君に—」②あとを追って〔気はすすまないが〕同じ行動をとる。「きみは所長に—のか」③おおやけのことのために自分の命を投げ出す。「仕事に—」▽殉ずる。

**じゅん・じる**［順じる］《自上一》したがう。順ずる。「スポーツはルールにのみ—べきだ」

**じゅん・じる**［準じる］《自上一》①正式のものに次ぐものとして考える。正式のものと だいたい同じにあつかう。「正会員に—あつかい」②のっとる。▽準ずる。

**しゅんしん**［春信］〔文〕春の〈おとずれ／たより〉。「北陸—」

**しゅんじん**［春×塵］〔文〕春さきの風に舞い上がるほこり。

**じゅんしん**［純真］《ナダ》気持ちに けがれがなくて、うそをついたり うたがったりしないようす。「子どもは—だ」派-さ。

**じゅんすい**［純水］《理》不純物の まじらない水。

**じゅんすい**［純粋］《名・ナダ》①ほかのものが、少しも まじっていないようす。「—のアルコール」②欲や かけひきのないようす。「—な人・—な気持ち」派-さ。●**じゅんすいばいよう**［純粋培養］《名・他サ》①《生》微生物や細胞を、ほかのものが まじらないように育てること。「がん細胞の—」②外の世界に ふれさせず、大事に育てること。「—のエリート」

**じゅんせい**［準星］《天》宇宙のはてにある、恒星のように見える天体。銀河の中心部が爆発しているものと考えられている。クエーサー。

**じゅんせい**［純正］《名・ナダ》①純粋で正しいようす。「—部品〔＝メーカー自身が責任をもって作る部品〕」②学理の研究だけをもっぱら追究するようす。「—化学」派-さ。

**しゅんせつ**［春雪］〔文〕春に降る雪。

**しゅんせつ**［春節］中国などの旧正月。新暦の正月よりも盛大に祝う。

**しゅんせつ**［〈×浚×渫〉］《名・他サ》水底をさらって土砂などを取り去ること。「—船」

**じゅんせつ**［順接］《言》話の筋が、りくつの上で順序よくつながること。順接の接続詞には、「だから」「それで」などがある。(↔逆接)

**しゅんせん**［旬鮮］《ナダ》〔文〕ちょうど旬で、新鮮なようす。「—地魚・—な素材」

**しゅんぜん**［瞬前］ごくわずか前。寸前。直前。「眠りに落ちる—」

**じゅんぜん**［純然］《タト》どこから見ても それに ちがいないようす。「これは—たる詐欺だ」

**じゅんぞう**［純増］《経》差し引き計算したあとの、正味の増加。(↔純減)

**しゅんそく**［俊足］①［×駿足］〔人・馬の〕足が速いこと。速い足。「—をとばす」(↔鈍足)②〔文〕〔門下の〕秀才。

**じゅんそく**［準則］標準となる規則。

☆☆じゅんたく[潤沢]《名・ナダ》あり余るほどあること。ゆたか。豊富。派-さ。

しゅんだん[春暖]〔文〕春の あたたかさ。「—の候」(↕秋冷)

じゅんち[×馴致]《名・他サ》〔文〕(かい)ならすこと。「よく—された軍馬」

しゅんちゅう[春昼]〔文〕春の、うららかな ひるま。

じゅんちょう[順調]《名・ナダ》すらすらと調子よくいくこと。「—に回復する」派-さ。

じゅんて[順手]〔器械体操で〕手のひらを下に向けてにぎる、にぎり方。(↕逆手)

しゅんでい[春泥]〔文〕はるさめや雪どけなどでできるぬかるみ。

しゅんと《副・自サ》元気なく、しずみこむようす。「しかられて—する」

じゅんど[純度]品質の純良さの程度。「—が高い・金の—」

しゅんとう[春闘]〔←春季闘争〕賃上げなどのための、春の労使交渉。

しゅんどう[×蠢動]《名・自サ》〔文〕①うごめくこと。②取るに たりないものが さわぐこと。

じゅんとう[順当]《ナダ》期待されたとおりであるようす。「—な結果・—勝ち」派-さ。

じゅんなん[殉難]《名・自サ》〔文〕〈災難/国難〉のために死ぬこと。「—者」

じゅんのう[順応]《名・自サ》その状態に さからわず適応すること。「環境に—する」

しゅんば[×駿馬]〔文〕⇩しゅんめ。

じゅんぱい[巡拝]《名・自他サ》ほうぼうの神社や寺を参拝して回ること。

じゅんぱく[純白]《名・ナダ》まっしろ。

しゅんぱつりょく[瞬発力]手足を動かして瞬間に出せる、筋肉の力。

じゅんばん[順番]①ある順序で決められた、何かをする番。「—待ちの行列」②決まった順序。「数を小さいほうから—に ならべる」

*じゅんび[準備]《名・自他サ》これから おこなわれることのために必要な物をそろえたり、調子を整えたりすること。「式の—・—体操・—万端ととのう(☞万端)」●じゅんびちゅう[準備中]〔飲食店などが〕仕込みをしていたりして、店に客を入れていない時間帯。「—の札が出ている」(↕営業中)

じゅんぴつ[潤筆]〔文〕〈字/絵〉をかくこと。「—料(=お礼のお金。代金)」

しゅんびん[俊敏]《名・ナダ》頭がよくて すばしこいこと。派-さ。

しゅんぷう[春風]〔文〕春にふく風。はるかぜ。●しゅんぷうしゅうう[春風秋雨]〔文〕すぎてゆく(長い)年月。「—三十年」●しゅんぷうたいとう[春風×駘×蕩]《名・タルト》(=春風がおだやかに ふくようす)〔文〕人がらが おだやかなようす。

じゅんぷう[順風]①進む方向にふく風。おいて。おいかぜ。②前へ進みやすい、好都合な状況。「—の会社経営」▽(↕逆風)●順風に帆を揚げる句 ものごとが すべて調子よく はこぶ。得手に帆をあげる。●☆☆じゅんぷうまんぱん[順風満帆]《名・ナダ》〔文〕順風を帆いっぱいに受けて。非常に順調な ようす。

じゅんぷうびぞく[×醇風美俗・×淳風美俗]〔文〕人情に厚い、好ましい風俗や習慣。良風美俗。

しゅんぶん[春分]《天》二十四節気の一つ。春、昼の時間が長くなって来て、夜と同じ長さに なるとき。春の彼岸の中日で、三月二十一日ごろ。(↕秋分)●しゅんぶんのひ[春分の日]国民の祝日の一つ。三月二十一日ごろ。春めいてきた自然や、生物に親しむ日。〔一九四九年から実施。もとの春季皇霊祭〕

じゅんぶんがく[純文学]物語の おもしろさよりも、作者の考えや、その表現のしかたを重視する小説。(↕大衆小説・エンターテインメント小説)

しゅんべつ[×峻別]《名・他サ》きびしく区別すること。

しゅんぽう[×峻峰]〔文〕けわしい みね。

じゅんぽう[旬報]①十日ごとに出す報告書や お知らせ。②十日ごとに発行する刊行物。

←☆☆じゅんぽう[遵法・順法]法律に〈したがう/そむかない〉こと。「—精神・—闘争(=法律や規則をあえて完全に守ることによってサボタージュをおこなうこと。減産闘争)」

→じゅんぽう[遵奉・順奉]《名・他サ》〔文〕規則などを守り、決められたとおりにすること。

じゅんぼく[純朴・×淳朴・×醇朴]《ナダ》すなおで かざりけがないようす。「—な青年」派-さ。

しゅんぽん[春本]〔文〕わいせつな内容の本。猥本。

じゅんまいしゅ[純米酒]米と米麹だけで醸造した日本酒。

しゅんみ[旬味]旬の おいしい食材。「秋の—」

しゅんみん[春眠]〔文〕春の夜の ねむり。●春眠暁を覚えず句〔文〕春の夜は短く、また ねごこちがいいので、夜が明けたのも わからない。

しゅんめ[×駿△馬]〔文〕足の速い、すぐれた馬。しゅんば。(↕駑馬)

じゅんめ[順目]木目・芝目・紙の繊維などの方向に そっていること。(↕逆目)

じゅんめん[純綿]①まじりもののない もめん(の製品)。☞真綿。②〔古風・俗〕まじりけのないもの。「—(=すべて白米)のごはん」

じゅんもう[純毛]まじりもののない毛織物。

しゅんや[春夜]〔文〕春の よる。

じゅんゆうしょう[準優勝]《名・自サ》〔試合・競技で〕決勝戦では負けたが、優勝に準じる成績をあげること。二位になること。

しゅんよう[春陽]〔文〕〔手紙などで〕春のうららかな陽気。「—の候」

じゅんよう[準用]《名・他サ》正式の場合に準じて適用すること。

じゅんようかん[巡洋艦]《軍》軍艦の一種。戦艦に次ぐ大きさで速力にすぐれ、長く航海できる。

じゅんら[巡×邏]《名・他サ》〔文〕警備のために見回る〈こと/人〉。

しゅんらい[春雷]〔文〕春の(はげしくない)かみなり。〔立春後、最初のものを「初雷」と言う〕

しゅんらん[(春×蘭)]林の中に はえる、小さなランの一種。春、うすい黄緑色の花をひらく。

**じゅんり**【純利】純益。

**じゅんり**【純理】純粋(じゅんすい)の〈学理／論理〉。「なるほど―の上からはそうだけれども」

↔**じゅんりょう**【×淳良】《名・ナダ》〔文〕かざりけがなく、すなおなようす。「―の美風」

↔**じゅんりょう**【純良】《ナダ》まじりけがなくて質がいいようす。「―なバター」派―さ。

↔**じゅんりょう**【順良】《ナダ》すなおで善良なようす。「―な性質」派―さ。

**しゅんれい**【×峻×嶺】〔文〕けわしい山のみね。

**じゅんれい**【巡礼】《名・自サ》①【順礼】〔宗教上の聖地や霊場(れいじょう)を〕順々に参拝して歩く〈こと／人〉。「―にご報謝(ほうしゃ)〔⇩報謝②〕」②〔あこがれの場所を〕おとずれること。「アニメの聖地を―する」☞聖地巡礼。

**じゅんれき**【巡歴】《名・自他サ》〔文〕いくつもの土地を順々に回って歩くこと。「諸国〈を／に〉―する」

**しゅんれつ**【×峻烈】《ナダ》〔文〕きびしくてはげしいようす。「―な批判」派―さ。

**じゅんれつ**【順列】《数》いくつかの数を取り出し、ある順序にしたがって一列にならべたもの。●**じゅんれつくみあわせ**【順列組み合わせ】(―くみあわせ)①《数》順列と、組み合わせ〔＝いくつかの数を、順序は考えないで取り出したもの〕。②〔俗〕いくつかのものを、順序をかえて並べたり、組み合わせたりすること。

**じゅんろ**【順路】順序のいい道筋。回り道でない道。「―にしたがって進む」

**じゅんわくせい**【準惑星】《天》惑星(わくせい)のように公転し、形もまるいが、大きさが周囲の小惑星とたいしてちがわない星。例、冥王(めいおう)星。

****しょ**【所】一しょ 事務所・発電所など、所という名のつく役所や機関。「―を代表して」二〔造〕ある決まった仕事をするための場所。「営業―」「〔じょ〕とも読む。「出張―(じょ)・送信―(じょ)」」

****しょ**【書】一しょ〔文〕①〔書いた〕文字。書いたもの。「親鸞(しんらん)の―」②〔毛筆による〕書き方。書道。「―をよくする」二しょ〔文〕①本。書物。「―を読んで暮らす」②手紙。「―を送る」三〔造〕①本。「新刊―」②文書。書類。「申告(しんこく)―」

**しょ**【暑】〔文〕夏のあつさ。「―を避(さ)ける」

**しょ**【署】一しょ 警察署など、署という名のつく役所。「―の方針」二〔造〕役所。「税務―・警察―・消防―」

**しょ**【緒】〔文〕⇩ちょ(緒)。「―に就(つ)く」

**しょ**【初】一〔造〕はじめの。最初の。「―対面」二〔造〕〔文〕…のはじめ。「明治―」

***しょ**【諸】〔造〕いろいろの。いくつかの。「―問題・―税」

**しょ**【処】〔造〕(保管をおもな仕事とする)役所。「〔自衛隊の〕補給―」

**じょ**【序】①〔文〕順序。「長幼の―」②前書き。序文。〔↔跋(ばつ)〕③いとぐち。はし。「―の口」④《芝居》最初の幕。

**じょ**【女】一 接尾〔文〕女性の名前の下に〔俳号などとして〕そえることば。「千代(ちよ)―・とめ―」二〔造〕女性。「―店員・修道―」三〔造〕女の子。「三―〔＝ⓐ三番目の女の子。ⓑ三人の女の子〕」

**じょ**【助】〔造〕主となる人を助ける。「―監督(かんとく)」

**じょ**【自余・×爾余】〔文〕このほか。その他。

**しょあく**【諸悪】〔文〕いろいろの悪いものごと。「―の根源」

**しょい**【所為】〔文〕しわざ。したこと。せい。「悪魔(あくま)の―」

**じょい**【女医】〔古風〕女性の医者。

**じょい**【叙位】《名・自サ》位階をさずけられること。「―叙勲(じょくん)」

**しょいあげ**【〈背〉負い上げ・〈背〉負い揚げ】(しょい―)〔服〕おびあげ。

**しょいこ**【〈背〉負い子】(しょい―)荷物を運ぶために背負う、木のわく。しょいご。背負いばしご。

**しょいこむ**【〈背〉負い込む】(しょい―)《他五》〔俗〕〔やっかいなことを〕引き受ける。負担する。「他人の借金を―」名しょい込み。

**ジョイスティック**〔joystick〕〔コンピューターゲームなどで〕上下左右に自由に動かせるレバー(のついた装置)。

**しょいちねん**【初一念】〔文〕思い立った最初の一念。「―をつらぬく」

**しょいなげ**【〈背〉負い投げ】(しょい―)《柔道》⇩せおいなげ。●**しょい投げを食わせる** 句 いよいよというところで、とつぜんそむく。直しょい投げを食う。

**しょいん**【所員】研究所・事務所など、所と呼ばれるところにつとめている人。

**しょいん**【書院】〔文〕①表座敷(おもてざしき)。客間。②出版社の名前に使うことば。●**しょいんづくり**【書院造り】玄関(げんかん)・床(とこ)の間・たな・ふすま・障子のある、家の構造。現代の日本ふう建築のふつうの形。

**しょいん**【署員】警察署・税務署など、署と呼ばれるところにつとめている人。

**じょいん**【女陰】〔文〕女性の陰部。〔↔男根〕

☆☆**ジョイント**《名・自サ》〔joint〕①機械・木工器具などの、つなぎめ。継(つ)ぎ手。②共同。合同。「―リサイタル」③提携(ていけい)。共同事業。「―ベンチャー〔⇩ジェーブイ(JV)〕」④つながること。つなげること。「二つのイメージが―する」

****しょう**【小】一しょう ①小さい〈こと／もの〉。「大は国家予算から―は家計費にいたるまで・圧力が―である・AはBより―なり〔『A＜B』とあらわす〕」②〔文〕子ども。「大四百円、―二百円」③↑小の月。▽〔↔大〕④↑小学校。「区立―」「―一〔＝小学一年(生)〕・―中高」⑤《婉曲(えんきょく)に》小便。〔↔大〕二〔造〕①小さい。「―劇場」〔↔大〕②形が似ていて小さいもの。「―京都」③同じ名前の親子のうち、子どものほう。ジュニア。「―デュマ〔＝『椿姫(つばきひめ)』の作者〕」〔↔大〕三 接頭〔文〕わたし(ども)の。〔けんそんした言い方〕「―稿・―社」☞小の虫。

**しょう**【升】〔尺貫(しゃっかん)法で〕米・酒などの、体積の単位。一升は一斗(と)の十分の一〔＝約一・八リットル〕。「一―びん」

**しょう**【抄・×鈔】〔文〕①ぬきがき。「『草枕』―」②…について書いたもの。「春琴(しゅんきん)―〔＝小説名〕」

**しょう**【性】一しょう ①生まれつき(の性質)。「―の悪い犬だ」②性質。状態。「―〈が／に〉合わない・木の―〔＝木目などの状態〕」③根性(こんじょう)。「―を入れてやる」

④五行を人の生年月日に割り当てたもの。「水の―」☞「相性」の由来。 ■二 造〈…の/…する〉性質。「あぶら―・心配―」

**しょう【昭】〔視覚語〕↑昭和。「―20」

**しょう【省】 ■一 しょう ①内閣の各中央官庁。「外務―・―始まって以来のできごと」②〔律令制の時代〕太政官の中央官庁。「民部―」③〔中国で〕最上級の行政区画。 ■二 造 …の消費をはぶくこと。節約。「―エネ(ルギー)・―資源」

しょう【△荘】《歴》↑荘園。〔もと、荘園であった所の地名にも使う〕

しょう【将】①〔文〕軍隊の指揮者。武将。「武田二十四―」②《軍》自衛官の階級の一つ。〔もとの中将・大将に当たる〕●**将を射んとする者は まず馬を射よ** 句 〔文〕大きな目的をとげようとする者は、手ぢかなものから かたづけよ。

しょう【称】〔文〕呼び名。称号。「…の―をあたえる」

しょう【商】 ■一 しょう ①商業。「士農工―・―取引」②《数》ある数をほかの数で割って得た値。(↕積) ③↑商学部。④↑商業高校。 ■二 造 商売。商人。「小売―・雑貨―」

*しょう【章】 ■一 しょう 文章を組み立てている大きなくぎり。「―を改める」 ■二 造 記章。「菊花―」

しょう【×笙】《音》雅楽に使う楽器。空気をふきこむ箱に十七本の細い竹をならべたもの。息をはいても吸っても音が出る。

［しょう］

しょう【証】 ■一 しょう 〔文〕証拠。あかし。しるし。「―を得る・後日の―として」 ■二 造 したことを証明する書類または紙切れ。「免許―・許可―」

しょう【×頌】〔文〕①君主の美徳・成功をほめる詩。②ほめたたえることば。「ゲーテ―」

しょう【衝】〔文〕だいじな所。要所。●**衝に当たる** 句 ①だいじな所を受け持つ。「外交の―」②要所になっている。「交通の―」

しょう【賞】①ほうび(褒美)。「一等―」②功績のあったものやすぐれたものにあたえる、記念のしるしとなる品物やお金。「ノーベル―」③〈ほめられる/ほうびをもらう〉こと。「―にはいる」(↕罰)

しょう【礁】〔文〕海面に見えかくれする岩場。岩礁。

しょ・う【△背△負う】《他五》①せなかに のせる。「荷物を―・赤ちゃんを―」②〔やっかいな ものごとを〕引き受ける。こうむる。▽せおう。☞しょってる。

しょう【床】 接尾 病院などのベッド数を数えることば。「五十―」

しょう【勝】 接尾 〈試合/競技〉に勝った回数を数えることば。「三―二敗」(↕敗)

しょう【少】 造 すくない。「―人数」(↕多)

しょう【正】 造 ①ちょうど。かっきり。「―五時」②同じ位の中で、従の上に位することをあらわすことば。「―三位」(↕従)

しょう【相】 造 〔文〕大臣。「外―・農水―」☞そう(相)。

しょう【×哨】 造 〔文〕見はりをする役目の者(のいる所)。「監視―」

*しょう【症】 造 《医》①症状。「不眠―・合併―」②病気。「蓄膿―・既往―」

しょう【傷】 造 きず。「擦過―」

しょう【唱】 造 合唱。「五重―」

しょう【×廠】 造 製造・保管を主とする、役所。「兵器―・補給―〔自衛隊では『補給処』〕」

しょう【子葉】《植》種が芽を出すとき最初に出る葉。☞本葉・双子葉類・単子葉類。

しよう【仕様】 ■一 しよう 機械・器具・コンピュータープログラムなどの、方式や性能など。「新型テレビの―・―の変更・特別―・寒冷地―の車」 ■二 しよう 造 …と同じように作っていること。「現地―の味」●**しようしょ**【仕様書】①仕様の内容を書いた書類。②〔建築やコンピューターシステムなどで〕注文品の内容・図面を書いた書類。「工事―」▽仕様書き。

しよう〔よう=様〕 する方法。しかた。手段。「返事の―がない・もっとほかに―があるだろう」 表記「仕様」「△為様」とも書いた。☞どうしようもない。●**しようがな・い**《形》 しかたがない。しょうがない。「この病気ではどうにも―・なまけ者で―」 丁寧 しようがありません。

しよう【史要】〔文〕歴史の要点だけを取り上げて書いたもの。「文学―」

しよう【私用】 個人の用。(↕公用)

しよう【枝葉】〔文〕えだと葉。●**しようまっせつ**【枝葉末節】〔文〕小さな、つまらないこと。

しよう【止揚】《名・他サ》《哲》衝突する二つの概念をいっそう高い段階で統一すること。揚棄。アウフヘーベン。

**しよう【使用】《名・他サ》 使うこと。「―法・―感〔=中古品の感じ〕がある」 区別 自分のパソコンは「使用する」と言い、公共のパソコンは「利用する」と言う。単に使うかどうかを問題にする場合は「使用」、公共物などを便利に使う場合は「利用」が ふさわしい。●**しようしゃ**【使用者】①それを使う人。「製品の―〔=ユーザー〕」②給料をはらって人を働かせる者。(↕労働者・被使用者)●**しようにん**【使用人】 人の家や店などで使われる人。「住みこみの―」

しよう【試用】《名・他サ》〔文〕①ためしに使ってみること。「けしょう品の―」②【試×傭】 ためしに やとうこと。「―工・―期間」

しよう【飼養】《名・他サ》《農》動物にえさをあたえて育てること。「乳牛を―する」

**じょう【上】 ■一 じょう ①上等。りっぱなこと。「―、中、並・成績は―の部だ」②〔書物の〕上巻。▽(↕下)③〔さし上げます という意味で〕進物の包み紙などの上に書く字。目上の人へ使う。 ■二 造 ①上等の。「―菓子」②いい。「―きげん」③うえ(がわ)の。「―半身」(↕下) ■三 造 ①…に関すること。…のうえのこと。「政治―の問題・学習―〔=の点で〕有効だ・行きがかり―それは困る」②…のうえ。場所を示す。「富士山―・道路―・太平洋―」

じょう【丈】 ■一 じょう 長さの単位。尺の十倍。一丈は、曲尺で約三・〇三メートル。 ■二 接尾 歌舞伎俳優の芸名に そえる敬称。「菊五郎―」〔呼びかけには使わない〕

**じょう[条] 一 じょう 箇条。☞項①。 二 接尾 〔文〕①すじ。「一ーの光・二ー刈り」 ②帯を数えることば。 三《接助》〔文〕①…について。…が。ところ。ゆえ。「ご通知つかまつりそうろうー」 ②…ても。…ながら。「冬とは言いー」

じょう[情] ①ものに感じて起こる、心の動き。感情。気持ち。「懐旧のー」 ②愛情。情愛。「親子のー」 ③人情。なさけ。「ーに厚い」(↕理) ④まごころ。誠意。「ーのない人」 ⑤事情。実情。「ーを知ってかくまう」
●情が移る 句 長くつきあっているうちに、しだいに情愛を感じるようになる。 ●情に動かされやすい。 ●情にもろい 句 人情に動かされやすい。 ●情を通じる 句 結婚相手など、決まった相手以外の人と、ひそかに関係を持つ。密通する。

**じょう[場] 一 じょう 〔文〕(何かがおこなわれている)その場所。「ーに満ちる・ーを圧した」 二 造 場所。「特売ー」

じょう[錠] 一 じょう とびら・戸・ふたなどに取りつけて、他人にあけられないようにするための金具。じょうまえ。「大きなーを下ろす・ーをかける(=かぎをかける)」 二 接尾 錠剤を数えることば。つぶ。 三 造 錠剤。「糖衣ー」

←じょう[×帖] 接尾 ①〈半紙を二十枚ずつ/ちり紙を百枚ずつ〉数えることば。 ②のり(海苔)を十枚ずつ数えることば。 ③折り本になったものを数えることば。

→じょう[畳・×帖] 接尾 たたみを数えることば。一畳の大きさは、種類によってちがう。☞京間・関東間。

じょう[乗] 一 接尾 〔文〕車を数えることば。 二 造 〔名・他サをつくる〕《数》同じ数をかけあわせる回数。「二の三ー」

*じょう[状] 一 造 ①…のかたち。「うろこー・棒ー」 ②てがみ。「案内ー」 ③(質問の)文書。「公開ー」 二 じょう 〔文〕てがみ。「このー持参の者」

じょう[城] 造 しろ(の名前の下にそえることば)。「大阪ー・白鷺ー」

じょう[嬢] 一 造 〔俗〕(若い)女性であることを示すことば。「受付ー(=女性の受付係)」 二 接尾 〔古風〕結婚していない女性の氏名の下にそえて、軽い敬意を示すことば。「夏美ー」(呼びかけには使わない) 三 じょう ①〔俗〕風俗営業や、性風俗業で働く女性。 ②〔古風〕むすめ。女の子。「うちのーや」

じょうよう[滋養] 〔古風〕栄養。「ー分・ー強壮剤」

しょうあい[×鍾愛]《名・他サ》〔文〕(人・物を)深く愛すること。

←じょうあい[情合い] 〔文〕たがいに通じあう、思いやり。

→じょうあい[情愛] 深い、こまやかな愛情。「夫婦のー」

☆☆しょうあく[掌握]《名・他サ》〔文〕支配権をにぎって、思いのままに動かせるようにすること。「政権をーする・人心をーする」

しょうアジア[小アジア] アジアの西端、トルコの大部分を占める大きな半島。

しょうあつ[昇圧]《医》血圧を上げること。「ー薬」(↕降圧)

じょうあん[浄暗] 〔文〕神をまつる儀式がおこなわれる夜の、清らかなやみ。

しょうい[少尉]《軍》将校の階級のいちばん下。〔自衛官の三尉に当たる〕

しょうい[焼×夷] 〔文〕焼きはらうこと。「ー爆弾」
●しょういだん[焼×夷弾]《軍》高熱を出して燃える薬品を筒の中につめた爆弾。

しょうい[傷×痍] 〔文〕けが。傷病。「ー軍人(=戦争のけがで、からだが不自由になった軍人)」

しょうい[小異]《名・自サ》〔文〕少しのちがい。少しちがうこと。「大同ー」 ●小異を捨てて大同につく 句 意見の小さなちがいはあっても、大筋において一致するところで協力する。

じょうい[上衣] 〔文〕上着。

じょうい[上位] ①上の地位・立場。「ーの役職・相手をーに置く」 ②上の位置。「ーの成績・ー機種・ー概念」▽「最ー」(↕下位)

じょうい[上意] 〔文〕①主君のお考え。「ーであるぞ」 ②(官庁・会社・団体などで)上の階級の人の考え。 ●じょういかたつ[上意下達] 上の者の意思や命令が下の者に伝わること。「ーを徹底する」(↕下意上達)

じょうい[情意] 〔文〕①感情と意志。 ②気持ち。 ●じょういとうごう[情意投合]《名・自サ》〔文〕おたがいの間に気持ちが通じること。

じょうい[×攘×夷]《歴》〔江戸時代の末に〕開国・通商を求める外国人を追いはらおうとしたこと。「尊王ー」

じょうい[譲位]《名・自サ》(君主が)その地位をゆずること。

じょういき[浄域] 〔文〕神社・寺院の境内。霊地。

しょういん[勝因] 勝った原因。(↕敗因)

しょういん[証印]《名・自サ》証明の判(をおすこと)。

しょういん[承引]《名・他サ》〔文〕承知して引き受けること。

じょういん[上院] 〔外国の国会で〕日本の参議院に相当する議院。「ー議員」(↕下院)

じょういん[冗員・剰員] 〔文〕必要以上にある人員。余剰人員。「ー削減」

じょういん[乗員] 乗務員。(↕乗客)

じょういん[畳韻] 〔文〕同じ韻(字)をくり返すこと。くり返した韻(字)。

じょういん[常飲]《名・他サ》〔文〕日常いつも飲んでいること。「ウイスキーをーする」

←しょうう[小雨] 〔文〕こさめ。 ●しょううけっこう[小雨決行] こさめのときは、かまわずおこなう。

→しょうう[少雨] 〔文〕雨が少ないこと。「高温ーの夏」(↕多雨)

じょううち[常打ち]《名・自他サ》決まった所で、いつも興行していること。「落語のー小屋」

しょううちゅう[小宇宙] 宇宙の一部分でありながら、それ自身が一つのまとまりをなしている〈もの/世界〉。人間をたとえて言うことが多い。ミクロコスモス。「私という ー」

しょううん[招運] 〔文〕運をまねきよせること。「ーブレスレット」

しょううん[商運] 商売の運。「ーをつかむ」

**しょううん**[勝運]〔文〕勝つべき運(命)。「―に見放される」

**じょうえい**[上映]《名・他サ》映画を映して観客に見せること。

**しょうえき**[省益]〔国益にならない〕各省庁の利益。「―優先」

☆☆**しょうエネ**[省エネ]〔↑省エネルギー〕〔石油・電気・ガスなどの〕エネルギーの節約。☞省㊁。

**しょうえん**[小宴]〔文〕①少人数の宴会。②ささやかな宴会。〔けんそんした言い方〕

**しょうえん**[招宴]〔文〕招待してひらく宴会。「―に応じる」

**しょうえん**[△荘園]《歴》①平安時代から室町時代にかけて、貴族や社寺が私有した土地。②昔の中国や西洋で、貴族などが所有した土地。

**しょうえん**[消炎]《医》炎症を取り去ること。「―作用」

**しょうえん**[硝煙]銃や大砲などをうったときの、火薬のけむり。「―反応」

**じょうえん**[情炎]〔文〕火のように燃えあがる欲情。

**じょうえん**[上演]《名・他サ》芝居・おどり・話芸などを、大ぜいの客に見せること。

**しょうおう**[照応]《名・自サ》前後がおたがいに対応してうまく関係すること。「首尾―」

**じょうおう**[△女王]〔話〕⇩じょおう。「―さま」

**しょうおん**[消音]エンジンの爆音や、ピストルの音などを〈出さないように/小さく〉すること。「―器・―装置〔=サイレンサー〕」

☆☆**じょうおん**[常温]部屋の中の、ふつうの温度。「―で保存のこと」

**しょうか**[小家]〔文〕①小さな家。②自分の家をけんそんして言うことば。わが家。当家。

**しょうか**[消夏・×銷夏]〔文〕夏の暑さをしのぐこと。暑さしのぎ。「―法」

**しょうか**[商科]①商業に関する学科。②商学部。

**しょうか**[商家]①商人の家庭。②商店。

**しょうか**[唱歌]①戦前、教育用に作られた歌。「文部省―」②戦前、歌を教えた小学校の教科。

**しょうか**[×頌歌]①〔文〕徳やてがらをたたえる歌。②〔キリスト教で〕神の栄光をたたえる歌。

**しょうか**[昇華]《名・自他サ》①《理》固体から直接に気体となる現象。あるいはその逆の現象をいうときもある。☞気化・凝華。②ものごとが一段上の状態に高められること。

**しょうか**[消化]《名・自他サ》①《生》〔動物が〕食べたものを胃でとかし、腸で吸収できる状態にすること。こなすこと。「不―」②〈読んだ/聞いた〉ことを完全に理解して自分のものとすること。③残さず処理すること。「予算を―する」●**しょうかえき**[消化液]《生》食べた物をとかす はたらきをする液。例、唾液・胃液など。●**しょうかかん**[消化管]《生》消化・吸収をおこなう、口から胃腸、肛門に至る ひと続きの長いくだ。☞消化器。●☆☆**しょうかき**[消化器]《生》食べ物を消化・吸収するのに使われる器官。消化管のほか、肝臓・膵臓などをふくむ。消化器官。●**しょうかじあい**[消化試合]リーグ戦などで、優勝が決定したあと、予定の試合数をこなすためだけにする試合。●**しょうかふりょう**[消化不良]①《医》食べ物をじゅうぶんに こなせない〈こと/状態〉。「―で下痢をした」②〔俗〕知識や学問をじゅうぶんに理解できず、身につけられないこと。「説明がたりないから―を起こしている」

**しょうか**[消火]《名・自他サ》①火を消すこと。火が消えること。(↕着火・発火)②火事を消すこと。火事が消えること。鎮火。「―器・―栓・―ポンプ」(↕出火)

**しょうが**[小我]《仏》まよいの世界に とらわれた(小さな)自我。「―をすてる」(↕大我)

**しょうが**[(生×姜)・(生×薑)]香辛料に使う、野菜の根。うすい黄色で、からい。ジンジャー。「―じょうゆ・―汁」●**しょうがやき**[(生×姜)焼き]豚肉などを、しょうが汁を入れた たれで味つけして焼いた料理。ポーク ジンジャー。「―定食」●**しょうがゆ**[(生×姜)湯]お湯に すりおろしたショウガや砂糖などを混ぜた飲み物。

**じょうか**[上下]①〔文〕じょうげ。②上院と下院。「―両院」

**じょうか**[城下]①〔文〕城壁の下。②↑城下町。●**じょうかのちかい**[城下の△盟]〔文〕敵に首都まで攻め入られて、降伏の とりきめをすること。「敵に―をなさしめる〔=させる〕」●**じょうかまち**[城下町]諸侯の居城を中心に発達した町。城下。☞企業城下町。

**じょうか**[浄火]〔文〕神をまつる行事に使う、きよめた火。きよらかな火。

**じょうか**[情火]〔文〕火のようにおこる情欲。

**じょうか**[浄化]《名・他サ》①〈清浄/きれい〉にすること。「空気を―する」②不正を取り除いて、正常な状態にすること。「政界の―」●**じょうかそう**[浄化槽]〔↑しにょう(屎尿)浄化槽〕下水道の整っていない地域で、水洗式便所の大小便を分解消毒して流し出す装置。

**しょうかい**[商会]商店につける名前。

**しょうかい**[×哨戒]《名・自サ》《軍》敵の襲撃を警戒すること。警戒。「―機」

←**しょうかい**[紹介]《名・他サ》①知りあっていない両方の人を引きあわせること。「―状・自己―」②内容を解説して知らせること。「新刊図書の―・新しい番組の―」

→**しょうかい**[照会]《名・他サ》問いあわせ(ること)。「手紙で―する」

**しょうかい**[詳解]《名・他サ》〔文〕くわしい解釈や解説(をすること)。(↕略解)

**しょうがい**[生涯]一生。「ご恩は―忘れません・―を閉じる・―学習・―現役」●**しょうがいきょういく**[生涯教育]社会人がよりよく生きるために、一生涯にわたって受けられる教育(を保障する考え方)。

**しょうがい**[渉外]外部または外国と交渉・連絡すること。「―係・―費〔=接待費〕」

＊＊**しょうがい**[障害・障×碍]㊀①ものごとの正常な進行をさまたげる〈こと/もの〉。「重大な―にぶつかる・―を乗りこえる・ネットワーク―」②からだ または脳、心のはたらきが そこなわれ、そのままでは日常生活が不便な状態。「―が残る・―者・身体―・知的―・精神―」③

し

〔↑障害走〕《陸上》途中に置かれたハードルなどをこえて走る競技。「三千メートルー」 ■《名・他サ》《医》正常な機能をさまたげること。「血流を―する・日常生活を―する病気」 ●しょうがいねんきん［障害年金］ 障害者になったときに支給される年金。

しょうがい［傷害］《名・他サ》 けがを〈させ/し〉たりして、からだを痛めること。「―を加える・―を受ける・人を―する・―事件・―罪」 ●しょうがいちし［傷害致死］《法》相手にけがをさせて死なせること。 ●しょうがいほけん［傷害保険］ からだに きずを受けた場合に、約束した金額の しはらいを受ける保険。

じょうかい［上階］〔一つ〕上の階。

じょうかい［常会］ ①定期的に開かれる会合。定例会。②《法》⇩通常国会。

じょうがい［場外］ 〈その場所/競技場や会場〉の外。「―ホームラン・―乱闘」（↕場内） ●じょうがいらんとう［場外乱闘］ ①プロレスなどで、選手同士〔やその仲間〕がリングの外でも戦い暴れまわること。②本来の争いの場から はなれたところで争うこと。「政治家が議場ではなくテレビでーをする」

しょうかいは［小会派］ 少人数の団体や党派。

しょうかき［小火器］ ピストル・小銃・軽機関銃など、小型の武器。

しょうかく［昇格］《名・自他サ》 格式や階級〈が上がる/を上げる〉こと。格上げ。「部長に―する」（↕降格）

*しょうがく［小学］ ↑小学校。「―部・―六年生」 ●しょうがくせい［小学生］ 小学校の児童。

↑しょうがく［小額］ 小さな額面。「―紙幣」（↕高額）

↑しょうがく［少額］《名・ナダ》 少ない金額。「―〈の/な〉取引・―貯蓄」（↕多額） ●しょうがくそしょう［少額訴訟］《法》請求額が六十万円以下の訴訟。簡易裁判所であつかい、原則として一回の審理ですぐに判決が言いわたされる。

しょうがく［商学］ 商業についての学問。「―士・―博士」

しょうがく［奨学］〔文〕学問をすすめ はげますこと。「―生〔=奨学金を〈もらう/借りる〉学生〕」 ●しょうがくきん［奨学金］ 学費や生活費を助けるため、学生に〈貸す/あたえる〉お金。「―制度・―の返済」

じょうかく［城郭・城×廓］〔文〕①しろ〔の まわりの構え〕。②しきり。へだて。「心に―をもうける」

じょうがく［上顎］《生》うわあご。「―がん」（↕下顎）

しょうがくぼう［正覚坊］ アオウミガメの別名。足はひれ形。せなかの甲は べっこうの代用。大酒を飲むと言われる。

じょうがし［上菓子］〔江戸時代、幕府などに献上していた〕上等の和菓子。

しょうかたい［松果体］《生》間脳にある、松かさに似た形の内分泌腺。松果腺。

しょうがつ［正月］ ①年の初め。特に、松の内の七日間。「お―」 ②〔古風〕一月。「―二十日」 ③〔古風〕楽しい思い。「目の―をした」

しょうがっこう［小学校］ 義務教育の、はじめの六年間の勉強を教える学校。満六歳で入学する。

しょうかどうべんとう［松花堂弁当］ 中に十字形のしきりのある四角い器を用いる弁当。しきりの中に、料理や飯を盛りつける。 由来 器は、江戸時代の僧侶、松花堂昭乗という人の考案という。

しょうがな・い《形》〔↑しょうがない〕〔話〕⇩しかたがない。

しょうかん［小寒］《天》二十四節気の一つ。一月五日ごろ。寒の入り。（↕大寒）

しょうかん［小閑・少閑］〔文〕少しの ひま。

しょうかん［小感］〔文〕〔…についての〕ちょっとした感想。『ファウスト』―」

しょうかん［将官］《軍》 ①自衛官の、将と将補をまとめた呼び名。②大将・中将・少将をまとめた呼び名。

しょうかん［商館］ その国で営業する、外国の商人の営業所。

しょうかん［×娼館］〔文〕娼婦をおく店。

しょうかん［消閑］《名・自サ》〔文〕ひまをつぶすこと。「―の具」

↑しょうかん［召喚］《名・他サ》《法》官庁が特定の個人を呼び出すこと。呼びだし。「裁判所の―状」

↑しょうかん［召還］《名・他サ》〔文〕〔外国や遠くへ出してやった者を〕呼びもどすこと。「大使を―した」

しょうかん［償還］《名・他サ》〈借金/公債〉などを返すこと。

しょうがん［賞×翫・賞玩］《名・他サ》〔文〕①いいもの、美しいものを愛し味わうこと。また、珍重すること。②ものの味のよさをほめ味わうこと。

じょうかん［上官］ 上級の官。うわやく。

じょうかん［城館］ ヨーロッパふうの やかた。りっぱな邸宅。「四階建ての―」

じょうかん［情感］〔文〕人の心に はたらきかける、その人またはその物の持つ感じ。「みずみずしい―」

じょうかん［乗艦］《名・自サ》 軍艦に乗りこむこと。また、〈乗りこむ/乗りこんでいる〉軍艦。

しょうかんしゅう［商慣習］《経》商業取引上の慣習。商習慣。

しょうき［正気］ たしかな精神。本気。「―の沙汰とは思えない」（↕狂気）

しょうき［匠気］〔文〕世間に いい評判を得ようとする、気取り。

しょうき［笑気］《理》麻酔に使う気体。一酸化二窒素。笑気ガス。 由来 すいこむと、表情がゆるんで笑ったようになることから。

しょうき［×瘴気］〔文〕熱病の原因とされた毒気。「山川に―がただよう」

しょうき［勝機］ 勝てる機会。「―をつかむ」

しょうき［商機］ 商業上の〈いい機会/機略〉。

しょうき［×鍾×馗］ 疫病神を追いはらうという神。端午の節句にその人形や絵をかざる。

しょうき［詳記］《名・他サ》〔文〕くわしく〈書くこと/書いた文章〉。「以下に―する」（↕略記）

しょうぎ［床×几］ 昔、陣中・狩り場などで使った、脚の交差した腰かけ。

しょうぎ［省議］ 内閣の各省での〈会議/決議〉。

しょうぎ［将棋］ たてよこで八

［しょうぎ］

十一のます目を書いた盤の上で、ふたりがおたがいにこまを動かして王将を詰っめるゲーム。●**将棋を指す** 句 将棋盤でこまを動かして勝負をする。●**しょうぎだおし**［将棋倒し］〈一つ／ひとり〉がたおれると、次から次へと折りかさなるように、はしまでたおれること。

**しょうぎ**［×娼×妓］〔文〕遊女。

**しょうぎ**［勝義］①《仏》最高の真理。②〔文〕本質的な意味。「詩や文学は最ーの文化である」

**しょうぎ**［商議］《名・他サ》①〔文〕評議すること。相談すること。②↑商工会議所。

**じょうき**［条規］〔文〕法令の条文で決められた規定。「憲法のーに反する・修好ー〈=友好条約〉」

**じょうき**［常軌］〔文〕ふつうの考え方。常道。●**常軌を逸する** 句 常識から外れる。

**じょうき**［蒸気］①《理》液体が蒸発して気体となったもの。〔ドライアイス・しょうのう(樟脳)などの固体についても言う〕②水蒸気。ゆげ。③↑蒸気船。「ポンポンー」●**じょうききかん**［蒸気機関］水蒸気の圧力でピストンを動かす機関。●**じょうききかんしゃ**［蒸気機関車］蒸気機関で動く機関車(と、それが引っぱる車両)。SL。汽車。蒸機。

**じょうき**［蒸機］↑蒸気機関車。(↕電機)

**じょうき**［上気］《名・自サ》のぼせること。「ーした顔」

**じょうき**［上記］《名・自サ》〔文〉〈上／前〉に書きつけてあること。また、その文句。「ーのとおり」(↕下記)

**じょうき**［乗機］《名・自サ》〔文〕〈乗りこむ／乗りこんでいる〉飛行機。

**じょうぎ**［定規・定木］直線・曲線を引くためにあてがう用具。

←**じょうぎ**［情義］〔文〕人情と義理。

→**じょうぎ**［情×誼・情宜］〔文〕〔友人や師弟などの〕親しい間がらに見られる人情。「ーにあつ(篤)い」

**じょうきげん**［上機嫌］《名・ナダ》非常にきげんがいいこと。

**しょうきち**［小吉］〔うらないで〕中吉の次。☞大吉。

**じょうきどう**［上気道］《生》人間の息の通路のうち、気管支・のどから鼻の奥にかけての部分。「ー炎〈=のどの かぜ〉」

**しょうきぼ**［小規模］《ナダ》①建物などの、作り方が小さいようす。②ものごとの、構想や範囲が小さいようす。「ーな経営・ーな噴火」▽(↕大規模)

**しょうきゃく**［正客］〔文〕中心となる客。正賓。主賓。

←**しょうきゃく**［消却］《名・他サ》消してなくすこと。

→**しょうきゃく**［償却］《名・他サ》①〔借金などを〕〔すっかり〕返してしまうこと。償還。②《経》↑減価償却。

**しょうきゃく**［焼却］《名・他サ》〔文〕焼き捨てること。「ごみのー・ー炉・ー処分」

**じょうきゃく**［上客］〔文〕①〔いつも多く買ってくれる〕大切な客。上得意。②上席にすわるべき客。

**じょうきゃく**［乗客］乗り物に乗(ってい)る客。(↕乗員)

**じょうきゃく**［常客］〔文〕いつもその店に来る客。常連。なじみ客。

**しょうきゅう**［昇給］《名・自サ》給料が上がること。(↕降給)

**しょうきゅう**［昇級］《名・自他サ》等級や階級〈が上がること／を上げること〉。(↕降級)

**じょうきゅう**［上級］上の等級。「ー学校・ー生」(↕〈下級／初級〉・中級)

**しょうきゅうし**［小休止］《名・自サ》少し休むこと。小憩。(↕大休止)

**しょうきょ**［消去］《名・他サ》①消してなくすこと。②〔磁気テープやディスクの〕記録を消すこと。「ーヘッド」●☆☆**しょうきょほう**［消去法］①《数》連立方程式で、未知数を一つずつ消していって解くやり方。②可能性の低いものを消していき、最後に残ったものを採用する考え方。

**じょうきょ**［譲許］税率などの条件を(相手にゆずって)ゆるめること。「関税ー〈=相手国のからの輸入品に一定以上の関税を課さない約束〉」

**しょうきょう**［商況］《経》あきないの状況。景気。「ーを占う」

**しょうぎょう**［商業］商品を売り買いして利益を得る仕事。あきない。「ー道徳・ー資本・ーデザイン」●**しょうぎょうしゅぎ**［商業主義］もうけることを第一の目的とする主義。金もうけ主義。

****じょうきょう**［状況・情況］①〔さまざまに動いている〕その場またはその時のありさま。「ー判断」②《哲》人間が現に置かれている、自然・社会・精神上の情勢のすべて。「人間とーの関係」●☆☆**じょうきょうしょうこ**［状況証拠］《法》物的証拠がなくても、そのときの様子から犯罪事実を推定できる証拠。間接証拠。表記 法律学では「情況証拠」。

**じょうきょう**［上京］《名・自サ》〈東京／みやこ〉へ〈出てくる／出て行く〉こと。出京。

**しょうきょうと**［小京都］京都のように、古い町並みや伝統文化が残る町。「北陸のー、越前大野」

**しょうきょく**［小曲］規模の小さな曲。「ショパンのー・能のー」(↕大曲)

**しょうきょく**［消極］遺 進んでものごとをおこなおうとしないこと。「ー論」(↕積極) 派 -さ。●**しょうきょくてき**［消極的］《ナダ》自分から進んでしようとはせず、ひっこみがちなようす。(↕積極的)

**しょうきん**［正金］〔古風〕現金。また、正貨としての金貨・銀貨。「ー銀行」

**しょうきん**［賞金］賞としてあたえるお金。●**しょうきんくび**［賞金首］懸賞金のかかったおたずね者。由来 十九世紀のアメリカでは、生きたまま引きわたすとお金がもらえる。その人をつかまえて引きわたすとお金がもらえる。

**じょうきん**［常勤］《名・自サ》毎日決まった時間、勤務をすること。「ー職員」(↕非常勤)

**しょうく**［小×軀］〔文〕小がらなからだ。

**しょうく**［章句］〔文〕文章の一節や、ひとまとまりの句。「論語のーを暗唱する」

**じょうく**［冗句］①〔文〕むだな句。②ジョーク。

**じょうくう**［上空］そら(の上のほう)。

**しょうぐん**［将軍］①全軍を指揮・統率する武官。②〔特に陸軍の〕将官。③(↑征夷大将軍)《歴》幕府のかしらとして日本全国を支配した人。「徳川ー」●**しょうぐんけ**［将軍家］〈=「将軍③」になる家柄〉《歴》幕府。特に、徳川幕府の将軍。「さきの―」

**じょうげ**【上下】㊀①かみとしも。うえとした。②身分・地位の高低。「―関係」③のぼりとくだり。「―線とも不通」④〘服〙上着と〈ズボン／スカート〉の、ひとそろい。ツーピース。(↔三つぞろい) ⑤本の上巻と下巻の、ひとそろい。㊁〘名・自他サ〙あがりさがり。●**じょうげどう**【上下動】①上下にゆれ動くこと。「船は―をくりかえす」②〘地〙震源が近い地震で、地面が上下にゆれ動くこと。(↔水平動)

**しょうけい**【小径】①〔文〕小さい道。小道。「羊腸の(=曲がりくねった)―」②直径が小さいこと。「―木・―車(=タイヤの直径が小さい自転車)」

**しょうけい**【×捷径】〔文〕ちかみち。はやみち。「学問の―・盆栽―(=盆栽早わかり)」

**しょうけい**【小憩・少憩】〘名・自サ〙〔文〕少しの休み。ちょっと休むこと。

**しょうけい**【憧憬】〘名・自サ〙〔文〕あこがれ(ること)。どうけい。「過去への―」

**しょうけい**【小計】〘名・他サ〙一部分の合計。(↔総計)

**しょうけい**【承継】〘名・他サ〙①〔文〕受けつぐこと。継承。「伝統の―と革新」②〘法〙権利・義務を受けつぐこと。「所有権を―する」

**しょうけい**【象形】㊀〘名・他サ〙〔文〕ものの形をかたどること。「太陽を―したデザイン」㊁六書の一つ。ものの形をかたどって漢字を作る方法。例、「山」「日」「木」。●**しょうけいもじ**【象形文字】表意文字の一つ。ものの形をかたどって作った文字。一字で単語をあらわす。漢字やエジプトの古代文字などに見られる。しょうけいもんじ。

［しょうけいもじ］

←**じょうけい**【情景・状景】その場の様子。「―が浮かぶ話し方・―描写」区別⇨風景。

→**じょうけい**【場景】①劇などの場面(の様子)。「―を変える」②情景。

**じょうけい**【上掲】〘名・自サ〙〔文〕上(のほう)にかかげること。「―の表・―の写真」

**しょうげき**【笑劇】〔文〕ひたすら笑わせることを目的にした喜劇。ファルス。

**しょうげき**【笑撃】〔「衝撃」のもじり〕〔俗〕予想外で、思わず笑いを引き起こすこと。「―のラスト」

**しょうげき**【衝撃】〘名・他サ〙①物体に急に強い力を加えること。また、その力。②はげしくたたかれたような、感情の動揺や興奮(を引き起こすこと)。「―を受ける・―の(=衝撃的な)過去・社会を―した」▽ショック。●**しょうげきてき**【衝撃的】〘ナダ〙「衝撃①」をあたえるようす。ショッキング。「―な事件」●**しょうげきは**【衝撃波】①〘理〙空気などに急激な圧力変化が生じ、その波動が音速以上の速さで伝わる(爆発音をともなう)現象。「ジェット機の―・隕石の―」②瞬間的にはげしく伝わる様子をたとえることば。「事件のニュースは―となって伝わった」

**しょうけつ**【×猖×獗】〘名・自サ〙〔文〕悪い〈もの／こと〉がひどい勢いで〈はびこる／流行する〉こと。「コレラが―をきわめる」

**じょうけつ**【浄血】〔文〕病毒などのない、きれいな血(にすること)。「―作用」

**しょうけん**【小見】〔文〕①視野のせまい考え。けちな考え。「―をすてよ」②自分の考えをけんそんして言うことば。

**しょうけん**【正絹】ほんものの絹糸(で織った製品)。本絹。純絹。「―マフラー」

**しょうけん**【商圏】商店・会社が取引をしている〈範囲／地域〉。「小―」

**しょうけん**【商権】〘経〙〔その会社の売上高に応じて決まる〕商業上の権益。

☆☆**しょうけん**【証券】〘経〙①金額を明示した、財産としてのねうちのある紙片。株券・債券・手形・小切手の類。有価証券。「―取引所(=有価証券の売買取引をおこなうところ)・―業者・―会社」②↑証券会社。「―大手・ネット―」

**しょうげん**【象限】〘数〙平面を、直交する二つの直線で分けたそれぞれの部分。右上から反時計回りに第一象限、第二象限、第三象限、第四象限と呼ぶ。

**しょうげん**【証言】〘名・他サ〙①事実を証明すること。また、そのことば。「目撃者の―」②〘法〙証人の陳述。

＊＊**じょうけん**【条件】①あることが実現するために必要なことがら。「成功の―・一定の―をそなえる・―が整う」②あることをする〈にあたって／代わりに〉相手に認めさせることがら。「こっちにも―がある・採用の―・―を付ける」③あたえられた状況。「きびしい―のもとで働く・ことばは人の考え方を―づける」●**じょうけんとうそう**【条件闘争】絶対反対、というのではなく、ある条件が受け入れられればゆずってもいいという闘争。●**じょうけんはんしゃ**【条件反射】〘生〙一定の条件のもとに起こる反射。☞パブロフの犬。

**じょうげん**【上弦】〘天〙満月の一週間前の夕方、真南に来た月の右半分がかがやく状態。しずむとき上向きの半月の形になる。「―の月」(↔下弦)

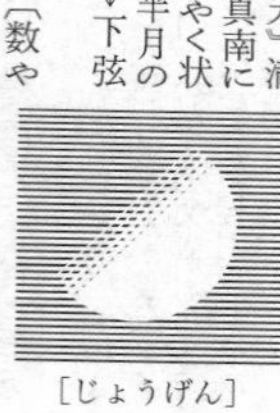
［じょうげん］

**じょうげん**【上限】①〔数や値段などで〕上のほうの限界。②〔区分された時代の〕現代から遠いほうの限界。▽(↔下限)

**しょうこ**【尚古】〔文〕昔の思想・文化をとうとぶこと。「―思想」

**しょうこ**【称呼】〘名・他サ〙〔文〕呼称。

＊**しょうこ**【証拠】たしかにそうだ、ということを相手になっとくさせるための材料。あかし。「―固め・―品」●**しょうこきん**【証拠金】〘経〙〔相場で〕高額の取引をするときなどに、担保とする資金。「外国為替―取引」●**しょうこだてる**【証拠立てる】〘他下一〙証拠をあげて証明する。証拠づける。

**しょうこ**【×鉦鼓】〘音〙雅楽や仏教音楽に使う、皿の形の楽器。わくにつって、ばちでたたく。

［しょうこ］

**しょうご**【正午】ひるの十二時○分。まひる。

**じょうこ**【上古】①〔文〕非常に古い時代。②〔日本

文学・日本語学などで〕奈良時代(より前)。〔古い言い方〕(↕近古)

**じょうご**［上戸］㊀ 酒がたくさん飲める人。(↕下戸)㊁㊂ 酒に酔ったときに出るくせを言うことば。「怒り━・泣き━」

**じょうご**［冗語］〔文〕よけいなことば。むだぐち。

**じょうご**［畳語］《言》同じ単語をかさねた複合語。例、木々・泣く泣く・ぴいぴい。

**じょうご**［(:漏斗)］口の小さな入れものに はめて、液体をついで入れる、上の広がった器具。ろうと。ロート。

**しょうこう**［小考］〔文〕自分の考えをけんそんして言うことば。〔論文などの題名に使う〕

**しょうこう**［少考］《名・自サ》〔文〕少し考えること。

☆☆**しょうこう**［小康］〔文〕〔病気・争いなどが〕少しおさまること。「━状態・━をたもつ〔=続ける〕」

**しょうこう**［小稿］〔文〕自分の書いた原稿をけんそんして言うことば。

**しょうこう**［将校］《軍》⇩士官①。「陸軍青年━」

**しょうこう**［症候］《医》症状のしるし。●☆☆**しょうこうぐん**［症候群］《医》ある病気の特徴としてあらわれる、さまざまの症状の全体。シンドローム。「頸肩腕━・メタボリック━」

**しょうこう**［商工］①商人と職工。②商業と工業。●**しょうこうかい**［商工会］地域の中小企業や個人事業主が会員であり、その事業支援をおこなう公的団体。●**しょうこうかいぎしょ**［商工会議所］都市の商工業者が集まって作った団体。商議所。●**しょうこうぎょう**［商工業］商業と工業。「━者(↕農林漁業者)」

**しょうこう**［商高］↑商業高校。

**しょうこう**［商港］商船が出はいりし物資が集まる港。

**しょうこう**［昇降］《名・自サ》のぼりくだり。あがりおり。「バスの━口」●**しょうこうき**［昇降機］①エレベーター。②〔↑階段昇降機〕こしかけた人を、階段の上下に運ぶ機械。

**しょうこう**［消光］《名・自サ》〔文〕〔自分が〕ぶらぶらと日を送ること。「おかげさまで無事━しております」

**しょうこう**［焼香］《名・自サ》仏や死んだ人の霊の前で香をたくこと。「お━をする」

**しょうごう**［称号］〔名誉な〕呼び名。

**しょうごう**［商号］商人・会社が商売をするときに使う名称。屋号。

**しょうごう**［照合］《名・他サ》〔原物や原文などと〕てらしあわせること。「原典と━する」

**じょうこう**［上皇］《歴》位をゆずった天皇を尊敬して言う呼び名。太上天皇。「白河━」

**じょうこう**［条項］箇条書きにした項目(の一つ一つ)。

**じょうこう**［乗降］《名・自サ》〔文〕乗り物の、乗りおり。「━客・━場所」

**じょうこう**［情交］《名・自サ》交際が進んで、肉体的なまじわりを結ぶこと。

**しょうこうい**［商行為］《法》営利の目的でする、いっさいの行為。製造・加工・販売・営業・不動産の取引など。

**しょうこうし**［小公子］〔文〕おさない、貴族の子。

**しょうこうしゅ**［紹興酒］〔紹興=中国の地名〕黄褐色の、中国の酒。もち米などから造る。シャオシンチュー。☞ラオチュー。

**しょうこうねつ**［(×猩紅)熱］《医》子どもに多い急性の感染症。皮膚にべに色の発疹ができる。

**しょうこく**［小国］①国土のせまい国。②勢力の弱い国。▽(↕大国)

**しょうごく**［生国］〔文〕うまれた国。しょうこく。

☆☆**じょうこく**［上告］《名・自サ》《法》〔第二審の〕判決に不服があるときに、上級裁判所に対して最後の審理をもとめること。☞上訴。

**しょうこくみん**［少国民］〔次の時代をになう〕少年・少女。〔第二次大戦中に使われたことば〕

**しょうことなしに**《副》(↑為ん事なしに)〔俗〕しかたなしに。

**しょうこり**［性懲り］しんからこりること。「━もなく〔=こりもしないで〕」

**しょうこん**［招魂］〔文〕死者のたましいを招いて祭ること。「━祭」

**しょうこん**［商魂］商売でもうけてやろう、という気持ち。「━たくましいイベント」

**しょうこん**［傷痕］〔文〕きずあと。

**しょうごん**［△荘厳］《名・他サ》《仏》〔仏像・仏堂を〕かざること。そうごん。

**しょうさ**［小差］〔勝負などで〕わずかのちがい。「━で勝った」(↕大差)

**しょうさ**［少佐］《軍》将校の階級の一つ。大尉の上。〔自衛官の三佐に当たる〕

**しょうさ**［勝差］勝った試合の数や勝ち点の差。ゲーム差。

**しょうさ**［証左］〔文〕〔自分の主張を助ける〕証拠。しょうこ。

**じょうざ**［上座］かみざ。「━にすえる」(↕下座)

●**じょうざぶぶっきょう**［上座部仏教］《仏》修行によって自分自身をすくうことを目指す仏教。小乗仏教。上座仏教。〔スリランカ・ミャンマーなどに広まっている〕(↕大乗仏教)

**しょうさい**［省際］〔文〕たがいに関係のある省庁(の間)のこと。「━間の摩擦・━行政」

**しょうさい**［商才］商売の才(能)。「━にたける」

**しょうさい**［詳細］《名・ダナ》くわしくて細かいこと。「━な報告」

**しょうざい**［商材］〔売り手から見た〕商品。「夏物━・主力━」

**じょうさい**［城西］①〔文〕城の西がわ(の地区)。じょうせい。②東京などの西部地区。杉並区・中野区・新宿区・渋谷区・世田谷区のあたり。▽(↕城東)

**じょうさい**［城塞・城×砦］〔文〕しろ。とりで。

☆☆**じょうざい**［浄財］〔寺院に対し、また慈善などのために〕寄付するお金。

**じょうざい**［錠剤］粉薬を、まるくて平たい形にかためた薬。

**じょうざい**［常在］《名・自サ》〔文〕いつでもそこに〈ある/いる〉こと。「皮膚に━する細菌」●**じょうざいせんじょう**［常在戦場］〔=常に戦場にあり〕〔文〕武士の心得を説いたことば。いつでも戦場にいる気持ち。

**しょうさく**［小策］〔文〕小細工。

**じょうさく**［上作］①すぐれた できばえ。できのいいこと。(↔下作) ②豊作。豊年。

**じょうさく**［上策］じょうずな方法・戦術。「議論では要点をしぼるのが―だ」(↔下策)

**じょうさし**［状差し］〔柱などにかけて〕受け取った手紙・はがきなどをさし入れておくもの。

**しょうさつ**［小冊］〔文〕小さな書物。小冊子。(↔大冊)

**しょうさつ**［省察］《名・他サ》〔文〕⇩せいさつ(省察)。

**しょうさつ**［笑殺］《名・他サ》〔文〕①〔「殺」は強めのことば〕笑って相手にしないこと。また、あざわらうこと。②死ぬほど笑わせること。

**しょうさつ**［焼殺］《名・他サ》〔文〕焼き殺すこと。

**しょうさっし**［小冊子］〈小形の/うすい〉書物。ブックレット。パンフレット。

**しょうさん**［少産］〔文〕子どもを少ししかうまないこと。(↔多産) ●**しょうさんしょうし**［少産少死］〔文〕〔国の人口について〕うまれる子どもの数も少ないが、死ぬ人の数も少ないこと。「わが国も―の先進国型になった」

**しょうさん**［勝算］勝つ見こみ。「―われにあり」

**しょうさん**［硝酸］《理》アンモニアを酸化して得られる、強い酸性の液体。爆薬などの原料とする。

**しょうさん**［消散］《名・自他サ》〔文〕消えて なくなること。消して なくすこと。

**しょうさん**［称賛・賞賛・称×讃・賞×讃］《名・他サ》ほめたたえること。「―に値する」 区別 ⇩ほめる。

**じょうさん**［蒸散］《名・自サ》《植》植物の水分が表面から蒸発すること。蒸散作用。「気孔―」

**じょうざん**［乗算］《数》かけ算。(↔除算)

**しょうし**［小史］〔文〕①自分の雅号にそえることば。「〔泉〕鏡花―」 ②簡単に書いた歴史。「日本温泉―」

**しょうし**［小×祠］〔文〕小さな ほこら。

**しょうし**［小誌］〔文〕①小さな雑誌。②自分(たち)が出している雑誌をけんそんして言うことば。

**しょうし**［少子］〔文〕うむ子どもの数が少ないこと。「―(高齢)化社会」(↔多子)

**しょうし**［将士］〈大将/将校〉と兵士。

**しょうし**［証紙］〔支払い済み・検査済みなどを証明するために、はりつける紙きれ。「収入―」〔⇩収入印紙〕」

**しょうし**［×頌詩］〔文〕ほめ(たたえ)る詩。

**しょうし**［賞詞］〔文〕ほめることば。賞辞。

**しょうし**［焼死］《名・自サ》火事で焼け死ぬこと。

**しょうし**［抄紙］《名・他サ》紙をすくこと。「―機」

**しょうし**［笑止］《名・ナダ》〔文〕ばかばかしくてふき出したくなるようす。笑うべきようす。「―千万」〔あざけって言う〕

**しょうじ**［小字］小さな字。「―の注」(↔大字)

**しょうじ**［小事］〔文〕小さなことがら。大切でないことがら。「―に拘泥しない」(↔大事)

**しょうじ**［少時］〔文〕①若いとき。「―の記憶」 ②わずかの間。「―休憩する」

**しょうじ**［正時］十二時ちょうど・一時ちょうど、などの時刻。「毎―に発車している」

**しょうじ**［生死］《仏》うまれては死に、死んでは うまれる状態をくり返すこと。「―流転」 ☞せいし(生死)。

**しょうじ**［商事］①《法》商行為に関することがら。②↑商事会社。 ●**しょうじがいしゃ**［商事会社］①商行為をするために設立された会社。②売り手と買い手の間に立って商品の取引・輸出入の世話をする会社。おもに、貿易会社。商社。

**しょうじ**［障子］大きな木製のわくの中に、たてよこの桟をつけ、それに紙をはって、部屋を仕切る、建具。「―紙」 ☞鼻の障子。

**じょうし**［上×巳］〔=三月の第一 の み(巳)の日〕〔文〕五節句の一つ。旧暦三月三日。ひな祭りをする日。じょうみ。

**じょうし**［上司］自分よりも地位が上の人。上役。「―の命令」(↔部下・下僚)

**じょうし**［上使］江戸幕府から諸大名に出した使いの者。

**じょうし**［上肢］《生》うで。(↔下肢)

**じょうし**［城×址・城×趾］〔文〕しろあと。

**じょうし**［情死］《名・自サ》〔結婚できないことを悲観して〕恋人どうしが いっしょに死ぬこと。心中。

**じょうし**［上×梓］《名・他サ》〔文〕本を出版すること。 由来 梓の木の版木を使って印刷したことから。

**じょうじ**［情事］〔夫婦でない者どうしが〕相手と会って、肉体的に まじわること。「危険な―」

**じょうじ**［畳字］〔文〕⇩くりかえしふごう。

**じょうじ**［常時］《名・副》〔文〕ふだん。平生。つね。

**しょうじい・れる**［招じ入れる・△請じ入れる］《他下一》〔文〕まねき入れる。

**しょうじき**［正直］ 一《名・ナダ》①うそや ごまかしがない〈こと/ようす〉。「―な息子・―な気持ち・―に本当のことを言う・―なところ〔=本当を言うと〕びっくりした・―者」(↔不正直) ②まちがいなく、正しく反応するようす。「機械は―だ」 二《副》本当を言うと。正直なところ。「―、困ってしまった」〔江戸時代からある用法。同義語「正直(を)言うと」「正直に言って」も古く、「正直言って」は その後に広まったか。「正直に ありがたかった」のような言い方は新しい〕 派 -さ。 ●**正直のこうべ(頭)に神宿る** 句 正直な人には神の守りや助けがある。

**じょうしき**［定式］〔文〕定まった〈儀式/法式〉。「大みそか―の清めの湯にはいる」 ☞ていしき(定式)。 ●**じょうしきまく**［定式幕］《歌舞伎》舞台に使われる引き幕。萌葱・柿色・黒の三色を使った、たてじま(縞)の模様になっている。

**じょうしき**［常識］その社会の人々が共通に持つ、知識や考え方。「―がない・―〈を/から/に〉外れる・―外れ〈の/な〉考え方・―破り・そんなの―だよ〔=だれでも知っている〕」 ●**じょうしきてき**［常識的］《ナダ》だれでも〈知っている/考えつく〉ようす。「―な解釈」(↔学問的)

**じょうしぐん**［△娘子軍］〔文〕女性だけの軍隊。〔「ろうしぐん」は慣用読み〕

**しょうしたい**【硝子体】《生》眼球の内部を満たしている、透明(とうめい)な寒天のような物質。ガラス体。

**しょうしつ**【消失】《名・自サ》〔文〕消えてなくなること。消えうせること。「権利が―する」

**しょうしつ**【焼失】《名・自他サ》〔文〕焼けて なくなること。焼いて なくすこと。

**じょうしつ**【上質】質が上等であること。「―の洋紙」

**じょうじつ**【情実】個人的な感情や関係のからまったことがら。「―にとらわれる」

**しょうしみん**【小市民】①中産階級。プチブル。②名もなく たいした財産もなく、都市の中で静かに暮らす人。

**しょうしゃ**【小社】〔文〕自分の(つとめている)会社をけんそんして言うことば。区別 ⇒当社①。

**しょうしゃ**【商社】商事会社。「外国―」

**しょうしゃ**【勝者】〔文〕(戦い・試合に)勝った人。(↔敗者)

**しょうしゃ**【傷者】〔文〕負傷した人。けがにん。負傷者。

**しょうしゃ**【照射】《名・自他サ》①〔文〕日光などがてりつけること。②《医》診断(しんだん)や治療(ちりょう)などのために、X線や太陽灯などをあてること。③〔文章や作品で〕ことがらをきわだたせて えがき出す。「時代を―する一冊」

☆☆**しょうしゃ**【×瀟×洒】《ナダ》〔文〕すっきりして あかぬけているようす。しゃれたようす。「―な建物」

**じょうしゃ**【乗車】《名・自サ》電車・自動車などに乗ること。「―口・―拒否(きょひ)〔=タクシーの運転手が、口実をもうけて、客を乗せないこと〕」(↔下車・降車) ●**じょうしゃけん**【乗車券】電車・バスなどに乗る切符(きっぷ)。

**しょうしゃく**【小酌】〔文〕①少人数の さかもり。②ちょっと酒を飲むこと。

**しょうしゃく**【焼×灼】《名・他サ》《医》からだの悪い部分を焼くこと。「レーザー―・心筋を―する」

**じょうじゃく**【情弱】〔俗に、けなして〕①↔情報弱者。②情報に〈うとい/正しく対処できない〉こと。▽二〇一〇年代に広まったことば。

**じょうしゃ ひっすい**【盛者必衰】《仏》勢いのさかんな者も やがては必ずおとろえる、ということ。しょうじゃ ひっすい。

**しょうじゃ ひつめつ**【生者必滅】《仏》生きているものは必ず死ぬ、ということ。「―会者定離(えしゃじょうり)〔=生まれれば死に、会えば別れる。人の世に『いつまでも』ということはない〕」

**じょうしゅ**【上酒】上等な日本酒。うまい酒。

**じょうしゅ**【城主】領地が一つの国以下でも、城を持つさむらい。(↔国主)

**じょうしゅ**【情趣】自然の けしきや ありさまについて感じられる、しみじみとした おもむき。「秋の―・―にとんだ庭・―的」

**じょうじゅ**【上寿】〔数え年の〕百歳(さい)。また、その祝い。紀寿。百寿。〔長生きを上中下の三段階に分けたときの上をさす〕

☆☆**じょうじゅ**【成就】《名・自他サ》①ものごとが うまくいくこと。ものごとをなしとげること。「恋愛(れんあい)が―する・大願(たいがん)―」②《法》〔条件が〕満たされること。

**しょうしゅう**【消臭】悪いにおいを消すこと。「―剤(ざい)・―液」

↑**しょうしゅう**【召集】《名・他サ》①部下を呼び出して集めること。「非常―」②《法》天皇のことばによって、国会議員を議院に呼び集めること。「国会を―する」③戦時に在郷(ざいごう)軍人を軍隊に呼び集めること。「―令状」④⇒招集②。

↑**しょうしゅう**【招集】《名・他サ》①会議のために、人を招き集めること。「委員を―する・株主総会―」②〔召集〕〔サッカーなどの団体競技で〕監督(かんとく)がチームに加わってほしい選手を呼び集めること。「日本代表に―される」

**しょうじゅう**【小銃】おもに歩兵が戦うときに使う銃。「自動―」

**じょうしゅう**【常習】《名・他サ》〔文〕そうするのがくせになること。いつもそうすること。「薬物の―者」●**じょうしゅうはん**【常習犯】くり返し同じ犯罪をおこなう〈者/こと〉。

**じょうしゅう**【常襲】《名・他サ》〔文〕〔災害が〕しばしばおそうこと。「台風の―地帯」

**じょうじゅう**【常住】■一《名・自サ》①《仏》ほろびたり移り変わったりせず、永久に存在すること。②〔文〕住みついて生活すること。■二《副》〔文〕いつも。常住不断。●**じょうじゅうざが**【常住座×臥】《名・副》〔文〕いつでも。ふだん。行住(ぎょうじゅう)座臥。「―忘れない」

**しょうしゅつ**【抄出】《名・他サ》書物の一部分をぬき出して〈書くこと/書いた文章〉。

**しょうじゅつ**【詳述】《名・他サ》〔文〕くわしくのべること。「事情を―する」(↔略述)

**じょうじゅつ**【上述】《名・自他サ》〔文〕〈上/前〉にのべたこと。「―のとおり」

**しょうじゅつきん**【賞×恤金】自衛官や警察官などの公務員が、仕事中に死んだり けがをしたりしたときに出される見舞(みま)い金。

**じょうしゅび**【上首尾】ものごとがうまく はこぶこと。いい結末になること。いい首尾。(↔不首尾)

**しょうしゅん**【×頌春】〔=新春をたたえること〕〔文〕年賀状のあいさつのことば。

**しょうじゅん**【昇順】数値や文字を、〈小さい/文字コードが前の〉ほうから ならべる方式。(↔降順)

**しょうじゅん**【照準】《名・自サ》①たまが命中するように目標にねらいを定めること。「―をすえる・―をしぼる〔=焦点(しょうてん)をしぼる〕・正確に―する」②目標。「甲子園(こうしえん)出場に―を合わせる」

**じょうじゅん**【上旬】月の最初の十日間。(↔中旬・下旬(げじゅん))

**しょうしょ**【小暑】《天》二十四節気の一つ。七月七日ごろ。「―見舞(みま)い」(↔大暑(たいしょ))

**しょうしょ**【消暑・×銷暑】〔文〕暑さしのぎ。

☆☆**しょうしょ**【証書】事実の証明となる文書。「保険―・卒業―」

**しょうしょ**【詔書】《法》天皇の ことばを書いた文書。国会の召集(しょうしゅう)、衆議院の解散などのときに出される。☞勅書(ちょくしょ)・詔勅。

***しょうじょ**【少女】ふつう、五歳(さい)前後から十七、八歳ぐらいまでの女の子。「―趣味(しゅみ)」〔=少女が好みそう

な感じのするようす」(↔少年)

**じょうしょ**[情緒]⇩じょうちょ。

**じょうしょ**[上書]《名・自サ》〔文〕書面を君主にさしあげて、意見をのべること。また、そうする書面。

**じょうしょ**[浄書]《名・他サ》下書きをもとにして、きれいに書き直すこと。清書。

**じょうじょ**[乗除]《名・他サ》《数》かけざんとわりざん(をすること)。

**しょうしょう**[少将]《軍》将校の階級の一つ。大佐(たいさ)の上。〔自衛官の将補に当たる〕

**しょうしょう**[×蕭々]《タル》〔文〕ものさびしく〈風のふく／雨の降る〉ようす。「風―として」

**しょうしょう**[少々]《副》①少し。わずか(に)。「―お待ちください・―のことではおどろかない」〔料理では、親指と人さし指でつまむ分量。☞ひとつまみ①〕②かなり。少なからず。「―失礼な質問だ」

**しょうじょう**[床上]〔文〕①ゆかの上。②ねどこやベッドの上。「―に起き上がる」

*__しょうじょう__[症状]《医》病気になったり、けがをしたりしたときにあらわれる状態。「自覚―」

**しょうじょう**[×猩々]①人間に似た、想像上の動物。かみの毛が赤く、酒をよく飲むという。②オランウータン。

**しょうじょう**[賞状]いい成績やてがらをほめたことばを書いてあたえる書面。

**しょうじょう**[清浄]《名・ナダ》①〔文〕清らかでけがれがないこと。せいじょう。②《仏》煩悩(ぼんのう)や罪がなく、清らかなこと。「六根(ろっこん)―」

**しょうじょう**[×蕭条]《タル》〔文〕ひっそりしているようす。ものさびしいようす。

**じょうしょう**[城将]〔文〕しろを守る大将。

**じょうしょう**[常勝]戦いや試合に、いつも勝つこと。「―軍・―将軍」

*__じょうしょう__[上昇]《名・自サ》のぼること。あがること。「物価の―・―線をたどる(=あがり続ける)」(↔下降・低下) ●**じょうしょうきりゅう**[上昇気流]①《天》地面付近で熱せられたりして上昇する気流。(↔下降気流) ②景気・運などが上向いた状態。「時代の―に乗る」 ●**じょうしょうしこう**[上昇志向]たえず、少しでもより上の水準をめざそうとすること。「―の人」

**じょうじょう**[情状]〔文〕そうなった事情。●☆☆**じょうじょうしゃくりょう**[情状酌量]《名・自サ》《法》判決に当たって、同情できる事情を考えに入れて刑罰(けいばつ)を軽くすること。「―の余地がある」

☆☆**じょうじょう**[上場]《名・自他サ》《経》〔商品・株式を〕取引所での取引に出すこと。「東京証券取引所第一部に―・―会社」

**じょうじょう**[上々]《名・ナダ》この上もなくいいこと。「結果は―」(↔下々(げげ)) 表記「上乗」とも書く〔本来は、同じ意味の別語〕。●**じょうじょうきち**[上々吉]①(うらないで)いちばん(縁起(えんぎ)が)いいこと。②できばえがこの上もなくすぐれていること。

**じょうじょう**[×嫋々]《タル》〔文〕音声・ひびきが細く長く続くようす。「余韻(よいん)―」

**しょうじょうせぜ**[生々世々]《名・副》《仏》この世でもあの世でも。何度生まれかわっても。「―忘れはしない」

**しょうじょうぶっきょう**[小乗仏教]《仏》「上座部(じょうざぶ)仏教」の、以前の言い方。〔大乗仏教のがわがけなして呼んだ〕

**しょうしょく**[小職]〔文〕㊀しょうしょく 地位の低い官職。㊁しょうしょく《代》「当職」のさらにけんそんした言い方。▽㊀㊁(↔貴職)

**しょうしょく**[小食・少食]《名・ナダ》食事の量がすくないこと。(↔大食)

**じょうしょく**[常食]《名・他サ》①主食または副食としていつも〈食べる食べ物／食べていること〉。「米を―とする」②決まった食事。

**__しょう・じる__[生じる]〔文〕㊀《自上一》①(それまでなかったことが)起こる。あらわれる。出てくる。発生する。「特別の事情が生じないかぎり」②(木や草、かみの毛が)はえる。㊁《他上一》①起こす。生む。発生させる。「誤解を―・大きな差を―」②はやす。「葉を―」▽㊀㊁生ずる。

**しょう・じる**[招じる・請じる]《他上一》〔文〕〈家・部屋の中に〉呼び入れる。招ずる。

**じょう・じる**[乗じる]㊀《自上一》①〔文〕のる。「風雲に―・興に―」②機会をとらえる。つけこむ。「混乱に―・機に―」㊁《他上一》《数》かけ(あわせ)る。(↔除する)▽㊀㊁乗ずる。

**しょうしん**[小身]〔文〕身分が低く、家禄(かろく)が少ない〈こと／人〉。「―の武士」(↔大身(たいしん))

**しょうしん**[正真]本当。まこと。●**しょうしんしょうめい**[正真正銘]本物にまちがいないこと。「正真―(=まちがいなく)、私の本心です」

**しょうしん**[昇進]《名・自サ》地位がのぼり、進むこと。「課長に―する」

**しょうしん**[焼身]《名・自サ》〔文〕自分のからだを火で焼くこと。「―自殺」

**しょうしん**[焦心]《名・自サ》〔文〕①あせっていらだつこと。「消息を知ろうとして―する」②あせって思いなやむこと。「わが子の受験に―する」

**しょうしん**[傷心]《名・自サ》①心を痛めること。悲しむこと。②きずついた心。「―をいやす」

**しょうしん**[小心]《名・ナダ》①〔文〕用心深くするようす。②気の小さいようす。おくびょう。「―者(もの)」●**しょうしんよくよく**[小心翼々]《名・タル》〔文〕①用心深くして行動をつつしむようす。②おくびょうで、たえずびくびくしているようす。

**しょうじん**[小人]〔文〕①心のせまい人。小人物。(↔君子・大人(たいじん)) ②⇩しょうにん(小人)。☞こびと(小人)。●**小人閑居(かんきょ)して不善をなす** 句〔文〕小人物は、ひまがあるとよくないことをする。

**しょうじん**[省人]〔文〕仕事の手順や道具をくふうしたりして、働く人数を減らすこと。「―化の波」

**しょうじん**[傷人]《法》人をきずつけること。「強盗(ごうとう)―」

**しょうじん**[精進]《名・自サ》①《仏》修行(しゅぎょう)にはげんで、いいおこないをすること。「―のいい人・―潔斎(けっさい)」②忌中(きちゅう)・法事のさい、なまぐさいものを食べないこと。肉食せずに菜食すること。「―料理・お―」③精神を打ちこむこと。「学問に―する」●**しょうじんあげ**[精進揚げ]野菜類の天ぷら。●**しょうじんお**

ち［精進落ち］ 精進の期間が終わること。精進明け。〔そこでふだんの食事をするのが「精進落とし」〕

**しょうじん**［消尽］《名・他サ》〔文〕〔有るものを〕使いきること。

**じょうしん**［上伸］《名・自サ》《経》相場が高いほうへ動くこと。

**じょうしん**［上申］《名・他サ》〔文〕上役や上官に対して意見をもうしのべること。「―書」

**じょうじん**［常人］ ふつうの人。

**じょうじん**［情人］〔文〕愛人。じょうにん。

**じょうしんこ**［上新粉・上×糝粉］「新粉①」をさらに細かにひいたもの。「―でだんごを作る」

**しょう・す**［称す］《他サ》〔文〕⇩称する。

**しょうず**［小豆］《経》あずき。「―相場」

**じょうず**［上図］〔文〕上の(ほうの)図。(↕下図)

**じょうず**［上手］《名・ナダ》①(能力があって)やり方がうまいこと。できばえがいいこと。「料理の―な人・話し―聞き―を心がけよう」②〔古風〕「じょうず①」な人。巧者。▽(↕下手)③⇩おじょうず。派―さ。☞うわて(上手)・かみて(上手)。●**上手の手から水が漏れる**句 何でもじょうずにやれる人でも、たまには小さな失敗をする。

**しょうすい**［小水］ 小便。尿。〔日常語としては「お小水」のほうがふつう。「お―の回数」〕

☆☆**しょうすい**［(×憔×悴)］《名・自サ》(心配や病気のため)やせおとろえること。やつれること。「―した顔」

**じょうすい**［上水］①↑上水道。「玉川―」②上水道の、水。▽(↕下水)●**じょうすいどう**［上水道］ 消毒した川の水などを管でみちびいて、家庭や工場へ供給する設備。水道。上水。(↕下水道)

**じょうすい**［浄水］〔文〕①きよらかな水。②衛生上、害がない水(にすること)。「―装置・―器」●**じょうすいち**［浄水池］ ろか(濾過)してきれいにした水をためておく池。

←**しょうすう**［小数］《数》①零より大きく一より小さい、はしたの数。例、0.14。また、3.14の「14」の部分。(↕整数)②「小数①」のついた数字。例、3.14。(↕整数・分数)●**しょうすうてん**［小数点］《数》それより あとが小数であることを示す点。数を「3.14」「三・一四」のように書く場合の「.」「・」。

→**しょうすう**［少数］ 数の少ないこと。わずか。「―意見・―精鋭主義」(↕多数)

**じょうすう**［乗数］《数》かけ算で、かけるほうの数。例、2×3の場合、3が乗数。(↕被乗数)

←**しょう・する**［称する］《他サ》〔文〕①なのる。「義経と―」②言う。「難攻不落と称せられる」③たたえる。ほめる。「その功を―」▽称す。

→**しょう・する**［賞する］《他サ》〔文〕ほめる。賞す。

**しょう・する**［証する］《他サ》〔文〕証明する。あかす。

**しょう・する**［×誦する］《他サ》〔文〕声を出して読む。「経文を―」

**しょうせい**［小成］〔文〕わずかばかりの成功。「―に安んじるな」(↕大成)

**しょうせい**［将星］〔文〕将軍(たち)。「居並ぶ―」

**しょうせい**［笑声］〔文〕わらいごえ。

**しょうせい**［勝勢］〔文〕勝ちそうな形勢。(↕敗勢)

**しょうせい**［鐘声］〔文〕鐘の音。

**しょうせい**［招請］《名・他サ》〔文〕特にたのんで まねくこと。「―状」

**しょうせい**［焼成］《名・他サ》〔焼き物やパンなどを〕熱を加えて作ること。「高温で―する」

**しょうせい**［小生］《代》〔文・男〕自分をけんそんして言うことば。

**じょうせい**［上製］ 上等に作ること。また、その製品。(↕並製)

**じょうせい**［城西］⇩じょうさい(城西)①。

**じょうせい**［情勢・状勢］〔ものごとがある方向へ動いて行こうとする〕ようす。「国際―・―判断」

**じょうせい**［醸成］《名・他サ》(＝酒をかもすこと〔文〕ひきおこすこと。つくりだすこと。「不安を―する」

**しょうせき**［硝石］《理》硝酸カリウムの鉱石。肥料・火薬の材料。

**しょうせき**［証跡］〔文〕証拠となる形跡。「犯罪の―を残す」

**じょうせき**［上席］①上座。かみざ。(↕末席)②うえの〈等級/席次〉。「―研究員」☞かみせき(上席)。

←**じょうせき**［定石］①《碁》今までの研究によって決まっている、石のはたらきがいい打ち方。一定の打ち方の形。②決まったやり方。「―どおりに おこなう」

→**じょうせき**［定跡］《将棋》今までの研究によって、最もいいものとして決まっているさし方。

**じょうせき**［定席］①決まってすわる席。②常設の寄席。

**しょうせつ**［小雪］《天》二十四節気の一つ。十一月二十二日ごろ。☞こゆき(小雪)。

**しょうせつ**［小節］《音》五線譜の中で、縦線で仕切った、楽曲の一部分。

*__しょうせつ__［小説］ 人の生き方や社会、科学、芸術など、いろいろなテーマについて、作者の考えを物語の形で書きあらわした、散文体の文学作品。「長編―・連載―・―家」

**しょうせつ**［章節］〔論文などで〕ひとまとまりの章や節。

**しょうせつ**［消雪］《名・自サ》〔文〕積もった雪をとかして、なくすこと。「―道路・―パイプ」

**しょうせつ**［詳説］《名・他サ》〔文〕くわしく説明すること。くわしい説明。(↕概説・略説)

**じょうせつ**［常設］《名・他サ》①いつでも使えるように準備を整えておくこと。「―の映画館・―展」②やめないで、ずっと作っておくこと。「委員会を―する・〔新聞などの〕―欄」

**じょうぜつ**［冗舌・×饒舌］《名・ナダ》〔文〕おしゃべり。「―を弄する(＝むだな おしゃべりをする)」派―さ。

**しょうせっかい**［消石灰］《理》水酸化カルシウム。生石灰に水をそそいでできる、白い粉。消毒剤やしっくいの材料として用いる。

**しょうせん**［省線］ 一九二〇年から一九四九年まで、鉄道省などが管轄した鉄道路線。のちの国鉄線・JR線に当たる。「―電車」

**しょうせん**［商船］ 人や貨物を送るのに使う、船。〔おもに貨物船をさす〕

**しょうせん**［商戦］ 商業上の競争。「歳末―」

**しょうぜん**［承前］〔文〕①前の文を受けて、それに続くこと。前の続き。〔続きものなどを書き出すときに使うことば」②前のことを引き受けていくこと。

**しょうぜん**【×悄然】(タト)〔文〕元気をなくしているようす。しょんぼり。「―と立ち去った」

**じょうせん**【情宣】〔政治的な〕↑情報・宣伝。「―活動」

**じょうせん**【乗船】《名・自サ》①船に乗ること。上船。(↔下船(げせん)・降船) ②乗った船。

☆☆**しょうせんきょく**【小選挙区】〔法〕〔衆議院議員の選挙で〕議員の定員が ひとりの、小さい選挙区。衆議院議員選挙は、小選挙区制と、全国十一ブロックごとの比例代表制との並立(へいりつ)制。☞比例代表制。

☆☆**しょうそ**【勝訴】《名・自サ》〔法〕訴訟(そしょう)に勝つこと。(↔敗訴)

**じょうそ**【上訴】《名・自サ》①不服な点を上級の団体などに うったえること。②〔法〕上級裁判所(＝高等裁判所や最高裁判所)に対して、判決や決定・命令についての不服を申し立てること。控訴(こうそ)・上告・抗告(こうこく)の三種類がある。

☆☆**しょうそう**【尚早】まだその時期になっていないこと。時期が はやすぎること。「時期―」

☆☆**しょうそう**【焦燥・焦×躁】《名・自サ》〔文〕はやくそうしたいと思って、気が あせること。いらだち。「―に駆(か)られる・―感」

**しょうそう**【少壮】《名・ナダ》若くて勢いのさかんなこと。若手。「―気鋭(きえい)・―有為(ゆうい)」

**しょうぞう**【肖像】人の、顔かたちや姿を〈かいた/写した〉像。ポートレート。●☆☆**しょうぞうけん**【肖像権】自分の顔や姿を、無断で写真・絵・放送などに使われることを拒否(きょひ)できる権利。

**しょうぞう**【抄造】《名・他サ》パルプなどの原料から紙を作ること。「和紙の―・―工程」

**じょうそう**【上層】〔文〕①かさなったものの、上のほう。「―雲」②上の〈階層/地位〉。「―階級・―部」▽(↔下層)

**じょうそう**【情操】芸術・道徳・宗教などの価値を認め、受け入れることのできる、安定した心(のはたらき)。「―教育」

**じょうそう**【上奏】《名・他サ》〔文〕天皇・皇帝(こうてい)に申しあげること。

**じょうぞう**【醸造】《名・他サ》発酵(はっこう)作用を応用して酒・みそなどを造ること。「―酒」

**しょうそく**【消息】①どうして暮らしているかという連絡(れんらく)・通信。たより。「―がない」②〔文〕手紙。「―文」③現在どのような状態にあるか、その様子。「―不明」●**消息を絶つ** 句 連絡(れんらく)がなくて、どうしているか様子が わからなくなる。●**しょうそくすじ**【消息筋(すじ)】〔ニュースのたねを知らせてくれる〕その方面の事情を知っている人。●**しょうそくつう**【消息通】その方面、特に政界・外交界の情勢に くわしい人。事情通。

**しょうぞく**【装束】①よそおい。身じたく。「旅―」②衣服。「白―」

**しょうそつ**【将卒】〔文〕将校と兵士。将兵。

**しょうそん**【焼損】《名・自他サ》〔文〕焼けて だめに〈なる/する〉こと。「―面積」

**しょうたい**【小隊】〔軍〕陸軍の編制で、中隊の下の単位。

**しょうたい**【正体】①本当の姿。「―をあらわす」②正気(しょうき)。意識。「―もなく ねむる」

**しょうたい**【招待】《名・他サ》①客を家などに呼び、食事などを出してもてなすこと。「―状・―客・―者(＝招待する人)・―にあずかる」②興行・もよおし物に客として呼ぶこと。「―券」

**しょうだい**【商大】↑商科大学。

**じょうたい**【上体】〔からだの〕腰(こし)から上のほう。「―をまげる」

**じょうたい【状態・情態】ものごとの ありさま。ようす。「健康―・混乱―・水の―変化・―副詞〔☞付録文法解説「副詞」〕」

**じょうたい**【常体】〔言〕⇩普通(ふつう)体。(↔敬体)

**じょうたい**【常態】〔文〕〈ふつう/いつも〉の状態。「―化する」

**じょうだい**【上代】㊀じょうだい メーカーの希望小売価格。「参考― 五百円」㊁じょうだい〔日本文学・日本語学などで〕奈良時代(とそれ以前)。「―文学」

**じょうだい**【城代】①昔、主君にかわってしろを守った人。②江戸(えど)時代、大名の るすの間、しろを守った家老(かろう)。城代家老。

**しょうたく**【小宅】〔文〕①小さな家。②自分の家をけんそんして言うことば。拙宅(せったく)。

**しょうたく**【×妾宅】〔文〕めかけを住まわせておく家。

**しょうたく**【沼沢】〔文〕ぬまとさわ。「―地」

**しょうだく**【承諾】《名・他サ》引き受けること。聞き入れること。「申し出を―する・親の―(＝同意)を得る」

**じょうたつ**【上達】《名・自サ》その人の、学芸・技術が進むこと。「ピアノが―した」

**しょうだて**【章立て】文章を構成する、いくつかの〈まとまり/章〉のならべ方。「論文の―」

**じょうだま**【上玉】〔俗〕①美人(の芸者)。②上等のもの。

**しょうたん**【賞嘆・賞×歎】《名・他サ》〔文〕感心して、すばらしいとほめたたえること。

**しょうたん**【小胆】(ナダ)〔文〕気が小さいようす。胆力(たんりょく)が とぼしいようす。小心。(↔大胆) 派―さ。

**しょうだん**【昇段】《名・自サ》〔武術・芸道などで〕段が上がること。(↔降段)

**しょうだん**【商談】《名・自サ》商売・取引についての話し合い。

**じょうたん**【上端】〔文〕上のはし。(↔下端(かたん))

**じょうだん**【上段】①上の段。(↔中段・下段)②上座(かみざ)。③ゆかを一段高くしてある所。「―の間(ま)」④刀をふりかぶって構えること。「―の構え」(↔中段・下段)

**じょうだん**【冗談】①ふざけて言う話。「―半分で言う・―ぬきで(＝本当に)知らない・―にならない(＝笑ってすまされない)ミス・―も休み休み言え」②軽い気持ちで、ふざけてすること。「―でとった写真」●**冗談ではない** 句 相手に対し、「ふざけたことだ」「ばかげている」と強く反対することば。とんでもない。冗談じゃない〔話〕。●**冗談を飛ばす** 句 勢いよく冗談を言う。●**じょうだんぐち**【冗談口】じょうだん。「―をたたく(＝言う)」

**しょうち**【承知】《名・他サ》①それでいい、そのとおりにする、と(礼儀正しく)同意すること。「はい、―しました(=そのとおりいたします)」・下記の件、―いたしました」(↔不承知) 区別「承知しました」は丁重な表現だが、「了解しました」はふつうの丁寧な表現。ただし、「了解いたしました」と言えば、じゅうぶん丁重な表現になる。「承知いたしました」はより丁重な表現。②事情や事実を知ること。「ご―のとおり(=あなたが知っていらっしゃるとおり)」・―の上で引き受ける」③〔後ろに否定が来る〕ⓐ許すこと。「ばかにするとーしないぞ」ⓑ満足。納得。「自分が話題の中心でないと―しない」☞ご承知置き。●**しょうちのすけ**【承知×之助】〔古風〕承知したことを、人の名前にたとえて言うことば。「おっと合点、―だ」

☆☆**しょうち**【招致】《名・他サ》公式によびよせること。「オリンピックを―する・国会の参考人―」

**じょうち**【情痴】〔文〕性愛におぼれて、理性を失うこと。「―の果ての犯行」

**じょうち**【常置】《名・他サ》〔文〕①いつでも活動できるように、設備を整えて用意しておくこと。「ヘリを―する」②いつも置いておくこと。「委員会を―する」

**しょうちくばい**【松竹梅】まつ・たけ・うめ。〔めでたいものとして、喜ばれる〕

**じょうちゃく**【蒸着】《名・他サ》《理》真空中で金属などを加熱・蒸発させ、物体の表面に付着させること。

**しょうちゃんぼう**【正ちゃん帽】まるい毛のたまのついた、毛糸の帽子。由来 漫画「正チャンの冒険」の主人公がかぶっていたことから。☞ビーニー。

［しょうちゃんぼう］

**しょうちゅう**【小中】〔文〕小学校と中学校。「―の教育課程・―生」

**しょうちゅう**【掌中】〔文〕手のひらのうち。手中。●**掌中に収める** 句 〔文〕自分のものにする。●**しょうちゅうのたま**【掌中の玉】〔文〕①いちばん大切にしている玉。②この上もなく愛している子ども。

**しょうちゅう**【焼酎】サツマイモ・大麦・米などを原料とし、もろみなどを蒸留して造った、強い酒。「―甲類(=酎ハイのベースによく使う焼酎)・―乙類(=原料の風味がある焼酎)」☞ホワイトリカー。

**じょうちゅう**【条虫】・【×條虫】⇩さなだむし。

**じょうちゅう**【常駐】《名・自サ》①いつでも駐在していること。②《情》〔コンピューターで〕〈いつでも使える〉〈いつもはたらいている〉状態にあること。「―ソフト」

**じょうちゅう**【静注】《名・他サ》《医》↑静脈注射。

**しょうちょ**【小著】〔文〕①分量の少ない著作。「―ながら力作」(↔大著) ②自分の著書のけんそんした言い方。拙著。

**じょうちょ**【情緒】〔「じょうしょ」の慣用読み〕①感情の動きをさそうような、気分・ふんいき。「―ゆたか・―たっぷり」②《心》⇩じょうどう(情動)。「―不安定」③⇩じょうちょう(情調)。●**じょうちょしょうがい**【情緒障害】児童が、おもに人間関係のゆがみから、感情面に支障をきたした状態。登校拒否・自閉的傾向などが、その例。「―教育」●**じょうちょてき**【情緒的】《ナダ》①情緒に関するようす。「―発達」②〔理屈ではなく〕気分やふんいきにもとづくようす。「―な歌詞・―な人」

**しょうちょう**【小腸】《生》胃と大腸のあいだにある消化器官。十二指腸・空腸・回腸に分かれる。大腸より細く、食べたものの消化と吸収をおこなう。

**しょうちょう**【省庁】文部科学省のように省と呼ばれるところと、警察庁のように庁と呼ばれるところ。中央の官庁の総称。「各―・関係―」

**しょうちょう**【消長】《名・自サ》〔文〕栄えることとおとろえること。「勢力の―」

**しょうちょう**【象徴】《名・他サ》はっきりとはとらえにくいものの代わりに、特徴のある物や人で〈あらわすこと〉〈あらわしたもの〉。シンボル。「ハトは平和の―だ・その時代を―する人物・―天皇(=戦後の憲法で、日本を象徴する立場にある天皇)」●**しょうちょうし**【象徴詩】暗示的・音楽的な内容をあらわす詩。●**しょうちょうてき**【象徴的】《ナダ》①何かを象徴するようなようす。②形だけで、中身がほとんどないようす。

**じょうちょう**【上長】〔文〕①目上。年上。②地位が上の人。上司。「職場の―」(↔部下)▽長上。

**じょうちょう**【情調】〔文〕その時代やその場所を思わせるような気分・ふんいき。情緒。「異国―・江戸―にひたる」

**じょうちょう**【場長】試験場・魚市場など、場と呼ばれるところの、いちばん上の人。

**じょうちょう**【冗長】《ナダ》簡潔でなく、長ったらしいようす。派―さ。

**しょうちょく**【詔勅】〔文〕詔書と勅書。みことのり。

**しょうちん**【消沈・×銷沈】《名・自サ》〔文〕おとろえしずむこと。「意気―する」

**しょうつき**【祥月】その人が亡くなった月と同じ月。●**しょうつきめいにち**【祥月命日】《仏》〔一周忌(以降の)〕その人が亡くなった月日と同じ月日。忌辰。

**じょうてい**【上底】《数》台形の平行な二辺のうち、上の辺。(↔下底)

**じょうてい**【乗艇】《名・自サ》〔文〕①ヨットや、エンジンのある小さな船に乗ること。②その人の乗ったヨットまたは、エンジンのある小さな船。

**じょうてい**【上程】《名・他サ》会議の日程にのせること。議案を会議にかけること。

**しょうてき**【小敵】〔文〕①弱い敵。(↔大敵) ②〔少敵〕わずかの敵。

**じょうでき**【上出来】《ナダ》上等のできばえ。(↔不出来)

**しょうてん**【小店】〔文〕①小さな店。②自分の店をけんそんして言うことば。弊店。

**しょうてん**【小×篆】漢字の古い書体の一つ。秦の時代に決められた。篆文。〔図は「国語」〕

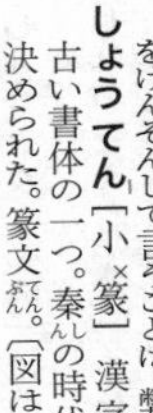
［しょうてん］

**しょうてん**【商店】商品を売る店。「―街」

**しょうてん**【焦点】①《理》〈反射〉〈屈折〉した光線が集まる点。また、一つの点からのように四方に出るときの点。フォーカス。「―をあわせる」☞「虚像①」の絵。②考えや注意が集まる(問題)点。「論議の―・―をしぼる(=論点をしぼる)・―を〈当てる〉〈置く〉(=議論・

し

考察の対象にする」」•**しょうてんきょり**[焦点距離]《理》レンズの中心から「焦点①」までの距離。

•**しょうてんぼけ**[焦点(×暈け)]《名・自サ・ダ》焦点が定まらずにぼやけること。「議論が—する・相場は柱となるものがなく—だ」

←**しょうてん**[召天]《名・自サ》〔キリスト教で〕信者が死ぬこと。[区別]⇩死ぬ㊀①。

**しょうでん**[招電]〔文〕こちらに来てほしい、と呼ぶ電報。

**しょうでん**[小伝]〔文〕簡単な伝記。

→**しょうてん**[昇天]《名・自サ》①〔文〕天にのぼること。「旭日(きょくじつ)—の勢い」②《宗》〔キリスト教で〕キリストの死。「—祭」③死ぬこと。④〔俗〕興奮が頂点に達すること。「—必至の曲」

**しょうでん**[昇殿]《名・自サ》神社の拝殿に上がること。「—参拝」

**じょうてんき**[上天気]よく晴れた、いい天気。

**しょうと**[省都]〔中国などの〕省の首都。

**しょうと**[商都]〔文〕商業のさかんな都市。「—大阪」

**しょうど**[焦土]焼けこげた黒い土。建物などが焼けうせて あとかたもない所。「空襲(くうしゅう)で—と化す」

**しょうど**[照度]《理》光を受けているものの、表面の明るさの度合い。単位はルクス〔記号lx〕。☞光度。

**じょうと**[譲渡]《名・他サ》〔財産・権利などを〕ゆずりわたすこと。有償(ゆうしょう)でおこなうさいの譲渡所得には、所得税がかかる。

**じょうど**[浄土]《仏》仏・菩薩(ぼさつ)のいるというきよらかな世界。特に、阿弥陀仏(あみだぶつ)のいるという極楽(ごくらく)浄土。西方(さいほう)浄土。「お—」(↔穢土(えど))•**じょうどしゅう**[浄土宗]《仏》平安時代末期に法然(ほうねん)が開いた、仏教の一派。念仏を唱えれば極楽浄土(ごくらくじょうど)に行けると説く。•**じょうどしんしゅう**[浄土真宗]《仏》鎌倉(かまくら)時代初期に親鸞(しんらん)が開いた、仏教の一派。阿弥陀仏(あみだぶつ)を信じれば、善人も、それにもまして悪人も極楽浄土(ごくらくじょうど)に行けると説く。一向(いっこう)宗。〔派によって「真宗」と言う〕

**しょうとう**[小刀]わきざし。(↔大刀) ☞こがたな(小刀)。

**しょうとう**[小党]人数の少ない〈党派/政党〉。「—乱立」

**しょうとう**[正当]《仏》〔年代が〕ちょうどそれにあたること。「入寂(にゅうじゃく)千百五十年—」

**しょうとう**[消灯]《名・自サ》〔寝(ね)るまえに〕あかりを消すこと。「—時間」(↔点灯)

**しょうどう**[商道]〔文〕商人としての守るべき道。

**しょうどう**[衝動]《心》善悪などを考えず無意識に何かをしたくなる、心の動き。「—的に突っきとばした・さけびたい—にかられる・性—・—買い(=予定外の無計画な買い方)」

**しょうどう**[×聳動]《名・自他サ》〔文〕おそれて動揺(どうよう)すること。おどろかせて動揺させること。「世間を—するニュース」

←**しょうどう**[唱道]《名・他サ》〔文〕⇩しょうどう(唱導)②。

→**しょうどう**[唱導]《名・他サ》〔文〕①先に立ってみちびくこと。「反対運動の—者」②となえ始めること。唱道。

**じょうとう**[上棟]〔文〕むねあげ。「—式」

**じょうとう**[城東]①〔文〕城の東がわ(の地区)。②東京などの東部地区。江東(こうとう)区・墨田(すみだ)区・江戸川(えどがわ)区など。▽(↔城西(じょうさい))

☆☆**じょうとう**[常×套]〔文〕決まったしかた。ありふれていること。「—語・—句・困ったら相手のせいにするのが—手段(=いつものやり方)だ」

**じょうとう**[上等]《名・ダ》①等級が上である〈こと/もの〉。「—兵」②品質がいいようす。「—な洋服」③〈上品な/すぐれている〉ようす。「—な人間」▽(↔下等)④大いにけっこうなようす。上出来。「そこまでできれば—だ」⑤〔俗〕大いに のぞむところ。やってやろう。「けんか—」[派]—さ。

**じょうどう**[常道]それをするためには そうするのがふつうの方法。「学問の—」

**じょうどう**[情動]《心》いかり・おそれ・喜び・悲しみなど、急に起こってくるはげしい感情の動き。情緒(じょうちょ)。

**じょうどう**[成道]《名・自サ》《仏》〔釈迦(しゃか)が〕さとりをひらいたこと。

**しょうとうだい**[床頭台]病室のベッドのかたわらにおき、患者(かんじゃ)が日常使用する台。テーブル状の台の下に引き出しや たながある。

**しょうどうとく**[商道徳]商人として守るべき道徳。

**しょうとく**[生得]〔文〕⇩せいとく。

**しょうとく**[×頌徳]〔文〕徳をほめたたえること。「—碑(ひ)」

**しょうどく**[消毒]《名・他サ》《医》ばい菌(きん)・病菌を殺すこと。「—薬・日光—」

←**じょうとくい**[上得意]〔たくさん買ってくれる〕いいお客。「—様」

→**じょうとくい**[常得意]いつも来るお客。

**しょうとつ**[衝突]《名・自サ》①〈ある物に/二つの物がたがいに〉突っ当たること。「電柱に—する・正面—」②〔立場・意見・利害などが〕くいちがって、争うこと。「意見の—」

**しょうとり**[証取]《経》①↑証券取引所。「ロンドン—」②↑証券取引。「—法」

**しょうとりひき**[商取引]商業上の取引行為(こうい)。

**しょうどん**[焼鈍]《名・他サ》《理》金属などを熱してから、ゆっくりと冷ますこと。金属をやわらかくしたり不純物を取り除いたりする。焼きなまし。

**しょうない**[省内]省の内部。(↔省外)

**じょうない**[城内]しろの中。城中。(↔城外)

**じょうない**[場内]〈その場所/会場〉の中。「—アナウンス」(↔場外)

**しょうなごん**[少納言]《歴》太政官(だいじょうかん)の第三等の官。(↔大納言・中納言)

**じょうなし**[情(無し)]〔古風〕人情のない〈こと/人〉。

**じょうなま**[上生]〔↑上生菓子(なまがし)〕和菓子で、上等の生菓子。

**しょうなん**[小難]〔文〕小さな災難。(↔大難(だいなん))

**じょうなん**[城南]①〔文〕城の南がわ(の地区)。②東京などの南部地区。おもに、大田区・品川区・目黒区。▽(↔城北)

**しょうに**[小児]〔文〕小さな子ども。おさなご。•しようにか【小児科】子どもの内科的な病気に関する、医学・診療の一部門。「ー医」〔「小児科医院」などの名前にも使う〕●しょうにびょう【小児病】①〔医〕子どもだけにある病気。例、百日ぜき。②ひとりよがりで極端な、おとなげない考え方や行動。「左翼ー」●しょうにまひ【小児〈麻×痺〉】〔医〕⇩ポリオ。

しょうにく【正肉】〔牛・ブタ・ニワトリの〕骨・皮・内臓などを取り去った、正味の肉。

しょうにゅうせき【×鍾乳石】《地》鍾乳洞の中で、石灰分が水に溶けてつららのようにたれ下がったもの。☞石筍・石柱②。

しょうにゅうどう【×鍾乳洞】《地》石灰岩の多い地方にある、ほらあな。石灰洞。例、山口県の秋芳洞。

←しょうにん【上人】《仏》①知識と徳のある仏教徒。②「僧」の尊敬語。

→しょうにん【△聖人】《仏》①知恵があって慈悲心の深い人。②徳の高い僧。☞せいじん(聖人)。

しょうにん【小人】〔視覚語〕〔入浴料・入場料などで〕子ども。しょうじん。(↔大人)☞こびと(小人)。

しょうにん【商人】商業をいとなむ人。あきんど。

☆☆しょうにん【証人】①事実を証明する人。②《法》裁判所に呼び出され、自分の見聞きした事実をのべる人。「ーの証言」

しょうにん【昇任・×陞任】《名・自他サ》上級の任務・地位にのぼ(らせ)ること。(↔降任)

しょうにん【承認】《名・他サ》①検討して、問題ないと認めること。「役員会でー済み」②それでいい、と受け入れること。「人からーされたい」「相手のーを得る」③価値があると認めること。●しょうにんよっきゅう【承認欲求】自分の存在や能力を、ほかの人に認めてもらいたいと望むこと。「ーが強い」

じょうにん【常任】①ずっとその職務についていて、いつでも仕事ができる状態にあること。「ー幹事・ー指揮者」②《音》←常任指揮者。

しょうにんずう【少人数】少ない人数。小人数。しょうにんず〔古風〕。(↔多人数)

しょうね【性根】①進んでやりぬこうとする心。根性。②《歌舞伎》登場人物の性格。●性根を据える 句 〔いいかげんでなく〕性根をしっかりと固める。自 性根が据わる。●しょうねだま【性根玉】〔俗〕性根。

しょうねつ【焦熱】(↔焦熱地獄)《仏》地獄の一つ。燃えさかる火の中に投げこまれて苦しむ。

じょうねつ【情熱】燃えあがるような、はげしい感情。「ー家・仕事にーを燃やす」●じょうねつてき【情熱的】(ナダ)感情を燃えあがらせるようす。

**しょうねん【少年】①五歳前後から十五、六歳ぐらいまでの男の子。「ーよ、大志を抱け」〔明治時代の札幌農学校の教頭クラークのことば〕(↔少女)②「少年①」の年ごろ(の男女)。〔少年法では十八歳未満の男女〕「ー犯罪」(↔青年・壮年・老年)●少年老い易く学成り難し 句 若いと思っていてもすぐ年を取るのに対し、学問を修めるには時間がかかるものだ。●しょうねんいん【少年院】《法》家庭裁判所から保護処分として送致された非行少年を入れて教育する施設。●しょうねんかんべつしょ【少年鑑別所】《法》法律にもとづき、非行少年を収容して、少年の資質をくわしく調べる施設。鑑別所。●しょうねんだん【少年団】少年の修養団体。社会に奉仕し善良な公民となることを目的とする。ボーイスカウト。

しょうねん【生年】〔文〕とし。年齢。せいねん。

じょうねん【情念】理性でおさえにくい、強い感情。「色欲のー」

☆☆しょうねんば【正念場】その人の本当の力が問われる、だいじな場面。「ーをむかえる」 由来 歌舞伎などの「性根場」(=性根をすえるべきだいじな場面)から。

しょうのう【小脳】《生》脳髄の一部。大脳の下にあって、からだの運動や平衡をつかさどる。

しょうのう【小農】《農》家族だけでする、小規模の農業。また、その農家。☞大農①・中農。

しょうのう【×樟脳】《理》クスノキの幹・葉にふくまれる、においのいい成分。防虫剤・医薬品などに使われる。

しょうのう【笑納】《名・他サ》〔文〕〔相手かたに〕おくりものを受け取ってもらうときの、けんそんした言い方。「ごーください」

じょうのう【〈×瓤×嚢〉】《植》〔かんきつ類で〕「砂嚢の③」を包んでいるふくろ。

じょうのう【上納】《名・他サ》政府や上級の団体などにおさめること。「ー金」

しょうのつき【小の月】新暦で三十日以下、旧暦で二十九日の月。(↔大の月)

しょうのむし【小の虫】小さなものごと。(↔大の虫)●小の虫を殺して大の虫を助ける 句 大きいものごとを〈守る/なしとげる〉ために、小さなものごとを犠牲にする。大の虫を生かして小の虫を殺す。

しょうは【消波】〔文〕岸に届く波の力を弱めること。「ーブロック〔⇩テトラポッド〕」波消し。

しょうは【小破】《名・自他サ》〔文〕少し破損すること。(↔大破)

しょうは【×翔破】《名・他サ》〔文〕〔鳥・航空機などが、目的地まで〕とび終えること。

じょうば【乗馬】①馬に乗ること。(↔下馬・落馬)②楽しみ・健康のために、馬に乗る野外活動。「ークラブ」☞馬術。③乗るための馬。「戦士のー・競走馬が引退してーになる」

しょうはい【勝敗】かちまけ。勝負。「ーにこだわるな」

←しょうはい【賞杯・賞×盃】〔文〕賞としてあたえるさかずき。カップ。

←しょうはい【賞×牌】〔文〕賞としてあたえる記章。メダル。

しょうばい【商売】《名・自サ》①ものを仕入れて売る〈こと/職業〉。営業。あきない。「ー人・ー繁盛・ごーー〔関西では『おー』とも〕」②職業。仕事。「ーは大工です・弁護士ー〔=弁護士という職業〕・ー道具」③芸者・遊女などの職業。「ー女」④〔俗〕専門にやる仕事。「悪口をーにする」●商売は道によって賢し 句 商売をする人はそれぞれ自分の得意な方面でうまくやる。●しょうばいがたき【商売敵】商売のうえでの競争者。●しょうばいがら【商売〈柄〉】商売で養われた習性。「—あいそがいい」●**しょうばいぎ**[商売気]①いつも金銭の利益をねらう気質。②職業意識。「—を出す」

**しょうはく**[松×柏]〔文〕マツやヒノキの類。ときわぎ。「—盆栽」

**しょうはく**[商博]〔文〕↑商学博士。

**しょうはく**[衝迫]〔文〕心の中にわき起こってくる強い欲求。「切実な—感」

**じょうはく**[上×膊]《生》⇩上腕。

**しょうばつ**[賞罰]賞と罰。〔履歴書に書くときは、法律上の表彰・刑罰をさす〕「—なし」

**じょうはつ**[蒸発]《名・自サ》①《理》液体が、熱せられたりして表面から気体となること。②〔俗〕ⓐ家庭をすてて、ゆくえをくらますこと。ⓑいつのまにか いなくなること。「会場から—した」

**しょうはん**[小藩]《歴》石高の小さい藩。(↔大藩)

**しょうばん**[相伴]《名・自サ》①客の相手となって、いっしょに もてなしを受ける〈こと/人〉。「〈お/ご〉—に あずかる」②ほかとのつりあいで、利益を受けること。

**じょうはん**[上阪]《名・自サ》〔文〕地方から大阪にやってくること。

**じょうばん**[上番]《名・自サ》交替制の任務につくこと。(↔下番)

**じょうはんしん**[上半身]腰から上の部分。かみはんしん。(↔下半身)

****しょうひ**[消費]《名・他サ》①使ったり食べたりして、なくすこと。「体力を—する・時間を—する・米の—量・—電力」②《経》お金を出して ものを買うこと。「—地・—支出・若者の—行動」▽(↔生産)③一時的に関心を持ったり楽しんだりする(そして忘れ去る)こと。「人々の苦労を美談として—する・—されつくした流行語」●☆☆**しょうひきげん**[消費期限]〔日もちがおよそ五日以内の食品が〕安全に食べられる期限。弁当や総菜などに言う。☞賞味期限。●**しょうひざい**[消費財]《経》毎日の生活で使う品物。衣服・食料など。(↔生産財)☞耐久消費財。●☆☆**しょうひしゃ**[消費者]①《経》ものを買うがわの人。「—心理・—物価指数(=消費者の買う おもな品目を選んで、物価の水準を測定した数字)」②《生》食物連鎖で、植物が生産した有機物を食べるもの。つまり、動物。〔その死骸を分解する微生物が、分解者〕▽(↔生産者)●**しょうひしゃきんゆう**[消費者金融]個人に対し、高い利息で小口の信用貸し付けをおこなう〈仕事/業者〉。サラ金〔俗〕。●**しょうひしゃけいやくほう**[消費者契約法]《法》消費者を、不当な契約などから守る法律。消費者がうそをつかれて結んだ契約の取り消しなどを認めるほか、一方的に不利なあつかいを受ける契約の条項も無効となる。●**しょうひしゃちょう**[消費者庁]《法》問題のある商品・サービスの規制を勧告するなど、消費者行政に関する事務をあつかう官庁。内閣府の外局。●☆☆**しょうひぜい**[消費税]《法》製造販売業者やサービス業者を対象に、取引段階ごとにかける税金。消費者が負担し、業者がおさめる。●**しょうひせいかつセンター**[消費生活センター]国民生活センターと協力して、消費生活についての相談の受け付けや、情報の提供をおこなう地方行政機関。

**しょうび**[焦眉]〔(=まゆをこがすほどに火が近づく)〕〔文〕非常にさしせまっていること。「—の問題」●**しょうびのきゅう**[焦眉の急]〔文〕すぐに解決しなければならない状況。「財政再建は—だ・事は—を告げる」

**しょうび**[賞美]《名・他サ》〔文〕ほめ(たたえ)ること。表記「称美」とも書いた。

**じょうひ**[上皮]《生》外面をおおう皮。うわかわ。

**じょうひ**[冗費]〔文〕むだな費用。「—の節約」

**じょうび**[常備]《名・他サ》いつも準備しておくこと。「—軍・—兵力・—薬」●**じょうびさい**[常備菜]作り置きをして、食事のたびに出すおかず。

**じょうびたき**[(△尉×鶲)]冬のはじめ、人家に来るヒタキ。つばさは、オスが黒、メスが茶色で、まんなかに白い斑紋がある。

**しょうひつ**[省筆]《名・自他サ》〔文〕①字句を省略して簡潔に書くこと。②漢字の字画の一部を省略すること。▽省文。

☆☆**しょうひょう**[商標]自社の商品・サービスであることを明らかにするためにつける、文字・図形・記号などのしるし。トレードマーク。「登録—・—権」

←**しょうひょう**[証票]証明のふだ。

→**しょうひょう**[証×憑]《名・他サ》①〔文〕証拠。②契約やしはらいなどの取引内容を証明する書類。証憑書類。

**しょうびょう**[傷病]けがと病気。「—者」

**じょうひょう**[上表]〔文〕①君主にたてまつる〈文書/意見書〉。上書。②上にかかげた表。

**しょうひん**[小品]〔文〕①(↑小品文)写生を主にした、短い文章。②〔絵画・彫刻・音楽などで〕ちょっとした作品。(↔大作)

****しょうひん**[商品]《経》売り買いや取引の対象となるもの。品物。●**しょうひんけん**[商品券]《経》表面に書いてある価格に相当する商品と引き換えることを約束して、商店が発行する券。商品切手。

**しょうひん**[賞品]賞としてあたえる品物。

**じょうひん**[上品]《ナダ》ひかえめで美しく、価値が高いようす。品がいいようす。「—なデザイン・—な味わい・お—で優しい人柄」(↔下品)派—さ。

**しょうふ**[(正×麩)]小麦の粉のでんぷん。「—のり(糊)」

**しょうふ**[×娼婦]売春婦。

**しょうぶ**[尚武]〔文〕武芸・軍事などをとうとぶこと。「—の気風」

**しょうぶ**[(×菖×蒲)]①水べにはえる野草の名。葉は細長く、強いかおりがある。棒状の花をつける。②⇩はなしょうぶ。「—園」●**しょうぶゆ**[(×菖×蒲)湯]五月五日にはいる、「しょうぶ①」の葉をうかべた湯。

**しょうぶ**[勝負]《名・自サ》①勝ち負け。勝敗。「—なし」②勝ち負けを決めること。「ひとつ—しよう・ここが—どころ(=成功か失敗かの分かれめ)だ・—に出る(=決戦をいどむ)・—球」③勝ち負けを争う試合・ゲーム。「いい—だ」●**勝負は時の運**句 勝敗はその時の運によるもので、強い方が必ず勝つとは限らない。●**しょうぶごと**[勝負(事)]①勝敗をあらそう わざ。かけごと。例、競馬・競輪など。②ばくち。●**勝負事は げた**

(下駄)を履くまで 句 ⇩げたを履くまで分からない〔「げた(下駄)」の 句 〕。●しょうぶし［勝負師］①〔文〕ばくちうち。②勝ち負けを争うことを職業とする人。③いちかばちか、思い切って事をおこなう人。●しょうぶづよ・い［勝負強い］《形》ここ一番というだいじな勝負に強い。「―選手」派 ―さ。●しょうぶふく［勝負服］①〔乗馬で〕騎手がレースのときに着る服。②〔俗〕〔デートなどで〕ここ一番というときに着る服。

じょうふ［上布］ラミーの繊維で織った、上等の麻織物。

←じょうふ［情夫］〔古風〕世間に知らせられない関係にある、男性の愛人。いろおとこ。(↔情婦)

→じょうふ［情婦］〔古風〕世間に知らせられない関係にある、女性の愛人。いろおんな。(↔情夫)

じょうぶ［上部］①上のほうの部分。「画面の―」②権限・権威などの点で、上だと認められるもの。「―団体」▽(↔下部)

じょうぶ［丈夫］《ナダ》①からだがしっかりしていて、病気にならないようす。達者。「―で病気一つしたことがない」②こわれたりくずれたりしないようす。「―な箱・―なひも」由来 もと、力強い男子の意味。派 ―さ。

しょうふく［小幅］〔文〕小さな掛け軸。小軸。(↔大幅)

しょうふく［×妾腹］〔文〕めかけを母親とすること。

しょうふく［招福］〔文〕福をまねくと言われている〈こと/もの〉。「―の猫の置物」

しょうふく［承服・承伏］《名・自サ》承知してしたがうこと。

しょうふく［×慴伏・×懾伏］《名・自サ》〔文〕おそれて、ひれふすこと。「権勢の前に―する」

じょうふく［浄福］《名・ナダ》〔文〕宗教を信じることで得られる、きよらかな幸福(に みちたようす)。

じょうふくぶ［上腹部］腹の上のほうの部分。(↔下腹部)

じょうぶくろ［状袋］封筒。

しょうふだ［正札］①かけねのない値段を書いて品物につけたふだ。「―付き」②かけねの ないこと。

じょうぶつ［成仏］《名・自サ》《仏》死んで ほとけになること。区別 ⇩死ぬ 一 ①。

しょうぶん［小文］〔文〕①〈小さな/ちょっとした〉文。②自分の文章のけんそんした言い方。

しょうぶん［性分］うまれつきの性質。天性。「正直な―・損な―」

じょうぶん［上聞］〔文〕〔天皇・君主が〕聞くこと。「―に達する(=お耳に〈はいる/入れる〉)」

じょうぶん［条文］〔条約・法律などの〕箇条書きの文。「憲法の―」

じょうふんべつ［上分別］〔古風〕いい分別。利口な判断。「あんなやつには かかわらないのが―だ」

しょうへい［将兵］将校と兵士。

しょうへい［傷兵］〔文〕〔戦争で〕けがをした兵士。

☆☆しょうへい［招×聘］《名・他サ》〔文〕〔仕事をしてもらうため〕礼をつくして、人をまねくこと。「コーチとして―する」

じょうへい［城兵］しろを守る兵士。

しょうへいが［障×屏画］びょうぶ・ふすま・戸・ついてなどに かいた絵。

☆☆しょうへき［障壁］①しきり(の かべ)。②じゃまになるもの。さまたげ。●しょうへきが［障壁画］障屏画と壁画とをあわせた呼び名。

じょうへき［城壁］しろの かべ。「―をよじる」

しょうへん［小片］〔文〕小さな〈きれはし/かけら〉。

←しょうへん［小編・小×篇］短く まとめた、文学などの作品。

→しょうへん［掌編・掌×篇］〔文〕非常に短い文学作品。コント。

しょうべん［小便］一 ぼうこう(膀胱)から尿道を通って出る液体。尿。おしっこ。お小水。「―くさい(=子どもっぽい)」(↔大便) 二《名・自サ》①「小便 一」を出すこと。特に、立ち小便をすること。おしっこ。(↔大便) ②〔俗〕契約・注文をすっぽかすこと。取り消し。▽一 二 しょんべん〔俗〕。●しょうべんむよう［小便無用］ここで立ち小便をするな。

しょうほ［将補］《軍》自衛官の階級の一つ。将の一つ下。もとの少将にあたる。

☆☆じょうほ［譲歩］《名・自サ》自分の主張ばかりをおしとおさずに、相手の考えも受け入れること。「たがいに―する」

しょうほう［商法］①商売のしかた。☞士族の商法。②《法》〈商業活動/商事〉に関係した法規。

しょうほう［唱法］歌い方。「歌曲の―」

しょうほう［勝報・×捷報］〔文〕勝った知らせ。「―いたる」(↔敗報)

しょうほう［詳報］《名・他サ》〔文〕くわしく知らせる〈こと/報告/ニュース〉。

しょうぼう［正法］《仏》正しい、仏の教え。

*しょうぼう［消防］①火事を消したり、予防したりすること。〔消防機関は救急活動や風水害・地震などに対する活動もおこなう〕「―署・―士」②↑消防自動車。「すぐ―がかけつけた」●しょうぼうだん［消防団］消防活動をする、住民参加の組織。一九四七年発足。「―員」●しょうぼうちょう［消防庁］《法》①消防行政に関する企画・立案、消防技術の研究、地方自治体の消防活動の指導などをおこなう官庁。総務省の外局。総務省消防庁。②↑東京消防庁。

しょうぼう［焼亡］《名・自サ》〔文〕焼けてなくなること。「放火で―した寺」

じょうほう［上方］〔文〕上のほう。「―修正(=予測などを〈高い/いい〉数値に直すこと)」(↔下方) ☞かみがた(上方)。

じょうほう［定法］決まったやり方。

じょうほう［乗法］《数》かけざん。(↔除法)

**じょうほう［情報］①ものごとについて(新しいことを)知らせるもの。「気象―・生活―・―戦・―が古い」②《情》〔コンピューターで〕デジタル信号として処理される内容。文字・映像・命令など。③そこから、何かの意味が読みとれるもの。「視覚―(=絵や景色など)・遺伝―(=DNAにしるされた、どんな生物を作るかを決めるもの)」④「情報①②」の処理技術について学ぶ、高等学校の教科。●じょうほうがく［情報学］情報伝達や情報技術などについて、総合的に研究する学問。●じょうほうかくさ［情報格差］⇩デジタルデバイド。●☆☆じょうほう(か)しゃかい［情報(化)社会］コンピューターが発達し、だれもが大量の情報を簡単に手に入れ、利用できる社会。脱工業化社会。●じょうほうかでん［情報家電］〈個人の〉情報通信や情報処理の能力をそなえた家庭電器。●じょうほうきかん［情報機関］国内外の情報を収集・調査する国家機関。●じょうほうげん［情報源］情報をおしえてくれる人。筋。ニュースソース。●じょうほうこうかいせいど［情報公開制度］行政機関のもっている情報を、国民が自由に知ることができるように公開する制度。●じょうほうさんぎょう［情報産業］情報を収集・整理・提供することにかかわる産業。マスコミ産業から、情報システムに関する産業まで はば広い。●じょうほうじゃくしゃ［情報弱者］①情報を得る手段が限られている人。②情報にまどわされて、正しく対処できない人。▽情弱〔俗〕。●じょうほうしょり［情報処理］①〈情〉コンピューターに情報を入れて、役立つように加工すること。「―能力」②目・耳などで情報をとらえ、脳で判断を加えること。●じょうほうもう［情報網］情報をとらえるための、網の目のようにひろがった組織。情報ネットワーク。

**じょうほく**［城北］①〔文〕城の北がわ(の地区)。②東京などの北部地区。おもに、豊島区・練馬区・板橋区・荒川区。▽(↔城南)

**しょうほん**［正本］①⇩せいほん(正本)。②芝居の台本。脚本。

☆☆**しょうほん**［抄本］①［×鈔本］〔文〕ぬき書きにした本。②原本の一部を書きぬいたもの。「戸籍―」(↔謄本・原本)

**しょうま**［消磨］《名・自他サ》〔文〕すりへらすこと。すりへること。

**じょうまい**［上米］上等の米。

**じょうまえ**［錠前］⇩じょう(錠)[一]。

**しょうまきょう**［照魔鏡］①魔物の本性を照らし出すという かがみ。②かくれた本体を映し出すもの。「文壇―」

**しょうまん**［小満］〈=草木が満ちあふれる〉《天》二十四節気の一つ。五月二十一日ごろ。

**じょうまん**［冗漫］《名・ナダ》長ったらしくて しまりのないこと。派―さ。

**しょうみ**［笑味］《名・他サ》〔文〕〈相手かたに〉おくりものを味わってもらうときの、けんそんした言い方。「ご―ください」

→**しょうみ**［賞味］《名・他サ》〔文〕〈もらった食品などを〉おいしいと思って味わうこと。「ありがたく―いたしました」●☆☆しょうみきげん［賞味期限］①〈日もちがおよそ五日を超える食品が〉おいしく食べられる期限。「乳製品の―」☞消費期限。②〔俗〕活躍できる期限。「タレントの―」

**しょうみ**［正味］《名・副》①よけいな部分を除いた〈中身/おもな部分〉。「―三日かかった仕事」②〈風袋を除いた〉中身の重さ。ネット。「―百グラム」③〔関西方言〕本当のところ。「―の話・―〈=はっきり言って〉おもろないわ」

**じょうみ**［情味］人情味。「―のある人」

**しょうみつ**［詳密］《ナダ》くわしくて細かいようす。派―さ。

☆☆**じょうみゃく**［静脈］《生》からだの表面近くにあって、青黒く見える血管。からだに酸素を補ったあとの、二酸化炭素の多い血を心臓にはこぶ。(↔動脈)●じょうみゃくちゅうしゃ［静脈注射］《名・他サ》〈医〉薬を静脈内に注射すること。静注。「点滴で―する」●じょうみゃくりゅう［静脈×瘤］〈医〉静脈がふくれて、ヘビがうねったように見える状態。

**しょうみょう**［小名］江戸時代、大名の中で石高の少ない諸侯。(↔大名)

**しょうみょう**［声明］〈仏〉法会のとき、僧によってとなえられる声楽。和讃など。☞せいめい(声明)。

**じょうみょう**［定命］〈仏〉この世に うまれる前から決まっている寿命。

**じょうみん**［常民］〔文〕その地方の住民の大部分をしめる、ふつうの人。庶民。

**しょうむ**［商務］〔文〕商業上の事務。「―協定・〈アメリカ〉―長官」

**しょうむ**［訟務］《法》〈国の利害にかかわる訴訟で〉国の立場から裁判所に対して申し立てや立証をおこなう活動。「―検事〈=国がわの代理人となる検事〉」

**じょうむ**［常務］↑常務取締役。「高村―」●じょうむとりしまりやく［常務取締役］株式会社の常勤の取締役。常務。

**じょうむ**［乗務］《名・自サ》交通機関に乗りこんで運転をし、また事務をあつかうこと。「―員」

**しょうめい**［召命］〈宗〉キリスト教で、自分に向けた神の呼びかけを聞き、それに従うこと。特に、聖職者としての道への呼びかけを指す。

**しょうめい**［正銘］〔文〕ほんもの。「―の人間国宝だ」☞正真正銘。

*__しょうめい__［証明］《名・他サ》〈正しい/本当である〉ということを、明らかにすること。「定理を―する・身分―書」

**しょうめい**［照明］《名・他サ》①電灯などで てらして、明るくすること。「室内の―」②舞台の効果を高めるため〈に使う光線/の光線の使い方〉。

**じょうめいかふく**［上命下服］〔文〕上位の者の命令に下位の者が服従すること。「―の関係」

**しょうめつ**［生滅］《名・自サ》〔文〕うまれることと死ぬこと。

**しょうめつ**［消滅］《名・自サ》消えて なくなること。「自然が―する」

**しょうめん**［正面］①〈人・ものなどの外観で〉こちらに向き合っていると感じられる面。基本と感じられる面。〔人や動物では、顔のあるがわ。乗り物では、先頭にあたるがわ。建物では、玄関のあるがわ〕「―図」(↔側面・背面)②〈自分または相手から見て〉ななめにならない位置。まっすぐ前。「―を見る・―に富士山が見える・―から見すえる」③問題に まっすぐ向き合う位置。「―から議論する」☞二正面作戦。④《すもう》土俵の北がわ(の席)。(↔向こう正面)●正面切って句 はっきり。えんりょせずに。「―抗議する」〈東京などで「表面切って」とも〉●正面を切る句 正面に まっすぐ顔を向ける。●しょうめんしょうとつ［正面衝突］《名・自サ》まっこうから衝突すること。「列車どうしがーする・利害がーする」 ●**しょうめんとっぱ**[正面突破]《名・他サ》①〔敵陣を〕正面から破ること。「包囲網をーする」②正攻法で問題を解決すること。「危機をーする」

**しょうもう**[消耗]《名・自他サ》〔「しょうこう」の慣用読み〕①使って〈その分だけ へる/なくなる〉こと。また、そのようにすること。「体力をーする」②へとへとにつかれる。「ぐったりーした」 ●**しょうもうせん**[消耗戦]①《軍》たがいに大量の武器や兵力を使うだけで勝敗の決まらない戦い。②たがいに力を消耗するだけの無理な争い。「各社が赤字覚悟のーに突入した」 ●**しょうもうひん**[消耗品]①使うたびに へる物。えんぴつ・コピー用紙など。☞備品。②〔俗〕〈使い捨てにされる/いくらでも補充のきく〉下っぱの人。

**しょうもな・い**《形》〔↑しょう《=する方法》も無い。もと大阪方言〕つまらない。くだらない。しょーもない。「ーじょうだん」

**じょうもの**[上物]　上等の品物。(↕裾物・並物)☞うわもの(上物)。

**しょうもん**[小問]〔文〕試験問題などで、大きい問いの下の段階の小さい問い。(↕大問)

**しょうもん**[掌紋]　手のひらの表面にある細かい線。指紋と同じく固有のもので、一生変わらない。

**しょうもん**[証文]　証拠の文書。証書。 ●**しょうもんのだしおくれ**[証文の出し後れ]　時機におくれたために役に立たないことのたとえ。

**じょうもん**[定紋]　家によって決まっている紋。

**じょうもん**[城門]　しろの〈門/出入り口〉。

**じょうもん**[縄文]〔文=模様〕《歴》土器の表面に、なわや むしろをおしつけてつけた模様。「ー土器」 ●**じょうもんじだい**[縄文時代]《歴》日本の考古学上の時代区分。縄文土器が製作・使用された時代。弥生時代の始まる紀元前五世紀ごろまで。

**しょうや**[×庄屋]　江戸時代、村民の中から任命されて、村の行政事務をあつかった者。〔おもに西日本での呼び名。東日本では「名主」〕

**しょうやきょく**[小夜曲]《音》⇩セレナーデ。

**しょうやく**[生薬]《漢方》漢方薬などの材料として使う、植物や動物の全体または一部を干したもの。ゲンノショウコ・クコ・キナなど。きぐすり。

**しょうやく**[抄訳]《名・他サ》〔文〕原文の一部をぬき出して翻訳〈すること/したもの〉。(↕全訳・完訳)

***じょうやく**[条約]《法》国どうしの権利・義務を取り決める約束や、その条文。「ーを結ぶ」

**じょうやど**[定宿・常宿]　いつも とまる宿。

**じょうやとい**[常雇い]　続けて〈やとうこと/やとわれる人〉。常用。(↕日雇い・臨時雇い)

**じょうやとう**[常夜灯]　ひと晩じゅうつけておく灯火。

**じょうやなべ**[常夜鍋]　豚肉と青菜などシンプルな取り合わせの鍋料理。酒とこんぶだしを煮たてた鍋に具材を入れ、しゃぶしゃぶのようにさっと火を通して食べる。由来 毎晩、または夜通し食べられるくらい おいしいから。

**しょうゆ**[〈×醤油〉]　調味料の一種。ダイズから造る、塩からく風味のある、黒茶色の液体。したじ。むらさき。ソイソース。「おー」 表記 俗に「正油」とも。

☆☆**しょうよ**[賞与]　決まった給与のほかにしはらう、まとまったお金。ボーナス。一時金。〔ふつう、一年に二回、夏と冬に支給される〕

**じょうよ**[丈余]〔文〕一丈〔=約三メートル〕以上。また、そのくらい高いようす。「ーの積雪」

**じょうよ**[剰余]　①〔文〕必要な限度よりも多い量。「ー金」②《数》ある〈数/式〉を割ったときに残った数または式。▽あまり。

**じょうよ**[譲与]《名・他サ》〔お金・物・権利などを〕ゆずりあたえること。「地方ー税」

**しょうよう**[小用]　①小便。「ーを足す」②ちょっとした用事。▽こよう。

**しょうよう**[商用]　商売上の用。「ーで出張する・ーの品」

**しょうよう**[×逍×遥]《名・自他サ》〔文〕ぶらぶら歩くこと。散歩。「海辺〈を/に〉ーする」

**しょうよう**[称揚・賞揚]《名・他サ》〔文〕ほめたたえること。「業績をーする」

**しょうよう**[×慫×慂]《名・他サ》〔文〕〔…しなさい、と言って〕すすめること。「就任をーする」

**しょうよう**[賞用]《名・他サ》〔文〕〔これはいい品だと〕ほめて使うこと。

**しょうよう**[従容]《タル》〔文〕ゆったりしておちついているようす。「ーとして死地におもむく」

**じょうよう**[乗用]　人間が乗るために使うこと。「ーに供する」 ●**じょうようしゃ**[乗用車]　人が乗るための普通自動車。

**じょうよう**[常用]　一《名・他サ》①ふだん使うこと。「ー語句」②続けて使うこと。「睡眠薬をーする」　二[常×傭]　人を続けてやとうこと。常やとい。「ー工」 ●☆☆**じょうようかんじ**[常用漢字]　日常使う目安として政府が定めた、二一三六字の漢字。〔当用漢字に代わって一九八一年に定められ、二〇一〇年に改定されて今の字数になった〕「ー表」

**しょうようじゅ**[照葉樹]《植》ツバキ・クスノキなど、常緑の広葉樹。「ー林」

**しょうよく**[小欲・少欲]〔文〕わずかの欲。(↕大欲・多欲)

**じょうよく**[情欲]　①性的に人と愛し合いたいという欲望。「ーをかき立てられる」②情事に関すること。「ーシーン」▽愛欲。区別 ⇩性欲。

**じょうら**[上裸]〔俗〕上半身に何も着ていないこと。「ーですごす」

**しょうらい**[松×籟]〔文〕まつかぜ(の音)。「ーが聞こえる」

***しょうらい**[将来]　一 しょうらい　まだ遠いが、そのうちきっとやって来る時。行く末。先行き。「ーは医者になりたい・ーに備えて貯金する」区別「将来」は、現実的に考えられる場合に、「未来」は空想の部分が大きい場合に使う。　二 しょうらい《名・他サ》〔文〕持ってくること。「海外からーした器物」 ●**しょうらいせい**[将来性]　将来〈発展する/りっぱなものになる〉という見込み。 ●**しょうらいてき**[将来的]《ダナ》将来はどうなるか、予想するようす。「ーには廃止されるだろう」

**しょうらい**[招来]《名・他サ》〔文〕ある状態をひき起こすこと。「インフレをーする」

**しょうらい**[△請来]《名・他サ》〔文〕外国から仏像・

お経などを、お願いしてもらってくること。

**じょうらく**［上×洛］《名・自サ》〔文〕京都へ行くこと。上京。

**しょうらん**［小欄］①新聞の、ちょっとした欄。②自分の新聞の欄を、けんそんして言うことば。

**しょうらん**［笑覧］《名・他サ》（=笑って見ること）〔文〕自分の作品などを人に見てもらうことの、けんそんした言い方。「ごーください」

**しょうらん**［照覧］《名・他サ》〔文〕①明らかに見ること。②神や仏がごらんになること。「神仏もーあれ」

**じょうらん**［×擾乱］《名・自サ》〔文〕さわがしく みだれること。

**じょうらん**［上覧］《名・他サ》〔文〕天皇・将軍などがごらんになること。

**しょうり**［小利］〔文〕小さな利益。（↔大利）

**しょうり**［勝利・×捷利］《名・自他サ》勝つこと。勝ち。「初ーをかざる・ー投手・相手にーする・初戦〈に/を〉ーした」（↔敗北）●**しょうりだてん**［勝利打点］《野球》その試合の勝ちに直接結びつく打点。

←**じょうり**［条理］ものごとの筋道。「事のーをわきまえる」

→**じょうり**［情理］人情と道理。「ーをつくして説く」

**じょうり**［場裏・場×裡］造〔文〕（かけ引きの はげしい）場所の中。「国際ーに立つ・競争ー」

**じょうりく**［上陸］《名・自サ》①〈船/海〉から陸にあがること。「台風がーする」②〈店や商品が〉そこに進出してくること。「〈日本/関西〉初ーのレストラン」

**しょうりつ**［勝率］試合や勝負に勝った割合。

**じょうりつ**［乗率］ある数字にかける率。

**しょうりゃく**［商略］商売上の〈策略/かけひき〉。

**しょうりゃく**［省略］《名・他サ》一部分をはぶくこと。「説明をーする・途中にーがある」●**省略に従う**句〔文〕省略ということにする。「実例はー」

**じょうりゃく**［上略］《名・自サ》〔文〕前の文を略すこと。（↔中略・下略）

**しょうりゅう**［昇竜］〔文〕天にのぼろうとする〈勢いのいい〉竜。「ーのごとき勢い」

**しょうりゅう**［商流］（↑商的流通）《経》商品を注文した人に所有権が移る流れ。☞物流。

**じょうりゅう**［上流］①川の流れの、みなもとに近い〈ほう/地域〉。川上。②社会の上位にある、ゆとりのある階級。「ーの家庭に育つ」▽（↔中流・下流）

**じょうりゅう**［蒸留・蒸×溜］《名・他サ》《理》液体を沸騰させて、できた蒸気をひやして、また液体にすること。「ー水（=蒸留して、不純物を取り除いた水）・ウイスキーのー所」☞乾留。●**じょうりゅうしゅ**［蒸留酒］酒を蒸留して、ふくまれるアルコール分の割合を多くしたもの。例、焼酎・ウイスキー・ブランデーなど。

**しょうりょ**［焦慮］《名・自サ》〔文〕あせること。「ーの念にかられる」

←**しょうりょう**［小量］〔文〕心がせまいこと。狭量。（↔大量）

→**しょうりょう**［少量］わずかの〈分量/数量〉。（↔多量・大量）

**しょうりょう**［精霊］《仏》死んだ人のたましい。（みたま。「ーさま」☞せいれい（精霊）。●**しょうりょうえ**［精霊会］⇩お盆㊁。●**しょうりょうながし**［精霊流し］盆の十三日にむかえた精霊を、十六日に川などへ流すこと。灯籠流し。しょうろうながし。〔送り火をたいて送ることは、「しょうりょう送り」と言う〕●**しょうりょうばった**［精霊：飛蝗］大形のバッタ。頭が三角で、からだは緑または茶色。「きちきち」と鳴く。こめつきばった。はたおり〈むし〉。

**しょうりょう**［×秤量］《名・他サ》〔文〕⇩ひょうりょう〈秤量〉。

**しょうりょう**［渉猟］《名・他サ》〔文〕①広く歩き回ってさがしもとめること。「山野をーする」②多くの本を読みあさること。「文献をーする」

**しょうりょく**［省力］《名・自サ》機械化などによって、作業の手間をはぶくこと。「ー機械」

**じょうりょく**［常緑］《植》冬も葉が落ちず、一年じゅうみどり色であること。「ー高木」●**じょうりょくじゅ**［常緑樹］《植》一年じゅう、葉が落ちずにみどり色をしている木。ときわぎ。例、マツ・スギ・ヒノキなど。（↔落葉樹）

**しょうりんじけんぽう**［少林寺拳法］精神修養・護身などを目的とする拳法。〔中国の少林寺に伝わるものは「少林拳」〕

**しょうるい**［生類］〔文〕いきもの。生物。「ーあわれみ（=動物愛護）の令」

**じょうるい**［城塁］〔文〕とりで。しろ。

**じょうるり**［浄瑠璃］①三味線にあわせて語る、一種の語り物。義太夫・清元・新内・常磐津などに分かれる。②⇩ぎだゆう（義太夫）。

**しょうれい**［省令］《法》各省大臣が出す、行政上の命令。

**しょうれい**［症例］《医》病気の症状の実例。

**しょうれい**［×瘴×癘］〔文〕ある地域に起こる熱病や風土病。「ーの地（=不衛生で健康に悪い土地）」

**しょうれい**［奨励］《名・他サ》いいことだからするように、とすすめること。「貯蓄ー」

☆☆**じょうれい**［条例］《法》地方自治体が法律の範囲内で制定できる、自主的な法規。

**じょうれい**［常例］〔文〕いつもの例。

**しょうれき**［賞歴］〔文〕受賞の経歴。

**じょうれん**［常連・定連］いつも、その興行場・飲食店などに来る〈連中/客〉。常客。

**しょうろ**［松露］海岸にはえる、小形のまるいキノコ。食用。☞トリュフ①。

**ジョウロ**［←如雨露・じょうろ］〔ポ jarra の変化という〕草木に水をそそぎかける道具。ジョーロ。ジョロ。

**じょうろう**［上×臈］〔文〕身分の高い女性。

**しょうろう**［鐘楼］かねつき堂。しゅろう。

**しょうろうながし**［精霊流し］⇩しょうりょうながし。

**しょうろうびょうし**［生老病死］《仏》人間としてさけられない、四つの苦しみ。生まれること、老いること、病気になること、死ぬこと。四苦。

**しょうろく**［抄録］《名・他サ》〔文〕①書きぬくこと。②ぬき書き。

**しょうろく**［詳録］《名・他サ》〔文〕くわしい記録〈をとること〉。

**じょうろく**［丈六］《仏》身長が一丈六尺（=約四・

八メートル」の仏像。〔ふつう、これより大きいのが大仏。多くはすわった姿に作るので、約半分の高さとなる〕「―の仏」

**しょうろん**【小論】〔文〕①規模の小さな論文・論説。②「自分の論文・論説」の謙譲(けんじょう)語。

**しょうろん**【詳論】《名・他サ》〔文〕くわしく論じること。くわしい議論。

**しょうろんぶん**【小論文】自分の考えをのべる短い論文。「大学入試での―」

**ショウロンポウ**〔:小籠包〕〔中国語〕⇨ショーロンポー。

****しょうわ**【昭和】①昭和天皇の時代の年号(一九二六年十二月二十五日〜一九八九年一月七日)。大正の次、平成の前。〔略記して「S42」「昭42」などと書く〕由来 中国の「書経(しょきょう)」の「百姓(ひゃくせい)昭明にして、万邦(ばんぽう)を協和す」から。②昭和時代。「―元禄(げんろく)(=一九七〇年前後の、平和で豊かになった時代)」・〔形容動詞化して〕―なふんいき」●**しょうわのひ**【昭和の日】国民の祝日の一つ。四月二十九日。昭和をふりかえり、これからの日本を考える日。〔二〇〇七年から実施(じっし)。昭和時代は、終戦直後までは天長節(=天皇の誕生日)、戦後は天皇誕生日。平成時代に、みどりの日を経て現在に至った〕

**しょうわ**【笑話】〔文〕おもしろおかしい話。笑い話。

**しょうわ**【唱和】《名・自他サ》(大ぜいが)ほかの人にあわせて〈となえる／歌う〉こと。「万歳(ばんざい)を―する・会場のみなさんもご―ください」

**じょうわ**【情話】〔文〕人情や恋愛(れんあい)が中心となる物語。

**しょうわくせい**【小惑星】《天》おもに火星と木星の間にあって太陽をめぐる、小さな天体。アステロイド。

**しょうわる**【性悪】《名・ダ》性質の悪い〈こと／人〉。しょうあく。派―さ。☞せいあく(性悪)。

**じょうわん**【上腕】《生》ひじから上の部分。二の腕。もと、上膊(じょうはく)。「―部」(↔前腕・下腕)

**しょえい**【書影】本の外観。表紙や外箱。「―画像」

**しょえん**【初演】《名・他サ》最初の〈演奏／上演〉。「本邦(ほんぽう)―」(↔再演)

**しょえん**【所演】《名・他サ》〔文〕芸能などが演じられること。「大家(たいか)―の能」

**じょえん**【助演】《名・自サ》《映画・演劇》主役・おもな出演者をたすけて出演する〈こと／人〉。(↔主演)

**じょえん**【除塩】《名・自他サ》〔文〕地中の塩分を取り除くこと。「農地の―作業」

**ショー**〔show〕①展示会。〔新型作品の〕発表会。「―を打つ(=ショーをもよおす)」・ファッション―・モーター―」②おどり・演芸などの上演。「―ガール」③映画(の上映)。「ナイト―」▽ショウ。

**ショーアップ**《名・他サ》〔和製 show up〕番組・もよおしを楽しくするために、くふうをこらすこと。

**じょおう**【女王】①女性の王。女の君主。②《法》天皇の ひ(曽)孫以下の、皇族の女子。③その世界で最もすぐれた女性。「体操界の―」▽じょうおう。●**じょおうばち**【女王蜂】①《動》多くのハチの中心となって、たまごを産むハチ。②いつも大ぜいに囲まれて、その中心的な存在になっている女性。▽じょうおうばち。

**ショーウインドウ**〔show window〕商店で、商品をならべて、通りがかりの人に見せる、ガラスばりの所。陳列窓(ちんれつまど)。飾(かざ)り窓。ショー〈ウインドー／ウィンドウ〉。

**ジョーカー**〔joker=道化師(どうけし)〕《トランプ》ワイルドカードや、ババぬきのババなどに使う、特別なカード。

**ジョーク**〔joke〕じょうだん。しゃれ。

**ショーケース**〔showcase〕陳列(ちんれつ)だな。

**ジョーゼット**〔georgette=もと、商標名〕強くよった糸で織ったうすい布。女性の夏服などにする。

**ショーツ**〔shorts〕《服》①パンティー。②⇨ショートパンツ。

**ショート**〔short〕㊀①短いこと。「―丈(だけ)・ゴルフの―(=短距離(きょり))コース・―コント」②〔↑ショート ヘア〕(男女の)短髪(たんぱつ)。「―にする」▽(↔ロング)③〔↑ショートストップ(米 shortstop)〕《野球》遊撃(ゆうげき)手。④↑ショートケーキ。「イチゴ―」⑤↑ショートプログラム。㊁《名・自サ》①〔↑ショートサーキット〕《理》電流が、決められた回路から外れてとつぜんたくさん流れること。短絡(たんらく)。「―してヒューズがとんだ」②《経》たりなくなること。欠乏(けつぼう)。「資金―」㊂《名・自他サ》《ゴルフ》目標に届かないこと。「五メートル―だ」(↔オーバー)●**ショートカクテル**〔short cocktail=時間をかけないで飲むカクテル〕量が少なくてアルコールが強めのカクテル。氷を入れない。例、マティーニ・マルガリータ。ショートドリンク。(↔ロングカクテル)●**ショートカット**㊀〔short haircut〕短く切った髪(かみ)の形。㊁《名・自サ》〔shortcut〕①近道(になるコース)を取ること。②《情》(コンピューターで)いくつかの手順をふむ操作を複数のキーの組み合わせで一度におこなう機能。「―キー」●**ショートケーキ**〔米 shortcake〕洋菓子(ようがし)の一つ。カステラのように軽く焼いた台の中間や上に くだもの・クリームなどをそえたもの。「イチゴの―」●**ショートショート**〔short-short ↑ short story〕非常に短い短編小説。掌編(しょうへん)小説。●**ショートステイ**〔short stay〕①寝(ね)たきり老人を、福祉施設(ふくしせつ)で短期間保護すること。短期入所。②留学生などが、一般(いっぱん)家庭に短期間滞在(たいざい)すること。▽(↔ロングステイ)●**ショートトラック**〔short track〕〔スピードスケートで〕一周一一一・一二メートルの室内リンク(でおこなわれる競技)。●**ショートパンツ**〔short pants〕《服》ももの見える、たけの短い(女性用の)ズボン。短パン。ショーパン。ショーツ。●**ショートプログラム**〔short program〕《フィギュアスケート》決められた数と種類のスピン・ジャンプなどを織りこんで、音楽を表現する種目。ショート。SP。☞フリースケーティング。

**ショートニング**〔shortening〕動植物油をねりあわせて作った、クリーム状のもの。脂肪(しぼう)百パーセント。製パン・料理などに使う。

**ショーパブ**〔和製 show pub〕歌・おどり・コントなどのショーが楽しめるパブ。

**ショーパン**《服》↑ショートパンツ。

☆☆**ショービジネス**〔show business〕演芸・演劇・映画・音楽などの、ショーをあつかう事業。ショービズ。「―界(=芸能界)」

**ショービズ**〔show biz〕⇨ショービジネス。

**ショーマン**〔showman〕〔古風〕(男性の)エンターテイナーや興行師。●**ショーマンシップ**〔showmanship〕〔古風〕ショーマンとしての心がけと才能。

**ショール**〔shawl〕〔和服などに使う〕女性用肩かけ。

**ショールーム**〔showroom〕（その場では売らない商品の）陳列室。

**ジョーロ**［(:如雨露)］⇩ジョウロ。

**ショーロンポー**［(:小籠包)］〔中国語〕ひと口サイズのパオズで、熱い汁がはいっているもの。ショウロンポウ。「焼き―」

**しょか**［初夏］①夏のはじめ。六月ごろ。(↕晩夏)②〔文〕旧暦四月。今の五月ごろ。(↕仲夏・晩夏)▽はつなつ。

**しょか**［書架］〔文〕本だな。

**しょか**［書家］書道の専門家。

**しょか**［諸家］〔文〕一派をなしている、多くの人。

**しょが**［書画］①書と絵。「―骨董」②〔文書の〕文字や絵。「―カメラ(=文書をスクリーンに映し出すための撮影装置)」

**じょか**［序歌］序として そえた短歌。

**ジョガー**〔jogger〕ジョギングをする人。

**しょかい**［初会］①客が、はじめてその遊女を自分の相手とすること。②最初の会合。「―の議長はくじ引きで決める」

**しょかい**［初回］最初の回。第一回。(↕終回)

**しょかい**［所懐］〔文〕心に思うこと。「―の一端をのべる」

**じょがい**［除外］《名・他サ》〈範囲/規定〉の外におくこと。取りのけること。「特殊な場合を―する」

●**じょがいれい**［除外例］原則や ふつうの状態から外れている例。

**しょがかり**［諸(掛かり)］いろいろの費用。「運賃―」

**しょがく**［初学］はじめて まなぶ〈こと/人〉。「―者」

**じょがくせい**［女学生］女学校の学生。今の高校・中学の女生徒にあたる。

☆☆**しょかつ**［所轄］《名・他サ》①管轄(の範囲)。うけもち。「―税務署」②〔↑所轄署〕《警察》その区域を受け持つ警察署。(↕本部・〔東京都は〕本庁)

**じょがっこう**［女学校］〔↑高等女学校〕〔旧制度で〕女子に中等教育をおこなう学校。

**しょかん**［初刊］最初の刊行。

**しょかん**［所感］心に感じたこと。感想。「年頭の―」

**しょかん**［書簡・書×翰］〔文〕てがみ。「―文」●**しょかんせん**［書簡箋］手紙を書く紙。便箋。

**しょかん**［所管］《名・他サ》管理〈すること/の範囲〉。うけもち。「―官庁」

**じょかん**［女官］⇩にょかん。

**じょかんさ**［除感作］《名・自サ》《医》アレルギーを起こす もとを少しずつ量をふやしながら注射して、からだをならすこと。脱感作。☞減感作。

←**しょき**［初期］(いちばん)はじめの時期。始まってまもない時期。「昭和―・パソコンの―設定」(↕末期)☞初期化・初期微動。

→**しょき**［所期］《名・他サ》〔文〕そうしようと思って、めざすこと。「―の目的を達する」

**しょき**［書記］■一 会議の記録・文書の作成などの事務を受け持つ職員。■二《名・自サ》文字で書きしるすこと。「―された文献」

**しょき**［暑気］〔文〕夏の暑さ。「―ばらいにビールを飲む」(↕寒気)

**しょきあたり**［暑気(△中り)］夏の あつさのために、病気に〈なること/なった状態〉。あつさあたり。

**しょきか**［初期化］《名・他サ》《情》⇩フォーマット■二。

**しょききょく**［書記局］政党や労働組合などで、毎日の事務をあつかう所。「―長」

**じょきじょき**《副》はさみを大きく動かして ものを切る〈音/ようす〉。「かみの毛を―切る」

**しょきちょう**［書記長］書記局の長。

**しょきびどう**［初期微動］《地》地震が始まるときの小さな ゆれ。P波が伝わって起こる。(↕主要動)

**じょきゃく**［除却］《名・他サ》①取り除くこと。「違法広告物の―」②《経》不要になった固定資産などを帳簿から削除すること。

**しょきゅう**［初級］〈はじめ/最低〉の等級。「中国語―」(↕中級・上級)

**しょきゅう**［初球］《野球》投手がその打者に最初に投げるボール。第一球。「―打ち」

**しょきゅう**［初給］初任給。

**じょきゅう**［女給］〔古風〕⇩ホステス②。

**じょきょ**［除去］《名・他サ》〔文〕取り除くこと。「障害物を―する・―食(=アレルゲンをふくまない食事)」

**しょぎょう**［所業・所行］〔文〕しわざ。ふるまい。「好ましくない―」

**しょぎょう**［書業］書家としての仕事。「―展」

**しょぎょう**［諸行］《仏》宇宙にある いっさいのもの。

●**しょぎょうむじょう**［諸行無常］《仏》いっさいの現象は常に移り変わって一つの状態にとどまることがない、ということ。

**じょきょう**［助教］〔大学などで〕専任講師の下の教員(の職名)。みずから研究し、教壇にも立つ。☞助手②。

**じょきょうじゅ**［助教授］⇩准教授。

**じょきょく**［序曲］①《音》オペラの開幕の前の音楽。②《音》管弦楽曲の形式の一種。③最初の段階。序章。「政界再編の―」▽オーバーチュア。

☆☆**じょきん**［除菌］《名・自サ》細菌を取り除くこと。

☆☆**ジョギング**《名・自サ》〔jogging〕健康のために走る、軽いランニング。ジョグ。ジョッギング・ジョッキング〔古風〕。

**しょく**［初句］〔文〕〔和歌・俳句などで〕最初の句。第一の句。

**しょく**［食］■一 **しょく** ①食べること。「衣―住・―文化」②食事。「病人―」③〔文〕たべもの。食物。「食うに(=食事をしようとしても)―なし」■二 **しょく**［×蝕］《天》天体(の光)が ほかの天体にさえぎられて見えなくなること。「部分―」■三 接尾 食事・料理の数量をあらわす。「一泊二―付き・〔レストランで〕一日二十―限定のメニュー」●**食が落ちる** 句 食べる量がいつもより少なくなる。食欲が なくなる。●**食が進む** 句 食欲があって、たくさん たべる。食事が進む。箸が進む。●**食が細い** 句 小食だ。●**食が細る** 句 食事の量が少なくなる。

**しょく**［植］〔文〕植物。「動(=動物)、―、鉱(=鉱物)」

**しょく**［×燭］〔文〕ともしび。

**しょく**［職］■一 **しょく** ①仕事。職業。「―に就く・―

がない」②〔手先でする〕仕事の技術。「手に―がある」③職務。「―を奉じる〔⇩奉職〕・―を解く〔＝やめさせる〕」 ⊟造 ①受け持つ事務。「管理―」②職人。「たたみ―」

**しょく**［色］造 ①いろ。「自然―・四―にぬる」☞しき(色)。②〔…らしい〕ようす。「国際―・地方―」③〔…する〕ようす。「警戒―を強める」④〔…の〕傾向。「政治―のこい団体」

**しょく**［私欲］ 自分だけが利益を得ようとする心。「私利―」

**ジョグ**《名・自サ》〔jog〕 ⇩ジョギング。

**しょくあたり**［食〈△中り〉］《名・自サ》 食物の中毒。食傷。

**しょくあん**［職安］ ↑公共職業安定所。

**しょくい**［職位］ 職務上の地位。例、取締役・課長・教授。

**しょくいき**［職域］ ①職場。「―回覧・―接種」②職業の分野。

☆☆**しょくいく**［食育］ 健全な食生活や食習慣を身につけさせるための教育(運動)。

**しょくいん**［職印］ 官職をあらわす印。

*__しょくいん__［職員］〔官庁・学校・会社などにつとめて〕〈職務／事務〉を受け持つ人。● **しょくいんろく**［職員録］ 官庁や会社につとめている者の職名・姓名などを印刷した本。

**しょぐう**［処遇］《名・他サ》 身分や待遇などについての取りあつかい方(を決めること)。「管理職として―する」

**しょくえん**［食塩］ ①料理に使う、精製したしお。食卓塩。②《理》塩化ナトリウム。「―水」

**しょくえん**［職縁］〔文〕職場のつながり(による こと)。「―社会・―結婚」

**しょくおや**［職親］ 知的障害者をあずかって、職業訓練などをおこなう事業経営者。

**しょくがい**［食害・×蝕害］《名・他サ》《農》害虫や鳥獣が、植物や農作物を食いあらすこと。また、その害。

**しょくがん**［食玩］〔↑食品玩具〕 子ども向けの菓子などに付いている、おまけのおもちゃ。

*__しょくぎょう__［職業］ それで暮らしをたてて行くための仕事。職。「―に就く・―を選ぶ・―訓練・ご―は(何ですか)?」 ● **しょくぎょうあんていじょ**［職業安定所］ ↑公共職業安定所。 ● **しょくぎょういしき**［職業意識］ それぞれの職業に特有な〈注意の向け方／心の持ち方〉。商売気。 ● **しょくぎょうてき**［職業的］《ナダ》 職業として おこなうようす。 ● **しょくぎょうびょう**［職業病］ ①その職業の特殊な条件のせいで起こる病気。②自分の仕事の関係から、ほかの人よりも気になってしまうことがらのあること。

**しょくげん**［食言］《名・自サ》〔文〕約束をちがえること。うそをつくこと。

**しょくご**［食後］ 食事の あと。(↔食前)

**しょくさい**［植栽］《名・自サ》〔文〕植物を栽培すること。また、栽培されている植物。

**しょくざい**［食材］ 料理の材料としての食品。「精選した―」

☆☆**しょくざい**［×贖罪］《名・自サ》〔文〕お金や品物を出して つみをゆるしてもらうこと。つみほろぼし。

**しょくさん**［殖産］〔文〕産業をさかんに すること。「―興業」

**しょくし**［食思］《医》食欲。「―不振」

**しょくし**［食指］〔文〕人さしゆび。 ● ☆☆**食指が動く** 句〔そのことに関心を持って〕自分のものにしたい気持ちになる。他食指を動かす。

**しょくじ**［植字］《印刷》活字や込めもの〔＝字間・行間などをあけるために つめるもの〕をならべて組み版をつくること。ちょくじ。

*__しょくじ__［食事］《名・自サ》 ①毎日の習慣として、米のめしやパン、おかずなどを食べること。また、その食べるもの。ごはん。めし。「―をする・―を と(摂)る・―どき・―会〔＝会食〕・お―」②〔日本料理のコースで〕主食のごはん(にしる物などをそえたもの)。③［食餌］〔栄養のもととなる〕食べ物。「―制限・―療法〔＝食べ物をくふうして からだを治す方法。食療法〕」 ● **食事が進む** 句 ⇩食が進む(「食」の句)。

**しょくしつ**［職質］《名・自サ》 ↑職務質問。

**しょくしゃ**［触車］《名・自サ》〔文〕人が列車に接触すること。「―事故」

**しょくしゅ**［触手］《動》下等動物にある、やわらかい棒のような形の出っぱり。触覚をつかさどり、食物をとらえたりする。 ● **触手を伸ばす** 句 野心を持って、手に入れようと はたらきかける。

**しょくしゅ**［職種］ 職業の種類。

**しょくじゅ**［植樹］《名・自サ》〔文〕木をうえること。「記念―」

**しょくじゅう**［職住］ 職場と住居。「―近接の暮らし・―一体」

**しょくじょ**［織女］〔↑織女星〕〔文〕こと(琴)座の大きな星。たなばた(ひめ)。おりひめ。(↔牽牛) 由来「織女」は、はたおりの女性の意。☞七夕。

**しょくしょう**［職掌］ つとめ。職務。「―がら」

☆☆**しょくしょう**［食傷］《名・自サ》〔＝食あたり〕 食べすぎたために、あるいは、くり返し見たり聞いたりしたために、いやになること。「―気味」

☆☆**しょくしん**［触診］《名・他サ》《医》手でさわって おこなう〈診察／診断〉。

**しょくじんしゅ**［食人種］ 人の肉を食うといわれる野蛮人。人食い人種。〔多く、偏見から未知の民族を野蛮視して言った〕

**しょくす**［食酢］ 酢。しょくず。〔JASでの名称〕

**しょく・する**［食する］《他サ》〔文〕たべる。食す。「ステーキを塩で―」〔気取った言い方〕

**しょく・する**［嘱する・△属する］《他サ》〔文〕〔望みを かける。〕「将来を―」

**じょくせ**［△濁世］《仏》⇩だくせ①。

**しょくせい**［食性］《動》動物の、食物に対する習性。食物の種類や好ききらいなど。

**しょくせい**［植生］《植》その地域での、植物の分布の状態。「―図」

**しょくせい**［職制］ ①職務を分担する上での制度。②役付きの社員や工員。例、課長や組長。

**しょくせいかつ**［食生活］ 毎日の生活のうちで、食事に関係のある方面。「―の合理化」

**しょくせき**【職責】職務上の責任。「―をはたす」

**しょくぜん**【食前】食事の前。(↔食後)

**しょくぜん**【食膳】食べ物をのせる膳。●**食膳に上(のぼ)せる** 句 食卓(しょくたく)に出す。食膳にのせる。自 食膳に上る。

**しょくせんき**【食洗機】食器を自動的に洗う機械。食器洗い(乾燥(かんそう))機。「―を回す」

**しょくそ**【職組】↑職員組合。しょくくみ。

**じょくそう**【×褥×瘡】〔医〕⇨とこずれ。

**しょくだい**【×燭台】ろうそくを立てる台。

**しょくたく**【食卓】食事をする机。テーブル。「―をともにする」(=いっしょに食事する)・「―を囲む」(=みんなで食事する)」●**しょくたくえん**【食卓塩】料理にふりかけて味をととのえるしお。つぶが細かでさらさらしている。

☆☆**しょくたく**【嘱託】《名・他サ》①〔文〕仕事をたのんで、してもらうこと。②正式の社員・職員ではないが、仕事の一部を受け持つ身分(の人)。●**しょくたくさつじん**【嘱託殺人】〔法〕本人から自分を殺してくれとたのまれて殺すこと。

**しょくち**【触知】〔文〕ものにさわって認識(にんしき)すること。「―できる動脈・―式信号機」

**じょくち**【辱知】〔文〕知りあいであることをけんそんして言うことば。

**しょくちず**【触地図】目の見えない人が手でふれてわかるようにした、凹凸(おうとつ)のある地図。触知地図。触覚地図。

**しょくちゅう**【食中】食事中。食間。「―酒」

**しょくちゅうしょくぶつ**【食虫植物】〔植〕昆虫(こんちゅう)などをつかまえて、その栄養分を吸収する植物。食肉植物。例、ウツボカズラ・モウセンゴケ。

**しょくちゅうどく**【食中毒】《名・自サ》食べ物による中毒。

**しょくちょう**【職長】〔建設業・製造業などの〕現場責任者。

**しょくつう**【食通】食べ物のこと、特に味や作り方などについてよく知っている〈こと／人〉。グルメ。

**しょくどう**【食堂】①〔おもに洋風の〕食事をする部屋。「―兼(けん)居間」②いろいろな料理を出す〈店／所〉。「大衆―・―車・ホテルの―・学内―」

**しょくどう**【食道】〔生〕消化管の一部。のどから胃につながって、食物を通す管。「―がん(癌)」

**しょくどうらく**【食道楽】①おいしいものを食べる楽しみ。②食べることに、ぜいたくをする〈こと／人〉。▽くいどうらく。

**しょくにく**【食肉】①動物の肉、ことに鳥・けものの肉を食べること。「―獣(じゅう)」②食用の肉。「―処理(=食肉を得るために、家畜(かちく)を殺して加工すること)」

**しょくにん**【職人】①手先を使った、すぐれた技術で器具・工芸品・食品などを作ることを職業とする人。大工・左官・庭師など。「時計―・すし―」②確かな技術で、ものごとを作り上げる人。「〔映画の〕―監督(かんとく)」●**しょくにんかたぎ**【職人(:気質)】実直であるが、仕事についてはがんこだというような、職人に共通する性質。●**しょくにんげい**【職人芸】すぐれた職人のわざ。「みごとな―」

**しょくのう**【職能】①職務をおこなう上での能力。「―制」②はたらき。「議会の―」③〔文〕職業。「―代表制」●**しょくのうきゅう**【職能給】仕事を進める能力の高さに応じてしはらわれる給料。

*__しょくば__【職場】勤務先での、仕事をする場所。「―結婚(けっこん)」

**しょくばい**【触媒】〔理〕それ自身は化学的変化を受けないが、それがふくまれると化学反応の速度がはやくなる物質。

**しょくはつ**【触発】《名・他サ》あることがきっかけとなって、ほかのことをひきおこすこと。

**しょくパン**【食パン】(=主食として食べるパン) 味つけをしないで、箱に入れて焼いたパン。角食(かくしょく)。「―の耳(☞耳④)」

**しょくひ**【食費】食事に必要な費用。

**しょくひ**【植皮】《名・自他サ》〔医〕皮膚(ひふ)の一部を切り取り、からだのほかの部分に移植すること。

*__しょくひん__【食品】食料品。〔広くは、飲み物もふくむ〕「―衛生・―加工」●☆☆**しょくひんてんかぶつ**【食品添加物】見かけをよくしたり、くさらせないようにしたり、また、量をふやしたりするために、食品にまぜるもの。食添(しょくてん)。●**しょくひんロス**【食品ロス】食べ残しや売れ残り、期限切れなどのために捨てられてしまう食品。「―の削減(さくげん)」

*__しょくぶつ__【植物】一か所に固定し、空気や土や水から必要なものをとって生きてゆく生物。「―界・―性繊維(せんい)」(↔動物) ●**しょくぶつえん**【植物園】研究したり一般(いっぱん)に見せたりするためにいろいろの植物を集めて、栽培(さいばい)する所。●**しょくぶつじょうたい**【植物状態】大脳に傷がついて意識不明となり、長期間ねむり続ける状態。遷延(せんえん)性意識障害。●**しょくぶつにんげん**【植物人間】〔俗〕植物状態になった人。〔語感が悪い〕●**しょくぶつホルモン**【植物ホルモン】〔生〕植物の中にあって、生長を支配するホルモン。例、ジベレリン・エチレン。●**しょくぶつゆ**【植物油】植物のたねや実からとった油。例、ごま油・なたね油。

**しょくぶん**【職分】職務として当然しなければならないつとめ。「―をはたす」

**しょくべに**【食紅】食品に色をつけるための、紅色の粉。

**しょくへん**【食偏】漢字の部首の一つ。「飲」「餅(もち)」などの、左がわの「食」「飠」の部分。

**しょくほう**【触法】〔法〕法律にふれるおこないをすること。「―少年(=罪をおかした少年のうち、十四歳(さい)にならないもの。刑事(けいじ)上の責任を負わない。☞犯罪少年・虞(ぐ)犯)」

**しょくぼう**【嘱望・△属望】《名・他サ》〔文〕のぞみをかけること。「前途(ぜんと)を―される好青年」

**しょくみ**【食味】食べたときの味。食べ物の味。「米の―改善・―をさぐる」

**しょくみん**【植民・殖民】《名・自サ》外国の新しい土地に移住して経済的に開拓(かいたく)する〈こと／人々〉。「―政策」●**しょくみんち**【植民地】①外国から植民によって開発された地域。②外国に支配されている地域。

**しょくむ**【職務】受け持っている事務。つとめ。役目。「―権限(=職務とそれに対してあたえられた権限)」

●**しょくむきゅう**[職務給] 年功などにとらわれず、職務の内容・価値に応じてしはらう給与。

●☆☆**しょくむしつもん**[職務質問]《名・自サ》 警察官が職務上、様子の不審な人に対しておこなう質問。職質。

**しょくめい**[職名] 職務・職業の名前。

**しょくもう**[植毛]《名・自他サ》 毛をうえつけること。「―術」

**しょくもく**[嘱目・△属目]《名・自サ》〔文〕①ふと目にふれること。目にふれた光景。「―吟」 ②〔有望だと思って〕目をつけること。

**しょくもたれ**[食(×凭れ)]《名・自サ》 食べたものがよく消化しないで、胃にたまっている〈こと/感じ〉。

**しょくもつ**[食物]〔成長し、健康をたもつために〕食べるもの。たべもの。〔広くは、飲み物もふくむ〕 ●☆☆**しょくもつせんい**[食物繊維] 炭水化物の一種で、非常に小さい粒子。人間が食べても消化されない。便通をよくする。 ●**しょくもつれんさ**[食物連鎖] 自然界での、食うものと食われるものとの一連の関係。

**しょくやすみ**[食休み]《名・自サ》 食後に休むこと。

**しょくゆ**[食油] 食用のあぶら。食用あぶら。

**しょくよう**[食用] 食べ物として食べる〈こと/もの〉。「―になる」 ●**しょくようがえる**[食用(×蛙)] 食用のカエル。〔日本では、ウシガエルをさす〕

**しょくよう**[食養]《名・自サ》 適当な食べ物をえらんで、病気を治すこと。食養生。

**しょくよく**[食欲] 食べ物を食べたいと思う気持ち。「―の秋・―不振」

**しょくらい**[触雷]《名・自サ》 機雷にふれること。

**しょくりょう**[食料] たべもの。食物。「―自給率」 ●**しょくりょうひん**[食料品] 食料として売られる物。食品。肉・さかな・野菜・くだもの・かんづめなど。「生鮮―」

**しょくりょう**[食糧] 主食を中心とした食べ物。糧食。「―事情・―危機・―難」

**しょくりん**[植林]《名・自他サ》 苗木を山などにうえつけること。

**しょくれき**[職歴] 職業の上の経歴。

**しょくレポ**[食レポ]《名・他サ》 料理を食べてみた感想のレポート〔=報告〕。食リポ。〔テレビから出て、二〇一〇年代に広まったことば〕

**しょくろう**[職労] ↑職員労働組合。

**しょくん**[諸君]《名・代》 同等(以下)の人たちに対する尊敬語。みなさん。「若い―」

**じょくん**[叙勲] 勲章をあたえること。栄典の一種。「―者・春の―」

**しょけ**[所化]《仏》〔お寺にいる〕弟子の僧。

**しょけい**[初経]《生》⇩初潮。

**しょけい**[書×痙]《医》字を書くときに、痛みや、まひなどが起こって書けなくなる病気。

**しょけい**[諸兄]《名・代》〔文〕多くの男の人に対する尊敬語。みなさん。(↕諸姉)

**しょけい**[処刑]《名・他サ》 死刑にすること。

**しょげい**[書芸] 芸術の一つとしての書道。書道芸術。「―展」

**しょげい**[諸芸]〔文〕いろいろの芸道。

**じょけい**[女系] ①女性から女性へと相続されていく家系。「―家族」 ②母方の血筋(であること)。▽にょけい。(↕男系)

**じょけい**[叙景]《名・自サ》〔文〕けしきを詩や文章などにあらわすこと。「―文」

**しょけいし**[諸兄姉]《名・代》〔文〕多くの男の人や女の人に対する尊敬語。みなさん。

**しょげかえる**[(:悄気)返る]《自五》〔俗〕すっかり元気がなくなる。

**しょげこむ**[(:悄気)込む]《自五》〔俗〕ひどく元気がなくなる。

**しょけつ**[処決]《名・他サ》〔文〕①いさぎよい処置をとること。②特に、辞任や自殺。

**しょげつ**[初月] 最初の〈月/一か月〉。「―無料」

**じょけつ**[女傑] 女性の豪傑。

**しょげる**[(:悄気る)]《自下一》〔俗〕〈失望/失敗〉して元気がなくなる。

**しょけん**[所見] ①〔その人の〕見方。意見。考え。「―をのべる・教師の―欄」 ②《医》ある病気だという判断(の根拠になる症状など)。「異常―がある」 ③〔文〕見たこと。「浅草(にて)―」

**しょけん**[諸賢]《名・代》〔文〕多くの人に対する尊敬語。「読者―」

**しょけん**[書見]《名・自サ》〔文〕読書。「―台」

**しょけん**[初見]《名・他サ》 ①〔文〕はじめて〈見る/会う〉こと。「モンシロチョウの―日〔=その年、最初に観測した日〕」 ②《音》はじめてその楽譜を見(て演奏す)ること。

**しょげん**[緒言]〔文〕前書き。ちょげん。

**しょげん**[諸元]〔文〕機械の性能・特徴を分析してしめした数字。スペック。「―表」

**じょけん**[女権] 女性の権利、特に政治・社会上の権利。「―拡張」(↕男権)

**じょげん**[序言]〔文〕序としてのべることば。まえがき。

**じょげん**[助言]《名・自サ》 その人の助けになるような考えを言うこと。また、そのことば。

**しょこ**[書庫] ①書物を入れておくくら。②《情》⇩アーカイブ㊁②。「―ファイル」

**しょこう**[初校] 一回目の校正。「―ゲラ」〔以下、再校・三校…と続く〕

**しょこう**[初稿] 最初の原稿。「直筆の―」

**しょこう**[諸侯]《歴》封建時代に、領地を持ち、領内の人民を支配する権力を持っていた人。例、江戸時代の大名・小名。

**しょこう**[諸公]《名・代》〔文〕多くの人に対する尊敬語。「政治家―」

**しょこう**[×曙光]〔文〕①夜明けの光。②くらやみの中に見えはじめる光明。③見えはじめた、わずかな希望。「解決の―」

**しょごう**[初号] ①第一号。「雑誌の―・ロケットの―機」 ②《印刷》「号㊁④」であらわす活字のうち、いちばん大きなもの。初号活字。③〔↑初号試写〕《映画》関係者向けの最初の試写。

**しょごう**[諸豪]〔文〕①いろいろな豪族。②いろいろな強豪たち。「プロレス界の―」

**じょこう**[女工]「女子工員」の古い言い方。(↕男工)

じょこう【女高】↑女子高等学校。「―生」

じょこう【徐行】《名・自サ》車などがすぐに止まれるように、スピードを落として進むこと。「―運転」表記 船の場合は「徐航」とも。

じょこうえき【除光液】〈マニキュア／ペディキュア〉を落とす溶剤(ようざい)。(エナメル)リムーバー。

しょこく【諸国】多くの国。

じょことば【序▵詞】和歌や詩で、そのことばを引き出すためにそえることば。じょし。例、「みかの原わきて流るる泉川」の「みかの原わきて流るる」の部分。

ショコラ〔フ chocolat〕チョコレート。「フォンダン―」

ショコラティエ〔フ chocolatier〕チョコレートをつくる職人。チョコラティエ。〔女性はショコラティエール(フ chocolatière)とも〕☞パティシエ。

しょこん【初婚】はじめての結婚。(↔再婚)

しょさ【所作】①からだの動き。身のこなし。「落ち着いた―・ドラマでの―指導」②↑所作事(ごと)。

しょさい【所載】〔文〕(印刷物に)のせてあること。「五月号―」

しょさい【書斎】読書や研究をする(個人の)部屋。

しょさい【書債】〔文〕たまった手紙の返事や、たのまれたきごう(揮毫)。「―をはたす」
☆☆しょざい【所在】《名・自サ》①存在するところ。ありか。「会社の―地」②いどころ。「―不明」③そこにあること。「国内に―する企業(きぎょう)」●しょざいな・い【所在ない】《形》そこにいても、することがな(くて つま)らない。所在がない。「所在なく窓の外を見ている」派―げ。―さ。
じょさい【助祭】《宗》(カトリックで)司祭の次の位の僧職(そうしょく)。

じょさい【除災】〔文〕わざわいを取り除くこと。「―招福」

じょさいな・い【如才ない】《形》①手ぬかりがない。「―商人・如才なくチップを要求する」②口がうまく、あいそがよくて、他人とうまくつきあうようすだ。「如才なく調子を合わせる」▽「如才がない」の形でも使う。多く、皮肉や非難をこめる。由来「如才」は「手ぬかり」の意味。もと「如在(じょさい)」(=まるでそこにいらっしゃるように)」で、神などを尊重すること。のちに、意味が逆になった。派―さ。

しょさく【書作】書道の作品。「―展」

しょさく【諸作】〔文〕いろいろの〈作品／著作〉。

しょさごと【所作事】おもに、長唄(ながうた)に合わせたおどり。ふりごと。所作。

しょさつ【書冊】〔文〕書物。「万巻(まんがん)の―」

しょさん【所産】〔文〕〈生産／うみ出〉したもの。「研究の―・工業力の―」

しょざん【初産】⇩ういざん。

じょさん【助産】《医》お産をたすけ、お産の前後の世話をすること。「―所」●じょさんし【助産師】助産の資格を持った人。〔二〇〇二年からの ことば。もと、助産婦〕

じょさん【除算】《名・他サ》《数》割り算。除法。

しょさんぷ【初産婦】《医》はじめてお産をする女性。「高年(=三十五歳(さい)以上の)―」☞経産婦・未産婦。

しょし【初志】最初に思いたった〈意志／考え〉。「―をつらぬく・―貫徹(かんてつ)」

しょし【書×肆】〔文〕書店。出版社。

しょし【書誌】①ある人・主題についての文献(ぶんけん)目録。「著者―」②書物の体裁(ていさい)や成立事情などについての記述。「―情報・―学」

しょし【庶子】〔文〕①正妻でない人を母に持つ子。(↔嫡子(ちゃくし))②(旧法で)父親が自分の子として認知(にんち)した私生子。

しょし【諸子】《名・代》〔文〕同等(以下)の人たちに対する尊敬語。諸君。「学生―」

しょし【諸氏】《名・代》〔文〕多くの人に対する尊敬語。みなさん。「読者―」

しょし【諸姉】《名・代》〔文〕多くの女の人に対する尊敬語。みなさん。(↔諸兄(しょけい))

しょじ【書字】〔文〕文字をかくこと。「―能力・―材料(=紙・黒板など)」

しょじ【諸事】〔文〕〈多く／いろいろ〉のことがら。「―節約の時代だ」

しょじ【所持】《名・他サ》(からだに つけて)持つこと。「―品(=もちもの)・麻薬(まやく)の不法―」

*じょし【女子】①女。女性。〔年齢(ねんれい)を問題にしない、かたい言い方〕「―社員・―大学(⇩女子大)・―高生(=ⓐ女子の高校生。ⓑ女子高校の生徒)・―百メートル決勝」区別⇩女(おんな)②。②「女子①」に、親しみのある、くだけた感じを持たせた言い方。「―会(=女性だけの飲み会など)・温泉(の好きな)―」〔二十一世紀になって広まった用法。「〇〇女子」は、二〇〇九年に特に広まった。☞肉食③〕③(学校などで)女の子。「好きな―いる?」④〔文〕むすめ。「―誕生」▽(↔男子)
●女子と小人(しょうじん)は養いがたし句 女性と心のせまい人間は、あつかいにくい。〔「論語」のことば〕
じょし【女史】〔古風〕名高い女性を尊敬した言い方。「中島―・―いわく」〔呼びかけには使わない〕
じょし【助士】おもに、交通機関で、「助手」を改めた呼び名。「機関―」
じょし【助詞】《言》品詞の一つ。いつもほかの語につけて使われ、ほかの語との関係をしめし、また、意味をそえることば。活用はしない。〔この辞書では、格助詞・副助詞・接続助詞・終助詞の四つに分ける〕
じょし【序詞】〔文〕①序のことば。序言。プロローグ。②⇩じょことば(序詞)。
じょし【序詩】〔文〕①序文の代わりに書いた詩。②全体の序としてそえた詩。▽プロローグ。
じょじ【女児】〔文〕女の子ども。女の子。「―ブラウス」(↔男児)
じょじ【助字】(漢文で)語句の終わりや、他の語にそえて、意味を助ける語。例、也(や)・哉(かな)。
じょじ【叙事】事件・事実をありのままにのべしるすこと。「―的・―文」(↔叙情(じょじょう))
しょしき【書式】証書・願書・届け書などの書き方。フォーマット。
しょしき【諸式・諸色】〔文〕①いろいろの品物。「結納(ゆいのう)―」②物価。「―が上がる」
しょじく【書軸】文字を書いたかけじく。
じょじし【叙事詩】できごとについてのべた詩。エピック。(↔叙情(じょじょう)詩)
しょしだい【所司代】《歴》江戸(えど)時代、京都を守り、その政務をあつかった役目(の人)。

**じょしだい**[女子大]〔↑女子大学〕 学生が女子だけの大学。女大。「一生〔=女子大学の学生。一般には大学の女子学生を言うことも多い〕」

**じょしつ**[除湿]《名・自サ》(空気中の)湿気を取り除くこと。「一器・一剤」(↕加湿)

**しょしゃ**[諸車]〔文〕いろいろの くるま・乗り物。「一通行止め」

**しょしゃ**[書写]《名・他サ》①〔文〕書き写すこと。②小・中学校の国語科の一分野。文字を正しく書くことを学ぶ。

**しょしゅ**[諸種]〔文〕いろいろの種類。「一の問題」

**じょしゅ**[助手]①研究や仕事をたすけることが役目の人。アシスタント。②〔大学などで〕専任講師の下の教職員(の職名)。授業・研究の準備や機器の管理などをする。☞助教。

**しょしゅう**[初秋]〔文〕①秋の はじめ。早秋。九月ごろ。(↕晩秋) ②旧暦七月。今の八月ごろ。(↕仲秋・晩秋) ▽はつあき。

**しょしゅう**[所収]《名・他サ》〔文〕おさめられていること。「全集第一巻一」

**じょしゅう**[女囚]〔文〕女性の囚人。(↕男囚)

**じょしゅせき**[助手席]〔車で〕運転席の横の席。

**しょしゅつ**[庶出]〔文〕正妻でない人を母として生まれたこと。(↕嫡出)

**しょしゅつ**[初出]《名・自サ》〔文〕最初に〈出る/あらわれる〉こと。「新語の一文献」

**じょじゅつ**[叙述]《名・他サ》(順を追って、文章で)のべ〈ること/たもの〉。「くわしい一」

**しょしゅん**[初春]〔文〕①春の はじめ。早春。三月ごろ。(↕晩春) ②旧暦正月。今の二月ごろ。はつはる。(↕仲春・晩春)

**しょじゅん**[初旬] 上旬。

**しょしょ**[処暑]〔=暑さが おちつく〕《天》二十四節気の一つ。八月二十三日ごろ。

**しょしょ**[所々・処々]〔文〕あちらこちら。ところどころ。「島の一に さく花・一方々」

**しょしょ**[諸所・諸処]〔文〕いろいろの、多くのところ。「全国一に名を知られる」

**しょじょ**[処女] [一] しょじょ 男性と性的な関係を持ったことのない女性。きむすめ。(↕童貞) [二] [遺]〔古風〕①最初の。第一回の。「一演説・一航海・一作〔=第一作〕」②まだだれも足をふみ入れていない。「一雪・一峰・一林〔=原生林〕」

**しょしょう**[書証]《法》文書を裁判の証拠とすること。また、証拠となる文書。「一の申し出をする」

**しょしょう**[所掌]《名・他サ》〔文〕〔役所で〕事務をつかさどること。「一事項」

**しょじょう**[書状]〔文〕手紙。書簡。ふみ。

**しょじょう**[諸嬢]《名・代》〔古風〕何人もの未婚の女性に対する尊敬語。「諸氏一」

**じょしょう**[女将]〔文〕料理店・待合・旅館などの、おんな主人。おかみ。

**じょしょう**[序章]①序(論)にあたる章。②最初の段階。「合併騒動の一」▽(↕終章)

**じょじょう**[如上]〔文〕これまでに のべたようなこと。「一の結果に もとづき」

**じょじょう**[叙情・×抒情] 自分の感情をのべあらわすこと。「一的作品」(↕叙事) ●**じょじょうし**[叙情詩・×抒情詩] 自分の感情を表現した詩。リリック。(↕叙事詩)

**じょじょうふ**[女丈夫]〔丈夫=力強い男子〕〔古風〕たくましく行動力のある女性。

**じょしょく**[女色]〔文〕①女性の色香。「一にまよう」②女性との情事。女道楽。「一に ふける」▽にょしょく。

**しょじょち**[処女地]①まだ人の手の加わっていない土地。②まだだれも調査・研究をしていない学問分野。

**じょじょに**[徐々に]《副》①ゆっくり。「一片づける」②だんだん。「一明らかになってきた」

**しょじょまく**[処女膜]《生》処女の膣の入り口にある うすい膜。真ん中には生理の時に血が通る あながあいている。ヒーメン。

**しょしん**[初心]①〔文〕はじめに思いたったときの心。「一に(立ち)返る」②〔訓練を要することについて〕始めて間もないこと。未熟。初学。「一者」●**初心忘るべからず**[句] 物事を始めたときの新鮮な気持ちを忘れてはいけない。

☆☆**しょしん**[所信] 自分がそのように思い、信じていること。「一をのべる・首相の一表明演説」

**しょしん**[書信]〔文〕たより。手紙。

**しょしん**[初診]《名・他サ》最初の診察。はじめて診察すること。「一料」(↕再診)

**じょしん**[女神]〔文〕めがみ。

**じょじん**[除×塵]〔文〕空気中の細かな ちりを取り除くこと。

**しょす**[処す]《自他五》〔文〕⇩処する。「厳罰に処さないといけない」

**じょすう**[序数]《数》順序をあらわす数。順序数。

**じょすう**[除数]《数》割り算で、割るほうの数。たとえば、10÷5の場合、5が除数。(↕被除数)

**じょすうし**[助数詞]《言》数をあらわす語の下につけて、ものの種類や単位をあらわす ことば。接尾語の一種。例、「一枚・二台」などの「枚・台」。〔この辞書では、「メートル」「グラム」など いろいろの単位をあらわす助数詞は名詞としてあつかうが、これらも、数のあとについたときは接尾語となる〕

**じょすうし**[序数詞]《言》順番をあらわす数詞。例、第一・二番・三等。

**しょずり**[初刷り]〔書籍の同じ版の〕最初の刷り。第一回の印刷(の本)。第一刷。

**しょする**[処する]〔文〕[一]《他サ》①うまく取りあつかう。処理する。「身を一・事を一」②その者の罰を決めて実行する。「被告人を死刑に一・厳罰に処せられた」[二]《自サ》その場に応じた行動をとる。「世に一道」▽[一][二]処す。

**しょする**[書する]《他サ》〔文〕書く。書す。

**じょする**[叙する]《他サ》〔文〕①のべあらわす。②〔爵位・位・勲等などを〕さずける。▽叙す。

**じょする**[×恕する]《他サ》〔文〕〔思いやりの心で〕ゆるす。恕す。「恕すべき点がないでもない」

**じょする**[除する]《他サ》〔文〕①取り除く。②割

り算をする。(↕乗じる)

しょせい【処世】よわたり。「―術」

しょせい【書生】①学生。〔明治から昭和初期ごろまでの言い方〕②他人の家の家事を手伝いながら学校に通った、若い男。●**しょせいっぽ**【書生っぽ】〔俗〕⇩しょせっぽ。●**しょせいろん**【書生論】現実をふまえない、りくつだけの議論。

しょせい【書聖】〔文〕書道の名人。

しょせい【諸政・庶政】〔文〕各方面の政治。

しょせい【初生】《名・自サ》〔文〕うまれてまもないこと。「―びな(雛)」

じょせい【女声】〔声楽で〕女性の声。「―合唱」(↕男声)

**じょせい【女性】①女の人。ふつう、成年の女子をいう。「―ホルモン・―雑誌・―問題(=ⓐ女性をとりまく問題。ⓑ女性と不適切な交際をしているという問題)」(↕男性) 区別⇩女②。②〔言〕=性━⑤の一つ。●**じょせいご**【女性語】女性が使う(と思われている)ことば。女ことば。その中には、演劇的なことば〔例、「きれいだわ」の「わ」〕や、若い世代が使わないことば〔例、お目もじ〕なども ふくむ。必ずしも女性の多くが使うことばではなく、男性が使うこともある。〔この辞書では〔女〕で示す〕(↕男性語) ●**じょせいてき**【女性的】《ナダ》女性を思わせる特徴があるようす。〔女性以外にも使う〕「―な山々・―な顔」(↕男性的)

↑じょせい【女婿・女×壻】〔文〕むすめむこ。

↑じょせい【助勢】《名・自サ》力をそえる〈こと/人〉。助力。

↑じょせい【助成】《名・他サ》研究・事業の完成をたすけること。「―金」

じょせいと【女生徒】女子の生徒。(↕男生徒)

しょせき【書跡・書×蹟】〔文〕書いた文字。また、書の作品。「国宝の―を鑑賞する」

しょせき【書籍】本。書物。「―売り場・電子―」 区別⇩本━①。

↑じょせき【除斥】《名・他サ》〔法〕①事件に関して利害関係のある裁判官などを担当から外すこと。②取りのけること。「―期間(=民法で、権利がなくなるまでの存続期間)」

↑じょせき【除籍】《名・他サ》〈名簿/戸籍〉から名前をのぞくこと。「―処分・―図書」

しょせつ【所説】〔文〕説くところ。説の内容。

しょせつ【諸説】いろいろの説。「―(が)あるが」●**しょせつふんぷん**【諸説紛々】《名・トタル》いろいろの説が入りみだれていること。

↑じょせつ【序説】本論にはいる前のいとぐちとなる論。

↑じょせつ【叙説】《名・他サ》〔文〕文章の形で、のべること。

じょせつ【除雪】《名・自サ》積もった雪をのけること。「―作業」

しょせっぽ【書△生っぽ】〔俗〕①書生を少し軽く見て言うことば。②書生気分で、世の中の常識を知らない男。▽しょせいっぽ。

↑しょせん【初戦】〔文〕①最初に経験する試合。②緒戦。

↑しょせん【緒戦】〔文〕その〈戦い/試合〉のはじめ。ちょせん。

しょせん【〔所詮〕】《副》〔なんのかんの言っても〕結局。「―むりだ」

☆じょせん【除染】《名・他サ》①汚染を取り除くこと。「有毒物質の―」②からだについたり、環境に放出されたりした放射性物質を取り除くこと。「水田の―・―作業」

しょそう【諸相】〔文〕いろいろの〈姿/ありさま〉。「日本文化の―」

しょぞう【所蔵】《名・他サ》〔自分のものとして〕しまっておく〈こと/もの〉。「―品」

じょそう【女装】《名・自サ》男性が女性のかっこうをすること。(↕男装)

じょそう【助走】《名・自サ》〔走りはば跳びなどで〕よくとべるように、踏み切りの所まで走ること。

じょそう【序奏】《名・自サ》〔音〕楽曲のおもな部分にはいる前に置かれる音楽。導入部。イントロ(ダクション)。

じょそう【除草】《名・自サ》はえた雑草を取り除くこと。くさとり。「―剤」

しょそく【初速】①初めの速度。「打ったボールの―が速い」②商品の発売直後の売れ行き。「予想外の―」

しょぞく【所属】《名・自サ》〔あるものごとや個人が、他のものごとや団体などに〕属している〈こと/ところ〉。「連盟に―する」

じょぞく【女賊】〔文〕女の盗賊。

しょそん【書損】〔文〕書き損じ。書きそこない。「―のはがき」

☆しょぞん【所存】〔改まった言い方〕つもり。「いっそう努力する―でございます」

☆じょそんだんぴ【女尊男卑】女性の地位が男性よりも高い(と考える)こと。(↕男尊女卑)

しょたい【所帯・△世帯】①一家の暮らし。「―道具・―を持つ(=家庭を持って暮らす)・女―(=女だけの家庭)」②〔役所に届けてある生活の単位としての〕一家。せたい。句 大所帯・小所帯。●**所帯を畳む** 一家の生活をいとなむことをやめる。●**しょたいじみる**【所帯(染みる)】《自上一》所帯持ちくさくなる。●**しょたいもち**【所帯持ち】家庭を持って暮らす〈こと/人〉。●**しょたいやつれ**【所帯(×窶れ)】《名・自サ》一家を持った苦労のために、やつれること。

しょたい【書体】①文字を書きあらわすときの、統一的な様式・デザイン。活字の書体(=明朝体・ゴシック体など)、書くときの書体(=楷書体・行書体など)の二つに大きく分ける。区別⇩字形。②文字の書きぶり。書風。

しょだい【初代】一つの系統の、最初の代(の人)。「―大統領」

じょたい【女体】〔文〕にょたい。

じょたい【除隊】《名・自他サ》〔軍〕軍務に服していた兵が、つとめを解除されること。(↕入隊・入営)

じょだい【女大】↑女子大学。

しょたいけん【初体験】⇩はつたいけん。

しょたいめん【初対面】はじめての対面。はったいめん。

しょたコン【ショタコン】〔俗〕少年に強く愛情を感じる〈こと/人〉。(↑正太郎コンプレックス) 由来漫画「鉄人28号」の少年の名から「ロリコン」にならって作ったことば。

**しょだな**【書棚】書物をのせておくたな。本だな。

**しょだん**【初段】①〔階段の〕最初の一段。②〔武道や碁・将棋などで〕段位の、最初の段階(の人)。

**しょだん**【初弾】①はじめにうった弾丸。第一弾。②《野球》初ホームラン。③《サッカー》初ゴール。

**しょだん**【書壇】書道の専門家の社会。

**しょだん**【処断】《名・他サ》〔文〕どうすべきか判断し、はっきりと決断すること。

**しょち**【書痴】〔文〕⇨ビブリオマニア。

**しょち**【処置】《名・他サ》①問題に応じた、解決のための方法を取ること。「店内禁煙の―を取る・適切な―」②問題となる人をどうするかという決定(をすること)。「落第生に寛大な―を取る」③病気やけがの手当て。「応急―」☞処置なし。

**しょち-なし**【処置(無し)】〔一九三〇年代からのことば〕どうしようもないこと。「飲んだくれて、もう―だ」

**しょちゅう**【書中】〔文〕①文書や手紙のなか。「―に述べる」②手紙。「まずは―をもって〔=手紙で〕お礼申し上げます」

**しょちゅう**【暑中】暑い夏の間。特に、夏の土用の間。(↔寒中) ●**しょちゅうきゅうか**【暑中休暇】〔学校などの〕夏休み。●**しょちゅうみまい**【暑中見舞い】夏の暑い時期に、相手の様子をたずねる〈こと/たより〉。✔「暑中お見舞い申し上げます」などと書き始める。☞残暑見舞い。

**じょちゅう**【女中】①よその家につとめて、台所の仕事や雑用をした女性。②〔古風〕⇨仲居。③〔古風〕女のかた。「お―〔=ご婦人〕」〔呼びかけにも使う〕

**じょちゅう**【除虫】《名・自サ》〔農〕害虫を取り除くこと。「リンゴの―」●**じょちゅうぎく**【除虫菊】マーガレットに似た薬用植物。蚊取り線香の原料。

**しょちょう**【初潮】《生》最初の生理(があること)。初経。「―をむかえる」☞精通②。

←**しょちょう**【所長】事務所・研究所など、所と呼ばれるところのいちばん上の人。

→**しょちょう**【署長】警察署・税務署など、署と呼ばれるところのいちばん上の人。

**じょちょう**【助長】《名・他サ》①〔悪い〕傾向や性質を強めるのをたすけること。「差別を―する」②成長・進歩などをたすけること。「心身の発達を―する」

**じょつう**【除痛】《名・自他サ》〔文〕痛みを取り除くこと。「―効果がある」

**しょっかい**【職階】職務上の階級。「―を分ける」●**しょっかいせい**【職階制】職務の内容・責任の度合いなどに応じて、職員の指揮・命令の順序を定める制度。

**しょっかく**【食客】①〔文〕客の待遇で有力者の家につかえる者。②〔古風〕いそうろう。▽しょっきゃく。

**しょっかく**【触角】《動》昆虫などの頭の先にある、ひげのようなもの。触覚・臭覚などを受け持つ。

**しょっかく**【触覚】《生》手足や皮膚がものにさわったときに起こる感覚。

**しょっかん**【食間】①《医》食事と食事とのあいだ。薬を飲むときの指示として使われる。②食事をしているあいだ。食中。「―酒」

←**しょっかん**【食感】食べたときの、舌ざわりや歯ごたえなどの感じ。「ねっとりした―」

→**しょっかん**【触感】はだや手が物にふれたときの感じ。「ざらざらとした―」

**しょっき**【食器】食事に使う器具。茶わん・皿など。「―棚・―洗い」

**しょっき**【織機】布を織る機械。はた(おりき)。

**ジョッキ**〔←jug〕水さしの形をした、大きなビールのコップ。「中―」

**ジョッキー**〔jockey〕①騎手。②←ディスクジョッキー。「―タイム」

**しょっきり**【初っ切り】興行ずもうで最初におこなう、とぼけておかしい、見せ物ふうのすもう。

**ショッキング**《ナダ》〔shocking〕衝撃的。「―なニュース・―な映像」派―さ。●**ショッキングピンク**〔和製 shocking pink〕あざやかなピンク色。

☆☆**ショック**〔shock〕■一①心やからだに加わる、強い打撃。衝撃。「―を受ける」②《医》急に血圧が下がって、命が危険な状態になること。「ペニシリン―・―死」■二《ナダ》ショッキング。「―な事件」●**ショックアブソーバー**〔shock absorber〕衝撃をやわらげる装置。緩衝器。「代理人が―の役目を果たす」●**ショックりょうほう**【ショック療法】①《医》電流などの刺激をあたえる治療法。精神的な病気に用いる。衝撃療法。②手あらい手法で効果をあげようとすること。

**しょっけん**【食券】食堂などで、食前に買って飲食物と引きかえるふだ。

**しょっけん**【職権】職務上持っている権限。「―乱用」

**しょっこう**【職工】「工員・作業員」の、古い呼び名。

**しょっこん**【食痕】〔動物や虫が〕かじったあと。摂食痕。「シカの―」

**しょっちゅう**《副》間を置かずに、何度もくり返すようす。しじゅう(始終)。「電話が―かかってくる・けがは―だ」表記「⁝初中終」とも書いた。

**しょっつる** 秋田産の魚醤。ハタハタなどのさかなの塩づけの汁から造る調味料。「―鍋」

**しょってた・つ**【△背△負って立つ】《他五》社会や組織の中心となり、大きな役割を果たす。「将来を―人物」

**しょっ・てる**【△背△負ってる】《自下一》〔古風・俗〕うぬぼれている。「この人―わね」

**ショット**〔shot〕①発射。射撃。②《バスケットボール》ボールをゴールに投げこむこと。また、打ったボール。③《テニス・ゴルフなど》ねらってボールを打つこと。「ナイス―・バンカー―」☞パット。④〔ウイスキーなどの〕ひと口で飲める分量。「シングル―〔=三〇ミリリットル〕」⑤〔一場面の〕映像や写真。「ロング―・ベスト―」●**ショットガン**〔shotgun〕散弾銃。●**ショットグラス**〔shot glass〕〔ウイスキーなどを飲む〕ひと口分の小さいグラス。●**ショットバー**〔和製 shot bar〕軽くいっぱい飲むためのバー。

**ショッパー**〔shopper〕①買い物をする人。②買い物ぶくろ。「ブランド―」

**しょっぱ・い**【△塩っぱい】《形》〔もと関東方言〕①

塩けが多くて舌がちぢこまる感じだ。しおからい。「―みそしる」②〔俗〕つらい思いをして顔をしかめるようすだ。「―顔」③〔俗〕不景気なようすだ。けちくさい。なさけない。つまらない。「―店・―話・〔プロレスの〕―試合・―(=そっけない)対応」由来もとは「しわはゆし」。「しわ」は、舌・くちびる。「はゆし」は、ほてってむずがゆい。後に「塩」の意識から「しおはゆし」→「しょっぱい」と変化した。派―さ。

**しょっぱな**[(初っ端)]〔俗〕いちばんはじめ。しょて。

**じょっぱり**《名・ダナ》〔青森方言〕強情。がんこ。また、そのような性格の人。強情っぱり。「津軽―」

**しょっぴ・く**[しょっ(引く)]《他五》〔俗〕容疑者を警察署へひきつれる。しょびく。

☆☆**ショッピング**《名・自サ》〔shopping〕(楽しみのための)買い物。「―バッグ(=買い物ぶくろ)」●**ショッピングカート**〔shopping cart〕①買い物用の、手で〈引く/おす〉小さな車。ショッピングカー。②〔スーパーなどで〕買いたい物を入れて運ぶ車。●**ショッピングセンター**〔shopping center〕〔郊外などに計画的にもうけられた〕さまざまな業態の店や飲食店などの集まる商業施設。SC。●**ショッピングモール**〔shopping mall〕遊歩道や歩行者専用の広場などがある商店街。ショッピングセンター。

**ショップ**〔shop〕店。商店。「コーヒー―・人気の―・―で働く」

**しょて**[初手]①《碁・将棋など》最初の手。②〔古風〕はじめ。最初。「―からつまずく」

☆☆**しょてい**[所定]あらかじめ決まっていること。「―の料金・―の位置につく」●**しょていないちんぎん**[所定内賃金]《経》⇩基準内賃金。(↔所定外賃金)

**じょてい**[女帝]①女性の天皇・皇帝。②〔俗〕ある社会で絶対的な権力を持つ女性。

**しょてん**[書店]本を売る店。〔出版社の名前にも使う〕

**しょてん**[書展]↑書道展覧会。

**しょてん**[諸点]〔文〕いろいろな〈点/ことがら〉。

**しょでん**[初伝]免許のうち、いちばん初級の伝授。初許し。☞中伝・奥伝・皆伝。

**しょでん**[初電]①起点となる駅からの一番電車。始発(電車)。(↔終電)②〔あることについての〕最初の電報。

**しょでん**[所伝]〔文〕〔昔から〕伝えられている〈こと/もの〉。

**しょとう**[初冬]〔文〕①冬のはじめ。十二月ごろ。(↔晩冬)②旧暦十月。今の十一月ごろ。(↔仲冬・晩冬)▽はつふゆ。

**しょとう**[初等]最初の、やさしい等級。「―読本」(↔中等・高等)●**しょとうきょういく**[初等教育]小学校の教育。

**しょとう**[初頭]〔文〕はじめ(のころ)。「本年―」

**しょとう**[×蔗糖・ショ糖]〔「しゃとう」の慣用読み〕《理》砂糖。甘味料として、最も広く用いられる。由来サトウキビ(=甘蔗)から作られるから。

**しょとう**[諸島]《地》海洋の中の、ある場所(一帯)にある、多くのしまじまの呼び名。群島。「小笠原―」

**しょどう**[書道]文字を筆で書く〈技能/芸術〉。

**しょどう**[諸道]〔文〕いろいろの芸。「―に通じている」

**しょどう**[初動]《名・自サ》最初の〈活動/出動〉。「―捜査・―対応」

**じょどうし**[助動詞]〔言〕品詞の一つ。おもに用言について叙述の意味をたすけ補うことば。活用がある。例、れる・ます・た。☞付録「助動詞活用表」。

*****しょとく**[所得]①収入。利益。「―がへる」②《経》収入から、必要経費を差し引いた金額。●☆☆**しょとくぜい**[所得税]《法》一か年の「所得②」に対して、個人にかける国税。(↔法人税)

**しょどく**[初読]《名・他サ》〔文〕初めて読むこと。「―の感想」

**しょない**[所内]事務所・研究所など、所と呼ばれるところの中。(↔所外)

**しょない**[署内]警察署・税務署など、署と呼ばれるところの中。(↔署外)

**しょなのか**[初七日]《仏》その人の死んだ日を入れて七日目(におこなう法事)。一七日。しょなぬか。しょしちにち。

**じょなん**[女難]男が女のために受ける災難。「―の相がある」

**じょにだん**[序二段]〔すもう〕序ノ口の上、三段目の下の階級。

**しょにち**[初日]①〔興行などの〕最初の日。はじめの日。(↔千秋楽)②〔すもう〕負けていた力士がはじめて勝つこと。「三日目に―〈を出す/が出る〉」☞はつひ(初日)。●**しょにちカバー**[初日カバー]記念切手をはり、切手を発行した日の消印をおした封筒。

**しょにゅう**[初乳]《医》出産後およそ一週間のあいだに出る母乳。タンパク質や脂肪が多く、新生児の免疫力を向上させる。

**しょにん**[初任]はじめて職につくこと。●**しょにんきゅう**[初任給]就職してはじめてもらう給料。●**しょにんち**[初任地]就職してはじめて任務につく土地。

**しょにん**[諸人]〔文〕多くの人。もろびと。「―の難儀をすくう」

**じょにん**[叙任]《名・他サ》職位・称号などをあたえること。「―式」

**しょねつ**[暑熱]〔文〕〔暑くるしい〕夏の暑さ。

**じょねつ**[除熱]《名・自他サ》〔文〕機械などの熱を取り除くこと。「―作用」

**しょねん**[初年]①はじめの とし。第一年。「―兵」②〔その年号のとしの〕はじめのころ。「昭和―」

**しょねんど**[初年度]〈最初の/第一〉年度。

**じょのくち**[序の口]①〔本格的になる前の〕最初。「こんな試練はまだ―だ」②[序ノ口]〔①の由来〕〔すもう〕番付にのるいちばん下の階級。その上が序二段。

**しょは**[諸派]①いろいろの〈党派/分派〉。②小さな政党・政治団体をまとめた言い方。〔報道では、法律上、政党の要件を満たさないものを呼ぶ〕

**しょば**[ショバ]〔「場所」のさかさことば〕〔俗〕〔多く、営業するための〕場所。「―代」

**じょはきゅう**[序破急]①舞楽・能楽を構成する、始め・中・終わりのテンポのちがう三つの部分とその関係。②始め・中・終わりの三つの部分とその関係。

**しょはつ**[初発]一〔列車などの〕その駅からの、その

日最初の出発。始発。「—電車〔=一番電車〕」

**しょばつ**［処罰］《名・他サ》罰をあたえること。罰に処すること。「責任者を—する」 [二]《名・自サ》最初に〈発病／発生〉すること。（↕再発）

**しょはん**［初犯］はじめての犯罪。（↕再犯・重犯）

**しょはん**［初版］〔書籍・画集・CDなどの〕最初の版。第一版。（↕再版・重版）

**しょはん**［諸般］〔文〕もろもろ。いろいろ。「—の事情」

**じょばん**［序盤］①《碁・将棋》手はじめの局面。②はじめの段階。「選挙の—戦」▽（↕中盤・終盤）

**しょひ**［書皮］書店で、客の買った本にかける、紙のカバー。

**しょひ**［諸費］〔文〕いろいろの費用。

**しょびく**［しょ〔引く〕］《他五》〔俗〕⇩しょっぴく。

**しょひょう**［書評］《名・他サ》書物の内容を批評することした文章〉。「—を読む」

**じょびらき**［序開き］はじまり。発端。「芝居の—」

**しょびん**［初便］〔飛行機・船などの〕最初の便。第一便。

**ジョブ**〔job〕①仕事。②《情》〔コンピューターで〕処理するさいの仕事の単位。

**しょふう**［書風］字の書きぶり(の特色)。

**ジョブカフェ**〔和製 job＋フ café〕地域就職支援センターの通称。フリーターや学生らを対象とし、喫茶店感覚で気軽に就職支援が受けられる。

**しょふく**［書幅］字を書いて掛け物に仕立てたもの。（↕画幅）

***しょぶん**［処分］《名・他サ》①売ったり、捨てたりして、手放すこと。「財産を—する・古雑誌を—する」②〈問題／責任〉がある者を罰すること。「懲戒—・—を下す」③《法》行政権や司法権にもとづいて実行すること。「行政—・強制—・琉球—〔=明治時代、琉球王国を沖縄県として日本の領土に入れたこと〕」④動物を殺して、かたづけること。殺処分。「野犬を—する」

**じょぶん**［序文］単行本などの はじめのところにそえて、その本を作った趣旨や方針などをのべた文章。序。はしがき。（↕跋文）

**ショベル**〔shovel〕①(大形の)シャベル。②⇩ショベルカー。●**ショベルカー**〔和製 shovel car〕長いうでの先に、つめのある大形のスコップがついていて、土や砂をすくい上げる重機。キャタピラーで移動する。油圧ショベル。パワーショベル。ショベル。ユンボ。「大型—」

**しょへん**［初編・初×篇］最初の編。第一編。

**しょほ**［初歩］①学習の、はじめの段階。「—から教える」②だれでもできるような簡単なこと。「—的なミス」

**しょぼい**《形》〔「ショボい」とも書く〕〔俗〕さえない。安っぽい。「—ホテル」〔おそくとも一九七〇年代からあることば〕[派]—さ。

**しょほう**［初報］〔文〕最初の〈報道／知らせ〉。「新聞による—・—がはいる」☞続報。

**しょほう**［書法］〔文〕①〔書道で〕漢字やかなの書き方。筆法。②書きあらわし方。「楽譜の—・〔コンピューターで〕プログラムの—」

**しょほう**［諸方］〔文〕あちこち。ほうぼう。「—を見物する」

**しょほう**［処方］《名・他サ》《医》①患者にあたえる薬の種類・分量などを指示すること。②薬の種類・分量などについての調合法。「新しい—」●**しょほうせん**［処方箋］①《医》医師が処方を書いた書きつけ。処方書。②ものごとを〈処理する／解決する〉ためのよりどころ。「この問題の—を得たい」

**しょぼう**［書房］〔=書斎〕〔文〕書店。「いずみ—」〔出版社の名前にも使う〕

**じょほう**［除法］《数》割り算。（↕乗法）

**しょぼくれる**《自下一》〔俗〕しおれて元気のない状態になる。また、貧弱でみじめなようすになる。「しょぼくれたかっこうで あらわれた」

**しょぼしょぼ**《副・自サ》①雨が弱く少しずつ降るようす。②まぶたが くっつく感じで、目がじゅうぶん ひらかないようす。「寝不足で目が—する」③力がなく、弱々しいようす。「—したようすで歩く」

**しょぼたれる**《自下一》〔俗〕服装などが みすぼらしく、おちぶれたようすになる。

**しょぼつく**《自五》しょぼしょぼした状態になる。「小雨が—・目を しょぼつかせる」

**しょぼぬれる**［しょぼ〔×濡れる〕］《自下一》びっしょりぬれる。そぼぬれる。

**しょぼんと**《副・自サ》元気がなくて みじめに見えるようす。しょんぼりと。「—すわっている」

**じょまく**［序幕］①《芝居》はじめの幕。②はじまり。▽（↕終幕）

**じょまく**［除幕］《名・他サ》銅像・記念碑などが できあがったことを祝って、かぶせた幕を取り去ること。「—式」

**じょみゃく**［徐脈］《医》脈拍数が異常に少ない状態。ふつう、毎分五十以下を言う。（↕頻脈）

**しょみん**［庶民］特に えらくもなく、財産もない、ふつうの人々。「—生活・—派〔=庶民的〕アイドル」●**しょみんてき**［庶民的］《ナダ》①庶民の ふんいきがあるようす。「—な町」②考え方・態度などが、庶民に近いようす。「—なオランダの王室」▽（↕貴族的）

**しょむ**［所務］〔文〕研究所など、所と呼ばれるところの事務。

**しょむ**［庶務］役所や会社などで、会計・営業など以外の、一般の事務。「—係」

**しょめい**［書名］書物の名前。

**しょめい**［署名］[一]《名・自サ》①〔認めたとか賛成するというしるしに〕自分で、自分の姓名を文書に書きつけること。書きつけた、自分の姓名。サイン。〔電子メールの本文にそえる送信者の名前などの情報についても言う〕「—運動・—捺印・—押印」[区別]⇩記名。②それを書いた人の名前。「—入りの記事」[二]

**じょめい**［助命］《名・自サ》いのちをたすけること。いのちごい。「—運動」

**じょめい**［除名］《名・他サ》①名簿から名前をのぞくこと。②団体から脱退させること。

**しょめん**［書面］①書類。文書。「—で通知する」②〔文〕手紙(の内容)。

**しょもう**［所望］《名・他サ》〔文〕ほしいと たのむこと。ねだること。「茶を—する」

**じょもう**［除毛］《名・自他サ》〔文〕体毛を取り除く

こと。「―クリーム」

**しょもく**【書目】〔文〕①書物の名前。②書物の目録。

**しょもつ**【書物】本。「―に親しむ・―に囲まれた部屋」区別⇩本㊀①。

**しょや**【初夜】①〔文〕はじめての夜。②新婚夫婦がはじめていっしょにねる夜。

**じょや**【除夜】おおみそかの夜。「―の鐘(=おおみそかの夜十二時ごろからつく、お寺の鐘)」

**しょやく**【初訳】《名・他サ》〔文〕その作品の、最初の翻訳(をすること)。「本邦―」

**じょやく**【助役】①もと、市長・区長・町長・村長をたすけた、上級の公務員。〔今は、副市長などと言う〕②駅長の事務をたすける役(の人)。

＊**しょゆう**【所有】《名・他サ》自分のものとして、持つこと。「―物・土地の―者」●**しょゆうけん**【所有権】《法》ものの使用・収益・処分をすることのできる権利。

**じょゆう**【女優】女性の俳優。「大―」(↔男優)

**しょよ**【所与】〔文〕〔はじめから〕あたえられていること〈もの〉。「―の条件」

**しょよう**【初葉】〔文〕ある時代区分の、最初の一時期。(↔中葉・末葉)

↔**しょよう**【所用】①〔外出など、何かの理由となる〕用事。「―で出かける」②〔文〕その人が使ったものであること。「藩主―のよろい」

↔**しょよう**【所要】〔文〕必要となること。「―の経費・―時間」

↔**しょよう**【諸用】〔文〕いろいろな用事。「―が重なる」

＊＊**しょり**【処理】《名・他サ》①必要な方法によって問題を解決すること。「事務の―・情報―・画像を―する(=見やすくしたりする)」②〔適当な場所に〕かたづけたり、捨てたりすること。処分。「ごみ―場」

**じょりじょり**《副》かみの毛やひげをそる〈音〈ようす〉〉。「あごひげを―そる」

**じょりゅう**【女流】〔多く、芸術・技能の分野で〕男性とならんで活躍している女性。「―棋士・―作家〈古風〉」

**しょりょう**【所領】〔文〕領有している土地。

**じょりょく**【助力】《名・自サ》〔文〕力をそえること。てだすけ。

**しょりん**【書林】〔文〕書店。〔出版社の名前にも使う〕

＊**しょるい**【書類】事務をとるため、また、記録に残すため紙に書きつけたもの。かきつけ。「秘密―・―上は…となっている・―選考(=応募の書類だけで、えらぶこと)」●**しょるいそうけん**【書類送検】《名・他サ》《法》犯罪の容疑について、書類だけを検察庁に送ること。(↔身柄送検)

**ショルダー**〔shoulder〕①肩。「―ストラップ・―パット」②→ショルダーバッグ。③家畜の、肩やうでの肉。肩肉。「ラム肉―」●**ショルダーバッグ**〔shoulder bag〕つりひもを肩にかけて持ち歩くかばん。ショルダー。

**じょれい**【除霊】乗り移った霊を取り除くこと。悪い霊をはらうこと。

**じょれつ**【序列】ある順序に〈ならべること〈ならべたもの〉〉。「―をつける・年功―」

**ジョロ**【(:如露・じょろ)】⇩ジョウロ。

**しょろう**【初老】①老年に近づいて からだがおとろえかける時期。「―の紳士」②〔古くは〕四十歳の異称。

**しょろう**【所労】〔文〕つかれによる病気。「―による欠勤」

**じょろう**【女郎】遊女。あそびめ。うかれめ。じょろ。じょろう。☞めろう(女郎)。●**じょろうぐも**【(女郎:蜘蛛)】大形のクモの名。からだに黄と黒の しま(縞)がある。

**しょろん**【所論】〔文〕論じるところ。論。

**しょろん**【緒論】〔文〕序論。ちょろん。

**じょろん**【序論】〔論文で〕本論の前におく、大まかな説明や議論。緒論。

**しょわけ**【諸訳】こみいった〈事情〈ことがら〉〉。

**ジョンブル**〔John Bull〕《俗》典型的なイギリス人。

**しょんべん**〔「ションベン」とも書く〕《俗》小便。「―くさい(=未熟な)ガキ」

**しょんぼり**《副・自サ》〔人が〕元気がなく、さびしそうなようす。「しかられて―している」

**しら** ㊀【白】造 しろい。「―梅・―壁」㊁【(:白)】知らないこと。「しらを切る」「しらばっくれる」などで使う。●**しらを切る** 句 〔悪いことをかくして〕知らないふりをする。

**シラー**〔scilla〕春にさく球根の草花。すず形の小さな花をふさ状につける。スキルラ。

**しらあえ**【(白▵和え)】白ゴマと豆腐をすりまぜて味をつけ、野菜などをあえたもの。「ホウレンソウの―」

**じらい**【地雷】①《軍》地面の中にうめておく爆薬。その上を人や戦車などが踏んで通ると爆発する。②《俗》ふれてほしくないことがら。「相手の―を踏む」③《俗》苦手な対象。また、かかわらないほうがいいものや人。「―案件」▽②は二十一世紀になって、③は二〇一〇年代に広まった用法。●**じらいげん**【地雷原】地雷が多く埋まっている地帯。

**じらい**【(×爾来)】《副》〔文〕そののち。以来。「―一度も会っていない」

**しらうお**【白魚】春先に河口でとれる、小形のほっそりしたさかなの名。身はなかばすきとおり、味はあっさりしている。「―のような指」☞しろうお。

**しらが**【(白髪)・(白▵毛)】①色素がなくなって白くなった、かみの毛。しらかみ。②婚礼のおくりものに使う麻。☞はくはつ(白髪)。●**しらがぞめ**【(白髪染め)】しらがを黒く染める〈こと〈薬〉〉。●**しらがねぎ**【(白髪×葱)】長ねぎの白い部分を繊維にそって千切りにしたもの。

**しらかば**【(白×樺)】高原・寒地に多い落葉樹の名。皮は白く、はがれやすい。しらかんば。かんば。かば。

**しらかべ**【白壁】白いかべ。特に、しっくいで白くぬったかべ。「―の土蔵」

**しらかゆ**【白(×粥)】〔野菜などを入れない〕白米だけで作ったかゆ。しらがゆ。

**しらかわよふね**【白川夜船・白河夜船】ぐっすりねむること。しらかわよぶね。「―の高いびき」由来 京都に行ったふりをした人が、「白川(=京都の地名)は夜に船で通ったから知らない」と言い訳した話から、もとは何も知らないことを言った。

**しらき**［白木］ 木地のままの木材。しろき。「―の本箱」

**しらぎく**［白菊］ 白い花が さくキク。

**しらくも**［白雲］ 白く見える雲。はくうん。

**しらくも**［(:白癬)］《医》子どもの頭にできる感染性の皮膚病。はくせん。

**しら・ける**［(白ける)］《自下一》①興がさめる。気まずくなる。「座が―・しらけた気分」②夢中になれなくなる。「しらけた時代・しらけた若者たち」〔一九七〇年代前半からの用法〕③白くなる。「顔色が―」④白茶ける。

**しら・げる**［(精げる)］《他下一》〔古風〕〔玄米などを〕ついて白くする。精白する。「米を―」 表記 ①②は、俗に「シラケる」とも。名 しらけ。

**しらこ**［白子］ ①おすの さかなの腹にある、白くやわらかい精巣。「タラの―・―刺し〔=白子の さしみ〕」〈↔真子〉②〔俗〕⇩アルビノ。☞しらす(白子)・しろこ(白子)。

**しらさぎ**［(白鷺)］ 小形で からだが白い、一般的なサギ。ダイサギ・コサギなど。

**しらじ**［白地］ ①⇩しろじ①。②何もないところ。最初。「規制を―から見直す」

**しらしめ ゆ**［白絞め油］ 精製した、植物油。天ぷらの油に使う。しらしめ。「だいずの―」

**しらし・める**［知らしめる］《他下一》(↑「知る」＋助動詞「しめる」)〔文〕知るようにさせる。知らせる。「自分の価値を世に―」〔「知らしむ」は文語の終止形〕

**しらじら**［白々］《副》①夜の明けてゆくようす。しらしら。「東の空が―と明るむ・―明け〔=あかつき。『しらしらあけ』とも〕」②しろじろ。「―と照る月」③しらじらしいようす。「―と言う」 ●**しらじらし・い**［(白々しい)］《形》①うそだ、本当ではない、ということが見えすいたようすだ。「―ナレーション・―おわび」②興ざめな感じだ。「音楽だけが しらじらしく流れる」③白っぽい。「―月の光」 派 ―さ。

**しらす**［(白子)］ ①生まれて まもないころの、カタクチイワシ・アユ・ウナギなどの呼び名。からだが すきとおっている。「―うなぎ」②↑しらすぼし。☞しらこ(白子)・しろこ(白子)。 ●**しらすぼし**［(白子)干し］ カタクチイワシのしらすをゆでて干したもの。しらす。☞ちりめんじゃこ。

**しらす**［白州・白洲］ ①白い砂の州。②白い砂の敷いてある所。③〔おー〕〔文〕昔、奉行所で罪人を取り調べた所。

**しらす**［シラス］〔=白砂〕《地》火山灰・軽石が積もってかたまった土。雨で くずれやすい。鹿児島県のものが有名。「―台地」

**しらず**［知らず］ 一 **しらず**《副》①〔文〕知らない(が)。ともかく。「余人は―」②知らず知らず。「―、笑みがうかぶ」③〔文〕はたして〔どうだろうか〕。「―、実現の見こみありや」 二 **しらず** 造〔名・形動ダをつくる〕①知らない〈ようす/人〉。「世間―・恩―・命―」②経験したことがない。「こわいもの―・暑さ―・負け―」③〈どこ/いつ〉が それであるかが〕わからない。「天井―・時―」 ●**しらずしらず**［知らず知らず］《副》気がつかないうちに。

**じら・す**［(焦らす)］《他五》じれるように〈する/しむける〉。じらせる。

**しらせ**［知らせ・報せ］ ①知らせる〈こと/内容〉。連絡。報知。「―が来る・―が はいる」②前兆。「虫の―」☞お知らせ。

**しら・せる**［知らせる］《他下一》①ことばや合図などで伝えて、わからせる。「ニュースを―・口ぶえで位置を―」②気づかせる。「長いかげが冬の おとずれを―」▽知らす。可能 知らせられる。

**しらたき**［(白滝)・シラタキ］ ひものように細い こんにゃく。すき焼きや煮物に入れる。☞糸こんにゃく。

**しらたま**［白玉］ ①色の白い玉。②白玉粉をこねてまるめたもの。ゆでて しるこなどに入れる。「―だんご」 ●**しらたまこ**［白玉粉］ もち米をさらして細かにひいたもの。ぎゅうひ(求肥)などの材料。寒ざらし。

**しらちゃ・ける**［白茶ける］《自下一》〔俗〕色があせて白くなる。しらっちゃける。

**しらっと**《副・自サ》①しらけたようす。「しら(ー)っとした気分」②しれっと。「―した顔で言う」

**しらっぱく・れる**［(:白っぱくれる)］《自下一》〔古風・俗〕しらばっくれる。

**しらつゆ**［白露］〔雅〕〔夜・朝に〕白く光って見える〔秋のころの〕露。☞はくろ(白露)。

**しらとり**［白鳥］〔文〕①はねの白い鳥。②はくちょう。

**しらなみ**［白波・白浪］ ①白く見える波。②〔文〕盗賊。どろぼう。「〔講談の〕―物」☞後白浪。

**しらに**［白煮］ ①色のうすい材料を、こい色の調味料を使わずに煮て白く仕上げ〈ること/たもの〉。しろに。「サトイモの―」②⇩うしおに(潮煮)。

**しらぬ**［知らぬ］ 連 知らない。「―ふりをする・―は本人ばかり」 ●**知らぬが仏** 句 知らないから、平気で仏のようにおだやかな顔をしているのだ。〔ふつう、知らないふりをする場合に使う〕 ●**知らぬ存ぜぬ** 句 「知らない」を強調した言い方。「―を通す」 ●**しらぬかお**［知らぬ顔］《名・自サ》〔知っていながら〕知らないように見せかける顔つき。知らん顔。知らんぷり。「―(を)する」 ●**知らぬ顔の半兵衛** 句 ぜんぜん知らないふりをしている。 ●**しらぬげ**［知らぬ(気)］《ナダ》いかにも知らないように見えること。「母の死も―に明るくふるまう」

**しらぬい**［(:不知＝火)］ 夏の夜、九州の八代海・有明海上に見える無数の火影。しらぬひ。〔イカ釣り船の火とも言う〕

**しらぬひ**［(:不知＝火)］ ⇩しらぬい。

**しらは**［白刃］ さやから ぬいた刃。ぬきみ。

**しらは**［白羽］ まっしろな、矢の羽。 ●**白羽の矢が立つ** 句 ある役目のため、多くの中から選び出される。「次期監督として―」 由来 神につかえる役目に選ばれた、または、神への いけにえに選ばれた少女の家に、白羽の矢が立ったという話から。名誉ある場合にも、犠牲になる場合にも使う。他 白羽の矢を立てる。

**シラバス**〔syllabus〕〔大学などの〕講義内容や授業計画が一覧できるガイド。

**しらはた**［白旗］ ⇩しろはた。

**しらばっく・れる**［(:白ばっくれる)］《自下一》〔俗〕知らない ふりをする。しらっぱくれる。バックレる。しらばくれる。

**しらはりぢょうちん**［白張り(提灯)］ 白紙で張ったちょうちん。葬式に使う。

**しらびょうし**[白拍子] 昔、遊女が、えぼし(烏帽子)と水干の姿で歌いながらまった舞。また、その遊女。

**しらふ**[〈:素面〉] 酒を飲んでいないとき(の顔)。すめん。「―のときはおとなしい」

**ジラフ**〔giraffe〕⇒きりん(麒麟)二。

**シラブル**〔syllable〕〘言〙音節。

**しらべ**[調べ] ①調べること。②〈楽器/音楽〉の調子。③旋律。「笛の―」④(一般に)音楽。「夜の―」⑤点検。調査。「在庫―・小手―」⑥捜索。●**調べがつく** 句 調べて、結果がわかる。●**しらべもの**[調べ物] 資料を読んで調べる仕事。「図書館で―をする」

****しら・べる**[調べる]《他下一》①わからないことをはっきりさせるために、本や実物を見たり、人に聞いたりする。また、そのようにして、考える。②〘文〙音の調子をあわせる。また、音楽を演奏する。「琴を―」 可能 調べられる。

**しらほ**[白帆] 船に張った白い帆。

**しらぼし**[白干し]《名・他サ》①塩につけずに、そのまま〈干すこと/干したもの〉。「アンコウの―」②塩づけにしたウメを味つけせずに、そのまま干すこと。また、そうして作った梅干し。「―の梅」

**しらみ**[〈×虱〉] 動物のはだや毛にくっついて血を吸う、小形の昆虫。●**しらみつぶし**[〈×虱〉潰し] かたっぱしから残らず〈調べる/やっつける〉こと。

**しら・む**[白む]《自五》明るくなる。「東の空が―」

**しらやき**[白焼き]《名・他サ》さかなの身などを、たれなどをつけずに〈焼くこと/焼いたもの〉。すやき。「うなぎの―」

**しらゆき**[白雪] 〈積もった〉まっしろな雪。「富士の―」

**しらゆり**[白〈:百合〉] ユリの中で、白い花をつけるもの。

**しら・れる**[知られる]《自下一》有名である。「桜の名所として―」

**しらん**[知らん] 連 〔西日本などの方言〕知らない。⇒かしらん。●**しらんかお**[知らん顔]《名・自サ》⇒知らぬ顔。●**しらんぷり**[知らん振り]《名・自サ》〘俗〙(知っていても)知らないようなようすをすること。知らんぷり。

**しり**[尻] 一 しり ①腰のうしろ下で肉の豊かなところ。「大きな―・―っぺた」(日常語としてはやや乱暴で、「おしり」のほうがふつう)②肛門。③底。「とっくりの―・ふくろ―」④(着物などで)「尻 一①」の当たる部分。居敷。「―当て」⑤うしろ。あと。「先輩の―について歩く」⑥いちばんあと。終わり。「番付の―から三枚め・ことば―」⑦⇒お尻②。「―を決めて議論する」⑧差し引き計算した結果。帳じり。「―が合わない・帳面―・貿易―」⑨すぐそのあと。「覚えた―から忘れる」▽ケツ(俗)。二 造 じり ①終わりのほうの部分。「沼―」「川―・瀬―」

●**尻が重い** 句 なかなか動こうとしない。(↔尻が軽い) ●**尻が青い** 句 未熟で一人前でない。●**尻が軽い** 句 ①うわきだ。②行動がかるがるしい。③気がるに、すぐ行動するようすだ。(↔尻が重い)〔従来、女性を批判するのに使われてきた言い方〕●**尻がこそばゆい** 句 てれくさくて、じっとしていられない。尻こそばゆい。●**尻が長い** 句 長居をするようすだ。●**尻が割れる** 句 かくしていた悪事がわかる。「連中の尻が割れた」⇒ケツを割る(「尻」の句)。●**尻に火がつく** 句 ものごとがさしせまる。他 尻に火をつける。●**尻に帆を掛ける** 句 さっさとにげだすようす。●**尻の毛を抜く** 句 他人が油断している間に出しぬく。●**尻(の下)に敷く** 句 妻が夫をさしずする立場に立ってふるまう。●**尻を上げる** 句 腰を上げる。自 尻が上がる。●**尻を据える** 句 腰を据える。●**尻をたたく** 句 やる気を起こすようにはげます。そうするようにさいそくする。ケツをたたく。尻をひっぱたく。●**尻をぬぐう** 句 他人の失敗のあとしまつをする。尻ぬぐいをする。●**尻を振る** 句 〘自動車〙〘俗〙ハンドルを取られて、車体のうしろが左右にゆれる。●**尻をまくる** 句 ⇒ケツをまくる(「尻」の句)。●**尻を持ち込む** 句 〔尻=最後〕ほかの人に、問題のあとしまつをさせたり、責任をとらせたりする。

**しり**[私利] 自分だけの利益。「けんかの―・―私欲」

**じり**[事理] 〘文〙ものごとの筋道。わけ。「―明白である」

**じり**[尻] 造 ⇒しり(尻)二。

**しりあい**[知り合い] 〈あまり親しくないが〉つきあいがあって、知っている〈こと/人〉。知人。「あなたのお―ですか」

**しりあ・う**[知り合う]《自五》おたがいに知って、人間関係ができる。「妻と知り合ったのは十年前」

**しりあがり**[尻上がり] ①〈あとのほう/終わり〉になるほど上がること。また、よくなること。「―に調子が出る」②語尾の声の調子が高くなること。「―のイントネーション」▽(↔尻下がり)③〔鉄棒で〕さかあがり。

☆☆**シリアス**〘ナダ〙〔serious〕①まじめ。「―なストーリー」②深刻。重大。「―な問題をふくむ」派 ―さ。

**シリアル**〔cereals=穀物〕〈朝食用の〉穀物の加工食品。コーンフレーク、オートミールなど。⇒グラノーラ。

**シリアル**〔serial〕続き物。連続物。「―ナンバー(=一連番号)」

**シリーズ**〔series〕①いくつかつながってひと組みになったもの。「なぞなぞ―その一・ドラマの第七―(=ひと続きの話。シーズン)」②ていさい・傾向の似たひと続きのもの。「名画―・日本語―(双書の名前にも)」③〘野球〙続けておこなう、全体が一つにまとまっている数試合。「日本―・ワールド―」

**しりうま**[尻馬] (=人が乗った馬のうしろに乗ること) ●**尻馬に乗る** 句 人の考えにかるがるしくしたがって、支持したり宣伝したりする。

**しりえ**[〈△後△方〉] 〘雅〙うしろのほう。

**しりお・く**[知り置く]《他五》〘文〙知っておく。「よく―必要がある」

**しりおし**[尻押し]《名・他サ》①うしろからおすこと。②後援。うしろだて。③〘俗〙ラッシュアワーの乗客を、うしろからおして車内に入れてやる〈こと/役の人〉。(↔剝ぎ取り)

**じりおし**[じり押し]《名・自他サ》①じりじりと、少しずつおすこと。②ねばり強く交渉すること。

**シリカゲル**〔silica gel〕〘理〙乾燥剤として用いるケイ酸のゲル。青色の塩化コバルトをふくませ、水分の指示薬としても使う。

**しりからげ**［尻△絡げ］《名・自サ》⇩しりはしょり。

**しりがる**［尻軽］《ナダ》①女の、うわきなようす。②動作がかるがるしいようす。派ーさ。

**じりき**［地力］自分自身でもともと持っている〈力／能力〉。じぢから。「ーを発揮する」☞ちりょく(地力)。

**じりき**［自力］①自分だけの力。「ー更生(=自力で立ち直ること)」②《仏》自分の力で修行して成仏すること。「ー教」▽(↕他力)

**しりきれ**［尻切れ］↑しりきれとんぼ。「ーで終わる」

●**しりきれとんぼ**［尻切れ(:蜻蛉)］とちゅうで〈なくなる／続かなくなる〉こと。しりきれ。「演説がーになる」

**しりぐせ**［尻癖］①大小便などをもらす癖。②〔俗〕みだらな癖。「ーが悪い」▽しりくせ。

**シリコーン**〔silicone〕《理》ケイ素をもとにした樹脂状の化合物。「ーゴム」☞シリコン。

**しりこだま**［尻子玉］昔、肛門にあると想像された玉。「河童にーを抜かれる(=ふぬけになる)」

**しりごみ**［尻込み・△後込み］《名・自サ》不安などから、それをしたくないと思う(ようすを見せる)こと。「はずかしくて歌うのをーする」動尻込む《自五》。

☆☆**シリコン**〔silicon〕《理》ケイ素。高い純度の精製品は半導体に使われる。☞シリコーン。●**シリコンバレー**〔Silicon Valley〕米国カリフォルニア州サンフランシスコ湾南西地区一帯の通称。シリコンを原料とする半導体をあつかう企業が多い。

**しりさがり**［尻下がり］①〈あとのほう／終わり〉になるほど下がること。また、悪くなること。②語尾の声の調子が低くなること。▽(↕尻上がり)

**じりじり**㊀《副》①目覚まし時計のベルなどが鳴る音。②ある方向に向かって少しずつ動くようす。「ーと後退する・相場はーと上昇」③夏の太陽が、射りつけるように強く照るようす。㊁《副・自サ》気持ちがいらいらして おちつかなくなるようす。「電車が来なくてーする」

**しりすぼみ**［尻(×窄み)］①はじめ勢いがあって、しだいにおとろえること。「議論がーになる」②〈先／下〉のほうほど細くなること。「ーの体形の魚」▽しりつぼみ。しりすぼまり。しりつぼまり。

**しりぞく**［退く］《自他五》①その位置よりも後ろに動く。下がる。「一歩ー」(↕進む)②えらい人のところから帰る。下がる。「御前をー」③〔ある仕事や地位から〕はなれる。「第一線をー」④〔試合などで〕負けて引きさがる。敗退する。「一回戦でー」

**しりぞける**［退ける］《他下一》①その位置よりも後ろに動かす。「とぶように身をー」(↕進める)②おいかえす。「敵をー」③遠ざける。うとんじる。「部外者をー」④〔試合などで〕負かして引きさがらせる。「準決勝で退けた」⑤〔相手の言うことを取り入れないで〕ことわる。拒絶する。「要求をー」表記②〜⑤「△斥ける」とも。

**じりだか**［じり高］《経》相場がしだいに上がること。(↕じり安)

**しりだこ**［尻(:胼胝)］サルのしりの、皮が厚くて毛のない部分。

**しりつ**［市立］市が作り、維持する〈こと／もの〉。〔「私立」と区別して「いちりつ」とも読む〕「ー図書館」

**しりつ**［私立］民間の人が作り、維持する〈こと／もの〉。〔「市立」と区別して「わたくしりつ」とも読む〕「ー大学・ー学校」(↕公立・国立)

**じりつ**［×而立］〔文〕三十歳のこと。由来「論語」の「三十而立(=三十にして立つ。精神的に自立する)」から。☞志学・不惑・知命・耳順。

**じりつ**［自立］《名・自サ》①自分だけの力で行動し生活すること。②ほかからの助けを受けないでやっていくこと。「ー経営」③何かによりかからないで立つこと。「ーするバッグ」●**じりつご**［自立語］《言》〔助詞や助動詞を取り去っても〕それだけで文節をつくることのできる単語。名詞(・代名詞)・動詞・形容詞・形容動詞・連体詞・副詞・接続詞・感動詞など。(↕付属語)

**じりつ**［自律］《名・自サ》〔ほかからの束縛を受けず〕自分で決めた規則にしたがうこと。「ー的・ー運動・ー型ロボット(=人間の操作によらず自ら状況を分析して動くロボット)」(↕他律)●☆☆**じりつしんけい**［自律神経］《生》内臓・血管などの運動や腺の分泌を受け持つ神経。本人の意思に関係なく刺激に反応する。●**じりつしんけいしっちょうしょう**［自律神経失調症］《医》自律神経がうまくはたらかず、疲労感・不眠・どうき(動悸)・息切れなどを感じる症状。更年期障害はその代表。

**しりつき**［尻(付き)］しりの〈かっこう／ようす〉。

**しりとり**［(尻取り)］前の人の言ったことばの最後の音で始まることばを、順々に言い続ける遊び。「ん」で終わることばを言うと負け。例、あじさい→いちょう→うきよえ→えがお→おでん。

**しりぬぐい**［尻拭い］《名・自サ》①しりをふくこと。②他人の失敗の あとしまつをすること。

**しりぬけ**［尻抜け］《名・自サ》①しめくくりの ないこと。しまりがないこと。②抜け道があること。「事実上ーの規定」

**しりはしょり**［尻はしょり］《名・自サ》着物の うしろのすそをつまんで、帯にはさむこと。しりっぱしょり。しりからげ。

**しりびと**［知り人］しりあい。

**しりびれ**［尻(×鰭)］《動》さかなの腹の、肛門よりうしろにある ひれ。

**じりひん**［じり貧］〔俗〕(何もしないことによって)だんだん〈びんぼう／貧弱〉になること。(↕どか貧)

**しりふり**［尻振り］①〔おどりなどで〕腰を左右に振って しりを動かすこと。「ーダンス」②《自動車》〔俗〕「尻を振る」こと〔⇩「尻」の句〕。「ー注意」

**しりめ**［尻目・△後目］①〈追いこす／通り過ぎる〉とき、顔は動かさず、ひとみだけで ちらりと見る目つき。「大河をーにかけて飛ぶ飛行機」②〈関係ない／相手にする必要がない〉という目つき。横目。「不景気をーに(かけて)かせぎまくる」

**しりめつれつ**［支離滅裂］《ナダ》〔一つにまとまるはずのものが〕ばらばらになって筋道が立たないようす。めちゃめちゃ。「ーな話」派ーさ。

**しりもち**［尻餅］たおれて しりを地に打ちつけること。「ーをつく」

**じりやす**［じり安］《経》相場が しだいに下がること。(↕じり高)

**しりゅう**［支流］①本流〈に流れ入る／から分かれる〉川。えだがわ。(↕本流)②〔本家・家元などからの〕わかれ。分派。

**じりゅう**[時流] その時代の〈流れ/風潮〉。「—に乗る」

**しりょ**[思慮]《名・他サ》〔文〕ここで何をすべきか、していいことか悪いことか、というようなことについての考え。「—に欠ける・—分別」☞思慮深い。

←**しりょう**[史料] 歴史を記述するのに必要な材料。遺物・遺跡・伝承・文書など。

↔**しりょう**[試料] 化学分析や検査のための材料。

→**しりょう**[資料] 何かをするときに役立つ材料。データ。「研究の—」

**しりょう**[死霊](人にたたると考えられる)死んだ人の霊魂、または、怨霊。しれい。(↔生き霊)

**しりょう**[飼料]《農》家畜の食べ物。

**しりょう**[思量・思料]《名・他サ》〔文〕こうではないか、と考えること。

**じりょう**[寺領]〔文〕寺院の領地。

**しりょうず**[指了図]《将棋》指し終わった時点の、駒の位置をあらわす図。〔連載の観戦記では、その回の最終時点の図〕

**しりょく**[死力] 必死の力。●**死力を尽くす**句 あるだけの力を出しきってものごとをする。

**しりょく**[視力]《生》ものを見る目の能力。「—が落ちる・—検査・動体—」

**しりょく**[資力]〔文〕資産の力。財力。

**じりょく**[磁力]《理》①磁気の作用の強さ。②磁場の強さ。

**しりょぶか・い**[思慮深い]《形》冷静によく考えるようすだ。「—性格」派-げ。-さ。

**しりん**[四隣]〔文〕あたり近所。

**シリンダー**〔cylinder〕①〔エンジンなどで〕ピストンがその中をすべり動く円筒。気筒。②〔ピストルの〕回転式弾倉。●**シリンダーじょう**[シリンダー錠]かぎを差しこむ部分が まるい筒の形をしている錠。ドアに取りつける。

**しる**[汁]①物体の中にある〈液体/水分〉。②吸い物。つゆ。また、みそしる。「お—」

**し・る**[知る・識る]《他五》①見たり聞いたりして、その情報を頭に入れる。「ニュースで事故を—・手紙で転居を—」②感じ取る。さとる。「彼女はもう私を愛していないと知った」③それについてくわしい情報を持つ。「当時を—人物・—由もない〔=知っているはずがない〕」④見たり聞いたりしたことがあって、すぐそれとわかる。「この曲は知っている・道で、知った顔〔=知人〕に会う」⑤その技能を持つ。「将棋を知っている」✓③〜⑤は、特に述語では「知っている」の形になる。否定形は、ふつうは「知っていない」ではなく「知らない」。⑥経験する。「恋を—・一度知った酒の味」⑦それがどういうものか、はっきりとらえる。認識する。「恥を—・この世はむなしいものと—」⑧そのことをよく考えて、責任を持つ。「先のことなど—か・おれの知ったことか・もう、知らない!」尊敬「知っている」「知っているとおり」は、「ご存じです」「ご存じのとおり」。謙譲「〔その先生のことは〕知っています」は「存じ上げております」。「〔その話は〕知っています」は「存じております」。可能 知ることができる。知れる〔俗〕。☞知らしめる・知らず・知らぬ・知られる。●**知ったことではない**句〔つき放して言う〕自分には関係がない。知ったことか。知ったことじゃない〔話〕。知ったこっちゃない〔俗〕。「あとはどうなろうと—」●**知ってか知らでか**句 知っているのか知らないのか わからないが。知ってか知らずか。●**知ってのとおり**句〔お前が〕知っているとおり。尊敬ご存じのとおり。●**知らしむべからず、由らしむべし**句 ⇩(民は)由らしむべし、知らしむべからず〔「民」の句〕。●**知る人ぞ知る**句 事情やねうちをよく知っている人には よくわかる。●**知るや知らずや**句 気がついているのか いないのか。

**シルエット**〔フ silhouette〕①影絵(のように あらわれた、ものの形)。「夕空にうかぶ山の—」②(立体的な)輪郭。「ドレスの—・車の—」

**シルキー**《ナダ》〔silky〕絹のように、なめらかで やわらかいようす。「—タッチ・—な麺」

**しるく**[著く]《副》〔文語形容詞「しるし」の連用形から〕〔文〕はっきり見えるようす。「夜目にも—見える」

**シルク**〔silk〕絹。絹糸。絹布。●**シルクスクリーン**〔←silk-screen printing〕《印刷・美術》わくにはった布を薬品などで加工し、そこからインクを通して図がらを印刷する方法。スクリーン印刷。●**シルクハット**〔silk hat〕男子の洋式礼装に使う、つばのついた筒形の高い帽子。絹などで作る。●**シルクロード**〔Silk Road=絹の道〕中央アジアを通って、中国とヨーロッパをつないだ古代・中世の通商道路の総称。由来 中国の絹が西方にもたらされたことから。

**しるけ**[汁(気)] しるとしてふくまれる、水分。

**シルケット**〔和製 Silket=もと、商標名〕もめんの繊維を加工して、絹のような つやを出したもの。

**しるけんり**[知る権利] 人々が、行政などに情報を公開させる権利。〔一九七二年に広まったことば〕

**しるこ**[汁粉](こし)あんの しるの中に、もちを入れた食べ物。「お—・いなか—〔=つぶあんで作ったもの〕」☞ぜんざい二②。

**ジルコニア**〔zirconia〕《理》白色の、または すきとおった、ダイヤモンドのような人造の石。人工の歯にしたり、アクセサリーに使ったりする。酸化ジルコニウム。

**ジルコン**〔zircon〕《鉱》花崗岩といっしょに出る鉱石。ダイヤモンドのような つやを持つものは宝石に使う。

←**しるし**[印]①[標] 注意を引くための簡単な図形など。目じるし。「—をつける・丸—」②ものごとを指し示す図形・見ぶりなど。「病院の—・白旗は降参の—」③証拠。「たずねた—に名刺を置く」☞お印。④気持ちをあらわすもの。「おわびの—に おごるよ」「—の おくりもの」●**しるしばかり**[印ばかり]《名・副》少しばかり。わずか。●**しるしばんてん**[印(半纏)・印(半天)] えり・せなかなどに屋号や名前などのしるしを染めたはんてん。はっぴ。

→**しるし**[(験)・(徴)]①ききめ。「くすりの—」②きざし。「地震の—」

←**しる・す**[(印す)]《他五》①目に見える形に残す。「第一歩を—〔=はじめて おとずれる〕」②心覚えとする。しるしをつける。目じるしにする。「木の幹に—」

→**しる・す**[記す]《他五》①書く。書きつける。「氏名を—・〔試験問題で〕記号で記せ」〔同義語「記す」はかたいことば〕表記 文章末尾で「記」とも書く。「九月三日記・大村記〈『大村▵識』とも書く〉」 ②覚える。「心に記して忘れない」 可能 記せる。

**しるそば**［汁そば］ 汁のあるそば。特に、ラーメン。つゆそば。「フカヒレの―」

**シルト**［silt］ 砂より細かく、粘土よりあらい、岩石のつぶ。「―フェンス〈=シルトが海や川に流出するのを防ぐ、水中カーテン〉」

**ジルバ**［←jitterbug（ジタバグ）］ 社交ダンスの一つ。ジャズに合わせて、速いテンポで、男女が組み合ったり回転したりしておどる。

☆☆**シルバー**［silver］ ①銀。②銀色。「―タイ」 ③高年齢。老人。「―エイジ〈=老年〉・―パワー・―ライフ〈=老後の生活〉」 由来 ③は、旧国鉄などで高齢者向けサービスの名にも使ったが、一九七三年の「シルバーシート」から一般化。 ●**シルバーウイーク**［和製 silver week］ 九月後半（または十月終わりから十一月はじめ）の、休日の多い期間。シルバーウィーク。SW。 ●**シルバーカー**［和製 silver car］ 高齢者が手でおして歩く車。荷物を入れたり、腰かけたりできる。歩行補助車。 ●**シルバーグレー**［silver gray］ ①銀ねずみ色。②〈俗〉年をとって、かみの毛が銀ねずみ色になった人。 ●**シルバーシート**［和製 silver seat］ 「優先席」の、昔の呼び名。高齢者やからだの不自由な人のための座席。〔一九七三年〜九〇年代前半に使われたことば〕 由来 うすねずみ色の座席の色から。 ●**シルバーフォックス**［silver fox］ ⇩ぎんぎつね（銀狐）。「―のコート」

**しるべ**［知る（辺）］〈文〉しりあい。しりびと。「―をたよって行く」

**しるべ**［〈▵導〉・〈▵標〉］〈文〉案内となるもの。導いてくれるもの。手引き。「道―」

**シルム**［朝鮮 ssireum］ 朝鮮の格闘技。日本のすもうに似て、二人が投げ合ってきそう。

**しるもの**［汁物］ しるを主とした料理。みそ汁・吸い物・豚汁など。

**しるわん**［汁（×椀）］ 吸い物などを入れるおわん。

**ジレ**［フ gilet］〈服〉 ①ベスト。チョッキ。「ニットの―」 ②女性の服の下につけて のぞかせる、ベストふうの胸かざり。▽ジレー。

↑**しれい**［司令］（名・他サ） ある区域または部署を指揮、監督する（こと〈人〉）。「―官・―部」 ●**しれいとう**［司令塔］ ①軍艦や航空基地で、艦長や司令官が指揮をとるために設けられた建造物。②〈作戦〈事業計画〉の指示を出す中枢部（の人）。③〈サッカーなど〉フォワードにいいパスを出すなどして、攻撃のかなめになる選手。

↑**しれい**［指令］（名・他サ） ①指揮・命令。さしず。②官庁の通知・命令。

*__じれい__［事例］ 前例となる事実。事件の例。「―研究〈⇩ケーススタディー〉」

**じれい**［辞令］ ①応対の ことば。「外交―」 ②〈↑辞令書〉 採用や退職、職務変更などを、当人に通知する文書。人事異動通知書。

**しれつ**［歯列］〔医〕歯の ならび。「―矯正」

☆☆**しれつ**［×熾烈］（名・ナ） 勢いがさかんで はげしいようす。激烈。「―をきわめる」 派―さ。

**じれった・い**（形） いらいらする。心が せく。 派―がる。―げ。―さ。

**しれっと**（副・自サ）〈もと海軍の俗語〉 ①平気なようす。何事もなかったようなようす。しらっと。「どんなに大酒を飲んでも―している・遅刻しても―している」 ②こっそりと。「―もどす」

**しれもの**［〈▵痴れ者〉］〈文〉ばかもの。

**__し・れる__［知れる］（自下一） ①〈自然〈当然〉に〉知ることになる。「人に知れては困る・資料によって それは事実だと―のである・お里が―〈⇩「お里」の句〉」 ②わかっている。「費用といっても知れたものだ〈=わかっている。大したことはない〉・ゆくえの知れない子」 ③〈俗〉「知る」の可能形。「新しいことをたくさん知れた〈ふつうは『知ることができた』〉」

**じ・れる**［〈▵焦れる〉］（自下一） 不安に思って心がせく。いらだつ。

**しれわた・る**［知れ渡る］（自五） 広く知られる。「うわさが―・知れ渡った事実」

**しれん**［試練・試×煉・試×錬］〈信仰〈決心〉の かたさをためし こころみること。「―に たえる」

☆☆**ジレンマ**［dilemma］ ①〈二者択一をせまられて〉どちらにすることもできない状態にあること。板ばさみ。「―におちいる」 ②〈哲〉⇩両刀論法。▽ディレンマ。③〈「じれ」の音の類似から〉〈俗〉じれったい〈気持ち〈状態〉。「部下をコントロールできない―」 ☞トリレンマ。

**しろ** 一 しろ［代］ ①〈文〉代金。「薬の―」 ②苗代。「―をかく」 二［〈代〉］ 造 ①何かをするために必要な部分。「のり〈糊〉―」 ②代わりになるもの。「みたま―」 ③分けまえ。「取り―〈=取り分〉」

**__しろ__ 一［白］ ①いちばん明るい色。雪や塩の色。〈↑黒〉 ②白い〈衣服〈上っぱり〉〉。「―を着る」 ③〈碁〉白いほうの石。〔あとで打つ番の人が持つ〕〈↑黒〉 ④↑白組。「赤勝て―勝て」〈↑赤〉 ⑤↑白ワイン。〈↑赤〉 ⑥何も書いてないこと。「―の卒塔婆」 ⑦〈俗〉↑白ナンバー。「―トラ」 二［シロ］ ①〈俗〉罪のうたがいが〈ない〈なくなる〉こと。無罪。潔白。〈↑クロ〉 ②〈牛・ブタなどの〉〈大〉腸。

**しろ**［城］ ①敵を防ぐために土や石で がんじょうに築いた建物。「―を築く・―が落ちる」 ②自分だけの空間・分野・世界。「自分の―を築く」

**しろ** ◇「する」の命令形。「勝手に―」 ☞にしろ。

**しろあと**［城跡・城×址］ 昔、城があった場所。城址。

**しろあり**［〈白×蟻〉］ アリに似た昆虫。木材を食い、建物に大きな害をあたえる。

**しろあん**［白〈×餡〉］ 白インゲン・白ササゲなどで作った、白いあん。

**__しろ・い__［白い］（形） ①白の色だ。「―わた雲・クチナシの―花」〈↑黒い〉 ②よごしたり、書いたりしてない状態だ。 派―さ。 ●**白い歯を見せる** 句 にっこり笑って、親しみの気持ちを見せる。〔歯を主語にすると「白い歯がこぼれる」〕 ●**白い目で見る** 句 〈冷淡な〈にくらしさをあらわす〉目つきで人を見る。「周りの人から白い目で見られる」 ●**しろいもの**［白い物］ ①雪。「―が降ってきました」 ②しらが。「―がまじる」

**しろいし**［白石］〈碁〉白い石。〈↑黒石〉

**しろいろしんこく**［白色申告］ 青色申告によらない、所得税・法人税の申告方式。☞青色申告。

し

**しろう**[×屍×蠟] 死んだあとで、からだの脂肪がろうのように変わったもの。

**じろう**[×痔(×瘻)]〔医〕肛門の まわりの炎症が原因となって肛門の付近に穴のあく病気。穴痔。

**しろうお**[(△素魚)・(白魚)] ハゼの一種。春先にとれる。シラウオに似てそれより小さい。「おどり食い」で知られる。☞しらうお。

**しろうき**[白浮き]《名・自サ》けしょう品がはだになじまず、白っぽく浮いて見えること。「日焼け止めが―する」

**しろうと**[素人] ①(職業としての)経験のない人。未熟な人。「―療法・―考え・〔けなして〕ど―」 ②〈職業/専門家〉としてではなく(好きで)する人。アマチュア。「―下宿」 ③〔芸者や遊女でない〕一般の女性。▽しろと。(↔玄人) ●**しろうとばなれ**[素人離れ]《名・自サ》しろうとなのに、専門家のようにすぐれていること。「―した芸」☞玄人はだし。●**しろうとめ**[素人目] 専門家ではない人の〈見方/評価〉。「―にもわかる」

**しろうま**[白馬]〔俗〕にごり酒。☞はくば(白馬)。

**しろうり**[白(×瓜)] うす緑色の、ウリの一種。マクワウリに似て大形。つけものにする。

**しろかき**[代(×搔き)]《農》①苗代の田に水を入れて土をかいてならすこと。②田植えの前に田の土をすきで起こすこと。

**しろがね**[(△銀)](=白金)〔雅〕①ぎん。②銀貨。

**しろきじ**[白生地] まだ染めてない白い色の〈生地/織物〉。

**しろくじちゅう**[四六時中]《副》(=二十四時間) ①一日じゅう。②始終。いつも。▽二六時中。

**しろくばん**[四六判] ①紙の大きさの一種。縦一〇九・一センチ、横七八・八センチ。②書籍の大きさの一種。縦一八・八センチ、横一二・七センチ。B6判よりやや大きい。

**しろくま**[白熊] 北極地方にすむ、毛の白い大形のクマ。ほっきょくぐま。

**しろくろ**[白黒] ━ **しろくろ** ①白と黒。②白や黒、灰色以外の色がついていないこと。モノクロ。「―写真」(↔カラー) ━ **しろくろ** いいか悪いか。黒白。「―を決める」▽━━くろしろ。

**しろこ**[白子]〔俗〕⇩アルビノ。☞しらこ(白子)・しらす(白子)。

**しろこしょう**[白(×胡×椒)] よく熟したコショウの実から、皮を取り去って干したもの。ホワイト ペッパー。☞黒こしょう。

**しろごはん**[白(御飯)]「しろめし」の美化語。

**しろざけ**[白酒] 白くてどろどろした あまい酒。三月の節句に使う。

**しろざとう**[白砂糖] 精製した白い砂糖。

**しろじ**[白地] ①白い色の生地。しらじ。②紙や布などの地色の白いもの。「―に赤く日の丸染めて」

**しろしめ・す**[(知ろし△食す)]《他四》〔雅〕「治める」の尊敬語。しらす。

**しろしょうぞく**[白装束] 上から下まで、白だけの服装。〔神事・弔事の礼装〕

**しろじろ**[白々]《副》白さが印象的なようす。しらじら。「―とさいた花」

**じろじろ**《副》とがめたり調べたりするかのように、えんりょなく ながめまわすようす。「顔を―(と)見る」

**しろず・む**[白ずむ]《自五》白っぽくなる。「表札のあとが白ずんでいる」

**しろたえ**[白△妙](=白い布)〔雅〕白。白色。「―の富士のみね」

**しろタク**[白タク] 自家用車を使って、無許可でタクシー同様のことをするもの。「―行為」☞白ナンバー。

**シロップ**〔オ siroop〕 ①砂糖に水を加えて煮て作った、こい液体。(糖)みつ。②果汁に、砂糖などを加えて作った、こい液体。水などでうすめて飲む。果実シロップ。「いちご―」

**しろっぽ・い**[白っぽい]《形》白色をおびているようすだ。「―銀色・―(=漢字の少ない)文章」(↔黒っぽい) 派―さ。

**しろつめくさ**[(白詰草)] ⇩クローバー①。

**しろづる**[白(×蔓)] フジのつるの皮をむいたもの。いろいろに曲げて生け花の材料に使う。

**しろと**[(△素△人)] しろうと。(↔くろと)

**しろとび**[白飛び]《写真》明るい部分が白っぽく写ってしまい、見づらくなること。「―補正」(↔黒つぶれ)

**しろトラ**[白トラ] 営業免許を持たない、もぐり業者のトラック。☞白ナンバー。

**しろながすくじら**[(白長須鯨)] 動物の中で、いちばん大きくなるクジラ。体長三〇メートル、体重一七〇トンにもなる。しろながす。

**しろなまず**[白(×癜)]《医》皮膚の色素が足りなくなるためにできる、白い まだらな点。

**しろナンバー**[白ナンバー](ナンバープレートの地色が白いことから) 自家用車。非営業車。☞白タク・白トラ。

**しろにく**[白肉] ①白っぽい肉。「ニワトリの―・―料理」(↔赤肉) ②〔広島方言〕 牛のミノ。

**しろぬき**[白抜き]《名・他サ》染色や印刷で、模様や、枠内の文字などを白く〈残すこと/残したもの〉。(↔黒抜き)

**しろぬり**[白塗り]《名・他サ》①白く〈ぬること/ぬったもの〉。「―のベンチ」②白く、厚くぬったけしょう(をすること)。「―の役者」

**しろねずみ**[白(×鼠)] ①毛の色の白いネズミ。②主人のために忠実によく働くやとい人。▽(↔黒ねずみ)

**しろバイ**[白バイ]〔警察の〕白く塗った大型バイク。交通の取りしまりをおこなう。

**しろはた**[白旗] ①白い色の旗。特に、降伏や休戦をあらわす旗。「―を〈揚げる/掲げる〉〔負けを認める意味にも〕」②負けること。「―宣言」▽しらはた。

**しろぶさ**[白房]《すもう》土俵の西南のすみに、つり屋根からたらした白い ふさ。もと「白柱」のあった位置。「―下へ押し出す」(↔赤房・青房・黒房)

**しろぼし**[白星] ①中が白いしるし。②《すもう》勝ったしるしの、白い まる。③〔俗〕手柄。成功。▽(↔黒星)

**シロホン**〔xylophone〕《音》いろいろの長さの木片を音階順にならべ、先にまるい たまのついた棒で打ち鳴らす楽器。木琴。シロフォン。

[シロホン]

**しろみ**【白身】①ものの白い部分。②たまごの黄身を包む、透明な部分。卵白。（↔黄身）③身の白いさかな（=タイ・ヒラメなど）。また、マグロの、白い身の部分。「―ざかな・―のさしみ」（↔赤身）④肉の、あぶらの多い白い部分。（↔赤身）

**しろみ**【白み〔：味〕】白い感じ（の色）。「―をおびる」

**しろみそ**【白〔味×噌〕】白っぽくなるように発酵熟成させたみそ。かおりが高くあまみがある。多く関西で使う。「―のおぞうに」（↔赤みそ）☞西京③。

**しろむく**【白〔無×垢〕】上着・下着全体が白い衣服。「―の花嫁衣装」●**しろむくてっか**【白〔無×垢〕鉄火】見かけは おとなしそうでも、実際は不良で、ばくちなどをする者。

**しろめ**【白目】①目の玉の、白い部分。（↔黒目）②だるまなどの、黒目をかき入れない目。

**しろめし**【白飯】〈まぜたもの／そえた おかず〉のない、白いごはん。はくはん。「―だけ買う」

**しろもの**【〔代物〕】〔俗〕（しな）もの。やつ。「やっかいな―」☞だいぶつ（代物）。

**しろもの**【白物】①白いもの。「―用の せんたく洗剤・―食品（=牛乳・豆腐・白米・麺など）」②↑白物家電。●**しろものかでん**【白物家電】冷蔵庫・せんたく機など、生活関連の家電製品。白物。（↔黒物家電（=オーディオ機器など））由来 色の白い製品が多かったことから。

**じろりと**《副》とがめるような感じで、目を動かして相手を見るようす。じろっと。「―にらむ」

**しろワイン**【白ワイン】すきとおったうす黄色のワイン。皮が黄緑色のブドウのしるだけを発酵させて造る。魚介料理や鳥料理に合う。白ぶどう酒。「ムール貝の―蒸し」☞赤ワイン・ロゼ。

**しろん**【史論】〔文〕歴史に関する議論。

**しろん**【私論】〔文〕個人的な意見。私見。

**しろん**【試論】〔文〕ためしに のべた論説。

**じろん**【自論】自分の考え。自説。「―をはっきり言わない人」由来「持論」からできたことば。

**じろん**【持論】ずっと持ち続けている考え。持説。「制度改革が―だ」

**じろん**【時論】〔文〕①時事に関する議論。②そのときの世論。

**しわ**【史話】〔文〕歴史の話。

**しわ**【〔×皺〕・シワ】①表面がたるみ縮んで、細かいすじとなったもの。「―が寄る」②（財政・政策などの）矛盾。「金利を引き上げれば企業に―が寄る」☞しわよせ。

**しわい**【〔×吝い〕・〔×嗇い〕】《形》〔俗〕けちだ。しみったれだ。派―さ。

**しわがれごえ**【〔×嗄れ〕声】かすれて聞き取りにくい声。しゃがれ声。

**しわがれる**【〔×嗄れる〕】《自下一》かぜをひいたり、のどに異状が起こったりして、声がひびかなくなる。しゃがれる。「しわがれた声」

**しわくちゃ**【〔×皺くちゃ〕】《ナダ》しわが寄って縮れたようす。「ハンカチが―だ」

**しわけ**【仕訳】《経》〔簿記で〕項目を分けて貸し・借りを書きつけること。「―帳」☞仕。

**しわけ**【仕分け】《名・他サ》〈要・不要などの〉種類ごとに、分けること。区分。動 仕分ける《他下一》。☞仕。

**しわざ**【仕業】（=したこと）〈害をあたえる〉おこない。「まるで悪魔の―だ」☞仕。

**しわしわ**【〔×皺々〕】《名・ナダ》しわが たくさんあるようす。しわくちゃ。「―の服」

**じわじわ**《副》ゆっくりと、少しずつ動いたり変化したりするようす。じわりじわり。「―（と）しめつける」●**じわじわ来る** 句 ものごとのよさ・味わいなどが、じわじわと感じられる。じわる〔俗〕。「タイトルの意味が―」〔二〇一〇年代に広まったことば〕

☆☆**しわす**【師走】（旧暦の）十二月。しはす。

**じわっと**《副》ゆっくりとその状態になるようす。じわりと。「あせが―にじむ・喜びの気持ちが―わいてくる」

**しわのばし**【〔×皺〕伸ばし】《名・自サ》①しわをのばすこと。「服の―」②〔俗〕老人の気ばらし。

**しわばむ**【〔×皺ばむ〕】《自五》〔文〕しわが寄る。「しわばんだ首筋」

**しわばら**【〔×皺〕腹】〈老人の〉しわの寄った腹。「―かき切って（=切腹して）おわびする」

**しわぶかい**【〔×皺〕深い】《形》しわが深く刻まれているようすだ。「老人の―顔」

**しわぶき**【〔×咳〕】〔文〕せき（ばらい）。動 しわぶく《自五》。

**しわめる**【〔×皺める〕】《他下一》〔文〕しわを寄せる。直 しわむ《五》。

**しわよせ**【〔×皺〕寄せ】《名・他サ》財政や仕事などの無理が、そのまま ほかの部分に、悪い影響をおよぼすこと。「他に―する」

**じわり**【地割り】地面の区画。地所の割り付け。

**じわりと**《副》⇩じわっと。「―つめよる」

**じわる**《自五》〔俗〕じわじわ来る。「シュールなイラストが―」〔二〇一〇年代に広まったことば〕

**じわれ**【地割れ】《名・自サ》日でりや地震などのために、地面に〈割れ目ができること／できた割れ目〉。

**しわんぼう**【〔×吝ん坊〕】〔俗〕けちんぼう。しわんぼ。「―の柿の種（=柿の種も捨てないほどの ひどい けち）」

**しん**【心】①こころ。精神。「―がつかれる・―の強い人・公徳―」②⇩芯③。③〔医〕心臓。「―停止・―疾患（=心臓病）」

**しん**【臣】〔文〕一 けらい。臣下。二《代》臣下が君主に対して自分をけんそんして言うことば。

**しん**【芯】①ものの まんなか（に あるもの）。「えんぴつの―」②（まん）なかにある、かたいもの。「―のあるごはん」③〔心〕心の中にある、一貫して ゆるがないもの。「―の強い選手・―の通った人」④のびる枝の先につく、芽。「―をつむ」⑤《野球》バットの先から十二、三センチほどの、ボールを遠くに飛ばす部分。「―を食う（=俗に、ⓐボールが芯に当たる。ⓑ本質をとらえる）」⑥ホチキスの針。玉。

**しん**【辛】〔文〕からさ。「甘、酸、苦、―」

**しん**【信】一 しん〔文〕①信用。「―を置く（=信じる）」②信義。〈儒教の根本的な考え方の一つ〉☞五常。二 造 たより。通信。「第一―」●**信なくば立たず** 句〔文〕人々の信用がなければ、国は成り立たない。信なくんば立たず。由来「論語」の「民信なく（ん）

ば立たず」から。•☆☆**信を問う** 句 信用してくれるかどうかをたずねる。「国民の―〔=首相が衆議院を解散して、総選挙が おこなわれるようにする〕」

**しん**[神] ㊀しん ①〔文〕かみ。「技、―に入る〔=神わざに近い〕」②↑しんとう(神道)。③↑神戸。「阪―・名―高速道路」㊁造 かみ。「太陽―・守護―・〔ヒンドゥー教の〕シバ―」

***しん**[真] ㊀しん ①本当。まこと。「―の やみ」②真理。「―善美」③ほんもの。④楷書。「―、行、草」⑤↑真打ち。㊁造 本当の。「―犯人」•**真に迫る** 句 本物と区別できない状態になる。「真に迫った表情」

←**しん**[×秦]《歴》中国最初の統一王朝。〔前二二一～前二〇七〕「―の始皇帝」

→**しん**[△清]《歴》中国最後の王朝。明のあと。〔一六一六～一九一二〕

**しん**[寝]〔文〕ねむり。「―につく」

****しん**[新] ㊀しん ①〔文〕新しい〈こと/もの〉。「―を好む」②↑新暦。③《経》↑新株。▽(↕旧) ④〔選挙で〕↑新人。「諸派―」㊁造 ①新しい。「―勢力・―社長・―方言」(↕旧) ②早生の。とれて間もない。「―玉ねぎ・―キャベツ」

**しん**[親] ㊀しん 〔文〕①親族。みより。②〔親子の〕親しい関係。血縁関係。「大義―を滅す〔⇩「大義」の句〕」㊁造 好意を持ち、支持すること。「―中国派・―米」㊂造《法》親族。「尊属―」•**親は泣き寄り他人は食い寄り** 句 不幸があったときに、身内の者は、かなしみのために集まるが、他人は、出されるごちそうを食べるために集まる。

**しん**[深] ㊀造 ①ふかい。「―呼吸」②こい。「―紅色」㊁造 ふかさ。「積雪―」

**しん**[身] 造 からだ。〔写真にうつる からだの割合〕「七分―〔=ひざのあたりまでうつったからだ〕」

**しん**[×疹] 造《医》発疹。「ピリン―」

**しん**[進] 造 進むこと。進行すること。「北東―する台風・三―〔=野球で、三塁まで進むこと〕」

**しん**[診] 造《医》診察。診断。「細胞―」

**しん**[審] 造 ①《法》審理。「第一―・下級―」②↑審議会。「総合開発―」

**じん**[仁] ①すべての人に、思いやりと愛の気持ちで接すること。〔儒教の根本的な考え方の一つ〕☞五常。②〔文〕ひと。「わけのわからぬ―もあるもので」☞ご仁。

**じん**[尽]〔文〕みそか。月末。「九月―」

**じん**[陣] ㊀じん ①敵を攻撃し、また敵の攻撃を防ぐため、兵隊を配置〈すること/したもの〉。陣営。「―をしく」②戦い。戦役。「夏の―」㊁造〈相手に何かをしかける/その仕事に当たる〉人々。「質問の第一―・教授―・男性―」

**じん**[腎]《医》腎臓。「―機能・―不全・―移植・―がん(癌)」

****じん**[人] ㊀造 ①その(すぐれた)分野に属する ひと。「経済―・大学―・野球―・文化―・芸能―・有名―・民間―」②その国・場所・時代の ひと。「日本―・ローマ―・古代―」③そういう性質をもつ ひと。「ひま―・趣味―・風流―」☞にん(人)㊁。㊁じん 天・地・人と三つ(の等級)に分けたときの、三番目。

**じん**[×塵] 造 ほこり(のように小さなもの)。「浮遊―・宇宙―」

**ジン**〔gin〕ライ麦やトウモロコシなどを原料にして、ネズ〔=モミに似た木〕の実で かおりをつけた、無色の強い蒸留酒。「―ライム」☞ジントニック・スピリッツ①。

←**しんあい**[信愛]《名・他サ》〔文〕①信じ愛すること。②信仰と愛。

→**しんあい**[親愛]《名・ナダ》〔文〕親しみを感じているようす。親しいこと。「―感・―な読者」

**じんあい**[仁愛]〔文〕相手をいたわる やさしい気持ち。

**じんあい**[×塵×埃] 空気中にうかんでいる、固体の細かいつぶ。ちり。ほこり。

**しんあん**[新案] ①新しい考案。「―特許〔↑実用新案特許〕」②新しい案。

**しんい**[神意]〔文〕神の心。

**しんい**[真意] 本当の〈心/意味〉。

**しんい**[×瞋×恚]〔文〕いかって、うらみに思うこと。しんに。「―の炎」

**じんい**[人為]〔文〕〔自然の状態に対して〕人が手を加えること。人間の わざ。(↕自然) •**じんいせんたく**[人為選択]《生》〔牧畜や園芸で〕多数の個体の中から役に立つものを選んで分離・育成すること。人為淘汰。(↕自然選択) •☆☆**じんいてき**[人為的]《ナダ》人の手を加え(た結果そうな)るようす。•**じんいとうた**[人為×淘汰]《生》⇩人為選択。(↕自然淘汰)

**じんい**[仁医]〔文〕親切に病人のためにつくす医者。☞仁①。

**しんいき**[神域] 神社の区域の中。境内。

**しんいり**[新入り]《名・自サ》新しくなかまに〈はいること/はいった人〉。新参。(↕古参)

**しんいん**[心因]《医》精神的な原因。「―性の病気」

**しんいん**[神韻]〔文〕芸術作品のあたえる、なんとも言えない気高い感じ。「―縹渺」

**しんいん**[真因]〔文〕本当の原因。「事件の―」

**じんいん**[人員] 役所・会社・団体などで働いている、人(の数)。「―整理・募集―」

**じんう**[腎×盂]《生》腎臓の中の、木の枝のように分かれている空所。尿を集め、輸尿管を経てぼうこう(膀胱)へ送る。「―炎」

**しんうち**[真打ち・心打ち] ①《寄席》高座に最後に出る人。②講談界や東京の落語界で、いちばん上の階級。二ツ目の上。

**しんうん**[進運]〔文〕進歩・発展する情勢。「時代の―」

**しんえい**[親衛]〔文〕帝王などの身ぢかにいて、その人を守ること。「―兵・―隊〔=熱狂的なファンのむれをさすことがある〕」

**しんえい**[新鋭]《名・ナダ》〔その方面に〕新しく出てきて、勢いの するどい〈こと/者〉。「最―・期待の―」(↕古豪)

**じんえい**[陣営] ①戦場で軍隊がとどまり、活動の拠点となるところ。軍営。陣屋。陣所。②対立する組織の一方。「保守―・自由主義―」

**しんえつ**[親閲]《名・他サ》〔文〕〔国家の元首など〕

身分の高い人が みずから軍隊などを視察し、はげますこと。

**しんえん**【神×苑】〔文〕神社の境内(にある庭園)。

**しんえん**【真円】《数》ゆがみがまったくない円。正円。

**しんえん**【深×淵】〔文〕深い ふち。

**しんえん**【親縁】〔文〕①親類としての縁。②同じ元から出ている関係。「言語の—関係を調べる」

**しんえん**【深遠】《ナダ》おく深いようす。「—な教義」[派]—さ。

**じんえん**【人煙】〔文〕家の炊事の けむり。「—まれな山里」

**じんえん**【腎炎】《医》腎臓に起こる炎症。尿に たんぱくがまじり、むくんで、血圧が高くなる。腎臓炎。

**しんおう**【心奥】〔文〕心のおく。気持ちのおくそこ。

**しんおう**【深奥】〔文〕[一]おくそこ。[二]《ナダ》おく深いようす。[派]—さ。

**しんおう**【震央】《地》震源の真上にあたる、地表の地点。

**しんおん**【心音】《生》心臓の鼓動の音。

**しんか**【心火】〔文〕〔嫉妬などの〕はげしく起こりたつ感情。ほむら。

**しんか**【臣下】君主に つかえる人。けらい。

**しんか**【神火】①神社の行事でたく、けがれのない火。②〔文〕ふしぎな火。☞御神火。

**しんか**【真価】本当の ねうち。まことの価値。「—を発揮する」

**しんか**【進化】《名・自サ》①《生》生物が〈だんだん/いっそう〉環境に適した状態に発展すること。②ものごとが、よりよい方向に進んでいくこと。「技術の—」▽(↕退化) ●**しんかろん**【進化論】《生》生物はすべて下等な種類のものから高等なものへとだんだんに発展してきたという説。イギリスのダーウィン(Darwin)が唱えた。

**しんか**【深化】《名・自他サ》〔文〕深まること。深めること。「討議を重ねて内容を—させる」

**じんか**【人家】人の住む家。

**シンカー**〔sinker〕《野球》打者の近くで急にしずむように落ちる投球。

**シンガー**〔singer〕歌手。「ジャズ—」●**シンガーソングライター**〔singer songwriter〕ポピュラー音楽で、自分で作詞作曲して歌う歌手。

**しんかい**【深海】①深い海。②《生》二百メートル以上の深さの海。「—魚」▽(↕浅海)

**しんかい**【新開】《名・自サ》①土地を新しく ひらくこと。②市街が新しく ひらけること。また、その市街。「—地」

**しんがい**【震×駭】《名・自サ》〔文〕おそれおどろき、ふるえ上がること。「国民を—させた大事件」

**しんがい**【侵害】《名・他サ》不当なやり方で、相手の権利や利益をあらすこと。「基本的人権の—」

**しんがい**【心外】《ナダ》〔相手に誤解されたりして〕意外で、残念な〈ようす/気持ち〉。「—な批評」[派]—さ。

**じんかい**【人界】〔文〕〔天上界や魔界ではなく〕人間の住む世界。人間界。「—と霊界を行き来する」☞にんがい(人界)。

**じんかい**【×塵×芥】〔文〕ちり。ごみ。

**じんかい**【×塵界】〔=ちりにまみれた世界〕〔文〕俗世間。「—をはなれる」

**じんがい**【人外】〔文〕①人の住む世界の外。「—魔境」②人の道に外れたこと。にんがい。③人ではないもの。「—の もののけ」●**じんがいきょう**【人外境】〔文〕人の住まない所。

**じんかいせんじゅつ**【人海戦術】①損害をおそれず、非常に たくさんの兵力を使って戦うこと。②機械の力にたよらず、多くの人手だけで作業すること。

**しんがお**【新顔】目新しい顔。新しくその仲間にはいった人。(↕古顔)

**しんかく**【神格】①神としての資格。「—化」②神としての格式。

**しんがく**【心学】江戸時代、神・儒・仏の三つの道を総合し調和させた実践道徳の教え。道学。〔石田梅巌を祖とする〕

**しんがく**【神学】《宗》キリスト教の教理・事実・実践について研究する学問。「—者」☞神学校。●**しんがくろんそう**【神学論争】①神学上の論争。②たがいの信念をぶつけ合うだけの不毛な論争。

**しんがく**【進学】《名・自サ》上の学校に進むこと。「—者・—教室〔=塾〕」●**しんがくこう**【進学校】難関校に進学する生徒が多い高校・私立中学校。しんがっこう。

**じんかく**【人格】①人間としての高さの ものさしとなる、性格。ひとがら。「二重—」②一人前の、大切にあつかうべき人間であること。③《法》法律上の行為をする主体。●**じんかくけん**【人格権】人の生命・身体・自由・プライバシーなどに関する権利。●**じんかくしゃ**【人格者】すぐれた人がらの人。

**じんがさ**【陣×笠】①昔、下級の兵士たちが戦争でかぶとの代わりに かぶった かさ。②「じんがさ①」をかぶる兵士。雑兵。③〔俗〕下っぱ。ぺえぺえ。平代議士などのこと。「—連中」

［じんがさ ①］

**しんがた**【新型】新しい型〔=型式・類型など〕。「—車・—インフルエンザ」

**しんがっこう**【神学校】《宗》神学を研究し、伝道者を育てる学校。

**しんかなづかい**【新仮名遣い】⇩現代仮名遣い。(↕旧仮名遣い)

**しんかぶ**【新株】《経》増資のときに新しく発行する株式。子株。(↕旧株)

**シンガポール**〔Singapore〕マレー半島南端の小さな島を領土とする共和国。都市国家で、首都シンガポール。[表記]「:新嘉坡」は、古い音訳字。

**じんがまえ**【陣構え】《名・自サ》敵と戦うためのかまえ。戦陣の形。

**しんから**【(心から)】《副》こころ(の底)から。しんそこ。

**しんがら**【新柄】新しい柄。「春の—」

**しんがり**【(△殿)】①〔文〕軍隊の列の最後にある部隊。②列のいちばん うしろ。「—をつとめる・—人気の〔=いちばん人気がない〕競走馬」

**しんかん**【心肝】〔文〕こころ(の底)。「くやしさが—に徹する」

**しんかん**【信管】《軍》爆弾・弾丸などを炸裂

れつさせる装置。

**しんかん**[神官] かんぬし。

**しんかん**[×宸×翰]〔文〕天皇・皇帝の直筆の文書。

**しんかん**[新患]《医》その病院での新しい患者。

**しんかん**[新歓] 先輩が、新しくはいった人を歓迎する〈こと/会〉。〈新入生/新人〉歓迎(会)。「—イベント・—コンパ」

**しんかん**[新館] 別に新しく建てた建物。(↔旧館)

☆☆**しんかん**[震×撼]《名・自他サ》〔文〕①ふるえ〈動く/動かす〉こと。震動。②非常に おどろかすこと。「首都を—させる事件」

**しんかん**[新刊]《名・他サ》 新しく刊行〈すること/された本〉。(↔旧刊)

**しんかん**[森閑・深閑]《(ト)タル》〔文〕あたりに音のしないようす。ひっそりしているようす。「—とした館内」

**しんがん**[心眼] ものごとの本質を見抜くことのできる、するどい感覚。

**しんがん**[心願]〔文〕そっと、心の中で思う ねがい。「—成就」

**しんがん**[真×贋]〔文〕本物とにせもの。本物か にせものか。「—論争」

**じんかん**[人間]〔文〕世の中。世間。●**人間到る処青山あり** 句 〔青山=墓地〕 世の中どこにでも自分の骨をうずめることができる。だから、故郷を出て広い世界で大いに活躍しなさい。✓「人間」は「にんげん」とも読む。その場合、「人」「世の中」の両方に解される。

**じんかん**[人勧] ↑人事院勧告。「—完全実施」 由来 幕末の僧、月性のことば。

**しんかんせん**[新幹線] 全国のおもな都市の間を高速で走る、JRの路線。また、その列車。(↔在来線)

**じんかんセンサー**[人感センサー] 人が通るとスイッチがはいる装置。「—付きの照明」

←**しんき**[心気]〔文〕気持ち。「—澄みわたる・—が高ぶる」 ●**しんきしょう**[心気症]《医》自分の健康状態について必要以上に心配し、病気ではあるまいかとなやむ状態。ヒポコンデリー。

↔**しんき**[心×悸]〔文〕心臓の鼓動。●**しんきこうしん**[心×悸×亢進・心×悸高進]《医》心臓の鼓動がはげしく打つ症状。どうき(動悸)。

→**しんき**[心機]〔文〕心の はたらき。●**しんきいってん**[心機一転]《名・自サ》心の持ち方をがらりと変えて、積極的になること。「—、一から出直す」

**しんき**[神気]〔文〕①精神。こころ。②神聖な ふんいき。

**しんき**[神器]〔文〕①神をまつるときに使う道具。②⇩じんぎ(神器)。

**しんき**[神機]〔文〕①非常にすぐれた計画・戦術。「—妙算〔意味は同じ〕」②めったにない、すばらしい機会。「—到来」

**しんき**[新×禧]〔文〕〔年賀状で〕新年を祝うこと。「恭賀—」

**しんき**[新奇]《名・ナダ》 新しくて変わっていること。「—な趣向」 派 -さ。

**しんき**[新規]《名・ナダ》 これまでと別に、新しく始めること。「—〈の/な〉提案・ご—さん〔=新しいお客〕」 ●**新規ま(蒔)き直し** 句 新しくやり直すこと。

**しんき**[辛気]《(ナダ)》〔関西・四国方言〕 心が はればれしないようす。●**しんきくさ・い**[辛気(臭い)]《形》①〔もと関西方言〕 気がくさくさして めいるようすだ。暗い。「—話」②〔関西・中部・中国方言〕 いらだたしい。じれったい。派 -さ。

**しんぎ**[心技]〔文〕心の持ち方の面と、技術・技能の面。「—ともに完調」 ●**しん-ぎ-たい**[心技体]〔すもうなど〕精神・技術・体力の三つ。

**しんぎ**[信義] うそを言わず、正しい道を守ること。「国際—・—を重んじる・—則〔=信義に もとづくという原則〕に反する」

**しんぎ**[神技]〔文〕人間には できないような、非常にすぐれたわざ。神わざ。

**しんぎ**[真偽] 本当か うそか。「—のほどはわからない」

**しんぎ**[新技]〔文〕新しい わざ。

**しんぎ**[審議]《名・他サ》 議案などについて会議にかけて、どうするか決めること。「—会・—に付す」 ●**しんぎかん**[審議官]〔省庁で〕①事務次官の仕事の一部を分担する役職。「外務—」②官房長の下で事務をまとめる役職。

**じんき**[人気] その土地の人の気風。にんき。「新開地で—があらい」 ☞にんき(人気)・ひとけ(人気)。

**じんぎ**[仁義] ①仁と義。思いやりの心と、おこないが道理に かなうこと。☞五常。②人の おこなうべき道徳。「—なき争い」③〔↑辞儀〕〔俗〕ばくち打ちなどの間に おこなわれる、あいさつの しかた。●**仁義を切る** 句 ①やくざどうしが初対面のあいさつをする。②〔俗〕関係者に ことわりを入れる。●**仁義を通す** 句 信義のすじを通す。義理を果たす。

**じんぎ**[神器]〔文〕神代から受けつぐ宝物。特に、三種の神器。じんき。しんき。

**しんきじく**[新機軸] 新しい考え方にもとづいた〈計画/こころみ〉。「—を出す」

**ジンギスカン**〔Chinggis Khan=人名〕 羊の肉を鉄のなべに のせ、焼いて食べる料理。ジンギスカン料理。「—なべ・—のたれ」 由来 十三世紀のモンゴル帝国の支配者チンギス・ハーンをイメージしたもの。表記「∴成吉思汗」は、古い音訳字。

**しんきゅう**[真球] ゆがみのない完全な球。

**しんきゅう**[新旧] 新しいものと古いもの。「—役員の顔合わせ」

**しんきゅう**[新球] ①新しいボール。②《野球》新球種。「—カーブ・—習得」

**しんきゅう**[×鍼×灸・針×灸] はりと きゅう。

**しんきゅう**[進級]《名・自サ》 等級・学年が進むこと。

**シンギュラリティ(ー)**〔singularity〕 AIが人間の能力を追いこすとき。技術的特異点。

**しんきょ**[新居] 新しい住まい。「—を構える」(↔旧居)

**しんきょう**[心境] (そのときの)気持ち。「—の変化」

**しんきょう**[信教] 宗教を信じること。「—の自由」

**しんきょう**[神橋] 神社の境内にかけた橋。

**しんきょう**[進境] 進歩の〈状態/程度〉。「—いちじるしい」

**しんきょう**[新教]《宗》⇩プロテスタント。「—徒」(↔旧教)

**しんぎょうそう**［真行草］①書道の字体で、真書(=楷書)・行書・草書。②庭園・生け花・俳諧などの三つの形式。真は正格、草はそれを変化させた優雅な形、行はその中間。

**しんきょく**［新曲］新しい〈楽曲/歌曲〉。

**しんきろう**［〈×蜃気楼〉］《理》大気中の温度差によって光の屈折率が変わり、遠くの物体がうかんでいるように見えたり、上下に反転した像が見えたりする現象。海市。

**しんきん**［心筋］《生》心臓を構成する筋肉。●☆☆**しんきんこうそく**［心筋梗塞］《医》冠動脈の一部がつまって組織が死ぬこと。

**しんきん**［信金］《経》↑信用金庫。

**しんきん**［×宸襟］〔文〕天子の心。「―をなやます」

**しんきん**［真菌］《生》病気を引き起こすもとになるカビ。「―(感染)症(=はだ・粘膜・内臓にカビが寄生して起こる病気)」

**しんきん**［親近］《名・自サ・ナダ》〔文〕①親しいこと。「―感(=親しみの感じ)」②近い関係にあること。身寄り。「―者」派―さ。

**しんぎん**［×呻吟］《名・自サ》〔文〕①うめくこと。苦しんで、うなること。「病床に―する」②苦しんで、ことばをさがし出すこと。「一句―する」

**シンキング** 造〔thinking〕考えること。思考。考え方。「―タイム・ロジカル―」

**しんく**［深紅・真紅］まっか。「―のカンナ」

**しんく**［辛苦］《名・自サ》つらい思いをして、苦労すること。「艱難―・粒々―」

**シンク**〔sink=水槽〕①台所の流し。②せんたく機の水槽。

**しんぐ**［神具］神だなにそろえる道具。「―店」

**しんぐ**［寝具］ねるときに使う ふとん・シーツ・まくらなど。「―店」

**じんく**［甚句］民謡の一つ。七七七五調、二十六音の歌詞を持つ。「相撲―」

**しんくう**［真空］①《理》空気などの物質が まったくない〈空間/状態〉。「―パック」②〔俗〕ものごとが まったくないところ。「法の―地帯」●**しんくうかん**［真空管］真空にしたガラス管に電極を入れたもの。検波・増幅・発振などに使う。

**しんぐう**［新宮］主になる神社から神霊を分けてまつった おみや。わかみや。(↔本宮)

**じんぐう**［神宮］①神の みや。やしろ。②「神宮」という呼び名をつけて特にうやまう神社。「北海道―」③↑伊勢神宮。④〔東京都新宿区の〕↑神宮球場。「―(=全日本大学野球選手権など)出場」

**ジンクス**〔米 jinx=縁起の悪いこと〕〔勝負事の世界などで〕あることをすると、決まって何かが起こるといった、因縁めいた関係。「前年の賞金王は勝てないという―がある・―を破る」

☆☆**シンクタンク**〔think tank〕各分野から広く専門家を集め、新しい技術開発や政策決定について研究する集団。頭脳集団。

**しんくみ**［信組］↑信用組合。しんそ。

**シングル**〔single〕①ただ一つ(の もの)。単一。「―イシュー(=ひとつだけの(政治)問題)」(↔ダブル・トリプル) ②ひとり(用)。「―ベッド(↔ダブル ベッド)・ホテルの―(↔ツイン・ダブル)の部屋・フィギュアスケートの女子―(↔ペア・アイス ダンス)」③独身(の人)。④(↑シングルブレスト(single-breasted))《服》洋服の前のあわせめが浅いもの。ボタンは一列。片前。(↔ダブル)⑤タンブラーの底から指一本分〔ワンフィンガー〕の量。約三〇ミリリットル。(↔ダブル)⑥《野球》ⓐ〔↑シングルハンドキャッチ(↑single-handed catching)〕片手取り。ⓑ↑シングル ヒット。⑦《ゴルフ》ハンデがひとけたの数。⑧一つの曲のデジタルデータ。また、シングル盤。「―プレーヤー」「最新―」(↔アルバム) ●**シングルカット**《名・他サ》〔和製 single cut〕《音》アルバムに〈はいっている/入れる〉曲の中から一曲(から数曲)選んで販売すること。「このアルバムから―された」●**シングルシーディー**［シングルCD］一曲から数曲を収録するCD。CDシングル。シングル(盤)。●**シングルス**〔singles〕《テニス・卓球など》ひとりと ひとりでする試合。単試合。(↔ダブルス) ●**シングルはば**［シングル幅］《服》織物の幅の一種。約七二センチ〔=二九インチ〕。(↔ダブル幅) ●**シングルばん**［シングル盤］①⇩シングルCD。②両面に一曲ずつを入れた、昔の小型のレコード。シングル。●**シングルヒット**〔和製 single hit〕《野球》一塁まで行ける安打。単打。シングル。(↔ロング ヒット) ●**シングルファーザー**〔single father〕ひとりで子どもを育てている父親。妻と離婚・死別した父や、未婚・非婚の父など。シングル ファザー。(↔シングル マザー) ●**シングルマザー**〔single mother〕ひとりで子どもを育てている母親。夫と離婚・死別した母や、未婚・非婚の母など。(↔シングル ファーザー)

**ジングル**〔jingle〕《放送》場面転換などのために使う、短い音楽。「CM前の―」●**ジングルベル**〔Jingle Bells=りんりんと鳴る鈴〕そりで遊ぶようすを歌った、アメリカの民謡。クリスマスによく歌われる。

**シンクロ**〔↑synchronize〕一《名・自他サ》同時に〈起こる/動く〉こと。重なりあうこと。同期。シンクロナイズ。「二人の動きが―する・映像と音が―する」二↑シンクロナイズド スイミング。

**シンクロナイズドスイミング**〔synchronized swimming〕アーティスティック スイミングの、もとの呼び名。シンクロ。

**シンクロニシティ(ー)**〔synchronicity=共時性〕意味があるように感じられる、偶然の一致。例、久しぶりに話したいと思っていた相手から、ひょっこり連絡が来た、など。〔スイスの精神科医ユングが提唱〕

**しんくん**［神君］〔文〕江戸時代、徳川家康に、その死後におくった尊称。

**しんぐん**［進軍］《名・自他サ》軍隊が戦場を進むこと。「南に―する・通りを―する・―ラッパ」

*__しんけい__［神経］①《生》からだの すみずみにまで行きわたっている糸のようなもの。脳からの命令やからだの各部分が受けた刺激を伝える。「歯の―(=歯髄の俗称)」②「神経①」のはたらき。〔感じたり、考えたりする〕心の はたらき。「―が太い(=少しのことでは あわてない)・―にさわる・運動―がにぶい・―過敏」③「神経①」の過敏な はたらき(の せい)。「それは君の―さ」●**神経をとが(尖)らせる** 句「神経②」をするどくして、細かい点にまで注意をはらう。また、必要以上に

敏感になる。●**しんけいしつ**［神経質］《名・ナダ》①〔心〕ものごとに感じやすく、また気分が変わりやすく、決断する力が弱い性質。〔昔の、気質の分類の一つでもある〕②むやみに気にする〈性質/ようす〉。「相手のことばに―になる」●**しんけいしょう**［神経症］〔医〕ノイローゼ。「心臓―」●**しんけいすいじゃく**［神経衰弱］①〔医〕心身のはたらきが弱り、刺激に対して非常に感じやすくなる症状。②〔トランプ〕カードを裏返してならべ、二枚めくって同じ数のカードを当てて自分のものとし、その枚数をきそうゲーム。●**しんけいせん**［神経戦］宣伝や謀略などを使ってだんだんと敵の神経をつかれさせる戦法。●**しんけいつう**［神経痛］〔医〕神経が急にはげしく痛む病気。●**しんけいブロック**［神経ブロック］〔医〕はげしい痛みを取り去るために、麻酔薬を神経の一部に注射すること。

**じんけい**［陣形］①戦闘をするときの、隊形。②碁・将棋などの、石や駒のかまえ。

**しんげき**［新劇］西欧の劇の影響を受けて明治末期に生まれた、新しい演劇。(↔旧劇)

**しんげき**［進撃］《名・自他サ》〔戦争で〕進んで攻撃すること。「首都に(向けて)―する・街道を―する・快―」

**しんけつ**［心血］〔文〕出せるかぎりの精神力。●**心血を注ぐ** 句 血の出るような苦心をする。

**しんけつ**［審決］〔文〕審査して決めること。特に公正取引委員会や特許庁が判断する場合に言う。

**しんげつ**［新月］①陰暦一日の月。太陽の方角にあって月の裏側に光が当たるため、見えない。朔。(↔満月) ②陰暦二日目、三日目の、細い月。

**じんけつ**［人血］〔文〕人間の血液。

**じんけつ**［人傑］〔文〕知力や才能にすぐれた偉大な人。「英雄―」

**しんけん**［神剣］神からさずかった剣。神の力を持った剣。

**しんけん**［神権］神からさずかった、統治権。「―政治」

**しんけん**［真券］①〔偽札に対して〕本物の紙幣。②〔偽造された券に対して〕本物の券。

**しんけん**［新券］発行されてはじめて使われるお札。新札。(↔旧券)

**しんけん**［真剣］㊀(木刀・竹刀ではなく)本当に切れる刀剣。(↔木剣) ㊁《ナダ》まじめなようす。ほんき。「―に学ぶ」派―さ・―み。●**しんけんしょうぶ**［真剣勝負］①本物の刀を使った試合。②本気で取り組む〈こと/勝負〉。●**しんけんしらはどり**［真剣白刃取り］相手がふりおろした本物の剣を、頭上で、両手ではさんで受け止める技。●**しんけんに**［真剣に］《副》〔俗〕本当に。「授業が―つまらない」

☆☆**しんけん**［親権］〔法〕親が未成年の子どもを守って教育するためにあたえられる権利・義務。

**しんげん**［×箴言］〔文〕①いましめのことば。②教訓の意味をふくむ、短い句。

**しんげん**［震源］①〔地〕〔地下の〕地震の起こった場所。②事件や騒動のもと。●**しんげんち**［震源地］①〔地〕震央。②〔うわさなどの〕起こった場所。

**しんげん**［進言］《名・他サ》(目上の人に)意見を申しのべること。

**しんげん**［森厳］《ナダ》〔文〕身の引きしまるようなおごそかなようす。派―さ。

**じんけん**［人絹］(↔人造絹糸) ⇩レーヨン。(↔本絹)

☆☆**じんけん**［人権］〔法〕人間としてだれもが共通に持っていて、ほかの人がおかしてはいけない権利。「―蹂躙」☞基本的人権。

**しんけんざい**［新建材］これまでの建築材料(木・鉄・コンクリートなど)に見られない、新しい建築材料。壁・床・断熱材に使う。

**じんけんひ**［人件費］人の勤労に対してしはらう経費。(↔物件費)

**しんげんぶくろ**［信玄袋］口もとをひもでしめて手に持つ、布製で大形のふくろ。

**しんこ**［新古］①〔文〕新しいものと古いもの。「―二種の正本」②〔中古市場で〕新品に近い〈こと/もの〉。「―車・―品・―市場」

**しんこ**［新▵香］⇩おしんこ。「―巻き」

**しんこ**［新粉・×糝粉］①米をついてなまのまま、こなにしたもの。のり(糊)を作り、食用とする。②(↑しんこもち)「新粉①」を水でこね、蒸してついた食品。●**しんこざいく**［新粉細工］「新粉②」に色をつけて、花・鳥・人形などを作る〈こと/もの〉。

**しんご**［新語］①新しく現れたことば。②新しく作ったことば。新造語。▽「―辞典・―や流行語」

**じんご**［人後］〔文〕他人の〈うしろ/下〉。●**人後に落ちない** 句 他人に負けない。

**じんご**［人語］〔文〕①人間のことば。「―を解する鳥」②人の話し声。

**しんこう**［深更］〔文〕真夜中。よふけ。

**しんこう**［新稿］〔文〕新しく〈書きおろした原稿/書いたもの〉。(↔旧稿)

**しんこう**［新興］①新しく〈起こる/あらわれる〉こと。「―階級・―住宅(地)・―感染症」②最近発展してきたこと。「―国」

**しんこう**［新講］〔文〕新しい〈講義/注釈〉。〔本の題名に使う〕「西洋史―」

**しんこう**［親交］親しいまじわり。「―がある・―を結ぶ」

**しんこう**［神幸］《名・自サ》〔文〕神社の神体がみこしに乗って町の通りなどを行くこと。じんこう。

**しんこう**［進貢］《名・自サ》〔文〕みつぎものをさしあげること。

**しんこう**［振興］《名・自他サ》ふるいおこしてさかんにすること。また、さかんになること。振起。「学術の―」

**しんこう**［進行］《名・自他サ》①進んでいくこと。「―方向(に向かって)右側」②進めること。「会の―係」●**しんこうけい**［進行形］①〔英文法などで〕動作・状態が継続中であることをあらわす用法。「…しつつ〈ある/あった〉」という言い方。②あるものごとが継続中であること。現在進行形。「交渉は―だ」

**しんこう**［信仰］《名・他サ》①神仏などの絶対者を信じ、あがめること。「―生活・―心」②絶対的なものと考えて、信じこむこと。「学歴―」

**しんこう**［侵攻］《名・他サ》〔文〕他国の領土にはいりこんでせめること。

**しんこう**［進攻］《名・他サ》〔文〕進んで行って、せめること。

しんこう【深耕】〈名・他サ〉①田畑の土を深くたがやすこと。②新しい需要を見つけるために、深くほり下げること。〔ビジネスでよく使う〕「顧客を―する」

しんこう【進講】〈名・他サ〉〔文〕〔天皇などに〕ある題目についてお話を申しあげること。「ご―」

しんごう【信号】〈名・自サ〉①ことばや文字の代わりに、一定の符号を使って、おたがいにはなれている者の間に意思を通じさせる方法。あいず。「手旗―」②〔鉄道・道路などで〕進行していいかどうかを知らせる〈機械〉あいず。信号機。シグナル。「青―・―無視」

*じんこう【人口】①人の数。ひとかず。「日本の―は一億をこえる・野球―」②〔文〕人の口。「―に親しまれる」●人口に膾炙する 句 詩文などが、多くの人が口にし、よく知れわたっている。「人口に膾炙した句だ」☞膾炙。●人口に上る 句 人々の話題になる。

じんこう【人工】人間が手を加えて作り出したり、別の状態に変えたりすること。「―を加える・―甘味料〔=サッカリンなど〕・―臓器・―言語〔=エスペラントやプログラム言語など〕」〔↔天然・自然〕●☆☆じんこうえいせい【人工衛星】ロケットの力で地球の大気圏の外に打ち上げられ、地球など惑星のまわりを回るもの。●じんこうえいよう【人工栄養】①病人などが口から食べ物をとれないとき、注射などしてあたえる栄養分。②赤ちゃんに、母親の乳以外の、牛乳やミルクなどをあたえて育てること。〔↔母乳栄養〕●じんこうこうもん【人工×肛門】〔医〕直腸がんなどの手術のあと、腸の末端を腹部に移して肛門の役をさせるもの。ストーマ。●じんこうこきゅう【人工呼吸】〔医〕仮死の状態になった人を生き返らせるために、口から息をふきこんだり、胸を手でおしたりして呼吸させる方法。●じんこうじゅせい【人工授精】〈名・自サ〉〔医〕⇩授精。●じんこうしんぱい【人工心肺】〔医〕心臓の手術のときに使う、心臓と肺臓の役目をする装置。人工心肺装置。●じんこうちのう【人工知能】⇩エーアイ(AI)。●じんこうてき【人工的】〈ナダ〉人の手を加えたようす。人の力で作り出したようす。●じんこうとうせき【人工透析】〔医〕腎臓のはたらきが落ちた人の血液中の老廃物を、人工的に取り除くこと。人工腎臓透析。透析。☞血液透析。●じんこうないじ【人工内耳】〔医〕外からの音を電気信号に変え、内耳にうめこんだ電極を通して、脳に直接伝える装置。手術が必要。

じんこう【△沈香】熱帯産の香木(からとった香)。●沈香もた(焚)かずへ(屁)もひらず 句 特にいい点も悪い点もなく、無難で平凡なこと。

しんこきゅう【深呼吸】〈名・自サ〉肺臓の中の空気をできるだけ多く出し入れするためにおこなう、深い大きな呼吸。

しんこく【神国】〔文〕〔日本で〕自分の国を神聖なものと見て言うことば。神州。神の国。「―日本」

しんこく【新穀】〔文〕新米。

しんこく【申告】〈名・他サ〉知らせるように言われている内容を〔文書で〕もうし出ること。「税金の―」

しんこく【親告】〈名・他サ〉〔法〕被害者が自分で告訴すること。●しんこくざい【親告罪】〔法〕被害者がうったえて出なければ起訴されない犯罪。例、名誉毀損罪。

しんこく【深刻】〈ナダ〉①程度がひどくて、ほうっておけないようす。重大。「―化する・―な問題」②たいへんなことが〈起こって／起こりそうなので〉なやんでいるようす。「―な顔つき」表記「深酷」とも書いた。派 ―げ。―さ。

じんこくき【人国記】〔文〕その地方ごとにまとめて書いた人物評論。「官僚―」

じんこつ【人骨】〔文〕骸骨になった人のほね。

しんこっちょう【真骨頂】〔文〕本当の姿。「―をしめす」

シンコペーション〔syncopation〕〔音〕その拍だけちょっと〈おくらせて／先に〉打ち、リズムに変化をつけること。シンコペ。

しんこん【心魂】〔文〕たましい。●心魂を傾ける 句〔何かをするために〕全精神を集中させる。

しんこん【身魂】〔文〕からだと心。全身全霊。「―をなげうって」

しんこん【新婚】①結婚したばかりであること。「―旅行」②新婚夫婦。「―さん」

しんごん【真言】〔密教で〕仏の真実のことば。マントラ。「―宗」

しんさ【審査】〈名・他サ〉調べて合格・等級などを定めること。「―員・資格―・論文を―する」

☆☆しんさい【震災】地震による災害。☞大震災。

しんさい【新採】〈名・他サ〉〔↔新規採用〕新しく採用〈すること／された人〉。「―教員」

しんさい【親裁】〈名・他サ〉〔文〕身分の高い人が自分で決裁すること。「―をあおぐ」

じんさい【人災】人〔の不注意など〕がもとで起こるわざわい。〔↔天災〕

じんざい【人材】はたらきのある、役に立つ人物。「―不足・―銀行〔=専門技術や知識のある中高年向けの職業紹介所〕」表記「財産である人」の意味で「人財」とも。「人財募集」●じんざいはけんぎょう【人材派遣業】自社のスタッフを他企業の求めに応じて派遣するサービス業。

しんさく【真作】〔文〕ほんものの作品。〔↔贋作・偽作〕

しんさく【新作】〈名・他サ〉新しくつくること。新しい作品。「―落語〔↔古典落語〕・ベストセラー作家の―・―の水着・―のリリース」〔↔旧作〕

しんさつ【神札】〔文〕神社が参拝人にあたえるおふだ。

しんさつ【新札】⇩新券。〔↔旧札〕

しんさつ【新撮】〈映画など〉新たに撮影すること。宣伝用動画などの追加にも言う。「―パート・―コラボCM」

しんさつ【診察】〈名・他サ〉〔医〕患者のからだの悪いところを医者が調べること。

しんさん【辛酸】さまざまの苦労。●☆☆辛酸をなめる 句 ありとあらゆる苦しみを味わう。

しんざん【深山】おくやま。みやま。「―幽谷」

しんざん【新参】①新しくつかえる人。②新しくなかまにはいった人。しんいり。「―者・―帰り」▽〔↔古参〕

しんさんきぼう【神算鬼謀】〔文〕人間が考えたとは思えないほど、すぐれた計略。

**しんし**【唇歯】〔文〕くちびると歯。「—の関係（＝密接な関係）」 •**しんし‐ほしゃ**【唇歯×輔車】〔文〕〔くちびると歯、ほお骨と歯ぐきの間がらのように〕利害関係が密接で、たがいに助け合っていくこと。

**しんし**【真姿】〔文〕本当のありさま。真の姿。

**しんし**【紳士】①上品で礼儀正しい男性。ジェントルマン。（↔淑女）②男性。男。「—服・—用けしょう室」（↔婦人）由来 もと、「身分の高い男性」の意味で、明治時代に gentleman の訳語に使った。•**しんしきょうてい**【紳士協定】①相手を信用して取り決めた、非公式の国際協定。②非公式の協定。▽紳士協約。•**しんしてき**【紳士的】《ナダ》①（紳士らしく）上品で礼儀正しいようす。②道義を重んじるようす。•**しんしろく**【紳士録】地位・財産のある人々の経歴・住所などを書いた名簿。

☆☆**しんし**【真摯】《ナダ》〔文〕まじめで ひたむきなようす。「—な態度」派‐さ。

**しんし**【信士】接尾《仏》男性の戒名にそえる語。しんじ。「居士より低い」（↔信女）

**しんじ**【心字】「心」という文字（の形）。「—池（＝『心』の字の形をかたどった日本庭園の池）」

**しんじ**【心耳】①〔文〕よく聞き分ける、こころの はたらき。「—を澄ます（＝心を澄まして聞き入る）」②《生》心臓の一部で、外がわに湾曲した部分。

**しんじ**【心事】〔文〕心のほど。心中。「—をおしはかる」

**しんじ**【神事】〔文〕神をまつる（さいに おこなう）行事。まつり。「お田植えの—」

**しんじ**【神璽】①神の印（をおした、おふだ）。御璽。「八坂神社—」②稲荷神社から家庭などに移した（＝勧請した）神体。みたま。

**しんじ**【新字】①新しく作られた文字。特に、新字体。（↔旧字）②教科書などに新しく出てくる文字。新出文字。

**しんじ**【信士】接尾《仏》⇩しんし（信士）。

**じんし**【人士】〔文〕〔教育・地位のある〕人々。「風雅の—」

**じんじ**【人事】①個人の身分（についての ことがら）。「—異動（＝職場での、地位・配置が変わること）・—考課（＝勤務評定）」②〔文〕人間として できること。「—をつくす」☞ひとごと（人事）。•**人事を尽くして天命を待つ** 句 人間としてできるだけの努力をして、あとは天の決めた運命にまかせる。•**じんじいん**【人事院】ストが禁じられている国家公務員のために、給与や待遇の改善、そのほか人事に関することをあつかう機関。「—勧告（＝国家公務員の毎年の給与などを国会や内閣へ勧告すること）」•**じんじふせい**【人事不省】《医》昏睡状態におちいって意識不明となること。

**しんしき**【神式】神道の〈儀式/やり方〉。「—の葬儀」

**しんしき**【新式】《名・ナダ》新しい〈形式/様式〉。（↔旧式）

**シンジケート**（syndicate）①《経》ⓐ共同事業をおこなうための企業の合同。ⓑ債券や株式の応募や引き受けのために連合した、金融機関の団体。「—ローン」②売春・暴力などの、大がかりな犯罪組織。「密輸—・麻薬—」

**しんじたい**【新字体】当用漢字・常用漢字で、新たに標準とされた字体。新字。例、学（もと、學）・国（もと、國）・灯（もと、燈）。〔多く、略字が採用された〕（↔旧字体）☞略字。

**しんしつ**【心室】《生》心臓の下半分。心房から血液を受け取り、動脈へ送り出す。（↔心房）

**しんしつ**【寝室】ねる部屋。ねや。

**しんじつ**【信実】まごころ。「—をつくす」

**しんじつ**【真実】一 本当のことがら。本当であること。まこと。「—を語る・—をかくす・—にせまる番組・不正があったというのは—だ」（↔虚偽）区別 ⇩事実 二《名・ナダ》〔文〕ごまかしのないようす。心からのものであるようす。「—な感情」派‐さ。‐み。「—のこもったことば」三《副》〔文〕本当に。しんから。「—申し訳ない」

**しんじつ**【親×昵】《名・自サ》〔文〕〈人・ものに〉近づいて〈親しくする/親しむ〉こと。「A氏に—する」

**しんしゃ**【新社】合併したり倒産したりして、代わりに〈できる/できた〉新しい会社。

**しんしゃ**【新車】（持ち主がまだ登録していない）新しい自動車。（↔中古車）

**しんしゃ**【親×炙】《名・自サ》〔文〕（人に）親しく接して感化を受けること。「先生に—する」

**しんしゃ**【深謝】《名・自他サ》〔文〕①深く感謝すること。「ご厚情〈を/に〉—いたします」②ていねいにわびること。

**しんじゃ**【信者】①ある宗教を信仰する人。信徒。②《俗》〔特定の対象に対する〕熱狂的なファン。

**じんしゃ**【人車】〔文〕人と自動車。「—分離（＝歩道と車道を分けること）・—一体」

**じんじゃ**【神社】神主が（住んでいて、神をまつり、また行事をおこなう〈建物/場所〉。やしろ。「—に参拝する」

**ジンジャー**（ginger）①夏から秋にかけて、ランのような花をつける球根植物。花は かおりが高い。ジンジャ。②（干した）ショウガ。「—ビスケット・ポーク—（＝しょうが焼き）」•**ジンジャーエール**（ginger ale）炭酸水にショウガ・砂糖を入れた飲み物。

**しんジャガ**【新じゃが】春先から初夏の間の、とれたばかりのジャガイモ。皮ごと食べられるものもある。

☆☆**しんしゃく**【×斟酌】《名・他サ》①事情を考慮すること。参酌。「相手の立場を—する・採点に—（＝手加減）を加える」②ひかえめにすること。「何の—もいるものか」

**しんしゅ**【進取】〔文〕進んで新しいことに取り組む気持ちがあること。「—的・—の気性に富む」（↔退嬰）

**しんしゅ**【新酒】その年にとれた米で造った、新しい酒。「—の季節を知らせる杉玉」（↔古酒）

**しんしゅ**【新種】①《生》生物の新しい種。「—の発見・新属—」②新しい種類。「—のサイバー攻撃」

**しんじゅ**【真珠】アコヤガイなどの中にできる、まるい小さなたま。白く光り、かざりに使う。六月の誕生石。•**しんじゅがい**【真珠貝】アコヤガイの通称。ホタテガイに似る。この貝から真珠をとる。•**しんじゅこんしき**【真珠婚式】結婚してから、三十年目の記念日（を祝う式）。真珠婚。☞婚。

しんじゅ【新樹】〔文〕若葉のころの木。

しんじゅ【親授】《名・他サ》〔文〕天皇や元首が、勲章を直接さずけること。「文化勲章の一式」

じんしゅ【人種】①体質・体格の共通な特徴によって分けた、（白色・黒色・黄色）人類の種別。「有色一・一のるつぼ（＝多くの人種が入りまじっている）」②共通の特徴をそなえたグループ。「山の手一」

しんしゅう【神州】〔文〕〔中国・日本で〕自分の国を神聖なものと見て言うことば。神国。

しんしゅう【深秋】〔文〕深まった秋。晩秋。

しんしゅう【新収】〔文〕新しく収集すること。「一資料」

しんしゅう【新秋】〔文〕秋の はじめ。始まったばかりの秋。

しんしゅう【侵襲】《名・他サ》《医》手術などで、からだを傷つけること。「低一手術・非一的検査」

しんじゅう【神獣】めでたい しるしとして あらわれる、ふしぎな動物。きりん（麒麟）・竜など。

しんじゅう【心中】《名・自サ》①結婚できないことなどを悲観して、愛しあう者どうしが いっしょに死ぬこと。情死。「とびこみ一」②親子・夫婦など関係の深い者どうしが、将来に希望を失って いっしょに死ぬこと。「親子一・無理一（＝死ぬつもりのない相手を殺して、自分もいっしょに死ぬこと）」③他人や、自分の属する組織などに義理を立て、運命をともにすること。「会社と一するつもりはないよ」☞しんちゅう（心中）。●しんじゅうだて【心中立て】《名・自サ》その人に最後まで義理を立てること。

しんじゅう【臣従】《名・自サ》〔文〕臣下〈として/であるかのように〉したがうこと。「徳川家に一する大名」

しんじゆうしゅぎ【新自由主義】《経》国営事業を民営化したりして、自由競争にまかせ、国の出費を切りつめる考え方。ネオリベラリズム。ネオリベ。

しんしゅく【伸縮】《名・自他サ》〈のびたり縮んだり/のばしたり縮めたり〉すること。「一自在」

しんしゅつ【侵出】《名・自サ》〔文〕あるものの勢力範囲へ、ほかのものが はいっていくこと。

しんしゅつ【進出】《名・自サ》発展を期待して、新しい方面に乗りだすこと。「新しい事業に一する」

しんしゅつ【新出】《名・自サ》はじめて出ること。「教科書の一漢字・一史料」
→しんしゅつ【×滲出】《名・自サ》〔文〕にじみ出ること。「樹液の一」●しんしゅつせいたいしつ【×滲出性体質】《医》皮膚や粘膜が過敏で、できものやじんましん・気管支炎などを起こしやすい、乳幼児の体質。
→しんしゅつ【浸出】《名・自他サ》《理》物を液体にひたして成分を出すこと。「一液」
しんじゅつ【心術】〔文〕心のはたらき。

しんじゅつ【×鍼術・針術】〔文〕はり（鍼）を使って病気を治す術。はり。

じんじゅつ【仁術】〔文〕①仁をおこなう方法。②医術をほめて言うことば。

しんしゅつきぼつ【神出鬼没】〔文〕鬼神のように、自由自在に あらわれたり、かくれたりすること。

しんしゅん【新春】〔文〕はつはる。年の初め。

しんじゅん【浸潤】《名・自サ》①《医》がん（癌）・結核などの病変が まわりに広がること。②〔文〕思想などが、しだいに人々の間に広がること。

しんしょ【信書】〔文〕個人間の手紙。書状。書簡。●しんしょのひみつ【信書の秘密】《法》手紙の通信の秘密。〔憲法に規定されている〕当事者でない第三者が、勝手に開封できないこと。

しんしょ【新書】①新書判の大きさの、一般向けに書かれた教養書（のシリーズ）。「現代一」②〔文〕新しい本。「解体一」●しんしょばん【新書判】文庫判よりたてに長く、B6判よりやや小さい、本の型。教養書などを手軽に読むのにいい。
→しんしょ【親書】①自分で〈書いた/署名した〉手紙。②外交上のことで、国の元首・首相が書いた、公式の手紙。
→しんしょ【親署】《名・自サ》〔文〕〔身分の高い人が〕自分で〈名前を書くこと/書いた名前〉。
しんじょ【神助】〔文〕神の助け。「天祐一」

しんじょ【寝所】〔文〕ねるところ。ねや。寝室。ねどころ。「殿様の一」

しんじょ【×糝×薯】白身の さかなの肉をたたいて ねり、蒸したり ゆでたりした食品。エビやニワトリの肉をまぜることもある。真蒸。「エビ一・一揚げ」
☆☆しんしょう【心証】①心に受ける印象。「一をよくする・一を害する」②《法》裁判を審理するときに得た、裁判官の確信。
しんしょう【心象】〔文〕心にうかぶ印象や記憶など。イメージ。「一風景」

しんしょう【身上】①財産。しんしょ。「一持ち」②家計。所帯の切り回し。「一の苦労」③〔古風〕⇩しんじょう（身上）①。●身上をはたく 句 ①全財産を使いはたす。②全財産を投げ出す。

しんしょう【紳商】〔文〕紳士としての品位のある商人。大商人。

しんしょう【辛勝】《名・自サ》〔文〕競技などで、やっと勝つこと。（↔楽勝・惜敗）
→しんじょう【心情】〔感情の面から見た〕心。気持ち。「若者の一に ぴったり・一的に共鳴する」
→しんじょう【真情】本当の心。まごころ。「一を吐露する」
しんじょう【身上】①とりえ。その人が持つ いい点。しんしょう。「かわいらしさが君の一だ」②〔文〕その人の経歴や家族関係。「一書・一調書」☞しんしょう（身上）。

しんじょう【信条】①信仰の箇条。②（ふだんから）かたく信じていることがら。「生活の一」

しんじょう【真蒸・真丈】⇩しんじょ（糝薯）。

しんじょう【進上】《名・他サ》〔文〕品物をさしあげること。「ここまでおいで、甘酒一〔追ってくる相手をからかって言うことば〕」
☆☆じんじょう【尋常】《ナダ》〔文〕①あたりまえ。ふつう。「一な手段では解決しない」②おとなしく すなおなようす。「一に白状しろ」③堂々としているようす。「一に勝負しろ」●じんじょういちよう【尋常一様】《名・ナダ》〔文〕ふつう。なみひととおり。「一の〈な〉政治家ではない」●じんじょうしょうがっこう【尋常小学校】昔の小学校。尋常科。〔一八八六年の設置当初は四年制、一九〇八年から六年制。その上は高等小学校。一九四一年から国民学校(初等科)」

**しんしょうしゃ**[身障者]↑身体障害者。〔報道では、略さないで言うか、他の障害を持つ人もふくむ「障害者」を使うことが多い〕

**しんしょうひつばつ**[信賞必罰]賞罰を厳密・正確におこなうこと。

**しんしょうぼうだい**[針小棒大]《名・ナダ》小さいことを大げさに言うこと。「―に話す」

**しんしょく**[神色]〔文〕かおいろ。「―自若として」

**しんしょく**[神職]〔文〕かんぬし。

**しんしょく**[寝食]①〔生きるのに欠かせない〕ねることと食べること。「―を忘れて〔=忘れるほど夢中になって〕勉強する」②寝室と食堂。「―分離」

**しんしょく**[新色]新しい色(の商品)。「春の―」

**しんしょく**[侵食・侵×蝕]《名・他サ》①だんだんにおかしてくいこむこと。「領土を―する」②《地》⇩浸食②。

**しんしょく**[浸食・浸×蝕]《名・他サ》①水がしみこんで、しだいにこわすこと。「岩を―する」②《地》水・風などが、地表をけずること。「―作用」 表記 ②専門家は「侵食」。

**しん・じる**[信じる]《他上一》①うたがわずに、本当と思いこむ。「信じ合う・信じがたい事実・信じられない」②信仰する。「神を―」▽信ずる。可能 信じられる。

**しんしん**[心身・身心]心とからだ。「―をきたえる」

**しんしんしょう**[心身症]《医》精神状態の影響で、からだに病気の症状があらわれるもの。精神身体症。

**しんしんしょうがい**[心身障害]身体障害や知的障害。「―者・―児」

**しんしん**[心神]〔文〕こころ。精神。

**しんしんこうじゃく**[心神耗弱]《法》善悪を判断して行動する精神のはたらきが非常に弱いこと。裁判では、刑を軽くする。

**しんしんそうしつ**[心神喪失]《法》善悪を判断して行動する精神のはたらきがまったくないこと。裁判では、その状態でおかした罪は罰しない。

**しんしん**[新進]その分野に新しく出てきた人。「―ピアニスト」 **しんしんきえい**[新進気鋭]その分野に新しく出てきて、将来が期待される〈こと/人〉。「―の小説家」

**しんしん**[伸身]《名・自サ》〔体操で〕腰・ひざを伸ばした姿勢。「―宙返り」

**しんしん**[津々]《トタル》〔文〕(たえず)あふれ出るようす。「興味―(たるものがある)」

**しんしん**《副》①しみこむように ひえるようす。「今夜は―とひえる」②夜がしずかにふけていくようす。③雪がしずかに降りつもるようす。

**しんじん**[神人]〔文〕①神と人。「―合一」②神のような、ふしぎな能力をそなえた人。

**しんじん**[新人]①その社会のなかまに新しく加わった人。新入り。(↕旧人)②芸能界・文壇などに新しくあらわれた人。ニューフェイス。③その〈議院/議会〉の選挙で当選したことのない候補者。「無所属の―」☞現職②・前職②・元職。④《歴》旧人に次いで出現した、現在のヒトと同種と考えられる人類。現生人類。例、クロマニヨン人。☞猿人・原人・旧人①。

**しんじん**[信心]《名・他サ》①信仰の心。「―深い人」②信仰していのること。

**しんじん**[審尋・審×訊]《名・他サ》《法》裁判所が、訴訟を起こした人や関係する人に事実を聞くこと。「―調書」

**しんじん**[深甚]《ナダ》〔文〕〔気持ちなどが〕たいそう深いようす。「―な謝意を表する」

**じんしん**[人心]〔文〕民衆・部下の心。「―を一新する・―を掌握する・―収攬」☞ひとごころ(人心)。

**じんしん**[人臣]〔文〕けらい。臣下。「位―を極める〔⇩「位」の句〕」

**じんしん**[人身]①〔文〕人間のからだ。「牛頭―〔=頭は牛、からだは人間〕・―事故〔=人がけがをしたり死んだりする事故。(↕物損事故)〕」②↑人身事故。「―があって電車がおくれた」 **じんしんこうげき**[人身攻撃]個人のおこないを攻撃すること。 **じんしんばいばい**[人身売買]人間を、品物のように売ったり買ったりすること。

**じんじん**《副・自サ》「じんと」より強い感じをあらわすことば。「足が―して立てない」

**じんじんばしょり**着物のうしろのすそから少し上をつまんで、帯の下に折りこむこと。

**しんすい**[薪水]〔文〕①たきぎと水。②炊事。「―の労」

**しんすい**[親水]①釣りや水遊びなど、水に親しむこと。「―河川・―公園」②水によくなじむこと。「―性クリーム」

**しんすい**[心酔]《名・自サ》りっぱだと思って、心から熱中すること。「キリスト教に―する」

**しんすい**[浸水]《名・自他サ》①水がはいりこむこと。「―家屋」②《料》ひたすこと。「米を―する」

**しんすい**[進水]《名・自サ》新しく造った船を水の上にうかべること。「―式」

**しんずい**[心髄]①ものごとの中心。最も大切な部分。「禅の―」②心の底。「―から思う」

**しんずい**[神髄・真髄]〔=精神と骨髄〕そのものにふくまれていて、それを理解し味わうためにいちばん大切なもの。「日本料理の―を味わう・経営の―」

**じんすい**[尽×瘁]《名・自サ》〔文〕力をつくし、ほねおること。尽力。「職務に―する」

**じんずうりき**[神通力]⇩じんつうりき。

**しんずべき**《連体》〔文〕信頼できる。「―情報によれば」

**しん・ずる**[信ずる]《他サ》〔文〕⇩信じる。

**しんせい**[心性]〔文〕〔理性と感情の両方をふくむ〕心。心の性質。

**しんせい**[神性]〔文〕人間の心にひそむ、神のようにけだかい、清らかな性質。

**しんせい**[真性]《医》ほんもの(の性質)。「―コレラ」(↕仮性)

**しんせい**[真正]《名・ナダ》〔文〕本当であるようす。ほんもの。「―な印鑑・―の保守」

**しんせい**[新制]新しい制度。「―高校」(↕旧制)

**しんせい**[新政]〔古い政体をあらためた〕新しい政治

〈体制〉。「建武の—」

**しんせい** [新星] ①新しく生まれた星。②《天》爆発して、急に明るく かがやくようになった星。③新しくあらわれて、期待や人気を集める人。「期待の—・テニス界の—」 ☞超新星。

**しんせい** [親政] 昔、天皇自身が政治をおこなったこと。「天皇—」

**しんせい** [新生]《名・自サ》〔文〕①新しくうまれること。②新しい生活にはいること。うまれかわること。 ●☆☆**しんせいじ** [新生児]《医》うまれて十日ぐらいまでの赤ちゃん。 ●**しんせいだい** [新生代]《地》地質時代の大区分の一つ。約六六〇〇万年前から現代まで。古第三紀・新第三紀・第四紀に分かれる。哺乳類が栄え、人類が現れた。 ●**しんせいぶつ** [新生物]《医》腫瘍。「悪性—〈=がん・肉腫などをまとめた呼び名〉」

***しんせい** [申請]《名・他サ》 もうし出ること。願い出ること。「許可を—する・—を却下する」

**しんせい** [新製]《名・他サ》〔文〕新しく製造〈すること/したもの〉。

**しんせい** [神聖]《名・ナダ》①神または宗教と関係があるようす。②絶対に おかしたり、けがしたりしてはならないようす。「—視する」 ●**しんせいかぞく** [神聖家族]《宗》⇩聖家族。

**じんせい** [人世]〔文〕〈この〉世の中。

****じんせい** [人生] ①この世の中で人間が生きてゆくこと。「—の目的・—模様〈=人生のさまざまな姿〉・—勉強」②人間の生きている間。「長い—・—わずか五十年」 ●**人生意気に感ず** 句 お金や名誉でなく、人の心意気に感じて行動するのが本当の生き方だ。由来「詩経」にのる、魏徴の「述懐」という詩から。 ●**じんせいかん** [人生観] 人生の価値や目的などについての見方・考え方。 ●**じんせいくん** [人生訓] 人はどう生きればいいかという、短いことばや教訓。「これを私の—とする」 ●**じんせいこうろ** [人生行路] 人生を旅にたとえて言うことば。

**しんせいがん** [深成岩]《鉱》火成岩の一つ。マグマが地下の深いところで冷えて かたまってできた岩。花崗岩など。

**しんせいめん** [新生面] 新しい面。新しい分野。「文学研究に—をひらく」

**しんせかい** [新世界] ①〈=新しく発見された国土〉⇩新大陸。〈↕旧世界〉②新天地。

**しんせき** [真跡・真×蹟]〔文〕本当の筆跡。本当に〈その人が〉書いたもの。

**しんせき** [親戚] ①親類。②同類。「ポトフは おでんの—だ」

**しんせき** [浸△漬]《名・他サ》〈「しんし」の慣用読み〉〔文〕水などの液体に ひたすこと。「米の—・ブランデーにオレンジの皮を—する」

**じんせき** [人跡]〔文〕人の足あと。人の往来〈したあと〉。「—まれな・—未踏の」

☆☆**シンセサイザー** 〔synthesizer〕《音》電子回路を使って音を合成・加工する装置。鍵盤をおすと さまざまな楽器の音色やリズムが出る。シンセ。

**しんせつ** [真説] 本当の学説。

**しんせつ** [深雪]〔文〕深く積もった雪。

**しんせつ** [新雪] 新しく降りつもった雪。

**しんせつ** [新説] ①新しく立てた〈学説/意見〉。「—を立てる」〈↕旧説〉②新しく聞く話。

**しんせつ** [新設]《名・他サ》 新しく もうけること。

←**しんせつ** [深切]《名・ナダ》 一 しんせつ 〔文〕深くて切実なようす。二 しんせつ「親切」の古い表記。

→**しんせつ** [親切]《名・ナダ》 本当に相手のためになるように、やさしく つとめる〈ようす/こと〉。「—な人・—な説明書・—を受ける・—をつくす・ご—は決して わすれません」〈↕不親切・薄情〉 由来 もと、「深切 二」と同じ。意味が変わるとともに、「親切」の表記が主流になった。派 —げ。—さ。—み。 ●**しんせつぎ** [親切気] 親切にしようとする気持ち。「—を起こす」 ●**しんせつごかし** [親切ごかし] 親切そうにしてみせて、実は自分の利益のためにすること。おためごかし。

**しんせっきじだい** [新石器時代]《歴》石器時代の後期。みがいた石器や土器なども使われ、農耕・牧畜も始まった。〈日本は縄文時代にあたる〉〈↕旧石器時代〉

**しんぜる** [進ぜる]〔古風〕 一《他下一》 さしあげる。「いま粗茶を—」 二《補動下一》〔て—〕さしあげる。「ならば教えて進ぜよう」▽一 二 進じる。進ずる。

**しんせん** [神仙]〔文〕神通力のある仙人。

**しんせん** [神×饌] 神をまつるときにそなえる、食べ物と酒。

**しんせん** [深浅]〔文〕①深いことと浅いこと。深さ。②色のこいことと うすいこと。濃淡。

**しんせん** [新船] 新しい船。

**しんせん** [新線]〔鉄道の〕新しい線。「—開通」

**しんせん** [震×顫・振戦]《医》じっとしているつもりでも手がふるえてしまう症状。アルコール中毒・パーキンソン病などで起こる。 ●**しんせんまひ** [震×顫〈麻×痺〉]《医》⇩パーキンソン病。

**しんせん** [新選]《名・他サ》〔文〕新しく〈えらぶ/編集する〉こと。

**しんせん** [新鮮]《ナダ》①〔食材が〕とってきたばかりで新しいようす。「—な魚・—なトマト」②新しくてよごれがないようす。「—な空気・—な血液を輸血する」③はっとするような、今までにない感じがあるようす。「—な発想・—なデザイン」 派 —さ。—み。

**しんぜん** [神前] 神のまえ。「—結婚〈=神社にまつる神の前でする結婚〉〈式〉・〈神式の香典の表書きで〉御—」

☆☆**しんぜん** [親善] 組織や国などが他の組織や国と親しんで なかよくすること。「日米—」

**しんぜん** [森然]《トタル》〔文〕①静かで、気がひきしまるようす。「空が—としてさえわたる」②木が重なり合うように生えているようす。「—と生いしげる」

**じんせん** [人選]《名・他サ》 適当な人をえらぶこと。

**じんぜん** [人前] 人のまえ。☞ひとまえ〈人前〉。 ●**じんぜんけっこんしき** [人前結婚式] 神・仏でなく、出席者全員に向かって ちかいをのべる結婚式。人前式。

**しんぜんび** [真善美] 真と善と美。〈人間の理想を簡単に あらわしたもの〉

**しんそ** [親疎]〔文〕親しい〈人/こと〉と、親しくない〈人/こと〉。

**しんぞ**［新△造］①〔古風〕⇩ごしんぞ。②〔古風〕二十歳前後の（未婚の）女性。（↕年増）③遊女につきそってせわをする女性。▽しんぞう。

**しんそう**［神葬］〔文〕神式による葬式。（↕仏葬）

**しんそう**［真相］本当の事情。「事件の―」

**しんそう**［深窓］〔文〕家の中のおく深いところ。「―の令嬢」●**深窓に育つ**[句]〔女の子が〕大切にされてそだつ。

**しんそう**［深層］〔文〕底深くかくれている層。「意識の―」（↕表層）●**しんそうがくしゅう**［深層学習］《情》⇩ディープラーニング。●**しんそうすい**［深層水］《地》海面から二百メートル以下の海水。清浄で、ミネラルが豊富。海洋深層水。（↕表層水）

**しんそう**［寝装］ねるときの道具。寝具。「―店・―品」

**しんそう**［新装］《名・自サ》新しい〈よそおい／服装〉（になること）。「―成ったビルディング・―開店」

**しんぞう**［心像］〔文〕イメージ。

**しんぞう**［心臓］[一]①《生》血管の系統の中心となるだいじな器官。胸の中〔多くの人は左がわ〕にあって、からだじゅうに血を送り出す。「―病」②いちばんだいじな、中心。「組織の―部」[二]《ナダ》〔↑心臓が強い〕ずうずうしくて、相手をおそれないようす。「あいつも―だな」●**心臓が強い**[句]ずうずうしくて、相手をおそれない。心臓だ。（↕心臓が弱い）●**心臓が飛び出そう**[句]⇩口から心臓が飛び出そう〔「口」の[句]〕。●**心臓に毛が生えている**[句]極端にずうずうしい。●**しんぞうし**［心臓死］《医》心臓が止まったことで死んだと認められること。（↕脳死）●**しんぞうしんけいしょう**［心臓神経症］《医》どうき（動悸）・心臓の痛みなど、心臓の症状を主とするノイローゼ。●**しんぞうべんまくしょう**［心臓弁膜症］《医》血液が、心臓の内部で、または大動脈から心臓へ、逆流するのを防ぐ弁の故障で起こる症状。☞僧帽弁。●**しんぞうマッサージ**［心臓マッサージ］《名・自サ》救命方法の一つ。心臓が動かなくなってしまった人をあお向けに寝かせ、胸骨を両手でリズムよく圧迫し続けて、心臓の代わりに血液を全身に送ること。胸骨圧迫《医》。心マ。●**しんぞうまひ**［心臓（麻×痺）］《医》心臓が急に止まること。●**しんぞうやぶり**［心臓破り］〔心臓が破れるほど〕坂やカーブが非常に急であること。「―の坂」

**しんぞう**［新造］[一]《名・他サ》新しく〈つくる／つくった〉こと。「―船」[二]⇩しんぞ。

**じんぞう**［人造］人工で〈つくる／合成する〉こと。人工でつくったもの。「―繊維」

**じんぞう**［腎臓］《生》尿のはいせつ（排泄）をつかさどる内臓。背骨の両がわに一つずつある。「人工―透析〔⇩人工透析〕・―病」●**じんぞうえん**［腎臓炎］《医》⇩腎炎。

**しんそく**［神速］《名・ナダ》〔文〕神わざかと思うほどはやいこと。「―果敢」[派]―さ。

**しんぞく**［親族］「親戚」の改まった言い方。「―会議・―代表」[!]民法では、六親等以内の血族〔＝血のつながった間がら〕、配偶者、三親等以内の姻族〔＝配偶者と血のつながった間がら〕を言う。☞親等。

**じんそく**［迅速］《名・ナダ》非常に短い時間でするようす。「―な処理」[派]―さ。

**しんそこ**［心底・真底］[一]心のそこ。「―から愛している」[二]《副》しんから。「―おどろいた」☞しんてい（心底）。

☆☆**しんそつ**［新卒］〔↑新卒業者〕その年に新しく学校を卒業〈すること／した者〉。（↕旧卒・既卒）

**しんそつ**［真率］《ナダ》〔文〕正直でかざりけのないようす。[派]―さ。

**じんた**［ジンタ］店の宣伝やサーカスの客寄せに使われた、数人の楽隊（が演奏した音楽）。[由来]「ジンタッタ」と聞こえることから。

**しんたい**［身体］〔人の〕からだ。「―強健」●**しんたいけんさ**［身体検査］《名・他サ》①からだの発育や異常について検診すること。体格検査。②持ち物や服装を検査すること。「空港で―された」③〔俗〕〔閣僚候補者などの〕身辺調査。●**しんたいしょうがい**［身体障害］からだの一部のはたらきに障害があること。「―者」●**しんたいはっぷ**［身体髪膚］〔＝からだと髪・皮膚〕〔文〕からだ全部。「―これを父母に受く」

**しんたい**［神体］神の霊としてまつるもの。

**しんたい**［真△諦］①《仏》絶対的な、仏教の真理。（↕俗諦〔＝世間の道理〕）②⇩しんてい（真諦）。

☆☆**しんたい**［進退］《名・自サ》①進むことと しりぞくこと。「―きわまる〔＝進むことも しりぞくこともできない〕」②いちいちの挙動・動作。③職務についていることと、職務から しりぞくこと。「―を決する」●**しんたいうかがい**［進退伺］重大な過失があったとき、辞職すべきかどうかを上役に たずねる〈こと／文書〉。

**しんだい**［身代］〔文〕その人に属する財産。身上。「―を築く・―をゆずる・―限り〔＝破産〕」

**しんだい**［寝台］ねるときの台。ベッド。「―車〔＝ⓐベッド付きの列車。ⓑ霊柩車〕・―券」

**しんだい**［新台］〔機械、特にパチンコの〕新しい種類の台。「―導入」

**じんたい**［人体］①〔文〕人の からだ。②《服》人台。☞にんてい（人体）。

**じんたい**［（×靭）帯］《生》関節の運動を安全にしたり制限したりする、強いじょうぶな繊維の結合組織。「―断裂」

**じんだい**［人台］《服》洋服などをためしに着せるための、人の胴の型。ボディー。人体。

**じんだい**［神代］かみよ。●**じんだいすぎ**［神代杉］長年の間、水や土の中にうもれていたスギ材。●**じんだいもじ**［神代文字］漢字が渡来する以前、神代から日本にあったといわれた文字。いくつか種類があるが、どれも後世に作られたもの。

**じんだい**［甚大］《ナダ》非常に大きいようす。「―な影響」[派]―さ。

**じんだいこ**［陣太鼓］昔、いくさで合図に鳴らした太鼓。

**しんたいし**［新体詩］〔漢詩に対して〕明治初期に、西洋の詩の形式を取り入れて新しく作られた詩。多くは七五調だった。

**しんたいそう**［新体操］五種の道具〔＝手具〕を使

い、音楽に合わせて床の上でその美しさをきそう体操競技。

**しんたいりく**［新大陸］十五世紀末以後、ヨーロッパ人に新しく知られた大陸。南北アメリカ大陸とオーストラリア大陸。新世界。（↕旧大陸）

**しんたく**［神託］〔文〕神のおつげ。

**しんたく**［新宅］新しく建てた家。新居。

☆☆**しんたく**［信託］《名・自他サ》①《法》お金・有価証券・不動産などの財産を持っている人がその権利を相手に移し、管理や処分をたのむこと。②相手を信頼して、政治などをまかせること。「国民の一にこたえる」 ●**しんたくぎんこう**［信託銀行］《経》貸付信託・金銭信託など、信託業務をおもにおこなう銀行。 ●**しんたくとうち**［信託統治］《法》国際連合の信託によっておこなう統治。「一領（現在はない）」

**しんたつ**［進達］《名・他サ》〔官庁で〕下の機関から受けた書類を、上の機関に取り次いで提出すること。

**じんだて**［陣立て］軍勢の配置。陣ぞなえ。

**しんたん**［心胆］〔文〕こころ。きも（たま）。 ●**心胆を寒からしめる**句〔文〕ふるえあがらせる。

**しんたん**［震旦］〔梵語 cīnasthāna の音訳〕〔文〕昔の中国の、別の呼び名。（↕天竺）

**しんたん**［薪炭］〔文〕たきぎと炭。燃料。「一商」

**しんだん**［診断］《名・他サ》①《医》診察して病気の状態を判断すること。「健康一・一書」②欠陥があるかどうかを判断し、必要な処置を決めること。「企業一」③うらない。「相性一」

**じんち**［人知・人×智］〔文〕人間の知恵。「一を超えた存在・一のおよばない現象・一の発達」

**じんち**［陣地］①陣をかまえた場所。②スポーツやゲームで、まもるべきエリア。「一取りのゲーム」

**しんちく**［新築］《名・他サ》①新しく家を建てること。②新しく建てた家。

**じんちく**［人畜］人間と家畜。「一に被害をあたえる」 ●**じんちくむがい**［人畜無害］《名・ナダ》①人間や家畜に無害なこと。②無難でつまらない〈こと／人〉。「一な人物」

**しんちゃ**［新茶］その年の新芽をつんで作ったお茶。五月上旬ごろ売り出す。

**しんちゃく**［新着］《名・自サ》新しく到着した〈こと／もの〉。「一図書」

**しんちゅう**［心中］〔外にあらわさない〕心のなか。「ご一をお察しいたします・一おだやかでない」☞しんじゅう（心中）。

**しんちゅう**［真×鍮］《理》銅と亜鉛との合金。色は黄色。黄銅。

**しんちゅう**［進駐］《名・自サ》よその国の領土に兵力を進め、そこにとどまること。「一軍」

**じんちゅう**［人中］〔人相で〕上くちびると鼻のあいだにあるくぼみ。鼻みぞ。にんちゅう。☞ひとなか（人中）。

**じんちゅう**［陣中］①陣地の中。「一食」②戦争中。「一日誌」 ●**じんちゅうみまい**［陣中見舞い］戦場で戦っている軍人を陣地にたずね、慰労すること。〔選挙事務所などの慰労についても言う〕

**しんちょ**［心緒］〔文〕気持ち。こころ。しんしょ。「一麻のごとく乱れる（＝心がすっかり乱れる）」

**しんちょ**［新著］新しい著作。（↕旧著）

**しんちょう**［身長］一からだの高さ。せたけ。「一をはかる」 二接尾《競泳》身長分の距離。「一リードする」

**しんちょう**［伸長］《名・自他サ》〔文〕〔産業などの〕力がのびること。または、のばすこと。「国力の一」

**しんちょう**［伸張］《名・自他サ》〔文〕①長くのびること。②〔支配する〕勢力などがのびてさかんになること。また、そうすること。「商圏の一」

**しんちょう**［新調］《名・他サ》新しくこしらえ〈ること／たもの〉。「洋服を一する」

**しんちょう**［慎重］《名・ナダ》いろいろのことに気をつけて、かるがるしくは動かないようす。「一に考える・一な行動・一審議・一の上にも一を期す（＝非常に慎重にする）」（↕軽率）派一さ。

**しんちょう**［深長］《ナダ》〔文〕おもてにはあらわれない、深い意味があるようす。「意味一」派一さ。

**じんちょうげ**［△沈丁△花］庭に植える、背の低い常緑樹。集まった葉の真ん中に、春先、かおりの強い、白やピンクの小さい花がむらがってさく。ちんちょうげ。

**しんちょく**［進捗］《名・自サ》〔文〕〔計画や仕事が〕はかどること。「一状況」

**しんちん**［深沈］《トタル》〔文〕しんと静かなようす。「夜の一とした気配・一たる態度」

☆☆**しんちんたいしゃ**［新陳代謝］《名・自サ》①古いもの（＝陳）が去り、新しいものがかわってあらわれること。「選手の一」②《生》⇩代謝。

**しんつう**［心痛］《名・自サ》ひどい心配。「一のあまり寝こんだ・ご一お察しします」

**じんつう**［陣痛］①《医》子どもがうまれようとするときのおなかの痛み。産痛。②大きな計画が動き出すまでの苦しみ。

**じんつうりき**［神通力］どんなことでも自由にやれる、ふしぎな力。じんずうりき。「一を発揮する」

**しんて**［新手］①《碁・将棋》新しく考えた攻め方。「一を出す」②⇩あらて（新手）③。「一の商売」

**しんてい**［心底］〔文〕かくしている心の中。「一がすけて見える」☞しんそこ（心底）。

**しんてい**［真諦］最高の真理。しんたい。「ギリシャ美術の一」

**しんてい**［新帝］〔文〕新しく位についた天子。

**しんてい**［進呈］《名・他サ》さしあげること。「粗品を進呈」

**しんてい**［新訂］《名・他サ》〔文〕書物の内容や表現を訂正して、新しくすること。「一版」

**じんてい**［人定］《法》裁判などで、本人であることを確認すること。「一質問」

**しんてき**［心的］《ナダ》〔文〕心に関するようす。心の。「一傾向・一外傷（＝トラウマ）・一外傷後ストレス障害（⇩ピーティーエスディー（PTSD））」（↕物的）

**しんてき**［神的］《ナダ》〔文〕神に関するようす。「一存在」

**じんてき**［人的］《ナダ》人に関するようす。「一資源」（↕物的）

**しんでも**［死んでも］《副》どんなことがあっても、絶対に。「一約束を守る・一いやだ」

**シンデレラ**〔Cinderella〕①西洋の童話の女主人公の名。まま母などにいじめられて働いていたが、偶然王

し

子に会い、結婚して幸福になる。シンデレラ姫。灰かぶり(姫)。②若くして、突然その世界で認められた女性。シンデレラ ガール。「歌謡界の—・—ストーリー」•**シンデレラ ボーイ**〔和製 Cinderella boy〕若くして、突然その世界で認められた男性。〔一九六八年、ボクシングの西城正三選手を呼んだことば。のちに、女性の場合を「シンデレラ ガール」とも〕

**しんてん**【新店】新しい(支)店。しんみせ〔古風〕。「評判の—・—を進出させる」

**しんてん**【親展】〔文〕〔手紙・電報で〕あて名の人に直接見てもらいたいことをあらわすことば。

←**しんてん**【伸展】《名・自他サ》勢力や能力、筋肉などが のびる/をのばすこと。

→**しんてん**【進展】《名・自他サ》進歩発展〈する/させる〉こと。「理論の—」

**しんでん**【心田】〔仏〕心のゆたかさを田にたとえたことば。

**しんでん**【神殿】神をまつってある建物。

**しんでん**【寝殿】①昔、天皇が ねおきした御殿。正殿。②〔寝殿造りで〕おもな建物。おもて座敷。•**しんでんづくり**【寝殿造り】平安時代の、貴族の住宅のつくり方。寝殿の両がわに対屋、庭に釣殿という建物があり、廊で結ばれている。

**しんでん**【新田】うめたてたり開墾したりして、新しくできた田。「—開発」

**しんでん**【親電】元首が自分の名で出す電報。

☆☆**しんでんず**【心電図】〔医〕心臓の電流をとらえ、波形の線であらわした記録。心臓病の診断に使う。

**しんてんち**【新天地】新たに活躍しようとする場所。新世界。「—に旅立つ」

**しんてんどうち**【震天動地】〔文〕大きな事件や異変が起こり、世の中をおおいに おどろかすこと。驚天動地。

**しんと**【信徒】〔文〕信者。

**しんと**【神都】〔文〕神のいる みやこ。特に伊勢神宮のある、三重県伊勢市。

**しんと**【新都】〔文〕新しく定めた みやこ。(↔旧都・古都)

**しんと**《副・自サ》物音一つせず、しずかなようす。〔強調して〕しいんと。「会場が—する」

**しんど**【心土】〔農〕表土の下にある土の層。

**しんど**【深度】深さの度合い。

**しんど**【進度】ものごとの進む程度。はかどり。

☆☆**しんど**【震度】〔地〕地震による、ある場所での ゆれの強さの度合い。「—3」〔気象庁の区分では、0・1・2・3・4・5弱・5強・6弱・6強・7の十段階〕☞マグニチュード。

**じんと**《副・自サ》①軽く しびれが切れるような感じが伝わるようす。「つま先が—する」②感動して胸が熱くなってくるようす。「—くる話」▽じいんと。

**しんど・い**《形》〔しんど←辛労。もと関西方言〕①くたびれた。②難儀だ。派—さ。

**しんとう**【心頭】〔文〕心。「頭」は「…の付近」の意味で、「あたま」ではない。「念頭」の「頭」と同じ。•**心頭(を)滅却すれば火もまた涼し** 句 感じる心をなくせば、熱いはずの火も涼しいくらいだ。

**しんとう**【神灯】⇩御神灯。

**しんとう**【神道】〔宗〕①日本固有の伝統的信仰。祖先を尊敬することを第一とする。かんながら(惟神)のみち。神社神道。②「神道①」にもとづく民間宗教。教派神道。

**しんとう**【新刀】①新しい かたな。②慶長元〔一五九六〕年以後に作られた日本刀。▽(↔古刀)

**しんとう**【新党】新しい政党。「—結成」

☆☆**しんとう**【親等】〔法〕親族の間で、血の続きぐあいがどの程度近いかを、自分を中心として数えた等級であらわしたもの。たとえば、親子は一親等、きょうだいは二親等。等親。

**しんとう**【浸透・×滲透】《名・自サ》①しみとおること。「雨水が—する」②〔情報・習慣などが〕人々の間に行きわたること。「イメージが—する」•**しんとうあつ**【浸透圧】〔理〕薄い液体が、膜を通りぬけて濃い液体に浸透する力。例、青菜の中の水分が、表面の塩に浸透する力。「体液と—が等しい生理食塩水」

**しんどう**【神童】おとなも かなわないほど頭がよく、才能がある子ども。「—とうたわれた少年時代」

**しんどう**【新同】↑新品同様。「—品」

**しんどう**【新道】新しくひらいた道。(↔旧道)

←**しんどう**【振動】《名・自サ》①ふれ動くこと。小刻みにゆれ動くこと。「ふりこの—・工事による—」②〔理〕物体が一定の時間ごとに規則正しく動くこと。「弦の—」•**しんどうびょう**【振動病】〔医〕⇩はくろうびょう(白蝋病)。

→**しんどう**【震動】《名・自サ》地震などで ゆれ動くこと。「家鳴り—する」

**じんとう**【人頭】〔文〕①人間の頭。「—大の石」②頭が、人間の形をしていること。「—蛇体」•**じんとうぜい**【人頭税】経済力にかかわりなく、住民のひとりひとりに同じように かける税。にんとうぜい。

**じんとう**【陣頭】戦陣の まっさき。「—指揮(=職場で上役などが、仕事の先頭に立つこと)」

☆☆**じんどう**【人道】①人間である以上だれでも守るべき道。「—上見すてておけない・—問題だ」②人の通行する道。歩道。(↔車道)•**じんどうしゅぎ**【人道主義】⇩ヒューマニズム①。•**じんどうてき**【人道的】(ナダ)人道に かなうようす。人道の立場にたつようす。

**しんとく**【神徳】〔文〕神様の力。家内安全や学業成就など。「商売繁盛のご—があるといわれる神社」

**じんとく**【人徳】その人に そなわっている徳。「—のある人」

**じんとく**【仁徳】〔文〕相手に対する思いやりと愛の美徳。

**ジントニック**〔gin and tonic〕ジンに(ライムの果汁を加え、)トニックウォーター(=キニーネのにがみがある炭酸飲料)をそそいだカクテル。

**じんとり**【陣取り】外でする、子どもの遊びの一つ。敵・味方に分かれて、相手の陣地をうばいあう。

**じんど・る**【陣取る】《自五》①陣地を構える。②場所を占める。「建物の一角に—」

☆☆**シンドローム**〔syndrome〕〔医〕症候群。「メタボリック—」

**シンナー**〔thinner〕〔理〕ラッカーなどを塗るときに、

まぜてうすめる液体。☞トルエン。

**しんない**【心内】〔文〕心のなか。心中。「―のもだ(悶)え」

**しんない**【新内】(↑新内節) 江戸時代の末に発達した浄瑠璃の一種。節回しが細かい。「―流し」

**しんなり**《副・自サ》①しなやかなようす。②少しやわらかいようす。「野菜を―(と)いためる」

**しんに**【真に】《副》本当に。まことに。「―痛快だ」

**じんにく**【人肉】〔文〕人の肉。

**しんにち**【親日】〔文〕日本に好意を持つこと。「―家」(↔反日) ☞知日

**しんにゅう**【新入】新しく〈はいること/はいった者〉。しんいり。「―社員・―生」

**しんにゅう** ⇨しんにょう。●**しんにゅうをかける** 句 程度をいっそう大きくする。輪をかける。「うそつきにしんにゅうをかけたような大うそつき」

**しんにゅう**【侵入】《名・自サ》はいってはいけない所に、むりにはいること。「家屋に―する・―盗(=空き巣など)」

**しんにゅう**【浸入】《名・自サ》(建物や土地が)水びたしになること。「洪水で、川の水が家屋に―した」

**しんにゅう**【進入】《名・自サ》進んで来て、ある地域や区域の中にはいること。「列車が―する」

**しんにょ**【真如】(仏)真理。万物の本体で、無差別・平等とされる。「―の世界」

**しんにょ**【信女】接尾 (仏)女性の戒名にそえる語。〔大姉より低い〕(↔信士)

**しんにょう** (↑之繞) 漢字の部首の一つ。「進」「辻」などの、「⻌」「⻍」の部分。しんにゅう。〔足で移動することに関係がある〕

**しんにん**【新任】《名・自他サ》新しく任命すること。また、新たに任務につく〈こと/人〉。(↔旧任)

**しんにん**【信任】《名・他サ》適任だと思って信頼し、まかせること。「国会の―を得る・―投票」●**しんにんじょう**【信任状】派遣される外交使節などが正当な資格を持つことを証明する、文書。「―奉呈式」

**しんにん**【信認】《名・他サ》〔文〕信用して承認すること。「通貨が市場の―を得る・政権が―される」

**しんにん**【親任】《名・他サ》天皇・王などが、直接任命すること。「―式(=天皇が、内閣総理大臣・最高裁判所長官を任命する式)」

**しんねこ** (古風)男と女がふたりだけで、しずかにむつまじくしているようす。

**しんねり**《副・自サ》(性質などが)しつこくねばっこいようす。「―した言い方」●**しんねりむっつり**《副・自サ》(俗)心の中でいろいろ思いながら、口に出しては言わないようす。

**しんねん**【信念】正しいとかたく信じている考えや主張。「―をつらぬく」

**しんねん**【新年】新しい年(の初め)。「―会・―をむかえる・―早々しくじる・―おめでとう」！「新年明けましておめでとう」という言い方は問題ない。☞明ける。

**しんのう**【心(×嚢)】(生)心臓を二重に包んでいる、膜状のふくろ。「―炎」

**しんのう**【親王】天皇の男の子と男の孫との呼び名。「―殿下・―かざり(=親王びなだけの ひな人形)」(↔内親王) ●**しんのうびな**【親王(×雛)】内裏びな。〔二体の人形を、天皇・皇后ではなく、親王・内親王に見立てた言い方〕

**しんの-ぞう**【心の臓】(古風)心臓。

**しんぱ**【新派】①新しい流派。(↔旧派) ②(↑新派劇) 明治中期に、歌舞伎に対抗して起こった、当代の世相を演じる劇。

**シンパ** (↑シンパサイザー(sympathizer)=同情者) 特定の運動などに対する共鳴者。後援者。

☆☆**じんば**【人馬】人と馬。「―一体」

**しんぱい**【心肺】(医)心臓と肺臓。しんはい。「―機能・人工―・―停止(=心肺機能の停止。死ではないが、危険な状態)」

**しんぱい**【親拝】《名・他サ》〔文〕(天皇が)拝礼・参拝すること。「ご―」

***しんぱい**【心配】一《名・他サ・ダナ》①(悪いことが起こりはしないか、どうなるか、ということを)気にかけること。気がかり。「親に―をかける・―のたね・もう―ない・―事・―性の人」(↔安心) ②おそれ。「情報流出の―はない」派 ―げ。二《名・他サ》うまく行くように、めんどうを見ること。配慮。「いろいろご―いただきまして」

**じんぱい**【(×塵)肺】(医)長期間にわたって細かなちり(塵)などを吸いこんだために、肺に異常が起こる職業病。じんはい。

**じんばおり**【陣羽織】昔、いくさで武将がよろいの上に着た、そでのない羽織。

［じんばおり］

☆☆**しんぱく**【心拍・心×搏】(生)心臓の拍動。鼓動。「―数」

**シンパシー** (sympathy) 同情。共感。

**しんばしら**【心柱】(寺院の塔や神社などで)中心となる大きな柱。「―を建てる」

**しんばつ**【神罰】神がくだす(と言われる)罰。

**しんぱつ**【新発】↑新規発行。「―債券」

**しんぱつ**【深発】《名・自サ》(地)(地震が)おおむね百キロより深い所で発生すること。「―地震(↔浅発地震)」

**しんぱつ**【進発】《名・自サ》〔文〕人々の列が出発すること。「部隊が戦場にむけて―する・祭りの行列が―する」

**しんばりぼう**【心張り棒】戸口などのしまりを確実にするために、戸をおさえる木。しんばり。「―をか(支)う」

**シンバル** (cymbals)(音)打楽器の一つ。二枚のへこんだ金属のうすい円盤を打ち合わせて音を出す。シンバルズ。

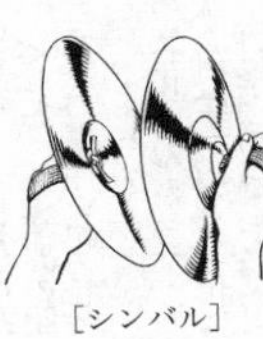
［シンバル］

**しんぱん**【信販】(↑信用販売)(経)掛け売りや分割ばらいの形でおこなう販売。「―会社(=客の買い物の代金を立て替え、あとで請求する会社)」

**しんぱん**【新版】①(書物で)改訂や増補などをして、内容を新しくした版。「改訳―・辞書の―」(↔旧版) ②新しい出版。新刊。▽しんばん。

**しんぱん**【親藩】(歴)将軍家の近親の諸侯。

**しんぱん**【侵犯】《名・他サ》〔文〕よその国の領土や

権利などをおかすこと。

☆☆**しんぱん**［審判］《名・他サ》①よしあしについての、権威ある判断。「選挙で国民の―がくだる」②〔競技で〕勝ち負け・順位などを決める〈こと／人〉。「―員(=アンパイア)」③《法》事件や事故、もめごとに関する審理や判断。「海難―・労働―・家庭裁判所の―(=家事・少年事件の審判)」▽しんばん〔古風〕。

☆☆**しんび**［審美］〔文〕①美しいものと美しくないものを見分けること。「―眼」②美しさを問題とすること。「―的(=美的)な価値・―歯科(=歯の矯正などをおこなう歯科)」

**しんぴ**［真皮］《生》動物の皮膚の一部で、表皮の内がわにある層。(↕表皮)

**しんぴ**［真否］〔文〕真実か そうでないか。「記事内容の―を問う」

**しんぴ**［神秘］《名・ナダ》人の知恵では はかり知れないことがら(であるようす)。「―的」派-さ。

**シンビジウム**〔cymbidium〕洋ランの一種。冬から春にかけて、長くのびた何本もの くきにたくさんの花をつける。シンビジューム。シンビ。

**しんぴつ**［×宸筆］〔文〕天皇・皇帝の〈直筆／筆跡〉。

←**しんぴつ**［真筆］その人が本当に書いたもの。じきひつ。真跡。「欧陽詢の―」(↕偽筆)

→**しんぴつ**［親筆］〔文〕身分の高い人が書いた筆跡。

☆☆**しんぴょうせい**［信×憑性］〔信憑=信じて根拠にすること〕〔話やデータなどに根拠があり〕まちがいない、と信じていい性質。「―の高い証言・話に―を持たせる」

**しんぴん**［神品］〔文〕きわめてすぐれた〈品位／作品〉。

**しんぴん**［新品］新しい〈品物／製品〉。「―同様」(↕中古品)

**じんぴん**［人品］その人から自然に感じられる、品位。「―いやしからぬ紳士・―骨柄」

**しんぶ**［深部］〔文〕ふかい、奥の部分。「政界の―」

**しんぷ**［神父］《宗》〔カトリックで〕司祭の、一般的な呼び名。

**しんぷ**［新婦］はなよめ。(↕新郎)

**しんぷ**［新譜］新しく発売された楽曲。(↕旧譜)
由来 もと、新しい譜面の意味。レコード普及以前は譜面が広く売られたことから。

**しんぷ**［親父］〔文〕ちちおや。「ご―」

**しんぷう**［新風］新鮮な〈やり方／ようす〉。「学界に―を送る」

**シンフォニー**〔symphony〕《音》①交響曲。②交響楽団。

**シンフォニック**《ナダ》〔symphonic〕《音》交響曲の。「―ジャズ・―ポエム(=交響詩)」

←**しんぷく**［振幅］《理》振動の中心から はしまでの距離。振動幅の半分。ふれはば。ふりはば。「ふりこの―」

→**しんぷく**［震幅］《地》地震計に記録された地震動の、山から谷までの振れはば。

**しんぷく**［心服］《名・自サ》心から服従すること。「先生に―する」

☆☆**しんふぜん**［心不全］《医》心臓のはたらきが弱くなって、血を動脈へ完全には送り出すことができない状態。心臓衰弱。

☆☆**じんふぜん**［腎不全］《医》慢性腎炎その他が原因となって、腎臓の はたらきが弱くなった状態。

**しんぶつ**［神仏］①かみと ほとけ。②神道と仏教。「―習合」

＊＊**じんぶつ**［人物］①ある具体的な人。「歴史上の―・危険―」②人間としての器量・能力。ひとがら。「―がすぐれている・―が大きい・―が小さい」③役に立つ人。すぐれた能力の人。「ひとかどの―・―を集める」④(↑人物画)人の姿を題材にした絵。☞静物。

**シンプル**《ナダ》〔simple〕①かざりのないようす。素朴。「―なデザイン」②単純。簡単。「―に考える」③(―に)〔俗〕率直な意味で。「―に寒い・―にごめんなさい」〔二十一世紀になって広まった用法〕☞素直③。派-さ。

＊＊**しんぶん**［新聞］①新しいニュースや読み物などを(大きな)紙に ぎっしり印刷して、定期的に(おもに、毎日)発行するもの。また、その内容をインターネットで配信するもの。「―記事・―社・学級―・―をタブレットで読む」②新聞に使う紙。新聞紙。「古―」 ●**しんぶんし**［新聞紙］①新聞に使われている紙。新聞がみ。「―で弁当を包む」②〔古風〕新聞。「―条例(=明治時代の、新聞を取り締まる法律)」 ●**しんぶんしょうねん**［新聞少年］学校に通いながら新聞配達の仕事をする子ども。 ●**しんぶんじれい**［新聞辞令］〔「社長に○○氏」などと〕事前に新聞に報道される(が、実際に出る保証のない)辞令。 ●**しんぶんだね**［新聞種・新聞ダネ］〔よくも悪くも〕新聞の記事になるような〈できごと／材料〉。「暴力事件を起こして―になった」

**じんぶん**［人文］〔文〕人類の文化。じんもん。「―地理」 ●**じんぶんかがく**［人文科学］広く文化についての学問を言うことば。文化科学。例、哲学・史学・文学。(↕自然科学・社会科学) ●**じんぶんしゅぎ**［人文主義］⇩ヒューマニズム②。

**じんぷん**［人×糞］人間の大便。

**しんぶんすう**［真分数］《数》分子のほうが分母より小さい分数。例、$\frac{1}{2}$。(↕仮分数)

**しんぺい**［新兵］新しく兵隊になった者。(↕古兵)

**じんべい**［甚平］《服》①(男性が)夏に着る、そでが短めで、すそが腰の下までの着物。「レディース―」②〔関西方言〕ちゃんちゃんこ。▽じんべいさん。じんべ。甚兵衛。 ●**じんべいざめ**［(甚平×鮫)］体長一〇メートル以上になる おとなしいサメ。魚類では最大。〔動物学では「ジンベエザメ」〕

**しんぺん**［身辺］〔文〕身の まわり。「―の警戒を厳重にする・はでな―(=身なりがぜいたくで金づかいがあらい)」 ●**身辺をきれいにする** 句 (悪いうわさが出ないように)金銭・男女問題などを清算する。 ●**しんぺんせいり**［身辺整理］〈自分がいなくなるときにそなえて／悪いうわさが出ないように〉、身のまわりをきちんとしておくこと。

**しんぺん**［新編］①新しい編集(の もの)。②新しい編制(の もの)。「部隊の―」

**しんぽ**［進歩］《名・自サ》以前より進んだ状態や、いい状態に移ること。「学力が―する」(↕退歩) ●**しんぽてき**［進歩的］《ナダ》①進歩しているようす。②社会

の不合理をなくそうとする思想を持つようす。(↕保守的)

**シンポ** ↑シンポジウム。

**しんぼう**［心房］《生》心臓の上半分。静脈から血液を受け入れるところ。(↕心室)

**しんぼう**［心棒］①〔車輪などの〕中心をつらぬく〈軸／棒〉。「こまの―・石膏像の―」②ものごとの中心。「話の―が見えない」

**しんぼう**［信望］信用と人望。「―の厚い人・生徒の―を集める」

**しんぼう**［深謀］〔文〕深く考えた計画・戦術。「―遠慮(=先々まで考えた深い計画・戦術)」☞深慮。

**しんぼう**［辛抱］《名・他サ》つらいことをたえしのぶこと。「苦しい生活を―する・一か月の―だ」区別⇩我慢①。表記「辛棒」とも書いた。●**しんぼうづよ・い**［辛抱強い］《形》よく辛抱するようすだ。派-さ。

**しんぽう**［神宝］神霊が宿るとされる宝物。剣・鏡・玉など。「ご―・―をさずかる」

**しんぽう**［新法］〔文〕①新しい法令。②新しい方法。▽(↕旧法)

**しんぽう**［信奉］《名・他サ》信じて大切に思うこと。「古い思想を―する・―者」

**じんぼう**［人望］人々から尊敬され信頼されること。人気。「―のある人」

**しんぼく**［神木］神社の境内にはえてい(て、大切にされてい)る木。神樹。「道真公ゆかりのご―」

**しんぼく**［親睦］《名・自サ》親しんでなかよくすること。親善。「―を深める・―会・―旅行」

☆☆**シンポジウム**〔symposium〕特定の問題についての公開討論会。何人かの専門家にそれぞれ意見をのべてもらい、会場からの質問にも答えたりする。シンポ。

**シンポジスト**〔symposiast〕シンポジウムに参加して発言する人。

**じんぼつ**［陣没］《名・自サ》〔文〕陣中で死ぬこと。戦死や戦病死。戦没。

**シンボライズ**《名・他サ》〔symbolize〕象徴すること。

**シンボリック**《ナダ》〔symbolic〕象徴的。

**シンボル**〔symbol〕①象徴。しるし。「復興の―・男性の―(=陰茎)」②符号。●**シンボルマーク**〔和製 symbol mark〕特定の団体や運動・事業などの象徴として使う図案。

**しんぽん**［新本］①新刊の本。②他人の手にふれていない、新しい本。▽(↕古本)

**しんまい**［新米］①ことしとれた米。新穀。「―をたく」(↕古米) ②(↑新前)仕事などを新しく始めたばかりで、まだなれない人。「―の記者・―のパパ」

**しんまく**［心膜］《生》心臓を包むふくろ状のもの。内部に液体があり、心臓が動くときの摩擦を減らしている。心嚢。

**じんましん**［(×蕁麻×疹)］《医》はだがあちこち平たくもり上がり、はげしいかゆみを感じる、アレルギー性の皮膚病。「サバを食べて―になった」

←**しんみ**［真味］本当の味わい。本来持っているもともとの味。「―を追求する」

→**しんみ**［新味］新しみ。「―のない演説」

**しんみ**［親身］㊀肉親の者。みうち。「―もおよばぬ看病」㊁《ナダ》肉親の者がそうするように、親切にするようす。「―になって考える」

**しんみち**［新道・新△路］①しんどう。②飲食店などの集まった小路。

**しんみつ**［親密］《ナダ》親しみが深いようす。親しくつきあうようす。「―な関係にある」(↕疎遠) 派-げ。-さ。

**じんみゃく**［人脈］同じ系統に属する人々のつながりや集まりを山脈にたとえたことば。

**しんみょう**［神妙］《ナダ》(=ふしぎ) ①感心なようす。殊勝。「―な申し出だ」②恐れ入って、おとなしくするようす。「―にしろ」派-さ。

**しんみり**《副・自サ》①おちついて、静かなようす。しみじみ。「秋の夜に―(と)話す」②さびしさや悲しみに、人々の気分がしずんでいるようす。「―(と)した通夜の席」

**しんみん**［臣民］〔文〕①臣下と人民。②帝国の国民。〔終戦前の言い方〕

**じんみん**［人民］〔文〕〔支配者・政治家などでなく〕社会を作る、ふつうの人々。民。●**じんみんげん**［人民元］中華人民共和国のお金(の単位)。元。●**じんみんさいばん**［人民裁判］おもに共産国で、裁判所と関係なく人民がおこなう裁判。

**じんむ**［神武］神話上の初代天皇の名前。神武天皇。「―以来(=日本始まって以来。『じんむこのかた』とも読む)の天才・―景気〔一九五四〜五七年《特に五六〜五七年》の、神武以来と言われた好景気〕」

**しんめ**［神△馬］〔文〕神社に(奉納されて)いる馬。しんば。じんめ。

**しんめ**［新芽］春に新しく出てくる芽。「―の季節」

**しんめい**［身命］〔文〕(からだと)いのち。しんみょう。●**身命を賭として**句 いのちをかけて。●**身命をなげうって**句 いのちも からだも投げ出して。

**しんめい**［神明］〔文〕神。「―にちかって」

**じんめい**［人名］人の名前。●**じんめいかんじ**［人名漢字］(↑人名用漢字) 常用漢字以外に、人の名前に使うことを認めた八六三字の漢字。例、敦・玲・昴・凜・琉・雫など。

**じんめい**［人命］人間のいのち。「―救助・―にかかわる問題だ」

☆☆**シンメトリー**《名・ナダ》〔symmetry〕①つりあいの取れていること。均整(美)。②左右が同じ形であること。対称。▽(↕アシ(ン)メトリー)

**じんめん**［人面］〔文〕①人間の顔。②動物の顔や木の幹などが、偶然人の顔のように見えること。「―魚」●**じんめんじゅうしん**［人面獣心］顔は人間の顔をしていても、心はけもののようであること。情けを知らない者をののしることば。

**しんめんもく**［真面目］〔文〕本来の〈ようす／姿〉。しんめんぼく。「博士の―を示す研究」☞まじめ(真面目)。

**じんもう**［人毛］人間の(かみの)毛。「―製かつら」

**しんもつ**［進物］おくりもの。「ご―」

**しんもの**［新物］⇩はしり㊁①。「―のワカメ」

**しんもん**［審問］《名・他サ》《法》事情を明らかにするために、たずねること。

**じんもん**［人文］〔文〕⇩じんぶん。

**じんもん**［陣門］●**陣門に下る**句〔文〕⇩軍門に

下る」「軍門」の句。表記「くだる」は「△降る」とも。

☆☆じんもん[尋問・×訊問]《名・他サ》(裁判で)くわしく質問して調べること。「反対―(↔主尋問)」

しんや[深夜] よふけ。「―放送・―営業・―料金」

じんや[陣屋] ①《歴》江戸時代、小さい藩の諸侯・代官の居所。②⇩陣営①。

→しんやく[新約] ①《宗》↑新約聖書。(↔旧約)②《経》新しい契約。●しんやくせいしょ[新約聖書]《宗》キリスト教の教典の一つ。イエス キリストのことばとおこないの記録を中心とする。新約。(↔旧約聖書)

→しんやく[新訳]《名・他サ》新しい翻訳。また、新しく翻訳すること。「―で読み直す」(↔旧訳)

しんやく[新薬] 新しく〈作られ/発売され〉たくすり。

←しんゆう[心友]〔文〕おたがいに心の中を知りあっている友だち。

→しんゆう[親友] おたがいに信頼している、仲のいい友だち。

しんゆう[深憂]《名・他サ》〔文〕深いうれい。「―を禁じえない」

しんよう[信用]《名・他サ》①それが〈まちがいない/すぐれている〉と考えること。「―を得る・―を失う・店の―が傷つく・相手のことばに―を置く」区別「信用」にくらべると、「信頼」は、自分のことを安心してまかせる意味が加わる。犯人(の自白)を信用することはできても、犯人を信頼することは むずかしい。②《経》ⓐ↑信用取引。「―で買う」ⓑ取引の相手の、財産や返済能力。「―調査」●しんようがしつけ[信用貸付]《経》担保などを取らないで おこなう貸付。●☆☆しんようきんこ[信用金庫]《経》組合組織の金融機関。信金。●しんようくみあい[信用組合][↑信用協同組合] 協同組合の一つ。組合員のための金融をおこなう。信組。●しんようしゅうしゅく[信用収縮]《経》金融機関が資金を貸すのに慎重になって、資金が流れにくくなること。「金融市場の―」(↔信用膨張)●しんようじょう[信用状] 銀行が輸入業者や海外旅行者に手形をふり出すことを認めた保証状。●しんようせい[信用性] 信用できる度合い。信憑性。「供述の―」●しんようとりひき[信用取引]《経》①品物を先にわたして、あとで代金の受けわたしをする取引。②(株式相場で)決済がすんだあとの差額の利益を得ることを目的として、わずかの証拠金でおこなう取引。●しんようはんばい[信用販売]《経》⇩信販。(↔現金販売)

じんよう[陣容] ①陣の かまえ方。「―を整える」②会社・団体などで、それぞれの持ち場を受け持つメンバー。「―一新」

しんようじゅ[針葉樹]《植》マツ・スギなどのように、葉が はりのように細長い木。多くは背の高い常緑樹。(↔広葉樹)

しんらい[新来]〔文〕新しく来た〈こと/もの〉。「―の客」

しんらい[信頼]《名・自他サ》まちがいないと信じて、たよりにすること。「発言を―する(『発言に―する』は古風)・情報を―する・子どもの―が厚い先生・―感を高める・―を寄せる・―を置く・―をかける[古風]・―すべき筋(=情報の出所は明らかにできないが、その関係の責任ある地位の人)」区別⇩信用①。

じんらい[迅雷]〔文〕はげしい雷鳴。「疾風―の勢い」

☆☆しんらつ[辛辣]《ナダ》(ものの見方が)非常に てきびしいようす。痛烈。「―な批評」派―さ。

☆☆しんらばんしょう[森羅万象]〔文〕宇宙の間にある、いっさいのもの。万有。

しんり[心理](細かい)心の動き方。「勝ちたい―が働く・ファン(の)―をくすぐる・―分析・―小説」●しんりがく[心理学]〈人間/動物〉の意識と行動を科学的に研究する学問。●しんりてき[心理的]《ナダ》心の(はたらき)に関するようす。「相手との―な距離・―負担を感じる・―効果」●しんりりょうほう[心理療法]《医》手術や薬によらず、カウンセリングなど心理的な技術によって病気の治療をするやり方。サイコ セラピー。

しんり[真理] 一つ一つの事実を通じて わかる、動かすことのできない、ものごとの性質や法則。「地球が自転しているのは―だ・『楽あれば苦あり』というのは―だなあ・―の探求」

☆☆しんり[審理]《名・他サ》《法》訴訟事件に関するいっさいの取り調べ(をおこなうこと)。

じんりき[人力] ①〔文〕じんりょく。②↑人力車。●じんりきしゃ[人力車] 客を乗せ、かじ棒を人が引いて走る二輪車。くるま。りきしゃ。じんりき。

[じんりきしゃ]

しんりゃく[侵略]《名・他サ》武力で外国の主権をおかし、また領土をうばうこと。「―戦争」

じんりゅう[人流]〔文〕おおぜいの人が動く流れ。「繁華街の―・―が減少する」

しんりょ[深慮]〔文〕先のことをよく考えた、深い考え。「遠謀―・―遠謀」(↔浅慮)☞深謀。

しんりょう[新涼]〔文〕初秋の〈すずしさ/すずしい気候〉。「―のみぎり」

しんりょう[診療]《名・他サ》病気の人やけがをした人を診察し、治療すること。「―科目」●しんりょうじょ[診療所]《法》医師が患者を診療する、病院より規模の小さい施設。入院用のベッドが十九以下のもの。☞病院。●しんりょうほうしゅう[診療報酬] 患者が治療・投薬を受けたとき、健保組合などから審査機関を通して医療機関にしはらわれるお金。

☆☆しんりょうないか[心療内科] からだの症状が心の悩みに原因があるとき、内科的治療とともに心理療法を用いて治療をする、医学・医療の一部門。(心療内科医院などの名前にも使う)

しんりょく[心力]〔文〕心の〈はたらき/全能力〉。心の力。

←しんりょく[深緑]〔文〕明るい感じの、こい みどり(いろ)。

→しんりょく[新緑] 初夏の若葉の みどり。「―の候」

じんりょく[人力] 人間の〈力/能力〉。マンパワー。じんりき。

**じんりょく**［尽力］《名・自サ》〔人のために〕力をつくすこと。ほねおり。「実現に—する」

**しんりん**［森林］木がたくさん、広い範囲にわたってしげっている所。「アマゾンの—・—資源・—保全」

●**しんりんよく**［森林浴］森林を散策しながら香気や精気をあびて心身をいやすこと。

**じんりん**［人倫］〔文〕人の守るべき道義。「—にもとる」

**しんるい**［親類］おじ・おば、いとこなどの、血のつながった〈人/人々〉。親族。親戚。みより。●**しんるいがき**［親類書き］親類の名前・職業などと本人との関係などを書いた書類。結婚の前に交換したりする。●**しんるいづきあい**［親類（付き合い）］①親類どうしの交際。②親類と同じように親しい交際。

**しんるい**［進塁］《名・自サ》《野球》次のベースに進むこと。

*__じんるい__［人類］〔ほかの生物と区別して〕人をまとめて言うことば。「—学」

**しんれい**［心霊］たましい。〔多く、科学で説明できないことを引き起こすものという意味合いで使う〕「—写真・—現象」

**しんれい**［神霊］〔文〕神（のたましい）。

**しんれい**［振鈴］〔文〕すずをふって鳴らす〈こと/音〉。

**しんれき**［新暦］日本で、明治六（一八七三）年からの暦。太陽暦（=陽暦）を用いる。新。（↔旧暦）

**しんれつ**［唇裂］《医》⇩口唇裂。

**しんろ**［針路］船・航空機の進むべき道。コース。「船の—を西に取る」

**しんろ**［進路］①進んでゆく道。「台風が北西に—を取る」（↔退路）②〔学校で〕卒業後の進学・就職など、これから進んでゆく道。「—指導」

**しんろう**［新郎］はなむこ。（↔新婦）

**しんろう**［心労］《名・自サ》心配したための、心のつかれ。「—のあまり寝こんだ」

**しんろう**［辛労］《名・自サ》〔文〕ひどい苦労。

**じんろう**［×塵労］〔文〕この世に生きる苦労。「日々の—を忘れる」

**しんろく**［神△鹿］〔文〕神社の境内などで大切に飼っているシカ。

**じんろく**［甚六］〔俗〕おっとりしていて世間知らず（の長男）。「総領の—」

**しんわ**［神話］①古くから伝えられた、その民族の神や英雄を中心とする説話。「ギリシャ—」②しっかりした根拠もなく信じこまれてきたことがら。「銀行はつぶれないという—がくずれる・安全—」

**しんわ**［親和］《名・自サ》①〔文〕親しみなかよくすること。「—会」②《理》ほかの物質とよく化合すること。「—力」●**しんわせい**［親和性］①《理》他の物質と容易に結合する性質。②なじみやすいこと。「スポーツ観戦とビールは—が高い」

**じんわり**《副》温かみ・味などが、時間をかけて確実に伝わるようす。「懐炉の熱を—と感じる」

# す　ス

**す**［州・×洲］川・湖・海などで、水中に積もった土砂が、水面に陸地のようにあらわれた場所。なかす。

**す**［素］[一]**す** 特にかまえたりしない、ふだんのままの状態。「役者の—が出る・—に返る」☞素で。[二]〔接頭〕①何もつけない。かざらないままの。「—顔・—はだ・—もぐり」②何も持たない。「—手」③財産も地位もない。〔けいべつした言い方〕「—浪人」④ふつうの程度をこえている。「—早い」☞すっ。

**す**［巣］①鳥・けもの・虫・さかななどが、中にはいってすむために作った場所。「—をくう（=巣くう）・鳥の—・クモの—（=虫をとるために、糸をはりめぐらしたもの）」☞愛の巣。②〔悪人どもの〕かくれて住む所。巣窟。③集中して ひそんでいる所。「地震の—」

**す**［酢・×醋］調味料に使う、すっぱい味のする、すきとおった液体。「—じょうゆ・すし—・お—」

**す**［（×簀）］⇩すのこ①。

**す**［（×鬆）］古いダイコン・ゴボウや、煮すぎた とうふなどの中にできる、すきまや穴。「—が はいる・—が立つ（=できる）・—が通る・茶わん蒸しの—」

**す**［（△為）］《自他サ》〔文〕する。「そう—べきだったね・信頼—べき人物」

**す** [一]《助動五型》〔使役の助動詞。五段・サ変の動詞につく〕⇩せる。「〔記事の見出しで〕未成年に酒飲ま—・やる気を失わ—ことがある・反省文を書かされる〔未然形『さ』の例。『せる』を使った『書かせられる』よりもふつう〕・言わしていただく〔連用形『し』の例〕・仕事をさした〔サ変の未然形『さ』に、連用形『し』がついた例〕」〔区別〕「言わさない」「言わして」「言わす」など「す」を使う形は、「言わせない」「言わせて」「言わせる」など「せる」を使う形よりも、一般に話しことば的・方言的。「言わす」など終止形は、下二段活用の文語助動詞「す」をつけた形と同じなので、文語的にもなる。助動詞「さす」と「させる」の関係も同じ。[二]《助動マス型》〔俗〕⇩っす。「かっこいい—ね」☞させていただく。

**ず*****［図］①説明に使う、グラフやイラストなど、目にうったえるもの。「案内—・分布—・天気—」（↔表）②図面。「設計—・正面—・伊能—（=伊能忠敬が作った地図）」③絵。「想像—・再現—・〔絵の題で〕日の出の—・いい—（=かっこう。ざま）じゃないねえ」④《数》面・点・線などからできている形。図形。●**図に当たる**〔句〕思うとおりになる。「計画が—」●**図に乗る**〔句〕得意になって、つけあがる。「相手がおとなしくしていると、図に乗って説教する」

**ず**［頭］〔文〕あたま。かしら。●**頭が高い**〔句〕頭の下げかたが足りない。無礼である。あたまが高い。（↔頭が低い）

**ず*** [一]◇口語の否定の助動詞「ぬ」の連用形。「何も買わ—、帰った」[二]《助動特殊型》〔文〕〔否定の助動詞〕…ない。「山高きが故に貴とからー」☞ずして・ずと・ずとも・ずに・ずば・ずんば・ざる。[三]《接助》〔文〕⇩つ[二]①。「組ん—ほぐれつ」

**すあげ**［素揚げ］《名・他サ》粉もころももつけないで、油で〈あげること/あげたもの〉。「野菜を—する」☞から揚げ。

**すあし**［素足］くつ下やたびなどをはいていない足。「—にげた（下駄）ばき」☞生足。

**すあな**［巣穴］穴の形をした巣。また、もと巣だった穴。

**すあぶら**［酢油］酢と油をまぜあわせたもの。「―漬け（＝マリネ）・アジの―煮」

**すあま**［素甘］上新粉と砂糖で作る伝統的な和菓子。外がわを赤く着色することが多く、縁起物に使われる。

**すあわせ**［素（×袷）］あわせを素はだにじゅばんなしで着ること。

**ずあん**［図案］《名・他サ》美術・工芸作品などを作るときの、色の取り合わせや形のならべ方。デザイン。

**すい**［粋］■一 多くの中で、いちばんすぐれたもの。「―を集める」■二《ナダ》〔もと、上方のことば〕いき（粋）。「―なおかた・―を利かす（＝いきな はからいをする）」（↔無粋）

**すい**［（×膵）］《医》すいぞう（膵臓）。「―がん（癌）」

**す・い**［酸い］《形》〔西日本方言〕すっぱい。●**酸いも甘いもか（嚙）み分けた**㊒ 世の中の あらゆる経験を積んで、人間の できあがった。

*__すい__［水］■一 ㊜ みず。「地下―・レモン―」■二 すい ①↑水曜（日）。②〔↑氷水〕〔古風〕かき氷に砂糖の蜜だけ かけたもの。みぞれ。（↔種物）③《漢方》血液以外の体液。（↔気・血）

**すい**［吸い］㊜ ↑吸い物。「若竹―」

**ずい**［（×隋）］《歴》中国の王朝の名の一つ。南北朝の次、唐の前。〔五八一～六一八〕

**ずい**［髄］①《動》骨の中心にある、黄色で、やわらかい部分。骨髄。②《植》くきや根の中心にある、やわらかい部分。芯。③くきの中心にあるすきま。「よし（葭）の―」

**すいあ・げる**［吸い上げる］《他下一》①〔水や液体を〕すって上へ上げる。②意見や資金などを、すい取るようにして、取り上げる。㊔吸い上げ。

**すいあつ**［水圧］《理》水の圧力。

**すいい**［水位］《地》基準になる面から水面までの高さ。

**すいい**［推移］《名・自サ》①ある経過をとって、移り変わる〈こと／ようす〉。「時代の―」②時間が移り過ぎること。時を過ごすこと。「現状のままで―する」

**すい・い**［酸いい］《形》〔俗〕すっぱい。すい。

**ずいい**［随意］《名・ナダ》束縛のないこと。思うまま。「どうぞ、ご―に・―筋（↔不随意筋）」●**ずいいけいやく**［随意契約］〔業務を発注するとき〕競争入札によらないで、随意におこなう契約。随契。

**すいいき**［水域］海・川などの、ある範囲・区域。

**ずいいち**［随一］〔＝多くの中の一つ〕第一（にすぐれたもの）。ずいいつ。「関東―の名山」

☆☆**スイーツ**〔sweets〕あまいもの。菓子・ケーキなど。スウィーツ。

**スイート**〔suite〕〔ホテルで〕寝室・居間などが組みになっている、豪華な部屋。「―ルーム」

**スイート**〔sweet〕■一《ナダ》①あまい。「―コーン（＝あまみの強いトウモロコシ）」②甘美なようす。「―な曲」■二 ①〔洋酒で〕あまくち。「―ワイン」（↔ドライ）②↑スイートハート。▽■一■二 スウィート。●**スイートスポット**〔sweet spot〕《テニス・ゴルフ》最も有効な打球を生むことができる、ラケットやクラブヘッドの中心点。●**スイートハート**〔sweetheart〕恋人。スイート。●**スイートピー**〔sweet pea〕西洋草花の一つ。白・ピンク・赤・むらさきなどの、ひらひらしたチョウ形の花が さく。少し あまいかおりがする。●**スイートホーム**〔sweet home〕（新婚の）楽しい家庭。●**スイートポテト**〔sweet potato＝サツマイモ〕ふかしたサツマイモをつぶして作った洋菓子。

**ずいいん**［随員］〔文〕元首・高官のおともとして つきしたがう人。

**すいうん**［水運］水路に よる運送。「―の便」

**すいうん**［衰運］〔文〕おとろえていく運命。（↔盛運）

**ずいうん**［×瑞雲］〔文〕めでたいことが起こる前に あらわれるという雲。

**すいえい**［水泳］《名・自サ》〔スポーツで〕水の中をおよぐこと。スイミング。水練。「―（競技）大会」

**すいえき**［（×膵）液］《生》すいぞう（膵臓）から出される消化液。脂肪などを消化する。

**ずいえき**［髄液］《生》脳・脊髄を保護するリンパ液に似た液。くも膜下腔・脳室・脊髄の中心管を満たしている。

**すいえん**［水煙］①〔文〕みずけむり。「―があがる」②《仏》塔の九輪の上にある、火炎の形の かざり。形が火に似ているので、忌んで言う。☞「九輪」の絵・みずけむり（水煙）。

**すいえん**［炊煙］〔文〕炊事をする けむり。「―が上がる」

**すいえん**［（×膵）炎］《医》すいぞう（膵臓）に炎症を起こす病気。「急性―」

**すいえん**［垂×涎］《名・自サ》〔文〕「すいぜん」の慣用読み。

**すいおん**［水温］水の温度。（↔気温・地温）

**すいか**［水火］〔文〕①水と火。②水につかり、また、火に焼かれる苦しみ。「―の苦しみ・―も辞せず（＝いかなる苦難もいとわない）」

**すいか**［水禍］〔文〕大水による わざわい。水難。

**すいか**［（△西×瓜）・（水×瓜）］畑に作る夏の くだもの。大きくて丸く、緑色で黒い しまがあり、中は赤または黄色。水分が多く、あまい。「―割り（＝目かくしをしたままスイカに近づいて棒でたたく遊び）」

**すいか**［△誰何］《名・自他サ》〔文〕不審な者に対して「だれか」と呼びかけること。

**すいがい**［水害］大水による害。水難。

**すいかずら**［（：忍冬）］冬の寒さにも枯れないつる草。花は細長いラッパ形で、白から黄に変わり、中にあまいみつがある。にんどう（忍冬）。

**すいがら**［吸い殻］タバコの すい残り。「―の投げ捨て禁止」

**すいかん**［水干］狩衣に似た衣服。菊とじ（＝ぬいめが ほころびないように とじつける菊形のかざり）をつけ、胸ひもがある。下にはかま（袴）をはく。

［すいかん］

**すいかん**［酔漢］〔文〕酔っぱらった男。

**すいがん**［酔眼］〔文〕酒に酔った目つき。「―もうろう（朦朧）」

**ずいかん**［随感］〔文〕感じるまま。「―録」

**すいき**［水気］①みずけ。しめりけ。②表面から立ちのぼる、水蒸気。③《医》⇩水腫。☞みずけ(水気)。

**ずいき**［(:芋茎)］サトイモの くき〔=葉柄〕。黒みをおびた赤むらさき色で、食べられる。

**ずいき**［随喜］《名・自サ》〔もと仏教用語〕心から喜んで ありがたがること。「―のなみだをこぼす」

**すいきゃく**［酔客］〔文〕自分の家以外のところで酒を飲んで、酔っている人。よっぱらい。

**すいきゅう**［水球］七名ずつのふた組みに分かれて、プールの中を泳ぎながらボールを相手のゴールに投げ入れる競技。ウォーター ポロ。

**すいぎゅう**［水牛］東南アジアの水べにすむ、ウシの一種。つのは横に長く はり出している。田をたがやすのに使う。

**すいきょ**［推挙］《名・他サ》〔文〕①〔重要な地位・役目などに〕取り立てるよう推薦すること。「名誉会員に―される」②推薦。「新しい辞書を―する」

**すいぎょ**［水魚］〔文〕水と さかな。●**すいぎょの まじわり**［水魚の交わり］〔文〕〔水とさかなが はなれられない関係であるように〕非常に親しい つきあい。

**すいきょう**［水郷］〔文〕⇩すいごう①。

**すいきょう**［酔狂・粋狂］《名・ナダ》 ものずき。「だてや―じゃないぞ」派―さ。

**すいぎょう**［水行］〔神仏に祈願するとき〕からだを清めたり、心身をきたえたりするため、冷水を浴びること。みずぎょう。

**すいギョーザ**［水(:餃子)］〔焼きギョーザなどに対して〕ギョーザをゆでたもの。「―は皮が命」☞ワンタン。

**すいぎん**［水銀］《理》金属元素の一つ。常温では液体〔記号Hg〕。銀白色で、計器〔例、圧力計〕などに使う。有毒。「海洋の―汚染」●**すいぎん とう**［水銀灯］水銀蒸気を入れて、放電による発光を利用した電灯。照明や医療に用いる。

**すいきんくつ**［水琴窟］地中に埋めた かめに水を張り、その水面に水滴を落としたときに立てる微妙な音を楽しむ装置。洞水門。

**すいくち**［吸い口］①口をつけて、吸う部分。☞「キセル①」の絵。②〔電気掃除機で〕ごみをすい取る、筒の先。③吸い物にうかせて かおりを加えるもの。例、ユズの皮。☞浮き実。④〔タバコを〕吸ったときの感じ。「―のよさ」

**すいくん**［垂訓］〔文〕教訓となることばを話して聞かせること。

**すいぐん**［水軍］〔文〕海上の戦闘を受け持つ、昔の軍隊。「村上―」

**すいけい**［水系］《地》川の本流を中心に、支流・湖などをふくめた、流水の系統。「利根川―」

**すいけい**［推計］《名・他サ》計算して推定すること。●**すいけいがく**［推計学］《数》全体の一部分を標本にえらび、それによって全体を推定する数学。

**すいげん**［水源］川の流れのいちばんの もと。

**すいこう**［水耕］《農》必要な養分を水に とかし、土なしで植物を育てること。「―栽培」

←**すいこう**［推考］《名・他サ》〔文〕推測して かんがえること。

→☆☆**すいこう**［推×敲］《名・他サ》文章の字句を何度もねり直すこと。文章をねること。「―を重ねる」

☆☆**すいこう**［遂行］《名・他サ》なしとげること。「計画を―する」

**すいごう**［水郷］①〔文〕川や湖に めぐまれた村ざと。すいきょう。「―地帯・九州の―柳川」②茨城県・千葉県にまたがる、利根川下流の湿地。「―佐原」

☆☆**ずいこう**［随行］《名・自サ》主人や上役に つきしたがう〈こと／人〉。おとも。「―員」

**すいこむ**［吸い込む］《他五》すって中に入れる。「けむりを―」名 吸い込み。

**すいさい**［水彩］水でといた絵の具で かくこと。「―画(↔油絵)・―用絵の具」(↔油彩)

**すいさつ**［推察］《名・他サ》事情をおしはかること。察すること。「どれほど危険だったかと―される・心中を―する」

**すいさん**［水産］海・川・湖などから とれる〈こと／もの〉。「―動物」(↔陸産) ●**すいさんぎょう**［水産業］水産資源を利用する産業。漁業や水産加工業など。●**すいさんちょう**［水産庁］《法》水産資源の保護・開発、水産業の発達・改善などの事務をあつかう官庁。農林水産省の外局。●**すいさんぶつ**［水産物］海・川・湖などからとれる、さかな・貝・海藻など。

**すいさん**［推参］㊀《名・自サ》〔文〕自分から〈参上／訪問〉することの謙譲語。㊁《名・ナダ》〔古風〕ぶしつけ。無礼。

**すいさん**［炊(×爨)］《名・他サ》〔文〕炊飯。「飯盒―」

**すいざん**［衰残］〔文〕おとろえて、やっと生きていること。「―の身」

**すいさんかナトリウム**［水酸化ナトリウム］《理》空中で水分を吸収して どろどろになる白色のつぶ。水に溶けやすく、強アルカリ性を示す。化学薬品・せっけん・製紙・写真などに使う。苛性ソーダ。

**すいし**［水死］《名・自サ》水におぼれて死ぬこと。溺死。「―体」

**すいし**［衰死］《名・自サ》〔文〕からだが弱って死ぬこと。

**すいじ**［吸い地］だしに塩やしょうゆで味をつけたもの。これに具を合わせて吸い物にする。

**すいじ**［炊事］《名・自サ》〔家庭・寮などで〕食物の〈煮たき／料理〉をすること。「―場・―道具〔=おかま・コンロなど〕」

☆☆**ずいじ**［随時］《副》〔文〕時に応じて。気が向いたら いつでも。「不明な点は―質問してください」

**すいしつ**［水質］飲むため、また、工場で使う水の質や成分。「―検査」

**すいしゃ**［水車］みずぐるま。「―小屋」

**すいじゃく**［衰弱］《名・自サ》からだが おとろえ よわること。「神経―」

**すいしゅ**［水腫］《医》からだの空所や組織の間に、異常に多くの水分やリンパ液がたまる状態。水気。むくみ。

**ずいじゅう**［随従］《名・自サ》①おともとして、つきしたがう〈こと／人〉。②人の言いなりになること。

*__すいじゅん__［水準］①あるものの ねうちや能力の、高さ・低さの程度。レベル。「―が上がる・高い―・給与

—」②ふつうの程度。「—以上の生活・この作者としては—作」③⇩水準器。●**すいじゅんき**[水準器] 面が水平かどうかを調べる器具。垂直かどうかなども調べられる。水準。●**すいじゅんてん**[水準点]《地》土地の高さを測る基準となる点。日本では主要道路沿いにほぼ二キロごとに設置する。ベンチマーク。

**ずいじゅん**[随順]《名・自サ》〔文〕さからわないでしたがうこと。「自然に—する」

**すいしょ**[水書]《名・他サ》泳ぎながら、扇や板に字や絵をかいて見せること。

☆☆**ずいしょ**[随所・随処]〔文〕いたるところ。ほうぼう。「—に見られる」

**すいしょう**[水晶]《鉱》石英のよく結晶したもの。六角の柱のような形で、ふつうは すきとおっている。アクセサリー・光学器械・時計などに使う。クリスタル。例、アメジスト。☞クオーツ。●**すいしょうこんしき**[水晶婚式] 結婚してから、十五年目の記念日(を祝う式)。水晶婚。☞婚。●**すいしょうたい**[水晶体]《生》眼球の瞳孔のうしろにある、とつレンズ形の すきとおったもの。光線を屈折させる。●**すいしょうどけい**[水晶時計] 水晶に電気を通したときに出る振動を利用した、非常に正確な時計。クオーツ。

←**すいしょう**[推奨]《名・他サ》物について、いいものだから使ってみるようにと、すすめること。「ご—品」

→**すいしょう**[推賞・推称]《名・他サ》〔文〕物・人について、あれはいいと言って、ほめること。ほめて、人にすすめること。

**すいじょう**[水上] ①水の上。水面。「—警察・—生活者」(↔陸上) ②↑水上競技。「女子—」●**すいじょうきょうぎ**[水上競技] 競泳・飛び込み・水球など、水上でおこなう競技。水泳競技。●**すいじょうスキー**[水上スキー] スキーをはいた人をモーターボートで引っぱって水上をすべらせるスポーツ。

**ずいしょう**[×瑞祥]〔文〕めでたいことが起こる きざし。

**すいじょうき**[水蒸気] ①《理》水が蒸発して、目に見えない気体となったもの。②湯気。霧・もやなど。「川面に—が立つ」●**すいじょうきばくはつ**[水蒸気爆発]《地》水蒸気がマグマで熱せられて、火口から爆発的に ふき出す現象。

**すいしょく**[水食・水×蝕]《名・他サ》《地》水が地表をけずっていく〈作用/こと〉。「—作用」

**すいしん**[水深] 水の深さ。「—九メートル」

****すいしん**[推進]《名・他サ》おして前へ進めること。はかどらせること。「計画を—する・—器(=スクリューやプロペラなど)」

**すいじん**[水神]〔文〕①水難から守ってくれるという神。②火災を消してくれるという、水の神。

**すいじん**[粋人]〔文〕①風流〈を好む/が わかる〉人。②花柳界などのようすに通じている人。わけしり。

**スイス**〔フ Suisse〕ヨーロッパ中部、アルプス山脈の中央部を占める連邦共和国。スイス連邦。永世中立国。首都、ベルン(Bern)。瑞。〔二〇〇二年に国連に加盟〕 表記「:瑞西」は、古い音訳字。●**スイスロール**〔Swiss roll〕バタークリームやジャムなどをうすくぬって巻きこんだロールケーキ。

**すいすい**《副》①小さなものが、いかにも軽そうに動くようす。「メダカが—およぐ」②らくらくと、流れるように進むようす。「仕事を—かたづける」

**すいせい**[水生] ①《植》水の中にはえること。「—植物」②[水×棲]《動》水の中にすむこと。「—動物・—生物(=プランクトンなど)」▽(↔陸生)

**すいせい**[水声]〔文〕〈水/川〉の(流れる)音。

**すいせい**[水性]〔文〕水のような性質。水にとける性質。「—ペイント」(↔油性)

**すいせい**[水星]《天》太陽系の第一惑星(太陽にいちばん近い)。約三か月で太陽を回る。マーキュリー(Mercury)。

**すいせい**[水勢]〔文〕〈水/川〉の(流れる)勢い。

**すいせい**[衰勢]〔文〕勢いが おとろえていくこと。また、その状態。退勢。「—を挽回する」

**すいせい**[×彗星]《天》ある期間にわたって見える、白くて長い ほうきのような尾を引いた星。ほうきぼし。コメット(comet)。例、ハレー彗星。〔流星とは別で、止まって見える〕●**彗星のごとく** 句 有望な新人が、突然はなやかに あらわれるようす。

**すいせいがん**[水成岩]《鉱》⇩たいせきがん(堆積岩)。

**すいせいむし**[酔生夢死]《名・自サ》〔文〕何もせずにむだに一生を過ごすこと。

**すいせき**[水石] 水盤に入れ、ながめて楽しむ、自然の石。(↔盆石)

**すいせん**[水仙] 庭に植える草花の名。くきは細長く、早春、長い柄の先に、白または黄色の花をひらく。

**すいせん**[水栓] ひねって、水道の水を出したりとめたりする せん。「自動—」

**すいせん**[垂線]《数》直線または平面と、直角にまじわる直線。垂直線。「—を下ろす」

**すいせん**[水洗]《名・他サ》①水で あらうこと。水で あらい流すこと。「—トイレ」②↑水洗式(便所)。

**すいせん**[推薦]《名・他サ》〈人/物〉について、すぐれたものだと言って、人にすすめること。「—の ことば・—を受ける・—入学・—図書」

**すいぜん**[垂×涎]《名・自サ》〔文〕よだれをたらす(ほどほしがる)こと。すいえん。「収集家には—の一品」●☆☆**すいぜんのまと**[垂×涎の的]〔文〕ほしくてたまらないもの。「収集家には—」

**すいそ**[水素]《理》色・味・においのない、いちばん軽い気体〔元素記号H〕。工業原料のほか燃料電池などに使う。「—ステーション(=燃料電池自動車に水素を補給する設備)」●**すいそばくだん**[水素爆弾]《軍》水素の同位体が核融合をするときに生じるエネルギーを爆弾に利用したもの。原子爆弾よりも はるかに強力。水爆。

**すいそう**[水槽] ①水をためておく入れもの。タンク。②せんたく機などの、水をためる部分。シンク。

**すいそう**[水葬]《名・他サ》死体を海や川などに しずめて ほうむること。

**すいそう**[吹奏]《名・他サ》《音》〔管楽器を〕ふいて、演奏すること。●**すいそうがく**[吹奏楽]《音》管楽器・打楽器からなる〈音楽/楽曲〉。「—団(=ブラスバンド)・—部(略して『吹部』)」

**すいぞう**[(×膵)臓]《生》胃の うしろにあり、十二指腸に消化液を出す器官。また、ホルモンを出して血の中の糖分を調節する。「―がん(癌)」

**ずいそう**［随想］ 思うまま、感じたまま(を書いた文章)。随感。「―録」

**すいそく**［推測］《名・他サ》〔手がかりによって〕事実はたぶん こうだろうと考えること。「ことばづかいから出身地を―する・―の域を出ない」

**すいぞくかん**［水族館］ 水の中にすむ動物を飼って、人々に見せたり研究したりする所。すいぞっかん。

**すいたい**［酔態］〔文〕酒に酔った ありさま。

**すいたい**［衰退・衰×頽］《名・自サ》〔文〕おとろえて、だめになること。「産業の―・―の一途」

**すいたい**［推戴］《名・他サ》〔文〕会長・代表者などに、推薦して決めること。

**すいだし**［吸い出し］ ①すって外に出すこと。②〔↑吸い出しごうやく(膏薬)〕 できものの うみをすい出させるときに はる こうやく。すい出しこう(膏)。[動]吸い出す《他五》。

**すいだん**［推断］《名・他サ》〔文〕推測し、判断すること。「事実の真否を―する」

**ずいだん**［随談］〔文〕随筆ふうに、気楽に話す話。「野球―」

**すいち**［推知］《名・他サ》〔文〕おしはかって知ること。

**すいちゅう**［水中］ 水のなか。「―めがね」 ●**すいちゅうか**［水中花］ 造花の一種。水でいっぱいにしたコップの中に入れると、さいた草花のように見える。 ●**すいちゅうよくせん**［水中翼船］ 船体の底に飛行機のような翼のついた船。水面に うき上がり、高速で走る。翼船。ハイドロフォイル(hydrofoil)。〔「ジェットフォイル」は商標名〕

**すいちゅう**［水柱］〔文〕みずばしら。

**ずいちょう**［×瑞兆］〔文〕めでたい前兆。吉兆。

**ずいちょう**［×瑞鳥］〔文〕めでたいことが起こる前にあらわれるという鳥。例、鳳凰。

**すいちょく**［垂直］《名・ナダ》 ①真上と真下を結ぶ方向(に のびるようす)。鉛直。「―跳び」(↔水平) ②《数》直線に対して九〇度の方向。「―線」 ●**すいちょくかんせん**［垂直感染］《名・自サ》 胎児のとき、母から子へ感染すること。母子感染。(↔水平感染)

**すいつく**［吸い(付く)］《自五》 すうようにしてくっつく。ぴったりついてはなれなくなる。[名]吸いつき。

**すいつける**［(他下一)］ [二]［吸い(付ける)］ ①すうようにして、引きつける。「魅力に吸いつけられる」②タバコを火に近づけ、すって火がともるようにする。「一服―」 [二]［吸いつける］〔あるタバコを〕いつも すう。

**スイッチ**〔switch〕 [一]《理》ひねったりおしたりして、手元で電気を通したり切ったりする装置。〔電気の〕開閉器。〔電灯の〕点滅器。「―を入れる・―を切る」 [二]《名・他サ》 ほかのものに切りかえること。「クリーンエネルギーに―する」 ●**スイッチが入る**[句] 何かの きっかけで、とつぜん〈その気になる/活動を始める〉。「やる気のスイッチを入れること。(↔スイッチ オフ) ●**スイッチ オン**《名・他サ》〔switch on〕 スイッチを入れること。(↔スイッチ オフ) ●**スイッチバック**《名・自サ》〔switchback〕 急な傾斜をのぼりおりするために、ジグザグに敷いた線路を、列車が前進と後退をくり返しながら進むこと。 ●**スイッチ ヒッター**〔米 switch hitter〕《野球》右打ちも左打ちも自由にできる打者。

**すいっちょ** ⇩うまおい[二]。すいっちょん。

**すいてい**［水底］〔文〕水のそこ。みずそこ。

**すいてい**［推定］《名・他サ》〔手がかりによって〕事実・数量などを具体的に推測すること。「患者は約十万人と―される・―売上高」 ●**すいていむざい**［推定無罪］《法》有罪の判決がくだるまでは、被疑者や被告人は無罪と推定されること。無罪の推定。「―の原則」

**すいてき**［水滴］ ①水のしたたり。しずく。②すずりにつぐ水を入れておく、小さい水入れ。

**すいでん**［水田］ 水をたたえて、イネを作る田。みずた。

**すいと**［水都］〔文〕川や湖のある、けしきのいい都市。水のみやこ。「―ベネチア」

**ずいと**《副》〔俗〕ぶえんりょに ひとあし動くようす。「―寄って来る」

**すいとう**［水痘］《医》子どもに多い急性の感染症。皮膚に赤い まるい ふき出ものができ、その中に水がたまる。みずぼうそう。

**すいとう**［水筒］ 飲み水などを入れて、持ち歩く入れもの。

**すいとう**［水稲］《農》水田で作るイネ。(↔陸稲)

**すいとう**［出納］《名・他サ》〈お金/品物〉の出し入れ。「金銭―簿・図書の―」

☆☆**すいどう**［水道］ ①上水道。〔広くは下水道など、水を供給・処理する設備をまとめて言う〕②「水道①」の水。「―をとめる(=ⓐせんをしめて、出ないようにする。ⓑ水の供給をとめる)」 ③《地》〔海や湖で〕両がわの陸地が近よった部分。海峡。「紀伊―」

**ずいどう**［×隧道］〔文〕トンネル。すいどう。

**すいとりがみ**［吸い取り紙］ インクなどで書いた字の上におし当てて、はやくかわかすための厚い紙。

**すいとる**［吸い取る］《他五》 ①すって取る。「うみを―」 ②〔お金や物について〕むりやりに全部取り上げる。すいあげる。[名]吸い取り。[可能]吸い取れる。

**すいとん**［水団］ 小麦粉を水でこね、みそしるなどに ちぎって落とし、煮たもの。〔戦中・戦後の代用食〕

**すいとん**［水×遁］ 忍者が、水を利用して うまくに げること。「―の術」

**すいなん**［水難］ ①難船・水死など、水上であう災難。「―事故」 ②水害。③雨もりなど、水にかかわることで起こる災難。「―の相がある」

**すいにん**［推認］《名・他サ》〔文〕すでにわかっていることをもとにして、推測・判断すること。「―課税」

**すいのみ**［吸い飲み・吸い×呑み］ 病人がねたままで水や水薬などを飲むときに使う、長い口のある入れもの。

**すいばいか**［水媒花］《植》水によって、花粉が運ばれて受粉する花。多くの水生植物に見られる。

**すいばく**［水爆］《軍》↑水素爆弾。

**すいはつ**［垂髪］ 髪をゆいあげず、自然にたらした髪型。平安時代から見られる女性の髪型。たれがみ。(↔結髪)

**すいはん**［炊飯］ ごはんをたくこと。「野外―」 ●**すいはんき**［炊飯器］ 電気やガスを使って ごはんをたく器具。「ジャー―」〔電気炊飯器は「電気釜」とも〕

**すいはん**［垂範］《名・自サ》〔文〕模範をしめすこ

と。「率先―」

**すいばん**【水盤】①底が浅くて広い〈陶器／鉄器〉の入れもの。生け花や盆景などに使う。②建物などに設けられるごく浅いプールのような設備。「―のある家」

**すいばん**【推×輓】《名・他サ》〈=車をおしたり、引いたりする〉〔文〕ある地位や職にふさわしい人として、すすめること。推挙。

**ずいはん**【随伴】《名・自サ》〔文〕①おともをしてしたがうこと。②〔あるものごとに〕ともなうこと。「改革に―する諸問題」

**すいび**【衰微】《名・自サ》〔文〕おとろえ(弱)ること。「国家の―」

**ずいひつ**【随筆】〈=筆の随に しるす〉見聞きしたことや感じたことなどを自由な態度で書いた文章。エッセイ。「―家」

**すいふ**【水夫】〈下働きをする〉船乗り。

**すいふく**【推服】《名・自サ》〔文〕尊敬して従うこと。「師に―する」

**すいぶん**【水分】その中にふくまれる、水の〈成分／分量〉。みずけ。

＊**ずいぶん**【随分】■一《副》①程度が大きいと感じられるようす。「―待たされた・―いい お天気になりました・家の中が―しずかだ」②多いと感じられるようす。「―苦労をかさねた・まちがいが―ある」③〔古風〕じゅうぶん。「―お大切に〈=別れの あいさつ〉」▽ずいぶんと。区別⇩大変■二。■二《ナダ》①程度が大きいと感じられるようすだ。「―な努力をした・―な距離がある」②思いやりがない、仕打ちがひどい、と感じられるようすだ。「―なことを平気で言う・まあ、―だわ〔古風・女〕」

**すいへい**【水兵】《軍》海軍の兵士。「―服」

**すいへい**【水平】《名・ナダ》水の表面のようにたいらな〈こと／ようす〉。「―面」(↔鉛直・垂直) ●**すいへいせん**【水平線】①広い水面と空のさかいめの、たいらな線。(↔地平線) ②たいらに引いた線。 ●**すいへいどう**【水平動】《地》地震で、地面が水平方向にゆれ動くこと。(↔上下動)

**すいへん**【水辺】〔文〕川・湖などのそば。みずべ。

**すいべん**【水便】《医》水のような大便。水分の非常に多い便。水様便。

**すいほ**【酔歩】〔文〕酒に酔って歩く足つき。千鳥足。「―蹣跚」

**すいほう**【水泡】〔文〕水の あわ。 ●**水泡に帰す** 句 むだになる。

**すいほう**【水×疱】《医》皮膚が小さくふくれあがって水分がたまった状態。みずぶくれ。ひぶくれ。

**すいぼう**【水防】水による災害の防止。「―工事」

**すいぼう**【衰亡】《名・自サ》〔文〕おとろえて ほろびること。

**すいぼくが**【水墨画】墨絵。水墨。

**すいぼつ**【水没】《名・自サ》①水面が上昇したために、あるものが水の中にかくれてしまうこと。②水の中に落ちること。「誤ってスマホを―させる」

**すいま**【水魔】〔文〕氾濫・大水などのような、水による災害を悪魔にたとえた言い方。「―化した流れ」

**すいま**【睡魔】ねむけを悪魔にたとえた言い方。「―におそわれる」

**スイマー**〔swimmer〕水泳の選手。泳者。「世界のトップ―」

**ずいまく**【髄膜】《生》脳と脊髄をおおう膜。 ●**ずいまくえん**【髄膜炎】《医》細菌が はいったことなどによって髄膜に起こる炎症。脳脊髄膜炎。〔もと、「脳膜炎」と呼んだ〕

**すいません**《感》〔話〕「すみません」の、ぞんざいな言い方。「〔飲食店で店員を呼んで〕すいませーん」

**すいみつ**【水密】《理》〔機械・管などの〕内部の水圧にたえ、水がもれないようにすること。

**すいみつとう**【水蜜桃】モモの一種。実は白くて水けが多く、あまみが強い。水蜜。

**すいみゃく**【水脈】①《地》地下を流れる水の道。地下水脈。②文化などが受けつがれていく道すじ。「思想の―」

**すいみん**【睡眠】《名・自サ》ね(む)ること。ねむり。「―薬・―時間・―負債〈=たまった睡眠不足〉」 ●**すいみんじ-むこきゅうしょうこうぐん**【睡眠時無呼吸症候群】《医》睡眠障害の一つ。ねむっている間に呼吸がとまったり再開したりする状態がくりかえされて、ねむりが浅くなる病気。大きな いびきをかく。SAS。 ●**すいみんどうにゅうざい**【睡眠導入剤】《医》睡眠薬のうち、効き目が早く、効果が短いもの。

**スイミング**〔swimming〕水泳。「―クラブ」

**すいめい**【吹鳴】《名・他サ》〔文〕ふきならすこと。「サイレンの―・汽笛の―」

**すいめつ**【衰滅】《名・自サ》〔文〕勢力がだんだん おとろえて、そのものがなくなってしまうこと。

**すいめん**【水面】水の表面。みなも。 ●**すいめんか**【水面下】①水面の下。「―に没す」②ものごとの表面にあらわれない〈部分／場所〉。「―での話し合い」

**すいもの**【吸い物】すまじる。「ハマグリの―」

**すいもん**【水門】水の流れを調節するために せき・水路などに作った、仕切り板のついた門。

**すいやく**【水薬】⇩みずぐすり。

**すいよう**【水溶】〔文〕水に とけ(てい)ること。「―液・―性」

**すいよう**【水曜】一週の三番目の日。火曜の次。水曜日。

**すいよく**【水浴】《名・自サ》〔文〕水をあびること。みずあび。

**すいよ・せる**【吸い寄せる】《他下一》①〈吸って／磁力などで〉近くへ引き寄せる。②〈興味や関心を〉引きつける。「かおりに吸い寄せられる」

**すいらい**【水雷】《軍》水の中で爆発させて敵の船をこわし しずめる兵器。例、魚雷・機雷。

**すいらん**【×翠×巒】〔文〕みどりの山々。

**すいり**【水利】耕作・発電・消防などのための、水の利用およびその設備。「―権・―組合・消防用―」

**すいり**【推理】《名・他サ》わかっている事実から まだわかっていない事実を、筋道を立てて明らかにすること。「手紙から真相を―する・―小説〈⇩ミステリー②〉」

**すいりく**【水陸】〈水面／水の中〉と陸地。「―両用」

**すいりゅう**【水流】〔川の〕水の流れ。

**すいりょう**【水量】〔川・ダムなどの〕水の量。「―を調整する」

**すいりょう**【推量】《名・他サ》①推測。「これは―にすぎないのだが・当て推量(ずいりょう)」②相手の気持ちなどを察することや、予想したりするときの言い方。助動詞「う・よう」などをそえてあらわす。「少しは―してくださいよ」③〔言〕不確かなことを想像したり、予想したりするときの言い方。助動詞「う・よう」などをそえてあらわす。

**すいりょく**【水力】①水の〈力／勢い〉。②《理》高い所から低い所に落ちるときに生じる、水の運動エネルギーや位置エネルギー。「―を利用する」●**すいりょくはつでん**【水力発電】《理》水の勢いで水車を回す発電方式。

**すいりょく**【推力】〔↑推進力〕《理》機体や船体などを運動方向におし進める力。エンジンのパワー。

**すいれい**【水冷】〔エンジンなどを〕高温にならないように、水でひやすこと。「―式」(↔空冷)

**すいれん**【水練】〔文〕水泳(の練習)。

**すいれん**【睡×蓮】水草の名。花も葉も形はハスに似て小形。花は、朝、ひらいて、午後にしぼむ。ひつじぐさ。

**すいろ**【水路】①水の流れる通路。②航路。ふなじ。③〔プールで〕泳ぐ人ごとにくぎった水面。レーン。

☆☆**すいろん**【推論】《名・他サ》「この事実から、次のことが言えるはずだ」と、推理して論じること。「妥当(だとう)な―」

**スイング**《名・自他サ》〔swing〕①〔バット・ゴルフクラブ・からだなどを〕(大きく)ふること。「フル―」②《ボクシング》うでを大きく横にふって打つこと。③《音》ジャズの一種。軽快にアレンジされ、ダンス曲にも使う。スイングジャズ。▽スウィング。●**スイングアウト**〔swing out〕《野球》からぶりの三振(さんしん)。

****すう**【数】■**すう** ①⇩数(かず)①。「投票―・参加者―・〔相手チームに退場者が出て〕―的優位に立つ」(↕量)②〔学〕↑数学。「英、―、国」③〔文〕なりゆき。動向。「自然の―・勝敗の―」■㊀ いくつかの。三か四、五か六ぐらいの。〔最近は、二か三をさすこともある〕「―回・―人・―日・―万人」

**す・う**【吸う】《他五》①〔呼吸のために〕空気を口・鼻の中へ引き入れる。(↕吐(は)く)②〔空気・けむりなどの気体を〕鼻から入れる。③(息とともに)ものを口の中へ入れる。「しるを―・タバコを―・指を―」④しみこませる。引きこむ。「湿気(しっけ)を―・ごみを―」可能 吸える。

**スウェーデン**〔Sweden〕北ヨーロッパのスカンジナビア半島東部にある王国。首都、ストックホルム(Stockholm)。表記「：瑞典」は、古い音訳字。

☆☆**スウェット**〔sweat=あせ〕《服》①手首・足首までを包む、やわらかくてらくな運動着・部屋着。スウェットシャツ〔上半身用〕やスウェットパンツ〔下半身用〕。〔「トレーナー」の新しい言い方〕②「スウェット①」を作る生地(きじ)。▽スエット。●**スウェットスーツ**〔sweat suit〕《服》「スウェット①」の上下をあわせた言い方。スエットスーツ。

**すうがく**【数学】①《数》数・量および空間における図形について研究する学問。「―的に研究する」②「数学①」を学習する教科。

**すうき**【枢機】〔文〕大切な〈ところ／ことがら〉。「―にあずかる(=機密のことがらに関係する)」●**すうききょう**【枢機×卿】《宗》ローマ教皇の最高顧問(こもん)。教皇を選挙する権限を持つ。すうきけい。

☆☆**すうき**【数奇】《名・ナダ》うきしずみのある、変化に富んだ生活をたどること。さっき。「―をきわめた一生・―な運命」派―さ。

**スーク**〔アラビア sūq〕⇩バザール①。

**すうけい**【崇敬】《名・他サ》〔文〕りっぱなものとしてあがめること。「―の念を持つ」

☆☆**すうこう**【崇高】《名・ナダ》とうとくてけだかく感じられるようす。「―な精神」派―さ。

**すうこく**【数刻】〔文〕数時間。「熱戦―」

**すうし**【数詞】《言》数量・順序をあらわすことば。名詞の一種。例、一(ちい)・一つ・二冊・三番。

***すうじ**【数字】①かずを書くのに使う文字。特に、アラビア数字。「漢―」②数量・金額など。「―に明るい」③(営業)成績。「―をとる」④《放送》視聴率(しちょうりつ)。「―がいい」

**すうじ**【数次】〔文〕数回。数度。「―にわたる動乱」

**すうしき**【数式】《数》かずをあらわす〈数字／文字〉をふくむ式。

☆☆**すうじく**【枢軸】〔文〕①ものごとの、いちばん大切なところ。②〈権力／政治〉の中心。「―国」

**すうしゅん**【数瞬】〔文〕「一瞬」より少し長い時間。

**すうすう**《副・自サ》①風がせまい所をふきぬけていくようす。「すき間風が―する」②寒さを感じるようす。「背中が―する」③ねているときの軽い息の〈ようす／音〉。「―とねむる」④つっかえずに進むようす。すいすい。「車が―走る」

**ずうずうし・い**【△図々しい】《形》このくらいいいだろうと、相手にめいわくなことを平気でするようすだ。「ずうずうしく列に割りこむ・ずうずうしくしめきりを延ばす」区別⇩厚かましい。派―げ。―さ。

**ずーずーべん**【ズーズー弁】東北方言などを〈かろんじて／卑下(ひげ)して〉言うことば。ずうずう弁。由来「じ」を「ず」と発音することが多いから。

☆☆**すうせい**【×趨勢】〔文〕時がたつにつれて、一つの傾向(けいこう)を持ってあらわれる(世の中の)変化。「世界の―・物価の―」

**ずうたい**【△図体】〔俗〕〔動きのにぶい、大きな〕からだ。「―ばかりでかくて役に立たない」

**すうだん**【数段】《副》程度・段階に差のあるようす。数等。はるかに。「―すぐれている」

**すうち**【数値】《数》①計算・計測して得られた数。「合計を示す―・―目標」②式の中の、ある文字で代表される数。

**すうちょくせん**【数直線】《数》グラフの軸(じく)のように、原点を中心に両側にのばした直線。直線上の目盛りが個々の数に対応する。

**スーツ**〔suit〕■**スーツ**《服》会社員などがふつうに着る、礼儀(れいぎ)正しい洋服。同じ生地(きじ)の上着とズボン(とベスト)からなる。〔男性用は、背広(せびろ)とも言う。女性用は、上着とスカートの場合も多い〕「―にネクタイという姿・ビジネス―」■㊁ 衣服のひとそろい。「ダイビング―」●**スーツアクター**〔和製 suit actor〕変身ヒーローや怪獣(かいじゅう)などの着ぐるみを着て演技をする俳優。「特撮(とくさつ)の―」●**スーツケース**〔suitcase〕旅行に使うかばん。洋服を入れるかばん。

**すうっと**■《副》①空気がせまい所をとおりぬける〈ようす／音〉。「風船が―しぼむ」②〈尾(お)を引く／一本の線の〉ように見えるようす。「星が―流れる」③軽く動くようす。「エレベーターが―上がる」■《副・自サ》⇩すっと。

**ずうっと**《副》「ずっと」を強めた言い方。

**すうとう**[数等]《副》〔文〕数段。はるかに。「―まさる」

**すうどく**[数独]〔商標名〕たてよこ九つずつのます目を、数字でうめるパズル。たてよこの各列にも、全体を九つに分けた各部分の中にも、同じ数字が二回以上あらわれないようにする。

**すうどん**[素(×饂×飩)]かけうどん。〔西日本でよく使う言い方〕

**スーパー**〔super〕㊀造 特別〈すぐれた/大きい〉。超。「―カー〔=高級スポーツカー〕・―スター」㊁スーパー ←スーパーストア・スーパーマーケット。「駅前の―」㊂スーパー《名・他サ》《映画・放送》←スーパーインポーズ。「字幕―」 ●スーパーインポーズ《名・他サ》〔superimpose〕《映画・放送》画面の上に〈字幕をかさねること/かさねた字幕〉。スーパー。 ●☆☆スーパーコンピューター(ー)〔super computer〕技術開発などのため、大量の計算を超高速でおこなうコンピューター。スパコン。 ●スーパーストア〔和製 super store〕衣料品を主として、その他のものも安く売っている、セルフサービス式の店。スーパー。 ●スーパーだいかいてん[スーパー大回転]《スキー》アルペン種目の一つ。「大回転」よりも さらに高い所からすべり降りる。門の数は、より少なくなる。スーパーG。 ●スーパーバイザー〔supervisor〕①管理者。監督。②指導員。 ●スーパーフード〔super food〕特定の栄養素を多く ふくむ植物性食品・海藻など。例、納豆・キヌア。 ●スーパーボウル〔Super Bowl〕NFL〔=アメリカンフットボールの全米リーグ〕の優勝決定戦。 ●スーパーボール〔和製 super ball〕ゴムでできた、よくはずむ おもちゃのボール。ふつう、ピンポンだまよりも小さい。 ●スーパーマーケット〔supermarket〕いろいろの食料品を安く売っている、セルフサービス式の店。スーパー。 ●スーパーマン〔superman〕〔男性の〕超人。〔女性は、スーパーウーマン〕 ●スーパームーン〔supermoon〕月と地球が最も接近したときの満月。

☆☆**すうはい**[崇拝]《名・他サ》えらいと思って あこがれること。「―する人物」

**すうひょう**[数表](ものの量や実験の結果などの)数値を、見やすく一覧表にしたもの。

**スープ**〔soup〕肉・野菜などを煮出したしる。西洋料理や中華料理で出す。ソップ。「―皿・ポタージュ―・―ストック〔⇩ストック(stock)⑤〕・このラーメンは―も麺もうまい」 ●スープの冷めない距離 句 別々に住む親子が行き来するのに ちょうどいい、遠くない距離。みそしるの冷めない距離。「―に住む むすめ夫婦」〔もと、ヨーロッパの言い方〕 ●スープカレー〔和製 soup curry〕とろみがなく さらっとして、大きい具の はいったカレー。ごはんと別になっている。〔北海道で発祥〕「骨付きとり肉の―」

**スーベニア**〔souvenir〕①記念(品)。②〔観光地で〕みやげ物。▽スーブニール(フ souvenir)。

☆☆**ズーム**《名・自他サ》〔zoom〕①〔テレビ・映画・写真などで〕ズームレンズによって、映像を大きくしたり〔=ズームイン〕、小さくしたり〔=ズームアウト〕すること。ズーミング(zooming)。②←ズームアップ。 ●ズームアップ《名・自サ》〔zoom up〕〔テレビ・映画・写真などで〕カメラの位置を固定したまま、ズームレンズで被写体を大写しにすること。(↔ズームバック) ●ズームレンズ〔zoom lens〕ズームの撮影ができるように、一部のレンズが前後に動くようになったもの。

**すうよう**[枢要]《名・ナダ》〔文〕大切な〈こと/ところ〉。かなめ。派 ―さ。

**すうり**[数理]〔文〕①数学の理論。②計算(の道)。「―に明るい人」

**すうりょう**[数量]物の数と量。また、数であらわした量。「―が多い・―が増える」

**すうれつ**[数列]《数》一定の規則によってならんでいる数の列。「等差―・等比―」

**すえ**[末]①続いているものの、先のほう(で広がっている部分)。はし。「野の―」②〔ある期間の〕終わり。果て。結果。「十月の―・議論の―・苦心の―」(↔初め) ③将来。のち。「―がおそろしい」④子孫。「平家の―」⑤最後に生まれた子。「―は男です・―むすめ」⑥《仏》仏教がおとろえて、堕落した〈こと/世〉。「世も―だ・―の世」(↔本) ⑦大切でない〈こと/部分〉。「そんなことは―の―だ」(↔本) ⑧和歌の下の句。(↔本)

←**ずえ**[図会]〔文〕絵図を集めたもの。「名所―」

←**ずえ**[図絵]図や絵。「古人が所有していた―を展示する」

**すえあし**[末脚]《競馬》馬がゴール前で加速する〈こと/能力〉。「―がいい」

**スエーター**〔sweater〕セーター。

**スエード**〔フ suède〕(子ヤギの)うら皮。けばだっている。また、そんな感じに織ったもめん。スウェード。(↔銀)

**すえおき**[据え置き]《名・他サ》①すえつけて、そこに置くこと。「―型ゲーム機」②そのままにしておいて、動かさないこと。「価格を―(に)する」③〔貯金・債券・借金などを〕一定の期間、償還・はらいもどしなどをしないこと。「三年間―」動 据え置く《他五》。

**すえおそろし・い**[末恐ろしい]《形》〔いいにつけ、悪いにつけ〕将来どうなるか おそろしい。「〔優秀で〕―若い選手」派 ―さ。

**すえきち**[末吉]〔うらないで〕小吉の次。☞大吉。

**すえずえ**[末々]①のちのち。ゆくすえ。②子孫。

**すえぜん**[据え膳]①人の前に〈食事の膳を置くこと/置く食事の膳〉。☞上げ膳据え膳。②女が身をまかせる用意をしていること。「―食わぬは男の恥」

**すえたのもし・い**[末頼もしい]《形》将来が期待できて、たのしみだ。「―学生」派 ―げ。―さ。

**すえつ・ける**[据え(付ける)]《他下一》〔道具・機械などを〕その場所に置いて、動かないようにする。名 据えつけ。

**すえっこ**[末っ子]最後に生まれた子。まっし。

**スエット**〔sweat〕《服》⇩スウェット。

**すえなが・い**[末永い]《形》いつまでも ひき続くようすだ。「―平和をいのる・末永くお幸せに」

**すえひろ**[末広]①扇。②←末広がり。表記 結納などには「寿恵=×廣」と書く。

☆☆**すえひろがり**[末広がり]①しだいに末が広がること。②しだいに繁盛すること。「家運は―だ」▽(↔末細り) ③扇。▽末広。

すえふろ【据え風呂】〔すゑ―〕〔むしぶろでなく〕ふろおけをすえたふろ。鉄砲ぶろ・五右衛門ぶろがこれ。すいふろ。すえぶろ。
**すえほそり**【末細り】〔すゑ―〕先細り。すえぼそり。「―におとろえる」(↔末広がり)
**すえ・る**【×饐える】《自下一》飲食物がくさってすっぱいにおいがする。「ごはんが―」
**す・える**【据える】〔すゑる〕《他下一》①その場所に(動かないように)置く。「お膳を―・カメラを―・おきゅうを―〔⇨「おきゅう(灸)」の句〕」②据わらせる。「目を―」③おちつかせる。「度胸を―」④重要な役目についてもらう。「Aさんを座長に―」⑤はっきりと設定する。「目標を―・多様性をキーワードに―」⑥〔文〕〔はんこを〕おす。
**すおう**【△周△防】〔すはう〕旧国名の一つ。今の山口県の南東部。防州。
**すおう**【素×襖・素×袍】〔すはう〕室町時代の、武士の平服。形は直垂に似て、麻のひとえ。狂言に出てくる大名の服装はこれ。

［すおう］

**すおう**【×蘇△芳】〔すはう〕①春、黄色い花がさく小さい木。染料に使う。②「すおう①」の幹の汁で染めた色。むらさきがかった赤色。すおう色。
**すおどり**【素踊り】〔―をどり〕衣装・かつらをつけないでするおどり。
**スオミ**〔フィンランド Suomi〕フィンランドの国を、フィンランド人が呼ぶ言い方。
**ずおも**【頭重】①頭が重苦しく感じられること。ずじゅう。②簡単に、人に頭を下げないこと。
**すか**【スカ】〔もと西日本方言〕〔俗〕①かす。「―みたいな社説」②あてはずれ。すかたん。「―(を)食う」③〔くじの〕はずれ。「―を引く」
**ずが**【図画】絵にかいたもの。絵。とが。「―工作」
**スカート**〔skirt〕①〔洋装で〕ふつう腰からひざのあたりまでを包む、女性用の衣服。「―をはく・ひざ丈の―」(↔上着)②障害物をはねのけるために、車両の下の方にかぶせる鉄板。
**スカーフ**〔scarf〕頭にかぶったり、首に巻いたりする、ふろしきぐらいの大きさのうすくて軽い布。
**スカーレット**〔scarlet〕深い紅色。緋。
**スカイ** 造〔sky〕①空。②高いところ。「―パーキング〔＝立体駐車場〕」●**スカイダイビング**〔sky-diving〕パラシュートを使ったスポーツの一種。目的の場所に正確におりることなどをきそう。●**スカイブルー**〔sky blue〕空色。●**スカイライン**〔skyline〕①地平線。②〔山・建物などが空に接するように見える〕輪郭線。③山の上を走るドライブウェイにつけた名前の一部。
**ずかい**【図解】《名・他サ》①絵図を入れて説明をおぎない助けること。絵入り。②図で説明すること。
**ずがい**【頭蓋】《生》脳をおおい包む骨の全体。ずがいこつ。〔医師は「とうがい」と言う〕「―内出血」●**ずがいこつ**【頭蓋骨】《生》ずがい(を形づくる骨)。〔医師は「とうがいこつ」と言う〕
☆☆**スカウト**《名・他サ》〔scout〕〔スポーツ・芸能界や企業などで〕有望な人材を見つけ出したり引きぬいたりすること(が仕事の人)。「他社に―される・―の目にとまる」
**すがお**【素顔】〔―がほ〕①けしょうや変装などをしない、もとのままの顔。地顔。「―の美しさ」②手を加えない、ありのままの状態。「日本の―・知事の―」
**すかさず**【〔透かさず〕】《副》〔相手が何かをしたあと〕すぐ(さま)。「―反論する」
**すかし**【透かし】①透かすこと。②すきまのある所。③紙を透かして見える〈模様/文字〉。●**すかしっぺ**【透かしっ〔×屁〕】〔俗〕音の出ないようにしてする、おなら。すかしべ。●**すかしぼり**【透かし彫り】板金や板などをくりぬいて模様をあらわす彫刻。
**すが・し**【〔△清し〕】《形シク》〔雅〕すがすがしい。「すがしき朝」〔口語形を使うこともある。「胸にすがしい風」〕派―さ。
**すかジャン**【スカジャン】〔「横須賀ジャンパー」の略とも〕《服》サテンなどの光沢のある生地で、背中に竜や虎などの柄の刺繍を入れたジャンパー。スタジャン。
**すか・す**《自五》〔俗〕気どる。すます。「すかして歩く」
**すか・す**【〔△空かす〕】《他五》〔おなかを〕へらす。
**すか・す**【透かす】《他五》①すくようにする。②まばらにする。「枝を―」③それを通してむこうにあるものを見る。「やみを透かして見る」④〔俗〕音を立てずにおならをする。
**すか・す**【〔×賺す〕】《他五》①なだめる。「なだめ―」②〔古風〕だます。
**すかすか**《名・ナダ》①すき間がたくさんあるようす。「―のダイコン・箱の中身は―だ」②空気がもれて、手ごたえがないようす。「この空気入れは押しても―だ」
**ずかずか**《副》〈ぶえんりょに/あらあらしく〉進み出るようす。「―と上がってきた」
**すがすがし・い**【〔△清々しい〕】《形》よごれやにごりがなく(なって)気持ちがいい。心が洗われるように、さわやかだ。「―雨上がり・―かおり・選手たちの―プレー」派―げ。―さ。
＊＊**すがた**【姿】一 すがた ①〔全体として見たときの〕人や物の形。「山の―・―の小さいアジ・―かっこう」②衣服を着けた、からだ全体のようす。「町人―・うしろ―」③〔人の目に映る、そのもの〕からだ。「―を隠す」④ありさま。様子。「世の―」二 造 魚の、もとの形を生かした料理に使うことば。「―焼き・―盛り〔＝尾頭つきの魚の、腹の部分をさしみにしたもの〕・ふかひれの―煮」●**姿を消す** 句 見えなくなる。直 姿が消える。●**すがたかたち**【姿形】かっこう。見かけ。●**すがたみ**【姿見】全身を映す、大形の鏡。
**すかたん**〔関西などの俗な方言〕①すか。「―(を)食う」②とんちんかんなことをする人。まぬけ。
**スカッシュ**〔squash〕①くだものをつぶしたしるに砂糖を入れ、ソーダ水などをついだ飲み物。「レモン―」②四方をかべに囲まれたコートで、二人のプレーヤーがラケットでボールを前方のかべに打ち合う競技。
**すかっと**《副・自サ》さわやかで、さっぱりしたようす。「―晴れた日・―した口調」
**スカトロジー**〔scatology〕糞尿やはいせつ(排泄)

行為を話題にしたり表現したりする嗜好。スカトロ。

**すがみ**［素髪］　薬剤などをつけていない、自然のままの髪。

**すがめ**［(×眇)］〔文〕①片方の目が見えないこと。片目。②斜視。

**すが・める**［(×眇める)］《他下一》片目を細くする。「目をすがめて見つめる」自すがむ《五》。☞矯めつすがめつ。

**すが・やか**［(△清やか)］《ナダ》すがすがしいようす。「—な朝」派-さ。

**すがら**　接尾〔副詞をつくる〕①…の終わりまでずっと。「夜(も)—」②…の途中で。…のついでに。「道—」

**ずから**　接尾〔副詞をつくる〕…から。…によって。「口—・手—〔=直接に〕」

**ずがら**［図柄］①織物などの、図案の柄。②〔絵の〕構図。

**スカラー**〔scalar〕《数》大きさだけで方向のない量。例、温度・密度。(↔ベクトル)

**スカラシップ**〔scholarship〕奨学金(を受ける資格)。スカラーシップ。

**スカラップ**〔scallop=ホタテガイ(の から)〕《服》〔えりやそで口などの ふちを〕波形に〈すること/したもの〉。スカロップ。「—カット」

**スカラベ**〔フ scarabée〕昆虫の名。動物のふんを丸めて、うしろ向きで転がして巣に運び、幼虫の食料にする。たまおしこがね。ふんころがし。〔古代エジプトでは太陽神をあらわす〕

**すがりつ・く**［(×縋り付く)］《自五》①〔〈一部/はしのほう〉に〕はなれまいとして とりつく。「胸に—・ふなべりに—」②必死の思いで、たよる。「情けに—」

**スカル**〔scull〕ひとりが二本のオールを使ってこぐ、細長くて軽いボート(の競技)。スカール。「シングル—〔=一人乗りのスカル〕・ダブル—〔=二人乗りのスカル〕」

［スカル］

**スカル**〔skull〕頭蓋骨。どくろ。「—柄」

**すが・る**［(×縋る)］《自五》①つかまって、寄りかかる。とりつく。「つえに—」②たよる。「人の情けに—」

**スカルプ**〔scalp〕頭皮。「—ケア〔=頭皮の手入れ〕」

**スカルプ**〔←sculpture=彫刻〕つめにアクリル樹脂などをぬって、のばして作る、おしゃれな人工のつめ。スカルプチャー。

**すが・れる**［(×闌れる)・(△尽れる)］《自下一》〔草などが〕冬が近づいて、枯れはじめる。

**ずかん**［図鑑］同類のものを集め、写真や絵でわかりやすく説明した本。「動物—・原色—」

**スカンク**〔skunk〕北アメリカ産の、イタチに似たけもの。からだは黒くて白い線が走り、追いつめられると、おしりから、いやなにおいの液体を出す。

☆☆**ずかんそくねつ**［頭寒足熱］頭をひやし、足をあたたかにすること。よくねむれて、健康にいいという。

**すかんぴん**［(素寒貧)］《名・ナダ》〔俗〕非常にびんぼうな〈こと/人〉。派-さ。

**すかんぽ**［(:酸模)］野草の一種。葉は大形。芽は赤むらさき色で、かむとすっぱい。すいば(酸い葉)。☞「からすき」の絵。

←**すき**［(×犂)］からすき。

→**すき**　一 すき［(×鋤)］土地をほり起こす農具の一種。
二 造 ↑すき焼き。「鳥—・魚—・—なべ」

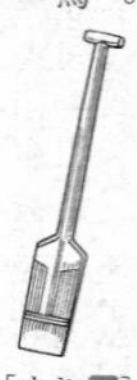
［すき 一］

**すき**［数寄］風流(を好むこと)。「—を好む」●**数寄を凝らす**　句　風流な趣向をつくす。

**すき**［隙］一［透き］①⇩すきま①。「戸の—から手を出す」②あいている時間。ひま。すきま。「仕事の—を見て出かける」二 ゆだんして注意が行き届かない、わずかのところ。「一分の—もない・ゆだんも—もならない・—を突く」

＊＊**すき**［好き］一 すき《ナダ》①心が引きつけられるようす。「—な食べ物・ママのことが大—」②その人に心が引きつけられ、胸がどきどきして、キスをかわしたりしたいと思う〈気持ち/ようす〉。「同級生を—になる・あの子〈が/を〉—だ」▽(↔きらい) ③道楽や色事への欲が強いようす。「あいつも—だなあ、また釣りだ」④気まま。勝手。「—にしたらいいだろう・—なことばかり言って！」✎ (1)「あの子が好き」の形は明治時代にすでに江戸時代に、「あの子を好き」の形は明治時代にすでに使われていた。(2)俗に、「好きくない〔=好きではない〕」と形容詞のようにも活用する。☞好きなだけ。二 ずき 造〔「ずき」と読み、名・形動をつくる〕それ(をすること)をよろこぶ性質(の人)。「外出—・酒—・犬—」(↔嫌い)●**好きこそ物の上手なれ**　句〔物の上手=名人。なれ↑断定の文語助動詞「なり」の已然形〕〔文〕好きであることこそが、名人への条件だ。

**すぎ**［杉］野山にはえる代表的な常緑樹。高くまっすぐのび、遠くからほこ(矛)の形に見える。葉は小さく針の形で、小ざかなの骨のようにつく。材木は建築用。

**すぎ**　造　一 すぎ［過ぎ］過ぎたこと。「三時—・五十—」二［(過ぎ)］〔動詞・形容詞など＋—〕…すぎる〈こと/ようす〉。「働き—・考え—・食べ—・人が多—だ〔=『多すぎる』の話しことば的な言い方〕・ダンスも歌もうま—だ〔=非常にうまい〕・おいしそ(う)—〔俗〕」

**ずき**［好き］造〔名・形動をつくる〕⇩す(好)き二。

**すきあ・う**［好き合う］《自五》たがいに好きになる。「好き合っていっしょになる」

**すぎあや**［杉×綾］しま模様の一種。右上がりの斜線を入れたしまと、左上がりの斜線を入れたしまが交互に並ぶ。ヘリンボーン。〔スギの葉が並んだように見える〕「—のコート」

［すぎあや］

**スキー**〔ski〕①くつに取りつけて雪の上をすべる、ひらたくて細長い道具。「—をはく」②「スキー①」をはいてする、スポーツ・競技。「—場・—ツアー」③「スキー②」のすべり方。「やわらかい—です」●**スキーアスロン**〔ski athlon〕《スキー》距離競技の一つ。距離複合。クラシカル、フリーの各走法を続けておこなう。●**スキー いた**［スキー板］スキーをするとき足にはく、二本の長い板の形のもの。いた。

**スキート**〔skeet〕クレー射撃の種目。二台の放出器から左右に飛び出る標的をうちおとす。☞トラップ

**スキーマ**〔schema〕①わく組み。スキーム。②《心》見たり、聞いたり、思いうかべたりしたものごとに あたえられる構造。例、「コップ」「家」「人間のからだ」は、共通して「何かの入れもの」というスキーマを持つ。③《情》データベースの構造。

**スキーム**〔scheme〕計画(案)。図式。わく組み。「基本的な―」

**スキーヤー**〔skier〕スキーをする人。

**すきうつし**［透き写し］《名・他サ》⇩しきうつし。

**すぎおり**［杉折り］スギの、うすい板で作った箱。「―入りの ようかん」

**すきかえ・す**［(×鋤き)返す］《他五》田畑の土を、農具でほり返す。

**すきかって**［好き勝手］《ナダ》(めいめい)自分だけにつごうのいいようにするようす。「―なことを言う」

**すききらい**［好き嫌い］《名・自サ》①好きと きらい。好きか きらいか。「―がはっきりしている・―はない」②よりごのみ。「食べ物の―が はげしい・―せず食べる」

**すきげ**［(×梳き)毛］かみの毛の少ない女の人が、かみの中に入れて形を整える毛。

**すきごころ**［好き心］〔文〕①ものずきな心。好奇心。②色ごのみの心。

**すぎこしかた**［過ぎ来し方］〔雅〕今まで過ぎて来た、過去。

**すきこの・む**［好き好む］《他五》特に好む。「好き好んで〔=わざわざ〕苦労する者はいない」

**すぎさ・る**［過ぎ去る］《自五》①通りこして行ってしまう。②すんでしまう。「過ぎ去ったことをくやむな」

**すぎし**［過ぎし］《連体》〔文〕過ぎ去った。「―日の古都のおもかげ」

**すきずき**［好き(好き)］人によって好みが ちがうこと。「たで食う虫も―〔⇩「たで」の句〕」

**ずきずき**《副・自サ》脈うつように絶えず痛むようす。「頭が―する・きずが―痛む」

**すぎだま**［杉玉］造り酒屋の軒先につり下げる、スギの葉をたばねて球形に刈った かざり。寒くなったころ、新酒ができると、新しいものに取りかえる。酒林。

**スキット**〔skit〕(語学教育で使う)短い劇。

**スキッド**〔skid〕急ブレーキをかけたときの、自動車の横すべり。サイド スリップ。

**スキッパー**〔skipper〕①ヨットなど、小さな船の船長。艇長。②《スポーツ》主将。監督。

**すきっぱら**［(△空きっ)腹］〔俗〕腹が へっていること。空腹。すきはら。すきばら。「―をかかえて出社する・―に まずいものなし」

**スキップ**《名・自他サ》〔skip〕①片足でかわるがわる軽くとびながら進むこと。②途中を飛ばして先に進むこと。「コマーシャルを―して録画を見る」

**すきとお・る**［透き通る・透き△徹る］《自五》①その物を通して、〈むこう／中〉が見える。「下の字が透き通って見えるうすい紙」②〔声などが〕澄んでよく通る。

**すぎな**［(杉菜)］ツクシが枯れたあとで同じ根から出る、緑色の細い枝のようなもの。

**すぎ・ない**［(過ぎない)］《形ヌズ》〔(…に―)〕それ以上(のもの)ではない。ただ…だけだ。「口実に―」丁寧すぎません。

**すきなだけ**［好きなだけ］《副》自分が望む程度まで、たくさん。「―食べてください・―寝ていられる」

**すきなべ**［(×鋤)鍋］すき焼きに使う、鉄製の なべ。

**スキニー**《名・ナダ》〔skinny=やせこけた〕《服》〔ジーンズなどの形が〕細身で、脚をぴったり つつむ〈もの／ようす〉。「カラー―・―タイプ」〔↔バギー〕

**すきはら**［(△空き)腹］〔古風〕⇩すきっぱら。

**すきぶすき**［好き不好き］好きと好きでないこと。「人によって―がある」

**すきほうだい**［好き(放題)］《ナダ》周りに遠慮せず、自分の好きなように ふるまうようす。「―言う」

**すきま**［隙間・透き間］①細く あいだが あいている部分。透いている部分。「―だらけの家」②あいた時間。ひま。「勉強の―をみて手伝う・―時間の活用」▽すき。

●**すきまかぜ**［隙間風］①建物の すきまから ふきこむ風。②親密だった両者のあいだが冷たくなることのたとえ。「両党間に―が吹き始める」●**すきまさんぎょう**［隙間産業］《経》「ニッチ 二①」を市場とする産業。

**すきみ**［(△剝き)身］さかなや肉をうすく切ったもの。「―にする・タラの―」

**すきみ**［透き見］《名・他サ》すきまから のぞいて見ること。

**スキミング**《名・他サ》〔skimming=すくい取ること〕クレジットカードなどの磁気データをぬすみ取って、カードを偽造すること。

**スキムミルク**〔skim milk〕脱脂乳。脱脂粉乳。スキンミルク。

**すきもの**［好き者］〔文〕①ものずきな人。好事家。②好色家。

**すぎもの**［過ぎ者］〔ふたりくらべて見たときに〕くらべられた本人よりもすぐれている人。「お前には―だ〔結婚の相手をさして言う〕」

**すきや**［透×綾］〔↑すきあや〕生地のうすい絹織物。夏の着物に用いる。「―縮み」

**すきや**［数寄屋・数奇屋］茶の湯のために、庭などに建てた茶室。●**すきやづくり**［数寄屋造り］茶室の造り方を応用して建てた建物。

**すきやき**［(×鋤)焼き・スキヤキ］〔もと関西方言〕すき身にした牛肉にとうふ・野菜などをそえ、しょうゆ・砂糖などで煮ながら食べる料理。もと「牛鍋」と言った。「―の割り下」

**スキャット**〔scat〕《音》〔ジャズで〕即興的に歌う、意味のないことば。ルルル、ダバダバなど。

☆☆**スキャナー**〔scanner〕絵や写真、文字、バーコードを読み取ってコンピューターに入力する装置。スキャナ。「イメージ―」

☆☆**スキャン**《名・他サ》〔scan〕《理》スキャナーを使って絵や文字などを読みとり、電子的な画像にすること。走査。「本を―する」

**スキャンダラス**《ナダ》〔scandalous〕スキャンダルの感じが強いようす。「―な事件・―なうわさ」

☆☆**スキャンダル**〔scandal〕世間に知られると大問題になる、不正や恋愛などの できごと(の うわさ)。醜聞。「金銭―・―をあばく」

**スキャンティ(ー)**〔scanty〕股上が極端に浅いパンティー。

**スキューバ**〔scuba〕水に もぐるときに せおう、ボンベ式の水中呼吸器。スクーバ。水中肺。〔「アクアラング」は商標名〕「―ダイビング」

**すぎゆ・く**【過ぎ(行く)】《自五》〔文〕①時が移って行く。「春が―」②〈通って/通りこして〉行く。「雨が―」

**ずきゅん**《副》〔俗〕あるものごとから受ける印象が、まるで自分の心を撃ちぬくような魅力を感じさせるようす。ずっきゅん。「―と来た・―ポイント」

**ずぎらい**【ず嫌い】[造] …をする前から嫌う性質(の人)。「読ま―・〔飛行機に〕乗ら―」☞食わず嫌い・負けず嫌い。

☆☆**スキル**〔skill〕〔仕事や生活に役立つ〕技能。「―をみがく・―アップ〔=技能の向上〕・対人―」

****す・ぎる** [一]すぎる【過ぎる】《自他上一》①(ある地点を)こえて進む。通っていく。「列車が横浜を―」②時間が移っていく。「三時を―」③終わる。「期限が過ぎた」④まさる。「むすこには過ぎた嫁だ」⑤限度をこす。「じょうだんが―・性急に―」[二]【(過ぎる)】[造]〔動詞・形容詞など+―〕①度をこす。「言い―・長―・しずか―・常識が無さ―・知らな―」②〔俗〕〔ほめて〕非常に…だ。「かっこよ―・すご―・美人―」③〔俗〕…の性質を強く持つ。…と強く感じる。「天使―〔=非常にかわいい〕・役人―対応・イベントに行きたかった―〔=行けずにとても残念だ〕」✎(1)形容詞「な(無)い」に続くときは、ふつう語幹に「さ」をつけて「なさすぎる」とする。助動詞「ない」の場合は、ふつう「なすぎる」。(2)①は「手前すぎる」「大きな敵すぎる」など、度合いをあらわす名詞(句)にもつく。一九八〇年代には②のようにほめる例も見え、二〇一〇年代には③のように本来は程度をあらわさない語句につく例も増えた。☞過ぎない。●**過ぎたるはなお(猶)及ばざるがごとし**[句] やりすぎることは、したりないのと同じように よくないことだ。〔「論語」のことば〕

**スキルスがん**【スキルス(×癌)】〔ラ scirrhus〕《医》かたい線維組織をつくりながら広がっていく悪性度の高いがん。胃がんなどの一部に見られ、発見しにくい。硬性がん。

**スキレット**〔skillet〕厚い鉄などで できたフライパン。

「鉄―〔略して『鉄スキ』〕」

**すぎわい**〔文〕生活のための職業。なりわい。

**スキン**〔skin〕①はだ。皮膚。「―ローション・―ケア」②コンドーム。●**スキンシップ**〔和製 skin+ship〕〔親と子などの〕はだの ふれあいによる、心の交流。●**スキンダイバー**〔skin diver〕スキン ダイビングをする人。●**スキンダイビング**〔skin diving〕足びれやシュノーケルなどをつけておこなう潜水。●**スキンヘッド**〔skinhead〕かみの毛を、つるつるにそった頭(の人)。ぼうず頭。

**ずきん**【頭巾】頭にかぶる、ふくろのような布。「防災―・赤―ちゃん」

**ずきんずきん**《副・自サ》「ずきずき」を強めた言い方。「頭が―する」

←**す・く**《自五》[一]【(△空く)】①中を満たすものが少なくなる。「おなかが―・電車が―〔↔混む〕」②ひまになる。「手が―」[二]つかえていた気分が すっきりする。「胸が―」

→**す・く**【透く】《自五》①つまっているものの一部がなくなって、あいだが できる。まばらに なる。「枝が透いている」②〔古風〕透ける。「中が透いて見える」

**す・く**【好く】《他五》好きだと思う。〔多く受け身・否定の形で使う〕「人に好かれる たちだ・好かない〔=気にいらない〕・好いたほれた」〔↔嫌う〕

**す・く**【(×梳く)】《他五》①かみの毛をくしでとかす。②歯の細かな くしで、かみの毛の ふけや ごみを取る。③〔ヘアカットで〕かみの毛の量を減らす。

**す・く**【(×漉く)・(△抄く)】《他五》①〔紙を〕作る。②〔紙を作るように〕うすく平たく作る。「のり(海苔)を―」

**す・く**【(×鋤く)】《他五》〔すきで〕田畑の土をほり返す。

****すぐ** [一]《副》①ほとんど時間をおかないようす。すぐに。すぐと〔古風〕。「帰ると―寝た・手術は―すんだ・―〔=よく〕つかれたと言う」②ほとんど距離をおかないようす。「私の―前の席・曲がって―の所」[表記]かたく「△直ぐ」とも。[二]【(△直ぐ)】《ナダ》〔文〕まっすぐであるようす。「―な心」

**ずく**【(∴木菟)】↑みみずく。

**ずく**【(△尽く)】[造] ①…で むりやりすること。「かね―・力―」②おたがいに…した上で おこなうこと。「相談―・納得―」[由来]「尽くす」の語幹「尽く」から。[表記]現代語では「尽く」の意識がないとみて、かなでは「ずく」と書くが、「づく」も許容。

**すくい**【救い】①すくうこと。たすけ。「―の手をさしのべる」②明るい気持ちになって、ほっとする状態。「―のない結末」●**すくいがた・い**【救い(難い)】《形》①すくうのが むずかしい。②どうにもしようがない。「―駄作だ」●**すくいぬし**【救い主】①すくってくれ〈た/る〉人。②《宗》⇩救世主②。

**すくいあ・げる**【(×掬い)上げる】《他下一》①すくって上に持っていく。②表面に出ない気持ちなどをおしはかる。すくい取る。

**スクイーズ**《名・他サ》〔squeeze〕〔くだものなどの汁を〕しぼること。

**スクイズ**〔↑スクイズ プレー(squeeze play)〕《野球》三塁のランナーがバッターとしめしあわせ、バントによってホームインする戦法。スクイズ バント。

**すくいと・る**【(×掬い)取る】《他五》①すくって、手のひらやスプーンなどの中に入れる。「スープを―」②事実に ちゃんと気づいて、取り入れる。「辞書が新語を―・政府が民意を―」

**すくいなげ**【(×掬い)投げ】①《すもう》相手の わきの下に うでを入れ、すくい上げるように投げる技。②《柔道》相手の うしろに まわり、下から〈もも/また〉に うでを入れて、すくい上げるように投げる技。

**すく・う**【巣くう】《自五》①巣を作って、そこにいる。「軒に―」②悪いものが、そこに根をはったように はなれずにいる。「利権に―議員」③悪いことが寄り集まる。「病気が―」[由来]「くう」は「〔巣を〕作る」の意味。「食う」との語源的な関係は不明。[表記]「巣:食う」「巣:喰う」も多い。

**すく・う**【(×掬う)】《他五》①〔液体・やわらかいもの・粉など(の中に はいったもの)を〕手のひらや、スプーン状のものに のせる。しゃくう〔俗〕。「水を―・メロンを―・あわを―・メダカを―」②下から かかえ上げる。「足を―」

**すく・う**【救う】《他五》①助けて、危険・苦しみから のがれさせる。「命を―・国を―」②〔神・仏が〕苦しみやなやみを取り除く。[可能]救える。☞救われない・救われる。

**スクーター**〔scooter〕①小型のエンジンをつけた、手軽な自動二輪車。モーター スクーター。②車のついた細長い板に片足をのせて走る、遊び道具。

**スクーナー**〔schooner〕マストが二本以上の帆船。

**スクープ**《名・他サ》〔scoop〕①特ダネ(を記事にすること)。「—映像」②アイスクリームをすくう、大きなさじ。

**スクーリング**《名・自サ》〔schooling〕通信教育を受けている学生に、ある期間おこなう、教室での授業。

**スクール**〔school〕①学校。「クッキングー・—水着・—ゾーン〔=通学路のある区域〕」②学派。流派。「湯川〔秀樹〕博士の〕—」 ●**スクール カラー**〔和製school color〕①その学校を代表する色。例、東京大学はライト ブルー。②校風。 ●**スクール バス**〔school bus〕通学(・通園)に使う、専用のバス。

**スクエア**〔square=正方形〕①四角。角型。「—カット」②区画。広場。場。「イベントー」③まじめ(な人)。堅物。④↑スクエア ダンス。▽スクウェア。 ●**スクエア ダンス**〔square dance〕レクリエーションに、野外などでするダンス。四角い形をつくっておどる。

**すぐき**〔(酸茎)〕京都市特産の、カブの一種。また、それをすっぱくつけた、つけもの。

**すぐさま**《副》〔=直ぐ様〕すぐ(に)。ただちに。「仕事が終わると—帰宅する」

**スクショ**《名・他サ》〔俗〕↑スクリーン ショット。「動画を—する」

**すくすく**《副》①高くまっすぐに はえている ようす。②勢いよく成長するようす。「子どもが—(と)育つ」

**すくせ**〔△宿世〕《仏》①前世。前の世。②前世からの因縁。

**すくな・い〔少ない〕《形》数や量が、それほどの程度に達しない状態だ。これだけしかない、という状態だ。「乗客が—・時間が—・チャンスが—」(↔多い)[派]-さ。☞少なからず・少なからぬ。

**すくなからず**〔少なからず〕《副》〔文〕相当な程度に。「おおいに」と言いたいときに わざとおさえて言うことば。「—おどろいた」☞からざる・からず。

**すくなからぬ**〔少なからぬ〕《連体》〔文〕少なくない。「—金額」

**すくなくとも**〔少なくとも〕《副》①少なく見積もっても。最低限。「—二、三年はかかる」②ほかはどうかわからないが。「—私にとっては重要だ」▽少なくも〔古風〕。少なくても。

**すくなめ**〔少な(目)〕《名・ナダ》やや少ないくらいの程度。「—に見積もる」(↔多め)

**すぐに**《副》〔=直ぐに〕〔時間的に〕すぐ。「一目見て—わかった・—不平を言う」

**ずくにゅう**〔(:木菟)入〕〔↑ずく入道〕①ふとっていて、にくらしい感じの、坊主頭の人。②憎んで悪く言うことば。

**すくみあが・る**〔(×竦み)上がる〕《自五》〔おそれや寒さなどで〕すっかり すくむ。

**すく・む**〔(×竦む)〕《自五》〔緊張や恐怖のあまり〕筋肉が縮んで動かなくなる。「足が—・身が—」[他]すくませる《下一》。「足を—」

**ずくめ**[接尾]①そればかりで かためること。「規則—」②そのものばかりを使うこと。「黒—の服装」[由来]「すく(竦)める〔=もと、同類の多くのもので おおったりして、身動きできなくする〕」の連用形から。[表記]「尽くめ」とも書かれてきた。☞づくし。

**すく・める**〔(×竦める)〕《他下一》すくんだ状態にする。すくませる。「肩を—」[自]すくまる《五》。

**すくよか**《ナダ》すくすくと〈育つ/のびる〉ようす。じょうぶ。すこやか。[派]-さ。

**スクラッチ**《名・他サ》〔scratch〕①ひっかくこと。こすること。②〔ゴルフ・ボウリング〕ハンディなしのこと。「—プレーヤー」③〔ラップ・ダンス音楽などで〕ターンテーブルにのせたレコードを手で自由に回してノイズを作ること。また、そのノイズ。 ●**スクラッチ カード**〔scratch card〕表面を硬貨などでけずると、点数や当たりなどがわかる くじ(などのカード)。

**スクラップ**《名・他サ》〔scrap〕①新聞・雑誌などから必要な記事を切りぬくこと。また、切りぬいたもの。切りぬき。②〔↑スクラップ アイアン〕くず鉄。③↑スクラップブック。④〔仕事・組織などを〕なくすこと。「業務の—」 ●**スクラップ アンド ビルド**〔scrap and build〕古い施設や組織をとりこわして、かわりに新しいものを作ること。 ●**スクラップ ブック**〔scrap-book〕〔新聞・雑誌の〕切りぬきをはりこむ帳面。切りぬき帳。

**スクラブ**〔scrub=ごしごしする〕①毛穴のよごれを落とす、細かな粒の入った洗顔料。「—洗顔・—クリーム」②医療や介護などの現場で働く人が着る服。上着は半そで・Vネックで多くの色がある。

**スクラム**〔scrum〕①《ラグビー》両チームの前衛が肩を組み、ボールをはさんでおしあうこと。②うでを組み合わせて列をつくること。 ●**スクラムを組む**[句]団結して協力する。 ●**スクラム ハーフ**〔scrum half〕《ラグビー》フォワードが取った球を、バックスに回す〈ポジション/選手〉。スクラムに球を投げ入れるほか、スクラムやモールなどの密集から出した球を、走ろうと待っているバックスにパスして攻撃を始める。背番号は九番。SH。

☆☆**スクランブル**〔scramble〕①《軍》やって来た敵の飛行機をむかえうつための、緊急発進。②〔有料のテレビ放送で〕無断で見られないようにするために、電波を乱す暗号をかけること。「—放送・—が かかる」③〔↑スクランブル交差点〕すべての車の通行を止めて通行人がいずれの方向にも横断できるようにした交差点。④↑スクランブル エッグ。 ●**スクランブル エッグ**〔scrambled eggs〕西洋ふうの やわらかい いりたまご。スクランブル。

**すぐり**〔(酸△塊)〕日本の山に はえる、グーズベリーによく似た植物。実は、少し細長い。ジャムにする。

**スクリーニング**《名・他サ》〔screening〕ふるい(篩)にかけるように検査すること。洗い出し検査。ふるい分け。スクリーン。「新生児聴覚—・農産物の—」

**スクリーン**〔screen〕[一]①ついたて式の間仕切り。仕切りのカーテン。②映像を映す画面。映写幕。銀幕。「映画館の—数」③映画(界)。「—の女王」[二]《名・他サ》⇩スクリーニング。 ●**スクリーン ショット**《名・他サ》〔screenshot〕《情》パソコンやスマートフォンの画面を静止画像で保存〈したもの/すること〉。(スクリーン」キャプチャー。プリントスクリーン。スクショ〔俗〕。●**スクリーンセーバー**〔screen saver〕〔コンピューターで〕同じ画像が一定時間続くとき、自動的に動く画像などを表示するプログラム。〔もともとは画面が焼きつかないようにする目的で作られた〕●**スクリーントーン**〔screentone〕模様を印刷した、透明なシート。漫画などの原稿にかぶせ、カッターで切ってはりつける。トーン。●**スクリーンプロセス**〔screen process〕《映画》あらかじめ撮影しておいた背景の前で演技をおこない、実際にその場で演じたように見せる方法。

**スクリプター**〔scripter〕《映画・放送》各シーンの時間をはかったりして、映像がうまくつながるように管理する人。記録。

**スクリプト**〔script〕①放送・映画用の台本。「ーライター」②《情》コンピューターに実行させる手順を書いたプログラム。

**スクリュー**〔screw〕①〔船の〕推進器。スクリュープロペラ。②ねじ〈くぎ〉。「ーブラシ〔=まゆ毛をととのえたりするのに使う、ねじ状に毛を植えたブラシ〕」●**スクリュードライバー**〔screwdriver〕①ねじ回し。ドライバー。②ウォッカとオレンジジュースで作ったカクテル。[由来]②は、ねじ回しでかき混ぜて作ったからという。●**スクリューボール**〔screw ball〕《野球》変化球の一つ。落ちるシュート。

**すぐ・る**《他五》〔文〕〔すぐれたものを〕えらび取る。「すぐりし精鋭」

**すぐる**〔過ぐる〕〔文〕㊀《連体》すぎた。今は過去となった。「ー日」㊁「過ぎる」の文語「過ぐ」の連体形。「これにー喜び〔=これ以上の喜び〕はない」

**すぐれて**〔優れて〕《副》〔文〕ほかの何ものよりも特別に。「それはー政治の問題である」

**すぐれ・ない**〔優れない〕〈△勝れない〉《形ヌ》健康・天気などがよくない。「朝から体調がー・天候がー」[丁寧]すぐれません。

**すぐれもの**〔優れ物〕〔俗〕利用価値の高い、便利な製品。「ーのソフトウェア・一台三役のー」

*__すぐ・れる__《自下一》㊀〔優れる・△勝れる〕〔多く「すぐれ〈た/て〉」〕高い能力・性能をもつ。高い水準にある。「優れた物理学者・成績が優れている・人並み優れた能力・断熱性にー〔=優れている。文章語的〕」[区別]「すぐれる」は比べるものがなくても使える。一方、「まさる」は、「…よりまさる」のように比べるものが必要。☞すぐれて。㊁〔優れる〕〈△勝れる〉〔多く、形容詞「すぐれない」の形で使う〕健康・天気などがいい。「気分がすぐれていなくても」☞すぐれない。

☆☆**スクロール**《名・他サ》〔scroll〕コンピューターのディスプレイで、表示内容を上下や左右に動かすこと。

**スクワット**〔squat〕①上半身をのばしたままおこなう、ひざの屈伸運動。「ヒンズーー〔=反動をつけて何回もおこなう、きついスクワット〕」②パワーリフティングの種目の一つ。しゃがんだ姿勢でバーベルを両肩にかつぎ、そのまま立ちあがる競技。

**すくわれ・ない**〔救われない〕《形ヌ》希望がなく、明るい気持ちになれない。「ー住宅事情」[丁寧]救われません。

**すくわ・れる**〔救われる〕《自下一》〔困った状況の中で〕少し安心できる。「家賃は高いが交通の便がいいのでー」

**すけ**〔助〕㊀①〔=たすけ〕《寄席》真打ちの補助。②〔△女・スケ〕〔俗〕女。[由来]②は、「おんな」をひっくり返して人名のようにした「なお助」の略。㊁[造]〔俗〕ひと。「飲みー・ちびー」

**すげ**〔〔×菅〕〕水べにはえる野草の名。くきが三角形で、葉は、かさ(笠)・みのなどに使う。

**ずけ**⇩づ(漬)け㊁。

**ずけい**〔図形〕①図のかたち。②絵にかいたかたち。③《数》面・線・点などの集合したもの。

**スケーター**〔skater〕スケートをする人。

**スケーティング**〔skating〕①スケートですべる〈こと/競技〉。②《スキー》V字形に開いたスキーを、スケートのように交互に前に出してすべる走法。☞クラシカル㊁。

**スケート**〔skate〕①金属製の刃〔=ブレード〕を取りつけて氷の上をすべるくつ。「フィギュア用のー」②「スケート①」をはいてする、スポーツ・競技。氷すべり。アイススケート。「ー場」③↑ローラースケート。●**スケートボード**〔skateboard〕①細長い板に車輪をつけたもの。両足で立ち、すべらせて進む。②「スケートボード①」の技術をきそうスポーツ。▽スケボー。スケボ。●**スケートリンク**〔←skating rink〕スケート場。アイスリンク。銀盤。

**スケープゴート**〔scapegoat=いけにえのヤギ〕ほかの人の身代わりに罪・責任をかぶせられる〈人/もの〉。「ーにされる」

☆☆**スケール**〔scale〕①規模。「ーの大きな〔=雄大な〕小説・サーバーがーアップする〔=規模が大きくなる〕」②はかり。「キッチンー〔=台所用のはかり〕」③長さ・角度・濃淡などをはかる器具。例、ものさし・巻き尺。④縮尺。「ーは五万分の一」●**スケールメリット**〔和製scale merit〕規模の大きさによる利点。「合併によるー」

**すげか・える**〔〔△挿げ〕替える〕《他下一》①本から取り去って別のものにかえる。つけかえる。「げたの鼻緒をー」②取りかえる。「首をー〔⇩「首」の[句]〕」[名]すげ替え。

**すげがさ**〔〔×菅×笠〕〕スゲの葉で編んだかさ。田植えのときなどにかぶる。

**スケジューラー**〔scheduler〕〔コンピューターで〕カレンダーにメモを書きこんだりして、スケジュールを管理するのに使う、ソフトウェアやアプリ。

**スケジューリング**《名・他サ》〔scheduling〕予定を立てること。計画を実現するための段取りを決めること。

**スケジュール**〔schedule〕①日程。予定。「おたがいのー感〔=大まかな日程〕をすり合わせる」②時間表。

**すけすけ**〔透け透け〕《名・ナダ》〈向こうがわ/内がわ〉が、すけてよく見えるようす。「木の葉がおちてーになった林・ーのシャツ」

**ずけずけ**《副》えんりょなく、思っていることを言うようす。「気にさわることをー(と)言う」

**すけそうだら**〔〔助宗×鱈〕・〔助×惣×鱈〕〕タラの一種。たまごは「たら(の)こ」と言う。すけとうだら。すけそ(う)。

**すけだち**〔助太刀〕《名・自サ》①〔果たし合い・あだ

討ちなどの〕助力(をする人)。②〔俗〕手伝い。「―をたのむ」

**スケッチ**〔sketch〕[一]〈名・他サ〉写生。「―に出かける」[二]①略画。見取り図。「まだ―の段階だ」②写生した絵。写生画。「―帳」③写生ふうの、小品文・小曲。④寸劇。コント。「―コメディー」●**スケッチブック**〔sketchbook〕写生帳。

**すけっと**【助っ△人】加勢する人。助人。

**すけとうだら**【△介党×鱈】⇩すけそうだら。

**すげな・い**【(△素気ない)】〈形〉相手に関心を示さない。相手の願いを聞いたりしない。「―返事・好きな人にすげなくされる・すげ(も)なく断る」[派]―さ。☞そっけない。

**すけばん**【スケバン・スケ番】〔スケ=女〕〔俗〕女の番長。非行少女グループのリーダー。

**すけべ**【助△平・助:兵衛・スケベ】〈名・ナダ〉〔俗〕性的にいやらしいことが好きな〈ようす/人〉。すけべい。すけべえ。「この―!」「―根性(=すけべ心)」[由来]江戸時代、「好き」を人名のようにした「好き兵衛」から。●**すけべごころ**【助△平心】①すけべな気持ち。②自分が得をしようという、ひそかな心。すけべ根性。「人に尊敬されたいという―」[派]―さ。

**スケボー** ←スケートボード。

**ずけり**〈副〉〔古風/方〕心につきささるように、ぶえんりょに言うようす。

**す・ける**【透ける】〈自下一〉①〈すき間のある/うすい〉ものを通して、向こうが見える。「すだれの向こうに人かげが透けて見える」②内情がかいま見える。「思わくが透けて見える」[名]透け。「―感・―カーテン」

**す・ける**【(△助ける)】〈他下一〉〔俗〕手だすけをする。

**す・げる**〈他下一〉①はめこむ。さしこむ。「ひしゃくの柄を―」②さし通して、つける。「げたの鼻緒を―」

**スケルツォ**〔イ scherzo〕〔音〕明るくて軽い、調子のはやい曲。スケルッツォ。

**スケルトン**〔skeleton〕①骸骨。②〔船・建物などの〕骨組み。③(半)透明で、内部のしくみがすけて見える状態。「―仕様」④〔不動産で〕内装がない状態の、店舗の物件。⑤小さなそりに、頭を前にしてひとりでうつぶせに乗って、氷のコースをすべりおりる競技。☞ボブスレー①・リュージュ。

**すけろくずし**【助六(:寿司)】いなりずしと巻きずしのつめ合わせ。[由来]遊女 揚巻の出る歌舞伎「助六」にちなむ。「あげ」と「巻き」だから。

**すご**【(△凄)】[造]〔俗〕すごい。非常に。「―技・―うま(=とてもおいしい)」

☆☆**スコア**〔score〕①得点(の記録)。②〔ゴルフ〕打数。「―が百を切る」③〔音〕総譜(表)。●**スコアブック**〔score book〕〔野球など〕試合の経過をくわしく記録するノート。●**スコアボード**〔scoreboard〕〔競技の〕得点などを知らせる表示板。得点表。

**スコアラー**〔scorer〕〔試合の〕記録係。

**スコアリングポジション**〔米 scoring position〕〔野球〕ヒットなどが出れば得点できる塁。二塁または三塁。得点圏。

****すご・い**〈形〉[一]【(△凄い)】①おそろしくて、ぞっとするような感じだ。「―うなり声」〔やや古風に「―ような」とも。「―ような吹雪の夜」〕②非常に〈すばらしい/たいへんだ〉。「―チーム・―人気だ・株価が―ことになっている」[二]数量が(非常に)多い。程度が(非常に)大きい。「―本(の量)だね・すごくおいしい・すごくできる子」✓連用形「すごく」は、俗に「すごい」の形で「すごい速い・すごいびびってる」のように言う。関西方言で昔から「えらく おもしろい」を「えらい おもしろい」と言うなど、全国の方言に似た現象がある。[区別]⇩大変[二]。▽[一][二]俗に強めて「すっごい」「すんごい」「すっげえ」「すんげえ」などとも。[表記]俗に「スゴイ」「スゴい」とも。[派]―さ。

**ずこう**【図工】←図画・工作。小学校の教科の一つ。〔中学校では「美術」〕

**すごうで**【(△凄)腕】ものすごく仕事ができる〈こと/人〉。

**スコート**〔skort〕〔テニスやチアリーディングなどで〕スポーツ用のミニスカート。

**スコープ**〔scope〕①視野。範囲。「レーダー―」②〔望遠レンズの付いた〕照準器。③←ドアスコープ。

**スコール**〔squall〕熱帯地方特有の、はげしいにわか雨。

**スコーン**〔scone〕まるくて厚みのある、ビスケットふうの菓子。イギリスではジャムとクロテッドクリーム(=バターと生クリームの中間のようなクリーム)で食べるのが一般的。☞マフィン①。

****すこし**【少し】〈副〉〈分量が少ない/度合いが小さい〉ようす。わずか。「―(↔たくさん)の量・―しか食べられない・ズボンが―(=やや)長い・もう―待ってください・もう―で(=あぶなく)忘れるところだった・―はこっちの立場にもなってくれよ」[区別]「**少し**」に比べて「**ちょっと**」は会話的なだけでなく、より主観的。「ちょっと調子悪いから、少し寝る」のように、数量で言いにくいものは「ちょっと」、数量で言いやすいものは「少し」と使い分けることがある。●**すこしも**【少しも】〈副〉〔後ろに否定が来る〕わずかな〈分量/度合い〉も。ちっとも。「―こわくない」●**すこしく**【少しく】〈副〉〔文〕少し。

***すご・す**【過ごす】[一]**すごす**〈他五〉①時を送る。「午後、図書室で―・一夜を―・少年時代を―・元気で―」②〈分/程度〉をこす。「度をこす。「酒を―」[二][造]①すておく。「見―」②度をこす。「飲み―」[可能]過ごせる。

**すごすご**〈副〉〔目的が とげられないで〕元気がなくなるようす。「―引きさがる」

**スコッチ**〔Scotch=スコットランドの〕①スコットランドで造るウイスキー。スコッチ ウイスキー。スカッチ。②スコットランド産の手織りのツイード。●**スコッチエッグ**〔Scotch egg〕ゆでたまごをひき肉でつつみ、パン粉をまぶして あげたもの。

**スコットランド**〔Scotland〕イギリス本土、大ブリテン島の北部を占める地方。[表記]「:蘇格蘭」は、古い音訳字。

**スコップ**〔オ schop〕①土・砂・雪などをすくったりするのに使う道具。足をかけられるものが多い。②〔関西などの方言〕「シャベル①」をさす ことば。

**スコティッシュフォールド**〔Scottish fold〕スコットランド原産の、顔と目は丸っこく、耳の折れたネコ。後ろ足を前に投げ出すような座り方(=スコ座り)をする。

**すこぶる**【(×頗る)】〈副〉〔文/古風〕非常に。たいへん。「―元気そうだ・―評判が悪い」[由来]「すこ」は「少し」と同源。もと「少しばかり」の意味だったが、意味が正反対に変化した。●**すこぶるつき**【(×頗る付き)】「すこぶる」ということばがつくほど、非常に きわだっていること。

と。「━の快男児」

**すごみ**［(△凄:味)］すごい〈ようす／ところ〉。**●すごみを利かせる** 句 おどし文句やすごい態度で、おどす。

**すご・む**［(△凄む)］《自五》〈おどすような／おそろしい〉ようすを見せる。

**すごもり**［巣(籠もり)］①鳥が巣にこもっていること。②そうめんやうどん、せん切りの野菜などを鳥の巣のようにかたどり、そこにウズラのたまごなどを盛りつけた料理。③家から出ないで、じっとしていること。「━消費(=外出せずインターネットなどを通してお金を使うこと)」

**すごも・る**［巣(籠もる)］《自五》〈鳥がたまごを生み、それをかえす／動物が冬眠するため、巣の中にはいったままでいる〉。

**すごもんく**［(△凄)文句］〔古風〕おどしてこわがらせる文句。

**すこやか**［健やか］《ナダ》からだのどこにも故障がないようす。たっしゃ。「━に育つ・━な子」派 ━さ。

**すごろく**［(△双六)］決まった順序にかいた絵をたどりながらさいころをふって、その目の数だけ進んで、早く上がりに行きつくことを争う、子どもの遊び。

**スコンク**〔米 skunk〕⇨ゼロ敗。

**すざく**［(△朱×雀)］鳥の形をした、中国の神獣。南の守護神とされる。

**すさび**［(△遊び)］〔文〕心の進むままにすること。なぐさみごと。「老いの━・筆の━」

**すさ・ぶ**［(△荒ぶ)］《自五》⇨すさむ①。

**すさまじ・い**［(△凄まじい)］《形》①ふつうでなく、おそろしい。「━形相」②はげしさが感じられて、おそろしい。「━事故現場・━戦い・━いじめ」③おどろくほど、程度が大きい。「━人気・すさまじく泣く」④〔…〈とは／も〉━〕あきれたものだ。話にならない。「あれで大スターとは━・こんな時間に電話も━」▽すさましい。すざましい。すざまじい。派 ━げ。━さ。

**すさ・む**［(△荒む)］《自五》①あれくるう。すさぶ。「風が吹き━」②(うるおいがなくなって)あれる。「すさんだ世相」名 すさみ。

**すさ・る**［(△退る)］《自五》しりぞく。しさる。すざる。

☆☆**ずさん**［(×杜×撰)］《ナダ》細かいところまで注意せず、問題が多いようす。ずざん〔古風〕。「━な計画・━な本」由来 中国宋代の詩人・杜黙の作る(=撰)、詩のきまりに合わない作品から、などの説がある。派 ━さ。

**すし**［(:寿司)・(:寿し)・(×鮨)・(×鮓)］①酢や塩で味をつけた飯に、刺身・たまご焼き・のりなどをのせたりまぜたりしたもの。特に、にぎりずし。「━ねた・手巻きずし・さばずし・柿の葉ずし(=柿の葉でくるんだおしずし)」②なれずし。由来 文語形容詞「酢し(=すっぱい)」を名詞にしたもの。表記「鮨」は東京などに多い。「鮓」は近畿などで見られる。

**すじ**［筋］一 すじ ①糸やひものように細長く続いているもの。「たてに━を引く・きぬさやの━を取る」②血管。「━(=静脈)のうき出た手」③筋肉。「肩の━がこる」④筋肉が骨につく部分にある、かたい、ひものようなもの。けん(腱)。「足の━を切る・牛━(肉)(『牛スジ』とも書く)」⑤道筋。通り。「街道━・心斎橋━(=通りの名)」⑥物語の(大まかな)進み方。ストーリー。「小説の━」⑦一貫したもの。論理。筋道。「━の通らない主張・一本━の通った生き方」⑧(手続きの上で)必ずそうしなければならないこと。道理。すじあい。「━を通す・━がちがう・国民の判断を問うのが━だ・人に相談すべき━のものではない」⑨血筋。血統。「源氏の━を引く」⑩素質。「芸の━」⑪関係者。情報源。〔ニュースの出所をぼかして言うときに使う〕「たしかな━・政府━(=記事では、官房副長官など。☞首脳)」⑫〔↑筋かまぼこ〕さかなの「筋一④」や皮をまぜたかまぼこ。すじかま。⑬方面。「御用の━は？」二 接尾 細長いものを数えることば。「手ぬぐい二━」

**●筋がいい** 句 ①素質がいい。「━塾生」②素性がたしかだ。「━ものをあつかう店」③〔碁・将棋〕まっとうだ。本格的だ。「━手・かれの碁は━」④うまくいく見こみがある。「━(=解決できそうな)事件」▽(↔筋が悪い)

**●筋が悪い** 句 「筋がいい」の反対。筋悪だ。「━仕事を引き受ける・〔碁・将棋〕━一手」

**ずし**［(×厨子)］仏像をおさめる、堂の形をしたもの。がん(龕)。

［ずし］

**ずし**［図示］《名・他サ》図(面)でしめすこと。図に書いて見せること。

**すじあい**［筋合い］①理由。根拠。「言いがかりをつけられる━はない」②人間的関係。あいだがら。「たのめる━ではない」

**すじかい**［筋交い・筋△違い］①ななめ(に交差していること)。すじちがい。②建物などを強くするため、柱と柱の間に、ななめに取りつけた材。☞「ぬき(貫)①」の絵。

**すじがき**［筋書き］①事実の筋道を書いたもの。②演劇・映画のだいたいの内容を書いたもの。③考えたしくみ。もくろみ。「━どおりにはこぶ」

**すじがね**［筋金］ものに〈はめ／はった〉金属の筋。

**●すじがねいり**［筋金入り］信念が強く、意思を曲げないこと。また、趣味などに強くのめりこむこと。「━の党員・━の冒険家」

**ずしき**［図式］①概念の関係などをあらわした図。「━化」②ものごとのしくみや関係などを示したもの。構図。「対立の━」

**すじぐも**［筋雲］すじを引いたように見える雲。巻雲。

**すしげた**［(:寿司=下△駄)］客の前に置いて、板前がにぎったすしをのせる、げたのような形の厚い板。

**すじこ**［(筋子)］サケの赤い小さなたまごのかたまりを塩づけにしたもの。すずこ。「━をほぐす」☞イクラ。

**すじだて**［筋立て］話の筋の立て方。あらすじ。

**すしだね**［(:寿司=種)］すしの材料に使う、さかなや貝など。すしねた。

**すじちがい**［筋違い］《名・ナダ》①手続きがまちがっていること。「相手があやまるのが筋で、私からあやまるのは━だ」②見当ちがい。「まったく━〈の／な〉批判」③道理に外れていること。「━の復讐」④急激な運動で起きた筋肉の痛み。⑤⇨すじかい①。

**すしづめ**［(:寿司)詰め］多くの人やものが、すきまもなくはいっていること。ぎゅうづめ。「━教室・━電車」

**ずして**《接助》〔文〕①〔動詞＋━〕ないで。「戦わ━勝つ・問わ━(=問わなくても)明らかだ」☞期せずして・労せずして。②〔文語形容詞＋ー〕なくて。「多からー」☞久しからずして。

**すじにく**〔（筋）肉・スジ肉〕ーすぢ （牛）肉の部位で、けん・けん膜・筋膜。煮こみ料理に使われるほか、西日本ではおでんの具とする。「お好み焼きにーを入れる」☞きんにく（筋肉）。

**すじば・る**〔筋張る〕ーすぢ《自五》〔表面に〕筋が多く立つ。

**ずじまい** ーじまひ 〔造〕 …ないままに終わること。「その映画は見ーだった・わからー」

**すじみち**〔筋道〕ーすぢ ①話などの筋の、続きぐあい。「会話のーが見えない」②もしこうであれば、当然こうなるという、ものごとのつながり。論理。道理。「ーを立てて〔＝論理的に〕考える・ーの通らないことはいやだ」③実現への方向性。「改革へのーをつける」▽道筋。

**すじむかい**〔筋向かい〕すぢむかひ 道をへだてた、ななめ向こうにあること。すじむこう。「ーの家」

**すじめ**〔筋目〕ーすぢ ①物を折ったり、たたんだりしたときにできる、まっすぐな線。「ーの通ったはかま」②血筋。血統。「ーの正しい家柄」③筋道。「ーの立った言い分」

**すしめし**〔（寿司）飯〕すし用に味つけしたごはん。かためにたいたごはんに、合わせ酢を混ぜ合わせる。すめし。シャリ。

**すじもの**〔筋者〕ーすぢ 〔俗〕その筋の者。やくざ。これもん。すじもん。

**ずじゅう**〔頭重〕〔医〕⇩ずおも①。「ー感」

**すじょう**〔素性・素姓〕①その人が生まれた家柄や血筋。「ーのいい人」②もともとの身分や職業。「ーのあやしい男」③今までたどって来た経歴。由緒。「ーの正しい品物」

**ずじょう**〔図上〕〔文〕〈地図／図面〉の上。「ー作戦・ー訓練」

**ずじょう**〔頭上〕〔文〕あたまの上（のほう）。「ー注意〔＝頭をぶつけたり、ものが落ちてきたりする危険があるところの注意書き〕」

**すじょうゆ**〔酢×醬油〕しょうゆに酢を合わせたもの。野菜や、カツオのたたきなどにかける。「キュウリのーあえ」

**ずしり**《副》⇩ずっしり。

**すじろん**〔筋論〕ーすぢ 筋を通そうとしてする議論。筋を通した議論。「ーとしては、そうなる」

**すじわる**〔筋悪〕ーすぢ《名・ダ》⇩筋が悪い〔「筋」の句〕。

**ずしん**《副》重いものが落ちたり、大きな衝撃を受けたりして地ひびきがする音〔ようす〕。「落雷がーとひびく」

**すす**〔（×煤）〕①けむりの中にふくまれる黒い粉。油煙。②けむりとほこりがいっしょになった黒いもの。「天井のー」

**すず**〔鈴〕中がからになったまるい形のものに、小さな玉などを入れ、ふって鳴らすもの。金属製のものが多い。●**鈴を転がすような声**〔句〕女性の、高くすんで美しい声。鈴をふるような声。●**鈴をつける**〔句〕⇩猫の首に鈴をつける〔「猫」の句〕。●**鈴を張ったような目**〔句〕ぱっちりとした大きな目。

**すず**〔（×錫）・スズ〕〔理〕うす青色をおびた、白くてやわらかい、さびない金属〔元素記号Sn〕。ブリキのめっき・合金・食器などに使う。「ーのちろり（銚釐）」

**すずかけ**〔（×篠懸）・（鈴掛）〕↑すずかけの木。●**すずかけのき**〔（×篠懸の木）〕並木として植える落葉樹の名。葉は大きくて、手のひらの形に浅く切れている。プラタナス。すずかけ。

**すずかぜ**〔涼風〕〔雅〕すずしい風。「ーが立つ」

**すすき**〔（△薄）・（×芒）〕カヤの一種。大きな株になり、穂は白く光る。秋の七草の一つ。おばな。

**すすぎ**〔（△濯ぎ）〕①すすぐこと。そそぎ。②足を洗う〈湯／水〉。

**すずき**〔（×鱸）〕河口の近くの海にすむ、中形のさかな。口が大きく、うろこが小さい。二五センチぐらいの若いさかなをセイゴ、五〇センチぐらいのものをフッコと言う。食用。シーバス（sea bass）。「ーのポワレ」

←**すす・ぐ**〔（△雪ぐ）〕《他五》⇩そそ（雪）ぐ。

↔**すす・ぐ**〔（×漱ぐ）〕《他五》口の中をきれいにする。うがいをする。ゆすぐ。「口をー」

→**すす・ぐ**〔（△濯ぐ）〕《他五》〔水で〕よごれをあらいおとす。ゆすぐ。

**すす・ける**〔（×煤ける）〕《自下一》①すすがかかって黒くなる。「すすけた煙突」②うすよごれて、きたなくなる。「すすけた羽織」

**すずこ** ⇩すじこ（筋子）。

**すずこんしき**〔（×錫）婚式〕結婚してから、十年目の記念日〔を祝う式〕。☞婚。

**すずし・い**〔涼しい・（×凉しい）〕《形》①〈気温がほどよく低くて／それほど暑くなくて〉気持ちがいい。「ー風・ー木陰」②澄みきって清らかなようすだ。「ー目をしている」〔派〕ーげ・ーさ。●**すずしいかお**〔涼しい顔〕ーかほ へいきな顔。知らんぷり。

**すずしろ**〔（△清白）〕〔雅〕だいこん。〔春の七草、また七草がゆに使うときの呼び名〕

**すずな**〔（×菘）〕〔雅〕かぶ（蕪）。〔春の七草、また七草がゆに使うときの呼び名〕

**すずなり**〔鈴（△生り）〕①くだものなどがいっぱい集まってみのっていること。②人が、窓や出入り口にいっぱいになること。「ーの見物人」

**すすはき**〔（×煤）掃き〕《名・自サ》すすはらい。

**すすはらい**〔（×煤）払い〕ーはらひ《名・自サ》年末におこなう、家の中の大そうじ。すすはき。

**すすぼ・ける**〔（×煤ぼける）〕《自下一》すすがついてよごれる。

**すすぼこり**〔（×煤×埃）〕すすのかかったほこり。

**すすみ**〔進み〕①進む〈こと／はやさ〉。進度。②上達。「ーがはやい」●**すすみ・でる**〔進み出る〕《自下一》進んで、前のほうに出る。

**すずみ**〔涼み〕すずむこと。納涼。「ー客・夕ー」●**すずみだい**〔涼み台〕腰かけてすずむときに使う、細長い台。

****すす・む**〔進む〕〔一〕すすむ《自他五》①〔道・線などの上を〕前に向かって動く。「雪の中をー・パレードがー・渋滞で車が進まない」〔↔退く〕②先の段階になる。「小学校から中学校へー・文学の道にー〔＝先の進路を選ぶ〕・階級がー・ストーリーがー・病気がー」③程度や規模が大きくなる。「時計がー・少子化がー」④標準よりも先になる。「円高がー・文化の進んだ国」〔↔遅れる〕⑤順調に終わりに向かう。はかどる。「仕事がー」〔↔遅れる〕⑥食欲が出て、どんどん食べられる。「ごはんが—・食(欲)が—」⑦自分からそうする気持ちになる。「気が—・進まぬ顔〔＝気が進まない顔〕。古風な言い方〕」☞進んで。【二】[造] 先の段階になる。「勝ち—・本を読み—・桜が咲き—」[可能] 進める。

**すず・む**［涼む・×涼む］《自五》風にあたったり、日陰にはいったりして、すずしい状態にする。

**すずむし**［〈鈴虫〉］コオロギに似た虫の名。秋、草の間で「リーン リーン」と澄んだ声で鳴く。

**すずめ**［〈×雀〉］【一】**すずめ** 家の近くでよく見られる小さい鳥。からだは黒茶色で、イネなどの穀物をあらすが、害虫も食べる。鳴き声は「ちゅんちゅん」など。[由来]「すず」は鳴き声を写したもの。「め」は鳥を指す接尾語。【二】[造] 事情にくわしい人。「楽屋—・政界—」 ●**すずめ百まで踊り忘れず** [句] 小さいときの習慣やくせは、年を取っても忘れない。●**すずめ いろ**［〈×雀〉色］スズメの はねのような、黒っぽい茶色。「—時〔＝夕方〕」●**すずめ ずし**［〈×雀：寿司〉］フナまたはコダイ(小鯛)の腹に飯をつめておしたすし。形がスズメに似ている。●**すずめ の なみだ**［〈×雀の〉涙］ほんの少しのたとえ。蚊の涙。「—ほどの退職金」●**すずめ ばち**［〈×雀蜂〉］日本でいちばん大きいハチ。からだは赤茶色で黒い筋がある。さされると命にかかわることもある。くまんばち。

**すす・める**［進める］【一】《他下一》①〔線・道などの上を〕前に向かって動かす。「兵を—・のんびりと歩を—」（↔退ける）②先の段階にする。「工事を—・結婚の話を—・位を—」③程度や規模を大きくする。「機械化を—」④標準よりも先にする。「時計を—」⑤順調に終わりに向かわせる。はかどらせる。「仕事を—」⑥さかんにする。「食欲を—」[可能] 進められる。【二】《自下一》「進む」の可能形。

**すす・める**［勧める・△奨める］《他下一》①そのことをするように、相手にはたらきかける。「出席を—・貯蓄を—」②それを飲食したり使用したりするようにうながす。「酒を—・ざぶとんを—」[名] 勧め。「—に従う」[可能] 勧められる。

**すす・める**［薦める］《他下一》その〈人／もの〉のいいところを説明して、それを採用するように言う。推薦する。「候補者として—・新製品を—」[名] 薦め。

**すずやか**［涼やか］《ナダ》①涼しいようす。②さわやかなようす。[派] -さ。

**すずらん**［〈鈴×蘭〉］寒い土地にはえる草花の名。初夏、小さなつりがね形をした、白い、においのいい花をたくさんつける。君影草。

**すずり**［〈×硯〉］墨を水でするための、石などで作った文房具。●**すずり ばこ**［〈×硯〉箱］すずり・墨・筆などを入れておく箱。

**すすり あ・げる**［〈×啜り〉上げる］《自他下一》鼻じるを吸いこむ(ようにして泣く)。

**すすり な・く**［〈×啜り〉泣く］《自五》声を出さずに、息を吸いあげるようにして泣く。[名] すすり泣き。

**すす・る**［〈×啜る〉］《他五》①音を立てて、口の中へ吸いこむ。「みそしるを—・そばを—」②鼻じるを息とともに吸いこむ。

**すずろ に**［〈△漫ろに〉］《副》〔雅〕なんとなく。漫然と。そぞろ(に)。「—心ひかれる」

**すすんで**［進んで］《副》自分から強く出て。積極的に。「—加わる」

**ずせつ**［図説］《名・他サ》〔文〕図・絵・写真を入れて説明〈すること／したもの〉。

**すそ**［裾］①衣服の下のふち(の、足にさわる部分)。「ズボンの—・セーターの—」②足もとのほう。「ふとんの—」③ふもと。「山の—」④下のほう。「壁の—・幕の—」⑤かみの毛の、えりくびに近いところ。⑥もののはし。「舞台の—〔＝舞台に向かって右のはし〕」

**すそ あげ**［裾上げ］《名・他サ》ズボンなどのすそを、脚の長さの寸法に合わせて、折り返して縫ってとめること。「—テープ」

**ずぞう**［図像］①《仏》仏の姿をえがいた像。②何かを象徴する画像。墨だけでえがくものが多い。家紋やキリスト教のイコンなど。

**すそ かぜ**［裾風］着る物のすそが動いて起こる、風のような空気の動き。

**すそ がり**［裾刈り］「すそ⑤」を刈ること。

**すそ さばき**［裾〈×捌き〉］和服で動くときの、すそが乱れないようにする足のこなし。また、そのすそが楽にひらく状態。「—がきれいだ・—をよくする」

**すそ の**［裾野］①《地》山のふもとの、ゆるやかに傾斜している野原。②関係する範囲。「競技人口の—を広げる・—の広い協力関係」

**すそ まえ**［裾前］《服》和服の前身ごろの、左右のすその部分。

**すそ まわし**［裾回し］《服》あわせ仕立ての長着のすそのうらに付ける布。八掛。

**すそ みじか**［裾短］《名・ナダ》はかまや着物のすそを引き上げて、短くするようす。「—に着る」

**すそ もの**［裾物］〔取引で〕〈質の悪い／値段の安い〉品物。(↔上物・並物)

**すそ もよう**［裾模様］《服》①着物のすそのほうにつけた模様。②「裾模様①」のある着物。おもに女性の礼服用。

**すそ よけ**［裾〈△除け〉］《服》腰から下を包み、長じゅばんのすそのよごれを防ぐための下着。また、長じゅばんの代わりに使う。蹴出し。

**すそ わた**［裾綿］すそに綿を入れて着物を作ること。また、その綿や着物。ふき綿。

**スター**〔star〕①星(のようなもの)。「—サファイア〔＝かがやきが星のように見えるサファイア〕」②はなやかな代表者。花形。「映画—・野球界の—・—プレーヤー〔＝選手や演奏者〕」●**スター マイン**〔和製 star mine〕連発式の打ち上げ花火。

**スターター**〔starter〕①競走・列車などの、出発のあいずをする人。②自動車などの、始動機。③先発選手。④《料》前菜。⑤入門者。「—キット」

**スターダム**〔stardom〕スターの地位。「—にのし上がる」

**スターティング** [選]〔starting〕①出発。「—ポイント〔＝出発点〕・—ブロック〔＝短距離走で、スタート用の足止め〕」②先発。「—メンバー・—オーダー」

**スタート**〔start〕【一】《名・自他サ》①出発(点)。「—を切る・—につく」(↔ゴール・フィニッシュ)②始まること。開始。「新制度が—する」【二】《感》「出発!」「はじめ」などのあいずのことば。「用意、—!」●**スタート アップ**〔startup〕①〔コンピューターで〕起動。②

新しいビジネスモデルを考え、短期間で成長しようとする起業のスタイル。「—企業」 ●**スタートダッシュ**〔和製 start dash〕①スタートのあいずとともに全速力でかけ出すこと。「—の練習」②最初から全力を出すこと。 ●**スタートライン**〔和製 start line〕出発地点に引いた線。「百メートル競走の—につく・人生の—につく」(↔ゴール ライン)

**スタイ** 赤ちゃんのよだれかけ。ビブ。

**スタイラス**〔stylus〕スマートフォンやタブレット端末の入力に使う、ペン型の道具。スタイラス ペン。

**スタイリスト**〔stylist〕①身なりにこる人。気取り屋。②文章の表現にこる人。③俳優やモデルの衣装・髪型などをコーディネートして ととのえる人。

**スタイリッシュ**《ナダ》〔stylish〕流行に合っているようす。しゃれたようす。派—さ。

**スタイリング**《名・他サ》〔styling〕①〔デザインの〕様式。型。「車の—」②衣装・髪型などを美しくととのえること。「自分を—する・髪の—剤」

**スタイル**〔style〕①姿。かっこう。②服装の型。③文体。④様式。…式。「ニュー—〔=新式〕」 ●**スタイルブック**〔stylebook〕①〔流行の〕ファッションの写真集。ファッション ブック。②カタログふうの写真集。「インテリア—」③文章の手引書。用字・用語集。「記事—」

**スタウト**〔stout〕イギリスふうの黒ビール。かおりとにがみが強い。

**すだ・く**《自五》〔もと、「集まる」の意味〕〔雅〕鳴く。「草むらに—虫の声」名すだき。

**スタグフレーション**〔stagflation〕《経》不況なのに、インフレが進む現象。

**すだこ**[酢×蛸] タコをゆでて、酢につけた食べ物。

**すたこら**《副》〔俗〕急いで〈歩く/その場を去る〉ようす。「—(さっさと)逃げ出す」

**スタジアム**〔stadium〕①競技場。「メイン—」②野球場。

**スタジオ**〔studio〕①ダンス・バレエなどの練習や教育をする場所。「ダンス—」②〔映画や写真の〕撮影所。③放送・録音のための設備を持った部屋。④〔芸術家の〕仕事場。アトリエ。

**スタジャン**〔↑スタジアム ジャンパー〕〔俗〕〔競技場などで防寒用に着る〕身ごろとそでの色が異なり、胸にワッペンなどのついたジャンパー。☞スカジャン。

**すたすた**《副》同じはやさの急ぎ足で、歩くようす。

**ずたずた**《ナダ》①元の形を残さないほど、細かく切れるようす。「線路が—にやられた」②からだや心が、ひどくきずついたようす。「身も心も—だ」

**すだち**[〔酢×橘〕]〔↑酢橘〕徳島県でとれる、ユズに似た、すっぱい くだもの。しぼりじるを料理に使う。「冷やしうどんに—をしぼってかける」☞かぼす。

**すだ・つ**[巣立つ]《自五》①ひななどが成長して巣をはなれる。②父母のもとや学校をはなれて社会へ出る。一本立ちする。名巣立ち。

**スタッカート**〔イ staccato〕《音》一つ一つの音を切って〈歌う/演奏する〉こと。スタカート。(↔レガート)

**スタック**《名・自サ》〔stuck=stick の過去分詞〕車が、雪・ぬかるみなどにタイヤを取られて動けなくなること。「川でトラックが—する」

**スタック**《名・他サ》〔stack〕積み重ねること。「ポテト—〔=スライスしたジャガイモを重ねて焼いた料理〕」

**スタッズ**〔studs〕〔かざりの〕びょう(鋲)。「—ベスト」

**スタッドレスタイヤ**〔studless tire〕こおった道や雪道を車で走るのに使う、すべりにくいタイヤ。スタッドレス。冬タイヤ。〔以前 主流だったスパイクタイヤに対し、びょう《=スタッド》がない〕

**スタッフ**〔staff〕①《経》企画・調査など、「ライン⑤」に対して助言をおこなう部門。(↔ライン)②陣容。「学界の最高—」③部員。部下。④《映画・演劇など》俳優以外の係。制作陣。⑤〔正社員でない〕従業員。⑥店員。

**スタッフド**造〔stuffed〕つめ物をした。「—ピーマン・—オリーブ〔=赤ピーマンをつめたオリーブ〕」

**すだて**[〔×簀立て〕] 海中に竹のす(簀)をはりめぐらし、干潮時に中に残ったさかなをとる〈方法/しかけ〉。

**スタティック**《ナダ》〔static〕動きのないようす。静的。(↔ダイナミック)

**スタビライザー**〔stabilizer=安定させるもの〕①船や飛行機の水平安定装置。②《医》心臓の手術中、ぬい合わせる部分が動かないように固定する器具。

**ずだぶくろ**[〔頭×陀〕袋] ①《仏》僧が物を入れて首にかける ふくろ。②なんでも はいる、だぶだぶの ふくろ。▽ずた袋。

**ずたぼろ**《名・ナダ》〔「ズタボロ」とも書く〕〔俗〕①ひどく〈破れ/こわれ〉たようす。「—の さいふ・—ファッション」②最低の状態になるようす。「心身—」

**スタミナ**〔stamina〕㊀スタミナ ①体力。「—の配分・—が続く」②持久力。活力。「—がない」㊁造肉・たまご・ニラ・ニンニクなどが はいった料理。「—ラーメン・—焼き〔=肉いため〕」

**スタメン**〔↑スターティング メンバー〕〔俗〕先発。

**すたり**[廃り] すたれること。すたれ。「はやり—・—物〔=すたれ物〕」

**すた・る**[廃る]《自五》〔文/方〕⇩すたれる。「男が—〔=男の面目が つぶれる〕」

**すだれ**[〔×簾〕] ①竹・アシを編んで たらして、部屋のしきり・日よけなどに使うもの。②竹を細くけずって編んだもの。すしを巻いたりするときに使う。巻きす(簀)。

**すたれもの**[廃れ物] ①いらないもの。②〈相手/問題〉にされないもの。はやらないもの。

**すた・れる**[廃れる]《自下一》①いらなくなる。おこなわれなくなる。②おとろえる。「公徳心が—」③はやらなくなる。「ミニ スカートが—」(↔はやる)▽すたる。

**スタンガン**〔stun gun〕〔護身用の〕高圧電流銃。先端を相手に接触させて、電気ショックをあたえる。

☆☆**スタンス**〔stance〕①《野球・ゴルフなど》ボールを打つときの、広げた足の はば。②立場。姿勢。「きびしい—で臨む・長期的な—」

☆☆**スタンダード**《名・ナダ》〔standard〕標準(となるようす)。標準的。「—ナンバー〔=軽音楽で、よく演奏される曲目〕」

**スタンディング**〔standing〕立つこと。立ってすること。「—デスク〔=立った状態で作業ができる机〕・《陸上》—スタート(↔クラウチング スタート)」 ●**スタンディング オベーション**〔standing ovation〕会場で、客が立ち上がって拍手喝采すること。

**スタント**〔stunt=はなれわざ〕《映画》①非常に危険な演技。「―シーン」②主人公などが演じる危険な役を代わってする人。吹き替え。スタント マン。

**スタンド**〔stand〕①屋台式の売店。「駅の―で売っている」②立ったままカウンターで飲食させる店。「コーヒー―・―バー」③〔野球場などの、階段式の〕観客席。「メイン―・バック―」④物を立てておく台。「フォト―・自転車の―・スマホの充電―」⑤↑電気スタンド。⑥自動車に燃料を補給するところ。ガソリンスタンド。「セルフ〔=自分で給油する方式〕の―・天然ガス―」⑦〔広島などの方言〕スナック バー。 ●**スタンドアローン**〔stand alone〕①《情》コンピューターなどの情報機器をネットワークにつないでいないこと。「パソコンを―で〔=インターネットにつながないで〕使う」②他とかかわらず、独立していること。「―で仕事をする」▽スタンド アロン。 ●**スタンドイン**〔stand in〕映画のスターの役を、代わりにする人。吹き替え。 ●**スタンドオフ**〔standoff〕《ラグビー》スクラムハーフとともに、フォワードとバックスをつなぐ〈ポジション/選手〉。バックス攻撃の司令塔。背番号は十番。 ●**スタンドプレー**〔和製 stand《←grandstand=正面観覧席》play〕①《演劇》見物人に拍手をさせるための動作。②自分の存在を示すための、わざとらしい〈動作/態度〉。

**スタンバイ**《名・自サ》〔stand-by〕①〔汽船・飛行機で〕出航用意。出動準備。②〔準備をととのえて〕待機すること。「歌手が歌唱の―をする」

**スタンバ・る**《自他五》〔←スタンバイ＋る〕①〔放送などで〕自分の出番を待つ。②期待したことが始まるのを楽しみに待つ。待ちかまえる。「早起きしてテレビの前で―」

**スタンプ**〔stamp〕①〔インクをつけて おす〕ゴム印。「―台」②名所・旧跡を訪問した記念に おすゴム印。③郵便物の消印。④切手。印紙。「―コレクター〔=切手収集家〕」⑤買い物の金額に応じて、商品の引換券として出す、切手ぐらいの大きさの紙。「―販売」⑥LINEなどで相手に送る、自分の気持ちなどを表現した(せりふ入りの)絵や写真。 ●**スタンプラリー**〔和製 stamp rally〕決められた鉄道の駅や観光名所の「スタンプ②」を集めながら、一定のコースを回るゲーム。

**スチーム**〔steam〕①蒸気。ゆげ。「―アイロン〔=電気アイロンの一種〕」②蒸気による暖房の装置。「―デスク」

**スチール**〔steel〕①鋼鉄。②鋼鉄製。③《音》↑スチール ギター。 ●**スチールギター**〔steel guitar〕《音》ハワイアンで使う電気楽器。ギターの柄の部分だけを水平に置いた形。ハワイアン ギター。

**スチール**《名・他サ》〔steal〕①ぬすむこと。②《野球》盗塁。「ホーム―」

**スチ(ー)ル**〔still=静止した〕映画・演劇などの一場面を撮影した、宣伝用の写真。「―写真」 ●**スチ(ー)ルカメラ**〔still camera〕動画でない、ふつうの写真をとるカメラ。「デジタル―」

**スチュワーデス**〔stewardess〕〔古風〕女性のキャビンアテンダントの、もとの呼び名。〔男性は、もとスチュワード〕

**すちょうにん**[素町人]〔昔、武士が〕町人をののしって言ったことば。

**スチレン**〔styrene〕《理》ベンゼンとエチレンから作った無色の液体。合成樹脂、合成ゴムの原料。スチロール。「―樹脂」

**スチロール**〔ド Styrol〕《理》⇩スチレン。「発泡―」

**すっ**[〈素っ〉][接頭]〔俗〕①まったく。「―裸・―とぼける」②勢いよく。「―飛ぶ」

****ずつ**《副助》①同じ数だけ〈わりあてる/くぎる〉意味をあらわす。「一つ―配る」②同じ分量のくり返しをあらわす。「毎日少し―飲む」[表記]「△宛」とも書いた。かなでは「づつ」も許容。

**ずつう**[頭痛]①頭の痛み。②心配。なやみ。「―のたね」 ●**ずつうはちまき**[頭痛鉢巻き]非常に心配すること。

**スツール**〔stool〕せもたれのない、小さな いす。ストゥール。

**すっからかん**《名・ナダ》〔俗〕お金や財産が まったくなくなったようす。「財布が―になる」

***すっかり** [一]《副》①まったく。みんな。「―売り切れる・―忘れる」②まったく変わるようす。「―おとなになった」[二]〔商家で〕売り切れ。品切れ。

**ずつき**[頭突き]あたまで相手の胸などを強く突く攻撃法。「―をくらわす」

**ズッキーニ**〔イ zucchini〕実の形が大形のキュウリに似ている西洋野菜。カボチャの一種。「―のソテー」

**すっきり**《副・自サ》①あとに何も残らず、気持ちのいいようす。「頭を―させる・―(と)かたづける」②味が、さわやかなようす。「―した飲み物」③こみ入っていないようす。単純。「―(と)説明する」▽すきっと。

**ズック**〔オ doek〕①麻や もめんの糸で織った、厚地の布。運動ぐつやテントを作る。「―ぐつ」②〔古風〕「ズック①」の くつ。

**すっくと**《副》①勢いよく まっすぐに立ち上がるようす。「―身を起こす」②まっすぐに、高くのびているようす。「高層ビルが―たっている」▽すくっと。

**ずっこ・ける**[ずっ(△転ける)]《自下一》〔俗〕①だらしなく たおれる。②ずりおちる。③まともな状態から、ずれる。「ずっこけ野郎〔=でたらめなやつ〕」④はぐらかされて、拍子ぬけする。「やめにした、と言われて、ずっこけた」[名]ずっこけ。

**すっこ・む**《自五》〔俗〕ひっこむ。「がきは すっこんでろ」[他]すっこめる《下一》。

**ずっしり**《副・自サ》①重みを強く感じるようす。「―(と)した箱」②責任や負担を感じるようす。「心に―(と)こたえる」▽ずしっと。ずしり。

**すったもんだ**[〈擦った×揉んだ〉]《名・副・自サ》〔俗〕さんざん ごたつく〈こと/ようす〉。もめごと。もんちゃく。「―の末」

**すってん**《副》すべってころぶようす。すてん。 ●**すってんころり**《副》勢いよくすべってころがるようす。すってんころりん。 ●**すってんてん**〔俗〕お金の〈たくわえ/持ちあわせ〉が まったくない状態。一文なし。「―になる」

**すっと** [一]《副》ものに じゃまされず、一方向に〈動く/のびる〉ようす。「―立ち上がる・ことばが―出てこない・枝がーのびる」 □二《副・自サ》つかえていたものが取れたような気分で、さっぱりするようす。「胸がーした・気持ちがー軽くなる」▽□一□二すうっと。

**ずっと《副》①ほかとくらべて非常に〈差がある／はなれている〉ようす。「ーいい・ー小さい・ー昔だ」②おくのほうまで進むようす。「ーお通りください」③〔始めから終わりまで〕続けてするようす。「ー待っている」④長い時間にわたるようす。「ーいっしょでした」▽ずうっと。

**すっとこどっこい**〔「スットコドッコイ」とも書く〕〔俗〕〔ののしって〕ばか。まぬけ。「このーめ」

**すっとば・す**[素っ飛ばす]《他五》〔俗〕①すっとぶようにする。②とちゅうをぬかす。「質問をー」

**すっと・ぶ**[素っ飛ぶ]《自五》〔俗〕①物が、勢いよくとぶ。「帽子がー」②勢いよく走る。「素っ飛んで来ました」

**すっとぼ・ける**[素っとぼける]《自下一》〔俗〕とぼける。「ーな!」

**すっとんきょう**[(素っ頓狂)]《ナダ》①いきなり出る、まぬけな高い声のようす。「ーな声を出す」②ふつうとかけはなれていて、人をおどろかせるようす。「ーなギャグ」▽頓狂。派-さ。

**すっぱ・い**[酸っぱい]《形》①梅ぼしやレモンのような感じの味だ。「ー夏ミカン」②〔においが〕生ものがくさったときのように、鼻をさすようすだ。派-がる。-さ。 ●酸っぱいものが食べたい 句 妊娠したことを遠まわしに言うことば。 ●すっぱいぶどう[酸っぱい(×葡×萄)] 手にはいらないため、本人が強がって「あんなものいらない」と考えるもの。由来「イソップ物語」で、ブドウを取れなかったキツネが、「あれはすっぱい」と負けおしみを言ったことから。

**すっぱだか**[素っ裸] ①衣類をまったくつけない まるはだか。まっぱだか。すはだか。②お金・地位などをまったく持たないこと。「ーで再出発だ」

**すっぱぬ・く**[(:素っ破)抜く・スッパ抜く]《他五》〔俗〕秘密や個人的な行動をあばいて人に知らせる。名 すっぱ抜き。

**すっぱみ**[酸っぱ(:味)] すっぱい味(の感じ)。酸味。

**すっぱり**《副》①きれいな切れ口を見せて、二つに切るようす。「竹をー(と)切る」②気持ちをあとに残さないようす。「ー(と)思い切る」

**すっぴん**[(素っぴん)]〔俗〕①けしょうをしていないこと。すがお。②しらふ。

**すっぽか・す**《他五》〔俗〕①〔しなければならない仕事を〕そのままにしておく。②約束を破る。名 すっぽかし。

**すっぽぬ・ける**[すっぽ抜ける]《自下一》〔俗〕①すぽっとぬける。「くつがー」②《野球》〔投球が〕思わぬコースへとぶ。名 すっぽ抜け。

**すっぽり**《副》①全体にかぶせた状態になるようす。「鳥かごをーくるむ」②中に、ちょうどはいるようす。「穴にーはまる」③完全にぬけ(落ち)るようす。「指輪がーぬける」

**すっぽん**[(×鼈)] どろ沼などにすむ、カメの一種。甲羅がやわらかく、かみついたらはなれない。吸い物などにする。「月とー〔⇩「月」の句〕」

**すっぽんぽん**〔俗〕まるはだか。

**すで**[素手] 〔武器などを〕何も持たない〈手／こと〉。からて。「ーでつかむ・ーで立ち向かう」

**すで**[素で]《副》〔俗〕演技でなく、本心から。「ー言う・ー喜んでる」〔二十一世紀になって広まったことば〕

**ステア**《名・他サ》〔stir〕〔カクテルを作るとき〕シェークしないで軽くかき混ぜること。

**ステアリング**〔steering〕 自動車などの、かじ取り装置。ハンドル〔=ステアリング ホイール〕は、それを手で動かす部分。「パワーー」

**ステイ**《名・自サ》〔stay〕①滞在すること。「ホームー」☞ショートステイ。②こもること。「ーホーム」

**スティグマ**〔stigma=キリストが十字架にかけられた際についた傷〕病気や職業などに対する偏見による、いわれのないレッテル。烙印。

**すていし**[捨て石] ①庭のところどころに すえておく石。②岸を強くし、水の勢いを弱めるために水の中に投げ入れる石。③《碁》あとで役立てるために打つ、むだなように見える石。④あとで役立てるための、一見むだなおこない。「作品前半のギャグは、後半で感動させるためのーだ」⑤あとの人のために、犠牲になる役目。「両国友好のーになる」

**スティック**〔stick〕①棒(の形のもの)。「リップー・〔セロリ・ニンジンなどの〕ーサラダ」②ホッケーで使う、ゴルフのクラブに似た棒。③《音》ドラムをたたく棒。 ●スティックライト〔stick light〕 片手で持って振る、棒状の電灯。交通整理や、コンサートの応援などで使う。

**すていん**[捨て印] あとから字句の訂正ができるように、証書などの欄外に、前もっておしておく印。

**すてうり**[捨て売り]《名・他サ》 すてるような安い値段で売ること。なげうり。

**ステーキ**〔steak〕 厚く切った肉や魚の切り身を焼いた料理。特に、ビーフ ステーキ。「ーハウス〔=ビーフステーキ専門のレストラン〕・サーモンー」〔野菜などにも言う。「とうふー・ナスのー」〕

**ステークス**〔stakes〕 特別賞金つき競馬。

☆☆**ステーク ホルダー**〔stakeholder〕 企業に対して利害関係を持つ人々。従業員・株主・顧客・地域住民など。ステイク ホルダー。

**ステージ**〔stage〕①舞台(での演技)。「ー衣装・ーダンス」②段階。程度。「新たなーへ ふみ出す・がんのー〔=進行度〕」③《スポーツ》試合の日程の区分。「第一ー」 ●ステージママ〔和製 stage ma(m)ma〕 マネージャー的存在として、タレントである子どもにつきそって せわをやく母親。

**ステーショナリー**〔stationery〕 文房具。ステショ〔俗〕。

**ステーション**〔station〕□一造 列車の駅。停車場。「ーホテル・ービル」〔明治時代は、名詞でも使った。「ステンショ」なども〕□二ステーション ①サービスを受ける場所。「サービスー・ごみー〔=集積場。地域により使う〕」②放送局。「キーー」③↑国際宇宙ステーション。 ●ステーションワゴン〔米 station wagon〕 うしろのほうに軽い荷物も積める乗用車。ワゴン。☞ワゴン車。

☆☆**ステータス**〔status〕①〔社会的〕地位。身分。②↑ステータス シンボル。▽ステイタス。 ●ステータス シンボル〔status symbol〕 社会的に高い地位の象徴とされる(持ち)もの。ステータス。ステイタス シンボル。例、ヨット。

**ステートメント**〔statement〕声明(書)。「プレス〔=報道用〕―」

**ステープラ(ー)**〔stapler〕⇩ホチキス。

**すておく**【捨て(置く)】《他五》〔文〕(処理しなければならないことを)そのままにしておく。「捨ておきがたい問題」

**すてがね**【捨て金】むだに使われるお金。

**すてかんばん**【捨て看板】使い捨てにする看板。簡単な作りで、かべに張ったり電柱にしばりつけたりする。すてかん。

***すてき**【(:素敵)】《ナダ》①思わずうっとりするほど、すぐれているようす。「―な人・―な部屋・―なパーティー」②【―に】〔古風〕ものすごく。「きょうは―に暑い」 由来 「すばらしい」の「す」に「てき(的)」のついたことば。②の意味が本来。 表記 しゃれて「ステキ」とも書く。「:素=的」とも書いた。 派 ―さ。

**すてご**【捨て子】親や保護者が、赤ちゃんや幼児などをそっとすてること。また、そのような子。

**すてごま**【捨て駒】①《将棋》戦いを有利にするため、わざと相手に取らせるように打つ駒。②使い捨てにされる者のたとえ。「有力者の―にされる」

**すてさ・る**【捨て去る】《他五》①すてて、それからはなれる。②〔思い切りよく、また、未練もなく〕すててしまう。「過去を―」

**ステショ**〔俗〕↑ステーショナリー。「百均の―」

**すてぜりふ**【捨て(:台詞)】①役者が舞台でその場かぎりに言うことば。②立ち去るときに言う あらあらしいことば。例、「覚えていろ!」。「―をはく」

**ステッカー**〔sticker〕①目じるしのためにはりつける、のりのついたラベル。②駐車違反をした自動車にはるふだ。確認標章。

**ステッキ**〔stick〕(西洋ふうの)つえ。 表記 「:洋杖」とも書いた。

**ステッチ**《名・自サ》〔stitch〕《服》ししゅうや ふちかざりなどの、針目(を入れること)。スティッチ。

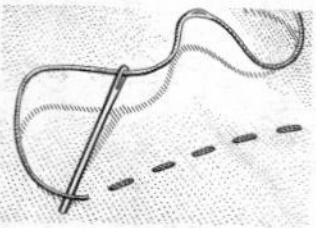
[ステッチ]

**ステップ**〔step〕①足をふみ出すはば。歩調。「短い―」②(ダンスの)足のふみ方。③三段とびの、二段目をとぶこと。「ホップ、―、ジャンプ」④ふみ段。階段。「バスの―・エスカレーターの―」⑤事を進める一段階。足がかり。「営業再開への―」⑥(雪山の登山で)足場。足がかり。「―を切る」●**ステップアップ**《名・自サ》〔step up〕段階的に向上すること。●**ステップバイステップ**〔step by step〕一歩一歩。段階をふんで、着実に進めること。●**ステップファミリー**〔stepfamily〕夫婦の〈どちらか/両方〉が子づれで再婚した家族。

**ステップ**〔steppe〕《地》中央アジアなどの、乾燥した木のはえない草原地帯。「―気候」

**ステディ(ー)**《名・ナダ》〔steady=堅実だ〕①きまった恋人(であるようす)。「―な男性」〔一九五〇年代末に広まった用法〕②おなじみ。お気に入り。「―なコート」 派 ―さ。

**すててこ**〔ステテコ〕ひざの下まである、ゆったりしたズボン下。

**すてどころ**【捨て所】すてる〈場所/時期〉。「ここが命の―」

****すでに**【(既に)・(×已に)】《副》①以前にできごとが起こっていることをあらわす。「―〔=先に〕言ったとおり」「―発表された作品」②変化が完了していることをあらわす。もう。すでにして。「桜は―さいている・―〔=もはや〕手おくれだった」●**すでにして**【(既にして)】〔文〕一《副》「すでに②」を強めた言い方。「才能は―めばえていた」二《接》そうしている間に。さて。「―二月となった」

**すてね**【捨て値】すてたような、安い値段。「―で売られている」

**すてばち**【捨て鉢】《名・ナダ》どうなってもいいという気持ちでしているようす。やけくそ。やぶれかぶれ。「―のせりふ」

**すてぶち**【捨て(扶△持)】①江戸時代、すてたつもりであたえた、お情けのふち米。②〔俗〕〔肩書きだけの役職など〕即戦力でない人にしはらう給与。「―をいただく身」

**ステマ**〔↑ステルスマーケティング〕《情》インターネットで、関係者やその協力者が書いた、口コミをよそおった宣伝。

**すてみ**【捨て身】自分の身を投げ出して一心に力をつくすこと。「―の戦法」

***す・てる**【捨てる・△棄てる】一 すてる《他下一》①(不用として)ほうりだす。「紙くずを―」②置きざりにする。「小犬を―・タクシーを捨てて歩く」▽(↔拾う)③関係を絶つ。「友を―・故郷を―」④(のぞみを)失う。なくす。忘れる。「理想を―・憎しみを―」⑤あきらめる。「途中で試合を―」⑥大切なものを投げだす。「身を捨てて火の中から赤ちゃんを救う」 二〔造〕…してそのままほうっておく。「乗り―・言い―」 可能 捨てられる。●**捨てたものではない** 句 まだ価値がある。まだ先が期待できる。捨てたもんじゃない〔話〕。「世の中―」●**捨てて顧みない** 句 無視する。ほうっておく。「家庭を―・ほかの説は―」●**捨てる神あれば拾う神あり** 句 見すてられても、だれか助けてくれるものだ。

☆**ステルス**〔stealth=ひそかにすること〕《軍》〔航空機・ミサイルなどの兵器を〕レーダーでとらえにくいものにすること。「―技術・―戦闘機」●**ステルスマーケティング**〔stealth marketing〕《情》⇩ステマ。

**ステレオ**〔stereo=立体の〕①左右のスピーカーから、それぞれ少しずつちがった音を出して、耳に立体的に聞こえるようにする〈こと/装置〉。「―録音・―放送」〔↔モノラル〕②立体。「―印刷〔=飛び出して見える印刷〕・―カメラ〔=二つのレンズで撮るカメラ〕」●☆**ステレオタイプ**《名・ナダ》〔stereotype〕①その中で、最もありふれたもの。典型。「日本人の―」②型にはまった考え方。ワンパターン。「―な見方」▽ステロタイプ。 由来 活版印刷で使った鉛版〔=ステロ版〕から。

**ステロイド**〔steroid〕《医》副腎皮質ホルモンの合成品。皮膚などの炎症をおさえるが、副作用もある。「―剤」

**すてん**《副》⇩すってん。「―ところぶ」

**ステン**↑ステンレス。「―流し・―網」

**ステン カラー**〔和製 フ soutien + collar〕《服》〔コー

トやスーツで〕ワイシャツのように、台えりがついて高くなったえり。

**ステンシル**〔stencil〕くりぬかれた型紙を使って模様や文字をえがく技法。「―プレート」

**ステント**〔stent〕《医》血管などに入れて中で広げ、流れを良くするための筒っ状のあみ。

**ステンドグラス**〔stained glass〕いろいろの色ガラスを組み合わせて、模様・風景などをあらわしたガラス板。ステーンド グラス。

**ステンレス**〔↑ステンレス スチール(stainless steel)〕さびない はがね。クロム鋼。ステン。

**スト**↑ストライキ。「―決行・―をかまえる・―を打つ〈=おこなう〉・―破り」

**ずと**《接助》〔古風〕…しないで。「そう言わ―やってくれ」

**ストア**〔米 store〕商店。「チェーン―・オンライン―」

**ストイシズム**〔stoicism〕①禁欲主義をとなえた、ストア学派の哲学。②ストア学派のような禁欲主義。厳格主義。

☆☆**ストイック**《ナダ》〔stoic〕禁欲(主義)的。いろいろな欲を出さず、ひとつのことを追求するようす。「何年も―に修行する・―な演奏」[派]―さ。

☆☆**ストーカー**《名・自他サ》〔stalker〕①(好きになった)特定の人にしつこくつきまとって、いやがらせをする者。②⇩ストーキング。「―行為」

**ストーキング**《名・自他サ》〔stalking〕「ストーカー①」となって いやがらせをすること。ストーカー行為。ストーキング行為。

**すどおし**[素通し]さえぎる物がなくて、そのまま通すこと。「―の めがね〈=度のない めがね〉」

**ストーブ**〔stove〕石油・ガス・まきなどを使って部屋の中をあたためるもの。 ●**ストーブリーグ**〔stove league=ストーブを囲んで野球の雑談をする人たち〕〔プロ野球などで〕シーズンオフにおこなわれる契約の更新やトレードなど(の話題)。

**ストーマ**〔stoma〕《医》人工〈肛門/ぼうこう(膀胱)〉。ストマ。☞オストメイト。

**ストーム**〔storm〕①あらし。②くつ底の厚み。「―のあるサンダル」③〔古風・学〕学生が集団で、さわぎ、また、おどり歩くこと。「ファイアー―」

**すどおり**[素通り]《名・自サ》何もせず(前を)通り過ぎること。「店には寄らず―・あいさつもなく―した」

**ストーリー**〔story〕①物語。話。「―テラー〈=話の作り方のうまい小説家〉」②話の筋(の はこび)。筋書き。ストーリー ライン。

**ストール**〔stole〕《服》はしを前に たらす、女性用の長い肩かけ。「ミンクの―」

**ストーン サークル**〔stone circle〕《歴》巨大な石を円形に並べた古代の遺跡。世界各地にある。環状列石。

**ストカジ**〔↑ストリート カジュアル〕〔俗〕ふだん着をおしゃれに着こなしたストリートファッション。

**ストッキング**〔stockings〕①女性が足にはく、非常にうすいタイツ。足の先から ひざの上まである。「ナイロンの―」②↑パンティ(ー)ストッキング。③スポーツ用・子ども用の、ひざ丈くらいの くつ下。☞靴下。

**ストック**〔↑ドStock(シュトック)〕①スキーのとき両手に持って使う、細長い棒。両づえ。「―ワーク」②登山のときに使う つえ。

☆☆**ストック**《名・他サ》〔stock〕①在庫品。「―が ある」②ためてあるもの。「知識の―・―ブック〈=切手を入れておく、小型の、うすい本の形をしたもの〉」③《経》株。「レジャー―〈=レジャー株〉」④《経》ある時点に存在する資本・財貨の総量。(↔フロー)⑤《料》スープのもとになる、肉などの煮出しじる。スープストック。⑥西洋草花の名。春、ナノハナに似た、赤・むらさき・白の花をふさのようにつける。あらせいとう。 ●**ストック オプション**〔stock option〕《経》会社の経営者や従業員に、自社株を一定の価格で買い取る権利をあたえる制度。株価が上がったときに権利を使うと利益が大きくなる。自社株購入権。

**ストックホルム しょうこうぐん**[ストックホルム症候群]人質が生き延びるため、〔無意識のうちに〕犯人に同調したり愛情を持ったりする心理状態。ストックホルム シンドローム。[由来] スウェーデンの首都ストックホルムで銀行強盗が人質を取った事件から。

**ストッパー**〔stopper〕①支えて、動きや回転などをとめる〈もの/装置〉。「ドア―」②《野球・サッカーなど》相手の攻撃をくいとめるための選手。〔野球では、クローザーのこと〕

**ストップ**〔stop〕[一]《名・自他サ》①止まること。停止。「―ライン〈=停止線〉・―をかける〈=止める。やめさせる〉」②停止信号。▽(↔ゴー)③停留所。「バス―」[二]《感》「停止!」「止まれ」などの合図のことば。 ●**ストップウオッチ**〔stopwatch〕競技などに使う、時間を秒以下まで計ることのできる時計。ストップウオッチ。 ●**ストップだか**[ストップ高]《経》〔株式市場で〕株価が、制限された値はばの上限まで値上がりした状態。(↔ストップ安) ●**ストップ モーション**〔stop motion〕《映画・放送》画面の動きをぱっと止めて見せること。また、止まっている画面。「―をかける・―アニメ〈=ものを少しずつ動かして撮影し、つないで動画にしたもの〉」 ●**ストップやす**[ストップ安]《経》〔株式市場で〕株価が、制限された値はばの下限まで値下がりした状態。(↔ストップ高)

**ストマ**〔stoma〕《医》⇩ストーマ。

**ストマイ**《医》↑ストレプトマイシン。

**すどまり**[素泊まり]《名・自サ》〔旅館で〕とまるだけで、食事をしないこと。

**ずとも**《接助》〔文〕…なくても。「そこまで言わ―よかろう」

**ストライカー**〔striker〕《サッカー》強いシュートを放つ、得点力のある選手。「エース―」

**ストライキ**《名・自サ》〔strike〕自分たちの要求を通すため、労働者が仕事を休むこと〈=同盟罷業〉。また、学生が教室を封鎖したりすること。スト。「―を打つ〈=おこなう〉」

**ストライク**〔米 strike〕①《野球》投手が投げたボールで、ホームベース上の一定の空間〈=打者のわきの下からひざがしらの上部まで〉を通ったもの。また、打者がからぶりやファウルしたもの。(↔ボール)②《ボウリング》第一投で全部のピンをたおすこと。 ●**ストライクゾーン**〔strike zone〕①《野球》ストライクと判定される範囲。②好みの範囲。「恋愛対象の―が広い・この味は―だ」

**ストライド**〔stride〕大またの歩幅。「―走法(↔ピッチ走法)」

**ストライプ**〔stripe〕〔洋服の〕しま(縞)。しま模様。「白と黒の―」

**ストラックアウト**〔米 struck out〕《野球》三振。

**ストラップ**〔strap〕ものが落ちないようにするための、ひも。「スマホ用―〔アクセサリーのついたものが多い〕・サンダルの―・キャミソールの―」

**ストラテジー**〔strategy〕戦略。方策。「コミュニケーション―」

**ストリーキング**〔streaking〕まっぱだかで街頭などを走りまわること。〔一九七〇年代に海外で流行〕

☆☆**ストリート**〔street〕①街路。通り。「メイン―」②路上。街頭。「―ライブ・―ミュージシャン」●**ストリートチルドレン**〔street children〕〔住む家がなく〕路上で物売りやものごいなどをして暮らす子どもたち。●**ストリートファッション**〔street fashion〕町なかの若者たちが作り出すファッション。●**ストリートボール**〔street ball〕半面だけのコートでするバスケットボール。ストリート バスケット。〔町なかでも おこなう〕☞スリーオンスリー。

☆☆**ストリーミング**〔streaming〕《情》〔インターネットで〕音声や動画のデータを受信しながらつぎつぎに再生してゆく技術。受信がわでデータを保存する必要がなく、待ち時間が少なくてすむ。「―配信」

**ストリーム**〔stream〕流れ。傾向。「メイン―(=主流)・―配信(=ストリーミング配信)」

**ストリキニーネ**〔オ strychnine〕《理》マチンという植物のたねにふくまれている、にがい毒薬。ストリキニン。

**ストリッパー**〔stripper〕ストリップをして見せることを職業とする人。ヌード ダンサー。

**ストリップ**〔strip〕〔←ストリップショー〕〔女性が〕衣装をつぎつぎにぬいでおどる、おとな向けのショー。

**ストリング**〔string=糸〕《音》弦楽器(の糸)。●**ストリングス**〔strings〕《音》①〔楽団で〕弦楽器の担当。②弦楽器で編成した楽団。

**ストレージ**〔storage〕《情》記憶装置の総称。メモリー。「オンライン―」

☆☆**ストレート**《名・ダ》〔straight〕①まっすぐ。「―ヘア」②直接。そのものずばり。「―に言う・―(=解説などをつけない、なまの)ニュース」③〔←ストレート ボール〕《野球》直球。④続けざま。連続。「―の四球・―勝ち」⑤《ボクシング》うでを一直線にのばして突っくこと。「右―」⑥〔洋酒などで〕水や氷を加えないこと。うすめないこと。「ウイスキーを―で飲む・―タイプのそばつゆ」☞オンザロック・水割り①。⑦〔コーヒーで〕一種類の豆だけを使うこと。(↔ブレンド) ⑧〔学〕浪人しないで入学試験に合格すること。また、留年しないで卒業すること。派―さ。●**ストレートパーマ**〔←straight permanent wave〕一度かけたパーマを取り去るためのパーマ。もともとの縮れ毛を、少し直毛に近づける効果もある。ストパ(ー)。

**ストレス**〔stress〕①《医》〈肉体的〉精神的〉な負担。「―を解消する・―なく読める文章」②《言》⇩強勢②。(↔ピッチ) ●**ストレステスト**〔stress test〕ふつうよりも大きな負担をかけて、安全性を調べること。健全性審査。耐性検査。安全性検査。例、不景気のときの銀行の赤字額や、災害のときの原子力発電所の事故の度合いを試算するなど。●**ストレスフル**《ダ》〔stressful〕ストレス〈を多くあたえる〉が多い〉ようす。「―な現代社会を生きぬく」

**ストレッサー**〔stressor〕《医》ストレスを引き起こすもとになる、肉体的・精神的な刺激。例、寒さ・痛み・心労など。

☆☆**ストレッチ**〔stretch〕一《名・自サ》①直線コース。「ホーム―(=競技場のゴール手前の直線コース)(↔バック ストレッチ)」②のび縮みすること。「―パンツ」二《名・他サ》↑ストレッチ体操。「肩を―する」●**ストレッチたいそう**〔ストレッチ体操〕⇩ストレッチング。

**ストレッチャー**〔stretcher〕《医》患者をねかせたまま運ぶ、車付きの寝台。担送車。移動寝台。

**ストレッチング**《名・自サ》〔stretching〕筋肉や関節を静かにじゅうぶんにのばす柔軟体操。ストレッチ(体操)。

**ストレプトマイシン**〔streptomycin〕《医》抗生物質の一つ。結核など細菌性の病気の治療に使う。ストマイ。

**ストロー**〔straw〕①麦わら。わら。また、そのような形に織った繊維。「―ハット」②コップなどにはいっている飲み物を口へ吸いこむための、管。

**ストローク**《名・他サ》〔stroke〕①《ゴルフ・テニスなど》打つこと。打撃。打数。②《ボート》オールのひとこぎ。③《競泳》手足のひとかき。●**ストロークプレー**〔stroke play〕《ゴルフ》総打数で勝負をきめる方式。(↔マッチ プレー)

**ストロフルス**〔ラ strophulus〕《医》子どもがかかる、じんましん(蕁麻疹)に似た皮膚病。

**ストロベリー**〔strawberry〕食材としてのイチゴ。また、イチゴ味。「―ジャム・シェークの―」

**ストロボ**〔strobe=もと、商標名〕暗い所で撮影するときに使う小型の電球。シャッターがひらいている短い時間に強い光を出す。「―をたく」

**ストロング**《名・ダ》〔strong〕〔度合いが〕非常につよいこと。「―缶(=アルコール度数の高い、缶入り飲料)」

**ストロンチウム**〔strontium〕《理》銀白色の金属〔元素記号Sr〕。赤い花火などを作るのに使う。核反応のさいにできる放射性同位体ストロンチウム90は、人体に有害。

**すとん**《副》〈まっすぐ下に〉急に〉落ちるようす。「―と穴に落ちる・胸に―と落ちる(=なっとくがいく)」

**ずどん**《副》①銃をうつ音。「―と鳴る」②重いものが落ちたり、たおれたりするときの〈音〉ようす〉。「―としりもちをつく」

**すな**〔砂・△沙〕①ごく細かい石のつぶ。海岸や川の岸などにある。☞シルト・礫。②「砂①」のようにざらざらしたもの。「―入り消しゴム(⇩砂消し)」●**砂をかむよう**〔句〕まったく味や興味の感じられないことのたとえ。「―な話」

**すなあらし**〔砂嵐〕〔さばく・砂地の〕砂をふきとばす、はげしいあらし。

**スナイパー**〔sniper〕狙撃手。狙撃兵。

**すなお**［(素直)］ーな《ナダ》 ①ひねくれないで、人の言うことを聞くようす。「ーに考える・ーに喜ぶ・未経験でも、入部してくれるのはーにうれしい」 ②ひねくれないで、自然なようす。「ーな子」 ③〔ーに〕本当に。「優勝できてーにうれしい」〔②のようなふくみが特にない言い方。二〇一〇年代に注目されるようになった〕☞シンプル③。 ④くせやゆがみがないようす。「ーなかみの毛・ーな字を書く」 区別「すなお」な人は、相手によく従い、よけいなことは言わない。「率直」な人は、しばしば相手のいやがることも言う。 派ーさ。

**すなかぶり**［砂(被り)］《すもう》土俵のすぐそばの見物席。溜まり席。

**すなぎも**［砂肝］⇩さのう(砂嚢)②。「ーの焼き鳥」

**すなけし**［砂消し］インクの字やタイプで打った字などを消すための、ざらざらした消しゴム。砂入り消しゴム。砂消しゴム。砂ゴム。

**すなけむり**［砂煙］砂がまいあがってけむりのように見えるもの。

**すなご**［砂子］美術品に、金銀の はく(箔)を粉にしてふきつけたもの。「銀ー」

**すなじ**［砂地］砂の多い〈土地/海底〉。すなち。

**すなずり**［砂(擦り)］〔西日本方言〕⇩さのう(砂嚢)②。「ーのポン酢あえ」

**スナック**〔snack=軽食〕 ①〔↑スナック菓子〕ジャガイモ・トウモロコシ・小麦などを加工して、揚げたり、焼いたりなどした、軽い食感の菓子。例、ポテトチップ・エビせんべい。スナック バー。 ②簡単な食事もできる、接客の女性がいるバー。スナック バー。「カラオケー」

**スナッチ**〔snatch〕重量あげの一種目。バーベルを一気に頭上に引き上げ、両うでをのばして立ち上がって静止する。引き上げ。

**スナップ**〔snap〕 ①突起を穴に入れて、ぱちんと止める金具。シャツなどの前やそで口などをあわせるのに使う。ホック。「ーボタン」 ②〔↑スナップ ショット〕早どり写真。「ー写真」 ③〔ボールなどを投げるときの〕手首の強い動き。「ーをきかせる」 •**スナップえんどう**［スナップ(×豌豆)］サヤエンドウの一種。肉厚で、塩ゆで・天ぷらなどにする。スナックえんどう。「ーのたまごいため」

**すなどけい**［砂時計］砂を少しずつ落として時間を計るしかけ。

［すなどけい］

**すなどり**［(△漁り)］《名・自サ》〔雅〕漁。漁師。 動すなどる《他五》。

**すなぬき**［砂抜き］《料》貝を調理する前に塩水や温水にしばらく入れ、中の砂を吐き出させること。「アサリのー」

**すなば**［砂場］ ①〈子どもが遊ぶための/鉄棒の下などの〉砂を入れてくぎった場所。 ②砂地。砂原。 ③〔もと大阪の〕そば店の屋号。☞さらしな②。

**すなはま**［砂浜］一面砂地になっている浜べ。(↕磯/浜)

**すなぶくろ**［砂袋］⇩さのう(砂嚢)。

**すなぶろ**［砂風呂］温泉地の熱い砂で全身をあたためる〈所/部屋〉。砂湯。

**すなぼこり**［砂(×埃)］風にふかれて立つ、細かい砂の(まじった)ほこり。砂塵。

**すなめり**［(砂△滑)］イルカのなかまで、いちばん小さい動物。頭部はまるい。本州の南からインド洋にかけてすむ。

**すなやま**［砂山］砂がつもってできた、小高い山。砂丘。

**ずなり**［頭鳴り］《名・自サ》あたまの中で何か音がするように感じられること。「ーがひどい」

↔**すなわち**［(×乃ち)］《接》〔文〕そこで。「日暮る、ー宿をとる」

↔**すなわち**［(△即ち)］《接》直前に述べたのと同じ意味を、別のことばで言いかえることをあらわす。つまり。それがそのまま。「日本の首都ー東京・これがーぼくの理想だ」

→**すなわち**［(△則ち)］《接》〔…すればー〕〔文〕〔そのときは〕いつでも。「戦えばー勝つ」

**ずに**《接助》その動作・作用などがない状態で。…ないで。…ないまま。「勉強もせずー遊んでばかりいる」

**スニーカー**〔sneakers〕ゴム底の布製運動ぐつ。キャンバスシューズ。

**スニペット**〔snippet=切れはし〕《情》 ①インターネットの検索結果に現れる、リンク先の内容の一部分。リンク先を開かなくてもわかるよう表示される。 ②プログラム言語の中で、使い回せるコードを登録し再利用する機能。コード スニペット。

**スヌーズ**〔snooze=うたたね〕〔目覚まし時計で〕一度止めても しばらくして また鳴るしくみ。二度寝などを防ぐ。「ー機能」

**スヌード**〔snood〕⇩ネックウォーマー。

**ずぬ・ける**［(図抜ける)・(頭抜ける)］《自下一》〔ふつうずぬけ〈た/て〉〕きわだって〈すぐれる/差がある〉。ずばぬける。なみはずれる。「ずぬけて大きい男」

**すね**［(×臑)・(×脛)］ひざから足首までの〔間で、前の〕部分。☞すねかじり。 •**すねに傷持つ** 句 人に知られると困るような過去がある。

**すねあて**［(×臑)当て］《野球など》けがをしないようにすねをつつむ道具。レガース。

**スネアドラム**〔snare drum〕《音》〔ドラムセットで〕小太鼓。スネア。〔底に、何本ものスネア《=響き線》をはりわたしてある〕

**すねかじり**［(×臑×齧り)］独立できないで、親のせわになっている〈こと/人〉。「親のー」

**すねもの**［(×拗ね)者］世に対してすねている人。ひねくれもの。

**す・ねる**［(×拗ねる)］《自他下一》〔自分の気持ちがわかってもらえないので〕わざと さからう。「すねてばかりいる子ども・世をー」

**ずのう**［頭脳］ ①〔はたらきとしての〕あたま。「ー明晰」 ②人々の中心となる、すぐれた知力の持ち主。「世界的なー・ー流出・新製品開発のー」 •**ずのうろうどう**［頭脳労働］頭で考える仕事。精神労働。(↕肉体労働)

**スノー** 造〔snow〕雪(のときの)。「パウダーー・ーコート・ータイヤ」 •**スノードロップ**〔snowdrop〕西洋草花の名。冬、長い柄の先に白い小さな花を一つ下向きにつける。まつゆきそう(待雪草)。 •**スノーボート**〔snow boat〕雪の上を走らせる(エンジンつき)そり。 •**スノーボード**〔snowboard〕はばの広い一枚の板に、横向きに乗って足を固定し、ストックを使わずに、雪の上をすべりおりるスポーツ。また、その板。スノボ(ー)。 •**スノーモービル**〔snowmobile〕小型の雪上車。前輪部分がそりで、キャタピラで進む。モービル。

**スノーケル**〔snorkel〕①〔↑スノーケル車〕屈折はしご付き消防車。先に、人の乗るかごが付いている。シュノーケル。②⇨シュノーケル①。

**すのこ**〔(×簀の子)〕①細くけずった竹やアシを編んだもの。す。「ーで巻く・ーを敷いてふかす」②細い板を横にならべて間をすかしたもの。「ふろばのー・ーの縁がわ」

**スノッブ**《名・ナダ》〔snob〕いかにも知識や教養があるように見せかける〈人／ようす〉。派ーさ。☞スノビズム。

**スノビズム**〔snobbism〕知識や教養があることを鼻にかけること。俗物根性。☞スノッブ。

**スノボ** ↑スノーボード。スノボー。

**すのもの**〔酢の物〕さかなの肉や野菜を合わせ酢にひたした料理。「キュウリとワカメのー」

**スパ** 一 スパ〔spa〕①温泉(地)。②温泉のある保養施設やサロン。 二 造 ↑スパゲ(ッ)ティ。「和風きのこー・ーカレー」

**ずば**《接助》〔本来は「ずは」〕〔文〕なければ。なくては。「見ーなるまい」

**スパーク**《名・自サ》〔spark〕火花(がとぶこと)。

**スパークリングワイン**〔sparkling wine〕発泡性ワイン。シャンパン・スプマンテ(イ supmante)・カバ(ス cava)など。泡〔俗〕。スパークリング。

**スパート**《名・自サ》〔spurt〕(急に)全速力を出すこと。「ラストーーをかける」

**スパーリング**〔sparring〕《ボクシング》試合の形でおこなう練習。「公開ー」

**スパイ**《名・他サ》〔spy〕相手の集団の中にはいりこんで、その秘密をさぐる〈こと／人〉。間諜。密偵。諜報員。工作員。エス(S)〔俗〕。「ー活動(=情報収集活動)・産業ー」 •**スパイウエア**〔spyware〕《情》利用者のプライバシー情報を制作者に送信するプログラム。スパイウエア。

**スパイカー**〔spiker〕《バレーボール》スパイクを打つ人。アタッカー。

**スパイク**〔spike〕一 ①くつ底につけたくぎ形の金具。②〔↑スパイクシューズ(spiked shoes)〕底に「スパイク 一①」をつけた、競技のときにはくくつ。 二《名・他サ》①「スパイク 一①」できずをつけること。②《バレーボール》味方が上に上げたボールを、ジャンプして、相手のコートに強く打ちこむこと。 •**スパイクタイヤ**〔和製 spike tire〕すべりどめのびょう(鋲)が打ってあるタイヤ。〔道路をけずって粉じんを出すため、現在はあまり使われない〕☞スタッドレスタイヤ。

**スパイシー**《ナダ》〔spicy〕〔料理で〕スパイスがよくきいているようす。「ーな味つけ」派ーさ。

**スパイス**〔spice〕香辛料。コショウ・七味とうがらしなど。「ーキット(=スパイスのセット)・ーカレー(=ルーや小麦粉を使わず、スパイスを組み合わせて作るカレーライス)」

☆☆**スパイラル**〔spiral〕①らせん(形)。②連鎖的な悪循環。「デフレー・負のー」③《フィギュアスケート》片足を腰より高く上げて氷面に曲線をえがくすべり方。

**スパゲ(ッ)ティ**〔イ spaghetti〕長いめんの形をした、代表的なパスタ。スパゲ(ッ)ティー。「ーミートソース・たらこー・ーサラダ」☞スパ 二。

**すばこ**〔巣箱〕鳥が巣を作りやすいように、こしらえて木にかける箱。

**スパコン** ↑スーパーコンピューター。

**すばしっこ・い**《形》すばやくて、動きにむだがない。敏捷だ。派ーさ。

**すぱすぱ**《副》①タバコを、続けて勢いよく吸うようす。②切れ味よく、つぎつぎと切るようす。③ものごとを、たやすくするようす。「仕事をー(と)かたづける」

**ずばずば**《副》ぶえんりょに言ったりしたりするようす。「ー(と)言ってのける」

**すはだ**〔素肌〕①おしろいなどをつけない、顔・うなじなどの生地のはだ。②(一部分)むきだしにしたはだ。「ーになる」③特に下着をつけないこと。「ーに着物を着る」

**すはだか**〔素裸〕すっぱだか。

**スパチュラ**〔spatula〕へら。「調理用ー」

**スパッツ**〔spats〕《服》①〔やや古風〕⇨レギンス。②くつをはいた足のくるぶしから足首やひざ下まで巻くもの。登山などで使う。きゃはん。ゲイター(gaiter)。

**すぱっと**《副》①〈勢いよく／切れ味よく〉切るようす。「ー切りさく」②ためらわないようす。「ーあきらめる」

**ずばっと**《副》「ずばり」より勢いがある感じをあらわすことば。「ー言う」

**スパナ(ー)**〔spanner〕ナットやボルトをはさんで、しめたりゆるめたりする道具。レンチ。

［スパナ(ー)］

**すばなし**〔素話・素×咄〕話の中に鳴り物のはいらない落語。今の東京落語の大部分はこれ。

**すばなれ**〔巣離れ〕《名・自サ》①鳥のひな(雛)が大きくなって巣を出ていくこと。巣立つこと。②《釣り》春になって、フナが活発に泳ぎはじめること。③〔俗〕一人前になること。動 巣離れる《自下一》。

**スパニッシュ** 造〔Spanish〕スペイン〈の／ふう〉。「ーダンス・ーオムレツ」

**ずばぬ・ける**〔ずば抜ける〕《自下一》〔ふつう **ずば抜け〈た／て〉**〕①ほかとかけはなれて、非常にすぐれる。「ずば抜けた成績」②ほかと比べて高い。「ずば抜けて高いワンピース」 ✓①の用法があるため、悪い意味では使いにくい。▽ずぬける。

**すはま**〔州浜・×洲浜〕海の中に突き出た、州のある浜。 •**すはまだい**〔州浜台〕輪郭を州浜の形に作った台。結婚式など祝いの飾り物をのせる。

☆☆**スパム**〔spam←ランチョンミートの商品名「SPAM」〕メールやSNSなどでの、迷惑なメッセージ。「ーメール(=迷惑メール)」

**すばや・い**〔素早い・素速い〕《形》間を置かないで、非常にはやい。「ドアを素早く閉める・ー対応・ボールが素早く動く」派ーさ。

***すばらし・い**〔(:素晴らしい)〕《形》①〈おどろく／感動する〉ほどすぐれているようすだ。「ー思い出・ーマナー」②程度が大きい。「すばらしく寒い日だ」派ーげ。ーさ。

**ずばり**《副》①刀で勢いよく切るようす。②直接に急所をつくようす。「―(と)弱点を突っく・そのもの―」

**すばる**［(×昴)］《天》星の名。おうし座(=冬の星座)に見える六つの星。プレアデス星団。

**スパルタ**〔ギ Sparta〕《歴》古代ギリシャの有力な都市国家。きびしい訓練による教育で知られる。「―式」
●**スパルタきょういく**［スパルタ教育］ スパルタでおこなわれた教育のような、きびしい方針による教育。

**スパン**〔span〕①支点と支点との間の距離。②ある時間の幅。一定の期間。

**ずはん**［図版］本文の中に印刷された図。

**スパングル**〔spangle〕⇩スパンコール。

**スパンコール**〔←spangle(スパングル)〕ドレスなどにつける小さなボタン状のかざり。〈金属／プラスチック〉製で、ぴかぴか光る。

**スパンレーヨン**〔spun rayon〕短く切ったレーヨンをつむいで糸にしたもの。「スフ」の新しい呼び名。

**スピーカー**〔speaker〕①拡声器。ラウド スピーカー。②ステレオやテレビの、音を出す部分。③話し手。講師。発表者。「シンポジウムの―」④〔俗〕うわさ話を広めるのが好きな人。

**スピーチ**《名・自他サ》〔speech=演説〕〔会合・パーティーなどで〕人の前でする短い話。テーブル スピーチ。

**スピーディ(ー)**《ナダ》〔speedy〕敏速。すばやいようす。「作業を―に進める・―な試合展開」

**スピード**〔speed〕①速力。速度。「―オーバー・ものすごい―」②〔速度が〕はやいこと。「―ボール・―審議・―感をもって(=できるだけ すみやかに)仕事を進める」③〔俗〕アンフェタミンなどの、覚醒剤。エス。
●**スピードアップ**《名・自サ》〔speedup〕速度をますこと。(↔スピード ダウン) ●**スピードガン**〔speed gun〕《野球》投手の投げたボールの速さを測るレーダー式の機械。スピード測定器。レーダー ガン。
●**スピード スケート**〔speed skating〕速さをきそうスケート競技。 ●**スピードダウン**《名・自サ》〔和製 speed down〕速度を落とすこと。(↔スピード アップ)

**スピッツ**〔spitz〕小形の犬。耳は立ち、口はとがっている。からだは白く長い毛でふさふさしている。ペットにする。

**ずひょう**［図表］説明のための、図と表。「パソコンで―作成」

**スピリチュアル**〔spiritual〕㊀《名・ナダ》精神的・霊的(なもの)。「―な世界」㊁《音》アメリカの黒人霊歌。

**スピリッツ**〔spirits〕①ジン・テキーラ・ラム・ウォッカなどの蒸留酒。ふつう、焼酎・ブランデー・ウイスキー以外をさす。スピリット。②⇩スピリット①。

☆☆**スピリット**〔spirit〕①〔活動的な〕精神。たましい。スピリッツ。「フロンティア―」②⇩スピリッツ①。

**スピロヘータ**〔ラ spirochaeta〕細長いらせん形の細菌。梅毒トレポネーマは、この一種。☞梅毒。

**スピン**〔spin〕①〔フィギュア スケート・ダンスで〕旋回。②《テニス・卓球・ボウリングなど》ボールにあたえる回転。③急ブレーキ・急ハンドルのときの、自動車の横すべり回転。④〔飛行機の〕きりもみ降下。
●**スピンアウト**《名・自サ》〔spin out〕⇩スピンオフ。 ●**スピンオフ**《名・自サ》〔spin off〕①ヒットした映画・ドラマなどの わき役をめぐる、本編とは別の作品(ができること)。〔続編とは別〕②社員が独立して新しく会社をおこすこと。また、会社の一部門が分社化すること。「―ベンチャー」③広く、本体から独立〈すること／したもの〉。「新しい雑誌が―する」▽スピン アウト。

**スピン** 本の背表紙の上部につけられている、しおりひも。

**スフ**〔←ステープル ファイバー(staple fiber)〕⇩スパンレーヨン。

**ずふ**［図譜］絵にかいたものをまとめた本。画譜。

**スフィンクス**〔sphinx〕古代エジプトやアッシリア(=今のイラクに さかえた古代国家)で作られた、顔や胸は女で、からだはライオンの形をした怪物(の石像)。スフィンクス。

**スプール**〔spool〕㊀《名・他サ》《情》コンピューターからプリンターに送るデータを、印刷待ちの間、記憶装置にためておくこと。㊁釣り糸、タイプライターのリボン、フィルムなどを巻き取る軸。

**スプーン**〔spoon〕①液体や粉をちょっと すくったり、飲み物をかきまぜたり、料理をすくって食べたりするのに使う道具。さじ。スプン。「ティー―・計量―」②《ゴルフ》クラブの種類の一つで、三番ウッドを言う。③《釣り》「スプーン①」に似た形の擬餌ばり。

**ずぶずぶ** ㊀**ずぶずぶ**《副》水や ぬかるみの中に、しずんでいく〈ようす／音〉。「―と足をとられる」㊁**ずぶずぶ**《名・ナダ》①ひどくぬれるようす。「―にぬれる」②深みにはまるようす。「―に酔う・―の競馬ファン」③形がくずれ(て、とけたようにな)るようす。「―に くさった たたみ」④立場の けじめがないようす。「―の関係」

**すぶた**［酢豚］下味をつけて あげた豚肉と野菜に あまずっぱい味の あんをからませた中華料理。「黒酢の―」

**ずぶと・い**［図太い］《形》①非常に大胆だ。「―神経の持ち主」②非常に ずうずうしい。「ずぶとく構えている」派-さ。

**ずぶぬれ**［ずぶ(×濡れ)］着ているものが表から裏まですっかりぬれること。びしょぬれ。

**ずぶの**《連体》〔俗〕まったくの。「―しろうと」

**スプラウト**〔sprouts〕新芽野菜。かいわれ大根やブロッコリーの新芽など。生長した野菜よりも栄養に富むとされる。「ブロッコリー―」

**スプラッシュ**〔splash〕水しぶき(を上げること)。

**スプラッター**〔splatter=飛び散る〕血しぶきが飛び散るなど、描写の なまなましいホラー作品。「―ムービー」

**すぶり**［素振り］《名・他サ》バットや木刀などを、練習のために ふること。☞そぶ(素振)り。

**スプリット**〔split=分割〕①《ボウリング》第一投で中央のピンがたおれて、ピンとピンが はなれて残ること。②《陸上》↑スプリット タイム。③〔↑split-finger fastball〕《野球》少しだけ落ちる、速い変化球。●**スプリットタイム**〔split time〕《陸上》マラソンなどの長距離競走で、一定距離ごとの所要時間。スプリット。

**スプリング**〔spring〕㊀**スプリング** ばね。「―が弱い」㊁↑スプリング コート。㊂造 春。「《野球》―キャンプ・―ロール(=春巻き)」●**スプリングコート**〔和製 spring coat〕春・秋に着る、うすいコート。スプリング。●**スプリングボード**〔spring-board〕跳躍・とびこみの ふみ切りに使う板。とび板。

**スプリンクラー**〔sprinkler〕①畑や庭に立てて水をまく装置。散水装置。②天井に取りつけ、火事のとき自動的に水が ふき出す装置。

**スプリンター**〔sprinter〕短距離選手。

**スプリント**〔sprint〕①《陸上・競泳・スピードスケートなど》短距離レース。②〔自転車競技で〕コースを二、三周して着順をきそう種目。

**スフレ**〔フ soufflé=ふくらんだ〕さまざまな材料に、泡立てた たまごの白身をまぜ合わせ、型に入れてふっくらと焼いた〈菓子/料理〉。「チーズー」

**スプレー**〔spray〕[一]①霧ふき。噴霧器。②香水ふき。[二]《名・他サ》①霧ふき式に、おして中から薬剤などをふき出す〈こと/しくみの入れもの〉。「ヘアー」②ネコが尿でするマーキング。●**スプレーざき**[スプレー咲き]放射状に枝分かれしたくきに、たくさんの花をつける咲き方。「カーネーションのー」

**スプレッド**〔spread=広がるもの〕①パンなどに ぬる食材。例、バター。「チョコレートー」②《経》売値と買値の差額。●**スプレッドシート**〔spreadsheet〕表計算ソフト(の、表形式のデータ)。スプシ〔俗〕。

**スプロール**〔sprawl〕虫食いのように、都市の住宅地が無計画に郊外に広がること。乱開発。スプロール現象。☞ドーナツ現象。

**すべ**[(△術)]しかた。手段。「なすーもない」

**スペア**〔spare〕①予備(の品)。「ータイヤ」②《ボウリング》第二投でピンを全部たおすこと。

**スペアミント**〔spearmint〕薄荷の なかま。葉をスイーツにそえたり、油をとったりする。

**スペアリブ**〔spareribs〕ブタの ばら肉の、骨つきのもの。ローストや煮こみ料理にする。「オーブンでーを焼く」

**スペイン**〔Spain〕ヨーロッパの西南部にある立憲君主国。首都、マドリード(Madrid)。イスパニア(ス España)〔古風〕。西。[表記]「:西班牙」は、古い音訳字。

**スペーシー**《ナダ》〔和製 space+y〕広がりが感じられること。「ーな音色・ーなイントロ」

**スペース**〔space〕①一定の平面内のあいている部分。余地。余白。「広いーをとる・ーがない」②紙面。誌面。「ーをさく」③間隔。字間。行間。「ーをつめて書く」④宇宙。「ー時代・ーオペラ(=宇宙を舞台とするSF)」

**スペード**〔spade〕《トランプ》黒い♠形の しるし(のカード)。

☆☆**すべからく**[(△須らく)]《副》①〔ー…〈べきだ/なければならない〉など〕〔文〕当然。「ー奮起すべきだ」②〔俗〕すべて。「ー正直を旨としている」[由来]「そうすべくあることには」という意味の古語から。「すべて」とは語源がちがう。

**スペキュレーション**〔speculation〕①投機。②《トランプ》スペードのエース。

**すべくく・る**[統べ(△括る)]《他五》全体をまとめて、とりしまる。しめくくる。

☆☆**スペクタクル**[一]〔spectacle〕《映画・演劇》壮大・豪華な場面。見せ物。「ー巨編」[二]《ナダ》〔英語では spectacular〕壮観だ。めざましい。

**スペクトラム**〔spectrum=連続体〕①連続した分布を視覚的にわかるようにしたグラフ。スペクトル。「音の周波数ー(=横軸に周波数、縦軸に強さを取ったもの)」②《理》⇩スペクトル①。☞自閉スペクトラム症。

**スペクトル**〔フ spectre〕①《理》光や音などを分解したときにできる波長の順にならんだ分布図。スペクトラム。②⇩スペクトラム①。

**ズベこう**[ズベ公]〔俗〕不良少女。[由来]「ズベ」は「スベタ」の略。濁音化して、よくない意味を強調した。「ずべら(=ずぼら)」の意識もあったか。

**スペシャリスト**〔specialist〕専門家。特技を持った人。(↔ゼネラリスト)

**スペシャリテ**〔フ spécialité〕〔飲食店などで〕看板商品。特別な商品。

**スペシャリティ(ー)**〔speciality〕本職。専門(家)。スペシャルティ(ー)。「ーコーヒー(=専門家が品質を管理した質のいいコーヒー)」

**スペシャル**〔special〕[一]スペシャル《名・ナダ》①特別(のもの)。「ー(な)イベント」②《放送》〔テレビで〕↑スペシャル番組。「火曜ー」[表記]②は、略して「SP」。[二][造]①特殊の。特別の。「ーサービス」②特製の。「ーランチ」●**スペシャル オリンピックス**〔Special Olympics〕知的発達障害者のスポーツ大会。世界大会と国内大会とがある。SO。

**すべすべ** すべすべ《副・自サ》・すべすべ《名・ナダ》表面にでこぼこがなく、なでたときに ひっかかりが感じられないようす。「ー(と)したゆか・はだがーになる」(↔ざらざら)

**スベタ**〔↑ポ espada=スペード。もと、カルタに使ったことば〕〔俗〕(みにくい/不良の)女性をののしって言うことば。

☆☆**スペック**〔spec←specification〕①仕様(書)。規模・構造・性能などを表にまとめたもの。②パソコン・電子機器の性能。③〔俗〕その人の外見・学歴・年収など。「高ーな友人」☞ハイスペック・フルスペック。

**すべっこ・い**[滑っこい]《形》〔俗〕よく すべるような感じだ。[派]ーさ。

**すべて**[(全て)・(△総て)・(△凡て)][一]ある範囲にふくまれるものを、まとめて さすことば。全体。「ーを失った・能力のーをささげる」[区別]⇩全部。[二]《副》一つ残らず。ことごとく。「ー消えていた」[由来]「統べる」の連用形に助詞「て」がついた形から。

**すべらか**[滑らか]《ナダ》すべすべしたようす。なめらか。「ーな ほお・ひげそりの動きがーだ」[派]ーさ。☞なめ(滑)らか。

**すべり**[滑り]すべる〈こと/度合い〉。「どんずべり(=ギャグなどが、まったく受けないこと)」●**すべりお・ちる**[滑り落ちる]《自他上一》①表面をすべって おちる。「がけをー」②すべったはずみに下へ おちる。「指から滑り落ちたコーヒーカップ」③地位を失う。「政権の座をー」[他]滑り落とす《五》。●**すべりがね**[滑り金]みぞに沿って、左右に動く金属。スライダー。「ファスナーのー」●**すべりこ・む**[滑り込む]《自五》①すべってはいる。②やっと まにあう。③《野球》走者がすべって塁に はいる。スライディングをする。[名]滑り込み。「ーセーフ」 •**すべりだい**［滑り台］ 子どもが上からすべりながらおりて遊ぶ台。 •**すべりだし**［滑り出し］ 物事を始めたばかりのところ。出だし。動滑り出す《自五》。 •**すべりどめ**［滑り止め］ ①車輪などがすべりすぎないように とめる装置(をすること)。「—のチェーンをつける」 ②足がすべらないように、階段などにあてるもの。 ③〔学〕目的の学校に合格しなかったときのために受験しておく、確実に合格できそうな学校。安全校。押さえ校。 •**すべりひゆ**［(滑×莧)］ 畑や道ばたに生える、小さな黄色い花の さく草。葉は厚ぼったく、食用・薬用。ゆでると、ぬめりが出る。ひょう。

**スペリング**〔spelling〕〔英語・ローマ字文などで〕ことばのつづり方。スペル。

**すべ・る**［滑る・×辷る］《自他五》 ①表面からはなれないで、かるく一方向に動く。「スキーでー・船が海面をー」 ②〔手や足などが〕思わず、もとの位置からずれるように動く。「つい手が滑った・〔足が〕滑ってころぶ・ゆかがー〔=滑りやすい〕」 ③〔高い地位から〕下がる。「首位をー」 ④〔俗〕不合格になる。落第する。「大学をー」 ⑤〔俗〕じょうだんなどが、受けずに終わる。「漫才でー」 ▽命令形は「すべれ」だが、俗に「すべろ」とも。他滑らせる《下一》・滑らす《五》。「口をー」 可能滑れる。 •**滑ったの転んだのと** 句 なんだかんだと、うるさく言うようす。

**す・べる**［統べる・△総べる］《他下一》〔文〕 ①一つにょせる。まとめる。 ②支配する。「国を統べおさめる」

**スペル**〔spell=ことばをつづる〕 ⇩スペリング。「ーミス」

**スポイト**〔オ spuit〕 インクなどをすいあげて注入するガラスなどの細い管。はしにゴムなどの ふくろがついている。

**スポイラー**〔spoiler〕 ①飛行機の主翼に取りつけ、着陸のときなどに揚力をへらす装置。 ②自動車に取りつけ、高速時に車体がうき上がるのをおさえるもの。

**スポイル**《名・他サ》〔spoil〕 (あまやかして)だめにしてしまうこと。「子どもをーする」

**ずほう**［図法］ ①図形の書き方。「透視ー」 ②地図の書き方。「メルカトルー」

**スポーク**〔spoke〕 車輪のや(輻)。

**スポークスマン**〔spokesman〕 政府や団体を代表して見解などを発表する人。代弁者。スポークス パーソン。

***スポーツ**〔sports〕 運動(競技)。「ウインターー・ー新聞〔=スポーツや芸能などの記事を多くのせる新聞〕」 •**スポーツカー**〔sports car〕 運転することやスピードを楽しむための、軽快な乗用車。スポーティー カー。 •**スポーツがり**［スポーツ刈り］ 前髪をやや長めにして、あとは短く かり上げた、男性の髪型。 •**スポーツクライミング**〔sport climbing〕 人工の壁に設定したルートをよじ登り、高さや速さをきそう競技。「スピード」「ボルダリング」「リード」の三種目がある。 •**スポーツしょうがい**［スポーツ障害］《医》スポーツのしすぎなどによって起こる身体の障害。ランナー膝、テニス肘、野球肩など。〔「スポーツ傷害」は、スポーツによる外傷とスポーツ障害をあわせた呼び名〕 •**スポーツショー**〔sports show〕 競技の様子を知らせる〈もよおし/放送〉。 •**スポーツセンター**〔sports center〕 ①いろいろなスポーツができるように建設された体育館。 ②各種の競技場が集まっている地域。 •**スポーツちょう**［スポーツ庁］《法》スポーツを振興し、スポーツ関係の施策を推進する官庁。文部科学省の外局。スポ庁。 •**スポーツドリンク**〔sports drink〕 運動で失った水分と栄養分をすばやく補給するための飲み物。スポドリ〔俗〕。 •**スポーツのひ**［スポーツの日］ 国民の祝日の一つ。十月の第二月曜日。スポーツを楽しみ、心身ともに健康にすごすことを願う日。〔二〇二〇年に「体育の日」を改称したもの〕 •**スポーツバー**〔sports bar〕 大画面でのスポーツ中継をみんなで楽しめるバー。スポーツカフェ。 •**スポーツマン**〔sportsman〕 スポーツをする男性。また、運動選手。〔女性は、スポーツウーマン〕 ☞アスリート。 •**スポーツマンシップ**〔sportsmanship〕 ルールを尊重しフェアに競技する、運動選手の態度や精神。フェアプレー精神。

**スポーティ(ー)**《(ナダ)》〔sporty〕 活動的。軽快。「ー(↔ドレッシー)な服装」〔スポーティブ(sportive)は「ふざけた・陽気な」など別の意味〕 派ーさ。

**スポこん**［スポ根・スポコン］〔↑スポーツ根性〕〔俗〕一つのスポーツにうちこんで、やりとげようとする精神力。「ードラマ」

**すぼし**［素干し］《名・他サ》 直接、日光や火に当てないで ほすこと。かげぼし。

**ずぼし**［図星］ ①的のまんなかの黒い点。「ーを外す」 ②そのものずばり。「指摘してはーだった・もくろみがーに当たる」 •**図星を指される** 句 ぴたりと あてられる。〔「図星を指す」の形でも使う〕

**すぽっと**《副》 その〈もの/部分〉がそこなわれずに勢いよく〈はまる/ぬける〉ようす。「栓をーぬく」

☆☆**スポット**〔spot〕 ①地点。〔せまい〕場所。「人気のー・ークーラー〔=ピンポイントで冷たい風を出す、移動式のクーラー〕」 ②《放送》番組の間にはさむ、短い放送。「ー広告・ーニュース」 ③↑スポット ライト。「ーをあてる」 ④駐機場。 ⑤短期の雇用。 ⑥《経》現物。変動する時価にしたがって、すみやかに売買する商品。「ー価格」 •**スポットライト**〔spotlight〕 一部分を特に明るく照らし出すための〈光線/照明器具〉。スポット。

**ずぽっと**《副》 ①急に穴に〈はいる/入れる〉ようす。「ー突っきさす」 ②急に穴から〈出る/引き出す〉ようす。「ゴボウをーぬく」

**すぼま・る**［(×窄まる)］《自五》 すぼんだ状態になる。

**すぼ・む**［(×窄む)］《自五》〈太かった/大きかった〉ものが、〈細く/小さく〉なる。「すそが すぼんだズボン・口がー・勢いがー・小さく すぼんだ背中」 ☞つぼむ。

**すぼ・める**［(×窄める)］《他下一》 すぼんだ状態にする。〈細め/小さめ〉にする。「肩をー・かさをー〔=少し閉じる〕・口をー〔=細くして つき出す〕」 ☞つぼめる。

**ずぼら**《名・ナダ》 だらしがないようす。なまけるようす。「ーな性格」 派ーさ。

**すぼり**［素掘り］ 〔ほったあとに わくをはめたりしないで〕穴をほっただけの状態。「ーの池」

**ズボン**〔フ jupon《ジュポン=ペチコート》の変化とも〕 おもに男性の服で、腰から下に はくもの。股から下は二つに分かれている。パンツ。「ーつり」(↔上着) 表記 「:洋袴」とも書いた。 ☞スラックス。 •**ズボンした**

［ズボン下］ズボンの下にはく下着。

**スポンサー**〔sponsor〕①広告主。「テレビ番組のー」②お金を出してくれる人。パトロン。

**スポンジ**〔sponge〕①海綿。②海綿のような形の合成樹脂やゴムで作った、やわらかいもの。食器洗いやあかすりなどに使う。③↑スポンジケーキ。「しっとりとしたー」 ●**スポンジケーキ**〔sponge cake〕小麦粉・たまご・砂糖をまぜて、焼いてふくらませた洋菓子。スポンジ。 ●**スポンジボール**〔sponge ball〕①スポンジ製のやわらかいボール。子ども用のテニスなどに使う。②⇩軟球②。

**スマート**〔smart〕■**スマート**《ナダ》①態度や服装が、洗練されているようす。瀟洒。②からだのつりあいがとれていて、すらりとしているようす。「ーな体型」☞スリム①。③すばやく、むだがなくて感じのいいようす。「ーに行動する」派ーさ。■造 IT〔＝情報通信〕技術を使った。「ーデバイス〔＝スマートフォンやタブレットなど〕・ー家電」〔英語の意味「かしこい」をふまえた用法〕 ●**スマートウォッチ**〔smartwatch〕身につけて使う、腕時計型の端末。ウェアラブルウォッチ。 ●**スマートグリッド**〔smart grid〕IT〔＝情報通信〕技術によって電力の需要と供給を効率よく調整する電力網。「ハイブリッドー」 ●**スマートテレビ**〔↑smart television〕パソコンの機能を取り入れたテレビ。インターネットにつないだり、ソフトをインストールしたりできる。 ●☆☆**スマートフォン**〔smartphone〕パソコンの機能をあわせもつ、多機能の携帯電話。スマホ。「ー決済〔＝スマートフォンに表示したバーコードを機械で読み取るなどの方法でおこなう決済〕」〔二〇〇六年ごろから使われることば。略称は当初、「スマフォ」「スマフォン」などもあったが、二〇一〇年代になって「スマホ」に落ち着いた〕 ●**スマートメーター**〔smart meter〕通信機能のある電気メーター。電気の使用量の送信や、電気機器の遠隔操作ができる。

**すまい**［住まい・住居］■《名・自サ》〔「住まう」の連用形から〕①住んでいる〈家／場所〉。「ーをたずねる・閑静なー」②〔文〕住むこと。「関西にーする」▽住居。■造〔ずまい〕〔…〈に／で〉〕住んでいること。「借家ー・独りー」

**ずまい**［住まい・住居］造 ⇩すまい■。

**スマイル**〔smile〕微笑。ほほえみ。

**すま・う**［住まう］《自五》〔文〕そこにずっと住む。

**すまき**［（簀）巻き］江戸時代、からだをす（簀）で巻いて水の中に投げ入れた私刑。「山の手にー・夜の闇にー魔物の」

**すまし**［澄まし］①気どること。「ー屋」②↑すましじる。☞お澄まし。 ●**すましじる**［澄まし汁・清し汁］塩・しょうゆで味をつけた、すきとおった色のしるもの。すいもの。（お）すまし。おわん。

**すまじき**《連体》〔文〕してはならない。すべきでない。 ●**すまじきものは宮仕え**句 人に使われる仕事は、義理や人間関係にしばられがちなので、〔できることなら〕しないほうがいい。

**すま・す**［済ます］《他五》①終える。「儀式をー」②〔借金を〕全部返す。③まにあわせる。「朝食を牛乳でー」▽済ませる。可能 済ませる。

**すま・す** ■**すます**［澄ます］《他五》①にごりをなくす。「落ち葉をはく音が、秋の空気をー」②いろいろのよけいな考えをなくす。「心をー」■［（澄ます）］造 注意を集中して、そのことをする。「研ぎー・ねらいー」▽■■ 澄ませる。■**すます**［澄ます］《自五》①気どって、あいそのない顔をする。「澄ました人・おつにー」②平気なようすをする。「知らん顔して澄ましている」

**スマッシュ**《名・自サ》〔smash〕《テニスなど》相手のコートに、急角度にボールを打ちおろすこと。打ちこみ。 ●**スマッシュヒット**〔smash hit〕〔商品販売や興行で〕〈なかなかの／大きな〉成功。「ーを飛ばす」

**スマッシング**《名・自サ》〔smashing〕スマッシュすること。

**すま・ない**［（済まない）］《形ヌズ》①相手にめいわくをかけて、気持ちがおさまらない。「あの人にはーことをした・ーが、行ってはくれまいか」②親切にしてもらって、気持ちがおさまらない。ありがたい。「〔手みやげをもらって〕いつもーね」丁寧 すみません。由来 このままでは済まない〔＝終わらない〕、気持ちがおさまらない、という意味。感謝するときにも使う理由は、何かお礼をするまで、気持ちがおさまらないから。☞すみません。

**スマホ** ↑スマートフォン。派ーがる。ーげ。ーさ。「歩きーは危ない」

**すみ**［炭］①木が燃えて黒くなった残り。②木材を蒸し焼きにした、黒い色の燃料。木炭。③〔鉱山で〕石炭。

**すみ**［済み］すむこと。すんだこと。「代ー・解決済み」

**すみ**［隅・角］①囲まれた区域のかど。「庭のー・右ー」②目立たない所。「ーに追いやられる」 ●**隅に置けない**句 見かけよりも才能やうでまえがすぐれていて、ばかにできない。

**すみ**［墨］①水をたらしたすずりの上ですり、そのしるで字・絵をかくもの。黒いすみは、油煙をにかわでかためて作る。②すみをすったしる（の色）。「ー黒々と書く・ーを流したよう〔＝まっくら〕」③鍋・釜の底につく、すす。「鍋ー」④イカ・タコのからだの中にある、黒い液体。⑤〔文〕↑すみぞめ。「ーの衣」

**ずみ**［住み］造〔俗〕〔あるところに〕住んでいること。「おれ、埼玉ー」〔「住み」の形で名詞としても使う。「おれは住みが埼玉」〕

**すみあら・す**［住み荒らす］《他五》〔家・部屋などを〕住んで、いためあらす。

**すみいち**［隅一・隅イチ］《野球》〔俗〕スコアボードの一回の表か裏に一点があるだけで、あとは0がならんでいる打てない試合のこと。

**すみいれ**［墨入れ］《名・他サ》下書きした図面や絵を、すみやインクで仕上げること。

**すみえ**［墨絵］墨だけでかいた絵。水墨画。墨画。

**すみか**［住み（処）・住み（∴家）・（棲∴家）］人の住む〈家／所〉。

**すみか**［（棲み処）］動物のすむ所。

**すみかえ**［住み替え］①すまいを替えること。「ー需要」②奉公先を替えること。動 住み替える《他下一》。

**すみき・る**［澄み切る］《自五》①すっかり澄む。「空がー」②まよいがなくはっきりする。「心がー」

**すみこみ**［住み込み］《名・自サ》やとい主の家にねとまりして仕事をすること。（↕通い）動 住み込む《自五》。

**すみじ**［墨字］〔点字に対して〕手書きや印刷された文字。

**すみず**［酢水］少量の酢を混ぜた水。食材のあくぬきなどに使う。「ゴボウを一にさらす」

**すみずみ**［隅々］あらゆる〈すみ／方面〉。

**すみそ**［酢（味×噌）］あえものに使う、酢（と砂糖）をまぜてすったみそ。「ワカメの一あえ」

**すみぞめ**［墨染め］黒い色に〈染めること／染めた衣服〉。すみ。

**すみだわら**［炭俵］燃料の炭をまとめて入れておくたわら。

**すみつき**［墨（付き）］すみのつきぐあい。

**すみつぎ**［墨継ぎ］筆にすみのしるをもう一度ふくませて、文字や線を書きつづけること。

**すみつ・く**［住み着く］《自五》おちついて、引き続きその場所に住む。

**すみっこ**［隅っこ］〔俗〕すみ（隅）。

**すみつぼ**［炭×壺］使い終わった炭を入れて、火を消すためのつぼ。火消しつぼ。

**すみてまえ**［炭△点前］《茶道》炭をついだり、火加減をよくしたりする〈こと／作法〉。

**すみとお・る**［澄み（△透る）］《自五》色や音などが澄み切って、すきとおるような感じになる。

**すみながし**［墨流し］〈墨汁／顔料〉を水面に落として模様を作り、それを〈紙／布〉に染めつけること。

**すみな・す**［住み成す］《自五》〔文〕〔ある状態で〕住んでいる。「心細く一」

**すみな・れる**［住み慣れる・住み×馴れる］《自下一》長く住んで、その家や土地になれる。

**すみなわ**［墨縄］墨壺という小さい大工道具に巻きこんである、墨のついた糸。これを引き出して ぴんと張り、材木に当てて直線を引く。墨糸。

**すみび**［炭火］木炭で おこした火。「一焼き」

**すみぶくろ**［墨袋］《動》イカの、すみが はいっている内臓。

**すみません**［（済みません）］《感》〔「すまない」の丁寧語から〕①軽い おわびをあらわす。「お待たせして一・先日は一でした」区別⇩申し訳ない。②〔相手に めんどうをかけたとき〕おわびとともに、軽い感謝をあらわす。「〔ハンカチを拾ってもらい〕あっ、（どうも）一・いつも一ね」区別⇩ありがとうございます。③呼びかけに使うことば。「一（が）、新宿駅はどっちでしょう・あのう、一、だれかいらっしゃいますか」▽「すいません」「すんません」は、ぞんざいな言い方。俗に「さーせん」。由来⇩すまない。

**すみやか**［速やか］《ナダ》はやいようす。「一に対策を講じる」派一さ。

**すみやき**［炭焼き］①木を焼いて木炭を作る〈こと／人〉。「一小屋」②《料》炭火で焼くこと。特に、網焼き。「一のステーキ・一コーヒー」

**すみれ**［（×菫）］道ばたなどに はえる小さな野草。春、長い柄の先に、花びらが五枚で、ねじれた形の花を横向きにつける。花の色は むらさきなど。

**すみわけ**［（×棲み）分け］《名・自サ》①生活や行動の似ている生物が共存するために、場所や時間を別々にすること。②競合をさけて、それぞれの領域で共存すること。「二種類の製品の一」動すみ分ける《他下一》。

**すみわた・る**［澄み渡る］《自五》一面に澄む。

****す・む**［住む］《自五》自分の暮らす場所と決めて、そこで生活する。「アパートに一・我々とは一世界がちがう〔＝まったくちがった生き方をしている〕」可能住める。

●☆☆**住めば都**句 いなかなど不便な所でも、なれれば住みやすくなるものだ。

**す・む**［（×棲む）］《自五》動物が そこで生きる。生息する。巣を作る。「タヌキの一森」可能すめる。

****す・む**［済む］《自五》①終わる。かたづく。「用が一」②（じゅうぶん）たりる。まにあう。「千円で一・行かなくて一」③気持ちが おさまる。問題が なくなる。「気が一・それで一と思うか」☞すまない・すみません。

**す・む**［澄む］《自五》①〔液体が〕すきとおる。（↔濁る）②くもりがなくなる。「月が一」（↔曇る）③〔声や音が〕きれいにひびく。「澄んだ声」（↔濁る）④まじりけがなくなる。「澄んだ色」（↔濁る）⑤いろいろの よけいな考えが なくなる。「心が一」⑥清音〈になる／で あらわす〉。（↔濁る）⑦〔よく回っているこまが〕とまったように見える。名澄み。

**スムージー**〔smoothie〕（こおらせた）くだものや野菜などをミキサーにかけてつくる、とろみのある飲み物。「小松菜とバナナの一」

**スムーズ**《ナダ》〔smooth〕とどこおりのないようす。円滑。スムース。「事が一にはこぶ」

**すめし**［酢飯］⇩すしめし。

**すめらみこと**［天皇］の古代からの呼称。すめらぎ。

**すめん**［素面］〔古風〕①《剣道・能》面をつけないこと。②しらふ。③けしょうをしていない顔。すがお。

**ずめん**［図面］土地・建物・機械などの形を紙の上にあらわしたもの。

**すもう**［相撲・角力］①〔土俵の中で〕ふたりが力や わざによって勝負を争う競技。「一をとる」②「すもう①」の取り方。「一が変わる・一展開」☞お相撲。

●**相撲に勝って勝負に負ける**句 ①いいすもうをとって、当然勝つべき体勢にありながら負ける。②いい経過をたどっていたが、結果として失敗する。

●**相撲にならない**句 力の差が大きすぎて、勝負にならない。

●**すもうぢゃや**［相撲茶屋］大ずもうの入場券を売りさばき、客席に飲食物などをはこぶサービスをする組織。茶屋。正式には、相撲サービス会社。

●**すもうとり**［相撲取り］すもうをとる職業の人。力士。

●**すもうべや**［相撲部屋］《すもう》年寄が経営するそれぞれの集団ごとに所属する、力士の組織。部屋。

**スモーカー**〔smoker〕タバコをすう人。タバコ飲み。「ヘビー一」

**スモーキー**《ナダ》〔smoky＝けむりのような〕①乳白色をおびて、ぼんやりしているようす。「一なパステルカラー」②燻製の かおりが強いようす。「一なチャーシュー・一なウイスキー」

**スモーキング**〔smoking〕タバコをすうこと。喫煙。「一ルーム」

**スモーク**〔smoke＝けむり〕一①〔舞台で、ドライアイスなどを使って出す〕けむり。②すすのような灰色。③スモークガラス（と同じ効果を得るフィルム）。二《名・他サ》燻製（にすること）。「一サーモン〔↑スモークドサーモン〕」

●**スモークガラス**〔和製 smoke＋オ glas〕けむりで いぶしたような色で、内がわからは外が見えるが、外からは中が見えないようにしたガラス。スモーク。「車の―」

**スモール**〔small〕サイズが小さいこと。記号はS。(↔ミディアム・ラージ)

**ずもがな** 接尾〔文語助動詞「ず」+文語の終助詞「もがな」から。名詞をつくる〕わざわざ…する必要のないこと。…しないでほしいこと。「聞か―・問わ―・書か―の(=書かなくていい)手紙」☞もがな。

**すもぐり**〔素潜り〕潜水器具などを使わないで、水中にもぐること。

**スモック**〔smock〕《服》①ゆったり仕立てたうわっぱり。②布にひだをよせ、美しくかがる手芸。「―ししゅう」

☆☆**スモッグ**〔smog〕工場のばい煙や自動車の排気ガスが原因で空に立ちこめる、白いガスのような霧。公害の代表的なもの。煙霧。☞光化学スモッグ。

**すもどり**〔素戻り〕用事を果たさずに帰ってくること。

**すもも**〔(×李)〕①くだものの名。すっぱい味が強い。夏、〈赤/黒むらさき〉色に熟す。花は春開き、うめに似て白色。②〔←アメリカすもも〕プラム。

**スモン**〔SMON←subacute myelo-optico-neuropathy(=亜急性脊髄視神経症)〕《医》一九五〇～七〇年代、整腸薬のキノホルムをのんだ人に起こった神経の病気。足がしびれ、ひどいときは目が見えなくなる。スモン病。

**すやき**〔素焼き〕《名・他サ》①〔焼き物で〕低い熱で焼いただけで、うわぐすりをかけない〈こと/もの〉。②⇩しらやき。

**すやすや**《副》気持ちよさそうに静かにねむっているようす。「赤ちゃんが―(と)ねむる」

**すよみ**〔素読み〕《名・他サ》〔原稿と照合せず〕文章としての意味が通じるかどうかに気をつけて校正刷りを読むこと。素読み校正。「―をかける」

＊**すら**《副助》〔文〕でさえ。まで。「けものも―恩を知る」
アク ウシすら・ネコ―すら・イヌ―すら

**ずら**《終助》①〔長野・山梨・静岡方言〕推量の意をあらわす。…だろう。「雨(が降る)―・きのう雨が降った―、だから…」②〔他地域の人が方言めかして使う〕…(の)だ。「おれはやることがある―」

**スラー**〔slur〕《音》高さのちがう二つ以上の音を、なめらかに続けて〈歌う/演奏する〉しるし。☞タイ(tie)③。

**スライサー**〔slicer〕食品をうすく切るための器具。一枚の刃のついたおろしがね形のものなど。

**スライス**〔slice〕㊀《名・他サ》①うす切り(にすること)。「―ハム・オニオン―・―チーズ」②《テニス》ボールに逆回転をあたえる〈こと/打ち方〉。(↔ドライブ)㊁《名・自サ》《ゴルフ》(右打ちの場合)打球が右に曲がりながら飛ぶこと。(↔フック)

**スライダー**〔米 slider〕①《野球》打者の近くで、投手の利きうでとは反対の方向へ、水平に流れるように曲がる投球。②《ファスナーの》すべりがね。

**スライディング**〔sliding〕《名・自サ》①すべること。滑走。「―キャッチ」②《野球》すべりこみ。「ヘッド―」 ●**スライディング システム**〔sliding system〕《経》スライド制。

☆☆**スライド**〔slide〕《名・自他サ》①〔左右・前後などに〕〈すべる/すべらせる〉こと。「―ドア」②一方の量が動くにあわせて、他方も動くこと。「賃金を物価に―させる」③予定の順番を変えないで、そのままずらすこと。「―登板」④画像をつぎつぎに(横にすべらせて)映すしかけ。また、その画像。「―を使って発表する」 ●**スライドショー**〔slide show〕デジタル画像をつぎつぎに切りかえて表示する機能。 ●**スライドせい**〔スライド制〕《経》物価の変わり方に応じて賃金などを動かすやり方。スライディングシステム。

**スライム**〔slime〕どろどろ、ぬるぬるした、形が不定の物体。教材や玩具に用いる。

**ずらかる**《自他五》〔俗〕〔その場から〕にげ出す。ぬけ出す。「教室〈から/を〉―」

**スラグ**〔slag〕①鉄をとかしたあとの、石や砂のような残りかす。鉱滓。鉄鋼スラグ。②灰を高温でとかしてできる、ガラス状の物質。アスファルトなどに使う。溶融スラグ。

**ずらす**《他五》〔「ズラす」とも書く〕①すべらせるように移す。「書棚を横へ―」②日程などを少し動かす。変える。「予定を―」

**すらすら**《副》なめらかに進行するようす。「手続きは―(と)はこんだ・―(と)答える」

**ずらずら**《副》同じようなものが次から次へと〈ならぶ/続く〉ようす。「―(と)書きつらねる」

**スラッガー**〔米 slugger〕《野球》強打者。大物打ち。

**スラックス**〔slacks〕《服》①カジュアルな長ズボン。②女性用の、ゆったりした長ズボン。

**スラッシュ**〔slash〕①《服》かざりのために、洋服のえり元やそで口などに切りこんだ切れ目。②ことばのくぎりや分数などに用いるななめの線。「/」。斜線。「ダブル―(=//)」

**スラップスケート**〔slap skate〕スケート靴の一種。かかとの部分が刃からはなれ、バネで元にもどる構造のもの。スピードスケート用。〔もと、クラップスケート(オ klapschaats)〕

**スラブ**〔slab〕①《登山》板のような大岩。②鉄筋コンクリートの厚い板。線路に敷いたり、マンションのゆかにしたりする。「―構造」

**スラブ**〔Slav〕ヨーロッパの東部に住む民族。例、ロシア人やポーランド人。

**スラム**〔slum〕大都会で、まずしい住民が住む地域。貧民街。貧民窟。「―街」

**ずらり**《副》〈大ぜい/たくさん〉並ぶようす。「観客が―(と)並ぶ」

**すらりと**《副・自サ》①ほっそりして形よくのびているようす。「―した指・―した美人」②つかえずに、たやすくおこなうようす。「―一刀をぬく」▽すらっと。

**スラローム**〔slalom〕①《スキー・スノーボード》⇩回転㊁。②蛇行運転。

**スラング**〔slang〕ある一定の集団の中だけで好んで使われる俗語。例、ドンバ(=ジャズなかまで、バンド)。

**スランプ**〔slump〕一時的な〈心の調子のおとろえ/不振〉。「―におちいる」

**すり**〔刷り〕①印刷(のできばえ)。「―見本・―がきれいだ」②印刷したもの。「校正刷り・色刷り」③同じ版を使った、一回分の印刷。さつ。「新しい―・初版第一刷り(=初刷り)」☞版㊁②。

**すり**【(:掏摸)・スリ】〔人ごみにまぎれて人のさいふなどを〕こっそりぬすみ取る〈こと／者〉。ちぼ〔方〕。

**ずり**【ズリ】㊀〔焼き鳥店で〕鳥の砂嚢（さのう）。砂肝（すなぎも）。砂ずり。㊁**ずり** ①〔北海道などの方言〕石炭を掘（ほ）ったあとの岩石。「―山」［表記］鉱山では「×研」「×砰」とも。☞ボタ。②〔俗〕〔報道で〕細部をあいまいにすること。「―をかける」〔もと、二股（ふたまた）の意味〕

**ずりあが・る**【ずり上がる】《自五》〔少しずつ〕ずれて上がる。「ワイシャツのすそが―」〈↔ずり下がる〉［名］ずり上がり。［他］ずり上げる《下一》。

**すりあし**【(×摺り)足】 足で地をするようにして、静かに移動すること。

**すりあわ・せる**【(×摺り)合わせる・(擦り)合わせる】《他下一》①二つのものをこすりあわせる。「はねを―虫」②つきあわせて調整する。「両者の見通しを―」［名］すり合わせ。「プロジェクトの―」

**スリー** ［造］【three】三（さん）。三つ。「―シーズン〔=春・秋・冬〕」「コート・―スピード〔=スピードを三段階に変えられること〕」・ベスト―」。●**スリーアウト**【three outs】《野球》三人アウトになること。「―、チェンジ」。●**スリーオンスリー**【three on three】三人ずつでするストリートボール。［表記］「3オン3」とも。●**スリークオーター**【three quarters=四分の三】《野球》ななめ上からの投球。「―の投手」●**スリーサイズ**【和製 three size】〔俗〕女性の、バスト・ウエスト・ヒップの大きさ。●☆☆**スリーディー**【3D】〔D←dimension〕三次元。立体的な空間。さんディー。「―映像〔=立体的に見える映像〕・―プリンター〔=樹脂（じゅし）などを積み重ねるように ふき出し、目的の立体を作る機械〕」●**スリーバント**【和製 three bunt】《野球》ツーストライクの後におこなうバント。失敗すれば、アウト。●**スリーピース**【three-piece】①《服》共ぎれの三つぞろい〔=上着・ベスト・ズボン〕。②〔音楽のバンドで〕三人組。スリーピース バンド。●**スリーベースヒット**【米 three-base hit】《野球》三塁（るい）打。スリーベース。●**スリーランホームラン**【米 three-run home run】〔ラン=得点〕《野球》ランナーがふたりいるときのホームラン。三点本塁（ほんるい）打。スリーランホーマー。スリーラン。

**スリーピングバッグ**【sleeping bag】ねぶくろ。

**スリーブ**【sleeve】①《服》そで。たもと。「ノー―」②何かをすべりこませて入れるもの。「壁（かべ）にあるエアコン用の―〔=穴〕・電線の圧着―〔=カバー〕・紙コップの〔断熱〕―」●**スリーブケース**【sleeve case】スマートフォン・タブレット端末（たんまつ）などを入れるケース。

**スリープ**《名・自サ》【sleep=ねむる】一時的に機械の動作をおさえて、機械が節電状態になること。「―を解除する」

**すりえ**【(×擂り)餌・(×摺り)餌】〔小鳥などにやる〕すりつぶしたえさ。

**ずりお・ちる**【ずり落ちる】《自上一》ずれて〈下におちる／下がる〉。ずれおちる。［他］ずり落とす《五》。

**すりおろ・す**【(×擂り)下ろす】《他五》すって細かくする。「ワサビを―」［名］すり下ろし。

**すりか・える**【(×掏り)替える・(△摩り)替える】《他下一》〔他人にわからないように〕こっそり取りかえる。「中身を―・問題を―」［名］すり替え。［直］すり替わる《五》。

**すりガラス**【(△磨り)ガラス】 表面を金剛砂（こんごうしゃ）などですって、すきとおらないようにしたガラス。くもりガラス。

**すりきず**【(×擦り)傷】すってできたきず。

**すりきり**【(×摺り)切り】カップ・さじなどでものをはかるとき、上をたいらにならすこと。〈↔山もり〉

**すりき・れる**【擦り切れる】《自下一》すれて切れる。「そで口が―」［他］擦り切る《五》。

**すりこぎ**【(×擂り粉)木】すりばちでものをすりつぶすときに使う、バットのような形をした短い棒。連木（れんぎ）。

**すりこみ**【刷り込み】①《動》鳥のひななどが、生まれたあとのごく早い時期に目にした動くものを、母親だと思いこむ現象。②最初に覚えたことにずっとこだわり、ゆうずうがきかないこと。▽インプリンティング。

**すりこ・む**【刷り込む】《他五》①印刷して入れる。「ラベルに名前を―」②くり返し教えたり聞かせたりして、頭からはなれないようにする。「親の世代から刷り込まれた価値観」

**すりこ・む**【擦り込む】《他五》こすって、表面から内がわへ入れる。「クリームをよく―」

**ずりさが・る**【ずり下がる】《自五》〔少しずつ〕ずれて、〈下／うしろ〉に下がる。〈↔ずり上がる〉［名］ずり下がり。［他］ずり下げる《下一》。

**すりすり**《名・自サ》①すりよるようす。「ネコが―してくる」②〔ゴマなどを〕するようす。

**すりつ・ける**【擦り(付ける)】《他下一》こすってつける。

**スリット**【slit】《服》すそに入れた切りこみ。「―スカート〔=スリットを入れたスカート〕」

**スリッパ**【slippers=室内ばき】足の前がわだけをおおう、底の平べったいうわばき。

**スリップ**【slip】㊀《名・自サ》すべること。「車が―する」㊁①《服》胸から腰（こし）の下までをおおう、肩（かた）ひものある女性用の下着。☞キャミソール。②〔書店で〕本のあいだにはさまれている、細長い紙片（しへん）。補充（ほじゅう）注文カード。●**スリップドレス**【slip dress】《服》下着のスリップのように、肩（かた）ひもだけでつるしたドレス。

**スリッポン**【slip-on】ひもや留め具がなく、足をすべりこませて簡単にはけるくつ。

**すりぬ・ける**【(擦り)抜ける】《自他下一》①せまいところを通りぬける。「木々の間を―・魚が網（あみ）から―」②人の注意をのがれて通る。「不良品が検査を―」

**すりはく**【(×摺り)×箔】金箔（きんぱく）・銀箔（ぎんぱく）をすりつけたもの。

**すりばち**【(×擂り)鉢】すりこぎですって食べ物を細かくくだく大きなはち。あたりばち。

**すりひざ**【擦り膝】ひざがしらでたたみをすりながら進むこと。膝行（しっこう）。

**すりへら・す**【(△磨り)減らす】《他五》①こすって少なくする。「くつの底を―」②多く〈使って／はたらかせて〉弱める。「神経を―」［直］すり減る《五》。

**すりみ**【(×擂り)身】すりつぶした、さかなの肉。「―汁（じる）・―揚（あ）げ」

☆☆**スリム**《ナダ》【slim】①〔からだつきや物の形などが〕ほっそりしているようす。「―なワンピース」☞スマート㊁②。②組織などに、むだな部分がないようす。「企業（きぎょう）の―化」［派］―さ。

**すりむ・く**[擦り(△剝く)]《他五》すって皮膚の皮をむく。自 擦りむける《下一》。

**すりもの**[刷り物]印刷したもの。印刷物。

**すりよ・る**[(擦り)寄る]《自五》①すれあうほどに近寄る。「なつかしげに―」②すりひざでにじりよる。③取り入るように近づく。「政界の有力者に―業者」名 すり寄り。他 すり寄せる《下一》。

**スリラー**〔thriller〕スリルを主題とする映画・小説など。「アクション―」

**スリランカ**〔Sri Lanka〕インドの南、セイロン島を領土とする民主社会主義共和国。もと、セイロン。首都、スリ ジャヤワルダナプラ コッテ (Sri Jayawardenepura Kotte)。

☆☆**スリリング**《ナダ》〔thrilling〕スリルがあるようす。戦慄的。派 -さ。

**スリル**〔thrill〕〈ぞっと/はっと〉するような感じ。戦慄。「―満点・―を味わう・―とサスペンス」

**スリング**〔sling〕①つり包帯。三角巾。②〔↑ベビースリング〕〈だいた/せおった〉赤ちゃんを、包みこむように支える布。

**す・る**[刷る]《他五》①印刷する。「チラシを―」②[×摺る]版画などで、こすって模様を出す。

**す・る**[(×摺る)]《他五》①表面にそって動かす。「足をすって歩く」②⇩す(刷)る②。③⇩す(擂)る。④⇩す(磨)る②。

**す・る**[(×擂る)・(×摺る)]《他五》鉢やうすなどの中で、おしつぶしてくだく。すりつぶす。「みそを―」

**す・る**[(△磨る)]《他五》①みがく。「やすりで―」②[(×摺る)]みがくようにこする。「墨を―」

**す・る**[擦る・△摩る]《他五》①表面におしつけたまま動かす。こする。「マッチを―・車をブロックべいで―」②[スる]〔俗〕すっかりなくす。「財産を―」

**す・る**[(×剃る)]《他五》〔俗〕そる。〔東京では、「財産を擦る」などの連想から、「当たる」と言う人もいる〕

**す・る**[(×掏る)]《他五》その人がからだにつけて持っているものを、気づかれないようにぬすむ。「さいふをすられる」

****する**〔助動詞「べきだ」の前や、まれに助動詞「まい」の前では「す」の形にもなる〕一 **する**《他サ》①「事①」を形にあらわす。おこなう。「いねむりを―・勉強を―・そう―べきだ〔『すべきだ』はややかたい〕・道草をしいしい帰る〔連用形を重ねた場合の形〕」②ある状態にならせる。ある状態をつくる。「きれいに―・粉に―・妙な顔を―」③〔**した・して**〕そういう〈外見/特徴〉を持つ。「かわいい目をした男の子・葉はハート形をしている・いい根性をしている」④役割をつとめる。「高校の先生をしている」二 **する**《自サ》①(感じが)起こる。あらわれる。「音が―・味が―」②…という状態〈になる/である〉。「頭痛が―・息切れが―・行ったり来たり―・ぼうぜんと―」③…という様子を見せる。「残念そうに―・平然と―」④〔トタル活用形容動詞の連用形+**した・して**〕連体修飾語や連用修飾語をつくる。〔活用語尾の役割に近い〕「断固とした〔=断固たる〕処置・突如として〔=突如〕出現する」⑤〔時間が〕たつ。経過する。「三日(も)―とよくなるだろう・それから何年かして」⑥値段が…である。「百円―」⑦決める。えらぶ。「ぼくは、うなぎに―」⑧〔**…から―と**〕おしはかる。推測する。「さいふの厚みから―と十万円はある」⑨〔俗〕性交する。尊敬 なさる。謙譲 いたす〔「いたします」の形で使う〕。三 **する**《補動サ》〔動詞連用形+**は・も・さえ**など+**―**〕形式的に動詞語尾をつくる。「いちおう行きは―・行きもしない・にやっと笑いさえ―」四 造 ①〔名詞・副詞・形容詞連用形など+**―**〕サ変動詞をつくる。「調査―・連続―・旅―・うっかり―・かたじけなく―」②〔〈**お/ご**〉+動詞連用形または名詞+**―**〕話し手の行為をけんそんする形をつくる。「お持ち―・ご提供―」③連続する動作・作用などをまとめる。「考えては書き、考えては書き―・あっちが破れ、こっちが破れ―」④〔名詞のくり返し+**した・して**〕…らしい特徴がはっきり感じられる。「いかにも小説小説した作品」表記「△為る」とも書いた。可能 できる。〔漢字一字で書ける語につく場合は、「することができる」。例、「旅することができる」〕☞しする・とする。

**ずる**《名・自サ》〔「ズル」とも書く〕ずるいこと。〈おうちゃく/不正〉をすること。「―をして友だちの宿題を写す」

**ず・る**〔話〕一《自五》①ずれる。「ふたが―」②ひざをついて動く。「ずって行く」二《他五》ひきずる。「足をずって歩く」

**ずる・い**[(×狡い)]《形》①自分が有利になるようにたくらむ〈ようす/性質〉だ。こすい。「自分だけ食べるのは―・ずるく立ち回る」②人をうらやましがらせるようすだ。「勉強もスポーツもできて―」③〔俗〕すばらしすぎて、くやしくなるほどだ。あざとい。「歌い方がかわいくて―」〔二〇一〇年代からの用法〕☞反則②・卑怯②。表記 俗に「ズルい」とも。派 -さ。

**スルー**《名・他サ》〔through=通りぬけて〕①《サッカー》パスを受けないでボールをうしろの味方選手に通すこと。②〔俗〕無視すること。取り合わないこと。「先輩の話を―する」③〔俗〕注意を向けないこと。「うっかり誤字を―する」④通しですること。「《ゴルフ》―プレー〔=休憩せずに十八ホールを一気に回る方法〕」

•**スルーパス**〔through pass〕《サッカー》相手ディフェンスの間をぬいて送るパス。

**するが**[×駿河]旧国名の一つ。今の静岡県の中部。駿州。

**ずるがしこ・い**[(×狡)賢い]《形》ずるくて悪知恵がはたらくようすだ。悪賢い。派 -さ。

**ずる・ける**《自下一》〔俗〕なまける。おうちゃくをする。

**することなすこと**《名・副》⇩やることなすこと。

**するすみ**[×摺墨・△磨墨]墨。また、すった墨のような黒い色。

**するする**《副》すべるように進むようす。「―(と)木にのぼる」

**ずるずる**《副》①〔しる・うどんなどを〕すする〈音/ようす〉。②引きず(られ)る〈音/ようす〉。「―(と)引っぱられる」③すべる〈音/ようす〉。「足が―すべる」④決まりがつかないで長引くようす。•**ずるずるべったり**《ナダ・副》けじめをつけられずに長引くようす。

**スルタン**〔アラビア sulṭān〕もと、イスラム教の国の皇帝や王の称号。サルタン。

**する(っ)てえと**《接》〔↑するというと〕〔俗〕すると。「―、いやなのか?」〔江戸っ子のことば〕

**するっと**《副》①〔しる・うどんなどを〕一気にすする音のようす。②こすれ合ってすべる〈音/ようす〉。「足が―

すべる・皮が―むける」③ずっこけるようす。「―なる」

**すると**《接》①ある行動や できごとのあと、どうなるか見てみると。「口ぶえをふいた。―犬が寄ってきた・文を短くしてみよう。―読みやすくなる」②前を受けて、次のことが わかることをあらわす。ということは。「いぬ年生まれですか。―私より三つ年下ですね」③もし そうだとすると。「指定席がご希望ですか。―もう本日の分はございませんね」▽そうすると。

**するど・い**【鋭い】《形》①とがって細い。「バラの―とげ」②よく切れるようすだ。「―刃物」③人の感覚や心を刺激する力が強い。「―痛み・―光が目を射る・―目つき・―語調」④勢いがはげしい。「―攻撃」⑤〈能力や感覚が〉すぐれているようすだ。「観察が―・味覚が―・勘が―」▽⇔鈍い 派―さ。

**ずるむけ**【ずる△剝け】からだの皮が ずるっとむけた状態。

**するめ**【〈×鯣〉・スルメ】イカを開いて ほした食べ物。「―をあぶる」表記 結納などには「寿留女」と書く。☞あたりめ。●**するめいか**【〈×鯣〉烏賊】日本近海で最もよくとれるイカ。新鮮なものは黒っぽく、鮮度が落ちると白くなる。食用。

**ずるやすみ**【ずる休み】《名・自他サ》なまけて仕事や学校を休むこと。

**するりと**《副》軽くなめらかに動いて、のがれるようす。するっと。「―身をかわす」

**ずるりと**《副》「するりと」より動きがにぶい感じをあらわすことば。ずるっと。「―足がすべった」

**ずれ**【「ズレ」とも書く】①ずれること。「一センチの―」②くいちがい。「感覚の―・意見の―」

**すれあ・う**【擦れ合う】《自五》〈近づいてきて〉おたがいにふれる。名 擦れ合い。

**スレート**〔slate〕〈粘板岩の/セメントに繊維をまぜてつくった〉かたい板。屋根をふく石材などに使う。石盤。「―屋根」

**すれからし**【〈擦れ枯らし〉】⇩すれっからし。

**ずれこ・む**【ずれ込む】《自五》時期が ずれて、別の期間のほうに はいる。「発売が十月に―」名 ずれ込み。

**すれすれ**【〈擦れ擦れ〉】《名・ナダ》①ほとんど ふれそうになるようす。「海面―に飛ぶ」②もう少しで限度をこすようす。「得点は合格―だ・違法―」

**すれちが・う**【擦れ違う】《自五》①おたがいに〈すれあうほど〉近くを通って、それぞれ反対の方向へ行く。「電車が―」②あえるはずの人どうしが〈偶然〉あえずに終わる。「どこで擦れ違ったのか」③かみ合わない。「話が―」名 擦れ違い。

**すれっからし**【〈擦れっ枯らし〉】経験をつんで、ずるくなった〈こと/人〉。すれからし。「文筆業も長く、今では―だ」

**スレッド**〔thread=糸〕〔インターネット上の掲示板やメーリングリストで〕特定の話題についての投稿の集まり。スレ。「―を立てる」

**すれば**《接》〔文〕そうすると。

**す・れる**【刷れる】《自下一》①印刷が しあがる。②「刷る」の可能形。

**す・れる**【〈×摺れる〉】《自下一》〔版画などが〕刷れた状態になる。

**す・れる**【〈×擂れる〉】《自下一》〔みそなどが〕すった状態になる。

**す・れる**【〈△磨れる〉】《自下一》①こすれて つるつるになる。「そで口が―」②〔墨が〕すった状態になる。

**す・れる**【擦れる・△摩れる】《自下一》①ものの表面におしつけられたまま、すべるように動く。こすれる。「タイヤが―」②〔ふつう **擦れ〈た/て〉**〕世間になれて わるがしこくなる。「擦れたおとなになる」名 擦れ。

**ず・れる**《自下一》〔「ズレる」とも書く〕①〔すべって〕〈正しい位置/基準になる所〉から外れる。「腰の骨が―・視点が―・質問と大きくずれた答え」由来「擦れる」から。濁音化して、よくない意味を強調した。

**スレンダー**《ナダ》〔slender〕すらりと やせたようす。「―な少女」

**すろうにん**【素浪人】①まずしい浪人。②浪人をけいべつして言うことば。

**スロー**《名・他サ》〔throw〕〔ボールを〕投げること。〔多く、他の外来語とともに用いる〕「アンダー―・フリー―」●**スローイン**〔throw in〕《サッカー・バスケットボール・ラグビーなど》ラインの外に出たボールを、〈フィールド/コート〉に投げ入れること。●**スローイング**〔throwing〕ボールなどを投げる〈こと/方法〉。「ファーストへの―」

**スロー**《名・ナダ》〔slow〕①ゆっくりしたようす。速度がおそい。「―なペース・―ボール・―スターター〈=立ち上がりのおそい人〉」②〔ダンスで〕ゆっくりしたステップ。〈⇔クイック〉●**スローダウン**《名・自他サ》〔slowdown〕速度が落ちること。また、速度を落とすこと。減速。「便座の―機能」●**スローフード**〔slow food〕伝統的な食材や料理法で じっくり作った食べ物を楽しもうという運動。〈⇔ファストフード〉●**スローモー**《名・ナダ》〈←スローモーション〉〔古風・俗〕動作が のろい〈こと/ようす〉。●**スローモーション**〔slow motion〕①高速度で撮影した映像を ふつうの速度で映したとき、画面の動作が、ゆっくりと見えること。②〔古風〕⇩スローモー。●**スローライフ**〔和製 slow life〕せかせかしないで、ゆったりと生活を楽しむ生き方。

☆☆**スローガン**〔slogan〕行動の目標や主張を短くまとめたことば。「―をかかげる」

**ズロース**〈←米 drawers〉女性の、ゆったりした下ばき。〔昭和戦前から戦後しばらくまで よく用いられた〕

**スロープ**〔slope〕傾斜。勾配。斜面。

**ずろく**【図録】図や写真をのせた〈記録/本〉。

**スロット**〔slot〕①硬貨やカードを入れる差しこみ口。「PCカード―」②⇩スロットマシン。●**スロットマシン**〔slot machine〕コインを入れてレバーを引き、絵をうまく そろえることをねらうゲーム機。結果に応じてコインが出る。スロット。

**スロットル**〔throttle〕《理》〔エンジンなどの〕空気を通す弁。しぼり弁。「フル―〈=エンジン全開〉・―レバー」

**すわ**《感》〔文〕事件〈に出あって/かと思って〉、おどろいて出す声。それっ。「―一大事・―戦争か」

**ずわいがに**【〈ずわい×蟹〉】日本海でよくとれる、足の長いカニ。おすは からだが大きく、北陸では越前ガニ、山陰では松葉ガニと呼ぶ。めすはコウバコなどと呼ぶ。「べに―」

**スワイプ**《名・他サ》〔swipe=掃く〕タッチパネルの上

で、画面をスクロールしたり切りかえたりするために、指をこすうように動かすこと。☞フリック。

**すわこそ**《感》〔文〕「すわ」を強めた言い方。

**スワップ**〔swap=交換〕①〔↑スワップ取引〕《経》金利や為替の変動による危険をさけるため、債務をあらかじめ異なる金利や通貨に交換する取引。「通貨—」②夫婦交換。スワッピング。

**すわや**《感》〔文〕「すわ」を強めた言い方。

**すわり**[座り・×坐り] すわること。「寝そべり、—は禁止」●**すわりこむ**[座り込む]《自五》①すわったまま動かなくなる。「道ばたに—」②目的をとげるために、一か所に長い間〈すわる/すわって談判する〉。名座り込み。●**すわりだこ**[座り(:胼胝)] いつも正座をしているために足の甲にできたたこ。

**すわり**[据わり] 安定。おちつき。「—のいいつぼ」

**すわる**[座る・×坐る]《自五》①ひざを折り、足の上に腰をおろして席につく。「たたみに—」②いすにかける。▽(↔立つ) ③ある位置をしめる。「社長のいすに—・後釜に—」④船が水底にふれて動かなくなる。可能座れる。

**すわる**[据わる]《自五》①動かなくなる。「酔って目が—」②ぐらつかず、安定する。おちつく。「腰が—・肝の据わった人・赤ちゃんの首が—」③〔印が〕おされる。「蔵書印の据わった本」

**スワン**〔swan〕白鳥。

**すん**[寸] ①長さの単位。尺の十分の一。一寸は、曲尺で約三・〇三センチ。②長さ。寸法。「—がつまる・M—(=中型の寸法)」

**すんいん**[寸陰]〔文〕わずかな時間。「—をおしむ」

**すんか**[寸暇]〔文〕いそがしい なかの わずかの時間。「—を割いて・—をおしんで働く」

**すんかん**[寸感]〔文〕ちょっとした感想。

**ずんぐり**《副・自サ》ふとって背の低いようす。「—(と)した男」●**ずんぐりむっくり**《副・自サ》「ずんぐり」を強めた言い方。

**すんけい**[寸景]〔文〕日常の ちょっとした風景(の写真)。スナップショット。

**すんげき**[寸劇] 短い(喜)劇。コント。

**すんけん**[寸見]《名・他サ》〔文〕ちょっと のぞいてみること。

**すんげん**[寸言]〔文〕短いことば。

**すんこう**[寸考]《名・他サ》〔文〕〈ちょっと/少しの時間〉考えること。

**すんごう**[寸×毫]〔文〕きわめてわずか。寸分。「—もうたがわない」

**すんこく**[寸刻]〔文〕わずかな時間。寸時。「—を争う事態」

**すんし**[寸志]〔=わずかな こころざし〕〔文〕心ばかりのおくりもの(として おくる お金)。「ほんの—ですが」〔目上の人には使わない〕

**すんじ**[寸時]〔文〕ごくわずかな時間。「—も おこたらない」

**すんしゃく**[寸尺]〔文〕わずかの長さ。

**すんしゃく**[寸借]〔文〕少しの お金を借りること。寸借り。「—詐欺」

**すんしょ**[寸書]〔=短い手紙〕《手紙》〔文〕⇩寸楮。

**ずんずん**《副》〔仕事や行動が〕はやく進むようす。「—歩く」

**すんぜん**[寸前] ①着くべきところの すぐてまえのところ。「ゴール—」②ことが起こる すぐ前のとき。「出発—」▽直前。

**ずんだ** ゆでた枝豆をつぶし、砂糖や塩などで味つけしたもの。〔東北地方の名物〕「—もち・—シェーク」

**すんたらず**[寸足らず]《名・ナダ》必要なだけの長さがないこと。「—の衣服・—の話」

**すんだん**[寸断]《名・自他サ》①いくつもの みじかい部分に たち切(られ)ること。「地震で道路が—〈される/する〉・敵の攻撃を—する」②とちゅうで切れること。「道路は ここで—されている」〔二十世紀末からの用法〕

**すんち**[寸地]〔文〕わずかの土地。「—も所有しない」

**すんちょ**[寸×楮]〔=短い手紙〕《手紙》〔文〕自分の手紙をけんそんして言うことば。寸書。「—をもって御礼申し上げます」

**すんづまり**[寸詰まり]《名・ナダ》(できあがったものの)寸法が短いこと。寸法が つまること。

**すんてつ**[寸鉄]〔文〕短い刃物。「身に—も帯びず〔=何も武器を持たない〕」●**寸鉄人を刺す** 句 短くて、人の心をつきさすような。「—警句」

**すんでに**《副》〔↑すでに〕〔俗〕あぶなく。すんでのところで。すんでのことに。「—たおれるところを、支えられた」

**すんでのところで**《副》もう少しのところで。すんでのことに。「—火事を起こしかけた・—〔=なんとか〕思いとどまった」

**すんど**[寸土]〔文〕わずかの土地。

**ずんと**《副》①音・痛みなどが、にぶく ひびくようす。②〔俗〕ずっと。「—スマートになる」

**ずんどう**[(△寸△胴)] 一①上から下まで同じ寸法で、太くて長い〈こと/形のもの〉。「—の鉄びん」②大型で深い、円筒形の なべ。ずんど(う)なべ。二《ナダ》〔俗〕腰に くびれがないようす。

**スンドゥブ**〔朝鮮 sundubu(純豆腐)〕①おぼろ豆腐の一種。②「スンドゥブ①」で作ったチゲ。スンドゥブチゲ。

**ずんどぎり**[(△寸△胴)切り] ①筒を輪切りにすること。②竹製の花筒。節を一つ残し、一尺〔=約三〇センチ〕の長さに切って作る。③古木の幹を切って下だけ残し、茶室の庭の ながめとするもの。▽ずんぎり。

**すんどめ**[寸止め] ①空手の試合で、攻撃の こぶしや足を相手のからだにふれる寸前で止めること。②〔俗〕寸前で止めること。

**すんなり**《副・自サ》①すらりとして しなやかなようす。「—(と)した足」②じゃまされたり、むりをしたりしないで、自然に そうなるようす。「—可決された」

**ずんば**《接助》〔文〕「ずば」を強めた言い方。…なければ。「行か—あるべからず〔=行かなければならない〕」

**すんびょう**[寸秒]〔文〕わずかな時間。「—を争う〔=一秒でも早く、と急ぐ〕」

**すんびょう**[寸描]〔文〕短い描写・スケッチ。「人物—」

**すんぴょう**[寸評]《名・他サ》〔文〕短い批評。

**すんぶん**[寸分]《副》〔文〕ごく わずかなこと。すんぷん。「兄と—たがわぬ〔=少しも ちがわない〕顔」

ずんべらぼう［ずんべら(:坊)・ずんべら(:棒)］《名・ナダ》〔俗〕①のっぺらぼう。②ずぼら。

すんぽう［寸法］①長さ。②〔俗〕計画。段取り。「むこうでおちあう—だ」

すんわ［寸話］〔文〕短い〈はなし／談話〉。「財界—」

## せ　セ

*せ［背・△脊］㊀せ ①からだのうち、胴のうしろがわの部分。せなか。(↕腹) ②うしろ。「山を—に〈する／負う〉」・期待を—にする(=になう)」 ③本・雑誌の、たばねてとじてあるがわをおおう、表紙の部分。背表紙。「—文字」 ④尾根。「山の—」 ㊁せ ①立っているものの、高さ。せたけ。せい。「—が高い・—が立つ(=立っていられるだけの深さだ)」 ②〔文〕↑背泳ぎ。●背に腹は代えられぬ 句 さしせまった大事のためには、ほかのことなどかまっていられない。●背を向ける 句 そむく。はなれる。協力しない。「世間に背を向けて暮らす」

せ［△畝］ 土地の面積の単位。一畝は一反の十分の一。〇・九九アール。

せ［瀬］①川の流れの(はやく)浅い所。(↕淵) ②〔海の〕沖のほうで浅くなっている所。

せ［世］接尾 ⇩一世・二世・三世。

セ ↑セリーグ。(↕パ)

ぜ［是］〔文〕いいと認められること。「いずれが—か非かは決められない」(↕非) ☞是が非でも。

*ぜ《終助》〔俗・男〕〔親しみの気持ちをこめて使う〕①告げ知らせる気持ちをあらわす。「なかなか言えないせりふだ—・待ってる—」〔演劇的な言い方〕 ②念をおす気持ちをあらわす。「早く行こう—」▽ぜい。

せあぶら［背脂］ ブタのロースの上がわにある あぶら身。ラーメンのスープのコクを出したりするのに使う。「—多め」

せい［正］㊀せい ①〔文〕正しい〈こと／道〉。「—をふむ(=正しいことをする)」(↕邪) ②主となるもの。「—副の議長・—副二通の書類」(↕副) ③〔書物の〕正編。(↕続) ④《数・理》⇩プラス㊀①ⓑ・③。「—の値・—に帯電する」(↕負) ㊁漢 ①正式の。主となる。「—位置・—捕手」 ②形の整った。「—三角形」

**せい［生］㊀せい〔文〕生きていること。命。生命。「—あるかぎり」(↕死) ㊁せい《代》〔文・男〕自分をへりくだって言うことば。「—ら一同」 ㊂接尾〔文・男〕投書や略式の手紙などの署名に、へりくだってそえることば。「吉田—・A—」 ㊃漢 なまの。「—石灰」 ㊄漢 ①〔…年間〕生きていること。「三十年—のすぎ(杉)山」 ②〔研究などをする〕ひと。「研究—・テスト—」 ③学生。生徒。「一年—・卒業—」●生をうける 句〔文〕生まれる。「この世に—」

せい［西］㊀せい ↑スペイン(西班牙)。「日—辞典」 ㊁漢 にし(のほう)の。「—軍・—岸」

*せい［制］㊀せい〔文〕制度。「一世一元の—」 ㊁漢 ①制度。「定年—・六三—」 ②〔料金を計算する〕しくみ。「時間—・度数—」

せい［姓］名字。「—は林、名は一郎・内山—」

**せい［性］㊀せい ①〔文〕うまれつき。性質。「習い、—となる・—、勇猛で」 ②〈男と女／おすとめす〉の〔からだの上の〕区別。セックス。〔本人が、どちらにも当てはまらないと感じる場合もある〕「—の区別」 ③性欲を感じる、本能的なはたらき。「—に目ざめる」 ④肉体的なまじわり。セックス。「—関係・—交渉・—生活・—道徳」 ⑤〔言〕ヨーロッパの言語に多く見られる、名詞の分類。男性名詞・女性名詞・中性名詞などがあり、それぞれにかかる冠詞や形容詞などの形が異なる。ジェンダー。 ㊁漢 ①…としての性質。「人間—・植物—・酸—」 ②そのような性質・傾向をもつ度合い。「可能—・独創—・方向—」

せい［政］㊀せい ①↑政府。「—労(=労働組合)使(=使用者)」 ②↑政界。「—官業」 ③政治。「—経」 ㊁漢 政治(の形式)。「共和—」

せい［背・△脊］〔文〕①せたけ。身長。 ②高さ。「木の—」

せい［勢］〔文〕軍隊。ぜい。「敵の—」 ☞ぜい(勢)。

せい［精］㊀せい ①〔人のすがたであらわれたりする〕精霊。「水の—」 ②精力。元気。「—も根もつきはてる・—がつく料理」 ③⇩エキス①。「ニンジンの—」●精が出る 句〔仕事をする〕精力が出る。「ご精が出ますね〔いっしょうけんめい働いている人へのあいさつのことば〕」●精を出す 句 いっしょうけんめい〈つとめる／働く〉。「畑仕事に—」

せい［静］〔文〕しずかなこと。「—中、動あり・—と動を演じ分ける」(↕動)

**せい［↑所為］ それがもたらした結果。しわざ。「〔多く、困ることに言う〕「年の—だ・人の—にする・ずっと外にいた—で冷えてしまった・古い—か、よく故障する・教師という立場の—で、若者をよく観察するようになった〔困らない場合の例〕」 表記「△所為」とも書いた。☞おかげ。

せい［世］接尾 ①〔同じ名前を持つ王・一族の〕…代目。「ロックフェラー三—(=三代目(の子孫))・(第)二—(=あとつぎ)誕生・六—野村万蔵〔能楽師・狂言師の言い方〕」 ②時代の区切り。「更新—」

せい［青］漢 あお色をおびた。「—灰色」

せい［聖］㊀漢 ①神聖な。「—家族」 ②〔宗〕〔キリスト教で〕⇩セント漢。「—マリア」 ㊁せい《ナリ》神聖であるようす。「—なる おとめ・—なるかな」

せい［製］㊀漢 つくること。「—パン・—かばん」 ㊁せい漢 …でつくった〈こと／もの〉。「アメリカ—・鋼鉄—」

せい［井］漢〔文〕いど。「〔原油の〕三号—」

せい［声］漢 ①〔文〕おと。こえ。「汽笛を数—ふき鳴らす」 ②〔音〕声部。「四—用のミサ曲」

せい［星］漢 ほし。「北極—」

**ぜい［税］(=みつぎもの) 国や地方自治体が、予算をまかなうため国民・住民などから徴収する お金。税金。「所得—」

ぜい ㊀ぜい［△勢］①軍隊。「敵の—〔多く『せい』と読む〕・徳川—」 ②〔俗〕グループ(の人々)。「テレビ見ない—・ガチ—(=真剣な人々)」〔二〇一〇年代に広まったことば〕 ㊁［勢］漢〔試合などに〕その地域から出場した人々やチーム。「アメリカ—・東北—」

ぜい［×贅］(=よけいなもの)〔文〕ぜいたく。「—をつくす」

せいあい［性愛］ 性的な愛情。

せいあく［性悪］〔文〕人のうまれつきの性質は悪であるということ。「—説」(↕性善) ☞しょうわる(性悪)。

←せいあつ［制圧］《名・他サ》 力でおさえること。「敵を—する」

→**せいあつ**[征圧]《名・他サ》征服して、おさえつけること。「がん(癌)の―」

**せいあん**[成案]できあがった〈考え/文案〉。「―を得(る)」

**せいい**[正位]二つで組みになっているものの、上位のほう。正位置。「〈横綱/大関〉が〕番付で東の―にすわる」

**せいい**[勢威]〔文〕まわりの者をおさえつけるような、さかんな勢い。

**せいい**[誠意]まじめな気持ち。まごころ。「―をつくす・―のない回答・誠心―・〔やくざ者が〕―を見せろ!〔=かねをはらえ〕」

**せいいき**[西域]〔中国の〕西部の奥地。今の新疆ウイグル自治区地方。さいいき。〔広義には、中央アジア・西アジア・エジプトまでをふくむ〕

**せいいき**[声域]《音》声を出せる、最高最低の範囲。

☆☆**せいいき**[聖域]①神聖な区域。「神のいる―・野鳥の―」②手を出せない領域。「―なく予算をけずる」

←**せいいく**[生育]《名・自サ》〔植物が〕そだつこと。「稲の―」

→**せいいく**[成育]《名・自サ》〔人や動物が〕そだつこと。「子どもの―」

**せいいつ**[斉一]《名・ナダ・自他サ》〔文〕ものごとがみな同じようであること。また、同じようにすること。「基準の―を図る・自然の―性」

**せいいっぱい**[精一杯]㊀《副》力のかぎり。根限り。「仕事を―がんばる・―のもてなし」㊁《名・ナダ》それ〈以上/以外〉の余裕がないようす。「うなずくだけで―」

**せいいん**[成因]〔文〕できあがる原因。「高血圧の―・武家政治の―」

**せいいん**[成員]〔文〕団体を構成する人。メンバー。

**ぜいいん**[全員]〔話〕⇩ぜんいん。

**せいう**[晴雨]〔文〕はれとあめ。「―兼用」 ●**せいうけい**[晴雨計]《理》気圧の高低によって晴雨を判断する器械。気圧計。バロメーター。

**セイウチ**〔ロ sivuch〕北極海にすむ、大形の海獣。長い二本の きばを持つ。表記「:海象」とも書いた。

**せいうん**[青雲]〔文〕高いところにある、青い雲。●**せいうんのこころざし**[青雲の志]〔文〕立身出世をしようとする心。「―をいだく」

**せいうん**[星雲]《天》望遠鏡で見るとうすい雲のようにかがやいて見える、遠い星の集まり。

**せいうん**[盛運]〔文〕さかえる運命。(↔衰運)

←**せいえい**[清栄]《手紙》〔文〕相手がじょうぶであることを喜ぶあいさつ語。「秋冷の候ますますご―の段お喜び申し上げます」

→**せいえい**[盛栄]《手紙》〔文〕相手の事業が発展していることを喜ぶあいさつ語。「貴社ますますご―の段お喜び申し上げます」

☆☆**せいえい**[精鋭]《名・ナダ》力が充実していて勢いがいい〈こと/兵士/人〉。「―をひきいる・少数―」派―さ。

**せいえき**[精液]《生》男性・おすの生殖器から出る、精子をふくんだ液体。ザーメン。

**せいえん**[正円]《数》完全な円。真円。

**せいえん**[盛宴]〔文〕さかんな宴会。

**せいえん**[製塩]しおを作ること。

**せいえん**[声援]《名・他サ》声をかけて〈応援する/はげます〉こと。

←**せいえん**[凄艶]《ナダ》〔文〕すごいほど あでやかなようす。派―さ。

→**せいえん**[清×婉・清艶]《ナダ》〔文〕上品で あでやかなようす。「―な美女」派―さ。

**せいおう**[西欧]①西洋。「―文化」②西ヨーロッパ。欧州の西部。(↔東欧)

**せいおん**[清音]《言》濁音や半濁音の符号をつけない かなであらわされる音。例、「ア」「カ」「サ」。(↔濁音・半濁音)

**せいおん**[静音]〔機械などの〕音がしずかなこと。「―性・―タイプのファン」

**せいおん**[静穏]《名・ナダ》〔文〕しずかで おだやかなこと。派―さ。

**せいか**[正価]かけねなしの値段。「現金―」

**せいか**[正貨]《経》額面と同じだけの価値をもつ、金銀の貨幣。

**せいか**[正課]正規の学課。

**せいか**[生花]①〔造花に対して〕自然の、生きた花。なまばな。「―店」②華道の様式の一つ。根もとは一つにまとめ、おもな枝を三本に分けて いける。〔池坊流では「しょうか」と呼ぶ〕

**せいか**[生家]〔文〕うまれた家。

***せいか**[成果]努力して得られる、目に見える結果。「―が上がる・―が〈多い/少ない〉・―を生む・―を得る・―型賃金(↔年功型賃金)」 ●**せいかしゅぎ**[成果主義]仕事の成果、目標の達成度に応じて、処遇を決めるやり方。

**せいか**[声価]〔文〕評判。「―が高まる」

**せいか**[青果]〔文〕野菜と くだもの。「―店〔=八百屋〕・―商・―市場・―物」

**せいか**[盛夏]〔文〕暑さの さかり。真夏。

**せいか**[聖火]①〔文〕神聖な火。②オリンピック大会で、大会のしるしとして燃やす火。

**せいか**[聖菓]《俳句》クリスマス ケーキ。

**せいか**[聖歌]宗教歌。賛美歌。「―隊」

**せいか**[精華]〔文〕いちばん すぐれたもの。「日本舞踊の―」

**せいか**[製菓]〔文〕菓子を作ること。「―会社」

**せいか**[製靴]〔文〕くつを作ること。「―業」

**せいが**[聖画]〔キリスト教で〕宗教画。

**せいが**[静×臥]《名・自サ》〔文〕病人などが、ベッドの上で しずかに横になること。

**せいが**[清雅]《ナダ》〔文〕きよらかで、みやびなようす。

**せいかい**[政界]政治家の社会。

**せいかい**[盛会]さかんな会。にぎやかな会。「―裏に〔=盛会のうちに〕終わる」

**せいかい**[正解]㊀《名・自サ》①正しい答え(を当てること)。「試験の―を公表する・クイズに―する・不―」②いちばん いい選択。「やめたのは―だった」㊁《名・他サ》〔文〕正しく理解すること。「本質を―する」

**せいかいけん**[制海権]《軍》軍艦・航空機などで、一定の範囲の海上を支配する〈権力/実力〉。海上権。☞制空権①。

**ぜいがいしゅうにゅう**[税外収入]国や地方自治

体の収入のうち、税金や公債以外によるもの。所有地を売った収入や返済された貸付金など。

**せいがいは**［青海波］海の波をあらわした模様。

［せいがいは］

**せいかがく**［生化学］〘理〙生物を構成する物質や、生命現象を化学的に研究する学問。生物化学。

**せいかく**［正格］〔文〕規則に合っていること。「〘言〙―活用（↔変格活用）・―漢文（↔変体漢文）」（↔変格）

**せいかく［性格］①その人が（生まれつき）持っている、独特の（心のはたらきの）傾向。「すなおな―・―づける」②その〈もの／こと〉が持つ性質。「問題の―がちがう」●**せいかくはいゆう**［性格俳優］①ある役の独特の性格をうまくあらわす俳優。②独特の個性を持った俳優。

←**せいかく**［正確］《名・ナダ》正しくてたしかなようす。「―を期する・―な時刻・―無比」（↔不正確）派―さ。

→**せいかく**［精確］《ナダ》〔文〕くわしくてたしかなようす。「―な調査」（↔不精確）派―さ。

**せいがく**［声楽］〘音〙声による音楽。特に、クラシック音楽の歌。「―家」（↔器楽）

**ぜいがく**［税額］税金の額。

**せいかぞく**［聖家族］〘宗〙キリスト教で、おさな子イエスとその母マリアおよび養父ヨセフの三人の家族。神聖家族。

**せいかたんでん**［×臍下丹田］へその下五センチぐらいの、丹田という所。下腹。

＊＊**せいかつ**［生活］《名・自サ》①この世の中に生き（て活動す）ること。「―環境・庶民の―感情・―必需品・学生―・犬の―」②（収入を得て）暮らしていくこと。暮らし。「―が苦しい・―の資・―水準・―問題（＝生活にかかわる問題）・―力がある」③「生活②」の程度。「―を落とす」④↑生活科。●**せいかつおん**［生活音］日ごろ生活する中でたてる音。「集合住宅で―をめぐるトラブル」●**せいかつか**［生活科］小学校の低学年で、自分を取りまく自然や社会とのかかわりについて学習する教科。生活。●**せいかつきゅう**［生活給］能力に関係なく、生活を支えるのに必要なだけしはらう給与。（↔能力給）●**せいかつきょうどうくみあい**［生活協同組合］〔↑消費生活協同組合〕生産者から直接仕入れて、組合員に食品や生活用品を安く分けるための組合。生協。●**せいかつく**［生活苦］収入が少なくて、生活していくのが困難な状態にあること。●**せいかつけん**［生活圏］その地域の住民が買い物・娯楽など日常生活の面で密接に結びついている範囲。「駅前―」●**せいかつじっかん**［生活実感］①実際に生活する中でいだく感じ。「―としての豊かさ・―が伝わる方言」②実際の生活にかかわる感じ。「―がとぼしい教科書」●**せいかつしゃ**［生活者］日々の生活を営んでいる人。「―重視の政策」●☆☆**せいかつしゅうかんびょう**［生活習慣病］〘医〙食事・喫煙・飲酒・運動などの生活習慣が深くかかわっている病気。がん（癌）・心臓病・糖尿病など。〔「成人病」に代わり、一九九六年から使われることば〕●**せいかつせっけい**［生活設計］毎月の暮らし方のほかに、住宅、子どもの教育、老後のことなど、その人の人生全体についての計画の立て方。●**せいかつなん**［生活難］〔ものの値段が上がったり、収入がへったりするために〕生活していくのが困難なこと。●**せいかつねんれい**［生活年齢］〘心〙⇩暦年齢。（↕精神年齢）●**せいかつはいすい**［生活排水］炊事・洗濯・入浴などの日常生活にともなって外部に出される水。●**せいかつはんのう**［生活反応］人間が生きている間にだけ起こる特有の反応。生体反応。例、皮下出血・炎症など。変死体の鑑定などに役立つ。●**せいかつひ**［生活費］生活に必要な費用。●☆☆**せいかつほご**［生活保護］〘法〙国が、生活に困っている人の最低限の生活を保障し、その自立のために金銭面などでの支援をおこなうこと。生保。

**せいかっこう**［背格好］⇩せかっこう。

**せいかん**［正看］〔↑正看護師〕⇩看護師。（↕准看）

**せいかん**［制汗］〔文〕あせをおさえること。「―剤」

**せいかん**［性感］性的な快感。性感覚。「―帯」

**せいかん**［清鑑］〔文〕自分の作品を相手に見てもらうときに使うことば。「ご―いただきたく」

**せいかん**［盛観］〔文〕さかんな〈見もの／ありさま〉。「往時の―をとどめる」

**せいかん**［精管］〘生〙精子をこうがん（睾丸）から尿道まではこぶくだ。輸精管。「―結紮手術（＝男性の、不妊手術）」

☆☆**せいかん**［生還］《名・自サ》①生きてかえること。「戦場から―する」②〘野球〙ランナーが本塁にかえること。ホームイン。

☆☆**せいかん**［静観］《名・他サ》なりゆきをだまって見守ること。「事態を―する」

**せいかん**［清閑］《名・ナダ》〔文〕世間のわずらわしいことがなくてしずかな〈こと／ようす〉。

**せいかん**［精×悍］《ナダ》精力がみちみちて、行動に力強さを感じさせるようす。「―な顔つき」派―さ。

**せいがん**［正眼・青眼・星眼］〘剣道〙相手の目に刀の切っ先を向けること。中段のかまえ。

**せいがん**［西岸］〔文〕西がわのきし。（↕東岸）

**せいがん**［制（×癌）］〘医〙⇩こうがん（抗癌）。

**せいがん**［晴眼］〔視覚に障害がなく〕はっきり見える目。「―者」

←**せいがん**［誓願］《名・他サ》〔文〕（神仏に）ちかいを立てて願をかけること。がんかけ。

→☆☆**せいがん**［請願］《名・他サ》〘法〙役所などに書類を出して、ぜひしてくれるようにと願い出ること。「―書」

☆☆**ぜいかん**［税関］〘法〙開港場・国際空港・国境などで、貨物などを取りしまり、関税をかけたりする役所。

**せいかんかい**［政官界］政界と官界。「―を巻きこむ事件」

**せいかんせんしょう**［性感染症］〘医〙性行為で感染する病気。いわゆる性病のほか、クラミジア感染症、エイズなど、範囲が広い。性行為感染症。ＳＴＤ。

**せいかんぶっしつ**［星間物質］〘天〙宇宙空間にただよう、ガスやちりの総称。星が生まれるときの材料。

*せいき【世紀】百年を単位とした年代区分。例、二十一世紀は、二〇〇一年から二一〇〇年まで。「―の(=百年に一度というほど大きな)祭典・―をまたぐ事業」 •せいきまつ【世紀末】①十九世紀のすえにヨーロッパ、特にフランスで、懐疑・絶望・享楽の傾向の強くあらわれた時期。②社会の没落にともなって、退廃的な空気の強くあらわれる時期。「―的傾向」

せいき【生気】いきいきした〈気力/ようす〉。「―がない・―づく・―づける」

せいき【精気】〔文〕①いっさいの物を生み出すもとになると考えられる、目に見えない力。「万物の―」②人間の生命力のみなもと。「―を吸い取られる」

せいき【西紀】〔文〕西洋(の)紀元。西暦。

せいき【性器】《医》生殖器。

せいき【清規】〔文〕(いい)規則。「〇〇会―」

せいき【盛期】〔文〕さかりをむかえる時期。「ルネサンス―」

せいき【生起】《名・自サ》〔文〕〈事件・事態が〉おこること。

せいき【正規】《名・ダ》①正式に決められていること。「―の手順・―軍」(↔不正規)②(↔正規雇用)正社員など、期間限定でなく常勤で働く立場。(↔非正規) •せいきひょうげん【正規表現】《情》コンピューターで文字を検索するときなどに使う、きまりに従った記号などの表記法。 •せいきぶんぷ【正規分布】《数》(統計で)数値データが、平均に近いものほど多く集まり、グラフが山の形になる分布。学力試験の結果のグラフなどに見られる。

せいぎ【正義】不正を許さない、正しい道理。「社会―・―感(=正義を重んじる心)・―漢(=正義感の強い男)・―派」

せいぎ【声技】(声優の)声による演技。

せいぎ【盛儀】〔文〕盛大な儀式。

せいきゃく【政客】〔文〕政治に関係し、(裏で)活動する人。せいかく。「幕末の―」

せいきゅう【生休】↑生理休暇。

せいきゅう【制球】《名・自サ》《野球》投球の調節。「―力(=コントロール)」

*せいきゅう【請求】《名・他サ》〔当然もらうべきものを〕相手にもとめること。「料金を―する・―が来る」 •せいきゅうしょ【請求書】代金のしはらいを請求する書類。

せいきゅう【性急】《名・ダ》よく考えずに、思いたったらとにかく急いでしようとするようす。せっかち。「―に結論を出すべきでない」派―さ。

せいぎゅう【成牛】《農》おとなになった牛。

☆せいきょ【逝去】《名・自サ》〔文〕「死去」を婉曲に言うことば。「博士―の報(=ニュース)に接する」 区別 ⇩死ぬ一①。

せいぎょ【生魚】〔文〕①生きているさかな。活魚。②なまのさかな。

せいぎょ【成魚】《動》じゅうぶんにそだったさかな。(↔稚魚)

せいぎょ【制御・制×禦】《名・他サ》①意志の力によって、自分の本能的な行動をおさえること。「欲望を―する」②〈機械・化学反応などを〉思うとおりの状態になるようにすること。「自動―装置」

せいきょう【正教】①正しい教え。②《宗》⇩ギリシャ正教。

せいきょう【生協】↑生活協同組合。

せいきょう【政教】〔文〕政治と宗教。「日本は―分離の国」

せいきょう【清興】〔文〕風雅な遊び。上品なたのしみ。

せいきょう【盛況】(もよおしなどが)活気に満ちて、さかんなこと。「満員の―」派―さ。

せいきょう【精強】《名・ダ》〔文〕すぐれていて強いようす。「―の軍隊」派―さ。

せいぎょう【正業】①〈まじめ/まとも〉な仕事。「―につく」②正式の事業・業務。

せいぎょう【生業】生活のための仕事。なりわい。「―資金」

せいぎょう【盛業】〔文〕さかんな〈事業/営業〉。さかんに〈事業/営業〉をすること。「―中の店」

せいぎょう【聖業】〔文〕①天皇・帝王の事業をほめて言うことば。②神聖な職業。

せいぎょう【成業】《名・自サ》〔文〕〈学業/事業〉をなしとげること。「―の見こみなし」

せいきょういく【性教育】性についての正しい知識を教えるための教育。

せいきょうかい【正教会】(↔東方正教会)《宗》ヨーロッパ東部に広まったキリスト教会。ギリシャ正教会・ロシア正教会・ハリスト正教会など。

せいきょうと【清教徒】《宗》⇩ピューリタン①。

せいぎょき【盛漁期】〔文〕(さかんにさかながとれて)漁業のいそがしい時期。

せいきょく【正極】《理》(電池などの)陽極。

☆せいきょく【政局】①〈政界/政治〉のなりゆき。②政界の様子が大きく変わる状況。政変につながる状況。「―になる・―にする」

せいきん【生菌】《生》生きている細菌。乳酸菌など。

せいきん【精勤】《名・自サ》ほとんど休まずに、学校やつとめに出ること。「―賞」☞皆勤。

ぜいきん【税金】税として納めるお金。「―がかかる・―を納める」 •ぜいきんどろぼう【税金(泥棒)】《俗》税金から支払われている給料に見合った仕事をしない議員や公務員。「国会でいねむりをする―」

せいきんは【星×菫派】〔文〕明治時代、星やスミレによせて恋愛をうたった、浪漫派詩人の一派。

せいく【成句】①いくつかのことばが結びついて、特殊な意味をあらわす文句。慣用句。イディオム。例、顔が売れる。②昔から言われている格言やことわざ。成語。例、楽あれば苦あり。

せいく【聖句】〔文〕①神聖なことば。②聖書の中の文句。

せいくうけん【制空権】①《軍》航空機で国の一定の範囲の上空を支配する〈権力/実力〉。☞制海権。②《将棋やサッカーなどの対戦で》相手からじゃまされずに、優勢に立てる範囲。

せいくらべ【背比べ】《名・自サ》(子どもが)せいの高さをくらべあうこと。たけくらべ。

せいくん【請訓】《名・自サ》〔文〕〔外交交渉で〕政府や上級の官庁に指示をもとめること。(↔回訓)

**せいけい**[生計]〔経済から見た〕暮らし。生活。「―費・―をいとなむ(=暮らしていく)・―を立てる」

**せいけい**[西経]《地》イギリスのグリニッジ(Greenwich)天文台を通る子午線を零度とし、それから西へはかった経度。百八十度まである。(↔東経)

**せいけい**[政経]①政治と経済。「―不可分の原則」②↑政治・経済。「―学部」

←**せいけい**[成形]《名・自他サ》〔文〕かたちを作ること。「ペットボトルの―・―肉(=細かい肉をくっつけてサイコロステーキなどにしたもの)」

→**せいけい**[成型]《名・自他サ》〔文〕〈かたに はめ/プレスで おし〉て作ること。

**せいけい**[整形]《名・自他サ》①かたちを整えること。「―医・―美人(=美容整形をして美しくなった人)」②↑美容整形。「―手術」 ●**せいけいげか**[整形外科]外科の一種。骨折、ねんざ、筋肉・神経の痛みなど、運動器官の故障をあつかう。〔整形外科医院などの名前にも使う。美容整形をおこなうのは美容外科〕☞形成外科。

**せいけつ**[清潔]《名・ナダ》①ごみ・よごれなどがなくて、きれいなこと。「―整頓」②〔人格や生活態度などが〕正しくきよらかであること。「―な(=純真で悪にそまっていない)感じの青年・―な政治家」③《医》滅菌あるいは消毒されていること。「―な手ぶくろ・―操作」▽(↔不潔)派-さ。

**せいけん**[生検]〔↑生体検査〕《医》生体の組織の一部を切り取っておこなう検査。バイオプシー。「肝―」

**せいけん**[成犬]〔文〕おとなになった犬。

**せいけん**[制憲]〔文〕憲法を制定すること。「―議会」

**せいけん**[政見]〔文〕政治についての意見。「―を発表する・―演説」

**せいけん**[政権]①国の政治をおこなう権利。「―交代・―党(=政権をにぎっている政党。政権政党)」②政府。「独裁―」

**せいけん**[聖賢]〔文〕聖人と賢人。「―の教え」

**せいけん**[精検]〔文〕↑精密検査。「〔検診で〕要―」

***せいげん**[制限]《名・他サ》ある範囲をこえさせないようにすること。また、その範囲。「受け入れ人数を―する・運動する・人数に―がある・部外者の立ち入りを―する・運動を―する・食事―・―速度・―を〈加える/設ける〉・―を受ける」

**ぜいげん**[税源]〔文〕税金を徴収するもと(となる所得・財産)。

**ぜいげん**[×贅言]《名・自サ》〔文〕むだなことば(を言うこと)。「理由については―を要しない(=わざわざ言う必要がない。言わなくてもわかる)」

**せいご**[生後]うまれたあと。「―二か月」

**せいご**[成語]⇩成句②。「故事―辞典」

**せいご**スズキの一歳のもの〔二五センチぐらい〕の呼び名。☞すずき。

**せいご**[正誤]《名・他サ》〔文〕①誤りを正すこと。「―表」②正しいことと誤ったこと。

**ぜいご**《動》アジの腹の わきにならんでいる、とげに似たうろこ。ぜご。ぜんご。

**せいこう**[正×鵠]〔文〕⇩せいこく。

**せいこう**[西郊]〔文〕西の ほうの郊外。(↔東郊)

←**せいこう**[性向]①〔文〕性質の傾向。気質。②《経》割合。「貯蓄―が高い」

→**せいこう**[性行]〔文〕性質や行い。身持ち。

**せいこう**[政綱]政策の おおもと(大本)。政策の大綱。

**せいこう**[西行]《名・自サ》〔文〕〔航空機などで〕西のほうへ行くこと。(↔東行)

**せいこう**[性交]《名・自サ》〔子作りや快楽などのために〕相手と肉体的に結びつくこと。性的なまじわり。セックス。

**せいこう**[盛行]《名・自サ》〔文〕さかんに おこなわれること。はやること。「ポピュリズムの―」

**せいこう**[製鋼]《名・自サ》〔文〕鋼鉄を作ること。

***せいこう**[成功]《名・自他サ》①うまい やり方によって、いい結果に〈なる/する〉こと。「実験に―する・三回転ジャンプを―する・―をおさめる・大会が―裏(=成功の状態のまま)に終わる」②仕事が うまくいって、出世すること。「―者」▽(↔失敗) ●**せいこうほうしゅう**[成功報酬]たのまれた仕事が成功した場合には らわれるお金。

**せいこう**[生硬]《ナダ》〔文〕表現が練れていないようす。「―な訳文」派-さ。

**せいこう**[精巧]《ナダ》細工が細かくて じょうずなようす。「―な機械」派-さ。

**せいごう**[正号]《数》正数をあらわす記号。「+」。プラス。(↔負号)

**せいごう**[性豪]性的な精力が なみはずれて強い人。

**せいごう**[整合]《名・自他サ》〔文〕整って うまくあうこと。きちんと あわせること。「従来の計画との―を図る・いちじるしく―を欠く」 ●**せいごうせい**[整合性]〔文〕〔文章や発言の中で〕食いちがいがなく、首尾一貫していること。「―に欠ける主張」

**せいこうい**[性行為]相手とともにする、性的な行為。特に、性交。

**せいこううどく**[晴耕雨読]《名・自サ》〔文〕晴れた日は耕作し、雨の日は読書して、思うままに ゆったり生活すること。悠々自適。

**せいこうどう**[性行動]〔性交など〕性欲を満足させるための行動。

☆☆**せいこうとうてい**[西高東低]①《天》西部の気圧が高くて、東部の気圧が低いこと。〔日本付近の、冬の気圧配置〕②〔①のもじり〕成果・実力などに関して、西がわが東がわに まさること。▽(↔東高西低)

**せいこうほう**[正攻法]①変わった方法を使わず、正々堂々と おこなう攻撃法。②確かな手順にもとづき、問題を解決する方法。「―の捜査」

**せいこく**[正×鵠]〔=的の まんなかの黒点〕〔文〕急所。要点。ずぼし。せいこう。 ●☆☆**正鵠を〈射る/得る〉**句 急所をつく。的を〈射る/得る〉。「正鵠を射た見解」(↔正鵠を失する) ✓ ⇩的を得る〔「的」の句〕。

**せいこつ**[整骨]ほねつぎ。接骨。「―院」

**ぜいこみ**[税込み]〔賃金・代金・料金などに〕税金がふくまれていること。「―一万円」(↔税引き・税抜き・税別)

←**せいこん**[精根]〔事をなしとげようとする〕精力と根



せ

気。「―尽っきる」

**せいこん**【精魂】〔文〕たましい。「―をこめて作る」

**せいこん**【成婚】《名・自サ》〔文〕結婚(が成立すること)。「皇太子のご―式」

**せいさ**【性差】男性と女性の、性のちがい。男女差。「―(をふまえた)医療」

☆☆**せいさ**【精査】《名・他サ》〔文〕くわしく調べること。

**せいざ**【星座】《天》①夜空の明るい星を八十八(もとは十二)の集団にまとめたもの。例、うお座・オリオン座。②⇩十二宮。「―うらない」

**せいざ**【正座・正×坐】《名・自サ》ひざをそろえて、礼儀正しくすわること。端座。

**せいざ**【静座・静×坐】《名・自サ》〔文〕心をおちつけてしずかにすわること。

**せいさい**【正妻】本妻。(↕内妻)

**せいさい**【生彩・精彩】〔文〕いきいきしたようす。「―を欠く・―を放つ」

**せいさい**【精彩】〔文〕①目立ってすぐれているようす。「―に富んだ絵」②⇩生彩。

☆☆**せいさい**【制裁】《名・他サ》道徳や きまりなどに そむいた者に〈加える罰/罰を加えること〉。しおき。

**せいさい**【精細】《ナダ》〔文〕くわしくて細かなようす。「高―画像」派-さ。

**せいざい**【製剤】〔文〕薬を作ること。作った薬。

**せいざい**【製材】《名・自サ》木材を作ること。「―所」

**せいざいかい**【政財界】政界と財界。「―の大物」

＊＊**せいさく**【政策】①政治上の方針と、それを実行するための手段。「教育―」②〔基本となる〕方針。「営業―」 ●**せいさくきんり**【政策金利】《経》中央銀行が一般の銀行に融資するときの金利。物価の安定や景気の調整などを目的とする。

**せいさく**【制作】《名・他サ》芸術作品・番組などを作ること。「作品を―する・卒業―〔略して『卒制』〕・番組の―」

**せいさく**【製作】《名・他サ》①(道具や機械を使って)品物を作ること。「家具の―・―所」②プロデュース。

**せいさつ**【生殺】〔文〕生かすことと殺すこと。 ●**せいさつよだつ**【生殺与奪】〔文〕生殺、および あたえることとうばうこと。 ●**生殺与奪の権を握る**句 思いのままに、どのようにでもできる力を持つ。

**せいさつ**【制札】〔文〕してはならないことを箇条書きに書いて立てる ふだ。

**せいさつ**【省察】《名・他サ》〔文〕反省して考えること。しょうさつ。

**せいさん**【正×餐】〔文〕正式の献立による〈料理/食事〉。

**せいさん**【成算】成功の見こみ。「―がある」

**せいさん**【制酸】《医》胃酸の酸度が高いのをおさえること。「―剤」

**せいさん**【青酸】《理》毒があって揮発しやすい液体。シアン化水素の水溶液。「―化合物(=青酸カリなど)」 ●**せいさんカリ**【青酸カリ】《理》青酸をふくむ化合物の一種であるシアン化カリウムの通称。猛毒で、ごく わずかの量をのんだだけで死ぬ。

**せいさん**【聖×餐】《宗》〔キリスト教で〕聖餐式のとき、出席者にあたえるパンと赤ぶどう酒。 ●**せいさんしき**【聖×餐式】《宗》〔キリスト教で〕キリストが はりつけにされる前夜の、最後の食事を記念して おこなう儀式。☞ミサ①。

＊＊**せいさん**【生産】《名・他サ》①ものを生み出すこと。作り出すこと。「植物が有機物を―する・作品を―する」②《経》動植物をとったり、育てたり、または原料を加工したりして、役立つものを作り出すこと。「―物・―力・(牧畜で)子牛の―」▽(↕消費) ●**せいさんざい**【生産財】《経》生産の手段として使われる機械・材料・原料など。(↕消費財) ●☆☆**せいさんしゃ**【生産者】①《経》ものを生産するがわの人。「農業―」②《生》食物連鎖で、有機物を作るもの。つまり、植物。▽(↕消費者) ●**せいさんせい**【生産性】①《経》↑労働生産性。「―を高める」②つぎつぎに作り出す性質。「―に富む」 ●**せいさんてき**【生産的】《ナダ》①生産についての。②それがもとになって、何か有益なものをうみ出すようす。「―な意見」 ●**せいさんねんれい**【生産年齢】労働力の中心となる年齢。〔十五歳から六十四歳まで〕「―人口」

☆☆**せいさん**【清算】《名・他サ》①計算して収入と支出の関係をはっきりさせること。「借金の―」②《法》ⓐおたがいの債権・債務を差し引くこと。ⓑ〈会社/組合〉が解散後にする、財産の処分。「―会社」③過去のことに決着をつけること。「恋愛関係を―する」

☆☆**せいさん**【精算】《名・他サ》くわしい(差し引き)計算(をすること)。「運賃の―」(↕概算)

☆☆**せいさん**【凄惨】《ナダ》むごたらしくて、目をそむけたくなるようす。「―な場面」派-さ。

**せいざん**【青山】〔文〕骨をうずめる所。墓をつくる候補地。「人間到る処―あり〔⇩「人間」の句〕」

**せいざん**【生残】《名・自サ》〔文〕生き残ること。また、生き残ったもの。「―率の低い魚」

**せいし**【世嗣・世子】〔文〕身分の高い人のあとつぎ。よつぎ。

**せいし**【正史】〔文〕(国が編修した)正式とされる歴史(書)。(↕外史・稗史)

**せいし**【正使】主となる使者。(↕副使)

**せいし**【生死】①生きることと死ぬこと。「―の境をさまよう・―をともにする・その判断が―を分けた」②生きているか、死んでいるか。「―不明」▽生き死に。しょうし。☞しょうじ(生死)。

**せいし**【姓氏】〔文〕みょうじ。

**せいし**【青史】〔文〕歴史(書)。

**せいし**【聖旨】〔文〕天皇・皇帝の〈命令/考えをのべたことば〉。「―を奉じる(=うけたまわる)」

**せいし**【精子】《生》男性・おすの生殖細胞。精虫。☞卵子。

**せいし**【製糸】繭から生糸をとること。「―場」

**せいし**【製紙】紙を作ること。「―会社・―業」

**せいし**【誓紙】〔文〕ちかいのことばを書いた紙。「―をかわす」

**せいし**【誓詞】〔文〕ちかいのことば。

**せいし**【整肢】《医》整形外科の手術などをおこなって、正常な運動ができるようにしてあげること。「―園・―療育」

**せいし**【静止】《名・自サ》〈動きを止めて/動かないで〉じっとしていること。「―画(↕動画)」 ●**せいしえい**

**せいしえいせい**〔静止衛星〕 赤道の上空約三万六〇〇〇キロにあり、地球の自転と同じく二十四時間で円軌道をひとまわりするため、空中にとまっているように見える人工衛星。テレビ・無線通信の中継に利用する。

**せいし**〔静思〕《名・自サ》〔文〕心をおちつけて、静かに考えること。

**せいし**〔整枝〕《名・自他サ》〔文〕木の不要な枝を取り除くこと。「盆栽を―する」

☆☆**せいし**〔正視〕《名・他サ》〈まともに/正面から〉見ること。「―できない」

☆☆**せいし**〔制止〕《名・他サ》 そうしては いけないと、おしとどめること。「行くなと―する」

**せいじ**〔正字〕 ①点画の正しい文字。古くから正統とされてきた字体。例、圖〔図に対して〕・單〔単に対して〕・留〔畄に対して〕。〔いわゆる「旧字体」は、正字の一部〕(↕略字・俗字・誤字) ②正しい、漢字の使い方。(↕当て字)

**せいじ**〔青磁・青×瓷〕 鉄分のある青緑色の うわぐすりをかけて焼いた磁器。

←**せいじ**〔政事〕〔文〕政治上の いろいろなこと。

→**せいじ〔政治〕 ①社会を住みやすくするため、国や地方の大きな方針を決めて実行すること。「―学・―姿勢・―責任を追及する・―判断〔=政治的な判断〕・地方―」 ②策をめぐらし、かけひきしながら、ものごとを進めること。「学内―・―力」 ●**せいじか**〔政治家〕 ①政治をおこなう人。 ②〔俗〕政治的手腕を持っている人。 ③〔俗〕策略をめぐらす人。 ●**せいじけっしゃ**〔政治結社〕《法》政治上の主義・目的を持って作られた、政党その他の団体。政治団体。もと、政事結社。 ●**せいじけんきん**〔政治献金〕《名・自サ》 政党や政治家に活動資金を提供すること。また、その資金。 ●**せいじしきん**〔政治資金〕 政治活動に使う資金。 ●**せいじてき**〔政治的〕《ナダ》 政治に関するようす。政治家が かかわるようす。「―に動く・―手腕・―圧力」 ●**せいじはん**〔政治犯〕 国の基本的な政治秩序をそこなう〈犯罪/犯人〉。国事犯。 ●**せいじや**〔政治屋〕 私利私欲にふける政治家をあざけって言うことば。

**せいじ**〔盛事〕〔文〕盛大な〈行事/事業〉。

**せいじ**〔盛時〕〔文〕 ①人が若くて、元気にあふれているとき。「―を過ぎる」 ②国力などが強く、栄えているとき。「―を回顧する」

**せいじ**〔製磁〕〔文〕磁器を作ること。〔社名にも使う〕

←**せいしき**〔制式〕〔文〕定められた様式。型式。「航空機の―・警察官の―拳銃」

→**せいしき**〔正式〕《名・ナダ》〈形式/やり方〉が、きまりにしたがっているようす。また、その〈形式/やり方〉。「―に決定する・―の服装」(↕略式)

**せいしき**〔清△拭〕《名・他サ》 ①〔文〕ふいて きれいにすること。「窓ガラスの―」 ②《医》ねたままの人のからだを、熱いタオルでふききよめること。

**せいしつ**〔正室〕〔文〕〔身分の高い人の〕本妻。正妻。(↕側室)

**せいしつ**〔声質〕 ⇩こえしつ。

*__せいしつ__〔性質〕 ①そのものが、ある条件のもとでは、決まって こうなる、という特徴。特性。「折れやすい―・問題の―上〔=問題が こんな性質なので〕注意が必要だ」 ②〔生まれつき持っている〕意志や感情の あらわれ方の特徴。生まれつきの、たち。「あきやすい―」

**せいじつ**〔誠実〕《名・ナダ》 まごころが あるようす。まじめ。「―な人柄」(↕不誠実) 派-さ。-み。

**せいじにん**〔性自認〕 自分の性別に関する自己認識。☞性的指向。

**せいしゃ**〔生者〕〔文〕生きているもの。せいじゃ。しょうじゃ。(↕死者) ☞生者必滅。

**せいじゃ**〔正邪〕〔文〕正しいことと〈まちがった/悪い〉こと。

**せいじゃ**〔盛者〕〔文〕勢力があって栄えているもの。じょうしゃ。☞盛者必衰。

**せいじゃ**〔聖者〕 ①《宗》〔キリスト教で〕殉教者や偉大な信徒を尊敬して呼ぶことば。 ②偉大な信仰者。聖人。 ③聖人。

☆☆**せいじゃく**〔静寂〕《名・ナダ》〔あたりが〕しんとして しずかなこと。「―境」 派-さ。

☆☆**ぜいじゃく**〔×脆弱〕《ナダ》〔文〕もろくて よわいようす。「―なインフラ・―な体制」 派-さ。 ●**ぜいじゃくせい**〔×脆弱性〕 ①脆弱さ。 ②《情》⇩セキュリティホール。

**せいしゅ**〔清酒〕 日本酒。特に、こ(漉)して、透明にした日本酒。(↕濁酒)

**せいじゅ**〔聖寿〕〔文〕天皇の寿命。「―万歳」

**せいじゅ**〔聖樹〕 ①神聖な木。 ②《俳句》クリスマスツリー。

**せいじゅう**〔成獣〕《動》じゅうぶんにそだったけもの。

**ぜいしゅう**〔税収〕 税金の収入。

**せいしゅく**〔星宿〕 ①古代中国で星を二十八の星座にまとめたもの。「―図」 ②〔文〕星。星座。▽ほしのやどり。

**せいしゅく**〔静粛〕《名・ナダ》 ①声などを出さないようにして、しずかにしているようす。 ②〔機械などが〕しずかなこと。「―性」 派-さ。

**せいじゅく**〔成熟〕《名・自サ》 ①農作物や くだものが、じゅうぶんに みのること。「イネの―」 ②人の からだや心がじゅうぶんに成長すること。

**せいしゅん**〔青春〕 一 ①〔二十歳前後の〕若い時期。また、その時期の(ような)楽しい日々。「―期・おくれて来た―」 ②〔文〕春。 由来 五行説で、春に青色を当てることから言い、①の意味にもなった。☞朱夏・白秋・玄冬。 二《自サ》 若い時期にしかできないことをして大いに楽しむこと。「大学にはいったら思いきり―したい」〔一九八〇年代後半からの用法〕

**せいじゅん**〔清純〕《ナダ》 世の中のけがれに染まらないで、清らかなようす。「―な おとめ・―派女優」 派-さ。

**せいしょ**〔聖書〕《宗》キリスト教の聖典。バイブル。

**せいしょ**〔誓書〕〔文〕誓約書。誓紙。

**せいしょ**〔成書〕《名・自サ》〔文〕書物になること。また、完成した書物。「詳細は―を参照のこと」

**せいしょ**〔清書〕《名・他サ》〔原稿や習字などで〕下書きとして書いたものをもとにして、きれいに〈書き上げること/書き上げたもの〉。

**せいじょ**〔聖女〕 ①〔キリスト教で〕徳の高い、すぐれた女性。「―ジャンヌ ダルク」 ②けだかく清らかな女性。

**せいじょ**〔整序〕《名・他サ》〔文〕順序・秩序をと

せ

とのえること。「文章の―問題・環境―計画」

**せいしょう**［正賞］正式の賞としておくるもの。「―賞状、副賞三十万円」(↕副賞)

**せいしょう**［政商］〔文〕政治家などと密接な関係にある商人。

←**せいしょう**［清祥］《手紙》〔文〕相手がじょうぶでしあわせに暮らしていることを喜ぶあいさつ語。「ますますご―の段お喜び申し上げます」

→**せいしょう**［清勝］《手紙》〔文〕「健勝」の上品な言い方。「ますますご―の段」

**せいしょう**［制勝］《名・自サ》〔文〕勝ちを制すること。勝つこと。

**せいしょう**［斉唱］《名・他サ》①声をそろえて同じメロディーを歌うこと。ユニゾン。「校歌―」(↕独唱・合唱) ②〔俗〕おごそかに歌うこと。「国歌を一人で―する」

←**せいじょう**［性状］〔文〕性質と状態。

→**せいじょう**［性情］〔文〕性質。気だて。

☆☆**せいじょう**［政情］〔文〕政界の状況。「―不安」

**せいじょう**［聖上］現在の天皇陛下をうやまって言うことば。

**せいじょう**［正常］《名・ナダ》変わったところがなくふつうであること。「―人」(↕異常) 派 -さ。 ●**せいじょうせいバイアス**［正常性バイアス］《心》本当は非常事態なのに、まだ正常の範囲内だ、だいじょうぶだと思いこむ心理。日常性バイアス。

**せいじょう**［清浄］ 一《名・ナダ》①けがれのないこと。清らかな(感じがする)こと。「―な空気」 ②《農》人糞などを肥料に使わず、寄生虫のたまごがついていないこと。「―野菜(=ⓐ下肥を使わず、化学肥料で作った野菜。ⓑ無農薬野菜)」 二《名・他サ》〔よごれを取って〕きれいにすること。「空気を―する」 派 -さ。

**せいじょうき**［星条旗］アメリカ合衆国の国旗。赤七本、白六本、計十三本の横線と、左上部の青地に五十個の白い星をえがいたもの。

**せいしょうねん**［青少年］青年と少年。〔十二歳から二十五歳ぐらいまでの男女〕

**せいしょうれい**［政省令］政令と省令。「―で定める」

**せいしょく**［正職］正式の職員。「―の求人」

**せいしょく**［生色］〔文〕いきいきとしたようす。「―を取りもどす」

**せいしょく**［声色］〔文〕声や顔のようす。☞こわいろ(声色)。

**せいしょく**［青色］〔文〕青い色。あおいろ。 ●**せいしょくひょう**［青色票］⇩青票。(↕白色票)

**せいしょく**［聖職］①神聖な職務。②〔キリスト教で〕僧職。「―者」

☆☆**せいしょく**［生殖］《名・自サ》《生》生物が自分と同じような個体を作って、なかまをふやすこと。「―機能」 ●**せいしょくき**［生殖器］《生》生殖のための器官。性器。「男性―」 ●**せいしょくさいぼう**［生殖細胞］《生》子孫をふやすはたらきをもつ細胞。例、卵・精子・花粉。(↕体細胞)

**せいしょく**［生食］《名・他サ》①〔文〕なまで食べること。なましょく。「―用のかき(牡蠣)」 ②↑生理食塩水。

**せいしょほう**［正書法］一つの言語を書きあらわす、正しい書き方の体系。正字法。

**せいしん**［成心］〔文〕ある立場からの、とらわれた見方。先入観。「―をもって臨む」

**せいしん**［制震・制振］《理》地震や風で建物がゆれるのをおさえること。「―構造」☞耐震・免震。

**せいしん**［星×辰］〔文〕星。星座。

**せいしん**［誠心］〔文〕まごころ。「―誠意(=まごころこめて)努力する」

＊＊**せいしん**［精神］①こころ。「―状態・いい―修養になりますなあ」(↕肉体) ②〈知的/理性的〉な、心のはたらき。「―構造」 ③何かをしようとする気力。意気。④根本の意義。「憲法の―」 ●**精神一到何事か成らざらん** 句〔文〕心をこめて一生懸命に努力すれば、どんなむずかしいことでも できないことがあろうか。 ●**せいしんあんていざい**［精神安定剤］《医》精神の興奮をしずめ、緊張をやわらげる薬。トランキライザー。安定剤。 ●**せいしんえいせい**［精神衛生］《心・医》精神病・欲求不満・精神的葛藤などを予防し、環境に適応させるための心理学的な方法。 ●**せいしんか**［精神科］精神疾患をあつかう、医学・医療の一部門。「―医・―病院」 ●**せいしんかんてい**［精神鑑定］《医》犯罪者などの精神が、心神喪失などの状態で〈ある/あった〉かどうかを鑑定すること。 ●**せいしんしっかん**［精神疾患］《医》精神のはたらきに障害がおこってなる病気。 ●**せいしんしゅぎ**［精神主義］物質よりも精神を尊重する考え方。精神論。「戦争は―ばかりでは勝てない」 ●**せいしんしょうがい**［精神障害］精神疾患による障害。「―者」 ●**せいしんしんけいしょう**［精神神経症］《医》ノイローゼ。 ●**せいしんしんたいしょう**［精神身体症］《医》心身症。 ●**せいしんてき**［精神的］《ナダ》精神についての。精神を重んじるようす。(↕物質的・肉体的) ●**せいしんねんれい**［精神年齢］①《心》精神の発達をあらわすために決めた年齢。知能検査の結果を、生まれてからの年月で割って決める。(↕生活年齢) ②精神の成熟度。「―が低い」 ●**せいしんびょう**［精神病］《医》(重度の)精神疾患。 ●**せいしんびょうしつ**［精神病質］《医》精神病的な人格。☞サイコパス。 ●**せいしんぶんせき**［精神分析］《心》精神状態を分析して、意識的におさえられている本能的な心の欲望を見いだす方法。サイコアナリシス(psychoanalysis)。 ●**せいしんぶんれつびょう**［精神分裂病］《医》⇩統合失調症。 ●**せいしんりょうほう**［精神療法］《医》患者を精神面から治療する方法。心理療法。 ●**せいしんりょく**［精神力］くじけたり まどわされたりしないで、ものごとに取り組む心の力。気力。「強靱な―」 ●**せいしんろうどう**［精神労働］⇩頭脳労働。 ●**せいしんろん**［精神論］精神主義にもとづく議論。

**せいしん**［西進］《名・自他サ》〔文〕西のほうへ進むこと。「谷間を―する」(↕東進)

←**せいしん**［生新］《名・ナダ》〔文〕いきいきとして新しいようす。「―の気」 派 -さ。

→**せいしん**［清新］《名・ナダ》目新しくて感じがいいようす。「―の気風」 派 -さ。

**せいじん**［成人］ 一 ①おとな。「―教育」 ②成年になった人。□二《名・自サ》①おとなになること。「りっぱに―した」②成年になること。「―を祝う」●**せいじんえいが**[成人映画] 成人向きに指定された映画。☞R指定。●**せいじんしき**[成人式] 新成人を祝う儀式。ふつう、成人の日に、市町村などの主催でおこなわれる。●**せいじんのひ**[成人の日] 国民の祝日の一つ。一月の第二月曜日。新成人を祝う日で、成人式がおこなわれる。〔一九四九年から実施。当初は一月十五日〕●**せいじんびょう**[成人病]《医》四十歳以上の人がかかりやすい慢性の病気。「生活習慣病」の古い言い方。

**せいじん**[聖人] 知識と徳のすぐれた理想的な人物。聖者。「―君子」☞しょうにん(聖人)。

**せいじん**[星人] 造 ①その星の人。「バルタン―(=特撮ドラマ『ウルトラマン』に出てくる宇宙人)」②〔俗〕そう〈する/である〉人。それが好きな人。「ワクワク―・カレー―」

**せい・す**[制す] □一《他五》⇩制する。「機先を制さなければ」□二《他サ》「制する」の文語形。「先んずれば人を―」

**せいず**[星図]《天》恒星の位置を一枚の紙にかいた図面。「全天―」

**せいず**[製図]《名・自他サ》器具を使って図面をかくこと。

**せいすい**[清水]〔文〕すんできれいな水。しみず。

**せいすい**[聖水]《宗》キリスト教(の一部)で、洗礼などの儀式に使う きよめた水。

**せいすい**[精粋]〔文〕①清くて まじりけのないこと。②いちばん大切な要点。

**せいすい**[盛衰]《名・自サ》〔文〕さかんなことと おとろえること。「国力の―・栄枯―」

**せいずい**[精髄]〔文〕ものごとの、最もすぐれた大切なところ。

←**せいすう**[正数]《数》零より大きい かず。(↔負数)

→**せいすう**[整数]《数》①一・二・三…と、一を足していって できる数(=自然数)と、それにマイナスのついた数、および零のこと。「三の―倍」(↔小数・分数)②小数点をつけて あらわした数字の、小数点より前の部分。例、3.14の「3」の部分。(↔小数)

←**せい・する**[制する]《他サ》おさえる。おさえて自分の自由にする。制す。「勝ちを―(=勝つ)」

→**せい・する**[征する]《他サ》〔文〕武力で敵をおさえる。征伐する。

**せい・する**[製する]《他サ》〔文〕〔道具を使って〕作る。こしらえる。

**せいせい**[聖性]〔文〕聖なる性質。〔キリスト教では、キリストの生き方を自分のものとすること〕

←**せいせい**[生成]《名・自他サ》〔文〕物の形をとってあらわれ(させ)ること。「タンパク質を―する・イオンの―・―物」

→**せいせい**[生々]《副》〔文〕①活動・発展してやまないようす。「―発展」②どんどん育って変化するようす。●**せいせいるてん**[生々流転]《名・自サ》すべてのものが、たえず生まれては変わっていくこと。しょうじょうるてん。

**せいせい**[精製]《名・他サ》ざっと作った製品に さらに手を加えて、〈上等/良質〉なものにすること。「―品」(↔粗製)

**せいせい**[正々]《タル》〔文〕正しく整ったようす。「―たる姿」●**せいせい-どうどう**[正々堂々]《タル》態度が正しくてりっぱなようす。

**せいせい**[整斉・斉整]《タル》〔文〕①形よく整っているようす。「―たる枝」②きちんとしていて乱雑でないようす。「任務を―とおこなう」

**せいせい**[清々]《副・自サ》いやなことがなく、さっぱりといい気持ちになるようす。「昔の手紙を焼いて―する・―(と)した顔」

**せいぜい**[精々]《副》①それ以上はないことをあらわす。多く見積もって。たかだか。関の山。「集まったとしても―(で)四、五人だろう・まじめに言っても笑われるのが―だ」②〔あまり結果を期待しないが〕できるだけ。「まぁ、―がんばってくれ」③〔古風〕じゅうぶんに。「―がんばってください」☑年配者が③の意味で使っても、若い世代に②の意味に誤解されることがある。

**ぜいせい**[税制] 税の制度。「―改革」

**ぜいぜい**《副・自サ》苦しそうに音を出して息をするようす。ぜえぜえ。「のどが―する」

**せいせいしゅくしゅく**[整々粛々・正々粛々]《タル》計画を予定どおりに、しずかに おこなうようす。「―と任務を遂行する」

**せいせき**[成績] ①仕事などの できぐあい。業績や、競技の結果など。「営業―・通算―」②〔学校などで〕どれぐらい よく学んだかを点数などであらわしたもの。評価。「―が上がる」

**せいせき**[聖跡・聖×蹟]〔文〕神聖な〈遺跡/史跡〉。

**せいぜつ**[凄絶]《名・ナダ》〔文〕たとえようもなく、すさまじいようす。「―をきわめる・―な死闘」派-さ。

**せいせっかい**[生石灰]《理》石灰石を焼いて白いかたまりにしたもの。酸化カルシウムの俗称。セメント・消毒剤などに使う。きせっかい。

**せいせん**[生鮮]〔文〕新しくて いきがいいこと。「―トマト・―食(料)品(=野菜・さかな・肉・くだものなど。(↔加工食品))」

**せいせん**[政戦]〔文〕①政界での争い。政争。②政治と戦争。「―両略(=政略・戦略の両方)」

**せいせん**[聖戦]〔文〕神聖な目的のためにする戦い。

**せいせん**[精選]《名・他サ》〔文〕念を入れて えらぶこと。よりぬき。

**せいぜん**[生前] 生きていたとき。「―の おもかげ・―愛用した品」(↔死後)●**せいぜんそう**[生前葬] 本人が希望して、生きているうちに おこなう葬式。

**せいぜん**[性善]〔文〕人の うまれつきの性質は善であるということ。「―説」(↔性悪)

**せいぜん**[整然・井然]《タル》秩序正しいようす。整っているようす。「理路―と説く」

**せいせんしょくたい**[性染色体]《生》生物の性の決定、たとえば妊娠したときの男か女かの決まり方に直接関係する染色体。

**せいそ**[精粗]〔文〕細かいことと あらいこと。

**せいそ**[清×楚]《ナダ》けばけばしくなく、清潔で、感じがいいようす。〔人の場合、多く女性について言う〕「―な服装・―なコスモスの花」派-さ。

**せいそう**[政争] 政界の争い。

せいそう【星霜】〔文〕としつき。「幾（いく）―をかさねる（＝何年もたつ）」

せいそう【精巣】〔生〕精子をつくる器官。人間の場合は、こうがん（睾丸）。
☆☆せいそう【正装】〈名・自サ〉正式の服装。（↔略装）
☆☆せいそう【盛装】〈名・自サ〉りっぱなよそおい。美しく着かざること。「―してあらわれる」
せいそう【斉奏】〈名・他サ〉〔音〕多くの楽器で同じメロディーを演奏すること。ユニゾン。

せいそう【清掃】〈名・他サ〉きれいにそうじすること。

せいそう【×悽×愴・凄×愴】〈名・ナダ〉〔文〕①悲しく痛ましく思われるようす。②すさまじいようす。「―な光景」派―さ。

せいそう【清爽】〈名・ナダ〉〔文〕すがすがしくさわやかなようす。「ひんやりと―な夜気」

せいぞう【聖像】聖人（＝キリスト・孔子（こうし）など）の姿をあらわした絵やメダルなど。
＊せいぞう【製造】〈名・他サ〉〈原料／少し加工した品〉に手を加えて商品にすること。「―工業・―元（もと）」●せいぞうぶつせきにんほう【製造物責任法】〔法〕⇨ピーエル（PL）法。
せいそうけん【成層圏】〔天〕地上約一〇〜五〇キロの、大気の層。下層では気温が一定で、上層では急に上昇（じょうしょう）する。オゾン層はこの圏内にある。☞大気圏。

せいそうろう【青壮老】⇨老壮青。
☆☆せいそく【生息・×棲息】〈名・自サ〉〔文〕〈動物が〉すむこと。「―地」
せいそく【正則】〈名・ナダ〉〔文〕正しい法則。のぞましいやり方。正式。（↔変則）

せいぞく【正続】〔本や映画などの作品の〕正編と続編。「―二冊組み」

せいぞく【聖俗】〔文〕聖人と俗人。宗教的なことと世俗的なこと。

せいぞろい【勢×揃い】〈名・自サ〉①軍勢がそろうこと。②みんなが一か所に集まること。▽せいぞろえ。

せいぞん【生存】〈名・自サ〉生物が生きること。生き残ること。「死者十名、―者三名」●せいぞんきょうそう【生存競争】生物が生きていこうとするためにおたがいに起こす競争。●せいぞんけん【生存権】〔法〕国民が人間らしく健康で文化的な生活をいとなむ権利。●せいぞんりつ【生存率】深刻な病気の治療（ちりょう）を受けはじめたあとしばらくたって、生きている人の割合。「がんの五年―」☞死亡率。

せいたい【生体】〔文〕生きているからだ。（↔死体）●☆☆せいたいにんしょう【生体認証】指紋（しもん）・虹彩（こうさい）・顔・静脈（じょうみゃく）などのちがいから、本人を識別する方式。バイオメトリクス（認証）。バイオメトリック（認証）。

せいたい【生態】①生物が自然界に生活しているときの状態。「ワニの―・―学（⇨エコロジー①）」②生活しているものの、ありのままの姿。「学生の―」●☆☆せいたいけい【生態系】〔生〕動植物と、それを取りまく自然環境（かんきょう）とが、おたがいにつながり合っている、その全体。エコシステム。「土地開発で―が破壊（はかい）された」

せいたい【成体】〔動〕成熟した動物。「ミミズの―」（↔幼体）

せいたい【声帯】〔生〕のどの中央部にある発声器官。両がわからたなのように突き出している。●せいたいもしゃ【声帯模写】〈名・自サ〉こわいろ（を使う演芸）。

せいたい【政体】①国の政治のしくみの、根本的な形態。君主制・民主制など。②国の主権の運用のしかた。立憲政体・専制政体など。☞国体①。

せいたい【静態】静止している状態。「人口―（＝その時点での数や分布）・機関車の―保存」（↔動態）

せいたい【整体】指圧やマッサージによって、背骨を正しくしたり、からだの調子をよくしたりすること。「―マッサージ・―療法（りょうほう）・―師」

せいたい【×臍帯】〔生〕⇨さいたい（臍帯）。

せいたい【正対】〈名・自サ〉〔文〕〈相手／対象〉に対して、真っ正面に向くこと。

せいだい【盛代】〔文〕国の勢いのさかんな時代。盛世。「明治の―」

せいだい【盛大】〈ナダ〉①非常にさかんなようす。「―にお祝いする・―な会・―な拍手（はくしゅ）・―な消費」②〔俗〕度をこしたようす。「―に転ぶ・―な誤植」派―さ。

せいたいけん【性体験】〔性交など〕性に関する体験。

せいたか【背高】〈名・ナダ〉背が高いこと。「―な人・―のいす」●せいたかあわだちそう【背高泡立草】線路わきや空き地にはえる、人のせたけぐらいの雑草。秋に、小さな黄色い花をたくさんつける。〔北アメリカ原産の帰化植物〕●せいたかのっぽ【背高のっぽ】〔俗〕背が高い〈こと／人〉。「―の投手・―の家」

せいたく【請託】〈名・他サ〉〔法〕〔わいろを約束して〕特別にたのむこと。

せいだく【清濁】①清いことと にごったこと。②清音と濁音。●清濁あわせの（呑）む 句 心が広く善悪ともに〔だれでも〕受け入れる。

ぜいたく【×贅沢】〈名・ナダ〉①その人につりあわないほど、〈お金を使う／多くをのぞむ〉こと。また、そのようす。「―な生活・―を言ったらきりがない」②お金や手間ひまをかけ（てある）ようす。「―な建物」③ふつうには得られない楽しみ（が感じられる）ようす。「―な時間」④おしげもなく使うようす。「牛肉を―に使った料理」派―さ。

せいだす【精出す】〈自五〉労力をおしまず、一生懸命（けんめい）に働く。「仕事に―」

せいたん【西端】〔文〕西のはし。（↔東端）

せいたん【生誕】〈名・自サ〉〔文〕たんじょう。

せいだん【政談】〔文〕①政治の話や議論。「―演説」②政治や裁判などの、史実をもとにした講談。「大岡（おおおか）―」

せいだん【星団】〔天〕多数の恒星（こうせい）の集まり。「球状―・プレアデス―」

せいだん【清談】〔文〕お金などの話ではなく、もっぱら学問・芸術などに関する談話。

せいだん【聖断】〔文〕天皇の決定を、うやまって言うことば。「―をあおぐ」

せいだん【聖壇】〔宗〕神をまつる壇。

せいたんさい【聖誕祭】〔宗〕⇨クリスマス。

せいち【生地】〔文〕うまれた土地。☞きじ（生地）。
☆☆せいち【聖地】①宗教上、神聖な土地。霊（れい）地。「―巡拝（じゅんぱい）」②関係者にとってあこがれの場所。「映画の―ハリウッド・アニメファンの―」〔戦前からあった用法〕 ●せいちじゅんれい〔聖地巡礼〕①「聖地①」を順に参拝すること。聖地巡拝。②〔作品の舞台などあこがれの場所をおとずれること。〔二十一世紀になって特に広まった用法〕

せいち〔整地〕《名・自他サ》土地をたいらにならすこと。

せいち〔静置〕《名・他サ》〔文〕静かに置くこと。「一日、保温—する」

☆☆せいち〔精緻〕《ナダ》〔文〕非常に綿密で、きめが細かいようす。精密。派—さ。

ぜいちく〔×筮竹〕易のうらないに使う、竹で作った細い棒。ふつう、五十本でひと組みとする。

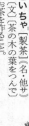

〔ぜいちく〕

せいちゃ〔製茶〕《名・他サ》〔文〕〔茶の木の葉をつんで〕お茶を作ること。

せいちゃく〔生着〕《名・自サ》《医》移植した臓器や細胞が機能すること。「—率」

せいちゅう〔成虫〕《動》成熟した昆虫・クモなど。(↕幼虫)

せいちゅう〔精虫〕《生》⇩せいし(精子)。

せいちゅう〔×掣△肘〕《名・他サ》〔文〕そばから干渉して自由な行動をさせないこと。制約。

せいちゅうせん〔正中線〕人や動物などを正面から見たとき、ちょうど中央をたてに通る線。

せいちょう〔正庁〕〔文〕県庁・役所などの広間。

せいちょう〔正調〕〔歌い方などで〕正しく受け伝えてきた調子。「—追分」

せいちょう〔成鳥〕《動》じゅうぶんにそだった鳥。(↕幼鳥)

せいちょう〔声調〕①〔文〕声に出したときに感じられる、詩や歌の調子。②《言》中国語などの、それぞれの音節の音調。

せいちょう〔性徴〕《生》男女の性的特徴。「第一次—〔=生殖器のちがいによる、男女の特徴〕・第二次—〔=思春期にあらわれてくる男女の特徴〕」

せいちょう〔政庁〕政治をあつかう(中央)官庁。

せいちょう〔政調〕↑政務調査(会)。「—会長」

せいちょう〔整腸〕腸の調子をととのえること。「—剤」

*せいちょう〔成長〕《名・自サ》①からだや心が育っていくこと。「—期の子ども・かれも最近は—した〔=人間ができた〕」②〔生長〕〔草木などが〕育つこと。●せいちょうかぶ〔成長株〕①《経》成長しつつあり、将来が期待される、産業や会社の株。②成長しつつあり、将来の活躍が期待される人。●せいちょうてん〔成長点・生長点〕《植》植物の根やくきの先端にあって、新しい組織を作る部分。

せいちょう〔整調〕《名・自サ》〔文〕からだの調子をととのえること。

☆☆せいちょう〔清聴〕《名・他サ》相手が聞いてくれることの尊敬語。高聴。「ご—を感謝します」

せいちょう〔静聴〕《名・他サ》しずかに聞くこと。「ご—願います」

せいちょう〔清澄〕《ナダ》〔文〕すみきったようす。「—な空気」派—さ。

ぜいちょう〔税調〕↑税制調査会。「政府—」

せいつう〔精通〕《名・自サ》①くわしく知っていること。「歴史に—している」②《生》自然に起こる、最初の射精。☞初潮。

せいてい〔制定〕《名・他サ》作ってさだめること。「法律の—」

せいてき〔政敵〕政治上の競争相手。

せいてき〔清適〕《手紙》〔文〕相手の無事や健康を喜ぶあいさつ語。「ご—の段お喜び申し上げます」

せいてき〔性的〕《ナダ》性に関するようす。セクシュアル。「—〔=男女・おすめすの〕特徴・—魅力〔=セックスアピール〕・—いやがらせ〔=セクハラ〕・—マイノリティー〔=少数者。☞LGBT〕」●せいてきしこう〔性的指向〕どういう性別を好きになるかということ。例、異性愛・同性愛。☞性自認。

せいてき〔静的〕《ナダ》〔文〕しずかなようす。動かないようす。(↕動的)

せいてつ〔聖哲〕〔文〕知徳がすぐれ、道理に通じている〈こと／人〉。「—の教え」

せいてつ〔製鉄〕鉄鉱から鉄を作ること。

せいてん〔正典〕その宗教で正式に認められている経典。

せいてん〔聖典〕宗教上の、神聖な書物。

せいてん〔青天〕〔文〕晴れた日の空。青空。●☆☆せいてんのへきれき〔青天の×霹×靂〕〔=青空に鳴る、とつぜんのかみなり〕〔文〕思いがけないできごと。〔いいことにも悪いことにも使う〕●せいてんはくじつ〔青天白日〕〔=青い空と明るい太陽〕①〔文〕無罪が明らかになること。「—の身になる」②〔古風〕秘密がなく、すべてが照らされる状態。「—の下に〔=はっきりと〕公言する」

せいてん〔晴天〕晴れた空。天気がいいこと。(↕雨天・曇天)

せいてん〔政転〕↑政策転換。「—闘争」

せいてん〔盛典〕〔文〕盛大な儀式。

せいでん〔正伝〕事実にもとづいた、正しい伝記。

せいでん〔正殿〕①天皇が公式の行事をおこなう御殿。表御殿。②神社の本殿。

せいでん〔制電〕衣服に静電気がたまらないようにすること。「—作業服・—性」

せいてんかん〔性転換〕《名・自サ》①《生》成長や環境の変化に応じて自然に、〈おすからめす／めすからおす〉にかわること。例、クロダイ・ホンソメワケベラ。②《医》〔手術によって〕からだの見かけを〈男から女／女から男〉に変えること。

☆☆せいでんき〔静電気〕《理》物がこすれたりしたときに生じる、物体にたまったままの電気。乾燥していると化学繊維などに起こりやすい。

*せいと〔生徒〕①中学校・高等学校・専門学校などにかよって、教えを受ける人。(↕学生・児童)②〔公教育以外に〕学校・教室と名のつく場所で教えを受ける人。「英会話学校の—」●せいとかい〔生徒会〕その学校の生徒による自治会。「—活動・—長」

せいと〔征途〕〔文〕①出征の道。「—につく」②旅行の道。

せいと〔聖徒〕〔文〕聖者(たち)。

せいと〔聖都〕〔文〕神聖なみやこ。「—ローマ〔ローマ教皇庁があるから〕・イスラム教の—〔=メッカ〕」

**せいど[制度] 社会的に定められたしくみや決まり。「選挙―・封建―・―設計をする」

せいど[精度]〔文〕精確さの度合い。「―が高い」

せいとう[政党] 政治上の主義が同じである者が結んだ党派。「民主―」 ●せいとうせいじ[政党政治] 政党が内閣を作っておこなう政治。

せいとう[精糖]〔文〕白く精製した、上等の砂糖。(↕粗糖)

せいとう[製糖]《名・自サ》〔文〕砂糖を作ること。「―工場」

せいとう[正答]《名・自他サ》〔文〕正しいこたえ(をすること)。正解。(↕誤答)

せいとう[製陶]《名・自他サ》〔文〕陶器を作ること。〔社名にも使う〕

せいとう[正当]《名・ナダ》正しくて道理にあうこと。「―な理由・―づける」(↕不当) 派-さ。☞しょうとう〔正当〕。 ●せいとうか[正当化]《名・他サ》〔好ましくないものを〕正当に見せたり、りくつをつけたりすること。「自分のおこないを―する」 ●☆☆せいとうぼうえい[正当防衛]《法》急に不正な乱暴を加えられたとき、〈自分/他人〉を守るために、やむを得ず相手に害を加える行為。罪にならない。

せいとう[正統]《名・ナダ》〔文〕①正しい〈系統/血統〉。「―を継ぐ」 ②本来の形・あり方を、正しく受けついでいること。「―的〔=オーソドックス〕・―派の〔=正統的な〕フランス料理」(↕異端)

せいとう[精到]《ナダ》〔文〕くわしくて行き届いているようす。「―な研究」 派-さ。

せいどう[正道] 正しい〈みち/方法〉。(↕邪道・奇道)

せいどう[青銅]《理》銅とすずとの合金。ブロンズ。からかね。

せいどう[政道]〔文〕政治のやり方。

せいどう[聖堂] ①孔子をまつった堂。 ②〔キリスト教で〕教会堂。

せいどう[生動]《名・自サ》〔文〕いきいきしてうごきだしそうなこと。「気韻―」

せいどう[制動]《名・他サ》〔車輪などを〕減速したり、とめたりすること。また、その装置〔=制動機〕。ブレーキ。「―をかける」

せいどういつせいしょうがい[性同一性障害]《医》⇩性別違和。

せいとく[生得]〔文〕うまれつき。しょうとく。「―のことば・―的な能力」

せいどく[精読]《名・他サ》くわしくよむこと。「作品を―する」(↕多読)

せいとん[整頓]《名・他サ》〔散らかさないように〕きちんと〈整える/かたづける〉こと。「整理―する」〔自サは古風。「食器が―している」〕

せいなん[西南] 西と南との中間の方角。にしみなみ。南西。(↕東北)

せいにく[生肉] 調理前のなまの肉。なまにく。

せいにく[精肉] よくえらんだ、上等の肉。「―店」

ぜいにく[×贅肉] からだにつく余分な肉〔=脂肪〕。「―がつく」

せいにゅう[生乳] しぼったままの牛乳。なまにゅう。〔売り物の牛乳は、これを加熱・殺菌したもの〕

ぜいぬき[税抜き]〔価格などに〕税金がふくまれていないこと。(↕税込み)

せいねん[生年]〔文〕うまれた年。 ●せいねんがっぴ[生年月日] うまれた年とつきひ。

せいねん[成年] 人の、知識・からだがじゅうぶんに発達したとされる年齢。〔民法では満二十歳。二〇二二年から十八歳〕「―者」(↕未成年) ●せいねんこうけんせいど[成年後見制度]《法》精神上の障害などで判断力がじゅうぶんでない人たちを法的に保護する制度。判断力のあるうちに、自分で後見人を選任できる。

*せいねん[青年] 少年の時期を過ぎて、まだ壮年にならない、若々しい年ごろの男の人。「―実業家・文学―」〔広くは、男女をふくむ。「―期」〕(↕少年・壮年・老年)

せいねん[盛年]〔文〕若くて元気あふれる年ごろ。「―重ねて来たらず」

せいのう[性能]〔機械などの〕性質と能力。

せいは[政派] 政党などの中の党派。

せいは[制覇]《名・他サ》①ほかをおさえつけて、支配すること。「戦国の世を―する」 ②〔競技などで〕優勝。「全国―を果たす・日本シリーズを―する」 ③すべてを自分のものにすること。「全国の温泉を―〔=すべて体験〕する」

せいはい[成敗]〔文〕成功と失敗。「―を無視する」

せいばい[成敗]《名・他サ》①〔文〕処罰。こらしめ。「けんか両―」 ②昔、刑罰として、打ち首にしたこと。

せいはく[精白]《名・他サ》つ(搗)いて白くすること。

せいばく[精麦]《名・自サ》麦をつ(搗)いて白く〈すること/したもの〉。

せいはつ[整髪]《名・自サ》〔文〕乱れたかみの毛を整えること。「―セット・―料〔=トニックなど〕」

せいばつ[征伐]《名・他サ》悪者をせめたいらげること。退治。

せいはん[正犯]《法》犯罪の実行者。主犯。(↕従犯)

せいはん[製版]《名・自サ》《印刷》印刷用の版(をつくること)。「オフセット―」

せいはん[整版]《名・自サ》《印刷》活字などを版に組み上げ〈ること/たもの〉。

せいはんたい[正反対]《名・ナダ》まったくの反対。

せいひ[正否]〔文〕正しいか、正しくないか。「事の―を弁別する」

せいひ[成否]〔文〕成功するかしないか(のなりゆき)。「―をかえりみない」

**せいび[整備]《名・他サ》①仕事がさしつかえなくはかどるように、ととのえること。「書類を―する・道路の―」 ②機械を検査して、いつでも動かせるように準備すること。「飛行機を―する」

せいび[整美]《名・ナダ・他サ》〔文〕形が整っていて美しいこと。また、そうすること。「―な山・環境―課」

ぜいびき[税引き]〔賃金・代金・料金などから〕税金が差し引かれていること。ぜいひき。(↕税込み)

☆☆せいひつ[静×謐]《名・ナダ》〔文〕①事件がなくて、おだやかにおさまっているようす。 ②〈おだやかで/しずかで〉物音がしないようす。派-さ。

**せいひょう**【青票】〔国会で〕反対投票に使う、青いふだ。青色票。(⇔白票)

**せいひょう**【製氷】《名・自サ》氷を作ること。「―器」

**せいひょう**【製表】《名・自他サ》〔文〕調べた結果の数値を、一覧表の形にまとめること。

**せいびょう**【成苗】〔農〕本葉が五、六枚出て、手で植えられるようになった、イネのなえ。(⇔稚苗)

**せいびょう**【成猫】〔文〕おとなになったネコ。

**せいびょう**【性病】性行為によってうつる、昔から知られる病気。花柳病。例、梅毒・淋病など。☞性感染症

**せいびょう**【聖×廟】〔文〕聖人をまつる廟。

**せいひれい**【正比例】《名・自サ》〔数〕二つの量がおたがいに関係しあって、同じ割合でふえ、または へること。比例。(⇔反比例・逆比例)

☆☆**せいひん**【清貧】おこないを正しくして、欲を出さず、びんぼうでいること。「―にあまんじる」派―さ。

***せいひん**【製品】製造した品物。

**せいふ**【正負】①〔数〕正数と負数。正号と負号。②〔理〕陽極と陰極。「―の電荷」③プラス面とマイナス面。「―両面」

****せいふ**【政府】①内閣をふくめた行政機関の全体。②内閣。「―筋」〔⇨「筋」■⑪」の用例〕」●**せいふかいはつえんじょ**【政府開発援助】⇨オーディーエー(ODA)。●**せいふけいきんゆうきかん**【政府系金融機関】政府が出資している金融機関。民間金融を補完する。政策金融機関。〔政府が全額出資しているものは、特に「政府金融機関」と言う〕

**せいぶ**【西部】①西の(ほうの)部分。②アメリカ合衆国の西寄りの地方。▽(⇔東部)●**せいぶげき**【西部劇】アメリカ西部開拓時代を舞台にした映画。ウエスタン。

**せいぶ**【声部】〔音〕合唱で、声の高さによって分けた区分。〔二部合唱は二つの―から成る〕

**せいふう**【西風】〔文〕西から ふく風。にしかぜ。(⇔東風)

**せいふう**【清風】〔文〕①すずしい風。「―明月」②清新な空気。「―を送る」

**せいふう**【整風】〔中国で〕党活動の やり方・気風を改め、正しくすること。「―運動」

**せいふく**【制服】①〔ある団体に属する人が着る〕色・型の決められた(洋)服。「警察官の―」(⇔私服)②学校で決めた、通学用の服。▽ユニフォーム。●**せいふくぐみ**【制服組】〔防衛省・自衛隊で〕制服着用の隊員。自衛官。(⇔背広組・私服組)

**せいふく**【清福】〔文〕①清らかな幸福。②〔手紙〕あなたの幸福。「ご―を祈ります」

**せいふく**【征服】《名・他サ》力の強い者が〈相手/自然〉をしたがわせること。「敵を―する・山を―する」

**せいふく**【整復】《名・他サ》〔医〕骨折・脱臼などを治すこと。「―術」

***せいぶつ**【生物】①命を持ち、生長し、繁殖するもの。動物・植物の総称。(⇔無生物)②↑生物学。☞なまもの(生物)。●**せいぶつかがくへいき**【生物化学兵器】〔軍〕生物兵器と化学兵器。BC兵器。●**せいぶつたようせい**【生物多様性】いろいろなちがった種類の動植物が存在すること。種の多様性。ダイバーシティ(―)。「―条約(=生物多様性を保全する条約。一九九三年発効)」●**せいぶつどけい**【生物時計】〔生〕⇨体内時計。●**せいぶつへいき**【生物兵器】〔軍〕ウイルスや細菌の毒素を利用した兵器。

**せいぶつ**【静物】①絵の題材で、花・くだもの・器物など。②(↑静物画)「静物①」を題材にした絵。☞人物④

**せいふん**【製粉】《名・自他サ》小麦粉などの こなを作ること。「―所・―機」

**せいぶん**【正文】条約・契約などの文章のうち、解釈の基準となる(言語で書いてある)ほうの文章。「日本文の契約書を―とする」(⇔副文)

**せいぶん**【成文】①〔文〕文章に書きあらわしたもの。②〔法律などを〕条文に書きあらわしたもの。「―化・―法」(⇔不文法)

**せいぶん**【成分】①物質を組み立てている〈元素/一つ一つの物質〉。②〔言〕⇨文の成分。「修飾―」

**せいぶん**【精分】精力。「うなぎを食べて―をつけよう」

**せいぶんかいせい**【生分解性】地中や水中の微生物などによって分解される性質。「―プラスチック」

**せいぶんかしっかん**【性分化疾患】〔医〕生殖器や染色体が、男女どちらかの特徴で統一されていない疾患。インターセックス。半陰陽。☞性別違和。

**せいへい**【精兵】〔文〕よりぬきの、強い兵隊。せいびょう。

**せいへき**【性癖】①〔文〕くせ。「ノートをまめに書く―」②〔俗〕性的な嗜好。

**せいべつ**【性別】〈男女/おすめす〉の区分。●**せいべついわ**【性別違和】〔医〕体の性と、自覚する性が異なること。〔「性同一性障害」の新しい言い方〕☞トランスジェンダー。

**せいべつ**【生別】《名・自サ》〔文〕生きたまま わかれること。生きわかれ。(⇔死別)

**ぜいべつ**【税別】税金をふくまない価格。「―一八〇〇円」(⇔税込み)

**せいへん**【正編】〔書物・文章・映画などで〕そのあとに出る続きに対して言うことば。(⇔続編)

☆☆**せいへん**【政変】政治の上の急な変動。例、内閣が急に変わること。

**せいほ**【生保】①↑生命保険。②↑生活保護。

**せいぼ**【生母】〔文〕うみの母。実母。(⇔養母)

**せいぼ**【歳暮】①年の暮れにおくる、せわになった人へのおくりもの。「お―」(⇔中元)②〔文〕年の暮れ。

**せいぼ**【聖母】〔宗〕キリストの母。名はマリア。

**せいほう**【西方】〔文〕西の方角(にあたる所)。(⇔東方)☞さいほう(西方)。

**せいほう**【製法】製造の方法。つくり方。

**せいぼう**【声望】〔文〕世間の評判と人望。「―が高い」

**せいぼう**【制帽】①〔ある団体に属する人がかぶる〕色・型の決められた帽子。②学校で決めた、通学用の帽子。

**ぜいほう**【税法】税金のわりあてなどに関する法規。

**せいほうけい**【正方形】〔数〕四つの辺の長さが同じで、角が直角の四角形。真四角。

**せいほく**【西北】西と北との中間の方角。にしきた。

北西。(↔東南)

**せいぼく**[成木]《植》じゅうぶんに成長した木。

**せいぼつねん**[生没年] 生年と没年。「—不明」

**せいほん**[正本] ①謄本(とうほん)の一種。原本そのままの内容を書き、原本と同じ効力をもつ文書。②写しをとるときの、もとになる文書。▽しょうほん。(↔副本)

**せいほん**[製本]《名・他サ》 印刷した紙や原稿(げんこう)をとじて本(の形)にすること。

**せいまい**[精米]《名・自他サ》 玄米(げんまい)をついて白く〈すること/した米〉。精白。

**せいみつ**[精密]《名・ナダ》 ①細かい点まで行き届いているようす。「—な検査」②誤差の非常に少ないようす。「—機械」派—さ。

**せいみょう**[精妙]《名・ナダ》〔文〕細かいところまで、よくできているようす。派—さ。

**せいむ**[性夢]〔文〕性的な夢。

**せいむ**[政務] 政治に関する事務。●**せいむかん**[政務官]《法》大臣をたすけ、特定の政策および企画(きかく)にかかわって政務を処理する役の人。若手の国会議員から選任される。大臣政務官。

**ぜいむ**[税務] 税金のわりあてや取り立てについての行政事務。「—署・〔区役所の〕—課」

***せいめい**[生命] 一①命。寿命(じゅみょう)。「—財産を守る」②命にたとえられる、いちばん大切なもの。「事業が—だ・政治—(=政治家としての活動の一切(いっさい))をかける」 二 適 生命保険会社の名前。「日本—」●**生命を賭(と)す** 句 命をかける。●**せいめいこうがく**[生命工学]《生》⇒バイオテクノロジー。●**せいめいせん**[生命線] ①〈生死/存立〉に重大な関係を持つ〈線状につらなる〉地帯。「国の—を守る」②存立のために絶対に欠くことのできない条件。「メーカーの—である技術力」③〔手相で〕その人の寿命(じゅみょう)の長短を示すとされる、手のひらの筋。●**せいめいたい**[生命体] 生命を持つもの。生物(らしきもの)。「地球外—・国家という—」●**せいめいほけん**[生命保険] 保険にはいっている人が死に、または一定の年になったとき、保険金をしはらうことを約束する保険。養老保険・定期保険などがある。生保。●**せいめいりょく**[生命力] ①生きるための力。「—が強い・—が回復する」②生きているという感じをあたえる力。「—(に)あふれるダンス」●☆**せいめいりんり**[生命倫理] ①生命に関する倫理。②(↑生命倫理学) 人工授精・妊娠(にんしん)中絶・臓器移植など、生命に関する倫理上の問題を研究する学問。バイオエシックス(bioethics)。

↑**せいめい**[声名]〔文〕評判。名声。「—を馳(は)せる・ご—をしたう」

↑**せいめい**[盛名]〔文〕さかんな評判。りっぱな評判。「—をはせる」

**せいめい**[姓名]〈その人の〉みょうじと名前。氏名。「住所—」●**せいめいはんだん**[姓名判断] 姓名の文字の画数や音(おん)などから、人の運勢をうらなうこと。

**せいめい**[声明]《名・他サ》 一般(いっぱん)に向けて、広く発表する〈こと/ことば〉。アナウンス。ステートメント。「政府の—・—書」☞しょうみょう(声明)。

**せいめい**[清明] 一《ナダ》①〔文〕清く明らかなようす。さやか。「—な月影(つきかげ)」②医〈その人の意識が〉はっきりしているようす。「意識—」 二《天》二十四節気の一つ。四月五日ごろ。清明節。

**せいめん**[西面]〔文〕 一 西がわの(方)面。「穂高(ほたか)の—」 二《名・自サ》西のほうに向くこと。「—して立つ」▽一二(↔東面)

**せいめん**[製麺]《名・自サ》 めんを作ること。「—所」

**せいもく**[井目・星目・聖目] 碁盤(ごばん)の上にしるした九つの黒い点(に下手(したて)が一つずつ石を置くこと)。

**ぜいもく**[税目] 税金を種類ごとに分けた項目(こうもく)。「—別内訳」

**せいもん**[正門] 正面の門。表門。

**せいもん**[声門]《生》左右の声帯の間のすきま。

**せいもん**[声紋] 機械にかけて声の周波数を分析(ぶんせき)した結果得られる、しま(縞)のような模様。人によって特徴(とくちょう)がある。「—鑑定(かんてい)」

**せいもん**[誓文]〔文〕ちかいの〈文/文書〉。●**せいもんばらい**[誓文払い] えびす(恵比寿)講の日(=十月二十日)に、関西でおこなわれる、呉服(ごふく)の安売り。

**せいや**[征野]〔文〕戦場。戦野。

**せいや**[星夜]〔文〕星が美しく見える夜空。星月夜(ほしづきよ)。

**せいや**[晴夜]〔文〕よく晴れた夜。

**せいや**[聖夜]《宗》クリスマスの前夜。クリスマスイブ。

**せいや**[静夜]〔文〕静かな夜。「—の群星・—、空をあおぐ」

**せいやく**[製薬] くすりを作ること。「—会社」

**せいやく**[成約]《名・自サ》《経》契約(けいやく)が成り立つこと。

**せいやく**[制約]《名・他サ》 条件をつけて、活動をおさえること。また、その条件。「自由を—する」

**せいやく**[誓約]《名・他サ》 かたく約束すること。ちかい。「—書」

**せいやくわり**[性役割] 男性または女性として、社会から〈求められる/強(し)いられる〉役割。性的役割。例、「男はたくましくあること」など。ジェンダー ロール(gender role)。☞ジェンダー①。

**せいゆ**[声喩] 擬音(ぎおん)語・擬態語を使って感覚的に伝える修辞法。

↑**せいゆ**[精油]《名・他サ》 ①植物からとれる、あぶらのような状態の香料(こうりょう)。香水(こうすい)の原料。エッセンシャルオイル。②石油を精製すること。また、精製したもの。(↔原油)

↑**せいゆ**[製油]《名・他サ》〈石油/食用油〉を作ること。「—所」

**せいゆう**[声優] 映画・テレビのふき替(か)え、アニメのアフレコ、ラジオドラマのせりふなど、声だけの出演をする俳優。

**せいゆう**[清遊]《名・自サ》〔文〕 ①風流なあそび(をすること)。②他人の旅行・あそびを尊敬して言うことば。

**せいよう**[正用]〔文〕正しい用法。(↔誤用)

**せいよう**[西洋] ヨーロッパの国やアメリカをまとめて呼ぶ言い方。「—料理・—館(=西洋ふうの建物)・—人」(↔東洋)

**せいよう**[整容]〔文〕姿・服装を整えること。

**せいよう**【静養】《名・自サ》心やからだをしずかにして、病気・つかれを治すこと。「温泉で―する」

**せいよく**【性欲】(相手と肉体的に結びついて)性的な快感を得たいという欲求。「―を満たす・異常―」

区別「**性欲**」は、広く性的〈欲求/欲望〉を客観的に指す。相手がいなくてもいい。「**愛欲**」「**情欲**」は、愛情と性的欲望の合わさった気持ちで、「愛欲生活」「情欲シーン」など、情事に関する複合語にもなる。「**色欲**」は、修行や仕事などのじゃまになるよくない愛欲・性欲。「**肉欲**」は、愛情の有無は関係なく、相手との まじわりを望む性欲。「**獣欲**」は、動物のような肉欲で、いやしめた言い方。

**←せいらい**【生来】《副》①生まれつき。「―虚弱だった」②生まれてからずっと。「―本を読むのが好きだ」

**→せいらい**【性来】《副》生まれつきの性分として。「人に頭を下げることが―きらいだった」

**せいらん**【青△嵐】〔文〕青々としげった木々をふきわたる風。「―がそよぐ」☞あおあらし(青嵐)。

**せいらん**【清覧】《手紙》〔文〕相手が見ることを、尊敬して言うことば。「ご―願います」

**せいり**【生理】①生きていることに ともなう、からだの(いろいろな器官の)はたらき。「―学・―現象(=からだが自然に引き起こす現象。例、あくび・発汗)」②子宮の中で、受精の準備が ととのった後、結局 受精しなかった場合に、性器から血が出る現象。ほぼ一か月に一回起こる。メンス。月のもの。「―痛・―用品」(もと「月経」の婉曲表現で、今は ふつうに使う) ●**せいりきゅうか**【生理休暇】《法》勤務する女性が、「生理②」の期間に取ることを認められている休暇。生休。●**せいりしょくえんすい**【生理食塩水】 浸透圧が体液に等しい食塩水。点滴や注射液に使う。生理的食塩水。生食。●**せいりてき**【生理的】《ナダ》①からだ(の正常な機能)に関するようす。「ヒトの―なメカニズム」②〔りくつではなく〕感覚的に。「―に受けつけない男」●**せいりてきよっきゅう**【生理的欲求】①食欲・睡眠欲・排泄欲など、生きるのに必要な欲求。②尿意・便意の婉曲表現。自然現象。

***せいり**【整理】《名・他サ》①乱れた状態をきちんと ととのえること。「部屋を―整頓する・―だんす・会場(の入場者の)―・気持ちの―」②必要のない〈人員/組織〉をへらすこと。「人員―」●**せいりけん**【整理券】①順番を待つときに受け取る、番号が書かれた券。「入場―」②バスなどに乗るときに受け取る券。降りるときに見せて、距離に応じた運賃をしはらう。乗車整理券。

**ぜいり**【税吏】〔文〕税金を取り立てる役人。

**ぜいりし**【税理士】 一定の資格をもち、納税に関する仕事を職業とする人。

***せいりつ**【成立】《名・自サ》 ものごとが なりたつこと。話がまとまること。「交渉が―する」

**ぜいりつ**【税率】 税金を割り当てる割合。

**せいりゃく**【政略】①(政権を取るための)政治上の策略。②〔自分の利益をはかろうとしておこなう〕かけひき。「―結婚(=政略のために、本人の気持ちを無視しておこなわせる結婚)」

**せいりゅう**【清流】〔川などの〕きれいに澄んだ流れ。

**せいりゅう**【西流】《名・自サ》〔文〕〔川・海流などが〕西のほうへ流れること。(↕東流)

**せいりゅう**【整流】《名・他サ》《理》電気の、交流を直流に変えること。「―器」

**せいりゅうとう**【青竜刀】 昔、中国で使われた、長くて幅の広い かたな。柄に あおい竜の かざりがある。☞せいりょう(青竜)。

**せいりょう**【声量】 人の音声の分量(=大きさ・持続性)。「ゆたかな―・―のある声」

**せいりょう**【青△竜】 竜の形をした、中国の神獣。東の守護神とされる。せいりゅう。

**せいりょう**【清涼】《ナダ》〔文〕さっぱりして すずしいようす。派-さ。●☆☆**せいりょういんりょう**【清涼飲料】(炭酸をふくみ)さっぱりした感じをあたえる飲み物。ソフトドリンク。例、サイダー・コーラ・ジュースなど。●**せいりょうざい**【清涼剤】①気持ちをさわやかにするために のむ薬。②人の心をさわやかにする ものごと。「一服の(=ちょっとした)―・心の―」

**せいりょう**【凄涼】《タル》〔文〕ぞっとするくらい さびしいようす。「―たる荒野」

**せいりょく**【青緑】〔文〕みどり色をおびた、こい青色。「―色」

**←せいりょく**【勢力】①広がりと強さをもち、ほかのものを圧倒する力。勢い。「〈政党/台風/外来語〉が―を拡大する・―をのばす・―圏」②勢いをもつ集団。「二大―・武装―・現有―」

**→せいりょく**【精力】 心身の元気。「―家(=精力のあふれている人)」●**せいりょくぜつりん**【精力絶倫】《名・ナダ》 精力がなみはずれて強いようす。●**せいりょくてき**【精力的】《ナダ》 精力がいっぱいで、つかれを知らないようす。「―に活動する」

**せいるい**【声涙】〔文〕声と なみだ。●**声涙とも(倶)に下る**〔句〕〔文〕なみだを流しながら熱烈に語る。「―名演説」

**せいれい**【政令】《法》内閣が決めて出す命令。●**せいれいし**【政令市】《法》↑政令指定都市。●☆☆**せいれいしていとし**【政令指定都市】《法》人口五十万人以上の市で、政令で指定された都市。市民の生活に関する事務などの権限が都道府県から移され、行政区をもうけられる。指定都市。政令(都)市。☞中核市。

**←せいれい**【聖霊】①〔文〕神聖な たましい。②《宗》〔キリスト教で〕神の霊がキリストを通じて人に宿り、精神活動を起こさせるもの。☞三位②。

**→せいれい**【精霊】 死んだ人の たましい。また、自然界(の物の中)に宿ると考えられる、たましい。「―崇拝(⇩アニミズム)」☞しょうりょう(精霊)。

**せいれい**【精励】《名・自サ》〔文〕つとめ はげむこと。「刻苦―する・―恪勤」

**せいれい**【清麗】《ナダ》〔文〕けがれがなくて きれいなようす。「―な筆致」

**せいれき**【西暦】 キリストの誕生の年(実際は生後四年目)を紀元とする、西洋の こよみ。西紀。(↕和暦)

**せいれつ**【整列】《名・自サ》 そろって ならぶこと。「―乗車(=乗客が整列して待って、電車に乗ること)」

**せいれつ**【凄烈】《ナダ》〔文〕すさまじく激しいようす。「―な戦い」派-さ。

**せいれつ**［清×冽・清×洌］《ナダ》〔文〕〔水が〕澄みきってつめたいようす。派-さ。

**せいれん**［精練］《名・他サ》羊毛・生糸や、その織物についた不純物を取り除くこと。☞練る㊀④。

**せいれん**［精錬］《名・他サ》金属から不純物を取り除くこと。精製すること。

**せいれん**［製錬］《名・他サ》鉱石から金属を取り出し精製・加工すること。冶金。

☆☆**せいれん**［清廉］《名・ナダ》〔文〕心が清くて、自分の利益をもとめる心のないこと。「―潔白」派-さ。

**せいろ**［(△蒸△籠)］①食品を入れて蒸す器具。蒸し器。「まんじゅうを―で蒸す」②「せいろ①」の形をもとにした、もりそばをのせるうつわ。四角の容器に、すだれをのせてある。③もりそば。もりうどん。「天―」由来「せいろ②」に盛ることから。▽せいろう。

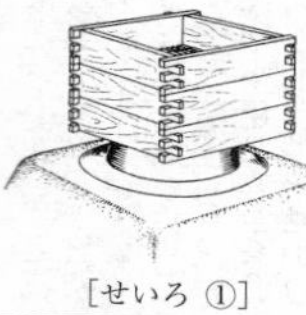
［せいろ ①］

**せいろう**［青楼］〔文〕遊女を置く店。特に、江戸時代の吉原の遊郭。「―に上がる」

**せいろう**［(△蒸△籠)］⇩せいろ。

**せいろう**［晴朗］《ナダ》〔文〕①晴れて雲のないようす。「天気―」②明朗。派-さ。

**せいろく**［西麓］〔文〕〔山の〕西がわのふもと。

**ぜいろく**［(×贅六)・(△才六)］江戸っ子が上方の者をあざけって言ったことば。ぜえろく。

**せいろん**［正論］正しい議論・主張。「―を吐く・―をのべる」

**せいろん**［政論］〔そのときの〕政治に関する議論。

**セイロン**〔Ceylon〕①スリランカのもとの呼び名。②スリランカのある島の名。「―茶」表記「:錫蘭」は、古い音訳字。

**ゼウス**〔Zeus〕〔ギリシャ神話で〕最高の神。〔ローマ神話のジュピターにあたる〕

**セージ**〔sage〕西洋料理に、ハーブとして使う、サルビア(の葉)。

**セーター**〔sweater〕毛糸で編んだ、頭からかぶって着る上着。スエーター。スウェーター。〔前をボタンなどでとめるものもある〕

**セード**〔shade〕⇩シェード②。

**せえの**《感》〔↑一斉の〕〔話〕力をあわせて物を動かすときや、何かをいっせいに始めるときなどの、かけ声。いっせえの。せーの。「せえの(↗)、よいしょ！」☞さんはい。

**セービング**〔saving〕①救助。「ライフ―」②節約。③《ラグビー・サッカー》身を投げ出してボールを止めること。

**セーフ**〔safe〕①《野球》ランナーが塁に生きること。②《テニス・バレーボールなど》ボールがコートの規定の線内にはいること。イン。③うまくいくこと。成功すること。▽(↔アウト) ●**セーフガード**〔safeguard〕特定品目の輸入が急増して国内の生産者に損害をあたえる場合の、一時的な緊急輸入制限。「―の発動」

☆☆**セーブ**《名・他サ》〔save〕①力をたくわえること。温存。②〔行動を〕おさえること。③《野球》勝ちゲームの最後に出る救援投手が、リードを守りきること。〔「S」でセーブ数を示す〕④《情》〔コンピューターで〕データを保存すること。

**セーフティ(ー)**〔safety〕①安全。「―リード」②〔↑セーフティー ビンディング〕《スキー》むりな力が加わると、すぐ外れるしかけのしめ具。●**セーフティ(ー)ネット**〔safety net〕①サーカスなどの安全ネット。②安全を保障するもの。安全策。「―としての社会保障」▽安全網。●**セーフティ(ー)バント**〔和製 safety bunt〕《野球》バッターが一塁へ出ようとしておこなうバント。☞送りバント。

**セーブル**〔sable〕クロテン(黒貂)(の毛皮)。

**セームがわ**［セーム革］〔chamois(シャミ)〕〈ヤギ/カモシカ〉のなめしがわ。

**セーラー**〔sailor〕①海員。船乗り。水夫。②水兵。③《服》↑セーラー服。●**セーラーズボン**〔和製洋語〕《服》セーラー パンツ。●**セーラーパンツ**〔sailor pants〕《服》水兵のはくズボン(のように、先が広がっているズボン)。セーラー ズボン。●**セーラーふく**［セーラー服］《服》上着が水兵の着る服に似た、女子生徒などの通学服。セーラー。

**セーリング**〔sailing〕帆走(の方法)。

**セール**〔sail〕船の帆。セイル。

**セール**〔sale〕売り出し。特売。「クリスマス―」

**セールス**《名・他サ》〔sales〕①売ること。販売。「トップ―・―部門」②↑セールス マン・セールス レディー。●**セールスエンジニア**〔sales engineer〕専門的知識の必要な製品などの販売に従事する技術者。●**セールストーク**〔sales talk〕売り文句。●**セールスポイント**〔sales point〕売りこみたい特色。長所。セリング ポイント。●**セールスマン**〔salesman〕〔男性の〕外回りの販売員。外交員。セールス。〔女性は「セールス レディー」など〕

**せおいなげ**［背負い投げ］《柔道》相手のからだを前にくずしながら肩ごしに前へ大きく投げるわざ。しょいなげ。

**せおう**［背負う］《他五》①せなかに負う。「荷を―」②背後にする。「竹やぶを背負った家・〔投手が〕―ランナーは一、二塁」③責任・負担を負う。「借金を―・国益を背負って立つ」▽しょう。

**せおと**［瀬音］あさせを流れる水音。

**せおよぎ**［背泳ぎ］あおむけになって進む泳ぎ方。背泳。バック(ストローク)。

**ゼオライト**〔zeolite〕《鉱》結晶内に多くのすきまをもつ鉱物。不純物を吸着させて取り除くのに使う。沸石。

**セオリー**〔theory〕理論。学説。

****せかい**［世界］①人間や生き物のすんでいる〈所/地域〉。「人間―・―の果て・どこの―にそんな話があるか」②地球上の国々。「―一周・―一・―(新)記録・―中で」③〔おもに〕外国。「―の鉄道・―文学〔=外国文学〕・―各地・―史」④同じ種類のものが集まって作っている社会。「子どもの―・ミツバチの―・この―から足を洗いたい」⑤生活の場。その人の了見や価値観。「どだい住む―がちがう・―がせまい・ゴッホの―」⑥範囲。分野。「文学の―・神話の―」●☆☆**せかいいさん**［世界遺産］世界遺産条約により保護される、世界的な価値をもつ文化遺産と自然遺産。例、文化遺産として姫路城、自然遺産として屋久島、複合遺産としてペルーのマチュピチュ。●せかいかん［世界観］①世界(や宇宙)はどんな存在か、そこでどう生きるか、ということについての考え方。②そこに表現された世界。「仏教の―・かれと私は―がちがう」「新曲の―」〔二十一世紀になって広まった用法〕●せかいぎんこう［世界銀行］《経》「国際復興開発銀行」と「国際開発協会」の二つの機関の通称。戦災国の復興や発展途上国の開発のために、世界の国々が出資している、国際的な金融機関。世銀。●せかいこっか［世界国家］世界の国を全部一つにし、人類全体をその国民とする、理想の国家。●せかいせいふ［世界政府］世界の国が一つの連邦を作った場合の政府。●せかいせん［世界線］①〔いくつかの中から選ぶ〕世界の進む方向。「別の―に行く」〔コンピューターゲームの「シュタインズ・ゲート」から、二〇一〇年代に広まったことば〕☞パラレルワールド。②《理》〔相対性理論で〕点と考えた物体が、四次元の時空で動く軌跡。●せかいたいせん［世界大戦］世界的な規模の大戦争。特に、第一次世界大戦と第二次世界大戦。●せかいてき［世界的］(ナダ) ①全世界に関係があるようす。「―な視野」②全世界に知れわたっているようす。「―に有名」

**せがき**［施餓鬼］《仏》とむらってくれる人のない死者に対する供養。「大―」

**せか・す**［(△急かす)］《他五》いそがせる。せかせる。

**せかせか**《副・自サ》いそがしそうで動作におちつきがないようす。「―(と)歩く・―したしゃべり方」

**せかっこう**［背格好］せの高さとからだの形。すがた。せいかっこう。「―が似ている」

**ぜがひでも**［(是が非でも)］《副》ぜひとも。「―やる」

**せが・む**《他五》(して)ちょうだいと、あまえてたのむ。「遊びに連れて行ってと―・おやつを―」

**せからし・い**《形》〔九州などの方言〕わずらわしい。うるさい。「宿題しろとせからしく言われる」派―さ。

**せがれ**［(×倅)・(×伜)・(×悴)］①「自分のむすこ」の、けんそんした言い方。②「他人のむすこ」の、ぞんざいな言い方。

**セカンド**〔second〕一 セカンド ①《野球》ⓐ〔↑セカンドベース〕二塁。ⓑ〔↑セカンドベースマン〕二塁手。②⇩セコンド一。③《自動車》〔ギアで〕ローの次の段階。(第)二速。☞ロー一・サード一②・トップ⑧。二造 二番目の。第二の。「―カー・―ハウス〔=別荘。別宅〕」●☆☆セカンド オピニオン〔second opinion〕《医》診断や治療法について納得を得るため、主治医以外の医師の意見を聞くこと。●セカンドバッグ〔和製 second bag=大小二つで一組みになったバッグの小さいほう〕手にかかえて使う小型のバッグ。クラッチ バッグ。●セカンドライフ〔和製 second life〕定年などをむかえた後の人生。第二の人生。●セカンドレイプ《名・他サ》〔second rape〕強姦の被害者に対し、思いやりのないあつかいをしたり、好奇の目を向けたりして、さらに苦しみをあたえること。

**せき**［(×咳)］かぜをひいたり、むせたりしたときなどに、息の通る道が止まって、急に強く出る息。「ごほん、ごほんと―をする」

***せき**［席］一 せき ①すわる場所。座席。「―をゆずる・―の定まるのを待って」②会・式などのある場所。「宴会の―へ出る・―をけって立つ〔=おこってその場から立ち去る〕」③〔古風〕余地。「談判する―はない」二 接尾 ①成績や地位の順位をあらわすことば。「優秀賞(第)一―」②落語・講談などの一回分。三 造 寄席。「演芸昼―・上―〔=上旬の興行〕」●席の暖まる暇がない 句 非常にいそがしいことのたとえ。●席を同じゅうせず 句〔文〕⇩男女七歳にして席を同じゅうせず〔「男女」の句〕。●席を汚す 句〈その地位にいる/会に出席する〉ことのけんそんした言い方。「会長の―」

**せき**［(×堰)］水流を〈せきとめる/調節する〉ために、水路の中に作ったしきり。「取水―」由来「堰く」の連用形から。●せきを切ったよう 句 たまっていたものが一度にあふれ出るたとえ。せきが切れたよう。「―に話しだす」

**せき**［関］①さえぎるもの。しきり。へだて。「人目の―」②関所。「白河の―」由来「堰」と同じく「堰く」の連用形から。

**せき**［積］《数》二つ(以上)の数をかけあわせた値。(↕商)

**せき**［籍］①戸籍。「―をぬく」②〔団体などの一員として〕正式に〈承認/登録〉されていること。「―がある・―を置く」●籍を入れる 句 入籍する。

**せき**［隻］接尾 ①対になっているものの、一方を数えることば。「びょうぶ(屏風)一―」☞双 三。②船などを数えることば。☞そう(艘)。

**せき**［石］一 造 いし。「人造―」二 接尾 ①機械式の時計などの軸受けにする、ルビーなどを数えることば。「十七―」②電気製品の中のトランジスタなどを数えることば。「八―」

**ぜき**［関］接尾 十両以上の力士の名にそえる尊敬語。「白鵬―」

**せきあえ・ぬ**［(△塞きあえぬ)］《連体》(あえぬ=敢えぬ)〔雅〕さえぎりとめることができない。「涙―思い」〔「塞きあえず」の形は副詞〕

**せきあく**［積悪］〔文〕今までにしてきた悪いこと。「―のむくい」(↕積善)

**せきい・る**［(×咳き)入る］《自五》せきこむ。

**せきうん**［積雲］《天》晴れた日中に、空の低い所にうかぶ、もっこりした雲。わたぐも。

**せきえい**［石英］《鉱》岩石の中にある、ケイ素と酸素との化合物。風化に強く、砂つぶとして残りやすい。陶磁器・ガラスの原料。☞水晶。

**せきがいせん**［赤外線］《理》スペクトルの、赤より外側にある目に見えない光線。医療・乾燥・写真などに利用する。熱線。☞紫外線。

**せきがえ**［席替え］《名・自サ》座席の配置をかえること。

**せきがき**［席書き］《名・自サ》集会の席上で、字や絵をかくこと。また、かいたもの。

**せきがく**［(×碩学)］〔文〕大学者。大家。

**せきがはら**［関が原］勝敗や運命の定まる、重要な〈戦い/場合〉。由来 関ヶ原〔=岐阜県西部の地名〕の戦いが、天下の運命を決めたことから。

**せきかん**［席間］〔文〕席と席のあいだ。「―が広い車両」

**せきがん**［隻眼］〔文〕一つの目（しか見えないこと）。片目。「—の剣士」（↔双眼）☞一隻眼。

**せきぐん**［赤軍］旧ソ連の正規軍。

**せきご**［隻語］〔文〕わずかのことば。「片言—」

←**せきこ・む**［（×咳き）込む］《自五》息が苦しくなるほど、続けてせきをする。せきいる。图せき込み。

→**せきこ・む**［（△急き）込む］《自五》興奮して、早口になる。「せき込んで話す」

**せきさい**［積載］《名・他サ》〔文〕〔トラック・船などに〕つんで のせること。「—量」

**せきざい**［石材］建築・土木などの材料とする石。「—店」

**せきさん**［積算］《名・他サ》①累計。累積。「—電力計〔＝電気のメーター〕」②単価と数量を基準として総額を計算すること。「—根拠」

**せきし**［赤子］〔＝赤んぼう〕〔文〕〔天皇が親のように治める〕国民。〔旧憲法時代以前の ことば〕☞あかご（赤子）。

**せきじ**［席次］①座席の順序。②（学校などの）成績の順序。

**せきしつ**［石室］①《歴》古墳で棺をおさめた石の部屋。☞玄室。②石でつくった部屋。▽いしむろ。

**せきしつ**［石質］〔材料として見たときの〕石の性質や品質。

**せきじつ**［昔日］〔文〕むかし。「—の おもかげもない」

**せきしゅ**［席主］①寄席の主人。②将棋道場の責任者。③茶会の主催者・責任者。

**せきじゅうじ**［赤十字］①白地に赤い十字の形をあらわした、記章。②〔↑赤十字社〕戦時には傷病兵の手当てをし、平時には一般の人の救護や治療をおこなう団体。〔イスラム教国では「赤新月社」〕

**せきしゅつ**［析出］《名・自他サ》〔文〕①液体の中から、結晶となって固体が出てくること。②資料を分析して、はっきりしたものをみちびき出すこと。「両者に共通する性質を—する」

**せきしゅん**［惜春］〔文〕〈春／青春〉の過ぎ去るのをおしむこと。「—賦」

**せきじゅん**［石×筍］《地》鍾乳洞の天井から落ちるしずくの石灰分が、下から たけのこのようにのびたもの。☞鍾乳石・石柱②。

**せきじゅん**［席順］座席などの順序。

**せきしょ**［関所］昔、おもな道路・国境に作って、旅人の交通を取りしまった場所。せき。「—破り」

**せきじょう**［席上］㊀ 会合や集会の〈席／場〉。㊁《副》その〈席／場〉で。

**せきしょく**［赤色］〔文〕①赤い色。あかいろ。「〔パトカーなどの〕—灯」②共産主義をさすことば。「—革命・—テロ〔＝革命がわのテロ。（↔白色テロ）〕」

**せきしん**［赤心］〔文〕まごころ。

**せきずい**［脊髄］《生》脊椎の管の中にある、ひものような形の器官。脳髄とともに中枢神経系を形づくる。☞末梢神経。 ●**せきずいはんしゃ**［脊髄反射］①《生》脳まで行かず、脊髄によって引き起こされる、単純な反射。②じゅうぶん考えず、すぐに反応すること。脊髄反応。「—でSNSに書きこむ」

**せきせい**［赤誠］〔文〕まごころ。

**せきせいいんこ**［（背黄青×鸚×哥）］小形のインコ。頭・背は黄色、胸・腹は緑色。

**せきせつ**［積雪］〔文〕つもった雪。「—量」

**せきぜん**［積善］〔文〕今までにたまった、いいこと。（↔積悪） ●**せきぜんのよけい**［積善の余慶］〔↑積善の家には必ず余慶あり〕〔文〕いいことをしておいたおかげで おとずれる幸福。

**せきぜん**［寂然］《トタル》〔文〕ものさびしいようす。じゃくねん。「—とした冬景色」

**せきそう**［積層］《名・他サ》〔文〕層を積み重ねること。「—材〔＝うすい板を数枚はりあわせたもの〕・—ゴム」

**せきぞう**［石造］〔文〕石材で〈つくること／つくったもの〉。石づくり。

**せきぞう**［石像］石で作った像。

**せきぞく**［石×鏃］《歴》石で作った やじり。

**せきだい**［席代］席料。

**せきだい**［席題］俳句や歌などの会で、その場で出す題。即題。（↔兼題）

**せきた・てる**［（△急き）立てる］《他下一》さかんに いそがせる。早く早くとうながす。

**せきたん**［石炭］《鉱》化石燃料の一つ。地質時代の植物が地中に うずもれ、変質してできた岩石。炭素を多くふくむ。 ●**せきたんえきか**［石炭液化］《理》石炭をどろどろにして、ナフサや石炭ガスなどを取り出すこと。 ●**せきたんガス**［石炭ガス］《理》石炭を空気に ふれさせずに熱したときにできるガス。水素・メタンが主成分。燃料・灯火に使う。

**せきちく**［（石竹）］庭に植える草花。夏のはじめ、ナデシコに似た うす赤色の花が たくさんさく。からなでしこ（唐撫子）。

**せきちゅう**［石柱］①〔文〕石の はしら。②《地》鍾乳洞内で、天井から成長した鍾乳石と、床から成長した石筍とが合体して一本の柱のようになったもの。

**せきちゅう**［脊柱］《生》背骨。「—側わん（彎）症（☞側彎）」

**せきちん**［赤沈］《医》↑赤血球沈降速度。

**せきつい**［脊椎］《生》①脊柱を形づくる、多くの骨。②脊柱。 ●**せきついカリエス**［脊椎カリエス］《医》脊椎が結核菌によっておかされる病気。 ●**せきついどうぶつ**［脊椎動物］《動》からだを支える脊椎をもつ動物。魚類・両生類・爬虫類・鳥類・哺乳類など。（↔無脊椎動物）

**せきてい**［石庭］石と砂だけで作った庭。

**せきてい**［席亭］①貸席。②寄席の経営者。

**せきとう**［石塔］①石で作った五輪の塔。②墓石。

**せきどう**［赤道］①《地》地球上で、北極からも南極からも一番遠い地点〔＝北緯・南緯零度〕を、東西に一周する線。熱帯の真ん中に当たる。②《天》「赤道①」の真上の空を、東西に一周する線。「天の—」 ●**せきどうさい**［赤道祭］船が「赤道①」を通るときに、船でするまつり。

**せきとく**［△尺×牘］〔文〕（漢文の）手紙。書簡。

**せきとして**［寂として］《副》〔文〕ひっそりと しずまりかえっているようす。「—声がない」

**せきとめこ**［（×堰き）止め湖］溶岩や くずれた土砂などで、川が せきとめられて できた みずうみ。☞土砂ダム。

せきと・める【(×堰き)止める・(▲塞き)止める】《他下一》さえぎり止める。「川を―」

せきとり【関取】力士のうち、十両以上の人(を尊敬して言うことば)。

**せきにん【責任】①役目を引き受けた人に生じるもので、それがあるかぎり、役目をきちんとしなければならないもの。「―を負う・―を果たす・―が重い・―ある(=責任の自覚がある)態度・―を持って引き受ける」②あやまちをおかした人に生じるもので、それがあるかぎり、つぐないをしたり、始末をつけたりしなければならないもの。「―を問われる・―を取る(=辞任などをする)・―の所在を明らかにする・―問題」●せきにんかん【責任感】責任を重んじる気持ち。●せきにんしゃ【責任者】仕事や事務について、責任を負う人。「―を呼べ!」

せきねつ【赤熱】《名・自他サ》赤くなるまで熱すること。灼熱。「―の鉄・摩擦で―する」

せきねん【積年】〔文〕つもった年月。多年。「―のうらみ」

せきのやま【関の山】限度。せいぜい。「そこまでが―だ」

せきはい【惜敗】《名・自サ》おしいところで〈試合/勝負〉に負けること。(↔辛勝)

せきばく【寂×寞】《名・トタル》〔文〕ものさびしくて、気持ちが満たされないようす。じゃくまく〔古風〕。「―たる人生」

せきはずし【席外し】〔俗〕〈会社などで〉自分の席をはなれていること。「小林はいま―です」

せきばらい【(×咳)払い】《名・自サ》〈人の注意を引きたいときや、緊張したときなどに〉「えへん」と声を出して、わざとせきをすること。

せきはん【赤飯】〈お祝いに炊く〉アズキまたはササゲを煮て、もち米にまぜ、むしたごはん。おこわ。赤のごはん〔古風〕。「お―」

←せきばん【石板】①石でできた板。「―に名前をほりつける」②⇩石盤。

↔せきばん【石版】《印刷》①平版の一種。特殊な石に脂肪性のインクでかいて作る。②〈↑石版印刷〉「石版①」を使った印刷。リトグラフ。

→せきばん【石盤・石板】①粘板岩のうすい板にわくをつけたもの。明治時代の小学生は、これを帳面の代わりにして、石筆で文字や絵をかいた。②⇩スレート。

せきひ【石碑】立っている石に記念のためにほりつけてあとに残す〈文章/もの〉。いしぶみ。「―ぶ(葺)き」

せきひょう【石標】字を刻んで目じるしに立てる、石の短い柱。

せきひん【赤貧】〔文〕まずしくて、何もないこと。●赤貧洗うがごとし 句〔文〕まずしくて、洗い流したように何もない。

せきふ【石×斧】《歴》おの(斧)の形をした石器。武器・耕作に使った。

[せきふ]

せきふだ【席札】〔宴会などで〕名前を書いて、その人の座席に置くふだ。

せきぶつ【石仏】石づくりの仏像。いしぼとけ。

せきぶん【積分】《名・他サ》《数》関数の和に関する計算法。(↔微分)

せきへい【積弊】〔文〕つもりかさなった弊害。

せきべつ【惜別】〔文〕わかれをおしむこと。「―の情」

せきぼく【石墨】黒鉛。グラファイト(graphite)。

せきまつ【席末】〔文〕いちばん下座の席。末席。

せきむ【責務】責任と義務。つとめ。「―を果たす」

せきめん【石綿】《鉱》⇩アスベスト。「―スレート」

せきめん【赤面】《名・自サ》はずかしくなって顔を赤くすること。「―の至り」

せきもり【関守】〔雅〕昔、関所をまもった役人。「月日に―なしと言いますが」

せきゆ【石油】《鉱》化石燃料の一つ。地中からわき出る、黒くてどろどろしたあぶら(=原油)や、それを精製したもの(=ガソリン・灯油・軽油など)。〔もとは動物プランクトンの死骸〕「―をほる・―会社・―化学(=石油を原料とする化学)・―ストーブ」●せきゆたんぱく【石油(×蛋白)】《理》石油由来の炭化水素を食べてそだった微生物(=酵母など)を粉にしたもの。

せきゅう【:石油】〔話〕⇩せきゆ。

☆☆セキュリティ(ー)〔security〕①安全保障。安全性。②防犯(設備)。「―システム」●セキュリティ(ー)ホール〔security hole〕《情》外部からの侵入をゆるすおそれのある、コンピューターのソフトやハードの欠陥。脆弱性。

せぎょう【施行】《名・他サ》《仏》まずしい人たちに、食べ物などをあたえること。「寒―・かゆ―」☞しこう(施行)。

☆☆せきらら【赤裸々】《ダナ》(「赤裸」の強調)〔文〕つつみかくさないようす。むきだし。率直。「―な体験談」派-さ。

せきらんうん【積乱雲】《天》夏に多い、山のように高くもりあがる大きな雲。雷雨をともなうことが多く、ひょうを降らせることもある。入道雲。雷雲。

せきり【赤痢】《医》赤痢菌で大腸がおかされる急性の感染症。下痢がひどく、ねばりけのある血便を出す。

せきりょう【席料】座敷・会場の借り賃。席代。

せきりょう【脊×梁】〔文〕せぼね。せすじ。「―山脈」

せきりょう【責了】(↑責任校了)著者や編集者からまかされて、印刷所が責任を持って最後の校正を終えること。

せきりょう【寂×寥】《名・トタル》〔文〕心が満たされず、ものさびしいようす。派-さ。

せきりょく【斥力】《理》物体が、おたがいにしりぞけあう力。反発力。(↔引力)

せきるい【石塁】敵を防ぐために、石を積み上げて土手のようにしたもの。石のとりで。

せきれい【(×鶺×鴒)】キセキレイ・セグロセキレイなど、水べにすむ小鳥。からだは黒、腹は白または黄色。長い尾を上下に動かす。

せきわけ【関▲脇】《すもう》大関の下、小結の上の位。せきわき。

せきわん【隻腕】〔文〕⇩かたうで。(↔双腕)

せぎん【世銀】↑世界銀行。

せ・く【(×咳く)】《自五》〔関西・中部方言〕せきをする。しわぶく。

せ・く【(▲急く)】《自五》〔早くしようと思って〕あせる。心がはやる。「気が―・せいては事をし損じる」

**せ・く**[〈×堰く〉・〈△塞く〉]《他五》〔文〕さえぎりとめる。「岩にせかれる川の流れ」

**せぐくま・る**[背ぐくまる・×跼る]《自五》〔文〕からだを前に曲げて、背を丸くする。かがまる。

**セクシー**〔sexy〕■《ナダ》①性的魅力〈のある/を発散する〉ようす。②魅力的。派 -さ。■「セクシー■①」な姿の写真(集)。「初―」

☆☆**セクシャリティ(ー)**〔sexuality〕①男女の性別。②性的な傾向。▽セクシュアリティ(ー)。

**セクシャル**《ナダ》〔sexual〕⇩セクシュアル。

**セクシュアル**《ナダ》〔sexual〕性的。性の。セクシャル。「―な魅力・―マイノリティー〔=性的少数者。☞LGBT〕」 ●**セクシュアル ハラスメント**〔sexual harassment〕⇩セクハラ。

**セクショナリズム**〔sectionalism〕組織の各セクションの立場や権限にこだわって、協力し合わないこと。縄張り意識。セクト主義。「―が強い」

**セクション**〔section〕①区画。区分。「ノン―」②団体・組織などの部門。③〔新聞などの〕欄。面。「ホーム―〔=家庭欄〕」

**セクター**〔sector〕①分野。部門。地域。「公的―・国家―」☞第三セクター。②情報を記録するための媒体上の区切り。

**セクト**〔sect〕党派。分派。「―主義」

☆☆**セクハラ**《名・自他サ》〔↑セクシュアル ハラスメント〕性に関して、相手のいやがる行動・発言をしたり、不利益をあたえたりすること。性的いやがらせ。

**セグメント**〔segment〕①区分。部分。②《経》企業活動の〈種類別/地域別〉の区分。③周波数帯域。☞ワンセグ。

**セクレタリー**〔secretary〕秘書。

**せぐろ いわし**[〈背黒×鰯〉]〔方〕⇩かたくちいわし。〔「せぐろ」とも〕

**せけん**[世間]①自分の家族以外の人が構成する社会。世の中。②世の中の人。「―が承知しない・―の口に戸は立てられぬ〔⇩「人」の句〕・―さまに申し訳ない」③自分の活動範囲。「―がせまい」 ●**せけんうけ**[世間受け]一般大衆が喜ぶこと。「―のよいテーマ」 ●**せけんし**[世間師]〔俗〕世わたりがうまくて、ずるく立ちまわる人。「なかなかの―だ」 ●**せけんしらず**[世間知らず]《名・ナダ》経験が少なく、世の中のことをよく知らない〈こと/人〉。 ●☆☆**せけんずれ**《名・自サ》■[世間擦れ]実社会で苦労をしてわるがしこくなること。■[世間ずれ・世間ズレ]〔俗〕世間の動きとずれていること。 ●**せけんてい**[世間体]世間に対するていさい。「―をはばかる」 ●**せけんなみ**[世間並み]《名・ナダ》世間一般と変わらない〈こと/程度〉。ふつう。「―のつきあい」 ●**せけんばなし**[世間話]世間の出来事やうわさなどの、気楽な話。 ●**せけんばなれ**[世間離れ]《名・自サ》世間の常識的な基準からかけはなれること。

**ぜげん**[〈△女×衒〉]江戸時代、女性を遊女屋にあっせんした商売人。〔現代の同じような商売人も言う〕

**せこ**[世故]世間をわたっていくための、実際的な知恵。「―に長ける」

**せこ**[〈△勢子〉]〔狩りで〕鳥やけものを狩り出す人。

**せこ・い**《形》〔俗〕けちくさい。みみっちい。「―やつだ・―考え」派 -さ。

☆☆**せこう**[施工]《名・自他サ》工事をおこなうこと。しこう。「―式・―主・―現場」

**せこう**[施行]《名・他サ》⇩しこう(施行)。

**せごし**[背越し]《料》アユなどの小さいさかなを、背骨から包丁を入れて輪切りにしたもの。

**セコハン**〔↑セコンド ハンド(second-hand)〕〔俗〕中古。

**セコンド**〔second〕■**セコンド** ①〔ボクシングなどの〕介添え人。②秒(針)。▽セカンド。■遺〔古風〕⇩セカンド■。「―バッグ・―ハンド」 ●**セコンドを刻む**句〔セコンド=秒〕時計が、コチコチ音を立てる。

**せさく**[施策]《名・他サ》⇩しさく(施策)。

**せざるべからず**連〔文〕⇩ざるべからず。

**せざるをえない**[せざるを(得ない)]連〔文〕⇩ざるをえない。

**セし**[セ氏]《理》↑セ氏温度。(↔華氏)

**せじ**[世事]①世の中のできごと。時事。②世間のつきあいなどに関すること。俗事。「―にうとい」

**せじ**[世辞]⇩おせじ。「―を言う」

☆☆**セシウム**〔cesium〕《理》金属元素の一つ〔記号Cs〕。放射性のセシウムは有害。

**セしおんど**[セ氏温度]《理》水がこおる温度を零度、沸騰する温度を百度とする温度目もり〔記号℃〕。摂氏(温度)。セ氏。☞華氏温度。由来 セルシウス(Celsius)の考案によることから。

**せし・める**《他下一》〔俗〕自分のものにする。手に入れる。「こづかいをたんまり―」

**せしめる**連①〔サ変動詞の未然形+助動詞「しめる」〕…させる。「他人をして〔=他人に〕使用―」②助動詞「しめる」の誤った言い方。「耳をかたむけ―」

**せしゅ**[施主]①《仏》供養をするお金を出す人。檀那。②建て主。工事の発注主。「(お)―さん」

☆☆**せしゅう**[世襲]《名・他サ》〔その家庭の中で〕代々うけつぐこと。「―財産・社長は―制だ・―議員」

**せじゅつ**[施術]《名・自サ》〔文〕①手術などの医療をおこなうこと。②美容・散髪などをおこなうこと。「―院」③まじない・催眠術などをおこなうこと。▽しじゅつ。

**せじょう**[世上]〔文〕世の中。世間(で)。

**せじょう**[世情]世間の事情。「―にうとい」

**せじょう**[施錠]《名・他サ》〔文〕じょうをしめること。「無―のドア」(↔解錠)

**せじん**[世人]〔文〕世間の人。世の中の人。

**せじん**[世×塵]〔文〕世の中の、わずらわしいことがら。「―を避ける」

**せすじ**[背筋]背骨のたての筋。「〈寒さ/感動〉で―がぞくぞくする」☞はいきん(背筋)。 ●**背筋が寒くなる**句 ひどくおそろしくなるたとえ。ぞっとする。背筋がこおる。背筋が冷たくなる。「―事件・今後のことを思うと―」 ●**背筋が伸びる**句 まじめな気持ちになって、姿勢が正しくなる。「尊敬する人の話を聞いて―」

**ゼスチャー**〔gesture〕⇩ジェスチャー。

**セスナき**[セスナ機]小型の軽飛行機。〔セスナ社製の小型飛行機から〕

**ぜぜ**[〈△銭〉]〔俗〕ぜに。おあし。「お―」

**ぜせい**[是正]《名・他サ》まちがいを正すこと。「欠点をーする・格差をーする」

**せせく・る**《他五》〔古風・俗〕せせる。

**せせこまし・い**《形》（気持ちが）せまくて ゆとりがない。せせっこましい。派ーさ。

☆☆**ぜぜひひ**［是々非々］いいことをいいとし、悪いことを悪いとする、公平無私な態度。「ー主義」

**せせらぎ**［：細流］ちょろちょろ音を立てて水が流れる、川の浅瀬。また、その音。「ーが聞こえる」動せせらぐ《自五》。

**せせらわら・う**［せせら笑う］《他五》あざわらう。名せせら笑い。

**せせり** ニワトリの首の肉。小肉。すき身。由来 肉をせせることから。

**せせ・る**［（×挵る）］《他五》〔古風〕つつく。つついて中身を取り出す。「ようじで歯をー・せせり出す」

**せそう**［世相］世間の ありさま。

**せぞく**［世俗］〔文〕①俗な世の中。②世間の人。③世間の習わし。●**せぞくてき**［世俗的］《ナダ》世間ふつうの、俗っぽいようす。

**せそん**［世尊］《仏》「仏陀」を尊敬した言い方。

＊**せたい**［世帯］〔法〕同じ家に住み、生計をともにする家族（またはそれに準じる者）の集まり。所帯。「二ー住宅」●**せたいぬし**［世帯主］世帯のうちで、いちばん主になる人。所帯主。

**せたい**［世態］〔文〕世の中の ありさま。「ー人情」

＊**せだい**［世代］①一族の中での、新旧の順番。親・子・孫などと呼び分けられるもの。②人々を、親子ぐらいの年の差（＝約三十年）ごとに まとめた言い方。また、生まれた時期・生きた時代などで まとめた言い方。「ー（の）交代・若いー・バブルー」③同じ系統の中での、新旧の順番。「一ー限りの種子・ジェット機の第一ー」▽ジェネレーション。

**せたけ**［背丈］身長。せい。「ーが のびる」

**セダン**〔米 sedan〕正統派の乗用車。前後が飛び出た形で、座席が前とうしろに分かれている。サルーン。

**せち**［世知・世×智］世の中をわたっていくための知恵。世故。「ーに たける」

**せちがら・い**［（世知辛い）・（世×智辛い）］《形》①世わたりが むずかしい。「ー時世」②けちだ。「ーやつだ」派ーさ。

**せつ**［節］一**せつ** ①おり。ころ。とき。「そのーは」②〔文〕（文章などの）小さな区分。こわけ。③〔文〕守ってきた信念。みさお。「ーを曲げる・ーを守る」④《言》一つの文と同等のものが、独立しないで文の一部分になっているもの。「主語ー」☞句一③。二造 ①その国の、大切な記念日。「紀元ー〔＝旧制の名称。今の『建国記念の日』に当たる〕」②《宗》キリストを記念する期間。「受難ー」③〔プロ野球などの〕試合日程の区切り。

＊**せつ**［説］①意見。主張。「なかなかーをまげない・おー〔＝相手の意見〕ごもっとも」②文章などの形に あらわした考察。学説。「ーを提出する・ーを支持する」③うわさ。「夜逃げしたというーもある」

☆☆**せつ**［拙］一**せつ**《名・ナリ》〔文〕へたなこと。つたないこと。（↔巧）二**せつ**《代》〔古風〕わたくし。「ーの考えでは…」三接頭〔文〕（つまらない）わたしの。〔けんそんした言い方〕「ー宅・ー文・ー書〔＝拙著〕・ーブログ」

**せつ**［切］《ナリ》〔文〕強い気持ちをおさえることができないようす。しきり。「立ち直ってほしいと願うやー・ーなる〔＝心からの〕願い」☞切に。

**せつあく**［拙悪］《名・ナダ》〔文〕わざがおとっていて、できが悪いこと。「ーな文章」

**せつえい**［設営］《名・他サ》①ある仕事にそなえて、施設などをあらかじめつくること。「宿舎をーする」②会場などの準備をすること。

**ぜつえい**［絶詠］〔文〕死ぬまぎわに詠んだ短歌や俳句。絶吟。

**せつえん**［雪炎］高山に積もった雪が強い風にとばされて、日光にかがやく状態。

**せつえん**［節煙］《名・自サ》タバコを吸う量を適当にへらすこと。

**せつえん**［雪×冤］《名・他サ》〔文〕潔白を明らかにして、無実の罪を晴らすこと。「ーを果たす」

☆☆**ぜつえん**［絶縁］《名・自サ》①縁を切ること。「ー状」（↔復縁）②《理》電気を流す物質の間に電気を流さない物質を加え、電流や熱を通さないようにすること。●**ぜつえんたい**［絶縁体］《理》電気や熱をきわめて通しにくい物体。絶縁物。不導体。

**せつおん**［雪温］雪の温度。「ー氷点下一度」

**せっか**［石化］《名・自サ》①〔文〕石（のよう）になること。②↑石油化学。「ーコンビナート・ー製品」

**せっか**［赤化］《名・自他サ》〔文〕左翼の思想に感化〈させる／される〉こと。左翼化。

**ぜっか**［舌禍］〔文〕自分の言論が適当でないために受ける わざわい。（↔筆禍）

**ぜっか**［絶佳］《ナダ》〔文〕（けしきが）すばらしいようす。「風景ー」

**せっかい**［石灰］《理》①石灰石を粉にしたもの。〔主成分は炭酸カルシウム〕「ーで運動場にラインを引く」②⇩生石灰。③⇩消石灰。▽いしばい。●**せっかいがん**［石灰岩］《鉱》堆積岩の一種。昔の動物の骨などが、水底に積もってできたもの。セメント・ガラスなどの原料。●**せっかいせき**［石灰石］《鉱》〔原料として使う〕石灰岩。

**せっかい**［雪塊］〔文〕雪の かたまり。

**せっかい**［節介］《名・自サ・ナダ》⇩おせっかい。

**せっかい**［切開］《名・他サ》〔治療のために悪い部分を〕切りひらくこと。「ー手術」

**せつがい**［雪害］〔文〕雪のために受ける害。

**ぜっかい**［絶海］〔文〕陸から遠くはなれた海。「ーの孤島」

**せっかく**［石×槨］《歴》〔古墳で〕棺を入れる、石で作った箱。また、死体をおさめる、石の部屋。

＊**せっかく**［（：折角）］《副》①〔それがむだになるのは おしい、という気持ちをこめて言う〕ⓐわざわざ するようす。「ーの ご指名なので、一言ごあいさつを」「せっかく来たのにお休みだった」のように、自分の行動について言うと、不満の気持ちが出る。ⓑ〈めったにない／だいじな〉ようす。「ーのチャンスをにがした」②〔古風〕じゅうぶんに。つとめて。「ーご自愛ください・ーおはげみなさい」

**せっかち**《名・ナダ》短気。きみじか。「ーな性質」派ーさ。

**せっかっしょく**［赤褐色］〔文〕赤みをおびた褐色。せきかっしょく。

**せっかん**［石棺］〘歴〙石で作ったかんおけ。

**せっかん**［摂関］〘歴〙摂政と関白。「―政治」

**せっかん**［折×檻］〘名・他サ〙こらしめのために、たたくなど、体罰を加えること。

**せつがん**［接岸］〘名・自サ〙①船が、岸壁に横づけになること。（↔離岸）②台風や潮流などが、海のほうから海岸に近づくこと。

**せつがん**［切願］〘名・他サ〙〔文〕しきりにねがうこと。

**ぜつがん**［舌×癌］〘医〙舌の、おもに前やへりにできるがん（癌）。

**せつがんレンズ**［接眼レンズ］顕微鏡・望遠鏡などで、目をあてるほうのレンズ。（↔対物レンズ）

**せっき**［石器］石で作った器具。●**せっきじだい**［石器時代］〘歴〙金属の使用を知らず、石を加工し、器具として使った時代。

←**せっき**［節気］〘天〙⇩二十四節気。

→**せっき**［節季］①年の暮れ。年末。②盆と暮れ。

**せつぎ**［節義］〔文〕節操を守り、人としての正しい道をおこなうこと。

**ぜつぎ**［絶技］〔文〕すぐれていて、すばらしいわざ。

**せっきゃく**［隻脚］〔文〕かたあし。（↔双脚）

**せっきゃく**［接客］〘名・自他サ〙〔文〕〔商店・会社などで〕客と応接すること。「―業（＝飲食店など、客を接待する職業）・―用語（＝『いらっしゃいませ』『かしこまりました』など）」

**せっきょう**［説教］〘名・自他サ〙①宗教の教えを説いて聞かせること。「お坊さんの―」②目下の者へのこごとや忠告（を、くどくどとのべること）。説法。「お―」●**せっきょうごうとう**［説教強盗］（＝昭和初期、おし入った家の人に「戸じまりが悪い」などと説教した強盗）相手のせいにしながら、ひどいことをする者のたとえ。「―のような理屈」

**ぜっきょう**［絶叫］〘名・自他サ〙ありったけの声でさけぶこと。「恐怖のあまり―する・万歳を―する・遊園地の―マシン（＝すごく速くて、みんなが絶叫する乗り物）」

＊**せっきょく**［積極］〘漢〙進んでものごとをおこなうこと。「―性・―外交・―果敢に攻める・―財政（↔緊縮財政）」（↔消極）〘派〙―さ。●＊**せっきょくてき**［積極的］〘ナダ〙進んでものごとをおこなうようす。「―に発言する」（↔消極的）

**せっきん**［赤筋］〘生〙力を持続的に出すのに向いた、赤っぽい筋肉。遅筋。☞白筋。

**せっきん**［接近］〘名・自サ〙①近づくこと。「台風が―する」②差が少なくなること。「実力が―する」③〔人に近づいて〕つきあうこと。

**ぜつぎん**［絶吟］〔文〕①死ぬまぎわに詠んだ詩や短歌・俳句。②死ぬまぎわに吟じた詩や歌。

**せっく**［拙句］〔文〕①へたな俳句。②「自分の作った俳句」の謙譲語。

**せっく**［節句・節供］季節の変わりめにあたる、おいわいの日。「桃の―・お―」☞五節句。●**せっくばたらき**［節句働き］人が休む節句にわざといそがしそうに働くこと。「なまけ者の―」

**せつ・く**〘他五〙〔話〕せっつく。

☆**ぜっく**［絶句］㊀①起・承・転・結の四句からできている、漢詩の形式の一つ。「七言―」☞律詩。②〈臨終/最後〉に詠んだ俳句。㊁〘名・自サ〙とちゅうでことばが出なくなること。「突然の知らせに―する」

**せつぐう**［接遇］〘名・自サ〙〔文〕仕事として、客〈をもてなす/に接する〉こと。「大統領が―にあたる・―費・―教育・―がいい」

**セックス**［sex］㊀①男女の別。性。「―チェック（＝女子選手の性別検査）」②性的な〈もの/こと〉。「―シンボル（＝セックスアピールにあふれた有名人）」㊁〘名・自サ〙性交（すること）。●**セックスアピール**［sex appeal］からだつきやしぐさで、性的にひきつける力。性的魅力。●**セックスレス**［sexless］カップルの間で性行為がないこと。

**せっくつ**［石窟］岩山をけずって作った部屋。「―寺院」

**せっけい**［雪渓］真夏のころまで雪が残っている、高山の谷間や斜面。

**せっけい**［雪景］〔文〕雪の降ったあとのけしき。雪げしき。

**せっけい**［設計］〘名・他サ〙建築・土木工事・機械製作などの計画を、図面にして示すこと。「―監理〔⇩「監理」の用例〕・―図」

☆**ぜっけい**［絶景］この上もないすぐれたけしき。「―かな、―かな」

**せっけいもじ**［×楔形文字］⇩くさびがた文字。けっけいもじ。

**せつげっか**［雪月花］〔文〕ゆきとつきとはな。四季の代表的なながめ。せつげつか。つきゆきはな。

**せっけっきゅう**［赤血球］〘生〙血の おもな成分。血液を赤く見せ、養分の供給・老廃物の排除などのはたらきをする。（↔白血球）●**せっけっきゅうちんこうそくど**［赤血球沈降速度］〘医〙赤血球が、決まった時間に、ガラスの細い管の中でしずんでゆく速度。病気の診断に用いる。赤沈。血沈。

**せっけん**［〔石×鹸〕］油脂に苛性ソーダを加えて作ったもの。水にとけるとよく泡立ち、あか・よごれを落とす。シャボン。

☆**せっけん**［席△巻・席×捲］〘名・他サ〙〔文〕〈むしろを巻くように〉ものすごい勢いで勢力を広げること。

**せっけん**［接見］〘名・他サ〙①身分の高い人が客に会うこと。引見。「国王が大使に―する」（↔謁見）②〘法〙勾留中の〈被疑者/被告人〉が、弁護士など外部の人と会うこと。

**せっけん**［節倹］〘名・他サ〙〔文〕質素にして、生活費用をかけないこと。

**せつげん**［雪原］①〔文〕雪が降りつもった野原。②〘地〙高山・極地などで、積もった雪がいつまでも残っている、広い地域。

**せつげん**［接舷］〘名・自サ〙船の側面を〈ほかの船/岸〉につけること。

**せつげん**［切言］〘名・他サ〙〔文〕ことばを尽くして言うこと。

**せつげん**［節減］〘名・他サ〙節約して（費用を）へらすこと。「経費―・エネルギー―」

**ゼッケン**［ド Decke（＝乗馬のくら（鞍）下にしく毛布）から］①競走馬などがつける番号を書いた布。また、その番号。②⇩ナンバーカード。

**ぜつご**【絶後】〔文〕①将来、同じ例がないこと。(↔空前) ②息がたえたあと。「—によみがえる」

**せっこう**【石×膏】《鉱》海などが蒸発した後にできる、白い結晶。彫刻・材料・ギプスなどにする。

**せっこう**【拙稿】(=まずい原稿)〔文〕「自分の原稿」の謙譲語。

**せっこう**【斥候】《名・他サ》《軍》敵の様子を偵察する〈こと／者〉。

**せっこう**【拙攻】《名・他サ》《野球など》へたな攻撃(をしかけること)。(↔拙守)

**せつごう**【接合】《名・自他サ》つぎあわせて一つにすること。両方が一つにくっつくこと。

**ぜっこう**【絶好】この上なくいいこと。「—球・—のチャンス」

**ぜっこう**【絶交】《名・自サ》(仲たがいしたり、腹を立てたりして)交際をやめること。

**ぜっこうちょう**【絶好調】《名・ナダ》非常に調子がいいこと。「体調は—だ」(↔絶不調)

**せっこく**【(石×斛)】岩の上や老木にはえる、ランの一種。初夏に、小さくて花びらの長い、白またはうすいピンクの花がさく。

**せっこつ**【接骨】ほねつぎ。「—師・—院」

←**せっさく**【拙作】〔文〕①へたな作品。②「自分の作品」の謙譲語。

→**せっさく**【拙策】〔文〕①まずい策略。②「自分の策略」の謙譲語。

**せっさく**【切削】《名・他サ》〔文〕金属を切ったり、けずったりすること。「—加工」

**ぜっさく**【絶作】生きているうちに書いた最後の作品。臨終に残した作品。

☆☆**せっさたくま**【切×磋×琢磨】《名・自サ》①〔文〕知識や徳をみがくこと。②友だちなどがおたがいにはげましあって努力し、向上すること。

**ぜっさん**【絶賛・絶×讃】■一《名・他サ》この上なくほめること。「—を博する」区別⇩ほめる。■二《副》①大好評で。「—発売中」②〔俗〕まさに、今。「—リハーサル中」

**せっし**【:摂=氏】〔摂=Celsius を音訳したときの第一字〕《理》⇩セ氏温度。

**せっし**【切歯】《名・自サ》〔文〕①歯をくいしばること。はぎしり。はがみ。②(歯ぎしりして)非常に残念がること。•**せっしやくわん**【切歯×扼腕】《名・自サ》〔文〕歯ぎしりをし、うでをにぎりしめてくやしがること。

**せつじ**【接辞】《言》接頭語と接尾語。

**せつじ**【説示】《名・自他サ》〔文〕部下などに、意見や方針を話して聞かせること。

**せつじつ**【切実】《ナダ》実情によくあてはまるようす。身にせまるようす。「—な問題・—な要求」派—さ。

**せっしゃ**【摂社】「本社③」のまわりにある小さい神社。本社に縁故のある神をまつる。☞末社。

**せっしゃ**【接写】《名・他サ》《写真》非常に近づいて写すこと。

**せっしゃ**【拙者】《代》《古風》武士などが自分をけんそんして言ったことば。わたくし。

**せっしゅ**【拙守】《名・自サ》《野球など》へたな守備(をすること)。(↔拙攻)

**せっしゅ**【節酒】《名・自サ》酒の量を適当にへらすこと。「—節煙」

**せっしゅ**【窃取】《名・他サ》〔文〕(人に知られないように)ぬすみ取ること。

**せっしゅ**【接種】《名・他サ》《医》抗体を作るために、ワクチンなどを注射などの方法で体内に入れること。「予防—」

**せっしゅ**【摂取】《名・他サ》〔文〕取り入れて自分のものにすること。「栄養の—・知識の—」

**せつじゅ**【接受】《名・他サ》《法》①外国の外交官を受け入れること。②公文書などを受け付けること。

**せっしゅう**【接収】《名・他サ》〔文〕所有物を強制的に取りあげること。「土地の—」

**せつじょ**【切除】《名・他サ》《医》切り取ること。「肺葉を—する」

**せっしょう**【摂政】天皇や君主が幼少・病気などのため、代わってその仕事をする人。「—殿下・—宮(=のちの昭和天皇)」

☆☆**せっしょう**【折衝】《名・自サ》外交や取り引きで、かけひきをすること。談判。「相手方と—する」

**せっしょう**【殺生】■一《名・自サ》生き物を殺すこと。「無益な—はするな!」■二《ナダ》やり方がひどくて、思いやりがないようす。「なんと—なこと」•**せっしょうきんだん**【殺生禁断】鳥・けもの・さかなをとることを禁止すること。

**せつじょう**【雪上】〔文〕雪の上。「—車」

**ぜっしょう**【絶唱】■一非常にすぐれた詩や歌。■二《名・他サ》①(思いをこめて)強い勢いで歌うこと。②死のまぎわに〈となえること／歌う歌〉。

**ぜっしょう**【絶勝】〔文〕けしきの非常にいい〈こと／土地〉。

**せっしょく**【摂食】〔文〕(動物や人が)食物をとること。「—行動・—障害(=拒食症と過食症)」

**せっしょく**【接触】《名・自サ》①近づいてふれること。ふれあうこと。「手が—する・—事故を起こす」②人とつきあうこと。•**接触を保つ** 句 連絡をとり続ける。•**せっしょくかんせん**【接触感染】《医》病人のからだなどにふれたり、せき・くしゃみなどをあびたりしたために病気(例、性病・インフルエンザなど)がうつること。接触伝染。☞空気感染・飛沫感染。

**せっしょく**【節食】《名・自サ》食事の量を適当にへらすこと。

☆☆**せつじょく**【雪辱】《名・自サ》(=辱を雪ぐ)①(勝負に勝って)前に負けたときのはじをそそぐこと。「—戦」②前の失敗をのりこえて成功すること。「来年は合格して—したい」▽「—を果たす」〔最近は「リベンジ」とも〕

**ぜっしょく**【絶食】《名・自サ》食事をしないこと。

**セッション**〔session〕①会議などの全期間の一くぎり。「午後の—」②ある目的のための集まりや活動。「トーク—」③(ジャズなどで)演奏者が集まって演奏すること。「ジャム—(=即興演奏)」

**せっすい**【節水】《名・自サ》水を節約して使うこと。

**せっ・する**【接する】■一《自サ》①あう。ふれる。「機会に—・芸術に—」②応対する。「客に—」③交際する。「人に—」④続く。「隣家に接したあき地」⑤受け(とる)。「急報に—」■二《他サ》ふれあわせる。「はだを—」可能 接することができる。

**せっ・する**【節する】《他サ》〔文〕(ほどよく)制限する。

ひかえる。「酒を―」
**ぜっ・する**【絶する】《自サ》①こえる。「想像〈を／に〉―・言語に―」②〔文〕とびぬけてすぐれる。「古今に―」
←☆☆**せっせい**【摂生】《名・自サ》欲をおさえ、むりをしない生活をすること。「―につとめる」
→**せっせい**【節制】《名・他サ》欲をおさえて、限度をこえないようにすること。ひかえること。「酒を―する」
**せつぜい**【節税】《名・自サ》はらう税金が少なくてすむようにくふうすること。
**ぜっせい**【絶世】〔文〕すぐれていて、くらべるものがないこと。「―の美人」
**せつせつ**【切々】《タル》〔文〕相手に強くうったえてせまるようす。「―たることば」
**せっせっせ** 向かい合って両手をつなぎ、「せっせっせのよいよいよい」と言いつつ軽くふったあと、唱歌などに合わせて、おたがいの手のひらを打ち合わせる手遊び。
**せっせと**《副》休まずいっしょうけんめいにおこなうようす。「―働く」
**せっせん**【接線・切線】《数》〈曲線／曲面〉の一点にふれる直線。
**せっせん**【雪線】《地》雪の積もっている部分とそうでない部分との境界線。「―高度」
**せっせん**【拙戦】《名・自サ》〔文〕へたな試合や戦い(をすること)。
**せっせん**【接戦】《名・自サ》①力が同じくらいで、なかなか勝負がつかない戦いや試合(をすること)。②〔文〕近寄って戦うこと。近接戦。
**せつぜん**【×截然】《タル》〔文〕区別が明らかなようす。さいぜん。「公私を―と分ける」
**ぜっせん**【舌戦】〔文〕〔選挙や演説会のさいに〕弁論で争うこと。(↔筆戦)
☆☆**せっそう**【節操】 誘惑(ゆうわく)や環境(かんきょう)に負けないで、主義・主張をかたく守り通すこと。みさお。「―がない」(=主義が変わりやすい。無節操だ)
**せっそう**【拙走】《名・自サ》《野球》へたな走塁(そうるい)(をすること)。
**せっそう**【拙僧】《代》〔文〕僧が、自分をけんそんして言うことば。愚僧(ぐそう)。
**せつぞう**【雪像】 雪をかためて、彫刻(ちょうこく)ふうに人や物などの形をあらわしたもの。
☆☆**せっそく**【拙速】《名・ダ》①早いが、内容の悪い〈こと／ようす〉。「―をいましめる・―に進める」②〔文〕少々内容が悪くても、早い〈こと／ようす〉。「―をたっとぶ」(↔巧遅(こうち))
**せつぞく**【接続】《名・自他サ》つながること。つなぐこと。「在来線に―する・ネットに―する」 ●**せつぞくご**【接続語】《言》文の成分の一つ。(前をうけ)後の表現につながる文節。例、「急がないとおくれる。だが、あわてるな」の「急がないと」「だが」。〔二文節以上のまとまりは、接続部と呼ぶ〕 ●**せつぞくし**【接続詞】《言》品詞の一つ。前後の文や語句をつなぐことば。例、そして・だから。 ●**せつぞくじょし**【接続助詞】《言》用言や助動詞につけて、前後をつなぎ、その関係をしめす助詞。例、「早いので」「行ったけれども」の「ので」「けれども」。〔用言や助動詞のほか、名詞や副詞にもつけられるものがある。例、「ながら」〕 ●**せつぞくすいいき**【接続水域】《法》領海の外がわ、二十四海里(=約四四キロ)までの水域。沿岸国が一定の権限を行使できる。☞排他(はいた)的経済水域。
**ぜっそく**【絶息】《名・自サ》〔文〕息が絶えること。死ぬこと。「ゆかにくずれ落ちて―する」
**せっそくどうぶつ**【節足動物】《動》からだと足とにたくさんの節をもつ動物。からだは左右相称(そうしょう)で、多くは表面がかたいからでおおわれる。例、昆虫(こんちゅう)・クモ・エビなど。
**せっそん**【折損】《名・自サ》〔文〕折れて使えなくなること。「レールの―事故」
**せった**【〔雪△駄〕・〔雪△踏〕】 ①竹の皮のぞうりのうらに、革(かわ)をはり、金具を打ったもの。せきだ。②《俗》サンダル。
**セッター**〔setter〕 ①イギリス産の猟犬(りょうけん)。耳はたれ、毛は茶色で長くふさふさしている。性質はおとなしい。②《バレーボール》スパイクをさせるためにトスを上げる役の人。トサー。
**せったい**【接待】《名・他サ》①〔客や取引先の相手などを〕もてなすこと。「―ゴルフ」②〔湯茶などを出して〕ふるまうこと。サービス。「お茶の―・―係」
**せつだい**【設題】《名・自サ》〔文〕問題を作ること。作った問題。設問。
**ぜったい**【舌×苔】《医》舌の表面にできる、こけのようなもの。熱病・胃腸病のときにあらわれる。
*__ぜったい__【絶対】㊀《名・ダ》①ほかに比較(ひかく)するものがないこと。「―性・―王政」(↔相対)②なんの条件もつけないこと。「―安静(=身動きさえ許されない安静状態)・―反対・―命令・―の自由」③いっさいをこえること。「―の境地」㊁《副》①どんなことがあっても。決して。「―(に)許さない」②必ず。きっと。「―来てくれ・―おもしろい」③「非常に」をさらに強めた言い方。「―(に)困るよ」 ●**ぜったいおんかん**【絶対音感】《音》音がどの高さの音かを、他の音との比較(ひかく)なしで聞き分けられる感覚。 ●**ぜったいおんど**【絶対温度】《理》絶対零(れい)度を零度としてはかる温度。熱力学温度。ケルビン温度。単位はケルビン(記号[K])。 ●**ぜったいか**【絶対化】《名・他サ》〔特徴(とくちょう)やよしあしなどを、ほかとくらべないで〕それだけがすばらしい、大切だと考えること。「国家を―する」(↔相対化) ●**ぜったいくんしゅ**【絶対君主】①《歴》国の統治の全権限をもつ君主。例、フランスのルイ十四世。②その集団内で絶対的な権力をもつ人。「母がわが家の―だ」 ●**ぜったいし**【絶対視】《名・他サ》他と比較(ひかく)しないで、それだけをまちがいないものとして信じること。「マスメディアを―する」 ●**ぜったいしゃ**【絶対者】①《哲》なにものにも制約されず、それ自体で存在するもの。例、神。②みんなを従わせる、大きな力を持った者。「―として ふるまう強国」 ●**ぜったいすう**【絶対数】 何かに対する比率でなく、そのもの自体の数。「―はふえたが、ほかの国にくらべれば少ない」 ●**ぜったいたすう**【絶対多数】 総数の半分をはるかにこえる多数。(↔比較(ひかく)多数・絶対少数) ●**ぜったいち**【絶対値】《数》＋(プラス)・－(マイナス)を取り去った数字があらわす数値。 ●**ぜったいてき**【絶対的】《ダ》①ほかのものと比べられないようす。「神は―な存在だ」②〔ほかと比べれば、というのでなく〕どこから見ても そう

であるようす。「食料が—に不足している」▽(↔相対的)●**ぜったいひょうか**[絶対評価]〔教育で〕目標がどれだけ達成できたかによって、それぞれの児童・生徒を評価する方法。(↔相対評価)●**ぜったいりょう**[絶対量]ほかのものとのつりあいと関係なく考えた量。「—が不足している」●**ぜったいれいど**[絶対零度]〔理〕すべての分子の動きがとまる温度。セ氏マイナス二七三・一五度。

**ぜつだい**[舌代]〔文〕口で言う代わりの、あいさつの文章。しただい。〔店で、品書きや注意書きの見出しにも書く〕「お—」

**ぜつだい**[絶大]《ナダ》きわめて大きいようす。「—な援助(えんじょ)」派—さ。

**ぜったいぜつめい**[絶体絶命]《名・ナダ》どうしてものがれることのできない困難な場面。「—の窮地(きゅうち)」

**せったく**[拙宅]〔文〕「自分の家」の謙譲(けんじょう)語。

**せつだん**[切断・×截断]《名・他サ》ものをたちきること。〔「截断」は、「さいだん」とも〕

**ぜったん**[舌端]〔文〕舌の先のほう。舌のはし。「—火を吐(は)く(=はげしくするどい)大熱弁」

**せっち**[接地]《名・自サ》①地面につくこと。②〔理〕⇨アース㊁。

*__せっち__[設置]《名・他サ》①新しく(そこに)作ること。「事務所を—する」②そなえつけること。

**せっちゃく**[接着]《名・自他サ》のり(糊)などで〈くっつく/くっつける〉こと。●**せっちゃくざい**[接着剤]ものとものをくっつける物質。のり(糊)・ボンドなど。「瞬間(しゅんかん)—」

☆☆**せっちゅう**[雪中]〔文〕積もった雪のなか。「—行↗軍」

☆☆**せっちゅう**[折衷・折中]《名・他サ》両方の極端(きょくたん)なところをすてて ほどよいところをとること。「—案」

**せっちょ**[拙著]〔=まずい著作〕〔文〕「自分の著作」の謙譲(けんじょう)語。拙書(せっしょ)。(↔高著)

**ぜっちょう**[絶頂]①いただき。てっぺん〔俗〕。②頂点。最高。「人気の—」

**せっちん**[〔雪▵隠〕]〔↑せっいん〕〔古風〕便所。●**せっちんだいく**[〔雪▵隠〕大工]〔俗〕へたな大工。●**せっちんづめ**[〔雪▵隠〕詰め]①〔将棋〕相手の王将をすみに追いこんで、どうにも動けなくなるようにすること。②追いつめられて、どうにも動けなくなること。

**せっつ**[摂津]旧国名の一つ。今の大阪府の北部と、兵庫県の一部。摂州(せっしゅう)。

**せっつ・く**《他五》〔話〕催促(さいそく)する。せつく。

**__せってい__[設定]《名・他サ》①目的に合うように(あらかじめ)決めること。また、決めたもの。「規則を—する・ブラウザーの—を変更(へんこう)する」②〔小説・劇での〕筋や場面のつくり方。③用意すること。セット。「記者会見を—する」

☆☆**セッティング**《名・他サ》〔setting〕①セットすること。設定。②ととのえて用意すること。準備。「食卓(しょくたく)の—・社内研修の—」③すえつけ。配置。「マイク—・—したカメラ」④舞台(ぶたい)装置づくり。

**せってん**[接点]①接触(せっしょく)する点。「東西文明の—イスタンブール」②接触することで電気が流れる所。

**せつでん**[節電]《名・自サ》電気を節約して使うこと。「—型の冷蔵庫」

**セット**〔set〕㊀①(いくつかの物を組み合わせた)ひとそろい。「応接—・コーヒー—・全集一—・—売り・—メニュー・〔筋トレの〕一—(=十回ぐらい)・ライブの一—目(=第一部)」②ⓐ〔テニス〕六ゲームを先取したほうが勝ちとなる、試合のひと区切り。☞ゲーム③。ⓑ〔バレーボールなど〕ひと試合中のそれぞれの勝負。▽②「第三—・—カウント・三—マッチ」③舞台(ぶたい)装置。④〔映画・放送〕撮影(さつえい)のために設備した装置、建物の一部など。「—撮影・—入り」⑤〔野球〕↑セットポジション。「—にはいる」㊁《名・他サ》①組みのものにすること。②用意。設定。「記者会見を—する・アラームを—する」③ドライヤーや整髪料(せいはつりょう)を使って、かみの毛を整えること。「ヘア—」●**セットアッパー**〔和製 setup＋er〕〔野球〕中継(なかつ)ぎ投手。●**セットアップ**《名・他サ》〔setup〕①準備。組み立て。「会場の—」②〔情〕ソフトウエアやハードウエアを使用できるように準備する作業。「—ディスク」③(↑セットアップスーツ)〔服〕スーツとしても、別々でも着られる上下の服。●**セットバック**《名・他サ》〔setback〕①ビルなどの上部を、下部よりも後退させること。外観が階段状になる。②〔道路のはばがせまいため〕道路との境界線よりも少し後退させて建物を建てること。●**セットプレー**〔set play〕〔サッカーなど〕ルールに定められた一定の状況(じょうきょう)からプレーを開始すること。サッカーのフリーキック、ラグビーのスクラムなど。●**セットポイント**〔set point〕〔テニス・卓球・バレーボールなど〕あと一点取れば、そのセットに勝つという状態。また、その最後の一点。☞ゲームポイント・マッチポイント。●**セットポジション**〔米 set position〕〔野球〕(走者がいるとき)投手がボールを投げる前に、静止して打者に向かって立つ動作。セット。「—をとる」●**セットリスト**〔set list〕コンサートの曲目一覧。セトリ〔俗〕。

☆☆**せつど**[節度]〔自由にやりたいことを〕おさえる態度。「—を守る・—ある姿勢を示す」

**ゼット**[Z・z]アルファベットの最後の字。ズィー。ゼッド。●**ゼットき**[Z旗]信号旗の一つ。「—を掲(かか)げる(=みんなの努力を求める)」〔日露(にちろ)戦争での日本海海戦のとき、海軍が「皇国の興廃(こうはい)この一戦にあり。各員一層奮励(ふんれい)努力せよ」の意味で使った〕

**せっとう**[窃盗]《名・他サ》他人の物をぬすむ〈こと/者〉。「—犯」

**せつどう**[雪洞]〔登山〕露営(ろえい)や避難(ひなん)のため、雪をほって作った穴。

**ぜっとう**[舌頭]〔文〕ことば。弁舌。「〔詩歌を〕—にのせる・—三転」

**せっとうご**[接頭語]〔言〕単語の前について、意味をそえ、また調子をととのえる要素。接頭辞。例、「お顔」「か細い」の「お」「か」。(↔接尾(せつび)語)

**せっとく**[説得]《名・他サ》話して なっとくさせること。とき〈ふせる/つける〉こと。「—力」

☆☆**せつな**[刹那]〔梵語(ぼんご) kṣaṇa の音訳〕㊀①〔仏〕非常に短い時間。(↔劫(こう))②(…したときの)非常に短い時間。瞬間(しゅんかん)。「—的な思考・—主義(=現在の快楽だけを追いもとめる主義)」㊁《副》その瞬間に。「—、私は思い出した」〔「その—、ナイフが光った」のように「…刹那」の形にするほうが本来的〕

**せつな・い**[〔切ない〕]《形》〔自分自身はどうすることもできず〕悲しくて胸が痛くなる〈気持ち/ようす〉だ。「好きな人に思いが届かずー・医者に酒を止められてー・ー〈気持ちを歌う〉歌声」由来 文語形容動詞「切」に、強調の「ない」がついた形。派 -げ。-さ。

**せつに**[切に]《副》がまんできないほど、強く。ぜひ。〔改まった言い方〕「ーお願いします」

**せっぱ**[説破] ━《名・他サ》〔文〕議論して言い負かすこと。 ━《感》《仏》〔禅問答で〕問いを受けるときのことば。よしこい。(↕そもさん)

**せっぱく**[切迫]《名・自サ》①おしつまること。さしせまること。「時日がーする・事態がーする(=重大な事態になる)」②《医》〔…が〕起こりそうな状態。「ー流産・ー破裂」

**せっぱく**[雪白]《名・ナダ》〔文〕雪のようにまっしろなこと。

**せっぱ-つま・る**[〈切羽〉詰まる]《自五》〔切羽=刀のつばを刀身に固定するうすい板〕どうにもしかたがなくなる。さしせまる。

☆☆**せっぱん**[折半]《名・他サ》半分に〈割る/分ける〉こと。「費用をーする」

**ぜつばん**[絶盤] 廃盤。絶版。

**ぜっぱん**[絶版] ①一度出版した本の、出版をやめること。「ーにする・ー書」②絶盤。③製造をやめること。「ーミニカー・ー車」

*__せつび__[設備]《名・他サ》そなえつけた機械や道具。また、それをそなえつけること。「防火ー・照明ー」●**せつびとうし**[設備投資]《経》建物・機械など生産設備に資本を投下すること。

**せっぴ**[雪×庇] ①山の尾根に雪が積もって、風下がわに ひさしのように突っき出たもの。ゆきびさし。②屋根に積もった雪が ずれて、軒よりも さらに突き出たもの。「ーに注意」

**せつびご**[接尾語]《言》多く単語のあとについて、意味をそえ、また品詞を変える要素。接尾辞。例、「高田さん」「春めく」の「さん」「めく」。〔句全体のあとにつく場合もある。例、「やってみたがる」の「がる」〕(↕接頭語)

**せっぴつ**[拙筆]〔文〕①まずい筆跡。②「自分の筆跡」の謙譲語。

**ぜっぴつ**[絶筆] ①〈臨終/最後〉にかいた筆跡や作品。②〔作家などが〕かく仕事をやめること。「ー宣言」

**せっぴょう**[雪氷]〔文〕雪と氷。

**ぜっぴん**[絶品]《名・ナダ》またとないほど すぐれた品物や作品など。「この店のハンバーガーはーだ・ーの演技・ーな味」

**せっぷく**[切腹]《名・自サ》〔武士・軍人が〕はらを切って死ぬこと。はらきり。割腹。

**せっぷく**[説伏]《名・他サ》〔文〕ときふせること。

**ぜっぷちょう**[絶不調]《名・ナダ》《俗》非常に調子がわるいこと。ぜつふちょう。(↕絶好調)

**せつぶん**[拙文]〔文〕①まずい文章。(↕名文)②「自分の文章」の謙譲語。

**せつぶん**[節分]〔=四季を分ける節目〕立春の前の日。二月三日ごろ。豆まきをする。〔もと、立春・立夏・立秋・立冬の前日をさした〕

**せっぷん**[接×吻]《名・自サ》⇩キス。

**ぜっぺき**[絶壁] かべのように切り立ったがけ。「ー頭(=頭のうしろが平らな形)」

**せっぺん**[切片]〔文〕きれはし。

**せっぺん**[雪片]〔文〕雪の ひとひら。

☆☆**せつぼう**[切望]《名・他サ》心から強く のぞむこと。「帰国をーする・入学をーする」

**せっぽう**[説法]《名・自他サ》①《仏》仏の教えをといて聞かせること。「つじー」②⇩説教②。

**ぜつぼう**[絶望]《名・自サ》先の のぞみがすっかりなくなること。希望をすっかりなくすこと。「政治にーする・事態はー的だ」

**ぜっぽう**[舌×鋒]〔文〕〔するどい〕弁舌。「ーするどくつめよる」

**ぜつみょう**[絶妙]《名・ナダ》非常に たくみであるようす。「ーな色合い・ーのタイミング」派 -さ。

**ぜつむ**[絶無]《名・ナダ》まったく ないこと。皆無。「そうした例はーとは言えない」

**__せつめい__[説明]《名・他サ》相手にわかるように、順序立てて〈話す/書く〉こと。「ー書・ーづける・就職のー会」●**せつめいせきにん**[説明責任]⇩アカウンタビリティ(１)。

**ぜつめい**[絶命]《名・自サ》〔文〕命が たえること。死ぬこと。

**ぜつめつ**[絶滅]《名・自他サ》たえ ほろびること。たやし ほろぼすこと。「ーした野鳥・ー種(=すでに絶滅した動植物)」●☆☆**ぜつめつきぐしゅ**[絶滅危惧種] 絶滅危惧種 たえてしまう おそれの高い生物の種類。環境省が指定する。

**せつめん**[接面]〔文〕接する面。接点。「人と人とのー」

**せつめん**[雪面]〔文〕積もった雪の表面。「ーを滑走する」

**せつもう**[雪盲]《医》積もった雪の反射、特に強い紫外線の刺激で起こる、目の炎症。ゆきめ。

**せつもん**[設問]《名・自サ》〔文〕問題を作ること。作った問題。設題。

**せつやく**[拙訳]〔文〕①まずい〈翻訳/訳文〉。②「自分の〈翻訳/訳文〉」の謙譲語。

**せつやく**[節約]《名・他サ》〈使用量/費用〉をへらすこと。むだをはぶくこと。

**せつゆ**[節湯]《名・自サ》湯を節約して使うこと。「ー節水」

**せつゆ**[説諭]《名・他サ》〔文〕悪い点を改めるように、言い聞かせること。さとすこと。

**せつよう**[切要]《ナダ》〔文〕きわめて重要なようす。かんじん。派 -さ。

←**せつり**[摂理] ①〔文〕万物を支配する法則。「自然のー」②《宗》〔キリスト教で〕人間の知恵でははかりしることのできない、神の意志。

→**せつり**[節理]《地》マグマが冷えて固まるときや、地殻変動のときにできる、規則性のある岩石の割れ目。「柱状ー」

**せつりつ**[設立]《名・他サ》会社や機関を新しく作りあげること。「会社ー・大学をーする」

**ぜつりん**[絶倫]《ナダ》①群をぬいて すぐれているようす。「ーな記憶力・精力ー」②↑精力絶倫。派 -さ。

**セツルメント**〔settlement〕貧しい人たちの住んでいる地区で、生活向上のために助力する社会運動(の施設〕)。

**せつれつ**［拙劣］《ナダ》できばえが まずくて見おとりがするようす。「—な文」派—さ。

**せつろん**［拙論］〔文〕①まずい議論。②「自分の議論」の謙譲語。

**せつろん**［切論］《名・他サ》〔文〕しきりに論じること。

**せつわ**［説話］①各地に伝わる、神話・伝説・昔話をまとめた呼び名。「羽衣—」②話をすること。「先生が道徳の時間に—をする」

**せていただく**《助動五型》〔↑助動詞「せる」の連用形＋接続助詞「て」＋補助動詞「いただく」〕⇩させていただく。「使わ—・書か—」〔話しことばでは「使わしていただく」のようにも言う〕

**せと**［瀬戸］①《地》〔せまい〕海峡。②↑瀬戸物。「—かけ〔=せと物の かけら〕」

**せど**［背戸］①家の うらの、出入り口。せどぐち。②家のうら手。「—山」

**せどう**［世道］〔文〕社会の道義。「—人心」

**せどうか**［△旋頭歌］和歌の形式の一つ。上の句と下の句とが ともに五・七・七の三句からなるもの。

**せとぎわ**［瀬戸際］〔=瀬戸と海との境〕勝敗・成否などの分かれ目。「生きるか死ぬかの—に立たされる・間に合うかどうかの—」●**せとぎわがいこう**［瀬戸際外交］戦争にならないぎりぎりの線で、相手国に対して自国の要求を通そうとする外交のやり方。

**せともの**［瀬戸物］やきもの。陶磁器。由来 瀬戸〔=愛知県瀬戸市〕産の陶磁器の意から。

**セトリ**〔俗〕↑セットリスト。「—にはいった曲」

**せどり**［〔競取り〕・〔背取り〕］①めずらしい古本などを見つけ、ほしい人に売って、利益を得る商売。②同業者から仕入れ、同業者に売って、利益を得る商売。動せどる《他五》。

**せな**［背な］〔文〕せなか。せ。

***せなか**［背中］①せ(の中央)。「—を丸めて歩く・—を支えられて起きる・馬の—にまたがる」(↕腹)②自分よりもうしろのほう。背後。「—に視線を感じる」③〔手本となる〕行動。「〔ことばでなく〕—で教える・親の—を見て育つ」●**背中が見える**句 前を行くライバルに、ほとんど追いつく。「首位のチームの背中が見えてきた」●**背中を追う**句 ①追いかける。後ろからついていく。②手本となる人に追いつこうと努力する。「先輩の—」●**背中を押す**句〔先へ進めるように〕勇気づけ、はげます。●**背中を見て育つ**句〔その人の〕ふるまいをよく見て育つ。「父の—」●**せなかあわせ**［背中合わせ］①ふたりが おたがいに背中と背中をあわせること。うしろあわせ。(↕腹合わせ)②よくないことが ともなっていること。となりあわせ。「危険と—の仕事」●**せなかともだち**［背中友(達)］〔事務室などの座席の配置で〕背中合わせの関係にある〈こと／人〉。

**ぜに**［銭］①〔昔の〕金額の小さい、穴のあいたお金。一文、二文…と数える。②〔俗〕お金。「—もうけ・—の取れる歌手」

**ぜにかね**［銭金］お金。金銭。「—の問題」

**ぜにがめ**［銭亀］甲羅が、ぜにのようにまるい、小形のカメ。イシガメの子。

**せにく**［背肉］せなかのぜい肉。

**ぜにゲバ**［銭ゲバ］〔ゲバ↑ゲバルト〕〔俗〕金を得るためなら手段を選ばず、悪いことでもする人。由来 ジョージ秋山の漫画の題から。

**ぜにこ**［銭こ］〔東北などの方言〕お金。ぜにっこ。

**ぜにごけ**［〔銭×苔〕］こい緑色の平たいコケ。しめった日陰に群生する。

**セニョーラ**〔ス señora〕奥様。マダム。ミセス。

**セニョール**〔ス señor〕きみ。だんな。…君。ミスター。

**セニョリータ**〔ス señorita〕お嬢さん。ミス。

**ぜにん**［是認］《名・他サ》〔文〕①いいと認めること。ゆるすこと。「相手の行動を—する」②そうだと認めること。「報道を—する」(↕否認)

**せぬき**［背抜き］《服》夏服や合い着で、上着のせなかのうらをつけないこと。また、そのようにした上着。

☆☆**ゼネコン**〔↑米 general contractor〕土木工事や建築工事をひとまとめに請け負う大きな建設会社。総合建設業者。

**ゼネスト**〔↑ゼネラル ストライキ〕すべての産業の労働者が いっせいに仕事を休むこと。総同盟罷業。

**ゼネラリスト**〔generalist〕多方面にわたる知識や技能を持った人。ジェネラリスト。(↕スペシャリスト)

**ゼネラル**遺〔general〕全体的な。一般の。ジェネラル。●**ゼネラル マネージャー**〔general manager〕①組織をまとめる人。②《野球・サッカーなど》プロチームの総監督。▽ゼネラル マネジャー。GM。

**せのきみ**［背の君・△夫の君］〔雅〕夫を敬愛して呼ぶことば。

**せのび**［背伸び］《名・自サ》①せをのばして からだを高くすること。②自分の力以上のことをしようとすること。▽せいのび。

**せば**連〔文〕一〔動詞「す(る)」の未然形＋接続助詞「ば」〕〔もし〕…すれば。「もし援軍ありと—〔=あるとすれば〕」二〔文語助動詞「き」の未然形＋接続助詞「ば」〕〔現実にではないが、もし〕…たならば。「核戦争あり—〔=起こったならば〕」☞ありせば・なかりせば。

**セパード**〔shepherd〕⇩シェパード。

**セパタクロー**〔マレー sepak《=ける》＋タイ takraw《=ボール》〕バレーボールのように中央にネットをはったコートで、ボールをけって、相手方のコートに入れる競技。

**せばめる**［狭める］《他下一》せまくする。「先頭との距離を—」名狭め。自狭まる《五》。

**セパレーツ**〔separates〕①ひと組みの道具を、自由に組み合わせて使えるように作ったもの。②《服》ⓐ上下に分かれていて、他の服とも組み合わせて着られる女性の服。ⓑ上下に分かれた女性用の水着。

**セパレート**《名・他サ》〔separate〕①ひと組みのものを、部分に分け〈ること／たもの〉。分割。分離。「—タイプ」②↑セパレート コース。●**セパレート コース**〔separate course〕〔陸上のトラック競技・アイススケート・競泳で〕ひとりひとりに区分されたコース。レーン。(↕オープン コース)

**せばんごう**［背番号］スポーツの選手がユニフォームのせなかにつける、番号。

**せひ**［施肥］《名・自他サ》《農》肥料をあたえること。

***ぜひ** 一［是非］是と非。正しいか、正しくないか(について批評すること)。「ダム建設の—を論じる・—曲直〔=是非と曲直〕を明らかにする」二［(是非)］《副》強い希望をあらわすことば。どうしても。「—招待したい・—お

願いします・——ご参加ください・—においでいただきたい」 ●是非に及ばぬ 句 やむを得ない。しかたがない。 ●是非もない 句 〔古風〕しかたがない。「不承知だ、と言うのなら—ことだ」

**セピア**〔sepia=イカすみ〕 黒茶色(の絵の具)。「—色のなつかしい写真」

**ぜひとも**[(是非とも)]《副》「ぜひ 一」よりも強い ことば。「—必要だ・—実現してほしい」

**ぜひもの**[(是非物)] ぜひとも必要なもの。「この店に来たら、コロッケは—だ〔=必ず注文すべきだ〕」

**せひょう**[世評] 世間の〈評判/うわさ〉。

**せびらき**[背開き] さかなを背から切りひらくこと。

**せび・る**《他五》〔俗〕ねだる。せがむ。「小づかいを—」

**せびれ**[背(×鰭)]《動》さかなの背の部分にある ひれ。

**せびろ**[背広]〔やや古風〕男性用のスーツ。「三つぞろいの—」 ●**せびろぐみ**[背広組]〔防衛省・自衛隊で〕自衛官ではない、事務担当の職員。(↔制服組)

**セファール**[CEFR][Common European Framework of Reference for Languages] 学んだ外国語がどれくらいのレベルに達しているのかをはかるための、統一的な指標。ヨーロッパ言語共通参照枠。セファール。

**せぶみ**[瀬踏み]《名・自他サ》〔=わたる前に瀬の深さをはかること〕 ちょっとためして、様子をさぐること。

**ゼブラ**〔zebra〕 ①しまうま(縞馬)。 ②↑ゼブラ ゾーン。 ●**ゼブラゾーン**〔和製 zebra zone〕 ①歩行者優先の横断歩道。 ②車がそこを踏まないように示された地帯。導流帯。▽ゼブラ。 由来 路面に白いしま模様で示してあることから。

**セブン** 造〔seven〕 七。七つ。☞ラッキーセブン。

**せぼね**[背骨] ①からだの背中がわにあって、芯になる骨格。短い筒のような骨〔=脊椎〕がつながってできている。脊柱。「—を折る」 ②中心となる軸。「文化の—」

**せまい**[施米]《名・自サ》 ほどこしの米。

*__せま・い__[狭い]《形》 ①〈場所の面積/空間〉が小さい。「—庭」 ②はばが短い。「—歩道」 ③周囲が短い。「首まわりの—シャツ」 ④範囲が限られている状態だ。「視野が—・分布が—〔=ゆきわたっていない〕」 ⑤個人の感情や損得などに こだわるようすだ。「心の—人」▽(↔広い) 派 -げ。-さ。

**せまきもん**[狭き門]〔聖書にある ことば〕 ①修行や信仰などの しかたが むずかしくて はいりにくいこと。 ②〔競争相手が多くて〕入学や就職などが むずかしい〈こと/ところ〉。▽狭い門。

**せまくるし・い**[狭苦しい]《形》 せまくて不自由だ。「—住まい・—部屋」 派 -げ。-さ。

*__せま・る__[迫る・×逼る] 一《自五》 ①やって来たものが、もう くっつきそうなほどに近づく。「約束の日が—・迫り来る死・鬼気—作品」 ②そのことを、真実に近いところまで明らかにする。「大病院の実態に—」 ③恋人同士になろう、結婚しよう、などと強く求める。「年下の男の子に迫られる」 ④〔文〕せまくなる。「距離が—・息が—〔=呼吸の間隔が縮まる〕」 二《他五》強く求める。「返答を—・結婚を—」 可能 迫れる。

**せみ**[(×蟬)] アブラゼミ・ヒグラシなど、大形の昆虫。夏、木の幹や枝にとまり、大きい声で鳴きたてる。〔めすは鳴かない〕「—爆弾〔=死んだように見えたセミが突然目の前で活発に動き出すこと〕」

**セミ** 造〔semi=半分〕 なかば そうであること。準じるもの。「—ドキュメンタリー・—ヌード・—ロング〔=ロングヘアより短い髪型〕」

**ゼミ**〔学〕↑ゼミナール。

**セミコロン**〔semicolon〕 欧文の句読点の一つ。「;」。コンマとピリオドとの中間の役割をする。☞コロン(colon)。

**せみしぐれ**[(×蟬)時雨] ひとしきり鳴きたててはやむ、たくさんのセミの声。

**セミダブル**〔和製 semi double〕 ダブルベッドに準じる、二人用のベッド。

**セミナー**〔seminar〕 ①研究講習会。ゼミナール。「経営—」 ②⇩ゼミナール①。「—ハウス〔=とまりこんで研修をおこなう建物〕」

**ゼミナール**〔ド Seminar〕 ①〔大学の〕演習。教師の指導を受けながら、少人数の学生で研究・発表・討論をおこなう。セミナー。 ②⇩セミナー①。 ③進学・補習のための塾をあらわす名前。▽ゼミ。

**セミファイナル**〔semifinal〕 ①準決勝の試合。 ②《ボクシングなど》メイン イベントの直前におこなわれる試合。

**セミプロ**〔semipro ← semiprofessional〕 半分職業としている〈こと/選手〉。

**ゼムクリップ**〔gem clip〕〔Gem=会社名〕 針金を6の字に曲げたような形のクリップ。

**せむし**[(:傴僂)]〔古風〕くる病にかかった人。〔差別的なことば〕

←**せめ**[攻め] ①敵や相手を攻める〈こと/方法〉。「—に転じる・質問攻め」 ②積極的になること。「—の姿勢」▽(↔守り)

→**せめ**[責め] ①精神的・肉体的に責めること。苦しめること。「—の気持ち」 ②〔文〕責任。任務。つとめ。「—を負う・—をふさぐ〔=責任を果たす〕・当事者の—に帰する〔=責任になる〕」 表記 ②は、法律では「責」とも。

**せめあが・る**[攻め上がる]《自他五》 ①上に向かって攻めていく。 ②《サッカーなど》自陣から敵陣に向かってじわじわ攻める。 名 攻め上がり。

**せめあぐ・む**[攻め(×倦む)]《他五》 攻めきれないで、もてあます。

**せめい・る**[攻め入る]《他五》 攻めて中にはいる。侵入する。せめこむ。

**せめうま**[攻め馬]《競馬》競走馬の調教(のとき)。「—の動きがいい馬」

**せめおと・す**[攻め落とす]《他五》 ①攻めて敵の城を取る。 ②〔俗〕説きふせる。

**せめぎあ・う**[(×鬩ぎ)合う]《自五》 たがいに対立して争う。「理想と現実が—〔=衝突する〕」 名 せめぎ合い。

**せめく**[責め苦] 責めつけて あたえる苦しみ。「地獄の—」

**せめ・ぐ**[(×鬩ぐ)]《自五》〔文〕おたがいに争う。「兄弟牆に—〔=兄弟でうちわもめをする〕」

**せめくち**[攻め口] 攻める方法。せめかた。

**せめぐち**[攻め口] 敵に向かって攻めかかる場所。「—を見つける」

**せめこ・む**[攻め込む]《自五》 せめいる。

**せめさいな・む**［責め（△苛む）］《他五》〈責めて／いじめて〉苦しめる。

**セメスター**〔semester〕〔学校で〕半期ごとに授業を終了する方式。「―制」

**←せめた・てる**［攻め立てる］《他下一》しきりに攻撃する。

**→せめた・てる**［責め立てる］《他下一》しきりに責める。

**せめつ・ける**［責め（付ける）］《他下一》きびしく責める。名責めつけ。「早く返答せよと―」

**せめて**［攻め手］①攻めるがわの人。攻撃がわ。寄せ手。②攻める方法・手段。「―がない」

**せめて**《副》最低のところ〈これだけでもしたい／こうあってほしい〉、と思うようす。「―声だけでも聞きたい・―もう千円安ければなあ・―のつぐないとして」●**せめても**《名・副》「せめて」を強めた言い方。「―の救い・―幸運に感じられる」

**せめのぼ・る**［攻め上る］《自五》地方から都へ向かって攻める。

**せめよ・せる**［攻め寄せる］《自下一》攻めて、近くまで押し寄せる。寄せる。

**←せ・める**［攻める］[一]《他下一》①〔戦争・試合などで、相手を〕やっつけに行く。やっつけるためのことをする。攻撃する。「城を―・からめ手から―」（↔守る・防ぐ）②挑戦する。「〔レストランで〕まずは肉を―」[二]《自下一》積極的に〈なる／何かをする〉。挑戦的になる。「好きな人には―ほうだ・攻めてるネックレス」〔二〇一〇年代に広まった用法〕可能攻められる。

**→せ・める**［責める］《他下一》①落ち度があると言って、とがめる。「怠慢を―」②しきりに催促する。せがむ。「自転車を買ってくれと―」③〔文〕馬を乗りならす。「馬を―」可能責められる。

**セメント**〔オ cement〕石灰岩と粘土をくだいてまぜあわせ、焼いて作った粉。水を加えるとかたくなる。土木・建築に使う。セメン。

**せもじ**［背文字］書物の背にある、題名・著者名などを示す文字。

**せもたれ**［背（×凭れ）］〔いすの〕背中をもたせかける部分。

**セモリナ**〔semolina〕パスタの材料となるデュラム小麦をあらびきにし、皮を取り除いたもの。「―粉」

**せよ**［施与］《名・他サ》〔文〕ほどこしあたえること。

**せよ**◇「する」の、やや改まった命令形。「奮励努力―」☞にせよ。

**ぜよ**《終助》〔高知方言〕よ。「いかん―」

**セラー**〔cellar〕①地下室。②酒などを貯蔵しておく蔵。「ワイン―」

**セラー**造〔seller〕売れる物。「トップ―〔=売れ行き最高の商品〕」☞ミリオンセラー。

**セラチアきん**［セラチア菌］〔serratia〕《医》腸内細菌の一つ。自然界に広く分布するが、手術後の弱った患者などに感染すると、敗血症などを起こす。

**ゼラチン**〔gelatin(e)〕牛・ブタなどの骨・皮を煮て作った〈無色／うすい黄色〉の粉。板のような形のものもある。食用・医薬用。

**ゼラニウム**〔geranium〕西洋草花の名。夏、アオイに似た小形の赤や白・ピンクなどの花をひらく。ゼラニューム〔古風／話〕。

☆☆**セラピー**〔therapy〕《医》治療。特に、物理療法や心理療法。「ミュージック―〔=音楽療法〕」

**セラピスト**〔therapist〕社会復帰のための療法を専門におこなう人。治療士。療法士。「スピーチ―〔=言語聴覚士〕」

☆☆**セラミックス**〔ceramics〕①陶磁器。②《理》粘土などの、金属以外の無機物質を高温で焼き固めてつくられる固体材料。セラミック。

**せられる**連⇩せる《助動》。「食わ―〔=食わされる〕・位につか―」

**せり**［（×芹）］田のあぜや、水べにはえる野草の名。くき・葉ともに独特のかおりがある。食用。春の七草の一つ。

**せり**［競り・セリ］せりうり。競売。「―に出す・―台・―人〔=競りをおこなう人〕」（↔相対）

**せり**［セリ］〔=迫り〕《芝居》舞台の一部を切りぬき、役者や大道具を上下させるしかけ。せりだし。

**せり**連〔サ変語尾＋文語助動詞「り」〕〔文〕…している。「われ発見―・所持せる金品」

**せりあ・う**［競り合う］《自五》〔相手より有利になろうとして〕おたがいに競争する。名競り合い。

**せりあが・る**［（△迫り）上がる］《自五》①真上に〔少しずつ〕上がる。「エレベーターが―・ことばが のどもとまで―」②なめらかに高くなる。「せり上がった丘」③《芝居》セリ〔に乗った役者など〕が、舞台まで上がる。

**←せりあ・げる**［（△迫り）上げる］《他下一》せ（迫）り上がるようにする。「《芝居》大道具を舞台に―」名せり上げ。

**→せりあ・げる**［競り上げる］《他下一》競争して値段を高くする。名競り上げ。自競り上がる《五》。

**ゼリー**〔jelly〕とかしたゼラチンに果汁や砂糖などを加え、冷やして かためた、やわらかい洋菓子。ジュレ。

**セリーグ**〔↑セントラル リーグ（Central League）〕日本のプロ野球リーグの一方。六球団ある。セントラル。セ。（↔パ・リーグ）

**せりいち**［競り市］せり売りの市。

**せりうり**［競り売り］《名・他サ》多くの買い手に値段をつけさせ、いちばん高くつけた人に売ること。きょうばい。せり。（↔競り買い）

**せりおと・す**［競り落とす］《他五》①せり売りで、手に入れる。「十万円で―」②せりあって相手より〈上に／先に〉なる。

**せりか・つ**［競り勝つ］《自五》相手とせりあって勝つ。（↔競り負ける）名競り勝ち。

**せりだ・す**［（△迫り）出す］[一]《自五》前のほうに出る。「おなかが―」[二]《他五》①〔舞台の一部を〕上へおし出す。②〔からだを〕前に出す。名せり出し。

**せりふ**［（:台詞）・（:科白）・セリフ］①劇中での俳優のことば。「本番までに―が はいる〔=せりふを覚えこむ〕・長―」②物語の登場人物のことば。「漫画の―」③〔多く、けなして〕会話での ひとこと。「しゃれた―・よくそんな―が言えるな」●**せりふまわし**［（:台詞）回し］せりふの言い方。

**セリフ**〔serif〕アルファベットの書体で、文字の書き始めや書き終わりにある かざ

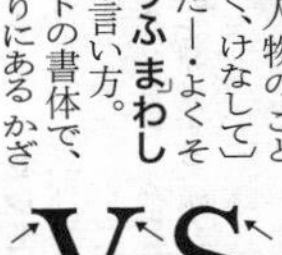
［セリフ］

り。ひげ。〔明朝体のウロコに相当〕

**せりま・け゛る**［競り負ける］《自下一》 相手とせりあって負ける。（↕競り勝つ）名競り負け。

**せりょう**［施療］《名・自サ》〔文〕①治療をすること。②まずしい人のために、ただで病気の治療をすること。「―院」

**せ゛・る**［競る］《他五》①〔相手よりも有利になろうとして〕競争する。せりあう。「ゴールまで―」②それを手に入れようと、競争して値段を高くする。

**せる

**《助動下一型》〔使役の助動詞。五段・サ変の動詞につく〕①そうするよう しむける。「薬を飲ま―・人を笑わ―」 受け身は「せられる」よりも「される」を使い「飲まされる・笑わされる」と言うのがふつう。②許可をあらわす。「見学者を館内にはいら―・写真をとらせていただく」③するに まかせることをあらわす。「好きなように書か―・言わせておけ」④(わかっていながら)それを止められないことをあらわす。「子どもを病気で死な―・冷蔵庫の中身をくさら―」〔この辞書では、「死なせる」「くさらせる」全体で動詞と見なす〕⑤からだ・本体の一部などを、その状態にする。「息をはずま―・〈目/ライト〉を光ら―」〔この辞書では、「はずませる」「光らせる」全体で動詞と見なす〕⑥〔**せられる**〕高い尊敬をあらわす。「歩みをはこばせられた」▽す。区別⇩す一。☞させていただく・させる。

**せ゛る**連〔文〕⇩せり連。「復活―キリスト」

**セ゛ル**〔cell〕①電池。「光電―」②〔↑セルモーター(和製cell motor)〕電池で動かすモーター。自動車のエンジンの始動に使う。「―スターター」③細胞。④(区切った)ひとこま。「数字を一覧表の―に書きこむ」

**セ゛ル** ①〔↑セルジ(オ serge)〕和服用の、うすい毛織物。②↑セルロイド(板)。

**セルが゛**［セル画］〔セル↑セルロイド〕透明なセルロイドにかいた、アニメの原画。

**セルせいさんほ゛うしき**［セル生産方式］〔セル=細胞〕一人または数人の作業員が、部品の取り付け、組み立て、検査などの全工程を担当する生産方式。

**セルフ**〔self〕一セルフ ↑セルフサービス。「―店・―レジ〔=店で、客が自分で会計する方式〕・―オーダー〔=飲食店で、客が端末を使って注文すること〕」二遺自分で。自動的に。「―トレーニング」 ●**セルフケ゛ア**〔self care〕健康の自己管理。 ●**セルフコントロ゛ール**《名・自サ》〔self-control〕①感情や欲望をおさえること。自制。②自動制御。 ●☆☆**セルフサ゛ービス**〔self-service〕店員の手を借りず、自分でする方式。料理・飲み物などを自分ではこんだり、ほしい品物を自分でえらんで会計したりするなど。セルフ。「―形式・―のコピー機」 ●**セルフタ゛イマー**〔self-timer〕《写真》自動的にシャッターを切るしかけ。タイマー。 ●**セルフメディケ゛ーション**〔self medication〕軽い病気やけがの手当てなどを、医者にかからず、自分で治療すること。自己治療。

**セルラ゛イト**〔cellulite〕皮下脂肪の かたまり(による肌の凹凸)。

**セルリ゛アン**〔cerulean〕空色。紺碧。「―ブルー」

**セ゛ルリー**〔celery〕⇩セロリ。

**セルロ゛イド**〔celluloid〕セルロースを硝酸で処理したものに しょうのう(樟脳)をまぜて作った物質。燃えやすい。もと、おもちゃ・筆箱・下敷きなどに使用。

**セルロ゛ース**〔cellulose〕《理》植物の細胞壁を形づくる主要成分。繊維や紙の原料。繊維素。

**セレ゛クション**〔selection〕選択。よりすぐり(のもの)。「ベスト―」

**セレ゛クト**《名・他サ》〔select〕よりわけること。選ぶこと。「編集部―の商品」 ●**セレクトショ゛ップ**〔和製select shop〕特定のブランドにこだわらず、独自の観点で選んだ衣類・家具・小物などの商品をそろえた店。セレショ〔俗〕。

**セレナ゛ーデ**〔↑ド Serenade(ゼレナーデ)〕《音》①恋人の家の窓の下で聞かせる、あまく美しい歌曲。②「セレナーデ①」から発展した、簡単な器楽形式(の組曲)。▽小夜曲。夜曲。セレナード(フ sérénade)。

☆☆**セ゛レブ** 一〔↑セレブリティー(celebrity)〕著名な人。名士。二《名・ナダ》上流階級(の感じがするようす)。「―な生活」

**セ゛レモニー**〔ceremony〕①儀式。②かっこうをつけるための行事。「―化した会議」 ●**セレモニーホ゛ール**〔ceremony hall〕葬式・告別式をする会館。葬儀場。シティー ホール。

**セレンディピ゛ティ(ー)**〔serendipity〕ふとしたことから、思いがけない価値あるものを発見する〈能力/現象〉。「―が起こる」

**セ゛ロ**〔cello〕《音》⇩チェロ。

**ゼ゛ロ**〔フ zéro〕①零。何もないこと。「―(メートル)地帯〔=海抜ゼロメートルの地帯。海水面と同じ高さ〕・―行進〔=野球の試合で、得点0が続くこと〕・―成長〔=経済の成長率ゼロ〕・―年代〔=二〇〇〇～二〇〇九年〕・内容は―だ」表記アラビア数字では「0」。「零」とも書く。「〔戦闘機の〕零戦」②まったく ねうちがないこと。「あの人の人格は―だ」 ●**ゼロが一つ多い**句〔数字が〕ひとけた大きい。零が一つ多い。 ●**ゼロから(再)〈出発/スタート〉する**句 最初からやり直す。一から出直す。ゼロから始める。「過去の経歴を捨てて、―」

**ゼロエミ゛ッション**〔zero emission=ゼロ排出〕リサイクルを徹底して、廃棄物をゼロに近づけようとする考え方。〔一九九四年に国連大学が提唱〕

**ゼロか゛いとう**［ゼロ回答］《名・自サ》①ベースアップなどの要求に対して、一円も出せない、という回答。(↕有額回答)②何も前進なしの回答。

**ゼ゛ロさい**［ゼロ歳］⇩零歳。「―児」

**ゼロサ゛ム**〔zero-sum〕だれかが得をすると、必ず だれかがその分 損をして、合計がゼロになること。「―ゲーム〔=限られた客をうばいあうなど、ゼロサムになる競争〕・―社会」

**ぜ゛ろぜろ**《副・自サ》たんが出て、のどがゼイゼイいうようす。

**セロトニ゛ン**〔serotonin〕《生》神経の興奮を伝える物質の一つ。精神を安定させる はたらきがある。

**ゼロは゛い**［ゼロ敗］《名・自サ》〔試合で〕一点もとれずに負けること。零敗。スコンク。

**セ゛ロハン**〔フ cellophane〕包み紙などに使う、すきとおった紙状のもの。セロファン。 ●**セロハンテ゛ープ**〔cellophane tape〕セロハンのうらに粘着剤を

ぬった接着用のテープ。〔「セロテープ」は、その商標名〕

**ゼロ ベース**〔zero-base〕過去の実績にとらわれず、白紙の状態から考えること。「―予算」

**セロリ**〔celery〕西洋野菜の名。葉はミツバに似ていて、若いきはうす黄色で独特のかおりがある。セルリー。〈セロリー。

**せろん**［世論］⇩よろん(世論)。

**せわ**［世話］《名・他サ》①人のために気を使って、あれこれとしてあげること。「赤ちゃんの―をする・―役・―好き」②その人が希望したとおりになるように、気を使って取りはからうこと。「就職の―をする・切符を―する」☞お世話。●**世話が焼ける**［句］手数がかかって、わずらわしい気持ちになる。●**世話に砕ける**［句］うちとけた、日常の態度やことばづかいをする。●**世話になる**［句］ひとの助けを受ける。やっかいになる。●**世話はない**［句］①手数がかからない。苦労しない。「広告だけで売れるなら―」②自分から物事を台なしにしたりして、ばかばかしい。「人に注意したくせに、自分が同じミスをしては―」▽世話がない。●**世話を焼く**［句］あれこれとめんどうをみる。

**せわきょうげん**［世話狂言］《歌舞伎》世話物の狂言。

**せわし・い**［(△忙しい)］《形》⇩せわしない。「時間がなくて―・せわしく働く」［派］-がる。-げ。-さ。

**せわしな・い**［(△忙しない)］《形》①いそがしさなどのため、気持ちが落ち着かない。「―日常」②じっとしていなかったり、次々に変わったりして、見ていて落ち着かない。「せわしなく歩き回る」③いそがしい。「せわしなく働く」▽せわしい。［由来］「せわしい」の語幹に、強調の「ない」がついた形。［派］-げ。-さ。

**せわた**［背(△腸)］①エビの背にある黒い筋状の腸。②サケの背骨の下にある腎臓(で作った塩辛)。

**せわにょうぼう**［世話女房］家庭の中の用事をよくする妻。夫のめんどうをよくみる妻。

**せわにん**［世話人］中心となって、もよおしや運動の世話をする人。世話役。

**せわもの**［世話物］《芝居》〔浄瑠璃・歌舞伎などで〕おもに町人を主人公として、当時の人情・風俗などをえがいたもの。(↕時代物)

**せわり**［背割り］①さかなの背筋を切りひらくこと。②柱などが乾燥して割れるのを防ぐために、柱のうらがわに、前もってたてに割れめを入れておくこと。

**＊＊せん**［千］百の十倍の数。「―人、―二百円〔強調して『一―人、一―二百円』〕・一―万〔=一万の千倍。『千万』とは言わない〕・―に一つの勝ち目もない」［表記］重要な文書で、金額などを書く場合、「×阡」「×仟」と書く。

**せん**［先］［一］せん ①〔古風〕さき。まえ。「―〔=一つ前〕の勤め先」②〔古風〕以前。「―に申しましたが・―から聞いていた」☞もう先。［二］［造］①この前の。先回の。「―場所」(↕来)②〔人について〕今の代の一つ前の。「―住職」③ある時期に先立つ。「―土器時代〔=土器時代以前の時代〕」●**先を越す**［句］相手よりも先にものごとをする。機先を制する。さきをこす。

**せん**［栓］①穴にさしこんでつめる、細長いもの。「コルクの―」②びんなどの口にはめるふた。

**せん**［腺］《生》生物体の分泌・はいせつ(排泄)の器官。「リンパ―」

**せん**［(:詮)］〔文〕かい。しるし。「今さら―〈の/も〉ないこと」☞せんない。

**せん**［銭］［一］せん 日本のお金の単位。円の百分の一。いま、それにあたる貨幣はない。「日歩七―」［表記］俗に「×戋」とも。「一戋五厘」［二］［造］〔古風〕わずかなお金。「小づかい―・ふろ―」

**＊＊せん**［線］①糸のように細長いもの。すじ。ライン。「地面に―を引く・からだの―〔=輪郭〕」②《数》点が動いて、(まっすぐ)無限にのびていく経路。(↕点・面)③〔鉄道・道路などの〕路線。「東海道―・上り―」④目に見えない光線(に似たもの)。「X―」⑤電線。「―が切れる」⑥考えや行動の方向・筋道。「物取りの―が強い・いい―行ってる・基本―」⑦一定の水準。ぎりぎりの境界。ライン。「ここが合格の―だ」●**線が細い**［句］人や作品から受ける感じが繊細で弱々しい。(↕線が太い)

**せん**［選］［一］せん えらぶこと。えらび。「正岡子規―・名作―にはいる」［二］［造］①えらぶこと。えらんだもの。「名曲百―」②選挙。「市長―」③〔名・動サをつくる〕当選。「三―をめざす」●**選に漏れる**［句］採用されない。(↕選に入る)●**選を異にする**［句］はじめから別の部類だ。

**せん**［繊］《料》せんぎり。「―キャベツ」●**繊に切る**［句］《料》せんぎりにする。

**せん**［(△山)］［接尾］①〔おもに中国地方で〕山につけることば。「大―・人形―」②寺の山号。「忍辱―円成寺・蒜―・医王―」

**せん**［浅］［造］浅い。「―深度・―海」

**せん**［鮮］［造］〔文〕あざやかな。「―緑色」

**せん**［専］［一］［造］〔俗〕専門。「乗り―〔=乗ることが好きな鉄道ファン〕」［二］せん ↑専門学校。

**せん**［泉］［造］温泉。「アルカリ―」

**せん**［扇］［造］①扇風機。「換気―・卓上―」②せんす。おうぎ。「かざり―」

**せん**［船］［造］①ふね。「貨物―・客―」②空をとぶ乗り物。「飛行―・宇宙―」

**＊せん**［戦］［造］①戦争。「持久―」②試合。「定期―・三―全勝」③競争。「経済―」

**せん**［煎］［一］［造］↑せんべい。「ごま―・おこげ―・割れ―」［二］［接尾］煎茶をいれるとき、同じ茶の葉に湯をさすこと。「一―・三―までおいしく飲める」

**せん**［箋］［造］用紙。便箋。「実用―・書簡―」

**せん**［潜］［造］潜水艦。「敵―・米―・対―」

**＊ぜん**［全］［一］ぜん 〔文〕①全体。(↕個)②それだけでまとまっているもの。〔書物の題名の下にそえる〕［二］［造］①すべての。「―国民・―ページ」②…全体(の)。「―世界」③全部で。「―三冊」④…全体を代表する。オール。「―日本チーム」⑤まったく。全面的。「―自動・―否定(する)」

**＊ぜん**［前］［一］ぜん ①〔文〕まえ。さき。「―(に)のべたとおり」②〔選挙で〕↑前職。「無所属―」③〔視覚語〕↑午前。(↕後)［二］［造］①まえの。「―校長〔☞元とも〕・―ページ(↕次ページ)・―世紀(↕今世紀・来世紀)」②…以前。「―近代的」③〔文〕↑紀元前。［五］「―十世紀」［三］［造］①…のまえ。「大戦―」②〔古風〕…まえ。「五年―〔=五年まえ〕」▽(↕後)

**ぜん**［善］①道義にかなう〈こと/おこない〉。道徳の理想。「真─美・─の道」〈↔悪〉②いい〈こと／もの〉。好ましいこと。「─は急げ」

**ぜん**【禅】《仏》①↔禅宗。②↔座禅。「─を組む」

**ぜん**【漸】〔文〕だんだんに進むこと。●**漸を追って** 句 〔文〕少しずつ、ゆっくりと。

**ぜん**【膳】■一 ぜん ①食べ物をのせる台。「お─」②「膳部」。■二 接尾 ①食べ物をもりつけた茶わんを数えることば。「ごはん三─」②箸二本をひとそろい(=一膳)として数えることば。「箸二─」

**ぜん**【然】接尾〔形動タルをつくる〕〔文〕いかにも…らしいようす。「学者─とした風貌・学生─とした服装」

**ぜんあく**【善悪】よしあし。「─をわきまえる」

**せんい**【船医】航海中、船に乗りこんで勤務する医師。

**せんい**【戦意】戦おうとする〈心／意気ごみ〉。「─を失う・─喪失」

**せんい**【繊維】①きわめて細い、糸のような物質。織物の原料。「─製品」②【線維】《生》生物の神経や筋肉を形づくる、糸のように細長いすじ。「─腫」●**せんいそ**【繊維素】《理》⇒セルロース。

**せんい**【遷移】《名・自他サ》①〔文〕移り変わること。「状態が─していく」②《生》あれ地に草がはえ、木がはえて、その場所の植物の様子が変わっていくこと。③《情》次の画面に切りかわること。④《理》原子が安定な状態から光のエネルギーなどで別の安定な状態になっていくこと。●**せんいげんそ**【遷移元素】《理》周期表の真ん中(=三列目から十一列目(あるいは十二列目))を占める元素。すべて金属で、横に並んだ元素の性質が似ている。

**ぜんい**【善意】①〈人／々〉のためを思う〈悪気のない〉気持ち。「─の募金」②いい意味。「─に取る」③《法》その事実を知らないこと。「─の第三者」▽(↔悪意) ●**ぜんいぎんこう**【善意銀行】社会福祉に役立てるため、技術・労力・お金などをあずけ、必要としている人に利用してもらう機関。

**せんいき**【戦域】〔文〕戦闘の区域。●**せんいきかく**【戦域核】《軍》射程が戦略核と戦術核の間である核兵器。(↔戦略核・戦術核)

**ぜんいき**【全域】①その地域・区域の全体。「関東─」②全部の〈領域／分野〉。

**せんいつ**【専一】《名・ナダ》〔文〕そのことだけに気をつけること。第一とすること。「ご自愛─のほど、おいのり申し上げます」

**せんいん**【船員】船の乗組員。

**ぜんいん**【全員】全部の人員。「─協議会(=議員全体でおこなう協議会)」●**ぜんいんやきゅう**【全員野球】①《野球》〔ひかえの選手もふくめて〕チーム全員が力を合わせてする野球。「─で優勝する」②全員が力を合わせて仕事をすること。「─の態勢」

**ぜんいん**【全院】〈その院／議院の〉全体。「─委員会(=議員全部で組織した委員会)」

**ぜんいんぜんか**【善因善果】《仏》いいおこないはいい結果をうむこと。(↔悪因悪果)

**せんうん**【戦雲】〔文〕戦争が始まりそうな気配。「─がたれこめる・─急をつげる」

**せんえい**【船影】〔文〕船の姿。「─を認めない」

**せんえい**【先鋭・×尖鋭】《ナダ》①〔文〕するどくとがっているようす。②急進的。「─化(=急進的になること)」派─さ。

**せんえい**【鮮鋭】《ナダ》〔文〕あざやかでするどいようす。「─なレンズ・─な録音」派─さ。

**ぜんえい**【全英】イギリス全体。「─で大ヒット」

☆☆**ぜんえい**【前衛】①〔軍隊で〕本隊の前のほうの守り。「─戦(=前哨戦)」②〔テニス・バレーボールなど〕前のほうを守る選手。▽(↔後衛) ③階級闘争の第一線に立つ指導者。「─党(=共産党)」④〔芸術で〕新しい、実験的な表現法を用いること。アバンギャルド。「─絵画・─書道・─的」

**せんえき**【戦役】〔文〕戦争。戦い。「日露─」

☆☆**せんえつ**【×僭越】《名・ナダ》〈身分／分際〉をこえること。「─ながら(=出すぎたことですが)私が司会をいたします」派─さ。

**せんえん**【遷延】《名・自他サ》〔文〕先のばしに〈なる／する〉こと。「解決を─させる」

**ぜんえん**【前縁】前のほうのへり。「主翼の─」

**せんおう**【先王】〔文〕先代の王。(↔現王)

**せんおう**【専横】《名・ナダ》態度がわがままで、かって気ままなこと。「─にふるまう」派─さ。

**ぜんおう**【全欧】ヨーロッパ全体。

**ぜんおん**【全音】《音》半音二つ分の、音の高さの差。(↔半音)

**ぜんおんかい**【全音階】《音》オクターブの中に、五つの全音と二つの半音をふくむ音階。(↔半音階)

**ぜんおんぷ**【全音符】《音》音の長さをあらわす基準となる音符。「o」。四分の四拍子では四拍に数える。

**せんか**【専科】専門の学科課程。「声楽─・─教員(=小学校で音楽・図工など、特定の教科を専門に受け持つ教員)」

**せんか**【選科】一部の学科だけを選択して学習するコース。

**せんか**【泉下】(=黄泉の下)〔文〕人が死んでから行くという、あの世。「─の客となる」

**せんか**【戦火】〔文〕戦争(による火災)。「─のちまた・─をまじえる」

**せんか**【戦渦】〔文〕戦争によって起こる混乱。「─に巻きこまれる」

**せんか**【戦禍】〔文〕戦争によってこうむる わざわい。

**せんか**【戦果】戦闘の成果。「─があがる」

**せんか**【選果】《名・自サ》《農》くだものの実を、一定の基準をもってえらび分けること。「共同─」

**せんか**【選歌】《名・自他サ》①いい短歌をえらぶこと。②えらばれた短歌。

**せんが**【線画】線ばかりでかいた絵。

**ぜんか**【全科】全部の学科。全学科。

**ぜんか**【全家】〔文〕一家全体。「─死亡」

**ぜんか**【前科】《法》以前に刑罰を受けたこと。前歴。「─者」

**ぜんが**【禅画】《仏》禅宗の僧がかいた墨絵。

**せんかい**【仙界】〔文〕仙境。

**せんかい**【先回】①この前の回。②いつぞやの回。

**せんかい**【浅海】①〔文〕底の浅い海。②《生》海岸からわりあい近い、深さ二百メートルまでの間(の海)。

▽(↕深海)

**せんかい**［旋回］《名・自他サ》①くるくる回ること。「上空〈を/で〉ーする」②〔乗り物・政治運動などが〕進む方向を大きく変えること。「左にーする」

**せんがい**［船外］〈船/宇宙船〉の外。(↕船内) ●**せんがいき**［船外機］モーターボートなど、小型の船に取りつけるエンジン。アウトエンジン。

**せんがい**［選外］選にはいらないこと。〔捨てがたい場合もある〕「ー佳作」

**ぜんかい**［全会］〈その会/会議〉に出ている人全部。「ー一致」

**ぜんかい**［全階］①〔高い〕建物の、全部の階。「〔マンションの〕ーの意見をまとめる」②その階全部。「二階のーを借りる」

**ぜんかい**［前回］〈今の/その〉回の一つ前の回。(↕次回)

**ぜんかい**［全快］《名・自サ》病気が治って健康な状態になること。「ー祝い」

**ぜんかい**［全壊・全潰］《名・自サ》すっかりこわれること。「ー家屋」(↕半壊)

**ぜんかい**［全開］《名・自他サ》①〔栓・窓などを〕すっかりひらくこと。(↕全閉・半開)②力を全部出すこと。「エンジンー〔=全速回転〕」③手放しでそうすること。「喜びー」

**せんかく**［先覚］〔文〕①人より先に、そのことについてさとった人。「ー者」②学問・見識のある先輩。

**せんがく**［先学］〔文〕学問上の先輩。(↕後学)

**せんがく**［浅学］《名・ナダ》〔文〕学問が浅いこと。「ー非才」

**ぜんかく**［全角］①和文活字で、一文字分にあたる正方形の大きさ。②〔コンピューターで〕日本語入力をするときの、一字分の大きさ。▽(↕半角)

**ぜんがく**［全学］その〈大学/学園〉全体。「ー一致・ースト」

**ぜんがく**［全額］全部の金額。(↕半額)

**ぜんがく**［前額］〔文〕ひたい。「ー部」

**せんかたな・い**［せん〈方〉ない］《形》〔せん方=する方法〕〔古風〕しかたがない。「せんかたなく(『せんかたなしに』とも)引き返す」 表記 「∴詮=方無い」とも書いた。 派ーさ。

**ぜんがゆ**［全(×粥)］重湯をふくまないかゆ。☞かゆ。

**せんかん**［専管］〔文〕一手に管轄すること。「ー事項・漁業ー水域」

**せんかん**［戦艦］《軍》強力な戦闘力を持つ、大型の軍艦。「ー大和」

**せんかん**［潜×函］ビルや橋などの基礎工事をするために地下に作る、圧搾空気を満たした作業室。ケーソン。「ー病」

**せんかん**［潜艦］《軍》↑潜水艦。「特命ー」

**せんかん**［選管］↑選挙管理委員会。

**せんがん**［腺(×癌)］《医》腺の組織〔たとえば乳腺〕にできるがん(癌)。

**せんがん**［洗眼］《名・自サ》《医》〔水・薬などで〕目をあらってよごれを取り去ること。「ー薬」

**せんがん**［洗顔］《名・自サ》かおをあらうこと。

**せんがん**［専願］《名・他サ》受験のさい、一つの学校だけを志願すること。単願。「私立ーー」(↕併願)

**ぜんかん**［全巻］①全部の巻。「ーの終わり」②その巻全体。

**ぜんかん**［全館］①全部の館。②その館全体。「ー冷房」

**ぜんかん**［全艦］①全部の軍艦。「ー発進せよ」②その軍艦全体。

**ぜんがん**［前(×癌)］《医》がん(癌)になる一歩手前。「ー状態」

**せんかんき**［戦間期］第一次世界大戦の終わり〔一九一八年〕から第二次世界大戦の始まり〔一九三九年〕までの約二十年間。「ーの歴史」

**せんカンブリアじだい**［先カンブリア時代］《地》地質時代の大区分の一つ。古生代〔の最初に当たるカンブリア紀〕の前で、地質時代の始まりから約五億四一〇〇万年前まで。

**せんき**［×疝気］《漢方》男性の下腹のあたりが痛む病気。「ー持ち・他人のーを頭痛に病む〔⇩「他人」の句〕」 ●**せんきすじ**［×疝気筋］ーす ①疝気のとき痛むすじ。②わきへそれている系統。傍系。「ーにねらいをつける」

**せんき**［戦記］〔文〕戦争・試合などの記録。

**せんき**［戦機］〔文〕戦うべき機会。「ー熟す」

**せんぎ**［先議］《名・他サ》〔文〕ほかの問題よりも先に審議すること。「ー権」

**せんぎ**［詮議］《名・他サ》①相談して ものごとを決めること。②罪人の とりしらべ。「きびしくーする」

**ぜんき**［全機］すべての〈飛行機/機械〉。

**ぜんき**［前期］①〔二つのうち〕前の時期。〔三つのうち〕最初の時期。「大学のー授業・明治ー」(↕中期・後期)②一つ前の決算期。(↕当期・次期) ☞昨期

**ぜんき**［前記］《名・他サ》〔文〕①前の部分に書きつけること。また、書きつけたことがら。②前書き。「編集ー」▽(↕後記)

**ぜんぎ**［前戯］性交の前に、興奮を高めるためにする愛撫。

**せんきゃく**［先客］先に来た客。「ーがある」

**せんきゃく**［船客］船に乗っている客。

**ぜんきゃく**［前脚］飛行機の前のほうにある、車輪のついたあし。☞主脚。

**せんきゃくばんらい**［千客万来］多くの客がつぎつぎにくること。

**せんきゅう**［選球］《名・自サ》《野球》バッターが、ボールとストライクをえらび分けること。「ー眼」

**ぜんきゅう**［全級］①全部の(学)級。②その(学)級全体。

**ぜんきゅう**［全休］《名・自他サ》①〈一日じゅう/ある期間すべて〉仕事をやすむこと。「日曜ー・横綱がーする」②全部運休すること。

**↕せんきょ**［占居］《名・他サ》〔文〕その場所を自分のものにして、いすわること。「一室をーする」

**↑せんきょ**［占拠］《名・他サ》その場所を自分のものにして、他人を寄せつけないこと。「建物をーする」

***せんきょ**［選挙］《名・他サ》投票して、多くの中からえらぶこと。「市長ー・十八歳になるとー権があたえられる・ー人名簿・ーに出る〔=選挙に立候補する〕」

●**せんきょうんどう**［選挙運動］選挙に当選するためにおこなう勧誘・演説など。●**せんきょく**［選挙区］〔法〕①選挙の便宜のために、有権者の住む地域によって分けた区域。②［参議院議員の選挙で］都道府県をそれぞれ一つの「選挙区①」としたもの。☞比例代表制。

**せんぎょ**［鮮魚］〈いきのいい／新しい〉さかな。

**せんきょう**［仙境・仙郷］〔文〕仙人の住む土地（のような俗界をはなれた地）。仙界。

**せんきょう**［船橋］船の指揮をするため、上甲板の上に高くつくった場所。ブリッジ。

**せんきょう**［戦況］戦争・試合などのありさま。

**せんきょう**［宣教］《名・自サ》〔文〕宗教を広めること。「ー活動」●**せんきょうし**［宣教師］〔宗〕宗教、特にキリスト教を広める人。

**せんぎょう**［専業］〔文〕その〈職業／事業〉を専門にすること。「ー農家（↔兼業農家）・ー主婦」

**せんきょく**［戦局］戦争・試合などのなりゆき。「ーが有利に展開」

**せんきょく**［選曲］《名・自サ》多くの音楽の曲の中から、いくつかの曲をえらぶこと。

**せんきょく**［選局］《名・自サ》〔受信機を調節して〕放送局をえらぶこと。「ーダイヤル・ーボタン」

**ぜんきょく**［全曲］①全部の曲。②その曲の〈全体／全部〉。「ー演奏」

**ぜんきょく**［全局］①全部の（放送）局。また、その（放送）局全体。②〔文〕局面全体。③〔碁・将棋など〕対局の全体。また、すべての対局。

**せんぎり**［千切り・繊切り］①〔料〕ダイコンなどを細く〈切ること／切ったもの〉。せん。「ーキャベツ」☞千六本。②〔西日本方言〕切り干し大根。千切り大根。

↔**せんきん**［千金］（＝千両。千円）〔文〕①たくさんのお金。②非常に大きいねうち。「散り際ー・春宵一刻値ー〔⇩「春宵」の句〕」

↔**せんきん**［千×鈞］（一鈞＝三十斤）〔文〕きわめて重い〈こと／もの〉。●**せんきんのおもみ**［千×鈞の重み］〔文〕この上もなく大切なねうち。

**ぜんきん**［前金］〔文〕⇩まえきん。

**ぜんきん**［漸近］《名・自サ》〔文〕少しずつ近づいていくこと。「〔数〕ー線（＝無限にのびた曲線が限りなく近づいていく直線）」

**ぜんきんだい**［前近代］近代以前。「ー的な身分制度」

**せんく**［線区］鉄道の路線を、区間によって分けたもの。

**せんく**［先駆］《名・自サ》さきがけ。「ー者（＝人よりも先に、ものごとを始めた人）・現代文学のー」

**せんく**［選句］《名・自サ》①いい俳句・川柳をえらぶこと。②えらばれた俳句・川柳。

**ぜんく**［前駆］《名・自サ》①馬の、さきのり。②さきがけ。▽先駆。●**ぜんくしょうじょう**［前駆症状］〔医〕ある病気が始まる前にあらわれる症状。前駆症。「ーとしては、頭痛や吐き気がある」

**せんぐう**［遷宮］《名・他サ》〔神社で〕ご神体を新しい神殿に移す〈こと／儀式〉。☞式年。

**せんくち**［先口］順番が先であること。先の順番。（↔後口）

**ぜんくつ**［前屈］《名・自他サ》①からだを前に曲げること。②〔医〕前のほうに曲がっていること。「子宮ー」▽（↔後屈）

**せんくん**［先君］〔文〕①先代の主君。②死んだ父。

**せんくん**［戦訓］〔文〕実際の戦闘から受けた教訓。

**ぜんぐん**［全軍］①全部の軍隊。②その軍隊全部。③チーム全体。

**せんぐんばんば**［千軍万馬］〔文〕〔多くの戦場をかけめぐって〕経験のゆたかなこと。「ーの将」

**せんげ**［遷化］《名・自サ》〔仏〕「僧が死ぬこと」の尊敬語。

**ぜんけ**［禅家］〔仏〕禅宗。禅僧。禅寺。ぜんか。

**せんけい**［扇形］①おうぎを開いたような形。「ー機関庫」②〔数〕一つの円弧と、その両はしに引いた半径とでできる図形。▽おうぎがた。

**せんけい**［戦型］①〔将棋〕おたがいの戦法が組み合わさってできる、戦いの型。「ーは相振り飛車」②〔卓球で〕攻撃の型。

**せんけい**［線形］①線のようにほそい形。②道路や線路の形。「カーブが多くーが悪い」③［線型］〔数〕一次式であらわされる直線的な関係。「ー代数」

**ぜんけい**［全形］〔文〕全体のかたち。

**ぜんけい**［全景］全体のけしき。

**ぜんけい**［前景］①〔文〕手前のほうの景色。②〔美術〕〔構図で〕手前に配置したもの。③〔文〕直接注意が向くものごと。▽近景。（↔後景）●**ぜんけいか**［前景化］《名・自他サ》前のほうにせまって、目立つこと。クローズアップされること。「エネルギー問題がーする」

**ぜんけい**［前傾］《名・自サ》姿勢が、前のほうにかたむくこと。「ー姿勢」（↔後傾）

**ぜんけい**［前掲］《名・他サ》〔文〕前に〈かかげる／出す〉こと。「ーの表」（↔後掲）

**せんけつ**［潜血］〔医〕化学的方法で、はじめて認めることのできる出血。「ー反応」

**せんけつ**［鮮血］色あざやかな、まっかな血。いきち。「ーがほとばしる」

**せんけつ**［先決］《名・他サ》先に決める（べき）こと。「ー問題」

**せんけつ**［専決］《名・他サ》〔文〕ひとりの考えで決め（て処理す）ること。「知事のー処分で決定した」

**せんげつ**［先月］今月の前の月。（↔来月）

**せんげつ**［繊月］〔文〕三日月（よりなお細く見える月）。

**ぜんけつ**［全血］〔医〕すべての成分をふくんだままの血液。「ー献血（↔成分献血）」

**ぜんげつ**［前月］①この前の月。先月。②〔ある月の〕一つ前の月。（↔翌月）

**せんけん**［先賢］〔文〕昔の賢人。

**せんけん**［専権］自分の考えできめることのできる権利。「衆議院の解散は首相のー事項だ」

**せんけん**［浅見］〔文〕①あさはかな〈考え／意見〉。②「自分の考え」の謙譲語。

**せんけん**［先見］《名・他サ》〔文〕そうならないうちに、前もって見ぬくこと。「ー性・ーの明（＝見通す力）がある」

**せんけん**［先遣］《名・他サ》本隊より先に派遣す

ること。「—隊」

**せんげん**［線源］《理》放射線を出すもとになる〈物質/装置〉。放射線源。

**せんげん**［宣言］《名・他サ》広くほかの人に向かって〈個人/団体〉が、意見や方針を公表すること。「開会を—する・平和—・共同—」

**ぜんけん**［全県］①その県全体。②全部の県。

**ぜんけん**［全権］①全部の権限。「—委任」②完全な権力。「—を掌握する」③↑全権委員。「日本—」•**ぜんけんいいん**［全権委員］すべての権限をまかされ、政府を代表して国際会議などに派遣される委員。

**ぜんけん**［前件］①以前のことがら。「—訴訟」②《哲》「AならばB」のような仮定や条件の文で、Aの部分。(↕後件)

**ぜんげん**［前言］〔文〕①前に言ったことば。「—を取り消す」②前おきとしてのべることば。

**ぜんげん**［漸減］《名・自サ》〔文〕だんだんへること。(↕漸増)

**せんげんばんご**［千言万語］〔文〕非常に多くのことば。

**せんこ**［千古］〔文〕大昔(から今まで)。太古。「—のなぞ」•**せんこ-ふえき**［千古不易］〔文〕永遠に変わらないこと。

**せんご**［戦後］①戦争の終わったあと。「—処理」②第二次世界大戦が終わったあと。▽(↕戦前・戦中) •**せんごは**［戦後派］「戦後②」に育った人々。伝統にとらわれない自由さをもつ。アプレゲール。(↕戦前派・戦中派)

**せんご**［先後］《名・自サ》あとさき。前後(すること)。「対局の—」

**ぜんこ**［全戸］〔文〕①うちじゅう。全家。「—不在」②〔その地域の〕全部の家。「—焼失」

←**ぜんご**［善後］〔文〕事件などのあとしまつをうまくすること。「—処置」•☆☆**ぜんごさく**［善後策］あとしまつの手段。「—を講ずる」

→**ぜんご**［前後］㊀《名・自サ》①前とうしろ。あとさき。「—左右・—のいきさつ」区別「その前後十日間」は、その日をふくめ、全部で十日間。「その前後十日間ずつ」は、事前に十日間、事後に十日間。なお、㊁との区別に注意。②だいたいそのあたり。「その—の人数」③ほとんど同じ時期になること。引き続くこと。「小説と(相)—して映画も公開」④順序が逆になること。先後。「話が—したが」㊁《副》合わせて。都合。「—五〈年/回〉にわたる争い・—六十人ばかり」㊂造〔数量が〕…ぐらい。内外。「十人—・水深四メートル—」•**ぜんごしょう**［前後賞］〔宝くじで〕当選した番号の、一つ前と後の番号にあたえる賞金。•**ぜんごのみさかい**［前後の見境］〔今こうしたら、あとでどうなるか、という〕冷静な判断。「かっとして—(も)なく家を飛び出した・—がつかない」•**ぜんごふかく**［前後不覚］正体のないこと。「—にねむる」

**ぜんご**［禅語］《仏》禅宗の教えを伝えることば。

**ぜんご**《動》⇩ぜいご。

**せんこう**［×閃光］瞬間的な強い光。ひらめき。「〔写真撮影用の〕—電球」

**せんこう**［戦功］戦争でたてたてがら。

**せんこう**［線香］香料の粉を線のように細くかためたもの。火をつけて仏壇などに立てる。「—を上げる」•**せんこうはなび**［線香花火］①火薬を細長い紙に入れてよ(縒)った花火。せんこはなび。②〔俗〕最初ははなばなしいが、すぐさめやすい性質。また、始まったかと思うと、すぐ終わること。

**せんこう**［先行］《名・自サ》①ほかより先に行くこと。「本隊より—する」②先に〈ある/発表されている〉こと。「—文献」③先走ること。「人気が—する」④《スポーツ》得点してリードすること。「一点—する」

**せんこう**［先攻］《名・自サ》〔試合などで〕先にせめる〈こと/ほう〉。(↕後攻)

**せんこう**［×穿孔］《名・自サ》①〔文〕紙などに穴をあけること。「—機」②《医》潰瘍などのため、胃や腸に穴があくこと。「胃—」

←**せんこう**［潜行］《名・自他サ》〔文〕①かくれて、人目につかないように〈行く/する/なる〉。「日本に—したスパイ・反政府活動が—する・差別感情が—する」②水中をもぐって進むこと。「深海を—する」

→**せんこう**［潜航］《名・自他サ》水中にもぐって航行すること。「—艇」

**せんこう**［専攻］《名・他サ》専門に研究する〈こと/範囲〉。「文学を—する」

**せんこう**［洗口］《名・他サ》〔文〕口の中を洗ってきれいにすること。「—液・—剤」

**せんこう**［選好］《名・他サ》〔文〕〔ほかとくらべて〕特にそれを好んで選ぶこと。「円よりドルが—される」

**せんこう**［選考・×銓衡］《名・他サ》会議にかけて、適任者をえらぶこと。「書類—〔=応募の書類だけで、えらぶこと〕」由来「銓衡」の銓は分銅、衡ははかりのさお。「選考」は戦後広まった代用字。

**せんこう**［選鉱］《名・他サ》《鉱》鉱石から目的の鉱物を取り出すこと。「磁力—法」

**せんこう**［繊巧］《ナダ》〔文〕細工が細かくてじょうずなようす。「—な工芸品」派—さ。

**せんごう**［先号］〔文〕前号。

**ぜんこう**［全行］①全部の銀行。②その銀行全体。

**ぜんこう**［全校］①全部の学校。②その学校全体。

**ぜんこう**［全高］地上から、その物のいちばん高い部分までの高さ。「バイクの—」

**ぜんこう**［前項］①(一つ)前の〈箇条/項目〉。(↕次項・後項)②《数》前の項。(↕後項)

**ぜんこう**［善行］感心なおこない。「かくれた—」

**ぜんごう**［全豪］オーストラリア全体。「—オープン〔=メルボルンでおこなうテニスの大会〕」

**ぜんごう**［前号］〔文〕前の号(の刊行物)。先号。(↕次号)

**せんこく**［先刻］㊀〔文〕さきほど。さっき。「—申し上げたように」(↕後刻)㊁《副》〔古風〕とっくに。「—承知だ」

**せんこく**［宣告］《名・他サ》①相手に正式に伝えること。言いわたすこと。「死の—を受ける」②《法》判決の言いわたし。

**せんごく**［戦国］①多くの武将が各地に城をかまえてたがいに戦う、動乱の世の中。②《歴》↑戦国時代。「—末期」•**せんごくじだい**［戦国時代］①《歴》ⓐ〔日本で〕一四六七年に始まる応仁の乱以後、戦乱の続いた、約百年間の時代。ⓑ〔中国で〕

⇩春秋戦国時代。②〔商戦などで〕はげしく争う時代。「焼酎市場は、まさに一」

**ぜんこく【全国】その国全体。「一的に晴れ・一放送・日本一」●**ぜんこくく**【全国区】①もと、参議院議員の選挙で、全国を一つの区とした選挙区。今の比例代表区。(↕地方区) ②全国に知られていること。「一躍一となる」③全国水準。「一で仕事をする」▽ぜんこっく。●**ぜんこくし**【全国紙】全国の読者に向けて発行される新聞。(↕地方紙)

**せんごくぶね**【千石船】江戸時代、米千石を積むことができた大型の和船。

**せんこつ**【仙骨】㊀**せんこつ**〔文〕俗世間にないような、ちょっと変わった風采。脱俗味。「一をおびる」㊁**せんこつ**【薦骨】《生》背骨の末端にある三角形の骨。☞仙椎。

**ぜんこみぞう**【前古未曽有】〔文〕⇩古今未曽有。「一の大事件」

**ぜんこん**【善根】《仏》いい むくいを受ける おこない。「一をほどこす」

**せんざ**【遷座】《名・他サ》〔文〕仏像・神体を移すこと。

**ぜんざ**【前座】①《落語》修業中で、まだ正式に高座に上がる資格のない人。②おもな出演者や演技者が出る前に出る役(の人)。「一をつとめる・一試合・一歌手」

☆☆**センサー**〔sensor〕《理》音・光・温度・形などを検知して、コンピューターに信号を送る装置。人間の感覚にあたるはたらきをする。検知器。感知器。センサ。

**せんさい**【先妻】前の妻。前妻。(↕後妻)

**せんさい**【戦災】戦争による災害。「一孤児・一者」

**せんさい**【繊細】《ナダ》①ほそくて優美なようす。「一な指」②感じがこまやかで微妙なようす。デリケート。「一な感情」㊇一さ。

**せんざい**【千載・千歳】〔文〕千年。「一の後」●☆☆**せんざいいちぐう**【千載一遇】〔文〕千年に一度しかあえない〈こと/ほどの えがたい機会〉。

**せんざい**【(△前栽)】①庭先に植えこんだ草木。②植えこみのある庭。

**せんざい**【宣材】宣伝に使う材料。「一写真」

**せんざい**【洗剤】衣類・食器・野菜などのよごれをあらいおとすために使う、粉や液体の薬剤。

**せんざい**【潜在】《名・自サ》①中に かくれた状態で、物が あること。(↕顕在) ②その形ではあらわれていないが、実際には あること。「一的・一失業者・一能力」●**せんざいいしき**【潜在意識】《心》意識にのぼらない、観念(の活動)。下意識。

**ぜんさい**【前妻】先妻。(↕後妻)

**ぜんさい**【前菜】《料》正式の料理の前に出す、簡単な食べ物。オードブル。「一の盛り合わせ」

**ぜんざい** ㊀**ぜんざい**【善×哉】〔文〕仏などが、人間のいいおこないをほめるときに言うといわれることば。〔「よいかな」「よきかな」と読める漢語を音で読んだもの〕㊁**ぜんざい**【(善×哉)】①つぶしあんを上にかけたもち。おわんに入れて食べる。②〔西日本方言〕つぶしあんのはいったしるこ。いなかじるこ。③〔沖縄方言〕あまく煮た金時豆などをそえた、かきごおり。

**せんさく**【詮索】《名・他サ》①【×穿×鑿】〔=あなをうがって、ほる〕細かいところまで さぐって知ろうとしたり、臆測して とやかく言いたてたりすること。「よけいな一はやめてくれ」②〔文〕たずね さがすこと。「事実を一する」🖊本来は②の意味で、①は、もとは別語。

**ぜんさく**【前作】この前の作品。(↕次作)

**センサス**〔census〕①国勢調査。②実態調査。「工業一」

**せんさばんべつ**【千差万別】いろいろとあって、さまざまな ちがいがあること。

**ぜんざん**【全山】①やま全体。満山。②全部の山。

**せんざんこう**【(×穿山甲)】アリクイに似るが、かたいうろこでおおわれた、怪獣のような姿の哺乳類。絶滅危惧種。

**せんし**【先史】《歴》文字による歴史の記録がない〈こと/時代〉。有史以前。「一学・一時代(↕歴史時代)」(↕有史)

**せんし**【先師】〔文〕亡くなった先生。

**せんし**【戦士】①戦争に参加する兵士。「無名一」②最前線で活躍する人。「産業一」

**せんし**【戦史】戦争の歴史。

**せんし**【選士】〔文〕えらばれた人々。

**せんし**【戦死】《名・自サ》戦争に参加して、戦って死ぬこと。

**せんし**【×穿刺】《名・自他サ》《医》体液をとったり薬を注入したりするために、血管や内臓などに注射針をさすこと。

**せんじ**【宣旨】〔文〕天皇のことばをのべつたえること。また、その文書。

**せんじ**【戦時】戦争をしているとき。「一中〔=ふつう、第二次世界大戦中〕・一体制」(↕平時)

**ぜんし**【全史】〔文〕全体を取りあつかった歴史。「自然科学一」

**ぜんし**【全市】①その市全体。②全部の市。

**ぜんし**【全姿】〔文〕全体の姿。「一をあらわす」

←**ぜんし**【全紙】〔文〕㊀**ぜんし** ①〔新聞の〕紙面全体。②全部の新聞。㊁**ぜんし** 製紙工場でできあったままの大きさの紙。全判。

→**ぜんし**【全誌】〔文〕①〔雑誌の〕紙面全体。②全部の雑誌。

**ぜんし**【前史】①前半の歴史。②(それ)以前の歴史。③先史。

**ぜんし**【前肢】《動》まえあし。(↕後肢)

**ぜんじ**【禅師】《仏》①法師。②徳の高い禅僧に朝廷から賜る称号。

**ぜんじ**【全治】《名・自サ》〔古風〕⇩ぜんち(全治)。

☆☆**ぜんじ**【漸次】《副》〔文〕しだいに。おいおい。「一快方に向かう」

**せんじぐすり**【煎じ薬】せんじて飲む くすり。薬湯。

**ぜんじだい**【前時代】(今より)一つ前の時代。「一的な感じを受ける」

**せんしつ**【泉質】〔どんな成分をふくむかなどの〕温泉の性質。「一は酸性泉」

**せんしつ**【船室】船の中の〈部屋/客室〉。ケビン。キャビン。

**せんじつ**【先日】この間。「一来〔=この間から〕」

**ぜんしつ**【全室】全部の部屋。

**ぜんしつ**【前室】中心となる部屋の前にある部屋。

「テレビスタジオの—(=待機用の部屋)」

**ぜんじつ**【全日】〔文〕①一日じゅう。ぜんにち。②全部の日。「一週間—授業がある」

**ぜんじつ**【前日】①〔ある日の〕一つ前の日。(↕翌日)②先日。

**せんじつ・める**【煎じ詰める】《他下一》最後のところまで〈論じる／考える〉。「煎じ詰めて言えば」

**センシティブ**《ナダ》〔sensitive=敏感(びんかん)〕①ものごとに感じやすいようす。多感。神経質。「—な若者」②慎重な取りあつかいが必要なようす。「—情報(=個人情報など)」

**せんしばんこう**【千紫万紅】〔文〕色とりどりの色彩(しきさい)(がきれいなようす)。

**せんしばんこう**【千思万考】《名・自サ》〔文〕思いをめぐらし、考えつくすこと。

**せんしばんたい**【千姿万態】〔文〕いろいろの、ちがったすがた・かたち。

**センシビリティ(ー)**〔sensibility〕感受性。

**センシブル**《ナダ》〔sensible=分別のある〕感受性がゆたかなようす。感じやすいようす。「—な映像表現・—な性格」

**せんしゃ**【船車】〔文〕船と自動車・列車。

**せんしゃ**【戦車】(=戦争に使う車)《軍》キャタピラで水陸を自由に走る、大砲(たいほう)をそなえた近代兵器。タンク。

**せんしゃ**【洗車】《名・自サ》自動車に水をかけてあらうこと。あらい。

**せんじゃ**【×撰者】〔文〕①すぐれた作品をえらび集めて、歌集・文集などにまとめる人。「勅撰(ちょくせん)集の—」②書物の著者。文章などの作者。

**せんじゃ**【選者】多くの作品の中から、いいものをえらぶ人。「歌の—」

**ぜんしゃ**【全社】①全部の会社。「加盟の—」②その会社全体。「—をあげて」

**ぜんしゃ**【全車】列車の、全部の車両。列車全体。「—禁煙(きんえん)」

**ぜんしゃ**【前車】〔馬車・自動車など〕前を進む車。(↕後車)●**前車の轍(てつ)を踏(ふ)む**句〔文〕前の人と同じ失敗をくり返す。前轍を踏む。●**前車の覆轍(ふくてつ)、後車の戒(いまし)め**句〔文〕前の人の失敗が、あとの人に注意をあたえること。前車の覆(くつがえ)るは後車の戒め。前車の覆轍。

**ぜんしゃ**【前者】前にのべた〈もの／こと〉。「二つの案のうち、—をとる」(↕後者)

**せんじゃく**【繊弱】《ナダ》〔文〕か細くて、弱々しいようす。

**ぜんしゃく**【前借】《名・他サ》まえがり。「—金」

**せんじゃふだ**【千社札】千社参りをする人が、社殿(しゃでん)の柱などに記念にはる ふだ。氏名や屋号などが書いてある。

**せんじゃまいり**【千社参り】—まゐり 多くの社寺に、参拝すること。千社詣(もう)で。

**せんしゅ**【船主】〔文〕ふなぬし。

**せんしゅ**【船首】船の、前の部分。へさき。(↕船尾(せんび))

**せんしゅ**【腺腫】《医》腺の組織にできる はれもの。「乳腺—」

**せんしゅ**【選手】**一**(えらばれて)試合に出る人。「野球(の)—・山本—」**二**造〔…年—〕〔仕事や趣味(しゅみ)などで〕経験を積んで多くの知識や技能を身につけた人。長年使い続けているもの。「この仕事はもう十年—だ・二十年—の家具」●**せんしゅけん**【選手権】①いちばん すぐれた選手としての資格。「世界—大会」②↑選手権大会。●**せんしゅむら**【選手村】オリンピックの間、外国選手が宿泊(しゅくはく)・休養できる設備を整えた区画。

**せんしゅ**【繊手】〔文〕かぼそい手。しなやかな手。

**せんしゅ**【先取】《名・他サ》先に とること。「—点・一点を—する」

**せんしゅう**【千秋】〔文〕千年。「一日(いちじつ)—」●**せんしゅうのこんじ**【千秋の恨事】〔文〕いつまでもうらめしく思うことがら。●**せんしゅうらく**【千秋楽】興行の終わりの日。楽日(らくび)。楽(らく)。(↕初日(しょにち))由来もと、雅楽(ががく)の曲名。法会(ほうえ)などの最後に演奏されたことから。表記歌舞伎(かぶき)などでは「千×穐楽」。

**せんしゅう**【先週】今週の一つ前の週。前週。(↕来週)☞一週①。

**せんしゅう**【染(×繡)】〔文〕染色としゅう(刺繡)。そめぬい。

**せんしゅう**【選集】〈ひとり／多く〉の人の作品の中から、えらんでまとめたもの。「文学—」

**せんしゅう**【専修】《名・他サ》そのことだけを学ぶこと。「法律を—する」●**せんしゅうがっこう**【専修学校】各種学校のうち、一年以上在学させて、職業教育・専門の技術教育をおこなう学校。

**せんじゅう**【先住】《名・自サ》①先に住むこと。「—者」②《仏》前の住持。(↕後住(ごじゅう)・当住)●**せんじゅうみん**【先住民】その土地に、先に住み着いた民族。先住民族。例、北海道などのアイヌ。☞原住民。

**せんじゅう**【専従】《名・自サ》もっぱら、その仕事をすること。「組合—者」

**ぜんしゅう**【全集】その〈人／分野〉の著作の全部を集めた〈もの／書物〉。

**ぜんしゅう**【前週】①〔ある週の〕一つ前の週。(↕翌週)②先週。

**ぜんしゅう**【禅宗】《仏》仏教の一派。座禅(ざぜん)によって悟(さと)りをひらき、成仏(じょうぶつ)することを目的とする。禅。

**ぜんしゅう**【全周】**一**《名・他サ》ある土地の全部を旅行して回ること。「九州—の旅」**二**まわり全体。

**ぜんじゅう**【前住】前にその場所に住んでいた〈こと／人〉。「—者」

**せんじゅかんのん**【千手観音】《仏》千本の手を持ち、あらゆる人々を救うという観音。四十本の手が背後に広がる仏像が一般(いっぱん)的。

**ぜんじゅく**【全熟】《料》たまごをかたくゆでること。固ゆで。(↕半熟)

**せんしゅつ**【先出】〔文〕前出。

**せんしゅつ**【選出】《名・他サ》えらびだすこと。

**せんじゅつ**【仙術】仙人の、ふしぎな術。

**せんじゅつ**【戦術】①《軍》個々の戦闘(せんとう)の進め方。「ゲリラ—」②〔闘争・交渉(こうしょう)などで〕目的を達成するための、一つの手段。「すわりこみ—」☞戦略。●**せんじゅつかく**【戦術核】《軍》射程の短い核兵器。(↕戦略核・戦域核)

**せんじゅつ**【先述】《名・他サ》〔文〕前述。「—の文献(ぶんけん)・—したように」

**せんじゅつ**【×撰述】《名・他サ》〔文〕書物を書くこと。著述。「史書を―する」

**ぜんしゅつ**【前出】〔文〕文章中で、それより前に示されていること。先出。「―の関係者は言う・―の資料」(↔後出)

**ぜんじゅつ**【前述】《名・他サ》〔文〕それより前にのべていること。「―のとおり・―の調査結果」(↔後述)

**せんしゅぼうえい**【専守防衛】相手から攻撃(こうげき)されたときだけ、武力で自分の国を守ること。

**せんしゅん**【浅春】〔文〕春のはじめ。

**せんしょ**【選書】《名・他サ》①〔文〕必要な書物をえらぶこと。②〔多くの中から〕えらんだ書物。〔双書(そうしょ)の名前などに使う〕

**せんじょ**【仙女】女の仙人。せんにょ。

**ぜんしょ**【全書】①ある分野についての資料・論文・著作などを広く集めた書物。「内科―・六法―」②〔文〕その本の全体。「―を三部に分ける」

☆**ぜんしょ**【善処】《名・自サ》うまく〈あとしまつ／対処〉すること。〔政治家や役人が、あまりやる気のないときの返事に「―したい」と使うことがある〕

**せんしょう**【先×蹤】〔文〕①先例。「―がある」②さきがけ。「近代文学の―となる・―者(しゃ)」

**せんしょう**【先勝】《名・自サ》①〔試合で〕先に勝つこと。②俗に、急用や訴訟(そしょう)などにいいとされる日。せんかち。さきがち。☞六曜。

**せんしょう**【戦勝・戦×捷】《名・自サ》戦争に勝つこと。(↔戦敗)

**せんしょう**【戦傷】《名・自サ》〔文〕①戦争でけがをすること。「―死(=戦傷の結果、死ぬこと)」②戦争で受けたきず。

**せんしょう**【×僭称】《名・自他サ》〔文〕その資格もないのに、自分のことを立派な名で呼ぶこと。「王を―する」

**せんしょう**【選奨】《名・他サ》〔文〕いいものをえらんで世間にすすめること。「芸術―」

**せんじょう**【船上】船の上。「―コンサート」

**せんじょう**【戦場】戦争の場所。「古(こ)―」

**せんじょう**【線上】①線の上。「同じ―にある」②当落すれすれのところ。当落線上。「―にいる」③捜査(そうさ)線の上。「―にのぼる」

**せんじょう**【線条】〔文〕すじ。線。「銃弾(じゅうだん)に残された―痕(こん)(=すじのあと)」

**せんじょう**【線状】線のような形。●☆**せんじょうこうすいたい**【線状降水帯】〔天〕次々と発生した積乱雲が帯状に連なり、長い間同じ場所にとどまるもの。豪雨(ごうう)の原因となる。

**せんじょう**【扇情・×煽情】《名・自他サ》性欲をあおること。「―的」

**せんじょう**【洗浄・洗×滌】《名・他サ》〔医〕(水をかけて)あらいきよめること。「傷口の―」〔「洗滌(せんじょう)」は、「せんでき」の慣用読み〕

**ぜんしょう**【前×哨】〔軍〕休止する軍隊の前のほうに、警戒(けいかい)のためにおく部隊。●☆**ぜんしょうせん**【前×哨戦】①前哨でおこなわれる(小さな)戦い。前衛戦。②本格的におこなう前に、手はじめにおこなう戦い・競争など。「国政選挙の―となる市長選挙」

**ぜんしょう**【全勝】《名・自サ》全部の戦い・競技に勝つこと。「―優勝」(↔全敗)

**ぜんしょう**【全焼】《名・自他サ》〔建物などが〕全部やけること。また、全部やくこと。まるやけ。(↔半焼)

**ぜんじょう**【前条】〔文〕〔一つ〕前の箇条(かじょう)。

**ぜんじょう**【禅譲】《名・他サ》〔もと、中国の政治思想で〕帝王(ていおう)などの位を、それにふさわしい人にゆずること。「政権―」

**せんじょうち**【扇状地】〔地〕河川(かせん)が山地から平地へ流れ出た所(=谷口)に砂礫(されき)が堆積(たいせき)してできた、扇形(おうぎがた)の地形。

**ぜんしょうとう**【前照灯】ヘッドライト。

**せんしょく**【染織】《名・自サ》〔文〕布を染めることと織ること。「―工芸」

**せんしょく**【染色】《名・自他サ》①布・糸を、好みの色にそめること。②そめた色。●**せんしょくたい**【染色体】〔生〕細胞(さいぼう)の核(かく)が分裂(ぶんれつ)するときにあらわれる、ひものような物質。遺伝子をふくむ。

**ぜんしょく**【前職】①以前の〈職業／職務〉。(↔現職)②前回の選挙まで、その〈議院／議会〉の議員または地方自治体の長だった候補者。〔衆議院の解散後の選挙では、解散時点まで議員だった候補者〕「B党の―」☞新人③・現職②・元職(もとしょく)。

**せん・じる**【煎じる】《他上一》煮(に)て成分を出す。煎ずる。「薬を―」

**せんしん**【先進】先に進むこと。進歩して先に立つこと。(↔後進)●**せんしんこく**【先進国】政治・経済・文化などが〈進歩／発達〉している国。(↔発展途上(とじょう)国)

**せんしん**【線審】〔球技〕ボールが線から出たかどうかを判定する人。ラインズマン。(↔主審)

**せんしん**【専心】《副・自サ》心を一つのものごとに集中するようす。「―努力する・一意―」

**せんじん**【先人】〔文〕昔の人。「―の苦心のあとをしのぶ」(↔後人)

**せんじん**【千尋・千×仞】〔一尋=約二メートル〕〔文〕非常に〈高い／深い〉こと。ちひろ。「―の谷」

**せんじん**【先陣】①本陣(ほんじん)の前の陣。さきて。(↔後陣(こうじん))②さきがけ。「―あらそい・―を切る(=いちばん先に進む)」

**せんじん**【戦陣】①戦いの陣営(じんえい)。②戦場。▽軍陣。

**せんじん**【戦×塵】〔文〕①戦場をおおう、すなぼこりやちり。②戦争のさわぎ。「―を避(さ)ける」

**ぜんしん**【全身】からだ全体。「〔医〕―麻酔(ますい)〔略して『全麻』〕(↔局所麻酔)・―を耳にする(=全身の注意を耳に集める)」(↔半身)●**ぜんしんぜんれい**【全身全霊】からだとたましいとの全体。●**全身全霊を打ち込(こ)む** 句 一生懸命(いっしょうけんめい)になる。

**ぜんしん**【前身】①〔組織の〕変わる前の形・状態。「JRの―である国鉄」②〔人の〕以前の身分。▽(↔後身)

**ぜんしん**【前震】〔地〕本震の前に震源付近に起こる地震。☞本震・余震①。

**ぜんしん**【善心】善良な心。「早く―に立ち返れ」(↔悪心)

**ぜんしん**【漸進】《名・自サ》〔文〕順をおって少しずつ進むこと。「―的な改革」(↔急進)

→**ぜんしん**［前進］《名・自他サ》①前へ進むこと。「どろの中を―する」(↔後退・後進) ②〔ものごとが〕いいほうに進むこと。「解明に向けて―する・―回答」(↔後退)

**ぜんじん**［全人］①知識・感情・意志の よく調和した、完全な人。「―教育」②肉体・精神などをふくめた、その人の全体。「―的医療」

**ぜんじん**［前人］〔文〕〈以前／過去〉の人。(↔後人) ●**ぜんじん みとう**［前人未到・前人未踏］今までに だれも〈行った／なしとげた〉ことのないこと。「―の地・―の偉業」

**ぜんじん**［前陣］〔卓球で〕台に近寄ってプレーするポジション。「―速攻型」(↔中陣・後陣)

**センシング**〔sensing〕《情》さまざまなものをセンサーで計測し、数値化すること。

**せんしんばんく**［千辛万苦］《名・自サ》〔文〕さまざまの苦労。

**せんす**［扇子］おうぎ。「お―」

**センス**〔sense〕①微妙なところを感じとる能力。感覚。「ユーモアの―がある・―をみがく」②当然持っているべき感覚。常識。「政治家としての―を疑う・―に欠ける」③色・形・音楽などの趣味。品。「―のある〔=趣味のいい〕広告」

**ぜんず**［全図］①全体の形をおさめた図面・地図。「日本―」(↔部分図) ②その図面の全体。③全部の図面。

**せんすい**［泉水］庭の池。

**せんすい**［潜水］《名・自サ》水の中に もぐること。「―時間・―艇・―士」●**せんすいかん**［潜水艦］《軍》海の中に もぐったまま進むことのできる軍艦。魚雷やミサイルで敵艦や敵地を攻撃する。●**せんすいぼかん**［潜水母艦］《軍》潜水艦に燃料や食糧を補給したり、乗組員を休養させたりする軍艦。

**ぜんすう**［全数］数量の全体。「―調査」

**せんすべ**［せん(△術)］〔文〕なすべき手段。しかた。「―なし」 表記「：詮＝△術」とも書いた。

**せん・する**［宣する］《他サ》〔文〕広く公式に〈のべる／つげる〉。「戦いを―・解散を―」

**せん・する**［選する］《他サ》〔文〕〔詩・歌・文章などを〕えらぶ。

**せんずるところ**［詮ずる(所)］《副・接》〔文〕あれこれと考えてみた結果。要するに。「研究の動機は―個人的なものだ」

**ぜんせ**［前世］《仏》この世に生まれる前にいた世。「―の因縁」(↔現世・来世)

****せんせい**［先生］①自分が学問や芸などを習う人。「―に就いて学ぶ」②学校の教師。「将来は―になりたい」③師匠・教師・医師・芸術家・弁護士・国会議員などを呼ぶ尊敬語。せんせ〔俗〕。〔呼びかけや接尾語としても使う。手紙のあて名にも使う。小学校などでは自称にも使う〕「〔漫画雑誌で〕高橋―にはげましの おたよりを出そう・〔皮肉で〕―と〈呼ば／言わ〉れるほどの ばかでなし」④他人を〈少しけいべつして／あなどって〉言うことば。やっこさん。「―おこりやがった」 表記 かろんじて「センセイ」とも。

**せんせい**［専制］〔君主や上に立つ人が〕思うままに処理すること。「―君主・―国家」

**せんせい**［戦勢］戦いや試合での勢い。「―を盛り返す」

**せんせい**［潜性］《生》「劣性②」の、新しい言い方。(↔顕性)

**せんせい**［先制］《名・他サ》先手をとること。機先を制すること。「―攻撃をかける」

**せんせい**［宣誓］《名・他サ》ちかいのことばをのべること。また、そのことば。「―式・選手―」

**ぜんせい**［全盛］①いちばん勢いの強いこと。「―をきわめる」②いちばん はやること。「―期」

**ぜんせい**［善政］いい政治。「―を敷く」(↔悪政)

**ぜんせいき**［前世紀］①〈今世紀／その世紀〉の一つ前の世紀。「―の遺物」②人間が地上にあらわれる前の時代。「―の怪物」

**せんせいじゅつ**［占星術］ほし・月などを見て、国家の将来や人間の運勢を判断する術。星うらない。

**せんせいりょく**［潜勢力］〔文〕中にかくれている勢力。

☆☆**センセーショナル**《ナダ》〔sensational〕大げさに表現して好奇心をあおりたてるようす。「―な記事」〔「センセーショナリズム」は、そういうやり方〕

**センセーション**〔sensation〕強く人々の関心をひくこと。大評判。「一大―を巻き起こす」

**せんせき**［船籍］〔文〕船の国籍。

←**せんせき**［戦跡・戦×蹟］〔文〕戦い・試合のあと。

→**せんせき**［戦績］〔文〕戦い・試合の成績。

**ぜんせき**［前席］①〔文〕前の座席。(↔後席) ②〔浪曲・講談で〕ⓐ一つ前の一席。ⓑ一席を前後に分けて演じるときの、前半のくぎり。(↔後席)

**せんせん**［戦線］①《軍》戦闘中の前線。②競争の現場(のようす)。「優勝―・就職―」③事業・経営の範囲。「―を縮小する」④政治目的を達成するための協力・運動。「人民―・労働―」

**せんせん**［宣戦］《名・自サ》戦争開始を相手の国に通告すること。「―布告」

**せんせん**［(×潺々)］《(ト)(タル)》〔文〕(きれいな)水が さらさらと流れるようす。

**せんせん**［先々］造 この前の前の。「―月・―週・―代」

**せんぜん**［戦前］①〈開戦／戦争〉以前。②第二次世界大戦が始まる前。〔俗に「終戦前」の意味で使うことがある〕▽(↔戦中・戦後) ③試合前。「―の予想をくつがえす」④《碁・将棋》対局前。(↔局後) ●**せんぜんは**［戦前派］「戦前②」の、伝統的な考え方を守る人々。(↔戦中派・戦後派)

**ぜんせん**［全船］①全部の船。②その船全体。

**ぜんせん**［全線］①〔その鉄道・道路などの〕全部の路線。②〔その鉄道・道路などの〕路線の全体。③全部の戦線。④その戦線の全体。

**ぜんせん**［前線］①《軍》敵に直接むかいあっている陣地。第一線。「最―」②《天》ⓐ温度の異なる空気の境界(を地図上に示した)線。この付近では天気がくずれる。「寒冷―」ⓑその時期の到来を示す(地図上の)線。「紅葉―・ウグイスの初鳴き―」

**ぜんせん**［善戦］《名・自サ》〔力の弱いほうが〕いっしょうけんめい〈戦う／試合をする〉こと。「―むなしく敗れる・最後まで―した」

***ぜんぜん**［全然］《副》①〔後ろに否定や「ちがう・別

だ」などのことばが続いて〕少しも。まるで。「何があったかー知らない・あいつはーだめだ・『知ってる?』『ううん、ーー!』(=少しも知らない)」」②完全に。すっかり。「ー言いがかりというものだ・鼻がーつまっちゃってるね」③〔話〕ほかとくらべて、断然。「いつもの授業とちがってー楽しかった」④〔話〕心配する必要がない、問題がない、ということをあらわす。「『この服、変じゃないかな』『ううん、ーかわいいよ』・『行ってもいいですか?』『ー来てください』」 「『全然』の下には、本来、否定が来る」というのは、戦後に広まった誤解。戦前から①と②の用法があったが、戦後、①が特に広まったため、これだけが本来という誤解が生まれた。

**ぜんぜん**【前々】〔頭〕前の そのまた前の。「ー日・ー週・ー社長」

**せんせんきょうきょう**【戦々恐々・戦々×兢々】《トタル・自サ》〔どうなることかと〕おそれ おののくようす。「何を言われるかーとしている」

**せんそ**【践×祚】《名・自サ》〔文〕天皇・皇帝(こうてい)が位につくこと。

**せんぞ**【先祖】①その家の血筋の初代。②一つの家系のうちで今までに死んでしまった、代々の人々(の中の、あるひとり)。「ー伝来の土地」(↔子孫) ●**せんぞがえり**【先祖返り】(ーがへり)《名・自サ》①《生》親にあらわれていない、祖父母などからの遺伝の素質が子にあらわれること。隔世(かくせい)遺伝。②昔の状態に もどること。「制度がーする」

**せんそう**【船倉・船×艙】船内で、貨物を積みこむ場所。ふなぐら。

**せんそう**【船窓】〔文〕船の まど。

**せんそう**【線装】糸でとじる、昔の製本の しかた。ふくろとじ。「ー本」

****せんそう**【戦争】《名・自サ》①武力によって主張をつらぬこうとして、国家どうしが争うこと。②大規模な戦い。「明治時代の西南ー」③非常に大変であること。「受験ー・出勤前の朝はーだ」●**せんそうはんざい**【戦争犯罪】戦争を起こしたり、捕虜(ほりょ)などを虐待(ぎゃくたい)したりするつみ。戦犯。「ー人(略して『戦犯』)」

**ぜんそう**【全奏】《音》⇒トゥッティ。

**ぜんそう**【前走】①〔文〕前を走ること。「ー者」②〔リレーや駅伝などで〕一つ前の順番(の選手)。▽(↔後走(こうそう))③《競馬》前回のレース(での馬の走り)。

**ぜんそう**【前奏】《音》声楽曲のはじめに、伴奏(ばんそう)の楽器だけで演奏される部分。●**ぜんそうきょく**【前奏曲】①《音》ⓐ歌劇や楽劇の始まりの曲。ⓑ序曲の形式を取る、自由な形式の楽曲。▽①プレリュード。②ものごとの展開する、その始まり。「悲劇のー」

**ぜんそう**【禅僧】禅宗の僧。

**ぜんぞう**【漸増】《名・自サ》〔文〕だんだん ふえること。(↔漸減(ぜんげん))

**ぜんそうなだれ**【全層雪崩】《天》暖気で、積もった雪が表面から底まで全部ひとかたまりに落ちる なだれ。底雪崩(そこなだれ)。(↔表層雪崩)

**せんそく**【栓塞】《医》⇒そくせん(塞栓)。

**せんぞく**【専属】《名・自サ》特定の会社や放送局などだけ〈に属する/と契約(けいやく)する〉こと。「ー歌手」

**ぜんそく**【全速】全速力。「ーで走る」

**ぜんそく**【×喘息】《医》とつぜん呼吸が困難になる病気。はげしい せきの発作(ほっさ)が起こる。「気管支ー」

**ぜんそくりょく**【全速力】〈出せる限りの/いちばんはやい〉速度。フル スピード。

**ぜんそん**【全村】①その村全体。村じゅう。②全部の村。

**ぜんそん**【全損】建物・家財・荷物が、災害のため、全部だめになること。(↔半損)

****センター**〔center; centre〕①中央。中心。②その方面での中心になる、組織や設備。「スポーツー・カスタマーー・医療(いりょう)ー・ー長」③《バスケットボール・バレーボールなど》中央の位置(の選手)。④(↔米 center fielder)《野球》中堅(ちゅうけん)(手)。「ーフライ」●**センターベント**〔center vent〕《服》スーツやジャケットの、うしろがわのすその真ん中に、たてに入れた切りこみ。センター ベンツ。(↔サイド ベンツ) ●**センターポール**〔center pole〕競技場のバックスタンド(=正面の反対がわの観客席)や広場の中央などに立てた、旗を掲(かか)げるための柱。●**センターライン**〔center line=中心線。中央線〕①〔すれちがう車を区分するために〕道路の中央に引いた線。②《球技など》競技場を二つに分ける、中央の線。●**センターリング**《名・自他サ》〔centering〕⇒センタリング。

**せんたい**【船体】船や飛行船の〈おもな部分/胴体(どうたい)〉。

**せんたい**【船隊】船の一隊。「タンカーー」

**せんたい**【戦隊】①《軍》戦闘(せんとう)のためにまとめた、軍艦(ぐんかん)・戦闘機の一隊。②〔子ども向けの特撮(とくさつ)ドラマで〕戦うヒーローの仲間。「ーもの」

**せんたい**【選対】↑選挙対策(委員会・本部など)。「ー事務所」

**せんたい**【鮮(×鯛)】(ひ)(ーた) いきのいいタイ。〔めでたい贈(おく)り物にする場合などに使うことば〕

**せんたい**【×蘚×苔】《植》こけ。「ー類」

**せんたい**【洗体】《名・自他サ》①〔介護(かいご)で〕からだを洗うこと。洗身。②従業員が客の からだを洗うサービス。

**せんだい**【先代】①以前の代。②当主の前の主人。(↔当代・当主)③何代目かを名のる芸能人などの、一つ前の代(の人)。

**せんだい**【船台】船を造るとき、船体をのせる台。

****ぜんたい**【全体】㊀まとまって一つになったもののすべて。「ー的・ー会議」(↔部分)㊁《副》もともと。元来。●**ぜんたいしゅぎ**【全体主義】個人よりも、集団や国家などの全体の目的に価値を認める主義。ナチスドイツやファシスト イタリアに見られた。(↔個人主義)

**ぜんたい**【全隊】〔文〕①全部の部隊。②その部隊の全部。「ー止まれ」

**ぜんだい**【前代】①前の代。先代。②以前の時代。●☆**ぜんだいみもん**【前代未聞】あまりにも ふつうとちがっていて、いままで聞いたことがないこと。「ーの大事故・ーの快挙」

**せんたく**【洗濯】《名・他サ》〔衣類などを〕あらって きれいにすること。せんだく〈古風/西日本などの方言〉。「ー機(『せんたっき』とも言う)を回す・ーばさみ(=せんたく物をはさんでとめるもの)・ーじわ・おー〈女〉」 命の洗濯。●**せんたくいた**【洗濯板】①衣類を手洗いするときに使う、表面がでこぼこになっている板。②〔俗〕やせてあばら骨が「洗濯板①」のように見える胸。●**せんたくのり**［洗濯（×糊）］服のはだざわりをよくしたり、型くずれを防いだりするために使うのりや薬剤。せんたくのすすぎで使う。●**せんたくもの**［洗濯物］洗濯〈する／した〉衣服など。「―がたまる・―を干す・―をたたむ」

＊＊**せんたく**［選択］《名・他サ》えらぶこと。「―科目・―を迫られる」●**せんたくし**［選択肢］①質問に対して、選択して答えるように用意された、いくつかの答え。②選ぶことのできる、いくつかの道すじ。「有権者に―を示す」

☆☆**せんだつ**［先達］①その方面にくわしくて、後進をみちびく先輩。②案内人。▽せんだち。

**せんだつ**［潜脱］《名・他サ》《法》本来の目的とちがうところで制度を利用し、法律の規制をまぬがれること。「法の趣旨を―する」

**せんだって**［（先△達て）］さきごろ。このあいだ。「―は失礼いたしました」

**ぜんだま**［善玉］①善人（の役）。②いいはたらきをするもの。「―コレステロール〔⇩ＨＤＬコレステロール〕」▽（↕悪玉）

**センタリング**《名・自他サ》〔centering〕①《サッカー・ホッケーなど》相手のゴール前にいる味方の選手に、サイドからボールをパスすること。☞クロス（cross）⑤。②〔コンピューターで〕文字列を画面の〔左右でなく〕中央にそろえること。▽センターリング。

**せんたん**［先端］㊀〔続くものの〕いちばんはし。「列の―・糸の―・金属バットの―」㊁［×尖端］①とがったはし。「えんぴつの―・塔の―・半島の―」②〔時代・人々などの〕先頭。「―技術・流行の最―」●**せんたんをきる**（先端を切る）㊔さきがける。「時代の―」●**せんたんてき**［先端的］《ナダ》流行などの先頭に立つようす。

**せんたん**［戦端］〔文〕戦いのいとぐち。●**戦端を開く**㊔〔文〕戦いを始める。

**せんだん**［（×栴×檀）］〔梵語 candana の音訳〕①庭に植える落葉樹。夏のはじめ、うすむらさきの花をひらく。②⇩びゃくだん。●**栴檀は双葉より芳し**㊔〔文〕〔「せんだん②」はふたばのときからいい香りがあるように〕才能のあるりっぱな人は、子どものときからとびぬけている。蛇は寸にして人をのむ。

**せんだん**［船団］一つにまとまって行動する、船の集団。

**せんだん**［占断］《名・他サ》易でうらなうこと。「ずばり―する」

**せんだん**［専断・×擅断］《名・他サ》自分だけの考えで、勝手にものごとを決めて処理すること。

**ぜんだん**［全段］全部の〈段／段落〉。「―ぬき（＝新聞などで、左から右まで、または、上から下までとおすこと）」

**ぜんだん**［前段］①作品・事件などの、前のほうのくぎり。②一つ前の〈段階／段落〉。「―に述べたとおり」▽（↕後段）

**せんち**［戦地］①戦場。②出征地。

**センチ**〔フ centi〕①百分の一〔記号 c〕。☞デシ・ミリ①。②↑センチメートル。●＊**センチメートル**〔フ centimètre〕長さの単位。一センチメートルは一メートルの百分の一〔記号 cm〕。センチ。サンチ。表記「×糎」とも書いた。

**センチ**《ナダ》〔古風・俗〕↑センチメンタル。☞おセンチ。

**ぜんち**［全知・全×智］知恵・知能が完全であること。●**ぜんちぜんのう**［全知全能］①知能が完全で、少しも欠点がないこと。「―の神」②〔俗〕全身全霊。「―をこめて手術する」

**ぜんち**［全治］《名・自サ》①けがや病気がすっかり治ること。「―二週間」②「全治①」するまでの期間。「―は不明」▽ぜんじ。

**ぜんちし**［前置詞］《言》ヨーロッパなどの言語の品詞の一つ。名詞・代名詞の前に置いて、それと他の語との関係をあらわすことば。例、英語の in, on など。

**ぜんちしき**［善知識・善×智識］《仏》人を善にみちびく、徳の高い僧。

**センチメンタリスト**〔sentimentalist〕感じやすい人。センチメンタルな人。感傷家。

**センチメンタリズム**〔sentimentalism〕悲しみの感情を強く表現しようとする主義。感傷主義。

**センチメンタル**《ナダ》〔sentimental〕感傷的。センチ〔古風・俗〕。「―な歌」派―さ。

**センチメント**〔sentiment〕情緒。感情。心情。「不安な―・市場の―（＝市場心理）」

**せんちゃ**［煎茶］玉露と番茶との中間の品質の茶の葉。また、それを使った、飲み物としてのお茶。

**せんちゃく**［先着］《名・自サ》①先に着くこと。「―順・―十名」②《碁・将棋》先に着手すること。

**せんちゅう**［船中］〔文〕船のなか。

**せんちゅう**［戦中］〔文〕戦争をしているあいだ。（↕戦前・戦後）●**せんちゅうは**［戦中派］第二次大戦中に少年時代・青年時代を過ごし、価値観の大変化を体験した人々。（↕戦後派・戦前派）

**せんちゅう**［線虫］土の中にすむ小さな細い虫。植物の根や動物に寄生して害をあたえるものもある。ネマトーダ。

**ぜんちょ**［前著］〔文〕前に書いた著書。

**せんちょう**［船長］㊀せんちょう 船のかしら。〔宇宙船などにも言う〕㊁せんちょう〔文〕船首から船尾までの長さ。（↕船幅）

**ぜんちょう**［全町］①その町全体。町じゅう。②全部の町。

**ぜんちょう**［全長］①はしからはしまでの、全体の長さ。②それぞれの長さを合計した長さ。

**ぜんちょう**［前兆］何かが起こるしるし。前ぶれ。「地震の―」表記「前徴」とも書いた。

**せんつい**［仙椎・薦椎］《生》腰椎より下にある五つの骨。くっついて仙骨を形づくる。

**せんつう**［×疝痛］《医》胆石症などのさいに起こる、強くさしこんでくるような痛み。

**ぜんつう**［全通］《名・自サ》〔鉄道・道路の〕全線が開通すること。

**せんて**［先手］①こちらから先に出て、相手の出るのをおさえる〈こと／作戦〉。また、先におこなうこと。「―を打つ・―を取る・いくさで―（＝先陣）を務める・―必勝」②《碁・将棋》相手より先に〈うち／さし〉始めること。また、その番（の人）。▽（↕後手）

**せんてい**［先帝］〔文〕先代の天子。

**せんてい**［船底］〔文〕ふなぞこ。

**せんてい**［×剪定］《名・他サ》〔果樹や庭木の〕むだな枝を切り取って、花や実がよくつくようにしたり、形をととのえたりすること。枝切り。整枝。

**せんてい**［選定］《名・他サ》えらんで、それに決めること。「教科書の—」

**ぜんてい**［前庭］建物の前面の〈にわ／平らになった場所〉。まえにわ。

**ぜんてい**［全訂］《名・他サ》本の内容を、全体にわたって書き直すこと。「—版」

***ぜんてい**［前提］《名・他サ》①あることをしたり、言ったり、考えたりする場合に、動かすことのできない条件。「増税の—として、行政改革が必要だ・結婚を—に交際する」②《哲》推論で、結論の基礎となる命題。「大—」

**ぜんてき**［全摘］《名・他サ》（↑全摘出）《医》一つの内臓を全部摘出すること。全切除。「胃—」

**ぜんてき**［全的］《ナダ》〔文〕全体におよぶようす。全部そうであるようす。

**せんてつ**［先哲］〔文〕昔の哲人。

**せんてつ**［×銑鉄］鉄鉱を溶鉱炉でとかして作った鉄。鋳物や鋼鉄の原料にする。ずく(てつ)。

**ぜんてつ**［前×轍］〔文〕前に通った車のあと（＝わだち）。 ●**前轍を踏む** 句 〔文〕⇩前車の轍を踏む〔「前車」の句〕。

**ぜんでら**［禅寺］禅宗の寺。

**せんてん**［先天］〔文〕この世に生まれる前から身にそなわっていること。「—性の障害」（↔後天）●**せんてき**［先天的］《ナダ》生まれながら持っているようす。（↔後天的）

**せんでん**［宣伝］《名・他サ》これはいいものだと、多くの人に知らせること。「新製品の—・政治—・逆—」

**ぜんてん**［全天］〔文〕空の全体。

**ぜんてん**［全店］①全部の店。「都内—」②その店全体。「—大売り出し」

**ぜんてん**［全点］全部の品物・作品など。「—五割引き」

**ぜんてん**［前転］《名・自サ》〔体操で〕からだを前の方向に回転させること。☞後転・側転。

**ぜんでん**［全伝］〔文〕〔ある人についての〕完全な伝記。「ガンディー—」

**センテンス**〔sentence〕文。「短い—で書きつづる」

**せんと**［泉都］〔文〕温泉の出る都市。「—別府」

**せんと**［遷都］《名・自サ》〔文〕みやこを移すこと。

**セント**〔cent〕①アメリカ合衆国などの お金の単位。一セントは一ドルの百分の一。②欧州連合（＝EU）の お金(の単位)。ユーロセント。一セントは一ユーロの百分の一。

**セント** 造〔St.＝聖〕《宗》〔キリスト教で〕聖なる。聖者の名前の上につけて呼ぶことば。聖。セイント。「—ルカ」 表記「仙」は、古い音訳字。 ●**セントバーナード**〔Saint Bernard〕ずんぐりした大形の犬。耳は大きくたれる。寒さに強く、アルプス山中の救助犬として有名。 ●**セントポーリア**〔saintpaulia〕スミレのような花をつけて一年じゅうさく美しい草花。くろぐろとした緑の葉をひろげ、室内でよく育つ。

**せんど**［先途］①〔文〕ゆくさき。前途。②勝敗などの決まる、だいじな場合。「ここを—と戦う」

**せんど**［鮮度］新鮮さの度合い。いき。「—のいい魚・—の高い情報・—が落ちる」

**ぜんと**［全都］①〔文〕みやこ全体。②東京都全体。

**ぜんと**［前途］①これから先の道のり。ゆくさき。「—無効（＝途中下車した駅から先は切符が無効）」②将来。さきゆき。「—を祝福する・—洋々・—を託する・—多難」

**ぜんど**［全土］〔広い地域について〕その土地全体。全国。「日本—・北海道—」

**せんとう**［仙洞］（＝仙人の住む場所）退位した天皇のすまい。「—御所」

**せんとう**［先登］〔文〕いちばんのり。さきがけ。

**せんとう**［先頭］まっさき。「—に立つ・—集団」 ●**先頭を切る** 句 他に先んじて物事をする。先陣を切る。

**せんとう**［×尖塔］先のとがった塔。

**せんとう**［銭湯］料金をはらえば自由に、ふろにはいれる所。ふろや。ゆや。公衆浴場。

**せんとう**［戦闘］《名・自サ》兵力を使って敵と戦うこと。戦い。「—機・—服」

**せんどう**［船頭］①手でこいで和船を動かす人。小さな船を操縦する人。②漁船で、作業をする人のかしら。漁撈長。 ●**船頭多くして船山に登る** 句 主導権をにぎ(ろうとす)る人が何人もいると、目的とちがった方向にものごとが進む。

**せんどう**［×顫動］《名・自サ》〔文〕細かくふるえて動くこと。「恐怖でからだが—する」

**せんどう**［先導］《名・他サ》先に立ってみちびくこと。案内。「パトカーの—・世界経済の—役」

**せんどう**［扇動・×煽動］《名・他サ》人々をそそのかして、ある行動をとるように しむけること。「大衆を—する」

**ぜんとう**［全党］①すべての政党。②その政党全体。

**ぜんとう**［全島］〔文〕①すべての島。②その島全体。

**ぜんとう**［全棟］①すべての棟・建物。②その棟全体。

**ぜんとう**［全頭］〔牛や馬など〕頭で数える動物の、対象となるものすべて。「—検査」

**ぜんとう**［前灯］前照灯。

**ぜんとう**［前頭］《生》あたまの、前のほうの部分。「—部」（↔後頭）☞まえがしら(前頭)。 ●**ぜんとうよう**［前頭葉］《生》大脳のうち、前のほうの部分。意志・感情・知能・創造・性格など、人間の精神活動のうち、いちばん大切なはたらきをつかさどる。☞後頭葉・側頭葉。

**ぜんどう**［全道］北海道の全体。「—的に気温が上がる」

**ぜんどう**［禅堂］《仏》禅の修行をする堂。

**ぜんどう**［(×蠕)動］《名・自サ》《生》消化のときに起こる、胃腸の運動。

**ぜんどう**［善導］《名・他サ》〔文〕教えさとして、いいほうへ みちびくこと。

**セントラル**〔central〕一 セントラル〔↑セントラル リーグ〕⇩セリーグ。（↔パシフィック） 二 造 中心の。中央の。 ●**セントラルキッチン**〔central kitchen〕チェーン店や給食施設などの調理工場。集中的に(半)加工品をたくさん作り、それぞれの場所に届ける。

●**セントラル ヒーティング**〔central heating〕一か所で石油やガスを燃やし、その熱や温水を管で、建物の各部屋へ送って あたためる やり方。中央暖房方式。

**せんない**［船内］〈船／宇宙船〉の中。（↕船外）

**せんな・い**《形》〔↑せんかたない〕しかたない。「今さら言っても一ことだが」 表記「：詮ない」とも書いた。

**せんなり**［千〈△生り〉］たくさん むらがって なる〈こと／もの〉。「一びょうたん・一ほおずき」

**ぜんなん**［善男］《仏》仏法に帰依した男。善男子。「一善女（＝仏法を信じる、善良な男女）」

**せんにち**［千日］①千の日数。②多くの日数。

●**せんにちかいほうぎょう**［千日回峰行］《仏》天台宗の きびしい修行。七年間で千日、山道を歩き、断食もする。比叡山延暦寺では、長い蓮華笠をかぶる。●**せんにちて**［千日手］《将棋》両方が前と同じ手を四回くり返すこと。引き分けで、差し直しになる。

**ぜんにち**［全日］①〔午前から午後までの〕一日じゅう。ぜんじつ。「一スト」②↑全日制。●**ぜんにちせい**［全日制］昼に授業をおこなう、高等学校の課程。ぜんじつせい。（↕定時制）

**せんにゅう**［先入］《名・自サ》〔文〕①前もって心にはいること。②先にその場所にはいること。「一車」

●**せんにゅうかん**［先入観］前から頭の中に〈でき／はいっ〉ている、固定的な観念。先入観念。先入見。先入主。「一に とらわれる」●**せんにゅうしゅ**［先入主］先入観。「一となる」

**せんにゅう**［潜入］《名・自サ》①見つからないように、こっそり はいりこむこと。「敵地に一する」②身分をかくしてはいること。「一調査・一取材」③〔大げさに〕取材で、特別にはいらせてもらうこと。「リハーサルに一」

**ぜんにゅう**［全乳］脂肪分などの成分をそのまま残した牛乳。（↕脱脂乳）

**ぜんにゅう**［全入］《名・自サ》↑全員〈入学／入園〉。「高校一」

**せんにょ**［仙女］〔文〕せんじょ。

**せんにん**［千人］千人（も）のひと。●**せんにんばり**［千人針］戦争に行く兵士のお守りにするため、一枚の布に、千人の女性が、赤糸を一針ずつ さして、玉結びを作ること。また、その作った布。「一の腹巻き」●**せんにんりき**［千人力］①千人分もの力を持っていること。②千人分もの援助〈がある／を得る〉こと。「きみがいてくれれば一だ（＝非常に心強い）」

**せんにん**［仙人］①山にすみ、年を取らず死なない方法を知り、通力を持つと言われる人。②無欲で世間ばなれした人をたとえて言うことば。

**せんにん**［先任］前任。「一の市長・一者」

**せんにん**［専任］もっぱらその任務を受け持つ〈こと／人〉。「一者」（↕兼任）●**せんにんこうし**［専任講師］〔大学などで〕准教授の下の教員（の職名）。（↕時間講師・非常勤講師）

**せんにん**［選任］《名・他サ》〔文〕ある人をえらんで任命すること。

**ぜんにん**［前任］現在よりも前に、その任務について いた〈人／こと〉。また、その任務。先任。「一者・一の中学校」（↕後任・現任）

**ぜんにん**［善人］善良な人。いい人。（↕悪人）

**せんぬき**［栓抜き］びんなどの栓をぬく道具。

**せんねつ**［潜熱］①《理》物質の状態が変化するときに、温度が一定のまま、〈吸収／放出〉する熱。「気化の一」②内部にひそんでいる熱。

**せんねん**［先年］〔文〕以前の とし。

**せんねん**［専念］《名・自サ》そのことだけに うちこんで、熱心にすること。没頭すること。「仕事に一する」

**ぜんねん**［前年］〔あるとしの〕一つ前の とし。「一同期にくらべ増収」（↕翌年）

**せんねんき**［千年紀］⇩ミレニアム①。

**せんのう**［洗脳］《名・他サ》その人の思想をすっかり改造すること。「カルト教団に一される」

**ぜんのう**［全能］〔文〕〈知能／能力〉が完全であること。「全知一の神・一感」

**ぜんのう**［全納］《名・他サ》〔文〕全部の〈お金／品物〉をおさめること。

**ぜんのう**［前納］《名・他サ》〔文〕前もって代金などをおさめること。「会費一制」（↕後納）

**ぜんば**［前場］《経》〔証券などの取引所で〕午前中におこなう取引。（↕後場）☞まえば（前場）。

**せんばい**［専売］《名・他サ》〔あるきまった〈会社／人〉だけが〕独占的に売ること。「〔新聞の〕一店」●**せんばいとっきょ**［専売特許］①その人や集団にしかできない〈こと／特技〉。②「特許（権）」のもとの呼び方。

**せんぱい**［先輩］①〈自分／その人〉より年の多い人。②地位・業績などが上の人。③同じ学校・勤務先などに、前からつとめている人。④〔自分と〕同じ学校を先に卒業した人。⑤〔学〕上級生を呼ぶ尊敬語。▽呼びかけや接尾語としても使う。（↕後輩・同輩）

**せんぱい**［戦敗］〔文〕戦争に負けること。「一国」（↕戦勝）

**ぜんぱい**［全敗］《名・自サ》全部の競技・戦いに負けること。（↕全勝）

**ぜんぱい**［全廃］《名・他サ》全部やめること。「バス路線を一する」

**せんぱく**［船舶］〔文〕（大きな）船。「外国一・小型一（＝モーターボートなど）」

**せんぱく**［浅薄］《ナダ》物の考え方や見方に、深みが足りないようす。「一な知識」派一さ。

**ぜんぱく**［前泊］《名・自サ》前の日に目的地に着いて、泊まること。「一して朝からの式に出席する」（↕後泊）

**せんばつ** [一]［選抜］《名・他サ》多くの中から えらびぬくこと。よりぬき。「一試験・一チーム」 [二]［センバツ］〔↑選抜高等学校野球大会〕甲子園球場で春におこなう高校野球大会。春の選抜。☞甲子園[一]②。

**せんぱつ**［先発］《名・自サ》①先に出発すること。「一隊・一の電車」〔駅の表示で、いちばん先に出発する列車も言う。その次は「次発・次々発」〕②新しい事業に、先に手をつけること。「一会社」▽（↕後発）③〔チーム競技で〕試合の始めから出る〈こと／選手〉。「一投手」☞抑え③・中継ぎ②。

**せんぱつ**［染髪］《名・自サ》かみの毛をそめること。

**せんぱつ**［浅発］《名・自サ》《地》〔地震が〕深さ百

キロよりも浅い所で発生すること。「―地震(↔深発地震)」

**せんぱつ**[洗髪]《名・自サ》かみの毛をあらうこと。

**せんばづる**[千羽鶴]①折り紙で、ツルの形をたくさん折ってつないだもの。②たくさんのツルの形をあらわした模様。

**ぜんばらい**[全払い]《名・他サ》全部のお金をはらうこと。「親が家賃を―する」

**せんばん**[先晩]先夜。

**せんばん**[先番]①先にする順番(にあたること)。②〔碁・将棋〕先手(の番)。

**せんばん**[旋盤]加工する物を回転させ、それに刃物をあてて切りけずる機械。「―工」

**せんばん**[千万]一 **せんばん**《副》〔文〕この上もないようす。たいそう。「―かたじけない」二〔造〕〔形動ダをつくる〕程度が非常に大きいようす。「めいわく―」

**せんぱん**[先般]〔文〕さきごろ。このあいだ。「―はお世話になりました・―申しましたとおり」

**せんぱん**[戦犯]①↑戦争犯罪(人)。②〔俗〕団体競技で負けるなどの悪い結果をまねいた人。

**ぜんはん**[前半]前の半分。ぜんぱん。「―戦(=試合〈日程〉の、まえ半分)」(↔後半)

**ぜんぱん**[全般]全体。総体。「―にわたって」

**ぜんはんかい**[全半壊]《名・自サ》全壊と半壊。「住宅被害は―約四百」

**ぜんはんせい**[前半生]人生の前の半分。〔だいたい四十歳ごろまでを言う〕(↔後半生)

**せんび**[船尾]船の、うしろの部分。とも。「―灯」(↔船首)

**せんび**[繊美]《ナダ》〔文〕繊細で美しいようす。「―な詩情」

**せんび**[戦備]戦争の準備。

**せんぴ**[戦費]戦争の費用。

**ぜんび**[善美]《名・ナダ》〔文〕外観や設備などの、りっぱなこと。「―をつくした建築」

**ぜんぴ**[前非]過去のあやまち。先非。「―を悔いる」

**せんひき**[線引き]①〔もと東京・神奈川・静岡などの方言〕線を引く道具。定規。②⇩せんびき②。

**せんびき**[線引き]《名・自他サ》①線を引くこと。「―小切手(=表面に二本線を引いた小切手。銀行口座への入金という形で現金化される)」②〔線を引いて〕きちんと区分けすること。せんひき。

**ぜんびけ**[前引け]〔経〕〔証券などの取引所で〕前場での、最後の取引。☞大引け①。

**せんぴつ**[染筆]《名・自サ》〔文〕ふでで字・絵をかくこと。「―料」

**せんびょう**[線描]ものの形を線だけでえがくこと。せんがき。

**せんぴょう**[戦評]〔文〕試合の批評。

**せんぴょう**[選評]《名・他サ》〔文〕①多くの作品の中からえらんで批評すること。②えらんだ人の批評。

**ぜんぴょう**[全×豹]〔文〕全体のありさま。「一斑を見て―を卜す〔⇩「一斑」の〔句〕〕」

**せんびょうし**[戦病死]《名・自サ》《軍》戦争に出て、病気で死ぬこと。

**せんびょうしつ**[腺病質]からだが弱く、貧血ぎみの体質。〔由来〕リンパ腺のはれる結核にかかりやすいことから。

**せんびん**[先便]前便。(↔後便)

**せんびん**[船便]〔文〕ふなびん。

**ぜんびん**[前便]前回のたより。先便。(↔後便)

**ぜんぴん**[全品]全部の商品・メニューなど。「―半額セール」

**せんぶ**[先負]俗に、急用や訴訟に悪いとされる日。せんまけ。さきまけ。せんぷ。☞六曜。

**せんぶ**[宣×撫]《名・他サ》〔文〕占領地の人々に本国の方針を伝え、不安が起こらないようにすること。「―工作」

**せんぷ**[先夫]〔文〕前夫。

**せんぷ**[宣布]《名・他サ》〔文〕①公式に宣言し、一般に知らせること。②広くゆきわたらせること。

**ぜんぶ**[前部]〔文〕前のほうの部分。(↔後部)

**ぜんぶ**[膳部]膳にのせて出す料理。「けっこうな―が出た」

*__ぜんぶ__[全部]《名・副》いくらかある数量のすべて。「話の―を理解する・参加者は―で十名です・おやつを―食べる・〔トッピングの〕―載せ」(↔一部・一部分)〔区別〕「**全部**」は、百パーセント・何個など、客観的に表現する場合に使う。「**すべて**」は、それよりも意味が広く、「あなたのすべてが好き」のように、主観的に表現する場合にも使う。

**ぜんぷ**[前夫]〔文〕以前の夫。先夫。

**せんぷう**[旋風]①〔天〕急にできた低気圧の中心に、周囲からうず巻きのようになってふいて来る、はげしい風。つむじ風。②社会にあたえる大きな反響。「一大―を巻き起こす」

**せんぷうき**[扇風機]モーターで羽根車を回して風を送る電気器具。暑いときに使う。

**せんぷく**[船幅]〔文〕船のはば(のいちばん広い所)。(↔船長)

**せんぷく**[船腹]①船の、胴体にあたる部分。②船の、荷物を積む〈場所・能力〉。

☆☆**せんぷく**[潜伏]《名・自サ》①見つからないようにかくれること。「都内に―する」②〔医〕病原菌がからだにはいりこんではいるが、まだ発病していないこと。「―期」

**ぜんぷく**[全幅]〔文〕①全体のはば。いちばんはばの広い所ではかった寸法。②あらん限り。「―の信頼を〈寄せる・置く〉」

**せんぶり**[(千振)]干して胃薬にする草。秋、白にうすむらさきのすじのある、星形の花がさく。〔由来〕熱湯で千回振り出しても苦いことから言う。

**せんぶん**[線分]〔数〕直線上の、二つの点の間の部分。(↔直線)

**ぜんぶん**[全文]文章の全体。「―をかかげる」

**ぜんぶん**[前文]①前に〈書いた・引用した〉文。②手紙の最初に書く、時候みまいなどの文句。例、「時下ますますご清栄の段お喜び申し上げます」。③主文の前に書く文。「憲法―」〔「全文」と区別して「まえぶん」とも読む〕

**せんぶんひ**[千分比]千に対する割合。千分率。パーミル。

**せんぶんりつ**[千分率]⇩パーミル。

**せんべい**[(煎餅)]①〔特に関東で〕米の粉を練り、ひらたくのばして焼いた、しょうゆ味の菓子。おせんべ。おせん。〔おかき・あられなども ふくめて言うことがある〕「お—」②小麦粉を練り、ひらたく のばして焼いた、あまい菓子。せんぺい〔九州方言〕。「かわら—・—汁〔=汁物に南部せんべいを入れた料理〕」 ●**せんべいぶとん**［(煎餅)布団］ うすくて そまつな ふとん。

**せんぺい**［先兵・×尖兵］《軍》縦隊の前のほうを進んで警戒に当たる、小さな部隊。

**ぜんぺい**［全閉］《名・自他サ》 全部とじること。(↕全開)

**ぜんべい**［全米］ アメリカ合衆国全体。「—〔=アメリカ人みんな〕が泣いた映画・—オープン」

**せんべつ**［(×餞別)］〔職場の異動や、引っこし・旅行などによって〕別れて行く人におくる、お金や品物。「お—をいただく」

**せんべつ**［選別］《名・他サ》〔文〕より分けること。「大きさで—する」

**せんべろ**［センベロ］〔俗〕千円で べろべろに酔えるくらいの、大衆的な酒場。

☆☆**せんべん**［先×鞭］〔文〕人より先に手をつけること。せんて。「—を着ける」

**ぜんぺん**［全編・全×篇］〔文〕①全部の詩文。②〈詩文／書物〉の全体。

**ぜんぺん**［前編・前×篇］〔小説・映画などで〕二部または三部に分けたものの最初の部分。(↕中編・後編)

**せんぺんいちりつ**［千編一律］〔文〕多くのものがみな同じ調子で、変化のないこと。「—の文章」 派—さ。

**せんぺんばんか**［千変万化］《名・自サ》〔文〕さまざまに〈の変化／に変化すること〉。「—の計略」

☆☆**せんぼう**［羨望］《名・他サ》〔文〕うらやむこと。「—の的」

**せんぽう**［先方］ 相手の〈ほう／人〉。「—の返事」(↕当方)

**せんぽう**［先×鋒］①〔文〕先頭に進むもの。先陣。「急—」②《剣道・柔道など》団体戦で最初に出て戦う選手。〔次鋒・中堅・副将・大将と続く〕

**せんぽう**［旋法］《音》音階を形づくる規則。音階の音数やとなり合う音どうしの高さの差は、民族や時代により特徴があり、日本の民謡は陰旋法と陽旋法に分かれる。「教会—〔=中世ヨーロッパの教会音楽で使われた八種類の旋法〕」

**せんぽう**［戦法］ ①戦闘の方法。②競技や勝負ごとなどをおこなう方法。

☆☆**ぜんぼう**［全貌］ 全体の〈姿／ようす〉。全容。「事件の—がわかった」

**ぜんぽう**［前方］ ①前の方角。先頭に近いほう。(↕後方) ②〔文〕前が四角であること。 ●**ぜんぽうこうえんふん**［前方後円墳］《歴》古墳で、前が長四角で、うしろのおもな部分がまるいもの。

**ぜんほうい**［全方位］ あらゆる〈方向／方面〉。「—外交〔=どの地域・陣営とも親しくする外交〕」

**せんぼうきょう**［潜望鏡］《軍》もぐっている潜水艦が水の上に出して外を見るための、プリズムを使った望遠鏡。ペリスコープ(periscope)。

**せんぼつ**［戦没・戦×歿］《名・自サ》 戦争で死ぬこと。「—者慰霊碑」

**せんぼん**［千本］ 本数が千であること。また、本数が多いことを強調することば。「—ノック〔=ノックを数多くこなす、野球の守備練習〕」

**ぜんぽん**［善本］ ①原本に近い、保存の状態がよい本。〔多く、昔の書籍に使う〕②《仏》よい おこない。

**せんまい** 一 **せんまい**［千枚］ 一枚の千倍。また、枚数の多いこと。二 **せんまい**［センマイ］ 牛の第三胃。焼き肉などにする。由来 内がわが何層もの ひだになっているから。☞ミノ・ハチノス・ギアラ。 ●**せんまいだ**［千枚田］ 無数の水田から成る棚田。☞棚田。 ●**せんまいづけ**［千枚漬け］ 京都名産の つけもの。聖護院カブという大きなカブをうすく切り、コンブととりあわせ、塩あじで つける。 ●**せんまいどおし**［千枚通し］ 重ねた紙をとじるときなどに、さし通して穴をあけるきり。 ●**せんまいばり**［千枚張り］ 何枚も はりかさねて厚く〈すること／したもの〉。「面の皮が—〔=非常にずうずうしい〕」

**せんまい**［洗米］〔文〕①〔神にそなえるために〕水であらった米。②米を水で とぐこと。☞無洗米。

**せんまい**［×饌米］〔文〕神にそなえる洗米。

**ぜんまい**［(:発条)・ゼンマイ］ うず巻きの形をした弾力のある鋼鉄。「—ばかり(秤)」 由来 植物のゼンマイの形から。

**ぜんまい**［(×薇)］ シダ類の一つ。春、山地や野原には え、黄茶色で うず巻きの 形にまがって全体に細い 毛の はえた若芽を出す。食用。

［ぜんまい］

**せんまん**［千万］〔文〕きわめて多いこと。 ●**千万人といえども我行かん** 句〔文〕どんなに多くの人が反対してもやりぬくぞ。 ●**せんまんげん**［千万言］ 非常にたくさんのことば。「—をついやす」 ●**せんまんむりょう**［千万無量］〔文〕①多くて数えきれないこと。②はかりしれないこと。無量。「—の感慨」

**ぜんみ**［禅味］ 禅を思わせる おくぶかい おもむき。「—をおびる」

**せんみつ**［千三つ］〔俗〕①〔=成立するのは千に三つぐらい〕不動産取引(のせわをする職業の人)。「—屋」②千に三つしか〈本当のことがない／当たらない〉こと。③うそばかり言う人。せんみつや。

**せんみん**［×賤民］ 社会制度のためにいやしい身分とされた人々。

**せんみん**［選民］ 神にえらばれた人民。エリート。〔旧約聖書ではユダヤ人をさす〕「—思想」

**せんむ**［専務］ ①もっぱら その仕事を受け持つこと。「—車掌」②↑専務取締役。「中原—」 ●**せんむとりしまりやく**［専務取締役］ 社長を助け、取締役の中心となって会社の仕事をまとめ、進める人。専務。

**せんめい**［船名］〔文〕船につけた名前。日本では終わりに「丸」をつけるのがふつう。例、東京丸。

←**せんめい**［宣明］《名・他サ》 公式に宣言して、明らかにすること。「政治的立場を国民に—する」

↔**せんめい**［×闡明］《名・他サ》〔文〕今までわからなかったことをあきらかにすること。「真相を—する」

→**せんめい**［鮮明］《ナダ》 はっきりしていて よくわかるようす。「ものの輪郭が—になる・—な映像・態度を—にする」(↕不鮮明) 派—さ。

**ぜんめい**［前名］《落語・歌舞伎など》以前の名前。

〈↔後名〉

**ぜんめい**【×喘鳴】〘医〙気管支ぜんそくの発作のときなどの呼吸に聞かれる、ぜいぜい、ひゅうひゅうという音。

**せんめつ**【×殲滅】《名・他サ》〔文〕みなごろし（にして、すっかりほろぼすこと）。掃滅。

**ぜんめつ**【全滅】《名・自他サ》①残らず〈ほろびる／役に立たなくなる〉こと。また、そうすること。「敵は―した・敵を―する〔古風〕・害虫のために松が―した」②全部〈失敗する／ひどい結果になる〉こと。「試験は―だ」

**せんめん**【扇面】〔文〕〔広げた〕おうぎの表面。「―画」

**せんめん**【洗面】《名・自サ》顔を洗うこと。「―所（＝公共の建物では、多く便所をかねる）・―道具」 ●**せんめんき**【洗面器】湯や水を入れて顔を洗ううつわ。

**ぜんめん**【全面】〔文〕①全部の〈面／方面／部門〉。「―戦争」②一つの面の全部。「―広告」 ●**ぜんめんてき**【全面的】《ダ》あらゆる〈面／方面／部門〉にわたるようす。まったく。すっかり。「―に改める」

**ぜんめん**【前面】〔文〕前がわ。表のがわ。「―に〈おし出す〔＝それだけを特に目立たせる〕」〈↔後面・背面〉

**せんもう**【繊毛・線毛】〘生〙からだの中の細胞の表面にはえている、毛のようなもの。じゅうたんの毛のようにならんではえている。

**せんもう**【×譫妄】〘医〙幻覚などをともなう、軽度の意識障害。アルコールやモルヒネの中毒、認知症などに見られる。

**せんもう**【染毛】《名・自サ》〔文〕①しらがなどをそめること。染髪。②からだの毛をそめること。

**ぜんもう**【全盲】〔文〕両眼ともまったく見えない〈こと／状態〉。

＊＊**せんもん**【専門】①ある分野やものごとに関して、研究や仕事を続け、知識と技術を持っていること。また、その分野やものごと。「―医・ラーメンの―店」②←専門学校。 ●**せんもんか**【専門家】それを専門に〈研究〉する人。エキスパート。「社会福祉の―」 ●**せんもんがっこう**【専門学校】専修学校のうち、高校を卒業した者に高度な技術などを教える学校。専門。 ●**せんもんかんごし**【専門看護師】修士の学位があり、専門的な技術と知識を資格試験で認められた看護師。㊟認定看護師。 ●**せんもんし**【専門士】修業年限二年以上の専門学校を卒業した人にあたえられる称号。 ●**せんもんしょくだいがくいん**【専門職大学院】高度な専門職業人を養成するための大学院。例、法科大学院・教職大学院。

**ぜんもん**【全問】全部の問題・質問。「―正解」

**ぜんもん**【前門】〔文〕おもてもん。〈↔後門〉 ●**前門の虎、後門の狼** 句〔文〕前後に災難や危険がせまっていること。

**ぜんもんどう**【禅問答】①〘仏〙禅宗の僧がおこなう問答。②何を言っているのかわからない問答。〔多く、とぼけた返事などについて言う〕

**せんや**【先夜】先日の夜。このあいだの夜。

**せんや**【戦野】〔文〕戦場。

**ぜんや**【全野】〔文〕全部の分野。全体。「社会学の―」

**ぜんや**【前夜】①昨夜。前の晩。②〔その日の〕一日前の夜。③直前の状態。「戦争の―」 ●**ぜんやさい**【前夜祭】記念日・行事・もよおしなどの前夜におこなう、お祝いの集まり。「クリスマス―（＝クリスマスイブ）」〈↔〈学園祭の場合〉後夜祭〉 ●**ぜんやしき**【前夜式】〔キリスト教のプロテスタントで〕通夜。〔日本独自の風習。カトリックでは「通夜のつどい」などと言う〕

**せんやく**【仙薬】〔文〕のめば、年を取らず死ぬこともない、というくすり。

**せんやく**【煎薬】せんじぐすり。煎剤。

**せんやく**【先約】《名・他サ》①かねての約束。前約。②それより先にした約束。「―がある」

**せんやく**【選訳】《名・他サ》〔文〕全文の中から一部分をえらんで翻訳〈すること／したもの〉。〈↔完訳〉

**ぜんやく**【前約】〔文〕以前の約束。先約。

**ぜんやく**【全訳】《名・他サ》原文の全部を翻訳〈すること／したもの〉。完訳。〈↔抄訳〉

**せんゆう**【戦友】①いっしょに戦う、兵隊のなかま。②いっしょに苦労したなかま。

←**せんゆう**【占有】《名・他サ》自分の所有とすること。「市場―率（＝シェア）・土地の―権・〘法〙―離脱物（＝落とし物など）」

←**せんゆう**【専有】《名・他サ》〈ひとり／自分のところだけ〉で所有すること。「―物・―面積」〈↔共有〉

**せんゆうこうらく**【先憂後楽】〔文〕国の支配者が、国民に先だって苦しみ、国民におくれて楽しむこと。政治家の心得を示したことば。〔東京と岡山にある「後楽園」の名の由来〕

←**せんよう**【占用】《名・他サ》〔工事などのために、道路などを〕特定の人だけが使うこと。

←**せんよう**【専用】《名・他サ》①その人だけが使うこと。「社長―の車」〈↔共用〉②そればかり〈を／に〉使うこと。〈↔兼用〉

**せんよう**【宣揚】《名・他サ》〔文〕〔すばらしさを〕世の中にはっきりしめすこと。「国威の―」

**ぜんよう**【全容】全体の〈姿／内容〉。「事件の―」

**ぜんよう**【善用】《名・他サ》〔文〕〈うまく／いいほうに〉使うこと。〈↔悪用〉

**ぜんら**【全裸】まるはだか。〈↔半裸〉

**せんらん**【戦乱】戦争のための、国のみだれ。

**ぜんらん**【全卵】〘料〙たまごの黄身・白身の全部。「―を泡立てる」

**せんり**【千里】〔＝一里の千倍〕ひどく遠い〈こと／ところ〉。「一望―の広野」 ●**千里の堤も蟻の穴から崩れる** 句 ささいなことでも油断をすると、大きな災いを招く。 ●**千里の道も一歩より始まる** 句 遠大な仕事も手近なものごとから始まる。千里の道も一歩から。千里の行も一歩より始まる。 ●**せんりがん**【千里眼】①千里も先のことまで知ることのできる能力〈がある人〉。②人の心をさぐりあてる能力〈をもつ人〉。▽天眼通。テレパシー。 ●**せんりのうま**【千里の馬】一日に千里も走る名馬。千里の駒。

**せんり**【戦利】〔文〕戦争で敵からぶんどること。「―品〔苦労して手に入れた品物の意味にも〕」

☆☆**せんりつ**【旋律】〘音〙音の高低・長短の変化が続いてあらわれるもの。ふし。メロディー。「フルートの―・読経の―」

☆☆**せんりつ**［戦慄］《名・自サ》〔文〕おそろしくてふるえること。こわがること。

**ぜんりつせん**［前立腺］《生》男性の生殖器の一部。後部尿道をとりまく。もと、摂護腺。「―肥大・―がん(癌)」

**せんりゃく**［戦略］①《軍》戦争に勝つための、基本的な構想。「―を立てる・―爆撃」②成功するための、基本的な構想。「経営―・―産業(=国の発展のために重視される産業。例、環境保護産業)」☞戦術。

•**せんりゃくかく**［戦略核］《軍》射程の長い核兵器。(↔戦術核・戦域核)

**ぜんりゃく**［前略］《名・自他サ》〔文〕【一】前の文句を略すこと。(↔後略)【二】**ぜんりゃく**《手紙》初めに書く、あいさつのことば。「前文②」を略す、の意味。〔終わりには「草々」「不一」などを使う〕☞拝啓

**せんりゅう**［川柳］五・七・五の三句からできている、こっけい・風刺を主とした短い詩。〔前句付けの長句が独立したもの〕【由来】江戸時代、柄井川柳が点者として名高かったから。☞かわやなぎ(川柳)・古川柳。

**ぜんりゅうふん**［全粒粉］ふすま(麬)や胚芽を取り除かないで、粉にひいた小麦粉。ぜんりゅうこ。

**せんりょ**［千慮］〔文〕いろいろと考えをめぐらすこと。

•**せんりょのいっしつ**［千慮の一失］〔文〕(かしこく)いろいろ考えたのに、ただ一つだけおかす、思いがけない失敗。

**せんりょ**［浅慮］〔文〕あさはかな考え。「―の至り」(↔深慮)

**せんりょう**【一】［千両］(=一両の千倍)非常に価値のあること。「ひと目―の桜・―役者」【二】［(千両)］正月の生け花などに使う、小さな常緑樹。つやつやした葉の上に赤い小つぶの実が、かたまって乗った感じにつく。☞万両。

**せんりょう**［染料］色をそめるための材料。

**せんりょう**［線量］《理》放射線の量。放射線量。

•**せんりょうけい**［線量計］《理》放射線の量をはかる装置。

**せんりょう**［選良］〔文〕「代議士」の別の呼び名。

**せんりょう**［占領］《名・他サ》①一定の場所をひとりじめにすること。②《軍》一定の地域を兵力で支配すること。「―軍」

**ぜんりょう**［全量］〔文〕全体の〈重量/分量〉。

**ぜんりょう**［全寮］〔文〕①全部の寮。②その寮の全体。③入学した全員が寮にはいること。「―制」

**ぜんりょう**［善良］《ナダ》〔人の性質が〕おだやかで、人や社会に害をあたえないようす。「―な市民」【派】-さ。

**せんりょく**［戦力］①戦争をおこなう能力(をもつ人やもの)。「陸海軍その他の―」②仕事・試合などをおこなう能力(をもつ人やもの)。「即―・―外通告(=プロ野球などで、解雇通告)」

**せんりょく**［鮮緑］〔文〕あざやかなみどり色。

**ぜんりょく**［全力］持っているすべての力。「―をつくす・―で取り組む」

•**ぜんりょくとうきゅう**［全力投球］《名・自サ》①《野球》〔投手が〕全力で球を投げること。②全力で取り組むこと。「仕事に―する」

**ぜんりん**［前輪］自動車・機関車などの、前のほうについている車輪。(↔後輪)

•**ぜんりんくどう**［前輪駆動］自動車で、前輪に動力を伝えて走らせるもの。☞四輪駆動。

**ぜんりん**［善隣］〔文〕となりの国となかよくすること。また、そのなかよくする、となりの国。「―外交・―友好政策」

**ぜんりん**［禅林］《仏》①禅宗の寺。②禅宗。

**せんれい**［先例］①以前の例。「―がある」②以前からのしきたり。「―にならう」③将来のための例。「―をひらく」

**せんれい**［洗礼］①《宗》キリスト教に入信する者〈の頭に水をそそぐ/を水にしずめたりする〉儀式。「―を受ける」②(はじめて)きびしい経験をすること。「爆撃の―を受ける」

**せんれい**［船齢］〔文〕船が進水してからたった年数。

**せんれい**［鮮麗］《ナダ》〔文〕あざやかで人の目をひく(ように美しい)ようす。【派】-さ。

**ぜんれい**［全霊］〔文〕たましい全体。「全身―を打ちこむ・―をかたむける」

**ぜんれい**［前例］①(その文章で)前にあげた例。②以前にあった例。「―のない待遇」③あとからよりどころとする例。「今回のことは―としない」

**せんれき**［戦歴］〔文〕戦争・試合をした経歴。

**ぜんれき**［前歴］①〈以前/今まで〉の経歴。②前科。「―者」

**せんれつ**［戦列］戦闘の隊列。また、試合・競争などをおこなう一団。「―に加わる」

**せんれつ**［鮮烈］《ナダ》〔文〕印象が、新鮮で強烈なようす。「―な印象を受ける」【派】-さ。

**ぜんれつ**［前列］前のほうの(隊)列。(↔後列)

**せんれん**［洗練・洗×煉］《名・他サ》①〔多く受け身の形で〕むだや、ぶかっこうな所をなくし、美しくすぐれたものにすること。「―された(=あかぬけた)身のこなし・―された技術」②詩文・思想をねってすぐれたものにすること。【派】-さ。

**せんろ**［線路］①〔鉄道の〕軌道。レール。「鉄道―・―わき・―沿い」②電話による通信ができるように、ひいた電線。

**ぜんろう**［全(×聾)］〔文〕耳がまったく聞こえない〈こと/状態〉。

**せんろっぽん**［千六本・繊六本］《料》ダイコンを千切りに〈すること/したもの〉。【由来】「せんろふ(繊蘿蔔)」の唐音「せんろぽ」の変化。「ろふ」はダイコン。

**ぜんわ**［全話］〔ドラマ・アニメ・漫画などの〕すべての回。「ドラマを―見た」

**ぜんわん**［前腕］《生》うでの、ひじから手首までの部分。下膊。下腕。「―骨」(↔上腕)

## そ ソ

**そ**［祖］〔文〕①先祖。「医学の―」②開祖。「日蓮宗の―」

**そ**［疎・×疏］《名・ナダ》〔文〕まばら。「天網恢々―にして漏らさず(⇩「天網」の【句】)」(↔密)

**そ**［粗］【一】**そ**《ナダ》〔文〕すきま・目などがあらいようす。「―なる髪・―にして雑な論理」(↔密)【二】【遺】①〔仕

上げる前の〕大ざっぱな。「―造成」②〔それを手に入れるためにかかった費用をふくめた〕見かけの。「―収入・―生産額」

**そ**《感》〔話〕↑そう。「うん、―・―、―」

**そ**《終助》〔**な…そ**〕〔雅〕禁止をあらわす。「春な忘れ―」

**ソ**〔イ sol〕《音》ファの一つ上の音の名。

**ぞ** ㊀《終助》①〔話〕〈注意をうながす／強めて言う〉気持ちをあらわす。「さあ行く―・見つけた―（『見つけました―』は古風）」②〔文〕（とがめて）質問の気持ちを強める。か。「何事―・どうして帰れよう―」☞ぞい・ぞよ。㊁《副助》①〔文〕特にあるものごとを強める気持ちをあらわす。「これ―まさしくミステリー」〔文語では係助詞で、文末が連体形になる。「秋―恋しき（＝秋が恋しいのだ）」〕②〔古風〕〔疑問詞につけて〕か。「何―ないか」

**そあく**［粗悪］《ナダ》そまつで悪いようす。「―な製品」派―さ。

**そあん**［素案］〔計画などについての〕大筋の草案。

**そい**［粗衣］〔文〕そまつな衣服。「―粗食」

**ぞい**《終助》〔↑ぞよ〕〔古風／方〕①念をおすことば。ぞ。よ。「ここにある―・そんなこともあろ（う）―（＝あるだろうよ）」②疑問をあらわすことばとともに使って〕たずねることば。か。「何を言う―」▽漫画・アニメなどでは、個性的な人物の性格づけにも使う。

**ぞい**［沿い］造 …に〈そっている／そった場所にある〉こと。「線路―の家」

**そいつ**《代》〔↑そやつ。やや乱暴な言い方〕〔俗〕①その人物。「―をつかまえろ」②それ。「―はいい（＝おもしろい）」表記 かたく「其奴」、俗に「ソイツ」とも。

**そいで** 連・《接》〔話〕それで。そんで。「―、どうするの」「―いいのかい・

**そいとげる**［添い遂げる］《自下一》①一生、夫婦として過ごす。②反対をおし切って夫婦になる。

**そいね**［添い寝］《名・自サ》（小さな子どもなどの）そばにそってねること。そいぶし。

**そいや**《感》〔話〕みこしをかつぐときの かけ声。せいや。そや。せや。☞わっしょい。

**そいん**［素因］①〔文〕そのものに はじめから そなわる原因。もと。②《医》病気になりやすい素質。「遺伝的な―」

**そいん**［訴因］《法》起訴の原因となることがら。「―は強盗殺人」

**そう**［双］㊀**そう**〔文〕二つそろったもの。両方。「―の目」㊁造 双方の。「―方向」㊂接尾 一対のものを数えることば。「六曲（＝六つ折り）の びょうぶ一―・軍手三―」☞隻①。

**そう**［壮］㊀**そう**〔文〕元気があって、勇ましいこと。㊁接尾 おきゅう（灸）で、もぐさに火をつける回数をあらわすことば。「三―」●**壮とする** 句〔文〕勇ましいと認める。「志を―」

**そう**［×宋］《歴》中国の昔の王朝の名。元の前。前期を北宋、後期を南宋ということがある。〔九六〇～一二七九〕

**そう**［相］①ようす。「時代―」②かおつき。「―が変わる・悪鬼の―」③その人の運勢・性質などを知る目じるしとされる、特色や ようす。「剣難の―（＝人相）」④《言》⇩アスペクト②。☞しょう（相）。

**そう**［草］↑草書。「楷、行、―」

**そう**［送］〔視覚語〕〔広告などで〕送料。おくりちん。「―一八〇〇円」

**そう**［曹］《軍》自衛隊の、下士官。曹長・一曹・二曹・三曹。（↕幹部・士）

**そう**［葬］㊀**そう**〔文〕葬式。「《俳句》―の列」㊁造 ①葬儀。「協会―」②ほうむり方。「自然―」

**そう**［装］㊀**そう**〔文〕よそおい。「―を新たにして発売」㊁造 装丁。「革―・布―」

**そう**［僧］〔文〕仕事として、仏教などの宗教に身をささげる（男の）人。坊主。坊さん。

**そう**［想］〔文〕①思い。考え。②構想。「―をねる・―を得る」

***そう**［層］㊀**そう** ①かさなり。「―を成す」②地層。「新第三紀―」③年齢や職業などによって分けた、社会の集団。階層。「中堅―・知識―・高年齢―」㊁接尾 建物・地層など、平らになっていくつかかさなっているものを数えることば。「三―になっている・五―楼（⇩楼㊀）」

**そう**［×箏］〔文〕〔弦が十三ある〕琴。そうのこと（箏の琴）。

**そう**［×躁］《医》⇩躁病。「―状態」（↕うつ（鬱））

←***そう**［沿う］《自五》①目安となる線状のものから はなれずに続く。「線路に沿って進む・道は川に沿っている」②〔考え・希望などに〕合う。「目的に―・原則に―・ご期待に―・首相の意向に―」表記 ②は、新聞では「沿う」が多いが、一般には「添う」も多い。

→**そう**［添う］《自五》①加わる。ます。「おもむきが―」②夫婦となる。③そばに従う。「影の形に―よう（⇩「影」の句）」④⇩沿う②。可能 添える。

****そう** ㊀**そう**《副》①そのよう（に）。「―するほうがいい・―ですね（＝相手のことばを受けて、少し考えるときにも使う）・―か（話しことばでは『そっか』とも）、わかった」②それほど。あまり。「―長く かからない」アク「は」「も」などがつく場合、述語になる場合は、**そう**。「―は さ せないぞ・―は ちがわない・もちろん―さ」㊁**そう**《感》〔話〕①そのとおりだ。そうだ。正しい。「『これ自分で作ったの？』『―』・あ、―か」②相手の言うことに うなずく気持ちで答える、あいづちの ことば。なるほど。「ああ、―」〔確かめるように「そーお？」とも〕③本当かなあ。疑問だ。「『あいつはうそはつかないよ』『そーお？』」▽そお。そうお。区別 ⇩指示語。表記 かたく「△然う」とも。☞そういう・そういえば・そうさな・そうした・そうしたら・そうして・そうすると・そうですね・そうなんだ。●**そうは問屋が卸さない** 句 そう ものごとがうまくいくとは限らない。

**そう**［荘］接尾 別荘・アパート・旅館などの名の下にそえることば。「若葉―」

**そう**［×叟］接尾〔文〕年齢の下にそえて、男の老人であることをあらわすことば。「八十二―」

**そう**［（×艘）］接尾（小さな）船を数えることば。☞隻②。

***そう**［総］造 すべて（の）。全体（の）。「―支配人・―隊長・―入れ歯・―二階（＝一階の面積と同じ二階）」

**そう**［走］㊀造 ①走ること。競走。「五十メートル―・長距離―」②走者。「二―（＝リレーの第二走者〕」 **二 そう**《野球》←走塁。「攻、―、守」

**そう**〔奏〕造《音》合奏。「五重―」

**そう**〔巣〕造《医》病巣。「転移―」

**そう**〔創〕造《医》きず。きずぐち。「切開―」

**そう**〔槽〕造〔液体の はいった〕箱形の入れもの。「浄化―・二―式せんたく機」

**そう**〔×叢〕造〔文〕集まっているもの。「神経―」

****そう**◇ 助動詞「そうだ」の語幹。「花よめさんは うれし―〔様態をあらわす〕・新作のロールケーキも人気だ―〔女〕〔以上、伝聞をあらわす〕」

**ぞう**〔象〕インドやアフリカにすむ、鼻の長い、陸上で最大の動物。色は灰色など。アジアゾウ・アフリカゾウの二種がある。「パオーン」などと鳴く。

***ぞう**〔像〕①すがた。「理想―」②神・仏・人・けものなどの形をまねて〈作った/かいた〉もの。彫像・塑像など。「―を建てる・―が立つ」③《理》光の反射・屈折の結果うつる、物体の形。「―を結ぶ」

**ぞう**〔増〕**一 ぞう** ますこと。加えること。増加。「五千万円の―・定員―」 **二** 遺 …をふやすこと。「―ページ」▽**一二**(↕減)

**ぞう**〔憎〕〔文〕にくしみ。「愛と―」(↕愛)

**ぞう**〔蔵〕①〔文〕おさめて持つ〈こと/もの〉。所蔵。「法隆寺―」②←チベット(西蔵)。「―訳」

**ぞう**〔贈〕〔文〕①ものをおくること。「―山本君」②死後かなりの年数がたってから、あたえること。〔おもに、官位〕「―正五位」

**ぞう**〔造〕造 …でつくってある〈もの/こと〉。「コンクリート―」

**そうあい**〔相愛〕《名・自サ》〔文〕おたがいに愛すること。「―の仲」

**ぞうあく**〔増悪〕《名・自サ》①《医》病気が進んで悪くなること。②〔文〕〔様子が〕いっそう悪くなること。

**そうあたり**〔総当たり〕全部のものと〈試合/取り組み〉をすること。「―制」

**そうあん**〔草案〕〔演説・計画・規約などの〕下書き。

**そうあん**〔草×庵〕くさぶきの小さな家。くさの いおり(庵)。「―を結ぶ」

**そうあん**〔創案〕《名・他サ》はじめて考え出すこと。「―者」

**そうい**〔創×痍〕〔文〕きず。痛手。「満身―」

**そうい**〔創意〕新しい思いつき。「―工夫」

**そうい**〔僧衣〕僧の着る衣服。そうえ。

**そうい**〔総意〕全体の意思。「住民の―」

**そうい**〔相違・相異〕《名・自サ》くらべてみて、おたがいに同じでないこと。くいちがい。「意見の―・―点」 ●**そういな・い**〔相違ない〕《形》〔話しことばでは おもおもしい言い方〕①ちがいない。「そのどちらかに―」②まちがいない。「上記のとおりで―」丁寧 相違ありません。

**ぞうい**〔贈位〕《名・他サ》〔文〕その人の死んだあと、かなりの年数がたってからくらいをおくること。

**そういう**《連体》 そのような。そんな。そういった。「今後―ことのないように・―目で〔=今述べたような視点から〕見ると、似た例はたくさんある」 ●**そういうことだ**《感》〔話〕〔相手が〈確認/質問〉するのに対して〕そのとおりだ。「『もう間に合わないんですね』『―』」丁寧 そういうことです。 ●**そういうことで**《感》〔話〕話を切り上げて別れるときの、あいまいな あいさつ。「じゃあ、―」

**そういえば**〔そう〔言えば〕〕《接》 それまでの話から頭に うかんだことを述べるときの ことば。そういや〔話〕。「―、おくさまは お元気ですか」

**そういっそう**〔層一層〕《副》 さらに いっそう。「―努力せよ」

**そういん**〔僧院〕てら。寺院。修道院。

**そういん**〔総員〕すべての人員。全員。

**ぞういん**〔増員〕《名・自他サ》 人員をふやすこと。人員が ふえること。(↕減員)

**そううつびょう**〔×躁(鬱)病〕《医》⇩双極性障害。

**そううん**〔層雲〕《天》層となって低い空にあらわれる、霧に似た雲。きりぐも。

**ぞうえい**〔造営〕《名・他サ》〔文〕御殿・お宮・お寺などを建てること。「皇居の―」

**ぞうえい**〔造影〕《名・他サ》《医》薬を飲んだり、注射したりして、レントゲンで うつしたときに内臓や血管が はっきり あらわれるようにすること。「―剤」

**ぞうえき**〔増益〕《名・自サ》〔文〕利益がふえること。(↕減益)

**そうえん**〔操演〕《名・他サ》《映画・放送》人形や着ぐるみ、特撮用の乗り物などを動かすこと。

**ぞうえん**〔造園〕《名・自サ》庭園・公園・動物園などを造ること。

**ぞうえん**〔増援〕《名・他サ》 人数をふやして助けること。「―部隊」

**そうお**《感》〔女〕⇩そーお。

**ぞうお**〔憎悪〕《名・他サ》〔悪=にくむ〕 ゆるせない、とにくむこと。「社会を―する・―の念に かられる」

**そうおう**〔相応〕《名・自サ・ナダ》 つりあうこと。ふさわしいこと。「身分―」(↕不相応)

**そうおく**〔草屋〕〔文〕①〔草ぶきの〕そまつな家。②「自分の家」の謙譲語。

**そうおん**〔×宋音〕⇩唐音。

**そうおん**〔相恩〕〔文〕親の代から受けている(主君の)恩義。「三代―の身」

**そうおん**〔騒音・×噪音〕①うるさくて、不快な おと。さわがしい おと。②《理》振動が不規則な おと。(↕楽音)

**そうか**〔喪家〕〔文〕喪中の家。 ●**そうかの-いぬ**〔喪家の犬・喪家の×狗〕〔=主人が死んだ家の犬〕〔文〕①いどころが定まらないこと。②元気がないこと。

**そうか**〔葬花〕〔文〕葬式のときに香典としてそなえる花。

**そうか**〔装花〕 会場に花をかざること。また、その花。

**そうか**〔装荷〕《名・他サ》《理》原子炉に、燃料をつめこむこと。

**そうが**〔△爪牙〕〔文〕①つめと きば。②警察や軍隊のたとえ。「権力の―」 ●**爪牙にかかる** 句 〔文〕えじきになる。

←**そうが**〔挿画〕〔文〕さしえ。

→**そうが**〔装画〕〔文〕装丁の絵。

**ぞうか**〔造化〕〔文〕①すべてのものを作ったといわれる神。造物主。②〔神のつくった〕天地・自然。「―の妙〔=自然のすばらしさ〕」

そ

**ぞうか**【造花】ほんものに似せて作った花。(↔生花)

**ぞうか【増加】《名・自他サ》〈増えて加わる／増やして加える〉こと。「人口の―」(↔減少)

**そうかい**【×滄海・×蒼海】〔文〕あおい海。あおうなばら。●**滄海変じて桑田**(そうでん)**となる** 句 世の中の変化がはげしいこと。桑田変じて滄海となる。滄桑(そうそう)の変。

**そうかい**【総会】①《法》社団法人・組合などの意思を決めるために、全員によってひらかれる会合。②関係者全部の集まり。●**そうかいや**【総会屋】わずかの株を所有して株主総会に出席し、いやがらせをしたり、お金をもらって議事の進行に協力したりする者。特殊(とくしゅ)株主。

**そうかい**【掃海】《名・他サ》《軍》海の中の機雷(きらい)などを取り去ること。「―艇(てい)・―作業」

←**そうかい**【壮快】《名・ダナ》気持ちが高まって、気分がいいこと。「―なスポーツ」派―さ。

→**そうかい**【爽快】《名・ダナ》さわやかな〈ようす／気分〉。「―な朝」派―さ。

**そうがい**【窓外】〔文〕まどのそと。

**そうがい**【霜害】《農》農作物などが、霜(しも)のために受ける被害(ひがい)。☞凍害(とうがい)。

**ぞうかいちく**【増改築】建物の建て増しと、建てかえ。

**そうがかり**【総(掛かり)】①全部の人が、そのことに当たること。②総攻撃(こうげき)。

**そうかく**【総画】〔文〕一つの漢字の、全部の画数。●**そうかくさくいん**【総画索引】〔漢和辞典などで〕漢字を、その総画によって引けるようにした索引。☞部首索引・音訓索引。

**そうがく**【総額】全体の額。全額。「支出の―」●**そうがくひょうじ**【総額表示】消費税をふくめた金額を示すこと。内税(うちぜい)表示。

**そうがく**【奏楽】《名・自サ》〔文〕音楽を演奏すること。演奏する音楽。

**ぞうがく**【増額】《名・自他サ》金額〈を増やす／が増える〉こと。「資金の―」(↔減額)

**そうかつ**【総括】《名・他サ》①全体を一つにまとめること。しめくくり(をすること)。「―的」②〔政治運動などで〕それまでの活動をまとめて検討・反省すること。

**そうかと いって**【そうかと(言って)】(さうかとー)《接》⇩かと言って。

**そうかと おもえば**【そうかと思えば】(さうかとおもへば)《接》⇩かと思えば二。

**そうがな**【草仮名】かなの書体の一つ。漢字の草書体をくずしたもの。ひらがなのもとになった。

**そうかへいきん**【相加平均】《数》いくつかの数の和を、その個数で割った値(あたい)。算術平均。単に「平均」とも。(↔相乗平均)

**そうがら**【総柄】着物・服地などの全体に模様がついている状態(のもの)。

**そうがらみ**【総(×搦み)】⇩総ぐるみ①。

**そうかん**【総監】全体を取りしまり、監督(かんとく)する、最高の官職。「警視―・国防軍―」

**そうかん**【総鑑】〔文〕同類のものが全部見られるように編集したもの。「会社―」

**そうかん**【相×姦】《名・自サ》〔文〕親子やきょうだいなどの間で肉体関係を結ぶこと。「近親―」

☆☆**そうかん**【相関】《名・自サ》一方が変化すれば、それにつれて他方も変化するといったぐあいに、おたがいに関係があること。「―関係・―性・強い―がある」●**そうかんず**【相関図】①関係を示した図。「登場人物の―」②《数》二つの変数の値(あたい)を平面上に点で示した図。散布図。

**そうかん**【挿管】《名・自他サ》《医》〔空気・栄養などを送りこむため〕からだの中に、くだを入れること。「気管に―する」

**そうかん**【送還】《名・他サ》送りかえすこと。「捕虜(ほりょ)の―」☞強制送還。

**そうかん**【創刊】《名・他サ》〔新聞・雑誌などを〕はじめて出すこと。「―号」(↔終刊)

**そうかん**【操艦】《名・他サ》軍艦を操縦すること。

**そうかん**【壮観】《名・ダナ》規模の大きい〈ながめ／ありさま〉。「―な眺(なが)め・これだけの顔ぶれがそろうとは―だ」派―さ。

**そうがん**【双眼】〔文〕両方の目。(↔隻眼(せきがん))●**そうがんきょう**【双眼鏡】両眼に当てて見る望遠鏡。

**ぞうかん**【増刊】《名・他サ》〔雑誌などを〕定期以外に出すこと。また、その出版物。「―号」

**ぞうがん**【象眼・象×嵌】《名・他サ》①金属・陶磁器(とうじき)・木材などの面に模様を刻んで金や銀などを〈はめこむこと／はめこんだもの〉。②《印刷》(もと、鉛版(えんばん)の)一部分の文字をとりかえて訂正(ていせい)すること。

**そうき**【早期】①はやい時期。「予算の―成立をめざす・―に解決したい」②〔病気が〕まだほとんど悪化していない段階。「―診断(しんだん)」(↔末期(まっき))③《歴》縄文(じょうもん)時代の区分の一つ。☞草創期②。

**そうき**【送気】〔文〕空気を送りこむこと。

**そうき**【総記】①全体に関係のあることをまとめた記述。②図書の分類で、どの部門にも所属しない〈もの／部門〉。「哲学(てつがく)―」

**そうき**【想起】《名・他サ》〔文〕思いおこすこと。「歌詞から―されるイメージ・春を―させる色」

**そうぎ**【争議】①〔文〕意見を主張しあらそって議論すること。②⇩労働争議。

**そうぎ**【葬儀】死んだ人をほうむる儀式(ぎしき)。葬式(そうしき)。「―を出す・―場(じょう)・(ご)―」●**そうぎしゃ**【葬儀社】葬儀の手配・進行を引き受ける職業(の人)。葬儀屋。

**ぞうき**【雑木】建築や家具以外に使う、ねうちの少ない(いろいろな種類の混ざった)木。炭やまき(薪)にする。●**ぞうきばやし**【雑木林】いろいろな種類の木が混ざって生えている林。

☆☆**ぞうき**【臓器】《医》内臓その他の器官をまとめて呼ぶ言い方。「―移植・―提供」

**ぞうきゃく**【増客】《名・自他サ》新しく顧客(こきゃく)〈をふやす／がふえる〉こと。「―をはかる・口コミによる―」

**そうきゅう**【×蒼×穹】(=青いドーム)〔文〕青空。

**そうきゅう**【送球】一《名・自サ》《野球》野手がボールを取って送ること。二〔文・古風〕ハンドボール。

☆☆**そうきゅう**【早急】《名・ダナ》必要がせまっているため、急いでおこなうようす。「―に検討する・解決は―を要する」〔読みは、明治初期から「さっきゅう」と並立(へいりつ)する。「さっきゅう」のほうがやや古く、現在は「そうきゅう」が優勢」派ーさ。

ぞうきゅう[増給]《名・自サ》 給料が ふえること。(↔減給)

そうきょ[壮挙]〔文〕壮大な計画(にもとづいて、みごとになしとげたおこない)。「探検の―・―をたたえる」

そうぎょ[草魚] 川にすむ、コイに似た さかな。水草やアシ・マコモなどを食べて そだつ。

そうきょう[双頬]〔文〕両方の ほお。

そうぎょう[早暁]〔文〕夜明け。

そうぎょう[僧形]〔文〕僧の姿。

そうぎょう[操業]《名・自サ》〔工場などが〕作業すること。「―短縮・―率低下」

そうぎょう[創業]《名・自他サ》事業を始めること。「―家(=創業者の一族)」(↔廃業)

そうぎょう[総業]造 複数の業務・事業をあつかう会社。〔多く、会社の名前に使う〕

ぞうきょう[増強]《名・他サ》 ふやして強力にすること。「輸送力を―する」

そうきょういく[早教育] 子どもを、ふつうよりも はやい時期から教育すること。

そうきょく[箏曲] 琴(のための)楽曲。

そうきょく[総局] いくつかの〈局／支局〉の上にもうけられた大きな局。「○○新聞アメリカ―」

そうきょくせいしょうがい[双極性障害]〔医〕興奮した状態(=躁状態)とゆううつな状態(=うつ状態)とが かわるがわる あらわれる病気。そううつ(躁鬱)病。

そうきょくせん[双曲線]〔数〕平面上で、二つの定点(F, F′)からの距離の差が一定である点をつらねた曲線。

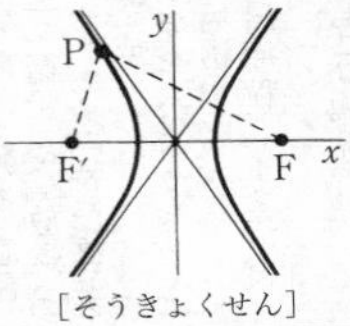

[そうきょくせん]

そうぎり[総桐] 全体がキリの材木で できている(こと／もの)。「―のたんす」

そうきん[送金]《名・自サ》お金を送ること。また、送るお金。

ぞうきん[雑巾] 床板などの よごれをふきとる きれ。

「―がけ〈下働きの意味にも〉」

そうく[走狗](=猟犬)〔文〕他人の手先になって使われる人。「権力の―」

そうく[痩軀]〔文〕やせた からだ。「長身―」

そうぐ[葬具]〔文〕葬儀に必要な用具。

そうぐ[装具]〔文〕からだにつける道具。「登山―」

そうくう[蒼空]〔文〕青い空。

そうぐう[遭遇]《名・自サ》不意に出あうこと。「敵に―する」

そうくずれ[総崩れ] ①全体が くずれること。②軍勢・部隊の隊形が全部くずれて、負けること。③〔競技・試合などで〕〈全員が／つぎつぎと〉負けること。

☆☆そうくつ[巣窟] 悪者などの すみか。根城。巣。

そうぐるみ[総ぐるみ] ①全員が一つになって、すること。そうがらみ。「県民―」②いすなどの全体を、革や きれで〈包むこと／包んだもの〉。

そうけ[宗家] 本家。家元。「ご―」

そうけ[総毛] からだじゅうの毛。「―をさかだてて うなる」 ●そうけだ・つ[総毛立つ]《自五》〔おそろしさのため、また、感動のあまり〕身の毛が よだつ。

ぞうげ[象牙] ゾウの上あごの、太くて長い二本の きば。工芸品の素材とされた。アイボリー。●ぞうげのとう[象牙の塔] 学者が現実から目をそむけて とじこもる、〈大学の〉研究室。「―にこもる」

そうけい[早計] はやまった〈考え／行動〉。

そうけい[総計]《名・他サ》全部の合計。(↔小計)

そうげい[送迎]《名・他サ》送りむかえ。「―者入り口・バスの―」

☆☆ぞうけい[造詣] 学問・芸術などに関する知識が深く、すぐれていること。「文学に―が深い」

ぞうけい[造形・造型]《名・他サ》(芸術作品としての)かたちをつくりあげること。「人物―」 ●ぞうけいびじゅつ[造形美術] 目に見える形によって美を表現する芸術。絵画・彫刻・建築など。空間芸術。

ぞうけつ[造血]《名・自サ》〔医〕血をつくり出すこと。「―作用・―幹細胞」

ぞうけつ[増血]《名・自サ》〔医〕血〈が ふえる／をふやす〉こと。「―剤」

ぞうけつ[増結]《名・他サ》①〔列車の〕車両をさらにふやして連結すること。②同じ型のものを結合して、ふやすこと。

そうけっさん[総決算]《名・他サ》①一定の期間内の収入と支出を、すべて決算すること。「年度末の―」②ものごとをしめくくること。「高校生活の―」

☆☆そうけん[双肩]〔文〕両方の かた。「国の将来は青年の―にかかっている」

そうけん[創見]〔文〕今までにない新しい考え方の意見。

☆☆そうけん[送検]《名・他サ》〔法〕容疑者などを検察庁へ送ること。☞書類送検。

そうけん[創建]《名・他サ》〔仏〕はじめて建てること。「奈良時代の―と伝えられる」

そうけん[想見]《名・他サ》〔文〕想像してみること。

そうけん[総見]《名・他サ》〔文〕(ひいきの役者、興行などを)全員で見物すること。「場所前のけいこ―」

そうけん[壮健]《名・ナダ》〔文〕じょうぶであること。たっしゃ。「―なからだ」派ーさ。

そうけん[総研]造 ↑総合研究所。

そうげん[草原] ①広い くさはら。②〔地〕ステップ(steppe)など、おもに草でおおわれた土地。

ぞうげん[増減]《名・自他サ》ふえることと へること。ふやすことと へらすこと。ふえた量と へった量。 ●ぞうげんぜい[増減税] 増税と減税。

そうこ[倉庫] 貨物・品物を入れて しまっておく建物。くら。

そうこ[蒼古]〔文〕古くなって深みが感じられること。非常に古いこと。「―の時代にさかのぼる」

*そうご[相互] おたがい。「―関係」 ●そうごがいしゃ[相互会社]〔法〕〔株式でなく〕保険料をもとに経営する保険会社。保険契約者が社員にあたる。 ●そうごしゅぎ[相互主義] 二国間で、相手国が自国民に対して認める権利は、自国でも相手国民に対して認める主義。 ●そうごのりいれ[相互乗り入れ] ①〔鉄道などで〕別会社が たがいに相手の線路にはいって運転すること。②たがいに相手の設備・組織を利用すること。

**ぞうご**【造語】《名・自サ》①今まであることばを組み合わせて、新しい複合語をつくること。「―力・―法」②新しくつくったことば。●**ぞうごせいぶん**【造語成分】《言》ことばを作る部品(=成分)となることば。例、「放送衛星」をつくる「放送」「衛星」や、「放送」の「放」「送」、「お酒」「春めく」の「お」「めく」(特に接辞と言う)。☞付録 文法解説「造語成分」。

**そうこう**【壮行】〔文〕人の出発を大ぜいでさかんにはげまして祝うこと。「県大会出場選手の―会」

**そうこう**【草稿】〔文〕したがき。原稿。「―を清書する」

**そうこう**【操行】〔文〕ふだんのおこない。品行。

**そうこう**【×糟×糠】(=かすとぬか。そまつな食事のたとえ)●**そうこうのつま**【×糟×糠の妻】〔文〕いっしょにびんぼうや苦労をしてきた妻。由来「糟糠の妻は堂より下さず(=夫は、出世しても、糟糠の妻を家から追い出すべきでない)」という、中国の「後漢書」の文章から。

**そうこう**【霜降】《天》二十四節気の一つ。十月二十三日ごろ。

⇔**そうこう**【奏功】《名・自サ》〔文〕目的どおりなしとげること。功を奏すること。「作戦が―する」

→**そうこう**【奏効】《名・自サ》〔文〕ききめをあらわすこと。効を奏すること。「注射が―する」

**そうこう**【走行】《名・自他サ》〔車が〕走ること。「車道を―する・自力―・―距離」

**そうこう**【送稿】《名・自他サ》原稿を編集係や印刷所へ送ること。

**そうこう**【装甲】《名・自他サ》船体・車体に鋼鉄板をはること。「―車」

**そうこう**【倉皇・蒼×惶】《トタル》〔文〕あわただしいようす。「―として立ち去る」

**そうこう**《副・自サ》かれこれ。とやかく。「―するうちに」

**そうごう**【相好】①〔文〕顔つき。②《仏》仏のからだの特徴。三十二相八十種好。●**相好を崩す** 句〔文〕心からうれしくなって、にこにこする。

＊**そうごう**【総合・×綜合】《名・他サ》①すべてをまとめること。また、まとめたもの。「得点を―する・〔体操の〕個人―(=すべての種目をおこなうもの)」②いろいろのものごとをまとめて、ひとつの考えをみちびくこと。「目撃者の話を―する」(⇔分析)●**そうごうがくしゅう**【総合学習】〔学校教育で〕教科のわくをこえて総合的に学習を進めるカリキュラム。総合的な学習の時間。●**そうごうかくとうぎ**【総合格闘技】パンチやキックのほか、投げ技や固め技なども使える格闘技。●**そうごうがたせんばつ**【総合型選抜】書類審査や小論文・面接などで、その大学が求める能力や意欲を持つ人物を総合的に選考する方式。〔二〇二一年度から「AO入試」を改称〕●**そうごうげいじゅつ**【総合芸術】各種の芸術分野を組み合わせた芸術。映画・演劇など。●**そうごうざっし**【総合雑誌】広く各方面の評論や、中間読み物・創作などをのせる雑誌。●☆**そうごうしょく**【総合職】〔会社などで〕専門的な知識・技能を必要とする職種。昇進しやすいかわりに、転勤を条件とする場合が多い。(⇔一般職)●**そうごうだいがく**【総合大学】いくつかの学部からできている大学。(⇔単科大学)●**そうごうてき**【総合的】《ナダ》総合する(ことに関する)ようす。「―な観察」(⇔分析的)

**ぞうこう**【像高】仏像などの高さ。「―一・五メートル」

**そうこうげき**【総攻撃】《名・他サ》①全軍が一度にかかって行く攻撃。総がかり。②大ぜいで非難すること。「小さいミスに―を浴びる」

**そう・こう・しゅ**【走攻守】《野球》走ること・打って攻撃すること・守備をすること(の能力)。攻守走。「―の三拍子そろった選手」

**そうこく**【相克・相×剋】《名・自サ》〔文〕①たがいにかたきとして争うこと。②対立するものの間に起こる争い。「親子―の悲劇」

**そうこん**【草根】〔文〕草の根。●**そうこんもくひ**【草根木皮】〔文〕〔漢方医がくすりとして使う〕草の根や、木のかわ。そうこんぼくひ。

**そうこん**【早婚】《名・自サ》年の若いうちに結婚すること。(⇔晩婚)

☆**そうごん**【荘厳】▬《ナダ》とうとくておごそかなようす。「―な境内・カテドラルの―なミサ」派―さ。▬《名・他サ》《仏》⇨しょうごん。

**ぞうごん**【雑言】《名・自サ》〔文〕いろいろな、ひどいわるくち(を言うこと)。「悪口―」

**そうさ**【走査】《名・他サ》《理》画像を分析し電気信号に変え送ること。スキャン。「―線・―型電子顕微鏡」

**そうさ**【捜査】《名・他サ》《法》犯人をさがし、犯罪の事実を取り調べる手続き。「―機関」●**そうさせん**【捜査線】捜査の開始から事件の解明までの筋道。「―を張る・犯人が―上にうかぶ」

**そうさ**【操作】《名・他サ》①あやつって動かすこと。はたらかせること。「機械を―する」②(資金などを)やりくりすること。「予算の―」

**ぞうさ**【造作・雑作】①てま。めんどう。「何の―もないことだ」②《古風》もてなし。「ご―にあずかりまして」☞ぞうさく(造作)。●**ぞうさな・い**【造作ない】《形》《やや古風》たやすい。簡単だ。「造作なくわかる」

**そうさい**【葬祭】〔文〕葬式と、祖先の祭典。「―場・冠婚―」

**そうさい**【総裁】団体の〈かしら／代表者〉。「党の―・日銀―・名誉―・劇場―」

☆**そうさい**【相殺】《名・他サ》〈債権・債務を〉差し引きすること。

**そうざい**【総菜・×惣菜】おかず。副食。「お―料理」●**そうざいパン**【総菜パン】総菜を〈はさんだ／のせた〉パン。例、焼きそばパン。☞調理パン。

**そうさく**【捜索】《名・他サ》物や人をさがすこと。「―願い・家宅―」

**そうさく**【創作】《名・他サ》①〈はじめて／新しい発想で〉つくること。「―料理」②自分の思想にもとづいて〈作品をつくること／つくった作品〉。「―活動・―(=小説)家」③《俗》〈想像などでこしらえあげた〉うそ。「苦しまぎれに―した話」

**ぞうさく**【造作】▬《名・他サ》①家を建てること。②〔天井やゆかをはったり、しきいやかもいを取りつけたりして〕家の内部を仕上げること。▬①家の内部の付属物。たたみ・建具など。「〔貸家で〕ーあり」②〔俗〕目鼻立ち。「顔のー」☞ぞうさ（造作）。

**そうさくいん**［総索引］①全集などの全体にわたる、内容上の索引。②その文献にあらわれたすべてのことばの あり場所を〔文脈つきで〕しめした索引。コンコーダンス(concordance)。

**ぞうさつ**［増刷］《名・他サ》〈追加して／いつもより多く〉印刷すること。増し刷り。

**そうさな**《感》〔古風〕考えるときのことば。そうだなあ。そうさね。「ー、一時間ぐらいで着くだろう」

**そうざらい**［総×浚い］《名・他サ》①全部さらって、きれいにすること。②〔おどり・芝居などの〕仕上げの、練習。舞台げいこ。③全部を取りあげて、批評すること。そうまくり。そうざらえ。「ことしの珍談ー」

**そうざん**［早産］《名・自サ》《医》妊娠して、二十二週以降三十七週未満に生まれること。月足らず。「ー児」

**ぞうさん**［増産］《名・他サ》生産額をふやすこと。「食糧ー」（↔減産）

**そうし**［壮士］①〔文〕血気さかんな男。「決死のー！ーひとたび去って、また還らず〔荊軻の詩〕」②〔古風〕〔決まった職を持たず〕人にたのまれて、おどしや交渉などをする人。

**そうし**［宗師］武芸や芸術の第一人者として尊敬される人。

**そうし**［相思］〔文〕たがいに相手をこいしく思うこと。「ー相愛」

**そうし**［草姿］《園芸》草ぜんたいの見た目。「すっきりしたー」（↔花姿）

**そうし**［草紙・草子・双紙］昔の本の形に、とじたもの。とじ本。「絵ー」

**そうし**［×繰糸］《名・自サ》まゆから糸を引き出して、生糸を作ること。くりいと。

**そうし**［創始］《名・他サ》〔文〕はじめ（ること）。「ー者」

**そうし**［創×祀］《名・他サ》〔文〕神社をはじめて つくること。「伊勢神宮のー」

**そうじ**［送辞］①送別会などで、人を送り出すあいさつのことば。②卒業式で、在校生が卒業生を送るあいさつのことば。☞答辞。

**そうじ**［相似］《名・自サ・ダ》①〔文〕形や性質などが、たがいに にかようこと。「ー点」②《数》形がまったく同じで、大きさだけがちがうこと。「ー形」

**そうじ**［掃除］《名・他サ》①ごみ・よごれなどを取り除いて、きれいにすること。「部屋のー・ー機・耳ー・肉のー〔＝食べない部分を取り除くこと〕・おー」②社会の悪を取り除くこと。「政界をーする」

**ぞうし**［増資］《名・自サ》《経》資本金をふやすこと。（↔減資）

**ぞうじ**［造字］《名・他サ》〔文〕新しい字を作ること。また、その字。「ーの方法」

**そうしき**［葬式］死んだ人をほうむる儀式。葬儀。葬礼。「ーを出す・〔お〕ーに行く」●**そうしきぶっきょう**［葬式仏教］葬式の仕事しかしない仏教を批判して言うことば。

**そうじしょく**［総辞職］《名・自サ》①役職にあるものが、全員やめること。②総理大臣と、すべての国務大臣が同時にやめること。「内閣ー」

**そうした**《連体》そのような。そういった。「ー発言が出たのは残念だ」

**そうしたら**《接》①実際にそのように〈したら／なったら〉。「早く寝なさい。ー早起きできる」②すると。「窓を開けた。ー波の音が聞こえた」③そういう事情であれば。それならば。「電車は運休ですか。ータクシーで行きましょうか」▽そしたら。丁寧そうしましたら。

**そうしつ**［喪失］《名・自他サ》①失うこと。「自信をーする・電源がーする・ー感」②〈処女／童貞〉を失うこと。「ー体験」

**そうして**《接》そして。「きょうは大いに飲もう。ー語ろう」

**そうじて**［総じて］《副》おおよそ。いったい。一般に。「ー日本人は勤勉だ」

**そうじまい**［総仕舞い］《名・他サ》〔古風〕①全部おしまいにすること。「無いが意見のー〔＝遊びにふける人が受ける最後の意見は、お金がなくなることだ〕」②全部を買い切ること。「ーにする」

**そうしゃ**［壮者］〔文〕わかもの。「ーをしのぐ活躍」

**そうしゃ**［走者］①〔マラソンや駅伝などで〕走る人。「最終ー」②《野球》バッターが一塁に達してから〈アウトになる／ホームインする〉までの呼び名。▽ランナー。

**そうしゃ**［奏者］演奏する人。「オルガンー」

**そうしゃ**［操車］《名・自サ》〔文〕列車やバスの編成をすること。「ー場」

**そうしゃ**［掃射］《名・他サ》〔機関銃で〕なぎはらうように、左右に回しながらうつこと。「機銃ー」

**ぞうしゃ**［増車］《名・自他サ》〔文〕〔運行させる〕車の数〈をふやす／がふえる〉こと。（↔減車）

**そうしゅ**［双手］〔文〕両手。もろて。「ーを挙げて賛成する〔＝大賛成だ〕」

**そうしゅ**［宗主］〔文〕全体の おおもととして尊敬される、かしら。●**そうしゅこく**［宗主国］他国の内政・外交を支配する権限を持った国。

**そうしゅ**［×漕手］船をこぐ人。こぎて。（↔舵手）

**そうしゅ**［操守］〔文〕節操をかたく守ること。

**そうじゅ**［送受］《名・他サ》〔文〕送信と受信。送受信。「〔電話の〕ー器〔正式には、送受話器〕」●**そうじゅしん**［送受信］《名・他サ》〔通信における〕送信と受信。「メールのー」

**そうしゅう**［早秋］〔文〕秋の はじめ。九月ごろ。（↔晩秋）

**そうしゅう**［爽秋］〔文〕さわやかな秋。「ーの候」

**そうしゅう**［総集］《名・他サ》発表されたすべての作品、同類のすべてを集めること。●**そうしゅうへん**［総集編］ドラマなどのテレビ番組や、記事などを抜粋して編集し直したもの。「きのうの試合のーを見る」

**そうじゅう**［操縦］《名・他サ》①自分の思うとおりに乗り物や機械を動かすこと。「ー士〔＝パイロット〕」②自分の思うとおりに人を行動させること。●**そうじゅうかん**［操縦×桿］飛行機などの動きを制御するためのハンドル。「ーをにぎる・ーを置く〔＝パイロットをやめる〕」

**ぞうしゅう**［増収］《名・自サ》収入・収穫が ふえること。また、ふえた収入・収穫。（↔減収）

**ぞうしゅうわい**［贈収賄］わいろを贈ったり受け取ったりすること。
**そうじゅく**［早熟］《名・ナダ》①季節よりもはやく熟す〈こと／もの〉。(↕晩熟) ②年にくらべて はやく心身が発達すること。派ーさ。
**そうしゅつ**［×簇出］《名・自サ》〔文〕〔似たようなものが〕あちこちにあらわれること。ぞくしゅつ。「模倣作がーする」
**そうしゅつ**［送出］《名・他サ》〔文〕おくりだすこと。
☆☆**そうしゅつ**［創出］《名・他サ》〔文〕新しくつくりだすこと。「新しい文化のー・雇用のー〔＝就職の機会をつくりだすこと〕」「開拓団員のー・テロップをーする」
**そうじゅつ**［×槍術］やりを使う術。
**ぞうしゅつ**［造出］《名・他サ》〔文〕つくりだすこと。「たねなしスイカのー・需要をーする」
**そうしゅん**［早春］〔文〕春の はじめ。三月ごろ。(↕晩春)
**そうしょ**［双書・×叢書］同じ〈分野／テーマ〉の本を、同じ形・同じ装丁で出版するシリーズ。
**そうしょ**［草書］手書きで使う漢字の書体。かなりくずして、簡単な線で書く。(↕楷書・行書) 隷書から生まれたもの。楷書をくずしても、草書にはならない。
**ぞうしょ**［蔵書］《名・他サ》自分の本として持っていること。また、その本。蔵本。「ー家〔＝たくさん本を持っている人〕」
**そうしょう**［宗匠］和歌・俳句・茶道などの先生。
**そうしょう**［相称］一つの線または面で分けられ、その二つの部分が同じ形で つりあうこと。対称。シンメトリー。「左右ー」
**そうしょう**［創傷］〔文〕〔からだに受けた〕きず。
**そうしょう**［相承］《名・自サ》〔文〕つぎつぎに うけつぐこと。「父子ー」
**そうしょう**［創唱］《名・他サ》〔文〕①はじめて となえること。②はじめて歌うこと。
**そうしょう**［総称］《名・他サ》同じ種類のものをまとめて言う〈こと／呼び方や呼び名〉。
**そうじょう**［葬場］〔文〕葬式・告別式をする場所。葬儀場。
**そうじょう**［僧正］《仏》大僧正の次の階級(の人)。
**そうじょう**［層状］〔文〕層になって かさなった状態。
**そうじょう**［騒×擾］《名・自サ》〔文〕さわぎ。騒動。騒乱。
☆☆**そうじょう**［相乗］《名・自他サ》①《数》二つ以上の数をかけあわせること。②たがいに影響をあたえ合って、一つ一つの ききめを足した以上になること。「ー作用・ー効果」
**そうじょう**［奏上］《名・他サ》〔文〕①天皇・皇帝に申しあげること。上奏。「意見をーする」②神に申しあげること。「祝詞をーする」
**ぞうしょう**［蔵相］〔文〕大蔵大臣。〔現在の、財務相〕
**ぞうしょう**［増床］《名・自他サ》〔文〕①〔売り場などの〕床面積をふやすこと。②〔病院などの〕ベッドの数をふやすこと。▽(↕減床)
**ぞうしょう**［贈賞］《名・他サ》〔文〕賞をおくること。「文学賞ー式」
**そうしようるい**［双子葉類］《植》種から芽が出るときの最初の葉が、二枚である植物。双子葉植物。☞単子葉類。
**そうしょく**［僧職］僧としての仕事・身分。
**そうしょく**［草食］《名・自サ》①《動》くさを食べ物とすること。「ー動物」②〔俗〕恋愛に消極的で、おとなしいこと。「ー系・ー男子」〔二〇〇九年に広まった用法〕▽(↕肉食)
**そうしょく**［装飾］《名・他サ》かざること。かざり。「ー品」
**ぞうしょく**［増殖］《名・自他サ》ふえること。ふやすこと。「がん(癌)細胞のー」●**ぞうしょくろ**［増殖炉］《理》原子炉の一種。運転により、消費される核燃料よりも多くの核燃料を生産し、いつまでも運転を続けるという設計。☞高速増殖炉。
**そうしん**［痩身］〔文〕①やせた からだ。②〔ふとったからだを〕やせた からだにすること。「ー法」
**そうしん**［総身］〔文〕全身。そうみ。
**そうしん**［喪心・喪神］《名・自サ》〔文〕たましいがぬけたようになること。「ー状態」
**そうしん**［送信］《名・自他サ》無線通信やメールなどを送ること。「ー機」(↕受信)
**ぞうしん**［増進］《名・自他サ》〔能力などが〕前よりまして、いっそういい状態になること。また、そういう状態にすること。「学力ー・体力ー」(↕減退)
**そうしんぐ**［装身具］かざりのために からだにつけるもの。アクセサリー。
**そう・す**［奏す］《他五》〔文〕⇩奏する。「努力が功を奏さなかった」
**そうず**［挿図］〔文〕本文の間に入れた図面。さしえ。
**そうず**［△添△水］太い竹を切って横に置き、流れる水を受けた一方の はしがかたむいて水をこぼすと、反動で他方の はしが石をたたいて高い音を出すしかけ。ししおどし。

［そうず］

**そうず**［僧都］《仏》僧正の次の階級(の人)。
**そうすい**［総帥］〔文〕全体をまとめて ひきいる人。総大将。
**そうすい**［送水］《名・自サ》水道やポンプで、水を送ること。
**ぞうすい**［雑炊］ごはんと具をしるに入れて味をつけ、やわらかく煮たもの。おじや。「たまごー」
**ぞうすい**［増水］《名・自サ》みずかさが ますこと。(↕減水)
**そうすう**［総数］全体の かず。
**そうすかん**［総スカン］〔すかん＝好かん〕〔俗〕みんなから きらわれること。「ーを食う」
**そう・する**［奏する］《他サ》〔文〕①帝王に申し上げる。②演奏する。「音楽をー」③あらわす。「〈功／効〉をー」▽奏す。
**そう・する**［相する］《他サ》〔文〕うらなう。「地をー〔＝地相を見て、いい土地をえらぶ〕」
**そう・する**［草する］《他サ》〔文〕①文章の下書きを作る。②〔原稿を〕書く。「一文をー」

**ぞう・する**［蔵する］《他サ》〔文〕①〔家・倉庫に〕しまう。②中にふくむ。内容としてもっている。「重要な問題を蔵している」▽蔵す。

**そうすると**《接》そのようにすると。ということは。そうだとすると。すると。「声をかけてみる。―返事だけはする・―、景気の回復は まだ先でしょうか」丁寧 そうしますと。「五名様ですか。―、少々お待ちいただくことになりますが」

**そうせい**［創世］〔文〕世界の できはじめ。●**そうせいき**［創世記］《宗》旧約聖書の第一巻。世界創造の物語からヨセフの死までが書いてある。

**そうせい**［早世・早逝］《名・自サ》〔文〕若くして死ぬこと。若死に。早死に。

**そうせい**［×簇生・×叢生］《名・自サ》〔文〕むらがって〈はえる／生じる〉こと。群生。〔「簇生」を「ぞくせい」と読むのは慣用読み〕

↔**そうせい**［創生］《名・他サ》〔文〕新たに作り出すこと。生まれ変わらせること。「地域―」

↔**そうせい**［創成］《名・他サ》〔文〕はじめて〈つくる／できる〉こと。「経営学の―期」

→**そうせい**［創製］《名・他サ》〔文〕ものを、はじめて作り出すこと。「新薬の―」

**そうぜい**［総勢］全体の〈軍勢／人数〉。

**ぞうせい**［増勢］〔文〕ふえる〈勢い／形勢〉。

**ぞうせい**［造成］《名・他サ》つくりあげること。「宅地の―・―地〔＝宅地用に造成した土地〕」

**ぞうぜい**［増税］《名・自他サ》税の額をふやすこと。「消費―〔＝消費税の増税〕」（↔減税）

**そうせいじ**［双生児］〔文〕ふたご。

**そうせき**［僧籍］僧としての〈籍／身分〉。

**ぞうせき**［増席］《名・自他サ》〔文〕席をふやすこと。「飛行機のエコノミークラスを―する」

**そうせきうん**［層積雲］《天》低い空に あらわれる、灰色で むらのある雲。切れ間から青空が見える。うねぐも。

**そうせつ**［創設］《名・他サ》はじめて作ること。「大学を―する」

**そうせつ**［総説］《名・他サ》①全体にわたって ひととおり説く〈こと／説〉。総論。②［×綜説］〔おもに自然科学で〕ある題目についての、最近までの研究の様子を紹介する論文。展望。

**そうぜつ**［双絶］〔文〕ふたつとも、これ以上はないほどすぐれていること。「才色―」

☆☆**そうぜつ**［壮絶］《名・ダナ》①たたかい方が はげしいようす。いさましいようす。「―な死闘・―な闘病」②はげしさや、異常さが感じられて、おそろしいようす。凄絶。「―な暴力・台風の後の―な光景」〔おそくとも終戦直後からある用法〕③程度が ひどいようす。「―な方向音痴」派-さ。

**ぞうせつ**［造設］《名・他サ》①〔文〕設備を作ること。②《医》〔人工臓器などを〕体内にもうけること。「胃ろう（瘻）の―」

**ぞうせつ**［増設］《名・他サ》施設・設備などをふやして〈つくる／そなえつける〉こと。「―メモリー」

**そうせん**［操船］《名・他サ》船を操縦すること。

**そうぜん**［×蒼然］《トタル》〔＝色の あおいようす〕〔文〕①夕方の うすぐらい ようす。「暮色―」②古くなったようす。「古色―」

☆☆**そうぜん**［騒然］《トタル》①大ぜいの人が さわがしくするようす。「―として聞き取れない・話題―〔＝それを話のたねにして さわぐようす〕」②ざわめいて、何かが起こりそうに感じられるようす。「場内―となる」

**ぞうせん**［造船］《名・自サ》船を設計してつくること。「―会社」

**そうせんきょ**［総選挙］①《法》衆議院の解散または議員の任期の満了により、衆議院議員の全員を選挙し直すこと。☞通常選挙。②人気投票。「グルメ―」〔アイドルグループのＡＫＢ48のイベントから、特に二〇一〇年代に広まった用法〕

↔☆☆**そうそう**［草々・×匆々］《手紙》〔文〕終わりに書く、あいさつのことば。とりいそいで走り書きしました、の意味。〔初めが「前略」「冠省」などの場合に使う〕☞敬具。

↔**そうそう**［×匆々・×怱々］《名・副》〔文〕①あわただしいこと。☞烏兎匆々。②《手紙》⇩草々。

→**そうそう**［早々］《名・副》①急ぐようす。早いようす。「―に退散しよう・―の失点・―開門なされよ」②〔…して／…になって〕すぐに。「帰る―（に）・新年―」

**そうそう**［草創］〔文〕〔後世まで続く〕ものごとを始めること。「事業の―時代・―者」●**そうそうき**［草創期］①ものごとの始まりの時期。「テレビアニメの―」②《歴》縄文時代のうち、最も早い時期。〔以下、早期・前期・中期・後期・晩期と続く〕

**そうそう**［総奏］《音》⇩トゥッティ。

**そうそう**［葬送・送葬］《名・他サ》〔文〕葬式のときの見送り。遺体につきそって人々が進むこと。「―行進曲」

**そうそう**［〈×淙々〉］《トタル》〔文〕水が音をたてて流れるようす。

☆☆**そうそう**［〈×錚々〉］《トタル》〔文〕すぐれたようす。りっぱ。一流。「―たる連中」

**そうそう** ㊀そうそう《副》〔後ろに否定が来る〕そんなに〔いつも／いつまでも〕。「―ほめてばかり いられない・タレントと話す機会なんて―〔＝めったに〕ない」㊁そうそう《感》〔話〕①うなずくときのことば。「―、それでいい」②思い出したときに言うことば。「―、忘れていた」

**そうぞう**［創造］《名・他サ》①はじめて つくること。「天地―」②自分の考えで新しくつくり出すこと。「―性を養う」（↔模倣）

***そうぞう**［想像］《名・他サ》〔手がかりによって〕自分の〈知らない／経験しない〉ものごとを思いうかべること。「さし絵からストーリーを―する・―を絶する〔＝想像できないほどの〕被害・ご―にお任せします〔答えをはぐらかすときに使う〕」●**そうぞうにんしん**［想像妊娠］《医》妊娠したと思いこんだために、実際に妊娠の兆候が現れること。偽妊娠。妄想妊娠。

**そうぞうし・い**［騒々しい］《形》〈いろいろの音や声がして／事件が起こって〉、あたりが おちつかない ようすだ。派-げ。-さ。

**そうそく**［総則］全体について大きく決めた法則。（↔細則）

**そうそく**［相即］《名・自サ》〔文〕二つのものごとが密接に関係すること。●**そうそくふり**［相即不離］〔文〕二つの ものごとが、一つにとけあい、切りはなせないこと。

**そうぞく**[争続]〔「相続」の もじり〕〔俗〕遺産などの相続にまつわる争い。「―になる・―を防ぐ」

**そうぞく**[僧俗]〔文〕僧侶と俗世間の人々。「寺の復興は―一同の願いだ」

**そうぞく**[相続]《名・他サ》家督・遺産を受けつぐこと。あとつぎ。「―人(=遺産を相続する人。(↕被相続人))」 ●**そうぞくぜい**[相続税]《法》財産を相続した人が国におさめる税金。

**そうそつ**[倉卒・×怱卒]〔文〕あわただしいこと。「―の間」

**そうそふ**[曽祖父]〔文〕(自分の)祖父・祖母の父。ひい(お)じいさん。(↕曽祖母)

**そうそぼ**[曽祖母]〔文〕(自分の)祖父・祖母の母。ひい(お)ばあさん。(↕曽祖父)

**そうそん**[曽孫]〔文〕ひまご。ひいまご。ひこ。

**そうだ**[操×舵]《名・自サ》〔文〕船・自動車などの〈かじ/ハンドル〉を取ること。操縦。「―不能・―性のよい車」

****そう・だ**《助動ナダ型》①〔用言の終止形＋**―**〕〔伝聞の助動詞〕人から聞いた、ということをあらわすことば。…ということだ。「ある―・しかられた―・おもしろい―・あたたかだ―」 ②〔動詞の連用形、形容詞の語幹、形容動詞の語幹＋**―**〕〔様態の助動詞〕…という事実がある、…という結果になる、と思われるようすだ。「何かあり―・しかられ―・おもしろ―・あたたか―・変わらな―(=変わりそうにない)」 [丁寧]そうです。 ✓(1)形容詞「ない」「よい」に続くときは語幹に「さ」をつける。「変化はなさ―」。ただし、助動詞「ない」や、ズヌ活用・セズセヌ活用の形容詞に続くときには その必要はない。「だれも知らな―・くだらな―」 (2)「うれしそう〔様態〕」「人気だそう〔伝聞〕」などの言い方は語幹用法で、会話ややわらかい文章で使う(「うれしそうね〔女〕」なども)。「静かだ」「うそのようだ」に語幹用法「静か」「うそのよう」があるのと同様。 [区別]「この井戸は深そうだ〔様態〕」は、判断材料がある場合にも、単に直感的に思った場合にも言う。「この井戸は深いようだ〔推定〕」は、石を投げ入れてみたりして、少しは判断材料がある場合に言う。また、「コップが落ちそうだ」のように、そうなりかかっている場合には「ようだ」は使えず、「さいふを落としたようだ」のようにすんだことには「そうだ」は使えない。☞そうな。

**そうたい**[相対]〔文〕ほかのものとくらべて考えたときにだけ当てはまること。(↕絶対)。☞あいたい(相対)。 ●**そうたいか**[相対化]《名・他サ》あるものを、ほかのものと くらべてみて、特徴やよしあしなどを客観的に とらえること。「海外に住むことで日本という国を―できた」(↕絶対化) ●**そうたいせいりろん**[相対性理論]《理》時間は単独で存在するのではなく、重力や速さによって変動するという理論。特殊相対性理論と一般相対性理論がある。 ●☆☆**そうたいてき**[相対的]《ナダ》 ほかのものと関係させ、またはくらべた上で、そのものが考えられるようす。「―に見る」(↕絶対的) ●**そうたいひょうか**[相対評価]〔教育で〕児童・生徒の成績を同じ学級や学年のなかでくらべて評価する方法。(↕絶対評価)

**そうたい**[総体] 一 ①全体。②↑総合体育大会。「高校―(=インターハイ)」 二《副》 だいたいにおいて。「―に好成績だった」

**そうたい**[早退]《名・自サ》〔学校・勤め先などからの〕はやびけ。

**そうだい**[総代] 同じ関係の人々を代表する人。「卒業生―」

**そうだい**[壮大]《ナダ》 規模が大きくてりっぱなようす。「―なながめ」 [派]-さ。

**ぞうだい**[増大]《名・自他サ》 ふえて大きくなること。ふやして大きくすること。「需要の―・九月―号」(↕減少)

**ぞうだい**[増台]《名・他サ》〔タクシーやパチンコなどの〕台数をふやすこと。

**そうだか**[総高] 全体の額や量。総額。総量。

**そうだち**[総立ち] 全部の人が立ち上がること。「場内―となった」

**そうたつ**[送達]《名・他サ》〔文〕〔文書などを〕送り届けること。「督促状を―する」

**そうだつ**[争奪]《名・他サ》 あらそってうばうこと。「利権を―する・人材の―戦・○○杯―野球大会」

**そうたん**[操短]《名・自サ》↑操業短縮。

**そうだん**[僧団]《宗》(特別の修行をする)僧の団体。

****そうだん**[相談]《名・他サ》①(何かを決めるために)話し合うこと。「友だちと―する・値段はご―に応じます・―ずくで(=相談ができた上で)事を運ぶ」 ②どうするのがいいか、意見を聞くこと。「先生に―する・身の上―」▽「―相手・―事」 ③考えあわせること。「さいふと―してみる・体調と―しながら運動する」 ●**そうだんやく**[相談役] ①相談事の相手になる人。②会社などで、経営上の問題について助言などをする役(の人)。 ●**相談に乗る**[句] 相談の相手になる。

**ぞうたん**[増反]《名・自他サ》《農》耕作する面積をふやすこと。(↕減反)

**そうち**[草地]《農》牧草の はえている土地。牧草地。「―改良・―造成」

**そうち**[送致]《名・他サ》《法》〔書類や被告人などを〕送り届けること。「家裁へ―する」

**そうち**[装置]《名・他サ》①目的のために はたらくしかけ(をすること)。「安全―・入力―・集客の―となるイベント・非常ベルを―する」 ②↑舞台装置。

**ぞうちく**[増築]《名・他サ》〔建物の〕建てまし(をすること)。(↕減築)

**そうちゃく**[早着]《名・自サ》〔列車・飛行機などが〕予定より早く到着すること。(↕延着)

**そうちゃく**[装着]《名・他サ》〔文〕器具などを取りつけること。「チェーンの車」(↕脱却)

**そうちょう**[早朝] 朝の はやいうち。

**そうちょう**[曹長]《軍》①旧陸軍の下士官で、いちばん上の階級。軍曹の上。 ②自衛官の階級の一つ。陸曹・海曹・空曹の長。

**そうちょう**[総長] ①全体を管理する長。「事務―」 ②総合大学の学長。 ③暴力団や暴走族のリーダー。

☆☆**そうちょう**[荘重]《ナダ》おごそかで おもおもしいようす。「―な調べ・―な声」 [派]-さ。

**ぞうちょう**[増長] 一《名・自他サ》 程度がだんだんひどくなる(ようにする)こと。「わがままが―する・不安を―する」 二《名・自サ》つけ上がって自分をえらいと思うこと。「おだてられて―する」

**ぞうちょう**【増徴】《名・他サ》《法》税金などを今までより多く取り立てること。

**そうっと**《副・他サ》「そっと」を強めた言い方。

**そうで**【総出】全員が出ること。「家じゅう―でむかえる・住民―でそうじする」

**そうてい**【壮丁】〔文〕成年に達した、一人前の男。

**そうてい**【送呈】《名・他サ》〔文〕人にものを送り届けて、さしあげること。「資料―」

**そうてい**【装丁・装×釘・装×幀】《名・他サ》①書物をとじて表紙をつけること。装本。②書物の表紙や見返しなどの外観のくふう。

**そうてい**【想定】《名・他サ》かりにこうであると〈考える／決める〉こと。「大地震を―して訓練する・―問答」●**そうていがい**【想定外】想定の範囲をこえていること。「―の事故」(↔想定内)

**ぞうてい**【増訂】《名・他サ》本の内容をおぎない、誤りを正すこと。補訂。

**ぞうてい**【贈呈】《名・他サ》人にものをさしあげること。「記念品―」

**そうですね**《感》〔話〕①相手に賛成するときに言うことば。「『そろそろ行きませんか』『―』」②答えをさがしたり、少し考えたりするときに言うことば。「『試験はどうだった？』『―、ちょっとむずかしかったです』・今を去ること、―、十七、八年前でしょうか」▽〔くだけて〕そう(だ)ね。

**そうてん**【争点】あらそいの〈起きる〉主眼点。論争点。

**そうてん**【×蒼天】〔文〕①青空。②青い夜空。「―の星」

**そうてん**【総点】得点の総計。全部の点数。

**そうてん**【装塡】《名・他サ》〔文〕つめこむこと。「弾丸を―する」

**そうでん**【桑田】〔文〕くわばたけ。「滄海変じて―となる〔⇩「滄海」の句〕」

**そうでん**【送電】《名・自サ》電線で電流を送ること。「―線」(↔受電)

**そうでん**【相伝】《名・他サ》代々受け伝えること。「父子―」

**そうと**【壮図】〔文〕雄大な計画。

**そうと**【壮途】〔文〕意義のある、規模の大きな旅行(の出発)。「―に就く」

**そうと**【僧徒】〔文〕僧(のなかま)。

**そうとう**【双頭】〔文〕①二つのあたま。両頭。「―の鷲の紋章」②ふたりの代表者。「―体制」

**そうとう**【争闘】《名・自サ》〔文〕あらそい。

**そうとう** 一 **そうとう**【相当】《名・自サ》①あてはまること。あたること。「自衛隊の一佐は陸軍の大佐に―する」②つりあうこと。「体力に―した運動」 二 **そうとう**【相当】《ナダ》《法》ふさわしいようす。妥当。「無罪が―である」 三 **そうとう**【相当】《副・ダ》〔どのくらいとは言えないが、推測して〕程度が大きいようす。「―あせっているな・―売れていますよ・〔おどろいて〕いや、―なもんだ」区別⇩大変 二。 四 **そうとう**【相当】造 …ぐらい。「五千円―の品」

**そうとう**【想到】《名・自サ》〔文〕考えが、そこまで行きつくこと。

**そうとう**【総統】《名・自サ》①すべてを統治する〈こと／人〉。②台湾や、もとのナチス ドイツなどの最高指導者。「蔣介石―・ヒトラー―」

**そうとう**【掃討・掃×蕩】《名・他サ》〔文〕武力などで、悪者をその場所からいなくすること。「敵を―する」

**そうどう**【双胴】〔文〕船などの胴体が二つある状態。「―機・―船・―フェリー」

**そうどう**【草堂】〔文〕①〔草ぶきの〕そまつな家。②「自分の家」の謙譲語。

**そうどう**【僧堂】①《仏》僧が座禅、また睡眠や食事をする堂。②〔文〕僧院。

**そうどう**【騒動】《名・自サ》①さわぎたてること。②事変や事件(が起こること)。「米―」③あらそい。「お家―」

**ぞうとう**【贈答】《名・他サ》おくりものなどのやりとりをすること。「―品」

**そうどういん**【総動員】《名・他サ》全員を〈動員する／そのことに当たらせる〉こと。

**そうとく**【総督】〔植民地などで〕政治や軍事を監督する〈こと／職〉。

**ぞうとく**【蔵匿】《名・他サ》《法》〔犯人や容疑者などを〕かくれる場所をあたえて、見つからないようにすること。「犯人―罪」☞隠避。

**そうとっかえ**【総取っ替え】《名・他サ》ぜんぶ取り替えること。総取り替え。「設備を―する」

**そうどり**【総取り】《名・他サ》①全部とること。「ほしいものを―する」②〔選挙で〕その地区で一位の党や人が、全有効票を自分のものにすること。「―方式」

**そうトンすう**【総トン数】船の内部の体積をトン数であらわしたもの。☞排水トン数。

**そうな**◇〔古風〕助動詞「そうだ」の終止形。…ということだ。…とさ。〔昔話・うわさ話などで使う〕「元気な子が生まれた―」

**そうなめ**【総なめ・総ナメ】《名・他サ》〔↑総舐め〕①全部をかたはしから〈おそう／負かす〉こと。「台風が日本列島を―にする・強豪を―にした」②〔俗〕全部、獲得すること。「映画賞を―にする」

**そうなん**【遭難】《名・自サ》山・海などで、生命の危険にさらされること。「―者(=遭難し〈た／て死んだ〉人)」

**そうなんだ**《感》〔話〕おどろき・不満などを、ひとりごとのように言う、あいづちのことば。「『このあと予定があるんだ』『ふうん、―(あ)』」☞そうなんですね。

**そうなんですね**《感》〔話〕おどろき・共感などを、ていねいに、当たりさわりがないように示す、あいづちのことば。「『試験に二回落ちました』『―』」〔一九九〇年代に例があり、二十一世紀に広まった。従来の「そう(なん)ですか」のほうが、おどろき・問いかけの感じが強い〕

**ぞうに**【雑煮】野菜・肉類などとともにもちを入れた汁。すまし汁のほか、みそ仕立てもある。正月に食べる。「―を祝う・お―」

**そうにゅう**【挿入】《名・他サ》さし入れること。さしこむこと。「あいだに―する」

**そうにょう**【走×繞】漢字の部首の一つ。「起」「超」などの「走」の部分。

**そうねん**【壮年】青年と老年の間の、働きざかりの年ごろ。〔多く男性を言い、広くは男女をふくむ〕「―体力テスト」(↔少年・青年・老年)☞中年。

**そうねん**【早年】〔文〕〔そうなるには〕まだ若い年代。

「―での出向や転籍(てんせき)」

**そうねん**[想念]〔文〕心にうかぶ考え。

**そうは**[争覇]《名・自サ》〔文〕優勝をあらそうこと。「―戦」

**そうは**[走破]《名・他サ》〔文〕〔長距離(ちょうきょり)を〕走りとおすこと。「二万キロを―する」

**そうは**[×掻×爬]《名・他サ》〔医〕からだの中のいらない組織を取り出すこと。「―手術」

**そうば**[相場]①《経》〔取引所で〕株式・商品・通貨などの価格(の上がり下がり)を利用しておこなう取引。②一般(いっぱん)的な値段・金額。「三千円ぐらいが―だ。―賃金(＝そのときの、世間なみの賃金)」③一般的な評価や考え。「かつては男の職場と―が決まっていた」☞通り相場。

**ぞうは**[増派]《名・他サ》〔文〕人数をふやして派遣(はけん)すること。

**そうばい**[層倍] 接尾 倍。「何―も・薬(くすり)九(く)―(⇩「薬」の 句 )」

**ぞうはい**[増配]《名・自他サ》配当・配給量などをふやすこと。(↔減配)

**ぞうばい**[増売]《名・他サ》これまで以上に多く売ること。売り上げを増やすこと。「―を図(はか)る・―増収」〔出版・観光業界でよく使われる〕

**そうはいでん**[送配電]《名・他サ》〔電力の〕送電と配電。☞発送電。

**そうはく**[×糟×粕]〔文〕①〔酒の〕かす。②栄養や味のない、残りもの。●**糟粕をなめる** 句 〔文〕人のしたことの形だけをまねる。「古人の―」

**そうはく**[×蒼白]《ナダ》〔文〕①あおじろいようす。②血色の悪いようす。「顔面―になる」

**そうはつ**[双発] 二つで ひとそろいの発動機(を持つ飛行機)。「―機」(↔単発)

**そうはつ**[総髪] かみの毛全体をのばして、うしろでたばねるもの。そうがみ。

**そうはつ**[早発]《名・自サ》①〔文〕早く出発すること。②《医》ふつうより早く、その状態が生じること。「―月経・―閉経」▽(↔遅発(ちはつ))

**そうはつ**[創発]《名・他サ》いくつかのものを組み合わせ、おたがいに作用させて、新しいものを作り出すこと。「―的研究・価値を―する」

**ぞうはつ**[増発]《名・他サ》①発車の回数をふやすこと。「臨時電車の―」②《経》紙幣(しへい)・公債(こうさい)の発行量をふやすこと。「日銀券の―」

**そうばな**[総花]①一同に出す祝儀(しゅうぎ)。②関係者全部に利益をあたえること。「―予算・―式に配分」③〔内容が〕広くて浅く、無難なこと。「―的な展示」

**そうはん**[相反]《名・自サ》〔文〕たがいに反対の関係にあること。「―関係」☞相(あい)反する。

**そうばん**[早晩]《副》そのうち いつか。「―実現しよう」

**ぞうはん**[造反]《名・自サ》〔もと中国語〕反乱を起こすこと。体制への批判行動。「―有理(＝反逆には道理がある。毛沢東(もうたくとう)のことば)・採決で―した議員」

**ぞうはん**[増版]《名・他サ》①同じ本の出版回数をふやすこと。増刷。②同じCDやレコードなどの製作回数をふやすこと。

**そうび**[×薔×薇]〔文〕ばら。うばら。しょうび。

**そうび**[装備]《名・他サ》①必要な用具を身につけること。また、その用具。「完全―で登山する・重―」②武器・器具・付属品などを取りつけること。また、取りつけたもの。「標準―」③〔自衛隊で〕外国の軍備に相当するもの。「―品(＝外国の兵器に相当するもの)」

**ぞうび**[増備]《名・他サ》〔文〕設備や備品をふやすこと。「燃料タンクを―する」

**ぞうひびょう**[象皮病]《医》熱帯地方に多い病気。皮膚(ひふ)が厚くなり、足・いんのう(陰嚢)などがふくれる。フィラリア病。

**そうひょう**[総評]《名・他サ》総まとめの批評(をすること)。

**そうびょう**[宗×廟]〔文〕祖先〔特に君主の祖先〕をまつってあるところ。

**そうびょう**[×躁病]《医》躁うつ病のうち、気分がさわやかになって興奮する状態。(↔うつ(鬱)病)

**ぞうひょう**[雑兵]①身分の低い兵卒。②〔俗〕地位の低い部下。じんがさ。

**そうひん**[送品]《名・他サ》〔文〕品物を送ること。「―の手数料」

**ぞうびん**[増便]《名・自他サ》船・飛行機・自動車などの定期便の回数〈をふやす／が ふえる〉こと。(↔減便)

**そうふ**[総譜]①《音》合奏するすべての楽器の譜を一つにまとめた〔指揮者用の〕楽譜(がくふ)。(フル)スコア。②《碁》勝負の はじめから終わりまでがわかるようにしめした、棋譜(きふ)。

**そうふ**[送付・送附]《名・他サ》〔文〕〔書類などを〕送り届けること。「合格通知を―する」

**そうぶ**[創部]《名・他サ》はじめて部をつくること。部の創立。

**ぞうふ**[臓×腑]〔＝五臓六腑(ごぞうろっぷ)〕はらわた。内臓。「―をえぐられる思い」

**そうふう**[送風]《名・自サ》風を起こして送ること。「―機」

**そうふく**[双幅] 二つで ひと組みになっている かけじく。

**そうふく**[僧服]《宗》キリスト教の僧が着る衣服。

**ぞうふく**[増幅]《名・自他サ》①電流の振幅(しんぷく)を強めて、よく聞こえるようにすること。「―器」②〔話の内容や、ものごとの状態が〕拡大されること。「被害(ひがい)の様子が―されて伝わる」

**ぞうぶつ**[×贓物]《法》盗品(とうひん)・だまして得た品などをさす、以前の言い方。贓品(ぞうひん)。ぞうもつ。「―故買」

**ぞうぶつしゅ**[造物主]〔文〕天地の間にあるすべてのものをつくったという神。造物者。

**ぞうぶん**[増分]①〔文〕ふえた分量。②《数》変数がとる二つの値(あたい)の差。

**そうへい**[僧兵] 昔、戦闘(せんとう)に従事した、寺の僧。

**ぞうへい**[造幣]〔文〕貨幣をつくること。「―局(＝硬貨(こうか)などをつくる独立行政法人)」

**ぞうへい**[増兵]《名・自他サ》〔文〕兵士の数をふやすこと。

☆☆**そうへき**[双璧]〔＝一対(いっつい)の穴のあいた玉(ぎょく)〕好一対のすぐれた〈もの／人〉。

**そうべつ**[送別]《名・他サ》別れて行く人を送ること。「―会」(↔留別)

**そうべつ**【層別】〘名・他サ〙〔調査や販売の対象となる〕全体を、ほぼ同じ性質の集団に分けること。「―に調査する」

**そうほ**【相補】〔文〕たりないところをおたがいにおぎなうこと。「―関係にある・―的」

**ぞうほ**【増補】〘名・他サ〙ふやして おぎなうこと。「改訂―版」

**ぞうぼ**【増募】〘名・他サ〙〔文〕定員をふやして募集すること。

**そうほう**【双方】両方。「当事者―の主張」

**そうほう**【走法】〔文〕走り方。

**そうほう**【奏法】〔文〕演奏のしかた。「ピアノの―」

**そうぼう**【双×眸】〔文〕両方の ひとみ。

**そうぼう**【×怱忙】〔文〕いそがしくて おちつかないこと。「―の間」

**そうぼう**【相貌】〔文〕①顔つき。「死人のような―・異様な―」②ありさま。「末期的―」

**そうぼう**【僧坊・僧房】〘仏〙寺で、僧が ふだん住む所。

**そうぼう**【×蒼×茫】〘トタル〙〔文〕〈はっきりせず/青々として〉広いようす。

**そうぼうきん**【僧帽筋】〘生〙両肩から背骨の下部にまで広がる、大きな三角形の筋肉。肩甲骨を動かす。由来 修道僧の かぶるフードの形に似るから。

**そうほうこう**【双方向】一方的ではなく、相手がわからも〈はたらきかけができる/反応が得られる〉こと。〔テレビ放送で、視聴者が電話で回答するなど〕「―テレビ・―番組・―CM」

**そうぼうべん**【僧帽弁】〘生〙心臓の左がわの心房と心室を仕切る弁膜。心臓弁膜症の多くはこの弁に起こる。由来 カトリック教会の司教が かぶる、前後が山の形になった冠に似るから。

**そうほん**【草本】〘植〙くさ。くきが木のようには かたくならない植物の総称。「―類・一年生―」(↔木本)

**そうほん**【送本】〘名・自サ〙書物を送ること。

**ぞうほん**【蔵本】〔文〕蔵書。

**ぞうほん**【造本】〘名・自サ〙割り付け・装丁・製本などをふくむ、本のつくり方。

**そうほんけ**【総本家】多くの分家が分かれ出た おおもとの家。

**そうほんざん**【総本山】①〘仏〙その宗派の各本山をまとめる、いちばん上のお寺。☞大本山。②全体をまとめる存在。中心となる存在。「カトリックの―、ローマ法王庁・オペラの―の劇場」

**そうまくり**【総まくり】〘名・他サ〙全部を、とことん〈批評/紹介〉しまくること。「新作映画―」

☆☆**そうまとう**【走馬灯】回転するにつれて影絵が回って見える灯籠。回りどうろう。「思い出が―のように〈=次から次へと〉頭をめぐる」

**そうみ**【総身】からだじゅう。全身。「大男、―に知恵が回りかね」

**そうむ**【双務】〘法〙契約の当事者どうしが、おたがいに義務を負担すること。「―契約」(↔片務)

**そうむ**【総務】全体の事務をしめくくる〈こと/人〉。「―部長・―課」●**そうむしょう**【総務省】〘法〙行政制度・地方自治・電気通信・郵政などの事務をあつかう中央官庁。〔もと総務庁・自治省・郵政省〕●**そうむしょう**【総務相】〔文〕総務大臣。

**ぞうむし**【象虫】ゾウの鼻のように長くのびた管をもつ、小さな甲虫。

**そうめい**【×聡明】〘ナダ〙理解が早く、判断力が するどいようす。かしこい。英明。「―な人」派―さ。

**そうめいきょく**【奏鳴曲】〘音〙⇒ソナタ。

**そうめつ**【掃滅】〘名・他サ〙〔文〕すっかりほろぼしてしまうこと。

**そうめん**【△素麺】・【△索麺】(↑索麺)めん類の一つ。こねた小麦粉を、糸のように細くのばして作る。ソーメン。「小豆島―・お―・―チャンプルー」☞ひやむぎ。

**そうもう**【草×莽】〈=草むら〉〔文〕民間。「―の臣〈=在野の人。民間人〉」

**ぞうもう**【増毛】〘名・自他サ〙自分のかみの毛に人工の毛をたくさん結びつけたりして かみの毛をふやすこと。

**そうもく**【草木】〔文〕草と木。植物。「山川―」

**ぞうもつ**【臓物】さかな・鳥・牛・ブタなどの内臓。もつ。

**そうもん**【相聞】人を恋いしたう気持ちを歌った和歌〈をおさめた、『万葉集』の部立て〉。「―歌〈=相聞の部の和歌〉」

**そうもん**【僧門】僧〈の身分〉。「―にはいる」

**そうもん**【総門】大きな寺などの、最初にくぐる正門。

**そうやく**【創薬】〘名・他サ〙〔文〕新しい薬を作ること。「―の研究」

**そうゆ**【送油】〘名・自サ〙〔パイプを通して〕原油などを送ること。「―管」

**そうゆう**【曽遊】〘名・自サ〙〔文〕以前に一度〈来た/行った〉ことがあること。「―の地」

**ぞうよ**【贈与】〘名・他サ〙〔ただで〕相手にあげること。●**ぞうよぜい**【贈与税】〘法〙贈与によって財産を手に入れた人が国におさめる税金。

**そうよう**【×掻×痒】〔文〕かゆいこと。「―感」☞隔靴掻痒。

**そうよう**【装用】〘名・他サ〙〔文〕補助器具を、からだにつけて使うこと。「コンタクトレンズを―する」

→**そうらん**【争乱】〔文〕敵・味方に分かれて あらそい、社会がみだれること。「戦国時代の―」

→**そうらん**【騒乱】〔文〕さわぎ〈みだれること〉。騒動。そうじょう〈騒擾〉。「―罪〈=多くの者が集まって乱暴をはたらき、その地方の平和をみだす罪〉」

**そうらん**【総覧・×綜覧】〔文〕一〘名・他サ〙残らず見ること。二関係のあるものを見やすく、一つに集めた〈もの/本〉。

**そうらん**【総×攬】〘名・他サ〙〔文〕〔権力などを〕自分の手ににぎって、おさめること。

**そうり**【総理】〘名・他サ〙①〔文〕全体をまとめて管理する〈こと/人〉。②↑総理大臣。〔呼びかけや、直接名前につけても使う。「田中―」☞大臣①〕③その社会でいちばん影響力のある人。「財界―」●**そうりだいじん**【総理大臣】↑内閣総理大臣。

**ぞうり**【草履】①わらなどを編んで作った はきもの。②コルクなどを芯に使い、革やビニールを表にはった、外出用のはきもの。●**ぞうりとり**【草履取り】昔、武家の主人につかえ、主人の はきものを持って供をした下男。●ぞうりむし【(草履虫)】「ぞうり①」のような形をした単細胞の原生動物。

**そうりつ**【創立】《名・他サ》はじめて つくること。「―十周年」

**そうりゅう**【創流】《名・他サ》〔文〕はじめて その流派をつくること。

**ぞうりゅう**【造立】《名・他サ》〔文〕寺院や仏像などをつくること。ぞうりつ。

**そうりょ**【僧侶】①僧。僧職。坊さん。沙門。②カトリックの僧。

**そうりょう**【送料】品物を郵便などで送るときの料金。送り賃。

**そうりょう**【総量】全体の〈分量/重量〉。

**そうりょう**【総領・×惣領】①〈あとつぎとなる〉長男。「―の甚六」②最初にうまれた子。「―むすめ」③最初。「―弟子」

**そうりょう**【爽涼】《名・ナダ》〔文〕さわやかで すずしいようす。清涼。「―の秋」派―さ。

**ぞうりょう**【増量】《名・自他サ》①分量〈が ふえる/をふやす〉こと。②体重をふやすこと。▽(↔減量)

**そうりょうじ**【総領事】〔法〕いちばん上級の領事。「―館」

**そうりょく**【走力】〔文〕走る〈力/能力〉。

**そうりょく**【総力】持っている すべての力。あらゆる面の力。「―をあげる」

**ぞうりょく**【増力】《名・他サ》電波などの出力をふやすこと。「―放送」(↔減力)

**そうりん**【×叢林】〔文〕木が すきまもないほど はえている、はやし。「―地帯」

**ぞうりん**【造林】《名・自サ》〔農〕苗木を植えて、森林をつくること。

**ソウル**【soul】①たましい。②〔音〕↑ソウル ミュージック。●**ソウル フード**【soul food】①アメリカの南部で生まれた、アフリカ系アメリカ人独特の料理。②その地域で特に親しまれている料理。「たこ焼きは大阪の―と言われる」●**ソウルフル**《ナダ》【soulful】たましいのこもったようす。「―な歌声」●**ソウルミュージック**【soul music】〔音〕ブルースをもとにした、アフリカ系アメリカ人の音楽。ソウル。

**そうるい**【(藻)類】〔生〕光合成をおこない、おもに水中で生きる原生生物の総称。〔植物には ふくまれない〕

**そうるい**【走塁】《名・自サ》〔野球〕ランナーが次の塁へ走ること。

**そうれい**【早冷】〔天〕夏の終わりごろ、ふつうの年よりもはやく すずしくなること。「―予報」

**そうれい**【葬礼】〔文〕葬式。

**そうれい**【壮麗】《ナダ》〔文〕規模が大きくて美しいようす。「―な宮殿」派―さ。

**そうれつ**【葬列】葬式の行列。

**そうれつ**【壮烈】《ナダ》〔文〕きわめて はげしく、勇ましいようす。「―な戦い・―な最期」派―さ。

**そうろ**【走路】〔文〕競技者が走るみち。コース。レーン。

**そうろう**【早老】〔文〕実際の年よりもはやく〈おとろえる/ふける〉こと。

**そうろう**【早漏】〔医〕性交のさい、射精がはやく起こりすぎること。(↔遅漏)

**そうろう**【(候)】〔古風〕〔古い手紙・芝居などで使うことば。「さうらふ」の変化で、口語形は「そうろう」となるはずだが、近世までの発音が残り「そうらう」の形で使う。終止形・連体形しかない。ただし、語幹を「そうら」として他の活用形も使う。例、「そうらわず(=おりません)」〕㊀《自四》います。あります。「ここに―」㊁《補動四》ていねいの気持ちをそえる言い方。①〔て―〕います。あります。「参って―・酔って―」②〔助動詞的に〕ます。「参り―・売り切れ申し―(=売り切れました)」③〔助動詞的に〕〔…で〕ございます。「手おくれで―・学者でございの、博士で―のと いばっている・つまらぬことに―(=つまらぬことです)」☞御座候。●**そうろうぶん**【候文】文の終わりを「候」でとめる、文語(の手紙)文。

**そうろう**【×蹌×踉】《タル》〔文〕足どりの たよりないようす。よろよろ。「―として出て行った」

**そうろう**【層楼】接尾〔文〕…階だて。「五―」

☆☆**そうろん**【総論】全体に〈通じる/関する〉論。「―賛成、各論反対(=趣旨には賛成だが、自分のことについては いやだ)」(↔各論)

**そうろん**【争論】《名・自サ》〔文〕言いあらそい。

**そうわ**【挿話】〔文〕エピソード。「―をまじえる」

**そうわ**【総和】《名・他サ》〔文〕全体をあわせること。また、その数。総計。

**そうわ**【送話】《名・自サ》電話で先方へ話を送ること。「―口」(↔受話)

**ぞうわい**【贈賄】《名・自サ》わいろをおくること。「―罪」(↔収賄)

**そうわく**【総枠】全体の数字が、これより大きくなってはならないという わく。「予算の―」

**ぞうわく**【増枠】《名・他サ》割り当ての わくをふやすこと。(↔減枠)

**そうわん**【双腕】〔文〕りょううで。「―に力をこめる」(↔隻腕)

**そえがき**【添え書き】《名・自サ》①〔文書などに〕そえて書く文句。②手紙を書き終えたあとに、書きたす文句。追って書き。

**そえぎ**【添え木・△副え木】《名・自他サ》①草や木がたおれないように、支えとして〈あてがった木/木をあてがうこと〉。②⇨副木。

**そえじょう**【添え状】品物をおくったり、使いの者をやったりするときに、そえる手紙。そえてがみ。

**そえぢ**【添え乳】《名・自サ》子どもに そいねして ちちを飲ませること。

**そえもの**【添え物】①つけ加えたもの。②景品。

**そ・える**【添える・△副える】《他下一》①つけ加える。「おもむきを―」②したがわせる。つける。つきそわせる。「人を―」③助けとして おぎなう。「手を―・ことばを―」名添え。

**そえん**【粗宴】(=そまつな宴会)〔文〕宴会をけんそんした言い方。「―をもよおしますので」

**そえん**【疎遠】《名・ナダ》(手紙のやりとりなども絶えて)親しくないようす。「―になる」(↔親密)派―さ。

**ソーイング**【sewing】裁縫。「―セット」

**そーお**《感》〔女〕〔一度下げて また上げる調子で〕相手の言うことに疑問の気持ちをあらわすことば。そうお。「あら、そーお(↗)」

**そーき**［ソーキ］〔沖縄方言〕ブタの(骨付き)あばら肉。汁ものに入れたり、煮つけにしたりする。「―そば(=ソーキをのせた沖縄そば)・軟骨―」

**ソーサー**〔saucer〕〈コーヒー/紅茶〉用のカップの受けざら。

**ソーシャル**〔social〕㊀㊂ ①社交的。社交用。ソシアル。「―ダンス(=社交ダンス)」②社会的。「―ビジネス(=社会的企業)」㊁ソーシャル ↑ソーシャルメディア。●**ソーシャルディスタンス**〔social distance〕①〔社会学で〕相手との親しさなどで決まる、会話時などの距離。②感染症を防ぐため、相手と取る距離。フィジカルディスタンス。〔二〇二〇年の新型コロナウイルスの感染拡大にともなって広まったことば。この距離を取ることは「ソーシャルディスタンシング(social distancing)」〕▽社会(的)距離。●**ソーシャルブックマーク**〔social bookmark〕〔インターネットで〕おもしろいと思ったホームページを自分のページに登録(=ブックマーク)していって、他人に公開したり、自分が他人のブックマークを見たりできるサービス。●**ソーシャルメディア**〔social media〕《情》ブログ・掲示板・SNSなど、個人が情報を発信できるメディア。ソーシャル。●**ソーシャルワーカー**〔social worker〕貧しさ・病気・家庭破壊などから発生するいろいろな問題を解決するための社会福祉活動を専門におこなう人。☞ケースワーカー。

**ソース**〔sauce〕①おもに液状やクリーム状の調味料。種類が多い。「デミグラス―・ナゲットの―・〔スイーツの〕チョコレート―」②特に、ウスターソース。●**ソースパン**〔saucepan〕片手つきの、まるいなべ。シチューなべ。

**ソース**〔source〕もと(になるもの)。出所。「ニュース―(=情報源)・―ブック(=種本)」●**ソースコード**〔source code〕《情》コンピューターのプログラムに書かれている、実際の文字列。ソースプログラム。コード。「―を一般に公開する」

**ソーセージ**〔sausage〕①牛・ブタ・羊などの腸に味をつけたひき肉をつめて、水煮にしたり、いぶしてかわかしたりしたもの。腸詰め。☞ウインナーソーセージ。②⇩魚肉ソーセージ。

**ソーダ**〔オ soda〕①《理》炭酸ナトリウムの俗称。また、ナトリウムをふくむ化合物名に使う。「―ガラス・炭酸―」②↑ソーダ水。ソーダー。「クリーム―」表記「曹達」は、古い音訳字。●**ソーダすい**［ソーダ水］水に炭酸をまぜ(て、味をつけ)たつめたい飲み物。炭酸水。ソーダ。

**ソーター**〔sorter〕仕分けをする機械。コピーした紙を一部ごとにまとめたり分類したりするものや、配送物を行き先ごとにまとめたりするものがある。

**ソート**《名・他サ》〔sort=分類する〕一定の基準によってならべかえること。「―機能」

**ソーナー**〔sonar〕《理》⇩ソナー。

**ゾーニング**《名・他サ》〔zoning〕①目的や用途で区分けすること。「市街地の―・フロアー」②対象を、ある年齢以上に制限すること。

**ソープ**〔soap〕①せっけん。②↑ソープランド。●**ソープランド**〔和製 soap land〕女性が接待する、個室式の特殊浴場。ソープ。

**ソーホー**［SOHO］〔↑small office home office〕自宅や小さな事務所で、パソコンなどを利用して業務をおこなう〈こと/事業者〉。

☆☆**ソーラー**㊂〔solar〕太陽の光や熱を利用した。「―カー(=太陽の光から得た電気で走る自動車)・―システム(=太陽の光や熱を使った発電・温水暖房・給湯設備)・―ハウス(=ソーラーシステムのある家)・―パネル(=太陽光パネル)」

**ソール**〔sole〕靴などの底の部分。

**ソールドアウト**《名・自他サ》〔sold out〕売り切れ。↗完売。

**ゾーン**〔zone〕①地帯。地域。「アジア・オセアニア―」②区域。範囲。「スクール―・〔リレーの〕バトン―・ストライク―」●**ゾーンに入る**句〔スポーツなどで〕集中力を高めることで、感覚がとぎすまされ、しかもリラックスし、最高の力が出せる状態になる。

**そか**［粗菓］(=そまつな菓子)〔文〕人に〈すすめる/贈る〉菓子をけんそんして言うことば。

**そかい**［租界］ある国がほかの国から借りた、治外法権の居留地。「上海の―」

**そかい**［素懐］〔文〕以前から持っていた考え。「―を遂げる」

**そかい**［疎開］《名・自他サ》①くっついているものの間を広げること。「建物―」②空襲などに備えて都市の住民が地方に引っこすこと。「学童―」

☆☆**そがい**［阻害］《名・他サ》〔文〕じゃま(すること)。「発育を―する」

☆☆**そがい**［疎外］《名・他サ》①〔文〕仲間外れにして近づけないこと。「―感」②《哲》⇩自己疎外。

**そかく**［阻隔］《名・自サ》〔文〕〔気持ちの上での〕へだたり(ができること)。「感情の―をきたす」

**そかく**［疎隔］《名・他サ》〔文〕へだてること。

☆☆**そかく**［組閣］《名・自サ》①内閣を組織すること。「―本部」②〔俗〕〔スポーツで〕指導陣を決めること。

**そがん**［訴願］《名・他サ》《法》〈違法/不当〉な行政処分の取り消しや変更を行政官庁に請求すること。

**そぎおと・す**［(削ぎ)落とす］《他五》いらないものを(うすくけずって)取り除く。「ゴボウの皮を―・むだを―」

**そぎぎり**［(削ぎ)切り］《料》肉やさかなを、包丁を少しねかせてうすく切ること。

**そぎた・つ**［(削ぎ)立つ］《自五》刃物でななめに切ったように、するどく〈立つ/とがる〉。「〔犬の〕そぎ立った耳・岩場が―」他そぎ立てる《下一》。

**そぎと・る**［(削ぎ)取る］《他五》うすくけずって、取る。

**そきゃく**［阻却］《名・他サ》《法》もっともな理由によってしりぞけること。「正当防衛では違法性が―される(=罪にならない)」

☆☆**そきゅう**［遡及］《名・自サ》〔文〕過去にさかのぼること。さっきゅう。

**そきゅう**［訴求］《名・他サ》〔文〕①〔広告や販売などで〕買ってもらえるように、相手にうったえること。「―力・―対象」②相手によさをうったえること。「就活で自分らしさを―する」▽アピール。

**そぎょう**［祖業］〔文〕①会社ができたときからの事

業。②先祖から受けついできた家業。

**そく**[息]〔文〕〔他人の〕むすこ。子息。男。

**そく**[即][一]《接》〔文〕すなわち。つまり。「生─死」②[二]《副》①そのまま。「練習不足は─敗北につながる」②即時に。即座に。「─実行する・─完売」

**そく**[束][接尾]①〔古風〕たばねたものを数えることば。たば。「紙一─〔=十把〕・〔題で〕雑感一─〔=まとめたもの〕」②百。「〔釣り〕一─〔=百ぴき〕つれた」

**そく**[足][接尾]①両あしにはく一対のものを数えることば。「くつした三─」②〈とぶ/歩く〉あし数。「一─とび」

**そく**[則][造]〔文〕①項目。箇条。「安全五─」②法則。「経験─」③原則。規則。「信義─」

**そく**[速][造]《自動車》変速機のギアを切り替えて出す、速度のレベル。「一─・第二─」

**そく**[側][造]〔文〕がわ。「反対─・一─〔=一方のがわ。(↔両側)〕」

**そ・ぐ**[削ぐ・殺ぐ]《他五》①〈勢いを〉へらす。「気勢をそがれる」②うすく切る。③〈先のほう/出っぱったところ〉を〈ななめに〉切って落とす。「竹を─・耳を─」

**ぞく**[属]《生》生物の分類で、「科」の下、「種」の上。「ヒガンバナ科ネギ─」

**ぞく**[続][一]ぞく つづき。続編。「正─二巻」(↔正)[二][造]つづいて〈ある/いる〉こと。「─編・─出」

**ぞく**[賊]①どろぼう。②反逆者。むほん人。

**ぞく**[俗][一]《名・ナダ》①世間ふつう(におこなわれていること)。「─なことば」☞俗に。②品がよくないこと。安っぽいようす。「─な雑誌だ」③みやびやかでないこと。(↔雅)[二]《仏》出家していない人。俗人。

**ぞく**[族][一][造]考えや立場、行動を同じくするなかま。グループ。「団地─・社用─・農林─」[二]ぞく〔俗〕↔暴走族。

**ぞくあく**[俗悪]《名・ナダ》品がなくて好ましくないこと。「─な小説」[派]─さ。

**そくい**[即位]《名・自サ》天皇・君主のくらいになること。「─式・─礼」(↔退位)

**そくい**[測位]《名・他サ》〔文〕位置をはかること。「現在地を─する」

**そくいん**[×惻隠]〔文〕あわれに思って、同情すること。「─の情に動かされる」

**そぐ・う**《自五》①似合う。つりあう。「現代の感覚に─デザイン」②沿う。「意に─」▽多く、形容詞「そぐわない」として使う。☞そぐわない。

**ぞくうけ**[俗受け]《名・自サ》大衆に評判がいいこと。「─をねらった作品」

**そくえい**[即詠]《名・他サ》〔文〕その場ですぐに〈詩や歌などをよむこと/よんだ詩や歌〉。

**ぞくえい**[続映]《名・他サ》〔文〕①(引き続いて)さらに上映し続けること。「好評につき─」②ある期間、続けて上映すること。

**ぞくえん**[俗縁]〔僧の〕俗人としての親類関係。

**ぞくえん**[続演]《名・他サ》〔文〕①(引き続いて)さらに上演し続けること。②ある〈期間/回数〉、続けて上演すること。

**そくおう**[即応]《名・自サ》状況の〈変化/ちがい〉をしっかりとらえて、適切に動くこと。「学界の進歩に─した内容・有事─の態勢」

**そくおん**[足温]足をあたためること。「─器」

**そくおん**[促音]《言》〔日本語で〕つまるような感じをあたえる音。小文字の「っ」「ッ」であらわす。例、「買った・あっさり・あっぱれ」などの「っ」。☞っ。

**そくおんびん**[促音便]《言》音便の一つ。「チ・ヒ・リ」などの音が促音になるもの。例、「勝ちて」→「勝って」。〔このほか、話しことばで「するから」を「すっから」「いいか」を「いっか」という例なども促音便と言える。☞付録「話しことばでの活用語」〕

**そくが**[側×臥]《名・自サ》〔文〕からだの一方のがわを下にして寝ること。横寝。「─位(☞臥位)」

**そくがい**[即買い]《名・他サ》すぐに買うこと。「新作ゲームを─する」

**ぞくがら**[続柄]⇩つづきがら。

**ぞくがん**[俗眼]〔文〕①ふつうの人の見方。②自分の目や見方をけんそんして言うことば。

**ぞくぎいん**[族議員]関係業界の利益のために、関係省庁に影響力を行使する国会議員。分野ごとに「建設族」「農林族」などと呼ばれる。

**そくぎん**[即吟]《名・他サ》〔文〕その場で、すぐに〈短歌や俳句を作ること/作った歌や句〉。即詠。

**ぞくぐん**[賊軍]〈朝敵/反逆〉の軍勢。(↔官軍)

**ぞくけ**[俗気]俗っぽい〈気持ち/考え方〉。ぞっき。ぞっけ。「─が出る」

**そくげき**[側撃]《名・自サ》木などに落ちた雷が、木のすぐそばにいる人のからだをつらぬくこと。「─事故」

**ぞくげん**[俗言]〔文〕①俗っぽく下品なことば。(↔雅言)②世間に伝わる迷信や言い伝え。世間のうわさ。「─にすぎない」

**ぞくげん**[俗×諺]〔文〕世間でふつうに言うことわざ。例、地震、かみなり、火事、おやじ。

**ぞくご**[俗語]①正式な場面では使わないほうがいい、くだけたことば。例、びびる・まじで〔=本当に〕。〔この辞書では〔俗〕で示す。卑語《例、ばかたれ》・隠語《例、すけ》などもふくむ〕(↔雅語)②〔古風〕口語。「─文典〔=口語の文法書〕」

**そくざ**[即座]その場ですぐ。即席。「─に答える」

☆☆**そくさい**[息災]《名・ナダ》〔文〕無事なこと。「無病─・〔手紙〕一同─に過ごしております」

**そくさん**[速算]《名・他サ》てばやく計算すること。「─表」

**そくし**[即死]《名・自サ》その場ですぐ死ぬこと。

**そくじ**[即時]《副》〔文〕すぐそのとき。その場で。●**そくじこうこく**[即時抗告]《法》抗告の一つ。一定の期間内に限って認められる、裁判の決定や命令に対する不服の申し立て。

**ぞくじ**[俗字]正しい字体ではないが、世間に通用している字体。例、才〔=第〕・旺〔=曜〕・耺〔=職〕。(↔正字・本字)

**ぞくじ**[俗耳]〔文〕世間の人の耳。●**俗耳に入りやすい**(句)〔文〕〔真実かどうかはともかく〕世間のふつうの人にはわかりやすい。「─説」

**ぞくじ**[俗事]社会生活の上で必要なつきあいや雑用。

**そくしつ**[側室]〔文〕(身分の高い人の)めかけ。(↔正室)

**そくじつ**【即日】《副》〔文〕その日(すぐ)に。「―開票・―実施(じっし)する」

**そくしゃ**【速写】《名・他サ》すばやく写すこと。

**そくしゃ**【速射】《名・他サ》〔文〕すばやく続けて発射すること。「―砲(ほう)」

**そくしゅう**【束×脩】〔文〕①入門するとき、先生に差し出す、おくりものやお金。入門料。②けいこごとの、月謝。

←**そくしゅう**【速修】《名・他サ》〔語学や技術を〕短い期間に修得すること。

→**そくしゅう**【速習】《名・他サ》〔語学や技術を〕短い期間に習い覚えること。「―講座」

**ぞくしゅう**【俗臭】〔文〕俗っぽさ。「―をおびた小説」

**ぞくしゅう**【俗習】〔文〕世間一般(いっぱん)の習わし。

**ぞくしゅう**【俗衆】〔文〕世間の、大衆。

**ぞくしゅう**【属州】①《歴》古代ローマで、イタリア本土以外の支配地。②ある国に属する州。また、支配される地域。「これでは大国の―同然だ」

←**ぞくしゅつ**【続出】《名・自サ》つぎつぎに出ること。「意見が―する・故障者の―」

→**ぞくしゅつ**【×簇出】《名・自サ》〔文〕「そうしゅつ」の慣用読み。

**そくじょ**【息女】〔文〕〔他人の〕むすめ。「ご―」

**ぞくしょ**【俗書】〔文〕通俗的な書物。「―めいた本」

**ぞくしょう**【俗称】㊀《名・他サ》正式の呼び名ではないが、世間でそう呼ぶ〈名前/こと〉。㊁俗名(ぞくみょう)。

**ぞくじょう**【俗情】〔文〕①世間の事情。世の中の動向。「―にうとい」②俗っぽい感情。世俗の快楽や利益を求める心。「―に流される」

**そくしょく**【即食】ふくろを開けたり電子レンジで加熱したりするだけで、すぐに食べられる〈こと/商品〉。「―売り場」

***そくしん**【促進】《名・他サ》おし進めること。「計画を―する」

**ぞくしん**【俗信】世間に広くおこなわれる〔迷信(めいしん)的な〕信仰(しんこう)。

**ぞくしん**【賊臣】主君にそむく臣下。

**ぞくしん**【続伸】《名・自サ》《経》相場が、引き続いて高くなること。

**ぞくじん**【俗人】①お金や名誉(めいよ)などにとらわれる人。俗物(ぞくぶつ)。②《仏》⇩ぞく(俗)㊁。

**ぞくじん**【俗×塵】〔文〕世間のわずらわしさ。

**ぞくじん**【属人】その個人独自のものであること。「発音の―的な特徴(とくちょう)」●**ぞくじんしゅぎ**【属人主義】《法》どの国で発生する行為(こうい)や効力であっても、当事者の属する国の法律を適用する考え方。(↔属地主義)

**そくしんじょうぶつ**【即身成仏】《仏》修行(しゅぎょう)を積めば、生きているからだのままで仏になれるという考え方。

**そくしんぶつ**【即身仏】即身成仏(じょうぶつ)の行(ぎょう)をなしとげた行者(ぎょうじゃ)のこと。

←**そく・す**【即す】《自五》⇩即する。「時代に即さないルール」

→**そく・す**【則す】《自五》⇩則する。「法律に―必要がある」

←**そく・する**【即する】《自サ》ぴったりあう。即す。「実情に即した考え方」

→**そく・する**【則する】《自サ》のっとる。則す。「法に則して判断する」

***ぞく・する**【属する】《自サ》①付属する。つく。②その〈種類/範囲(はんい)〉にはいる。「旧聞に―が(=古い話になるが)」③団体などの一員となる。「学会に―」▽属す。

**ぞくせ**【俗世】〔文〕(わずらわしい)この世の中。俗世間。ぞくせい。「―をはなれる」

←**そくせい**【速成】《名・自他サ》長く時間をかけないで〈できあがる/仕上げる〉こと。「―教育」

↔**そくせい**【即製】《名・他サ》即座につくること。「―品」

→**そくせい**【促成】《名・他サ》《農》人工を加えてはやく生長させること。「―栽培(さいばい)(↔抑制(よくせい)栽培)・―野菜」

☆☆**ぞくせい**【属性】あるものや人(のグループ)を特徴(とくちょう)づける要素。例、色・形・大きさなど。人の場合は、年齢(ねんれい)・居住地・好みなど。「利用者の―」

**ぞくせい**【×簇生・族生】《名・自サ》〔文〕⇩そうせい(簇生)。

**そくせき**【即席】①その場で作ること。「―(の)料理・―ラーメン(=インスタントラーメン)」②その場で間に合わせにすること。「―によんだ歌」

☆☆**そくせき**【足跡】〔文〕①業績。「偉大(いだい)な―をしのぶ」②あしあと。●**足跡を〈印(いん)する/しるす〉**句〔文〕①実際に行く。②あとを残す。

**ぞくせけん**【俗世間】〔みにくいことや情実の多い〕世間。俗界(ぞっかい)。

**ぞくせつ**【俗説】世間に広くおこなわれている、価値の少ない説。「―によれば」

**そくせん**【側線】①〔鉄道で〕車両の組み替(か)えや待避(たいひ)などのために用いる線路。②《動》魚類・両生類のからだの両がわに線のように見える感覚器官。水流や水圧を感じる。

**そくせん**【塞栓】《医》血栓や異物などのために、血管やリンパ管がふさがること。栓塞(せんそく)。「脳―」

**そくせんそっけつ**【速戦即決】《名・自サ》〔文〕戦争で、勝ち負けを一気に決めてしまうこと。

**そくせんりょく**【即戦力】〔訓練を受けなくても〕すぐに〈戦える/役立つ〉人やもの。「―の選手・献立(こんだて)の―」

**そくそく**【×惻々】《ト・タル・副》〔文〕あわれみ、いたむようす。身にしみて感じるようす。「―(と)胸を打つ」

**ぞくぞく**【続々】《副》どんどん続くようす。「―(と)申しこむ」

**ぞくぞく**《副・自サ》〔寒さや感動などのために〕身がふるえるように感じるようす。「せなかが―する・うれしくて―する」

**そくたい**【束帯】平安時代の中ごろから、天皇以下、役人の着た正式の服装。☞衣冠(いかん)。

［そくたい］

**そくだい**【即題】席題。(↔兼題(けんだい))

**そくだく**【即諾】《名・他サ》〔文〕その場ですぐ承諾す

ること。

**そくたつ**【速達】①はやく送り届けること。「―便・―型の〔＝途中駅がほとんどない〕特急」②〔↑速達郵便〕特別にはやく届ける郵便。

←**そくだん**【即断】《名・他サ》その場で決断すること。「―即決」

→**そくだん**【速断】《名・他サ》①すばやい判断。「―を許さない〔＝すぐには決められない〕」②はやまった判断〔をすること〕。

**そくだん**【速暖・即暖】《名・他サ》〔暖房器具で〕すばやくあたためること。「―性が高い」

**そくち**【測地】《名・自他サ》土地を測量すること。

**ぞくちしゅぎ**【属地主義】〔法〕ある場所で発生する行為や効力に対しては、そこの国の法律を適用する考え方。(↔属人主義)

**ぞくちょう**【族長】〔文〕一族・種族のかしら。「アラブの―たち」

**そくつう**【足痛】〔文〕足の痛み。

**ぞくっと**《副・自サ》〔寒さや感動などのために〕強くふるえる〔感じがする〕ようす。

**ぞくっぽ・い**【俗っぽい】《形》〔俗〕いかにも通俗的だ。品のないようすだ。派―さ。

**そくづみ**【即詰み】《将棋》王手の連続によって王将がにげられず、つんでしまうこと。

**そくてい**【測定】《名・他サ》①〔器械などで〕量をはかって定めること。「体力の―」②自然や社会の現象その他を、一定の基準にあてはめて数量であらわすこと。「民度を―する・知能指数を―する」

**そくてん**【側転】《名・自サ》〔体操で〕からだを横の方向に回転させること。☞前転・後転。

**そくど**【速度】①速さ。「―を落とす・―が〈速い/高い/大きい〉・成長―・反応―・スマホの―制限」②《理》ある時間に、どの方向にどれだけ進んだかをあらわす量。「いくら速く走っても、目的地と逆方向に進めば、速度はマイナスになる」

**ぞくと**【賊徒】〔文〕①どろぼうのなかま。②朝廷にてむかう者のなかま。

**そくとう**【側頭】頭部の側面。こめかみから耳の上のあたり。「―部」•**そくとうよう**【側頭葉】《生》大脳の区分のうち、両がわの部分。記憶・判断・言語をつかさどる。☞前頭葉・後頭葉。

←**そくとう**【即答】《名・自サ》すぐその場で答えること。「―を避ける」

→**そくとう**【速答】《名・自サ》すばやく答えること。

**そくどう**【側道】幹線道路や鉄道に平行して作られた道路。

**ぞくとう**【属島】〔文〕〈その国/大きな島〉に属する島。

**ぞくとう**【続投】《名・自サ》①《野球》〔マウンドをおりないで〕引き続いて投球すること。②引き続き責任のある重い地位につくこと。「総理は―か」

☆☆**ぞくとう**【続騰】《名・自サ》《経》物価・相場が引き続いて上がること。(↔続落)

**そくどく**【速読】《名・他サ》本をはやく読むこと。「―術〔＝短い時間にたくさん読む術〕」(↔遅読)

**ぞくに**【俗に】《副》世間(の俗語など)で。「―名物にうまいものなしと言う・馬肉を―『けとばし』と言う」

**ぞくねん**【俗念】〔利益や快楽などを求める〕世間のふつうの人の考え。「―を捨てる」

**そくのう**【即納】《名・他サ》その場でおさめること。

**そくはい**【即配】《名・他サ》すぐ配送すること。

**そくばい**【即売】《名・他サ》〔現物を〕その場で売ること。「―会・―展〔＝展示して即売するもよおし〕」

**そくばく**【束縛】《名・他サ》自由をうばうこと。制限すること。「行動を―する」

**そくはつ**【束髪】①髪をたばねて結ぶこと。②髪の毛をたばねる、女性の西洋ふうの髪のゆい方。〔明治時代の中ごろから流行した〕

**ぞくはつ**【続発】《名・自サ》①続けざまに起こること。「事故の―」(↔散発)②〔あることに〕引き続いて起こること。

**ぞくばなれ**【俗離れ】《名・自サ》ふつうの人とちがい、お金や物にこだわらないこと。世間離れ。

**そくひつ**【速筆】〔文〕文章や作品をかくのが速いこと。(↔遅筆)

**そくぶ**【足部】〔文〕足の部分。

**ぞくぶつ**【俗物】俗人。派―さ。

☆☆**そくぶつてき**【即物的】《ダ》①高尚な思想や物につきまとう感情をぬきにして、物を考えるようす。「現代っ子は―だ」②ものごとを現実のままに、観察したり、行動したりするようす。

**そくぶん**【側聞・×仄聞】《名・他サ》〔文〕〈かすかに/うすうす〉聞くこと。「―するところによれば」

**そくへき**【側壁】〔文〕側面の〈かべ/仕切り〉。

**ぞくへん**【続編】①〔書物・文章・映画などで〕前の、まとまった作品に続くもの。(↔正編)②続きの作品。「―は来月号」

**そくほ**【速歩】はやあしで歩くこと。

**そくほう**【側方】〔文〕横の方向。横がわ。「―を通過する・―支援〔＝側面から助けること〕」

**そくほう**【速報】《名・他サ》①情報をすばやく知らせること。また、その情報。「選挙―」②まだ確定しない段階で、とりあえず示すデータ。「―値」(↔確報)

**ぞくほう**【続報】《名・他サ》あとに続く〈報道/知らせ〉。「―を待て」☞初報。

**そくみょう**【即妙】《ダ》すばやくはたらく機知。「当意―」

**ぞくみょう**【俗名】〔仏〕①〔僧の〕俗人のときの名前。(↔法名・戒名)②生きていたときの名前。(↔戒名)☞ぞくめい(俗名)。

**ぞくむ**【俗務】〔文〕①役所や会社でする、わずらわしい事務。②俗事。

**ぞくめい**【俗名】俗称。「ガマガエルはヒキガエルの―」☞ぞくみょう(俗名)。

**そくめん**【側面】①正面から見たときの、そのものの左右の表面。(↔正面・背面)②《数》角錐・円錐・角柱・円柱の、底面以外の面。③正面でない方面。わき〔の方面〕。「―から〔＝目立たないように〕援助する」④面。一面。「技術的―」•**そくめんかん**【側面観】①ある面からの見方。②人物紹介。プロフィール。

**そくや**【即夜】《副》〔文〕その夜〔すぐ〕に。「―帰郷した」

**ぞくよう**【俗用】①世間のわずらわしい用事。俗事。

②俗っぽいことばの使い方。
**ぞくよう**【俗謡】広く民間で歌われてきた通俗的な歌。例、かっぽれ。
**そくよく**【足浴】足首から先を湯に入れる入浴法。足湯(あしゆ)。あしよく。
☆☆**ぞくらく**【続落】《名・自サ》《経》物価・相場が引き続いて下がること。(↔続騰(ぞくとう))
**ぞくりゅう**【俗流】〔文〕①俗人のなかま。②俗世間の流儀(りゅうぎ)。
**そくりょう**【測量】《名・他サ》土地の位置・面積などをはか(って地図を作)ること。
**ぞくりょう**【属領】その国に付属した領土。「アメリカの—」
**そくりょく**【速力】(動く物(特に乗り物)の)はやさ。「—をあげる・—を落とす・—が落ちる」
☆☆**そくろう**【足労】〔文〕相手に足をはこばせること。「ご—願いたい(=来ていただきたい)」☞御(ご)足労。
**ぞくろん**【俗論】(学問的でない)通俗的な議論。
☆☆**そぐわ・ない**《形ヌ》(動詞「そぐう」の否定形から)①似合わない。うまくつりあいが取れない。「題名に—内容・現状に—計画」②沿わない。「自分の意に—部下」〔似た発音の語との混同から生まれた用法〕☞意に沿う〔「意」の句〕。派—さ。
**そくわん**【側×彎・側×弯】《医》(背骨が)左右にゆるくSの形に曲がること。「脊柱(せきちゅう)—症(しょう)」
**そけい**【祖型・祖形】〔文〕もともとの形や様子。原形。「お手玉の—となった遊び・銅鐸(どうたく)の—」
**そけいぶ**【×鼠×蹊部・×鼠径部】《生》もものつけねの、内がわの部分。
**そげお・ちる**【△削げ落ちる】《自下一》そいだような状態になる。「ほおが—」
**そげき**【狙撃】《名・他サ》ねらい撃(う)ちにすること。「—兵」
**そげだ・つ**【△削げ立つ】《自五》(ほおなどの肉が)こけて、ほねばっている。「そげだったほお」
**ソケット**【socket=うけぐち】①電球の口金(くちがね)のうけぐち。②ガス栓(せん)とゴム管に取りつけ、両方からしめつけてガスがもれないようにするもの。

**そ・げる**【△削げる・△殺げる】《自下一》刃物(はもの)でそいだ状態になる。「ほおの肉が—」
**そけん**【訴権】《法》個人が民事訴訟(そしょう)を起こし、裁判所に審判(しんぱん)を求める権利。判決請求(せいきゅう)権。
*__そこ__【底】①(囲まれたところの)いちばん下(の部分)。「井戸(いど)の—・海の—」②(かくされた)おくふかいところ。「心の—」③最低の状態。「成績が—をはっている」④《経》相場・物価・景気の、最も下がった状態。「—値(ね)」(↔天井(てんじょう)) •**底が浅い**句 内容に深みがない。•**底が知れない**句 ⇩底知れない。底が見えない。•**底が知れる**句〔人が〕たいしたことがない、ということがわかる。底の浅さが知れる。底が見える。「語学力の—」•**底が抜ける**句 ①はまっていた底が外れる。②水準がどこまで下がるかわからなくなる。限度をこえて悪くなる。底抜けになる。「株価の—・チームの—」③なみはずれる。「底の抜けた大笑い」•**底が割れる**句 ①かくしていたことがばれる。真実が知れる。「正義派と言われた政治家の—」②《経》⇩底を割る句③。•**底を入れる**句《経》「底入れ」をする。直 底が入(い)る。•**底を打つ**句《経》「底打ち」をする。(↔天井(てんじょう)を打つ) •**底を突く**句 ①ためてあったものが、全部なくなる。「貯水池の水が—・食糧(しょくりょう)が—」表記「突く」はかな書きも多い。②《経》底入れする。底を付ける。✍もとの用法は②で、最低の所まで行くことから、戦後に①の用法が一般(いっぱん)化した。「力尽(つ)く(=『尽きる』の文語)」などとは別。•**底を付ける**句《経》⇩底を突く句②。•**底を払う**(はらう)句〔文〕底まですっかりなくなる。「財布(さいふ)の—状態」☞払底(ふってい)。•**底を割る**句 ①心の中を打ち明ける。②底をやぶる。「悲しみの—」③《経》底値よりさらに安くなる。直 底が割れる。
**__そこ__《代》①(はなれている相手に対して)相手に近い所をさすことば。「—を動かないでくれ」✍自分のからだでも、相手がさわっている部分を「そこ」と言える。「そこが痛いんです」②(相手と同じ場所にいるときに)自分たちから少しはなれた所。「駅はすぐ—です」③すぐ前の話(に出たものごと)を、地点のようにさすことば。その点。「反省しているのかどうか、—がわからない・—があいつのおもしろいところだ」④その場面。「—へ父が帰ってきた」⑤その段階・程度。「—まで無理をしなくてもいい」⑥相手の話の一部をさすことば。「『冷戦のころの話だが…』『冷戦って何ですか』『—からか!(=その説明からしないといけないのか)』」・「『受験に失敗したよ』『えっ、受験料がもったいないね』『—か!(=そんな本筋でないところに注目するのか)』」表記 かたく「其処」「其所」とも。区別 ⇩指示語。•**そこへ持って来て**句 それに加えて。「メンバーが足りない。—、病人が出た」•**そこへ行くと**句 話がその点になると。「みんな礼儀(れいぎ)を知らない。—、君は感心だ」
**そご**【祖語】《言》同系統のいくつかの言語の祖先にあたる言語。母語。「ゲルマン—」
☆☆**そご**【×齟×齬】《名・自サ》〔文〕くいちがうこと。手ちがい。「計画に—を来(きた)す」
**そこあげ**【底上げ】《名・他サ》低い水準を、上げること。「賃金の—・技能の—」
**そこい**【底意】心にかくしている気持ち。「—のある視線」
**そこいじ**【底意地】表面からはわからない、その人の心の奥(おく)にある気持ち。•**底意地が悪い**句 心の底に意地悪さがひそんでいるようすだ。
**そこいた**【底板】①底を作る板。「引き出しの—」②底にしく板。「五右衛門(ごえもん)ぶろの—」
**そこいら**《代》《俗》⇩そこら。
**そこいれ**【底入れ】《名・自サ》《経》相場・景気が下がって底まで行くこと。底突き。☞底打ち。
☆☆**そこう**【素行】ふだんのおこない。「—が悪い」
**そこう**【粗×肴】(=そまつなさかな)〔文〕客にすすめる料理をけんそんして言うことば。「粗酒(そしゅ)—ではございますが」
**そこう**【粗鋼】板や棒などの形に加工する前の、鋼鉄。
↑**そこう**【遡行・×溯行】《名・自サ》〔文〕①(船で)川をさかのぼって行くこと。②さかのぼること。「過去に—する」
↑**そこう**【遡航・遡江】《名・自サ》〔文〕(船で)川をさかのぼること。

そ

**そこうお**［底魚］海の底にすむ さかな。そこもの。例、カレイ・アンコウなど。

**そこうち**［底打ち］《名・自サ》《経》相場・景気が下がりきること。〔今後、上がると予想される〕「―宣言」☞底入れ。

**そこかしこ**《代》いろいろなところ。いたるところ。「山道の―にごみが捨てられている」区別「そこかしこ」のほうが、「そこここ」にくらべて、数が多く、よく目につく感じがある。

**そこがた・い**［底堅い］《形》①《経》相場の下げ足がとまっている状態だ。②消費や人気が下がりそうで下がらない。派―さ。

**そこきみわる・い**［底気味悪い］《形》心の底のほうから気味悪い感じが立ちのぼるようだ。派―さ。

**そこく**［祖国］①祖先以来住んでいる、自分の国。②本国。

**そこここ**《代》そこやここ。あちこち。「星が―に またたいている」区別⇩そこかしこ。

**そこざさえ**［底支え］《名・他サ》下支え。「景気を―する・治安を―する」

**そこさむ・い**［底寒い］《形》からだの しんまで寒い。派―さ。

**そこしれ・ない**［底知れない］《形ヌズ》どのくらいあるかわからないほど〈大きい/多い〉。底が知れない。「―おそろしさ・―財力」派―さ。

**そこそこ** ㊀《副》①先を急いで、じゅうぶんにしないようす。「話も―に出かける・―に めしをすます」②並程度、または並以上であるようす。それなり(に)。「―もうけている・―の会社・―の距離がある」③ほどよいようす。ほどほど。「―に つき合う・―で やめておけ」㊁-そこそこ 接尾〔数量が〕…ぐらい。〔やや少ない場合にも、多い場合にも言う〕「千円―で楽しめる」

**そこち**［底地］①〔借り主が住んでいる〕借地権のついている土地。「―買い」②居住権や耕作権を切りはなして、所有権だけを考えた場合の土地。「―売り」

**そこぢから**［底力］からだの奥底にひそむ強い力。

**そこつ**［〈粗×忽〉］《名・ナダ》①かるはずみ。そそっかしいようす。「―者」②⇩そそう(粗相)①。「これはとんだ―を」派―さ。

**そこつき**［底突き］《経》①⇩底入れ。②〔在庫品が〕なくなること。

**そこで**《接》理由をあげて、あとに、何かをするという内容を続ける。そういうわけで。それで。「―たのみたいことがあるんだ」

**そこな**《連体》〔↑そこなる〕〔文〕そこに〈ある/いる〉。「―やつ」

**そこない**［損ない］造…しそこなうこと。…しそこなったもの。「打ち―のボール・書き―・死に損ない」☞損なう㊁。

**そこな・う**［損なう］㊀《他五》①こわして、完全でなくする。「自然を―・信頼を―・人の権利を―」②状態を悪くする。「きげんを―・健康を―」㊁造①不完全に…する。まちがって…する。「作り―」②その機会をのがす。「死に―」

**そこなし**［底〈無し〉］①底がぬけて、ないこと。「―の茶筒」②〔池や沼の〕底がわからないほど深いこと。③かぎりが ないこと。そこぬけ。「―の お人よし・―の飲んべえ」

**そこなだれ**［底雪崩］〔天〕⇩全層雪崩。

**そこぬけ**［底抜け］㊀①底がぬけて、ない〈こと/もの〉。②〔古風〕しまりがない〈こと/人〉。「―野郎」㊁《名・ナダ》なみはずれていること。そこなし。「―の大さわぎ・―の大酒飲み・―に明るい性格」

**そこね**［底値］《経》〔相場で〕いちばん低い値段。

**そこ・ねる**［損ねる］㊀《他下一》「そこなう」の、少しくだけた言い方。「きげんを―」㊁造…そこなう。「ボールを打ち―」名損ね。

**そこのけ**〔＝そこをどけ〕〔…も〕かなわないほど。「先生―の上達ぶり〔まれに『先生も―の…』とも〕」

**そこばい**［底〈×這い〉］《名・自サ》《経》相場や物価が上がらないで、最低の状態を続けること。「景気の―」

**そこはかとな・い**《形》これがそうだと言って はっきりは言いあらわせない。なんとなくそう思われるようすだ。「わびしさがそこはかとなく ただよう夕ぐれ」

**そこばく**［〈若干〉］《名・副》〔文〕いくらか。そくばく。「―の不安」

**そこばなれ**［底離れ］《名・自サ》《経》不景気がどん底まで来て、景気がよくなりかけること。

**そこひ**［〈底×翳〉・〈内障〉］〔古風〕眼球の中が悪くなる病気。「白―〔＝白内障〕」

**そこびえ**［底冷え］《名・自サ》からだの中まで ひえる〔ように寒い〕こと。「―のする朝」動底冷える《自下一》。

**そこびかり**［底光り］《名・自サ》表面でなく、奥底のほうで光ること。

**そこびき**［底引き］底引き網(による漁業)。「―船」

［底引き網］●**そこびきあみ** 先がすぼまった、ふくろのような大きな網。海の底にたらして、船でさらうように引いて魚をとる。トロールは、この一種。「―漁業」

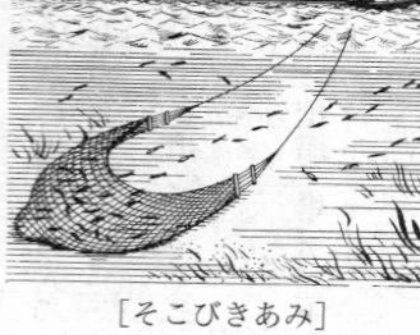

［そこびきあみ］

**そこふか・い**［底深い］《形》底が深い。そこぶかい。「対立の根は―」派―さ。

**そこまめ**［底〈肉刺〉］足のうらの まめ。

**そこもと**［〈其処〉＝〈許〉］《代》〔古風〕武士などが、同等または目下の相手を呼んだことば。おまえ。

**そこら**《代》①そのあたり。そのへん。「ちょっと―をさがしてみる・―の店とは わけがちがう・服を―じゅう〔＝そのあたり全体〕に ちらかしている」②その程度。「一時間か―で帰る・もう―で やめておけ」▽そこいら〔俗〕。

**そこわれ**［底割れ］《名・自サ》《経》「底④」の状態より、さらに悪化すること。「景気の―」

**そさい**［×蔬菜］〔文〕〔副食にする〕野菜。あおもの。

＊**そざい**［素材］①もとになる材料。「絵の―・天然―のシャツ」②製材する前の丸太や、丸太をあらく割った木。

**そざつ**［粗雑］《ナダ》細かいところまで注意せず、あらいようす。ざつ。「―な仕事・―に あつかう」派―さ。

**そさん**［粗×餐］〔＝そまつな食事〕〔文〕客にすすめる食事をけんそんして言うことば。「―を差し上げたく…」

**そし**【祖師】《仏》①一宗(いっしゅう)をひらいた人。「曹洞(そうとう)宗の―道元」②〔日蓮(にちれん)宗で〕日蓮。☞お祖師様。

**そし**【素子】《理》トランジスタ・コンデンサーなどのように、電気回路の中で独立のはたらきをする部品。「シリコン―」

**そし**【素志】〔文〕平素のこころざし。当初からの ねがい。「―をつらぬく」

☆☆**そし**【阻止】《名・他サ》おさえて とめること。「優勝を―する」

**そじ**【素地】どだい。したじ。基礎(きそ)。そち。「受け入れる―がある・活動のための―を作る」

**そじ**【措辞】〔文〕文章や詩歌の文字・ことばの使い方。

**そじ**【粗辞】〔=つたない あいさつ〕〔文〕あいさつをけんそんして言うことば。「―を述べて送別の辞に代えます」

**ソジ**【SOGI】〔← sexual orientation and gender identity〕性的指向と性自認(せいじにん)。どんな性〔男性・女性など〕の人を好きになるか、また、自分がどんな性だと感じるか、ということ。ソギ。「―に関係なく暮らせる社会」☞LGBT。

**ソシアル** 選〔social〕⇩ソーシャル 一①。

****そしき**【組織】《名・他サ》①秩序(ちつじょ)をつけて組み立てる〈ること/られた全体〉。「会社の―・―づくり・―づける」②《生》生物の器官を形成するために、同じ種類の細胞(さいぼう)が集まってできたもの。「―検査」③⇩シンジケート②。「―から足を洗う」 ●**そしきか**【組織化】《名・他サ》ばらばらなものを集めて、一つのまとまりとしての はたらきをもつようにすること。「住民運動を―する」 ●**そしきてき**【組織的】《ナダ》一定の秩序(ちつじょ)があるようす。 ●**そしきはんざい**【組織犯罪】麻薬(まやく)・銃器(じゅうき)の密売や人身売買など、組織を使っておこなわれる大がかりな犯罪。 ●**そしきろうどうしゃ**【組織労働者】労働組合に加入している労働者。(↔未組織労働者)

**そしたら**《接》〔話〕そうしたら。したら〔俗〕。「交番で聞いてみた。―教えてくれた」

**そしつ**【素質】〔人間が〕本来もっている性質。「科学者としての―がある」

****そして**《接》①前を受けて、次の行動や できごとが続くことをあらわす。「顔を洗い、―歯をみがく・考えに考えた。―結論が出た」②それに加えて。さらに。「ワインとチーズ、―ジャズがあればいい」▽そうして。

☆☆**そしな**【粗品】〔=そまつな品〕①相手に物をおくるときの、けんそんした言い方。そひん。「上書きは―と書いてください」②景品。

☆☆**そしゃく**【〈×咀×嚼〉】《名・他サ》①〔食べ物を〕かんで、細かにすること。「―不十分」②思想や文章などをじゅうぶんに理解して、自分のものにすること。

**そしゃく**【租借】《名・他サ》《法》一つの国がよその国の領土の中の地域を借りて、ある期間そこをおさめること。「―地」

**そしゅ**【粗酒】〔=そまつな酒〕〔文〕客にすすめる酒をけんそんして言うことば。「―を差し上げたい」

**そしゅうにゅう**【粗収入】《経》必要経費などをふくんだ、見かけの収入。

**そじゅつ**【祖述】《名・他サ》〔文〕前に発表された説にもとづいて、言い足りないところをおぎないのべること。「師の学説を―する」

☆☆**そしょう**【訴訟】《名・自サ》《法》裁判所に裁判を請求(せいきゅう)すること。うったえ(ること)。

**そじょう**【×俎上】〔文〕まな板の上。 ●☆☆**俎上に載せる** 句 問題にする。 ●**そじょうのうお**【×俎上の魚】を―う 運命が相手の意のままである人のたとえ。まな板の(上の)こい(鯉)。

**そじょう**【訴状】《法》訴訟(そしょう)を起こす文書。「―の提出」

**そじょう**【遡上・×溯上】《名・自サ》〔文〕流れをさかのぼっていくこと。「サケが―する」

**そしょく**【粗食】①そまつな食事。「粗衣―」(↔美食)②昔ながらの、健康的な和食。

**そしらぬ**【〈素知らぬ〉】《連体》何も知らないような。「―顔・―ふり」

☆☆**そしり**【〈×謗り〉・〈×譏り〉】〔他人のことを〕悪く言うこと。けなすこと。「〈軽率(けいそつ)の〉―を免(まぬが)れない〔=〈軽率と〉非難されて当然だ〕」

**そしる**【〈×謗る〉・〈×譏る〉】《他五》〔他人のことを〕悪く言う。けなす。

**そしん**【祖神】〔文〕祖先としてまつる神。神となった祖先。「一族の―」

**そしん**【措信】《名・他サ》《法》〔証言や主張などに〕信頼(しんらい)をおくこと。「―しがたい」

**そすい**【疏水・×疎水】水を引くために、土地を切りひらいて作った水路。「―運河」

**そすう**【素数】《数》一およびその数以外の数では割りきれない整数。例、二・三・五・七・十一など。

**ソステヌート**〔イ sostenuto〕《音》音の長さをたもって演奏せよ。「アンダンテ―」

**そせい**【粗製】〔文〕①そまつに作ること。②精製しない状態。「―ガソリン」▽(↔精製) ●**そせいらんぞう**【粗製乱造・粗製濫造】《名・他サ》粗製の品をやたらにたくさん作ること。

☆☆**そせい**【×蘇生】《名・自サ》〔文〕生きかえること。よみがえり。

**そせい**【組成】《名・他サ》〔文〕①あるひとつのものを組み立てている、さまざまなものの割合。「分子の―・爆薬(ばくやく)の―・骨や筋肉などの体(たい)―」☞体組成計。②組み立てること。「七両編成の列車を―する」

**そぜい**【租税】《法》税(金)。

**そせき**【礎石】〔文〕①建物の基礎(きそ)となる石。いしずえ。②ものごとの基礎。もとい。「国家の―」

**そせん**【祖先】先祖。「―崇拝(すうはい)」

**そそ**【×楚々】《タルト》〔文〕清楚な感じをあたえるようす。〔人の場合、多く女性について言う〕「―とした和服・―としたハギの花」

**そそう**【阻喪・×沮喪】《名・自サ》〔文〕元気がすっかりなくなること。「意気―」

**そそう**【〈粗相〉】《名・自サ》①不注意のために起こす、ちょっとした失敗。そこつ。「とんだ―をいたしまして・―火(び)〔=火の不始末から起こる火事〕」②大・小便などをもらすこと。「子どもが―する」

**そぞう**【塑像】《美術》粘土(ねんど)や石膏(せっこう)で作った像。☞彫像(ちょうぞう)。

**そそぐ**【注ぐ】一《自五》①流れこむ。「海に―」②雨が流れかかる。「降り―」 二《他五》①流してやる。

(流して)かける。「田に水を—・頭から水を—・涙を—・注ぎかける」②水を、入れものにつぐ。③つぎこむ。集中する。「全力を—」④一つのものごとに、向ける。「視線を—」[可能]注げる。

☆☆**そそ・ぐ**【(△雪ぐ)】《他五》はじや不名誉なことを、取り除く。すすぐ。「汚名を—」[可能]そそげる。

**そそ・ぐ**【(△濯ぐ)】《他五》すすぐ。[名]そそぎ。[可能]そそげる。

**そそくさ**《副・自サ》あわてて、おちつかないようす。「—(と)立ち去る」

**そそけだ・つ**《自五》①手入れをしないために、かみの毛が みだれて立ったようになる。②はだが、鳥はだの立ったような状態になる。

**そそ・ける**《自下一》〔かみの毛などが〕みだれる。

**そそっかし・い**《形》①おちつきがなく、あわてたようす。②うっかりして、失敗ばかりするようす。③早のみこみするようす。[派]-さ。

**そそのか・す**【唆す】《他五》うまいことばで、相手が悪いことをするように仕向ける。「子どもを—」[名]唆し。

**そそりた・つ**【そそり立つ】《自五》まっすぐに高く、そびえるように立つ。「絶壁が—」

**そそ・る**《他五》①さそう。起こさせる。「食欲を—・興味をそそられる」②〔俗〕性欲をあおる。

**そぞろ**【(△漫ろ)】[一]《副》〔雅〕なんとなく(気持ちが進むようす)。すずろに。「—(に)身にしむ」[二]《ナダ》なんとなく、そわそわすること。「気も—、心も—」●**そぞろあるき**【(△漫ろ)歩き】《名・自サ》気の向くままに、目的もなく外を歩き回ること。「海辺を—する」[動]そぞろ歩く《自五》。●**そぞろさむ**【(△漫ろ)寒】〔雅〕(晩秋のころ)なんとなく寒く感じること。●**そぞろさむ・い**【(△漫ろ)寒い】《形》〔雅〕なんとなく身にしみ入るように寒い。[派]-さ。

**そだ**【(粗×朶)】切りとった木の枝。たきぎや河川工事などに使う。「いろりに—をくべる」☞ひび(滬)。

**そだいごみ**【粗大ごみ】ごみとして捨てられたテレビ・せんたく機など、大型の不用品。「—処理券」

**そだち**【育ち】[一]**そだち**①そだつこと。「さかなの—がいい」②そだつときの教育・環境など。「—のいい子・氏より—〔⇩「氏」の[句]〕」[二]**そだち**[造]…(のところ)でそだったこと。「温室—・東京—」●**そだちあが・る**【育ち上がる】《自五》そだって〈大きく/一人前に〉なる。●**そだちざかり**【育ち盛り】〔子どもについて〕いちばん からだが大きくそだつ時期。十歳前後。のびざかり。

＊**そだ・つ**【育つ】《自五》①〔生命のあるものが〕月日をかさねて だんだん大きくなる。成長する。「子どもが—・母乳で—」②技能が向上して一人前になる。「若手の選手が—」③質が高まる。発達する。「自治の精神が—・大きなサークルに育った」

**そだて**【育て】そだてること。「—の親(↔生みの親)」●**そだてあ・げる**【育て上げる】《他下一》そだてて成長させる。「一人前に—」[名]育て上げ。

＊**そだ・てる**【育てる】《他下一》①生まれたものを、月日をかさねて だんだん大きくする。成長させる。②しこんで一人前にする。「弟子を—」③質を高める。発達させる。「愛を—」[可能]育てられる。

**そち**【素地】⇩そじ(素地)。

＊**そち**【措置】《名・他サ》手続きにもとづいて、問題を解決する方法(を取ること)。「異例の—を取る・対抗—・法的—・予算—」

**そち**《代》〔=そっち〕〔古風〕おまえ。「—は何を申しておる」[表記]かたく「:其方」とも。

**そちこち**《代》〔文〕あちらこちら。「—ですすり泣きが聞こえる」[表記]かたく「:其方此方」とも。

**そちにゅういん**【措置入院】《名・自サ》精神障害のために自分や他人に危害を加えるおそれがあるとき、強制的に入院させること。

**そちゃ**【粗茶】〔=そまつな茶〕客にすすめる茶をけんそんして言うことば。「—でございます」

**そちら**《代》〔「そっち」よりも ていねいな言い方〕①相手に近い方向(の人・もの)をさすことば。「今、—に向かってます・—〔=そこ〕のようすは どうですか」②遠いがわにいる相手を、うやまって言うことば。「—(さま)は何になさいますか」③相手(のがわ)をさすことば。「—で対応してください」④二つ(以上)のうち、相手に近いものを選んで さすことば。「—の服もきれいですね」⑤直前に述べたものごとが、話題の中心でない場合に使うことば。「A案のほかにB案があった。—〔=B案〕は ぼつになった」⑥すでに述べた方向をさすことば。「うしろで声がしたので、—を見た」[区別]⇩指示語。[表記]かたく「:其方」とも。

**そつ**【卒】↑卒業。「高校—・令和三年—」

**そつ** てぬかり。「やることに—がない・—なく こなす」

**そつい**【訴追】《名・他サ》《法》①検察官が起訴して責任を追及すること。②裁判官などを裁判によってやめさせる場合、その裁判をひらくように請求すること。「—委員会」[表記]俗に「:卒」「ソツ」とも。

**そつう**【疎通・×疏通】《名・自サ》①考えていることが相手に通じること。「意思の—を欠く」②回線などが通じること。

**そつえん**【卒煙】《名・自サ》タバコを吸うことを完全にやめること。

**そつえん**【卒園】《名・他サ》幼稚園・保育園などで受ける教育をすべて終えて、その園を出ること。「—式」(↔入園)

**そっか**【足下】〔=あしもと〕〔文〕[一]《手紙》わきづけの一種。おそば。座右。[二]《代》〔男〕きみ。貴殿。〔同等・目下の人に言う〕

**ぞっか**【俗化】《名・自サ》〔文〕俗っぽくなること。「観光地の—を防ぐ」

**ぞっかい**【俗界】〔文〕俗世間。

**ぞっかい**【俗解】《名・他サ》民間に広まる、学問的なうらづけのない解釈。「語源—」

**ぞっかい**【続開】《名・他サ》〔文〕引き続いて ひらくこと。「会議を—する」

**そっから**《副》〔話〕↑そこから。「—先は考えない」

**そっかん**【速乾】〔文〕すぐ かわくこと。「—インキ・—性」

**そっかん**【即完】《名・自サ》〔俗〕↑即(日)完売。「ライブのチケットが—する」

**ぞっかん**【続刊】《名・他サ》〔文〕〈続けて/続きを〉発行すること。

**そっき**【速記】《名・他サ》①特別の記号を使ったりし

て、はやく書くこと。「―法」②速記術の記号を使って、その人の話したとおりに書くこと。「講演を―に取る・―録(=速記した記録(をふつうの文字に直したもの))」③(↑速記術) その人の話したとおりに、記号を使って筆記する術。

**ぞっき**[俗気] ⇩ぞくけ。

**ぞっき**[ゾッキ] 倒産(とうさん)・投げ売りなどによる、新刊書の安売り。「―本(ぼん)・―屋」

**そっきゅう**[速球]《野球など》球速の はやいボール。(↔緩球(かんきゅう))

**そっきゅう**[速急]《ナダ》〔文〕大いそぎでするようす。「―に処理する」

**そっきょ**[卒去]《名・自サ》〔文〕身分の高い人が死ぬこと。

☆☆**そっきょう**[即興] ①その場の興味(で芸をすること)。座興。②その場の興味で詩や歌などをよむこと。「―曲・―詩」 •**そっきょうしじん**[即興詩人]〔昔、西洋の宮廷(きゅうてい)の宴会(えんかい)などで〕即座(そくざ)に胸にうかぶ詩をうたった詩人。

*__そつぎょう__[卒業]《名・他サ》①その学校で学ぶことをすべて終えて、学校を出ること。「―論文・―アルバム(=在学中の写真をまとめた記念のアルバム。俗に『卒アル』)・〔自動車教習所の〕―検定(略して『卒検』)」(↔入学) ②じゅうぶんに習得し終わること。「スキーは―だ」③ある段階を通りこすこと。「おしゃぶりは もう―だ」④降板・引退・脱退(だったい)などの言いかえ。「番組を―する」

**ぞっきょく**[俗曲] 三味線(しゃみせん)などにあわせて歌われる通俗的な歌曲。例、どどいつ。

**そっきん**[即金] 〔買い物をして〕その場で お金をしはらうこと。「―で願います」

**そっきん**[側近] 〔身分・権力のある人の〕そば近くにいて用をたしたりする〈こと/人〉。

**ソックス**[SOx] 〔↑sulfur oxides〕《理》⇩硫黄(いおう)酸化物。

**ソックス**[socks] 短い くつ下。☞ハイソックス・ルーズソックス。

**そっくつ**[側屈]《名・他サ》〔文〕からだをよこに曲げること。

**そっくび**[素っ首]〔俗〕〔けいべつして〕くび。「〔果たし合いで〕その―をもらい受けたい」

**そっくり** 一《副》①そのまま。「辞書を―書き写す・―そのまま(=まったく同じであるようす)」②のこらず。「―食べてしまう」 二《名・ナダ》よく似ているようす。「母親に―だ・父親―の顔・―さん(=よく似た人)」 派―さ。

**そっくりかえ・る**[反っくり返る]《自五》〔俗〕〔いばって〕そりかえる。そりくり返る。「いすに―」

**そっけ**[〔素っ気〕] おもしろみ。あいそ。「―のないあいさつ・味も―もない〔⇩「味」の句〕」 •**そっけな・い**[〔素っ気ない〕]《形》①かざりけがなくて つまらない。「―部屋」②相手にあいそよくしない。親しげにしない。「―返事・そっけなく答える」 派―さ。☞すげない。

**ぞっけ**[俗気] ⇩ぞくけ。

**そっけつ**[即決]《名・他サ》①即座(そくざ)に〈裁決/決定〉すること。②《法》弁論が終わったあと、すぐ判決を言いわたすこと。「―裁判」

**そつけん**[卒研]〔文〕↑卒業研究。

**そつご**[卒後]〔文〕学校〔おもに大学〕を卒業したあと。「―教育・―研修」(↔卒前)

←**そっこう**[即効] 一〔文〕すぐに、ききめがあること。「―的な対策・―薬」 二《名・副》〔俗〕⇩速攻(そっこう)二。

→**そっこう**[速効] 一〔文〕はやい ききめ。「―性肥料(↔遅効(ちこう))」 二《名・副》〔俗〕⇩速攻(そっこう)二。

**そっこう**[足攻]《野球など》はやい足を使ってせめること。

**そっこう**[側溝]〔道路の〕わきの みぞ。

**そっこう**[速攻] 一《名・他サ》〔相手の準備が ととのわないうちに〕すばやく攻撃(こうげき)すること。「城を―する・―ずもう」(↔《サッカー》遅攻(ちこう)) 二《名・副》〔俗〕すばやくすること。ソッコー。「―〈で/かたづける/帰ろうとした〉」〔一九九〇年代に広まった用法〕 表記 二は「即行・即効・速効」などとも。

**ぞっこう**[続稿]〔文〕続きの原稿(を書くこと)。

**ぞっこう**[続航]《名・自サ》〔文〕①航海を続けること。「―不能」②あとに続いて、船を進めること。

**ぞっこう**[続行]《名・他サ》続けて おこなうこと。「雨でも試合を―する」

**そっこうじょ**[測候所] 地方気象台とともに、その地域の気象の観測などをするところ。

**そっこく**[即刻]《副》すぐさま。「―(に)やめてほしい」

**ぞっこく**[属国] ほかの国に支配されている国。

**ぞっこん**《副》しんそこから好きなようす。「―ほれこむ・彼女(かのじょ)に―だ」 由来 古くは「そっこん」。「底(そこ)」の強調形から。「底根」とも書いたが、これが語源ではない。

**そつじ**[卒×爾・率×爾]《ナダ》〔文〕とつぜん。かるはずみ。「―ながら(=とつぜんで失礼ですが)おたずねします」

**そつじゅ**[卒寿]〔数え年の〕九十歳(さい)(の祝い)。 由来 「卒」の略字「卆」から。

**そっせん**[率先]《名・自サ・副》さきに立つこと。「―(して)実行する・―垂範(すいはん)」 表記 俗に「卒先」とも書いた。

**そつぜん**[卒前]〔文〕学校〔おもに大学〕を卒業する前。「―教育」(↔卒後)

**そつぜん**[卒然・率然]《副》〔文〕だしぬけ。とつぜん。「―と(して)逝(い)った」

**そったく**[×啐×啄]〔啐=たまごの からを、ひなが中からつつく。啄=親鳥が からをつつく〕 ①《仏》〔禅宗(ぜんしゅう)で〕師と弟子(でし)が、仏法をさずけたい、さずかりたいと、同時に思うこと。「―同時」②〔文〕絶好の機会。「―の機をとらえる」

**そっち**《代》(↑そち)〔話〕①相手に近い方向をさすことば。「ボールが―に飛んだ」②二つ(以上)のうち、相手に近いものを選んでさすことば。「どうして―を選んだの」③相手(の がわ)をさすことば。「―のせいだぞ」④〔話の展開などで〕自分の予想しなかった方向をさすことば。「『英会話番組をよく見ています。出演者のファンなので』『―か!(=勉強のためじゃないのか)』」 丁寧 ①~③そちら。 区別 ⇩指示語。 表記 かたく「:其方」とも。 •**そっちのけ**[そっち(△退け)] ①ほかのことに夢中になって、ほうりだすこと。「勉強―で遊ぶ」②そこのけ。「くろうと―のうでまえ」

**そっちゅう**[卒中]〔↑卒中風(そっちゅうふう)〕脳卒中。

**そっちょく**[率直]《ナダ》かざらずに、えんりょなく言ったりしたりするようす。「―な態度・―に言って・大胆(だいたん)―」区別⇒すなお。表記 俗に「卒直」とも。派―さ。

**そつてん**【卒展】←卒業制作展。

**そっと** 一《副》①〈音を立て/気づかれ〉ないようにしてするようす。「―耳打ちする」②やさしくおこなうようす。「肩(かた)に―ふれる」③少し。「ちっとや―のことでは動かない」二《副・他サ》よけいなことをせず、そのままにするようす。「―しておく」

**ぞっと**《副・自サ》急に寒くなって鳥はだが立つ感じ。「背筋が―する・おそろしくて―する(=身の毛がよだつ)・〈感動で〉―するほどの美しさ」●**ぞっとしない** 句 感心しない。感動をおぼえない。「あまり―アイデア」

**そっとう**【卒倒】《名・自サ》とつぜん意識を失ってたおれること。「ショックを受けて―する」

**そつどく**【卒読】《名・他サ》〔文〕①目を走らせるようにして読むこと。②読み終えること。読了(どくりょう)。

**そつなく** 連 ⇒そつ。

**そつにゅう**【卒乳】《名・自サ》子どもが、母乳を飲む時期を終えること。☞断乳。

**そっぱ**【反っ歯】〔俗〕上の前歯が少しななめに突っ出ている〈こと/人〉。

**ソップ**〔オ sop〕①〔古風〕スープ。②〔すもう〕やせ型(の力士)。ソップ型。(↔アンコ) 由来 ②は、スープを取るニワトリの骨を思い出させるところから。

**そっぽ**【〈外〉〈方〉】〔俗〕よそのほう。よそ。●**そっぽを向く** 句〈協力/服従〉しなくなる。こちらの思うとおりに動かなくなる。「国民にそっぽを向かれる」

**そつろん**【卒論】〔学〕←卒業論文。

**そで**【袖】①〔衣服の〕左右のうでをおおう部分。②たもと。☞袖の下。③よろいの一部。肩(かた)からうでをおおうもの。④袖机(そでづくえ)。「―付きの机」⑤〔舞台(ぶたい)で〕左右のはし。舞台袖。「―幕」●**袖にすがる** 句〔そでにすがりつくようにして〕助けを求める。●**袖にする** 句 すげなくする。冷淡(れいたん)にする。☆☆**袖振(ふ)り合うも多生(たしょう)の縁(えん)** 句 道ですれちがうときに、そでが触(ふ)れ合うのも、前世(ぜんせ)から深い縁があるからだ。そで〈触れ/擦(す)り〉合うも多生の縁。表記「多生」は「他生」とも。●**袖を絞(しぼ)る** 句 たもとをしぼる。●**袖を通す** 句〔新しい〕衣服を着る。●**袖を引く** 句 ①そっと注意する。②そっと人をさそう。

**そてい**【措定】《名・他サ》①〔哲〕テーゼ(を立てること)。定立。「反―(=アンチテーゼ)」②〔文〕〔証明はされていないが〕認めること。想定。また、そのことがら。「国家の存在を―する」

**ソテー**〔フ sauté〕《名・他サ》バターなどでいためて〈焼いた料理/焼くこと〉。「ポーク―・ホウレンソウの―」

**そでがき**【袖垣】門などにそえてつくった低い垣根(かきね)。

**そでぐち**【袖口】〔服〕そでの手首をおおう部分。

**そでぐり**【袖〈×刳り〉】〔服〕そでをつけるために、身ごろをくるように切った部分(の寸法)。アームホール。

**そでたけ**【袖丈】〔服〕①洋服の、そでの長さ。②和服の、そでからたもとの先までの長さ。▽(↔袖幅(そではば))

**そでだたみ**【袖畳み】着物のせなかを内がわへ二つ折りにし、両そでをあわせてたたむたたみ方。

**そてつ**【〈×蘇鉄〉】鉢(はち)植えなどにする常緑樹。幹は太く、表面は網(あみ)の目のようで、頂上から鳥のはねのような形の、大きなかたい葉を四方に出す。

**そでづくえ**【袖机】机の片側(あるいは両側)にある、引き出しのついた部分。

**そでつけ**【袖付け】〔服〕そでを身ごろにつける〈こと/部分〉。

**そでなし**【袖〈無し〉】そでのない〈衣服/羽織〉。

**そでのした**【袖の下】わいろ。「―を使う」由来 着物の袖の下のほうにある袂(たもと)にかくしてこっそり金品をわたしたことから。

**そではば**【袖幅】〔服〕①洋服の、そでの周囲の長さ。②和服の、袖付けから袖口までの幅。▽(↔袖丈(そでたけ))

**そと【外】①囲みをこえた〈広がり/部分〉。「土俵の―」(↔中) ②外がわ。「地球は金星の―を回っている」③表にあらわれたところ。「不満を―へあらわす・情報が―(=組織外)にもれる」(↔内・中) ④建物から出た〈所/通り〉。屋外。「―は寒い・―階段」(↔中) ⑤自分の家でないところ。よそ。「―で食事をする」

**そとあそび**【外遊び】《名・自サ》〔子どもが〕屋外で遊ぶこと。(↔内遊び・室内遊び)

**そとあるき**【外歩き】《名・自サ》①〈遊び・楽しみのため〉の外出。②販売(はんばい)・用事などで、出歩くこと。

**そといぬ**【外犬】外へ出して飼っている犬。また、外で飼うのに適した犬。室外犬。(↔室内犬)

**そとう**【粗糖】精製してない砂糖。(↔精糖)

**そとうば**【〈卒塔婆〉】〔仏〕⇒そとば。

**そとうみ**【外海】陸地の外まわりをつつむ大海(たいかい)。外洋(がいよう)。(↔内海(うちうみ))

**そとうり**【外売り】《名・他サ》〈客をたずねて/店外に出て〉商品を売ること。外売(がいばい)。(↔店売り)

**そとおもて**【外表】布や紙などの、表を外にして〈折る/たたむ〉こと。(↔中表(なかおもて))

**そとがけ**【外掛け】〔すもう〕組んだまま相手の右足または左足のかかとのあたりに自分の左足または右足を外がわからかけてたおすわざ。(↔内掛け)

**そとがこい**【外囲い】―がこひ 建物の外がわの、囲い(となるもの)。

**そとがま**【外釜】ふろのかまが、ふろおけからはなして取り付けてある構造のもの。(↔内釜)

**そとがまえ**【外構え】―がまへ 外部の構造(のようす)。「家の―」

**そとがわ**【外側】―がは ①ものの、外のほうのがわ。「白線の―」(↔内側) ②外から見えるほうのがわ。(↔中側)

**そどく**【素読】《名・他サ》〔解釈(かいしゃく)はしないで〕書物の文字だけを読むこと。「漢文の―」

**そとぐつ**【外靴】外ばき。

☆☆**そとぜい**【外税】商品の価格に、消費税がふくまれていないこと。また、その税。(↔内税)

**そとだんねつ**【外断熱】家の外がわを断熱材でおおって、室温の変化をおさえる工法。〔従来の主流は、内(うち)断熱〕

**そとづけ**【外付け】《名・他サ》機械の外がわや屋外に取りつける〈こと/もの〉。「―ハードディスク」

**そとづら**【外面】〈世間/外部〉の人とつきあうときの顔つきや態度。「―のいい人」(↔内面(うちづら)) ☞がいめん(外面)。

**そとで**【外出】《名・自サ》外出(がいしゅつ)。そとあるき。

**そとねこ**【外猫】外に出して飼っているネコ。(↔内

猫・家猫）

**そとのり**【外△法】〔建物・うつわなどの〕外がわではかった寸法。（↔内のり）

**そとば**【△卒△塔婆】〔梵語stūpaの音訳〕《仏》①仏舎利を置いて供養するために建てる塔。②墓のうしろに立てる、細長い板。経文・戒名などを書く。▽そとうば。（おとうば）

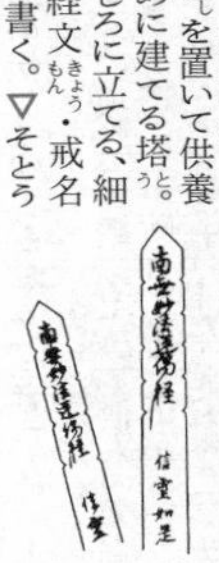
［そとば ②］

**そとばき**【外履き】屋外ではく、くつ。そとぐつ。下履き。（↔上履き）

**そとばこ**【外箱・外×函】①中に物をおさめた、外側の箱。「〈本/DVD〉の―」②商品をその中に入れて輸送するための箱。（↔内箱）

**そとびらき**【外開き】ドアなどが、外がわにひらくこと。（↔内開き）

**そとぶろ**【外風呂】①母屋とは別につくったふろ。②銭湯やもらい湯。③〔俗〕露天ぶろ。▽（↔内風呂）

**そとぼし**【外干し】《名・他サ》せんたくしたものを室外に干すこと。（↔部屋干し）

**そとぼり**【外堀・外×濠】城の外まわりにある堀。（↔内堀）●**外堀を埋める** 句 目的を達成するために、周辺の障害をまず取り除く。由来 城を攻め落とすのに、まず外堀を埋めてかかったことから。直 外堀が埋まる。

**そとまご**【外孫】結婚してよその家にはいった〈むすめ/むすこ〉夫婦から生まれた子。がいそん。（↔内孫）

**そとまた**【外股】足先が外に向いていること。「―で歩く」（↔内股）

**そとまわり**【外回り】―まはり ①家などの まわり。「―をそうじする」（↔内回り）②仕事で、会社などからよそへ出かけて ほうぼうを回ること。外勤。③外部との交渉・交際に関すること。「―の仕事を引き受ける」④〔環状線の電車で〕複線の、外がわの線路を回る〈こと/電車〉。（↔内回り）

**そとみ**【外見】そとめ（外目）。がいけん。「―のいい人」

**そとむき**【外向き】①外がわに向いていること。「―の店舗」②公的なこと。対外的なこと。「―の支出」③海外への意識が高いこと。「―志向」▽（↔内向き）

**そとめ** 一【外目】ほかの人が見たときの感じ。そとみ（外見）。「―を気にする」二【外（目）】《名・ナダ》《野球》外角寄り。「―の球」（↔近め）

**そとゆ**【外湯】旅館などで、建物の外につくった（共同の）浴場。（↔内湯）

**そとわ**【外輪】足の先を外がわに ひらくこと。（↔内輪）☞がいりん（外輪）。

**そとわく**【外枠】①外がわの わく。②割り当てられた数以外（のもの）。「―で十万トンの輸入」▽（↔内枠）

**そとわに**【外（×鰐）】足先を外がわに向けて歩く、歩き方。（↔内わに（鰐））

**ソナー**〔sonar←sound navigation ranging〕《理》音波を利用して、海底や、水中の物体・魚群などの距離や方向を知る装置。水中音波探知機。ソーナー。「―音」

←**そなえ**【供え】そなへ ①神や仏に ささげること。②←そなえもの。「―餅」☞おそなえ。●**そなえもの**【供え物】神や仏にそなえるもの。くもつ。

→**そなえ**【備え】そなへ ①将来のために、道具をそろえたり、気持ちをかためたりすること。「―あれば、うれいなし」②守る気持ちや、それが外に あらわれた〈姿勢/態度〉。「―をかためる」③戦場などでの、軍勢の配置。「堂々の―」●**そなえつける**【備え（付ける）】《他下一》いつもそこに用意しておく。「辞書を―・消火器を―」名 備えつけ。

←***そな・える**【備える・△具える】そなへる 一《自下一》〔そのことが いつあってもいいように〕前もって用意する。「台風に―」二《他下一》①必要な要素を、きちんと持つ。「機能性を―・技術と能力を―」②利用できるように〈置く/設ける〉。「えんぴつと紙を―・サウナを―」

→**そな・える**【供える】そなへる《他下一》①〔神や仏などに〕ささげる。②〔文〕食卓に出す。「食膳に―」▽供する。

**そなた**【（：其方）】《代》①〔文〕そっち。②〔古風〕おまえ。そこもと。「―さま（＝あなた）」

**ソナタ**〔イ sonata〕《音》ふつう、関連した四楽章からできている器楽曲。奏鳴曲。「ピアノ―・バイオリン―〔バイオリンとピアノで演奏される〕」

**ソナチネ**〔イ sonatine〕《音》ソナタの簡単な形式のもの。

**そなれまつ**【（×磯×馴れ）松】〔雅〕枝や幹が海岸の地面をはうマツ。

**そなわ・る**【備わる・△具わる】そなはる《自五》①必要な要素が、きちんとある。「内容と形式が―・品性が備わった人」②利用できるように〈置いて/設けて〉ある。「救急箱が―・プールが―」

**そにん**【訴人】《名・自サ》〔文〕うったえ出る〈人/こと〉。告訴（人）。

**ソネット**〔sonnet〕十四行（からできている）詩。

**そね・む**【（△嫉む）】《他五》〔文〕ねたむ気持ちを、ことばや態度に出す。名 そねみ。

**その**【園】〔文〕①野菜や花などを植える、ひとくぎりの〈地面/場所〉。②場所。「学びの―」

****その** 一《連体》①相手に近いものごとをさす。「―本、おもしろい？」②自分（と相手）から、少し はなれたものごとをさす。「―新聞、取って」▽（↔この・あの）③すぐ前に話に出たものごとをさす。「―ときの心境」（↔この）区別 ⇩この 一②・指示語。④全体をいくつかに分けた中の。「―一・―二」表記 かたく「×其の」とも。二《感》〔話〕適当なことばを思いつかないとき、つなぎに使うことば。「―、やっぱり…」〔「そのう」「その―」とのばしても言う〕●**その時は その時** 句 もし その状況になったら、どうするかは その時に考えよう。「人に知られたら、―だ」

**そのあげく**【その（挙げ句）】《副・接》…した、その最後。結局。あげく。

**そのうえ**【その（上）】―うへ《接》それに加えて、さらに。「彼は金持ちで―男前だ」

**そのうち**《副》①しばらくすると。「―（に）ねむくなってきた」②近いうちに。また、この先いつか。「―（に）食事でもしましょう〔☞「今度」の ！〕・―（に）お前にも わかるだろう」

**そのかみ**【その（上）】〔雅〕①〔：当 時〕当時。②

[∴昔日] むかし。

**そのかわり**[その(代わり)]《接》 それを認めるが、代わりに。「行っておいで、ー帰ったら勉強だよ」

**そのかん**[その間]〔文〕そのあいだ。

**そのき**[その気] 進んで しようという気持ち。本気。やる気。「おだてられてーになる・本人にはーがない」

**そのぎ**[その儀]〔文〕そのこと。そんなわけ。「ーに及ばぬ〔=そうしなくていい〕」

**そのくせ**[その(癖)]《接》 それなのに。

**そのご**[その後] それから あと。そののち。「ー(は)ごぶさたしております」

**そのじつ**[その実]《副》 本当は。実のところは。

**そのすじ**[その筋] ①そのむき(の人)。②ある ものごとを受け持ち、取りしまる官庁。当局。「ーに願い出る」③警察。「ーのお達し」④暴力団関係。「ーの人物」

**そのせつ**[その節] その時分。そのとき。「ーは おせわになりました・ーはご配慮願います」

**そのた**[その他] そのほか。「ー大ぜい」 区別 ⇩他 一。

**そのため**《接》 それが理由で。それで。そのために。「事故があり、ー、ダイヤが乱れた」

**そのつど**[その(都度)]《副》 そのたびに。「ー請求する」

**そのて**[その手] ①その〈手段/方法〉。「ああ、ーがあったか!・ーは食わない〔=その方法には だまされない〕・ーには乗らない」②そういう種類。「ーの話題は苦手だ」

●**その手は桑名の焼きはまぐり** 句 その計略には引っかからないぞ。由来 その手は「食わない」に、地名「桑名」をかけ、桑名の名物「焼きはまぐり」で語調をととのえたもの。

**そのでん**[その伝] そのような〈やり方/考え方〉。「ーで言うと…」

**そのとおり**[その通り] 一《名・感》 他人の発言や文章が まちがいないこと(を断言することば)。そう(だ)。もっとも(だ)。正解。「考えてみればーだ・『それはベニバナですか』『ー』」 二 それに反しないこと。それと同じ。「ーにします」

**そのば**[その場] あるものごとの あった場所。その〈場所/場面〉。「ーを立ち去る・ーでしはらう」 ●**そのば かぎり**[その場限り] そのときだけで、あとは関係がないこと。「ーの約束」 ●**そのば しのぎ**[その場(×凌ぎ)] そのときだけ、なんとか切りぬけること。急場しのぎ。「ーの対策」 ●**そのば のがれ**[その場逃れ] そのときだけ うまく言いのがれる〈こと/返事〉。一時のがれ。

**そのはず** そうあって当然なこと。「それもー」

**そのひぐらし**[その日暮らし] ①その日の収入で一日を暮らしていくこと。「ーの びんぼう生活」②将来の見通しもなく、その日その日を過ごすこと。

**そのひと**[その人] 一《代》 相手に近い人。また、話題になっている人を指す ことば。「ーはお友だちですか」 二 ①〔人をあらわす語のあとにつけて〕その人自身。「優勝したのは寺田さんーであった」②〔(…にーあり)〕その分野で名を知られた存在であることをあらわす ことば。「文壇にーあり」

**そのぶん**[その分] ①その状態。「ーでは、進級は無理だ」②それに応じた程度。「品がよければ、ー値が高くなる」

**そのへん**[その辺] ①〔相手に対して〕あなたのいるあたり。「ーをさがしてみなさい」②自分(と相手)のいるところから、あまり遠くない あたり。「ちょっとーでお茶でも飲もう」③その程度。「もうーで やめておけ」

**そのほう**[その方]《代》〔古風〕武士などが、目下の相手を呼んだことば。おまえ。

**そのほか**[その(他)] 今まで出たものの ほか。その他。

**そのまま** 一 **そのまま**《副》 ①前の動作に続いてすぐ次の動作に移るようす。「帰って来るなり、ーねこんでしまった」②今までそうであった状態を続けるようす。もとのまま。「どうぞ、どうぞ、ー、ー〔あいさつのために立とうとする人をとめるときなどの ことば〕」 アク 「の」「で」などがつく場合は、**そのまま**。 二 -**そのまま** 造〔名・形動ナダを つくる〕 それとくらべたときに、ちがいのないようす。「おかあさんーの口調」

**そのみち**[その道] ①その方面。「ーの大家」②〔俗〕色事の方面。

**そのむかし**[その昔] ずっと以前。むかし。

**そのもの**[その(物)] 一 **そのもの** 〔ほかのものでなく〕その本体。それ自体。「エンジンーが悪い」 二 -**そのもの** 造 上のことばの意味を強めることば。「熱心ーだ・青春ー」 ●**そのもの ずばり**[その(物)ずばり] 遠回しでなく、直接的なこと。「年収は いくらかとー(で)聞く・『酒場』というーの店名」〔一九四七年、ラジオのクイズ番組「二十の扉」から出たことば〕

**そのよう**《ナダ》〔よう↑助動詞「ようだ」〕 そういう〈ようす/ふう〉。〔「そん(な ふう)」よりも かたい言い方〕「ーなことは ございません・ーね〔女〕」

***そば**[(△側)・(△傍)] ①そのもの・その人の、すぐ横。②近所。近く。「郵便局は家のすぐーです・ー近くにいる」③すぐそのあと。「教えるーから忘れる」

**そば** 一 **そば**[(∴蕎麦)] ①畑に作る、くきの赤い作物。花は白い。②「そば 一①」の実の中にある白い つぶを粉にしてこね、細く切っためん類。ゆでて つけ汁につけたり、熱い汁をかけたりして食べる。そば切り。日本そば。「ーを打つ・ーをすする〔=食べる〕・ー粉・おー」 二 **そば**〔沖縄方言〕 小麦粉でつくっためんをゆで、ラフテーや青ねぎなどをのせた料理。沖縄そば。すば。「ソーキー」 三 造 中華めん。「焼きー・もやしー・ーめし〔=中華めんとごはんをいためたもの〕」

**ソバージュ**〔フ sauvage〕 髪型の一つ。毛先のほうから細かくパーマをかけて、ウェーブをつけたもの。

**そばがき**[(∴蕎麦=×掻き)] そば粉を熱い湯で かたくねった食品。

**そばかす**[(∴雀斑)・ソバカス]〔=そばがら〕 おもに顔にできる、茶色の点。色素が集まったもの。

**そばがら**[(∴蕎麦=殻)] ソバの実を粉にしたあとのから。まくらなどに つめる。

**そばだ・つ**[(×峙つ)]《自五》〔山が〕高くそびえる。

☆☆**そばだ・てる**[(×敧てる)・(×欹てる)]《他下一》〔注意して〕高く立てる。そばだたせる。「耳をー・目をー〔⇩「目」の 句〕」

**そばちょく**[(∴蕎麦猪口)] そばのつけ汁を入れるための うつわ。お茶や酒を飲むときにも使う。そばちょこ。そばぢょく。

**そばづえ**[(△側×杖)・(△傍×杖)] ぐうぜん その場所にいて受ける、思いがけない災難や めいわく。「ーを食う」

**そばどころ**[(∴蕎麦=△処)] ①(いい)ソバのとれる土

地。②〔文〕そばを食べさせる店。〔看板に書くことば〕

**そばめ**[(△側女)・(△側△妻)・(×妾)]〔文〕めかけ。

**そば・める**[(△側める)]《他下一》①〔目を〕そむける。②〔目を〕細める。③わきへ寄せる。「身を—」

**そばやのでまえ**[(:蕎麦)屋の出前]〔俗〕催促しても適当な言い訳をされて、あてにならないこと。「—じゃないんだから」 由来 そば屋の出前がおそいとき に催促すると、「今、出ました」などとうそをつかれたという話から。

**そばゆ**[(:蕎麦)湯] そばをゆでた湯。また、そば粉を湯でといたもの。

**そはん**[粗飯]〔=そまつな食事〕〔文〕客にすすめる食事をけんそんして言うことば。

**ソビエト** ①〔ロ sovet=評議会〕もと、共産主義の評議会制度による政治組織。②〔Soviet〕↑ソビエト連邦。▽ソヴィエト。●**ソビエトれんぽう**[ソビエト連邦]〔↑ソビエト社会主義共和国連邦〕ヨーロッパ東部を中心に、シベリア・中央アジア・カフカス地方などを領土とした国。首都、モスクワ(Moskva)。一九九一年に解体し、ロシア連邦のほか、たくさんの国々が独立。ソビエト。ソ連。ソ。

**そび・える**[(×聳える)]《自下一》 高く立つ。そばだつ。そびえ立つ。「山が そびえている・空に(向かって)—城」

**そびやか・す**[(×聳やかす)]《他五》 高く〈する/立てる〉。そびやかせる。「肩を—」

**そびょう**[素描]《名・他サ》①《美術》デッサン。②〔文〕だいたいのところをざっとえがくこと。

**そびょう**[粗描]《名・他サ》①《美術》あらいスケッチ。「風景の—」②〔文〕あらい描写。「歴史の—」

**そびら**〔雅〕せ(なか)。

**そび・れる** 造〔動下一をつくる〕 機会をのがす。「言い—・返却し—」

**そひん**[粗品]〔=そまつな品〕⇩そしな①。

**そふ**[祖父]〔自分の〕父母のちち。(↕祖母)

**ソファー**〔sofa〕 背もたれのついた、クッション性のある(長)いす。寝いす。ソファ。●**ソファーベッド**〔sofa bed〕 背もたれをたおすとベッドに使えるソファー。

**ソフィスティケーション**〔sophistication〕 都会的で洗練されていること。

**ソフィスティケート**《名・自サ・ナダ》〔sophisticate〕 洗練されて、しゃれた味わいのあるようす。「—されたデザイン」

**ソフィスト**〔sophist〕 詭弁家。

**そふく**[粗服]〔文〕そまつな衣服。

***ソフト**〔soft〕 一《ナダ》①やわらか。「—タッチ・—めん〔=学校給食用の、スパゲッティ風うどん〕・—シェルクラブ〔=脱皮したてで甲羅が やわらかいカニ〕」②アルコール分のない。「—カクテル」③おだやか。おとなしめ。「〔髪型の〕—モヒカン」 派 -さ。 二①〔↑ソフト帽〕頂上が くぼんだ、つばのある やわらかな帽子。中折れ。②↑ソフトクリーム。③↑ソフトウェア。コンテンツ。「映像—」(↕ハード)④↑ソフトボール①。⑤人材や働き方など、人に関することがら。「—面の充実」(↕ハード) ●☆☆**ソフトウェア**〔software〕①《情》コンピューターを動かすための(製品化された)プログラム。例、メールソフト。(↕ハード ウェア)②〈映像/音楽〉作品。▽ソフト。●**ソフトクリーム**〔↑soft ice cream〕 やわらかく かたまらせたアイスクリーム。ソフト。●**ソフトターゲット**〔soft target〕〔テロや戦争で〕じゅうぶんに守られず、攻撃されやすい場所や一般の人々。●**ソフトテニス**〔soft tennis〕 ゴム製のボールを使用するテニス。軟式テニス。●**ソフトドリンク**〔soft drink〕 アルコール分をふくまない飲料。ソフドリ〔俗〕。●**ソフトパワー**〔soft power〕 文化や価値観が国際的にうったえる力。「ハリウッド映画はアメリカの—だ」(↕ハード パワー〔=軍事力や警察力〕) ●**ソフトフォーカス**〔soft focus〕《写真》くもっためがねで見るように、色・光が輪郭の外ににじむように仕上げる方法。軟焦点。「—がかかる」 ☞アウトフォーカス。●**ソフトボール**〔米 softball〕①野球に似たスポーツ。野球よりも大きなボールを使い、投手は下手投げで打者に投球する。一チーム九人。ソフト。②ゴムなどで作った、やわらかな たま。●**ソフトランディング**《名・自サ》〔soft landing〕①軟着陸。(↕ハード ランディング)②《経》高度成長から、だんだんに、安定した成長に移ること。

**そふぼ**[祖父母] 祖父と祖母。

**ソプラノ**〔イ soprano〕《音》①女声のいちばん高い音域(で歌う歌手)。②〔同じ型の楽器で〕いちばん高い音を出すもの。「—サックス・—リコーダー」

**そぶり**[(素振り)] けはい。ようす。「不満の—」 ☞すぶ(素振)り。

**そぼ**[祖母]〔自分の〕父母のはは。(↕祖父)

**そほう**[粗放・疎放]《名・ナダ》〔文〕〔考えや行動が〕大ざっぱなこと。いいかげんなこと。派 -さ。●**そほうのうぎょう**[粗放農業] 資本や労力をかけない、自然にまかせる農業。(↕集約農業)

**そぼう**[粗暴]《名・ナダ》 すぐ大声を出したり、なぐったりして、態度が乱暴なようす。「—な性質・—犯」 派 -さ。

**そほうか**[素封家]〔文〕〔名家とされる〕大金持ち。財産家。「土地の—」

**そぼく**[素朴・素×樸]《名・ナダ》①自然のままで、単純なようす。「—な疑問」②かざりけのないようす。「—な人がら」 派 -さ。

**そぼぬ・れる**[そぼ(×濡れる)]《自下一》〔雨や露で〕衣服を通すほどに ぬれる。しょぼぬれる。

**そぼふ・る**[そぼ降る]《自五》 しとしと降る。「—雨」

**そぼろ** ゆでた さかなやエビ、ひき肉などをすりつぶして味をつけた食品。「サケの—・とり—・—〔=ひき肉〕あんかけ」

**そま**[(×杣)]〔雅〕①↑そまびと。「里に住む—・—道」②〔↑そまぎ〕そま山の〈木/材木〉。

**そまつ**[粗末]《ナダ》①作りが簡単で、質が おとるようす。「—な家」②つまらないもののように あつかうようす。「親を—にする」(↕大切) 派 -さ。☞お粗末。

**そまびと**[(×杣)人]〔雅〕山にはえた木を切る職業の人。きこり。そま。

**そまやま**[(×杣)山]〔雅〕切りとるための木を植えつけた山。

**そま・る**[染まる]《自五》①染めた状態になる。「空が赤く—」②影響を受けて、いつのまにか そうなる。「悪習に—」

**そみつ**[疎密・粗密] 密度が あらいことと細かいこと。

**そ・む**[染む]《自五》①そまる。しみこむ。「血に—」②

影響されて、同化する。「国情に染まない」

**そむ・く**［背く］《自五》①うしろを向く。せなかを向ける。「春に―（=春が来たのに楽しまない）」②［×叛く］はむかう。「親に―」

**そむ・ける**［背ける］《他下一》〈うしろ／わき〉へ向ける。「顔を―」

☆☆**ソムリエ**〔フ sommelier〕①レストランなどのワイン係。料理に合うワインを教えてくれる。②〔俗〕その食品・飲料について知識が深く、味の鑑定などのできる専門家として認定された人。「お米の―・お茶の―」〔俗に『茶ムリエ』とも〕

**そめ**［染め］①染めること。「―の着物・―（=染めた）小紋」②染めた色。

**ぞめ**［初め］【造】はじめてすること。その年の はじめに すること。「うたい―・笑い―」

**ぞめ**【造】【一】［染め］染めること。染めたもの。「二色―」【二】［染］工芸品としての染め物。「友禅―」

**そめあ・げる**［染め上げる］《他下一》染め物を、予定した色に仕上げる。【名】染め上げ。【自】染め上がる《五》

【名】染め上がり。

**そめい**［疎明・×疏明］《名・自他サ》①〔文〕言い訳。申し開き。②〔法〕いちおう本当らしいと推測できる状態にすること。「利害関係を―する資料」

**そめいよしの**［（染井△吉野）］いちばん多く見られるサクラ。花は一重で、葉に先立ってひらく。よしのざくら。

**そめかえ・す**［染め返す］《他五》さめた色をまた染める。また、別な色に染める。染め直す。【名】染め返し。

**ぞめき**①大ぜいがうかれさわぐこと。「階下の―」②阿波おどりのリズム。③〔古風〕〔遊郭を〕大ぜいで冷やかすこと。【動】ぞめく《自五》。

**そめこ**［染め粉］色を染める材料にするこな。

**そめつけ**［染め付け］《名・他サ》①染めて、色で模様を出すこと。また、その色や模様。②藍色で模様をかき、透明な うわぐすりをかけて焼きつけた磁器。青絵。【動】染め付ける《他下一》。

**そめぬ・く**［染め抜く］《他五》模様の部分を白く残して染める。【名】染め抜き。

**そめもの**［染め物］布などを染めること。染めた布。

**そめもよう**［染め模様］染め出した模様。

**そ・める**［染める］《他下一》①液にひたして、色をつける。「羽織を―・夕日が空を―（=染めたようにはっきり色をつける）」②しみこむように色をつける。「歯を―」③はずかしさや熱のために、〔ほおや顔を〕赤くする。④ものごとを始める。「手を―（=手をつける）・筆を―（=書き始める）・見―（=一目ぼれ）」

**そ・める**［初める］【造】〔動下一をつくる〕はじめる。「知り―・な（馴）れ―」

**そめわけ**［染め分け］《名・他サ》①二つ以上の色を分けて〈染めること／染めたもの〉。②花びらの色が、ちがった色に分かれて あらわれること。「―の あさがお」【動】染め分ける《他下一》。

**そも**《副・接》〔文〕ものごとの由来を説きおこすことば。そもそも。いったい。「―何事ぞ」

**そもう**［×梳毛］糸につむぐ前に、繊維の長い羊毛をそろえて平行に ならべること。また、そのようにした、毛織り用の糸。「―織物（=サージやギャバジンなど、うすくて、けばの少ない織物）」（↔紡毛）

**そもさん**［（△作×麼△生）］《感》（=どうなのか）〔仏〕〔禅問答で〕問いを発するときのことば。さあ いくぞ。（↔説破）

**そもじ**《代》（=其文字）〔古風・女〕そなた。あなた。

**そもそも**【一】《副》①おおもとから考えると。そも。「―自由とは何であるか・―パンの歴史は古く…」②まず考えるべきことは。第一。「旅行には行けない。―お金がない」③もともと。最初から。「今年中に完成させるのは―無理だった」【二】おおもと。いちばん初め。「説明を―から始める・本好きになった―の始まり（=きっかけ）は…」【表記】かたく「△抑も」とも。「△抑」「△抑く」とも書いた。●**そもそもろん**［そもそも論］ものごとの最初にもどってする議論。「いまさら―を言っても はじまらない」

**そや**［△征矢・△征×箭］昔、戦場で使った矢。

**そや**［粗野］《名・ナダ》あらあらしくて下品なこと。「―な性質」

**そやつ**［（×其△奴）］《代》〔古風〕そいつ。

**ぞよ**《終助》〔〈古風／演劇的〉な言い方〕おもおもしく念をおすことば。「けっして にがしてはならぬ―」

**そよう**［素養］学問・技術の下地。たしなみ。「音楽の―がある」

**そよかぜ**［（△微）風］そよそよと ふく風。

**そよ・ぐ**［（△戦ぐ）］《自五》①そよ風に ふかれて〈動く／動いて音を立てる〉。「葉が風に―」②そよそよと ふく。「秋風が―」【名】そよぎ。【他】そよがせる《下一》。「葉を風に―」

**そよそよ**《副》風が気持ちよく しずかに ふくようす。「春風が―（と）ふく」

**そよとのかぜ**［そよとの風］少しの風。「―もない、真昼の暑さ」

**そよふ・く**［そよ吹く］《自五》〔文〕風が気持ちよく、わずかにふく。「―風」

****そら**【一】**そら**［空］①雲がうかび、昼は いちめんに青く見える、高いところ。「晴れた―・夕焼けの―・たこ（凧）が―高く（まで）揚がる・―飛ぶじゅうたん」②［：宇宙・△宙］地球の そと。宇宙。③天候。空模様。「秋の―は変わりやすい」④方向。「故郷の―」⑤気持ち。「生きた―もない」⑥とぼけること。「―を使う」【二】［（空）］【遺】①あてにならないこと。かいがないこと。「―だのみ」②［（△虚）］うそ。「―いびき」③なんとなく。「―おそろしい」☞そらで《副》。

**そら**《感》〔話〕相手の注意をうながすときのことば。それ。「―、投げるぞ」〔ゆっくり言うときは「そうら」〕

**そらあい**［空合い］空模様。「くもった―」

**そらあかり**［空明かり］空に広がっていく日の光。「あかね色の―」

**そらいろ**［空色］うすい青色。

**そらうそぶ・く**［（空×嘯く）］《自五》①天をあおいでうそぶく。②そらとぼける。

**そらおそろし・い**［（空）恐ろしい］《形》〔これから先のことが〕不安でおそろしい。「―話だ」【派】-げ。-さ。

**そらおぼえ**［（空）覚え］①暗記。②うろ覚え。

**そらごと**［（空）言・（：虚言）］〔文〕つくりごと。うそ。

**そらし**［空師］高い木によじのぼって枝打ちなどをする職人。

**そら・す**［反らす］《他五》そるようにする。そらせる。「せなかを—」

**そら・す**［(△逸らす)］《他五》①わきへ それさせる。「視線を—・話を—・相手の ねらいを—」②うっかり、それる結果にする。とりそこなう。「ボールをうしろに—」③きげんをそこなう。「人をそらさない」▽そらせる。

**そらぞらし・い**［(空々しい)］《形》①知っていて知らないふりをするようす。「—態度」②うそであることがわかるようす。「—おせじ」派-げ。-さ。

**そらだのみ**［(空)頼み］《名・他サ》あてにならない たのみ。からだのみ。

**そらで**［(空)手］〔古風〕神経痛などで、手が痛むこと。☞からて(空手)。

**そらで**［(空で)］《副》メモ・ひかえなど なしで。記憶だけで。「—読み上げる」

**そらどけ**［(空)解け］帯・ひもなどが、自然に解けること。

**そらとぶえんばん**［空飛ぶ円盤］円盤の形をした、UFOの一種。

**そらとぼ・ける**［(空×惚ける)］《自下一》わざと とぼける。知らないふりをする。そらっとぼける。

**そらなき**［(空)泣き］《名・自サ》うそなき。

**そらなみだ**［(空)涙］いつわりの なみだ。

**そらに**［(空)似］血すじをひいていないのに、顔つきがよく似ていること。「他人の—」

**そらね**［(空)音］実際は だれも鳴らさないのに、聞こえてくる楽器の おと。「琴の—」

**そらね**［(空)寝］寝たふりをすること。たぬき寝いり。

**そらねんぶつ**［(空)念仏］信仰心を持たず、ただ口先で念仏をとなえること。からねんぶつ。

**そらの-びん**［空の便］飛行機の〈便／運航〉。「台風で—が乱れた」

**そらべん**［空弁］〔俗〕空港で売られる弁当。

**そらまめ**［(空豆)・(:蚕豆)・(△天豆)］親指ぐらいの大形のマメ。くきは四角形で、マメのはいった太いさやは空に向かってなる。食用。てんまめ。

**そらみみ**［空耳］㊀実際は聞こえないのに、何か聞こえたように思うこと。㊁《名・他サ》聞きまちがい。「—ソング」

**そらめ**［空目］《名・他サ》目の まちがい。見まちがい。「遠くに父を見つけたと思ったが、—だった」

**そらもよう**［空模様］天候のようす。雲行き。

**そらゆめ**［(空)夢］①〔夢に見ても〕実際は そうならない夢。②空想。「—に終わる」③見もしないのに、見たと言って話す夢。

**そらん・じる**［(×諳んじる)］《他上一》〔文〕①そらで覚える。暗記する。②暗唱する。「和歌をそらんじてみせる」▽そらんずる。

**そり**［反り］①そること。そったようす。②刀身の まがりぐあい。●**反りが合わない**句〔性格や考え方がちがって〕しっくり いかない。「あの人とは、どうも—」●**反りを打たせる**句 身につけた刀の反りの向きを変え、すぐ抜けるように、つかをにぎる。反りを打つ。

**そり**［(×橇)］積もった雪の上をすべらせて、ものや人をはこぶのに使う乗り物。「—遊び」

**そりあじ**［(×剃り)味］そるときに、かみそりが はだにふれる感じ。

**そりかえ・る**［反り返る］《自五》うしろのほうへ そって、曲がる。そっくり返る〔俗〕。名反り返り。

**そりごし**［反り腰］『すもう』腰を少し うしろのほうへそらせること。「—の立ち合い」

**そりこみ**［(×剃り)込み］ひたいや まゆ毛などの はえぎわを深くそること。「—を入れる」動そり込む《他五》。

**ゾリステン**〔ド Solisten=Solist《=独奏者》の複数形〕楽団・合唱団の名前につけることば。

**ソリスト**〔フ soliste〕①『音』独奏者。独唱者。②〔バレエで〕ひとりで おどる人。

**ソリッド**《ナダ》〔solid〕かたい(調子である)ようす。「—なロックの音・—な色」●**ソリッドギター**〔solid guitar〕『音』共鳴する胴をもたないエレキギター。●**ソリッドステート**〔solid state=固体の状態〕『理』〔トランジスタや集積回路(IC)などの〕半導体素子を利用した電気回路。由来 従来の真空管に対して、半導体が固体の構造であるから。

**そりば**［(×剃り)刃］安全かみそりの、刃。

**そりはし**［反り橋］まんなかが、高くそった橋。

**そりみ**［反り身］からだを少し うしろのほうへ そらすこと。「—になる」

**そりや**〔話〕㊀**そりゃ**連 ↑それは。そりゃあ。「—たいへんだったね・—〔=当然〕たのまれれば いやとは言えない」㊁**そりゃ**《感》①〔古風〕注意をうながす声。そら。「あ、—、王手!」②歌の はやしことばなどに使う。「あ、—」

☆☆**そりゃく**［粗略・疎略］《名・ナダ》人や物に対して いいかげんな気持ちで接するようす。「—にあつかう」派-さ。

**そりゅう**［粗粒］『鉱』つぶが あらいこと。また、あらいつぶ。「—玄武岩」

**そりゅうし**［素粒子］『理』原子を構成する、原子よりさらに小さい粒子や構成要素。陽子・中性子・電子・中間子・クォークなど。

**ソリューション**〔solution〕①問題の解決(法)。②『理』溶解。溶液。

**そりん**［疎林］〔文〕まばらに木が はえた はやし。(↔密林)

**そ・る**［反る］《自五》〈外がわ／うしろがわ〉に、弓なりに曲がる。そりかえる。「本の表紙が—・指が—」

**そ・る**［(×剃る)］《他五》かみそりなどで かみの毛や ひげなどをけずりとる。する〔俗〕。可能 それる。

**ゾル**〔ド Sol〕『理』液体の中にコロイド粒子が分散しており、流動性をもっているもの。例、牛乳。☞ゲル(ド Gel)。

**ソルダム**〔soldum〕スモモの品種の一つ。小ぶりで身がしまっている。皮は うす緑色ないし赤。果肉は赤く、あまずっぱい。

**ソルフェージュ**〔フ solfège〕『音』ド、レ、ミ…や母音を使ってする、声楽の基本練習。また、その練習曲集。

**ソルベ**〔フ sorbet〕リキュールやシャンパンなどをベースにしてつくったシャーベット。

**それ ㊀それ《代》①〔相手が はなれているときは〕相手に近いものをさす ことば。「—は何の本ですか」②〔相手と同じ場所にいるときは〕自分たちから少し はなれた所にあるものをさす ことば。「ちょっと—取って来て」▽(↔あれ・これ) ③すぐ前の話(に出した ものごと)をさす ことば。「うまく やってくれるか、—が心配だ・日ざしはもう春の―になっていた・―らの作品」区別 ⇩これ[一]③・指示語。④相手の発言全体をさすことば。「―は困ります」⑤これから述べるできごとをさすことば。「―は去年のことだった」⑥〔文〕そこ。「―へひかえておれ」表記 かたく「×其れ」「△夫」とも。[二]それ《感》〔話〕①注意をうながすことば。そら。「―、言わないことじゃない」②走ったりする動作を始め(させ)るときのかけ声。「―行け・―(っ)とばかりにかけ出した」③歌のはやしことばなどに使う。「あ、―」☞それは。●**それかあらぬか** 句〔文〕そのためかどうか(は知らないが)。●**それ見たことか** 句〔「それ」は感動詞〕〔自分の忠告を聞かなかったことを責めて〕やっぱり予想が当たった。ほら見ろ。

**それい**〔祖霊〕〔文〕祖先の霊。「―をまつる」

**ソレイユ**〔フ soleil〕太陽。

**それが** [一]《接》ところが。「昔は仲良しだった。―、今では敵どうしだ・『気のせいでしょう』『―、そうじゃないんだ』」[二]《副》〔話〕事情を打ち明けることば。実は。「『仕事は順調ですか』『―、進んでいないんです』」●**それがしょうこに**〔それが証拠に〕《副》〔それが＝その〕〔文〕その証拠に。「―、これを見よ」

**それがし**〔△某〕《代》〔文〕①名前のはっきりわからない人・ものごとをさすことば。なにがし。②武士などが自分をさして言ったことば。わたくし。

****それから** [一]《接》①その次に。「電気を消して、―玄関のかぎをかけた・―というもの」②それに加えて。さらに。「お祝いに、本とアルバム、―花を贈った」[二]そのことがあってから。そのあと。事後。「―がたいへんだった・主人公の―〔＝後日談〕をえがいた続編」●**それからというもの**《副》それからあと。以降。「―(は)すっかり心を入れかえた」

**それきり** それきり・それきり《名》・《副》①それだけ。「なんだ、―か」②そのとき限り。「―顔を見せない」▽それっきり〔話〕。

**それこそ**《副》まったく。まちがいなく。「火事でも起こしたら―たいへんだ」

**それしき** それぐらい。「―のことでは困らない」

**それしゃ**〔それ者〕〔俗〕芸者。くろうと。「―上がり〔＝もと芸者〕」

**それじゃあ**《接・感》〔話〕「それでは」の少しくだけた言い方。(それ)じゃ。

**それそうおう**〔それ相応〕《名・ナダ》その〈人／こと〉にふさわしいこと。「―の謝礼をする」

**それそうとう**〔それ相当〕《名・ナダ》何かをした結果につりあうこと。「―にむくいてやる」

****それぞれ**《名・副》〔＝其れ其れ〕複数のものを、〈ひとつ／ひとり〉ずつ分けてさすことば。「人―の考え」表記 かたく「△夫々」とも。

**それだから**《接》そういうわけであるから。だから。丁寧 それですから。

**それだけ** それだけ・それだけ《名》・《副》①その程度。②予想したより少ないようす。それきり。③それにつれて。そのぶんだけ。「努力すれば、―評価される」●**それだけに**《接》〔前に言ったことを受けて〕そうであるだけに。それだからいっそう。「―なおかわいい」

**それだったら**《接》〔話〕(もし)そうだとしたら。そういう事情ならば。そうだったら。だったら。「忘年会やるんですか。―、いい店がありますよ」丁寧 それでしたら。

**それだのに**《接》〔話〕それなのに。

←**それだま**〔△逸れ球〕《野球など》それたボール。

→**それだま**〔△逸れ弾〕ながれだま。流弾。

**それで**《接》①話を続けることば。それから。そして。それでもって。「―どうなりました」②前を受けて、そこからみちびかれる内容を続ける。そういうわけで。だから。「言っても聞かない。―、ついどなってしまった」③そこで。「―、ぼくも言ってやったんだ」●**それでいて**《接》〔前に言ったことを受けて〕そうであるのに。それでいながら。●**それでなくても**《副》〔前に言ったことを受けて〕そういう事情がないときでも。〔「それでなくてさえ」は、気持ちを強めた言い方〕

**それでは** [一]《接》①〔前のことがらを受けて〕そういう事情で〈あるなら／あっては〉。「―私が困ります」②話を次に進めることば。では。「A国は参加する、―、B国はどうか」[二]《感》話を終えるとき、別れるときなどに使うことば。では。「―、これで失礼します・―!」▽[一][二]それじゃ(あ)。

***それでも**《接》①そうであっても。「失敗するかもしれない。―やってみたい」②それなのに。「声をかけた。―ふり向かなかった」

**それと**《接》それから。あと。「―、もう一つ」●**それというのも**〔それと言うのも〕《接》〔前に言ったことを受けて〕そのわけは。それというの〈は／が〉。「残業が減った。―、景気が悪いからだ」●**それとなく**《副》はっきりと表には出さずに。遠まわしに。「―知らせる」〔連体詞の形もある。「それとない〈しぐさ／要求〉」〕●**それとなしに**《副》それとなく。それとはなしに。「―聞いてみた」〔連体詞の形もある。「それとなしの心くばり」〕

**それどころか**《接》〔前に言ったことを受けて〕そんなことよりも、さらに。

**それとて**《接》そのことにしても。それだって。

**それとも**《接》あるいは。もしくは。「ケーキ? ―くだもの?」

**それな**《感》〔俗〕相手の指摘に同感することをあらわすことば。そうだよね。「『あれけっこういいね』『―』」

**それなのに**《接》前の部分に反することを続けるときのことば。そうであるのに。それだのに。「私は待っていた、―あなたは来なかった」

**それならば**《接》前の部分を、条件として認める。そういうことなら。ならば。それなら。そんなら。「あすは無理ですか。―、あさってはどうですか」

**それなり** [一]①その〈もの／人〉に応じていること。「礼状には―の書き方がある・みんな―にしあわせを求めている」②その〈もの／人〉に応じた程度。そこそこ。〔並程度、または、並以上を言う〕「―の成績はとっている・いいカメラで写せば、私も―に写る」[二]《副》そのまま。「―行ってしまった・―になる」●**それなりけり** 連〔「けり」は文語助動詞から〕〔古風〕そのまま。それきり。「―になる・―に死んでしまう」

**それなればこそ**《接》そうであるからこそ。

**それに**《接》そのうえ。それにつけ加えて。「パンとチーズ、―ワインがあればいい・睡眠不足は能率を落とす。―、美容にも悪い」●**それにしては**《接》そうであるわりには。「あすは雨だという予報だったが、―夕焼けがきれいだ」●**それにしても**《接》①前の部分を一応認めたうえで、あとに反対のことを続けることば。それにせよ。それはそれとしても。「息子も いそがしいのかもしれない。―、電話ぐらいくれても よさそうなものだ」②ふと〈思いついて/思いが強まって〉言うことば。しかし。「―連絡がおそい・いやあ、―強いチームだ」 ●**それにつけても**《接》 そのことがきっかけとなって何かをしみじみ思い出すときに言うことば。 ●**それにひきかえ**〔それに〈引き換え〉〕《接》 前のことがらとは まったく反対に。〈これに〉ひきかえ。「夫は何もしない。―、むすめはよく手伝う」 ●**それにも かかわらず**《接》 そうであるのに。それなのに。それでも。 ●**それにもまして**〔〈それにも増して〉〕《接》それ以上に。「この手紙は読みにくい。―、内容がわかりにくい」

**それのみか**《接》〔文〕そればかりか。

**それのみ-ならず**《接》〔文〕それだけではなく。

**それは** ㊀《副》①強く感動して、なんと表現したらいいか わからないときに使うことば。「おじょうさまは、―〔=非常に〕美しい方でした」②当然。もちろん。「あんな言い方をされては、―私だって おこりますよ」 ㊁《感》〔話〕〔相手の話を受けて〕おどろき・感動などの気持ちをあらわす。『父が急になくなりまして…』『―、何と申し上げてよいやら…』」 ▽㊀㊁ そりゃ(あ)。 ●**それはそうだ** 句〔相手のことばを受けて〕そのとおりだ。それは〈あたりまえ/もっとも〉だ。そりゃ(あ)そうだ(話)。『待っていても しかたがないだろう』『―』」 ●**それはないでしょう** 句 ①〔自分に対するまちがった判断や態度を打ち消す気持ちで〕そんなことはないでしょう。②〔相手のやり方などを批判して〕それはひどいじゃないですか。▽それはないだろう。それはない(です)よ。 ●**それはさておき**《接》 そのことは別にして。それはさておくとして。表記「:閑話休題」とも書いた。☞ かんわきゅうだい(閑話休題)。 ●**それはそうと**《接》 そのことは、いちおう そのままにするとして。〔思い出したとき、話題を変えるときに使う〕 ●**それはそれとして** ㊀《接》 それは無視できないが、と言いつつ話題を変えることば。「君には言いたいことがある。―、金は貸してやるよ」 ㊁《副》その場合にはその場合なりに。それはそれで。「平凡な人生でも、―意味がある」 ●**それはそれは** ㊀《副》「それは」を強めた言い方。「―すばらしい できばえ」 ㊁《感》〔話〕〔あいさつのことばとして〕なんとも はや。おやまあ。「―、どうもおそれいります」

**そればかりか**《接》 それだけではなく、さらに。

**それほど**《副》 ①そのように大きな程度。そんなにまで。「―(に)おっしゃるのなら…」②〔後ろに否定が来る〕問題にするほど。たいして。さほど。「名人と言われるが、―でもない〔=たいしたことがない〕」「―寒くないので上着はいらない・軽く見て―注意をしなかった」

**それまで**《副》 ①そこまで。②それで終わり。「では―」

**それゆえ**〔それ〈故〉〕《接》〔文〕そういう わけだから。

**それらし・い**《形》 ①〈それ/その人〉だと思われるようすだ。「―姿は見えなかった」 ②〈それ/その人〉にふさわしい。「あやまるなら、―態度を示せ」 ③いかにも もっともらしい。「―用事を作って出かける」 ④なんとか、かっこうがついているようすだ。「それらしく しゃべれた」

**そ・れる**〔〈逸れる〉〕《自下一》 ①目標とは ちがう方向へ行く。「矢が―・ボールが思わぬところに―」〔↔当たる〕 ②これまで進んでいたのとは ちがう方向へ行く。「いやなやつが来たので、脇へ それた・台風が―・話が―」

***ソれん**〔ソ連〕↑ソビエト連邦。

**ぞろ**〔〈候〉〕《助動特殊型》〔↑そうろう。活用は「〇―〇―ぞろ―ぞろ―〇―〇」〕〔文〕ます。ございます。「この段お願い申し上げ―・寒さ はげしく―ところ」

**ソロ**〔イ solo〕 ①ひとりだけですること。単独。「―ホームラン〔=走者なしのときの本塁打〕・―公演・―キャンプ」 ②〔音〕独唱。独奏。独演。〔↔デュエット〕

**そろい**〔〈揃い〉〕 ㊀ **そろい** ①すべて そろっていること。「全巻を―で買う」 ②全員の着物などの模様や仕立て方が同じであること。「―の ゆかた」☞おそろい。 ㊁ 接尾 いくつかで ひと組みになるものを数えることば。そろえ。「茶道具ひと―」 ㊂ 造〔ぞろい〕そろっていること。…ばかりであること。「傑作―」 ●**そろいぶみ**〔〈揃い〉踏み〕 ①〔すもう〕幕内の力士が全部ならんで、四股をふむこと。特別の場合に限っておこなう。「三役―〔=本場所の千秋楽におこなう〕」 ②勢ぞろい。「豪華な顔ぶれが―」

**そろう**〔疎漏〕《名・ナダ》〔文〕おろそかで手おちがあること。「調査に―がある」 派 ―さ。

**そろ・う**〔〈揃う〉〕《自五》 ①ばらばらに なっているものが、一か所に集〈ま/められ〉る。「選手がみなそろった」 ②対になっているものが きちんとならぶ。「箸が―」 ③欠けたもののない状態になる。ととのう。「家具が―・条件が―」 ④二つ以上のものが、同じ状態になる。あう。一致する。「足並みが―」 ●**そろいも そろって** 句 似たような人が集まっているようす。〔多く悪い意味に使う〕

**そろ・える**〔〈揃える〉〕《他下一》 そろうようにする。「長さを―・声をそろえてさけんだ・家具を―」 可能 そろえられる。

**そろそろ**《副》 ①ゆっくりと、しずかに。しずしず。「―(と)歩く」 ②あまり時間がたたないうちに。「―正月だ・―来るころだ」

**ぞろぞろ**《副》 切れ目なく続くようす。「乗客が―(と)おりる・証拠が―出てきた」

**そろって**〔〈揃って〉〕《副》 みんな同じように。「―試験に合格した」

**ぞろっと**《副》 ⇩ぞろりと②。「―したコーデ」

**ぞろっぺえ**《名・ナダ》〔俗〕 ①だらしない〈ようす/人〉。②おおまかで、きちんとやらない〈ようす/人〉。▽ぞろっぺ。

**そろばん**〔〈算盤〉・〈十露盤〉〕 ①〔中国・日本で〕計算するときに使う道具。「―玉」 ②〔損得・利益の〕計算。「―が合わない〔=損だ〕」 ●**そろばんを はじく** 句 利益になるかどうかを計算する。損をしないように考える。 ●**そろばんかんじょう**〔〈算盤〉勘定〕 損得を計算すること。 ●**そろばんずく**〔〈算盤〉尽く〕 なんでも、損か得かを考えてからすること。勘定ずく。 ●**そろばんだか・い**〔〈算盤〉高い〕《形》 勘定高い。 派 ―さ。

**ぞろめ**〔ぞろ目〕〔俗〕 ①二個のさいころをふって、同じ数が出ること。②〔競馬などの連勝式で〕同じわくの馬や選手が一、二着になること。「―が当たった」 ③同じ数字がつづくこと。「四けたの―〔番号〕」

**そろりと**《副》 ゆっくり静かに動くようす。「ふすまを―開ける・橋をそろり、―歩く」

**ぞろりと**《副》 ①たくさんの物が、つながるようにならんでいるようす。ぞろぞろ。②やわらかくて重みのある着物を、(だらしなく)長めに着るようす。ぞろっと。「—着流す」

**そわ・せる**[添わせる]《他下一》①添うようにしてやる。②結婚させる。

**そわそわ**《副・自サ》気をとられて、おちつかないようす。「帰りたくて—している」

**そわつ・く**《自五》そわそわした状態になる。

**そわ・る**[添わる]《自五》つけ加わる。

**ソワレ**〔フ soirée〕①〔夜の〕パーティー。夜会。また、夜会服。②夜間の興行。(↔マチネ(—))

*__そん__[村]《法》⇩むら②。「市町—・—当局・沖縄県読谷—」

**そん**[損]《名・ナダ》①商売や取引をして、収入より支出が多くなる状態。「—をする・—がいく(=損になる)」(↔益)②不利。むくいられないようす。「—な性格・そういうことを言うと、ご—ですよ」▽(↔得)

**そん**[尊]接尾《仏》仏像を尊敬して言うことば。「地蔵—・不動—」

**そんえい**[村営]村が経営〈すること/しているもの〉。

**そんえい**[尊影]〔文〕①〈相手/とうとい人〉の写った写真を尊敬した言い方。「ご—」②とうとい仏などの像。「菩薩の—」

**そんえき**[損益]①損失と利益。②財産の増減。「—分岐点・〔簿記の〕—計算書」

**そんか**[尊家]〔文〕相手の家を尊敬した言い方。お宅。貴家。「ご—」

☆☆**そんかい**[損壊]《名・自他サ》〔文〕こわすこと。こわれること。「家屋の—」

**そんがい**[損害]利益を失うこと。失われた利益。「—をこうむる・精神的—・—賠償」●**そんがいほけん**[損害保険]偶然の事故でできた損害をおぎなう目的の保険。損保。例、火災保険。

**ぞんがい**[存外]《副・ナダ》思いのほか。案外。「—(に)知られていない・—な謝礼」

**そんがん**[尊顔]〔文〕相手の顔を尊敬した言い方。「ご—を拝する(=お会いする)」

**そんき**[尊貴]《名・ナダ》〔文〕ねうちがあって、とうといこと。「生命は—である」

**そんぎ**[存疑]〔文〕〈正しい/本当〉かどうか、疑問を残すこと。「この例は—とする」

**そんぎ**[村議]↑村議会議員。

**そんぎかい**[村議会]《法》村民から選ばれた議員が、村の行政に必要なことを決める議会。

**そんきょ**[×蹲×踞]《名・自サ》①〔文〕うずくまること。②《すもう》つま先を立てたままで深く腰をおろし、ひざをひらきからだをまっすぐにすること。「—の姿勢」

**そんぎり**[損切り]《名・自サ》《経》〔持っているとさらに損するかもしれないので〕買った株などを、損を覚悟で売ること。

**そんきん**[損金]《経》①損失となったお金。(↔益金)②法人の経理で、支出と認められるお金。「—として処理できる」

**ソング**〔song〕歌。「ヒット—」

**そんけい**[尊敬]《名・他サ》①相手をすぐれていると認め、あこがれること。「私の—する人物」②相手を重んじて、失礼がないようにすること。うやまうこと。「—語・—表現」●**そんけいご**[尊敬語]《言》敬語の一種。相手がわまたは第三者の行為・ものごと・状態などについて、その人物を立てて(=高めて)述べるときのことばや言い方。例、あなたさま・あのかた・いらっしゃる・おっしゃる・なさる・召し上がる・お書きになる・お名前・お宅・ご住所・おいそがしい・ごりっぱ。☞謙譲語・丁重語・丁寧語・美化語。

☆☆**そんげん**[尊厳]㊀神や神聖なものの持つ、威厳。㊁《ナダ》けだかくて、威厳があるようす。「—をおかす」派-さ。●**そんげんし**[尊厳死]《医》助かる見こみのない病人が、無意味な延命を断り、痛みを止めてもらいながら、人間としての尊厳を保ったままで安らかに死ぬこと。☞安楽死①。

**そんこう**[尊公]《代》〔文・男〕貴公。

**そんごう**[尊号]〔文〕尊敬して呼ぶ称号。特に、天皇・皇后などの称号。

**__そんざい__[存在]《名・自サ》ある〈こと/もの〉。「神の—・—を認める・偉大な—(=同類の中で、偉大な〈ひと/もの〉)」●**そんざいかん**[存在感]そこに〈いる/ある〉だけで、みんなの注意を引きつける感じ。「—のある俳優・—を示す(中心になってものごとを動かす意味にも)」

**ぞんざい**《ナダ》〔態度やことばに〕細かいところまで気をつけない(ために失礼になる)ようす。「—なあつかい・—な言い方」(↔丁寧)

**そんし**[尊師]師を尊敬して言うことば。先生。

**そんじ**[損じ]損じ〈ること/た箇所〉。

**ぞんじ**[存じ・存:知]思うこと。知っていること。☞ご存じ。●**ぞんじあ・げる**[存じ上げる]《他下一》「知る・思う」をけんそんして言うことば。●**ぞんじより**[存じ寄り]〔けんそんした、古風な言い方〕①知りあい。「—の者」②考えていること。意見。

**そんしつ**[損失]①損になること。「多額の—」(↔利益)②そこなわれ、うしなわれること。「人命の—」

**そんしょう**[損傷]《名・自他サ》こわれきずつく(ようにする)こと。「本が—する・細胞が—する・靭帯を—する・首に—をあたえる」

**そんしょう**[尊称]《名・他サ》〔文〕尊敬して呼ぶこと。また、その呼び名。「大先生の—をたてまつる」(↔卑称)

**ぞんじょう**[存生]《名・自サ》〔文〕この世に生きていること。ぞんしょう。(「存命」の改まった言い方)「—のみぎり」

☆☆**そんしょく**[遜色]おとったようす。「プロと比べても—(が)ない(=見おとりしない)」

**そんじょそこら**〔俗〕その〈へん/あたり〉。そこいら。「—には見られない」

**そん・じる**[損じる]㊀《他上一》①〔文〕ものをこわしたり、いためたりする。「器具を—」②〔文〕ものごとの状態をわるくする。「機嫌を—」③〔文〕少なくする。「価値を—」▽㊀㊁損ずる。㊁造…しそこなう。「し—・受け—・書き—」

**ぞん・じる**[存じる]《他上一》〔多く**存じます**〕①「思う」の〈けんそんした/丁重な〉言い方。「…と—次第であります・お元気のことと存じます」②「知る」の〈けんそんした/丁重な〉言い方。「いえ、存じません」▽存ずる。

**そんすう**[尊崇]《名・他サ》〔神や仏を〕尊敬してあ

がめること。「―を受ける・―の念」

**そん・する**【存する】〔文〕㊀《自サ》①ある。②生きながらえる。「この世に―」③残る。「おもかげが―」㊁《他サ》①たもつ。「意義を―」②残す。「おもかげを―・疑問を存しておく」

**そん・する**【損する】《自他サ》①損をする。利益を失う。「相場で―」(↔得する) ②(そのとおりにならないで)つまらない思いをする。「ああ損した」 ●**損して得取れ** 句 目の前の利益は捨てて、あとで大きな利益を得るようにせよ。

**ぞん・ずる**【存ずる】《他サ》〔文〕⇩存じる。「知らぬ存ぜぬ」(⇩「知らぬ」の句)

**そんせい**【村勢】〔文〕数字であらわした、村の(経済上の)状態。

**そんせい**【村政】村の行政。

**そんぜい**【村税】村が課税する地方税。

**そんぞう**【尊像】〔文〕身分の高い人の像や仏像を尊敬した言い方。

**そんぞく**【尊属】〔法〕自分より一代(以上)先の血族。父母、おじ・おばなど。尊属親。「直系―」(↔卑属)

**そんぞく**【存続】《名・自他サ》長く存在すること。引き続いて〈ある/残しておく〉こと。「条約の―期間」

**そんだい**【尊台】《代》〔文・男〕(目上の人に対して)あなたさま。貴台。

**そんだい**【尊大】《ナダ》自分がえらいと思って、人を見くだすようす。「―な態度」派―さ。

☆☆**そんたく**【×忖度】(「忖」も「度」もおしはかる意味)㊀《名・他サ》〔文〕(相手の意見や気持ちを)推測すること。「母の心中を―する・住民の意見をじゅうぶん―する」㊁《名・自他サ》有力者などの気持ちを推測し、気に入られるように行動すること。「会長に―した報告書・―が働く」(二十世紀末から広まった用法)

**そんち**【存置】《名・他サ》〔文〕残しておくこと。「現在の制度を―する」

**ぞんち**【存知】《名・他サ》〔文〕(それがあるということを)知っていること。

**そんちょう**【村長】村の行政の最高責任者。

**そんちょう**【尊重】《名・他サ》価値を認めて だいじにすること。「人格を―する」

**そんで**《接》〔話/方〕それで。そいで。「―、君は どうしたいんだ」

**ゾンデ**〔ド Sonde〕①〔医〕きずぐちや、器官のせまい入り口からさしこんで中の様子をさぐるための、棒のような器具。さぐり。消息子。「内服式胃―」②↑ラジオゾンデ。

**そんどう**【村道】①〔文〕村の中の みち。②村の費用で造って、管理する道路。

**そんとく**【損得】損失と利得。「―を無視する・―勘定」

**そんな《ナダ》①そのよう(な)。「―気がする・―だから ひまがない・どうして君は―なのかい」✓〈かろんじた/非難する〉感じをともなうことがある。「そんなものは ほしくありません・そんなこと言うなよ」②(**―に**)ⓐそのように大きな程度。それほどまで。「―に(も強く)愛していたのか」ⓑ(後ろに否定が来る)問題にするほど。たいして。「―におもしろくない」✓俗に、「そんな」の形で使う。「そんな食べたかったの?・そんな悪くない」③相手のことばを受け、「そんなことはない(だろう)」の意味で使うことば。「いいえ、―」▽連体形は ふつう語幹を使うが、これを連体詞とする説もある。俗に「んな」とも。区別⇩指示語。●**そんなこんな** 句 あれやこれや。「―で一か月が過ぎた・―があって親しくなった」

**そんなら**《接・感》〔話〕それなら。それじゃ(あ)。

**ぞんねん**【存念】〔文〕考え。存じ寄り。「―をうかがう」

**そんのう**【尊王・尊皇】〔歴〕天皇を尊敬して、国政の中心に位置づけること。「―攘夷」

**そんぱい**【存廃】〔文〕存続と廃止。

**そんぴ**【存否】〔文〕①あるか ないか。②存続するかしないか。

**そんぴ**【村費】村の〈経費/費用〉。

**そんぴ**【尊卑】〔文〕身分の高いものと低いもの。「きせん(貴賤)―」

**ゾンビ**〔米 zombie〕①(ホラー映画などに登場する)動き回り、人をおそう死体。②(めいわくなのに)復活するもののたとえ。また、もう意味がないのに、続いているもののたとえ。「―事業」

**そんぷ**【尊父】〔文〕相手の父親を尊敬した言い方。(あなたの)おとうさま。「ご―(さま)」

**そんぷうし**【村夫子】〔文〕いなかの〈学者/物知り〉。「―然とした男」

**ソンブレロ**〔ス sombrero〕スペインやメキシコでかぶる、つばの広い帽子。

**ぞんぶん**【存分】《副・ナダ》思うまま。じゅうぶん。「―(に)働く・―なご処置を・思う―」

**そんぽ**【損保】↑損害保険。

**そんぼう**【存亡】〔文〕残ることと ほろびること。残るかほろびるか。「―の危機(=ほろびるかどうか、という危機)・―の機(=古風な言い方で、ほろびるかどうか、という時機)」☞危急存亡。

**そんみん**【村民】村の住民。むらびと。

**そんめい**【尊名】〔文〕相手の名前を尊敬した言い方。貴名。お名前。「ご―をお聞かせください」

☆☆**ぞんめい**【存命】《名・自サ》〔文〕この世に生きていること。「父の―中は、お世話になりました」(おもに あいさつに使う)

**そんもう**【損耗】《名・自他サ》(「そんこう」の慣用読み)〔文〕へること。へらすこと。「―をきたす・体力の―」

**そんゆう**【村有】〔文〕村の所有。「―地」

**そんよう**【尊容】〔文〕①あなたの おすがた。②〔仏〕仏像のすがたを尊敬した言い方。

**そんらく**【村落】〔文〕むら。むらざと。

**そんりつ**【村立】(地方自治体としての)村が作り、維持する〈こと/もの〉。「―小学校」

**そんりつ**【存立】《名・自サ》〔文〕なりたっていくこと。たちゆくこと。「会の―・―を危ぶむ」

**そんりょう**【損料】衣服・器具などの、使用料。「―をはらう」

**そんれい**【尊霊】〔文〕霊魂や亡霊を尊敬して言うことば。みたま。

# た タ

**た【他】㊀た。〔文〕①ほか(の場合)。「―の店・―に例を見ない」②ほかの人。「―にたのむ・自分の基準で―を律する」 [区別] 話しことばでは、「その他」はよく使うが、「他の…」はややかたく、「ほかの…」がふつう。「他に」「他を」は文章語。 [二] [造] ほかの。よその。「―区・―校・―球場」 ●**他なし** [句] 〔文〕ほかでもない。「英才とは、―、努力の別名なり」

**た**【田】 イネなどを植えるために、浅く水をたたえて仕切った土地。たんぼ。「―の草〔=田に生える雑草〕」(↕畑)

**た 《助動特殊型》〔過去・完了の助動詞〕①過去の事実をあらわす。「帰りに花を買っ―・本は買わなかっ―・その日はくもりだっ―・雨ではなかっ―・だから言ったろ(う)」 ②完了をあらわす。「もう全部 見―〔反対は『まだ全部(は)見ていない』〕」 ③変化した結果をあらわす。「火が消え―〔反対は『まだ火は消え(てい)ない』〕・ずいぶん大きくなっ―ね」 ④前提となることをあらわす。「こんど会っ―ときに たずねてみよう・きちんと調べ―上で判断する」 ⑤仮定することをあらわす。「今から行っ―としても もうおそい・早く行っ―ほうがいい〔『行っ―がいい』は古風〕・もしも空を飛べ―なら…」 ⑥確認をあらわす。「あしたは土曜日だっ―ね・〔ご用聞きに対し〕きょうは よかっ―わ〔=注文はない〕・〔食堂の店員が〕ご注文は以上でよろしかっ―でしょうか〔☞よろしい①〕」 ⑦発見をあらわす。「あ、ここにあっ―・お前が犯人だっ―のか・さっそくクジラがいまし―」 ⑧〔連体形で〕状態をあらわす。「曲がっ―〔=曲がっている〕道・見上げ―根性だ」 ⑨〔話〕〔終止形で〕強い決心をあらわす。「よし、買っ―」 ⑩〔話〕〔終止形で〕命令をあらわす。「どい―、どい―〔=どけ、どけ〕・さあ、もう寝―」 ▽ガ行・ナ行・バ行・マ行の五段活用の動詞の後では「だ」になる。例、「泳いだ〔↑泳ぐ〕」「飛んだ〔↑飛ぶ〕」。 ☞たら。

**た**【多】 [造] おおくの。「―機能・―メディア」(↕少) ●**多とする** [句] 〔文〕 ①ありがたいと思う。「協力を―」 ②いいと評価する。「努力を―」

**だ**【打】 [一] だ。《野球》 ①打撃。「―の極意・一投一―」 ②↑打数。「《ゴルフ》三―差」 [二] [造] 《野球など》打つこと。安打。ヒット。「決定―・三塁―・サヨナラ―〔=サヨナラ勝ちを決めた安打〕」

**だ 〔↑である〕 [一] 《助動ナダ型》〔断定の助動詞〕①そのものごと・様子などを、自分が認めた、ということをあらわす。「火事―!・ああ、いい気分―」 ②〔A〈は/も〉B―など〕AがBの性質をもつことをあらわす。「私はこの子の母親―〔AとBが同一〕・アリは昆虫―〔AがBにふくまれる〕・この定期券は期限切れ―・駅は工事中―」 ③〔前後の関係で意味が わかる場合に〕述語の内容をはぶいて言う。「ぼくはコーヒー―〔=コーヒーに決めた〕・これで優勝に王手―〔=王手をかけた〕・続きは帰ってから―〔=帰ってからやる〕」 ④引用のあとに つける。「『知りません』―そうだ」 ⑤〔話〕本当に そう思う、という気持ちをあらわす。「これでよし―・〔いやになって〕あーあ、―」 ⑥〔女/児〕にくまれ口につける。「うそですよう、―・あっかんべえ―」 ⑦〔俗〕問い返すことば。だって。だと。「自分をためしたい、だあ(↗)?」 ⑧〔話〕〔相手のことばを受けて〕そのとおりであるようす。そうだ。「『こっちが いいでしょうか』『―な』・―よね、やっぱり」 ▽学校文法では、多く「だろう」は「だ」の未然形+助動詞「う」とし、「である」は「だ」の連用形+動詞「ある」と説明する。この辞書では、それぞれ別の助動詞とあつかう。また、学校文法では「なら」を仮定形と認めるが、この辞書では接続助詞と あつかう。 ✎ (1)連体形「な」で名詞に続く言い方は あまりしない。「それが原因なことを知った」とも言うが、「原因であることを知った」がふつう。形容動詞が「大事な本」のように「な」でふつうに名詞に続くのとは この点でちがう。ただし、「原因なわけだ」「原因なので」「原因なだけだ」のように、限られた形式名詞・助詞には続く。 (2)くだけた話しことばの文末では、「いい気分だ」など、ひとりごとのように言うときは男女とも使う。「駅は あっちだ」など、相手に向かって言うときは、⑥の場合を除いては、多く男性が使う。女性は「だ」を省略するか、「(だ)よ」の形にすることが多い。 (3)「行くだ」「悪いだ」のように用言終止形につく形は方言だけにある。 [二] 《副助》〔話〕ならべて言うときに使う。だの。「茶わん―何―、ばんばん割った」 [三] 《終助》〔男〕ことばを続けたいとき、つなぎに使う。「それに―、まだあるぞ」 [四] ◇ 形容動詞の終止形の語尾。「きれい―」 ☞です・のだ。 [五] 《助動特殊型》 ⇩た。「泳い―・飛ん―」

**だ**【駄】 [一] [接尾] 馬一頭にのせるだけの荷物を数えることば。「三―の荷」 [二] [接頭] くだらない。「―じゃれ」

**だ**【×舵】 [造] 〔飛行機などの〕かじ。「方向―」

**たあ** 《副助》〔古風〕↑とは。た。「大きなつらするな―何だ」

**たあいな・い**【:他愛ない】《形》 ⇩たわいない。「―話をする」

**ターキー**〔turkey〕 ①七面鳥。 ②《ボウリング》ストライクを三回続けて出すこと。トリプル。

**ダーク**《名・ナダ》〔dark〕 ①〔色が〕黒っぽいようす。〔印象が〕暗いようす。「―スーツ・―な曲調」(↕ライト) ②悪者であるようす。よくないようす。「―なイメージ・社会の―な側面」 ●**ダークホース**〔dark horse〕 ①《競馬》穴馬。 ②〔競技や選挙などで〕番くるわせを起こしそうな、手ごわい〈選手/チーム/候補者〉。

☆☆**ターゲット**〔target〕 ①まと。目標。「インフレ―〔=インフレ目標値〕」 ②売りこむ相手。「―は若者・―をしぼる」

**ターゲティング**〔targeting〕〔マーケティングで〕ある商品をどんな客層に売りこむかを決めること。「―広告」

**ターコイズ**〔turquoise〕《鉱》⇩トルコ石。「―ブルー」

**ターさい**【:場=菜・ターサイ・タアサイ】〔「場」は中国語〕チンゲンサイに似た中国野菜。葉は つやのある濃い緑色で縮れており、いためものや漬けものにする。きさらぎな(如月菜)。ターツァイ。「―の おひたし」

**ダーシ**〔dash〕 ⇩ダッシュ [二]①。

**ダージリン**〔Darjeeling=インドの都市〕 ダージリン地方原産の紅茶。ブドウのような かおりがする。ダージリンティー。

**ダース**〔↑ダズン(dozen)〕 十二個で ひと組みのもの(を数えることば)。 [表記] 「:打」とも書いた。 ☞グロス(gross)①。

**タータン**〔tartan〕 ちがう色や はばで織り出した格子じま(の毛織物)。「―チェック」

**ダーツ**〔darts〕 ①《服》からだの曲線にあうように布の一部を細長い三角の形にぬいあわせる ぬい方。「―を入れる」 ②短い矢を的に投げて点数をきそうゲーム。「―バー〔=ダーツのある酒場〕」

**ターツァイ**[(:場菜)]〔中国語〕⇩ターさい。

**ダーティ(ー)**《ナダ》〔dirty〕きたない。よごれた。「ーなかね」派ーさ。

**ダート**〔dirt〕━競馬場の、細かい土・砂などでかためた走路。ダートコース。〔モータースポーツでも言う〕☞ターフ。二《名・ナダ》道が舗装されていないこと。「ーな道」

**タートルネック**〔turtleneck〕〔タートル=ウミガメ〕《服》セーターなどの、首筋にぴったりついた高いえり。とっくり(えり)。

☆☆**ターニングポイント**〔turning point〕転換点。転機。「歴史のー」

**ターバン**〔turban〕①イスラム教徒などが頭に巻く布。②「ターバン①」を巻いたような形の帽子。

[ターバン ①]

**ダービー**〔Derby〕〔創始者ダービー卿の名にちなむ〕①ロンドン郊外で毎年おこなわれる、サラブレッドの三歳馬による特別レースの競馬。「日本ー〔=東京優駿〕」②《野球など》第一位あらそい。「ホームランー」③〔↑ダービーマッチ〕本拠地が同じであるチームどうしの試合。「横浜ー」

**タービン**〔turbine〕ふきつける〈蒸気/水〉を周囲の羽根に受けて回転する原動機。

**ターフ**〔turf〕〔競馬場やゴルフ場などの〕芝生。「《競馬》ーコース〔=芝の走路〕」☞ダート二。

**ターブルドート**〔フ table d'hôte〕西洋料理の定食。〔↕アラカルト〕

**ターボ**〔turbo〕〔↑ターボチャージャー(turbo charger)=過給器〕エンジンの排ガスでタービンを回し、馬力を強くする装置。「ツイン〔=二つの〕ー・ーエンジン」●**ターボジェット**〔turbojet〕〔↑ターボジェットエンジン〕取り入れた空気を、タービン式の圧縮機で圧縮する方式のジェットエンジン。「ー機」

☆☆**ターミナル**〔terminal〕①鉄道・バスの終点。「ーデパート」②〔公共交通機関で〕いろいろな路線の、結び目となるところ。「空港第一ー」③電池などの、電流の出入り口に取りつけた金具。端子。④《情》⇩端末。《医》⇩終末医療。●**ターミナルケア**〔terminal care〕《医》⇩終末医療。

**ターム**〔term〕①専門用語。「テクニカルー〔=術語〕」②期限。期間。

**ターメリック**〔turmeric〕黄色をおびた香辛料。ウコンの根を乾燥させたもの。カレー粉の主原料などにする。

**ダーリン**〔darling=最愛の人〕夫婦や恋人の間で、相手に呼びかけることば。

**タール**〔tar〕《理》石炭・木を、空気を入れないで熱したときにできる、黒い ねばねばした液体。特に、コールタール。「ー分」

**ターレ**〔↑turret truck〕市場や工場の中で使う、荷物を運ぶための小型の車。小回りがきく。ターレット。

**ターン**《名・自サ》〔turn〕①回転(すること)。②進路を変えること。「Uー」③《競泳など》折り返し。④〔ゲームなどの〕順番。●**ターンオーバー**〔turnover〕①両面を焼いた目玉焼き。②《バスケットボール・ラグビーなど》エラーや反則によって、ボールが相手チームに移ること。③〔肌の〕新陳代謝。「ーをうながす」●**ターンテーブル**〔turntable〕①レコードプレーヤーの回転盤。②自動車や機関車をのせて、向きを変える装置。転車台。③電子レンジの回転台。●**ターンパイク**〔turnpike〕有料道路。

**たい**[大]〔視覚語〕↑大正。「ー7」

**たい**[他意]ほかの特別な考え。「ーはない」

**たい**[台]↑台湾。「日ー間」

****たい**[体]━**たい**①からだ。体勢。「健康ー・白骨ー〔=白骨化した遺体〕・ーをかわす〔=からだをよける〕・《すもう》ーがない〔=死に体だ〕」②〔まとまった〕かたち。「まるで政党のー〔『てい』とも読む〕を成さない・集合ー〔=集まって一つにまとまったもの〕」③本体。「名はーをあらわす」二接尾 神仏の像・人形・お守り・遺体などを数えることば。三造 様式。デザイン。「ですます ー・ゴシックー」●**体を沈める**句〔相手が攻めるのをかわすため〕からだを低くする。●**体を開く**句《すもうなど》片足を引いて、相手をかわすように向きを変える。

***たい**[対]━**たい**①試合・勝負の組み合わせをあらわすことば。「巨人ー〔=と〕阪神」②点数や ものごとの対比をあらわすことば。「七ー三・費用ー効果」③比例する二つのものの取り合わせをあらわすことば。「四ー二は二ー一と同じだ・四ー三の画面」表記 数学では「4:2」のように書く。④対等であること。「ーで勝負する」⑤⇩タイ(tie)②。⑥組み合わせになるものの相手かた。「兄のーは弟」二**たい**-造 …に対する。「ー前年比・ー主要国貿易・ーキロ運賃〔=鉄道などで、キロ数に応じて決めた運賃〕」

**たい**[堆]《地》海中で、山や丘のように高くなったところ。さかながよくとれる。例、〔日本海の〕大和堆。

***たい**[隊]①兵士の ひと組み。②整列した一団。

**たい**[(×鯛)]マダイ・ハナダイなど、海にすむ中形のさかな。多くは さくら色で、味がいい。「めでたい」とも通じるので、お祝いの おくりものや料理に使う。「腐っても ー」〔⇩「腐る」の句〕

****た・い**《助動形型》〔希望の助動詞〕①…することをのぞんでいる、という、希望や願望の気持ちをあらわす。「早く会いー・パンが食べー」〔連用形の音便の形は「とう」。「一度うかがいとう存じます」〕✍(1)「パンが食べたい」に対し、「パンを食べたい」のように「を」を使う言い方は新しいと思う人もいるが、どちらも おそくとも室町時代からある用法。(2)目上に対し、「先生もコーヒーをお飲みになりたいですか」と希望を聞くと、こちらに その希望をかなえる決定権があることになり、失礼に当たる。「お飲みになりますか〔問いかけ〕」「お飲みになりませんか〔さそい〕」の形がいい。(3)「始めたいと思います」「うかがいたいと思います」など、「たいと思います」の形は、自分がするつもりのことを直接に言うのをさける言い方。実際には、「始めます」「うかがいます」で じゅうぶんな場合も多い。②〔尊敬の助動詞「れる」「られる」+ー〕〔文〕…てください。…たまえ。「参集されー・万全を期せられー」✍改まった言い方。話しことばで使うと、いばった感じになる。③…たほうがいい。…てほしい。「飲酒後の運動は避けー・敬語は簡素でありーものだ」▽文語は「たし」。表記「△度い」とも書いた。☞たがる・たげ・たそうそう。

**たい**［袋］【接尾】ふくろ(にはいったもの)を数えることば。

**たい-**［耐］【造】〔文〕…にたえる。「―アルカリ性・―高温性・―破壊力」

**たい**［滞］【造】〔文〕…に滞在すること。「―欧(=ヨーロッパ滞在)・―京(=〈東京/京都〉滞在)中は」

**たい**［帯］【一】【造】①(長さのある)地帯。「火山―」②はばを持ったくぎり。「時間―・価格―」③帯状のもの。「止血―(=ベルト)」【二】【造】〔文〕…をおびた。…がかった。「―紅色(=べに色をおびた色)」

**たい**［態］【造】すがた。状態。「学生百―」

**タイ**〔Thai〕インドシナ半島の中央部を占める王国。首都、バンコク(Bangkok)。「―カレー」【表記】「:泰」は、古い音訳字。

**タイ**〔tie〕①ネクタイ。「ノー―・―止め」☞タイタック・タイピン。②〔基準・相手と〕同等なこと。「―記録・日本―(記録)・―スコア(=競技で、同じ得点)」☞タイゲーム・タイブレーク。③《音》同じ高さの二つの音をつなげて、一つの音として〈歌う/演奏する〉しるし。☞スラー。【表記】俗に「:対」とも。

**だい**［大］【一】だい ①大きい〈こと/もの〉。「―は国家予算から小は家計費にいたるまで・圧力が―である・AはBより―なり(『A＞B』とあらわす)」②〔文〕おとな。「―四百円、小二百円」③↑大の月。④↑大学。「―卒・東北―・教育―」⑤〔婉曲に〕↑大便。【二】【造】①大きい。「―建築・―東京・―状況(=大まかにとらえた状況)」②非常な。「―暴落・―混雑の東京駅」③すぐれた。「―人物」④同じ名前の、親子の人物のうち、父親のほうをさすことば。「―デュマ(=『三銃士』の作者)」▽【一】【二】(↔小) 【三】【造】…の大きさ。「等身―・たまご―」☞大なる・大にする・大の。
●**大なり小なり**【句】大きいにしろ小さいにしろ。程度の差はあるが。「人間には―欠点がある」●**大の虫を生かして小の虫を殺す**【句】大きいものごとを〈守る/なしとげる〉ために、小さなものごとを犠牲にする。小の虫を殺して大の虫を助ける。●**大は小を兼ねる**【句】大きなものは小さなものの代わりにもなって便利だ。●**大を成す**【句】りっぱに成功する。「のちに政治家として大を成した」

**だい**［代］【一】だい ①家・位・役目などを受けついでいる期間。「―が変わる」☞代目。②代わり(の人)。「師範―」③《手紙》〔文〕本人の名の下に小さくそえて、代筆であることを示すことば。「鈴木健一―」☞内代金。【二】②。④〔電話で〕↑代表番号。【三】【造】①時代。世代。【二】だい、あたい。「一九八〇年―の歌」②年齢の範囲。「二十―の終わり」

**だい**［台］【一】だい ①〈もの/食べ物〉をのせるためのもの。②平たくて小高い〈丘/台地〉。「富士見―」③外につくった、移動できる壇。「朝礼―」④↑番台。【二】【接尾】①数量の範囲。「百―にくりあげる・千円―・九時―」②車・機械を数えることば。「三―の印刷機」③丸ごとのケーキ・パイなどを数えることば。「百万―売れたパイ」④⇩折り【三】②。

**だい**［題］【一】だい 内容・主題などを簡単にあらわす、短いことば。題名。「小説の―」【二】【造】問題。「五―できた・文章―」☞お題。

**だい**《終助》(↑助動詞「だ」または形容動詞語尾＋終助詞「い」) ①(男)質問するときの文末に使う。「何をして(い)るん―」②(児)強く言うときに使う。「ぼくが食べるん―」(演劇的な言い方)▽古風または俗な言い方では、女性も使う。

**だい**［第］【一】【接頭】順序をあらわすことば。「―一回・―一試合・―二章」【区別】「第」は、イベント・連載など、多く、予定されたものの順序に使う。「め(目)」は、チャレンジの回数など、予定されていないくり返しの順序にも広く使える。「第三番目」のように両方使う例も江戸時代からあり、強調表現と言える。☞「回【二】」の【区別】。【表記】略して「×才」。【二】だい〔文〕やしき。「聚楽(の)―(=豊臣秀吉がつくった、豪華なやしきの名)」

**たいあたり**［体当たり］《名・自サ》①自分のからだを力のかぎり相手にぶつけること。②直接、力のかぎり目的にぶつかっていくこと。「―で演技する」

**たいあつ**［体圧］からだを横にしたとき、からだにかかる圧力。「―を分散するマットレス」

**たいあつ**［耐圧］〔文〕圧力の大きさにたえること。「―力」

☆☆**タイアップ**《名・自サ》〔tie up〕提携。協同。「両社が―する」

**ダイアモンド**〔diamond〕⇩ダイヤモンド。

**ダイアリー**〔diary〕日記(帳)。「ビジネス―(=ノート式の小形手帳)」

**ダイアル**《名・自他サ》〔dial〕⇩ダイヤル。

**ダイアログ**〔dialog: dialogue〕〈劇や小説の中での〉ことばのやりとり。対話。ダイアローグ。「―形式で書かれた作品・―ボックス(=コンピューターで、使い手に確認を求めるメッセージを出すしかけ。ポップアップウィンドウ)」(↔モノローグ)

**たいあん**［大安］(↑大安日) 俗に、旅行・結婚などすべてに縁起がいいという日。だいあん。「―吉日」☞六曜。

**たいあん**［対案］〔文〕〈ある/相手の〉案に対して出す、別の案。

**だいあん**［代案］代わりの案。

**たいい**［大尉］《軍》将校の階級の一つ。中尉の上。〔自衛官の一尉に当たる。旧日本海軍では「だいい」〕

**たいい**［大意］だいたいの〈意味/内容〉。「―をつかむ・―を要約する」

**たいい**［体位］①体格・健康・運動能力などをまとめて言うことば。「―の向上」②からだの位置・姿勢。「(介護を受ける人の)―変換」

**たいい**［退位］《名・自サ》天皇・君主が位をしりぞくこと。(↔即位)

**だいい**［題意］題の意味。

**だいい**［代位］《名・自他サ》①〔文〕役割をはたすために、ある者に代わって、その地位につくこと。②《法》ほかの者が、肩がわりすること。「―弁済(=返せない借金を、保証人がはらうこと)」

**たいいき**［帯域］〔文〕あるはばをもって定められた〈地域/範囲〉。「周波数―・(海洋の)熱帯―」

**たいいく**［体育］①からだの成長・発達のための教育。「秋の―祭」(↔知育・徳育) ②運動や競技の実技と理論を学ぶ教科。「保健―・―館」●**たいいくかい**

[体育会]〔大学で〕運動部が組織する会。 ●たいいくかいけい[体育会系] ①体育会に属すること。「—の学生」 ②体育会に特有の、きびしい練習や上下関係などを重視する気風。「—のノリ」 ●たいいくずわり[体育座り]〔学校などで〕腰を下ろして両ひざを立て、両手でひざをかかえるすわり方。体操座り〔中部などの方言〕。三角座り〔関西方言〕。 ●たいいくのひ[体育の日] ⇩スポーツの日。

*だいいち[第一] 【一】①いちばんはじめ。最初。「—条件・—弾・—子」 ②いちばんすぐれていること。「—の学者」 ③いちばん大切なこと。「健康が—だ」 【二】《副》なによりも、まず。「それはできない。—わたしが困りますよ」 ●だいいちいんしょう[第一印象] 会って最初に受けた印象。「—のいい男」 ●だいいちぎ[第一義]〔文〕いちばん大切なこと。一義。「ことばは通じることが—だ」 ●だいいちぎてき[第一義的]《ナダ》〔文〕〔ほかの何よりも〕根本的。本質的。一義的。「—には国の責任だ」(↔第二義的) ●だいいちじさんぎょう[第一次産業]《経》⇩一次産業。 ●だいいちじせかいたいせん[第一次世界大戦]《歴》一九一四年七月から一九一八年十一月まで続いた大戦争。欧州大戦。第一次大戦。 ●だいいちじん[第一陣] 最初に〈出す/出る〉部隊や団体。「—が到着した」 ●だいいちにんしゃ[第一人者]〔その方面で〕いちばんすぐれた人。「食文化研究の—」 ●だいいちにんしょう[第一人称]《言》⇩一人称。 ●だいいちりゅう[第一流] 一流。「—の作家」

だいいっかん[第一感] ①《碁・将棋》まっさきに思いつく手。②まっさきに頭にひらめく感じ。

だいいっしゅ[第一種] ⇩一種【一】③④。

だいいっせい[第一声] 最初〈の/に出す〉ことば。 ●第一声を上げる 句 最初の演説をおこなう。

☆☆だいいっせん[第一線] ①《軍》前線。②いちばん先に立って働く立場。最前線。「社会の—で活躍する」▽一線。

だいいっそく[第一速]《自動車》⇩ロー【二】。

だいいっぽ[第一歩] ①〔歩きだすときの〕最初のあゆみ。「この地に—を踏む・月に—をしるす」 ②ものごとのいちばんはじめ。「—からやり直す」 ●第一歩を踏み出す 句 ①出発する。②やりはじめる。

たいいほう[対位法] ①《音》主旋律に、別の旋律をからめて進行する技法。〔フーガやカノンもこの一種〕 ②二つの要素をからめるやり方のたとえ。「幻想と現実の—」 ☞オブリガート。

たいいん[太陰]〔文〕月。〔「太陽」に対して言う〕 ●たいいんたいようれき[太陰太陽暦] 陰暦の一種。太陰暦にうるう(閏)月を入れて、季節とのずれを少なくした暦。日本の「旧暦」はこれ。 ●たいいんれき[太陰暦] ⇩陰暦①。(↔太陽暦)

たいいん[隊員] 隊に属している人。

たいいん[退隠]《名・自サ》〔文〕仕事をやめ、社会から身をひくこと。隠退。「—生活」

たいいん[退院]《名・他サ》①病人が治って病院を出ること。(↔入院) ②議員が〈衆議/参議〉院から帰ること。(↔登院) ③少年院を出ること。「仮—」(↔入院)

だいいん[代印]《名・自サ》本人の代わりに〈印をおすこと/おす印〉。

ダイイン〔die-in〕核兵器の開発などに抗議し、集会の参加者が犠牲者のつもりになって大地に横たわる示威行動。

たいう[大雨]〔文〕おおあめ。

だいうちゅう[大宇宙]〔「小宇宙」に対して〕まとまりのある宇宙全体。マクロコスモス。

たいえい[退×嬰]〔文〕進んで新しいことに取り組む気持ちがないこと。「保守—的」(↔進取)

だいえい[題詠] 題にあわせて和歌・俳句などをよむこと。また、その歌・句。(↔雑詠)

たいえき[体液] ①《生》からだの中にあるすべての液体。血液・リンパ液・髄液など。②精液。「遺体から—が検出される」

たいえき[退役]《名・自他サ》①《軍》〔士官や、その下の准士官が〕兵役をしりぞくこと。「—軍人」 ②大型の(軍用の)乗り物が、役目を終えること。「ジャンボ機が—する」 ☞就役。

☆☆ダイエット《名・自サ》〔diet〕①〔健康や美容のために〕食事を制限すること。「トマト—・低炭水化物—」 ②〔食事を制限して〕体重をへらすこと。「五キロの—に成功・自転車—」

だいえり[台襟]《服》〔洋服のえりで〕折り返しの下にかくれる、帯状の部分。

たいえん[耐炎]〔文〕火がついても、炎を上げて燃えないこと。「—繊維」

たいえん[退園]《名・自他サ》①幼稚園・保育園をとちゅうでやめること。②降園。(↔登園) ③公園・動物園などから出ること。(↔入園)

だいえん[代演]《名・自サ》本人に代わって〈出演/演奏〉すること。

**たいおう[対応]《名・自サ》①それに相当するものが、別のグループにもあること。「日本語と英語の単語は一対一ではしない」 ②状況を見て、それにふさわしく動くこと。「—策」 ③応対。「客に—する」

だいおう[大王] 王を尊敬した言い方。「フリードリヒ—」 ●だいおういか[(大王:烏賊)] 深い海にすむ、最大のイカ。大きなものは全長十数メートルになる。日本近海にもいる。

だいおうじょう[大往生]《名・自サ》〔天寿をまっとうして〕思い残すこともなく、安らかに死ぬこと。「—をとげる」

ダイオード〔diode〕《理》半導体を使った小型の部品。本体から二本の電極が出ている。回路に組みこんで、電気を整流したり、光に変換したりするのに用いる。「発光—」

☆☆ダイオキシン〔dioxin〕《理》有機塩素化合物の一種。毒性が強く、分解されにくい。催奇形性・発がん性がある。ごみ焼却の灰にふくまれる。ポリ塩化ジベンゾダイオキシン。

たいおん[体温] ①からだの温度。「基礎—〔=朝起きたときの体温〕」 ②血の通ったぬくもり。「書き手の—が伝わってくる文章」 ●たいおんけい[体温計] 体温をはかる器具。検温器。

だいおん[大恩]〔文〕大きな恩。

だいおんき[大遠忌]《仏》宗祖の死後数百年た

って おこなう遠忌。

**だいおんじょう**[大音声]〔文〕おおごえ。大音。

**たいか**[大火] 大きな火事。

**たいか**[大家] ①(その道で)特にすぐれた人。「書道の―」②⇩たいけ。③〔文〕大きな家。☞おおや(大家)。

**たいか**[大×廈]〔文〕大きくてりっぱな建物。「―高楼」

☆☆**たいか**[対価] ①何かを(して)あげた人が、代わりに受け取る、お金や品物。「労働の―を〈得る/支払う〉」②したことに見合う結果。「努力の―を得る」

**たいか**[耐火] 火の熱に たえること。「―力・―れんが・―金庫」

**たいか**[退化]《名・自サ》①〔生〕使わない器官が〈小さく/なく〉なること。「―器官」②ものごとの進歩がとまって、あともどりすること。▽(↔進化)

**たいか**[滞貨]《名・自サ》〔文〕貨物や商品が さばけないでたまること。また、その貨物や商品。「―一掃」表記「滞荷」とも書いた。

**たいが**[大我]〔仏〕いっさいの執着をはなれた、いちばん広い心の境地。(↔小我)

**たいが**[大河]〔文〕①大きな川。②長く続く、規模の大きな作品のたとえ。「―小説・―ドラマ」

**タイガ**[ロ tayga]〔地〕ユーラシア大陸・北アメリカ大陸の北部に広がる針葉樹林。

**だいか**[代価]〔文〕①ものと引きかえに わたす お金。②目的の達成に ともなう犠牲。「平和のために支払った―は大きい」

**だいか**[題下]〔文〕その題目のもと。「『新聞に注文する』の―に講演する」

**タイガー** 造 [tiger] 虎。「ホワイト―」

*__たいかい__[大会] ①大ぜいで する会。さかんな会合。「全国―」②会員全部でおこなう、大規模な会合。「広島支部の―」

**たいかい**[大海]〔文〕大きな海。だいかい。

**たいかい**[退会]《名・他サ》会員であることをやめること。(↔入会)

**たいがい**[体外]〔文〕からだの外。(↔体内) •**たいがいじゅせい**[体外受精]〔医〕母体外で受精をおこなうこと。「―児」

**たいがい**[対外]〈外部/外国〉に対すること。「―的」(↔対内)

**たいがい** ■[大概]《名・副・ナダ》①大部分(の場合)。たいてい。だいたい。「日曜は―うちにいます・―の人は知っている〔『―な人』など形容動詞は古風〕」②ほどよいところ。ほどほど。「なまけるのも―にしろ」③いくらなんでも。さすがに。「―いやになった」④(それほどでないように見えて)かなり。「お前も―お調子者だな」▽②~④いいかげん。■[大概]《ナダ》かなりの(ひどい)程度であるようす。「おれも がんこだが、君も―だな」■[大概]〔文〕全体のうちの おもな部分。大体。「―を記す」

**だいがい**[大害]〔文〕大きな〈損害/災害〉。たいがい。(↔小害)

**だいかいてん**[大回転](↑大回転競技)〔スキー・スノーボード〕アルペン種目の一つ。「回転」よりも高い所からすべり降りる。門の数は、やや少ない。ジャイアントスラローム(giant slalom)。

**だいがえ**[代替え]《名・他サ》⇩だいたい(代替)。「―地」

**たいかく**[台閣]〔文〕内閣。だいかく。•**台閣に列する** 句〔文〕大臣になる。

**たいかく**[体格] 外から見た、からだの かっこう。からだつき。「―がいい〔=がっしりしている〕」

**たいかく**[対角] ①〔数〕〔ふつう四辺形で〕たがいに向かい合った角。②ななめ向こうがわの かど(の方向)。•**たいかくせん**[対角線]〔数〕多角形で、となり合わない二つの頂点を結ぶ直線。「―を引く」

**たいがく**[怠学] 勉強をなまけて、授業を休んだり、まったく投げ出したりすること。

**たいがく**[退学]《名・他サ》学生・生徒が学校をとちゅうでやめ(させられ)ること。退校。「―処分」

**だいがく[大学] ①高等学校の上の学校。「総合―・短期―・―教育・―生・―出の人」②教養講座などにつける呼び名。「市民―・老人―」•**だいがくいも**[大学芋] 乱切りにしたサツマイモを油であげ、蜜をからめて、黒ゴマをふったもの。中華ポテト。芋の飴だき。•**だいがくいん**[大学院] 大学の学部の卒業生が さらに深い研究をするための教育機関。修士課程と博士課程とがある。院。「―大学〔=学部をもたず、大学院や研究所から成る大学〕」•**だいがくノート**[大学ノート] 学生などが使う、横書きのノートブック。「B5判の―」

**だいかぐら**[△太神楽] おもしろおかしい口上で見せる、獅子舞・まりの曲芸などの芸。

**だいかし**[代貸し] 貸元の代理人。だいがし。〔指導者に信頼されている まとめ役のことも言う〕

**ダイカスト**[die casting] とけた金属を加圧して鋳型に注入する鋳造法。精密な製品の量産に適する。ダイキャスト。

**だいかぞく**[大家族] 人数の多い家族。

**だいかつ**[大喝]《名・自サ》〔文〕〔短い ことばを〕大きな声で どなること。たいかつ。「―一声」

**だいがっこう**[大学校] 国や地方自治体が設置し、大学程度の専門教育や公務員の研修をおこなう学校。〔学校教育法による大学ではない〕「航空―・税務―」

**だいがっしょう**[大合唱]《名・他サ》①〈大きな声で/非常に多くの人が〉そろって歌うこと。「クラス全員で―する・千人の―・カエルの―〔たとえた言い方〕」②多くの人が、同じ ことばや意見を、声高に となえること。「『ばんざい、ばんざい』の―・批判の―」

**だいがわり**[代替わり]《名・自サ》将軍・主人・経営者などが死んだりやめたりして、別の人に替わること。

**たいかん**[大官]〔文〕高い官職(の人)。

**たいかん**[大患]〔文〕重い病気。大病。重病。

**たいかん**[大鑑]〔文〕それに関する知識を、全部知ることが できるように一冊に集めたもの。「服飾―」

**たいかん**[大観]《名・他サ》〔文〕①広く全体を見通すこと。②ひろびろとした大きな〈けしき/ながめ〉。

**たいかん**[体幹] 人体の胴の部分。「―が きたえられる」〔二十一世紀になって、トレーニング用語から広まったことば。からだの奥の筋肉などの意味でも使う〕

**たいかん**［耐寒］寒さにたえること。「―訓練・―性の強い植物」(↔耐暑)

**たいかん**［退館］《名・自サ》図書館など館と呼ばれるところ、また、大きな建物から外に出ること。(↔入館)

**たいかん**［退艦］《名・自サ》軍艦から〈おりる／退去する〉こと。

**たいかん**［戴冠］《名・自サ》①ヨーロッパの帝王が、位についてはじめて王冠を頭にのせること。「―式」②優勝すること。「〔記事の見出しで〕世界王座―」

**たいかん**［体感］《名・他サ》①からだに受ける感じ。からだに感じること。「―温度(=はだで感じる、暑さ寒さの度合い)」②直接に感じること。実感。「―治安(=統計の数字ではなく、直接に感じる治安のよしあし)」

**たいかん**［退官］《名・他サ》官職をやめること。「定年―」(↔任官)

**たいがん**［大願］〔文〕大きなねがい。だいがん。「―成就」

**たいがん**［対岸］向こうぎし。●☆☆**たいがんのかじ**［対岸の火事］自分には関係のないできごと。対岸の火災。「―視する(=自分に関係のないこととして傍観する)」

**だいかん**［大寒］《天》二十四節気の一つ。一年でいちばん寒い時期。一月二十日ごろ。(↔小寒)

**だいかん**［代官］昔、君主・幕府などの代理人として、その土地をおさめた人。〔江戸幕府では、郡代の下〕

**だいがん**［代願］《名・自サ》①本人に代わってねがい出ること。②本人に代わって神仏に祈願すること。

**たいき**［大気］《地》地球をとりまく気体。〔他の惑星や恒星にも言う〕●**たいきおせん**［大気汚染］工場の排煙や自動車の排ガスなどで大気がよごれること。●☆☆**たいきけん**［大気圏］《天》地球をとりまく大気の層。下から対流圏、成層圏、気温が大きく下がる中間圏、気温が上がる熱圏に分かれる。〔電離圏は、ほぼ熱圏に重なる〕「―再突入〔⇩再突入〕」

**たいき**［大旗］〔文〕①大きな旗。特に、大優勝旗。②りっぱな旗印。大旆。「『言論の自由』の―をかかげる」

**たいき**［大器］〔文〕①大きなうつわ。②すぐれた才能やうでまえ(を持った人)。▽(↔小器)●**たいきばんせい**［大器晩成］非常にすぐれた才能を持った人はおくれて大成するということ。

**たいき**［隊旗］〔文〕その隊を代表する旗。

**たいき**［待機］《名・自サ》いざというときの用意を整えてまつこと。「自宅―」●**たいきじどう**［待機児童］保育所などの施設が満員のため、やむをえず入所の順番を待っている子ども。●**たいきでんりょく**［待機電力］電気製品を即座に作動させるために、たえず微少電流を通すことで消費される電力。

**たいぎ**［大義］〔文〕①正しい道理。②↑大義名分。●**大義親を滅す** 句 大義をつらぬくためには、親・兄弟をもかえりみない。●**たいぎめいぶん**［大義名分］おこないの基準となる道理。筋。

**たいぎ**［体技］①格闘技。②体力と技術。「―の向上」③体力を利用しておこなう、かるわざ・曲芸。

**たいぎ**［大儀］《名・ナダ》①骨折りをいたわることば。ご苦労。「―であった」②からだがだるくて、それをするのがおっくうなようす。「―そうに立ち上がる」

**だいぎ**［台木］①つぎ木で、枝や芽をさされるほうの木。②物の台にする木。

**だいぎ**［代議］《名・他サ》①〔文〕〈本人／組合員〉を代表して協議すること。②《法》議員が、その地域の住民を代表して政治について協議すること。「―制度」●☆☆**だいぎし**［代議士］その地域の住民から公選され、その地域の住民を代表して国会を組織する人。国会議員。〔衆議院議員をさす〕

**たいぎご**［対義語］①意味が正反対になることば。例、「暑い」と「寒い」。②意味が対立、または対応する関係にあることば。例、「男」と「女」、「黒い」と「白い」。▽反対語。反意語。対語。対語。(↔同義語)

**だいきち**［大吉］〔うらないで〕非常に縁起がいいこと。〔大吉・中吉・小吉・末吉と並ぶ。吉は、中吉または小吉の下など〕(↔大凶)

**だいきぼ**［大規模］《ナダ》①建物などの、作り方が大きいようす。「―な建築物」②ものごとの、構想や範囲が大きいようす。おおがかり。「―な工事・―な火災」▽(↔小規模)

**たいきゃく**［退却］《名・自サ》負けて〈しりぞく／にげ出す〉こと。

**たいぎゃく**［大逆］〔文〕君主や国家などに対する反逆。だいぎゃく。「―罪」

**たいきゅう**［耐久］ながくもちこたえること。もち。「―力・―性」●**たいきゅうしょうひざい**［耐久消費財］《経》テレビ・せんたく機・クーラー・冷蔵庫など、長くもつ消費財。

**たいきゅう**［待球］《名・自サ》《野球》打ちやすいボールが投げられるまでまつこと。「―主義・―戦法」

**だいきゅう**［大弓］本式のゆみ。(↔半弓)

**だいきゅう**［代休］〔休日に〈勤務／登校〉した分の〕かわりの休暇。「月曜を―とする・―日」

**たいきょ**［大挙］㊀《名・自サ》大ぜいで向かうこと。「―しておしかける」㊁〔文〕大きなくわだて。大計。

←**たいきょ**［退去］《名・自サ》たちのくこと。

→**たいきょ**［退居］《名・自他サ》①〔住宅から〕立ちのくこと。「マンション〈を／から〉―する」(↔入居)②〔文〕隠居。

**たいぎょ**［大魚］〔文〕①大形のさかな。②大きなえもの。●**大魚を逸する** 句 大きな〈手がら／利益〉をのがす。

**たいきょう**［体協］↑体育協会。

☆☆**たいきょう**［胎教］妊娠しているとき、いいものを見聞きしたりして、おなかの子におこなう教育。「―にいい音楽」

**たいぎょう**［大業］〔文〕大きな事業。「―をなしとげる」

**たいぎょう**［怠業］《名・自サ》〔文〕⇩サボタージュ①。

**だいきょう**［大凶］〔うらないで〕非常に縁起の悪いこと。(↔大吉)

**だいきょうきん**［大胸筋］《生》胸をおおう大きな筋肉。うでを動かしたり呼吸したりするときに使う。☞胸筋。

**たいきょく**［大曲］規模の大きな曲。「バッハの―・狂

た

言の―」(↕小曲)

たいきょく[大局] ①全体の〈事情/局面〉。「―的見地・―からの判断」②規模の大きい郵便局・放送局など。(↕小局) ●たいきょくかん[大局観] ①〔碁・将棋〕形勢を判断して、これからどのように勝負を進めるべきかを見きわめる力。「―をみがく」②全体の状況を的確にとらえる力。「―をもつ政治家」

たいきょく[太極] 〔古代中国の思想で〕万物の根源。●たいきょくき[太極旗] 大韓民国の国旗。白地の中央に、赤と青にぬられた円があり、四すみに、罫をあらわす黒い線がある。●たいきょくけん[太極拳] 中国拳法の一つ。また、その動作をゆるやかにした健康体操。

たいきょく[対極] 反対がわの極点。正反対のところ。「―に位置する・―的な作品」

たいきょく[対局]《名・自サ》正式に、碁・将棋の勝負をすること。手合い。「―者」

たいきょく[退局]《名・他サ》〔文〕放送局・医局などをやめること。(↕入局)

だいきらい[大嫌い]《ナダ》非常に嫌いなようす。だいっきらい。だっきらい〔話〕。(↕大好き)

たいきん[大金] たくさんのお金。

たいきん[退勤]《名・自サ》仕事がすんで、つとめ先を出ること。(↕出勤)

だいきん[代金] 品物の買い手が売り手にはらうお金。●だいきんひきかえ[代金引換] 品物を、代金と ひきかえにわたすこと。だいびき。

だいぎんじょう[大吟醸] 玄米を五〇パーセント以上けずって精米した米で造る日本酒。「―酒」

たいく[:体育]〔話〕⇩たいいく。

たいく[体×軀]〔文〕からだ。体格。

だいく[大工] 〔木造の〕家を建てたり修理したりする職人。「―仕事・日曜―・―道具」

たいくう[対空]〔文〕空からの攻撃に対(して)すること。「―射撃」(↕対地)

たいくう[滞空]《名・自サ》①空中をとび続けること。「―時間」②空中にとどまること。「農薬の―時間」

たいぐう[対偶] ①〔文〕対になるもの。一対。②〔哲〕「AならばB」という命題に対する「BでないならばAでない」という命題。両者の真偽は同じになる。

たいぐう[待遇]《名・他サ》①客などをあつかうこと。客に対するあつかい。もてなし。「―が悪い」②〈やとう/やとっている〉ときの、給与などの条件。「―改善」③ある地位に準じて あつかうこと。「課長―」●たいぐうひょうげん[待遇表現]〔言〕話し相手や話題の人物との人間関係によって変わる表現法。尊敬表現・謙譲表現など。

たいくつ[退屈]《名・自サ・ナダ》①何もすることがなくてひまをもてあますこと。「―をまぎら(わ)す」②〈ねむくなるほど〉つまらないようす。「―な話・―な番組・ご―さま(=退屈(だった)でしょう。落語の最後にも言う)」派―さ。●たいくつしのぎ[退屈(×凌ぎ)] たいくつをまぎらせること。「―にテレビを見る」

たいぐん[大軍] たくさんの軍勢。

たいぐん[大群] 大きなむれ。「イナゴの―」

たいけ[大家] ①金持ちの家。「ご―の若だんな」②身分の高い家がら。▽たいか。☞おおや(大家)。

↔たいけい[大系] 作品・論文などを広く集めて全体としてまとめたもの。「生物学―」

☆たいけい[体系] 一定の考え方で矛盾のないようにまとめた、理論・思想、組織などの全体。「学問―・哲学―・―づけ(る)」●たいけいてき[体系的]《ナダ》体系が整っているようす。システマチック。「―な研究」

たいけい[大計]〔文〕大きな計画。「百年の―」

たいけい[大景]〔文〕目の前に大きく広がるけしき。

たいけい[大慶]〔文〕大きな喜び。たいへんに めでたいこと。「―の至り」

たいけい[体刑] ①からだに直接加える刑罰。②⇩自由刑。

↔たいけい[体形] からだの かたち。「逆三角形の―・―を維持する」

↔たいけい[体型] 体格の型。やせ型・太り型・筋肉型などに分ける。

たいけい[隊形]〔横隊・縦隊などの〕部隊の かたち。「―を整える・〔号令で〕体操の―に開け」

たいけい[大兄]《代》〔文・男〕同等または やや目上の、男性の友人をうやまって言うことば。(↕小弟)

だいけい[台形]〔数〕向かい合う辺のうち(少なくとも)一組が平行な四辺形。〔もと「梯形」と呼んだ〕

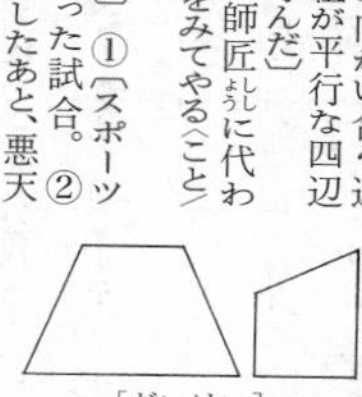

[だいけい]

だいげいこ[代稽古] 師匠に代わって その弟子の稽古をみてやる〈こと/人〉。

タイゲーム〈tie game〉①〔スポーツ〕同点引き分けになった試合。②〔野球〕五回以上進行したあと、悪天候などの理由で打ち切られたときの、引き分けの試合。〔もと、ドロンゲーム〕

たいけつ[対決]《名・自サ》①〈相争う両者が〉向かい合い、どちらが〈まさっている/正しい〉かを決めること。「両横綱の―」②手ごわいものに立ち向かうこと。「悪漢と―する」

たいけん[大圏]〔地〕地球の中心を通る平面が地表とまじわって作る円。●たいけんコース[大圏コース] 大圏に沿った航路。地球上の二つの地点の間のいちばん短い経路。大圏航路。

[たいけんコース]

たいけん[大権] 元首の名で実行に移される、最高の権力。特に、旧憲法での天皇の統治権。

たいけん[帯剣]《名・自サ》〔文〕剣を腰に下げること。また、腰に下げた剣。

*たいけん[体験]《名・他サ》①それがどんなものか、現場で見たり聞いたりやってみたりして(からだで)知ること。また、知った内容。「戦争を―する・農業を―する・昔の遊びが―できるコーナー・―者・―学習・―入隊(=短期間、自衛隊にはいり、訓練を受けること)」⇩経験①。②性交の「体験①」。性体験。「―ずみの友人」区別

**たいげん**［体言］〔=活用しないことば〕《言》名詞と代名詞。〔広くは、「これは君のだ」の「君の」、「『なせば成る』だよ」の「なせば成る」のように、「だ」をつけて名詞のように使うことばもふくむ〕☞用言。●**たいげんどめ**［体言止め］〔和歌などで〕終わりを体言で止め、余情や余韻を残す表現方法。

**たいげん**［大言］《名・自サ》〔文〕①〈たかぶった／えらそうな〉ことば。②大げさなことば。●**たいげんそうご**［大言壮語］《名・自サ》〔文〕実力以上に大きなことを言うこと。また、そのことば。壮言大語。

**たいげん**［体現］《名・他サ》〔文〕具体的にあらわすこと。「理念を―する」

**だいけん**［大剣］①大刀。②ネクタイの、しめたときに表になる部分。▽(↕小剣)

**だいけん**［大検］〔↑大学入学資格検定〕⇩高卒認定試験。

**だいげん**［代言］〔古風〕弁護。「―をたのむ・―人〔=弁護士〕」☞三百代言。

**だいげん**［題言］〔文〕書物の巻頭や絵、石碑などに書くことば。題辞。

**だいげんすい**［大元帥］《軍》元帥の上に立って軍をひきいる総責任者。旧憲法では天皇。

**たいこ**［太古］〔文〕おおむかし。

**たいこ**［太鼓］①《音》筒っ形の木または金属の両がわに皮をはり、ばちで打ち鳴らす楽器。「―を打つ」②↑太鼓持ち。「―医者〔=おせじばかり じょうずな医者〕」③《仏》↑うちわ太鼓。「法華〔=日蓮宗〕の―」④⇩おたいこ。●**たいこばし**［太鼓橋］まんなかが高くそった橋。そりはし。●**たいこばら**［太鼓腹］まるく はり出した腹。●**たいこばん**［太鼓判］①大きなはん。②↑太鼓判を押す。「〔記事の見出しで〕店長も―」●**太鼓判を押す** 句 じゅうぶんに保証する。「りっぱな人物であることは、わたしが―」●**たいこもち**［(太鼓持ち)・(:幇間)］①遊ぶ客の きげんをとり、さかもりの座をとりもつ男。ほうかん。男芸者。②おせじを言って人のきげんをとる人。●**たいこやき**［太鼓焼き］⇩今川焼き。

**たいご**［対語］対義語。ついご。

**たいご**［隊×伍］〔文〕隊列。「―を整える」

**たいご**［大悟］《名・自サ》《仏》おおいに さとること。だいご。●**たいごてってい**［大悟徹底］《名・自サ》《仏》真理の奥底に〈達すること／達した さとり〉。

**たいご**［大語］《名・他サ》〔文〕大言。「―ばかりしている人」

**たいこう**［大公］〔ヨーロッパで〕小さな国家の君主(と一族の男子)の称号。「―国」

**たいこう**［大功］〔文〕大きなてがら。「―を立てる」

☆☆**たいこう**［大綱］〔=おおづな〕 おおもと。要点。「労働政策の―をしめす」(↕細目)

**たいこう**［太×閤］関白の地位を子にゆずった人を尊敬した呼び名。特に、豊臣秀吉。「豊―」

**たいこう**［体高］《動》動物が立っているときの、地面から肩までの高さ。〔魚の場合、背から腹までの両端の長さ〕

**たいこう**［体×腔］《生》からだの中(の空間)。「―に熱い血をたたえた男」〔医師は「たいくう」と言う〕

**たいこう**［対校］一 学校同士が対抗(して)すること。「―試合」 二《名・自他サ》〔写本などを〕くらべあわせて、文字のちがいや誤りを調べること。

**たいこう**［耐候］〔文〕温度や湿度の変化にたえること。「―性にすぐれる〔=屋外の環境下で劣化しにくい〕」

←**たいこう**［対向］《名・自サ》①〔文〕向きあうこと。「―車」「―ページ」②反対の方向から来ること。

→**たいこう**［対抗］《名・自サ》①相手に負けまい、むしろ勝とうとして争うこと。はりあうこと。「他店に―する・―意識を燃やす」②おたがいに勝負すること。「―試合・クラス―」③《競馬など》優勝候補と はりあう力を持つもの。「―馬〔選挙を戦う相手の意味にも〕」(↕本命) ④《法》当事者間で成立した権利関係を第三者に主張すること。「―要件」

**たいこう**［退行］《名・自サ》①〔文〕あともどりすること。②《心》幼稚な精神状態に もどること。「―現象」③仕事が終わって、銀行を出ること。(↕入行) ④銀行をやめること。

**たいこう**［退校］《名・他サ》退学。

**たいごう**［大豪］〔文〕すぐれた豪傑。だいごう。

**だいこう**［代香］《名・自サ》代理となって焼香をする〈こと／人〉。

**だいこう**［代講］《名・自サ》本人に代わって講義や講演をする〈こと／人〉。

**だいこう**［代行］《名・他サ》①本人に代わって おこなう〈こと／人〉。「議長の職を―する・部長―」②〔↑運転代行〕飲酒した人の代わりに運転する〈こと／人〉。「―をたのむ・―車」

**だいこう**［×乃公］《代》〔文・男〕おれ。わがはい。〔いばって言うことば〕●**乃公出でずんば** 句〔文〕このおれが出なければ うまくいかない。

**だいごう**［大剛］〔文〕非常に強い〈こと／人〉。たいごう。「―の力士」

**だいごう**［題号］書物や新聞の、題。タイトル。

**たいこうてんのう**［大行天皇］亡くなられてから、おくり名が決まるまでの間の、天皇を呼ぶ言い方。

**たいこうぼう**［太公望］釣りをする人。「―に絶好のスポット」 由来 中国周の時代の武将、呂尚の別名から。呂尚は、釣りをしているとき、「太公〔=王の祖父〕が望んだ人物」として軍師に むかえられた。

**たいこく**［大国］①大きな力を持って栄え、ほかの国にも影響をあたえる国。「―意識・超―アメリカ・経済―・軍事―・アニメ―」(↕小国) ②〔悪い面で〕その特徴が非常に強い国。「地震―・借金―」 区別 ⇩王国。

**だいこく**［大黒］①↑大黒天。「―さま」②〔俗〕僧の妻。●**だいこくてん**［大黒天］七福神のひとり。大きなふくろをかついで、打出の小づちを持ち、たわらに乗る。福徳をあたえるといわれる。大黒。●**だいこくばしら**［大黒柱］①家の中央にある太い柱。②一家や団体の中心となる人。

［だいこくてん］

☆☆**だいごみ**［(×醍×醐)味］〔醍醐=牛乳などから精製した、とても おいしい液体〕ものごとの本当の おもしろみ。

妙味。「―を味わう・魚との かけひきも釣りの―」

**だいこん**［大根］①代表的な野菜の名。根は たいてい白く太くて長い。「青首―・―サラダ」②芝居がへたな人。大根役者。 ●**だいこんおろし**［大根下ろし・大根卸し］①ダイコンをすりおろしたもの。おろし(大根)。②ダイコンをおろす器具。おろしがね。

**たいさ**［大佐］〘軍〙将校の階級の一つ。中佐の上。〔自衛官の一佐に当たる。旧日本海軍では「だいさ」〕

**たいさ**［大差］ 大きな差。ひどいちがい。「―で勝つ・―ない」(↔小差)

**たいざ**［対座・対×坐］《名・自サ》向かい あって すわること。「客と―する」

**たいざ**［退座］《名・自他サ》①座席から去ること。退席。②座(=劇団)をやめること。(↔入座)

**だいざ**［台座］①ものをすえておく台。②仏像をのせる台。

**たいさい**［大祭］〔神社の〕大きな まつり。

**たいざい**［滞在］《名・自サ》(長く)とどまること。逗留。「東京に―する・―期間」

**だいざい**［大罪］ 大きな つみ。たいざい。

**だいざい**［題材］ 作品の内容となる材料。

**たいさいぼう**［体細胞］〘生〙生殖に かかわらない細胞。(↔生殖細胞)

**たいさく**［大作］①〈大きな／大規模な〉作品。「―絵画」(↔小品) ②すぐれた作品。

＊＊**たいさく**［対策］《名・自サ》それぞれの問題に応じた解決方法。「災害(を防ぐ)―・防災(のための)―・―を練る・―を立てる・―を取る・―を打つ〔=おこなう〕・―を講じる」

**だいさく**［代作］《名・他サ》①本人に代わって〈作ること／作ったもの〉。②〘農〙代わりの作物として作ること。「―野菜」

**たいさつ**［大冊］〈大きな／厚い〉書物。(↔小冊)

**たいさん**［耐酸］〔文〕酸に おかされにくいこと。「―性・―ペン」

**たいさん**［退散］《名・自サ》①(ちりぢりに)にげ去ること。「悪霊を―させる・疫病―」②その場を引きあげること。「おそいので そろそろ―しよう」

←**たいざん**［大山・泰山］〔文〕大きな山。 ●**大山鳴動して ねずみ(鼠)一匹** 句 〔西洋の ことわざから〕大さわぎをしたのに、たいしたこともない。 表記 「大山」は「泰山」とも。

→**たいざん**［泰山］①中国山東省にある有名な山。「―の安きに置く〔=ものごとをどっしりと安定させる〕・―北斗〔⇩泰斗〕」②〔文〕⇩大山。

**だいさん**［第三］①三番目。②〈当事者／問題になっているものごと〉以外のもの。 ●**だいさんき**［第三紀］〘地〙以前使われた地質時代の中区分。新生代の始まる約六六〇〇万年前から二六〇〇万年前まで。〔現在は「古第三紀」と「新第三紀」に分ける〕☞第四紀。 ●**だいさんごく**［第三国］ そのことに関係している国以外の国。 ●**だいさんじさんぎょう**［第三次産業］〘経〙⇩三次産業。 ☆☆●**だいさんしゃ**［第三者］ そのことに直接関係していない人。「―の意見・―機関・―委員会」(↔当事者) ●**だいさんしゅ**［第三種］(↑第三種郵便物)⇩三種②。 ●**だいさんせかい**［第三世界］ アジア・アフリカ・ラテンアメリカなどの、発展途上国。 ☆☆●**だいさんセクター**［第三セクター］〔sector=部門。分野〕国・地方自治体・民間の共同出資による事業体。三セク。「―の鉄道」 由来 国や地方自治体などの公的機関を第一セクター、民間企業を第二セクターと言うことから。 ●**だいさんそく**［第三速］〘自動車〙⇩サード ㊀②。 ●**だいさんにんしょう**［第三人称］〘言〙⇩三人称。 ●**だいさんのビール**［第三のビール］ 麦芽を使わないビールふうの酒。〔ビール・発泡酒につぐものとして、俗に言われる〕

**だいさん**［代参］《名・自サ》〔文〕本人に代わって参拝する〈こと／人〉。

**たいさんぼく**［泰山木］ 背の高くなる常緑樹。葉はゴムの木に似て厚く、初夏、白くてハスに似た大きな花をひらく。花は かおりが いい。たいざんぼく。

**たいし**［大志］〔文〕大きな こころざし。「―をいだく」

**たいし**［大使］(↑特命全権大使)①〘法〙国を代表して外国に派遣される外交官の いちばん上の位(の人)。②親善・広報などの役目をになう人。「観光―」 ●**たいしかん**［大使館］〘法〙大使が駐在地で職務をおこなう役所。

**たいし**［太子］①皇太子。ひつぎの みこ。②〘仏〙聖徳太子。「―堂」

**たいし**［隊士］〔文〕部隊に属する〈武士／兵士〉。

**たいし**［対し］《**に対し**で格助・**のに対し**で接助》⇩対して ㊁㊂。

**たいじ**［胎児］〘医〙〔母の〕腹の中にある子ども。

☆☆**たいじ**［対×峙］《名・自サ》〔文〕①〔山などが〕向かいあって高く立つこと。②じっとにらみあう(状態で対立する)こと。「両雄相―する」

**たいじ**［退治］《名・他サ》やっつけること。ほろぼすこと。「わるもの―・害虫を―する」

**だいし**［大師］〘仏〙①仏。菩薩。②徳の高い僧。③朝廷から徳の高い僧にあたえる呼び名。「弘法―」④弘法大師。「お―様」

**だいし**［台紙］ ものをはりつける(厚い)紙。

**だいし**［台詞］〔文〕せりふ。台辞。

**だいし**［大姉］ 接尾 〘仏〙女性の戒名にそえる語。(↔居士)

**だいじ**［大字］①大きな字。(↔小字) ②〔証書などで〕書きかえを防ぐため、「一・二・三・十」などの代わりに用いる「壱・弐・参・拾」などの字。

＊＊**だいじ**［大事］㊀**だいじ**〔文〕①たいへんなこと。「国家の―・―を引き起こす」②大きな事業。「―をなしとげる」▽(↔小事) ㊁**だいじ**《ナダ》①失ったり、そこなったりしないように、気をつける(ことが必要な)ようす。「―な皿・私の―な人・家庭を―にする」②それが〈ない／できない〉と、たいへん困るようす。重要。「―な役割・話し合うことが―だ」③健康に気をつけるようす。「(おからだを)お―に」▽大切。 派 ―さ。☞おおごと(大事)。 ●**大事に至る** 句 たいへんなことになる。 ●**大事の前の小事** 句 ①大事をなしとげようとするときは、小さなことにも気をつけろ。②大事をおこなうためには、小さなことは捨てていい。 ●**大事をとる** 句 用心深くする。 ●**だいじない**［大事ない］《形》〔古風／関西方言〕心配ない。だいじょうぶだ。「にいちゃん、―か」

**だいじ**【題字】 書物のとびらや石碑などに書く、題目の文字。

**たいし-いちばん**【大死一番】〔文〕一度死んだつもりになって努力すること。死ぬ覚悟で何かをしてみること。だいしいちばん。

☆☆**ダイジェスト**《名・他サ》〔digest〕要約〈すること/したもの〉。「—版」

**だいしきょう**【大司教】《宗》〔カトリックで〕複数の教区を支配する、高い位の僧職。

**たいじく**【体軸】 からだの中心を通る架空の軸。「—を整える」

**だいじしん**【大地震】 ⇩おおじしん。

**だいしぜん**【大自然】 雄大な自然。

**たいした**【(大した)】《連体》①おどろくほどの(すぐれた)。「ひとりで来るとは—度胸だ・—人間」②〔後ろに否定が来る〕とりたてて言うほどの。「—ことは していません・—雨でもない・—こと(が)ない〈人/映画/けが〉」

**だいじ-だいひ**【大慈大悲】《仏》大きくて きわまりのない慈悲。「—の菩薩」

**たいしつ**【体質】①(うまれつきの)からだの性質。からだの たち。「特異—」②その組織や団体にしみついている性質。「会社の—を改善する」

**たいしつ**【耐湿】〔文〕湿気に おかされにくいこと。「—性」

**たいしつ**【対質】《名・自サ》《法》被告人・証人などをつきあわせて尋問し、証拠調べをすること。

**たいしつ**【退室】《名・自サ》 用事をすませて、部屋から出ること。(↕入室)

**だいしっこう**【代執行】《法》行政上の決定にしたがわない者の代わりに、国や地方自治体の行政機関が、決まったとおりの処置をすること。都市計画の実施などにともなって おこなう。行政代執行。

**たいして**【(大して)】《副》〔後ろに否定が来る〕とりたてて言うほど。「—重要ではない」

**たいして**【対して】 ■《**に対して**で格助》言動や考えなどの対象をあらわす。…について。「質問に—答える」 ■《**のに対して**で接助》一方が そうであるのに くらべて。「収入が減っているのに—、支出は増えている」▽■対し。

■対し。— ■《接》一方。それに対して。「赤組は八十点。—、白組は七十点」丁寧対しまして。

☆☆**たいしぼう**【体脂肪】 皮下脂肪や内臓脂肪。「—率〔=体重に対する体脂肪の割合〕」

**たいしゃ**【大社】 大きな神社。「出雲—〔単に『大社』とも〕」

**たいしゃ**【大赦】《法》恩赦の一つ。政令で指定された罪だけをゆるすこと。

**たいしゃ**【代×赭】 茶色をおびた だいだい色。赤土色。代赭色。

**たいしゃ**【対者】 あるはたらきかけをしようとする場合の、その相手。

**たいしゃ**【隊舎】 自衛隊などの、営舎。

**たいしゃ**【堆砂】《名・自サ》土砂が下流に流れず、ダムや貯水池の底にたまること。また、その土砂。たいさ。

☆☆**たいしゃ**【代謝】《名・自他サ》《生》栄養が からだに取り入れられ、からだが作り出す いらない物質と入れ〈かわる/かえる〉こと。新陳代謝。「—機能・—をさかんにする・アルコールを—する〔=代謝によって、アルコールをほかの物質にかえる〕」☞基礎代謝。

**たいしゃ**【退社】《名・自他サ》①会社をやめること。(↕入社)②会社から帰ること。(↕出社)

**だいしゃ**【代車】 自動車を車検や修理などに出したとき、代わりに使う自動車。

**だいしゃ**【台車】①鉄道車両の車体を支えて走る、台わく・車輪・ばねなどからなる部分。②物をのせて運ぶ、車のついた台。

**だいじゃ**【大蛇】 大きなヘビ。うわばみ。おろち。

**たいしゃく**【貸借】《名・他サ》〔文〕かすことと かりること。かしかり。 ●**たいしゃくたいしょうひょう**【貸借対照表】《経》決算報告書などで、負債・純資産の部と、資産の部とを対照させた一覧表。それぞれの部の合計は同じになる。財務状態が どのくらい健全かが わかる。バランスシート。

**たいしゃくてん**【△帝釈天】《仏》仏教を守るという、天上の世界の王。たいしゃく(さま)。

**だいしゃりん**【大車輪】①〔文〕大きな車輪。②〔仕事などを〕休みなく、一生懸命にすること。「—の働き・—で仕上げる」由来 役者が一生懸命に演技することを意味する「車輪」の強調形から。③〔体操で〕鉄棒につかまり からだをのばして、鉄棒を軸にして大きく回転させる わざ。車輪。

**たいしゅ**【大守】〔文〕一国以上を領地として持った大名。

**たいしゅ**【大酒】〔文〕たくさんの酒。おおざけ。

**たいじゅ**【大樹】〔文〕①大きな木。「寄らば—の陰〔⇩「寄る」の句〕」②〔↑大樹将軍〕将軍を尊敬して呼ぶことば。

**たいしゅう**【大衆】〈世間の/大ぜいの〉人々。民衆。庶民。「—運動・—酒場・—向き・—紙(↕高級紙)・—小説〔=エンターテインメント小説。(↕純文学)〕」 ●**たいしゅうか**【大衆化】《名・自他サ》人々の間に広く おこなわれる(ようにする)こと。「—したスポーツ」 ●**たいしゅうぎょ**【大衆魚】 値段が安くて、庶民向きの さかな。イワシ・サンマ・サバなど。(↕高級魚) ●**たいしゅうてき**【大衆的】《ナダ》世間の大ぜいの人々に受け入れられるようす。「—な読み物」 ●**たいしゅうやく**【大衆薬】 ⇩オーティーシー(OTC)。

**たいしゅう**【体臭】 からだの においい。

**たいじゅう**【体重】 からだの重さ。

**たいしゅつ**【退出】《名・自他サ》 その場から〈ひきさがる/しりぞく〉こと。「役所〈を/から〉—する」

**たいしゅつ**【帯出】《名・他サ》(図書館などの)図書を借りて館外へ持ち出すこと。「禁—」

**たいじゅつ**【体術】 おもに素手でする武術。柔術。じゅうじゅつ。「合気—」

**たいしょ**【大所】〔文〕大きな立場。 ●**たいしょ-こうしょ**【大所高所】 広い視野・考え方。大局。「—に立つ」

**たいしょ**【大暑】①〔文〕きびしい暑さ。極暑。「—の折」②《天》二十四節気の一つ。七月二十三日ごろ。一年でいちばん暑い時期。(↕小暑)

**たいしょ**【太初】〔文〕天地のはじまり。太始。「—にことばあり」

**たいしょ**【耐暑】 暑さに たえること。(↕耐寒)

たいしょ【対処】《名・自サ》できごとに対して、必要な行動をとること。「急病人(へ)の―・経済危機に―する」

たいしょ【退所】《名・自他サ》①事務所・研究所などをやめること。(↔入所)②事務所・研究所などから帰ること。(↔出所)③介護・保育・自立支援などを受けるための施設を出ること。(↔入所)

たいしょ【大書】□一《名・他サ》①文字を大きく書くこと。②意味を強調して書くこと。「特筆―する」□二〔文〕大規模な著作。大著。「全十巻におよぶ―」

だいしょ【代書】《名・他サ》①代筆。②役所へ出す書類を、本人に代わって書く職業の人。「司法書士・行政書士」のもとの呼び名。「―人・―屋」

だいじょ【大序】〔歌舞伎など〕序幕。「忠臣蔵の―」

*たいしょう【大正】①大正天皇の時代の年号(一九一二年七月三十日～一九二六年十二月二十五日)。明治の次、昭和の前。〔略記して「T12」「大12」などと書く〕由来 中国の『易経』の「大いに亨りて以って正しきは天の道なり」から。②大正時代。「―ロマン」●たいしょうごと【大正琴】〔音〕金属の弦を張った、鍵盤のある琴。左手で鍵盤をおし、右手でつめを持って弦をはじく。〔大正時代の考案〕

☆たいしょう【大将】①全軍の指揮者。②〔軍〕将校の階級のいちばん上(の人)。中将の上。③かしら。「お山の―」④〔剣道・柔道など〕団体戦で最後に出て戦う、強い選手。☞先鋒②。⑤〔俗〕あるじ。「飲み屋の―」⑥〔俗〕相手または他人を親しんで(からかって)呼ぶことば。

たいしょう【大賞】いちばん優秀なものにあたえる賞。グランプリ。「レコード―」

たいしょう【対症】〔医〕あらわれた症状に応じて処置をすること。●☆たいしょうりょうほう【対症療法】①〔医〕そのときの症状に応じた治療法。対症的療法。②その場しのぎの処理。「―に過ぎない」

↔**たいしょう【対象】①見たり考えたりなどする活動の向けられる(先/相手)。「批判の―」②めあて。目標。「子どもを―とした雑誌」

↔たいしょう【対照】《名・他サ》①てらしあわせること。「二つの本を―する・―言語学」②とりあわせ。コントラスト。「色の―」●たいしょうてき【対照的】《ナダ》くらべて見たとき、正反対であるようす。「―な性格」

↔たいしょう【対称】□一《名・ナダ》(=つりあうこと)〔数〕二つの点・線、または図形が、完全に向きあう位置にあること。シンメトリー。「左右―(『左右相称』とも)・―形に仕上がった宝石」(↔非対称)□二〔言〕二人称。(↔自称・他称)

たいしょう【隊商】⇩キャラバン①。

たいしょう【大笑】《名・自サ》〔文〕おおわらい。「呵々―する(=大声でわらう)」

たいしょう【大勝・大×捷】《名・自サ》〔文〕おおいに勝つこと。「―を博する」(↔大敗)

たいじょう【退場】《名・自サ》①舞台・場所をしりぞくこと。「主役が―する・市場から―した会社」(↔登場)②会場を出ること。「閉会式の選手―・―処分」(↔入場)

だいしょう【大小】①大きいことと小さいこと。「―にかかわらず」②武士が持つ大刀と小刀。「―を差す」

だいしょう【大証】〔経〕大阪取引所の通称。〔もとは大阪証券取引所の略称〕

だいしょう【代将】〔軍〕①〔海軍で〕将官を代行する場合の、大佐の地位。②准将。

☆だいしょう【代償】①代わりにあたえる(利益/お金)。また、代わりに受ける不利益。「大きな―をはらう・便利な生活の―としてこわされた自然」②ある欲求が満たされないとき、それをほかのことでうめあわせようとすること。「―行為」

だいじょう【大乗】〔仏〕大乗仏教。(↔小乗)●だいじょうてき【大乗的】《ナダ》①〔仏〕大乗の精神にかなうようす。②個人的な感情や目の前のことがらにとらわれないようす。大局的。●だいじょうぶっきょう【大乗仏教】〔仏〕自分がすくわれるだけでなく、すべての人もすくわれることを目指す仏教。大乗。〔日本では、ほとんどがこの仏教〕(↔上座部仏教)

だいじょうかん【△太政官】〔歴〕律令制の時代、各省をおさめ、政治をあつかった朝廷の最高官庁。☞だじょうかん(太政官)。

だいじょうきょう【大状況】ものごとの大きな流れ。「政治の―を見きわめる」(↔小状況)

だいじょうだいじん【△太政大臣】〔歴〕太政官の長官。だじょうだいじん。

☆だいじょうだん【大上段】①〔剣道〕剣を頭の上にふりかぶるかまえ。「―にかまえる」②相手を威圧する態度。「論理を―にふりかざす」③問題を大きく考える態度。「『何をすべきか』と―に論じる」

だいじょうてんのう【△太上天皇】〔歴〕上皇。だじょうてんのう。「聖武―」

**だいじょうぶ【大丈夫】□一《ナダ》①不安や心配がないようす。問題が起こりそうでないようす。「天気は―かな・君なら、どこを受験しても―だ・『忘れ物ない?』『―!(=ない)』」②病気やけがが、損害などが(深刻で)ないようす。無事。「頭のけがは―ですか」③さしつかえがないようす。かまわないようす。「おさらをお下げしても―ですか・〔電話で〕水木さんのお宅で―(=まちがいない)ですか」④いらないようす。えんりょしたいようす。「〔店員が〕レシートは―ですか(=ご不要ですか)・『飲みに行かない?』『―です』(やわらかくことわる言い方)」▽話しことばで「だいじょぶ」。③④は「結構□一②③」に相当。③は二十一世紀になって広まった用法。☞よろしい①。④はそのあとに広まった用法。□二《副》〔古風〕きっと。まちがいなく。「汽車は、―来るんでしょうね?」由来 もと、力強い立派な男子の意味。☞だいじょばない。

たいじょうほうしん【帯状×疱×疹】〔医〕⇩ヘルペス②。

だいじょうみゃく【大静脈】〔生〕からだじゅうを回った血液を集めて、心臓に送る太い血管。(↔大動脈)

たいしょく【体色】〔動〕動物のからだの色。

たいしょく【耐食・耐×蝕】〔文〕腐食にたえること。「―性」

たいしょく【大食】《名・自サ》(ごはんなどを)たくさん食べること。おおぐい。「無芸―」(↔小食)●たいしょくかん【大食漢】大食いの男。大飯食らい。

たいしょく【退色・×褪色】《名・自サ》〔文〕色がさめ

ること。

**たいしょく**【退職】《名・他サ》今までつとめていた職をやめること。「—金・希望—(=自発的な退職)をつのる」(↔就職) ●**たいしょくねんきん**【退職年金】公務員・会社員などが、退職したあとで、毎年受け取るお金。公務員の場合は、もと「恩給」と言った。

**たいしょてき**【対×蹠的】《ナダ》〔「たいせきてき」の慣用読み〕〔文〕正反対であるようす。対照的。「—な立場にいる」

**だいじょばない**《形》〔「だいじょぶ」を動詞化し、否定した形から〕〔児/俗〕だいじょうぶでない。だいじょうばない。

**だいじり**【台尻】鉄砲の、肩に当てる部分で、はばの広いところ。

**たい・じる**【退治る】《他上一》〔古風〕うちほろぼす。退治する。

**たいしん**【大身】〔文〕身分が高く、家禄が多い〈こと/人〉。「—の旗本」(↔小身)

←**たいしん**【対震】地震に対してうまくはたらくこと。「—(安全)装置・—自動消火」

→☆☆**たいしん**【耐震】《理》建物を補強し、大きな地震のゆれにたえるようにすること。「—建築・—設計・—性」☞制震・免震。

**たいしん**【対審】《名・他サ》《法》原告と被告を法廷に立ち会わせ審理すること。

**たいじん**【大人】〔文〕①からだの大きい人。「—国」②徳の高い、りっぱな人。「—の風格をそなえている」▽(↔小人)③りっぱな文人・学者の名にそえることば。先生。うし(大人)。「正岡子規—」☞おとな(大人)・だいにん(大人)。

**たいじん**【対人】①他人に対すること。「—関係」②人間に対すること。「—(賠償)保険・—地雷」(↔対物) ●**たいじんきょうふ**【対人恐怖】《医》ノイローゼの一つ。人に会うことをおそれたり、会うと極端にどぎまぎしたりすること。対人恐怖症。

**たいじん**【対陣】《名・自サ》敵と向かい合って陣を取ること。

**たいじん**【退陣】《名・自他サ》①〔軍隊が〕陣地を後方へ下げること。②その地位から去ること。「知事の—」

**だいしん**【代診】《名・他サ》主となる医師に代わって診察する〈こと/人〉。

**だいじん**【大尽】①富豪。大金持ち。②遊郭ではでに遊ぶ人。「(お)—遊び」●**大尽風を吹かせる** 句 大金持ちぶっていばる。

**だいじん【大臣】①内閣を構成し、国の政治をおこなう官職(の人)。国務大臣。「外務—」(呼びかけや、直接名前につけても使う。「中村—」)☞総理②。②天皇・国王のもとで政治をおこなう長官。「左—」

☆☆**だいじんぐう**【大神宮】伊勢神宮。

**だいしんさい**【大震災】大地震による災害。「関東—(一九二三年九月一日に発生)・阪神・淡路—(一九九五年一月十七日に発生)・東日本—(二〇一一年三月十一日に発生)」

**だいしんどちか**【大深度地下】おおむね深さ四十メートル以深の地下。土地所有権から切りはなして、公共事業に利用される。

**だいじんぶつ**【大人物】心がひろく、人格がりっぱな人。偉大な人物。

**ダイス**〔dice←die の複数形 dies〕①さい(ころ)。②とばく。③さいころ形に切った食材。「—トマト」

**ダイス**〔dies〕①棒状の金属にねじ山を刻む工具。雄ねじ切り。☞タップ[一]②。②⇒ダイス(dice)。

**だいず**【大豆】黄色くてまるいマメ。一般に、アズキより大きい。みそ・しょうゆ・とうふ・油の原料。黄大豆のほか、黒大豆(=クロマメ)・青大豆(=アオマメ)もある。

**たいすい**【耐水】水にぬれても〈水気が通ら/変質し〉ないこと。「—性・—ペーパー」

**たいすい**【大酔】《名・自サ》〔文〕ひどくようこと。酩酊。

**たいすう**【対数】《数》1以外の正数 $a$ と正数 $N$ に対して、$N=a^n$ が成立するときの、$n$ の呼び名。〔$n$ のことを、「$a$ を底とする $N$ の対数」と言う〕

**だいすう**【代数】①〔↑代数学〕《数》かずの代わりに文字を使って、計算の法則や問題の解き方などを研究する数学。②世代のかず。「—で言うと六代目」

**だいすう**【台数】自動車や機械などの数。「カメラの販売—」

*__だいすき__【大好き】《ナダ》非常に好きなようす。(↔大嫌い)

**__たい・する__【対する】[一]《自サ》①向きあう。「相—」②対になる。「昼に—夜」③あたる。対抗する。「敵に—」④向かう。相手とする。「客に—」▽対す。[二]《に対するで格助》言動や考えなどの対象をあらわす。…についての。「教育に—考え方」

←**たい・する**【体する】《他サ》〔文〕①心にとめて、いつもそのとおりにする。「師の教えを—」②〔たのんだ人の〕気持ちをじゅうぶんのみこむ。「社長の意を体して、訪問する」▽体す。

→**たい・する**【帯する】《他サ》〔文〕〈腰/身〉につける。帯す。

**だい・する**【題する】《自サ》〔文〕①表題を書く。②題をつける。③題字を書く。▽題す。

**たいせい**【大声】〔文〕おおごえ。

**たいせい**【大政】〔文〕天下の政治。●**たいせいほうかん**【大政奉還】《歴》慶応三(一八六七)年十月、十五代将軍徳川慶喜が政権を天皇にかえしたこと。●**たいせいよくさんかい**【大政翼賛会】①《歴》一九四〇年、日本全体で戦争に総力をあげるために作った組織。すべての政党が合流した。②批判する勢力のない議会などのたとえ。

**たいせい**【大勢】①〈全体/だいたい〉の情勢。「世界の—」「—はわが国に不利だ・選挙の—が判明する」②大多数。多数派。「反対意見が—を占める・—に従う」☞おおぜい(大勢)。

←*__たいせい__【体制】①全体的なしくみ。「経済—・戦時—・病院の医療—・管理—・—を整備する」②社会組織のしくみ。「資本主義—」③〔↑権力体制〕政府など、権力をにぎっているがわを、革新勢力から言うことば。「—側・反—運動」(↔反体制)④《生》独立した、さまざまな各部分が、一つのまとまった全体を形づくっているもの。「—の発達」

↔**たいせい**【体勢】〔からだを動かすときの〕からだ全体のかまえ。「不利な—になる・—がくずれる・ふらついたが、—

を立て直した」

→**たいせい**［態勢］準備ができて、いつでも何かができる身がまえや状態。「―を整える・軍が―を立て直す・臨戦―・着陸―・受け入れ―」

☆☆**たいせい**［耐性］①《医》その薬にたえて病原菌が生きる性質。薬剤耐性。「―菌・―ができる」②きびしい環境などにたえる力。「寒さに対する―がある」

**たいせい**［胎生］《動》子が母体の中で発育をとげてうまれること。「―動物」(↔卵生) ☞卵胎生。

**たいせい**［退勢・×頽勢］〔文〕勢いがおとろえた状態。「―の挽回」

**たいせい**［泰西］〔文〕ヨーロッパとアメリカ。西洋。「―名画」

**たいせい**［対生］《名・自サ》《植》葉が、一つのふしから二枚ずつ、たがいに向き合ってはえること。(↔互生・輪生)

**たいせい**［大成］《名・自他サ》①〔学問・人物などが〕完全にできあがること。「学者として―する」(↔小成) ②りっぱにしとげること。③関係する項目・資料をたくさん集めた全集。「万葉集―」

**たいせいよう**［大西洋］ヨーロッパ・アフリカ・南極・南アメリカ・北アメリカの五つの大陸の間にある、世界で二番目に広い海。

**たいせき**［体積］①立体の大きさ。「三角すいの―・降った雨を―に換算する」②容積。「肺の―」

←**たいせき**［堆石］①高く積み上げられた石。②氷河によって運ばれた土砂や岩でできた地形。モレーン。

→**たいせき**［堆積］《名・自他サ》①うずたかく〈つむ/つもる〉こと。②〔土砂などが〕うずたかくつもったもの。

●**たいせきがん**［堆積岩］《鉱》水底や地表に、土砂などが長い間つもってかたまってできた岩石。化石をふくむことがある。大部分は水底でできるので、水成岩とも言う。例、石灰岩・凝灰岩。

**たいせき**［退席］《名・自サ》席を立って、その場からしりぞくこと。

**たいせき**［滞積］《名・自サ》〔文〕たまること。「郵便物が―する」

**たいせつ**［大雪］①《天》二十四節気の一つ。十二月八日ごろ。②〔文〕おおゆき。

**たいせつ**［耐雪］〔文〕雪が降ってもつぶれたり故障したりしないこと。「―性能」

＊＊**たいせつ**［大切］《ナダ》「大事㊁」の、やや改まった言い方。「この点が―だ・本を―にあつかう・おからだを―になさってください」(↔粗末) 派―さ。

**たいせん**［大戦］①大きな戦争。②(第二次)世界大戦。

**たいせん**［対潜］《軍》敵の潜水艦の活動にそなえること。「―哨戒機」

**たいせん**［対戦］《名・自サ》①おたがいに(向かい合って)戦うこと。②試合をすること。

**たいせん**［退船］《名・自サ》〔文〕船からおりること。「総員―」

**たいせん**［滞船］《名・自サ》〔文〕荷あげができなくて、むだに停泊する〈こと/船〉。

**たいぜん**［大全］〔文〕それに関係のある〈著作/ことがら〉を全部集めた書物。「仏教―」

**たいぜん**［泰然］《タト》〔文〕おちついているようす。「―とかまえる」 ●**たいぜんじじゃく**［泰然自若］《タト》〔文〕ものごとに動じないようす。

**だいせん**［台船］海上の作業に使う、台形の平らな浮き船。クレーンなどの機材を備える。

**だいせんきょく**［大選挙区］議員の定員がふたり以上の、大きい選挙区。

**だいぜんてい**［大前提］①《哲》〔三段論法で〕根本になる第一の前提。②議論や考えの、根本になる前提。「全員の参加を―とする」

**たいそう**［大宗］〔文〕①主要な部分。「収入の―をしめる」〔官公庁などで使う〕②中心的な存在。

**たいそう**［大葬］〔文〕亡くなった天皇・太皇太后・皇太后・皇后の葬儀。〔＝先々代の天皇の皇后〕・皇太后・皇后の葬儀。「―参列・ご―」〔天皇の場合の国葬は、正式には「大喪の礼」や「大喪儀」と言う〕

**たいそう**［体操］㊀《名・自サ》規則正しくからだや手足を動かす運動(をすること)。㊁①〔↑体操競技〕あん馬・跳馬・鉄棒・平均台・床運動などをまとめた呼び名。「日本の―チーム」②「体育②」のもとの呼び方。 ●**たいそうふく**［体操服］児童・生徒が体育の授業に着る服。〔東日本では「体操着」と言うことが多い〕

**たいそう**［〈大層〉］㊀《ナダ》①大げさに思われるようす。「―な言い方をする・―に聞こえるが」☞ごたいそう。②おどろくほどであるようす。「―な人気・―なお屋敷」㊁《副》〔改まって、また感情をこめて〕非常に。たいへん。「―お世話になりました」区別⇩大変㊁。

●**たいそうらしい**［〈大層らしい〉］《形》〔古風〕大げさだ。ぎょうさんだ。「―口をきくな」派―さ。

**たいぞう**［退蔵］《名・他サ》〔文〕外に出さずに物資をしまっておくこと。「―品」

**だいそう**［代走］《名・自サ》①《野球》ⓐ塁に出ているランナーに代わって走ること。ⓑ「代走①ⓐ」の役の人。ピンチランナー。②車両が運行不能になったとき、代わりの車両を走らせること。また、その車両。「―運用・―車両」

**だいそうじょう**［大僧正］《仏》僧の最高の階級(にある人)。僧正の上。

**たいそく**［体側］〔文〕からだの側面。「両手を―に伸ばす・ヤマメは―に斑点がある」

**たいそせいけい**［体組成計］上に乗って、体重のほか、体脂肪率・筋肉量など、からだを構成するものの量をはかる器械。☞組成①。

**だいそつ**［大卒］最後に卒業した学校が、大学である〈こと/人〉。☞学卒・院卒。

☆☆**だいそれた**［大それた］《連体》非常に道に外れた。とんでもない。おおそれた。「―考え」

**たいそん**［退村］《名・自サ》〔文〕選手村などから、退去すること。

**たいだ**［怠惰］《名・ナダ》なまけておこたること。「―な生活」派―さ。

**だいだ**［代打］《名・自サ》①《野球》ⓐある打者の代わりにうつこと。ⓑ「代打①ⓐ」をする人。代打者。ピンチヒッター。②⇩ピンチヒッター②。

**タイダイ**［tie dye］しぼり染め(のような柄)。

**だいたい**［大隊］《軍》陸軍の編制で、連隊の下、中隊の上の単位。

**だいたい**【大×腿】《生》ふともも。「—部・—骨」

**だいたい**【代替】《名・他サ》ほかのもので代えること。代わり。だいがえ。「—品・—輸送・—エネルギー・—肉」

**だいたい**【大体】㊀《名・副》①大部分。ほとんど。「準備は—できた・日本人は—において勤勉である」②確かではないが、たぶん〈そうだろう/これでいいだろう〉という感じ。「質問に—で答えている・—二週間ぐらいかかる仕事」③もともと。「あいつは—(が)ふまじめな男だ」㊁【大体】〔文〕全体のうちの おもな部分。大概(たいがい)。「町の歴史の—を述べよう」

**だいだい**【代々】何代も続いていること。「先祖—・—養子をとる」☞よよ(代々)。

**だいだい**【(×橙)】①かんきつ類の一種。形はまんまるに近い。正月のかざりにし、皮はマーマレードに使う。「—酢(ず)」②←だいだい色。●**だいだいいろ**【(×橙)色】赤みをおびた黄色。オレンジ色。だいだい。

**だいだいてき**【大々的】《ナダ》大げさなようす。大規模にするようす。「—に報道する」

**だいだいひょう**【大代表】十二回線以上の「代表②」。

**だいだいり**【大内裏】《歴》〔平城京・平安京で〕内裏と政府諸官庁が置かれていた区域。

**だいたすう**【大多数】ほとんど全部といっていいほどの数。大部分。「—の賛成をえられた」

**タイタック**〔tie tack〕ネクタイどめの一種。ネクタイに突(つ)きさして使う。

［タイタック］

**たいたん**【(炊いたん)】〔=炊いたもの。関西などの方言〕煮物(にもの)。「なんきん〔=カボチャ〕の—」

**たいだん**【対談】《名・自サ》ふたりで向かい合って話し合うこと。「テレビで—する・—記事」☞鼎談(ていだん)。

**たいだん**【退団】《名・他サ》球団・劇団など、団と呼ばれる団体をしりぞくこと。(↔入団)

**だいたん**【大胆】《ナダ》①ものごとをおそれないようす。②思い切ったことをするようす。「—におこなうべきだ」(↔小胆(しょうたん))「—なデザイン」派—さ。●**だいたんふてき**【大胆不敵】《ナダ》〔文〕非常に大胆で、少しもおそれないようす。「—な行動」派—さ。

☆☆**だいだんえん**【大団円】〔文〕〔小説・事件などの〕(めでたい)終わり。「—をつげる」由来「団円」はまるいようす。まるくおさまることから「終わり」の意味になった。

**たいち**【対地】〔文〕①空中から地上に対(して)すること。「—攻撃(こうげき)」(↔対空) ②海上から陸地に対(して)すること。「—速力〔=陸地に対しての船の速力〕」(↔対水)

**たいち**【対置】《名・他サ》〔文〕〈向かい合うように/対照できるように〉おくこと。

**だいち**【大地】(ひろびろとした)陸地。「—の めぐみ・母なる—・雪におおわれた—」

**だいち**【代地】〔文〕代わりの土地。かえち。

**だいち**【台地】まわりよりも高くなった、平らな土地。「武蔵野(むさしの)—」

**だいち**【代置】《名・他サ》〔文〕代わりに おくこと。

**だいち**【:第一】《名・副》〔話〕⇩だいいち。

**たいちゃ**【(×鯛)茶】タイの さしみをのせた茶づけ。

**たいちょ**【大著】〔文〕〈大きな/りっぱな〉著述。だいちょ。(↔小著)

**たいちょう**【体長】〔動物の〕からだの長さ。

**たいちょう**【体調】からだの調子。コンディション。「—を整える・—をくずす」

**たいちょう**【退潮】〔=ひきしお〕〔文〕おとろえ。「勢力—のきざし」

**たいちょう**【隊長】〈その隊/軍隊〉のかしら。

**たいちょう**【退庁】《名・自サ》〔文〕官庁から退出すること。(↔登庁)

**だいちょう**【大腸】《生》小腸につづき、肛門(こうもん)にいたる、太い管状の消化器官。盲腸(もうちょう)・結腸・直腸に分けられる。水分を吸収し、糞便(ふんべん)をつくる。●**だいちょうえん**【大腸炎】《医》大腸の炎症(えんしょう)。下腹が痛み、はげしく下痢(げり)する。もと、大腸カタル。●**だいちょうがん**【大腸(×癌)】《医》直腸や結腸にできるがん。●☆☆**だいちょうきん**【大腸菌】《医》人類そのほかの哺乳(ほにゅう)類の腸の中にいる菌。

**だいちょう**【台長】天文台など、台と呼ばれるところのいちばん上の人。

**だいちょう**【台帳】①商店の元帳。②元となる帳簿(ちょうぼ)。「土地—」③《歌舞伎》台本。

**タイツ**〔tights〕〈腰(こし)から足の先までをおおう〉はだにぴったりつく衣服。「バレエの—・防寒用—・網(あみ)—・全身—姿」☞ストッキング。

**たいてい**【大帝】〔文〕偉大(いだい)な帝王。「ピョートル—」

**たいてい**【退廷】《名・自サ》〔文〕〈朝廷/法廷〉からさがること。(↔入廷)

**たいてい**【大抵】《名・副》①大部分(の場合)。たいがい。「—のことには おどろかない・いやなことは—忘れてしまう」②〔古風/方〕〔推測して〕おおかた。「—まいったろう」③〔古風〕いいかげん。ほどほど。「もう—にしてくれ」④〔古風〕なみたいてい。「—のことではない」

**たいてき**【大敵】〔文〕強い敵。(↔小敵)

**だいてつ**【大哲】〔文〕偉大(いだい)な哲学者。「—カント」

**たいてん**【大典】〔文〕①〔ご—〕即位(そくい)の儀式(ぎしき)。大礼。②だいじな法典。

**たいてん**【退店】《名・自他サ》①用事がすんで、店を出ること。②つとめている店をやめること。▽(↔入店) ③店を閉めて撤退(てったい)すること。(↔出店)

**たいでん**【帯電】《名・自サ》《理》物体が電気をおびること。荷電(かでん)。「—防止剤(ざい)〔=静電気よけ〕」

**だいでんきん**【大×臀筋】《生》おしりをおおう大きな筋肉。しゃがんだ姿勢から とび上がったり、太ももをうしろに引いたりするときなどに使う。表記 医学では「大殿筋」とも。☞臀筋。

**たいと**【泰斗】(←泰山北斗)〔文〕学術の上で、非常に尊敬される人。権威(けんい)。

☆☆**タイト**《名・ナダ》〔tight〕①ぴったり からだに あったようす。「—スカート」②すきまがないようす。「—なスケジュール」③〔金融(きんゆう)で〕かねづまりの状態。④〔商品で〕品薄(しなうす)の状態。●**タイトロープ**〔tightrope〕①綱(つな)わたり(をするために張った綱)。②ぎりぎりの危険な状態。「—をわたる」

*__たいど__【態度】①感じたり考えたりしたことを、ことば・表情・身ぶりなどに あらわしたもの。行動のようす。「従

順なー・おかしなー・ーが大きい」②ものごとに対する構え方。出方。「政府のー」

☆☆**たいとう**［台頭・×擡頭］《名・自サ》〔文〕①あたまをもたげること。②勢力を増してくること。「新人のー」

**たいとう**［帯刀］《名・自サ》〔文〕かたなをおびる〔＝腰につける〕こと。また、腰につけたかたな。

**たいとう**［対等］《名・ダナ》たがいに身分や地位のちがいがなく、平等なこと。「ーにつきあう・ー〈の／な〉関係・ー合併」

**たいとう**［〈×駘×蕩〉］《トタル》〔文〕①〔春のけしきの〕のどかなようす。「春風ー」②〔人がらが〕おだやかなようす。

**たいどう**［大道］〔文〕⇩だいどう(大道)①③。「天下のーをあゆむ」

**たいどう**［胎動］《名・自サ》①《生》〔母胎の中で〕胎児が動くこと。②〔文〕内部の動きが、表面に少しあらわれてくること。

**たいどう**［帯同］㊀《名・他サ》いっしょに連れていくこと。「司令官が副官をーする・家族ー」㊁《名・自サ》いっしょについていくこと。同行。「コーチがチームにーする」〔スポーツの分野で使われだし、二十一世紀になって広まった用法〕

**だいとう**［大刀］長い(ほうの)かたな。(↕小刀)

**だいどう**［大道］①〔文〕はばの広い道。たいどう。②道路。みちばた。「ー商人・ー芸人」③〔文〕実践すべき、正しい道理。たいどう。●**だいどうげい**［大道芸］さかり場や街頭で披露する芸。

**だいどう**［大同］《名・自サ》〔文〕①だいたい同じこと。②多くのものが合同すること。●☆☆**だいどうしょうい**［大同小異］細かな点がちがうだけで、ほとんど同じこと。●**だいどうだんけつ**［大同団結］《名・自サ》多くの党派・団体が、小さな意見のちがいをすてて団結すること。

**だいとうあせんそう**［大東亜戦争］《歴》「太平洋戦争」の、日本での呼び方。〔日本がアジアの新体制を作るという名目で始めた〕

**だいどうみゃく**［大動脈］①《生》動脈のおおもとで、心臓の左の心室から出る血管。(↕大静脈)②重要な道路や鉄道の幹線。「ーまひ(麻痺)」

**だいとうりょう**［大統領］①共和国の元首。②〔俗〕〔芝居などの出演者に対して〕親しみをこめて呼びかけるかけ声。「よう、ー」●**だいとうりょうふ**［大統領府］大統領の仕事を助ける役所。

**たいとく**［体得］《名・他サ》実際に会得して自分のものにすること。「技術をーする」

**たいどく**［胎毒］母親のおなかの中にいるときに受けた梅毒がもとで起こると考えられた、子どものしっしん(湿疹)の、古い呼び名。くさ(瘡)。

**だいどく**［代読］《名・他サ》本人に代わって読むこと。「祝辞をーする」

**だいどころ**［台所］①家の中で食べ物を料理する所。くりや。だいどこ。キッチン。「ーに立つ〔＝料理をする〕・ー〔＝台所の仕事〕を手伝う」②経済(上のやりくり)。「ー〔＝家計など〕をあずかる・ーが苦しい・ー事情」

☆☆**タイトル**〔title〕㊀①題名。表題。「映画のー」②〔本の〕とびら。「ーページ」③称号。肩書き。「ーを争う」④本・ソフトウエアなど、題のついた商品。「人気ー」⑤字幕。「クレジットー」㊁[接尾]題のついたものの種類を数えることば。「八百ーの雑誌」●**タイトルバック**〔和製 title back〕映画などの字幕の背景。●**タイトルホルダー**〔titleholder〕選手権保持者。タイトル保持者。●**タイトルマッチ**〔title match〕選手権を争う試合。タイトル戦。(↕ノンタイトル マッチ)●**タイトルロール**〔title role〕〔歌劇・演劇などでの〕題名にもなっている主役。例、カルメン。

**ダイナー**〔diner〕①軽食堂。②食堂車。

←**たいない**［体内］〔文〕からだの中。(↕体外)●**たいないどけい**［体内時計］《生》生物の寿命を定め、時間にあわせて規則正しい変化をつかさどる、体内のしくみ。生物時計。

→**たいない**［胎内］〔文〕①母の腹の中。「ー回帰」②仏像の、腹の中。「ー仏」

**たいない**［対内］〈内部／国内〉に対すること。「ー的」(↕対外)

**だいなごん**［大納言］①《歴》太政官の次官。(↕中納言・少納言)②アズキの品種の一つ。つぶが大きく、色がこい。

**だいなし**［台〈無し〉］せっかくのものが、価値をなくすこと。「上等な服をーにする・努力がーだ」

**ダイナマイト**〔dynamite〕《理》ニトログリセリンをもとにした爆薬。ノーベルが珪藻土に吸収させ(てかため)たのが最初。マイト。

**ダイナミクス**〔dynamics〕①力学。ダイナミックス。「国際政治のー」②《音》音の強弱。「ーの幅が大きい」

**ダイナミズム**〔dynamism〕活力。動態。

☆☆**ダイナミック**《ダナ》〔dynamic〕①(動きが)力強く感じられるようす。力動的。「ーな動き・ーにえがいた作品・ースピーカー〔＝音量の大きな拡声器〕」(↕スタティック)②雄大なようす。「湾岸のーな景観」[派]ーさ。

**ダイナモ**〔dynamo〕《理》発電機。自転車や自動車につける直流の発電装置。

**だいなる**［大なる］《連体》〔文〕大きい。「喜びこれよりーものはない」

**だいなん**［大難］〔文〕大きな災難。(↕小難)

＊**だいに**［第二］①二番目。「ーの人生〔⇩セカンドライフ〕」②最上の次。第一の次。●**だいにぎてき**［第二義的］《ダナ》〔文〕根本的には重要でないようす。二義的。「ーな問題」(↕第一義的)●**だいにじさんぎょう**［第二次産業］《経》⇩二次産業。●**だいにじせかいたいせん**［第二次世界大戦］《歴》一九三九年九月から一九四五年八月まで、ドイツ・日本・イタリアなどとイギリス・フランス・アメリカ・ソ連などが戦った大戦争。第二次大戦。☞太平洋戦争。●**だいにしゅ**［第二種］⇩二種。●**だいにしんそつ**［第二新卒］新卒で入社し、三年程度で会社をやめて、再び就職活動をする人。「ーの採用」●**だいにそく**［第二速］《自動車》⇩セカンド㊀③。●**だいににんしょう**［第二人称］《言》⇩二人称。●**だいにまく**［第二幕］①《演劇》ふたまくめ。②いったんおちついたものごとの新しい展開。第二章。

**だいに・する**【大にする】《他サ》大きくする。「声を━(⇩「声」の句)」

**たいにち**【対日】日本国に対(して)すること。「━貿易・━感情」

**たいにち**【滞日】《名・自サ》〔文〕日本に滞在していること。

**だいにちにょらい**【大日如来】〔←摩訶毘盧遮那(まかびるしゃな)の漢訳〕《仏》真言(しんごん)宗の本尊。宇宙そのものをあらわす仏。

**だいにゅう**【代入】《名・他サ》《数》式の中の文字を、数または式で置きかえること。

☆☆**たいにん**【大任】大切な任務。重任。

**たいにん**【退任】《名・自サ》任務をしりぞくこと。(↔就任)

**たいにん**【体認】《名・他サ》〔文〕身にしみて納得(なっとく)すること。「ありがたみを━する」

**だいにん**【大人】〔視覚語〕〔入浴料・入場料などで〕おとな。たいじん。(↔小人(しょうにん)) ⇒おとな(大人)・たいじん(大人)。

**だいにん**【代人】本人の代わりの人。みょうだい。

☆☆**ダイニング**〔dining〕■━ダイニング〔←ダイニング ルーム〕食堂。■〔造〕食事用の。「━テーブル」■〔造〕(しゃれた)居酒屋。「和風━・━バー」●**ダイニングキッチン**〔和製 dining kitchen〕台所兼(けん)食堂。DK。

**たいねつ**【体熱】〔文〕からだの熱。「━を下げる」

**たいねつ**【耐熱】〔文〕高い熱を加えても、割れないこと。「━ガラス・━性にすぐれる」

**だいねつ**【大熱】〔文〕高熱。

**だいの**【大の】《連体》①一人前の。「━男」②たいへんな。非常な。「━好物」

☆☆**たいのう**【滞納】《名・他サ》期限を過ぎても税金などをおさめないこと。「━者・授業料━」

☆☆**だいのう**【大脳】《生》脳髄(のうずい)の一部。頭蓋(ずがい)骨の中の大部分をしめ、精神作用をいとなむ大切な器官。「━半球」●**だいのうひしつ**【大脳皮質】《生》大脳をおおう厚さ数ミリの灰色の層。神経細胞(さいぼう)が約一四〇億個集まり、他の領域の神経細胞とつながって複雑な回路を作っている。●**だいのうへんえんけい**【大脳辺縁系】《生》大脳皮質のおくにある、感情や記憶(きおく)に関係する部分。辺縁系。

**だいのう**【大農】①《農》機械を使って大規模におこなう農業。「━式・━経営」⇒中農・小農。②〔文〕大百姓(おおびゃくしょう)。豪農(ごうのう)。(↔小農)

**だいのう**【代納】《名・他サ》〔文〕本人に代わって、お金や品物をおさめること。

**だいのうかい**【大納会】《経》〔取引所で〕一年の最後の立ち会い(のあとにおこなう もよおし)。ふつう、十二月三十日。(↔大発会)

**だいのじ**【大の字】手と足を広げて、「大」という字の形になる様子。「━にねる」

**だいのつき**【大の月】新暦(しんれき)で三十一日、旧暦で三十日ある月。(↔小の月)

**たいは**【大破】《名・自他サ》〔文〕ひどく破壊(はかい)すること。(↔小破)

**だいば**【台場】江戸(えど)時代後期、海岸付近に築かれた砲台(ほうだい)。〔特に、江戸の品川沖(おき)に築かれたものを「お台場」と言う〕

**ダイバー**〔diver〕ダイビングをする人。

**ダイバーシティ(ー)**〔diversity〕①多様であること。多様性。「職場の━(=いろいろな属性や個性の人がいることを推進する)」②⇩生物多様性。

**たいはい**【大杯・大×盃】〔文〕大きなさかずき。大白(たいはく)。

**たいはい**【大敗】《名・自サ》〔文〕ひどく負けること。(↔大勝)

**たいはい**【退廃・×頽廃】《名・自サ》道徳的な気風が失われて、不健全になること。デカダン。「━した空気」●**たいはいてき**【退廃的】(ナダ) 健全さを失ったようす。「━な音楽」

**だいはい**【代拝】《名・他サ》〔文〕本人に代わって、拝礼をすること。

**だいばかり**【台×秤】台の上に〈物／荷物〉をのせて、重さをはかるはかり。看貫(かんかん)(ばかり)。

**だいはちぐるま**【大八車】木の車輪が二つついた、人が引く大きな荷車。だいはち。

**たいばつ**【体罰】からだに苦しみをあたえる罰。「━を加える」

**だいはっかい**【大発会】《経》〔取引所で〕一年の最初の立ち会い(の前におこなう もよおし)。ふつう、一月四日。(↔大納会)

**たいはん**【大半】①半分以上。②おおかた。

**たいばん**【胎盤】《生》胎児(たいじ)と母体をつなぐ盤状の器官。へその緒(お)を通じて、消化・呼吸などのはたらきをする所。

**だいばんじゃく**【大盤石】①大きくて平たい石。②どっしりとして ゆるぎのない〈ようす／もの〉。

**たいひ**【堆肥】《農》草・わら・野菜くずなどを積んで発酵(はっこう)させた肥料。つみごえ。

**たいひ**【貸費】《名・自他サ》〔学資などの〕費用をかすこと。「━生」(↔給費)

←**たいひ**【退避】《名・自サ》〈かくれ／しりぞい〉て危険を避(さ)けること。「━命令・屋内━」

→**たいひ**【待避】《名・他サ》列車などが通過するのを避(さ)けてまつこと。「━線・━駅」

**たいひ**【対比】《名・他サ》つきあわせて、くらべること。「文化のちがいを━する」

**タイピーエン**【(:太平燕)】〔中国語〕スープに具とはるさめを入れた中華(ちゅうか)料理。熊本などで好まれる。タイピンエン。

**だいびき**【代引き】↑代金引換(ひきかえ)。だいひき。「━郵便」

**タイピスト**〔typist〕タイプライターを打つ職業の人。

**だいひつ**【代筆】《名・他サ》本人に代わって〈かくこと／かいたもの〉。「返事を━する・漫画(まんが)の━」(↔自筆)

**たいひょう**【体表】《生》からだの表面。「ヘビの━」

**たいびょう**【大病】《名・自サ》症状(しょうじょう)がひどくて、治るまでに長くかかる病気。

**だいひょう**【大兵】〔文〕からだが大きいこと。「━肥満の男」(↔小兵(こひょう))

**だいひょう**【代表】《名・他サ》①〈団体／多くの人やもの〉に代わって、その意思・性質をあらわすこと。また、その〈人／もの〉。「━者・中国━団」②電話番号が二つ以上あるときに、それらをまとめる一つの番号によって、複数の電話が通じること。また、その電話番号。☞大代表。●**だいひょうそしょう**［代表訴訟］〔法〕株主や社員が会社に代わって、取締役などの責任を追及するために起こす訴訟。「株主—」●**だいひょうてき**［代表的］《ナダ》全体を代表するようす。●☆☆**だいひょうとりしまりやく**［代表取締役］〔法〕会社を代表する権利〔=代表権〕を持つ取締役。ふつう、社長・副社長・専務などがなる。代取。「—社長」

**タイピン**［tiepin］ネクタイをワイシャツにとめるピン。ネクタイ留め。ネクタイピン。

**だいひん**［代品］代わりのしな。

**タイピング**《名・自他サ》［typing］〔コンピューターやタイプライターの〕キーを打つこと。打鍵。タイプ。

**ダイビング**《名・自サ》［diving］①〔水泳〕飛びこみ。②飛びこむように、頭からつっこむこと。「—キャッチ」③潜水。「スキューバ—」④〔飛行機の〕急降下。▽ダイブ。

**たいぶ**［大部］《名・ナダ》冊数やページ数の多い〈こと/ようす〉。「—〈な/の〉著書」

**たいぶ**［退部］《名・自他サ》〔運動部・文化部などの〕部をやめること。(↔入部)

***タイプ**［type］㊀①型。「古い—の車・ボトル—のシャンプー」②共通の特性(を持つ人やもの)。類型。「重役—・学者—・あの人は(好きな—じゃない」③↑タイプライター。「和文—」㊁《名・他サ》タイピング。「—ミス〔=打ちまちがい〕」●**タイプライター**［typewriter］キーをたたいて、活字を紙におしつけ、文字をあらわす器械。タイプ。

**だいぶ**［(大分)］《副》①程度が非常に進んだようす。「—寒くなってきた・—遠いところまで来た・—あとになって」②まだ非常に。「仕事が—残っている・—みれんがあったようだ・—早い段階で」③〈ほか/ふつう〉とくらべて、ちがいが大きいようす。「きのう言ってたことと—ちがう・—大きな音がした」▽だいぶと。だいぶん。

**ダイブ**《名・自サ》［dive］⇩ダイビング。

**たいふう**［台風・×颱風］《天》特に夏の終わりから秋に、はげしい雨・風をともなってやって来る、強い熱帯低気圧。「—が二個続けて来た」〔北西太平洋の熱帯で発生し、風速が十七メートル以上のものを言う。国際的な分類の「タイフーン(typhoon)」にほぼ相当〕☞ハリケーン・サイクロン①。●☆☆**たいふういっか**［台風一過］〔文〕台風が通りすぎて晴天になること。●**たいふうのめ**［台風の目］①《天》台風の中心にできる、雨・風のない、晴れている部分。②注目を集めながら、新しい動きを作る〈人/もの〉。「映画界の—」

**たいふう**［耐風］〔文〕強い風がふいてもこわれないこと。「—性に富む・—構造」

**だいふきん**［台布巾］食卓をふくふきん。だいふき。だいぶきん。

**たいふく**［大幅］〔文〕大きな掛け軸。(↔小幅)

**だいふく**［大福］↑大福もち。●**だいふくちょう**［大福帳］商店の元帳。「—経営〔=前近代的な経営〕」●**だいふくもち**［大福餅］あんをもちの皮で包んだ菓子。大福。

**たいぶつ**［対物］〔人間以外の〕ものに対(して)すること。「—〈賠償/保険〉」(↔対人)●**たいぶつレンズ**［対物レンズ］顕微鏡・望遠鏡などで、観察・観測する物体に面するほうのレンズ。(↔接眼レンズ)

**だいぶつ**［大仏］大きな仏像。「奈良の—・—開眼」☞丈六。

**だいぶつ**［代物］〔文〕代わりのもの。「—で弁済する」☞しろもの(代物)。

**だいぶぶん**［大部分］全体の中の、多くの部分。ほとんど。「—の人・—わかった」(↔一部分)

**タイブレーク**［tie break］スポーツで、決着を早くつけるためのルール。例、テニスでは、ゲームカウントが六対六のとき、二点以上差をつけて七点以上取ったほうをそのセットの勝ちとする。野球の延長戦では、ランナーを置いた状態から攻撃を始めるなど。タイブレイク。

**だいぶん**［(大分)］《副》⇩だいぶ。「—(に)はかどった」

**たいぶんすう**［帯分数］《数》整数と分数との和であらわした数。例、$2\frac{1}{3}$〔=二と三分の一〕。

**たいへい**［太平・泰平］《名・ナダ》〔文〕世の中がしずかにおさまること。「天下—・—無事の世」●**たいへいらく**［太平楽］〔もと、雅楽の曲名〕のんきに構えて、勝手なことを言ったりしたりすること。「—をならべる」

**たいべい**［対米］〔文〕アメリカに対(して)すること。「—輸出・—交渉」

**たいへいよう**［太平洋］アジア・南アメリカ・北アメリカ・オーストラリア・南極の五つの大陸の間にある、世界でいちばん広い海。●**たいへいようせんそう**［太平洋戦争］《歴》第二次世界大戦の間に、日本とアメリカ・イギリスなどとの間に起こった戦争。日本では、戦争中、大東亜戦争と呼んだ。〔一九四一年十二月八日～一九四五年八月十五日〕

**たいべつ**［大別］《名・他サ》大きく分けること。(↔細別)

****たいへん** ㊀［大変］《ナダ》①〈ただごとでない/取り返しのつかない〉ことが起こって、困るようす。「大雨が降って—だ・けがでもさせたら—だ・どうしよう、—!」②簡単でなく、めんどうに感じられるようす。「毎日日記をつけるのは—だ」③程度が大きいようす。「—な人出だ・—な誤解だ」派—さ。㊁［(大変)］《副》ふつうの程度を大きくこえて。非常に。また、本当に。「—残念です・—お世話になりました」区別「たいへん」「非常に」は程度の大きさをあらわす基本的な語で、いろいろな場合に広く使える。「非常に」のほうがややかたく、意味も強い。「とても」も広く使えるが、話しことば的。文章語では「とてもできない」など不可能の強調にしか使わない人もいる。「すごく」はより話しことば的で、感情をこめる。「かなり」「けっこう」は最大ではないが〈ふつう/予想〉より程度が大きい場合に使う〔深刻な場合には「けっこう」は使いにくい〕。「ずいぶん」はおどろきや感心の気持ちをこめて、「そうとう」は推測をこめて使う。☞本当に①。㊂［大変］〔文〕人々をおどろかせる〈できごと/事件〉。〔悪いことについて言う〕「このたびの—」

**たいべん**［胎便］《医》生まれた赤ちゃんがはじめてする大便。かにばば・かにくそ〔俗〕。

**だいへん**［代返］《名・自サ》〔学〕出席を取るとき、欠席した学生に代わって返事をすること。また、その返事。だいべん。

**だいべん**「大便」[一] 肛門から出る、食べ物の かす。ふん。くそ〔俗〕。〔婉曲に〕大きいほう・大。[二]《名・自サ》「大便[一]」を出すこと。▽[一][二]うんち。うんこ〔俗〕。(↔小便)

**だいべん**「代弁」《名・他サ》①「代×辯」本人に代わって意見などをのべること。②「代×辨」〔文〕本人に代わって〈弁償する/事務をとる〉こと。

**たいほ**「退歩」《名・自サ》〔文〕進歩せずに あともどりすること。(↔進歩)

**たいほ**「逮捕」《名・他サ》《法》罪をおかしたうたがいのはっきりしている者をつかまえること。「―状を執行する〔=逮捕状を見せて逮捕する〕・―者〔=逮捕されたもの〕」☞再逮捕。

**タイポ**〔typo←typographical error〕文字の打ちまちがいや変換のミス。タイプミス。

**たいほう**「大砲」①太くて長い筒から たまを打ち出す、大形の兵器。②《野球など》強力な〈打撃力/打者〉。

**たいぼう**「大望」〔文〕⇩たいもう(大望)。

**たいぼう**「耐乏」〔文〕ものが とぼしい状態に たえること。「―生活」

**たいぼう**「待望」《名・他サ》〔そうなることを〕まちのぞむこと。「―の雨・―論」

**たいぼうしき**「戴帽式」〔看護学校で〕ナース キャップ〔=看護帽〕をさずけられ、看護師になる ちかいをする儀式。

**たいぼく**「大木」大きい木。大樹。

**タイポグラフィ(ー)**〔typography〕《美術》書体・大きさ・配置などの効果を考えて、文字の組み版をデザインすること。

**たいほん**「大本」〔文〕おおもと。「人間を育てることが教育の―である」

**だいほん**「台本」①《芝居》脚本。②《映画》脚本。シナリオ。

**だいほんえい**「大本営」《軍》もと、天皇を助けて戦争を指導した最高本部。「―発表〔ごまかしの発表のたとえにも使う〕」

**だいほんざん**「大本山」《仏》①総本山。②総本山の下にあって自分の系統の小さな寺をおさめる本山。

**たいま**「大麻」①〔↑大麻草〕あさ。インドアサは、花・葉に麻酔性の成分をふくむ。②インドアサから作った有害な薬物。マリファナは、その代表。③伊勢神宮や そのほかの神社がくばる おふだ。「神宮―」

**タイマー**〔timer〕①競技などで、時間をはかる人。②時間をはかって、スイッチを〈入れる/切る〉器械。タイムスイッチ。「―付き」③《写真》↑セルフタイマー。

**たいまい**「大枚」金額の多いこと。だいまい。「―百万円をはたいた」

**たいまい**「〔×瑇×瑁〕・〔×玳×瑁〕」ウミガメの一種。甲羅には黄色と黒の まだらがあり、べっこう細工の材料。

**たいまつ**「〔:松明〕」マツ・竹・アシなどをたばねて火をつけたもの。あかりとして使う。

**たいまん**「タイマン」〔俗〕一対一のけんか。「―を張る」

**たいまん**「怠慢」《名・ナダ》なまけること。おこたり。「職務―」[派]-さ。

**だいみょう**「大名」[一]《歴》江戸時代、知行一万石以上の諸侯。「―行列」(↔小名) [二]〔造〕「大名[一]」のように ぜいたくな。「―ぐらし」●だいみょうりょこう「大名旅行」〔俗〕〔役人や議員などの〕ぜいたくな旅行。

**だいみょうじん**「大明神」①「明神」を尊敬した言い方。「―の お告げ・稲荷―」②〔俗〕たよりにする人・ものを呼ぶ言い方。「チームを優勝に導く―・金運―」

☆☆**タイミング**〔timing〕①できごとや動作が、別の できごとや動作に あわさる具合。「―が あわない・いい―・―はアウトだったが、野手が落球」②ちょうどその時。時点。「お昼の―で情報を知った」

**タイム**〔thyme〕ハーブの一種。葉を乾燥させて香辛料にする。たちじゃこうそう(立麝香草)。

**タイム**〔time〕①時間。時刻。「お昼寝―」②所要時間。「百メートル走の―を競う」③試合・競技などの、一時中止(の時間)。「―を要求する」●タイムアウト《名・自サ》〔time-out〕①《スポーツ》競技を一時中断し、選手の交代や短い休憩などの時間を取ること。〔ルール上許され、試合時間には ふくまない〕②時間切れ。特に、接続しようとしたネットワークが、時間内に応答しないこと。●タイムアップ《名・自サ》〔和製 time up〕規定の時間が終わること。時間切れ。●タイムカード〔time card〕タイムレコーダーで出退勤時刻などを記録する厚い用紙。●☆☆タイムカプセル〔time capsule〕後の世に伝えるためにその時代を代表する記録や物をつめる、じょうぶな入れもの。土の中にうめる。●タイムキーパー〔timekeeper〕①《スポーツ》時間記録員。計時係。②《放送》時間を管理する人。TK。●タイムサービス〔和製 time service〕⇩タイムセール。●タイムスイッチ〔time switch〕一定の時間がたつと自動的に電流が流れたり切れたりするようにしたしかけ。●タイムスケール〔time scale〕基準となる時間の規模。「何万年という長い―の話」●タイムスパン〔time span〕ある時からある時までの へだたり。期間。「長い―で見る」●☆☆タイムスリップ《名・自サ》〔time slip〕現実の時間や空間を超越して、過去や未来の世界へ突然移動すること。●タイムセール〔和製 time sale〕〔スーパーなどで〕時間限定でおこなう安売り。タイム サービス。●タイムテーブル〔timetable〕①〔交通機関の〕時刻表。②時間割。予定表。●タイムトライアル〔time trial〕〔自転車競技などで〕ひとりずつ一定の距離を走って順位を争うこと。「―レース」●タイムトラベル〔time travel〕現実の時間を超越して、過去や未来を自由に旅行すること。タイム トリップ。時間旅行。●タイムトンネル〔time tunnel〕通りぬけると、過去または未来の世界へ行けるという、想像上のトンネル。●タイムマシン〔time machine〕過去や未来の時代の中を自由に経験できるという、想像上の機械。●タイムライン〔time-line〕①〔SNSなどで〕投稿された文章や画像が時間順に表示されること。また、その画面。「写真を―で共有する」②災害時にいつ、どのような行動をとるかをまとめたもの。防災行動計画。▽TL。●タイムラグ〔timelag〕時間のずれ。「一年の—がある」●タイムラプス〔time-lapse〕⇩微速度撮影。●タイムリミット〔time limit〕制限時間。しめきり時刻。時限。●タイムレコーダー〔time recorder〕カードを〈入れる/かざす〉と、出勤・退出などの時刻を自動的に記入する器械。

**タイムズ**〔times〕時報。タイムス。〔新聞の名前に使う〕「ニューヨーク—」

**タイムリー** ㊀《ナダ》〔timely〕時機がちょうどいいようす。「—なくわだて・—エラー〔=失点につながるエラー〕」㊁《野球》↑タイムリー ヒット。●タイムリーヒット〔timely hit〕《野球》ランナーをホームインさせて得点となるヒット。適時打。タイムリー。

**だいめ**［代目］接尾 受けつがれた当主・名前・役目などの代を数えることば。「九—市川団十郎・二一社長」〔一番目は「初代」と言う〕☞世①。

**たいめい**［大命］〔文〕①君主や天皇の命令。「組閣の—がくだる〔旧憲法時代の言い方〕」②上の者からの、絶対的な命令。〔ふざけた感じで使う〕「編集部からの—」

**たいめい**［待命］《名・自サ》〔=命令をまつこと〕公務員・会社員などが、しばらく一定の職務を持たないこと。

**だいめい**［題名］文章・作品・談話などにつけた名前。「本の—・映画の—・歌の—」

☆☆**だいめいし**［代名詞］①《言》人・もの・場所などを、その名を言う代わりに、さししめして言う単語。名詞とともに、体言に分類される。例、わたし・かれ・それ・どこ・あっち。②同類を代表する〈もの/ことば〉。「小野小町は美人の—」③そのものを特徴づけるものごとや異名。「鉄の女という—をもつ」

**たいめん**［体面］めんぼく。ていさい。「—を保つ・—を重んじる」

**たいめん**［対面］《名・自サ》①人にあうこと。面会。「久しぶりの—・—講義〔☞リアル④〕」②向きあうこと。「—交通〔=人は右がわ、車は左がわを通ること〕・—販売」

**たいもう**［大望］〔文〕大きなのぞみ。たいぼう。「—をいだく」

**たいもう**［体毛］①からだにはえる毛。「—がこい」②陰毛。

**だいもく**［題目］①作品などの題名。タイトル。「芝居の—」②問題〔として取り上げる項目〕。テーマ。「研究の—」③⇩お題目。

**たいもん**［隊門］自衛隊の、隊舎の門。

**だいもん**［大紋］大名の礼装。紋所を大きく染めぬいた直垂を着て、長いはかまをはく。

**だいもん**［大問］〔文〕試験問題などの、まとまった大きな問い。〔↕小問〕

**だいもん**［代紋］暴力団の組章。

**だいもんじ**［大文字］①〔文〕大きく太く書いた文字。②〔文〕すぐれた文章。「警世の—」③京都市の如意ヶ岳〔別名、大文字山〕で、八月十六日に、「大」の字の形にたく、送り火。大文字の火。☞おおもじ(大文字)。

**たいや**［逮夜］〔おー〕《仏》忌日・命日の前夜。

**タイヤ**〔tire; tyre〕車輪の外がわにつける、ゴムの輪。「—が鳴く・—をはく〔=つける〕」

**ダイヤ** ①《鉱》↑ダイヤモンド①。「—の指輪」②《トランプ》◆形のしるし(のカード)。③〔↑ダイヤグラム〕列車の運行・発着の時刻を図表にしめしたもの。また、それにしたがった列車の運行。「—が乱れる」

**たいやき**［(×鯛)焼き］水でといた小麦粉をタイの形の型に流しこみ、あんを入れて焼いた菓子。

**たいやく**［大厄］①〔文〕重大な災難。②重大な、厄年。数え年で男は四十二歳、女は三十三歳と言われる。

**たいやく**［大役］重い役目。

**たいやく**［対訳］《名・他サ》原文とそれを訳した文章とがくらべあわせられるように〈すること/したもの〉。

**たいやく**［大約］《副》〔文〕およそ。大略。

**だいやく**［代役］《名・自サ》その役を、本来の人の代わりにつとめる〈役者/人/こと〉。「—を立てる・社長の—で行く」〔↕本役〕

**ダイヤグラム**〔diagram〕⇩ダイヤ③。

**ダイヤモンド**〔diamond〕①《鉱》とても美しくかがやく宝石。鉱物の中でいちばんかたい。研磨材などに使う。四月の誕生石。金剛石。ダイヤ。〔純粋な炭素の結晶〕②《野球》内野。▽ダイアモンド。●ダイヤモンドこんしき［ダイヤモンド婚式］結婚してから、七十五年目〔イギリスでは六十年目〕の記念日(を祝う式)。ダイヤモンド婚。☞婚。●ダイヤモンドダスト〔diamond dust〕きびしい寒さで、空気中の水蒸気が氷の結晶となって、きらきらとかがやきながら空中にうかぶ現象。細氷。●ダイヤモンドリング〔diamond ring〕《天》皆既日食のとき、太陽の光が月の影から一か所だけもれ、ダイヤモンドの指輪のように見える現象。

**ダイヤル** ㊀〔dial〕昔の電話、ラジオ・金庫などの回転式の数字盤。「—を回す」㊁《名・自他サ》〔dialing〕「ダイヤル㊀」を回すこと。特に、電話をかけること。▽㊀㊁ダイアル。●ダイヤルイン〔和製 dial in〕交換台を通さず、直接各自の電話機にかかる方式の電話。

**たいゆう**［隊友］①隊の同僚。②隊の活動を支持する人々。「—会」③自衛隊の隊員だった人々。

**たいよ**［貸与］《名・他サ》〔文〕かしあたえること。「奨学金の—を受ける」

**たいよう**［大洋］①〔文〕おおうみ。②《地》大陸を取り囲む大海。●たいようしゅう［大洋州］⇩オセアニア。「外務省アジア—局」

*__たいよう__［太陽］①朝から夕方まで地球を照らし、光と熱をあたえて生命をはぐくむもの。太陽系の中心で、地球はそのまわりを回る。日。おひさま。日輪。「—光線・—神〔=神として尊敬される太陽〕」②人の希望や、あこがれのまとになるもの。「あなたは私の—だ」●☆☆たいようけい［太陽系］《天》太陽を中心とする天体の集まり。地球などの惑星が属する。●たいようこう［太陽光］太陽の光。「—が降り注ぐ・—パネル〔=太陽電池を板状にしたもの。ソーラー パネル〕」●たいようこうはつでん［太陽光発電］《理》太陽電池などによって、太陽の光エネルギーを電気エネルギーに変える発電方式。☞太陽熱発電。●☆☆たいようでんち［太陽電池］《理》太陽などからの光を直

接電力に変える半導体の板。電卓や宇宙船などにも使う。光電池。☞ソーラー。●たいようとう［太陽灯］太陽光線のように、紫外線を多くふくんだ光を出す電灯。医療・殺菌用。●たいようねつはつでん［太陽熱発電］《理》反射鏡で集められた太陽の熱で蒸気を作り、タービンを回す発電方式。☞太陽光発電。●たいようねん［太陽年］太陽が黄道上の春分点から、ふたたび春分点にもどるまでの時間。約三六五日五時間四八分四六秒。●たいようれき［太陽暦］地球が太陽のまわりをひとまわりする時間〔＝太陽年〕を、約三六五日として定めた暦。日本の「新暦」はこれ。陽暦。（↔太陰暦）

たいよう［態様・体様］〔文〕〔何かが起こったとき、何かをしたときの〕ありさま。「事故の―」

たいよう［耐用］《名・自サ》〔機械などが〕長い間使えること。「―年数」

たいよう［大要］《名・副》〔文〕①だいたいの要点。②あらまし。おおむね。「―次のとおり」

だいよう［代用］《名・他サ》代わりに使う〈こと／もの〉。「―品」●だいようかんごく［代用監獄］《法》「代用刑事施設」の旧称。拘置所〔＝監獄〕の代用として逮捕した容疑者をとどめておく、警察の留置場。●だいようかんじ［代用漢字］ある漢字が、当用漢字・常用漢字などの表にないため、代わりに使う、同音の漢字。代用字。例、交差（叉）・日食（蝕）。〔（ ）の中は、もとの漢字〕●だいようきょういん［代用教員］〔昔の小学校で〕教員免許状をもたない臨時の教員。●だいようしょく［代用食］①戦中・戦後の食糧のない時代、主食の代わりにした食べ物。例、カボチャ・すいとん。②他の食材の代わりにする食べ物。「ウナギの―」

たいよく［大欲］〔文〕大きな欲望。だいよく。（↔小欲）●大欲は無欲に似たり 句〔文〕①欲の大きい人は、かえって欲がないように見える。②あまり欲が深いと、損をする。

だいよん［第四］四番目。「―四半期」●だいよんき［第四紀］《地》地質時代の中区分の一つ。新生代の終わり、約二六〇万年前から現在まで。更新世と完新世に分かれる。☞第三紀。●だいよんけんりょく［第四権力］行政・立法・司法の三権の次に強い権力。マスコミの力をさして言う。第四の権力。●だいよんしゅ［第四種］〔↑第四種郵便物〕⇩四種②。

たいら［平ら］一《ナダ》でこぼこがないようす。水平。「―に置く」☞お平らに。二山地で、平らにひらけた所。〔多く、地名で「…だいら」の形で使う。「日本平」〕●たいらか［平らか］《ナダ》①〔土地の〕高低が見えないようす。②おだやか。「心中―でない」●たいらがい［平ら貝］二枚貝の一種。大きな貝柱があり、食用にする。タイラギの俗称。

たいらげる［平らげる］《他下一》①ぜんぶ食べてしまう。②〔文〕敵をしたがわせる。乱をしずめる。「反逆者を―・天下を―」

たいらん［大乱］〔文〕世の中の大きなみだれ。

タイラント〔tyrant〕〔文〕暴君。

たいり［大利］〔文〕大きな利益。（↔小利）

だいり［内裏］昔の、天皇の御殿。皇居。禁裏。●だいりびな［内裏（×雛）］天皇・皇后の姿に似せた、男女ひとそろいのひな人形。（お）内裏さま。✎男びなだけを言うのではない。多く、東日本では向かって左、西日本では向かって右に男びなをかざる。

だいり［代理］《名・自サ》本人に代わって責任を持って何かをする〈こと／人〉。「―を立てる」●だいりおや［代理親］①代理母。②生みの親に代わって子どもを育てるもの。「トラの―をさがす」●だいりしゅっさん［代理出産］《名・他サ》代理母による出産。代理母出産。●だいりせんそう［代理戦争］当事者どうしが直接戦わず、その勢力下にあるものどうしが戦うこと。例、冷戦時代、アメリカとソ連のそれぞれが支援する国どうしの戦争。●だいりてん［代理店］その会社の代理として、その会社と同様の〈品物／業務〉をあつかう店。「旅行―」●だいりはは［代理母］子どもにめぐまれない夫婦に代わって、人工授精によって妊娠・出産をおこなう女性。代理親。だいりぼ。

だいリーガー［大リーガー］大リーグの選手。メジャーリーガー。

☆☆だいリーグ［大リーグ］アメリカのプロ野球で、最高位のリーグ。メジャーリーグ。ＭＬＢ。

だいりき［大力］非常に強い力。たいりき。「―無双」

たいりく［大陸］①《地》地球上の広大な陸地。②〔イギリス・アメリカに対して〕ヨーロッパ。③〔日本からみて〕中国。「―から伝来した文化」●たいりくせいきこう［大陸性気候］《地》大陸に特有な、夜昼・暑さ寒さの気温の変化のはげしい気候。（↔海洋性気候）●☆☆たいりくだな［大陸棚］《地》海岸からゆるやかに傾斜しながら続く、深さ二百メートルぐらいまでの海底。りくだな。りくほう。〔国際法では、ふつう海岸の外がわ二百海里〔＝約三七〇キロ〕までの海底〕●たいりくてき［大陸的］《ナダ》①大陸に特有なようす。「―な気候」②ゆったりとしておおらかなようす。「―なふんいき」

だいりせき［大理石］《鉱》石灰岩が地下で高熱に出あってもう一度結晶した白い石。いろいろの模様がある。建築・彫刻などに使う。マーブル。

たいりつ［対立］《名・自サ》①立場・考えなどが、おたがいに反対にな（って、ぶつか）ること。「意見が―する・国と国とがはげしく―する・―関係」②性質が、おたがいに反対であること。「生と死は―するものではない」●たいりつじく［対立軸］対立をあらわす軸。議論の参加者などが、どちらのがわにより近いかを示すものさし。「継続か変化かという―・議論の―〔＝争点〕」

たいりゃく［大略］《名・副》〔文〕あらまし。大体。「―をのべる」

たいりゅう［対流］《理》液体や気体に熱が加わるとあたたまった部分が上部へ移動し、周囲の低い温度の部分が流れこむことをくり返す現象。●たいりゅうけん［対流圏］《天》地上一〇キロぐらいまでの、大気の層。対流がさかんに起こり、いろいろな天気があらわれる。☞大気圏。

たいりゅう［滞留］《名・自サ》〔文〕①とどこおって動かなくなること。「郵便物の―」②滞在。逗留。

たいりょう［大量］①量が多いこと。たくさん。「―生

産・—破壊兵器」(↕少量) ②〔文〕度量が大きいこと。大度。(↕小量)

**たいりょう**[大漁] さかながたくさんとれること。豊漁。「—旗」(↕不漁)

**たいりょう**[体量]〔古風〕体重。

**たいりょう**[退寮]《名・自サ》寮を去ること。(↕入寮)

**たいりょく**[体力] ①運動や仕事をしたり、まわりの変化や病気に抵抗したりする、筋肉や内臓の力。「—的に〔=体力の点で〕おとる」 ②組織を運営してゆく力。「会社の経営—」

**たいりょく**[耐力]《理》ある材料が圧力に耐え、こわれずにいる力。

**たいりん**[大輪] 花の形の、大きなもの。だいりん。(↕小輪)

**タイル**〔tile〕ゆかや壁にはるため、土・石などの粉を小さい板状に焼いたもの。

**たいれい**[大礼]〔文〕①重大な儀式。「—服・即位の—」 ②[ご—] 即位の儀式。大典。

☆☆**ダイレクト**《ナダ》〔direct〕直接。「—キャッチ・本塁へ—に返球する・—に気持ちが伝わる」 ●**ダイレクトメール**〔direct mail〕個人に直接送られる、広告や勧誘の手紙やメール。あて名広告〔古風〕。DM。 ●**ダイレクトメッセージ**〔direct message〕〔SNSで〕公開せず、特定の個人とだけやり取りするメッセージ。DM。

**たいれつ**[隊列] きちんとならんで作った列。「デモの—・—を組む・—をみだす」

**たいれん**[体連] ↑体育連盟。

**たいろ**[退路] 退却の道。にげみち。「敵の—を断つ」(↕進路)

**たいろう**[大老]《歴》江戸幕府で、老中の上に臨時に置かれた最高職。☞老中。

☆☆**だいろっかん**[第六感] 直感。勘。六感。「—をはたらかせる」

**たいろん**[対論]《名・自サ》〔文〕①対談の形でおこなう討論。 ②〈対抗して/対立的な立場で〉する議論。

**たいわ**[対話]《名・自サ》向きあってはなす〈こと/はなし〉。

**たいわん**[台湾] 中国本土の東南方に位置する、大きな島。中心都市は台北。台。

**たいいん**[多飲]《名・他サ》《医》〔アルコールなどの飲み物や飲み薬を〕たくさん飲むこと。

**たう**[多雨]〔文〕雨が多いこと。「高温—」(↕少雨)

**ダウ**〔Dow=人名〕《経》⇩ダウ平均。

**たうえ**[田植え]《名・自サ》苗代で育てたイネのなえを、田に移して植えること。

**たうち**[田打ち] イネを植える準備のために、春の初めごろ田をたがやすこと。

**ダウへいきん**[ダウ平均]〔↑ダウ式平均株価〕《経》アメリカの代表的な株価指数。ふつう、ダウ工業株三〇種平均をさす。ダウ ジョーンズ(Dow-Jones)社が開発した。NYダウ。ダウ。

**タウリン**〔ド Taurin〕《理》魚介類に多くふくまれる物質。ドリンク剤にも入れる。

☆☆**タウン**〔town〕[一][造] ①町の。都市の。「—情報」 ②〔おしゃれをかねた〕外出用の。「—ウエア〔=外出着・街着〕・—ハット」 [二][造] 町。都市。「ニュー—〔=新しくできた団地〕」 ●**タウンし**[タウン誌]〔その町のもよおしや生活関連情報などがのっている雑誌。タウン情報誌。 ●**タウンハウス**〔town house〕庭付き二階建ての家を数戸一つの棟におさめたもの。 ●**タウンミーティング**〔town meeting〕政治家・学者などが、一般市民と対話する集会。

**ダウン**〔down〕[一]《名・自他サ》①下げること。下がること。引き下げ。値下げ。「コスト—・給料の—」(↕アップ) ②《ボクシング》打たれてたおれること。 ③病気・過労などでたおれること。「暑さで—する」 ④〔機械が〕故障で動かなくなること。「サーバーが—する」☞ダン[造]。 [二] 羽毛。「—ジャケット」☞フェザー①。 ●**ダウンサイジング**〔downsizing〕①〈小さく/軽く〉すること。 ②節約などのため、大型コンピューターから小型のパソコンなどにシステムを変えること。 ●**ダウンタイム**〔downtime〕①機械が止まって、作業ができない期間。「ネットワークの—」 ②〔美容整形手術で〕はれ・あざなどがおさまるまで、人前に出られない期間。 ●**ダウンタウン**〔downtown〕商業地区。「ニューヨークの—」 ●**ダウンバースト**〔downburst〕《天》積乱雲の下にはげしい下降気流ができ、それが地表面にぶつかり、強風となって水平方向に広がる現象。航空機事故の原因ともなる。 ●**ダウンヒル**〔downhill〕①《スキー・スノーボード》⇩滑降②。 ②急な斜面をマウンテンバイクで下る競技。 ☆☆●**ダウンロード**《名・他サ》〔download〕《情》〔インターネットで〕ホストコンピューターのデータを端末へ転送すること。DL。「スマホにアプリを—する・二万—を記録した」(↕アップロード)

**ダウンしょう**[ダウン症]〔Down=人名〕〔↑ダウン症候群〕《医》染色体異常症の一つ。一般に、発達・成長が障害され、先天性の心臓病をともなうこともある。

**たえいる**[絶え入る]《自五》〔文〕息が絶えてしまう。死ぬ。「絶え入らんばかりに泣きくずれる」

**たえがたい**[堪え(難い)]《形》がまんしにくい。非常につらい。「—苦痛」[派]-さ。

**たえかねる**[堪え(兼ねる)]《自下一》がまんしきれなくなる。「悲しみに堪えかねて泣きふす」

**だえき**[唾液]《生》つば。消化を助けるはたらきをする。

**たえざる**[絶えざる]《連体》〔文〕引き続いての。休みない。「—研究」

**たえしのぶ**[堪え忍ぶ]《他五》つらいことをがまんする。

**たえず**[絶えず]《副》休みなく。「—努力する」

**たえだえ**[絶え絶え]《ナダ》ときどき息が絶えそうになるようす。「息も—にたどりついた」

**たえて**[絶えて]《副》〔文〕少しも。まったく。「—聞かない」

**たえない**[(堪えない)]《形ヌ》〔に—〕〔文〕その気持ちが強くなってたまらない。「憤慨に—・今昔の感に—」[丁寧]たえません。☞堪える。

**たえなる**[△妙なる]《連体》〔文〕言いようのないほど、すぐれているようす。「—楽の音」

**たえはてる**【絶え果てる】《自下一》絶えて、すっかりなくなる。「人跡が一・息が一（=死ぬ）」

**たえま**【絶え間】〔文〕切れ目。「一ない痛み」

*****た・える**【耐える・堪える】《自下一》負けないでもちこたえる。「風雪に一・重圧に一」[可能] 耐えられる。

**た・える**【堪える】《自下一》①がまんする。「屈辱に一・聞くに堪えない（=ひどくて聞いていられない）ことば」②じゅうぶんな能力・素質がある。「負担に一・任に堪えない」③…するだけの ねうちがある。「批判に一・読むに堪えない」☞堪えない。

**た・える**【絶える】《自下一》①続かなくなる。とぎれる。「通信が一」②（続くべきものが）なくなる。やむ。つきる。「人通りが一」③ほろびる。「家が一」④呼吸が終わる。「息が一（=死ぬ）」

**だえん**【（×楕）円・（×橢）円】《数》小判形の長い円。長円。「一形・一軌道」

**たおこし**【田起こし】《名・自サ》田植えの前やイネを収穫したあと、かわいた田の土をほり起こすこと。

**たお・す**【倒す】[一] **たおす**《他五》①立っていたものを、水平に（近く）なるまでかたむけて、横にする。ころばす。（↔起こす・立てる）②ほろぼす。「独裁政権を一」④借金を返さないで損をあたえる。「借金を一」③負かす。「相手を一」[二] **たおす**【×斃す・×殪す】《他五》殺す。死なす。「ライオンを一」[三] [造]〔俗〕徹底的に…する。「しゃべり一・着一」

☆☆**たおやか**【（×嫋やか）】《ナダ》やさしくて上品なようす。たわやか。「一な白いうで・一な峰」[派] -さ。

**たおやめ**【（:手弱=女）】〔雅〕やさしくて上品な女性。（↔ますらお）[由来]「たお」は「たおやか」と同語源。「や」は接尾語。「め」は「女」。●**たおやめぶり**【（:手弱=女振り）】宮廷女性を思わせる、優美な〈作風／様子〉。平安時代の「古今和歌集」の歌が典型的。（↔ますらおぶり）

**たお・る**【手折る】《他五》〔文〕①手で折る。「枝を一」②〈妻／めかけ〉にすることの たとえ。

**タオル**〔towel〕 もめんなどで作り表面に小さな輪を出した、厚い布地（の手ぬぐい）。「一のねまき・フェイスー」●**タオルを投げる** [句] ①《ボクシング》負けそうになった選手のがわから、試合を打ち切る合図として、リングにタオルを投げ込む。②降参する。▽タオルを〈投げ込む／入れる〉。●**タオルケット**〔和製 towel ket〕 タオル地で毛布のように作った かけ物。

**だおれ**【倒れ】[造] ①倒れること。「評判一」③〔やろうとしたことが〕実際には おこなわれないこと。「企画一・かけ声一・小説が伏線一になる」④お金が もどってこないこと。「貸し一・費用一」②内容がともなわないこと。

**たお・れる**【倒れる】《自下一》[一] ①立っていたものが、水平に（近く）なるまでかたむいて、横になる。ころぶ。「旗ざおが一・人が一・その場に倒れこんだ」（↔起きる・立つ）②破産する。「会社が一」[二]【×斃れる・×仆れる】病気やけがのために活動できなくなる。死ぬ。「過労で一」●**倒れて後（のち）や（已）む** [句] 死ぬまで一生懸命やりぬく。死して後やむ。

**だおん**【打音】〔文〕たたいて出る音。「トンネルの一検査」

☆☆**たか**【多寡】〔文〕多いことと少ないこと。多少。「金額の一・経験の一は問わない」

**たか**【高】[一] **たか** ①〔収入・収穫・生産物などの〕数量・金額。「生産一・売上一」②かぎり。程度。☞たかが。[二] [造]〔だか〕《経》高値。「前日比 五円一」（↔安）●**高が知れている** [句] 程度がわかっている（=たいしたことにはならない）。●**高の知れた** [句] たいしたことはない。高が知れた。「一金額」●**高をくくる** [句] たいしたことはないと、みくびる。

**たか**【（×鷹）】 オオタカ・ハヤブサなど、代表的な猛鳥。威厳があり、昔は鷹狩りに使った。●**鷹は飢えても穂を摘まず** [句] りっぱな人は、どんなに困った状態になっても、いやしいおこないはしない、というたとえ。

**たが**【（×箍）・タガ】 おけやたるのまわりの部分にはめる、竹や金属で作った輪。●**たががゆるむ** [句] にぶる。能力・気力や、組織の規律が にぶる。たがが外れる。●**たがを締める** [句] しめつけて、気持ちや組織のゆるみを直す。

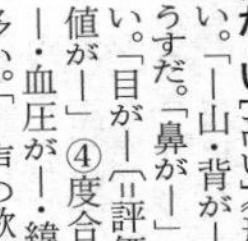
［たが］

**たが**【△誰が】《連体》〔雅〕だれの。「一ために戦いはあるのか」

**だか**《副助》①〔「なぜ」「何」などにつけて〕それが はっきりしないことをあらわす。「さあ、どうして一わかりません」②はっきりしないものにつけて、たしか そうだ、という気持ちをあらわす。「デパートの二階一にある店」③〔A一B一〕はっきりしないものをならべる。Aか それともBか。「宣伝部一広報部一の人・社長一部長一知らないが」▽過去は「だったか」の形で あらわす。「銀座だったかを歩いていたら」

**だか**【高】[造]《経》⇩たか（高）[二]。

****だが** 〔文／男〕[一] [連]〔助動詞または形容動詞語尾などの「だ」＋接続助詞「が」〕…ではあるが。「いい本一、子どもには むずかしい」[二] **だが**《接》逆の関係にある前後の文を結びつけることば。しかし。「言い返したかった。一、がまんした・一しかし」[区別] ⇩しかし①。[丁寧] ですが。

**ダガー**〔dagger〕 ①西洋の短剣。ダガーナイフ。②参照や注に用いる記号。「†」に似た形をしている。「†」。短剣符。

**たかあがり**【高上がり】 ①高い所へのぼること。「ばかの一」②上座につくこと。「それでは一になります」③高い値段につくこと。「かえって一だった」

**たかあし**【高足・高脚】〔膳や さかずきなどで〕足が長いこと。●**たかあしがに**【（高足×蟹）】 両足を広げると三メートル以上になる、世界最大のカニ。本州から九州の太平洋岸にすむ。

☆☆**たかい**【他界】《名・自サ》〔文〕①この世でない、よその世界。②「死ぬこと」を婉曲に言うことば。[区別] ⇩死ぬ[一]①。

****たか・い**【高い】《形》①下からの〈長さ／へだたり〉が大きい。「一山・背が一・空高く飛ぶ」②大きくつき出たようすだ。「鼻が一」③水準・等級が上のほうで、のぞましい。「目が一（=評価する力がある）・一見識・位が一・価値が一」④度合い（をあらわす数字）が大きい。「温度が一・血圧が一・緯度が一」⑤声・音の振動数が多い。「一声の歌手」⑥〔声・音が〕大きくて よく通るようすだ。「しっ、声が—！・声高く笑う」▽(↕低い) ⑦〔値段が〕上だ。「—買い物だった」(↕安い) ⑧よく知られたようすだ。「評判が—・悪名—」 ⑨ほこる気持ちが強い。高慢だ。「プライドが—・お高くとまっている〔⇩「お高く」の句〕」 ⑩きわだって感じられるようすだ。「かおりが—」

**たがい**[互い] ⇩おたがい。〔「おたがい」とちがって副詞用法はないが、「たがいに」の形で副詞的に使う〕「—の自由を尊重する・—に顔を見合わせた」 ●**たがいちがい**[互い違い] 右・左・右・左、あるいは、白・黒・白・黒というように、両方がかわるがわる あらわれる〈こと／形〉。入れ替え。「葉が—に生えている」

☆☆**だかい**[打開]《名・他サ》 ものごとが思うようにいかない状況を打ち破ること。「事態を—する・局面を—する・危機の—策」

**たかいしょく**[他家移植]《生》ある個体の細胞や組織を別の個体に移しかえること。「iPS細胞の—」

**たかいびき**[高(×鼾)] (安心して出す)音の高い いびき。

**たが・う**[(△違う)]《自五》〔文〕①くいちがう。「案に—・うわさに たがわない かしこさ」 ②外れる。「人の道に—・教えに たがってはならない」▽多く「たがわず」「たがわぬ」の形で使う。☞たがわず・たがわぬ。

**たかえだ**[高枝] 高くのびる えだ。「—ばさみ」

**たが・える**[(△違える)]《他下一》 ①ちがえる。「約束を—」 ②まちがえる。

**たかが**[(高が)]《副》 せいぜい。わずか。とるに足りないことをしめす。「—千円のことではないか」

**たかがり**[×鷹狩り] 飼いならしたタカを放して鳥や小さなけものをつかまえさせる狩り。

**たかく**[他覚]《医》〔症状が〕他人にも わかること。「—症状(↕自覚症状)」

**たかく**[高く] ①高い所。「—まで飛ぶ・—に登る」 ②〔方〕高い値段。「—で売れる」

**たかく**[多角]《ナダ》〔文〕①かどが多いようす。 ②多方面にわたるようす。「経営の—化」 ●**たかくけい**[多角形]《数》⇩たかっけい。 ●**たかくけいえい**[多角経営] ちがった種類の事業を、並行しておこなう〈こと／経営法〉。 ●**たかくてき**[多角的]《ナダ》いろいろな方面にわたるようす。「—な視点・—に検討する」

**たがく**[他学] 他の大学。

**たがく**[多額]《ナダ》 額の多いこと。(↕少額)

**たかぐもり**[高曇り]《天》雲が高い空にあって、くもっていること。

**たかげた**[高(下△駄)] 歯の高い げた。あしだ。

**たかころび**[高転び]《名・自サ》 得意の絶頂で、命取りになる失敗をすること。「—した会社・—に転ぶ」

**たかさ**[高さ] ①高い〈こと／程度〉。「技術の—」 ②〈立体／平面〉の、上下の長さ。「—のある〔=平たくない〕荷物」 ③地面から、空中の ある場所までの距離。「地上十キロの—」

**たかさご** 一[高△砂] 結婚披露宴で新郎新婦が座る、一段高くなった席。高砂席。由来 婚礼で歌う謡曲「高砂」から。 二[(高△砂)] ⇩グルクン。

**だがし**[駄菓子] そまつな菓子。「—屋さん」

**たかしお**[高潮] 台風や強い低気圧によって海面が異常に高まり、陸上におしよせる現象。

**たかしまだ**[高島田] 根を高くあげた、太い形の島田まげ。未婚の女性の髪型。今は花嫁の髪型。☞文金高島田。

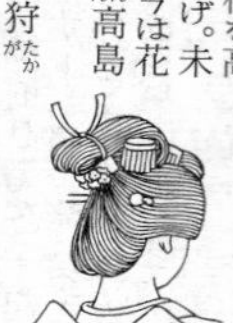

[たかしまだ]

**たかじょう**[×鷹匠] 鷹狩りに使うタカを飼いならす人。鷹師。

**たかせぶね**[高瀬舟] 高瀬〔=浅瀬〕で使う、底の平たい川舟。

**たかぞら**[高空] 空の高い所。

**たかだい**[高台] 土地が高くて台のようになっている所。

**たかだか**《副》 一 **たかだか**[高々] いかにも高いようす。「—とだきあげる」 二 **たかだか** ①多く見積もっても。せいぜい。「—五百円の品」 ②《数》多くとも。「—一次の関数〔=一次以下の関数〕」

**たかたかゆび**[高々指]〔西日本方言〕 中指。

**たかちょうし**[高調子]《名・ナダ》 声などの調子が高いこと。たかっちょうし。

**だかつ**[蛇×蝎]〔=ヘビとサソリ〕〔文〕非常に いやなもののたとえ。「—のごとく きらう」

**たかつき**[高×坏] 昔、食べ物をもった、足のついた器。腰高。

[たかつき]

**だがっき**[打楽器]《音》〈打つ／ふる〉ことによって音を出す楽器。例、太鼓・木琴・カスタネット・タンバリンなど。(↕弦楽器・管楽器)

**たかっけい**[多角形]《数》三つ以上の角をもつ平面の図形。たかくけい。

**たかてこて**[高手小手] 両手をうしろに回して、二の うで〔=高手〕、ひじから手首〔=小手〕を、厳重にしばること。「—にしばりあげる」

**たかどの**[高殿]〔文〕高く作ったごてん。

←**たかとび**[高跳び] 高くとんでバーをこえる〈こと／競技〉。ハイジャンプ。

→**たかとび**[高飛び]《名・自サ》〔俗〕追われているものが遠くへ にげること。「犯人が—する」

**たかとびこみ**[高飛び込み]〔水泳で〕高さ五メートル・十メートルなどの飛び板から とびこむ採点競技。落下中に体をひねるなどの技をおこない、しぶきをあげないように入水する。(↕飛び板飛び込み)

**たかどまり**[高止まり]〔金利や物価が〕高い状態でとどまっていること。動 高止まる《自五》。

**たかな**[(高菜)] ①カラシナの変種。葉や くきが からく、つけものにする。 ②「たかな①」の つけもの。「—いため・—チャーハン」

**たかなみ**[高波] ①高い波。 ②高潮のときにおしよせる、高い波。

**たかな・る**[高鳴る]《自五》 高く鳴りひびく。「喜びに胸が—〔=鼓動が強く打つ〕」 名 高鳴り。

**たかね**[高値] ①高い値段。「—をつける」 ②《経》〈その日／ある期間〉の相場で、いちばん高い値段。「—つかみ〔=値段が高い時点で買ってしまうこと〕」▽(↕安値)

**たかね**[高×嶺・高根]〔雅〕高い みね。「—の月」

●☆☆**たかねのはな**［高×嶺の花・高根の花］ただながめるだけで、手に取ることのできないもの のたとえ。

**たがね**［(×鏨)・(×鑽)］鉄板・岩石などを切ったり けずったりするのに使う、鋼鉄製の のみ。

**たかのぞみ**［高望み］《名・自サ》身分・能力をこえた、大きすぎる のぞみ。「—して失敗する」

**たかのつめ**［(×鷹の爪)］トウガラシの品種の一つ。実は赤く熟し、辛みが強い。

☆☆**たかは**［タカ派］〔タカ=鷹〕武力・権力で解決しようとするグループ。強硬派。(↕ハト派)

**たかばなし**［高話］大きな声でする話。「あたりをはばからぬ—」☞こうわ(高話)。

**たかはりぢょうちん**［高張り(△提△灯)］地面に立てた、長い棒などの先に高く かかげるように つけた ちょうちん。たかはり。

[たかはりぢょうちん]

**たかびー**［タカビー］《ナダ》〔やや古風・俗〕↑高飛車。「—な性格」〔一九九〇年代からの ことば〕

**たかひく**［高低］①高い所と低い所。②でこぼこしていること。「—がある」

**たかびしゃ**［高飛車］《ナダ》自分は えらいのだから従え、という態度をとるようす。高圧的。「—に出る」 由来 将棋で飛車を使った威圧的な戦法から。

**たかぶ・る**［高ぶる・×昂る］《自五》①〔神経などの はたらきが〕高まる。興奮する。②自分が えらいと思う様子を見せる。ほこる。「おごり—」 名 高ぶり。

**たかまがはら**［高△天が原］〔日本の神話で〕天の神々がいた所。たかあまがはら。たかまのはら。

**たかまくら**［高枕］①高いまくらをすること。②安心して〈ねむる／いて、用心しない〉こと。

***たかま・る**［高まる］《自五》①高い状態になる。高くなる。「関心が—・気持ちが—・リスクが—」(↕低まる) ②〔俗〕心が うき立つ。「あしたはライブだ、—!」〔二〇〇九年ごろからの用法〕 名 高まり。

**たかみ**［高み］〔み=所〕高い所。(↕低み) 表記「:高所」「:高処」とも書いた。「高:見」とも書くが、語源には合わない。●**たかみのけんぶつ**［高みの見物］何もせずに わきで見ていること。

**たがめ**［(田亀)・(田×鼈)］田や沼にすむ大形の昆虫。前足が大きく、背中がカメのような かっこうをしている。

***たか・める**［高める］《他下一》高くする。「関心を—・声を—・尊敬語は、相手を—〔=尊敬する〕ことばだ」(↕低める) 可能 高められる。

**たがや・す**［耕す］《他五》〔農作物を作るために〕田畑をほり返す。

**たかゆか**［高床］地面から高い位置に作ったゆか。また、その建築物。「—式」

**たかようじ**［高(×楊枝)］食後に ゆうゆうと つまようじを使うようす。「武士は食わねど—」

**たから**［宝］金・銀・宝石など、価値の高いもの。財宝。「—の山」☞お宝。●**たからくじ**［宝(×籤)］都道府県などで売り出す券。当選すれば お金がもらえる。●**たからのもちぐされ**［宝の持ち腐れ］利用する ねうちのあるものを持っていても使わないこと。●**たからばこ**［宝箱］宝をしまっておく箱。●**たからぶね**［宝船］宝を積み、七福神をのせた船(の絵)。●**たからもの**［宝物］宝とするもの。かけがえのない大切なもの。ほうもつ。

****だから** 一 連〔助動詞または形容動詞語尾などの「だ」+接続助詞「から」〕…であるから。「短い小説—、すぐ読める・君のこと—〔くだけて『こったから』〕だいじょうぶだろう」 二 **だから**《接》①前の部分から当然予想されることをあとに続けることば。順接のことば。そうであるから。だからして〔古風〕。「待っています。—、早く来て」(↕でも・だけど) ✎書きことばでは、多く「それで」「そこで」「そのため」などを使う。②予想できた(よくない)結果が、そのとおりに起こったときに言うことば。「—言わんこっちゃない」③なかなか わからない相手に、じれて言うことば。「—、知らないって言ったでしょ」✎②③は、ごうまんな印象をあたえることがある。丁寧 ですから。

●**だからといって**［だからと(言って)］《接》〔後ろに否定(的なことば)が来る〕そうであったとしても。そういうことであっても。だからって〔話〕。「—この仕打ちは ないでしょう・これまでに事故はなかったが、—安全とは限らない」

**たからか**［高らか］《ナダ》〔気持ちよく〕高く聞こえるようす。「声—に歌う」

**たかり**［(△集り)・タカリ］〔俗〕人をおどして お金や品物をうばい取る〈こと／人〉。「ゆすり—」

**たがり** 造 …たがる〈人／性格〉。「目立ち—・出—・教え—・歌い—」

**たか・る**［(△集る)］《自五》①より集まる。「人が—」②〔いっぱい〕物にとまる。「ハエが—」③表面に、たくさんつく。「ごみが—」④お金や品物をよこせと言って、おどす。

**たが・る**《助動五型》〔た=助動詞「たい」の語幹〕〔希望の助動詞〕…したいと思う(ようすを見せる)。「観覧車に乗り—・早く帰り—」

**たがわず**［(△違わず)］連〔文〕ちがわず。「寸分—〔=少しもちがわず〕描き写す・ねらい—」

**たがわぬ**［(△違わぬ)］連〔文〕ちがわない。「期待に—〔=期待どおりの〕出来ばえ」

**たかわらい**［高笑い］《名・自サ》〔勝ちほこったように〕高い声で笑うこと。また、その笑い声。

**たかん**［多汗］《医》ふつうの人よりも あせが多く出ること。「—症」

**たかん**［多感］《ナダ》ものに感じやすいようす。感じ方が鋭敏なようす。「—な青年期・多情—」

**だかん**［(×兌換)］《名・他サ》《経》紙幣を正貨と引きかえること。●**だかんしへい**［(×兌換紙幣)］《経》中央銀行が正貨と引きかえることを約束して発行する紙幣。兌換券。(↕不換紙幣)

**たき**［滝］流れる水が高い所から落ちるもの。「那智の—・—の〔ように流れる〕汗」

☆☆**たき**［多岐］《名・ナダ》〔=えだみちが多いこと〕〔文〕多方面。たぎ。「複雑—・問題が—にわたる」

**たぎ**［多義］〔文〕多くの意味(を持つこと)。「—性のある表現」

**だき**［惰気］〔文〕なまける心。「—をもよおす」

☆☆**だき**［唾棄］《名・他サ》〔=つばをはくこと〕〔文〕いみきらうこと。けいべつ。「—すべき人物」

**だきあ・う**［抱き合う］《自五》たがいにだきつく。「抱合って泣く」名抱き合い。「一心中」

**たきあが・る**［炊き上がる］《自五》たいて、できあがる。「ごはんが—」名炊き上がり。他炊き上げる《下一》。

**だきあ・げる**［抱き上げる］《他下一》だき寄せて持ち上げる。「赤ちゃんを—」

**たきあわせ**［炊き合わせ］別々に煮たさかなや野菜をいっしょにもったもの。

**だきあわせ**［抱き合わせ］二つ(以上)の商品をいっしょにすること。「—にして売る」動抱き合わせる《他下一》。抱き合わす《他五》。

**だきおこ・す**［抱き起こす］《他五》(倒れた人、また、寝ている病人を)だいて起き上がらせる。

**だきおもり**［抱き重り］《名・自サ》だくとずっしりと重みを感じること。「—のする子ども」

**だきかか・える**［抱き抱える］《他下一》だくようにして、かかえる。

**たきぎ**［薪・(×焚き)木］燃やすための木。まき。●**たきぎのう**［薪能］夜、たきぎ(=かがり火)をたいて、屋外でおこなう能。

**たきぎょう**［滝行］滝に打たれてする修行。

**だきぐせ**［抱き癖］だかないと、泣きやまなかったりむずかったりするくせ。「—のついた赤ちゃん」

**たきぐち**［(×焚き)口］火をたきつける口。

**たきぐち**［滝口］滝の水がおちはじめる所。(↔滝つぼ)

**たぎご**［多義語］(一つのことばで)いくつもの意味を持つことば。「和語には—が多い」

**たきこみごはん**［炊き込み(御飯)］米の中に野菜・さかななどを入れ、味をつけてたいたごはん。かやくごはん〔関西方言〕。「きのこの—」

**だきこ・む**［抱き込む］《他五》①だいて入れる。②うでの中へかかえこむ。③うまく味方にひき入れる。名抱き込み。

**タキシード**〔米 tuxedo〕えんび服に準じる、男性の夜の礼装。一般的なスーツに似るが、切れこみがないえり(=へちまえり)を使うなどの特徴がある。☞モーニングコート。

**たきし・める**［(△薫き△染める)］《他下一》(香をたいてにおいを(衣服などに)しみこませる。

**だきし・める**［抱き締める］《他下一》〈しっかりと/ぎゅっと〉だく。「ふるえる肩を—」

**だきすく・める**［抱き(×竦める)］《他下一》動けないように、きつくだく。

**たきだし**［炊き出し］《名・自サ》〔災害などの場合〕ごはんをたいて多くの人に食べさせること。動炊き出す《他五》。

**たきたて**［炊き(立て)］たきあがってすぐの状態。「—のごはん」

**たぎ・つ**［(△激つ)・(×滾つ)］《自四》〔雅〕川の流れがはげしくて、わきかえったようになる。「たぎちあふるる」

**だきつきすり**［抱き(付き:掏摸)］だきつくふりをして、財布などをぬすむすり。抱き付き盗。

**だきつ・く**［抱き(付く)］《自五》だくようにして、相手にとりつく。

**たきつけ**［(×焚き付け)］火をつけるときに最初に燃やす、燃えやすい材料。

**たきつ・ける**［(×焚き付ける)］《他下一》①火をつけて燃やす。「ふろを—」②あおる。けしかける。

**たきつせ**［滝:津=瀬］〔雅〕たき。

**たきつぼ**［滝(×壺)］滝の水のおちこむま下の、深くなった所。(↔滝口)

**だきと・める**［抱き留める］《他下一》①だくような形で、受けとめる。②だきついて、ひきとめる。

**だきと・る**［抱き取る］《他五》受け取ってだく。「泣いている赤ちゃんを—」

**だきね**［抱き寝］《名・他サ》①〔子どもなどを〕だいてねること。②だいじにして、だくように持ってねること。

**たきのぼり**［滝登り］滝の急な流れをさかのぼること。「こい(鯉)の—(=立身出世の絵柄)」

**たきび**［(×焚き)火］家の外でおち葉などをたく〈こと/火〉。

**たきぶえ**［炊き増え］《名・自サ》たいたために、量がふえること。「—のする米」

**だきまくら**［抱き枕］だきついてねる、大きなまくら。ボディーピロー。「アニメキャラをえがいた—」

**たきもの**［(△薫き物)］くゆらすために、香をねりかためたもの。ねり香。

**たきゃく**［多客］〔文〕(乗)客が多いこと。「—時・—のため電車におくれが発生」

**だきゅう**［打球］《野球・ゴルフなど》ボールを打つこと。また、打ったボール。

**たきょう**［他郷］〔文〕よその土地。他国。

**だきょう**［妥協］《名・自サ》①両方が折れあって、話をつけること。「—案・—の産物」②ある程度、人に合わせること。「時勢に—する」③まあまあの程度で満足すること。「決して—しない野球」

**たきょく**［多極］〔文〕対立する中心勢力が多くある状態。「—化」

**たぎら・せる**［(×滾らせる)］《他下一》①沸騰させる。にえたたせる。②感情を強くわきたたせる。「情熱を—」▽たぎらす。

☆☆**たぎ・る**［(×滾る)］《自五》①はげしく流れる。②煮えたつ。「湯が—」③感情がわきたつ。「情熱が—」名たぎり。

**たく**［宅］①すまい。「お—・高橋さん—」②自分の家。「はい、明日は—におります」③〔古風〕妻が他人に対して自分の夫を呼ぶ言い方。「—が申しております」

**たく**［卓］一 たく〔文〕①机。テーブル。「—をたたいて」②机のような形の装置。「制御—」③↑マージャン卓。雀卓。「—を囲む」二 接尾 テーブル(の番号)を数えることば。「二—のこぢんまりした店・七—のお客さまからご注文」

←**た・く**［炊く］《他五》①米を煮て、飯をつくる。「ごはんを—〔☞結果目的語〕」区別⇩煮る①。②［△煮く］〔西日本方言〕煮る。「野菜を—」☞炊いたん。可能炊ける。

→**た・く**［(×焚く)］《他五》①燃やす。「ストーブを—(=石炭を燃やしてストーブを熱くする)・ふろを—(=わかす)」☞結果目的語。②［(△薫く)・(×炷く)］香に火をつけて、くゆらす。③《写真》フラッシュやストロボを光らせる。可能たける。

**たく**［択］接尾 答えなどをいくつの中から選ぶかを示すことば。「三—のクイズ」

**タク** 造 ↑タクシー。「白—・—代(=代金)」

**タグ**〔tag〕①ものにつける ふだ。「荷物の―」②値札。③《情》〔コンピューターで〕データにつける目じるし。「ジオ―〔=位置情報〕」④⇩タッグ①。「―マッチ」
▽タッグ。

**だく**［駄句］〈つまらない／まずい〉俳句。〔自分の句をけんそんして言うこともある〕

**だく**［諾］〔文〕引き受けること。承知すること。（↕否）

**だ・く**［抱く］《他五》①〔主として人間を〕手で、からだの前の部分に、つけて支える。②〔男が〕相手と肉体関係を持つ。可能 抱ける。

**ダグアウト**〔dugout〕《野球》球場の地面より一段低く作った、選手・監督のすわる席。ベンチ。ダッグアウト。

**たくあん**［（沢×庵）］ダイコンをほして、ぬかにつけたつけもの。たくあんづけ。たくわん。由来 江戸時代初めの僧沢庵にあやかった名前。

**たぐい**［類い］〔文〕①同じ程度のもの。「―（の）ない〔=くらべるものがない〕才能・―まれな名作」②〔同じ〕種類。同類。

**だくい**［諾意］〔文〕承諾の気持ち。

**たくいつ**［択一］二つ以上のものの中から一つをえらぶこと。「二者―・―をせまられる」

☆☆**たくえつ**［卓越］《名・自サ》ほかより はるかに すぐれていること。「―した技術」派 -さ。

**たぐ・える**［（△類える）］《他下一》〔文〕〔それに ならべて〕くらべる。なぞらえる。「月の光に たぐえられた美貌」

**だくおん**［濁音］①《言》ガ行・ザ行・ダ行・バ行の仮名を使って あらわされる音。例、「ガ」「ギャ」。（↕清音・半濁音）②にごった おと。

**たくけい**［×磔刑］⇩たっけい。

****たくさん**［（沢山）］**たくさん**《名・ダナ》・**たくさん**《副》①数・量が多いようす。「―の分量・そんなに―の歌は知らない〔『―な歌は…』は古風〕・お金が―たまる・―あせをかく」（↕少し）②じゅうぶん。けっこう。「もう―です〔=ことわる気持ちをあらわす〕」

**たくし**［卓子］〔文〕机。テーブル。

**たくじ**［託児］保護者が外に働きに出ている間、子どもをあずけること。「―所」

**たくしあ・げる**［たくし上げる］《他下一》手で まくりあげる。たくりあげる。自 たくし上がる《五》。

**タクシー**〔taxi〕①路上や乗車場で客を乗せる自動車。「―強盗〔=客のふりをしてタクシーに乗りこみ、運転手から お金を取る強盗〕」（↕ハイヤー）②〔飛行機が〕駐機場から滑走路までの誘導路〔=タクシーウェイ〕を走行すること。タクシーイング。

**たくしき**［卓識］〔文〕すぐれた見識。卓見。

**たくしこ・む**［たくし込む］《他五》①たぐって手もとに入れる。②はしょった着物の すそを、帯の下に はさみこむ。

**だくしゅ**［濁酒］日本酒の一つ。こ（漉）さないため、白くにごって見えるもの。にごりざけ。どぶろく。（↕清酒）

**たくしゅつ**［卓出］《名・自サ》〔文〕ずばぬけてすぐれていること。卓絶。傑出。

**たくじょう**［卓上］〈机／食卓〉の上。「―日記」

**たくしょく**［拓殖］《名・自サ》原野を切り開いて、そこに住むこと。

**たくしん**［宅診］医者の、自宅での診察。（↕往診）

**たく・す**［託す・×托す］《他五》①たのむ。あずける。「人に―・のぞみを―・将来を―〔=まかせる〕」②かこつける。「多忙に託してことわる」▽託する。

**だくすい**［濁水］〔文〕にごった水。

**たく・する**［託する・×托する］《他サ》⇩託す。

**だくせ**［濁世］①《仏》にごった世。じょくせ。②〔文〕この世。現世。▽だくせい。

**たくせつ**［卓説］〔文〕すぐれた説。「名論―」

**たくぜつ**［卓絶］《名・自サ》非常にすぐれていること。

**たくせん**［託宣］①〔文〕神・御霊などの おつげ。「―が下る」☞神託。②〈えらい人の／えらそうな〉発言。「評論家が（ご）―を垂れる」☞ごたく。

←**たくそう**［宅送］《名・他サ》①〔品物を〕家まで送ること。②〔俗〕タクシーなどで人を自宅まで送ること。

→**たくそう**［託送］《名・他サ》鉄道・運送業者などにたのんで送ること。

**たくぞう**［宅造］↑宅地造成。「―業者・―法〔=宅地造成等規制法〕」

**だくだく**［諾々］《副》〔文〕人の言うままに なるようす。はいはい。「―と（して）応じる」☞唯々諾々。

**だくだく**《副》あせや血などが〈たくさん／次から次へと〉流れ出るようす。「あせが―（と）流れる」

**たくち**［宅地］家の敷地。住宅を建てるための土地。「―造成〔=新しく宅地をつくること〕」

**だくてん**［濁点］濁音をあらわす符号。「゛」。にごり。

**タクト**〔ド Takt=拍子〕《音》指揮棒。「―をふる」

**ダクト**〔duct〕暖房・冷房用の空気を送ったり、電線・水道のパイプを通したりするための、くだ。送風管。送水管。

**たくのみ**［宅飲み］⇩家飲み。

☆☆**たくはい**［宅配］《名・他サ》荷物などを家まで配達すること。「―便〔『宅急便』は商標名〕・―ボックス〔=るすのときに、宅配の荷物を入れておくところ〕・―ピザ・新聞の―」

**たくはつ**［（×托鉢）］《名・自サ》《仏》僧が修行のために、鉢を持って人の家を回り、米や お金をもらうこと。

**たくばつ**［卓抜］《ダナ・自サ》ほかより はるかに すぐれているようす。「―な技術」派 -さ。

**だくひ**［諾否］承諾するかしないか。「―を問う」

**たくふ**［卓布］〔文〕食卓に かぶせる ぬの。テーブルクロス。

**タグボート**〔tugboat〕港で、ほかの船をおしたり引いたりして動かすことをおもな仕事とする船。引き船。

**たくほん**［拓本］石碑の表面に紙を当て、上からこすったり、たたいたりして文字などを写し取ったもの。石ずり。

**たくまざる**［（△巧まざる）］《連体》〈おもしろくしよう／うまくやろう〉と、くふうしたのではない、ごく自然な。「―ユーモア・―筆の運び」

**たくまし・い**［（×逞しい）］《形》①体格がいい。「筋骨―」②力に あふれていて、くじけない。「―気力」派 -げ。-さ。

**たくましゅう・する**［（×逞しゅうする）］《他サ》

〔「たくましくする」の音便〕〔文〕①思う存分にする。「想像を―」②勢いをさかんにする。「勢力を―」

**たくまずして**［〈△巧まずして〉］《副》〈おもしろくしよう/うまくやろう〉と思ったわけではないのに。「―うまい表現になっている」

**たぐま・る**《自五》〔俗〕しわが寄ってくしゃくしゃになる。「着物が―」他 たぐませる《下一》。「布を―」

☆☆**たくみ**［△匠・△工］〔文〕木で物を作る職人。特に、大工。「飛騨(ひだ)の―・―の技(わざ)」

**たくみ**［巧み］［一］《ナダ》①「じょうず(上手)」の、少したい言い方。「絵が―だ・道具を―にあやつる」②よくないことを、うまくするようす。「高い品物を―に売りつける・ことば―にさそいこむ」［二］〔文〕くふう。趣向(しゅこう)。「―をこらす」

**たく・む**［〈△巧む〉］《他五》〔文〕①おもしろくしようと、わざわざくふうする。うまく作る。「この詩には少しもたくんだところがない」☞たくまざる・たくまずして。②たくらむ。

**たくらみ**［〈△企み〉］①悪い計画。くわだて。「むほんの―」②〔創作などで〕しかけ。くふう。「―に満ちた小説・知的な―」

**たくら・む**［〈△企む〉］《他五》（よくないことを）計画する。「悪事を―」

**たくらん**［×托卵］《名・他サ》鳥が、ちがう種類の鳥の巣にたまごを産んで育ててもらうこと。例、ホトトギス・カッコウなど。

**たくりあ・げる**［たくり上げる］《他下一》たくしあげる。

**たぐりこ・む**［手繰り込む］《他五》たぐって手もとへ寄せる。

**たくりつ**［卓立］《名・自サ》①〔文〕きわだって〈ぬけ出る/目だつ〉こと。②《言》⇩プロミネンス②。

**だくりゅう**［濁流］にごった(川の)流れ。「増水した川の―にのみこまれる」

**たぐりよ・せる**［手繰り寄せる］《他下一》少しずつ手もとへ引き寄せる。「網(あみ)を―」

**たく・る**《他五》〔着物のすそ・そでを〕まくる。たくす。直 たくれる《下一》。

**タク・る**《自五》〔↑タクシー＋る〕〔俗〕タクシーに乗る。〔戦前からあることばで、今の若い世代も使う〕☞テクる。

**たぐ・る**［手繰る］《他五》①両手を順々に動かして、手もとへ引っぱる。「糸を―」②もとのほうへたどる。「記憶(きおく)を―」③〔古風〕〔そばを〕いそがしくする。

**たくろう**［宅浪］〔↑自宅浪人〕〔学〕予備校へ行かないで、自宅で受験勉強をする浪人。

**だくろう**［濁浪］〔文〕にごったなみ。

**たくろうじょ**［宅老所・託老所］認知症(にんちしょう)などの高齢(こうれい)者を〈日中/短期間〉受け入れて介護(かいご)する、民間の施設(しせつ)。多くは、民家を改造したもの。

**たくろく**［宅録］《名・他サ》〔スタジオなどでなく〕自宅での録音。「―した楽曲」

**たくろん**［卓論］〔文〕すぐれた議論。卓説。

**たくわ**［卓話］〔文〕テーブル スピーチ。講演。

**たくわえ**［蓄え・△貯え］①たくわえること。また、たくわえたもの。②貯金。

**たくわ・える**［蓄える・△貯える］(たくはへる)《他下一》①〔お金や物を〕将来にそなえてためる。「財を―」②〔力を〕前もってためる。やしなう。「鋭気(えいき)を―」③〔かみの毛・ひげなどを〕はやす。

**たくわん**［〈沢×庵〉］⇩たくあん。

**たけ**［丈］①高さ。身長。「身の―・―高いビル」②長さ。「着物の―・ひざ―パンツ」③全部。「思いの―」

**たけ**［他家］よそのいえ。☞他家(かた)移植。

**たけ**［竹］①マダケ・モウソウチクなど、幹の表面が緑色ですべすべしている植物。まっすぐにのびて、節がある。幹は器具に使い、若い芽〔＝竹の子〕は食用。②三つの等級に分けたときの、二番目。「松、―、梅」●**竹を割ったよう** 句 ①〔人の性質が〕ものごとにこだわらず、さっぱりしているようす。「―な気性」②単純明快で気持ちがいいようす。「―な判決」

**たけ**［岳・×嶽］［一］〔雅〕高山。「浅間(あさま)の―」［二］**たけ** 造 高い山であることをあらわすことば。「槍ケ(やりが)―」▽［一］［二］だけ。
区別 ⇩山(やま)［一］①。

**たけ**［〈×茸〉］造 きのこ。「―狩(が)り・―山・これ、何―ですかね」 関西・中国地方の一部では、「きのこ」の方言で名詞として使う。

**たげ** 接尾〔形動(ナダ)をつくる〕…したいようなようす。「何か言い―な顔つき」

＊＊**だけ**《副助》〔↑たけ(丈)〕①限定した数量や範囲(はんい)をあらわす。「三日―待ってください・君―はわかってほしい」②全部そうであることをあらわす。「社員は女性―だ・英語―のメール」③程度をあらわす。「これ―の税金が使われた・好きな―食べてください」④…にすぎない、…以上のことはない、という感じをあらわす。「ちょっとからかってみた―だ・外に出たって寒い―だ・負けたら引退する―〔＝まで〕だ」⑤〔**―(のことは)ある**〕ふさわしい程度であることをあらわす。「さすが力士―あって、すごい迫力(はくりょく)だ・料金が高い―のことはある」⑥比例する意味をあらわす。につれて。ほど。「読めば読む―おもしろい」 アク ウシだけ・ネコだけ・イヌだけ。☞だけに。

**たげい**［多芸］《名・ナダ》多くの芸能(に通じているようす)。「―多才」

**たけうま**［竹馬］①二本の(竹の)棒のとちゅうに足をのせる所を取りつけて、そこにのって歩く、遊び道具。②〔古風〕竹ざおを股(また)にはさんで走り回る、遊び道具。

**たけがき**［竹垣］竹で作った垣根(かきね)。

**たけがり**［〈×茸〉狩り］《名・自サ》山でキノコをさがしてとること。

**たけかんむり**［竹(冠)］漢字の部首の一つ。「答」「算」などの、上がわの「⺮」の部分。

**だげき**［打撃］①物を強く打つこと。「頭部に―を加える」②ひどい損害。「〈敵/経済〉に―をあたえる・農業が―を〈こうむる/受ける〉」③心の受ける衝撃(しょうげき)。ショック。「精神的―」④《野球》バッターがボールを打つこと。「―成績」

**たけくらべ**［丈比べ］《名・自サ》〔文〕せいくらべ。

**たけざいく**［竹細工］竹を使って細工をすること。また、その細工物。

**たけざお**［竹(×竿)］(―ざを) 竹で作ったさお。

**たけだけし・い**［〈△猛々しい〉］《形》①非常に勇ましく強い。「―顔つき」②ずうずうしい。「盗っ人―〔⇩「ぬすっと」の句〕」派 ―さ。

☆☆**だけつ**［妥結］《名・自サ》〔文〕両方が折れあって話がまとまること。「交渉(こうしょう)が―した」

**たけつしつ**［多血質］〔心〕性格の分類の一つ。快活・せっかちで忍耐(にんたい)力にとぼしい。⇨胆汁(たんじゅう)質・粘液(ねんえき)質・憂鬱(ゆううつ)質。

**たけづつ**［竹筒］竹を横に切って作った筒。

**だけど**〔話〕㊀運（助動詞または形容動詞語尾などの「だ」＋接続助詞・終助詞の「けど」）…であるけれども。「平凡(へいぼん)―、しあわせな毎日」㊁**だけど**《接》「でも」より、少しくだけた言い方。「ピアノがほしい。―、言い出せない・いやあ、―（＝それにしても）きょうは気分がいい」（↔だから）区別⇨しかし①。▽㊀㊁だけども。だけれど(も)。丁寧ですけど。ですけれど(も)。

**たけとんぼ**［竹(：蜻蛉)］竹をプロペラの形にけずり、中央に軸(じく)をさしこんだおもちゃ。両手でひねってとばす。

**たけなが**［丈長］《名・ダ》（はばのわりに）たけの長いこと。長丈(たけなが)。（↔丈短(たけみじか)）

**たけなす**［丈なす］《連体》〔文〕せたけぐらいの〈高さ／長さ〉の。「―雑草・―髪(かみ)」

☆☆**たけなわ**［(×酣)・(×闌)］《名・ダ》①いちばん さかんな〈状態／とき〉。まっさかり。「秋―・宴(えん)―のころ」②少しさかりを過ぎた〈状態／とき〉。「齢(よわい)すでに―」

**だけに**《接助》…であるから当然の結果として。…相応に。「初対面―遠慮(えんりょ)がある」

**たけのあき**［竹の秋］〔雅〕①竹の、古い葉が黄ばむ時期。②旧暦(きゅうれき)三月。

**たけのこ**［竹の子・(×筍)］①うろこのような形の皮で包まれた、竹の若芽。ゆでたものは こりこりしてやわらかく、ほろ苦い。②〔俗〕↑たけのこ医者。③〔俗〕売り食い。「戦後の―生活」●**たけのこいしゃ**［(×筍)医者］〔俗〕やぶ医者にも ならない、へたな(若い)医者。たけのこ。

**たけのはる**［竹の春］〔雅〕①竹の、新しい葉がしげる時期。②旧暦(きゅうれき)八月。

**たけばやし**［竹林］⇨ちくりん。

**たけひご**［竹(×籤)］⇨ひご。

**たけみじか**［丈短］《名・ダ》（はばのわりに）たけの短いこと。短丈(みじかたけ)。「―なスカート」（↔丈長(たけなが)）

**たけみつ**［竹(△光)］①竹をけずって作った刀。②切れない刀。なまくら。

**たけむら**［竹(群)・竹(×叢)］〔雅〕たけやぶ。たかむら。

**たけやぶ**［竹(×藪)］竹がたくさん集まって はえている所。竹ばやし。

**たけやらい**［竹：矢来］竹をあらくあんで作った囲い。⇨矢来。

**たけやり**［竹(×槍)］竹をななめにけずって やりの代わりにしたもの。

↑**たけりた・つ**［(×哮り)立つ］《自五》（けものが）さかんにほえる。

↑**たけりた・つ**［(△猛り)立つ］《自五》さかんな勢いをしめす。

↑**たけ・る**［(×哮る)］《自五》〔文〕①するどく さけぶ。「もずー」②すごい声でほえる。名たけり。

↑**たけ・る**［(△猛る)］《自五》〔文〕①ものすごい勢いであれる。「風―」②興奮して あらあらしい状態になる。「たけりきった群衆・怒(いか)り―」名たけり。

↑**た・ける**［(△長ける)］《自下一》①じゅうぶんな状態になる。「年たけた女」②すぐれる。「わざに―・才たけた男」

↑**た・ける**［(×闌ける)］《自下一》①たけなわになる。「春たけて・日が―」②さかりが過ぎる。「ワラビがたけてしまって・たけた午後の光」

**だけれども** ㊀運 だけど(も)。「おやじはがんこ―、えこひいきはしない」㊁**だけれども**《接》〔話〕だけど。「仕事はたいへんです。―、やるしかない」

**たけん**［他見］〔文〕他人が見ること。他人に見せること。「―を禁じる」

**たげん**［多元］多くの〈要素／中心〉。「―論・―放送（＝多くの放送局を結びつけておこなう放送）」（↔一元）●**たげんてき**［多元的］《ダ》多くの〈要素／中心〉からなるようす。「―な社会」（↔一元的）

**たげん**［多言］《名・自サ・ダ》〔文〕多くしゃべる〈こと／ようす〉。「―を要しない（＝多く説明しなくていい）」（↔寡言(かげん)）

**たげん**［他言］《名・他サ》〔文〕⇨たごん。

**だけん**［駄犬］（雑種の）つまらない犬。

**だけん**［打鍵］《名・自他サ》〔文〕①（ピアノなどの）鍵盤(けんばん)をたたくこと。②⇨タイピング。

**たこ**［他己］①自分自身の代わりに、他人がすること。「―紹介(しょうかい)（↔自己紹介）・―分析(ぶんせき)（↔自己分析）」（「自己」にあわせて作ったことば）②〔仏〕〔禅宗(ぜんしゅう)で〕（自己と一体である）他人。

**たこ**［(×凧)］細い竹の骨に紙をはり、糸をつけて空にとばすおもちゃ。いか(のぼり)。「―揚(あ)げ」

**たこ**［(：胼胝)・タコ］皮膚(ひふ)の厚くかたくなったもの。「ペン―だこ・耳に―ができる（⇨「耳」の句）」

**たこ** ㊀**たこ**［(×蛸)・(×鮹)・(：章魚)］マダコ・ミズダコなど、海にすむ八本足の動物。全体がやわらかく、足に吸盤(きゅうばん)がある。食用。「―さんウインナー（＝タコの形にしたウインナー）・―なぐり（＝俗に、タコのようになるまで なぐること）」✓数え方は「匹(ひき)」、水あげすると「杯(はい)」。⇨杯㊁②。㊁**たこ**［タコ］①土をつきかため、また、くいを打ちこむのに使う用具。由来 動物のタコの頭を下にした形から。②〔俗〕（ののしって）まぬけ。ばかもの。「この―！」㊂［タコ］接尾《野球》〔俗〕凡退(ぼんたい)すること。「三―（＝三連続凡退）」

**たこあし**［(×蛸)足］タコの足のように、あちこちに分かれて〈ある／出ている〉こと。「―大学・―配線」

**たこう**［他校］〔文〕〈よそ／ほか〉の学校。（↔自校）

**たこう**［多孔］〔文〕表面に小さい穴がたくさんあること。「―質の岩石」

**たこう**［多幸］《名・ダ》〔文〕幸福が多いこと。「ご―をいのる・（麻薬(まやく)などによる）―感」

**だこう**［蛇行］《名・自他サ》うねって行くこと。うねるように〈走る／続く〉こと。「―運転・―する山道」

**たこく**［他国］〔文〕よその国。他郷。（↔自国）

**たこく**［多国］〔文〕多数の国。「―間協定」

**だこく**［打刻］《名・他サ》①かたいものに、文字や記号を打ち記すこと。「製造年月日を―する・点字の―」②出退勤の時刻を記録すること。「―忘れ」

**たこくせき**［多国籍］《名・ダ》①多くの国籍を持つこと。「―企業(きぎょう)（＝各国に子会社を持つ大企業。グローバル企業）」②いろいろな国籍。「―の社員がいる会社・―軍」

た

**タコグラフ**〔tachograph〕〔バスやトラックなどの〕運行状況を二十四時間単位で記録する機械。また、その記録。☞タコメーター。

**たごさく**［田×吾作］〔たご＝こえたご〕〔俗〕農夫、または、いなか者(をけいべつした言い方)。

**タコス**〔ス tacos〕トルティーヤに、いためたひき肉や生野菜などをはさんだメキシコ料理。☞タコライス。

**たこつぼ**［〈×蛸×壺〉・タコツボ］①タコをつかまえるための(素焼きの)つぼ。綱をつけて海にしずめ、中にタコがはいったところを引き上げる。②自分の専門や領分に埋没して、他に関心を持たないこと。「官僚組織の—体質」③〔俗〕ひとり用の、小さなごう(壕)。

**たこにゅうどう**［〈×蛸〉入道］〔俗〕①たこ。②坊主頭の人。たこぼうず。

**たこはい**［タコ配］《名・自サ》〔↑蛸配当〕《経》〔タコが自分の足を食うように〕会社が、配当するだけの利益がないのに、資産を処分したりして配当すること。

**たこべや**［タコ部屋］〔タコ＝蛸〕〔俗〕〔北海道などで〕自由がなく、あつかいが非常にひどかった、昔の作業員宿舎。

**タコメーター**〔tachometer〕エンジンの回転数をはかる装置。回転速度計。☞タコグラフ。

**たこやき**［たこ焼き］といた小麦粉を型に流しこみ、刻んだゆでだこを入れて焼いた、ピンポンだまほどの大きさの食べ物。とろみのあるソースなどをかけて食べる。「—ひと舟五百円」

**タコライス**〔和製 taco rice〕ごはんにタコスの具をのせた沖縄料理。

**たこわさ**〔わさ←わさび〕ぶつ切りにしたタコをワサビなどであえた、酒のつまみ。たこわさび。

**たごん**［他言］《名・他サ》〔文〕他人に話すこと。たげん。「—は無用(＝ほかの人に言うな)」

**たさい**［多才］《ナダ》〔文〕いろいろな方面ですぐれた才能をもっているようす。「多芸—・—ぶりをしめす」派—さ。

**たさい**［多彩］《ナダ》①色とりどりで美しいようす。②さまざまでにぎやかなようす。「—な行事」派—さ。

**たざい**［多剤］多くの種類の薬剤。「—大量処方」

●**たざいたいせい**［多剤耐性］《医》〔細菌やウイルスなどが〕複数の薬に対して抵抗をもつこと。「—菌」

**たざい**［多罪］〔＝つみの多いこと〕〔文〕無礼をわびることば。「暴言—」

**ださ・い**［ダサい］《形》〔俗〕やぼったい。かっこわるい。「—かっこう」〔一九七〇年代からのことば〕派—さ。

**たさく**［多作］《名・他サ》〔文〕多く作ること。「—家」〔↔寡作〕

**ださく**［駄作］つまらない作品。愚作。〔自分の作品をけんそんして言うこともある〕

**たさつ**［他殺］ほかの人に殺されること。〔人間について言う〕「—体」〔↔自殺〕

**たさん**［多産］㊀《名・ナダ》〔文〕子どもやたまごをたくさんうむこと。「—系・—種・—な神」〔↔少産〕㊁《名・ナダ・自他サ》産物として、たくさんとれること。「リンゴの—地帯」

**ださん**［打算］《名・自他サ》①自分の損得を考えること。「—で動く人物」②〔古風〕計算して考えること。「今後の利益を—する」●**ださんてき**［打算的］《ナダ》自分の損得を先に考えて行動するようす。勘定高いようす。

☆☆**たざんのいし**［他山の石］参考にすべき、よその(よくない)実例。「私の話も—としてお聞きください」明治になって広まった成句。昔は単に「参考になる実例」の意味で使うこともあったが、現在は「先生のお話を他山の石として」と言うと失礼な場合もある。「心に刻んで」などがいい。由来「詩経」の「他山の石、以て玉を攻むべし(＝よその山の石も、自分の玉をみがくのに役立つ)」から。

**たし**［多子］〔文〕(生んだ)子どもが多いこと。子だくさん。「—家庭」〔↔少子〕

**たし**［多死］〔文〕死ぬ人が多いこと。「多産—・—社会」

**たし**［足し］たすこと。おぎなって役に立つもの。「生活費の—にする・ちょい—〔＝少しだけ足すこと〕」

**た・し**《助動形ク型》〔文〕〔希望の助動詞〕たい。「やとわれ—〔＝やとってほしい〕・注意され—〔＝注意してもらいたい〕」

**たじ**［他事］〔文〕ほかの(関係ない)ものごと。よそごと。「—をかえりみない・—記載〔＝投票用紙に、よけいなことを書くこと〕・《手紙》おかげさまで私どもも無事に過ごしておりますので、—〔＝ひとごと〕ながらご安心ください」☞ほかごと(他事)。

**たじ**［多事］〔文〕①いそがしいこと。☞多事多端。②事件が多くて、世間がさわがしいこと。「—多難の年・内外—」

**だし**［山車］祭礼のときに出す、かざりたてた車。☞山鉾。

**だし**㊀［出し］出すこと。「内定—・〔サッカーの〕パス—」㊁［〈出し〉・ダシ］①［〈：出汁〉］↑だしじる。「—を取る・—を引く・—が出る・お—」②利用するもの。方便。「子どもを—に使う」

**だし**連〔助動詞または形容動詞語尾などの「だ」＋接続助詞「し」〕…であるし。「年寄り—病気—で…」☞し《接助》。

**だしいれ**［出し入れ］《名・他サ》〔ものやお金を〕出したり入れたりすること。

**だしおし・む**［出し惜しむ］《他五》出すことをおしむ。名出し惜しみ。

＊＊**たしか**㊀［確か］《ナダ》①現実のもの〈である／になる〉ことが疑いないようす。「—な存在感・勝利を—なものにする」②考えの誤りや、かんちがいなどではないようす。「すもうが古くからあったのは—だ・—に〔＝まちがいなく〕引き受けた(☞たしかに)」▽確実。③安定しているようす。「—な地位を占める」④信用できるようす。「—な人・—な品質」⑤正常にはたらくようす。「気は—だ」派—さ。㊁［〈確か〉］《副》記憶に誤りがなければ。〔少し自信がない感じ〕「—、わたしたはずだ」表記「×慥か」とも書いた。●**たしかに**［〈確かに〉］㊀《副》①〈相手／人〉の言うとおり。「—それがいいですね」②下に続く部分をいったん認めることば。〔そのあとに逆接の内容をのべる〕「—欠点はある。しかし…」▽なるほど。㊁《感》〔話〕①相手の言うとおりだという、あいづちのことば。「『まるで映画だね』『—』」②〔↑確かに受け取りました〕ものを受け取ったときのことば。

＊**たしか・める**［確かめる］《他下一》自分で見たり聞いたりさわったりして、あいまいなところをなくす。「事実関係を—・本人に—」㊔確かめ。

**だしがら**［出し殻］①煮に出して、出しじるを取ったあとのかす。②茶を出したから。

**だしこ**［出し子］①特殊詐欺のグループで、だました相手の銀行口座から現金を引き出す役。☞受け子。②煮干し。出しじゃこ。

**だしこんぶ**［出し昆布］煮に出して、出しじるを取るために使うこんぶ。だしこぶ。

**たしざん**［足し算］《名・他サ》①二つ以上の数をたして答えを出す〈こと／計算〉。②要素どうしを加えて効果を出すこと。「おしゃれは—で考えています」▽(↕引き算)

**だしじゃこ**［出し（：雑魚）］煮干し。

**だしじる**［出し汁・ダシ汁］食材を煮に出したしる。日本料理では、こんぶ・かつおぶしなどを使い、料理の風味の土台にする。だし。「いりこの—・肉の—」☞ブイヨン。

**たしせいせい**［多士△済々］《ナダ・タルト》〔文〕すぐれた人が多いようす。たしさいさい。

**たじたじ**《副・自サ》たじろぐようす。「圧倒されて—となる」

**たじたん**［多事多端］《名・ナダ》〔文〕仕事が多くて非常にいそがしいこと。「—な一年だった」

**たしつ**［多湿］《名・ナダ》〔文〕湿度が高いこと。湿気が多いこと。「高温—」

**たじつ**［他日］〔文〕ほかの日。いつか(別の日)。「—の再会を期す」

**だしなげ**［出し投げ］《すもう》相手が寄ろうとしたとき、自分のからだをひらき、相手のまわしをつかんで投げたおすわざ。

**たしなみ**［（×嗜み）］①心得ていること。素養。「俳句の—がある」②つつしみ。「—を忘れた態度」

☆☆**たしな・む**［（×嗜む）］《他五》①〔趣味・武芸を〕好んで、いつもする。〔酒やタバコを〕好んで、いつものむ。「茶の湯を—・酒を深く—」②少しは〈できる／酒やタバコがのめる〉。心得ている。「酒は—程度だ」③〔酒を〕ちょっとだけのむ。「きのうはワインをたしなんだ」④〔古風〕つつしむ。「もっと身をたしなみなさい」

**たしな・める**［（×窘める）］《他下一》いましめる。つつしませる。「無礼を—」

**だしぬ・く**［出し抜く］《他五》すきにつけ入り、また、だまして、他人よりも先にする。「他社を出し抜いて特ダネを報道する」

**だしぬけ**［（出し抜け）］《ナダ》その場のなりゆきに関係なく、急に何かをするようす。とつぜん。「—に言う」

**たじま**［△但馬］旧国名の一つ。今の兵庫県の北部。但州。

**たしまえ**［足し前］おぎなう分。「何かの—にする」

**だしまきたまご**［（出し）巻き玉子・（出し）巻き卵］出しじるを入れてつくる、あまくない関西ふうのたまご焼き。だしまき。☞厚焼き玉子。

**だしもの**［出し物・△演し物］上演するもの。レパートリー。

**たしゃ**［他社］〈よそ／ほか〉の会社・新聞社・神社など。(↕自社)

**たしゃ**［他車］〔文〕〈よそ／ほか〉の自動車。(↕自車)

**たしゃ**［他者］〔文〕〔自分以外の〕ほかの人。(↕自己)

**たしゃ**［多謝］《名・他サ》〔文〕①深く感謝すること。「ご好意—します」②深く あやまること。「乱筆—」▽あいさつに使うことば。

**だしゃ**［打者］《野球》ボールを打つ人。バッター。「好—」

**だじゃく**［惰弱・×懦弱］《名・ナダ》〔文〕いくじがないようす。柔弱。㊓—さ。

**だじゃれ**［駄（：洒落）・ダジャレ］（音が似ているというだけの、意味のない）しゃれ。例、伊万里焼のうつわを見て「いまり〔＝今に〕見てろ」。☞地口。

**たしゅ**［多種］〔文〕種類が多いこと。☞多種多様。

**だしゅ**［×舵手］船の かじを取る人。かじとり。(↕漕手)

**たしゅう**［多衆］《法》団体で行動する者、また多数の者。

**たじゅう**［多汁］〔文〕しるけが多いこと。

**たじゅう**［多重］二重、三重…と いくつも かさなること。「—債務・音声—放送」●**たじゅうじんかく**［多重人格］同じ人が、複数のまったく ちがった性格を持っていて、ときに別人のように行動すること。〔診断名は「解離性同一性障害」など〕

**たしゅたよう**［多種多様］《ナダ》いろいろ さまざま。多彩。「—な仕事」㊓—さ。

**たしゅつ**［他出］《名・自サ》〔文〕外出すること。「終日—せず」

**たしゅつ**［多出］《名・自サ》〔文〕多くの数が出ること。「問題が—している」

**たしゅみ**［多趣味］《名・ナダ》持っている趣味が多いこと。「—な人」(↕没趣味・無趣味)㊓—さ。

**だじゅん**［打順］《野球》選手がバッターとしてボールを打つ順番。打撃順。バッティング オーダー。

**たしょ**［他所］〔文〕ほかの〈場所／土地〉。よそ。

**たしょ**［他書］〔文〕ほかの本。「—にない特色」

**たしょう**［他生］《仏》前世。来世。(↕今生) ●**たしょうのえん**［他生の縁］⇩多生の縁。

**たしょう**［多生］《仏》六道を何回もうまれ変わること。●**たしょうのえん**［多生の縁］前世で結ばれた縁。他生の縁。「袖振り合うも—」〔⇩「袖」の㊖〕

**たしょう**［多祥］〔文〕さいわいの多いこと。「ご—をいのる」

**たしょう**［多照］《農》日の てる時間が多いこと。「高温—」

**たしょう**［他称］㊀《名・自サ》他人がそう呼ぶこと。「学者と—される」(↕自称) ㊁《言》三人称。(↕自称・対称)

**たしょう**［多少］㊀《副》〔「多」に意味はない〕ちょっと。「—影響する・—なりとも〔＝少しでも。少しは〕」㊁多いか少ないか。「—にかかわらず」

**たじょう**［多情］《名・ナダ》〔文〕①愛情が次から次へと移りやすいようす。②感情がゆたかなようす。「—多感な少年時代」㊓—さ。●**たじょうたこん**［多情多恨］《ナダ》感じやすく うらみやすいようす。●**たじょう**

ぶっしん[多情仏心] 移り気だが、薄情(はくじょう)なことができない性質。

**だしょう**[打鐘]《名・自サ》〔文〕鐘(かね)を打つこと。「株式上場記念の—式・競輪の—(=ジャン)」

**だじょうかん**[△太政官]《歴》①〔律令(りつりょう)制の時代の場合〕⇩だいじょうかん。②慶応(けいおう)四(一八六八)年から明治十八(一八八五)年まで置かれた、最高官庁。「—布告」

**だじょうだいじん**[△太政大臣]《歴》①⇩だいじょうだいじん。②「太政官(だじょうかん)②」の長官。

**だじょうてんのう**[△太上天皇]《歴》⇩だいじょうてんのう。

**たしょく**[多色]〔文〕たくさんの色。「—刷り」

**たしょく**[多食]《名・他サ》〔文〕たくさん食べること。

**たじろ・ぐ**《自五》圧倒(あっとう)されて、どう応じればいいか、困る。たじろく。「おとなをたじろがせる質問」名たじろぎ。

**たしん**[多心] 中心になるべきところがたくさんあること。「—型の都市」

**タジン**〔アラビア tajin〕円錐(えんすい)形をした北アフリカのなべ(で作った料理)。野菜や肉をむし焼きにする。「—なべ・—料理」

**だしん**[打診]《名・他サ》①相手にちょっとさぐりを入れてみること。「意向を—する」②〔①の由来〕《医》からだを指でたたき、その音で内臓を診察(しんさつ)すること。「—器」(↔聴診(ちょうしん))

**だじん**[打陣]《野球》バッターの〈陣容(じんよう)/顔ぶれ〉。打撃(だげき)陣。

**たしんきょう**[多神教]《宗》多くの神を崇拝(すうはい)する宗教。(↔一神教)

**た・す**[足す]《他五》①加えて、ふやす。「二に三を—と五〔数式『2+3=5』は『二—三は五』と読む〕」(↔引く)②〔用を〕すます。終える。可能足せる。●**足して二で割る** 句 〔いくつかの条件や案を〕平均化する。「足して二で割ったような(=特色や個性がない)答申(とうしん)」

**たず**[田△鶴](づ)〔雅〕つる。

**だ・す ━ だす[出す]《他五》①内から外へ移す。「バッグから本を—・学校を出して(=卒業させて)やる」(↔入れる)②〔外がわの〕見えるところにあらわす。「感情を顔に—・汗(あせ)を—・血を—・指で膿(うみ)を—」③人に示す。「例に—・問題を—(=出題する)・広告を—・会合に顔を—(=出席する)」④発生させる。「芽を—・声を—・うまみを—・つやを—・スピードを—・火事を—(=起こす)・実力をじゅうぶんに—」⑤〔見る人がいる場に〕参加させる。「コンテストに—・ドラマに—(=出演させる)」⑥前に動かす。「〈手/あご〉を前に—」⑦現場に行かせる。「軍隊を—」⑧ある結果にする。「高得点を—」⑨〈発表/発売〉する。「新製品を—・自叙(じじょ)伝を—(=出版する)」⑩〔ものを用意して〕人にあげる。さし出す。負担する。「食事を—・〔強盗(ごうとう)が〕金を出せ!・金も—し、人(=働き手)も—」⑪出発させる。「車を—」⑫送る。相手にわたす。「はがきを—・届けを—」 ━〔(出す)〕造 始める。「歩き—」可能出せる。

**たすう**[多数] ①かずが多いこと。「—派(↔少数派)・—派工作(=多数派になるための工作)・—党(=多数派である政党)」②多くの〈もの/人〉。「—(=たくさん)参加した」▽(↔少数) ●**たすうけつ**[多数決]〈多くの人の/かずの多い〉意見を全体の意見と認めて決めること。

**だすう**[打数]①《野球》バッターになって打った回数。〔四死球や犠打(ぎだ)は ふくまない〕「五—一安打」②《ゴルフ》クラブで打った回数。

**たすか・る**[助かる・△救かる]《自五》①あぶないところをのがれる。②労力・苦労・費用などが はぶける。

**たすき**[〈×襷〉]①せなかへ なため十文字にかけて着物のそでを肩(かた)にまとめるひも。②肩から反対側のわきの下に ななめにかける、輪の形の帯。「〔駅伝で〕—をつなぐ・候補者の—」③ななめに交差させ〈ること/た模様〉。④漢字の「戈」の第三画(=ノ)。●**たすきがけ**[〈×襷〉掛け]《名・自サ》①たすきをかけ〈る/て きびきび働く〉こと。②ななめに交差〈すること/したもの〉。「—人事(=社長などを、二つのグループから交互(こうご)に出す人事)」

**たずき**[(:生計)・(:活計)・(:方便)](たづき)〔文〕⇩たつき。

**タスク**〔task〕①課題。仕事。②《情》〔コンピューターで〕処理される作業の単位。●**タスクフォース**〔task force〕ある目的を達成するために作ったチーム。特別作業班。〔もと軍隊用語〕

**たすけ**[助け] たすけること。加勢。●**たすけあ・う**[助け合う]《自五》たがいに助けたり助けられたりする。力をあわせる。名助け合い。「—の精神」●**たすけぶね**[助け船]①すくいの船。②困っているときに力を貸すこと。「—を出す」

***たす・ける**[助ける・△扶ける・△救ける]《他下一》①力をそえる。加勢する。「弱きを—・助け起こす・消化を—」②あぶないところをのがれさせる。すくう。「命を—」③困っている人にお金やものをわたしたり、はげましたりして、〈生活/仕事〉ができるようにする。「被災(ひさい)者を—・資金面で—」④手伝う。「多すぎるサラダを友だちに助けてもらう(=少し食べてもらう)」可能助けられる。

**たずさ・える**[携える]《他下一》①手に提(さ)げて持つ。「手みやげを—」②ともなう。「秘書を—」

**たずさわ・る**[携わる]《自五》〔その仕事に〕関係する。とりくむ。「教育に—」

**ダスター**〔duster〕①《服》ほこりよけ用の、少し短いコート。ダスターコート。②ごみ・台所のくずを投げ入れて捨てる装置。③粉などをまく器具。「エアー—」④ふきん。

**ダスト**〔dust〕①ちり。ほこり。ごみ。「ハウス—(=室内のほこり)」②ちりのように細かいもの。「スター—」●**ダストシュート**〔和製 dust chute〕ビルの各階の穴からごみを投げ入れて落とす、筒(つつ)状の設備。

**たずねあ・てる**[尋ね当てる]《他下一》人に聞いたり さがしたりして、目的の場所を見つける。自尋ね当たる《五》。

**たずねびと**[尋ね人] その人のゆくえがわからず、関係者が さがしている人。

←**たず・ねる**[訪ねる]《他下一》〈様子を見に/よく知らないところを〉おとずれる。「友人(の家)を—・史跡(しせき)を—」謙譲〔…に〕伺(うかが)う・お伺いする・おじゃまする・参上する。〔…を〕お訪ねする。

→**たず・ねる［尋ねる］《他下一》①さがしもとめる。「人を―」②質問する。「道を―」③ものごとの来歴や道理をさぐって考える。「由来を―」謙譲 伺う。お伺いする。お尋ねする。可能 尋ねられる。

だ・する［堕する］《自サ》〔文〕おちる。おちこむ。堕す。「安易な考えに―」

たぜい［多勢］〔文〕多くの人。大ぜい。●多勢に無勢 句 相手は大ぜいなのに こちらは少人数で、勝ち目がない。

だせい［惰性］①今までの〈勢い/習わし〉。「―で続ける」②《理》慣性。●だせいてき［惰性的］《ナダ》「惰性①」にまかせるようす。

だせき［打席］①《野球》バッターボックス(に打者として立つこと)。「二―連続のホームラン」②〔ゴルフ練習場で〕ボールを打つために立つ場所。

たせきてき［他責的］《ナダ》《心》⇩他罰的②。(↔自責的)

たせつ［多雪］〔文〕雪がたくさん降ること。「―地帯」(↔少雪)

だせつ［打設］《名・他サ》《建築》〔建設現場で〕コンクリートを型わくに流しこむ(=打つ)こと。「生コンを―する」

たせん［他薦］《名・他サ》〔文〕ほかの人をすいせんすること。(↔自薦)

たせん［多選］《名・他サ》〔文〕同じ人を何回も選出すること。「知事―を禁止せよ」

だせん［打線］《野球》バッターの陣容。打撃陣。「強力な―」

たそう［多層］いくつもの層になって かさなること。「―構造・―建築」

たそう 接尾〔形動ナダをつくる〕…したい様子が見える状態だ。「行き―なそぶりを見せる」

たぞうきふぜん［多臓器不全］《医》重度の感染症や外傷などで、心臓や肺、肝臓など二つ以上の臓器が〈同時/短時間のうち〉に機能しなくなった危険な状態。

たそがれ［(:黄昏)］①夕ぐれのころ。「―せまるころ・―に出かける・―どき・人生の―(=さかりを過ぎたころ)」☞かわたれ時。②夕方で暗くなった状態。「―の中を歩く」由来 暗いので人の顔がわからず、「誰そ彼(=だれだ、あの人は)」とたずねる意味。●たそが・れる［(:黄昏れる)］《自下一》(「たそがれ」を動詞化したことば)①夕ぐれになる。「空がたそがれてくる」②〔俗〕(けしきをながめながら)物思いにしずむ。「縁側でひとりたそがれている」

☆☆だそく［蛇足］〔文〕〔本体を台なしにするような〕よけいなもの。「―を加える・―ながら」

たた［多々］《副》たくさん。「問題点も―見受けられる・―不安がある」●多々ますます弁ず 句 多いほどうまく処理する。

←*ただ［(×只)］①［タダ］代金のいらないこと。無料。ロハ〔俗〕。「―酒・―飯・―食い」②ふつう。「―の人」③なんでもないこと。そのまま。「―では〈すまない/おかない〉」●ただのねずみ(鼠)ではない 句 ただで何かを得ても、結局は高くつくものだ。●ただより高いものはない 句 どこにでもいるつまらない人物ではない。

→**ただ ㊀《副》①そのことだけがずっと〈続く/感じられる〉ようす。ただただ。「―泣くばかり・―もうおそろしかった」②それ〈以上/以外〉の特別なことがないようす。単に。「―そばにいてほしい・悪気はなく、―無知なだけだ・その人のことは―先生と呼んでいた」☞ただに。③きわめて少ないようす。たった。「―ひとり・―の百円」④むだに。むなしく。「―帰ってきた」㊁《接》軽く制限を加えるときに使うことば。もっとも。「うそではない、―、少し大げさだった」表記 ㊀①～③は「△唯」とも、④は「△徒」とも書いた。㊁は「△但」とも書いた。☞ただし。

だだ［(駄々)］あまえて、わがままを言うこと。「―を言う」●だだをこねる 句 むりなわがままを言う。

だだ 遺〔「ダダ」とも書く〕まったく。どんどん。〔よくない場合に使う〕「―っ広い・好感度が―下がり・―すべり」☞だだ漏れ。

ダダ ①↑ダダイスム。②↑ダダイスト。

たたい［多胎］《医》胎児が ふたご以上の数である状態。「―妊娠・―児」

ただい［多大］《名・ナダ》〔文〕きわめて多いようす。「―の効果・―な影響」

だたい［堕胎］《名・自サ》《医》おなかの子どもをおろすこと。中絶。

ダダイスト〔フ dadaïste〕ダダイスムを信奉する人。ダダ。

ダダイスム〔フ dadaïsme〕すべての社会的・芸術的な伝統を否定し、反理性・反道徳を特徴とする自由な表現をめざす芸術革新運動。ダダイズム。ダダ。

ただいま［(×只今)・(△唯今)］㊀《名・副》①今。「―の時刻は正午です」②今すぐ。「―まいります」㊁ただいま《感》〔話〕外から帰ったときの、身内・仲間へのあいさつ。〔「―帰りました」「―もどりました」は、ていねいな言い方。外部の人にも使う〕 ✓近所の人に「お帰りなさい」と言われた場合は「あっ、こんにちは」なども言える。☞行って来ます・お帰りなさい。

たた・える［(△称える)・(×讃える)］《他下一》すばらしいと言う。「功績を―・美しさを―」

たた・える［(×湛える)］《他下一》〔文〕いっぱいにする。みたす。「青い水をたたえた湖・笑みをたたえた顔」

←*たたかい［戦い］戦うこと。戦争。争い。勝負。「言論の―・期日がせまり、時間との―だ」

→たたかい［闘い］闘うこと。闘争。「難病との―・要求実現の―」●たたかいと・る［闘い取る］《他五》闘って かちとる。

←たたか・う［闘う］《自五》勝てるように がんばる。闘争する。「病気と―・誘惑と―・差別や偏見と―・〔労働組合が〕賃上げのために―」可能 闘える。

→*たたか・う［戦う］《自他五》①相手(の国・集団など)と、武力で争う。戦争する。「敵と―・二度の大戦を―」②敵に見立てたものと争う。「大企業と―」③勝ち負けを争う。「土俵で―・選挙〈で/を〉―」他 戦わせる《下一》。「議論を―」可能 戦える。

たたき［(×叩き)・(×敲き)］①たたくこと。「弱者―」②昔、罪人のからだをむちや つえで打った刑。③ⓐ(包丁で)まんべんなく たたいた肉。「鳥の―・アジの―」ⓑカツオや牛肉・とり肉の表面を軽くあぶり、さしみのように切ったもの。④［(:三和土)］土・セメントなどでかためた土間。●たたきあい［(×叩き)合い］①たがいに〈たたく/攻撃する〉こと。②値下げ競争。「運賃の―」③〔レースで〕終盤の せりあい。由来 ③

は、競馬で、騎手がいっせいに馬をむち打つから。●たたきあ・げる【×叩き上げる】《自他下一》①苦労をかさねて出世する。「でっちからたたき上げた主人」②きたえあげる。「軍国主義の教育で―」图たたき上げ。「現場の―の職人」●たたきうり【×叩き売り】〔大道商人の〕投げ売り。「バナナの―」動たたき売る《他五》。●たたきおこ・す【×叩き起こす】《他五》①戸をたたいて家の人の目をさまさせる。②ねているところをむりに起こす。●たたきおと・す【×叩き落とす】《他五》①たたいて落とす。②力ずくで地位などをうばう。蹴落とす。「ライバルを―」●たたきき・る【×叩き切る・×叩き斬る】《他五》①力をこめてたたくように切る。②するどく批判する。「現代社会を―」▽たたっきる。●たたきこ・む【×叩き込む】《他五》①たたいて入れる。②乱暴に入れる。ぶちこむ〔俗〕。「牢に―」③忘れないように、しっかり教えこむ。「デッサンの基礎をたたき込まれる」●たたきころ・す【×叩き殺す】《他五》①たたいて殺す。②〔俗〕「殺す」を強めた言い方。たたっころす。●☆☆たたきだい【×叩き台】意見をのべたり、みんなで考えたりしてねり上げるための、もとになる案。●たたきだいく【×叩き大工】下積みの大工。「いつまでも―でいることはない」●たたきだ・す【×叩き出す】《他五》①〈たたいて/乱暴に〉追い出す。②⇩打ち出す④。③〔数字を〕しゃにむに取る。「最高の売り上げを―・決勝点を―」●たたきつ・ける【×叩き付ける】《他下一》①〔すもうなど〕たたくようにはげしい勢いで、たおす。②強くたたく。③たたくように投げつける。「辞表を―」●たたきなお・す【×叩き直す】《他五》もう一度はじめからきたえなおす。きたえなおす。「根性を―」●たたきのめ・す【×叩きのめす】《他五》①たたいて、たおす。②さんざんたたく。▽ぶちのめす〔俗〕。

*たた・く【×叩く】・【×敲く】《他五》①手や棒などを、勢いをつけてそこにあてる。「戸を何度も―・背中を―・平手で―・こぶしで―(=なぐる)」②打ち鳴らす。「かねを―」③パソコン・ピアノなどのキーを打つ。④攻撃して、損害をあたえる。「敵の基地を―・たたきつぶす」⑤非難する。やっつける。「他人の論文を―・ネットでたたかれる」⑥〔値段を〕ひどく安く〈する/させる〉。値ぎる。⑦〔よくない口を〕利く。「大きな口を―(=大きなことを言う)・陰口を―」⑧〔ゴルフ〕多くの打数を出してしまう。「ボギーを―」⑨〔文・古風〕たずねる。「専門家の意見を―」⑩クイナが鳴く。可能たたける。●たたけばほこりが出る句さがし出せば、うしろぐらい点や悪い点が見つかる。「―からだ」

ただごと【×只事】・【△徒事】〔後ろに否定が来る〕ごくふつうのこと。「三日も帰らないのは―ではない」

たださえ《副》〔古風〕ただでさえ。

**ただし《接》〈例外/条件〉を言い出すときに使う。「引き受けよう。―、一つ条件がある」表記かたく「但し」とも。☞ただ㊁。●ただしがき【但し書き】本文につけて例外・条件などをしめした文章。●ただしは《接》〔古風〕それとも。「ともに行くか、―いやか」

**ただし・い【正しい】《形》①ものごとの筋道にあっている状態だ。「―答え・―情報・―(=正統な)皇位継承者」②社会の約束・習慣や道理にあっている状態だ。「―ことばづかい・―おこない・箸の―使い方」③形が整っている状態だ。略式でない。「―姿勢」④〔正しくは〕正式な名称は。「金閣寺は、正しくは鹿苑寺」派―さ。

←ただ・す【正す】《他五》正しくする。「誤りを―・おこないを―・襟を―(⇩「襟」の句)」

↔ただ・す【(×糺す)・(△糾す)】《他五》真相を調べる。「罪を―・理非を―」

→ただ・す【△質す】《他五》〔なっとくがゆくまで〕質問する。問いたずねる。「相手の考えを―・方針を―」

☆☆たたずまい【×佇まい】〔文〕①〔その場のありさまから感じ取れる〕ようす。「おちついた庭の―」②〔おもむきのある〕すがた。「雲の―」

たたず・む【×佇む】《自五》〔文〕①〔特別にすることもなく〕しばらく立つ。「町かどに―」②〔建物などが〕ひっそりとある。「山あいに―寺」

ただただ《副》「ただ㊀①」を強めた言い方。「―あきれるばかりだった」

ただちに【直ちに】《副》①すぐ。「―出発・―(=今すぐには)影響はない」②そのまま。直接。「失敗は―死につながる」

だだっこ【駄々っ子】わがままを言う子ども。

たたっころ・す【×叩っ殺す】《他五》〔俗〕⇩たたきころす②。

だだっぴろ・い【だだっ広い】《形》〔俗〕むやみに広い。だだびろい。派―さ。

ただでさえ《副》ふつうでさえ。そうでなくてさえ。たださえ。ただでも。「―いやなのに」

ただどり【×只取り】《名・他サ》お金をはらったりしないで、ただで自分のものにすること。「景品の―」

ただなか【×只中・△直中】〔文〕①まんなか。「―を射抜く」②最中。「激動の―にある」

☆☆ただならぬ【×只ならぬ】《連体》①ふつうではない。ただならない。「―気配・―(=深い)仲」②【×啻ならぬ】〔も―〕〔文〕そんな程度ではない。「犬猿も―仲」

たたなわ・る【△畳なわる】《自五》〔雅〕いくつにも重なってつづく。「―山なみ」

ただに《副》〔文〕単に。ただ。「―国内のみならず国外でも」表記かたく「×啻に」とも。

ただのり【×只乗り】《名・自サ》運賃をはらわないで電車などに乗ること。☞薩摩守。

ただばたらき【×只働き】《名・自サ》①報酬をもらわないで働くこと。②働いても効果のあらわれないこと。むだ働き。

たたま・る【畳まる】《自五》たたんだような形になる。

たたみ【畳】①和室の床に敷きつめる厚い敷物。わらを芯にして畳表で表面をおおってある。「―数にして百畳敷きぐらいの広さ」☞畳。②げた・ぞうりなどの表につける、うすい敷物。③柔道の試合場。「―に上がる・―を降りる」●たたみいわし【畳×鰯】カタクチイワシの稚魚を生のままのり(海苔)のようにす(漉)いて天日に干したもの。●たたみおもて【畳表】イグサのくきで織り、畳の表面として取りつけるもの。●たたみがえ【畳替え】《名・自サ》畳表の取りかえ。●たたみか・ける【畳み掛ける】《自下一》相手に対して、間をおかずに続けざまに〈おこなう/言う〉。●たたみこ・む【畳み込む】《他五》

①たたんで中に入れる。②心の中にかくす。③たたみかける。「相手に畳み込まれて音を上げる」 •たたみじわ［畳み(×皺)］〔着物などを〕たたんでおくことでつくしわ。•たたみのうえ［畳の上］〔畳のある〕へやの中。「世間からはなれた―の学問」•畳の上で死ぬ 句 自宅でおだやかに死ぬ。•たたみのうえのすいれん［畳の上の水練］畳の上でする泳ぎの練習のように、実際には役立たない練習。畳水練。•たたみべり［畳△縁］畳のへり(につける布)。「―を踏んではいけない」

**たた・む**［畳む］■一《他五》①折ってかさねる。「ハンカチを―」②かさねるようにしてすぼめる。「傘を―・せんすを―」③〔長方形の石などを〕敷きつめる。「れんがで―」④かたづけて、よそへ移す。引きはらう。「店を―・家を―」⑤かくしてあらわさないようにする。「胸に―」⑥〔俗〕殺す。「畳んでしまえ」■二《自五》重なり合う。「雲が厚く―」

**ただもどり**［(×只)戻り・(△徒)戻り］《名・自サ》〔目的をはたさずに〕そのまま〔むなしく〕もどること。すもどり。

**ただもの**［(×只)者・(△徒)者］〔後ろに否定が来る〕ふつうの者。凡人。「今度の大臣は―ではない」

**だだもれ**［だだ漏れ・ダダ漏れ］〔俗〕とどまることなく、たくさんもれること。じゃじゃもれ。だだもり。「情報が―だ」

**ただよ・う**［漂う］《自五》①水の上をゆれて行く。「波間に―船」②とどまらずにゆれ動く。「空中に―けむり」③あたりに感じられる。「なごやかなふんいきが―」

**ただよわ・せる**［漂わせる］《他下一》漂うようにする。漂わす。「あまいかおりを―・落ち着いたふんいきを―」

**たたら**［(:踏鞴)］足でふむ、大形のふいご。•たたらを踏む 句 勢いあまって、片足だけで二、三歩進む。

**たたり**［(×祟り)］たたること。神や仏、または怨霊の罰。

**たた・る**［(×祟る)］《自五》①神や仏、または怨霊がわざわいをあたえる。②あることが原因で、悪い結果になる。「無理がたたってかぜを引いた」

**ただれ**［(×爛れ)］ただれ〈ること／た状態〉。•ただれめ［(×爛れ)目］充血してただれた目。

**ただ・れる**［(×爛れる)］《自下一》皮・肉がやぶれてくずれる。「酒で胃が―」他 ただらせる(下一)・ただらす(五)〔古風〕。「心を―」〔使役形「ただれさせる」が一般的〕

**たたん**［多端］《名・ナダ》〔文〕仕事・用件が多くて、いそがしいこと。「事務―の折から・多事―」

**たち**［太刀］■一たち ①昔、刃を下に向けて腰にから下げたかたな。☞刀③。②長いかたな。■二 接尾 刀で相手に切りかかる回数を数えることば。「一―あびせる」表記 奈良時代以前のものは「(:大刀)」とも。

**たち**［立ち］■一たち 立っていること。スタンディング。■二 造 立ったまま〈する／なる〉こと。「―小便・―食い・―枯れ」■三 接頭 言い方を強めるためにそえることば。「―いたる・―まさる・―別れる」

**たち**［(△質)・(:性質)］①〈めいわくになるか どうかで見た〉性質。「―の悪い〈いたずら／できもの〉」②〔(:体質)〕〔人の〕性質。体質。「えんりょ深い―・本が捨てられない―」

**たち［(△達)］接尾 ①〔人間・動物などの〕複数をあらわす。「たくさんの子ども―・白鳥―がいっせいに飛ぶ」✎ 擬人化して「花たち・家具たち・歌たち・過去たち」などとも言う。英語などとちがい、物の複数をあらわす接尾語がないためもある。「花々」のように重ねるのは、たくさんの種類を言う場合に限られる。②〔人・動物などが〕そのほかにもいることをあらわす。「田島さん―も加わった」▽だち〔古風〕。

**だち**［ダチ］〔←ともだち〕〔俗〕友だち。なかま。ダチ公。

**だち**［断ち］造〔願をかけるためや、中毒からぬけるために〕それをやめること。「茶―・ゴルフ―・テレビ―」

→**たちあい**［立ち合い］①一対一の〔剣の〕勝負。②《すもう》仕切りから立ち上がる瞬間。•たちあいまけ［立ち合い負け］《すもう》立ち合いの勢いが相手より弱いために負けること。

→**たちあい**［立ち会い］《名・自サ》①立ち会うこと。また、立会人。☞お立ち会い。②《経》取引所に集まって売買取引をおこなうこと。•たちあいえんぜつ［立会演説］意見のちがう両方の者が同じ場所でかわるがわる演説して、一般の人に聞いてもらうこと。•たちあいにん［立会人］その場に立ち会う人。「投票所の―」

→**たちあ・う**［立ち会う］《自五》責任者・関係者などとして、その場にいる。「検査に―・出産に―・歴史的瞬間に―」

→**たちあ・う**［立ち合う］《自五》向かい合って、勝負を争う。「堂々と―・いざ立ち合え」

**たちあがり**［立ち上がり］①たち上がること。「―がおそい」②行動を起こし始めること。「―でつまずく」③〔地面・土台の所から〕上へ向かってのびること。また、その寸法。「〔水道管などの〕―三十センチ」

**たちあがり**［裁ち上がり］〔洋服や着物の生地を〕たち終えること。たち終えた状態。「―寸法(=ぬいしろなどをふくむ寸法)」

*__たちあが・る__［立ち上がる］《自五》①立って身を起こす。起立する。②行動を起こす。やり始める。「市民が―」③苦しい状態を切りぬけて、元気をとりもどす。「失意から―・敗戦から―」④〔コンピューターや組織などが〕立ち上げた状態になる。⑤〔急に〕高くあがる。「水柱が―」☞立ち上る。

→**たちあが・る**［建ち上がる］《自五》家を建てて、できあがる。名 建ち上がり。

**たちあ・げる**［立ち上げる］《他下一》①〔組織などを〕作り、活動をはじめる。「新しい会を―」②〔コンピューターなどで〕起動の操作をして、はたらく状態にする。「パソコンを―」名 立ち上げ。

**たちあらわ・れる**［立ち現れる］《自下一》今までなかったものが、はっきりあらわれる。

**たちある・く**［立ち歩く］《自五》立ちあがって歩く。「食事中に―」名 立ち歩き。

**たちい**［立ち居・△起ち居］《名・自サ》立つこととすわること。動作。•☆☆たちいふるまい［立ち居(振る舞い)］日常の、いちいちの動作。起居動作。「上品な―」

**たちいた・る**［立ち至る］《自五》〔文〕〔重大な事態に〕なる。〔重々しい言い方〕「最悪の事態に―」

**たちいち**［立ち位置］①〔舞台上での〕立つ位置。

②立場。「自分の—を知る」

**たちい・る**【立ち入る】《自五》①〔外部の人が〕中へはいる。②深くはいる。「立ち入って論じる」③〔深く〕関係する。「自分の—余地はない」④干渉する。「他人の生活に—つもりはない」名立ち入り・立入。「—禁止・—検査」

**たちうお**【〈太刀魚〉】海にすむさかなの名。形はかたなのようで、銀白色。食用。「—の煮つけ」

**たちうち**【立ち撃ち】⇩立射。〔↕伏せ撃ち〕

**たちうち**【太刀打ち】《名・自サ》①太刀で戦うこと。②競争。「とても—できない」

**たちうり**【立ち売り】《名・他サ》道ばた・駅の構内などに立ってものを売ること。

**たちえり**【立ち襟】洋服のえりを折らずに〈立てること/立てた服〉。スタンド カラー。「—シャツ」

**たちおうじょう**【立ち往生】《名・自サ》①立ったままで〈死ぬ/動けなくなる〉こと。「弁慶の—」②とちゅうでとまったまま動きがとれなくなること。「雪で車が—する」

**たちおく・れる**【立ち後れる・立ち遅れる】《自下一》事を始めるのが〔ほかよりも〕おくれる。「スタートで—・諸外国にくらべ研究が—〔=おとる〕」名立ち後れ。

**たちおよぎ**【立ち泳ぎ】《名・自サ》水面に顔を出し、からだを垂直に立てたような形で、足だけを動かして進む泳ぎ方。

**たちかえ・る**【立ち返る】《自五》〔もとの位置・所〈へ〉かえる。立ちもどる。「原点に—・基本に—・建国の精神に—」

**たちかぜ**【太刀風】太刀をふるときに起こる風。「するどい—」

**たちかた**【立ち方】〔日本舞踊で〕おどり手。〔↕地方〕

**たちがれ**【立ち枯れ】《名・自サ》草木が立ったままで枯れ〈ること/たもの〉。「青—〔=青いまま立ち枯れすること〕」動立ち枯れる《自下一》。

**たちき**【立ち木】庭や山林などにはえている木。

**たちき**【立ち気】〔すもう〕立ち上がろうとする、強い気分。

**たちぎえ**【立ち消え】《名・自サ》①火がとちゅうで消えること。②ものごとがとちゅうでやめになること。「計画が—になる」動立ち消える《自下一》。

**たちぎき**【立ち聞き】《名・他サ》立ったままそっと聞くこと。「密談を—する」動立ち聞く《他五》。

**たちき・る**【断ち切る】《他五》〔とちゅうで〕切る。「補給線を—」名断ち切り。自断ち切れる《下一》。

**たちき・る**【裁ち切る】《他五》〔布を〕切りはなす。名裁ち切り。

**たちぐい**【立ち食い・立ち×喰い】《名・他サ》店や屋台などで、立ったままで食べること。「—そば〔=立ち食いさせるそば店〕」

**たちぐされ**【立ち腐れ】《名・自サ》①〔柱・立ち木などが〕害虫などのために、立ったままくさること。②〔半分できあがった〕建物が、あれはてること。

**たちくらみ**【立ち×眩み】《名・自サ》立ち上がるときに起こるめまい。たちぐらみ。

**たちげいこ**【立ち稽古】〔演劇〕脚本の読み合わせのあと、俳優が扮装せずに動作・表情をつけながらおこなう稽古。

**だちこう**【ダチ公】〔俗〕友だち。

**たちこぎ**【立ち×漕ぎ】《名・自サ》サドルから腰を上げて、自転車を勢いよくこぐこと。ダンシング。

**たちごし**【立ち腰】〔すもう〕腰がうき上がって、立った状態になること。「—になる」

**たちこ・める**【立ち込める】《自下一》〔けむり・霧などが〕一面に立つ。立て込める。

**たちさき**【太刀先】①太刀のきっさき。②切りかかる勢い。③議論の勢い。「—するどく」

**たちさばき**【太刀×捌き】太刀の使い方。

**たちさ・る**【立ち去る】《自他五》いた所からよそへ去る。「無言でその場を—」

**たちさわ・ぐ**【立ち騒ぐ】《自五》がやがや騒ぐ。

**たちしごと**【立ち仕事】立ったままする仕事。

**たちしょうべん**【立ち小便】《名・自サ》〔道ばたで〕立ったままで小便をすること。立ちション〈ベン〉〔俗〕。

**たちしょん**【立ちション】《名・自サ》〔俗〕立ち小便。

**たちすがた**【立ち姿】①立っている姿。②舞を舞っているときの姿。

**たちすく・む**【立ち×竦む】《自五》立ったままで動けなくなる。「おそろしさに—」

**たちすじ**【太刀筋】太刀を使う、手すじ。

**たちせき**【立ち席】①〔バス・電車などの〕立ったまま乗る席。②劇場などの、立ったまま見たり聞いたりする席。▽〔↕座席〕

**たちそば**【立ち∴蕎麦】立ち食いそば。

**たちつく・す**【立ち尽くす】《自五》いつまでも立ち続ける。「ホームに—・ぼうぜんと—」

**たちづめ**【立ち詰め】ずっと立ったままでいること。立ちつづけ。

**たちどころに**【〈立ち所に〉】《副》〔文〕その場で。ただちに。「—解決する」

**たちどま・る**【立ち止まる】《自五》歩くのをやめて立つ。とまる。

**たちなお・る**【立ち直る】《自五》〈かたむいた/痛手を受けた〉ものが、もとの状態に直る。「ショックから—・経済を立ち直らせる」名立ち直り。可能立ち直れる。

**たちなら・ぶ**【立ち並ぶ】《自五》①立ってならぶ。②肩をならべる。表記建物の場合は「建ち並ぶ」とも。

**たちの・く**【立ち退く】《自五》住んでいる所を立ち去る。ほかの場所へ移る。名立ち退き。

**たちのぼ・る**【立ち上る・立ち昇る】《自五》上へのぼる。「けむりが—」☞立ち上がる⑤。

**たちのみ**【立ち飲み】《名・他サ》〔酒などを〕立ったままで〈飲むこと/飲ませる店〉。「—のコーナー」

****たちば**【立場】〔=立つ場所〕①その人の置かれている、社会的な、また、心理的な場所。「苦しい—に追いこまれる・部下の—では反論しにくい」②よりどころとなる、ものの考え方。観点。「心理学の—から言うと」●**立場がない**句その人にふさわしい立場が失われる。「注意したのに無視されては、上司の—」

**たちばさみ**【裁ち×鋏】〔裁縫で〕布を切るのに使うはさみ。

**たちはだか・る**【立ちはだかる】《自五》①〔通行のじ

やまをするように〕両足をひらいて かまえる。「道に―」②じゃまとなるものが行く手にある。「難問が―」

**たちはたら・く**［立ち働く］《自五》熱心に いろいろ仕事をする。「いそがしく―」

**たちばな**［（×橘）］「コウジ（柑子）」の古い名前。「―色〔＝みかん色〕」

**たちばなし**［立ち話］《名・自サ》〔道ばたなどで〕立ったままで話をすること。また、その話。「廊下で―をする」

**たちはばとび**［立ち幅跳び］〔助走なしで〕立った姿勢から ふみ切って とぶ距離をきそうこと。

**たちばん**［立ち番］《名・自サ》立って見はりをする〈こと／人〉。

**たちびな**［立ち（×雛）］男びなと女びなの着物の部分を紙で作った、立った姿の ひな人形。紙びな。

［たちびな］

**たちふさが・る**［立ち塞がる］《自五》前に立ってさえぎりとめる。

**たちふるまい**［立ち（振る舞い）］たちふるまうこと。たちいふるまい。

**たちふるま・う**［立ち（振る舞う）］《自五》用事をするために、からだを動かす。たちいふるまいをする。

**たちまさ・る**［立ち勝る］《自五》〔文〕目立って すぐれる。「ほかの だれにも―あでやかさ」

**たちまじ・る**［立ち交じる］《自五》社会に出て、つきあう。たちまじわる。

**たちまち**《副》①時間が かからずに。すぐに。「火をつけると―燃え上がった・―酔っぱらってしまった・―に〔して〕降参した」由来「立ち待ちに」、つまり「立って待つうちに」から。表記 かたく「×忽ち」とも。②〔広島方言〕とりあえず。ひとまず。「―ビールください」

**たちまわり**［立ち回り］《名・自サ》①〔演劇・映画など〕切りあい・組み打ちをする演技。②〔俗〕つかみあいのけんか。③立ち寄ること。「―先」

**たちまわ・る**［立ち回る］《自五》①あちこち動いて働く。「いそがしく―」②自分の有利になるように行動する。③立ち寄る。「犯人が―」

**たちみ**［立ち見］《名・他サ》①立ったままで〈見る／演奏を聞く〉こと。「―席」②《歌舞伎》⇩幕見。「―料」

**たちむか・う**［立ち向かう］《自五》手ごわいものに向かって攻める。てむかう。「敵に―・困難に―」

**たちもち**［太刀持ち］①主君の太刀を持ってそば近くにいる小姓。②《すもう》横綱の土俵入りのとき、太刀を持って土俵に上がる力士。☞露払い③。

**たちもど・る**［立ち戻る］《自五》立ち返る。「原点に―・現実に―」

**たちもの**［断ち物］願などをかけて、好きなものをやめること。例、茶断ち・塩断ち。

**たちやく**［立役］《歌舞伎》①女形・子役以外の男役。②主演級の善人の男役。

**たちゆ・く**［立ち（行く）］《自五》暮らし・商売などがうまく続く。やっていける。「生活が立ち行かない・事業は立派に―だろう」

**だちょう**［（×駝鳥）］アフリカの草原などにすむ鳥。鳥の中で いちばん大きい。飛べないが、長い足で速く走る。

**たちよみ**［立ち読み］《名・他サ》①（店先で）本や雑誌を買わないで、立ったまま読むこと。②インターネットで本を買う前に、見本ページを読むこと。ためし読み。

**たちよ・る**［立ち寄る］《自五》①ある場所に行くとちゅうで ちょっと寄る。「木かげに―」②歩いて近寄る。

**たちわざ**［立ち技］《柔道・レスリング》自分が立った状態で相手にかける わざ。（↔寝技）

**たちわ・る**［断ち割る］《他五》切って分けはなす。切りさく。

**だちん**［駄賃］①送り届けたことに対する お礼のお金。②〔子どもの〕使いの お礼にわたす〈お金／菓子〉。使い賃。「お―」

**たちんぼ**［立ちん（△坊）］①〔話〕同じ場所に、立ったままでいる〈こと／人〉。「一日―だ」②〔俗〕まちかどに立って客引きをする売春婦。▽たちんぼう。

←**たつ**［×辰］①十二支の第五。う（卯）の次。竜。「―年・―の年」〔年のほか、月・日にも言う〕②昔の時刻の名。今の午前八時ごろに当たる。五つ。「―の刻」③昔の方角の名。東南東。

→**たつ**［竜］⇩りゅう（竜）①。

↔**た・つ［立つ］ ■一 たつ《自五》①両足で からだを支える。「風に さからって―・はえば立て、立てば歩めの親心」〔⇩「は（這）う」の句〕・背が―〔＝立っていられるだけの水の深さだ〕（↔座する）②上下に長い向きに〈置いた／すえた〉状態になる。「旗が―・卵が―」（↔たおれる）③上向きになる。「耳が―・毛が―」④空中に〈上がる／広がる〉。「けむりが―・ほこりが―」⑤表面にもりあがる。「波が―・あわが―」⑥起こる。あらわれる。「風が―・かすみが―」⑦きわだつ。「人目に―」⑧〔声・音が〕よくひびく。「物音が―」⑨〔うわさなどが〕世間に広まる。「風評が―」⑩〔考えが〕まとまる。「仮説が―」⑪〔区分・項目が〕作られる。「見出しが―」⑫〔論理が〕通る。「筋道が―」⑬前もって定まる。「見通しが―・予定が―」⑭つきささる。くいこむ。「矢が―・とげが―」⑮［△閉つ］〔戸・障子が〕しまる。⑯〈役目／地位〉に身を置く。「代表に―・（人の）上に―・代打に―」⑰〔湯・ふろが〕わく。⑱〔暮らしが〕うまく続く。⑲面目が失われないですむ。「顔が―」⑳〔市などが〕ひらかれる。㉑〔雅〕〔年・月・季節が〕始まる。「冬―」㉒〔鳥が〕とびたつ。㉓用にたえる。「役に―・腕が―」㉔〔古風〕〔炭やろうそくが〕燃えてなくなる。㉕よくできる。「筆が―・弁が―」㉖〔気持ちが〕とがる。「気が―・神経が―」㉗［△起つ］行動を起こす。「正義のために―」㉘［△勃つ］勃起する。■二 たつ《他五》①［△発つ］出発する。「空港を―・アメリカへ―」②〔その場から〕はなれる。「席を―」■三 造 はげしい状態になったり、勢いづいたりすることをあらわす。「煮え―・いきり―・燃え―・浮き―」可能 立てる。☞立つ瀬。

●**立つ鳥跡を濁さず** 句 立ち去るときは、今までいた所をきれいにして去るべきだ。飛ぶ鳥 跡を濁さず。

●**立てば芍薬座れば牡丹** 句 女性の姿の美しいようす。「―歩く姿は百合の花」

→**た・つ**［建つ］《自五》〔建物などが〕つくられ（て、その場所にあ）る。「ビルが つぎつぎに―・ぽつんと―山小屋・銅像が建った」

**た・つ**［△経つ］《自五》時が過ぎる。「一時間―・月日が―」

た

↔**た・つ**【断つ】《他五》①ものを切りはなす。「快刀乱麻を―」②断ち物をする。やめる。「酒を―」③さえぎる。「退路を―」[可能]断てる。

↔**た・つ**【絶つ】《他五》①なくす。「音信を―・消息を―・望みを―」②つながりをなくす。〔交際を〕やめる。「縁を―・まじわりを―」③終わらせる。「命を―」[可能]絶てる。

↔**た・つ**【裁つ】《他五》はさみなどで、布や紙を切りはなす。「生地を―」[名]裁ち。「―をまちがえる」[可能]裁てる。

**だつ**【脱】[一]だつ-[造] ある状態からぬけ出して、新しい状態へ移ること。「―工業化・―原発」[二]だつ[造]《医》器官の一部が外に出る症状。「直腸―」

**たつい**【達意】《名・ナダ》〔文〕意味がじゅうぶんにわかること。「―の文章」

**だつい**【脱衣】《名・自サ》衣服をぬぐこと。「―場」(↔着衣)

**だつえん**【脱塩】《名・他サ》《理》塩分を取り除くこと。海水の淡水化や、コンクリート・原油から塩類を取り除く処理など。

**だっかい**【脱会】《名・自サ》会をぬけること。退会。「―届」

**だっかい**【奪回】《名・他サ》〔文〕うばいかえすこと。「陣地を―する」

**タッカルビ**〈朝鮮 dakgalbi=ニワトリの あばら〉とり肉と野菜を鉄板でいため、コチュジャンで味つけをした料理。ダッカルビ。「チーズ―」☞カルビ。

☆☆**たっかん**【達観】《名・他サ》①広く、全体の情勢を見わたすこと。②目の前の小さいことにとらわれず、大切な点をさとること。「人生を―する」

**だっかん**【奪還】《名・他サ》〔文〕(もとどおりに)うばいかえすこと。「人質を―する」

**だつかんさ**【脱感作】《名・自他サ》《医》⇩減感作

**たつき**【〈生計〉・〈活計〉・〈方便〉】〔文〕生活(の手段)。生計。たずき。「―を立てる」

☆☆**だっきゃく**【脱却】《名・自他サ》①ぬけ出ること。「旧体制からの―・危機を―する」②取り去ること。外すこと。「チェーンの―」(↔装着)

**たっきゅう**【卓球】台の上にネットをはり、小さなボールをラケットで打ち合う室内競技。ピンポン。

**だっきゅう**【脱臼】《名・自サ》《医》骨の関節が外れること。

**ダッキング**〈ducking〉《ボクシング》上体をかがめて、相手の攻撃をよけること。

**タック**〈tuck〉《服》幅をつめるために布をつまんでぬいつけたひだ。「ツー―のパンツ」

**タッグ**〈tag〉①〔プロレスで〕二人または数人の選手が組みになり、ひとりずつ交替で試合をすること。タグ。「―チーム」[由来]交替のときのタッチの意味から。②協力(しあう組み)。「三者が―を組む(=協力して取り組む)・夫婦の―で制作した映画」③⇩タグ①②。

●**タッグマッチ**〈tag match〉〔プロレスで〕タッグでおこなう試合。試合中の選手とタッチで交替する。タグマッチ。

**ダッグアウト**〈dugout〉《野球》⇩ダグアウト。

**タックス**〈tax〉税金。「―フリー(=免税の商品)」

●☆☆**タックスヘイブン**〈tax haven〉法人税がまったくないか、非常に安いために、税金が節約できる国や地域。租税回避地。[✓]「ヘイブン」は避難場所。「ヘブン〈heaven=天国〉」ではない。

**ダックスフント**〈ド Dachshund=アナグマ狩り用の犬〉胴が長く、足が短い犬。耳はたれている。ダックスフンド。ダックス。「ミニチュア―(=ごく小さい種類)」

**たづくり**【田作り】ごまめ。たつくり。

**タックル**《名・自サ》〈tackle〉①《ラグビー》ボールを持った敵にとびついて、進めないようにすること。②《サッカー》相手の足元のボールをうばうこと。③相手に組みついてたおすこと。

**たっけ**[連]〔話〕⇩っけ。「君には もう話し―」

**だっけ**[連]〔話〕⇩っけ。「わたしの用事は なん―・この本、もう読ん―」

**たっけい**【×磔刑】〔文〕はりつけの刑。たくけい。「〔キリストの〕―像」

**たっけん**【宅建】↑宅地建物取引士。

**たっけん**【卓見】〔文〕すぐれた〈意見/見識〉。「―に富んだ発言」

**だっけん**【奪権】《名・自サ》〔文〕政治的な権力をうばうこと。「―闘争」

**だっこ**【抱っこ】《名・他サ》《児》だくこと。だかれること。「―ひも」

**たっこう**【卓効】〔文〕すぐれたききめ。

**だっこう**【脱×肛】《名・自サ》《医》直腸の粘膜が肛門の外にぬけ出る〈こと/病気〉。

**だっこう**【脱稿】《名・他サ》〔文〕原稿を〈書き終える/完成する〉こと。(↔起稿)

**だつこうちく**【脱構築】《名・他サ》〔フランスの哲学者デリダの用語〕①《哲》それまでの二項対立のわく組みをこわして、新しい見方をすること。ディコンストラクション〈deconstruction〉。「テクスト(=批評対象の文章)を―する」②旧来の考え方からぬけ出て、新しい考え方をうちたてること。

**だっこく**【脱穀】《名・自サ》《農》穀物のつぶをくきからはなすこと。「―機・―調整」

**だつごく**【脱獄】《名・自サ》牢屋・刑務所からぬけ出すこと。「―囚」

**だっさく**【脱柵】《名・自サ》①馬が牧場のさくをぬけ出すこと。②《軍》こっそり営舎をぬけ出すこと。脱営。

**だつサラ**【脱サラ】《名・自サ》(↑脱サラリーマン)サラリーマンをやめて、独立すること。だっサラ。

**だつさんしん**【奪三振】《野球》投手が打者を三振させること。また、その数。「―八」

**たっし**【達し・達示】①官庁から国民へ通達する〈こと/文書〉。ふれ。「お―」②訓令。

**だっし**【脱脂】《名・自サ》脂肪を取り去ること。
●**だっしにゅう**【脱脂乳】脂肪分をぬき取った牛乳。スキムミルク。(↔全乳) ●**だっしふんにゅう**【脱脂粉乳】脱脂乳を乾燥して粉にしたもの。スキムミルク。●**だっしめん**【脱脂綿】《医》脂肪分を取り去って消毒したわた。

**だつじ**【脱字】書きおとした字。「誤字―」(↔衍字)

**たっしき**【達識】〔文〕〈全体/将来〉をじゅうぶん見通した見識。

**たっしゃ**【達者】《ナダ》①ものごとがじょうずであるようす。「日本語が―だ」②病気をしないで過ごしているようす。「どうぞお―で」③〔目・口・足などが〕よくはたらくようす。「弟は口が―だ」④〔俗〕人の気持ちもかまわず、したいことをぬけ目なくするようす。「―なやつ」[派]―さ。

**だっしゅ**【奪首】《名・自サ》〔「奪取」のもじり〕〔俗〕首位をうばうこと。「三連勝で―」

**だっしゅ**【奪取】《名・他サ》〔文〕うばい取ること。

**ダッシュ**〔dash〕[一]《名・自サ》①突進すること。特に、短距離を全力で走ったり泳いだりすること。「スタート―で駅に向かう」②〔俗〕急ぐこと。「―で晩ごはんを食べた」[二]①文章の中で、語句の説明・言いかえなどのとき使う線。「―」。ダーシ。②ローマ字・数字などの肩につける記号。「ʹ」「″」。プライム。▽ダッシ。

●**ダッシュ ボード**〔dash board〕《自動車》運転席の前にある、インパネやカーナビ、空調設備などを取りつけた部分。

**だっしゅう**【脱臭】《名・自他サ》くさみを取り去ること。「冷蔵庫の―剤」

**だっしゅつ**【脱出】《名・自サ》ぬけ出ること。ぬけ出すこと。

**だっしょく**【脱色】《名・自他サ》〈染めた/ついている〉色をぬき去ること。

**たつじん**【達人】学術・技芸にすぐれた人。「剣道の―」

**たっ・す**【達す】《自他五》⇩達する。「過半数に達さない」

**だっすい**【脱水】《名・自サ》①水分を取り去ること。「―機」②《医》水分を取らないため、また はげしい下痢などのため、からだの水分が少なくなること。「―症状・―状態」

***たっ・する**【達する】[一]《自サ》〔ものごとや数量が〕そこまで行く。届く。「お耳に―・肺に―きず・名人の域に―・全長十メートルに―」[二]《他サ》①やりとげる。つらぬく。「目的を―」②〔文〕すます。「用を―」③〔文〕届かせる。「告示を―・伝言を―」▽[一][二]達す。達しる《上一》〔古風〕。[可能][一]達せる。[二]達せられる。

**だっ・する**【脱する】《自他サ》①〔あぶないところを〕のがれ出る。「ピンチを―」②〔よくない状態から〕ぬけ出る。「旧態を―・不況から―」③ぬぐ。「着衣を―」▽脱す。

**たつせ**【立つ瀬】〔相手や まわりの人に対する〕たちば。「―がない」

**たっせい**【達成】《名・他サ》①小さなことを積み重ねて、むずかしいことを実現すること。「目的を―する・二連覇を―する・―感を得る」②ある水準まで届いた、成果。「現代詩の一つの―をしめす」

**だつぜい**【脱税】《名・自他サ》不正な方法で納税・課税をのがれること。「―行為」

**タッセル**〔tassel〕ふさかざり。カーテンをたばねるひも・敷物・靴などにあしらう。「―ピアス(=ふさかざりがついたデザインのピアス)」

**だっせん**【脱線】《名・自サ》①電車・汽車などの車輪が線路を外れること。②横みちに それること。「話が―する」③はめを外すこと。「よっぱらって―した」

**だっそ**【脱×疽】《医》⇩えそ(壊疽)。

**だっそう**【脱走】《名・自サ》ぬけ出して にげること。「刑務所から―する・―兵」

**だつぞく**【脱俗】《名・自サ》〔文〕①世間をはなれること。②俗っぽさをこえること。

**たった**《副》(↑ただ) わずか。ただ。「―三人・―(の)百円」〔連体詞とみることもできる〕●**たったいま**【たった今】《副》いましがた。ただいま。「―帰りました」

**たつたあげ**【竜田揚げ】さかな・肉などを、しょうゆ・みりんに漬っけ、かたくり粉などをまぶして、油で揚げた料理。「サバの―・とりの―」[由来]揚がった色が赤いので、もみじの名所の竜田川にちなんでいう。☞から揚げ。

**だったい**【脱退】《名・自サ》〔加入している団体・会などから〕ぬけ出ること。(↕加入)

**たつたひめ**【竜田姫】秋の女神。(↕佐保姫)

**だったら**《接》〔話〕⇩それだったら。「困ってるの? ―言ってよ」[丁寧]でしたら。

**だったり**[一][連]〔助動詞「だ」または形容動詞語尾などの連用形「だっ」＋接続助詞「たり」〕場合によって変わるものをならべて言う。〔多く、あとに「する」が来る〕「朝食はごはん―パン―する」[二]《副助》([一]から)〔話〕単に ならべたり、ぼかしたりする。…とか。「洋服―下着―を買ってきた・なやみ―を話す」〔二十一世紀になって広まった用法〕[注意]ていねいに「洋服でしたり下着でしたり」のように言うのは二〇一〇年代からの言い方。▽[一][二]であったり。☞たりして。

**たっち**【立っち】《名・自サ》〔児〕足で立つこと。「ひとりで―ができる」

**タッチ**〔touch〕[一]《名・自他サ》①さわること。「肩に―する・ICカードを―する」②《スポーツ》決勝点・ボール・ネットなどに ふれること。「《競泳》―の差で負ける・―ネット」③《野球》アウトにするために、ボールをランナーの からだに つけること。「走者〈に/を〉―する・ボールを―する」④関与。かんし。「その件には―していない・ノー―」[二]①手ざわり。はだざわり。感触。「ソフト―」②ピアノやパソコンのキーボードなどのキーのおし方。また、おしたときの手ごたえ。③絵筆の使い方(=筆づかい・筆触)、彫刻ののみ(鑿)の使い方など。④作品の表現のしかた。「サスペンス―のメロドラマ」●**タッチアウト**《名・他サ》〔和製 touch out〕《野球》ボールをランナーにつけて、アウトにすること。●**タッチアップ**《名・自サ》〔和製 touch up〕《野球》あとのバッターがフライを打ち上げたとき、ランナーがいったんベースにもど(り進塁に成功す)ること。タッグアップ(tag up)。●**タッチアンドゴー**〔touch and go〕航空機で、着陸してすぐにまた離陸する操作(の訓練)。●**タッチタイピング**〔touch typing〕〔コンピューターやタイプライターなどの〕キーボードを見ないで文章などを打つこと。ブラインドタッチ。●**タッチダウン**《名・自サ》〔touch down〕①《アメリカンフットボール》ボールを相手チームのゴールに入れて、点を取ること。②〔飛行機が〕着陸して、地面につくこと。接地。●**タッチのさ**【タッチの差】ほんの一瞬の差。「他社に―で先をこされた」●**タッチパッド**〔touch pad〕ノートパソコンなどで、指で たたいたり こすったりして命令を入力する、小さな四角い面。●☆☆**タッチパネル**〔touch panel〕画面に指でふれてコンピューターの入力ができるようにした盤。●**タッチライン**

〔touchline〕《サッカー・ラグビー》競技場の両がわの線。「—を割る」

**ダッチ オーブン**〔Dutch oven〕野外調理などに使う、分厚い鉄製の ふたつき鍋。ふたの上にも炭を置いて上下から加熱する。

**だっちゃく**［脱着］㊀《名・他サ》〔文〕ぬいだり着たりすること。着脱。「フィルターの—が可能」㊁《名・自サ》《理》表面にくっついている分子が加熱などによってはなれること。(↔吸着)

**たっちゅう**［△塔△頭］《仏》①〔禅宗で〕住職をしりぞいた僧が寺の敷地につくった、小さな寺。〔「…院」「…庵」などの名前で呼ばれる〕②⇩しいん(子院)。

**だっちょう**［脱腸］《医》腸の一部が、ももの付け根の穴から いんのう(陰嚢)の中などに とび出すこと。ヘルニア。

**ダッチロール**《名・自サ》〔Dutch roll〕航空機が、横ゆれや横すべりをくり返す異常飛行。

**たっつけばかま**［〈裁っ着け×袴〉］〔たっつけ←たちつけ〕男性用の はかまの一つ。ひざ下あたりで巾着のようにすぼめ、ふくらはぎに沿うように細く仕立て、足をさばきやすくしたもの。現代では、すもうの呼び出しが着用。たっつけ。

☆☆**たって**《副》①むりに。あえて。「—の希望・—お願いしたい」②〔古風〕程度が大きいようす。「—の苦しみ」 表記 かたく「△強って」「：達て」とも。

***たって**〔話〕㊀《接助》①〔↑と言ったとて〕…といっても。「大きい(っ)—たいしたことないよ・なん—〔=なんといっても〕安いですから・東京(っ)—広い所だから・いくら約束だっ—〔=約束だって。古風な言い方〕」②〔↑たとて〕〔活用語の連用形＋—〕…たとしても。…ても。「いくら聞い—同じ答えだ・かくさなく(っ)—いい」㊁ 連 〔↑たと〕…たそうだ。…たと言う。「たくさん食べ—さ」

**だって**〔話〕㊀《副助》〔↑だとて〕①それも例外でない、という気持ちをあらわす。「私—〔=私も〕がまんの限界がある・だれ—〔=だれでも〕困りますよ・成績が上がったら、ゲーム機—〔=たとえゲーム機のような高価なものでも〕買ってあげる」②「その程度のものは、もはや」の気持ちをあらわす。「材料—買ったし、もう安心だ」③〔A—B—〕そのうちの、どれであっても。「うどん—そば—、いいじゃない」㊁**だって**《接》〔㊀から〕①あなたはそう言うが、しかし。〔後ろに反論の理由が来る〕「『早く宿題しなさい』『—、つかれてるんだもん』」②なぜかと言うと。「非難されてもしかたない。—、本当のことだから」㊂《終助》〔↑だと〕①…だそうだ。…だと言う。「電車がとまったん—ね」②相手のせりふに対して、〈おどろいた/おこった〉気持ちをあらわす。「税金が上がっても いい—?」〔『いいって?』よりも感情的〕〔しり上がりに言う〕 丁寧 ですって。㊃《接助》⇩たって㊀。「いくら呼ん—むだだ」 五 連 ⇩たって㊁。「自転車で ころん—?」

**だっと**［脱×兎］〔文〕にげるウサギ。「—のごとくにげる」

●**だっとの いきおい**［脱×兎の勢い］猛烈なはやさ。

↔**たっと・い**［尊い］《形》〔文〕⇩とうと(尊)い①。「—命」 派 —さ。

↔**たっと・い**［貴い］《形》〔文〕⇩とうと(貴)い。「—身分」 派 —さ。

**だっとう**［脱党］《名・自サ》その〈政党/党派〉から、自分の考えで脱退すること。☞離党。

↔**たっと・ぶ**［尊ぶ］《他五》⇩とうと(尊)ぶ。「ご先祖様を—」

↔**たっと・ぶ**［貴ぶ］《他五》⇩とうと(貴)ぶ。「兵は神速を—〔=短期決戦を期する〕」

**たづな**［手綱］馬のくつわにつけ、手に持って馬をあやつる綱。

●**手綱を締める** 句 ①馬のたづなを引きしめる。②きびしく統制する。▽手綱をしぼる。(↔手綱を緩める)

**だつのう**［脱農］《名・自サ》〔文〕離農。

**たつのおとしご**［〈竜の落とし子〉］海にすむ、りゅうに似た小形の さかな。昔から安産のお守りにされる。海馬。

［たつのおとしご］

**たっぱ**〔=立っ端。「タッパ」とも書く〕〔俗〕①《建築・演劇》高さ。②せたけ。うわぜい。「—がある〔=背が高い〕」☞がたい。

**タッパーウエア**〔Tupperware=商標名〕合成樹脂製の食品保存用の容器。タッパー。

**だっぱん**［脱藩］《名・自サ》藩をぬけ出して浪人となること。

**だっぴ**［脱皮］《名・自サ》①《動》昆虫やヘビなどが古い表皮をぬいで成長すること。②古い型をぬけ出ること。

**たっぴつ**［達筆］《名・ナダ》①じょうずに〈書くこと/書いた字〉。「—をふるう・—〈な/の〉文字」(↔悪筆)②勢いよく〈書くこと/書いた字〉。 派 —さ。

**タップ**〔tap〕㊀タップ ①コンセントから電気を分けてとるための器具。電源タップ。「テーブル—〔=コードのついたタップ〕」②穴をあけた金属の内がわに ねじ山を刻む工具。雌ねじ切り。㊁タップ〔↑タップダンス。「—をふむ」㊂タップ《名・他サ》タッチパネルを指で たたいて入力すること。「ダブル—」

●**タップダンス**〔tap dance〕くつで ゆかをふみ鳴らしながらおどるダンス。タップ。

**たっぷり**《副・自サ・ナダ》①満ちあふれるほど、じゅうぶんにあるようす。「未練—・植木に—水をやる」②〔ゆとりが〕じゅうぶんに あるようす。「—時間をかける」

**ダッフルコート**〔duffle coat〕《服》じょうぶなラシャなどで作った、フードつきのコート。小さい棒形のボタン〔=トグル〕をひもでとめる。

**たつぶん**［達文］〔文〕①じょうずな文章。②わかりやすい文章。達意の文。▽名文。(↔悪文)

**だつぶん**［脱文］〔文〕〔文面から〕ぬけおちた文句。

**だっぷん**［脱×糞］《名・自サ》〔文〕大便を出すこと。

**たつべん**［達弁］《名・ナダ》〔文〕よどみのない話しぶり。能弁。雄弁。

**だつぼう**［脱帽］《名・自サ》①〔文〕(敬意をあらわすため)帽子をぬぐこと。(↔着帽)②尊敬の気持ちをあらわすこと。「君の努力に—する〔=降参する〕」☞シャッポを脱ぐ〔「シャッポ」の 句 〕

**だっぽう**［脱法］〔文〕〔悪いことをする目的で〕たくみに法律の規制をすりぬけること。「—行為・—ドラッグ〔⇩危険ドラッグ〕」

**だっぽく**【脱北】《名・自サ》 北朝鮮の住民が国外へにげ出すこと。「―者」

**たつまき**【竜巻】《天》地上から上空にのびるうず巻き状の激しい上昇気流。時速数十〜百キロにおよぶ猛烈な風が ふき、被害をもたらす。☞トルネード。

**たつみ**【×巽・×辰×巳】 昔の方角の名。東南。

**だつもう**【脱毛】《名・自他サ》 ①毛が ぬけおちること。②いらない毛をぬくこと。「―剤」

**だつらく**【脱落】《名・自サ》 ①〔あるはずの場所から〕ぬけおちて、見えないこと。②落伍。「―者」

**だつりゃく**【奪略・奪×掠】《名・他サ》〔文〕略奪。

**だつりゅう**【脱硫】《理》物質中に ふくまれる〈硫黄分／硫黄化合物〉を取り除くこと。

**だつりょく**【脱力】《名・自サ》 からだの力がぬけること。「―感」

**だつりん**【脱輪】《名・自他サ》 ①〔自動車や飛行機の〕車輪が外れること。②自動車の車輪が道路の外に出ること。

**だつろう**【脱漏】《名・自サ》〔文〕〔文章の中の、文字やことばが〕ぬけること。もれ。

**たて**【盾・×楯】 ①敵の刀・やり（槍）・矢などを防ぎ、からだをかくす〈武具／板〉。②口実。「証文を―に言い張る」 ③賞として出す、金属のレリーフなどをうめこんだ板。たなどに立てて置く。「優勝―」 ☞盾の半面。 ●**盾に取る**句 口実にする。 ●**盾を突く**句 ⇩たてつく。

［たて①］

**たて**【（:殺陣）】〔時代劇で〕切りあい・組み打ちなどの演技。また、その指導。立ち回り。さつじん〔古風〕。☞擬闘・殺陣師。

**たて**【縦・×竪】 ①上から下への方向（の長さ）。立体や平面の いちばん長い方向。「―に書く・―三メートル・ピーマンを―に切る」 ②前からうしろへの方向（の長さ）。「―に ならぶ」 ③立てた状態。上下に長い状態。「バットを―にかまえる・用紙を―に使う」 ④〔組織などで〕上位と下位。「―の関係」 ☞タテ社会。▽（↕横）

表記 ①〔サイズを示す場合〕や④は「タテ」とも。 ●**縦から見ても横から見ても**句 どのような見方をしても。どう見ても。明らかに。横から見ても縦から見ても。 ●**縦のものを横にもしない**句 ⇩横のものを縦にもしない〔「横」の句〕。

**たて**【△館】〔文〕小さくて、そなえの簡単な城。「奥州衣川の―」

**たて** 一【立て】接頭 第一位の。「―おやま（女形）・―作者」 二【（立て）】接尾 そのようにしたばかりであること。「〈下ろし／洗い〉―のシャツ・ふかし―の まんじゅう」 三【タテ】接尾〔俗〕野球などで、続けざまに〈負ける／負かす〉こと。「三―を〈食う／食らう〉〔＝三連敗する〕・四―を決める」 由来 三は「立て続け」から。

**たで**【（×蓼）】 野草の名。くきに ふしがあり、くきも葉も からい。さしみの つまに使うのは栽培品。 ●**たで食う虫も好き好き**句 からいタデを食う虫もあるように、人の好みも いろいろだ。

**だて**【（:伊達）】《名・ナダ》 ①威勢のいいところを見せびらかすこと。②〔ダテ〕 みえをはること。かっこうよく見せること。「日本一の肩書きは―〔＝見せかけ〕ではない・―マスク〔＝鼻や口をかくすためのマスク〕」 ☞だてに・だての薄着。

←**だて** 一【立て】造 ①牛馬を車につけること。「四頭―」 ②ろ（櫓）を舟につけること。「八挺―」 ③いくつかの項目・種類・作品などを立てること。「二本―」 二【（立て）】接尾〈特に強く／わざとらしく〉すること。「とがめ―する」

→**だて**【建て】造 ①家などの建て方。「二戸―・三階―・れんが―」 ②…で計算すること。「円―・ドル―・日―」

**たてあな**【縦穴・×竪穴】 地面から下に向けて、縦にほった穴。（↕横穴）

**たてあみ**【建て網】 さかなの群れが通る所に はっておいて、はいって来るさかなをつかまえる網。

**ダディ**（ー）〔daddy〕〔児〕パパ。（↕マミー）

**たていた**【立て板】 ●**立て板に水**句 立てかけた板に水を流したときのように、すらすらと よどみなく話すことのたとえ。

**たていと**【縦糸・△経糸】 ①布を織るとき、縦に長くならべる糸。織物の、縦の方向にならんでいる糸。（↕横糸・緯糸） ②長い物語の中心となる話。「彼女の人生を―に、当時の世相を横糸にしたドラマ」（↕横糸）

**たてうり**【建て売り】《名・他サ》〔販売業者が〕家を建ててから（土地といっしょに）売ること。また、その家。「―住宅」

←**たてか・える**【立て替える】《他下一》 いちじ、その人に代わって お金をしはらう。名立て替え。

→**たてか・える**【建て替える】《他下一》 家などをこわして、新しく建て直す。名建て替え。直建て替わる《五》。

**たてがき**【縦書き】《名・他サ》 文字を上から下へ書くこと。「小説は ふつう―〈に／で〉書く」（↕横書き）

**たてか・ける**【立て（掛ける）】《他下一》 何かにもたれさせて、立てる。

**たてがた**【立て型・×竪型】 上下の方向に長い型。立っている型。「―ピアノ〔＝アップライトピアノ〕・―水槽」

**たてがみ**【（×鬣）】 ①馬・ライオンの、首のうしろに はえている長い毛。②馬の「たてがみ①」の部分の肉。あぶら身が多く白い。こうね。

**たてかんばん**【立て看板】 道路などの上に立てかけておく看板。立て看。

**たてぎょうじ**【立行司】《すもう》行司の中で、最高の階級（の人）。

**たてき・る**【立て切る・△閉て切る】《他五》〔戸などを〕ぴったり すきまなくしめる。「障子を―」

**たてぐ**【建具】 戸・ふすま・障子など、ふつうあけたてする、家の造作。「―店」

**たてぐみ**【縦組み】《印刷》文字を縦にならべて組むこと。（↕横組み）

**たてこう**【立て坑・縦坑】 垂直に ほり下げた坑道。（↕横坑）

**たてごと**【（×竪）琴】《音》⇩ハープ。

**←たてこ・む**［立て込む］《自五》こみあう。「仕事が—」

**→たてこ・む**［建て込む］[一]《自五》〔家が〕建って、こみあう。「住宅が—」[二]《他五》ノリを養殖するための網を、海中にもうける。

**たてこ・める**［立て込める］《自下一》たちこめる。

**たてこも・る**［立て（籠もる）］《自五》①〔抵抗や攻撃のために〕建物の中などにこもる。「城に立てこもって戦う・犯人が民家に—」②部屋の中にこもる。「研究室に—」[名]立てこもり。

**たてし**［（:殺陣）師］たて（殺陣）のふりつけを考え、俳優に立ち回りを教える人。

**たてしお**［立て塩］《料》海の水よりも、ややうすい塩水。さかな類の下洗いや、材料に塩味をしみわたらせるために使う。たてじお。

**たてじく**［縦軸］①〔機械の〕縦方向の軸。②グラフで、縦に目もりをつけるためにもうけた、縦の線。数学ではy軸。▽（↕横軸）

**たてじま**［縦（×縞）］縦の方向に走るしま。（↕横じま）

**だてじめ**［（:伊達）締め］《服》だて巻きの一種。ひもの形をして、中央が広くなったもの。

**たてしゃかい**［タテ社会・縦社会］上下関係を重く見る社会。「—の組織」（↕ヨコ社会）【由来】社会人類学者・中根千枝の一九六七年の著書「タテ社会の人間関係」から。

**たてじわ**［縦（×皺）・立て（×皺）］上下の方向に寄っているしわ。「ひたいに—を寄せる」

**だてすがた**［（:伊達）姿］粋にかざりたてた姿。

**たてつ・く**［（盾突く）］《自五》反抗する。はむかう。たてをつく。「先輩に—」

**たてつけ**［立て付け・建て付け］①戸・障子の、あけしめのしやすさ。「—の悪い戸」②〔考えて作られた〕仕組み。構造。「法律の—を検討する」【由来】もと、建具が柱に当たる部分。

**たてつづけ**［立て続け］つづけざま。「—に失点・—の得点」

**たてつぼ**［建て坪］建て面積を、坪数であらわしたもの。☞延べ坪。

**たてとお・す**［立て通す］《他五》最後まで、おしとおす。「義理を—」

**←たてなお・す**［立て直す］《他五》①たおれかかったものを、まっすぐな状態に直す。②だめになりかかったものを、いい状態に直す。「経営を—・生活を—」[名]立て直し。[自]立て直る《五》。

**→たてなお・す**［建て直す］《他五》①古い家をこわして新しく建てる。改築する。②つぶれかかった会社などを、もとどおりにする。再建する。[名]建て直し。[自]建て直る《五》。

**たてなが**［縦長］《名・ナダ》縦に長いこと。「—の画面」（↕横長）

**たてなみ**［縦波］《理》波の進行方向にそって疎密が伝わっていく波。例、音波、地震のP波。（↕横波）

**だてに**［（:伊達に）・ダテに］《副》見かけだけ。名目だけ。「—プロの飯を食ってきたわけではない」

**だてのうすぎ**［（:伊達の）薄着］寒いときでもがまんしてうすぎをし、かっこうよく見せること。

**たてのはんめん**［盾の半面］気がつきにくい別な半面。

**たてはば**［縦幅］上下の長さ。「文字の—・国旗の—」（↕横幅）

**たてひき**［立て引き・△達引き］《名・自サ》〔古風〕①意地をはって争うこと。「恋の—」②意地。「—が強い（＝たのまれたことは断らない）」

**たてひざ**［立て膝］《名・自サ》片ひざを立ててすわること。「人前での—は無作法だ」

**たてぶえ**［縦笛］《音》縦に持ってふく笛。尺八・クラリネット・リコーダーなど。（↕横笛）

**たてふだ**［立て札］公衆に、してはいけないこと、知らせたいことなどを書いて、外に立てたもの。高札。

**たてページ**［建てページ］その新聞・雑誌などの、標準のページ数。

**たてぼう**［縦棒］〔漢字の〕縦に引いた、まっすぐな線。（↕横棒）

**←たてまえ**［建て前］棟上げ（のときにおこなう、お祝いの行事）。「新築の—を祝う」

**→☆☆たてまえ**［（建て前）・（立て前）］表向きの主義・方針。原則。「—と本音は別だ」

**だてまき**［（:伊達）巻き］①《服》女性が使う、はば十センチぐらいの細くてうすい帯。帯の下にしめて、えりもとのくずれを防ぐ。②さかなのすり身をまぜて厚く焼いてから巻いた、たまご焼き。断面がうず巻きの形で、おせち料理やすしなどに使う。

**たてまし**［建て増し］《名・他サ》今までの建物につけ加えて建てる〈こと／建物〉。増築。[動]建て増す《他五》。

**たてまつ・る**［奉る］[一]《他五》①さしあげる。尊敬の気持ちの強い謙譲語。「玉ぐしを—・最高の称号を—」②おもてむきうやまって高い位置にすえる。「社長として—」[二]《補動五》〔古風〕強いけんその気持ちをあらわすことば。申しあげる。「たのみ—」

**たてみつ**［縦（×褌）］《すもう》力士がまわしをしめたとき、腹から股下を通ってうしろ腰にまわる部分。☞横みつ（褌）。

**たてむすび**［縦結び］結んだひもの両はしがひもの上下になって、十の字を作る結び方。〔横結びよりほどけやすい〕（↕横結び）

**だてめがね**［（:伊達）眼鏡・ダテメガネ］ファッション用の、度がはいっていないめがね。レンズがないものもある。だてめ〔俗〕。

**たてめんせき**［建て面積］敷地のうち、建物部分の占める面積。建築面積。☞建て坪・延べ面積。

**たてもち**［縦持ち］《名・他サ》①物を縦長にして持つこと。「—横持ち両用のバッグ」②引っこしや配送などのとき、地上と上の階とで荷物をやりとりすること。▽（↕横持ち）

**＊＊たてもの**［建物］人が住み、事務をとり、ものを置くなどの目的で、木・石・金属・土などで造ったもの。建築物。

**たてや**［建屋］設備などを収容する建物。「原子炉—」

**たてやくしゃ**［立て役者］①一座の中心となる、大切な俳優。立て役。②中心になって貢献した人物。「勝利の—・和平の—」

**たてゆれ**［縦揺れ］《名・自サ》①地震で、建物が上下にゆれること。近くで起こった地震のときのゆれ

方。②⇩ピッチング①。▽(↕横揺れ)

**だてらに** 接尾 〔副詞をつくる〕〔古風〕…に似合わしくなく。…のくせに。「女―」〔「身分をわきまえるべきだ」という、古い考えに もとづくことば〕

←****た・てる**[立てる] 一 たてる《他下一》①上下に長い向きに〈置く/すえる〉。「棒を―・箸を―」(↕たおす) ②上向きにする。「ひざを―・えりを―」③空中に〈上げる/広げる〉。「けむりを―・ほこりを―」④表面に もりあげる。「さざ波を―・泡を―」⑤〔声・音を〕ひびかせる。「足音を―」⑥〔うわさなどを〕世間に知らせる。「評判を―」⑦〔考えを〕まとめる。また、示す。「新説を―」⑧〔区分・項目を〕作る。「章を―」⑨〔論理を〕通す。「筋道を―」⑩前もって定める。「計画を―」⑪つきさす。くいこませる。「矢を―・つめを―」⑫〔△閉てる〕〔戸・障子を〕しめる。「ふすまを―・人の口に戸は立てられない」⑬〈役目/地位〉に身を置かせる。「代役を―・王として―」⑭〔湯・ふろを〕わかす。⑮〔暮らしを〕うまく続ける。「生計を―」⑯面目を失わないですませる。「顔を―・身のあかしを―」⑰〔市などを〕始める。⑱〔注意を集めて〕聞く。「聞き耳を―」⑲〔刃を〕とがらす。「のこぎりの目を―」⑳〔口ひげを〕はやす。㉑尊敬してあつかう。「相手を―」㉒〔使いの者を〕出す。「使者を―」 二 造 ①しきりに…する。「書き―・はやし―」②すっかり…する。「みがき―」 可能 立てられる。☞身を立てる〔「身」の 句〕。

↔**た・てる**[建てる]《他下一》①建物などをつくる。「家を―・銅像を―・碑を―」②国家や都市をつくる。「統一国家を―」

→**た・てる**[〔△点てる〕]《他下一》①〔抹茶を〕湯でといて、飲めるようにする。「茶を―」②〔コーヒーを〕ていねいにいれる。

**た・でる**《他下一》〔病気や傷のある部分に〕薬湯や熱したタオルなどを当てて蒸すこと。

**たてわく**[立湧] 染織の模様の型の一つ。ふくらんだ部分に菊・雲などを入れて変化をつける。「―模様」

[たてわく]

☆☆**たてわり**[縦割り] ①縦に割ること。②一つの組織の中の、上下の関係(だけで行動すること)。「―行政」▽(↕横割り)

**たてん**[他店]〔文〕〈よそ/ほか〉の店。(↕自店)

**だてん**[打点] ①《野球》安打などによって、味方にもたらした点。「打数五、―四」②ふったバット・ラケットにボールが当たる、地面からの高さ。「―が高い」

**だでん**[打電]《名・自他サ》〔文〕電報を打つこと。(↕受電)

**だてんし**[堕天使]《宗》〔キリスト教で〕神の命令にそむいて天から追放された天使。

**だと**〔話〕一《終助》(↑助動詞「だ」＋格助詞「と」)〈おどろいて/おこって〉やや乱暴に問い返すことば。だって。「なに、なくした―?・なん―?」〔しり上がりに言う〕二《接助》(↑助動詞「だ」＋接続助詞「と」)…では。「警察の調べ―、男は中肉中背で」 アク ウシだと・ネコ-だと・イヌ-だと。 三 だと《接》(↑助動詞「だ」＋接続助詞「と」)〔相手のことばを受けて〕そうだと。そうであると。「―いいのですがね」☞だとしても・だとすると。

**たとい**《副》副詞「たとえ」の、もとの形。「―貧しくとも」 表記「:仮令」「:縦令」とも書いた。

**たとう**[多党]〔文〕多くの政党。「―化」

**たとう**[多頭]〔文〕①飼育する動物が たくさんいること。「―飼い」②一つの組織に二人以上の指導者がいること。「―政治」

**たとう**[〔△畳〕・〔:多当〕] 和服などをしまうときに、折りたたむようにして包む、じょうぶな包み紙。たとう紙。

**たとう**[多投]《名・他サ》①《野球》たくさん投げること。「カーブを―する」②〔投↑投薬〕《医》たくさんあたえること。「薬を―する」

**たどう**[他動] ①ほかから はたらきかけること。「―的」②《言》↑他動詞。▽(↕自動) ●**たどうし**[他動詞]《言》動作・作用などに必要な要素〔「…を」にあたる〕をおぎなって使う動詞。例、「書く」「こわす」。〔この辞書では「歩く」「出る」なども ふくむ。☞付録 文法解説「動詞」〕(↕自動詞)

**たどう**[多動]《医》過度に落ち着きがなく、じっとしていられない、子どもの状態。学習障害を起こすことが多い。☞ADHD。

**だとう**[打倒]《名・他サ》勢力のある相手を打ちたおすこと。

**だとう**[妥当]《ダ・自サ》〔条件などに〕よくあてはまっていること。ちょうどいいと認められること。「―な意見・―性」 派 -さ。

**タトゥー**〔tattoo〕いれずみ。「若者の うでにバラの―」☞ペーパータトゥー。

**たとうかい**[多島海]《地》付近に島がたくさんある海。特に、地中海東部のエーゲ海。

**たとうるい**[多糖類]《理》水を加えると、たくさんの糖類の分子ができる化合物。ふつう、でんぷんやセルロース〔=植物の細胞壁や紙〕をさす。

←**たとえ**[〔△喩え〕・〔×譬え〕・例え] たとえる〈こと/話〉。たとえて言うために引かれた説話。「―話」

→***たとえ**《副》〔―…〈でも/ても〉など〕以下のことをかりに考えて、それは あまり影響しない、という意味をあらわす。よしんば。よし(や)。たとい。「―友人でも、許せない・―失敗しても、あきらめない」 表記「:仮令」「:縦令」とも書いた。

****たとえば**[〔例えば〕]《副・接》①例をあげると。「おくりものは、―ワインはどうだろう・和食が好きです。―、そばとか すしとか」②〔一例として〕もしも。かりに。「―君が困ったら、そのときは助けてあげる」

**たと・える**[〔△喩える〕・〔×譬える〕・例える]《他下一》①それに似ている、まるで そのものだ、と言う。「白い花を雪に―」②似たものを挙げる。「ニュースのアナウンスは、文字に たとえれば楷書だ」

**たどく**[多読]《名・他サ》〔文〕書物を多く読むこと。「―主義」(↕精読)

**だとしても**《接》かりに そうだとしても。としても。「給料は高いかもしれない。―、勤めたい会社ではない」

**だとすると**《接》そうだとすると。とすると。だとしたら。だとすれば。「知らないふりをしているのかもしれない。―、相当な役者だ」

**たどたどし・い**[〔×辿々しい〕]《形》ことばや動作が、もたついて しっかりしていない。「―話しぶり・―書き方」 派 -げ。-さ。

**たどりつ・く**[〔×辿り〕着く]《自五》道をたどって やっ

と着く。

**たど・る**【×辿る】《他五》①〈知らない道/はっきりしない筋道〉を、たしかめながら進む。「地図を—・記憶を—・指で—」②経る。「不思議な運命を—」③道や川などにそって進む。「家路を—〔=うちへ帰る道を進む〕」

**たどん**【△炭△団】〔↑たんどん〕①炭の粉をこねて、まるくかためた燃料。②〔古風・俗〕失敗。黒星。

**たな**【△店】〔文〕①〔出入りの〕店。商家。「お—」②貸家。借家。「—賃」

**たな** ㊀【棚】①板を横にわたして ものをのせる所。「—をつ〔吊〕る〔=かけわたす〕・—板」②つる性の植物を支持するためのもの。「ふじ—・ぶどう—」㊁【タナ】《釣り》さかなのいる水深。「—が変わる」●**棚からぼた餅**【句】思いがけない幸運に恵まれることのたとえ。棚ぼた〔俗〕。●**棚に上げる**【句】〔都合の悪いことを〕問題にしない。「自分のことは棚に上げて、人のせいにする」

**たなあげ**【棚上げ】《名・他サ》問題として取り上げることをいちじやめること。

**たなおち**【棚落ち】〔俗〕①売れない商品が、棚から取り除かれること。②エンジンのピストンの周囲が欠けて落ちること。

**たなおろし**【棚卸し・△店卸し】《名・他サ》①《経》今ある商品の数を調べ(て、資産を計算す)ること。②〔俗〕他人の欠点などを数えあげること。

**たなこ**【△店子】借家人。(↔大家)

**たなご**【×鱮】川にすむ小形のさかな。フナに似ていて、口が小さい。春に、ひれの先が赤く変わる。

**たなごころ**【△掌】〔雅〕てのひら。「—を返すよう〔⇩「手のひら」の句〕」由来「手の心〔=中心〕」の意味から。●**たなごころを指すよう**【句】〔文〕よく〈知って/わかって〉いることのたとえ。「敵の動静が—にわかる」

**たなざらえ**【棚×浚え】—ざらへ〔古風〕⇩クリアランスセール。

**たなざらし**【△店×晒し】①売れないで、店先にいつまでもさらされている〈こと/商品〉。②解決すべきことがらが、手つかずのままになっていること。「—の法案」

**たなそこ**【△手底】〔雅〕てのひら。

**たなだ**【棚田】山や丘の斜面に、階段のようにつくった水田。☞千枚田。

**たなちん**【△店賃】家の借り賃。家賃。

**タナトス**〔ギ Thanatos〕①〔ギリシャ神話で〕死の神。②《心》死に向かう本能。(↔エロス)

**たなばた**【七夕・棚機】七月七日の夜に おこなう祭り。一年に一度この夜に、牽牛・織女の二つの星が、天の川をわたって会うという。ささ竹に、字を書いたたんざくをかざり、芸の上達などをいのる。星祭り。たなばた祭り。由来 もと「棚機つ女」で、織女のこと。祭りの日が五節句の「七夕」にあたるので、この字を書く。

**たなび・く**【棚引く】《自五》①雲・けむり・かすみなどが、横に長く引く。②細長いものが、風になびく。「のぼりが—・髪をたなびかせる」〔おそくとも戦前からある用法〕

**たなふだ**【棚札】小売店のたなに取りつけられた、商品の名前や価格を表示したカード。「電子—」

**たなぼた**【棚ぼた・棚ボタ・タナボタ】〔俗〕↑棚からぼた餅〔⇩「棚」の句〕。「—(式)の勝利」

**たなん**【多難】《名・ダナ》困難の多いこと。「前途—・多事—」派—さ。

**たに**【谷】①〔△渓〕山にはさまれて細長くくぼんだ土地。「千尋の—」②高い部分にはさまれた、低い部分。「グラフの—・山あり—あり〔⇩「山」の句〕」▽(↔山)

**だに** ①〔:壁蝨〕《動》ごく小形のまるい虫。種類が多く、人や動物の皮膚に食いついて血をすったり、アレルギーを起こしたりするものもある。②【ダニ】〔俗〕ゆすりやたかりをする、きらわれ者。「街の—〔=やくざ。チンピラ〕」

**だに**《副助》〔文〕軽いもののほうをあげて、大切なもののほうを、それとなく知らせることば。だけでも。さえ。「微動—しない・思う—悲しい」

**たにあい**【谷〔△間〕】—あひ 谷の下のほうの、せまくなった所。

**たにおり**【谷折り】—をり 折り目が内がわになるように、紙などを折ること。(↔山折り)

**たにかぜ**【谷風】昼、山の斜面にそって下から上の方へふく風。(↔山風)

**たにがわ**【谷川】—がは 谷を流れる川。渓流。

**たにく**【多肉】《名・ダナ》《植》葉・くき・実などが、ぶあつい肉のようであること。「—植物」

**たにし**【田×螺】多く水田にすむ巻き貝の一種。黒茶色でまるみがあり、食べられる。

**たにそこ**【谷底】谷のいちばん深いところ。たにぞこ。

**たにぶところ**【谷懐】山に囲まれた谷あい。「高い山から—見れば」

**たにま**【谷間】①山と山に はさまれて、谷になっている所。また、高いものに はさまれた所。「ビルの—」②援助・勢力などのおよばないところ。取り残されたところ。「好景気の—」

**たにまち**【タニマチ】①力士に お金を出す後援者。②お金を出す後援者を、広く呼ぶことば。「ボクサーの—・政界の—」由来 明治時代、大阪・谷町に、すもうの熱心な後援者がいたことから。

**たにょう**【多尿】《医》尿の分量が異常にふえること。「—症」

**たにわたり**【谷渡り】山中でウグイスなどの鳴き声が響きわたること。また、その鳴き声。

**たにん【他人】①血縁関係のない人。「赤の—・—の飯を食う〔=奉公などをする〕」②関係のない人。「—が口を出すな」③自分以外の人。「—のことは知らない」●**他人の疝気を頭痛に病む**【句】直接関係していないことに よけいな心配をする。人の疝気を頭痛に病む。●**他人の不幸は蜜の味**【句】⇩人の不幸は蜜の味〔⇩「人」の句〕。●**たにんぎょうぎ**【他人行儀】《名・ダナ》他人どうしのように よそよそしく ふるまうようす。●**たにんごと**【他人(事)】ひとごと。〔「ひとごと」を漢字で書いた「他人事」を音読みしたことば〕(↔自分ごと・わがこと)●**たにんどん**【他人丼】親子丼の とり肉のかわりに別の肉を使ったどんぶりもの。☞開化丼。●**たにんのそらに**【他人の(空)似】他人なのに顔などがよく似ていること。

**たにんずう**【多人数】多くの人。おおぜい。大人数。

たにんず〔古風〕。(↕少人数)

**たぬき**［(×狸)］①中形の けものの名。くぼんだ目の まわりに ぶちがあり、尾が太い。昔、人をばかすと考えられた。☞腹鼓②。②人をだます者。ずるくて ゆだんのならない人。「一おやじ・一ばばあ」③(↑たぬき〈うどん/そば〉)うどん・そばで、天ぷらの あげ玉をたねに入れたもの。〔京都では、刻んだ あぶらあげをのせて くずあんをかける〕④(↑たぬきそば。大阪方言)あまからく味つけをした あぶらあげをのせた そば。●**たぬきねいり**［(×狸)寝入り］《名・自サ》 ねむったふりをすること。空寝。たぬき寝。

**たね**［種］①実の中にあって、芽の出るもとになるもの。種子。「一まき」②ものごとの原因。「心配の一」③ものごとの しかけのもとになるもの。「一をあかす」④文章などの、材料。⑤養殖のカキ(牡蠣)のたまご。「カキ一」⑥料理の材料。ネタ〔俗〕。「きょうは いい一が あるよ」⑦料理の中に入れる材料。「みそしるの一・天ぷらの一」⑧料理の材料をこねたり かきまぜたりして作る、焼く前の形。「ハンバーグの一・ホットケーキの一」⑨そば・うどん・かき氷などに加える、特別の材料。☞種物②③。⑩(血統をつぐ)子。「一つぶ一」☞落としだね(胤)。表記 ①～⑨「タネ」とも。●**種が割れる** 句 しかけ・たくらみが わかる。●**種をつける** 句 授精する。妊娠させる。●**種を宿す** 句 相手の男性の子を妊娠する。自 種が宿る。

**たねあかし**［種明かし］《名・自サ》①手品などの しかけを(見せて)教えること。②相手が不審に思うことの、事実を告げること。

**たねあぶら**［種油］⇩菜種油。

**たねいも**［種芋］栽培して ふやす もとにする芋。

**たねうし**［種牛］《農》いい牛をふやすために飼う、雄牛。しゅぎゅう。

**たねうま**［種馬］①《農》いい馬をふやすために飼う、雄馬。しゅば。②〔俗〕子をつくることだけが役目の〈夫/男〉。

**たねがしま**［:種子=島］火縄銃。由来 一五四三年、この島に漂着したポルトガル人が伝えたことから言う。

**たねぎれ**［種切れ］《名・自サ》〈たね/材料〉が なくなること。「アイデアが一だ」

**たねせん**［種銭］〔俗〕事業などをする もとになる、少しまとまったお金。「まず一を作ることだ」

**たねちがい**［種違い］〔俗〕〔きょうだいの あいだで〕母が同じで、父がちがう〈こと/人〉。たねがわり。異父。(↕腹違い)

**たねつけ**［種(付け)］《名・自サ》〔いい子をうませるために、いい〕おすをめすと交尾させること。〔人工授精による場合や、貝・海藻類などにも言う〕

**たねび**［種火］いつでも〈火がつく/火がおこせる〉ように用意しておく、小さな火。「一を残す」

**たねぶた**［種豚］《農》いい豚をふやすために飼う、雄豚。しゅとん。

**たねほん**［種本］著作・講義のもとにする、他人の著書。

**たねまき**［種(×蒔き)］《名・自サ》草花や野菜・イネの、たねをまくこと。

**たねもの**［種物］①草木の たね。②天ぷら・肉など、特別の材料を入れた〈そば/うどん〉。③あずきなど、特別の材料を入れた かき氷。(↕水)

**たねもみ**［種(×籾)］《農》イネを育てるために種としてまく、殻のついた米。

**たねん**［多年］長い年月。「一の経験」●**たねんせい**［多年生］《植》何年間も、枯れないで生育すること。(↕一年生・二年生)●**たねんそう**［多年草］《植》くきや葉が枯れても、根は枯れない草。多年生草本。宿根草。(↕一年草・二年草)

**たねん**［他年］《副》〔文〕〔何年かたって〕そのうちに、いつか。将来。

**だの**《副助》〔A一B一〕ものごとをならべて言うときに使うことば。「愛一恋一で夢中になる・試験一何一でいそがしい」

**たのう**［多能］《名・ナダ》〔文〕①多くの芸能(に通じていること)。「多芸一」②多くの能力・機能をもつこと。「一工・一性をもつ」

**だのう**［惰農］〔文〕なまけものの農民。

**たのしい［楽しい・△愉しい］《形》明るく、はずむような気持ち(にさせるようす)だ。「楽しく過ごす・旅行は楽しかった・一音楽・一家庭」区別 ⇩うれしい①・おもしろい①。派 -がる。-げ。-さ。

**たのしませる**［楽しませる］《他下一》楽しむようにする。楽します。「きれいなけしきを見て目を一・心を一」

*たのしみ［楽しみ］【一】楽しむ〈こと/もの〉。「一を見いだす・休日の一は食事だ」【二】《ナダ》楽しいだろうと期待する気持ち。「彼と会うのが一だ」

**たのしむ［楽しむ・△愉しむ］《他五》①楽しいものと思う。それを味わって心が満足する。「映画を一・山を一」②将来、楽しい状態になることを待つ。「子どもの成長を一」③趣味として楽しくおこなう。「ピアノを一」可能 楽しめる。☞楽しませる。

**だのに**〔話〕【一】連〔助動詞または形容動詞語尾などの「だ」＋接続助詞「のに」〕…なのに。「広い部屋一、窓が一つもない」【二】**だのに**《接》〔前を受けて〕なのに。「四月になった。一、まだ寒い」▽【一】は江戸時代からの用法。明治後期から「なのに」も使われた。【二】は【一】よりも おくれて あらわれた。【一】【二】ともに現在は「なのに」が優勢。丁寧 ですのに。

**たのみ**［頼み］【一】〔相手に〕たのむこと。「一を聞き入れる」【二】**たのみ** たよること。「一の年金も減らされた・輸出頼みの経済」●**たのみこむ**［頼み込む］《他五》よくたのむ。●**たのみすくない**［頼み少ない］《形》心ぼそい。●**たのみのつな**［頼みの綱］たよりにして すがる人やもの。「あなただけが一です」

**たのむ［頼む］《他五》①〔あることを〕してくれるように、相手に はたらきかける。依頼する。「返事を一・ざるそばを一〔=注文する〕・一、この通りだ〔頭を下げるなどする〕」②力にする。たよる。「柱と一父親・みずからを一〔=自分の力をあてにする〕」③何かをしてもらうために、呼ぶ。「医者を一」④〔あることをしてくれることを〕まかせる。「あとは一」⑤あてにする。「偶然を一」可能 頼める。

**たのも**［田の△面］〔雅〕水田の表面。「一の月」

**たのもう**［(頼もう)］《感》〔古風〕昔、さむらいが案内を請うときに言ったことば。たのむ。

**たのもしい**［頼もしい］《形》たよりになりそうな感じ

だ。「—態度・—男」派-がる。-げ。-さ。

**たのもしこう**[頼母子講]⇩むじん(無尽)②。

**たば**[束]くくったりして、ひとまとめにしたもの。「郵便物の—・にら二—・かぎ—」 ●**束になって かかる** 句 大ぜいがいっしょになって おそいかかる。

**だは**[打破]《名・他サ》〔これまでのよくないものごとを〕うちやぶること。「古い習慣を—する」

**だば**[駄馬]①荷を積む馬。荷うま。②下等な馬。

**たはいいが**《接助》…することはできたが。…してみたが。「難関校に合格し—、勉強についていけない・読んだはいいが〔濁音の例〕」

**たばか・る**[〈謀る]《他五》〔文〕①よくない相談をする。②あざむく。だます。「人を—」名 たばかり。

**たばかん**[束感]かみの毛がまとまって束になっている様子。「〈ヘアワックスで—を作る〉」

***タバコ**[(:煙草)・(:莨)・たばこ]〔ポ tabaco〕葉タバコ〔=大形の葉を持つ栽培植物〕をかわかして作り、火をつけて吸う嗜好品。〔肺がんなどの原因になる。加熱して使う製品もある〕「—を吸う・紙巻き—・加熱式—・—〈飲み/吸い〉〔=喫煙者〕・—銭〔=わずかなこづかい、または、お礼〕・—にする〔=休憩する〕・お—はご遠慮ください」

**たばさ・む**[手挟む]《他五》〔文〕①手に はさんで持つ。②腰にはさむ。「両刀を—」

**たばし・る**[(×迸る)]《自五》〔雅〕ほとばしる。「あられ(霰)が—」

**タパス**〔ス tapas〕ワインなどの酒といっしょに楽しむスペインのおつまみ。生ハムやマリネ、オムレツなどを少しずつ食べる。

**タバスコ**〔Tabasco=商標名〕赤とうがらしでつくった、からいソース。タバスコ ソース。ホットペッパー ソース。

**たはた**[田畑・田×畠]田とはたけ。

**たはつ**[多発]《名・自サ》たくさん発生すること。「—性神経炎〔=手足の神経があちこち まひしたり、動かなくなったりする症状〕・事故—地点」

**たばつてき**[他罰的]《ナダ》①〔文〕他人を罰しようとして、攻撃したりするようす。②《心》他人が悪いと考えがちなようす。他責的。「—性格」▽(↔自罰的)

**たば・ねる**[束ねる]《他下一》①たばにする。「雑誌を—・髪をゴムで—・ひもを通して貨幣を—・かぎを—」②集団や組織をまとめる。「役員を—」名 束ね。「一家の—」

**たび**[足袋]〔和装のとき〕あしに はく、親指と他の四本に分かれている形のもの。「白—」

**たび**[(度)]一 たび ①回数。「—かさなるけが」②…のとき(は いつも)。「写真を見る—(に)思い出す」二 接尾 回数を数えることば。「三—・幾—」

**たび**[旅]〈自分の家をはなれて/乗り物に乗って〉よその土地へ行くこと。旅行。「—疲れ・—日記・もし、—の方」☞旅する。●**旅から旅** 句 あちこち旅をして、ひとところに おちつかないこと。「—という生活・—へとわたり歩く」●**旅の恥は かき捨て** 句 旅先では知った人もいないから恥になることをしても平気だ。●**旅は道連れ世は情け** 句 旅には同行者があると心強いし、世間をわたるには人情ほどありがたいものはない。

☆☆**だび**[(×茶×毘)・(×茶×毗)]《仏》火葬。「—に付す〔=火葬にする〕」

**タピオカ**〔オ tapioca〕キャッサバの根からとる でんぷん。つぶの形にして食べる。「—ドリンク・—ミルクティー」

**たびかさな・る**[度重なる]《自五》何度も続いて起こる。「—事故」

**たびがらす**[旅(×烏)]①一生を旅に送る人。渡世人。②よその土地から来た人。

**たびげいにん**[旅芸人]地方を回り歩いて かせぐ芸人。

**たびごころ**[旅心]①旅をしているときの思い。旅情。②旅に出たいと思う心。

**たびごと**[(度ごと)]〔ごと=毎〕…するたび、毎回。「授業の—にプリントを配る・会う—(に)、あいさつする」

**たびさき**[旅先]①旅行して歩く先。②旅行して、いちじ滞在する場所。

**たびじ**[旅路]〔文〕①旅行の みち。②旅。「一週間の—」

**たびじたく**[旅支度]《名・自サ》①旅行の準備。「—をすませる」②旅行の服装。旅装。「身軽な—」

**たびしょ**[旅所]⇩お旅所。

**タピストリー**〔tapestry〕⇩タペストリー。

**たびずまい**[旅住まい]旅行した先で、しばらく旅館・下宿・借家などに住むこと。

**たび・する**[旅する]《自サ》〔文〕旅行をする。

**たびそう**[旅僧]行脚の僧。

**たびだち**[旅立ち]《名・自サ》旅立つこと。

**たびだ・つ**[旅立つ]《自五》①旅行に出発する。②新生活を始める。巣立つ。「社会へ—若者」③あの世へ行く。死ぬ。

**たびたび**[(度々)]《副》何度も(くり返すようす)。「かねを送れと—催促する・テレビに—登場する教授・—のお手紙」

**たびで**[旅出]《名・自サ》〔文〕旅に出ること。旅立ち。「故郷に—する」

**たびどり**[旅鳥]《動》わたり鳥の一種。南または北へわたるとちゅうで、日本を通過して行く鳥。例、シギ・チドリ。

**たびにん**[旅人]侠客・やし(香具師)などで、各地をわたり歩く人。わたりどり。☞たびびと(旅人)。

**たびね**[旅寝]《名・自サ》〔文〕旅先で ねること。「—のまくら」

**たびはだし**[足袋(:裸足)]はきものをはかず、たびのままで外を歩くこと。

**たびびと**[旅人]旅行をしている人。旅行客。☞たびにん(旅人)。

**たびまわり**[旅回り]旅をして ほうぼうを回って歩くこと。「—の芸人」

**たびやくしゃ**[旅役者]地方を回り歩いて、芝居をする役者。

**たびょう**[多病]《名・ナダ》よく病気をすること。「才子—」

**たひん**[他品]〔文〕ほかの しな(もの)。「—とのお取り替えは いたしかねます」

**ダビング**《名・他サ》〔dubbing〕ディスクなどに録音・録画した内容を、別のディスクなどに転写すること。

**タフ**《ナダ》〔tough〕①肉体も精神力も強く、容易に へこたれないようす。「—な選手」②大変で やっかいなようす。「—な仕事・—な試合」派-さ。

**タブ**〔tab〕《情》①パソコンの文書作成で、それ以降の文字列を右(または下)に寄せたり、データの区切りをあらわしたりするために挿入するコード。「Tab」キーで入力する。②インターネットのブラウザーなどについた、画面を切りかえるときにクリックする、つまみの形の絵。

**タブー**《名・ナダ》〔taboo〕①《宗》神聖なものとして禁じられ〈ている こと/た もの〉。禁忌。②言ってはならないことがら。禁句。「その話は－だ・－な質問」

**タフガイ**〔tough guy〕タフな男。容易に へこたれない男。

**たぶさ**［(×髻)］もとどり。

**タフタ**〔フ taffetas〕はりと つやのある、目のつんだ平織りの生地。ドレスなどに使う。

**たぷたぷ**《副・自サ》①たっぷり入った液体が ゆれる〈ようす/音〉。「バケツの水が－ゆれる・おなかが－だ」②たるんだ(ものが ゆれる)ようす。「肉を－ゆらす・二ののでが－している」

**だぶだぶ** だぶだぶ《副・自サ》・だぶだぶ《名・ナダ》①からだの寸法より衣服が大きすぎるようす。だぼだぼ。「－なズボン」②からだに肉がつきすぎたようす。「－した腹」③水などが、中でゆれ動くようす。「たるの酒が－ゆれる」

**だぶつ・く**《自五》多すぎて あまる。名だぶつき。

**タフネス**《名・ナダ》〔toughness〕タフであること。「精神的な－」派－さ。

**たぶのき**［(×椨の木)・(×椨)］野山や公園に見られる広葉樹。黒っぽい丸い実がつく。

**だふや**［ダフ屋］〔ダフ＝「札」の さかさことば〕〔俗〕チケットを買いこんで、持っていない客に高く売りつける者。

**たぶらか・す**［(×誑かす)］《他五》あざむく。だます。名たぶらかし。

**ダブリュー** ━［W・w］アルファベットの二十三番目の字。ダブル。═［W］①～⑤は視覚語)①〔↑west〕西。磁石などで使う記号。②ワールド〔＝世界〕。「－杯〔＝ワールドカップ〕」③ウイーク〔＝週〕。「G－〔＝ゴールデンウイーク〕」④ウエスト〔＝腰まわり〕。⑤［w］〔「笑い」の頭文字から〕〔俗〕インターネットなどの くだけた文章の文末で、笑いをあらわす文字。「まさか www」〔二十一世紀になって広まった使い方。「わら」と読む人もいる〕☞草生える〔「草」の句〕・わら(笑)・わらい═。⑥〔↑ド Wolfram〕《理》タングステンの元素記号。●☆☆**ダブリューエイチオー**［WHO］〔↑World Health Organization〕世界保健機関。すべての人々の健康を最高水準に引き上げる目的で設立された、国連の専門機関。●**ダブリューシー**［WC］〔↑water closet〕(公衆)便所。ダブル シー。●**ダブリューティーオー**［WTO］〔↑World Trade Organization〕世界貿易機関。国連の関連機関。一九九五年、GATTの任務を引きついで設立。●**ダブリュービーシー**［WBC］〔↑World Baseball Classic〕野球の国別対抗戦。〔二〇〇六年に第一回を開催〕

**ダフ・る**《他五》〔duff を活用させたことば〕《ゴルフ》クラブが手前の土にあたり、ボールを打ちそこなう。

**ダブ・る**《自五》①かさなる。重複する。「予定が－・その姿が昔の自分と－」②〔学〕留年する。ドッペる〔古風〕。③《野球》〔俗〕ダブルプレーをする。「ダブられる」表記「だぶる」「Wる」とも。名ダブり。

**ダブル**〔double〕①(同時に)二つ。二重。二倍。「－受賞・－イメージ〔＝二重写し〕・－クッション〔＝マットレスにも台にもスプリングの はいったベッド〕」(↕シングル・トリプル)②(ホテルで)ダブルベッドを入れた客室。(↕シングル・ツイン)③〔↑ダブル ブレスト〕《服》洋服の前のあわせめが深いもの。ボタンは二列。両前。(↕シングル)④タンブラーの底から指二本分〔＝ツーフィンガー〕の量。約六〇ミリリットル。(↕シングル)⑤人種や民族の ちがう父母の血を〈引くこと/引いた子〉。ダブルルーツ。〔俗に「ハーフ」とも言うが、「半分」の語感をさけて「ダブル」「ミックス」も使われる。「海外にもルーツがある人」なども言える。⑥《野球》⇩ダブルヘッダー。⑦〔話〕⇩ダブリュー━。表記俗に、音の似た「W」で書く。「Wチャンス」●**ダブルキャスト**〔double casting〕同じ役に、ふたりの俳優を用意し、交替で出演させること。●**ダブルクリック**《名・他サ》〔double click〕(コンピューターで)マウスのボタンを二度続けておすこと。●**ダブルクリップ**〔double clip〕紙をはさんでとめるクリップで、つまみのところが折り返せるようになっているもの。●**ダブルケア**〔和製 double care〕子育てと介護の両方をする必要があること。●**ダブルシー**［WC］⇩ダブリューシー(WC)。●**ダブルス**〔doubles〕《テニス・卓球など》ふたりずつ組んでおこなう試合。複試合。(↕シングルス)●**ダブルスクール**〔和製 double school〕大学に通いながら、別の専門学校などでも勉強すること。「資格を取るために－で努力する」●**ダブルスコア**〔double score〕〈得点/得票〉が二倍あること。「－で勝つ」●☆☆**ダブルスタンダード**〔double standard〕対象によって、適用する基準を(不公正に)かえること。二重基準。ダブスタ〔俗〕。●**ダブルスチール**〔米 double steal〕《野球》ふたりのランナーが同時に盗塁すること。重盗。●**ダブルチェック**《名・他サ》〔double check〕〈二人で/二度〉点検すること。●**ダブルバインド**〔double bind＝二重拘束〕《心》矛盾した二つの命令を受け、何もできなくなってしまう状態。例、「自分で考えろ」と言われて行動したら「勝手なことをするな」と おこられる。●**ダブルはば**［ダブル幅］《服》織物の幅の一種。シングル幅の二倍。ふつう一四四センチ。●**ダブルパンチ**〔和製 double punch〕同時に二つの痛手をこうむること。「円高とデフレの－」●**ダブルフォルト**〔double fault〕《テニス》二回続けてサーブを失敗すること。ダブル フォールト。●**ダブルブッキング**《名・他サ》〔double-booking〕①(キャンセルを見こして)飛行機の座席、ホテルの部屋などの予約を二重に受け付けること。②二つの予約や約束を重ねて すること。●**ダブルプレー**〔米 double play〕《野球》連続した動作で、続けてふたりをアウトにすること。併殺。重殺。ゲッツー。☞トリプルプレー。●**ダブルベース**〔double bass〕《音》コントラバス。ダブル バス。●**ダブルヘッダー**〔米 doubleheader〕《野球》同じチームどうしが同じ日に試合を二回すること。●**ダブルベッド**〔米 double bed〕ふたりいっしょに ねるための、はばの広い寝台。(↕シングル ベッド)●**ダブルミーニング**〔double meaning〕表現が二つの意味にとれること。

た

例、「ないものはない」は、「なんでもある」と「ないことの強調」の二つの意味がある。

**タブレット**〔tablet〕①〔「書字板」の意味から〕〘情〙↑タブレット端末。②錠剤。③ことばを一字ずつ変えていく遊び。例、「はな」→「はと」→「ひと」。④〔単線鉄道で〕駅長から運転手にわたされる、通行票。通票。●☆☆**タブレットたんまつ**〔タブレット端末〕〘情〙本ぐらいの大きさの、板状で、持ち運べるコンピューター。片面のほぼ全体が画面になっていて、これにタッチして操作する。多機能携帯端末。タブレットPC。タブレット。例、iPad〔商標名〕。☞スマートフォン。

**タブロイド**〔tabloid〕新聞の二分の一ページにあたる大きさ(の型)。タブ。「―型・―判」

**タブロー**〔フ tableau〕〘美術〙〔壁画などでなく〕板やカンバスにかいた絵画。

**たぶん**〔他聞〕〘文〙他人が聞くこと。ひとぎき。「―をはばかる」

**たぶん 一 たぶん〔(多分)〕〘副〙〔推量のことばを下にともなって〕断定するには少し自信のないときに使うことば。おそらく。「―あすには治るだろう」☞おおかた二②。二 たぶん〔多分〕〘文〙①たくさん。「―のご祝儀・―に影響を受けた」②⇨ご多分。

**だぶん**〔駄文〕〈つまらない/まずい〉文章。〔自分の文章をけんそんして言うこともある〕

**たぶんか**〔多文化〕いくつもの異なる文化が同じ場に存在すること。「―共生(=異なる文化を持つ人々が、たがいの文化を尊重しながら共に生きていくこと)」

**だべ**〘連〙〔助動詞または形容動詞語尾などの「だ」に、東日本方言の終助詞「べ」がついたもの〕だろう。だべえ。「そう―・なん―(=なんですか)」

**たべあるき**〔食べ歩き〕①名物料理やおいしいものを、あちこち食べて歩くこと。②〘俗〙「食べ歩き①」の記事。「全国ラーメン―」③〘俗〙ものを食べながら歩くこと。「―はご遠慮ください」動食べ歩く〘自五〙。

**たべあわせ**〔食べ合わせ〕⇩くいあわせ。

**たべかす**〔食べ(×滓)〕①食べ残し。「食器や―でよごれたテーブル」②〔口の中の〕食べ物のかす。

**たべがら**〔食べ殻〕〔弁当など〕食べてからになった入れ物やくだものの皮など。

**たべごたえ**〔食べ応え〕〔食べたときに〕量としてじゅうぶんであること。「―のある豚カツ」

**たべこぼす**〔食べ(△零す)〕〘他五〙食べ物を口や手から落として周囲をよごす。「菓子をぼろぼろと―」名食べこぼし。

**たべごろ**〔食べ頃〕食べていちばんおいしい〈時期/時節〉。「ミカンの―」

**たべざかり**〔食べ盛り〕〔成長期の子どもが〕いちばんごはんを食べる時期。

**たべさせる**〔食べさせる〕〘他下一〙やしなう。食わせる。食べさす。「家族を―」

**たべずぎらい**〔食べず嫌い〕〘名・ナダ〙くわずぎらい。「―の方におためしいただきたい」

**タペストリー**〔tapestry〕〔つづれ織りの/絵などがかいてある〕壁かけ。タピストリー。タピスリー(フ tapisserie)。

**たべぞめ**〔食べ初め〕⇩くいぞめ。

**たべちらす**〔食べ散らす〕〘他五〙あれこれ箸をつけて、きたなくする。食べちらかす。食い散らす。

**たべで**〔食べで〕くいで。「―がある」

**たべもの**〔食べ物〕口に入れて食べるもの。食料。食物。「明日の―にも困る」

**たべよごし**〔食べ汚し〕食べちらしたもの。

****たべる**〔食べる〕〘他下一〙①食物をかんで、おなかに入れる。「まんじゅうを―・ごはんを―(=食事をする)・かいこが葉を―」〔「白血球が細菌を―(=取りこむ)」のように、たとえにも使う〕尊敬召し上がる。お食べになる。謙譲いただく。頂戴する。丁寧いただく。②生活する。「この給料では食べていけない」③〔古風〕〔酒を〕飲む。「そちは、ささ(=酒)は―か」✓ふつうは「食う」と言う場合に「食べる」と言うことがある。「自動車がすごくエネルギーを―」☞食う。名食べ。「えさの―がいい」可能食べられる。食べれる〘俗〙。

**だべる**〔駄(△弁)る〕〘自五〙〘俗〙〈むだな/くだらない〉おしゃべりをする。名だべり。

**たべん**〔多弁〕〘名・ナダ〙〘文〙口数が多いこと。多言。「―をいましめる」派―さ。

**だべん**〔駄弁〕くだらない おしゃべり。むだぐち。「―を弄する」

**たぼ**〔(×髱)〕①日本髪の、うしろのほうに出た部分。②〘俗〙(商売)女。

［たぼ①］

**だほ**〔×拿捕〕〘名・他サ〙〔敵の〕船などをとらえること。捕獲。

**だぼ**〔ダボ〕①〘俗〙短く突き出た〈部分/もの〉。突起。②↑だぼはぜ。

**ダボ**〘ゴルフ〙↑ダブル ボギー。☞ボギー。

**たほう**〔他方〕〘文〙一 他の方向。もう一方。「―から見ると・―では」二〘接〙〔それに対して〕別のほうからみると。もう一方では。「型にとらわれてはならない。―、型を守ることも大切だ」

**たぼう**〔多忙〕〘名・ナダ〙仕事が多くていそがしいこと。「―をきわめる」派―さ。

**だほう**〔打法〕〘野球・ゴルフなど〙打ち方。

**だぼう**〔打棒〕〘野球〙バット。打撃。「―大いにふるう」

**たほうめん**〔多方面〕〘名・ナダ〙多くの方面。

**だぼく**〔打撲〕〘名・他サ〙〘文〙打つこと。たたくこと。「―傷(=打たれて、また、打ちつけて、皮膚の下に受けたきず。うちみ)」

**だぼシャツ**〔ダボシャツ〕〘俗〙やし(香具師)などが着るシャツ。ゆったりした短い筒そでで、えりがなく、前をボタンでとめる。

**だぼはぜ** 一〔だぼ(×鯊)〕川口付近などにすむ小形のハゼ。せなかは黒っぽく、腹は灰色。形はみにくい。えさにすぐ食いつく。だぼ。二〔ダボハゼ〕〘野球〙〘俗〙ボールだまにすぐ手を出すバッター。〔すぐ引っかかることから言う〕

**だぼら**〔駄(△法×螺)〕〘俗〙いかにもいいかげんだとわかるようなほら。でたらめ。「―をふく」

**だほん**〔駄本〕くだらない本。

←**たま**〔玉〕一 たま ①まるい形をしたもの。「目の―・パチンコの―・―の(=大つぶの)汗」②レンズ。「めがねの―」③電球や蛍光灯。「―が切れた」④ホチキスの針。芯。〔つぎつぎに出る「弾」の意味から〕⑤うどん

などの めんをまるめたもの。「うどん―・ひと―五〇円」⑥美しいものごとをほめて言うことば。「―の ような男の子・―のかんばせ〔＝きれいな顔〕・―の はだえ〔＝きれいなはだ〕」⑦とうといもの。「―の み声」⑧〔俗〕〔美しい〕女。⑨〔俗〕人物。「―がない」「たいした―だ」⑩〔俗〕〔企業で〕商品や企画。⑪〔俗〕きんたま。表記 ⑧～⑪「タマ」とも。二 造 ①たまご。「かに―・ハム―サンド」②〔たまごの はいった〕お好み焼きの たね。天。「ぶた―」

↔たま［玉・△珠］①［△璧］〔まるい形をした〕宝石・真珠など。「―の〔＝玉で作った〕さかずき」②そろばんの軸にはめこみ、上下に動かして数をしめすもの。●玉にきず（瑕）句 すぐれたものなのに、わずかな欠点があるというたとえ。●玉磨かざれば光なし 句〔文〕すぐれた才能があっても、努力して学ばなければ、りっぱな人になることはできない。●璧を懐いて罪あり 句〔文〕身分不相応な宝を持つと、わざわいを招くもとになる。●玉を転がすよう 句 声の美しいようす。「―な声」

↔たま［球］①野球・ゴルフ・フットボールなどに使う、まるい形のもの。ボール。「速い―を投げる・―数〔＝投球数〕」②〔ビリヤードで〕突いてころがす まるい形のもの。③電球。「電気の―」●球が詰まる 句《野球》ボールがバットの手もとに近い所に当たる。〔遠くへは飛ばない〕●球が走る 句《野球》投球にスピードが出る。●球を投げる 句 解決すべき課題を投げかける。「先方に球を投げて返事を待つ」

↔たま［弾］弾丸。「銃に―を込める・ピストルの―」

↔たま［（△魂）］〔文〕たましい。「汝が〔＝あなたの〕―・み―」

→たま［タマ］一 たま〔＝玉〕ネコにつける代表的な名。二 たま〔＝魂〕〔俗〕いのち。「―を取る〔＝殺す〕」

たま 回数が少ないこと。「『たびたび会いますか？』『いえ、―ですよ』・―の休み」表記 かたく「△偶」「×稀」とも。☞たまに。

だま［ダマ］①《料》粉を水・湯で といたときに、よくとけないで できる、かたまり。ままこ。「小麦粉が―になる」②かたまり。「マスカラが―になる・兄弟が―になって遊ぶ」由来「玉」から。濁音化して、よくない意味を強調した。

たまあし［球足］《野球・ゴルフ》ボールの とぶ はやさ、また、距離。「―が はやい・―が長い」

たまあみ［玉網］たもあみ。たも。

たまいし［玉石］石がきなどに使う、まるい石。☞ぎょくせき（玉石）。

たまいれ［玉入れ］布で作った玉を高い位置のかごに投げ入れて、はいった玉の数をきそう競技。まり入れ〔方〕。「運動会の―」

↔たま・う［（△賜う）］《他五》〔発音はタモーとも〕〔文〕「あたえる」の尊敬語。〔目上の人が〕くださる。「おほめのことばを―」〔「くださる」より敬意が高い。「たもう」「たもうた」は、文語の発音にもとづいた形〕

→たま・う［（△給う）］《補動五》〔発音はタモーとも〕〔古風〕〔他人の行為を尊敬して〕お…になる。「立ち―・心配し―な」〔「なさる」より敬意が高い。「たもう」「たもうた」は、文語の発音にもとづいた形〕☞たまえ。

たまえ［（△給え）］◇〔補助動詞「たまう」の命令形〕①〔男性の〈古風／演劇的〉な言い方〕同等または目下の人に求めることば。なさい。たまい。「さあ、あがり―・聞いてくれ―〔＝『くれ』よりも やや丁寧な言い方〕」②《宗》神の行為を尊敬して言うことば。「守らせ―〔＝お守りください〕」

たまおくり［霊送り・△魂送り］《名・自サ》《仏》お盆にまつった死んだ人の霊を送り返すこと。精霊送り。（↕霊迎え）

たまかざり［玉飾り］ふとい輪かざり。

だまか・す［（×騙かす）］《他五》〔俗〕だます。

たまき［（△環）］〔雅〕輪のような形の玉。ゆびわ。

たまぎ・る［（△魂△消る）］《自五》〔文〕おどろく。たまげる〔俗〕。「―ような声〔＝おどろいたりして絶叫する声〕」

たまぎわ［球際］《球技》とったり打ったりするのが難しい、微妙なボール。「―のせりあい・―に強い〔＝ぎりぎりのボールをよくとれる〕」

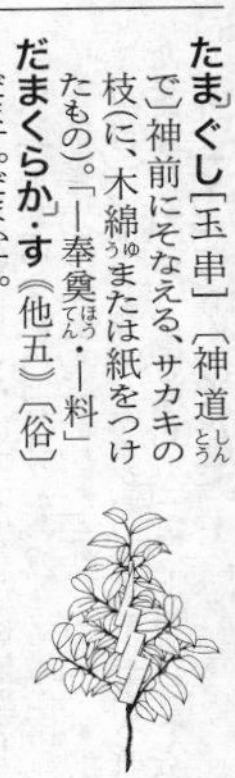
［たまぐし］

たまぐし［玉串］〔神道で〕神前にそなえる、サカキの枝〔に、木綿または紙をつけたもの〕。「―奉奠・―料」

だまくらか・す《他五》〔俗〕だます。だまかす。

たま・げる［（△魂△消る）］《自下一》〔俗〕おどろく。「おっ―」

*たまご［卵・タマゴ］①〔鳥・さかな・虫などの〕子になる前の、まるい形のもの。「アヒルが―を産む」②ニワトリの「たまご①」。「―を買ってくる・―形」③［玉子］ニワトリの「たまご①」を調理したもの。「―どんぶり」④まだじゅうぶんに発達しないもの。「台風の―」⑤修業中の見習い生。「医者の―・学者の―」⑥↑たまご色。●卵に目鼻 句 まるくて色が白くて、かわいらしい顔立ち。●たまごいろ［卵色］①「たまご②」の からの色。白茶色。「―の紙」②「たまご②」の黄身の色。「―の壁」●たまごかけごはん［卵〈掛け御飯〉］ごはんに生たまご・しょうゆをかけたもの。〔俗に、頭文字から「TKG」とも言う〕●たまござけ［卵酒］生たまごを割って酒に入れ、あたためながらかきまぜて作る飲み物。●たまごどうふ［玉子豆腐・卵豆腐］だしや調味料で味つけをしたときたまごを四角い豆腐のような形に蒸しあげたもの。冷やして、たれをかけて食べる。●たまごとじ［玉子（×綴じ）・卵（×綴じ）］煮物や汁物の仕上げに ときたまごを入れて、とじた料理。●たまごやき［玉子焼き・卵焼き］たまごをとき、味をつけて焼いた料理。「―器」表記 高知県では「卵焼き」が ふつう。〔「玉子焼き」小形のカステラをさすため〕

たまさか［（△偶さか）］《副》〔文〕①たまたま。「―この世に生まれて」②たまに。「―出かけることがある」▽たまさかに。

たまざん［玉算・△珠算］〔古風〕⇩しゅざん。

だまし［（×騙し）・（△欺し）］一 だまし だますこと。「―の手口」二 造《生》〔生物の名で〕…に似ていること。「カニダマシ〔＝ヤドカリの なかま〕」●だましうち［（×騙し）討ち］人をだまして〈不意に攻撃／ひどいしうちを〉すること。●だましえ〔(×騙し)絵〕 目の錯覚を利用して、見る人に見方によってさまざまに見えて、不思議な感じを起こさせる絵。●だましだまし〔(×騙し×騙し)〕《副》①だましながら。「古い機械を―使う」②手加減しながら。調子を見ながら。

たましい〔魂・△霊〕 ①生物の肉体に宿り、精神作用を受け持つと考えられるもの。②気力。「制作に―をこめる」③精神の類型。「やまと―」④死者の霊魂。「死者の―をなぐさめる」⑤命のように大切なもの。「刀は武士の―」●魂を入れ替える 句 心を入れ替える。深く反省してまじめになる。●魂を天外へ飛ばす 句〔文〕非常にうれしくなって、うっとりする。

たまじゃり〔玉砂利〕 丸みのある大きなじゃり。庭などに敷きつめる。

だま・す〔(×騙す)・(△欺す)・(×瞞す)〕《他五》①うそなどを言って、相手に本当だと思わせる。あざむく。②〔きげんを取って、子どもの気持ちを〕まぎれさせる。③故障しがちな機械やからだを、様子を見ながら使っていく。「いためた肩をだましながらプレーする」表記 ②③「×賺す」とも。☞だましだまし。●だまされたと思って 句 信じてくれなくてもいいので。〔自分がいいと思うものを人に強くすすめるときに使う〕「―ちょっと食べてみて」

たまずさ〔玉(△章)〕〔雅〕手紙。ふみ。

たますじ〔球筋〕①《野球》投球の〈性質/コース〉。「―を見きわめる」②《ゴルフなど》ボールの〈飛ぶ方向/飛び方〉。「―が不安定」

たますだれ〔玉(×簾)〕①〈玉でかざった/美しい〉すだれ。②草花の名。夏、長いくきの先に、小さな白い花がさく。③竹棒がずれるように作ってある小さなすだれ(でいろいろな形をつくる芸)。南京玉すだれ。

たまたま《副》偶然。ふと。表記 かたく「△偶」「△偶々」とも。「△偶く」とも書いた。

たまちゃ〔玉茶〕 手でもんで玉のような形に作った玉露。

たまち・る〔玉散る〕《自五》〔=玉がとび散る。玉となってとび散る〕〔文〕刀がきらきらかがやくことのたとえ。「ぬけば―氷のやいば」

たまつき〔玉突き〕《名・自サ》①⇩ビリヤード。②順々に影響すること。「―値上げ」③〔↑玉突き衝突〕衝突した車へ、つぎつぎにほかの車が追突すること。「―事故」

たまつばき〔玉(×椿)〕 ツバキをほめた言い方。

たまてばこ〔玉手箱〕①浦島太郎の伝説で、竜宮からもらって帰ったという箱。②軽々しくあけてはいけないと言われている箱。③どんな(すてきな)ものがはいっているのかわからない箱のたとえ。

たまどめ〔玉留め・玉止め〕 ぬい終わった糸がぬけないよう、そこで糸を結ぶこと。☞玉結び①。

たまなす〔玉成す・△珠成す〕《連体》〔文〕たまのような。「―あせ」

たまに《副》回数は少ないが、長い間にそんなことが何度かあるようす。「―ゴルフに行きます・名人も―はミスをする・〔回数があまりにも少ないので〕―はどこかへ連れて行ってよ」表記 かたく「△偶に」とも。

たまねぎ〔(玉×葱)〕 野菜の名。食べる部分は、地下の、平たい球形のくきで、白い。オニオン。「新―」

たまのお〔玉の緒〕〔雅〕①玉を通したひも。②〔=たま(魂)のお(緒)〕いのち。

たまのこし〔玉の×輿〕〔=りっぱな乗り物〕 地位や財産のある男性と結婚すること。「―に乗る・―をねらっている」☞逆玉の輿。

たまのび〔玉伸び〕《名・自サ》〔リンゴなどの〕果実が熟して大きくなること。「―がよい」

たまのり〔玉乗り・球乗り〕《名・自サ》 大きなたまの上に立ち、足でたまをころがしながら曲芸をする〈こと/人〉。

たまのれん〔(△珠△暖×簾)〕 まるやくだの形のたまを糸に通して下げたのれん。

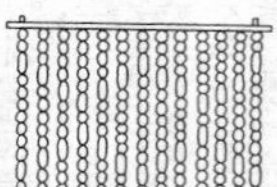
[たまのれん]

たまひろい〔球拾い〕①《球技》飛んでいった球を拾い集める〈こと/役目〉。②雑用係。

たまぼうき〔玉(×帚)〕〔文〕はらい除くものをほめた言い方。たまははき。「酒は憂いをはらう―」

たままつり〔霊祭り・△魂祭り〕 死んだ人の霊を祭る〈こと/儀式〉。

たまむし □〔(玉虫)〕 金色がかった緑色のからだにこいむらさきの線がはいっている虫。本州から沖縄にかけてすむ。□〔玉虫〕↑玉虫色。●たまむしいろ〔玉虫色〕①〔染め物や織物の〕光線のぐあいによって、緑色やむらさき色に見える色。②どのようにも解釈できて、はっきりしないこと。「―の答申」

たまむすび〔玉結び〕《名・自サ》①〔裁縫で〕ぬい始めの部分に、糸がぬけないように作る結び目。☞玉留め。②ひもなどを、輪の部分を作らずにしばること。③江戸時代の髪のゆい方。髪を背中にたらし、そのはしを輪に結ぶ。

たまもく〔玉目・玉×杢〕 うずのようになった、細かな木目。「ケヤキの―」

たまもち〔球持ち〕《野球》投手が投球動作にはいってからボールをはなすまでの、時間の長さ。「―がいい〔=ボールを長く手に持ち、打者に近いところでボールをはなす。〕(↕球離れが早い)」〔卓球やゴルフなどでも言う〕

☆☆たまもの〔(△賜物)・(△賜)〕①たまわるもの。「天地の―」②(いい)むくい。おかげ。「努力の―」

たまゆら〔(玉△響)〕《副》〔雅〕ほんのしばらくの間。「―の心のふれあい」由来「万葉集」の「玉響」〔=『夕』などにかかるまくらことば〕の読みと意味を、古い時代に誤解して生まれたことば。

たまら・ない〔(△堪らない)〕《形ヌズ》 がまんができない(ほどすてきだ)。「暑くて―・好きで―・―うまさ」丁寧 たまりません。

たまり〔(×溜まり)〕①たまること。たまった所。「マグマだまり」②ひかえ室。たまり場。「記者の―」③《すもう》審判委員や力士がひかえているところ。土俵だまり。「―席〔=たまりの後ろの席。砂かぶり〕」④↑たまりじょうゆ。●たまりじょうゆ〔(×溜まり×醤油)〕 しょうゆの一種。ふつうのものよりコクがあってうまみに富む。さしみなどにそえて出す。たまり。たまりしょうゆ。●たまりば〔(×溜まり)場〕 なかまがいつも集まっている所。

たまりか・ねる〔(△堪り兼ねる)〕《自下一》 がまんができなくなる。「たまりかねて抗議した」

**だまりこく・る**［黙りこくる］《自五》〔こくる＝あくまでもする〕いつまでもだまったままでいる。

**だまりこ・む**［黙り込む］《自五》ずっと、だまった状態になる。

**たま・る**［△堪る］《自五》①がまんできる。「こんなに費用がかかっては、たまったものではない〔＝とてもたまらない〕・死んでーか〔＝とても死ねない〕」②持ちこたえる。「この矢に当たったら、どんな盾もーまい」☞たまらない。

↑**たま・る**［△貯まる］《自五》お金などの量が、だんだん加わって多くなる。「だいぶたまったでしょう・量販店のポイントがー」

↑**たま・る**［×溜まる］《自五》①ものが、容器の中など限られた範囲に、だんだん加わって多くなる。また、そこにいっぱいになる。「ダムに水がー〔大事な場合は『貯まる』とも書く〕・部屋にごみがー・からだに〈エネルギー／ストレス〉がー」②持っている数量が多くなる。「話の種がー・記録がー」③処理されずに〈多くなる／残る〉。「原稿がー・仕事がー・借金がー」④出て行かずに残る。「もちが腹にー」⑤集まってその場を動かずにいる。たむろする。「店の前に若者がー」

＊**だま・る**［黙る］《自五》ものを言うのをやめる。何も言わない。「泣く子もー〔⇩「泣く」の句〕・〔相手をさえぎって〕うるさい、黙れ！・黙らっしゃい〔＝黙りなさい〕・相手も黙ってはいない〔＝対応・反撃する〕」

☆☆**たまわ・る**（たまはる）[一]［賜る］《他五》①「いただく」より敬意の高い謙譲語。「帝から賜った刀・毎度ごひいきを賜りありがとうございます」②「くださる」よりも敬意の高い尊敬語。くだされる。「将軍みずからおことばを賜った」[二]［賜る］《補動五》〔多く**ご**＋名詞＋ー〕「…くださる」よりも敬意の高い尊敬語。「ご出席たまわりますようお願い申し上げます」〔助詞「て」につくのは古風。「よくぞ力をそえてたまわった」〕

**たみ**［民］〔文〕〔世の中のふつうの〕人々。「遊牧のー」

●**〔民は〕由らしむべし、知らしむべからず** 句 民衆には、支配者につごうの悪いことは知らせてはならない、ただ服従させておけばいい。〔逆順で、「知らしむべからず、由らしむべし」とも〕由来「論語」から。もとは「民衆を従わせることはできるが、政治の高遠な道理をわからせることはできない」の意味。

**たみくさ**［民草］〔文〕民衆。大衆。たみぐさ。「無辜のー」

☆☆**ダミー**［dummy］①実験などのために人間の代わりに使う、人の模型。「ー人形」②替え玉。身代わり。③《経》活動実態のない、名目だけの会社。④《ラグビー》パスすると見せかけて、相手をだますこと。

**だみごえ**［△濁声］①にごった声。②なまった声。

**だみん**［惰眠］〔文〕①なまけてねむること。②何もしないでなまけること。「ーをむさぼる」

**ダム**［dam］川の水をせきとめ、たまった水を発電・治水などに利用する目的で造った大きな構造物。堰堤。「ー湖〔＝ダムでできた湖水。例、相模湖〕」

**たむけ**［手向け］〔文〕①神や仏にささげること。②せんべつ〔餞別〕。はなむけ。●**たむけぐさ**［手向け草］〔文〕手向けにする〈もの／ぬさ〉。

**たむ・ける**［手向ける］《他下一》〔文〕①神や仏にささげる。「線香をー」②せんべつ〔餞別〕をおくる。はなむけをする。「別れのことばをー」

**ダムサイト**［dam site］①ダムの建設用地。②ダムのある場所。

**たむし**［〔田虫〕］《医》「白癬」の、ふつうの呼び名。皮膚に赤い輪の形のあとをつけて広がり、非常にかゆい。

**タムタム**［tam-tam］《音》①〔西洋音楽の〕銅鑼。②⇩トムトム。

**たむろ・する**［△屯する］《自サ》〔たむろ＝寄り集まる〈こと／場所〉〕なんとなく集まって来てそこにいる。「学生のー喫茶店」

**たむろ・る**［△屯る］《自五》〔ふつう**たむろって**〕〔俗〕たむろする。「店の前でおおぜいたむろっている」

＊＊**ため** [一]［△為］その人やものにとっていいこと。利益。「ーになる本・君のーを思って言うのだ・かくすとーにならんぞ・社会のーに〔＝社会を助けようと〕活動する」[二]〔連体修飾語を受ける〕①原因をあらわす。「雨のー〔に〕延期した・それがー〔に〕失敗した・電車がおくれたー〔に〕〔＝ので〕会えなかった」②目的をあらわす。「大学にはいるー〔に〕勉強する・家を買うーのお金」③〔…の**ーには**〕〔古風〕…にとって。「その人は彼のーにはいとこに当たる」表記 [二] かたく「△為」とも。☞ために [二]。●**ためにする** 句 何か下心があって、わざとそうする。「ーデマ・ー議論」

**ため**［〔×溜め〕・タメ］①力を「た〔溜〕める②」こと。「腰のーがいい」②〔話を先に進める前に〕少し間をおくこと。「ーが長い」

**ため**［タメ］〔俗〕①同じ力関係〔の人〕。「ーを張る〔＝張り合う〕」②おない年。タメ年。「あいつとおれとはーだ」③タメ口。「ーで話していいよ」

＊**だめ**［〔駄目〕・ダメ］[一]《ナダ》①役に立たないようす。価値がないようす。「〈くつ／パソコン〉がーになる〔＝使えなくなる〕・ー〔な〕議員」②欠点が〈多い／大きい〉ようす。「ーなピッチング」③成功しないようす。「おれは何をやってもーだ・試験はーだった・今から行ってもーだ〔＝むだだ〕」④先の望みがないようす。終わり。「わが社はもうーだ」⑤いけないようす。許されないようす。「部屋に勝手にはいってはーだ」派ーさ。[二]①〔[一]の由来〕《碁》白と黒のどちらの勢力範囲にもはいらない部分。②《演劇など》演出上の注意や注文。「何度もーを出す」☞だめ出し。●**だめで元々** 句 やってみて、もしだめだったとしても、もとと同じことだ〔だから、やってみよう〕。だめもと〔俗〕。「ーと思って応募する」●**だめを押す** 句「だめ押し」をする。●**だめを出す** 句「だめ出し」をする。「プロデューサーがー」

**ためいき**［〔×溜め〕息］《名・自サ》力を落としたりしたときなどに、思わず一度にたくさん出す息。「ーをつく・ーがもれる・ーの出るような美しさ」

**ためいけ**［〔×溜め〕池］畑などに使う水をためておく池。

☆☆**ダメージ**［damage］①損害。いたで。「決定的なーをあたえる」②いたんでいること。「ーヘア・ー加工のジーンズ〔『ージーンズ』とも〕」

**だめおし**［〔駄目〕押し・ダメ押し］《名・自サ》①念を入れて〔たしかめ〕ること。②勝敗がほとんど決まったあと、念をおすように得点すること。「ーの二点」

**ためがき**［△為書き］①相手に揮毫してあげるとき、「為山本君」などとそえて書く部分。②選挙の

候補者に支持者がおくる、「祈必勝」などと書いた紙。〔「為書き①」がそえてある〕

**ためぐち**［タメ口・タメグチ］〔俗〕対等であるような、ぞんざいな口のきき方。タメ語。タメ。「―をきく」

**ためこ・む**［(×溜め)込む・(△貯め)込む］《他五》（じゅうぶんに）ためて たくわえる。「お金を―」

←**ためし**［(△例し)］①先例。実例。「勝った―がない」②習わし。「年の始めの―とて」

→**ためし**［試し］ためすこと。「―刷り」☞お試し。●**ためしぎ**［試し着］《名・他サ》からだに合うかどうかを見るために、ためしに着ること。試着。●**ためしぎり**［試し斬り］昔、刀の切れ味をためすために人を切ったこと。●**ためしざん**［試し算］⇩検算。●**ためしに**［試しに］《副》ためす気持ちでするようす。「―やってみよう」●**ためしよみ**［試し読み］（電子書籍を買う前に）ためしに何ページか読むこと。立ち読み。「―可」

**ため・す**［試す］《他五》①それが いいか、役に立つかなどを（少し）調べる。「自分の力を―・新しい薬を―（＝飲んでみる）」②相手の能力や気持ちを調べる。「にせ手紙で人を―」 可能 試せる。

**だめだし**［(駄目)出し・ダメ出し］①《演劇など》演出家などが俳優の演技に注文をつけること。☞駄目 ㊁②。②修正・やり直しなどを求めること。「シェフが試食して―する」③〔俗〕相手をだめだと〈批判/否定〉すること。「国民が―した首相」

**だめだめ**［ダメダメ］《ナダ》〔俗〕少しも いいところがないようす。まるで だめ。「―な社員」

**ためつ-すがめつ**［矯めつ（×眇めつ）］《副・他サ》（＝じっと見たり、目を細めて見たり）（あっちこっちから）よく よく見るようす。「古道具を―して見る」

**ためどし**［タメ年］〔俗〕おない年。タメ。

**ためにする** ㊁ ⇩ため。☞

**ためにする**「（ため（為）」の 句）。

**ためもと**［(駄目元)・ダメ(元)・ダメモト］〔俗〕↑だめでもともと。「―で たのんでみる」

**ためら・う**［(:躊躇う)］《自他五》それをしようか、しないでおこうかと まよう。「返事を―・会うのを―」 名 ためらい。

←**た・める**［(△貯める)］《他下一》（お金などを）た（貯）まった状態にする。「おこづかいを―・買い物をしてポイントを―」 可能 ためられる。

→**た・める**［(×溜める)］《他下一》①た（溜）まった状態にする。「食糧を―（大事な場合は『貯める』とも書く）・目になみだを―・宿題を―・ドラマを録り―」②力を一気に出す用意をする。「力をためて打つ・腰を―（＝腰に力をためる）」 可能 ためられる。

**た・める**［矯める］《他下一》①〈まがっている/正しくない〉ものを（まげて）直す。「枝を―・角を矯めて牛を殺す（⇩「角」の 句）」②〔古い意味〕じっと見る。☞矯めつすがめつ。

**ためん**［他面］㊀別の面。「―において・―から言えば」㊁《接》〔文〕別の面から見ると。「―、問題点もある」

**ためん**［多面］〔文〕多くの〈平面/方面〉。●**ためんたい**［多面体］〔数〕多角形の面で囲まれた立体。四面体や直方体など。「正―」●**ためんてき**［多面的］《ナダ》〈分野/方面〉が多いようす。「―な活動」

**たも** ↑たもあみ。

**だも**《副助》（↑だにも）〔文〕すら。「微動だも―しなかった」

**たもあみ**［たも網］小形のすくいあみ。玉網。たも。

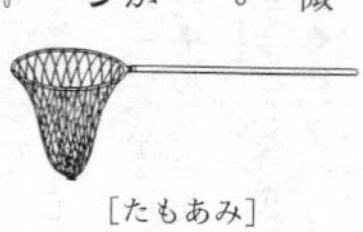

［たもあみ］

**たもう**［多毛］毛深いこと。かみの毛が多いこと。「〔医〕―症」●**たもうさく**［多毛作］〔農〕同じ田畑に、一年に三回以上、作物を作ること。☞一毛作・二毛作①。

**たも・う**［(△賜う)・(△給う)］◇⇩たまう。「酒を―た・心配し―な」

**たもくてき**［多目的］《ナダ》いろいろなことのために使えるようす。「―ダム・―ホール・―スペース」

**ダモクレスの-けん**［ダモクレスの剣］繁栄や幸福が あやうく成り立っていることのたとえ。由来 ダモクレスは、紀元前四世紀のシラクサ王の家来。あるとき、馬の毛一本でつり下げた剣の真下にある玉座にすわらされ、支配者の権力のあやうさを知った。

*__たも・つ__［保つ］《他五》①その状態を変えないで、つづける。「健康を―・はだを清潔に―・面目を―・接触を―（⇩「接触」の 句）」②長く もちこたえる。「好調を―」 可能 保てる。

**たもと**［(×袂)］①和服の そでの下のほうの、ふくろのようになった部分。②ふもと。「山の―」③そば。「橋の―」●**たもとを絞る** 句 ①目に当てた たもとが なみだでぬれて、しぼるほどだ。②同情して はげしく泣く。▽そでを絞る。●**たもとを連ねる** 句〔文〕そろって同じ行動をとる。●**たもとを分かつ** 句 ①関係をたつ。絶交する。②（人と）別れる。

**だもの**［駄物］〔俗〕くだらないもの。

**たもれ**［(△給れ)］◇（↑動詞・補助動詞「たまわる」の命令形「たまわれ」）〔古風/方〕（…て）ください。たも。「お茶を―・許して―」〔江戸時代の ことばだが、演劇的に、古代の貴族のことばにも使う〕

**だもんで**（↑だもので）〔話〕㊀ 連 ①…なので。なもんで。「子どもが病気―、早めに帰った」②…したので。なもんで。「あんまり急い―、さいふを忘れた」㊁《接》そのため。「渋滞があった。―遅刻した」

**たや・す**［絶やす］《他五》①たえるようにする。たつ。「根を―」②きらす。「あいにく火を絶やした」

**たやす・い**［(:容易い)］《形》するのが むずかしくない。わけない。簡単だ。「―仕事・たやすくできる」 派 -げ。-さ。

**たゆう**［太△夫］①〔文楽などの〕義太夫の語り手。②歌舞伎の女形。③遊女の階級の第一。由来 昔の位階の五位を「大夫」と通称していたのが変化したもの。●**たゆうもと**［太△夫元］演芸の興行をする人。

**たゆた・う**［(:揺蕩う)］《自五》〔発音はタユトーとも〕〔文〕①ゆらゆら ゆれる。「―小舟」②ゆれながら、去らないでいる。「けむりが―」③ためらう。「―心」▽たゆとう。名 たゆたい。

☆☆**たゆ・む**［(×弛む)］《自五》〔後ろに否定が来る〕ゆだんする。心が ゆるむ。「たゆまぬ努力・う（倦）まず たゆまず」名 たゆみ。「―ない努力」

**たよう**【多用】〔文〕[一]《名・ナダ》用が多いこと。「ご―のところ、恐縮(きょうしゅく)ですが」[二]《名・他サ》たくさん使うこと。「青を―する」

***たよう**【多様】《名・ナダ》さまざまなようす(をしたものがあること)。「―性・―化・多種―」[派]―さ。

**たよく**【多欲・多×慾】《名・ナダ》〔文〕欲が多いこと。(↔少欲)

**たより**【頼り】自分が安心して〈信じ／力を借り〉られる人やもの。たのみ。よるべ。「もしものときに―になる人・―〈に／と〉する家族・つえを―にする」●**たよりな・い**【頼りない】《形》①たよりにすることが できない。あてにならない。「―返事・ぼんやりして―男」②支えがなくて、不安な〈ようす／気持ち〉だ。「足もとが―・風に頼りなくゆれる花・一人では心細くて―」[派]―げ。―さ。

**たより**【便り】[一]《名・自サ》手紙(を出すこと)。音信。「お―・長い間―がない」[二][造]〔**だより**〕…についての〈通信／情報〉。「花―・出版―」

**だより**【便り】[造]⇩たよ(便)り[二]。

**たよ・る**【頼る】《自他五》①その(人の)力を借りて解決しようとする。「親に―・機械に―・食料を輸入に―〔=依存(いぞん)する〕」②世話をしてもらおうと、その人をたずねる。「兄を頼って上京する」[可能]頼れる。

**たら**【(×楤)】くきや葉に とげのある落葉高木。たらの木。☞たらの芽。

**たら**【(×鱈)】マダラ・スケソウダラなど、北方の深い海でとれるさかな。うろこが細かく、腹が大きい。食用。また、肝油(かんゆ)をとる。

**たら** [一]◇〔助動詞「た」の仮定形〕①仮定をあらわす。もし…なら。「お教えいただけ―(さいわい)と存じます・読んだら わかる〈濁音(だくおん)の例〉」[区別]⇩ば[一]①。②〈たまたま／ちょうど〉…すると。「外に出てみ―、星がきれいだった」③…したあとに。「食べ―出かけます」④〈…した／…である〉以上は。「わかっ―帰りなさい・社会人だっ―ちゃんとしろ」⑤適当・不適当の条件をあらわす。「好きにし―いい・見―だめ」[二]《終助》〔話〕①〔助動詞「た」の仮定形から〕…してはどうですか。「お出かけになっ―?」②⇩ったら[二]。「いけません―!」[三]《副助》〔話〕⇩ったら[三]。「まあ、お母さん―」

**ダラー**〔米 dollar〕[一]《経》大口の投機資金。「オイル―〔=産油国が石油を売って得た資金について言う〕」[表記]「:弗」とも書いた。[二][造]ダラー ドル。

**たらい**【(×盥)】湯・水を入れて ものを洗う、まるくて平たい入れもの。●**たらいまわし**【(×盥)回し】《名・他サ》〔解決すべき問題を〕次から次に(無責任に)回し合うこと。「政権の―」

**だらく**【堕落】《名・自サ》①《仏》道心を失うこと。②(身をもちくずして)品・おこないが悪くなること。「―した生活」③おちぶれること。

**だらけ**[接尾]〔名・形動ナダをつくる〕どこも かしこも、それでいっぱいの状態であること。「血―・きず―・ほこり―」✓多くは、よくないことに使う。「幸せだらけ」など、いいことに使うのは最近の用法。

**だら・ける**《自下一》①緊張(きんちょう)感がなくなる。だらしなくなる。「だらけた表情」②しなければならないことを、なまけたり いいかげんにしたりして すごす。「だらけた学生・生活が―」

**たらこ**【(×鱈子)】タラの卵巣(らんそう)。特に、スケソウダラの卵巣を塩づけにしたもの。たらのこ。「―スパゲッティ」☞明太子(メンタイコ)。

**たらし**【(×誑し)・(×蕩し)】[造]だましたりして、思いどおりにする〈こと／人〉。「女(っ)―」☞人(ひと)たらし。

**たらし・い**[接尾]〔形容詞をつくる〕ふゆかいなほど…な感じだ。「未練―」〔「ったらしい」の形も多い。「いやみったらしい」〕[派]―さ。

**たらしこ・む**【(×誑し)込む・(×蕩し)込む】《他五》〔俗〕だましたりして、すっかり思いどおりにする。「若い女を―」[名]たらし込み。

**だらしな・い**《形》①見た目・動作などが、〈乱れて／たるんで〉いて、いやな感じだ。「―かっこう・―部屋・―歩き方」②生活が まじめでない。節度がない。ふしだらだ。「かねに―・女に―」③たよりない。しまらない。「すぐに音(ね)をあげるなんて―」[由来]乱れたようすをあらわす「しだら」に、強調の「ない」がついた「しだらない」から。☞ふしだら。[派]―さ。

**たらし・める**《助動下一型》〔文〕…として あるようにする。「人間を して人間―条件」☞たり[四]。

**たら・す**【垂らす】《他五》たれるようにする。たれた状態にする。「水を―〔=したたらす〕・よだれを―・ひもを―・すだれを―・両うでをだらりと―」

**たら・す**【(×誑す)・(×蕩す)】《他五》〔古風・俗〕だましたりして、思いどおりにする。「遊女が客を―」

**たらず**【足らず】[接尾]…に足りないくらいの数。「一時間―の道のり・十人―で」

**タラソテラピー**〔フ thalassothérapie〕海水・海藻(かいそう)などを利用する健康法。海洋療法(りょうほう)。

**たらたら** [一]《副》①〔血や あせなどが〕すじをひいて流れおちるようす。「血が―(と)流れる」②長々と言うようす。「不平―だ・自慢(じまん)―しゃべる人・未練―」[二]《副・自サ》〔俗〕ちんたら。「―遊んでいる・―するな」

**だらだら** [一]《副》〔血や あせなどが〕すじをひいて たくさん流れおちるようす。「鼻血が―流れる」[二]《副・自サ》①長く続いて、まとまらないようす。「―(と)会議を続ける」②やる気がないようす。「―した態度」③ゆるい傾斜(けいしゃ)が長く続くようす。「坂を―(と)くだる」

**たらちね**【(△垂乳根)】〔雅〕①父母。親。②母親。●**たらちねの**【(△垂乳根の)】《連体》〔雅〕「母・親」にかかる まくらことば。

**たらっと**《副》ひとしずく たれるようす。「ソースが―こぼれる」

**だらっと**《副・自サ》「だらり」よりも、だらしない感じをあらわすことば。「暑さで―する・よだれが―たれる」

**タラップ**〔オ trap〕〈船／飛行機〉に乗りおりするために、横につける階段や はしご。舷梯(げんてい)。「―車〔=空港で使う、タラップのついた自動車〕」

**だらに**【(×陀羅尼)】〔梵語(ぼんご) dhāraṇī の音訳〕《仏》教えの、最も大切なところをふくんでいることば。そこだけ梵語で言う。「真言(しんごん)―」

**たらのめ**【(×楤の)芽】たらの木の、若芽。少しほろにがく、天ぷらなどにして食べる。

**たらば**[連]助動詞「た」の仮定形に接続助詞「ば」がついたもの。「しかっ―ぷいと出て行った」☞たら[一]。

**たらばがに**【(×鱈場×蟹)】北海のタラの漁場で とれる、カニによく似た大きな動物。ゆでたり焼いたりして食べる。動物学上はヤドカリ類で、二本のはさみと六本の足を持つ。」

**たらふく**《副》〔俗〕はらいっぱい。「ごちそうを—食べる」 由来 「足る」と関係のあることば。「たら」は、魚のタラの腹をイメージさせた当て字。 表記 「:鱈腹」

**タラモサラタ**〔ギ taramosalata〕つぶしたジャガイモ・タラコに塩・コショウ・レモン汁などを混ぜて作ったギリシャ料理。タラモ サラダ。タラモ。

**たらり**《副》（ねばりけのあるものが）ひとしずく たれるようす。「ケチャップを—とかける・冷やあせが たら—り」

**だらり**《副》力を失って、たれ下がるようす。「うでを—と下げる」また、だらしないかっこうをするようす。 ●**だらりのおび**〔だらりの帯〕京都の舞妓がする、結び目から帯のはしを長くたらす結び方。

**たられば**〔俗〕「もし こうだったら」「もし こうすれば」と後悔したり、仮定の議論をしたりすること。ればたら。「—の話」

**たらん** 連 〔断定の文語助動詞「たり」の未然形＋文語助動詞「ん」〕〔文〕…になるようにしよう。…であるようにしよう。「研究者—とこころざす」

**だらんと**《副・自サ》「だらり」となって、どうしようもない感じをあらわすことば。「—した態度」

**たり 一《接助》〔ふつう A—B—〕ならべて のべるときに使う。「煮—焼い—して食べる・晴れだっ—雨だっ—する」「米を作っ—野菜を育て—〔=育てたりして〕暮らす」 ✎ 「米を作ったり、野菜を育てて売ったりする〔売るのは野菜だけ〕」のように、最後の「たり」を省略する場合も多い。ただし、「米を作ったり、野菜を育てて売ったりする」のように話が複雑になる場合は、最後の「たり」が必要になる。☞だったり。 二《副助》〔—する〕①例として あげることをあらわす。「テレビを見—して過ごす」 ✎ 複数のものをならべない言い方。室町時代に「…たりなんどする」の形で使われ、江戸時代には今の形が現れた。明治時代以降は ふつうに使われる。 ②そういう場合があることをあらわす。「週末は道路が混んでい—する」 ③そういうことは いけない、という気持ちをあらわす。「なぜ うそをつい—したの?」 ④〔話〕えんりょがちに言う気持ちをあらわす。「きょう、ひまだっ—します?・わたし、じつは成績がよかっ—するんです」☞たりして。 三《助動ラ型》〔↑てあり〕〔文〕〔完了の助動詞〕①…た。…ている。「この書を得—〔=得た〕・相似—〔=似ている〕・勝手知ったる他人の家」 ②…たぞ。…たなあ。「Aチーム、敗れ—!・書きも書い—〔=よくそんなに書いたものだ〕七十冊」 ③命令をあらわす。「どい—、どい—」 ▽ 一〜三 ガ行・ナ行・バ行・マ行の五段の動詞の後では「だり」になる。例、「さわいだり〔↑さわぐ〕」。 四《助動タリ型》〔↑とあり《=として存在する》〕〔文〕〔断定の助動詞〕…だ。…である。「天下の美観—・会長たるものの責任」☞たらしめる・たりうる。

**だり** 一《接助・副助》⇩たり 一 二。「とん—はねたり」 二《助動ラ型》〔文〕⇩たり 三。「盗すん— 一億円・子どもは遊ん—遊ん—」

**ダリア**〔dahlia=人名 Dahl から〕西洋草花の名。背が高くなり、夏・秋のころ、大輪の花をひらく。色は いろいろ。ダーリア。ダリヤ〔古風〕。

**たり・うる**〔たり〔得る〕〕 接尾 〔動下二をつくる。活用は「得る」を参照〕…であることができる。…と呼ぶことができる。たりえる。「総理大臣—条件・主役たりえない」〔たり=断定の文語助動詞。「足り」ではない〕

**たりき**〔他力〕①〔文〕他人のたすけ。②《仏》阿弥陀仏が起こす本願〔=願い〕の力。▽〔↕自力〕 ③↑他力本願。「—宗」 ●**たりきほんがん**〔他力本願〕①《仏》〔浄土宗・浄土真宗で〕阿弥陀仏が起こす本願に たよって成仏すること。 ②〔俗〕他人の力をあてにすること。 ✎ ②の用法は、仏教を誤解させるという意見が多い。

**たりして** 連 ①⇩たり 二。「行ったり来—いる・泣い—、どうしたの」 ②〔話〕まさかとは思うが、そうかもしれない、という気持ちをあらわす。「もしかして、しめきりは きょうだっ—」 ③〔話〕…というのは じょうだんだ、という気持ちをあらわす。「このまま そっと帰っちゃっ—」 ▽②③は、そこで言い終わる。

**たりつ**〔他律〕〔文〕他人の命令や、決められた規則などにしたがうこと。「—的」〔↕自律〕

**だりつ**〔打率〕①《野球》打数に対する、安打の割合。 ②成功率。ヒットする率。「—の高い俳優」

**たりとも**《副助》〔文〕…であっても。「一日—手放せない」

**たり・ない**〔足りない〕《形ヌズ》①頭の程度が不十分だ。うすばかだ。「—連中」 ②ねうちがない。「取るに—」 ▽足らない。

**タリフ**〔tariff〕関税(率)。

**たりゅう**〔他流〕〔文〕自分の流儀とちがう、ほかの流儀。「—試合」

**たりょう**〔多量〕《名・ナダ》分量が多いこと。「塩分を—にふくむ・—のごみ・出血—」〔↕少量〕 派 -さ。

**だりょく**〔打力〕《野球》打撃の力。

**だりょく**〔惰力〕惰性による力。「車が—で走る」

***た・りる**〔足りる〕《自上一》①ほしいだけの数量・程度になる。じゅうぶんである。「千円で—・説明が足りない」 ②ねうちがある。たる。「信用するに—」 ③〔用が〕終わる。すむ。「電話すれば—」 ☞足りない。

**たる**〔×樽〕酒・しょうゆなどを入れておく、ふたのある大形の入れもの。「ワインだる」

**た・る**〔足る〕《自五》〔文/西日本方言〕たりる。「—を知る・おそれるに足らない・百円足らん」

**たる**◇ ①〔文〕文語助動詞「たり」の連体形。 ⓐ断定。「友人—〔=であること〕に値しない」☞何たる。 ⓑ完了。「魅せられ—〔=た〕魂」 ②〔文〕トタル活用形容動詞の連体形の語尾。「堂々—〔=とした〕行進」 ③〔関西方言〕↑てやる。「わしが やっ—・飛んだる〔濁音の例〕」

**ダル**《ナダ》〔dull〕〔気分が〕だれているようす。たるんでいるようす。「—な気分・—ゲーム」

**たる・い**《形》〔もと関東方言〕〔俗〕①めんどうくさい。うっとうしい。「—朝礼」 ②つかれた感じだ。「からだが—」 ▽かったるい。☞だるい。

**だる・い**〔(△怠い)〕《形》①つかれて、からだを動かすのもおっくうに感じられる状態だ。「全身が—・—ねむり」 ②〔俗〕めんどうくさい。うっとうしい。「学校行くの—」 由来 「たるむ」とも関係のある「たるい」から。濁音化して、よくない意味を強調した。 派 -がる。-げ。-さ。

**たるがき**〔(×樽)柿〕酒だるに つめて、中のアルコール分で渋をぬいたカキ。〔現在は、広く「醂し柿」も言う〕

**タルカムパウダー**〔talcum powder〕⇩ベビーパウ

ダー。タルク。

**たるき**【垂木・×棰】屋根板などを支えるために、棟(むね)から軒(のき)にわたす木。☞「けた」の絵。

**タルク**〔talc〕①《鉱》⇩滑石(かっせき)。②ベビー パウダー。タルカム パウダー。

**たるざけ**【(×樽)酒】たるに つめた酒。

**たるだし**【(×樽)出し】〔ワインやウイスキーなどの酒を〕たるから(濾過(ろか)したりせずに)直接びんやグラスに入れること。

**たるたる**《副・自サ》筋肉がたるんだようす。「—の二の腕(うで)」

**タルタルステーキ**〔tartar steak〕牛のやわらかい生肉を細かくたたき、刻んだタマネギ・パセリや卵黄(らんおう)を混ぜ、練って丸い形にした料理。「マグロの—ふう」

**タルタルソース**〔tartar sauce〕マヨネーズにピクルス・タマネギ・ゆでたまごを刻んで入れたソース。「エビフライに—をそえる」

**タルト** ①〔フ tarte〕まるい型に生地(きじ)を敷(し)き、その上にクリームなどをつめて焼いた菓子(かし)。くだものをもりつけることが多い。「フルーツ—・エッグ—・—タタン(=焼いたリンゴを敷きつめたタルト)」②〔オ taart〕〔四国で〕(ユズ風味の)こしあんを入れたロールケーキ。

**タルトレット**〔フ tartelette〕小型の「タルト①」。

**だるま**【(:達磨)】〔梵語(ぼんご) dharma の音訳〕①《仏》中国の禅宗(ぜんしゅう)をはじめてひらいた、南インド出身の僧(そう)。達磨大師(だいし)。②〔ダルマ〕「達磨①」が座禅(ざぜん)をしている形にまねて作った〈おもちゃ/縁起(えんぎ)物〉。「—に目を入れる(=当選したときや願いごとがかなったときに、だるま人形に黒目をかき入れる)」●**だるまおとし**【(:達磨)落とし】まるい木の台を重ねた上にだるまをのせ、台がくずれないよう注意しつつ、いちばん下の台から順に木づちではじきとばしていく遊び。●**だるまさんがころんだ**【(:達磨さんが)転んだ】①十を数える文句。②鬼(おに)ごっこの一つ。鬼がうしろを向いてこの文句をとなえる間に、ほかの子が近づく。☞ぼんさん。●**だるまストーブ**【(:達磨)ストーブ】だるまに似た形の、鋳物(いもの)でできた石炭ストーブ。

**たる・む**【(×弛む)】《自五》①ゆるむ。「糸が—」②気持ちが、緊張(きんちょう)を欠いた状態になる。「精神がたるんでいるぞ・たるみ切った経営陣(じん)」名 たるみ。「お肌(はだ)の—・—事故」

**ダルメシアン**〔Dalmatian〕白地に黒い斑点(はんてん)がある犬。ヨーロッパでは古く、馬車の先導犬や猟犬(りょうけん)として飼われた。〔ディズニー映画「一〇一匹(き)わんちゃん」で有名〕由来 アドリア海沿岸のダルマティア地方に多くいたことから。

**たるや**《副助》〔文〕そのものの様子について、おどろいた気持ちをあらわす ことば。といったら。「その数—、九千人にも およぶ」

**たれ** 一**たれ**【垂れ】①たれる〈こと/もの〉。②かご(駕籠)につけた、むしろ戸(ど)。③帯の結びめから下に下がった部分。④漢字の、上から左下に垂れている部分。例、やまいだれ(=疒)・まだれ(=广)・がんだれ(=厂)。二〔「タレ」とも書く〕そば・かば焼き・てり焼き・すき焼きなどに使う、味をつけたしる。「みそだれ・漬けだれ」三 接尾〔俗〕けなす気持ちをあらわすために、そえることば。「ばか—・悪(あく)—・びんぼう—・あほ—〔関西方言〕」由来 三は、「くそった(垂)れ」などの「垂れ」から。

**たれ**【(△誰)】《代》〔文〕だれ。「—言うとなく・—はばからず」●**たれあって** 句〔後ろに否定が来る〕〔文〕だれも。ひとりも。だれあって。「—相手にする者はなかった」

**たれ** ◇〔「たり 四」の命令形〕〔文〕であれ。「よき教師—」

**タレ** 造〔俗〕↑タレント。「旅—(=旅番組に出る人)・手—(=広告などで、手だけ写るモデル)」

****だれ**【誰】《代》①どの人と決まっていない人をさすことば。「—でも わかる・どこの—かは知らないが・—がなんと言おうと気にしない」②人の名前などをたずねるときのことば。「君は—だ」▽たれ。☞誰か・誰しも・誰ぞ・誰も。●**誰あって** 句〔文〕⇩たれあって〔「たれ(誰)」の句〕。●**誰言うとなく** 句 だれが言ったかということははっきりしないままに。いつのまにか。●**誰知らぬ者がない** 句 だれひとりとして知らぬ者がない。みんな知っている。●**誰であれ** 句 それがだれであっても。●**誰の目にも** 句 だれが見ても。「—明らかだ」●**誰はばか**【(憚)】**らず** 句 だれにもえんりょせず。

**だれか**【誰か】《名・副》どの人ということを特に決めないで、ある人をさすことば。どんな人か。たれか。「—(が)来たようだ・—いないか・助けてえ、—あ!」●**だれかさん**【誰かさん】名前をぼかした言い方。「—(=あなた)のせいで失敗した・—が君をほめてたよ」●**だれかしら**【誰かしら】一**だれかしら**《副》だれか。「昼間なら—いるはずだ・出かけるたびに—に会う」二**だれかしら** 連〔話〕だれだろうか。「あそこにいるのは—」

**たれがし**【(△誰△某)】《代》だれ。なにがし。だれがし。「何の—」

**だれかれ**【誰彼】《代》あの人この人(の区別)。「—の区別なく(『—となく』とも)言いふらす・—なしに(=だれでもすべて)・—(=いろいろな人)にぐちを言う」

**たれこ・む**【(垂れ)込む】《他五》〔俗〕密告する。「警察に—」〔「タレ込む」「タレこむ」などとも書く〕名 たれ込み〔「タレ込み」「タレコミ」などとも書く〕。

**たれこ・める**【垂れ込める・垂れ(△籠める)】《自下一》①(雲などが)低く広がる。②〔雅〕とばりや すだれをたれて とじこもる。

**たれさが・る**【垂れ下がる】《自五》下のほうに たれる。「つららが軒(のき)から—」

**だれしも**【誰しも】《名・副》「だれも 一」を強めた言い方。だれでも。たれしも。

**だれぞ**【誰ぞ】《名・副》〔古風/方〕だれか。「—にたのんでみよう・—いい人はいないものか」

**だれそれ**【誰(△某)】《代》特に だれといって はっきりさせない言い方。ある人。

****だれだれ**【誰々】《代》だれ(と だれ)。

**だれとく**【誰得】〔↑誰が得するんだよ〕〔俗〕だれが〈得をする/喜ぶ〉のか わからない、目的不明の物事。「—商品」

**だれとは-なしに**【誰とはなしに】《副》だれが〈そう言った/そうした〉ということなしに。いつのまにか。

**たれながし**【垂れ流し】《名・他サ》①大小便をしたまま、始末をしないでおくこと。②あと始末などをしないで、出るままにまかせること。「汚水(おすい)の—・〔公害の〕—業者」動 垂れ流す《他五》。

**だれ-ひとり**【誰一人】《副》〔後ろに否定が来る〕だ

れも。ひとりも。「―知らなかった」

**たれぼう**【(△誰)某】《代》〔文〕なにぼう(何某)。

**たれまく**【垂れ幕】①人々の注意をうながすことばを書いて、高いところからたらす幕。②入り口にたらして、とびら代わりにした幕。

**たれめ**【垂れ目】下がり目。(↔つり目)

**だれも**【誰も】㊀だれも《名・副》だれでも。みんな。「―(が)知るとおり」㊁だれも《副》〔後ろに否定が来る〕そういう人がまったくいない場合に使う。ひとりも。「―来ない」●**だれも-かれも**【誰も彼も】《副》どの人もみな。だれもかも。「―信じられない」

**たれり**【足れり】〔文〕足りている。じゅうぶんだ。こと足れり。「約束だけで―としている無責任さ」

**た・れる**【垂れる】㊀《自下一》①水などが下に落ちる。したたる。「しるが―・しずくが―」②一方が上についたままで、もう一方の先が下に向く。たれ下がる。「糸が―・髪が―」㊁《他下一》①〔文〕低く下げる。「こうべを―」②一方を上につけて、もう一方の先を下に向ける。自然にたらす。「幕を―・しっぽを―」③あわれみを示す。「慈悲を―・めぐみを―」④導くために示す。「教えを―・範を―〔⇩「範」の句〕」⑤〈えらそう／なまいき〉なことを言う。「講釈を―・文句を―」⑥〔文〕〔のちの世に〕残す。「文名を―」⑦〔俗〕大(小)便をする。⑧〔俗〕おならをする。こく。

**だ・れる**《自下一》〔「ダレる」とも書く〕①緊張した気分がなくなる。②あきてくる。③〔俗〕⇩へたる②。名だれ。

**タレント**〔talent=才能(の持ち主)〕①テレビ・ラジオなどに出演する芸能人・司会者・文化人など。「―教授」②〔サッカー〕攻撃的な選手。

**タロいも**【タロ(芋)】〔タヒチ taro〕南太平洋の島々などで栽培されるサトイモ。いも(=地下茎)は主食とされ、葉も食用。

**たろう**【多浪】《名・自サ》受験に失敗して何年か浪人すること。「―生」

**たろう**【太郎】造(=長男)いくつかあるもののうちで、いちばんすぐれているもの。「坂東―」●**たろうかじゃ**【太郎△冠者】《狂言》(役の名で)いちばん古くからいる、めし使い。

**だろう**〔―だら〕㊀《助動特殊型》〔推量の助動詞。学校文法では、多く助動詞「だ」の未然形＋助動詞「う」〕①推量をあらわす。「うまく行く―・あの人がもう忘れている―約束〔文章語的。『でしょう』には言いかえられない〕・〔疑問をあらわすことばとともに〕今何時―・なぜ無理ばかり言ってくるの―〔『くる―』は古風〕・―運転(=『だいじょうぶだろう』と油断する運転。(↔かもしれない運転))」②相手に問いかけて、同意を求める。…(ではない)か。「このペン、君の―・まだ帰らなくてもいい―・どうだ、うまい―・大学生―、勉強しろよ」③〔話〕相手の知らない事情をあらわす。なにしろ…(だ)から。「その日は大雪で、電車も動かない(ん)―、もう困ってね」〔明治時代からの用法。現在の「じゃない㊁②」と共通する意味〕④〔話〕〔相手のことばを受けて〕そのとおり、と推量することば。そうだろう。「『きっとおこってるよ』『―ね』」▽動詞・形容詞にふつうにつくこと、断定の意味がないことから、助動詞「だ」とは別で、全体で一つの推量の助動詞と考えられる。一方、「豊かだろう」「ようだろう」は、形容動詞「豊かだ」や助動詞「ようだ」の未然形＋助動詞「う」で、推量の要素は「う」だけと考えられる〔「豊か＋だろう」「よう＋だろう」に分ける考え方も成り立つ〕。✍会話の文末では、おもに男性が使う。「だろ」とも。「であろう」は かたい言い方。会話であっても、「だろうから…」のように続く場合は、男女とも使う。「でしょう」は丁寧語で、男女とも使う。㊁◇ 形容動詞または助動詞「そうだ・ようだ」などの未然形の語尾＋助動詞「う」。「簡単―・まるで夢のよう―」

**タロット**〔tarot〕占い用のカード。絵札二十二枚と数字札五十六枚からなる。タロット カード。タローカード。「―占い」

**タワー**〔tower〕①高い建物。塔。「東京―」②塔の形のもの。「―サイロ・―クレーン」③↑コントロール タワー。●**タワーマンション**〔和製 tower mansion〕〔塔のように高い〕超高層マンション。タワマン〔俗〕。

**たわいな・い**【(∴他愛ない)】《形》①たいしたことがない。単純だ。「―じょうだん・―けんか」②たやすい。だらしない。「たわいなく言いくるめられる」③力がはいらない。「軟体動物のように―からだ」▽たわい〈が／も〉ない。たあいない。たあい〈が／も〉ない。派―さ。

**たわけ**【(△戯け)・(∴白痴)】ばか(もの)。「―者」

**たわけた**【(△戯けた)】《連体》ばかばかしい。ふざけた。「―話だ」

**たわごと**【(△戯言)】ばかげたことば。でたらめ。たわこと。

**たわし**【(△束子)】なべ・食器などを洗いみがくのに使う道具。わらやシュロの毛などをたばねて作っていたが、現代では樹脂や金属のものもある。

**たわ・む**【(×撓む)】《自五》〔棒・枝などに力や重みが加わって〕まがる。しなう。名たわみ。他たわめる《下一》。

**たわむれ**【戯れ】おもしろがって、じょうだんにすること。遊び。「―の恋・―に母をおんぶしてみる・まあ、お―を」

**たわむ・れる**【戯れる】《自下一》①ふざけたりして、おもしろがる。「犬〈が／と〉―・はまべで波と―」②〔古風〕みだらなことをしかける。「女に―」

**たわやか**《ナダ》〔文〕たおやか。「―な肩」派―さ。

**たわら**【俵】①わら・ヨシなどで作り、米・炭などを入れる、ふっくらとした筒形の入れもの。「―形(=おにぎりなどの形の一つ)」②《すもう》土俵。●**俵を割る**句 土俵の外へ出る。

**たわわ**《ナダ》①たわむほどであるようす。「枝も―に実る」②〔俗〕大きく育ったようす。「―に実ったスイカ」

**たん**【反・△段】①土地の面積の単位。一反は一町の十分の一。約九・九二アール。②巻きつけた織物の大きさの単位。一反は、幅が約三六センチ(=並幅)、長さが約一〇～一二メートルまたはそれ以上。

**たん**【単】㊀たん ①《テニスなど》シングル(ス)。②《競馬・競輪など》ⓐ↑単勝(式)。ⓑ↑単式②。「馬―(=馬の番号で当てる連勝単式)」▽(↔複) ③(↑単一電池)電池の規格の一つ。「―三(形)」㊁造 単一の。「―細胞」

**たん**【短】㊀たん〔文〕不足。欠点。「―を補う」(↔長) ㊁造 みじかい。「―時間・―水路」㊂造 ↑短期大学。「栄養―」

**たん**［嘆・×歎］〔文〕なげき。☞髀肉(ひにく)の嘆・亡羊の嘆。

**たん**［(×痰)］のど・気管から出る、ねばねばした水のようなもの。

**たん**［端］〔文〕㊀たん はし。いとぐち。㊁〔造〕はし。「東北―・滑走(かっそう)路―」●**端を発(はっ)する**〔句〕〔文〕それ以後のできごとの、始まりとなる。

**たん**［丹］〔接尾〕丸薬の名前につけることば。「万金―」

**たん**〔接尾〕〔児〕ちゃん。「ゆりか―」

**たん**［淡］〔造〕うすい。あわい。「―黒色」

**たん**［炭］㊀〔造〕石炭。「原料―」㊁たん〔俗〕①木炭。②石炭。「―殻(がら)」

**たん**［×譚］〔造〕〔文〕ものがたり。だん。「風流―・怪異(かいい)―・滑稽(こっけい)―」

**タン**〔tongue〕〔牛などの〕舌(の肉)。「―焼き・ゆで―」

**タン**〔造〕㊀［(:湯)］〔中国語〕スープ。「パイ(白)―・チン(清)〔=すんだ〕―」㊁〔朝鮮 tang(湯)〕スープ。「カルビ〔=あばら肉〕―・コム―〔=煮(に)こんだ牛肉のスープ〕」

*__だん__［団］㊀だん ある目的のために作った集まり・組織。「―の精神」㊁〔造〕①臨時に作った集団。「観光―・議長―〔=議長として指名された人たち〕」②〔臨時に参加する者もふくめた〕組織。「消防―」

**だん**［段］㊀だん ①階段。段々。②かさなり(の一つ)。「二―組み」③よしあし・高下などの、程度。「―がちがう」④段位。「―が上がる」⑤段階。「二―ミサイル」⑥くぎり。段落。「文章の―」⑦五十音図で、横のつらなり。列。例、ア段の仮名(かな)は、「あかさたなはまやらわ」。(↔行(ぎょう))⑧〔古風〕どころ。「知っている―ではない」⑨かど。点。「この―お願い…」⑩とき。場合。「書く―になると」㊁〔接尾〕〔武道や碁(ご)・将棋(しょうぎ)などで〕「級」の上の等級を示すことば。ふつう初段、二段…と上がる。

**だん**［断］〔=たちきること〕〔文〕①決断。決行。「―の一字あるのみ」②裁決。「―をくだす」

**だん**［暖］①［×煖］〔文〕あたたかいこと。あたたまり。「―を取る」②〔視覚語〕空調器具の、回路があたたまるほうにつながっている状態。(↔冷)

**だん**［談］㊀だん〔文〕はなし。談話。ものがたり。「―終わって」〔それが談話であることを示すために、文章の終わりに(談)と記入することがある〕㊁〔造〕①談話。「車中―」②〔小説などの〕はなし。物語。「妖怪(ようかい)―」

**だん**［壇］①土をもり上げて作った祭場。②高く作った場所。

**だん**［弾］㊀〔造〕①たま。弾丸。「毒ガス―」②《野球》ホームラン。「サヨナラ―・連続―」③《サッカー》決め手となるシュート。「決勝―」㊁〔接尾〕もよおし・事業などの回数を数えることば。「行政改革の第一―」

**ダン**〔造〕〔↑ダウン〕《野球》アウト。「ノー―・ツー―」

☆☆**だんあつ**［弾圧］《名・他サ》権力・武力でおさえつけること。「言論を―する」

**だんあん**［断案］〔文〕最後的な〈考え/結論〉。「―を下(くだ)す」

*__たんい__［単位］①計算の基準となる〈もの/数字〉。「長さの―はメートルである・ページを―として数える・―時間〔=発生量・変化量などを測るとき、一単位とする時間〕・―面積〔=収穫(しゅうかく)量・発生量などを測るとき、一単位とする面積〕」②全体を形づくるもとになるもの。「文の―」③学習量を測る基準の量。高等学校以上の学校教育で用いる。「―認定(にんてい)」

**だんい**［段位］〔武道や碁(ご)・将棋(しょうぎ)などで〕段のくらい。

**たんいせいしょく**［単為生殖］《生》無性生殖の一種。めすが受精せずに、次の世代の個体を生むもの。ミジンコやアブラムシなどに見られる。

**たんいち**［単一］〔↑単一形乾電池(かんでんち)〕まるい筒(つつ)形の乾電池のうち、いちばん大きいもの。約一・五ボルト。☞たんいつ(単一)。

**たんいつ**［単一］《名・ナダ》①そのものばかりであること。「―な成分」②複雑でないこと。簡単。③ひとつ。〔派〕―さ。☞たんいち(単一)。

**だんいほうしょく**［暖衣飽食］〔文〕あたたかい衣服を着て、あきるほど食べること。何の不足もない、ぜいたくな生活。

**だんいん**［団員］ある目的のために作られた集団にはいっている人。または、その一員。

**だんう**［弾雨］〔文〕雨のように そそぐ弾丸(だんがん)。「砲煙(ほうえん)―をおかして進む」

**だんうん**［断雲］〔文〕ちぎれぐも。

**たんおん**［単音］①《言》音節の構成要素となる、最小単位の音(おん)。a, k, s, t など。②《音》単独で出す音(おん)。③《理》一つの周波数・振幅(しんぷく)だけを持つ音。

**たんおん**［短音］①《言》短い音(おん)。例、オーに対するオ、ソーに対するソ。②短いおと。▽(↔長音)

**たんおんかい**［短音階］《音》七音からできていて、第二音と第三音の間、および、第五音と第六音の間が半音である音階。マイナー。(↔長音階)

**たんか**［担架］けが人・病人をのせて運ぶ道具。

**たんか**［単価］①一定の単位あたりの価格。「建設―」②商品の一点あたりの値段。

**たんか**［単科］〔大学で〕学部が一つだけであること。「―大学(↔総合大学)」

**たんか**［(×啖×呵)］①しゃくに さわった相手などに言う、するどくて歯切れのいいことば。②露店(ろてん)などで、売りつけるためにのべる口上。●**たんかを切る**〔句〕けんかなどで、歯ぎれのいいことばで勢いよくやっつける。

**たんか**［短歌］五・七・五・七・七の五句、三十一音〔=三十一拍(はく)〕からできている歌。和歌。(↔長歌)

**たんか**［炭化］《名・自サ》《理》①炭素と化合すること。「―カルシウム」②燃えたり分解したりして、炭素だけになること。例、石炭は植物が炭化したもの。●**たんかすいそ**［炭化水素］《理》炭素と水素から成る有機化合物。石油・石炭・天然ガスなどの主成分。

**だんか**［団歌］消防団・応援(おうえん)団など、団と呼ばれるところの歌。

**だんか**［×檀家］《仏》その寺の檀徒となり、葬式(そうしき)・法事などを依頼(いらい)するとともに、寺の財政を助ける家。

**タンカー**〔tanker〕原油などの液体を積んで はこぶ船。油送船。

**だんかい**［団塊］①まるい(小さな)かたまり。②↑団塊の世代。●☆☆**だんかいのせだい**［団塊の世代］一九四七～四九年のベビーブームのときに生まれた世代。団塊。〔由来〕堺屋太一(さかいやたいち)の一九七六年の小説の題から。

**だんかい**［段階］①〔下から上に続く〕等級(の一つ)。「初級の―・文章力が一―上がる」②仕事などの順序(の中の一つ)。「最終—・—をふんで説明する」

**だんかい**[暖海]〔赤道海流などの流れる〕水温の高い海。

**だんがい**[断崖]〔文〕きりたったがけ。「—絶壁」

☆☆**だんがい**[弾劾]《名・他サ》〔文〕失敗やおかした罪をあばいてせめること。「失政を—する」 ●**だんがいさいばんしょ**[弾劾裁判所]《法》罷免の訴追を受けた裁判官を裁判するために、国会に設けられる裁判所。衆参両院の議員で構成される。

**だんがさね**[段重ね]重箱のように、何段かかさねる形の食器。「—の弁当箱」

**だんかざり**[段飾り]①女性の洋服の腰から下に、段々の形につけたかざり。②ひな人形や五月人形を、いくつかの段に分けてかざったもの。「七—」(↕平飾り)

**ダンガリー**〔dungaree〕デニムの一種。横糸に染めた糸を用いて織ったもの。「—シャツ」

**たんかん**[単館]一軒の(映画)館。「—ロードショー」

**たんかん**[胆管]《生》肝臓でつくられた胆汁を十二指腸まで運ぶ管。

**たんかん**[短観]↑日銀短観。

**タンカン**[(:桶柑)]〔中国語〕鹿児島・沖縄より南でとれる、かんきつ類。大きさはウンシュウミカンぐらいで、外皮はやや固く、実はあまずっぱい。

**たんがん**[単眼]《動》昆虫類・クモ類などが持っている、小形で簡単な構造の目。(↕複眼)

**たんがん**[単願]《名・他サ》⇩専願。(↕併願)

☆☆**たんがん**[嘆願・×歎願]《名・他サ》事情をのべて一心にねがうこと。「—書」

**だんかん**[断簡]〔文〕きれぎれになった書きもの。「—零墨」

**だんがん**[弾丸]①人や物に命中させるために、銃砲につめて発射するもの。たま。②とぶようにはやく行くたとえ。「—道路・—列車・—ツアー〔=機中泊です ぐ帰るような強行ツアー〕・—登山」

**たんかんパイプ**[単管パイプ]建築現場の足場などを組む鉄パイプ。

**たんき**[単機]〔文〕①飛行機一機だけで行くこと。「—(で)出撃」②一機だけの飛行機。③一台だけの機関車。

**たんき**[単騎]〔文〕①ひとりで馬に乗って行くこと。「—独行」②騎馬一騎。

**たんき**[短期]短い期間。(↕長期・中期) ●**たんきだいがく**[短期大学]修業年限が二年または三年の大学。短大。

**たんき**[単記]《名・他サ》〔文〕①一つ一つ別々に書くこと。②〔選挙などで〕一枚の用紙に一名だけ書くこと。▽(↕連記) ●**たんきとうひょう**[単記投票]《法》一枚の投票用紙に、選挙される人をひとりだけ書く投票。(↕連記投票)

**たんき**[短気]《名・ナダ》きみじか。せっかち。「—を起こす・—な人」 ●**短気は損気**[句]短気だと必ず損をする。〔損気は、短気に合わせた言い方〕

**だんき**[団旗]その集団を代表する旗。

**だんき**[暖気]〔文〕あたたかい〈気候/空気〉。

**だんき**[暖機]《名・自サ》(↑暖機運転)⇩ウォーミングアップ②。

←**だんぎ**[談議]話し合い。相談。「—に明け暮れる」

→**だんぎ**[談義]《名・自サ》①《仏》仏教の意味を説ききかせること。説法。☞長談義。②世間話に近い、自由な議論。「教育—」③〔おー〕〔古風〕教訓。こごと。

←**たんきゅう**[探求]《名・他サ》ものごとをさがしもとめること。「平和の—・史跡—・—書」

→**たんきゅう**[探究]《名・他サ》ものごとの本質をさぐって、奥をきわめること。「真理の—・—心」

**だんきゅう**[段丘]①《地》川や波にけずられて、川岸や海岸の土地が階段状になった地形。平らな部分を「段丘面」、がけの部分を「段丘崖」と言う。☞河岸段丘。②ななめになった土地を、ひな壇式に何段にも分けて平らにした土地。

**たんぎょく**[単玉]レンズが一枚である〈こと/簡単なカメラ〉。

**たんきょり**[短距離]①短い距離。(↕長距離)②《陸上》四百メートル以下の競走。☞中距離・長距離。

**たんきん**[鍛金]かなづちや木のつちで打って金属をのばし形づくる〈こと/技術〉。☞鋳金。

**たんく**[短×軀]〔文〕背の低いからだ。短身。(↕長軀)

**タンク**〔tank〕①水・ガス・油などをたくわえる大きな入れもの。「—車〔=ⓐタンクローリー。ⓑタンク貨車〕」②《軍》戦車。 ●**タンクトップ**〔米 tank top〕《服》ランニングシャツに似たブラウス。えりぐりが深く、わきの下のあきが小さい。 ●**タンクローリー**〔tank lorry〕タンクをすえつけ、ガソリン・プロパンガスなどをつめてはこぶトラック。ローリー。

**ダンクシュート**〔和製 dunk shoot〕《バスケットボール》ボールを、ゴールのリングの真上からたたきこむシュート。ダンク(ショット)。

**タングステン**〔tungsten〕《理》灰色でつやのある金属〔元素記号 W〕。電気抵抗が大きい。電球のフィラメントや合金材料とする。

**たんぐつ**[短靴]足首のところまではいる、浅いくつ。(↕長靴)

**たんけい**[短径]《数》だ(楕)円の、短いほうのさしわたし。(↕長径)

**たんげい**[端×倪]《名・他サ》〔文〕はかりしること。「—すべからざる〔=はかりしれない〕人物」

**だんけい**[男系]①男性から男性へと相続されていく家系。「—家族」②父方の血筋(であること)。▽(↕女系)

**たんげつ**[単月]ある月の一か月間。「—の出荷量」

**だんけつ**[団結]《名・自サ》(団体をつくる ひとりひとりが)おたがいに一つにかたまること。「一致—」 ●**だんけつけん**[団結権]《法》労働者が団結して、労働組合を作る権利。

**たんけん**[短見]〔文〕あさはかな〈意見/考え〉。

**たんけん**[短剣]〔腰につる〕短い剣。(↕長剣)

←**たんけん**[探見]《名・他サ》〔文〕様子をさぐってみること。「—灯〔=棒形の懐中電灯〕」

→**たんけん**[探検・探険]《名・他サ》①実地にさぐり調べること。「—隊」②危険をおかして調べること。

**たんげん**【単元】①〔文〕それだけで一つにまとまった実体。②学習の単位となる、ひとまとめの材料(の題目)。ユニット。「―学習」

**だんげん**【断言】《名・他サ》きっぱりと言い切ること。「きっとやる、と―した・それは―できない」

**たんご**【丹後】旧国名の一つ。今の京都府の北部。

**たんご**【単五】〔↑単五形乾電池(かんでんち)〕単四よりさらに小形の乾電池。

**たんご**【単語】〔言〕文を組み立てている最小の単位で、決まった意味や文法的役割を持つことば。語。例、「今夜、雨が降るらしいよ」の「今夜」「雨」「が」「降る」「らしい」「よ」。〔日本語では、自立語と付属語に分けられる〕「英―・―帳」☞文節。

**たんご**【端午】五月五日の節句。こいのぼりを立てたり、武者人形をかざったりして、男の子の成長を祝う。「―の節句(↕桃(もも)の節句)」

**タンゴ**〔ス tango〕〔音〕アルゼンチンから始まったダンス(の曲)。四分の二拍子(びょうし)の音楽にあわせておどる。

**だんこ**【断固・断×乎】《副・タルト》〔困難や反対があっても〕まよわないで、考えたとおりにするようす。断然。「―として守る・―たる決意・―決行」

**だんご**【団子】①米の粉をまるくこねて蒸(む)した食べ物。「きびー・くしー」②まるくかたまった形(のもの)。「―になる」③くしだんごのように、いくつもならんで続くこと。また、一つにかたまること。「―になる(=一団となる)・〔バスの〕―運転・―レース」④⇩おだんご②。●**だんごっぱな**【団子っ鼻】〔俗〕先がだんごのようにまるくなっている鼻。だんごばな。●**だんごむし**【団子虫】背中に節のある灰色の小さな生き物。庭石の下などにいて、さわるとだんごのようにからだを丸める。〔エビやカニのなかま〕

**たんこう**【単行】〔文〕①一つのものごとについて施行(しこう)すること。「―法」②単独の刊行。●**たんこうぼん**【単行本】雑誌・全集などの形でなく、それだけで刊行された本。

⇄**たんこう**【炭坑】石炭をほり出す穴。「―節(ぶし)」

⇄**たんこう**【炭鉱】石炭をほり出す鉱山。「―のカナリア(=毒ガスなどの異変を察知するたとえ)」

**たんこう**【探鉱】鉱床(こうしょう)や石炭・石油の層をさぐりもとめること。

⇄**だんこう**【団交】↑団体交渉(こうしょう)。

⇄**だんこう**【断交】《名・自他サ》〔文〕国交断絶。

**だんこう**【断行】《名・他サ》〔困難を〕おしきっておこなうこと。「計画を―する・熟慮(じゅくりょ)―」

☆**だんごう**【談合】《名・自サ》①話し合い。相談。②〔競争入札のとき〕前もって落札する価格などを、話し合いで決めること。「―が発覚する」

**タンゴール**〔tangor〕ミカンとオレンジをかけ合わせたくだものをまとめて呼ぶことば。例、タンカン。

**だんごく**【暖国】〔文〕気候のあたたかな国。だんこく。

**たんこぶ**〔俗〕こぶ。「目の上の―(=自分の活動のじゃまになる目上の人)」

**だんこん**【男根】〔文〕陰茎(いんけい)。(↕女陰(じょいん))

**だんこん**【弾痕】〔文〕大砲(たいほう)などのたまのあたったあと。

**たんさ**【探査】《名・他サ》〔文〕さぐって調べること。「火星―・宇宙―機」

**たんざ**【端座】《名・自サ》〔文〕きちんと、行儀(ぎょうぎ)正しくすわること。

**だんさ**【段差】①部屋のさかいめや、道路のとちゅうなどで、段のように上下にずれた所。②《碁・将棋など》段位による、能力の差。

**ダンサー**〔dancer〕ダンスをして見せることを職業とする人。「バレエ―」

⇄**たんさい**【単彩】〔文〕ひといろの色彩(しきさい)。

⇄**たんさい**【淡彩】〔文〕あっさりした彩色(さいしき)。「―画」(↕濃彩(のうさい))

**だんさい**【断裁】《名・他サ》紙や布などをたちきること。裁断。

**だんざい**【断罪】《名・自サ》〔文〕①犯罪に対して、刑(けい)を定めること。②打ち首。

**たんさいぼう**【単細胞】㊀〔生〕ただ一つだけの細胞。「―動物」㊁《名・ナダ》〔俗〕考え方が単純な〈こと／人〉。「―の人間・―な男」

**たんさく**【単作】〔農〕①一毛作。「―地帯」②一種類の作物だけを作ること。(↕混作)

**たんさく**【探索】《名・他サ》〔文〕人の居場所や事件の真相などをさぐりもとめること。

**たんざく**【短冊・短△尺】①和歌・絵などをかく、細長い紙。②(↑たんざく形)〔料〕「たんざく①」の形。「大根を―に切る・―切り」

**ダンサブル**《ナダ》〔danceable〕リズミカルで、ダンスに適しているようす。「―な音楽」

**たんさん**【単三】〔↑単三形乾電池(かんでんち)〕単二よりさらに小形の乾電池。

**たんさん**【単産】↑産業別単一労働組合。

**たんさん**【炭酸】①〔理〕炭酸ガスを水にとかすときにできる酸。②↑炭酸水。「―は苦手だ」●**たんさんガス**【炭酸ガス】〔理〕⇩二酸化炭素。●**たんさんすい**【炭酸水】炭酸をふくむ(飲料)水。ソーダ水。「強―」●**たんさんナトリウム**【炭酸ナトリウム】〔理〕重曹(じゅうそう)を熱して作る白色の固体。水にとけて強いアルカリ性を示す。ガラス・せっけんの原料。炭酸ソーダ。ソーダ灰。

**たんし**【短詩】〔文〕短い(形の)詩。(↕長詩)

**たんし**【短資】《経》↑短期資金(=短期間に返さなければならない資金)。

**たんし**【端子】⇩ターミナル③。

**たんし**【×譚詩】〔譚=話す〕〔文〕物語詩。物語形式の詩。バラード。

＊**だんし**【男子】①男。男性。〔年齢(ねんれい)を問題にしない、かたい言い方〕「―従業員募集(ぼしゅう)・―高生(=ⓐ男子の高校生。ⓑ男子高校の生徒)・―百メートル決勝・―禁制(きんせい)」区別⇩男(おとこ)②。②「男子①」に、親しみのある、くだけた感じを持たせた言い方。「年下―」〔二十一世紀になって広まった用法。「〇〇男子」は、二〇〇九年に特に広まった。☞草食②〕③〔学校などで〕男の子。「―もそうじしなさいよ!」④〔文〕むすこ。「―誕生」▽(↕女子) ●**男子厨房(ちゅうぼう)に入(い)らず** 句 男は台所にはいって料理などすべきでない。〔封建(ほうけん)時代の社会通念をあらわしたことば〕

**だんじ**【男児】〔文〕男の子ども。「―半ズボン」(↕女児)

**タンしお**【タン塩・∴舌=塩】塩味をつけた、牛の舌

た

の焼き肉。しおタン。

**たんじかん**［短時間］ 短い時間。「会見は—で終わった」（↔長時間）

**たんしき**［単式］ ①単純な〈形式／方式〉。「—火山（＝富士山など）・—簿記」 ②《競馬・競輪など》着順どおりに当てるもの。「連勝—（＝一、二着を単式で当てるもの。連単）」▽（↔複式）

**だんじき**［断食］《名・自サ》 ある期間食事をとらないこと。

**だんじこ・む**［談じ込む］《自五》 苦情・要求などを強い調子で申し入れる。

**たんじじつ**［短時日］ わずかの日数。

**タンシチュー**〔和製 tongue stew〕 牛の舌を煮こんだ料理。

**たんじつ**［短日］〔文〕 ①冬至の前後の、日のいちばん短いころ。 ②短日月。 ●**たんじつしょくぶつ**［短日植物］ 短日性（＝日が短くなると花がさく性質）の植物。（↔長日植物）

**たんじつげつ**［短日月］〔文〕 わずかのつきひ。

**だんじて**［断じて］《副》 ①けっして。「—まちがいはない」 ②〔文〕断固として。きっぱりと。 ●**断じて行えば鬼神もこれを避く** 句〔文〕 強い決心で断行すれば、じゃまもひっこむ。

**たんしゃ**［単車］ オートバイ。二輪車。

**たんしゃ**［炭車］〔文〕 石炭を炭坑からはこび出すくるま。

**たんじゃく**［短尺］ ①長さが、短いこと。（↔長尺） ②「たんざく」の変化。

**だんしゃく**［男爵］ ①〈もとの華族／ヨーロッパの貴族〉の階級の第五。また、その階級の人。☞爵位。 ②ジャガイモの品種の一つ。実は丸く、ごつごつしている。男爵いも。 由来 北海道の川田竜吉男爵がアメリカから導入したことから。☞メークイン。

**だんしゃり**［断捨離］ 一〔商標名〕 ものごとを断ち、がらくたを捨てれば、執着もはなれていくという生活思想。〔二〇〇九年からの ことば〕 二《名・自他サ》 ものを思いきりよく捨てて、すっきりすること。「もう着ない服を—する」

**だんしゅ**［断首］《名・自サ》〔文〕 首をきること。斬首。

**だんしゅ**［断酒］《名・自サ》 酒をいっさい やめること。酒断ち。「—のちかい」☞禁酒 一。

**だんしゅ**［断種］《名・自他サ》 ①〔悪い性質が遺伝するという、古い考えから〕病気をもつ人などが子どもを作れなくする手術を（強制的に）おこなうこと。 ②〔動物の〕去勢。

←**たんしゅう**［反収］《農》 一反あたりの収穫量。「高—・—九俵」

→**たんしゅう**［単収］《農》 単位面積あたりの収穫量。

**たんじゅう**［胆汁］《生》 肝臓から出る、にがい消化液。 ●**たんじゅうしつ**［胆汁質］《心》 性格の分類の一つ。刺激に対する反応が速くて はげしく、気が強く おこりっぽい。☞多血質・粘液質・憂鬱質。

**たんじゅう**［短銃］ ピストル。拳銃。

**だんしゅう**［男囚］〔文〕 男性の囚人。（↔女囚）

**たんしゅく**［短縮］《名・自他サ》 短く、〈縮める／縮まる〉こと。「—授業・—ダイヤル」（↔延長）

***たんじゅん**［単純］《名・ダナ》 ①ものごとが、入り組んでいないようす。簡単。「—化する・—明快な論理・—作業」（↔複雑） ②〈複数／ほか〉のものが合わさっていないようす。「—動詞・—林・—温泉（＝含有成分が少ない温泉。単純泉）」 ③幼稚なこと。「—な頭の持ち主」 ④（—に） ⓐ単に。「—に好みの問題だ」 ⓑ率直に。「—にうれしかった」 派 —さ。 ●**たんじゅんけいさん**［単純計算］《名・他サ》 いろいろな条件を考えに入れない、ごく簡単な計算。「—で約二百億円の減収」 ●**たんじゅんご**［単純語］《言》 単語のうち、それ以上小さな単位に分けることのできないもの。例、山・川・鳥・人。（↔合成語）

**だんしゅん**［暖春］〔文〕 あたたかい春。

**たんしょ**［短所］ おとっているところ。欠点。（↔長所）

**たんしょ**［端緒］〔文〕 ⇩たんちょ（端緒）。

***だんじょ**［男女］ 男と女。なんにょ。「—関係」 ●**男女七歳にして席を同じゅうせず** 句〔文〕 子どもでも七つになれば、男女を同じ席（＝敷物）にすわらせないで、区別する。〔封建時代の道徳の考えをあらわしたことば〕 ●**だんじょきょうがく**［男女共学］ 同じ学校の同じ教室で、男子と女子の学生・生徒が教育を受けること。（↔男女別学） ●**だんじょどうけん**［男女同権］ 男性と女性とが同じ権利を持つこと。〔明治時代からことばだけはあった〕

**たんしょう**［単勝］（↑単勝式）《競馬など》 一着だけをあてること。☞複勝・連勝②。

**たんしょう**［探傷］ 超音波を当てたり電気を流したりして、きずがないかを調べること。「車軸の—検査」

**たんしょう**［短章］〔文〕 短い詩や文。

**たんしょう**［探勝］《名・自サ》〔文〕 けしきのいい土地を〈たずねる／見て歩く〉こと。「—の旅」

**たんしょう**［嘆賞・嘆称］《名・他サ》〔文〕 感心してほめること。

**たんしょう**［短小］《名・ダナ》〔文〕 短くて小さいこと。（↔長大）

**たんじょう**［誕生］《名・自サ》 ①世の中にうまれ出ること。「長女—・（お）—会（＝誕生日会）・お子さまの〈ご／お〉—」 ②（お—）うまれて一回目の誕生日。満一歳。「そろそろお—ですか」 ③新しく〈作られる／できる〉こと。「新横綱の—を祝う」 ●**たんじょうせき**［誕生石］ その人の生まれた月にあわせて、幸運が来るようにえらんだ宝石。例、四月のダイヤモンド。 ●**たんじょうび**［誕生日］ その人が生まれた日。また、毎年のそれと同じ日。「（お）—おめでとう・（お）—会・お—席（＝長方形のテーブルの、短い辺の ひとり席）」

**だんしょう**［男×娼］〔文〕（男に）からだを売る男。陰間。

**だんしょう**［断章］〔文〕 詩や文の断片。「〔文章の題で〕スペイン—」

**だんしょう**［談笑］《名・自サ》 うちとけて、話したり笑ったりすること。「—のうちに約束が成立した」

**だんじょう**［壇上］ 壇の上。

**たんしょうとう**［探照灯］〔文〕 サーチライト。

たんしようるい【単子葉類】〔植〕種から芽が出るときの最初の葉が一枚である植物。☞双子葉類。

たんしょく【単色】〔文〕一種類の色。

たんしょく【淡色】〔文〕うすい色。（↔濃色）
●たんしょくやさい【淡色野菜】うすい色の野菜。例、ダイコン・ハクサイ・ネギ。（↔緑黄色野菜）
だんしょく【男色】〔文〕男子の同性愛。なんしょく。

だんしょく【暖色】見る人にあたたかな感じをあたえる色。赤・黄など。温色。（↔寒色）

ダンジョン〔dungeon＝地下牢〕①ロールプレイングゲームに出てくる迷宮。②迷宮のように入り組んで複雑な空間。「新宿駅は巨大ーだ」

だんじり【〔：楽車〕・〔：山車〕】〔関西以西で〕だし（山車）。「大阪 岸和田の勇壮なー祭り」

たんじる【嘆じる・×歎じる】《自他上一》〔文〕①なげく。②感心する。▽嘆ずる。

だんじる【談じる】《自上一》〔文〕語る。談ずる。

だんじる【断じる】《他上一》〔文〕①判断をくだす。断定する。「誤りとーわけにはいかない」②さばく。「理非をー」▽断ずる。

だんじる【弾じる】《他上一》〔文〕ひく。ひきならす。弾ずる。「琴をー」

たんしん【単身】自分ひとり。「ー赴任・〔副詞的に〕ー敵地に乗りこむ」

たんしん【単親】〔文〕一人親。「ー家庭」

たんしん【短身】身長が低いこと。（↔長身）

たんしん【短信】〔文〕①短い手紙。②新聞・雑誌などにのせる、短いニュース。「経済ー・ー欄」

たんしん【短針】時計の、時をさす、短いほうの はり。時針。（↔長針）

たんじん【炭×塵】〔鉱〕石炭をほったり、はこんだりするときに出る、ほこりのように細かな粉。坑内爆発の原因になりやすい。

ダンシング〔dancing〕①おどること。舞踊。「ーチーム」②〔自転車競技で〕立ちこぎ。

だんしんと【×檀信徒】檀家と信徒。

たんす【〔×箪×笥〕・タンス】〈ひきだし/戸〉があって、着物などを入れておく家具。「ーの こやし（＝衣類をしまったままにしていること）」
●たんすよきん【〔×箪×笥〕預金】《名・他サ》銀行などに あずけず、家の中に しまっておくお金。
ダンス《名・自サ》〔dance〕おどり。舞踊。舞踏。洋舞。「ーパーティー」
●ダンスホール〔米 dance hall〕①料金を取っておどらせる、ダンス場。②ダンスをする（ための）場所。
☆☆たんすい【淡水】塩けをふくまない水。まみず。「ー魚」（↔鹹水）
●たんすいこ【淡水湖】〔地〕塩分をほとんどふくまない湖。（↔塩湖）
たんすい【×湛水】《名・自サ》〔文〕水田やダムに、水をはること。「試験ー」

だんすい【断水】《名・自他サ》①水道〈がとまる/をとめる〉こと。②水をいっさい飲まないこと。「断食ー」

たんすいかぶつ【炭水化物】（＝炭素と水との化合物）〔理〕⇨糖質。〔厳密には、糖質と食物繊維をまとめた呼び名。もと、含水炭素〕

たんすいろ【短水路】〔競泳〕長さが五十メートル未満のプール。ふつう二十五メートルのものをいう。（↔長水路）

たんすう【単数】①〔言〕〈ひとり/一つ〉であることをあらわすことば（と、それに応じた語形上の区別）。「ー形」②数が一つ。「犯人（ー）をとらえた」▽（↔複数）

たんせい【嘆声・×歎声】〔文〕感心して出す声。「ーを発する」

たんせい【丹精・丹誠】《名・他サ》〔作ることや育てることに〕心をこめること。また、その心。「ー（を）こめて育てたバラ」

たんせい【端正・端整】《ナダ》〔姿・形や言動などが〕きちんと整っているようす。「ーな容姿・ーな文章・ーな花」派ーさ。

たんぜい【担税】租税を負担すること。「ー力・ー意識」

だんせい【男声】男の声。「ー合唱」（↔女声）

**だんせい【男性】①男の人。ふつう、成年の男子を言う。「ー職員・ーけしょう品」（↔女性）区別⇨男 ②〔言〕「性 二⑤」の一つ。●だんせいご【男性語】男性が使う（と思われている）ことば。男ことば。その中には、演劇的なことば（例、「待ってるぜ」の「ぜ」）や、伝統的に男性が手紙で使った書きことば（例、貴君）なども ふくむ。必ずしも男性の多くが使うことばではなく、女性が使うこともある。〔この辞書では〔男〕で示す〕（↔女性語）●だんせいてき【男性的】《ナダ》男性を思わせる特徴があるようす。〔男性以外にも使う〕「ーな社会・ーな声」（↔女性的）

だんせい【弾性】〔理〕〔外から〕加えられた力で変形したものが、もとに もどろうとする性質。弾力性。「ー体（＝スプリングなど）」

たんせき【旦夕】（＝あさばん）〔文〕時期のさしせまったようす。目前。「命ーに迫る（⇨「命」の句）」

たんせき【胆石】〔医〕胆汁の成分が たんのう（胆嚢）などで かたまったもの。

だんぜつ【断絶】《名・自他サ》①つながりが たえること。つながりをたつこと。「国交のー」②世代の間で、考え方などが通じないこと。「ー感」

たんせん【単線】①上り・下りの列車が共通に使う、一つの線路。「ー運転」②一つのコース。「ー型教育制度」▽（↔複線）③芯の導体が一本の電線。（↔よ（縒）り線）

たんぜん【丹前】〔服〕①そでの広い、綿入れの着物。湯上がりなどに着て くつろぐ。②どてら。

たんぜん【端然】《タル》姿などがみだれず、整っているようす。

だんせん【断線】《名・自サ》電線・電話線などが切れること。

だんぜん【断然】《副・タル》①ほかとくらべて、〈非常に/明らかに〉。「実力では うちのチームがー有利だ・ートップの成績（⇨断トツ）」②まよわないで、考えたとおりにするようす。断固。絶対。「見合いの話はーことわる・さそわれたらー行きますよ」③〔古風〕まったく。本当に。「ーうれしい・ーおもしろくない」

たんそ【単組】（＝単位組合）各産業の それぞれの職場を単位とした労働組合。

たんそ【炭〔×疽〕】〔医〕炭疽病。●たんそびょう【炭（×疽）病】①〔医〕土の中の炭疽菌による、牛・馬などの感染症。人にも感染する。炭疽（熱）。②

た

葉・くき・実などに黒褐色(こっかっしょく)の斑点(はんてん)ができる、植物の病気。

**たんそ**【炭素】〘理〙化合していろいろな有機物をつくる元素〔記号C〕。石炭・墨(すみ)のおもな成分。単体としては、無定形炭素(=すす)、ダイヤモンド、黒鉛(こくえん)(=石墨(せきぼく))などが知られる。●**たんそせんい**【炭素繊維】〘理〙原料とする繊維を窒素(ちっそ)の中で高温で炭化したもの。非常に強くて軽い。カーボンファイバー。

**たんぞう**【鍛造】〘名・他サ〙金属をたたいて形づくること。⇨鋳造(ちゅうぞう)。

**たんそう**【単層】〔文〕層が一つであること。(↔重層)

**たんそう**【炭層】石炭の層。

**たんそう**【担送】〘名・他サ〙〘医〙病人を、担架(たんか)にのせてはこぶこと。「—車(=ストレッチャー)」

**だんそう**【断想】まとまらない、短い感想。

☆☆**だんそう**【断層】①〘地〙土地のわれ目に沿って地層がずれて、くいちがったところ。⇨活断層。②くいちがい。「世代の—」●**だんそうさつえい**【断層撮影】〘名・他サ〙〘医〙X線などを使って、人体の患部(かんぶ)などの断面を撮影すること。

**だんそう**【弾倉】〔機関銃(きかんじゅう)や連発式の銃で〕補充用(ほじゅうよう)のたまを入れて おくところ。マガジン。

**だんそう**【男装】〘名・自サ〙女性が男性のかっこうをすること。「—の麗人(れいじん)」(↔女装)

**だんそう**【弾奏】〘名・他サ〙〔文〕琴(こと)・琵琶(びわ)・ピアノなどの、弦楽器(げんがっき)をひくこと。

**たんそく**【短足】短い足。足が短いこと。

**たんそく**【嘆息・×歎息】〘名・自サ〙〔困ったときの〕ためいき(をつくこと)。「—をもらす・長—」

**たんそく**【探測】〘名・他サ〙〔文〕天体や気象などの様子を調べたり、測定をしたりすること。「月—計画・—気球」

**だんそく**【団則】応援(おうえん)団・少年団など、団と名のつく団体の規則。

**だんぞく**【断続】〘名・自サ〙間が切れたり続いたりすること。「—的」

**だんそんじょひ**【男尊女卑】男性の地位が女性よりも高い(と考えること)。(↔女尊男卑(だんぴ))

**たんだ**【短打】①〘野球〙長打をねらわず、確実に安打にする打撃(だげき)。「—戦法」②〘ゴルフ〙ショートショット。(↔長打)

**たんだ**【単打】〘名・自サ〙〘野球〙⇨シングルヒット。(↔長打)

**たんたい**【単体】①単一の個体。「—の機器・本社—・—決算」②〘理〙ただ一種類の元素でできている物質。例、水素・オゾン・金など。(↔化合物)

**たんだい**【短大】↑短期大学。

**だんたい【団体】①ある目的のために、人が集まったもの。「—生活・—旅行」②集団。「—行動」③ある共同の目的をなしとげるために、多くの人が集まって作った組織。「政治—・—役員(例、農協の理事)」④↑団体競技。「男子—」(↔個人)●**だんたいきょうやく**【団体協約】労働協約。団協。●**だんたいこうしょう**【団体交渉】労働組合(の代表者)が使用者側と交渉すること。団交。

**だんだら**〘段だら〙別々の色で横に染めたり織ったりすること。「—模様」

**たんたん**【×坦々】〘タルト〙〔文〕①〔道路などの〕平らなようす。②変化のないようす。「—とした生活」

**たんたん**【淡々】〘トタル〙①感じがあっさりしたようす。「—とした色調」②ものごとにこだわらないようす。「—と(して)語る」

**だんたん**【断端】〘医〙手術で切除した組織の切断面。切除断端部。「—は陰性(いんせい)(=断端に がん細胞(さいぼう)が認められない)」

**だんだん** ■一**だんだん**【段々】①階段(の形)。「—畑・—になっている」②〔文〕一つ一つ。条々。「無礼の—は平(ひら)にお許し願いたい」■二**だんだん**〘副〙変化が少しずつ大きくなるようす。しだいに。「—(に/と)暗くなってきた・—わかりはじめた」■三**だんだん**〘感〙(←だんだん(=いろいろ)ありがとう。中国・九州・愛媛方言)ありがとう。

**タンタンめん**【:担々=麺・タンタンメン】(「担担」は中国語)トウガラシとゴマで味つけをし、ザーサイ・ひき肉などをのせた、四川(しせん)ふうの からい そば。(日本ではスープを入れたものが多い)「汁(しる)なし—」由来 天びん棒で担いで売ったことから。

**たんち**【探知】〘名・他サ〙さぐって知ること。

**だんち**【団地】①工場や住宅を計画的に一か所に集めて開発・建設した地区。「住宅—・工場—・流通—」②↑住宅団地。「—族(一九五八年からのことば)」

**だんち**【暖地】〔文〕あたたかな土地。「—性のハーブ」(↔寒地)

**だんち**【ダンチ】〘ナダ〙(古風・俗)↑だんちがい■二。

**だんちがい**【段違い】■一①階段のように、高さにちがいがあること。「—平行棒(=女子体操競技の種目)」②一段ずつ、たがいちがいに別な模様をあらわすこと。■二〘ナダ〙大きくかけはなれているようす。ダンチ(古風・俗)。「—にうまい」

**だんちゃく**【弾着】〘軍〙着弾。「—距離(きょり)」

**たんちょ**【単著】ひとりで執筆(しっぴつ)した著書。(↔共著)

☆☆**たんちょ**【端緒】〔文〕いとぐち。たんしょ。「研究の—」●**端緒に就く**(句)⇨緒(ちょ)に就く(「緒」の(句))

**たんちょう**【丹頂】いちばん代表的なツル。形はすらりとして色が白く、頭の上は赤い。たんちょうづる。

**たんちょう**【探鳥】〔文〕野鳥を観察すること。バードウォッチング。「—会」

**たんちょう**【短調】〘音〙短音階による調子。どちらかというとものの悲しい調子になる。「ハ—」(↔長調)

**たんちょう**【単調】〘名・ナダ〙同じ調子が続いて、変化が少ないようす。「—なひびき」派—さ。

**だんちょう**【団長】団のかしら。

**だんちょう**【断腸】〔文〕はらわたがちぎれるような気がすること。●☆☆**だんちょうのおもい**【断腸の思い】〔文〕〔やむをえず するときなどの〕つらい思い。「—で職を去る」

**だんつう**【段通・×緞通】(中国語「毯子(タンツ)」から)敷物(しきもの)に使う、手織りの厚い織物。また、それで作ったカーペット。

**たんつぼ**【×痰×壺】たんや つばをはき入れる容器。〔昔、駅などに置いてあった〕

**たんてい**【短艇・端艇】〔文〕①はしけ。②ボート。

**たんてい**【探偵】〘名・他サ〙事情や犯罪を、そっと調べる(こと・人)。「—小説・私立—」

**だんてい**［断定］《名・他サ》絶対まちがいない、と考えを決め(て述べ)ること。「―を下す・―的に言う」

**ダンディ(ー)**《名・ナダ》〔dandy〕服装がおしゃれで、態度が洗練されているようす。また、その男性。「―な姿・―ボーイ」派―さ。

**ダンディズム**〔dandyism〕ダンディーさを追求する精神。

☆☆**たんてき**［端的］《ナダ》てっとりばやく、わかりやすいようす。「―に言えば・今回の事件が―に示すように」派―さ。

**たんでき**［×耽溺］《名・自サ》〔文〕不健全なことにふけること。「酒色に―する」

**タンデム**〔tandem〕①サドルが二つ縦にならんだ、二人乗りの自転車。②オートバイの二人乗り。

**たんでん**［丹田］⇩せいかたんでん(臍下丹田)。「―に力を入れる」

**たんでん**［炭田］炭層の多い地域。

**たんと**［炭都］〔文〕石炭がたくさんとれる都市。

**たんと**《副》〔古風／中部などの方言〕たくさん。「―おあがり」

**だんと**［×檀徒］《仏》檀家の人々。

**たんとう**［短刀］短いかたな。

**たんとう**［短答］〔司法試験や公認会計士試験などで〕示された選択肢の中から正解を選んで答えること。「―式試験」

***たんとう**［担当］《名・他サ》①うけもつこと。うけもち。「―業務」②〔業務を〕うけもつ人。「広報―」

**だんとう**［弾頭］《軍》砲弾やミサイルの先の、爆薬をつめたりする部分。「核―」

**だんとう**［暖冬］あたたかな冬。「―異変」(↔寒冬)

**だんどう**［弾道］①《軍》発射された弾丸が空中にえがく、弓形の曲線。②《ゴルフ・野球など》打ったボールが空中にえがく曲線。●**だんどうミサイル**［弾道ミサイル］《軍》ロケットで超高空に打ち上げ、目標に落下させるミサイル。飛ぶ経路が大砲の弾道に似ている。ICBM〔=大陸間弾道弾〕など。☞巡航ミサイル。

**だんとうだい**［断頭台］そこに罪人をのぼらせて首を切る台。ギロチン。

☆☆**たんとうちょくにゅう**［単刀直入］《名・ナダ》前置きをしないで、いきなり本題にはいること。〔はっきりと意見を述べるときなどに使うことば〕「―にたずねる」派―さ。

**タンドール**〔tandoor〕インドなどで使う円筒形の土窯。炭やまきを底で燃やし、ナンやタンドリーチキンなどを作る。

**たんどく**［丹毒］《医》連鎖球菌が傷口からはいって起こる、急性で、化膿性の炎症。

**たんどく**［単独］①自分ひとり。「―行動・―犯」②ただ〈一つ／ひとり〉。「―にあらわれる現象・―トップ」

**たんどく**［×耽読］《名・他サ》〔文〕夢中になって読みふけること。

**だんトツ**［断トツ］〔↑断然トップ〕圧倒的に他を引きはなしていること。断然先頭を切っていること。「―の好成績」✓「―の首位」とも言うが、「―のトップ」はさすがに重言の感じが強い。

**だんどり**［段取り］事をはこぶための順序。手順。「建築の―・―をつける」動段取る《他五》。

**タンドリーチキン**〔tandoori chicken〕味つけした とり肉をタンドールで焼いた、インドなどの料理。タンドゥーリチキン。タンドーリチキン。チキンタンドーリ。

←**だんな**［旦那］〔「だんな(檀那)」から〕①力のある商人。「―衆〔=だんな方〕」②その家や店を守る男性。「大―・若―・〔使用人が〕―さま、奥さま」③〔他人に、自分の〕夫を少し気安く言うときの呼び方。「うちの―・お前の―に言っとけ」(↔女房)〔「―さん」「―さま」は、ていねいな言い方。(↔奥さん・奥さま)〕✓⇩配偶者。④めんどうを見る男性。「芸者に―がつく・―の囲い者」⑤〔俗〕目上の男性に使う尊敬語。「―にゃ、かないませんや」

→**だんな**［×檀那］〔梵語 dāna の音訳〕《仏》施主。●**だんなでら**［×檀那寺］《仏》菩提寺。

**たんなる**［単なる］《連体》ただの。「―うわさにすぎない」

**たんに**［単二］〔↑単二形乾電池〕単一より小形、単三より大形の乾電池。

***たんに**［単に］《副》①ほかの〈意味合い／要素〉はなく。単純に。「私は―感想を述べただけだ・打てないのは、―ボールを見ていないからだ」②簡単に。「サツマイモを―イモとも言う」▽ただ。

**だんにゅう**［断乳］《名・自サ》育った子どもに、もう母乳を飲ませるのをやめること。☞卒乳。

**たんにん**［担任］《名・他サ》①〔学校で〕学級を受け持つこと。また、その教師。「クラス―」②〔文〕ひきうけること。担当。「事務を―する」

**タンニン**〔オ tannin〕《理》お茶・カキの実などにふくまれる、しぶい味の成分。皮をなめしたり、インクを作ったりするときに使う。表記「:単寧」は、古い音訳字。

**だんねつ**［断熱］《名・自サ》《理》熱が伝わらないようにすること。「―材・壁を―する」

**たんねん**［単年］一年だけ。「―契約」

**たんねん**［丹念］《ナダ》心をこめてていねいにするようす。入念。「―に読む」派―さ。

**だんねん**［断念］《名・他サ》あきらめること。「計画を―する」

**たんねんど**［単年度］一年だけの(会計)年度。

**たんのう**［胆(×囊)］《生》肝臓から出る胆汁をいちじためておくふくろ。

☆☆**たんのう**［堪能］㊀《ナダ》学芸にすぐれているようす。練達。かんのう。「語学に―な人」派―さ。㊁《名・自他サ》〔↑足んぬ〕じゅうぶん満足すること。「本場の味〈を／に〉―する」

**たんば**［丹波］旧国名の一つ。今の京都府の中部と、兵庫県の一部。

**たんぱ**［短波］《理》波長が十〜百メートルの電波。〔遠距離の〕ラジオ放送などに使う。(↔長波・中波)

**ダンパー**〔damper〕衝撃や振動を吸収して弱める装置。「ビルの柱と柱の間に―を入れる・〔ピアノの〕―ペダル」

**たんばい**［探梅］《名・自サ》〔文〕ウメの花をさがし歩いて観賞すること。

**たんぱい**［炭肺］《医》炭素をふくむ粉を吸いこむために起こる、慢性の呼吸器病。炭坑労働者に多い。よろけ。たんはい。

**たんぱく**［(×蛋白)］①〔=たまごのしろみ〕たんぱく質

からできているもの。「―源」②〔↑尿たんぱく〕《医》腎臓が悪いときなどに小便にふくまれる、血清の「たんぱく①」成分。●☆☆たんぱくしつ［〈×蛋白〉質・タンパク質］《理》栄養素の一つ。アミノ酸などから成り、動物のからだを作る化合物。（↕脂質・糖質）●たんぱくせき［〈×蛋白〉石］《鉱》⇩オパール。

たんぱく［淡泊・淡白］《名・ナダ》①味などがうすくて、特別の刺激がないようす。「―な味」（↕濃厚）②欲が少なくて、こだわらないようす。「―な人がら」派―さ。

だんばしご［段〈×梯子〉］横板をならべただけの階段。

たんぱつ［単発］①一つのエンジン（をもつ飛行機）。「―機」（↕双発）②一発ずつ発射すること。「―銃」（↕連発）③〔続き物でなく〕一回だけ放送して終わる〈こと／もの〉。「―もの」④後続がなく、ただそれだけで終わるもの。「―のヒット」

たんぱつ［短髪］（男性の）短く刈ったかみの毛。（↕長髪）☞ショート一②。

だんぱつ［断髪］一《名・自サ》かみの毛を切ること。「《すもう》―式」二短く切った、女性の髪型。「―のモダンガール」

だんばな［段鼻］鼻すじの途中に段があり高くなっている鼻。

タンバリン〔tambourine〕《音》まるい わくの片面だけに革をはった、小形の打楽器。革の面やわくを打ったり、振って、わくのまわりについている小さなシンバルを鳴らしたりする。タンブリン。「モンキー―（＝革をはっていないタンバリン）」

［タンバリン］

たんパン［短パン］〔↑短パンツ〕ごく短いズボン。

だんぱん［談判］《名・自サ》事件を解決するために、おたがいに話し合うこと。かけあうこと。「―が決裂する」

たんび［〈△度〉］〔↑たび〕〔俗〕…するときはいつも。たびごと。「見る―に思い出す」

たんび［〈×耽〉美］一〔文〕美に おぼれ、美が いちばんすぐれたものである、とすること。唯美。「―主義・―派・―的・―の世界」二《ナダ》美に おぼれるようす。「―なムード」

たんび［嘆美・〈×歎〉美］《名・他サ》〔文〕感心してほめること。嘆賞。

だんぴつ［断筆］《名・自サ》ものをかく仕事をやめること。筆を折ること。

たんぴょう［短評］短い批評。

だんびら［〈段平〉］〔俗〕（刃の広い）刀。

たんぴん［単品］①複数ではなく、一つ一つの品物。「―生産」②セットではなく、一つの品物。「DVDを―で買う」③〔レストランなどで〕アラカルト。「―料理」

ダンピング《名・他サ》〔dumping〕（利益を考えない）投げ売り。すて売り。不当廉売。●ダンピングしょうこうぐん［ダンピング症候群］《医》胃の切除手術を受けた人が食後に感じる、吐き気・めまい・下痢などの症状。摂取した食物が急速に腸に送られるために起きる。

たんぶ［反歩・〈△段〉歩］接尾 田や畑を、反で数えるときに言うことば。「五―」

ダンプ〔dump＝どさっと落とす〕↑ダンプカー。●ダンプカー〔和製 dump car〕荷台をかたむけて、積んでいる土や砂利などをおろすしかけを持ったトラック。ダンプトラック。ダンプ。

タンブール〔フ tambour〕①太鼓。②ししゅうに使う まるい わく。

たんぷく［単複］①《言》単数（形）と複数（形）。「―同形」②《テニス・卓球》シングルスとダブルス（の試合）。③《競馬》単勝と複勝。

だんぶくろ［段袋］①布で作った大きな ふくろ。②〔俗〕明治のはじめに、ズボンをさしたことば。

タンブラー〔tumbler〕①やや たてに長く大形の、持ち手のない（ふたの ついた）コップ。ガラス製・ステンレス製などがある。「保冷―」②回転式衣類乾燥機。

タンブリン〔ド Tamburin〕《音》⇩タンバリン。

タンブリング〔tumbling〕①数人で、手をつないだり肩に乗ったりして いろいろの形を作る体操。②〔体操の床運動で〕跳躍・回転などを、連続的に組み合わせた演技。

ダンプリング〔dumpling〕小麦粉などで作る洋風の団子。ゆでてスープに入れたり、団子の中に果物を入れてデザートにしたりする。

たんぶん［単文］《言》主語・述語の関係が一回だけの文。例、電気がついた。（↕重文・複文）

たんぶん［短文］短い文。（↕長文）

たんぺいきゅう［短兵急］《ナダ》（＝刀などの短い武器で敵に せまるようす）性急。にわか。「―な要求」

たんべつ［反別・〈△段〉別］《農》農地の面積を町・反・畝・歩であらわしたもの。

ダンベル〔dumbbell〕短い棒の両はしに おもりをつけた体操用具。亜鈴。「―体操」

たんべん［単弁］《植》ひとえの花弁。（↕重弁）

たんぺん［短辺］《数》長方形の、短いほうの辺。（↕長辺）

たんぺん［短編・短〈×篇〉］短い文章・作品。「―映画・―小説」（↕長編・中編）

だんぺん［断片］ばらばらなものの一部分。「原稿の―・記憶の―」●だんぺんてき［断片的］《ナダ》断片しかないようす。「―な情報・―に覚えている」

たんぼ［〈：田圃〉］田になっている土地。田。

☆☆たんぽ［担保］一《法》債権の安全・確実を保証するために債務者から債権者に さし出すもの。抵当。「家を―に入れる」二《名・他サ》（何かによって）保証すること。「安全性を―するための費用」

たんぽ 綿を布などに包んで まるくしたもの。拓本をとるときなどに使う。●たんぽやり［たんぽ〈×槍〉］たんぽを先に つけた、練習用の やり（槍）。

［たんぽやり］

たんぼう［探訪］《名・他サ》実情をさぐるために現地に出向くこと。たんぽう。「社会―・古書店街を―する・―記」

だんぼう［暖房・〈×煖〉房］《名・自他サ》室内をあたためる〈こと／しかけ〉。「室内を―する・―器具」（↕冷房）

だんボール［段ボール・ダンボール］ボール紙の内がわ

に、波形のうすい紙をはりつけたもの。箱などに作って、荷物などを入れるのに使う。

**たんぽぽ**［(:蒲公英)］野草の名。春、黄色で花びらの多い花をひらき、たねは白いわた毛を持っていて、風で飛ぶ。つづみ草。ダンデライオン(dandelion)。〔厳密には、花びらに見える一つ一つが花〕 由来 もと、楽器の「つづみ」の幼児語で、「たん、ぽ、ぽ」と打つ音から。この草のくきを筒状に切り、両はしに細かく切れこみを入れて水にうかべると、両はしが丸まってつづみのようになる。そこから楽器と同じ名になった。

**タンポン**〔ド Tampon〕①《医》薬のついた〈脱脂綿/ガーゼ〉。②生理用品の一つ。脱脂綿などの材料を小さくかため、膣にさしこむ。

**たんま**《感》〔児〕遊びのとちゅうで、いちじ休みたいときに言うことば。タイム。待った。

**だんまく**［断幕］〔俗〕↑横断幕。「手作りの—」

**だんまく**［弾幕］①たくさんの弾丸がいっせいに〈とんで来る/破裂する〉ことを、幕にたとえた言い方。「敵の—をかいくぐる・シューティングゲームで—が広がる」②〔俗〕〔インターネットで〕動画の上に、画面が見えなくなるほどたくさん表示された、視聴者のコメントの文字。

☆☆**たんまつ**［端末］(=はし。末端)《情》中心となるコンピューターにネットワークで結びついたコンピューター(の入出力装置)。ターミナル。「—から入力する・—機・タブレット—」(↔中央装置)

**だんまつま**［断末魔］《仏》①死ぬときの苦痛。②死にぎわ。臨終。由来「末魔」は梵語 marman に由来し、体の中にある急所を指す。これが傷つくと激痛とともに死ぬと言われる。

**たんまり**《副》〔俗〕たくさん。どっさり。「ほうびを—もらう・—もうける」

**だんまり**〔↑黙り。「ダンマリ」とも書く〕①だまること。無言。「—をきめこむ」②断らないこと。無断。③《歌舞伎》無言でおこなう、やみの中の格闘。暗闘。

**たんみ**［淡味］〔文〕あっさりした味。

**たんむ**［担務］《名・他サ》〔文〕(それぞれの)任務を担当すること。また、担当する任務。「—を遂行する」

**たんめい**［短命］《名・ナダ》①命が短いこと。「—な動物」②長く続かないこと。「—内閣」▽(↔長命・長寿) 派 -さ。

**タンめん**［:湯=麺・タンメン］(「湯」は中国語) 塩あじのスープに、油でいためた野菜を入れた中華そば。

**だんめん**［断面］①切り口の表面。「—図」②ある一面から見た、実際の状態。「社会の—」

**だんめんせき**［断面積］《数》切り口の表面の面積。「トンネルの—」

**たんもう**［短毛］〔文〕(動物の)毛が短いこと。「—種」(↔長毛)

**たんもの**［反物］一反ずつに切って、たたんだ織物。

**たんや**［短夜］〔文〕短い夏の夜。

**だんやく**［弾薬］銃砲にこめる弾丸と火薬。「—庫」

**だんゆう**［男優］男の俳優。(↔女優)

**たんよう**［単葉］①《植》一つの柄に、一枚だけついている葉。②飛行機の主翼が一枚であること。「—機」▽(↔複葉)

**たんよん**［単四］(↑単四形乾電池) 単三よりさらに小形の乾電池。

☆☆**たんらく**［短絡］━《名・自サ・ナダ》ものごとを性急に結びつけること。考えがたりないようす。「—した論理・—な改正案・—的」━《名・自サ》①《理》⇩ショート①。②《心》目的をとげるため、衝動的に行動を起こすこと。「—行動・—反応(『近道反応』とも)」派 -さ。

**だんらく**［段落］①文章の中の、改行によってくぎられた、ひとまとまりの部分。文段。②ものごとのくぎり。☞一段落。

☆☆**だんらん**［(団×欒)］《名・自サ》(まるく)集まってなごやかに過ごすこと。まどい。「一家—」

**たんり**［単利］《経》元金に対して計算されるだけで、元金に加え入れない利息。「—で計算する」(↔複利)

**だんりゅう**［暖流］《地》赤道付近から温帯へ流れる温度の高い海流。(↔寒流)

**だんりゅう**［断流］《名・自サ》①川の流れがかれて、とだえること。「黄河の—」②電流が切れること。「—器」

**たんりゅうしゅ**［短粒種］《農》短く、ねばりけのある米。東アジア・アメリカ西海岸などで作られる。短粒米。ショートグレイン。(↔長粒種)

**たんりょ**［短慮］《名・ナダ》〔文〕①あさはかな考え。②きみじか。派 -さ。

**たんりょく**［胆力］〔文〕ものにおどろかない強い、気力。度胸。

**たんりょく**［淡緑］〔文〕うすい緑色。うすみどり。

**だんりょく**［弾力］①《理》ゴムまりやばねなどが、加えられた力に抵抗して、もとにもどろうとする力。「—性」②その時の様子で、自由に変化できる性質。「—的に考える」派 -さ。

←**たんれい**［淡麗］《ナダ》飲んだときのどごしがさわやかで、味・かおりがすっきりとしているようす。「—辛口の日本酒」(↔濃醇) 派 -さ。

→**たんれい**［端麗］《ナダ》かたち・姿が整っていて、たいへん美しいようす。「容姿(が)—な人・—な山」派 -さ。

**だんれつ**［断裂］《名・自サ》切れてはなれること。「アキレス腱の—」

**たんれん**［鍛錬・鍛練］《名・他サ》①金属をきたえること。②心・からだ・技能をねりきたえること。

**だんろ**［暖炉・×煖炉］まき・石炭などをたいて部屋の中をあたためるもの。壁などにもうけて、上は煙突につながっている。

**だんろん**［談論］《名・自サ》〔文〕話をし、議論すること。

●**だんろんふうはつ**［談論風発］《名・自サ》話や議論がさかんにおこなわれること。

**たんわ**［単話］〔電子書籍や動画配信などで〕漫画やドラマなどの作品の一話分。

**だんわ**［談話］《名・自サ》①〔文〕はなし(をすること)。②あることがらについてのべる意見。「総理の—」

## ち　チ

**ち**［地］━ち〔文〕①地面。大地。「ドイツの—をふむ(=ドイツに着く)・天にのぼったか、—にもぐったか(=いなくなったぞ」」(↔天) ☞地の塩。②陸地。おか。「―対空」③その地域・地方。土地。「景勝の―をしめる」☞地の利。④〔本や荷物などの〕立てて置いたときの、下の部分。(↔天) ⑤〈天地/天地人〉と〈二つ/三つ〉(の等級)に分けたときの、二番目。 二 造 地方。「―教委」 ●地に足を着ける 句 現実的で、たしかな方法をとる。足を地に着ける。「地に足の着いた住民運動」「地に足を着けた議論」 直 地に足が着く。 ☞足が地に着かない(「足」の 句)。 ●地に落ちる 句 まったくおとろえる。「地に落ちた道義」 ●地を払う 句 〔文〕すっかりなくなる。「ゆずり合いの美風が―」

*ち[血] ①人や動物の からだの中をめぐる、赤い色の液体。栄養分、また老廃分をはこぶ。血液。「検査で―を採る・―をはくような〔=悲痛な〕叫び」 ②ちすじ。「―のつながり・―がつながっている・―の濃い親戚・―は争えない」 ③熱気・熱情の みなもと。「熱き―がたぎる」 ●血が通う 句 あたたかい気持ちが通う。人情味がある。「血の通った政治」 ●血が騒ぐ 句 興奮して おちつかない気分になる。「野球を見ると、昔選手だった―」 ●血が上る 句 かっとなる。逆上する。のぼせる。血が上がる。「頭に―」 ☞頭に来る(「頭」の 句)。 ●血で血を洗う 句 ①おたがいに殺し合う。「―戦い」 ②親戚や仲間どうしで、はげしく、みにくくいがみあう。「―争い」 ●血と汗の結晶 句 非常な苦労によって、やっと手に入れたり、作りあげたりしたもの。汗の結晶。「技術者たちの―と言うべき製品」 ●血となり肉となる 句 完全に吸収されて〈栄養となる/身につく〉。 ●血に飢える 句 人を〈食べよう/殺傷しよう〉とする。「血に飢えたサメ」 ●血の汗を流す 句 非常に苦しい努力をすることのたとえ。 ●血の雨が降る 句 多くの人が殺傷されることのたとえ。 他 血の雨を降らす。 ●血の海になる 句 ①流れ出た血が、一面にたまった状態になる。血の海が広がる。「部屋が―」 ②多くの人が殺される状況になる。「戦争で国が―」 ●血の出る(よう) 句 ⇩血のにじむ(よう) 句。 ●血の涙を流す 句 こらえきれないほどのつらい思いをすることのたとえ。 ●血の にじむ(よう) 句 痛みを感じるほど努力するたとえ。血の出る(よう)。「血の にじむような〈努力/訓練〉」 ●血は水よりも濃し 句 〔文〕血すじの続く間がらは、他人よりも関係が深い。 ●血も涙もない 句 ぜんぜん人情味がない。冷酷だ。 ●血沸き肉躍る 句 興奮のあまり からだが熱くなり、筋肉がふるえる。「―アクション」 表記 「沸き」は「湧き」とも。 ●血を引く 句 〔争いで〕けが人や死ぬ人が出る。 ●血を見る 句 親や祖先の血すじを受けつぐ。 ●血を分ける 句 親子・きょうだいなど、直接血のつながった間がらである。「血を分けた わが子」

ち[乳] 〔=ちち(乳)〕 ①旗・幕・羽織・のれんなどの ふちにつけてひもなどを通す、小さな輪。みみ。「羽織の―」 ②つりがねの表面にある、多数の いぼいぼ。 ③〔城や寺社の〕門のとびらに付ける、乳の形をした釘かくしの金具。乳金物。

ち[治] 〔文〕国が、よくおさまること。「延喜天暦の―」 ●治に居て乱を忘れず 句 平和なときでも、いざというときに そなえていること。

ち[知・×智] 〔文〕 一 ち ①頭で考えて判断する〈能力/こと〉。知恵。知性。「―の劣化・―にはたらけば角が立つ〔=りくつに走れば、人と摩擦を起こす。夏目漱石の小説『草枕』の一節〕・〔儒教で〕―、仁、勇」 ☞五常。 ②ものごとを知ること。知識。「―の楽しみ・―の巨人」 二 造 その国に理解があること。「―日派」 三 造 知識。「人間―〔=人間というものについての知識〕」 ☞集合知。

ち[△日] 接尾 〔話〕↑にち(日)。「十三―・二、三―」 ☞んち(日)。

ち[(△家)] 接尾 〔話〕「…の家」の変化。「山田さん―」 ☞んち(家)。

ち 接尾 ⇩っち。「おれっ―」

ち[千] 造 〔=千〕 〔雅〕〈数/種類〉が多いこと。「―たび〔=何回も何回も〕・―ひろ(尋)〔=はかり知れない深さ〕」

ち[稚] 造 生まれたばかりの。おさない。「―あゆ(鮎)・―えび」

ち[池] 造 〔…のための〕いけ。「貯水―」

*ち[値] 造 あたい。数値。「平均―・目標―」

チア 〔cheer=元気づける〕 一 チア ↑チアリーダー・チアリーディング・チアダンス。「―の練習〔=応援の練習〕・男子―」 二 造 応援する。応援用の。「―リーディング・―ダンス〔=チアリーディングの おどりに特化した競技〕・―ホーン〔=スポーツ観戦用のラッパ〕」

ちあい[血合い] さかなの せなかの部分や とりガラなどの、赤黒い部分。「カツオの―・―を取り除く」

チアガール 〔和製 cheer girl〕 ⇩チアリーダー。

チアノーゼ 〔ド Zyanose〕 《医》血液中の酸素が不足したため、つめ・くちびるなどの部分が青黒く見えること。

ちあゆ[稚(×鮎)] たまごから かえってまもない、小さなアユ。

チアリーダー 〔cheerleader〕 はなやかな応援をする、女子応援団員。チアガール。チア。

チアリーディング 〔cheerleading〕 チアリーダーの動きをきそう競技。多く、組み体操をまじえる。チア。

☆☆ちあん[治安] 国や社会が平和で、安全に暮らせる〈こと/度合い〉。「―の維持・―が悪い国」

ちい[地衣] 《植》菌類と藻類が共生して一体化しているもの。岩や木の幹などの表面に生える。「―類」

*ちい[地位] ①社会的な上下関係の中での立場。「―のある〔=高い〕人・責任のある―に就っく」 ②全体の中での位置や重要性。「文学史上の―」

ちい[地異] 地震・洪水など、地上に起こる異変。「天変―」

**ちいき[地域] ①広がりを持った、ひとまとまりの土地。〔「地区」より広い〕「商業―・熱帯―」 ②地元。「―密着・―代表・〔新聞の〕―面・―エゴ〔=自分の地域だけよければそれでいい、という考え方〕」 ③〔国に準じる〕自治領や特別行政区など。「国と―」 ●ちいきしゃかい[地域社会] 村・団地などのように、あまり広くない範囲の土地に住み、生活のうえの結びつきの強い社会。コミュニティ(ー)。 ●ちいきしゅぎ[地域主義] ⇩ローカリズム。(↔グローバリズム) ●ちいきつうか[地域通貨] 特定の地域内だけで使える、中央銀行の発行でない お金。

ちいく[知育] 知能をのばす教育。(↔徳育・体育)

チーク 〔cheek〕 ①ほお。 ②〔↑チーク カラー〕 ほおべに。「—を入れる」③↑チーク ダンス。「—をおどる」

●**チークダンス**〔和製 cheek dance〕からだを寄せ合い、ほおをすりよせて おどるダンス。チーク。

**チーク**〔teak〕熱帯アジアに はえる大木。うすい黒茶色の木材で、船や家具を作る。「—材」

****ちいさ・い**【小さい】《形》①ものや場所が、それほどの空間を占めていない状態だ。「—国・—箱」②数量・程度などが目立たない。「規模が—・—お金にしてください〔=両替してください〕」③せいが低い。「—子どもたち・お—ころから活発でいらした」④おさない。「—人」⑤音量が少ない。「—声・—音」⑥度量がとぼしい。包容力が少ない。「人物が—・気が—」▽(↕大きい) 区別「小さな」は、「小さい」は、ほかと比べられる場合になじみ、「小さな」は、「小さな出来事」など、比べることを想定しない場合になじむ。「小さい お姉さん」は次女の意味、「小さな お姉さん」は小柄の意味。派-げ。-さ。

**ちいさく・な・る**【小さくなる】《自五》恐縮して、ちぢこまる。「先生の前で小さくなっている」

****ちいさな**【小さな】《連体》小さい感じがする。「—親切・—いのち〔幼児・胎児や小動物などに言う〕」〔形容動詞とする説もある〕(↕大きな) 区別⇩小さい。●**ちいさなせいふ**【小さな政府】経費をへらして権限を民間にゆずる、規模の小さな政府。(↕大きな政府)

**ちいさやか**【小さやか】《ナダ》〔雅〕小さいようす。

**チーズ**〔cheese〕牛などの乳の水分を除き、かためて発酵させた食品。フロマージュ。「ナチュラル—・—フォンデュ・はい、—〔写真をとるとき、笑い顔に見せるため、『チーズ』と言わせること〕」表記「:乾酪」とも書いた。●**チーズケーキ**〔cheesecake〕チーズをおもな材料として、焼いたり、冷やして固めたりした菓子。「レア—」

**チータ(ー)**〔cheetah〕インドやアフリカの草原にすむ、ヒョウの一種。走るのが速い。

**ちいっす**《感》〔ちわ《↑こんにちは》+です〕〔俗〕人に会ったときの、くずれたあいさつ。ちーっす。

**ちいと**《副》〔方〕少し。ちょっと。「—は わかる」

**チート**《名・他サ》〔cheat〕①ごまかすこと。ずる。「—デー〔=ダイエット期間中に、食事制限をしない日〕」②オンラインゲームなどのプログラムの不正な書きかえ(をして、プレイヤーの能力を上げること)。③〔俗〕何か ずるをしているのではと思わせるほど、力が強い〈こと／人〉。「—能力」

☆☆**チーフ**〔chief〕主任。かしら。「—ディレクター・開発グループの—」

**チーフ**↑ハンカチーフ。「—五枚・ポケット—」

**チープ**《ナダ》〔cheap〕①値段が安い。②いかにも安っぽい。「—な作り」派-さ。

**ちーママ**【チーママ】〔↑小さいママ〕〔俗〕スナックなどで、ママを助ける役の女性。

***チーム**〔team〕①競技をするために、何人か(の選手)で作った、組。「野球の—・—メイト〔=チームの仲間〕」②一つの仕事をする、人々の集まり。班。「—を組んで、一つの仕事をする、人々の集まり。班。「—ジャパン」▽ティーム。●**チームカラー**〔team color〕①チームをあらわす色。イメージ カラー。「浦和レッズの—は赤だ」②チームの特色や持ち味。●**チームティーチング**〔team teaching〕一つの学級に、複数の教師を配置して授業にあたること。協力授業。TT。●**チームプレー**〔team play〕団体競技で、個人の成績よりもチーム全体の利益に結びつくようなプレー。「—に徹する」(↕個人プレー)●**チームワーク**〔teamwork〕チームのメンバーがいっしょになってする統制のとれた〈行動／作業〉。「—を大切にする・—を乱す・—をそこなう」

**ちーん**【チーン】㊀《副》①ベル・(お)りんなどが鳴ったときの、すんだ音。②鼻をかむ音。㊁《副・感》〔おりんの音から〕〔俗〕①〈亡くなった／こわれた〉ことをおしむ擬音。②万事休す。「もはや手おくれ、—」

**ちうみ**【血▽膿】血のまじったうみ。

**ちえ**《感》〔俗〕⇩ちぇっ。

***ちえ**【知恵・×智×慧】①ものごとをくふうしたり、判断したりする頭のはたらき。知能。「〔よちよち歩きぐらいの子どもに〕—がつく・—者〔=知恵のある人〕」②考え。アイデア。「お—を拝借したく存じます」●**知恵が回る** 句 頭が はたらいて、いい知恵が出る。●**知恵をつける** 句 こうすればうまくいく、ということを教える。「よけいな—」

**チェア**〔chair〕①いす。腰かけ。②↑チェア パーソン。

**チェアスキー**〔和製 chair ski〕《スキー》座ってすべる、パラリンピックのアルペンスキーの種目。また、それに使われる、座席部分と一本のスキー板がサスペンションでつながっている用具。

**チェアパーソン**〔chairperson〕議長。司会者。チェア。〔「チェアマン」に対し、性別を限定しない言い方〕

**チェアマン**〔chairman〕〔男性に言う〕①⇩チェアパーソン。②《サッカー》Jリーグの最高責任者。

**チェイサー**〔chaser〕強い酒を飲んだとき、口直しに飲む〈水／軽い飲み物〉。チェーサー。

**チェーン**〔chain〕①くさり。「自転車の—・タイヤに—を巻く」②一つの資本・組合組織などによる、商店や飲食店などの系列。「—経営」●**チェーンスモーカー**〔chain smoker〕タバコをつづけざまに吸う人。由来すいさしのタバコの火を次のタバコにつけることから。●**チェーンソー**〔chain saw〕エンジンやモーターを使って木を切る、自動式のこぎり。チェンソー。●**チェーンてん**【チェーン店】「チェーン②」に属する商店。チェーン ストア。「焼き肉—」●**チェーンメール**〔chain mail〕そのメールを、別の複数の人に転送するよう求める、いたずらメール。●**チェーンロック**〔chain lock〕自転車・自動販売機などにつける、くさりのついた錠。くさり錠。

**ちえおくれ**【知恵遅れ】「知的障害」の、もとの言い方。

**チェス**〔chess〕白・黒それぞれ六種類十六個のこまを使ってするゲーム。西洋将棋。

**チェスターコート**〔chesterfield coat〕《服》背広のような形で、膝くらいまでの長さのコート。チェスターフィールド コート。

**ちぇすと**【チェスト】《感》〔鹿児島方言〕気合をかけるときの声。また、感激したときに出す声。チェースト。チェストー。

**チェスト**〔chest〕①整理だんす。②胸。「—プレス〔=胸の筋肉をきたえる器具〕」③《服》〔男性の〕胸まわり(の寸法)。☞バスト②。

ち

**チェダーチーズ**〔Cheddar cheese〕イギリス原産の固いチーズ。白いものと、だいだい色に着色したものがある。プロセスチーズの原料。「ハンバーガーに—をはさむ」

**ちぇっ**《感》〔俗〕うまくいかないとき、気にくわないときなどに発する〈ことば/舌打ちの音〉。ちっ。ちぇ。「—、ついてねえな」

**チェッカー** 一〔checker〕①〔スーパーなどの〕レジの係。〔特に、商品のバーコードを読み取る作業をする人〕☞キャッシャー・サッカー(sacker)。②鑑別装置。二〔checkers〕①赤・黒それぞれ十二個の丸いこまを使ってするゲーム。西洋碁。②市松模様。チェック。●**チェッカーフラッグ**〔checkered flag〕自動車レースのスタートやゴールなどのあいずにふる、白と黒の市松模様の旗。

***チェック**〔check〕一①格子じま。「—のツイード・—のワンピース」②市松模様。「黒と白の—」③小切手。☞トラベラーズチェック。④〔店で〕勘定。「テーブル—」二《名・自サ》〈確かめた/選んだ〉ことをしめす「✓」などのしるし(をつけること)。「書類に—する・—ボックス〔=チェックを書き入れる小さな四角〕」三《名・他サ》①点検。照合。「異状を—する・—を受ける・—リスト〔=点検用の一覧表〕」②能力・性能を調べること。「英語力—」③確認すること。気にとめておくこと。「メールを—する・要—のイベント情報」●**チェックを入れる** 句 ①「チェック二」をしるす。②(細かく)確認する。気にとめる。監視する。「流行のファッションに—」●**チェックアウト**《名・自サ》〔check-out〕①しはらいをすませてホテルを出ること。②〔その日の料金で〕ホテルの客室にいられる、終わりの時間。「—午前十一時・レイト〔=おそめの〕—」▽〔↔チェックイン〕●**チェックイン**《名・自サ》〔check-in〕①ホテルにとまる手続きを取ること。②〔その日の料金で〕ホテルの客室にはいれる時間。「—午後三時」③飛行機に乗りこむ手続きを取ること。▽〔↔チェックアウト〕●**チェックディジット**〔check digit〕クレジットカードや会員証などの番号が正しく入力されているかをチェックするための、一定の計算方法で導き出される数字。一連の番号の末尾に付け加える。検査数字。チェック デジット。●**チェックポイント**〔check-point〕①〔確認や調査をするとき〕特に注意すべき項目。②通過する人・車などを確認する地点。「空港の—・マラソンの—」●**チェックメイト**〔checkmate〕〔チェスで〕相手のキング〔=王将〕を詰ませること。詰み。チェック メート。

**ちえづ・く**［知恵(付く)］《自五》〔よちよち歩きぐらいの子どもが〕成長するにつれて頭のはたらきが進む。名 知恵づき。

**ちえねつ**［知恵熱］①子どもの乳歯がはえるころ出る熱。②〔俗〕頭を使いすぎて出る熱。

**ちえのわ**［知恵の輪］いろいろの形の金属の輪を、つなぎ合わせたり外したりして遊ぶおもちゃ。

**ちえば**［知恵歯］おやしらず。知歯。

**ちえぶくろ**［知恵袋］①知恵の出るところをふくろにたとえたことば。②なかまじゅうで、いちばん知恵のある人。

**チェリー**〔cherry〕①ⓐサクランボ。ⓑさくら。②〔↑チェリー ブランデー〕サクランボをアルコールにつけこんで造ったリキュール。☞キルシュ。③〔↑チェリー ボーイ〕〔俗〕童貞。

**チェリスト**〔cellist〕チェロの演奏者。

**チェレスタ**〔イ celesta〕《音》鍵盤をおすと、木琴の形の鉄の板をたたくしかけの楽器。

**チェロ**〔cello〕《音》バイオリンを大きくしたような形の弦楽器。弦は四本で、荘重な音色を出す。ゆかに立て、ひざの間にはさむようにしてひく。ビオロンチェロ。セロ。

［チェロ］

**ちえん**［地縁］同じ土地に住んでいることから起こる、つながり。「—、血縁をたよって運動する」

**ちえん**［遅延］《名・自サ》①おそくなること。「〔通勤電車の〕—証明」②長びくこと。「工事が—する」

**チェンジ**《名・自他サ》〔change〕①交換。②変えること。変わること。「イメージ—・モデル—」③《野球》攻めるほうと守るほうとの交替。④〔↑チェンジコート(change the court)〕《テニスなど》コートを入れかわること。コートチェンジ。●**チェンジアップ**〔米 change-up〕《野球》投手が、投げ方はかえないで、ボールの速さをかえて投げること。打者のタイミングを外す投球法。チェンジ オブ ペース。●**チェンジオブペース**〔change of pace〕《野球》チェンジアップ。

**チェンバロ**〔イ cembalo〕《音》⇩ハープシコード。

**ちおん**［地温］土地の温度。(↔気温・水温)

***ちか**［地下］①地面よりも下。「—街〔=地下の商店街〕・—資源〔=鉱石・石油など〕」〔月や星の表面より下も言う〕(↔地上)☞地中。②冥土。③表面にあらわれないこと。秘密。「—組織・—出版・—アイドル〔=マスメディアに出ないアイドル〕」●**地下に潜る** 句 秘密に政治運動などをする。

**ちか**［地価］①土地の売買の値段。②《法》単位面積あたりの土地の価格。

**ちか**［治下］〔文〕支配のもと。「ナポレオン—」

**ちかい**［地階］地下に作られた階。

**ちかい**［誓い］①ちかう〈こと/ことば〉。②神や仏にかたく約束すること。「—を立てる」

****ちか・い**［近い］一《形》①距離やへだたりが〈短い/小さい〉。〔時間にも、空間にも言う〕「目的地は—・—うちにうかがいます」②血すじのへだたりが小さい。「—親類」③親しい。関係が深い。「首相に—政府筋」▽〔↔遠い〕④似ている。「性質が—」派 —さ。二 造 もう少しでその数量になるところだ。「八十歳—人・学校まで二キロ近くある・熱が四〇度近かった」☞近く。

**ちがい**［稚貝］まだ子どもの貝。

****ちがい**［違い］一 ちがい。ちがうこと。差違。差。二 造 ①正しく…しないこと。正しい…でないこと。「聞き—・記憶—・計算—」☞間違い二。②別の…であること。「畑—・腹—」●**ちがいだな**［違い棚］床の間で、上の板と下の板を左右くいちがいに取りつけたたな。●**ちがいな・い**［違いない］《形》①〈たしかに/いちおう〉そうだ。「あれでも学生には—」②きっとそうだ。「もう帰ったに—」丁寧 違いありません。

☆☆**ちがいほうけん**［治外法権］①《法》外国の領土に

いても、その国の裁判権に従わない権利。②一般のきまりに従わなくていい〈権利／状況〉。「ここは法律も届かない―だ」

**ちか・う**［誓う］《他五》かたく約束する。ちかいをたてる。ちぎる。

**ちが・う［違う］《自五》①そのものではない。同じでない。「注文した品と―・考え方が―」②〈正しいもの／事実〉と一致しない。まちがう。「答えが違った・君、それはちょっと―んじゃないか（＝その考えは間違いだ）」③差がある。「体力が―・親子ほど年が―」▽俗に、「ちがっ（てい）た」「ちがっ（てい）て」を「ちがかった」「ちがくて」と言う〔もと東北南部・北関東方言〕。また、「ちがうよ」を「ちげえよ」と言う。それぞれ、「赤かった」「赤くて」「赤えよ」など形容詞の形から類推した言い方。

**ちが・える**［違える］《他下一》①同じでないようにする。「筆跡を違えて書く」②筋肉などをひねって痛める。「筋を―・寝―」③まちがえる。「左右を―」

**ちかく**［地殻］《地》地球の外側の、かたい部分。主に岩石でできており、厚さは数キロから数十キロぐらい。☞マントル（mantle）①。●**ちかくへんどう**［地殻変動］①《地》地殻の形や位置が変わること。陸地の隆起や沈降、地層の傾斜などがある。「―を観測する」②社会や集団の わく組みが大きく変わること。「政界の―」

**ちかく［近く］〘一〙①近い所。「―の家」②近い時期。「古くは中国、―は西洋に学んだ日本」▽（↔遠く）〘二〙《副》近いうちに。もう じき。「―発行される」〘三〙造もう少しで その数量になること。「百名―の人々・六割―が賛成」

**ちかく**［知覚］《名・他サ》《心》感覚によって、対象をとらえ、また、区別すること。「―神経・―過敏」

**ちがく**［地学］地球と地球をつくっている物質を研究する学問。地質学・地球物理学・気象学など。

**ちかけい**［地下茎］《植》地中にあるくき。ハスの場合は横に のび、サトイモ・ジャガイモなどは かたまりになる。

**ちかけいざい**［地下経済］《経》薬物売買や売春など、おもてに出てこない、法にふれる経済活動。

**ちかごろ**［近頃］〘一〙このごろ。最近。〘二〙《副》〔文〕非常に。「―（もって）めいわくな話だ」

**ちかし・い**［近しい］《形》①よく行き来して、親しい。「近しくつきあっている」②血筋が近い。「―親戚」派 -さ。

**ちかしつ**［地下室］建物の地下の部分に作った部屋。

**ちかすい**［地下水］地面の下にしみこんで流れる水。

**ちがたな**［血刀］血のついた刀。

**ちかたび**［地下足袋］⇩じかたび。

**ちかちか**《副・自サ》①小さな光が、ついたり消えたりするようす。「星が―とまたたく」②目が刺激されて、断続的な痛みを感じるようす。「目が―する」

**ちかぢか**［近々］《副》近いうち。きんきん。

**ちかづき**［近付き］①知りあい。知人。「お―になる」②知りあいになること。「お―の しるし」

***ちかづ・く**［近付く］《自五》①距離・時間が、近くなる。動いて、近いほうへ移る。「敵が―・出発の日が―」②つきあう。親しむ。「あの男に―な」③目標に近くなる。「合意に―・夢に―」▽（↔遠ざかる）他 近づける《下一》。

**ちかって**［誓って］《副》必ず。決して。

**ちかてつ**［地下鉄］〔↑地下鉄道〕大都市の地下にトンネルをほって作った鉄道。メトロ。

**ちかどう**［地下道］地下に作った通路。

**ちかば**［近場］近い場所。「―へ行く」

**ちかま**［近間］近い所。近所。

**ちかまさり**［近（△優り）］《名・自サ》近くで見るほうがすぐれて見えること。「―のする容貌」

**ちかま・る**［近まる］《自五》近くなる。「音が―」

**ちかまわり**［近回り］〘一〙《名・自サ》近道を通って行くこと。（↔遠回り）〘二〙近所。ちかま。

**ちかみち**［近道・近△路］《名・自サ》①距離の短い道（を行くこと）。（↔遠道）②ぬけみち。③はやくするための手段。はやみち。「成功への―」▽（↔回り道）

**ちかめ** 〘一〙**ちかめ**［近目・近△眼］〔古風〕近視。きんがん。〘二〙**ちかめ**［近（目）］《名・ナダ》①やや近いと思われるようす。（↔遠め）②《野球》内角寄り。「―の球」（↔外め）

**ちがや**［（×茅×萱）］野原一面に はえる野草。春、銀白色にかがやく花をつける。つばな。

**ちかよ・る**［近寄る］《自五》近くへ寄る。ちかづく。他 近寄せる《下一》。可能 近寄れる。

****ちから**［力］①人・動物のからだの中にそなわり、自分が動き、また、ほかのものを動かす もとになるもの。「―の強い人・すごい―を出す・たくさん食べて―をつける・生きる―（＝気力）がわく」②はたらき。作用。「洗剤の―で よごれを落とす・薬の―（＝ききめ）」③《理》ものを動かす（ことで状態を変化させる）はたらき。「水の―・電気の―」☞ニュートン。④ほかを圧倒するもの。勢力。「政界に―をおよぼす・両者の―関係」⑤何かをなしとげようとする はたらき。努力。「―の限り（をつくして）いどむ・―をおしむ」⑥援助。たすけ。おかげ。「お―により当選できました」⑦あることができる性質。能力。「自分で考える―・ドイツ語の―・―不足」⑧人に乱暴すること。暴力。腕力。「―で解決しようとする」●**力になる** 句 人に協力して助ける。「お力になれれば幸いです・力になってくれ」✍「お力になってください」と目上の行動にも使ったが、今は自分や、同等の相手に使うほうが多い。☞力添え。●**力を入れる** 句 ①その部分の筋肉を、かたく ひきしめる。「ころばないように、足に―・肩に―（⇩「肩」の 句）」（↔力を抜く）②特に だいじだと考えて、熱心に おこなう。「受験指導に―」（↔手を抜く）直 力が入る。●**力を落とす** 句 がっかりする。元気をなくす。「不合格と聞いて―」●**力を貸す** 句 ほかの人のすることを助ける。助力する。「解決に―」（↔力を借りる）●**力を借りる** 句 自分だけでせず、ほかの人や ものに助けてもらう。「ボランティアの―・酒の力を借りて打ち明ける」（↔力を貸す）●**力をこめる** 句 ①（ものを動かしたりするために）あるだけの力を集める。「力をこめて綱を引く」②強く、はっきりと言う。「『ぜひ実現したい』と―」直 力がこもる。「力のこもった作品」●**ちからいっぱい**［力いっぱい］《副》全力をあげるようす。力のかぎり。「―おす」●**ちからうどん**［力（×饂×飩）］かけうどんに もちを入れたもの。●**ちからおとし**［力落とし］《名・自サ》がっかりすること。「おつれあいを亡くされ、お―のことでしょう」 ●ちからがみ[力紙] ①《すもう》力士が土俵で、からだをふく紙。〔最近はタオルを使う〕 ②力が強くなるようにいのって、寺の仁王像へ、か(嚙)みつぶして投げつける紙。 ③表紙とくっつける見返し部分などの、補強紙。 ●ちからこぶ[力(×瘤)] ①うでをまげたときにできる、筋肉のもり上がり。 ②熱心に努力すること。「―を入れる」 ●ちからしごと[力仕事] からだの力をたくさん使ってする仕事。肉体労働。力わざ。 ●ちからずく[力(△尽く)] ①力にまかせてすること。「―で とびらを開ける」 ②むりやりに、ものごとを自由にすること。「他国を―で従わせる」 ●ちからずもう[力相撲] (たがいに)力でぐいぐいおし切るような感じの すもう。 ●ちからぞえ[力添え]《名・自サ》 たすけること。援助。「お―ください・お―(を)いただく」 「お力添えいたします」と自分の行動にも使ったが、今は相手に使うほうが多い。 ☞力になる〔「力」の句〕。 ●ちからだめし[力試し] 体力やうでまえがどのくらいかをためすこと。「―にやってみる」 ●ちからつ・きる[力尽きる]《自上一》 がんばる力がなくなって、試合に負けたり、命を落としたりする。「延長戦で―・闘病の末に―」 ●ちからづ・ける[力(付ける)]《他下一》〔はげましたりして〕元気がつくようにする。 自力づく《五》。 ●ちからづよ・い[力強い]《形》 ①たくさんの力が〈出る/感じられる〉ようすだ。「―すもう・―書風」 ②心強い。「―味方」 派-げ。-さ。 ●ちからな・い[力ない]《形》 活力が感じられない。「―返事・力なく笑う」 ●ちからぬけ[力抜け]《名・自サ》 がっかりして力が出なくなること。 ●ちからぬの[力布]《服》ぬいあわせた所や、ボタンをつけた所が破れないように、うらがわから当てる布。ちからぎれ。 ●ちからまかせ[力任せ]《ナダ》 力にまかせてするようす。「―に投げつける」 ●ちからまけ[力負け]《名・自サ》 ①力が たりなくて負けること。(↔力勝ち) ②力を入れすぎて かえって負けること。 ●ちからみず[力水]《すもう》力士が土俵で口をすすぐ水。「―をつける〔⇩「水」の句〕」 ●ちからもち[力持ち] 力の強い〈こと/人〉。 ●ちからわざ[力業] ①力(のいる)仕事。 ②強い力をたのみにしてする わざ。

**ちかん**[×弛緩]《名・自サ》「しかん(弛緩)」の慣用読み。

**ちかん**[痴漢]《名・自サ》〔=おろかな男〕いやがる人をさわるなどの性犯罪(をおこなう者)。「電車内の―」

**ちかん**[置換]《名・他サ》 ①置きかえること。 ②《数》順列の並べ方をかえること。 ③《理》ある化合物の原子(団)を、別の原子(団)に置きかえること。 ④〔コンピューターで〕ファイルの、ある部分の文字や記号を、別のものに置きかえること。

☆☆**ちき**[知己]〔文〕 ①自分をよく知って、親しくつきあってくれる人。「―の言・百年の〔=百年前からの〕―のごとく つきあう」 ②知りあい。 ●**知己を得る** 句 ①理解者を得る。「真の―」 ②面識を得る。知遇を得る。「博士(と)の―」

**ちき**[稚気・×穉気]〔文〕子どもらしい気分。「―愛すべき〔=子どものようでかわいい〕人物」

**ちぎ**[千木]〔神社などの〕屋根のむねの両はしにX字形に交差させた長い木材。

[ちぎ]

**ちぎ**[遅疑]《名・自サ》〔文〕いつまでも迷って決心がつかないこと。「―なく答える・―逡巡」

**ちきしょう**《感》〔俗〕⇩ちくしょう 二。「こん―」

**ちぎも**[血肝] ニワトリの肝臓。

***ちきゅう**[地球]《地》人類が住む、球の形の天体。太陽系の第三惑星。金星の外がわにあり、一年で太陽を回る。一つの衛星〔=月〕を持つ。「―(的)規模の課題・―の裏がわ〔=百八十度逆の場所〕・―市民」 ●☆☆**ちきゅうおんだんか**[地球温暖化] 温室効果によって、地球の気温が高まっていく現象。 ●**ちきゅうぎ**[地球儀] 地球の模型。球面に、世界地図をかいたもの。

**ちきゅう**[恥丘] 女性の「下腹部①」の下の、ややもりあがった部分。

**ちぎょ**[稚魚]《動》たまごからかえって まもないさかな。(↔成魚)

**ちきょう**[地峡]《地》二つの陸地をつなぐ細くのびた陸地。「パナマ―」

**ちぎょう**[知行]《歴》武士の俸禄として支給された領地。「五百石の―・―取り」 ☞知行合一。

**ちきょうだい**[乳兄弟] 親は同じでないが、同じ乳を飲んで育った間がら(の人)。

**ちぎり**[契り]〔文〕 ①ちぎること。約束。ちかい。「かたい―」 ②夫婦の約束。また、肉体関係。「―を結ぶ」

**ちぎりえ**[(千切り)絵] ちぎった色紙を台紙にはって制作した絵。

**ちぎ・る**[(千切る)]《他五》 ①一つにまとまっているものを強く引っぱって、一部分を取る。「もちを―・花を―」 ②手で、細かにさく。「紙を―」

**ちぎ・る**[契る]《他五》〔文〕 ①〔将来にわたって変わらないことを〕約束する。 ②肉体関係を持つ。「一夜を―」

**ちぎれぐも**[(千切れ)雲] 綿をちぎったような、小さい雲。片雲。

**ちぎ・れる**[(千切れる)]《自下一》 引っぱられて切れる。「犬がしっぽを―ほどふる」

**ちきん**[遅筋]《生》ゆっくり のび縮みする、持久力のある筋肉。インナーマッスルに多くふくまれる。赤筋。

**チキン**〔chicken〕 一 ①ニワトリの ひな。 ②ニワトリの肉。かしわ。「―ソテー・―カツ・―オーバーライス〔=とり肉をのせたごはん〕」 ③↑フライド チキン。「―バスケット〔=かごに盛られたフライドチキン〕」 二《名・ナダ》〔俗〕臆病者(であるようす)。「―ハート・―野郎・―な性格」 ●**チキンゲーム**〔chicken game〕 ⇩チキンレース。 ●**チキンなんばん**[チキン南蛮] あげたとり肉を、甘酢やタルタルソースなどで味つけしたもの。〔宮崎県の名物〕 ●**チキンライス**〔chicken and rice〕 ①米にとり肉・タマネギなどを加えて、トマトケチャップで たき上げた料理。また、同じ材料を入れてごはんをいためた料理。 ②東南アジアの料理。とり肉の ゆで汁でたいたごはんに、〈ゆでた/揚げた〉とりをそえる。カオマンガイ。海南鶏飯。 ●**チキンレース**〔chicken race〕 ①度胸だめしのレース。例、二台の自動車を向かい合わせに走らせ、先に よけたほうを負けとする。②たがいに追いつめられていて、少しでも ひるんだほうが負ける あらそい。「大国どうしの―」▽チキンゲーム。

**ちぎん**［地銀］↑地方銀行。(↕都銀)

***ちく**［地区］①ある目的のために くぎった土地。「住宅―」②一定の地域。「東部―・山の手―」

**ちく**［築］建築(してから)。「―五年」

**ちく**［竹］[造] たけ。「もうそう(孟宗)―」

**ちぐ**［痴愚］《名・ナダ》〔文〕ばか。おろか。

**ちくあさ**［築浅］〔建物が〕建ってから、まだ年月が浅いこと。「―物件」

**ちくいち**［逐一］[一]《副》いちいち順を追って。「―報告する」[二] 細かいところ。くわしいこと。「―を報告する」

**ちぐう**［知遇］〔文〕〔目上の人が〕(才能を認めて)いろいろ世話してくれること。「画伯の―を得る」

**ちくおんき**［蓄音機・蓄音器］レコードを回転させて音を再生する(ぜんまいじかけの)装置。☞電蓄。

**ちくけん**［畜犬］〔文〕飼い犬。

**ちくご**［逐語］〔文〕一語一語 順を追って、解釈・翻訳などをすること。「―訳・―的に」

**ちくご**［×筑後］旧国名の一つ。今の福岡県の南部。

**ちくご**［築後］建物を建てたあと。「―五年」

**ちぐさ**［千草］①〔雅〕いろいろの草。「庭の―」②(↑千草色)灰色がかった水色。「―ひとえ帯」▽ちくさ。

**ちくざい**［蓄財］《名・自サ》〔文〕財産をためること。「不正―」

**ちくさく**［竹酢］竹炭を作るときに出るけむりを蒸留した液体。主成分は酢酸。殺菌・消臭作用がある。竹酢液。

**ちくさつ**［畜殺］《名・他サ》〔文〕「食肉処理」の古い言い方。

**ちくさん**［畜産］《農》家畜を利用する産業。「―物」

**ちくし**［×筑紫］⇩つくし(筑紫)。

**ちくじ**［逐字］〔文〕逐語。「―訳」

☆☆**ちくじ**［逐次］《副》〔文〕順序を追って。順次。「―発表する」 ●**ちくじ つうやく**［逐次通訳］《名・他サ》発言の まとまりごとにおこなう通訳。(↕同時通訳)

**ちくしゃ**［畜舎］《農》家畜を飼う建物。家畜小屋。

**ちくしょう**［畜生］①けもの。②人をののしって言うことば。けだもの。「お前は―だ」[二] **ちくしょう**［(畜生)］《感》〔俗〕おこったとき、失敗してくやしいとき、人をねたみ うらやむときなどに発することば。ちきしょう。「―(め)・―、うまく やりやがった」 ●**ちくしょうどう**［畜生道］《仏》六道の一つ。畜生の境遇におちる。

**ちくじょう**［築城］《名・自他サ》①〔文〕しろをきずくこと。②《軍》戦闘に必要な ざんごう・とりでなどを作ること。

**ちくじょう**［逐条］《副》〔文〕いちいちの箇条を追うこと。「―審議する」

**ちくせき**［蓄積］《名・自他サ》〔時間をかけて〕〈ためる/たまる〉こと。また、〈ためた/たまった〉もの。「疲労が―する・―された記録」

**ちくぜん**［×筑前］旧国名の一つ。今の福岡県の北西部。 ●**ちくぜんに**［×筑前煮］とり肉・ニンジン・サトイモ・レンコン・コンニャクなどをいため、出しじるを加え、あまからく煮た料理。がめ煮。

**ちくぞう**［築造］《名・他サ》〔文〕ダム・堤防・城など、大きなものをつくること。

**ちくだい**［畜大］↑畜産大学。

**チクタク**《副》〔ticktack〕時計が時を刻む音。チックタック。「―音」

**ちくたん**［竹炭］竹を原料にした炭。におい消しなどにも使う。たけずみ。

**ちくちく**《副・自サ》①針などで、続けて〈さす/突っつく〉ようす。また、そんな痛みを感じるようす。「―ぬう・とげが―さす・せなかが―する・心が―痛む」②細かい(針)仕事をするようす。「―と文字を書く」③少しずつ ことばでいじめるようす。「―と いやみを言う」

**ちくっと**《副・自サ》①針などで ちょっと〈さす/突っつく〉ようす。また、そんな痛みを感じるようす。「注射を―さす・胸が―痛む」②短いことばで、意地悪く言うようす。「昔のことを―言う」▽ちくりと。

**ちくてい**［築堤］《名・自他サ》〔文〕堤防をきずくこと。また、きずいた堤防。「―工事」

**ちくでん**［逐電］《名・自サ》〔文〕にげ出して ゆくえをくらますこと。出奔。〔もと、ちくてん〕

**ちくでん**［蓄電］《名・自サ》《理》電気をたくわえること。「―装置」 ●**ちくでんき**［蓄電器］《理》導体にたくさんの電気をためておく装置。コンデンサー。 ●**ちくでんち**［蓄電池］《理》使ったあと充電して、何度でも使える電池。充電池。二次電池。「鉛―」

**ちくと**《副》〔古風/高知方言〕ちょっと。少し。

**ちくにく**［畜肉］《農》家畜の肉。牛肉・馬肉・豚肉など。

**ちくねつ**［蓄熱］《名・他サ》冷暖房などに使うため、お湯や氷の形で、熱さや冷たさの もとをたくわえておくこと。

**ちくねん**［逐年］《副》〔文〕としを追って。年々。

**ちくのうしょう**［蓄(×膿)症］《医》副鼻腔にうみ(膿)がたまる病気。蓄のう。〔正式には「慢性副鼻腔炎」〕

**ちぐはぐ**《ナダ》くいちがうようす。「―な感じ」[派]-さ。

**ちくばの-とも**［竹馬の友］小さいときの友だち。おさな友だち。[由来]「たけうま②」に乗って いっしょに遊んだことから。

**ちくび**［乳首］①ちぶさの先の、小さな出っぱり。②赤ちゃんにくわえさせる、「乳首①」の形をしたゴム製品。▽ちちくび。

**ちくよう**［畜養］《名・他サ》①家畜などを飼育すること。②［蓄養］魚介類を、出荷するまでの間、いけすなどで飼育すること。「―マグロ」

**ちくり**《副》「ちくっと」よりも はっきりしたようす。「とげが―とささった・―と皮肉を言われた」 ●**ちくりちくり**《副》「ちくり」の状態が くり返されるようす。「―と注意される」

**ちくりょく**［畜力］《農》〈車/耕作の道具〉をひく、家畜の〈力/労働力〉。

**ちくりん**［竹林］竹の林。竹やぶ。たけばやし。「放置―・―の七賢〔=三世紀ごろの中国で、竹林に集まったという七人の知識人〕」

**ちく・る**[チクる]《他五》〔チク↑「口」のさかさことば〕〔俗〕告げ口する。密告する。「警察に—」名チクり。

**ちくるい**[畜類]〔文〕①家畜。②けもの。畜生(ちくしょう)。

**チクルス**〔ド Zyklus〕〔音〕〔ある作曲家の作品の〕連続演奏会。「ベートーベン—」

**ちくれい**[蓄冷]〔文〕つめたい温度のままであること。「—体・—剤(ざい)」

**ちくろく**[逐鹿]〔文〕⇩中原(ちゅうげん)に鹿(しか)を逐(お)う〔「中原」の句〕。「—戦(=選挙で国会議員の地位を争うこと)」

**ちくわ**[竹輪・チクワ]①すりつぶしたさかなの肉を、筒(つつ)のような形に焼いた食品。「—の天ぷら」②↑ちくわぶ。●**ちくわぶ**[竹輪×麩]小麦粉を水や塩でこね、「ちくわ①」の形にむした食品。おでんの材料などに使う。

**チゲ**〔朝鮮 jjigae〕豆腐(とうふ)・魚介(ぎょかい)などを具にした、鍋(なべ)料理。「キムチ—・テンジャン(=みそ)—」☞クッパ。

**ちけい**[地形]山や川や、土地の起伏(きふく)などの状態。☞じぎょう(地形)。

**チケット**〔ticket〕①入場券。「—販売(はんばい)」②切符(きっぷ)。航空券。③食券。▽ティケット。

**ちけむり**[血煙]血がほとばしってけむりのように見えるもの。「—をあげる」

**ちけん**[地検]〔法〕↑地方検察庁。

**ちけん**[治験]治療(ちりょう)のききめ(をしらべること)。「—薬」

☆☆**ちけん**[知見]〔文〕それまでの研究・調査にもとづいて知ることのできたことがら。

**ちけんしゃ**[地権者]土地の権利を持っている人。

**ちご**[稚児]〔=乳児(ちご)。ちのみご〕①少年。児童。②神社・寺の行列にきれいな衣服をつけて加わる男女の子ども。

**チゴイネル**〔ド Zigeuner〕⇩ロマ。「—ワイゼン(=ロマの旋律(せんりつ))」

**ちこう**[地溝]《地》地層がずれて落ちこみ、細長いみぞになったところ。「—帯」☞フォッサマグナ。

**ちこう**[恥×垢]性器に、分泌(ぶんぴつ)物があかのように固まってついたもの。

**ちこう**[遅攻]《サッカー》〔速攻がむずかしいとき〕ゆっくり攻撃(こうげき)すること。(↑速攻)

**ちこう**[遅効]〔文〕ゆっくりあらわれるききめ。「—(性)肥料」(↑速効)

**ちこうごういつ**[知行合一]本当の知識(=知)は実行(=行)をともなうものだ、という考え。☞ちぎょう(知行)。

**ちこく**[遅刻]《名・自サ》〔その場所に行くのが〕決まった時刻よりもおくれること。「授業に—する・二十分の—」

**ちこつ**[恥骨]《生》骨盤(こつばん)を構成する骨の一つ。股(また)の奥(おく)にあり、左右に広がる。

**チコリ**〔chicory〕サラダなどに使う、小さい白菜のような野菜。にがみがある。アンディーブ(フ endive)。〔エンダイブの改良種〕

**ちさい**[地裁]《法》↑地方裁判所。

**ちざい**[知財]〔↑知的財産〕知的活動による創作物。特許・実用新案の対象となる。「—保護」●**ちざいけん**[知財権]《法》↑知的財産権。

**ちさき**[地先]①〔番地などで〕その場所から少し先。「一丁目五番地—で衝突(しょうとつ)」②海岸から見える程度のおき。「—漁」▽じさき。

☆☆**ちさん**[治山]〔文〕木を植えたりして山をととのえること。「—治水」

**ちさん**[遅参]《名・自サ》〔文〕遅刻。「—をわびる・本日—いたします」

**ちさんちしょう**[地産地消]地元でとれた生産物を、その地元で消費すること。

**ちし**[地誌]〔その地方の〕地理を書いた本。

**ちし**[知歯・×智歯]《医》おやしらず。第三大臼歯(だいきゅうし)。ちえば。

**ちし**[致仕]《名・自サ》〔文〕官職をやめること。ちじ。

☆☆**ちし**[致死]《名・自サ》〔文〕〔人を〕死なせること。「過失—罪」

**ちじ**[知事]公選された、都道府県の行政上の最高責任者。都道府県の長。

**ちしお**[血潮・血×汐]①〔潮のように流れ出る〕血。「—に染まった上着」②激しい情熱。「胸の—・—がたぎる」

****ちしき**[知識]㊀そのものごとを全体的に理解するため、頭に入れておくべき情報。また、そのものごとについての全体的な理解。「—が身につく・ドイツ語の—がある・—を得る・防災についての—を深める・—層・—欲」㊁[×智識]《仏》知徳のすぐれた僧(そう)。善知識。●**ちしきかいきゅう**[知識階級]社会の中間的地位をしめ、知的な活動をいとなむ階級。インテリ(ゲンチャ)。●**ちしきじん**[知識人]知識にもとづいて言論活動をおこなう人。

**ちじき**[地磁気]《地》地球が持つ磁気と、その磁気が作る磁場。「—の測定」

**ちじく**[地軸]①《地》地球の中心を南北につらぬく直線。②〔文〕大地をつらぬいていると考えられる軸。「—をゆるがすような爆音(ばくおん)」

**ちししょう**[致死傷]人を死なせてしまう傷害。「過失—罪」

**ちしつ**[地質]《地》岩石や地層の種類・性質。「—調査」☞じしつ(地質)。●**ちしつじだい**[地質時代]《地》地質を研究してわかる、地球誕生から現在までの長い時代。先カンブリア時代・古生代・中生代・新生代に分けられる。

**ちしつ**[知×悉]《名・他サ》〔文〕知りつくすこと。くわしく知ること。精通。

**ちじつ**[遅日]〔雅〕春の、なかなか暮れない一日。春の日なが。「—をもてあます」

**ちしゃ**[治者]〔文〕国をおさめる人。(↑被(ひ)治者)

**ちしゃ**[知者・×智者]〔文〕知恵(ちえ)のある人。かしこい人。(↑愚者(ぐしゃ))

**ちしゃ**[萵苣]①サラダ菜。ちさ。②レタス。

**ちじょ**[痴女]①〔文〕おろかな女。②〔俗〕女の痴漢。

**ちしょう**[知将・×智将]〔文〕知恵(ちえ)があり、じょうずに戦術を考える武将。〔スポーツの監督(かんとく)などにも言う〕

**ちしょう**[致傷]《名・自サ》〔文〕けがをさせること。「過失—罪」

**ちじょう**[地上]①地面よりも上。「—五階建て」(↑

地下)②この世界。「—の楽園」 ●ちじょうけん【地上権】〘法〙他人の土地を借りて、自由に使用できる権利。●ちじょうデジタルほうそう【地上デジタル放送】地上波によるデジタルテレビ放送。高画質で多チャンネル。また、双方向サービスがおこなえる。地上波デジタル放送。地デジ。●ちじょうは【地上波】地上にある電波塔などを使って送信される電波(を使ったテレビ放送)。☞衛星放送。

**ちじょう**【痴情】〔文〕ばかげた行動を引き起こす恋愛感情。「—のもつれ」

**ちじょうい**【知情意】知性と感情と意志。「—をかね備えた人」

**ちじょく**【恥辱】はずかしめ。はじ。「—を受ける」

☆☆**ちしりょう**【致死量】〘医〙その量だけ飲めば死ぬという、薬の量。

**ちじん**【知人】知りあい。知己。

**ちじん**【痴人】〔文〕ばかもの。「—の告白」

*__ちず__【地図】〘地〙陸・川・海の状態などを平面にあらわした図。マップ。「—帳(⇩アトラス)」

☆☆**ちすい**【治水】《名・自サ》〔文〕水流をよくし、水害を防ぐこと。「—工事・治山—」

**ちすじ**【血筋】①血がからだの中をめぐる筋道。②血統。血続き。「—は争えない」③血のつながった者。血縁。

**ちせい**【地勢】土地の〈形勢/状態〉。

**ちせい**【治世】〔文〕①国王などが位についていた間。②平和におさまった世の中。(↔乱世)

**ちせい**【治政】〔文〕その国をおさめること。政治。

**ちせい**【知性】ものごとを正しく理解し、それをどうすればいいか判断できる能力。「—あふれる人・高い—・—美」●ちせいてき【知性的】《ナダ》知性〈の感じられる/にもとづく〉ようす。「—な顔・—に理解する」

**ちせいがく**【地政学】地理的条件とその国の外交・軍事政策の関係を研究する学問。ゲオポリティーク(ドGeopolitik)。「—的に重要な地域」

**ちせき**【地積】土地の面積。

**ちせき**【地籍】〔文〕その土地の場所・大きさ・持ち主などをはっきりしめしたもの。「—台帳・—図」

**ちせき**【治績】〔文〕国をよくおさめたという、政治の上での成績。「—を上げる」

☆☆**ちせつ**【稚拙】《名・ナダ》〈おさなくて/未熟で〉へたなこと。「—な文章」派—さ。

**ちそ**〔方〕⇩しそ(紫蘇)。

**ちそう**【地相】その人の運勢に影響する、土地の形やありさま。「—がいい」

**ちそう**【地層】〘地〙年代によってちがう土が地表に重なり、層になったもの。「—処分(=放射性廃棄物を地下深くにうめること)」

**ちそう**【×馳走】《名・他サ》〔文〕①(=走り回ること)⇩ごちそう。「—にあずかる」②相手のために用意すること。「たき火を—する」

**ちそく**【遅速】〔文〕おそいこととはやいこと。「—がある」

**ちぞめ**【血染め】血で染めた(ようになる)こと。「—のシャツ」

**チター**〔ド Zither〕〘音〙オーストリア・南ドイツ地方の民族楽器。三十数本の弦を張り、爪と指先でひく。ギターに似た音を出す。ツィター。

**ちたい**【地帯】〔ある状態に置かれた〕特定の地域・場所。「危険—・工業—・海岸—」

**ちたい**【痴態】〔文〕理性を失った、ばかげたようす。

**ちたい**【遅滞】《名・自サ》〔文〕おくれてとどこおること。おそくなること。「—なく届け出る・作業に—をきたす」

**ちだい**【地代】〘法〙⇩じだい(地代)。

**チタニウム**〔titanium〕〘理〙⇩チタン。

**ちだまり**【血(×溜まり)】流れ出た血がたまっているところ。「ゆかに—をつくる」

**ちだるま**【血(:達磨)】全身に血〈をあびる/がつく〉こと。「—になる」

**チタン**〔ド Titan〕〘理〙鋼鉄のようなつやのある、軽くて強い金属〔元素記号 Ti〕。合金(=金属チタン)として、めがねのフレームやジェット機の部品などに使う。チタニウム。

＊＊**ちち**【父】①(自分の)男の親。(お)とうさん。「—がそう申しました・花嫁の—」区別⇩お父さん①。②動物のおすの親。「—ライオン」▽(↔母)③〘宗〙(キリスト教で)天にいる神。「天にまします我らの—よ」☞三位②。④新しいものごとを始めた人。開祖。「進化論の—」

**ちち**【乳】①赤ちゃんに、母親がちぶさから出してあたえる、白い液体。「お—」(牛・羊、そのほかの哺乳動物にも言う。「—しぼり」)②ちぶさ。

**ちち**【遅々】《タルト》〔文〕おそいようす。「—として進まない」

**ちぢ**【千々】〔雅〕数が多いこと。さまざま。いろいろ。「心は—にみだれる・—の思い」

**ちちうえ**【父上】〔古風〕(自分の)父を尊敬して呼ぶ言い方。「—(さま)はお元気ですか」(↔母上)

*__ちちおや__【父親】父にあたる親。おとこおや。(↔母親) 区別⇩お父さん①。

**ちちかた**【父方】(自分の)父の血筋。「—のおじ(伯父)」(↔母方)

**ちぢかむ**【縮かむ】《自五》(寒さなどで)からだや指先が縮んだ状態になる。

**ちちぎみ**【父君】〔文〕(相手の)父を尊敬した言い方。(↔母君)

**ちちくさい**【乳臭い】《形》①乳のにおいがするようだ。②幼稚だ。派—さ。

**ちちくび**【乳首】ちくび。

**ちちくる**【(:乳繰る)】《自五》〔俗〕男女がそっとあってたわむれる。「ちちくり合う」

**ちちご**【父御】〔古風〕「相手の父」の尊敬語。ご尊父。(↔母御)

**ちぢこまる**【縮こまる】《自五》①からだをまげて、〈縮まる/小さくなる〉。②萎縮する。▽ちぢかまる。他 縮こま(ら)せる・縮こめる《下一》。

**ちちのひ**【父の日】父の愛に感謝する日。六月の第三日曜日。(↔母の日)

**ちちばなれ**【乳離れ】《名・自サ》①乳児が成長して乳を飲む必要がなくなる〈こと/時期〉。離乳。②(精神的な)自立。▽伝統的には「ちばなれ」。

**ちちはは**【父母】父と母。両親。ふぼ。

**ちぢまる**【縮まる】《自五》縮んだ状態になる。「差が

—・二人の距離が—」

**ちぢみ**【縮み】①縮むこと。②↑縮み織り。「—のゆかた・小千谷縮」 •**ちぢみ あが・る**【縮み上がる】《自五》こわさや寒さなどのために、(からだが)すっかり縮む。 •**ちぢみ おり**【縮み織り】表面に小じわを出す織り方(の織物)。縮み。

**チヂミ**〔朝鮮 jijimi〕お好み焼きに似た料理。小麦粉やたまごで作った生地に、野菜・魚介などを加えてうすく焼き、チョジャン(=辛口酢みそ)をつけて食べる。チジミ。「ニラの—」

**ちぢ・む**【縮む】《自五》はじめよりも〈小さく/短く〉なる。「筋肉が—・差が—・経済が—」(↕伸びる)

**ちぢ・める**【縮める】《他下一》はじめよりも〈小さく/短く〉する。「身を—・距離を—」(↕伸ばす)

**ちちゅう**【地中】大地の中。「カプセルを—にうめる・—深くもぐる」☞地下。 •**ちちゅうかい**【地中海】ヨーロッパの南岸・アフリカの北岸・アジアの西岸にはさまれた海。

**ちぢれげ**【縮れ毛】縮れたかみの毛。縮れっ毛。

**ちぢ・れる**【縮れる】《自下一》毛・かみの毛などが、細かく波打った状態になる。ちぢくれる〔俗〕。「縮れた赤毛・縮れた麺」 名縮れ。 他縮らせる《下一》・縮らす《五》。「髪を—」

**ちちろ**〔雅〕こおろぎ。ちちろ虫。

**ちちんぷいぷい**《感》〔児〕子どもが手足をすりむいたりしたとき、なでさすりながら となえることば。

**ちっ**《感》〔俗〕うまく いかないときなどに発する〈ことば/舌打ちの音〉。ちぇっ。「—、なんてこった」

**ちつ**【×帙】その本の寸法にあわせて作り、全体をおおいつつむもの。

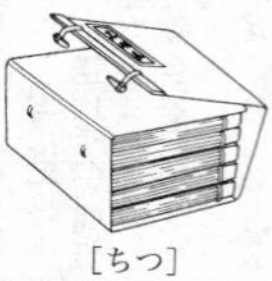
［ちつ］

**ちつ**【×膣・×腟】《生》女性の生殖器の一部。子宮に通じる、筋肉の管。

**ちっかん**【竹簡】紙が まだない時代、中国で文字を書きつけるのに使った、細長い竹のふだ。文章が長くなると、すだれのように ひもでつないで まとめた。ちくかん。☞木簡。

**チッキ**〔↑check＝預かり証〕①もと、鉄道で あつかった手荷物など。「—便」②〔古風〕飛行機の乗客が あずける手荷物。

**ちっきょ**【×蟄居】《名・自サ》①〔文〕家にとじこもって外出しないこと。閉居。②江戸時代、武士にあたえた刑。一室にとじこめておく。

**チック**〔tic〕一《医》顔・首・肩におこる けいれん(があらわれる病気)。チック症。 二 接尾 〔一とは別語源〕〔俗〕…的。…風。「漫画—・おとめ—」

**チック**〔↑コスメチック〕〔古風〕男性が かみの毛をととのえるのに使う、棒の形のけしょう品。

**ちっこ・い**《形》〔俗〕小さい。「—くせして」

**ちっこう**【蓄光】《名・自サ》《理》〔物質が〕明るい あいだに、光をたくわえる性質。暗くなると うすく光る。「—材」

**ちっこう**【築港】《名・自サ》〔文〕港の設備をつくること。また、その港。「高松—」

**ちつじょ**【秩序】①順序や筋道。「—立った考え・—づけ(る)」②規則にもとづく まとまり。「社会—をみだす・精神の—」

**ちっそ**【窒素】《理》色・味・においのない気体〔元素記号 N〕。空気の体積の約五分の四をしめる。肥料・爆薬などを作るのに使う。「—肥料(=ダイズかすなどの、窒素分の多い肥料)」 •**ちっそ さんかぶつ**【窒素酸化物】《理》窒素と酸素の化合物をまとめて呼ぶ言い方。酸性雨や光化学スモッグの原因となる物質。〔化学式 $NO_x$ から「$NO_x$(ノックス)」とも〕

**ちっそく**【窒息】《名・自サ》①いきが つまって、呼吸が できなくなること。「—状態・—死する」②精神的に きゅうくつなこと。「意見も言えない ふんいきで—する」

**ちっちっ**《感》〔話〕〔人さし指を左右に ふりながら〕相手のまちがいを示すときに発する〈ことば/舌打ちの音〉。

**ちっちゃ・い**【〔△小っちゃい〕】《形》〔話〕小さい。ちいちゃい。(↕おっきい) 派—さ。

**ちっちゃ な**【〔△小っちゃな〕】《連体》〔話〕ちいさな。

**ちつづき**【血続き】血筋が続いている〈こと/間がら〉。〔形容動詞とする説もある〕血縁。

**ちっと**《副》〔俗〕少し。ちと。「もう—」 •**ちっとや そっと** 句 ⇩ちょっとやそっと〔「ちょっと」の 句〕。 •**ちっとも**《副》〔後ろに否定が来る〕少し(の間)も。「—知らなかった」

**チップ**〔chip〕①木材を細かく切った〈もの/きれはし〉。②〔賭博などで〕点数を数える ふだ。③うすく切ったもの。チップス。「ポテト—(ス)」④《理》集積回路をおさめた(四角い)小片。「IC—・マイクロ—」 •**チップイン**《名・自サ》〔chip in〕《ゴルフ》グリーンの外から打ったボールが、直接ホールに はいること。

**チップ**〔tip〕一 ①心づけ。祝儀。②ボールペン・フェルトペンなどの芯(の先)。 二《名・自サ》《野球》↑ファウルチップ。☞ティップス。

**ちっぽけ**《ナダ》〔俗〕小さくて、とるにたりないようす。「—な家」

**ちてい**【地底】大地のそこ。土のそこ。

**ちてき**【知的】《ナダ》①知性に富むようす。理知的。「—な会話」②精神活動に関係するようす。「—労働」 派—さ。 •☆☆**ちてき ざいさんけん**【知的財産権】《法》知的財産(=知的創作活動に もとづく無形資産)についての権利。産業財産権・著作権など。知的所有権。無体財産権。知財権。 •☆☆**ちてき しょうがい**【知的障害】知能の発達がおくれ、日常生活で周囲の理解と助けを必要とすること。知的発達障害。精神遅滞。「—者」

**ちデジ**【地デジ】↑地上デジタル放送。

**ちてん**【地点】点のように小さく限って考えた場所。

**ちと**《副》〔古風/方〕ちょっと。「—ものを尋ねるが」

**ちとう**【池×塘】《地》泥炭層の湿原にある浅い池。尾瀬などに見られる。

**ちどうせつ**【地動説】《天》地球は宇宙の中央に止まっているのではなく、太陽のまわりを回っている、という考え方。(↕天動説)

**ちとく**【知徳】〔文〕知識と道徳。「—をみがく」

**ちどく**【遅読】〔文〕本を読む速度がおそいこと。また、時間をかけて読むこと。(↕速読)

**ちとせ**【千△歳】〔雅〕①千年。②長い年月。永久。

●**ちとせ あめ**［千△歳（×飴）］七五三の祝いに売られるあめ。棒のように長い、赤と白の さらしあめ。

**ちどめ**［血止め］傷口の出血をとめる〈こと／薬〉。止血。

**ちどり** ㊀［（千鳥）］コチドリ・シロチドリなど、水べにすむ小形の鳥。むれをなしてすみ、ジグザグに向きを変えながら歩く。夜、「ちんちん」という澄んだ声で鳴く。由来「ち」は、鳴き声から。㊁［千鳥］①↑千鳥足。②ジグザグ。「―にぬう」③〔↑千鳥掛け〕《服》ジグザグに糸をかがること。●**ちどり あし**［千鳥足］酒に酔ってよろめきながら歩くこと。●**ちどり ごうし**［千鳥格子］チドリの飛んでいる形をつないで、チェックのように見せる模様。

**ちどん**［遅鈍］《名・ナダ》〔文〕のろくて にぶいようす。派 ‐さ。

**ちない**［地内］⇩じない（地内）。

**ちなまぐさ・い**［血（生臭い）・血（×腥い）］《形》①血のにおいがするようすだ。②戦争で、血を流すことが多い。「―時代」派 ‐げ。‐さ。

***ちなみ**［（△因み）］〔文〕ゆかり。縁。「人物に―のある地名」●***ちなみ に**《接》①〔今までのことに関係して〕ついでに情報を言えば。「父は酒に強い。―、鹿児島の出身だ」②〔俗〕〔つけ足して〕ところで。「仕事がんばってね！ ―これから夕飯です」▽ちな〔俗〕。表記 かたく「△因みに」とも。

**ちな・む**［（△因む）］《自五》関係のあることをする。関係づける。「創立五十周年に―行事・発見者にちなんで衛星の名前をつける」

**ちにく**［血肉］〔文〕①血と肉。また、肉体。「―（＝人間味）が感じられない話し方」②〔知識・考え方など しっかりと身についたもの。「書物が―となる・情報を―化する」▽けつにく。☞けつにく（血肉）①。●**血肉を分け合う** 句 血縁関係にある。「血肉を分け合った（＝本当の）兄弟」

**ちにち**［知日］〔文〕〔外国人で〕日本に理解があること。「―家・―派」☞親日。

**ちぬ**〔↑ちぬだい（茅渟鯛）。もと西日本方言〕くろだい。

**ちぬき**［血抜き］《料》調理する前に内臓などを水につけたりして、血を抜くこと。「レバーの―・血合いの―」

**ちぬら・れる**［血塗られる・×釁られる］《自下一》〔＝血をぬりつけられる〕〔文〕人が何人も殺される。「血塗られた歴史」

**ちねつ**［地熱］《地》地球の中の熱。また、地下の蒸気の熱。じねつ。「―エネルギー」●**ちねつ はつでん**［地熱発電］《理》地下から ふき出す蒸気の力でタービンを回す発電方式。じねつはつでん。

**ちのいけ**［血の池］《仏》地獄にあるという、水のかわりに血をたたえた池。「―地獄」

**ちのう**［知能］〈頭／知恵〉の はたらき。精神の能力。知力。●**ちのう しすう**［知能指数］⇩アイキュー（IQ）。●**ちのう はん**［知能犯］《法》詐欺・横領などの頭を使った犯罪（の犯人）。

**チノクロス**〔chino cloth〕厚手のあや織りのもめんの布地。ズボンなどに用いる。

**ちのけ**［血の気］①皮膚の下の血の色。はだの赤み。「―のない ほお・―が うせる」②〔心の状態に関係する〕血。「顔から―が引く（＝ショックを受けたようす）」●**血の気が多い** 句 すぐに かっとなって暴力をふるったりする性質だ。「―青年」

**ちのしお**［地の塩］〔聖書のことば〕社会のため、人に知られずに つくす人のたとえ。「―になる」

**チノパン**〔↑チノ パンツ（chino pants）〕チノクロスで作った、パンツ（＝ズボン）。

**ちのみご**［乳飲み子］あかご。乳児。

**ちのみち**［血の道］（＝血管）女性に多い神経症。また、「更年期障害」の古い呼び名。

**ちのめぐり**［血の巡り］①血が血管の中を回ること。血の循環。②〔俗〕頭の はたらき。「―の悪い人」

☆☆**ちのり**［地の利］地理的条件の有利さ。「―を得る」

**ちのり**［血（×糊）］水分がなくなって ねばる血。

**ちのわ**［×茅の輪］チガヤをたばねて作った大きな輪。厄よけのため、神社で六月のみそかにくぐる。

**ちは**《感》〔俗〕⇩ちわ。

**ちはい**［遅配］《名・自サ》配給・配達などが、予定より おくれること。「―欠配」

**ちばし・る**［血走る］《自五》目の血管に血が集まって赤くなる。「血走った目」

**ちはつ**［遅発］《名・自サ》①〔文〕おくれて出発すること。②《医》ふつうより おくれて、その状態が生じること。晩発。「―月経・―閉経」▽（↕早発）

**ちばなれ**［乳離れ］《名・自サ》⇩ちちばなれ。

**ちはらい**［遅払い］給与の しはらいが おくれること。ちばらい。

**ちはん**［池畔］〔文〕いけの ほとり。

**ちばん**［地番］（登記所が）土地につけた番号。

**ちび**《名・ナダ》〔「チビ」とも書く〕〔俗〕①背が低い〈こと／人〉。（↕のっぽ）②年少者。子ども。「お―ちゃん・うちの―」③小さいこと。「―バッグ・―T（＝Tシャツ）」

**ちひしょくぶつ**［地被植物］《植》地表をおおう、たけが低い植物。例、ササ・シバ・クローバーなど。

**ちびちび**《副》少しずつ続けるようす。「―（と）酒を飲む・―（と）お金をつかう」

**ちひつ**［遅筆］〔文〕文章や作品をかくのが おそいこと。（↕速筆）

**ちびっこ**［ちびっ子］〔俗〕小さな子ども。「―広場」

**ちびっこ・い**《形》小さくて愛らしい。「まだ目が開いたばかりの―子猫」

**ちびっと**《副》〔話〕少し。ちょびっと。「おかずが―しかない」

**ちひょう**［地表］陸地の表面。「―の熱」〔月や星の表面も言う〕

**ちびょう**［稚苗］《農》本葉が二、三枚出たころの、イネのなえ。（↕成苗）

**ちびりちびり**《副》「ちびちび」を強めた言い方。「晩酌を―やる」

**ち・びる**［（×禿びる）］《自上一》先が〈すりきれる／すりへる〉。「ちびた筆・ちびたえんぴつ」

**ちび・る**《他五》〔「チビる」とも書く〕〔俗〕①〔小便などを〕少し（ずつ）もらす。②けちけちする。「ボーナスを―」

**ちぶ**［恥部］〔文〕①はずかしくて、人に知られたくない部分。「社会の―」②陰部。

**ちぶさ**［乳房］〈女性／めす〉の胸にある、乳を出す器官。にゅうぼう。〔哺乳動物の多くは、腹にもある〕

**チフス**〔オ typhus〕《医》チフス菌の侵入によって起こる急性の感染症。腸が いちばん おかされやすい。チブス。「腸—」 表記 「:窒扶斯」は、古い音訳字。

**ちぶつ**［地物］《軍》地上にあるもの。木や建物など。「—に身をかくす・地形や—を利用する」 ☞じもの(地物)。

**ちへい**［地平］①〔文〕(広い)大地の平面。「—のかなた」②↑地平線。③〔文〕展望。領域。「文学の新しい—をひらく」 ●**ちへいせん**［地平線］①《地》広い地面と空との さかいめの線。(↕水平線) ②〔文〕未来(の見通し)。

**ちべい**［知米］〔文〕アメリカに理解が あること。「—派」

**チベット**〔Tibet〕中国の西南部にある自治区。区都は、ラサ(Lhasa・拉薩)。蔵。 表記 「:西蔵」は、古い当て字。 ●**チベットぶっきょう**［チベット仏教］《仏》チベットで成立した仏教。ラマ僧を生きた観音として信仰する。モンゴルなどにも広まる。ラマ教。

**ちへど**［血(△反吐)］胃から吐く血。

**ちほ**［地歩］〔文〕自分のいる地位。立場。「—をしめる」

****ちほう**［地方］①国土・地球全体などを大きく分けたうちの一部分。「この—は雪が多い・中部—・熱帯—(=地域)」②首都以外の土地。いなか。ローカル。「—紙」(↕中央) ③地方自治体。「—財政」④《軍》軍隊の外の一般社会。 ☞じかた(地方)。 ●**ちほうぎんこう**［地方銀行］《経》地方都市に本店があり、その地方を中心に営業活動をする銀行。地銀。(↕都市銀行) ●**ちほうけんさつちょう**［地方検察庁］《法》地方裁判所が受け持つ事件をあつかう検察庁。地検。 ●**ちほうこうきょうだんたい**［地方公共団体］《法》⇩地方自治体。 ●**ちほうこうふぜい**［地方交付税］《法》地方の財政を助けるために、国家が地方自治体にわたすお金。地方交付税交付金。 ●**ちほうこうむいん**［地方公務員］《法》地方自治体の仕事をする職員。(↕国家公務員) ●**ちほうさい**［地方債］《法》都道府県が発行する債券。(↕国債) ●**ちほうさいばんしょ**［地方裁判所］《法》都道府県に置かれる裁判所。軽い事件以外はここで第一回の裁判をする。地裁。 ☞簡易裁判所。 ●**ちほうし**［地方紙］ある地方の読者に向けて発行される新聞。地方新聞。ローカル紙。(↕全国紙) ●**ちほうじちたい**［地方自治体］都道府県・市区町村をまとめて言う呼び名。国の一定の地域の住民に対して、法の認める範囲で自治行政をおこなう団体。地方団体。自治体。〔法律では「地方公共団体」と言う〕 ●**ちほうじむしょ**［地方事務所］《法》都道府県が、地方行政を分担させるために作る出先機関。〔福祉事務所、税務事務所なども その一つ〕 ●**ちほうしょく**［地方色］その地方独特の〈情緒/味わい〉。ローカル カラー。「—ゆたかな民芸品」 ●**ちほうぜい**［地方税］《法》地方自治体が、経費をまかなうために、会社・個人などに割り当てる税金。(↕国税) ●**ちほうせんきょ**［地方選挙］地方自治体の長や議員の選挙。知事・市区町村長・都道府県や市区町村の議員をえらぶ選挙。 ●**ちほうだんたい**［地方団体］⇩地方自治体。 ●☆☆**ちほうぶんけん**［地方分権］《法》中央の政府が、それぞれの地方自治体の権力を認めること。(↕中央集権)

**ちほう**［痴×呆］〔文〕知的能力が、後天的に低下した状態。 ●**ちほうしょう**［痴×呆症］《医》⇩認知症。

**ちぼう**［知謀・×智謀］〔文〕頭を使った、手ごわい戦術・戦略。「—に秀でた人物・—をめぐらす」

**チマ**〔朝鮮 chima〕朝鮮の女性用の民族服。胸からくるぶしまでの長さのスカートに似た服で、チョゴリと組み合わせて着る。

**ちま・う**《助動五型》〔俗〕「…てしまう」の くだけた言い方。「かぜをひいちまった・行っ—のか」

**ちまき**［(×粽)］もち米やくず粉をササなどの葉で巻いて蒸した菓子。

［ちまき］

**ちまた**［(×巷)］(=わかれみち) ①〔文〕通り(みち)。街路。②〔文〕街。「歓楽の—」③〔文〕さわがしく混乱している場所。「戦乱の—」④世間。「—(=庶民)の声」

**ちまちま**《副・自サ》小さくまとまっているようす。「—(と)した顔だち・—(と)した絵・—(と)した考え」

**ちまつり**［血祭り］出陣のとき、いけにえの血を軍神にささげた、中国の祭り。 ●**血祭りにあげる** 句 ①痛めつけて殺す。②徹底的に痛めつける。「週刊誌に血祭りにあげられる」

**ちまなこ**［血眼］①血ばしった目。②夢中で走り回(って努力す)るようす。「—でさがす」

**ちまみれ**［血(△塗れ)］《ナダ》一面に塗りつけたように、血がからだ全体につくようす。「—になる」

**ちまめ**［血豆］まめ(肉刺)に血のまじったもの。

**ちまよ・う**［血迷う］《自五》理性を失う。「何を血迷ったか、ラブレターを出してしまった」

**ちみ**［地味］土地の生産力。「—が肥える」 ☞じみ(地味)。

**ちみ**［(△君)］〔話〕「きみ」のくずれた言い方。「あー、—」

**ちみち**［血道］血の通う道。血脈。 ●**血道を上げる** 句 そのことに迷って熱中する。「金もうけに—」

**ちみつ**［緻密］《ナダ》①きめが細かいようす。②細工が細かいようす。③くわしいようす。「—な研究」④ぬかりがないようす。細密。「—な計画」 派 -さ。

**ちみどろ**［血みどろ］《ナダ》からだが、血でまみれているようす。

**ちみもうりょう**［(×魑魅×魍×魎)］〔文〕①さまざまなばけもの。②えたいの知れない、おそろしい人々。「—のうごめく政界」

**チムニー**〔chimney〕①煙突。②《登山》岩壁の間の、深くて せまい さけ目。③《地》海嶺に見られる、煙突状の突起。先端から熱水が噴出し、鉱床を作る。

**ちめ**［血目・血△眼］炎症を起こして血ばしった目。

**ちめい**［地名］土地の名前。

**ちめい**［知命］(=天命を知ること)〔文〕五十歳のこと。 由来 「論語」の「五十而知天命(=五十にして天命を知る)」から。 ☞志学・而立・不惑・耳順(じじゅん)。

**ちめい**［致命］〔文〕死ぬこと。「—率(=死亡率)」

●ちめいしょう［致命傷］①死の直接の原因となるきず。②ものごとを失敗に終わらせる、直接の原因。「不祥事が一となって倒産」 ●ちめいてき［致命的］《ナダ》①死の直接の原因となるようす。「一な傷」②それが原因で、ものごとが失敗に終わったり、成り立たなくなったりするようす。「一なミス・作品の一な欠点」

ちめい［知名］《名・ナダ》〔文〕名前が知られていること。「一人・天下一の士」（↕無名） ●ちめいど［知名度］名前の知られている程度。「一が高い・一が低い」

ちもう［恥毛］《生》陰部にはえる毛。陰毛。

ちもく［地目］《法》土地を使い道によって分けた呼び名。例、宅地・田・畑・山林など。

*ちゃ［茶］[一]ちゃ ①茶の木（＝畑に植える、背の低い常緑樹の名）の若葉を蒸し、もみながら かわかしたもの。茶の葉。「一山」②「茶①」に湯をさした飲み物。日本茶。また、紅茶・麦茶・昆布茶など、作り方が似た飲み物。「来客に一を出す・一をいれる・一（＝抹茶）を点てる」▽日常生活では「お茶」がふつうの言い方。☞お茶。③茶色。「一の服」[二][造] ↑茶づけ。「のり一・天一」 ●茶にする 句 ①休憩して お茶を飲む。②はぐらかす。ちゃかす。「人の話を一」

ちゃ《接助》〔話〕↑ては。ちゃあ。「行っ一いけない」☞っちゃ・なく（っ）ちゃ。

☆☆チャージ《名・自サ》〔charge〕①〔ホテル・バーなどで〕料金。「ルームー・テーブルー（＝席料。カバーチャージ）」②《理》ⓐ充電。ⓑ帯電。③燃料を入れること。補給。④〔ICカードなどで〕入金。⑤《サッカー》わざと相手にぶつかってボールを止めること。多くは反則。⑥《ラグビー》相手のキックをはばむため、ボールに向かって身を投げ出すこと。⑦《ゴルフなど》一気に攻めたてること。「猛一」

チャーシュー［（：叉焼）］〔中国語〕①豚肉を棒の形に切り、たれをつけ鉄のくしにさして焼いたもの。中華そばの具などに使う。やきぶた。「一麺」②⇩にぶた（煮豚）。「一丼」▽チャシュー。

チャーター《名・他サ》〔charter〕船・飛行機などを借り切ること。また、その船・飛行機など。「バスを一して移動する・一便」

チャート〔chart〕①流れなどを示す図表。「一図」②〔↑ヒットチャート〕ヒット曲の順位表。「海外一」③《経》相場の値動きを、ローソク足などで示した図。罫線。「株価一」④地図・海図などの図面。

チャート〔chert〕《鉱》堆積岩の一種。死んだ放散虫（＝動物プランクトンの一種）などが深海に堆積して固まったもの。非常にかたく、火打ち石に利用された。

チャーハン［（：炒飯）］〔中国語〕飯と具を油でいためた料理。やきめし。いためごはん。「ぱらぱらの一」☞ピラフ。

チャーミング《ナダ》〔charming〕魅力のあるようす。魅惑的。シャルマン。チャーム。派 -さ。

チャーム〔charm〕[一]①かわいらしさ。魅力。「一ポイント」②〔ネックレスなどに〕下げる、小さな かざり。「バッグー」③〔バーなどで〕おつまみ（代）。[二]《ナダ》〔古風〕チャーミング。「一な女の子」

チャイ〔ヒンディー chai＝茶〕紅茶を牛乳で煮出し、スパイス・砂糖を加えた、インドなどの飲み物。

チャイナ ①〔China〕中国。中国人。「一スタイル・一タウン（＝本国外で、中国人の住んでいる区域）」②〔china〕陶器。 ●チャイナドレス〔和製 China dress〕《服》つめえりのワンピースで、スカート部分の脇にスリットが入った服。満州民族の貴族の衣装を元にしたとされる。チャイナ服。

チャイブ〔chive〕西洋アサツキ。ネギより かおりが高く、肉料理のハーブやスープの薬味として用いる。シブレット（フ ciboulette）。

チャイム〔chime〕①《音》音の高さによって長さのちがう、管のような形の鐘。また、その音。②「チャイム①」のような音を出すもの。「ドアー」

チャイルドシート〔child seat〕幼児用の安全ベルトのある補助座席。自動車の後部座席に取りつける。

チャイルドロック〔和製 child lock〕子どもが まちがって使ってしまわないようにするための仕組み。例、乗用車のドアが中から開かないようにする、ライターを簡単に着火できないようにする、など。

ちゃいれ［茶入れ］抹茶を入れる容器。濃茶用は陶製で、象牙のふたがついているものが多い。

ちゃいろ［茶色］黒みをおびた赤黄色。褐色。ブラウン。「一の かばん」 由来 茶の葉をせんじた染料の色から。 ●ちゃいろ・い［茶色い］《形》茶色だ。「一セーター」

ちゃ・う《自五》〔関西方言〕ちがう。…じゃない。「笑いごと（と）一わ！・晴れるん一？（＝晴れるんじゃない？）」

**ちゃ・う《助動五型》〔話〕①↑てしまう。ちまう〔俗〕。「行っ一・やっちゃった〔俗に『やっちった』とも〕」②それがうれしい、ということをあらわす。「プレゼントがもらえ一・ほめられちゃった」

ちゃうけ［茶請け］⇩お茶請け。

ちゃうす［茶臼］茶の葉をひいて、抹茶をつくる、小形の石うす。

チャウダー〔chowder〕小さく切った魚介類や肉・野菜などを煮こんだ、とろりとしたスープ。「クラム（＝ハマグリ）一」

チャウチャウ〔chow chow〕中国原産の犬。耳は小さく立ち、からだは毛でもこもこしている。舌は黒い。

ちゃえん［茶園］〔文〕茶の畑。さえん。

チャオ《感》〔イ ciao〕〔俗〕出あったときや別れるときに言う、親しみをこめたあいさつのことば。

ちゃか［茶菓］〔文〕お茶と菓子。さか。

ちゃか［チャカ］〔俗〕拳銃。

ちゃかい［茶会］①茶の湯の会。「初釜の一」☞お茶会。②ティーパーティー。「皇居で立食形式の一」

ちゃかいせき［茶懐石］〔懐石料理に対して〕⇩懐石①。

ちゃがけ［茶掛け］茶室の床の間にかける、かけ物。

ちゃがし［茶菓子］お茶を飲むときに食べる菓子。お茶うけ。「一が出る・お一」

ちゃか・す［（：茶化す）・チャカす］《他五》〔まじめな人・ものごとを〕からかう。「えらい人を一・世の中をちゃかした作品」

ちゃかちゃか《副・自サ》小刻みに動きまわって おちつきのないようす。

ちゃかっしょく［茶褐色］黒色をおびた茶色。

**ちゃがま**［茶釜］《茶道》湯をわかすかま。

**ちゃがゆ**［茶(×粥)］水の代わりに、お茶でたいたかゆ。

**ちゃがら**［茶殻］お茶をいれたあとの、いらなくなった葉。茶かす。

**ちゃかん**［茶館］⇩さかん(茶館)。

**ちゃき**［茶気］①茶道の心得。②風雅の気味。洒脱なようす。③ちゃめっけ。

**ちゃき**［茶器］①お茶をいれるときに使う道具。急須など。「―そろ(揃)い〔=茶器の ひとそろい〕」②茶の湯に使う道具。

**ちゃきちゃき** [一]ちゃきちゃき ①純粋なこと。「―の江戸っ子〔=親子三代、東京の下町に住んでいる、というような人〕・―の技術者」②江戸っ子。「母は―です」③〔古風〕その世界で将来有望な人。「―の新人」[由来]「嫡々〔=血すじが正しいこと〕」の変化。[二]ちゃきちゃき《副・自サ》江戸っ子のようにはきはきしているようす。「―(と)した早口の人」

**ちゃきん**［茶巾］《茶道》茶わんをふく、麻の ふきん。
•**ちゃきんしぼり**［茶巾絞り］サツマイモやゆり根などをつぶして あん状にしたものを、ふきんなどに包み、ねじってつくる料理。•**ちゃきんずし**［茶巾(:寿司)］五目ずしを包んだ たまごの薄焼きの四すみを上にまとめたもの。☞ふくさずし。

**ちゃく**［着］[一]ちゃく つくこと。到着。「東京―・―後自由行動」(↕発) [二][接尾] ①衣服や めがねを数えることば。②到着の順位を数えることば。〔自サにもなる。「《競馬》二―する」〕③《碁・将棋》石を打つこと。駒を指すこと。「苦心の 一―」[三][遺]〔文〕…につく。「―米〔=アメリカにつく〕」

**ちゃくあつ**［着圧］くつ下などの衣類が、からだを引きしめる圧力。「―ソックス」

**ちゃくい**［着衣］〔文〕①着ている衣服。②着物・服を着ること。「―水泳」(↕脱衣)

**ちゃくい**［着意］《名・自サ》〔文〕思いつき。

**ちゃくえき**［着駅］〔鉄道で〕到着した駅。「―ばらい」(↕発駅)

**ちゃくがん**［着岸］《名・自サ》〔文〕①きしに つくこと。②岸壁に横づけになること。

**ちゃくがん**［着眼］《名・自サ》目をつけること。着目。「―点〔=目のつけどころ〕」

**ちゃくさ**［着差］《競馬など》勝者がゴールしたときの、他の競技者との距離。「二着馬との―は三馬身」

**ちゃくざ**［着座］《名・自サ》〔文〕座席につくこと。

**ちゃくさい**［着彩］《名・他サ》〔文〕下絵に、絵の具で色をつけること。

**ちゃくし**［嫡子］〔文〕①その家のあとをつぐ人。あとつぎ。よつぎ。②嫡出子。(↕庶子)

**ちゃくじつ**［着実］《名・ナダ》一歩一歩確実に事を進めること。安定した動きで進むようす。「―な努力・―に発展する」[派]-さ。

**ちゃくしゅ**［着手］《名・自他サ》①手をつけること。とりかかること。②《碁・将棋》石を打つこと。駒を指すこと。

**ちゃくしゅう**［着臭］《名・自サ》〔文〕〔ガスなどに〕くさいにおいをつけること。「―剤」

**ちゃくしゅつ**［嫡出］《法》正式の夫婦の間に生まれたこと。「―子」(↕庶出)

**ちゃくじゅん**［着順］(ゴールに)到着した順位。

**ちゃくしょう**［着床］《名・自サ》①《生》卵管で受精した卵が、子宮におちついて、母体から栄養を受ける状態になること。②エレベーターのかごが ある階に止まること。「停電時自動―装置」

**ちゃくしょく**［着色］《名・自他サ》〔全体または表面に〕色をつけること。色がつくこと。「人工―・自然に赤く―したリンゴ」

☆☆**ちゃくしん**［着信］《名・自サ》通信が届くこと。届いた通信。「ファックスが―する・スマホの―履歴〔『着歴』とも〕・―音」(↕発信)

**ちゃくすい**［着水］《名・自サ》①〔水上飛行機などが〕降りて水面につくこと。(↕離水) ②〔とびおりて〕水面につくこと。

**ちゃく・する**［着する］〔文〕[一]《自サ》到着する。「パリに着した」(↕発する) [二]《他サ》着る。身につけて持つ。「よろいかぶとを―」▽[一][二]着す。

**ちゃくせき**［着席］《名・自サ》座席につくこと。着座。(↕起立)

**ちゃくせつ**［着雪］《名・自サ》雪が電線・車両などにくっつくこと。また、そのくっついた雪。「―注意報」

**ちゃくせん**［着船］《名・自サ》〔文〕船が港にはいること。船が乗り場につくこと。また、その船。(↕発船)

**ちゃくそう**［着想］《名・自他サ》〔計画・方法などを〕思いつくこと。思いつき。「外国の作品から―〈する/を得る〉」

**ちゃくそう**［着装］《名・他サ》〔文〕①衣服などをからだに つけること。②〔器具・部品などを〕取りつけること。

**ちゃくたい**［着帯］《名・自サ》〔文〕妊娠して五か月目に、岩田帯をしめること。「―式〔=帯祝い〕」

**ちゃくだつ**［着脱］《名・他サ》取りつけたり外したりすること。つけはずし。「タイヤのチェーンの―・―自在」

**ちゃくだん**［着弾］《名・自サ》《軍》発射された弾丸がある地点に届くこと。また、その弾丸。弾着。

**ちゃくち**［着地］《名・自サ》①飛んで(いるものが)地面につくこと。☞着陸。②〔鉄棒・平均台などの体操競技や、スキーのジャンプ競技で〕競技者が床や雪面におりること。③〔文〕着陸する場所。④〔文〕到着する場所。「―ばらい」(↕発地) ⑤折り合いをつけて、ある結論や結果が出ること。「―点をさぐる」

**ちゃくちゃく**［着々］《副》順序を追って はかどるようす。「―(と)仕事を進める」

**ちゃくとう**［着到］《名・自サ》〔文〕到着。「―板〔=役者が楽屋入りしたかどうかを示す表示板〕」

**ちゃくどん**［着丼］《名・自サ》〔俗〕注文した〈ラーメン/どんぶり〉が、自分の席に届くこと。「―後、五分で完食」

**ちゃくなん**［嫡男］〔文〕嫡出の長男。嫡子。あととり。

**ちゃくに**［着荷］《名・自サ》荷物がつくこと。ついた荷物。ちゃっか。

**ちゃくにん**［着任］《名・自サ》新しい〈任地/任務〉につくこと。「―のあいさつ」(↕離任)

**ちゃくはつ**［着発］①〔文〕到着と出発。②《軍》目標物に届いた瞬間に爆発すること。「―

信管」

**ちゃくばらい**［着払い］①荷物の運賃を、受取人がはらうこと。（↕元払い）②配達されたときに商品の代金をはらうこと。

**ちゃくひょう**［着氷］《名・自サ》①飛行機・汽船などに、雪・水しぶきなどがこおりつくこと。「船体ー」②とびあがって、氷の表面に着くこと。「ジャンプをきめてー」

☆☆**ちゃくふく**［着服］《名・他サ》あずかったものを、こっそりぬすんで自分のものにすること。「公金をーする」

**ちゃくぶん**［着分］↑一着分(の布)。「スカートー二千円」

**ちゃくぼう**［着帽］《名・自サ》①《文》帽子をかぶること。（↕脱帽・無帽）②《工事の危険から頭を守るために》安全帽をかぶること。（↕無帽）

**ちゃくもく**［着目］《名・自サ》目をつけること。着眼。「新しい技術にーする」

**ちゃくよう**［着用］《名・他サ》《服などを》身につけること。「〈制服/マスク/名札〉をーする・シートベルトをーのこと」

**ちゃくりく**［着陸］《名・自サ》《飛行機などが》陸地につくこと。（↕離陸）☞着地・軟着陸。

**ちゃくりゅう**［嫡流］《文》①本家の系統。「源氏のー」②正統の流派。▽嫡々。

**ちゃくれき**［着歴］↑着信履歴。

**チャコ**［←chalk（チョーク）］《服》洋裁で、布にしるしをつける、チョークの一種。「ーペンシル（＝えんぴつ形のチャコ）」

［チャコ］

**チャコール**［charcoal］炭(の色)。チャーコール。「ーグレー（＝黒っぽいグレー）」

**ちゃこし**［茶×漉し］細かい網をはった、茶がらをこす器具。

**ちゃさじ**［茶×匙］①《せん茶で》茶の葉をすくうさじ。②《茶道》茶しゃく。③《古風》ティー スプーン。「砂糖ー二杯」

**ちゃじ**［茶事］《文》①茶の湯に関する〈ことがら/ふるまい〉。②茶会。「おー」▽さじ。

**ちゃしつ**［茶室］茶会をする部屋。数寄屋。茶席。

**ちゃしぶ**［茶渋］茶わんなどにつく、お茶のあか。

**ちゃしゃく**［茶×杓］抹茶をすくい取る小さなさじ。

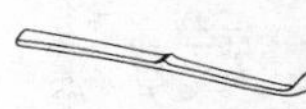
［ちゃしゃく］

**ちゃじゅ**［茶寿］（数え年で）百八歳(の祝い)。由来「茶」の草かんむりを二つの「十」、下を「八十八」に見立てると、合計で百八になるから。

**ちゃじん**［茶人］①茶の湯にたずさわる人。②茶の湯を好む人。③風流を好む人。風流人。

**ちゃせき**［茶席］①茶室。②茶の湯の席。

**ちゃせん**［茶×筅］①抹茶をたてるとき、かきまわして泡立たせる、竹製の道具。②《料》↑茶せん切り。「ーに切る」●**ちゃせんぎり**［茶(×筅)切り］《料》ナスに縦の切れ目を細かに入れて、「茶せん①」のような形にする〈こと/もの〉。

［ちゃせん ①］

**ちゃそば**［茶(:蕎麦)］そば粉に抹茶をまぜて打ったそば。

**ちゃだい**［茶代］①茶店で休んだとき、はらう代金。②旅館でお茶を持って来たときに出す、チップ。

**ちゃたく**［茶(×托)］茶飲み茶わん・湯飲みをのせる、小さなさらのような台。

**ちゃだち**［茶断ち］《名・自サ》願いがかなうことをいのって、お茶を飲まないこと。

**ちゃだんす**［茶(×簞×笥)］茶器・皿などを入れておく、たなのある家具。

**ちゃち**《ナダ》《俗》安っぽいようす。「ーな品物」

**ちゃちゃ**［(茶々)］《俗》（ふざけて）じゃまをすること。「ーを入れる」

**チャチャチャ**［cha-cha-cha］《音》陽気で軽快なラテン音楽の一つ。また、それにもとづくダンス競技。〔チャチャチャと聞こえるリズムが特徴〕

**ちゃちゃっと**《副》《話》簡単に手早くするようす。さっと。「料理をー作る」

**ちゃっか**［着火］《名・自他サ》《文》火がつくこと。火をつけること。「衣服にーする・ー剤」（↕消火）

**ちゃっかり**《副・自サ》《俗》ぬけめがないようす。ずうずうしいようす。「ー(と)もうける」派ーさ。

**ちゃっかん**［着艦］《名・自サ》《軍》飛行機が航空母艦の甲板におりること。（↕発艦）

**ちゃっきょ**［着拒］《名・他サ》《俗》↑着信拒否。「スマホでーの設定をする」

**ちゃっきん**［着金］《名・自サ》《文》代金が到着すること。

**チャック**（もと、商標名）ファスナー。「ー全開・お口(は)ー（＝静かに！）」

**ちゃづけ**［茶漬け］ごはんに(のりなどの具をのせて)、お茶や出しじるをかけたもの。「おー・たい(鯛)ー（＝タイのさしみをのせた茶漬け）」☞湯漬け。

**ちゃっけん**［着剣］《名・自サ》銃剣に剣を取りつけること。また、そうした状態。

**ちゃっこう**［着工］《名・自サ》工事にとりかかること。

**ちゃ(っ)ちい**《形》《俗》安っぽい。ちゃちだ。

**ちゃっちゃと**《副》《話》さっさと。「ー起きて！」

**ちゃづつ**［茶筒］お茶の葉を入れておく、筒っ形の入れもの。

**チャット**［chat＝おしゃべり］《インターネットで》メッセージを書きこんで、同時に複数の相手と文字で会話をかわせるシステム。「ールーム（＝ネット上の談話室）」

**チャツネ**［chutney］くだもの・野菜・スパイスなどをすりつぶしたり煮こんだりして作る、インドの調味料。ディップまたはジャム状で、ドーサやサモサにつけたりして食べる。チャットニー。〔日本では、カレーのかくし味に入れることもある〕「ココナッツー・マンゴーー」

**チャップ**［chop］⇩チョップ②。

**ちゃつぼ**［茶×壺］お茶の葉を入れておくつぼ。

**ちゃつみ**［茶摘み］春の終わりごろ、茶の木から若芽や葉をつみとる〈こと/人〉。「ー歌」

**ちゃとう**［茶陶］茶の湯で使う陶磁器。

**ちゃどう**［茶道］⇩さどう(茶道)。

**ちゃどうぐ**［茶道具］茶器。

**ちゃどころ**［茶(所)］いいお茶を生産する所。「ー宇治の銘茶」

**チャドル**〔ペルシャ chādor〕イランなどで、イスラム教徒の女性が外出時にまとう、顔だけを出して全身をかくす布。「黒い—」☞ニカブ・ヒジャブ・ブルカ。

**チャネリング**《名・自サ》〔chanelling〕別世界と交信すること。「守護霊と—する」

**ちゃのま**［茶の間］家族が集まって、食事をしたり、テレビを見たりして、くつろぐ部屋。☞お茶の間。

**ちゃのみ**［茶飲み］お茶を飲むこと。「—茶わん・—話」 ●**ちゃのみともだち**［茶飲み友(達)］①お茶などを飲みながら、気軽に世間話をするような友人。②年を取ってからむかえた配偶者。

**ちゃのゆ**［茶の湯］客を茶室に招き入れ、抹茶をたててすすめる作法(としての芸道)。

**ちゃば**［茶葉］緑茶・紅茶などの茶の葉。ちゃよう。

**ちゃばおり**［茶羽織］女性が着る、腰のあたりまでの、短い羽織。

**ちゃばこ**［茶箱］〔お茶を売る店で〕お茶の葉をしまっておく、内がわにブリキなどをはった大きな箱。

**ちゃばしら**［茶柱］番茶をいれたときに、湯の中で縦にうかぶ茶のくき。「—が立つ〔縁起がいいとされる〕」

**ちゃぱつ**［茶髪］〔おしゃれのため〕茶色にした髪。

**チャパティ**〔ヒンディー chapati〕インドなどの、発酵させずに焼いた、うすくてまるい形のパン。カレー料理にそえて食べる。チャパティー。☞ナン。

**ちゃばな**［茶花］茶室の床の間にいける花。

**ちゃばら**［茶腹］お茶をたくさん飲んだときの腹ぐあい。 ●**茶腹も一時** 句 お茶を飲んだだけでも、しばらく空腹をしのぐことができる。

☆☆**ちゃばん**［茶番］①〔↑茶番狂言〕口上・身ぶりで、おかしなことをして見せる簡単な劇。②〔↑茶番劇〕あさはかで、みえすいたお芝居。「とんだ—だ」

**ちゃびん**［茶瓶］お茶をいれるための どびん。

**チャプスイ**〔中国 雑砕〕豚肉のうす切りに野菜をいためてまぜ、かたくり粉を入れて煮たもの。

**チャプター**〔chapter=章〕録画された映像に記録された、電子的な区切り。シーンが変わるところやCMの前後などにあり、選択すればそこから再生できる。

**ちゃぶだい**［(△卓×袱)台・(:飾)台］〔「ちゃぶ」は「卓袱」の唐音〕折りたたみのできる足のついた、低い食卓。「—をひっくり返す〔まとまりかけたものをぶちこわす意にも〕」 ●**ちゃぶだいがえし**［(△卓×袱)台返し］《名・他サ》〔=おこって、料理ののったちゃぶ台をひっくり返すこと〕〔俗〕まとまりかけた相談などを、ぶちこわすこと。「先方に—をされた」

**チャプチェ**〔朝鮮 japchae(雑菜)〕いためた肉・野菜などに はるさめを加えて作る料理。

**チャプレン**〔chaplain〕《宗》キリスト教で、学校・病院・軍隊などの施設付きの聖職者。

**チャペル**〔chapel〕キリスト教の礼拝堂。

**ちゃほ**［茶舗］〔文〕お茶を売る店。お茶屋。〔多く、店の名前につける〕

**チャボ**〔インドシナにあった昔の国名チャンパ(Champa)の変化〕小形のニワトリの名。足は短くて、尾がふさふさしている。飼って かわいがる。 表記「:矮鶏」とも書いた。

**ちゃぼうず**［茶坊主］①武家で、茶の湯を受け持った役(の人)。②権力のある者に へつらう人。

**ちやほや**《副・他サ》①あまやかすようす。「子どもを—する」②お世辞などを言って もてた感じにするようす。「—(と)されて、いい気持ちになる」

**ちゃぼん**［茶盆］茶器をのせる盆。

**ちゃま** 接尾〔女/児〕「さま」の親しい呼び方。「おば—・おじょう—・おぼっ—」

**ちゃまめ**［茶豆］豆が茶色い うす皮に包まれた、あまみが強い枝豆。例、だだちゃ豆〔山形県鶴岡の特産〕。

**ちゃみ**［茶味］〔文〕①茶道の味わい。②風雅なおもむき。

**ちゃみせ**［茶店］道ばたなどにあって、客を休ませ、お茶や菓子を出す店。茶屋。☞さてん(茶店)。

**ちゃめ**［(茶目)］《名・ナダ》「おちゃめ」の かたい言い方。

**ちゃめし**［茶飯］①お茶にひたし、塩を入れて たいたごはん。②しょうゆで味つけしたうす茶色の ごはん。さくらめし。「おでんに—」

**ちゃめっけ**［(茶目っ気)］あいきょうがあって、いたずら好きな気質。「—を出す」

**ちゃや**［茶屋］①お茶を作ったり、売ったりする家。②茶店。休み茶屋。③客に遊興・飲食をさせる家。お茶屋。「—遊び・—酒」④〔↑すもう茶屋〕すもう茶屋。

**ちゃら**［チャラ］〔俗〕①差し引きゼロ。貸し借りなし。「—にする」②ないこと。「その話は—にしよう」

**ちゃら・い**［チャラい］《形》〔俗〕ちゃらちゃらしたようすだ。「—サークル・—司会者」派—さ。

**ちゃらお**［チャラ男］〔俗〕ちゃらちゃらした男。

**ちゃら・ける**《自下一》〔俗〕おちゃらける。ふざける。「ちゃらけた調子で話す」

**ちゃらちゃら**《副・自サ》①小さな金属が ふれあって立てる、軽い音。「小銭が—いう」②うわべだけをかざり、軽はずみで ふまじめな感じがするようす。「—したかっこう・—したドラマ」☞チャラい。

**ちゃらっぽこ**〔古風・俗〕でたらめ(を言う人)。ちゃらぽこ。「—を言う」

**ちゃらんぽらん**《名・ナダ》〔俗〕言うことが出まかせで、信用できないようす。また、そういうことば。

**ちゃり**［チャリ］〔俗〕自転車。チャリンコ。

☆☆**チャリティ(ー)**〔charity〕慈善(のための寄付)。「—ショー〔=純益または売上金を社会事業に寄付するための興行〕」

**ちゃりょう**［茶寮］⇩さりょう。

**ちゃりん**《副》小さな金属が落ちたり、ふれあったりして出る音。「百円玉を—と入れる」

**ちゃりんこ**［チャリンコ］〔俗〕①自転車。チャリ。由来 朝鮮語「チャジョンゴ(自転車)」に、「チャリンコ②」の音が影響して できた ことば。②〔古風〕子どもの すり。

**チャルメラ**〔ポ charamela〕《音》ラッパに似た、木の管楽器。ラーメンの屋台を引く人が吹いて、客を呼んだ。

☆☆**チャレンジ**《名・自サ》〔challenge〕①〔強い相手・むずかしいことへの〕挑戦。「世界に—する選手・—精神」②ためしに やってみること。トライ。「手打ちそばに—する」③《テニス・アメリカンフットボールなど》審判の判定に不服を申し立て、再判定を求めること。

**チャレンジャー**〔challenger〕挑戦者。

**チャレンジング**《ナダ》〔challenging〕挑戦的。果敢。「―なゴルフ」

**ちゃわかい**［茶話会］さわかい。

**ちゃわん**［茶(×碗)］①お茶を飲む陶器・磁器の、うつわ。「―酒」〔②と区別するときは、「茶飲み茶わん・抹茶茶わん・コーヒー茶わん」などと言う〕②ごはんを盛って食べる陶器・磁器の、うつわ。「お―にごはんをよそう」〔①と区別して言うときは、「ごはん茶わん」〕

●**ちゃわんむし**［茶(×碗)蒸し］出しじるでたまごをとき、肉・野菜などを加え、茶わんに入れてそのまま蒸した料理。お蒸し。

**ちゃん**〔古風・俗〕おとうさん。〔江戸の下町のことば〕

**ちゃん【接尾】〔「さん」のくだけた形。「チャン」とも書く〕①子どもなどの名前につけて、親しみをあらわす。「りなー・けんー」〔大人が子どもを呼ぶときや、子どもどうしで呼びあうときなどに、特によく使う。恋人(や夫婦)の間でも使う〕②年上の家族などを親しんで呼ぶことばの一部。「おねえー・よう、そこの にいー〔=若い男性〕」〔兄・姉・祖父母・おじ・おばなどに対して(特に子どもが)使う。父母を「おとうちゃん」「おかあちゃん」と呼ぶのは、より庶民的な言い方〕③小さいもの、かわいらしいものにつける。「おぼっー・お嬢ー・ネコー・ワンー〔=犬〕」④〔関西方言〕ものの名前につけて、親しみをあらわす。「あめー」

**チャン**【造】〔俗〕↑チャンネル①。「2ー・何ーだっけ」

**ちゃんこなべ**［ちゃんこ鍋］〔ちゃんこ=力士の食事〕力士のなかまで食べる独特の料理。大きななべにぶつ切りの さかなや肉、野菜などを入れて煮る。ちゃんこ(料理)。

**チャンジャ**〔朝鮮 changja=動物のはらわた〕タラの胃を塩づけにして、キムチのような味をつけた食べ物。

**チャンス**〔chance〕(いい)機会。「絶好のー・ーメーカー〔=得点の きっかけを作ってくれる選手〕・大ーー」

**ちゃんちゃらおかし・い**《形》〔俗〕(身のほど知らずで)笑ってしまう。〔あざけって言うことば〕

**ちゃんちゃん** 【一】ちゃんちゃん ちゃんちゃんこ。【二】ちゃんちゃん《副》①規則正しくするようす。「家賃をーと入れる」②ものの打ち合う音。【三】《副》〔俗〕これで終わりということをあらわす音。〔「ちゃん、ちゃん」と区切り、二つめの「ちゃん」の音を少し高く発音する〕

●**ちゃんちゃんこ**（子どもの）そでなし羽織。そでなし。「わた入れのー」

●**ちゃんちゃんばらばら**【一】《副》剣でわたりあう音。【二】［チャンチャンバラバラ］〔俗〕剣でわたりあうこと。たちまわり。チャンバラ。

●**ちゃんちゃんやき**［ちゃんちゃん焼き］サケなどの魚と野菜を鉄板で焼き、みそなどで味つけした、北海道の郷土料理。

**ちゃんづけ**［ちゃん(付け)］名前の下に「ちゃん」をつけて呼ぶこと。「ーで呼ぶ」

*__ちゃんと__《副・自サ》いいかげんでなく、たしかなようす。きちんと。「ー承知している」

**チャント**〔chant〕①《宗》〔キリスト教で〕ふしをつけてとなえる、典礼の文句。詠唱歌。「グレゴリアンー」②《サッカー》ふしをつけて さけぶ、応援の文句。

**チャンネル**〔channel〕①テレビ放送局ごとに決まっている、はばを持った周波数の電波(を受ける回路)。また、その放送局(を選ぶためのボタンなど)。「3ー〔3chとも〕・ー権〔=テレビのチャンネルをえらぶ権利〕・ーを回す〔=変える。昔、ダイヤル式だったことから〕」②〔コミュニケーションなどが流れる〕経路。道筋。「販売ー・外交ー」▽チャネル。

**ちゃんばら**［チャンバラ］〔↑チャンチャンバラバラ〕〔俗〕剣劇。「ー映画」

**チャンピオン**〔champion〕①選手権保持者。優勝者。チャンプ〔俗〕。「世界ー・ーベルト・ディフェンディングー〔=選手権防衛者〕」②第一人者。代表者。「宝さがしのー」

**チャンプ**〔champ←champion〕〔俗〕チャンピオン。「世界ー」

**ちゃんぷるー**［チャンプルー］野菜・とうふ・豚肉などをまぜあわせて いためた、沖縄の家庭料理。チャンプル。「ゴーヤーー・フーー〔=麩で作るチャンプルー〕」〔いろいろなものがまぜあわさっていることのたとえにも使う〕

**チャンポン**《名・他サ》〔中国 攙烹〕〔「ちゃんぽん」とも書く〕①魚・肉・野菜をいためて中華風のスープに入れ、めんといっしょに煮こんだ料理。〔長崎チャンポンが有名〕②種類のちがうものをいっしょにすること。「酒とビールをーに飲む」③〔沖縄方言〕肉・たまご・野菜をいためて、ごはんにのせた料理。

☆☆**ちゆ**［治癒］《名・自サ》〔文〕病気・きずが治ること。全治。

**チュアブル**〔chewable=かむことができる〕水で飲み下さず、口の中でかみくだいて服用する薬やサプリメント。「ー錠」

**ちゅう［中］【一】ちゅう ①まんなか。なかほど。「大ー小・上ー下・老ー〔=中年〕青」②〔文〕かたよらないこと。「ーを失わず」③よくも悪くもないこと。「ーの上」④↑中学校。「第三ー・ー一・小ー高」⑤〔視覚語〕《野球》↑中堅(手)。「ー越え安打」⑥↑中華料理。「和洋ー」⑦↑中国。「訪ー」【二】ちゅう【造】①なか。「血液ー・基本ーの基本・十ー八、九」②期間。「留守ー」③最中。「営業ー・話しー・考えー・故障ー」【三】ちゅう【接尾】命中すること。「十発五ー」

☞じゅう(中)【造】。

**ちゅう**［宙］①そら。「ーにうかぶ」②書いてあるものの助けを借りないこと。そら。「ーで言う」●**宙に浮く**【句】①居場所がないままになる。「身分がー」②〈解決/実現〉しないままになる。「法案がー」▽宙に迷う。

**ちゅう**［忠］〔文〕①正直で かげひなたのないこと。忠実。②主君につくす まごころ。忠義。☞孝。

**ちゅう［注・×註］①本文の語句をくわしく説明することば。「論文にーをつける・筆者ー」②〔文〕以下に注意をうながすことば。「ー、遅刻者は失格とする」

**ちゅう**［酎・チュー］〔俗〕↑焼酎。「ーロック・ーを飲む」

**ちゅう** 【一】《副》①細い管から水などを吸う〈音/ようす〉。「ストローでーと吸う」②ネズミの鳴き声。【二】［チュー］《名・自サ》〔俗/児〕口づけ。「パパにーしてちょうだい」

**ちゅう**［駐］【造】①〔文〕駐在する。「ーオランダ公使・ー米大使館」②駐車する。「ーバイク」

**ちゅう**［:厨］【造】〔俗〕〔インターネットで〕言動が幼稚で、めいわくな人。「批判ー〔=すぐに批判する人〕」〔二十一世紀になって広まったことば〕【由来】中学生をからかった呼び名「中坊」を「厨房」と表記したことから。☞中二病。

**ちゅう** 〔俗・方〕㊀連 …と、口に出して言う。「知らん―〔=と言っ〕てるのに」㊁《格助》という。「人間―ものは・なん―ことをしてくれた」㊂**ちゅう**《連体》そういう。「―ことで いいですか」▽㊀～㊂つう。☞っちゅう の。

**ちゅうゆう**［知友］〔文〕深く知りあった友人。気心の知れた友だち。

**ちゆう**［知勇・×智勇］〔文〕知恵と勇気。「―兼備の名将」

**ちゅうい**［中位］①まんなかの〈くらい/位置〉。②まんなかあたりの順位。「幕下―」▽(↕上位・下位) ☞ちゅうぐらい(中位)。

**ちゅうい**［中尉］《軍》将校の階級の一つ。少尉の上。〔自衛官の二尉にあたる〕

**ちゅうい**［注意］《名・自他サ》①心を集中すること。また、その心。「季節の変化に―する・―を向ける・―をはらう〔=よく注意する〕・人の―を引く・―力」②特に、悪い結果にならないように、心を集中すること。用心。警戒。「車に―しなさい・―書き〔=注意点を書いたもの〕」③(しかって)よくないことに気づかせること。「部下〈に/を〉―する・厳重―」●**ちゅういけっかん-たどうせいしょうがい**［注意欠陥多動性障害］《医》⇩エーディーエイチディー(ADHD)。●**ちゅういじんぶつ**［注意人物］〔警察のリストにのっているなど〕その行動を注意しなければならない人物。●**ちゅういぶか・い**［注意深い］《形》慎重に気を配るようすだ。「注意深く観察する」●**ちゅういほう**［注意報］災害が起こりそうなときに注意を呼びかける、気象庁の予報。警報よりは軽い。「強風―」

**チューインガム**〔chewing gum〕口の中で かみ続けて味わう菓子。南米のサポディラ(sapodilla)という木からとるゴムのような液体〔または、ビニル樹脂〕に、薄荷・砂糖などをまぜて作る。ガム。

**ちゅうえい**［中衛］〔九人制のバレーボールで〕前衛と後衛のあいだにいる競技者。

**ちゅうおう**［中央］①〈左右に続く/四方に広がる〉もののの、ちょうどなか。まんなか。中心。「校庭の―・―線」②首都。首府。日本では、東京。「―官庁」(↕地方)③〔組織などの〕大切な位置。●**ちゅうおうアジア**［中央アジア］アジア大陸の中央部、中国の西側からカスピ海の東岸にいたる広大な地域。●**ちゅうおうアメリカ**［中央アメリカ］北アメリカ大陸南部の、せまくて長い陸地。グアテマラ・ニカラグア・パナマなどがある。中米。●**ちゅうおうかこうきゅう**［中央火口丘］《地》カルデラの中にできた、新しい小さな火山。火口丘。●☆☆**ちゅうおうぎんこう**［中央銀行］《経》その〈国/地域〉の経済の中心となる銀行。銀行券〔=紙幣〕を発行し、金融政策を担当する。〔日本では、日本銀行〕(↕市中銀行) ●☆☆**ちゅうおうしゅうけん**［中央集権］政治上の権力が中央官庁に統一・総合されること。(↕地方分権) ●**ちゅうおうち**［中央値］《数》データの値を大きさの順に並べたとき、真ん中にくる値。極端な値をふくむ分布では、平均値よりも安定した値になる。メジアン(median)。●**ちゅうおうとっぱ**［中央突破］《名・自他サ》①戦線の中央部に攻撃をしかけて敵陣に突入すること。②真正面から対決して、力ずくでも相手をやっつけようとすること。「法案成立のため―も辞さない」●**ちゅうおうぶんりたい**［中央分離帯］〔高速道路などで〕上りと下りの道路の境に作られた小高い部分。分離帯。

**ちゅうおう**［中欧］中部ヨーロッパ。欧州の中部。

**ちゅうおし**［中押し］《碁》勝負の途中で、対局者の一方が負けを認め、投了すること。「―勝ち」☞中押し。

**ちゅうおん**［中音］①高くも低くもない音。②《音》男声ではバリトン、女声ではメゾ ソプラノの高さの声。▽(↕高音・低音)

**ちゅうおん**［中温］《料》〔あげ油で〕高温と低温の中間の温度。〔天ぷらのころもを落とすと、とちゅうまで しずんで、すぐ上がってくるくらい〕

**ちゅうか**［中華］①漢民族が自分の国をいちばんすぐれていると みなして呼んだ言い方。「―思想」②中国。「―街〔=本国外で、中国人の住んでいるまち〕」③ⓐ↑中華料理。〔日本ふうにしたものも ふくむ〕「―スープの素」ⓑ↑中華そば。「冷やし―・ざる―」●**ちゅうか-じんみんきょうわこく**［中華人民共和国］⇩中国①。●**ちゅうかそば**［中華そば］中華めん(を料理したもの)。特に、(あっさりした)しょうゆ味のラーメン。支那そば。(↕日本そば) ●**ちゅうかどん**［中華丼］皿に盛ったごはんに、豚肉・魚介・野菜のはいったあんをかけた、中華ふう料理。中華飯〔愛知・岐阜などの方言〕。●**ちゅうかなべ**［中華鍋］浅くて、底のまるい、大形のなべ。●**ちゅうかまんじゅう**［中華(×饅△頭)］①(日本ふうの)パオズ。肉まん、あんまん、ピザまんなど。中華まん。②〔北海道方言〕どら焼きのような菓子。大きなギョーザのような形をしている。●**ちゅうかめん**［中華麵］ラーメンなどに使う、腰の強い黄色っぽい めん。小麦粉をかんすい(梘水)で練って作る。

**ちゅうか**［仲夏］〔文〕旧暦五月。今の六月ごろ。(↕初夏・晩夏)

**ちゅうかい**［×厨×芥］〔文〕炊事場から出る食べ物のくず。台所の生ごみ。

☆☆**ちゅうかい**［仲介］《名・他サ》両方の間に立ってなかをとりもつこと。仲立ち。「―の労をとる・―者」

**ちゅうかい**［注解・×註解］《名・他サ》注釈と解釈(をすること)。「古典の―」

**ちゅうがい**［中外］〔=うちとそと〕〔文〕国内と国外。「―に宣言する」

**ちゅうがい**［虫害］〈虫にかじられる/虫がわく〉ことによる、農作物・本などの被害。「―を防ぐ」

**ちゅうがえり**［宙返り］―がえり《名・自サ》①地面に手をつかないで、空中で、からだを一回転させること。②飛行機が空中で、垂直方向に回転すること。とんぼがえり。

☆☆**ちゅうかく**［中核］中心。核心。「会社の―として働く」●**ちゅうかくし**［中核市］《法》政令で指定された、人口が二十万人以上の、地方の中心都市。都道府県の権限の一部が移される。☞政令指定都市。

*ちゅうがく[中学] 中学校。「―に上がる・―一年生」•ちゅうがくせい[中学生] 中学校の生徒。

ちゅうがくねん[中学年] 小学校三、四年。(↕低学年・高学年)

←ちゅうがた[中形・中型] ①中ぐらいの大きさ。(↕大形・小形) 表記 中ぐらいの大きさの犬は「〈中形/中型〉の犬」、中ぐらいの大きさの犬のグループは「中型犬」。②ゆかた。由来 ゆかたには、中ぐらいの大きさの紋がついていたから。

→ちゅうがた[中型] ①〔同じ形のもので〕中ぐらいの型。②⇩中形。▽(↕大型・小型)

ちゅうがっこう[中学校] 小学校の上の、普通教育をおこなうための学校。現在は義務教育で、三年制。

ちゅうから[中辛] 甘口と辛口の間くらいの からさ。「―カレー」

ちゅうかん[中間] ①両はしから距離が等しい所。なか。「二つの数字の―を取る」②二つのもののあいだ。「―搾取(=労働者に わたるはずのお金を、仲介者が横取りすること)」③その どちらとも言える状態。「友だちと知り合いの―ぐらいの人」④途中。「―発表・―報告・―試験」☞ちゅうげん(中間)。•☆☆ちゅうかんかんりしょく[中間管理職] 経営幹部の下で、各部門や現場で仕事を指揮する役割(の人)。部長・課長など。•ちゅうかんし[中間子] 〖理〗陽子と電子との中間の質量をもつ素粒子(=パイ中間子)など、クォークと反クォーク(=クォークの反粒子)から成る素粒子。メソン(meson)。•ちゅうかんしゅくしゅ[中間宿主] 〖生〗寄生虫が幼虫であるときに寄生する生物。•ちゅうかんしょく[中間色] ①原色に白などをまぜて やわらかい感じにした色。②原色と原色との中間にある色。三原色と白・黒以外の色。▽間色。(↕原色)

ちゅうかん[昼間] 〔文〕ひるま。日中。「―人口」

ちゅうき[中気] ⇩中風。「―病み」

ちゅうき[中期] ①〈まんなか/なかごろ〉の時期。「平安時代―」(↕前期・後期) ②中ぐらいの期間。「―計画(=二、三年間の計画)・―投資(=半年ぐらいの株式投資)・―的」(↕長期・短期) ☞中長期。

ちゅうき[駐機]《名・自サ》〔文〕飛行機を空港にとめておくこと。「―場(=スポット)・―料」

ちゅうき[注記・×註記]《名・他サ》 注の文章(を書くこと)。

ちゅうぎ[忠義]《名・ナダ》まごころをつくし臣下としての務めを果たすこと。•ちゅうぎだて[忠義立て]《名・自サ》 忠義らしい ふるまい(をすること)。

ちゅうきち[中吉] 〔うらないで〕大吉の次。

ちゅうきゅう[中級] 中ぐらいの〈程度/等級〉。(↕初級・高級。↕上級・下級)

ちゅうきょう[中京] 名古屋市(とその一帯)。「―工業地帯」

ちゅうきょり[中距離] ①短距離と長距離との間。「―通勤電車」②〖陸上〗八百~二千メートルの競争。☞短距離・長距離。

ちゅうきん[中金] 〖経〗↑中央金庫(=協同組合の中央金融機関)。「商工―・農林―」

ちゅうきん[忠勤] 〔文〕忠実につとめること。「―をはげむ」

ちゅうきん[鋳金] 金属を鋳型に とかしこんで器などを作ること。

ちゅうきん[駐禁] ↑駐車禁止。「―ゾーン」

ちゅうきん[昼勤]《名・自サ》 朝(または昼ごろ)から夕方までの勤務。日勤。ひるきん。「―のアルバイト」

ちゅうぎん[中銀] ↑中央銀行。「欧州―」

ちゅうきんとう[中近東] もと、中東と近東とをあわせた呼び名。現在は、中東という。

←ちゅうくう[中空] 一 なかぞら。二《ナダ》 中が つまっていないようす。「―になった茎」

→ちゅうくう[宙空] 〔文〕何もない空間。「―に浮かぶ」

ちゅうぐう[中宮] 〔平安時代中期以降の〕皇后と同じ資格の きさき。

ちゅうくち[中口] 〔ワインで〕甘口と辛口の中間。☞ちゅうぐち(中口)。

ちゅうぐち[中口] 中ぐらいの規模。「―預金」(↕大口・小口) ☞ちゅうくち(中口)。

ちゅうぐらい[中(位)]《名・ナダ》大きさや程度が中間であること。ちゅうくらい。「―のナス」☞ちゅうい(中位)。

ちゅうくんあいこく[忠君愛国] 天皇に忠義をつくし、日本の国を愛すること。

ちゅうけい[中啓] 〔啓=ひらく〕 親骨(=両端の骨)を外へそらし、閉じたとき上半分が開いている扇。

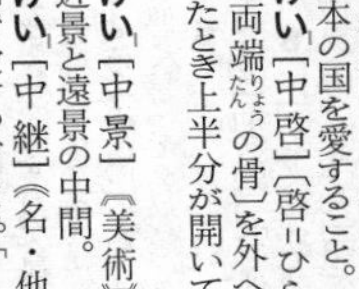
[ちゅうけい]

ちゅうけい[中景] 《美術》〔構図で〕近景と遠景の中間。

ちゅうけい[中継]《名・他サ》 ①中間で受けつぐこと。「―(地)点」②よその局の放送や実況放送を、放送局でなかつぎして放送すること。「―放送・―録画」

☆☆ちゅうけん[中堅] 〔=大将が自分でひきいる軍隊〕①中ぐらいの地位の人。「―社員」②〖野球〗外野のまんなか(を守る人)。中堅手。センター。③〖剣道・柔道など〗団体戦で三番目に出て戦う選手。☞先鋒②。

ちゅうけん[忠犬] 〔文〕主人に忠実な犬。主人のためによくつくす犬。

ちゅうげん[中元] 〔=旧暦七月十五日〕 七月はじめから なかばまで〔西日本では八月なかばまで〕におくる、せわになった人への おくりもの。「お―」(↕歳暮)

ちゅうげん[中原] 〔文〕広い野原の中央。•中原に鹿を逐う 句 〔文〕多くの人が一つの獲物を得ようとして争う。政権や国会議員の地位を得るための争いのたとえ。逐鹿。

ちゅうげん[中間・仲間] 〖歴〗武家の めし使い。侍と小者(=走り使いなどをする者)とのあいだ。☞ちゅうかん(中間)・なかま(仲間)。

ちゅうげん[忠言]《名・自サ》〔文〕相手のためを思って いさめる ことば。忠告。「―をあたえる」•忠言耳に逆らう 句 〔文〕忠言は気持ちよく聞き入れることができない。

ちゅうこ[中古] 一 ちゅうこ 〔人が一度使って〕少し古い〈こと/もの〉。ちゅうぶる。「―品(↕新品)・―車(↕

新車)」 【二】ちゅうこ 〔日本文学・日本語学などで〕平安時代。「—中世和歌」

**ちゅうこう**[中高] 【一】ちゅうこう 中学校と高等学校。「—一貫・—生」 【二】遺 〔程度や価値が〕中ぐらいのものと、高いもの。「—年齢層・—齢者(=中年の人と高齢の人)・—級魚」 ☞なかだか(中高)。 ●**ちゅうこうそう**[中高層] 〔建物で〕中層と高層。「—住宅」 ●**ちゅうこうねん**[中高年] 中年と高年。四十歳ぐらいから上の人。

**ちゅうこう**[忠孝] 〔文〕君主への忠義と、親への孝行。「—の士」

**ちゅうこう**[昼光] 《理》太陽光によるひるまの明るさ。自然光。「〔電球・蛍光灯の〕—色」

**ちゅうこう**[昼行] 《名・自サ》 ①《動》昼に行動すること。「—性のガ(蛾)」 ②〔文〕昼に列車・バスなどを動かすこと。「—高速バス」▽(↕夜行)

**ちゅうこう**[中興] 《名・他サ》 〔文〕おとろえていたものが、ふたたび さかえること。「—の祖」

**ちゅうこく**[忠告] 《名・自他サ》 相手の ためになるように、意見を言うこと。「—にしたがう」

**ちゅうごく[中国] ①東アジアにある広い国。中華人民共和国。首都、北京。中。「—料理(=本格的な中華料理)」 ②(↑中国地方) 鳥取・島根・岡山・広島・山口の五県。 ③山陽道・山陰道。

**ちゅうごし**[中腰] 足を開いて立ち、腰をなかば下げた姿勢。「—になる」

**ちゅうこん**[忠魂] 〔文〕忠義をつくして死んだ兵士のたましい。「—碑」

**ちゅうさ**[中佐] 《軍》将校の階級の一つ。少佐の上。〔自衛官の二佐に当たる〕

**ちゅうざ**[中座] 《名・自サ》 中途で座を去ること。

☆☆**ちゅうさい**[仲裁] 《名・他サ》 ①争いを仲直りさせること。和解の仲立ち。「けんかの—」 ②《法》第三者が当事者の争いに立ち入り、仲直りさせること。〔国についても言う〕「—裁定」

**ちゅうざい**[駐在] 《名・自サ》 ①派遣されて、その土地にいること。 ②↑駐在所。「—に届ける」 ③↑駐在巡査〔=駐在所につとめる巡査〕。「村の—さん」 ●**ちゅうざいしょ**[駐在所] 警察署から はなれた所にあって、巡査が住みこんで勤務する所。駐在。

**ちゅうさつ**[駐×箚] 《名・自サ》 〔文〕派遣されてとどまること。駐在。「—大使」

**ちゅうさつ**[×誅殺] 《名・他サ》 〔文〕悪者を殺すこと。

**ちゅうさん**[中産] 〔文〕中ぐらいの程度の財産。「—市民」 ●**ちゅうさんかいきゅう**[中産階級] 資本家と労働者の間の階級。会社員など。プチブル。小市民。中間階級。

**ちゅうさんかんち**[中山間地] 山間地とその周辺地域。地勢がよくなくて農業生産に不利。人口が減少し、高齢者が多い。中山間地域。

**ちゅうし**[中止] 《名・他サ》 ①中途でやめること。「工事を—する」 ②〔計画を〕とりやめること。「雨天—・きょうの試合は—」

**ちゅうし**[注視] 《名・他サ》 〔文〕じっと見つめること。「—の的・内外—のうちに」

**ちゅうじ**[中字] 〔ペンや万年筆などで〕中ぐらいの太さの字。〔万年筆ではノートや手紙を書くのに適する〕

**ちゅうじ**[中耳] 《生》鼓膜と内耳の中間。「—炎」(↕内耳・外耳)

**ちゅうじき**[昼食・中食] 〔古風〕昼食。

**ちゅうじく**[中軸] 〔文〕 ①ものの中央をつらぬく軸。 ②ものごとの中心となる大切な〈もの/人〉。なかじく。

**ちゅうじつ**[忠実] 《名・ナダ》 ①言われたことをまじめにおこない、まごころをもってつくすこと。まめやか。「命令を—に守る・—な部下」 ②実際のとおり。ありのまま。「—に写生する・顔の動きを—に再現する」 派 -げ。-さ。 ☞まめ(忠実)。

**ちゅうしゃ**[駐車] 《名・自他サ》 〈用をたす間/次に使うまで〉、自動車などをとめておくこと。「—禁止・—場」 ☞停車。

**ちゅうしゃ**[注射] 《名・他サ》 針をさして、液体の薬をからだの中に入れること。「予防—・皮下—・お—〔児〕」

**ちゅうしゃく**[注釈・×註釈] 《名・他サ》 本文の(語句の)補足説明(をすること)。「巻末の—・古典—」

**ちゅうしゅう**[中秋・仲秋] 〔旧暦〕八月十五夜。「—の名月・—無月(=雨などのために、中秋の名月が見られない状態)」

**ちゅうしゅう**[仲秋] ①〔文〕旧暦八月。今の九月ごろ。「—の候」(↕初秋・晩秋) ②⇩中秋。

**ちゅうしゅう**[中習] 〔求人広告などで〕見習いと熟練との中間程度の技能をもつ人。中見習い。中習い。「—者募集」

☆☆**ちゅうしゅつ**[抽出] 《名・他サ》 必要なものだけをぬき出すこと。「無作為—・ニンニク—成分・コーヒー—機(=コーヒーをドリップする機械)」

**ちゅうしゅつ**[注出] 《名・他サ》 そそぎ出すこと。「—口・生ビールの—方法」(↕注入)

**ちゅうしゅん**[仲春] 〔文〕旧暦二月。今の三月ごろ。(↕初春・晩春)

**ちゅうじゅん**[中旬] その月の十一日から二十日までの十日間。(↕上旬・下旬)

**ちゅうしょう**[中小] 【一】ちゅうしょう ①中ぐらいのものと、小さいもの。「—の釜」 ②↑中小企業。「大手と—の格差」 【二】遺 中規模と小規模。「—河川・—国」 ●**ちゅうしょうきぎょう**[中小企業] 《経》従業員が三百人ぐらい以下の企業。「—体」 ●**ちゅうしょうきぎょうちょう**[中小企業庁] 《法》中小企業の振興対策、資金融資のあっせんなどをあつかう官庁。経済産業省の外局。

**ちゅうしょう**[中称] 《言》代名詞などのうち、相手がわにある事物をさすもの。最初に「そ」がつく。例、それ・その。(↕近称・遠称・不定称)

☆☆**ちゅうしょう**[中傷] 《名・他サ》 〈わざと/不当に〉人のことを悪く言って名誉をきずつけること。「相手を—する文章」

**ちゅうしょう**[抽象] 《名・他サ》 ①《哲》頭の中で二つ以上の ものごとをくらべて、共通の要素をぬき出すこと。☞捨象①。 ②〔文〕頭の中で一般的に考えられたもの。「—芸術」(↕具体・具象) ●**ちゅうしょうが**[抽象画] 写実的に表現するのではなく、事物のイメージなどを点・線・色などで表現しようとする絵画。(↕具象画) ●☆☆**ちゅうしょうてき**[抽象的] 《ナダ》

具体的でなくて、実際の様子がはっきりしない状態。「―な言い方」(↔具体的・具象的)

**ちゅうじょう**[中将]《軍》将校の階級の一つ。少将の上。〔自衛官の将に当たる〕

**ちゅうじょう**[柱状]柱の形をしたもの。「―グラフ」

**ちゅうじょう**[衷情]〔文〕実際の〈気持ち/心の中〉。「―をうったえる・相手の―をくみ取る」

**ちゅうしょく**[昼食]昼にとる食事。ひるめし。ランチ。「ご―」

↔**ちゅうしん**[中心]①まんなか。「市の―・台風の―」(↔周縁)②いちばん〈重要/肝心〉な存在。「経済の―地・監督を―〈に/として〉まとまったチーム・―的な問題」③いちばん主なもの。「若者を―〈に/として〉人気が広がっている・万葉集を―に研究する」

↔☆☆**ちゅうしん**[衷心]〔文〕心の底。本当の気持ち。「―より〔=心から〕おわび申し上げます」

**ちゅうしん**[中進]〔文〕経済や文化などの進み方が中ぐらいであること。先進と後進の間。「―県」

**ちゅうしん**[忠臣]〔文〕忠義な家来。「―の鑑・―蔵」〔←仮名手本忠臣蔵。江戸時代の赤穂浪士の討ち入り事件を、南北朝時代に設定を変えて作った、人気の高い芝居〕」●**忠臣二君に仕えず**句〔文〕忠臣は、いったん主人を決めたら、よそには仕えない。「―、貞女二夫にまみえず」

**ちゅうしん**[注進]《名・他サ》〔文〕事件が起こったことを急いで〔上の人に〕報告すること。「ご―」

**ちゅうすい**[虫垂]《生》盲腸の先に出ている、細い部分。虫様突起。●**ちゅうすいえん**[虫垂炎]《医》虫垂の炎症。「盲腸炎」の、医学上の呼び名。

**ちゅうすい**[注水]《名・自サ》ホースなどで、水を〈そそぐ/そそぎ入れる〉こと。

**ちゅうすいどう**[中水道]下水をきれいにして、水洗トイレや冷却などに使う水道。また、その水。中水。

☆☆**ちゅうすう**[中枢]ものごとの〈中心/中核〉となるもの。「脳―・会社の―」●**ちゅうすうしんけい**[中枢神経]《生》脳と脊髄からなる、神経系の中心部。からだの各部の機能を支配する。神経中枢。(↔末梢神経)

**ちゅう・する**[沖する・×冲する]《自サ》〔文〕高く上がる。「天に―黒煙」

**ちゅう・する**[注する・×註する]《自サ》〔文〕注をつける。「欄外に―」

**ちゅう・する**[×誅する]《他サ》〔文〕①罪のある者を殺す。②せめる。うつ。

**ちゅうせい**[中世]《歴》古代と近世との間の時代。西洋史では、五世紀から十五世紀まで。日本史では、鎌倉・室町時代をさす。近古。

**ちゅうせい**[中性]①中間の性質。②男性でも女性でもない性質。「―的」③《言》「性■⑤」の一つ。「―名詞」④《理》酸性でもアルカリ性でもない性質。青色リトマス紙も赤色リトマス紙も変色しない。「―洗剤〔=アルカリをふくまない洗剤〕」●**ちゅうせいし**[中性子]《理》陽子とともに原子核を構成している素粒子。陽子と質量がほぼ等しく、電気をおびない。核分裂に利用される。ニュートロン。●**ちゅうせいし**[中性紙]製紙の工程で「中性④」の薬剤を用いた洋紙。保存性がよく、本のいたみが少ない。(↔酸性紙)●**ちゅうせいしせい**[中性子星]《天》超新星爆発のあと、中性子だけのかたまりとなった星。小さいが非常に重い。パルサーの正体。☞ブラックホール。●**ちゅうせいしせん**[中性子線]《理》放射線の一つ。原子核から中性子が飛び出したもの。透過力が非常に強く、人体への影響が大きい。●**ちゅうせいしばくだん**[中性子爆弾]《軍》小型の水素爆弾。爆発のさいに出る中性子を利用して、建物はこわさずに、中にいる人間を殺す。●**ちゅうせいしぼう**[中性脂肪]《生》生物のからだにたくわえられている脂肪。

**ちゅうせい**[中正]《名・ナダ》〔文〕〔考え方などが〕かたよらないで正しいこと。派―さ。

**ちゅうせい**[忠誠]《名・ナダ》目上の人・国家などのためにつくす気持ち。まこと。「―をちかう」派―さ。

**ちゅうぜい**[中背]ほどよいせたけ。「中肉―」

**ちゅうせいだい**[中生代]《地》地質時代の大区分の一つ。古生代と新生代の間で、約二億五二〇〇万年前〜約六六〇〇万年前まで。三畳紀・ジュラ紀・白亜紀に分かれる。シダ類などがしげり、恐竜が栄えた。

**ちゅうせきせい**[沖積世]《地》「完新世」の旧称

**ちゅうせきそう**[沖積層]《地》完新世〔=沖積世〕にできた地層。土地の表面にいちばん近い地層。☞洪積層。

**ちゅうせつ**[忠節]どこまでも忠義をつくそうとする気持ち。「―をちかう」

**ちゅうぜつ**[中絶]《名・自他サ》①〔文〕中途で〈たえる/やめる〉こと。②(↔妊娠中絶)《医》手術をして、初期のうちに妊娠をやめさせること。

**ちゅうせん**[抽選・抽×籤]《名・自サ》くじびき。

**ちゅうそう**[中層]①上の層と下の層の間の層。「湖の―」②〔建物で〕三〜五階ぐらいの高さであること。「―住宅」③〔高い建物の〕中ほどの階層。「―階」☞高層・低層。

**ちゅうぞう**[鋳造]《名・他サ》金属をとかし、型に流してものを造ること。☞鍛造。

**ちゅうそく**[中速]〔乗り物・機械などの〕中ぐらいの速度。「―車」(↔高速・低速)

**ちゅうそつ**[中卒]最後に卒業した学校が、中学である〈こと/人〉。

**ちゅうそん**[虫損]〔文〕〔本が〕虫に食われて穴があくこと。「―がはげしい」

**チューター**[tutor]①個人指導をする人。家庭教師。②〔研究会などの〕講師。

**ちゅうたい**[中隊]《軍》陸軍の編制で、大隊の下、小隊の上の単位。「―長」

**ちゅうたい**[×紐帯]〔=ひも。おび。「じゅうたい」の慣用読み〕〔文〕〈二つのもの/全体〉を一つに結びあわせる、大切なもの。きずな。「民族的伝統の―・国民全体の―」

**ちゅうたい**[中退]《名・他サ》←中途退学。「大学を―する・―率」

**ちゅうだん**[中段]①階段やたななどの、なかほどの段。②積みかさねたものなどの、まんなかの段。③剣道けんどうなどの構えで、中ぐらいの高さ。「—に構える」▽(↕上段・下段) ④《演劇・映画など》全体を、始め・中・終わりと分けたときの、中の部分。

**ちゅうだん**【中断】《名・自他サ》中途で切(れ)ること。「話が—する・番組を—して速報」

☆☆**ちゅうちょ**【(×躊×躇)】《名・自他サ》それをしないでおこうかと、気持ちがまようこと。ためらい。「—なく行う」

**ちゅうちょうき**【中長期】中期および長期。「—計画(=今後二、三年間以上の計画)」

☆☆**ちゅうっぱら**【中っ腹】心の中ではおこっているが、それを爆発させないでいること。「—になる」

**ちゅうづり**【宙(×吊り)】空中につり上げられたような形で、ぶら下がること。「がけから—になる」

**ちゅうてい**【駐艇】ヨットや大型ボートをとめておくこと。「—場・違法—」

**ちゅうていしゃ**【駐停車】駐車と停車。「—禁止」

**ちゅうてつ**【鋳鉄】鋳物用の銑鉄。ずく(てつ)。

**ちゅうてん**【中天】〔文〕なかぞら。「—高く舞い上がる」

**ちゅうてん**【中点】〔数〕一つの線分または曲線を二等分する点。☞なかてん(中点)。

**ちゅうでん**【中伝】免許のうち、中級の伝授。中許し。☞初伝・奥伝・皆伝。

**ちゅうと**【中途】〔道・年度など〕ひと続きのものが、まだ終わっていない地点・時点。「—入社」 ●**ちゅうとはんぱ**【中途半端】《名・ナダ》①とちゅうまでしかできあがっていないようす。不完全。「—な仕事」②徹底していないようす。どっちつかず。「—な態度」派—さ。

**ちゅうど**【中度】〔医〕〔症状が〕中ぐらいの程度。☞軽度・重度。

☆☆**ちゅうとう**【中東】西アジアとアフリカ北東部の地域。中近東。☞近東・極東。

**ちゅうとう**【中等】①中ぐらいの程度。「—症(=軽症と重症の間の症状)」②高等と初等の間。「—教育(=日本では中学校と高校での教育)」③上等と下等の間。 ●**ちゅうとうきょういくがっこう**【中等教育学校】中学校と高校の教育を一貫しておこなう、六年制の学校。

**ちゅうとう**【仲冬】〔文〕旧暦十一月。今の十二月ごろ。(↕初冬・晩冬)

☆☆**ちゅうどう**【中道】〔文〕①なかほど。中途。「—でたおれる」②中正でかたよらない〈みち/行き方〉。「—をあゆむ・—派・—論」

**ちゅうどく**【中毒】《名・自サ》①毒をふくむ物を体内に取り入れたり、それにふれたりして、からだに悪い影響が出ること。「ガス—・—死する」②常に〈それなしでは/それをしていなければ〉いられないこと。「アルコール—・仕事—」

**ちゅうどしま**【中年△増】年増を過ぎた年ごろの女性。

**チュートリアル**〔tutorial〕①〔情〕使い方の説明(をするソフトウェア)。②〔学校で〕個別指導の時間。

**ちゅうとろ**【中トロ】マグロの腹の肉で、あぶらがほどよくのった部分。☞大トロ。

**ちゅうとん**【駐屯】《名・自サ》〔軍〕軍隊が、ある土地に長くとどまっていること。「—地」

**チューナー**〔tuner〕テレビ・ラジオの〈受信機に取りつける〉同調装置。「FM—」

**ちゅうなごん**【中納言】〔歴〕太政官の次官。大納言の下、少納言の上。黄門。

**ちゅうなんかい**【中南海】①〔中国の北京で〕政府や共産党の本部、要人の官邸などが集まる地区。「—(=中国の首脳部)の意向」②近畿・四国・九州にかけての南方の海。「—地震」

**ちゅうなんべい**【中南米】中央アメリカと南アメリカ。ラテンアメリカ。

**ちゅうにかい**【中二階】①ふつうの二階の高さより低くこしらえた二階(の部屋)。②一階と二階の中間にこしらえた階。

**ちゅうにく**【中肉】①〔人のからだについて〕ほどよい肉づき。「—中背」②〔生地の〕厚みが中ぐらいであること。厚手と薄手の間。③中ぐらいの〈品質/値段〉の肉。「ブタの—」(↕上肉)

**ちゅうにち**【中日】㊀ちゅうにち ①〔仏〕彼岸の七日間のまんなかの日。春分の日と秋分の日。②中国と日本。〔中国がわから見た言い方〕「—外交」㊁ちゅうにち ↑中日辞典〔=中国語の見出しに日本語で意味を書いた辞典〕。☞なかび(中日)。

**ちゅうにびょう**【中二病】〔俗〕中学二年生のように、背のびをした言動に走る傾向。中二。〔一九九〇年代末からのことば〕表記「厨二病」は、インターネット上の当て字。☞厨。

**ちゅうにゅう**【注入】《名・他サ》そそぎいれること。つぎこむこと。(↕注出)

**ちゅうにん**【中人】〔視覚語〕〔入浴料・入場料などで〕おとな(=大人)と子ども(=小人)の間。✎銭湯では小学生。他の施設では、中高生または高校生なども指す。

**ちゅうにん**【仲人】〔文〕①仲裁人。②なこうど。

**チューニング**《名・自他サ》〔tuning〕①受信機のダイヤルを回して、ある周波数に同調させること。②〔音〕楽器の音合わせをすること。③調整。

**ちゅうねん**【中年】青年と老年の間の年ごろ(の人)。「—期・—太り」☞壮年。

**ちゅうのう**【中脳】〔生〕脊椎動物の脳の一部。大脳の下、小脳の前にあり、視覚や聴覚に関係する。

**ちゅうのう**【中農】〔農〕中ぐらいの面積の農地を持ち、人も使い、自分も耕作する程度の〈農業/農家〉。☞大農①・小農。

**ちゅうのうソース**【中濃ソース】とろみが、ウスターソースと豚カツソースの中間のソース。東日本で好まれる。

**ちゅうのり**【宙乗り】《名・自サ》〔歌舞伎など〕からだを空中につり上げる演出。宙づり。ふわふわ。

**ちゅうは**【中波】〔理〕波長が百〜千メートルの電波。国内のラジオ放送などに使う。(↕短波・長波)

**ちゅうは**【中破】《名・自他サ》〔文〕中ぐらいの程度にこわれる/こわすこと。(↕小破・大破)

**チューバ**〔tuba〕〔音〕いちばん低い音の出る、大きな金管楽器。テューバ。

[チューバ]

**ちゅうハイ**【酎ハイ・チュ

ーハイ」〔↑焼酎ハイボール〕焼酎やウォッカをベースにした、大衆的な飲み物。炭酸水・果汁・お茶などで割って作る。「缶ー」☞サワー。

**ちゅうばいか**【虫媒花】《植》昆虫によって、花粉がおしべからめしべに運ばれて受粉する花。

**ちゅうはば**【中幅】①中ぐらいの幅。「値上げをーにとどめる」②《服》〔反物で〕織り幅が中ぐらい〔＝四五センチちょっと〕のもの。(↔大幅・小幅)

**ちゅうはん**【中半】ある期間を三つに分けたとき、まんなかの期間。

**ちゅうばん**【中盤】①《碁・将棋》なかほどの局面。「ーの攻防」②なかほどの段階。「試合もーに入った」▽(↔序盤・終盤)③《サッカーなど》フィールドの中央部〔＝ミッドフィールド〕。また、そこでプレーする選手〔＝ミッドフィールダー〕。

**ちゅうび**【中火】《料》中ぐらいの強さの火。(↔強火・弱火)

**ちゅうひしゅ**【中皮腫】中皮〔＝胸膜・腹膜などの膜〕にできる腫瘍。アスベストの吸引が原因で、悪性中皮腫になるとされる。

**チュービング**〔tubing〕トラックのタイヤのチューブに乗って、川や丘を下ったり、雪の上をすべったりする遊び。「スノーー」

**ちゅうぶ**【中風】脳卒中のあとの、半身不随や手足のまひ(麻痺)。中気。ちゅうぶう。ちゅうふう。

**ちゅうぶ**【中部】①ひと続きのものや地域などを三つに分けたときの、まんなかの部分。「関東ー」②〔↑中部地方〕本州のまんなかあたりの地域。北陸・東山・東海の三地方から成る。

**チューブ**〔tube〕①タイヤの中にある、空気を入れておくゴム製の管。「自転車のー」②口のついた、筒のような入れもの。「歯みがきのー」③管楽器。●**チューブトップ**〔tube top〕《服》女性の胸から下を、円筒形に包む服。肩ひもはない。

**ちゅうふう**【中風】⇨ちゅうぶ(中風)。

**ちゅうふく**【中腹】山の頂上とふもととの中間。

**ちゅうぶらりん**【宙ぶらりん】「宙ぶらりん・中ぶらりん」《ナダ》①空中にぶら下がっているようす。②どちらともつかないで、中途はんぱな状態であるようす。

**ちゅうふり**【中振り】〔↑中振りそで〕そでの長さが、振りそでとふつうのそでの間〔＝九五センチぐらい〕の着物。

**ちゅうぶり**【中ぶり】《名・ナダ》中ぐらいの大きさであるようす。「ーの包丁」(↔大ぶり・小ぶり)

**ちゅうぶる**【中古】⇨ちゅうこ㊀。

**ちゅうぶん**【中文】①中国語(の文章)。「ー日訳」②〔↑中国文学(科)〕「ー研究室」

**ちゅうべい**【中米】〔↑中央アメリカ〕

**ちゅうへん**【中編・中×篇】①中ぐらいの長さの文章・作品。「ー小説」(↔長編・短編)②〔小説などで〕三部に分けたものの、まんなかの部分。(↔前編・後編)

**ちゅうぼう**【×厨房】台所。くりや。料理室。「ー用品」☞「厨」の由来。

**ちゅうみつ**【×稠密】《名・ナダ》〔文〕こみあうこと。多く集まっていること。濃密。ちょうみつ。「人口ー」派ーさ。

＊**ちゅうもく**【注目】《名・自他サ》注意して見ること。目をつけること。「ーを集める・ーの的」●**ちゅうもくかぶ**【注目株】①値上がりが注目される株。②これからの活躍が注目される人。「日本ジャズ界のー」

**ちゅうもん**【中門】社寺などで、楼門と拝殿との間の門。

**ちゅうもん**【注文・×註文】《名・他サ》①今ここにないものを〈送る/作る/とりよせる〉ように、買う人がたのむこと。「ーした本が届く・ーを取る」②こうしてほしいと要望する〈こと/ことがら〉。「君にーがある・それは無理なーだ」●**注文をつける**句①自分のしてもらいたいことを、あれこれと言う。②《すもう》立ち合いで身をかわして、有利な体勢になろうとする。〔その取り口を「注文ずもう」と言う〕●**ちゅうもんながれ**【注文流れ】注文をしたままで〈品物を受け取らないこと/受け取らない品物〉。

**ちゅうや**【昼夜】㊀ひるとよる。「ー逆転の生活・ー平分〔＝昼と夜の長さが同じ〕」㊁《副》よるひるの区別なく。四六時中。「ー働く」●**昼夜を分かたず**句ひるもよるも区別なく。昼夜を問わず。昼夜を舎かず。「ー働く」●**ちゅうやおび**【昼夜帯】二枚の布をあわせて作った帯で、片がわに黒繻子を使ったもの。鯨帯。●**ちゅうやけんこう**【昼夜兼行】ひるもよるもぶっとおしですること。「ーの作業」

**ちゅうゆ**【注油】《名・自サ》機械などにあぶらをさすこと。

**ちゅうよう**【中葉】①〔文〕なかごろ。「明治のー」(↔初葉・末葉)②《生》右の肺の一部。

☆☆**ちゅうよう**【中庸】《名・ナダ》〔文〕かたよらないでほどよいこと。中正。「ーを重んじる・ーをえたやり方」

**ちゅうらん**【虫卵】《動》昆虫・寄生虫のたまご。

**ちゅうりきこ**【中力粉】たんぱく質の分量が中ぐらいで、あまりねばらない小麦粉。うどんなどを作るときに使う。(↔強力粉・薄力粉)

**ちゅうりつ**【中立】《名・自サ》①どちら側にも味方せず、また敵対しないこと。②どちらにもかたよらないこと。「ー的な考え方」③戦争をしている国の、どちらの味方にもならず、援助もしないこと。局外中立。「ー国」

**チューリップ**〔tulip〕①西洋草花の名。春、葉の間から出たくきに、つりがね形のきれいな花を上向きにひらく。色はいろいろ。鬱金香。「ーハット〔＝ひらいたチューリップをさかさにしたような形の帽子〕」②手羽先の肉を、骨のかたはしに集めて、「チューリップ①」の花のようにしたもの。チューリップチキン。

**ちゅうりゃく**【中略】《名・他サ》〔文章などで〕中間の部分をはぶくこと。(↔上略・下略)

**ちゅうりゅう**【中流】①川の流れを、みなもとから川口まで、三つに分けたとき、まんなかのあたりの流れ。(↔上流・下流)②両岸からはかって、まんなかあたりの流れ。③〔社会で〕生活が中ぐらいの地位。「ー階級」(↔上流・下流)

☆☆**ちゅうりゅう**【駐留】《名・自サ》軍隊が、外国の土地などにいちじとどまっていること。「ー軍」

**ちゅうりょう**【中量】ボクシング・レスリング・柔道の選手を、体重で分けたときの、中ぐらいの重さ。重量級と軽量級の間。

**ちゅうりょう**【忠良】《名・ナダ》〔文〕忠義で善良な〈こと/ようす〉。

**ちゅうりょく**［注力］《名・自サ》〔文〕力を〈そそぐ／入れる〉こと。「会社の再建に―する」

**ちゅうりん**［駐輪］《名・自サ》自転車やオートバイをとめておくこと。「―場」

**チュール**〔フ tulle〕六角形の網目(あみめ)にあらく織った、うすい織物。ベールなどに使う。

**ちゅうれい**［昼礼］午後の仕事や授業の前にする、短い会。「―の進め方・全校―」

**ちゅうれつ**［中列］前列と後列の間の列。

**ちゅうれつ**［忠烈］《名・ダナ》〔文〕忠義の気持ちが非常に強いこと。「―の臣」

**ちゅうろう**［中老］①初老をすぎて からだに老いが目立ってきた〈年ごろ／人〉。おもに七十代。②〔武家で〕家老の次の位の重臣。③〔武家で〕老女の次の位の奥(おく)女中。

**ちゅうろう**［中×臈］江戸(えど)時代、幕府・大名の奥(おく)女中。

**ちゅうろう**［柱廊］かべがなく、柱と屋根で作られた廊下。

**ちゅうろうい**［中労委］（↑中央労働委員会）〔法〕労働争議の調停や、不当労働行為(こうい)をなくすことなどを任務とする機関。厚生(こうせい)労働省の外局。

☆☆**ちゅうわ**［中和］《名・自他サ》①〔理〕酸性の物質とアルカリ性の物質が反応して、水と塩(えん)を生じること。②ちがった性質の物質が融合(ゆうごう)して、それぞれの作用を失うこと。

**チューン**〔tune〕㊀《名・自サ》調整。㊁曲。「ショート―・キラー―（＝聞くと悩殺(のうさつ)される、すてきな曲）」

●**チューンナップ**《名・他サ》〔tune up〕エンジンなど機械類の調整。また、そうして性能を上げること。ふつうの自動車の性能をスポーツカーなみに上げるなど。チューンアップ。

**チュチュ**〔フ tutu〕バレリーナが着る、かさのように広がったスカート。

**チュニック**〔tunic〕《服》ももぐらいまである、女性の服。「―ブラウス・―コート・―パーカー」

**ちゅら**［(△美ら)・(△清ら)］㊇〔沖縄方言〕美しい。きよらかな。「―海・―さん（＝美しい）」

**チュロス**〔ス churros〕星形の口金(くちがね)から材料を長くおし出して作る、棒状のドーナツ。

**ちゅんちゅん**《副》スズメの鳴き声。

**ちょ**［著］〔文〕①その本を書いたこと。「三島由紀夫―」（↔述）②著書。「その―に書いている」

**ちょ**［緒］「しょ」の慣用読み。〔文〕いとぐち。はじめ。

●**緒に就く**(つく)㊁ 順調にすべりだす。端緒(たんちょ)に就く。「事業が―」

**ちよ**［千代］〔雅〕千年。ちとせ。「―万代(よろずよ)」●**千代に八千代**(やちよ)**に**㊁ いついつまでも。

**ちょい**〔俗〕㊀ちょい《副》ちょっと。少し。「―右・もう―・―待ち（＝ちょっと待って）」☞ちょちょいのちょい。㊁㊇ ちょっと。少し。「《釣り》―投げ・―ワル（悪）・―見せ」

**チョイス**《名・他サ》〔choice〕選ぶこと。選択(せんたく)。「ベスト―」

**ちょいちょい**《副》同じことが何度もくり返されるようす。ちょくちょく。「―学校を休む」

**ちょいと** ㊀ちょいと《副》〔俗〕ちょっと。㊁ちょいと《感》〔女〕人に呼びかけることば。

**ちょいやく**［ちょい役・チョイ役］《演劇・映画など》〔俗〕少ししか出番のない役。端役(はやく)。

**ちょう**［丁］㊀ちょう 偶数(ぐうすう)。（↔半）㊁接尾 ①和とじの本の紙数を数えることば。一丁は二ページ。「半―」②とうふを数えることば。③〔店で注文された〕料理などを数えることば。「ラーメン一―・あがり（＝お茶）一―」④［×挺・×梃］墨(すみ)・ろうそく・そろばん・包丁・銃・三味線(しゃみせん)・バイオリン・櫓(ろ)・かご・人力(じんりき)車など、長いものや、棒のついたものを数えることば。⑤「丁目」を数えることば。「銀座八―（＝八つの丁目）」

**ちょう［庁］①〔文〕役所。官庁。「えんま（閻魔）の―」②〔法〕内閣府・各省の外局として置かれる行政機関。「警察―・国税―・文化―」

**ちょう**［兆］数の単位。億の一万倍。〔数えるときは「一兆」と言う〕「百―円」

**ちょう［町］㊀ちょう ①〔法〕行政区画・地方自治体の一つ。市よりは人口が少ない。まち。「奈良県吉野(よしの)―」〔関東・東北・九州北部などでは「まち」と読む所が多い〕②距離(きょり)の単位。一町は六〇間(けん)（＝約一〇九メートル）。③農地や山林の面積の単位。一町は十反(たん)（＝九九アール）。㊁㊇ 市や区などの中の、名前をつけてくぎったまとまり。「永田(ながた)―」〔地方自治体名でない。「まち」と読む地名もある〕

**ちょう**［×疔］〔医〕顔・頭・尻(しり)・もも（股）などにできる、悪性のできもの。

**ちょう［長］㊀ちょう〔文〕①最上位の人。かしら。おさ。「―にいただく」②年上。「―幼、序あり」③まさっていること。「一日(いちじつ)の―がある」④長所。「―をとる」（↔短）㊁㊇ 長い。「―年月・―期間」㊂㊇①〔同じなかまのひとりで〕なかまを代表する役（の人）。また、組織の中で、上に立つ役（の人）。「委員―・書記―・研究所―」②長さ。「五センチ―・ケーブル―」

**ちょう**［朝］㊀ちょう ①〔文〕朝廷(ちょうてい)。政府。「三―につかえる」（↔野(や)）②〔文〕国。「わが―」③↑朝鮮(ちょうせん)（民主主義人民共和国）。「日―・訪―」㊁㊇①王朝。「ビクトリア―」②君主が国をおさめる期間。「仁徳(にんとく)―・奈良―（＝奈良時代）」

**ちょう**［腸］消化器の一つ。胃の出口（幽門(ゆうもん)という）から肛門(こうもん)まで、まがりくねって続く、管(くだ)の形の内臓。はらわた。

**ちょう**［(×蝶)］アゲハチョウ・モンシロチョウなど、四枚の大きなはねで ひらひらと とぶ昆虫(こんちゅう)。とまるときは はねを縦にあわせる。多く、花に集まり、はねが美しい。ちょうちょ（う）。●**蝶よ花よ**㊁ 子ども、特に女の子を大切にかわいがるようす。

**ちょう**［調］㊀ちょう〔音〕特定の音(おん)が土台となって、そのメロディーが作られていること。また、その音階。「ハ―（＝ハの音がもと）」㊁㊇①詩や歌の音数によって組み立てられたリズム。「七五―」②〔詩・歌・文章などで〕そのものの特色がよくあらわれているようす。「万葉―の歌」③口調。「講談―」④風(ふう)。おもむき。「近代―」⑤↑調査（委員）会。「事故―」

**ちょう**［×寵］〔文〕特にかわいがること。「―を受ける・―を得る」

**ちょう**［×挺・×梃］接尾 ⇩丁(ちょう)㊁④。

←**ちょう**［張］接尾 ①琴(こと)・弓など、糸・弦(げん)を張ったものを数えることば。②紙・布・皮、またはそれを張ったちょうちん・太鼓・テント・かやなどを数えることば。☞張り[二]。

**ちょう**［帳・×帖］[造] 帳面。「えんま(閻魔)ー・写真ー」

***ちょう**［超］[一][造] ①超越する。「ー世間的な態度・ー党派」 ②基準・限度を超えた。「ー満員・ー高速」 ③非常な。「ー人気作家・ー急カーブ」 ④常識を超えた。「ー解釈」 [二][造] 超えること。超過。「二千円ー(↔二千円未満)・資金の流出ー」 [三]ちょう《副》〔俗〕①非常に。とびきり。「ーうまい・ーかっこいい・ー釣れた・ーむかつく・ー(=心から)ごめん!」 ②絶対に。断然。「『飲み会行く?』『ー行く!』」 ③余裕で。「お金はー足りた」▽[一]①は十九世紀末からある用法で、②③は一九三〇年代から、②③は二十一世紀になってから広まった用法。[三]は「チョー」とも。☞超々。

**ちょう**［鳥］[造] とり。「保護ー」

**ちょうあい**［帳合い］ ①現金・商品と帳簿を照らし合わせること。②収支を帳簿に記入し計算すること。

**ちょうあい**［丁合］《名・他サ》 冊子を作るため、紙を順番に重ねること。「機関誌をーする」

**ちょうあい**［×寵愛］《名・他サ》 特別にかわいがること。「みかどのごー」

☆☆**ちょうい**［弔意］〔文〕哀悼の気持ち。「ーをあらわす」

**ちょうい**［弔慰］《名・他サ》〔文〕死んだ人をとむらい、遺族をなぐさめること。「ー金」

**ちょうい**［潮位］《地》基準となる所からはかった、海面の高さ。「満潮時のー」

**ちょういん**［調印］《名・自他サ》〔条約の文書などに〕〈印をおす/署名する〉こと。「条約ー」

**ちょうえい**［町営］ 地方自治体としての町が経営〈すること/しているもの〉。

☆☆**ちょうえき**［懲役］《法》刑務所に入れて一定の作業をさせる刑。「ー刑・ー囚(=受刑者)」

☆☆**ちょうえつ**［超越］《名・自他サ》 ①はるかに〈すぐれ/こえ〉ていること。「人知をーする・世俗〈を/に/から〉ーする」 ②それを乗りこえて問題にしないこと。「苦しみをーする」

**ちょうえん**［長円］ ①《数》「だ(楕)円」の言いかえ語。②長方形の両はしが、それぞれ半円になっている形。「グラウンドのーのトラック」

**ちょうえん**［腸炎］《医》細菌の感染や食中毒のために、腸に起こる炎症。もと「腸カタル」と言った。●**ちょうえんビブリオ**［腸炎ビブリオ］〔vibrio〕《医》さかな・貝についていて、食中毒を起こす原因となる細菌。もと「好塩菌」と言った。

**ちょうおん**［長音］ ①《言》長く引っぱる音。カに対するカー、オに対するオーなど。②ながいおと。▽(↔短音) ●**ちょうおんぷ**［長音符］ 音をひきのばす符号。「ー」。音引き。伸ばし棒。

**ちょうおん**［聴音］《名・自サ》《音》音楽教育で、ある音を聞いて、そのリズムやメロディーなどを聞き分けること。

**ちょうおん**［調音］《名・他サ》 ①《言》舌の位置・くちびるの形などを変えて、ことばの個々の音を出すこと。「ー器官」 ②音質・音量などの調整。「ーパネル」

**ちょうおんかい**［長音階］《音》七つの音からできていて、第三音と第四音の間と、第七音と第八音の間が半音である音階。メジャー。(↔短音階)

**ちょうおんそく**［超音速］《理》おとの はやさよりもはやいこと。マッハ数で表す。☞音速。

**ちょうおんぱ**［超音波］《理》人の耳に感じないほど高い周波数をもつ音波。一般に二十キロヘルツ以上の音波を指す。魚群探知・エコー検査などに利用される。「ー診断」

**ちょうか**［弔花］〔文〕人が死んだときにおくる花や花輪。

**ちょうか**［町家］ ①商人の家。②まちや。

**ちょうか**［長靴］ 革製の長ぐつ。「半ー」

**ちょうか**［長歌］ 和歌の一つの形式。また、その形式の和歌。五・七の句をつらねて最後を五・七・七の句で結ぶもの。反歌をともなう。(↔短歌)

**ちょうか**［釣果］〔文〕つったさかなの種類・数。つりか。

**ちょうか**［超過］《名・自サ》 ある限定をこすこと。「予算ー」 ●**ちょうかきんむ**［超過勤務］《名・自サ》 決められた勤務時間以上に仕事をすること。超勤。過勤。

**ちょうかい**［町会］ ①町内会。②↑町議会。③「町議会」のもとの呼び名。

**ちょうかい**［朝会］ ⇩朝礼。「全校ー」

**ちょうかい**［聴解］〔文〕(外国語を)聞いて理解すること。「ー問題」

**ちょうかい**［跳開］《名・自サ》〔文〕橋げたが(「ハ」の字に)跳ね上がり、船が下を通れるようになること。「ー橋(=跳ね橋)」

☆☆**ちょうかい**［懲戒］《名・他サ》 職場の規則に反した者を罰すること。「ー免職〔見出しなどで『懲戒免』とも〕」〔公務員の懲戒処分には、免職・停職・減給・戒告の四つがある〕

**ちょうがい**［鳥害］ 鳥の鳴き声やふん、また穀物を食いあらされる被害。

☆☆**ちょうかく**［聴覚］《生》 ①耳でおとを聞いたときに起こる感覚。②耳でおとを聞く、神経の はたらき。聴力。「ーが弱る・ー障害者(=耳の(よく)聞こえない人)」

**ちょうかん**［長官］ 各官庁をとりしまる最高の地位(の人)。「官房ー・最高裁ー・文化庁ー」

**ちょうかん**［朝刊］ あさ、発行する新聞。あさかん。(↔夕刊)

**ちょうかん**［朝間］〔文〕朝の時間。「ーサービス・ーラッシュアワー」

**ちょうかん**［腸管］《医》腸。「ーまひ(麻痺)」

**ちょうかん**［鳥×瞰・鳥観］《名・他サ》〔文〕空中、または高い所から見おろすこと。●**ちょうかんず**［鳥×瞰図］〔文〕上から見おろした状態の〈地図/絵図面〉。俯瞰図。●**ちょうかんてき**［鳥×瞰的］《ナダ》〔文〕高い立場から全体を見わたすようす。

**ちょうがん**［腸(×癌)］《医》腸の中にできる がん。直腸がんがいちばん多い。

**ちょうかんまく**［腸間膜］《生》腸を包みこみ、背骨に固定している、ひだ状の膜。腸につながる血管や神経が多くある。

**ちょうき**【弔旗】〔その国にとってだいじな人の死を〕とむらう気持ちをあらわす旗。黒い布をつけたり、半旗にしたりする。

*__ちょうき__【長期】長い期間。「―欠席・―予報」(↔中期・短期)☞中長期。

**ちょうき**【×寵△姫】〔文〕お気に入りの侍女(じじょ)・めかけ。

**ちょうぎ**【庁議】文化庁・東京都庁など、庁と名のつく役所の〈会議/決議〉。

**ちょうぎ**【町議】↑町議会議員。

**ちょうぎかい**【町議会】《法》町民から選ばれた議員が、町の行政に必要なことを決める議会。

**ちょうきゃく**【弔客】〔文〕おくやみに来る客。弔問(ちょうもん)客。ちょうかく。

**ちょうきゅう**【長久】〔文〕長く続くこと。「武運―をいのる」

**ちょうきゅう**【超級】㊀ちょうきゅう ①非常に水準が高いこと。スーパー。「―の技術」②上級よりさらに上の水準。「―コース」㊁造 …をこえる階級。「百キロ―で優勝する」

**ちょうきゅう**【徴求】《名・他サ》〔文〕よこすように求めること。「報告―・印鑑(いんかん)証明を―する」

**ちょうぎょ**【釣魚】〔文〕さかなつり。また、つるさかな。「―術」

**ちょうきょう**【調教】《名・他サ》馬・犬・猛獣(もうじゅう)などの訓練(をすること)。「―師」

**ちょうきょり**【長距離】①遠い距離。「―電話」②《陸上》三千メートル以上の競争。☞短距離・中距離。

**ちょうきん**【超勤】《名・自サ》↑超過(ちょうか)勤務。「―手当」

**ちょうきん**【彫金】《名・自他サ》金属の表面を切ったりたたいたりして、模様をあらわす〈こと/技術〉。「―師」

**ちょうく**【長×軀】〔文〕背の高いからだ。長身。(↔短軀(たんく))

**ちょうく**【長駆】《名・自サ》〔文〕遠くまで〈馬を走らせる/追う〉こと。

**ちょうけい**【長兄】〔文〕いちばん上の兄。(↔末弟(まってい))

**ちょうけい**【長径】《数》だ(楕)円の、長いほうのさしわたし。(↔短径)

**ちょうけし**【帳消し】《名・他サ》①〔勘定(かんじょう)がすんで〕帳面の記入を消すこと。②お金などの貸し借りがなくなったものとすること。棒引き。③たがいに差し引いてゼロになること。「せっかくの功績も―だ」

**ちょうけつ**【長欠】《名・自サ》↑長期〈欠席/欠勤〉。

**ちょうけん**【長剣】長い剣。(↔短剣)

**ちょうけん**【朝見】《名・自サ》天皇(と皇后)にお目にかかること。「―の儀(ぎ)」

**ちょうげん**【調弦】《名・自他サ》〔弦楽器で〕正しい高さの音が出るよう、弦をととのえること。

☆☆**ちょうこう**【兆候・徴候】ものごとが起こるしるし。きざし。「好転の―が見られる・危険な―」

**ちょうこう**【長江】〔=長い川〕中国南部を流れる大河。揚子江(ようすこう)。

**ちょうこう**【長講】〔文〕長い時間の〈講演/講談〉。「―一席」

**ちょうこう**【釣行】《名・自サ》〔文〕さかなつりに行くこと。「―記」

**ちょうこう**【朝貢】《名・自サ》〔文〕〔属国のしるしとして〕外国へ行っておくりものをすること。

**ちょうこう**【調光】《名・自サ》〔文〕照明を調節すること。「―装置」

**ちょうこう**【調香】《名・自サ》〔文〕香料を調合すること。「―師」

**ちょうこう**【長考】《名・自他サ》〔文〕長い間考えること。「〔将棋・碁など〕―に〈はいる/しずむ〉・―の末、筆を執(と)った」

**ちょうこう**【聴講】《名・他サ》講義を聞くこと。「―生〔=在学しないが、許されてその講義を聞く人〕・―料」

**ちょうごう**【調号】《音》〔その曲の調をしめすために〕楽譜(がくふ)のはじめに書く「♯」「♭」などの記号。

**ちょうごう**【調合】《名・他サ》いろいろの材料をまぜあわせること。「薬を―する・スパイスの―・色の―」

**ちょうこうぜつ**【長広舌】〔本来は「広長舌」〕〔文〕ながながとした〈弁舌/話〉。「―をふるう」

**ちょうこうそう**【超高層】階数がきわめて多く、なみはずれて高いこと。「―ビル」

**ちょうこく**【彫刻】㊀《名・他サ》木・石・金属などを〈ほること/ほった作品〉。「―刀(とう)」㊁《美術》彫像・塑像(そぞう)などの立体作品を合わせた呼び名。(↔絵画)

**ちょうこく**【超克】《名・他サ》〔文〕困難を乗りこえて、それに打ち勝つこと。のりきること。「煩悩(ぼんのう)を―する」

**ちょうさ**【調査】《名・他サ》(とり)しらべること。(とり)しらべ。「実態を―する」●**ちょうさほうどう**【調査報道】《名・他サ》〔警察や役所などの発表にたよらず〕マスコミが独自に調査して報道すること。

**ちょうざ**【長座】《名・自サ》〔文〕その場に長くいること。長居(ながい)。

**ちょうざい**【調剤】《名・自サ》《医》いろいろの薬をまぜあわせて、〔病人の飲む〕薬をつくること。調薬。●**ちょうざいやっきょく**【調剤薬局】医師の処方箋(しょほうせん)にもとづいて調剤する薬局。

**ちょうざめ**【×蝶×鮫】北の深い海にすむ、サメに似たさかな。チョウの形のかたいうろこを持つ。☞キャビア。

**ちょうさん**【△逃散】《名・自サ》《歴》中世以降、農民が申し合わせて、他の領地へにげたこと。領主の圧政への対抗(たいこう)策としておこなわれた。

**ちょうざん**【×凋残】《名・ナダ》〔文〕しぼんでだめになる〈こと/ようす〉。「―な気持ち」

**ちょうさんぼし**【朝三暮四】〔文〕見かけのちがいでごまかしても、結果は同じであることのたとえ。由来 えさの量に不満をもつサルが、朝と夕方で量が反対になったら満足したという、中国の故事から。

←**ちょうし**【弔詞】弔辞(ちょうじ)。

→**ちょうし**【弔詩】〔文〕死んだ人をとむらう心をのべる詩。

**ちょうし**【町史】〔文〕〔地方自治体としての〕町の歴史。

**ちょうし**【長子】〔文〕最初に生まれた子。長男や長

女。総領。（↕末子）

**ちょうし**［長姉］〔文〕いちばん上の姉。（↕末妹）

**ちょうし**［（×銚子）］①とっくり。☞おちょうし。②酒を入れて さかずきに つぐ、長い柄のついた入れもの。三三九度のときに使う。

＊**ちょうし**［調子］①音や声の〈高さ／高低〉。「－外れの音・－が狂う・高い－で話す」②リズム。拍子。「－のいい詩・－を外す」③ことばの流れにつれて感じられる〈強さ・高さ・勢いなどの〉ようす。「強い－で言う」④ことばの使い方の品位。「文章の－が高く ひびきもよい」⑤ようす。ぐあい。「からだの－」⑥うまく やれる、やり方。「その－！」⑦勢い。「－が出る」●**調子がいい**句 景気・威勢ばかりいい。「調子のいい男」●**調子に乗る**句 ①得意になって、うわついた言動をする。「－と失敗する・〔ののしって〕－なよ！」②勢いに乗る。はずみがつく。「棋士が うまく－」●**調子の波に乗る**句 いい調子になってきた状態をうまく使う。●**調子を合わせる**句 自分の考えを出さずに適当に話をあわせる。●**調子を取る**句 ①〔動きなどに〕リズムをもたせる。「腰で調子を取りながら歩く・歌の最後にはやしことばを入れて－」②拍子を取る。「くつで－」●**ちょうしづ・く**［調子（付く）］《自五》調子に乗る。「おだてに乗って－・すべてが順調に－」他調子づける《下一》。●**ちょうしよく**［調子（良く）］《副》①景気よく。おだてるように。「－おせじを言う」②あつかましく。ぬけめなく。「人の車に－乗りこむ」③順調に。つごうよく。「－電車が来た」

**ちょうじ** 一［（丁子）・（丁字）］熱帯産の常緑樹。由来つぼみが くぎ（＝丁）の形に似ているから言う。二［丁子・丁字］①⇩クローブ。②〔↑丁子油〕チョウジのつぼみ または、実からとった あぶら。

**ちょうじ**［弔事］〔文〕人が死んだときなどの不幸。ご不幸。（↕慶事）

**ちょうじ**［弔辞］死んだ人をとむらう気持ちをのべる〈ことば／文章〉。弔詞。「－を読む」

☆☆**ちょうじ**［×寵児］〔文〕①親にかわいがられている子。いとし子。②〔社会から〕もてはやされる人。花形。流行児。「文壇の－」

**ちょうしぜん**［超自然］〔文〕自然の道理では説明できない、ふしぎなこと。「－現象」

**ちょうしつ**［調湿］《名・自サ》湿度を調節すること。「－効果」

**ちょうしゃ**［庁舎］役所の建物。

**ちょうしゃ**［鳥舎］〔動物園などで〕鳥を入れておく、かこい。

**ちょうしゃ**［聴者］①ふつうの聴力がある人。健聴者。②〔文〕話の聞き手。（↕話者）

**ちょうじゃ**［長者］①金持ちの人。富豪。「億万－」②〔文〕徳のある、おだやかな人。「－の風格」

**ちょうじゃく**［長尺］長さが、長いこと。ちょうしゃく。「－物・－VTR・－屋根・－パター」（↕短尺）

**ちょうしゅ**［聴取］《名・他サ》①〔文〕聞くこと。聞きとること。「事情を－する・ラジオの－者」②↑事情聴取。「社長を－する」

**ちょうじゅ**［長寿］《名・ナダ》①寿命の長いこと。ながいき。「不老－」②長く続くこと。「－番組」▽（↕短命）

**ちょうしゅう**［聴衆］そこに集まって、演説・説法・演芸などを聞く人々。

←**ちょうしゅう**［徴収］《名・他サ》〔出すことに決まったお金を〕取りたてること。「会費を－する」

→**ちょうしゅう**［徴集］《名・他サ》人や物を強制的に集めること。

**ちょうじゅう**［鳥獣］〔文〕とりやけもの。「－虫魚」

**ちょうじゅう**［聴従］《名・自サ》〔文〕〔忠告などを〕聞き入れること。「勧告に－する」

**ちょうじゅうせき**［腸重積］《医》腸閉塞の一種。小腸の終わりの部分が、大腸に はいりこむ。赤ちゃんに わりあい多い、こわい病気。

**ちょうしゅうぶろ**［長州風呂］⇩ごえもんぶろ（五右衛門風呂）。

**ちょうしょ**［長所］〔人や物の〕すぐれているところ。いい面。「－をのばす」（↕短所）

☆☆**ちょうしょ**［調書］《法》〔取り〕しらべた内容を書いた文書。「警察で－をとる・支払い－」

**ちょうじょ**［長女］いちばん先に生まれた むすめ。（↕末女）

**ちょうしょう**［弔鐘］〔文〕死んだ人をとむらう気持ちをこめて鳴らす かね。「教会の－」

☆☆**ちょうしょう**［嘲笑］《名・他サ》あざわらうこと。あざけり。「－をあびる・－を買う」

**ちょうじょう**［長上］〔文〕①目上。年上。「－の命にしたがう」②位が上の人。▽上長。

**ちょうじょう**［長城］①〔文〕非常に長い城壁。②《歴》万里の長城。

**ちょうじょう**［頂上］①〔山などの〕いただき。②絶頂。「今が人生の－だ」③最高の地位にある人。巨頭。「－会談・－決戦」

**ちょうじょう**［超常］常識をこえていること。「－的」

●**ちょうじょうげんしょう**［超常現象］自然界の法則を超越していて、合理的な説明が不可能であるような現象。心霊写真やUFOなど。

**ちょうじょう**［重畳］一《名・自サ・タルト》〔文〕〔上へ上へと〕いくつも かさなる〈こと／ようす〉。「山岳が－する・岩石－たる難所」二《ナダ》〔古風〕いいこと。満足。「〔時代劇で〕『手はずは ととのいました』『それは－〔＝よかった〕』」

**ちょうしょく**［朝食］朝に とる食事。あさめし。「ごはんを－」

**ちょうじり**［帳尻］①決算の結果。損得。「－が合わない・人生の－を合わせる」②計算。つじつま。「年をごまかして－を合わせる」

**ちょう・じる**［長じる］《自上一》〔文〕⇩長ずる。

**ちょうしん**［長身］背が高い〈こと／人〉。（↕短身）

**ちょうしん**［長針］時計の、分をさす、長いほうのはり。分針。（↕短針）

**ちょうしん**［×寵臣］〔文〕お気に入りの けらい。

**ちょうしん**［調進］《名・他サ》〔文〕注文に応じてつくること。「商品券－・菓子－所」

**ちょうしん**［聴診］《名・他サ》《医》耳で患者の呼吸や心臓の音を聞いて診察すること。「－器」（↕打診）

**ちょうじん**［超人］ふつうの人間とは かけはなれた、すばらしい能力をもった人。スーパーマン。●**ちょうじん**

ち

てき［超人的］《ナダ》ふつうの人間の能力をこえたようす。

**ちょうしんけい**［聴神経］〔生〕聴覚を受け持つ神経。

**ちょうしんせい**［超新星］〔天〕巨大(きょだい)な星が爆発(ばくはつ)して、急に明るくかがやくようになったもの。〔この爆発を「超新星爆発」と言う〕☞新星②・中性子星・ブラックホール。

**ちょうしんるこつ**［彫心×鏤骨］《名・自サ》〔文〕非常に苦心して作ること。ちょうしんろうこつ。

**ちょうず**［△手△水］(てうづ)〔↑てみず〕①手や顔を洗い清める水。てみず。「―鉢(ばち)・〔神社や寺にある〕―舎(や)〔『てみずや・てみずしゃ』とも〕」②〔古風〕便所。手水場(ば)。「―に立つ〔=行く〕」 •**ちょうずを使う** 句〔古風〕①手や顔を洗い清める。②便所に行く。

**ちょうすいろ**［長水路］〔競泳〕長さが五十メートル(以上)のプール。〔↔短水路〕

**ちょう・する**［徴する］《他サ》〔文〕①証拠(しょうこ)をもとめる。照らしあわせる。「経験に徴して明らかだ」②もとめる。「意見を―」

**ちょう・ずる**［長ずる］《自サ》〔文〕①成長する。おとなになる。「―におよんで」②すぐれる。ひいでる。「武芸に―」③年上である。「彼(かれ)に―こと三歳(さい)」▽長じる。

**ちょうせい**［町制］〔地方自治体としての〕町の制度。「―をしく」

**ちょうせい**［町政］〔地方自治体としての〕町の行政。

**ちょうせい**［町勢］〔文〕〔地方自治体としての〕数字であらわした、町の〔経済的〕状態。「―要覧」

**ちょうせい**［長生］《名・自サ》〔文〕ながいき。

**ちょうせい**［長征］《名・自サ》〔文〕長い距離(きょり)を行軍して征伐(せいばつ)すること。

**ちょうせい**［長逝］《名・自サ》〔文〕死ぬこと。死去。永眠(えいみん)。

←**ちょうせい**［調製］《名・他サ》食品・薬品・服などをつくること。「〔駅弁の〕―日時・―豆乳〔=飲みやすくした豆乳〕」✎「調製豆乳」に対して「成分無調整豆乳〔=成分を変えていない豆乳〕」もある。「製」「整」のちがいに注意。

→***ちょうせい**［調整］㊀《名・他サ》①ちょうどよくなるように、数量などを変えること。「室温の―・生産―・非正規労働者は雇用(こよう)の―弁だ〔=景気に左右されて雇用の増減がおこなわれる〕」②それぞれの意見を近づけて、話がまとまるようにすること。「業者間の―・―役」③〔からだ・機械などの〕調子をととのえること。「試合前の―・〔駅の時計の表面に〕―中〔=修理中〕」④〔農〕米のもみがらを取り去って、玄米(げんまい)にすること。もみすり。「脱穀(だっこく)―」㊁《名・自サ》〔経〕①上昇(じょうしょう)傾向(けいこう)にある株価が下落あるいは横ばいになること。「―にはいる・―局面」②景気が悪くなること。「―感が出る」

**ちょうぜい**［町税］町が課税する地方税。

**ちょうぜい**［徴税］《名・自サ》税金を取り立てること。

**ちょうせき**［長石］〔鉱〕多くの岩石にふくまれている白っぽい鉱物。陶磁器(とうじき)やガラスの原料。由来 結晶(けっしょう)が長い六面体になることから。

**ちょうせき**［朝夕］〔文〕㊀朝と夕方。㊁《副》いつも。朝な夕な。

**ちょうせき**［潮×汐］〔文〕潮のみちひきによって、海面の高さが変わること。「―力・―発電」

**ちょうせつ**［調節］《名・他サ》ほどよく調子をととのえること。「機械を―する」

**ちょうぜつ**［超絶］㊀《名・自サ》〔文〕ほかのものよりはるかにすぐれること。「古今に―した作品・―技巧(ぎこう)」㊁《副》〔俗〕非常に。「―ねむい・―やばい」

**ちょうせん**［朝鮮］アジア大陸東部の大きな半島。大韓(だいかん)民国〔=韓国〕と、朝鮮民主主義人民共和国〔=北朝鮮〕とがある。コリア。「―語」 •**ちょうせんにんじん**［朝鮮人△参］漢方薬の材料。うす黄色い根で、人が立っている形に似ている。強壮剤(きょうそうざい)として、煎(せん)じて飲む。高麗(こうらい)にんじん。

**ちょうせん**［挑戦］《名・自サ》①戦いをしかけること。「―状・―的」②〔チャンピオンに〕試合を申しこむこと。「―者」③〔新しい記録や困難な仕事などに〕立ち向かって努力すること。「新記録に―・司法試験に―」④〔めずらしいこと、ふだんしないことを〕やってみること。トライ。「店主おすすめのカレーに―〔=食べてみる〕」▽チャレンジ。

**ちょうぜん**［長×髯］〔文〕長くのびた〔ほお〕ひげ。

**ちょうぜん**［超然］《タル》〔文〕世俗(せぞく)的なものごとを乗りこえていて、問題にしないようす。「時流から―としている・―たる態度」

**ちょうそ**［重×祚］〔文〕再び天皇に即位(そくい)すること。

**ちょうそ**［彫塑］《名・自サ》〔美術〕素材をほったりこねたりして〔作品を作ること・作った作品〕。

**ちょうそう**［長×槍］〔文〕長いやり。

**ちょうそう**［鳥葬］遺体を山などに野ざらしにし、肉食の鳥についばませてほうむる方法。チベットなどでおこなわれる。

**ちょうぞう**［彫像］〔美術〕木・石・金属などをほって作った像。☞塑像(そぞう)。

**ちょうそく**［長足］〔文〕進歩がはやいこと。「―の進歩をとげる」

**ちょうそく**［超速］ものすごく速いこと。「―でマスターする」

**ちょうぞく**［超俗］〔文〕俗世間を超越(ちょうえつ)していること。

**ちょうそん**［町村］①まちとむら。②地方自治体としての町と村。「―長」

**ちょうだ**［長蛇］長いヘビ〔のように長いこと〕。「―の列」 •**長蛇を逸(いっ)する** 句〔文〕おしくも大きな獲物(えもの)をのがす。

**ちょうだ**［長打］《名・自サ》①〔野球〕二塁(るい)打以上の安打。ロングヒット。〔↔単打〕②〔ゴルフ〕⇩ロングショット②。〔↔短打〕

**ちょうだい**［頂戴］㊀《名・他サ》〔もらう/飲食する〕ことの謙譲(けんじょう)語。いただくこと。「ありがたく―する・おいしく―しました」㊁〔女/児〕〔文末で、動詞や補助動詞の命令形のように使って〕ください。「これを―・取って―」 •**ちょうだいもの**［頂戴物］他人からいただいたもの。いただきもの。到来物(とうらいもの)。「―をする」

**ちょうだい**［長大］《ナダ》〔文〕①長くて大きいようす。「―な作品」〔↔短小〕②背が高くて大きいようす。派

-さ。

**ちょうたいそく**［長大息］《名・自サ》〔文〕大きなためいき(をつくこと)。

**ちょうたく**［彫×琢］《名・他サ》(=宝石をみがく)〔文〕文章などを何度も練り直すこと。推敲。「―を加える」

**ちょうたつ**［調達］《名・他サ》〔お金・品物などを〕とりそろえて用意すること。ちょうだつ。「資金を―する・物資を―する」

**ちょうたつ**［×暢達］《名・他サ・ナダ》〔文〕のびのび〈して いる/させる〉こと。「―な筆跡」

**ちょうだつ**［超脱］《名・自サ》〔文〕それを乗りこえて一段高いところへ出ること。

**ちょうたん**［長短］〔文〕①長いことと短いこと。②長所と短所。「日本語の―」

**ちょうだん**［跳弾］《名・自サ》〔文〕銃でうった弾がはね返ること。また、はね返った弾。

**ちょうたんぱ**［超短波］《理》波長が一～十メートルの電波。FM放送や医療などに使う。VHF。

**ちょうチフス**［腸チフス］《医》チフス菌が腸に侵入することによって起こる急性の感染症。腸チブス。

**ちょうちゃく**［△打×擲］《名・他サ》〔文〕(うち)たたくこと。なぐること。

**ちょうちょ**［(×蝶々)］〔話〕↑ちょうちょう(蝶々)。〔やや幼い言い方〕 ●**ちょうちょ むすび**［(×蝶々)結び］⇩ちょう結び。

**ちょうちょう**［町長］〔地方自治体である〕町の行政の最高責任者。

**ちょうちょう**［長調］《音》長音階による調子。どちらかというと明るい調子になる。「ニ―」(↔短調)

**ちょうちょう**［(×蝶々)］「ちょう(蝶)」のやわらかい言い方。ちょうちょ。表記「てふてふ」は、昔の字音(=音読み)仮名遣い。

**ちょうちょう**［丁々・△打々］《副》〔文〕ぴしり、ぴしりと音を立てて打つときの ひびき。 ●**ちょうちょうはっし**［丁々発止］《副》〔文〕①音を立てておたがいに はげしく刀を打ち合わせるようす。②はげしく論戦するようす。「―(と)わたりあう」

**ちょうちょう**［×喋々］《副・自他サ》〔文〕むだに多くしゃべるようす。「外交の重要性は今さら―するまでもない」 ●**ちょうちょうなんなん**［×喋々×喃々］《名・自サ・タルト》〔文〕男女が小声で親しく おしゃべりをすること。

**ちょうちょう**［超々］ 二 ちょうーちょう 二 選 「超」をさらに超えた。「―高層ビル」 三 ちょうーちょう《副》〔俗〕「超」よりも程度が大きいようす。「―楽しかった！」

**ちょうちん**［(△提△灯)］①細い竹を骨にして、紙をはって作った照明の道具。中にろうそくをともして照らす。「―行列・盆―」 ②〔俗〕息のために まるくふくれた鼻じる。「鼻から―を出す」 ●**ちょうちんに釣っり鐘**句〔形は似ていても重さがちがいすぎて〕つりあいがとれない。 ●**ちょうちん きじ**［(△提△灯)記事］人にこびて、わざと ほめて書いた記事。 ●**ちょうちんもち**［(△提△灯)持ち］《名・自サ》①ちょうちんを持って照らすこと。また、行列の前に立つ〈こと/人〉。②人の手先になって宣伝をする〈こと/人〉。「―の記事」

**ちょうつがい**［(×蝶△番)］①〔ひらき戸・ふたなどの〕一方を軸として ひらくように取りつける金具。ヒンジ。ちょうばん。②関節(の つなぎめ)。

**ちょうづけ**［帳付け］《名・自サ》帳面に記入する〈こと/役の人〉。ちょうつけ。

**ちょうづめ**［腸詰め］ソーセージ。

**ちょうづら**［帳(面)］帳面に書いたことがら。「―をあわせる」☞ちょうめん(帳面)。

**ちょうてい**［長×汀］〔文〕長く続く みぎわ(=海岸線)。 ●**ちょうてい きょくほ**［長×汀曲△浦］〔文〕長汀と陸地に曲がりこんだ浦。けしきのいい長い浜べ。

**ちょうてい**［長堤］〔文〕長い土手。「―の桜」

**ちょうてい**［朝廷］天子・君主が政治をとる所。「―につかえる」

☆☆**ちょうてい**［調停］《名・他サ》間に立って仲直りをさせること。仲裁。「―委員・―裁判・紛争の―」

**ちょうてき**［朝敵］〔文〕朝廷の敵。国賊。

**ちょうてん**［頂点］①《数》角をつくる二つの直線、または、〔多面体で〕三つ以上の面のまじわる点。「三角形の―」②いちばん高い所。いただき。トップ。「―を目指す・権力の―」③最高の状態。絶頂。「怒りが―に達する・人気の―」

**ちょうでん**［弔電］おくやみの電報。

**ちょうでんどう**［超電導・超伝導］《理》ある種の金属や化合物をきわめて低い温度にすると、電気が抵抗を受けずに流れるようになること。「―現象」

**ちょうと**［長途］〔文〕長い みち(のり)。「―の旅行」

**ちょうど**［調度］部屋〈をかざり/に置いて〉使うもの。例、カーテン・じゅうたん・鏡台。「―品・家具―」

*__ちょうど__《副》①〔時期・場所・数などが〕ずれないで、正確に そのとおりであるようす。「―反対がわに見える・―千円・〔年齢を聞かれて〕―です(=二十歳、または三十歳…)」・―いい(=目的に合う。ころあいの)大きさ」 ②たまたま、そのときに当たるようす。折しも。「―夏のころだった・私も―行こうと思っていたところだ」③〈同様の/似た〉ものを引き合いに出すときの ことば。「かわらばんは、―今の新聞に当たる」 表記 かたく「丁度」「×恰度」とも。

**ちょうどう**［町道］町の費用で造って管理する道路。

**ちょうどうけん**［聴導犬］耳の不自由な人に音や声を知らせて、介助できるように訓練を受けた犬。☞補助犬。

☆☆**ちょうとうは**［超党派］各政党(の議員)が それぞれの政策・主張をこえて協力しあうこと。

**ちょうどきゅう**［超×弩級・超ド級］〔弩級=イギリスの大型戦艦ドレッドノート級〕とびぬけて大型であること。超大型。「―戦艦・―作」

**ちょうとっきゅう**［超特急］①特急よりもはやい列車。②非常に はやいこと。「―で仕あげる」

**ちょうな**［(△手×斧)］木材をあらくけずるときに使う道具。ておの。

**ちょうない**［庁内］官庁の中。「―放送」

**ちょうない**［町内］①地方自治体で

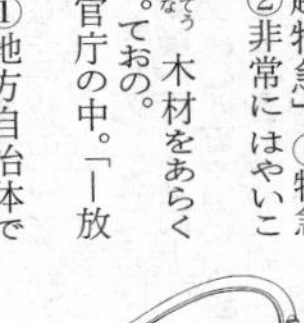

［ちょうな］

ある町のなか。②同じ地域の町(のなか)。「ご―のみなさま・―会長」

**ちょうない**【腸内】腸の内部。「―細菌・―フローラ(=腸内に住む細菌全体)」

**ちょうなん**【長男】いちばん先に生まれたむすこ。総領。(↔末男)

**ちょうにゅう**【調乳】《名・自サ》粉ミルクをとかして、乳を作ること。「―室」

**ちょうにん**【町人】〔江戸時代に〕(都市に住んだ)商人・職人の身分(の人)。

**ちょうネクタイ**【(×蝶)ネクタイ】えりもとに、チョウの形に結んだネクタイ。ボータイ。

**ちょうねんてん**【腸捻転】《医》大腸のS字状の部分、または小腸の一部がねじれる病気。

**ちょうのうりょく**【超能力】人間の能力を超えた、ふしぎな能力。透視、未来を予知する能力など。

**ちょうは**【長波】《理》波長が千~一万メートルの電波。船や航空機の通信などに使う。(↔中波・短波)

**ちょうば**【丁場・町場】①〔文〕宿場と宿場との距離。「長―」②土木工事の受け持ち区域。③建築の、現場。

**ちょうば**【帳場】〔商店・旅館などで〕帳付け・勘定などをする所。「―格子(⇩結界③)」

**ちょうば**【跳馬】走って来て、手をついてとびこす体操用具。また、それを使ってする体操競技の種目。

**ちょうば**【嘲罵】《名・他サ》〔文〕あざけりののしること。「―の的」

**ちょうばいか**【鳥媒花】《植》鳥によって、おしべからめしべに花粉が運ばれて受粉する花。例、ツバキ・サザンカ。

**ちょうはつ**【長髪】(男性の)長くのばしたかみの毛。(↔短髪) ☞ロング㊀①・ロン毛。

**ちょうはつ**【調髪】《名・自サ》かみの毛を刈って、形をととのえること。「―料」

☆☆**ちょうはつ**【挑発】《名・他サ》相手を刺激して、事件・戦争・欲情などを起こさせること。「―に乗る」

•**ちょうはつてき**【挑発的】《ダ》相手を挑発する(かのような)ようす。「―な態度・―なタイトルの本」

**ちょうはつ**【徴発】《名・他サ》①〔文〕仕事をさせるために、むりやり呼び集めること。「軍馬として―する」②むりに取りたてること。「食料―」

**ちょうばつ**【懲罰】《名・他サ》いましめるために〈加える罰/罰を加えること〉。「―を受ける」

**ちょうはん**【丁半】さいころの目の偶数と奇数(によって勝負を決めるばくち)。

**ちょうばん**【×蝶番・:丁=番】《建築》「ちょうつがい(蝶番)」を音読みしたことば。

**ちょうび**【×掉尾】〔文〕⇩とうび。

**ちょうひょう**【帳票】帳簿・伝票などをまとめて言う呼び名。

**ちょうひょう**【徴表】〔文〕ほかのものとはっきり異なる特徴。「東北方言の―」

**ちょうふ**【貼付・貼附】《名・他サ》〔文〕はりつけること。てんぷ。「―剤」

**ちょうぶ**【町歩】山林や田畑の面積を、「町」㊀③を単位として数えることば。

**ちょうふく**【重複】《名・自サ》同じこと、または、同じものが二度かさなりあうこと。ダブること。じゅうふく。「説明が―している」

**ちょうぶく**【調伏】《名・他サ》《仏》①仏にいのってうらんでいる相手・魔物などをしたがえること。②のろい殺すこと。

**ちょうぶつ**【長物】〔文〕むだなもの。「無用の―(=そこにある、というだけで役に立たないもの)」

**ちょうぶん**【弔文】おくやみの(気持ちをあらわした)文章。「霊前で―を読む」

**ちょうぶん**【長文】長い文章。(↔短文)

**ちょうへい**【徴兵】《名・自他サ》国が国民を強制的に兵役につかせること。「―制」

**ちょうへいそく**【腸閉塞】《医》腸の一部分がふさがる、急性の病気。

**ちょうへき**【腸壁】《生》腸を形づくる筋肉などの内がわ。

**ちょうへん**【長辺】《数》長方形の、長いほうの辺。(↔短辺)

**ちょうへん**【長編・長×篇】長い文章・作品。「―小説・―漫画」(↔短編・中編)

**ちょうぼ**【帳簿】お金や品物の出し入れを記入する帳面。

**ちょうぼ**【徴募】《名・自他サ》〔文〕〔兵隊などを〕呼びかけて集めること。「軍隊への―・強制―」

**ちょうほう**【弔砲】〔文〕〔元首や国に功績のあった人の死をとむらう気持ちをこめて、うつ大砲。

**ちょうほう**【×諜報】〔文〕相手に気づかれずに、情報をさぐること。「―機関・―員(=スパイ)」

**ちょうほう**【重宝・調法】㊀《ダ》〔それがあることによって〕役に立ち、ありがたいようす。便利。「漢字を調べるのに―な辞書」派―がる。―さ。㊁《名・他サ》役に立つので、喜んで〈いる/使う〉こと。「もらった品を―している」☞じゅうほう(重宝)。

☆☆**ちょうぼう**【眺望】《名・他サ》ながめ(ること)。展望。見はらし。「―がひらける」

**ちょうほうき**【超法規】〔法律上の〕きまりにとらわれないこと。「―的措置」

**ちょうほうけい**【長方形】《数》すべての角が直角の(ふつう細長い)四角形。長四角。矩形。〔正方形は、長方形の特殊な場合〕

**ちょうぼん**【超凡】《ダ》〔文〕ふつうの程度をこえ出るようす。「―な技能」派―さ。

**ちょうほんにん**【張本人】①悪事をくわだてるかしら。②事件を起こした者。発頭人。▽張本。ちょうぼん。

**ちょうみ**【調味】《名・自サ》食べ物の味をよくすること。

•**ちょうみりょう**【調味料】調味のために使う食品・香辛料など。「化学―」

**ちょうみん**【町民】町の住民。また、町内の人々。

**ちょうむ**【庁務】官庁や学校などでおこなわれる、さまざまな仕事。用務。「―員」

**ちょうむすび**【(×蝶)結び】チョウの羽が左右にひらいたような形に結ぶ、おび・リボン・ひもなどの結び方。花結び。結いほどけ。ちょうちょ結び。〔結婚・快気祝い以外の祝いのときの、水引の結び方〕(↔こま結び)

**ちょうめ**【丁目】接尾・《名》同じ町の通りの、くぎり。「銀座四―・―を確かめる」

**ちょうめい**［町名］町の名前。

**ちょうめい**［長命］《名・自サ・ナダ》いのちが長いこと。長生き。「―をたもつ・―な人・―した母」（↔短命）

**ちょうめい**［澄明］《ナダ》〔文〕すみきって明るいようす。「―な空」派―さ。

**ちょうめん**［帳面］①帳簿。②〔古風〕⇩ノート①。☞ちょうづら（帳面）。●**ちょうめんづら**［帳面（面）］帳面に書いてある数字。ちょうづら。「―を合わせる」

**ちょうもう**［長毛］〔文〕毛が長いこと。「―種」（↔短毛）

**ちょうもく**［鳥目］〔文〕①昔の、穴のあいた、いちばん小さい単位のお金。②〔いくらかの〕お金。「お―をいただく」

☆☆**ちょうもん**［弔問］《名・他サ》〔文〕おくやみのために、死んだ人の家をたずねること。「―客」

**ちょうもん**［聴聞］《名・他サ》①《法》行政機関が、行政上の行為をするにあたり、利害関係者の意見を聞くこと。「―会」②《仏》説法などを聞くこと。「―僧」③《宗》信者のざんげ（懺悔）を聞くこと。

**ちょうもんのいっしん**［頂門の一針］〔=頭の上にはりをさすこと〕〔文〕欠点をするどくいましめること。痛いところをついた教訓。

**ちょうや**［長夜］〔文〕〔冬の〕長いよる。●**長夜の夢を覚ます**句 平和になれた人々をおどろかす。●**ちょうやのえん**［長夜の宴］夜どおしの宴会。●**ちょうやのねむり**［長夜の眠り］①一生を夢のように送ること。②煩悩のために悟りをひらけず、長い間迷い苦しむこと。

**ちょうや**［朝野］〔文〕①政府と民間。「―の名士」②国民すべて。「―をあげて歓迎する」

**ちょうやく**［跳躍］《名・自サ》①〔文〕おどりあがること。②《陸上》高とびや幅とび。ジャンプ。

**ちょうやく**［超訳］《名・他サ》〔俗〕大胆な意訳。

**ちょうゆう**［庁有］官庁の所有。「―車」

**ちょうゆう**［町有］〔地方自治体としての〕町の所有。「―財産」

**ちょうゆう**［釣友］〔文〕いっしょに釣りをする友だち。

**ちょうよう**［長幼］〔文〕年上の者と年下の者。「―の序〔=年下ほどへりくだるという順序〕」

**ちょうよう**［重陽］〔文〕旧暦九月九日の節句。菊見の宴をおこなった。菊の節句。

**ちょうよう**［重用］《名・他サ》⇩じゅうよう（重用）。

**ちょうよう**［徴用］《名・他サ》〔文〕国家が国民を呼び出して強制的に働かせること。また、徴発して使うこと。「―工・―船」

**ちょうらく**［×凋落］《名・自サ》〔文〕勢力がおとろえること。衰微。「人気が―する」

**ちょうり**［調理］《名・他サ》食材を切ったり、熱を加えたりして、食べられる状態にすること。「―場・―済み食品・―師〔=調理人としての免許を受けている人〕」☞料理。●**ちょうりだい**［調理台］料理の下ごしらえをするために、台所にすえつける台。ガス台、流し台と並べて使う。●**ちょうりパン**［調理パン］具を〈のせた/はさんだ〉パン。マヨネーズコーンパンなど。☞総菜パン。

**ちょうりつ**［町立］〔地方自治体としての〕町が作り、維持する〈こと/もの〉。「―病院」

**ちょうりつ**［調律］《名・他サ》《音》楽器の調子をととのえること。調音。「―師・ピアノの―」

**ちょうりゃく**［調略］《名・他サ》〔文〕計略にうまく引き入れること。「敵の重臣を―する」

**ちょうりゅう**［長流］〔文〕長い、川の流れ。

**ちょうりゅう**［潮流］①《地》ⓐ潮のみちひきにつれて海水が動くこと。ⓑ内海と外洋との間にできる、海水の流動。②時勢のなりゆき。

**ちょうりゅうしゅ**［長粒種］《農》細長く、ねばりけが少ない米。インドやタイなどで作られる。長粒米。ロンググレイン。（↔短粒種）

**ちょうりょう**［跳×梁］《名・自サ》〔文〕自由にはね回ること。のさばること。「悪人が―する・族議員が―跋扈する」

**ちょうりょく**［張力］《理》物体を引っぱる力。例、おもりを糸でつるしたとき、糸がおもりを上に引っぱる力。☞表面張力。

**ちょうりょく**［潮力］潮のみちひきの差によって起こるエネルギー。「―発電」

**ちょうりょく**［聴力］《生》音を聞き取る能力。

**ちょうるい**［鳥類］《動》鳥のなかま。脊椎動物の一つで、多くはつばさをもつ。

**ちょうれい**［朝礼］朝、仕事や授業の前にする、短い会。朝会。「運動場で全校―」（↔終礼）

☆☆**ちょうれいぼかい**［朝令暮改］《名・自サ》〔=朝に命令を出し、夕方に改める〕〔文〕命令がくるくるとすぐに変わって、一定しないこと。

**ちょうれん**［調練］《名・他サ》兵士を訓練すること。

**ちょうろう**［長老］①年を取り、経験を積んだ〈人/先輩〉。「その道の―」②《仏》ⓐ徳の高い僧。ⓑ〈住持/先輩〉である僧。③《宗》キリスト教会の名誉職。「―派〔=キリスト教の一派〕」

**ちょうろう**［嘲弄］《名・他サ》〔文〕ばかにしてからかうこと。ばかにすること。

**ちょうろぎ**［〔:長呂儀〕］⇩ちょろぎ。

**ちょうわ**［調和］《名・自サ》よく〈にあう/つりあう〉こと。「色の―・―がとれる・―を保つ」

**チョーカー**〔choker〕首にぴったりつく、短い首かざり。チョッカー。

**チョーキング**〔choking〕《音》〔ギターで〕おさえている弦をフレットに沿って指でずらし、音程を変える演奏技法。ベンディング（bending）。ベンド。

**チョーク**〔chalk〕①せっこうなどの粉を棒のように固めたもの。黒板に字などを書くのに使う。白墨。「色―」②すべり止めの粉。「クライミング用の―」☞チャコ。

**チョーク**〔choke〕〔格闘技などで〕窒息させること。

**ちよがみ**［千代紙］模様を色ずりにした紙。

**ちょき**［チョキ］〔じゃんけんの〕はさみ。指を二本出す。

**ちょきちょき**《副》はさみを小さく動かしてものを切る〈音/ようす〉。「布を―切る」

**ちょきん**［貯金］《名・自他サ》①お金をためること。ためたお金。「―箱」②ゆうちょ銀行・農協などに〈お金をあずけること/あずけたお金〉。「―通帳」☞預金。③〔プロ野球などで〕勝ち越している試合の数。「―

五」(↔借金) ④こつこつとためる〈こと/もの〉。「もうー(=材料)を使いはたして、新しい本は書けない」

**ちょきん**《副》はさみで一回切る音。「枝をーと切る」

**ちょく【直】** [一]ちょく ①直接。「ーの取引・〔副詞的に〕結果にー影響する」 ②↔宿直。「ー明け」 [二]ちょく《ナダ》〔古風〕①まっすぐであるようす。かざらないようす。「ーな人」 ②気がる。安直。「ーな身なり・ーな店」 [三]〔道〕 ①工場の作業の、当番。「四ー三交替(=四つの組が、順々に、三交替で勤務すること)」 ②〔野球〕ライナー。「一ー(=一塁へのライナー性の打球)」

**ちょく**〔:猪口〕⇩ちょこ。

**ちょくえい【直営】**《名・他サ》直接の経営。

**ちょくえい【直衛】**《名・他サ》〔軍〕大将などを、直接護衛すること。「ー部隊」

**ちょくおん【直音】**〔言〕(日本語で)拗音でない音。例、「キャ」に対して「カ」、「リョウ」に対して「ロウ」。(↔拗音)

**ちょくがん【勅願】**天皇が祈願をこめること。「ー寺(=天皇が国家の安全などをいのって建てたお寺)」

**ちょくげき【直撃】**《名・自他サ》①〔軍〕爆弾・弾丸などが、じかにあたること。「ー弾」 ②直接〈攻撃する/おそいかかる〉こと。「台風、伊豆半島をー」 ③直接インタビューすること。「本人をー」

**ちょくげん【直言】**《名・他サ》〔文〕えんりょせずに言うこと。

**ちょくご【直後】**すぐあと。「事件のー・〔副詞的に〕ー、スクイズを決めた・〔車の〕直前ーの横断」(↔直前)

**ちょくご【勅語】**〔天皇の〕ことば。「教育ー」

**ちょくさい【勅裁】**〔文〕天皇の裁可。

**ちょくさい【直×截】**《ナダ》〔文〕「ちょくせつ」の慣用読み。派ーさ。

**ちょくし【勅使】**〔天皇の〕つかい。

**ちょくし【直視】**《名・他サ》まっすぐに見ること。まともに見つめること。「現実をーする・ーに堪えない」

**ちょくじ【△植字】**〔印刷〕⇩しょくじ(植字)。

**ちょくしゃ【直射】**《名・自他サ》①まともに照りつけること。「ー日光」 ②直接ふきつけること。「ー式殺虫剤」

**ちょくしゃ【直写】**《名・他サ》〔文〕ありのままに写すこと。「現実をーする」

**ちょくしょ【勅書】**〔詔書以外の〕天皇のことばを書きつけた、日常的な公文書。☞詔勅。

**ちょくじょ【直叙】**《名・他サ》〔文〕思ったことをかざらずにのべること。「感動をーする」

**ちょくじょう【直上】**〔文〕すぐ上。まうえ。

**ちょくじょう【直情】**〔文〕思ったままの、かざりのない感情。「ーの人」 ●**ちょくじょうけいこう【直情径行】**《名・ナダ》(径=ただちに)〔文〕感情をいつわらずに、思ったとおりに行動すること。派ーさ。

**ちょくしん【直進】**《名・自他サ》まっすぐに進むこと。「大通りをーする」

↔** **ちょくせつ【直接】**《名・ナダ・副》あいだにほかのものをはさまずに、そのまま関係すること。「ー(に)依頼する・ー交渉・対立のーのきっかけ」(↔間接) 区別「直接(に)」は、関係を客観的に示す場合に広く使う。「じかに」は、自分のからだや目などでありありと感じる場合に使う。「東京から直接大阪に行く」のように客観的に言うときは「じかに」は使いにくいが、寒い風がほおに当たるときは「じかに」のほうが感じが出る。 ●**ちょくせつこうどう【直接行動】**《名・自サ》目的をとげるため、暴力的にふるまったり、ストライキやデモをしたりすること。 ●**ちょくせつぜい【直接税】**〔法〕税金を負担する人と納める人とが同じである税金。直税。例、所得税。(↔間接税) ●**ちょくせつせんきょ【直接選挙】**住民などの投票の結果が、そのまま候補者の当選につながる、選挙のしかた。例、日本の総選挙。(↔間接選挙) ●**ちょくせつてき【直接的】**《ナダ》直接であるようす。じか。(↔間接的) ●**ちょくせつみんしゅしゅぎ【直接民主主義】**議会による決定や裁判官による裁判などによらず、人民が直接、民主的に決めようとするやり方。直接民主制。 ●**ちょくせつわほう【直接話法】**〔言〕人のことばを引用するとき、「」などを用いてそのままの言い方で述べる方法。(↔間接話法)

↔**ちょくせつ【直×截】**《ナダ》〔文〕まわりくどくないようす。ちょくさい。「ーに尋ねる・ーな文章・ー簡明」派ーさ。

**ちょくせつほう【直説法】**〔言〕ヨーロッパなどの言語で、〔仮定や命令でなく〕単に事実を述べるときに使う動詞の形。☞仮定法・命令法。

**ちょくせん【直線】**①のびる方向を少しも変えない線。まっすぐな線。「ー美(=直線によってあらわされる美)」(↔曲線) ②〔数〕方向を少しも変えずに、無限にのびていく線。二つの点を最短距離で通過する。(↔線分・曲線) ●**ちょくせんてき【直線的】**《ナダ》①直線を感じさせるようす。「数値がーに増える・ーな服」 ②寄り道をしないようす。「ーにゴールへ向かう・ーな発展」

**ちょくせん【勅×撰】**《名・他サ》〔文〕〔書物を〕天皇・皇帝などの命令によって編集すること。「ー和歌集」(↔私撰)

**ちょくぜん【直前】**すぐ前。「車のー横断・死のー・〔副詞的に〕ー、不審な車が目撃されていた」(↔直後)

**ちょくそう【直葬】**通夜や告別式をせず、亡くなった人をそのまま火葬すること。また、そのまま火葬場に運んでする葬式。じきそう。「ープラン」

**ちょくそう【直送】**《名・他サ》直接、相手に送ること。

**ちょくぞく【直属】**《名・自サ》直接、従属すること。「文部科学省ーの機関・ーの上司」

**ちょくちょう【直腸】**〔生〕大腸の最終部分。上はS状結腸につづき、下は肛門に通じる。「ーがん(癌)」

**ちょくちょく**《副》ちょいちょい。

**ちょくつう【直通】**《名・自サ》乗りかえや中継なしに目的地に通じること。「ー電話・ー列車」

**ちょくとう【直登】**《名・自サ》〔登山〕きりたった岩山などを、ザイルを使って、まっすぐ頂上にのぼること。

**ちょくとう【直答】**《名・自サ》①その場ですぐに答えること。即答。「ーを避ける」 ②人づてでなく、直接答えること。▽じきとう。

**ちょくとう【勅答】**《名・自サ》〔文〕①天皇の答え。②天皇の問いかけに対する臣下の答え。

**ちょくどく**［直読］《名・他サ》〔文〕漢文などを、訓読しないで、上から順に字音のままで読むこと。「―直解〔=直読して、そのまま意味を理解すること〕」

**ちょくのう**［直納］《名・他サ》取次店などを通さず、直接、品物をおさめること。

**ちょくはい**［直配］《名・他サ》①生産者から消費者に直接、配給すること。②直接、配達すること。

**ちょくばい**［直売］《名・他サ》生産者が消費者に直接、売ること。「産地―・―店」

**ちょくはん**［直販］《名・他サ》生産者が問屋や代理店を通さずに販売すること。

**ちょくひ**［直披］〔披=ひらく〕《手紙》〔文〕わきづけの一種。親展。じきひ。「ご―」

**ちょくふう**［勅封］天皇の命令で封印をして、あけさせないこと。

**ちょくほうたい**［直方体］《数》どの面も長方形である、六面体。れんがや とうふのような形(のもの)。(↕立方体)

**ちょくめい**［勅命］〔文〕①天皇の命令。「―がくだる」②上の者からの、絶対的な命令。

**ちょくめん**［直面］《名・自サ》直接〈向きあう/対する〉こと。「重大な事態に―する」

**ちょくもう**［直毛］くせのない、まっすぐな毛。ストレート。

**ちょくやく**［直訳］《名・他サ》外国語を、その字句の意味の とおりに訳すこと。逐語訳。(↕意訳)

**ちょくゆ**［直喩］「ような・みたいな」などのことばを使って、それに似ていることを示すたとえ方。例、山のような仕事・棒のようなもので たたく。(↕隠喩)

**ちょくゆ**［勅諭］〔旧憲法で〕天皇が国民に直接さとすために下したことば。「軍人―」

**ちょくゆにゅう**［直輸入］《名・他サ》直接、輸入すること。じきゆにゅう。(↕直輸出)

**ちょくりつ**［直立］《名・自サ》①まっすぐに立つこと。「―不動の姿勢」②けわしく そびえること。

**ちょくりゅう**［直流］㊀〔↑直流電流〕《理》一つの方向にだけ流れる電流。DC。(↕交流) ㊁《名・自サ》〔文〕川がまっすぐに流れること。

**ちょくれい**［勅令］〔文〕天皇・帝王が、文書にして出させる命令。「―が発せられる」

**ちょくれつ**［直列］《名・他サ》①縦一列に〈並ぶ/並べる〉こと。「惑星が―する」②《理》電池・電球などを一列に並べるつなぎ方。▽(↕並列)

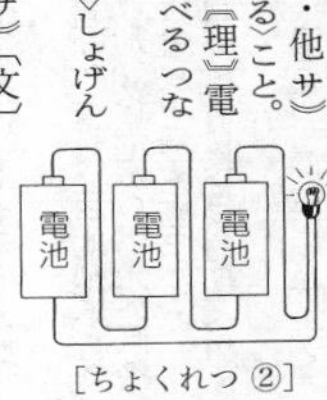

［ちょくれつ ②］

**ちょげん**［緒言］〔文〕⇩しょげん(緒言)。

**ちょげん**［著減］《名・自サ》〔文〕めだって へること。「事故が―する」(↕著増)

**ちょこ**［(:猪口)］①陶器の、小さな さかずき。②「ちょこ①」の形に似た陶器の入れもの。おかずをもるために使う。▽ちょく。☞おちょこ。

**チョコ**　↑チョコレート。「板―・―チップクッキー・―バナナ〔=とかしたチョコをコーティングしたバナナ〕」

**ちょこう**［著効］〔文〕〔療法や投薬が〕特にすぐれた ききめをあらわすこと。「肺がんに―を示す」

**チョココロネ**〔cornet=角笛〕角笛の形のパンまたはパイに、チョコレートクリームをつめたもの。チョココルネ。

**ちょこざい**［(:猪口=オ)］《名・ナダ》〔俗〕こざかしいこと。なまいき。「―なやつ」

**ちょこちょこ**《副・自サ》①(小さなものが)小またに〈歩く/走る〉ようす。「子犬が―(と)走る」②いそがしそうで おちつかないようす。「―した男」

**ちょこっと**《副》〔俗〕ごくわずかであるようす。ほんのちょっと。「―つきあえ・―残っている」

**ちょこなんと**《副》(じっと)小さく かしこまっているようす。ちょこんと。

**ちょこまか**《副・自サ》そのへんをあちこち動いておちつかないようす。「―(と)動きまわる」

**チョゴリ**〔朝鮮 jeogori〕朝鮮の民族服の上着。たけが短く、筒そで。胸のところで、幅広の長いひもを結ぶ。男女とも同形。男性はパジ〔=ゆったりした長ズボン〕、女性はチマ〔=足首までのスカート〕と組み合わせる。

**チョコレート**〔chocolate〕①カカオの実を煎って砂糖・粉ミルクなどを加えてねり、型に流してかためた菓子。ショコラ。チョコ。「―ブラウニー」②ココア。「ホット―」③〔↑チョコレート色〕黒みがかった茶色。

**ちょこんと**《副》①急に小さく動くようす。「―頭を下げる」②ちょこなんと。

**ちょさく**［著作］《名・自他サ》①本を書くこと。著述。「―家〔=職業として著作をする人〕・―者〔=その本を書いた人〕」②書いた本。③《法》文芸・学術・美術・音楽などの制作。「―物」 ●☆☆**ちょさくけん**［著作権］《法》著作者が自分の著作したもの〔=文章・楽曲・映像など〕について、複製・上演・上映・翻訳などを許諾する権利。コピーライト。☞知的財産権。

**ちょしゃ**［著者］著作した人。本などの作者。「―近影」 区別 ⇩作者①。

**ちょじゅつ**［著述］《名・自他サ》本や文章を書くこと。また、書いたもの。「―業」

**ちょしょ**［著書］書いた本。

**ちょすい**［貯水］《名・自他サ》水をたくわえること。 ●**ちょすいち**［貯水池］用水をたくわえる いけ。

**ちょせん**［緒戦］〔文〕⇩しょせん(緒戦)。

**ちょぞう**［著増］《名・自サ》〔文〕目立って ふえること。(↕著減)

**ちょぞう**［貯蔵］《名・他サ》たくわえておくこと。「―量・―施設」

**ちょだい**［著大］《ナダ》〔文〕非常に大きいこと。「先人の業績に負うところ―である」

**ちょだま**［貯玉］〔パチンコで〕出玉を景品と交換せずに店に預け、次回に利用するしくみ。また、その預けた玉。「―会員」

**ちょちく**［貯蓄］《名・他サ》①お金などをたくわえること。ためること。②〔その人の持っている〕貯金・預金・株券・債券・生命保険の掛け金などをまとめて言う呼び名。

**ちょちちょち**《感》〔ちょち↑手打ち〕〔児〕赤ちゃんをあやすことば。胸の前で両手や両人さし指をふれ合わせる。ちょうち ちょうち。「―あわわ〔手を口に持っていきて、たたきながら言う〕」

**ちょちょい-の-ちょい**《副》〔俗〕たやすく、短い時間でするようす。「―と書く・そんな仕事は―だ」

**ちょちょぎ・れる**［ちょちょ切れる］《自下一》〔俗〕〔なみだが〕流れて止まらない。

**ちょちょっと**《副》〔話〕簡単に〈手早く／少し〉するようす。「会議の初めに―説明する」

**ちょっか**［直下］《名・自サ》〔文〕①まっすぐに下がること。「急転―」②すぐ下。ました。「赤道―（＝赤道に照りつける太陽の ました）」 ●**ちょっかがたじしん**［直下型地震］《地》その土地の すぐ下にある活断層が引き起こす地震。「大災害をもたらした都市―」

**ちょっかい**〔俗〕①（＝ネコが前足で、ものをちょっと かきよせるしぐさ）〔俗〕①からかうように、口出しや手出しをすること。②ちょっと好きな相手を誘惑すること。▽「―を出す・―をかける・―は やめろ」

**ちょっかく**［直角］《数》二つの直線の まじわる角度が九〇度である〈こと／角〉。たとえば、水平な線に棒をまっすぐに立てたときの角度。「―三角形（＝一つの角が直角である三角形）」

**ちょっかく**［直覚］《名・他サ》〔文〕見たり聞いたりして、直接的に感じとること。直観。「自然を―する」

**ちょっかつ**［直轄］《名・他サ》直接の管轄。「文部科学省―の研究機関」

**ちょっかっこう**［直滑降］《スキー》斜面をまっすぐに すべりおりること。（↔斜滑降）

**ちょっかん**［直×諫］《名・自サ》〔文〕〔目上の人に〕じきじきに いさめること。「主君に―する」

←**ちょっかん**［直感］《名・他サ》 きっと そうにちがいないと、急に頭に ひらめくこと。ぴんとくること。「夫は何かかくしていると―した・―で答える」

→**ちょっかん**［直観］《名・他サ》①〔論理的な考えに対し〕目や耳などを通して、直接に感じとる〈こと／はたらき〉。直覚。「外国語の文章が正しいかどうかは、―ではわかりにくい」（↔論理）②直感。

**ちょっかんひりつ**［直間比率］《経》直接税と間接税の比率。

**ちょっき**［直帰］《名・自サ》出先で仕事をしていた人が、勤務先にもどらず直接帰宅すること。ノーリターン。

「得意先への直行―」

**チョッキ**〔ポ jaque〕《服》〔古風〕ベスト。「上着、―、ズボン・防弾―」

**ちょっきゅう**［直球］①《野球》スピードがあって、まっすぐな〔曲がったり落ちたりしない〕投球。ストレート（ボール）。②真正面から せめこむこと。「―勝負の営業（＝正統的な売りこみ方）・『つき合っている人はいますか』と―で（＝ストレートに）聞いてきた」〔俗に、形容動詞としても使う。「―な言い方」〕▽（↔変化球）

**ちょっきょ**［勅許］《名・他サ》〔文〕〔してもいいという〕天皇の ゆるし。「―を得る」

**ちょっきり**《副》〔俗〕はしたが出ないようす。ちょうど。「十時―・―二万円」

☆☆**ちょっきん**［直近］①現在にいちばん近いとき。「―（＝最近）二年間の設備投資・―の予定・―（＝目の前）の問題」②〔組織で〕すぐ〈上／下〉。「―の上司」

**ちょっくら**《副》〔俗〕ちょっと。〔強調して〕ちょっくらちょいと。「―ものをうかがいます・―行ってくる」

☆☆**ちょっけい**［直系］①《法》その人を中心として、親子の関係で継続する系統。「―尊属（＝父母・祖父母など）・―卑属（＝子・孫など）」②直接の系統。▽（↔傍系）

**ちょっけい**［直径］《数》円周の上の一つの点から、中心を通って反対がわの点までのばした線（の長さ）。球についても言う。さしわたし。

**ちょっけつ**［直結］《名・自他サ》直接つな〈がる／ぐ〉こと。直接の結びつき。

**ちょっこう**［直交］《名・自サ》二本の線（あるいは面）が直角にまじわること。「国道と県道が―する」（↔斜交）

←**ちょっこう**［直行］《名・自サ》直接、目的地へ行くこと。「現場へ―する・―直帰（＝自宅から出先へ直接行って仕事をし、勤務先に もどらず帰宅すること）」

→**ちょっこう**［直航］《名・自サ》直接、目的地へ船・飛行機で行くこと。「―便」

**ちょっちょっ**《副》[一]ちょっちょっ 簡単に〈手早く／少し〉するようす。「―と髪を直す」[二]ちょっちょっ 舌打ちをする音。

****ちょっと**〔↑ちっと〕[一]**ちょっと**《副》〔会話や軽い文章で使う〕①〈分量が少ない／度合いが小さい〉ようす。少し。「英語は―しかできない・―（＝少しの間）目をはなしたすきに盗まれた・―待ってください」[区別]⇩少し。②その行動が たいした意味を持たないようす。「―出かける・―書いてみる」③程度が それほどでないかのように、やわらげて言うことば。「―いま いそがしいんですが・あいにく―切らしております・―ひどいんじゃない」④けっこう。少なからず。「―（ばかり）きれいな店がある・車には―くわしいよ」⑤〔後ろに否定が来る〕たやすくは。簡単には。「それは―考えられない・ひとりでは―勇気が出ない」⑥〔話〕〔そこで言いさしにして〕「困ります」「だめです」などの意味をあらわす。「『〔値段を〕負けてくださいよ』『それは―…』」⑦〔話〕どう言えばいいか わからず、ついつなぎに使う ことば。「先生が亡くなって、―残念な気持ちでいっぱいです」[注意]①の意味に誤解される場合があるので、注意が必要。[二]**ちょっと**《感》〔話〕呼びかけるときの ことば。「―、お客さん・〔非難して〕―、やめてよ」[三][造]〔数量をあらわす ことばにつけて〕…とあと少し。「十センチ―の長さ」[表記]かたく「:鳥渡」とも書いた。[語源]いっすん（一寸）。●**ちょっとやそっと**[句]大した数量・程度でないようす。わずかばかり。ちっとやそっと。「―（のこと）ではおどろかない・―の努力では追いつかない」●**ちょっとした**《連体》①程度が軽い。たいしたことではない。「―かぜ・―知識」②程度が軽くはない。ばかにならない。「―さわぎになった・―店を持つ・どうだ、―もんだろう」●**ちょっとみ**［ちょっと見］ちょっと見た〈ところ／感じ〉。「―はりっぱだが」

**ちょっぴり**《副》〔話〕わずかであるようす。少し。ちょっぴし〔俗〕。「―なめてみる・―さびしい」

**チョップ**〔chop〕①〔プロレスで〕切りつけるように打つこと。「空手―」②肋骨のついた、肉の切り身（を焼いた料理）。チャップ。「ポークー・ラム―」

**ちょとつ**［×猪突］《名・自サ》〔文〕イノシシのように向こう見ずに突進すること。「―猛進」

**ちょびっと**《副》〔話〕ごく わずかであるようす。「砂糖を―加える・給料が―上がる」

**ちょびひげ**［ちょび（×髭）］〔俗〕鼻の下に少しだけはやしたひげ。

**ちょぼ**①〔西日本方言〕しるしとして字のわきなどに打つ、点。ぽち。②《歌舞伎》役者がしゃべるせりふ以外の文章を義太夫節(ぎだゆうぶし)で語る人。竹本（連中(れんじゅう)）。

**ちょぼく**［貯木］《名・自他サ》〔文〕①材木をたくわえること。「—場」②たくわえてある材木。

**ちょぼちょぼ** 一 ちょぼちょぼ《副》①全体から見ると少ないようす。「毛が—(と)(=まばらに)生えている」②少しずつ。「雑誌に—(と)ものを書く」 二 ちょぼちょぼ〔関西などの方言〕①優劣(ゆうれつ)がないこと。どっこいどっこい。②ならんだ点々。「〃」(=ノノ点)のことも言う。

**ちょめい**［著名］《ナダ》(すぐれていて)よく名前が知られているようす。「—な学者」派—さ。

**ちょめい**［著明］《ナダ》〔文〕非常に明らかなようす。「症状(しょうじょう)が—に改善した」

**チョリソ(ー)**〔ス chorizo〕スペインの、からみの強い、小形のソーセージ。

**ちょりつ**［×佇立］《名・自サ》〔文〕たたずむこと。「ぼうぜんと—する」

**ちょりゅう**［貯留・×瀦×溜］《名・自他サ》〔文〕〔水などが〕たまること。また、ためること。

**ちょろ・い**《形》(「チョロい」とも書く)〔俗〕①簡単にやれるようすだ。「テストなんか—ものだ」②少しぬけているようす。考えが浅い。「—やつ」派—さ。

**ちょろぎ**［(:長呂儀)・(:草石蚕)］中国原産の多年草。巻き貝の形に似た地下茎(ちかけい)を、梅酢(うめず)で赤く染めたりして、正月料理に使う。ちょうろぎ。

**ちょろず**［千(△)万(よろず)］〔雅〕限りなく多いこと。せんまん。「—の民(たみ)」

**ちょろちょろ**《副・自サ》①少しの水が、たえず流れる〈音／ようす〉。「小川が—(と)流れる」②小さなほのおをあげているようす。「まだ—(と)燃えている」③小さいものがすばやく動き回るようす。「ネズミが—(と)走り回る」

**ちょろまか・す**《他五》〔俗〕①他人の目をかすめてぬすむ。「おやじのかねを—」②こっそり数字を変える。「ゴルフのスコアを—」▽ごまかす。

**ちょろりと**《副》わずかの間にすばやく〈やる／動く〉ようす。ちょろっと。「—見る・部屋を—ぬけだす」

**ちょろん**［緒論］〔文〕序論。しょろん。

**ちょん**〔俗〕①ものごとの終わり。「話はそれで—だ・—になる」由来 芝居(しばい)の始まりや終わりに打つ拍子木(ひょうしぎ)の音から。②「、」(=読点(とうてん))「〻」(=おどり字)」など、ちょっと打つ点。

**チョンガー**(↑朝鮮 chonggak(総角))〔古風・俗〕独身の男性。

**ちょんぎ・る**［ちょん切る］《他五》〔俗〕むぞうさに切る。「首を—(=解雇(かいこ)する)」

**ちょんちょこりん**〔俗〕①頭などについた小さなごみ。②〔女の子が〕頭の上で、ひとつまみの髪(かみ)をたばねた形。

**ちょんと**《副》①ものを切るようす。「—枝を切る」②ちょこんと。「—のっている」

**ちょんのま**［ちょんの間］①ほんのちょっとのあいだ。「—のこと」②〔古風・俗〕簡易な売春宿。

**ちょんぼ**［チョンボ］《名・自サ》①《マージャン》誤って上がりとすること。②〔俗〕思わずやった失敗。「大—」

**ちょんまげ**［(△丁×髷)・チョンマゲ］①江戸(えど)時代に男がゆった、小さなまげ。現在は、力士の習俗(しゅうぞく)として残る。「—時代」②〔俗〕長い髪(かみ)をうしろでたばね、たらした、男性の髪型。

**ちらか・す**［散らかす］一 ちらかす《他五》①あたりに乱雑に散らす。「ごみを—・食い—・服をぬぎ—」②場所を乱雑な状態にする。「部屋を—」自 散らかる《五》。二 遣〔俗・方〕さんざんに…する。「ほめ—・笑い—」

**ちらし** 一［チラシ・ちらし］宣伝のために配る、一枚に印刷した紙。「新聞の折りこみの—」 二［(散らし)］↑散らしずし。 三［散らし］①散らすこと。散らしたもの。「梅の もようの—」②カルタ取りで、まんなかにふだをまきちらして取ること。●**ちらしずし**［散らし:寿司］①すし飯の上に さかな・たまご焼きなどを細かく刻んで のせた食べ物。ふき寄せずし。〔関東に多い〕☞海鮮丼(かいせんどん)。②五目ずし。〔関西に多い〕▽ちらし。

**ちら・す**［散らす］一 ちらす《他五》①散るようにする。「火花を—・水玉を散らしたワンピース・球を—(=いろいろ、ちがった場所へ投げる)」②はれものを広がらせて、なくす。▽散らせる。二 遣 乱雑に…する。順序もなく…する。「投げ—・書き—・読み—」

**ちらちら**《副・自サ》①小さなものが、細かに動きながら落ちるようす。「雪が—降る」②光が見えたり消えたりするようす。また、ものを見たとき、目がそのようになるようす。「いさり火が—見える」③もののかげから、少し見えたりかくれたりするようす。④(気になって)何度も視線を向けるようす。

**ちらつか・せる**《他下一》①ちらちらと見せる。②…を〈おどし／ほうび〉に用いて何かをさせようとする。「武力行使を—・ポストを—」▽ちらつかす。

**ちらつ・く**《自五》ちらちらする。「雪が—・光が—・笑顔(えがお)が目に—」

**ちらっと**《副》ちょっと。〔「ちらりと」より時間が短い感じ〕

**ちらば・る**［散らばる］《自五》乱雑に散りみだれる。ばらばらに散り広がる。「ごみが—」他 散らばせる《下一》・散らばす《五》。「破片(はへん)を—」

**ちらほら**《副》あちこちに少しずつあるようす。まばらなようす。「桜が—さきはじめた」

**ちらみ**［チラ見］《名・他サ》〔俗〕ちらっと見ること。「時計を—する」(↔ガン見)

**ちらみせ**［チラ見せ］《名・他サ》少しだけ見せること。「肌(はだ)を—するワンピース・正式発表前の新作ゲームを—する」

**ちらりズム**［チラリズム］〔俗〕かくすべき所をちらりと見せるやり方。

**ちらりと**《副》①短い時間、目に見えるようす。また、見るようす。「テレビに—映った」②少し、うわさなどを聞くようす。「その話は—聞いた」

**ちらりほらり**《副》ちらほら。〔「ちらほら」より少ない感じ〕

**ちらん**［治乱］〔文〕世の中の おさまることと みだれること。「—興亡」

**ちり**［地理］①その土地の状態。「—に明るい」②〔地〕地球上の地形や自然、土地利用などの様子。③↑地理学。「—歴史科(=地歴)」

ち

**ちり**[(×塵)・チリ] ①小さな ごみ。〔土ぼこりなども ふくむ〕「服の―を払う・〔和装で〕―よけのコート」 ②ねうちのないもの。 ③ごく わずか。「―ほども考えない」 ●**ちりも積もれば山となる**[句] ほんのわずかなものでも積もり積もれば大きなものになる。 ●**ちりを切る**[句]《すもう》土俵に上がった力士が、蹲踞し、合わせた手のひらを開いて、うでを左右に大きくのばす動作。

**ちり** ↑ちりなべ。「ふぐ―」

**チリ**〔Chile〕 南アメリカ大陸の西南部にある共和国。南北に細長い。首都、サンティアゴ(Santiago)。智。[表記]「:智利」は、古い音訳字。

**チリ**〔chili〕 ↑チリ ペッパー・チリ ソース。「―ドッグ・―パウダー」

**ちりあくた**[(×塵×芥)] ①ちりと あくた。ごみ。 ②ねうちのないもの。つまらないもの。

**ちりがみ**[(×塵)紙・チリ紙] はながみなどに使う、そまつでやわらかい紙。ちりし。「―交換」

**ちりけ**[(:身柱)] 両肩の間の、背骨の上。きゅう(灸)をすえる所。「―もと〔=えりくびの あたり〕」

**チリコンカン**〔chili con carne〕 ひき肉(と豆)にチリペッパーを入れて煮た、メキシコふうのアメリカ料理。チリコン カーン。チリ コン カルネ。

**ちりし**[(×塵)紙]〔古風〕⇩ちりがみ。

**ちりしく**[散り敷く]《自五》(花が)散って あたり一面に ものを敷いたように散らばる。

**チリソース**〔chili sauce〕 チリペッパーを主とする香辛料のはいった、ぴりっとからいトマトソース。「エビの―煮」

**ちりちり** ちりちり《副・自サ》・ちりちり《ナダ》 ①毛糸や かみの毛などが焼ける〈音/ようす〉。 ②縮れているようす。「葉が―になる・―のパーマ」 ③ひどい〈熱さ/冷たさ〉を感じるようす。「ふろの湯が熱くて はだが―する」

**ちりぢり**[散り散り]《ナダ》 ①まとまっていた人や ものが、別々の場所に はなれるようす。「親子きょうだいが―になる・―に(なって)にげる・―ばらばら」 ②いくつもの部分に はなれ(て消え)るようす。「雨雲が―になる」

**ちりっぱ**[(×塵っぱ)]〔俗〕ちり。「―一つ ない」

**ちりとり**[(×塵)取り] ほうきで はきよせた小さな ごみや ほこりを受け取る道具。ごみとり。

**ちりなべ**[ちり鍋] なべ料理の一つ。白身の さかなに とうふ・野菜などを取り合わせ、煮たもの。ポン酢で食べる。ちり。

**ちりのこる**[散り残る]《自五》〔ほかのものは散ってしまったのに〕散らないで残る。

**ちりばめる**[(×鏤める)]《他下一》 ①〔宝石・金・銀などを〕ところどころに はめこむ。「ダイヤをちりばめた王冠」 ②〔文章などの〕ところどころに入れる。「美辞麗句をちりばめた文章」 [表記] 一般には「散りばめる」とも〔「散る」と関係があるとも考えられることから〕。

**チリペッパー**〔chili pepper〕 赤く熟したトウガラシ。乾燥させて香辛料に使う。赤とうがらし。レッド ペッパー。チリ。

**ちりめん**[(△縮×緬)] ①生糸を使って平織りにし、なまぬるい湯に入れて縮ませた絹織物。 ②↑ちりめんじゃこ。 ●**ちりめんじゃこ**[(△縮×緬:雑魚)]〔もと西日本方言〕 しっかり かわくまで干した しらすぼし。ちりめんざこ。ちりめん。 ●**ちりめんじわ**[(△縮×緬×皺)] ちりめんのように細かな しわ。

**ちりゃく**[知略・×智略]〔文〕頭を使った戦術・戦略。「―の人・―にすぐれる」

**ちりょ**[知慮・×智慮]〔文〕知恵と、それにもとづく考え。「―がある・―深い・―分別」

***ちりょう**[治療]《名・他サ》 患者の病気・けがなどを治すためにすること。療治。「薬で―する・―をほどこす・歯の―」

**ちりょく**[地力]《農》土地の生産力。☞じりき(地力)。

**ちりょく**[知力・×智力]〔文〕知恵の はたらき。

**ちりれんげ**[(散り×蓮華)] ⇩れんげ②。

**ちりん**《副》 すずなどが軽く一回鳴る音。「風鈴が―とゆれる」

**ちる**[散る]《自五》 ①いろいろな方向に分かれてとぶ。ちらばる。「火花が―・波が―〔=白くくだける〕」 ②〔花・葉などが〕落ちる。「花が一面に散っている」 ③消え去る。「霧が―」 ④〔桜の花のように〕いさぎよく戦死する。〔若くて〕死ぬ。「南海に―・花と―」 ⑤〔心が〕集中しなくなる。「気が―」 ⑥にじんで広がる。「墨が―」 ⑦はなればなれに別れる。「群衆が―」 ⑧痛み・はれものが うすくなって、なくなる。[名]散り。[可能]散れる。

**チル**《名・自サ》〔↑chill out〕〔俗〕のんびりと くつろぐこと。「―しに行く」〔二〇一〇年代後半に広まったことば。形容詞化して「チルい」、動詞化して「チルってる」とも。「チルいミュージック《=テンポのゆっくりした音楽》」〕

☆☆**チルド**〔chilled〕 ①低温冷蔵。「―室」 ②製造から販売まで、食品を低温冷蔵のまま管理すること。「―食品・―ビーフ・―コーヒー」

**チルドレン**〔children〕 ①子どもたち。 ②〔俗〕ある人物の〈影響を強く受けた/思いどおりに動く〉人々。〔人名を冠して用いる〕

**ちれい**[地霊] 土の中に住むという、精霊。

**ちれき**[地歴] ①地理と歴史。 ②〔↑地理歴史科〕世界史・日本史・地理をまとめた高等学校の教科。 ③その土地の歴史。「過去の―」

**ちれん**[地連]〔組合・団体の〕地区連合会。「関東―」

**ちろちろ**《副・自サ》 ①小さな ほのおが、細かく動くようす。「―(と)燃える火」 ②細かく動き回るようす。「ヘビが―舌を出す」

**ちろり**[(:銚釐)] 酒をあたためる、金属で作った器。筒形で、つぎ口と取っ手がついている。

[ちろり]

**チロリアン**〔Tyrolean〕 チロル〔=オーストリアの西の、アルプス地方〕ふう。 ●**チロリアンハット**〔Tyrolean hat〕 ひもや リボンを巻き、はねをさした、つばの せまい登山帽。

[チロリアンハット]

**ちわ**[痴話] 男女の情話。むつごと。

**ちわ**《感》〔俗〕↑こんにちは。ちは。「ちわー、三河屋です」

**ちわげんか**[痴話(×喧×嘩)]《名・自サ》 恋人や夫婦の間で起こる たわいもない けんか。

**チワワ**〔ス chihuahua〕メキシコ原産の、世界最小の犬。大きく立った耳と、つぶらな黒い目を持つ。

**ちん**［(×狆)］家で飼う、からだが小さくて毛の長い日本犬。耳はたれ、目は まるくて大きい。☞ちんくしゃ。

**ちん**［△亭］〔「亭」の唐音〕庭園の あずまや。

**ちん**［チン］《名・他サ》〔昔の電子レンジが出す音から〕〔俗〕①電子レンジで温めること。「レンジでーする〈☞レンチン〉」②電子レンジ。「ーがあるから便利だ」

**ちん**［珍］㊀**ちん**《名・ナダ》〔文〕めずらしい〈こと／もの〉。「それはーだね〈=変わっているね〉・ーな光景」㊁造①めずらしい。「ー現象」②おもしろおかしい。「ー騒動・ー道中」●**珍とする**句〔文〕めずらしいと思う。「べつだんーに足らない」

**ちん**［朕］《代》〔文〕天皇・帝王が自分をさして言ったことば。「ー惟うに」

**ちん**接尾〔児〕ちゃん。「たっー」

**ちん**［賃］造①賃金。「手間ー」②駄賃。「お使いー」③運賃。「電車ー・車ー」

**ちんあげ**［賃上げ］《名・自サ》賃金、特に基本給を上げること。ベースアップ。「ー闘争」(↕賃下げ)

**ちんあつ**［鎮圧］《名・他サ》暴動などを、力でおさえつけて しずめること。

**ちんあなご**［(×狆穴子)］顔が犬のチン(狆)に似た、アナゴの一種。海底の砂から半身を出し、えさのプランクトンを待って ゆらゆらとしている。

**ちんあん**［珍案］変わった思いつき。

**ちんうつ**［沈鬱］《ナダ》〔文〕気がしずんで ふさぐようす。「ーな顔色」派ーさ。

**ちんか**［珍花］〔文〕めずらしい花。

**ちんか**［珍果］〔文〕めずらしい くだもの。

**ちんか**［珍菓］〔文〕めずらしい菓子。

**ちんか**［沈下］《名・自サ》しずんで下がること。「地盤ー」

**ちんか**［鎮火］《名・自他サ》火事〈が消える／を消す〉こと。(↕出火)

**ちんがい**［鎮×咳］《医》せきをしずめること。せきどめ。「ー薬」

**ちんがし**［賃貸し］《名・他サ》料金を取って貸すこと。賃貸。(↕賃借り)

**ちんカツ**［賃カツ］↑賃金カット。

**ちんがり**［賃借り］《名・他サ》料金を出して借りること。賃借。「ピアノのー」(↕賃貸し)

**ちんき**［珍奇］《名・ナダ》〔文〕めずらしくて変わっていること。「ーな形」派ーさ。

**ちんき**［珍希・珍×稀］《ナダ》〔文〕めずらしくて めったにないこと。「ーな品物」

**チンキ**〔↑チンキチュール(オ tinctuur)〕《医》生薬を〈アルコール／エーテル〉にひたして成分を出させた液体。「ヨードー」表記「:丁幾」は、古い音訳字。

**ちんきゃく**［珍客］①めずらしい客。②出現しそうにない〈場所／季節〉に あらわれた動物。

**ちんぎょ**［珍魚］〔文〕めずらしい さかな。

**ちんきん**［沈金］うるしを塗った表面に細く模様をほりつけ、金箔をおしこんだ細工。

**ちんぎん**［賃金］《経》やとわれて働く人が、その報酬として受け取る お金。「低ー・ー格差」区別⇩報酬。表記「賃銀」とも書いた。

**ちんぎん**［沈吟］《名・自他サ》〔文〕①しずかに くちずさむこと。②じっと考えこむこと。

**ちんくしゃ**［(×狆くしゃ)］〔=チンが くしゃみをしたようだ〕〔俗〕みにくい顔の形容。

**ちんけ**［チンケ］《ナダ》〔俗〕(小さくて／かっこ悪くて)つまらないようす。「ーな国・ーな動物・ーな感情」由来さいころばくちで、最低の目の数である一のこと。

**ちんけい**［珍景］〔文〕めずらしい光景。「世界のーをめぐる旅」

**ちんけい**［鎮×痙］《医》けいれんをおさめること。「ー剤」

**ちんげい**［珍芸］めずらしくて おもしろい芸。こっけいで変わった芸。

**チンゲンさい**［(:青梗=菜)・チンゲンサイ］〔「青梗」は中国語〕中国野菜の一種。あざやかな緑白色で葉もくきも やわらかい。「豚肉とーの いためもの」

**ちんご**［珍語］めずらしい、変わったことば。

**ちんご**［鎮護］《名・他サ》〔文〕世の中のみだれをしずめ、守ること。「国家をーする」

**ちんこう**［沈降］《名・自サ》〔文〕しずんで下がること。「赤血球ー速度・ー海岸〈=陸地が下がってできた、入り江の多い海岸。(↕隆起海岸)〉」

**ちんころ**〔俗〕①ちん(狆)。②小犬。

☆☆**ちんこん**［鎮魂］《名・自サ》〔文〕死んだ人の魂をしずめること。たましずめ。「ー祭・ー歌」●**ちんこんきょく**［鎮魂曲］《音》⇩レクイエム。

**ちんざ**［鎮座］《名・自サ》①神の霊がその地にしずまること。②おもおもしく そこに〈ある／いすわる〉こと。「部屋の中央に大きな机がーする」〔からかっても言う〕

**ちんさげ**［賃下げ］《名・自サ》賃金、特に基本給を下げること。(↕賃上げ)

**ちんし**［沈思］《名・自サ》〔文〕ものおもいに しずむこと。しずかに考えること。「ー黙考する」

**ちんじ**［珍事］①めずらしい事件。「近来のー」②［×椿事］意外な事件。事故。

**ちんしごと**［賃仕事］手間賃をもらってする、補助的な仕事。

☆☆**ちんしゃ**［陳謝］《名・自他サ》〔文〕おわび(を表明)すること。「計画のおくれを関係者にーする・心よりー申し上げます」

**チンジャオロース(ー)**［(:青椒肉絲)］〔中国語〕細切りにした豚肉やピーマン、タケノコを油でいため、オイスターソースなどで味つけした中国料理。

**ちんしゃく**［賃借］《名・他サ》〔文〕ちんがり。「ー権」(↕賃貸)

**ちんしゅ**［珍種］めずらしい種類(の生物)。

**ちんじゅ**［鎮守］その土地や寺を守る神(をまつった神社)。「村のー・ーの森」

**ちんじゅう**［珍獣］めずらしい けもの。「オーストラリアのーウォンバット」

☆☆**ちんじゅつ**［陳述］《名・他サ》①〔文〕口で のべること。②《法》〔裁判のとき〕事実や意思を〈口／書面〉でのべること。「冒頭ー」

**ちんしょ**［珍書］〔文〕めずらしい書物。

**ちんじょう**［△枕上］〔文〕まくらもと。枕頭。「ーに本を置く」

☆☆**ちんじょう**［陳情］《名・他サ》実情をのべて、希望がかなえられるように願うこと。「―書」

**ちんすこう** 沖縄の菓子。小麦粉にラードと砂糖を入れてこね、ビスケットのように焼きあげたもの。

**ちんせい**【沈静】《名・自サ・ナダ》〔文〕おちついてしずかになる〈こと・ようす〉。「インフレが―化する・心の―」

☆**ちんせい**【鎮静】《名・自他サ》①さわぎ・勢いがしずかになること。さわぎ・勢いをしずめること。「国内が―する」②神経をしずめ、おちつかせること。「―剤」

**ちんぜい**【鎮西】〔文〕昔、九州地方のこと。

**ちんせつ**【珍説】めずらしい〈説・意見〉。

**ちんせん**【沈船】〔文〕沈没した船。

**ちんせん**【賃銭】した仕事に対して〈受け取る・出す〉お金。賃金。

**ちんせん**【沈潜】《名・自サ》〔文〕①水の底にしずんでかくれること。②深く〈考えにしずむ・考察する〉こと。

**ちんそう**【賃走】〔タクシーで〕客を乗せ、距離メーターを作動させて走行すること。

**ちんぞう**【珍蔵】《名・他サ》〔文〕めずらしがってだいじにしまっておくこと。

**ちんたい**【沈滞】《名・自サ》意気が あがらないこと。「―した空気」

**ちんたい**【賃貸】《名・他サ》①ちんがし。「―住宅」（↔賃借）②↑賃貸住宅。「―に住む」

**ちんたいしゃく**【賃貸借】〔法〕相手に自分の持ち物を使用させ、それに対して相手が借り賃をしはらう契約。

**ちんたら**《副・自サ》〔俗〕やる気がなく、のろのろと何かをするようす。だらだら。「―歩くな・―仕事をする」

**ちんだん**【珍談】めずらしい話。

**ちんちくりん**《名・ナダ》〔俗〕①背の低い〈ようす・人〉。②衣服が短すぎて、せたけとつりあわないようす。〔その状態をおかしがって言うことば〕

**ちんちゃく**【沈着】[一]《名・ナダ》おちついて あわてないこと。「冷静―な行動」[派]―さ。[二]《名・自サ》〔文〕底にたまって、つくこと。「コレステロールが―する」

**ちんちょう**【珍鳥】〔文〕めずらしい鳥。

**ちんちょう**【珍重】《名・他サ》めずらしがって大切にすること。「名産として―される」[派]―がる。

**ちんちょうげ**【沈丁△花】⇩じんちょうげ。

**チンチラ**〔chinchilla〕①太ったネズミのような形の哺乳類。南米原産。②長い毛をもつ猫。ペルシャの一種。

**ちんちろりん** [一]《副》マツムシの鳴く声。[二]〔俗〕①マツムシ。②三個のさいころを茶わんに投げ入れ、出た目で勝負を争うかけごと。

**ちんちん** [一]《名・自サ》犬の芸の一つ。すわって上体をまっすぐに立て、両前足を上げること。[二]《副》①小さな鐘やベルをならす音。②〔鉄びんの〕湯が音を立ててわくようす。③チドリの鳴き声。[三]〔児〕陰茎。「お―」 ●**ちんちんかもかも**《名・自サ》〔俗〕男女が非常になかよくしていること。●**ちんちんでんしゃ**【チンチン電車】合図のベルが「ちん」と鳴る、一両か二両の路面電車。

**ちんちん**【沈々】《タトル》〔文〕①ひっそりしたようす。②夜がふけてしずかなようす。

**ちんつう**【鎮痛】〔医〕痛みをしずめること。「―剤」

☆**ちんつう**【沈痛】《名・ナダ》かなしみにしずんで胸を痛めるようす。「―なおももち」[派]―さ。

**ちんてい**【鎮定】《名・自他サ》〔暴動や反乱などを〕しずめておちつかせること。

**ちんでん**【沈殿・沈×澱】《名・自サ》液体の中のまじりものが底にしずんで〈たまること・たまったもの〉。

**ちんと**《副》取りすましてじっとすわっているようす。

**ちんとう**【△枕頭】〔文〕まくらもと。「―の書（=寝床に持ちこんで愛読する本）」

**ちんとう**【珍答】〔文〕とっぴなこたえ。

**ちんとう**【賃闘】↑〈賃金・賃上げ〉闘争。

**ちんとんしゃん**《副》三味線をゆっくりと鳴らす音。

**ちんどんや**【ちんどん屋・チンドン屋】人目をひく変わった服装をし、楽器を鳴らしながら宣伝・広告して、街を練り歩く人。〔以前、東京で「広め屋」、大阪で「東西屋」と言った〕

**ちんにゅう**【×闖入】《名・自サ》〔文〕とつぜん、はいりこむこと。とびこむこと。「―者」

**ちんば**【〈×跛〉】〔古風・俗〕[一]一方の足に障害があるため、ふつうの歩き方がむずかしい〈こと・人〉。〔差別的なことば〕[二]《名・ナダ》対になっているべき物の片方がちがっていること。ふぞろいなこと。かたちんば。「―のくつ」〔[一]の意味を連想させて、語感が悪い〕

**チンパンジー**〔chimpanzee〕小形の類人猿。利口で、人になれやすい。黒猩々。チンパン。

**ちんぴ**【陳皮】ミカンの皮を干したもの。漢方のほか、料理のかおりづけに使う。

**ちんぴら**〔チンピラ〕〔俗〕①子どもなのに、おとなのようにえらそうな言動をするもの。②不良少年。不良少女。「―強盗」③暴力団の下っぱ。

**ちんぴん**【珍品】めずらしい品物。

**ちんぶ**【鎮×撫】《名・他サ》〔文〕しずめおちつかせること。「暴徒を―する」

☆**ちんぷ**【陳腐】《ナダ》①ありふれていて つまらないようす。「―な表現・技術が―化する」②〔文〕古くさいこと。[派]―さ。

**ちんぶつ**【珍物】〔文〕めずらしいもの。珍品。

**ちんぶん**【珍聞】〔文〕めずらしい うわさばなし。

**ちんぷんかんぷん**《名・ナダ》〔「チンプンカンプン」とも書く〕〔話〕〔話などの〕わけがわからないこと。ちんぷんかん。[表記]「珍紛漢紛」などとも。[派]―さ。

**ちんべん**【陳弁】《名・他サ》〔文〕事情をのべて弁解すること。「―につとめる」

**ちんぽ**〔俗〕陰茎。ちんこ。ちんぽこ。ちんぼこ。

**ちんぽう**【珍宝】〔文〕めずらしいたからもの。

**ちんぼつ**【沈没】《名・自サ》①〔船などが〕水中にしずむこと。②〔俗〕酔いつぶれること。③〔俗〕〔用事のとちゅうで〕よその家にはいりこんで遊ぶこと。④〔俗〕〔長期の旅行で〕たいした目的もなく、ある町にとどまること。

**ちんぽん**【珍本】めずらしい本。

**ちんまり**《副・自サ》小さくまとまっているようす。「―（と）した庭」

**ちんみ**【珍味】①めったに食べられない、変わった味の食べ物。「山海の―」②酒のつまみになる、加工した魚介類など。例、からすみ・塩辛。「―売り場・―類」

**ちんみょう**【珍妙】《ナダ》変わっていて〈おかしい・へんな

ようす。「—な味」派—さ。

**ちんむるい**［珍無類］《名・ナダ》このうえもなく変わっていて、めずらしいようす。「—の小説・—なハプニング」派—さ。

**ちんめい**［珍名］めずらしい、人の名前。

**ちんもく**［沈黙］《名・自サ》①だまりこむこと。②活動しないこと。「打線が—する」•**沈黙は金** 句〔西洋のことわざから〕だまって何も言わないのが、最上の分別だ。「雄弁は銀、—」•**沈黙を守る** 句 〈何も言わないで／活動しないで〉時をすごす。•**沈黙を破る** 句 ①静かな状態をこわして〈発言する／音を出す〉。②再び活動を始める。

**ちんもち**［賃餅］料金を取ってつ(搗)くもち。

**ちんもん**［珍問］とっぴな質問。奇問。

**ちんゆう**［沈勇］〔文〕おちついていて勇気のあること。「—の人」

**ちんゆう**［珍優］〔文〕変わった演技を見せる俳優。

**ちんりょう**［賃料］借りる人が はらう料金。家賃・部屋代・レンタル料など。

**ちんりん**［沈×淪］《名・自サ》〔淪＝しずむ〕〔文〕おちぶれて、しずみこむこと。「悲境に—する」

**ちんれつ**［陳列］《名・他サ》物をならべ(て人に見せ)ること。「商品の—・—室・《法》わいせつ物—」

**ちんろうどう**［賃労働］賃金を受け取るために おこなう労働。

**ちんろん**［珍論］〔文〕変わった、おもしろい議論。

# つ　ツ

**っ**◇つまる音。促音。また、その かな。カタカナでは「ッ」。①漢字の音読みで、末尾の音が変わったもの。「がっき(楽器)〔↑がく＋き〕・がっさく(合作)〔↑がふ《＝今の『ごう』のもとの形》＋さく〕」②音便形としてあらわれるもの。「取って〔↑取りて〕・行ったり〔↑行きたり〕・行こっか〔↑行こうか〕」☞促音便。③ことばが なまって あらわれるもの。「おっさん〔↑おじさん〕・やるっきゃない〔↑やるしかない〕」④強調形が定着したもの。「まったく〔↑またく〕・すばしっこい〔↑すばしこい〕」⑤〔話〕強調したり、さけんだりするときに、ことばの途中や最後に あらわれるもの。「かっわいい〔↑かわいい〕・火事だっ・痛っ」⑥擬声語・擬態語に あらわれるもの。「どっきり・きゃっきゃっ」⑦外来語に あらわれるもの。「アップ・バック・コックピット」

**つ**《助動下二型》〔文〕〔完了の助動詞〕①動作の完了をあらわす。もう…てしまった。「命は捨て—〔＝捨ててしまった〕」②〔自分で〕…ている。「なぐさめかね—〔＝なぐさめられずにいる〕」

**つ** ━《格助》〔文〕の。「沖—波」━《接助》〔文〕①〔…つ…つ〕ならべて のべるときに使う。…たり…たり。「追い—追われ—」☞くんずほぐれつ。②つつ。「わかちあい—飲む」━《副助》〔話〕ずつ。「百円—あたえる・一人ん—割り当てる」

**つ** 接尾 一から九までの、和語の数詞の下にそえることば。「ひと—」

**ツァー**〔Czar〕帝政ロシアの皇帝。ツァーリ(ロ tsar')。

☆☆**ツアー**〔tour〕①〔団体の〕観光旅行。「ヨーロッパ—・—コンダクター〔＝添乗員〕」②小旅行。遠出。「スキー—・サイクリング—」③《ゴルフ・テニスなど》巡回方式の試合。「—プロ・—初制覇」④〔歌手などがおこなう〕巡業。巡回興行。「全国—」

**ツアコン**〔俗〕↑ツアーコンダクター。

**つい**［対］━**つい** ①二つで ひと組みになるもの。「—をなす・—になる」②《服》同じ〈材料／模様〉で そろったもの。「—の着物」▽一対。━接尾 二つで ひと組みのものを数えることば。「花輪一—」

**つい**［(△終)］〔雅〕(人生の)最後。「—の住みか(処)」

*__つい__《副》①思わず。「—しゃべってしまった」区別 ⇩うっかり。②すぐ。「—きのうのこと」☞ついぞ・ついに。

**つい**［追］遺 ①他人のしたあと〈で／を追いかけて〉すること。「—体験」②同じ種類のことをもう一度すること。「—試験」

**ツイート**《名・自他サ》〔tweet＝さえずり〕〔ツイッターで〕発言〈すること／した文章〉。ツイ〔俗〕。Tw。

**ツイード**〔tweed〕太い羊毛で織った、手ざわりのあらい毛織物。ツイード。「スコッチ—」

**ついえ**［費え］〔文〕①費用。出費。「—がかかる」②むだづかい。「時間の—」

←**つい・える**［費える］《自下一》〔文〕①(使ったために)少なくなる。へる。「財産が—」②むだに過ぎる。「時間が—」

→**つい・える**［(△潰える)］《自下一》〔文〕①くずれて、こわれる。②負ける。「二回戦で—」

☆☆**ついおく**［追憶］《名・他サ》昔を思い出すこと。「—にふける」

**ついか**［追加］《名・他サ》あとで加えること。「予算の—」

**ついかい**［追懐］《名・他サ》〔文〕昔を思って なつかしむこと。「—の情」

**ついかんばん**［椎間板］《生》椎骨と椎骨の間にある軟骨。「—ヘルニア〔＝椎間板が とび出して腰などが痛む症状〕」

**ついき**［追記］《名・他サ》①あとから書き加え〈ること／たもの〉。②〔DVDなどに〕データを追加して記録すること。

**ついきそ**［追起訴］《名・他サ》《法》審理中に わかった、同じ被告人のほかの犯罪を、追加して起訴すること。

←**ついきゅう**［追及］《名・他サ》責任・理由・原因などを問いただして追いつめること。「責任の—・容疑者を—する」

↔**ついきゅう**［追求］《名・他サ》どこまでも追いかけて、手に入れようとすること。「幸福の—・利益を—する」

→**ついきゅう**［追究］《名・他サ》どこまでも研究すること。「真理の—」

**ついきゅう**［追給］《名・他サ》①あとから続けて、はらう〈こと／給与〉。②不足分をあとになって はらうこと。おいばらい。「昇給分を—する」

**ついく**［対句］上下二つの句の組み立てが、対になっているもの。例、月に群雲、花に風。

**ついげき**［追撃］《名・他サ》①にげていく者を追いかけて攻撃すること。「—の手をゆるめない」②優勢なほうを追い落とそうとすること。「上位チームを—する」

**ついご**［対語］対義語。たいご。

**ついこう**［追考］《名・自サ》〔文〕以前のものごとについて、あとから考えること。

**ついごう**［追号］《名・他サ》亡くなったあとに贈る称号。おくりな。「昭和天皇と―された」

**ついこつ**［椎骨］《生》背骨を形づくる、一つ一つの短いほね。

**ついし**［墜死］《名・自サ》〔文〕墜落して死ぬこと。

**ついし**［追試］《名・他サ》①ある人の実験の結果を、そのとおりにやってみること。②↑追試験。☞再試。

**ついじ**［△築地］］塀の一つ。土で塗りかため、かわら屋根をふいた塀。ついじ塀。

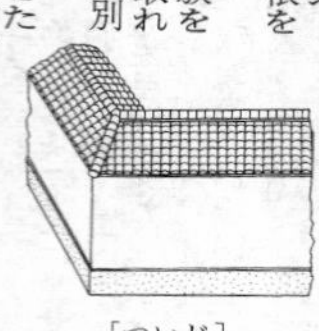

［ついじ］

**ついしけん**［追試験］試験を受けなかった者や合格点が取れなかった者に対して、あとで特別にする試験。追試。

**ついしゅ**［△堆朱］朱をまぜた漆を厚く塗りかさねて、模様をほりこんだ工芸品。

☆☆**ついじゅう**［追従］《名・自他サ》①〔車が〕あとについて走ること。「先行車に―する」②まねるように、同じ行動をすること。「他社も―して値下げする」③人の言うとおりにすること。「命令に―する」④〔機械などが〕動くものや変化するものにあわせて対応すること。「自動で被写体を―する」☞ついしょう(追従)。

**ついじゅく**［追熟］《名・自他サ》《農》くだものの収穫後、一定のあいだ貯蔵することで食べごろに〈する/なる〉こと。「バナナを―する」

**ついしょう**［追従］《名・自サ》①〔相手の〕きげんをとること。「上役に―する・―笑い」②おせじ。「(お)―を言う」☞ついじゅう(追従)。

**ついしょう**［追証］《名・他サ》〔↑追試検証〕論文で、第三者が同じデータを使って同じ結果を得ること。「―性」☞追い証。

**ついしん**［追伸］〔=つけ加えて申しのべます〕〔文〕手紙の本文が終わったあと、さらにつけ加えて書くときのことば。また、そうして書き加えた文章。二伸。

**ついずい**［追随］《名・自サ》前を行く人にしたがうこと。倣うこと。追従。「他のメディアも―して取材する」●☆☆**追随を許さない** 句 群をぬいて水準が高い。「博識ぶりは他の―」

**ツイスト**〔twist〕①ひねること。ねじること。②腰を軽くひねっておどるダンス。相手と手を組まず、向かい合っておどる。〔一九六〇年代前半に流行〕③《球技》球に回転をあたえること。ひねり球。

**ついせき**［追跡］《名・他サ》①にげる者のあとを追いかけること。「犯人を―する」②ある期間を通じて、さきがどうなるかをたしかめること。「―調査」

**ついぜん**［追善］《名・他サ》《仏》死んだ人の冥福をいのること。「―供養」

**ついぞ**《副》〔後ろに否定が来る〕今まで一度も。「―負けたことがない」表記 かたく「△終ぞ」とも。

**ついそう**［追走］《名・自サ》〔文〕あとを追いかけて走ること。

**ついそう**［追送］《名・他サ》〔文〕(もう一度)あとから送ること。「書類を―する」

**ついそう**［追想］《名・他サ》〔文〕過ぎた昔のことを思うこと。

**ついぞう**［追贈］《名・他サ》〔文〕死んだ人に位や称号などをおくること。

**ついそうけん**［追送検］《名・他サ》《法》容疑者を検察庁へ送ったあとにわかった新しい事実を、検察官に書類で送ること。

**ツィター**〔ド Zither〕《音》⇩チター。

**ついたいけん**［追体験］《名・他サ》読んだり聞いたりして知った他人の体験を、自分の体験として とらえ直すこと。「小説中の できごとを―する」

**ついたけ**［対丈］《服》着物のたけ〔=身丈〕を、あげをしないでも着られる寸法〔=着丈〕に仕立てること。

***ついたち**［一日・:朔日］〔↑月立ち〕月の第一日。

**ついたて**［〔△衝立〕］部屋を仕切るために立てておく、板のような家具。

☆☆**ついちょう**［追徴］《名・他サ》《法》たりない金額をあとから取り立てること。「―金」

**ついつい**《副》「つい①」を強めた言い方。「―食べすぎてしまう」

**ツイッター**［〔Twitter〕］〔商標名〕一回につき一四〇字以内で書く、ごく短いブログ。いまほかの人々がどんなことを書いているかを、一覧にして見ることもできる。短文投稿サイト。入ツイッタラー。☞SNS。

****ついて**《〔について〕で格助》①…を主題として。…に関して。「会の目的に―説明する」②〔古風〕…に際して。…にあたって。「旅行をするに―(は)目的が必要だ」▽「つき」は かたい言い方。③⇩つき 二②。「ひとりに―五百円」丁寧 つきまして。表記 かたく「就いて」とも。●**ついては** 二**ついては**《接》そういうわけなので。「総会をおこないます。―ぜひご出席ください」二連〔古風〕…に関しては。…に際しては。「こんな結果になったに―わけがある」▽二二ついちゃ(あ)〔古風・俗〕。丁寧 つきましては。

**ついで** 一**ついで** ①それにあわせて ちょっとしたことをする、いい機会。「買い物の―があるから はがきを出してあげる・―のときに買う」②その機会にあわせてする、ちょっとしたこと。つけ足し。「―の用事をたのむ」☞事のついで。二**ついで** 造 …をする際に あわせてすること。「思い出し―に」表記 かたく「△序で」とも。●**ついでながら**《接》この際、つけ加えて言えば。ちなみに。「―彼は独身だ」●**ついでに**《副》そのことをする機会にあわせて。「―お茶でも飲んで行こう」

**ついで**［次いで］《接》引き続いて。それから。

**ついて・いる**《自上一》〔↑運が付いている〕幸運である。ついてる〔話〕。「最近なんだか―」「ツイている」とも書く。

**ついてまわ・る**［〔付いて〕回る］《自他五》〈どこへ行っても/いつまでも〉はなれずにいる。「母親の後を―・リスクが―・異端児という評判が―」

**ついてゆ・く**［〔付いて〕行く］《自五》①さからわないでしたがう。「彼のやり方にはついて行けない」②進度に合わせて理解してゆく。「授業について行けない」▽ついていく。(↕ついて来る)

**ついと**《副》〔文〕すばやく。「―立って」

**ついとう**［追討］《名・他サ》〔文〕賊を追いかけて討つこと。「平家―」

☆☆**ついとう**［追悼］《名・他サ》死んだ人のことを思い出

し、静かに心を痛め(て会を開いたりす)ること。「—集会・—文・—の意〔『哀悼(あいとう)の意』のほうが多い〕を表(ひょう)する」

**ついとつ**【追突】《名・自サ》〔乗り物などが〕うしろからつきあたること。「—事故」

**ついな**【追×儺】昔、宮中などで おおみそかの夜におこなわれた、悪鬼(あっき)をはらう行事。節分の豆まきの行事として今に残る。おにやらい。

***ついに**〔つひ〕《副》①〔それまでのことが積み重なって〕最後に。「—完成した・—泣きふした」②最後まで。「—完成しなかった」▽「とうとう」よりかたい言い方。 表記 かたく「△遂に」「△終に」「×竟に」とも。

**ついにん**【追認】《名・他サ》〔文〕過去にさかのぼって、事実を認めること。

**ついのう**【追納】《名・他サ》〔文〕たりないお金を、あとからおさめること。「—期間を十年間とする」

**ついば・む**【×啄む】《他五》鳥がくちばしでつついて食う。「えさを—」

**ついひ**【追肥】《農》作物や草花が育つとちゅうで〈追加する肥料/肥料をやること〉。おいごえ。(↔元肥(もとごえ))

**ついび**【追尾】《名・他サ》〔文〕ぴったりくっついて追跡(ついせき)すること。「パトカーによる—」

**ついふく**【追福】《名・他サ》《仏》〔死んだ人の〕冥福(めいふく)(をいのること)。「—をいとなむ」

**ついほ**【追補】《名・他サ》〔出版物で〕たりない内容を、あとでたして出すこと。「—版」

**ついぼ**【追慕】《名・他サ》〔文〕〈死んだ/去った〉人を思い出して、したうこと。「恩師を—する」

**ついほう**【追放】《名・他サ》①追いはらうこと。「暴力を—する」②適当でない者を公職や教職から去らせること。「公職—」

**ついや・す**【費やす】〔つひやす〕《他五》①お金を〈使う/使ってなくす〉。②〈あることのために〉使う。「精力を—」③むだに使う。「時を—」 可能 費やせる。

**ついらく**【墜落】《名・自サ》高い所から落ちること。

**ついろく**【追録】《名・他サ》〔文〕①あとから〈書くこと/書いたもの〉。②あとからつける付録。追加の付録。「—贈呈(ぞうてい)」

☆☆**ツイン**〔twin=ふたご〕①対(つい)になったもの。「—ベッド」②〔←ツインルーム〕〔ホテルで〕ひとり用のベッドを二つ入れた客室。(↔シングル・ダブル) ●**ツインテール**〔和製 twin tail〕後ろ髪(がみ)の左右を〈やや高い位置で〉たばねてたらした、女性の髪型。ツインテ〔俗〕。☞二つ結び。

[ツインテール]

**つう**【通】■一 つう《名・ナダ》①通力(つうりき)。「—を失う」②趣味(しゅみ)・道楽など、その道にくわしい〈こと/人〉。通人。③人の気持ちを察し、さばけて思いやりがあること。「—なはからい」■二 接尾 文書・手紙などを数えることば。■三 造 ↑通学・通勤。「徒歩—・チャリ—」

**つう**【痛】造 痛み。「神経—・ひじ—・生理—」

**つう**〔ふつ〕〔俗〕■一 連・《格助》・つう《連体》⇩ちゅう■一〜■三。「会いたい(っ)つってる(=と言っている)・なん—ことだ・—ことで(=では)、お先に失礼します」■二《っつうの で終助》⇩っちゅうの。「早く行けっ—の!」

**つー**【ツー】⇩ツーカー。「—と言えばカー」

**ツー** 造〔two〕二。二つ。トゥー。「〔自動車・冷蔵庫の〕—ドア・—シーター(=二人乗りの車)」

**ツーアウト**〔two outs〕《野球》ふたりアウトになること。二死。ツーダン。

**つういん**【通院】《名・自サ》〔治療(ちりょう)を受けるため〕病院などにかようこと。「—歴」

**つういん**【痛飲】《名・他サ》大いに酒を飲むこと。

**ツーウェイ**〔two-way〕①二とおりに使えること。「—タイプのバッグ」②二方向。

**つううん**【通運】〔駅と荷主(にぬし)の間の〕荷物の運送(を引き受ける会社)。

**つうえん**【通園】《名・自サ》幼稚(ようち)園・保育園などにかようこと。「—バス」

**つうか**【通家】ものをよく知っている人。また、粋(いき)な人。通人。

**つうか**【通貨】その〈国/地域〉の中で使われるお金。貨幣(かへい)。

**つうか**【通過】《名・他サ》①通り過ぎること。「領海を—する」②列車などが、とまらないで通り過ぎること。「—駅」③試験・検査などを無事に通ること。「予選を—する・検閲(けんえつ)を—する」④〔国会などで〕議案が可決されること。 ●**つうかぎれい**【通過儀礼】お七夜・入学式・成人式・誕生祝い・葬式(そうしき)など、人が、一生の間の大切な節目を通りすぎるときにおこなう儀礼。 ●**つうかてん**【通過点】今後が期待されるものごとの、とちゅうの段階。「これは—にすぎない」

**つうか**〔つふ〕《副助・終助・接》〔俗〕⇩っていうか。(つ)つ—か。「なにこっち見てるの。—、なんでここにいるの」

**つーかー**【ツーカー】《副》〔←ツーと言えばカー〕①おたがいに気持ちが通じていて、ひとこと言えばすぐわかるようす。「—の仲」②その場ですぐわかるようす。「役者にも—でわかるシナリオ」▽つうかあ。 由来「ツー」は呼びかけ、「カー」は答えのことば。特に意味はない。

**つうかい**【痛快】《ナダ》思い切ったことをして、また、わるものがこらしめられたりして、胸がすくような〈ようす/気持ち〉。「なんとも—な話だ」 派 —さ・—み。

**つうかく**【痛覚】《生》おもに、皮膚(ひふ)のいたさの感覚。

**つうがく**【通学】《名・自サ》〔児童や生徒が〕学校にかようこと。「—路・—バス—」

**つうが・る**【通がる】《自五》通人(つうじん)らしくふるまう。通ぶる。

**つうかん**【通巻】〔文〕雑誌・全集などを、はじめから全部数えること。「—(=全部で)三十八号」

**つうかん**【通関】《名・自サ》荷物の検査をすませて税関を通過すること。

**つうかん**【通貫】《名・自他サ》〔文〕つらぬき通すこと。貫通。「あらゆる現象〈を/に〉—する法則」

**つうかん**【通観】《名・他サ》〔文〕全体を通して見ること。「歴史を—する・業界を—する」

☆☆**つうかん**【痛感】《名・他サ》〈心に強く/身にしみて〉感じること。「ありがたさを—する」

↑**つうき**【通季】〔文〕すべての季節を通してのものであること。「—の季語」

↑**つうき**【通期】〔文〕一年度を通してのものであること。「—決算」☞月期(げっき)・四半期。

**つうき**【通気】《名・自サ》 空気をかよわせること。通風。「—孔」

**つうきゅう**【通級】《名・自サ》 普通学級に通う軽い障害のある子どもが、週に数回、特別支援学級・学校などに通うこと。「—指導」

**つうきょう**【通教】 ↑通信教育。

**つうきょう**【通峡】《名・他サ》〔文〕船が海峡を通過すること。

**つうぎょう**【通暁】《名・自サ》〔文〕くわしく知っていること。「外国の事情に—する」

**つうきん**【痛勤】〔「通勤」の もじり〕〔俗〕身動きできないほどの満員電車に乗る、つらい通勤。

**つうきん**【通勤】《名・自サ》〔仕事をするために〕職場にかようこと。「電車—・マイカー—」

**つうく**【痛苦】〔文〕痛みと苦しみ。苦痛。

**つうけい**【通計】《名・他サ》〔文〕全体の計算。総計。

**つうげき**【痛撃】《名・他サ》〔文〕①てきびしく攻撃すること。②ひどい打撃。

←**つうこう**【通交・通好】《名・自サ》〔文〕国と国とが親しく交際すること。「—条約」

↔**つうこう**【通行】《名・自サ》①通ってゆくこと。往来。「—止め〈=通行禁止〉・ご—中のみなさま!」②〔文〕広く世間におこなわれること。「—の書体」

→**つうこう**【通航】《名・自サ》〔文〕船の通行。

☆☆**つうこく**【通告】《名・他サ》手紙などの形で、相手に知らせること。また、その知らせ。「本人に—する」

**つうこく**【痛×哭】《名・他サ》〔文〕ひどく〈泣き/なげき〉かなしむこと。「—の手記」

☆☆**つうこん**【痛恨】《名・他サ》たいへん残念がること。「—事」

**つうさん**【通算】《名・他サ》全体を通した計算(をすること)。「—二百勝」

**つうし**【通史】〔文〕(古代から現代までの)全体の歴史。「日本—・明治—」

**つうじ**【通じ】①通じること。②⇩お通じ。「—がある」

**つうじ**【通詞・通辞・通事】〔昔の〕通訳(官)。「長崎—」

**ツーシーム**〔↑two-seam fastball〕《野球》微妙な動きをする、速い変化球。〔一回転するあいだにボールのぬい目が二回しか見えない〕

**つうじつ**【通日】〔文〕一月一日から続けて数えた日数。つうにち。「二月二十日、—五十一日」

**つうじてき**【通時的】《ナダ》ものごとを、時間的な移り変わりという面から とらえるようす。継時的。「—研究」(↔共時的)

**つうしゃく**【通釈】《名・他サ》〔文〕語釈などもしながらおこなう、文章全体の解釈。

**つうじゅく**【通塾】《名・自サ》塾にかようこと。

**つうしょ**【通所】《名・自サ》介護・保育・自立支援などを受けるための施設にかようこと。「—介護〈=デイサービス〉」

**つうしょう**【通商】《名・自サ》外国と商取引をすること。「—条約」

**つうしょう**【通称】《名・他サ》①ふつうに となえる呼び名。ふつう、そう呼ぶこと。②一般に通じる呼び名。通り名。俗称。

*__つうじょう__【通常】《名・副》特に変わったことがない、ふつうの場合。「—はこの入り口を使う・—料金・—はがき〈=郵便局で売る はがき。(↔私製はがき)〉」 ●☆☆**つうじょうこっかい**【通常国会】《法》毎年決まって一月に召集される国会。常会。☞臨時国会・特別国会。 ●**つうじょうせんきょ**【通常選挙】《法》参議院議員の任期満了にともない、半数を改選するため三年ごとにおこなう選挙。☞総選挙①。

☆☆**ツーショット**〔two-shot〕 おもに男女が二人でいる場面(を写した写真)。「—で〈登場する/撮る〉」

**__つう・じる__【通じる】[一]《自上一》①かよう。「バスが—」②〔道が〕とおる。「大雪で道が通じない」③相手にわかる。「日本語が—・ことばが通じない・冗談が通じない」④〔気持ちが〕伝わる。届く。「意思が—・一念が天に—」⑤〔わざなどの〕ききめが あらわれる。「ねばりが通じない・○○山、××海に通じず〈=わざをかけたが、負けた〉」⑥つながる。「電話が—」⑦同じく あてはまる。共通する。「現代にも—教え・全般に—問題」⑧こっそり まじわる。「敵に—」⑨続く。「大阪へ—道・逆コースに—思想」⑩くわしく知る。「政治情勢に—」⑪密通する。[二]《他上一》①相手に わからせる。「意思を—・意を—〈=伝える〉」②とおす。「電流を—」③人・ものをとおす。経由する。「人を通じて申し入れる・組織を通じて募金する・音楽を通じて結ばれる」④広くおよぼす。…にわたる。「作品全体を通じて・四季を通じてあたたかい・あらゆる機会を通じて うったえた」▽[二]通ずる。

**つうしん**【痛心】〔文〕気の毒に思って心を痛めること。「—に堪えない・—の至り」

*__つうしん__【通信】《名・自サ》①郵便や電子的な方法で情報や ものをやりとりすること。「—教材・データー・—事業」②様子を知らせること。また、その知らせ。たより。「—欄・学級—・知り合いと—〈=手紙〉をかわす〈かたい言い方〉」③せまい範囲に くばる、新聞・雑誌など。〔多く、題名に使う〕「業界—」 ●**つうしんいん**【通信員】新聞社などで、地元の情報を本社に伝える役目の人。 ●**つうしんえいせい**【通信衛星】テレビ・無線の長距離通信の中継に利用するために宇宙空間に置いた人工衛星。CS。 ●**つうしんきょういく**【通信教育】教材を郵便で送り、答案やレポートを出させることによって教育をおこなう制度。通教。☞スクーリング。 ●**つうしんしゃ**【通信社】国内外のニュースを集め、新聞社・雑誌社・放送局などに提供する会社。 ●**つうしんはんばい**【通信販売】商品見本やカタログなどによって注文を受けて品物を売るやり方。通販。 ●**つうしんぼ**【通信簿】①通知表。②〔俗〕評定(表)。「議員の—」 ●**つうしんもう**【通信網】①多くの情報機器をたがいにつなぐ、網の目のような組織。例、インターネット。②報道・放送のネットワーク。

**つうじん**【通人】「通[一]②」である人。

**つうすい**【通水】《名・自サ》〔文〕(水路に)水を通すこと。「—試験」

**つうせい**【通性】〔文〕共通に持っている性質。(↔特性)

**つうぜいかん**【痛税感】 税金をはらうのが つらいと思う気持ち。「—が強い」

**つうせき**【痛惜】《名・他サ》〔文〕たいへんおしいと思うこと。「─に堪(た)えない」

**つうせつ**【通説】世間におこなわれている説。「─をくつがえす」(↔異説)

☆☆**つうせつ**【痛切】《名・ナダ》心に強く感じるようす。しみじみ。「─〈なの〉思い・─に感じる」派─さ。

**つうせん**【通船】①沖(おき)にとまっている船と陸上との間を連絡(れんらく)する、小さな船。はしけ。②船を通過させること。「─料」

**つうそうていおん**【通奏低音】〔通奏＝連続演奏〕①〔音〕〔バロック音楽で〕低音楽器と鍵盤(けんばん)楽器との和音による、とぎれずに続く伴奏(ばんそう)。②〔作品などの〕全体を通じてとぎれることなく示される、考え方や見方。基調低音。主調低音。

**つうそく**【通則】〔文〕一般(いっぱん)に通じる規則。

☆☆**つうぞく**【通俗】《名・ナ》①世間一般(いっぱん)。世間なみ。②ふつうの人にわかりやすいこと。〔低級な、という気持ちがある〕「─小説」(↔高踏(こうとう))派─さ。●**つうぞくてき**【通俗的】(ナダ)〔低級で〕広く世間に喜ばれるようす。

☆☆**つうだ**【痛打】《名・他サ》①〔文〕相手をうちのめすこと。②《野球》痛烈(つうれつ)な打撃(だげき)。

☆☆**つうたつ**【通達】㊀《名・他サ》①〔文〕相手がわかるように、知らせること。伝達。「意思の─」②上級の役所が、受け持ちの役所に対しておこなう通知。㊁《名・自サ》〔文〕熟達していること。

**つうたん**【痛嘆・痛×歎】《名・他サ》〔文〕非常になげくこと。「─これを久しゅうする」

**ツーダン**〔two down〕《野球》ツーアウト。

**つうち**【通知】《名・他サ》〔公的に〕知らせること。また、その知らせ。●**つうちひょう**【通知表・通知票】児童・生徒の成績などを、学校から父母に知らせる書類。通信簿(つうしんぼ)。通知簿。

**つうちょう**【通帳】預貯金・掛(か)け売り・掛け買いなどをするときに使う帳面。かよいちょう。

**つうちょう**【通×牒】《名・他サ》〔文〕〔公文書の〕通知の書面(を出すこと)。通告。「最後─」

**つうつう** ㊀つうつう〔俗〕①間にさえぎるものがないようす。「となりの部屋と─だ」②ひそかに関係があって、気持ちが通じているようす。「業界と─だ」㊁つーつー【ツーツー】《副》電話が切れたあと、受話器から聞こえる音。「ガチャン、─」

**つうてい**【通底】《名・自サ》〔文〕表面ではちがって見えることがら・思想などが、根底では共通性を持っていること。「日本の伝統文化に─する」

**つうてん**【痛点】①《生》皮膚(ひふ)や粘膜(ねんまく)の表面にある痛みを感じる所。②弱点。「─を突(つ)く」

**つうでん**【通電】《名・自他サ》《理》電流〈が通る/を通す〉こと。●**つうでんかさい**【通電火災】地震(じしん)などによる停電から復旧して通電したときに、ショートしていた屋内配線から発火して起こる火災。

**つうどく**【通読】《名・他サ》①〈ひととおり/ざっと〉読むこと。②終わりまで読むこと。読み通すこと。

**ツートップ**〔two-top〕①《サッカー》フォワードに二人配置するフォーメーション〔＝隊形〕。②代表的な二人。「会社の─」

**ツートン**〔two tone〕①〔同じ色で、こい・うすいの〕二とおり。「ブルーとライトブルーの─カラー」②〔色について〕二種類。「赤と白の─カラー」▽ツートーン。

**つうにち**【通日】〔文〕⇩つうじつ。

**つうねん**【通年】〔文〕一年間を通してのこと。「─採用」

☆☆**つうねん**【通念】〔文〕一般(いっぱん)に共通した考え。「社会(の)─」

**つうば**【痛罵】《名・他サ》〔文〕はげしくののしること。

**ツーバイフォー**〔two-by-four〕建築工法の一種。柱を使わずに、断面が二インチ×四インチの木材で枠(わく)を組み、合板を打ちつけてかべを作って組み立てる。ツーバイフォー工法。「─住宅」

☆☆**つうはん**【通販】《名・他サ》↑通信販売(つうしんはんばい)。

**つうばん**【通番】一連番号。通し番号。

**ツーピース**〔two-piece〕《服》①上着と〈スカート/ズボン〉でひと組みになっている服。上下(じょうげ)。「─のスーツ」②上下に分かれた女性用の水着。セパレーツ。▽(↔ワンピース)

**つうふう**【痛風】《医》おもに、足の親指のつけねの関節がはれて、ひどく痛む病気。血液中の尿酸(にょうさん)の量が限界をこえると発症(はっしょう)する。「─の発作(ほっさ)」

**つうふう**【通風】《名・自サ》①風を通すこと。風通し。「─がいい・採光─」②部屋の中の空気を入れかえること。通気。「─孔(こう)」

**ツーブロック**〔↑和製 two block cut〕側頭部は短くかり上げ、耳あたりから上部は長めにした髪型(かみがた)。ツーブロ〔俗〕。

**つうふん**【痛憤】《名・他サ》〔文〕おおいに憤慨(ふんがい)すること。

**つうぶん**【通分】《名・他サ》《数》分母のちがう二つ以上の分数を、それぞれの値(あたい)を変えずに同じ分母の分数にすること。

**つうへい**【通弊】〔文〕一般(いっぱん)に共通して見られる弊害(へいがい)。

**ツーベースヒット**〔米 two-base hit〕《野球》二塁打(にるいだ)。ツーベース。

**つうべん**【通弁】《名・自他サ》「通訳」の明治時代の言い方。

**つうほう**【通報】《名・他サ》〔情報などを〕知らせること。「警察に─する・気象─」

**つうぼう**【痛棒】①《仏》〔座禅(ざぜん)で〕心の定まらない者を打つための棒。②〔文〕てひどく〈しかる/非難する〉こと。「一大─をくらわせる」

**つうぼう**【通謀】《名・自サ》①〔文〕しめしあわせること。②《法》ふたり以上の者が共同して犯罪を計画すること。

**つうめい**【通名】①在日外国人が日本国内で使用する、本名とは別の名前。法的効力がある。(↔民族名)②一般(いっぱん)に知られる、本来の名前とは別の名前。「ブッソウゲという花の名は、扶桑(ふそう)の日本での─だ」

**つうもん**【通門】〔許しを受けて〕自由に門を出はいりすること。「─証」

☆☆**つうやく**【通訳】《名・他サ》別々の言語を話す人の間に立って、たがいのことばを訳して伝える〈こと/人〉。「─者」☞同時通訳。

**つうゆう**【通有】〔文〕共通に持っていること。「─性」

**つうよう**【痛×痒】〔＝痛みとかゆみ〕〔文〕自分に直接

関係する利害。「─を感じない」

**つうよう**【通用】《名・自サ》①世間に広く〈使われる／認められる〉こと。「そんな言い訳は─しない〔＝認められない〕」②どちらにも〈通じて〉使われること。③ある期間使えること。「定期券の─期間」●**つうようもん**【通用門】内輪の者が、いつも出はいりする門。

**つうらん**【通覧】《名・他サ》〔文〕全体に目を通すこと。ひととおり見ること。

**ツーラン ホームラン**〔米 two-run home run〕〔ラン＝得点〕《野球》ランナーがひとりいるときのホームラン。二点ホームラン。ツーラン ホーマー。ツーラン。

**つうりき**【通力】〔↑神通力〕《仏》万事につけて思いどおりにすることのできる能力。

**ツーリスト**〔tourist〕旅行者。観光客。

**ツーリズム**〔tourism〕観光事業。観光旅行。☞エコツーリズム。

**ツーリング**〔touring〕〔自動車・バイク・自転車などでの〕周遊(旅行)。「─カー」

☆☆**ツール**〔tool〕①道具。工具。「─ボックス・コミュニケーション─」②《情》単純な作業を専門におこなう、小さなプログラム。「ファイル圧縮─」

**つうれい**【通例】《名・副》①一般の習わし。「見舞いに行くのが─だ」②いつも(のこと)。ふつう。「十時開店が─です」

**つうれつ**【痛烈】《ナダ》非常に はげしいようす。てきびしいようす。「─な批評」派─さ。

**つうろ**【通路】①人が通る(ように作った)みち。「─側の席」②液体や気体が その中を流れる場所。「地下水の─」

**つうろん**【通論】〔文〕その方面のことがら一般を説明したもの。〔書名や大学の講義題目などで使う〕「文学─」

**つうろん**【痛論】《名・他サ》〔文〕てきびしく論じる〈こと／議論〉。「マナーの悪さを─する」

**つうわ**【通話】《名・自サ》電話で〈話をすること／する話〉。「─料・一─三分」

**つうんと**《副・自サ》①鼻が痛くなるほど、においが強く感じられるようす。「鼻の奥が─する」②耳鳴りがするようす。

**つえ**【(×杖)】①〔老人・病人などが〕歩くとき、手に持って からだを支え たよりとする、棒状の道具。②たのみとするもの。たより。●**つえとも柱とも頼む**句 非常に たよりにする。●**つえをひく**句〔古風〕(ぶらぶらと)歩く。

**つえはしら**【(×杖)柱】非常に たよりとする もののたとえ。「─とたのむ人」

**つか**【(△束)】①かさねた紙や本の厚み。「─がある」②〔↑つかばしら〕梁と棟との間や床下に立てる、短い柱。☞「けた①」の絵。

**つか**【(△柄)】刀の、手でにぎる部分。

**つか**【塚】①土を小高く もり上げたもの。「一里─」②土を小高く もり上げて造った墓。③〔文〕墓。

**つか**《接》〔↑つうか《＝と言うか》〕〔俗〕⇩っていうか㊁。「ごめんね。─それぐらいで泣くなよ」

**つが**【(×栂)】山に はえる、背の高い常緑樹。葉は細くてかたい。材木は建築や器具に使う。とが。

**つかい**【使い】①使う〈こと／人〉。「─方・魔法─」②言いつけられて〈命令・口上などを伝える／用を足す〉こと。また、そのために行く人。使者。「─にやる・─を出す」③自分自身が用足しに行くこと。「そこまで─に出る」表記「使う」のほかに「遣う」とも書く ことばは、名詞では「…遣い」が ふつう。例、「ことばを使う・ことばを遣う」→「ことば遣い」。☞お使い。●**つかいあるき**【使い歩き】人に用事をたのまれて、あちこち歩くこと。「─をする」●**つかいがって**【使い勝手】使ってみたときの、使いやすさ・使いにくさの ぐあい。つかいかって。「─が悪い」●**つかいきり**【使い切り】①一回で使いきるだけの量が はいったもの。「─サイズ・─の目薬」②「使い捨て」の言いかえ。「─カイロ」●**つかいきる**【使い切る】《他五》終わりまで、全部使う。「燃料を─・予算を─」●**つかいこなす**【使いこなす】《他五》じゅうぶんに使う。有効に使う。●**つかいこむ**【使い込む】《他五》①時間をかけてじゅうぶんに使う。「─とつやが出てくる」②〔遣い込む〕会社・主人などのお金を勝手に どんどん使う。名使い込み。●**つかいさき**【使い先】①使いに行った(出)先。②お金の使い道。●**つかいすて**【使い捨て】使って、だめになったらすてること。一度使って、そのまますてること。「─の食器」動使い捨てる《他下一》。●**つかいだて**【使い立て】《名・他サ》人に用事をさせること。「お─してすみません」●**つかいて**【使い手】①〔それを〕使う人。「製品の─」②〔遣い手〕刀・やりなどをじょうずに使う人。●**つかいで**【使いで】①使うときの分量(が多いこと)。「─のあるせっけん」②使い道。「─のある なべ〔＝一つで いろいろに使えるなべ〕」●**つかいばしり**【使い走り】《名・自サ》あちこちを回って、使いの用事をする〈こと／人〉。つかいはしり。つかいっぱしり。「新入りに─をさせる」●**つかいふるす**【使い古す】《他五》古くなるまで使い続ける。名使い古し。●**つかいべり**【使い減り】《名・自サ》使われることで、〈物がすりへる／能力が落ちる〉こと。「─(の)しない馬体」●**つかいまわし**【使い回し】《名・他サ》一度使った物を、(捨てずに)次のときにも利用すること。「─のパセリ・─の きくバッグ」動使い回す《他五》。●**つかいみず**【使い水】雑用に使う水。●**つかいみち**【使い道】使う方法。用途。●**つかいもの**【使い物】①使うことのできる〈もの／人〉。「─にならない」②〔遣い物〕⇩お使い物。●**つかいわけ**【使い分け】《名・他サ》①同じ〈もの／種類〉をいろいろに分けて使うこと。②それぞれの長所を生かして使うこと。動使い分ける《他下一》。

**つがい**【(△番い)】①つがう〈こと／もの〉。②関節。「腰の─」③二つのものが組んで、ひと組みになる〈もの／こと〉。④〔鳥などの〕おすと めすの ひと組み。雌雄。「ひと─のハト」

****つかう**【使う】《他五》㊀①目的をはたすための道具や材料にする。「はさみ(鋏)を─・ガスを─・肉を使った料理」②〔人を〕自分のために働かせる。「部下を─」③目的をとげる手段として おこなう。「居留守を─・魔法を─・忍術を─」④ある特別の ことばと結びついて、それについての行為をあらわす。「弁当を─〔＝食べる〕・湯を─〔＝ふろにはいる〕・うちわを─〔＝あおぐ〕」可能使える。㊁【遣う】①〔お金などを〕へら(してなく)す。ついやす。「大金を─・時間をむだに—な」②〔心を〕わずらわす。「気を—」③〔ことばや文字を〕話したり書いたりする。運用する。「正しいことばを—・カタカナを—」④おくる。あたえる。「わいろを—」⑤〔ふつうの人にやれないことを〕うまくする。あやつる。「英語を—・人形を—・やり(槍)を—」⑥その動作をする。「上目を—」 表記 ⇩使い。

**つが・う**【▵番う】《自五》交尾(こうび)する。つるむ。

**つかえ**【×痞え】胸がふさがって苦しいこと。「胸の—がおりた」

←**つか・える**【▵支える】・【×閊える】 ❶《自下一》①故障などのために、先が ふさがる。「道が—」②とどこおる。「ことばが—」 ❷《他下一》〔手を〕下に突っく。「(両)手を—〔=手を突いて〈からだをささえる/礼をする〉〕」▽ ❶❷つっかえる。

→**つか・える**【×痞える】《自下一》①〔胸につまって〕ふさがる。「胸が—」②⇩つっか(痞)える。

**つか・える**【仕える】《自下一》①目上の人につきしたがって、その用をたす。奉仕(ほうし)する。「主人に—・神に—」②仕官する。「幕府に—」

*__つか・える__【使える】《自下一》①便利だ。使いやすい。「あの男は—〔=部下として役に立つ〕」②【遣える】剣術(けんじゅつ)などのうでが すぐれている。「おぬし、—な」

**つが・える**【▵番える】《他下一》①〔矢を〕弓のつるに あてる。②〔文〕〔ことばを〕言いかわす。

**つがしら**【▵柄頭】刀の柄(つか)の あたま(につける金具)。かしら。

**つかさ**【▵司】〔文〕①役所。役人。「国の—・—(=それぞれの役所)の責任」②かしら。代表。「花の—、ボタン」③和菓子(わがし)その他の製造業で、特に格式の高い店。「御菓子(おんかし)—・刀剣(とうけん)—」

☆☆**つかさど・る**【▵司る】・【▵掌る】《他五》役目として、その〈仕事/はたらき〉をする。「会計を—・呼吸を—器官」

**つか・す**【尽かす】《他五》出しつくして なくす。

**つかず‐はなれず**【付かず離れず】《副・名》はっきり近づきもせず、また、仲が悪くもならない状態。不即不離(ふそくふり)。「—の関係」

**つかた**【つ方】 造 〔文〕…のころ。「末—・昼—」

**つかつか**《副》えんりょなく進み出るようす。「—(と)歩みよる」

**つか・ない**《形ヌズ》〔=付かない〕〔…とも—〕言いきれない。判断できない。「冗談(じょうだん)とも真実とも—笑い方」

**つかぬ** ❶〔=付かぬ〕❶《連体》これまでと関係のない。「—話」 ❷《形ヌズ》⇩つかない。 ●☆☆**つかぬ‐こと**〔つかぬ(事)〕①関係のないこと。だしぬけなこと。②〔俗〕つまらないこと。どうでもいいようなこと。▽「—をうかがいますが」

**つか・ねる**【▵束ねる】《他下一》たばにする。あわせて一つにする。「手を—〔⇩「手」の 句 〕」

**つかのま**【▵束の間】わずかの あいだ。「—の命・—、心が安らいだ・追いついたのも—、すぐに逆転された」

←**つかま・える**【捕まえる】《他下一》①手でおさえて、にげて行かないようにする。「どろぼうを—」②いどころをおさえて、連絡(れんらく)がとれるようにしておく。「部長を捕まえておいて」 可能 捕まえられる。

→**つかま・える**【×摑まえる】《他下一》①強くかたく持つ。「手をつかまえて はなさない」②〈逃(に)げよう/行こう〉とするものをとまらせる。「車を—〔=タクシーを呼びとめる〕」③〔人をあらわすことば＋**をつかまえて**〕…を相手にして。…に対して。「親をつかまえて『ばか』とは何だ」

**つかま・せる**【×摑ませる】《他下一》①お金をあたえる。「いくらか—」②わいろをおくる。③だまして、悪い品物を買わせる。「にせものを—」▽つかます。

**つかまつ・る** ❶【▵仕る】《他五》〔古風〕「する」の謙譲(けんじょう)語。 ❷《補動五》けんそんの意味をあらわす。「失礼つかまつりました・お相手つかまつろう〔古風〕・承知つかまつった〔古風〕」

**つかまり‐だち**【×摑まり立ち】まだ歩けない子どもが、何かにつかまって立つこと。「—ができるようになったから、次は伝い歩きだ」

←**つかま・る**【捕まる】《自五》①〔相手が自分を〕つかまえた状態になる。「警察官に—・〔ピッチャーが〕五回に—〔=打たれる〕」②引きとめられる。「友だちに—」③見つかる。「タクシーが—」④いどころをおさえて、連絡(れんらく)をとる。「社長は多忙(たぼう)で捕まらない」

→**つかま・る**【×摑まる】《自五》しっかり取りつく。「棒に—」

**つかみ**【×摑み】①つかむこと。②最初に、相手の関心を引きつけること。「客の—がうまい営業マン・この小説は—が弱い」③つかんだ、量または太さ。「ひと—の塩」④《碁》⇩にぎり⑤。 ●**つかみ‐あい**【×摑み合い】〔けんかで〕相手のからだ・衣服をおたがいにつかむこと。「—の大げんか」 動 つかみ合う《自五》。 ●**つかみ‐あらい**【×摑み洗い】もまないで、つかんでははなす動きをくり返す洗い方。編み物・絹織物の洗い方。 ●**つかみ‐かか・る**【×摑み掛かる】《自五》つかむようにして組みつく。 ●**つかみ‐がね**【×摑み金】おおざっぱに計算したお金。つかみきん。 由来 確認(かくにん)もしないで、つかんだだけをわたすことから。 ●**つかみ‐きん**【×摑み金】⇩つかみがね。 ●**つかみ‐し・める**【×摑み締める】《他下一》しっかりとつかむ。「札束を—」 ●**つかみ‐だ・す**【×摑み出す】《他五》つかんで取り出す。 ●**つかみ‐どころ**【×摑み所】理解するための中心となる、大切な点。つかまえどころ。「—のない話」 ●**つかみ‐どり**【×摑み取り】《名・他サ》〔つかめるだけ〕つかんで取ること。「さかなを—する・あめ玉の—」

*__つか・む__【×摑む】《他五》①手でしっかり持つ。「首筋を—・おぼれる者はわら(藁)をも—〔⇩「おぼれる」の 句 〕」②手に入れる。自分のものとする。「幸運を—」③とらえる。つかまえる。「機会を—」④人の心を引きつける。「大衆の心を—」⑤しっかりと理解する。「要点を—」 可能 つかめる。

**つか・る**【漬かる】《自五》①水・液体などに、完全にはいる。「お湯に首まで—」②その〈こと/考え方〉しかしない状態になる。「野球に—・常識に—」▽ひたる。③液体・みそ・塩などの中にずっとはいる。「酒に漬かった梅の実」④つけものが、よくできる。「ナスが色よく—」 表記 ①②「▵浸かる」とも。

**つかれ**【疲れ】つかれること。疲労(ひろう)。「—が たまる・旅疲(たびづか)れ」 ☞お疲れ。 ●**つかれ‐め**【疲れ目】目がかすんだり、痛んだり、めまいがしたりする状態。

*__つか・れる__【疲れる】《自下一》①からだや気力をはげし

つ

く、または、くり返し使ったために、はたらき・勢いが弱くなる。くたびれる。「歩き—」②使いすぎて、はたらきがにぶくなり、苦痛を感じる。「目が—」③〔長く使ったために〕弱る。「疲れた洋服・油が—〔=長く使ったため酸化して、ねばねばしてくる〕」[他]疲らせる《下一》・疲らす《五》〔古風〕。「神経を—」〔使役形「疲れさせる」が一般的〕

**つか・れる**〔×憑かれる〕《自下一》〔霊魂などが〕乗り移った状態になる。「つかれたように書き続けた」

**つかわしめ**〔使わしめ〕〔文〕神や仏の使いとなる動物。「おいなり様の—〔=キツネ〕」

**つかわ・す**〔古風〕[一]〔遣わす〕《他五》①行かせる。派遣する。「使者を—」②あたえる。「なんじ(汝)に—」[二]《補動五》〔て—〕やる。「教えて—」

***つき**〔月〕[一]**つき** ①晴れた夜空に明るくかがやく、丸いもの。時期によって欠けて見える。〔地球の衛星で、約一か月で地球をひとまわりする〕「東の空に—が出る・—がきれいですね〔☞「愛する」の[✓]〕」②《天》衛星。「木星の—」③「月[一]①」の光。「—がさす」④「月[一]①」の満ち欠けのひとめぐりを単位にした期間。また、一年を十二に分けた期間。一か月。「四月は桜の—だ・出発の—・—に一度・三—」[二][造]〔**づき**〕「月[一]①」の満ち欠けの状態を日数であらわすことば。「五日—〔=新月から五日目の月〕の光」●**月が満ちる**[句]①満月になる。〔↔月が欠ける〕②臨月になる。☞月満ちて[句]。●**月とすっぽん**[句]〔二つのものをくらべたとき〕あまりにもちがいすぎることのたとえ。●**月に群雲、花に風**[句]いいことは長く続かず、とかく障害が多いことのたとえ。●**月満ちて**[句]臨月になって。「—赤ちゃんが生まれる」

***つき**〔付き〕・〔△附き〕[一]**つき** つくこと。つきぐあい。「おしろいの—が悪い・—〔=火つき〕の悪いマッチ・条件付き・一泊二食—・保証—」[二][造]ようす。「顔—・手—」[三][造]〔**づき**〕〔…に〕付属していること。「部屋—の親方・社長—の秘書・大使館—のコック」[表記]役職では「社長付」のように書く。☞お付き。

**つき**〔動詞「付く」の連用形から〕[一]《**につき**で格助》①「ついて」よりかたい言い方。「この点に—ご説明しますと・計画を推進するに—必要な措置をとる」②その単位ごとに。「ひとりに—千円」〔「ついて」とはあまり言わない〕[二]《**につき**で接助》…のために。…のゆえに。「雨天に—中止」[表記]かたく、[一][二]は「付き」、[一]①は「就き」とも。

**つき**〔尽き〕尽きること。終わり。「運の—」

**つき**〔突き〕①突くこと。「ひと—」②《すもう》突っ張り。③《剣道》相手ののどを竹刀で突くこと。

**つき**〔×搗き〕〔玄米を〕ついて白くすること。「—の浅い米」

**つき**〔「ツキ」とも書く〕運がつくこと。幸運。「—が回ってくる・—が落ちる」

****つぎ**〔次〕[一]**つぎ** ①あとに続く〈こと/もの〉。順序がすぐあと。「—の日・—〔=以下〕に示す文章」〔↔前〕☞今度①。②〔一位から数えて〕一つ下の順位。「世界で一番長い川はナイル川。—に長いのがアマゾン川。その—が長江」③一段低い地位。「係長の—の主任」[二][接尾]宿場。宿駅。「五十三—」☞次に。●**次から次へ**[句]①一つずつ順番に。②ものごとがつぎつぎと続いてあらわれるようす。次から次から。「—応接にいとまがない」

**つぎ**〔継ぎ〕①つぐこと。②着物や布のやぶれたところをつくろう〈こと/ための布地〉。「—をあてる」

**づき**〔月〕[造]⇩つき(月)[二]。

**づき**〔(付き)・(△附き)〕[造]⇩つ(付)き[三]。

**つきあい**〔(付き合い)・(∴交際)〕《名・自サ》①つきあうこと。交際。「—が広い・長い—・お—している人」②義理で、ものごとをいっしょにすること。「—がいい・—酒・お—」

***つきあ・う**〔(付き合う)〕[一]《自五》①ふだんからよく会ったり、いっしょに行動したりして、関係を続ける。「近所の人とうまく—・悪い連中と—」②恋人として交際する。「あの二人はつきあっている」③親しくかかわりあう。「この番組とつきあってもう一年」[二]《自他五》たのまれたり、さそわれたりして、いっしょに行動する。「ゴルフに—・お茶を—」[✓]「ぼくとつきあってくれる？」は[一]②の意味に、「ぼくにつきあってくれる？」は[二]の意味になる。

**つきあかり**〔月明かり〕月の光による、明るさ。

**つきあ・げる**〔突き上げる〕《他下一》①下から突いて、上のほうへ上げる。「こぶしを—」[自]突き上がる《五》。②幹部の弱腰の行動・態度を非難し、改めるように要求する。③〔△衝き上げる〕感情がはげしくこみあげる。「怒りが—」[名]突き上げ。

**つきあ・げる**〔×搗き上げる〕《他下一》〔もちなどを〕つき終わる。[自]つき上がる《五》。

**つきあし**〔月足〕《経》月ごとの株価の動きを、ローソク足で示した図。

**つきあたり**〔突き当たり〕突き当たった場所。「路地の—」

**つきあた・る**〔突き当たる〕《自五》①進んで行って、ぶつかる。行きあたる。衝突する。②〔道が〕行きどまりになる。

**つぎあて**〔継ぎ当て〕服の破れた部分に、別の布をあててつくろうこと。また、つくろった布。

**つきあわ・せる**〔突き合わせる〕《他下一》①くっつけるようにして両方を向かい合わせる。「顔を—」②両方を照らしあわせてくらべる。照合する。「書類を—」▽突き合わす。[名]突き合わせ。

**つきいた**〔突き板〕合板の表面に、天然のうすい板を使ったもの。

**つきいち**〔月一・月イチ〕〔俗〕一か月に一度だけ何かをすること。「—ゴルフ」

**つきうごか・す**〔突き動かす〕《他五》①突いて動かす。②〔△衝き動かす〕人の心や思いを突き上げるように強く動かす。

**つきおくれ**〔月遅れ・月後れ〕①その月よりもおくれる〈こと/もの〉。「—の雑誌〔=発行した月より一、二か月おくれて見る雑誌〕」②旧暦の行事を、新暦で、翌月の同じ日におこなうこと。「—の(お)盆」

**つきおと・す**〔突き落とす〕《他五》①突いておとす。「がけから—」②《すもう》おしあい・寄りあいなどのさいに自分の手を相手のわき腹のあたりに当て、横から下へ突いてたおす。[名]突き落とし。

**つきかえ・す**〔突き返す〕《他五》①〔突かれたのに対して〕こちらからも突く。②受け取らないで返す。▽

突っ返す。

**つきかげ**［月影］〔雅〕①月の光。②月の光で映る、ものの影。

**つきがけ**［月掛け］毎月、決まったお金をあずけること。「—預金」(↕日掛け)

**つきがわり**［月替わり］①次の月になること。②一か月ずつの交替。「—の当番」

**つぎき**［接ぎ木］《名・自他サ》木のふやし方の一つ。木の枝や芽を切り取ってほかの木の幹につぎあわせる方法。☞さし木・取り木。

**つききず**［突き傷］とがったもので突かれてできたきず。

**つきぎめ**［月決め・月△極め］一か月間ずつの約束で決めること。「—で借りる・—料金」表記 駐車場の看板では、多く「月△極」。北海道・青森・高知などでは「月決」が多い。

**つききり**［(付き切り)］⇩つきっきり。「—で看病する」動つききる《自五》。

**つきくず・す**［突き崩す］《他五》①突いてくずす。「石垣を—」②はげしく攻めて、敵の守りを打ち破る。「敵陣を—」

**つぎくち**［(△注ぎ)口］〔しょうゆ・油などを〕つぐためにつけた口。

**つきげ**［月毛・×鴾毛］馬の毛色の名。少し赤みをおびた茶色。

**つきこ・む**［突き込む］《自他五》つっこむ。

**つぎこ・む**［(△注ぎ)込む］《他五》①中にそそぎ入れる。②そのためだけに、〔お金・人などを〕たくさん使う。「競馬に—・兵力を—・精力を—」

**つぎざお**［継ぎ(×竿)］つなぎあわせることができるように作った釣りざお。(↕延べ竿)

**つきささ・る**［突き刺さる］《自五》①突き立つように刺さる。②心に強く衝撃をあたえる。「胸に—ことば」

**つきさ・す**［突き刺す］《他五》①突いてさ(し通)す。②勢いよくさす。

**つきしたが・う**［(付き)従う］《自五》①あとからついて行く。②(部下として)言うとおりになる。

**つきしろ**［月白・月代］〔雅〕①月が出るときに空が明るく見えること。②〔白く見える〕(昼の)月。③⇩さかやき(月代)。

**つきすう**［月数］〔話〕「月数」を、耳で聞いてわかりやすく言うことば。

**つきずえ**［月末］その月のすえ。月じまい。げつまつ。(↕月初め)

**つきすす・む**［突き進む］《自五》勢いよくまっすぐに進む。

**つきせぬ**［尽きせぬ］《連体》〔文〕尽きることのない。「—思い出」

**つきそい**［付き添い］《名・自サ》つきそう〈こと／人〉。「—人」

**つきそ・う**［付き添う］《自五》世話をするために、そばにいる。「家族が病人に—・子どもの入学式に—・家臣が殿に—」

**つきたお・す**［突き倒す］《他五》①突いてたおす。「人を—」②《すもう》相手を強く突いてたおす。名突き倒し。

**つきだし**［突き出し］①突き出た〈もの／こと〉。「—の窓」②〔関西方言〕《料》お通し。③《すもう》突き出すわざ。

**つきだ・す**［突き出す］■一《他五》①突いて、外へ出す。②勢いよく出す。③突き出た状態にする。「腹を—」④〔わるものなどを〕警察などに、むりやりにつれて行く。⑤《すもう》強く相手を突いて土俵の外に出す。■二《自五》〔多く**突き出した〈た／て〉**〕突き出る。「おなかが突き出している・海へ突き出した陸地・煙突が突き出した洋館」

←**つぎた・す**［(△注ぎ)足す］《他五》そそいで、量を〈おぎなう／多くする〉。「水を—・創業以来つぎ足してきたタレ」

→**つぎた・す**［継ぎ足す］《他五》つけ加えて〈おぎなう／長くする〉。名継ぎ足し。

**つきた・つ**［突き立つ］《自五》①〔刃物などが〕突き立てた状態になる。「矢が—」②突き出る。そそり立つ。「突き立った肩・かべが高々と—」③突っ立つ。「門に—」

**つきた・てる**［突き立てる］《他下一》①刃物などを突きさして、それが立った状態にする。「ナイフを—」②はげしく(何回も)突く。

**つきたらず**［月足らず］十か月たたないで〈生まれること／生まれた子ども〉。「—で生まれる」

**つきづき**［月々］月ごと。毎月。「—の仕送り・—一万円の積み立て」

*****つぎつぎ**［次々］《副》とぎれることなしに〈あらわれる／する〉ようす。あとからあとから。かたはしから。「問題が—(に)出てくる」

**つきづきし・い**《形》〔雅〕似合わしい。ふさわしい。

**つきっきり**［(付きっ切り)］少しもはなれないでつきそうこと。つききり。「—の看病」

**つきつ・ける**［突き(付ける)］《他下一》①相手のからだを突くようにぐっとさし出す。「ピストルを—」②強い態度で相手に〈示す／さし出す〉。「証拠を—・辞表を—・問題が突きつけられる」

**つきつ・める**［突き詰める］《他下一》①根本までさかのぼって、じゅうぶん考える。追究する。「突き詰めて論じる」②いちずに思いこむ。

**つぎて**［継ぎ手］①家業をつぐ人。②［接ぎ手］金属・木材のつぎあわせる部分。

**つきで・る**［突き出る］《自下一》①〔多く**突き出〈た／て〉**〕〈高く／長く〉なって(前のほうへ)出る。突き出す。「ひたいが突き出ている・太平洋に突き出た岬」②先のとがったものが、内がわから出る。「くぎが—」

**つきとお・す**［突き通す］《他五》突きさして、中まで通す。自突き通る《五》。

**つきとば・す**［突き飛ばす］《他五》乱暴に突きはなす。

**つきと・める**［突き止める］《他下一》(さぐって)たしかに知る。

**つきなか**［月中］ひと月の中ごろ。十五日前後。

☆☆**つきなみ**［月並み・月△次］■一毎月決まってすること。「—会(=月例会)」■二《名・ナダ》ありふれたこと。陳腐。「—調・—俳句」派 -さ。

**つぎなる**［次なる］《連体》〔文〕次の。「—目標は」

**つぎに**［次に］■一《接》そのあとに続いて。それから。「まず勉強。—、アルバイト」■二連 そのあとに。「ぼくの—君だ・—しよう」

**つきぬ・ける**[突き抜ける]《自他下一》①突きさして向こうがわまで、通る。「やり(槍)が―」他突き抜く《五》。②通りぬける。「原っぱを―」③ひときわ ぬきんでる。「突き抜けた作品」

**つきの・ける**[突き(△除ける)]《他下一》(突きとばすようにして)乱暴に のける。

**つぎのま**[次の間]①おもな部屋(=本間)の、次の部屋。②主君のいる部屋の、次の部屋。おつぎ。二の間。

**つきのもの**[月の(物)]〔古風・女〕「生理②」の婉曲な言い方。

**つきのわぐま**[(月の輪熊)]日本の代表的なクマ。毛が黒く、胸の上部には三日月形の白い毛(月の輪と呼ぶ)がはえている。くろくま。

**つぎば**[継ぎ歯]〔医〕けずった歯の根に、人工の歯をさしこんで つぎたすこと。また、その歯。さしば。

**つぎはぎ**[継ぎ(△接ぎ)]《名・他サ》ついだり、はいだり〈すること/した所〉。「―だらけの着物・―の論理」

**つきはじめ**[月初め]その月の初め。(↕月末)

**つきは・てる**[尽き果てる]《自下一》すっかりなくなる。「気力が―」

**つきはな・す**[突き放す]《他五》①突いてはなす。「ひじで―」②遠くにやる。「自分を突き放して見る」③〈親切でない/相手にしない〉態度を見せる。「冷たく―・考え方がちがう、と―」④さらに点差を広げて優勢になる。▽つっぱなす。名突き放し。

**つきばらい**[月払い]①何か月かに分けて はらうこと。②一か月に一度、まとめて はらうこと。「酒代を―にする」

**つきばん**[月番]ひと月交替で当番をする〈こと/人〉。「―の老中」

**つきひ**[月日]〔何日、何か月と過ぎていく〕とき。年月。「―が経つのは早いもの」☞がっぴ(月日)。

**つきびと**[付き人]ある人の身の回りの世話をする人。つけびと。

**つきべつ**[月別]月によって分けること。

**つぎほ**[接ぎ穂]①台木につぐ苗木。②[継ぎ穂]話を続ける機会。つぎは。「話の―」

**つきまいり**[月参り]《名・自サ》毎月、(決まった日に)神社や寺にお参りすること。つきもうで。

**つきましては**《接》「ついては」の丁寧語。

**つきま・ぜる**[(×搗き)交ぜる]《他下一》①ついて まぜあわせる。②ちがったものをいっしょにあわせる。

**つきまと・う**[(付き×纏う)]《自五》①〈めいわくな人が〉いつも はなれずに いる。「子どもが―・あやしい男につきまとわれる」②〈おもに、よくないことが〉いつも はなれずに ある。「不安が―」名つきまとい。

**つきみ**[月見]①月を見てほめること。観月。②ⓐすりおろした とろろいもや、しるをかけたうどん・そばなどに、たまごを割って落としたもの。「―そば」ⓑ目玉焼きをそえたもの。「―バーガー」 •**つきみそう**[(月見草)]マツヨイグサ、または、オオマツヨイグサ(=マツヨイグサのなかまで大形のもの)の俗称。植物学上のツキミソウ(花は白)は、今は ほとんど見られない。☞宵待草。

**つきめ**[突き目]目を突いたために、痛むこと。「―をする」

**つぎめ**[継ぎ目]①ものとものとをつぎあわせたところ。②〔家の〕あとつぎ。

**つきめいにち**[月命日]〔仏〕毎月の、その人が亡くなった日と同じ日。☞祥月命日。

**つきめくり**[月(×捲り)]カレンダーの一種。一か月分を一枚の紙に印刷したもの。(↕日めくり)

**つきもうで**[月詣で]《名・自サ》〔文〕⇩つきまいり。

↔**つきもの**[(付き物)]必ず ついているもの。「宴会に酒は―だ」

→**つきもの**[(×憑き物)]人に乗り移った霊。憑霊。「―が落ちる」

**っきゃ**《副助》〔俗〕しか。「やる―ない・一個―ない」

**つきやぶ・る**[突き破る]《他五》①突いて破る。②突進して敵を負かす。

**つきやま**[築山]庭にきずいた小さな山。

**つきゆび**[突き指]《名・自サ》ボールなどが強く指に当たって、指の関節をくじくこと。

**つきよ**[月夜]月の照る よる。 •**月夜に釜を抜かれる**句〔抜かれる=ぬすまれる〕ひどく油断をすることのたとえ。 •**月夜にちょうちん(提灯)**句 不必要であることのたとえ。 •**つきよがらす**[月夜(×烏)]月夜にうかれて鳴くカラス。

**つ・きる**[尽きる]《自上一》①なくなる。「たくわえが―」②終わる。「寿命が―」③きわまる。「おもしろさは ここに―」④それ以外の なにものでもない。「すばらしいの一語に―」

**つきわり**[月割り]一か月ごとに分け(て計算す)ること。

↔**つ・く[(付く)・(△附く)]一《自五》①すきまなく ぴたりと合う。「板に―(⇩「板」の句)」②表面に加わ(って、はなれなくな)る。「ごみが―・磁石に鉄が―・色が―・しみが―」③加わる。「精力が―・話に尾ひれが―」④あとが残る。「きずが―」⑤書かれる。「帳面について いる」⑥つくられる。できる。「道が―・花が―(=さく)」⑦沿う。「岸について行く」⑧[(△随く)]あとにしたがう。「コーチについて走る・かねと人が ついて来る」⑨したがう。なかまになる。「母親のほうに―・味方に―」⑩つきそう。「そばに ついている・教師が―」⑪(高い)値段に)なる。「高く―」⑫(新しく)そなわる。「エアコンが―」⑬批判的なことを言われる。「注文が―・けちが―」⑭注意が向く。「気が―」⑮決まる。「決心が―・あきらめが―・思案が―」⑯これからのことが、うまく決まる。「見通しが―・都合が―」⑰ものごとが決ま(って、終わ)る。「片が―・決着が―」⑱酒があたたまる。「おかん(燗)が―」⑲枯れずに根をおろす。「さし木が―」⑳(火が)移る。燃え出す。「紙に火が―」㉑感染する。「種痘が―」㉒たかる。寄り集まる。「枝に毛虫が―」㉓きわだって見える。「目に―」㉔こもる。「巣に―」㉕⇩ついている。二造〔づく〕①〔…が〕つく。「調子―」②〔俗〕〔…に〕なる。「健康―」③〔俗〕〔…に〕夢中になる。「演劇―」☞つかず離れず。

↔**つ・く**[(△点く)]《自五》①あかりが ともる。「電灯が―」②電気器具のスイッチがはいる。「テレビがついている」

→***つ・く**[着く]《自五》①〔目当ての場所に〕来る。いたる。「東京に―」②届く。「手紙が―」③〔ある場所に〕身を置く。「席に―・食卓に―・所定の位置に―」④一部が ふれる。届く。「船底が海底に―」表記

「△著く」とも書いた。可能 着ける。

←つ・く［（△即く）］《自五》 即位する。「王位に―」 可能 つける。

→つ・く［就く］《自五》 ①仕事に身を置く。「職に―」 ②その人のもとで、学ぶ。「先生に―」 ③そのことに身を置いて、〔動作などを〕始める。「ねむりに―・守備に―」 ④実際にその文章に当たる。「原典に就いて見てほしい」 可能 就ける。

つ・く［（×憑く）］《自五》 乗り移る。とりつく。「きつねが―・霊が―」

つ・く［（△吐く）］《他五》 ①〔息を〕出す。「ため息を―」 ②言う。「うそを―」 ☞は(吐)く。

つ・く《他五》 一［突く］ ①〔細いものの先を〕強く当てる。「針の先で―」 ②ゆか・地面などに当てる。「手を突いてあやまる・つえ(杖)を―」 二［突く・△衝く］ ①〔手などで〕強く向こうへおす。「相手の胸を―」 ②だいじなところをねらって当てる。せめる。「急所を―・要点を―・不意を―」 ③そこに強く当たる。「天を―ようなビル」 ④ものともせずに、たちむかう。「あらしを突いて出かける」 ⑤〔感覚などを〕強く刺激する。「においが鼻を―」 ②三［突く・×撞く］ ①うちあてて鳴らす。「鐘を―」 ②ビリヤードをする。「玉を―」 四 ①〔はんこを〕おす。 ②〔まりを〕地面に当てて はずませる。「手まりを―」 可能 突ける。

つ・く［（×搗く）・（×舂く）］《他五》 ①うすに入れて きねを強く当てる。「米を―・もちを―」 ②きねを太くしたような木で、土を強く打つ。「つきかためる」

つ・く 接尾〔自五をつくる〕 そのような様子・態度を見せる。「がた―・きょろ―・ぴり―・かく―」

つ・ぐ［次ぐ］《自五》 ①続く。「昨年に次いで ことしも出場する・増税に―増税」 ②うしろにつく。つぎである。「木村君に―好成績」

←つ・ぐ［（△注ぐ）］《他五》 中に〈そそぎ〉入れる。容器に満たす。「ビールを―・コップに―・飯を―」

つ・ぐ［接ぐ］《他五》〔木・骨などを〕つなぎあわせる。「新芽を台木に―」 可能 接げる。

→つ・ぐ［継ぐ］《他五》 ①つなぐ。続ける。「ことばを―」 ②あとを受け〈る/て立つ〉。「社長を―・家業を―」 ③うけ伝える。「伝統を―」 ④つくろう。つぎをする。 ⑤たす。「炭を―」 可能 継げる。

つ・ぐ［告ぐ］《他下二》〔文〕告げる。言いわたす。「国民に―」

つくえ［机］ 本を読んだり字を書いたりするときなどに使う台。

つくし［（:土筆）］ 春先、野にはえる草。穂は ふでの先に似て、先は まるい。食べられる。つくづくし。つくしんぼ。〔植物学上は、スギナの地下茎から出たくき〕

つくし［×筑紫］ ①筑前と筑後。今の、福岡県。〔九州では「ちくし」と言うことが多い〕 ②九州。 •つくしじろう［×筑紫次郎］ 日本の有名な三つの川の一つ。九州の、筑後川。☞坂東太郎①・四国三郎。

づくし［尽くし］ 造 同類のものを、ある限りならべること。「魚―・橋―」 ☞ずくめ。

つく・す［尽くす］ 一 つくす《他五》 ①〈ある限り/なくなるまで〉出す。「力を―・手を―」 ②そのもののために、つらくても がまんして、働いたり、世話をしたりする。「恋人に―・社会に―」 ③じゅうぶんに表現する。「筆舌に尽くしがたい」 二 造 すっかり…する。「売り―・埋め―」 可能 尽くせる。

つくだに［（×佃）煮］ さかな・貝・ノリなどを、調味料を入れて こい味に煮つめたもの。由来 江戸の佃島で作りはじめたことから。

つくづく《副》 ①〔いろいろの立場から〕念を入れてするようす。よくよく。「―考える・―ながめた」 ②しんから。「―いやになる」

つくつくぼうし 夏の末に鳴く、小さいセミ。「オーシーツクツク」と だんだん せわしげに鳴く。つくつくほうし。〔鳴き声から「おおしい つく(つく)」「おおしん つく(つく)」とも〕

つぐない［償い］ つぐなう〈こと/財物〉。弁償。つぐのい。「罪の―をする」

つぐな・う［償う］《他五》 ①お金や品物を出して、相手にあたえた損失を補う。 ②相手に損害をあたえたり、自分が悪いことをしたりしたときに、お金・品物・労働などの方法で、うめあわせをする。「罪を―」

つくね［（×捏ね）］ ①さかなのすり身やニワトリのひき肉に、みじん切りのタマネギなどを加え、手でこねて まるめたもの。「―焼き・―ハンバーグ」 ②「つくね①」を油であげた料理。つくねあげ。☞つみれ。 •つくねいも［（×捏芋）・（:仏掌=×薯）］ やまといも。

つく・ねる［（×捏ねる）］《他下一》 手でこねて作る。

つくねんと《副》 ぼんやり すわっているようす。

つくばい［（×蹲）］ 茶室の庭の、低い手水鉢(のある所)。

つくば・う［（×蹲う）］《自五》 ひざを曲げ、かかとの上に、しりをおろしたかっこうをする。

つくばね［（△衝）羽根］〔追い羽根の〕はね。羽子。

つぐみ［（×鶫）］ 冬の山で いちばんふつうに見られる小鳥。形はスズメに似ているが大きい。秋、むれをなして北のほうからわたってくる。

つぐ・む［（×噤む）］《他五》〔口を〕かたく とじる。「口をつぐんで語らない」

←*つくり［作り］ 一 つくり ①作ること。作ったようす。できぐあい。「家の―〔=組み立て。構造〕・顔の―〔=かおだち〕」 ②よそおい。けしょう。「お―をする」 ③みなり。服装。「目立たない―」 ④わざとすること。いつわり。「―泣き」 二 つくり 造 ①〔…を〕作ること。「野菜作り・体力作り・罪―」 ②〔づくり〕〔…(のようす)で〕作ってあること。「粘土―・若―」 •つくりおき［作り（置き）］《名・他サ》〔料理を〕作って何日かとっておくこと。「―のきく正月料理」 •つくりか・える［作り変える］《他下一》 いったん つくったものに手を加えて、新しくする。「歌を―・世界を―」 表記 庭など、「造る」と書くものは「造り替える・造り変える」。 •つくりごえ［作り声］ わざと出す、別な人のような感じの声。(↕地声) •つくりごと［作り（事）］ ないことを、あるように つくりたてたことがら。 •つくりこ・む［作り込む］《他五》 綿密に作りあげる。「細部まで―」 •つくりだ・す［作り出す］《他五》 ①作って、形のあるものにする。「工場で―品物」 ②［創り出す］ 新しいものを作る。「芸術作品を―」 •つくりつけ［作り付け］ 取り外しのできないように〈作ること/作ったもの〉。「―の棚」 動 作り付ける《他



つ

下一》。●つくりばなし「作り話」①ないことを、あったように こしらえた話。②フィクション。●つくりもの「作り物」①ほんもののように見せかけて作ったもの。「一の花」②にせもの。「一のダイヤ」●つくりわらい「作り笑い」《名・自サ》おかしくないのに、わざとしてみせる笑い。「一をうかべる」

つくり「造り」【一】つくり ①〔船・庭園・林・酒などを〕造ること。造ったようす。できぐあい。「庭の一」②⇩お造り。「タイの薄造り」【二】づくり 造〔多く づくり〕〔…を〕造ること。「庭一・酒一・国一」●つくりざかや「造り酒屋」酒を造って売る店。

つくり「(×旁)」漢字の偏にについている、右がわの部分。例、「時」の「寺」の部分。(↔偏)

づくり「作り」造 ⇩つく(作)り【二】②。

づくり「造り」造 ⇩つく(造)り【二】。

つく・る「作る」《他五》①材料を使って形のあるものに仕上げる。こしらえる。「おかずを一・服を一・模型を一・店を一」②〔創る〕〔学校・会社や会などのしくみや建物などを〕はじめてこしらえる。「あすの日本を一・世界記録を一・新しい品種を一」③そだてる。「人物を一」④栽培する。「花を一・野菜を一」⑤〔本を〕書く。「辞書を一」⑥〔文章を〕つづる。〔歌などを〕よむ。「物語を一・俳句を一」⑦いつわりよそおう。「声を一・作った言い方」⑧耕作する。「田を一」⑨やりくりして生み出す。「時間を一・お金を一」⑩さかなや とりの肉をおろして、料理できる状態にする。「さかなを作ってくれ」⑪さしみにする。⑫告げて鳴く。「ニワトリが時を一」⑬ととのえる。けしょうする。「髪を一・顔を一」⑭役作りをする。「俳優が演技を一」可能 作れる。

つく・る「造る」《他五》①〔船・庭園・林・酒などを〕こしらえる。「タンカーを一・みそを一」②⇩作る⑪。可能 造れる。

つくろいもの「繕い物」①やぶれた衣服などをつくろうこと。「衣類の一をする」②つくろう対象の衣服など。「一を持ってくる」

つくろ・う「繕う」《他五》①衣類・建物などの、ちょっと〈破れ/こわれ〉たところを直す。「ほころびを一・網を一」②整えて、正しくする。「身なりを一・鳥が羽を一」③とりつくろう。「体面を一・当座を繕った行動」名 繕い。

っけ《終助》(け←文語助動詞「けり」)〔話〕①過去の事実を思い出して言う。「よく しかられた一・そう言えばそうだ一・そんな歌もあった一が(=あったように思うが。古風な言い方)」②不確かなことを確かめる。「君は いくつになった一・あれは いつのことだ一・あなた、陽子さんです一(=でしたっけ。俗な言い方)」

っけ「(っ気)」接尾 ⇩気【二】。「しゃれ一・マゾ一」

つけ【一】つけ「(付け)・(△附け)」つけること。「ボタン一・のり(糊)づけする・ネコをまねた一耳」【二】つけ「ツケ」とも書く ①勘定書き。かけ売り。「一にしておいてくれ」②代金をあとで はらう約束にすること。「自分が もたらした一」【三】つけ 造 ①いつも…している。…しなれた。「買い一の店・かかり一の医者」②↑つけめん。「野菜一・チャーシュー一」③むくい。【四】づけ「付」接尾〔づけ〕ひづけ。「十五日一の新聞」【五】つけ《につけ で接助》…すると いつも。「そんな記事を見るに一、悲しくなる」【六】つけ《につけ で副助》〔多く AにーBにー〕…(の)場合も。「雨に一風に一・何事に一・うれしいに一悲しいに一」☞つけても。●付けが回って来る 句〔自分の失敗などの〕むくいがあらわれる。●付けを回す 句 自分が しはらうべき勘定を他の人に負わせる。

つげ「(:黄楊)・(:柘植)」あたたかい土地に はえる、背の低い常緑樹。材は かたくて黄色。はんこや くしなどを作る。

づけ【一】づけ「(△漬け)」①マグロの赤身などをしょうゆにつけたもの。また、その にぎりずし。「一サーモン・一丼」②マグロの赤身(の にぎりずし)。☞トロ【一】。▽ずけ。【二】づけ「漬け」造 ①つけること。つけたもの。「みそ一」②むやみに多く あたえ(られ)ること。「薬一の医療・接待一」③いつも そのことばかりすること。「勉強一・テレビ一」

づけ「付」接尾 ⇩つけ【四】。

つけあい「付合」〔連歌・俳諧で〕ふたり以上の人が、つぎつぎと句を付け合うこと。

つけあが・る「(付け)上がる」《自五》他人をあまく見て、思いあがる。増長する。「やさしくすると一」

つけあが・る「漬け上がる」《自五》漬けておいたものが、できあがる。「梅が きれいに一」名 漬け上がり。

つけあわせ「(付け)合わせ」(おもな料理のわきに)そえる〈こと/もの〉。「一はマッシュポテトだ」動 つけ合わせる《他下一》。

つけい・る「(付け)入る」《自五》〔機会などを〕うまく利用して何かをする。つけこむ。「人の弱みに一・つけ入られる すきがある」

つけうま「付け馬」遊興費をはらえなかった客から お金を受け取るために、客について その家まで行く人。つきうま。うま。

つけおき「(漬け)置き」《名・他サ》〔洗浄力をたかめるため〕衣類や食器などを、洗う前にしばらく洗剤にひたしておくこと。「一洗い」

つけおち「付け落ち」帳簿・名簿などへ書きつけるはずのことが おちていること。

つけおとし「付け落とし」帳簿・名簿などへ書きつけるはずのことをおとすこと。動 付け落とす《他五》。

つけおび「付け帯」結ぶ部分と巻きつける部分とを別々に作ってある帯。結びつけ帯。

つけか・える「(付け)替える」《他下一》①使っていたものを外して、代わりのものを付ける。「タイヤを一」②付いていたものを外して、別のところに付ける。「経費を別の費目に一」名 つけ替え。

つけく「付句」〔連歌・俳諧で〕前句(=すぐ前に出された句)に付ける句。

つげぐち「告げ口」《名・自他サ》人の秘密や あやまちなどを、そっと他人に告げること。

つけくわ・える「(付け)加える」《他下一》おもなことがらに、そえて加える。つけたす。「最後に一言一・ただし急いで一と…」自 つけ加わる《五》。

つけげ「(付け)毛」美容のために つけ足す、かみの毛や まつげ。ヘアピース・エクステなど。

つけこ・む「(付け)込む」《自五》①つけいる。「人の弱みに一」②〔帳簿・通帳に〕金額などを書き入れる。名 つけ込み。

**つけこ・む**［漬け込む］《他五》食材の中にずっと漬けておく。「ワインにー・キムチをー」名漬け込み。

**つけさげ**［付け下げ］［↑付け下げ模様］《服》和服で、前・肩・そでなどのおもな部分にだけ模様をあらわすこと。訪問着の代わりに着る。

**つけじょうゆ**［（付け）×醬油］さしみなどを食べるときにつけるしょうゆ。

**つけじる**［（付け）汁］うどん・そば・天ぷらなどを食べるときにつけるしる。たれ。つゆ。

**つけそば**［（付けそば）］つけめん。「野菜ー」

**つけだい**［付け台］すし店で、職人から見てカウンターの手前に一段高くもうけた、すしをにぎって出す台。

**つけだし**［付け出し］《すもう》順序をとびこして、はじめから番付に名がのること。「幕下ー」動付け出す《他五》。

**つけた・す**［（付け）足す］《他五》つけ加える。「あわてておわびのことばをー」名つけ足し。

**つけたり**［（付けたり）］①つけ加えたもの。付録。おまけ。「ーとしてなお言えば」②〔文〕文章の最後に、「補足」の意味で見出しに使うことば。▽つけたし。

**つけつけ**《副》〔古風〕ずけずけ。「ー言ってにらむ」

**つけづめ**［（付け）爪］つめにはる、きれいな色や絵柄のついた人工のつめ。ネイルチップ。

**つけても**《につけても で接助・副助》「つけ五六」の、気持ちを強めた言い方。「思い出すにーなつかしい・何事にー用心深い」☞それにつけても。

**つけどころ**［（付け）所］つける〈ところ／箇所〉。「目のー」

**つけとどけ**［付け届け］《名・他サ》世話になるがわが折々におくる、お金や品物。「盆暮れのー」

**つけな**［漬け菜］つけものに〈する／した〉菜。

**つけね**［（付け）値］買い手が品物につける値段。（↕言い値）

**つけね**［（付け）根］それがついているもと（の所）。「うでのー」

**つけねら・う**［（付け）狙う］《他五》（あとをつけて）事を起こす機会をうかがう。

**つけば**［つけ場］〔すし店で〕職人がすしをにぎる場所。

**つけび**［（付け）火］由来 昔は魚を漬っけていたことから。「ーに立つ」

**つけび**［（付け）火］わざと火をつけること。放火。

**つけひげ**［（付け×髭）］人工的に作ったひげ。

**つけびと**［付け人］①監督・保護のために、つきそわせる人。「吉良のー」②つきびと。特にすもうで、関取の身の回りの世話をする、幕下以下の若いすもうとり。

**つけふだ**［付け札］商店で、値段などを書いて品物につける、小さなふだ。タグ。

**つけぶみ**［付け文］《名・自サ》相手に恋文をわたすこと。また、相手にわたす恋文。「ーをする」

**つけペン**［（付け）ペン］ペン軸にペン先をはめこみ、インクをつけながら書くペン。

**つけぼくろ**［（付け：黒子）］美容などの目的で、顔に〈かく／はりつける〉ほくろ。

**つけまげ**［（付け）×髷］かみの毛に、まげの形に作ってつけるもの。

**つけまし**［付け増し］《名・他サ》請求書の金額を勝手にふやすこと。水増し請求。

**つけまつげ**［（付け）まつ毛］目をきれいに見せるためにつける、毛の長い人工のまつげ。アイラッシュ。つけま〔俗〕。

**つけまわし**［付け回し］《名・自サ》①「付けを回すこと。「タクシー代のー」②《演劇》たがいに向かい合ったまま、じりじりと回ること。〔⇩「付け」の句〕

**つけまわ・す**《他五》一［（付け）回す・（△尾け）回す］いつ（まで）もあとをつける。二［付け回す］負担を別のところへ回す。「子孫に借金をー」

**つけめ**［（付け）目］つけこむために目をつけるべきところ。つけこむべきいい機会。「そこがーだ」

**つけめん**［（付け）麺］つけ汁につけて食べる中華そば。つけそば。「ーの熱盛り」

**つけもの**［漬物］野菜を塩・ぬかなどにつけた食品。香のもの。おしんこ。「きゅうりのー・おー」

**つけやき**［（付け）焼き］しょうゆなどを塗って〈焼くこと／焼いたもの〉。てり焼き。「たれを何度もーにして、うなぎのかば焼きを作る」

**つけやき**［漬け焼き］あらかじめたれに漬けておいて〈焼くこと／焼いたもの〉。「魚のー」

☆☆**つけやきば**［付け焼き刃］一時しのぎ。まにあわせに仕入れた知識・動作など。「ーの知識」

**つ・ける** 一つける［（付ける）・（△附ける）］《他下一》①すきまなくぴたりと合わせる。「壁に耳をー・のり（糊）でー」②表面に加え（て、はなれなくす）る。「ごはんつぶをー・おしろいをー・色をー・しみをー」③一部として加える。「ドアに取っ手をー（=取りつける）・おまけをー・条件をー」④あとを残す。「きずをー・折り目をー・しるしをー」⑤書く。「帳面にー・日記をー」⑥つくる。「名をー・道をー・リンゴが実をー」⑦［△尾ける］あとを追う。追跡する。「容疑者の車をー」⑧したがわせる。なかまにする。「味方にー」⑨そばにつきそわせる。「家庭教師をー」⑩値段を言って、決める。相場の値が決まる。「値をー・円相場が一ドル一二〇円をー」⑪（新しく）そなえる。「交差点に信号をー」⑫批判的なことを言う。「注文をー・難癖をー」⑬注意を向ける。「気をー・目をー」⑭決める。「あきらめをー・優劣をー・等級をー」⑮これからのことを決める。「見通しをー・見当をー・当たりをー・都合をー・段取りをー・けじめをー」⑯ものごとを決め（て、終わらせ）る。「片をー・決着をー・一本ー」⑰酒を〈温める／温めて出す〉。「おかん（燗）をー」⑱根をおろす。「さし木が根をー」⑲（「ツケる」とも書く）代金をあとではらう約束にする。つけにする。「勘定はつけといて」⑳〔連歌・連句などで〕あとをよみ続ける。二づける［（付ける）・（△附ける）］造〔名詞＋づける〕あたえる。定める。「位置ー・性格ー」三造①いつも…する。なれる。「読みつけている・飲みつけない酒」②強い勢いで…する。「しかりー・なぐりー」可能つけられる。つけれる〔俗〕。☞つけ。

**つ・ける**［（△点ける）］《他下一》①あかりをともす。「電灯をー」②火を移（して燃や）す。「紙に火をー・タバコを（一服）ー〔⇩「一服」の句〕」③電気器具のスイッチを入れる。「ラジオをー・テレビをー」

**つ・ける**［着ける］一《他下一》①〔ある場所に〕行きつかせる。寄せる。「ボートを岸にー・車をホテルの玄関にー」②身にまとう。着る。はく。「イヤリングをー・はかまをー・お面をー・マスクをー」③〔ある場所に〕身を置かせる。「子どもを席に—」④始める。「手を—・先鞭を—」 三《自下一》〔ある場所・順番に〕身を置く。位置する。「好位置に—・四位に—」

↔つ・ける[〈△即ける〉]《他下一》 即位させる。「位に—」

↔つ・ける[就ける]《他下一》①仕事に身を置かせる。「役に—」②その人のもとで、学ばせる。「いい先生に—」

つ・ける[漬ける]《他下一》①[△浸ける] 水・液体などに、完全に入れる。ひたす。「顔を水に—」②食材をぬかどこや調味料にずっと入れ(て なじませ)る。「酢に—・さとうに—・大根を—〔=漬物にする〕」☞漬け・漬物。 可能 漬けられる。

*つ・げる[告げる]《他下一》①知らせる。「夜明けを—鳥の声」②伝える。「別れを—・電話で—」

っこ 接尾 ①あらそって、それをすること。「かけ—・おもちゃの取り—」②おたがいに、それをすること。「教え—する・にらめ—」③…こと。「うそ—〔=うそ・まねごと〕・おどかし—なしだぜ〔=おどかすなよ〕」④〔—ない〕…はずがない。「子どもには わかり—ない」⑤[っコ]〔東北方言〕〈親しみのある/小さい〉ものにつけることば。「馬—」 由来 ①~④は「事」からで、もと、幼児語。⑤は「っ子」と同語源。☞こ 接尾。

っこ 一[っ子] 造 ①子ども。「現代—・テレビ—」②少女。「めがね—」〔「むすめっこ」の場合は 二〕③そこで〈生まれた/育った〉ひと。「江戸—・ロンドン—・土地—」④そういう性質をもつ ひと。「売れ—・ぶり—」 二[〈っ子〉] 接尾 少女・女に そえ(て かろんじ)ることば。「むすめ—・あま—」〔「めがねっ子」の場合は 一②〕

っこ・い 接尾 〔形容詞をつくる〕…の感じが強い。こい。「脂—・まだる—」

*つごう[都合] 一〔たがいに ぶつかりあう〕事情。「自分の—ばかり考える・配達してもらえると—がいい〔=自分にとって望ましい〕・〔日時の相談で〕来週のご—はいかがですか」 二《名・他サ》くふうして、なんとか用意すること。「時間の—をつける・お金を—する」 三《副》全体で。しめて。「ざるそば、—五人前」

つごもり[〈×晦〉]〔雅〕旧暦で、月の末日。みそか。 由来「月ごもり」から。月が ほぼ見えなくなるので、こもる〔=かくれる〕と言った。

つじ[×辻] ①道が交差したところ。十字路。②みちばた。ちまた。「—演説」

つじうら[×辻△占] ①通行人のことばや路上のものごとなどで運勢のよしあしを判断すること。また、その手がかりとなることばなど。②小さな紙きれに文句を書いたものをさぐり取って当座の運勢のよしあしを判断する〈こと/材料とするもの〉。

つじがはな[×辻が花] 室町時代から江戸時代にかけて流行した、はなやかな花模様の染め物。しぼりや染めの中に、ししゅう(刺繡)・すりはく(摺り箔)などをほどこす。辻が花染め。

つじぎみ[×辻君] ⇩よたか 二。

つじぎり[×辻斬り・×辻切り]《名・自サ》〔刀の切れ味をためすため、また、うでだめしや、物取りの目的で〕夜、道ばたにかくれて通行人を切った〈こと/者〉。江戸時代の初期に横行した。

つじげいにん[×辻芸人] 道ばたで通行人に芸を見せる芸人。

つじごうとう[×辻強盗] 道ばたにかくれて、通行人をおそう強盗。

つじせっぽう[×辻説法] 道ばたでする説法。つじぜっぽう。

つじだち[×辻立ち]《名・自サ》①〔物売りなどのため〕街頭に立つこと。②街頭で演説などをすること。

☆☆つじつま[〈×辻×褄〉] ①ものごとの筋道。論理。「話の—が合う〔=くいちがいがない〕」②計算。「—が合わない」

つしま[△対馬] 旧国名の一つ。九州の北西沖にある大きな島。今は長崎県の一部。対州。

っしょ《終助》〔↑でしょう。もと北海道方言〕〔俗〕だろう。「ね、うまい—?・そりゃ行く—」〔相手に同意を求めるときの、くだけた表現〕☞っす・んしょ。

っす《助動マス型》〔↑です。活用は「〇—っし—っす—〇—〇—〇」〕〔俗〕仲間うちなどで、目上に ていねいな気持ちと親しみとをあらわす。「やばい—よ・マジ—か・自分が行く—・おはよう—・すんませんっした〔=すみませんでした〕・最高っした」〔二十世紀末までに運動部などで広まった。「す」とも言う。終助詞「っしょ」が未然形と似た役割を果たすが、敬意は低い〕☞んす。

つた[〈×蔦〉] 塀・石垣などにからまる植物。葉はブドウに似ていて、秋、赤くなる。「—もみじ」

づたい[伝い] 造 つたうこと。つたって行くこと。「海岸—・島—・庭—」

つたいある・く[伝い歩く]《他五》ものに沿って歩く。「飛び石を—」 名 伝い歩き。「—を始めた赤ちゃん」

つた・う[伝う]《自他五》ものに沿って移動する。「屋根を伝って行く・なみだが〈ほおを/まつげから ほおに〉—」

つたえき・く[伝え聞く]《他五》うわさに聞く。人から聞く。「—ところによれば」 名 伝え聞き。

**つた・える[伝える]《他下一》①〔ことば・映像などを〕相手に(さらに別の人に)届ける。「気持ちを手紙で—・写真で—・伝言を—・後世に—・よろしくお伝えください」②〔受けついだものを〕次の人々に わたるようにする。「子孫に—・秘伝を—」③別の場所に広める。「仏教を—」④ものや空気などを通して、別のところへ届ける。「熱をよく—素材・音を—」 名 伝え。「古い—」 可能 伝えられる。

つたかずら[〈×蔦×蔓〉]〔文〕ツタを、つる草と見立てた言い方。

ったく《感》〔話〕⇩まったく 二。「—、しょうがないな」

つたな・い[拙い]《形》①へただ。「—文字」②運が悪い。「武運拙く討ち死にする」 派 -さ。

ったら〔↑といったら〕〔話〕 一 連 …と言ったら。「おいくつですか—、八十一だってさ」 二《副助》①〔多く—ない〕…は〔言いようもないほどだ〕。「きのうの暑さ—なかった」②〔女〕その人について、〈おどろいた/とがめる〉気持ちをあらわす。「あの人—、こんなことを言うのよ・まあ、あなた—」 三《終助》なかなか わからない相手に、じれて言う。…と言うのに。「心配しなくても だいじょうぶだ—・〔返答をうながして〕おい、なみ子—」▽ 二 三 ってば。

*つたわ・る[伝わる] 一《自五》①〔ことば・映像な

どが〕人に〈さらに別の人に〉届く。「メッセージが―・うわさが―・不安が相手に―」③昔から受けついで、〈今／将来〉に続く。「民話が―・家に―たからもの」□二《自他五》①ものや空気などを通して、別のところに届く。「音が空間を―」②つたう。「ロープを―・なみだがほお〈を／に〉―」

**っち** 接尾 ①〔↑たち〕〔俗〕「おれ」「おめえ〔=お前〕」などにつけ(て複数にす)る。「おれ―〔=ⓐお前たち。ⓑお前〕・おめ(え)―〔=ⓐおれたち。ⓑお前〕・おら―」②愛称をつくる。「もも―〔=もも子さんなど〕」

***つち**【土】①陸地の表面を作る、〈ねばりけのある／粉のような〉茶色のもの。「植木ばちに―を入れる・―を盛る」☞どろ①。②【△地】地面。大地。「故郷の―をふむ〔=故郷に着く〕・天―〔雅〕」③《すもう》↑土が付く句。「横綱に―」●**土一升金一升**句 土地の値段が非常に高いこと。土とお金を同じ分量で取りかえるほどだ、ということ。「―の銀座」●**土が付く**句《すもうなど》負ける。他土を付ける。●**土に帰る**句 死んで埋められて土となってゆく。●**土に親しむ**句 農業をする。●**土を踏む**句 その場所をおとずれる。「東京の―」

**つち**【(×槌)・(×鎚)】柄のついた、ものをたたく道具。ハンマー。表記「×槌」は木づち・金づち、「×鎚」は金づちに使う。

**つちいじり**【土いじり】《名・自サ》①土をいじること。②趣味としての園芸。

**つちいろ**【土色】①土の(ような)色。茶色。②焼き物に使う粘土の色。③⇩つちけいろ。

**つちおと**【(×槌)音】〔家を建てるときの〕材木を、つちでたたく音。「建設の―がひびく・復興の―〔⇩「復興」の用例〕」

☆☆**つちか・う**【培う】《他五》〔文〕①〔土を根にかけて〕草木を育てる。②(もとと なるものを)養って育てる。「健全な精神を―」

**つちくさ・い**【土臭い】《形》①土の においがする。②いなかびている。どろくさい。派-さ。

**つちぐも** □一【(土:蜘蛛)】土の中にふくろ状の巣を作る、小さなクモ。地蜘蛛。□二【土:蜘蛛】古代、中央政府に従わなかった土地の人々。

**つちくれ**【土(△塊)】〔文〕土の かたまり。

**つちけいろ**【土気色】〔顔の〕血の気のない、青黒い色。つちいろ。「―の顔」

**つちけむり**【土煙】 土や砂が けむりのようにまい上がったもの。

**つちつかず**【土付かず】《すもう》勝ち続けていること。全勝。「十日間―」

**つちのえ**【(×戊)】十干の第五。ひのと(丁)の次。ぼ。

**つちのこ**【(×槌の子)】胴のふくらんだヘビに似ているという正体不明の生き物。

**つちのと**【(△己)】十干の第六。つちのえ(戊)の次。き。

**つちぶえ**【土笛】 粘土などを焼いて作った、素朴なふえ。

**つちふまず**【土踏まず】足のうらのくぼんだ部分。☞扁平足。

**つちへん**【土(偏)】漢字の部首の一つ。「地」「坂」などの、左がわの「土」の部分。

**つちぼこり**【土(×埃)】強い風でまい上がった細かい土や砂。「―が上がる」

**つちもの**【土物】陶器。つちのもの。(↕石物)

**っちゃ** □一《接助》〔話〕⇩ちゃ。「がんばらなく―」□二《副助》〔俗〕①〔A―A〕↑といえば。「ある―ある〔=たしかに ある〕んですが」②〔↑といっては〕〔多く―ない〕…(な)のは言いようもないほどだ。「おもしろい―〔=と言ったら〕ありません」▽っちゃあ。

**っちゅう** 連・《格助》・っちゅう《連体》〔俗・方〕⇩ちゅう。「ちがう―のに」●**っちゅうの**《終助》〔俗・方〕なかなか わからない人に強調して言うことば。っつうの。「来たらだめだ―!」☞ちゅう。

**つちよせ**【土寄せ】《名・他サ》《農》植物を植えたあと、根もとに きちんと土をかき寄せること。

**つっ**【突っ】接頭〔―+動詞〕気持ちを強めることば。「―ぱしる・―ころばす」

**つつ**【筒】①細長くて断面がまるく、中が からのもの。「―状になっている」②小銃・大砲の、たまが通りぬける部分。③【△銃】〔文〕小銃。大砲。「―音」

****つつ**《接助》〔文〕①動作をくり返すことをあらわす。「ふりかえり―去って行った」②動作が進行していることをあらわす。「せまり―ある」③それをするのと同時に、主となることをする場合に使う。〔…をし〕ながら。「口笛をふき―歩く」④一方。「科学的であり―文学的でもある読み物」⑤…けれど(も)。「悪いと思い―(も)笑ってしまう」⑥そんなことも織り交ぜて、という気持ちをあらわす。「そんな さわぎがあり―(も)、月日は過ぎた」

**つついづつ**【筒井筒】〔文〕おさななじみの男女。由来「伊勢物語」の和歌から。筒井は、まるくほった井戸。

**つづいて**【続いて】《副・接》間をおかず、すぐ次に移るときのことば。ひきつづいて。続いては。「―、今週の話題です・―のご乗車はできません」丁寧 続きまして(は)。

**っつうの**《終助》〔俗〕⇩っちゅうの。

☆☆**つつうらうら**【津々浦々】 全国いたるところ(のみなとや浦)。つづうらうら。「うわさが―に広がる」

**つつおと**【筒音】〔文〕〈小銃／大砲〉をうつ音。

**つっかいぼう**【(突っ△支い)棒】 戸があかないように、また、ものが たおれないように、当てて支える棒。つっかえ棒。

**つっかえ・す**【突っ返す】《他五》つき返す。

←**つっかえ・る**【(×痞える)】《自下一》うまく通らないでひっかかる。つかえる。「さかなの骨が のどに―」名つっかえ。

→**つっか・える**【(△支える)】《自他下一》⇩つか(支)える。名つっかえ。

**つっかか・る**【突っ(掛かる)】《自五》①相手に向かってつき進む。「立ち上がって―」②小さなことをとがめて、くってかかる。「―ような口調」③なめらかに行かず、ひっかかる。「―ことなく理解する」

**つっかけ**【(突っ掛け)】〔↑つっかけサンダル〕 足さきにひっかけて はくサンダル。

**つっか・ける**【突っ(掛ける)】《他下一》①はきものを足のさきにかけて はく。むぞうさに はく。②《すもう》仕切りから立ち上がって相手に しかける。

☆☆**つつがな・い**【(×恙無い)】《形》ふだんと変わりがな(く、病気でもな)い。つつがもない。「つつがなく過ごしております・道中つつがなく到着した」 由来「つつが(=病気)」がないという意味。「ツツガムシ病」とは限らない。

**つつがむし**[(×恙虫)] ダニの一種。幼虫はノネズミなどに寄生し、ツツガムシ病(=全身に斑点が出る熱病)を運ぶ。

**つづき**[続き] ①続く〈こと/ぐあい〉。「文章の―がいい」②(文章や話の)あとに続く部分。③(続きもので)これまでの分に続くもの、という意味をしめすことば。●☆☆**つづきがら**[続き柄] 親族・血族の関係。つづきあい。ぞくがら。●**つづきべや**[続き部屋] ①廊下を通らずに行き来できる部屋。②スイートルーム。●**つづきもの**[続き物] 終わるまでに何回にも分かれて続く、小説・テレビドラマなど。

**つつぎり**[筒切り]《名・他サ》 さかなを、骨つきのまま短い筒のように切ること。「鯉の―」

**つっき・る**[突っ切る]《他五》 ①まっすぐに〈横切る/通りぬける〉。「道を―」②乗りこえる。「困難を―」

**つつ・く**《他五》 ①細いもので(何度も)突っつく。「さかなを小枝で―」②〈注意/あいず〉のために、人のからだを続けて突く。「ひじを―」③〈問題点/弱み〉をせめる。「検事はこの点をつついた」④早くするように言う。せつく。「先方を―」⑤箸でとって食べる。「牛鍋を―」▽つっつく。

****つづ・く**[続く]《自五》 ①前からあとへ、つぎつぎにつながる。つらなる。「道が―・晴天が―」②通じる。「駅に―地下道」③すぐあとに起こる。来る。「晴天が嵐に―」④あとにしたがう。「おれに続け」

**つづけざま**[続け(様)] 続けて〈おこなう/起こる〉ようす。つづけさま。「ホームランを―に打たれる」

**つづけじ**[続け字] 文字の点画や、文字と文字との間を続けた書き方。

****つづ・ける**[続ける] [一]つづける《他下一》 ①前からあとへ、つぎつぎにつなぐ。つらねる。「食堂と居間とを続けて広間にする」②ことば・話・行動などがとぎれないようにする。「発言を―・旅行を―」③あることがらをくり返しておこなう。「失敗を―・連勝を―」 [二]造 とぎれずにずっと…する。「走り―・押し―」 可能 続けられる。

**つっけんどん**[(突っ×慳貪)]《ナダ》 とげとげしくて冷淡なようす。邪険。ぶあいそう。けんどん。「―な態度」 派―さ。

**つっこみ**[突っ込み] ①突っ込むこと。②調査・考察の深さ。「―が足りない」③[ツッコミ]〔漫才で〕相手の話のおかしなところを見つけて、とがめる〈役/こと〉。「―を入れる」(↔ぼけ)④区別せず、すべてをひっくるめること。「―で買うと安くつく」

**つっこ・む**[突っ込む](↔突き込む) [一]《自五》 ①強く突くようにはいりこむ。「トラックが塀に―」②突き進む。突撃する。「敵陣に―」③深いところまでつきつめる。「突っ込んだ批評」④《経》ゆるやかに下がっている相場がいちじ急に下がる。 [二]《他五》 ①突くように中に入れる。「ポケットに手を―・どろぬまにうっかり足を―」②むりやり中に入れる。「バッグに着がえを―」③弱点をつかまえて(するどく)言う。「あやふやな点を突っ込まれる」④話のおかしなところをとがめる。つっこみを入れる。(↔ぼける)⑤つぎこむ。「ばくちにかねを―」 表記 俗に「ツッコむ」とも(特に[二]④)。

**つつさき**[筒先] ①筒の先。②[(△銃先)] 銃身の先の、たまの出る所。③砲身の先の、たまの出る所。④(消防隊で)ホースの先の、水の出る所(をにぎる人)。筒口。

**つつじ**[(:躑躅)] 常緑または落葉性の低木。五月ごろ、花びらが五つに割れた、赤・白などの美しい花をひらく。種類が多い。

**つつしみ**[慎み] つつしむこと。●**つつしみぶか・い**[慎み深い]《形》 つつしむ心が深い。 派―さ。

←**つつし・む**[謹む]《自五》 かしこまる。☞つつしんで。

→**つつし・む**[慎む]《他五》 ①ひかえめにする。度を過ごさないように気をつける。「おこないを―・口を―・酒を―・身を―」②(まちがいを起こさないよう、行動に)気をつける。「将来を―」

**つつしんで**[謹んで]《副》 礼をつくして。うやうやしく。(「つつしみて」は、あいさつ文などで使う、改まった言い方)「―申しあげます」

**つつそで**[筒袖]《服》 たもとがない、筒形のそで(の着物)。つつっぽ(俗)。

**つった・つ**[突っ立つ]《自五》 ①勢いよく立つ。②まっすぐに立つ。③立ったまま、動かないでいる。「そこに突っ立ってちゃじゃまだ」▽突き立つ。 他 突っ立てる《下一》。

**つっつ・く**《他五》 ①つつく。②(卓球で)短いボールを軽くカットして返す。 名 つっつき。

**つつっぽ**[筒っぽ]〔俗〕つつそで。

**つつどり**[(筒鳥)] わたり鳥の一種。「ポンポン」と、からの筒を打つような声で鳴く。

**つつぬけ**[筒抜け] ①話し声・音などが、そのままほかの人に伝わること。②話の内容・秘密などが、そっくりもれること。「右から左へ―だ」 動 筒抜ける《自下一》。

**つっぱし・る**[突っ走る]《自他五》 ①はやく、勢いよく走る。「自転車で―」②つき進む。「増税路線を―」

**つっぱな・す**[突っ放す]《他五》 「突きはなす」を強めた言い方。「要求を―」

**つっぱ・ねる**[突っ(×撥ねる)]《他下一》 ①突きとばす。②突き返す。③ことわる。「要求を―」

**つっぱらか・る**[突っ張らかる]《自五》〔俗〕つっぱる。「君、そう―な」 他 突っ張らかす《五》。「肩を―」

**つっぱり** [一][突っ張り] ①突っ張ること。「はだの―・《すもう》―の回転が速い」②戸や家具などをおさえる棒。つっぱり棒。 [二][ツッパリ] 不良生徒。(一九七〇～八〇年代に流行した用法)

**つっぱ・る** [一][突っ張る]《自五》 ①強くはる。「腹の皮が―」②四角ばる。「こおったタオルのように突っ張って」③抵抗する。がんばる。「かねはない、と―」④虚勢をはる。「ばかにされまいと―」 [二][ツッパる・つっぱる]《自五》 ①不良行為をする。非行がかる。「ツッパった生徒」(一九七〇～八〇年代に流行した用法)②反抗的な、目立った行動をする。「ツッパった演奏」 [三][突っ張る]《他五》 ①(ものがたおれたりしないように)棒の形のものをおしつける。「机に腕を―」②突き出してかどばらせる。「肩ひじを―」③《すもう》手のひらで相手を突いて攻める。「立ち合いで、突っ張って出る」

**つっぷ・す**[突っ伏す]《自五》 たおれこむようにうつぶせになる。つっぷせる。

☆☆**つつまし・い**[(△慎ましい)・(×虔ましい)]《形》 ①えんり

ょ深く、しとやかだ。「—態度」②つましい。「—生活」[派]—げ。—さ。

**つつましやか**【(△慎ましやか)・(×虔ましやか)】《ナダ》つつましいようす。つつましそう。[派]—さ。

**つつみ**【包み】つつむこと。つつんだもの。「—紙(がみ)」●**つつみかく・す**【包み隠す】《他五》①つつんで、見えなくする。②秘密にして人に知らせないようにする。[名]包み隠し。●**つつみきん**【包み金】①紙につつんで(あいさつのしるしに)わたすお金。②いくらと決めないであたえるお金。▽つつみがね。

**つつみ**【堤】〔川などで〕水があふれないように土や石をもり上げたもの。土手。「—が切れる」

**つづみ**【鼓】《音》中央がくびれた木製の胴(どう)の両はしに皮を張り、手で打ち鳴らす楽器。小鼓(こつづみ)と大鼓(おおつづみ)がある。

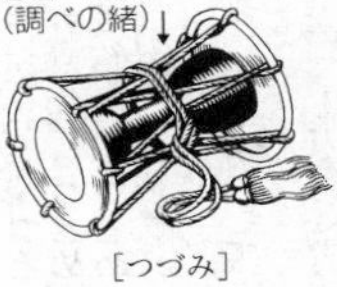

[つづみ]

*__つつ・む__【包む】《他五》①すっかり中にはいるように、何かでおおう。「書類をふろしき〈に/で〉—・スーツに身を—・母のやさしさに包まれる・かっこで—(=くくる)」②ある場所をそればかりにする。「会場は興奮に包まれた」③心の中にしまいこむ。かくす。おさめる。「悲しみを胸に—・包まずすべてを話す」④お金を(袋(ふくろ)などに入れて)人にわたす。「お礼を一万円—」[可能]包める。

**つづ・める**【(△約める)】《他下一》①短くする。縮める。②要約する。[自]つづまる《五》。

**つつもたせ**【(:美人局)】男が、妻または愛人にほかの男を誘惑(ゆうわく)させたあと、その男に言いがかりをつけて金品をゆすりとること。

←**つづら**【(△葛)】〔文〕つるをひものように利用できる植物。例、クズ・フジなど。●☆☆**つづらおり**【(△葛)折り・(:九十九)折り】うねうねと折れまがる山道。

→**つづら**【(:葛籠)】ツヅラのつるであみ、衣類を入れておくかご。

**つづり**【(×綴り)】①つづること。つづったもの。②〔外国語を〕つづること。スペリング。●**つづりかた**【(×綴り)方】①つづる方法。②明治後期から終戦直後まで、小学校で「作文」のこと。③〔外国語を〕つづること。●**つづりじ**【(×綴り)字】ことばを書きあらわすために、アルファベットを組み合わせた文字。綴字(てつじ)。スペル。

**つづ・る**【(×綴る)】《他五》①つなぎあわせる。②ことばを続けて文章を作る。「文章を—」③アルファベットを続けてことばを書く。④〔小さな花を〕たくさんつける。[可能]つづれる。

**つづれ**【(×綴れ)】①↑つづれ織り。「—の帯」②〔雅〕〔つづりあわせて作った〕ぼろ。衣服。「—の衣(ころも)・—させ(=コオロギの鳴き声。冬服をぬえ、の意味)」●**つづれおり**【(×綴れ)織り】色のついた糸で模様を織り出した織物。帯地・肩(かた)かけなどに使う。つづれ。●**つづれにしき**【(×綴れ)錦】いろいろの模様を織り出したにしき。京都市の西陣(にしじん)で作られる。

**__って__〔話〕【一】《格助》①⇩と【一】①。「来る—言ったよ・『さよなら』—(=と言って)帰った」②という。「俳優—仕事は大変だ・お前—やつはついてるな」【二】《副助》①とは。「人生—なんだ」②(というもの)は。「わたし—、さびしがりやなの・それ—、どういう意味?・」③〔疑問をあらわすことばとともに使って〕…かと言えば。「何がきらい—、あの音がたまらない」[アク]【一】【二】ウシって・ネコって・イヌって。【三】《終助》①伝聞・確認(かくにん)をあらわす。②反語をあらわす。「だめだ—(さ)・なに、まだだ—?・」③なかなかわからない人に言うことば。…と言うのに。「これが許せるか—(=許せないぞ)」「早くしろ—・『すみません』『いい—、いい—(=いいよ)』」④↑と〈思います/いうわけです〉。「私もやりたいな—」⑤〔古風・女〕⇩て【四】②。「そうじゃなく—?(=そうでしょう)」【四】《接助》⇩て【一】。「うれしく—ね」【五】**って**《接》取り消したり、おぎなったりすることば。いや。もっとも。「すみません。—、知ってるお前のせいだろう・このことば知ってますか。—、知ってるほうがふしぎですが」【六】[接尾]副詞をつくる。「ごくごく—飲む」☞たって・だって。

**つて**【(△伝)・(△伝手)】①相手に伝える手段。「—があるから、届けてあげよう」②てづる。「—をもとめて就職する」

**っていうか**【って(言うか)】〔話〕【一】《副助・終助》⇩と言うか【一】【二】。「こわい—ふしぎ—・音楽がないと、集中できない—(=できません)」【二】**っていうか**《接》①いや、むしろ。「時期が悪かった。—、最悪だった」〔相手の発言を否定するのに使うのは、やや俗。「『あなた、命令するつもり?』『—、お願いです』」〕②〔俗〕疑いや反対の気持ちをあらわす。えっ。でも。「『ぼくは、きょうは勉強する』『—、遊びに行かないの?』」③〔俗〕話題を変えるときのことば。そんなことより。「腹へったね。—、あしたテストだよね」▽【一】【二】は「というか・(っ)つうか・(っ)てえか」とも。【二】は「ていうか」の形が多く、「つか・てか」とも。

**ってったって**[連]〔↑と言ったとて〕〔話〕と言われても。「今から来い—こっちは困る」

**っての**〔話〕【一】[連]↑というの。「いそがしい—は、いいことです・何をしよう—?・」【二】《終助》わからないのか、あたりまえだ、という強い気持ちをあらわす。…よ。「早くやれ—・絶対、許せない—」

**ってば**〔↑といえば〕〔話〕【一】《接助》その点はどうかというと。「それでいいか—、そうじゃない」【二】《副助》①それで思い出したが。「入学式—、何を着て行く?・」②〔女〕その人について、〈おどろいた/とがめる〉気持ちをあらわす。「ママ—、いつもああなのよ」【三】《終助》なかなかわからない相手に、じれて言う。と言うのに。「ちょっと待って—・〔返答をうながして〕あなた、ねえ、あなた—」▽【二】【三】ったら。

**ってんだ**〔話〕【一】[連]↑というのだ。「ひとりで行く—からえらい」【二】《終助》〔↑というのだ〕わからないのか、という気持ちをあらわす。っての。「あまったれるな—」☞てんだ【一】①。

**っと**《終助》〔話〕まわりに宣言するように言うことば。「知らない—・よし、できた—」〔「しーらないっと」のように、動詞をのばして言うことも多い〕☞と【四】。

**つと**【(×苞)】わらづと。「—入りなっとう」

**つと**《副》からだを急に動かすようす。また、急に動きをとめるようす。とつぜん。「—顔を上げる」

**つど**【(都度)】【一】〔そのことが起こる〕たび(ごと)。「提案する—反対にあう・—払(ばら)い(=利用するたびに支払うこと)」【二】《副》↑その都度。「条件については、—判断する」〔二十一世紀になって広まった用法〕☞都度都度。

**つど・う**【集う】《自五》〔文〕(寄り)集まる。図集い。他 集える《下一》。

**つどつど**【都度都度】《副》そのつど。「(その)—(に)代金を支払う」〔明治時代からあることば〕

☆☆**つとに**【(×夙に)】《副》①〔文〕(ずっと)以前から。早くから。「—名高い」②〔俗〕特に。ことに。「最近—思う」
✐②は新しい用法だが、①の用法とまぎれて誤解をまねきやすい。由来 もとは「朝早く」の意味。早朝の意味の古語「つとめて」の「つと」と同じ。

**つとま・る**【務まる】《自五》受け持った仕事が、できる。「議長の役が—」

**つとま・る**【勤まる】《自五》うまく勤めることができる。「よくそれで—ものだ」

**つとめ**【務め】役目。任務。義務。「主婦の—・—を果たす」

**つとめ**【勤め】勤めること。「一日の—・会社勤め」☞お勤め。●**つとめ あ・げる**【勤め上げる】《他下一》勤めの期間を、最後まで無事に終える。●**つとめぐち**【勤め口】勤める場所。就職先。●**つとめさき**【勤め先】勤めている所。勤務先。●**つとめにん**【勤め人】会社・役所などに勤めて、給料をもらっている人。

☆☆**つとめて**【(努めて)・(△勉めて)】《副》〔文〕努力して。骨折って。できるだけ。「—早起きする」

*__つと・める__【努める・△勉める】《自下一》①力をつくす。「解決に—・サービスに—・泣くまいと—(=がまんする)」☞努めて。②気をつける。「簡潔に話すよう—・整理整頓に—」区別 ⇩努力。

*__つと・める__【勤める】《自他下一》①給料をもらって決まった仕事をする。勤務する。「会社に—」②決められた期間、刑に服する。「刑期を—」③《仏》仏道にはげむ。また、仏事を営む。「朝夕に—・法事を—」④演じる。「歌舞伎で役を—」可能 勤められる。

**つと・める**【務める】《他下一》任務を受け持つ。役目をする。「議長を—・主役を—」

**つな**【綱】①植物の繊維・針金などを二本以上合わせて長くよりあわせたもの。②よりすがるたのみ(とするもの)。「命の—・たのみの—」③《すもう》⇩横綱①。「—を打つ〔⇩綱打ち②〕」●**綱を張る** 句《すもう》横綱の地位につく〈ある〉。横綱を張る。

**ツナ**〔米 tuna〕〈マグロ/カツオ〉をむしたり煮たりして、缶づめなどにしたもの。ほぐしてサンドイッチなどに使う。「—サンド・—缶」〔「シーチキン」は、その商標名〕

**つなうち**【綱打ち】①綱をよって作ること。②《すもう》横綱のしめる綱を、同じ部屋の力士たちみんなで作る儀式。綱打ち式。

**つながり**【(×繋がり)】①つながること。②関係。きずな。「血の—・横の—」一 つながり 二 つながり 造 …をつながり(接点)として関係があること。「ペットーの話・サーフィンの友だち」〔二十一世紀になって広まった用法〕

**つなが・る**【(×繋がる)】《自五》①つないだ状態になる。「両岸が橋で—・電話が—」②しばられる。「恩愛のきずなに—」③関係する。「仕事の上で—」④その結果を生む。「熱意が当選に—」可能 つながれる。

**つなぎ**【(×繋ぎ)】①つなぐこと。つなぐもの。②次の〈仕事に取りかかる/演芸が始まる〉まで、かりにするもの。「—の仕事」③《料》ⓐそばが切れないように、そば粉の中にまぜる小麦粉など。ⓑひき肉がばらばらにならないようにまぜる、かたくり粉・溶き卵など。④【ツナギ】《服》上と下がひと続きの作業服。なっぱ服。オーバーオール。「革の—」●**つなぎあわ・せる**【(×繋ぎ)合わせる】《他下一》別のものとつなげて一つにする。「動画を—」●**つなぎと・める**【(×繋ぎ)留める】《他下一》(はなれないように)つないでおく。「船を—・彼女の心を—」

*__つな・ぐ__【(×繋ぐ)】《他五》①つな・ひもなどで、どこかに結びつける。「犬をつないでおく・船を岸に—・人を獄に—」②間を線などで続ける。「テレビとパソコンを—・山と海を道路で—」③いくつかのものを〈ならべて/つぎたして〉、全体でひと続きのようにする。「電池をたてに—・投手を—・〔駅伝で〕たすきを—」④〔ある状態が〕長く続くようにする。「座を—・期待を—」⑤〔電話で〕通話ができる状態にする。▽つなげる。⑥しっかりにぎりあう。「手を—」⑦《料》ソースなどにとろみをつける。「ピューレをクリームで—」可能 つなげる。

**つな・げる**【(×繋げる)】《他下一》①(努力して)つながるようにする。ひと続きにする。「二部屋を—・ちぎった写真を—・期待を未来へ—」〔「つなぐ①〜⑤」と重なる意味。多く、東日本で使う。この言い方について一九八〇年代から特に話題になったが、夏目漱石なども使っている〕可能 つなげられる。②「つなぐ」の可能形。

**つなとり**【綱取り】《すもう》大関が好成績をあげて横綱になろうとすること。

**つなひき**【綱引き】《名・自サ》①ふた組みに分かれた人たちが一本の綱を引き合って勝負を争う競技。②関係者のあいだでの勢力あらそい。

**つなみ**【津波・:海嘯】地震などのために、海面から海底までの海水全体が、急に陸地におし寄せること。また、おし寄せる海水。深刻な被害につながる。☞海嘯。由来 ●**津**(=港)におし寄せる波の意味。

**津波てんでんこ** 句〔てんでんこ=てんでんばらばら。東北方言〕津波がせまったら、家族などでかたまるのでなく、各自ばらばらですぐににげろ。〔全滅を避けるための、三陸地方の言い習わし〕

**つなわたり**【綱渡り】《名・自サ》①空中にはった綱をわたる かるわざ。②〈危険/無理〉をおかしてすること。

**つね**【常】①ふだん(の習わし)。「—の自分とちがう」②ふつう(のこと)。「人間の—として」③〔文〕一定。安定。「動揺—なき政界」☞常ならぬ・常に。●**常にない** 句 いつもとは ちがう。いつにない。「—人の多さ・きょうは常になく からだが だるい」

**つねづね**【常々】《副》ふだん。平生。

**つねなさ**【常(無さ)】〔文〕無常さ。変わりやすさ。「人生の—」

**つね-ならぬ**【常ならぬ】《連体》〔文〕①いつもとちがう。「—身(=妊娠した状態など)」〔古文では「例ならぬ」と言う〕②奇妙な。変わった。「—話」③無常の。「—世」④一定しない。「出欠—状態」〔「出欠常ならずだ」の形でも言う〕

**つねに**【常に】《副》そうでない時が、少しもないようす。「—いそがしい職場・家族のことを—考える」区別 ⇩いつも 一①。

**つねひごろ**【常日頃】ふだん。つね平生。「—の心がけ」

**つね・る**【(×抓る)】《他五》皮膚を、〈つめ/指の先〉で強くねじる。つめる。

**つの**【角】①動物の頭などに突っき出た、かたくて長いもの。「牛の—」②「つの①」のような形のもの。「コンペートーの—・生クリームを—が立つくらい泡立てる」●**角を矯めて牛を殺す** 句 少しばかりの欠点を直そうとして、かえって全体をだめにしてしまう。●**角を生やす** 句 妻が、やきもちをやく。角を出す。

**つのがき**【角書き】書物などの題名の上に、その内容を示すことばを二行にして小さく書いたもの。

**つのかくし**【角隠し】婚礼のときに高島田に結った花嫁が頭に巻く、かざりの布。

［つのかくし］

**つのだる**【角(×樽)】〔日本酒を入れる〕二本の大きく高い柄をつけた、朱塗りのたる。え(柄)だる。手だる。やなぎだる。

**つのつきあい**【角突き合い】仲が悪くてよくけんかすること。動 角突き合う《自五》。

**つのつきあわ・せる**【角突き合わせる】《自下一》仲が悪くて、いつもけんかばかりする。

**つのぶえ**【角笛】〔音〕けもののつので作った笛。つのの先にあけた穴に口をあてて吹く。〔昔、狩猟やいくさに使った〕

［つのぶえ］

**つのめだ・つ**【角目立つ】《自五》〔古風〕目くじらを立て(て感情的にな)る。「無礼な取材に—」

**つのら・せる**【募らせる】《他下一》つのるようにする。募らす。「不安を—」

**つの・る**【募る】一《自五》ますますはげしくなる。高まる。「あらしが—・思いが—・ふき—」二《他五》広くもとめ集める。招き集める。募集する。「希望者を—」名 募り。

**つば**【唾】食べたり、おいしいものを見たりしたときに、口の中に出てくる、すきとおった液。唾液。つばき。●**唾を付ける** 句〔人にとられないよう〕自分の〈もの/権利〉であることを、前もってはっきりしめす。

**つば**【(×鍔)・(×鐔)】①刀のつか(柄)と刀身との間にはさむ、平たい鉄の板。②帽子のまわりにさし出た部分。「—広」

**っぱ** 造〔↑っぱなし〕〔俗〕そのままにしておくこと。「置きっぱなし」・出し—・つけ—」〔一九九〇年代末に広まったことば〕

**つばき**【(唾)】つば(唾)。

**つばき**【(×椿)】代表的な常緑樹の一つ。原産地は日本。葉は厚くてつやがあり、春、〈赤/白〉い花をひらく。たねからは油がとれる。●**つばきあぶら**【(×椿)油】ヤブツバキの種からとった油。かみの毛や皮膚に良いとされる。

**つばくらめ**【(×燕)】〔雅〕つばめ。つばくろ。つばくら。

**つばくろ**【(×燕)】〔↑つばくら〕〔雅〕つばめ。「旅の—・春は—、秋は雁」

**つばさ**【翼】①鳥の羽。②飛行機の翼。

**つば・する**【唾する】《自サ》〔文〕つばをはく。つばきする。「天に—」〔⇩「天」の句〕

☆☆**つばぜりあい**【(×鍔)△迫り合い】《名・自サ》①刀をつばのところで打ち合わせて、たがいにおしあうこと。②たがいにはげしく競争すること。「—を演じる」

**つばな**【(×茅花)】〔雅〕チガヤの穂。チガヤ。

**っぱなし**【(っ放し)】造〔名・形動ダをつくる〕①…したままであること。っぱ〔俗〕。「電灯のつけ—」②…し続けていること。「勝ち—」

**つばめ**【(×燕)】①軽快に空をとび、建物などに巣を作るわたり鳥。日本には初夏に来て、秋に去る。代表的な益鳥。つばくら(め)。つばくろ。②〔俗〕⇩若いつばめ。●**つばめがえし**【(×燕)返し】刀の先を急に逆方向に変えて切るわざ。刀の使い方の一つ。●**つばめのす**【(×燕の)巣】アナツバメという海鳥の巣。中国料理の食材として珍重される。燕巣。燕窩。

**つぶ**【粒】①指でつまめる大きさで、玉などの立体的な形にまとまったもの(の集まり)。「ブドウの—・真珠の—・お米の—・砂—・なみだの—」 どれも正確に同じ形をした弾丸やパチンコ玉は「粒」とは言えない。②同じグループの〈一人一人/一つ一つ〉。また、その質・考え方など。「最近の若い者は—が小さい」●**粒がそろっている** 句 どれもみなすぐれている。

**つぶあん**【粒(×餡)】アズキのつぶが残るように煮て作ったあん。つぶしあん。(↕こしあん)

**つぶがい**【(×螺貝)・(粒貝)】寒い地方の海でとれる、さしみやすしねたなどにする巻き貝。つぶ。

☆☆**つぶさに**【(△具に)】《副》〔文〕①くわしく。「—検討する」②もれなく。ことごとく。「—報告する」

**つぶし**【(潰し)】つぶすこと。●**つぶしがきく** 句 ①ほかの職業・仕事でもやっていける。②ほかにも使い道がある。●**つぶしあん**【(潰し×餡)】煮たアズキを皮のままつぶして作ったあん。つぶあん。(↕こしあん)●**つぶしね**【(潰し)値】金属で作ったものの、地金としてだけの値段。つぶし値段。

**つぶ・す**【(潰す)】《他五》①おさえて形をこわす。「段ボール箱を—」②(これ以上)使えなくする。「声を—・目を—・くつをはき—・便箋を何枚も書き—」③失う。なくす。「財産を—・チャンスを—」④だめにする。ほろぼす。「会社を—・ライバルを—」⑤面目をなくす。「顔を—」⑥取り除く。「問題点を一つずつ—」⑦金属をとかす。鋳つぶす。⑧〔時間を〕過ごす。「ひまを—」⑨ほかのことに使うためにやめる。「田を—」⑩酒をたくさん飲ませ、酔って起き上がれない状態にする。酔いつぶす。⑪〔食べるために〕家畜を殺す。「ニワトリを—」⑫すきまをふさぐ。「穴を—」可能 つぶせる。

**つぶぞろい**【粒(×揃い)】どれもみなすぐれていること。

**つぶだ・つ**【粒立つ】《自五》①表面につぶつぶができる。はっきり、つぶつぶになる。②それぞれの特徴がはっきり出る。「俳優陣の個性が—」「—の良い音」他 粒立てる《下一》。名 粒立ち。

**つぶつぶ**【粒々】一 つぶつぶ 多くのつぶ(の一つ一つ)。二 つぶつぶ《副・自サ》多くのつぶの形が感じられるようす。「泡は—流れました・—(と)した食感」☞りゅうりゅう(粒々)。

**つぶて**【(:飛礫)・(×礫)】〔文〕投げる小石。

**つぶやき**【(×呟き)】つぶやく〈こと／ことば〉。「不満の―・ネットでの―」

*__つぶや・く__【(×呟く)】《自他五》①小声で〈ひとりごと／不平〉を言う。「ぶつぶつと―・ぼそっと―」②ツイッターで発言する。ツイートする。

**つぶよみ**【粒読み】《名・他サ》電話番号・部屋番号・郵便番号などの数字を、一つずつ読み上げること。例、四〇一(よん まる いち)教室・郵便番号二〇三-〇五九二(にい ゼロ さんの ゼロ ごおきゅう にい)。

☆☆**つぶより**【粒(△選り)】すぐれたものをよりぬくこと。えりぬき(のもの)。「―の作品」

**つぶら**【(△円ら)】《ナダ》〔文〕まんまる(くて かわいい)いようす。「―なひとみ・―実(=まるい実)」

**つぶり** 造「ぶり造」を強めた言い方。「飲み―・女―」

**つぶ・る**【(×瞑る)】《他五》〔目を〕とじる。ふさぐ。つむる。

**つぶ・れる**【(潰れる)】《自下一》①おされて〈くずれる／こわれる〉。②(これ以上)使えなくなる。「のこぎりの歯が―・目が―・声が―」③やっていけなくなる。倒産する。「店が―」④酔いつぶれる。⑤〔時間が〕使えなくなる。「土日が―」名つぶれ。

**っぺ**《終助》〔南東北・北関東方言／俗〕↑べえ。「どうす―〔=どうしよう〕・よか―〔=いいだろう〕」

**つべこべ**《副》〔俗〕いろいろ りくつを言うようす。「―言うな・―(と)文句をつける」

**っぺら** 接尾 うすいもの、ひらたいものをあらわす ことば。ぺら。「紙―・うす―・片―〔=片がわ〕」

**ツベルクリン**〔ド Tuberkulin〕《医》結核に かかっているかどうかの診断に使う注射液。「―反応」

**つぼ**【坪】①土地の面積の単位。一坪は六尺平方。約三・三一平方メートル。歩。②墓地の面積の単位。一坪は三尺平方。「坪①」の四分の一。

**つぼ** 一【(×壺)】①口がせまくて胴体が まるくふくらんだ器。②日本料理に使う、小さくて深い器。つぼざら。③くぼんで深くなった所。④野つぼ。⑤〔ばくちで使う〕つぼざら。「―を振る」☞思うつぼ。二【ツボ・つぼ】①⇩経穴。②急所。要点。「―をおさえる」「こちらの思う―」②だいじな点をおさえている。「つぼにはまった答弁」③笑いや好みの趣味に合う。「つぼにはまって大笑いする」

•**つぼに はまる** 句 ①あらかじめ考えたとおりになる。「つぼに

**っぽ** 造〔古風・俗〕(その土地出身の)男を〈あざけって／親しんで〉言うことば。「薩摩―・水戸―・書生―」

**つぼあし**【(×壺)足】雪の上を、足を踏みこんで歩くこと。「〔スキー場で〕―〔=スキーをはかないこと〕禁止」

**っぽ・い** 一 接尾〔形容詞をつくる〕…(の)傾向が強い。…という感じが強い。「皮肉―・水―・男―・苦―・忘れ―」二《助動形型》〔俗〕どうやら…らしい。…と思われる。「やっぱりだめ―・あしたは晴れる―」三 っぽい《形》〔俗〕いかにも それらしい。「部屋の ふんいきが―んです」▽一～三ぽい。派-さ。

**つぼがり**【坪刈り】《農》全体の収穫の分量を推定するために、一坪分だけのイネを刈り取ること。

**つぼざら**【(×壺)皿】①〔ばくちで〕投げたさいころにふせておおうもの。つぼ。②⇩つぼ(壺)一②。

**っぽち** 接尾 ①〔↑法師〕人をあらわすことば。っぽっち。「やせ―」②⇩っぽっち①。「これ―」

**っぽっち** 接尾 ①…だけであること。…しかないこと。ぽっち。っぽち。「これ―・それ―・あれ―」②⇩っぽち①。「やせ―」

**つぼにわ**【坪庭】建物に囲まれた、小さな庭。内庭。

**つぼみ**【(×蕾)・(×莟)】①花がつぼんでいて、まだひらかないもの。②まだ一人前にならない、年(の人)。

←**つぼ・む**【(×窄む)】《自五》花のように ひらいていたものが、とじる。「レンゲの花が つぼんだ」(↕開く) ☞すぼむ。

→**つぼ・む**【(×蕾む)】《自五》〔文〕つぼみが出る。

**つぼ・める**【(×窄める)】《他下一》つぼんだ状態にする。「かさを―〔=全部閉じる〕・口を―〔=閉じて つき出す〕・花びらを―」(↕開く) 自つぼまる(五)。☞すぼめる。

**つぼやき**【(×壺)焼き】《名・他サ》①つぼの形の器に入れて蒸し焼きにすること。「―のいも」②サザエの身を切り、殻に入れて、味をつけて焼いた料理。

**つぼ・る**【ツボる】《自五》〔俗〕おかしくて笑いが止まらなくなる。笑いのツボに はまる。「この動画、マジツボった」

←**つま**【(△夫)】〔「妻」と同語源〕〔雅〕おっと。「わが―〔妻が呼ぶ言い方〕」

→**つま【妻】①夫婦のうち、女性のほうの呼び名。「―をめとる」〔本人や つれあいが他人に言うときに、また、報道などで、ふつうに使う〕(↕夫) ✓⇩配偶者。②↑切り妻。

**つま**【(×褄)】《服》着物の すその、左右のすみの部分。「―を取る〔=手に持つ〕」

**つま**〔「ツマ」とも書く〕①さしみなどの そえものとしてつける、野菜や海藻。②軽く そえたもの。「話の―」

**つまおと**【爪音】琴爪で、琴をひく音。

**つまぐ・る**【爪繰る】《他五》〔じゅず などを〕爪または指の先で繰る。

**つまこ**【妻子】つまと子。さいし。

**つまごい**【妻恋・△夫恋】《名・自サ》〔雅〕〈妻／夫〉をこいしがること。「―の歌」

**つまさき**【爪先】指先。おもに、足の指先。•☆☆**つまさきあがり**【爪先上がり】ゆるい のぼり坂の道(になること)。つま先のぼり。•**つまさきだ・つ**【爪先立つ】《自五》つま先だけで立つ。名爪先立ち。他爪先立てる(下一)。

☆☆**つまさ・れる**《自下一》①⇩身につまされる〔「身」の句〕。②〔情に〕ひかされる。「かわいさに―」

☆☆**つまし・い**【(△倹しい)】《形》ぜいたくをせず、質素だ。「―暮らし」派-さ。☞つつましい。

**つまず・く**【(×躓く)】《自五》①歩くとき、足が ものに当た(って よろけ)る。けつまずく。②何かのせいで、うまくいかなくなる。「事業に―」由来「つま」は「つめ」で、足の先。それが何かに突っき当たる意味。表記 現代語では「つま+突く」の意識がないとみて、かなでは「つまずく」と書くが、「つまづく」も許容。名つまずき。

**つまだち**【爪立ち】《名・自サ》足のつま先で立つ(ようにして のび上がる)こと。

**つまだ・てる**【爪立てる】《自他下一》①足のつま先を立てる。「足を爪立てて のぞく」名爪立て。自爪立つ《五》。②つめを立てる。

**つまど・る**【(×褄)取る】《他五》着物の つま(褄)を手

に持つ。

**つまはじき**【爪(△弾き)】《名・他サ》①指先ではじくこと。②きらって仲間外れにすること。また、そうされる人。「友だちから―(に)される・みんなの―だ」

**つまびく**【爪弾く】《他五》楽器の弦を、指の先でひく。「ギターを―」[名]爪弾き。

☆☆**つまびらか**【(△詳らか)・(△審らか)】《ナダ》〔文〕くわしいようす。事細かなようす。「事情を―にする」

**つままれる**《自下一》〔「つまむ」の受け身形から〕ばかされる。「きつねに―」

**つまみ**【(△摘み)・(△撮み)】①つまむこと。②つまんだ量。「ひと―の塩」☞ひとつまみ①。③つまんで持つ部分。④酒のさかなに出す、簡単な食べ物。つまみもの。〔日常語としてはやや乱暴で、「おつまみ」のほうがふつう〕[表記]③④「ツマミ」とも。●**つまみあらい**【(△摘み)洗い】《名・他サ》せんたくのしかたの一種。よごれた部分だけをぬらして、洗うこと。☞丸洗い。●**つまみぐい**【(△摘み)食い】《名・他サ》①箸を使わず、指先ではさんで食べること。②ぬすんでこっそりと食べること。③自分に都合のいいところだけを利用すること。④〔俗〕横領。●**つまみだす**【(△摘み)出す】《他五》①つまんで外へ出す。「カードを一枚―」②簡単に外へ追い出す。「警備員につまみ出される」●**つまみな**【(△摘み)菜】〈コマツナ/ダイコン〉の、ふた葉のころのものをまびいた菜。●**つまみもの**【(△摘み)物】⇩つまみ④。

**つまむ**【(△摘む)・(△撮む)】《他五》①指先・箸などではさんで〈持つ/引っぱる〉。「豆を―・ほっぺたを―」②取って食べる。「少しつまんでください」③〔要点を〕ぬき出す。④えらび取る。⑤〔俗〕〔金貸しから〕借りる。⑥⇩つままれる。

**つまようじ**【爪(×楊枝)】〔小さい〕ようじ。くろもじ。

**つまらない**《形ヌズ》〔=詰っまらない〕①興味が起こらない。おもしろくない。「―話」②ねうちがない。くだらない。「―人間」[✓]物をおくるとき、「つまらない物ですが…」とも言う。「あなたにとってつまらないかもしれない」という意味のけんそんで、相手につまらない物をあげたいわけではない。気になる場合は、「〈気持ち/印〉ばかりの物ですが…」などの言い方もある。▽つまんない〔話〕。[丁寧]つまりません。[派]-がる。-さ。☞つまる[二]。

****つまり**[一]【詰まり】①つまること。「排水溝の―・紙詰まり」②はて。終わり。「とどの―・身の―」[二]《副・接》①〈わかりやすく/短く〉言えば。要するに。「おしゃれとは―個性の表現だ・お金もなければ力もない。―、何も武器がない」②言いかえれば。「弟の子、―おいに当たる」●**つまりは**《副・接》「つまり[二]」を強めた言い方。

***つまる**《自五》[一]【詰まる】①入れてすきまがなくなる。「箱にいっぱい―・予定が―」②ふさが(って通じな)る。「パイプが―」③困って、うまくできなくなる。「返事に―・資金繰りに―・生活が―」④短くなる。縮まる。「日が―・着物のたけが―」⑤ゆとりがなくなる。「胴まわりが―・《すもう》俵に―〔=土俵ぎわに追いつめられる〕」⑥〔会議などで〕細かいところまで検討がすむ。⑦《野球》バットのしんを外れた打球が、勢いがつかず、近くに飛ぶ。「詰まった当たり」[他]詰まらせる《下一》。「声を―」[二]〔後ろに否定が来る〕〔古風〕おもしろい。「それでは―まい・学問なぞ―ものか」〔今は、ふつう「つまらない」の形で形容詞として使われる。☞つまらない〕●**つまるところ**【(詰まる所)】《名・副》要するに。結局。

***つみ**【罪】[一]①法律にそむくおこない。刑罰を受けなければならないおこない。「殺人の―をおかす」②道徳や宗教の教えにそむくおこない。また、その結果生じる、心のけがれ。「―を清める」③刑罰。「―に服する」[二]《名・ナダ》悪気はなく、人を苦しませたりなやませたりする〈こと/ようす〉。「美しいって―ね・彼も―なことをするものだ」●**罪がない**[句]①むじゃきだ。「罪のない子ども」②善良だ。無辜だ。「(何の)罪もない市民が犠牲になった」③(あまり)とがめる必要がない。「―じょうだん」●**罪を着せる**[句]その人は無実なのに、罪があることにする。罪をかぶせる。●**罪を着る**[句]自分は無実なのに、罪を引き受ける。罪をかぶる。

**つみ**【詰み】《将棋》王将が動けなくなること。勝負がつくこと。「あと五手で―だ」

**つみあげる**【積み上げる】《他下一》①積み重ねて高くする。「本を―」②数字や金額をふやす。「勝ち点を―」③ものごとを積み重ねて成果を出す。「実績を―」[名]積み上げ。[自]積み上がる《五》。

**つみおろし**【積み降ろし】《名・他サ》荷物を積んだり降ろしたりすること。「貨物を―する」

**つみおろす**【積み降ろす】《他五》積み荷をおろす。「船から材木を―」

**つみかさねる**【積み重ねる】《他下一》いくつも積んで、かさねる。「議論を―」[名]積み重ね。[自]積み重なる《五》[名]積み重なり〕。

**つみき**【積み木】①木を積むこと。積んだ木。②積みかさねて ものの形を作る、小さな木などの おもちゃ(で遊ぶこと)。

**つみきん**【積み金】《経》積み立てて〈ためる/ためた〉お金。「定期―」

**つみくさ**【摘み草】①春の野に出て草をつむこと。②野草。山菜。「―料理」

**つみごえ**【積み肥】《農》堆肥。

**つみこむ**【積み込む】《他五》船や貨車・トラックなどに荷物を積んで入れる。[名]積み込み。

**つみする**【罪する】《他サ》〔文〕罪を定めて刑をおこなう。

**つみだす**【積み出す】《他五》荷物を積んで送り出す。[名]積み出し。

**つみたてる**【積み立てる】《他下一》〔一定の額になるまで〕何回かに分けて〈預金/貯金〉する。「旅行の費用を―」[名]積み立て。〔経済関係の熟語では「積立」と書く。「積立金」〕

**つみつくり**【罪作り】《名・ナダ》罪なことをする〈こと/人〉。つみづくり。

**つみとが**【罪(△科)】つみと とが。罪悪。「なんの―もないのに」

**つみとる**【摘み取る】《他五》①芽のうちに、つまんで取る。②〔大きくならないうちに〕取り除く。「悪の芽を―」[名]摘み取り。

**つみに**【積み荷】船や車などに〈積む/積んだ〉荷物。また、荷物を積むこと。「―を下ろす・―の作業」

**つみのこし**【積み残し】①荷物を全部積みきれずに、

残すこと。また、残された荷物。②〔列車・船で〕乗客を全部乗せられず、あとに残すこと。③すべてが終わらないこと。「―の仕事」 動 積み残す《他五》。

**つみびと**［罪人］ 罪のある人。ざいにん。

**つみぶか・い**［罪深い］《形》 罪が重い。つみふかい。派 -さ。

**つみほろぼし**［罪滅ぼし］《名・自サ》〔いいことをして〕おかした罪をつぐなうこと。

**つみま・す**［積み増す］《他五》〔お金や物を〕上乗せして増やす。名 積み増し。

**つみれ**〔↑摘っみ入れ。「ツミレ」とも書く〕すった〈魚肉/とり肉〉をだんごのようにして、出しじるに入れて煮たもの。「いわしの―」 ☞つくね。

**つむ**［×錘・:紡錘］ つむいだ糸を巻きつけるもの。紡錘。

［つむ］

**つ・む**［詰む］《自五》①〔ぎっしり集まって〕すきまがなくなる。「布地の目が―」 ②《将棋》王将が動けなくなる。勝負がつく。③〔俗〕〔どうしようもなくなって〕終わる。「人生詰んだ」

**つ・む**［〈×剪む〉］《他五》〔西日本方言〕 切る。「髪を―」

**つ・む**［摘む］《他五》 指先ではさんで取り除く。「花を―・悪の芽を―〔=つみとる〕」 可能 摘める。

**つ・む**［積む］ 一《他五》①〔何かの上に〕たくさん かさねて置く。「石を―・本を―」 ②〔荷物を〕のせる。「トラックに―」（↔降ろす） ③〔お金を〕あずける。つみたてる。「銀行に積んできます」 ④くり返すことによって、ゆたかにする。「経験を―」 ⑤〔大金を〕さし出す。「保釈金を―」 可能 積める。 二《自五》〔文〕〔雪が〕つもる。「降り―雪」

**つむぎ**［〈×紬〉］ 真綿などからとった、上等な絹糸。また、それで織った、あらい手ざわりの織物。

☆☆**つむぎだ・す**［紡ぎ出す］《他五》①繊維を引き出してつむぐ。②〔自分の中から引き出して〕少しずつ形にする。「物語を―・旋律を―」

**つむ・ぐ**［紡ぐ］《他五》①綿・羊毛などの繊維をねじりながら〔=よりをかけながら〕引き出して、一本の糸にする。「綿を紡いで糸を作る・糸を―」 ②少しずつ、はっきりした形にする。「ことばを―・歴史を―」

←**つむじ**［〈:旋毛〉］（頭の）毛がうずのように巻いてはえているところ。●**つむじを曲げる** 句 気分を悪くして、ふきげんになる。●**つむじまがり**［〈:旋毛〉曲がり］ 人（の期待）とちがう言動ばかりする〈こと/人〉。へそまがり。

→**つむじ**［〈:旋風〉］ ↑つむじかぜ。●**つむじかぜ**［つむじ風・:旋風］ 小さくうずを巻いてふく強い風。旋風。つむじ。

**つむり**［〈△頭〉］ あたま。かしら。つぶり。おつむ。「―を丸める〔=ⓐかみの毛をそる。ⓑ僧になる〕」

**つむ・る**［〈×瞑る〉］《他五》 つぶる。

**つめ**［爪］ ①〈指/動物の足〉の先にはえるもの。皮膚の表面がかたく変わってできたもの。「―がのびる・ネコが障子に―を立てる」 ②ひっかけて、とめるしかけのもの。③機械の先についている、大きな「爪①」の形に似た部分。「耕耘機の―」 ④琴爪。⑤ギターをひくとき、指先〈にはめる/でつまみ持つ〉、「爪①」の形をしたもの。ピック。⑥〔↑爪見出し〕 辞書などを開くときの目安に、小口に印刷した部分。●**爪に火をともす** 句 非常に〈倹約する/けちな〉ようす。「―ような生活をする」 ●**爪のあか(垢)ほど** 句 ほんのわずか。「―の親切心もない」 ●**爪のあか(垢)を煎じて飲む** 句 手本にして、その人にあやかるようにする。●**爪を研ぐ** 句 攻める機会をねらって、準備をする。「復讐の―」 ●**爪を伸ばす** 句 欲を深くする。

**つめ**［詰め］ ①つめること。「土俵ぎわの―があまい・―〔=最後の仕上げのための確認〕の協議をおこなう」 ②〔箱などのすきまに〕つめこむもの。「―を入れる」 ③はし。きわ。「橋の―〔=たもと〕・橋の南詰め」 ④〔↑煮詰め。ふつう「ツメ」と書く〕〔すし店〕アナゴなどの煮汁を煮つめて作ったたれ。☞詰め 造。

**づめ**［詰め］ 造 ①つめて中に入れ〈ること/たもの〉。「十個―・ピーマンの肉―」 ②ずくめ。「規則―」 ③続けること。「立ち―・働き―」 ④勤務すること。「支店―」

☆☆**つめあと**［爪痕・爪跡］ ①〈つめで ひっかいた/つめを立てた〉あと。②被害のあと。心の痛手。「戦争の―が残る」「台風が―」 ●**爪痕を残す** 句 ①被害のあとを残す。②活動の痕跡を残す。活動を人々に印象づける。「テレビに出て―」〔二十一世紀になって広まった用法〕

**つめあわせ**［詰め合わせ］ 一つの入れものに、いろいろの品物を取り合わせて〈つめること/つめたもの〉。「くだものの―」 動 詰め合わせる《他下一》。

**つめいん**［爪印］〔爪=ゆび〕 ⇩ぼいん（拇印）。

**つめえり**［詰め襟］ 学生服・軍服などの立ちえり。また、その制服。

**つめか・える**［詰め替える］《他下一》 ①中身を〈使いつくした/取り除いた〉あとに、新しい中身をつめる。「シャンプーを―」 ②中身を入れものから出して、別の入れものにつめる。「荷物をバッグに―」 名 詰め替え。

**つめか・ける**［詰め(掛ける)］《自下一》 その場所がいっぱいになるほど、人が集まる。「報道陣が―・見舞い客が―」

**つめきり**［爪切り］ ①つめを切る道具。②つめを切ること。「―をする」

**つめき・る**［詰め(切る)］《自五》 すぐ仕事にかかれるように、いつもそばにいる。名 詰めきり。

**つめこ・む**［詰め込む］《他五》 ①〔はいりきれなくなるほど〕いっぱいにつめる。②食べ物をたくさん食べて、おなかに入れる。名 詰め込み。「―教育」

**つめしょ**［詰め所］ ①すぐ仕事にかかれるように、多くの人がひかえている場所。②かかりの人の出勤している場所。

**つめしょうぎ**［詰め将棋］ 王手を連続してかけて、王将をつませる将棋(の問題)。つみしょうぎ。

*__つめた・い__［冷たい］《形》 ①雪や氷にさわったときのような感じだ。〔温度の低いものをからだの一部で感じるときに言う〕「―手・風が―」（↔熱い・温かい） ②心にあたたかみがない。冷淡だ。「―仕打ち・彼女の態度が冷たくなる」（↔温かい） ③気持ちが通いあわない。「―家庭」（↔温かい） 派 -がる。-げ。-さ。●**つめたいせんそう**［冷たい戦争］ ⇩冷戦①。

**つめたくな・る**［冷たくなる］《自五》〔=体温がなくなる〕 死ぬ。亡くなる。「自室で冷たくなっていた」

**つめばら**[詰め腹] しかたなしにする切腹。●**詰め腹を切らせる**句 むりに辞職させる。

**つめはんげつ**[爪半月] ⇩こづめ。

**つめびき**[爪弾き]《名・他サ》 三味線を、ばちを使わずに人さし指の先でひくこと。つまびき。

**つめもの**[詰め物] ①〔箱などのすきまに〕つめこむもの。パッキング。②《料》鳥・さかな・野菜などの中につめる、別に調理したもの。スタッフド。③虫歯の穴をうめるために入れたもの。

**つめよ・る**[詰め寄る]《自五》 ①強い勢いで返事をもとめる。「どうしてくれると詰め寄られた」②追いつめる。「一点差に―」

**つめ・る**[(×抓る)]《他五》〔俗〕つねる。

**つ・める**[詰める] [一]《他下一》 ①入れてすきまがないようにする。「箱に―・弁当を―」②短くする。「着物のたけを―・行間を―」③ふさぐ。「穴を―」④休みなく、一心に続ける。「根を―・勉強を詰めてする」⑤倹約する。「食費を―」⑥《将棋》敵の王将を動けなくする。⑦《すもう》土俵ぎわに追いつめる。⑧細かいところまで検討する。「会議で細部を―」⑨のぼりつめる。「沢を―」⑩〔関西方言〕〔指をドアなどに〕はさむ。〔表示で「指づめ注意」とも〕⑪〔俗〕〔非難して〕問いつめる。問いただす。「しつこく―」 [二]《自下一》 ①〔ある場所に〕出向き、仕事にそなえて待つ。「集会所に―」②〔その場所で〕ずっと働く。「土日も会社に―」③すきまをあけるため、一方に寄る。「〔電車で〕奥に―」

**つもり[(積もり)] ①自分がしようと思っている予定。「夏は海外に行く―だ・〔相手を問いつめて〕どうする―だ」 ! 「夏休みはどこに行くつもりですか」のように、相手の行動に使うのは失礼。「どこにいらっしゃいますか」がいい。②実際はともかく、自分としてはそう〈してい る／である〉ような気持ち。「親切の―で言った・―貯金〔=お金を使ったつもりでする貯金〕」③〔古風〕⇩おつもり。 表記 ①②「∵心算」とも。●**つもりつも・る**[積もり積もる]《自五》 積もった上にさらに積もる。「積もり積もった借金」

**つも・る**[積もる] [一]《自五》 〔細かいものが〕かさなって高くなる。かさなる。「雪が―」 他 積もらせる《下一》。「新雪を積もらせた山」 [二]《他五》 みつもる。「だいたいの予算を―」●**つもる-はなし**[積もる話] 長い間会わないために、たまった話。「―もあるし、食事でもどうですか」

**ツモ・る**《自他五》〔マージャン〕パイの山から(望みの)パイを〈引く／引いて上がる〉。 由来 中国語「ツーモー(自摸)」を動詞化したことば。

**つや**[(艶)・ツヤ] ①なめらかな表面から出る、おだやかな光。光沢。②生き生きした色合い。「顔に―がある」③話やおこないに加わる、おもしろみ・味わい。「―のない話だ」④〔男から見て〕情事に関係のあること。色気。「―事・―物語」

**つや**[通夜]《名・自サ》 ①遺体のそばにすわり、ひと晩じゅう守るもの。②時間を限り、読経のあとで参列者におこなう儀式。食事をふるまうもの。半通夜。〔現在はこれが主流。ふつう、午後七時から九時ごろまで〕▽つうや。「―を営む」 ☞お通夜。

**つやけし**[(艶)消し] [一]《名・自サ》 つやを消すこと。 [二]《ナダ》 おもしろみや色気をなくす〈こと／ことがら〉。「―な話だ」「―仕上げ」

**つやっぽ・い**[艶っぽい]《形》 ①色気があるようすだ。②情事に関係があるようすだ。「―話題」 派 -さ。

**つやつや**[(艶々)]《副・自サ》 つやがあって〈きれい／健康そう〉なようす。「はだが―している」●**つやつやし・い**[(艶々しい)]《形》 いかにもつやがいい感じだ。「―かみの毛」 派 -さ。

**つやぶきん**[(艶布巾)] 器具をふいてつやを出すために、ワックスなどをしみこませた布。

**つやぼくろ**[艶(∴黒子)] 女性の、くちびるのわきにある〔魅力的な〕ほくろ。

**つやめ・く**[艶めく]《自五》 ①つやつやして見える。②色気がある。 名 艶めき。 ☞なま(艶)めく。

**つややか**[(艶やか)]《ナダ》 しっとりしたつやがあってきれいなようす。「―なかみの毛」 派 -さ。 ☞あで(艶)やか。

**つゆ**[(△汁)] ①しる。「ヘチマの―・―そば」②水け。③そば・天ぷらなどをつけて食べる、しる。「―を切る」「そば―」 ☞おつゆ・つゆだく。

**つゆ**[梅雨] ①《天》六月上旬から七月中旬ごろまで〔=旧暦五月〕、雨が続いてしめっぽくなる季節。さみだれ。ばいう。「―時・―があける」②つゆどきに似た、雨の多い天気。「菜種―」

**つゆ** [一][露] ①水蒸気が液体となって、草の上などにできたしずく。「―が置く」②〔雅〕わずか。少し。「―の間も忘れず」③〔雅〕なみだのたとえ。「袖の―」④〔雅〕はかないことのたとえ。「―と消える・―のいのち」 [二]《副》〔後ろに否定が来る〕〔文〕少しも。さらに。「そうとは―知らず・―だにあるまい」 ☞つゆほど。

**つゆあけ**[梅雨明け] つゆの季節があけること。(↔梅雨入り)

**つゆいささか(も)**[(露×聊か(も))]《副》〔文〕少し(も)。

**つゆいり**[梅雨入り] つゆの季節にはいること。入梅。つゆのいり。ついり。(↔梅雨明け)

**つゆくさ**[(露草)] 道ばたなどにはえる雑草。夏、青むらさき色の小さな花をひらく。

**つゆぐもり**[梅雨曇り] つゆどきに見られる、雨は降っていないが晴れてもいない、どんよりした天気。

**つゆけ・し**[露けし]《形ク》〔雅〕露をおびて見える状態だ。 派 -さ。

**つゆざむ**[梅雨寒] つゆどきに、気温が下がる状態。

**つゆじも**[露霜] 晩秋、露がなかばこおって霜のようになったもの。水霜。

**つゆぞら**[梅雨空] つゆどきの、雨の降りがちな空模様。

**つゆだく**[(△汁だく)]〔俗〕〔どんぶり物などで〕汁をたくさん入れること。「牛丼を―でたのむ」

**つゆのいり**[梅雨の入り] つゆいり。

**つゆはらい**[露払い]《名・自サ》 ①先に立って、身分の高い人などを導く役(の人)。②主要なものや人が登場する前に出てくる役(の人)。「能楽の―の舞・大先生の―として講演する」③《すもう》横綱の土俵入りで先導役となる力士。 ☞太刀持ち②。▽「―を務める」

**つゆばれ**[梅雨晴れ] ①つゆの期間に、いちじ〈晴れること〉晴れたとき〉。さつき晴れ。②つゆが明けて、空が青く晴れること。

**つゆびえ**[梅雨冷え] つゆの期間に、気候が急にひえこむこと。

☆☆**つゆほど**[(露ほど)]《副》〔後ろに否定が来る〕少し(ばかり)。つゆばかり。「―もうたがわない・―の関心も持たない」

****つよ・い**[強い]《形》①力が〈まさって/すぐれて〉いるようすだ。「―横綱・けんかが―・―立場・―経済力」②作用をあたえる程度が大きい。「強くたたく・風が―・火が―・―薬・塩を強くきかせる」③程度が大きく、はっきりしたようすだ。「うたがいが―・関心が―」④〔人に対して〕きびしい。「―口調・―視線」⑤じょうぶだ。がんじょうだ。「―からだ・コシの―麺」⑥[×勁い] 意志をつらぬくようすだ。くじけない。「強く生きる・―女性・気が―」⑦よく耐えるようすだ。「火に―・酒に―」⑧くわしい。得意だ。「法律に―」▽(↕弱い) [派]-げ。-さ。

**つよが・る**[強がる]《自五》強いように見せかける。強いことをじまんする。[名]強がり。

**つよき**[強気]《名・ナダ》①気が強いこと。積極的な態度をとること。「―に出る」②《経》相場が上がると予想する〈こと/人〉。▽(↕弱気)

**つよき**[強き]《連体・名》〔文語形容詞「強し」の連体形から〕〔文〕強い(こと・もの)。「―力・―をくじき弱きを助ける〈⇩「弱き」の[句]〉」(↕弱き)

**つよごし**[強腰]《名・ナダ》相手に〈強気/積極的〉な態度をとること。「―で談判する」(↕弱腰)

**つよび**[強火]《料》火力の強い火。(↕弱火・中火)

**つよふくみ**[強含み]《経》相場が少し上がる傾向にあること。つよぶくみ。(↕弱含み) [動]強含む《自五》。

**つよみ**[強(:味)] 相手に対して、その人の強いところ。「―を発揮する・足の はやいのが―だ」(↕弱み)

**つよ・める**[強める]《他下一》〔勢い・程度を〕強くする。「語気を―」(↕弱める) [名]強め。[自]強まる《五》〔[名]強まり〕。

**つら** [一]**つら**[面]〔俗〕①かお。「馬―・どの―下げて〈⇩「どの」の[句]〉」☞面の皮。②おもてに現れる面(頬)。「家具の―をそろえる」②表面。「うわ(っ)―・帳面―」 [二]**つら**[面][造]①〔俗〕ほおづら[(面)][造]〔**づら**〕〔俗〕①かおつき。ようす。「紳士―をする」②〔中年を過ぎた〕その年ごろ。「五十―下げて〔=五十代にもなって〕泣くものか」 [三]

**づら**[ヅラ]〔俗〕かつら(鬘)。

**づら**[(面)][造]〔俗〕⇩つら[三]。

☆☆**つらあて**[面当て] あてつけ(の ことばや おこない)。

•**つらあてがまし・い**[面当てがましい]《形》あてつけに そうするようだ。[派]-さ。

***つら・い**[(△辛い)] [一]**つらい**《形》①〈経験/見聞き〉することに たえられない〈気持ち/ようす〉だ。「―別れ・―仕事」②〔相手の しうちが〕つめたい。むごい。「つらくあたる・―態度」[派]-がる。-さ。☞から(辛)い。 [二]**づらい**[造]〔動詞＋**づらい**〕①…するのが つらい。「居―・生き―・〔暴言が〕聞き―・〔老眼で〕読み―」②「にくい[造]」の新しい言い方。「〔消えかかった文字が〕読み―・手にはいり―・太り―からだ」[派]-さ。

**つらがまえ**[面構え]〔特別な印象をあたえる〕顔のようす。「不敵な―」

**つらだましい**[面魂] 顔に あらわれた、はげしい気性。「不敵な―」

**つらつき**[面(付き)]〔俗〕顔つき。

☆☆**つらつら**《副》①〔文〕つくづく。よくよく。「―考え(てみ)るに、この説は誤りだ」[表記]「△熟」「△熟々」「×倩」「×倩々」とも書いた。②だらだら。「―(と)書きつらねる」

**つらな・る**[連なる・△列なる]《自五》①たくさん〈ならぶ/ならんで ひと続きになる〉。「水滴が―・山脈が―」②列や系統に加わる。「将軍家に―名門」③〔会などに〕出席する。「会議に―」[名]連なり。「ひと―の山なみ」

**つらにく・い**[面憎い]《形》〔古風〕顔を見るだけでも憎い。「浮気な男は―」[派]-げ。-さ。

**つらぬ・く**[貫く]《他五》①つき通す。②はしから はしまで通る。「本州を―鉄道」③しとげる。「こころざしを―」

**つらね**[連ね]《歌舞伎》登場人物が自分を紹介するためにのべる、かけあいふうの せりふ。

**つら・ねる**[連ねる・△列ねる]《他下一》①〔たくさんのものを、列をつくるように〕ならべる。「名を―・美辞を―」②大ぜい つれる。「供を―」

**つらのかわ**[面の皮]〔俗〕顔の表面の皮。☞いい面の皮。•**面の皮が厚い**[句] あつかましい。•**面の皮が千枚張りだ**[句] 極端に あつかましい。

**つらま・える**[(△捉まえる)]《他下一》〔古風/方〕つかまえる。

**つらみ**[(△辛み)] ①⇩恨みつらみ。②〔俗〕つらいこと。「失恋した。―」☞み[接尾][一]。

**つらよごし**[面汚し] なかまや、その人が属する社会の立場がなくなるようなことをする〈こと/人〉。「日本人の―だ」

**つらら**[(:氷柱)] 水の しずくがこおって たれ下がったもの。「軒の―」

**つら・れる**《自下一》[一][(釣られる)] それに さそわれるように、思わず何かをする。「太鼓につられて おどりだす・人の話につられて よけいなことを言う」 [二][釣られる]〔俗〕〔見出しなどに〕だまされる。「うその記事に釣られた」

←**つり**[(×吊り)] ①つるすこと(に使うもの)。「ズボン―」②《すもう》相手のまわしに手をかけて つり上げること。

→**つり**[釣り] ①(さかなを)釣ること。「―客」②↑つり銭。「お―」③〔俗〕注目を集めるための〈大げさな/うその〉見出しなど。「―に引っかかる」

**つりあい**[釣り合い] 釣り合うこと。平均。調和。「―のとれた容姿」

**つりあ・う**[釣り合う]《自五》①てんびんが水平になる。②両方の力や数量が同じになる。「需給が―」③〈両方が/一方が他方にとって〉ちょうどいい程度になる。「釣り合った夫婦・国力に釣り合った外交」

←**つりあ・げる**[(×吊り)上げる]《他下一》①つって上へ上げる。②おこったときなど、目じりを上に上げる。「目をつり上げて どなりつける」③相場を上げる。「株価を不当に―」[名]つり上げ。[自]つり上がる《五》。

**つりあ・げる**［釣り上げる］《他下一》さかなを釣ってとる。〘直〙釣り上がる《五》。

**ツリー**［tree］木。特に、クリスマスツリー。•**ツリーこうぞう**［ツリー構造］いくつかの要素に枝分かれをくり返す構造。木構造。例、コンピューターのフォルダーの階層構造。

**つりいと**［釣り糸］釣りざおの先につけてさかなを釣る糸。「—を垂れる」

**つりおと・す**［釣り落とす］《他五》釣り上げたさかなを、手もとへ引き寄せるまでに落とす。

**つりか**［釣り果］釣りの成績。釣果(ちょうか)。

**つりがき**［釣り書き・釣書］〔もと関西方言〕見合いのときに取りかわす身上書。つりしょ。

**つりがね**［釣り鐘］つるしてたたく鐘(かね)。大鐘(おおがね)。

**つりかわ**［(×吊り)革］〔電車やバスの中に下げて〕からだを支えるためにつかまる、輪のついたベルト状のもの。つりて。つりわ。〔もと、革製だった〕

**つりぐ**［釣り具］釣りの道具。

**つりこま・れる**《自下一》〘一〙［(釣り)込まれる］つい、相手と同じように〈する／思う〉。「子どもにつり込まれて笑う」〘二〙［釣り込まれる］相手の思いどおりに、興味をかきたてられる。「タイトルに釣り込まれて記事を読む」

**つりざお**［釣り(×竿)］さかなを釣るさお。さお。

**つりさが・る**［(×吊り)下がる］《自五》①糸でつったような形で、下がる。つるさがる。②とりすがるようにして、ぶら下がる。〘他〙つり下げる《下一》。

**つりさつ**［(釣り)札］おつりとしてわたすお札。「〔券売機の音声で〕—をお取りください」

**つりし**［釣り師］釣りを愛したのしむ人。

**つりしのぶ**［(×吊り忍)］井(い)げたなどの形の芯(しん)にコケを巻きつけ、それに根のついたシノブグサをはわせたもの。夏、風鈴(ふうりん)をつけて軒(のき)先につり下げる。

**つりせん**［(釣り)銭］代金より多いお金を出されたときに、余った分だけもどすお金。(お)つり。

**つりだ・す**［(×吊り)出す］《他五》《すもう》相手のまわしをつかみ、からだを持ち上げて土俵の外に出す。〘名〙つり出し。

**つりだ・す**［釣り出す］《他五》〔だまして〕さそい出す。「うまく—」〘名〙釣り出し。

**つりだな**［(×吊り)棚］①天井(てんじょう)からつり下げた、簡単なたな。②床(とこ)の間のわきに作った、たな。

**つりだま**［釣り球］《野球》投手が、打ち気になっている打者に投げる、ボールになるたま。

**つりて**［(×吊り)手］①蚊帳(かや)などをつるひも。②⇩つりかわ。③つり上げるときに、綱(つな)などを結びつける部分。

**つりて**［釣り手］①さかなつりをする人。②《柔道》相手のえりを持ったほうの手。(↔引き手)

**つりどこ**［(×吊り)床］①下がたたみを敷(し)いたままで一段高くしない、簡単な床(とこ)の間。②ハンモック。

**つりとだな**［(×吊り)戸棚］天井(てんじょう)から壁(かべ)のとちゅうまで、つり下げたように作りつけた戸だな。

**つりばし**［(×吊り)橋］〔橋げたをかけることのできない場所で〕空中に張りわたした綱(つな)に通り道をつり下げて作った橋。

**つりばち**［(×吊り)鉢］つり下げてかざる、植木ばち。

**つりばな**［(×吊り)花］花瓶(かびん)・かごなどに入れ、つり下げてながめる草花。

**つりばり**［釣り針］さかなを釣るための、先のまがった針。

**つりびと**［釣り人］釣りをしに出かけた人。釣り客。

**つりひも**［(×吊り×紐)］つり下げるために取りつけたひも。

**つりぶね**［釣り船・釣り舟］①さかなを釣るために出すふね。②船の形をした花瓶(かびん)。おもに竹で作る。

**つりぼり**［釣り堀］さかなを飼っておき、料金を取って釣らせる、ほりや池。

**つりみ**［(×吊り)身］《すもう》組んで相手をつり出すような姿勢。

**つりめ**［(×吊り)目・(×吊り)△眼］つり上がった目。(↔垂(た)れ目)

**つりもの**［釣り物］①〈釣る／釣った〉さかなの種類。「きょうの—はタチウオ」②〔そのさかなが、仕入れたものでなく〕釣ったものであること。「—のアジ」

**つりやね**［(×吊り)屋根］《すもう》柱で支えないで、天井(てんじょう)からつり下げた屋根。〔大ずもうの土俵の上にある〕

**つりわ**［(×吊り)輪］①つり下げた二本のロープの先に、それぞれ輪をつけた体操用具。また、それを使ってする、男子の体操競技の種目。②⇩つりかわ。

**つる**［弦］弓に張った、つる。ゆみづる。

**つる**［(×鉉)］なべ・どびんなどにわたした取っ手。

**つる**［(×蔓)］①ⓐものにからみついてのびる、植物のくき。ⓑイモとイモとをつなぐ、細いひげ根。②めがねの、耳にかける部分。③つて。てづる。

**つる**［鶴］タンチョウ・マナヅルなど大形の鳥。足・くちばし・首が長く、からだつきがほっそりしている。大きな声で鳴く。〔日本画でかく、松の上のツルは、コウノトリ〕「—は千年、亀(かめ)は万年(=鶴亀は長生きで、めでたい)」☞鶴の一声。

**つ・る**［(×攣る)］《自五》筋肉が急に引っぱられたように収縮して痛む。ひきつる。「足が—」

**つ・る**［(×吊る)］〘一〙《他五》①ものにかけて下げる。「たなを—」「かやを—・ランプを—」②高くかけてわたす。③〔首を〕くくる。④《すもう》相手のまわしに手をかけて、引き持ち上げる。〘二〙《自五》上のほうに、引っぱった状態になる。「目じりが—」〘可能〙つれる。

**つ・る**［釣る］《他五》①さかなを、はりにひっかけてとる。「大物を—」②それをあげると言って、相手を思いどおりに動かす。「食べ物で釣ろうとしてもだめだ」③《俗》〔見出しなどで〕だます。〘直〙釣れる《下一》。〘可能〙釣れる。☞釣られる。•**釣った魚に餌(えさ)を〈やら／あげ〉ない**〘句〙《俗》付き合ったり結婚(けっこん)したりする前は相手を大切にあつかったのに、その後は大事にしなくなることのたとえ。

**つるかめ**［鶴亀］〘一〙ツルとカメ。長生きすると言われ、めでたいときのかざり物などに使う。「—の島台(しまだい)」⇩「島台」の絵〘二〙《感》〔古風〕縁起(えんぎ)直しに言うことば。「ああ、—、—」•**つるかめざん**［鶴亀算］《数》算数の問題。ツルとカメの合計と、それらの足の数の合計とから、ツルの数とカメの数を求める。連立方程式を使わないで解くものを言う。

**つるぎ**［剣・(×劒)］けん。•**つるぎのやま**［剣の山］《仏》剣(けん)の刃(は)のほうを上にしてうえつけた山。地獄(じごく)にあるという。

**つる｜くさ**［(×蔓)草］つるを持った草。ほかのものにからまる。例、アサガオ・ツタ。

**つるし**［(×吊るし)］①つるすこと。「—柿」②〔古風〕既製服。また、古着。ぶらさがり〔古風・俗〕。●**つるし あげ**［(×吊るし)上げ］〔由来〕ハンガーにつるして売っていることから。大ぜいで、ある人を問いつめて苦しめること。〔動〕つるし上げる《他下一》。

**つる・す**［(×吊るす)］《他五》つって、下げた状態にする。

**つるすべ**《副・ナダ》〔←「つるつる」で「すべすべ」〕〔俗〕表面にでこぼこがなく、なめらか。「—〈の/な〉肌」

**つるっ と**《副・自サ》①なめらかなようす。「—したはだをしている」②よくすべるようす。「—足をすべらせた」▽つるりと。

**つる つる** 一 つるつる《副・自サ》・つるつる《ナダ》表面がなめらかで、よくすべるようす。とぅるとぅる〔俗〕。「ゆかが—している・髪が—になるトリートメント」(↔ざらざら) 二 つるつる《副》細くて長い食べ物をすする〈音/ようす〉。「うどんを—(と)食う」

**つるなし いんげん**［(×蔓無隠元)］インゲンマメの変種。つるがなくて、丈は低い。収穫までの期間が短い。さやごと食べる。

☆☆**つるの ひとこえ**［鶴の一声］権力・権威のある人のひとこと。「大臣の—で方針が決まった」

**つる はし**［(鶴×嘴)］土をほるための、先が細長くとがった鉄の道具。

**つるばみ**［(×橡)］〔=どんぐり〕ドングリでそめた色。まぜる薬剤によって、黒つるばみ〔=黒に近い灰色〕や白つるばみ〔=うすい茶色〕などになる。つるばみ色。

**つる ばら**［(×蔓:薔薇)］くきが つるになってのびる種類のバラ。(↔木ばら)

**つる べ**［(釣△瓶)］〈なわ/さお〉をつけて井戸の中へおろし、水をくむ おけ。●**つるべ おとし**［(釣△瓶)落とし］急に落ちること。「—の秋の日」☞秋の日はつるべ落とし〔「秋」の〔句〕〕。

**つるべ うち**［(△連べ)打ち・:釣瓶=打ち］〔つるべ=つらねること〕①［(△連べ)撃ち］続けざまに鉄砲を撃つこと。「敵を—にする」②続けざまに打つこと。連打。『野球』長短打の—」③連続すること。「傑作の—」

**つる み**〔めんなどが〕つるつるしていること。「—のあるラーメン」

←**つる・む**［(△連む)］《自五》〔俗〕①くっついて〈いる/行動する〉。「男と—・仲間とつるんで歩く」②ぐるになる。「業界と—」

→**つる・む**《自五》けものが、交尾する。

**つるり と**《副・自サ》⇩つるっと。

**つるれいし**［(×蔓×茘枝)］にがうり。れいし。

**つるん と**《副・自サ》①勢いよく一回すべるようす。「—ひっくり返る」②表面がすべるくらい なめらかなようす。「—した頭」

**つれ** 一［連れ］いっしょに〈行く/行動する〉こと。また、その人。なかま。とも。「—になる・—と はぐれる・お—さま」☞づれ〔造〕。二［ツレ］①《能》シテにともなって登場し、演技を助ける役。シテツレ。〔ワキにともなう役は「ワキツレ」と言う〕②〔俗〕つれあい。「うちの—が…」☞つれて・つれる。

**づれ**〔造〕一［連れ］①つれていること。ともなうこと。「子ども—」②つれだつこと。「三人—・親子—」二〔けいべつして〕…のようなもの。…ふぜい。「足軽—」

**つれ あい**［連れ合い］夫婦やカップルの一方。つれそう相手。ツレ〔俗〕。「—を亡くす・お—」

**つれ こ**［連れ子］再婚するとき、前の配偶者との子を連れて行くこと。また、そのときの子ども。つれっこ。つれご。

**つれ こみ**［連れ込み］①つれこむこと。「犬の—禁止」②〔古風・俗〕↑連れ込み宿。●**つれこみ やど**［連れ込み宿］〔古風〕男性が女性をつれて はいる宿。連れ込み旅館。連れ込み〔古風・俗〕。

**つれ こ・む**［連れ込む］《他五》いっしょにつれて、中にはいりこむ。「部屋に愛人を—」

**つれ さ・る**［連れ去る］《自五》つれて立ち去る。〔名〕連れ去り。「—現場」

**つれ しょうべん**［連れ小便］〔男の〕ひとりが小便すると、つれの人もいっしょに小便をすること。つれしょん(べん)。

**つれ そ・う**［連れ添う］《自五》夫婦になる。

**つれ だか**［連れ高］《名・自サ》《経》〔相場などで〕あるものが値上がりしたのにつられて別のものも値上がりすること。(↔連れ安)

**つれ だ・す**［連れ出す］《他五》つれて外へ出す。

**つれ だ・つ**［連れ立つ］《自五》いっしょに行く。ともなって行く。

☆☆**つれ づれ**［(:徒然)］《名・ナダ》〔文〕することがなくて たいくつなこと。手もちぶさた。「老後の—をなぐさめる・—なるままに〔=たいくつなので。『徒然草』の書き出し。文語の例〕」〔派〕-さ。

**つれ て**〔=連れて〕一《につれて》で接助》〔ある状態が進むと〕それといっしょになって。つれ。「夕方になるに—不安が ます」二《接》〔古風〕それにしたがって。「立場がちがえば、—責任も異なる」

**つれな・い**《形》①薄情だ。無情だ。「—しうち」②〔古風〕知らないふりをするようすだ。平気なようすだ。〔派〕-さ。〔表記〕「:情=無い」とも書いた。

**つれ まわ・す**［連れ回す］《他五》相手の意思にかかわらず いっしょにつれて、あちこちを回る。「車で—・犯人に連れ回される」〔名〕連れ回し。

**つれ もど・す**［連れ戻す］《他五》よそへ行った人を、うちの者などがつれて、もどらせる。〔自〕連れ戻る《五》。

**つれ やす**［連れ安］《名・自サ》《経》〔相場などで〕あるものが値下がりしたのにつられて別のものも値下がりすること。(↔連れ高)

**つ・れる**［(×攣れる)］《自下一》①つった状態になる。「足が—」②そこだけ縮まって、しわになる。「ぬい目が—」〔名〕つれ。

＊＊**つ・れる** 一［連れる］《他下一》ひきつれる。したがえる。「子どもを—」二［(連れる)］《自下一》他方の動きにあわせて動く。「ことばは世につれて変わる・歌は世につれ世は歌につれ」☞つれて。

**つわ ぶき**［(:石蕗)・(:橐吾)］日かげに植える庭草。葉はフキに似て大きく、つやがある。秋の末ごろ、黄色い花をひらく。つわ。

←**つわもの**［(△兵)］〔雅〕①兵士。軍人。②勇士。猛者。「古—」

→☆☆**つわもの**［(△強者)］とても まねできないような〈能

力〈度胸〉のある人。猛者。「十の言語を独学したという―」☞きょうしゃ(強者)。

**つわり**[(:悪阻)]《医》妊娠の初期に、吐き気があって、食べ物の好ききらいのはげしくなる状態。すっぱいものが好きになったりする。おそ。

**つん**[接頭]〔←突っき〕〔俗〕意味を強めるのに使うことば。「―のめる・―出す・―だまる」

**つんけん**《副・自サ》「つんつん③」するようす。

**つんざ・く**[(×劈く)・(×擘く)]《他五》〔耳に〕強く突っきとおるようにひびく。「やみを―銃声」

**つんつるてん**《名・ナダ》〔俗〕手足が少し出るほど、衣服のたけが短いようす。「―に着物を着る・―のズボン」

**つんつん**《副・自サ》①〔においが〕強く鼻をつきさすような感じ。つんと。「―におう」②かたく、上に向かって突き出るようす。「―のびた麦の穂」③とりすましてあいそのないようす。つんけん。「―している女」④何度かつつくようす。「枝で魚を―する」

**つんでれ**[ツンデレ]《名・ナダ》〔俗〕ふだんはつんつんしているのに、二人きりになるとでれでれする性格。〔二〇〇五年ごろから広まったことば。もとは女性に言った〕

**つんと**《副》①さすように、においが強く感じられるようす。「鼻に―来る」②気圧の変化の影響で、耳が痛むようす。「飛行機が離陸するときに、耳の中が―きた」③先が とがっているようす。「―上向いた鼻」④高ぶって、あいそのないようす。「―澄ます」

**つんどく**[(積ん読)]〔「積んどく《=積んでおく》」にかけたことば〕〔俗〕書物を積んでおくばかりで読まないこと。「―主義」〔明治時代からあることば〕

**ツンドラ**〔ロ tundra〕《地》夏、コケ類や草木が生育するだけで、ほかの時期はほとんど雪と氷に とざされる平原。北極圏や高山に分布。凍原。

**つんのめ・る**《自五》〔俗〕「のめる」を強めて言うことば。「前へ―」

**つんぼ**[(×聾)]〔古風〕耳が聞こえない〈こと/人〉。〔差別的なことば〕 ●**つんぼさじき**[(×聾)桟敷] ①《芝居》舞台に遠くて、せりふのよく聞こえないさじき。②事情を知らされない〈地位/立場〉。「―に置かれた」▽「つんぼ」の意味を連想させて、語感が悪い。

## て　テ

**て[手]** [一]**て** ①うでの先にあって、ひらたく、指がついていて、ものをつかんだりできる部分。「―をにぎりしめる・恋人と―をつなぐ・ページを繰る―を止める」②動物の前足(の先)。「ネコの―」③手のひら。「―を返す」④手首。「―にうで時計をはめる」⑤うで。「長く伸びた―」⑥「手[一]①」の使い方。てさき。「―が器用だ」⑦植物のつるを巻きつかせるための棒。「豆に―をやる」⑧形。かっこう。「かぎの―」⑨とって。「ジョッキの―」⑩人手。「―が足りない」⑪手段。方法。「次の―・―をつくす・もう―がない(『テがない』とも)」⑫やり口。計略。「ひきょうな―を使う」⑬《碁・将棋》石や駒を動かすこと。「いい―だ・最善―」⑭《トランプ・将棋など》自分の持っている札・駒など。⑮方向。方面。「山の―・ふた―に分かれる」⑯筆跡。「この字はあの人の―だ」⑰手間。「―をぬく」⑱〔日本音楽で〕楽器で演奏する部分。曲。「合いの―」⑲勢い。「火の―」⑳部下。「―の者」㉑種類。「この―のくつは品切れです・その―の話はあやしい」[表記]俗に「テ」とも。[二][接頭]ことばの調子を強める。「―厚い・―きびしい」[三][接尾]①《碁・将棋》石や駒を動かす回数。②矢ふた筋をひと組みとしたもの。[四造]①〈自分で/本人が〉作ることをあらわす。「―作り・―料理」②手近にある小型のものをあらわす。「―文庫・―鏡・―箱」[五造]①〔それをする〕人。「だれも引き受け―がない・話し―・聞き―」②作物の品種の種類。「奥―」●**手が上がる**[句]①〔書などの〕うでまえが上がる。②酒が強くなる。●**手が後ろに回る**[句]逮捕される。〔両手をうしろで しばったことから〕●**手が掛かる**[句]①つかんだ状態になる。「刀のつか(柄)に―」②〔せわをする〕手数が かかる。●**手が込む**[句]手間をかけて複雑にできている。「手の込んだ細工」●**手がすく**[句]〔ほかのことをするだけの〕ひまができる。手があく。●**手が付く**[句]①〔仕事が〕新しく始まる。「工事に―」②新しい部分にかかる。「手が付かないまま残った料理」③〔女性が〕権力者などの愛人になる。「将軍の お手が付いた女官」④⇩手に付かない[句]。「仕事に手が付かない」●**手が付けられない**[句]どうにもすることができない。手が出せない。●**手が出ない**[句]①自分の力では どうすることもできない。「人質をとられているので、こっちは―」②買えない。「高くて―」●**手が出る**[句]①思わず、それを〈取る/選ぶ〉。手が伸びる。「あまいものに―〔=取って食べる〕・ボールだまに―〔=バットをふる〕」②思わず なぐる。「けんかで つい手が出た」●**手が届かない**[句]①自分の能力では そこまではできない。「国立大学には―」②とても出せない金額だ。「五億円では―」●**手が届く**[句]①せわが行き届く。②区切りのとし(歳)になる。「もう七十に―・四十に手が届いたばかり」●**手がない**[句]①人手がたりない。②とるべき方法がない。「ことわるしか―」●**手が長い**[句]ぬすみぐせがある。●**手が伸びる**[句]⇩手が出る[句]①。「お菓子に つい手が伸びてしまう」●**手が入る**[句]①犯人をとらえたり、家宅捜索をしたりするため、警察官などが はいってくる。②文章などに ほかの人の筆が加わる。●**手が離せない**[句]今やりかけていて、ほかのことができない。「来客中で―」〔「今、手が離せませんので」は、トイレにはいっているときのことわり文句にも〕●**手が離れる**[句]①めんどうを見なくてもよくなる。「子どもから―」②その仕事がすんで、関係がなくなる。●**手が早い**[句]①手を動かしてすることが早い。②好きな相手に手を出すのが早い。「女に―」③すぐに暴力をふるう。「若い連中は―」●**手が回る**[句]①〔多く、後ろに否定が来る〕自分の手で〔せわなどが〕できる。「子どものことに手が回らない」②警察の手配が行き届く。●**手に汗(を)握る**[句]〔にぎりしめた手のひらに汗をかくほど〕はらはらしながら、見たり聞いたりする。●**手に余る**[句]自分の力で できる範囲を こえる。「しろうとの―作業」[他]手に余す。●**手に入った**[句]〔文〕じゅうぶん上達して、すっかり自分のものになった。「―曲を歌う」[直]手に入る。●**手に入れる**[句]〔買って〕自分のものにする。●**手に負えない**[句]自分の力では、しまつすることができない。手に負いかねる。●**手に落ちる**[句]その人のものになる。手に帰する。「敵の―」●**手に掛ける**[句]①〔…の―〕…にめんどうをたのむ。「医者の—」②自分の手で殺す。直 手に掛かる。●**手に職をつける**句〔手を使う〕仕事の技術を習い覚える。●**手にする**句 ①持つ。②自分のものにする。「勝利を—」●**手に付かない**句 ほかのことに気を取られて、そのことに心が集中しない。手が付かない。「仕事が—・仕事も手に付かず」表記「手に着かない」とも。●**手に手を取って**句 手を取りあう。〔二人が〕いっしょに行動する。●**手に取る**句 手にのせて持つ。「お手に取ってご覧ください」●**手に取るよう**句 すぐそばで〈聞く／見る〉ようだ。「相手の気持ちが—に わかる・歴史の流れが—に見える」●**手に乗る**句 だまされて、相手の ねらいどおりになる。「その手には乗らないぞ」●**手の切れるよう**句 ①紙幣の、真新しいことのたとえ。②つめたい水のたとえ。●**手の施しようがない**句〔事態がひどくて〕なおしたり、対策を立てたりする方法がない。「—病気」☞手を施す句。●**手の舞い足の踏む所を知らず**句〔文〕おどり出すほどに、非常によろこぶようす。手の舞い足の踏み所を忘れる。●**手も足も出ない**句〔力が足りなくて〕どうすることもできない。●**手を上げる**句 ①挙手する。②降参する。投げ出す。③平伏して たたみについていた手を、ひざに上げる。「手をお上げください」④なぐ(りかか)る。「親に—」⑤立候補する。表記①⑤「手を挙げる」とも。●**手を上げろ**句 両手を上に上げろ。抵抗するな。〔ピストルをつきつけて言う、おどし文句〕●**手を合わせる**句 ①神・仏・死んだ人の前で、手のひらを合わせておがむ。②〔手のひらを合わせて〕ありがたい、すまない、などの気持ちをあらわす。「手を合わせて〔=一生懸命に〕頼む」▽手を合わす。●**手を入れる**句 ①おぎなったり、直したりする。手を加える。「原稿に—」②犯罪をさぐる。「麻薬組織に—」●**手を動かす**句〔手〕作業をする。「台所で—・黙々と—」●**手を打つ**句 ①手のひらを打ち合わせる。「手を打ってよろこぶ」②少し妥協して合意する。「このへんで手を打とう」③問題を解決するために、何かの方法をとる。「次の—・もう手は打ってある」④仲直りをする。手打ちをする。●**手を替え品を替え**句 あれこれと方法をかえて。「詐欺のメールが—送られてくる」●**手を掛ける**句 ①つかむ。②ぬすむ。「人の物に—」③手間をかけ(て入念に作)る。「手を掛けたドラマ」④暴力をふるう。殺す。●**手を貸す**句 手伝う。〔↔手を借りる〕●**手を借りる**句 手伝ってもらう。〔↔手を貸す〕●**手を切る**句 関係をたちきる。直 手が切れる。●**手を下す**句 直接に自分がする。「手を下さずに獲得する・手の下しようがない」●**手を組む**句 協力しあう。●**手を加える**句 おぎなったり、直したりして、もとの状態を変える。●☆☆**手をこまねく**句 ①うでぐみをする。②何もしないで見すごすことのたとえ。「手をこまねいて見ている」▽腕をこまねく。手をこまぬく。●**手を締める**句 手締めをする。●**手をすかす**句〔いつでも引き受けられるように〕手をからにする。●**手を染める**句 はじめて その〈仕事に乗り出す／ものごとに かかわる〉。「地域行政に—・賭け事に—」●**手を出す**句 ①それを〈取る／選ぶ〉。「さかずきに—〔=酒を飲む〕・ボールだまに—〔=バットをふる〕」②なぐる。攻撃する。「先に手を出したほうが悪い」③初めて それをする。〔多く、よくないことに言う〕「いろいろな事業に手を出して失敗する・薬物に—」④かかわって何かをする。「危なくて専門家も—ことができない」⑤人のことに割りこむ。「しろうとは—な・人事に—」⑥ぬすむ。「人の物に—」⑦性的に親しくな(ろうとす)る。「おれの女に—な」●**手を携える**句 ①手を取り合う。「老夫婦が手を携えて歩く」②協力する。「手を携えて困難に立ち向かう」●**手をつか(束)ねる**句 手を組んだまま何もしないで(見て)いる。手をこまねく。●**手を尽くす**句 いろいろと、できるだけのことをする。尽力する。「八方手を尽くして さがした・治療に—」●**手を付ける**句 ①作業などを、新しく始める。着手する。「ノートの整理に—」表記「手を着ける」とも。②そのままにしておかず、変える。「人事制度に—」③〈ためておきたい／使ってはいけない〉お金を、使ってへらす。「お年玉には手を付けず貯金する・店の売り上げに—〔『ぬすむ』の意味にも〕」④用意されたものを〈食べる／飲む〉。「朝食には手を付けなかった」⑤〔目下の〕女性と関係する。●**手を通す**句〔着物・洋服を、はじめて〕着る。●**手を取る**句 ①〈親切／親しみ〉の気持ちをこめて〕案内するときに相手の手を持つ。☞手取り足取り。②握手する。●**手を握る**句 ①にぎりこぶしをつくる。②握手する。③なかよくする。協力する。●**手を抜く**句 しなければならないことを(きちんと)やらない。いいかげんにすます。手抜きをする。「工事の—」〔↔力を入れる〕●**手を延ばす**句 関係する範囲を広げる。「新しい分野に—」●**手を引く**句 ①手を取って案内する。②その事に関係することをやめる。●**手を広げる**句 商売などのために、関係する方面をひろげる。●**手を施す**句 対策を立てておこなう。「なんらかの—必要がある」☞手の施しようがない句。●**手を回す**句 うまくいくように、先に手配をする。「役人に—」●**手を結ぶ**句 同じ目的のために助けあう。●**手を焼く**句〔なかなか こちらの思うとおりにならず〕苦労する。てこずる。「相手の攻撃に—・子どもに ほとほと—」直 手が焼ける。●**手を休める**句 作業や仕事を中断する。「草むしりの手を休めて一服する」●**手を緩める**句〈攻撃／きびしくすること〉をやめる。「追及の手を緩めない」●**手を汚す**句 よくないことに直接かかわる。●**手を分かつ**句〔文〕〔意見が合わないために〕別れる。●**手を煩わす**句 人にめんどうをかける。「友人の—」

****て** 一《接助》①一つのことを終わり、次に移ることをあらわす。「朝ごはんを食べ—学校へ行く」②ならべて言う。「おじいさんは山へ行っ—、おばあさんは川へ行った」③方法・状態をあらわす。「泣い—あやまる・腹をかかえ—笑う」④〔後ろに「いい・かまわない」などが来る〕そういう条件で。「見—いいですか・〔疑問詞とともに使って〕どう言っ—〔=どう言えば〕いいか わからない」区別⇩ても 二③。▽〔↔ないで〕⑤軽く理由をあらわす。ので。「うるさく(っ)—ねられない・仕事があっ—いそがしい」⑥そうであるのに。「知ってい—〔=知っているのに〕教えない」⑦補助動詞「ある・いる・行く・来る・やる・しまう…」などをみちびく。「書い—いる・調べ—おく」〔↔ないで〕⑧〔話〕そこで言いさしにして、本当に そう思う気持ちをあらわす。「どうも信じられなくっ—(ね)〔=信じられなくてしようがない〕」▽ガ行・ナ行・バ行・マ行の五段の動詞の後では「で」になる。例、「急いで〈↑急ぐ〉」「読んで〈↑読む〉」。②⇩って[二]②。[三]《格助》〔話〕①⇩と[一]①。「なん―言った」「人間―ものは・森さん―人」[四]《副助》〔話〕⇩って[二]。「おじいちゃん―若いね」[五]《終助》①〔話〕依頼や、やわらかい命令をあらわす。「ちょっと待っ―(ね)」〈↕ないで〉②〔女性の〈古風/演劇的〉で上品な言い方〕問いかけをあらわす。「あなた、そう思わなく(っ)―?」☞てよ②。③〔古風・俗〕軽い感動をあらわす言い方。「うまいもんだ―」④〔話〕⇩って[三]。☞たって・だって。

**で**[出] [一]で ①出ること。でぐあい。「水の―が悪い」②出身(地)。「東大―・信州の―・―はどこだい?」③《芝居》舞台に出ること。「花道の―」[二]で 支出。「今月は―が多い」〈↕入り〉

**で [一]《格助》①方法・手段・材料をあらわす。…を使って。…によって。「口―言う・船―行く・紙―作る」②場所・側・範囲をあらわす。「駅前―別れる・私のほう―調べます・この世―いちばん好き」③場合をあらわす。「放送―使う ことば・卒業式―着る服」④ある点に達することをあらわす。「料金は三十分―五千円・百度―湯がわく・とちゅう―やめる」⑤順序・等級をあらわす。「一着―ゴールイン・〔飲食店で客が〕並―いいです」⑥選んだものをあらわす。「森鷗外―『ファウスト』を読む・〔曲目紹介で〕美空ひばりさん―『悲しい酒』・『どっちにする?』『じゃあBセット―』」⑦〔俗〕…ということに(してください/しておこう)。「今回はパス―!」⑧状態をあらわす。…という条件のもとに。「和服―すごす・ふたり―行く」⑨原因・理由をあらわす。…のために。「試験―いそがしい・事故―電車がおくれた」[表記]「銀座 de ランチ」など「de」「DE」と書くのは、スペイン語などの「de〈=の〉」をふまえた、一九七〇年代からの当て字。[アク]ウシで・ネコで・イヌで。[二]《接助》①〈↑ずて〉〔文〕…ないで。「うらみ晴らさ―おくべきか・知ってか知ら―か」②⇩て[一]。「急い―・読ん―」[三]《終助》〈↑助動詞「だ」または形容動詞語尾の連用形〉〔話〕…です〈ね/よ〉。「いいお天気―〔あいさつ〕・まったく そのとおり―」[四]で《接》〔話〕①それで。そこで。「―、どうした・―ですね」②ところで。「―、次回はいつにしましょう」[五]◇①助動詞「だ」の連用形。「きょうは休み―、ゆっくり過ごせる・歌手―俳優の星野さん・いつまで たっても子ども―(ねえ)〈=子どもで、困る。言いさしで実感をこめる言い方〉」☞である・であれ・ないで・ませんで。②形容動詞の連用形の語尾。「にぎやか―楽しい」

**で**[造]…するに足る、じゅうぶんな〈量/余地〉。「使い―がある・読み―がない」

**てあい**[手合い] [一]てあい〔見くだした言い方〕同じ種類(に属す者ども)。連中。「あの―と来たら始末に負えない」[二]てあい《碁・将棋》手合わせ。

**であい**[出会い・出×逢い] 出会うこと。知り合うこと。めぐりあい。「恩師との―・―系サイト〈=恋人などとの出会いを求める人が集まるサイト〉」

**であい**[出合い] ①出合うこと。「愛唱歌との―」②川・谷・沢の流れや道が、一つに集まる所。●**であいがしら**[出合い頭] 出合った とたん。「―に衝突した」

*__であう__[出会う・出×逢う]《自五》①人と、たまたま顔を合わせる。「知人に ばったり―」②知り合う。「運命の人と―」③⇩出合う②。

*__であう__[出合う]《自五》①たまたま それを〈見かける/体験する〉。「キツネに―・事故に―」[表記]よくない場合は「出遭う」とも。②[出会う] 運命的に、それを知る。「ジャズと―」③ある場所でいっしょになる。「本流と支流が―」④〔古風〕出てきて(敵の)相手をする。「くせ者だ、出合え、出合え」

**てあか**[手(×垢)]〔長く使っていたために、そのものについた〕手の あか。●**手あかのついた**[句] 古くさい、決まり文句を使った。「―表現」

**てあき**[手空き] 仕事がなくて ひまなこと。手すき。「―になる」

**てあし**[手足] ①手と足。②ある人の思いのままに動く〈人/部下〉。「―となって働く」●**てあしくちびょう**[手足口病]《医》ウイルスのために手・足・口に水疱のできる、子どもの病気。

**であし**[出足] ①人出・集まりの状態。「―がいい」②出発・出だしの状態。「―がそろう・―がはやい・―をくじかれる」③《自動車》〈走り出す/追いこす〉ときの、速力の出る ぐあい。「―早」④《すもう》相手を攻めるために前へ出る はやさ。⑤《柔道など》わざをかけるために出した足。

**てあせ**[手汗] 手のひらにかく あせ。「―をかく」

**てあそび**[手遊び] ①手に持って遊ぶ〈こと/もの〉。②手で ふりをつけてする遊び。「―うた」③ばくち。▽てなぐさみ。

**てあたりしだい**[手当たり次第]《副》手にふれるものは なんでも。「―(に)買う」

**てあつ・い**[手厚い]《形》だいじに思って、じゅうぶんなことをするようすだ。「―もてなし・―支援」[派]-さ。

**てあて** [一][手当て]《名・他サ》①用意。準備。「資金の―をする」②けが・病気への基本的な対処。消毒・湿布など。処置。「傷口を―する」[二][手当] ①基本給のほかに出す給与。「期末―・通勤―」②労働・ほねおりに対する礼金。「月々のお―」

**テアトル**〔フ théâtre〕劇場。テアトロ。〔劇場名に使う〕

**てあぶり**[手(×焙り)] 手をあたためる、小さな火ばち。

**てあみ**[手編み]《名・他サ》手を使って〈編むこと/編んだもの〉。「―糸・―のセーター」〈↕機械編み〉

**てあら**[手荒]《ナダ》手あらいようす。●**てあら・い**[手荒い]《形》〔あつかい方が〕あらあらしい。乱暴だ。[派]-さ。

**てあらい**[手洗い] [一]①手を洗うこと。「―とうがいを実行しよう」②手を洗う器。③〈↑手洗い所〉便所。トイレ。「お―」[二]《名・他サ》手で洗うこと。

**でありま・す**《助動マス型》⇩あります。

**__である__〈↑にてある。助動詞「だ」の もとの形〉[一]《助動五型》「だ」よりも文章語的で おもおもしい ことば。「わがはいは ねこ―」〈副助詞と合わさった「ではある」「でもある」「でさえある」「ですらある」などの形もある。なお、学校文法では、「である」は助動詞「だ」の連用形+動詞「ある」と見なす〉〈↕で(は)ない〉[二][造] 後ろに接続助詞や名詞をつけて、接続詞をつくる。「進学したいという。―なら〈=それならば〉勉強すべきだ・方法がない。―

以上(=そうである以上)、あきらめよう」 三◇ 形容動詞または助動詞「そうだ・ようだ」などの連用形の語尾「で」に、動詞「ある」がついたもの。丁寧 であります。 ☞ あります。 ●**であるから**《接》〔文〕だから。であるからして。丁寧 でありますから。

**である・く**［出歩く］《自五》 家から外に出て、いろいろなところに行く。「夜はあまり出歩かないように」

**てあれ**［手荒れ］ 手の皮膚が荒れて、がさがさになること。「―がひどい」

**であれ**《副助》(↑助動詞「である」の命令形) であっても。であるにせよ。「それが〈なん/どこ〉―、かまわない・早朝―深夜―電話してくる」

**であろ・う**《助動特殊型》〔文〕「だろう」の、おもおもしい言い方。「その点は疑問―・悪くない―」

**てあわせ**［手合わせ］《名・自サ》〔相手になって〕勝負を争うこと。「初―」

**てい**［丁］ ①十干の第四。丙の次。ひのと。 ②ものごとの第四位。「甲、乙、丙、―」

**てい**［体・態］ ①すがた。ようす。「思案の―・サラリーマン―の男」 ②そう見せること。「さあらぬ―(=ふり)で答える・〔俳優が〕前に相手がいる―(=思い入れ)で演技する」 ③ていさい。「病死の―(=形式)にして届けた・まるで報告書の―〔『たい』とも読む〕を成していない・―のいい(=うわべの印象はいいが、実際は)おはらい箱だ」

**てい**［低］ 一てい ひくいこと。「西高東―」 二 造 ①数値や程度が低い。「―血圧・―緯度・―賃金」 ②年下の。「―学年」 ③ふくまれる量が少ない。「―カロリー食」 ▽二(↔高)

**てい**［呈］〔文〕さしあげること。進呈。「―目録(=目録をさしあげます)」

**てい**［弟］〔文〕おとうと。「異母―」

**てい**［底］ 一てい ①(―の)〔文〕(といった)ような。「寸鉄骨を刺す―の皮肉」 ②《数》ⓐ底面。底辺。ⓑ対数$\log_a x$で、$a$によってあらわされる数または式。 二 造 そこ(の部分)。「火口―」

**てい**［艇］〔文〕小さな ふね。「―の性能・快速―」

**てい**［亭］ 接尾 ①料理店などの名前の下につけることば。「湖畔―」 ②落語家などの号として、下につけることば。「三遊―円朝」 ☞ 亭号。

**てい**［訂］ 接尾 改訂を数えることば。「三―版(=二度改訂して、三度目の出版。改訂・三訂・四訂…と続く)」

**てい**［停］ 接尾 〔東京・愛知・福岡などの方言〕 停留所を数えることば。「バスは今、二―前です」

**てい**［定］ 造 決まった。「―位置・―時間・―曜日」

**てい**［邸］ 一てい 造 ①やしき。「徳川―」 ②家。マンション。「新築―」 二 接尾 売り物の家や部屋を数えることば。「最終三―受付中」

**てい**［帝］ 造 皇帝。天皇。「ネロ―・明治―」

**てい**［堤］ 造 堤防。「防潮―」

**デイ**〔day〕 一 造 昼間の。デー。「―タイム(=日中)」 二 造 ⇩デー 一。

**ていあつ**［低圧］ 低い〈圧力/電圧〉。(↔高圧)

**ティアラ**〔tiara〕 宝石をちりばめた、小さな かんむり形の髪かざり。「―をつけた花嫁」

**ていあん**［提案］《名・他サ》〈議案/考え〉を提出すること。提出した〈議案/考え〉。「計画を―する」

**ティー** 一 ティー［T・t］ アルファベットの二十番目の字。テー・チー〔古風〕。 二 ティー［T］ ①↑Tシャツ。「ちび―・白―」 ②〔視覚語〕〔ホテルの〕ツイン。 ③〔視覚語〕 トーナメント。「決勝―」 ④〔視覚語〕「大正」の 頭文字。「―3」 三 接尾 〔↑teacher〕〔学〕…先生。「山田―」 ☞ T字・テスラ・テラ。

**ティー**〔tea〕 紅茶。お茶。「一杯の―・レモン―・―ポット」 表記 「ハーブティ」のように長音のない形も。

**ティー**〔tee〕《ゴルフ》各ホールの第一打を打つとき、地中にさしこんでボールをのせる、くぎのような台。「―グラウンド(=各ホールの出発地点)・―オフ(=第一打を打ってゲームをはじめること)・―ショット」

**ていい**［低位］〔文〕低い〈位置/水準〉。「―株(=株価の低い株)」(↔高位)

**ていい**［帝位］〔文〕帝王の くらい。「―につく」

**ていい**［定位］《名・他サ》〔文〕位置づけ(をすること)。位置を正しく決めること。

**ディー** 一［D・d］ アルファベットの四番目の字。 二［D］ ①等級の四番目。「〔大学で〕成績は―だった」 ②《放送》ディレクター。「福田―」 三［d］〔↑data〕データ放送。「〔リモコンの〕―ボタン」 ▽一~三デー〔古風〕。

**ディーアイワイ**［DIY］〔↑do it yourself〕 家の修理や家具製作、庭の手入れなどを自分ですること。「―店(=日曜大工用品や園芸用具の店)」 ☞ ホームセンター。

**ディーエイチ**［DH］〔↑designated hitter〕《野球》⇩指名打者。「―制」

**ディーエイチエー**［DHA］〔↑docosa hexaenoic acid〕《理》イワシ・サンマ・サバなどの青ざかなに多くふくまれている、脂肪酸の一種。血栓予防や脳神経の活性化などの はたらきがある。ドコサヘキサエン酸。 ☞ EPA①。

**ティーエー**［TA］〔↑teaching assistant〕〔大学で〕授業のときなどに、教師の手伝いをする人。教育補助者。 ☞ SA②。

**ディーエックス**［DX］ ①⇩デジタルトランスフォーメーション。 由来 英語では trans を X と略すことから。 ②⇩「デラックス」の表記。

☆☆**ディーエヌエー**［DNA］〔↑ deoxyribonucleic acid〕 ①《生》デオキシリボ核酸。遺伝子を構成している物質。二重の らせん構造を持つ。「―鑑定」 ②体質として そなわっているもの。気質。「日本人の もっている―・わが社の―」

**ティーエヌティー**［TNT］〔↑trinitrotoluene(トリニトロトルエン)〕《理》トルエンに硝酸と硫酸との混合物を反応させて得られる爆薬。爆発力の基準にする。例、広島型原爆は、TNT火薬にして約一五キロトン分の力を持つ。

**ディーエム**［DM］ ①⇩ダイレクトメール。 ②⇩ダイレクトメッセージ。

**ディーエル**［DL］ 一〔↑disabled list〕〔野球の大リーグなどで〕故障者リスト。「―入り」 二《名・他サ》《情》⇩ダウンロード。

**ティーオーシー**［TOC］〔↑ total organic carbon〕 水質汚染の めやす。水を採取して、中の有機物を燃やしたときに出る、二酸化炭素の量。全有機性炭素量。☞BOD・COD①・TOD。

**ティーオーディー**【TOD】〔← total oxygen demand〕水質汚染のめやす。水を採取して、中の有機物を燃やしたときに使われる、酸素の量。総酸素要求量。☞BOD・COD①・TOC。

**ティーオービー**【TOB】〔← take-over bid〕《経》株式公開買い付け。ある会社への支配権の取得や強化のため、証券取引所を通さずに、買い付け価格などを一般株主に公告して、必要数の株式を買い集めること。「—制度」

**ていいき**【低域】値が低いほうの範囲。特に、低音域。「—のビート」(↔高域)

**ディーケー**【DK】⇩ダイニングキッチン。「1—〔=一つの部屋とダイニングキッチン〕」

**ティーケーオー**【TKO】《ボクシング》⇩テクニカルノックアウト。

**ティーザー**〔teaser〕イメージやヒントだけを見せて、消費者や視聴者に興味を持たせる手法。ティザー。「—広告・—トレーラー」

**ティーじ**【T字】アルファベットの「T」の形。丁字。「—型カミソリ」●**ティーじたい**【T字帯】丁字帯。●**ティーじろ**【T字路】Tの形に分かれた道。丁字路。

**ディーシー**【DC】〔← direct current〕《理》直流の電流。(↔AC)

**ディーシーブランド**【DCブランド】〔← デザイナーズブランド＋キャラクターズブランド〕有名デザイナーやメーカーによる、服や小物のブランド。〔バブル景気のころのことば〕

**ディージェー**【DJ】〔← disk jockey〕①クラブやディスコで、選曲してレコードをかける人。②〔ラップ・ダンス音楽などで〕スクラッチを担当する人。③⇩ディスクジョッキー①。

**ティーシャツ**【Tシャツ】〔T-shirt〕《服》丸首で半そでのシャツ。両そでを広げた形がTの字に似ている。

**ティーじょうぎ**【T定規】二本の定規をT字に組み合わせた、製図用の定規。

**ティースプーン**〔teaspoon〕紅茶などを飲むときに使う、小形のさじ。茶さじ。

**ディーゼル**〔diesel=もと、人名〕①←ディーゼル エンジン。「—カー」②←ディーゼル カー・ディーゼル機関車。「—特急・—列車」▽ジーゼル。●**ディーゼルエンジン**〔diesel engine〕《理》シリンダーの中の空気を圧縮して温度を高めたところへ、軽油・重油を霧のようにしてふきこみ、爆発させて運転する内燃機関。ディーゼル機関。ディーゼル。ジーゼル(エンジン)。

**ティーゾーン**【Tゾーン】〔和製 T zone〕鼻とあごをふくめた顔の中心と、おでこを合わせてさすことば。皮脂の分泌が多い。「—のテカリを防ぐ」

**ティータイム**〔teatime〕午後のお茶の時間。お茶を飲んでくつろぐ時間。

**ていいち**【定位置】きまった位置。いつもの位置。「リモコンを—に置く・カウンター席が—の常連客」

**ティーチイン**〔teach-in〕学内討論集会。時事問題などについて、教師を囲んで研究・討論する。

**ディーディーティー**【DDT】〔← dichloro diphenyl trichloroethane〕ノミ・シラミなどの殺虫剤。〔現在の日本では使用禁止〕

**ディーティーピー**【DTP】〔← desktop publishing〕パソコンを使い、原稿の入力から編集・レイアウト・印刷用の版の作成まで、机の上でできる出版システム。

**ディーデー**【Dデー】〔D day〕作戦を決行する日。特に、第二次世界大戦のノルマンディー上陸作戦の開始日(一九四四年六月六日)を言う。

**ディーバ**〔diva〕〔オペラで〕プリマ ドンナ。一流の(有名な)女性歌手。歌姫。

**ティーパーティー(ー)**〔tea party〕お茶やお菓子の出るパーティー。

**ティーバック**【Tバック】〔T-back〕ヒップ部分の生地がひものように細く、Tの字のように見えるショーツ。

**ティーバッグ**〔tea bag〕紅茶や緑茶などを、一杯分ずつうすい紙のふくろに入れたもの。

**ティーバッティング**〔tee batting〕《名・自サ》《野球》ボールを棒の先の台にのせておこなう打撃練習。ティー打撃。

**ディーピー**【DP】〔和製 ← developing, printing〕写真の現像・焼きつけをすること。●**ディーピーイー**【DPE】〔和製 ← developing, printing, enlarging〕写真の現像・焼きつけ・引きのばし(をする店)。

**ディーピーアイ**【dpi】〔← dot per inch〕一インチあたりの画素の数であらわした、解像度の単位。プリンターで出力した画像などの精細さをあらわす。「三〇〇—」

☆**ティーピーオー**【TPO】〔和製 ← time, place, occasion〕時と所と場合。「—をわきまえた服装」

**ディーピーティー**【DPT】〔← diphtheria, pertussis and tetanus〕《医》ジフテリア・百日ぜき・破傷風の予防のために小児に接種する、三種混合ワクチン。DPTワクチン。

**ティーピーピー**【TPP】〔← Trans-Pacific Partnership〕太平洋を囲む国々の間で貿易の自由化などを進める経済連携協定。日本・ベトナムなど十一か国が参加。

**ディープ**《ナダ》〔deep〕①深い。濃い。「—なファン」②一般にあまり知られず、独特であるようす。「新宿の—なゾーン」●**ディープキス**〔deep kiss〕舌と舌をからみ合わせるような濃厚なキス。フレンチキス。●**ディープスロート**〔deep throat〕内部告発者。由来 一九七二年のウォーターゲート事件で、マスコミに情報を提供したニクソン政権内部の者を記者がこう呼んだ。●**ディープラーニング**〔deep learning〕《情》コンピューターシステムが、あたえられた大量のデータから、その特徴を自動的に学ぶ手法。人工知能に応用される。深層学習。

**ティーブイ**【TV】〔← television〕テレビ。

☆**ディーブイ**【DV】〔← domestic violence〕配偶者や恋人など、親しいあいだがらの者からの、身体的・精神的暴力。ドメスティック バイオレンス。〔多くは男性から女性への暴力〕

**ディーブイディー**【DVD】〔← digital versatile〔=用途の広い〕disc〕大量の映像や音の情報が記録できる、直径十二センチの光ディスク。デジタル多用

途ディスク。〔もと、「デジタル ビデオ ディスク」の略語〕

**ティーボーン ステーキ**［Tボーンステーキ］〔T-bone steak〕 T字形の骨の片がわにサーロイン、片がわにヒレ肉がついた、ビーフ ステーキ。

**ディーマット**［DMAT］〔← Disaster Medical Assistance Team〕 災害派遣医療チーム。大規模災害やテロの際、おおむね四十八時間以内に現地に着いて医療活動をおこなう。「―隊員」

☆☆**ディーラー**〔dealer〕 ①販売業者。「カー―」 ②仲買人。ブローカー。 ③金融機関で、株式などを売買して利益を上げる仕事をする人。「為替―」 ④〈娯楽/賭博〉場のゲームの取りあつかい責任者。「カジノの―」

**ディーラム**［DRAM］〔← dynamic random access memory〕《情》コンピューターなどに使われる、データの書きこみと読み出しが可能な、高性能のメモリー。一定時間ごとに記憶保持動作を必要とする。

**ディール**《名・自サ》〔deal〕 ①物の取引や売買。「―サイズ・―外交」 ②利益などの分配。「フェアー―」 ③〔カジノで〕カードを配ること。「―がスムーズに終わる」

**ティールーム**〔tearoom〕 ①喫茶室。 ②喫茶店。

**ティーン**〔teen〕 十代(の少年少女)。「―用」 •**ティーン エイジャー**〔teen-ager〕 十代の人。十三歳から十九歳までの人。ティン エイジャー。ティーン エージャー。〔その年代を「ティーン エイジ(teen-age)」と言う〕 •**ティーンズ**〔teens〕 十代の人たち。「―の市場」

*__ていいん__［定員］ ここまでは〈入れ/乗せ〉てもいいと決められた、人員。「―割れ」

**ていいん**［△店員］〔話〕⇩てんいん。

**ていうか**［て(言うか)］《接》〔話/俗〕⇩っていうか㊁。

**ていえん**［低塩］ 塩分が少ないこと。「―食品」

**ていえん**［定演］〔文〕↑定期演奏会。

**ていえん**［庭園］ りっぱな にわ。「日本―」

**ていおう**［帝王］ ①皇帝や国王。君主。「古代の―」 ②ある社会で絶対的な権力を持つ人。「暗黒街の―・無冠の―」 •**ていおうがく**［帝王学］ 帝王にふさわしい人になるために習って身につける、いろいろなことがら。 •**ていおう せっかい**［帝王切開］《医》(難産のとき)産婦の おなかをひらいて胎児を出す手術。帝切。

**ていおん**［低音］ ①低い〈音/声〉。 ②〔↑低音部〕《音》バス。▽(↕中音・高音)

**ていおん**［低温］ 低い温度。(↕高温) •**ていおん さっきん**［低温殺菌］《名・他サ》セ氏六〇～六五度ぐらいの熱を三十分ほど加えて、病原菌を殺す方法。 •**ていおんやけど**［低温(:火傷)］ セ氏四、五〇度の、手でさわれるくらいの熱に、長時間接していると起こる やけど。湯たんぽや懐炉が原因になることが多い。

**ていおん**［定温］《理》一定の温度。 •**ていおんどうぶつ**［定温動物］《動》⇩恒温動物。

**ていか**［定価］ その値段で小売店が売るように、その品物を作った会社で決めた値段。

*__ていか__［低下］《名・自サ》 下がること。「血圧が―する・実力が―する」(↕上昇・向上)

**ていかい**［低×徊・×彽×徊］《名・自他サ》〔文〕 ①同じ所をくり返し歩き回ること。「その場〈を/に〉―する」 ②同じことをくり返し考えること。また、同じ考えがくり返すこと。 ③何かに興味を感じて、いろいろな角度から ゆっくり ながめること。「―趣味」

**ていかいはつ**［低開発］《経》経済の進み方がおくれ、生活程度が低いこと。「―国〔⇩発展途上国〕」

**ていがく**［定額］〔文〕一定の(とりきめた)額。「―預金」(↕変額) •**ていがく こがわせ**［定額小為替］ ゆうちょ銀行であつかう為替の一種。最低五十円から最高千円まで、決められた金額を組み合わせて、小額の送金に利用する。こがわせ。 •**ていがく ちょきん**［定額貯金］ ゆうちょ銀行であつかう貯金の一種。最初の半年間は引き出せないが、あとは半年ごとに複利で利息が付く。

**ていがく**［停学］ 罰として、学生・生徒の登校をさしとめること。「―処分」

**ていがく**［低額］《名・ナダ》 少ない金額。「―所得者」(↕高額)

**ていがくねん**［低学年］〔小学校で〕下の学年(=一、二年)。(↕高学年・中学年)

**でいかざん**［泥火山］ 地中からガスや水とともに ふき出した、どろでできた小さな丘。

**ていかん**［定款］《法》株式会社・社団法人などの組織や業務についての規則。

**ていかん**［停刊］《名・他サ》〔文〕新聞などの刊行を、いちじ、停止すること。

**ていかん**［諦観］《名・他サ》〔文〕 ①ものごとの本質を見きわめること。 ②あきらめ(てながめ)ること。

**でいがん**［泥岩］《鉱》堆積岩の一種。直径十六分の一 ミリメートルより細かい粒子が固まってできた岩石。水を通しにくい。

**ていかんし**［定冠詞］《言》冠詞の一種。あとに続く名詞が はっきり特定されていることをあらわす。英語では the。

**ていき**［定期］ ①一定の〈期間/時期〉。「―的〔=一定の期間をおいてくり返すようす〕・―公演〔=決まった時期におこなう公演〕・―便」(↕不定期) ②ⓐ↑定期預金・定期貯金。 ⓑ↑定期保険。「―付き養老保険」 ③↑定期券。「―入れ」 ④〔音楽・演劇で〕↑定期公演。 •**ていきけん**［定期券］〔↑定期乗車券〕 一定の期間使える(通勤・通学用の)割引乗車券。定期。 •**ていきせん**［定期船］ 定期航海をする汽船。 •**ていきほけん**［定期保険］ 生命保険の一種。約束した期間中に死んだときだけ保険金をしはらい、満期まで生きていた場合は、しはらわない。俗に、掛け捨て保険。(↕養老保険) •**ていきよきん**［定期預金］《経》銀行が一か月から十年までの期限を決めて あずかる預金。定期。〔ゆうちょ銀行の場合は、定期貯金〕 ☞普通預金。

**ていき**［提起］《名・他サ》 もちだすこと。さし出すこと。「問題を―する・するどい問題―」

**ていぎ**［定義］《名・他サ》 ある概念の内容をはっきりと決めること。「―づけ(る)」

**ていぎ**［提議］《名・他サ》〈論議/議案〉を提出すること。提出した〈論議/議案〉。

**ていきあつ**【低気圧】①《天》中心付近の気圧が、まわりの気圧にくらべて低くなっている所。「温帯―」（↔高気圧）②きげんが悪いこと。③変動の前のぶきみなようす。

**ディキシー**〔↑米 Dixieland jazz〕《音》十九世紀末にアメリカ南部で生まれたジャズ音楽。最も初期の形式。ディキシーランド（ジャズ）。デキシー。「―スタイル」

**ていきゅう**【定休】毎月または毎週の、決まった〈休暇／休日〉。「―日・日曜―」

**ていきゅう**【庭球】〔文〕テニス。

←**ていきゅう**【×涕泣】《名・自サ》〔文〕なみだを流して泣くこと。「うずくまって―する・恋慕―」

↑**ていきゅう**【×啼泣】《名・自サ》〔文〕大声で泣くこと。「乳幼児の―」

**ていきゅう**【低級】《名・ナダ》品質・知性などが低いようす。「―品・―な趣味・―下品」（↔高級）派―さ。

*__ていきょう__【提供】《名・他サ》①〔相手のために〕さし出すこと。「労力を―する」②テレビやラジオ放送のスポンサー（=広告主）になること。「○○会社―の番組」

**テイク**〔take〕①一回の撮影・録音。「いい―がとれた・―2」②《店員の用語で》↑テイクアウト。（↔イートイン）▽テーク。●☆☆**テイクアウト**《名・他サ》〔take-out〕〈店からの食べ物や料理の〉持ち帰り。テークアウト。（↔イートイン）●**テイクオフ**《名・自サ》〔take-off〕①離陸。②《経》〈発展途上国の〉経済発展への飛躍期。▽テークオフ。●**テイクバック**〔take back〕《ゴルフ・テニス・野球》ボールを打つために、クラブやラケット、バットを後方へ引くこと。テークバック。

**ていくう**【低空】地面に近い空。「超―」（↔高空）●**ていくうひこう**【低空飛行】①低空をとぶこと。②《俗》業績が思わしくないこと。「今月も―」③《俗》落第すれすれ。

**ていけ**【手生け・手△活け】《名・他サ》自分で花をいけること。「―の花（=芸者などをやめさせて、妻やめかけにすること）」

☆☆**デイケア**〔day care〕施設に通ってくる高齢者・障害者に、リハビリなどをおこなうこと。デーケア。（↔ナイトケア）☞デイサービス。

←**ていけい**【定形】〔文〕一定の形。「―郵便物」

↑**ていけい**【定型】〔文〕一定の型。「―詩（↔自由詩）・報道記事の―」

**ていけい**【×梯形】「台形」の古い言い方。

**ていけい**【提携】《名・自サ》共通の目的のために、協力すること。タイアップ。「技術―」

**ていけつ**【締結】《名・他サ》〔文〕①〈条約・契約などを〉とり結ぶこと。「協定を―する」②かたくしめて、つなげること。「レールを―する」

**ていけつ**【貞潔】《名・ナダ》〔文・古風〕〈妻が〉貞操を守り、やましいところがないようす。〔昔、女性だけに求められた理想〕

**ていけつあつ**【低血圧】《医》正常より低い血圧。ふつう、最大血圧が百以下を言う。（↔高血圧）

**ていけん**【定見】しっかりした、一定の意見。「―がない」

←**ていげん**【低減】《名・自他サ》①へること。へらすこと。「リスクの―」②値段や費用〈が安くなる／を安くする〉こと。「コストの―」

↑**ていげん**【逓減】《名・自他サ》〔文〕先へ行くにつれて、だんだんと〈へる／へらす〉こと。「生産コストの―・運賃の遠距離―制」（↔逓増）

**ていげん**【提言】《名・他サ》〔文〕考え・意見を出して、言うこと。

**ていこ**【艇庫】〔文〕ボートをしまっておく倉庫。

**でいご**【×梯×梧】⇩エリスリナ。

**ていこう**【抵抗】《名・自サ》①強い力に対し、負けないように力を出すこと。さからうこと。「侵略に―する・法案の提出に―する・誘惑に―する」②ひっかかる気持ち。反発したくなる気持ち。「―を感じる」③《理》ⓐ運動する物体に対し、運動と反対の方向に作用する力。抵抗。「空気―」ⓑ導体の、電流を通しにくい性質。電気抵抗。●**ていこうき**【抵抗器】《理》回路に電気抵抗をあたえ、電流の強さを調節する器具。●**ていこうりょく**【抵抗力】①病気や不調の原因となるものに負けない力。「ウイルスへの―」②攻撃や刺激に負けない力。「批判に対する―」

**ていごう**【亭号】落語家などの芸名で、人の姓に当たるもの。特に、「亭」のつくもの。例、「三遊亭円生」の、「三遊亭」。

**ていこうがいしゃ**【低公害車】排気ガスによる公害の少ない自動車。電気自動車・天然ガス自動車・ハイブリッド車など。

**ていこく**【定刻】〈一定の／決められた〉時刻。

**ていこく**【帝国】①皇帝がおさめる国。②↑大日本帝国（=旧憲法での日本の国号）。●**ていこくしゅぎ**【帝国主義】《歴》他の国家や民族を犠牲にして自国の領土や権力を拡大しようとする主義。

**ていさ**【艇差】《ボート》ボートとボートとの距離。「―一艇身」

**でいさ**【泥砂】〔文〕どろとすな。どろどろした土。「―にうまる」

☆☆**デイサービス**〔和製 day service〕施設に通ってくる高齢者・障害者に、食事・入浴・レクリエーションなどのサービスをおこなうこと。日帰り介護。通所介護。デーサービス。☞デイケア。

**ていさい**【体裁】①そなえていなければならない〈かたち／形式〉。「国家の―をととのえる・論文の―で書く」②他人の目に映る様子。「―が悪い（=ぶかっこうで はずかしい）・―を気にする・口では―のいいことを言う」●**ていさいぶ・る**【体裁〈振る〉】《自五》見た目だけ〈上品／まとも〉なふりをする。「体裁ぶった表現・お―」

**ていさつ**【偵察】《名・他サ》〈これからの行動に利用するために〉〈敵／相手〉の様子をさぐること。

**ていざん**【低山】〔文〕低い山。（↔高山）

**ていさんしょう**【低酸症】《医》胃酸が少ない症状。胃がんのとき、老年になったときなどに起こる。減酸症。（↔過酸症・無酸症）

←**ていし**【底止】《名・自サ》〔文〕〈ここで おしまい、という所まで行って〉とまること。「―するところを知らず」

↑**ていし**【停止】《名・自他サ》①中途で〈とまる／とめる〉こと。②いちじ さしとめること。「取引―」③エンジン・機械が運転をとめること。（↔起動）

**ていじ**【丁字】丁の字。T字。「―形」●**ていじたい**【丁字帯】《医》丁字形の包帯。頭・陰部を

巻くときに使う。T字帯。●**ていじろ**[丁字路]〔古風〕⇩T字路。〔道路交通法では、この呼び方〕

**ていじ**[定時] ①時刻表や規則に定められた時刻。「―に発車した・―で上がる(=定時退社する)」 ②定期。「―総会」(↕臨時) ③↑定時制。●**ていじせい**[定時制] 夜や農閑期などに授業をする課程。「―高校」(↕全日制)

**ていじ**[×綴字]《名・自サ》〔文〕⇩てつじ。

**ていじ**[提示]《名・他サ》 ①さし出して見せること。「証拠を―する・和解金額を―する」 ②[呈示] その場で見せること。「定期券を―する」

**デイジー**〔daisy〕 ひなぎく。デージ(ー)。

**デイジーとしょ**[デイジー図書]〔DAISY←Digital Audiobased Information System《=デジタル音声情報システム》〕 視覚障害者用に作られた録音図書(の規格)。デジタル録音図書。

**ていしき**[定式]〔文〕〈一つの型にはまった/決まった〉やり方や方式。「―化される」☞じょうしき(定式)。

**ていじげん**[低次元]《ナダ》 次元が低いようす。低級。「―な発想・―な話題」

**ていしせい**[低姿勢]《名・ナダ》 下手に出て、頭を低くした態度。(↕高姿勢)

**ていしつ**[帝室]〔文〕 ①「皇室」の、昔の呼び名。 ②皇帝とその一族。

**ていしつ**[低湿]《名・ナダ》〔文〕 ①土地が低いところにあって、湿気が多いようす。「―な土地・―地(『ていしっち』とも)」(↕高燥) ②低湿度。「低温―」(↕高湿)

**ていしゃ**[停車]《名・自サ》〈人が乗ったままの状態で〉くるま・乗り物が、とまること。「―駅」(↕発車) ●**ていしゃじょう**[停車場]〔古風〕☞駅。ステーション。ていしゃば。

**ていしゅ**[亭主] ①あるじ。主人。「店の―」 ②〈他人に、自分の〉夫を、ややぞんざいに言うときの呼び方。「うちの―・―持ちの女」(↕女房) ③〔茶会で〕茶事を主催する人。(↕客) ●**亭主の好きな赤えぼし(烏帽子)**句 一家の主人がおかしな赤い烏帽子を好んでも、家族はだまっている。自分の考えとちがっても、権力者には従うたとえ。●**亭主を尻に敷く**句 妻のほうが夫よりもいばる。●**ていしゅかんぱく**[亭主関白]〔俗〕夫が妻に対して、非常にいばっていること。(↕かかあ天下)

**ていしゅ**[艇首]〔文〕ボートの先の部分。

**ティシュ(ー)**〔tissue〕⇩ティッシュ。

**ていしゅう**[定収] 定収入。

**ていじゅう**[定住]《名・自サ》 生活の場所を決めて、そこに住むこと。

**ていしゅうにゅう**[定収入] 決まった時期にはいってくる、決まった金額の収入。定収。

**ていしゅうは**[低周波]《理》周波数の低い電波・電流。「―公害」(↕高周波)

**ていしゅく**[貞淑]《名・ナダ》〔文・古風〕〔妻が〕貞操を守り、しとやかなこと。〔昔、女性だけに求められた理想〕派―さ。

*__ていしゅつ__[提出]《名・他サ》 ①さし出すこと。「レポートを―する・疑問を―する」 ②[呈出]〔文〕しめすこと。「異なる現象を―する」

**ていしょ**[低所]〔文〕低いところ。「高所から―へ流れる川」

**ていじょ**[貞女]〔文・古風〕妻としての貞操を守って、どこまでも夫に仕える女性。〔昔、女性だけに求められた理想像〕「―二夫(=両夫)にまみえず(=貞女は夫の死後も再婚しない。☞「忠臣」の句)」

**ていしょう**[低床] 乗り物のゆかが低いこと。「―バス」

**ていしょう**[定昇]↑定期昇給。

**ていしょう**[低唱]《名・他サ》〔文〕小声で〈歌う/となえる〉こと。「小唄を―する」(↕高唱)

**ていしょう**[提唱]《名・他サ》 ①提案して、実践を呼びかけること。「新方式を―する」 ②《仏》禅宗で、教えを人々にわかりやすく語ること。

**ていじょう**[定常]〔文〕常に定まっていること。「―的に(=いつも決まった条件下で)観測する・―業務(=日常的に決まっておこなう仕事)」

**ていじょう**[呈上]《名・他サ》〔文〕〔目上の人に〕さしあげること。「記念品を―する」

**でいじょう**[泥状]〔文〕どろのようなありさま。

**ていしょく**[定食] 飲食店などの、決まった献立で出す食事。「しょうが焼き―」

**ていしょく**[定職] 決まった職業。「―を持たない」

☆☆**ていしょく**[抵触・×牴触]《名・自サ》 ①規則などにふれること。「法規に―する」 ②矛盾すること。「さっき言ったことと―するじゃないか」

**ていしょく**[定植]《名・他サ》《農》苗床で育てた苗を、田畑や花壇などに植えかえること。(↕仮植)

**ていしょく**[停職]《名・他サ》 懲戒処分の一つ。ある期間、職務をおこなわせないこと。出勤停止。☞懲戒。

**ていしん**[逓信] 郵便や通信。「―省(一九四九年、郵政省と電気通信省に分離)」

←**ていしん**[×挺身]《名・自サ》〔文〕身を投げ出して、一生懸命に努力すること。「祖国の復興のために―する・―隊」

→**ていしん**[×挺進]《名・自サ》《軍》ほかの大ぜいより先に立って進むこと。「敵艦に―する」

**ていしん**[艇身]接尾《ボート》距離の差を、ボート一艘分の長さであらわすことば。「二分の一―の差」

☆☆**でいすい**[泥酔]《名・自サ》 意識がなくなるくらいにひどく酔うこと。泥酔い。

**ディスインフレ**〔↑disinflation〕《経》インフレを脱したが、デフレではない状態。

**ていすう**[定数] ①決まった〈かず/人数〉。「議員の―」 ②《数》ある条件のもとで、一定で変わらない数値。常数。(↕変数)

☆☆**ディスカウント**《名・自他サ》〔discount〕 割引(して売ること)。「―ストア(=スーパーなどの、安売り店)・―ショップ(=質流れの品物などを、安く売る店)・―セール(=割引販売)」

**ディスカッション**《名・自他サ》〔discussion〕 話し合い。討議。討論。「自由に―する」☞ディベート。

**ディスク**〔disk; disc〕 ①円盤。円板。 ②デジタル信号を記録する、円盤形の記憶媒体。「光―・フロッピー―」 ③レコード。●**ディスクジョッキー**〔disk jockey〕 ①ラジオなどで、短い話題をはさみながら音楽をつぎつぎとかける番組(でしゃべって進行する人)。DJ。☞パーソナリティ(一)②。②⇩ディージェー①②。●ディスクブレーキ〔disk brake〕車輪とともに回転する円板をしめつけてきかせるブレーキ。円板ブレーキ。

☆☆ディスクロージャー〔disclosure〕企業(きぎょう)が投資家などに対して、経営内容についての情報を公開すること。企業情報開示。

ディスクローズ《名・他サ》〔disclose〕①情報などを公開すること。②秘密などを暴露(ばくろ)すること。

ディスコ〔disco←discothèque〕若者が集まり、流行の音楽に合わせておどって楽しむ店。ディスコテーク。ディスコティック。〔おもに一九七〇～九〇年代に流行〕☞クラブ㊁。

ディスコミュニケーション〔和製 dis＋communication〕コミュニケーションができていないこと。意思が相手に通じていないこと。「家族の―」

ディスタンス〔distance〕距離(きょり)。間隔(かんかく)。「ロング―(=長距離)」☞ソーシャルディスタンス。

テイスティング〔tasting〕味やかおりをみるための〈試飲/試食〉(会)。テースティング。「ワイン―」

☆☆テイスト〔taste〕①味(わい)。「アメリカン―」②いいものと悪いものを見きわめる感覚。好み。趣味(しゅみ)。「自己の―に忠実な批評」▽テースト。

ディストピア〔dystopia〕架空(かくう)の暗黒世界。自由のない社会を言うことが多い。反ユートピア。「―小説」〔↔ユートピア〕

☆☆ディスプレイ《名・他サ》〔display〕①陳列(ちんれつ)。展示。②ショーウインドウや店の中などの、かざりつけ。③《情》〔コンピューターで〕情報を映して見せる、画面の形をした装置。▽ディスプレー。

ディスポーザー〔disposer〕台所から出る生ごみをくだいて下水道に流す装置。

ディスポーザブル〔disposable〕使い捨て(の)。ディスポ。「―コンタクトレンズ」

☆☆てい・する【呈する】《他サ》〔文〕①〔様子を〕しめす。「異なる様相を―・活況(かっきょう)を―」②相手に述べる。「疑問を―・苦言を―」③さし出す。「薄謝(はくしゃ)を―」▽呈す。

てい・する【×挺する】《他サ》〔文〕先になって進む。「身を―」

ディス・る《他五》〔↔disrespect〕〔俗〕〔軽く〕侮辱(ぶじょく)する。おとしめる。「ツイッターで―」名ディス(り)。

ディスレクシア〔dyslexia〕《医》文字の読み書きだけが困難な学習障害。読字障害。難読症(しょう)。〔先天性のものは「発達性読み書き障害」とも〕

ていせい【低声】〔文〕低い声。こごえ。(↔高声)

ていせい【定性】《理》性質をたしかめること。(↔定量)●ていせいてき【定性的】(ナダ)《理》どんな性質かを調べるようす。質的。「―な観察」(↔定量的)●ていせいぶんせき【定性分析】《理》物質の成分をたしかめる化学分析。(↔定量分析)

ていせい【帝政】〔文〕帝王(ていおう)制の政治。「―時代・―ロシア(=帝政時代のロシア)」

ていせい【訂正】《名・他サ》ことば・文字・図などのまちがったところを直すこと。「字句の―・前言―・おわびして―します」区別⇩修正。

☆☆ていせつ【定説】一般(いっぱん)に正しいと認められている説。「―をくつがえす」

ていせつ【貞節】《名・ナダ》〔文・古風〕貞操(ていそう)がしっかりしている〈こと/ようす〉。「―を守る」〔昔、女性だけに求められた理想〕派―さ。

ていせん【×汀線】《地》海や湖で、波打ちぎわの線。

ていせん【停船】《名・自サ》〔文〕船をとめること。

ていせん【停戦】《名・自サ》いちじ、戦闘(せんとう)をやめること。

ていぜん【庭前】〔文〕にわさき。

ていそ【定礎】〔文〕建物を建てるとき、はじめに基礎の石を置くこと。また、置いた石。「―式(=コンクリートの基礎工事が終わったときにする式)・―板」

ていそ【提訴】《名・自他サ》《法》訴訟(そしょう)をもちだすこと。(↔応訴)

ていそう【低層】①〔建物で〕一、二階の高さであること。「―住宅・中―ビル」②〔高い建物の〕下の方の階層。「―階」③《天》空の地表に近いところ。「―に逆転層が発達する」☞高層・中層。

ていそう【貞操】(=正しいみさお)〔文〕配偶(はいぐう)者や恋人(こいびと)以外の人と性的関係を持たないこと。「―を守る・―観念」●ていそうたい【貞操帯】中世のヨーロッパで、夫が長く家をあけるとき、貞操を守らせるために妻に着けさせたという、錠前(じょうまえ)つきの鉄のバンド。

ていぞう【逓増】《名・自他サ》〔文〕先へ行くにつれて、だんだんと〈ふえる/ふやす〉こと。「収穫(しゅうかく)―」(↔逓減)

ていそく【低速】〔乗り物・機械などの〕おそい速度。(↔高速・中速)

ていそく【定速】〔定められた〕一定の速度。「―走行」

ていぞく【低俗】《名・ナダ》低級でいやしいこと。「―な歌」派―さ。

ていそくすう【定足数】《法》会議をひらき、議決をするために必要とされる人数。「―に達する・議事―」

ていたい【停滞】《名・自サ》①あるところにとまりとどこお(って、先に進まなくな)ること。「会議が―する・〔登山中〕雪に降りこめられて―する」②《医》食べ物が消化しないで胃にとどまること。●ていたいぜんせん【停滞前線】《天》ほぼ同じ場所に長期間とどまる前線。梅雨・秋の長雨の原因となる。☞梅雨(ばいう)前線・秋雨(あきさめ)前線。

ていた・い【手痛い】《形》てきびしい。ひどい。「―打撃(だげき)」派―さ。

ていだい【帝大】↑帝国大学(=旧制の国立総合大学)。「旧―」

ていだい【提題】《名・自サ》〔文〕議題を出すこと。また、その議題。「―者・シンポジウムで新たな問題が―された」

ていたいおん【低体温】低い体温。特に、体の中心部の温度が三十五度未満の状態を言う。●ていたいおんしょう【低体温症】①《医》体温が異常に低くなった症状。ひどくなると凍死(とうし)する。②〔俗〕日常的に平熱が低いこと。

ていたく【邸宅】りっぱな作りの家。「大―」

☆☆ていたらく【体たらく・為体】〔体=ようす。たらく=であること〕㊀〔みっともない〕ありさま。ざま。「なんという―

だ・連戦連敗という―」 ⊟《ナダ》〔俗〕みっともないようす。「―な自分だった・―ぶり」

**ていだん**［×鼎談］《名・自サ》三人でする、座談・談話。☞対談。

**でいたん**［泥炭］《鉱》石炭の一種で、できた年代のいちばん新しい、土のようなかたまり。ピート。

**ていたんそしゃかい**［低炭素社会］地球温暖化をおさえるため、化石燃料の使用を減らしたりして、二酸化炭素の排出を少なくした社会。

**ていち**［低地］〔標高の〕低い土地。(↕高地)

**ていち**［定置］《名・他サ》〔文〕一定の場所におくこと。●**ていちあみ**［定置網］沿岸の海域にしかけておいて、さかなをとる網。「―漁」

**でいち**［泥地］一面どろだらけのところ。「―をわたる」

**ていちゃく**［定着］《名・自他サ》①しっかりとついて、はなれなく〈なる/する〉こと。「顔料を紙に―させる」②広く受け入れられて、年月がたつこと。根づくこと。「制度が―する」③その地位・位置に決まること。「《野球》左翼に―する・―魚(↕回遊魚)」④《写真》それ以上感光しなくなること。「―液」

**でいちゅう**［泥中］〔文〕どろの中。「―に足を入れる」●**でいちゅうのはちす**［泥中の(×蓮)］〔文〕けがれた環境の中で、よく純潔をたもっているもののたとえ。

**ていちょう**［艇長］ボートなど、小型の船の指揮をする人。

**ていちょう**［低調］《名・ナダ》①〔することの〕水準が低いようす。俗っぽいようす。「―な作品」②調子が出ないようす。能率が悪いようす。派―さ。

**ていちょう**［丁重・×鄭重］《ナダ》ていねいで、礼儀正しいようす。ねんごろ。「―なおもてなし・―なことば」派―さ。●**ていちょうご**［丁重語］《言》敬語の一種。改まったことばや言い方。①謙譲語の一種。自分がわの行為・ものごとを、相手に対して、ていねいに礼儀正しく、また、けんそんして述べる。例、「明日から海外へ参ります・行ってまいります」の「参る」、「野村と申します・申すまでもなく」の「申す」、「反省いたします」の「いたす」、拙著、小社、粗品。②自分がわ以外のことを、相手に対して、ていねいに礼儀正しく述べる。例、「夜もふけてまいりました・日本が優勝いたしました」の「まいる」「いたす」。〔この場合「夜」「日本」をけんそんしてはいない〕☞尊敬語・謙譲語・丁寧語・美化語。

**ディッシャー**〔disher〕アイスクリームやマッシュポテトなどを半球形にもりつける道具。大ぶりのスプーンのような形で、持ち手のレバーをにぎると、すくったものがきれいに落ちる。

**ティッシュ**〔tissue〕うすくてやわらかい、高級なちり紙。ティッシュペーパー。ティシュ(―)。

**ていっぱい**［手(一杯)］《ナダ》これ以上はやれないというところまで来ているようす。

**ディップ**〔dip=ひたすもの〕野菜スティックやクラッカーなどにつけて食べる、とろみのあるクリームやソースなど。

**ティップス**〔tips〕秘訣。ヒント。チップス。「役に立つ―集」

**ていてい**［亭々］《タルト》〔文〕高くまっすぐのびるようす。すくすく。「―たる大樹」

☆☆**ディテール**〔detail〕細かなところ。細部。デテール〈古風〉。「会話の―がうまい小説」

**ていてつ**［×蹄鉄］馬のひづめの下につける鉄。

**ていてん**［定点］決まった位置にある〈点/地点〉。●**ていてんかんそく**［定点観測］ある決まった場所でおこなう(気象)観測。

**ていでん**［停電］《名・自他サ》①送電がとま(って電灯が消え)ること。②(電力会社が)送電をとめること。「計画―」

**ていと**［帝都］〔文〕帝国の首都。「〔戦前の〕―東京・ドイツ帝国の―ベルリン」

****ていど**［程度］⊟①大小・高低・強弱・優劣などの度合い。「―が高い・損害の―・この―の(=簡単な)ことは知ってるよ・―副詞〔☞付録 文法解説「副詞」〕」②ちょうどそれに当たる度合い。「中学生の―をこえる」③ここまでは受け入れられるという度合い。限度。「寒いといっても―がある」④知性や教養を持つ度合い。「―の低い番組」⊟接尾 だいたい…ぐらい。〔助詞のように使う〕「十人―・千円―・何かあったな、―のことはわかる」区別「程度」「ほど」は、どちらも度合いをあらわすが、「君程度の人」と言えば見下した感じ、「君ほどの人」と言えば ほめた感じがある。☞ある程度。●**ていどもんだい**［程度問題］程度(が適切かどうか)が論じられる問題。「健康、不健康とはっきり分かれるわけではなく、―だ・買い物好きというのも―だ」

**でいど**［泥土］〔文〕水にとけたやわらかな土。どろ。

**ていとう**［低糖］食品にふくまれる砂糖分が少ないこと。「低塩―」

☆☆**ていとう**［抵当］借金が返せないときには自由に処分してもいい、と約束してさし出す不動産や品物など。かた。●**ていとうけん**［抵当権］《法》借金の担保とされている不動産などを、ほかの債権者より先に受け取ることができる権利。●**ていとうながれ**［抵当流れ］借金を返せなくて、抵当に入れた品物が処分され、自分のものでなくなること。また、そうなった品物。

**ていとう**［低頭］《名・自サ》〔文〕①あたまを下げること。〔おわび・尊敬などの気持ちをあらわす〕「平身―」②頭部の高さの比率が小さいこと。「―ボルト」

**ていとう**［低投］《名・他サ》《野球》ひくいボールを投げること。「一塁い送球を―」(↕高投)

**ていとく**［提督］艦隊を指揮する軍人。また、海軍の将官。

**デイトレーダー**〔day trader〕《経》一日のうちに株式の売買をくり返すデイトレードによって利益を得る、個人の投資家。

**ていとん**［停頓］《名・自サ》ものごとが ゆきづまって進まないこと。「交渉が―する」

☆☆**ディナー**〔dinner〕①正式の食事。正餐。②洋風の夕食会。「―ミーティング」

**ていない**［廷内］〔文〕法廷の中。

**ていない**［邸内］〔文〕やしきの中。

**ていない**［庭内］〔文〕にわの中。

**ていねい**［丁寧］《ナダ》①細かいところまで気をつけるようす。念入り。「―に調べる」②〔態度やことばに〕細かいところまで気をつけて、心をこめるようす。「―なことば・ごーにありがとうございます」(↕ぞんざい) ③こわしたりしないように注意するようす。「―に取りあつかう」(↕乱暴」④〔ごー〕度をすぎて念入りなことを、いやみをこめて言う。「ごー(なこと)に二重に包んで送ってきた」派ーさ。●☆☆ていねいご〔丁寧語〕〔言〕敬語の一種。相手に敬意をあらわして、ていねいに述べるときのことば。多く、文の終わりに見られる。例、ます・です・(で)ございます・(で)ござんす。また、これらをふくむ文節の全体もさす。例、行きます・書きません・そうです・暑うございます。☞尊敬語・謙譲語・丁重語・美化語。●ていねいたい〔丁寧体〕〔言〕口語文で、文の終わりに「です」「ます」などの ていねいなことばを使う文体。敬体。(↔普通体)

**ていねん**〔定年・停年〕《名・自サ》退官・退職することになっている、一定のとし(になること)。「ー制・ー退職」

**ていねん**〔諦念〕〔文〕あきらめの気持ち。

**でいねい**〔泥×濘〕〔文〕ぬかるみ。

**ていのう**〔低能〕《名・ナダ》知能が おとる〈ようす/人〉。派ーさ。

**ていは**〔停波〕《名・自他サ》〔放送・通信で〕電波をとめること。電波が とまること。

**ていはく**〔停泊・×碇泊〕《名・自サ》船が いかりをおろして とまること。

**ていはつ**〔×剃髪〕《名・自サ》〔文〕かみの毛をそって仏門に はいること。落髪。得度。

**デイパック**〔day pack〕〔日帰りハイキング用の〕小さな背負いぶくろ。手軽なリュックサック。デーパック。☞バックパック。

**ていばん**〔定番〕流行にかかわらない基本型の商品・ことがら。「ーの服・カラオケのー曲」

**ていはんぱつ**〔低反発〕反発力が弱いこと。また、そういうクッションやマットなど。「ーまくら」

**ティピカル**《ナダ》〔typical〕典型的。代表的。「ーな例」

**ていびち**〔ティビチ〕沖縄の、豚足の煮こみ。こんぶや大根といっしょに煮こんで、汁物や おでんに入れたり、沖縄そばの具にしたりする。足ティ(ィ)ビチ。テビチ。「ーそば」

**ていひょう**〔定評〕多くの人が認めて、動くことのない〈評判/評価〉。「ーのある人物」

**ていぶ**〔底部〕〔文〕底の部分。

☆☆**ディフェンス**《名・他サ》〔defense; defence〕〔競技で〕防御。守備(陣)。「ーがかたい」(↔オフェンス)

**ディフェンダー**〔defender〕〔サッカー〕ゴールキーパーの前に位置して、おもに守備にあたる選手。バックス。DF。(↔フォワード)

**ディフェンディングチャンピオン**〔defending(=防御)champion〕前回の優勝者で、今回はその座を守って戦う人。

**ディプロマ**〔diploma〕〔専門技術を教える学校などの〕修了証書。卒業証書。「ーポリシー(=大学などで、卒業を認める条件についての方針)」

**ていぶん**〔定文〕利用する人のために前もって作ってある電報の文章。「慶弔ー」

☆☆**ディベート**《名・自他サ》〔debate〕①討論。②あるテーマについて、肯定するがわと否定するがわが、一定の形式にもとづいて進める討論。☞ディスカッション。

**ディベルティメント**〔イ divertimento〕〔音〕⇩嬉遊曲。

**ディベロッパー**〔developer〕⇩デベロッパー。

**ていへん**〔底辺〕①〔数〕三角形の頂点に対する辺。②〔社会の〕下づみになったところ。どんぞこ。「ーにうごめく民衆」③ある分野を支える、大ぜいの人々。「野球人口のー拡大」●ていへんこう〔底辺校〕学力の水準が低い学校。

**ていほ**〔訂補〕《名・他サ》〔文〕〔今までのものの〕誤りを正し、たりないところをおぎなうこと。

**ていぼう**〔堤防〕川・海などの岸に沿って、土砂を盛り上げて築いたもの。つつみ。土手。

**デイホーム**〔和製 day home〕デイケアのための施設。デーホーム。

**ていぼく**〔低木〕〔植〕背のひくい木。多くは、地面に近いところから枝が分かれる。もと、灌木。例、ツツジ・ナンテン。(↔高木)

**ていほん**〔定本〕①校訂をおこなって誤りなどを訂正した、標準となる本。「ー西鶴全集」②著者が手を入れて、決定版とした本。

**ていほん**〔底本〕①校訂・翻訳などをするとき、もとにする本。〔「定本」と区別して「そこほん」とも読む〕②写本や複製本、文庫版や全集版などを作るときの原本。

**ていまい**〔弟妹〕〔文〕おとうとと いもうと。

**ていめい**〔締盟〕〔文〕〈ちかい/条約〉を結ぶこと。「ー国」

**ていめい**〔低迷〕《名・自サ》①〔文〕雲などが低くたれこめること。「暗雲ー」②悪い状態をぬけだせないこと。「業績ー・ーする景気」

**ていめん**〔底面〕①〔文〕そこの面。②《数》ⓐ角錐や円錐の、頂点に対する面。ⓑ角柱や円柱の、平行する上下の二面。

**ディメンション**〔dimension〕《数》⇩次元①。

**ていもう**〔×剃毛〕《名・自他サ》〔文〕毛をそること。「手術部位のー」

**ていやく**〔定訳〕標準となる正しい〈翻訳/訳語〉。

**ていやく**〔締約〕《名・自サ》〔文〕〈約束/条約〉を結ぶこと。

**ていゆ**〔提喩〕修辞法の一つ。せまい意味のことばで広い意味のことをあらわしたり、またはその逆にしたりする方法。シネクドキ(synecdoche)。例、「パン」で「食料」を、「やま」で「鉱山」をあらわすなど。☞換喩。

**ていよう**〔提要〕〔文〕要点を取り出して のべたもの。「法学ー」

**ていよく**〔体良く〕《副》ていさい よく。うわべをじょうずに。「ーことわる」

**ティラー**〔tiller〕〔農〕耕耘機。テーラー。

**ていらく**〔低落〕《名・自サ》値段・成績などが、下がること。低くなること。

**ていらず**〔手入らず〕①〈手数/人手〉が かからないこと。②手つかず。

**ティラノサウルス**〔ラ tyrannosaurus〕中生代に栄えた世界最大の肉食恐竜。ティラノザウルス。

**ティラミス**〔イ tiramisu〕エスプレッソをしみこませた生地と、マスカルポーネ入りのクリームとを交互に重ねた、イタリアのデザート。上にココアをふる。

**ていり**〔低利〕《経》低い利率。安い利息。(↔高利)

**ていり**[廷吏]〔古風〕裁判所内で事務をあつかう人。
**ていり**[定理]《数》〈公理/定義〉によって証明される、一定の理論。「ピタゴラスの―」
**でいり**[出入り]《名・自サ》①出はいり。「人の―・―止め」②仕事や商売の関係で、よく出はいりすること。「―の庭師」③支出と収入。④〔古風〕もつれ。もめごと。「女―(=女性がもとで起こる、男性どうしのもめごと)」⑤〔古風〕けんか。●**でいりぐち**[出入り口]〔建物の〕人が出はいりするところ。
**デイリー**〔daily〕[一][遺]①毎日の。「―ライフ」②日刊の。[二]**デイリー**《ナダ》日常的。「―に使いやすい」[三]**デイリー**〔↑デイリー フーズ〕⇩日配。▽[一]～[三]デーリー。
**ていりつ**[定率]割合が一定であること。「―の負担」
**ていりつ**[鼎立]《名・自サ》〔文〕〔鼎の脚のように〕三者が対立すること。「―する三派」
**ていりつ**[定立]《名・他サ》《哲》テーゼ(を立てること)。措定。「反―(=アンチテーゼ)」
**ていりつ**[低率]《名・ナダ》率が低いこと。低い率。「―の融資」(↔高率)
**ていりゅう**[底流]《名・自サ》①〔文〕川や海のそこを流れる〈流れ/こと〉。②〔表面にあらわれないで〕奥にある〈勢い/傾向〉。「政治の―」
**ていりゅう**[停留]《名・自他サ》〔文〕〔その場所に〕とどまること。とどめること。「三日間―する・感染者をホテルに―する・―する舟」●**ていりゅうじょ**[停留所]バス・路面電車などが とまって客が乗りおりするため、道路に もうけた場所。停留場。
**でいりゅう**[泥流]〔文〕どろが川のようになって流れるもの。
**ていりょう**[低量]少ない量。「―被ばく・―(=低用量)ピル」
**ていりょう**[定量]①決まった量。決められた量。「―の米・―の倍の薬」②《理》分量をたしかめること。(↔定性)●**ていりょうか**[定量化]《名・他サ》統一の基準によって、ものごとを量であらわすこと。●**ていりょうてき**[定量的]《ナダ》《理》どのくらいあるかを調べるようす。量的。「―な研究」(↔定性的)●**ていりょうぶんせき**[定量分析]《理》物質の成分の分量をはかる化学分析。(↔定性分析)

**ディル**〔dill〕セリの一種。葉は さかな料理のハーブ、種はピクルスの香辛料などに用いる。
**ているい**[涕涙]《名・自サ》〔文〕なみだ(を流すこと)。「―を禁じえない・―滂沱」
**ていれ**[手入れ]《名・他サ》①直すこと。「文章の―」②〈保存する/いい状態をたもつ〉ために手を加えること。「かみの毛を―する・洋服の―」③〔俗〕検挙。「暴力団の―」
**ていれい**[定例]いつも(の決まり)。「―閣議(↔臨時閣議)」
**ディレクション**《名・他サ》〔direction〕作品の制作やプロジェクトの進行を管理・指揮すること。「―業務」
☆☆**ディレクター**〔director〕①《放送》〔プロデューサーの指揮のもと〕放送番組を演出する担当者。D。②監督。演出者。●**ディレクターズカット**〔director's cut〕《映画》いったん公開された映画を、監督が再編集したもの。
**ディレクトリー**〔directory〕《情》コンピューターの記憶媒体で、ファイルの場所がツリー構造状に記録されたもの。
**ていれつ**[低劣]《ナダ》程度が低くて おとっているようす。「―な趣味」[派]-さ。
**ディレッタンティズム**〔dilettantism〕道楽。趣味(本位)。ジレッタンチズム〔古風〕。
**ディレッタント**〔dilettante〕文学・美術の愛好者。好事家。ジレッタント〔古風〕。
**ていれん**[低廉]《ナダ》〔文〕値段が安いようす。
**ていろん**[定論]〔文〕多くの人が正しいと認める論。「今のところ―はない」
**ディンギー**〔dinghy〕甲板のない、小型のヨット。
**ディンクス**[DINKS]〔↑ double income, no kids〕子どもを持たない共働きの夫婦。〔一九八七年からの ことば〕
**ティント**〔tint〕①数日間は色が落ちない、けしょう品。「まゆ―・ヘア―」②↑リップティント。
**ティンパニ(ー)**〔イ timpani〕《音》オーケストラに使う、半球形の太鼓。チンパニー。

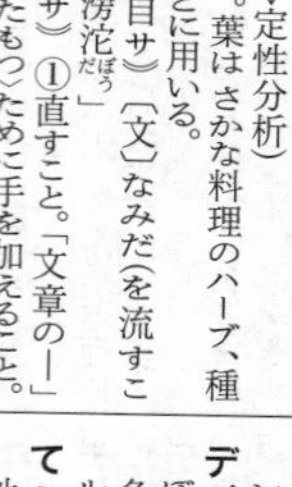

[ティンパニ(ー)]

**ディンプル**〔dimple=えくぼ〕ものの表面につけた、多数の小さな くぼみ。「ゴルフボールの―」
**てうえ**[手植え]《名・他サ》〈自分の手で/人の手で〉植えつけること。「お―の松」
**てうす**[手薄]《ナダ》①手もとに〈もの/お金〉が少ないようす。②人手が少ないようす。「警備が―だ」③不十分。「この方面は研究が―だ」▽形容詞形は「手薄い」。[派]-さ。
**デウス**〔ポ Deus〕《宗》天帝。神。
**てうち**[手討ち]昔、武士がけらいや町人を自分で切り殺したこと。「無礼者、―にする・お―」
**てうち**[手打ち]《名・他サ》①手(の力だけ)で打つこと。「―そば・キーボードで―する・ボールを全身で打たず―する」②〈約束/和解〉の成立(の しるしに、シャンシャンシャンと手をたたくこと)。「―式」
**てうり**[手売り]《名・自他サ》〔業者を通したりせず〕手わたしで売ること。「CDを―する」
**てえ**《格助》〔俗〕↑という。「お前(っ)―やつは」〔江戸っ子の ことば。他の品詞(の一部)としても使う。「なん―《連体詞》ことだ」〕
**デー**〔day〕[一][遺]特別のことをする日。…日。デイ。「虫歯予防―・ファン感謝―」[二][遺]⇩デイ[一]。
**テーク**〔take〕⇩テイク。
**デーケア**〔day care〕⇩デイケア。
**デーゲーム**〔day game〕《野球》日中におこなう試合。昼間試合。(↔ナイター・ナイト ゲーム)
**デージー**〔daisy〕⇩デイジー。
**テースト**〔taste〕⇩テイスト。
**テーゼ**〔ド These〕①《哲》はじめに立てられた命題。(↔アンチテーゼ)②運動方針。綱領。
*__データ__〔data〕①〔推論の〕基礎となる事実。また、事実にもとづいて整理した材料。②《情》コンピューターであつかう情報。「数値―・画像―」▽データー。●**デー**

タつうしん【データ通信】《情》コンピューターと〈コンピューター／端末装置〉とを通信回線で結び、データを送受信すること。●データバンク〔data bank〕多くの情報を収集・整理し、必要に応じて提供する機関。●☆☆データベース〔data base〕コンピューターで、いろいろな目的に利用できるように整理・統合した情報のファイル。DB。●データほうそう【データ放送】文字などの情報を送るテレビ放送。通常の番組のデジタル信号のすき間を利用している。

デート〔date〕■一①日付。②年代。■二《名・自サ》日時を決めて、好きな人と出かけること。「初ー・夫婦でーする・ー商法〔=デート相手に物を売りつける商法〕」

テーパード〔tapered〕先のほうが細くなった服・ズボンなど。「ーパンツ」

デーパック〔day pack〕⇩デイパック。

テーピング《名・他サ》〔taping〕けがの予防や応急処置などのために、関節や筋肉を布製の粘着テープで巻くこと。「ーをする」

テープ〔tape〕①細くて長い紙(のようなもの)。「出航する船にーを投げる・マラソンのゴールにーをはる」②接着剤がついていて、ものにはりつけられる「テープ①」。「ーでとめる・ビニールー」③昔、録音などに使った、磁気をおびた物質が塗ってある「テープ①」。「録音ー・ビデオー」●テープを切る 句 ①競走で、一着になる。②開通式・開場式などで、「テープ①」を切って、開通・開場などのしるしとする。テープカットをする。●テープカット〔和製 tape cut〕⇩テープを切る 句②。●テープレコーダー〔tape recorder〕テープ式録音機。「テープ③」に磁気で音の情報を記録する。テレコ。

テーブル〔table〕①足の高い机。卓子。②食事をする机。食卓。「ーマナー〔=食卓、特に洋食を食べるときの作法〕」③表。一覧表。「タイムー〔=時刻表〕」④交渉の席。「協議のーに着く」表記 ①②「:洋卓」とも書いた。●テーブルに載せる 句 具体的に検討をはじめる。「たたき台をー」●テーブルウエア〔table ware〕食卓で使う、皿・グラス・ナイフ・フォークなどの食器類。●テーブルクロス〔tablecloth〕テーブルにかける布。テーブルかけ。●テーブルスピーチ〔和製 table speech〕会食などの席上でする、短い演説。卓上演説。卓話。●テーブルスプーン〔table spoon〕食事用の、大きめのスプーン。●テーブルセンター〔和製 table center〕テーブルの中央に敷く布。●テーブルタップ〔table tap〕コードつきで、プラグを接続する複数の差しこみ口がついた器具。●テーブルチャージ〔table charge〕⇩カバーチャージ。●テーブルワイン〔table wine〕食事中に飲むのに適した、値段の高すぎないワイン。

デーホーム〔和製 day home〕⇩デイホーム。

テーマ〔ド Thema〕①主題。また、その作品の特徴を示すもの。「論文のー・ーソング〔=テレビ番組などで、いつも決まって流れる歌。主題歌〕・ー音楽・ーカラー」②↑テーマソング・テーマ音楽。「エンドー」●☆☆テーマパーク〔和製 ド Thema＋park〕あるテーマにもとづいて全体を構成する、大規模な娯楽施設。例、東京ディズニーランド。

デーモン〔demon〕①悪魔。鬼。②芸術活動を助ける霊。▽デモン。

テーラー〔tailor〕おもに、男性の服を仕立てる〈人／店〉。テイラー。(↔ドレスメーカー)●テーラーメイド〔tailor-made〕①洋服を自分用に注文して作ってもらうこと。また、その洋服。オーダーメイド。カスタムメイド。②その人に応じて考えること。「ー医療〔=患者の遺伝子などの個人差に配慮した治療法〕」▽テーラーメード。

テーラー〔tiller〕《農》⇩ティラー。

デーリー 澱・デーリー《ナダ・名》〔daily〕⇩デイリー。

テール〔tail〕①尾。しっぽ。「オックス〔=牛〕ーの煮こみ・ースープ」②〔車・電車などの〕後尾。「スキーのー」●テールエンド〔tail end〕最後尾。どんじり〔俗〕。●テールライト〔tail light〕⇩テールランプ。●テールランプ〔tail lamp〕尾灯。テールライト。(↔ヘッドライト)

ておい【手負い】きずを受け〈ること／たもの〉。「ーの熊」

ておくれ【手後れ・手遅れ】時機や処置がおくれて回復・解決ができなくなること。「ーになる」

でおく・れる【出遅れる】《自下一》〈出かける／動き出す〉のがおくれる。名 出遅れ。

ておけ【手(×桶)】取っ手のついたおけ。

ておし【手押し】手で動かす〈こと／もの〉。「ー車・ーポンプ」

ておち【手落ち】やり方に欠点があること。てぬかり。

でおち【出落ち・出オチ】〔俗〕①〔演芸で〕舞台に出ると同時に、見た目などで笑わせること。「ーですべる」②最初だけおもしろいこと。「ー感のある記事」

デオドラント〔deodorant〕におい消し。「ー効果・制汗ースプレー」

ておどり【手踊り】〈衣装をつけないで／手だけを動かして〉する、簡単なおどり。

ておの【手(×斧)】①片手で使う、小形のおの。②⇩ちょうな。

ており【手織り】《名・他サ》(自分の)手で〈織ること／織った織物〉。

てか【手下】てした。配下。

てか《接》〔俗〕⇩っていうか 二。「美しい、ーかわいい声・これからバイトだ。ー暑い!」

でか【:刑事・デカ】〔俗〕⇩刑事②。「ー長〔=巡査部長〕」

デカ〔フ déca〕十倍〔記号 da〕。「ーアール」☞ヘクト・デシ。

てがい【手飼い】①動物を手元で飼うこと。また、その動物。②子飼い。「ーの郎党」

でか・い《形》(「デカい」とも書く)〔俗〕大きい。でっかい。「態度がー〔=おうへいだ〕・〔語幹用法で〕デカ目・デカ声」派 ーさ。

でがいちょう【出開帳】《名・自サ》《仏》ふだんは寺で見せない仏像を、その寺以外の場所に出して拝ませること。でかいちょう。(↔居開帳)

てかがみ【手鏡】片手に持って使う、柄のついた鏡。

てかがみ【手△鑑】名筆を集めてとじた、筆跡の手本。「古筆ー」

てがかり【手(掛かり)・手(懸かり)】①手をかけて、からだを支える所。②どうすればいいか、どうなっているかなどを判断する たすけになるもの。「地図を―に宝を探す・行方不明者の―・事件解明の糸口になる―をつかむ」

**てかぎ**［手（×鉤）］ 柄のついた かぎ（鉤）。さかな・荷物などを持ち上げたりするのに使う。「〔段ボール箱などで〕―無用（＝使用禁止）」

**てがき**［手書き］《名・他サ》 印刷などでなく、手で書くこと。「―文字」 表記 絵は「手描き」。「手描き友禅〔型紙を使わない〕」

**てかけ**［（×妾）］〔古風・俗〕めかけ。

**でがけ**［出（掛け）］ 外出しようとする とき。でしな。

**てが・ける**［手（掛ける）］《他下一》 自分で実際に〈あつかう／世話をする〉。

****でか・ける**［出（掛ける）］《自下一》 ━ でかける 〔また帰るつもりで〕家から外へ出て行く。「散歩に―・ちょっと出かけてきます」 ━ でかける 出ようとする。出かかる。「出かけたところに客が来た」

**てかげん**［手加減］《名・自他サ》 ①手で分量・程度・ぐあいをはかること。ほどあい。②きびしさを弱めること。手心。さじ加減。「―を加える」

**てかご**［手籠］ 手にさげる、小さな かご。

**でかした**《感》〔古風〕「よくやった」と ほめることば。 由来 「でかす〔＝できるようにする。なしとげる〕」から。

**てかず**［手数］ ①⇩てすう①②。「いろいろと お―をかけまして」 ②《碁・将棋》〈打つ／指す〉手の数。てすう。③《ボクシング》パンチの回数。

**てかせ**［手（×枷）］ 昔、罪人の手に はめた かせ（枷）。（↕足かせ） ●**手かせ足かせ** 句 自由な活動をさまたげるもの。「社会的な―をはめられる」

**でかせぎ**［出稼ぎ］《名・自サ》 収入を得るため、ある期間ほかの土地や国に行って働く〈こと／人〉。季節労働者など。

**てがた**［手形］ ①手のひらに墨を塗って ものにおしたかたち。手の かたち。〔昔は、書類におして後日の証拠とした〕 ②《経》何日か先に一定の金額のしはらいを約束する証券。ふつう、約束手形のこと。「―割引〔⇩割り引く③〕」 ☞小切手。 ③昔、関所を通るときに必要とされた証文。通行手形。

**でかた**［出方］ ━ でかた 出よう。態度。「相手の―」 ━ でかた 〔すもう茶屋などで〕客の案内や せわをする男。

**てがた・い**［手堅い］《形》 確実で あぶなげがない。「―方法」 派 ‐さ。

**てがたな**［手刀］ 指をのばし、手のひらの小指のがわを使って たたくこと。空手チョップ。 ●**手刀を切る** 句 ①《すもう》勝った力士が賞金を受け取るとき、片手で空を切るように上下に軽く動かす〔「心」という字、すなわち「忄」の形を書く〕。②人の前を通るときなどに、失礼しますという意味で示す、片手で空を切るしぐさ。

**デカダン**〔フ décadent〕 ━ ①十九世紀末期にヨーロッパに生まれた退廃的・享楽的な文芸の傾向。退廃派。②退廃派の芸術家。③退廃的な生活をする人。 ━《ナダ》 退廃的・享楽的であるようす。「―な生活」 ▽━━ デカタン。デカダンス。

**デカップリング**〔decoupling〕 二つのことがらが両立するように うまく切りはなすこと。例、エネルギーの消費をおさえつつ、経済成長を維持するなど。

**てかてか** てかてか《副・自サ》・てかてか《ナダ》 つやがあって光っているようす。「―かがやく・―にみがく・―の頭」

**でかでか**《副》 特別に大きく（あつかっ）て、目立つようす。「―と書き立てる」

**デカフェ**〔decaf←decaffeinated＝カフェインをぬいた〕 カフェインを（ほとんど）取り除いたコーヒーや紅茶。ディカフ。ディキャフ。

***てがみ**［手紙］ 考え・気持ちや用事を書いて相手に送るもの。ふつう、封書を言う。書簡。レター。「―を書く・―を出す」

**てがら**［手△絡］ 日本髪の まげの根元にかける、色模様に染めた、かざりの布。

**てがら**［手柄］《名・ナダ》 ほめられる ねうちのある、りっぱなはたらき（をしたようす）。「―顔・―を立てる・スタッフはお―だ」

**でがらし**［出（×涸らし）］ 何回もいれて、味のうすくなった〈こと／お茶など〉。「―のお茶」

**てか・る**［テカる］《自五》〔俗〕てかてか光る。「ひたいが―」 名 テカり。

**てがる**［手軽］《ナダ》〈たやすく／簡単に〉あつかえるようす。簡易。「―に作れる料理」 ●**てがる・い**［手軽い］《形》手軽だ。 派 ‐さ。

**デカンタ**〔decanter〕 ワインなどを入れるガラスでできた卓上用のびん。デカンター。デキャンタ（ー）。 ☞カラフェ。

**てき**［適］ 適していること。「―不適」

***てき**［敵］ ①立場・考え方などが反対で、争い合っている相手。「―の軍隊・〔試合で〕―のチーム・友人と―味方の関係になる」 ②こちらに協力してくれず、むしろ困らせようとする者。「―が多い・―を作る」 ③害になるもの。「ストレスは美容の―」 ④〔テキ〕〔俗〕相手。「―はうんと言わないんだ」 ▽（↕味方） ●**敵に塩を送る** 句 敵が自分と争っていることと別の理由で苦しんでいるときに、その苦境を救う。 由来 上杉謙信が、今川・北条の塩止めで苦しんでいる武田信玄に塩を送ったという話から。 ●**敵に回す** 句 自分と対立関係にする。「―とこわい男・世間を―」 ●**敵は本能寺にあり** 句 目的は ほかにあるように見せかけて、急に本当の目的に向かうこと。 由来 西国を攻めると見せかけた明智光秀が、主君 織田信長を討った故事から。 ●**敵も さる者** 句 〈敵／相手〉もけっして負けてはいない者（だ）。「―、ひっかく者〔『さる』を『猿』とかけたしゃれ〕」

****てき**［的］ 接尾 ━〔形動をつくる〕 ①…の性質・状態・特徴を持つようす。「貴族―な雰囲気・芸術―・動物―・日本―」 ②そのものではなくても、それに近いようす。「事態は末期―〔＝ほとんど末期〕だ・運命―・ハンバーガー―なものが食べたい〔俗〕」 ③…の方面に関するようす。…の方面から見るようす。「物質―な豊かさ・社会学―（な）考察」 ④…に もとづくようす。「論理―に話す・主観―・感情―」 ⑤…の点で理屈に合っているようす。「活動―な〔＝活動に向いた〕服装・衛生―」 ⑥…をおおっているようす。「地球―規模・国民―な議論・部分―」 ⑦〔―に（は）〕〔俗〕 ⓐ…として（は）。…に関して（は）。「わたし―には納得できない・めど―には〔＝めどは〕来週あたりです」 ⓑ…の場合に(は)。「テレビーに(=テレビで放送する場合に)わかりやすいコメント」⑧〔俗〕…といったよう。「もうやめる、ーなことを言っていた・あとは野となれ、山となれーに楽観する」〔明治時代からある用法〕 由来 明治時代、中国語の「的」〔格助詞『の』に相当〕に、romanticなどのtic〔icは形容詞を作る接尾語〕の音と意味をふくませてできたことば。当初は「健康的の情感」のように「的の」の形が多かったが、後に「的な」の形が増えた。

**てき**［滴］接尾 したたりを数えることば。「一ーの水」

**テキ** 一 テキ〔古風〕↑ビフテキ。 二 造 ステーキ。「豚ー・鯨ー」

**でき**［(出来)］ 一 でき ①できること。「ーのいい(=優秀な)子」②できた様子。できばえ。「すばらしいー」③みのりぐあい。「イネのー」④〔俗〕八百長。「ーレース」⑤⇩しゅったい②。 二 造〔古風〕①〈そこで/そのときに〉できたもの。「ドイツー・昔ー」②できばえ。「特別ー」

**できあい**［(出来合い)］ 自分で作ったのでなく、もうできているもの。既製(品)。「ーの おかず・ーの洋服」(↔あつらえ)

☆☆**できあい**［溺愛］《名・他サ》 理性を失うほど、むやみにかわいがること。「わが子をーする」

**できあがり**［(出来上がり)］ ①できあがること。できあがったもの。②できばえ。

**できあが・る**［(出来上がる)］《自五》 ①作られて、まとまった形になる。「料理がー・スタイルがー」②〔**できあがっている**〕作られている。生まれついている。「単純にできあがっている」③〔俗〕酔いがまわる。酔っぱらう。

**できあき**［出来秋］ イネの みのりの秋。

**てきい**［敵意］ 相手を敵と感じる気持ち。相手ににくしみをもつ心。

**テキーラ**〔ス tequila=メキシコの地名〕 リュウゼツランからとった液で造る、強い蒸留酒。メキシコが産地。☞スピリッツ①。

**できうべくんば**［(出来得べくんば)］《副》〔できう=「できうる」の文語形〕〔文〕できることなら。できれば。

**でき・うる**［(出来得る)］《自下二》〔活用は「得る」を参照〕(することが)できる。「できうれば(=できれば)そうあってほしい」

**てきえい**［敵影］〔文〕敵の〈かげ/姿〉。

**てきおう**［適応］《名・自サ》 ①まわりに なじんで、うまくやっていくこと。「職場にーする」②《生》生物が外界にあうように変化すること。「ー性に富む・ー能力」③あてはまること。「ー症」④「適用」の誤り。

●☆☆**てきおうしょうがい**［適応障害］《医》強いストレスのため、周囲の状況に適応しにくくなるようなさまざまな症状が出ている状態。☞うつ病。

**てきおん**［適温］ ほどよい温度。

**てきか**［摘花］《名・自他サ》《農》野菜や くだものがよく育つように、余分な花をつむこと。てっか。

**てきか**［摘果］《名・自他サ》《農》野菜やくだものがよく育つように、余分な実をつむこと。てっか。

**てきがいしん**［敵×愾心］〔文〕敵に対してもつ、怒りの気持ち。敵対心。

**てきかく**［適格］《名・ナダ》 資格に あてはまるようす。てっかく。「教員としてーだ・ー性」(↔不適格) ☞欠格。

**てきかく**［的確・適確］《ナダ》 たしかで、まちがいのないようす。てっかく。「ーな訳語・ーに判断する」 派 ーさ。

**てきがた**［敵方］ 敵のほう。敵がわ。(↔味方)

**てきかん**［敵艦］ 敵の軍艦。てっかん。「ー見ゆ」

**てきき**［手利き］ うでまえのすぐれている〈こと/人〉。

**てきぎ**［適宜］《副・ナダ》 必要に応じて。その場合に ふさわしく。「ー判断してください・ーな(=適切な)方法」

**てきぐん**［敵軍］ 敵の〈軍勢/軍隊〉。(↔友軍)

**てきご**［適語］〔文〕適切なことば。「かっこの中にーを入れなさい」

**てきごう**［適合］《名・自サ》 うまく あてはまること。

**てきこく**［敵国］ 戦争の相手国。てっこく。

**できごころ**［(出来心)］〔そのとき〕ふと、起こった(悪い)心。「ーでしたぬすみ」

*__できごと__［(出来事)］ 日々起こる、いろいろなこと(の一つ)。「突然のー・ささいなー」

**できこん**［(出来)婚・デキ婚］〔俗〕おなかに赤ちゃんができたのをきっかけに結婚すること。〔一九九〇年代に広まったことば。当初は「できちゃった(結)婚」〕☞さずかり婚。

**てきざい**［適材］ ①その仕事に適した能力を持つ人。「ーを配する」②使い道にあった〈材料/木材〉。●**てきざいてきしょ**［適材適所］〈人材/材料〉を、ふさわしい所で使うこと。「ーの人事・ことばをーに使い分ける」

**テキサスヒット**〔和製 Texas hit〕《野球》⇩ポテンヒット。由来 アメリカのテキサスリーグの選手がよく打ったことから。

**てきし**［敵視］《名・他サ》 敵と〈思う/見なす〉こと。

**てきじ**［適時］〔文〕時機に かなうこと。適当なとき。「ー適切に対応する・ー(安)打(=タイムリーヒット)」

**できし**［溺死］《名・自サ》〔文〕水におぼれて死ぬこと。おぼれじに。水死。「ー者・ー体」

**てきしつ**［敵失］〈敵/相手チーム〉の失策。「ーで一点・野党にとって かっこうのー」

**てきしゃ**［適者］〔文〕その環境で生きていくのに適した条件をそなえているもの。●**てきしゃせいぞん**［適者生存］《生》生存競争の結果、その環境に適するものだけが生き残り、ほかは ほろびること。

**てきしゅ**［敵手］〔文〕敵。競争相手。「領土がーに落ちる・好ー」

**てきしゅう**［敵襲］〔文〕敵がおそって来ること。

☆☆**てきしゅつ**［摘出・×剔出］《名・他サ》 ①《医》手術して取り除くこと。「腎臓ー・全ー」②取り出すこと。「問題点をーする」

**てきしょ**［適所］〔文〕その人に適した〈地位/場所〉。「ー適材」

**てきじょ**［摘除］《名・他サ》《医》手術して、悪い部分を取り去ること。「胃ー」

**てきしょう**［敵将］ 敵の〈大将/将軍〉。

**てきじょう**［敵情・敵状］ 敵の陣地などの状態。敵軍のようす。「ー偵察」

**てきしょく**［適職］〔文〕その人に適した職業。

**てきしん**［摘心・摘芯］《農》新芽や、枝の先の芽をつむこと。花や実を多くしたり、丈をおさえたりするためにおこなう。

**てきじん**［敵陣］敵の〈陣地/陣営〉。(↔自陣)
**てき・す**［適す］《自五》⇩適する。「飲用に適さない」
**てきず**［手傷］〔戦いで〕受けたきず。「―を負う」
**できすい**［溺水］《名・自サ》〔文〕水におぼれること。「―事故」
**できすぎ**［(出来過ぎ)］《名・ナダ》あまりにもよくできている〈こと/ようす〉。「子どもにしては―の作品だ」
**できす・ぎる**［(出来過ぎる)］《自上一》〔話の筋が〕作り話のように、あまりにもうまくできあがる。「できすぎた話だ」
**テキスタイル**〔textile〕織物。生地。「―デザイン」
**テキスト**〔text〕①〔←textbook〕教材として使う本。②《情》文字データ。「―主体〔=画像などを使わない〕で作られたホームページ」③⇩テクスト。●**テキストファイル**〔text file〕《情》〔コンピューターで〕文字データだけで構成されているファイル。
**てき・する**［適する］《自サ》①よくあう。ちょうどあてはまる。「高地に適した〔=ふさわしい〕作物」②それにふさわしい資格・能力がある。向く。▽適す。
**てき・する**［敵する］《自サ》〔文〕はりあう。てむかう。「衆寡敵せず〔⇩「衆寡」の句〕」
**てきせい**［適性］ある仕事に適した性質。「―検査〔=〈どういう/その〉仕事に向くかを調べる検査〕」
**てきせい**［適正］《名・ナダ》適当で正しいようす。「―な規模」派-さ。
**てきせい**［敵性］敵と見なされる性質。「―国家・―語」
**てきぜい**［敵勢］①敵の勢い。②敵の軍勢。
*__てきせつ__［適切］《ナダ》その〈場合/目的〉にふさわしいようす。「―な表現・―に対応する」(↔不適切) 派-さ。
**てきぜん**［敵前］敵のいる前。敵陣の前のほう。「―上陸」
**できそこない**［(出来)損ない］①作った物のできが悪いこと。また、その物。ふでき。②性質・能力などが非常に〈おとること/おとった人〉。
**てきたい**［敵対］《名・自サ》敵として〈はむかう/対立する〉こと。「政府に―する・―勢力・―的な企業買収」

**できだか**［出来高］①できあがったものの総量。②収穫の総量。③《経》取り引きされた総額・総量。●**できだかばらい**［出来高払い］《経》仕事をした時間には関係なく、仕上げた量に応じて報酬をはらうこと。
**できたて**［(出来立て)］ものが できて、すぐの状態。「―のパン・―の国家・―の ほやほや」
**てきだん**［敵弾］敵の たま。「―を受ける」
**てきだん**［×擲弾］《軍》〔比較的近い距離で使う〕手榴弾などの小型の爆弾。「―兵」●**てきだんとう**［×擲弾筒］《軍》擲弾を発射するための筒。
**てきち**［適地］あるものごとに適した土地。「工場―・―適作〔=その土地にあった作物をえらんで作ること〕」
**てきち**［敵地］①敵国の土地。敵の占領している土地。②《スポーツ》相手のホームグラウンド。アウェー。
**てきちゅう**［敵中］〔文〕敵の なか。
**てきちゅう**［的中］《名・自サ》①まとに あたること。命中。②［適中］〔予想が〕うまくあたること。「予想は―した」
**てきど**［適度］《名・ナダ》適当な程度。派-さ。
**てきとう**［適当］《ナダ・自サ》①よく あてはまるようす。「―なものを選んで記号で答えなさい」表記 古くは「的当」と書いた。②ちょうどいいようす。「―な機会を設けて話し合おう」③だいたいの感じでするようす。不徹底。いいかげん。テキトー〔俗〕。「返事を―に書いておく」▽(↔不適当) 由来「まあ、このへんが『適当①②』だろう」と、だいたいで決める場合があることから、③の意味があらわれた。派-さ。
**てきにん**［適任］《ナダ》その任務に適しているようす。「きみが―だ・―者」(↔不適任)
**できばえ**［(出来栄え)・(出来映え)］できあがったものがあたえる印象。できあがり。「すばらしい―・りっぱな―」
**てきぱき**《副・自サ》①手ぎわよく仕事を進めるようす。「―(と)かたづける」②動作やことばが はきはきしているようす。「―(と)答える」
**てきはつ**［摘発］《名・他サ》悪いことをあばくこと。「交通違反の―」

**てきひ**［適否］〔文〕適当か適当でないか。「手術の―を考える」
**てきびし・い**［手厳しい］《形》〔責めかたが〕きびしい。(↔手ぬるい) 派-さ。
**できぶつ**［出来物］〈よくできた/すぐれた〉人物。☞できもの(出来物)。
**てきひょう**［適評］〔文〕適切な批評。
**てきふてき**［適不適］適当と不適当。
**できふでき**［出来不出来］①いい できばえと悪い できばえ。できばえに むらがあること。②時期により、農作物のできに むらがあること。
**てきほう**［適法］《ナダ》《法》法に かなうこと。合法。(↔違法) 派-さ。
**できぼし**［出来星］〔俗〕なりあがり。
☆☆**てきめん**［(×覿面)］《ナダ》むくいや効果がすぐにあらわれるようす。「効果―・天罰―」
**できもの**［(出来物)］皮膚が赤く はれあがり、うみを持つ状態になったもの。おでき。はれもの。☞できぶつ(出来物)。
**てきや**［テキ屋］〔=的屋〕〔俗〕縁日などで、道ばたに屋台を出したり、見せ物を興行したりする人。香具師。
**てきやく**［適役］その人に適した役。
**てきやく**［適訳］うまく あてはまる翻訳・訳語。
**てきよう**［摘要］《名・他サ》〔文〕要領を〈かいつまむこと/かいつまんで書いたもの〉。
*__てきよう__［適用］《名・他サ》あるものをほかのものにあてはめて〈あつかう/考える〉こと。
**てきらい**［摘×蕾］《名・他サ》いい果実や花を得るために、〈一個/少数個〉だけ残してつぼみをつみ取ること。
**てきりょう**［適量］ちょうど適当な量。
**__で・きる__［(出来る)］《自上一》①最後まで〈つくられる/しあがる〉。「ごはんが―・宿題が―」②生じる。発生する。「あざが―・用事が―・できて〔=起こって〕しまったことは しかたがない」③生まれる。命が めばえる。「子どもが二人できた・私、できた〔=妊娠した〕らしいの」④実が なる。「ことし できた米」⑤〔関係が〕新しく得られる。「友だちが―・行きつけの店が―」⑥じゅうぶん そろう。ととのう。「商売の資金が―・準備が できたら出発しよう」⑦〔その材料で〕作られる。「木でできている」⑧〔したいと思ったことが〕うまく実現する。「なわとびができた・今日のテストはできた〔=よく答えられた〕」⑨〔それをする〕〈能力/技術〉がある。「―かぎり援助する・君は料理が―のか・自分で判断―」⑩すぐれた〈能力/技術〉がある。「おぬし、―な・―〔=成績のいい〕子ども」⑪〔人がらが〕すぐれる。円満でりっぱである。「人間ができている・若いのにできた人だ」⑫得意だ。「数学が―」⑬〔そのことが〕じゃまされず、思いどおりになる。ゆるされる。「遊びに行くことが―・車両が通行―」⑭〔気持ち・考えが〕ごく自然にそうなる。「…と考えることが―・ストーリーに共感―」⑮〔できている〕〔俗〕恋愛をして、深い関係になる。「あの二人はできている」▽「する」の可能形でもあり、⑨⑬⑭は「判断する」の「判断」など、サ変動詞の語幹にもつく。☞できすぎる。

●**できるだけ**［〔出来るだけ〕］表記③⑩⑮「デキる」とも。

《副》①精いっぱいがんばって。「今のうちに―勉強しておけ」②無理のない範囲で。「むずかしい本も―読むようにします」▽なるべく。 まちがいなく伝えるためには、①は「できるかぎり」、②は「できれば」などと言うとい い。

**てぎれ**［手切れ］①〔文〕今までの関係を、おたがいにたち切ること。絶縁。「―話」②「手切れ①」のしるしに、相手にわたすお金。手切れ金。

**てきれい**［適例］適当な例。「―をあげる」

**てきれい**［適齢］その〈条件/規定〉にあてはまる年齢。「結婚―期」

**できレース**［〔出来〕レース］〔俗〕前もって結果が決められていて、形だけおこなう競争。

**できれば**［〔出来れば〕］《副》ひかえめに希望する気持ちをあらわす。可能ならば。「―あすまでに仕上げてください」丁寧できますれば。

**てきろく**［摘録］《名・他サ》〔文〕大事なところだけを〈ぬき出す/記録する〉こと。ダイジェスト。

**てぎわ**［手際］ものごとをかたづけるやり方。仕事の進め方。「―がいい・―よく処理した」

**てきん**［手金］手つけ金。「―を打つ〔=はらう〕」

**できん**［出禁］〔俗〕↑出入り禁止。「―を食らう」

**て・く**《助動五型》↑ていく。「持っ―・置いてった・スキーに連れてってよ」 連用形「てき」は、「…て来る」の連用形「…て来」と同音になるので、注意が必要。例、「持ってきます」は、「持って行きます」とも「持って来ます」とも取れる。

**テク** 一 造 ↑テクニック。「―のあるギタリスト・超絶―」 二 ↑テクノロジー。「ハイ―・財―」

**でく**［〔:木偶〕］①木ぼりの人形。でくのぼう。②人形芝居に使う人形(のかしら)。でこ。

**てぐし**［手〔×櫛〕］くしのかわりに、手の指で髪をとかすこと。

**てぐす**［〔:天蚕糸〕・テグス］テグスサン〔=白い長い毛のはえた毛虫〕などの幼虫のからだからとった糸。合成樹脂などでつくった、類似のものも言い、釣り糸などに使う。

**テクスチャー**〔texture〕①質感。「―の表現」②生地。③風合い。手ざわり。④《音》メロディーとハーモニーの組み合わせ(によって得られる特色)。▽テクスチュア。テクスチャ。

**テクスト**〔text〕〔分析・批評の対象とする〕本文。原文。原典。テキスト。「―の解釈を試みる」

**てぐすね**［手〔△薬×煉〕］弓がすべらないように、弓を持つ手に塗るくすね〔=松やにに油をまぜて煮て練ったもの〕。☞くすねる。

●**手ぐすね(を)引く** 句 早く〈やって/やっつけて〉やろうと、待ち遠しく思う。「手ぐすねを引いて待つ・関係者はみな―」

**てぐせ**［手癖］①無意識に行う手のくせ。②身についた、自分のやり方。「―でえがいた絵」▽てくせ。

●**手癖が悪い** 句 人のものをぬすむくせがある。☞手練。

**てくだ**［手管］人をだます手ぎわ。「どろぼうの―」

**てぐち**［手口］〔犯罪の〕やりくち。

**でぐち**［出口］①外へ出る口。「お―はこちらです・高速道路の―」②終わりとなるところ。解決策。「交渉の―・―なし」▽(↔入り口)

●**でぐちちょうさ**［出口調査］選挙結果を予測するため、投票所の出口で投票した人に直接聞いて調べること。

**てくてく**《副》〔歩調をゆるめずに〕ひたすら歩くようす。「―(と)歩き続ける」

**テクニカル**《ナダ》〔technical〕①技術的。「―ライター〔=取扱説明書を書く人〕」②学術上の。「―ターム〔=術語。専門語〕」

●**テクニカルノックアウト**〔technical knockout〕《ボクシング》技術に大差があるときなどに、試合のとちゅうで審判やドクターなどが試合を止めて勝ち負けを決めること。技倒。TKO。

**テクニシャン**〔technician〕技巧にすぐれた人。

**テクニック**〔technique〕①〔芸術の〕手法。②〔音楽の〕技巧。③〔専門の〕技術。「―をみがく」▽テク〔俗〕。

**テクノ**〔techno〕 一 《音》↑テクノポップ。「―サウンド」 二 造 技術の。「―社会・―クライシス」

●**テクノクラート**〔technocrat〕高度の専門的知識を持つ〈行政官/管理者〉。技術官僚。

●**テクノストレス**〔technostress〕コンピューターの専門技術者などの心とからだに起こる、いろいろなストレス症状。

●**テクノポップ**〔techno-pops〕《音》シンセサイザーを取り入れて演奏するロック。テクノ。〔一九八〇年代初めから流行〕

●**テクノポリス**〔technopolis〕先端技術産業を中心とした新しい都市。高度技術集積都市。例、浜松・熊本。

●☆☆**テクノロジー**〔technology〕科学にもとづき、高度な機器を用いて、ふつうにはむずかしいことを実現する技術。科学技術。「革新的な―」

**でくのぼう**［〔:木偶の〕坊・〔:木偶の〕:棒］①木ぼりの人形。でく。②〔俗〕そこにいるだけで、まったく役に立たない人。〔ののしる言い方〕

**てくばり**［手配り］《名・自サ》①〔古風〕手配。「あちこちと―する」②〔ビラ・新聞を〕手でくばること。

**てくび**［手首・手〔×頸〕］「手 一 ①」のつけ根の、まげたり回したりできる部分。「―を取って脈を測る」

**てくらがり**［手暗がり］光が手にさえぎられて、手もとが暗く〈なること/なったところ〉。

**てく・る**［テクる］《自五》〔古風・俗〕〔乗り物に乗らず〕てくてく歩く。「家まで―」☞タクる。

**てぐるま**［手車］①ふたりが両手を組み合わせて台座を作り、その上に子どもをのせて遊ぶこと。②⇩ねこぐるま。

**デクレッシェンド**〔イ decrescendo〕《音》だんだんと弱く(演奏せよ)。デクレシェンド。(↔クレッシェンド)

**でくわ・す**[出(△会す)・出(△交す)]《自五》思いがけず行きあう。偶然、出あう。でっくわす。「だれかに―とまずい」

**てくんな**《終助》〔古風・俗/方〕⇩くんな[二]。

**てくんろ**《終助》〔方〕⇩くんろ[二]。

**でげいこ**[出稽古]《名・自サ》①出張して教えること。②《すもう・落語》よその親方・師匠のもとへ出かけて、けいこをすること。

**でげ・す**《助動マス型》〔古風・俗〕⇩げす。

**テケツ**〔←ticket〕①〔劇場・演芸場などで〕切符売り場。木戸。「寄席の―」②〔古風〕切符。

**てけてけ**[一][テケテケ]《名・副》〔俗〕エレキギターを、すばやく かき鳴らしながら、弦をおさえる指をすべらせて出す音。また、その技法。[アク]技法の意味では、てけてけ。[二]《副》気ままに、早足で歩くようす。

**てこ**[(×梃)・(×梃子)・テコ]①《理》ⓐ支点の まわりを自由に回転できる棒。ⓑ重いものを動かすとき、下にさしこんで使う棒。レバー。☞支点・力点②・作用点。②目的をとげるために利用する、強力なもの。「技術革新を―にした発展」③⇩こて(鏝)④。●**てこでも動かない**[句] どうしても動かない。考えや態度を絶対に変えない。「こうと決めたら―」

**でこ**[デコ]〔俗〕額。おでこ。

**デコ**《名・他サ》〔俗〕↑デコレーション。「―弁〔=きれいにかざった弁当〕・―トラ〔=かざりたてたトラック〕」☞デコる。

**デコイ**〔decoy〕①狩猟などで、おとりに使う、実物大の鳥の模型。室内の装飾品としても使う。②おとりに使われる人や物。

**てこいれ**[(×梃)入れ]《名・自サ》〈相場を支える/業績を上げる〉ために、特別な方法をとること。「親会社が―する」

**でごうし**[出格子]外に出っぱった格子(窓)。〔連子になったものが多い〕「白木の―」

**デコード**《名・他サ》〔decode=暗号を解くこと〕《情》符号化されたデータを元にもどすこと。(↔エンコード)

**てごころ**[手心]手加減。●**手心を加える**[句] 相手の事情を考えて、ゆるやかな処置をとる。

**でござい**《終助》〔古風・俗〕⇩ござい。

**でございま・す**《助動マス型》⇩ございます[三]。

**でござ・る**《助動五型》〔古風/方〕⇩ござる[三]。

**でござん・す**《助動マス型》〔古風〕⇩ござんす。

**てこず・る**[(手古×摺る)・(×梃子×摺る)]《自五》〈持てあまして/すぐに解決できずに〉困る。手を焼く。「わがままに―・難題に―・バッターをてこずらせる」

**てごたえ**[手応え]①打ったり突いたりしたときなどに、手に受ける感じ。「深くほっていくと―があった」②自分が はたらきかけた分だけ、返ってくる感じ。あることができそうだ、という感じ。「試験は―があった・接客の仕事に―を感じる・改革の―をつかむ」

**てごね**[手(×捏ね)]手で〈こねること/こねたもの〉。「―パン・―ハンバーグ」〔語によって「手こね」が優勢。☞手こねずし〕

**てこねずし**[手(×捏ね:寿司)]たれにつけた赤身の魚を合わせた ちらしずし。てごねずし。〔もと、手でこねた〕☞手ごね。

**デコパージュ**〔フ découpage〕木・金属・ガラスなどに(切りぬいた)絵をはりつけ、上からニスをぬって仕上げる工芸(作品)。デクパージュ。

**でこぴん**[デコピン]《名・自サ》〔俗〕相手のおでこを指でぴんとはじくこと。「―(を)する・―(を)かます」

**でこぼこ**[(凸凹)][一]**でこぼこ**《名・ナダ》・**でこぼこ**《自サ》〔「デコボコ」とも書く〕①表面に高低があること。「―道」②つりあいの とれない〈こと/ようす〉。「―コンビ」[二]**でこぼこ**[造]〔古風〕〔年齢が〕…前後。「五十―の男」

**でこポン**[デコポン]〔商標名〕オレンジとポンカンを交配した品種。実の上部が凸形にふくらんでいる。

**てごま**[手駒]①《将棋》持ち駒。②いつでも使える人。手下。部下。

**てこまい**[手古舞]祭礼の余興に、若い女性が男性のような服装をして、鉄の つえをつき、木やり歌をうたって、おどりながら ねり歩くこと。

**てごめ**[手込め・手△籠め]暴力で女性をおかすこと。強姦。「―にする」

**デコラ**〔Decola=商標名〕合成樹脂をぬった紙に、メラミン樹脂を張り合わせた板。家具用。

**デコラティブ**《ナダ》〔decorative〕かざりの多いようす。装飾的。「―タイプ」

**デコ・る**《他五》〔↑デコレーション+る〕〔俗〕はでにかざる。「スマホケースを―」〔戦前からあることばで、今の若い世代も使う〕

**デコルテ**〔フ décolletée〕①〔女性の〕胸の上部から首にかけての部分。「―ライン」②《服》↑ローブデコルテ。☞ローブ①。

**デコレーション**《名・他サ》〔decoration〕①かざり。装飾。デコレ。デコ〔俗〕。「―トラック〔俗に略して『デコ トラ』〕」②↑デコレーション ケーキ。●**デコレーションケーキ**〔和製 decoration cake〕まるいスポンジケーキの上をクリームやチョコレートでかざった、大型のケーキ。誕生祝いやクリスマスなどに使われる。デコレーション。

**てごろ**[手頃]《ナダ》①手に持つのに ちょうどいい〈大きさ/太さ〉であるようす。「―な石」②その人にとって ちょうどいいようす。「―な相手・―な職・―な値段」[派]-さ。

**てごわ・い**[手(△強い)]《形》①相手にしたとき、なかなか強い。「―チーム・―敵」②なかなか思いどおりにならない。「―問題・―仕事」[派]-げ。-さ。

**テコンドー**〔朝鮮 taegwondo(跆拳道)〕けったり突いたりするわざを使う、韓国の武道。

**デザート**〔dessert〕①《料》西洋のコース料理で最後に出す、チーズ・菓子・くだものなど。②食後の菓子・くだもの。

**てざいく**[手細工]手を使ってする細工。

**デザイナー**〔designer〕〔洋服やインテリア、工業製品、印刷物などの〕デザインを考える人。「服飾―」●**デザイナーズ**[造]〔designer's〕デザイナーの。「―ショップ〔=デザイナーの作品を売る店〕・―〔=デザイナーの設計した〕マンション」

**デザイン**《名・自他サ》〔design〕①意匠。また、意匠を考え〈ること/たもの〉。「若者むきの―・工業―・―ブラウス」②設計。「生活を―する」▽ディザイン。

**でさか・る**【出盛る】《自五》さかんに出る。「ミカンが―」名出盛り。

**てさき**【手先】①〔指を主とした〕手の先。「―が器用な人」②手下。「賊の―」③おかっぴき。

**でさき**【出先】外出している先。「―から電話をかける」●**でさききかん**【出先機関】〈中央/本国〉の官庁や会社などが〈地方/外国〉に作った、支部の機関。

**てさぎょう**【手作業】〔機械でなく〕手を使う作業。「―でふくろづめする」

**てさぐり**【手探り】《名・自他サ》①手先の感じで探ること。「―で見つける」②見当がつかず、様子を探りながら、ものごとを進めること。「事業はまだ―状態だ」

**てさげ**【手提げ】①手にさげて持つこと。「―金庫」②手にさげて持つ、ふくろ・かばんなど。

**てさばき**【手(×捌き)】①ものをあつかうときの、手の〈動き/動かし方〉。「たづなの―」②《すもう》取組の内容。

**テザリング**〔tethering〕パソコン・ゲーム機などを、スマートフォン経由でインターネットに接続すること。外出先にWi-Fi環境がないときに便利。

**てざわり**【手触り】①手にふれた感じ。「絹の なめらかな―」②実感。印象。「かたい―の ことば」

**でし**【弟子】〔ある期間〕先生について、教えを受ける人。門人。門弟。「お―さん」(↔師匠)

**デシ**〔フ déci〕十分の一〔記号 d〕。「―メートル」☞デカ・センチ。

**でしいり**【弟子入り】《名・自サ》弟子になること。

**てしお**【手塩】〔ーしお〕にぎりめしを作るときなどに、手につける塩。「―をつける」●**手塩にかける** 句 自分が最初からめんどうを見てせわをする。「手塩にかけて育てた桃の木」

**でしお**【出潮】〔ーしお〕〔月の出るころに〕満ちて来る潮。(↔入り潮)

**デジカメ** ↑デジタル カメラ。

**てしごと**【手仕事】手先を使う作業・仕事。「職人による―・―の技」

**てした**【手下】ある人の下で、その人の言うとおりになって行動する人。部下。配下。てか。

☆☆**デジタル**〔digital〕一 情報や命令を、0と1〔=スイッチオフとスイッチオン〕の信号の集まりで表現する〈こと/もの〉。コンピューターの情報処理は、この方式でおこなう。ディジタル。「―時計〔=文字盤の上で、線を部分的に表示したり消したりして、時刻の数字を表現する時計〕・―データ・―遺品〔=亡くなった人が、パソコンの中などに残した大切なデータ〕」二《名・ナダ》コンピューターを〔めいっぱい〕使うようす。「―(な)社会」▽一二(↔アナログ)●**デジタルかでん**【デジタル家電】画像・音声をデジタル信号として処理できる機能を持つ家庭電化製品。例、液晶テレビ・デジタル ビデオカメラ。●**デジタル カメラ**〔digital camera〕写した画像をデジタル信号として記録するカメラ。デジカメ。(↔フィルム カメラ・銀塩カメラ)●**デジタル サイネージ**〔digital signage〕コンピューターのディスプレイを使った、電子的な看板。動画を流すこともできる。●**デジタル しんごう**【デジタル信号】データが「0」と「1」とであらわされる信号。●**デジタル ちょう**【デジタル庁】《法》行政システムのIT化を促進し、統括する官庁。二〇二一年発足。デジ庁。●**デジタル つうしん**【デジタル通信】情報を、すべてデジタル信号として送受信する通信方式。●**デジタル デバイド**〔digital divide〕インターネットなどを活用した情報化がもたらす、経済格差や不平等。情報格差。デジタル ディバイド。●**デジタル トランスフォーメーション**〔digital transformation〕いろいろなものごとがデジタル情報であつかわれるようになることで、社会全体が根本から変化すること。DX。☞「DX①」の 由来。●**デジタル パーマ**〔digital perm〕デジタル機器で細かい温度設定をして加温するパーマ。デジパ(ー)〈俗〉。●**デジタル ほうそう**【デジタル放送】デジタル信号を用いた放送。アナログ放送とくらべて画質・音質がよく、データ放送も可能。

**てじな**【手品】①〔ハンカチ・トランプなどの小物を使って〕ふしぎなことが起こったように見せる芸。手妻。☞奇術・魔術②。②人をまどわす手段。

**デシベル**〔decibel〕《理》①音の大きさの単位。音圧。☞フォン〔phon〕・ホン〔phon〕。②電気・音響・振動などの分野で用いられる入力値と出力値の比を表す単位。③聴力のレベルをはかる単位。▽〔記号 dB〕

**てしぼり**【手搾り】〔果汁・牛乳などを〕機械でなく、手でしぼること。また、しぼったもの。「―ジュース」

**てじまい**【手仕舞い】〔ーじまい〕《名・他サ》《経》信用取引や先物取引で、転売や買いもどしによって、売買の関係を終わらせること。動手仕舞う《他五》。

**てじめ**【手締め】儀式・宴会などで、また、取引・相談の成立を祝って、「いよーっ」という掛け声のあと、そろって両手を打ち合わせること。☞一丁締め・一本締め・三本締め。

**てじゃく**【手酌】自分で自分の酒をつぐこと。「―で飲む」

**でしゃば・る**【出しゃばる】《自五》①出なくてもいいのに出る。さしでる。②ほかの人をおしのけて、する。名出しゃばり。

**デジャブ**〔フ déjà vu〕《心》一度も経験しないことが、すでに経験したことであるかのように感じられること。既視感。デジャビュ。デジャヴ(ュ)。

**てじゅん**【手順】だんどり(をつけること)。手続き。「―をふむ」

**てしょう**【手性】①手先でする仕事の、じょうず・へたのぐあい。「―がいい」②手ぐせ。「―が悪い」

**てじょう**【手錠・手△鎖】①手首にはめて自由をうばう用具。「―をかける」②江戸時代、ある期間「手錠①」をはめさせた刑罰。

**でしょ・う**《助動特殊型》〔推量の助動詞。学校文法では、助動詞「です」の未然形+助動詞「う」〕「だろう」の丁寧語。でしょ〈話〉。「いかがです、みごと―。あすは晴れる―・暑い―・明らか―・失礼ですが、中西先生―か〔『ですか』よりていねい〕・ほかにはいません―ことを想像しました〔まれな言い方〕」〔問いかけの場合は、くだけた会話でも使う。『子どもが親に』ねえ、行ってもいい―」アク ウシでしょう・ネコーでしょう・イヌーでしょう。☞だろう。

**てしょく**［手職］手先をはたらかせる職業(の技術)。てじょく。「―がある」

**デシリットル**〔フ décilitre〕リットルの十分の一〔記号 dL, dl〕。表記「×竕」とも書いた。

**でじろ**［出城］根城からはなれた所に設けた城。(↔根城)

**デシン**〔↑クレープデシン〕細い糸で織った、うすくてやわらかな絹織物。上等の女性用服地として使う。フランスちりめん。

**てしんごう**［手信号］①警察官などが交差点に立ち、信号機の代わりに両手を使って指示を出すこと。②〔自転車・自動車の〕運転者が片手を使って、自分の曲がる方向などをうしろの車に示すこと。

****です** 一《助動マス型》〔断定の助動詞〕①助動詞「だ」の丁寧語。「もうすぐ春―・あなたが好きなん―・まさに そう―・静か―〔形容動詞語尾『だ』の代わりに語幹につけた形〕・おつかれさま―・〔ニュースで〕ひったくり犯が逮捕―〔=逮捕されました〕・『もういいよ』『―か〔=そうですか〕』」〔「でございます」「であります」は、よりていねいでかたい言い方。「でございます」は、非常にていねいな言い方〕 ✓「だ」とちがって「暑い」など形容詞にもつくが、不自然に感じられることもある。(1)「暑いです」など言い切る形は、特に書きことばでは、舌足らずな印象をあたえることがある。「暑い日です」など名詞をはさむといい。(2)過去形は、「暑かったです」など「…かったです」を使うが、これも、特に書きことばでは、「暑い日でした」などの形のほうが より自然。「暑いでした」の形は、鹿児島などの方言で使う。②〔俗〕動詞・助動詞に、「ます」の代わりにつける。「行った―〔=行きました〕・ある―〔=あります。古風な言い方〕」〔「気をつけます―」などは、ていねいすぎる言い方〕 ▽学校文法では、「でしょう」は「です」の未然形＋助動詞「う」と説明する。この辞書では別の助動詞としてあつかう。 アク ウシです・ネコーです・イヌーです。 二《終助》〔話〕ことばを続けたいとき、つなぎに使う。「私が―ね、その時―ね…」 由来「でござります」が「でござんす→であんす→でえす→です」とつづまったもの。江戸時代は遊郭の男女などが使い、明治時代に一般化した。☞あります・っす・ですです。

**でずいり**［△手数入り］《すもう》横綱の土俵入りの、別の呼び方。

**てすう**［手数］①何かをするためにかける労力。「―を減らす・―の かかる仕事」②〔相手の〕ほねおり。めんどう。「お―をおかけして恐縮です・お―でもお願いします」▽てかず。③《碁・将棋》⇩てかず②。「長―」

●**てすうりょう**［手数料］手続きをするとき、事務をあつかうがわに はらう お金。

**ですが** 連・ですが《接》「だが」の丁寧語。「―、お客さま…」

**てずから**［手ずから］《副》〔文〕自分(の手)で。じかに。「―あたえる」

**ですから** 連・ですから《接》「だから」の丁寧語。「五時―帰ります・〔じれて〕―、さっきも言いましたように…」

**てすき**［手〈隙〉・手〈透き〉］仕事がなくて、手があいていること。ひま。「お―のせつ」

**てすき**［手〈×漉き〉］機械でなく、手で〈紙をすくこと／すいた紙〉。

**です・ぎる**［出〈過ぎる〉］《自上一》①ふつうの程度以上に出る。「水が―」②身のほどを越えて ふるまう。「出すぎた おこない」 名 出すぎ。

**デスク**〔desk〕①(事務用の)机。「―プラン〔=机の上だけの計画〕・―ワーク〔=事務〕」②〔新聞社や放送局で〕取材や編集の指揮をする責任者。●**デスクトップ**〔desktop=机の上〕①卓上型のパソコン。☞ラップトップ。②コンピューターを起動したときにあらわれる基本画面。ファイルの内容を示すアイコンがならんでいて、背景に好みの画像を張りつけられる。

**ですけど** 連・ですけど《接》「だけど」の丁寧語。ですけれど(も)。

**てすさび**［手〈△遊び〉］〔文〕決まった めあてもなく、あそび半分にすること。「―の歌作り」

**てすじ**［手筋］①手のひらに あらわれている筋。②〔文字・絵など〕手を使ってすることの、じょうず へたのぐあい。「―がいい」③《碁・将棋》その局面での有効な手。「―を読む」

**テスター**〔tester〕①検査をする係の人。②《理》電気器具などの電圧・電流・抵抗に異常があるかどうかを試験する器械。回路計。③試用品。

**でずっぱり**［出〈突っ張り〉］①〔舞台などで〕同じ人が、どの〈だしもの／場面〉にも出ていること。出つづけ。②ずっと〈外出／出勤〉していること。表記 現代語では「突っ張り」の意識がないとみて、かなでは「でずっぱり」と書くが、「でづっぱり」も許容。

**です-です**《感》〔俗〕↑そうです、そうです。「『期待が持てそうですね』『―!』」 ✓東北方言の「んだんだ」など、「です」に当たる部分をくり返す言い方は各地にある。宮崎でも「です です」と言う。

**テスト**《名・他サ》〔test〕①試験。「知能―」②ためし(てみること)。③下げいこ。(↔本番) ●**テストケース**〔test case〕試験(的な)例。●**テストドライバー**〔test driver〕新型自動車の性能をためすために、試験運転をする人。●**テストパイロット**〔test pilot〕新型飛行機の性能をためすための操縦士。●**テストパタ(ー)ン**〔test pattern〕テレビなどで、像が よく映るかどうかを試験するために映す模様。●**テストマッチ**〔test match〕国の代表チームどうしの国際試合。

**テストステロン**〔testosterone〕《生》男性ホルモンの一種。男性の生理的な特徴を強める。

**デスパレート**《ナダ》〔desperate〕絶望的。すてばち。やけ。デスペレート。「―になる」

**デスマーチ**〔death march=死の行進〕〔IT業界などで〕長時間連続勤務や徹夜、休日出勤などが延々と続く、過酷な労働環境。「来月は―」

**デスマスク**〔death mask〕死んだ人の顔を型に取って作った仮面。死面。(↔ライフマスク)

**ですますたい**［ですます体］文末が「です」または「ます」で終わる文体。ですます(調)。丁寧体。敬体。

**デスマッチ**〔和製 death match〕①〔プロレスなどで〕一方が完全に負けるまで戦う試合。②死闘。

**テスラ**〔tesla=もと、人名〕《理》磁束密度〔=磁場の強弱をあらわす量〕の単位〔記号 T〕。一万ガウス。

**てすり**［手〈×摺り〉］階段や橋の ふちなどに作った横

木。

**てずれ**【手擦れ】《名・自サ》何度も手にふれたために、表面がすれていたむこと。動手擦れる《自下一》。

**てせい**【手製】自分で手作りしたもの。「お―のクリスマスカード」

**てぜい**【手勢】手下の兵士。部下の軍勢。

**デセール**〔フ dessert〕①デザート。②フランスふうの、上品な味のビスケット。

**てぜま**【手狭】《ナダ》場所がせまいようす。派―さ。

**てせん**【手銭】〔古風〕自分のお金。てぜに。「―で遊ぶ」

**でせん**【出銭】使って、出て行くお金。出費。

**てそう**【手相】その人の性質や運勢を知る目じるしとされる、手のひらの筋などの特徴とくちょう。「―見み」

**てぞめ**【手染め】《名・他サ》(自分の)手で〈染めること/染めたもの〉。「―した手ぬぐい」

**でぞめ**【出初め】新年に消防士が出そろうこと。「―式(=はしご乗りや放水などをする正月の行事)」

**でそろ・う**【出×揃う】―そろふ《自五》残らず出る。

**てだい**【手代】昔の商店で、番頭とでっちとの間の人。

**でたがり**【出たがり】《名・ナダ》自分から進んで(テレビなどの)人目につく場に出たいと思う〈性質/人〉。「―屋」

**てだし**【手出し】㊀《名・自サ》手を出すこと。「危険で―できない・よけいな―をするな」㊁《名・他サ》〔九州方言〕自分のお金ではらう〈こと/分〉。「費用を―する」

**でだし**【出だし】〔ものごとの〕始まり。(で)はじめ。「曲の―でつっかえた」

**てだすけ**【手助け】《名・他サ》ほかの人の仕事を手伝って、助ける〈こと/人〉。

**てだて**【手(立て)】方法。しかた。「よい―はないか」

**でたとこしょうぶ**【出た(△所)勝負】(=ばくちで、出たさいころの目で勝負を決めること)前もって計画などを立てず、そのときの様子しだいで事を進めること。「―の交渉こうしょう」

**テタニー**〔ド Tetanie〕《医》乳幼児に多いけいれん。手足の筋肉が強く突っぱって痛む。カルシウムが不足すると起こりやすい。

**てだま**【手玉】①お手玉。②昔、手につけたかざりの玉。●**手玉に取る** 句 相手を自由にあやつる。

**でだま**【出玉】〔パチンコで〕発射した玉が当たりの穴にはいったりして、手もとにじゃらじゃらとたくさん出てくる〈こと/玉〉。「―率」

**でたらめ**【(出・鱈=目)・デタラメ】《名・ナダ》①確かな〈きまり/考え〉に従っているわけではなく、思いつきでするようす。「―に並べた数字・―に歩く」②事実でなくてもかまわず、思いつきで言ったり書いたりする〈ようす/ことば〉。「―な報告書・―を言う」▽いいかげん。由来 さいころをふって、「出たら、それが自分の目(=運命)だ」と決めたことから。派―さ。

**てだれ**【手(△練れ)】〔文〕技術のすぐれている〈こと/人〉。

**てぢか**【手近】《名・ナダ》手の届くほど近いようす。手もとの、近い所。「―な例を挙げる・―にある材料・―の辞書」●**てぢか・い**【手近い】《形》手近だ。派―さ。

**てちがい**【手違い】―ちがひ 手順のまちがい。行きちがい。「何かの―だ」

**てちょう**【手帳・手×帖】①メモを書きつける小さな帳面。②「手帳①」の形の証明書。「警察―・障害者―」

**てつ**【鉄】㊀てつ ①《理》かたくて重い、黒ずんだ色の金属〔元素記号 Fe〕。さびやすいが、金属の中ではいちばん使い道が広い。②鉄分。③かたいこと。「―の意志・―の結果」☞鉄のカーテン。㊁てつ〔俗〕⇩鉄ちゃん。㊂造 ①鉄道。「地下―」②〔俗〕鉄道マニア。「撮とり―(=鉄道写真を撮るのが好きなマニア)」●**鉄は熱いうちに打て** 句〔鉄は熱してやわらかいうちにきたえることから〕①人は若い時代に、しっかり教育すべきだ。②手おくれにならないうちに、処置をすべきだ。

**てつ**【×轍】〔文〕車の通ったあと。わだち。●**轍を踏ふむ** 句〔文〕⇩前車の轍を踏む(「前車」の句)。「同じ轍を踏まないよう」

**てつ**【徹】接尾《名・自サをつくる》〔俗〕徹夜の日数を数えることば。「二―(=二日徹夜)する」

**てつ**【哲】造 高い見識を持った、すぐれた人。「孔門こうもん(=孔子の門下)の十―」

**てつあれい**【鉄亜鈴】鉄でできたダンベル。

**てついろ**【鉄色】やや緑色がかった、黒い色。

**てっか**【鉄火】㊀①〔文〕刀と鉄砲てっぽう。「―をくぐる」②ばくち(うち)。③なまのマグロを使ったもの。「―どんぶり」㊁《ナダ》気性きしょうのはげしいようす。「―なあねご(姐御)」●**てっかば**【鉄火場】お金をかけて、花札やさいころなどをするところ。賭場とば。●**てっかまき**【鉄火巻き】芯しんがマグロのさしみになっているのり巻き。●**てっかみそ**【鉄火(味×噌)】刻んだレンコン・ゴボウ・いり豆などをまぜ、ごま油でいためたみそ。

**てっかい**【鉄塊】〔文〕鉄のかたまり。「巨大きょだいな―」

**てっかい**【撤回】《名・他サ》〔一度出した意見・案などを〕とりさげること。ひっこめること。「前言を―する」

**でっか・い**《形》〔俗〕「でかい」を強めた言い方。

**てっかく**【適格】《名・ナダ》⇩てきかく(適格)。

**てっかく**【的確・適確】《ナダ》⇩てきかく(的確)。

**てつがく**【哲学】《名・自他サ》①理性の力で、ものごとの根本原理を考える〈学問/こと〉。②〔経験をつんだ末につかんだ〕ものごとの基本的な考え。「人生―」

**てつかず**【手(付かず)】①まだ手をつけていないこと。②まだ使っていないこと。

**てつかぶと**【鉄(×兜)】〔戦争・工事のときなどに〕頭を守るためにかぶる、鉄などで作った、かたい帽子ぼうし。ヘルメット。

**てづかみ**【手(×摑み)】《名・他サ》手でつかむこと。「―で食う・さかなを―にする」

**てっかん**【鉄管】〔文〕鉄で作ったくだ。

**てっかん**【鉄環】〔文〕鉄で作った輪(のような、強い束縛そくばく)。

**てっかん**【敵艦】⇩てきかん。

**てっき**【鉄器】鉄で作った器具。

**てっき**【適期】〔文〕適当な時期。

**てっき**【敵機】敵の飛行機。

**てっき**【摘記】《名・他サ》〔文〕重要なところをぬき出して書くこと。

**てつき**【手(付き)】①手の〈かっこう/ようす〉。「しなやかな―」②手の使い方。てさばき。「器用な―」③⇩お手つき。
デッキ〔deck〕①客車の出入り口の外の、ゆか。②〔もと、オ dek〕甲板。③「デッキ①」のように突き出た所。「送迎—（⇒フィンガー②）」④録音・録画・再生に使う装置。「テープ—・ビデオ—」●デッキシューズ〔deck shoes〕ぬれたところでもすべらないようにした、ゴム底のくつ。〔もと、船の甲板を歩くためのもの〕●デッキチェア〔deck chair〕甲板や庭で使う、木や金属のわくに布を張った折りたたみ式のいす。●デッキブラシ〔deck brush〕甲板やゆかの掃除に使うブラシ。長い柄を持って、立ったまま使う。

**てっきゃく**【鉄脚】〔文〕非常にじょうぶな足。

**てっきゅう**【鉄球】鉄でできたたま。「重機で—をつり下げる」

**てっきょ**【撤去】《名・他サ》取り去ること。「建物を—する」

**てっきょう**【鉄橋】鉄で作った橋。「列車が—をわたる」

**てっきり**《副》本当はちがうのに、そう思いこむようす。「—晴れると思ったのに、雨になった」

**てっきん**【鉄琴】《音》短い鉄の板を鍵盤のようにならべ、たたいて演奏する楽器。グロッケンシュピール。

**てっきん**【鉄筋】①コンクリートで造ったものの芯に入れる、鉄の棒。②↑鉄筋コンクリート。「—造り」●**てっきんコンクリート**【鉄筋コンクリート】鉄の棒を芯に使い、まわりにコンクリートを流しこんでかためたもの。鉄筋コンクリ。鉄筋。

**テック** ①〔tech〕テクノロジー。技術。「フード—（=食品関連分野のIT化や新食材の開発）」②〔↑technical center〕オートバイの練習場。また、乗り物を主とした遊園地。

**テックス**〔↑texture=織物〕パルプのかすなどをおしかためて作った板。天井・壁に張る。「防音—」

**でつくす**【出尽くす】《自五》残らず出て、あとに何もない状態になる。「議論が—」名出尽くし。

**てづくり**【手作り】《名・他サ》①〔機械などにまかせず〕手を動かして作る〈こと／もの〉。「—のハンバーグ・母の—」②〔プロにまかせず〕自分（たち）で作ること。「—のイベント」

**てつけ**【手付け】①契約を実行する保証として、先にわたしておくお金。「—を打つ・手付金」②〔カルタ取りで〕⇒お手つき一①。「お—」

**てっけつ**【鉄血】〔文〕兵器と人の血。兵力。「—宰相（ビスマルク）」

**てっけつ**【×剔×抉】《名・他サ》〔文〕えぐり出すこと。あばき出すこと。「問題点を—する」

**てっけん**【鉄剣】鉄でできた剣。

**てっけん**【鉄拳】〔文〕（かたい）にぎりこぶし。げんこつ。「—を見舞う・—制裁（=罰としてげんこつでなぐること）」

**てっこう**【△手甲】手の甲や手首をおおう布。紺色の木綿などで作った。「—脚半」

［てっこう］

←**てっこう**【鉄工】鉄材を加工すること。「—所」

→**てっこう**【鉄鋼】鉄とはがね。銑鉄・鋳鉄などと鋼鉄。「—産業」

**てつごうし**【鉄格子】鉄でできた格子。「—の中（=牢獄の中）」

**てっこうせき**【鉄鉱石】《鉱》鉄の原料となる鉱石。鉄鉱。

**てっこく**【敵国】⇒てきこく。「一—を成す」

**てっこつ**【鉄骨】ほね組みにする鉄材。

**てっさ**【鉄鎖】〔文〕鉄で作ったくさり。

**てっさ**〔てっ↑鉄砲（=フグ）さ〕⇒ふぐさし。

**てつざい**【鉄材】鉄で（建築に使う棒や板の形に）作った材料。

**てつざい**【鉄剤】《医》鉄をおもな成分とした薬。貧血を治すのに使う。

**てっさく**【鉄柵】鉄で作ったさく。

**てっさん**【鉄傘】〔文〕鉄で作った〈丸屋根／広い おおい〉。

**デッサン**《名・他サ》〔フ dessin〕①《美術》〔下絵などを〕ざっと線でえがくこと。素描。②（作品などの）基礎。「—がしっかりしている」

**てつじ**【×綴字】《名・自サ》〔文〕つづり字。ていじ。「—法」

**てっしゅう**【撤収】《名・自他サ》①取り去って〈しまいこむ／引きあげる〉こと。②《軍》撤退。引きあげ。

**てつじょうもう**【鉄条網】打ちならべたくいにとげのある太い針金を幾重にもかけわたして、敵などが侵入できないようにする障害物。

←**てつじん**【哲人】①哲学者。②高い識見を持ち、道理に通じた人。

→**てつじん**【鉄人】〔文〕①鉄のように〈じょうぶな／強い〉男。不死身の人。「—レース（=トライアスロン）」②その方面で、特にすぐれた実力者。「料理の—」

←☆☆**てっ・する**【徹する】《自他サ》①しみとおる。「うらみ骨髄に—」②つらぬき通る。「眼光紙背に—」③全部を通す。「夜を徹して（=夜どおし）」④うちこむ。徹底する。「安全第一に—」▽徹す。

→**てっ・する**【撤する】《他サ》〔文〕①軍隊を引きあげる。「兵を—」②取り除く。

**てっせい**【鉄製】鉄で作ること（作ったもの）。

**てっせき**【鉄石】（=鉄と石）〔文〕かたくてしっかりしていること。堅固。「—の心」

**てっせん**【鉄扇】（昔、武士が使った）骨が鉄でできた扇。

**てっせん** 一【鉄線】鉄の針金。「—を張る・有刺—」二（鉄線）⇒クレマチス。

**てっせん**【撤×饌】神式による行事で、そなえた食物を神前からさげること。（↔献饌）

**てっそく**【鉄則】動かすことのできない決まりごと。「—をやぶる」

**てったい**【撤退】《名・自他サ》①《軍》陣地などを取り去ってしりぞくこと。撤収。②市場からしりぞくこと。事業をやめること。「不採算事業から—する」③参加していることからぬけること。取り組んでいることをやめること。「レースから—する」

**てつだい**【手伝い】てつだう〈こと／人〉。☞お手伝い。

**てつだ・う**【手伝う】一《他五》手助けをする。「家事を—」可能手伝える。二《自五》あることにさらに加わる。「気温の低下も手伝って、作業は難航した」

**でっち**［△丁稚］職人・商人の家に奉公した少年。小僧。「―奉公」

**でっちあ・げる**［×捏ち上げる］《他下一》〔俗〕①実際にないことを、あるようにつくりあげる。②かっこうだけととのえて、いいかげんにまとめる。「一晩でレポートを―」名でっちあげ。

**てっちゃん**［鉄ちゃん］〔俗〕鉄道マニア。鉄。〔女性は「鉄子」とも〕

**テッチャン**〔←朝鮮 daejang(大腸)〕牛の大腸(の焼き肉)。シマチョウ(縞腸)。

**てっちゅう**［鉄柱］〔文〕鉄でできたはしら。

**てっちり**〔てっ←鉄砲《=フグ》〕フグのちりなべ。ふぐちり。

**でっちり**［出っ△尻］〔俗〕しりが出ている〈こと／人〉。つき出ているしり。

**てっつい**［鉄×槌］〔文〕①かなづち。②きびしい処分。痛撃。「―を下す」

***てつづき**［手続き］《名・自サ》決められた手順にしたがって、事務上のことをおこなうこと。また、そのときの手順。「入学の―」

**でづっぱり**［出（突っ張り）］⇩でずっぱり。

**てってい**［徹底］《名・自他サ》〔=底まで通ること〕①じゅうぶん行き届〈く／かせる〉こと。「連絡が―しない」②〔中途はんぱでなく〕最も深い程度まで行くこと。「―して むだを排除する・―取材」③〔文〕おおいにさとること。「大悟―する」派―さ。 ●**てっていてき**［徹底的］《ナダ》徹底するようす。とことんまでやるようす。

**てつと**［鉄都］〔文〕鉄鋼産業のさかんな都市。「―釜石・―八幡」

**デッド**造〔dead〕役に立たない。無効の。●**デッドエンド**〔dead end〕①行きどまり。袋小路。②行きづまり。 ●**デッドストック**〔dead stock〕売れ残り品。不良在庫。 ●☆☆**デッドスペース**〔dead space〕建物などで、使えない(むだな)空間。 ●**デッドヒート**〔dead heat=同着〕はげしい せりあい(の末の同着)。 ●**デッドボール**〔和製 dead ball〕《野球》投手の投げたボールが打者の からだや衣服にふれたもの。打者は一塁へ進むことができる。死球。デドボール。 ●**デッドライン**〔deadline〕①ぎりぎりの線。②最終しめきり。 ●☆☆**デッドロック**〔deadlock〕①〔会議・討論の〕行きづまり。②暗礁。「―に乗り上げる」由来②は、lockを岩のrockのことと誤解したもの。

**てっとう**［鉄塔］鉄で作った塔(のような柱)。

***てつどう**［鉄道］レールを敷いて車両を走らせ、人や荷物をはこぶしくみ。また、それを運営する会社や組織。「―線路」 ●**てつどうもう**［鉄道網］ほうぼうにあみの目のように敷かれた鉄道。

**てっとうてつび**［徹頭徹尾］《副》始めから終わりまで。あくまでも。「―無言で通す・―わからない英文」

**てっとりばや・い**［手っ取り早い］《形》①すばやい。②はやみちだ。手間がかからない。「―方法」派―さ。

**てつなべ**［鉄鍋］鉄製のなべ。「―ギョーザ〔=鉄鍋で焼いたギョーザ〕」

**てつのカーテン**［鉄のカーテン］①冷戦時代に、東ヨーロッパ諸国が西ヨーロッパ諸国との間にもうけた、政治的な厚い障害。②両方をへだてる、大きなじゃま(もの)。

**でっぱ**［出っ歯］〔俗〕上の前歯が外につき出ている〈こと／人〉。でば。

**てっぱい**［撤廃］《名・他サ》取り除いて、やめること。「規制を―する」

**でっぱら**［出っ腹］〔俗〕太って、前へつき出ているおなか。出腹。

**でっぱ・る**［出っ張る］《自五》つきでる。でばる。名出っ張り。

**てっぱん**［鉄板］一［鉄×鈑］鉄のいた。てついた。てつばん。二［テッパン］《名・ナダ》〔俗〕失敗するおそれがないようす。最強。「この歌を歌ったら―だ・―〔=定番〕アイテム」〔競馬などから出た用法。二〇一六年ごろに一般化した〕 ●**てっぱんやき**［鉄板焼き］熱くした鉄板に油を引き、肉・野菜などをのせて焼きながら食べる料理。

**てっぴ**［鉄扉］〔文〕鉄で作ったとびら。

**てっぴつ**［鉄筆］先にとがった鉄のついた筆記用具。ガリ版の原紙に字を書くのに使う。

**てつびん**［鉄瓶］湯をわかす、鉄で作った入れもの。

**でっぷり**《副・自サ》よく太って、肉がゆたかについているようす。「―(と)ふとる・―した人」

**てつぶん**［鉄分］栄養素としての鉄。かなけ。

**てっぷん**［鉄粉］鉄のこな。

**てっぺい**［撤兵］《名・自サ》《軍》軍隊を引きあげること。〔↔出兵〕

☆☆**てっぺき**［鉄壁］〔=鉄の板をかべのように めぐらしたもの〕〔文〕非常にかたい守り。「―のそなえ」

**てっぺん**［△天辺］〔俗〕①いちばん上。頂上。「頭の―・―〔=天下〕を取る」②午前零時。「―を過ぎる」由来もと放送で、時計の十二時の位置から。

**てっぺん**［鉄片］〔文〕鉄のきれはし。

**てつぼう**［鉄棒］①鉄で作った棒。かなぼう。②左右の柱に鉄の棒をわたした体操用具。また、それを使っておこなう、男子の体操競技の種目。

**てっぽう**一［鉄砲］①火薬の力で筒の先からたまを打ち出す、持ちはこびのできる武器。小銃。②芯にかんぴょうを入れた、細巻きの のり巻き。鉄砲巻き。二ふぐ(河豚)。三［テッポウ］①《すもう》うでで柱を突っくけいこ。また、もろ手突き。「―柱・―を突く」②〔もつ焼きで〕ブタの直腸。 ●**てっぽうだま**［鉄砲玉］①鉄砲の たま。②〔俗〕行ったままで帰らないことのたとえ。「―のお使い」③〔俗〕ヒットマン。 ●**てっぽうぶろ**［鉄砲風呂］ふろおけのすみにつき立てた金属の筒〔=鉄砲〕の中で火をたく、昔の ふろ。☞据え風呂。 ●**てっぽうみず**［鉄砲水］大雨で急に川の水がふえて、一気におし出されたために起こる、激しい流れ。 ●**てっぽうゆり**［鉄砲:百合］ユリの一種。白い花が筒のようにひらく。

**てづま**［手妻］〔=手先の仕事〕〔古風〕手品。「―使い」

**てづまり**［手詰まり］〔もと将棋のことば〕①打つべき手がなくなること。「八方―だ・―感」②お金のやりくりで行きづまること。動手詰まる《自五》。

**てつマン**［徹マン］《名・自サ》〔俗〕←徹夜マージャ

ン。

**てづめ**［手詰め］相手に動きが取れないように、きびしくつめよること。「—の談判」

**てつめんぴ**［鉄面皮］《名・ナダ》〔顔の皮が鉄でできているかのように〕あつかましくて、はじ知らずな〈ようす／人〉。「—なやつ」派—さ。

**てつや**［徹夜］《名・自サ》〔何かをして〕ひと晩ねずに過ごすこと。よあかし。

**てづよ・い**［手強い］《形》てごわい。てきびしい。「—相手」

**てつり**［哲理］〔文〕哲学の道理。おく深い道理。「仏教の—を学ぶ」

**てづり**［手釣り］〔さおを使わず〕釣り糸を手に持って、魚を釣ること。

**てづる**［手(×蔓)］のぞみをかなえるのに役立つ、特別な関係。つて。縁故。コネ。「—をたどる」

**てつろ**［鉄路］〔文〕①鉄道線路。②鉄道。

**てつわん**［鉄腕］〔文〕〔鉄のように〕強いうで。つかれないうで。「—投手」

**テディ(ー)ベア**〔teddy bear〕クマの ぬいぐるみ。由来 テディ(ー)は、アメリカの大統領セオドア=ローズベルトの愛称。弱ったクマを撃たなかった話から。

**ててなしご**［(△父無し)子］〔古風・俗〕父親と死別した子、父親のわからない子。私生子。〔差別的なことば〕

**でどころ**［出(所)・出(△処)］①⇩しゅっしょ(出所)①。「かねの—」②出口。▽でどこ。

**デトックス**《名・他サ》〔detox〕体内の有毒物質を排出すること。毒出し。「—効果・心の—」

**テトラポッド**〔Tetrapod=商標名〕防波堤・海岸に置いて波の力を弱める、四本足のコンクリートのかたまり。波消しブロック。テトラポット。消波ブロック。

［テトラポッド］

**てどり**［手取り］①〔税金などをさし引いた残りの〕実際に受け取る金額。②《すもう》取り方のじょうずな力士。てとり。

**てどり**［手捕り］素手でつかまえること。

**て‐とり‐あし‐とり**［手取り足取り］《副・自サ》①細かなところまで、ていねいに教えるようす。「—(して)指導する」②手足をすっかりおさえつけるようす。「—ねじふせる」▽手を取り足を取って。

**テトロドトキシン**〔tetrodotoxin〕《理》フグの卵巣や肝臓にある猛毒の成分。

**テトロン**〔和製 Tetoron=商標名〕ポリエステル系の合成繊維。衣料品・釣り糸などに使う。

**てな**《格助》〔話〕…というような。「間に合わない、—ことになっては困る」

**テナー**〔tenor〕〔音〕①男声の、高い音域(で歌う歌手)。②〔同じ型の楽器で〕アルトより低い音を出すもの。「—サックス・—リコーダー」▽テノール。③↑テナーサックス。

**てないしょく**［手内職］《名・自サ》手でする、簡単な内職。

**でないと**《接》〔話〕そうでないと。でなきゃ。でなくちゃ。じゃないと。「すぐやめなさい。—、言いつけるよ」

**てなおし**［手直し］《名・他サ》不完全なところを〔つくり〕直すこと。修正。

**でなお・す**［出直す］《自五》①もう一度出る。改めて出る。②最初からやり直す。「一から—」名出直し。

**てなが**［手長］①手が長い〈こと／もの〉。②ぬすむくせのある人。●**てながざる**［(手長猿)］サルの一種。尾はなく、手(=前足)が特に長い。東南アジアにいる。猿猴。

**てなぐさみ**［手慰み］てあそび。特に、ばくち。

**てなげ**［手投げ］〈手で／手先の力だけで〉投げること。●**てなげだん**［手投げ弾］《軍》⇩しゅりゅうだん。

**てなず・ける**［手(△懐ける)］《他下一》①なつかせる。②手下にする。

**てなべ**［手鍋］取っ手のある なべ。●**手鍋提げても** 句 どんなにびんぼうな生活でも。「—いっしょになりたい」(=結婚したい)

**てなみ**［手並み］訓練された技術。「演奏家の〈すぐれた／あざやかな〉—」参お手並み。

**てならい**［手習い］《名・自サ》①寺子屋などで教えた、習字。〔読み書きの教育を兼ねた〕②勉強。けいこごと。学習。「六十の—・—所」

**てならし**［手慣らし・手(×馴)らし］《名・自サ》練習(をして、手をならすこと)。

**てな・れる**［手慣れる・手(×馴)れる］《自下一》①熟練する。「手慣れた仕事」②使いなれる。名手慣れ。

☆**テナント**〔tenant=たなこ(店子)〕貸しビル・ショッピングセンターなどの、賃借人。出店者。「—募集・—ビル」

**デニール**〔denier〕生糸・人絹の糸の太さをあらわす単位。一デニールは、長さ四五〇メートル、重さ〇・〇五グラムのもの。〔糸が四〇デニール以下のタイツをストッキングとする場合もある〕

**テニス**〔tennis〕ネットで中央を仕切ったコートの中で、ラケットを持ってボールを打ち合うスポーツ。庭球。「—ウェア・—サークル〔俗に『テニサー』とも〕」●**テニスコート**〔tennis court〕テニスをする、長方形の区画。

**デニッシュ**〔Danish=デンマークの〕チーズや煮たくだものなどをつめた、パイふうの菓子パン。「アップル—」

**てにてに**［手に手に］《副》めいめいの手に。

**デニム**〔denim〕《服》①あや織りのじょうぶな綿布。「—スカート」②「デニム①」で作った〔紺色の〕ズボン。「花柄—」▽「ジーンズ」の新しい言い方。②は二十一世紀になって広まった用法。

**てにもつ**［手荷物］①手で持ちはこぶ、身のまわりの荷物。②旅行のとき、到着する駅・空港まで送ってもらう荷物。

**てにをは**《言》助詞・助動詞類の もとの呼び名。てには。「—の使い方・—がおかしい」表記「∴弖爾乎波」「∴天爾遠波」とも書いた。

**てぬい**［手縫い］手で〈ぬうこと／ぬったもの〉。「—のワンピース」

**てぬかり**［手抜かり］しなければならないことを、不注意のためにしないでしまうこと。手おち。

**てぬき**［手抜き］《名・自他サ》しなければならない手数をはぶくこと。「工事の—をする」

**てぬぐい**［手拭い］手・顔・からだをふく、もめんなどの布。

**てぬる・い**[手(▵緩い)]《形》①〈あつかいが〉きびしくない。「―罰」(↕手厳しい) ②やり方が のろい。「進め方が―」 派―さ。

**ての** 連・《終助》〔話〕⇩っての。

**てのうち**[手の内] ①手のひら。②〈修練した〉やり方(のうまさ)。てなみ。うでまえ。「―拝見」 ③〈権力/占有〉の範囲。④ひそかに考えている計画。「―を見せる」

**てのうら**[手の裏] 手のひら。 ●**手の裏を返すよう** 句 ⇩手のひらを返すよう(「手のひら」の句)。

**テノール**〔ド Tenor〕《音》⇩テナー①②。

**てのこう**[手の甲] 手をにぎったとき外がわになる、指と手首の間の部分。(↕手のひら)

**てのひら**[手の(平)・(▵掌)] 手をにぎったとき内がわになる、指と手首の間の部分。てのうら。たなごころ。(↕手の甲) ●**手のひら(の上)で踊る** 句 自由なつもりで、実はあやつられる。手のひらで踊らされる。「大臣が役人の―」 由来「西遊記」の主人公、孫悟空が、釈迦の手のひらから飛び出したつもりで、実は出ていなかったという話から。 ●**手のひらを返すよう** 句 態度や言うことが、今までとすっかり変わることのたとえ。〈たなごころ/手の裏〉を返すよう。 ●**てのひらがえし**[手の(平)返し]《名・自サ》相手への態度を急に変えること。好意的な態度が批判的になることも、その逆も言う。

**てのべ**[手延べ] そうめんなどを作るとき、手で生地を引きのばして細くすること。「―そうめん」

**デノミ**《経》↑デノミネーション。

☆☆**デノミネーション**〔英語の denomination《=貨幣単位の呼び名》にロシア語の denominatsiya《=貨幣単位の呼び名の変更》の意味を持たせた言い方〕《経》お金の額を切り下げて呼ぶこと。たとえば、百円を一円と呼ぶようにすること。デノミ。

**てのもの**[手の者]〔古風〕手下。部下。配下。

**ては** 一 連 接続助詞「て」に副助詞「は」がついたもの。 二《接助》①その条件が〈望ましくない/許されない〉ことをあらわす。「雨が降っ―困る・見―いけない(↕見てもいい)」 ②思いつきをあらわす。「こうし―どうだろう」 ③…た以上は。「そうおだてられ―断れないね」 ④何回もくり返すことをあらわす。「生まれ―すぐに消える流行語・降っ―やみ、降っ―やみ」 ▽一 二 ちゃ(あ)。 三《終助》相手に すすめることをあらわす。「一度食べてみ―?」

**てば**[手羽](↑手羽肉) ニワトリの、胸からはねのところの肉。「―元・―中」 ☞手羽先。

**てば**《接助・副助・終助》〔話〕⇩ってば。「お父さん―」

**では**[出端] ①《芝居》役者が最初に出てくる場面。「―の所作事」(↕入り端) ②〔古風〕交通の便。でば。「町への―がいい」

*__では__ 一 連 ①副助詞「は」が、ⓐ格助詞「で」についたもの。「学校―おとなしい・〔望ましくない場合に〕これ―〈困る/だめだ〉」 ⓑ助動詞「だ」の連用形についたもの。「夢―ない・信用していいの―(ないだろうか)・かねを出さぬと言う―なし(=言うわけではないし)」 ②⇩ては一。「まだ死ん―いない・読ん―くれないか」 二《接助》⇩ては二。「ころん―いけない」 三 **では**《接》それでは。ではでは。「―、私が行きますよ・―、これにて失礼します」 四 **では**《感》〔話〕軽い別れの あいさつ。〔親しみをこめて〕ではでは。 ▽一~四 じゃ(あ)。

**でば**[出場] 出るべき場面。出場所。「―が少ない・おれの―がない」 ☞しゅつじょう(出場)。

**デパート**〔↑米 department store〕 ①あらゆる方面の商品を売っている、大型の小売店。百貨店。〔なまって、デバート〕 ②〔俗〕なんでもたくさんあるたとえ。「技術の―」 ●**デパートコスメ** デパートで売っているような、高級なけしょう品。デパコス。

**てはい**[手配]《名・自他サ》①人にたのんだりして、〈用意する/そろえる〉こと。手くばり。「宿舎の―・車を―する」 ②犯人をつかまえるための指令・処置。「指名―をする」 ●**てはいし**[手配師] 日やといの労働者などに仕事をあっせんする人。

**デバイス**〔device〕《情》コンピューターに接続できる装置。プリンターやキーボード、タブレット端末など。 ●**デバイスドライバー**〔device driver〕《情》⇩ドライバー二③。

**デバイダー**〔dividers〕 製図などに用いる器具。コンパスのような形で、長さを写し取ることができる。ディバイダー。

**ではいり**[出入り・出(×這入り)]《名・自サ》 出たりはいったりすること。でいり。

**デパおく**[デパ屋・デパオク]〔俗〕デパートの屋上。「―の観覧車」 ☞デパ地下。

**でばがめ**[(出歯亀)・デバガメ]〔俗〕のぞき見などをする常習者。でばかめ。 由来 明治時代に実在した のぞき常習犯、池田亀太郎の あだ名から。

**てばかり**[手量り]〔はかりを使わないで〕手のひらに物をのせて、重さや分量の見当をつけること。

**てばこ**[手箱] 身のまわりの道具を入れる箱。

**てばさき**[手羽先] ニワトリの、手羽の先のほうの肉。また、そのからあげ。

**てばしこ・い**[手ばしこい]《形》すばやい。手早い。 派―さ。

**てはじめ**[手始め] ①しはじめ。「―にネットで調べる・この発見を―に」 ②初歩。

**でばしょ**[出場所] ①出るべき場所や場面。出場。「私の―がない」 ②産地。出所。

**てはず**[手(×筈)] あらかじめ決めた段取り。「―をととのえる」

**ではず・れる**[出外れる]《自下一》 町や村を通って、そこの はずれへ出る。 名 出外れ。

**てはだ**[手肌] 手の はだ。「―が乾燥する季節・―用の石けん」

**てばた**[手旗] ①手に持つ小さな旗。 ②通信・あいずに使う、赤と白の小旗。「―信号」

**デパちか**[デパ地下] デパートの地下の食品売り場。 ☞デパ屋上。

**デバッグ**《名・自他サ》〔debug=バグを取る〕《情》プログラムのエラーを見つけて、解決すること。

**てはっちょう**[手八丁] 仕事をどんどんよくやること。 ☞口八丁手八丁〔「口八丁」の句〕。

**てばな**[手鼻] 指先で片方の鼻の穴をおさえ、息を強く出して鼻をかむこと。「―をかむ」

**ではな**[出(▵端)] ①出ようとした、そのとき。出ぎわ。「―に客が来る」 ②ものごとの やりはじめ。しょっぱな

て

〔俗〕。「―をたたかれる」▽出っぱな。出ばな。●**出はなをくじく**㊀ ⇩出鼻をくじく(「出鼻」の㊀)。

**でばな**[出花] 湯をついだばかりで かおりの高い茶。「鬼も十八、番茶も―(⇩「鬼」の㊀)」

**でばな**[出鼻] ①〔山などの〕突っき出た所。②[出△端] ⇩ではな②。▽出っぱな。出はな。●**出鼻をくじく**㊀ 相手が意気ごんで始めたところをさまたげる。出鼻を折る。出はなをくじく。表記「出鼻」は「出△端」とも。

**ではないか**《終助》〔文〕①問いかけや推量をあらわす。〔ほぼ断定している場合もある〕「うそ―・問題があるの―」②同意や共感を求める。「喜ばしい―・〔非難して〕あまりに無責任―」③意志やさそいかける気持ちを強くあらわす。「実現しよう―」▽じゃない(か)。丁寧ではないですか。☞のではないか。

**てばなし**[手放し] ①つかんでいる手をはなすこと。「―運転」②感情をおさえたり、えんりょしたり しないこと。「―でほめる・―で喜ぶ・―で泣く」

**てばな・す**[手放す]《他五》①〈手に持つ/近くに置く〉ことをやめる。「辞書を片時も手放さない」②自分のものでなくする。「権力を―」③人に売りわたす。「土地と家屋を―」

**てばなれ**[手離れ]《名・自サ》①自分の手をはなれること。「子どもが成長して―する」②仕事が仕上がって、自分の受け持ちをはなれること。「―が悪い仕事」

**でばぼうちょう**[出刃包丁] さかななどを料理するのに使う、刃が厚くて先がとがり、重みのある包丁。でば。

**てばや・い**[手早い]《形》(手でする動作が)すばやい。てばやだ。派―さ。

**でばやし**[出(×囃:子)] ①《歌舞伎》舞台のひな壇で演奏する おはやし。②《寄席》芸人が高座にあがるときに演奏する おはやし。

**でばら**[出腹] でっぱら。

**でばら・う**[出払う]《自五》 残らず外に出て、(い)なくなる。「社員が―・救急車が―」

**でば・る**[出張る]《自五》①つきでる。でっぱる。②はなれた場所へ出かける。出張する。

**てばん**[手番]《碁・将棋》〈石を打つ/駒をさす〉順番。「白の―」

**でばん**[出番] ①出勤の当番。②舞台へ出る番。③自分の受け持つ役をつとめるために、出る番。「いよいよきみの―が来た」

**てびかえ**[手控え] ①書き留めておくこと。覚え書き。②ひかえめにすること。③《経》取引の様子を静観すること。「―ムード」

**てびか・える**[手控える]《他下一》①〈忘れないように〉書きとめておく。②ひかえめにする。「口を出すのを―」

**てびき** ㊀[手引き]《名・他サ》〔=手を引いてつれて行くこと〕①ひそかに案内すること。「亡命(者)の―をする」②指導。手ほどき。「美術鑑賞の―をする」③手づる。つて。「先輩の―で就職した」㊁[手引] 教えたり みちびいたりするための本・文章。「学習の―・就職活動の―・―書〔=入門書〕」

**デビットカード**〔debit card〕《経》商品の代金を、自分の口座からその場で引き落として しはらうカード。店頭の専用端末で使う。☞クレジットカード。

**てひど・い**[手(△酷い)]《形》①てあらい。②ひどい。「―損害」派―さ。

☆☆**デビュー**《名・自サ》〔フ début〕①芸能界・スポーツ界など注目が集まる世界に はいり、活動をはじめること。初登場。「―曲・メジャー―・―作」②新しく集団に加わること。顔見せ。「公園―・地域―」③はじめて体験すること。「スマホ―」

**てびょうし**[手拍子]《名・自サ》①手を打って取る拍子。②《碁・将棋》よく考えないで、その場の勢いで〈打つ/指す〉こと。

**デビル**〔devil〕 悪魔。

**てびろ・い**[手広い]《形》〔事業などの〕範囲が広い。「手広く営業する」派―さ。

**デフ** 〔deaf〕 耳が不自由であること。「―バスケ・―アスリート」

**でぶ**《名・ナダ》〔俗〕太っている〈こと/人〉を、あざけることば。(↔やせっぽち)

**デファクトスタンダード**〔de facto standard〕 事実上、これが標準だ、とされている規格。〔de facto《=ラ 事実上の》〕

**てふうきん**[手風琴]《音》〔古風〕⇩アコーディオン①。

**てぶえ**[手笛] 両手を組み合わせ、息をふき入れてメロディーを鳴らす演奏方法。ハンドフルート。

☆☆**デフォルト**〔default〕①《経》債務不履行。債務の返済ができないこと。②《情》〔コンピューターで〕もとから設定されている、標準の動作条件。③〔俗〕ふつうの状態。標準。デフォ。「ラーメンには―で味玉がはいっている」

**デフォルメ**《名・他サ》〔フ déformer〕《美術》実際の形を、芸術的に変えて表現すること。変形。〔デフォルマシオン(フ déformation)は、デフォルメの名詞形〕

**てふき**[手拭き] ①手をふくこと。「―用の布」②⇩お手拭き。

**てぶくろ**[手袋] 〈寒さなどから手を守る/手をかざる〉ために、手にかぶせて はめるもの。「毛糸の―・ゴム―・―をはめる・―をぬぐ」●**手袋を投げる**㊀〔ヨーロッパで決闘を申し込むときの習慣から〕 相手に絶交を宣言する。

**でぶしょう**[出無精・出不精]《名・ナダ》 外へ出かけるのをめんどうくさがる〈ようす/人〉。

**てぶそく**[手不足]《名・ナダ》 人手がたりないこと。

**てふだ**[手札]〔=名札〕《トランプ・花札》自分の手に持っている ふだ。持ち札。●**てふだがた**[手札型]《写真》縦約一一センチ、横約八センチの大きさ。手札判。

**でぶでぶ**《副・自サ》 太って、肉が つきすぎているようす。「―したからだ」

**でふね**[出船] 船が、港から出て行くこと。また、その船。でぶね。(↔入り船)

**てぶら**[手ぶら] ①外出時にかばんなどの荷物を持たないようす。特に人を訪ねるときに みやげを持たないこと。「―で訪問する」②成果が ないこと。「―で帰るわけにはいかない」▽からて。

←**てぶり**[手(振り)] 手の動かし方。「身ぶり―」

→**てぶり**[手振り・手△風]〔雅〕習わし。風俗。「都の―」

**デブリ**〔フ débris〕①《登山》なだれ落ちて積もった雪

のかたまりや、岩石の かけら。②かけら。くず。「スペースー（＝宇宙にただよう人工衛星などの破片(はへん)）・燃料ー（＝とけた核(かく)燃料のくず）」

**てぶれ**【手ぶれ・手ブレ】《名・自サ》カメラを手に持って写したとき、ぶれること。

☆☆**デフレ**（←デフレーション）《経》〔商品の取引量にくらべて通貨の量が へったために〕物価が続けて下がること。通貨収縮。（↔インフレ）

**デフレーション**〔deflation〕《経》⇩デフレ。（↔インフレーション）

**てぶんこ**【手文庫】書類や、ちょっとしたものを入れて、手近に置く箱。

**テフロン**〔Teflon＝商標名〕《理》フッ素系の合成樹脂(じゅし)。熱・薬品に強い。フライパンの面やアイロンの底にコーティングして、こげないようにする。「ー加工」

**でべそ**【出×臍】突(つ)き出たへそ。

**てへ（っ）**《感》《俗》①はずかしさをごまかすときの笑い声。てへへ。「てへ（っ）（↗）と笑って舌を出す」②あきれたときの声。「てへ（っ）（↗）、お前は長生きするよ」

☆☆**デベロッパー**〔developer〕宅地などの開発業者。ディベロッパー。

**てへん**【手偏】漢字の部首の一つ。「打」「投」などの、左がわの「扌」の部分。〔手でおこなうことに関係がある〕

**てべんとう**【手弁当】①自分で弁当を用意すること。また、その弁当。「ーで集まる」②自分の経費は自分で負担すること。

**てぼ** うどんやラーメンなどをゆがくのに使う器具。小さめの深いざるに取っ手がついていて、湯切りが楽にできる。

**でほ**【出穂】⇩しゅっすい（出穂）。

**デポ**〔フ dépôt〕①〔登山などで〕荷物を一時置いておく所。②〔デパートなどが〕配達する品物を置く所。配送所。③（←デポ剤(ざい)）《医》一回注射して、何日間もききめをもたせる薬。▽デポー。

**てぼうき**【手×帚】ーぼうき 柄(え)の短いほうき。

**でほうだい**【出放題】《名・ナダ》①出るのにまかせておくこと。「栓(せん)がこわれて、水のーだ」②でまかせ。「〈口から〉ー〈を・に〉言う」派ーさ。

**デポジット**〔deposit〕預かり保証金。預託(よたく)金。●**デポジットせい**【デポジット制】預かり金（＝容器代）を上乗せして売ったジュースなどの、容器を返せば預かり金が もどる方式。デポジット制度。デポジット方式。

**てほどき**【手△解き】《名・他サ》初歩を教えること。

**てぼり**【手彫り】《名・他サ》機械を使わず、道具を手にして〈彫ること／彫ったもの〉。「ーの人形」

**てぼり**【手掘り】《名・他サ》重機を使わず、道具を手にして〈掘ること／掘ったもの〉。「ー井戸(いど)」

**てほん**【手本】①それを見て手習いをする文字を書いた本。②見習うべき、すぐれたもの。「話し方のおー」

**てま**【手間】①何かをするのに かかる時間。「ーがはぶける・ーを取らせない」②〈職人の〉仕事のための労力。「ーをかける・ーがかかる」③←手間賃。「ー取(と)り（＝手間賃をもらってやとわれる〈こと／人〉）」

**デマ**（←デマゴギー）〈うその／人々をだまそうとする〉情報。「ーをとばす」

**てまえ**【手前】ーまえ ■一①自分の前。「ーにある本」②自分に近いほう。こちらのほう。「二つーの駅」③〈段階が〉それより前。「製品になるーの状態」④他人に対する、ていさい。「行くと言ったー断れない」■二《代》①自分をけんそんして言うことば。わたくし。「ーども」②《俗》⇩てめえ。☞お手前。●**てまえがって**【手前勝手】《名・ナダ》自分勝手。●**てまえみそ**【手前〈味×噌〉】自分で自分の作ったものをほめること。

**てまえ**【△点前・手前】ーまえ《茶道》茶の湯の作法・様式。「けっこうなおーです」

**でまえ**【出前】ーまえ ①そば・すしなどを、注文した人の家まではこぶ〈こと／人〉。また、その料理。仕出し。「ーを取る・ー持ち」②職場・もよりの場所へ、出張すること。「ー寄席(よせ)」

**でまかせ**【出任せ】本当でもうそでもかまわず、口から出るにまかせて言うこと。出放題。「〈口から〉ーを言う」

**てまき**【手巻き】①〈自分の〉手で巻くこと。「ー（↔自動巻き）の時計・ー（↔機械巻き）のタバコ」②（←手巻きずし）すのこを使わず、手で巻く のり巻き。円錐(えんすい)形のものが多い。☞巻きずし。

**てまくら**【手枕】うでを曲げて まくらがわりにすること。

**デマゴーグ**〔ド Demagoge〕扇動(せんどう)政治家。

**デマゴギー**〔ド Demagogie〕扇動(せんどう)。扇動政治。

**てましごと**【手間仕事】①時間のかかる（めんどうな）仕事。「ーをいやがる」②手間賃をもらう仕事。「ーに浴衣(ゆかた)をぬう」

**てまだい**【手間代】手間賃。

**てまち**【手待ち】①する仕事がなくて、手をあけて仕事が来るのを待っている〈こと／状態〉。②《将棋》局面を変えない手を指して、相手の出方を待つこと。

**でまち**【出待ち】《名・自サ》人気のあるスターや選手が劇場・テレビ局・競技場などから出てくるところを、ファンが待つこと。（↔入り待ち）

**てまちん**【手間賃】仕事にかかった労力や時間に対してはらう お金。手間代。

**でまど**【出窓】外がわに はりだした窓。

**てまど・る**【手間取る】《自五》手間が かかる。

**てまね**【手∴真似】手（先）でものごとをまねること。「ーで伝える」

**てまねき**【手招き】《名・他サ》手首から先を上下にふって招くこと。動手招く《他五》。

**てまひま**【手間暇・手間△隙】手間（＝労力）とひま（＝時間）。「ーかけて作った・ーかからない」

**てまめ**【手まめ】《ナダ》めんどうがらずに、てきぱきと処理する〈ようす／性質〉。「ーに ふきそうじをする」派ーさ。

**てまり**【手×鞠・手×毬】綿を芯(しん)にして、そのまわりを色糸で巻いた、昔の まり。「ーずし（＝手まりのようにまるくて小さい、にぎりずし）」

**てまわし**【手回し】ーまわし ①手で回すこと。「ー式」②用意。手配。「ーよく広告する」

**てまわり**【手回り】ーまわり 手もと。身のまわり。「ーにある品物」●**てまわりひん**【手回り品】いつも使い、持ち歩いたりするもの。「お忘れ物のないよう、おーをお確かめください」

**でまわ・る**【出回る】ーまわる《自五》①生産地から市場へ出る。②〈商品などが〉よく見かけられる状態になる。「旬(しゅん)のナシがー・にせ物がー」

**デマンド**〔demand〕需要(じゅよう)。要求。（↔サプライ）☞

オンデマンド。●**デマンドバス**[demand bus] 利用者の要望によって、運行ルート・時間・乗降場所などをその都度変更できるしくみのバス。

**デミグラスソース**[demiglace sauce] ビーフシチューなどに用いる、こげ茶色のどろっとしたソース。肉・野菜を煮こんで裏ごしし、スープや調味料などを加えて煮つめたもの。ドゥミグラスソース。デミ。

**てみじか**[手短]《ダ》〔話などが〕短くて、簡単なこと。「―に話す」派―さ。

**てみず**[手水]①《料》たねや生地などを練ったりにぎったりする際、手につける水。②⇩ちょうず(手水)①。「―舎」

**でみせ**[出店]①本店から分かれて、よそに出した店。支店。②露店。

**デミタス**[フ demitasse] ごく小さなコーヒー茶わん。また、それで飲むこいコーヒー。

**てみやげ**[手土産] 手に持って行くみやげ。ちょっとしたみやげ。

**てむか・う**[手向かう]《自五》〈腕力/武力〉で反抗する。さからう。「ひとりで―」名手向かい。

**でむかえ**[出迎え] 出て行ってむかえること。「客の―に行く・職員の―を受ける」(↔見送り) 動出迎える《他下一》。

**でむ・く**[出向く]《自五》〔用事があって、そこまで〕出かける。「先方に―・取材に―」

**でめ**[出目] ①目の玉が突き出ていること。また、その目(の人)。②さいころを振って〈ある/一つの目が〉出ること。出た目。

**てめえ**[手▵前]《代》(↑てまえ)〔俗〕①相手を乱暴に呼ぶことば。②自分自身。「―でも わからなくなった」表記「:自分」「テメエ」とも。

**でめきん**[出目金] キンギョの一種。目の玉がひどく突き出ているもの。

☆☆**デメリット**[demerit] 短所。不利益。欠点。「―が多い開発」(↔メリット)

**でめん**[出面]〔方〕①日やとい・出かせぎの労働者。②日やとい労働者の、一日分の賃金。でづら。「―取り(=日やとい労働者)」

**ても** ━《連》接続助詞「て」に副助詞「も」がついたもの。「少しつかれ―いる」 ━《接助》①そのことが〈結果に影響しない/たいした結果を生まない〉ことをあらわす。たとえ…たとしても。…(た)けれども。「雨が降っ―行く・電話をかけ―通じなかった・泣い―笑っ―これが最後だ」②〔同じ動詞を「A―A―」とくり返す形で〕どんなに…たとしても。「ふい―ふい―あせが出る」③その条件が〈不都合でない/許される〉ことをあらわす。「見―いい(↔見てはいけない)」区別「見て**も**いいですか」は、「見ていいですか」に比べて仮定の感じが強く、やわらかい言い方になる。 ≡**ても**《感》〔古風〕さても。「―よいながめじゃ」

****でも** ━《連》①副助詞「も」が、ⓐ格助詞「で」についたもの。「京都―雪が降った」ⓑ助動詞「だ」の連用形についたもの。「働く(わけ)―なし、ぶらぶらしている」ⓒ形容動詞の連用形の語尾についたもの。「有益―ある」✔ほかのものと同様であることをあらわすが、つけ足す感じになることがある。「○○氏は政界でも活躍した」と言うと、本来の活動の場がほかにある感じがする(ので、失礼になることがある)。②(↑ずても)〔文〕(し)なくても。「書か―の記(=書かなくてもいい文章)」 ━《副助》①極端な例をあげて、ほかもそうであることをわからせる。「子ども―できる」②〔疑問詞とともに使って〕すべて ひっくるめて言うことば。「どんな物―売っている店・どこ―行きますよ」③たとえ…であっても。「雨天―決行する」④〔A―B―〕そのうちの、どれであっても。「山―川―越えていく・朝―夜―真昼―」⑤〔意志・勧誘の文で〕とりあえず、例としてあげることをあらわす。「映画―見ようか・あすに―お電話します・散歩―してきたら?」⑥〔推量・仮定の文で〕そのようにも考えられることをあらわす。「悪いもの―食べたのだろう・何かのじょうだんで―あるのだろうか・けが―したらたいへんだ」⑦本当はちがうが、そう思われることをあらわす。「人―食ったようなまっかな口紅・友人で―あるかのような態度」⑧せめて…なりとも。だけでも。「あの子―生きていたら」アクウシでも・ネコーでも・イヌーでも。 ≡**でも**《接》①前の部分からは予想されないことをあとに続けることば。逆接のことば。だけど。けれども。「一見簡単だ。―、実はむずかしい・親は反対する。―(=それでも)、芸能界にはいりたい」(↔だから) 区別⇩しかし①。②ふと〈思いついて/思いが強まって〉言うことば。それにしても。「ああ、―きょうはいい天気だなあ」③〔話〕反対や不満の気持ちをあらわす。「『とにかく行くんだ』『―…』」 四《連・接助》⇩ても━━。「少し飲ん―いる・死ん―行かない」

**デモ**《名・自サ》(↑デモンストレーション)①要求を通すために、集団で威勢をしめすこと。示威運動。また、特にデモ行進。「―隊」〔俗に、動詞化して、デモる《自五》〕②⇩デモンストレーション②。「―カー・―フライト(=宣伝飛行)」

**デモクラシー**[democracy] ①民主主義。②民主政(体)。

**でもしか**[デモシカ]接頭〔「…にでもなろうか、…にしかなれない」というところから〕〔俗〕ほかにする仕事がなくてなった。「―先生・―研究者」

**てもち**[手持ち] ①手もとに持っている〈こと/もの〉。「―の辞書・―資金」②手に持つこと。手でさげること。「―花火・―カメラ」③〔カメラなどを〕手に持って、かまえること。「―で写す」●**てもちぶさた**[手持ち無沙汰]《名・ダ》することがなくて困ること。

**でもって** ━《格助》(↑格助詞「で」+副助詞「もって」)…で。「ことば―(=によって)表現する・二階―ねている」 ━《接助》(↑助動詞「だ」または形容動詞語尾の連用形「で」+「もって」)…であって。「知人が関係者―チケットをくれた・強情っぱり―なまいき―」 ≡**でもって**《接》それで。で。「―、その翌日」

**デモテープ**(↑デモンストレーションテープ)①〔オーディションに応募したりするために〕試作した音楽などを入れた、テープやディスクなど。②店頭で、音響・映像機器の性能を示すために再生するテープやディスクなど。

**てもと**[手元・手▵許]①手の届くあたり。手ぢか。「辞書を―に置く・―に引き寄せる・荷物が―に届く」②手のあたり。「―をのぞきこむ・―が暗い・―がお留守になる(⇩「留守」の句)」③手の動かし方。手を持っていく位置。「投球のとき、―がくるう」④(↑手元金)

手ぢかに置くお金。「―不如意」⑤傘の柄の、手に持つ部分。にぎり。

**でもと**［出元］ それが出てくる、おおもとのところ。「においの―・情報の―」

**てもどり**［手戻り］ ①あともどり。②仕事をやり直すために、前のほうの手順にもどること。「作業の―が大きい」

**でもどり**［出戻り］〔俗〕①離婚して実家に〈帰ること／帰った女性〉。〔失礼な言い方〕②いったんそのグループを出て、また〈もどること／もどった人〉。動出戻る《自五》。

**てもなく**［手もなく］《副》手数をかけることなく。簡単に。やすやすと。「―だまされる」

**でもの**［出物］①〔割安な〕売り物。「―を探す」②〔俗〕おなら。「―はれもの ところきらわず〔=どこでも かまわず出る〕」

**てもみ**［手〈×揉み〉］ 機械を使わず、手でもむこと。「―茶・―マッサージ」

**デモン**〔demon〕⇩デーモン。

**デモンストレーション**〔demonstration〕①⇩デモ①。②宣伝効果をあげるための実演。デモ。③〔スポーツ大会などで〕正式種目以外の公開演技。

**てやき**［手焼き］《名・他サ》 機械を使わず、手で〈焼くこと／焼いたもの〉。「肉を―する・―せんべい」

**てやく**［手役］〔マージャンやポーカーで〕自分の手元のパイ（牌）やカードでそろえる役。

**でやく**［出役］①集団での作業に参加すること。「農作業の―」②江戸時代、臨時にもうけた公職。また、出張しておこなう役目。「御用―」▽しゅつやく。③〔番組や舞台に〕出演する役の人。

**てやんでえ**《感》〔↑何言ってやがるんでえ〕〔古風〕〔江戸っ子が〕人の発言をとがめたり、居直って言い返したりするときのことば。「―、そんなものが食えるか」

**デュアル** 造〔dual〕二重の。二元的な。「―コート〔=両面コート〕・―モーグル〔=二人がきそってすべるモーグル〕」

**デュース**〔deuce〕《テニス・バレーボールなど》⇩ジュース。

**デューティ（ー）**〔duty〕①義務。②税。関税。「―フリーショップ〔=免税店〕」

**テューバ**〔tuba〕《音》⇩チューバ。

**デュープロセス**〔↑due process of law〕 法による公正な手続きによらなければ、だれもその生命・自由・財産をうばわれないという原則。

**デュエット**《名・自他サ》〔duet〕①《音》二重唱。二重奏。また、その曲。デュオ。②〔バレエなどで〕ふたり一組みで演技すること。▽（↔ソロ）

**デュオ**〔duo〕①〔歌手の〕二人組。②《音》デュエット。

**てゆび**［手指］①手の指。「―のつめ」②手と指。▽しゅし。

**てよ**《終助》①〔話〕相手にたのむことば。「ちょっと、これ見―」②〔女性の〈古風／演劇的〉で上品な言い方〕事実を知らせることば。「ええ、よく聞こえ―〔=聞こえるわよ〕・よろしくっ（て）―」

**でよう**［出様］ でかた。態度。「相手の―を待つ」

**てら** 一［寺］《仏》僧が住んで、仏像をまつり仏道を修行し、また、仏事をおこなう〈建物／場所〉。☞お寺さま。二［テラ］〔俗〕↑寺銭。

**テラ**〔tera〕①一兆倍〔記号 T〕。「―バイト〔=千ギガバイト〕。一〇二四《=二の十乗》ギガバイトで換算することも多い。記号 TB〕」☞ペタ・ギガ①。②↑テラバイト。

☆☆**てらい**［〈×衒い〉］①てらうこと。「気取りや―のない文章」②照れること。ためらうこと。「結婚当時のことを―（も）なく語る」〔一九六〇年代から例がある用法〕

**てら・う**［〈×衒う〉］《他五》①〔知識・才能などを〕ひけらかす。「才を―」②そのふりをする。「むじゃきを―」③わざと変わったようすを見せる。「少しも てらったところがない・奇を―〔⇩「奇」の句〕」

**デラウエア**〔Delaware〕 皮がむらさき色の種なしブドウ。小つぶで、あまみが強い。デラウエア。

**てらおとこ**［寺男］ 寺で働く男。

**てらこ**［寺子］ 寺子屋に入門した子ども。●**てらこや**［寺子屋］ 江戸時代、子どもに読み・書き・そろばんなどを教えた所。

**テラコッタ**〔イ terracotta〕 粘土を素焼きにした、赤茶色の陶器。

**てらしあわ・せる**［照らし合わせる］《他下一》①一つ一つの点をくらべて、ちがうか、同じかをたしかめる。「翻訳を原文と―・人の話をわが身に―」②〔に―〕基準・きまりなどに合っているかどうかをたしかめる。「関連の法令に―」名照らし合わせ。

**てら・す**［照らす］ 一《他五》光をあて（て明るくす）る。「足もとを―」可能照らせる。二《自五》 もとづく。「事実に照らして考える・法律に照らして〔=照らせば〕適切でない」

**テラス**〔terrace〕①部屋から はり出して、庭のようにして使う所。石・コンクリートなどで作る。②高台。台地。③⇩岩棚。●**テラスハウス**〔terrace house〕 庭の付いた数軒続きの二階建て住宅。連続住宅。

**てらせん**［寺銭・テラ銭］〔俗〕①〔ばくちで〕動いたかけ金の中から場所の借り賃として出すお金。②場所代。しょば代。▽テラ。

**テラゾー**〔terrazzo〕 大理石のつぶと、色のついたセメントをまぜあわせ、表面をみがいたもの。

**デラックス**《名・ダナ》〔deluxe〕 高級。豪華版。「―ショー」〔一九五〇年代後半から特に流行したことば〕表記 タイトルなどで「DX」とも。派 ―さ。

**てらっしゃる** 連〔話〕⇩らっしゃる。「似―・寄ってらっしゃい」

**てらてら**《副・自サ》 あぶらぎって表面が光るようす。「―したひたい」

**てらまち**［寺町］ 寺の集まった町。

**テラリウム**〔terrarium〕 陸上の小動物や植物などを育てる、室内観賞用のガラス容器。また、その中に再現した小さな自然の庭。「苔―〔=ガラス容器の中でコケを育てるもの〕」☞アクアリウム。

**てり**［照り］①照ること。②光ること。③つや。「―をつける」④晴天。（↔降り）⑤《料》しょうゆにみりん・砂糖を加えて煮につめたしる。焼き魚などに塗る。☞照り焼き。

**デリ** ①↑デリカテッセン。②↑デリバリー。

**テリア**〔terrier〕〈小形/中形〉の犬。すばしこく、もともとは猟犬で、ペットとしても飼う。種類が多い。テリヤ〔古風〕。「ヨークシャー―」

**デリート**《名・他サ》〔delete〕《情》〔コンピューターで〕不要の文字やファイルを削除すること。ディリート。「―キー」

**テリーヌ**〔フ terrine〕①ペースト状にした肉・野菜などを型につめてオーブンで焼きあげ、冷ましたもの。前菜に、うす切りにして食べる。「カモの―」☞パテ。②クリームチーズなどのやわらかい材料を型につめて焼いた、濃厚な味わいの洋菓子。「―ショコラ・チーズ―」

**デリカ** ↑デリカテッセン。「―ショップ」

**てりかえし**［照り返し］―が強い」動照り返す《他五》。光や熱の反射。「西日の―が強い」

**てりかげり**［照り陰り］《名・自サ》太陽が照ったりかげったりすること。

☆☆**デリカシー**〔delicacy〕①上品さ。優美さ。②細かに行き届く心づかい。こまやかさ。

**デリカテッセン**〔delicatessen〕洋風の総菜(を売る店)。デリカ。デリ。

☆☆**デリケート**《ナダ》〔delicate〕①細かいようす。精巧。「―な構造」②微妙。「―な問題」③鋭敏。「―な神経」④こわれやすいようす。きゃしゃ。「―にできている・―ゾーン〔=局部〕」派-さ。

**てりこみ**［照り込み］雨が降らず、何日も照りつけること。動照り込む《自五》。

**デリシャス**《ナダ》〔delicious〕おいしい。味がいい。

**てりつ・ける**［照り(付ける)］《自下一》はげしく照る。

☆☆**テリトリー**〔territory〕①なわ張り。領分。②《経》〔販売の〕割り当て地域。

**てりは・える**［照り映える］《自下一》光を受けて美しく光る。

**デリバティブ**〔← derivative financial instruments〕《経》株式・債券などの本来の金融商品から派生した金融取引。金融派生商品。

☆☆**デリバリー**〔delivery〕配達。配送。「―〔=注文を受けて配達する〕弁当」

**てりやき**［照り焼き］さかなや肉に「照り⑤」をつけて〈焼くこと/焼いたもの〉。「ブリの―・―チキン」

**てりゅうだん**［手(×榴)弾］《軍》⇩しゅりゅうだん。

**てりょうり**［手料理］(客をもてなすために)自分の家で作った料理。「母の―」

**デリンジャーげんしょう**［デリンジャー現象］〔Dellinger=人名〕《理》短波などの通信に急激に障害が起こる現象。〔太陽の表面の爆発によって起こる、電離圏の異常が原因〕

**て・る**［照る］《自五》①〔太陽や月などが〕光って、あたりが明るくなる。②太陽が出て、はれる。「照っても降っても」

****てる**《助動下一型》〔話〕↑ている。「笑っ―・よく似―・ちっとも似てない〔未然形『て』の例〕・よく見ててね〔連用形『て』＋接続助詞『て』の例〕」尊敬 てらっしゃる。丁寧 てます。

**テル**［TEL・Tel・tel］《名・自サ》〔←telephone=電話〕〔俗〕電話(をかけること)。テレ。「―たのむ」

****でる**［出る］［一］《自他下一》内から外に〈行く/移る〉。「穴から―・玄関を―・船が港を―・庭に―・川が海に―・いま出ています〔=外出中です〕」(↕はいる) ［二］《自下一》①〈見える/わかる〉ところにあらわれる。「月が出ている・血が―・〈つかれ/おそれ〉が表情に―・ドラマに―〔=映る・出演する〕・名前が出てこない〔=思い出せない〕」②示される。「要求が―・教科書に出ている・試験に―〔=出題される〕」③生じる。生まれる。「温泉が―・音が―・疑いが―」④目の前にあらわれる。「幽霊が―」⑤のびる。もりあがる。「つのが―・おでこが出ている」⑥(行って)応対する。「玄関に―・電話に―」⑦参加する(ために行く)。「パーティーに―・会社に―〔=出勤する〕・試合に―〔=出場する〕」⑧行き当たる。「神社の裏手に―」⑨前に動く。進み出る。「一歩前に―」⑩そのように行動する。「下手に―・賭けに―」⑪おもてだってかかわる。「警察が―」⑫ある結果になる。「いいスコアが―・〔うらないが〕吉と―」⑬〈発表/発売〉される。「新作が―・新製品が―」⑭売れる。「よく―本」⑮〔用意されたものが〕もらえる。「お茶が―・ボーナスが―・ほめたって何も出ないよ」⑯そこを起点に運行する。「駅から直通バスが出ている」［三］《他下一》①組織や団体からはなれる。「施設を―・大学を―〔=卒業する〕」(↕はいる) ②こえる。「十年を出ないうちに」由来 文語動詞「出づ」が「いづる→いでる→でる」と変化したもの。現代でもかたい文章で「いでる」も使う。可能 出られる。出れる〔俗〕。●出るくい〔杭〕は打たれる 句 ①とびぬけた才能のある人は、とかくにくまれ、じゃまをされる。〔「出るくいを打とうとする風潮」のようにも使う〕②でしゃばると わざわいがある。▽出るくぎは打たれる。●出る所へ出る 句〔話をつけるために〕警察・裁判所へ行く。●出る幕ではない 句 出るべき場合ではない。「お前の―」

**でる**《助動下一型》(↑でいる)〔話〕⇩てる。「読ん―」

**デルタ**〔delta〕［一］〔(Δ)・(δ)〕ギリシャ文字の四番目の字。［二］〔「Δ」の形から〕《地》三角州。「―地帯」

**てるてるぼうず**［(照る照る)坊主］晴れるようにいのって軒などにかけておく、紙や布で作った人形。

**テルル**〔ド Tellur〕《理》金属と非金属の中間の性質をしめす元素〔記号 Te〕。銀白色で金属光沢のある固体と、灰色の粉末がある。合金用・電子工業用。

**テレ** ［一］造 ①↑テレビ。「―ショップ」②↑テレホン。「―サービス」［二］**テレ**《名・自サ》(↑テレホン)〔古風・俗〕⇩テル。「〔電報の文面で〕―くれ」

**てれかくし**［照れ隠し］はずかしさ・気まずさを人前でかくすこと。

**てれくさ・い**［照れ(臭い)］《形》照れるような気持ちだ。派-がる。-げ。-さ。

**デレゲーション**〔delegation〕代表団。〔役員をふくむ〕選手団。

**てれこ**〔俗〕たがいちがい。あべこべ。「―にする」

**てれしょう**［照れ性］すぐ照れる性分。

**テレタイプ**〔Teletype=商標名〕昔使われた、タイプライター式の有線通信機。こちらでキーをたたくと、相手のプリンターがその文字を打ち、また、紙テープに穴があく。テレプリンター。

**テレックス**《名・自サ》〔telex=商標名〕昔、テレタイプを通信網につないでおこなった通信。加入電信。

**でれっと**《副・自サ》①ゆるんで、だらしないようす。「―

した服・—すわる」②〔好きな人などの前で〕態度や表情が ゆるむようす。「たくさんのファンに囲まれて—した顔をする」

**でれでれ**《副・自サ》①しまりがなく だらしないようす。「—(と)した生活」②〔恋人などに〕あまくて こびるようす。「—(と)した態度」〔俗に、動詞化して「デレる」〕

☆☆**テレパシー**〔telepathy〕①ことばや身ぶりなどにたよらないで、相手の考えを知る術。精神感応術。②⇩霊感③。

**テレビ〔↑テレビジョン。「TV」とも書く〕①動く映像や音声、文字などの情報を、電波やケーブルを使って広い範囲に放送するしくみ。テレビ放送。「—局・—中継」②「テレビ①」の受像機(の画面)。「液晶—」③「テレビ①」の番組。「新聞の—欄・—に出る」「—にかじりつく」 ●**テレビゲーム**〔↑和製 television game〕テレビなどの画面の映像を見ながらするコンピューターゲーム。ビデオゲーム。●**テレビショッピング**〔↑和製 television shopping〕テレビで商品を紹介し、電話などで注文を受けつける通信販売。テレショップ。●**テレビでんわ**〔テレビ電話〕画面で相手と対面しながら通話できる電話。

**テレビジョン**〔television〕⇩テレビ。

**テレビンゆ**〔テレビン油〕〔↑ラ terebinthina〕《理》松やにを蒸留して作る油。粘性が強く、空気にふれると固まる。ニス・ペイント・溶剤に使う。テルペン(ド Terpen)。テレピン油。

**テレフォン**〔telephone〕⇩テレホン。

**テレホン**〔telephone〕電話。テレフォン。「—サービス(=電話による情報サービス)」☞テル。●**テレホンカード**〔telephone card〕公衆電話をかけるとき、お金を入れるかわりに使う磁気カード。テレカ(商標名)。

**テレマーク**〔ド Telemark=ノルウェーの地名〕①〔スキー〕ジャンプ競技の着地姿勢。両足を前後にひらき、ひざを少し曲げて腰を落とす。「—を入れる」②かかとを固定しないスキー板を使うスキー。

**てれや**〔照れ屋〕すぐ照れる性分の人。

**て・れる**〔照れる〕《自下一》〔人の前で〕きまりが悪くて、顔が赤くなるような状態になる。图照れ。

**テレワーク**〔telework〕勤め先に行かず、自宅などでパソコンやインターネットを使って仕事をする方式。リモートワーク。囚テレワーカー(teleworker)。

**てれわらい**〔照れ笑い〕《名・自サ》照れて、笑うこと。

**てれん**〔手練〕人をだます手段。「—手管(=人を思うままに、だまし まるめこむ やり方)の限りをつくす」☞しゅれん(手練)。

**てれんこ**《副・自サ》〔俗〕緊張を欠いたようす。だらだら。「—(—)する」

☆☆**テロ**↑テロリズム・テロル。

**てろっと**《副・自サ》生地に張りがなく、なめらかで、はだに なじむようす。「—したレーヨン」

**テロップ**〔telop ← television opaque projector〕《放送》テレビの字幕(を映し出す装置)。「—を流す・—に流れる」

**てろてろ** てろてろ《副》・てろてろ《ナダ》①布が こすれたりして、つやがあるようす。「—の生地」②脂で光るようす。

**テロメア**〔telomere〕《生》染色体の末端にあり、染色体を保護している部分。体細胞のテロメアは細胞分裂のたびに少しずつ短くなり、細胞の老化の目安になる。

☆☆**テロリスト**〔terrorist〕テロリズムをおこなう者。暴力(革命)主義者。

**テロリズム**〔terrorism〕ある政治目的のために、暗殺などの暴力的手段を使う〈こと/主義〉。暴力(革命)主義。テロ。

**テロル**〔ド Terror=恐怖〕テロリズムによって敵対者をおびやかすこと。テロ。

**でわ**〔出羽〕旧国名の一つ。今の秋田県の大部分と、山形県。羽州。

**てわけ**〔手分け〕《名・自サ》人手を分けて、受け持つこと。「—してさがす」

**てわざ**〔手業〕手でおこなう作業。手仕事。

**てわたし**〔手渡し〕《名・他サ》手から手へじかに わたすこと。「書類を—する」動手渡す《他五》。

**でわのかみ**〔出羽守〕(=出羽国の長官。「では」とかけたしゃれ)「アメリカでは、ヨーロッパでは」と、すぐに外国の例を持ち出す人。「—で申し訳ないが…」

**てん**〔天〕一 てん ①空(の いちばん上にあると考えられた所)。「—に のぼったか、地に もぐったか(=いなくなったぞ)」(↔地)②《天》天球。③〔古代中国の思想で〕天地のあらゆるものを支配するもの。天帝。④《仏》六道のいちばん上にある、最も苦悩の少ない世界。天上。⑤自然の道。「—にさからう」⑥人の力をこえた事態。「運を—にまかせる」⑦《宗》天国。「—に召される」⑧〔本や荷物などの〕立てて置いたときの、上の部分。(↔地)⑨〈天地/天地人〉と〈二つ/三つ〉の等級に分けたときの、一番目。二 造 ①〔仏教で、神の意味〕天上界に住むという、仏教を守る神の名にそえることば。「帝釈—」②〔関東方言〕お好み焼きのたね。「五目—・牛—」三 造 天ぷら。「エビ—・—つゆ」☞天から・天の声・天の配剤・天の美禄

●**天から降ったか地から湧いたか** 句 まったく突然に現れたときの形容。「—、あやしい人かげが現われた」●**天高く馬肥ゆ** 句〔文〕空は高く晴れ、馬はこえて たくましくなる。秋の いい季節をあらわすことば。「天高く馬肥ゆる秋(=食欲の秋。また、スポーツの秋)」由来 昔の中国で、秋になり、肥えた馬に乗った北方民族が攻めてくる おそれを述べたことば。●**天に唾する** 句〔文〕人を害しようとして、かえって自分が わざわいを受けることのたとえ。由来 天に向かってつばをはくと、自分の顔におちてくることから。●**天に二日無く国に二王無し** 句〔文〕天に二つの太陽がないように、一つの国に二人の王がいるということはない。●**天にも地にも** 句 たったひとりしかいないことのたとえ。●**天にも昇る心地** 句 非常にうれしい気持ちのたとえ。●**天の成せる** 句〔文〕天がした。天が作った。「—わざ(=天のしわざ)」・—〔=生まれつきの〕麗質」●**天は二物を与えず** 句 ひとりの人間は、いくつもの才能や資質を持っているものではない。●**天は自ら助くる者を助く** 句 天は自分の力で努力する人に力を貸してくれる。〔英語のことわざから〕●**天を仰ぐ** 句〔感情が たかぶって〕顔を天に向ける。「天を仰いで なげく」●**天を摩する** 句〔文〕非

常に高くそびえている。そびえ立つ。☞摩天楼。 [二] [造]

てん【典】 [一]てん 〔文〕儀式。「華燭の―」 [二] [造] ↑法典。「憲法―」

**てん【点】 [一]てん ①えんぴつやボールペンなどの先を少しおしつけたときにできる、小さいしるし。ぽち。ちょぼ。②「、」(=読点)や「・」(=中黒)、小数点など、区切る符号(の読み方)。「0.6(『〇・六』とも)」・〔日付で〕二・二六」の、短い線。「犬」という字の、右上にあるようなもの。③漢字やかなの一部として訓点。⑤ちらばってあるまだら。斑紋。⑥小さなよごれやしみ。⑦《数》特定の位置だけがあって、長さもはばもないもの。「―Aを通る直線」(↔線・面) ⑧広さや長さを考えない、所や時。地点。時点。「折り返し―」⑨箇所。部分。ところ。「論旨にあいまいな―がある・悪い―は直す・その―にぬかりはない」⑩さかいめとなる金額。「免税―を引き上げる」⑪評点。「―をかせぐ」⑫きゅう(灸)点。「―をおろす」⑬試合などの得点。「―がはいる・決勝―」 [二] [接尾] ①評点の数。「百―をとる」②品物・作品などを数えることば。「六―のコース料理」③しずくを数えることば。滴。「一―にじんだ血」④昔、時刻を数えたことば。今の三十分に当たる。「たつ(辰)の一―」

てん【転】 [一]てん 〔文〕〔発音などの〕変化。〔名・自サをつくる〕〔形勢・答弁などが〕とちゅうでくりと変わること。「答弁は二―三―した」 [二] [造]

てん【(×貂)】 日本と朝鮮の山林にすむけもの。イタチに似ているが、少し大きい。毛皮を利用する。

**てん【店】 [造] みせ。「小売―・洋品―・名古屋―」

てん【展】 [造] 展覧会。「美術―・ピカソ―」

テン [造]〔ten〕 十。「ベスト―」

でん【伝】 [一]でん しかた。「いつもの―で」 [二]でん- [造] 言い伝えによれば。…と伝えられる。「―俊成筆」

[三] [造] ①伝記。「ニュートン―」②〔文〕古典などの注釈。「古事記―」

でん【殿】 [接尾] ①戒名につけた「院」にそえて呼ぶ、尊敬した言い方。②大きな建物の名前にそえることば。「紫宸―」

でん【田】 [造] ①田。「一毛作―・休耕―」②特定のものを産出する所。「(天然)ガス―・票―」

でん【電】 [一] [造] ①電報。電信。「至急―・特派員―」②↑電力(会社)。「中部―」 [二]〔視覚語〕↑電話。〔電話番号の前に使う〕

でんあつ【電圧】 《理》電流を流そうとする勢い。電位(の)差。単位はボルト〔記号V〕。

てんい【天意】 〔文〕「天 [一]③」の意志。「―のままに生きる」

←てんい【転位】《名・自サ》 〔文〕位置がかわること。

→☆☆てんい【転移】《名・自他サ》 ①〔文〕移ること。移すこと。②《医》がん(癌)などが、ほかの場所へ移ること。

てんい【転医】《名・自サ》 〔文〕現在かかっている医者をかえること。

でんい【電位】 《理》電流を流すのに必要な位置エネルギー。〔正極の方向が、電位がより高い。電気は、電位の高いほうから低いほうに流れる〕「―差(=電圧)」

☆☆てんいむほう【天衣無縫】《名・ナダ》 ①〔文〕〔天人の衣服にはぬいめがないように〕人がら・作品のできばえが、自然そのままでありながら、すばらしいようす。「―の書風」②むじゃきなようす。天真爛漫。「―なお嬢さん」③常識にとらわれないようす。自由奔放。「―な発想」 [派]-さ。

てんいん【店員】 商店につとめる人。

てんいん【転院】《名・自サ》 現在入院している病院から、ほかの病院へかわること。

てんうん【天運】 〔文〕天からさずかった〔自然の〕運命。天命。

てんえん【転園】《名・自サ》 ある幼稚園や保育園からほかの幼稚園や保育園へ移ること。

てんえん【展延】《名・自他サ》 《理》〔金属などが〕広がり〔=展性〕のびる〔=延性〕こと。広げのばすこと。「アルミは―性に富む」

でんえん【田園】 〔文〕いなか。「―詩人・―都市・―風景」

てんか【天下】 ①世界。「―国家」②全国。「―に号令する・―太平〔すもうの軍配には『天下泰平』と書く〕」③思うままにふるまうこと。「若者の―」④⇩天下人。「―さま」⑤〔―の〕全国または広い社会に〈有名な/威勢をもつ〉こと。「―の名医」⑥世間。世の中。「―晴れて・―の公道」▽てんが〔古風〕。 ●天下を取る [句] ①〔国の〕権力をにぎる。「徳川氏が―」②ほかを圧倒する。「家電分野で―・チームは十年目に天下を取った(=優勝した)」 ●てんかいっぴん【天下一品】ほかにくらべるものがないほど、すぐれている〈こと/もの〉。 ●てんかごめん【天下御免】 だれにもえんりょすることなく、堂々とそれをしていいこと。「―の商法」 ●てんかびと【天下人】 全国をおさめた人。天下を取った人。「―徳川家康」 ●てんかわけめ【天下分け目】 天下を取るか取られるかの分かれ目。勝敗の決まるとき。関が原。「―の戦い」

てんか【点火】《名・自サ》 〔「火口②」に〕火をつけること。「導火線に―する」

←てんか【転化】《名・自サ》 〔文〕変化して、ほかの〈もの/状態〉になること。「量が質に―する」

→☆☆てんか【転嫁】《名・他サ》〔=二度の嫁入り〕 責任・罪などをほかのもの〈のせいにする/になすりつける〉こと。「責任―」

てんか【転科】《名・自サ》 学生・生徒がある学科から他の学科へ移ること。

てんか【転×訛】《名・自サ》 《言》語の音がなまって変わること。

てんか【添加】《名・自他サ》 〔文〕ある物に何かをつけ加えること。別のものが加わること。 ●てんかぶつ【添加物】 ↑食品添加物。「有害な―」

てんが【典雅】《名・ナダ》 〔文〕きちんと整っていて上品なこと。 [派]-さ。

でんか【伝家】 代々、家に伝わること。 ●でんかのほうとう【伝家の宝刀】 〔文〕①その家に伝わる大切なかたな。②どうしても必要な場合以外はむやみに使わない手段。おくの手。「―をぬく」

でんか【殿下】 〔陛下と呼ばれる人以外の〕皇族や王族を尊敬して(下につけて)呼ぶ名。☞妃殿下。

でんか【電荷】 《理》物体がおびている静電気(の量)。荷電。電荷の量を「電気量」と言い、単位はクーロン〔記号C〕。

**でんか**［電化］《名・自他サ》電気器具や電力を利用すること。「家庭の―・―製品・鉄道路線を―する」

**てんかい**［天界］〔文〕天の上の世界。「―の神秘」

*＊**てんかい**［展開］《名・自他サ》①つぎつぎに新しい場面や段階に進むこと。「文章の―」②広がって見えること。「眼下に―する景色」③ゆきづまりをきりひらくこと。「局面の―をはかる」④〔体操などで、その集団が〕間隔をとって、広がること。⑤〔部隊が〕広がって活動すること。⑥〔試合やレースなどの〕はこび。⑦《情》⇩解凍②。（↕圧縮）⑧商品や店を出すこと。「スーツを四色―する・チェーン店の全国―」●**てんかいず**［展開図］立体の表面を広げて、平面にあらわした図。

**てんかい**［転回］《名・自他サ》①向きがぐるりと変わること。向きをぐるりと変えること。「バス―場・―（＝Uターン）禁止」②進むべき方針〈が変わる／を変える〉こと。「政策の―・運命の―点」

**てんがい**［天外］〔文〕天の一方。

**てんがい**［天涯］〔文〕①空のはて。「―に消え去る」②遠くへだたったよその土地。●**てんがいこどく**［天涯孤独］この世に身よりがひとりもいないこと。●**てんがいのこじ**［天涯の孤児］この世に身よりがひとりもいないみなしご。

**てんがい**［天蓋］①仏像などの上にかざす、絹ではった傘（を模した金属製の装飾）。②虚無僧のかぶるあみがさ。☞虚無僧。③ベッドの上に取りつける、カーテンのたれた天井。

**てんがい**［店外］店の外。「レストランの―メニュー」（↕店内）

**でんかい**［電界］《理》⇩でんば（電場）。

**でんかい**［電解］《名・他サ》《理》↑電気分解。●**でんかいしつ**［電解質］《理》水にとけて、陰イオンまたは陽イオンに分かれ（＝電離）、電気を通す物質。例、塩化ナトリウム（＝食塩）。

**てんかいふく**［転禍為福］〔文〕⇩災いを転じて福となす（「災い」の㊀）。

**てんかく**［点画］〔文〕漢字を形づくる、点と線。

**てんがく**［転学］《名・自サ》学生が、ある〈大学／学校〉から、ほかの〈大学／学校〉へ移ること。

**でんがく**［田楽］（＝おでんのもとになった料理）①（↑田楽焼き）くしにさして焼き、みそを塗った料理。「いもの―」②（↑田楽豆腐）豆腐にくしをさし、（木の芽をすりこんだ）みそをぬって焼いた料理。「菜飯―」●**でんがくざし**［田楽刺し］〔田楽料理のくしをさすように〕まんなかをさし通すこと。

**てんがし**［転貸し］《名・他サ》又貸し。てんたい。「社宅の―」

**てんかす**［：天（×滓）］天ぷらをあげたときにできる、ころもの小さなかたまり。あげだま。あげかす。

**てんかふん**［天花粉・天×瓜粉］キカラスウリの根からとるでんぷん。「あせ知らず」として使った。

**てんから**［（天から）・テンから］《副》〔俗〕はじめから。「―決めてかかっている・―（＝てんで）問題にしない」

**テンガロンハット**〔ten-gallon-hat〕カウボーイがかぶる、つばの広い帽子。カウボーイハット。

**てんかん**［（×癲×癇）］《医》急に手足がけいれんしたり、意識がなくなったりする、脳の病気。〔発作が軽い場合も多い〕

**てんかん**［転換］《名・自他サ》ものごとを別の方向に移して変えること。移り変わること。「―期・政策の―・気分―」●**てんかんしゃさい**［転換社債］（↑時価転換社債）《経》株価があらかじめ決めた価格より高くなったときは、株に替えることができる約束で発行する社債。転社。

**てんかん**［展観］《名・他サ》〔文〕〔書画を〕ならべて、多くの人に見せること。展示。

**てんがん**［天顔］〔文〕天皇・皇帝のお顔。「―を拝する」

**てんがん**［点眼］《名・自他サ》《医》目薬を目にさすこと。「―薬」

**てんがんきょう**［天眼鏡］易者が使う、大形の凸レンズ。

**てんき**［天気］①その日の、空模様。「いいお―ですね・―晴朗・―痛（＝気象病の痛みなど）」②《天》〔風・雨・温度などについての〕気象状態。「―図・―予報」③「天気①」がいいこと。晴天。晴れ。「―だから外で遊ぼう」 ③は、述語「いい」の意味を、主語「天気」がふくむようになった用法。同様の例に「健康」「公算」「しあわせ」「万端」などがある。●**てんきあめ**［天気雨］晴れているのに降る雨。日照り雨。

**てんき**［転帰］《医》病気の結果。「―、治癒」

☆☆**てんき**［転機］転換の機会。かわりめ。「人生の一―・事件を―として運がひらけた」

**てんき**［転記］《名・他サ》〔文〕記入したことをほかの帳簿などに書き写すこと。

**てんぎ**［転義］〔文〕もとの意味から移り変わった、新しい意味。（↕原義）

**でんき**［伝奇］空想をまじえて作った、変化に富んだ内容の物語。「―小説・唐代―」

**でんき**［伝記］個人の一生をのべた記録。

＊**でんき**［電気］①《理》光や熱を出したり、ものを動かしたりするのに使われるエネルギーの一つ。物質を構成する電子が移動することによっておこり、電流になって流れる。からだを通ると、びりびり感じる。「―を止める（＝ⓐスイッチを切って、電気が流れないようにする。ⓑ電気の供給を止める）」☞静電気。②「電気①」の力ではたらくこと。「―器具・―製品・―せんたく機」③電灯。「―をつける（＝電灯のスイッチをひねって、明るくする）・―がつく」④電力。「―（代）がかかる」●**でんきあめ**［電気（×飴）］〔古風〕わたがし。●**でんきいす**［電気椅子］死刑をおこなうために罪人を腰かけさせるいす。電気を流して感電死させる。●**でんきがま**［電気釜］〔古風〕⇩炊飯器。●**でんききかんしゃ**［電気機関車］電動機で動く機関車（と、それが引っぱる車両）。EL。電機。●**でんきくらげ**［電気（：水母）］カツオノエボシという、頭が青いえぼしに似たクラゲの俗称。さわると、ぴりっとしびれたようになる。●**でんきじどうしゃ**［電気自動車］電池をエネルギー源として走る自動車。排気ガスや騒音を出さない。EV（車）。●**でんきていこう**［電気抵抗］《理》導体の、電流の通りにくさをあらわす値。単位はオーム（記号Ω）。☞オーム。●**でんきぶんかい**［電気分解］《理》電解質の溶液に「電気①」を加えて、化学変化を起こすこと。電解。●**でんき**

メス［電気メス］〔医〕高周波電流を使って組織を切開したり、その熱で止血したりする手術用具。●でんきろ［電気炉］電熱を利用して金属の溶解(ようかい)・精錬(せいれん)などをする炉。

でんき［電器］↑電気器具。「家庭ー・ー店」

でんき［電機］①電力を使って運転する機械。電気機械。②↑電気機関車。(↔蒸機)

テンキー［ten key］《コンピューターで》数字と計算記号を入力するための、専用のキー。

てんきぼ［点鬼簿］〔文〕死んだ人の姓名(せいめい)を書いた帳面。過去帳。

てんきゅう［天宮］〔文〕天にあるという宮殿。

てんきゅう［天球］〔天〕地球のまわりに、丸天井(てんじょう)のように広がる空間。「ーにちりばめられた星」

てんきゅう［店休］《名・自他サ》〔文〕店の営業を休むこと。「ー日」

でんきゅう［電球］電灯のガラスだま。「ーが切れる(=中のフィラメントが切れる)・LEDー」

てんきょ［典拠］《名・自サ》〔文〕《文章・ことばの》正しいよりどころ。「しっかりしたーがある」

てんきょ［転居］《名・自サ》〔文〕住んでいる所をかえること。移転。ひっこし。「ー通知」

てんぎょう［転業］《名・自サ》職業や商売をかえること。

でんきょく［電極］〔理〕電流を流したりするのに用いる、金属などの部品。☞陽極(ようきょく)・陰極(いんきょく)。

てんきん［転勤］《名・自サ》同じ会社や役所につとめている人が別の場所での勤務にかわること。「地方へーする」

でんきん［×臀筋］〔生〕おしりの筋肉。小臀筋と中臀筋を大臀筋がおおう。表記 医学では「殿筋」とも。

［てんぐ ①］

てんぐ［(天×狗)］①人間の形をし、深山にすみ、顔が赤く鼻が高くて自由に空をとぶと考えられた妖怪(ようかい)。「からす(烏)ー」②じまんする人。「釣りー」●てんぐになる 句 得意になって、じまんする。うぬぼれる。

てんくう［天空］〔文〕《ひろびろとした》そら。「ーにそそり立つ天守閣」●てんくうかいかつ［天空海×闊］《名・ナダ》《海闊=海の広いようす》〔文〕心が広くて大きいようす。派ーさ。

てんぐさ［(天草)］くらい赤色をした海藻(かいそう)。枝が細かく分かれて出る。寒天・ところてんの原料。

デングねつ［デング熱］［ド Dengue］〔医〕熱帯や亜(あ)熱帯で発生するウイルス性の急性感染症(かんせんしょう)。蚊(か)が媒介(ばいかい)し、高熱・発疹(はっしん)などの症状が出る。

でんぐりがえし［でんぐり返し］(ーがへし)《名・自サ》①頭を下につけ、からだを前に回してあおむけになって起き上がること。②ひっくり返すこと。うら返し。「ーにする」▽でんぐりがえり。動でんぐり返す《他五》。

でんぐりがえ・る［でんぐり返る］(ーがへる)《自五》ひっくりかえる。名でんぐり返り。

てんけい［天恵］〔文〕天のめぐみ。天恩。

てんけい［天啓］〔文〕《天／神》のみちびき。「ーを得る」

てんけい［典型］(=てほん)同じ種類のものの中で、その特徴(とくちょう)をいちばんよくあらわすもの。代表。みほん。●てんけいてき［典型的］《ナダ》それらしい特徴(とくちょう)が、非常にわかりやすくあらわれているようす。「ーな会社人間・ーな例」

てんけい［点景・添景］〔美術〕風景・絵・写真などにそえて、おもむきを出す人・動物など。「ー人物」

でんげき［電撃］①電流をからだに受けたとき、急に感じる衝撃(しょうげき)。②急に攻撃(こうげき)すること。「ー作戦」③急におこなって、世間をおどろかせること。「ー辞任・ー結婚(けっこん)」

てんけん［天険］〔文〕地勢のけわしい所。「ーの地」

てんけん［点検］《名・他サ》《異状がないかどうかを》いちいち調べること。「機械のー」

てんげん［天元］①〔文〕万物(ばんぶつ)が生育するみなもと。②〔碁〕碁盤(ごばん)の中心にある星。

でんげん［電源］①電気を供給するもと。発電機・電灯線など。「ーを切る・ー車・直流ー」②電力を得るもと。「ー開発・ー地帯」

てんこ［典故］故事。先例。「ーを用いた詩文」

てんこ［点呼］《名・自他サ》《人数をたしかめるために》ひとりひとりの名を呼ぶこと。「ーをとる」

でんこ［電故］〔俗〕電車の《事故／故障》。「ーで遅刻(ちこく)する」

てんこう［天候］《ある期間の》天気の状態。「ー不順・山のーは変わりやすい」

てんこう［転向］《名・自サ》①進んで行く方向をかえること。②ほかの《思想／方面》に移ること。「ウイスキーから酒にーした」

てんこう［転校］《名・自サ》生徒が、ある学校から、ほかの学校へ移ること。

でんこう［電工］①《社名などで》↑電気工学・電機工学・電器工業。②↑電気工事士。

でんこう［電光］①〔文〕いなびかり。いなずま。②電気による光。電灯の光。「ー時計」●☆☆でんこうけいじばん［電光掲示板］知らせる内容の字や絵を示す板に明かりをともす装置。電光板。「電車の行き先を案内するー」●でんこうせっか［電光石火］①非常に短い時間。②非常にすばやい《こと／行動》。「ーの早わざ」●でんこうニュース［電光ニュース］多数の電球の明滅(めいめつ)によって文字をえがき出し、ニュースなどを通行人に知らせる装置。

てんこく［×篆刻］《名・他サ》〔文〕木・石・象牙(ぞうげ)などに字をほること。多く、篆書でほる。印刻。

てんごく［天国］①〔宗〕天上にあるという、理想的な世界。神の国。(↔地獄(じごく))②死んだ人のいるところを美しくあらわしたことば。「ーに旅立つ(=死ぬ)」③この上なく楽しい、めぐまれたところ。「子どものー」

てんこもり［てんこ盛り］〔俗〕①ごはんなどを山のように、うつわにもること。やまもり。②どっさりあること。

でんごん［伝言］《名・他サ》ことづけ。●でんごんゲーム［伝言ゲーム］①あることばを何人かが順番に伝えていくゲーム。少しずつ内容がずれ、最後に大きく変わるようすを楽しむ。②何人かを介(かい)して伝言されたため、情報が不正確に伝わること。「―になる」 ●でんごんばん［伝言板］駅などにそなえつけ、待ちあわせ・連絡などの用件を書きつける黒板。

**てんさ**［点差］〔試合で〕得点数の差。「―がひらく」

**てんさい**［天才］生まれつきそなわった、特別のすぐれた才能（をもつ人）。「語学の―」 ●**てんさいてき**［天才的］《ナダ》天才のようであるようす。

☆☆**てんさい**［天災］自然界に起こるわざわい。天変。自然災害。（↕人災） ●**天災は忘れたころにやってくる** 句 自然災害から年月がたち、社会が危険や悲惨さを忘れたころ、新たな災害が起こる。災害の記憶を伝え、防災に努めることが大事だ。天災は忘れたころくる。〔寺田寅彦のことば〕 ●**てんさいちへん**［天災地変］風水害・噴火・地震など、自然界に起こる災難や異変。

**てんさい**［天際］〔文〕天空。そら。

**てんさい**［×甜菜］おもに寒い土地に作る農作物。根から砂糖をとる。ビート。砂糖大根。 ●**てんさいとう**［(×甜菜)糖］てんさいの根からとった砂糖。

**てんさい**［転載］《名・他サ》〔すでに発表された文章や絵などを〕別の印刷物やウェブサイトなどにのせること。「無断―を禁ずる・記事をブログに―する」 原則として、もとの著作者の許可が必要。☞引用。

**てんざい**［点在］《名・自サ》ちらばってあること。「―する民家」

**でんざい**［電材］↑電気設備資材。「―店」

**てんさく**［転作］《名・自サ》《農》今まで作っていた作物をやめて、ほかの作物を作ること。

☆☆**てんさく**［添削］《名・他サ》他人の詩や文章・模擬試験の答案などを直すこと。「作文の―」

**でんさん**［電算］《情》↑電子計算(機)。「事務処理の―化・―機〔=コンピューター〕」

**てんさんぶつ**［天産物］人が使うことのできる、動植物・鉱物など。自然の産出物。

**てんし**［天子］〔=天に代わって国をおさめる人〕①昔の中国の、帝王。②天皇。「―さま」

**てんし**［天使］①天界から人間界につかわされるという、神の使者。エンジェル。「―が通る〔=一瞬、会話が止まる〕」②「天使①」のように〈かわいらしい／やさしい〉もの。「子どもは―だ・―の歌声」▽（↕悪魔）

**てんし**［天資］〔文〕天性。「―英明の聞こえが高い」

**てんし**［展×翅］《名・自他サ》《動》〔標本にするため、昆虫の〕はねを広げること。「―板」

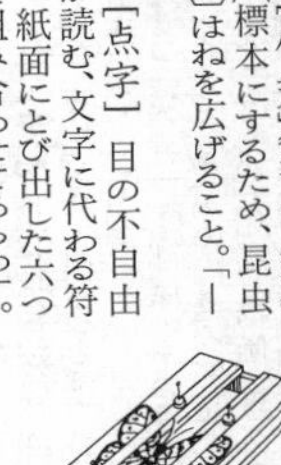
［てんしばん］

☆☆**てんじ**［点字］目の不自由な人が読む、文字に代わる符号。紙面にとび出した六つの点を組み合わせてあらわす。☞墨字。 ●**てんじブロック**［点字ブロック］目の不自由な人のために、駅のホームや道路に敷く、突起をつけたブロック。

**てんじ**［×篆字］篆書の文字。

**てんじ**［展示］《名・他サ》〔商品などを〕一般の人に見せること。ディスプレイ。「―会」☞展覧。

*__でんし__［電子］一 でんし 《理》原子核のまわりに分布して、原子を構成する素粒子。負の電気をおびる。エレクトロン。陰電子。二 造 電子工学を応用した。電子機器による。「―音楽・―出版・―タバコ」 ●**でんしオルガン**［電子オルガン］《音》オルガンに似た形の電子楽器。ハモンドオルガン・エレクトーンなど。 ●**でんしおん**［電子音］電子工学を応用して電気的に作った音。「―のチャイム」 ●☆☆**でんしか**［電子化］《名・他サ》《情》〔コンピューターで〕紙の文書などの内容を、デジタル情報として記録すること。「資料を―する」 ●**でんしがっき**［電子楽器］《音》電子の振動を音にかえて、いろいろな楽器の音を出せるように作った楽器。例、シンセサイザー・電子ピアノ。 ●**でんしカルテ**［電子カルテ］カルテの内容を電子化して管理するシステム。 ●**でんしけいさんき**［電子計算機］《情》コンピューター。電算機。 ●**でんしけんびきょう**［電子顕微鏡］《理》高圧で加速した電子の流れを光線の代わりに使って見る顕微鏡。倍率は、数十万倍にもなる。電顕。 ●**でんしこうがく**［電子工学］《理》半導体などを通る電子を応用する技術の学問。テレビ・コンピューターその他に広く応用される。エレクトロニクス。 ●**でんしこくばん**［電子黒板］①大型のスクリーンに画像を映したり、電子ペンで文字を書きこんだりして、黒板のように使うもの。②書きこんだ文字をプリンターで紙に出力できるホワイトボード。 ●**でんしじしょ**［電子辞書］辞書の内容を収録したポケットサイズのコンピューター。電子辞書専用機。〔広くは、スマートフォンなどのアプリやオンラインで使える辞書をふくむ〕 ●**でんししょうとりひき**［電子商取引］《経》インターネットを通してする商取引。Eコマース。 ●☆☆**でんししょせき**［電子書籍］専用の機械やタブレット、スマートフォンなどで読む、電子化された本。電書。 ●**でんしずのう**［電子頭脳］コンピューター（の記憶装置）。 ●**でんしせいふ**［電子政府］申請や届け出などの行政手続きをインターネット上でおこなうシステム。 ●**でんしせん**［電子戦］《軍》レーダーで目標をさがしてミサイルで攻撃したり、相手の電波を探知したりしておこなう、電子力を利用した戦い。電子戦争。 ●**でんしとうひょう**［電子投票］コンピューターの端末を利用しておこなう投票。 ●**でんしにんしょう**［電子認証］インターネットを利用した取引で、本人であることを確認する電子署名などのしくみ。 ●**でんしばん**［電子版］〔紙ではなく〕コンピューターのディスプレイで読む形で発行したもの。デジタル版。「新聞の―」 ●☆☆**でんしマネー**［電子マネー］《経》ICを組みこんだ専用のカードや、インターネットによって取引の決済をするシステム。 ●**でんしメール**［電子メール］⇩メール二。 ●**でんしゆうびん**［電子郵便］⇩レタックス。 ●**でんしレンジ**［電子レンジ］高周波〔=マイクロ波〕を熱に変え、短時間に食品を加熱・調理する器具。レンジ。

**でんじ**［電磁］《理》電気と磁気。「―パルス」 ●**でんじき**［電磁気］《理》①電流によって起こる磁気。②電気と磁気。 ●**でんじちょうりき**［電磁調理器］電流の力で、金属でできた調理器具を熱くすることができる装置。決まった種類のなべやフライパンなどを、台の上にのせて使う。IH調理器。 ●☆☆**でんじは**［電磁波］《理》電場と磁場が波となって伝わってい

て

くもの。電波・赤外線・可視光・紫外線・エックス線・ガンマ線など。●**でんじば**【電磁場】〔理〕電場と磁場。

**てんじく**【天×竺】①〔文〕昔のインドの、別の呼び名。(↔震旦) ②(←天竺木綿)地の厚い もめん。●**てんじくろうにん**【天×竺浪人】どこにも住む所のない浪人。やどなし。

**でんじしゃく**【電磁石】〔理〕コイルに鉄の芯を入れたもの。電流を通すと磁石になる。

**てんじつ**【天日】〔文〕太陽。日輪。☞てんぴ(天日)。

**てんじて**【転じて】《副・接》〔文〕①その意味・用法が変わって。「『ごはん』とは、たいた米のことで、―食事の意味になった」②それまでと変わって。「―沿岸に向かう」

**てんしゃ**【転社】《名・自サ》①〔文〕勤めていた会社をやめて、同業の ほかの会社に移ること。②〔経〕↔転換社債

**てんしゃ**【転写】《名・他サ》〔文〕①文章や絵などをそのまま〈写しとる/かき写す〉こと。②〔録音したものを〕さらに別のものへ移すこと。

**てんじゃ**【点者】〔俳句・川柳などで〕作品のできばえを判定する人。

***でんしゃ**【電車】①電気の力を利用してレールの上を走る乗り物。「―に乗る・市内―〔ふつう一、二両で走る〕・―通学・―賃・特急―」②〔俗〕〔ディーゼル車などをふくめた〕鉄道車両。●**でんしゃみち**【電車道】①路面電車の軌道〈がしかれた道〉。②〔すもう〕立ち合いから一気にまっすぐおすこと。

**てんしゃく**【転借】《名・他サ》〔文〕またがり。(↔転貸)

**デンジャラス**《ナダ》〔dangerous〕あぶないようす。「―なふんいき」

**てんしゅ**【天主】〔宗〕〔キリスト教で〕神。天帝。●**てんしゅきょう**【天主教】〔宗〕〔古風〕カトリック。●**てんしゅどう**【天主堂】〔宗〕カトリックの教会の建物。

**てんしゅ**【天守】←天守閣。「お―」●**てんしゅかく**【天守閣】城の本丸に一段と高くそびえる、中心的なやぐら。天守。

**てんしゅ**【店主】みせの主人。

**てんじゅ**【天寿】その人が持って生まれた寿命。●**天寿を全うする** 句 じゅうぶん長生きしてから死ぬ。

**でんじゅ**【伝授】《名・他サ》〔秘伝などを〕伝えさずけること。「筆法を―する」

**てんじゅう**【転住】《名・自サ》〔文〕①別な土地に住みつくこと。②転居。

**でんしゅう**【伝習】《名・他サ》〔文〕〔学問・技術などを〕先生から教えられて学ぶこと。「―所」

**てんしゅつ**【転出】《名・自サ》よその土地へ移って住むこと。「地方へ―する」(↔転入)

**てんしゅつ**【点出】《名・他サ》〔文〕〔風景・絵などの中に〕そえものとしてかくこと。

**てんしょ**【×篆書】漢字の書体の一つ。楷書・隷書のもと。大篆と小篆がある。現在は、はんこなどに使う。☞「しょうてん〈小篆〉」の絵。

**てんしょ**【添書】《名・自サ》①使いの者・おくりものなどにそえて、趣意を書き送る手紙。②紹介状。▽そえじょう。

**でんしょ**【伝書】〔文〕①代々伝わった書籍。②秘伝を書いた本。●**でんしょばと**【伝書×鳩】巣から遠くの土地までつれて行って、通信に利用するハト。

**てんしょう**【天象】〔文〕月・星・雲など、天にあらわれる現象。

**てんじょう**【天上】①〔文〕天〈の上〉。②〔仏〕⇩天㊁④。●**天上天下唯我独尊** 句〔釈迦が生まれたときに唱えたということば〕〔仏〕天地の間には自分よりとうといものはない。

**てんじょう**【天井】①部屋の上のほうに、一面にはった板。「―うら」②ものの内部の いちばん上の面。「―の高いホール」③〔経〕相場・物価・景気の、最も上がった状態。(↔底)●**天井を打つ** 句〔経〕相場が上がりきる。ピークを打つ。(↔底を打つ) 名 天井打ち。●**てんじょうがわ**【天井川】〔地〕〔川底が流域の土地よりも高くなって〕地面よりも高いところを流れる川。●**てんじょうさじき**【天井桟敷】劇場の、奥のいちばん高い所にある座席。安い料金で見られる大衆席。●**てんじょうしらず**【天井知らず】どこまであがるのか わからないこと。「物価が―に上がる」

**てんじょう**【添乗】《名・自サ》団体旅行で、客につきそって世話をすること。「―員」

↑**でんしょう**【伝承】《名・他サ》前の時代から次の時代へと伝えうけること。「民間に―された伝説」

↑**でんしょう**【伝×誦】《名・他サ》口から口へ〈語り〉伝えること。「―された歌謡」

**でんしょう**【電照】《名・他サ》〔文〕①電灯で明るくすること。「―看板」②植物やさかなを育てるとき、光の当たる時間を調節するため、夜、電灯を当てること。「―栽培・―菊〔=電照して、開花時期をおくらせたキク〕」

**てんしょく**【天職】天からさずかった〈神聖な〉職業。「教師を―と考える」

**てんしょく**【転職】《名・自サ》職業をかえること。「農業に―する・―活動」

**でんしょく**【電飾】①電球・ネオンなどを利用した装飾。「舞台の―・―看板」②〔古風〕イルミネーション。

☆☆**テンション**〔tension〕〔精神の〕緊張。気分の高まり。「―が高い・―が下がる」☞ハイテンション。

**てん・じる**【点じる】《他上一》〔文〕①〔し〕たらす。「目薬を―」②〔火を〕つける。▽点ずる。

**てん・じる**【転じる】〔文〕㊀《他上一》①移す。変える。「話題を―」②めぐらす。回す。「目を海に―」㊁《自上一》移る。変わる。「下降から上昇に―・研究所から大学に―」▽㊀㊁転ずる。

**てんしん**【天心】〔文〕空の まんなか。

**てんしん**【点心】〔=間食〕①〔中国料理で〕肉まん・シューマイや月餅などの軽食。☞ヤムチャ。②〔懐石料理で〕食後の、お茶請けの菓子。③正式の懐石でなく、簡単に作って出す料理。「お寺の―」▽②③てんじん。

↑**てんしん**【転身】《名・自サ》〔文〕身分・職業をかえること。「政治家に―する」

**てんしん**[転進]《名・自サ》〔文〕①〔方向をかえて〕ほかの目的地に進むこと。②〔戦争で〕「退却」の言いかえ。

**てんしん**[天真]《名・ナダ》〔文〕生まれたときのままの、自然でむじゃきな状態。●☆☆**てんしんらんまん**[天真(×爛漫)]《名・ナダ》〔おこないやことばが〕むじゃきで、にくめないようす。「かざりけがなく―な人がら」派-さ。

**てんじん**[天人]〔文〕天と人。「―ともに許さざるおこない」☞てんにん(天人)。

**てんじん**[天神]①〔文〕天にいるかみ。てんしん。「―地祇(=地の神)」②天満宮。てんまん。③天満宮の例祭の日。「初―(=一月二十五日)」④〔俗〕ウメの実のたねの胚芽。「―さん」●**てんじんさま**[天神様]①菅原道真の尊敬語。②「天神②~④」の尊敬語。

**でんしん**[電信]電線・電波を利用しておこなう通信。「―柱(=電柱)」

**てんしんはん**[天津飯]かにたまをごはんにのせ、くずあんをかけた中華ふう料理。天津丼〔関東方言〕。

**テンス**〔tense〕《言》その動作・状態などが、過去・現在・未来などのうち、いつのことかをあらわす言語形式。時制。☞アスペクト②。

**てんすい**[天水]〔文〕あまみず(雨水)。「―おけ(桶)(=雨水をたくわえておくおけ)」

**てんすう**[点数]①〈評点/得点〉の数。②品物・作品などの数。●**点数を稼ぐ** 句 ①点数をなんとかして多く取る。②〔相手の気に入ることをして〕自分に対する評価を高くする。「親の手伝いをして―」

**てんぜ**[店是]〔文〕その店が、いいと考えて決めた方針(をあらわす短いことば)。

**てんせい**[天成]〔文〕〈生まれつき/自然に〉そうできていること。「―の音楽家・―の要害」

☆☆**てんせい**[天性]〔文〕生まれつき(の性質)。天資。「―(の)お人よしだ・リズム感に―のものがある」

**てんせい**[展性]《理》物体が、圧力を加えるとうすい箔に広がる性質。金・銀・アルミニウムなどは、展性が大きい。☞延性。

**てんせい**[転生]《名・自サ》〔文〕うまれ変わること。てんしょう。

**てんせい**[転成]《名・自サ》①別の性質のものにかわること。②《言》あることばが、別の品詞のことばになること。例、名詞「動き」は、動詞「動く」からの転成。

**でんせい**[伝世]《名・自サ》〔文〕歴史を経て伝わること。「―品」

**でんせいかん**[伝声管]船や工場などの中で、はなれた場所の人と話す長い管の装置。一方のはしで話し、もう一方のはしで聞く。

**てんせき**[典籍]〔文〕書物。書籍。本。「古―」

**てんせき**[転石]〔文〕ころがってきた石。ころがる石。「―の落下防止」●**転石苔生さず** 句 ①仕事や住まいを転々としていると、金持ちになれない。②いつも活動している人はさびつくことがない。▽転石苔を生ぜず。〔イギリスのことわざから〕

**てんせき**[転籍]《名・自他サ》〔文〕本籍・学籍などを、ほかに移すこと。

**でんせつ**[伝説]ある特定の土地や人物と結びついている、言い伝え(の説話)。「当地の―によると・―的英雄」

**テンセル**〔Tencel=商標名〕《理》木材パルプから作った繊維。じょうぶでやわらかく、よくのびる。「―のセーター」

**てんせん**[点線]点がならんでできている線。「……」など。点々。(↕実線)

**てんせん**[転戦]《名・自サ》〔文〕あちこち場所をかえて戦うこと。

**てんぜん**[×恬然]《タル》〔文〕(道理に反しても)こだわらず、平気でいるようす。「偽証をして、―として恥じない」

**でんせん**[電線]電流を通す、金属の線。

**でんせん**[伝染]《名・自サ》①病原体が、ほかにうつって同じ症状があらわれること。②ものごとがほかにうつって、それも同じような状態になること。「思想が―する」●☆☆**でんせんびょう**[伝染病]《医》〈人/動物〉から〈人/動物〉へと伝染する病気。「家畜―」☞感染症。

**でんせん**[伝線]《名・自サ》ストッキングなどのほころびが、織り目にそって縦に広がること。ラン。

**てんそう**[転送]《名・他サ》一度受け取ったものを、また、ほかへ送ること。「手紙を―する・―電話」

**でんそう**[電装]〔発電機・ワイパー・ウインカーなど〕自動車の電気関係の装備。「―(部)品」

**でんそう**[伝送]《名・他サ》①〔文〕つぎつぎに伝え送ること。「部員に―する」②《理》電気信号などを送り伝えること。「映像を―する」

**でんそう**[電送]《名・他サ》文字・絵・写真などを電気信号に変えて、遠い土地に送ること。「無線―」

**てんそく**[店則]〔文〕その店で決めた規則。

**てんそく**[×纏足]昔の中国で、女性の足を大きくしないよう、子どものときから布で固くしばった風習。

**てんそく**[天測]《名・他サ》《天》六分儀などで天体の位置をはかり、測定地点の経度・緯度を知ること。

**てんぞく**[転属]《名・自他サ》所属をかえること。ほかの管轄に移ること。

**てんそん**[天孫]〔文〕①天の神の子孫。「―民族」②〔日本の神話で〕天照大神の孫。瓊瓊杵尊。「―降臨(=天孫が天から宮崎の高千穂峰において来たという伝説)」

**てんだ**[点打]《名・他サ》〔船で〕少し間を置いて鐘を鳴らすこと。「三―」

**てんだ**〔話〕■連 ①↑ているのだ。「今、書い―・何をやっ―」(「てんの(だ)」とも)②⇩ってんだ■。■《終助》⇩ってんだ■。

**テンダーロイン**〔tenderloin〕牛のヒレ。☞サーロイン。

**てんたい**[天体]《天》天空にある、太陽・月・星など。「―観測・小―(=小惑星・ほうき星など)」

**てんたい**[転貸]《名・他サ》〔文〕またがし。てんがし。(↕転借)●**てんたいしゃく**[転貸借]《名・他サ》土地・家屋などを借り主が第三者に貸すこと。またがしとまたがり。

**てんたく**[転宅]《名・自サ》〔文〕転居。ひっこし。

**でんたく**[電卓]↑電子式卓上計算機。

**でんたつ**[伝達]《名・他サ》①連絡することなど

を、ほかの人に伝えること。「部長からの命令を―する」②話し手が、意思を聞き手に伝えること。コミュニケーション。

**デンタル** 選〔dental〕歯の。歯科の。「―クリニック」

●**デンタルフロス**〔dental floss〕歯の間の食べかすやよごれを取る、ナイロンなどでできた糸。

**てんたん**〔×恬淡〕《ダナ・トタル》〔文〕〔お金や地位など〕にあっさりしていて、こだわらないようす。淡泊たんぱく。「無欲―・―な性質」

**てんち**〔天地〕①天と地。宇宙。「俯仰ふぎょう―に恥はじず〔⇩「俯仰」の句〕」②自分の活動する世界。「新しい―を求めて」③〔本・絵・荷物などの〕うえした〔が逆になっていること〕。●**てんちかいびゃく**〔天地開×闢〕〔文〕天と地がひらけた、世界のはじめ。「―以来のできごと」●**てんち-じん**〔天地人〕〔文〕①天と地と人。宇宙の万物ばんぶつ。②三冊でひと組みの本の順序や、入賞の順位などを、三つに分けてしめすことば。●**てんちしんめい**〔天地神明〕〔文〕天地のかみがみ。「―にちかって」●☆**てんちむよう**〔天地無用〕〔文〕「〔荷物・貨物などを〕さかさまにするな」という意味の注意をあたえることば。

**てんち**〔転地〕《名・自サ》住む土地をかえること。「―療養りょうよう〔=気候のよいところに移り住んで、健康をとりもどす〕」

**でんち**〔田地〕田として利用する土地。でんじ。「―田畑でんぱた」

**でんち**〔電池〕①《理》化学反応または物理反応によって放出されるエネルギーを電気エネルギーにかえる装置。「充電じゅうでん式―」②乾電池かんでんち。「―買ってきて」

☆**でんちく**〔電蓄〕〔↑電気蓄音機〕手動式に代わって電動式になった、初期のレコードプレーヤーの呼び名。〔装置は戦前からあったが、この略語は戦後広まった〕

☆**てんちゃ**〔：天＝茶〕天ぷらをのせた茶づけ。「かき揚あげの―」

**てんちゃ**〔点茶〕〔文〕抹茶まっちゃをたてること。

**てんちゃ**〔×甜茶〕中国産のあまみのあるお茶。

**てんちゃ**〔×碾茶〕抹茶まっちゃ用の茶の葉。☞ひき茶。

**てんちゃく**〔店着〕《名・自サ》商品が店に着くこと。「―日」

**てんちゅう**〔天×誅〕〔文〕①天の処罰しょばつ。天罰。「―が下る」②天の代わりに罰してやろうと〈暴行する/殺す〉こと。「―を加える・―を下す」

**てんちゅう**〔転注〕㊀六書りくしょの一つ。漢字を、意味の似た別の語を書きあらわすのに使うこと。例、「音楽」の意味の「楽がく」を転用して、「たのしい」の意味の「ラク」という語の表記に使うなど。「―文字」㊁《名・他サ》注文先を変えること。「部品を他社に―する」

**でんちゅう**〔殿中〕〔文〕①御殿ごてんの中。②将軍のいる所。

**でんちゅう**〔電柱〕電線をかけわたし、支えるためのはしら。電信柱でんしんばしら。

**てんちょう**〔天頂〕①《天》観測する人のちょうど真上にあたる天球の一点。②〔文〕いただき。てっぺん。

**てんちょう**〔天朝〕昔、朝廷ちょうていを尊敬して言ったことば。おかみ。「―さま〔=天皇〕」

**てんちょう**〔店長〕店のいちばん上の人。

**てんちょう**〔転調〕《名・自サ》《音》曲の進行中にほかの「調㊁」に変わること。

**てんつゆ**〔：天〈汁〉〕天ぷらを食べるときにつけるつゆ。

**てんで**《副》①〈後ろに否定〈的なことば〉が来る〉はじめから。まるで。「―わかっていない・―だめだ」②〔俗〕問題にならないほど。非常に。「―おもしろい」

**てんてい**〔天帝〕①〔文〕天をつかさどると言われる神。上帝。造化。②《宗》神。デウス。エホバ。

**てんてい**〔点×綴〕《名・自他サ》〔文〕⇩てんてつ。

**でんてい**〔電停〕路面電車の停留所。

☆**てんてき**〔天敵〕①《動》その動物にとっていちばんおそろしい特定の動物。例、ハブに対するマングース。②なんとしてもさけたい、いやな〈相手/もの〉。

☆**てんてき**〔点滴〕㊀《名・他サ》《医》血液や栄養分をふくむ液体を少しずつたらし、チューブを通じて静脈じょうみゃく内に送りこむこと。㊁〔文〕したたり。しずく。●**点滴石をうが〔穿〕つ** 句〔=雨垂あまだれでも同じ所に落ち続けていると、下の石に穴があく〕小さな力でも続けていると大きなことができる。雨垂れ石をうがつ。

**てんてこまい**〔てんてこ〈舞まい〉〕《名・自サ》準備・来客・応対などで、たくさんの人手がほしいほどいそがしくすること。

**てんてつ**〔点×綴〕〔「てんてい」の慣用読み〕〔文〕㊀《名・自サ》ぽつんぽつんと、ところどころにあること。点在。㊁《名・他サ》ことばをあれこれと取り合わせて文をつづること。

**でんてつ**〔電鉄〕↑電気鉄道。〔ふつう、私鉄の名前に使う。「阪急はんきゅう―・東急―」〕

**てんてつき**〔転×轍機〕〔鉄道の〕ポイント。

**てんでに**《副》それぞれ〈が勝手〉に。てんでん〈ばらばら〉に。「―プレゼントを持ってきた・―走り出す・―わめきあう」〔連体詞の形もある。「てんでな方向を向く」〕由来「手々でに」または「手に手に」の変化。「それぞれの手に」が元の意味。

**てんてん**〔点々〕㊀〔テンテン〕①多くの「点㊀①」。②点線。③濁点だくてん。「―を打つ」㊁《副》①点のようなものが続くようす。「あかりが―とつらなる」②ちらばっているようす。「あたりに人家が―と見える」③次々にしたたるようす。「水滴すいてきが―と落ちる」

←**てんてん**〔×輾転〕《名・自サ》〔=半分回転すること〕〔文〕ねがえりを打つこと。●**てんてんはんそく**〔×輾転反側〕《名・自サ》〔文〕なやみや心配などで、夜ねむれず何度もねがえりを打つこと。

→**てんてん**〔転々〕《副・自サ》①次々と移って行くようす。「各地を―とする」②〔たまなどが〕ころがるようす。「ボールは―ライトへ」

**でんでんだいこ**〔でんでん太鼓〕柄えのある小さな太鼓の左右に、小さな鈴すずのついたひもを下げたおもちゃ。でんでんたいこ。

［でんでんだいこ］

**てんでんに**《副》てんでに。

**てんでんばらばら**《ダナ》それぞれが〈勝手にする/ちがっている〉ようす。そろっていないようす。「―に〔=てんでに〕にげる・書類の形式が―だ」

**でんでんむし** かたつむり。

**てんと**〔×奠都〕《名・自サ》〔文〕みやこを定めること。みやこを建設すること。「東京―」

**テント**〔tent〕①雨や日光などを避けるためにはる、ズックの生地などで作った布。天幕。②「テント①」を組み立てた、〈家形/屋根形〉のもの。「―村(=臨時に作ったテントの群れ)」③店の出入り口につける、布製などの日よけの ひさし。オーニング(awning)。

**でんと**《副》〈どっしりとして/腰をすえて〉、動かないようす。「大きな石を―置く・―かまえる」

**てんとう**［(天道)］⇩おてんとうさま。●**てんとうむし**［(天道虫)］小形の昆虫。せなかは なめらかで、まるくもり上がっており、赤や黒の点がまだらに ある。多くは益虫。てんとむし。

**てんとう**［店頭］店さき。「―にならぶ」●**てんとうしじょう**［店頭市場］《経》証券取引所以外の市場。☞ナスダック。

**てんとう**［点頭］《名・自サ》〔文〕うなずくこと。「はげしく―する」

**てんとう**［点灯］《名・自他サ》〔文〕〈電灯/あかり〉をつけること。「ライトを―する」(↔消灯)

**てんとう**［転倒・×顚倒］《名・自他サ》①〔文〕さかさになる/する〉こと。さかさ(ま)。「本末―」②ひっくり〈かえる/かえす〉こと。③〔文〕度を失うこと。うろたえること。「気も―して」▽てんどう。

**てんどう**［天道］〔文〕天のおこなう道。この世の道理。「―是か非か(=はたして天は正しい者に味方しているのか)」

**でんとう**［電灯］電気によって光を出す灯火。

*__でんとう__［伝統］《名・自サ》前の時代から受けついだ風俗・制度・思想など。また、それを受けつぐこと。「―的・―を守る・―ある剣道部・今なお―されている〔古風〕」

**でんどう**［殿堂］〔文〕①りっぱで大きな建物。「白亜の―・お寺の―」②拠点となるりっぱな場所。「知の―(=図書館・大学など)」③その分野の功労者をたたえる博物館や施設。ホール オブ フェイム。「野球―・ロックの―」●☆☆**でんどう いり**［殿堂入り］《名・自サ》功績のあった人が、(引退後に表彰を受けて)「殿堂③」に名前を記されること。

**でんどう**［電動］電気を動力とすること。「―機(=モーター)」(↔手動)●**でんどうじてんしゃ**［電動自転車］充電式のモーターを組みこんだ自転車。電動アシスト自転車。電チャ(リ)〔俗〕。

**でんどう**［伝道］《名・自他サ》《宗》(キリスト教の)教義を伝え広めること。「―師・―者」

**でんどう**［伝導］《名・他サ》①《理》熱・電気が物体の中を伝わること。「―体・熱の―」②《生》興奮が神経線維の中を伝わること。「神経―」

**てんどうせつ**［天動説］《天》地球は宇宙の中央に止まっていて、まわりを太陽や そのほかの天体が運行する、という考え方。(↔地動説)

**てんどく**［転読］《名・他サ》《仏》法会のときに、長いお経の一部を読み上げて、全部読んだことにすること。(↔真読)

**てんとして**［(×恬として)］《副》〔文〕気にかけないようす。平気で。「―恥じない」

**でんとつ**［電:凸］《名・自サ》〔←電話で突撃〕団体などに電話して、暴力的に非難したり問いつめたり(した結果をインターネット上に公開)する迷惑行為。〔二十一世紀になって広まったことば〕

**てんとり**［点取り］①得点の数を争うこと。②点を取ること。●**てんとりむし**［点取り虫］〔学〕テストでいい点を取ることだけを目ざして勉強する学生を悪く言うことば。

**デンドロビウム**〔dendrobium〕東南アジア原産の園芸植物。冬から春にかけて白・黄などの色で、赤むらさき色の ふ(斑)が はいった花をひらく。デンドロ。デンドロビューム。

**てんどん**［:天=丼］天ぷらを上に のせた、どんぶりごはん。「―のたれ」

**てんない**［店内］店の中。「―放送・―飲食」(↔店外)

**テンナイン**〔ten nines〕百分率であらわしたとき、九が十個続くほど〈精度が高い/誤差が小さい〉こと。純度が九九・九九九九九九九九パーセントの材料などについて言う。☞フォーナイン。

**てんにゅう**［転入］《名・自サ》①よその土地からその土地へ はいってきて住むこと。(↔転出)②転校して入学すること。転入学。●**てんにゅうしゅつ**［転入出］《名・自サ》転入と転出。「―の届け出」

**てんにょ**［天女］①《仏》天上に住むという美しい女性。②美しくて やさしい女性のたとえ。

**てんにん**［天人］《仏》天上に住み、人間よりすぐれた力を持つ人。ふつう羽衣をつけた女性の姿であらわされる。☞てんじん(天人)。

**てんにん**［転任］《名・自サ》ほかの(土地の)職務にかわること。

**でんねつ**［電熱］電流によって起こる熱。「―器具(=電熱を利用する電気器具)」

**てんねん**［天然］━①人の手の加わらない〈自然/もとのまま〉の状態。自然。「―の美・―氷」(↔人工)②生まれつき。━《名・ナダ》〔俗〕↑天然ボケ。「―でマイペースな人・―キャラ」派―さ。●**てんねんガス**［天然ガス］〈地面/水面〉の下からふき出る、燃える気体。主成分はメタン。燃料・合成樹脂工業などに使う。●☆☆**てんねんきねんぶつ**［天然記念物］学術上貴重なため、法律で保護することに決められた動物・植物・鉱物。☞特別天然記念物。●**てんねんしょく**［天然色］〔古風〕自然のままの色(がついていること)。カラー。「総―映画」●**てんねんとう**［天然痘］《医》ウイルスによって起こる急性の感染症。高い熱と同時に発疹ができて、治ったあとにあばたが残る。WHOは一九八〇年、絶滅を宣言した。痘瘡。疱瘡。●**てんねんパーマ**［天然パーマ］〔俗〕地髪全体が縮れ毛やくせ毛であること。天パ(―)。●**てんねんぼけ**［天然ボケ］《名・ナダ》〔俗〕言ったり したりすることが、本人に そのつもりはないのに、とぼけていて、おかしい〈こと/人〉。天然。

*__てんのう__［天皇］①憲法で、日本の象徴と定める、世襲される地位(につく人)。〔古代から旧憲法の時代までは、日本の君主〕「―陛下(=今の天皇を尊敬して呼ぶ言い方。報道でも使う)・―ご一家」②ある世界で、絶対的な力を持つ人。「財界の―」●**てんのうせい**［天皇制］天皇を君主とする、政治の制度。●**てんのうたんじょうび**［天皇誕生日］国民の

て

祝日の一つ。今の天皇の誕生を祝う日。二月二十三日。☞昭和の日。

**でんのう**【電脳】〔computer の中国語訳〕コンピューターの、漢語的な言い方。「―ゲーム」

**てんのうざん**【天王山】勝敗の定まる重大な機会。由来 京都府南部にある天王山で、豊臣秀吉が、明智光秀をやぶり、天下取りにつながったこと（＝山崎の戦い）から。

**てんのうせい**【天王星】《天》太陽系の第七惑星。土星の外がわにあり、約八四年で太陽を回る。まわりに、木星のような輪と、二七個の衛星を持つ。ウラヌス（ラ Uranus）。

**てんのこえ**【天の声】（＝天の お告げ）①その社会で特に力のある人の発言。鶴の一声。「長老による―」②正論。「大衆の声は―」

**てんのはいざい**【天の配剤】〔文〕天が、ものごとをうまい具合に決めること。「―の妙」

**てんのびろく**【天の美×禄】〔文〕酒の美称。☞美禄。

**てんば**【天馬】〔文〕①古代、中央アジアにいた名馬。また、中国の漢代の武帝が手に入れた、その子孫の馬。②ペガサス。▽てんま。●**天馬空を行く** 句 行動が大規模で軽快なことのたとえ。

**でんば**【電場】《理》〔電気をおびた〕物体の電気が作用する場所。電界。でんじょう。

**でんぱ**【電波】①《理》電磁波のうち、放送・通信などに使う、波長が〇・一ミリ以上のもの。〔それ以下は赤外線・光などになる〕「―が飛ぶ・テレビの―に乗る（＝放映される）」②《俗》ひどく変わった〈こと／人〉をからかって言うことば。「―系ブログ」●**でんぱどけい**【電波時計】国の標準時刻を示す電波を受信して、自動的に時刻を修正する時計。●**でんぱぼうえんきょう**【電波望遠鏡】《理》天体から来る電波を受信して記録する装置。星からの微弱な電波を集めるため、おわん形のアンテナ（＝パラボラアンテナ）を使う。

☆☆**でんぱ**【伝×播】《名・自他サ》①〔文〕伝わって広まること。伝え広めること。「思想の―」②《理》波動が広がっていくこと。「音の―」〔電波法では「伝搬」〕

**テンパー**《医》↑ジステンパー。

**てんばい**【店売】《名・他サ》店で売ること。「―商品」

**てんばい**【転売】《名・他サ》買ったりしたものを、またほかに売ること。「―目的・―屋〔俗に『転売ヤー』とも〕」

**テンパイ**〔：聴牌〕《名・自サ》〔中国語〕《マージャン》あと一個必要なパイが手にはいれば あがれる状態。

**でんぱた**【田畑】たはた。でんばた。「田地―」

**てんばつ**【天罰】天から受ける刑罰。●**てんばつてきめん**【天罰×覿面】悪いことをすると、天罰がすぐにくだること。

**テンパ・る**《自五》《俗》①せっぱつまって〈考えが はたらかなくなる／余裕がなくなる〉。②〔①の由来〕《マージャン》テンパイになる。

**てんばん**【天板】机やカウンターの、いちばん上の平たい板。甲板。てんいた。トップ。☞てんパン（天板）。

**てんぱん**【典範】〔文〕手本。きまり。「皇室―」

**てんパン**【天：板】〔pan＝平たいなべ〕食品をのせてオーブンで焼く、鉄製の角皿。☞てんばん（天板）。

**でんぱん**【伝搬】《名・自他サ》《理》⇩でんぱ（伝播）②。

**てんぴ**【天日】太陽の光線。また、その熱。「―干し・―乾燥」☞てんじつ（天日）。

**てんぴ**【天火】⇩オーブン。

**てんびき**【天引き】《名・他サ》はらうはずの お金の中から、前もって引き去ること。てんぴき。「給料から―する・―貯金」

**てんびやく**【点鼻薬】炎症やアレルギーをおさえるため、鼻の穴にじかに注入する薬。

**てんびょう**【点描】《名・他サ》①《美術》絵をかくとき、点で形をかきあらわす方法。②〔文〕〔簡単に〕部分をえがきだすこと。「人物―・社会―」

**でんぴょう**【伝票】収入・支出の計算、取引の記録などに使う紙。

**てんびん**【〔天×秤〕】①支点の左右に、はかる物をのせる皿と おもりをのせる皿のついたはかり。「上皿―」②↑てんびん棒。③《釣り》しかけが からまらないように道糸につける、金属製のアーム。●**てんびんにかける** 句 どちらが〈いいか／得か〉くらべて考える。●**てんびんぼう**【〔天×秤〕棒】両はしに荷物をかけて かつぐ棒。

**てんぴん**【天×稟】〔文〕生まれつきの才能。天分。

**てんぶ**【転部】《名・自サ》①学生が、自分の属する学部をかわること。②自分の属する「部[一]④」をかわること。

☆☆**てんぷ**【天賦】〔文〕生まれつき。もちまえ。「―の素質」

←**てんぷ**【添付】《名・他サ》①いっしょに そえること。「領収書を―する」②メールにファイルをそえること。「―画像」表記「添附」とも書いた。

→**てんぷ**【貼付・貼附】《名・他サ》〔文〕「ちょうふ」の慣用読み。

**でんぶ**【〔田×麩〕】タイ・タラなどの身をほぐし、砂糖などで味をつけたもの。ごはんにかけて食べる。でんぷ。「桜―」

**でんぶ**【×臀部】〔文〕しり（の部分）。表記 医学では「殿部」とも。

**でんぷ**【田夫】〔文〕①農夫。②いなかもの。「―野人」

**てんぷく**【転覆・×顛覆】《名・自他サ》①ひっくりかえること。ひっくりかえすこと。「列車の―」②〔文〕ほろびること。ほろぼすこと。「政府の―」

**てんぶくろ**【天袋】おし入れの上に作った袋戸棚。（↕地袋）

**テンプラ**〔ポ tempero からという〕[一]〔：天麩羅・：天婦羅・：天ぷら・てんぷら〕①さかな・貝・野菜などに小麦粉の衣をつけ、油であげたもの。「エビの―〔『エビ天』とも〕」②〔九州・四国方言〕さつまあげ。[二]〔俗〕①〔純金などに対して〕めっき（でごまか）したもの。②にせもの。「―学生」③《野球》凡フライ。④《ゴルフ》ボールが高く上がって、遠くに飛ばないこと。

**テンプレ**〔俗〕①↑テンプレート。②よくあること。また、ありきたりでつまらないこと。「この展開は―だ」

**テンプレート**〔template＝型板〕①製図で用いる、図形や文字が くりぬいてある定規。②文章やデザインなどの ひな型。また、その文章など。「依頼メールの―・ネットの掲示板に注意書きの―をはりつける」③決まりきったもの。変わりばえのしないもの。「インド料理店の―的なメニュー構成」▽テンプレ〔俗〕。

**てんぶん**【天分】天から受けた才能。「音楽の―にめぐまれる」

**でんぶん**【電文】電報の文句。

**でんぶん**【伝聞】《名・他サ》〔文〕〔本人からでなく〕ほかの人からきくこと。「―によると」

**でんぷん**【(×澱粉)・デンプン】《理》植物が光合成によって作る物質。米や麦、イモなどに多くふくまれる。糖質の一種。「―のり(糊)」

**テンペ**〔インドネシア tempe〕ゆでたダイズを板状におし固め、テンペ菌(きん)で発酵(はっこう)させた、インドネシアの食品。

**テンペラ**〔イ tempera〕《美術》たまごの黄身や にかわなどでといた絵の具(で かいた絵)。「―画」

**てんぺん**【天変】〔文〕たつまき・落雷(らくらい)など、空に起こる異変。●☆☆**てんぺんちい**【天変地異】〔文〕天変と地震(じしん)など、空や地上に起こる異変。

**てんぺん**【転変】《名・自サ》つぎつぎと変わること。「社会の―」☞有為転変(ういてんぺん)。

**てんぼ**【展墓】《名・自サ》〔文〕墓まいり。

**てんぽ**【店舗】商店の建物。みせ。「実(じつ)―」

**テンポ**〔イ tempo〕①《音》演奏の はやさ。速度。②拍子(ひょうし)。調子。「仕事の―がのろい・―よく語る」③ものごとの進み方。「ワン―おくれる」

**てんぼう**【展望】《名・他サ》〈遠くのほうまで/社会や文化の動き、学術の進歩などについて〉広く見わたすこと。「―台(=見晴らし台)・回顧(かいこ)と―」●**展望がない**⦅句⦆明るい見通しがない。

**てんぽう**【転封】《名・他サ》《歴》国替(くにが)え。

**でんぽう**【電報】《名・自サ》電信を利用して おこなう知らせ。「―を打つ・慶弔(けいちょう)―」

**でんぽう**【伝法】《名・ナ》いさみはだのようす。また、女性が いさみはだをまねること。でんぼう。「―な口をきく」●**でんぽうはだ**【伝法肌】〔女性の〕いさみはだ。

**てんま**【天馬】〔文〕⇨てんば。

**てんま**【天魔】《仏》仏法をさまたげ、人の知恵(ちえ)・善根を失わせる悪魔(あくま)。「―に魅入(みい)られたか」

**デンマーク**〔Denmark〕北ヨーロッパの王国。ユトランド半島などを領土とする。首都、コペンハーゲン(Copenhagen)。丁(てい)。表記「丁抹」は、古い音訳字。

**てんまく**【天幕】テント。

**てんません**【伝馬船】〔本船と岸との間の〕運送に使う はしけぶね。てんまぶね。てんま。

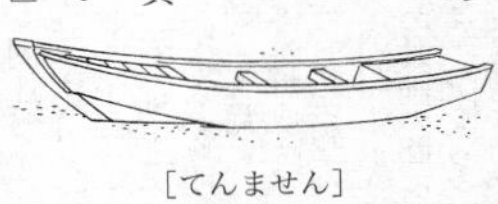

［てんません］

☆☆**てんまつ**【(×顛末)】ことの全部の事情。始末。「事件の―・―書(=始末書)」

**てんまど**【天窓】屋根にあけた窓。

**てんまめ**【天豆】⇨そらまめ。

**てんまんぐう**【天満宮】菅原道真(すがわらのみちざね)をまつった神社。

**てんめい**【天命】〔文〕①天の命令。運命・使命。「人事をつくして―を待つ」②天運。

**てんめい**【店名】店の名前。

**てんめつ**【点滅】《名・自他サ》あかり〈をつけたり消したり/がついたり消えたり〉すること。明滅。「―器(=スイッチ)・カーソルが―する」

**てんめん**【(×纏綿)】《(タル)》〔文〕①まといつくようす。からみつくようす。②情愛がこまやかなようす。「情緒(じょうちょ)―」

**テンメンジャン**【(::甜麺醤)】〔中国語〕中国料理に用いる、小麦から造るみそ。黒い色とあまい風味が八丁みそに似る。「ペキンダックに―をつけて食べる」

**てんもう**【天網】〔文〕〔悪事をとらえるための〕天のあみ。●**天網恢々(かいかい)疎(そ)にして漏(も)らさず**⦅句⦆〔文〕天のあみは ひろびろとして目が あらいようだが、けっして悪をのがさない。〔「老子」のことば〕

**てんもく**【天目】〔↑天目茶(ぢゃ)わん〕すりばちの形の抹茶(まっちゃ)茶わん。黒い うわぐすりをかけて焼く。●**てんもくざん**【天目山】勝敗の〈最後の〉分かれめ。土壇場(どたんば)。由来 武田勝頼(たけだかつより)が織田(おだ)勢に攻(せ)められて、山梨県の天目山で自刃(じじん)したことから。

**てんもん**【天文】〔文〕天体の現象。●**てんもんがく**【天文学】宇宙や天体について研究する学問。●**てんもんがくてきすうじ**【天文学的数字】何億、何兆という、とほうもなく大きな数。「負債(ふさい)は―になった」●**てんもんだい**【天文台】《天》天体の観測・研究をする所。●**てんもんたんい**【天文単位】《天》〔太陽系内の〕天体間の距離(きょり)をあらわす単位(記号AU)。一天文単位は太陽から地球までの平均距離、約一億五千万キロメートル。

**てんやく**【典薬】昔、朝廷(ちょうてい)・幕府の医薬を取りあつかった役。

**てんやく**【点薬】《名・自サ》《医》目に薬をさすこと。

**てんやく**【点訳】《名・他サ》ことばや ふつうの文字を点字に直すこと。「―奉仕(ほうし)」(↔音訳)

**てんやもの**【店屋物】出前をする飲食店から取り寄せる食べ物。

**てんやわんや**《名・自サ》いそがしくなったり事件が起こったりして、混乱すること。「―の大さわぎ」

**てんゆう**【天×祐・天×佑】〔文〕人間の力だけでは どうにもならないときにあらわれる、天の たすけ。「命びろいしたのは―としか言いようがない・―神助」

**てんよ**【天与】〔文〕天から あたえられるもの。天の あたえ。「―の才に めぐまれる」

**てんよう**【転用】《名・他サ》目的をかえて、ほかのことに使うこと。

**てんらい**【天来】〔文〕天から〈来る/得る〉こと。「―の啓示(けいじ)」

**でんらい**【伝来】《名・自サ》①受け伝えて来ること。「父祖―の刀」②外国から伝わって来ること。「鉄砲(てっぽう)はポルトガルから―した」

**てんらく**【転落・×顛落】《名・自サ》①ころびおちること。「―死・崖(がけ)から―する」②おちぶれること。身をもちくずすこと。

**てんらん**【天覧】〔文〕天皇が ごらんになること。「―試合(じあい)」

**てんらん**【展覧】《名・他サ》〔文〕〔作品などを〕広い場所にならべて、多くの人に見せること。「―会」☞展示。

**でんらん**【電×纜】⇨ケーブル①。

**てんり**【天理】〔文〕自然の道理。

**でんり**【電離】《名・自サ》《理》陰(いん)イオンまたは陽イオンに分かれること。イオン化。「電解質は水中で―する」●**でんりけん**【電離圏】《天》成層圏よりも上、地上約六〇キロ以上にある大気の層。地上からの電波を反射する。電離層。☞大気圏。

**でんりゅう**［電流］《理》電気の流れ。正極から負極に流れる〔実際は、負の電気を帯びた電子が負極から正極に移動する〕。単位はアンペア〔記号A〕。「－計・－が走るような感じ」

**てんりょう**［天領］《歴》①江戸幕府の直轄領。②朝廷の領地。

**でんりょく**［電力］①《理》ある時間に、電流によっておこなわれる仕事量。電圧と電流の積であらわす。単位はワット〔記号W〕。「－料金〔＝工場で使う電気の料金〕」②発電・送電に関する仕事。「－会社」●**でんりょくせんつうしん**［電力線通信］コンセントに電源コードを入れることでインターネットに接続できる技術。電灯線通信。PLC。●**でんりょくりょう**［電力量］《理》ある時間にわたる電力の総量。電力に時間をかけ算したもの。単位はキロワット時〔記号kWh〕など。

**てんれい**［典礼］〔宮中や教会などで〕定められた儀式。「－と作法・－歌」

**てんれい**［典麗］《名・ナダ》〔文〕整っていてきれいなこと。「－な姿」派－さ。

**でんれい**［伝令］命令を伝える〈こと／人〉。「－を出す」

**でんれい**［電鈴］電気で鳴らすりん。ベル。

****でんわ**［電話］《名・自サ》①〔↑電話機〕電流・電波を使って、はなれている人と話せる〈設備／機械〉。「－を引く・－帳・－番号」②電話機によって話す〈こと／声〉。「－をかける・－を入れる・－が切れる・－が遠い・お－をいただく」③↑電話番号。「－は何番？」●**でんわぐち**［電話口］〔かかっている状態の〕電話〈機のある所〉。「－に呼び出す・－で泣きくずれる」

# と　ト

**と**［土］↑トルコ(土耳古)。「露－戦争」

**と**［戸］建物の出入り口に立てて、あけたりしめたりするもの。「－をたたく」

**と**［斗］米・酒などの、体積の単位の一つ。一斗は一升の十倍。約一八リットル。「四－だる」

**と**［徒］〔文〕ある〈性質／立場〉の者(たち)。「忘恩の－・学究の－・仏教－〔＝ⓐ僧。ⓑ仏教信者〕」

**と**［途］〔文〕みち。「帰省の－に就く〔＝道を行き始める〕」

****と**［都］□一 と ①《法》府・県と同等の行政区画・地方自治体。一九四三年、東京府が東京市〔＝現在の東京二十三区〕と統合され、東京都となった。②↑東京都。「－の方針」②首都。「ロンドン、パリの二－」□二 造 ①都会。「アメリカの三－」

**と**［ト］《音》長音階の、ハ調のソにあたる音。G音。「－調」

**と**《将棋》↑と金。

****と** □一《格助》①ことばや思い、考えの内容を示す。「いやだ－言った・おもしろい－思う」〔「言って」「思って」などが省略されている場合もある。「もう帰ろう－立ち上がる」〕②そう見なして。「味方－たのむ軍勢」③…のように。「花－散る・山－積む」④変化の結果をあらわす。「学生－なる」〔「に」よりも文章語的〕⑤相手があって成り立つ行動・現象の、相手をあらわす。「友だち－話す・新宿で知り合い－会う・トラック－ぶつかる・麦が米－混ざる〔以上、『に』でも言えるが、意味が変わる〕・敵－なぐりあう・銀行員－結婚する」区別「友だちと話す」はおたがいに会話する感じが、「友だちに話す」はこちらが一方的に話す感じが強い。同じく、「知り合いと会う」は相談して会う感じが、「知り合いに会う」は〈偶然／一方的〉に会う感じが強い。⑥同伴する者をあらわす。…といっしょに。「恋人－映画を見る」⑦ならべることをあらわす。「天－地－・親－子・二－三分の一」✎(1)「天と地」の形よりも、「天と地と」の形のほうが文語的。(2)どれとどれをならべているかを明示するには、後ろのがわにも「と」をつける。例、「A党とB党の一部とが賛成」「A党とB党との一部が賛成」は、それぞれ意味がちがう。⑧その順であることをあらわす。「アワビ、イカ、ウニ－食べてみた」⑨くらべる対象をあらわす。「今まで－はちがう生活」⑩〔二つの動詞の間に使って〕…するものすべて。「あり－あらゆる」アク ウシと・ネコと・イヌと。□二《接助》①仮定の条件をあらわす。「来る－いいね・人に聞かれる－困る」区別⇩ば□一①。②ある条件のもとでは、いつもそうなることをあらわす。「飲む－(いつも)ぐちを言う」③…したところ。「食べてみる－、おいしかった」④…と同時に。やいなや。「火事と聞く－とび起きた」⑤とも。ても。「なんと言おうと－」⑥〔「…(だろ)う－」などの形をならべて〕そのうちどれであっても。「夜中だろう－何だろう－・信じよう－信じまい－」□三《副助》〔後ろに否定が来る〕数がそこまで行かないことをあらわす。「五分－たたずに・二度－来るか」□四《終助》〔話〕①↑と〈思います／いうわけです〉。「ゆっくり見て帰ろうかな－・国に責任はない－？〔＝ないと言うのですか〕」②〔ひとりごとで〕たしかめて、次に行く気持ちをあらわす。「さて－・かぎはかけた－」☞っと。□五 **と**《接》すると。「－、とつぜん声がして」☞とある・と言う・とする・と見ると。□六 接尾 副詞をつくる。「意外－多い・らくらく－」

**と**［十］造 とお。「十人－色・－月十日〔＝人の妊娠期間をあらわした語〕」

**と**［渡］造〔文〕海をわたって…に行くこと。渡航すること。「－米・－欧」

***ど**［土］□一 ど ①↑土曜(日)。「－休日」〔「どお」とも言う〕②〔文〕土地。国。「かの－・魂魄このーにとどまりて」□二 造 つち。「腐葉－・火山灰－」

****ど**［度］□一 ど ①〔文〕ものさし。「－量衡」②程度。「親密の－を増す・おしゃれ－アップ」③〔文〕落ち着き。「－を失う」④〔文〕規準。「進退、－にかなう」⑤〔文〕年間。時代。「化政－〔＝文化文政年間〕」⑥回数。「－をかさねる」⑦《数》角度の単位。一度は、一直角の九十分の一。「三百六十－のパノラマをながめる」⑧《地》経度・緯度の単位。一度は、地球のまわりの三百六十分の一。「北緯三〇－」⑨《理》温度の単位。⑩めがねの強さをあらわす単位。「－が進む」⑪酒にふくまれるアルコール分をあらわす単位。一度は一パーセント。「－〔＝度数〕が高い」⑫《音》音程の単位。同じ音は一度。ドとレ、ミとファは二度〔正確には、それぞれ長二度、短二度と言う〕。表記 ⑦⑧は「30°」、⑨は「30℃〔＝セ氏三〇度〕」のようにも書く。□二 接尾 間をおいておこなうこと。たび。「一日二－の配達・三－目のデート」区別⇩回□二。●**度が過ぎる**

[句] ちょうどいい程度をこえ(てい)る。「いたずらの―」[他] 落度を過ごす。「酒を飲んで つい―」●**度を失う**[句] 落ち着きをなくす。「図星を指されて―」●**度を加える**[句] 程度がだんだん大きくなる。「ますます混迷の―」●**度を超す**[句] ちょうどいい程度をこえる。「度を超した指導・度を超して かわいがる」[表記]「度を越す」とも。

**ど**《接助》〔文〕(たとえ)…ても。でも。「働け―・呼べ―さけべ―」☞ども。

**ど**[接頭]〔「ド」とも書く〕〔俗〕①程度を強めて〈ののしる/けなす〉ことば。「―あほ・―いなか・―すけべ・―へた・―ピンク(=はですぎるピンク)」「「どっちらけ《↑ど+しらけ》」「どんずべり《↑ど+すべり》」の形も〕②程度を強めることば。おどろくほど(の)。「―えらい・―根性・―迫力・―アップ・―ピーカン(=快晴)」③ちょうど。「―まんなか・―平日」▽もと、古い関西のことば。

**ド**〔イ do〕《音》長音階の、第一音の名。

*__ドア__〔door〕戸。とびら。ドアー〔古風〕。「車の―・―ノブ・―ボーイ」

**ドアアイ**〔和製 door eye〕⇩ドアスコープ。

**どあい**[度合い] それがどれだけあるか、どのくらいになるか、ということ。「強弱の―・苦しみの―・関心の―に応じて」

**ドアぐち**[ドア口] 建物・電車などの出入り口。

**ドアスコープ**〔door scope〕玄関などのドアに取りつけた、レンズつきの小さな のぞき穴。内がわから、外の様子が広く見られる。ドア アイ。

**ドアチェーン**〔door chain〕ドアの内がわに取りつける、短い くさり。用心ぐさり。〔かけがね式は「ドア ガード」と言う〕

**ドアチャイム**〔door chime〕玄関の呼び出しボタンをおすと、きれいな音がして来客を知らせる、電気式の装置。

**ドアツードア**〔door-to-door=戸口から戸口まで〕①自宅から目的地までにかかる時間。ドアドア。「―で三時間」②目的地まで車などで行けて、歩かなくてすむこと。「―の送迎」

**ドアホン**〔和製 door phone〕玄関・門と部屋の中をむすぶインターホン。

**ドアマン**〔doorman〕ホテル・ナイトクラブなどで、玄関に立って、ドアの開閉や客の送りむかえなどのサービスをする男性。ドア ボーイ。〔英語の doorkeeper は男女に使える〕

**とあみ**[投網・△唐網] 一方のはしに綱をつけ、円錐形に広がるように水の中に投げ入れて さかなをとる網。

**ドアミラー**〔door mirror〕自動車の左右の前ドアに付いている鏡。後方や側面を見る。

**とある** [一] **とある**《連体》そのへんにある。「―店に立ち寄って」[二][連] ①…という話だ。…と書いてある。「人出は六万―」②〔**とあって**〕…という事情で。「休日とあって、たいへんな混雑だ」

**とあわせ(て)**[と併せ(て)]《接助》⇩併せて[二]。

**とい**[問い] ①問うこと。質問。②問題。「問1(=第一問)」▽(↔答え)

**とい**[(×樋)] ①屋根から流れおちる雨水を受けて、地上に流すために作ったしかけ。②⇩樋①。▽とよ。とゆ。

*__といあわ・せる__[問い合わせる]《他下一》たずねてたしかめる。聞きあわせる。問い合わす。[名]問い合わせ。

**といい**[と(言い)]《副助》〔多く A―B―〕…の点でも。「人物―学力―申し分ない」

**__という__[と(言う)] [一]《格助》①…と人が呼ぶ。…と名づけられている。…と名のる。「京橋―駅・自由―ことば・わたしは中田―者です」☞言う[一]③。②全体的に言う気持ちをあらわす。「習慣―ものは(=およそ習慣は)おそろしい・あなた―人は!」③特に取り立てて言う気持ちをあらわす。「今度―今度は(=今度こそは)許さない・それから―ものは(=それからは)」④〔A―A〕全部であることを強調する。「港の船―船に あかりがともる」⑤…の程度にもなる。「何千―人」[二] **という**《連体》そういう。「―ところで今日は失礼します」[三]《助動五型》…とのことだ。…そうだ。「幸福に暮らした―」☞といい・といえば・といった・といったら・といって・といわず。●**というか**[と(言うか)] [一]《副助》…というのがいいか。「くやしい―悲しい―」[二]《終助》〔話〕最後をぼかす言い方。「まったく、腹が立つ―(=腹が立ちます)」[三] **というか**《接》いや、むしろ。「あまりいい作品はない。―つまらないものばかりだ」▽[一]~[三]っていうか。[丁寧]といいますか。〔改まって「と申しますか」〕●**ということで**[と(言うことで)] [一]《接助》…という理由で。[二] **ということで**《接》①そういう理由で。「若者に大人気。―、取材してみた」②〔俗〕さて。「〔話のはじめに〕―今週も始まりました」▽[一][二]というわけで。●**ということは**[と(言うことは)] [一]《接助》…という以上は。「発言しなかった―賛成したも同然だ」[二] **ということは**《接》そうである以上は。つまり。「もう八月だ。―、入試まで あと半年だ」●**というと**[と(言うと)] [一]《接助》⇩といえば[一]。「なぜ反対するか―……日曜―(=日曜には いつも)雨が降る」[二] **というと**《副助》⇩といえば[二]。「香川―うどんだね」[三] **と**《接》〔話〕〔前を受けて〕その意味するところは。つまり。ということは。「―、ふられたってわけ?」[尊敬]とおっしゃいますと。[丁寧]といいますと。〔改まって「と申しますと」〕●**というのは**[と(言うのは)] [一]《接助》…というわけは。「私にも悪い点があったかもしれない―、よく確認しなかったのだ」[二] **というのは**《接》〔前を受けて〕そのわけは。「だれも本気で聞いていない。―、うそだとわかっているからだ」[丁寧]といいますのは。〔改まって「と申しますのは」〕☞というのも。●**というのも**[と(言うのも)] [一]《接助》…というわけは。「こんなふうに念をおしたくなる―、以前、ひどい目にあったからだ」[二] **というのも**《接》〔前を受けて〕そのわけは。「―、こんな話を聞いたんです」[丁寧]といいますのも。〔改まって「と申しますのも」〕●**というわけで**[と(言う訳で)]《接助》・**というわけで**《接》⇩ということで。

**といえども**[と(言えども)]《副助》(=と言えども)といっても。といえど。「一日―(=一日も)休めない・当たらずー遠からず〔⇩「当たる」の[句]〕」[表記]「と×雖も」とも書いた。

**といえば**[と(言えば)] [一]《接助》①〔疑問詞とともに使って〕あとに答えとなる部分を続ける。「きらいか―、好きに決まってる・なぜ電話したか―、心配だったからだ」②…場合は(いつも)。「テストが終わった―、必ず遊びに行く」 ［二］《副助》①それについて、だれもが認めることを言うときのことば。といったら。「五千万円―大金だ・韓国―〔＝からだれもが連想するのは〕キムチ・春の花―〔＝の代表は〕桜」 ②…であるのは。「三分の一が反対―、相当多い」 ③それについて言うならば。「一方、私は―苦戦していた」 ④それで思い出したが。「旅行―、連休はどこか行く?・」 ⑤〔A―A〕〈たしかに／いちおう〉…だ。「親切―親切だが、やりすぎだ」▽［二］というと。

●**と言えばうそになる** 句 そう言ったら本心とはちがってしまう。と言ったらうそになる。「お化け屋敷がこわくない―〔＝本当を言うと少しこわい〕」

**とい かえ・す**［問い返す］《他五》⇩聞き返す①②。

**とい か・ける**［問い〈掛ける〉］《自他下一》①相手に質問をしかける。②質問をしはじめる。名 問いかけ。

**とい き**［吐息］《名・自サ》ためいき。「青息―・―をつく」

**とい し**［×砥石］刃物をとぐための、かたくてなめらかな石。

**とい た**［戸板］人・物をのせてはこぶ、雨戸の板。

**とい ただ・す**［問い（△質す）］《他五》①わからない点を聞いて、明らかにする。「念のため―」 ②なじってたずねる。「責任者を―」

**とい ち**［十一］〔俗〕十日間で一割の、高い利息（を取る金貸し）。「―で貸す」

**ど いつ**《代》〔↑どやつ。やや乱暴な言い方〕〔俗〕どの人物。「どこの―だ」 表記 かたく「：何奴」とも。●**どいつこいつ**《代》〔俗〕だれかれ。「―の区別なく」〔やや乱暴な言い方〕●**どいつもこいつも**《副》〔俗〕だれもかれも。「―いくじなしだ」〔やや乱暴な言い方〕

***ド イツ**〔オ Duits(land)〕ヨーロッパの中部にある連邦共和国。第二次世界大戦後、ドイツ連邦共和国（西ドイツ）とドイツ民主共和国（東ドイツ）に分かれていたが、一九九〇年統一。首都、ベルリン（Berlin）。独。表記「：独逸」「：独乙」は、古い音訳字。

****とい った**［と（言った）］《副助》…などの。「アメリカ、ロシア―大国」

**とい ったら**［と（言ったら）］《副助》①といえば。「健さん―大スターだ」 ②〔多く―ない〕…は言いようもないほどだ。ったら。「そいつのあわてた顔―（なかった）・その美しさ―、思わず見とれるほどだ」

**とい って**［と（言って）］［一］《接助》①たとえ…〈でも／ても〉。「つかれた―〔＝つかれても〕、休むわけにいかない」 ②〔疑問をあらわすことばとともに使って〕…かと言えば。…って。「どこがちがう―、何より品質がちがう」［二］**といって**《接》〔前を受けて〕たとえそうでも。「―やめるわけにはいかない」●**といっては**［と（言っては）］《副助》数や種類が少ないものを取り立てて言う。…はせいぜい。「荷物―リュックサックしかない」●**といっても**［と（言っても）］［一］《副助》①…（な）のはたしかだが。「家―、小屋同然だ・三月にはいった―、まだ寒い」 ②…にもいろいろある、ということをあらわす。「一口に東京―広い」 ③…（の）はむずかしい、ということをあらわす。「外国に学ぶ―簡単ではない」［二］**といっても**《接》〔前を受けて〕それはたしかだが。「全治一週間だそうだ。―、ぴんぴんしている」〔改まって「と申しましても」〕尊敬 とおっしゃいましても。丁寧 といいましても。

**とい つ・める**［問い詰める］《他下一》最後のところまで問いただす。「お金の出どころを―」

**トイ メン**［：対面］〔中国語〕①《マージャン》自分の正面の席の人。②〔俗〕真向かいの人やもの。「会社の―にコンビニがある」

**とい や**［問屋］⇩とんや。

**ドイリー**〔doily〕花瓶などの下に敷く、卓上用の、小さな敷物。

**トイレ**［一］↑トイレット。「お―・―を流す」［二］《名・自サ》用便。「―をすませる」●**トイレが近い** 句 小便の回数が多い。便所が近い。

**トイレタリー**〔toileteries〕せっけん・シャンプー・歯みがき・ナプキンなど、からだをきれいにするための日用品。

**トイレット**〔toilet〕便所。手洗い（所）。トイレ。「―ペーパー」

**とい わず**［と（言わず）］《副助》〔A―B―〕どれもまったく区別なく（めちゃくちゃに）。「ハチが顔―せなか―刺した」［二］《接助》…でなく、もっと思い切って。とはいわず。「あす―今すぐたずねて行こう」

**とう**［刀］［一］**とう**〔文〕①かたな。②版画・木彫用の、小刀。［二］造〔医〕メス。「第一―」

**とう**［当］［一］①当選。合格。（↔落）②〔文〕正当。「―不当」 ③〔文〕当年とって。「〔人名のあとに〕―三十歳」［二］接頭 この。「―院・―機・―県・―ホテル」（↔貴）✓多く、「私ども」の気持ちで使う。マンションの出入りの業者が住人に対し「当マンションは…」と表現して、いやがられたという話がある〔住人を低めている〕。区別 ⇩当社①。●☆☆**当を得る** 句〔文〕道理にかなう。正当なところを、うまくとらえる。「当を得た答え」

**とう**［投］［一］**とう**《野球》①投手力。投球（力）。「―に〔＝投手力の点で〕まさる」 ②〔視覚語〕↑投手。「―ゴロ」［二］造〔野球・ボウリング・ハンマー投げのたまや、釣りの仕掛けを〕投げること。「第一―」

**とう**［東］［一］**とう** ①ひがし。「―西南の三方から」 ②↑東京。「―名高速道」［二］造 ひがし（のほう）の。「―軍・―壁」

***とう**［党］［一］**とう** ①〔共通の、政治上の目的のためにいっしょに行動することを目的とする集まり。政党。「―の現状・共和―」 ②なかま。「―を組む」［二］造 それが好きな部類に属する人。「甘―・辛―・ビール―」

**とう**［唐］《歴》〔中国で〕隋に続く王朝。〔六一八～九〇七〕

**とう**［陶］〔文〕陶器。

**とう**［塔］①《仏》ⓐ納骨や供養のため、または仏跡・霊地をあらわすために建てる、高い建物。「五重の―」 ⓑそとば。塔婆。②高くつくった建造物。「管制―・司令―・広告―」

**とう**［棟］［一］**とう** むねの長い、大きな建物。「あの―の三階だ・研究―・四号―」［二］接尾「棟［一］」を数えることば。「マンション四―」

**とう**［糖］［一］**とう** 糖分。「〔尿に〕―が出る」［二］造 砂糖。「グラニュー―」

**とう**［（×薹）］フキなどの軸。「ふき（蕗）の―」●**とうが立つ** 句 ①とうが（地面から）のびて、かたくなる。②（若い）さかりを過ぎる。「とうは立っているが、いい歌手だ」

**とう**［（×籐）］熱帯産の、つるになる木。くきを編んで、いす・かごなどを作る。ラタン。

←*と・う[問う]ᵗᵒ(他五) ①[(わからないことを)たずねる。聞く]の、少しかたい言い方。「理由を―・発言の意味を―」(↔答える) ②批判的に議論する。「政策のあり方を―・教育の功罪を―」 ③責任を果たすよう求める。「進退を―・罪に問われる」 ④能力や価値をためす。「表現力を―問題・力量〈が/を〉問われる・真価を―」 ⑤人々の意見を知ろうとする。「賛否を―・国民の信を―選挙」 ⑥(後ろに否定が来る)区別を問題にする。「プロ、アマを問わない」☞問わず。▽音便の形は「問うた」「問うて」。[可能]問える。●問うに落ちず語るに落ちる[句] 人から聞かれたときはかくしとおしても、何げなく話していると、つい本当のことを言ってしまうものだ。●問うは一時(いっとき)の恥(はじ)[句] ⇩聞くは一時の恥(「聞く」の[句])。

←と・う[△訪う]ᵗᵒ(他五) [雅]おとずれる。▽音便の形は「訪うた」「訪うて」。

**とう[等] [一](副助) そのものを代表例としてあげ、ほかにもあることをあらわす。など。「暴力行為(こうい)―処罰(しょばつ)に関する法律」[アク]ウシとう・ネコーとう・イヌーとう。 [二][造] ひとしい。「一間隔(かんかく)・―価値」 [三][接尾] 順序・等級をあらわすことば。「一―(席)」

とう[湯][接尾] せんじぐすりの名。「葛根(かっこん)―(=かぜにきく薬)」

とう[統][接尾] 巻き網(あみ)などのひと組みを数えることば。「二―」

とう[×橙][造] だいだい色(をおびた)。「―赤色」

とう[灯] [一][造] 灯火。「室内―・信号―」 [二][接尾] あかりを数えることば。「五―」

とう[島] [一][造] しま。「無人―」 [二][接尾] しまを数えることば。「三―」

とう[盗][造] ①[文]どろぼう。「貴金属―・介抱(かいほう)―(=よっぱらいを介抱するふりをしてお金をぬすむ人)」 ②《野球》盗塁(とうるい)。「二―(=二塁への盗塁)」

とう[登][造] 登頂。「イギリス隊につぐ第二―」

とう[答][造] こたえ。「百問百―」

とう[筒] [一][造] つつ(の形の入れもの)。「通信―」 [二][接尾] 注射(のアンプル)を数えることば。

とう[頭] [一][造] ①あたま。「小児(しょうに)―大の筋腫(きんしゅ)」 ②最高指導者。首脳。「三―政治」 [二][接尾] ①大形の動物を数えることば。「牛五―・一―のクジラ・ウミガメ一―」 ②チョウなどの昆虫(こんちゅう)を数えることば。

**どう[同] [一]どう [文]前と同じことばを二回以上書く代わりに使う文字。同じく。「林一郎、―二郎」 [二]どう(連体) [文]その。「―県・―相(しょう)(=その大臣)・―店(てん)・―朝(あさ)の記者会見で」 [三][造] 同じ。「―系・―時刻」(↔異)

どう[胴] ①からだの中で、手足や、首から上の部分を除いた、中心となる部分。中に、いろいろの臓器がある。胴っ腹(ぱら)。 ②もの(のおもなところとなっている)中央の部分。 ③太鼓(たいこ)などの、皮をはって音を共鳴させる部分。☞「しゃみせん」の絵。 ④[ドウ]《剣道》胴①の前と横をおおう道具(を打つわざ)。 ⑤⇩どう(筒)②。

どう[動] [一]どう [文] ①動くこと。ゆるぐこと。「静中、―あり」(↔静) ②ある一つの方向に向かって起こる運動。「―は反動を生む」(↔反動) ③動物。「―、植(=植物)、鉱(=鉱物)」 [二][造]《理》震動(しんどう)。「水平―」

どう[堂] [一]どう ①神や仏をまつる建物。[日常語としては「お堂」のほうがふつう] ②[文]多くの人の集まる建物。「―をうずめる会衆・音楽―」 [二][接尾] 屋号・雅号(がごう)・建物の名前にそえる。「三省(さんせい)―(屋号)・大雅(たいが)―(雅号)・五大―(建物)」 ●堂に入(い)る[句] (研究・うでまえが)おく深いところまで進む。

どう[△筒] ①さいころを入れてふるつつ。 ②[胴](ばくちの)胴元(どうもと)。「―をとる」

*どう[道] [一]どう ①《法》府・県と同等の行政区画・地方自治体。北海道が相当する。 ②昔の地方区画の一つ。京都から通じる道路によって分けた。「東海―」 ③韓国(かんこく)・朝鮮(ちょうせん)の行政区画の一つ。日本の県に当たる。 ④↑北海道。「―経済・全―的に」 [二][造] ①みち。道路。「地下―・高速―・自動車―・登山―」 ②まもるべきみち。道徳。「商人―」 ③(技術と精神の両方をふくむ)専門の分野。みち。「野球―」 ④《碁・将棋(しょうぎ)》盤(ばん)に引いた筋。 ⑤↑自動車道。「中央―」

どう[銅] ①《理》赤っぽくつやのある金属[元素記号Cu]。うすく広げることができ、電気・熱をよく通す。合金や電線、硬貨(こうか)などに広く使う。あかがね。 ②↑銅メダル。「―七個」

**どう(副) ①[(行動・現象などの)ようすをたずねるときに使う。「―(か)しましたか・今日の夕飯は―しようか・(得意になって)―だ、おどろいたか・最近―よ?」[くだけたあいさつ]」 ②あきれたり、反対したりするときに使う。「だれも来ないとは、―したことだ・自分さえよければいいというのは―なのか(=賛成できない)・あんな子どもとけんかして―する(=やめておけ)」 ③こう、と一つに決まらないようすをさす。「―思われてもいい・―見ても不可能だ」 ▽どのよう(に)。どんなふう(に)。☞どういう・どうして・どうしようもない・どうでも。 ●どうということはない[句] べつに変わったことは(起こら)ない。何ということはない。どうってこと(は)ない[話]。「おくれても―(=困らない)・どういうことのない(=平凡(へいぼん)な)会話」

どう[洞][造] ①洞穴(どうけつ)。「海食―」 ②鍾乳洞(しょうにゅうどう)の名前の下にそえることば。「秋芳(あきよし)―(山口県)」

とうあ[東亜] アジア州の東部。東アジア。

どうあく[×獰悪](名・ダナ) [文]性質などがあらあらしく凶悪(きょうあく)な(こと・ようす)。

どうあげ[胴上げ・胴揚げ](名・他サ) 大ぜいの手でひとりの人のからだを横にして何回も続けてほうり上げること。お祝いの気持ちなどをあらわすためにする。

とうあつせん[等圧線]《天》天気図で、気圧のひとしいところを順々に結んでできた線。

とうあん[答案] 問題を解いたこたえ(を書いた紙)。「―用紙」

どうあん[同案] [一]どうあん [文]同じ〈案/考え〉。「―多数のさいは抽選(ちゅうせん)」 [二]どうあん その案。

とうい[糖衣] 砂糖分を表面にかけること。また、その砂糖分のころも。「―錠(じょう)」

どうい[同位] [文]同じ位置や順位・地位。 ●どういたい[同位体]《理》化学的性質が同じで、質量数だけがちがう原子どうし。アイソトープ。同位元素。例、水素と重水素。

どうい[胴衣] 胴着(どうぎ)。「救命―」

どうい[胴囲] ウエスト。

**どうい**【同意】《名・自サ》①〔相手と〕同じ意見〔だということを態度にあらわすこと〕。賛成。「人の発言に―する」②それを受け入れる、と示すこと。承諾(しょうだく)。「提案にしぶしぶ―する・―書」▽(↔不同意)③〔文〕同じ意味。同義。●**どういご**【同意語】⇩同義語。

**どういう**〔―ふ―ぃ〕《連体》どのような。どんな。どういった。「―わけだ」

**とういす**【(×籐)椅子】トウを編んで作ったいす。

**とういそくみょう**【当意即妙】《名・ダ》その場の様子にうまくあうように、機転をきかせるようす。「―の答え」派―さ。

**どう―いたしまして**【どう〈致しまして〉】《感》〔話〕相手のことばを否定〔してけんそん〕するときの、ていねいなことば。何をおっしゃいます。『お手数をおかけしました』『いえいえ、―』・『ありがとう』『―』」「どうつかまつりまして」はていねいで、古風な言い方〕✎⇩ありがとうございます。由来「どうしてそんなことがあるでしょうか」の意味。☞どうして㊁。

**とういつ**【統一】《名・他サ》ふぞろいな所をなくして、一つにまとめること。「政府の―見解・全国―」(↔分裂(ぶんれつ))●**とういつちほうせんきょ**【統一地方選挙】四年に一度、全国的に期日を統一しておこなう地方選挙。●**とういつてき**【統一的】ダ 全体を統一する立場にたつようす。

**どういつ**【同一】《名・ダ》〔文〕①同じこと。「―人」②平等。「―にあつかう」●**どういつし**【同一視】《名・他サ》〔文〕同一と見なすこと。平等にあつかうこと。

**とういん**【当院】この〔病〕院。

**とういん**【党員】党のなかまになっている人。

**とういん**【頭韻】〔詩で〕ことばのあたまに同じ音(おん)をくり返して使うこと。例、ならなななえ(=奈良七重)。(↔脚韻(きゃくいん))

**とういん**【登院】《名・自サ》議員が〈衆議院/参議院〉に出席すること。(↔退院)

**どういん**【動因】〔文〕直接の原因。動機。

**どういん**【動員】《名・他サ》①《軍》軍隊を戦時の編制にすること。また、そのために軍人を呼び集めること。(↔復員)②〔戦時に〕国内の資源・工場などを政府の管理のもとに集中すること。③ある目的のために、人やものを〈かり出す/集める〉こと。「組合員を―する・巨人(きょじん)阪神(はんしん)戦の観客―数」

**とうう**【凍雨】《天》氷のつぶとなって降ってくる雨。

**どうう**【堂宇】〔文〕堂の建物。

**どううら**【胴裏】《服》和服のあわせ・わた入れなどの胴の所につける裏地。

**とうえい**【灯影】〔文〕灯火〔のほかげ〕。

**とうえい**【冬営】《名・自サ》〔軍隊や探検隊などが〕キャンプをはって冬を越(こ)すこと。

→**とうえい**【投映】《名・他サ》スライドなどを映し出すこと。投影(とうえい)。「―機」

←**とうえい**【投影】《名・他サ》①姿を、あるものの上に映し出すこと。また、映し出された姿。「文学は時代精神の―だ」②《数》物の形をある方向から見て、平面の上に書きあらわ〈すこと/したもの〉。「―図」③⇩投映。

**とうえい**【倒影】《名・他サ》〔文〕水面などにさかさに映ること。また、そのかげ。「富士の―」

**どうえい**【道営】北海道が経営〈すること/しているもの〉。「―アパート」

**とうえん**【登園】《名・自サ》通っている幼稚(ようち)園・保育園に行くこと。(↔降園)

**とうおう**【東欧】欧州(おうしゅう)の東部。東ヨーロッパ。(↔西欧(せいおう))

**どうおう**【堂奥】(=堂のおく)〔文〕芸術・技術などの、おく深い所。「―に入(い)る」

**とうおく**【塔屋】⇩とうや(搭屋)。

**どうおや**【胴親・△筒親】⇩胴元(どうもと)①。

**とうおん**【唐音】日本に伝わった漢字の字音の一つ。平安中期から江戸(えど)末期までに中国語の発音が伝わったもの。宋音(そうおん)。唐宋音。例、あんどん(行灯)の行(あん)・灯(どん)。☞呉音(ごおん)・漢音。

**どうおん**【同音】①同じ音声。同じ発音。「―異義語〔⇩同音語〕」②同じ高さの音。③〔文〕声をそろえて言うこと。「異口(いく)―」●**どうおんご**【同音語】発音が同じに聞こえる、別なことば。「公園」と「講演」、「魅(み)せられる」と「見せられる」、「奇異(きい)」と「キー」など。同音異(義)語。

**とうおんせん**【等温線】《天》気温・水温のひとしいところを地図の上で結んであらわした線。

→**とうか**【灯下】〔文〕ともしびの下。「―、書をひもとく」

←**とうか**【灯火】あかり。ともしび。「無―」●**灯火親しむべき候(こう)** 句 読書にふさわしい季節。

**とうか**【等価】〔文〕ひとしい〈価格/価値〉。

**とうか**【透過】《名・自他サ》①〔文〕すきとおること。また、通りぬけること。②《理》光や放射線などが、物体の中を通りぬけること。

**とうか**【糖化】《名・自他サ》《理》酵素(こうそ)や酸のはたらきによって、でんぷんなどの多糖類を加水分解してブドウ糖などの小さい糖類に変えること。

**とうか**【投下】《名・他サ》①投げ落とすこと。「爆弾(ばくだん)を―する」②もとで・力などを、どんどんそれに使うこと。「資金を―する・労働力を―する・CMを―する」

**とうが**【冬芽】《植》夏から秋にかけて生じ、冬を越(こ)して春になって生長する芽。ふゆめ。

**とうが**【陶画】陶器や、陶製の板にかいた絵。

**どうか**【道歌】①仏教・心学などの教訓をよんだ歌。②武道の本質をよんだ歌。

**どうか**【銅貨】銅で作った硬貨(こうか)。

**どうか**【同化】《名・自他サ》①完全に自分の知識にすること。②他人を感化して、自分と同じようにすること。「―政策」③《生》生物が外界から取り入れたものを、自分のからだの成分にかえること。同化作用。(↔異化)

**どうか** ㊀《副》①相手にたのむとき、はじめにそえることば。どうぞ。「―助けてください」②どういうふうにか。「―なってしまいそうだ」㊁《〈か〉どうか で副助》①確かめる意味をあらわす。…か、それともそうでないか。「不正がないか―〈を〉調べる」②程度が小さくて、問題にならないことをあらわす。「少し雲が出るか―〈といった程度〉で、だいたい晴れるでしょう」㊂連 どうであるか。どうだろうか。「結果は―な」●**どうかと思う** 句〔そのようにすることは〕どうだろうか、あまり賛成できない。いかがなものか〔と思う〕。〔昭和初期からの言い方〕●**どうか―こうか**〔―うか〕《副》どうにかこうにか。やっと。●**どうか・**

する ㊀《自サ》調子がくるって ふつうの状態とちがうようになる。「きょうはどうかしている・どうかした（=何か、ちょっとした）はずみに・―と（=ともすると）」 ㊁《他サ》方法を考える。〈処置/処分〉する。「そこは、ぼくが―」

**どうが**【動画】①動く画像。ムービー。「―を撮る・インターネットの―（共有）サイト」（↔静止画） ②（↔動画映画）アニメーション。アニメ。③〔アニメ制作で〕「原画②」の間をつないで、細かい動きをあらわした絵。

**どうが**【童画】絵本の さし絵など、子どものためにかいた絵。「―ふうのタッチ」〔一九二二四年の武井武雄が「童画展にはじまる。子どものかいた絵は「児童画」と言う〕

**とうかい**【東海】①〔文〕東のほうの海。②ⓐ〔↑東海地方〕中部地方の太平洋がわ。静岡・愛知の二県。〔岐阜・三重をふくめることもある〕 ⓑ↑東海道。

●**とうかいどう**【東海道】①もと、日本を八つに分けた地域の一つ。伊賀・伊勢・志摩・尾張・三河・遠江・駿河・伊豆・甲斐・相模・武蔵・安房・上総・下総・常陸の十五国。②江戸時代の五街道の一つ。江戸の日本橋から京都の三条大橋まで。この間に、五十三の宿場〔=東海道五十三次〕があった。

**とうかい**【投壊】《名・自サ》〔「倒壊」のもじり〕《野球》〔俗〕フォアボールや暴投をかさねたり、何度も打たれたりして、投手陣が自滅すること。

☆☆**とうかい**【倒壊・倒潰】《名・自サ》 たおれて つぶれること。「―家屋」

**とうかい**【×韜×晦】《名・自サ》〔文〕才能・本心・本体などを、つつみかくすこと。

*__とうがい__【当該】〔文〕①それに当たる〈こと/もの〉。「―〔=その〕事項」②その係。「―（の）警察署」

**とうがい**【凍害】《農》農作物が寒さで こおったことによる被害。☞霜害。

**とうがい**【等外】 等級・順位の中に はいらないこと。「―に落ちる」

**とうがい**【頭蓋】《生》⇩ずがい。「―骨」

**どうかい**【道界】 公道と私有地との さかいめ。「―を示すプレート」

**どうがい**【道外】 北海道の そと。（↔道内）

**とうかく**【当確】①↑当選確実。「―が打たれる」②〔俗〕手に入れることが確実であること。「先発入りが―」

☆☆**とうかく**【頭角】〔=あたま（の さき）〕 すぐれた才能。「―をあらわす」

**とうかく**【倒閣】《名・自サ》 内閣をたおすこと。「―運動」

**とうがく**【陶額】 陶画に がくぶちをつけたもの。

**どうかく**【同格】①同じ格式。②《言》文の中で、ほかの語と同じ資格でならぶこと。例、「われわれ日本人は」の「われわれ」と「日本人」。

**どうがく**【同学】〔文〕㊀ どうがく 専門・学校・先生などが おたがいに同じである〈こと/人〉。「―の友」㊁ どうがく その大学。

**どうがく**【同額】〔文〕同じ金額。

**どうがく**【道学】①道徳を説く学問。「―的・―先生〔=道学者先生。けいべつした言い方〕」②⇩心学。

●**どうがくしゃ**【道学者】 道徳を重んじすぎて、人情の実際を軽く見る人。

**どうかせん**【導火線】①口火をつける線。道火。②事件の原因。「紛争の―」

←**とうかつ**【統括】《名・他サ》〈部分/一つ一つのもの〉をまとめること。「さまざまな意見を―する」

→**とうかつ**【統轄】《名・他サ》〔役所が〕多くの機関などを、まとめて取りあつかうこと。「政府が―する」

☆☆**どうかつ**【×恫喝】《名・他サ》〔文〕おどして こわがらせること。おどかし。

**とうから**《副》〔とう↑疾く〕〔古風〕はやくから。ずっと前から。とうに。

**とうがらし**【〔唐辛子〕】 香辛料に使う野菜の名。実は細長く、熟すと赤くなり、からみが強い。とんがらし〔俗〕。

**とうかん**【等閑】〔文〕いいかげん。なおざり。●**等閑に（付）する**㊊〔文〕ほうっておく。●**とうかんし**【等閑視】《名・他サ》〔文〕軽く考えて問題にしないこと。なおざりにすること。「事故は完全には防げないということが―されてきた」

**とうかん**【登館】《名・自サ》〔文〕図書館など、館と呼ばれるところへ行くこと。

**とうかん**【投×函】《名・他サ》〔函=はこ〕①郵便物を送るのに、ポストに入れること。②郵便物・チラシなどを郵便受けに入れること。

**とうがん**【〔冬×瓜〕】 夏にとれる野菜。スイカに似て長く、実は煮て食べる。とうが。

**とうがん**【東岸】〔文〕東がわの きし。（↔西岸）

**どうかん**【動感】〔文〕動いている〈という/ような〉感じ。「―にあふれた絵」

**どうかん**【導管】〔文〕水・ガスなどを引くくだ。パイプ。「主要―・―網」

**どうかん**【同感】《名・自サ》 同じように感じて賛成であること。「ぼくも―だ」

**どうがん**【童顔】㊀《名・ナダ》子どもっぽい かおつき。「―の老人」㊁ 子どもの かお。

←**とうき**【冬季】 冬。「―オリンピック・―休業〔=学校の冬休み〕」（↔夏季）

→**とうき**【冬期】 冬の間。「―限定品」（↔夏期）

**とうき**【当期】〔話題として取り上げている〕この期間。特に、この決算期。「―利益」（↔前期・次期）☞今期。

☆☆**とうき**【投機】〔=機会に乗じること〕①偶然の幸運や かねもうけをねらう行為。やま。「―心をあおる」②短期的な相場の変動を見こんで、株券や債券を売買すること。「―的・―筋」（↔投資）

←**とうき**【党紀】〔文〕党の風紀。

→**とうき**【党規】〔文〕党の規約。「―違反」

**とうき**【陶器】①粘土〔=陶土〕を原料としてつくり、あまり高くない温度で焼いた焼き物。厚みがあり、たたくと、にぶい音がする。吸水性がある。☞磁器。②陶磁器。やきもの。せともの。

**とうき**【頭記】〔文〕文書のはじめに書いた題目や要約。標記。

**とうき**【騰貴】《名・自サ》 ものの値段が〔急に、大幅に〕上がること。（↔下落）

☆☆**とうき**【投棄】《名・他サ》 投げすてること。「ごみの不法―」

と

☆☆**とうき**[登記]《名・他サ》〔法〕不動産の権利などに関することがらを、登記簿(ぼ)という公式の帳簿に書き入れて確実にすること。●**とうきしょ**[登記所]〔法〕登記の事務を取りあつかう役所。

**とうぎ**[党議]〔文〕その政党として正式に決めた意見。「一拘束(こうそく)(=党議で、法案への賛否などを議員に指示すること)」

**とうぎ**[闘技]〔文〕わざ・うでまえをくらべあうこと。「一場」

**とうぎ**[討議]《名・自他サ》一つのものごとについて意見をのべあうこと。ディスカッション。「方針の一」

**どうき**[同気]〔文〕同じようななかま。「一相(あい)求める」

**どうき**[同期] 一 どうき ①〔文〕同じ時期。②〔入学・卒業・入社などが〕同じ年度であること。「一生・一の社員」③〔文〕その〈時期/年度〉。二 どうき《名・自他サ》複数の〈機械の動作/コンピューターのデータ〉を連動させること。シンクロ(ナイズ)。「一信号」

**どうき**[動機] ①行動を起こさせる、直接の原因。きっかけ。「犯罪の一は何だったか」②〔音〕主題。モチーフ。●**どうきづけ**[動機(付け)] ①それをしようと思う動機をあたえること。モチベーション。②動機となる刺激(しげき)。動 動機づける《他下一》。

**どうき**[銅器] 銅や青銅でつくった器具。

☆☆**どうき**[〈動×悸〉]《名・自サ》①〔走ったあとや緊張(きんちょう)したときなどに〕心臓がどきどきすること。②〔医〕⇩しんきこうしん(心悸亢進)。

**どうぎ**[同義]〔文〕同じ意味。同意。●**どうぎご**[同義語] 中心となる意味が同じことば。「旅」と「旅行」、「かぎ」と「キー」など。同意語。〔広い意味では、類義語にふくまれる〕(⇔対義語・反意語)

↔**どうぎ**[胴着・胴^衣] ①そでなしの衣服。上着とはだ着との間に着たり、上着の上から着たりする。チョッキ。ベスト。②道着の上着。打ち合わせがあり、帯をしめて着る。

↔**どうぎ**[道着・道^衣] 武道をするときに身につける服。上下に分かれていて、帯などでしめて着る。

**どうぎ**[動議] 会議中に、会議の出席者が、予定以外の議題を持ち出すこと。また、その議題。「緊急(きんきゅう)一の提出」

☆☆**どうぎ**[道義] 人が実践(じっせん)すべき、正しい道理。「一がすたれる・一を重んじる・一的責任を取る(=辞任などをする)」

**どうぎ**[道議] ↑道議会議員。

**どうぎかい**[道議会]〔法〕道民から選ばれた議員が、北海道の行政に必要なことを決める議会。

**とうきび**[〈唐×黍〉]〔方〕とうもろこし。

**とうきゅう**[投球]《名・自サ》①《野球》打者に対して、投手がボールを投げること。また、投げたボール。②《ボウリング》ボールをころがすこと。

**とうきゅう**[等級] とうきゅう《名》・とうきゅう 接尾 ①順位、品質のいい・悪いなどの区分。くらい。「一をつける・二一の牛肉」②〔天〕星の明るさの単位。数が小さいほど明るくなる。六等星は六等級。☞等星。

**とうぎゅう**[闘牛] ①牛と牛をたたかわせる競技。うしあわせ。②人が強い牛とたたかう、スペインなどの競技。「一士」

**どうきゅう**[同級] ①同じ学級。「一生・一会」②同じ学年。「彼とは一だ」③〔文〕同じ等級。

**どうきゅう**[〈×撞球〉]〔文・古風〕⇩ビリヤード。

**とうぎょ**[統御]《名・他サ》〔文〕まとめておさめること。

**どうきょ**[同居]《名・自サ》①同じ家に住むこと。「両親と一する・一人(にん)・二世帯一」(⇔別居)②〔同じ所/同時〕にあること。「悲しさとうれしさが一する」

**どうきょう**[同郷] 郷里が同じであること。「一の友人」

**どうきょう**[道教] 漢民族の民間信仰(しんこう)。この世の幸福と不老長寿(ちょうじゅ)を求める。

**どうきょう**[銅鏡]〔歴〕古代の中国や日本で使われた、青銅製の鏡。裏面(りめん)に文様がある。

**どうぎょう**[同行]〔文〕①〔巡礼(じゅんれい)などの〕みちづれ。②同じ宗派の修行者(しゅぎょうしゃ)。③〔五十音図などの〕同じ行。●**どうぎょうににん**[同行二人]〔仏〕お遍路(へんろ)のかさ(笠)などに書きつけることば。「弘法大師(こうぼうだいし)さまとふたりづれ」の意味。

**どうぎょう**[同業] 同じ職業、または営業(の人)。「一者」

☆☆**とうきょく**[当局] ①政治の重要な仕事に関係する〈役所/人〉。「一の発表・一者」②ある組織の中で、そのことを取りあつかう責任を持つ〈ところ/人〉。「学校一」③〔文〕この(郵便)局。わたくしども(郵便)局。

**どうきょく**[同曲]〔文〕①やり方が同じであること。同工。②同じ曲。

**とうきょり**[等距離] へだたりの程度が同じであること。「双方(そうほう)から一・一外交」

**どうぎり**[胴切り] 胴のところで二つに切ること。

**どうきん**[同×衾]《名・自サ》〔衾=夜具〕〔文〕いっしょにねること。共寝(ともね)。

**とうく**[投句]《名・他サ》〔文〕俳句を投稿(とうこう)すること。投稿した俳句。

*__どうぐ__[道具] ①手に持ったりして、作業や仕事に使うもの。「大工一・(お)一箱」②生活や仕事に必要でそなえつけておくもの。器具・家具など。「炊事(すいじ)一・家財一」③〔俗〕⇩道具立て②。④他人に利用される人。●**どうぐだて**[道具立て] ①準備〈する/した〉道具。「小説の一を考える・議論のための一」②〔俗〕目・鼻・口など。(顔の)道具。「一の大きい顔」●**どうぐや**[道具屋] 古(ふる)道具屋。

**とうぐう**[東宮∴春宮]〔文〕皇太子。「一御所(ごしょ)」由来 もと、皇太子の宮殿(きゅうでん)の意味。皇居の東にあったから言う。「春宮」と書くのは、中国の五行説で方角の東と季節の春が対応するから。

**とうくつ**[盗掘]《名・他サ》許可なく、鉱物や植物、埋蔵(まいぞう)品などを掘(ほ)り出し、ぬすむこと。

**どうくつ**[洞窟] トンネルのようになったほらあな。

**どうくん**[同君]〔文〕その人。〔親しい同輩(どうはい)や目下に使う〕☞同氏・同人(どうにん)二。

**どうくんいじ**[同訓異字] ⇩異字同訓。

**とうけ**[当家]〔文〕①(私の)このうち。「一へ何の用だ」②〔ご一〕あなたのおうち。「ぜひご一へお願いしたい」

**とうげ**[峠] ①山をこえるときに、坂道をのぼりつめた所。「碓氷(うすい)一」②勢いのいちばん〈さかんな/たいへんな〉とき。「病気が―をこす」

**どうけ**［同家］〔文〕①同じ家系。同族。②その家。

**どうけ**［道化］①おどけること。こっけい。「―者・―師〔=ピエロ〕」②ピエロ。笑いものにされる人。「―役」

●**どう・ける**［道化る］《自下一》〔「道化」を動詞化したことば〕〔文〕おどける。ふざける。「道化たしぐさ」

**とうけい**［東経］〔地〕イギリスのグリニッジ（Greenwich）天文台を通る子午線を零度とし、それから東へはかった経度。百八十度まである。（↔西経）

**とうけい**［闘鶏］①ニワトリをたたかわせて楽しむ遊び。けあい。とりあわせ。②「闘鶏①」に使うニワトリ。例、シャモ。

**とうけい**［統計］《名・他サ》①ひっくるめて数えること。②〔数〕ある集団を、全体の数や平均・分布などの数字で〈あらわすこと／あらわしたもの〉。「人口の―・―表・―的にみると」

**とうげい**［陶芸］陶器の芸術。「―家・―品」

←**どうけい**［同形］〔文〕同じかたち。「―の角材」

→**どうけい**［同型］〔文〕同じかた。「―車両」

**どうけい**［同系］〔文〕同じ〈系統／系列〉。「―色・―会社」（↔異系）

**どうけい**［同慶］〔文〕同じように喜ばしいこと。「ご―のいたり」

**どうけい**［道警］↑北海道警察本部。

**どうけい**［憧憬］《名・自サ》〔文〕「しょうけい」の慣用読み。

**とうけいぶ**［頭×頸部］〔医〕脳より下、鎖骨より上の領域。耳・鼻・口・のどなどがふくまれる。

**とうげこう**［登下校］《名・自サ》登校と下校。学校の行き帰り。

☆☆**とうけつ**［凍結］《名・自他サ》①こおりつくこと。②資金・資産などの移動や使用を、一時禁じること。「海外資産の―」③賃金や価格を、ある期間動かさないこと。④ものごとの処理を一時保留にすること。⑤〔情〕⇩圧縮②。

**とうげつ**［当月］〔文〕この月。今月。

**とうけつ**［洞穴］〔文〕ほらあな。

**どうげつ**［同月］〔文〕■一 どうげつ 同じ月。「前年―比〔=一年前の同じ月との比較〕」■二 どうげつ その月。

**とうけん**［刀剣］かたな（とつるぎ）。

**とうけん**［闘犬］①犬をたたかわせて楽しむ遊び。②「闘犬①」に使う犬。例、とさいぬ。

**どうけん**［同権］権利が同じであること。対等の権利。「男女―」

**どうげん**［同源］起源が同じであること。

**とうげんきょう**［桃源郷］〔文〕俗世間をはなれた、平和でのどかな別世界。理想郷。（武陵）桃源。

由来 陶淵明の文章「桃花源記」で、中国・武陵の人が迷いこんだ、モモの林のおくにある理想郷から。

**とうご**［倒語］〔言〕⇩さかさことば②。

**とうご**［頭語］〔文〕①文章の書き出しのことば。②手紙の書き出しに使うことば。例、拝啓。▽（↔結語）

**どうこ**［銅×壺］かまどの形に作った、〈銅／鉄〉の湯わかし器。

**どうご**［同語］〔文〕①同じことば。②同じ意味のことば。「―反復〔⇩トートロジー②〕」▽（↔別語）

**とうこう**［刀工］〔文〕かたなをきたえて作る人。かたなかじ。

**とうこう**［灯光］〔文〕ともしびの光。

**とうこう**［投光］〔理〕光を束のように集めて照らすこと。「―器〔『―機』とも〕・―装置」

**とうこう**［東行］〔文〕〔飛行機などで〕東のほうへ行くこと。（↔西行）

**とうこう**［東郊］〔文〕東のほうの郊外。（↔西郊）

**とうこう**［陶工］〔文〕陶器を作る人。

**とうこう**［投降］《名・自サ》降参すること。「―兵」

**とうこう**［登校］《名・自サ》〔先生・生徒が〕学校に出ること。（↔下校）●**とうこうきょひ**［登校拒否］《名・自サ》⇩不登校。

**とうこう**［登高］《名・自サ》〔文〕高い山にのぼること。

**とうこう**［投稿］《名・自他サ》①新聞・雑誌などにのせてもらおうと、原稿・写真などを送ること。また、その原稿など。②〔インターネットで〕SNS・ウェブサイトなどに、文章・画像などを送信すること。また、その文章など。「動画―サイト」

**とうごう**［等号］〔数〕二つの数式がひとしいことをしめす符号。「＝」。イコール。（↔不等号）

**とうごう**［投合］《名・自サ》〔文〕〔気持ちが〕ぴったりとあうこと。「意気―する」

**とうごう**［統合］《名・他サ》一つにまとめあわせること。「組織の―・経営―」●☆☆**とうごうしっちょうしょう**［統合失調症］〔医〕幻覚や妄想が生じ、考え方・感じ方・行動のしかたなどに統一がとれなくなる、精神の病気。多く青年期に発病する。〔二〇〇二年からのことば。もと、「精神分裂病」と呼んだ〕

●**とうごうばくりょうかんぶ**［統合幕僚監部］〔法〕防衛大臣を補佐する統合幕僚長のもとで、陸上・海上・航空を統合した防衛について計画や調整などをする機関。統幕。

**どうこう**［同工］〔文〕こしらえ方が同じであること。同曲。●**どうこういきょく**［同工異曲］〔文〕似たり寄ったりであること。異曲同工。

**どうこう**［同好］好み・趣味が同じであること。「―会・―者・―の士」

＊**どうこう**［動向］動き。動く方向。「社会の―」

☆☆**どうこう**［瞳孔］〔生〕眼球の中心部分。黒目の中心を通って光線を取り入れ、ものを見る、小さな穴。ひとみ。「―が開く」☞虹彩。●**どうこうはんしゃ**［瞳孔反射］〔医〕瞳孔に光を急に当てたときに瞳孔が小さくなる、神経の反射。

**どうこう**［同行］■一 どうこう《名・自サ》いっしょに行くこと。みちづれ。「―者」■二 どうこう〔文〕その銀行。

**どうこう**《副・自サ》どうの こうの。とやかく。「―言える立場ではない」

**とうこうせいてい**［東高西低］①〔天〕東部の気圧が高くて、西部の気圧が低いこと。〔日本付近の、夏型の気圧配置〕②〔①のもじり〕成果・実力などに関して、東がわが西がわにまさること。▽（↔西高東低）

**とうこうせん**［等高線］〔地〕地図上で、高さの同じ地点をつないでできた線。

**とうごく**［当国］〔文〕この国。とうこく。

**とうごく**［東国］〔文〕①東のほうの国。②関東。

**とうごく**［投獄］《名・他サ》監獄・牢屋に入れ

ること。

**どうこく**[同国]〔文〕【一】どうこく 同じ国。「一人」【二】どうこく その国。

**どうこく**[×慟×哭]《名・自サ》〔文〕非常に悲しみ、大声をあげて泣くこと。

**とうこつ**[頭骨]《生》頭部を形づくっているほね。

**とうこん**[当今]〔文〕このごろ。ちかごろ。「一のご時世では」

**とうこん**[闘魂]〔文〕進んでたたかおうとする〈たましい/いきごみ〉。「不屈(ふくつ)の一」

**どうこん**[同根]〔文〕①〈根(ね)/根本〉が同じであること。②《言》共通の起源を持つこと。「一語」

**どうこん**[同×梱]《名・自他サ》〔文〕本体といっしょに梱包(こんぽう)〈すること/してある物〉。「振替(ふりかえ)用紙を一する・一の説明書」

**どうこんしき**[銅婚式]結婚してから七年目の記念日(を祝う式)。☞婚。

**とうさ**[等差]①等級〈の/による〉ちがい。②差が等しいこと。●**とうさきゅうすう**[等差級数]《数》等差数列の和。〔俗に「等差数列」をさすこともある〕(↔等比級数)●**とうさすうれつ**[等差数列]《数》となりあう二つの数の差が一定である数列。算術数列。例、1・3・5・7…。(↔等比数列)

**とうさ**[踏査]《名・他サ》〔文〕実地に調べること。「現地一」

☆☆**とうざ**[当座]①しばらく(の間)。「一の住まい・結婚(けっこん)した一は貧しかった・一しのぎ」②〔文〕その場。「一の人々」●**とうざのがれ**[当座逃れ]その場をつくろって、一時の責任をのがれること。●**とうざよきん**[当座預金]《経》預金者の署名した小切手や手形によって、受取人が現金を引き出せるしくみの預金。利子はつかない。

**どうさ**[動作]《名・自サ》①からだの動き。挙動。②〔機械の〕作動。

**どうざ**[同座]《名・自サ》【一】どうざ ①〔文〕同じ座(=演劇の団体)にいること。②同じ席(にすわること)。同席。【二】どうざ〔文〕その座(=演劇の団体または劇場)。

**とうさい**[当歳]〔文〕①その年の生まれ。「一馬」②⇨当年。

**とうさい**[陶彩]陶板に絵付けをすること。うわぐすりをかけて何度も焼く。「一画」

**とうさい**[盗採]《名・他サ》採取を禁止されている植物を許可なくとること。

←☆☆**とうさい**[搭載]《名・他サ》①飛行機・貨車・船に(荷物などを)積みこむこと。積みこみ。②電子機器などに、部品や機能をそなえること。

→**とうさい**[登載]《名・他サ》〔文〕〈書いて/印刷して〉のせること。掲載(けいさい)。「名簿(めいぼ)に一する」

**とうざい**[東西]【一】とうざい ①ひがしとにし。(↔南北)②〔文〕方向。方角。「一を見失う」③ひがしがわとにしがわ。【二】《感》口上をのべる前に言うことば。東西東西。「一屋(⇨ちんどん屋)」●**とうざいとうざい**[東西東西]《感》⇨東西【二】。〔「とざいとうざい」とも〕

**どうざい**[同罪]〔文〕同じつみ。

☆☆**とうさく**[倒錯]《名・自サ》〔文〕〈ふつうの、または健全な状態にくらべて〉さかさまに〈なる/する〉こと。「一した愛情・性的一」

**とうさく**[盗作]《名・他サ》他人の作品をぬすんで使うこと。また、そうしてできた作品。

**どうさく**[同作]〔文〕【一】どうさく 同じ〈人/様式〉の作品。「これとこれは一だ」【二】どうさく その作品。

**とうさつ**[盗撮]《名・他サ》⇨ぬすみどり。

☆☆**どうさつ**[洞察]《名・他サ》観察して、かくれた所や将来の様子まで見ぬくこと。透察(とうさつ)。「将来を一する・一力」

**とうさん**[父さん]「おとうさん」よりややくだけた言い方。(↔母さん)

**とうさん**[当山]〔文〕この寺の区域(の中)。とうざん。

**とうさん**[東山]①(↑東山地方)中部地方の中央部。岐阜・長野・山梨の三県。②↑東山道。●**とうさんどう**[東山道]もと、日本を八つに分けた地域の一つ。近江(おうみ)・美濃(みの)・飛騨(ひだ)・信濃(しなの)・上野(こうずけ)・下野(しもつけ)・陸奥(むつ)・出羽(でわ)の八国。

**とうさん**[島産]〔文〕その島の生産。「一パイン・一品」

**とうさん**[倒産]《名・自サ》《経》経営が行きづまってしはらいができなくなり、自力で回復する見こみが立たなくなること。

**とうざん**[唐桟]赤や紺(こん)などの細かいしま(縞)を縦にあらわした、もめんの織物。

**どうさん**[動産]《法》不動産以外の財産。例、現金・商品など。(↔不動産)

**どうさん**[道産]北海道〈産/生まれ〉。「一バター」☞道産子(どさんこ)。

**どうざん**[銅山]銅をほり出す山。

**とうさんさい**[唐三彩]唐の時代に作られた三彩の焼き物。多く副葬品(ふくそうひん)として使われた。「一のつぼ」

**とうし**[唐紙]竹を原料にまぜた、中国の紙。目があらくて、書画などに使う。☞からかみ(唐紙)。

**とうし**[唐詩]唐の時代に書かれた漢詩。

**とうし**[陶歯]《医》陶器で作った入れ歯。

**とうし**[闘士]①〔文〕たたかう兵士。「一型の体格」②主義のために活動する人。「独立運動の一」

**とうし**[闘志]たたかおうとする意気。「一を燃やす・一満々」

**とうし**[凍死]《名・自サ》こごえて死ぬこと。

****とうし**[投資]《名・自他サ》①財産をふやすために、また、利益をもとめて、資本を出すこと。出資。「一家」②長期的な相場の変動や利回りを考えて、株券や債券(さいけん)を買うこと。「一資金」(↔投機)●**とうししんたく**[投資信託]《経》一般(いっぱん)投資家から資金を集め、これを株式などに投資して、得た利益を投資家に分配するしくみ(の商品)。金融(きんゆう)機関で販売(はんばい)され、投資信託会社が運用し、信託銀行が資産管理をする。オープン型などがある。投信。●**とうしファンド**[投資ファンド]《経》投資家から資金を集め、事業などに投資して利益を配分するしくみ。投資組合。ファンド。

**とうし**[透視]《名・他サ》①ものの向こうをすかして見ること。「川の一度が悪い・超(ちょう)能力の一術」②〔文〕遠くを見通すこと。「将来を一する」③《医》からだの内部を通ったX線を蛍光(けいこう)板に当てて、からだの中を見ること。●**とうしず**[透視図]《美術・建築》遠くを見通したときのように、遠近感のある図。パース〈ペクティブ〉。透視画。「一点—〈=一点から放射状に引いた線にもとづいて作成した図〉」

**とうじ**［冬至］《天》二十四節気の一つ。北半球では、一年じゅうで昼の時間がいちばん短い。十二月二十二日ごろ。ゆず湯にはいったり、カボチャを食べたりする習慣がある。（↕夏至(げし)）

**とうじ**［当寺］〔文〕この寺。わたくしどもの寺。

**とうじ**［当事］〔文〕直接、そのことに関係すること。「—国」 ●☆☆**とうじしゃ**［当事者］ ①その事件に直接関係のある人。「—間で話し合う」（↕第三者） ②責任をもってことがらを処理できる人。「—能力〈=当事者として行動できる能力〉」

**とうじ［当時］ ①過去の、ある時期。そのとき。そのころ。 ②〔古風〕現在。いま。「—売り出しの男」

**とうじ**［×杜氏］ 酒を造る職人（のかしら）。とじ。

**とうじ**［悼辞］〔文〕弔辞(ちょうじ)。

**とうじ**［陶磁］ ↑陶磁器。「—界・—史」

**とうじ**［答辞］〔文〕祝辞・式辞・送辞にこたえてのべることば。

**とうじ**［湯治］《名・自サ》 しばらく温泉にとまってけが・病気を治すこと。食事はおもに自炊(じすい)。「—場(ば)」

↑**どうし** 【一】［同士］ 同じなかま。 【二】［(同士)］ 造 おたがいに、同じ〈性質/関係〉である〈こと/人〉。「女は女—・かたき—」 ●**どうしうち**［同士討ち・同士打ち］ なかま同士で〈討ち合う/争う〉こと。「暗やみで—になる」

↑**どうし**［同志］ 同じこころざしの人。「—をつのる」

**どうし**［同氏］〔文〕その人。〔敬意をふくんだ客観的な呼び方〕 ☞同君・同人(どうにん)【二】。

**どうし**［動詞］《言》品詞の一つ。動作・作用・存在などをあらわし、五十音図のウ段の音で言いきる活用語。例、歩く・落ちる・ある。☞付録「動詞活用表」。

**どうし**［道士］ 道教の修行(しゅぎょう)をした人。

**どうし**［導師］《仏》法会(ほうえ)・葬式(そうしき)を、主となってとりおこなう僧(そう)。

**どうし**［同視］《名・他サ》〔文〕区別せず、同じと見ること。同一視。

**どうじ**［同字］〔文〕 ①同じ一つの文字。（↕異字） ②同じ漢字。例、「島と嶋」「略と畧」。 ●**どうじいどく**［同字異読］ 一つの漢字で、ちがう読み方をすること。例、「床(とこ・ゆか)」「楽(らく・たのしい)」。☞異字同訓。

****どうじ**［同時］ ①同じとき。「ほとんど—にゴールした・二本—上映・終業と—に帰る・《映画・放送》—録音〈⇩同録〉」 ②〔文〕同じ時代。「孔子(こうし)と—の人」 ●**どうじたはつ**［同時多発］《名・自サ》 同じ時期に同様のことが、あちこちで起こること。「—テロ事件」 ●**どうじつうやく**［同時通訳］《名・他サ》 相手が話すのとほぼ同時におこなう通訳。国際会議などで用いる。（↕逐次(ちくじ)通訳） ●**どうじに**［同時に］ 【一】《と同時にで接助》…とともに。「長所であると—短所だ」 【二】《接》 それとともに。「文章がわかりやすい。(と)—、ユーモアもある」

**どうじ**［童子］ 【一】**どうじ** 〔文〕子ども。児童。「三歳(さい)の—でもわかることだ」 【二】 接尾 《仏》死んだ男の子の戒名(かいみょう)につけることば。

**とうしき**［等式］《数》二つの〈式/数〉を、等号「=」で結びつけたもの。（↕不等式）

**とうじき**［陶磁器］ 陶器と磁器。やきもの。

**とうじご**［頭字語］〔英語などで〕複数の語の頭(かしら)文字をつないで、一語のように読むもの。アクロニム（acronym）。例、ROM(ロム)〈←read only memory〉。〔CG《←computer graphics》のようにそのまま読むものは「頭文字略語」などと言う〕

**どうした**《連体》 どのような。どういった。「いったい—わけだ」

**どうじだい**［同時代］ ①〔その人やものごとと〕同じ時代。「かれの—人」 ②〔自分たちの生きる〕現代。「—史」

☆☆**とうしつ**［糖質］《理》栄養素の一つ。からだにとって、エネルギーのもとになるもの。糖類・でんぷんなどをまとめた呼び名。〔炭水化物のうち、食物繊維(せんい)を除いたもの〕（↕たんぱく質・脂質(ししつ)）

**とうしつ**［透湿］《名・自サ》〔文〕湿気(しっけ)を通すこと。「—性〈=からだのあせ・水分などを生地(きじ)の内がわから外がわに通す性質〉」

**とうしつ**［等質］《ナダ》〔文〕 ①二つ（以上）のものがひとしい〈成分/性質〉であること。（↕異質・等量） ②均質。「全体が—になるようにまぜる」

**とうじつ**［当日］ その日。「試験(の)—・—売り〈=ⓐ入場券を、開演の日に売ること。ⓑ切符(きっぷ)を、出発の日に売ること。▽↕前売り〉」

**どうしつ**［同質］〔文〕二つ（以上）のものが同じ〈成分/性質〉であること。（↕異質・同量）

**どうしつ**［同室］ 【一】**どうしつ**《名・自サ》 部屋が同じであること。 【二】**どうしつ** 〔文〕その部屋。

**どうじつ**［同日］〔文〕 【一】**どうじつ** 同じ日。「—発売」 【二】**どうじつ** その日。「—午後」 ●**同日の談で(は)ない** 句 〔文〕同時には論じられない。くらべものにならない。日を同じくして論ずべきでない。同日の論で(は)ない。「A国の経済力は、弱小なB国のそれと—」

***どうして** 【一】《副》 ①理由を問うときのことば。「—わかってくれないのか」〔「なぜ」よりもやわらかい言い方〕 ②どんな(ふう)にして。いかにして。「あなたは—暮らしていますか」 ③〔後ろに反語が来る〕まさか…ない。「—ぬすみなどはたらくものか」 ④〔前を否定して〕いや、そんなことはなく。意外にも。なかなか どうして。「本人はけんそんするが、—(—)りっぱなものだ」 【二】《感》 相手のことばを強く打ち消すことば。とんでもない。『お仕事は順調なんでしょう?』『—、—』 ☞どういたしまして。 ●**どうしてかというと**［どうしてかと(言うと)］(ーいふと)《接》 そのわけは。☞なぜなら。 ●**どうしても**《副》 ①どんなことがあっても。必ず。「—やりとげる」 ②どういうふうにしても。「—できない・—気になる」

**とうしゃ**［当社］ ①この会社。わたくしどもの会社。（↕貴社・御社(おんしゃ)） 区別 「**当社**」はけんそんした言い方で、会話や手紙、報告書などに広く使える〔社内でも使う〕。「**弊社**(へいしゃ)」はもっとけんそんした、かたい言い方で、改まった場面・手紙などで使う〔一九八〇年代から会話でも一般(いっぱん)化〕。「**小社**」もかたく、手紙ではやや小さな字でしるす会社もある。「**本社**」は客観的な言い方で、ふつうの文章で使えるが、「支社」の対義語とまぎれる場合がある。会話では「**わたくしども**では…」などの言い方でもけんそんの気持ちが伝わる。「当店・弊店」などの区別も同様。②〔文〕この神社。

**とうしゃ**［投写］《名・他サ》〔文〕〔スライドを〕うつすこと。

**とうしゃ**［投射］《名・他サ》〔文〕〔光などを〕投げかけること。

**とうしゃ**［透写］《名・他サ》〔文〕絵や図面の上にうすい紙を置いて、なぞって写すこと。透き写し。

**とうしゃ**［謄写］《名・他サ》①〔文〕原文のとおりに書き写すこと。②謄写版による印刷。謄写印刷。「—用原紙」 ●**とうしゃばん**［謄写版］ ろうを引いた紙に鉄筆で字を書き、手軽に印刷する道具。孔版の一種。ガリ版。

**どうしゃ**［同車］〔文〕㊀どうしゃ《名・自サ》同じ車に乗ること。「友人と—する」㊁どうしゃ その車。

**どうじゃ**［道者］〔文〕①巡礼する人。②仏教や道教を修める人。

**とうしゅ**［当主］ その家の〈現在/そのとき〉の主人。当代。「当時の—」（↔先代）

**とうしゅ**［投手］《野球》バッターにボールを投げる人。ピッチャー。「勝利—」

**とうしゅ**［党首］ 党のかしら。●**とうしゅとうろん**［党首討論］〔国会で〕首相と野党党首とのあいだで、時間を決めておこなわれる政策についての討論。クエスチョンタイム。

**どうしゅ**［同種］〔文〕①同じ種類。「—のキノコ・—の発言」（↔異種・別種）②同じ人種。「同文—」（↔異種）

**どうしゅ**［同趣］〔文〕同じ〈趣旨/趣向〉。「—の記述」

☆☆**とうしゅう**［踏襲］《名・他サ》〈前の人が/以前に〉やった方法や考えを〕そのまま受けつぐこと。「先例を—する・前例—主義」

**どうしゅう**［同臭］〔文〕①同じくさみ(のあること)。②同じ(趣味の)なかま。

**どうしゅう**［銅臭］〔=銅貨のいやなにおい〕〔文〕わいろなど、きたない お金の気配。「—を帯びた政治」

**どうしゅう**［同舟］《名・自サ》〔文〕同じ舟に乗ること。☞呉越同舟。

**トウシューズ**〔toeshoes〕〔toe=足の指〕 バレエで、つま先で立っておどれるように、先が かたく たいらになったくつ。トゥ シューズ。トー シューズ。

**どうしゅうせい**［道州制］ 都道府県を再編成して全国をいくつかのブロックに分け、広域行政権を認める制度。〔現在は議論の段階〕

**とうしゅく**［投宿］《名・自サ》〔文〕旅館に とまること。

**どうしゅく**［同宿］《名・自サ》〔文〕同じ〈やどや/下宿〉にいる〈こと/人〉。

**どうしゅつ**［導出］《名・他サ》〔文〕ある結論をみちびき出すこと。

**とうしょ**［当初］ 最初。はじめ。「—の計画が くるう」

**とうしょ**［当所］〔文〕①この所。ここ。こちら。☞ご当所。②この(事務)所。

**とうしょ**［島×嶼］〔文〕しま。しまじま。「—部」

**とうしょ**［投書］《名・自他サ》自分の意見を新聞や公共の機関に書いて〈送ること/送った文章〉。「新聞の—欄」

**とうしょ**［頭書］《名・他サ》〔文〕書類の はじめに書いたことば。「—の成績をおさめたので表彰する」

**とうじょ**［倒叙］《名・他サ》時間の順序を逆にしてのべる技法。例、小説で、犯人が初めから わかっていて、犯行の理由を明らかにしていく書き方。

**どうしょ**［同所］〔文〕㊀どうしょ 同じ所。㊁どうしょ ①その所。そこ。②その(事務)所。

**どうしょ**［同書］〔文〕その本。

**どうじょ**［同女］〔文〕その女(の人)。「—所有の現金をうばい」〔客観的な言い方〕☞同人㊁。

**どうじょ**［童女］㊀どうじょ〔文〕女の子ども。どうによ。㊁接尾《仏》死んだ女の子の戒名につけることば。

**とうしょう**［刀匠］〔文〕かたなかじ。刀工。

**とうしょう**［東証］ ↑東京証券取引所。

**とうしょう**［凍傷］《医》しもやけ。

**とうしょう**［闘将］〔文〕①たたかう大将や指導者・選手。②先頭に立って活動する人。「近代建築の—」

**とうじょう**［党情］〔文〕党の内部の ようす。

**とうじょう**［東上］《名・自サ》〔文〕西の地方から東京へ行くこと。（↔西下）

**とうじょう**［搭乗］《名・自サ》〔飛行機・船などに〕〈乗客/乗員〉として のりこむこと。「—客・—員〔=クルー〕」 ●**とうじょうけん**［搭乗券］ その飛行機の座席を指定した切符。☞航空券。

***とうじょう**［登場］《名・自サ》①舞台に出ること。とじょう。「—人物」②(世間に)あらわれること。「新製品が—する」▽（↔退場）

**どうしょう**［銅賞］〔展覧会・コンクールなどで〕第三位の入賞。

**どうじょう**［同上］〔文〕上に書いたことがらと同じであること(をしめすことば)。

**どうじょう**［堂上］〔文〕公家。とうしょう。「—〔=公家出身の〕華族」

**どうじょう**［道場］①《仏》仏道を修行する場所。②武芸を練習する場所。③特訓をする場(所)。「将棋—・漫画—」 ●**どうじょうやぶり**［道場破り］ 武芸の道場などに おしかけて、試合をして勝つ〈こと/人〉。

**どうじょう**［同乗］《名・自サ》〔文〕①〔つれの人と〕いっしょに乗ること。②乗りあわせること。

**どうじょう**［同情］《名・自サ》自分以外の人の苦しみ、かなしみなどを、自分の身に起きたように感じ、思うこと。おもいやり。「—の念・—が集まる」

**どうしょういむ**［同床異夢］〔文〕同じ立場にありながら、別な考えを持つこと。「—の三党首」

**とうしょうめん**［刀△削麺］ かためにこねた小麦粉を包丁で けずり取りながら、沸騰した湯に入れて、ゆであげた めん(を用いた料理)。タオシャオミエン。〔中国・山西地方の料理〕「麻辣—」

**どうしようもない**《形》〔しよう=する方法〕①解決の方法が何もない。「医者にも—病気」②役に立たない。むだだ。「今さら なげいても—」③非常に悪い。だめだ。最低だ。「—馬・—やつだな」丁寧 どうしようもありません。派 -さ。

**とうしょく**［当職］《代》〔文〕〔この職務についている〕自分。わたくし。☞小職㊁。

**どうしょく**【同色】同じ色。「―系統」

**どうしょくぶつ**【動植物】動物と植物。

**とう・じる**【投じる】〔文〕[一]《自上一》①つけいる。「機に―」②なかまにはいる。「山賊に―」③やどる。「旅宿に―」④あう。一致する。「時流に―・人気に―」⑤降参する。「敵軍に―」⑥身を投げる。「水に―」[二]《他上一》①投げる。「石を―・身を―」②いれる。「一票を―」③投げだす。「筆を―」④〔おしまないで〕出す。はらう。「大金を―」⑤つぎこむ。おろす。「資金を―」▽[一][二]投ずる。

**どう・じる**【動じる】《自上一》〔文〕あわてる。動ずる。「ものに動じない人」

**とうしろ**【〈藤四〉郎】・トウシロ】〔俗〕「しろうと(素人)」のさかさことば。とうしろう。トーシロ(ー)。

**とうしん**【刀身】〔文〕刀の、さやに包まれた、本体の部分。

**とうしん**【灯心】灯油にひたして あかりをつける、糸の細いたば。

**とうしん**【投信】《経》↑投資信託。

**とうしん**【盗心】〔文〕ぬすもうとする心。

**とうしん**【等身】〔文〕身長と同じ高さ。「―像」

●☆☆**とうしんだい**【等身大】①彫刻などで、実際の寸法とちがわないこと。②誇張や飾ることもせず、実際のとおりであること。「―の夏目漱石」

**とうしん**【等親】「親等」の慣用的な言い方。

**とうしん**【投身】《名・自サ》自殺するために、川・海・井戸などに飛びこんだり、高い所から飛びおりたりすること。身投げ。「―自殺」

**とうしん**【東進】《名・自他サ》〔文〕東のほうへ進むこと。「太平洋を―する」(↕西進)

☆☆**とうしん**【答申】《名・自他サ》上の人からの質問に答えて、案をのべること。「―書・最終―案」

**とうしん**【頭身】接尾 頭が身長の何分の一かを示す数字。「六―」☞八頭身。

**とうじん**【党人】〔文〕①政党に属する人。②〔官僚出身などでなく〕その政党はえぬきの人。「―派」

**とうじん**【唐人】①昔、中国人をさしたことば。②江戸時代、外国人をさしたことば。「―船」●**とうじんのねごと**【唐人の寝言】ちんぷんかんぷん。

**とうじん**【×蕩尽】《名・他サ》〔文〕すっかり使ってしまうこと。使い果たすこと。「財産を―する」

**どうしん**【同心】①〔文〕同じ考えを持っていること。「―の者」②《数》中心が同じであること。③《歴》江戸時代、与力の下についた下級の役人。今の刑事に当たる町方同心が有名。●**どうしんえん**【同心円】《数》中心を同じくする円。

**どうしん**【童心】子どものような、むじゃきな心。「―に返る」

**どうしん**【道心】《仏》①仏道を信じる心。「―を起こす」②仏道を信じる人。「にわか―」

**どうじん**【同人】〔文〕同じ目的を持って集まり、同好会・結社などを作るなかま。どうにん。「―雑誌・漫画の―誌」☞どうにん(同人)。

**どうじん**【道人】〔文〕俗世間のことをすてた人。〔おもに雅号の下にそえて使う〕

**とうしんせん**【等深線】《地》地図で、海や湖などのふかさのひとしい点をつないでできた曲線。

**とうすい**【透水】〔文〕水がしみとおること。「―性舗装」

☆☆**とうすい**【陶酔】《名・自サ》うっとりとした気持ちにひたること。「自己―・―境」

**とうすい**【統帥】《名・他サ》〔文〕軍隊をまとめひきいること。「―権・―部」

**どうすい**【導水】《名・自サ》〔文〕水をみちびいて流すこと。「―管」

**とうすう**【頭数】動物のかず。「飼育―」

**どうすう**【同数】〔文〕同じかず。

**どう・ずる**【同ずる】《自サ》〔文〕〔しっかりした考えもなく〕賛成する。「和して同ぜず〔⇩「和する」の句〕」

**どうすん**【同寸】同じ寸法。

**とうぜ**【党是】〔文〕その政党の根本的な方針。

**どうせ**《副》①どういうふうにしても。結局は。「―返事は来ないから、たずねても むだだ・―おれは だめだ〔投げやりな言い方〕」②〔―…なら(ば)など〕わざわざ…する以上は。「―買うなら新品がいい・―なら〔=いっそのこと〕一番をめざそう」③〔見くびって〕きっと。「―どこかで飲んでいたんだろう・―だれも気にしないよ」

**とうせい**【当世】〔文〕今の世ょ。現代。「―風〔=現代的〕」

**とうせい**【党勢】〔文〕党の勢力。

**とうせい**【頭声】《音》頭のほうに ひびかせて出す、高い声。「―発声」(↕胸声)

**とうせい**【騰勢】《経》物価が上がろうとする〈勢い/傾向〉。(↕落勢)

**とうせい**【東征】《名・自サ》〔文〕東の地方を征伐すること。東方に遠征すること。(↕西征)

☆☆**とうせい**【統制】《名・他サ》①全体的に おさえ、とりしまって、勝手にさせないようにすること。「報道の―を強める・価格―」②全体で一つの動きをするよう、まとめること。「―の取れた応援・―が乱れる」

**とうせい**【等星】接尾《天》…等級の明るさをもつ星。一等星は、二等星の約二・五倍明るい。☞等級②。

←**どうせい**【同姓】同じ みょうじ。「―同名」

→**どうせい**【同性】①男女や雌雄の性が同じである〈こと/もの〉。「―婚〔=同性の結婚〕」②当人と同じ性の人。「―の評判がいい」▽(↕異性) ●**どうせいあい**【同性愛】自分と同性の人に対する恋愛。(↕異性愛)☞ホモセクシュアル・ゲイ・レズビアン。

←**どうせい**【動勢】《美術》動きを感じさせる形や構成。ムーブマン(フ mouvement)。

→**どうせい**【動静】〔文〕ようす。消息。「学界の―」

**どうせい**【道政】北海道の行政。

**どうせい**【道勢】〔文〕数字であらわした、北海道の(経済上の)状態。

**どうせい**【同×棲】《名・自サ》①〔文〕同じ家に住むこと。同居。②正式の夫婦でない恋人どうしが、いっしょに住むこと。「―生活」

**どうぜい**【同勢】〔文〕いっしょに行く人々。「―十人」

**とうせき**【党籍】党員としての籍。

**とうせき**【投石】《名・自サ》〔文〕石を投げつけること。「民衆が王宮に―する」

**とうせき**【透析】《名・他サ》《医》↑人工透析。

**どうせき**【同席】《名・自サ》①〔文〕同じ〈席/席次〉。②同じ席につくこと。▽同座。

とうせつ【当節】〔古風〕このごろ。当今。「—の若者」

とうせつ【投雪】《名・自サ》除雪した雪を投げ捨てること。「—禁止区域・—筒(とう)」

どうせつ【同説】〔文〕㊀どうせつ 説が同じであること。同じ説。㊁どうせつ その(学)説。

とうせん【当選】《名・自サ》①選挙で、えらばれること。「—人(=議会の選挙で、当選した人)」(↔落選) ②【当(×籤)】くじにあたること。「—者・—率」

とうぜん【東漸】《名・自サ》〔文〕文明や勢力がしだいに東の方へ移り進むこと。「仏教—」(↔西漸)

とうぜん【陶然】《(トタル)》〔文〕気持ちよく酔(よ)うようす。

**とうぜん【当然】《副・(ナダ)》①自然で、ふしぎがないようす。あたりまえ。「—(のことながら)批判が出た・—(の/な)結果」②《法》自動的。「法律上—(に)認められる」

↔☆☆どうせん【動線・導線】(建物の中などで)人が歩く経路を線に見立てたもの。「客の—を考える」

↑どうせん【導線】①電流を通すための針金。②⇨動線。

どうせん【銅銭】銅で造られた貨幣(かへい)。

どうせん【銅線】銅で作った針金。

どうせん【同船】〔文〕㊀どうせん《名・自サ》同じ船に乗ること。㊁どうせん その船。

↔どうぜん【同前】〔文〕文章の中で、前にのべたことと同じであること(をしめすことば)。

↑どうぜん【同然】同じであること。「紙くず—・ただ—で売る・学んで実行しないのは、学ばないも—だ」

*どうぞ ㊀《副》①ものをすすめるとき、案内するとき、許しをあたえるときなどに使うことば。「お茶を—・こちらへ—・—お好きに・おだいじに—」[注](1)改まった場でも、気楽な場でも使える。(2)相手の利益になる場合に使う。先生にお菓子(かし)をさしあげるときは「どうぞ」と言うが、レポートを提出するときは「お願いします」がいい。②改まってたのむときに使うことば。どうか。「—お待ちください・—よろしくお願いいたします」㊁《感》〔話〕無線通話で、発言の後に、相手の発言をうながすことば。「こちら感度良好、—」

とうそう【刀創】〔文〕刀で切られた傷。

とうそう【党争】〔文〕党派どうしのあらそい。

とうそう【党葬】〔文〕党が主体となっておこなう葬式(そうしき)。

とうそう【凍×瘡】〔医〕しもやけ。凍傷。

とうそう【痘×瘡】〔医〕天然痘(てんねんとう)。

とうそう【逃走】《名・自サ》とらえられている状態から、にげだすこと。「犯人は、連行中に—をくわだてた」
☆☆とうそう【闘争】《名・自サ》①あらそい。たたかい。②賃上げ・合理化反対などのため、労働組合が使用者などとあらそうこと。また、学生運動で、学生が大学・政府などとあらそうこと。[表記]俗に「△斗争」とも。
とうぞう【頭像】頭だけの彫刻(ちょうこく)。

どうそう【同窓】卒業した学校が同じである(こと/人)。「—会・—生」

どうぞう【銅像】青銅で作った肖像(しょうぞう)。

とうそく【党則】〔文〕政党の規則。党規。

とうぞく【盗賊】(集団の)どろぼう。

どうぞく【同族】〔文〕①同じ民族・種族。②同じ血筋でつながるもの。一族の者。「—会社」

どうぞく【道俗】〔仏〕僧(そう)と俗人。

どうそじん【道祖神】村の境や峠(とうげ)にたて、通行人・旅人を守るというかみ。さいのかみ。

[どうそじん]

とうそつ【統率】《名・他サ》多くの人をまとめてひきいること。「—力・全軍を—する」
☆☆とうた【×淘汰】《名・他サ》(=水であらい流すこと)①〔文〕いいものを取り上げて悪いものをすてること。「人員—(=整理)」②《生》生存競争の結果、環境(かんきょう)に適応できない者がほろびること。「自然—」
とうだ【投打】《野球》投げることと打つこと。投手力と打撃(だげき)力。「—がかみ合う・—にすぐれたチーム」
とうだい【当代】〔文〕①当世。現代。「—随一(ずいいち)の切れ者」②当主。(↔先代)
とうだい【灯台】①港の出入り口・みさきなどに築かれ、光を出して船の目じるしとなる、塔(とう)の形の建物。②〔文〕灯火をのせる台。

[とうだい②]

●灯台下(もと)暗し[句]〔文〕手近なことは、かえってわからない。[由来]「灯台②」の下が暗いことから。●とうだいもり【灯台守】「灯台①」の管理をする人。
どうたい【同体】①〔文〕(別々のものが)同じと見なせること。「一心—」②同一のからだであること。「雌雄(しゆう)—」③《すもう》力士がいっしょに倒(たお)れること。「両者—に土俵下に落ちる」
どうたい【胴体】①からだの、胴の部分。「—が長い」②船舶(せんぱく)・航空機などの主体の部分。●どうたいちゃくりく【胴体着陸】《名・自サ》車輪が使えなくなった飛行機が、機体を地面にこすりつけながら着陸すること。
↔どうたい【動体】《理》運動している物体。「—視力(=動体を見る視力)」(↔静止視力)
↑どうたい【動態】動いている状態。「人口—調査(=人口がどう移り変わっているかの調査)」(↔静態)
どうたい【導体】《理》(熱・電気)を伝えやすい物体。金属が代表的。(↔不導体)[参]半導体。
どうたく【銅×鐸】青銅で作った、日本独特の、つりがね形の器具。弥生(やよい)時代人が祭りのときに使ったといわれる。

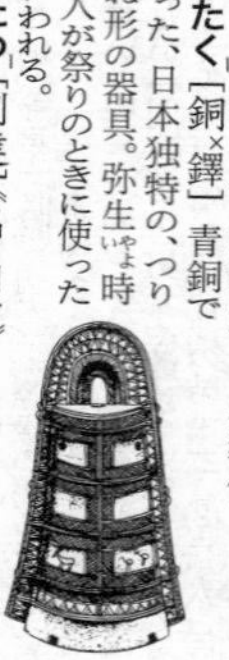

[どうたく]

とうたつ【到達】《名・自サ》行き着くこと。届くこと。「結論に—する・目的地に—した・—点」
どうたらこうたら(—かうたら)《副》(たら←とやら)〔俗〕どうとか、こうとか。ああたら こうたら。どーたらこーたら。「責任が—ともめている」
とうたん【東端】〔文〕東のはし。(↔西端)
とうだん【登壇】《名・自サ》〔文〕壇に上がること。「講演会で—する」(↔降壇(こうだん))
どうだん【(:満天星)】↑どうだんつつじ。●どうだんつつじ【(:満天星)】庭木や生け垣(がき)にする落葉樹。白いスズランのような花をつける。秋には真っ赤に紅葉する。どうだん。
どうだん【同断】《(ナダ)》〔文〕同じであるようす。「これと

—である」

**とうち**【当地】〔文〕この土地。☞ご当地。

**とうち**【倒置】《名・他サ》①〔文〕さかさまに おくこと。位置をひっくりかえすこと。②《言》文の中で、標準的なことばの順序を変えて言うこと。例、「降ってきた、雨が」。「—法」

**とうち**【等値】《名・他サ》〔文〕①等しい値。「—線(=等高線・等圧線など、等しい値の地点を結んだ線)」②同じ値打ち(とすること)。

☆☆**とうち**【統治】《名・他サ》主権者が国家・人民をおさめること。とうじ。「—権・—者」

**トウチ**【(:豆豉)】〔中国語〕黒いダイズを発酵させて干したもの。いためものや蒸しものの調味料として使う。ドウチ。トーチ。

**どうち**【同地】〔文〕①その土地。②同じ〈土地／都市〉。「—振り込み」

**どうち**【同値】《名・ダ》①《哲》一方の命題の真偽と他方の命題の真偽とが一致すること。②〔文〕同じ〈数値／値段〉。

**とうちゃく**【到着】《名・自サ》目的の場所に〈着く／届く〉こと。

**どうちゃく**【同着】同時に決勝点に着くこと。

**どうちゃく**【×撞着】《名・自サ》〔文〕一致しなくなること。くいちがい。「自家—」

**とうちゃん**【△父ちゃん】〔俗〕とうさん。父・夫をさす。「お—」(↔かあちゃん)

**とうちゅう**【頭注・頭×註】本文の、上のほうに ある注。(↔脚注)

**どうちゅう**【道中】①旅行の とちゅう。②《競馬》レースの始めから終わりまで。●**どうちゅうざし**【道中差し】江戸時代に、武士以外のものが旅行のときにさした、護身用の刀。

**とうちゅうかそう**【冬虫夏草】キノコの一種。昆虫に寄生した菌が生長し、冬は虫に夏は草に見えるところからの名。

**とうちょう**【頭頂】〔文〕〈頭／建物〉のてっぺん。「—部」

**とうちょう**【登庁】《名・自サ》〔文〕官庁に出勤すること。(↔退庁)

**とうちょう**【登頂】《名・自サ》〔文〕山の頂上に のぼること。とちょう。「エベレスト—」

**とうちょう**【盗聴】《名・他サ》①(話している当人たちに気づかれないように)こっそり聞くこと。ぬすみぎき。「電話の—・—器」②講義・講習をこっそり聴講すること。

**どうちょう**【道庁】北海道の事務をあつかう役所。

**どうちょう**【同調】《名・自サ》①ほかの人の考えや行動に調子をあわせること。「仲間に—する」②特定の思想に理解を持ち、協力すること。「—者(=シンパ)」③(テレビ・ラジオの受信機などで)波長をあわせること。●**どうちょうあつりょく**【同調圧力】〈多数派／有力な者〉に合わせるべきだという、見えない圧力。「—がかかる」

**とうちょく**【当直】《名・自サ》当番で宿直や日直をする〈こと／人〉。

**とうちん**【陶△枕】〔文〕陶器で作ったまくら。

**とうつう**【×疼痛】《医》うずいて痛むこと。ずきずきすること。うずき。

**トゥッティ**【イ tutti】《音》全部の楽器でする演奏。総奏。全奏。全合奏。

**とうてい**【(到底)】《副》〔後ろに否定が来る〕どうしようとも。とても。「—できない」

**どうてい**【童貞】①女性と性的な関係を持ったことがない〈こと／男性〉。(↔処女) ②《宗》〔古風〕カトリックの修道女。「—さん」

☆☆**どうてい**【道程】〔文〕①みちのり。②ある状態に達するまでの過程。「完成までの—」

**どうてい**【同定】《名・他サ》同じものと認めること。

**とうてき**【投(×擲)】《名・他サ》①〔文〕ほうり投げること。②〔↑投擲競技〕《陸上》砲丸・円盤・やり(槍)・ハンマーを投げる競技。

**どうてき**【動的】《ダ》〔文〕いきいきしたようす。いつもうごいているようす。(↔静的)

**とうてつ**【透徹】《名・自サ》〔文〕筋道が よく通ること。「—した理論」派—さ。

**どうでも**《副》①どうであっても。「そんなことは—いい」②どうしても。「—白状させるぞ」

**とうてん**【冬天】〔文〕冬の空。ふゆぞら。

**とうてん**【当店】この店。「—じまんの料理」区別⇩当社①。

**とうてん**【東天】〔文〕(夜明けの)東の空。●**とうてんこう**【東天紅】①〔文〕(夜明けを知らせる)ニワトリの鳴き声。(江戸時代の人はこう聞いた) ②ニワトリの一品種。尾が長く、鳴き声も長い。

**とうてん**【読点】文の中の切れ目に打つ点。「、」。てん。☞句点。

**とうでん**【盗電】《名・他サ》〔文〕他人の電気を無断で使う違法行為。

**どうてん**【同点】同じ点数。同じ得点。

☆☆**どうてん**【動転・動×顛】《名・自サ》(われを忘れるほど)おどろきあわてること。

**どうでん**【導電】《理》電気が流れること。電導。「金属の—性・—率」

**とうと**【東都】(=ひがしのみやこ)〔文〕東京。

**とうど**【凍土】〔文〕こおった土。

**とうど**【唐土】〔文〕中国の古い呼び名。もろこし。

**とうど**【陶土】陶器の原料となる、質のいい粘土。

**とうど**【糖度】(くだものなどにふくまれる)糖分の割合。「—一〇度のミカン」

**どうと**《副》地ひびきを立てて、たおれるようす。

←**とうと・い**【尊い】《形》①(神仏〈が／のように〉とてもすぐれていて)自然に頭が下がり、大切にあつかいたいと感じられるようすだ。たっとい。「—神・地道な—活動・—犠牲」②〔俗〕(アイドルなどが)とても魅力があって、大切に感じられるようすだ。「新曲がめっちゃ—」〔二〇一〇年代半ばからの用法〕派—げ・—さ。

→**とうと・い**【貴い】《形》①価値があるようすだ。貴重だ。「—体験・—(『尊い』とも)人命」②〈地位／身分〉が高い。(↔いやしい)▽たっとい。派—げ・—さ。

☆☆**とうとう**【(×滔々)】《タト》〔文〕①水が さかんに流れるようす。「—たる大河」②よどみがないようす。「—と語る・—たる時の流れ」③すべて一様であるようす。「—たる人情」

**とうとう**《副》ついに。「—見つかった・—来なかった」

表記 本来は「到頭」。

**とう-とう**[等々]《副助》「等」をくり返して、ほかにもたくさんあることをあらわす。等々々。「政治、経済、法律、科学ー」

**とうどう**[△洞道]〔文〕〔配線や配管などのための〕〈トンネル／地下構造物〉。どうどう。

**とうとう**[同等]〔文〕同じ〈等級／水準〉。「ーの資格」

**どうとう**[堂塔]〔文〕お寺の、堂と塔。「ー伽藍(がらん)」

**どうとう**[道統]〔文〕学問・芸道・武道などの系統。

**どうどう**[道道]北海道が造って管理する道路。

**どうどう**[同道]《名・自他サ》〔文〕つれ立つこと。いっしょに行くこと。「父にーする・警官をーする」

**どうどう**[堂々]《タル・副》①少々のことではびくともしない重みがあって、りっぱなようす。「ーとした天守閣・ーたる主役・ーと行進する・ーの行進」②少しもはじたりおそれたりしないようす。「ーと公表する・白昼ー、ぬすみにはいる」●**どうどうめぐり**[堂々巡り]《名・自サ》①〔議会で〕議員が列を作ってつぎつぎに投票すること。②〔議論などが〕同じ所をぐるぐるまわりすること。由来 祈願(きがん)のため、神社や寺の堂のまわりをまわったことから。

**どうどう**《感》〔話〕馬をしずめたり、止めたりするためのかけ声。「はいしー」

**どうとく**[道徳]①人の守るべき、おこないの標準。「ーに反する・ー観念」②正常な社会生活を保つために、みんなが守らなければならないことがら。「交通ー」③「道徳①②」について考える教科。●**どうとくてき**[道徳的]《ナダ》①道徳に関するようす。②道徳にかなうようす。(↔不道徳)●**どうとくりつ**[道徳律]人がとるべき行動の基準。

**とうとつ**[唐突]《ナダ》前後のつながりもなく急に何かをするようす。だしぬけ。「ーな話・ーに切り出す」派 ーさ。

↑**とうと・ぶ**[尊ぶ](たふとぶ)《他五》尊敬する気持ちをあらわす。たっと(尊)ぶ。とうとむ〔文〕。「神仏をー・年長者をー」(↔いやしめる)

↑**とうと・ぶ**[貴ぶ](たふとぶ)《他五》だいじだ、価値がある、と考える。たっと(貴)ぶ。とうとむ〔文〕。「和をー・人命をー」

**とうどり**[頭取]①〔銀行の〕代表者。②《芝居》楽屋の取りしまりをする人。

**とうな**[唐菜]白菜の一種。「ーのごまあえ」

**とうない**[島内]その島のなか。「ー観光」(↔島外)

**どうない**[道内]北海道のなか。(↔道外)

**どうなか**[胴中]①胴のなかほど。②まんなか。

**どうなが**[胴長]《名・ナダ》からだのほかの部分にくらべて、胴が長いこと。「ー短足」

**とうなす**[〈唐:茄子〉]〔関東・中国などの方言〕カボチャ。

**どうなと**《副》(↑どうなりと)〔古風・俗〕どのようにでも。「ー勝手にしろ」

**とうなん**[東南]東と南との中間の方角。ひがしみなみ。南東。(↔西北)●**とうなんアジア**[東南アジア]アジアの東南部の地域。ベトナム・ミャンマー・タイからインドネシア・マレーシア・フィリピンあたりをまとめて言う呼び名。●**とうなんかい**[東南海]東海と南海の間。浜名湖(はまなこ)沖から紀伊(きい)半島沖まで。

**とうなん**[盗難]お金やものをぬすまれる災難。「ーにあう」

**とうに**《副》〔とう↑疾(と)く〕とっくに。早く。「ー行ってしまった」

**どうにか**《副》余裕(よゆう)がないなか、無理をして〈できた／できる〉ようす。なんとか。どうやら。「ー(こうにか)切りぬけた・ー採算はとれる」

**どうにも**《副》①どういうふうにしても。「ー(こうにも)断れない」②どんなにがまんしても。「ーやりきれない」●**どうにもしようがない** 句 それ以外には、やりようがない。●**どうにもならない** 句 その状態になるための方法が、まったくない。

**とうにゅう**[豆乳]水にひたしたダイズをすりつぶして煮(に)た汁(しる)を布でこしてつくる、牛乳のような白い飲み物。「ースープ」

**とうにゅう**[投入]《名・他サ》①なげいれること。②つぎこむこと。「兵力をーする」③市場に出すこと。「新機種のー」④スイッチをいれること。「電源ー」

***どうにゅう**[導入]《名・他サ》①新しく(取り)入れること。「外資のー・新型機械をーする」②話・文章・演奏のはじまり。「ー部」

**とうにょう**[糖尿]①《医》ブドウ糖をたくさんふくむ、病的な尿。②↑糖尿病。●**とうにょうびょう**[糖尿病]《医》血糖の量がふえて、糖尿が続けて出る慢性(まんせい)病。

**とうにん**[当人]〔話題になっている〕その人。本人。「ーの意志」

**どうにん**[同人]〔文〕一 どうにん ①同じ人。②⇩どうじん。「ー雑誌」二 どうにん その人。「ーの供述によれば」〔客観的な言い方〕☞同氏・同君・同女。

**とうねん**[当年]〔文〕①ことし。いま。「ーとって七十歳(さい)」〔←いま七十歳。☞とって二〕②その年。「ーをしのぶ」▽当歳。

**どうねん**[同年]〔文〕一 どうねん ①同じとし。②同じ年齢(ねんれい)。おないどし。二 どうねん そのとし。

**とうの**[当の]《連体》ちょうどそれにあたる。「ー本人」

**どうの** 連 〔Aがー、Bがー〕〔「こうの」とも〕…がどうであるとか。「味がー、焼き方がーと批判する」●**どうのこうの** 句 いろいろなことを言うようす。あれこれ。どうこう。

**どうのじてん**[同の字点]すぐ前と同じ漢字であることをしめす符号(ふごう)。例、人々の「々」。

**どうのま**[胴の間]和船で、ともとへさきとの間にある船室。

**とうのむかし**[とうの昔]〔とう↑疾(と)く〕とっくのむかし。「そんなことはーに忘れた」

**とうは**[党派]なかまが集まって作った(小さな)グループ。

**とうは**[踏破]《名・他サ》〔文〕困難な(長距離(ちょうきょり)の)道などを歩きぬくこと。

**とうば**[塔婆]《仏》⇩そとば(卒塔婆)。「おー」

**どうは**[道破]《名・他サ》〔文〕〔真理などを〕言いきること。

**とうばい**[等倍]原寸どおりの大きさ。「ーで印刷する」

**どうはい**[同輩]①年・階級、入学・入社の時期などが同じであるなかま。(↔先輩(せんぱい)・後輩(こうはい))②同じような行動をしているなかま。「ごー」

**どうはい**[銅×牌]〔文〕銅のメダルや盾。

**とうはいごう**[統廃合]《名・他サ》統合したり廃止したりして、一つにまとめること。廃合。

**とうばく**[統幕]《法》↑統合幕僚監部。

**とうばく**[倒幕]《名・自サ》〔文〕幕府をたおすこと。

←→**とうばく**[討幕]《名・自サ》〔文〕幕府をせめうつこと。

**とうはつ**[頭髪]〔文〕かみの毛。

**とうばつ**[討伐]《名・他サ》軍隊を出して、したがわない者をせめうつこと。「—隊」

**とうばつ**[盗伐]《名・他サ》〔文〕他人の竹や木をこっそり切ってぬすむこと。

**どうはつ**[同発]《名・他サ》↑同時〈発売/発表〉。

**とうはば**[等幅]《印刷》それぞれの文字の幅や高さのちがいにかかわらず、一定の間隔で組む方式。「—フォント」

**とうはん**[盗犯]《法》窃盗・強盗の犯罪。「重要—」

←**とうはん**[登坂]《名・自サ》⇩とはん(登坂)。

→**とうはん**[登×攀]《名・自サ》〔文〕山などによじのぼること。登高。とはん。

**とうばん**[当番]〔何かの仕事をする〕順番にあたる〈こと/人〉。「そうじ—・—弁護士(=逮捕された人が相談できるように、弁護士会に待機している弁護士)」

**とうばん**[陶板・陶版]板状の陶器。「—壁画」

●**とうばんやき**[陶板焼き]陶器の皿に肉・野菜などを入れ、焼きながら食べる料理。

**とうばん**[登板]《名・自サ》①《野球》投手が試合に出ること。マウンドに立つこと。②責任ある役職につくこと。「会長が社長に再—する」▽(↕降板) 由来 投手はピッチャープレートをふんで投げることから。

**どうはん**[同伴]《名・自他サ》いっしょにつれだつ〈こと/人〉。「夫人—・保護者—」

**どうばん**[銅板]銅のいた。「—画」

**トウバンジャン**[(:豆板醬]〔中国語〕中国料理の調味料の一つ。トウガラシみそ・トウガラシ・ソラマメ・塩を材料として発酵させてつくる。ドウバンジャン。トーバンジャン。「—を入れてマーボー豆腐を作る」

**とうひ**[当否]〔文〕①〔そのことが〕道理にかなうかかなわないか。正当か不当か。「ことの—を論じる」②〔推測などが〕当たるか当たらないか。

**とうひ**[党費]①党の活動費。②党員が党にしはらう費用。

**とうひ**[頭皮]あたまの皮膚。スカルプ。

☆☆**とうひ**[逃避]《名・自サ》〔文〕にげてよけること。のがれること。「現実からの—」●**とうひこう**[逃避行]追跡をのがれ、各地をかくれて歩くこと。「恋の—」

**とうび**[×掉尾]〔「ちょうび」の慣用読み〕〔文〕①ものごとの最後になって勢いがよくなること。「—の勇をふるう」②最後。末尾。「文章の—を飾る」

**どうひ**[道費]北海道の〈経費/費用〉。

**とうひきゅうすう**[等比級数]《数》等比数列の和。幾何級数。〔俗に「等比数列」をさすこともある〕(↕等差級数)

**とうひすうれつ**[等比数列]《数》となりあう二つの数の比が一定である数列。幾何数列。例、1・2・4・8・16…。(↕等差数列)

**どうひつ**[同筆]〔文〕同じ人の筆跡。「—の写本」

**とうひょう**[灯標]暗礁などがあることを漁船に知らせるため、河口に取りつける灯火。

**とうひょう**[投票]《名・自サ》選挙・採決のときに、候補者の名前や賛否のしるしを紙に書いて一定の場所に出すこと。「—箱」

**とうびょう**[投×錨]《名・自サ》停泊するために、いかりをおろすこと。「—地」(↕抜錨)

☆☆**とうびょう**[闘病]《名・自サ》病人が、治ろうとして病気とたたかうこと。「—生活」

**どうひょう**[道標]〔文〕みちしるべ。

**どうびょう**[同病]〔文〕同じ病気(の人)。●**同病相哀れむ** 句 同じ〈病気/境遇〉の人が同情しあう。

**とうひん**[盗品]ぬすんだ品物。

**とうふ**[豆腐]水にひたしたダイズをすりつぶして煮た汁を布でこし、にがりを加えて固まらせた、白いやわらかな食品。木綿豆腐・絹ごし豆腐などがある。「(お)—一丁・肉—・—ハンバーグ」 表記 とうふ店などでは「豆:富」とも。●**豆腐にかすがい** 句 ききめがないことのたとえ。●**とうふよう**[豆腐(×餻)]豆腐から作る、沖縄の発酵食品。こうじ(麹)を泡盛に漬けて液を作り、そこに干した豆腐を入れて熟成させる。ブルーチーズのような風味がある。

**とうぶ**[東部]東の(ほうの)部分。(↕西部)

**とうぶ**[島部]行政区域などで、島になっている部分。「広島県の—」

**とうぶ**[頭部]〔文〕頭の部分。「—外傷」

**どうふ**[同父]〔文〕〔きょうだいの間で〕父親が同じであること。(↕異父)

**とうふう**[東風]〔文〕①東からふく風。こち。ひがしかぜ。(↕西風)②はるかぜ。

**とうふう**[党風]〔文〕党の気風。

**どうふう**[同封]《名・他サ》手紙の中にいっしょに入れること。「写真を—する」

**とうふく**[倒伏]《名・自サ》《農》イネなどが、たおれること。

**どうふく**[同腹]〔文〕①きょうだいが同じ母親からうまれること。「—の兄」(↕異腹)②同じ考え(のなかま)。

****どうぶつ**[動物]①生物のうちで、自由に動きまわり、ほかの生き物を食べて生きてゆくもの。人もふくまれる。(↕植物)②人以外の「動物①」。おもに、けもの。「—性食品・—が好きです」●**どうぶつえん**[動物園]いろいろな動物を飼って〈多くの人に見せる/研究する〉所。●**どうぶつしつ**[動物質]動物性の食べ物(=肉・さかな)。(↕植物質)●**どうぶつじっけん**[動物実験]《医》医学研究などのために、マウス・ウサギなどの動物を使っておこなう実験。●**どうぶつてき**[動物的]《ナダ》「動物②」の性質を持つようす。「—な勘」

**どうぶるい**[胴震い]《名・自サ》〔寒けやおそろしさで〕胴体がふるえること。

**とうぶん**[糖分]糖類の成分(の量)。「—をひかえる」

**とうぶん**[等分]《名・他サ》①同じに分けること。「三—」②同じ〈分量/程度〉。「—に見くらべる」

**とうぶん**[当分]《副》〔これから〕しばらく(の間)。当座。「—まにあうだろう・—会えない・—の間〔法律では、かなり長い期間におよぶこともある〕」

と

**どうぶん**[同文]①〔文〕同じ文字。「日本と中国は―の(=同じ漢字を使う)国だ」②同じ文章。「以下―・―電報」●**どうぶんどうしゅ**[同文同種]同じ文字を使い、同じ人種であること。おもに日本と中国の間がらについて言う。

**とうへき**[盗癖]〔文〕ぬすみをするくせ。

**とうべん**[答弁]《名・自サ》質問にこたえてのべること。「―に立つ・首相(しゅしょう)の―」

**とうへんぼく**[唐変木]〔俗〕まがぬけていて、気のきかない人。

**どうぼ**[同母]〔文〕(きょうだいの間で)母親が同じであること。同腹。(↔異母)

**とうほう**[当方]〔文〕こちら(の ほう)。自分(たち)。こっち。(↔先方)

**とうほう**[投法]〔球技・ダーツなどで〕投げ方。

**とうほう**[東方]〔文〕東の方角(にあたる所)。(↔西方(せいほう))●**とうほうせいきょうかい**[東方正教会]〔宗〕⇨正教会。

**とうぼう**[陶房]〔文〕陶磁器(とうじき)を作る仕事場。

**とうぼう**[逃亡]《名・自サ》〔文〕(とらえられている所から)にげること。「国外へ―する」

**どうほう**[同胞]〔文〕①きょうだい。②同じ国民。▽どうぼう。

**どうほう**[同報]《名・他サ》一つの情報を(通信回線で)同時に複数のあて先に送ること。「―通信・―メール・一斉(いっせい)―」

**どうぼう**[同房]〔文〕同じ監房(かんぼう)(であること)。「―者」

**とうほく**[東北]①東と北との中間の方角。ひがしきた。北東。(↔西南)②ⓐ(↑東北地方)青森・岩手・宮城・秋田・山形・福島の六県。奥羽(おうう)地方。「―新幹線・―弁」ⓑ中国の東北部にあって、朝鮮(ちょうせん)半島に続く地方。もと「満州」と言った。

**とうぼく**[倒木]〔文〕(台風などのために)たおれた木。

☆☆**とうほん**[謄本]原本を謄写(とうしゃ)した文書。「戸籍(こせき)―」(↔原本・抄本(しょうほん))

☆☆**とうほんせいそう**[東奔西走]《名・自サ》〔文〕ほうぼうをかけ回(って、いそがしく活動す)ること。「会社設立のため―する」

**どうまき**[胴巻き]お金を入れる腹巻き。

**どうまごえ**[胴間声]〔俗〕調子外れの太い声。

**どうまわり**[胴回り]〔服〕ウエスト。

**どうみぎ**[同右]〔文〕右(の もの)に同じであることをしめすことば。(↔同左)

**とうみつ**[糖蜜]①サトウキビから砂糖を作るときに残った液体。②砂糖に水を加えて煮(に)た、こい液体。シロップ。▽蜜。

☆☆**どうみゃく**[動脈]①〔生〕血を心臓からからだの各部分にはこび出す血管。(↔静脈(じょうみゃく))②大切なみち(すじ)。「国の―新幹線」●**どうみゃくこうか**[動脈硬化]〔医〕動脈の血管が厚くかたくなって、弾力(だんりょく)がなくなること。〔動脈の内がわにコレステロールがつくと起こりやすい。脳卒中・狭心症(きょうしんしょう)などの原因となる〕「―症」●**どうみゃくりゅう**[動脈瘤]〔医〕動脈硬化(こうか)などのために、動脈の一部がこぶのようにふくれたもの。

**とうみょう**[灯明]神や仏にそなえる灯火。みあかし。「お―・―台」

**とうみょう**[豆苗]エンドウマメの新芽。ひょろっとしたくきに葉がついたもの。サラダや いためものなどにする。しゃきしゃきした食感がある。〔中国語では、トウミャオ〕

**どうみょうじ**[道明寺](=大阪にある寺)①(↑道明寺粉)もち米を蒸(む)してかわかし、粉にひいたもの。和菓子(わがし)・日本料理に使う。「えびの―あげ」②「道明寺①」を使った和菓子。さくらもち。

**とうみん**[島民]島の住民。

**とうみん**[冬眠]《名・自サ》①〔動〕動物が、土や穴の中にはいって活動をやめ、栄養をとらずに、冬をこすこと。「クマが―にはいる」(↔夏眠)②〔団体が〕まったく活動していないこと。「―組合」

**どうみん**[道民]北海道の住民。

**とうむ**[当務](↑当番勤務)夜、待機して、何か起きた時に出動すること。

**とうむ**[党務]〔文〕政党の事務。

**とうめい**[党名]政党の名前。

**とうめい**[島名]〔文〕島の名前。

**とうめい**[透明]《ナダ》①水・ガラスなどのように、〈中/向こう〉がよく見えるようす。すきとおるようす。「―感・無色―」②内部の実態がよくわかるようす。「資金の出入りを―にする・―化」▽(↔不透明)派-さ。●**とうめいせい**[透明性]内部がどうなっているか、はっきり見通せる性質。「組織の―を確保する」

**どうめい**[同名]同じ名前。●**どうめいいじん**[同名異人]名前は同じだが、別の人(であること)。

**どうめい**[同盟]《名・自サ》共同の目的のために、同じ行動をとることを約束すること。「―を結ぶ」●**どうめいひぎょう**[同盟罷業]⇨ストライキ。

**どうメダル**[銅メダル]〔オリンピックやパラリンピックなどで〕三位入賞者にあたえられる、銅色のメダル。

**とうめつ**[討滅]《名・他サ》〔文〕うちほろぼすこと。「平氏―」

**とうめん**[東面]〔文〕一 東がわの(方)面。二《名・自サ》東のほうに向くこと。▽一二(↔西面)

**とうめん**[当面]一《副》直面している、今(から しばらく)。さしあたり。「―、このままにしておく・―の問題・―(の間)休業します」二《名・自サ》面と向かうこと。「難局に―する」

**どうも**一《副》①どうしても。「―よく わからない」②まったく。「―ご苦労さま・―おどろきました」③どこがと、はっきり言えないようす。なんだか。「―今ひとつだな」④推定をあらわす。どうやら。「―だめらしい」二《感》〔話〕あいさつ・感謝・おくやみなどに使うことば。「やあ、―(こんにちは)」や、「―。あ、これは―(ありがとう)・このたびは―(ご愁傷(しゅうしょう)さまです)」さまざまな場合に広く使えるところは、ハワイ語の「アロハ」に似ている。とっさにあいさつがうかばないとき、ていねいな口調で「どうも…」と頭を下げるのも礼儀(れいぎ)にかなう。●**どうも-こうも**《副》〔話〕①(方法について)どのようにも。「―できない・―しようがなくて、がまんした」②(「どうなのか」という質問に対して、「―ない」の形で)ⓐ簡単には答えられないほどあきれた、困った、などの気持ちをあらわす。「『どうしたんです』『―(ありません)、おどろきました』」ⓑばかなことを聞くな、という気持ちをあらわす。「『どうしましょう』『―ない、早く おわびに行け』」

☆☆**どうもう**【×獰猛】《ナダ》あらくて たけだけしいこと。猛悪。「―なけもの」派―さ。
**とうもく**【頭目】〔文〕（悪いなかまの）かしら。親分。
**どうもく**【×瞠目】《名・自サ》〔文〕おどろいたり感心したりして、目を見はること。「―すべき作品」
**どうもと**【胴元・×筒元】①ばくちの場所を貸して、でき高の歩合を取る人。胴親。②元締め。
**どうもり**【堂守】〔文〕堂の番人。
**とうもろこし**【(:玉蜀黍)】農作物の一種。夏、軸のまわりに、うす緑色の皮に包まれ、歯のようにならぶ黄色い実をたくさんつける。食用。また、家畜の えさにする。コーン。とうきび。「焼き―」
**どうもん**【同門】〔文〕①一門の人。②相弟子。
**どうもん**【洞門】〔文〕ほらあな（の門）。
**とうや**【当夜】〔文〕その日の よる。その よる。
**とうや**【凍夜】〔文〕冬の、こおりつくように寒い よる。
**とうや**【塔屋】エレベーターの塔や階段室など、ビルの屋上に突っき出た部分。とうおく。
**とうや**【陶冶】《名・他サ》〔文〕才能・性格をねってりっぱなものにすること。「人格の―」
**どうや**【同夜】〔文〕①同じ日の よる。②その よる。
**とうやく**【投薬】《名・自サ》〔医〕（患者に）くすりをあたえること。「―を受ける」
**どうやく**【同役】〔文〕同じ役目（の人）。同僚。「ご―ご苦労」
＊＊**どうやら**《副》①推定をあらわす。判断材料から考えると（…らしい）。「―誤解されているようだ・―食あたりらしい」②どうにか。「―生計を立てている・―住める部屋」●**どうやらこうやら**《副》どうにか。やっと。
**とうゆ**【灯油】①原油を蒸留して得られる、やや重いあぶら。ストーブ・コンロに使う。ケロシン。②（部屋のなかを）照らす火に使う あぶら。ともしあぶら。
**とうゆう**【党友】〔文〕党を外部から支援する人。
**どうゆう**【同友】〔文〕同じ志の友。
**どうゆう**【同憂】〔文〕同じように心配している〈こと/人〉。「―の士」
**どうゆう**【道有】〔文〕北海道の所有。「―林」

**とうゆうし**【投融資】《経》投資と融資。☞財政投融資。
**とうよ**【投与】《名・他サ》〔医〕（薬を患者に）あたえること。「―量・経口―」
**とうよう**【当用】〔文〕さしあたり用いること。当面の用事や必要。「―日記」●**とうようかんじ**【当用漢字】日常使う漢字を制限するため、政府が一九四六年に定めた、一八五〇字の漢字。常用漢字の前身。
**とうよう**【東洋】アジアの、おもに東部・南部の地方。日本・中国・朝鮮・東南アジア・インドなどをふくむ。「―人・―文化」（↔西洋）
**とうよう**【盗用】《名・他サ》〔文〕①ぬすんで使うこと。「私印―・クレジットカードの―」②他人の文章・アイデアなどを、ぬすんで使うこと。「論文を―する」
☆☆**とうよう**【登用・登庸】《名・他サ》〔文〕人を上の地位に ひきあげて使うこと。「人材を―する」
**どうよう**【童謡】①子どもが歌う歌。②子どものために作った歌。
☆☆**どうよう**【動揺】《名・自サ》①動き ゆれること。「車の―・金融市場の―が収まらない」②不安でおちつかない状態になること。「心の―・社内が―する」●**どうようびょう**【動揺病】〔医〕乗り物酔い。
＊＊**どうよう**【同様】《名・ナダ》同じであるようす。「昨年―の成績・こちらもご―です・平年と―(に)晴れの日が多い」
**どうよく**【胴欲】《ナダ》〔文〕欲が深くて〈自分勝手/残酷〉なようす。派―さ。
**とうらい**【到来】《名・自サ》〔文〕①（その時機が）くること。「時節―・期限が―した」②おくりものが届くこと。●**とうらいもの**【到来物】〔古風〕もらいもの。いただきもの。
**とうらく**【当落】当選か落選か。「―線上」
**とうらく**【騰落】《名・自サ》《経》（物価の）騰貴と下落。ものの値段の上がり下がり。「―率」
**どうらく**【道楽】《名・自サ》①本職以外の ものごとにふけって楽しむこと。「釣り―」②おこないの悪いこと。不身持ち。「―むすこ」

**どうらん**【胴乱】植物を集めるのに使う、亜鉛の板で作った入れもの。

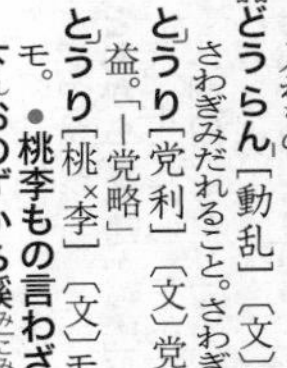
［どうらん］

☆☆**どうらん**【動乱】〔文〕世の中がさわぎみだれること。さわぎ。
**とうり**【党利】〔文〕党（派）の利益。「―党略」
**とうり**【桃×李】〔文〕モモとスモモ。●**桃李もの言わざれども、下おのずから蹊を成す** 句〔文〕徳のある人の所には自然に人が寄り集まる、というたとえ。桃李成蹊。成蹊大学の名はこれに由来する。
**どうり**【道理】①ものごとは こうすれば こうなる、こうすればいい、という筋道。「ものの―の わかった人」②当然そうなるわけ。はず。「子どもに わかる―がない」●**どうりで**【道理で】《副》なるほど。そのせいで。
**とうりつ**【倒立】《名・自サ》〔体操で〕さかだち。
**どうりつ**【同率】同じ〈率/割合〉。
**どうりつ**【道立】北海道が設立して維持する〈こと/もの〉。もと、庁立。「―美術館」
**とうりゃく**【党略】〔文〕自分の党（派）を有利にするための、かけひき。「党利―」
**とうりゅう**【東流】《名・自サ》〔文〕（川・海流などが）東のほうへ流れること。（↔西流）
☆☆**とうりゅう**【×逗留】《名・自サ》〔文〕旅先で、ある期間とまること。滞在。
**どうりゅう**【同流】〔文〕㊀どうりゅう《名・自サ》①同じ流儀・流派。②同じ流れになること。㊁どうりゅう その流儀・流派。
☆☆**とうりゅうもん**【登竜門】そこを通れば必ず出世するといわれる関門。「文壇の―」由来「竜門（=さかのぼった魚が竜になるという激流の名）を登る」から。後に、これを「登り竜の門」ととらえたもの。
†**とうりょう**【棟×梁】①大工の親方。かしら。（東京では、俗に「とうりゅう」）②〔文〕かしら。おさ。
†**とうりょう**【頭領】〔文〕かしら。おさ。頭目。
**とうりょう**【等量】〔文〕ひとしい量。「みりんと―のし

と

ょうゆ」(↕等質)

**とうりょう**［投了］《名・自サ》①〔文〕投げ終わること。②《碁・将棋》一方が負けを認めて勝負を終えること。

**どうりょう**［同量］〔文〕同じ量。「—の薬」(↕同質)

**どうりょう**［同僚］そこに いっしょに つとめている なかま。「職場の—」

**どうりょく**［動力］機械を動かす力。キロワット・馬力の単位であらわす。「エンジンの—」 ●**どうりょくしゃ**［動力車］機関車、エンジン・モーターのある鉄道車両をまとめた呼び名。 ●**どうりょくろ**［動力炉］《理》船・発電所の動力として使う原子炉。

**どうりん**［動輪］〔機関車などで〕原動機から動力を直接受けて回転を起こし、車を走らせる、車輪。

**とうるい**［糖類］《理》①糖質のうち、あまくて水にとけるものの総称。例、ブドウ糖・ショ糖〔=砂糖〕・乳糖など。②糖質。炭水化物。

**とうるい**［盗塁］《名・自サ》《野球》ランナーが すきをねらって、すばやく次の塁へ進むこと。スチール。

**どうるい**［同類］①同じ種類(の もの)。「—の表現」(↕異類) ②なかま。「—を集める」 ●**どうるいこう**［同類項］①《数》係数だけがことなる、二つ以上の項。例、$3a$と$-2a$など。②〔俗〕同じなかま。

**トウループ**〔toe loop〕《フィギュアスケート》いちばん難度の低いジャンプ。トーループ。☞ジャンプ④。

**とうれい**［答礼］《名・自サ》相手がしてくれたあいさつや訪問などに対して こたえ〈ること〉する あいさつや訪問など〉。「—使節」

**とうれき**［党歴］〔文〕①党員としての経歴。②党としての歴史。

**どうれつ**［同列］〔文〕同じ地位・程度。「—に論じることはできない」

**どうれん**［道連］↑北海道〔組合・政党支部〕連合会。

**とうろ**［登路］〔文〕頂上までのぼる道。

**どうろ**［道路］土地に手を加えて、人や車が通行できるように作ったところ。みち。「高速—・—標示〔=道路にペイントで書いてしめす文字や線〕・—標識〔=交通標識〕・—は順調に流れています」

**とうろう**［灯籠］内がわに火をともす、石・金属などで作ったもの。 ●**とうろうながし**［灯籠流し］お盆の終わりの日に、(竹製の)小さな とうろうに火をともして川や海に流す〈こと〉行事〉。

**とうろう**［蟷螂］〔文〕かまきり。 ●**とうろうのおの**［蟷螂の斧］〔文〕自分の力では とてもかなわないような〈敵に向かう〉ことを計画する〉ことの たとえ。

**とうろう**［登楼］《名・自サ》〔文〕①高い建物にのぼること。②遊郭に行くこと。

**とうろく**［東麓］〔文〕東がわの ふもと。

**とうろく**［登録］《名・他サ》①条件を満たしたものを、正式の帳簿や一覧表にしるすこと。「住民—・世界遺産に—する」②《情》新しいデータを加えること。「日本語入力ソフトに単語を—する」 ●**とうろくしょうひょう**［登録商標］《法》登録の手続きをとって、他人の使用を許さない商標。商標名。トレードマーク。〔記号®〕

**どうろく**［同録］《名・他サ》《映画・放送》①撮影で、画像と同時に音声を録音すること。また、そのようにして録音・録画したもの。②〔テレビ・ラジオで〕実際の放送を録画・録音すること。「DVDに—する」

**とうろん**［討論］《名・自他サ》議論をたたかわせること。「—会」

**どうわ**［同和］①〔文〕同化して一つになること。②〔↑同胞一和〕部落〔=被差別部落〕の人々に対する不当な差別をなくし、平等な社会をつくること。「—教育・—地区」☞部落②。

**どうわ**［胴輪］⇩ハーネス①。

**どうわ**［童話］子どものため〈の〉に作った〉話。

**どうわ**［道話］心学の談話。

**とうわく**［当惑］《名・自サ》急な問題に当たり、どうしていいか わからず、まようこと。「質問されて はたと—する・—顔」派—げ。

**どうわすれ**［(:胴)忘れ］《名・自サ》どわすれ。

**どうわり**［同割］《料》同じ割合。「しょうゆとみりん—」

**とえい**［都営］東京都が経営〈すること〉している もの〉。「—バス」

**とえはたえ**［十重二十重］〔文〕何重にも かさなること。「—に取り囲む」

**どえらい**《形》〔俗〕■非常に えらい。「—やつ(奴)」■とんでもない。「—事件」

**とお**［十］①九つより一つだけ多い数。じゅう。〔数えるときにも使う。☞ひい(一)〕②十歳。「—で神童、十五で才子」

**とおあさ**［遠浅］水ぎわから遠くのほうまで浅い〈こと〉所〉。

**とおい**［遠い］《形》①へだたりが大きい。〔空間にも、時間にも言う〕「—外国・—将来」②血のつながりや関係が うすい。「—親せき・遠くて近いは男女の仲〔=男女の仲は意外に結ばれやすい〕」▽(↕近い)③程度の差が大きい。「目標には—成績」④よく聞こえない。「耳が—・そこでは話が—」⑤おく深い。「—おもんぱかり」▽とおいい〔方〕。派—さ。 ●**とおいめ**［遠い目］〔古いことを思い出すときの〕どこか遠くを見ているような目。「—になる」

**トーイック**［TOEIC］〔↑Test of English for International Communication〕〔商標名〕〔英語を母語としない人向けの〕国際的コミュニケーションのための英語の能力テスト。

**とおう**［渡欧］《名・自サ》〔文〕ヨーロッパに行くこと。

**とおえん**［遠縁］遠い血縁。

**とおか**［十日］①その月の十番目の日。「五月—」②日かずで数えて十。「もう—たった」 ●**とおかのきく**［十日の菊］キクの節句〔=九月九日〕の翌日のキク。時機におくれて役立たないことのたとえ。☞六日のあやめ。

**とおからず**［遠からず］《副》遠くないうちに。近く。「—おたずねいたします・—(して)成功するだろう」〔連体詞の形もある。「遠からぬ《=そう遠くない》将来に実現する」〕

**とおからん**［遠からん］《連体》〔ん=推量の文語助動詞〕〔文〕遠くにいる。「—者は音にも聞け、近くば寄って目にも見よ〔武士が戦場で名乗りを上げるときのことば〕」

**トーキー**〔米 talkie〕①画面とともに音楽・せりふなどが聞こえる映画。発声映画。(↔サイレント) ②エンドレステープによる、電話の案内・速報。

**とおく**［遠く］㊀とおく ①遠い所。「―へ行く・―は海外からの参加者もいる」②遠い時期。古く。「―は平安時代にも例がある」▽(↔近く) ㊁とおく《副》はるかに。「―アフリカまで行く・―およばない」 ●**遠くの親戚より近くの他人** 句 遠くにいる親類よりも近所の他人のほうが頼りになる。

**トーク**〔フ toque〕浅い円筒形でふちなしの、女性の帽子。「―帽」

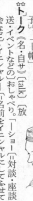

［トーク］

☆☆**トーク**《名・自サ》〔talk〕おしゃべり。「―ショー〔=対談・座談会など〕」〔放送・イベントなどの〕・イニシャル―〔=名前をイニシャルにしてふせて話すこと〕・営業―」

**トークン**〔token=しるし・象徴〕①通貨の代用品。②既存のデータベースを利用して流通させる暗号資産。

**とーごーさん**［トーゴーサン］〔=十五三〕〔俗〕課税所得の把握される割合が、勤め人は十割、自営業者は五割、農家は三割で、不公平であることをあらわすことば。☞クロヨン。

**ドーサ**〔dosa〕米と豆を生地にして作る、インド式のクレープ。紙のようにうすくぱりぱりに焼きあげるものが多いが、小さなホットケーキのように作るものもある。「マサラ―〔=スパイス入りのマッシュポテトを包みこんだもの〕」

**とおざか・る**［遠ざかる］《自五》〔さかる=はなれる〕①遠くにはなれる。「故郷から―」②まじわりがうすくなる。「親類どうしが―」▽(↔近付く) 表記「遠△離る」とも書いた。「遠・去かる」も多い。他 遠ざける《下一》。

**とおし**［通し］㊀とおし ①通すこと。「糸―」②始めから終わりまで続くこと。「―番号〔=一連番号〕」③《芝居》↑通し狂言。「忠臣蔵の―」☞お通し。㊁どおし 造〔どおし〕続けてする意味をあらわすことば。づめ。「書き―」 ●**とおしきっぷ**［通し切符］目的地まで一枚で行けるように作った切符。●**とおしきょうげん**［通し狂言］《芝居》序から大詰めまで全部を見せる、歌舞伎の劇。通し。●**とおしげいこ**［通し稽古］本番と同じように最初から最後までおこなうけいこ。ゲネプロ。

**どおし**［通し］造 ⇩とおし㊁。

***とお・す**［通す］㊀とおす《他五》①通らせる。「対向車を通してあげる・窓を開けて風を―・針に糸を―・お客を奥に―・意見を―」②〈やめないで/休まないで〉続ける。「一週間通して降る」③ある状態のまま過ごす。「独身で―」④間におく。つうじる。「人を通してたのむ」⑤《料》くぐらせる。「湯に―」⑥［△透す］向こうがわまで届かせる。反対がわまで届かせる。「光を―物質」㊁造〈終わりまで/続けて〉する。「全集を読み―・二日も歩き―」可能 通せる。

**トースター**〔toaster〕〔電気を使って〕うすく切った食パンを焼く器具。パン焼き器。

**トースト**《名・他サ》〔toast〕うすく切ったパンを焼いて、バターなどをつけたもの。また、そうして焼くこと。

**とおせんぼ**［通せん〈△坊〉］《名・他サ》〔通せん↑通せぬ〕①両手を広げて、人が通るのをじゃまする〈こと/遊び〉。②道路をさえぎって、通行止めにすること。▽とおせんぼう。

☆☆**トータル**〔total〕㊀《名・他サ》合計(すること)。総額。「得点の―」㊁《ナダ》総体的。全体として(の)。「―におさえると…・―プラン・―デザイン」

**トーチ**〔torch=たいまつ〕①手に持って使うバーナー。トーチランプ。「酸素―」②聖火リレーの走者が、手に持つもの。「―リレー」③棒のような形の懐中電灯。

**トーチカ**〔ロ tochka=点〕《軍》コンクリートで造った陣地。

**とおで**［遠出］《名・自サ》遠くへ〈行く/旅行する〉こと。

**トーテム**〔totem〕〔未開社会で〕その部族に特別の血縁関係があるとして大切にする、動植物や自然物(をかたどったしるし)。●**トーテムポール**〔totem pole〕アメリカ先住民が、動物の顔などのトーテムをほりつけて彩色した柱。また、それをまねたもの。

**とおとうみ**［:遠江］旧国名の一つ。今の静岡県の西部。遠州。

**トートバッグ**〔米 tote《=運ぶ》bag〕開口部が大きい、大形の手さげぶくろ。トート。

**トートロジー**〔tautology〕①《哲》どんな場合でも正しくなる言い方や式。恒真式。例、「もしAならば、Aである」。②同じような意味のことばをくり返す言い方。同語反復。例、「目は人間のまなこなり」。③いつまでも同じことのくり返しで、先に進まない議論。循環論(法)。例、「勉強しないのは、わからないからだ。なぜわからないかと言うと、勉強しないからだ」。

**ドーナツ**〔donut; doughnut〕小麦粉をこね、〈輪の/まるい〉形にして油であげた菓子。ドーナッツ。「あん―・焼き―」 ●**ドーナツげんしょう**［ドーナツ現象］(大都市の)都心の人口が減り、まわりの人口が増える現象。ドーナツ化現象。☞スプロール。●**ドーナツばん**［ドーナツ盤］真ん中にドーナツのような大きな穴のあいた、シングル盤のレコード。EP盤。

**トーナメント**〔tournament〕勝ちぬき試合。「決勝―〔略して『決勝T』〕」(↔リーグ戦) ●**トーナメントプロ**〔和製 tournamemt pro〕指導料ではなく、試合の賞金で生計を立てる(ゴルフの)選手。(↔レッスンプロ)

**とおなり**［遠鳴り］遠くまで鳴りひびく〈こと/音〉。「潮の―」

**とおね**［遠音］①遠くで聞こえるものおと。「―に聞こえるウグイスの声」②遠くまで聞こえる音色。「―が利く琴」

**とおの・く**［遠〈△退く〉］《自五》①遠ざかる。「争いから―」②間をおく。他 遠のける《下一》。

**とおのり**［遠乗り］《名・自サ》馬・車に乗って遠くのほうに遊びに行くこと。

**ドーパミン**〔dopamine〕《生》神経の興奮を伝える物質の一つ。運動の調節にかかわり、不足すると、パーキンソン病などの運動障害を起こす。ドパミン。

**とおび**［遠火］①遠くで〈たく/燃える〉火。②《料》火にあまり近づけない状態。「―の強火で焼く」

☆☆**ドーピング**〔doping〕〔選手・競走馬が〕運動能力を高めるために興奮剤などの薬物を使うこと。ドープ(dope)。「―検査・―テスト」

**トーフル**〔TOEFL〕〔←Test of English as a Foreign Language〕アメリカなど英語圏で勉学する外国人のための英語学力テスト。

**ドーベルマン**〔←ドーベルマンピンシェル(ド Dobermannpinscher)〕ドイツ原産の大形の犬。筋肉質のスマートな体型で、警察犬や軍用犬に向く。耳は もともとたれているが、一部を切断して立たせる。

**とおぼえ**【遠(×吠え)】《名・自サ》①犬などが、遠くに向けて長く尾を引くように鳴くこと。また、その声。②〔犬が相手をこわがって、遠くから ほえるように〕人が強い相手に対して、かげでののしること。「負け犬の―」

**とおまき**【遠巻き】 遠くから とりまくこと。「―にする」

**とおまわし**【遠回し】《ナダ》それとなく相手にわかるように、言うこと。「―に非難する」

**とおまわり**【遠回り】《名・自サ》①遠い道を回って行くこと。(↔近回り) ②回り遠いこと。手数などの多くかかること。

**とおみ**【遠見】《名・自サ》遠い所〈を/から〉見ること。「―には異状がない」

**とおみち**【遠道】《名・自サ》距離の長い道(を行くこと)。(↔近道)

**ドーム**〔dome〕まる天井。まる屋根。「―球場」

**とおめ** ㊀【遠目】遠くから見ること。とおみ。「―にも、すぐわかった」 ㊁【遠(目)】《名・ナダ》(くらべて)遠いと思われる程度。(↔近め) ●**遠目が利く** [句] 遠い所がよく見える。

**とおめがね**【遠眼鏡】〔古風〕望遠鏡。

**とおもいきや**【と思いきや】《副助》⇩思いきや ㊀。

**とおやま**【遠山】〔雅〕遠くに見える山。

**ドーラン**〔ド Dohran=ドイツの会社の名〕俳優がけしょうに使う塗り油。グリ(ー)スペイント。

****とおり** ㊀【とおり】【通り】①通る〈こと/程度〉。②(店のある)大きな道。街路。③理解されること。「その名前のほうが―がいい」④受け。評判。「世間に―がいい」 ㊁**とおり**【(通り)】①(…と)一致する状態。「言う―にする・その―にする・思った―だ」②〔内容が〕そのままで、変わっていないこと。「お知らせした―〔=告知そのままに〕、会議をおこないます」③〔内容が〕そこに示されている、ということ。「集計結果は次の―・右の―」 ㊂**とおり**【(通り)】[接尾] 組み・そろい・種類などを数えることば。「ふた―」。「人―・車―が多い」 ㊃**どおり**【通り】[造]〔**どおり**〕通る〈こと/程度〉。「ふた―」 ㊄**どおり**【通り】[造]〔**どおり**〕大きな道(筋)。また、その名前にそえることば。「表―・電車―・千代田―」 ㊅**どおり**【(通り)】[造]〔**どおり**〕①くらい。程度。「八分―完成」②…と同じ〈状態〉であること。「予想―〈の/な〉結果・もと―」 ●**とおり あめ**【通り雨】さっと降って、すぐ晴れる雨。 ●**とおり あわ・せる**【通り合わせる】《自下一》ちょうど、そこを通る。「通りあわせた学生に助けられた」 ●**とおり いっぺん**【通り一(遍)】《名・ナダ》形式だけととのって、心の こもっていないこと。「―の あいさつ」[派]-さ。 ●**とおり がかり**【通り(掛かり)】①通りかかること。②通るとちゅう。よそへ行くとちゅう。通りがけ。 ●**とおり かか・る**【通り(掛かる)】《自五》ちょうどそこを通る。とおりがかる。 ●**とおりこ・す**【通り越す】《他五》①そこよりも先まで(よけいに)行く。「いつの間にか家の前を通り越した・夏を―」②その段階・程度を過ぎる。「怒りを通り越してあきれるしかない」 ●**とおり すがり**【通りすがり】偶然そこを通ること。「―の人にたずねた」[動]通りすがる《自五》。 ●**とおり す・ぎる**【通り過ぎる】《自他上一》①そこで止まらずに、そのまま行く。行き過ぎる。通過する。「人々が足早に―・嵐が―・酒が のどを―」②そこよりも よけいに進んで、先まで行く。通り越す。「一キロ近く―」 ●**とおり そうば**【通り相場】①世間でふつうの金額。「香典返しは半返しが―だ」②ふつうは そうだ、と思われていること。「日本人はおとなしいというのが―だ」▽相場。 ●**とおり な**【通り名】①世間で通用する呼び名。「黄門は水戸光圀の―だ」②街の通りの名前。 ●**とおり ぬけ**【通り抜け】①通り抜けること。「―禁止」②通り抜けるための通路。「桜の―〔=大阪の造幣局にある、花見の名所〕」 ●**とおり ぬ・ける**【通り抜ける】《他下一》①そこへ はいり、中を通って、外へ出る。「路地を―・風が部屋を―・感動がからだの中を―」②さえぎるものの向こうがわまで行く。「魚が網を―」③関門を無事に過ぎる。「試験を―〔=試験に合格する〕」④そこで止まらずに、その場所の外まで行く。「目の前をそしらぬ顔で―」 ●**とおり ま**【通り魔】①とつぜんあらわれて、通りがかりの人に害をあたえる魔もの。②動機がないのに、通りあわせた人を無差別におそう者。「―殺人」 ●**とおり みち**【通り道】通路。「台風の―・―をふさぐ」

**どおり**【通り】[造] ⇩とおり ㊃〜㊅。

***とお・る**【通る】 ㊀《自他五》①過ぎて行く。行き来する。「町を―・廊下を―・人が―」②つきぬける。つらぬく。「〔つまった〕鼻が―・糸が針の穴を―」③むずかしい所を、無事に過ぎる。「議案が総会を―・予選を―・試験に―」 ㊁《自五》①〔客が〕座敷にはいる。「応接室へ―」②通じる。開通する。「汽車が―・電話が―」③ひっかからずに、最後まで行く。「くしが通った〔=きれいに とかれた〕髪」④筋目が整う。「鼻筋が通っている」⑤みんなに、そうだと認められる。「変わり者で―」⑥それで〈いい/しかたがない〉と、人に認められる。「意見が―・無理が―」⑦伝わる。届く。「注文が―・その話は校長に通っていない」⑧わかる。理解される。「意味が―・筋が通らない」[可能]通れる。 ㊂【△透る】《自五》①〈向こう/反対〉がわまで届く。「〔洋服の うらまで〕雨が―・光が―」②すみまで ゆきわたる。「よく―声・名の通った店」

**ドール**〔doll〕 人形。「ベビー―」 ●**ドール ハウス**〔dollhouse〕ミニチュアの家や、その中に置く家具・生活小物などを、本物そっくりに作った工芸品。作ったり飾ったりして楽しむ。

**ドール**[造]〔フ d'or〕金の。「ワゴン―〔=金のワゴン〕」

**トール ペインティング**〔tole painting〕家具や小物などの生活用品に、絵をかいたり装飾をほどこしたりする〈こと/技法〉。トール ペイント。

☆☆**トーン**〔tone〕①音調。調子。②色調。③↑スクリーントーン。●**トーンダウン**《名・自他サ》〔tone down〕勢いや調子〈が下がる／を下げる〉こと。「発言がーする」

**とおんきごう**［ト音記号］《音》楽譜でト音(G音)の位置を示す記号。「𝄞」。高音部記号。☞へ音記号。

**どおんと**《副》㊀どおんと ①大きな重い音がひびくようす。「ー花火が上がる」 ②勢いよく〈突っく／ぶつかる〉ようす。「ー体当たりする」 ㊁どおんと ①おもおもしいようす。どっしり。「ー構える・ー横たわる」 ②程度が非常に大きいようす。「ー広い場所」 ③思い切ってするようす。「穴馬にーはりこむ」▽㊀㊁どーんと。☞どん・どんと。

**とか**［都下］①東京都の中で、二十三区を除いた、外まわりの市町村。(↕都区部・都内) ②〔文〕広く、東京都の中。

**とか**［都歌］東京都として公式に作り、都の行事などで歌う歌。

**とか**［渡河］《名・自サ》〔文〕川をわたること。「ー戦」

**とか**［徒過］《名・他サ》①〔文〕うかうかと過ごしてしまうこと。「貴重な日々をーする」 ②《法》期限が過ぎること。「申し立て期間をーする」

**とか**《副助》①(人から聞いた)不確かなことをあらわす。「木村さんーいう人・きょうは おそくなるー言っていた・人気なのだー(=とかいうことだ)」 ②不確かなように言って、疑いやけいべつ、非難などの気持ちをあらわす。「その用事ー(=とやら)をうかがいましょう・もう やめるー(=などと)言っているんだよ〔話〕」 ③〔ふつう A ー B ー〕〈ならべて言う／例をあげる〉ときに使う。「ラグビーー野球ーの中継・いいー悪いー、返事をなさい」🖊江戸時代は「AとかBとかいう」の形が多い。明治時代以降、「小学校とか中学校のころ」のように、最後の「とか」を省略する場合も多い。 ④〔俗〕ものごとをぼかして言うことば。など。「映画ー行かない?・わからないときーは、すぐ教えてもらったりーするんです」〔一九八〇年代になって広まった用法〕 ⑤〔俗〕意外でおどろいた気持ちをあらわす。なんて。「一時間でできたー、天才かよ!」〔二十一世紀になって広まった用法〕 アク ウシとか・ネコーとか・イヌーとか。☞なんとか。

**とが**［図画］《法》⇩ずが。「わいせつー」

**とが**［(×咎)・(△科)］〔文〕とがめられるような〈おこない／欠点〉。「何のーもない子どもをいじめないで」

**とが**［(×栂)］⇩つが。

**とが**［都雅］《ナダ》〔文〕上品。みやびやか。

**とかい**［都会］①人口の多い、にぎやかな土地。みやこ。「ー人・ー的・大ー」 ②↑都議会。「ー議員」

**とかい**［渡海］《名・自サ》〔文〕船で海をわたること。航海。

**とがい**［都外］東京都以外(の地域)。(↕都内)

**どがい**［度外］《名・他サ》〔文〕①範囲の外。「利害はーにおく」 ②度外視。「利益をーする」●☆☆**どがいし**［度外視］《名・他サ》まったく問題にしないこと。無視。

**とがき**［ト書き］〔脚本で〕人物の動作や動きなどを指定する注意書き。「シナリオのー」 由来「ト言って泣く」など、「ト」で始まったことから。

**とかく**《副・自サ》①あれこれ。「ーするうちに」 ②いろいろの理由から、よく そうなるようす。「あせるとー失敗しやすい・ーこの世は住みにくい」 表記 かたく「:兎角」とも。

**どかぐい**［ドカ食い］《名・他サ》〔俗〕一度にたくさん食べること。

**とかげ**［(:蜥蜴)］短い四本の足ではい歩く動物。せなかは青く光り、からだは細長い。つかまると、しっぽを切ってにげて行く。●**とかげのしっぽきり**［(:蜥蜴の)尻尾切り］えらい人が責任をのがれて助かるために、小物を犠牲にすることのたとえ。

**とかす**［(×梳かす)］《他五》髪のみだれ・もつれを、くしで〈直す／ほぐす〉。

**とかす**［溶かす］《他五》①液体の中に ほかのものを入れて まぜあわせる。 ②溶けた状態にする。「バターをー」 ③［×熔かす・×鎔かす］〔金属を〕液体にする。 ④〔俗〕〔ギャンブルなどで〕お金を失う。

**とかす**［解かす・△融かす］《他五》①〔雪や氷を〕解けた状態にする。 ②〔こおらせた ものを〕こおる前の状態にもどす。 ③〈かたい／苦しい〉心をやわらげる。「なみだが悲しみをー」

**どかす**［(△退かす)］《他五》どけるようにする。どかせる。

**どかた**［土方］〔俗〕土木工事で働く労働者。

**どかっと**《副》①重いものを勢いよくおろすようす。 ②いちどに たくさん。「雪がー降る・お金がーはいる」

**どかどか**《副》大勢の人が足音をたてて さわがしくはいってくるようす。「客が座敷にーと上がりこむ」

**とがにん**［(△科)人］〔古風〕つみびと。

**どかべん**［ドカ弁］〔↑土方弁当〕〔俗〕特別大形の弁当(箱)。

**とがま**［(△利鎌)］〔文〕よく切れる鎌。「ーのような月(=三日月)」

**とがめ**［(×咎め)］①とがめること。 ②《経》〔相場で〕反動。「買いすぎのーが出る」●**とがめだて**［(×咎め立て)］《名・他サ》必要以上に強く、とがめること。「人の言いまちがいをーする」

**とがめる**［(×咎める)］《自他下一》①相手のしたことを、よくないと(面と向かって)言う。「無礼をー・失言をー」 ②あやしんで問いただす。「番人に とがめられる」 ③自分は悪いことをしている、と思って、心が痛む。「気がー・良心がー」

**どかゆき**［ドカ雪］いちどに たくさん降る雪。集中豪雪。

**とがらせる**［(×尖らせる)］《他下一》とがった状態にする。とがらす。とがらかす。「口をー・神経をー」

**とがりごえ**［(×尖り)声］おこったときの、とげとげしい声。とんがり声。

**とがる**［(×尖る)］《自五》①するどく細くなる。「刃先がとがっている・とがった鼻」 ②過敏になる。「神経がー」 ③〔声が〕とげとげしくなる。「とがった声・ことばがー」 ④おこって、ふきげんになる。「そうーなよ」 ⑤反抗的・挑戦的になる。「とがった〈若者／作品〉」▽とんがる〔俗〕。名 とがり。

**どかん**［土管］粘土を焼いて作った管。下水管などに使う。

**どかん**《副》①大きな爆発音。「ーと大砲をうつ」 ②大きくて重いものが ぶつかるようす。「ーとかべにぶつかる」③はでに大きなことをするようす。「―と一発やってやろう」

**とき 一【時】 ①過去から現在、未来へと少しも止まることなく進み、決してもどることのないもの。変化を通して、また時計などを使って知ることができる。「もしも―を止められたら・―が経つ」 表記「:時間」などとも。②少しの間。ひととき。ある状況。「幸せな―を過ごす」③一瞬の間。「心はずむ―」 表記「:瞬間」なども。④〈決められた/だいたいの〉時刻。刻限。「時計が―を打つ・別れの―が来た」 表記「△刻」などとも。☞刻と。⑤【△秋】何かをするにあたっての、重要な状況。局面。「今こそ決戦の―・危急存亡の―」⑥時代。時期。年代。「―は元禄十五年・―あたかも(=時期はちょうど)事件の真っ最中」 表記「:時代」などとも。⑦季節。「―は春」⑧〔―の〕その〈当時/時期〉。「―の政府・―の みかど・勝敗は―の運」☞時の氏神・時の人・時の間。⑨いい機会。「―を待つ・―は良し(=それをするのにいい時期だ)」☞時を得顔。⑩〈ある/それぞれの〉場合。「―には(=場合によっては。ときどきは)つらいこともある・―に応じてことばを使い分ける」⑪〔…の〕時点。「家に着いた―はつかれきっていた」⑫《言》過去・現在・未来などの区別。テンス。時制。「―の(=時をあらわす)助動詞」⑬【トキ】(朝をつげる)ニワトリの鳴き声。「―をつくる」 区別 二①〔…の〕場合。「困った―は電話をください」 区別 ⇩場合①。②〔東北方言〕経験。こと。「行った―がない」☞どき(時)。●時は金なり 句 時間はお金と同じぐらい大切だ。むだに過ごしてはいけない。●時を移さず 句 すぐに。即座に。●時を分かたず 句 どんなときでも。時を決めないで。

とき【△刻・時】 接尾 昔の時間の区切り。一刻は、今の約二時間。「もう半―たった」☞時 一④。

とき【都旗】 東京都を代表する旗。

とき【(△斎)】《仏》①僧の食事。②法事のあとで出される食事。「お―」

とき【(×鴇)・(:朱鷺)】 ①サギに似た鳥。くちばしは下にまがり、はねの うらは うすいピンク。特別天然記念物。②とき色。

とき【(×鬨)・(:鯨波)】〔戦争のとき兵士の気持ちをはげますために〕大ぜいで同時にあげる さけび声。ときの声。

とぎ【(×伽)】〔文〕①きげんをとり、たいくつをなぐさめる〈こと/もの/人〉。②ねる部屋に はべる〈こと/人〉。「夜の―」☞おとぎ。

とぎ【都議】 ↑都議会議員。

どき【土器】 素焼きの焼き物。かわらけ。

どき【怒気】〔文〕おこった〈気持ち/顔つき〉。「―をふくんだ口調」

どき【(時)】 造 ①時季。「いま―・花見―」②時刻。「〔興行物の〕はね―・六つ―」③時機。「しお―・引け―・買い―」

ときあか・す【解き明かす】《他五》 問題を解いて、そのわけをあきらかにする。「出題を―・なぞを―」 名 解き明かし。

ときあか・す【説き明かす】《他五》 説いて意味をあきらかにする。わけの わかるように話す。「内容を―」 名 説き明かし。

ドギーバッグ〔doggy bag〕 レストランで、客が食べ残しを入れて持ち帰るための ふくろや入れもの。

ときいろ【(×鴇)色】 トキのはねの うらのような、うすいピンク。とき。「―の ようかん」

ときおこ・す【説き起こす】《他五》〔あることから〕説明を始める。

ときおよ・ぶ【説き及ぶ】《自五》 そのことまでも説明する。「日本の将来に―」

ときおり【時折】《副》 ときどき。

とぎかい【都議会】《法》都民から選ばれた議員が、東京都の行政に必要なことを決める議会。

ときぐすり【時薬】〔病気や傷が〕時間がたてば いやされ、自然とよくなること。日にち薬。時間薬。

ときざけ【時(×鮭)】 五月から七月にかけて太平洋中北部でとれるサケ。時知らず。ときさけ。〔秋ザケと区別して言う〕

ときしも【時しも】《副》〔文〕(ちょうど)そのとき。おりしも。●時しもあれ 句「時しも」を強めた言い方。

ときしらず【時知らず・時:不知】 ①時ざけ。②キンセンカなど、季節外れに さく花の別名。

とぎじる【(△磨ぎ)汁】 米をといだときに出る、白くにごった汁。とぎしる。

とぎすま・す【研ぎ澄ます】《他五》 ①じゅうぶんに とぐ。②感覚をするどくする。「神経を―」▽研ぎ澄ませる。

トキソプラズマ〔ラ toxoplasma〕 家畜に寄生する原虫。人間に感染すると、脳や視力の障害を起こすことがある。トキソプラスマ。

とぎだし【研ぎ出し】 ①といで つやを〈出すこと/出したもの〉。「みかげ石の―」②〔↑研ぎ出し蒔絵〕 表面をといで、蒔絵の模様を出す技法。 動 研ぎ出す《他五》。

ときたま【時たま】《副》 ときどき。おりおり。たまに。

ときたまご【溶き卵】 生たまごを割って、かきまぜ ほぐしたもの。

どぎつ・い《形》 感じが非常に きつい。あくどい。「―色・―広告」 派 -さ。

ときつ・ける【説き(付ける)】《他下一》 よく話して なっとくさせる。

どきっと《副・自サ》 ⇩どきりと。

ときどき 一 ときどき【(時々)】《副》 同じことが、間をおいて、何回か くり返されるようす。おりおり。ときおり。ときたま。「君は―おもしろいことを言うね・晴れ―くもり」 区別 ⇩一時②。 二 ときどき【時々】 そのときそのとき。「―の草花・―の掛け軸」

どきどき《副・自サ》〔緊張・期待などのため〕心臓の動きが強く感じられるようす。動悸がするようす。「胸が―してくる」☞わくわく。

ときとして【時として】《副》〔文〕ときには。たまに。ときとすると。

ときとば〈俗〉↑時と場合による。「相手に遅刻をされて おこるかどうかは、―だ」

ときなしだいこん【(時無大根)】 細長くて白いダイコン。一年じゅう作られ、つけものなどにする。

ときなしに【時なしに】《副》〔古風〕〈時/季節〉を定めず。いつも。「―仕事する」

ときならず【時ならず】《副》〔文〕思いがけず。とつぜん。

**ときならぬ**［時ならぬ］《連体》〔文〕そうなるはずの時でない。思いがけない。「—雷雨」

**ときに** 【一】［時に］《副》①ときどき。「—遅刻するのが困りもの」②ある時は。「—きそいあい、—はげましあって」③〔文〕その時。「—敵兵、忽然として突入」④〔文〕その時は。「—慶応四年三月」【二】［時に］《接》〔古風〕ところで。話はちがうが。「—、折り入って聞きたいことがある」 ●**ときには**［時には］《副》ときどきは。ある時は。「—ひとりで旅に出てみたい」

**ときのうじがみ**［時の氏神］ ちょうどいい時に出てきて仲裁する人。

**ときのひと**［時の人］ いま注目されている話題の人。

**ときのま**［時の間］〔文〕わずか(のあいだ)。「—の命・—に消えた」

**ときはな・つ**［解き放つ］《他五》なわをといて自由にする。ときはなす。

**ときふ・せる**［説き伏せる］《他下一》説いてしたがわせる。「親を—」

**ときほぐ・す**［溶きほぐす］《他五》〔割ったたまごを〕かきまぜる。

**ときほぐ・す**［解きほぐす］《他五》もつれたものをほどく。また、かたまったものをやわらげる。ときほごす。「糸を—・問題を—」

**どぎまぎ**《副・自サ》うろたえて、心臓がどきどきするようす。どきまぎ。「手紙をわたされて—(と)した」 【由来】心臓の音をあらわしたことば。

**ときめ・く**《自五》〔うれしさ・期待などで〕感情がたかぶり、胸がどきどきする。「期待に胸が—」 【名】ときめき。 【他】ときめかせる《下一》。「心を—」

**ときめ・く**［時めく］《自他五》時勢にあって〈栄える／もてはやされる〉。「今を—大臣」

**どぎも**［度肝・度△胆］ きも(たま)。 ●**度肝を抜く** 【句】ひどくびっくりさせる。

**とぎもの**［研ぎ物］ はさみ・包丁などをとぐこと。とぐべき刃物。

**ドキュメンタリー**〔documentary〕 実際にあったできごとを、そのまま記録したもの。「—映画・—ドラマ」

**ドキュメンタル**《ナダ》〔documental〕 ドキュメンタリーふう。

**ドキュメンテーション**〔documentation〕 ①文書・文献や視聴覚資料などを収集・保管・流通させる技術。②文書にまとめること。

**ドキュメント**〔document〕 ①記録。文書。②ドキュメンタリー。

**ときよ**［時世］〔文〕時代。じせい。 ●**ときよ-じせつ**［時世時節］ そうなるべき、時代の動き。

**とぎょ**［渡御］《名・自サ》〔文〕〔みこしの〕おでまし。

**どきょう**［度胸］ ものごとにおそれない気力。「—だめし・いい—」

**どきょう**［読経］《名・自サ》《仏》声を出してお経を読むこと。読誦。どっきょう。(↕看経)

**ときょうそう**［徒競走］ 一定の距離をいっしょに走って、その速さをあらそう競技。

**どきりと**《副・自サ》とつぜんのことにおどろいて、心臓が一瞬はげしく打つようす。どきっと。「—して、心臓がとまるかと思った」

**とぎれとぎれ**［(途切れ途切れ)・(△跡切れ△跡切れ)］《副・ナダ》とぎれながら続くようす。

**とぎ・れる**［(途切れる)・(△跡切れる)］《自下一》①人のゆききが、いちじ絶える。②とちゅうで切れる。「話が—・とぎれがちに話す」 【他】とぎらせる《下一》・とぎらす《五》。「集中力を—」

**ときわぎ**［(△常×磐)木］ 一年じゅう、葉が枯れないで、緑色をしている木。常緑樹。例、マツ・スギ・ヒノキなど。

**ときわず**［△常×磐津］ 浄瑠璃の一派。常磐津文字太夫を祖とする。ときわずぶし。 【表記】地名の「会津」などを「づ」と書くのとちがい、一般名詞として「津」の意識が弱まったとみて、かなでは「ず」と書く。「ときわづ」も許容。

**ときをえがお**［時を得顔］〔古風〕機会を得て、得意そうな顔つき。「花々が—にさき乱れる」

**ときん**［と金］《将棋》歩が敵の陣にはいり、うらがえって、金と同じはたらきをするようになったもの。 【由来】金のくずし字ともいう「と」が、歩の駒のうらに書いてあることから。

**ときん**［×鍍金］《名・他サ》〔文〕めっき。

**とぎん**［都銀］ ↑都市銀行。(↕地銀)

**どきん**［土禁］〔俗〕↑土足禁止。「愛車を—にする」

**どきん**《副》おどろいたとき、心臓の音が一回、強くひびくようす。「胸が—とする・心臓が—と動く」

**とく**［特］ 特上。特別。「並、中、上、—・—盛り」

**とく**［都区］ 東京都の区全体。「—内・—外」

**とく**［徳］ ①心が正しくて、おこないが人の道にあっていること。「—を積む」②心の、りっぱな能力。美徳。「仁の—」③相手を心からしたがわせる人格。「力の人、—の人」④人に好意を持たれる、いい性質。「あの人には—がある」⑤おかげ(で得られる利益)。「読書の—」⑥めぐみ。恩恵。「—をほどこす」 ●**徳とする** 【句】〔恩に感じて〕ありがたいと思う。「課長の処置を—」 ●**徳は孤ならず** 【句】〔文〕徳のある人には必ず理解者がつき、孤立することがない。〔「論語」のことば〕

**とく**［得］《名・ナダ》①もうけ。利益(になること)。「だれの—にもならない・少し—をした(＝もうけた)・早起きは三文の—〔⇩「早起き」の【句】〕」②有利。めぐまれているようす。「—な(＝きらわれにくい)性格」▽(↕損) ☞お得・得する。

**とく**［(×梳く)］《他五》髪のみだれを、くしで直す。とかす。

**と・く**［溶く］《他五》①〔粉・かたまりに〕液体をまぜて、どろどろにする。溶かす。「絵の具を—」②〔割ったたまごを〕かきまぜる。溶きほぐす。 【可能】溶ける。

**と・く**［解く］《他五》①ほどく。「帯を—(↕結ぶ)・包みを—・着物を—」②ゆるめる。「緊張を—」③取り除く。やめる。「禁令を—・契約を—」④〔わだかまった気持ちを〕消す。なくす。「怒りを—・誤解を—」⑤〔問題やなぞの〕答えを出す。「暗号を—」⑥〔文〕ぬぐ。「旅装を—」⑦〔文〕官職などを、やめさせる。「任を—」 【可能】解ける。

**と・く**［説く］《他五》①〔道理・教えなどを〕話して、わからせる。「倹約を—」②口に出して言う。書いてしめす。「口では民主主義を説きながら、やることは反対だ」 【可能】説ける。

**とく**［〈△疾く〉］《副》〔文〕はやく。急いで。「―参れ」〔文語形容詞「とし」の連用形から〕

**と・く**《助動五型》〔話〕↑ておく。「ほっ―・やめとこう」

**と・ぐ**［研ぐ・△磨ぐ］《他五》①みがいて つやを出す。「鏡を―」②といし(砥石)などを使ってするどくする。「刀を―」③水でこするようにして洗う。「米を―」名研ぎ。直研げる《下一》。可能研げる。

**どく**［独］↑ドイツ(独逸)。「訪―」

**どく**［毒］《名・ナダ》①健康や生命などに害のある〈成分/ようす〉。「からだに―だ・目の―だ」「―を飲む」③手きびしい皮肉。「―をふくんだことば」②毒薬。「―を飲む」 ●毒にも薬にもならない句 害にもならないが、役に立つこともない。 ●毒を仰ぐ句 毒薬をひと息に飲む。 ●毒を食らわば皿まで句 悪事をはたらいた以上、どこまでも悪いことをやってしまう。 ●毒をもって毒を制する句 悪人を除くために、ほかの悪人を使う。

**ど・く**［〈△退く〉］《自五》じゃまにならないように、別な所へからだを動かす。のく。「そこをどけ！」由来「のく」から。濁音化して、よくない意味を強調した。

**ど・く**《助動五型》〔話〕助動詞「とく」の変化。「本を積ん―・水をくん―」

**とくい**［得意］《名・ナダ》①成功して満足に思うこと。「名誉を手に入れて―の絶頂に〈ある/立つ〉」(↔失意)②自分は大したものだと思うこと。じまんに思うこと。「ほめられて―になる・―顔」③〈すぐれている/自信がある〉こと。「英語が―だ」(↔不得意)▽「大―」④ひいきにしてくれる客。「上―」派-がる。-げ。-さ。☞お得意。 ●とくいさき［得意先］ひいきにしてくれる〈客/取引先〉。「お―」 ●とくいまんめん［得意満面］《名・ナダ》じまんそうなようすが顔いっぱいにあふれていること。

☆☆**とくい**［特異］《ナダ》①くらべて見たとき、はっきり ほかのものとちがっているようす。②特にすぐれているようす。派-さ。 ●とくいたいしつ［特異体質］《医》刺激・薬・食べ物などに、異常な反応を起こす体質。アレルギー体質など。「―だからペニシリンは使えない」 ●とくいび［特異日］《天》晴れとか雨とかの天気が高い確率であらわれる、特定の日。「十一月三日は晴れの―」

**とくいく**［徳育］道徳的能力をやしなって そだてる教育。(↔体育・知育)

**どぐう**［土偶］《歴》縄文時代の遺跡から出る、土製の人形。女性像が多い。

**とくうち**［特打ち］《野球》特別に打撃練習をすること。

**どくえい**［独泳］《名・自サ》〔文〕①ひとりだけで およぐこと。②ほかの競泳者をよせつけず、とびぬけて速く およぐこと。

**どくえい**［読影］《名・自他サ》《医》X線やCTなどの画像(=影像)を見て診断すること。

**どくえき**［毒液］毒のある液体。

**どくえん**［毒煙］毒をふくんだけむり。「新建材の―」

**どくえん**［独演］《名・自サ》①ひとりだけで出演すること。②ひとりで長話すること。「部長の―」▽「―会」

**どくおう**［独往］《名・自サ》〔文〕自分ひとりの力で〈行く/する〉こと。「自主―」

**とくおち**［特オチ］(=特落ち)〔俗〕〔新聞で〕他社がいっせいにのせた記事を、のせそこなうこと。☞特ダネ。

**どくおや**［毒親］子どもに対する支配・依存・虐待などによって、のちのちまで害毒をあたえる親。〔一九九九年に日本語訳されたスーザン・フォワードの本「毒になる親」から出たことば〕

**どくが**［毒牙］〔文〕①かみついて毒を出すきば。②わるだくみのための手段。毒手。「―にかかる」

**どくが**［(毒×蛾)］毒を持った、こい黄色のガ。さわると炎症を起こし、ひどくかゆくなる。

**とくがく**［篤学］《名・ナダ》〔文〕学問に熱心なようす。「―者・―の士」

**どくがく**［独学］《名・自サ》先生や学校に たよらず、自分ひとりの力で勉強すること。

**どくガス**［毒ガス］《軍》人や動物に害をあたえる、毒をもったガス。

**どくがん**［独眼］〔文〕かた目。隻眼。「―の名工」 ●どくがんりゅう［独眼竜］〔文〕かた目の英雄。〔戦国時代の大名、伊達政宗の通称〕

**とくぎ**［特技］特別の技能。得意で役に立つこと。「―を持つ・―は英会話とダンスです」

**とくぎ**［徳義］〔文〕道徳上の義務。「―を守る・―心」

**どくぎょ**［毒魚］〔文〕内臓や とげに毒をもつ さかな。

**とくきん**［特勤］↑特殊勤務。「―手当」

**どくぎん**［独吟］《名・他サ》①詩歌・謡曲などを、ひとりで声に出してうたうこと。(↔連吟)②連歌・俳諧で、ひとりだけで句を作ること。また、その句。「―千句」

**どくけ**［毒(気)］①毒となる成分。「―にあたる」②わるぎ。どっき。「―のない人」▽どっけ。☞どっき(毒気)。

**どくけし**［毒消し］毒の作用を消す〈こと/薬〉。解毒。どっけし。

**どくご**［読後］〔文〕本を読んだ あと。「―感・―の印象」

**どくご**［独語］〔文〕一《名・自サ》ひとりごと(を言うこと)。独話。二ドイツ語。「―独文」

**とくごう**［特号］一号よりも上の等級。「―法廷・―活字(=いちばん大きな活字)」

**とくさ**［(：木賊)・(×砥草)］いつも緑色をしている草の名。葉がなく、くきは棒のようで、中は から。ものをみがくのに使う。

**どくざ**［独座］《名・自サ》〔文〕ひとりきりで すわること。

**どくさい**［独裁］《名・自サ》君主などが すべての権力をにぎって、思いのままに政治をすること。「―者・―政治・―的(↔民主的)」

**とくさく**［得策］有利な方法・戦術。「先方を刺激するのは―ではない」(↔不得策)

☆☆**とくさつ**［特撮］《映画》↑特殊撮影。

**どくさつ**［毒殺］《名・他サ》毒薬を使って殺すこと。

**とくさん**［特産］独特の産物。「当地の―物・日本の―」

**とくし**［特使］特別の使者。

**とくし**［篤志］〔文〕社会のためになることなどに進んで協力する気持ち。「―家」

**どくし**［毒死］《名・自サ》〔文〕毒薬を〈飲んで/飲まさ

れて〉死ぬこと。

**どくじ**【独自】《名・ダ》①ほかとちがって、特別であるようす。「―性・―色・―〈のな〉見解」②〈報道で〉特ダネ。独自取材によるニュース。派―さ。

**とくしつ**【特質】それだけが持っている、独特の性質。「燃えにくい―を持つ」

**とくしつ**【得失】〔文〕利益と損失。「利害―」

**とくじつ**【篤実】《名・ダ》〔文〕人情にあつく、まじめなこと。「温厚―」派―さ。

**とくしゃ**【特写】《名・自他サ》〔文〕特別に写真に写すこと。「本誌―」

**とくしゃ**【特赦】《名・他サ》《法》特定の個人に対しておこなう恩赦。

**どくしゃ**【読者】〈新聞・雑誌・単行本などを〉読む人。よみて。●**どくしゃモデル**【読者モデル】〈ファッション雑誌で〉一般読者がつとめる〈セミプロ級の〉モデル。読モ《俗》。

**どくじゃ**【毒蛇】〔文〕どくへび。

**どくしゃく**【独酌】《名・自サ》〔文〕①ひとりで酒を飲むこと。②手酌。

***とくしゅ**【特殊】《名・ダ》少ないために、ほかとは別に〈あつかわれる/考えられる〉ようす。「―性・―事情・―学級〈⇒特別支援学級〉・―メイク〈=映画の撮影などで使う、顔の形を変えるほどのメイク〉」〈↔一般・普通〉派―さ。●**とくしゅこう**【特殊鋼】ニッケルやクロムなどを加えた、強い鋼鉄。●**とくしゅさぎ**【特殊詐欺】電話でうそを信じこませたりして、お金をだましとる詐欺。振りこめ詐欺や、ギャンブル必勝法を教えるという詐欺など。〔二〇一一年以降に広まったことば〕●**とくしゅさつえい**【特殊撮影】《映画》トリックなどを使って、現実にはありえない場面をとること。特撮。●**とくしゅほうじん**【特殊法人】《法》産業育成や地域振興など、国家的に重要とされる事業をおこなうために設立された機関。例、日本放送協会。

**とくしゅ**【特種】《名・ダ》特別な種類。「―鉄道」☞特ダネ。

**とくじゅ**【特需】《経》戦争・震災など特別な状況がまねく、大きな需要。「―産業」

**どくしゅ**【毒手】〔文〕①人を殺そうとする手段。②わるだくみのための手段。毒牙。「―にかかる」

**どくしゅ**【毒酒】〔文〕毒を入れた酒。

**とくしゅう**【特集・特×輯】《名・他サ》〈=特別の編集〉通常とちがって、あることを特に大きく取り上げた記事・番組など。「京都―・―号」

**どくしゅう**【独修】《名・他サ》〔文〕自分ひとりで修得すること。

**どくしゅう**【独習】《名・他サ》自分ひとりで〈学習/習得〉すること。「―書」

**とくしゅつ**【特出】《名・自サ》①〔文〕特にすぐれていること。「―した人材」②↑特別出演。

**どくしょ**【読書】《名・自サ》本を読むこと。「―の秋」●**読書百遍〈義/意〉おのずから通ず** 句〔文〕なんべんもなんべんもその文章を読めば、自然に意味がわかるようになる。●**どくしょじん**【読書人】読書を多くする人。〈知識人のふくみがある〉

**とくしょう**【特賞】特別の〈賞品/賞金〉。

**とくじょう**【特上】特別上等。「上」の一段上。特。「並、中、上、―・―の天丼」

**どくしょう**【独唱】《名・他サ》ひとりで歌うこと。ソロ。〈↔合唱・斉唱〉

**とくしょく**【特色】ほかとはちがった〈すぐれた〉点。「店ごとに客層に―がある・―〈の〉ある辞書・―づけ〈る〉」

**とくしょく**【×瀆職】〔文〕「汚職」の古い言い方。

**とくしん**【特診】〈医学部の教授などの〉↑特別診察。

**とくしん**【×瀆神】《宗》神の神聖さをけがすこと。「―的な考え」

**とくしん**【特進】㊀《名・自サ》特別に昇進すること。「二階級―」㊁↑特別進学。「―クラス」

**とくしん**【得心】《名・自サ》〔文〕じゅうぶん納得すること。「―がいく」

**とくしん**【篤信】《名・ダ》〔文〕神や仏を信仰する気持ちが深いこと。

**どくしん**【独身】配偶者のいない〈こと/人〉。ひとりもの。「―者」●**どくしんきぞく**【独身貴族】〈結婚した人にくらべて〉自由に使えるお金をたくさん持っていて、優雅な生活をしているひとり者。

**どくじん**【毒刃】〔文〕人に危害を加えるやいば。「―にたおれる」

**どくしんじゅつ**【読心術】顔つきを見たり、手をにぎったりして、相手の考えを感じとる術。

**どくしんじゅつ**【読唇術】くちびるの動きを見て、言っていることばを判断する技術。

**どくじんとう**【独△参湯】〈=気つけに特にききめがあるという せんじぐすり〉必ず成功するといわれる〈手段/出し物〉。「忠臣蔵は歌舞伎の―だ」

**どく・す**【毒す】《他五》〔文〕⇩毒する。「商業主義に毒される」

**どくず**【読図】《名・自サ》〔文〕〈地図/図面〉を見て内容を理解すること。「―力」

**とく・する**【得する】《自サ》もうける。利益をえる。〈↔損する〉

**どく・する**【毒する】《他サ》〔文〕そこなう。毒す。「社会を―」

**とくせい**【特性】特質。〈↔通性〉

**とくせい**【特製】《名・他サ》①特別の製造〈品〉。「―ソース」②「上製」の一つ上の等級。

**とくせい**【徳性】〔文〕道徳心。「―を養う」

**とくせい**【徳政】《歴》鎌倉・室町時代、武士や幕府の財政を救うために、すべての負債を返さなくてもいいときめたこと。「―令」

**どくせい**【毒性】毒のある性質。「―が強い」

**とくせつ**【特設】《名・他サ》特別にもうけること。「―会場」

**どくぜつ**【毒舌】手きびしい皮肉。あくどい わるくち。「―をふるう・―家」

**とくせん**【督戦】《名・自他サ》〔文〕①部下をはげまして戦わせること。②うしろのほうから味方の将兵を監視して戦わせること。「―隊」

**とくせん**【特×撰】《名・他サ》①〔文〕特に念入りにつくること。②⇩特選。「―品」

**とくせん**【特選・特×撰】《名・他サ》①展覧会など

で、特にすぐれていると認められたもの。②特別に〈えらぶこと/えらんだもの〉。

↑**とくせん**［特薦］《名・他サ》〔文〕↑特別推薦。

**どくせん**［独占］《名・他サ》①ひとりで占有すること。ひとりじめ。「―的」②《経》市場を支配して利益をひとりじめすること。「―価格」●**どくせん きんしほう**［独占禁止法］《法》特定の業者の間で、生産・販売する商品の量や値段などについて協定を結んだり、また、公正でない方法で会社を合併したりすることを制限・禁止する法律。独禁法。「―違反」

**どくぜん**［独善］自分だけで、ひとりよがりにふるまうこと。「―的なおこない」

**どくせんじょう**［独×擅場］⇩どくだんじょう。

**どくそ**［毒素］《理》細胞や生体内でつくられる、毒のある化合物。

**とくそう**［特捜］①↑特別捜査。②《法》↑〈東京/大阪/名古屋〉地検の〉特別捜査部。汚職や企業犯罪などを独自に捜査する。特捜部。

**とくそう**［特装］①特別にりっぱな装丁。「―版」②用途に応じた、特別の装備。「―車〔=消防車・ダンプカー・宣伝カーなど〕」

**どくそう**［毒草］毒のあるくさ。

**どくそう**［独走］《名・自他サ》①ほかの競走者を引きはなして、一人で先を走ること。また、圧倒的な首位であること。「―態勢にはいる・トップを―する」②単独で〈走る/進む〉こと。「最下位を―する」③自分勝手に行動すること。「軍が―する」

**どくそう**［独奏］《名・他サ》《音》ひとりで演奏すること。ソロ。「ピアノ―」(↕合奏)

**どくそう**［独創］《名・他サ》独自の、すぐれた考え。独自の考えで〈始めること/始めたもの〉。「―性・―に富む作品」●**どくそう てき**［独創的］《ナダ》独創〈の力がある/による〉ようす。「―な作品」

☆☆**とくそく**［督促］《名・他サ》約束どおり〈おさめる/返す〉ように、さいそくすること。さいそく。「税金の―状」

**とくそ ほう**［特措法］〔↑特別措置法〕《法》緊急事態に対処するための、期限のついた特別の法律。「テロ(対策)―・原子力―」

**とくそん**［特損］〔↑特別損失〕《経》通常の業務以外で生じた企業の損失。例、災害・訴訟にともなう損失。(↕特別利益)

**ドクター**〔doctor〕①博士。「―コース〔=大学院の博士課程〕」②医師。ドクトル。「ホーム―」表記 姓などの上につけて、「Dr.」とも書く。●**ドクターカー**〔和製 doctor car〕医師が同乗する救急車。●**ドクター ショッピング**〔doctor shopping〕〔不満や不安から〕かかる医者をつぎつぎにかえること。●☆☆**ドクターストップ**〔和製 doctor stop〕①《ボクシング》試合中にけがをした選手に対して、医者が試合の中止をすすめること。②飲酒、喫煙など、その人のからだに有害なことをやめるよう、医者からきつく指示されること。「―がかかる」●**ドクターハラスメント**〔和製 doctor harassment〕⇩ドクハラ。●**ドクターヘリ**〔和製 doctor heli〕医師が同乗する救急ヘリコプター。

**とくたい**［特待］〔文〕特別の待遇。「―生〔=成績がよくて授業料を免除されている学生〕・―制度」

**とくだい**［特大］特別に大きな〈こと/もの〉。「―号・―のズボン」(↕特小)

**とくだね**［特ダネ］〔=特種〕〔新聞・雑誌やテレビで〕その社だけが手に入れた、特別に大きなニュースの材料。スクープ。「―記事・―をぬく〔=スクープする〕」☞特オチ・とくしゅ(特種)。

**どくだみ**［〈:蕺草〉］初夏に白い十字形の花をつける草。不快なにおいがあるが、煎じて薬用とする。十薬。

**とくだわら**［徳俵］《すもう》土俵の東西南北の中央に、一俵ずつ外がわへずらしてうめた俵。「―に足がかかる〔運よく持ちこたえているが、危ない状況にある、という意味にも〕・―の上でふみとどまる」

**とくだん**［特段］特別。「―の措置を講じる」

**どくだん**［独断］《名・他サ》①自分一人で判断すること。「上司には知らせず、―でおこなう」②しっかりした根拠もなく、自分勝手に判断すること。ドグマ。「私の―と偏見で選んでみた」●**どくだん せんこう**［独断専行］《名・自サ》〔文〕独断で思うとおりにすること。

**どくだん**［独弾］《名・他サ》《音》〔一台の〕ピアノを、ひとりでひくこと。(↕連弾)

☆☆**どくだんじょう**［独壇場］自分だけが活動する場所。ひとりぶたい。「この分野は彼の―だ」由来 本来は「独擅場」で、「独りで擅にする場所」という意味。

**とくち**［徳治］〔文〕君主の徳による政治。儒教で理想とされる。「―主義」(↕法治)

**とぐち**［戸口］家の出入り口。「裏―」

**とくちゅう**［特注・特×註］《名・他サ》①↑特別注文。「―品」②特に注目すること。

←**とくちょう**［特長］特にすぐれた長所。「新製品の―」

↑**＊＊とくちょう**［特徴］特に目立つ〈点/ところ〉。「キリンは首が長いのが―だ・―のない〈顔/性格〉・―づけ(る)」●**とくちょう てき**［特徴的］《ナダ》特徴として目立つようす。「―な髪型」

**どくづく**［毒(突く)］《自五》ひどくののしる。ひどい悪口を言う。名 毒づき。

＊**とくてい**［特定］《名・他サ》①特に〈それ/その人〉と限ること。「―の集団・―の地域の植物」(↕不特定)②まちがいなく〈それ/その人〉だ、と断定すること。「犯人を―できない」●**とくてい がいらいせいぶつ**［特定外来生物］国内の生態系や農林水産物に被害をあたえるため、輸入・飼育などが禁じられている生物。例、カミツキガメ・オオクチバス〔=ブラックバス〕。●**とくていきのうびょういん**［特定機能病院］高度な先端医療をになう病院として、厚生労働省が指定した病院。●**とくてい けんしん**［特定健診］〔↑特定健康診査〕《医》生活習慣病を予防するための健康診断。健保組合や国民健康保険に加入する四十歳以上の人が受ける。メタボ健診。●**とくてい ざいげん**［特定財源］〔国や地方自治体で〕使い道が限定されている財源。「道路―」(↕一般財源)●**とくてい ジャスマーク**［特定JASマーク］新しい規格のJASマーク。特別の生産・製造方法による食品、特色のある原材料を使った食品と認められたものにつけるマーク。新JASマーク。☞J

ASマーク。●**とくていほけんようしょくひん**［特定保健用食品］⇩特保。

**とくてん**［特典］特別の〈あつかい／恩典〉。「会員の―」

**とくてん**［得点］《名・自サ》点数を得ること。また、得た点数。「大量―・《野球》―圏」〔⇩スコアリングポジション〕（↕失点）

**とくと**《副》念を入れて。よくよく。とっくり。「―考えよう」 表記 かたく「：篤と」とも。

**とくど**［得度］《名・自サ》《仏》仏門にはいり、戒名をさずけられること。ふつう、僧や尼になる。

**とくとう**［×禿頭］〔文〕はげあたま。光頭。「―病」

**とくとう**［特等］特別の等級。ふつう、一等の上。「―席」

**とくとく**［得々］ 一 とくとく《トタル》得意なようす。「知ったかぶりをして―と(して)話す」 二 遺〔俗〕お得なこと。「―商品券」

**どくとく**［独特・独得］《名・ナダ》〈自分／そのもの〉だけが持っているようす。「―〈の／な〉性質」 派 -さ。

**どくどく**《副》水や血などが さかんに流れ出るようす。「鼻血が―(と)出る」

**どくどくし・い**［毒々しい］《形》①いかにも毒があるようだ。②〔色が〕しつこい。どぎつい。③にくにくしい。「―口をきく」 派 -げ。-さ。

**ドクトリン**〔doctrine〕①政治上の、基本原則。②信条。教義。

**ドクトル**〔ド Doktor〕医者。ドクター。

****とくに**［特に］《副》①ほかと区別して。わざわざ。「私が―指名を受けた・日本固有のことばを―和語と言う」②〔その中でも〕目立って。「海外、―アジアで人気がある・最近―つかれやすくなった」③〔後ろに否定が来る〕とりたてて言うほど。「質問は―ありません・『異状はないか』『―…〔=ありません〕』」

←**とくにん**［特任］特別に任命すること。「―教授」

→**とくにん**［特認］《名・他サ》特に認めること。特別承認。

**とくのう**［特濃］〔飲み物などが〕非常に こいこと。「―牛乳」

**とくのう**［篤農］〔文〕熱心な農業家。篤農家。

**とくは**［特派］《名・他サ》特別に派遣すること。「海外―員・―を認める」

**どくは**［読破］《名・他サ》読みとおすこと。「全巻を―する」

**とくはい**［特配］《名・他サ》①特別の配当(をすること)。②特別の配給(をすること)。

**とくばい**［特売］《名・他サ》特別に安く売ること。「―品・―場」

**どくはく**［独白］《名・自サ》〔文〕①独り言(を言うこと)。②一人語り。▽モノローグ。

**とくはつ**［特発］《名・自他サ》〔文〕特別に発車〈する／させる〉こと。●**とくはつせい**［特発性］《医》これといった原因がなくて、そうなること。「―脱毛症・―難聴」

**ドクハラ**〔↑ドクター ハラスメント〕医師が、無神経なことばや態度で患者の心を傷つけること。

**どくばり**［毒針］①毒を仕込んだ針。②《動》昆虫やサソリが持つ、敵に毒液を注入するための突起物。どくしん。

**とくばん**［特番］《放送》↑特別番組。「選挙―」

**とくひつ**［×禿筆］〔文〕①先がすりきれた筆。②自分の文章や文字を、へりくだって言うことば。「―を呵す〔=へたな文章を書く〕」

☆☆**とくひつ**［特筆］《名・他サ》〔文〕特に とりあげて書きたてること。●**とくひつたいしょ**［特筆大書］《名・他サ》〔文〕特に目立つように書きたてること。

**とくひょう**［得票］《名・他サ》選挙の結果、得た投票。「―数」

**とくぶ**［都区部］東京都のうち、区の部分。（↕都下）

**どくふ**［毒婦］〔文〕ざんこくで心の ねじけた女。

**どくふ**［読譜］《名・他サ》《音》楽譜を見て理解すること。「―指導・―力」

**どくぶ**［独舞］《名・自サ》〔文〕ひとりだけで まいをまうこと。

**どくぶつ**［毒物］劇物よりも毒性の強い物質。例、水銀・ヒ素。☞劇物。

**どくぶん**［独文］①ドイツ語の文章。②↑ドイツ文学(科)。

****とくべつ**［特別］ 一《名・ナダ》①それだけを、ほかとは別にあつかう〈こと／ようす〉。「―の処置・―列車」（↕一般・普通）②ほかとは ちがって、大切なようす。「私にとって―な人・―な日」③ほかよりも手数がかかっているようす。「雑誌の―号・―メニュー」 二《副》①ほかよりも目立って程度が大きいようす。「―大きな字」②〔後ろに否定が来る〕とりたてて言うほど。べつに。べつだん。「医学的に―問題がない」 ●**とくべつかいけい**［特別会計］《法》国が特定の事業や資金の運用をおこなうとき、一般会計とは別に、法律によって設置される会計。特会。 ●**とくべつかつどう**［特別活動］学校教育で、教科以外の課外活動をする時間。学校行事や学級活動・ホームルーム活動など。特活。 ●**とくべつく**［特別区］《法》区長がいて、市と同じあつかいを受ける、大都市の区。現在は東京都の二十三区だけ。「―民税」 ●**とくべつけいほう**［特別警報］気象庁が発表する、最大級の警戒の呼びかけ。〔二〇一三年に運用開始〕「大雨―」 ●**とくべつこうふぜい**［特別交付税］《法》国が地方自治体に対して、それぞれの財政事情に応じて交付する お金。 ☆☆**とくべつこっかい**［特別国会］《法》衆議院の総選挙後、三十日以内に開かれる国会。特別会。☞通常国会・臨時国会。 ●**とくべつしえんがっきゅう**［特別支援学級］障害を持つ児童・生徒のための学級。「特殊学級」の新しい呼び名。特別支援教室。 ☆☆**とくべつしえんがっこう**［特別支援学校］障害のある子どもを教育するための学校。「盲学校・ろう学校・養護学校」の新しい呼び名。 ●**とくべつしょく**［特別職］公務員法の適用を受けない特別の公務員。大臣・裁判官・知事・市長など。（↕一般職） ●**とくべつてんねんきねんぶつ**［特別天然記念物］天然記念物のうち、特に価値があると国が指定したもの。例、ニホンカモシカ、トキ、屋久島スギ原始林。 ☆☆**とくべつようごろうじんホーム**［特別養護老人ホーム］常に介護を必要とする、六十五歳以上の高齢者で、在宅介護がむずかしい人を受け入れる施設

**どくへび**[毒蛇] かみつくと、きばから毒を出すヘビ。どくじゃ。

☆☆**とくほ**[特保・トクホ]〔↑特定保健用食品〕その食品成分が科学的根拠(こんきょ)にもとづいて健康に有効であると、消費者庁が認めた食品。☞保健機能食品。

**とくほう**[特報]《名・他サ》①特別の〈知らせ/報告〉(をすること)。「選挙—」②スクープ。「事件を—する」

**とくぼう**[徳望]〔文〕徳が高くて人望があること。

**どくほう**[独法]《法》↑独立行政法人。

**どくぼう**[独房] 刑罰(けいばつ)の決まった者をひとりきりで入れておく、刑務所などの部屋。独居房。(↔雑居房)

**とくほん**[読本] ①(小)学校で使う(国語の)教科書の、もとの呼び名。②語学の教科書。③一般(いっぱん)の人のための入門書。「文章—(どくほん)」☞よみほん(読本)。

**ドグマ**〔dogma〕①教義。②独断(的な説)。

**どくまんじゅう**[毒(×饅△頭)]〔俗〕相手を味方につけるため、ひそかにあたえる対価。例、地位の約束。「—を食う(=味方になる)」〔二〇〇三年からのことば〕

**どくみ**[毒味・毒見]《名・他サ》①飲食物に毒があるかないかを、実際に口に入れてみてためすこと。「—をする」②味加減を見ること。

**とくむ**[特務]〔文〕特別の任務。「—機関」

**どくむし**[毒虫] 毒をもち、人に害をあたえる虫。例、ハチ・サソリなど。

☆☆**とくめい**[匿名]〔匿=かくす〕本名を〈かくす/かくして別の名前を使う〉こと。「—希望・—批評」

**とくめい**[特命]〔文〕①特別の命令。「—工事」②特別の任命。「—全権公使(⇩公使)・—全権大使(⇩大使)」●**とくめいしょう**[特命相]〔文〕特命担当大臣。●**とくめいたんとうだいじん**[特命担当大臣]《法》内閣府に置かれる、特定のことがらを担当する大臣。特命相(しょう)。

**とくもく**[徳目] 正直・節約など、道徳を一つ一つに分けた名前。

**とくもり**[特盛り]〔外食店で〕大盛りよりさらに多く〈もること/もったもの〉。「牛丼(ぎゅうどん)—」

**どくや**[毒矢] やじりに毒をぬった矢。

☆☆**とくやく**[特約]《名・自サ》特別の条件・便宜(べんぎ)・利益をともなう契約(けいやく)(をすること)。「—店・医療(いりょう)—付き終身保険」

**どくやく**[毒薬] ①毒をふくんだ物質。毒物。例、青酸カリ。②《医》作用が非常にはげしく、使用に特に注意が必要な医薬品。例、抗(こう)がん剤(ざい)。☞劇薬①。

**どくやく**[独訳]《名・他サ》ドイツ語に翻訳(ほんやく)〈すること/したもの〉。

**とくゆう**[特有]《名・ナダ》それだけが持っていること。そのものだけにあること。「ニンニク(に)—のにおい」

**とくよう**[特養]↑特別養護老人ホーム。

**とくよう**[徳用・得用]《ナダ》割安で、得するようす。「この品はお—です・(お)—サイズ」派—さ。

**とくり**[(徳利)] とっくり。

＊**どくりつ**[独立]《名・自サ》①他人の束縛(そくばく)を受けたり、力を借りたりしないで自分で〈行動/生活〉すること。「—国(家)・—性」②一つだけはなれていること。「—家屋(=一軒(けん)家)・—峰(ほう)(=富士山のように、周囲に山がない山。独峰(どっぽう))」●**どくりつぎょうせいほうじん**[独立行政法人]《法》公益性の高い特定の任務を持った行政機関を独立させた組織。民間の経営手法を取り入れて、効率的に運営される。独法(どくほう/どっぽう)。●**どくりつご**[独立語]《言》文の成分の一つ。ほかの文節と直接に結びつかない文節。例、「みんな、ありがとう」の「みんな」。〔「応援(おうえん)してくれたみんな」のような二文節以上のまとまりは、独立部と呼ぶ〕●**どくりつさいさんせい**[独立採算制]《経》企業(きぎょう)の中の一つの部門が、収入の範囲(はんい)だけで支出を考え、その部門だけで採算が取れるようにする制度。●**どくりつじそん**[独立自尊] 独立して自分の尊厳をたもつこと。●**どくりつどっぽ**[独立独歩] 独立して自分の信じるとおりにすること。

**どくりょう**[読了]《名・他サ》〔文〕読み終えること。

**どくりょく**[独力] 自分ひとりの力。

**とぐるま**[戸車] 引き戸の下(や上)に取りつけて、あけたてを自由にさせるための、小さな車。

**とくれい**[特例] 特別の例。特にもうけた例外。「—として認める」

**とくれい**[督励]《名・他サ》〔文〕とりしまりはげますこと。「部下を—する」

**とくれん**[得恋]〔文〕恋愛をして、成功すること。(↔失恋)

**とぐろ** ヘビなどがからだをうず巻きのような形に〈巻くこと/巻いたもの〉。●**とぐろを巻く**句 (何人かが)ずっといすわる。「飲み屋で—」

**どくろ**[(×髑×髏)] 風や雨にさらされて、死んだ人の頭の骨がむきだしになったもの。されこうべ。しゃれこうべ。

**どくわ**[独和]↑独和辞典(=ドイツ語の見出しに、日本語で意味を書いた辞典)。(↔和独)

**どくわ**[独話]〔文〕①ひとりごと。独語。②大ぜいの人に向かって、ひとりが一方的に話をすること。

**どくわ**[読話] 耳の不自由な人が、相手のくちびるの形や表情などから、話の内容を推測すること。☞口話(こうわ)。

**とげ**[(△刺)・(×棘)・トゲ] ①植物のくきや葉にある、短くてとがったもの。また、さかなのひれが針のようにとがったもの。②はだ・のどに突(つ)きささる、とがった小さいもの。③人の心をさすように感じられるもの。「—のあることば」

←**とけあ・う**[溶け合う]《自五》溶けて混ざりあう。「水と油は溶け合わない・みんなの歌声が—」

→**とけあ・う**[解け合う]《自五》おたがいにうちとける。「心が—」

**とけい**[徒刑]〔文〕もと、重罪人を労役(ろうえき)に服させた刑。「無期—・—囚(しゅう)」

＊**とけい**[時計] ①ぜんまい・電気などによって時間をはかる機械。「—の針をもどす(=過去にもどる)」〔昔は日時計であり、「土圭」と書いた〕②《競馬・競輪など》時間。タイム。「一番—」●**とけいだい**[時計台] 大きな時計を取りつけた塔(とう)。●**とけいまわり**[時計回り] 時計の針のように、左から右の方向に回ること。右回り。(↔反時計回り)

**とけお・ちる**[溶け落ちる]《自上一》溶けて下に落ちる。「ろうが—・原発の炉心(ろしん)が—(=メルトダウンする)」

**とけこ・む**[溶け込む]《自五》①液体の中にほかの

物質が完全に混じる。②仲間やそこの環境(かんきょう)にはいって、なじむ。「チームに―」
**どげざ**[土下座]《名・自サ》地上にひざまずいて、深くおじぎをすること。「―してあやまる」
**どけち**《俗》「けち」を強めた言い方。「―野郎(やろう)」
**とけつ**[吐血]《名・自サ》消化器から出血した血をはくこと。☞喀血(かっけつ)
**とげとげ**[△刺々]㊀とげとげ《名》・とげとげ《副・自サ》たくさんのとげや突起(とっき)(のあるようす)。「―のある種子・―〈の/した〉葉」㊁とげとげ《副・自サ》とげとげしいようす。「人間関係が―する・―した性格」•**とげとげし・い**[△刺々しい]《形》①いらだって、人を責める感じだ。「―ことば・―ふんいき」②刺(さ)すようにきびしいようすだ。「―風」派―さ。
↔**と・ける**[溶ける]《自下一》①液体の中にほかの物質がよく混じり合う。「水に―」②かたまっているものが、液体になる。とろける。「あめ(飴)が―」③[×熔ける・×鎔ける]金属などが熱せられて、液体になる。とろける。④《俗》〈ギャンブルなどで〉お金がなくなる。
↔**と・ける**[解ける]《自下一》①といた状態になる。「帯が―・緊張(きんちょう)が―・問題が―」②[△融ける]雪や氷が水になる。「霜(しも)が―」③「解く」の可能形。
**と・げる**[遂げる]《他下一》①〔しようと思っていたことを〕実現する。はたす。「目的を―・思いを―・復讐(ふくしゅう)を―」②そういう結果になる。「街が変貌(へんぼう)を―・なぞの死を―」
**ど・ける**[(△退ける)]《他下一》じゃまになるものを、ほかの所へ移す。どかす。「道ばたの石を―」
**どけん**[土建]↑土木建築。「―業(者)」
**とこ**[床]①ねどこ。「―をとる・お―」②ゆか。③畳(たたみ)の芯(しん)。④川の底。「川―(どこ)」⑤苗(なえ)を育てる所。「苗―(どこ)」⑥↑とこのま。「―の置物」•**床に就(つ)く**句〈病気で〉ねる。•**床に〈伏(ふ)す/伏せる〉**句 病気でねる。•**床を取る**句 ふとんを〈敷(し)く/敷いてねる〉。
**とこ**[(△所)]《話》㊀とこ ①ところ。「しずかな―だねえ」②点。「そういう―が変だ」③程度。「百円が(=の)―」㊁接尾 場所を数えることば。「二(ふた)―」
**どこ《代》①どの場所。「―から来た・さっきの元気は―へやら(=どこかへ行ってしまった)・―が痛みますか」②どういう点。なに。「かねをもらって―が悪い」③どの段階・程度。「―まで人をばかにするのか」表記 かたく「:何処」「:何所」とも。☞どこと言って。•**どこに目をつけているのか**句 不注意なようすに〈あきれて/おこって〉言うことば。どこに目をつけて(る)んだ《話》。「気をつけなさい、いったい―」•**どこの馬の骨かわからない**句 素性(すじょう)が知れない。どこの馬の骨とも知れない。「―やつにまかせられるか」〈ののしることば。「いったいどこの馬の骨だ(=何者だ)」などの言い方も〉•**どこ吹く風**句 自分には関係がない、という態度をとる。知らん顔をする。「親の注意も―」•**どこを押せば**句 どこを押したら。「〔その人のからだの〕―あんな〈ことば/音(ね)〉が出るのだろう」•**どこを切(り取)っても**句 どの部分を見ても。あらゆる点で。「―完璧(かんぺき)だ」•**どこをた(叩)いても**句 どんなに調べても。「―ほこりが出ない(=不正の事実が見つからない)」•**どこをた(叩)けばそんな音(ね)が出るのか**句 わがまま勝手な言い分にあきれたときに言うことば。
**どご**[土語]〈文〉その地方の土着の人のことば。
**とこあげ**[床上げ]《名・自サ》病気・お産のあと、元気になって寝床(ねどこ)をあげる〈こと/祝い〉。とこばらい。
**とこいり**[床入り]《名・自サ》新婚(しんこん)の夫婦(ふうふ)の共寝(ともね)。「お―」
☆☆**とこう**[渡航]《名・自サ》船・飛行機に乗って海をわたること。渡海(とかい)。「海外―」
**とこう**(ーかう)《副・自サ》《雅》とかく。「―するうちに」
**どこう**[土工]①土木の工事。②《俗》土木工事で働く人。
**どごう**[土豪]〈文〉その土地の豪族(ごうぞく)。
☆☆**どごう**[怒号]《名・自サ》〈文〉おこってさけぶ〈こと/声〉。「―が飛びかう」
**どこか**㊀《名・副》どこということを特に決めないで、ある場所をさすことば。どんな所か。どこぞ。「―遠いところ・―へ行きたい」㊁《副》どこということなく。なんとなく。「―変だ」▽㊀㊁どっか。•**どこかしら**㊀**どこかしら**《副》はっきりどことは言えないが。「―冷たい印象がある」㊁**どこかしら**連《話》どこだろうか。「おや、ここは―」
**とこかざり**[床飾り]床(とこ)の間の〈かざりもの/かざりつけ〉。掛(か)け軸(じく)・置物・生け花など。
**とこさかずき**[床杯・床×盃](ーさかづき) 婚礼(こんれい)の夜、新夫婦(ふうふ)が床入りの前にさかずきをとりかわす儀式(ぎしき)。
**ドコサヘキサエンさん**[ドコサヘキサエン酸]《理》⇩ディーエイチエー(DHA)。
**とこしえ**[(△永え)・(:永遠)](とこしへ)〈文〉永久に変わらないこと。とこしなえ。「―に(=永久に)」
**とこずれ**[床擦れ]《名・自サ》病気などで長くねているうち、床におしつけられた部分の皮膚(ひふ)などがくさるもの。褥瘡(じょくそう)。
**どこぞ**《名・副》〈古風/方〉どこか。「―のなにがし(=どこかのだれか。少し見下げた言い方)・―悪いところでもあるんか〈関西などの方言〉」
**どこそこ**《代》特にどこといってはっきり場所をしめさない言い方。
**とこつち**[床土]なえどことして使う土。
**どこでもドア** あけると、行きたい場所に行けるドア。「―があれば満員電車に乗らなくてすむ」由来 藤子(ふじこ)・F・不二雄(ふじお)の漫画(まんが)「ドラえもん」に出てくる道具から。
**どこといって**[どこと(言って)]《副》べつに、どこにも。「―変わったところはない」〈連体詞の形もある。「どこと〈いった/いう〉当てもない」〉
**とことこ**《副》小またで少しはやく歩くようす。「子どもが―歩く」
**どことなく**《副》どこということは、はっきり言えないが。どことなし。「―似ている」
**とことわ**(ーとは)〈雅〉永久。とこしえ。「―の命」
**とことん**《俗》㊀せっぱつまったところ。最後のところ。「―まで」㊁《副》どこまでも。とことんまで。「―追及(ついきゅう)する」
**とこなつ**[常夏]〈文〉一年じゅう、いつも夏(のよう)であること。「―の島タヒチ・―の国」
**とこのま**[床の間]座敷(ざしき)の上座(かみざ)に、ゆかを一段高くした所。置物などをかざる。とこ。

**とこばしら**［床柱］床の間の前の柱。

**とこばなれ**［床離れ］《名・自サ》①寝床から起き出ること。「―のいい子だ」②病気が治って、ねていなくてもいい状態になること。

**とこばらい**［床払い］《名・自サ》とこあげ。

**とこはる**［常春］〔文〕冬がなくて、いつも春（のよう）であること。「―の地」

**とこぶし**［（常節）］アワビによく似て、それより小さい貝。煮たり蒸したりして食べる。

**どこまでも**《副》ここで終わり、ということがないようす。徹底的に。

**どこも**《副》[一]どこも どんな所も。「プールは―満員だった」[二]どこも〔後ろに否定が来る〕ひと所も。なにも。「―おかしくない」●**どこも・かしこも**《副》どの場所もあの場所も。どこでも。どこもここも。どこもかも。

**とこや**［床屋］〔古風／俗〕理髪店。「―さん」●**とこやせいだん**［床屋政談］理髪店に来た客や店員の間で、ああだこうだと政治の話をすること。

**とこやま**［床山］役者・力士などの髪をゆう人。

**どこやら**《副》①どことなく。②どこか ある所を、ぼんやりさすことば。

**とこよのくに**［常世の国］〔文〕①死後に行くという、年もとらず死ぬこともない国。②よみのくに。黄泉。

**ところ [一]ところ［所・△処］①ある一点。また、ある広がりをもった部分。「かゆい―はありませんか・そんな―に寝てはだめだ・いい―に住んでいる・〔天気予報で〕―（ところ）により雨となるでしょう・―自慢〔＝郷土自慢〕」✎場合によって、ごく小さな点から、一つの地域や、さらに広い範囲までをふくむ。②住んでいる家。居所。「姉の―に身を寄せる・お―とお名前」③立場。「攻守―を変える」[二]ところ ①とき。場合。最中。「出かけようとしている―に・勉強している―だ・きょうの―はゆるしてやろう」②〈直後／直前〉の状態にあることをあらわす。「今来た―だ」③限られた範囲。「私の知る―〔＝かぎり〕では・聞く―によると・今までの―（は）異常なし」④特に目立つ性質。一面。「詩人らしい―がある・君は見るべき―がある」⑤様子。「寛大な―を見せた・きょうのニュースはこんな―〔＝感じ〕です・率直な―〔＝考えの内容〕を聞かせてください・結局の―（は）〔＝結局〕あきらめた」⑥〔―となる〕〔文〕受け身をあらわす。「同僚のねたむ―となった〔＝ねたまれた〕」⑦〔欧文直訳的に〕意味をつなぐことば。「ここにのべられている―の考えは」[三]《接助》それで どうなったかをあらわす。…したら。「聞いてみた―、知らないと言う」[四]［所・△処］《接尾》場所を数えることば。「三―」[五]［（所）・（△処）］[造]〔どころ〕①その〈ところ／あたり〉。「まんなか―・打ち―が悪かった」②…すべきところ。…するにふさわしいところ。「聞き―・見―・押さえ―・勝負―・身の置き―」③それがたくさんとれる所。生産地。「米―・茶―」④…である人たち。「きれい―・中堅―の社員」⑤それを供する所。「お食事―・そば―」[表記][五]⑤は、多く「△処」。●**所構わず**[句]場所を選ばないで。「―腰をおろす」●**所変われば品変わる**[句]土地が変われば、それぞれに風俗・習慣やことばなどがちがうものだ。●**所嫌わず**[句]どこでもかまわず。●**所を得る**[句]〔文〕その〈人／もの〉にふさわしい場所・地位におさまる。「所を得て活躍する」●**ところえがお**［所得顔］（ほ―が）《名・ナダ》立場・地位に満足して、ほこらしげな顔つき。得意顔。したり顔。「昇進して―だ」●***ところが** [一]《接助》①…したら。「買って行った―喜ばれた」②…したけれども。「急いだ―だめだった」③〔古風〕たとえ…しても。ところで。「たとえおれがだめだと言った―」[二]ところが《接》予想に反したことをのべるときに使う。それなのに。「大いに期待していた。―、結果は最悪・―どっこい」●**ところがき**［所書き］住所（を書きつけたもの）。●**ところがら**［所柄］その場のようす。場所がら。「―をわきまえる」●**ところせま・い**［所狭い］《形》場所がせまい。場所にいっぱいのようす。「所狭くならべてある」●**ところせましと**［所狭しと］《副》場所をうめつくすほどいっぱいに。「―ならんでいる」●**ところで** [一]《接助》たとえ…しても。「損をした―たいしたことは ない」[二]ところで《接》話を変えるときに使う。それはそうと（して）。「―きょうは なんのご用ですか」●**ところどころ** [一]［（所々）］《名・副》〔全部でなく〕あちこちの部分。「―の色が赤い・―（に）読めない文字がある」[二]［所々］いろいろな所。「町の―に看板が出ている」☞しょしょ（所々）。●**ところにより**［（所により）］《副》〔全部でなく〕あちこちの場所。「―一時雨」〔天気予報では、全体の半分に満たない、あちこちの場所〕●**ところばらい**［所払い］（―ばらい）〔江戸時代の刑の名から〕住んでいる所を追い払われること。●**ところばんち**［所番地］住所の地名と番地。●**ところへ**《接》そういう状態のところへ。そうしたら、そこへ。「うわさをしていた。―あらわれたのが彼だった」

***どころ**《副助》…という程度。「ここから落ちたら、けが―では すまない」☞さわぎ③。●**どころか** [一]《接助》…と思ったら〈それだけではなく／逆に〉という気持ちをあらわす。「新聞―ネットも見ない・犯罪はへる―ふえる一方だ」[二]どころか《接》それどころか。「にこりともしない。―口もきかない」●**どころではない**[連]①…という程度に とどまらない。「修正は十か所―」②…という程度まで行かない。大きくこえている。「相手に圧倒されて、言い返す―」③とてもできない。それさえできない。「ねている―・旅行（する）―」▽どころの〈騒ぎ／話〉ではない。

**どころ**［（所）・（△処）］[造] ⇩ところ[五]。

**ところてん**［（∴心太）・トコロテン］煮てさらしたテングサから作る、すきとおった食品。細長く突いて出したものを、酢じょうゆなどで食べる。〔関西では黒みつで食べることが多い〕[由来]テングサの意味の「こころふと」（『こころ』は『凝る』の意味、『ふと』は不明）が「こころてい」となり、さらに変化した。[表記]俗に、「トコロ∴天」とも。●**ところてんしき**［トコロテン式］あとからおされて、自然に先へ進むこと。「―に進級する」

**とこわき**［床脇］床の間のわき（にある かざり戸だな）。

**どこんじょう**［ど根性・ド根性］「根性」を強めた言い方。「―が すわっている」

**とさ**［土佐］旧国名の一つ。今の高知県。土州。

**とさ**《終助》〔話〕ということだよ。「あった―・だめなんだ―」

**とさ**「―造り〔＝カツオのたたき〕」

**とさい**［都債］東京都が発行する債券。

**とさいぬ**［土佐犬］①土佐〔＝高知県〕原産の、オオカミを思わせる姿の犬。天然記念物。四国犬。②「土佐犬①」と洋犬を交配した、闘犬用の大形の犬。耳がたれ、顔の皮膚がたるんでいる。▽とさけん。

**どざえもん**［土左△衛門］〔俗〕おぼれて死んだ人。水死体。由来 江戸時代のすもうとり、成瀬川土左衛門によく似た姿になったからという。

**とさか**［(:鶏冠)］《動》ニワトリなどの頭にある、赤くうすい、かんむりのようなもの。●**とさかに来る** 句〔古風〕頭にくる。かっとなる。

**どさくさ** 混雑。混乱。「―まぎれ・―にまぎれて」

**とざ・す**［閉ざす・△鎖す］《他五》①(戸を)しめる。とじる。②通れなくする。「道を―」③とじこめる。「氷に閉ざされる・うれいに閉ざされる」

**とさつ**［×屠殺］《名・他サ》〔屠=ほふる〕〔文〕①「食肉処理」の古い言い方。②人を、けもののように殺すこと。

**どさっと**《副》①重いものが落ちたり、投げ出されたりしたときの音のようす。「―落ちる」②まとめて いちどにするようす。「―買う」▽どさりと。

**とざま**［△外様］①《歴》武士の時代、将軍の一門や譜代でない、大名やさむらい。「―大名」(↕譜代) ②出身が正統でない者。傍系。

**どさまわり**［どさ回り・ドサ回り］〔俗〕①地方を回って興行すること。②決まった小屋を持たない、地方回りの劇団やサーカス。

**どさりと**《副》⇩どさっと。

**とざん**［登山］《名・自サ》山に のぼること。やまのぼり。「エベレスト―」(↕下山)

**どさん**［土産］〔文〕土地の産物。「―品」☞みやげ(土産)。

**どさんこ**［△道産子］(↑道産の子) ①北海道で生まれた人。②［ドサンコ］北海道産の日本馬。からだが小さく、毛が長い。

***とし**［年・△歳］①ときの単位。〔太陽暦で〕地球が太陽をひと回りするのに かかる時間。一年間。ねん。②「とし(年)①」を単位として数える、一月一日から十二月三十一日まで。「卒業の―・さるの―〔『さるどし』とも〕」生まれ・いつの―にか また おとずれるであろう」③生まれてからたった時間を、年数で数えたもの。年齢。「―はいくつだ・―を食う(=(むだに)年をとる)」④(特定の)としごろ。「もう―だ(=年齢が高い)・いい―をして」⑤つきひ。光陰。「―を送り―をむかえる」表記「△歳」は、③④の意味で使うことが特に多い。☞お年・年ふ(古)りる。●**年が明ける** 句 新年になる。●**年がいく** 句 ㊀③」の用例。●**年には勝てない** 句 〈多く/ほかの人より も〉年をとると、自分の思うようには動けない。●**年は争えない** 句 若いつもりでも、年をとると肉体のおとろえは かくせない。「階段で息切れするなんて―よ」●**年を追って** 句 年がたつとともに。「―体力が落ちる」●**年を越す** 句 〈次の/新しい〉年をむかえる。「旅先で―・事件は未解決のままで―」●**年を取る** 句 ①〈誕生日/正月〉になって〉年齢が上がる。②老年になる。年がいく。〔「お年を召す」は、尊敬した言い方〕▽年取る。

****とし**［都市］人口の多い〈その地方の中心となる/特別の機能を持った〉地域。「研究学園―」

**とじ**［△刀自］〔文・古風〕高齢の女性を尊敬して(下につけて)呼ぶ名。「久本千代―」

**とじ**［×杜氏］⇩とうじ(杜氏)。

**とじ**［途次］〔文〕道の途中。みちすがら。

**とじ**［(×綴じ)］①(本の形に)とじること。「―がゆるむ」②↑たまごとじ。「天―(=天ぷらをたまごとじにしたもの)・カツ―(『カツ煮』とも)」

**どじ**［ドジ］《名・ダ》〔俗〕しくじり。へま。まぬけ。「―なまねをする・(アニメキャラなどで)―っ子」●**どじを踏む** 句 しくじる。へまをする。

**としあけ**［年明け］新年になったころ。ねんあけ。

**としうえ**［年上］年齢が上である〈こと/人〉。(↕年下)

**としお・いる**［年老いる］《自上一》〔文〕年をとる。「年老いた母親」

**としおくり**［年送り］(年内にするべき事をすませて)その年を終えること。(↕年迎え)

**としおとこ**［年男］その年の干支に生まれた男性(で、節分の豆まきの役をする人)。(↕年女)

**としおんな**［年女］その年の干支に生まれた女性(で、節分の豆まきの役をする人)。(↕年男)

**としがい**［年(:甲斐)］年齢に ふさわしい考え深さや落ち着き。「―もなくはしゃぐ」

**としかさ**［年(×嵩)］《名・ダ》①としうえ(の人)。「いちばんの―」②老年。

**としがしら**［年頭］集団の中で、年が(最も)上であること。「いちばんの―」

**としガス**［都市ガス］(ボンベに入れて配送されるプロパンガスに対して)道路の下のガス管を通じて供給されるガス。

**どしがた・い**［度し(難い)］《形》(↑度する《=済度する、救う》＋難い)〔文〕道理を言いきかせても〈救う/わからせる〉ことができない。救いがたい。「―やつ」派 -さ。

**としかっこう**［年(格好)］⇩としごろ㊀①。

**としがみ**［年神・△歳神］正月に、各家に迎えてまつる神。歳徳神。「―さま」

**としぎんこう**［都市銀行］《経》大都市に本店があり全国に支店を持つ、大きな銀行。都銀。(↕地方銀行)

**としけいかく**［都市計画］都市の交通・道路・住居などを整備する計画。

**としご**［年子］一つちがいの兄弟姉妹。

**としこうざん**［都市鉱山］回収されず都市に捨てられている多くのレアメタルを、鉱物の埋まった山にたとえた言い方。

**としこし**［年越し］《名・自サ》①前の年を送って、新しい年をむかえること。②おおみそかの夜。●**としこしそば**［年越し(:蕎麦)］(細く長く生きよう、と願って)おおみそかの夜に食べるそば。みそかそば。

**としごと**［年ごと］〔ごと=毎〕年を追うごと。毎年。「輸出が―に増える」

**とじこ・む**［(×綴じ)込む］《他五》①一つに とじあわせる。②とじたものの あとに加えて とじる。名 とじ込み。

**とじこ・める**［閉じ込める］《他下一》(戸をしめて)家・部屋の中から出られなくする。おしこめる。名 閉じ込め。

とじこも・る[閉じ〈籠もる〉]《自五》（戸をしめて）家・部屋の中にこもる。[名]閉じこもり。

としごろ[年頃][一]としごろ ①年齢の程度。年かっこう。「―は五十前後か・むずかしい―の中学生」②結婚できる年齢。一人前。「―の むすめ・お―」[二]としごろ《副》〔雅〕昔から。年来。「―の不孝」

とした[年下] 年齢が下である〈こと/人〉。（↕年上）

とじしろ[〈×綴じ代〉] とじるために少し残しておく、紙などの はしの部分。

と-したことが[連] ⇩私としたことが（「私」の[句]）。

どしつ[土質]〔文〕土の性質。「―改良」

としつき[年月] ①年と月。②つきひ。光陰。「―を送る」▽ねんげつ。

どしっと《副》①重いものが落ちるときの音のようす。「―ゆかに置く」②貫禄があるようす。「―かまえる」▽どしりと。

**として [一]《格助》①…の資格で。「社会人―あつかう」②…の立場で。「私―は・責任者―の自覚」③…でさておいて。「それはそれ―」[丁寧]②③と(いた)しまして。[アク]ウシとして・ネコとして・イヌとして。[二]《副助》どれも例外がない、ということをあらわす。「一つ―満足なのがない」☞して・とする。•としても [一]《接助》そういう仮定をもうけても。たとえ…ても。「今から行った―、帰りは夜になる」[二]としても《接》〔前を受けて〕かりに そうだとしても。だとしても。「よくあることかもしれない。―、私にはショックだった」[丁寧]と(いた)しましても。

☆☆としでんせつ[都市伝説] 現代の都市でまことしやかにささやかれる、根拠のない うわさ話。

としどし[年々] 毎年。としごと。「―の流行」☞ねんねん(年々)。

どしどし《副》①大きな音をたてて歩くようす。「―(と)足をはこぶ」②手早く ものごとをするようす。「―(と)かたづける」③続けて たくさん来るようす。「ご意見を―お寄せください」

としと・る[年取る]《自五》年が多くなる。年寄る。「年取ったお坊さん」

としなみ[年波] 年をとることを、寄せて来る波に たとえたことば。「寄る―には勝てない」

としのいち[年の市・〈歳の市〉] ①年のくれに、正月に使う品物を売る市。「―が立つ」②年末の売り出し。

としのくれ[年の暮れ] その年の終わり。年末。

としのこう[年の功] 年をとって経験を〈積むこと/積んだ おかげ〉。「―で その場をうまく おさめた」

としのころ[年の頃] だいたいの年。年のほど。「―(は)四十ばかり」

としのせ[年の瀬]〔文〕年のくれ。「―も おしつまりま〈して〉」

としは[年端] 年の程度。•年端も行かぬ[句] 幼い。「―少年」

としばえ[年〈延え〉]〔古風〕年かっこう。年齢。年配。としばい。

としふ・りる[年〈古りる〉]《自上一》〔文〕長い年月が〈たつ/たって古びる〉。「年ふりた松の木」

とし・へる[年経る]《自下一》〔文〕長い年月がたつ。としふる《上二》。「年経て通力を得たきつね」

としま[年〈増〉] そろそろ若いとは言えない年ごろの女性。（↕新造）[注]江戸時代は二十歳前後を言った。現在は中年に近い年ごろを指す。☞中年増・大年増。

とじまり[戸締まり]《名・自サ》〔用心のために〕門・戸を、あかないようにしめること。

としまわり[年回り] ①ある条件のもとに めぐってくる年。「来年は ひのえうまの―になる」②年齢による運勢の よしあし。「ことしは―がいい」③年ごろ。年かっこう。「同じ―」•年回りが悪い[句] 特に厄年に当たる、男四十二歳、女三十三歳をいう。

としむかえ[年迎え]（それにふさわしい準備をして）新年を迎えること。（↕年送り）

とじめ[〈×綴じ〉目] 本やノートの、とじてある部分。

としゃ[吐×瀉]《名・自サ》《医》吐いたり、腹をくだしたりすること。はきくだし。「―物」

どしゃ[土砂] 土とすな。「―くずれ」

どしゃダム[土砂ダム] 山からくずれ落ちた土砂で、川がダムのように せき止められたもの。天然ダム。河道閉塞。☞せき止め湖。

どしゃぶり[〈土砂〉降り] 雨がはげしく降ること。

としゅ[斗酒]〔文〕一斗（＝約一八リットル）の酒。•斗酒なお辞せず[句] 大酒でも かまわず、平気で飲む。

としゅ[徒手]（＝素手）〔文〕①道具を使わないこと。「―体操（↕器械体操）」②資本・地位などのないこと。

としゅくうけん[徒手空拳]（＝素手）〔文〕たよりになる武器・資本などが、何もないこと。「―で敵に立ち向かう」

*としょ[図書] 本。書物。「―室・―カード・児童―・有害―・参考―」[区別]⇩本[一]①。☞図書館。

としょ[〈×屠所〉]〔文〕食用にする家畜を殺して処理する所。•屠所に引かれる羊のよう[句] いやな目にあうのが わかっていて、元気なく行くたとえ。屠所の羊。「―に社長室に向かう」

としょう[徒渉]《名・他サ》〔文〕川や海の浅いところを、歩いて わたること。「谷川を―する」

とじょう[途上]〔文〕目的(地)に達する途中。「出勤―・発展の―にある」•☆☆とじょうこく[途上国] ↑〈発展/開発〉途上国。

とじょう[都城] 昔の中国で、敵にそなえて市街地のまわりを壁などで囲んだ都市。

とじょう[〈×屠場〉]〔文〕「食肉処理場」の古い言い方。

とじょう[登城]《名・自サ》臣下が、城に参上すること。（↕下城）

とじょう[登場]《名・自サ》⇩とうじょう(登場)①。

☆☆どじょう[土壌] ①《農》作物をそだてる土。「―汚染」②そのような結果を生む環境。「金権政治の―」

どじょう[〈:泥鰌〉] ウナギよりも小さく細くて、ぬるぬるする さかな。口のまわりに ひげがある。川や田んぼのどろの中などにすむ。「―なべ」[表記]料理店などでは「どぜう」とも。•どじょういんげん[〈:泥鰌=隠元〉] サヤインゲンの一品種。•どじょうひげ[〈:泥鰌=×髭〉] くちびるの上の両わきにうすく はえた口ひげ(の人〉。

**とし_ようい**［年用意］正月をむかえるための、いろいろな準備。

**とし_ょうじ**［戸障子］戸と障子。

**どしょうぼね**［土性骨］〔俗〕生まれつきの性質・根性。どしょ(う)っぽね。「―のある男」

**としょ_かん**［図書館］図書・記録・映像などを集め、整理・保管して、多くの人に見せたり貸したりするところ。ライブラリー。

**としょく**［徒食］《名・自サ》〔文〕仕事を何もしないで暮らすこと。居ぐい。「無為―」

**としより**［一］［年寄り］年をとった人。老人。「―をからかうもんじゃない」 現在は ぞんざいな語感が強くなり、ていねいに「お年寄り」と言うことが多い。戦後の「としよりの日」は「敬老の日」となった。☞敬老の日。［二］［年寄］①《すもう》力士を引退して〔日本相撲協会の〕役員となった人。(相撲部屋を持ち)力士の養成に当たる。親方。「―襲名〔=現役の力士が年寄の名をつぐこと〕」②江戸時代の、町村の住民のかしら。●としよりの ひやみず［年寄りの冷や水］年寄りが若い者に負けまいとして むりをすることの たとえ。〔冷や水=冷たい飲み水〕

**とし_よ・る**［年寄る］《自五》〔文〕⇩年取る。

**どし_りと**《副》⇩どしっと。

***と・じる**［閉じる］［一］《自上一》①あわせた状態になる。「目〔=まぶた〕が―」②布や板が、ぴったりと さえぎった状態になる。しまる。「幕が―・シャッターが―」▽(↔開く・開く) ③広がっていた部分が(完全に)せまくなる。「花が―・瞳孔が―」(↔開く) ④終わりになる。「国会が―」(↔開く) ［二］《他上一》①あわせた状態にする。「本を―・目を―」②ぴったりとさえぎった状態にする。しめる。「幕を―・窓を―」▽(↔開ける・開く) ③広げていた部分を(完全に)せまくする。「傘を―」④《情》ソフトウェアやファイルを終了して画面上から消す。⑤終わりにする。「店を―・会を―」▽③〜⑤(↔開く) 可能 閉じられる。

**と・じる**［(×綴じる)］《他上一》①かさねあわせたもののはしを、糸・ホチキスなどで とめる。「紙を―」②肉や野菜を加熱したものに、ときたまごをかけて かたまらせる。しくじる。

**どじ・る**［ドジる］《自五》〔俗〕どじなことをする。しくじる。

**としわか**［年若］《名・ナダ》年齢の若い〈こと/人〉。「五歳―の妻」●としわか・い［年若い］《形》年齢が若い。

**とし_わすれ**［年忘れ］その年の苦労を忘れる〈こと/ための、年末の会〉。忘年会。

**としん**［妬心］〔文〕しっとしん。ねたみごころ。

**としん**［都心］大都市の中心地帯。特に、東京都の中心部。「―部・―の繁華街」

**とじん**［都×塵］〔文〕都会の〈ごみ/ごみごみした所〉。「―を避けて郊外に住む」

**どしん**《副》重いものが ぶつかったり、落ちたりするときの〈音/ようす〉。「―としりもちをつく」

**どじん**［土人］〔古風〕未開の土地の者。〔差別的なことば。もとは、未開発の遠い国や、中央からはなれた地方などに もとから住む人を、客観的に指した〕

**とじんし**［都人士］〔文〕みやこに住んでいる人。都人。

**と・す**［賭す］《他五》〔文〕①かける。「運を―」②投げだす。「身を―」▽賭する。

**トス**《名・他サ》〔toss〕①《野球など》近くの味方に下から軽く投げてボールを送ること。②《バレーボール》味方が、敵のコートに強く打ちこめるように、ボールをほどよく上げること。「―を上げる」③《テニス》サーブをする前にボールを上げること。④コインを投げ上げて、出た面によって、ものごとを決めること。コイントス。⑤《野球》↑トスバッティング。

**どす**［ドス］〔↑おどす〕〔俗〕①おどすような感じ。すごみ。「―の利いた声・〔声や態度に〕―を利かせる」②短刀。☞長ドス。

**ど・す**《助動マス型》〔京都方言。活用は「○―し―す―○―○―○」〕です。「そう―え」

**とすい**［吐水］《名・自サ》〔文〕水を出すこと。水が出ること。「―口〔=水や湯の出るところ〕・上げ―〔=レバーを上げると水の出る蛇口〕」

**どすう**［度数］①〈あらわれる/使った〉回数。「―制〔=使った回数に応じて料金をはらう仕組み〕」②「度［一］⑦・⑨〜⑫」をしめす数。

**ドスキン**〔doeskin=めすジカの皮〕シカの皮の感じに仕上げた毛織物。男性の礼服用。

**どすぐろ・い**［どす黒い］《形》色が、黒くて きたない感じだ。派 ―さ。

**どすこい**《感》〔話〕すもうのけいこで、自分をふるい立たせるために〔「よし」「ファイト」の気持ちで〕言うことば。

**トスバッティング**《名・自サ》〔和製 toss batting〕《野球》近くから ゆるいボールを投げさせて軽く当てる、打撃練習。トス。

**と・する**［賭する］《他サ》〔文〕⇩賭す。

**と・する**［一］《助動サ型》①…と〈考える/見なす〉。「必要―・最悪のケースもありうるとして対策をまとめた・マナーに反するとされている」②…と考えて、そのように言う。「適切に判断したいとしている」③…ことに決める。「さて、帰る―か〔=帰ろうか。『帰るとしようか』とも〕」④…の場合を〈想定/仮定〉する。「ここにひとりの男がいる―・かりに そうだとして」［二］《(よ)うとする・んとする》で助動サ型》もう少しで…という態勢・状態になる。「行こう―と止められた・日は もう暮れようとしている・〔かたく〕席を立たん―・田園まさに荒れなんとす〔=荒れつつある。文語の例〕」●とすると ［一］《接助》前の部分を条件とする言い方。…ということ(をする/をした)ならば。「あらためて書き直す―、たいへんだ・ごうまんな印象をあたえた―、申し訳ない」［二］と-すると《接》〔前を受けて〕そうだとすると。だとすると。「ポケットにはない。―、どこかで落としたのか」▽［一］［二］としたら。とすれば。

**どすん**《副》大きくて重いものが ぶつかったり、落ちたりするときの〈音/ようす〉。「―と体当たりする」 丁寧 と(いた)しますと。

**とせ**［(△年)・(△歳)］接尾〔雅〕年を数えることば。「いく―・三―」

**とせい**［都政］東京都の行政。

**とせい**［都勢］〔文〕数字であらわした、東京都の〈経済上の〉状態。

**とせい**［渡世］①〔文〕職業。商売。「八百屋―・―のつらさ」②〔↑やくざ渡世〕やくざという なりわい。「―

の義理・—人(=ばくち打ち・テキ屋)」

**とぜい**【都税】都が割り当てて取り立てる地方税。「—事務所」

**どせい**【土星】〔天〕太陽系の第六惑星。木星の外がわにあり、約三〇年で太陽を回る。まわりに大きな輪と、八〇個以上の衛星を持つ。サターン(Saturn)。

**どせい**【土製】〔文〕土を焼いて作ること。土作り。「イノシシ形—品」

**どせい**【怒声】〔文〕おこった声。おこりごえ。

**どせき**【土石】〔文〕土や石。「—製品(=セメント・ヒューム管・陶磁器・れんがなど)」 ●☆☆**どせきりゅう**【土石流】〔地〕地震や大雨で山からくずれた土や石が、水といっしょにどっと流れ落ちてくること。山津波。

**とぜつ**【途絶・×杜絶】《名・自サ》〔文〕途中が〈ふさがり/切れて〉、たえること。とだえること。「交通が—する」

**とせん**【渡船】〔文〕わたしぶね。●**とせんば**【渡船場】わたし(ば)。

**とぜん**【徒然】《名・ナダ》〔古風/東北方言〕することがなくてたいくつなようす。さみしいようす。つれづれ。「—ですから碁でも打ちましょう」☑東北・九州で、同じ意味で「とぜんない」とも言う。

**とせんきょう**【渡線橋】⇩こせんきょう(跨線橋)。

**とそ**【×屠×蘇】⇩おとそ。

**とそう**【塗装】《名・自他サ》塗料をぬること。「—工事」

**どそう**【土葬】《名・他サ》死体を焼かずに、土の中にうずめること。(↔火葬)

**どぞう**【土蔵】まわりを土で厚くぬったくら。

**どそく**【土足】①(屋外用の)はきものをはいたままのあし。「—厳禁」②どろなどのついたままの、すあし。●**土足で踏み込む** 句 むりに立ち入って、ぶえんりょなことを言ったりしたりする。「人の心に—」

**どぞく**【土俗】〔文〕その土地に古くから伝わる風俗。

**とそさん**【×屠×蘇散】サンショウ・キキョウ・ニッケイなど七種類の成分を等分にまぜあわせたもの。ふくろに入れ、正月に〈酒/みりん〉にひたして飲む。☞おとそ。

**どだい** ㊀【土台】①木でつくった建物のいちばん下にあり、石やコンクリートの上にのせて、柱を受ける横木。「—石」②橋を支える、土や石で築いたもの。③ものごとを支える、おおもと。基礎。「—となる研究」㊁《副》もともと。元来。「—わたしは気が小さい」

**とだえる**【途絶える】《自下一》①往来がたえる。②途中で〈切れる/なくなる〉。「便りが—」

**どたキャン**【ドタキャン】《名・自サ》〔俗〕直前になってキャンセルすること。(←どたんばでキャンセル)

**どたぐつ**【ドタ靴】〔俗〕歩くとドタドタと音を立てる、ぶかっこうなくつ。

**どたどた**《副・自サ》さわがしく、あらあらしい〈音/ようす〉。「—(と)歩く」

**とだな**【戸棚】前に戸を取りつけ、中にたなを作った箱形の家具。「衣装—」

**どたばた** ㊀**どたばた**《副・自サ》①さわがしい足音(を立てるようす)。「廊下で—する」②あわてて混乱するようす。「準備で—する」㊁**どたばた**【ドタバタ】①登場人物がさわがしく動きまわる作品。「—喜劇」②見苦しい混乱。「人事の—」

**とたん**【塗炭】(=どろにまみれ、火に焼かれること)〔文〕非常な苦しみ。「国民は—の苦しみだ」

**とたん**【途端】《名・副》ちょうどそのとき(に)。急に。「横を向いた—のことだった・見た—(に)泣きだした・—、飛び起きた」

**トタン**〔ポ tutanaga《トタナガ=亜鉛》の変化という〕鉄板に亜鉛をめっきしたもの。屋根板などに使う。トタン板。「—ぶ(葺)き」

**どたん**《副》重いものが落ちたり、たおれたりするときの音。どたり。どたっ。「つまずいて—ところぶ」

**どたんば**【土壇場】(土壇=首切りの刑をおこなうために盛った土の壇)ものごとが決まろうとする、最後の局面。どんづまり〔俗〕。「—に追いこまれる」

****とち**【土地】①家や田畑をつくったりして、人間が活動する場所となる地面。「—をたがやす・—の売買」②町や村、山や川などから成る、広いまとまり。地域。地方。「旅行でおとずれた—・—の文化」③その町や村。地元。現地。「—の者・—生まれの人」④領土。「—と人民を支配する」

**とち**【栃・×橡】とちのき。「—の実」

**とちかいりょう**【土地改良】〔農〕農業のための土地利用を高めるための改良。農地の区画整理、かんがい・排水の設備を作ること、うめ立てなど。「—事業」

**とちかおくちょうさし**【土地家屋調査士】〔法〕不動産の表示に関する登記に必要な、土地・家屋についての調査・測量・申請手続きをする人。

**とちがら**【土地柄】その土地の性格や人気などの状態。「—気があらい」

**とちかん**【土地鑑・土地勘・土地カン】〔警察〕その土地とのかかわり(があって、事情をよく知っていること)。「犯人は—がある人物らしい」

**とちく**【×屠畜】《名・他サ》(屠=ほふる)〔文〕「食肉処理」の古い言い方。

**どちくしょう**【ど畜生・ド畜生】《感》〔俗〕人をひどくののしるときのことば。「—め」

**とちくるう**【とち狂う】《自五》急に正しい判断力を失う。「何をとち狂ったのか」

**とちしゅうよう**【土地収用】〔法〕公共事業のために、私有の土地を強制的に買い上げること。

**とちっこ**【土地っ子】〔俗〕その土地で生まれ、その土地で育った人。

**とちのき**【〈栃の木〉・〈×橡の木〉】背の高くなる落葉樹。葉はヤツデに似る。たねは食用。☞マロニエ。

**どちゃく**【土着】《名・自サ》その土地に住みつくこと。「—民」

**どちゃくそ**《副》〔俗〕はなはだしく。めちゃくちゃ。とても。「—かっこいい・—うまい飯」

***とちゅう**【途中】①出発点から到達点までの間(の、ある地点)。「—下車・——(=途中のいろいろな地点)で挫折もあった」②始まってから終わるまでの間(の、ある時点)。「—経過(=途中のようす)」③はしからはしまでの間の一点。「くきが—から折れる」

**どちゅう**【土中】〔文〕土のなか。

**とちょう**【都庁】東京都の事務をあつかう役所。

**とちょう**【ト調】〔音〕その音階の第一の音に「ト」の音をあてた調子。

**とちょう**【登頂】《名・自サ》〔文〕⇩とうちょう(登

頂)。

**どちょう**［怒張］《名・自サ》〘医〙血管などが、ふくれ上がること。

**どちら［どちら］《代》①どの方向(のもの)。「―へおいでですか・―(=どこ)にお住まいですか」②二つのうちで、はっきり決められないものごとをさすことば。「―も好きだ・―かと言うと(=しいて言えば)おしゃれなほうだ」☞どれ[一]。▽「どっち」よりもていねいな言い方。③どなた。「―(さま)ですか・―さまもお忘れ物のないようにお願いします」表記 かたく「:何方」「:孰方」とも。●どちらに転んでも 句 結果的にどちらになっても。「―損はない」●どちらにしても《副・接》二つの条件が、あまり変わらないことをあらわす。どちらにしろ。どちらにせよ。「早く帰れても帰れなくても、―遊ぶ時間はない」

**とち・る**《自他五》〔俗〕①せりふを言いそこなう。②演奏をまちがえる。③やりそこなう。しくじる。「役者が出を―(=出番をまちがえる)」▽とっちる。〔もとは、「またとっちた」など、上一段活用〕名 とちり。

**とっ**［取っ］接頭〔―+動詞など〕気持ちを強めることば。「―つかまえる・―くみあい」

**とつ**［凸］中ほどが つき出ること。「―型・―状・―の側」(↔凹)

**とつ**［×咄］《感》〔文〕ちぇっ。いやはや。「―、失敬きわまる」〔禅宗のことばから〕

**とつおいつ**《副・自サ》〔↑取りつ置きつ《=取ったり置いたり》〕〔文〕あれこれとまようようす。「―思案する」

**とっか**［特価］特別の、安い値段。「―品」

**とっか**［特科］自衛隊の、部隊の区分。大砲を主力とする。砲兵。「―連隊」

**とっか**［特化］《名・自他サ》ほかとちがった特別なものにすること。「商品を中高年向きに―する」

**どっか**［読過］《名・他サ》〔文〕①読み終わること。「一―する(=ひととおり読み終える)」②深く注意しないで〈読む／読みすごす〉こと。

**どっか**《名・副》〔話〕どこか。「この街の―」

**トッカータ**〔イ toccata〕〘音〙ピアノ・オルガンのための、はなやかで技巧的な短い曲。

**とっかい**［特会］〘法〙↑特別会計。

**とっかい**［特快］↑特別快速電車。

**どっかい**［読解］《名・他サ》文章を読んで、その意味を理解すること。「―指導・―力」

**とっかえひっかえ**［(取っ替え引っ替え)］《副・他サ》つぎつぎに取りかえる〈こと／ようす〉。「―試着する・付き合う相手を―する」

**とっか・える**［取っ替える］《他下一》〔話〕取りかえる。名 取っ替え。

**とっかかり**［(取っ掛かり)］〔「とりかかり」の音便〕取りつく〈こと／場所〉。「―がない」動 とっかかる《自五》。

**どっかと**《副》ゆっくりとおちついて腰をおろすようす。「―すわりこむ」

**どっから**《副》〔話〕↑どこから。「―見ても」

**どっかり**《副》①重いものを置くようす。「―おろす」②ゆっくりと腰をおろすようす。「―(と)あぐらをかく」③いちどに大きな変化が起こるようす。どかっと。「―穴があく・収入が―へる」

**とっかん**［×吶×喊］《名・自サ》〔文〕ときの声をあげ(て敵の陣に突撃す)ること。

**とっかん**［突貫］《名・自サ》①勢いよく敵の陣に突撃すること。「敵中に―する・〔号令で〕―!」②一気に完成させること。「―作業」●とっかんこうじ［突貫工事］①一気に完成させる〈工事／仕事〉。「画期的な―」②〔①の誤解から〕手ぬきで急いでする〈工事／仕事〉。

**とっき**［突起・凸起］《名・自サ》〔文〕表面からつき〈出ること／出たもの〉。出っぱり。「―物・―をつける」

**とっき**［特記］《名・他サ》〔文〕特別に書き出すこと。「―事項」

**どっき**［毒気］①毒のある気体。「―をふきかける」②わるぎ。どくけ。「―のない男」☞どくけ(毒気)。●毒気に当てられる 句 相手の おしの強い態度によって、こちらの気持ちがなえてしまう。毒気に当たる。●毒気を抜かれる 句 相手の出方が予想外で、わるくちを言うのも忘れる。〔「(相手の)毒気を抜く」の形でも使う〕

**どつき**［度付き］レンズに、視力を調整する はたらきのあるもの。度入り。「―のサングラス」

**とつぎさき**［嫁ぎ先］〔古風〕とついだ相手(=夫)の家。

**とっきゅう**［特急］①〔↑特別急行(列車)〕急行よりも停車駅を少なくして速く走る(設備のいい)列車。「―券」②特にいそぐこと。「―でやってください」

**とっきゅう**［特級］一級よりも上の等級。

**とっきょ**［特許］《名・他サ》①特別に許可すること。②〘法〙ⓐ特許権をあたえること。ⓑ↑特許権。「―を取る」●とっきょけん［特許権］〘法〙工業上の発明者が、それを自分だけで使える特権。パテント。特許。「―を持っている・―の侵害」●とっきょちょう［特許庁］〘法〙発明・実用新案・意匠および商標に関する事務をあつかう官庁。経済産業省の外局。

**どっきょ**［独居］《名・自サ》〔文〕ひとりで〈住む／いる〉こと。「―(=ひとりぐらしの)老人・―房(=独房)」

**どっきり**［一］《副・自サ》ひどく どきりとするようす。［二］〔俗〕ふざけて、人をだまし おどろかす計略。〔テレビ番組から〕

**どっきん**［独禁］〘経〙↑独占禁止。「―法」

**ドッキング**《名・自サ》〔docking〕①〔人工衛星の〕結合。②結びつけて、一つにすること。「福祉と医療を―させる」

**とっく**［特区］〘法〙①〔↑特別区域〕規制を緩和したりして、先進的な取り組みを国が支援する区域。「経済―」②〔中国の〕↑特別行政区。「香港―」

**とっく**〔↑疾く〕ずっと前にすぎたこと。「しめきりは―です」●とっくに《副》ずっと前に。「授業は―始まっているよ」●とっくのとうに《副》「とっくに」を強めた言い方。●とっくのむかし［とっくの昔］「ずっと前」の大げさな言い方。

**とつ・ぐ**［嫁ぐ］《自五》〔古風〕よめに行く。「農家に―」

**ドック**〔オ dok〕①船を造ったり修理したりするために使われる施設。船渠。②↑人間ドック。☞脳ドック。●ドックいり［ドック入り］《名・自サ》①船がドックにはいること。②〔俗〕人間ドックにはいって検査を受けること。

**どつ・く**［ど(突く)］《他五》〔関西などの方言〕〔俗〕強く突く。なぐる。どづく。「どついたるで」

**ドッグ** 造〔dog〕①犬。「―フード〔=飼い犬用のえさとして作った食べ物〕・―ショー」②↑ホットドッグ。「チリー―」▽なまって、ドック。●**ドッグイヤー** 一〔dog-ear=犬の耳〕①本のページの角を折って、読書中の目印としたもの。②耳あてが両脇に垂れ下がっている帽子。 二〔dog year〕〔犬が感じる一年のように〕情報技術の革新が速いこと。●**ドッグカフェ**〔和製dog＋フcafé〕犬をつれてはいれるカフェ。犬カフェ。☞猫カフェ。●**ドッグファイト**〔dogfight=闘犬〕〔戦闘機どうしの〕激しい空中戦。●**ドッグラン**〔dog run〕犬をリードー〔=引き綱〕から放して遊ばせる、専用の運動場。「公園内の―」●**ドッグレッグ**〔dogleg〕《ゴルフ》ゴルフコースが、中ほどで右または左に「く」の字形に曲がっていること。

**とつくに**［△外つ国］〔文〕外国。異国。

**とっくみあい**［取っ組み合い］《名・自サ》つかみあい。くみうち。「―のけんか」動取っ組み合う《自五》。

**とっく・む**［取っ組む］《自五》〔話〕取り組む。

**とっくり**［△徳利］①陶器で作った、細長くて口のせまい、酒の入れ物。とくり。②〔↑とっくりえり〕〔古風〕タートル ネック。「―セーター」

**とっくり**《副》とくと。「―(と)考える・―(と)話し合う」

**とっくん**［特訓］《名・他サ》〔↑特別訓練〕選手あるいは特別の能力をつけさせたい人に対しておこなう、特別の訓練。

**どっけ**［毒(気)］⇩どくけ。

**とっけい**［特恵］《経》特別の恩恵。「関税上の―をあたえる・―関税〔=特定の国からの輸入品に対してかける、ほかの国よりも低い関税〕」

**とつげき**［突撃］《名・自他サ》①《軍》突進して攻撃すること。②予告なしにインタビューすること。「買い物客を―」

**とっけん**［特権］特別の権利。「外交―・―を得る・長い休みは学生(ならでは)の―だ」●**とっけんかいきゅう**［特権階級］一般の人の持てない権利を持っている人々。貴族や社会の有力者など。

**とっこ**［△独×鈷］①《仏》密教の儀式で使う、銅・鉄で作った、両はしのとがった短い棒。どっこ。②〔古風〕口実。②〔古風〕口実にする。言いがかりのたねにする。「相手のひとことを―」

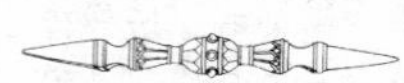

［とっこ ①］

●**とっこに取る** 句〔古風〕口実にする。

**どっこい**《感・副》〔↑どこ(何処)へ〕相手の行動や予想をさしとめるときの声。「―、行かせるものか・現実は―、そう甘くない」●**どっこいしょ**《感》〔話〕①〔老人が、また、疲れているときなどに〕動作が大儀であると発する声。よっこらしょ。②力を入れて動作をするときに発する声。「一、二の三、―」③民謡などの はやしことば。●**どっこいどっこい**《ナダ》ほとんど同じで、優劣がないようす。「両チームの力は―だ」

**とっこう**［特攻］〔↑特別攻撃〕《軍》敵に体当たりする、自殺的な攻撃。〔第二次世界大戦末期、旧日本軍がおこなった〕「―隊・―精神」●**とっこうふく**［特攻服］暴走族や不良学生などが着る、変わった服。上下とも単色の生地に、文字や絵が大きくししゅうしてあるものが多い。「―での入場はお断りします」

**とっこう**［特効］①特別のききめ。②↑特殊効果。「―花火〔=イベントの演出などに使用される花火〕」●☆☆**とっこうやく**［特効薬］①《医》その〈きず/病気〉だけによくきくくすり。「かぜの―」②一気に解決する方法。「景気回復の―」

**とっこう**［特高］〔↑特別高等警察〕戦前に設置された、政治・社会運動を取りしまるための警察。一九四五年に解体。特高警察。

**とっこう**［特講］①↑特別講義。②↑特殊講義。③↑特別講習。

←**とっこう**［徳行］〔文〕道義にかなったおこない。

→**とっこう**［篤行］〔文〕心のこもったおこない。「―の老夫婦」

**とつごう**［突合］《名・他サ》〔文〕つき合わせて調べること。「二つのリストを―する」

**どっこう**［独行］《名・自サ》〔文〕自分ひとり(の力)でおこなうこと。「独立―」

**どっこうせん**［独航船］遠洋漁業で母船にしたがい、とったサケ・カニなどを売りわたす船。

**とっこつ**［突×兀］《タト・タル》〔文〕高くけわしくそびえるようす。「―とした岩山」

**とっさ**［×咄×嗟］〔=舌うちして うなること〕①ごく短い時間。すぐさま。「―の機転・―に身をかわす」②とつぜん。だしぬけ。「―のことで返答に困った」

**とっさき**［突先］〔俗〕長くのびたものの、いちばん先。突端。

**どっさり**《副》〔山もりになるほど〕たくさん。「みやげを―(と)いただく」

**ドッジボール**〔dodge ball〕ふた組みに分かれてボールを投げあい、相手方の からだに当てる遊び。避球〔文・古風〕。〔なまって、ドッチ ボール〕

**とっしゅつ**［突出］《名・自サ》①つき出ること。「―した半島」②きわだっていること。「―した個性・―して多い」③ふき出すこと。「炭坑でガス―」

**とつじょ**［突如］《副》〔予告しないで〕急に。とつぜん。「―あらわれる」

**どっしり**《副・自サ》①重くて、簡単に動か(せ)ないようす。「―(と)した本」②おちついたようす。「―(と)かまえる」

**とっしん**［突進］《名・自他サ》一気に進むこと。つき進むこと。「廊下を―する・ゴールに―する」

**とつぜん［突然］《副・ナダ》おどろくようなことが、急に起こるようす。また、急にそうするようす。「―の大あらし・あまりに―〈の/な〉やめ方・―笑い出した・―ながら申し上げます」派―さ。●**とつぜんし**［突然死］《医》元気だった人が急に死ぬこと。ふつう、発病後二十四時間以内に死んだ場合をいう。●**とつぜんへんい**［突然変異］《名・自サ》《生》遺伝子そのものが突然変わって、新しい性質が遺伝すること。

**とったり** ①《歌舞伎》捕り手。②《すもう》両手で相手の片うでをつかんで引きたおす わざ。「―を打つ」

**とったん**［突端］つき出たはし。とっぱな〔俗〕。「みさきの―」

**どっち**《代》「どちら①②」のくだけた言い方。「―でもいい」表記かたく「∴何方」とも。●**どっちへ転んでも** 句 どういう結果になっても。●**どっちもどっち** 句 どちらも同じくらい、よくないようす。「あの夫婦はーだ」●**どっちつかず**[どっち(付かず)] どちらとも決まらないこと。「ーの態度」●**どっちみち**《副》〔みち＝道〕いずれにしても。

**ドッチボール** 〔dodge ball〕 ⇨ドッジボール。

**とっち・める**[(取っ▵締める)]《他下一》〔話〕〔つかまえて〕やりこめる。強くなじる。

**とっちゃんぼうや**[(▵父ちゃん)坊や] 〔俗〕りっぱなおとなでいながら、子どもっぽいところのある男性。とっちゃん小僧。

**とっちらか・る**《自五》〔←とり散らかる〕 ①いろいろなものが整理されず、ばらばらにある。「話がー」②〔俗〕すじの通らないことを言ったりしたりする。パニックになる。他 とっちらかす《五》。「部屋をー」

**どっちらけ** 〔「しらけ」の強調〕〔俗〕おもしろみや楽しさ、感動がまったくないこと。「ーのコント」動 どっちらける《自五》。

**とっつかま・える**[取っ捕まえる]《他下一》〔話〕つかまえる。自 取っ捕まる《五》。

**とっつき**[(取っ付き)]〔話〕①最初。いちばん手前。②第一印象。「ーが悪い」●**とっつきにく・い**[(取っ付き▵難い)]《形》「とっつきやすい」の反対。「ー文章・ー性格」派 ーさ。●**とっつきやす・い**[(取っ付き▵易い)]《形》①自分も気軽に見たり聞いたりしやすい。参加しやすい。「ー曲・ーゲーム」②気づまりな感じがなく、親しみやすい。「ー人・ー街」③取りかかりやすい。「ーところから始める」派 ーさ。

↑**とっつ・く**[(取っ付く)]《自五》〔話〕取り付く。「かべにー・仕事にー」

↑**とっつ・く**[(取っ×憑く)]《自五》〔話〕取りつ(憑)く。「びんぼう神がー」

**とって**[取っ手・▵把っ手] 家具・とびら・なべ・茶わんなどにつけて、手に持つ部分。また、手で動かす部分。

**とって 一[(取って)]《副》〔古風〕年を言うときにつけることば。当年とって。「ー十八歳です」由来 昔は数え年だったので、「今年の正月に年をとって」の意味。今は満年齢でも使う。☞明けて。二《**にとって**》で格助》…の立場で考えると。「私にー(は)一大事だ」〔「とり」はかたい言い方〕丁寧 とりまして。

**とってい**[突堤]〔文〕岸から海の中につき出るように作った、細長い堤防。

**とっておき**[取って(置き)] 大切にしまって〈おくこと/あるもの〉。とっとき。「ーの品」

**とってお・く**[取って(置く)]《他五》すてたり、売ったりせずに、残しておく。とりおく。とっとく〔話〕。「写真をー」

**とってかえ・す**[取って返す]《自五》ひきかえす。「忘れ物を思い出してー」

**とってかわ・る**[取って代わる]《自五》そのものの役割をひきうけて、代わりをする。

**とってだし**[撮って出し]〔放送〕〔俗〕〔テレビで〕撮影して、間を置かずに、すぐ放送すること。「ーでオンエアする」

**とってーつ・ける**[取って(付ける)]《他下一》①間に合わせのために、くっつける。「本の末尾に取ってつけられた解説」②その場しのぎに、わざとらしいことを言ったりしたりする。「取ってつけた(ような)おせじ」

**とっても**《副》〔話〕「とても」を強めた言い方。「ーきれい・ーしあわせよ・ーかなわない」

**どっと**《副》①大ぜいがいっせいに〈声を立てる/拍手をする〉ようす。「ー笑う」②多くのものがいちどきにあらわれるようす。「ーおし寄せる・悲しみがーこみあげる」③音を立ててたおれるようす。「大木がーたおれる」④急に病気になってねるようす。「ー(病の)床につく」

☆☆**ドット** 〔dot〕①〔文字や図形を構成する要素となる〕小さな点。「ーマップ」②水玉模様。③〔インターネットのアドレスで〕国名や組織名の区切りに使う点。ピリオド。「ーコム(.com)〔＝企業をあらわすドメイン名〕」

**とっとき**[取っとき]〔話〕とっておき。

**とっとこ**《副》①早い足どりで歩くようす。②仕事を手早くかたづけるようす。

☆☆**とつとつ**[(×訥々)]《(ト)タル》 話をするときにことばがつかえるように話すようす。「ーとして語る」

**とっとと**《副》〔俗〕はやく。さっさと。「ー出て行け」

**とつにゅう**[突入]《名・自サ》つき進んで〈その状態に〉はいりこむこと。「敵の陣にー・ストにーする」

**とっぱ**[突破]《名・他サ》①こわして進むこと。「囲みをーする」②困難なことをのりこえて進むこと。「入試をーする」③一定の数や量より多くなること。「一億をーする」●**とっぱこう**[突破口] ①敵陣を突破する手がかりとなる、攻め口。「ーを開く」②手がかり。

**トッパー** 〔topper〕 上に〈のせる/つける〉もの。「〔ベッドにのせる〕マットレスー・ーコート〔＝上半身をおおうコート〕」

**とっぱずれ**[(突外れ)]〔俗〕いちばんのはずれ。

☆☆**とっぱつ**[突発]《名・自サ》〔事件・症状が〕とつぜん起こること。「ー事故・ー的・ー性難聴〔＝ある日突然耳が聞こえなくなること〕」

**とっぱな**[(突▵端)・(突鼻)]〔俗〕突端。

**とっぱらい**[取っ払い]〔俗〕仕事をしたその日に、給料を現金で払うこと。「ーのアルバイト」

**とっぱら・う**[取っ払う]《他五》〔話〕とりはらう。名 取っ払い。

**とっぱん**[凸版] ①インクをつけて印刷する版の表面がもり上がっている印刷版。〔↔凹版〕②「凸版①」で印刷した図表・絵。凸版図。

**とっぴ**[(∴突飛)]《ナダ》非常に〈変わっている/思いがけない〉ようす。「ーな行動」派 ーさ。

**とっぴょうしもな・い**[(突拍子もない)]《形》①調子の外れた。「ー声」②常識を外れた。とんでもない。「ーことをする」

☆☆**トッピング**《名・他サ》〔topping〕 食べ物にのせたりかざりつけたりする〈こと/もの〉。例、ピザにのせる具・アイスクリームにふりかけるチョコレートチップ。

**トップ** 〔top〕①いちばん上の部分。頂上。〔↔ボトム〕②天板。③自動車の屋根。④先頭。「ーを切る」⑤首位。最高位。「ーを張る・ークラス」⑥〔新聞の〕紙面の最初。〔雑誌の〕巻頭。「ー記事・ーニュース・ー屋〔＝俗に、週刊誌のトップ記事を書く職業の人〕・ーをかざる」⑦集団を代表する最上位の人。「経営ー」〔↔ボトム〕⑧〔↔トップギア〕〔マニュアル車のギアで〕

最高速度の出る段階。☞ロー[二]・セカンド[一]③・サード[一]②。⑨《服》⇩トップス。(↔ボトム) ●**トップコート**〔topcoat〕①色がはげないように、上からぬる液。「マニキュアの―」(↔ベースコート) ②《服》合い着に着る、軽くて短いオーバー。●**トップシーズン**〔和製 top season〕一年のうちで観光地が最も混み合う時期。●**トップス**〔tops〕《服》上半身に着る衣服の総称。トップ。例、ジャケット・シャツ・ブラウス。(↔ボトムス) ●**トップスピン**〔topspin〕《球技》飛んで行く方向と同じ向きのボールの回転。順回転。上回転。(↔バックスピン) ●**トップセールス**〔和製 top sales〕①社長など、代表者みずからが ものを売りこむこと。②売り上げが いちばん多い〈人／こと〉。「―を目ざす」●☆☆**トップぞめ**［トップ染め］⇩さきぞめ。●**トップダウン**〔top-down〕①上の者が決めて、下の者が従うこと。上意下達。「―社会」②〈上から下／全体から細部〉へと向かう方式。「―でセーターを編む・―的な研究」▽(↔ボトムアップ) ●**トップテン**〔top ten〕人気投票や売り上げ順位などで、上位の〈十人／十種〉。☞ベストテン。●**トップバッター**〔和製 top batter〕①《野球》一番打者。先頭打者。②順番でおこなうときの最初の人。一番手。「質問の―」●**トップマネ(ー)ジメント**〔top management〕《経》(会社などの)最高幹部(による経営)。●**トップライト**〔top light〕①光を取り入れるために屋根にあけた窓。また、そこから取り入れた光。②(舞台などで)上のほうからの照明。●**トップランナー**〔top runner〕①《陸上》一流の走者。②先頭に立って活躍する人。「各界の―」●**トップリーグ**〔Top League〕社会人ラグビーの〈リーグ／公式試合〉。「―開幕」●**トップレス**〔topless〕《服》(女性が)上半身に何も着ないこと。「―の水着」●**トップレベル**〔top-level〕①最高水準。「―の技術」②その国や組織の最高幹部。「―での交渉」

**とっぷう**［突風］急に強くふいて、すぐやむ風。

**とっぷつ**［突沸］《名・自サ》《理》急に熱が加わった液体が、いきなり沸騰する現象。周囲に飛び散って危険。

**ドップラー こうか**［ドップラー効果］〔Doppler=発見者の人名〕《理》音・光など、波として伝わるものの発生源または観測者が動いていると、波の振動数が変わって観測される現象。例、救急車のサイレンが、近づくときは高く、遠ざかるときは低く聞こえる現象など。

**とっぷり**《副》①日がすっかり暮れるようす。「―(と)日が暮れる」②⇩どっぷり②。

**どっぷり**《副》①水・墨などをじゅうぶんに ふくませるようす。「筆に―(と)墨をつける」②ふろなどに首までひたるようす。とっぷり。「温泉に―(と)つかる」③〔俗〕あることの中に、すっかり安住しているようす。「古い慣習に―(と)つかる」

**ドッペルゲンガー**〔ド Doppelgänger=二重の歩行者〕本人とそっくりの〈存在／まぼろし〉。分身。

**とつべん**［×訥弁］〔文〕ことばが つかえるようで へたなしゃべり方。口べた。(↔能弁)

**どつぼ**〔=ど壺。「ドツボ」とも書く〕①こえだめ。②〔俗〕↑どつぼに はまる[句]。「―も いいところだ」●**どつぼに はまる**[句]〔俗〕最悪の状態におちいる。「あせればあせるほど―」

**どっぽ**［独歩］《名・自他サ》〔文〕①ひとりで歩くこと。「川辺を―する」②信じる道をひとりで行くこと。「独立―」③くらべるものがない(ほどすぐれている)こと。無比。「古今(に)―(する)」

**とっぽ・い**《形》〔「トッポい」とも書く〕〔俗〕①不良っぽくて かっこいい。「―にいちゃん」②〈とぼけて／ぬけて〉いるようすだ。「―女の子」③〔古風／方〕ぬけめがない。

**どっぽう**［独法］《法》↑独立行政法人。

**トッポギ**〔↑朝鮮 tteokbokki=もちいため〕棒状のもち(=トック)を、コチュジャンや砂糖で あまからく いためたもの。トッポッキ。

**とつめん きょう**［凸面鏡］《理》表面がまるく もり上がった かがみ。自動車のバックミラーなどに使う。(↔凹面鏡)

**とつレンズ**［凸レンズ］《理》中央の部分で厚くなっているレンズ。(↔凹レンズ)

**とて**〔文〕[一]《副助》①だって。「かれ―承知せぬ はずはない」②と言って。「都へ―旅立った」③〔**こと―**〕なので。「知らぬこと―失礼いたしました」[二]《接助》①かりに…としても。「来いと言われた―行かれはしない」②からと言って。…という理由で。「女だ―容赦はせぬ」③〔**―ない**〕ひとつもない。「泣かない日―ない・財産―ない身の上」④と思って。しようとして。「鬼が島をば討たん―」

**どて**［土手］①堤防。②ものをそこで とどめる(盛り上がった)部分。「グローブの―(=手首に当たる部分)・もんじゃ焼きの―」③カツオ・マグロなどの大きな切り身。④歯のぬけた歯ぐき。「入れ歯の―」

**とてい**［徒弟］〔文〕①門人。弟子。②でっち。小僧。

**どでか・い**《形》〔俗〕非常に大きい。[派]―さ。

**どてっと**《副・自サ》①からだが重たそうに、たおれたり横になったりするようす。「芝生に―ねころぶ」②太って、動きが にぶそうなようす。「―したからだ」

**どてっぱら**［(土手っ)腹］〔俗〕腹。「―に風穴をあける(⇩「風穴」の[句])」

**とてつもな・い**［(途×轍もない)］《形》〔途轍=筋道。道理〕ふつうでは考えられない。常識外れだ。とほうもない。「―計画」[派]―さ。

**どてなべ**［土手鍋］なべのへりに みそをぬりつけて、汁にとかしながら、カキや野菜を煮て食べる料理。

****とても**《副》〔↑とても かくても(=ああしても こうしても)〕①〔後ろに不可能の意味が来る〕どうしようとも。なんとしても。「―できない・―無理だ」②〔状態が〕非常に。「―似合う・―おもしろい・―よく ねむっている」[区別]⇩大変[二]。▽とっても。[表記]「×迚も」とも書いた。●**とてもじゃ‐ないが**《副》〔後ろに否定が来る〕〔話〕「とても」と言いたいわけではないが。とてもではないが。「反対なんて、―できない」〔戦後に広まったことば。結局「とても」と同じ意味〕☞じゃないが。●**とてもとても**《副》①「とても①」を強めた言い方。「―。わたしには できません」②「絶対に無理です」と、遠まわしに言うことば。●**とてもの ことに**［とてもの(事に)］《副》〔文〕いっそ。むしろ。

**どてやき**［土手焼き］牛のすじ肉やブタの臓物をくしにさし、みそや砂糖で煮つめたもの。関西や中京地方で好まれる。

**どてら**【⁝縕袍】①そでが広くて、綿を厚く入れた着物。②丹前。

**とでん**【都電】東京都営の路面電車。

**とど**【⁝胡獱】北太平洋にすむ、太ったアシカのような、大形の海獣。からだは赤茶色で犬歯が大きい。

**とど**【×鯔】ボラの成長したもの。☞とどのつまり・出世魚①。

**とど**《副》〔←とどのつまり〕〔古風〕結局。とうとう。「―断念してしまう」

**どど**【度々】《名・副》〔古風〕たびたび。「―の合戦」

**どどいつ**【△都々逸】俗曲の一種。七・七・七・五の口語調。

**ととう**【徒党】なかま。●**徒党を組む** 句〔悪事をはたらくため〕なかまを集めて団結する。

**とどう**【都道】東京都が造って管理する道路。

**とどう**【渡道】《名・自サ》〔文〕北海道へわたること。

☆☆**どとう**【怒×濤】①あれくるう大波。「―さか巻く大海」②〔―の〕ものすごい勢いの。「―の進撃」

**とどうじに**【と同時に】《接助》・**とどうじに**《接》⇩同時に。

**とどうふけん**【都道府県】知事のいる、全国の地方〈行政区画/自治体〉をまとめた呼び名。一都一道二府四三県。「全国四十七―」

**トトカルチョ**〔イ totocalcio〕プロのサッカーなどの試合の勝ち負けを当てさせる、宝くじ式のかけ。

＊＊**とど・く**【届く】《自五》①じゅうぶんに〈長さ/高さ〉があって、そこまで行く。「しょうゆ差しに手が―・本だなが天井まで―」②とんで、そこまで行く。「ボールがゴールに―・においが風に乗って―・電波が―」③数量・程度がそこまで行く。「年が六十に―・メダルに―(=入賞する)」④〔送ったものが〕相手がわにいたる。「荷物が―(=着く)・知らせが―・ことばが―」⑤ゆきわたる。「注意がよく―・栄養が―・援助が―」⑥〔気持ち・いのりなどが〕通じる。「思いが―・星空に願いが―」

**とどけ** 一 **とどけ**【届け】①届けること。「(お)―もの(=人に届けるおくりもの・荷物など)」②届け出る書類。届け書。「―を出す」 二【届】造 …を届け出る書類。「欠席―・退職―」●**とどけさき**【届け先】届けるべき先方。●**とどけで**【届け出】届け出ること。●**とどけ・でる**【届け出る】《他下一》とどけいで。役所・警察などに届ける。「交番に―」

**とど・ける**【届ける】一《他下一》①ものを〔相手がわに〕届くようにする。「年賀状を―・出前を―・気持ちを―」②担当する人・機関などに、正式に知らせる。「役所に子どもの名を―」可能 届けられる。二《自下一》〔児〕届く。タッチすることができる。「天井に手が―」

**とどこおり**【滞り】とどこおること。「式は―なくすんだ・高速道路の―」

**とどこお・る**【滞る】《自五》ものごとがつかえて順調に進まない状態になる。「事務が―・家賃が―(=おくれる)」

**どどっと**《副》①重くて大量のものが一度に落ちたり、ぶつかったりする音のようす。「屋根に積もった雪が―落ちる・土用波が―くだける」②大ぜいがおし寄せるようす。「開店日に客が―つめかける」

←**ととの・う**【調う】《自五》①〔手をつくして〕すべてそろう。調達できる。「資金が―」②うまくいく。まとまる。成立する。「縁談が―・協議が―」

→**ととの・う**【整う】《自五》①みだれたところがなくなる。きちんとする。「隊列が―・整った文章・整った顔立ち」②何かをするにあたって、不十分なところがなくなる。「準備が―・条件が―」

←**ととの・える**【調える】《他下一》①〔手をつくして〕すべてそろえる。調達する。「晴れ着を―・費用を―」②ほどよく加減する。「味を―」③まとめる。成立させる。「協議を―」

→**ととの・える**【整える】《他下一》①みだれのないようにする。きちんとする。「隊列を―・身なりを―」②前もって、不十分なところがないようにする。「準備を―」可能 整えられる。

**とどのつまり**《副》〔ボラは成長するにつれて名前を変え、最後にはトドと呼ばれるので〕結局(のところ)。「―何もできない」

**とどまつ**【×椴松】寒い土地にはえる常緑樹。材木は製紙などに使う。

**とどま・る**【△止まる】・【△留まる】《自五》〔文〕①ある〈場所/地位〉に、そのままの状態でいる。「出発点に―」②同じ所に長いあいだいる。滞在する。「その地に二か月―」③それ以上ではない。「説明したに―」●**とどまる所を知らない** 句 その勢いが、いつまでもおとろえない。「技術の進歩は―」

**とどめ**【△止め】とどめを刺すこと。「―の一発」●**とどめを刺す** 句 ①〔人を殺したあとで〕生き返らないように急所(=のど)を突っきさす。②相手にさらに一撃を加えて立ち直れなくする。③…が、なんといってもいちばんだ。「花は吉野に―」

**どどめ**【土留め・土止め】《名・自サ》がけなどの地盤がくずれおちないように石・コンクリートなどでおさえること。

**どどめいろ**【どどめ色】〔どどめ=桑の実〕暗い赤むらさき色。

**とど・める**【△止める】・【△留める】《他下一》〔文〕①〔ある時間、同じ場所や状態に〕とめる。とめておく。「原級に―」②あとに残す。「足跡を―」③さしとめる。「行こうとするのを―」④それ以上のことはしないで、やめる。「注意するに―」⑤抑える。「被害を最小限に―」

**ともに**【と共に】《接助》⇩ともに 三。

**トドラー**〔toddler〕三歳から七歳ぐらいの子ども。幼児。〔子ども服のサイズ表示によく使われる〕

**とどろか・せる**【×轟かせる】《他下一》①低い音を強くひびかせる。「爆音を―」②広く世間に知らせる。「全国にその名を―」③心臓をはげしく打たせる。「胸を―」▽とどろかす。

**とどろ・く**【×轟く】《自五》①低い音が強くひびく。「雷が―」②広く世間に知られる。〔「鳴る」を強めた言い方〕「勇名が天下に―」③心臓がはげしく打つ。「胸が―」名 とどろき。

**とな**《終助》〔古風/俗〕聞いた話を確かめることば。というのか。「なに、負けた―?」

**トナー**〔toner〕コピー機やプリンターなどに用いる、粉状のインク。

☆☆**ドナー**〔donor〕①《医》〔移植手術に必要な〕臓器や骨髄を提供する人。「―カード〔=臓器提供の意思を表示したカード〕」(↔レシピエント) ②援助をするがわ。「―国」

**とない**［都内］①東京都の中。「―二十三区と五市」(↔都外) ②特に、二十三区の中。都区部。(↔都下)

**となえる**［(△称える)］《他下一》…と、名を言う。名づけて呼ぶ。「お狐さまと となえて まつっている」名 となえ。

**となえる**［唱える］《他下一》①先に立って言う。言い始める。「新しい主張を―」②声を出して、また、節をつけて〈読む／言う〉。「念仏を―・九九を―」③はっきりと主張する。言いはる。「開戦を―」④大きな声で呼ぶ。「ばんざいを―」

**トナカイ**〔アイヌ tonakkai〕ユーラシア・北アメリカなどの、寒い地方にすむシカの一種。つのが大きく、そりを引かせるのに使う。じゅんろく。表記「:馴鹿」とも書いた。

**となく**《副助》①…と決めるわけでもなく。「だれかれ―・何度―〔=くり返し〕おとずれている・昼―夜―〔=夜昼かまわず、いつでも〕」②…というわけでもなく。「降る―降る雨」☞それとなく。

**どなた**［(:何方)］《代》「だれ」の尊敬語。「―様」

**どなべ**［土鍋］土をこねて焼いて作ったなべ。

**とならば** 連〔文〕…と言うのならば。「忠義をつくそう―」

＊**となり**［隣］①横にならんでいるもののうち、(自分の)すぐ右または左の位置(にあるもの)。「東―・君の―を歩く」②ならんで続いたすぐ右または左の家に住む人。「―は何をする人ぞ〔芭蕉の句から〕」③接近した〈地域／分野〉。●**隣の芝生は〈青い／美しい〉**句 なんでも他人のものは自分のものよりもよく見えるたとえ。隣のバラは赤い。●**隣の不幸は鴨の味** 句 ⇩人の不幸は蜜の味〔「人」の句〕。●**となりあう**［隣り合う］《自五》となりあわせになる。「隣り合って腰かける」●**となりあわせ**［隣り合わせ］①おたがいに となりに なること。②⇩背中合わせ②。動 隣り合わせる《自下一》。●**となりきんじょ**［隣近所］となりの家や近所の家。●**となりぐみ**［隣組］①戦時中、住民統制のために、となり近所の何軒かの家をひと組みにした組織。②〔「隣組①」をもとに〕現在も地域によって続く、助け合いの組織。●**となりする**［隣する］《自サ》〔文〕となりに〈ある／なる〉。「大都会に―」

**どなりあげる**［(怒鳴り)上げる］《他下一》大声を出してしかる。「無神経にタバコを吸うやつを―」

**どなりこむ**［(怒鳴り)込む］《自五》腹が立ったり、不平があったりして、どなって はいりこむ。「駅長室へ―」

**どなりつける**［(怒鳴り付ける)］《他下一》〔相手に向かって〕強くどなる。「細君を―」

**となる**［隣る］《自四》〔雅〕となりにある。「ロビーに―ラウンジ・隣れる〔=となりの〕山」

**どなる**［(怒鳴る)・(×呶鳴る)］《自他五》①あらあらしく大声を〈出す／出して呼ぶ〉。「玄関先で―・歌を―・どなり声」②大声でしかる。「手下を―」

**となると** 一《接助》前の部分を条件として認める言い方。…ということならば。「電車が来ない―、タクシーで行くしかない」二《副助》〔特別な場合をあげて〕…はどうかというと。「英語はいいが、数学―さっぱり わからない」三**となると**《接》〔前を受けて〕そうなると。となれば。「ほかの者にはアリバイがある。―、犯人は君しかいない」丁寧 となりますと。

＊＊**とにかく**《副・接》①いろいろな事情はあるにしても。いずれにしても。「―勝つまでやる」②なんといっても。「―いごこちがいい」③とりあえず。まず。「―行ってみよう」表記 かたく「:兎に:角」とも。

**どにち**［土日］土曜と日曜。「―の天気」

**トニック**〔tonic〕①〔からだの〕はたらきを強くする薬。強壮剤。また、整髪剤。「ヘアー―」②〔↑トニック ウォーター〕炭酸飲料の一種。「ジン―」

**ともかくにも**《副・接》「とにかく」の強調。「―試合は始まった・研究の第一歩は―観察だ」表記 かたく「:兎にも:角にも」とも。

**とにゅう**［吐乳］《名・自サ》《医》赤ちゃんが、飲んだちちをはくこと。

**とねりこ**［(×梣)］モクセイ科の落葉樹。春にうす緑色の花をつける。家具・バットなどに使われる。

**ドネル ケバブ**〔トルコ doner kebab〕トルコ料理の一つ。大きな肉のかたまりを垂直の串に さして回しながら焼き、少しずつ そぎ取って、パンにはさんで食べる。☞ケバブ。

**との**［殿］主君などを尊敬して呼ぶ言い方。「―、いかが取り計らいましょうか」☞どの(殿)。

**との**《格助》…という。「八時に帰る―ことです・そよ―風〔文〕」

＊＊**どの**《連体》ものごとや数量をさし示すとき、候補がいくつもあって、しぼりこめないときに使うことば。いずれの。「―〔=特定の何の〕花を買おうか・―〔=好きな〕花を買ってもいいよ・駅まで―くらい かかるだろう・―部屋も空いていない・―〔=あらゆる〕点から見ても完璧だ」表記 かたく「△何の」とも。☞どのみち・どのよう。●**どの口〈が／で〉言うのか** 句 よくも ずうずうしく言うものだ。●**どの面下げて** 句〔=どんな顔つきで〕よくもずうずうしく。「月謝も納めず、―来やがった」

**どの**［殿］接尾〔古風〕〈他人／相手〉の氏名・職名を改まって呼ぶときに そえる尊敬語。「足利―・〔軍隊で〕隊長―・〔ふざけて〕わが夫―が…」〔今は、公的な限られた場合に使われる。例、手紙のあて名で「〇〇株式会社 人事課長―」。私的な手紙では「様」より敬意が低い〕

**とのい**［:宿直］昔、宮中・役所などに とまりこんで警戒した〈こと／人〉。☞しゅくちょく(宿直)。

☆☆**どのう**［土(×嚢)］土をつめこんだ ふくろ。土袋。「―を積む」

**とのがた**［殿方］〔古風〕(女性が)男性を尊敬して言うことば。「―用」

**とのこ**［(×砥の粉)］刀をみがいたり、板に塗って着色したりする、うす黄色の粉。

**とのご**［殿御］〔古風〕(女性が)男性を〈尊敬して／親しんで〉言うことば。

**とのさま**［殿様］①江戸時代、大名などを尊敬して呼んだ ことば。②地位や資産に めぐまれ、世間に うとい人。「―暮らし・―体質」●**とのさまがえる**［(殿様×蛙)］池や田んぼにいるカエル。緑色の地に茶色の筋や紋がある。 ●**とのさましょうばい**［殿様商売］ 人に頭を下げたり、もうけを考えたりせず、来る客を待っているだけという商売のやり方。殿様商法。

**どのみち**《副》〔みち＝道〕 いずれにしても。

**どのよう**《ナダ》〔よう↑助動詞「ようだ」〕 どういう〈ような/ふう〉。〔「どんな ふう」よりも かたい言い方〕「ーなご用件ですか・ーか実際に見てきた」

**とは**《副助》 ①ある語句を取り上げて言うときに使うことば。「青春ー〔＝というものは〕生命の爆発である・『なくて七くせ』ーよく言ったものだ・ばかーなんだ!」 ②それは。「政府に できるわけがない。ー、言いすぎか」 ③意外なことに出あったときに使うことば。「五百円ー安い・君がやってくるー!」 ④〔古風〕…するたびに。…しては。「遊びに出るーかねを取られて来る」▽たあ。 [アク] ウシとは・ネコーとは・イヌーとは。

**とば**［賭場］ ばくちをする所。ばくち場。「ー荒らし」

**どば**［×駑馬］〔文〕のろい馬。(↔駿馬)

**トパーズ**〔topaz〕《鉱》ガラスのようなつやをもつ宝石。黄色・褐色のほか、さまざまな色がある。十一月の誕生石。黄玉。

**とはい**［徒輩］〔文〕連中。やから。〔悪い意味に使う〕

**と(は)いいじょう**［と(は)言い条］《接助》〔文〕⇩言い条[一]。

**とはいうものの**［とは(言うものの)］《接助》・**とはいうものの**《接》⇩とは言え。「幼いーもう七つだ・役には立つ。ー値段が高い」

**とはいえ**［とは(言え)］ [一]《接助》いくら…だと言っても。とは言えども。「似ているー、別人だ・夏ー山の中は ひえる」 [二]**とはいえ**《接》 それは たしかだが。そうは言っても。「決心はついた。ー不安も残る」 [アク] とはいえは ごく新しい。▽[一][二]とは言っても。とは言うものの。とは言いながら。とは申せ〔古風で改まった言い方〕。

**とばえ**［△鳥羽絵］ 江戸時代、漫画ふうに えがいた、こっけいな墨絵。

**とばく**［賭博］〔文〕お金や品物をかけて勝負を争うこと。ばくち。

**どばく**［土漠］《地》土ばかりの砂漠。

**とばくち**［とば口］ ①入り口。 ②はじめ(の段階)。

「研究のー」

**どはくりょく**［ど迫力・ド迫力］〔俗〕度外れた、ものすごい迫力。

**とばし**［飛ばし］ ①飛ばすこと。 ②〔俗〕〔企業の決算期などに〕ふくみ損のある資産を一時的に転売して損失をかくすこと。 ③〔↑飛ばし記事〕〔俗〕きちんとした根拠のない情報にもとづく記事。 ●**とばしよみ**［飛ばし読み］《名・他サ》 とちゅうを飛ばしながら読むこと。「ーだけど一応読んだ」

**どばし**［土橋］ ①上に土をかぶせた橋。 ②城への出入りのために、堀を分断して通路にしてある所。

**とば・す**［飛ばす］ [一]**とばす**《他五》 ①とぶようにする。「ヒットをー・矢をー」 ②〔俗〕〈遠い所/へんぴな所〉へ転任させる。 ③散らす。「水をー」 ④速く走らせる。「馬をー・車をー・時速八十キロでー」 ⑤〔からだを〕すばやく動かす。「目線をー・外掛けをー」 ⑥急送する。くばる。「檄をー・ファックスをー」 ⑦とちゅうをぬかして行く。「飛ばして読む」 ⑧(勢いよく)言う。「やじをー・じょうだんをー」▽飛ばせる。 [二]**とばす**《自五》 [造] 激しく働く。あおる。「そんなにーと、あとでバテるぞ」 [三] もうれつな勢いでする気持ちをあらわす。「なぐりー・書きー」 [可能] 飛ばせる。

**どはずれ**［度外れ］ [動] 度外れる《自下一》。 限度をこえること。「ーの大きさ」

**どはつ**［怒髪］〔文〕怒りのために さかだつ かみの毛。「ー天をつ(衝)く」

**とばっちり**〔↑とばしり〕〔俗〕 ①細かく とびちったもの。しぶき。 ②まきぞえ。「ーを食う」

**どばっと**《副》 一度に たくさん〈出てくる/積み上がる〉ようす。「なみだがー出た・マツタケのーはいったなべ」

**どはで**［ど(:派手)・ド(:派手)］《ナダ》〔俗〕非常に はでなようす。「ーなスーツ」

**どばと**［(土×鳩)］ 駅や公園など人のいるところに住むハト。カワラバトを飼育用に改良したもの。鳴き声は、くうくう。

**どばどば**《副》 ①たくさんの液体が、とめどなく流れるようす。「血がー出てくる・ビールをーつぐ」 ②たくさん積み上がるようす。「塩をーかける・メールがー届く」

**とばり**［(△帳)・(×帷)］〔文〕部屋の中に たれ下げる布。たれぎぬ。「夜のーが下りる〔＝夜になる〕」

**とはん**［登坂］《名・自サ》 坂道・傾斜をのぼること。とうはん。「ー力・ー車線〔＝上り坂で渋滞が起きないように、車線を増やした部分〕」

**とはん**［登×攀］《名・自サ》〔文〕⇩とうはん(登攀)。

**とばん**［塗板］ ⇩黒板。

**とひ**［都費］ 東京都の〈経費/費用〉。

**とひ**［徒費］《名・他サ》〔文〕むだに使うこと。むだ。「時間をーする・少なからぬー」

**とび** [一]**とび**［飛び］ とぶこと。 [二]**とび** ↑とびうお。「春ー」 [三]**とび**［(飛び)］◇〔「飛ぶ」の連用形の、一つの用法〕 ⇩とんで。「千ー五十円・千ーー三円」

**とび**［跳び］ [造] とぶこと。とび方。「かえる(蛙)ー・桂馬ー・二重ー」

**とび**［(×鳶)］ ①人の住んでいる所の近くにすむ猛鳥の名。鳴きながら、ゆっくり輪をかいて とぶ。とんび。 ②↑とび口。 ③↑とび職。「ーの者」 ④とび職の仕事。

**トピ**〔↑トピック〕〔俗〕〔インターネット掲示板で〕話題。スレッド。「ーずれ〔＝トピックからずれてる話題〕・ー主〔＝トピックを最初に投稿した人〕」

**とびあがり**［飛び上がり］ ①とび上がること。 ②とっぴな言動(をすること)。「ー者」

**とびあが・る**［飛び上がる］《自五》 ①〈空/高い所〉へまい上がる。(↔飛び降りる) ②順序をこえて上がる。

**とびあが・る**［跳び上がる］《自五》 おどり上がる。「跳び上がって喜ぶ」

**トピアリー**〔topiary〕 庭園の樹木を、動物・円錐・星などの形に刈りこんだもの。また、それをつくる技法。「クマのー」

**とびある・く**［飛び歩く］《自五》 ①(飛行機に乗って)あちこち行く。 ②ほうぼうをいそがしく歩く。

**ドビー**〔dobby〕 洋服地の柄の一つ。小さな〈幾何学/花〉模様。

**とびいし**［飛び石］ ①少しずつ はなして ならべ、その上を人が伝い歩く石。「ーづたい」 ②短い間をおいて、続くこと。「ー連休〔＝間に平日をはさんで続く休日〕」

**とびいた**［飛び板］ ⇩スプリングボード。「ー飛び込み」

（↔高飛び込み）」

**とびいり**［飛び入り］《名・自サ》予定以外の人が急に加わること。また、その人。「―で参加する」

**とびいろ**［(×鳶)色］茶褐色。

**とびうお**［(飛魚)］海にすむ、やや小形のさかな。胸のひれで空中をとぶ。食用。とび。あご。

←**とびうつ・る**［飛び移る］《自五》鳥などが、とんでほかへ移る。

→**とびうつ・る**［跳び移る］《自五》けるようにして はねて、ほかへ移る。

**とびうれ**［飛び売れ］〔俗〕飛ぶように売れること。「―アイテム」

**とびお・きる**［飛び起きる］《自上一》勢いよく起き上がる。「電話の音で―」

**とびお・りる**［飛び降りる］《自上一》①［飛び下りる］高い所からとんで下へおりる。「橋から―」（↔飛び上がる）②動いている車などから勢いよく地上におりる。（↔飛び乗る）名 飛び降り。「―自殺」

**とびか・う**［飛び交う］《自五》入りみだれて、いろいろの方向へとぶ。「ホタルが―」

**とびかか・る**［飛び(掛かる)］《自五》とんで、おそいかかる。「獲物に―」

**とびがら**［飛び柄］布地に、とびとびにある柄。飛び模様。

**トピカル**《ナダ》〔topical〕話題となる。特に取り上げるべきことがら。

**とびきゅう**［飛び級］《名・自サ》一学年(以上)とびこして、上の級へ進むこと。

**とびきり** ㊀［飛び切り］とび上がって敵を切ること。「―の術」㊁［(飛び切り)］《副》とびぬけて。とびっきり〔話〕。「―上等・―の笑顔」

**とびぐち**［(×鳶口)］棒の先に鉄のかぎをつけた、昔の消防用具。とび。

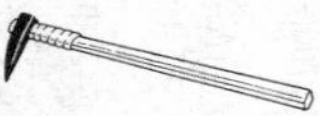

［とびぐち］

**とびげり**［跳び蹴り］《名・自他サ》とび上がって相手をけること。

**とびこ**［(飛び子)］トビウオのたまご。つぶがごく小さく、ぷちぷちとした食感。オレンジ色のついたものが多い。「―のすし」〔「とびっこ」は商標名〕

←**とびこ・える**［飛び越える］《自下一》とんで、上をこえる。飛び越す。

→**とびこ・える**［跳び越える］《自下一》はね上がって、上をこえる。

←**とびこ・す**［飛び越す］《他五》①とんで上をこす。「山脈を―」②順序をとばして進む。「先輩を飛び越して課長になる」▽とびこえる。名 飛び越し。

→**とびこ・す**［跳び越す］《他五》はねて上をこす。「みぞを―」名 跳び越し。

**とびこみ**［飛び込み］①とびこむこと。②水の中にとびこむ競技。ダイビング。③〔セールスマンの〕予告なしの戸別訪問。「―営業」④下調べや予約などをしないではいること。「そのラーメン店に―で行く・―出産」⑤↑飛び込み自殺。●**とびこみじさつ**［飛び込み自殺］《名・自サ》①進んでくる電車などをめがけてとびこむ自殺。②船などから海へとびこむ自殺。▽飛び込み。●**とびこみだい**［飛び込み台］とび板のある、高い台。「飛び込み②」で、水に とびこむときに使う。

**とびこ・む**［飛び込む］《自五》①身をおどらせて はいる。おどりこむ。「プールに―」②自分から進んで ものごとに かかわりあう。「プロの世界に―」③急いで、はいりこむ。「近くのコンビニに―」④飛び込み自殺をする。

**とびしょく**［(×鳶)職］やとわれて、建築の基礎工事やビルの組み立てをする人。仕事師。とびのもの。とび。とび師。〔昔は消防の仕事もした〕

**とびすさ・る**［跳び(△退る)］《自五》はねるようにして、うしろへ下がる。とびしさる。

**とびだい**［飛び台］①とびこみ台。②《経》数字の列の間に零のはいる数。「五百円―〔例、五〇四円〕」

**とびだし**［飛び出し］〔子どもなどが〕急に道路へ走って出ること。「―に注意・―事故」●**とびだしナイフ**［飛び出しナイフ］ばねじかけで、刃の部分が柄の中から飛び出すしくみのナイフ。

←**とびだ・す**［跳び出す］《自五》急におどり出る。跳び出る。「カエルが箱から―」

→**とびだ・す**［飛び出す］㊀《自他五》①〔たまなどが〕中から非常な はやさで出る。②外に突き出る。「目玉が―」③急に出て行く。「家〈を/から〉―」㊁《自五》突然あらわれる。「珍説が―」▽㊀㊁飛び出る。

**とびた・つ**［飛び立つ］㊀《自他五》①飛行機で出発する。「羽田を―」②飛び上がる。飛んでいく。「鳥が〈足もとから/枯れ野を〉―」㊁《自五》跳び上がる。「―ようなうれしさ」

☆☆**とびち**［飛び地］地理的につながっていない(小さな)〈領地/土地〉。「和歌山県の―」

**とびちが・う**［飛び違う］《自五》①入りみだれてとぶ。とびかう。②おたがいに左右へ とぶ。

**とびち・る**［飛び散る］《自五》とんで ちらばる。「しぶきが―」

←**とびつ・く**［飛び(付く)］《自五》①とんで、とりつく。「母に―・塀に―」②それを見聞きして、すぐにいいと思いこんで手を出す。「うまい話に―な・人気の銘柄に―」名 飛びつき。

→**とびつ・く**［跳び(付く)］《自五》はずみをつけて とび、とりつく。「カエルがヤナギの枝に―」

☆☆**トピック**〔topic〕話題。「科学関係の―・週間―ス〔『トピックス』は複数形〕」

**トピックス**［TOPIX］〔↑Tokyo Stock Price Index〕東証株価指数。東京証券取引所の第一部上場の全銘柄を対象とした、時価総額をしめす指数。

←**とび・でる**［跳び出る］《自下一》⇩跳び出す。

→**とび・でる**［飛び出る］《自他下一》⇩飛び出す。「目が―・教室〈を/から〉―・質問が―」

**とびどうぐ**［飛び道具］遠くのほうから敵を撃つ武器。例、弓・鉄砲・ミサイル。

**とびとび**［(飛び飛び)］《副》①あちこちに ちらばるようす。②間をおいてするようす。「―に読む」

**とびにゅうがく**［飛び入学］《名・自サ》最終学年をとびこして、上の学校に入学すること。「高校二年から大学への―」

**とびぬ・ける**［飛び抜ける］《自下一》〔ふつう **飛び抜け〈た/て〉**〕①ほかと比べて、非常に すぐれる。「飛び抜けた才能」②ほかと かけはなれる。「飛び抜けて高い」✎①の用法があるため、悪い意味で使うときは注意が必要。③飛んで、その場所を抜ける。「トンボが飛び抜けて行く」

**とびの・く**［跳び(△退く)］《自五》 急に身をかわしてしりぞく。

**とびの・る**［飛び乗る］《自五》 乗り物などに勢いをつけて、とびつくようにして乗る。「電車に―」(↔飛び降りる) 名飛び乗り。

**とびばこ**［跳び箱・飛び箱］ 台を何段か重ねた箱形の体操用具。手をついてとびこしたりするのに使う。

**とびはな・れる**［飛び離れる］《自下一》 ①はるかにへだたる。「本土から飛び離れた島」 ②ほかと大きくちがう。「飛び離れた行動・飛び離れて高い品物」 ③［跳び離れる］ 足でとんで離れる。「相手から―」

**とびは・ねる**［跳び(跳ねる)・飛び(跳ねる)］《自下一》 ①とび上がるようにはねる。②とんだりはねたりする。名跳びはね。

**とびひ**［一［飛び火］《名・自サ》 ①とびちる火の粉。「煙突の―」 ②火事の火が、はなれた所に移ること。③事件が、関係のなさそうな所まで広がること。二 子どもの顔などによくできる、非常にうつりやすい急性皮膚病。膿痂疹。

←**とびまわ・る**［飛び回る］《自五》 ①〔鳥・虫などが〕あちこちを飛ぶ。②乗り物に乗って、あちこちを回る。③とび歩く。「いそがしく―」

→**とびまわ・る**［跳び回る］《自五》 はね回る。「喜んで―」

**どひょう**［土俵］ ①土を中に入れたたわら。「―をかつぐ」 ②《すもう》「土俵①」でまるく囲んだ、すもうをとる所。土俵場。「―に上がる」 ③すもうの〈競技／とり方〉。「―見物・りっぱな―」 ④〔話し合いのための〕共通の場。「―が違う・―づくり」 ●土俵に つまる 句《すもう》土俵ぎわに追いつめられる。●土俵を割る 句《すもう》土俵の外へ出される。

**どひょういり**［土俵入り］《名・自サ》《すもう》 ①横綱が、太刀持ち・露払いをしたがえて「土俵②」でする儀式。手数入り。②大関以下の幕内の力士が けしょうまわしをつけ、そろって「土俵②」へ上がってする儀式。●**どひょうぎわ**［土俵際］ ①「土俵②」の内がわぎりぎりのところ。②もうあとがない状態。「―に追いつめられる」

**とびら**［扉］ ①ひらき戸。②引き戸。「自動―」 ③〔本の〕見返しの次の、本の名前などをしめすページ。タイトル ページ。雑誌の場合は、本文にはいる前のページ。④入り口となるもの。「新時代への―・歴史の―を開ける」 ●**とびらえ**［扉絵］ ①厨子や仏壇などの扉に えがかれた絵。②本の扉(の直前のページ)に えがかれた絵。また、漫画の各話の、最初のページの絵。

**どびん**［土瓶］ 番茶・ほうじ茶をいれるときに使う、つるのついた せとものの入れもの。漢方薬を煎じるときにも使う。●**どびんむし**［土瓶蒸し］ 土瓶にマツタケやシメジを入れ、とり肉・野菜などを取り合わせ、しょうゆと塩で うすく味つけした しるをそそいで、さっと煮たもの。

**と・ふ**［塗布］《名・他サ》〔文〕ぬりつけること。「薬を―する・―剤」

←**と・ぶ［飛ぶ］《自五》 ①つばさを使って空中を進む。「鳥が―・とんぼが―」 ②プロペラやジェットエンジンなどの推進力によって空中を移動する。「飛行機が―・ヘリコプターが―」 ③(力が加わって)空中を進む。「ボールが―・しぶきが―・つばが―・Wi-Fiの電波が―」 ④(風に ふかれて)空中に まい上がる。「木の葉が―・シャボン玉が飛んだ」 ⑤飛行機で旅をする。「成田からパリへ―」 ⑥散る。「しずくが―・火花が―」 ⑦つながっていたものが はなれる。切れる。「ヒューズが―・首が―〔=失職する〕」 ⑧大いそぎで〈走る／移動する〉。「伝令が―・記者が現場に―・飛んで帰る」 ⑨順序をぬかして、先へ行く。「ページが―・編み目が―〔=一回分、編まれないままになる〕・そのあたりから記憶が飛んでいる」 ☞飛び 三・飛んで。⑩急に広まる。「うわさが―・デマが―」 ⑪にげる。「犯人が海外へ―・担当者が―〔=俗に、ゆくえをくらます〕」 ⑫〔ある動作が〕〈すばやく／勢いよく〉なされる。「外掛けが―・ビンタが―」 ⑬ある人に大声などを発する。「やじが―」 ⑭消える。うすくなる。「色が―・アルコールが―・データが―」 ⑮〔(×翔ぶ)〕〔俗〕自由に活動する。「とんでる女」〔一九七七年から流行した用法〕 可能 飛べる。●**飛ぶ鳥を落とす勢い** 句 たいそう勢いがさかんなことのたとえ。●**飛ぶように売れる** 句 どんどん さばける。よく売れる。●**飛んで火に入る夏の虫** 句〈死ぬ／失敗する〉ことがわかっているのに、わざわいに向かって進むことのたとえ。

→**と・ぶ**［跳ぶ］《自他五》 ①地面をけって高く上がる。はねる。「ぴょんと―」 ②はねてこえる。「みぞを―」 ③〔中部方言〕 走る。「跳びっくら〔=かけっこ〕」 可能 跳べる。

**どぶ**［(△溝)・(:泥溝)］ きたない水の流れている みぞ。●**どぶに捨てる** 句 つぎこんだ お金が むだになる。「かねを―ようなものだ」

**どぶいた**［(△溝)板］ ①〔路地やうら町の〕どぶの上にわたした板。②政治家が「どぶ板①」をふんで歩きまわるようにして、庶民に支持をもとめること。「―選挙・―活動」

**どぶがわ**［(△溝)川］ 〔町の中を流れる〕どぶのようによごれた川。

**と・ふく**［(×屠腹)］《名・自サ》〔文〕切腹。割腹。

**とぶくろ**［戸袋］ ①あけた雨戸を入れておく所。②〔電車で〕開いたドアがおさまる所。

**とぶくろ**［吐袋］ ⇩エチケット袋。

**どぶづけ**［どぶ漬け］ しるけの多い ぬかみそづけ。

**どぶねずみ**［(△溝×鼠)］ ①下水などの そばにすむ、ネズミの一種。せなかは赤みをおびている。②〔↑どぶねずみ色〕〔俗〕紺色、灰色などの色の、サラリーマンのスーツ。「―スタイル」

**とぶら・う**［(△弔う)］《他五》〔文〕とむらう。「夫の跡を―」

**とぶら・う**［(△訪う)］《他五》〔文〕おとずれる。

**どぶろく** かすをこさない酒。にごり酒。

**とべい**［渡米］《名・自サ》〔文〕アメリカに行くこと。

**どべい**［土塀］ 土で作ったへい。

**と・ほ**［徒歩］《名・自サ》 足で歩くこと。「―で五分」

**とほう**［途方］〔=方向。方針〕 ①手段。②筋道。道理。●**途方に暮れる** 句 どうしていいか、すっかり困る。●**とほうもな・い**［途方もない］《形》 程度がけたはずれだ。常識外れだ。とてつもない。「―金額・―空想の世界」 派 ―さ。

**トボガン**〔toboggan〕 ⇩リュージュ。

**どぼく**［土木］①木材・鉄材・石などを使ってする、道路・水道・下水道・鉄道などの社会基盤を作る工事。「―事業」②「土木①」に関する学問。土木工学。

**とぼ・ける**《自下一》①知らないふりをする。「―のがうまい」②まのぬけた言動をする。「とぼけたことを言う人だ」[名]とぼけ。「お―がうまい」

**とぼし・い**［乏しい］《形》①ごく少なくて、足りない。「食料が―・才能に―」②びんぼうだ。「―生活」▽（↔豊か）[派]―さ。

**とぼしき**［乏しき］〔文〕(才能の)とぼしいこと。「―を分かちあう・著者の―を助けてくれた」

**とぼ・す**［(△灯す)・(△点す)］《他五》〔古風〕ともす。[自]とぼる《五》。

**トポス**〔ギ topos〕①《哲》場所。場。②議論のテーマ。トピック。

**とぼとぼ**《副》元気のない、弱々しいかっこうで歩くようす。「雨の中を―(と)歩く」

**どぼどぼ**《副》液体をたくさん注ぎこむようす。「なべに酒を―入れる」

**とほほ** [一]《感》〔話〕ひどく困ったり、情けない気持ちになったりしたときに出す声。「―、泣きたいよ」[二]《ナダ》〔俗〕〈情けない/みっともない〉ようす。「―な結果」

**トポロジー**〔topology〕《数》図形の位相的性質を研究する幾何学。位相幾何学。☞位相①。

**どぼん**［ドボン］①《トランプ》ⓐ場の札の数字と、手札の数字の合計とが同じとき、「ドボン」とコールして上がるゲーム。ⓑ⇩ブラックジャック。②一つまちがえたら、その場で脱落するクイズの形式。

**とま**［(×苫)］スゲ・カヤなどで編み、舟や小屋などをおおって、雨露を防ぐもの。「―舟」

**どま**［土間］〔家の〕ゆかが はってなくて、はきもののままではいる所。「―の台所」

**とまえ**［戸前］土蔵の、戸のある所。〔土蔵を数えるときにも言う。「蔵二―」〕

**とまく**［塗膜］〔文〕塗装によってできるまく。

**とまつ**［塗抹］《名・他サ》〔文〕①ぬりつけること。「試薬を―する」②ぬって消すこと。ぬりつぶすこと。「文字を―する」

**トマト**〔tomato〕西洋野菜の名。実は赤く、水分が多い。赤なす〔古風〕。「―ジュース・―ソース・―ピューレ」[表記]店で「とまと」とも。●**トマトケチャップ**〔tomato ketchup〕トマトを煮つめて、野菜や調味料を加え、ソースのようにしたもの。「ナポリタンは―で作る」

**とまど・う**［(戸惑う)・(途惑う)］《自五》①〔とつぜんのことに〕どうすればいいか わからず、〈迷う/迷惑に思う〉。「処置に―・関係者からは―声」②〔古風〕夜中に目をさましたとき、方向がわからなくなる。[名]とまどい。

**とまや**［(×苫)屋］屋根が「とま」でふ(葺)いてある、そまつな家。「浦の―」

**とまり** [一]**とまり**［止まり］①止まる〈こと/ところ〉。②終わり。「出世もそこが―だった」[二]**どまり**［(止まり)］[造]〔どまり〕そこまでで、それ以上にはならないこと。「高いといっても五千円―だ」●**とまりぎ**［止まり木］①鳥が止まる横木。②〔バー・喫茶店などで〕カウンターの、高い腰かけ。

**とまり**［泊まり］①〔文〕ふなつき場。②(よそで)泊まること。宿泊。やどや。外泊。「今夜は―だ・―客」③〔文〕泊まる所。やどや。④宿直。「―明け〔=宿直の仕事がすむこと〕」●**とまりある・く**［泊まり歩く］《他五》あちこちに泊まって転々とする。「友だちのところを―」●**とまりがけ**［泊まり(掛け)］泊まる〈予定/したく〉で出かけること。●**とまりこ・む**［泊まり込む］《自五》はいりこんで泊まる。「友人の家に―」[名]泊まり込み。

***とま・る**［止まる・△停まる］《自五》①〔動いていたものが〕動かなくなる。「電車が―・時計が―」②〔出ていたものが〕出なくなる。「血が―」③〔続いていたものが〕やむ。「息が―・笑いが止まらない」④〔来ていたものが〕来なくなる。「電気が―・水道が―」⑤何かにつかまって(動かないで)いる。「鳥が木に―・この指止まれ〔=同志や仲間を集めるときのことば〕」[可能]止まれる。

**とま・る**［留まる］《自五》①はなれなくなる。固定する。「針で留まっている・洋服のボタンが留まらない」②〔感覚に〕残る。「心に―・文字に目が―〔『文字が目に―』とも〕」

**とま・る**［泊まる］《自五》①(旅行の とちゅう)宿舎やよその家で、夜を過ごす。「ホテルに―」②宿直する。③船が いかりをおろして、港に いる。「船が横浜に―」[可能]泊まれる。

**とまれ**《副・接》〔文〕↑ともあれ。「―、事件は解決した・その理由は―」

**どまんじゅう**［土(×饅△頭)］土をまるくもり上げたお墓。つか。

**どまんなか**［ど真ん中・ド真ん中］〔もと大阪方言〕「まんなか」を強めた言い方。ちょうど まんなか。「銀座の―・プレートの―」〔東京では「まんまんなか」〕

**とみ**［富］①財産(の程度)。たまった財貨。「巨万の―を築く」②↑とみくじ。

**とみくじ**［富(×籤)］江戸時代、番号の はいった ふだを売り出してくじびきをおこない、当たった者に お金をしはらった もよおし。とみ。

**ドミグラスソース**〔demiglace sauce〕⇩デミグラスソース。

**とみこうみ**［と見こう見］《名・自サ》〔古風〕あちこち見ること。「―しながら通りを歩く」[表記]「∴左見右見」とも書いた。

**ドミトリー**〔dormitory〕〔ゲストハウスなどでの〕相部屋。ドミ〔俗〕。「―は苦手だ」

**☆☆とみに**《副》〔文〕急に。にわかに。「犯罪が―増える」[表記]かたく「△頓に」とも。

**ドミノ**〔domino〕①西洋カルタの一種。表面にさいころの目のように、一から六までのしるしを二つつけた、長方形のふだ(を使うゲーム)。②↑ドミノ現象。「失脚―」●**ドミノいしょく**［ドミノ移植］《医》臓器移植を受けた患者から摘出した臓器を、他の患者に移植すること。●**ドミノげんしょう**［ドミノ現象］「ドミノ倒しのように」同じことが次から次へ連続して起こること。●**ドミノたおし**［ドミノ倒し］ドミノに使うふだを、少しすきまをあけて数多く立てて並べ、はしの一個を倒すと将棋倒しのように次々と倒れるようにしたもの。

**とみると**［と見ると］[一]《接助》…と思うと〈すぐ/も

う〉。「不利―、にげだした」 ㊁と―みると《接》そう思うと〈次の瞬間〉。「空が明るんできた。―、川に霧が立っていた」▽㊀㊁と見るや。

**とみん**[都民] 東京都の住民。「埼玉―(=東京都内に通勤・通学する埼玉県民)」

**どみん**[土民] 〔文〕その土地の住民。

**と・む**[富む]《自五》①財産・お金を多く持つ。「国が―・家を富ませる」 ②多くある。多くのものを持つ。「海産物に―・独創力に―・心を富ませる」

**トムトム**〔tom-tom〕《音》①ラテン音楽で使う縦に長い太鼓。手でたたく。②〔ドラムのセットで〕正面に二つならぶ、胴のやや長い太鼓。▽タムタム。

**とむね**[と胸] どきどきする胸。●と胸を突っかれる 句 不意をつかれて、心にぐっとこたえる。

**トムヤムクン**〔タイ tom yam kung〕〔タイ料理で〕エビのはいった、すっぱくてからいスープ。トムヤンクン。

**とむらい**[弔い] ①人の死を悲しみ いたむこと。くやみ。とぶらい。②葬式。「お―」 ③追善。●とむらいがっせん[弔い合戦] ①敵のために死んだ人の霊をなぐさめるため〈に戦うこと／の戦い〉。②故人の遺志をついだ立候補者の選挙戦。

**とむら・う**[弔う]《他五》①人の死を悲しみいたむ。くやむ。「死者を―」 ②追善をする。「祖先の霊を―」

**とめ**[止め・留め] ①止める〈こと／もの〉。「川柳の最後の―・バッグの―(=留め具)」・〔続きものの最後の文章に〕その3止(=連載三回目で最終回)」 ②漢字を書くとき、線の終わりを止める〈こと／部分〉。☞はね・払い①。③〔芸能界で〕看板などの最後に書く、最も実力のある演者の名前。留め筆。「ドラマのクレジットの―」 ④⇩止め名。

**ドメイン**〔domain=領域〕《情》ホームページなどのアドレスで、組織名・国名などを示す部分。メールアドレスでは、@の後の部分。ドメイン名。

**とめお・く**[留め置く]《他五》①とめておく。②帰らせないでおく。名留め置き。

**とめおとこ**[留め男] 《芝居など》けんかを仲裁する役の男性。(↕留め女)

**とめおんな**[留め女] 《芝居など》けんかを仲裁する役の女性。(↕留め男)

**とめがね**[留め金] はなれないように、つなぎとめる金具。

**とめぐ**[留め具] はなれないように取りつける、小さな器具。「ふくろの―」

**ドメスティック**《ナダ》〔domestic〕①家庭的・家族的なようす。②家事に関するようす。「―サイエンス(=家政学)」 ③国内・国産に関するようす。「―(エア)ライン(=国内航空路)」▽ドメスチック。●ドメスティックバイオレンス〔domestic violence〕⇩ディーブイ(DV)。

**とめそで**[留め袖]《服》結婚している女性が礼装として着る、短い そでの紋つきの着物。模様は江戸づま(褄)。(↕振り袖) ☞江戸づま。

**とめだて**[止め(立て)]《名・他サ》わざわざ引き止めること。「いらぬ―するな」

☆☆**とめど**[(止め△処)] とめるべきところ。かぎり。「―がない・涙が―なく流れた」

**とめな**[止め名] 〔すもう・芸能などで〕最も格が上の名前。止め。由来 多く、襲名を止めるから。

**とめばり**[留め針] ①物をとめておくための〈針／ピン〉。②〔裁縫で〕布をおさえたり、目じるしにしたりするため、仮にさしておく針。待ち針。

**とめやく**[留め役] 〔けんかなどをとめて〕仲直りさせる役(の人)。

**とめゆ・く**[△尋め行く]《他五》〔雅〕さがしもとめて行く。「幸いを―」

↔**と・める[止める・△停める]《他下一》①〔動いていたもの・動こうとするものを〕動かなくする。「列車を―・時計を―」 ②[△駐める] そこを動かさずに置く。「道ばたに車を―」 ③〔出ていたものを〕出なくする。「血を―」 ④〔続いていたものを〕やめる。「息を―・足を―」 ⑤〔流れていたものを〕流れなくする。「電気を―・水を―」 ⑥やめさせる。さしとめる。「けんかを―」 可能 止められる。止めれる〔俗〕。☞や(止)める。

→**と・める**[留める]《他下一》①はなれなくする。固定する。「ピンで―・えりの先をボタンで―」 ②〔感覚に〕残す。「目に―・心に―」

**と・める**[泊める]《他下一》①人を家に入れて、夜を過ごさせる。「客を―」 ②船を港に入れて泊まらせる。

**とめわん**[留め(×椀)]《料》会席料理の最後に出る、みそしるなど。

**とも**[友] ①〔文〕ともだち。②そばにあって、役に立つもののたとえ。「旅の―・お茶づけの―」 ☞友の会。

↔**とも**[供] ㊀[共]〔遺〕①いっしょの。「―働き」 ②同じ〈質／材料〉の。「―うら・―蓋」 ㊁とも[共]《服》生地が共通であること。ともぬの。ともぎれ。「―のジャケット」 ㊂[(共)]《副助》①…の〈どちら／どれ〉も。「人気、実力―(に)トップクラス・三人―(が)元気だ」 ②…をふくめて。「送料―千円」

**とも**[(×艫)] 船尾。(↕へさき(舳先))

**とも ㊀連 格助詞「と」に副助詞「も」がついたもの。「ある―ない―判断できない・患者は数十万人―(言われる)(『と言われる』よりも不確か)・教授―あろう者が(=教授と言われるほど すぐれているはずの者が)不正をおこなうとは」 ☞ともなく。㊁《接助》(たとえ)…ても。「何と言おう―むだだ・来なく―いい」 ☞ずとも・なりとも。㊂《終助》〔話〕〈うけあう／断言する〉気持ちをあらわす。もちろん…だ。「行く―・本当だ―さ・わかっている―よ」

**ども**《接助》〔文〕①けれども。「笛吹け―踊らず」 ②(たとえ)…ても。「おせ―引け―動かない・行け―行け―雪野原だ」▽ど。

*****ども**[(共)]接尾〔けんそんして／ぞんざいに〕多数の人をあらわす。「てまえ―では・野郎―!」

**ともあれ** ㊀《副》別としても。どうであっても。「成績は―、卒業できた」 ㊁《接》事情は どうであっても。「―、事件は解決した」▽㊀㊁ともかく。とまれ。

**ともうら**[共裏]《服》表地と同じ布を裏に使ったもの。また、その布。

**ともえ**[(×巴)] ①水が、湧いて外がわへ回る形。②まるく回るようす。☞みつどもえ。●ともえせん[(×巴)戦] 三人の中から一人を選ぶ優勝決定戦。●ともえなげ[(×巴)投げ]《柔道》相手を両手で引きながら自分の からだをあおむけにたおし、足裏を相

と

手の下腹に当てて、自分の頭ごしに大きく投げる わざ。

**ともえり**［共襟］《服》着物のえりの上に、同じ布でつけるえり。かけえり。

**ともがき**［友垣］〔雅〕友だち。友人。

*__ともかく__《副・接》①とにかく。「—努力するしかない・—安い」②〔…**は—**〕別としても。どうであっても。「手段は—〔として〕」▽ともあれ。③〔…**なら—**〕話は別だが。問題ないが。「一人でやるなら—、そうでないかぎり協力は必要だ」▽ともかくも。 表記 かたく「⁚兎も⁚角」とも。 ●**ともかくも**［⁚兎も⁚角も］《副・接》ともかく。

**ともかせぎ**［共稼ぎ］《名・自サ》ともばたらき。

**ともがら**［(△輩)］〔文〕なかま。やから。

**ともぎれ**［共(切れ)・共(△布)］《服》⇩ともぬの。

**ともぐい**［共食い］《名・自サ》同類のものが おたがいに〈食いあう／相手をたおそうとする〉こと。

**ともし**［(△灯)］〔雅〕ともしび。 ●**ともしび**［(△灯)・(△灯火)］〔文〕①ともした小さな〈火／あかり〉。「谷間の—」②人の心を、ほのぼのと明るくする〈人／もの〉。「社会の—・愛の—」

**ともじ**［共地］《服》同じ質で同じ色の生地。ともぬの。

**ともしらが**［共(白髪)］①夫婦がそろってしらがになるまで長生きすること。②［⁚友志良賀］結納のおくりものに使う、たばねた麻糸。▽ともじらが。

**とも・す**［(△灯す)・(△点す)］《他五》あかりをつける。とぼす。「ろうそくを—」

**ともすると**《副》〈ちょっとした理由で／ゆだんすると〉、すぐ そうなるようす。どうかすると。ややもすると。ともすれば。「—気がゆるむ・—見すごしがちだ」

**ともぞろい**［供(×揃い)］〔文〕供回りがそろうこと。また、その供回り。ともぞろえ。

**ともだおれ**［共倒れ］《名・自サ》両方ともに〈たおれる／やって行けなくなる〉こと。「—になる」

**__ともだち__［友(達)］同じ学校にかよったり、行動をいっしょにしたりする、なかま。友人。とも。「—づきあい」☞お友だち。 ●**ともだちがい**［友(達⁚甲斐)］友だちとなった意味。友だちとしての思いやり。「—がないやつだ・—に〔=せっかく友だちなのだから〕ほめてやった」

**ともちどり**［友千鳥］〔雅〕むれている千鳥。

**ともづな**［(×纜)・(×艫綱)］船をつなぎとめる綱。 由来 船の「艫」〔=船尾〕に結びつける綱から。 ●**ともづなを解く** 句 出帆する。

**ともづり**［友釣り］《釣り》アユを釣り糸につけて川にはなし、ほかのアユをおびきよせて、針にかける釣り方。

**ともども**［(共々)］《副》〔文〕そろって。いっしょに。「ご夫婦—・喜び悲しみ—に」

**__ともな・う__［伴う］ 一 《自五》①〔変化や動きと〕ともに起こる。「台風に—被害」②〔文〕いっしょについて行く。「父に伴って上京する」 二 《他五》①それとともに生じる。「危険を—仕事」②いっしょにつれて行く。「酒場へ伴われた」③そばにしたがえる。「部下を—」 可能 伴える。

**ともなく**《副助》というわけでもなく。〈ふと／なんとなく〉…して。ともなしに。「だれに—つぶやいた・見る—見ていると」

**ともに**［(共に)］ 一 《副》①一つになって。いっしょに。「—泣き、—笑う」②その〈どちら／どれ〉も。「両親も私も、—元気だ」 二 《副助》⇩とも 三。「心身—充実している」 三 《**とともに**で接助》二つのうち、どちらもあてはまることをあらわす。…と同時に また。「喜びであると—名誉でもある」 ●**共にする** 句 ある経験を、だれかと いっしょにする。「家族と喜びを—・会社と運命を—」 ●**ともに天をいただ(戴)かず** 句 〔文〕⇩ふぐたいてん(不倶戴天)。

**ともぬの**［共布］《服》生地が共通であること。共ぎれ。共地。共。「ネクタイと—のネッカチーフ」

**ともね**［共寝］《名・自サ》〈同じ床／いっしょ〉に寝ること。

**とものかい**［友の会］①同じ目的の人々が交流するための会。「鉄道—・患者—」②一定額を積み立てるとボーナスがもらえる制度。「〇〇百貨店—」

**ともばたらき**［共働き］《名・自サ》夫婦がどちらも働いて収入を得ること。ともかせぎ。(↔片働き)

**ともびき**［友引］俗に、葬式をおこなうのは よくないとされる日。〔友を引くことに通じるため〕☞六曜。

**ともぶた**［共(蓋)］入れものと ふたが、同じ材料で できているもの。

**ともまち**［供待ち］《名・自サ》〔文〕①お供の人が休息する場所。②主人のお供をして来て待つこと。

**ともまわり**［供回り］お供の人々。

**どもり**［(×吃り)］①どもること。吃音。〔②の意味を連想させて、語感が悪い〕②〔古風〕どもる人。〔差別的なことば〕

**どもり**［土盛り］《名・自サ》〔工事などで〕土をもり上げること。また、その土。盛り土。

**とも・る**［(△灯る)・(△点る)］《自五》〔あかりが〕つく。とぼる。

**ども・る**［(×吃る)］《自五》話をするとき、ことばが なめらかに出ないで、語頭の音などが つかえる。

**とや**［(×塒)・(△鳥屋)］①鳥を飼う小屋。②《芝居》花道の揚げ幕の奥にある小部屋。 ●**とやに就く** 句 〔古風〕①めんどりが産卵のために ねぐらにこもる。②ねこむ。「かかあが—」③旅芸人が お金に困って宿屋にこもる。

**どや**［ドヤ］〔「やど」のさかさことば〕〔俗〕〔日雇い労働者などの〕宿屋。簡易宿泊所。「—街」

**どやがお**［ドヤ顔］〔どや=「どうだ」の意味の関西方言〕〔俗〕「これでどうだ」とでも言いたげな、自慢げな顔。てがらがお。「—をかます〔=する〕」

**とやかく**《副》なんのかんの。あれこれと。「—りくつを言う」 表記 かたく「⁚兎や⁚角」とも。

**とやこう**《副》〔古風〕とやかく。

**どや・す**《他五》〔俗〕①〔人を〕どなる。「若手を—」②〔古風〕たたく。なぐる。「背中を—」▽どやしつける。

**どやどや**《副》大ぜいが さわがしく出はいりするようす。「—と乱入する」

**とやら**《副助》①不確かであることをあらわす。「何—いう人・どこへともなく立ち去った—〔=とかいうことだ〕・お花—〔=とか申す者よ〕、生まれは どこじゃ〔古風〕」②不確かなように言って、疑いやけいべつなどの気持ちをあらわす。「そのアイデア—を聞こうじゃないか」▽とか。

**とゆう**［都有］〔文〕東京都の所有。「—地」

**とゆう**［都×邑］〔文〕都市。

**とよ**［〈×樋〉］〔方〕とい。とゆ。

**とよあしはら**［△豊×葦原］〔雅〕日本の国をほめたことば。「―の（みずほ〈瑞穂〉の）国」

**とよう**［渡洋］《名・自サ》〔文〕海洋を〈こえる／わたる〉こと。「―作戦」

☆☆**どよう**［土用］立秋の前の十八日間。夏の土用。〔七月二十日ごろから〕「―の丑の日〔⇩丑の日〕」由来 旧暦で、立春・立夏・立秋・立冬の前の十八日間を指した。●**どようたろう**［土用太郎］夏の土用の第一日。土用の入り。次郎〔=第二日〕・三郎〔=第三日〕…と呼びならわしている。●**どようなみ**［土用波］夏の土用のころ起こる、うねりの高い波。南方の台風の影響で起こる。●**どようぼし**［土用干し］夏の土用のころに おこなう、虫ぼし。●**どようめ**［土用芽］夏の土用のころ、新しくのびた枝に出る新芽。

**どよう**［土曜］一週の六番目の日。金曜の次。土曜日。

**どよ・む**《自五》〔文〕音がひびく。とよむ。名 どよみ。

**どよめ・く**《自五》〔音・声が〕どっと、一つになってひびく。「観衆が―」名 どよめき。

**どよも・す**《他五》〔文〕音が一つに ひびくようにする。とよもす。「歓呼の声が野山を―」

←**とら**［虎］一 **とら** ①猛獣の名。ネコを大きくしたような形で、背中から腹にかけて、黄色の地に黒いしま（縞）がある。シベリア南部・中国・朝鮮半島・インド・東南アジアにすむ。②［トラ］〔俗〕よっぱらい。「―になる・大―〔=ひどい よっぱらい〕」二 **とら**「虎二①」のようなしま模様（のネコ）。「―ねこ・茶―」〔ネコの名にも つける〕●**虎の威を借るきつね（狐）**句 えらい人の力を借りて いばる者。●**虎の尾を踏む**句 非常に危険だと知りながら、あえてそれをする。「―思い」●**虎は死して皮を残す**句 トラは死んでも ねうちのある毛皮を残す。人は死後に名誉・功績を残すべきだ。●**虎を野に放つ**句〔=トラをおりに入れずに自由にさせる〕あとにわざわいを残すことになるという たとえ。

→**とら**［×寅］①十二支の第三。うし（丑）の次。「―の年・―年」〔年のほか、月・日にも言う〕②昔の時刻の名。今の午前四時ごろに当たる。七つ。「―の刻」③昔の方角の名。東北東。

**トラ** 造〔俗〕〔自動車の〕トラック。「砂利―・軽―・デコ―〔=かざりたてたトラック〕」

**どら**［〈△銅×鑼〉］《音》①青銅で作った、まるくて中が からの打楽器。法事や茶事、船が出るときなどに鳴らす。②⇩タムタム①。

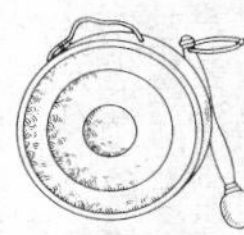
［どら ①］

**ドラ** 造〔俗〕↑ドラマ。「帯―・洋―」

**とらい**［渡来］《名・自サ》〔文〕（外国から）わたってくること。「南蛮―の品」●**とらいじん**［渡来人］《歴》古代、朝鮮半島や中国から日本に来て定住した人々。当時の最新の文化や技術を伝えた。〔もと、「帰化人」と言った〕

**トライ**《名・自サ》〔try〕①ためしてみること。こころみ。「ステーキに―する〔=食べてみる〕」・―アンド エラー〔=試行錯誤〕」②《ラグビー》敵のゴールの線の地面にボールをつけること。「四―を挙げる」●**トライアウト**〔tryout〕〔複数のチームが合同でおこなう〕スポーツ選手を選考する実技試験。入団テスト。

☆☆**ドライ**〔dry〕一《ナダ》①〈かわいた／かわかした〉ようす。「―フルーツ〔=乾燥果実〕」②〔洋酒で〕あまみを加えないようす。からくち。（↔スイート）③義理・人情などにこだわらず、わりきったようす。（↔ウエット）派 ―さ。二①〔↑ドライビール〕からくちのビールやアルコール飲料。②↑ドライクリーニング。③↑ドライリハーサル。●**ドライアイ**〔dry eye〕《医》なみだの量が少なかったりして、眼球の表面が かわきやすい症状。●**ドライアイス**〔dry ice〕二酸化炭素をひやし、圧縮して固体にしたもの。温度は、マイナス七九度。●**ドライカレー**〔和製 dry curry〕〔↑ドライカレーライス〕①カレー粉を加えた、洋風の いためごはん。カレーチャーハン。②ひき肉を使った、しるけの少ないカレー。●**ドライクリーニング**《名・他サ》〔dry cleaning〕水の代わりに、溶剤を使ってする せんたく。クリーニング。ドライ。●**ドライスーツ**〔dry suit〕潜水服の一種。ゴム製で水をとおさないので、保温性が高い。☞ウエットスーツ。●**ドライスキン**〔dry skin〕皮膚のあぶら分が足りないこと。乾燥肌。●**ドライフラワー**〔dried flower〕草花を保存して観賞するために、かげぼしなどして乾燥させたもの。●**ドライミスト**〔drymist=商標名〕歩道などで、霧をふきかけて すずしくする装置。霧はすぐ蒸発し、からだはぬれない。●**ドライリハーサル**〔dry rehearsal〕《放送》カメラを使わないリハーサル。ドライ。（↔カメラ リハーサル）

☆☆**トライアスロン**〔triathlon〕遠泳・自転車ロードレース・長距離走を一日でこなす競技。鉄人レース。〔競技者は、トライアスリートと言う〕

**トライアル**〔trial〕①試み。「〔けしょう品の〕―キット」②予選（競技）。③試合の前の、練習競技。④⇩試技。⑤オートバイレースの競技種目の一つ。岩場などの難コースを走るもの。⑥消費者が商品をためしに買うこと。「―の喚起」

**トライアングル**〔triangle=三角形〕①《音》鉄の棒を三角形にまげた楽器。たたいて鳴らす。②三者の間の〈関係／つながり〉。三角関係。「政官財の―」

**ドライバー**〔driver〕一 **ドライバー** 自動車の、運転者。二 **ドライバー** ①〔↑スクリュー ドライバー〕ねじまわし。②《ゴルフ》ボールを最も遠くへ打つためのクラブ。ウッドの一番。「―ショット」③《情》周辺機器を使うためのソフトウエア。デバイス ドライバ（ー）。ドライバ。

**トライバル**〔tribal=種族の〕アフリカなどの部族の文様をあしらった服飾や いれずみのデザイン。「―柄」

**ドライビング**〔driving〕〔自動車の〕運転。「―技術・―シミュレーター」

**ドライブ**〔drive〕一《名・自他サ》①自動車などを走らせ〈る／て楽しむ〉こと。「郊外を―する・―マップ〔=自動車運転用の地図〕」②《野球・ゴルフ・バレーボールなど》打球が順回転をして、伸びるような感じで、速く進むこと。③《テニス・卓球》ボールに順回転をあたえる〈こと／打ち方〉。「―をかける」（↔スライス・カット）二《情》〔コンピューターで〕ディスクを動かす装置。「ハードディスク―」●**ドライブが かかる**句 ①「ドライブ一②③」になる。②物事が勢いを増す。「輸出拡大にー」 ●**ドライブイン**〔drive-in〕①自動車を運転しているとちゅうで立ち寄る、駐車場付きの食堂など。☞サービスエリア②・パーキングエリア。②自動車に乗ったままで用の足りること。また、その設備を持つ映画館・食堂など。ドライブ スルー。「―シアター」 ●**ドライブウエイ**〔driveway〕ドライブ用の自動車道路。ドライブ ウェー。 ●**ドライブかん**[ドライブ感]車に乗っているときのような、心地よいスピード感。「―いっぱいの曲」 ●☆☆**ドライブスルー**〔drive-through〕自動車に乗ったままで買い物などができる方式。「―のハンバーガー店」 ●**ドライブレコーダー**〔drive recorder〕自動車のフロントガラス付近に取り付ける、走行状態を記録する装置。交通事故が発生したときなどの速度・映像が記録される。ドラ レコ。

**ドライヤー**〔dryer〕①ものを乾燥させる器械。「ハンド―」②↑ヘアドライヤー。「―をかける」

**トライリンガル**〔trilingual〕三か国語を自由に話す〈こと/人〉。トリリンガル。☞バイリンガル。

**トラウト**〔trout〕①マス。ニジマス。「ブラウン―」②海にくだるニジマスを養殖したもの。サーモン トラウト。トラウト サーモン。サーモン。

☆☆**トラウマ**〔ド Trauma〕《心》後遺症を残すような、はげしい精神的なショック。精神的外傷。心的外傷。

**とらえどころ**[捉え〈所〉]つかまえどころ。「―のない返事」

←**とら・える**[捉える]《他下一》〔文〕①しっかりつかむ。「なわのはしを―・人の心を―」②見すごさず、それを使う。「機会を―・小さなミスを捉えて非難する」③理解する。「問題を正しく―」④自分なりの見方をする。見なす。「失敗をチャンスと―」名 捉え。可能 捉えられる。捉えれる〔俗〕。

←**とら・える**[捕らえる]《他下一》〔文〕とりおさえて、逃げないようにする。つかまえる。とらまえる〔俗〕。「賊を―・虫を―」可能 捕らえられる。

**とらがり**[虎刈り]〔トラのしま(縞)のように〕まだらに見える、かみの毛のへたな刈り方。

**とらかん**[虎巻]〔学〕⇩虎の巻③。

**ドラキュラ**〔Dracula〕ホラー小説に登場する吸血鬼の名。また、広く吸血鬼。

**トラクター**〔tractor〕工事・農林業で、引っぱったりおしたりする仕事をする自動車。牽引車。トラクタ。

**どらごえ**[どら声・ドラ声]〔もと、野良の声〕太くてにごった声。表記「：銅鑼＝声」は、「楽器のどらのような声」の意味をこめた当て字。

**トラコーマ**〔trachoma〕《医》⇩トラホーム。

**ドラゴン**〔dragon〕西洋の竜。 ●**ドラゴンフルーツ**〔dragon fruit〕せの高いサボテンにみのるくだもの。表面は赤く、松かさ状のうろこがある。果肉は、紅色または白で、ほんのりとあまい。ピタヤ(pitaya)。

**ドラスティック**《ナダ》〔drastic〕思い切った。徹底的。過激。ドラスチック。「―な手段(＝荒療治)」

**トラスト**〔trust〕《経》企業合同。市場シェアを高めるために、同じ種類の事業者が資本の合同や経営・管理の共同をおこなうこと。カルテルより結合度が高い。 ●**トラストうんどう**[トラスト運動]⇩ナショナルトラスト。「反対者が土地を買い取る―」

**ドラセナ**〔dracaena〕熱帯植物の一種。剣のような細長い葉にしま(縞)が走る。

**とら・せる**[取らせる]《他下一》〔古風〕〔上の者から下の者に〕あたえる。取らす。「ほうびを―」

**トラッキング**《名・他サ》〔tracking〕①追跡すること。②《情》利用者のインターネット上の動きを追跡し、消費者行動を分析すること。 ●**トラッキングげんしょう**[トラッキング現象]コンセントのさしこみ口にたまったほこりが湿ってショートし、発火する現象。

**トラック**〔track〕①〔競技場で〕長い丸の形にえがかれた、競走に使う道。「―競技」②〔↑トラック競技〕「トラック①」でおこなう競走。「―長距離」▽(↔フィールド)③〔録音装置などの〕音声を記録する領域。「サウンド―・マルチ―レコーダー(＝多くの音源を同時に録音できる、編集用の機械)」④〔ディスクなどで〕デジタル信号の記録されている帯状の部分。 ●**トラックバック**〔track back〕①《映画・放送》カメラを後退させながら撮影すること。②〔インターネットで〕相手の記事を自分のブログで話題にしたことを通知するメッセージ。相手のブログに自分のページへのリンクが自動的に張られる。トラバ。ＴＢ。

**トラック**〔truck〕貨物自動車。

**ドラッグ**〔米 drug〕①薬。②〔不法に入手する〕麻薬。薬物。ヤク〔俗〕。 ●☆☆**ドラッグストア**〔米 drugstore〕薬品・けしょう品・日用雑貨などを売る、大きな店。 ●**ドラッグラグ**〔drug lag〕海外で使える薬が、国内では承認されるまでに時間がかかること。

**ドラッグ**《名・他サ》〔drag＝引く〕《情》①マウスのボタンをおしながら動かす操作。②タッチパネルに表示されたものを、指で引きずるようにする操作。 ●**ドラッグバント**〔米 drag bunt〕《野球》セーフティーバントの一つ。特に左打者が、バットを後ろへ引くようにしてボールに当て、一塁方向にころがすバント。(↔プッシュ バント)

**トラッド**《名・ナダ》〔trad←traditional〕《服》流行にとらわれない、昔からのスタイル。伝統的。「―アイテム」

**トラットリア**〔イ trattoria〕軽食堂。☞リストランテ。

**トラップ**〔trap〕㊀①わな(罠)。「―をしかける」②下水などからのいやなにおいを防ぐために、一定の水をためておく装置。臭気どめ。③クレー射撃の種目。前方へ飛び出す標的をうちおとす競技。☞スキート。㊁《名・他サ》《サッカー》ボールを受けとめ、次の動作に移れるようにコントロールすること。トラッピング。

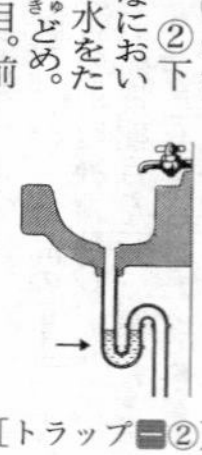
［トラップ㊀②］

**トラディショナル**《ナダ》〔traditional〕伝統的なようす。「―スタイル」

**どらねこ**[どら猫・ドラ猫]「のらねこ」をののしって言うことば。「さかなをねらう―」由来「どら」は「野良」の変化で、濁音化して、よくない意味を強調した。

**とらのあな**[虎の穴]きびしい特訓を課す養成所。「サッカー―」由来 プロレス漫画「タイガーマスク」から。

**とらのお**[〈虎の尾〉]ベロニカ。

☆☆**とらのこ**［虎の子］大切にして手もとからはなさないもの。「一の百万円」

**とらのまき**［虎の巻］①〔秘伝の〕兵法の本。②講義などのたねにする大切な本。③〔学〕あんちょこ。とらかん。

**トラバース**《名・自サ》〔traverse〕〔山の斜面・岩壁の〕横断。

**とらばこ**［トラ箱］〔俗〕酒にひどくよった人を保護する、警察の施設。☞虎㊁②。

**とらばさみ**［虎挟み］けものを捕らえる、わなの一種。けものがふむと、ばねが外れて、足などをはさむ。

**トラピスト**〔フ trappiste〕〔宗〕①〔←トラピスト会〕カトリックの修道院の一つの分派。無言を特色とする。②「トラピスト①」の修道士。〔修道女はトラピスチヌ（フ trappistine）〕

**とらふ**［虎△斑］黄色の地に太くて黒いしま（縞）のあること。虎毛。

**トラフ**〔trough〕《地》海底に細長くのびる、海溝より幅が広いくぼ地。「南海一」

**とらふぐ**［〔虎・河豚〕］食用のフグ。腹は白く、背中は黒みをおびた茶色で、黒い斑点がある。毒をもつ。

**ドラフト**〔draft; draught〕①ふき出す気流。排気。「〔機関車の〕一音」②〔プロ野球で〕各球団が、希望する新人選手を抽選でえらんで入団の交渉をすること。新人〔選手〕選択。「一会議」③原稿。草案。•**ドラフトビール**〔draft beer〕⇩生ビール。

**トラブ・る**《自五》〔俗〕トラブルを起こす。

☆☆**トラブル**〔trouble〕①いざこざ。もめごと。「職場の一・人間関係の一・一メーカー〔=しょっちゅう、いざこざを起こす人〕」②機械の故障。事故。「エンジン一・一シューティング〔=トラブルを解決する〈こと・説明〉〕」③からだの不調。「お肌の一」

**トラベラー**〔traveler; traveller〕旅行者。•**トラベラーズチェック**〔traveler's check〕旅行者用小切手。T.C.

**トラベル** 造〔travel〕旅行。「一グッズ」

**トラホーム**〔ド Trachom〕《医》慢性で、たちの悪い結膜炎。ほかの人にうつる。トラコーマ。

**ドラマ**〔drama=劇。戯曲〕①テレビやラジオのために収録して放送する劇。「ホーム一」②物語のようなできごと。「人間一・大自然の一」

**ドラマー**〔drummer〕ドラムをたたく人。

**とらま・える**［捕らまえる］《他下一》〔「とらえる」と「つかまえる」の合成語〕〔俗〕つかまえる。

**ドラマチック**《ナダ》〔dramatic〕劇的。ドラマティック。「一な再会」

**ドラマツルギー**〔ド Dramaturgie〕①作劇法。②演劇論。▽ドラマトゥルギー。

**トラム**〔tram〕路面電車。☞LRT。

**ドラム**〔drum〕①《音》西洋音楽で使う太鼓の類。特に、ドラムス。②「ドラム①」の形をした〈もの・入れもの〉。「一式〔=上からでなく正面からせんたく物を投入する〕せんたく機」③←ドラムかん。•**ドラムかん**［ドラム缶］ガソリンなどを入れる、金属でできた、円柱形の入れもの。•**ドラムス**〔drums〕《音》〔バンドで〕ドラムとシンバルをまとめた楽器。ドラムセット。また、その担当。☞パーカッション。•**ドラムロール**〔drum roll〕ドラムを「どろどろどろ」と小刻みに長くたたく演奏法。〔受賞者の発表の前などに、気を持たせるように鳴らす〕「一がひびく」

**どらむすこ**［どら息子・ドラ息子］なまけもののむすこ。のらむすこ。「遊んでばかりの一」〔女子は、どら娘〕 由来「どら」は「のら〔=のらくらしていること〕」の変化で、濁音化して、よくない意味を強調した。

**どらやき**［どら焼き］小麦粉を水でとき、銅鑼の形に焼いた二枚の皮で、あんをはさんだ菓子。

**ドラレコ** ←ドライブレコーダー。

**とら・れる**［取られる］《他下一》①自由をうばわれて、うまく進めなくなる。「ぬかるみに足を一・ハンドルを一」②〔文〕〔病気などで〕死なせる。「肺炎で子どもを一」

**とらロープ**［トラロープ］黒と黄色のひもをよって、虎のようなしま模様にしたロープ。区域の境界や立ち入り禁止を示す。

**とらわれ**［捕らわれ・△囚われ］相手にとらわれること。とりこ。「一の身・一人」

**とらわ・れる**《自下一》①［捕らわれる・△囚われる］相手につかまって、逃げられなくなる。「敵に一」②〔考えや行動を〕しばられる。「主観にとらわれた見方」③ある考えが去らなくなる。「妄想に一」

**トランキライザー**〔tranquilizer〕《医》⇩精神安定剤。

**トランク**〔trunk〕①旅行用の、大きなかばん。②乗用車のうしろの、荷物入れ。トランクルーム。•**トランクルーム**〔和製 trunk room〕①⇩トランク②。②さしあたって必要のない家財・家具などをあずかる、貸し金庫式の倉庫。家財保管庫。「一サービス」

**トランクス**〔trunks〕①ボクシング選手などがはくパンツ。②「トランクス①」に似た、男性用の下着。☞パンツ③。

**トランシーバー**〔transceiver〕《理》近い距離で使う、小型の無線機。複数の相手とも連絡できる。トランシーバ。由来 transmitter〔=送信機〕と receiver〔=受信機〕を合わせた造語。

**トランジション**《名・自サ》〔transition〕①移行。変化。②映像編集で場面転換する際の演出効果。③《サッカー・バスケットボールなど》攻守交代。

**トランジスタ〔ー〕**〔transistor〕《理》半導体を使った、小型の部品。本体から三本〔以上〕の電極が出ている。電気回路に組みこんで、増幅・発振・変調などをおこなう。「一ラジオ」

**トランジット**〔transit=通過〕航空機で目的地へ行くとちゅう、給油などで一時ほかの空港に立ち寄ること。引き続き同じ航空機を使う。「一ビザ〔=乗りつぎのため、ある国に立ち寄るときに必要なビザ〕」

**トランス**〔trance〕①〔ふだんの自意識が消え去った〕忘我の状態。夢うつつ。宗教儀式などで生じる。「一状態」②「トランス①」をさそうような、ビートのきいた電子音楽。「一系」

**トランス** ㊀ 接〔trans〕…をこえた。超。「一ナショナル〔=超国家的〕」㊁**トランス** ①〔←transformer〕変圧器。②←トランスジェンダー。•**トランスジェンダー**〔transgender〕体の性と心の性が異

と

なる人。性別違和を持つ人。トランス。●トランスしぼうさん【トランス脂肪酸】〘理〙とりすぎると、肥満や心筋梗塞につながるといわれる不飽和脂肪酸。菓子に使われるショートニングやマーガリンに多い。●トランスポンダ(ー)【transponder】信号を受けると自動的に信号を送り返す送受信機。航空管制・放送衛星などで使う。●トランスミッション【transmission】〘自動車〙速度を切り替える機械。変速機。ミッション。「—ギア」●トランスミッタ(ー)【transmitter】無線送信機。〔盗聴用の〕発信機。

**トランプ**【trump=切り札】スペード・ハート・クラブ・ダイヤ十三枚ずつの四組みとジョーカーから成るカード(を使ってするゲーム)。カード。

**トランペッター**【trumpeter】トランペット奏者。トランペット吹き。

**トランペット**【trumpet】〘音〙金管楽器の一つ。三つの弁をもち、音はするどく強い。ペット。

［トランペット］

**トランポリン**【trampoline=もと、商標名】キャンバスをスプリングでまわりのわくに取りつけた、体操用の器具。その上で、高くとび上がり、宙返りなどをする。また、それを使ってする体操競技の種目。

**とり**【図利】〘法〙利益を得ようとすること。「賭博場開張—(=ばくち場をひらいてもうけようとすること)」

**とり**【×酉】①十二支の第十。にわとり。さる(申)の次。「—の年・—年」(年のほか、月・日にも言う)☞酉の市。②昔の時刻の名。今の午後六時ごろに当たる。六つ。「—の刻」③昔の方角の名。西。

***とり**【鳥】①はねを広げて、おもに空中をとびまわる動物。かたいからに包まれたたまごをうむ。②【△鶏】にわとり(の肉)。「—もも肉・—そぼろ」●**鳥なき里のこうもり**【蝙蝠】句 強いもの、すぐれたもののいないところで、つまらないものがいばる。

**とり**【トリ】〔「取り」から〕①寄席の、その日の最後の出演者。主任。「—を取る」〔「仲トリ」は、俗に、仲入りの直前の出演者〕②もよおしなどで、最後に出演する人。「歌番組の—をつとめる」☞大トリ。

**とり** 一【取り】接頭 作業・手続きなどをする意味をそえる。「—あつかう・—しきる・—急ぎ」二【取り】造 ①取ること。「花見の場所—」②【△獲り】賞や地位などを手に入れること。「新人賞—・大関—・綱—」三

**とり**(にとり で格助)…にとって。「私に—、財産になりました」〔かたい言い方〕

**どり**【ドリ】鳥の肺臓。「鳥は食っても—食うな」由来「鳥」から。濁音化して、よくない意味を強調した。

**ドリア**【フ doria】ピラフの上にホワイトソースをかけ、オーブンで焼いた料理。「エビ—・カレー—」

☆☆**トリアージ**【triage】災害・事故などで多くの負傷者が出たとき、治療の優先順位を決めること。最優先の人には、赤の目印(=トリアージタッグ)をつける。トリアージュ。

**とりあ・う**【取り合う】〘他五〙①おたがいに取る。「手を—・連絡を—」②争って取る。うばいあう。「一つの物を—」③相手にする。聞き入れる。「笑って取り合わない・質問に取り合ってくれた」名取り合い。

***とりあえず**【取り△敢えず】副(↑取るものも取りあえず)あとのことはともかく、まず。さしあたって。「—危機は脱した・〔客が注文して〕—ビール!・〔手紙の末尾で〕—(=取り急ぎ)御礼まで」

***とりあ・げる**【取り上げる】〘他下一〙①手に取って持ち上げる。②ほかの人が持っているものを、むりに取(って自分のものにす)る。うばい取る。めしあげる。「ノートを—」③(助産師が)手伝って子をうませる。④問題と〈する/して〉あつかう。「大きく—・—必要のない問題」

**とりあ・げる**【採り上げる】〘他下一〙申請を受けつける。採用する。「意見を—」

**とりあつか・う**【取り扱う】〘他五〙①あつかう。操作する。「荷物を—・機械を—」②商品やサービスを売る。「みやげ物を—」③処理する。「個人情報を—」④取り上げる。論じる。「論文で—」⑤応対する。名取り扱い。〔熟語では「取扱」と書く。「手荷物取扱所・取扱注意」〕

**とりあつ・める**【取り集める】〘他下一〙(寄せ)集める。名取り集め。

**とりあわ・せる**【取り合わせる】〘他下一〙ほどよく〈配合する/組み合わせる〉。名取り合わせ。

**ドリアン**【durian】東南アジアで取れるくだもの。おとなの頭ぐらいの大きさで、とげにおおわれ、切るとくさったようなにおいがするが、味はあまい。

**とりい**【鳥居】神社の入り口に建てる門。⛩の形をしている。〔そのマークで「小便無用」の意味もあらわす〕

**とりいそぎ**【取り急ぎ】副 ①(さしせまっているので)いそいで。「—ご案内申し上げます」②〘俗〙とりあえず。「いいかどうかわからないが—行ってみよう」

**トリートメント**【treatment=取りあつかい】〘名・他サ〙①〔美容上の〕手入れ。「アロマ—」②(↑ヘアトリートメント)いたんだ髪を直すための薬剤。

**ドリーム**【dream】夢。夢想。「—ランド(=夢の国)」●**ドリームチーム**【dream team】スーパースターを集めたチーム。

**とりい・る**【取り入る】〘自五〙へつらって気に入られようとつとめる。「上役に—」

**とりい・れる**【取り入れる】〘他下一〙①取って中へ入れる。取りこむ。「日光を—」②(外から)要素として加える。「生活に運動を—」③【採り入れる】(方法などを)採用する。「新しい技術を—」④【△穫り入れる】(農作業で)作物を、田や畑からまとめてとる。名取り入れ。「秋の—」

**とりうちぼう**【鳥打ち帽】(↑鳥打ち帽子)⇩ハンチング。

**トリウム**【ド Thorium】〘理〙放射性元素の一つ。〔記号Th〕核燃料に使われる。

**とりえ**【取り柄・〈取り得〉】取るべき点。すぐれた点。長所。とりどころ。「—がない」

**トリエンナーレ**【イ triennale】三年ごとにひらく美術展。☞ビエンナーレ。

**トリオ**【イ trio】①〘音〙ⓐ三重唱。三重奏。ⓑ中間部。②三人組。③三人組でやる漫才。

**とりおい**【鳥追い】①農村の小正月の行事。田畑をあらす鳥を追いはらう歌を歌って、若者や子どもたちが

家々を回る。②江戸時代、正月に人の家の門口に立ち、三味線をひき、小うたを歌って お金をもらった女芸人。

［とりおい②］

**とりおき**【取り置き】《名・他サ》とりおくこと。「一個からでもお―します」

**とりお・く**【取り置く】《他五》とっておく。別にしておく。

**とりおこな・う**【執り行う】《他五》「おこなう」の改まった言い方。「卒業式を―」

**とりおさ・える**【取り押さえる】《他下一》①おさえとどめる。「あばれる馬を―」②つかまえる。からめとる。「犯人を―」

**とりおと・す**【取り落とす】《他五》①手からおとす。②失う。「えものを―」③ぬかす。もらす。

**とりおろし**【撮り下ろし】〔写真集や雑誌などにのせるため〕新たに撮影〈することしたもの〉。動撮り下ろす《他五》。

**トリガー**〔trigger〕①銃の引きがね。②ものごとを引き起こすきっかけ。

**とりがい**【鳥貝】海でとれる二枚貝。肉は黒みがかった茶色。にぎりずしなどに使う。

**とりかえし**【取り返し】〔事故・あやまちなどを〕もとどおりにすること。「―がつかない〈=取り返せない〉事態・まだ―がつく段階だ」

**とりかえ・す**【取り返す】《他五》①〈失った/取られた〉ものを、もとどおりに自分の手にもどす。②〔試合で〕相手に点を取られたあと、自分も点を取る。「一点を―」

**とりか・える**【取り換える・取り替える】《他下一》①一方を手わたして、他方を受け取る。また、二つのものの位置をたがいに かえる。「姉と服を―」②取り去って、〈別の/新しい〉ものに かえる。「白熱電球をLEDに―・おむつを―」▽交換する。名取り換え。自取り換わる《五》。

**とりかか・る**【取り掛かる】《自五》ことを始める。「仕事に―」

**とりかげ**【鳥影】〔飛んでいる〕鳥の姿。

**とりかご**【鳥籠】鳥を入れて飼うかご。

**とりかこ・む**【取り囲む】《他五》まわりを囲む。

**とりかじ**【取り舵】船の進む方向を左へ回す〈こと/ときのかじのとり方〉。(↔面舵)

**とりかた**【捕り方】①とる方法。「クワガタの―・ボールの―」②与力・同心など罪人をとらえる役人。捕り手。「―に囲まれる」

**とりかたづ・ける**【取り片付ける】《他下一》きちんとかたづける。名取りかたづけ。

**とりかぶと**【鳥兜】秋、青むらさき色の、かぶとの形に似た花がさく多年草。根に強い毒があり、「付子」などと呼ばれる。

**とりがら**【鶏ガラ】ニワトリのガラ(殻)。「―スープ」

**とりかわ・す**【取り交わす】《他五》やりとりする。交換する。「結納を―」名取り交わし。

**とりき**【取り木】《名・自他サ》木のふやし方の一つ。親木の枝を土の中にねかせて入れたり、枝の一部分の皮をむいてミズゴケで巻いたりして、根を出させたのち、親木から切りはなす。☞さし木・つぎ木。

**とりきめ**【取り決め・取り極め】〔相手と話し合って〕ものごとを決めること。また、決めた内容。動取り決める《他下一》。

**とりきり**【撮り切り】①《映画・放送》⇩クランクアップ。②《放送》被写体の全体を映すこと。③撮影フィルムを使い終わること。「―カメラ〈=使い捨てカメラ〉」

**とりくず・す**【取り崩す】《他五》①ためておいたものを、くずして使う。切りくずす。「定期預金を―」②取りこわす。くずして取り去る。「蔵を―・伝統文化を―」名取り崩し。

**とりくち**【取り口】相手と取り組む方法。「すもうの―」

*__とりくみ__ 一【取り組み】①取り組むこと。「財政再建への―」②《経》売り手と買い手の組み合わせ。二【取組】《すもう》勝負の組み合わせ。

*__とりく・む__【取り組む】《自五》①すもうをとる。相手と組み合う。「四つに―」②大切なことに、ねばり強くかかわる。「研究に―・ボランティアに―」▽とっくむ。

**とりけ・す**【取り消す】《他五》前に言ったり書いたりしたことを、あとから〈打ち消す/なかったことにする〉。名取り消し。「―線」

**とりこ**【取り粉】餅などの表面につけて、あつかいやすくする、米の粉。

**とりこ**【虜・擒】①いけどりに〈した敵/された人〉。捕虜。②あることに心をうばわれ、夢中になっている人。「恋の―になる」

**とりこしぐろう**【取り越し苦労】《名・自サ》先まわりして むだに心配すること。杞憂。

**トリコット**〔tricot〕縦糸または横糸を二重に使った、細いうねのある〈織物/編み物〉。うねの方向によくのび、はだ着・くつ下などに使う。

**とりこぼ・す**【取り零す】《自他五》①一部を取り そこなう/見おとす。「大事な点を―」②勝てるはずの勝負に負ける。名取りこぼし。

**とりこみ**【取り込み】①取りこむこと。②〔不意のできごとや不幸などのために〕ごったがえすこと。「お―中のところ、失礼ですが・―ごとがございまして」 •**とりこみさぎ**【取り込み詐欺】代金をはらわないで、品物を自分のものにしてしまう詐欺。

**とりこ・む**【取り込む】一《他五》①取り入れる。「せんたく物を―」②自分の〈手に収める/がわに引き入れる〉。③取り込み詐欺をする。「予約金を―」二《自五》〔不意のできごとや不幸などがあって〕ごったがえす。「不幸があったときのあいさつに、「取り込んでいまして」などと言う」

**とりこ・める**【取り籠める】《他下一》①おしこめる。②取り囲む。

**トリコモナス**〔ラ trichomonas〕原虫の一種。膣の中に寄生して、おりものとかゆみをもたらす。「―膣炎」

**トリコロール**〔フ tricolore=三色の〕①フランスの国旗。三色旗。〔左から青・白・赤のたてじま〕②〔青・白・赤の〕三色。

**とりころ・す**【取り殺す】《他五》死霊や生き霊な

と

どが、その人に取りついて殺す。

**とりこわ・す**[取り壊す・取り△毀す]ーこはす《他五》〔建物を〕こわしてくずす。名取り壊し。

**とりさ・げる**[取り下げる]《他下一》①さし出したものを取りもどす。「辞表を―」②申し立てを取り消す。名取り下げ。

**とりざた**[取り沙汰]《名・自他サ》世間でうわさすること。風評。「いろいろに―される」

**とりさば・く**[取り(×捌く)]《他五》ものごとを、うまく〈まとめる/かたづける〉。「一座を―・事務を―」

**とりざら**[取り皿]料理を取り分けて入れる、小さな皿。

**とりさ・る**[取り去る]《他五》取ってなくす。「痛みを―」

**とりしき・る**[取り仕切る]《他五》全体に責任を持って人々を動かす。「番頭が店を―・交渉を―」名取り仕切り。

**とりしず・める**[取り鎮める]ーしづめる《他下一》〔さわぎなどを〕やめさせる。名取り鎮め。

**とりしまり**[取り締まり]①取りしまる〈こと/役の人〉。②←取締役。●**とりしまりやく**[取締役]会社の仕事を大きな立場から監督し、また外部に対して、責任を取る役(の人)。社長・副社長・専務・常務など。「―社長・社外―〔略して「社外取」〕」

**とりしま・る**[取り締まる]《他五》①法律違反を予防・検挙する。「密漁を―」②監督する。「舎監が寮生を―」

**とりしら・べる**[取り調べる]《他下一》〔事件などを〕調べる。「容疑者を―」名取り調べ。〔熟語では「取調」と書く。「取調室」〕

**とりすが・る**[取り(×縋る)]《自五》相手のからだに取りついて、すがる。すがりつく。

**とりすき**[鳥(×鋤)・△鶏(×鋤)]とり肉を使った、すき焼きふうの料理。

**とりす・てる**[取り捨てる]《他下一》手に取って、すてる。とりのぞく。

**とりすま・す**[取り澄ます]《自五》①気どって、あいそのない様子を作る。「取り澄ました態度」②平気な様子を作る。「失敗に気づいても、すぐに―」

**とりせつ**[取り説・トリセツ]〔←取扱説明書〕〔俗〕マニュアル。

**とりそこな・う**[取り損なう]ーそこなふ《他五》①取ることに失敗する。「ボールを―」②理解を誤る。「文意を―」名取り損ない。

**とりそろ・える**[取り(×揃える)]ーそろへる《他下一》いろいろなものをそろえる。名取りそろえ。直取りそろう《五》。

***とりだ・す**[取り出す]《他五》①〔入れものなどの中から〕取って出す。「ポケットから―」②えらび出す。名取り出し。

**とりたて**一[取り立て]取り立てること。二[取り(立て)]①取ってすぐの状態。「免許―」②取れたて。「―のトマト」表記⇨取る一⑤。

**とりたてて**[取り立てて]《副》〔後ろに否定が来る〕特にこれと言うほど。わざわざ話題や問題とするほど。「今日は―書くことがない」

**とりた・てる**[取り立てる]《他下一》①特にそれを問題とする。「あえて―ほどのことでもない・話題として―」②数えあげる。「一つ一つ―」③お金などを〈強制的に/さいそくして〉取る。「税金を―」④下の人を引き上げて、いい地位につける。「十分に―」☞取り立て。

**とりだめ**[△録り×溜め]《名・自サ》テレビ番組をいくつも録画して ためておくこと。

**とりちが・える**[取り違える]ーちがへる《他下一》①まちがえて取る。②別のものと かんちがいする。「意味を―」名取り違え。

**とりちらか・す**[取り散らかす]《他五》とりちらす。取っ散らかす。直取り散らかる《五》。

**とりちら・す**[取り散らす]《他五》みだし散らす。乱雑にする。「部屋の中を―」

**とりつ**[都立]東京都が作り、維持する〈こと/もの〉。「―高等学校」

**とりつぎ**一[取り次ぎ]取り次ぐ〈こと/人〉。「お―を願います」二[取次]①取り次ぐ仕事。②特に、出版社から書店に本を取り次ぐ仕事。出版取次。「―店」

**トリッキー**《ナ》[tricky]①奇をてらったようす。巧妙なようす。「―な筋立て」②油断ができないようす。「―なゴルフコース」派―さ。

**トリック**[trick]①たくらみ。策略。「―に引っかかる」②〔手品や推理小説の〕しかけ。たね。「―を見やぶる」③〔←トリック ワーク〕〔映画など〕現実に不可能な現象を表現する技術。特技。●**トリックアート**[trick art]絵から人が飛び出して見えるなどの、目の錯覚を利用した作品。●**トリックスター**[trickster]①神話などに登場する いたずら者。②世間をかき乱して、新しい文化や価値観を創造する人。「既成のわくをこえて行動する―」

↑**とりつ・く**[取り(付く)]《自五》①そこから はなれないように、〈かかえる/つかむ〉。「出窓に―・岩に―」②はなれなくなる。「不安な思いに取りつかれる」③しはじめる。取りかかる。「研究に―」④ねばり強く集中する。「原書に―」●☆**取りつく島もない** 句〈たよる方法もなくて/相手につきはなされて〉どうしようもない。

↑**とりつ・く**[取り(×憑く)]《自五》怨霊などが人に乗り移る。「悪魔に取りつかれる」

**とりつ・ぐ**[取り次ぐ]《他五》①間に立って、話を伝える。②客が来たことを主人につげる。

**とりつくろ・う**[取り繕う]ーつくろふ《他五》〈よくない/みっともない〉ところを見られないように、一時的にごまかす。つくろう。「その場を―・失敗を―・うわべだけを―」

**とりつけ**[取り付け]①取りつけること。「電気器具の―」②〔経〕信用を失った銀行に対して、預金はらいもどしの請求者が おしよせること。「―さわぎ」

**とりつ・ける**[取り(付ける)]《他下一》①器具などを〈ある場所/ほかのもの〉につける。「エアコンにアースを―」②手もとに おさめる。得る。「了解を―」

**トリッパ**[イ trippa]牛などの胃。煮こみ料理にして食べる。トリップ(フ tripe)。トライプ(tripe)。

**ドリッパー**[dripper]ドリップ式の、コーヒーをいれる器具。

**トリップ**《名・自サ》[trip]①〔小さな〕旅行。②〔俗〕薬物を吸って幻覚状態になること。③〔俗〕

現実を忘れて、夢中になること。

**ドリップ**《名・他サ》〔drip〕①コーヒーの粉に湯をそそぎ、ろ(濾)紙などでこしていれること。「―式」☞ネルドリップ。②〔解凍(かいとう)のときなどに〕肉やさかなから出る水分。「―が出る」

**とりつぶ・す**〔取り(潰す)〕《他五》①組織などをなくす。つぶす。②〔江戸(えど)時代〕幕府に不都合のあった大名や旗本の家を断絶させる。名取りつぶし。

←**とりて**〔取り手〕①取る人。②《すもう》わざのうまい人。③読み上げられたカルタのふだを取るほうの人。(↔読み手)

→**とりて**〔捕り手〕〔文〕罪人をめしとる役目の人。とりかた。

**とりで**〔(×砦)〕①〔城からはなれて／軍事的な要所に〕作った、敵の攻撃(こうげき)を防ぐ小さな建造物。②拠点(きょてん)。「反権力の―」

**とりてき**〔取的〕〔俗〕いちばん下の階級の力士。ふんどしかつぎ。

**とりてん**〔(△鶏天)〕下味をつけたとり肉で作る天ぷら。酢(す)じょうゆやポン酢のたれをつけて食べることが多い。〔大分県が発祥(はっしょう)〕

**とりとめ**〔(取り留め)〕まとまり。•**とりとめ(が)ない** 句 まとまりがない。「―会話・―空想」

**とりと・める**〔取り留める〕《他下一》ひきとどめる。「命を―(=死にそうになったところを助かる)」

**とりどり**《名・ナダ》〔(=取り取り)〕それぞれにちがっていること。さまざま。「―の説・―に美しい花・色―」

**とりなお・す**〔取り直す〕―なほす《他五》①一度とったものを、もう一度とる。「刀を―(=にぎり直す)」表記「寸法を採り直す」「写真を撮り直す」「歌を△録り直す」のようにも書く。②〔気持ちを〕ふるいたたせてもとの状態にする。「気を―」③《すもう》改めてもう一度勝負をする。名取り直し。

**とりな・す**〔(執り成す)・(取り成す)〕《他五》①間に立って、相手に対してその人の立場がよくなるように言う。その場をうまくあつかう。「座を―」②仲立ちをする。仲直りさせる。「けんかを―」③〔客を〕あしらう。とりもつ。名とりなし。

**とりなわ**〔捕り縄〕―なは 賊(ぞく)などをとらえてしばるのに使うなわ。「十手(じって)―」

**とりにが・す**〔取り逃がす〕《他五》つかまえかけて〈にがす／にげられる〉。とりのがす。「えものを―」

**とりにく**〔(△鶏肉・鳥肉)〕〔食品としての〕ニワトリの肉。鶏肉(けいにく)。かしわ。チキン。

**とりのいち**〔(×酉の市)〕十一月の酉(とり)の日に、鷲(おおとり)神社でおこなう祭り。かざりものの熊手(くまで)などの縁起(えんぎ)物を売る。

←**とりのが・す**〔取り逃す〕《他五》⇩とりにがす。

→**とりのが・す**〔(△録り)逃す〕《他五》録音・録画しようとしていたのに、しないままになってしまう。「うっかり番組を―」名とり逃し。「―防止」

**とりの・ける**〔取り(△除ける)〕《他下一》取って、わきへのける。名取りのけ。

**とりのこ**〔鳥の子〕①〔文〕ニワトリのたまご。「―色」②↑鳥の子紙。③↑鳥の子もち。•**とりのこがみ**〔鳥の子紙〕雁皮紙(がんぴし)の材料にコウゾという植物の繊維(せんい)をまぜてすいた、質のいい和紙。色はうす黄色。•**とりのこもち**〔鳥の子餅〕たまごの形に作った、紅白のもち。めでたいときのおくりものに使う。

**とりのこ・す**〔取り残す〕《他五》①取らないで、残す。名取り残し。②〔多く受け身の形で〕あとに残す。「ひとりさびしく取り残される」

**とりのぞ・く**〔取り除く〕《他五》取り出してすてる。取り去る。

**とりのぼ・せる**〔取り(:逆上せる)〕《自下一》〔何かのはずみに〕急にのぼせる。感情がたかぶって夢中になる。

**とりはから・う**〔取り計らう〕―はからふ《他五》人のために行動して、うまくいくように処理する。「穏便(おんびん)に―」名取り計らい。

**とりはぐ・れる**〔取りはぐれる〕《他下一》取りそこなう。取りっぱぐれる(名取りっぱぐれ)。名取りはぐれ。

**とりはこ・ぶ**〔取り運ぶ〕《他五》〔だんどりをつけて〕ものごとを進行させる。名取り運び。

**とりばし**〔取り箸〕おかずやお菓子(かし)を取り分けるときに使うはし。

**とりはず・す**〔取り外す〕―はづす《他五》〔組み立ててあるものや取りつけてあるものを〕はずす。「カバーを―・看板を―・洋服のえりを―」名取り外し。

**とりはだ**〔鳥肌・鳥(△膚)〕〔寒さや怖(こわ)さなどのため、また、強い感動を受けたとき〕鳥の毛をむしったあとのように、はだにぶつぶつが浮(う)き出ること。また、そのはだ。さぶいぼ。•☆☆**鳥肌が立つ** 句 ①寒さや怖(こわ)さのため、はだにぶつぶつが出る。②ぞくぞくするくらい感動する。「―ほどの名演技」〔一九八〇年代後半からよく話題になるが、古くからある用法〕•**とりはだだ・つ**〔鳥肌立つ〕《自五》鳥肌になる。鳥肌が立つ。

**とりはら・う**〔取り払う〕―はらふ《他五》取り除く。すっかり取り去る。名取り払い。

**トリハロメタン**〔trihalomethane〕〔理〕浄水(じょうすい)場などで、塩素消毒によって生じる化合物。発がん性がある。

**トリビア**〔trivia=つまらないこと〕雑学的知識。

**トリビアル**《ナダ》〔trivial〕つまらないようす。さまつ〔(瑣末)〕。

***とりひき**〔取り引き〕《名・自他サ》①〔取引〕ⓐ売り買いして、お金と品物をやりとりすること。売買。「他社と―を始める・信用取引」ⓑ銀行などに口座をひらくこと。「―銀行」②相手と、かけひき・妥協(だきょう)・約束などすること。•**とりひきじょ**〔取引所〕〔経〕〈商品／有価証券〉を大量に売買する市場。

**トリビュート**《名・他サ》〔tribute=たたえる〕歌手・演奏家などをたたえて、ほかの歌手や演奏家が作品をカバーすること。「―アルバム」

**とりふだ**〔取り札〕カルタで、取るほうのふだ。(↔読み札)

**ドリフト**《名・自サ》〔drift〕①漂流(ひょうりゅう)すること。②〔レーシングカーなどで〕後輪を横すべりさせてカーブを切ること。「―走行」

**トリプル**〔triple〕〔同時に〕三つ。三重。三倍。「―選挙・―クラウン(=三冠(さんかん)王)・アイスクリームの―(=三種類を盛ったもの)」(↔シングル・ダブル)•**トリプルプレー**〔米 triple play〕《野球》連続した動作で三人を続けてアウトにすること。三重殺。☞ダブルプレー。•**トリプルやす**〔トリプル安〕〔経〕株式・為替(かわせ)・

債券の相場が、そろって下がること。(↔トリプル高)

**ドリブル**《名・他サ》〔dribble〕①『ラグビー・サッカー』ボールを足で軽くけりながら進むこと。②『バスケットボールなど』ボールを手でつきながら進むこと。③『バレーボール』続けて二度以上ボールに からだがふれる反則。ダブルコンタクト。

**とりぶん**［取り分］ 分配されるものの中で、自分の取るはずの分。分け前。

**とりま**《副》〔↑とりあえず まあ〕〔俗〕とりあえず。「一買ってきた」

**トリマー**〔trimmer=トリミングをする人〉 犬の理髪師。

**とりまえ**［取り前］ 分配される お金の中で、割り当てられて受け取る お金。割り前。

**とりまき**［取り巻き］ 権力やお金のある人のまわりに集まって きげんを取り、利益を得ようとする人。

**とりまぎ・れる**［取り紛れる］《自下一》①まぎれる。②いそがしさに気を取られる。

**とりま・く**［取り巻く］《他五》①まわりを囲む。②〔俗〕人のきげんを取って、いっしょに飲み食いをする。

**とりま・ぜる**［取り混ぜる・取り交ぜる］《他下一》一つにまぜあわせる。

**とりまと・める**［取り(×纏める)］《他下一》 まとめる。名取りまとめ。

**とりまわ・す**［取り回す］《他五》①うまく処理する。とりさばく。「会議を一」②取り分けて ほかへ回す。「皿の料理を一」③車両を方向転換する。「せまい道で車を一」名取り回し。

**とりみだ・す**［取り乱す］《他五》①ものをちらかす。「取り乱した机の上」②だらしなくする。「取り乱した服装」③〈見苦しく／はしたなく〉ふるまう。「とつぜんの事件で一」

**トリミング**《名・他サ》〔trimming〕①『写真』画面の一部をはぶいて、構図を整えること。②『服』ふちどり(をした かざり)。③まゆ毛・ひげや犬の毛を刈りそろえること。

**トリム**〔trim=船のバランス〕 手近なものや機会を利用して からだを動かし、健康をたもつこと。「一運動」

**とりむす・ぶ**［取り結ぶ］《他五》①〔文〕約束をかたく結ぶ。②人の きげんを取る。「社長のごきげんを一」③取りもつ。「仲を一」

**とりめ**［鳥目］『医』夜や暗いところで見えにくくなる、目の病気。ビタミンAの不足などで起こる。夜盲症。

**とりもち**［鳥(×黐)］ 小鳥、昆虫などをつかまえるのに使う、ねばるもの。モチノキの皮を煮て作る。

**とりもち**［取り持ち］《名・他サ》 取り持つ〈こと／人〉。

**とりも・つ**［取り持つ］《他五》①うまく仲立ちする。「スキーが一縁」②客をもてなす。「座を一」③うまくはからう。「地位が上がるように一」

**とりもど・す**［取り戻す］《他五》〈なくした／とられた〉ものをふたたび自分のものにする。「自信を一・領土を一」名取り戻し。

**とりも- なおさず**［(取りも直さず)］《副》直前に述べたことが、後ろに述べることと、まったく同じ意味になることをあらわす。そのまま。つまり。言いかえると。「だまっているということは一罪を認めることになる」

**とりもの**［捕り物］〔文〕罪人をめしとること。●**とりものちょう**［捕物帳］(=事件の覚え書き) 江戸時代の岡っ引きを主人公とする、推理小説。

**どりや**《感》〔古風〕思い立ったときの ことば。どれ。「一、ひとふろ浴びよう」

**とりや・める**［取り(△止める)］《他下一》 予定していたことを、やめる。名取りやめ。

**トリュフ**〔フ truffe〕①フランス料理などに使う、めずらしいキノコ。かさがなく、球形状で独特の芳香がある。西洋松露。トリフ〔古風〕。②「トリュフ①」に似た形のチョコレート菓子。表面にココアパウダーなどをまぶす。

**とりょう**［塗料］ ものの表面に〈ぬる／色をつける〉ための液体。

☆☆**どりょう**［度量］〔文〕心が大きく、相手の考えを受け入れる性質。「一が せまい」●**どりょうこう**［度量衡］(=ものさしと ますと はかり) 長さと体積と重さ。「一器(=はかるための道具)」

***どりょく**［努力］《名・自サ》 何かをなしとげようと、力をつくすこと。「合格のため必死で一する・あすまでに仕上げるよう一します(『仕上げます』とは言っていない)・奮励一・再発防止の一義務」 区別 「**努力する**」も「**努める**」も、力をつくす意味だが、「努める」は「気をつける」という軽い意味でも使う。「**励む**」は、夢中で順調に進める感じがあり、「道楽に励む」のように楽しみの場合にも使う。

**とりよせ**［取り寄せ］ 取り寄せること。☞お取り寄せ。

**とりよせ**［鳥寄せ］ 鳥をとるために、えさや おとりなどで近寄せること。

**とりよ・せる**［取り寄せる］《他下一》①送ってよこさせる。「見本を一」②持って来させる。「料理を一」

**トリリンガル**〔trilingual〕⇩トライリンガル。

**トリル**〔trill=ふるえ声〕『音』装飾音の一つ。ある音と、そのとなりの音とを交互に速くくり返して演奏する。

**ドリル**〔drill〕①回転して穴をあける きり。穿孔機。②削岩機。③〔くり返して する〕練習。「漢字の一」

**トリレンマ**〔trilemma〕①三者択一を迫られてなやむこと。②三重苦。「失業・インフレ・赤字の一」☞ジレンマ。

**とりわけ**［(取り分け)］《副》〔全体に そう言えるが〕そのうちでも、特に。ことに。わけても。とりわけて。「京都は一春がいい」●**とりわけて**［(取り分けて)］《副》 とりわけ。

**とりわ・ける**［取り分ける］《他下一》①区別して それぞれ取る。②取って分ける。「ごちそうを一」

**とりわさ**［鳥わさ・△鶏わさ］〔わさ↑わさび〕 さっとゆでて しもふりにしたささみを、さしみのように切り、ワサビをそえたもの。酒のつまみ。

**ドリン**『農』エンドリン・アルドリン・ディルドリンなど、有機塩素をもとにした農薬の総称。強い毒性を持つ。「一系農薬・一剤」

**ドリンカー** 造〔drinker〕(酒を)飲む人。酒飲み。「キッチンー」

**ドリンク**〔drink〕①飲み物。「フリーー」(=ⓐ飲み物無料。ⓑ飲み放題」」②〔↑ドリンク剤〕びん入りの保健飲料。

↔**と・る【取る】 ━ とる《他五》①そこにあるものを、手に持つ。手にする。「カードを一枚―・箸を―・弓矢を取って〔『執って』とも〕戦う」②手にして、人にわたす。「おしょうゆを取ってちょうだい」③自分のものにする。もらう。得る。「手数料を―・満点を―・契約を―・看護師の資格を―・花見の場所を―・天下を―・ギャグで笑いを―〔=笑わせる〕」④【△盗る】うばう。ぬすむ。「人の物を―」⑤農作物を収穫する。また、さかな・貝などを収獲する。「米を―・サンマを―」表記「米を△穫る」「さかなを〈△捕る/△獲る〉」「〈山菜/貝〉を採る」のようにも書く。⑥【△摂る】からだに受け入れる。「昼食を―・栄養を―」⑦引き受ける。「責任を―」⑧かさねる。「年を―」⑨解釈する。「悪く―」⑩設ける。確保する。「休息を―・車間距離を―・私のために時間を取ってくれた」⑪多くの分量を必要とする。「時間を―作業・くわしく述べると枚数を―・場所を―家具」⑫前もって確保する。「〈宿/部屋〉を―〔=予約する〕・床を―〔=敷く〕・捨てないで取っておこう」⑬〔つながりを〕つける。「連絡を―」⑭本体についているものを、手で引きはなす。「ふたを―・帽子を取ってあいさつする」⑮除いてなくす。取り除く。「洋服のごみを―・しみを―・湿気を―」⑯あるやり方をする。「単純な方法を―・必要な措置を―・勝手な行動を―」表記 その やり方を選び取る意味では「採る」とも。⑰問題・話題にする。取り上げる。「食器一つ(を)取っても〔=例としてみても〕種類が多い・一つ一つを取ってみるとちがいがある」⑱その方向へ進む。「道を北へ―・針路を西に―」⑲よくない結果をまねく。「おくれを―・不覚を―」⑳形をつくる。「不動の姿勢を―・手紙の形式を取った小説・にこやかな態度を―」㉑乱れないようにする。「手で拍子を―・バランスを―・統制を―・相手の きげんを―」㉒もとのままの形を写す。「拓本を―・石膏で型を―」㉓書きつける。「メモを―・記録を―」㉔数える。「脈を―」㉕〔人をこちらに〕むかえる。「よめを―」㉖召集する。「兵隊に取られる」㉗店から運んでもらう。「すしを―・新聞を―〔=購読する〕」㉘《すもう》取組をする。「もう一番取ろう」㉙殺す。「敵の頭を―〔=かしら〕を―」〔俗〕・討ち―」㉚《野球》アウトにする。「三振に切って―・打たせて―」☞取られる。 ━ 造 …して、理解する。「聞き―・相手の気持ちをくみ―」可能 取れる。

●取るに足りない 句 取り上げるだけのねうちがない。取るに足らぬ。「世間のうわさなんか―」●取るものも取りあえず 句〔=必要なものも手に取れず〕じゅうぶんな したくも できず、大急ぎで。「―かけつけた」

↔と・る【捕る】《他五》つかまえる。「トンボを―」可能 捕れる。

●捕らぬ たぬき(狸)の皮算用 句 まだ はいらない収入を当てにして計画を立てること。

↔と・る【執る】《他五》①筆など、棒状のものを持って仕事をする。「ペンを―・事務を―・指揮を―・教鞭を―」②〔文〕守る。「かたく自説を―」可能 執れる。

↔と・る【採る】《他五》①(いくつかの中から)選び取る。採用する。「企業が新卒を―・どちらを―か」②ふくまれているものを取り出す。「菜種から油を―・血を―〔=採血する〕」③とり集める。採集する。「薬草を―」④はかって数字を得る。「寸法を―〔=採寸する〕」⑤取りこむ。「窓から光を―」名 採り。可能 採れる。

↔と・る【撮る】《他五》①〔写真を〕写す。②〔動画を〕記録する。つくる。「ビデオを―」▽撮影する。名 撮り。「映画の―」可能 撮れる。

↔と・る【△録る】《他五》①録音する。「対談を―」②録画する。収録する。「大河ドラマを―」名 とり。「番組の―」可能 とれる。

と・る《助動五型》〔古風/方〕↑ておる。「何をやっ―か・みんな わかっ―・最近の若い者は なっとらん・道が混んどる」☞よる。

*ドル〔↑ドルラル(オ dollar)〕アメリカ合衆国などのお金(の単位)。ダラー。〔記号「$」「$」〕「米―・豪―」表記「:弗」とも書いた。

どるい【土塁】〔文〕土をもり上げて築いたとりで。

トルエン〔toluene〕《理》ベンジンに似たにおいのする、無色の液体。シンナーのおもな成分。麻酔作用が強く毒性もある。

トルク〔torque〕《自動車・バイク》エンジンが回転軸を回転させる能力。車の発進や加速には、大きいトルクが必要。〔物理学では「モーメント」と言う〕「―が〈大きい/太い〉・最大―」

トルコ〔ポ Turco〕小アジアからバルカン半島の南東端部にまたがる共和国。大部分はアジアに属する。首都、アンカラ(Ankara)。表記「:土耳古」は、古い音訳字。●トルコいし【トルコ石】《鉱》ほのかに緑がかった水色の、結晶しない鉱物。十二月の誕生石。トルコ玉。ターコイズ。由来 ペルシャ産のものがトルコ経由でヨーロッパに出回ったことから。●トルコぼう【トルコ帽】もとトルコ人がかぶった、筒形の帽子。今はトルコ人以外のイスラム教徒がかぶる。

［トルコぼう］

トルソー〔イ torso〕①〔頭や手足のない〕胴体だけの彫刻・マネキン。トルソ。②《陸上》胴体。「―が到達した時点をゴールとする」

ドルチェ〔イ dolce=甘い。菓子〕①〔イタリア料理で〕デザート。菓子。②イタリア産の甘口のワイン。③《音》甘美に。やさしく。

トルティーヤ〔ス tortilla〕トウモロコシの粉を練ってうすく のばして焼いたもの。「―チップス〔=三角に切ったトルティーヤを揚げたスナック〕」☞タコス。

トルネード〔tornado〕《天》北アメリカの中南部で発生する、大きなたつまき。

ドルばこ【ドル箱】〔=金庫〕①お金をもうけさせてくれる〈人/ものごと〉。かねばこ。ぜにばこ。「―スター」②〔パチンコ・パチスロで〕大量に出た玉・メダルを入れる箱。

ドルフィン キック〔dolphin《=イルカ》kick〕《競泳》両足をそろえて上下に動かして水をける、バタフライの泳ぎ方。

トルマリン〔tourmaline〕《鉱》帯電しやすい天然鉱物。ピンクのほか、さまざまな色がある。十月の誕生石。電気石。

ドルマン スリーブ〔dolman sleeve〕《服》そでのつけ根のはばが広く、手首のほうに かけて せまく作ったそで。ドルマン。

**ドルメン**〔dolmen〕《歴》新石器時代・青銅器時代の遺跡の一つ。大きな自然石を並べて立て、上に平らな石をのせて作った墓。

**トレ** 造 ↑トレーニング。「自主ー・筋ー」

＊＊**どれ** [一]《代》三つ以上あるうちで、はっきり決められないものごとをさすことば。「ーにしようか」 表記 かたく「△何れ」とも。☞どちら②・どれも。[二]《感》〔話〕①思いたったときのことば。「ー、出かけるとするか」②自分で確かめたくて発することば。どれどれ。「ー、貸してごらん・ー、どんな記事かな」▽どら。

**トレアドル**〔ス toreador〕スペインの闘牛士。「ーパンツ(=足にぴったりあった、ひざ下までの女性用ズボン。スポーツ用)」☞マタドール。

**どれい**〔土鈴〕土を焼いて作ったすず。玉がはいっていて、ふると「コロコロ」とにぶい音がする。

**どれい**〔奴隷〕①主人の私有物として こき使われて、まったく自由を持たない人。②あるもののとりこになって、それに奉仕する人。「金銭のー」

**トレイルランニング**〔trail running〕《陸上》舗装されていない山道をランニングする、登山とマラソンを合わせた陸上競技。トレイルラン。トレラン。

**トレイン** 造〔train〕列車。「リゾートー・ービジョン(=電車内で表示する案内動画)」☞トレーン。

☆☆**トレー**〔tray〕①お盆。「サービスー(=給仕用のお盆)」②四角な、皿形の入れ物。「スーパーのーにはいった肉・書類のー(=浅い箱)・CDプレーヤーのー(=ディスクをのせて、本体に出し入れする部品)」▽トレイ。

**トレーサビリティ(ー)**〔traceability〕《経》製品の安全と信頼を確保するため、生産・流通の過程がわかるよう記録すること。履歴管理。

**トレーシングペーパー**〔tracing paper〕敷き写し用の、うすい紙。トレペ。

**トレース**《名・自他サ》〔trace〕①図面(を引くこと)。図形。「ー工」②敷き写しすること。トレス。③記録を追跡して調べること。④スケートですべった跡。⑤〔雪山などで〕人の通った跡(をたどって登ること)。

**トレーダー**〔trader〕①(顧客のために)証券を売買する業者。②貿易業者。

**トレーディング** 造〔trading〕《経》取引の。交換の。「ーカンパニー(=商社)」 ●**トレーディングカード**〔trading card〕アニメのキャラクターやアイドルの写真などを印刷した、交換・収集のためのカード。トレカ。

**トレード**〔trade〕[一] 取引。貿易。「フェアー」[二]《名・他サ》〔プロスポーツで〕選手の籍をよそのチームに移すこと。移籍。「ーに出す・ーマネー」 ●**トレードオフ**〔trade-off〕一方を立てれば、他方が立たないという関係。〔多く経済用語として使われる〕 ●☆☆**トレードマーク**〔trademark〕①(商品の)登録商標。TM。②〔俗〕その人を代表する特徴となるもの。「ーの大きな目」

**トレーナー**〔trainer〕[一] トレーナー ①練習の指導者。「ボイスー」②スポーツ選手の体調管理をする人。[二] トレーナー《服》⇩スウェット①。

**トレーニング**《名・自サ》〔training〕①からだをならし、きたえるための運動。「筋力ー・ーウェア」②技術をみがくための訓練。練習。「ーキャンプ(=合宿練習(の宿舎))・販売ー」 ●**トレーニングパンツ**〔training pants〕①運動用の長ズボン。トレパン。②幼児がおむつを卒業するためにはく、練習用のパンツ。

**ドレープ**〔drape〕①《服》ごくゆったりとしたドレスなどを着たとき、自然にできる、ゆるやかなひだ。②模様を織り出した、厚手のカーテン地。「ーカーテン」

**トレーラー**〔trailer〕①動力装置のある車に引っぱられる、付属車。トレーラ。〔牽引する車をふくんだ全体を言う場合が多い〕「ーハウス(=車などで引っぱって移動できる箱型の住居)」②↑トレーラー映像。 ●**トレーラーえいぞう**〔トレーラー映像〕〔公開前・発売前の映画・テレビ番組・音楽などの〕予告映像。トレーラー。

**トレーン**〔train〕《服》女性のドレスで、あとに引きずる(長い)すそ。☞トレイン。

**ドレーン**〔drain〕①排水溝。②《医》患部にたまった液やうみ、血などを排出するくだ。排液管。「胸腔ー」▽ドレイン。

**トレカ** ↑トレーディングカード。

**トレジャー** 造〔treasure〕財宝。たから。「ーハンター(=たからさがしをする人)」

**トレシャツ** ↑トレーニングシャツ。

**ドレス**〔dress〕①正式の席で着る女性の洋服。「パーティーー・ロングー」②衣服。「メンズー(=紳士服)」 ●**ドレスアップ**《名・自サ》〔dress up〕正装(すること)。 ●**ドレスコード**〔dress code〕服装のきまり。「ーのある店」 ●**ドレスメーカー**〔dressmaker〕女性の服を仕立てる〈人/店〉。(↔テーラー)

←**とれだか**〔取れ高〕穀物などの、取れた量。

→**とれだか**〔撮れ高〕《放送》収録した映像全体のうちで、放送に使えそうな分量。「きょうはーがよかった」

**とれたて**〔取れ(立て)〕〔さかな・野菜・くだものが〕取れたばかりの状態。とりたて。 表記 ⇩取れる⑤。

**トレッキング**〔trekking〕高い山のふもとを気楽に歩くこと。山歩き。「ーシューズ」

**ドレッサー**〔dresser〕①よそおう人。「エレガントなー(=エレガントなよそおいをする人)」☞ベストドレッサー。②けしょう台。

**ドレッシー**《ナ》〔dressy〕《服》はなやかで、改まった感じのようす。(↔スポーティ(ー))

**ドレッシング**〔dressing〕①サラダにかけるソースの一種。「和風ー」②服を着ること。また、けしょう。「ールーム(=更衣室)」

**トレッド**〔tread〕①タイヤの、地面にふれる部分。ふみづら。②タイヤの表面に刻みこんだ みぞ。「ーパターン」 ●**トレッドミル**〔treadmill〕ベルトコンベアのように動く板の上を走る方式の室内運動用具。トレーニングや運動負荷の検査に使う。

**ドレッド**〔↑ドレッドロックス(dreadlocks)〕長い髪を縮れさせ、細い縄をたくさん ぶら下げているように編んだ髪型。レゲエのミュージシャンに多い。レゲエ頭。ドレッド ヘア。

**どれといって**〔どれと(言って)〕《副》べつに「どれ」とはっきり言えるほど。「ー原因はない」〔連体詞の形もある。「どれと〈いった/いう〉好みはない」〕

**トレパン** ↑トレーニング パンツ。

**トレビアン**《感》〔フ très bien〕〔話〕すばらしい。〔ほめるときのことば〕

**どれ-ひとつ**［どれ一つ］《副》〔後ろに否定が来る〕どれも。どの一つも。「―（として）同じ意見がない・―欠けても困る」

**どれほど**《副》どのくらい。どんなに。「―心配した（こと）か〔＝すごく心配した〕」

**ドレミ**〔イ do, re, mi〕①《音》音階（の はじめの三音）。②ものごとの初歩。ＡＢＣ。いろは。

**どれも** 一 **どれも**《名・副》すべて。「―（が）おいしそうな料理だ」 二 **どれも**《副》〔後ろに否定が来る〕どの一つも。「―効果は期待できない」 ●**どれもこれも**《副》どれも みんな。「―なつかしい思い出ばかりだ」

**トレモロ**〔イ tremolo〕《音》一つの音の急速な くり返し。ふるえるように聞こえる。せんおん（顫音）。

**トレランス**〔tolerance〕 寛容。「ゼロ―〔＝学校などで例外なく罰すること〕」

**トレリス**〔trellis〕 角材または金属の棒を、格子状などの形に組んで立てたもの。園芸で植物をはわせるのに使う。☞ラティス。

**と・れる**［取れる］《自下一》①取った状態になる。②解釈される。「そのことばは皮肉とも―」 ③外れる。「かさの柄が―」 ④《俗》うまれる。「お前どこで、とれた？」 ⑤農産物や さかななどが えられる。「米が―」 表記「米が△穫れる」「イワシが〈捕れる／△獲れる〉」「〈マツタケ／アサリ〉が採れる」のようにも書く。⑥「取る」の可能形。

**と・れる**［撮れる］《自下一》①〔写真・動画が〕写る。「きれいに撮れた」 ②「撮る」の可能形。

**と・れる**［〈△録れる〉］《自下一》①録音・録画した状態になる。「うまく とれた」 ②「録る」の可能形。

**とれん**［都連］ ↑東京都〔組合・政党支部〕連合会。

**トレンカ**《服》足のうらに引っかける輪のあるレギンス。

**トレンチ**〔trench〕 ①《軍》⇩ざんごう（塹壕）。②〔考古学などで〕ある区画を調査するために ほった みぞ。試掘溝。③《服》↑トレンチ コート。 ●**トレンチコート**〔trench coat〕《服》ベルトのついたレインコート。トレンチ。

**トレンディ（ー）**《ナダ》〔trendy〕 流行の先端を行くようすだ。最新の流行だ。「―ドラマ」

**トレンド**〔trend〕 時代の〈動向／風潮〉。傾向。「―を読む」 ●**トレンドブログ**〔trend blog〕 注目が集まっている話題について、インターネットの記事をあれこれ引用して文章を作り、参照数をかせぐブログ。

**とろ**［〈×瀞〉］ 川の流れのしずかな〈こと／ところ〉。どろ。

**とろ** 一 **とろ**［トロ］〔↑とろ身〕マグロなどの肉のあぶらの多い部分。「大―・ねぎ（葱）―・―サーモン・―たく巻き〔＝トロとたくあんの巻きずし〕」 ☞づ（漬）け 一②。 二 ↑とろろ。「そば―・麦―」

**と・ろ**［吐露］《名・他サ》〔文〕（自分の意見を）心の底から、のべること。「真情を―する」

**どろ**［泥］ ①（水がまじって やわらかくなった）土。「―の海・―つきの ねぎ・―に まみれる・―深い田んぼ」 ②〔ドロ〕《俗》↑どろぼう。「こそ―」 ●**泥のように眠る**句 正体もなく、ぐっすり眠る。 ●**泥をかぶる**句 他人がとるべき責任を自分が負う。 ●**泥を塗る**句 名誉をけがす。 ●**泥を吐く**句《俗》つつみかくしていた悪いことを白状する。

**どろあし**［泥足］ 泥のついた（よごれた）足。

**とろ・い**《形》①［トロい］《俗》頭の はたらきが にぶい。動作・反応が にぶい。②勢いが弱い。「潮の流れが―・火が―」 派-さ。

**トロイオンス**〔troy ounce〕 ⇩オンス。

**トロイカ**〔ロ troyka〕 ①三頭で仕立てた〈そり／馬車〉。②〈三人／三者〉で運営すること。「―方式」

**トロイのもくば**［トロイの木馬］〔トロイ（Troy）＝小アジアの古代都市〕 ①外見とはちがうものが内部に送りこまれ、それがあとになってわざわいとなるたとえ。 由来 トロイ戦争のとき、ギリシャ軍が大きな木馬に兵士をひそませてトロイに送りこんで城を攻め落としたことから。②《情》正体をかくしてコンピューターに はいり、悪意のある活動をおこなうプログラム。

**とろう**［徒労］〔文〕むだな骨折り。「説得の努力が―に終わる」

**どろうみ**［泥海］ 泥水で一面ぬかるみの状態であること。「洪水で、あたり一面―と化す」

**どろえのぐ**［泥絵の具］ ごふん（胡粉）をまぜた、泥のような絵の具。

**ドロー**〔draw〕 ①引き分け。②〔↑ドロー ボール〕《ゴルフ》〈右／左〉打ちの人が打つとき、〈左／右〉にカーブしながら飛ぶ打球。（↔フェード）

**ドローイング**〔drawing〕 ①単色の線画。素描。デッサン。②製図。

**トローチ**〔troche〕《医》のどが痛いときなどに、口の中でとかして使う錠剤。

**トローリング**〔trawling〕《釣り》走る船から さおを出し、えさを引っぱって、イナダ・カツオ・メジマグロなどを釣る釣り方。引き釣り。

**トロール**〔trawl〕 ①三角のふくろ状になった、大きな底引きあみ。②〔↑トロール漁業〕「トロール①」を使う、大型の船による漁業。「―船」

**ドローン**〔drone〕 無線で操作する小型の飛行物体。カメラをのせて撮影もできる。小型無人（飛行）機。

**ドローンワーク**〔drawn work〕 ⇩ドロンワーク。

**とろか・す**［〈×蕩かす〉］《他五》①とかして どろどろにする。「口の中で―」 ②本心を失わせる。「心を―」

**どろくさ・い**［泥（臭い）］《形》①泥の においがする感じだ。土くさい。「―川ざかな」 ②いなかくさい。やぼったい。「―が誠実な人」 ③《スポーツ》かっこうよく見せようとせず、勝つことだけをめざすようす。「泥くさく点を取る」 派-さ。

**どろけい**〔「ドロケイ」とも書く〕 ⇩けいどろ。

**とろ・ける**［〈×蕩ける〉］《自下一》①とけて やわらかくなる。「口の中で―」 ②心の しまりがなくなる。うっとりする。「甘いことばに―」

**どろじあい**［泥仕合］《名・自サ》おたがいに相手の秘密・弱点・失敗などをあばきあって、みにくく争う〈こと／争い〉。「―を演じる」

**トロッコ**〔↑truck〕 ①線路の上を走らせる、簡単に作った手おし車。土木工事に使う。トロ。②窓ガラスのない開放的な車両をつらねて、山の中を走る、貨車ふうの観光電車。トロッコ列車。

**とろっと**《副・自サ》①ねばりけがあって、なめらかなようす。「ーしたはちみつ」②酔ったりねむくなったりなどしている目のようす。とろんと。「ーした目つき」③少しねむるようす。「車内でーする」▽とろりと。

**トロット**〔trot〕〔馬の〕早足。☞ギャロップ・キャンター。

**どろっと**《副・自サ》①液体にものがとけこんだりして、流れにくくなったようす。「ーしたスープ」②にごったようす。「ーした目」▽どろりと。

**ドロップ**《名・自サ》〔drop〕①落下。②脱落。③小形でねばらない、西洋ふうのあめ。ドロップス。④〔ゴルフ〕打てない場所に落ちたボールを拾い上げ、決められた場所で直立した姿勢から落とすこと。●**ドロップアウト**《名・自サ》〔drop out〕〔学校・社会から〕おちこぼれること。●**ドロップハンドル**〔和製drop handle〕自転車の、下向きに曲がったハンドル。前かがみになってつかむ。サイクリング・競輪用。

**とろとろ**《副・自サ》①ものがとけて、やわらかくねばるようす。「チーズがーになる・ーのオムレツ」②ねむけに負けて、少しねむるようす。また、浅くねむるようす。「つかれてーする」③火が弱く燃えつづけるようす。④しずかな調子で単調にするようす。「笛をーとふく・ーと走る」⑤〔馬のからだを〕みがいて、じゅうぶんつやを出すようす。

**どろどろ**■一《副・自サ》①ものの形がなくなり、液体に近くなったようす。「ーしたソース・ーにとける」②〈とけて/ぬれて〉どろのようになったようす。「雪どけのーの道」③欲がからんで見苦しいようす。「ー(と)した人間関係」■二**どろどろ**《名》・**どろどろ**《副》①〔芝居〕幽霊があらわれるときの、低く続けて鳴らす太鼓の音。②〔遠くで低く鳴る〕かみなりの音。

☆☆**どろなわ**〔泥縄〕〔↑どろぼうを見てなわをなう〕何かが起こってから、あわてて方法を考えること。「ー式」

**どろぬま**〔泥沼〕①どろぶかい沼。②ぬけようとしてもぬけられない、〈悪い〉環境や状態。「ーにはまる」

**どろねぎ**〔泥(×葱)〕泥がついたまま出荷されるネギ。

**トロばこ**〔トロ箱〕さかなを入れる、発泡スチロール製の箱。乾燥しないので日持ちする。由来 トロール漁でとれたさかなを入れたことから。

**とろび**〔とろ火〕《料》とろとろ燃える、弱火より弱い火。

**トロピカル**〔tropical〕■一《ナダ》熱帯の。熱帯ふう。南国調。「ードリンク・ーフルーツ・ーなふんいき」■二うすくて腰の強い、夏服用の毛織物。

**トロフィー**〔trophy〕優勝者におくられる〈カップ/たて〉。

**どろぶね**〔泥舟・泥船〕①〔昔話の「かちかち山」に出てくる〕土で造った、しずむ舟。②まもなく行きづまりそうな組織。「ー化した政権」

**どろぼう**〔(泥棒)・(泥坊)〕《名・他サ》よその人のものをぬすむ〈者/こと〉。ぬすびと。ドロボー。「ーがはいった・ー猫みたいなことをするな・さい銭ー」●**どろぼうに追い銭**句 損をした上に、また、さらに損をすることのたとえ。盗っ人に追い銭。●**どろぼうにも三分の理**句〔三分=三割〕どろぼうにも少しは言い分がある。どんなことにも理屈はつけられるものだ。盗っ人にも三分の理。●**どろぼうを捕らえて見ればわが子なり**句 問題の原因が自分のすぐ近くの人物であったことがわかり、ショックを受けること。盗っ人を捕らえて見ればわが子なり。由来 川柳の「盗人を捕らえて見ればわが子なり」から。●**どろぼうを見て縄をなう**句 何かが起こってから、あわてて方法を考える。盗っ人を見て縄をなう。☞泥縄。

**どろまみれ**〔泥(△塗れ)〕泥にまみれた状態。

**とろみ**〔とろ身〕⇩トロ■一。

**とろみ** ①軽くねばる状態。「かたくり粉でーをつける(=ねばりを出す)」②《服》生地がなめらかで、しわにならない感じ。「ーブラウス」〔二〇一〇年代に広まった用法〕

**どろみず**〔泥水〕①泥のまじった水。「ーをすする(=みじめで苦しい生きざまのたとえ)」②芸者・遊女の境遇。「ー稼業」

**どろよけ**〔泥(△除け)〕〔自転車・自動車などで〕車輪が泥をはねあげないようにするためのカバー。フェンダー。

**トロリー**〔trolley〕①↑トロリーバス。②車体をトロリーバスに似せた観光バス。●**トロリーバス**〔trolley bus〕道路上の架線から電気をとって走る、昔のタイプのバス。レールはない。無軌道電車。無軌条電車。トロリー。

**とろりと**《副・自サ》⇩とろっと。〔物の形容では「とろっと」よりも ねばり、「どろっと」よりも なめらかなようす。「ーしたホワイトソース」〕

**どろりと**《副・自サ》⇩どろっと。〔物の形容では「どろっと」よりも ねばるようす。「ーしたたまご」〕

**とろろ**〔(:薯蕷)〕①ヤマノイモなどをすりおろした、とろりとした食べ物。とろろじる。②↑とろろいも。●**とろろいも**〔(:薯蕷)芋〕すって「とろろ①」を作るイモ。ヤマトイモ(=ツクネイモ)・ナガイモ・ヤマノイモなど。

**とろろこんぶ**〔とろろ昆布〕コンブを、短い糸のように細くけずった、ふわふわした食品。とろろこぶ。☞おぼろこんぶ。

**どろん**《名・自サ》〔=芝居で、幽霊が消えるときなどの太鼓の音。「ドロン」とも書く〕〔古風・俗〕①都合が悪くなって、こっそりにげ出すこと。「かねを持ってーする」②先に帰ること。「私は このへんでーします」●**どろんを決める**句〔古風・俗〕ゆくえをくらます。逐電する。どろんする。

**どろんと**《副・自サ》①重くよどんでいるようす。「ーした空気」②目つきがひどくぼんやりしているようす。「ねむけが強く目がーしている」③ゆくえをくらますようす。「ー消える」

**ドロンゲーム**〔drawn game〕《野球》引き分けの試合。〔今は「タイゲーム」と言う〕

**どろんこ**〔泥んこ〕どろ(だらけ)。「ーになる」

**とろんと**《副・自サ》目つきがぼんやりしているようす。「高熱で目がーしている」

**トロンボーン**〔trombone〕《音》金管楽器の一つ。組み合わせたU字形の管をのばしたり縮めたりして、音の高さを変える。トランペットより低い音を出す。

［トロンボーン］

**ドロンワーク**〔drawn work〕布の糸をぬき取り、残った糸をかがってすかし模様をつくる細工。ドローンワーク。(↔エンブロイダー)

☆☆とわ【⁝永遠】・【⁝永久】〔雅〕永遠(えいえん)。「—に・—の別れ」 ●とわの眠(ねむ)りに就(つ)く 句 死ぬ。永眠(えいみん)する。

とわず【問わず】〘を問わずで副助〙…の両方とも。…のどれも。「世代を—親しまれている・四季を—(=通して)着られる服」☞問う⑥。●とわずがたり【問わず語り】聞かれもしないのに自分から話すこと。

どわすれ【度忘れ】〘名・自サ〙(何かのはずみで)ひょいと忘れてしまって、どうしても思い出せないこと。どうわすれ。

とん【豚】造 ぶた(肉)。「—カツ・—もつ・—コレラ」

トン〔オ ton〕①〔メートル法で〕質量・重量の単位。一トンは千キログラム(=メートルトン)。②船の体積をあらわす単位。一トンは百立方フィート(=約二・八三立方メートル)。▽〔記号 t〕表記「×噸」「×瓲」「⁝屯」は、古い音訳字。

どん【鈍】〘名・ナダ〙(頭のはたらきや動作が)にぶいこと。

どん 一〘感〙動作を始めさせるときの合図。どーん。「〔競走で〕用意、—・せえの、—」☞どんと・どおんと。二 昔、正午に鳴らした大砲(たいほう)(の音)。「—が鳴る」

どん 接尾〔「どの(殿)」の音便〕〔古風〕町家などでめし使いや目下の人などの名前の下にそえることば。「竹—」

どん【丼】造 ⇩どんぶり二。「そぼろ—・焼き鳥—」

ドン〔ス Don=男性の名前につける敬称(けいしょう)〕首領。親分。「政界の—」

どんか【鈍化】〘名・自サ〙〔文〕にぶくなること。

どんかく【鈍角】〘数〙九十度より大きく、百八十度より小さい角。(↔鋭角(えいかく))

とんかち【トンカチ】〔俗〕かなづち。

とんカツ【豚カツ・トンカツ・とんかつ】豚肉(ぶたにく)のカツレツ。「—ソース(=とろみの強いソース)・チーズ—」

とんがらかる【〔×尖らかる〕】〘自五〙〔俗〕とがる。とんがらがる。「そうとんがらかっては(=おこっては)だめだ」他とんがらかす〘五〙。「口を—」

とんがらし【〔△唐辛子〕】〔俗〕とうがらし。

とんがる【〔×尖る〕】〘自五〙〔俗〕とがる。「とんがってる(=反抗(はんこう)的な)人」名とんがり。「—帽子(ぼうし)」他とんがらせる〘下一〙・とんがらす〘五〙。「くちびるを—」

どんかん【鈍感】〘名・ナダ〙感覚・感じのにぶいこと。「味に—な人」(↔敏感(びんかん))

☆☆どんき【鈍器】①〔凶器(きょうき)として使われる〕鉄棒・かなづちなど、刃(は)のついていない、重みのある道具。「—(のようなもの)でなぐられたとみられる・—のような本」②よく切れない刃物。(↔利器)

とんきょう【頓狂】〘ナダ〙〔古風〕すっとんきょう。とんきょ。「—な声」派—さ。

トング〔thong〕足の親指と人差し指の間に、鼻緒(はなお)をはさんで履(は)くサンダル。トングサンダル。

トング〔tongs〕食べ物などをはさむ、V字形の道具。

どんくさい【鈍臭い】〘形〙〔俗〕言動がのろく、要領が悪い。「—やつだ」

どんぐり【〔△団×栗〕】クヌギ・カシ・ナラなどの実。特に、クヌギの実。●どんぐりの せいくらべ【〔△団×栗〕の背比べ】どれもこれも平凡(へいぼん)で、たいしたことがない状態。●どんぐりまなこ【〔△団×栗〕眼】まるく大きくて、くりくりした感じの目。どんぐり目。〔けいべつした言い方だった〕

どんけつ〔西日本方言〕〔俗〕いちばん最後。びり。どんじり。

どんこ【〔△冬子〕・〔△冬×菇〕】寒い時期に育った、肉厚のシイタケ。かおりがよく栄養価も高い。

どんこう【鈍行】〔←鈍行列車〕〔俗〕各駅停車の列車。緩行(かんこう)。(↔急行)

とんこつ【豚骨】①ブタの骨(でとったスープ)。「—ラーメン」②ブタの骨付きあばら肉を黒糖・焼酎(しょうちゅう)などで煮(に)こんだ鹿児島の郷土料理。

どんこん【鈍根】〔文〕頭のはたらきがにぶいこと。(↔利根)

☆☆とんざ【頓挫】〘名・自サ〙〔文〕勢いがくじけ弱ること。「事業が—する」

とんさい【頓才】〔文〕機転のきく〈才能〉〈こと〉。「とんち—」

どんさい【鈍才】〔文〕才能のにぶい〈こと〉〈人〉。

どんさん【〔×呑酸〕】胃液が逆流して、口の中がすっぱく感じる症状(しょうじょう)。

とんし【豚脂】ブタの脂肪(しぼう)からとったあぶら。ラード。

とんし【頓死】〘名・自サ〙①〔文〕とつぜん、あっけなく死ぬこと。急死。②〘将棋〙うっかりした手を指して、あっけなく詰(つ)むこと。

とんじ【豚児】〔文〕(なかば けんそんし、なかばふざけて)できの悪い自分のむすこ。〔むすめの場合は、豚女(とんじょ)〕

とんじ【〔×遁辞〕】〔文〕にげ口上。「—を弄(ろう)する」

とんしゃ【豚舎】〘農〙ブタを飼育する小屋。

とんじゃく【頓着】〘名・自サ〙⇩とんちゃく。

とんしゅ【頓首】(=頭を地面に打ちつけるようにするおじぎ)〔手紙〕〔文〕終わりに書く、丁重(ていちょう)なあいさつのことば。「—再拝」

どんじゅう【鈍重】〘ナダ〙〔文〕〔動作・性質などが〕にぶくてのろいようす。「—な動き・—な性格」派—さ。

どんしゅうのうお【〔×呑舟の魚〕】〔文〕①(=舟(ふね)をまるのみにするうお)すばらしい獲物(えもの)のたとえ。「—を逸(いっ)す(=とりにがす)」②大人物。大物。「—は枝流(しりゅう)に游(およ)がず(=大魚も大人物も、川の支流ではなく大海で泳ぐ)」

とんしょ【屯所】〔文〕兵士などが詰っめている所。

とんしょうぼだい【頓証×菩△提】〘仏〙はやくさとりをひらくこと(をいのることば)。「南無(なむ)—」

どんじり【どん尻】〔俗〕いちばん最後。おしまい。どんけつ。

とんじる【豚汁】豚肉(ぶたにく)のこま切れを入れたみそしる。ぶたじる。〔北海道を除く東日本でよく使う言い方〕

どんす【〔×緞子〕】練り糸で織った、地(じ)の厚い紋(もん)織物。「金襴(きんらん)—」

とんすい【〔×呑水〕】なべ料理を取り分ける小鉢(こばち)。れんげを短くしたような取っ手がついている。

［とんすい］

とんずら〘名・自サ〙〔「トンズラ」とも書く〕〔俗〕ずらかること。にげること。

どん・する【鈍する】〘自サ〙〔文〕にぶくなる。「貧(ひん)すれば—」(⇩「貧する」の句)

とんせい【〔×遁世〕】〘名・自サ〙〔文〕世間を避(さ)けて仏門にはいること。

と

**とんそう**［×遁走］《名・自サ》〔文〕にげて走ること。逃走。

**とんそく**［豚足］ブタのあし（を使った料理）。〔沖縄ではテ（ィ）ビチ、静岡ではオモロ、朝鮮語ではチョッパルと言う〕

**どんそく**［鈍足］〔文〕走り方が おそいこと。（↕俊足）

**どんぞこ**［どん底］①いちばん下の底。②いちばん〈深い／悪い〉所。「―の生活・悲しみの―」

**とんだ**《連体》思いがけない。とんでもない。「―目にあう」

**ドンタク**［どんたく］〔↑オ zondag＝日曜日〕↑博多どんたく。☞半ドン。

**どんだけ**《副・感》〔話〕どれだけ。「―飲むんだよ・片道二時間かかるとか、―！〈＝どれだけ遠いんだ〉」

**とんち**［頓知・頓×智］その場ですぐはたらく知恵。機転。機知。

**とんちき**［(:頓痴気)・トンチキ］《名・ナダ》〔俗〕とんま。由来「とんま」を、かね（鉦）の音の「ちゃんちき」のように言ったもの。

☆☆**とんちゃく**［頓着］《名・自サ》気にかけること。気を使うこと。とんじゃく。「人の気持ちに―なく〈＝おかまいなく〉・―しない」

**どんちゃんさわぎ**［どんちゃん騒ぎ］《名・自サ》〔店などで〕酒を飲み歌をうたって おおいにさわぐこと。また、そのような さわぎ。どんちゃかさわぎ。

**どんちょう**［(×緞帳)］①模様の はいった、地の厚い幕。②巻いて上げおろしする幕。（↕引き幕）●**どんちょうしばい**［(×緞帳)芝居］〔古風〕引き幕がなく、「どんちょう②」だけを使った、格式の低い芝居。●**どんちょうやくしゃ**［(×緞帳)役者］〔古風〕どんちょう芝居に出る、へたな役者。

**とんちんかん**［(:頓珍漢)・トンチンカン］《名・ナダ》①今までやっていたこと、相手の言ったことなどと、全然ちがうことをしたり言ったりして、つじつまの合わないこと（をする人）。「―な返事・―な質問」②わけの わからないこと。「広告の中の―な英語」由来 鍛冶の槌は、「トン、チン、カン、チン」と二人が かわるがわる打つので、合わないことから。派 -さ。

**とんつー**［トンツー］〔俗〕モールス符号（で通信すること）。

**どんつう**［鈍痛］〔文〕にぶい痛み。（↕激痛）

**どんつき**〔もと関西方言〕行きどまり。

**どんづまり**［どん詰まり］〔俗〕①ものごとの終わり。最後。②〔道の〕行きづまり。動 どん詰まる《自五》。

**とんで**［(飛んで)］《副》数字を読み上げるとき、間にゼロがあることをしめす言い方。とび。「百―五〈＝一〇五〉」

**とんでも**［トンデモ］《ナダ》〔↑とんでもない〕〔俗〕非常識。もってのほか。「―本・―発言・―なうわさ」〔一九九〇年代からのことば〕

**とんでもな・い**《形》①ふつうでは考えられず、許されない。「政治家が わいろを取るなんて―・―デマ」②思いがけない。とんだ。「これは―ときにお会いしましたね・―騒動」③まったくちがう。「簡単な仕事だなんて とんでもなかった」④とうてい できない。「いそがしくて、旅行なんて―」⑤相手の言ったことを、礼儀として否定するときのことば。「『すみませんでしたね』『いやいや、―』」⑥おどろくほど程度が大きい。とほうもない。「―苦労・―昔の話」注 ていねいな言い方は、①のように非難する意味では「とんでもないこと〈です／でございます〉」、⑤のように気をつかったり けんそんしたりする意味では「とんでも〈ありません／ございません〉」が多く使われる。「とんでもないです」は簡単な形で、意味にかかわらず使われる。由来「とでも無い〈＝そのようでも無い〉」から、「まったくそんなことはない」「そうすべきことではない」などの意味になった。「と」は、「とにも かくにも」などの「と」〔文語では副詞〕。「とんでもございません」と言えるのは、「ない」がもと「無い」だったから。

**どんてん**［曇天］〔文〕くもった空。（↕晴天）

**どんでんがえし**［どんでん返し］①《芝居》舞台の大道具をうしろへ たおして、次の大道具と とりかえる〈こと／しかけ〉。②話の筋の進行が、意外な方向に逆転すること。「―の結末」

**とんてんかん**《副》金属をつち（槌）で打つ音。☞とんちんかん。

**とんでんへい**［屯田兵］《歴》明治時代、北海道に配備された兵士。平時は家族と開拓や農業に従事した。

**とんと**《副》〔後ろに否定が来る〕〔俗〕いっこうに。まったく。「―わからない・―だめです」

**どんと**《副》①火薬が爆発する音のようす。「花火が―あがる」②太鼓の鳴る音のようす。③強く〈突く／ぶつかる〉ようす。「―突きとばす・―（どんと）来い」☞どん・どおんと。

**どんとう**［鈍刀］〔文〕切れない かたな。なまくらな かたな。

**ドントほうしき**［ドント方式］〔d'Hondt＝考案者の名〕選挙で政党の議席数を決めるときの、比例配分の方法。各政党の得票数を一、二、三…と順に割り、その値が大きいものの順に議席をあたえる。衆参両院の比例代表制選挙で用いる。ドント式。

**どんどやき**［(:爆竹)焼き］一月十五日ごろに、正月のかざり物を集めて燃やす行事。その火で餅を焼いて食べる。左義長。どんど。

**とんとろ**［豚トロ・トントロ］豚肉で、首のあたりの、あぶらの のったところ。ピートロ〔ピー（P）は pig から〕。

**とんとん** ■一《副》①ものを続けて軽くたたいたり、はねるように歩いたりする音。「階段を―（と）あがる」②ものごとが つごうよく進むようす。「話が―進む」■二 とんとん《名・ナダ》〔収支が つりあって〕損得がないこと。「ほぼ―だ」●**とんとんびょうし**［とんとん拍子］つごうよく どんどんはかどること。「仕事が―にはこぶ」

＊**どんどん**《副》①太鼓を続けてたたいたり、床を続けて強くふみつけたりする音。「足音が―（と）聞こえる」②調子よく〈進む／進める〉ようす。「仕事が―はかどる・―意見を出す」③あとからあとからと続くようす。「雪が―降ってきた」▽どんどこ。

＊＊**どんな**《ナダ》①ものなどの状態をたずねるときに使う。「秋田って―所？・〔得意になって〕―もんだ（い）！・反対するのは―ものかな〈＝問題だ〉・勉強のほうは―だ？・お加減は―なんです？」②何の。「―ご用件ですか」③こんな、と一つに決まらない状態をさす。「―場合でも冷静な人」④程度の大きさを想像〈する／させる〉。「―に言っ

ても聞かない・ーに(か)会いたかったろう」▽連体形はふつう語幹を使うが、これを連体詞とする説もある。

**とんにく**[豚肉]〔古風〕ぶたにく。

**トンネル**〔tunnel〕㊀①山腹・地下などに通じた通路。隧道。②並木や花が両側からかぶさっている状態。「桜のー・はぎ(萩)のー」③長く続く、いやな状態。「やっとーを脱出した」㊁《名・他サ》《野球》〔俗〕ゴロをまたの間からうしろへそらすこと。●**トンネルがいしゃ**[トンネル会社] 受け入れた品物や注文を、そのままよそに回して、差額の利益を得るために作った、形だけの会社。

**どんぱち**[ドンパチ]〔=撃ち合いの音〕〔俗〕戦争。抗争。

**とんび**[(×鳶)]①⇩とび(鳶)①。②〔↑とんびガッパ〕《服》⇩インバネス。●**とんびがたか(鷹)を生む**[句] 平凡な親から優秀な子どもが生まれる。とびがたかをうむ。●**とんびに油揚げをさらわれる**[句] だいじなものをふいに横あいからうばわれる。とんびにあぶらげをさらわれる。●**とんびあし**[(×鳶)足] 正座をくずし、しりをたたみに落としてすわること。「ーにすわる」

**どんびき**[ドン引き]《名・自サ》①〔俗〕相手のすることに おどろき あきれて、近寄りたくない気持ちになること。「観客はーだ」②《映画・放送》カメラをめいっぱいうしろに引いて、広い範囲を映すこと。[動]ドン引く《自五》。

**どんぴしゃ**《ナダ》〔話〕完全に的中するようす。どんぴしゃり。「予想はーだった」

**ドンファン**〔Don Juan=人名〕何人もの女を愛人にしている男。ドン ファン。[由来]スペインの伝説的人物の名から。女をあさり歩いたので有名。

☆☆**とんぷく**[頓服]《名・他サ》《医》症状が出たときだけ、そのつど飲む〈こと/薬〉。「ー薬」(↔分服)

**どんぶつ**[鈍物]〔文〕にぶい人。のろま。(↔才物)

**どんぶらこ**《副》①大きなものが水に ただよう〈音/ようす〉。「〔桃太郎の話で〕川上からモモがーと流れてくる」②波が大きく ゆれる〈音/ようす〉。③大きなものが水に落ちる音。▽どぶん。どんぶりこ。

**とんぶり** ホウキギの実。食用・薬用。〔ぷちぷちとした食感のため、「畑のキャビア」「和製キャビア」とも呼ばれる〕

**どんぶり**[丼]㊀どんぶり ①〔↑どんぶりばち〕深くて厚い、陶器の大形食器。②〔職人などの〕腹がけの前につけた、大きな物入れ。㊁どんぶり[造]〔↑どんぶりめし〕どんぶりもの。どん。「親子ー・三色〔=三種の具材をのせた〕ー」●**どんぶりかんじょう**[丼勘定] 収入や支出を細かく記録しないで、大ざっぱにおこなう勘定。[由来]「どんぶり㊀②」の中のお金を、いいかげんに出し入れすることから。●**どんぶりもの**[丼物] どんぶりに飯をもり、上に具をおおうように のせたもの。例、牛丼・海鮮丼。どんもの。

**どんぶりこ**《副》⇩どんぶらこ。「大きなドングリが池にー」

**とんぼ** ㊀[(:蜻蛉)・(:蜻蜓)] ムギワラトンボ・アカトンボなどの昆虫。目は大きく、二対のはねで軽快にとぶ。幼虫をヤゴという。㊁[トンボ]①地面をならすための、T字形の道具。グラ(ウ)ンドレーキ。②《印刷》校正刷りに書き入れてある、印刷のはしや真ん中を示す線。☞かげろう(蜉蝣)。●**とんぼを切る**[句]「とんぼ返り①」をする。〔本来は「とんぼを返る」〕●**とんぼがえり**[(:蜻蛉)返り]《名・自サ》①地面に手をつかずに、空中でからだを一回転させること。宙がえり。②目的地へ行って用を足し、すぐ引き返すこと。「着いたその日にーする」●**とんぼだま**[(:蜻蛉)玉] さまざまな色や模様がついた、ガラス製の丸いビーズ。

**トンポーロー**[(:東坡肉)]〔中国語〕皮つきのブタの角煮。八角などのスパイスを入れる。[由来]中国の詩人、蘇東坡にちなんだ名前という。

**とんま**[(:頓馬)・トンマ]《名・ナダ》頭がにぶくて間がぬけている〈ようす/人〉。とんちき〔俗〕。

**どんま**[鈍麻]《名・自サ》〔文〕感覚がにぶって、感じにくくなること。「神経がーする」

**ドンマイ**《感》〔↑don't mind〕〔話〕気にするな。だいじょうぶ。

**とんや**[問屋] 商品の卸売りをあつかう商店。といや。「そうはーが卸さない〔⇩「そう」の[句]〕・ー街」

☆☆**どんよく**[貪欲]《名・ナダ》〔お金や物などに対して〕欲が深いこと。強欲。むさぼり。「ーな人・ーに知識を吸収する」[派]ーさ。

**どんより**《副・自サ》①重苦しくくもっているようす。「ー(と)した空」②目つきが暗く、ぼんやりしたようす。「ー(と)した目」③にごって新鮮でないようす。「ー(と)よどんだ空気」

**どんらん**[貪×婪]《名・ナダ》〔文〕欲が深くて、満足することを知らないようす。[派]ーさ。

## な ナ

＊＊**な**[名]〔文〕①名前。呼び名。「春はーのみ〔=名ばかり。まだ寒い、ということ〕・差出人のーは山下正恵」②⇩名前②。「姓は丹下、ーは左膳」③人々がまとまって行動するときに、合いことばとして となえることば。うたい文句。「平和のーの下に」④(いい)評判。「ーをけがす・ーがけがれる」⑤〔文〕口実。「救済をーとして」●**名に(し)負う**[句]〔文〕その名も有名な。名高い。「ー物理学者」●**名に恥じない**[句]〈名前/評判〉に対してはずかしくない。●**名(の)ある**[句] 有名な。●**名の通った**[句] よく知られた。「ー店」●**名は体を表す**[句] 名前はそのもののなかみをあらわしている。●**名もない**[句] だれも名前を知らない。無名の。名もなき。「ー画家」●**名を上げる**[句]〔すばらしいと〕有名になる。名を成す。「身を立て、ー」●**名を売る**[句]⇩名前を売る〔「名前」の[句]〕。●**名を惜しむ**[句] 名誉をたもつことをだいじに考える。●**名を借りる**[句]①⇩名前を借りる〔「名前」の[句]〕。②〔…にー〕口実とする。「視察に名を借りた温泉旅行」●**名を捨てて実を取る**[句] 見かけだけの名誉よりは、実際の利益になるほうを取る。●**名を連ねる**[句] 多くの人〈が/とともに〉名前を出す。「有名人がー」●**名を成す**[句] 有名になる。「詩人としてー・名を成さしめる〔=成功させる。勝たせる。有名にさせる〕」●**名を残す**[句] のちの世まで名声をとどめる。「作家としてー」●**名を辱める**[句]〈名前/評判〉に対してはずかしいことをする。●**名をは(馳)せる**[句] 広く知られる。「実業家としてー」

**な**[菜] 葉をおかずにして食べる野菜。なっぱ。例、ホウレンソウ・コマツナ。「―の おひたし・―漬(づ)け」

**な** 一 な《連体》〔話〕↑そんな。「―ばかな・―わけない・―ことが ありますかね」 二 ◇ ①形容動詞の連体形の語尾(ごび)。「きれい―花」 ②助動詞「だ」の連体形。「つまり専門家―わけで」

**な 一《感》〔男〕①念をおす気持ちや感動などをあらわす。「な(↓)、いいだろう・元気を出せよ、な(↓)」 ②同意をあらわす。「『こりゃ大変だな』『な(↓)』」 ▽なっ。なあ。 二《終助》①〔動詞や一部の助動詞の終止形＋―〕禁止をあらわす。「スピード出す―・うらんでくれる―(=くれるな)〔古風〕」 ②〔話〕感動や思いをのべることば。なあ。「海は広い―・うるさい―」 ③〔男〕同意を〈求める/する〉気持ちをあらわす。なあ。「おい、よかった―・それはけっこうです―〔やや古風〕」 ④〔男〕念をおすことば。「わかった―・これ、おみやげ―」 ⑤〔話〕〈気が/見当が〉ついたことをあらわす。「これは何かある―」 ⑥〔話〕やわらかにたのむことば。「貸してください―」 ⑦〔↑なさい〕〔動詞の連用形＋―〕〔話〕命令をやわらげて言うことば。「早く行き―」 ⑧〔男〕間にはさむことば。なあ。「これは―、おじいさんの写真だよ」 ☞かな・さな・のな・よな・わな。 三《副》〔雅〕「―そ」といっしょに使って禁止をあらわす。「―行き(そ)(=行くな)」

**なあ**〔△七〕〔古風〕ななつ。〔数えるときに言うことば〕☞ひい(一)。

**なあ** 一 なぁ《感》〔男〕感動詞「な 一」をのばして言う形。 二《終助》〔話〕終助詞「な 二 ②③⑧」をのばして言う形。 三〔連〕〔古風〕↑のは。「そこにいる―だれだ」

☆☆**ナース**〔nurse〕看護師。「―ステーション(=看護師詰め所)。ナースセンター」・―キャップ(=看護帽(ぼう))」 ●**ナースコール**〔和製 nurse call〕入院患者(かんじゃ)がベッドから看護師を呼ぶための装置(を使って看護師を呼ぶこと)。ボタンをおすと、ナースステーションにつながる。

**なあて**〔名宛て〕指定した先方の名。あてな。

**なあなあ** なれあい。妥協(だきょう)。「―ですませる・―主義」 由来 おたがいに「なあ、いいだろう」ぐらいで ことをすませるところから。

**なあに**〔↑何〕 一《代》〔女/児〕質問・聞き返すときに使うことば。「あれ―」 二《感》〔話〕相手のことばを打ち消すときに使うことば。「―心配ない」▽ 一 二 なに。

☆☆**ナーバス**〔ナダ〕〔nervous〕神経が過敏(かびん)なようす。神経質。「―な問題」

**ない**〔△:地震〕〔雅/方〕地震(じしん)。「―があると困る」

**な・い**〔亡い〕《形》すでに死んでいて、この世にいない。「あの人も今は―・―者(⇩亡き者)」

**な・い 一〔無い〕《形》①存在が認められ(る状態をもたな)い。「めがね―・世の中、うまい話は―・あること、―こと(=うそ)、言いふらす」 ②そなわっていない。〔…を〕もたない。「下宿には ふろが―・仕事が―」 ③たいした程度に達しない。非常に少ない。「広さが―・月末はお金が―」 ④行われない。「学校の―一日」▽〔↕ある〕 ⑤あってはならない。とんでもない。「あんな態度は―よ・それは―でしょう・〔俗に、感動詞的に〕いきなりテスト？ ―わ！」 ⑥これ以外には存在しない。〔めずらしいという気持ちをあらわす〕「ちょっと―経験だ・近来に―騒動(そうどう)・願っても―〔⇩「願う」の 句〕」 ⑦満たない。達しない。「歩いて五分も―場所だ」 ⑧〔…(といっ)たら―など〕くらべるものが見つからない(ほど程度が強い)。「その時のうれしさ(とい)ったら―」 丁寧 ありません。☞となく・ともなく。 二《補形》①否定をあらわす。「うれしく―・事実で―」 ②〔↑ないか〕〔話〕相手の同意を求める。「すごく―？・ひどく―？・変じゃ―？」〔俗に、しり上がりで発音する。「ね」とも〕 ③〔古風〕禁止をあらわす。「人に言うで―ぞ」 丁寧 ①②ありません。☞ないか 一。▽ 一 二 様態の助動詞「そうだ」や造語成分「すぎる」が続く場合は、「なさそうだ」「なさすぎる」と言う。 三 造 「無い 一」の意味をふくむことば。「惜(お)しみ―・とんでも―・申し訳―」 丁寧 「ありません(ございません)」になるものがある。「とんでもありません・申し訳ございません」 ☞ない 二 接尾。 ●**ない袖(そで)は振(ふ)れぬ** 句 ないものは、どうしようもない。 ●**ないでもない** 句 少しは ある。「気になることが―」 ●**ない物はない** 句 ①なんでもある。すべてある。「デパートに―・関係の―(=どれも関係がある)」 ②ないことには変わりがない。「なんと言われても、―」 ●**なかったことにする** 句 それを無効にするときや、話をことわるときなどに使うことば。「この件はなかったことにしてください」 ●**なくて七癖(ななくせ)** 句 人はだれでも、多少のくせは持っている。「―、あって四十八癖(しじゅうはっくせ)」

**な・い 一《助動形型》〔否定の助動詞〕否定をあらわす。「足り―・見られ―・売れる売れ―は別にして・まだ何もし―うちに(=する以前に。『し―前に』『し―先に』とも)」 丁寧 ません。 派 ―げ。―さ。「力の足り―」 ☞ないか 二・ないで。 二 接尾〔形容詞・副詞などをつくる〕強調する以外に、特に意味のないことば。「おぼつか―・せつ―・せわし―・はした―・滅相(めっそう)も―・まんべんなく」〔ていねいな形では「ありません(ございません)」になるものがある。例、滅相もありません〕

**ない〔内〕 一 造 ①うちがわの。「―出血」 ②おもてむきでない。内々の。「―認可(にんか)」 二 造 なか。内部。「区域―・括弧(かっこ)―」〔↕外(がい)〕 ☞な(無)い 三。

**ナイアシン**〔niacin〕ビタミンB群に属する物質。カツオなどの魚、レバーやピーナッツなどに多くふくまれ、栄養素の代謝を助ける。

**ないあつ**〔内圧〕内部の圧力。〔↕外圧〕

**ないあわ・せる**〔×綯い合わせる〕《他下一》なひあはせる ①二本(以上)のものをよ(縒)って一本にまとめる。な(綯)い合わす。「赤と白のひもを―」 ②二つ(以上)のものを合わせて、新しい成果を作り出す。「作者の感覚と文学的知性を―」

**ないい**〔内意〕〔文〕〔表面に出ない〕内々の考え。「―を伝える」

☆☆**ナイーブ**〔ナダ〕〔naive〕①〔性格が〕すなおで純真であるようす。「ああ見えて内面は―だ」 ②繊細(せんさい)で傷つきやすいようす。「―な感性」「―な肌(はだ)」 派 ―さ。

**ないいん**〔内因〕〔文〕〔そのものの〕内部にあって、そういう結果をまねいた原因。「国際紛争(ふんそう)の―」〔↕外因〕

**ないえつ**〔内閲〕《名・他サ》〔文〕内々で見たり読んだりすること。「発表の前に原稿(げんこう)を―する」

**ないえん**〔内×苑〕神社・宮中の庭。〔↕外苑〕

**ないえん**〔内宴〕〔皇室でおこなう〕うちわの宴会(えんかい)。

☆☆**ないえん**〔内縁〕①正式に届け出ていない夫婦(ふうふ)関係。「―の夫・―の妻・―関係」 ②内がわに そった部分。「三角形の―」〔↕外縁〕

**ないおう**［内奥］〔文〕〔精神の〕おく深い所。「人間性の―」

**ないおう**［内応］《名・自サ》〔文〕こっそり外の敵と通じること。うらぎり。

**ないか**［内科］内臓の病気を手術によらないで治す、医学・診療の一部門。「―医」〔内科医院などの名前にも使う〕(↕外科)

**ないか** 一◇〔文〕⇩ではないか。「言ったでは―・一歩ふみ出そうでは―」 二《終助》〔↑助動詞「ない」＋終助詞「か」〕さそいかける気持ち、たのむ気持ちをあらわす。「いっしょに行か―(ね)・それ取ってくれ―(な)」 丁寧ませんか。

**ないかい**［内海］まわりの大部分を陸地で囲まれた海。例、瀬戸内海。うちうみ。「―航路」(↕外海・外洋)

**ないかい**［内界］〔文〕心の うちがわ。精神世界。内面世界。(↕外界)

**ないがい**［内外］一①うちとそと。うちそと。「家の―・―の環境はきびしい」②国内と国外。「―の注目をひく・―人〔＝日本人と外国人〕」 二 造 ぐらい。前後。「百人―」

**ないかく**［内角］①《数》多角形の となりあった二つの辺が うちがわに作る角。②《野球》ホームベースの、バッターに近いがわ。インコーナー。▽(↕外角)

☆☆**ないかく**［内閣］《法》内閣総理大臣を長とし、すべての国務大臣で組織する、国の行政を受け持つ最高機関。 ●**ないかくかんぼう**［内閣官房］《法》内閣に置かれる行政機関。総理大臣を助け、各省の調整や情報の収集などにあたる。 ●**ないかくかんぼうちょうかん**［内閣官房長官］《法》内閣官房のかしら。 ●**ないかくそうりだいじん**［内閣総理大臣］《法》内閣の長として行政各部を統括する国務大臣。首相。総理(大臣)。 ●**ないかくふ**［内閣府］《法》行政各部の施策の統一をはかるために必要な企画・立案・調整などの行政事務をあつかう中央官庁。〔もと総理府・経済企画庁など〕

☆☆**ないがしろ**［〔蔑ろ〕］〈なくても／どうでも〉いいと思ってかろんじること。「親を―にする・伝統を―にする」

**ないかてい**［内火艇］内燃機関で走る小型の船。

**ないかん**［内観］《名・他サ》①《心》自分のおこないや心の動きについて、深く考えること。「―療法」②建物内部のデザインや様子。「おしゃれな―」(↕外観)

**ないき**［内規］部内だけの規約。

**ないぎ**［内儀］〔古風〕商家の妻。おかみ。かみさん。「お―〔＝おくさん。身分のある人の妻にも言う〕」

**ないきょく**［内局］①《法》中央官庁で、直接、大臣・次官の監督を受ける局。(↕外局)②《仏》宗派全体の事務をとる最高の組織。

**ないきん**［内勤］《名・自サ》〔会社などで〕部屋の中で勤務すること。(↕外勤)

**ないくう**［内宮］伊勢神宮のうち、天照大神をまつるお宮。皇大神宮。(↕外宮)

**ないけい**［内径］①管などの、うちがわの直径。②うちがわの寸法。▽(↕外径)

**ないけん**［内見］《名・他サ》〔文〕〔限られた人が〕内々で見ること。内覧。「―会」

**ないげんかん**［内玄関］⇩うちげんかん。

**ないこう**［内航］国内の運航。「―海運」(↕外航)

**ないこう**［内訌］〔文〕組織内でのもめごと。うちわもめ。「―が起こる」

←**ないこう**［内向］《名・自サ》①《心》内気で、自分の世界にだけ とじこもりがちなこと。「―性・―的」(↕外向)②〔文〕⇩内攻②。

→**ないこう**［内攻］《名・自サ》①《医》病毒が外部にあらわれないで内部に広がって、からだに害をあたえること。②〔文〕感情が心の中に こもって、たまること。内向。「不満が―する」

**ないごうがいじゅう**［内剛外柔］〔文〕⇩外柔内剛。(↕内柔外剛)

**ないこく**［内国］〔文〕内地。本土。「―電報料金」(↕外国) ●**ないこくみん**［内国民］その国の国民。「―待遇となる」

**ないことには**《接助》…なければ。「用心し―何が起こるかわからない・用心し―ね〔＝しなければならない〕」

**ないさい**［内妻］〔文〕内縁の妻。(↕正妻)

**ないさい**［内済］《名・他サ》〔文〕表ざたにしないで〈すます／解決する〉こと。

**ないざい**［内在］《名・自サ》〔文〕内部に存在すること。(↕外在)

**ないし**［〔乃至〕］《接》〔文〕①…から…まで。「定員は二名―四名」②または。「北―北東の風」

**ないじ**［内耳］《生》耳の いちばん おくの部分。声や音を受け取る器官と平衡感覚をあつかう器官とがある。(↕中耳・外耳)

☆☆**ないじ**［内示］《名・他サ》〔公式・公開でなく〕内々にしめすこと。

**ないじかく**［内痔核］《医》肛門の中にできる痔核。(↕外痔核)

☆☆**ないしきょう**［内視鏡］《医》ファイバースコープなどをからだの中に入れて、胃・気管支など内臓の中を見る装置。「カプセル(型の)―」

**ないしつ**［内室］〔文〕おくがた。令夫人。

**ないじつ**［内実］〔文〕①なかみ。内容。「―にとぼしい議論」②表にあらわれない、実際のところ。「―は火の車だ〔＝生活が苦しい〕」

**ないしゃし**［内斜視］《医》斜視の一つ。片方または両方の目がうちがわを向くもの。寄り目。(↕外斜視)

☆☆**ないじゅ**［内需］《経》国内の需要。(↕外需)

**ないしゅう**［内周］ある範囲の中で、うちがわの部分(を囲んで広がる所)。うちまわり。(↕外周)

**ないじゅうがいごう**［内柔外剛］〔文〕気が弱い性質だけれども、そとに あらわれた態度は強いこと。外剛内柔。(↕内剛外柔)

**ないしゅうげん**［内祝言］〈内々／うちわの者だけ〉でおこなう婚礼。

**ないしゅっけつ**［内出血］《名・自サ》《医》からだの内部での出血。(↕外出血)

**ないしょ**［〔内緒〕・〔内証〕］①ひみつ。ないみつ。「―事・―の話」②勝手向き。財政。「―が苦しい」▽ないしょう。

**ないじょ**［内助］《名・自サ》〔古風〕りっぱに社会的な活動ができるように、妻が夫をたすけること。妻が夫に対してする援助。「―の功」

**ないしょう**［内相］〔文〕内務大臣。地方行政や警

な

察などをつかさどった内務省の かしら。

**ないじょう**［内情］〔よその人の知りにくい〕内部の事情。

**ないしょく**［内食］《名・自サ》〔「外食」「中食」に対して〕家で作ったものを、家で食べる食事。うちしょく。「—志向」

**ないしょく**［内職］《名・自サ》①本職の あいまに(表立たないで)する仕事。副業。(↔本職) ②家族の収入の足しにするため、家の中でする、請負の仕事。家内労働。③〔学〕授業中、教師の目をぬすんで、ほかの勉強などをすること。

**ないしん**［内心］[一]〔文〕心のうち。「—の自由」[二]《副》心の中で。ひそかに。「—びくびくする」

☆☆**ないしん**［内申］《名・他サ》①内々に(書類で)申しのべること。「—書(=入学志願者の成績などを、出身校の校長が上級学校へ送る書類。『調査書』の通称)」②↑内申書。「—重視」

**ないしん**［内診］《名・他サ》《医》直腸や女性の生殖器の中を(指で)診察すること。

**ないじん**［内陣］〈神社で神体/寺で本尊〉を置いてある所。(↔外陣)

**ないしんのう**［内親王］天皇の女の子ども、また、女の孫の呼び名。「—殿下」(↔親王)

**ナイス**〔nice〕[一]〔造〕みごとな。すばらしい。「—ショット・—ピッチング」[二]**ナイス**《感・ナダ》〔俗〕すてきだ。「—な機能」

**ナイズ**〔接尾〕〔nize〕〔名・動サをつくる〕それらしく〈なる/する〉こと。…化。「アメリカ—・東京—」

**ないすん**［内寸］箱などの内がわをはかった寸法。内のり。(↔外寸)

**ないせい**［内政］国内の政治。「—干渉」(↔外交・外政)

**ないせい**［内製］〔文〕製品を外注せず、自分の会社で作ること。「—化をはかる」

**ないせい**［内省］《名・他サ》〔文〕自分の心の中で反省すること。「自分の行為を—する・—的」

**ないせいり**［内整理］《経》倒産しそうになった会社が、債権者と、借金の たな上げなどについて話し合う状態。任意整理。

**ないせん**［内戦］国内の戦争。

**ないせん**［内線］構内の電話線(と結んだ電話)。(↔外線)

**ないそう**［内争］〔文〕うちわもめ。内紛。

**ないそう**［内奏］《名・自他サ》〔文〕大臣などが何かのおりに、その省・庁の仕事を天皇に説明すること。「総理—」

**ないそう**［内装］《名・他サ》①建物や乗り物などの内部の設備や装飾(をすること)。「—工事」(↔外装) ②〔文〕中に取りつけること。「エンジンを—する」

←**ないぞう**［内臓］胸・腹の中の器官。●☆☆**ないぞうしぼう**［内臓脂肪］内臓のまわりに たまった脂肪。肥満体の原因になる。(↔皮下脂肪)

→**ないぞう**［内蔵］《名・他サ》①組みこむこと。「セルフタイマー—」②〔文〕はらむこと。「危険を—する」

**ないそん**［内孫］〔文〕うちまご。(↔外孫)

**ナイター**〔和製 night＋er〕①《野球》⇩ナイトゲーム。(↔デーゲーム) 由来 一九五〇年に日本の新聞記者がアメリカ通信社の電文を参考に考案した語とも言う。その場合、厳密には和製語ではない。ただし、アメリカでは一般的でないことば。②夜の競技・イベント。「—競馬」

**ないだい**［内題］〔和本で〕表紙や扉や序文のあとに、本文がはじまる最初に書かれた書名。(↔外題)

☆☆**ないだく**［内諾］《名・他サ》〔文〕内々で引き受けること。「—をあたえる・—を得る」

**ないだって**《接助》〔古風〕なくたって。「言われ—、わかってますよ」

**ないだん**［内談］《名・自サ》〔文〕内々の相談・談話。

**ないち**［内地］①〔第二次大戦終了まで、植民地に対して〕(日本の)本国。(↔外地) ②北海道・沖縄の人が本州がわを言う呼び方。③国内。「—留学・—米(↔外米)」

**ナイチンゲール**〔nightingale〕夜、美しい声で鳴く小鳥。西洋の小説によく出てくる。さよなきどり。よるうぐいす。

**ないつう**［内通］《名・自サ》味方に知られないよう、敵とこっそり なかまになること。「—を疑われる・—者」

**ないで** [一]《接助》その動作・作用などがない状態で。…ずに。…ないまま。「食べ—出かける」[二]《終助》〔話〕そうしないように、たのんだり、やわらかく命令したりすることば。「こっちへ来—(ね)」▽[一][二]「で」は、格助詞からとも、助動詞「だ」の連用形からとも考えられる。(↔て)

**ないてい**［内廷］〔文〕宮廷内部。「—費(=皇室の日常生活にあてる費用)」

**ないてい**［内庭］〔文〕なかにわ。

☆☆**ないてい**［内定］《名・自他サ》内々に〈決まる/決める〉こと。「採用—・—が下りる」☞内々定。

**ないてい**［内偵］《名・他サ》こっそりとさぐること。内探。

**ナイティ**(ー)〔nightie; nighty〕《服》女性用の、ゆるやかな ねまき。

**ないてき**［内敵］〔文〕〈国内/味方の中〉にかくれている敵。(↔外敵)

**ないてき**［内的］《ナダ》〔文〕①内部についてのようす。②精神や心の中についてのようす。▽(↔外的)

**ないでも**《接助》…なくても。「メモをし—覚えている」

●**ないでもな・い**《助動形型》①…しない、というわけでもない。「知ら—(=少しは知っているという)顔つき」②…するかわからない。「いつ帰ら—ので」▽ぬでもない。
☞ないでもない〔「ない《形》」の句〕。

**ないてんきん**［内転筋］《生》脚や親指などを内側に曲げるときに使う筋肉。「大腿—(=内ももにある筋肉)」

**ないと** [一]《接助》…ない状態では。「食べ—力が出ない・安く—売れない」[二]《終助》〔話〕↑ないといけない。「もう行か—!・〔俗に〕早く治さ—ですね(=治さないといけませんね)」●**ないといけ・ない**《助動形ヌズ型》なければならない。なければいけない。「返事を書か—」丁寧 ないといけません。区別「**ないといけない**」のほうが「**なければならない**」よりも口語的。また、前者は そうしないと困る感じが強く、後者は当然そうである、そう決まっている感じが強い。

**ナイト**〔knight〕①⇩騎士②。②〔イギリスで〕サーの称号をあたえられた人が となえる、一代限りの爵位。

**ナイト**〔night〕夜。夜間。「—テーブル〈=ベッドのわきに置く、小さなテーブル〉・ワン—」 ●**ナイトガウン**〔nightgown〕夜、ねまきなどの上にはおる、ゆったりした室内着。 ●**ナイトキャップ**〔nightcap〕①ねるときにかぶる帽子。②寝酒。 ●**ナイトクラブ**〔night club〕夜間に営業する、社交用の遊び場。ショーやバンド演奏などがある。 ●**ナイトケア**〔night-care〕①家庭で介護を必要とする人を、夜だけあずかって、家族に代わって世話をする事業。(↔デイケア) ②夜、ねる前に、肌などの手入れをすること。 ●**ナイトゲーム**〔night game〕《野球》夜間試合。ナイター。「—六試合」(↔デーゲーム) ●**ナイトショー**〔和製 night show〕夜おそくおこなう演芸・興行。 ●**ナイトスポット**〔nightspot〕①ナイトクラブ。②歓楽街。

**ないない**〔内々〕《副》公式または公開でなく、こっそりするようす。内密。「—(のうちに)交渉を進める・—にすませる」

**ないないづくし**〔(無い無い)尽くし〕まったく何もないこと。「家なし、金なし、仕事なしの—」

**ないないてい**〔内々定〕《名・自他サ》〔就職などで〕通知日より前に内定を予告〈する/される〉こと。

**ないねん**〔内燃〕《理》燃料がシリンダー内部で燃え、爆発すること。「—式」 ●**ないねんきかん**〔内燃機関〕《理》内燃によって生まれる圧力で動く機関。自動車・船などに使う。エンジン。

**ないはつ**〔内発〕《名・自サ》〔文〕外からの刺激がないのに、内部から(自然に)起こること。「—的・—するエネルギー」

**ないばつ**〔内罰〕《心》自分が失敗したときに、自分を責めること。「—性が強い・—的」(↔外罰)

**ないはんそく**〔内反足〕《医》足がうちがわにまがり、足先が向きあっている、病的な状態。内翻足。

**ナイフ**〔knife〕①西洋の小刀。②食卓で使う料理用の小刀。

*__ないぶ__〔内部〕①なか(の部分)。うちがわ。「建物の—」②内輪。「会社の—事情・—情報」▽(↔外部)

●☆☆**ないぶこくはつ**〔内部告発〕《名・他サ》組織内の人が、その組織の不正や違法行為を外部に知らせること。「—者〔『ホイッスル ブローワー(whistle-blower)』とも〕」 ●**ないぶしょうがい**〔内部障害〕《医》身体障害の一つ。心臓・腎臓・呼吸器など、身体内部の障害。 ●**ないぶひばく**〔内部被×曝〕食べ物や大気から体内に取りこんだ放射性物質によって、被曝すること。 ●**ないぶりゅうほ**〔内部留保〕《名・自サ》《経》利益から税金や配当などを差し引いた残りを、企業内にたくわえ〈ること/たもの〉。社内留保。余裕資金。

☆☆**ないふく**〔内服〕《名・他サ》《医》薬を飲むこと。「—薬」(↔外用)

**ないふく**〔内福〕《ナダ》〔文〕見かけより、内実は裕福であるようす。「ご—なおうち」

☆☆**ないふん**〔内紛〕内部のごたごた。内輪もめ。

←☆☆**ないぶん**〔内分・内聞〕表ざたにしないこと。内密。「(ご)—に願います」

→**ないぶん**〔内聞〕《名・他サ》〔文〕①内々に聞くこと。「—するところでは」②身分の高い人の耳に、非公式にはいること。「—に達する」

**ないぶんぴつ**〔内分泌〕《生》動物の細胞がホルモンを作って、直接、血液の中に送り出すこと。ないぶんぴ。(↔外分泌)

**ないへい**〔内閉〕《名・自サ》〔文〕中に とじこもること。

**ないへき**〔内壁〕〔文〕①うちがわにある かべ。(↔外壁) ②うちがわの面。「胃の—」

**ないほう**〔内包〕《名・他サ》①〔文〕中につつみこんで、持つこと。②《哲》ある個物の集合に共通な性質・概念。例、「ヘビ」の内包は、細長い・うろこがある・はって動く など。(↔外延)

**ないほう**〔内報〕《名・他サ》〔文〕内々で知らせること。内々の知らせ。

**ないまく**〔内幕〕⇩うちまく②。

**ないまく**〔内膜〕《医》器官の うちがわをおおう粘膜。「血管の—・子宮—症」

**ないまぜ**〔(×綯い)交ぜ〕ないまぜること。ないまぜたもの。「期待と不安が—になった気持ち」

**ないま・ぜる**〔(×綯い)交ぜる〕《他下一》①ちがった色の糸をまぜて、一つになう。②〔ちがったものを〕まぜあわせて 一つにする。「虚実を—」 直ない交ざる(五)。

☆☆**ないみつ**〔内密〕《名・ナダ》秘密にすること。表ざたにしないこと。ないしょ。「—にすませる」

**ないむ**〔内務〕①地方行政や国内の治安に関する政務。②〔会社などで〕室内での仕事。「—職員」▽(↔外務) ●**ないむしょう**〔内務省〕国内の行政全般をつかさどる中央官庁。〔日本では一八七三年から一九四七年まで設置された〕「イギリス—」

**ないめい**〔内命〕《名・他サ》〔文〕内々の命令。

**ないめん**〔内面〕①内部の面。うちがわ。②精神・心理の方面。「—的」▽(↔外面) ☞うちづら(内面)。

**ないものねだり**〔(無い物ねだり)〕《名・自サ》そこにないものを〈ほしがる/要求する〉こと。「—の批評」

**ないや**〔内野〕《野球》①一塁・二塁・三塁・本塁の間を結ぶ直線の範囲の中。②↑内野手。▽(↔外野) ●**ないやしゅ**〔内野手〕《野球》一塁手・二塁手・三塁手・遊撃手〔広義には、投手・捕手も〕をまとめて言う呼び名。内野。(↔外野手)

**ないやく**〔内約〕《名・他サ》〔文〕内々の約束。

☆☆**ないゆう**〔内憂〕〔文〕〈内部/国内〉の心配ごと。「—外患」

**ないゆう**〔内遊〕《名・自サ》〔大臣や国会議員が〕視察などのために国内を旅行すること。〔「外遊」をもじって造った語〕

**__ないよう__〔内容〕中にはいっているもの。なかみ。「話の—・予算の—・—づけ(る)・食品の—量〈=容器などを除いた、内容だけの分量〉」 ●**ないようしょうめい**〔内容証明〕いつ、だれからだれに、どのような内容の文書を差し出したかを郵便局が証明する制度。内容証明郵便。

**ないよう**〔内用〕《名・他サ》《医》内服。(↔外用)

**ないようせき**〔内容積〕〔冷蔵庫などの〕なかの容積。

**ないらん**〔内乱〕国内の騒乱。特に、政府と反対勢力との武力抗争。

**ないらん**［内覧］《名・他サ》〔文〕〔公開でなく〕内々で見ること。内見。●**ないらんかい**［内覧会］①新築の建物を買った人が、物件を引きわたされる前に確認すること。購入検討者向けの見学会にも言う。②一般公開の前に関係者に見せる会。

**ないり**［名入り］〔宣伝や記念のため〕品物に名前が入れてあること。「—タオル」

**ないりく**［内陸］陸地の、おくのほう。「—部・—性気候(=盆地などに特有の大陸性気候)」

**ないりんざん**［内輪山］《地》複式火山の火口壁のうち、新しく噴火した、内がわのほう。別名、中央火口丘。例、伊豆大島の三原山。(↕外輪山)

**ないれ**［名入れ］おくりものなどに使う品物に、会社・個人の名前を入れること。「—サービス」

**ナイロン**〔nylon=もと、商標名〕合成繊維の一種。軽くてじょうぶで水に強いが、熱には弱い。衣料・ロープ・つり糸・歯車などに使う。「—袋(⇩ポリ袋)」

**ないわん**［内湾］〔東京湾・伊勢湾など〕奥行きのある湾。「—地区」

**ナイン**〔nine〕㊀造 九つ。㊁ナイン 野球チームのメンバー。

**な・う**［綯う］《他五》〔なわを作るために〕よ(縒)る。「わらを—・なわを—・ない合わせる」

**ナウ**〔now〕〔俗〕㊀《ナダ》現代的。ナウい。「—な感覚」〔一九七〇年代からの用法〕派—さ。㊁〔なう〕《副》〔ツイッターで〕今…〈して/に〉いる。「大学—」〔二〇〇九年に広まった用法〕

**ナウ・い**《形》〔「ナウ」を形容詞化した語〕〔俗〕ナウなようすである。「—セーター」〔一九七九年から流行したことば〕

☆☆**なうて**［名うて］〔悪い方に〕有名なこと。著名なこと。「—の大ぬすびと」

**なえ**［苗］①芽を出した植物が少し大きくなって、植えかえのできる大きさになったもの。「イネの—・花—」②〔漁業で〕養殖用の稚魚。「アユ—」

**なえぎ**［苗木］木の苗。移し植える前の、ごく若い木。

**なえどこ**［苗床］《農》〔野菜・草花などの〕たねをまいて、苗を育てるところ。温床など。

**なえもの**［苗物］花壇や菜園などに植える、草木の苗。

**な・える**［萎える］《自下一》①草などがしおれる。②手足を動かす力がなくなる。③気力がおとろえる。「気持ちが—」名萎え。

＊＊**なお** ㊀《副》①さらに。その上。「—一層努力なさい・—可」②〔以前に〕引き続いて。あいかわらず。やはり。「今—意気さかん・昼—暗い森」③〔文〕まだ。「春—浅い三月」④〔文〕まるで〔…のようだ〕。まったく〔…のとおりだ〕。「教師でさえ、—かくのごとくだ」㊁《接》つけ加えて言えば。「—、表記は改めた」表記 かたく、㊀㊁は「尚」、㊀は「猶」とも。

**なおがき**［尚書き］①「なお」で始まる、補足の文章。例、「なお、次の場合は例外とする。」②追伸。なおなお書き。

**なおかつ**《副》〔文〕①〔一つの条件を満たして〕さらにそれ以外に。「自分にほこりを持ち、—他人を尊重する」②それなのに、やっぱり。「挫折をくり返して、—挑戦する」表記 かたく「尚且つ」とも。

**なおさら**《副》〔ただでさえ大変なのに〕ますます。いっそう。「そんな手紙を出したら、—おこらせるだけだ」表記 かたく「尚更」とも。

☆☆**なおざり**《名・ナダ》真剣に取り組まないで、ずっとほうっておくようす。「安全対策を—にする・基礎的な調査が—になる」由来「なお」は「尚」で、ずっとそのままにする意味。「ざり」は不明。区別 ⇩おざなり。表記 かたく「等閑」とも。派—さ。

**なおし**［直し］①直すこと〈もの〉。☞お直し。②色直し。③〔↑直しみりん〕⇩本直し。

←**なお・す**［治す］《他五》〔病気やけがをした からだを〕もとどおりによくする。治療する。「かぜを—・頭痛を—」可能 治せる。

→**なお・す**［直す］㊀なおす《他五》①よくないものを〔正しくする〕ととのえる。「くせを—・欠点を—(=改める)・くずれたけしょうを—」②また役に立つようにする。修理・修繕する。「屋根を—・このくつ直してください」③もとどおりにする。「きげんを—」④添削する。「文章を—」⑤翻訳する。「英文を日本文に—」⑥換算する。「円をドルに—」⑦〔正しい位置に〕つかせる。「上座に—」⑧〔西日本方言〕かたづける。しまう。㊁造 もう一度する。「読み—・問い—」可能 直せる。

**なおなお** ㊀《副》「なお」をくり返して、気持ちを強めた言い方。「—さびしくなった」㊁《接》《手紙》〔文〕追伸ですが。なおまた。「—、お金のこと承知しました」表記 かたく、㊀㊁は「尚々」、㊀は「猶々」とも。●**なおなおがき**［尚々書き］手紙で、書き終わったあとに、「なおなお、…」とつけ加える部分。追伸。なお書き。

**なおのこと**《副》なおさら。「熱があるなら、—休まなければ」表記 かたく「尚の事」とも。

**なおまた**《接》①さらにそのほかに。「—、こんな話もある」②《手紙》〔文〕⇩なおなお㊁。表記 かたく「尚又」とも。

**なおも**《副》もっと〔つけ加えて〕。「—言いつのる」表記 かたく「尚も」とも。

**なおもって**［尚以て］《副》〔文〕なおさら。なおさらもって。「悪意があるなら—許しがたい」

**なおらい**［直会］神事のあと、お神酒や供物をさげて、参列者一同でおこなう宴会。

←**なお・る**［治る］《自五》〔病気やけがが〕もとどおりによくなる。「かぜが—」名 治り。「—が早い」

→＊**なお・る**［直る］《自五》①正しくなる。訂正される。「誤植が—」②修理される。「故障したテレビが—」③改まる。「悪いくせが—」④もとどおりになる。「きげんが—・仲が—」⑤添削される。「文章が—」⑥一段上の〈地位/場所〉に移る。「正妻に—・一等席に—」名 直り。「天どん一丁に—(=訂正だ)」

**なおれ**［名折れ］名誉にきずがつくこと。「会社の—だ」

**なおれ**［直れ］《感》すぐ前にかけた号令の内容を終わらせて、もとにもどさせるための号令。「前へ ならえ。—」〔幕末から使われる〕

←＊＊**なか** ㊀［中］①取り囲まれた場所〔にあるもの〕。内部。中身。「家の—・人ごみの—・腹の—・—が見える」②表にあらわれないところ。「—で何がおこなわれているのか」▽(↔外) ③奥。「もっと―へはいれ」 ④内心。「私の―では ふしぎじゃない」〔もとは「私の―にひびく声」のように文学的な表現。一九九〇年代から日常会話で多用される〕 ⑤三つならんでいるものの、二番目。まんなか。「―の兄・八月―の三日(=十三日)・かみ、―、しも」 ⑥中間。あいだ。平均。「―を取る」 ⑦あいだの日数をあらわす。「三泊四日の旅行の、―二日で見学する」 ⑧ある条件で決めた、範囲。「そのひとり・数ある―で」 ⑨〔**Aの―のA**〕非常にAらしいA。「王の―の王・男の―の男」 ⑩〔俗〕東京の吉原、大阪の新町にあった、遊郭。 二〔(中)〕〔副詞句をつくる〕 その状況で。…なか〈で/を〉。「いそがしい―・嵐の―・大観衆が見つめる―」 ☞中でも・中には・中の人。

→**なか**〔仲〕 間がら。「―がいい・友だちの―だ」

**なが**〔長〕〔造〕 長い。「―電話・―わずらい」 ☞長の。

**ながあめ**〔長雨〕 何日も降り続く雨。霖雨。「秋の―」

**なかい**〔仲居〕 〔旅館・料理店で〕料理を運ぶなどして客の応対をする女性。

**ながい**〔長居〕《名・自サ》 長くいること。長座。

←**なが・い**〔永い〕《形》 〈将来いつまでも/永久に〉続く状態だ。「末永く契る」 ●**永い眠りに就く**〔句〕 永眠する。死ぬ。

→**なが・い**〔長い〕《形》 ①はしから はしまでの間が大きい。「―糸・長く のびた枝・―手紙」 ②ある時から別のある時までの へだたりが大きい。「長く生きる・―間、お待たせしました・もう―こと(=長い間)待っている・長くない〔『長からぬ』とも〕命」▽(↔短い) ●**長い目で見る**〔句〕 気を長く持って、なりゆきを観察する。 ●**長い物には巻かれろ**〔句〕 強いものには刃向かわず、言いなりになれ。 ●**長いわらじ(草鞋)を履く**〔句〕 〔俗〕追っ手をのがれて、長い旅に出る。 ●**ながい・はる**〔長い春〕 交際や婚約後の期間が長く、なかなか結婚に至らないこと。長すぎた春。

**ながいき**〔長生き〕《名・自サ》 長く生きること。長命。「―の秘訣・君も―するよ(=のんきな人に あきれて言うことば)」(↔若死に・早死に)

**ながいす**〔長椅子〕 数人が腰かけられるように、横に長く作ったいす。ベンチ・ソファーなど。

**ながいも**〔(長芋)・(長×薯)〕 畑につくるトロロイモ。太い棒のような形で、やや水分が多い。「お好み焼きに―をすって入れる」 ☞やまのいも。

**なかいり**〔中入り〕《名・自サ》 すもう・興行の休憩時間。「―後の勝敗」〔表記〕 落語では「仲入り」。

**なかいれ**〔中入れ〕《服》防寒服の表地と裏地のあいだに入れるもの。「―綿」

**ながうた**〔長唄〕《音》三味線にあわせて歌う、長い文句の、上品な歌。江戸唄。 ☞地唄。

**ながえ**〔長柄〕 柄が長い〈こと/もの〉。

**ながおい**〔長追い〕《名・他サ》 〔にげる者を〕遠くまで追いかけること。「―はよせ」

**なかおし**〔中押し〕《野球など》勝っているチームが、試合のなかごろで さらに点を入れること。 ☞中押し。

**ながおし**〔長押し〕《名・他サ》 パソコンのキー、スマートフォンの画面のボタンなどをしばらく押し続けること。(↔短押し)

**なかおち**〔中落ち〕 ①さかなを三枚に おろしたときの、頭に続く骨の部分(についた肉)。「マグロの―」 ②牛の、あばら骨のあいだに ついた肉。「―カルビ」

**なかおもて**〔中表〕 布や紙などの、表を内がわにして〈折る/たたむ〉こと。「レインコートを―にして たたむ」(↔外表)

**なかおれ**〔中折れ〕 ①中央が折れ、またはくぼむこと。 ②とちゅうでだめになること。「景気の―」 ③〔↑中折れ帽子〕 ソフト(帽)。

**なかおろし**〔仲卸〕 仲買をする業者。仲卸業者。〔もと、仲買人〕

**なかがい**〔仲買〕《名・他サ》 品物や権利の売り買いの仲介をする〈こと/人〉。「―人に〔現在は『仲卸業者』〕」

**ながかさ**〔長傘〕 〔折りたたみ式でない〕ふつうの傘。

**なかがわ**〔中側〕 中になっているほうの がわ。(↔外側)

**なかぎ**〔中着〕 はだ着と上着の間に着るもの。

**ながき**〔長き〕〔文〕長い期間。「交渉は十年の―にわたった」

**ながぎ**〔長着〕《服》すそまで長く仕立てた着物。下に長じゅばんをかさねて着つけをし、帯をしめると、正しい和服姿になる。

**ながぐつ**〔長靴〕 ひざのあたりまである、長いくつ。雨や雪の日の外出、乗馬などに はく。(↔短靴) ☞ちょうか(長靴)。

**なかぐろ**〔中黒〕 くぎり符号の一つ。たて書きの文の小数点や、ことばの並列をあらわすために、行のまんなかに打つ点。「・」。なかてん。ポツ〔俗〕。

**なかご**〔中子〕 ①中心。内部。 ②ウリ類の芯のやわらかな部分。 ③〔茎〕 刀身の、つか(柄)の中にはいった部分。 ④入れ子の、中のもの。

**なかごろ**〔中頃〕 中ほどの〈時代/時期〉、また、場所。まんなかごろ。「三月の―・坂の―」

**ながさ**〔長さ〕 ①長い〈こと/程度〉。 ②両端の間の〈距離/時間〉。「リボンの―・昼の―」 ③《数》点と点の間の距離。

**ながさついれ**〔長札入れ〕 お札を折らないで入れられる財布。長(札)財布。ながさつ。

**なかさ・れる**〔泣かされる〕《自下一》 ①つらいめにあう。困る。「悪友の ために―・雪に―」 ②ひどく〈感激/同情〉させられる。「―話だね」

**ながさ・れる**〔流される〕《自下一》 人やものに、たやすく影響されて行動する。「周囲に流されて生きる・感情に―」

**なかし**〔仲仕〕 荷物をかついではこぶ労働者。「沖―」

**ながし**〔流し〕 一〔ながし〕 ①〔水などを〕流すこと。 ②台所、または井戸ばたに作った、ものを洗った水を流すための設備。 ③↑流し場。 二〔ながし〕 ①客をもとめて、あたりを移動すること。「―の芸人・―のタクシー」 ②《警察》〔俗〕ゆきずり。「―の犯行」 ●**ながしあみ**〔流し網〕 水の流れに網をはり、網の目にからませて さかなをとる方法。「―漁船」 ●**ながしうち**〔流し打ち〕《名・他サ》《野球》ボールにバットをおそめに当て、右打ちの

［ながしあみ］

な

場合はライトの方へ、左打ちの場合はレフトの方へ打っこと。押っつけること。動 流し打つ《他五》。•**ながしこ・む**［流し込む］《他五》 ①流して（中へ）入れる。「お茶づけでー・寒天をー」 ②《情》データを、決まった書式に当てはめる。「枠内にテキストをー」 名 流し込み。•**ながしそうめん**［流し（△素麺）］とい（樋）状のものに水とそうめんを流し、流れてくるそうめんを、めいめいがすくい上げ、つゆにつけて食べること。そうめん流し。•**ながしだい**［流し台］台所にすえて、食器・食品などを洗う台。ガス台・調理台などと組み合わせて使う。•**ながしどり**［流し撮り］《名・他サ》横に動いているものを、カメラをいっしょに動かしながらすばやく写すこと。周囲のけしきが流れているように写る。•**ながしば**［流し場］〔浴室の〕湯ぶねから出て、からだを洗う所。洗い場。ながし。•**ながしばこ**［流し箱］寒天などを流しこんでかためる箱。〔バット（vat）の一種〕•**ながしめ**［流し目］《名・自サ》①顔を動かさず、目の玉だけを動かして横（にいる相手の顔）を見ること。よこめ。「ーに見る」 ②⇩色目 二①。「ーを使う」•**ながしもと**［流し元］台所の流しのある所。•**ながしよみ**［流し読み］《名・他サ》ざっと読むこと。読み流すこと。「本をーする」•**ながしれんこ**［流し連呼］選挙用自動車で走りながら連呼すること。

**ながしかく**［長四角］《名・ナダ》たてと横の長さがちがう四角。長方形。（↔真四角）

**なかじき**［中敷き］①部屋の中央に敷く〈こと/敷物〉。（↔敷き詰め）②くつの中へ敷く物。

**なかじきり**［中仕切り］①部屋の中のしきり。②途中にもうけたしきり。「人生のー」

**なかじめ**［中締め］①中ほどを締めること。②宴会などの途中でひとくぎりして、手締めなどをすること。

**ながジュバン**［長：襦袢・長じゅばん］《服》着物と同じ身丈に仕立てたじゅばん。ふつう女物をさすが、男も着る。長じばん。

**なかしょく**［中食］〔「中」は、外食と内食の中間の意味〕弁当や総菜など、できあいのものを買ってきたり、ピザなどを配達してもらったりしてする食事。「ー産業」

**なかす**［中州・中×洲］川の中に土砂がたまってできた、小さな陸地。

*__なが・す__［流す］一《他五》①（水などを）流れるようにする。②したたるようにする。「あせをー・涙をー」 ③水の上を流れるようにする。「ボートをー」 ④水の力で、おしやる。「道路を流された・引き潮に流される」 ⑤ある方向に行かせる。「信号を青にして車をー（＝通す）・前髪を左にー」 ⑥（ふろ場で）せなかを洗う。 ⑦罰として、その人を遠い地に送る。「島にー」 ⑧音楽などを、あたりに聞かせる。 ⑨放送する。「映像をー」 ⑩うわさ・知らせなどを広める。「デマをー・ファクス〈で/を〉ー」 ⑪〈無効に/ひらかないように〉する。「会をー（＝流会にする）」 ⑫質に入れた品物の所有権を失う。「時計をー」 ⑬（不正な方法で）売る。渡す。「暴力団にー」 ⑭《マージャン》勝負なしにする。⑮心にとめないでおく。「そのときは流していた・聞きー」 ⑯《野球》流し打ちをする。（↔引っ張る） ⑰流産させる。☞流される。二《自他五》①客をもとめて、あたりを移動する。「（芸人が）ギターを片手にー・タクシーがー」 ②何かないかと、ぶらぶら歩く。「店内をー」 ③ゆっくり〈走る/泳ぐ〉。「一周軽くー」 ④仕事などを力まずおこなう。「ざっと流さずに演じる」 可能 流せる。

**ながすくじら**［（長須鯨）］シロナガスクジラに次いで大形のクジラ。からだの長さは二〇メートルをこえる。せなかは灰色で、腹は白い。

**なかずとばず**［鳴かず飛ばず］目立った活躍をしていないこと。「ヒット作を出した後はーだ」〔もと、「時機が来るまで、能力を示さずじっとしていること」の意味〕

**なかせ**［泣かせ］一 なかせ 泣かせること。「ーの芸がうまい」 二 なかせ 造 さんざん困らせる〈こと/もの〉。「親ーのいたずらっ子」

**なかせき**［中席］《寄席》その月の十一日から二十日までの興行。（↔上席・下席）

←**なか・せる**［泣かせる］《自下一》なみだが出る気持ちにさせる。感動させる。泣かす。「ー歌詞・ー話だね」

→**なか・せる**［鳴かせる］《他下一》（摩擦で）音を立てる。鳴かす。「タイヤをきいきいー」

**なかせん**［中栓］水筒などのふたの内がわにあるせん。なかぶた。

**なかせんどう**［中△山道・中仙道］江戸時代の五街道の一つ。江戸から木曽地方を通って京都に通じる。

**なかぞこ**［中底］①インソール。中敷き。②なべの底のほうに置く、蒸しものの料理をのせるための仕切り。湯気を通す細かい穴があいている。

**ながそで**［長袖］①（和服で）たもとの長い〈こと/そで〉。また、そのような着物。「ーの晴れ着」 ②（シャツ・セーターなどで）そでの長さが手首まである〈こと/もの〉。「ーシャツ」（↔半袖）

**なかぞら**［中空］空のなかほど。空中。

**なかだか**［中高］《名・ナダ》まんなかのあたりが高いこと。「ーの顔（＝鼻筋の通った顔）・ー型（☞付録 アクセント解説「共通語のアクセント」）」（↔中低）☞ちゅうこう（中高）。

**なかたがい**［仲（△違い）］《名・自サ》なかが悪くなること。

**なかだち**［中立ち］懐石が終わって、いったん席を立つこと。

**なかだち**［仲立ち］《名・自サ》間に立って、とりもつ〈こと/もの〉。媒介。「ーをたのむ」

☆☆**ながたちょう**［永田町］（＝東京都千代田区の地名。国会議事堂・総理大臣官邸がある）日本の政界の通称。「ーの論理」

**ながたび**［長旅］長期間にわたる旅。「ーのつかれ」

**なかだるみ**［中（×弛み）］《名・自サ》〈中ほど/中間〉がだらけること。「昨シーズンはーの時期があった」

**ながだんぎ**［長談義］《名・自サ》長ったらしい談義。〔長すぎていやになる感じをふくむ〕☞下手の長談義。

☆☆**ながちょうば**［長丁場］①（歩くのがたいへんな）長い距離。②長く続く場面。③仕事などが終わるまでに、長い時間がかかること。

**なかつぎ**［中継ぎ・中次ぎ］《名・自サ》①あいだをつなぐ〈こと/役〉。「売り買いのー」 ②《野球》試合のなかばで登板する〈こと/投手〉。☞先発③・抑え③。

**ながつき**［長月］〔文〕旧暦九月。

**ながったらし・い**[長ったらしい]《形》いやになるほど長い。長たらしい。派ーさ。

**ながっちり**[長っ△尻]〔古風・俗〕(人の家で)話しこんで、長くすわっていること。ながじり。

**ながつづき**[長続き]《名・自サ》長く続くこと。

**なかづり**[中×吊り]電車の中などに、ポスターをつり下げること。また、そのポスター。「ー広告」

**なかて**[(:中生)・中手]《農》はしりの次にとれる、くだものや野菜。(↔わせ《早生》・おくて《晩生》)

**なかて**[(:中稲)・中手]《農》わせ(早稲)の次にみのるイネ。(↔わせ《早稲》・おくて《晩稲》)

**ながて**[長手]①長四角の形のもの。「ー盆ぼん」②長方形の、長いほうの辺。「テープをー方向にひっぱる」

**なかでも**[(中でも)]《副》多くのものの中で、特に。とりわけ。特別。なかにも。「ーこれは上等の品だ」

**なかてん**[中点]なかぐろ。☞ちゅうてん(中点)。

**ながと**[長△門]旧国名の一つ。今の山口県の北西部。長州ちょうしゅう。

**ながどす**[長ドス]〔俗〕①長脇差ながわきざし。②日本刀。☞ドス②。

**なかとびら**[中扉]①本の内容を区切るために付け加えた紙。(↔本扉)②バスの中央部にある、乗り降りのための扉。

**なかなおり**[中直り]ーなほり《名・自サ》死期に近い病人が、とちゅうで少しよくなること。

**なかなおり**[仲直り]ーなほり《名・自サ》争いをやめて、もとの良い関係にもどること。

****なかなか**[(中々)]《副》①軽く見られないほど。「ー(に)むずかしい・気迫きはくはーのものだ」注「なかなかおじょうずですね」などと、目上に使うのは失礼。②〔後ろに否定が来る〕簡単には。「ー降参しない」▽なかなかに。

●**なかなかどうして**《副》予想とちがって、かなり。どうして。「テントを張るのは、ーたいへんだ」

**ながなが**[長々]《副》いかにも長く感じられるようす。「ーと横になる・ーお世話になりました」●**ながながし・い**[長々しい]《形》いかにも長い。〔いやだ、という語感がある〕「ースピーチ」

**ながなわ**[長縄]ーなは ①長いなわ。②二人が「長縄」の両端りょうたんを持って回し、ほかの人たちがそこにはいってその縄をとびこえる遊び。長縄とび。

**なかには**[(中には)]《副》多くのものの中には。「ー売れないものもあるけれど」

**なかにほん**[中△日本]中部地方を中心とする地方。「ー大会」〔「東日本」「西日本」に対して作ったことば〕

**なかにわ**[中庭]ーには 建物と建物の間にある庭。うちにわ。

**なかぬき**[中抜き]《名・他サ》①取引の中間に、不必要な仲介ちゅうかい者がはいって、お金を取ること。「天下り法人が公共事業費をーする」②仲介者をぬかして、直接取引すること。「問屋をーする」③〔俗〕〔すりが〕さいふなどの中身だけをぬすみ取ること。

**なかぬけ**[中抜け]一《名・他サ》〔仕事・集まりなどを〕とちゅうでぬけて、終わるまでにまたもどってくること。「授業をーする」二 とちゅうがぬけていること。「雑誌のバックナンバーがーだ」

**ながねぎ**[長×葱]野菜の名。日本の、ふつうのネギ。葉は筒つつ形で長く、根もとは白い。根深ねぶか(ねぎ)。白ねぎ。ねぎ。「ーのみじん切り」

**ながねん**[長年・永年]長い年月(の間)。多年。

**ながの**[永の]《連体》〔文〕永久の。「ー別れ〔=死に別れ〕」●**永の いとまを告げる**句〔文〕この世にさよならをする。死ぬ。

**ながの**[長の]《連体》長い。「ーご乗車おつかれさまでした」

**ながのし**[長△熨斗]干しアワビを小さく切って芯しんに入れた、長いのし。結納ゆいのうに使う。

**なかの ひと**[中の人]〔俗〕①一般いっぱんの人に顔を見せないで仕事をしている人(の正体)。「着ぐるみのー・公式ツイッターのー〔=担当者〕」②〔アニメなどで〕その登場人物の声優。▽一九九〇年代に例があり、二〇一〇年代に広まったことば。

**なかば**[半ば]一なかば ①まんなかあたり。「三十ー〔=三十五歳さい前後〕」②とちゅう。「仕事ーでの死」二なかば《副》半分ほど。だいたい。「ーあきらめる」

**なかばたらき**[仲働き]奥おくの座敷ざしきと台所との間の雑用をする女性。

**ながばなし**[長話]《名・自サ》〔電話や立ち話などで〕ふつうより長めに話をすること。長っぱなし。

**なかばん**[中番]①早番でも遅番おそばんでもない、中間の時間帯の勤務(の担当者)。②〔旅館で〕料理を運んだり、ふとんをしいたりする役目(の人)。

**なかび**[中日]興行をする期間の、ちょうどまんなかにあたる日。☞ちゅうにち(中日)。

**なかびく**[中低]《名・ナダ》まわりよりもまんなかが低くなっている(ような感じだ)。「あごの出たーな顔立ち」(↔中高なかだか)

**ながび・く**[長引く]《自五》(予想したより)長くかかる。「交渉こうしょうがー」

**ながひばち**[長火鉢]居間に置く、まわりを木で作った、長方形の火ばち。

[ながひばち]

**なかびらき**[中開き]三段にかさねたたんすで、中段が左右にひらくようになっているもの。

**なかぼし**[中干し]《名・自他サ》①⇩部屋干し。②夏の暑いときに、田の水をぬいて地面をかわかすこと。イネの活力を高めたり、刈かり取りをスムーズにしたりする。

**ながほそ・い**[長細い]《形》長くて細い。細長い。ながぼそい。ながっぽそい。「ー窓」

**なかほど**[中ほど]〔まんなか/中間〕のあたり。「二月のー・食事のー〔=途中とちゅう〕・〔満員電車で〕ーまでお進みください」

**なかぼね**[中骨]さかなの中央を通っている、いちばんしっかりした骨(の部分)。「ーを取り除く・サケのーの水煮みずに」

***なかま**[仲間]①立場が同じで、いっしょに活動する人(の集まり)。「ー入り・ー外れ・遊びー・犯人のー」②同類のもの。「モルモットはネズミのーだ」▽グループ。☞ちゅうげん(中間)。●**なかまうち**[仲間内]①仲間の人(たち)。②仲間の間がら。「ーのくだけたことば」●**なかまわれ**[仲間割れ]《名・自サ》仲間どうしが争って、いくつかの小さな仲間に割れること。

**なかまく**［中幕］《歌舞伎》一番目狂言と二番目狂言の間にする、一幕の狂言。

**ながまわし**［長回し］《名・自他サ》〔映画やドラマで〕長い時間カメラを回したままで撮影すること。

*__なかみ__［中身・中味］①中に〔入れて〕あるもの。中のもの。「箱の―」②内容。「文章の―」

**なかみせ**［仲：見世］お寺などの境内にある店。「浅草の―」

**ながむし**［長虫］ヘビの別名。

**ながめ**［眺め］①ながめること。②目に はいる自然や町並みなど。「―がいい部屋・眼下に広がる―」●**なが めい・る**［眺め入る］《自五》〔文〕じっと〈続けて／熱心に〉ながめる。●**ながめや・る**［眺め〈△遣る〉］《他五》〈遠くのほう／そのほう〉をながめる。

*__なが・める__［眺める］《他下一》①あまり注意を集中させないで、見る。②見わたす。「遠くを―・景色を―」［可能］眺められる。

**なかめん**［中面］〔新聞・パンフレットなどの〕内がわの面。「―の記事」

**ながもち** [一]［長持ち・長△保ち］《名・自サ》長い間〈こわれ／いたま〉ないこと。「―するかばん・野菜を―させるこつ」[二]［長持］衣服・道具類を入れておく、ふたのある長方形の箱。

**ながや**［長屋］ひとむねの下に二軒から六軒ぐらいのすまいを続けて作った家。「貧乏―」

**ながやき**［長焼き］ウナギなどを、ぶつ切りにせず、長いまま焼いたかば焼き。

**なかやしき**［中屋敷］《歴》江戸時代、上屋敷のひかえとして使った屋敷。あとつぎや隠居などが住んだ。☞上屋敷・下屋敷。

**なかやすみ**［中休み］《名・自サ》（仕事の）とちゅうでする休息。

**ながやみ**［長病み］《名・自サ》長わずらい。［動］長病む《自五》〔文〕。

**ながゆ**［長湯］《名・自サ》長い時間湯にはいること。入浴の時間が長いこと。

**なかゆび**［中指］五本の指の まんなかの指。たかたかゆび。お兄さん指。「―を立てる〔＝相手を侮辱する表現〕」

**ながよ**［長夜］〔雅〕〔夜明けまでの時間が〕長いよる。「秋の―」〔↔短夜〕

**なかよく**［仲良く］《副》仲のいい状態で。「みんな―暮らす」

**なかよし**［仲良し］仲がいい〈こと／人〉。「サブは ぼくと―です・サブは ぼくの―です」●**なかよしクラブ**［仲良しクラブ］なれあいの関係になった集団。「相互批判のない―的体質」●**なかよしこよし**［仲良し小良し］なかよし。〔「こよし」は、調子をよくするためにそえたことば〕

**__ながら__ [一]《接助》①それをするのと同時に、主となることをする場合に使う。「テレビを見―食べる」②そうではあるが。「気には かけ―連絡しなかった・ほそぼそ―生きる・下位打者―よく打つ・都心であり―静かだ・せまい―も楽しい わが家」③そういうことも織り交ぜて。「ハプニングもあり―、無事終了」[二]［接尾］〔名・副をつくる〕①動作・状態が続いていることをあらわす。「昔―のおもかげ・いつ―にして知る・いつも―〔＝いつもどおり〕」②〔文〕〈両方／すべて〉をあわせて。…とも。「文武の道を二つ―きわめる」☞涙ながら・我ながら。[三]［造］何かをしながらの。「―運転・―歩き・―族〔＝ラジオを聞きながら勉強する若者など。一九五〇年代末～六〇年代に広まったことば〕」［表記］かたく「×乍ら」とも。

**ながら・える**［長らえる・永らえる］《自下一》〔文〕長く生きる。生き長らえる。「心ならずも この世に―」

**ながらく**［長らく・永らく］《副》長い間。長く。

**なからし・める**［〈無からしめる〉］《他下一》〔文〕①ないようにする。「遺憾―」②なくさせる。「顔色―」

**なからん**［〈無からん〉］［連］〔文語形容詞「なし」の未然形＋文語助動詞「ん」〕〔文〕ないだろう。ない。「失態―ことを〔＝ないように〕」

**なかりせば**［〈無かりせば〉］［連］〔文〕（い）ないなら。（い）なかったなら。「彼れ―できなかったろう」☞せば[二]。

**なかる-べからず**［〈無かるべからず〉］［連］〔文〕なければならない。「ここで一言―」

**なかれ**《終助》〔文語形容詞「なし」の命令形から〕〔文〕禁止をあらわす。…な。「おどろく―・急ぐ―」［表記］かたく「×莫れ」「×勿れ」とも。☞ことなかれ。

*__ながれ__［流れ］[一]**ながれ** ①〔川の水などが〕流れること。「―が速い」②流れる水。「澄んだ―」③さかずきの酒。☞お流れ①。④〔水の流れのように〕とまることなく動いて行くもの。「車の―・音楽の―・議論の―をぶった切る」⑤ものごとの情勢。「―が変わる・時代の―を読む」⑥ちがった方向に それること。「画面の―やゆれ」⑦〔会や集まりのあとの〕〔少人数の〕人の むれ。「デモの―に ぶつかる」⑧血統。「清和源氏の―」⑨流派。系統。「アララギ派の―」[二]［接尾］旗などを数えることば。●☆☆**流れに さお（棹）さす**［句］①全体の勢いに乗る。②〔俗〕全体の流れに さからう。●**流れをく（汲）む**［句］その血統や流派に連なる。「名門の―」●**ながれある・く**［流れ歩く］《自五》ほうぼうをさまよい歩く。●**ながれかいさん**［流れ解散］参加した人が、目的地に到着した後 しだい順々に解散すること。「デモ終了後は―です」●**ながれこ・む**［流れ込む］《自五》①〔水などが〕流れて〔一か所に〕はいる。②〔人などが〕流れるように はいりこむ。●**ながれさぎょう**［流れ作業］（材料をベルトコンベアにのせて動かしながら）めいめいが受け持ちの作業を順々にしてまとめるやり方。●**ながれず**［流れ図］⇩フローチャート。●**ながれだま**［流れ弾］目標からそれた たま。それだま。「―に当たって死ぬ」●**ながれつ・く**［流れ着く］《自五》（海や川を）流れてきて、岸に着く。●**ながれぼし**［流れ星］流星。●**ながれもの**［流れ者］あちらこちらと移り住む、居どころの定まらない者。●**ながれや**［流れ矢］目標からそれた矢。それや。

**__なが・れる__［流れる］《自下一》①水などが、すべるように動く。「川が―」②したたる。たれる。「血が―」③水の動きにしたがって進む。「木の葉が流れてゆく」④水の力で おしやられる。「住宅が流れた」⑤〔水の流れのように〕とまることなく移り動く。「時が―・―ような筆づかい」⑥上下または左右に ずっと動く。「字幕が―」⑦さまよう。さすらう。「流れ流れて外国へ わたる」⑧車の列がなめらかに進む。「道路は順調に流れております」

⑨空中を移動する。「雲が—」⑩音楽・音声が聞こえる。「スピーカーから曲が—」⑪放送される。「映像が—」⑫うわさ・知らせなどが広まる。「うわさが—」⑬それる。「矢が—・ボールが右へ—」⑭別の方向に外れてゆく。「外れたスキーが—・客が大型店に—」⑮のぞましくない方向へ進む。「形式に—」⑯不成立・中止になる。「会が—・企画が—」⑰質に入れておいたものが、期限が過ぎて本人のものでなくなる。⑱〔染料などが〕とけて、形がくずれる。⑲流産する。「おなかの子が—」

**ながわきざし**［長脇差し］長いわきざし（をさして行き来したばくち打ち）。長ドス〔俗〕。

**ながわずらい**［長患い］《名・自サ》長い間の病気。ながやみ。

**なかわた**［中綿］ふとんや上着などの中に入れてある綿や化学繊維。

☆☆**なかんずく**［(:就中)］《副》（↑中に就く）〔文〕その中でも、特に。「ヨーロッパ、—イギリスの文化にひかれた」表記 現代語では「就く」の意識がないとみて、かなでは「なかんずく」と書くが、「なかんづく」も許容。

←**なき**［泣き］泣くこと。☞泣きの涙。●**泣きを入れる** 句 泣きつく。また、泣きついてわびる。●**泣きを見る** 句 悲しい目にあう。

→**なき**［鳴き］鳴くこと。鳴き声（のような音）。「ブレーキの—が発生する」

←**なき**［亡き］《連体》〔文語形容詞「なし」の連体形から〕〔文〕生きていない。死んだ。「—人（＝故人）・（今は）—母・我—あとは」☞亡き者。

→**なき**［(無き)］《連体・名》〔文語形容詞「なし」の連体形から〕〔文〕（い）ない（こと）。「あって—（＝あってもないと同じ）状態・明治の生活をえがいて余す—（＝余すところのない）佳作・動揺常—経済界・完膚—まで に〔⇩「完膚」の句〕」☞なきにしもあらず。●**なきに等しい** 句 ないも同然。●**なきを得ない** 句 大いに感じる。大いにあると思う。「疑念—・興趣—」

**なぎ**［(×凪)］風がやんで波がしずかになること。海風と陸風が入れかわるときの現象。「朝—・夕—」

**なきあか・す**［泣き明かす］《他五》泣いて夜を明かす。「一夜を—」

**なきあわせ**［鳴き合わせ］《名・自サ》①〔多くの虫・鳥などが〕声の調子をそろえて鳴くこと。「秋の虫はよく—をする」②〔多くの虫・鳥などを〕鳴かせて、勝負けを争うこと。「ウグイスの—大会」

**なきおとし**［泣き落とし］泣いてたのんで、相手を自分の思うとおりにさせること。「—戦術」動 泣き落とす《他五》。

**なきがお**［泣き顔］泣いている顔。「—をかくす」

**なきがら**［(亡△骸)］〔文〕①〔おもに人間の〕死んだからだ。「—に取りすがる・お—」区別 ⇩遺体。②残骸のたとえ。「夢の—」

**なきかわ・す**［鳴き交わす］《自五》〔鳥などが〕鳴いて、声をかわすようにする。かわるがわる聞こえるように鳴く。なきかう。

**なきくず・れる**［泣き崩れる］《自下一》泣いて姿勢がくずれる。

**なきくら・す**［泣き暮らす］《他五》〔悲しさで〕一日じゅう、泣いてばかりいる。毎日泣いてすごす。

←**なきごえ**［泣き声］①泣きそうな声。なみだ声。「—で話す」②泣いている声。

→**なきごえ**［鳴き声］鳥・けもの・虫の、鳴いている声。

**なきごと**［泣き言］なげいて言うことば。愚痴。「—をならべる」

**なきこ・む**［泣き込む］《自五》①泣いてかけこむ。②泣くようにしてたのみこむ。名 泣き込み。

**なぎさ**［(×渚)・(×汀)］なみうちぎわ。「—づたいに行く」

**なきさけ・ぶ**［泣き叫ぶ］《自五》大声で泣く。泣きながらさけぶ。

**なきしき・る**［鳴き(△頻る)］《自五》〔文〕しきりに鳴く。

**なきしず・む**［泣き沈む］《自五》ひどく泣いて、気持ちがしずむ。

**なきじゃく・る**［泣き(×噦る)］《自五》ときどき強く息を吸うようにしながら、泣く。名 泣きじゃくり〔「泣きじゃっくり」とも〕。

**なきじょうご**［泣き上戸］①酒に酔うと泣くくせのある人。②すぐ泣き出すくせのある人。

**なきすが・る**［泣き(×縋る)］《自五》泣いてすがりつく。

**なきすな**［鳴き砂］〔砂浜などで〕踏むと独特の音を出す砂。鳴り砂。

**なぎたお・す**［(×薙ぎ)倒す］《他五》横にはらってたおす。「たつまきが電柱を—」

**なきだ・す**［泣き出す］《自五》泣き始める。●**泣き出しそうな** 句 雨になりそうな。「—空」

**なきた・てる**［鳴き立てる］《自下一》声を立てて高く鳴く。「セミがさかんに—」

**なきつ・く**［泣き(付く)］《自五》①泣いてすがりつく。②大いに困って、泣くようにしてたのみこむ。「親に—」

**なき(っ)つら**［泣き(っ)面］泣き顔。●**泣き(っ)面に蜂** 句 悪いことの上にまた悪いことがかさなること。

**なきどころ**［泣き所］①そこを打たれると痛くて泣きだす、からだの部分。☞弁慶の泣き所。②弱み。弱点。「—をつく」③〔俗〕泣かせる場面。

**なきなき**［泣き泣き］《副》①泣きながら。泣く泣く。「—帰る」②⇩泣く泣く①。

**なぎなた**［(:長刀)・(:薙刀)］長い柄の先に、広く長くてそり返った刃をつけた武器。

**なきにしも-あらず**［(無きにしもあらず)］ない（わけ）でもないこと。なきにあらず。「望みは—だ」

**なきぬ・れる**［泣き(×濡れる)］《自下一》泣いてなみだにぬれる。

**なきねいり**［泣き寝入り］《名・自サ》①泣きながらねむりこむこと。②〔抵抗もせず〕そのままにあきらめること。「—はしない」動 泣き寝入る《自五》。

**なきのなみだ**［泣きの涙］泣いてなみだを出す（思いをする）こと。なみだながら。「—で別れる」

**なぎはら・う**［(×薙ぎ)払う］《他五》勢いはげしく横にはらう。

**なきはら・す**［泣き腫らす］《他五》ひどく泣いて目をはらす。

**なきぶし**［泣き節］〔歌謡曲で〕泣くように声をふるわせて歌う、歌い方。

**なきふ・す**［泣き伏す］《自五》〔文〕泣いてうつぶせにたおれる。

**なきべそ**［泣きべそ］泣きそうになって顔をゆがめた状態。●**泣きべそをかく** 句 泣きだしそうに、顔をゆがめる。

**なきぼくろ**［泣き（黒子）］女性の目の下の、泣いたなみだのように見えるほくろ。

←**なきまね**［泣き（真似）］《名・自サ》泣くふりをすること。うそなき。そらなき。

→**なきまね**［鳴き（真似）］《名・自サ》動物の鳴き声をまねること。

**なきみそ**［泣き（味×噌）］〔古風〕なきむし。

**なきむし**［泣き虫］〔何かというと〕よく泣く〈人／子ども〉。泣きみそ（味噌）。

**なきもの**［亡き者］〔文〕死んだ人。ないもの。●**亡き者にする** 句 〔古風〕殺す。亡き者とする。「主君を―」

**なきゃ**（↑なければ）〔話〕一《接助》〔もし〕…なければ。「おれがやら―、だれがやる」二《終助》なければならない。「もう起き―！」〔俗に、「だ」「です」をつけて使う。「もう行か―だから（＝行かなければならないから）」・これは食べ―です」〕

**なぎょうへんかくかつよう**［ナ行変格活用］〔言〕文語動詞の活用の種類の一つ。「死ぬ」「い（往）ぬ」だけに見られる、不規則な活用。ナ変。☞付録「動詞活用表」。

**なきりぼうちょう**［菜切り包丁］野菜を切る、刃のうすくて広い、長方形の包丁。なっきりぼうちょう。なきり。

**なきりゅう**［鳴き竜］向きあった平行な壁の間で、音が何回も往復して起こす反響。日光輪王寺の薬師堂などで、天井にえがかれた竜の下で手をたたくと起こる。

**な・ぎる**［×凪ぎる］《自上一》〔方〕な（凪）ぐ。

**なきわかれ**［泣き別れ］《名・自サ》①泣きながら別れること。②［泣き分かれ］〔俗〕いっしょにあるべきものが別々になること。動 泣き別れる《自下一》。

**なきわめ・く**［泣き（△喚く）］《自五》続けざまに泣きさけぶ。「大声で―」

**なきわらい**［泣き笑い］《名・自サ》①泣いたり笑ったりすること。哀歓。②泣きながら笑うこと。

＊**な・く**［泣く］一《自五》①〔悲しみなどの感情が高まって〕なみだを出す。「うれしくて泣いた・親に泣かれる」②［×哭く］なみだとともに声を出す。「赤ちゃんが―」▽（↔笑う）③つらい思いをする。「一点に―（＝一点差で敗れる）」④〔相手の言うことを聞き入れて〕むりにがまんする。「三万円で泣いてください・これ以上は泣けません」二《他五》〔文〕…のことを思ってなみだを流す。「ああ弟よ、君を―・自分の弱さを―」可能 泣ける。☞泣かされる。●**泣いて馬謖を斬る** 句 規則にそむいたものは、どんなにかわいい部下でもきびしく罰する。由来 中国の三国時代、蜀の諸葛孔明が、命令にそむいて戦った馬謖を特別あつかいせずに殺したことから。●**泣いても笑っても** 句 〔どたんばで〕どんなにしても。「―これが最後の機会」●**泣く子と地頭には勝てぬ** 句 ききわけのない子どもや横暴な権力者の無理にはしたがうほかはない。道理をつくしても通じない者には勝ち目がないことに言う。●**泣く子も黙る** 句 「ほら、○○が来るよ」と言えば、泣いている子どもでもぴたりと泣きやむほどこわがられている。●**泣くに泣けない** 句 くやしくて、泣いてすますことができない。「ここで失敗しては―」

→**な・く**［鳴く・×啼く］《自五》①〔鳥・けもの・虫などが〕声・音を出す。②〔俗〕〔摩擦で〕きいきい音を立てる。「タイヤが―（＝きしむ）」可能 鳴ける。☞鳴かず飛ばず。

**な・ぐ**［×凪ぐ］《自五》風がやんで波がしずかになる。「海が―」

**な・ぐ**［×薙ぐ］《他五》横にはらって切る。「草を―」

**なぐさみ**［慰み］①心がしずまり、おちつくようにする〈こと／もの〉。「―にそう考える」②気ばらし。楽しみ。「―の釣り・―事」☞お慰み。③〔俗〕ばくち。●**なぐさみもの**［慰み物］なぐさみとしてするもの。●**なぐさみもの**［慰み者］相手の楽しみのためにもてあそばれる人。「男の―になる」

**なぐさ・む**［慰む］《自五》〔文〕気持ちがはれる。「心が慰まない」

**なぐさめ**［慰め］慰めること。「音楽によって―を得る・何の―にもならないことば・けががなかったのが、せめてもの―だ」●**なぐさめがお**［慰め顔］慰めるような顔つき。

**なぐさ・める**［慰める］《他下一》①つらい気持ちがやわらぐようにする。「失恋した友だちを―・霊を―」②〔文〕苦労をねぎらう。「労を―」

**なくしもの**［無くし物・△失くし物］落とし物と忘れ物をまとめた言い方。遺失物。うせもの。

←**なく・す**［亡くす］《他五》〔人に〕死なれる。亡くする。「子どもを―」

→**なく・す**［無くす］《他五》①ないようにする。「事故を―」②［△失くす］うっかりして失う。「ハンカチを―」▽なくする。可能 なくせる。

**なく（っ）ちゃ**（↑なくては）〔話〕一《接助》〔もし〕…なければ。「やってみ―、わからない」二《終助》なければならない。「なんとかし―！」〔俗に、「だ」「です」をつけて使う。「早く家に帰って、勉強し―だ」〕

**なくては** 一《接助》〔もし〕…なければ。「練習し―上達しない・強く―生きられない」二《終助》〔話〕なくてはならない。「みんなに知らせ―！」▽一二 なく（っ）ちゃ。●**なくてはならない** 一《助動形ヌ型》⇩なければならない 一。「もう帰ら―」二 連 なければ困る。「会社に―人」

**なくなく**［泣く泣く］《副》①泣きたいほどつらい気持ちで。泣き泣き。「―同意した」②⇩泣き泣き①。

＊**なくな・る**［亡くなる］《自五》「死ぬ」を婉曲に言うことば。「恩師が―・父は早くに亡くなりまして」✓「お亡くなりになる」「亡くなられる」の形で、尊敬語として使うことが多い。区別 ⇩死ぬ 一①。

＊＊**なくな・る**［無くなる］《自五》ないようになる。うせる。「お金が―（＝ⓐ使ってしまう。ⓑぬすまれる）・荷物が―・希望が―」他 なくなす《五》〔方〕。「くつを片方―」

**なくむし**［鳴く虫］セミ・コオロギなど、夏から秋にかけてよく鳴く昆虫。特に、秋に鳴く、コオロギ・キリギリス・スズムシなど。

**なくもがな**［無くもがな］〔文〕かえってないほうがいいこと。あってほしくないこと。「―の付録」

**なぐりかか・る**[殴り(掛かる)]《自五》なぐって、相手を攻める。

**なぐりがき**[(殴り)書き・(×擲り)書き]《名・他サ》書きなぐること。書きなぐったもの。表記 絵は「殴り描き」。

**なぐりこみ**[殴り込み]①相手のいるところに、(大ぜいで)あばれこむこと。②あらっぽく進出すること。「市場に—をかける」動 殴り込む《他五》。

**なぐりつ・ける**[殴り(付ける)]《他下一》力を入れて、強くなぐる。

**なぐ・る**[殴る・×擲る]《他五》げんこつ・棒など、重みのあるもので、からだを強く打つ。「殴られてこぶができる・腹を—」可能 殴れる。●**なぐる-ける**[殴る蹴る]《名・他サ》くり返し相手をなぐったりけったりする(こと)。「—の暴行・—して死なす」

**なくんば**[(無くんば)]連〔←なくば《本来は「なくは」》〕〔文〕ないならば。なければ。●**なくんばあるべからず** 句〔=なかるべからず〕なければだめだ。ぜひあってほしい。「一言—〔=何かひとこと言わなくては〕」

**なげ**[投げ]①投げること。②《すもう・柔道など》相手のからだを投げたおす〈こと/わざ〉。「—をうつ」③《経》「投げる 一 ⑧」こと。「—一巡」

**なげ**[(無げ)]《ナダ》ないようなようす。「自信—・人も—なふるまい・事も—に」

**なげあい**[投げ合い]①たがいに相手に向かって投げること。②たがいにきそって投げること。「《野球》—〔=投手戦〕になる」

**なげいれ**[投げ入れ]①投げ入れること。②華道の様式の一つ。花の自然のままの姿を重んじ、花瓶にむぞうさに入れたようなふうにいける生け花。瓶花。

**なげい・れる**[投げ入れる]《他下一》投げて、その中に入れるようにする。

**なげう・つ**[(×抛つ)・(×擲つ)]《他五》〔だいじなものを〕おしげもなくさし出す。「一身を—・私財を—」

**なげうり**[投げ売り]《名・他サ》①現金を手に入れるために、利益を考えないで売ること。すてうり。「—品」②軽々しく〈売る/あたえる〉こと。

**なげおと・す**[投げ落とす]《他五》高いところから(地面めがけて)物をほうる。名 投げ落とし。

**なげか・ける**[投げ(掛ける)]《他下一》①投げつける。②投げてかける。「帽子を—」③相手に届くように投げる。「光を—・優しいことばを—」④問題などを出して、あたえる。「問いを—」⑤よりかかるようにする。「身を—」名 投げかけ。

**なげか・つ**[投げ勝つ]《自五》①《すもう・柔道など》相手を投げたおして勝つ。②《野球》ⓐ投手戦のとき、相手より投手力がまさっていて勝つ。(↔投げ負ける)ⓑ相手の(強)打者を打ち取る。

**なげかわし・い**[嘆かわしい]《形》なげきたくなる状態だ。情けない。残念だ。「—風潮」派 -げ。-さ。

**なげき**[嘆き・×歎き]なげくこと。(心配して)悲しむこと。「親を失った—・親の—もかえりみない」●**なげきぶし**[嘆き節]①なげきを歌った歌。②なげいて、ぼやくことば。「関係者の—が聞こえてくる」

**なげキッス**[投げキッス]《名・自サ》くちびるに手をあてて相手に投げるようにする、キス。投げキス。

**なげ・く**[嘆く・×歎く]《自他五》悲しみ・不満などの気持ちを、ことば・ため息などの形であらわす。「不幸を—」

**なげくび**[投げ首]首をかたむけて考えこむこと。「思案—」

**なげこ・む**[投げ込む]《他五》①投げ入れる。②くり返して、数多く投げる。名 投げ込み。

**なげし**[(△長△押)]日本間で、鴨居の上に取りつける、ややはばの広い横木。これで書画の額を支えたりできる。〔一種のかざりで、取りつけない場合もある〕☞鴨居。

**なげす・てる**[投げ捨てる]《他下一》①投げ(るようにし)てすてる。「ごみを—」②ほったらかす。うっちゃる。名 投げ捨て。

**なげせん**[投げ銭]①大道芸人などに投げあたえるお金。②〔インターネットなどで成果を公開している人に〕ポイントやお金を寄付すること。

**なげたお・す**[投げ倒す]《他五》投げて相手をたおす。

**なげだ・す**[投げ出す]《他五》①〈外/前〉に、乱暴に投げて落とす。「本を—・海に投げ出される」②〔からだを〕前へ投げかける。「ボールに向かってからだを—」③〔ある目的のために〕思いきりよくさし出す。「命を—・全財産を—」④手や足を突き出して〈すわる/ねる〉。「たたみに足を—・ベッドの上に身を—」⑤〔仕事などを〕とちゅうであきらめて、やめる。名 投げ出し。

**なげつ・ける**[投げ(付ける)]《他下一》①投げてぶつける。「石を—」②強く言う。「はげしいことばを—」

**ナゲット**〔nugget=かたまり〕ミンチにしたとり肉や魚肉を小さくまるめてころもをつけ、油で揚げたもの。「チキン—」

**なげづり**[投げ釣り]《名・自サ》えさをつけた糸・針を海岸から遠くとばし、投げこむようにしてする釣り。

**なげとば・す**[投げ飛ばす]《他五》相手を勢いよく投げてはねとばす。

**なけなし** ほとんどないこと。「—のお金」

**なげなわ**[投げ縄] 先を輪のような形に結んだ長いなわ。おもにけものの皮で作り、野獣などをつかまえるのに使う。

**なげぶみ**[投げ文]《名・自サ》〔外から〕家の中などへ手紙を投げこむこと。また、投げこまれた手紙。

**なげもの**[投げ物]《経》投げ売りの〈品物/株〉。

**なげやり**[投げ(×槍)] 敵に投げつけるやり。

**なげやり**[投げ(△遣り)]《名・ナダ》〔大事なことを〕どうでもいいと思って、〈まじめに/きちんと〉しないこと。なおざり。いいかげん。「仕事が—になる・—な口調」派 -さ。

**な・ける**[泣ける]《自下一》〔泣くつもりでないのに、自然に〕泣いてしまう。「じんと泣けてくる・—話だ」

**な・げる**[投げる] 一《他下一》①手に持ったものを、はなれた(相手の)所へとばす。「ボールをキャッチャーに—」②投げとばす。「《すもう》土俵の外に—」☞身を投げる〔「身」の句〕。③ある方向・方面に向ける。「ちらっと視線を—」④あきらめて、なげやりにする。「試験を—・試合を—」⑤《野球》投球する。「ストライクを—・三回を投げて一失点」⑥〈相手/グループ〉に送って、処理を任せる。「メールを—・質問を—・仕事を下請けに—」⑦インターネット上に情報を送る。投稿する。「動画を—」⑧《経》相場で、高く買ったものを、損をして安く売る。(↔踏む)⑨〔北海道・東北などの方

な

言」捨てる。「ごみを—」 二《自下一》《碁・将棋》投了する。可能 投げられる。投げれる〈俗〉。

**なければ** 一《接助》…ない場合は。…ない状態では。「早く行か—間に合わない・見たく—見なくていい」 二《終助》〈話〉↑なければならない。「この映画は見—!」▽一二なけりゃ。なきゃ。 ●＊＊**なければなら・ない** 一《助動形ヌ型》①その〈必要/義務〉がある。…すべきだ。…あるべきだ。「銀行に行か—・もっと大きく—」②…する以外に方法がない。「やむなく中止し—」③〈文〉確信をあらわす。…のだ。…にちがいない。「これもまた当然のことで—」▽ねばならぬ。 二連〔なけれ=形容詞「ない」の仮定形〕①あるべきだ。「人生には目的が—」②〈文〉あるのだ。あるにちがいない。「そこにはおのずと理由が—」▽一①②・二①は、やや軽く「なくてはならない・ないとならない」とも。話しことばで「なく(っ)ちゃならない・なけりゃならない・なきゃならない」とも。丁寧 なければなりません。 区別 ⇩ないといけない。

**なげわざ**【投げ技】《柔道・すもうなど》相手を投げたおすわざ。

**なこうど**【仲人】結婚の仲立ちをする人。媒酌人。月下氷人。「お—・たのまれ—〈=結婚式のときだけする仲人〉」 ●**なこうどぐち**【仲人口】①縁談をまとめるさいの、仲人の話の内容。②うまいことを言って、あまり信用できない〈話/人〉。

**なご・む**【和む】《自五》①おだやかになる。なぐ。「心が—・寒さが—」②仲よくする。「妻と—」③〈俗〉〔「心が」などをともなわない形で〕気持ちがおだやかになる。また、くつろぐ。「ネコを見ていると—・カフェで—」名 和み。他 和ませる《下一》。「表情を—〈古風な言い方で『和める』とも〉」

**なごやおび**【名古屋帯】胴回りになる部分を、せなかで結ぶ部分の半分のはばに作った女帯。

**なごやか**【和やか】《ナダ》①おだやかで、仲のよさが感じられるようす。「—な家庭・—なふんいき」②おだやかでのんびりしたようす。「—な表情・—な春」派 -さ。

**なごや・ぐ**【和やぐ】《自五》〔古風〕なごやかになる。「和やいだ気分」

**なごり**【名残】①過ぎ去ろうとするものをおしむ気持ち。「—をおしむ」②別れ。決別。「お—狂言」③ものごとの過ぎ去ったあとに、なおその影響として残っているもの。「明治の—をとどめる・台風の—」表記「:余波」とも。 ●**なごりおし・い**【名残惜しい】《形》気持ちがあとに残って、別れにくい感じだ。「お—」派 -がる。-げ。-さ。 ●**なごりゆき**【名残雪】春になってから降る雪。終雪。〔季語としては「名残の雪」〕由来 ミュージシャン・伊勢正三の造語。

**なさ**【〈無さ〉】ないこと。「いくじの—」

**ナサ**【NASA】〔↑ National Aeronautics and Space Administration〕アメリカ航空宇宙局。

**なさい** ◇〔動詞・補助動詞「なさる」の命令形〕同等以下の人に、さそいかけたり、軽く命令したりする言い方。〔「なされ」は古風で、尊敬した言い方〕「早く(し)—・ごらん—・(お)読み—」☞お帰りなさい・お休みなさい。

**なさけ**【情け】①〔人間らしい〕感情。「人の—がわからない」②〈困っている/弱い〉人を思いやる気持ち。「—をかける・武士の—だ」③愛情。「うす—」☞お情け。 ●**情けがあだ(徒)となる** 句 好意をもってしたことが、かえってよくない結果となる。 ●☆☆**情けは人のためならず** 句 ①〔ためならず=ためでない〕人になさけをかけると、その人のためばかりでなく、やがて自分にいい報いがあるものだ。②〔「ためならず」を「ためにならず」と誤解して〕なさけをかけると、相手のためにならない。 ●**なさけな・い**【情けない】《形》①〔期待に外れた状態や場面に出あい〕残念に思い、なげきたくなる気持ちだ。「—成績・—ことになったね」②みすぼらしい。あわれだ。「—かっこうをしている」✓「情けのない成績」の形も使う。「情けがない」は、「薄情だ」の意味にとられるおそれがある。派 -がる。-さ。 ●**なさけぶか・い**【情け深い】《形》なさけがふかい。あわれみぶかい。派 -さ。 ●**なさけようしゃ**【情け容赦】なさけと手加減。「—(も)なく落第させる」

**なさげ**【〈無さげ〉】《ナダ》〔↑形容詞「ない」+接尾語「さ」+接尾語「げ」〕〈俗〉なさそう。「きょうの授業は—じゃない?・自信—〈=自信なげ〉に答える」☞げ。

**なざし**【名指し】《名・他サ》名前をあげてさししめすこと。指名。「—で非難する」動 名指す《他五》。

**なさす・ぎる**【〈無さ過ぎる〉】《自上一》〔↑形容詞「ない」+接尾語「さ」+造語成分「すぎる」〕ない、という状態が度をこす。「常識が—・生活にうるおいが—」〔助動詞「ない」の場合は「なすぎる」の形になる〕☞なすぎる。

**なさそうだ**【〈無さそうだ〉】連〔形容詞「ない」+接尾語「さ」+助動詞「そうだ」〕ないようすだ。ないと推測される。「命に別条は—」☞なそうだ。

**なさぬ-なか**【〈△生さぬ〉仲】〔生さぬ=子を生まない〕ままはは(継母)または ままおや(継親)とままこ(継子)の間がら。

＊**なさ・る** 一《他五》「な(為)す・する」の尊敬語。「何になさいますか・手続きを—場合は」 二《補動五》〈お/ご〉+動詞連用形または名詞+—〕尊敬の気持ちをあらわす。「お話し—・ご旅行—・おいでなさった」〔単に名詞について「訪問—・リラックス—」のようにも言う。単に動詞連用形について「話し—・行き—・言って(い)なさった」のように言うのは古風〕▽一二「なさって〈た/て〉」を「なすって〈た/て〉」と言うのは古風。命令形は「なさい」で、「なされ」は古風。「なされる」は古風な形。☞なさい。

**なさん・す**《自他マス・補動マス》〔↑なされます〕〔古風/方〕なさいます。「何を—・行き—・おあがりなさんせ」

**なし**【梨】夏から秋にかけてとれるくだもの。形はリンゴに似て〔洋なしは しもぶくれ〕、色はうす茶・緑など。水気が多くあまい。✓「無し」に通じるので「有りの実」と言う人もいる。☞梨のつぶて。

**なし**【ナシ】〔↑はなし〕〈俗〉交渉。「向こうの親分と—つけてくる」

＊＊**な・し**【〈無し〉】 一《形ク》〈文〉「ない」の文語形。「主—とて〈=なくても〉」 二ないこと。「その話は—にしよう・欠席者—(です)・あいさつ—で帰る」▽一二〔↔あり〕☞な(無)き・なしとしない。

**なじかは**《副》〈雅〉どうしてそうなのか。「—知らねど」

☆☆**なしくずし**【なし崩し】ものごとを少しずつ、やがて〈変える/無意味にする〉こと。また、そうなること。

〈多く、よくないことに言う〉「原則を―に変更する・規制が―になる」由来 もとは「済し崩し(済す＝返す)」で、借金を少しずつ返すこと。ものごとを少しずつすませることから現在の意味になった。

**ナシゴレン**〔マレー nasi goreng〕マレーシアやインドネシアの焼きめし。あまいしょうゆ(＝ケチャップマニス)で味つけする。

**なしと・げる**【成し遂げる】《他下一》最後のところまでやる。しとげる。「むずかしい手術を―」

**なしと・しない**《形セズ》〔文〕ないとは言えない。「失敗のおそれ―」丁寧 なしとしません。

☆☆**なしのつぶて**【梨の(×礫)】こちらからたよりをしても返事がないこと。「問い合わせても―だ」由来 投げつけたつぶて(＝小石)がもどってこないことから。「梨」を「無し」にかけた。

**なじみ**【(:馴染み)】①なじむこと。「―の〈店/客〉・―深い土地」②昔から親しい人。「古い―だ」☞おなじみ。

**なじ・む**【(:馴染む)】《自五》①〈長く/何度も〉ふれるうちに、不自然な感じがなく〈なって、好ましく感じられるように〉なる。「耳になじんだことば・くつが足に―・学校に―」②ひとつにとけあった感じになる。しっくりする。「クリームが肌に―・ごはんと具材が―・ぬかみそが―(＝いい味になる)」③〔…になじまない〕…ではうまく処置できない。「法規制になじまない」可能 なじめる。

**ナショナリスト**〔nationalist〕①国家主義者。国粋主義者。②民族主義者。

☆☆**ナショナリズム**〔nationalism〕〈国家/民族〉の自主性や独立性を強く意識し、その発展につくそうとする〈主義/運動〉。国家主義。民族主義。国民主義。

**ナショナル** 選〔national〕①国家的。国家の。「―プロジェクト・―フラッグ(＝国旗)」②全国的。「―コンセンサス」 •**ナショナルトラスト**〔national trust〕保存したい自然環境や歴史的建造物を、一般から寄付金を集めて買い取り、保護や管理をする〈活動/運動〉。トラスト運動。 •**ナショナルブランド**〔national brand〕大手メーカーが全国的に宣伝して売っている商標・商品。NB。(↔プライベートブランド) •**ナショナルミニマム**〔national minimum〕社会的に公認されている、国民の最低限度の生活水準。

**なじ・る**【(△詰る)】《他五》ひどいではないかと、とがめて責める。「約束を破ったことを―」

**なしわり**【梨割り】縦二つに大きく割ること。

**なす**【(:茄子)】夏から秋にかけてとれる野菜。皮は黒むらさき色。なすび。「マーボー―・―のはさみ揚げ」

←**な・す**【(△生す)】《他五》〔文〕生む。「子までなした仲」

↔**な・す【(成す)】《他五》〔文〕①こしらえる。つくる。「群れを―」②しとげる。「大事を―」可能 なせる。

→**な・す《他五》〔文〕①働いて、形にあらわす。する。「近代思想の先駆を―・―がまま(＝その〈人/もの〉のすることがさえぎられないこと)・―すべを知らない(＝どうしていいかわからない)・―あたわず(＝しえない)」②つくる。「財を―・一児を―・障害を―」表記 かたく「△為す」とも。可能 なせる。 •**なせば成る** 句 やればできる。「―なさねば成らぬ何事も成らぬは人のなさぬなりけり(＝何事も、やればできるし、やらなければできない。できないのは、人がやらないからだ。上杉鷹山のことば)」

**な・す**【(△済す)】《他五》〔東京などの方言〕借りたものを返す。「借金を―・この本、なしといて」

**なす** 接尾〔連体詞をつくる〕〔文〕…のような。「滝―雨・うろこ―あかね雲」

**なすぎる**【な(過ぎる)】連〔助動詞「ない」＋造語成分「すぎる」。動詞につく〕そうなっていない、という状態が度をこす。「ものを知ら―・センスが足り―」(「無さすぎる」に引かれて「知らなさすぎる」「足りなさすぎる」と言うこともある)☞なさすぎる。

**なすこん**【(:茄子)紺】ナスの色のような、こい紺色。

**ナスダック**【(NASDAQ)】〔←National Association of Securities Dealers Automated Quotations〕《経》コンピューターネットワーク上で売買される、アメリカの株式店頭市場。新興企業の登録が多い。☞ジャスダック。

**なすった** 連〔古風〕↑なさった。「おいで―」(下に続く場合は、接続助詞「て」を使う。「ご安心なすってください」)☞なさる。

**なずな**【(×薺)】道ばたなどにはえる野草。小さな白い花をひらき、三味線のばちのような実を結ぶ。春の七草の一つ。ぺんぺんぐさ〔俗〕。

**なすび**【(:茄子)】〔西日本・北海道などの方言〕なす。

**なず・む**【(△泥む)】《自五》〔文〕①こだわる。ひっかかる。「旧習に―」②さまたげられて進まない。とどこおる。☞暮れなずむ。③なれ親しむ。なじむ。

**なすりあい**【(△擦り)合い】おたがいになすりつけること。「責任の―」動 なすり合う《他五》。

**なすりつ・ける**【(△擦り付ける)】《他下一》なすって、はっきりとつける。「口のまわりにあんこを―・ほかの人に〈責任/罪〉を―」

**なす・る**【(△擦る)】《他五》①液体・粉などを、指などでものの表面におし当てて、きたならしくつける。「傷口につばを―」②むりやりに負わせる。「罪を―」

****なぜ**【(:何故)】《副》理由を問うときに使うことば。どういうわけで。どうして。「―来ない(の)か」(『―に』は文章語的)・答えないのは―だ」☞なにゆえ(何故)。

**なぜか**【(:何故か)】《副》どういうわけか。なぜだか。「―だまっていた」 •**なぜかしら**【(:何故かしら)】一 なぜかしら《副》なぜか。「―そう信じている」二 なぜかしら 連〔話〕なぜだろうか。「だれもいないのは―」 •**なぜかというと**【(:何故かと言うと)】《接》そのわけは。どうしてかと言うと。☞なぜなら。 •**なぜかなら**【(:何故かなら)】《接》〔古風〕なぜなら。なぜかなれば。なぜかならば。

**なぜといって**【(:何故と言って)】《接》〔古風〕なぜかと言うと。なぜと言うに。なぜって〔話〕。

**なぜなら**【(:何故なら)】《接》理由をのべることば。そのわけは。なぜなれば。なぜならば。「中止すべきだ。―、弊害が大きいからだ」✓「どうしてかと言うと」→「なぜかと言うと」→「なぜなら(ば)」の順に、言い方がかたくなる。

**なせ・る**【成せる】《連体》〔文〕つくりだした。「天の―美観・不勉強の―わざ(＝結果)だ」

**な・ぜる**【(×撫ぜる)】《他下一》⇩なでる。

**なぞ**【謎】〔↑何ぞ〕①意味や正体がわかりにくい〈こと/もの〉。「事件の―を解く・―の女」〔俗に、形容動詞としても使う。「―な(＝理解できない)ルール」〕②なぞなぞ。③相手の反応を見るため、そのことを直接に言わずに、遠まわしに言う〈こと/ことば〉。「—をかける」

**なぞ**《副助》〔古風〕①ぼかして言う。「ひるね—しておりましたら」②けんそんしたり、かろんじたりする気持ちをあらわす。「私—まだまだです・言いわけ—聞きたくもない」③否定の意味を強める。「とちゅうで帰ったり—するものか」▽など。なんぞ。由来「何なんぞ」の変化で、「謎なぞ」と同語源。

**なそうだ**〔—さうだ〕運〔助動詞「ない」+助動詞「そうだ」〕…しないようすだ。…しないと推測される。「行か—・でき—」☞なさそうだ。

**なぞかけ**〔謎〔掛け〕〕①「○○とかけて(何と解く)」の形で、意外な共通点のあるものを答えさせる なぞなぞ。相手は「××と解く。その心(=理由)は…」と続ける。例、「ウナギ」とかけて、「傘かさ」と解く。その心は「ひらいてさす」。②遠まわしに言うこと。

**なぞとき**〔謎解き〕なぞを明らかにすること。「—を試みる・推理小説の—」

**なぞなぞ**〔(謎々)〕あるものについてひねった説明をして、それが何かを答えさせる〈遊び/問題〉。例、大きくなるほど小さくなるもの、なあに。答え、子どもの服。「—を出す」

**なぞめ・く**〔謎めく〕《自五》正体や意味がはっきりせず、あやしく見える。「謎めいた私生活」

☆☆**なぞら・える**〔(△準える)・(△擬える)〕なぞらへる《他下一》〔文〕ほかの似たものにくらべて〈みる/考える〉。見立てる。なずらえる。「人生を船旅に—」

**なぞ・る**《他五》①文字や絵の上で、その形のとおりに指などを動かす。②そのまままねる。「口ぐせを—」

**なた**〔(×鉈)〕刃はが厚くて広い、短い刀。木の枝を切り落としたり、まきを割ったりする。●**なたを振ふるう** 句 ⇩大なたを振るう〔「大なた」の句〕。

**なだ**〔×灘〕①陸地に遠くて波のあらい海。「玄界げんかい—」②〔←灘の酒〕兵庫県の灘地方で造る日本酒。「甘口あまくちの—」

←**なだい**〔名代〕広く知られていること。有名。「—(の)さくらもち」☞みょうだい(名代)。

→**なだい**〔名題〕①〔←名題看板〕芝居しばいの看板。②←名題役者。●**なだいやくしゃ**〔名題役者〕〔一座の中で〕すぐれた、上位の役者。名題。

**なだか・い**〔名高い〕《形》名前がよく知られている状態だ。有名だ。派—さ。

☆☆**なだたる**〔名だたる〕《連体》有名な。「天下に—武将」

**ナタデココ**〔ス nata de coco〕ココナッツミルクを材料とした発酵はっこう食品。さいの目に切って、くだものなどとまぜて食べる。

**なたね**〔菜種〕アブラナの たね。●**なたねあぶら**〔菜種油〕菜種をしぼってとる油。食用。たねあぶら。なたねゆ。●**なたねづゆ**〔菜種梅雨〕ナノハナのさくころ(=春の彼岸ひがん前後)の、ぐずついた天気。なたねつゆ。

**なたまめ**〔(×鉈豆)〕マメの一種。さやは大きくて、まがっている。若いものはさやごと食べる。

**なだめすか・す**〔(×宥め×賺す)〕《他五》やさしくしたり、おだてたりして、相手の心をやわらげる。「泣く子を—」

**なだ・める**〔(×宥める)〕《他下一》①相手の怒いかりの感情などを、やわらげ しずめる。なぐさめる。②おだやかに事がおさまるように、とりなす。「双方そうほうを—」

**なだらか**《ナダ》傾斜けいしゃのゆるいようす。派—さ。

**なだれ**〔雪崩〕雪・土砂どしゃ などが なだれること。また、なだれるもの。「—発生・—事故」●**雪崩を打つ** 句〔雪崩のように〕一度に多くの人が、はげしい勢いで動くようす。「雪崩を打って おし寄せる」●**なだれげんしょう**〔雪崩現象〕何かの きっかけで、ものごとが ある方向にどっと進むこと。●**なだれこ・む**〔(:雪崩れ)込む〕《自五》なだれのように、大量の〈人/もの〉が、一度にどっとはいりこむ。「会場に—・このまま選挙戦に—」

**なだ・れる**〔(:雪崩れる)〕《自下一》雪・土砂などが(斜面しゃめんに沿って)くずれおちる。なだれおちる。「大きく—・—群衆」

**ナチ**〔ド Nazi〕①「ナチス①」の党員。②⇩ナチス①。

**ナチス**〔ド Nazis=Naziの複数形〕①国家社会主義ドイツ労働者党。一九二一年、ヒトラーが党首となった。今はない。ナチ。②⇩ナチ①。

**ナチズム**〔Nazism〕ナチス主義。ドイツの右翼うよく的全体主義。

**ナチュラリスト**〔naturalist〕①自然を愛する人。自然愛好家。②自然主義を実践じっせんする人。自然主義者。

☆☆**ナチュラル**〔natural〕㊀《ナダ》自然なようす。自然のまま。「—な色・—メイク」派—さ。㊁〔音〕シャープやフラットで変えた音おんを、もとの音に もどす記号。「♮」。本位記号。●**ナチュラルチーズ**〔natural cheese〕自然に熟成させたチーズ。天然チーズ。(↔プロセスチーズ)●**ナチュラルハイ**〔和製 natural high〕長く走っているときや徹夜てつやで仕事を続けているときなどに、苦しさが消えて、気分が高揚こうようする状態。

**ナチョス**〔ス nachos〕トルティーヤチップスに、チーズやチリコンカンなどをかけた、メキシコふうのアメリカ料理。

*****なつ**〔夏〕四季の第二。春の次で秋の前。暑い季節。だいたい六・七・八月〔旧暦きゅうれきでは四・五・六月〕の三か月。〔こよみの上では、立夏から立秋の前日まで〕「猛暑もうしょの—」(↔冬)●**夏隣なつどなる** 句〔俳句〕夏がすぐそこまで来ている。☞夏隣なつどなり。

☆☆**なついん**〔(×捺印)〕《名・自サ》はんをおすこと。「署名—(する)」区別⇩押印おういん。

**なつがけ**〔夏掛け〕夏、ねるときに からだにかける、うすいかけぶとん・毛布・タオルケットなど。

**なつかし・い**〔懐かしい〕《形》①以前のことが思い出されて、もう一度見たい、会いたいと思う気持ちだ。「ふるさとは—」②久しぶりに見たり会ったりして、昔を思い出す状態だ。「—なあ、二十年ぶりだね」③〔古風〕心がひかれる感じだ。「以前から懐かしく思っていた」派—がる。—げ。—さ。

**なつかしの**〔懐かしの〕《連体》〔文〕なつかしい。「—故国・—メロディー」

**なつかし・む**〔懐かしむ〕《他五》なつかしいと思う。「ふるさとを—・なき母を—」名懐かしみ。

**なつかぜ**〔夏〔風邪〕〕夏にひくかぜ。

**なつがれ**〔夏枯れ〕①夏の暑さで、草木が枯れること。②夏、特に八月ごろ、商品が売れなくなること。▽(↔冬枯れ)

**なつかん**〔夏×柑〕ナツミカン・甘夏あまなつなどの総称

そうし。

**なつぎ**「夏着」夏に着る〈はだ着／衣服〉。(↕冬着)

**なつ・く**「懐く」《自五》〔目下の者が目上の者に対して〕おそれる気持ちを持たないで、親しむ。「子どもが親に—・犬が—」他懐ける《下一》。

**なつくさ**「夏草」夏に、勢いよくしげる草。(↕冬草)

**なつぐも**「夏雲」むくむく わき上がる、夏の雲。

**ナックル**〔knuckle=指の関節〕《野球》↑ナックル ボール。「—を投げる」 ●**ナックル ボール**〔knuckle ball〕《野球》ほとんど回転しないまま打者のところで落ちる投球。親指と小指でボールをはさみ、残りの指の先をボールに立てて投げる。ナックル。〔卓球やサッカーで、回転しないボールのことも指す〕

**なづけ**「名(付け)」名をつけること。命名。 ●**なづけおや**「名(付け)親」①〔本当の親以外で〕生まれた子に名を〈つける／つけた〉人。②ものごとに名をつけた人。「スカイツリーの—」

**なづ・ける**「名(付ける)」《自他下一》①名をつける。「長男〈に／を〉太郎と—」②〔…と〕呼ぶ。「名づけて大阪の三ケチ」

**なつご**「夏△蚕」夏に飼うカイコ。なつこ。☞春蚕・秋蚕。

**なつこだち**「夏木立」〔雅〕夏、青く おいしげっている木々。(↕冬木立)

**なつさく**「夏作」《農》夏に育てる作物。(↕冬作)

**なつじかん**「夏時間」夏の間だけ、一時間だけ時計の針を進めるやり方(による時刻)。サマー タイム。夏時刻。

**なっしょ**「納所」《仏》寺の雑務をする僧。納所坊主。

**ナッシング**〔nothing〕何もないこと。無。☞オールオアナッシング。

**なっせん**「×捺染」《名・他サ》〔文〕〔染め物で〕型紙を当てて、模様を染めること。プリント。

**なつだより**「夏便り」夏らしい感じのする手紙。暑中見舞い。

**ナッツ**〔nuts〕食べられる果実や たね。クルミ・アーモンドなど。ナット。

**なつ(っ)こ・い**「懐(っ)こい」《形》人なつっこい。「意外に—鳥だ」派—さ。

**なって(い)・ない**《形ヌ》まともに できていない。なっとらん・なっちょらん〔俗〕。「しつけが—・危機管理が—」

**ナット**〔nut〕内がわに ねじを刻みつけ、ボルトと組み合わせて しめつけに使われる金属製品。☞ボルト。

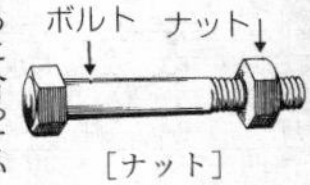


［ナット］

**なっとう**「納豆」蒸したダイズを発酵させた、ねばねばした食品。よくまぜ、調味して、ごはんに かけたりして食べる。なっと〔話〕。

**なっとく**「納得」《名・他サ》たしかに りくつに合っていると考え(て、ものごとを受け入れ)ること。得心。「説明を聞いて—する・—が行く〔=納得できる〕・自分を—させる・—ずくで〔=たがいに納得した上で〕別れる」

**なつどなり**「夏隣」〔雅〕夏に まぢかい〈こと／季節〉。☞夏隣る〔「夏」の句〕。

**なつどり**「夏鳥」《動》春におとずれ、その土地で夏を過ごして秋に南方へ去る わたり鳥。日本では、ツバメ・ホトトギスなど。(↕冬鳥)

**なつのじん**「夏の陣」夏におこなわれる争い。「デパート商戦—」由来 一六一五年、徳川家康が豊臣氏を攻めほろぼしたときの夏の戦いから。

**なつば**「夏場」夏の期間。「—の商売」(↕冬場)

**なっぱ**「菜っ葉」菜(の葉)。 ●**なっぱふく**「菜っ葉服」青い色の、作業服。つなぎ(服)。

**なつばしょ**「夏場所」毎年五月に興行する大ずもう。五月場所。

**なつばて**「夏ばて・夏バテ」《名・自サ》夏の暑さのために つかれて働けなくなること。☞バテる。

**なつび**「夏日」—なつび 夏の〈強い日光／暑い日〉。二なつび《天》一日の最高気温が二五度以上、三〇度未満の日。(↕冬日)☞真夏日・猛暑日。

**なつびらき**「夏開き」登山や海水浴にふさわしい夏の季節が始まること(をしめす行事)。

**なつふく**「夏服」夏用の すずしい服。初夏の衣替えのあとに着る。(↕冬服)

**ナップザック**〔ド Knappsack〕ハイキングなどに使う、簡便なリュックサック。ナップ(サック)。

**なつまけ**「夏負け」《名・自サ》夏の暑さのために からだが弱ること。

**なつまつり**「夏祭り」夏におこなう、神社の祭り。「—でゆかたを着る」(↕秋祭り)

**なつみかん**「夏(△蜜×柑)」かんきつ類の一種。初夏に開花し、実は大形で翌年の春に熟す。酸味が強い。

**なつめ**「(×棗)」①庭木の一種。夏、長円形の実を結び、食べられる。②薄茶用の茶入れ。形が「なつめ①」の実に似ている。 ●**なつめきゅう**「ナツメ球」(ナツメの実のような形の)小型の電球。寿命が長く、常夜灯などに使う。豆(電)球。小丸電球。 ●**なつめやし**「(×棗×椰子)」中東原産のヤシ。実〔=デーツ(dates)〕をなまのまま食べたり、ジャムにしたりする。樹液をヤシ酒の原料とする。

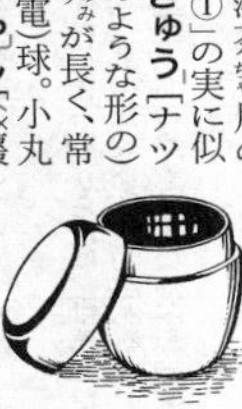

［なつめ ②］

**なつめ・く**「夏めく」《自五》夏らしくなる。

**ナツメグ**〔nutmeg〕ニクズクの木の たねの中からとった香味料。あまい、刺激性のにおいがする。ナツメッグ。「—を入れたハンバーグ」

**なつメロ**「懐メロ・ナツメロ」〔↑なつかしのメロディー〕当時 聴いた人には なつかしい、昔 流行した歌。

**なつもの**「夏物」①夏の〈衣服／着物〉。「春—」②夏向きのもの。「—野菜〔=夏野菜〕」▽(↕冬物)

**なつやさい**「夏野菜」夏に おいしくなる、色あざやかな野菜。夏物野菜。例、ナス・キュウリ・ピーマン・トマト。(↕冬野菜)

**なつやすみ**「夏休み」夏の間の長い休暇。暑中休暇。「—の最後の日」

**なつやせ**「夏痩せ」《名・自サ》夏の暑さのために からだが弱って やせること。

**なつやま**「夏山」夏にのぼる山。夏の登山。「—シーズン」(↕冬山)

**なであ・げる**「(×撫で)上げる」《他下一》下から上へ なでる。「髪を—」

**なでおろ・す**「(×撫で)下ろす」《他五》上から下へ なで

る。「(安堵の)胸を―〔=安心する〕」

**なでがた**【(×撫で)肩】なだらかな肩。「―の女性」(↕怒り肩)

**なでぎり**【(×撫で)切り・(×撫で)斬り】《名・他サ》①刃物をおしつけて、なでるように切ること。②(人を)かたっぱしから〈切りすてる/打ち負かす〉こと。

**なでしこ**【(×撫子)】①野山や河原にはえる草。うすも色の花がさく。花びらの先は細かく分かれている。秋の七草の一つ。やまとなでしこ。②↑やまとなでしこ②。「―ジャパン」

**なでつける**【(×撫で付ける)】《他下一》(かみの毛などの)形を整えるために、なでておさえつける。

**なでなで**【(×撫で×撫で)】《名・他サ》〔児〕(かわいがって)なでること。「頭を―してあげる」

**なでる**【(×撫でる)】《他下一》①表面にふれたまま、手を軽く(何度か)すべらせる。〔かわいがったり、様子をたしかめたりするしぐさ〕「子どもの頭を―・かべを―」②〔風などが〕表面に軽くふれながら過ぎる。「そよ風が草を―」▽なぜる。

**なと**《副助》〔古風・俗〕↑なりと。「どこへ―行きな!」

****など**《副助》①【(△等)】おもなものをならべる。「電話やメール、ファックス―で問い合わせる」②【(△等)】例をあげて、ほかにもあることを示す。「中国―(の)アジアの国々」③はっきり言わずにぼかす。「お酒―いかがですか・手紙―書いておりました」④〈つまらない/ばかげている〉という気持ちをあらわす。「わたくし―はほんの若造です・死ぬ―と言っている」⑤否定の意味を強める。「うそ―つきません」▽①は「なんか」とも。③~⑤は「なんか」「なぞ」「なんぞ」とも。由来「何と」↓「なんど」↓「など」と変化したもの。表記「×抔」とも書いた。アクウシなど・ネコ-など・イヌ-など。

**ナトー**【NATO】〔↑North Atlantic Treaty Organization〕北大西洋条約機構。東側諸国に対抗するため、一九四九年に北大西洋に面する国が主となって作った同盟。〔現在は、旧東側諸国をふくむ協力体制に変わりつつある〕

**などなど**【(△等々)】《副助》「など」をくり返して、ほかにも たくさん あることをあらわす。など など など。「カフェ、雑貨店、ブティック―」

**なとり**【名取】師匠から芸名を名のることを〈許されること/許された人〉。「日本舞踊の―」

**ナトリウム**〔オ natrium〕《理》金属元素の一つ〔記号Na〕。銀白色でやわらかい。☞塩化ナトリウム・水酸化ナトリウム。●**ナトリウムとう**【ナトリウム灯】ナトリウムを入れた管を加熱して発光させる、オレンジ色の街灯。霧を通してもよく見える。ナトリウムランプ。

****なな**【七】■一なな 六より一つだけ多い数。ななつ。しち。「―色・―年」区別(1)「なな」は、多く単独で、またはいろいろな助数詞などをつけて使う。「スペードの七・七個・七台・七センチ」(2)「しち」は、多く決まったことばだけに使う。「七月・七時・七変化・〔漢詩の〕七言絶句」(3)両方に読む例。「七人・七回忌」(4)「しち」と読む語でも、「いち(一)」とまぎれないように「なな」と言うことがある。「七月」表記アラビア数字では「7」。■二(遺)たくさんの。「―曲がり」

**なないろ**【七色】①七つの色。虹に見られる、赤・橙・黄・緑・青・藍・紫。②七つの種類。多くの種類。「―の声をもつ」●**なないろとうがらし**【七色とうがらし】(唐辛子)】⇩七味とうがらし。

**ななえ**【七重】七つかさねること。●**七重の膝を八重に折って**句 はじめからていねいな態度をもっとていねいにして。「―たのむ」

**ななかまど**【(七×竈)】山地にはえる高木。秋に赤い実がなり、葉が赤く色づく。

**ななくさ**【七草・七△種】①七種類(の草)。②⇩春の七草。③⇩秋の七草。●**ななくさがゆ**【七草(×粥)】正月七日に春の七草を入れて作るかゆ。

**ななこ**【:斜=子・△魚子・:七=子】〔↑斜子織り〕平織りの絹織物の一つ。織り目が細かくてななめにならぶもの。

☆☆**ななころびやおき**【七転び八起き】《名・自サ》何回失敗しても、そのたびに立ち上がって奮闘努力すること。七転八起。

**ななし**【名(無し)】名がないこと。●**ななしのごんべえ**【名(無し)の権△兵△衛】〔俗〕名前の〈わからない/ついていない〉人。

**ななじゅう**【七十】⇩しちじゅう。

**ななしゅきょうぎ**【七種競技】女子の陸上競技の種目。百メートルハードル・走り高とび・砲丸投げ・二百メートル競走〔以上第一日〕、走りはばとび・やり投げ・八百メートル競走〔以上第二日〕をひとりの選手がおこない、総合点をきそう。

**ななそじ**【(七△十:路)】〔=七十〕①〔雅〕七十歳。②七十代。由来⇩じ接尾■二。

**ななつ**【七つ】①六つより一つだけ多い数。しち。なな。「リンゴ―ください」②七歳。「―年下の妹」③昔の時刻の名。今の〈午前/午後〉四時ごろ。ななつどき。●**ななつどうぐ**【七つ道具】いつも〈持って歩く/そろえて使う〉、いろいろの道具。●**ななつのうみ**【七つの海】南太平洋・北太平洋・南大西洋・北大西洋・南極海・北極海・インド洋の七つ。世界じゅうの海。七洋。

**ななとこがり**【七(△所)借り】ほうぼうから(お金を)借り集めること。

**なななのか**【七七日】《仏》四十九日。しちしちにち。ななななぬか。

**ななはん**【ナナハン】〔=七半〕〔俗〕排気量が七五〇ccの大型オートバイ。

☆☆**ななひかり**【七光り】〔=おおいに光ること〕主人や親の威光のおかげで得をすること。「親の光は―〔⇩「親」の句〕」

**ななふし**【(七節)】小枝のようなからだに、細長い足がついている昆虫。〔腹部にたくさんの節がある〕

**ななふしぎ**【七不思議】七つのふしぎな現象。「世界の―」

**ななへんげ**【七変化】⇩しちへんげ①。

**ななめ**【斜め】《名・ナダ》①水平または縦の方向に対して、先が少しずれている状態。〔俗に「斜めってる」のように、動詞化して使う〕②まっすぐ向かい合う方向に対して、少し横のほうにずれている状態。「―前・―向かい」③〈おだやか/ふつう〉でないこと。なのめ。「ごきげん―だ」●**ななめうえ**【斜め上】①ななめに ずれた、上がわ。「右―」(↕斜め下)②〔俗〕それまでの流れからは考えられないこと。「予想の―を行く展開・―の反応」〔一

九九五年、冨樫義弘の漫画「レベルE」から出たことばで、二十一世紀になって広まった)

●ななめならず[斜めならず]《副》〔文〕〔うれしさが〕ひととおりでないようす。「—喜んだ・ごきげん—(=たいへんごきげんがいい)だ」

●ななめよみ[斜め読み]《名・他サ》本や書かれたものを、ざっと おおざっぱに読むこと。

**なに[何]

一 なに《代》①わからなくて、はっきりさせたいものごとをさす ことば。「おみやげは—がいい(ですか)?・—を食べよう(か)・原因は—かを考える・『内田くん』『〔返事して〕—?・』」 ⇩なん(何)一。②特にそれと一つに決まらないものごとをさすことば。「—(=どんなこと)を言っても むだだ」 ③そのほかのものを、ぼんやりとさすことば。「暑さも—も忘れて・パンか—かないか・くつは投げる、—は投げると大さわぎだった」

二 なに〔話〕①名前のわからないとき、また、思い出せないときに使うことば。「—を取ってくれ」 ②ものごとをぼかして言うときに使うことば。「ちょっと—をいたしまして」 ③述語の部分に、とりあえず使うことば。〔すぐあとで具体的に言い直す〕「すると—か(い)、いやだと言うんだな?」 表記 ①②俗に「ナニ」とも。

三 造 ①名前が わからないときや不定のものに使うことば。「この色は—色?・—人であろうと」 ②固有名詞の一部をぼかす ことば。「何山何子」

四 なに《副》①なにひとつ。少しも。「—はばかることなく議論する」 ②〔話〕なぜ。何を。「—泣いてるの」 ③〔話〕どうして。何が。「よく ねたくせに、—ねむいものか」

五 なに《感》〔話〕①問いかえすときに使うことば。「—、知らないって?・—い(↗)? この野郎」 ②打ち消すときに使うことば。なあに。「—、いりません」

●何食わぬ顔 句 何も知らないふり。そしらぬ顔。「—でうそをつく」 ●何にも増して 句 ほかのどんなものよりも。「—すばらしい」 ●何はさて置き 句 ほかのことはひとまず あとにしても。まず第一に。まあ、とにかく。「—飯にしよう」 ●何は(とも)あれ 句 ほかのことはどうであろうとも。なにはともかく。なにはしかれ。「—めでたい」 ●何はなくとも 句 何も ほかのものはなくても。「—まず一杯」 ●何不自由なく 句 何一つ不自由なことなく。 ●何をおっしゃる うさぎさん 句 なんとおかしなことを言うのですか。由来 童謡「うさぎとかめ」の歌詞「なんとおっしゃるうさぎさん」から。

←なにか[何か]〔=何彼〕〔文〕いろいろ(のこと)。あれこれ。「—のことは あとまわしにして」 ●なにかと[何かと]《副》あれこれ。いろいろ。何やかや。「—不自由が多い」 ●なにかなし(に)[何かなし(に)]《副》なんとなく。なにがなし(に)。「—悲しい」 ●なにかにつけて[何かにつけて]《副》いろいろな場合に。何かにつけ。何かに。「—不満を言う」

→なにか[何か]

一 なにか《名・副》①まだ〈決まって/わかって〉いない、ある ものごとをさすことば。「—(が)欠けている・—食べたい・—おもしろいことないか・合格したというのは、—の まちがいだろう(=信じられない)・—あったら(=非常のときは)困る・—あったら よろしく(=また機会があったらごいっしょしましょう。仕事相手などと別れるときの、あいまいな あいさつ)」 ②うまく言えないが。なんとなく。「—おかしい」 ▽なんか。

二 なにか《副・感》どうかしましたか、と問いかけることば。「『村田さんですか』『—?(=何かご用ですか?)』」・「それ、中古品でしょう』『そうですが、—?(=べつに問題ないでしょう)』」 ⇩なに(何)二③。「すると—?」 ●なにかしら[何かしら]

三 連 ⇩なに(何)二③。「すると—?」 ●なにかしら[何かしら]

一 なにかしら《副》①何か知らないが、何か。「いつも—本を読んでいる」 ②はっきりしないが、なんとなく。「—悲しい気持ちになる」

二 なにかしら 連〔話〕なんだろうか。「あの白いのは—」 ●なにかというと[何かと(言うと)]《副》何か きっかけがあると、すぐに そうするようす。何かといえば。「—すぐ小言だ」

なにが[何が]《副》①どうして。強い反問をあらわす。「—愉快なものか・休んで—悪い」 ②ある〈人/こと/もの〉を、かろんじている気持ちをあらわすときのことば。「—社長だ・—パーティーだ」 ●何が悲しくて 句 どういう〈必要が/困ることが〉あって。「—あんな人と結婚しなきゃならないの(=絶対いやだ)」 ●なにがさて[何がさて]《副》〔古風〕何はさておき。ともあれ。ともかく。 ●なにがなんだか[何が何だか]《副》事情がさっぱり理解できないようす。なにがなにやら。「—わからない」 ●なにがなんでも[何が何でも]《副》①ほかのことはどうでも。「—数さえあればいい」 ②どんなことがあっても。「—やりぬく」

なにがし[(△某)・(∴何某)]

一《代》人の名前〈がはっきりしない/をはっきりさせたくない〉ときに使うことば。「野村—という男」

二 数量、特にお金の額が〈はっきりしない/あまり多くない〉ときに使うことば。「五億—の大金・—(か)の かねをあたえる」

なにがなし(に)[何がなし(に)]《副》〔何が↑何彼〕 ⇩なにかなし(に)。

なにから[何から] 連 …をはじめとして。全部のものをならべて言うかわりの言い方。「えんぴつから—みんな持っていく」 ●何から何まで 句 何もかも。すべて。「—お世話になりました」

なにくそ[(何×糞)]《感》〔俗〕自分の気持ちをふるいおこすときに出すことば。「—負けるものか」

なにくれと[何(∴呉れと)]《副》〔文〕あれこれといろいろ。何やかや。「—(なく)世話をやく」

なにげな・い[何(気)ない]《形》①特に何も意図しない。「何げなくふり向いた・—ひとこと」 ②なんとも思っていないかのようだ。さりげない。「—顔つきでたずねる」 派 -さ。

なにげに[何(気)に]《副》〔俗〕①なにげなく。なんとなく。「—時計を見たら もう十時だ」 ②さりげなく。「—ピーマンを食べ残していた」 ③〔表面は なにげないようすで〕意外に。けっこう。「ほめられると—うれしい・お茶が—おいしい」 ▽一九七〇年代に例があることばで、一九八〇年代後半~九〇年代に広まった。③の用法は二十一世紀になって広まった。

なにごころな・い[何心ない]《形》なんの気もない。これという特別の考えもない。「何心なく言ったことばが彼を怒らせた」

なにごと[何(事)] ①そのことが何であるかわからないときに使うことば。「—か ささやく」 ②〔とがめる調子で〕なんということ。「知りませんとは—だ」 ③〔—も〕(=すべて)しんぼうです・—もなく(=無事に)」

なにさま

一[何様]〔皮肉や非難をこめて〕どんなえらいかた。「どこの—か知らないが・—だと思って(あんなにいばる)んだろう・—のつもりだ」

二《副》〔古風〕①なにしろ。「—不器用なので困る」 ②なるほど。「—立派な顔だ」

**なにしに**〔何しに〕《副》〔文〕どうして。「—そんなことができましょう」

**なにしろ**〔(何しろ)〕《副》(=事情がどうであるにしても) ①なんといっても。何にせよ。「—暑い」 ②下に(やむをえない)理由が来ることをあらわす。「—暗かったので、よくわからなかった」▽なにせ。

**なに・する**〔何する〕《自他サ》 何かある動作をすることをぼんやりと言いあらわすときの言い方。「あれはちょっと—だけです」 ●**何するものぞ**(句)〔文〕何をすることができようか。たいしたことはない。「大政党—」

**なにせ**〔何せ〕《副》 なにしろ。なんせ。

**なにとぞ**〔(何:卒)〕《副》 相手にお願いするときの改まったことば。どうぞ。どうか。「では、—よろしく」

**なにとて**〔何とて〕《副》〔文〕①なんとして。どうして。②なんと言って。これと言う。「—用は なけれども」(表記)「何×迚」とも書いた。

**なになに** ㊀**なになに**〔何々〕《代》①ことばの(一部)をぼかして言うことば。「『—銀座』という商店街・『早く—しなさい』とよくしかられる」 ②いくつかのものをぼかして言うことば。なにとなに。「必要なものは—と書き出す」 ㊁**なになに**《感》〔やや古風〕もっとよく知りたくて発することば。「〔はり紙を見て〕—、値上げのお知らせ?」

**なににしても**〔何にしても〕《副》 ほかのことは別にしても。なんにしても。「—命は大切だ」

**なににせよ**〔何にせよ〕《副》 なにしろ。なんにせよ。

**なににまれ**〔何にまれ〕《副》(↑何にもあれ)〔文〕どんなことでも。なんでも。

**なにびと**〔何人〕〔文〕どういう人。なんぴと。

**なにひとつ**〔何一つ〕《副》〔後ろに否定が来る〕何も。一つも。「—(として)答えられない」

**なにぶん** ㊀〔何分〕《代》〔文〕何か。なんらか。「—の沙汰」 ㊁〔(何分)〕《副》 ①どのようにでも。ひたすら。どうぞ。「—(とも)よろしくお願いします」 ②下に理由が来ることをあらわす。なにしろ。「—(にも)予算が少ないので」

**なにぼう**〔何某〕〔文〕なんとか言う名の人。なにがし。「福田—」

**なにほど**〔何ほど〕①どのくらい。どれだけ。「—の意味もない・—も語らない」 ②〔—か〕少し。「—かの助けになる」

**なにも** ㊀**なにも**〔何も〕《副》 どんな〈こと/もの〉も。一つも。「—言えない・〔客に〕—ございませんが召し上がってください(=上等な料理はないという、けんそん)」 ㊁**なにも**〔(何も)〕《副》 特に。わざわざ。「—行く必要はない・—そこまでしなくても」▽㊀㊁後ろに否定が来る。㊂**なにも**〔(何も)〕《もなにもで副助》 ①…も、そのほかのものも。「暗くて顔も—見えない」 ②…などは まったく。「リズム感も—ない おどり」 ③そんなことを言う意味が、もともとないことをあらわす。「許すも—(=許すどころか。許すも許さないも)、まだ あやまってもらっていない・『おはよう』も—、もう昼すぎだよ」 ●**なにもかも**〔何もかも〕《副》〔かも=彼も〕 どんなものでもすべて。何もかにも。なんもかんも。「—さらけ出す」

**なにもの**〔何物〕〔文〕どんな〈品/物〉。なに。「—にも代えがたい宝・失望以外の—でもない(=まったく失望した)」

**なにもの**〔何者〕〔文〕どんな人。だれ。「—だ!・—かにおそわれた」

**なにやかや**〔何やかや〕《名・副》〔かや=彼や〕 いろいろ(さまざま)。なんやかや(ん)や。何やかにや。「—(と)質問する・—で(=いろいろあって)だいぶお金を使った」

**なにやつ**〔何(奴)〕〔古風〕どういうやつ。どいつ〔俗〕。

**なにやら**〔何やら〕《副》 ①はっきりとは わからないが。なんだか。「—重そうな物・相手が—反論してきた」 (区別)「**何やら**」は、それが あやしい、ふしぎだ、または気に入らない、という感じをともなうことが多い。「**なんだか**」は、特にその感じはない。 ②何か(あやしいもの)を。「かばんから—取り出した」▽なんやら。

**なにゆえ**〔何(故)〕《副》〔文〕なぜ。どうして。

**なにより**〔何より〕《副》 ①ほかの どんなことより。なによりかにより。「—(も)結果が心配だ」 ②これ以上のことはない。最上。「それは—でした・—の品物」

**なにわ**〔難・波・浪・速〕 昔、今の大阪市と、その付近を呼んだ地名。 ●**難波の あし(葦)は伊勢の はまおぎ(浜荻)**(句) 地方によって、呼び名のちがうたとえ。 ●**なにわぶし**〔浪花節〕 ①三味線つきで語る、通俗的な語りもの。浪曲。 ②昔ふうの義理・人情を重んじる考え方。「—的正義感」

**なにを** ㊀**なにを**〔何を〕《副》 どういうわけで。「—まごついているんだ・—ばかな(=どうして そんな ばかなことを言うんだ)」 ㊁〔(何を)〕《感》〔俗〕相手に反感をこめて言い返すことば。なにをっ。『お前も たいしたことないな』『なにを(↗)!』」 ●**何をおいても**〔何を(措)いても〕(句) ①ほかのことを〈やめても/差し置いても〉。「招待されたからには—出席する」 ②第一に。「かれは—行動の人である」▽何はおいても。 ●**何をか言わんや**(句)(=何を言おうか。反語の言い方)〔あきれて〕もう何も言うことはない。「おそい上にミスが多いときては—」〔文語文法どおりならば「何をか言わん」だが、あまり言わない〕 ●**何を隠そう**(句) 隠さずに言うが。じつは。おどろくなかれ。「—、わたしは電車おたくなのだ」

**なぬ**《感》(↑なに)〔俗〕おどろいて問うときの声。何であるか。どうしたのか。なぬっ。「なぬ(↗)、だれもいない?」

**なぬか**〔七日〕〔古風/関西方言〕なのか。 ●**なぬかしょうがつ**〔七日正月〕「七草がゆ」をいわう、正月の七日。

**なぬし**〔名主〕 江戸時代、町や村の公務をあつかっていた代表者。〔おもに東日本での呼び名。西日本では「庄屋」〕 ☞めいしゅ(名主)。

**なの**《終助》 ①〔女〕じつは そうだと知らせる言い方。「私、すごく心配性—(よ)」 ☞のよ。 ②〔話〕問いかけの言い方。なのですか。「あの人だれ—?」

**ナノ**〔nano〕 十億分の一〔記号 n〕。「—セカンド(=秒)」 ☞マイクロ㊀①・ピコ。

**なのか**〔七日〕 ①その月の七番目の日。「七月—」 ②日かずで数えて七つ。七日間。▽なぬか。

**なのだ**(連)〔助動詞「だ」または形容動詞語尾などの連体形「な」+助動詞「のだ」〕 説明したり、さとったことを確認したりする言い方。「みんな うそ—・非常に危険—」〔「なのです」は丁寧語。「なのである」は おもおもしい言い方〕 ☞なんだ(連)。

**なので** ㊀(連)〔助動詞「だ」または形容動詞語尾などの連体形「な」+接続助詞「ので」〕 理由をあらわす。

…だから。「大事(な点)—、もう一度話します」㊁なので《接》そんなわけなので。だから。「私はひとりっ子でした。—、父はあまかったです」〔話しことばで使われ、二十世紀末から文章でも増えた用法〕▽㊀㊁なんで〔話〕。丁寧ですので。

**ナノテクノロジー**〔nanotechnology〕十億分の一メートルほどの微細な大きさのものをあつかう新技術。超微細技術。ナノテク。

**なのに** ㊀運〔助動詞「だ」または形容動詞語尾などの連体形「な」+接続助詞「のに」〕…であるのに。「好き—、口に出せない」㊁**なのに**《接》〔話〕〔前を受けて〕それなのに。「やろうと思えばできた。—、そうしなかった」☞だのに。

**なのはな**【菜の花】アブラナ(の花)。春、畑一面に黄色くさく。「—畑」

**なのり**【名▽乗り・名△告り】①なのること。「親子の—・—もしない」②昔、公家・武家の男子が元服したあとで、通称のほかにつけた実名。③人名に使われてきた、漢字の特殊な訓。例、「徳」を「のり」、「之」を「ゆき」と読むなど。•**名乗りを上げる**句①自分の名前を相手に知らせる。②名前を言って〈参加/立候補〉の意志をあらわす。•**なのり・でる**【名▽乗り=出る】《自下一》①〔それはわたしだと〕自分のほうから名前を申し出る。②立候補する。「総裁候補に—」名名乗り出。

**なの・る**【名▽乗る・名△告る】《自他五》〔↑名を告る〕①自分の姓名をつげる。「名を名乗れ!」②自分がその人であることをつげる。「犯人が名乗って出る」③その名を〈持つ/使う〉。称する。「刑事と—男・元服して義経と—」④ホトトギスが鳴く。

**なば** 運〔文語助動詞「ぬ」の未然形+接続助詞「ば」〕〔文〕①…てしまったならば。「冬来たり—春遠からじ〔⇩「冬」の句〕」②たしかに…するならば。「心だにまことの道にかない—」

**ナパームだん**【ナパーム弾】《軍》強力な焼夷弾。広範囲を焼きつくす。

**なばかり**【名ばかり】名前だけで、実質がともなわない。「春とは—でまだ寒い・—(の)管理職」

**なばたけ**【菜畑】〔文〕まだ花のさかない、ナノハナの畑。〔↑花菜畑〕

**なばな**【菜花】ナノハナの、食材としての呼び名。

☆☆**ナビ**《名・自他サ》〔↑ナビゲート〕①〔同乗者が〕自動車の進む方向を案内すること。②初心者に役立つ情報をあたえること。「就職—」③↑カーナビ。「—付きの車」

**なび・く**【(×靡く)】《自五》①風の勢いや水の流れによって、横に〈かたむく/ゆらめく〉。「草が—」②服従する。つきしたがう。「強い者に—」他なびかせる《下一》。「風に髪を—」

**ナビゲーション**〔navigation〕①航海(の技術)。航空(の技術)。②自動車のラリーなどで、助手席の人が運転者を誘導すること。☞カーナビ。

**ナビゲーター**〔navigator〕①飛行機などの進路を自動的に調整する装置。②自動車のラリーなどで、運転者に指示をあたえる運転補助者。③案内役。進行役。「番組の—」

**ナビゲート**《名・自他サ》〔navigate=操縦〕⇩ナビ。

**ナプキン**〔napkin〕①〔食事のとき〕衣服をよごさないために、胸やひざにかける布。ナフキン。「紙—」②生理用品の一種。パッド。

**ナフサ**〔naphtha〕《理》原油を蒸留して得られる、沸点の低い成分。エチレンをはじめとする石油化学製品の原料。粗製ガソリン。

**なふだ**【名札】名前を書いたふだ。

**ナフタリン**〔ド Naphthalin〕コールタールからとれる、白い結晶。においを消し、害虫を殺し、また染料の原料に使う。ナフタレン。

**なぶりごろし**【(×嬲り)殺し】あれこれ苦しめ、時間をかけて殺すこと。「—にする」動なぶり殺す《他五》。

**なぶりもの**【(×嬲り物)・(×嬲り者)】いじめたりからかったりされる〈もの/人〉。「人なかで—にされる」

**なぶ・る**【(×嬲る)】《他五》①〔時間をかけて〕苦しめて楽しむ。「大ぜいの中で—・人を—のもいいかげんにしろ」②〔△弄る〕〔方〕さわる。

**なべ**【鍋】①食べ物を煮るときに使う器。「—のふた」②なべもの。なべ料理。「はま〔=ハマグリ〕—・—にする・—を立てる〔=なべ料理をする〕」•**鍋を振る**句中華料理を作る。「二代目が—」

**なべがえし**【鍋返し】〔料〕煮物などで、味を全体に行きわたらせ、こげないようにするため、なべをゆすって具をひっくり返すこと。なべかえし。

**なべかま**【鍋釜】なべやかま(などの、生活に必要な道具)。「—提げて来る」

**なべしき**【鍋敷き】テーブルなどになべを置くときの敷物。

**なべずみ**【鍋墨】なべやかまの、外がわの底についた、すす。

**なべぞこ**【鍋底】①なべの底。②〈低い/悪い〉状態が続くこと。「—景気」

**なべつかみ**【鍋(×摑み)】熱いなべをつかむための布や手ぶくろ。

**なべづる**【鍋(×鉉)】なべのつる。

**なべて**【(△並べて)】《副》〔文〕おしなべて。すべて。「—世は事もなし〔=無事だ〕」

**なべはだ**【鍋肌】なべの内がわの面。「しょうゆを—から回し入れる」

**なべぶぎょう**【鍋奉行】なべ料理を食べるとき、食材を入れる順序や食べごろなどを、あれこれとさしずする人。

**なべぶた** ㊀【鍋(蓋)】なべのふた。㊁【(鍋蓋)】漢字の部首の一つ。「交」「京」などの、上がわの「亠」の部分。由来なべのふたに似ていることから。

**なべもの**【鍋物】食材をなべで煮ながら食べる料理。すき焼き・かきなべなど。なべ料理。

**なべやきうどん**【鍋焼き(×饂×飩)】うどんと具をひとり用の土鍋で煮こみ、そのまま出す料理。

**なへん**【ナ変】〔言〕↑ナ行変格活用。

**なへん**【那辺・奈辺】《代》〔文〕どのへん。どのあたり。「原因は—にあるか不明だ」

**ナポリタン**〔フ napolitain=ナポリふう〕ゆでたスパゲッティにトマトケチャップ・ハム・ピーマン・玉ねぎなどを入れて焼きそばのようにいためた、日本生まれの洋食。ナポ〔俗〕。「喫茶店の—」☞ミートソース②。

**なま**【生】《名・ナダ》①食べ物を、煮たり焼いたりしていな

な

いようす。解凍したものでないことを強調する意味でも使う。「―のさかな・―野菜・―で食べる・―しょうゆ〔=火入れをしていないしょうゆ〕」②加工・再製する前の状態のもの。「―の音楽・―原稿〔=肉筆の原稿。『ナマゲン』とも〕・―写真〔=印画紙に焼きつけたままの写真〕」③ありのまま。そのまま。「―の声・―の感情・反応が―で伝わる」④〔俗〕〔テレビ・本などで見るものでなく〕実物であること。「―聖子を見かけた」⑤中途はんぱ。未完成。不十分。「―乾き」⑥〈よく熟さない/熱がじゅうぶん通らない〉ようす。「まだ―で、食べられません」⑦生クリームをふつうよりも多く加えたりして、やわらかく仕上げたもの。「―キャラメル・―チーズケーキ・―ガトーショコラ」⑧〔俗〕現金。げんなま。⑨↑生ビール。「―ください・びん―〔=びんづめの生ビール〕」☞生中。⑩〔古風・俗〕↑生意気。「―を言う」⑪↑生放送・生中継。「―出演」表記 特に、③④⑧⑩⑪は「ナマ」とも。

**なまあくび**［（生：欠伸）］　じゅうぶんに出ないあくび。「―をかみころす」

**なまあげ**［生揚げ］　①「厚あげ」の、関東での昔の言い方。②あげ方が不十分な〈こと/もの〉。

**なまあし**［生足］　〔俗〕ストッキングなどをはいていない足。☞素足。

**なまあせ**［生汗］　緊張や苦痛などのために かく汗。「わきの下に―が にじむ」

**なまあたたか・い**［（生）温かい］《形》①気持ちのよくない あたたかさだ。なまあったかい。「生温かい はだ」表記 空気は「生暖かい」。「生暖かい風」②〔俗〕強く共感・同情するのではなく、少し注意を向ける程度の気持ちだ。「生温かく見守る」派 -さ。

**なまいき**［（生意気）］《名・ダナ》　身分や知識がないのに、また年が若いのに、出すぎる〈こと/人〉。「―なことを言う・小―」派 -さ。

**なまうた**［生歌］　〔録音でなく〕歌手が〈目の前で/実際に〉歌う歌。「―を披露する」

****なまえ**［名前］　①その人・所・ものをさす呼び方。名称。「私の―〔=氏名〕は中島由紀です・花の―」②特に、名字に続く、個人をあらわす ことば。「中島由紀」の「由紀」にあたる部分。下の名前。（↕名字）▽名。●**名前を売る** 句　世間に名前が知れわたるようにする。名を売る。●**名前を借りる** 句　何かをするのに、他人の名前を使わせてもらう。名義を借りる。名を借りる。（↕名前を貸す）

☆☆**なまえまけ**［名前負け］《名・自サ》　①名前だけ りっぱで、実際が かえって見おとりすること。「有名校に―する」②〔俗〕その名前を聞いただけで おそれをなすこと。

**なまえんそう**［生演奏］　録音でない、実際の演奏。

**なまおと**［生音］　〔アンプを通したりしない〕そのままの音。アコースティックな音。「―にこだわる」

**なまがし**［生菓子］　①主にあん（餡）を使ったやわらかい和菓子。（↕干菓子）②クリーム・くだものなどを使った洋菓子。水分量が多く日持ちしない。☞焼き菓子。

**なまかじり**［（生×齧り）］《名・他サ》　聞きかじること。じゅうぶんに知らないこと。なまっかじり。「―の知識」

**なまかわ**［生皮］　①〔木・動物の〕なまのままの皮。「―をはぐ」②〔はいで まもなくの〕よく かわかない皮。

**なまがわき**［生乾き］　だいたい かわいているが、少し水分の残っている状態。「―の洗濯物」

**なまき**［生木］　①地面にはえ、生きている木。（↕枯れ木）②切ったばかりの木。●**生木を裂く** 句　ごく親しい仲をむりに ひきはなす。

**なまきず**［生傷］　新しい傷。「―が たえない」（↕古傷）

**なまギター**［生ギター］《音》⇩アコースティックギター。

**なまぐさ**［生臭・×腥］《名・ダナ》　なまぐさい〈こと/もの〉。●**なまぐさ・い**［生臭い・×腥い］《形》①なまのさかなや肉の においがするようすだ。②血の においがするようすだ。「―風がふく」③欲望や打算のからんだ事情があるようす。「政界の―話」派 -さ。-み。●**なまぐさぼうず**［生臭坊主］①なまぐさものを平気で食べるような、おこないの悪い僧。②俗気の多い僧。●**なまぐさもの**［生臭物］　さかなや肉の類。（↕精進物）

**なまくび**［生首］　切ってまもない、首。●**生首を切る** 句　〔俗〕書類の上で人をへらすのでなく、実際に人をやめさせる。

**なまくら**［（△鈍ら）］《名・ダナ》①よく切れない〈こと/刀〉。「―刀」②〔うでまえが〕たしかでないこと。③性根のない〈こと/人〉。④筋肉の力がない〈こと/人〉。「―なからだ」⑤〔↑なまくら四つ〕《すもう》右を差しても左を差しても戦えること。派 -さ。

**なまクリーム**［生クリーム］　牛乳から取り分けた脂肪分。どろどろしていて、洋菓子に使ったりする。クリーム。「―いっぱいのシュークリーム」

**なまけもの**［怠け者］　なまけてばかりいる人。●**怠け者の節句働き** 句　なまけている者に限って、みんなが休むときに いそがしそうに働く。

**なまけもの**［（：樹懶）］　もっぱら木の上にすむ、南米産のけもの。形はサルに似ていて、動きは にぶく、木にぶらさがって ねむる。

**なま・ける**［怠ける］《自他下一》　しなければ いけないことをしないままで ほうっておく。おこたる。「宿題を―」

**なまこ**［（：海鼠）］　①マナマコ・キンコなど、海底にすむ動物。からだはキュウリに似て、やわらかく、いぼがある。「―の酢の物」②型に流しこんだ〈銑鉄/鋼〉。③↑なまこもち。④〔↑なまこ形〕半円筒形。●**なまこかべ**［（：海鼠）壁］　平たいかわらを一面にはり、その継ぎ目に しっくいをナマコ状に盛り上げて塗った壁。土蔵などの外壁に多い。●**なまこもち**［（：海鼠）餅］　ナマコの形に、細長く作ったもち。なまこ。

**なまごえ**［生声］　マイクなどを通していない、話す人のじかの声。肉声。

**なまごみ**［生ごみ］　台所から出る、野菜くず・残り物などの、しめったごみ。

**なまゴム**［生ゴム］　ゴムの木からとった液体をかたまらせて作った、ねばりのある物質。

**なまごろし**［（生）殺し］　①殺しはしないが、死ぬばかりの状態にすること。はんごろし。②はっきり始末せず、中途はんぱにしておくこと。☞蛇の生殺し。

**なまコン**［生コン］〔↑生コンクリート〕　すぐ使えるように調合したコンクリート。

**なまざかな**［生魚］　煮たり焼いたりしてない、さかな。

**なまざけ**【生酒】(もろみをしぼっただけの)加熱による殺菌をしない酒。

☆☆**なまじ**《副・ナダ》〔↑生強い〕①じゅうぶんでなく、いいかげんなようす。「―なかくしだてはやめろ・―の指導ではだめだ」②〔それをしなければ なんともないのに〕それをしたために、かえって。「―手出しをしたばかりに にげられなくなった」▽なまじい。なまじっか。表記 かたく「×憖」とも。

**なまじい**《副・ナダ》〔古風〕なまじ。「―に」

**なまじっか**《副・ナダ》なまじ。「―えんりょすると、失礼だ」

**なましょく**【生食】⇩せいしょく(生食)①。「―に適する」

**なまじろ・い**【生白い】《形》なんとなく白い。また、いやに白い。なまっちろい〔俗〕。「―顔の若者」

**なます**【(×膾)・(×鱠)】なまの さかなや野菜を細かく切って酢に ひたした食品。「紅白(=ニンジンと大根の)―」

**なまず**【(×癜)】《医》細菌が集まって白や黄茶色などの まだらが できる皮膚病。

**なまず**【(×鯰)】川や池などにすむ さかなの名。形は平たくて頭が大きく、口に ひげがある。大形のものは、俗に地震を起こすと言われる。

**なまずし**【生(:寿司)】〔北海道・新潟方言〕にぎりずし。

**なまたまご**【生卵】ゆでたり焼いたりしていない、ニワトリのたまご。「すきやきを―につけて食べる」

**なまちゅう**【生中】生ビールを中ジョッキに入れたもの。中生。

**なまちゅうけい**【生中継】《名・他サ》〔録音・録画でなく〕現場からそのまま中継(して放送)すること。

**なまっちょろ・い**【(生っちょろい)】《形》〔俗〕不十分でいいかげんだ。なまちょろい。派―さ。

**なまっちろ・い**【(生っ△白い)】《形》〔俗〕ひよわそうに白い。なまじろい。派―さ。

**なまつば**【生唾】食べたいものを見たり緊張したりして、口の中にわき出るつば。●**生唾を飲み込む** 句 目の前に非常にほしいものがあるのを見たときの状態。

**なまづめ**【生爪】指に はえている つめ。「―をはがす」

**なまテープ**【生テープ】録音・録画する前の磁気テープ。

**なまなか**【(生△半)】《副・ナダ》〔文〕中途はんぱ(に)。「―〈の/な〉対策では役に立たない・―かくしだていたすと、ためにならんぞ〔古風〕」

**なまなま**【生々】《副》なまなましいようす。「―と残る台風のつめあと」

**なまなまし・い**【生々しい】《形》①少し前に起こったばかりの感じだ。「―きずあと・記憶が―」②目の前で見るような(どぎつい)感じだ。「―描写・―話(=本音や実態が露骨に出た話)」派―さ。

**なまにえ**【生煮え】《名・ナダ》①じゅうぶんに煮えていない〈こと/もの〉。②どちらともつかない あいまいなこと。「態度が―だ」③じゅうぶんに検討されていない〈こと/もの〉。「議論がまだ―だ・―な案」

**なまにく**【生肉】火を通さない、なまの肉。せいにく。「とりのもも―」

**なまぬる・い**【(生△温い)】《形》①少し ぬるい。ぬるくて不快だ。「―湯・―風」②きびきびしない。「―動作」③きびしさが じゅうぶんでない。中途はんぱだ。「―処置」派―さ。

**なまはげ**【(生剝げ)】秋田県男鹿地方の正月の行事。おにの面やみの(蓑)を身につけた おとなが、家々をおとずれて、なまけている子どもをしかる。

**なまばな**【生花】⇩せいか(生花)①。「生け花には―を使う・病室への―の持ちこみは禁止」

**なまハム**【生ハム】加熱しないで、燻製にしただけのハム。「―のサラダ」

**なまはるまき**【生春巻き】ベトナム料理の一つ。エビや生野菜などを、ライスペーパーで包んだもの。たれをつけて食べる。ゴイクン。

☆☆**なまはんか**【生半可】《名・ナダ》中途はんぱ。「―な知識」派―さ。

**なまび**【生火】はだか火。

**なまビール**【生ビール】殺菌のための加熱をしていないビール。なま。ドラフトビール。「ジョッキの―」☞ラガービール。

**なまびょうほう**【生兵法】剣術をじゅうぶんに知らないこと。●**生兵法は大けがのもと** 句〈よく知らない/未熟な〉ことをすると、大きな まちがいを起こす。

**なまふ**【生(×麩)】小麦粉から でんぷんを除いたあとに残る、もちのような感じの たんぱく質(で作った食品)。焼きふは、これをあぶって作る。なまぶ。

**なまへんじ**【(生)返事】《名・自サ》いいかげんな(気のりのしない)返事。

**なまほうそう**【生放送】《名・他サ》録音・録画などによらず、スタジオや現場から即時におこなう放送。

**なまぼし**【生干し・生△乾し】《名・他サ》じゅうぶんほさない〈こと/もの〉。「イワシの―」

**なまみ**【生身】①生きている からだ。肉体。「―の人間(=肉体を持った人間)」②さかなや肉の、なまの状態のもの。「サケの―」

**なまみず**【生水】煮立てない水。「―を飲むと危険だ」

**なまめかし・い**【(△艶めかしい)】《形》〔女性の〕姿や動作が色っぽいようすだ。また、〔部屋などが〕それを連想させるようすだ。「なまめかしく笑った・―声」派―げ・―さ。

**なまめ・く**【(△艶めく)】《自五》〔文〕なまめかしく感じられる。名なまめき。☞つや(艶)めく。

**なまめん**【生麵】〔作ったばかりの〕ゆでていないめん類。(↔乾麵)

**なまもの**【生(物)】①食用となる さかなどで、煮たり焼いたりしていないもの。②生クリームなどを使ったケーキの類。③再現できない、その場だけのもの。「〈ことば/舞台〉は―だ」表記〈俗に読みやすく〉「ナマモノ」とも。☞せいぶつ(生物)。

**なまやき**【生焼き】⇩レア□。(↔よく焼き)

**なまやけ**【生焼け】じゅうぶん焼けていないこと。

**なまやさい**【生野菜】熱を加えていない野菜。☞温野菜。

**なまやさし・い**【(生)易しい】《形》〔ふつう、後ろに否定が来る〕簡単に やれる状態だ。「―事業ではない」派―さ。

**なまゆで**【生(×茹で)】ゆで方が じゅうぶんでない〈こと/もの〉。

**なまよい**【(生)酔い】酔いつぶれない程度に〈酔うこ

と／酔った人〉。●生酔い本性たが（違）わず 句 少々酔ったようでも、案外、正気を失っていないものだ。

**なまり**［（×訛り）］①なまること。「—がひどい」②なまった発音。「ことばに—がある・東北—」

**なまり**［鉛］①〔理〕青みを帯びた灰色の、重い金属〔記号Pb〕。放射線をさえぎる性質があって使い道は広いが、毒性が強い。「足が—のように重くなる」②〔俗〕↑なまりだま。「—をくらう」●**なまりいろ**［鉛色］鉛の色に似た、青っぽい灰色。「—の空」●**なまりだま**［鉛弾］鉛でできた銃弾。

**なまりぶし**［（∴生り）節・（∴生利）節］カツオを蒸して、なまぼしにした食品。なまぶし。なまり。

**なま・る**［（×訛る）］《自五》〔方言・俗語などで〕発音がくずれる。「『ユデル』がなまって『ウデル』になる」

**なま・る**［（△鈍る）］《自五》①切れ味が悪くなる。「刃が—」②〔しばらく使わなかったり年をとったりして〕活動がにぶくなる。「からだが—・うでが—〔＝技術が落ちる〕」

**なまろく**［生録］〔↑生録音〕なまの音を録音すること。

**なまワクチン**［生ワクチン］《医》材料とする病原体の毒性を弱め、生きたままで使うワクチン。なまワク。例、BCG・麻疹・風疹のワクチン。（↕不活化ワクチン）

**なみ**［並］ふつう。あたりまえ。「—の人間・—製・上、中、—〔＝下〕・—肉」

**なみ**［波・△浪］①風などで水面がもり上がって、つぎつぎにおし寄せるように見える、水の動き。また、その水面の（するどい）高まり。「—が立つ・—を打つ」②《理》⇩波動①。③でこぼこしていたり、高低があったりする状態。「作品に—がある〔＝むらがある〕」④つぎつぎにおし寄せるもの。「人の—」⑤放送・通信用の電波。「—の配分」●**波静か** 句〔文〕軍事的緊張や争乱のない、おだやかな状態である。●**波高し** 句〔文〕前途多難である。 由来 一九〇五年の日本海海戦で戦況を報告した電文「天気晴朗なれども波高し」から。●**波に乗る** 句 ①時代の流れにうまく合って、さかえる。②その人の能力がたいそうよく発揮される。「調子の—」

**なみ**［並み］造 ①…ごと（毎）。「軒—に」②…と同じ程度。「世間—・銀座—の混みよう」

**なみあし**［並足］①ふつうの速さの歩き方。②〔馬術で〕馬のいちばん遅い足なみ。▽（↕早足・駆け足）

**なみいた**［波板］波形に細かくでこぼこをつけた、トタン板・プラスチックの板。

**なみうちぎわ**［波打ち際］波の打ち寄せる所。なぎさ。

☆☆**なみ・いる**［（並み居る）］《自上一》〔文〕〔その席に〕多くの人が左右にならんでいる。「—重臣たち」

**なみう・つ**［波打つ］《自五》〔文〕①波が〈うねる／うねっておし寄せてくだける〉。「—磯辺・稲穂が—」②波のように〈うねる／上下する〉。「たいこ腹が—」他 波打たせる《下一》。「心臓を—」

**なみがしら**［波頭］波の高まった先の所。

**なみかぜ**［波風］①波と風。風波。風がふいて波が立つ状態。「—があらい」②あらそい。もめごと。「—がたえない・—が立つ〔＝もめごとが起こる〕」

**なみき**［並木］通りの両がわにならべて植えた木。街路樹。

**なみきり**［波切り］船が波を乗りこえて進む性能。凌波性。「—がよいボート」

**なみじ**［波路］〔雅〕船の通る波の上を、みちにたとえた言い方。「—はる（遥）かに」

**なみしぶき**［波（∴飛沫）］波が岩などに当たって飛びちるしぶき。「—を上げる」

**なみ・する**［（△蔑する）］《他サ》〔文〕ないがしろにする。あなどる。「信仰を—」

**なみせい**［並製］ふつうにつくること。また、その製品。（↕上製・特製）

**なみせん**［波線］波がたの線。「〰〰」「〜」など。はせん。

**なみだ**［涙・×泪］①興奮したり刺激を受けたりしたために、目から出る液体。「—を流す・喜びの—にひたる」②同情。「人の—にすがる」☞お涙頂戴。●**涙に暮れる** 句〔文〕①何も見えなくなるほどはげしく泣く。「—遺族たち」②泣きつづけて時をすごす。なみだにあけくれる。●**涙に沈む** 句〔文〕悲しがって、ひどく泣く。●**涙にむせぶ** 句 むせび泣く。●**涙を抑える** 句 泣くまいとして、なみだが出ないようにする。●**涙を覚える** 句〔文〕思わず泣く。●**涙を禁じ得ない** 句〔文〕なみだをとめることができない。●**涙を誘う** 句〔文〕〔かわいそうで〕泣かせる。「読む人の—」●**涙を注ぐ** 句〔文〕〔同情して〕なみだを流す。●**涙をの（呑）む** 句 くやしさをがまんする。●**涙を振るって** 句〔文〕くやしいけれども、思い切って。●**涙を催す** 句〔文〕泣きそうになる。●**なみだあめ**［涙雨］①〔葬式のときなどに〕悲しんで流したなみだが、雨になったかと思われるように降る雨。②ほんの少ししか降らない雨。●**なみだきん**［涙金］今までの関係をたち切るとき、なさけとしてあたえる、わずかなお金。●**なみだぐまし・い**［涙ぐましい］《形》〔一生懸命に苦心する様子などが〕なみだをさそう感じだ。「—努力・—節約」派 -さ。●**なみだぐ・む**［涙ぐむ］《自五》なみだが出そうな状態になる。「涙ぐんだ目」●**なみだごえ**［涙声］①泣き出しそうな声。「—になる」②泣きながら話す声。●**なみだ・する**［涙する］《自サ》〔文〕なみだを流す。●**なみだながら**［涙ながら］《副》泣きながら。なみだを流して。「—の物語・—に語る」●**なみだばし**［涙箸］食事中に、はしの先からしるをたらすこと。行儀が悪いとされる。☞嫌い箸。●**なみだぶくろ**［涙袋］目の下の肉のふくらみ。●**なみだめ**［涙目］①《医》目がつかれて、なみだが出やすい状態。「つかれ目、—、やに目」②涙ぐんだ目。「—になる〔＝涙ぐむ〕」●**なみだもろ・い**［涙（×脆い）］《形》①なみだを流しやすい。「年とって涙もろくなる」②感動しやすい。▽なみだ早い。派 -さ。

**なみたいてい**［並（大抵）］《ナダ》〔後ろに否定が来る〕ふつうの程度であるようす。ひととおり。なみなみ。「その努力たるや—ではなかった」

**なみだ・つ**［波立つ］《自五》①波が起こる。②動揺やもめごとが生じる。「心が—・教育界が—」名 波立ち。他 波立てる《下一》。

**なみなみ**［並々］〔後ろに否定が来る〕ひととおり。「—ならぬ苦心をはらう」

**なみなみ**《副》こぼれそうになるほどいっぱいあるよう

す。「酒を—とつぐ」

**なみのはな**［波の花］①波が岩などに突っきあたって白くくだけるもの。②〔料理店・商家などで〕塩。③冬の日本海の上を、雪のようにまうもの。〔植物プランクトンの粘液〕

**なみのり**［波乗り］⇩サーフィン。

**なみはず・れる**［並外れる］《自下一》ふつうの性質・状態から外れる。ふつう以上である。「並外れた体格」名並外れ。

**なみはば**［並幅］《服》〔反物で〕ふつうの幅〔=約三六センチ〕のもの。小幅。(↔広幅)

**なみひととおり**［並〈一通り〉］《名・ナダ》〔後ろに否定が来る〕その程度のものごとが、ほかにもよくあるようす。ふつう。「—〈の/な〉苦労ではない〔=たいへんな苦労だ〕」

**なみま**［波間］波と波の あいだ。「—に ただよう」

**なみまくら**［波枕］〔雅〕①波の音が まくらもとに聞こえてくること。②船の旅。「行く手さだめぬ—」

**なみもの**［並物］品質や値段がふつうである品物。(↔上物・裾物)

**なむ**［南無］《感》〔梵語 namas の音訳〕《仏》仏・菩薩にいのるときに まずとなえることば。「—地蔵尊」

**なむあみだぶつ**［南無×阿△弥×陀仏］《感・名》〔=阿弥陀仏に帰依する〕《仏》浄土宗・浄土真宗で、それをとなえることで浄土に救済されるということば。六字の名号。なんまいだ。

**なむさん**［南無三］《感》(↑なむさんぼう)〔古風〕失敗したときのことば。「—、しまった」

**なむさんぼう**［南無三宝］《感》〔=仏教で、三宝に帰依する〕〔古風〕⇩なむさん。

**なむみょうほうれんげきょう**［南無妙法×蓮華経］《感・名》《仏》日蓮宗でとなえる お題目。法華経をたたえ、帰依する意。

**ナムル**〔朝鮮 namul〕野菜をごま油などの調味料であえた料理。「もやしの—」

**なめくじ**［(:蛞蝓)］カタツムリに似て、殻のない小さな動物。しめった所にすみ、塩をかけると、小さくなる。なめくじり。なめくじら。

**なめこ**［(滑子)］キノコの一種。色は茶色で、ぬらぬらしている。「—の みそしる」

**なめし**［菜飯］だいこんやカブなどの葉をゆでて塩で味つけし、細かく刻んで ごはんにまぜた食べ物。

**なめしがわ**［(×鞣し)革］なめして やわらかにした革。

**なめ・す**［(×鞣す)］《他五》毛皮から毛・脂肪を取り去って やわらかにする。「皮を—」

**なめず・る**［(×舐めずる)］《他五》〔俗〕舌で、口のまわりをなめる。☞舌なめずり。

**なめたがれい**［なめた(×鰈)］肉の厚い、カレイの一種。表は黒茶色。味がいい。なめた。「—の煮つけ」

**なめたけ**［(滑×茸)］エノキダケを、しょうゆと砂糖などで煮た食べ物。びんづめで売っていることも多い。「白ごはんに—をのせて食べる」

**なめみそ**［(×舐め味×噌)］おかずにして、そのまま食べるみそ。中に野菜・さかななどを入れる。

**なめもの**［(×舐め)物］金山寺みそ・うに・塩辛などの、副食。

**なめらか**［滑らか］《ナダ》①よくすべるようす。ひっかかりが感じられないようす。すべらか。「—なはだ」②よどみのないようす。「—に流れる」③〔食べ物が〕とろりとしたようす。「—なホワイトソース」派—さ。☞すべ(滑)らか。

**な・める**［(×舐める)・(×嘗める)］《他下一》①舌でなで(て味をみ)る。②味わう。「苦しみを—」③軽くみる。あなどる。「なめた まねをするな!」④《映画・放送》〔俗〕ⓐカメラが動きながら、はしからはしまでをうつす。「建物をカメラが—」ⓑ画面の手前のもの越しに、向こうのものをうつす。⑤かたはしから焼く。「火は工場をなめつくした」

**なめろう** ぶつ切りのアジやトビウオに みそやネギをまぜ、包丁でたたき、ねばりを出した料理。

**なや**［納屋］〔農家などの〕ものおき(ごや)。

**なやまし・い**［悩ましい］《形》①なやむ気持ち(にさせるようす)だ。「—日々を送る・公平性をどう保つかは—問題だ」②性的魅力で心が乱される感じだ。「—ポーズ・—歌声」②が本来の用法と言われることがあるが、事実でない。古くは心身が すぐれない感じを言い、近代以降、特に心や頭をなやませる感じを言うようになった。②の用法は そのあとに広まった。派—がる。—げ。—さ。

**なやま・す**［悩ます］《他五》なやむようにする。〔うるさく〕苦しめる。悩ませる。「心を—・訪問客に〔=訪問客が多くて〕悩まされる」

**なやみ**［悩み］なやむこと。「子育ての—・—のたね・—事」☞お悩み。

***なや・む**［悩む］㊀なやむ《自五》①どうしたらいいか、あれこれと考えて〈苦しむ/気持ちがすっきりしない状態になる〉。「人間関係に—・就職問題で—・お店で、どれにするか—〔=まよう〕」②うまくいかなくて、困る。「赤字に—会社」③〔持病などの〕痛みで苦しむ。「神経痛に—」㊁造〈しようと/なろうと〉して、なかなかそうならない状態である。「行き—」

**なやめる**［悩める］《連体》〔文〕なやんでいる。なやみが多い。「—天才・—年ごろ」

**なよ**《終助》〔話〕①…なさいよ。「じゃあ、やってみ—」②〔男〕少しやわらかく、禁止をあらわす。「気にする—」▽ぞんざいな言い方。

**なよせ**［名寄せ］①名所や同類のものの名を集めた本。「人名—」②《経》同じ名義の複数の口座を、金融機関が一つにまとめること。③個人情報を一つにまとめて管理すること。

**なよたけ**［(△弱)竹］〔雅〕①やわらかな竹。②わか竹。

**なよなよ**《副・自サ》細くしなやかで、弱々しいようす。「—(と)した腰つき」

**なよやか**《ナダ》しなやかで、やわらかなようす。派—さ。

**なら**［奈良］《歴》↑奈良時代。「—の昔」

**なら**［(×楢)］日本でふつうに見られる雑木。葉はカシワに似て、クリのように少し細長い。木材は たきぎ・炭などにする。

**なら** ㊀《接助》〔学校文法では、助動詞「だ」の仮定形〕①仮定をあらわす。「知らない(の)—教えてやろう」②…(である)以上は。「そこまで言う(の)—まかせるよ・学生—勉強しろ」③〔AもA—BもBなど〕…だし。「親も親—子も子だ〔=親子どちらもひどい〕・仕事も大

な

事—家族も大切だ」▽「ならば」とも。動詞・形容詞にふつうにつくこと、断定の意味がないことから、助動詞「だ」とは別の接続助詞と考えられる。一方、「豊かなら」「ようなら」は、形容動詞「豊かだ」や助動詞「ようだ」の仮定形と考えられる〔「豊か＋なら」「よう＋なら」に分ける考え方も成り立つ〕。【二】《副助》①取り上げて言う。…は。「ペン—ここにあるよ・学科は苦手だが実技—得意・年のころ—二十七八〔古風〕」②例をあらわす。「部活—部活をがんばろう」▽ならば。③〔古風〕…と言い。〔いくつもならべて言うときに使う〕「育ち—、家がら—」 アク 【一】【二】ウシなら・ネコ—なら・イヌ—なら。【三】なら《接》〔話〕↑それなら。「—、いいけど」 【四】◇①形容動詞の仮定形の語尾。「もっと裕福—(ば)よかった」②助動詞「そうだ・ようだ」などの仮定形の語尾。

**ならい**【習い】〔文〕①習わし。②いつでもそうなる決まりであること。つね。「世の—・変わりやすいは秋空の—」●**習い性となる** 句 あることを習慣として続けていると、それが、生まれつきの性質のように、身についてしまう。習い性になる。●**ならいごと**【習い(事)】①けいこごと。②〔茶の湯・生け花などで〕ひととおり習ったあとで、特に許されて習うことがら。●**ならいしょう**【習い性】身についた習慣。習性。「昔からの—だ」〔「習い、性となる」から。おそくとも戦前からあることば〕

**ならい**《天》東日本の太平洋岸で、冬にふく、西北または東北の風。

←**なら・う**【倣う】《自五》まねてする。「前例に—」

→**なら・う**【習う】《他五》〔先生のすることをまねて〕やり方を教わる。「母にピアノを—・英語を習わせる・学校で割り算を—・応急手当のしかたを—」 可能 習える。●**習うより慣れよ** 句 ものごとを覚えるには、人から教わるより、自分で経験して慣れた方が、はやい。

☆☆**ならく**【奈落】〔梵語 naraka の音訳〕①《仏》地獄。②《歌舞伎など》舞台の床下の空間。舞台装置がある。③どん底。●**ならくのそこ**【奈落の底】①《仏》地獄の底。②底知れない深い所。③二度と立ち上がれない境遇のたとえ。「—にしずむ」

**ならざるはない** 連 〔文〕…でないものはない。すべて…である。ならぬはない。「すべて教育の材料—」

**ならし**【(△均し)】ならすこと。平均(すること)。

**ならじ**【(成らじ)】 連 〔動詞「成る」の未然形＋文語助動詞「じ」〕〔文〕いけないだろう。なるまい。「これでは—と強力に宣伝した」

**ならじだい**【奈良時代】《歴》今の奈良市に都があった時代。奈良朝。〔七一〇〜七八四〕

**ならし・める**《助動下一型》〔文〕…であらせる。…にさせる。「技術革新を必然—」

**なら・す**【(△均す)】《他五》①平らにする。「土地を—」②平均する。「日数でならして計算する」

←**なら・す**【(×馴らす)】《他五》自分の思いどおりに動くように、動物をしつける。ならせる。

→**なら・す**【慣らす】【一】ならす《他五》①なじむようにさせる。「便利さに慣らされる」②軽く運動したりして、何かをおこなう準備をする。「肩を—・目を—」▽慣らせる。【二】造 使って、思うように動く状態にする。「使い慣らした道具」 名 慣らし。「肩—・—運転」

**なら・す**【鳴らす】【一】《他五》①鳴るようにする。音が出るようにする。鳴らせる。「鐘を—・笛をふき—」②〔文〕強く言いたて(て責め)る。「非を—・不平を—」【二】《自五》評判をとる。「剣道で鳴らした橋本君」

←**ならず** 接尾 〔文語助動詞「なり」の未然形＋文語助動詞「ず」から。副詞をつくる〕〔文〕(だけ)ではなく。「一度—二度までも失敗した」☞いささかならず。●**ならずして**《副助》〔文〕…に(も)ならないうちに。「数年—復興した」●**ならずとも**《副助》〔文〕…でなくても。「愛好家—興味深い」

→**ならず**【(成らず)】 連 〔文〕できない(で)。「盗塁—・進みも—」●**ならずもの**【(成らず)者・(:破落戸)】まじめに生活せず、けんかしたり、人をおどしたりして生きている者。ごろつき〔俗〕。

**ならちょう**【奈良朝】《歴》奈良時代。

**ならづけ**【奈良漬け】酒かすにウリ・ダイコン・キュウリなどの野菜をつけたもの。

**ならで** 連 〔断定の文語助動詞「なり」の未然形＋接続助詞「で」〕〔文〕…でなくて。「君—誰にか見せん〔=だれにも見せまい〕」●**ならでは**【一】《副助》①…に特有(のもの)。「この季節—の食材・そんななやみも金持ち—だ」②〔文〕…でなくては。「パリ—見られない風景」【二】ならでは 特有であること。「現場には、—の苦労がある」

**ナラティブ**〔narrative〕〔できごと・体験などの〕物語(を語ること)。

**なら・ない**《形ヌズ》〔=成らない〕①許されない。いけない。「見て(は)—・あっては—」②できない。「〈油断/信用〉(も)—」③〔そうする・そうであることが〕とめられない。「心配で—…という気がして—」 丁寧 なりません。☞なければならない。

←**ならぬ** 接尾 〔文語助動詞「なり」の未然形＋文語助動詞「ず」の連体形から。連体詞をつくる〕〔文〕①…でない。「専門家—私にはわからない・利き酒—『利きジュース』」②…にはない。「この世—美しさ」☞一方ならぬ・道ならぬ。

→**ならぬ**【一】【成らぬ】 連 〔文〕成しとげられない。「なせば成る、なさねば—〔⇩「なす」の 句 〕」【二】◇〔古風〕形容詞「ならない」の終止・連体形の、別の形。「行くこと—〔=行ってはいけない〕・見殺しは—〔=できない〕」☞ねばならぬ。●**成らぬ堪忍するが堪忍** 句 とてもがまんできないというところをがまんするのが、本当のがまんである。

**ならば**【一】《接助》「なら」よりもかたく、文章でふつうに使う言い方。「しあわせ—・あしたが晴れ—」 アク ウシならば・ネコ—ならば・イヌ—ならば。【二】ならば《接》↑それならば。「—自分が手本をしめすべきではないか」

**ならび**【並び】①ならぶこと。「横—」②列。「この—の三番目のいす」③〔道などの〕がわ。「コンビニと同じ—です」④↑並び歳。●**ならびおこな・う**【並び行う】《他五》〔文〕〔多く受け身の形〕二つのことを同時におこなう。「恩威並び行われる」●**ならびしょう・す**【並び称す】《他五》〔文〕いっしょに取り上げて言う。並び称する。「奈良は京都と並び称される古都である」●**ならびそなわ・る**【並び備わる】《自五》〔文〕いっしょに持つ。兼ねる。「才色—」●**ならびだいみょう**【並び大名】①《歌舞伎》大名のか

っこうをして ならんでいるだけの役者。②〔会議などで〕そこに出ているだけで、何も言わない人。●**ならびた・つ**【並び立つ】《自五》①〈いくつも/何人も〉ならんで立つ。「家々が―」②〔文〕同じ程度に能力のある人がいっしょにやっていく。「両雄(りょうゆう)並び立たず〔⇩「両雄」の句〕」●**ならび・どし**【並び〈△歳〉】同じ数字がならぶとし。ふつう四十四歳(さい)。●**ならびな・い**【並びない】《形》〔文〕くらべるものがない。たぐいがない。●**ならびに**【〈並びに〉】《接》〔文〕二つをならべて言うとき、大きな まとまりどうしの接続をあらわす。「AおよびB―CおよびD〔『および』は小さな まとまりどうしの接続〕」表記「×幷に」とも書いた。☞および。

****なら・ぶ**【並ぶ】《自五》①一列に続く。「店が―」②同じ向きにいくつも続く。「線が―」③くらべられる。「―者のない強さ」④同じ程度で、ある。「松島と―名所・松島と並んで有名だ」可能 並べる。

**ならべた・てる**【並べ立てる】《他下一》①いくつもならべる。②いくつもならべて言う。「小言を―」

***なら・べる**【並べる】《他下一》①一列に続ける。「人を―」②同じ向きにいくつも続ける。「商品を―」③くらべる。「肩(かた)を―」④次から次へと言う。「不満を―」名 並べ。可能 並べられる。

**ならわし**【習わし】(ならはし) 長い間、社会・家庭が認めてきたやり方。しきたり。「その土地の―」

**ならわ・す**【〈習わす〉】(ならはす) 造 いつもそうする。…することを習慣とする。「言い―・呼び―」

**←ならん** 連〔断定の文語助動詞「なり」＋推量の文語助動詞「ん」〕〔文〕だろう。「何事―と かけつけた」

**→ならん**◇〔＝成らん〕〔古風〕形容詞「ならない」の終止・連体形の、別の形。「見ては―ぞ・くどい、―!」

**なり**【〈△生り〉】な(生)ること。「〔くだものなどの〕―がい い・「スイカの」一番―」

**なり**【成り】《将棋》成ること。「―香(きょう)〔＝香車(きょうしゃ)が成ったもの〕」

**なり** ㊀ **なり**【〈△形〉】①かっこう。かたち。「―ばかり大きくても まだ子どもだ」②【〈△装〉】服装。「はでな―」㊁【〈△形〉】接尾 そのような形・ようす。「弓―に反る・道―に行く・大の字―」㊂ 接尾 ①それに〈見合った〉ふさわしい性質・状態。「わたし―の解釈(かいしゃく)」②〔そのまま。「言い―になる・寝(ね)た―の姿勢」

**なり**【鳴り】鳴る〈こと/音〉。「〔オーケストラの〕―が悪い」●**鳴りを潜(ひそ)める** 句 ①物音を立てず、しずかにする。②活発でなくなる。活動しなくなる。「かつての議論が―」▽鳴りを静める。

****なり** ㊀《副助》〔ふつう A―B―〕①例をならべる。たとえば…とか。「親―教師―の指導が必要だ・新聞の社説―(なんなり)を読んで考える・話す―書く―する」②〈どちら/どれ〉でも かまわないことをあらわす。…であろうと。「山へ―〔＝なりと〕海へ―行くがいい・大―小―」☞なりと・なりとも・なんなり㊀。㊁《接助》…するとすぐ。「来る―小言を言う」㊂《助動ラ型》〔↑にあり〕〔文〕〔体言、用言の連体形＋―〕〔断定の助動詞〕①断定・説明をあらわす。…(の)だ。…(の)である。「小―とは言え、一国一城のあるじだ・知らぬは国民ばかり―・いかなる人物―や」②…であるし。「父は留守―、母は病気―、自分が かせぐしかない」③〔×也〕受取・香典(こうでん)などに金額を書いたとき、端数(はすう)のないことをあらわす。「一(ひと)つ金五万円也」④〔そろばんの読み上げ算で〕数値ごとに つけて区切りを明らかにする。「ご破算で願いましては千円―」㊃《助動ナリ型》〔用言の終止形＋―〕〔文〕〔伝聞の助動詞〕…という。「古人もすなる〔＝するという。書くという〕歌日記」㊄◇〔文〕文語形容動詞の終止形の語尾(ごび)。「おろか―、我(わ)が心」

**なりあがり**【成り上がり】低い身分から立身出世を〈することした人〉。〔あざけりや悪意をこめて言うことば〕「―者」動 成り上がる《自五》。

**なりかわ・る**【成り代わる】(なりかはる)《自五》代わる。代理をする。「本人に成り代わって あいさつした」

**なりき**【〈△生り〉木】くだものの なる木。

**なりき・る**【成り切る】《自五》①すっかりそうなる。「まだ大人になりきっていない」②すっかりそうなったつもりになる。「芝居(しばい)の役に―」名 なりきり。「―グッズ〔＝ほんもの そっくりのコスチュームなど〕」可能 なりきれる。

**なりきん**【成金】①急に金持ちになった人。②〔①の由来〕《将棋》駒(こま)が成って、金と同じになったもの。

**なりさが・る**【成り下がる】《自五》おちぶれて、みじめな状況(じょうきょう)になる。「御用(ごよう)学者に―」

**なりすま・す**【成り済ます】《自五》〔そのものに〕すっかりなって〈しまう/しまったように見せかける〉。「オレオレ詐欺(さぎ)で むすこに―」名 なりすまし。

**なりせば** 連〔文〕…であったなら。「我もし大臣―」☞せば㊁。

**なりたち**【成り立ち】①なりたつまでの過程。「日本列島の―」②しくみ。構成。「文の―」

**なりた・つ**【成り立つ】《自五》①〈いくつかの要素で〉作られる。組み立てられる。「国会は衆議院と参議院から―」②実現する。「同意が成り立った」③続けていくことができる。「社会が―・授業が―」④論理的に、認めることができる。「こうした推測も―」▽成立する。

**なりて**【成り手】〔ある役などに〕〈なりたい/なろうとする〉人。「会長の―がない」

**なりと**《副助》①…であろうと。なり。でも。「どこ〔へ〕―行ってしまえ」②⇩なりとも㊀。「写真で―見たいものだ」▽など〔古風・俗〕。

**なりどし**【〈△生り〉年】くだものの たくさん なる年。おもて年。〔↑裏年〕

**なりとも** ㊀《副助》最低の のぞみをあらわす。なりと。「多少―〔＝少しでも〕お役に立てれば」㊁◇〔文語形容動詞の語尾(ごび)＋とも〕〔文〕で〔あって〕も。「いかに偏狭(へんきょう)―」

**なりなんなり**【なり〈何なり〉】《副助》⇩なんなり㊀。

**なりは・てる**【成り果てる】《自下一》〔おちぶれて〕なってしまう。「あわれな姿に―」

**なりひび・く**【鳴り響く】《自五》①鳴った音が まわりにひびく。「ベルが―」②評判が広く聞こえる。「文名が―」他 鳴り響かせる《下一》。「サイレンを―」

**なりふり**【〈△形振り〉】みなり。かっこう。「―かまわず〔＝しゃにむに〕働く・―かまわぬ選挙運動」

**なりもの**【〈△生り〉物】木に みのるもの。くだもの。果実。

**なりもの**【鳴り物】①音を出すもの。楽器。また、その音。「会場内は―禁止」②はやし〔囃子〕。●**なりも**

のいり［鳴り物入り］①鳴り物を鳴らして拍子をとること。②ものものしい宣伝。「—のデビュー」

**なりゆき**［成り行き］①ものごとが、とちゅう いろいろに変わりながら、進んで行く様子。「—が注目される」②「なりゆき①」の結果。「—で参加することになった」③《経》取引所で、その時ついた値段に まかせて取引をすること。「—で買う」(↔指し値)

☆☆**なりわい**［（：生業）］〔文〕食べていくための仕事。家業。生業。「—の道」

**なりわた・る**［鳴り渡る］《自五》①鳴って、音があたりに広がる。「ベルが—」②評判が広がる。「名声が—」

←**な・る**［（△生る）］《自五》実が、できる。みのる。「柿が—」他ならせる《下一》。「実をならせた樹木」

→**な・る** 一 なる［成る］《自五》①〔文〕できあがる。成功する。「世紀の偉業ついに—・なせば—・我が事成れり（=万事、うまく行った）」「二つの条項から—」②（全体が）できている。③《将棋》王将と金以外の駒が敵の陣地にはいって、金(以上)の力を持つ。「飛車が—（=飛車が金・銀を合わせた力を持つ）」 二 なる《自五》①別の姿・ありさまに変わる。「横に—（=ねる）」・おとなに—・ぼくは医者に—・この豆がコーヒーに—・—がまま（=変化するとおり）に まかせる」②結果として、そういう意味・効果などを持つ。「いい薬（=反省材料）になった・まくらにも—厚い本・ため（=利益）にならぬ・いい お金に—（=金もうけができる）話・これでは勝負にならない（=勝負として成り立たない）」③それだけの数量に およぶ。「あれから もう五年に—・のべ床面積が十万平方メートルにも—」④時刻・季節などが、来る。「五時に—・春に—」⑤まみれる。「汗に—・ほこりに—」⑥できる。「見殺しも—まい・なろうことなら（=できるなら）助けてやりたい・追加点は なりませんでした」（「油断(も)ならない」の「ならない」は形容詞としてあつかう）⑦がまんできる。「にがして—ものか」⑧さしつかえなく やれる。許せる。「してはならない（=いけない）・行かずば—まい（=行かなければならないだろう）・負けては—まい（=いけないぞ）」⑨あたる。相当する。「秘仏の公開は戦後初めてと—・むこうが正門になります・（店員が注文の品を運んで）こちらがコーヒーになります」 ✎「コーヒーになります」は、「（こちらにある飲み物が）コーヒーに相当します」ということで、「コーヒーです」の婉曲表現。 表記「△為る」とも書いた。 三 なる《補動五》①〈お／ご〉…に—〉〈他人／相手〉の行為を尊敬して言う。「お読みに—・ご立腹に—」 ✎「お読みになられる」と「れる」をつけるのは、敬意が強すぎる。②〔相手から〕受ける。あずかる。「お世話に—・ごちそうに—」 四 造 形容詞連用形の あとについて、動詞を作る。「亡く—」 可能 成れる。 ☞ならない・ならぬ。

**な・る**［鳴る］《自五》①（それ自身から）音が出る。「ラッパが—・電話が—・腹が—・かみなりが—」②〔文〕広く世間に知られる。「名声 天下に—・厳正をもって—教授」

**なる** 一《格助》（二①が助詞化したもの）①…という。「○○協会—団体・このユダー人物は…」 ✎〈あやしむ／批判する〉感じをともなうことがある。②〔古風〕…に〈ある／いる〉。「あれ—茶店・これ—は弟でございます」 二 ◇〔文〕①文語助動詞「なり」の連体形。「筆者の誤り—か」②ナリ活用形容動詞の連体形の語尾。「明確—答弁・天気晴朗—も（=だが）波高し・広大—かな（=だなあ）」

**なるい**［菜類］青菜の類の総称。例、コマツナ・キョウナなど。

**なるかみ**［鳴る神］〔文〕かみなり。

**なるこ**［鳴子］①田・畑などに来る鳥をおどす道具。小さな竹筒をならべて板につけ、なわを引いて鳴らす。②高知市の「よさこい祭り」で、おどり手が両手に持ち、ふって鳴らす、木の楽器。

［なるこ ①］

**ナルコレプシー**〔narcolepsy〕《医》昼、無意識にねむってしまう病気。十～二十分で目覚めるが、また数時間でねむくなる。睡眠発作。

**ナルシシスト**〔narcissist〕⇩ナルシスト。

**ナルシシズム**〔narcissism〕①《心》（精神分析学で）自分自身を愛すること。自己愛。②うぬぼれ。自己陶酔。▽ナルシズム。ナルチシズム。 由来 泉の水に映った自分の姿に あこがれて おぼれ死んだという、ギリシャ神話の美少年ナルシスの名から。

**ナルシスティック**《ナダ》〔narcistic〕過剰に自分を愛するようす。ナルシシスティック（narcissistic）。

**ナルシスト**〔narcist〕自己陶酔型の人。うぬぼれ屋。ナルシシスト。ナル〔俗〕。 区別「ナルシスト」は原形「ナルシシスト（narcissist）」の省略形。日本語では省略形が、英語では原形が多く使われる。

**ナルシズム**〔narcism〕⇩ナルシシズム。

**なるたけ**《副》〔やや古風〕なるべく。なるだけ。 表記「成る丈」とも書いた。

**なると**［鳴戸・鳴△門］①潮の干満の際、大きな渦が巻いて鳴りとどろく瀬戸。②［ナルト］切り口に渦巻き模様のある食べ物。特に、白とも色の魚肉のすり身を使ったかまぼこ。鳴戸巻き。

**なるはや**〔俗〕←なるべく早く。「—でお願いします」

**なるべく**《副》①精いっぱい がんばって。「—早く仕上げよう（☞なるはや）」②無理のない範囲で。「—（=行けたら）行きます」③希望を言えば。「—（は／なら）このままですませたい」▽できるだけ。 ✎まちがいなく伝えるためには、①は「できるかぎり」、②は「できれば」などと言うといい。 表記「成る△可く」「：可成」とも書いた。

**なるほど** 一《副》①〈相手／人〉の言うとおり。「—うまい酒だ」②下に続く部分をいったん認めることば。（そのあとに逆接の内容をのべる）「—便利ではある。しかし…」▽たしかに。 二《感》〔話〕納得の気持ちを示す、あいづちのことば。「『まあ、なんとかなるもんだよ』『—』」 ✎目上に失礼との意見があるが、昔から、目上・目下の区別なく使う。俗に、「です」をつけて「ああ、—ですね」のように言い、ていねいさを出す。ふざけて「なるへそ」「なーる」。

**なれ**［慣れ］なれること。習慣。「—は おそろしい・テレビ—している芸人」 表記「成る程」とも書いた。

**なれ**［（×汝）］《代》〔雅〕なんじ。おまえ。「—知るや（=知っているか）」

**なれあ・う**［（×馴れ合う）］《自五》①立場の けじめがなくなる。「労使なれあっての交渉・教師と児童が—」②親しくなる。「男女が—」③なんとか うまく つき合う。「死となれあって生きる」名なれあい。

☆☆**ナレーション**〔narration〕①話術。話法。②《映画・放送》語り手による説明。

☆☆**ナレーター**〔narrator〕《映画・放送》語り手。

**なれしたし・む**〔慣れ親しむ〕《自五》いつもふれあってなじむ。「慣れ親しんだ味」

**なれずし**〔△熟れ・寿司〕塩づけにしたさかなの腹の中に飯をつめ、または、さかなと飯を交互(こうご)に重ねてつけこみ、自然に発酵(はっこう)させて作るすし。例、ふなずし。

☆☆**なれそめ**〔×馴れ初め〕〔好きな人どうしが〕親しくなるきっかけ。「同じサークルにはいったのが━」動なれそめる《自下一》。

**なれっこ**〔慣れっこ〕すっかり慣れていること。「━になる」

**ナレッジ**〔knowledge〕知識。ノレッジ。「ノウハウや━の吸収」

**なれど(も)** 一連〔断定の文語助動詞「なり」の已然(いぜん)形＋接続助詞「ど(も)」〕〔文〕…であるが。「花━」 二なれども《接》〔古風〕けれども。「よく存じませぬ。━、うわさに聞きました」

**なれなれし・い**〔×馴れ×馴れしい〕《形》〔さほど親しくもないのに〕いかにも親しくふるまって、えんりょがない。「なれなれしく寄って来た・━態度」派━げ・━さ。

**なれのはて**〔〔成れの〕果て〕おちぶれた結果。「貴族の━」

**なれば** 一連〔断定の文語助動詞「なり」の已然(いぜん)形＋接続助詞「ば」〕①〔古風〕…だから。「せっかくのご厚意(こうい)━、ちょうだいいたす」②…であれば。ならば。なりや〔俗〕。「できるもの━、早急に おこないたい」●**なればこそ** 一《副助》①…だからこそ。「親━、子のためを思う」②…に特有。ならでは。「こういう番組はテレビ━だ」▽なりゃこそ〔俗〕。二なればこそ《接》だからこそ。「━注意したのだ」

↔**な・れる**〔×狎れる〕《自下一》〔文〕親しみのあまり、つい、礼儀(れいぎ)を忘れた態度をとる。「寵愛(ちょうあい)に━」

↔**な・れる**〔×馴れる〕《自下一》ならした状態になる。「ライオンが人に━」

↔**な・れる**〔慣れる〕一なれる《自下一》①くり返したり、長い間 接したりして、いつもの気持ちで〈いられる／できる〉ようになる。「新しい環境(かんきょう)に━・自動車の運転に━」②〈くせになって／習慣になって〉なんとも思わなくなる。「部長の小言にも慣れた」③何回も使い続けているうちに、ぐあいの悪いところがなくなる。「くつが足に━・めがねが━」 二造 何回もくり返したため、特別の気持ちが起こらなくなる。「書き━・行き慣れた店」可能 慣れることができる。

↔**な・れる**〔△熟れる〕《自下一》〔みそ・ぬかみそなどが、時間がたって〕味がちょうどよくなる。

**なろう-ことなら**〔成ろうことなら〕(ならう-)《副》もしできることなら。「━優勝したい」

**なわ**〔縄〕(なは) ①わら・アサなどの繊維(せんい)を、長くよりあわせたもの。荷物をくくるときなどに使う。②罪人をしばる「なわ①」。とりなわ。「━にかかる・━打たれる(=しばられる)」☞お縄。●**縄を打つ** 句 ①なわをかけて しばる。②田畑などを測量する。

**なわじり**〔縄尻〕(なは-) なわのはし。「━をつかむ」

**なわしろ**〔苗代〕(なは-) イネの なえを育てて あげるまでの田。苗代田(だ)。「━水(みず)(=苗代に引く水)」

**なわつき**〔縄付き〕(なは-) 役人に めしとられること。また、めしとられた人。「━を出す」

**なわて**〔×畷〕(なはて) 〔文〕あぜ道。たんぼ道。

**なわとび**〔縄跳び〕(なは-)《名・自サ》なわを持って回し、それをとびこえる遊び、または運動(をすること)。

**なわぬけ**〔縄抜け〕(なは-)《名・自サ》からだをしばりつけたなわの中から、ぬけ出すこと。

**なわのび**〔縄延び〕(なは-)《名・自サ》実際に測った土地の面積が、登記簿(ぼ)に書いてある面積よりも大きいこと。

**なわのれん**〔縄〔△暖×簾〕〕(なは-) ①なわをたれ下げて のれんの代わりにしたもの。②〔俗〕居酒屋。飲み屋。

**なわばしご**〔縄〔×梯子〕〕(なは-) 〈全体／一部分〉をなわで作ったはしご。

**なわばり**〔縄張り〕(なは-) 〔=縄を張って境を決めること〕①建物を建てるとき、位置を決めるために、敷地(しきち)に縄を張ること。地(じ)縄張り。②勢力の範囲(はんい)。領分。「よその会社の━を侵(おか)す・やくざの━争い」③《動》動物が自分(の なかま)の生活のために守ろうとする領域。テリトリー。

**なわめ**〔縄目〕(なは-) ①なわの結びめ。②〔文〕なわをかけられてつかまること。「━(の はじ)を受ける」

**なん**〔南〕一なん みなみ。「━北の二方面」 二造 みなみ(の ほう)の。「━軍・━稜(りょう)」 三なん 造 ↑なんばん④。「肉━・カレー━」

**なん**〔軟〕一なん〔文〕やわらかいこと。「硬(こう)、━取りまぜて」 二造 ①やわらかい。「━口蓋(こうがい)」②恋愛(れんあい)・愛情を主とした。「━文学」▽一二(↔硬)

**なん**〔難〕一なん ①わざわい。「━をまぬがれる・━に遭(あ)う」②きず。欠点。「しいて━を言えば背が低いことだ」③〔文〕むずかしいこと。困難。「━に当たる・易(い)より━へ」(↔易(い)) 二造 むずかしい。困難な。「━事業・━問題」 三造 自由にならない状態。困難。「資金━・住宅━」

＊＊**なん** 一なん〔何〕《代》「なに一」の変化。「これは━(というもの)ですか・人は━のために働くか」!「という」や、助詞「で・でも・の」、助動詞「だ・です」などが続くときは、ふつう「なに」よりも「なん」を使う。☞なんか・なんぞ・なん(何)だ・なんて・なんで・なんと・なんの。 二なん〔何〕①述語をぼかして言うときのことば。「いや、それでは━だから(=『不都合だから』などの意味)」②〔話〕述語の部分に、とりあえず使うことば。〔すぐあとで具体的に言い直す〕「じゃあ━ですか、私が悪いとでも?・この分じゃ━だよ、相当〈雪が〉積もるよ」 三〔何〕造 ①決まっていない数をあらわす。どれだけの。「ご家族は━人ですか・━人かが答えた・━日・━か月・━年・━百・━回」②〈━…も〉はっきりしないが、数が多いということをあらわす。「━人もやってきた・━万円もする本」③どの。「約束は━日だっけ・去年の━月(がつ)ごろのことですか」☞幾(いく)。

**なん**〔男〕造 男の子。「二━一女(=ふたりの男の子とひとりの女の子)・三━(=三番目の、男の子)和雄(かずお)」

**なん** 連〔文語助動詞「ぬ」の未然形＋文語助動詞「ん」(=む)〕〔文〕①…してしまおう。…することにしよう。「帰り━いざ(⇩「帰る」の句)」②…してしまいそうだ。「消え━とする ともしび」

**ナン**〔ヒンディー naan〕インド・中東などの、平たくて大きなパン。カレー料理にそえて食べる。ナーン。「チーズ―・タンドールで―を焼く」☞チャパティ。

**なんア**［南ア］①↑南アフリカ。②↑南アルプス。☞日本アルプス。

**なんい**［南緯］〔地〕赤道から南へ はかった緯度。九〇度まである。(↕北緯)

**なんい**［難易］①むずかしいか、やさしいか。「実現の―を考える」②〔「易」に意味はない〕むずかしいこと。「―度(=難度)」

**なんおう**［南欧］ヨーロッパの南の地方。南ヨーロッパ。(↕北欧)

**なんか**［難化］《名・自サ》〔文〕難易度が むずかしくなること。「入試は毎年―してきている」(↕易化)

**なんか**［南下］《名・自他サ》南のほうへ進むこと。「大陸を―する」(↕北上)

**なんか**［軟化］《名・自他サ》①やわらかになること。また、やわらかにすること。②(態度が)おとなしくなること。「態度を―させる」③相場が下がること。▽(↕硬化)

**なんか**［(何か)］〔話〕㊀《名・副》「なにか」の くだけた言い方。「―飲む?・くだものや―(を)売ってる店(☞なんか《副助》①)」㊁《副》①なんとなく。なにか。「―へんだな」②すまない気持ちをあらわす。「―ごめんね・―悪いわね」▽なんだか。㊂《感》ことばをさがすときに使う。なんと言えばいいか。「きのう、―、勉強とかしてたら・―こう、うまく言えないけど」●**なんかかんか**［(何かかんか)］《副》〔話〕〔特にこれと決まったものでなく〕あれこれ。いろいろ。なにかか(に)か。「―文句を言ってくる・―と教えてもらう」由来 もと「何か彼か」で、「かんか」は「なんか」に合わせて変化した形。

**なんか**《副助》(↑何か) ①〔話〕例をあげる。「この服―よさそうだね・くだもの―売ってる店(☞何か㊀)」②〔話〕ぼかして言う。「テレビ見てたり―した」③〈つまらない/ばかげている〉という気持ちをあらわす。「私―どうなってもいい・どうして うそ―つくのだ」④否定の意味を強める。「そんな所へ行ったり―しません」▽など。アク ウシなんか・ネコ-なんか・イヌ-なんか。

**なんが**［南画］中国の絵の一派。水墨で、おもに山や川のけしきをえがく。やわらかい線が特徴。文人画。南宗画。(↕北画)

**なんかい**［南海］①〔文〕南の海。「―の孤島」②↑南海道。●**なんかいどう**［南海道］もと、日本を八つに分けた地域の一つ。紀伊・淡路・阿波・讃岐・伊予・土佐の六国。

**なんかい**［難解］《名・ナダ》むずかしくて わかりにくいこと。「―な表現・―をきわめる書物・複雑―」派 -さ。

**なんかん**［難関］①通りにくい場所。「―を突破する」②仕事を進めるのに むずかしいところ。「最大の―」

**なんがん**［南岸］①〔文〕南がわの きし。(↕北岸)②〔天気予報で〕日本の南部の海岸。「―沖の前線・―低気圧」

**なんぎ**［難技］〔体操などで〕むずかしい わざ。「―をこなす」

**なんぎ**［難儀］㊀《名・自サ》困って苦しむこと。「どろ道を―して進む・―を見かねて かねを貸す」㊁《ナダ》むずかしく、めんどう。「―な仕事」〔文〕派 -さ。

**なんきつ**［難詰］《名・他サ》〔文〕欠点を取り上げ、相手をきびしく非難すること。

**なんきゅう**［軟球］①軟式テニスで使う、うすいゴムで作ったやわらかいボール。②軟式野球で使う、ゴムで作ったボール。スポンジ ボール。▽(↕硬球)③《野球》ゆるく投げるボール。

**なんきゅう**［難球］《野球など》打ちにくいボール。とりにくいボール。

**なんきょう**［南京］〔文〕奈良。南都。(↕北京)(=京都)☞なんきん(南京)。

**なんぎょう**［難業］〔文〕むずかしい事業。

**なんぎょうくぎょう**［難行苦行］《名・自サ》①多くの苦しみや困難に打ち勝ってする修行。②たいへんな苦労をすること。「―の末たどりついた」

**なんきょく**［南極］①《地》〈地軸/天球の軸〉の南のはし。②南極圏。南極大陸。「―基地」▽(↕北極)●**なんきょくかい**［南極海］南極大陸の周辺の海。南氷洋。(↕北極海)●**なんきょくけん**［南極圏］南緯六六度三三分以南の地域。(↕北極圏)

**なんきょく**［難曲］〔文〕〈演奏し/歌い〉にくい曲。

☆☆**なんきょく**［難局］①《碁・将棋》むずかしい局面。②〔文〕処理の困難な〈場合/できごと〉。「―を打開する」

**なんきん** ㊀［南△京］〔文〕中国(方面)。「―渡来の品」㊁［(南△京)］〔関西・中国・四国方言〕カボチャ。☞なんきょう(南京)。●**なんきんじょう**［(南△京)錠］胴体の上に取っ手のような とめがねのついた、簡単な錠。●**なんきんまめ**［(南△京豆)］⇩らっかせい。●**なんきんむし**［(南△京虫)］白茶色で、平たい小形の昆虫。さされると、あとが二つつき、かゆみが はげしい。とこじらみ(床虱)。

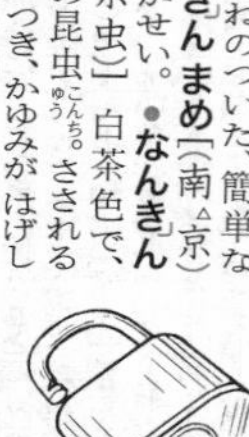
［なんきんじょう］

☆☆**なんきん**［軟禁］《名・他サ》家の中にとじこめて外へ出さず、外との連絡もできないようにすること。

**なんくせ**［難癖］①非難すべき点。②欠点をさがして非難すること。「―をくり返す」●**難癖をつける** 句 欠点をむりに さがし出して非難する。「どこにも難癖のつけようがない」

**なんくん**［難訓］〔文〕訓で読む漢字のうち、読み方の特別に むずかしいもの。「―索引」

**なんけん**［難件］〔文〕処置の むずかしい事件。

**なんげん**［南限］〔文〕南のほうの限界。「カラマツの―」(↕北限)

**なんご**［×喃語］①《心》赤ちゃんが、生まれて半年ぐらいたって話し始める、意味のないことば。「―期」②〔文〕〔寝室の〕むつごと。

**なんご**［難語］〔文〕むずかしくて、意味のわかりにくいことば。「―集」

**なんこう**［南郊］〔文〕南のほうの郊外。(↕北郊)

**なんこう**［軟×膏］脂肪・ろうの類を加えて、やわらかく作ったぬり薬。こうやく(膏薬)の一種。

**なんこう**［南行］《名・自サ》〔文〕〔飛行機などで〕南のほうへ行くこと。「―便」(↕北行)

☆☆**なんこう**［難航］《名・自サ》①〔文〕困難な航海。

②〔難行〕〔会議などの〕進行が はかどらないこと。「交渉が―する」

**なんこうがい**〔軟口蓋〕《生》口蓋の おくの部分で、舌の おくと向きあった、やわらかな部分。(↔硬口蓋)

☆☆**なんこうふらく**〔難攻不落〕〔文〕攻撃するのが むずかしくて、なかなかおちないこと。

**なんごく**〔南国〕あたたかい南の国。「―土佐」(↔北国)

**なんこつ**〔軟骨〕《生》やわらかで弾力のある ほね。関節や鼻などにある。(↔硬骨)

**なんざ**《副助》(↑なんぞは)〔俗〕①かろんじる気持ちをあらわす。「うわさ―どうでもいい」②否定の意味を強める。「おれには親―いない」▽なんざあ。

**なんざん**〔難産〕《名・自サ》①時間がかかり、苦労が多いお産。(↔安産) ②なかなか実現しないこと。「―の末、成立した内閣」

**なんし**〔難視〕〔テレビが〕見えにくいこと。難視聴。「―地域」

**なんじ**〔難字〕〔文〕むずかしい漢字。

**なんじ**〔難事〕〔文〕むずかしいことがら。

**なんじ**〔難治〕〔文〕〔病気が〕治りにくいこと。なんち。「―性の中耳炎」

**なんじ**〔(×汝)・(×爾)〕《代》〔文〕おまえ。●**汝自身を知れ** 句 古代ギリシャのデルフォイのアポロ神殿にあった銘。ソクラテスが自分の座右の銘に使い、勉強のはげみにした。

**なんしき**〔軟式〕《野球・テニスなど》やわらかいボールを使ってするやり方。「―野球(=軟球でする野球)」(↔硬式)

**なんしつ**〔軟質〕《名・ナダ》やわらかな〈性質／感じ〉。「―ビニール」(↔硬質)

**なんじゃ**〔何じゃ〕―ちゃ 連〔西日本方言〕なんだ。「―らほい(=『なんだろか』のおどけた言い方)」

**なんじゃく**〔軟弱〕《ナダ》①しっかりしないで弱いようす。「土質―・―な体質」②態度・考え方がしっかりしていなくて、相手の言うとおりになるようす。弱腰。「―外交」(↔強硬) ③《経》相場が安い状態。軟調。派―さ。

**なんじゅう**〔難渋〕《名・自サ・ナダ》〔文〕①〔ものごとの〕進行がうまくゆかず とどこおること。②難儀。「道がぬかるんで―する」派―さ。

**なんしょ**〔難所〕けわしい所。通るのが むずかしい所。「道中第一の―」

**なんしょう**〔難症〕《医》治りにくい症状。

**なんじょう**〔何じょう〕―で《副》〔文〕どうして。「―見のがすべき(=見のがすはずがあろう)」

☆☆**なんしょく**〔難色〕〔文〕受け入れたくないようす。不賛成なようす。「―がある・―をしめす」

**なん・じる**〔難じる〕《他上一》〔文〕①なじる。とがめる。②非難する。そしる。▽難ずる。

**なんしん**〔南進〕《名・自他サ》〔文〕南のほうへ進むこと。「半島を―する」(↔北進)

**なんすい**〔軟水〕《理》カルシウムやマグネシウムなどのイオンをあまりふくまない水。せっけんが よくとけ、せんたく・染色に向く。(↔硬水)

**なんせ**〔何せ〕《副》「なにせ」のくだけた言い方。

**なんせい**〔南西〕南と西との中間の方角。西南。(↔北東)

**なんせん**〔難戦〕〔文〕苦しい〈戦い／試合／対局〉。「―を制する」

**なんせん**〔難船〕《名・自サ》〔文〕①難破(の被害)。②難破船。

☆☆**ナンセンス**《名・ナダ》〔nonsense〕意味をなさないこと。ばかげたこと。くだらないこと。ノンセンス。「―なことを言うな」派―さ。

**なんせんほくば**〔南船北馬〕《名・自サ》〔文〕ほうぼうを旅行すること。由来 中国で、南の地方は川が多いので船で、北の地方は陸続きなので馬で旅行したことから言う。

**なんぞ**《副助》(↑何ぞ)〔古風〕⇩など。「お前―に用はない・本―はまったく読まない」

**なんぞ**〔何ぞ〕一 連〔文〕何(事)であるか。「人生とは―(や)」二《副》①〔古風／方〕何か。「―ないか・―と言うと小言ばかりだ」②〔文〕どうして。「―恐れん」●**何ぞ知らん** 句〔文〕おどろいたことに。意外にも。●**何ぞ図らん** 句〔文〕意外にも。

**なんだ**〔何だ〕《感》〔話〕①強く問いただすとき、相手を責めるときのことば。あんだ〔俗〕。「―、こんな時間に!・〔言いがかりをつけて〕―あ(↗)? てめえ」②〈期待／予想〉が外れて、ひょうしぬけしたときのことば。なあんだ。「―、君か、おどかすなよ」③たいしたことではない、という気持ちをあらわすことば。「―(い)、そんな絵、だれでもかけるよ」▽何よ・何さ(女)。④間にはさむことば。「あそこの、―、かどに銀行があるだろう」☞なん(何)・なんだろう・なんです。●**なんだか**〔何だか〕《副》うまくは言えないが。はっきり わからないが。「―とっても感動した・―へんな者が来た・―様子がおかしい・今さらあやまられても―なあ(=〈とまどう／しらける〉気分だ)」区別 ⇩何やら①。●**なんだかんだ**〔何だかんだ〕《副》あれこれと。いろいろ。なんだのかんだの。なんだかだ。「―理屈を言う・―(=いろいろな仕事)でいそがしい」由来「かんだ」はもと「彼だ」で、「なんだ」に合わせて変化した形。●**なんだって**〔何だって〕《副》なぜ。どうして。「―さわぐんだ」●**なんだろう**〔何だろう〕《感》〔話〕適当な表現を思いつかないとき、つなぎに使うことば。なんて言うんだろう。なんてんだろ(う)。なんだろ。「私も、―、もっとがんばろうと思いました」

**なん・だ**《助動特殊型》〔関西・中国・四国方言。活用は「だろ｜で｜だ｜だ｜だら｜○」〕なかった。「それはすま―・すみませ―(=すみませんでした)」

**なんだ** 連〔話〕①↑なのだ。なの。「きょうは休み―・静か―・いったい何―」丁寧 なんです。②〔おどろいて〕感心して〕なの(だ)ねえ。「もう七時―」☞そうなんだ。

**なんだい**〔難題〕①〔文〕短歌・俳句・文章などの、作りにくい題。②むずかしい問題。③言いがかり。「―をふっかける・無理―」

**なんたいどうぶつ**〔軟体動物〕《動》骨がなくて、からだの やわらかい動物。貝がらや かたい甲があることがある。例、二枚貝・タコ。

**なんたって**〔何たって〕《副》〔話〕⇩なんてったって。「―安いからね」

**なんたら**〔何たら〕《名・副》(↑なんとやら)〔俗〕なんとか。なんちゃら。「―いう人・―かんたら(=なんとかかんとか)」

**なんたる**【何たる】《連体》〔文〕①なんという。「―ことだ」②なんである。「政治の―かも知らない男」

**なんたん**【南端】〔文〕南のはし。(↔北端)

**なんち**【難治】〔文〕⇒なんじ(難治)。

**なんちゃくりく**【軟着陸】《名・自サ》①宇宙船が、ふんわりと着陸すること。②混乱をさけてうまく事をおさめること。「過熱した景気を―させる」

**なんちゃって**〔↑なんて言っちゃって・などと言ってしまって〕〔俗〕[一]**なんちゃって**《感》発言のあとで、「今のは、うそ」「かっこつけすぎた」などと、ごまかすことば。な(あ)んて。なんつって。なあんちゃって。「もう遊ばない、―」[二]遣 みせかけの。それらしい。「―英語(=英語らしく聞こえることば)・―制服(=制服ふうの私服)」

**なんちゃら**【何ちゃら】《名・副》〔↑なんとやら〕〔俗〕なんとか。なんたら。「『京都―殺人事件』というドラマ・―かんちゃら(=なんとかかんとか)」

**なんちゅう**【南中】《名・自サ》〔天〕(天体が)真南の天空をちょうど通過すること。「太陽が―する・―高度」

**なんちゅう**【何ちゅう】《連体》〔俗〕なんという。「―こった」

**なんちょう**【南朝】〔歴〕南北朝時代、奈良県の吉野(よしの)に立てた朝廷(ちょうてい)。後醍醐(ごだいご)・後村上(ごむらかみ)・長慶(ちょうけい)・後亀山(ごかめやま)天皇と四代続いた。吉野朝。(一三三六〜一三九二)(↔北朝)

☆☆**なんちょう**【難聴】①〔医〕音を聞く力が弱って、聞き取ることがむずかしいこと。「―児」②〔ラジオの音が〕聞き取りにくいこと。「―地域」

**なんちょう**【軟調】《名・ダ》①〔画面のコントラストなどが〕やわらかい感じ。「写真を―に仕上げる」(↔硬調(こうちょう))②《経》相場が下がりぎみのこと。(↔堅調(けんちょう))
派―さ。

**なんて**【何て】〔話〕[一]《副》①なに(である)と。なんと。「―言えばいいのか」②なんと。「―おいしいんだろう」[二]《連体》なんという。「―ことはない」●**なんてったって**【何てったって】《副》〔話〕なんて言ったって。なんと言っても。なんたって。「―手作りがいちばん」

****なんて**〔↑などと〕〔話〕[一]《副助》①などと。「いやだ―言わないで」②などという。「いっしょに飲み歩いた―こともあった」③などは。ⓐ例をあげる。「私―もう三回も見ました」ⓑ〈つまらない/簡単だ〉という気持ちをあらわす。「記憶(きおく)―あいまいなものだ」ⓒ否定の意味を強める。「お茶―いりません」④意外な気持ちをあらわす。「あれで政治家だ―(信じられない)」〔終助詞的にも使う〕アク ウシなんて・ネコ―なんて・イヌ―なんて。[二]《感》発言のあとで、〈気まずさ/はずかしさ〉をごまかすことば。な―んて。なんちゃって〔俗〕。「あとでこわいぞ。―ね」

**なんで**【何で】《副》「なぜ」よりもくだけたことば。どういうわけで。「―できないのか考えてみた・―そうなるの？」●**なんであれ**【何であれ】《副》①どんなものであっても。「目的は―かまわない」②いずれにしても。「―、もう終わったことだ」

**なんてき**【難敵】〔文〕①手ごわくて、戦いにくい敵。②やりにくい〔試合の〕相手。「―をたおす」

**なんです**【何です】《感》〔話〕「なん(何)だ」の丁寧(ていねい)語。「―(か)、失礼な・まあ、なんでしょう、こんなに散らかして・いやその、―、近くまで来たもんで」●**なんですか**【何ですか】《感》〔話〕①⇒なんです。「―、やめなさい」②くわしくは知らない、という気持ちを、ていねいにあらわす。「息子(むすこ)は、―、ヒップホップとかいうのに夢中で」

**なんでも**【何でも】《副》①(ほとんど)全部。どういう〈もの/こと〉でも。「―知っている人」②〈…でも―〉それをふくめて全部。「服装でも―スマートだ・たま拾いでも―やります」③〔人から聞いた話で〕はっきりしないが。どうも。「―かぜを引いたそうだ」●**なんでもあり**【何でもあり】《名・ダ》①(ほとんど全部の)さまざまな種類があること。「クラシックからポップスまで―」②決まったルールやパターンがないこと。「―の小説・―な世の中」●**なんでもかんでも**【何でもかんでも】《副》どんな〈もの/こと〉でも見境(みさかい)もなしに。すべて。「仕事を―引き受ける」由来「かんでも」はもと「彼(か)でも」で、「なんでも」に合わせて変化した形。●**なんでもこい**【何でも来い】何が来てもだいじょうぶだ、どれも得意だ、ということ。「歌なら―だ」●**なんでもござれ**【何でもござれ】〔古風〕「なんでも来い」の丁寧(ていねい)語。●**なんでもない**【何でもない】《形》たいしたことでない。丁寧 なんでもありません。●**なんでもや**【何でも屋】①何にでも手を出したがる人。なんでもする人。②よろず屋。③便利屋。

**なんてん**[一]【南天】庭木の一種。冬、赤くてまるい実がなる。〔「難を転ずる」に通じるとして、縁起(えんぎ)物や魔(ま)よけに使われる〕[二]【南天】〔文〕みなみの空。

**なんてん**【難点】〔文〕①〔問題になる〕欠点。きず。難。「―をさがす」②〔解決の〕困難な点。「未解決の―を克服(こくふく)する」

**なんと**【南都】(=南のほうにあるみやこ)〔文〕〔平城京があった〕奈良の別名。(↔北都)

**なんと**【何と】[一]《副》①なに(である)と。「あの店は―言ったっけ・この字は―読みますか・だれが―言おうとあきらめない」②〔古風〕どのように。「―したものだろう(=どうしよう)」③〔文〕〈感心する/あきれる〉言い方。なんという。「―大きな木だろう(=すごく大きな木だなあ)」[二]《感》①〔話〕非常におどろき、感心するときのことば。「―まあ、こんなにうまくいくとは・な、な、―！」②〔古風〕呼びかけに使う。もし。ちょっと。「―みなさん」③〔古風〕どうだ。「さあ―」●**なんという**【何と言う】《連体》①どのような。「―名前だったか」②すごさに〈感心する/あきれる〉言い方。「―美しさ(=言いようもなく美しいなあ)・―やつだ」③特にどうだという。「―ことはない(=たいしたものでない)ただの雑談だ・―こともなく(=なんとなく)おかしい」▽なんていう。●**なんというか**【何と言うか】《感》どういう表現が適当か、迷うけれど。なんと言おうか。なんと言ったらいいのか。なんちゅうか。「君の考えには、―、わざとらしさがある」●**なんといっても**【何と言っても】《副》(=だれがどのように言おうと)①ほかのことを差し置いても。何をおいても。第一に。「―心配されるのは安全性だ・夏と言えば―(=すぐ思いつくのは)生ビールだ」②やはり。さすがに。「―親ですから、子どものことは心配です」丁寧 なんといいましても。●**なんとしても**【何としても】《副》どんなことをしても。なんとしてでも。「―帰りたい」●**なんとなく**【何となく】《副》①はっきりとではないが。「今の説明で―わかった・―(=どことなく)じみな感じの服」②べつに何の理由・目的もなく。「―

雲をながめていた」▽なんとはなく。なんと(は)なしに。なんとなし。●**なんとなれば**〔何となれば〕《接》〔文〕なぜかと言うと。なんとならば。●**なんとやら**〔何とやら〕《副》①なんとなく。「—不安になった」②名前やことばがはっきりしないときや、わざとぼかすときに言う語。なんとか。「—いう会社・うわさをすれば—」

**なんと**《副助》〔↑なんどと〕〔古風〕などと。なんて。「だいたい、会議—いうものは」

**なんど**【納戸】衣服・道具をしまっておく部屋。

**なんど**【難度】むずかしさの度合い。難易度。「—が高い・超—のわざ」

**なんど**《副助》〔↑何にと〕〔古風〕など。なんぞ。「私—には理解できない」

**なんとう**【南東】南と東との中間の方角。東南。(↔北西)

**なんとう**【軟投】《名・他サ》《野球》やわらかい感じでゆるく投げること。

*__なんとか__〔何とか〕[一]ことばを思い出せなかったり、ぼかしたりするときに、代わりに使うことば。「山田—という人・—会社・—〔=ばか〕の一つ覚え」[表記]俗に「ナントカ」とも。[二]《副》①何々というように。「裏にも—書いてある・だまっていないで、—〔=何かことばを〕言え!・名人とか—〔=名人などと〕おだてられる」②うまく解決するように。「—してください・そのうち—なるだろう」③どうにか。「—切りぬけた・英語は—話せる・—(して)〔=無理をしても〕手に入れたい」●**なんとかかんとか**〔何とかかんとか〕《副》①長い語句をぼかすことば。②「なんとか[二]」を強めたことば。「—けちをつける」

**なんどき**〔何〈時〉〕〔文〕①何の時刻。何時。「いま—だ」②どんなとき。「いつ—」

**なんどく**【難読】〔文〕〔漢字が〕むずかしくて、読めないこと。「—字・—駅名」

**なんとも**〔何とも〕《副》①まったく。なんともか(ん)とも。「—閉口した」②〔後ろに否定が来る〕何であるか(と)も。どうとも。「—言えないいいにおい・それは—言えないね」●**なんともな・い**〔何ともない〕《形》どう〔いう ふう〕にもない。●**なんとも-はや**〔何ともはや〕《副》「なんとも①」を強めた言い方。「—成功した」

**なんなく**【難なく】《副》たやすく。「—成功した」

**なんなら**〔何なら〕[一]《副》相手が望むなら。必要なら。やむをえないなら。「—教えてあげようか・大臣をやめる。—政治家もやめる」[二]《接》〔俗〕説明を加えることをあらわす。もっと言うなら。「あの番組、好きだった。—毎週見てた」〔二十一世紀になって広まった用法〕[注意][二]は、[一]の意味をもとに「もし必要なら、次のように言い足してもいい」という気持ちから生まれた用法。▽[一][二]

**なんなり**〔何なり〕[一]《副》なんでも。「—(と)おっしゃってください」〔関西方言で「なんなと」〕[二]《**なりなんなり**で副助》…か、それににた〈もの/こと〉(を)。「タクシー—なり—(を)つかまえよう・あやまるなり—するがいい」

**なんなん**【喃々】《副・タル》〔文〕ぺちゃくちゃしゃべるようす。「喋々—」

**なんなんと・する**〔垂んとする〕《自サ》〔↑なりなんとする〕〔文〕まさに〔…に〕なろうとする。「以来三十年に—」

**なんにも**〔何にも〕《副》①〔↑なにも〕なに一つ。まったく。「—知らない・〔食事で〕—ありませんがおあがりください〔上等な料理はないという、けんそん〕」②〔↑なにも〕何事にも。「—ならない〔=なんの役にも立たない〕」

**なんにょ**【男女】〔文〕だんじょ。「老若—」

**なんねん**【難燃】〔文〕燃えても、ほのおを出して燃えあがりにくいこと。「—処理・—性・—材」

**なんの**〔何の〕[一]**なんの**《連体》〔後ろに否定が来る〕なにほどの。少しの。「—おもてなしもできず・—変哲もない〔=取り立てて言うほどの変わったところもない〕」[二]**なんの**《連体》なんのための。「酒がなくて—人生だ」[三]**なんの**《名・感》否定することば。どうして。いや。「—、できないことがあるものか・—これしき・不景気も—〔=なんでもない〕」[四]**なんの**《**のなんの**で副助》①…とかなんとか。「もう帰るの—と大さわぎした」②…といったら、これ以上のものはない。「おもしろいの—」●**なんのことはない**[句]①何も〈おどろくような/変わった〉ことはない。「ドアを開けてみると、—、大家さんだった」②むだなことを〈する/した〉、という気持ちをあらわす。「—、遊園地にくたびれに行ったようなものだ」●**なんの-かんの**〔何のかんの〕《副》あれこれと。いろいろ。なんのかの。「—(と)口答えばかりする・—あったが、仲直りした」[由来]「かんの」はもと「彼の」で、「なんの」に合わせて変化した形。●**なんのきなしに**〔何の気なしに〕《副》特別にそうするつもりでなく。軽い気持ちで。なんの気もなく。「—ふりむく」●**なんのその**〔何のその〕《副》なんとも思わないようす。問題にせず。「失敗も—(で)、大成功した」〔も—〕●**なんの-なにがし**〔何の某〕《代》はっきり姓名を出さないで、人名をあらわす言い方。なんのたれべえ(誰兵衛)。なんのたれがし。

**なんぱ**【難破】《名・自サ》〔暴風などで〕船がこわれたり、ひっくり返ったりすること。難船。「—船」

☆☆**なんぱ**[一]【軟派】《名・ナダ》①おもしろさを第一として、くだけているようす。「—な雑誌・—文学」②遊びが好きで、軽い気持ちで恋愛を重ねる人々。「—の不良少年・—を張る〔=軟派として行動する〕」③〔文〕柔軟派。「社会主義運動の—」▽(↔硬派)[二]【ナンパ】《名・他サ》〔俗〕街などで、好みの人に声をかけて、遊びにさそうこと。

**ナンバー**〔number〕[一]**ナンバー**①数。②番号。「—を打つ・—プレート〔=自動車に取りつけられた番号表示板〕」③〔雑誌などの〕号数。「バック—」④〔ジャズなどの〕曲目。「スタンダード—」[二][接頭]①第…番。「—ツー〔=第二位(の実力者)〕」②〔雑誌で〕第…号。(↔ボリューム)▽記号として「No.」などを使う。●**ナンバーカード**〔number card〕陸上競技やスキー競技の選手が胸や背につける、番号を書いた布。ゼッケン。●**ナンバーサイン**〔number sign〕⇩番号記号。●**ナンバーワン**〔number one〕①一番(目)。②第一(位)。「実力—」③第一人者。④第一の地位にあるもの。

**ナンバリング**《名・自サ》〔numbering〕①番号をつけること。②↑ナンバリング マシン。●**ナンバリング マシン**〔numbering machine〕一回または数回おすたびに、自動的に数字が一つずつ進んでおされる器

な

械。ナンバリング。

**なんばん**［南蛮］①〔文〕今の東南アジア。「—渡来の品」②〔室町時代末期から江戸時代初期に来日した〕スペイン人やポルトガル人。「—人」③ⓐ〔東北などの方言〕とうがらし。ⓑ〔関西・中国・四国方言〕とうもろこし。なんば。④しるをかけたそば・うどんに、長ネギや肉をのせたもの。「かも（鴨）—・カレー—」 由来 ネギ（を使った料理）を「南蛮」と言ったことから。

●**なんばんづけ**［南蛮漬け］油であげたさかなや肉などを、焼きネギやトウガラシなどを加えた合わせ酢につけこんだ料理。

**なんぴと**［何人］〔文〕「なにびと」の音便。なんびと。「—も異論がないであろう」

**なんびょう**［難病］治りにくい病気。

**なんぴょうよう**［南氷洋］⇩南極海。（↕北氷洋）

**なんぶ**［南部］㊀なんぶ 南（のほう）の部分。（↕北部）㊁なんぶ 青森県東部から岩手県中部に広がる地域。もと、南部藩の領地。「—せんべい」

**なんぷう**［南風］〔文〕南からふく風。みなみかぜ。（↕北風）

**なんぶつ**［難物］あつかい方がむずかしい〈もの／人〉。手にあまるもの。「あの人は—だ」

**ナンプラー**〔タイ nam plaa〕タイ料理で調味料として使う魚醤。イワシなどのさかなを塩づけにして発酵させたもの。ナムプラー。☞ニョクマム。

**なんぶん**［難文］〔文〕（むずかしいことばが使ってあって）わかりにくい文章。

**なんべい**［南米］↕南アメリカ。（↕北米）

**なんぺき**［難壁］《登山》〔文〕登りにくい岩壁。

**なんべん**［軟便］《医》やわらかい大便。

**なんぼ**《副》〔もと方言。「ナンボ」とも書く〕①どれほど。いくら。「—でもやったるで・勝って—（のもの）〔=はじめて価値の生じるもの〕」②どんなに。「—しんどくても」

●**なんぼなんでも**［なんぼ何でも］《副》〔もと方言〕いくらなんでも。

**なんぽう**［南方］①南の方角（にあたる所）。（↕北方）②日本の「南方①」。第二次大戦以前、東南アジア・南太平洋の方面を言った。「—戦線」

**なんぽう**［難峰］〔文〕登りにくい、けわしい山。「ついに—を征服」

**なんぼく**［南北］みなみときた。なんぽく。●**なんぼくちょうじだい**［南北朝時代］《歴》室町時代の初期、朝廷がいちじ吉野〔=南朝〕と京都〔=北朝〕に分かれた時代。〔一三三六～一三九二〕

●**なんぼくもんだい**［南北問題］主として北半球にある先進国群と、その低緯度地帯および南半球にある発展途上国群との間にある政治上・経済上の諸問題。

**なんまいだ**《感・名》「なむあみだぶつ」の変化。なんまんだ（ぶ）。〔つぶやくように低くとなえる言い方をする〕

☆☆**なんみん**［難民］㊀なんみん ①〔思想や人種などのちがいで〕迫害のおそれがあるために、他国にのがれてきた人たち。〔難民条約で規定〕②〔災害や戦乱などで〕他国にのがれてきた人たち。「経済—」㊁造〔俗〕〔サービスが受けられなかったりして〕不自由している人たち。「介護—・〔災害時の〕帰宅—〔=帰宅困難者〕」

**なんめい**［南溟］〔文〕南方の大海。「—に散ったわが子」（↕北溟）

**なんめん**［南面］〔文〕㊀南がわの（方）面。「島の—」②㊁《名・自サ》①南のほうに向くこと。「天子—」▽㊀㊁（↕北面）

**なんもの**［難物］〔商品の〕欠点のあるもの。「—、はんぱ物」

**なんもん**［難問］むずかしい〈質問／問題〉。「—にぶつかる」

**なんやかんや**［何やかんや］《名・副》〔話〕⇩なにやかや。「—（と）しゃべる・—で完成まで半年かかった」 由来「かんや」はもと「彼や」で、「なんや」に合わせて変化した形。

**なんやく**［難役］むずかしい役。「—をこなす・〔劇の〕—にいどむ」

**なんよう**［南洋］日本の南にある、西太平洋の赤道付近の海（にある島々）。（↕北洋）

**なんら**［何等］《副》〔後ろに否定が来る〕〔文〕なにも。少しも。なにら。「—の〔=なんの〕うたがいもない・—困ることはない」●**なんらか**［何等か］《名・副》〔文〕なにか。「—の形で意思表示する・—関係がある」

**なんりゅう**［南流］《名・自サ》〔文〕〔川・海流などが〕南のほうへ流れること。（↕北流）

**なんろ**［難路］〔文〕①けわしい道。「天険—」②簡単には進まない過程。「生活の—」

**なんろく**［南麓］〔文〕〔山の〕南がわのふもと。

**なんろん**［軟論］〔文〕弱腰の議論。「—をはく」（↕硬論）

# に
# 二

****に**［二］①一より一つだけ多い数。ふたつ。にい。表記 アラビア数字では「2」。重要な文書で、金額などを書く場合、「弐」と書く。②ふたつめ。つぎ。☞二の西・二の矢。③〔↑二の糸〕三味線の糸のうち、二番目に太い糸。④《視覚語》《野球》↑二塁（手）。「—ゴロ」⑤二枚目。「—の線で売る」

**に**［丹］〔=赤土〕〔文〕あか。赤色。「—塗り」

**に**［荷］①荷物。「—を解く・—ほどき」②運ぶための商品。「—を集める〔=集荷する〕」●**荷が重い**句 責任・負担が重い。「初心者には—仕事」●**荷が勝つ**句 責任・負担が、能力をこえる。「私には荷が勝ちすぎる」

**に**［煮］㊀に 煮かた。「—が足りない」㊁造 煮ること。煮た料理。「カレー—・みそ—・もつ—」

**に**［二］《音》長音階のハ調のレにあたる音。D音。「—長調」

****に**㊀《格助》①〈いる／ある〉場所をあらわす。「東京—住む・そば—メモを置く・空—かがやく星」②方向をあらわす。「北—行く・客席—手をふる・男—なぐりかかる・相手—嫉妬を感じる」③動作・作用の行きつくところをあらわす。「穴—落ちる・駅—着く・電車—乗る・知り合い—ばったり会う」区別 ⇩と㊀⑤。④接する対象をあらわす。「壁—よりかかる・棒—つかまる」⑤動作・作用の対象をあらわす。「花—水をやる・子ども—英語を教える・客—酒を飲ませる」⑥動作・作用の原因をあらわす。「木の根—つまずく・寒さ—ふるえる・友だち—たたかれる」⑦変化の結果をあらわす。「おとな—なる・音量を最大—する」⑧〈お／ご〉…—なる…

なさる。「先生がお話しーなる・ご覧ーなる」⑨目的をあらわす。「釣りー行く・気分転換ーテレビを見る・カニを食べー行く〔俗に『食べ行く』とも〕」⑩選ぶものをあらわす。「この服ー決めた・やはり行くことーした・許すわけーはいかない」⑪時をあらわす。「八時ー始める・朝ー夕ー・読むたびー発見がある・先ー帰る」⑫基準をあらわす。「自宅は山ー近い・サルー似た顔・合格ーはほど遠い・捨てるーはおしい案」⑬視点・立場をあらわす。…から見て。…にとって。「はた目ーも気の毒なほどだ・わが社ーは大切な人物だ・私ーは不可能だ」⑭範囲をあらわす。「ネコー(も)いろいろあって」⑮割り当てをあらわす。…につき。「一人ー一本」⑯…の資格で。…として。「養子ーむかえる・大女優を母ー持つ・賞品ーノートをもらう」⑰ある〈状態/状況〉を示して、後ろに続ける。…にして。…として。「生徒を前ー、講演する・希望を胸ー、上京する・この案を軸ー、調整する・入院をきっかけー、タバコをやめる」⑱取り合わせ・列挙をあらわす。「タイーヒラメ・竹ー雀」⑲〔同じ動詞を重ねて〕大いに、ずっと続くことをあらわす。「泣きー泣いた・会場は わきーわいた」⑳〔…ーは…〕それを一応認めることをあらわす。「賛成意見もあるーはある(が)」 区別 (1)「公園に行く」「公園へ行く」はほとんど同じだが、「に」は公園自体を目的地とする感じ、「へ」は公園のあたりや方角をふくむ感じがある。(2)「山に登る」と「山を登る」を比べると、前者は山が前にある場合に使い、後者はまさに山をふみしめている場合に使う。「に」はその動作に直接かかわらなくても使うが、「を」は直接かかわる場合に使う。☞「訪れる」の 区別。 アク ウシに・ネコに・イヌに。 二《接助》①〔文〕…したところ。…してみると。「文面から察するー、深刻ではなさそうだ・写真を見るー、かっこいい男だ」②…しようとして〔もだめだ〕。「進もうーも進めない・越すー越されぬ」③〔(だろ)うーなど〕…と思われるのに。…(の)はずなのに。「ほかに方法があ(るだ)ろうー」④〔古風/方〕のに。「だまれと言うー・こんな私じゃなかったー」▽③④は、終助詞的にも使う。⑤⇩ずに。 三 接尾 副詞を作る。「一度ー・しだいー・じきじきー」 四◇①〔文〕助動詞「なり」の連用形。「人ーあらず」②形容動詞の連用形の語尾。「きれいーなる」☞にして・にしろ・にせよ・には・にもあれ・にもかかわらず・にもせよ。

**に**〔尼〕 接尾 尼僧の名前の下にそえることば。「蓮月ー」

**に**〔似〕 造 …に似ていること。「おとうさんー」

**にあい**〔似合い〕 よく〈似合って/つりあって〉いること。「(お)ーのカップル・入学式にーの曲」

**にあ・う**〔似合う〕《自五》 組み合わせが、〈よく/自然に〉感じられる。「ゆかたのー人・彼にも似合わない失策」

**にあがり**〔二上がり〕 三味線の二の糸(=中音の糸)の調子を高くすること。はでな感じに聞こえる。(↕三下がり・本調子) ●**にあがりしんない**〔二上がり新内〕 新内節の調子で歌う、二上がりの小うた。

**にあが・る**〔煮上がる〕《自五》〈じゅうぶんに/すっかり〉煮える。 名 煮上がり。 他 煮上げる《下一》。

**にあげ**〔荷揚げ〕《名・自他サ》 船の積み荷を陸にあげる〈こと/人〉。「救援物資のー」

**にあたって**〔に(当たって)〕《格助》⇩あたって。

**にあたり**〔に(当たり)〕《格助》⇩あたり 四。

**にあっては**《副助》〔文〕⇩あっては。

**ニアピン**〔和製 near pin〕《ゴルフ》ボールがピンの(いちばん)近くにあること。「ー賞〔クイズなどの答えが正解に近い場合にも言う〕」

**ニアミス**《名・自サ》〔near miss〕 ①(航空機が空で)衝突しそうに接近すること。異常接近。②会いたくないのに、うっかり近づいたり、すれちがったりすること。「ライバルと出口でーする」

**にあわし・い**〔似合わしい〕《形》 よく似合っているようすだ。 派 ーさ。

**にあわせ(て)**〔に併せ(て)〕《接助》⇩併せて 二。

**にい**〔△二〕〔話〕に。〔数えるときなどに使うことば〕「いち、ー、さん・ー、しい、ろお、はあ〔『やあ』とも〕、とお・ーDK」

**にい**〔二尉〕〔↑二等〈陸/海/空〉尉〕《軍》自衛官の階級の一つ。〔もとの中尉に当たる〕

**にい**〔△兄〕 接尾 〔俗〕年上の男性の名にそえて、親しみをあらわすことば。「まさー」

**ニーサ**〔NISA〕〔↑Nippon individual savings account〕《経》少額投資非課税制度。個人投資家向けの優遇税制。投資額が年間一定額までなら、売却益や配当に課税されない。〔イギリスの優遇税制「ISA」を参考に二〇一四年から実施〕

**にいさん**〔兄さん〕「お兄さん」よりも軽い言い方。〔くだけて〕にいちゃん。(↕姉さん) ☞あに(兄)さん。

☆☆**ニーズ**〔needs=ニード(need)の複数形〕 要求。求め。「社会のーにこたえる」

**にいたっては**〔に(至っては)〕《副助》⇩いたっては。

**にいづま**〔新妻〕 結婚してまもない妻。

☆☆**ニート**〔NEET ↑not in education, employment or training〕 学校にも通わず、職さがしもせず、職業訓練も受けない、無業の若者。若年無業者。

**にいなめさい**〔新×嘗祭〕 天皇が、その年に収穫された新米などを神々にささげ、感謝する儀式。十一月二十三日におこなわれる。しんじょうさい。

**ニーハイ**〔knee-high〕《服》 ①ひざ上まで高さがあるくつ下。ニー(ハイ)ソックス。ニーソ〔俗〕。②ひざ上まで高さがあること。「ーのブーツ」

**にいぼん**〔新盆〕〔関東・甲信越での言い方〕はつぼん。

**にいまくら**〔新枕〕〔雅〕男女が、結婚してはじめていっしょにねること。「ーをかわす」

**ニーレングス**〔knee length〕《服》〔スカートやタイツの〕長さがひざのあたりまであること。ひざたけ。

**にいんせい**〔二院制〕 国会が〈参議院と衆議院/上院と下院〉の二つから成る制度。(↕一院制)

**にうけ**〔荷受け〕《名・自他サ》 送ってきた荷物を受け取ること。(↕荷送り) 表記 熟語では「荷受」と書く。「荷受人」

**にうごき**〔荷動き〕 取引による、荷物・商品の動き。「ーが少ない」

**にうり**〔煮売り〕〔江戸時代に〕煮て作ったおかずを売ること。また、ごはんや酒といっしょにそれを売る店。

**にえ**〔△沸〕・〔×錵〕 刀の刃に細かくあわ(粟)つぶのようにあらわれる模様。☞匂い⑤。

**にえかえ・る**〔煮え返る〕《自五》 ①煮立って わき

かえる。「湯がー」②非常におこって、心がわきかえる。「はらわたがー」

**にえきら・ない**[煮え切らない]《形ヌズ》〈態度・返事が〉はっきりしない。あいまいだ。「ー性格」丁寧 煮え切りません。派ーさ。

**にえくりかえ・る**[煮え(繰り)返る]《自五》「にえかえる」を強めた言い方。

**にえたぎ・る**[煮え(×滾る)]《自五》水が熱くなって、わきあがる。「ー湯」

**にえた・つ**[煮え立つ]《自五》煮立つ。「鉄びんの湯がー」

**にえゆ**[煮え湯]煮えたった湯。熱湯。(↔ぬるま湯) ●☆**煮え湯を飲まされる** 句 非常に〈くやしい／つらい〉目にあわされる。「政敵にー・かわいがっていた部下にー」〔「(相手に)煮え湯を飲ませる」「(自分が)煮え湯を飲む」の形でも使う〕

**に・える**[煮える]《自下一》①煮られて熱がとお(り、食べられるようにな)る。②水があたためられて、熱い湯になる。③〔熱を加えたために〕熱い液体になる。「コールタールがー」④はげしくおこって、心がわきたつ。「えい、胸がー」名 煮え。

**にお**[×鳰]《雅》かいつぶり。におどり。「ーの海(=琵琶湖)」

↔***におい**[匂い] ①そのものからただよってきて、鼻に感じられるもの。「さかなを焼くー・ーが立つ(=いいにおいがする)」②それらしい感じ。おもむき。「下町のーがする」③[臭い]うたがわしい感じ。「犯罪のーがする」④《雅》美しい色つや。「ーめでたき桜花」⑤刀の刃の表面にあらわれる、けむりのような形の模様。☞にえ。●**においた・つ**[匂い立つ]《自五》①においがぷうんと感じられる。「バラのかおりがー」②かがやくような感じに映える。「ーばかりの美しさ」●**においぶくろ**[匂い袋]香料を入れた小さい袋。●**においやか**[匂いやか]《ナダ》〔文〕⇩におやか。

↔**におい**[臭い] ①鼻にくさく感じられるにおい。くさみ。「どぶのー・ー止め・ー消し」②⇩匂い③。表記 広告などでは「ニオイ」とも。

**において**《格助》〔文〕⇩おいて。

**におう**[仁王・二王]《仏》仏法を守るというふたりの強い神。寺の門の両わきなどに、その像を置く。「ー門」●**におうだち**[仁王立ち]仁王の像のように力強く、足を広げて立つこと。

[におう]

↔**にお・う**[匂う]《自五》①〈いい〉においが鼻に感じられる。「香水がほのかにー」②[臭う]うたがわしく感じられる。あやしい。「どうもーな」③《雅》色が美しく見える。映える。「朝日にー山桜花」☞匂わせる。

↔**にお・う**[臭う]一《自五》①鼻に、くさく感じる。「ガスがー」②⇩匂う②。他 臭わせる(下一)。「あせをー」二《他五》(西日本方言)かぐ。におぐ。「ちょっと臭ってみて」☞「ぼんさん」の用例。

**におかせられて**《格助》〔文〕⇩おかせられて。

**におかれて**《格助》⇩おかれて。

**におくり**[荷送り]荷物を先方へ送り出すこと。「荷送人(↔荷受け)」

**における**《格助》⇩おける。

**ニオブ**〈ド Niob〉《理》超伝導材などに用いる灰白色のやわらかい金属(元素記号Nb)。耐熱性にすぐれ、衝撃にも強い。

**におやか**[匂やか]《ナダ》〔文〕①においがはっきりわかるようす。②美しいようす。「ーな眉」▽匂いやか。派ーさ。

**におよび**[に及び]《接助》〔文〕⇩及び二。

**におろし**[荷下ろし・荷降ろし]《名・自他サ》積み荷をおろすこと。「商品のー作業」

**におわ・せる**[匂わせる]《他下一》①におうようにする。②ほのめかす。「辞退の意向をー」▽匂わす。名 匂わせ。

**にかい**[二階]①〔建物で〕地上にある階のすぐ上の階。「おーへどうぞ」②家が「二階①」まであること。「ー建て・ー家(『ー屋』とも)」●**二階から目薬** 句 ききめがないことのたとえ。●**二階へ上げてはしごを外す** 句 とちゅうまで手助けして、そのあとは見放す。☞はしごを外される(「はしご」の句)。

**にがい**[二外]〔↑第二外国語〕《学》大学などの科目で、主に学習する外国語〔多くは英語〕に加えて、二番目に選択する外国語。

**にが・い**[苦い]《形》①舌をしびれさせるようで、〔子どもであれば〕長く口に入れていたくない感じの味だ。「ー薬・ービール・ーコーヒー」(↔甘い) ②二度と味わいたくないつらい感じだ。「ー思い・ー経験」③不愉快そうで、いやな感じだ。「ー顔」派ーさ。

**にがうり**[苦×瓜]表面にでこぼこのあるキュウリのような実がなるつる草。西日本に多く、観賞用のほか、若い実を食用にする。つるれいし(蔓茘枝)。ゴーヤ(ー)。

**にかえ・す**[煮返す]《他五》一度煮たものをもう一度煮る。「煮返したみそしる」名 煮返し。

**にがおえ**[似顔絵]その人の顔の特色をつかんで、簡単にかいた絵。にがお。

**にかかわらず**《接助》⇩かかわらず。

**にかぎって**[に限って]《副助》⇩限って。

**にかけ(て)**《格助》⇩かけて。

**にかご**[荷籠]自転車の前や荷台などにのせる、針金であらく編んだかご。

**にが・す**[逃がす]《他五》①追われているものを、にげられるようにしてやる。②〈つかまっているもの／自由をしばられているもの〉を、はなしてやる。「虫を逃がしてやる」③つかまえそこなう。とりにがす。「チャンスをー」▽のがす。④《板前のことば》〔古くなった〕食材を捨てる。●**逃がした魚は大きい** 句 取りそこなったものは、実体よりもずっとよく感じられるものだ。

***にがつ**[二月]一年の第二の月。☞きさらぎ(如月)。

**にかっと**《副》いっしゅん上下の歯を見せて、いたずらっぽく笑うようす。「ちょっかいを出しながらー笑う」

**にがっぽ・い**[苦っぽい]《形》にがみがまじっているようすだ。派ーさ。

**にがて**[苦手]《名・ナダ》①〈やりにくく／勝てなく〉ていや

な相手。「―力士に完敗する」②不得意(なもの)。「人前で歌うのが―だ・―意識」③ある食べ物をきらうようす。「ニンジンが―な子ども」

**にがな**【苦菜】①野草の名。初夏、先がぎざぎざした黄色くて細い花がさく。②沖縄の春野菜の一つ。ほそばわだん。ンジャナ〔沖縄方言〕。

**にがにがし・い**【苦々しい】《形》不愉快に思っている感情があらわれているようすだ。「―顔つき」派―げ・―さ。

**ニカブ**〔アラビア niqāb〕イスラム教徒の女性が外出時にまとう、目だけを出して全身をかくす布。「黒い―」☞チャドル・ヒジャブ・ブルカ。

**にがみ**【苦(:味)】にがい味の(感じ)。「ビールの―」 ●**にがみばし・る**【苦み(走る)】《自五》顔つきが引きしまってかっこよく見える。「苦みばしったいい男」

**にがむし**【苦虫】かむとにがそうな虫。●**苦虫になる**句苦虫をかみつぶしたような顔になる。●**苦虫をかみつぶしたような顔**句非常に不快そうな顔。

**にかよ・う**【似通う】《自五》〔ふつう **似通った〈た/て〉**〕おたがいによく似る。「似通った問題」名似通い。

**にかよ・る**【似(△)通る】《自五》〔俗〕似かよう。名似通り。

**にがり**【(苦△汁)・(苦△塩)】海水から塩を作ったあとに残る、にがいしる。にがしお。とうふを作るのに使う。

**にがりき・る**【苦り切る】《自五》非常ににがにがしい顔をする。「苦り切った表情で聞く」

**にかわ**【(×膠)】けもの類の皮・骨などを煮たしるをかためたもの。おもに、ものをくっつけるのに使う。「―でつなぎ合わせる」

**にがわらい**【苦笑い】《名・自サ》にがにがしく思いながらも笑うこと。また、その笑い。「負けて―する」

**にかん**【二冠】〔スポーツ〕二つのタイトル。「―王(=二つのタイトルを獲得した選手)」

**にかんし(て)**【に関し(て)】《格助》⇩関して。

**にきさく**【二期作】〔農〕同じ耕地に、同じ作物を一年に二度つくること。☞二毛作①。

**にぎてき**【二義的】《ナダ》⇩第二義的。「―な問題」(↔一義的)

**にぎにぎ**【(握々)】《名・自他サ》①〔児〕赤ちゃんが〈手/もの〉をにぎること。②〔俗〕わいろ。

☆☆**にぎにぎし・い**【(×賑々しい)】《形》〔文〕にぎやかだ。「にぎにぎしく登場する・どちらさまも、にぎにぎしくご来場ください・―表現」派―さ。

**にきび**【(:面皰)・ニキビ】顔の毛穴などにできる、小さなできもの。青少年期に多い。尋常性痤瘡《医》。

**にぎやか**【(×賑やか)】《ナダ》①人などがこみあい、話し声・足音などでさわがしいほどのようす。「―な大通り」②話し声などが大きくて、うるさいほどのようす。派―さ。 ●**にぎやかし**【(×賑やかし)】〔「にぎやかす」の連用形から〕にぎやかにするため(だけ)の〈もの/人〉。「タレントを―に集める」 ●**にぎやかし・い**【(×賑やかしい)】《形》にぎやかだ。「―笑い声」 ●**にぎやか・す**【(×賑やかす)】《他五》にぎやかにする。「会話を―・食卓を―」

**にきょく**【二極】①《理》電極が二つあること。②中心勢力が二つあること。「―構造・―分化(=両方にはっきり分かれること。『―化』とも)」

**にぎら・せる**【握らせる】《他下一》わいろのお金などをわたす。握らす。「いくらか―」

**にぎり**【握り】①にぎること。②にぎる長さ・太さ、または量。「ひと―」③にぎって持つ所。「ステッキの―」④↑握りずし。⑤《碁》「握る⑤」こと。つかみ。☞おにぎり。 ●**にぎりこぶし**【握り拳】こぶし。 ●**にぎりし・める**【握り締める】《他下一》〈手/もの〉をかたくにぎる。「おこづかいを握り締めてお祭りに行ったものだ」 ●**にぎりずし**【握り(:寿司)】酢をまぜためしを手のひらに取り、さかななまの貝などをのせた上から指でおさえて形を整えたすし。にぎり。 ●**にぎりつぶ・す**【握り(潰す)】《他五》①強くにぎってつぶす。②手もとに置いて、わざとそのままにしておく。「陳情を―」名握りつぶし。 ●**にぎりっぺ**【握り(っ×屁)】〔俗〕おならのガスをつかんで、にぎりこぶしの中に入れたもの(を、他人にかがせるいたずら)。にぎりべ〔古風〕。 ●**にぎりばし**【握り箸】二本のはしをいっしょににぎるようにして持つこと。☞嫌い箸。 ●**にぎりぶと**【握り太】にぎって太いと感じる〈こと/もの〉。「―のステッキ」 ●**にぎりめし**【握り飯】「おにぎり」の〈少し古風/方言的〉な言い方。

**にき・る**【煮切る】《他五》《料》みりん・酒などを火にかけて、アルコール分をとばす。名煮切り。「―酒」

***にぎ・る**【握る】《他五》①手の指をそろえて内へまげる。また、そうしてものを持つ。②確かに知る。つかむ。「秘密を―」③自分のものとして持つ。支配する。「権力を―」④にぎりずし・にぎりめしなどを作る。「何を握りましょうか」⑤《碁》先番を決めるために、碁石をいくつかつかむ。⑥《ゴルフなど》〔俗〕勝敗を賭けて、プレーする。可能握れる。

**にぎわ・う**【(×賑わう)】《自五》(人が大ぜい出て)にぎやかになる。「まちが―・座が―」名にぎわい。

**にぎわし・い**【(×賑わしい)】《形》にぎやかで、さかんだ。にぎわわしい。派―さ。

**にぎわ・せる**【(×賑わせる)】《他下一》①にぎやかにする。「新聞紙上を―」②〔文〕生活をゆたかにする。「民を―」▽にぎわす。由来「にぎわう」の使役形「にぎわす」から音が落ちて「にぎわす」「にぎわせる」となった。

***にく**【肉】①動物のからだの、皮の下にある、やわらかな部分。②けものや鳥のからだのうちで、食べられるやわらかなところ。〔多く、東日本では豚肉、西日本では牛肉を言う〕「お―と野菜・―屋(=精肉店)」③くだものや葉などの、やわらかくて水けの多い部分。「桃の―・―の厚い葉」④ぜい肉。「(お)―がつく・脇(の)―」⑤〔文〕からだ。肉体。「霊と―の一致・血わき―おどる」⑥骨組みにつけ加えた厚みの部分。「―の厚いタペストリー・当初の案に―をつける」⑦〔文〕肉欲。⑧印肉。 ●**肉が上がる**句きずが治るにつれて、まわりの皮膚がもり上がってくる。 ●**肉を切らせて骨を断つ**句自分も相当の損害を受ける代わりに、相手を徹底的にやっつける。「皮を切らせて肉を切り、―」

**にくあつ**【肉厚】《名・ナダ》①肉の厚み(のあるようす)。「―のシイタケ・―の唇・―に切る」②〔素材などの〕厚み。「―のうすいパイプ」

**にく・い**【憎い】《形》①〔いやなことをされて〕しかえしをしたいほど腹が立つ気持ち(にさせるようす)だ。「犯人がー・ー雨」(↕かわいい) ②ちょっと腹が立つほど、気がきいている。心憎い。〔ほめた言い方〕「ーことを言う・ー演出」 表記 俗に「ニクい」とも。 派 -さ。 ☞憎からず。

↑***にく・い**【〈難い〉】 造〔動詞につけて形容詞をつくる〕(うまく)…することが、むずかしい。「歩きー・読みー・届きー」(↕やす〈易〉い・よい) 派 -がる。-げ。-さ。 ☞つらい㊁。

**にくいろ**【肉色】 ①肌の色。黄色をおびた、うすい紅色。 ②〔牛肉・さかなどの〕肉の色。「ーの あざやかなもの」

**にくが**【肉芽】 ①《医》皮膚の きずの表面に もり上がってくる肉。 ②⇩むかご。

**にくかい**【肉塊】〔文〕⇩にっかい。

**にくからず**【憎からず】《副》 ①きらいではないと。むしろ、好きだと。「少年も また少女をー思っていた」 ②かわいいと。「孫をー思う」

**にくかん**【肉感】〔文〕⇩にっかん。

**にくがん**【肉眼】〔めがね・双眼鏡などを使わないで〕じかにものを見る目。「ーでは見えない」 ☞裸眼。

**にくきゅう**【肉球】 ネコや犬の足のうらにある ふくらんだやわらかな部分。

**にくぎゅう**【肉牛】《農》肉を食べる目的で飼う牛。にくうし。(↕役牛・乳牛)

**にくきりぼうちょう**【肉切り包丁】 肉を切るための、刃のうすい大形の包丁。

**にくこっぷん**【肉骨粉】 牛やブタなどの、食肉にできない内臓・骨などを原料とした飼料。

**にくさげ**【憎さげ】《ナダ》〔文〕いかにも にくらしいようす。「ーな顔つき」

**にくじき**【肉食】《名・自サ》《仏》人間が鳥・けもの・さかな類を食べること。にくしょく。 ●**にくじき さいたい**【肉食妻帯】《名・自サ》《仏》僧が、肉を食べ、妻を持つこと。

**にくしつ**【肉質】 ①肉の性質。「ーが しまっておいしい・大根のー」 ②肉の品質。「ーの基準」

**にくしみ**【憎しみ】 にくい(と思う)こと。 ●**にくしみあ・う**【憎しみ合う】《他五》 おたがいに にくいと思う気持ちを持つ。 名 憎しみ合い。

**にくジャガ**【肉じゃが】 牛肉または豚肉と、ジャガイモ(や玉ねぎなど)を、あまからく煮こんだ料理。

**にくしゅ**【肉腫】《医》筋肉や骨などにできる、悪性のはれもの。サルコーマ(sarcoma)。 ☞がん(癌)①。

**にくじゅう**【肉汁】 ①肉を焼くと出る しる。「ーがあふれ出るステーキ」 ②肉のスープ。 ③新しい生肉をおすと出る しる。 ▽にくじる。 ✓「にくじゅう・にくじる」の両様に読むのは、「生肉」を「せいにく・なまにく」、「鶏肉」を「けいにく・とりにく」の両様に読むのと似ている。「肉」は音読みでありながら、昔から訓読みのようにも使われ、音訓どちらの読みの漢字とも結びつきやすい。

**にくじょう**【肉情】〔文〕肉欲。色欲。

**にくしょく**【肉食】《名・自サ》 ①《動》鳥・けもの・さかな類を食べ物にすること。「ー動物」(↕草食) ②〔副食として〕おもに肉類を食べること。「食事がー中心となる・ー化」(↕菜食) ③〔俗〕恋愛に積極的なこと。「ー系女子」〔二〇〇九年に広まった用法〕(↕草食)

**にくじる**【肉汁】 ⇩にくじゅう。

**にくしん**【肉親】〔親子・きょうだいなど〕血縁のきわめて近い人。

**にくすい**【肉吸い】 うどんのつゆに、牛肉やネギなどを入れて作るしるもの。〔大阪が発祥〕

**にくずく**【〈肉〉豆蔲】 熱帯に はえる常緑高木。たねの中にあるものはナツメグと言う。

**にくずれ**【荷崩れ】《名・自サ》〔トラックなどの〕積み荷が くずれること。

**にくずれ**【煮崩れ】《名・自サ》《料》煮ているうちに食材の形がくずれること。「メークインはーしにくい」 動 煮崩れる《自下一》。

**にくせい**【肉声】 人の口から出る声。〔機械を通した声にも言う〕

**にくたい**【肉体】 (生身の)からだ。(↕精神) ●**にくたいかんけい**【肉体関係】 性的な関係。「ーを持つ」 ●**にくたいてき**【肉体的】《ナダ》 肉体に関するようす。「ーに たえられない」(↕精神的) ●**にくたいび**【肉体美】 スポーツなどできたえた からだに感じられる美しさ。 ●**にくたいろうどう**【肉体労働】 からだを使ってする(はげしい)労働。筋肉労働。「ー者」(↕頭脳労働)

**にくたらし・い**【憎たらしい】《形》「にくらしい」を強めた言い方。にくったらしい。「平気で うそをつくのがー・いたずらっ子」 派 -げ。-さ。

**にくだん**【肉弾】 肉体を弾丸の代わりにして敵の陣に突っこむこと。「ー戦」

**にくだんご**【肉〈団子〉】 ひき肉に つなぎを入れて小さくまるめて加熱したもの。ミートボール。「ーのスープ」

**にくち**【肉池】 印肉を入れる入れ物。肉入れ。

**にくちく**【肉畜】《農》肉を食べる目的で飼う家畜。(↕役畜)

**にくづき**【〈肉月〉】 漢字の部首の一つ。「肥」「肺」などの、左がわの「月」の部分。〔からだの部分に関係がある。「肉」と共通の字形から変化したもので、「月偏」とは別〕

**にくづき**【肉〈付き〉】 ①肉のつきぐあい。にくつき。「ーがいい」 ②かぶると顔の肉に くっついてはなれなくなること。「ーの面〔=能面〕」

**にくづ・く**【肉〈付く〉】《自五》 からだに肉がついて太る。

**にくづけ**【肉〈付け〉】《名・自サ》 ①〔骨組みに〕厚みをつけ加えたりして、形を整えること。モデリング。「彫刻にーする」 ②内容を〈あたえる/豊かにする〉こと。「構想にーする」 動 肉づける《他下一》。

**にくてい**【憎体】《ナダ》〔文〕にくらしいという感じがするようす。「ーな口をきく」

**にくなべ**【肉鍋】 ⇩牛鍋。

**にくなんばん**【肉南蛮】 肉とネギを入れて煮た〈うどん/そば〉。肉南。

←**にくにくし・い**【肉々しい】《形》 ①〔料理で〕肉が多い。肉の おいしさが感じられる。「ー牛丼」 ②肉が食べたい。「ー気持ち」 ③太っている。筋肉が多い。「ー体型」〔二十一世紀になって広まったことば〕

→**にくにくし・い**【憎々しい】《形》 非常に にくらしい。にくたらしい。「ー大悪党・ー目で敵をにらむ」 派 -げ。-さ。

☆☆**にくはく**【肉薄・肉迫】《名・自サ》 ①からだを投げ出して突進すること。「ー戦」 ②まぢかく追いせまること。「首位に―する」③するどく問いつめること。「するどい質問で―する」

**にくばなれ**【肉離れ】《名・自サ》《医》急に走ったりとんだりしたときに、足の筋線維きんせんいが切れること。

**にくひつ**【肉筆】〈印刷でなく〉手で〈かくこと/かいたもの〉。「―原稿げんこう」

**にくぶと**【肉太】《ナダ》文字を太く書くようす。「―に書く」〈↔肉細〉

**にくへん**【肉片】〈文〉肉のきれはし。

**にくぼそ**【肉細】《ナダ》文字を細く書くようす。〈↔肉太〉

**にくまれぐち**【憎まれ口】人ににくまれるようなことば。「―を利きく・―をたたく」

**にくまれっこ**【憎まれっ子】だれからもにくまれる〈子ども/人〉。●**憎まれっ子世にはばかる**【憚る】句 人ににくまれるような人間のほうが、世間では勢いがよく権力をふるう。

**にくまれやく**【憎まれ役】人からにくまれる〈役目/ような立場にある人〉。

**にくまん**【肉まん】〈まん↑まんじゅう〉野菜を刻んでまぜた〈ブタの〉ひき肉に味をつけ、小麦粉をこねて作った皮で包んで蒸むした、中華ちゅうかまんじゅう。ぶたまん。〈昔はミートパイやピロシキなどもさした〉

**にく・む**【憎む】《他五》にく〈らし〉いと思う。憎悪ぞうおする。きらう。「―べき犯罪・罪を憎んで、人を憎まず」〈↔愛する〉名憎み。●**憎んでも余りある**句 いくらにくんでもじゅうぶんとは言えない。

**にくよう**【肉用】《農》肉を食用として使うこと。「―牛・―種」〈↔乳用〉

**にくよく**【肉欲】相手と肉体のまじわりをのぞむ欲望。区別⇩性欲。

**にくらし・い**【憎らしい】《形》相手が〈にくくて/なまいきで〉、こらしめてやりたいようすだ。「―ほど強い横綱よこづな・―顔で舌を出す」〈↔かわいらしい〉派―がる。―げ。―さ。

**にぐるま**【荷車】荷物をのせ、人・馬などが引いてはこぶ車。

**ニグロ**【negro】〈俗〉黒人。〈差別的なことば〉

**ニグロイド**【Negroid】⇩ネグロイド。

**ニクロムせん**【ニクロム線】〈Nichrome=ニッケルとクロムを主成分とする合金の商標名〉電熱器の発熱などに用いられる、らせん状の細い針金。

**にくわうるに**【に加うるに】《格助》〈文〉⇩加うるに二。

**にくわえて**【に加えて】《格助》⇩加えて二。

**にぐん**【二軍】〈↑第二軍〉〈プロ野球などで〉正規の選手の養成や補充ほじゅうのための予備チーム。ファーム。「―落ち」〈↔一軍〉

**にげ**【逃げ】にげること。「―の一手」●**逃げを打つ**句〈責任などから〉のがれる〈用意をする〉。

**にげあし**【逃げ足】にげて走る足どり〈の速さ〉。「―が速い」

**にげう・せる**【逃げ△失せる】《自下一》〈文〉にげて、ゆくえをくらます。

**にげうま**【逃げ馬】《競馬》スタート直後から先頭に出て、そのままにげきるタイプの馬。

**にげおく・れる**【逃げ遅れる】《自下一》にげるのがおくれる。「逃げ遅れて焼け死ぬ」名逃げ遅れ。

**にげかくれ**【逃げ隠れ】《名・自サ》にげてかくれること。「こうなったら―はいたしません」動逃げ隠れる《自下一》。

**にげき・る**【逃げ切る】《自五》①〈追いつかれ/つかまえられ〉ないようにうまくにげてしまう。②〈もと競馬用語〉先行したまま、しのいで勝つ。名逃げ切り。可能逃げ切れる。

**にげこうじょう**【逃げ口上】言いのがれようとして言うことば。にげことば。「―を考える」

**にげごし**【逃げ腰】にげ出しそうなかっこう。「―になる」

**にげことば**【逃げ言葉】⇩逃げ口上。

**にげこ・む**【逃げ込む】《自五》にげて、その所にはいりこむ。

**にげじたく**【逃げ支度】にげ出す用意。

**にげだ・す**【逃げ出す】《自五》にげて、そこから出る。

**にげどく**【逃げ得】悪いことをしても、つかまらないように〈最後まで〉にげてしまうのが得になること。「交通違反いはんの―を許すな」

**にげな・い**【似気ない】《形》〈=似たようすがない〉〈文〉似ない。それらしくない。「いつもに―ふるまい」

**にげの・びる**【逃げ延びる】《自上一》遠くへにげて、つかまることをのがれる。

**にげば**【逃げ場】にげて、避難ひなんする場所。にげ場所。「―を失う」

**にげまど・う**【逃げ惑う】《自五》どちらへにげていいかわからなくなって、まごまごする。

**にげまわ・る**【逃げ回る】《自五》にげて、あちこち〈を回って歩く/場所を変える〉。

**にげみず**【逃げ水】《理》夏に起こるしんきろう〈蜃気楼〉の一つ。アスファルト道路などで、遠くに水があるように見え、近づくと、それがまた遠のいて見えるもの。

**にげみち**【逃げ道・逃げ△路】①そこを通ってにげ〈られ〉る、みち。血路。②〈責任を〉のがれる手段。

***に・げる**【逃げる】一《自他下一》①追われて、つかまらないように、相手からはなれる。「―ように立ち去る・夜道を―」②危険や自由をしばるものから、はなれる。「津波つなみから―」▽のがれる。③めんどうなものに近づかないようにする。避さける。「たのんだが、逃げられた・ぼかした表現で―・判断を―」二《自下一》①〈競技で〉追いつかれないで勝つ。にげきる。②正しい〈位置/方向〉からそれる。「腰こしが―」三《他下一》《将棋》駒こまを、にげさせる。「角かくを―」可能逃げられる。逃げれる〈俗〉。●**逃げるが勝ち**句 勝負したりめんどうなことにかかわったりするよりは、にげたほうが得だ。

**にげん**【二元】①二つの〈要素/中心〉。「―的な見方・―外交」②《数》未知数が二つあること。「―一次方程式」●**にげんろん**【二元論】ものごとを二つの対立する要素に分ける議論。「白か黒かの―・心身―〈=人間は精神と肉体から成るという考え方〉」

**にこ**【二×胡】《音》中国の弦げん楽器の一つ。弦は二本で、ゆみでこすってひく。

**にこいち**【ニコイチ】〈=二個一〉〈俗〉二人で一人であるかのように、仲がいいこと。〈二十一世紀になって広まったことば〉由来もと、ぬすんだ車に廃車はいしゃのナンバーをつけて売る車のこと。

**にごう**【二号】〈古風・俗〉めかけ。「―さん」

**にこうたいりつ**【二項対立】「いい」と「悪い」、「大人」と「若者」など、二つの ものごとを対立させる考え方。「—では説明できない」

**にこげ**【〈▵和〉毛】やわらかな毛。うぶげ。わたげ。

**にこごり**【煮〈▵凝り〉】さかななどを煮たしるが、ひえてゼリーのように かたまったもの。

**にご・す**【濁す】《他五》①〔ことばを〕あいまいにする。「返事を—・語尾を—・口を—〔⇩「口」の句〕」②にごるようにする。「けむりが空を—」▽にごらせる。

☆☆**ニコチン**〔nicotine〕《理》タバコの中にふくまれる、揮発性をもった成分。猛毒。●**ニコチンちゅうどく**【ニコチン中毒】タバコをすいすぎたために起こる、ニコチンの中毒。ニコ中。●**ニコチンパッチ**〔nicotine patch〕《医》体内にニコチンを吸収させ、禁煙を成功させるためのはり薬。禁煙パッチ。〔同様の目的で「ニコチンガム」もある〕

**にこっと**《副・自サ》うれしそうに笑ぇみをうかべるようす。

**にこにこ**《副・自サ》声を出さないで うれしそうに笑っているようす。「—顔」

**にこぼ・れる**【煮〈▵零れる〉】《自下一》煮立って、しるがなべなどの外へこぼれる。ふきこぼれる。名煮こぼれ。他煮こぼす《五》。

**にこぽん**【ニコポン】〔俗〕(にこやかに相手の肩をぽんとたたき)目下の人に気くばりを見せて、心をつかむこと。「—主義」

**にこみ**【煮込み】①煮こむこと。煮こんだ料理。「—うどん・—ハンバーグ」②もつ煮。●**にこみおでん**【煮込みおでん】⇩おでん。「みそ—」

**にこ・む**【煮込む】《他五》①いろいろなものをまぜて煮る。②じゅうぶんに煮る。「ことこと—」

**にこやか**《ナダ》あいそがいいようす。にこにこするようす。「—に応対する」派-さ。

**にごら・せる**【濁らせる】《他下一》にごるようにする。にごす。濁らす。「部屋の空気を—・目を—」

**にこり**《副》うれしそうに笑いかけるようす。にっこり。「—とも しない」

**にごり**【濁り】①にごること。②濁音の符号「゛」。濁点。にごり点。「—を打つ」③↑にごりざけ。●**にごりえ**【濁り江】〔雅〕水のにごった川。●**にごりざけ**【濁り酒】どぶろく。にごり。

**にご・る**【濁る】《自五》①よごれて、すきとおらなくなる。「水が—」②あざやかでなくなる。「色が—」③声がきれいでなくなる。④はっきりしなくなる。「頭が—」⑤濁音〈になる/であらわす〉。▽(↕澄む) ⑥みだれる。よごれる。「濁った世の中」

**にころがし**【煮転がし】⇩にっころがし。

**にごん**【二言】〔文〕二度言うこと。前言を取り消して、別のことを言うこと。「武士に—はない〔⇩「武士」の句〕」☞ふたこと(二言)。

**にさ**【二佐】〔↑二等〈陸/海/空〉佐〕《軍》自衛官の階級の一つ。〔もとの中佐に当たる〕

**にさいして(て)**【に際して(て)】《格助》⇩際して。

**にざかな**【煮魚】煮たさかな。「—定食」(↕焼き魚)

**にさばき**【荷〈×捌き〉】荷物の積み降ろしをしたり、仕分けをしたりする仕事。「—スペース・—所」

**にさん**【二三】二つ(か)三つ。少数。「—おたずねしたい・—日に〔『ニサンチ』とも発音〕」表記「二、三」とも。●**二三にとどまらない**句 少数ではない。

**にさんか**【二酸化】造《理》酸素二原子と化合した。「—マンガン」●**にさんかいおう**【二酸化硫黄】《理》⇩亜硫酸ガス。●**にさんかけいそ**【二酸化ケイ素】《理》石英の形で天然に産出する化合物。ガラスの原料。純度の高いものを融解して繊維状にしたものが光ファイバー。無水ケイ酸。シリカ(silica)。●☆☆**にさんかたんそ**【二酸化炭素】《理》石油・石炭などが完全に燃えたときなどに出る、無色で燃えない気体。ドライアイスや清涼飲料などに使う。また、地球温暖化の原因となる。炭酸ガス。$CO_2$(シーオーツー)。●**にさんかちっそ**【二酸化窒素】《理》高温で空気中の窒素が燃えたときに生じる、赤褐色で空気より重い気体。工場の排煙、自動車の排ガスにふくまれ、大気汚染を引き起こす。窒素酸化物の一つ。

**にし**【二士】〔↑二等〈陸/海/空〉士〕《軍》自衛官の階級の一つ。〔もとの一等兵に当たる〕

**にし**【二死】《野球》ツーアウト。「—満塁」

*__にし__【西】①太陽が しずむ方角。「—向きの部屋」②西風。③《すもう》ⓐ正面から土俵に向かって右のほう。ⓑ番付の左がわ。東より格下。「—の横綱」▽(↕東) ④《仏》ⓐ西方浄土。ⓑ〔↑西本願寺〕浄土真宗の本山である本派本願寺。お西。(↕東) ☞西する。●**西も東も分からない**句 ①その土地の地理が、まるで わからない。②ものの道理が、まるで わからない。

**にし**【〈×螺〉】アカニシ・ナガニシなど、海にすむ巻き貝。

**にじ**【二次】①〔↑第二次〕二番目。「—試験」②特に大切ではないこと。副次。「—的な問題」③《数》二乗(の項)。「—(方程)式」④二回。「—にわたる改良案」⑤何かの原因で起こったできごとが、新しい原因となること。二次的。「—感染〔=感染した人から感染すること〕・—爆発・—使用」⑥↑二次〈試験/予選〉。

**にじ**【虹】雨あがりなどに、太陽と反対方向の空中にカーブをえがいて あらわれる、七色の帯。「—がかかる」〔外がわから赤・だいだい・黄・緑・青・藍・むらさき。文化によって色の分け方がちがう〕●**虹の橋を渡る**句 ペットの動物が死ぬことの婉曲表現。由来作者不詳の英語詩に由来すると言われる。

**にしアジア**【西アジア】おおむね、トルコとイエメンとアフガニスタンあたりをむすんだ地域。

**にじいろ**【虹色】虹のように さまざまな色。「—の光・—のシャボン玉」

**にしインドしょとう**【西インド諸島】中央アメリカの大西洋側にある、カリブ海周辺の島々。

**にじかい**【二次会】宴会が終わったあと(別の所で)あらためてひらく宴会。

**にしかぜ**【西風】西のほうからふく風。(↕東風)

**にしがわ**【西側】①西の方角に当たる所。②〔もとのソ連圏の諸国に対して〕アメリカおよび西部ヨーロッパ諸国などの自由主義諸国を言ったことば。「—陣営」▽(↕東側)

**にしき**【錦】①いろいろの色糸や金銀の糸を横糸に使い、きれいな模様を織り出した、厚い高価な織物。②色・模様などの きれいなもの。「もみじの—」●**錦を飾**

る句〈成功/出世〉する。「故郷に—（⇩「故郷」の句）」●**にしきえ**［錦絵］たくさんの色を使った浮世絵の版画。●**にしきごい**［錦×鯉］—ごい 突然変異のコイを改良してできた、いろどりの美しいコイ。●**にしきのみはた**［錦の△御旗］①赤地のにしきに、日月を金でえがいた、官軍の旗。②りっぱな口実。名分。「—を掲げる」▽錦旗。●**にしきへび**［錦蛇］熱帯産で、黄に黒・茶などのまだら模様がある、太くて長いヘビ。毒はない。例、アミメニシキヘビ。

**にじき**［二食］〔文〕一日に二度食事すること。にしょく。

**にしきた**［西北］西と北との中間。せいほく。

**にしきたまご**［二色卵・錦卵］ゆでたまごを黄身と白身に分けてうらごしし、すだれで巻いて蒸したもの。

**にじぐち**［二字口］《すもう》力士が土俵に上がる、上がり口。東西にある。

**にじげん**［二次元］①長さ・はばの二つからなる次元。平面の世界。②〔俗〕漫画やアニメ、映像の世界。「—恋愛」☞三次元。●**にじげんコード**［二次元コード］たてと横の二方向に、大量の情報を記録したバーコード。白と黒で色分けされたモザイク状の小さな四角い面で表示する。二次元バーコード。☞QRコード。

**にじさんぎょう**［二次産業］《経》原料をもとに、生活に必要なものを加工する産業。鉱業・建設業・製造業など。第二次産業。

**にしじんおり**［西陣織］小紋の一種。京都市の西陣で織られる、高級な織物。横糸で模様をあらわす。西陣。「—の帯」

**にし・する**［西する］《自サ》〔文〕西へ行く。（↕東する）

**にじせいひん**［二次製品］《経》はじめに作った製品にくらべて、加工の度合いの高い製品。

**にしたがって**［に従って・に△随って］《接助》〔文〕⇩したがって㊁。

**にしたって**《接助・副助》〔話〕にしても。「アパートを借りる—お金がかかる・メイク—洋服—、大したセンスではない」

**にしつ**［荷室］ワゴン車などのうしろのほうの、荷物を積む部分。

**にじっせいき**［二十世紀］①西暦一九〇一年から二〇〇〇年までの百年間。〔二〇〇一年から、二十一世紀と言う〕②ナシの品種の一つ。あまくて水分が多い。二十世紀梨。▽にじゅっせいき。

**にして** ㊀《格助》〔文〕①(の時点)で。「三回目—やっと合格・今日—見れば・四十（=四十歳）—惑わず〔『論語』のことば〕」☞今にして。②〔その人・ものなど〕によって。「この著者—はじめて書きうる作品」㊁《副助》〔文〕①で(あって)。同時に。「人—人にあらず・簡—要を得た説明」②〔気持ちを強めて〕であるのに。でさえ。「この人—この欠点あり」㊂接尾 副詞をつくることば。「不幸—（=不幸にも）・ようやく—（=ようやく）」●**にしてからが**《格助》⇩してからが。●**にしては** ㊀《接助》…(の)わりには。「自分で書いた—よくできている・初めての演説—まずまずだ」㊁にしては《接》〔話〕それにしては。「『出前はとっくに出ました』『—おそいな』」●*__にしても__ ㊀《接助》①そういう仮定を認めても。「かりに歩いて行く—、時間がかかる」②そういう条件を認めても。…ものの。「悪口ではない—、それに近いことを言った」㊁《副助》例をあげる。…も…も同様で。…も…も。「今度の事故—、防ぐ方法はあったはずだ・ビール—酒—、一本が限界だ」▽㊀㊁にしろ。にせよ。にしたって。㊂にしても《接》〔話〕それにしても。「—、犯人はいったいだれだ」丁寧に(いた)しましても。

**にじでんち**［二次電池］《理》放電と充電ができる電池。蓄電池。

**にしにほん**［西△日本］日本の西半分。にしにっぽん。〔気象では、近畿・中国・四国・九州をさす〕（↕東日本）

**にしはんきゅう**［西半球］《地》地球のうち、南アメリカ州・北アメリカ州のある半球。（↕東半球）

**にしび**［西日］西にかたむいた日。おそい午後のひざし。「—がさす・—をさける」

**にしひがし**［西東］①西と東。②関西と関東。③各地で様子がいろいろであること。

**にじます**［(虹×鱒)］淡水で養殖するさかな。からだに沿って上半分に黒い点々があり、まんなかはもも色をしている。食用。

**にじま・せる**［(×滲ませる)］《他下一》①にじむようにする。「絵の具を—・額にあせを—・なみだを—」②ことばや表情によって、気持ちや感情をあらわす。「くやしさを—」▽にじます。

**にじみ・でる**［(×滲み)出る］《自下一》(水・色などが)にじんで、表面に出る。「あせが—」

**にしみなみ**［西南］西と南との中間。せいなん。

**にじ・む**［(×滲む)］《自五》①色がしみて広がる。〔さかいめは、はっきりしない〕「インクが—」②〔なみだが〕目にうかんでくる。③〔血・あせが〕表面にしみ出てくる。④表情にあらわれる。「苦渋の色が—」名にじみ。☞にじませる。

**にしめ**［煮(△染め)］煮しめたもの。「お—」

**にし・める**［煮(△染める)］《他下一》しょうゆ・砂糖を加えよく煮て、味をじゅうぶん材料にしみこませる。

**にしゃ**［二者］〔文〕二つのもの。ふたりの人。「—会談・—三振・—生還」

**にしゃさんにゅう**［二捨三入］《名・他サ》《数》計算したとき、端数の第一のけたが、二以下のときは切り捨て、三から七までのときは五とし、八以上のときは切り上げること。二捨三入・七捨八入。

**にしゃたくいつ**［二者択一］二つのうちのどちらか一つをえらぶこと。二者選一。二択。「—をせまられる」

**にしゅ**［二種］①↑第二種郵便物（=はがき）。②↑第二種運転免許（=営業自動車用）。二種免。

**にじゅう**［二十］①十の二倍。②二十歳。はたち。「—代」表記「×廿」とも書いた。●**にじゅうしせっき**［二十四節気］《天》太陽の一年の動きを十五日ごとの二十四に分けて、季節の目安としたもの。中国で生まれ、農作業などに利用された。立春・雨水・啓蟄・春分・清明・穀雨・立夏・小満・芒種・夏至・小暑・大暑・立秋・処暑・白露・秋分・寒露・霜降・立冬・小雪・大雪・冬至・小寒・大寒。節気。二十四気。●**にじゅうよじかん**［二十四時間］一日じゅう(のすべての時間)。「—営業」●**にじゅうよじかんせい**［二十四時間制］一日の時刻を、午前・午後に分けず、零時から二十四時まで通して呼ぶ方式。例、午後三時は十五時と呼ぶ。

**にじゅう**［二重］同じものごとを二つ重ねること。「―衝突（=二台がたがいに衝突し、さらにもう一台衝突すること）・―生活・―スパイ・―の苦しみ・料金の―取り」☞ふたえ（二重）。●**にじゅうあご**［二重顎］顔にぜい肉がついたり あごの筋肉がたるんだりして、あごの出っぱりが二つあるようになっていること。●**にじゅううつし**［二重写し］《名・他サ》①〔写真・映画〕ほかの画像・映像の上に重ねてうつすこと。二重露出〔写真〕。②〔よく似たものが〕連想によって重なって見えること。「息子の姿が、亡くなった夫と―になる」▽オーバーラップ。●**にじゅうかかく**［二重価格］《経》同じ商品に二つの価格がつけられること。また、その価格。例、メーカー希望小売価格と店頭価格。●**にじゅうけいご**［二重敬語］敬語を二つ以上かさねたもの。例、「おっしゃられる（『おっしゃる』+『れる』）」「各位殿」。〔ていねいすぎるので、避けたほうがいい〕●**にじゅうこくせき**［二重国籍］一人の人間が同時に二つの国籍を持っていること。●**にじゅうしょう**［二重唱］《音》高さをちがえて、ふたりで歌う合唱。デュエット。●**にじゅうじんかく**［二重人格］同じ人が、二つのまったくちがう性格を持っていて、場合によって、まったく別な人のように行動すること。☞多重人格。●**にじゅうそう**［二重奏］《音》〈二種／二個〉の楽器による合奏。デュエット。●**にじゅうちょうぼ**［二重帳簿］実態をしるした帳簿と、不正をごまかすための にせの帳簿（があること）。「―を作る」●**にじゅうひてい**［二重否定］否定のことばを二度使った言い方。意味は肯定になる。例、考えられないことはない（=考えられる）。●**にじゅうぼいん**［二重母音］〔言〕（アイ(ai)・エイ(ei)・オイ(oi)などのように）一つの音節の中にある連続した二つの母音。重母音。●**にじゅうまる**［二重丸・◎］丸の中にもう一つ丸があるもの。「成績をつけるとき、丸、―、三重丸、花丸などをつける・冷やして食べると◎（=非常にいい）」●**にじゅうもうけんほう**［二重盲検法］〔医〕薬の効果を客観的に調べる方法。医師にも患者にもわからないようにして試験薬と偽薬の両方をあたえて結果を見る。☞プラセボ効果。

**にじょ**［二女］①次女。②ふたりの女の子。

**にじょう**［二乗］《名・他サ》①〔数〕二つの同じ〈数／式〉をかけあわせること。平方。自乗。②程度が倍になること。じじょう。

**にじりぐち**［×躙り口］茶室にある、小さな出入り口。

**にしょうめんさくせん**［二正面作戦］二つの方向からおこなう作戦。「物価安定と不況対策の―」

**にじりよ・る**［×躙り寄る］《自五》座ったまま少しずつ進んで、そばに近づく。

**にじる**［煮汁］さかな・肉・野菜などを煮たあとの しる。また、煮るための しる。にしる。

**にじ・る**［×躙る］㊀《自他五》すわったまま、ひざやこしを少しずつ ずらして進む。「―ように車から出た・しりを―」他にじらせる《下一》。「ひざを―」㊁《他五》強くおしつけて、左右にまわすようにする。「タバコを灰皿に―」

**にしろ** ㊀《接助》そう仮定しても。そういう条件を認めても。「どんな理由があった―、許されない・反対ではない―（=ものの）、考え方はちがう」㊁《副助》〔多くA―B―〕…も（同様で）。「私―、夫―、いそがしかった」▽㊀㊁にせよ。にしても。

**にしん**［二心・弐心］〔文〕①ふたごころ。「―をいだく」②心が二つあること。「夫婦は一心同体でなく、じつは―二体だ」

**にしん**［二伸］〔文〕⇩ついしん（追伸）。

**にしん**［二審］〔↑第二審〕《法》第一審の判決に、不服申し立てのあったときに、上級裁判所が行う審理。控訴審。

**にしん**［×鰊・×鯡］北の海にすむ、中形の さかな。食用。たまごは、かずのこ。かど（いわし）〔北海道・東北方言〕。

**にしん**［二進］《名・自サ》《野球》二塁へ進むこと。●**にしんいったい**［二進一退］〔文〕多く進んで少し しりぞくこと。●**にしんほう**［二進法］《数》すべての数を0と1の組み合わせであらわす方法。十進法の0、1、2、3は、二進法では0、1、10、11とあらわす。コンピューターに応用される。

**にしんとう**［二親等］《法》一親等より一つ遠い、親族関係。自分と、〈自分のきょうだい／祖父母／孫〉との関係。二等親。☞一親等・三親等。

**ニス**（←ワニス）《理》木材などをおおう透明なかたい被膜を作る塗料の総称。樹脂を油でとき、さらに有機溶剤を加えて作る。ラッカーにくらべ、かわきがおそい。

**にすい**［二水］〔冫〕漢字の部首の一つ。「冷」「凍」などの、左がわの「冫」の部分。〔氷に関係がある〕

**にすがた**［似姿］〔文〕実物そっくりの姿。「水に映る―」

**にすがた**［荷姿］ものを運ぶときの、荷造りのしかた。「―は封筒でも箱でもよい」

**にせ**［二世］《仏》現世と来世。この世とあの世。「親子は一世（=この世だけ）、夫婦は―」☞一世・三世。●**二世を契る** 句 夫婦になる。二世の契りをする。

**にせ**［偽・×贋］本物のように見せているが、じつは本物ではないもの。「―医者・―一万円札」

**にせい**［二世］①先代と同じ名前を持つ二代目。「エリザベス―」②外国への移住者の子で、移住先で生まれ、その国の市民権を持つ人。「日系―」③〔あととりになる〕むすこ。ジュニア。「―誕生」☞世①。

**にせがね**［偽金・×贋金］本物に似せて つくった貨幣。「―をつかませる・―造り」

**にせさつ**［偽札・×贋札］本物に似せて つくった紙幣。

**にせもの**［偽物・×贋物］本物らしく作った物。まがいもの。「まっかな（=まったくの）―」（↔本物）●**偽物をつかまされる** 句 にせものを買わされる。

**にせもの**［偽者・×贋者］本人らしく見せかけた人物。（↔本物）

**にせよ**《接助・副助》「にしろ」の、やや改まった言い方。

「どんな理由ー・反対(する)ー賛成(する)ー」

**に・せる**[似せる]《他下一》似るようにする。まねる。「本物に似せて作る」

**にそう**[二曹]〔↑二等〈陸/海/空〉曹〕《軍》自衛官の階級の一つ。〔もとの軍曹に当たる〕

**にそう**[尼僧]〔文〕あま(尼)。「ー院」

**にそく**[二速]〔↑第二速〕《自動車》⇩セカンド㊀↷③。

☆☆**にそくさんもん**[二束三文]　数が多くても値段がたいへん安い〈こと/もの〉。「ーで売る」

**にそくのわらじを履く**[句]　両立がむずかしい二つの職業・任務を兼ねる。「勤め人と作家のー」[由来]もと、ばくち打ちが岡っ引きを兼ねることを言った。

**にだい**[荷台]　トラック・自転車などの、荷物をのせる台になった部分。

**にだい**[二大][遺]　二つの大きな。「ー政党」

**にたいして(て)**[に対して(て)]《格助》⇩対して㊀。

**にたいする**[に対する]《格助》⇩対する㊁。

**にたき**[煮炊き]《名・自他サ》おかずを煮たり、ごはんをたいたりすること。炊事。調理。

**にたく**[二択]　↑二者択一。

**にだ・す**[煮出す]《他五》煮て、湯の中に味をしみ出させる。「とり肉を煮出したスープ」

**にた・つ**[煮立つ]《自五》沸騰して、あぶくが立つ。煮え立つ。「スープがー・湯を煮立たせる」

**にた・てる**[煮立てる]《他下一》煮立った状態にする。「みそしるを煮立ててはいけない」

**にだな**[荷棚]〔乗り物の中にある〕荷物を置くためのたな。

**にたにた**《副・自サ》うす気味わるく、にやにや笑うようす。「だまってーしている」

**にたまご**[煮玉子・煮卵]⇩味玉。

**にたものふうふ**[似た者夫婦]　①夫婦は おたがいに性質や好みが似る、ということ。②性質のよく似ている夫婦。

**にたり**《副》うす気味わるい感じで笑うようす。にたっ。

**にたりよったり**[似たり寄ったり]《名・ナダ》〔=似ている、寄って《=似て》いる〕よく似ていて、ほとんどちがいがわからないようす。「ーの成績・どちらもーだ」

**にだんがまえ**[二段構え]　一つめがだめなら二つめというように、あらかじめ二つの方法を用意しておくこと。

**にだんめ**[二段目]《すもう》幕下。「ー英米・訪ー」②↑

****にち**[日]㊀にち　①日本国。「ー英米・訪ー」②↑日曜(日)。「土ー」㊁[接尾]①日を数えることば。「五月二十一ー〔=二十一番目の日〕」②日数を数えることば。「五、六ーかかります」㊂[遺]《天》その一日の。「ー最高気温」

**にちがく**[日額]〔文〕一日分の金額。

**にちぎん**[日銀]　↑日本銀行。「ー総裁」●**にちぎんけん**[日銀券]〔↑日本銀行券〕《経》日本銀行が発行する紙幣。

**にちぎんたんかん**[日銀短観]《経》毎年四回、日本銀行がおこなう「企業短期経済観測調査」の略称。経済動向に関する統計速報。短観。

**にちげん**[日限]　期限の日。期日。「ーを切る」

**にちご**[日語]　↑日本語。「ー日文〔=学科の名〕」

***にちじ**[日時]　日と時間。「出発のー」

***にちじょう**[日常]　見なれたものごとから成り立つ日々。また、そのものごと。「祭りが終わってーにもどる・ー感覚・ー(の)生活・ー語〔=日常の会話・手紙などでよく使うことば〕・ー卑近〔=日常の中で、どこにでも見られること〕」●☆☆**にちじょうさはんじ**[日常茶飯事]〔茶飯=食事〕①ふだんの生活。「ーのくり返し」②いつもあること。「けんかはーだ」▽日常茶飯。茶飯事。●**にちじょうせいかつどうさ**[日常生活動作]　食事やねおき、トイレなど、日常生活での基本的な動作。ADL。〔これが不自由だと、介護が必要になる〕●**にちじょうてき**[日常的]《ナダ》ふだんどおりのようす。「ーな動作・ーに見聞きする」

**にちにち**[日々]〔文〕毎日。日ごと。ひび。「ー夜々〔=毎日毎夜〕」●**日々是好日**[句]〔文〕毎日毎日、平和で楽しい日が続く。日々是好日。●**にちにちそう**[日々草]　花壇などに植える草花。夏から秋にかけて、ピンク・白などの、五つの平たい花びらを持った花が、たくさん さく。[由来]毎日 新しい花が さくことから。

**にちぶ**[日舞]〔↑日本舞踊〕日本の伝統的なおどり。邦舞。〔↕洋舞〕

**にちぶん**[日文]　①↑日本文学(科)。②↑日本文。「ー中訳〔=日本文を中国文に訳すこと〕」

**にちぼつ**[日没]　太陽が〈地平線/水平線〉にしずむこと。日の入り。

**にちや**[日夜]〔文〕①よるひる。「ーを分かたぬ尽力」②いつも。つねに。「ー思いなやむ」

**にちゃつ・く**《自五》〔食べ物などが口の中で〕感じ悪く歯にくっつく。ねばりつく。

**にちょう**[二調]《音》「二」から始まる音階の調子。

**にちよう**[日用]　毎日使うこと。「ー雑貨・ーの役に立つ学問」●**にちようひん**[日用品]　ふだん使う物。例、衣類・食器・石けん。

**にちよう**[日曜]　一週の最後の日。六日間働いたあとの、休息の日。土曜の次。日曜日。〔カレンダーは、ふつう日曜から始まる〕●**にちようがっこう**[日曜学校]〔キリスト教会で〕主として子どもの宗教教育のため、日曜ごとにひらかれる学校。●**にちようだいく**[日曜大工]　日曜などの休みの日に自分の家の大工仕事をする〈こと/人〉。〔「日曜画家」など、同類の語が多い〕

**にちょく**[二直]　①作業などを二交替でおこなうこと。「ー制」②ふたりひと組みでする宿直。「ー一休制〔=二直で、交替に休む制度〕」③《野球》二塁手へのライナー。

**にちりょう**[日量]　一日に〈生産する/取りあつかう〉分量。

**にちりん**[日輪]〔文〕太陽。

**にちれんしゅう**[日蓮宗]《仏》鎌倉時代に日蓮が開いた、仏教の一派。お題目を唱えれば成仏できると説く。法華宗。

**にちろく**[日録]〔文〕毎日の記録。日記。日報。

**について**《格助》⇩ついて。

**にっか**[日貨]〔文〕日本からの輸出品。「ー排斥」

**にっか**[日課]　毎日決めてする仕事。「散歩をーとする」

**にっかい**[肉塊]〔文〕①肉のかたまり。②からだ。▽にくかい。

ニッカドでんち［ニッカド電池］〔↑ニッケルカドミウム電池〕ニッケルを正極に、カドミウムを負極に用いた、充電式の電池。ニカド電池。

につか・ない［似つかない］《形ヌズ》〔動詞「似つく」の否定形から〕①似合わない。似つかわない。「外見とは―話し方」②似ていない。「父とは―顔」☞似ても似つかぬ。

ニッカポッカ〔↑knickerbockers〕《服》〔ひざの下で裾をくくった〕だぶだぶの半ズボン。ニッカーボッカー（ズ）。ニッカー（ズ）。ニッカーズボン。ニッカボッカ。

［ニッカポッカ］

につかわし・い［似つかわしい］《形》ちょうどよくあっているようすだ。にあわしい。「和室に―置物・和服に似つかわしくない髪型」派―げ。―さ。

にっかん［日刊］毎日刊行すること。「―新聞」

にっかん［肉感］〔文〕①肉体のなまなましい感じ。「絵にえがかれた足の―」②〔肉体が発する〕性欲をあおる感じ。また、性欲。「―をそそる」▽にくかん。●にっかんてき［肉感的］《ナダ》肉感のあるようす。にくかんてき。「―な女性・―な描写」

にっき［日記］毎日の（個人的な）できごとを書いた記録。「―帳」

にっき〔↑にっけい（肉桂）。「ニッキ」とも書く〕ニッケイの幹や根の皮から取る香辛料。「―飴」

につき《格助・接助》⇩つき。

にっきゅう［日給］一日を単位として決めた給料。「―制」●にっきゅうげっきゅう［日給月給］実際に仕事をした日数分の給料を、月給の形でまとめてしはらうやり方。

にっきょう［日×僑］〔文〕外国に住む日本人。

にっきょうそ［日教組］↑日本教職員組合。

にっきん［日勤］《名・自サ》①昼間の勤務。「―者」（↔夜勤・夕勤）②毎日の出勤。

にっくき［△憎き］《連体》〔文語形容詞「にくし」の連体形「にくき」から〕非常ににくい。にくむべき。「―やつめ」

ニックネーム〔nickname〕あだな。愛称。

にづくり［荷造り］《名・自サ》〔運送するために〕包んだり、ひもをかけたりして、荷物を造ること。

にっけ［煮（付け）］煮つけたもの。「カレイの―・イモの―」〔「煮物」よりもしるが少ない〕

につけ《接助・副助》⇩つけ五六。

にっけい［日系］①日本人の血筋を引くこと。「―（米）人・―社会」②日本の資本によるものであること。「―企業」

にっけい［肉×桂］あたたかな地方にはえる常緑樹。皮から香辛料（=シナモン。にっき）や漢方薬（=桂皮）を取る。

につけても［に付けても］《接助・副助》⇩つけても。

ニッケル〔オ nikkel〕《理》灰白色でつやがある金属（元素記号Ni）。見かけは銀に似て、磁性がある。用途が広い。☞白銅。

につ・ける［煮（付ける）］《他下一》よく味がつくまで煮る。

にっこう［日光］日の光。太陽の光線。「―消毒」●にっこうよく［日光浴］《名・自サ》《医》保健のために日光をからだにあびること。

にっこり《副・自サ》声を出さずにうれしそうに笑うようす。「思わず―する」

にっころがし［煮っ転がし］サトイモなどを、煮汁がなくなるまで煮たもの。にころがし。

にっさん［日産］毎日の〈産出／生産〉高。

にっさん［日参］《名・自サ》①毎日の参拝。②毎日、目的をもって、ある決まった場所へ出かけて行くこと。「補償金をもらうため、役所へ―した」

にっし［日子］〔文〕ひかず。日数。

にっし［日誌］〔仕事関係でつける〕日記。「作業―・学級―」

にっしゃ［日射］〔文〕地上に届く、太陽光線。日ざし。「―が少ない」●にっしゃびょう［日射病］《医》強い直射日光に長時間当たったときに起こる熱中症。体温が上昇し、頭痛・めまいなどがあり、ひどくなると、けいれんや意識障害を起こす。☞熱射病・熱中症。

にっしゅう［日収］一日の収入。

にっしゅつ［日出］〔天〕ひので。「―入（=日の出と日の入り）」

にっしょう［日照］日の当たっていること。「―時間・―不足」●にっしょうけん［日照権］《法》住む家の日当たりを確保する権利。

にっしょうき［日章旗］〔日章=太陽のしるし〕日の丸の旗。日本の国旗。☞旭日旗。

にっしょく［日食・日×蝕］〔天〕月が太陽と地球の間にはいって、太陽をおおいかくす現象。皆既日食・金環食・部分日食がある。

☆☆にっしんげっぽ［日進月歩］《名・自サ》たえまなく、どんどん進歩すること。「―の科学」

にっすう［日数］日の数。日をかさねること。ひかず。

にっせき［日赤］↑日本赤十字社。「―病院」

ニッチ〔niche〕［一］①〔洋間で〕かざり物などを置く、かべのくぼみ。②トンネル内などの、退避用のくぼみ。［二］《名・ナダ》①《経》他社が進出していない、市場のすきま。特定市場分野。「―市場・―産業（=すきま産業）」②あまり人が注目しない、いっぷう変わったようす。「―な趣味」

☆☆にっちもさっちも［二△進も三△進も］《副》少しも進むことができないようす。どうにもこうにも。「―行かない（=どうにもしようがない）」

にっちゅう［日中］［一］にっちゅう ①太陽の出ている間。ひるま。ひなか。②↑日中辞典（=日本語の見出しに中国語をあてた辞典）。［二］にっちゅう 日本と中国。「―貿易」

にっちょく［日直］《名・自サ》①〔学校などで〕その日の当番。②昼の当直（の人）。（↔宿直）

にってい［日帝］↑日本帝国主義。

にってい［日程］〈毎日／その日〉の仕事の予定。スケジュール。「―にのぼる・―感（=だいたいの日程）」

にってん［日展］↑日本美術展覧会。

にっと《副》歯を見せ、声を出さないで笑うようす。

ニット〔knit〕①毛糸の編み物。②毛・絹・化織などを編んで作った布地。「―のスーツ・―帽」

**にっとう**［日当］一日の手当・賃金。

**ニッパー** ①〔nippers〕はさんで、電線などを切ったりする道具。針金切り。②〔nipper〕《服》↑ウエスト ニッパー。

［ニッパー ①］

**にっぱい**［日配］〔↑日配食品〕スーパーなどに毎日配送される食品。牛乳・とうふなど。デイリー(フーズ)。日配品。

**にっぱち**［二八］①《経》二月と八月。「二月と八月は―と言われ商売がひまになる・―月」②〔全体を十として〕二と八の割合。「―に分ける」

**ニッパやし**［ニッパ(×椰子)］〔マレー nipah〕インドや東南アジアに分布するヤシ。実は食用。葉で屋根をふく。

**にっぱん**［日販］《経》〔その店舗の〕一日あたり販売額。

**にっぽう**［日報］①一日ごとの報告。②毎日報道する〈こと／刷りもの〉。

****にっぽん**［日本］アジア大陸の東方の海につらなる島国。日本国。首都、東京。にほん。日に。「―一・―人・―的」由来「日の本(=中国から見て、日の出る所)」の音読みから。十七世紀初め以前に「にっぽん」「にほん」両方のローマ字書きが確認できる。現在、どちらも広く通用し、二〇〇九年の政府答弁書でも両方を認める。区別 語感の点では、「にっぽん」はかたく、力強さがあり、スポーツの応援でも使われる。「にほん」はやわらかく、日常語的。〔熟語は「にほん」の項目も参照〕 ●**にっぽんぎんこう**［日本銀行］《経》日本銀行券(=日本国の紙幣)を発行し、金融の元締めなどをする、日本の中央銀行。にほんぎんこう。にちぎん。

☆☆**につま・る**［煮詰まる］《自五》①煮えて水分が〈あまり〉なくなる。煮えつまる。「なべの しるが―」②ものごとがつきつめられる。凝縮する。「自然の美しさが作品に―」③話が進んで〈結論／終わり〉に近づく。「議論が―・日取りが―」④ものごとが限界をむかえ(て、進まなくなる)る。「頭が―(=働かなくなる)・捜査が―」▽③④は特に二十世紀後半に広まった用法。若い世代では④の用法が主流。名 煮詰まり。他 ①〜③煮詰める《下一》〔名 煮詰め〕。

**につれ(て)**《接助》⇩つれて 一。

***にて**〔文〕一《格助》で。「では、これ―失礼・京都―・〔写真の説明文などで〕第一スタジオ―」二 連〔断定の文語助動詞「なり」の連用形＋接続助詞「て」〕であって。「列車は満員―立ちどおし」

**にてひなる**［似て非なる］《連体》〔文〕ちょっと見ると似ているが、実際はちがう。「―ものだ」☞えせ(似非)。

**にても-につか・ぬ**［似ても似つかぬ］《形ヌズ》ちっとも似ていない。似も似つかぬ。「写真とは―人物」

**にてん**［二転］《名・自サ》〈ようす／なりゆき〉が二度も急に変わること。●**にてんさんてん**［二転三転］《名・自サ》何度も状況が大きく変わること。「答弁が―する」

**にと**［二×兎］(=二匹のウサギ) ●**二兎を追う**句 同時に二つのものごとをねらう。「―ものは一兎をも得ず(=結局は一つもうまくいかない)」

**にど**［二度］二へん。ふたたび。「―びっくり」☞二度と。●**二度あることは三度ある**句 二度起きたことはまた起こるものだ。「―から気をつけろ」 ●**にとうしん**［二等親］⇩二親等。

**にとう**［二等］二番目の等級。

**にとう**［二盗］《名・自サ》《野球》二塁へ盗塁すること。

**にとうだて**［二頭立て］〔馬車に〕二頭の馬をつけること。

**にとうぶん**［二等分］《名・他サ》二つに等分すること。「財産を―する・―線」

**にとうへんさんかっけい**［二等辺三角形］《数》二つの辺の長さが等しい三角形。にとうへんさんかくけい。

**にとうりゅう**［二刀流］⇩両刀づかい。「―の創始者宮本武蔵・投手でも打者でも活躍する―」

**にとか・す**［煮溶かす］《他五》〔食材や調味料を〕煮てとかす。「寒天を―」自 煮溶ける《下一》。

**にどざき**［二度咲き］《名・自サ》①一年の間に二度花がさく〈こと／性質の植物〉。②かえりざきをすること。

**にとって**《格助》⇩とって 二。

**にどでま**［二度手間］一度ですむことに、二度の手間をかけること。「―になる」

**にどと**［二度と］《副》〔後ろに否定的なことばが来る〕〈今後／その後〉は絶対に。ふたたび。「―来るな・―ごめんだよ」●**にどとふたたび**［二度と再び］《副》「二度と」を強調したことば。「―会わないだろう」

**にどね**［二度寝］《名・自サ》朝、一度目をさまして、また眠ること。

**にどみ**［二度見］《名・他サ》ぼんやり ながめたあとで〈おどろいて〉もう一度見ること。「メニューの値段を―した」〔二十一世紀になって広まったことば〕

**にとり**《格助》⇩とり 三。

**ニトログリセリン**〔nitroglycerin(e)〕《理》ダイナマイトなどの爆発薬を作る材料になる、非常に爆発しやすい液体。これの錠剤は狭心症の薬として使う。ニトロ。

**にないて**［担い手］〔おもに抽象的な意味で〕になう(役の)人。「次代の―」

**にな・う**［担う］《他五》①(ふたりで)肩にかつぐ。「天びん棒で―」②せおう。「衆望を―」③自分の仕事として引き受ける。「大任を―・重責を―・次代を―青少年」

**ににん**［二人］ふたり。「同行―・―組・―前」●**ににんさんきゃく**［二人三脚］①ふたりの人が、自分の片足と相手の片足をひもでしばって走る競技。②ふたりで〈責任を分けあって／協力して〉おこなうこと。●**ににんばおり**［二人羽織］①一人が羽織を肩にかけ、もう一人はその羽織に後ろからもぐりこんで袖を通し、手さぐりで前の人にものを食べさせたりする芸。②別の人に裏から指図されたとおりに行動する様子をからかって言ったもの。

**ににんしょう**［二人称］《言》代名詞のうち、相手をさす言い方。日本語文法では「対称」とも言う。第二人称。例、あなた・きみ。

**にぬき**［煮抜き］〔↑煮抜き卵。関西方言〕かたくゆでたたまご。

**にぬき**［荷抜き］《名・他サ》こっそり荷物をぬき取ること。

**にぬし**「荷主」 荷物の〈持ち主／送り主〉。

**にぬり**「△丹塗り」〔文〕赤または朱色に塗ってある〈こと／もの〉。

**にねんせい**「二年生」㊀**にねんせい** ①学校で、いちばん下から二番目の学年の生徒・学生。②前の年に〈はいった／なった〉人。「ー社員・社会人ー」③〔俗〕当選回数二回の人。「ー議員」㊁**にねんせい**《植》①〔草・野菜が〕葉をつけたまま冬をこし、翌年になって、花をつけ実をむすんで枯れること。「ー草本」(↔一年生・多年生) ②〔木などが〕はえてから二年〈たつこと／たったもの〉。

**にねんそう**「二年草」《植》「二年生㊁①」の草。二年生草本。(↔一年草・多年草)

**にのあし**「二の足」〔=二歩めの足〕 •☆☆**二の足を踏む**〘句〙 ためらう。

**にのうで**「二の腕」 肩とひじの間。

**にのく**「二の句」 次のことば。 •☆☆**二の句が継げない**〘句〙〔あきれて／おどろいて〕次のことばが出ない。

**にのじてん**「二の字点」 漢字をかさねて訓よみにすることをしめす符号。「〻」。例、益〻・夫〻など。

**にのぜん**「二の膳」《料》本膳の次に出す膳。

**にのたち**「二の太刀」 一太刀浴びせたあとの、二回目の攻撃。「ーをふるう・『それにセンスも悪いわね』とーを浴びせた」

**にのつぎ**「二の次」 二番目。あとまわし。「仕事はーにして出歩く・利益はーだ」

**にのとり**「二の×酉」 十一月の第二の とり(酉)の日(の市)。

☆☆**にのまい**「二の舞」〔=安摩の舞のあと、それをまねて演じるこっけいな舞楽〕〈ほかの人と／以前と〉同じような失敗をすること。「ーを演じる・ーを踏む〔⇩踏む⑪〕・前回のーになる」

**にのまる**「二の丸」 城の本丸の外がわの区域。

**にのや**「二の矢」 ①二度目に射る矢。②(続けて)二度目にすること。「ーが継げない〔=つづけて打つ手がなくて、困る〕」

**には**〘連〙①〔文〕主語につけて、尊敬の気持ちをあらわすことば。におかれては。「先生ーお元気でお過ごしのことと存じます」②⇩に㊀。「私ーできない・あるーあるが」

**にはいず**「二杯酢」 酢にしょうゆ(と塩)を混ぜ合わせて作った調味料。

**にばこ**「荷箱」〔二輪車などの荷台に取り付けてある〕荷物を入れる箱。

**にはんして**「に反して」《接助》⇩反して。

☆☆**にばんせんじ**「二番煎じ」①一度煎じたものを使って、もう一度煎じた〈薬／茶〉。②〔新味のない〕単なるくり返し。「ーの出し物」

**にばんぞこ**「二番底」《経》相場や景気が上向きかけたところで、ふたたび むかえる、底の状態。「ーにおちいる」〔最初の底は「一番底」〕(↔二番天井)

**にびいろ**「△鈍色」〔文〕こいねずみ色。にぶいろ。「ーの海面・ーの雲」

**にひきかえて**「に引き換え(て)」《接助》⇩ひきかえ㊁。

**にひきめのどじょう**「二匹目の泥鰌」 成功した例と似たようなことをして、同じ結果を期待すること。「ーをねらう」由来 ことわざ「柳の下にいつもどじょうはいない」から。

**にびたし**「煮浸し」 焼いた川ざかなやナス・コマツナなどを煮ふくめた料理。

☆☆**にひゃくとおか**「二百十日」 立春から二百十日目の日。九月一日ごろ。台風の時季。

**にひゃくはつか**「二百二十日」 立春から二百二十日目の日。九月十一日ごろ。台風の時季。

**にびょうし**「二拍子」《音》「強・弱・強・弱」のように、二回のうち一回、強い音があらわれる拍子。行進曲の拍子。

**ニヒリスティック**《ナダ》〔nihilistic〕 虚無的。ニヒリスチック。「ーな笑い声」

**ニヒリスト**〔nihilist〕 虚無主義者。

**ニヒリズム**〔nihilism〕 虚無主義。

**ニヒル**《名・ナダ》〔nihil=無〕①虚無。虚無的なようす。「ーな笑み・ーな性格」②ニヒリスト。ニヒリズム。

**にぶ**「二部」 ①ふたつの部(分)。「ー合唱」②二番目の部(分)。第二部。「〔プログラムの〕ー」③夜間部。

**にぶ・い**「鈍い」《形》①〔能力や感じる力が〕するどくない。弱い。「感覚がー・感じがー」②〔光や音が〕はっきりしない。「ー〔=低い〕音がした」▽(↔鋭い) ③のろい。「動作がー」派 ーさ。

**にぶおんぷ**「二分音符」《音》全音符の二分の一の長さをあらわす音符。「𝅗𝅥」。にぶんおんぷ。

**にふく・める**「煮含める」《他下一》《料》中まで味がしみこむように、ゆっくりと煮つめる。名 煮含め。

**にぶさく**「二部作」 ①二つの部分からできている作品。②二つの作品で一つのまとまりをつくるもの。

**にふだ**「荷札」 あて先を書いて、荷物につけるふだ。

**にぶた**「煮豚」 豚肉をたこ糸で巻いて棒の形にし、しょうゆ味の煮汁で煮こんだもの。うす切りにして中華そばの具に使う。チャーシュー。

**にぶ・る**「鈍る」《自五》①するどさがなくなる。「切れ味がー」②勢いが弱くなる。「出足がー」名 鈍り。

**にぶん**「二分」《名・自他サ》〔文〕二つに〈わける／わかれる〉こと。「天下をーする・国論がーする・善か悪かのー法」

☆☆**にべもない**《形》何のあいそもない。取りつきようがない。にべない。「にべもなく断られる・ー返事」〔「にべ(鰾膠)」は、海産魚ニベのうきぶくろから作るにかわ〕

**にぼし**「煮干し」 ざこ(雑魚)などを煮て〈ほすこと／ほしたもの〉。だしじゃこ。「ーラーメン」 •**にぼしこ**「煮干し粉」 煮干しをこなにしたもの。

＊＊**にほん**「△日本」 にっぽん。「ーそば(↔中華そば)・ー手ぬぐい・ー舞踊・ー史」由来 区別 ⇩にっぽん。 •**にほんアルプス**「△日本アルプス」 中部地方を南北に走る、高くてけわしい山脈の総称。北アルプス〔=飛驒山脈〕、中央アルプス〔=木曽山脈〕、南アルプス〔=赤石山脈〕に分かれる。にっぽんアルプス。 •**にほんが**「△日本画」 岩絵の具を使って絹や和紙にえがく、日本独特の絵。(↔洋画) •**にほんかい**「△日本海」 日本列島・朝鮮半島・ロシア連邦の沿海州に囲まれた海。「ーがわ」 •**にほんがみ**「△日本髪」 江戸時代からある、日本ふうの髪のゆい方。丸まげ・島田・桃割れなど。(↔洋髪) •**に**

ほんぎんこう」[△日本銀行]《経》⇩にっぽんぎんこう。●にほんご」[△日本語] 日本列島で話される言語。主語・目的語・述語の順に並び、動詞に助動詞や助詞がいくつもつく。音節の種類が少ない。●にほん-こうぎょうきかく」[△日本工業規格] ⇩日本産業規格。●にほんごがく」[△日本語学] 日本語の音韻・文字・文法・語彙・文章・方言などを研究する学問。国語学。●にほんごきょういく」[△日本語教育] 母語が日本語でない人に対しておこなう、日本語の教育。●にほんこく」[△日本国] 日本の国を、国名として呼ぶときの言い方。にっぽんこく。●にほんこくけんぽう」[△日本国憲法] 一九四七年五月三日から施行されている現在の憲法。●にほんごたいおうしゅわ」[△日本語対応手話] 日本語の語順と文法にしたがって、それぞれの単語を決まった身ぶりに置きかえて会話をする方法。手指日本語。☞日本手話。●にほん-さんぎょうきかく」[△日本産業規格] ⇩ジス(JIS)。〔日本工業規格を改めたもの。二〇一九年から実施〕●にほんさんけい」[△日本三景] 日本を代表する、三つの美しい景色(の土地)。京都府の天橋立・広島県の宮島(=厳島)・宮城県の松島。●にほんし」[△日本紙] 和紙。●にほんしき」[△日本式] ①日本ふうのやり方。②日本語をローマ字で書く方式の一種。「シ」を「si」、「ジ・ズ」を「zi・zu」、「ヂ・ヅ」を「di・du」、「フ」を「hu」と書くのがおもな特色。(↔訓令式・ヘボン式)▽にっぽんしき。●にほんしゅ」[△日本酒] 米・こうじから造った日本独特の酒。特に、清酒をさす。和酒。ポン酒〔俗〕。(↔洋酒)●にほんしゅわ」[△日本手話] 日本でろう者を中心に広く使われている手話。語順や文法などが日本語とは異なっており、独自の言語である。☞日本語対応手話。●にほんしょく」[△日本食] ①伝統的な和食。②日本で生まれた食べ物。例、ラーメン・豚カツ。●にほんシリーズ」[△日本シリーズ] 〔プロ野球で〕セ・パそれぞれのリーグの優勝球団が、日本一をかけて戦う一連の試合。☞クライマックスシリーズ。●*にほんじん」[△日本人] ①日本列島に暮らしてきた人々。②日本の国籍を持つ人。▽にっぽんじん。●にほんちゃ」[△日本茶] 緑茶・番茶をまとめて呼ぶ言い方。●にほんてき」[△日本的]《ナダ》 日本だけにあると感じられるようす。日本らしいようす。日本の。●にほんとう」[△日本刀] 日本独特の方法できえた刀。にっぽんとう。●にほんのうえん」[△日本脳炎]《医》ウイルスによって起こる脳炎の一種。蚊からうつり、おもに七月から十月にかけて流行する。日脳。●にほんのうりんきかく」[△日本農林規格] ⇩ジャス(JAS)。●にほんばれ」[△日本晴れ] 少しの雲もない晴天。にっぽんばれ。由来 日本ならではのみごとな晴れの意味で、室町時代から使われた。●にほんま」[△日本間] 畳を敷き、障子・ふすまを立てた和風の部屋。(↔洋間)●にほんまる」[△日本丸] 日本の国を船にたとえた言い方。にっぽんまる。●にほんれっとう」[△日本列島] 日本の国を形づくっている列島。北から、北海道・本州・四国・九州・沖縄と、つらなる。にっぽんれっとう。

にほんざし」[二本差し] ①〔刀とわき差しとを差す〕武士。二本棒。②《すもう》もろざし。〔「二本入る」「二本を差す」とも〕

にほんだて」[二本立て] ①映画や演劇などの興行で、一回に二本の作品を上映・上演すること。②二つのものごとを同時に行うこと。

にほんぼう」[二本棒] ①⇩二本差し①。②〔古風・俗〕鼻じる(をたらす子ども)。

にまいおろし」[二枚下ろし] さかなの頭を切りおとしてから、背骨のついた身とつかない身との二つの部分に切り分け〈ること/たもの〉。

にまいがい」[二枚貝]《動》二枚の貝がらを持つ貝。例、ハマグリ・アサリ。☞巻き貝。

にまいかんばん」[二枚看板] ①一座を代表する二人の役者。②代表的な二人の人物。「チームの―」③人々に示す二つの特色。

にまいげり」[二枚蹴り]《すもう》足のうらで、相手の足を外がわからけってたおすわざ。

にまいごし」[二枚腰] ⇩ねばりごし。

にまいじた」[二枚舌] 前後矛盾したことを言うこと。うそを言うこと。「―を使う」

にまいめ」[二枚目] ①美男の俳優。「―半(=三枚目の味も出せる二枚目の俳優)」②美男子。由来 芝居の番付で、名前が二番目に書かれたことから。☞三枚目。

にもあれ《副助》〔文〕であっても。であれ。「何―どういう形―」

にまめ」[煮豆] 豆の煮しめ。

にもうさく」[二毛作] ①《農》同じ耕地に、一年に二回ちがった作物をつくること。☞一毛作・多毛作。②〔俗〕〔飲食店が〕昼と夜とで別の営業形態をとること。例、昼はラーメン店、夜は居酒屋。

にもかかわらず〔文〕一《接助》…(した)のに。…(である)のに。にかかわらず。「努力(した)―失敗した・不景気(である)―もうかっている」二にもかかわらず《接》それなのに。それにもかかわらず。「困難だった。―、最後までなしとげた」丁寧 にもかかわりませず。表記「にも△拘らず」とも書いた。「にも関わらず」も昔からあるが、新聞などでは避ける。

にもせよ《接助》〔文〕にしても。にしろ。「多少の弊害はある―・じょうだん―」

にもち」[荷持ち] 荷物を持ち運ぶ仕事をする人。

にもつ」[荷物] ①はなれた場所に持ち運ぶ品。また、それを入れものに入れたりしてまとめたもの。「かばんに―をつめこむ・―を背負う・―を送る・―(=貨物)を積んだトラック・手―」②移動のとき、じゃまになる持ち物。「―になる」☞お荷物。

にもの」[煮物] ①食べ物を煮ること。「―をする」②煮た食べ物。「―、焼き物・大根の―」☞煮つけ。

にゃ 連〔方〕①…には。「うわさ―聞いていたが」②…ねば。…なければ。「行か―ならん」▽にゃあ。

にゃあにゃあ《副》ネコの鳴き声。

にやき」[煮焼き]《名・他サ》《料》〔さかなを〕煮つけてから、焼くこと。「―アナゴ」

にやく」[荷役]《名・自サ》船荷のあげおろしをする〈こと/人〉。

☆☆にやける」《自下一》①[(△若気る)]〔ふつう にやけ〈た/て〉〕〔男が〕変にしゃれたようすをする。「にやけ(た)男」由来 男色の相手を意味する「若気」から。②

にやにやする。「にやけ(た)顔・にやけっぱなしの じいさん」名にやけ。

**にや・す**[煮やす]《他五》煮えた状態にする。「業を━」〔⇩「業」の句〕

**にやっかい**[荷厄介]《名・ナダ》〔古風〕①荷物になって、やっかいなようす。「━な箱」②めんどうくさくなって、もてあます〈ようす/もの〉。「━な仕事だ」派━さ。

**にやつ・く**《自五》にやにや笑う。

**にやにや**《副・自サ》〔意味ありげに〕ひとりでうす笑いをするようす。「何がうれしいのか━している」

**にやりと**《副》〔意味ありげに〕うす笑いをうかべるようす。にやっと。「思わず━する」

**にゃんこ**〔児〕ネコ。(↔わんこ)

**にゃんにゃん** 一《副》〔(子)ネコが〕何かをしきりに求めて鳴く声。二〔児〕ネコ。にゃんこ。

☆☆**ニュアンス**〔フ nuance〕〔ことば・気持ち・色合い・音の調子などから受ける〕ある微妙な感じ(のちがい)。「否定的な━の ことば・━に富んだ〔=そのときどきで、いろいろなニュアンスの感じられる〕表現・━のあるグレー」

•**ニュアンスカラー**〔nuance color〕自然で、微妙な感じの出た色合い。「━のストール」

**にゅう**[乳]造ちち。「脱脂━」

**ニュー**造〔new〕新しい。新。「━スタイル・━タイプ」(↔オールド) ☞おニュー

**にゅういき**[入域]《名・自サ》〔文〕その区域・水域にはいること。「緊急━」(↔出域)

**にゅういん**[入院]《名・自サ》①(病気などで)病院にはいること。「━患者」(↔退院) ②少年院など、院と呼ばれるところにはいること。(↔退院・出院)

**にゅういんりょう**[乳飲料]牛乳に、コーヒー・果汁などをまぜて味をととのえた飲み物。コーヒー牛乳・フルーツ牛乳など。

☆☆**ニューウエーブ**〔new wave〕芸術・思想などの、新しい傾向。「音楽界の━」

**にゅうえい**[入営]《名・自サ》〔軍〕兵営にはいって兵士になること。「山口の連隊に━する」(↔除隊)

**にゅうえき**[乳液]①〔植〕ゴムの木の樹皮やタンポポなどのくきから出る、乳白色の液体。②保湿用の、乳状のけしょう品。

↑**にゅうえん**[入×苑]《名・自サ》〔文〕御苑などに、見学や遊びにはいること。「━券」

↑**にゅうえん**[入園]《名・自サ》①動物園や遊園地など、園と呼ばれる施設にはいること。「━料」(↔退園) ②教育を受けるために、幼稚園・保育園などにはいること。(↔卒園)

**にゅうか**[入荷]《名・自他サ》商店などに商品〈がはいる/を入れる〉こと。(↔出荷)

**にゅうか**[乳菓]〔文〕牛乳を入れて作った菓子。

**にゅうか**[乳化]《名・自他サ》〔理〕水と油のように混ざらない液体に薬剤を加えたりして、どろっと混ざった感じにすること。また、そうなること。「━剤・━したスープ」

**にゅうかい**[入会]《名・自サ》その会の一員になること。「━者」(↔退会)

**にゅうかく**[入閣]《名・自サ》①その内閣の大臣になること。「文部科学大臣として━」②〔俗〕〔スポーツで〕指導陣にはいること。「コーチ━」

**にゅうがく**[入学]《名・自サ》その学校の児童・生徒・学生になること。「━を許可する・大学に━する・━金・━試験・━難」(↔卒業)

**ニューカマー**〔newcomer〕①新しく外部から来て住むようになった人々。②新しく登場した〈人/もの〉。「注目の━」

**にゅうかん**[入管]①出入国在留管理庁と、その下部組織の施設。「大阪━」②↑出入国管理。「━法」

**にゅうかん**[入館]《名・自サ》図書館など館と呼ばれるところ、また、大きな建物にはいること。「━証」(↔退館)

**にゆうかん**[二遊間]〔野球〕二塁手と遊撃手の守備位置の中間。

**にゅうがん**[乳×癌]〔医〕乳腺にできるがん。

**にゅうぎゅう**[乳牛]〔農〕ちちをとるための牛。ちちうし。(↔役牛・肉牛)

**にゅうきょ**[入居]《名・自サ》①建物(の部屋)にはいって〈住む/営業する〉こと。「━者」(↔退居) ②↑入居者。「アパートの━さん」

**にゅうぎょ**[入漁]《名・自サ》〔文〕ほかの人が権利を持つ漁場で、漁や釣りをすること。にゅうりょう。「━料」

**にゅうきょう**[入京]《名・自サ》〔文〕〈東京/みやこ〉にはいること。

**にゅうきょう**[入境]《名・自サ》境界をこえて、その〈国/地域〉へはいること。「マカオに━する」

**にゅうきょう**[入×鋏]《名・自サ》〔文〕乗車券・入場券などに、係員がはさみを入れること。「━省略」

**にゅうぎょう**[乳業]牛乳をしぼったり売ったり、また、乳製品をつくったりする事業。

**にゅうきょく**[入局]《名・自サ》〔文〕放送局・医局などにはいること。(↔退局)

**にゅうぎょく**[入玉]《名・自サ》〔将棋〕王将が相手の陣地にはいること。

**にゅうきん**[入金]《名・自他サ》①お金がはいること。(↔出金) ②お金をあずけ入れること。③内金を入れること。

**にゅうこ**[入庫]《名・自他サ》〔文〕①倉庫へものを入れること。②ボートを艇庫へ入れること。③電車・自動車などが車庫へはいること。また、車庫へ入れること。▽(↔出庫) ④書庫・文庫などへはいること。「━者」⑤信用金庫・金融公庫などの職員になること。

**にゅうこう**[入行]《名・自サ》その銀行の職員になること。(↔退行)

**にゅうこう**[入坑]《名・自サ》作業をするために坑道にはいること。(↔昇坑)

**にゅうこう**[入校]《名・自サ》教育や訓練を受けるため、学校などの施設にはいること。

**にゅうこう**[入港]《名・自サ》船が港にはいること。(↔出港)

**にゅうこう**[入構]《名・自サ》〔文〕①構内に立ち入ること。「━禁止」②列車がホームにはいること。「十番ホームに━」☞入線①。③機構と呼ばれるところの職員になること。「━式」

**にゅうこう**[入稿]《名・他サ》①編集者が、原稿を

印刷所にわたすこと。☞出稿①。②著作者が、原稿を編集者にわたすこと。送稿。

**にゅうこく**[入国]《名・自サ》外国から〈その国/日本〉へはいること。にゅうごく。「―手続き・―管理」(↔出国)

**にゅうごく**[入獄]《名・自サ》牢屋にはいること。(↔出獄)

☆☆**にゅうこん**[入魂]《名・自サ》①〔文〕全精神をつぎこむこと。「―の作品・一球―」②〔神式の行事で〕ものにたましいを入れること。「消防車の―式」☞じっこん(入魂)。

**にゅうざ**[入座]《名・自サ》座(=劇団)に、俳優としてはいること。(↔退座)

**にゅうざい**[乳剤]乳白色の薬液。「石油―」

**にゅうさつ**[入札]《名・自サ》〔請負・売買などで〕契約したい人に見積もり価格等を提出させ、最もよい条件を出した人を契約相手に決めること。また、見積もり価格等を提出すること。「―で落とす・一般競争(=入札者を指定しない)―」☞落札。

**にゅうさん**[乳酸]《理》牛乳などが発酵したりしてできる、すっぱい成分。また、筋肉中でグリコーゲンが分解されても生じ、さらに代謝されエネルギー源になる。●**にゅうさんいんりょう**[乳酸飲料]乳酸菌をふくむ清涼飲料。●**にゅうさんきん**[乳酸菌]《生》糖分を乳酸に変えるバクテリア。

**にゅうさん**[入山]《名・自サ》《仏》山門を通って、寺の中にはいること。☞にゅうざん(入山)。

**にゅうざん**[入山]《名・自サ》〔文〕①〔仏教の修行のために〕山にはいること。(↔出山)②登山のために、山にはいること。「―者」(↔下山)☞にゅうさん(入山)。

**にゅうし**[入試]↑入学試験。「高校―」

**にゅうし**[乳歯]《生》生まれて六か月ごろからはえはじめる歯。二十本あり、十歳前後に永久歯にぬけかわる。

**にゅうし**[入市]《名・自サ》〔文〕市の中にはいること。「―税・―被爆(=原爆が落ちたあと、〈広島/長崎〉市にはいって被爆したこと)」

**にゅうじ**[乳児]《医》生まれて一年以内の子。ちのみご。☞幼児。●**にゅうじいん**[乳児院]親が養うことのできない乳児を受け入れて育てる施設。

**ニュージーランド**〔New Zealand〕南太平洋の西部にある、南島と北島から成る国。首都、ウェリントン(Wellington)。NZ。表記「:新西蘭」は、古い音訳字。

**にゅうしち**[入質]《名・他サ》〔文〕しちいれ。

**にゅうしつ**[乳質]〔文〕人のちちや牛乳の〈性質/品質〉。

**にゅうしつ**[入室]《名・自サ》〔文〕①へやの中へはいること。(↔退室)②研究室・塾などの教室などの一員になること。「―テスト」

**にゅうしぼう**[乳脂肪]牛乳にふくまれる脂肪分。

**にゅうしゃ**[入社]《名・自サ》その会社の社員になること。「―試験・中途―」(↔退社)

**にゅうしゃ**[入車]《名・自サ》車庫・駐車場などへ、車ではいること。(↔出車)

**にゅうしゃ**[入舎]《名・自サ》〔文〕寄宿舎などにはいること。

**にゅうじゃく**[入寂]《名・自サ》《仏》入滅。

**にゅうじゃく**[柔弱]《名・ナダ》気力が弱くてものごとにたえられないこと。「―な精神」派-さ。

**にゅうしゅ**[入朱]《名・自サ》〔文〕(赤い字で)添削すること。朱を入れること。

**にゅうしゅ**[入手]《名・他サ》手に入れること。「資料の―・チケットを―する」

**にゅうじゅう**[乳汁]《医》ちぶさから出るちち。

**にゅうじゅく**[入塾]《名・自サ》〔文〕塾の生徒になること。「―テスト」

**にゅうしゅっきん**[入出金]《名・他サ》(金融機関における)入金と出金。

**にゅうしゅつりょく**[入出力]《名・他サ》入力と出力。

**にゅうしょ**[入所]《名・自サ》①事務所・研究所など、所と呼ばれるところの一員になること。②介護・保育・自立支援などを受けるための施設にはいること。「療養所の―者」▽(↔退所)③刑務所にはいって刑に服すること。(↔出所)

**にゅうしょう**[入省]《名・自サ》〔文〕外務省や文部科学省など、省と名のつくところの職員になること。

**にゅうしょう**[入賞]《名・自サ》賞〈にはいる/をもらう〉こと。

**にゅうじょう**[乳状]〔文〕牛乳のように白くてとろっとした状態。「ゴムの木から出る―の液」

**にゅうじょう**[入定]《名・自サ》《仏》高僧が、死ぬこと。入滅。

**にゅうじょう**[入城]《名・自サ》①〔見物のため〕しろの中にはいること。「―料」②〔昔、戦いに勝つなどして〕自分のものになったしろにはいること。「―式」

**にゅうじょう**[入場]《名・自サ》①〈会場/場内〉にはいること。「―式・―料・―行進」(↔退場)②駅のホームにはいること。「―券」(↔出場)

**にゅうしょく**[入植]《名・自サ》〔文〕植民地・開墾地にはいって生活すること。「―者」

**にゅうしょく**[入職]《名・自サ》その職業について、職場で働くこと。(↔離職)

**にゅうしん**[入神]〔文〕技術がすぐれていて、神わざに近いこと。「―の技」

**にゅうしん**[入信]《名・自サ》〔文〕①信仰の道にはいること。②その宗教の信者となること。

**ニュース**〔news〕①新しいできごと(の報道)。「―の時間・―解説」②知らせ。「いい―がある」●☆☆**ニュースキャスター**〔newscaster〕(ニュースを編集して)放送番組で報道・解説する人。キャスター。●**ニュースショー**〔和製 news show〕ニュースキャスターが進行役をする、ニュースを中心としたショー番組。●**ニュースソース**〔news source〕ニュースを提供した人。ニュースの出所。●☆☆**ニュースバリュー**〔news value〕ニュースとしてのねうち。報道価値。●**ニュースレター**〔newsletter〕企業・個人などが、最新情報を知らせるために定期的に発行する刊行物やメールマガジン。ニューズレター。

**にゅうすい**[入水]《名・自サ》〔文〕①〔水泳などで〕プールや海などの水にはいること。「―角度・―時間」②⇩じゅすい(入水)。「―自殺」

**にゅうせいしょく**【乳青色】〔文〕ちちをまぜたような、うすい青色。「—の沼」

**にゅうせいひん**【乳製品】牛乳を加工した製品。バター・チーズ・ヨーグルトなど。

**にゅうせき**【入籍】《名・自他サ》①すでにある戸籍に、ある人〈が はいる/を入れる〉こと。②〔俗〕結婚して新たに籍を作ること。▽籍を入れる。

**にゅうせん**【乳腺】〔生〕ちぶさの中にあって、ちちを出す腺。●**にゅうせんえん**【乳腺炎】〔医〕乳腺が化膿して炎症を起こす病気。乳房炎。●**にゅうせんしょう**【乳腺症】〔医〕ちぶさの中にしこりができる症状。

**にゅうせん**【入線】《名・自サ》①(始発駅で)列車がホームの指定された線路に はいること。☞入構②。②〔競馬・競輪〕ゴールに はいること。「一着に—する」

**にゅうせん**【入選】《名・自サ》審査に合格すること。「一作・一等に—する」(↔落選)

**にゅうそん**【入村】《名・自サ》〔文〕選手村などの、村と呼ばれる施設に はいること。

**にゅうたい**【入隊】《名・自サ》軍隊・自衛隊などに、隊員として はいること。「体験—」(↔除隊)

**にゅうたいいん**【入退院】入院と退院。「—をくり返す」

**にゅうたいしつ**【入退室】《名・自サ》入室と退室。

**にゅうたいじょう**【入退場】《名・自サ》入場と退場。

☆☆**ニュータウン**〔new town〕郊外に作った、大きな団地・分譲住宅地。

**にゅうだん**【入団】《名・自サ》球団・劇団など、団と呼ばれる団体の一員になること。(↔退団)

**にゅうだん**【入段】《名・自サ》〔文〕資格を取って、有段者のなかまに はいること。

**にゅうちゃく**【入着】《名・自サ》①〔文〕輸入品などが届くこと。「ブラジルからの商品が—した」②〔競馬・競輪など〕上位の着順でゴールすること。「—馬」

**にゅうちょう**【入超】〔経〕←輸入超過。(↔出超)

**にゅうちょう**【入庁】《名・自サ》①(庁と名のつく官公庁の職員になること。「—式」☞入都。②官公庁の建物に はい(ってい)ること。「庁舎への—・—機関」

**にゅうてい**【入廷】《名・自サ》〔法〕裁判官・弁護士・傍聴人などが法廷に はいること。(↔退廷) ☞出廷。

**にゅうてん**【入店】《名・自サ》①〈客/店員〉がその店に はいること。②その店の店員になること。▽(↔退店) ③ビルの一部などに店をかまえること。「テナントとして—する」

**にゅうでん**【入電】《名・自サ》〔文〕①(外国などから)電信・電話が来ること。また、その電信・電話。②電話を入れる(=する)こと。

**にゅうと**【入都】《名・自サ》〔文〕東京都の職員になること。「—式」

**にゅうとう**【乳糖】〔理〕哺乳動物の ちちに ふくまれる糖分。ラクトース(lactose)。

**にゅうとう**【乳頭】〔生〕ちくび。「—部」

**にゅうとう**【入刀】《名・自サ》結婚披露宴で、ウエディングケーキにナイフを入れること。

**にゅうとう**【入党】《名・自サ》〔文〕その党の一員になること。

**にゅうとう**【入島】《名・自サ》〔文〕見学などのために、島に立ち入ること。

**にゅうとう**【入湯】《名・自サ》〔文〕湯・温泉に はいること。「—税」

**にゅうどう**【入洞】《名・自サ》〔文〕鍾乳洞の中へ はいること。「—料」

**にゅうどう**【入道】《名・自サ》(=仏門に はいること)①〔仏〕仏門に はいった人。②坊主頭の〈人/もの〉。③坊主頭の ばけもの。「大—」●**にゅうどうぐも**【入道雲】高く もり上がって「入道③」のように見える、夏の雲。積乱雲。

☆☆**ニュートラル**〔neutral〕■一《自動車》エンジンの回転が車輪に伝わらない、ギアの位置。「レバーを—にする」■二《名・ナダ》中立。「—の立場」

**ニュートリノ**〔neutrino〕〔理〕素粒子の一つ。電気的に中性で、質量は ほとんどゼロ。中性微子。

**ニュートロン**〔neutron〕〔理〕⇩中性子。

**ニュートン**〔newton=もと、人名〕〔理〕力の大きさの単位〔記号N〕。一ニュートンは、重さ一キログラムの物体に一メートル毎秒毎秒の加速度を生じさせる力の大きさ。

☆☆**にゅうねん**【入念】《名・ナダ》〔文〕ねんいり。「—に調べる」

**ニューハーフ**〔和製 new half〕〔俗〕〔接客業などで〕女装した男性や、女性に性転換した人。

**にゅうばい**【入梅】①つゆの季節に はいること。②〔東日本方言〕つゆ。梅雨期。「—が明ける」

**にゅうはくしょく**【乳白色】牛乳のように白い色。

**にゅうばち**【乳鉢】薬や食材などを細かくすって まぜあわせるための はち。☞乳棒。

[にゅうばち]

**にゅうひ**【入費】〔文〕〔必要な〕費用。入り目。

**にゅうふ**【入府】《名・自サ》〔文〕①領地・中心都市などに、初めて はいること。にゅうぶ。「徳川家康の江戸—」②内閣府の職員になること。「—式」

**にゅうぶ**【入部】《名・自サ》運動部・文化部など、部という所の一員になること。「テニス部に—する」(↔退部)

**ニューファミリー**〔new family〕戦後生まれ、特に団塊の世代がつくった、夫婦と子ども中心の、新しい感覚をもつ家族。

**ニューフェイス**〔new face〕〔映画俳優などの〕新顔。新人。ニューフェース。

**にゅうぶつ**【入仏】《仏》できあがった仏像を寺に むかえて安置すること。「—式」

**にゅうぼう**【乳房】〔医〕ちぶさ。「—炎(=乳腺炎)」

**にゅうぼう**【乳棒】乳鉢で ものをすって まぜるのに使う棒。☞「にゅうばち(乳鉢)」の絵。

**にゅうまく**【入幕】《名・自サ》〔すもう〕十両の力士が昇進して幕内に はいること。「新—・返り—」

**ニューミュージック**〔和製 new music〕〔音〕日本

のフォークとロックをまとめた呼び名。多く、自分が作った曲を歌う。〔一九七〇～八〇年代に流行〕

**にゅうみん**【入眠】〔医〕睡眠状態にはいること。ねつくこと。「―剤」

**ニューム**〔古風〕↑アルミニウム。「―のなべ」

**にゅうめつ**【入滅】《名・自サ》〔仏〕①釈迦の死。②〔僧が〕死ぬこと。入寂。

**にゅうめん**【△煮麺・〈入麺〉】出しじるで煮たそうめん。

**にゅうもん**【入門】㊀《名・自サ》①〔文〕門の中にはいること。「―証」(↔出門) ②その先生について弟子となること。㊁はじめて学ぶ人のためにわかりやすく書いた〔文章／本〕。「経済学―・―書」

**にゅうよう**【入用】《名・ダ》いりよう。いること。「地図が―になる」(↔不用)

**にゅうようじ**【乳幼児】乳児と幼児。

**にゅうよく**【入浴】《名・自サ》ふろにはいること。「―剤・―料」

**にゅうらい**【入来】《名・自サ》〔文〕その家へはいってくること。来訪。じゅらい。「ようこそのご―」

**にゅうらく**【入×洛】《名・自サ》〔文〕〔旅行して〕京都にはいること。じゅらく。

**にゅうりょう**【乳量】〔文〕〔牛が出す〕ちちの量。

**にゅうりょう**【入寮】《名・自サ》〔文〕①寮にはいること。②寮生になること。▽(↔退寮)

**にゅうりょく**【入力】《名・他サ》〔情〕⇩インプット②。(↔出力)

**にゅうりん**【乳輪】〔生〕ちくびの根もとにまるく広がる、茶色の部分。もと、乳暈。

**ニュールック**〔new look〕〔服装などの〕いちばん新しい型。

**にゅうろ**【入路】高速道路へはいる入り口となる道路。「銀座―」

**ニューロ**〔造〕〔neuro〕神経（組織）の。「―コンピューター（=脳神経をモデルにした、高度の情報処理ができるコンピューター）」

**にゅうろう**【入×牢】《名・自サ》〔文〕牢屋にはいること。じゅろう。

**ニューロン**〔neuron〕〔生〕神経系をつくっている細胞。刺激を受けついで送るはたらきをする。神経細胞。

**にゅうわ**【柔和】《ナダ》やさしくておだやかなようす。「―な人がら」派―さ。

**にゅっと**《副》〔長いものが〕急に〈あらわれる／突っき出る〉ようす。にゅうっと。「―姿をあらわす・―手を出す」

**にょい**【如意】①〔文〕自分の思うままになること。「百事―」☞不如意。②〔仏〕長さ六〇センチぐらいで、上のほうがワラビの形をした用具。読経や説法のときに、手に持つ。

〔にょい②〕

**にょいぼう**【如意棒】〔如意=思うまま〕持っていれば、なんでも自分の思うとおりになるという棒。〔「西遊記」の主人公、孫悟空の持ち物〕

**にょいりんかんのん**【如意輪観音】〔仏〕人々に幸福と財産をあたえると信じられている観音。

**にょう**【尿】〔生〕小便。「―漏れ」

**にょう**【×繞】漢字の、左上から右下にかけてL字形につつむ部分。例、しんにょう（=辶・⻌）、そうにょう（=走）、えんにょう（=廴）。

**にょう**【二様】〔文〕ふたとおり。二種類。「―に解釈できる」

**にょうい**【尿意】〔文〕小便をしたい気持ち。「―をもよおす」(↔便意)

**にょうかん**【尿管】〔生〕腎臓でつくられた尿をぼうこう（膀胱）まで送る管。輸尿管。「―結石」

**にょうき**【尿器】〔文〕しびん（溲瓶）。

**にょうさん**【尿酸】〔生〕プリン体が分解されてできる老廃物。大部分は尿として排出されるが、排出が不十分だと、尿酸値（=血液中の尿酸の量）がふえ、痛風へとつながる。「高―血症」☞プリン体。

**にょうしっきん**【尿失禁】〔医〕知らないうちに尿を〈もらす／たれ流す〉状態。

**にょうせき**【尿石】〔医〕腎臓・ぼうこう（膀胱）などにできる結石。尿路結石。

**にょうそ**【尿素】〔理〕尿の中にふくまれる、有機化合物。保水性があり けしょう水や肥料になる。工業的には、アンモニアから作る。「―樹脂」

**にょうどう**【尿道】〔生〕尿をぼうこう（膀胱）からからだの外へ出す管。

**にょうどくしょう**【尿毒症】〔医〕腎臓のはたらきが悪くなり、尿の中の窒素成分がじゅうぶん外へ出ないために起こる中毒症状。

**にょうへい**【尿閉】〔医〕〔何かの原因で〕ぼうこう（膀胱）の中にたまった尿を、自力ではいせつ（排泄）できない状態。

**にょうぼ**【女△房】〔話〕にょうぼう。

**にょうぼう**【女房】（=昔、宮中の女官）〔他人に、自分の〕妻を、ややぞんざいに言うときの呼び方。「―に頭が上がらない・長屋の―たち・―子持ち」(↔旦那・亭主) ●**にょうぼうことば**【女房△詞】昔、宮中の女房が使った特別のことば。例、「すし」を「すもじ」、「赤飯」を「おこわ」と言うなど。●**にょうぼうやく**【女房役】〔古風〕そばについていて、その人の仕事などを助ける役（の人）。〔男性中心的な言い方〕

**にょうろ**【尿路】〔生〕腎臓から尿の出口までをまとめて言う呼び名。「―感染症（=尿路に細菌が感染して起こる症状。例、ぼうこう（膀胱）炎）」

**にょかん**【女官】宮中につかえる女性。じょかん。〔今は、公務員〕（=宮廷―）

**にょきにょき**《副》細長いものが、勢いよく〈あらわれる／のびる〉ようす。「タケノコが―（と）生えた」

**ニョクマム**〔ベトナム nuoc mam〕ベトナム料理で使う調味料。アジやイワシなどを塩につけ熟成させた魚醬。ヌ(ッ)クマム。☞ナンプラー。

☆☆**にょじつ**【如実】《名・ダ》〔文〕事実をありありと示すようす。「脳裏に―にえがく・―な事例」

**にょしょう**【女性】〔文・古風〕じょせい。「―の身」

**にょぜがもん**【如是我聞】〔仏〕次のように私は聞いた、という意味のことば。経文は、このことばで始まる。

**にょたい**【女体】〔文〕女性のからだ。じょたい。

**ニョッキ**〔イ gnocchi〕ジャガイモと小麦粉で作った、だんご状のパスタ。

**によって**《格助・接助》⇩よって㊀㊁。

**にょにん**［女人］〔文・古風〕女の人。女性。●**にょにんきんぜい**［女人禁制］〔文〕〔お寺の境内などに〕女が立ち入るのを禁止したこと。にょにんきんせい。●**にょにんけっかい**［女人結界］《仏》女人禁制の地域。

**にょほう**［如法］①《仏》仏の教えのとおりにすること。②〔文〕文字どおり。「―のやみ」●**にょほうあんや**［如法暗夜］真のやみよ。

**にょぼん**［女△犯］《仏》僧が女性と関係すること。「―の罪」

☆☆**にょらい**［如来］《仏》さとりをひらいた人。ほとけ。「―〔=釈迦〕の教え・釈迦―・阿弥陀―〔=阿弥陀仏〕」

**により**［似寄り］よく似ていること。「―の例をあげる」動似寄る《自五》。

**により**《格助・接助》⇩より㊂㊃。

**によると**《格助》⇩よると。

**によれば**《格助》⇩よれば。

**にょろにょろ**《副》ヘビなどの細長いものが、くねるように動くようす。

**にら**［×韮］野菜の名。葉は細長く平たくて、においが強い。汁ものやいためもの、ギョーザの具などに使う。

**にらま・える**［×睨まえる］《他下一》〔俗〕にらむ。

**にらみ**［×睨み］①にらむこと。②ほかをおさえつける威勢。「―を利かす」●**にらみあ・う**［×睨み合う］《自五》①顔と顔を向けあって、にらむ。②おたがいに攻撃しようとして、また、敵意を持って、向きあう。名にらみ合い。●**にらみあわ・せる**［×睨み合わせる］《他下一》〔あれこれ見くらべて〕考えあわせる。「予算と―」名にらみ合わせ。●**にらみす・える**［×睨み据える］《他下一》きつくにらみ、相手が動けないような状態にする。●**にらみだい**［×睨み×鯛］正月の三が日や宴席で、食べずにかざっておくタイの塩焼き。〔人は見ているだけなので言う〕●**にらみつ・ける**［×睨み付ける］《他下一》きつくにらむ。にらめつける。「相手を―」

**にら・む**［×睨む］《他五》①目に力を入れ、おどすように強く見る。にらめる。「こわい目で―」②精神を集中して、じっと見る。「試験問題を―」③見当をつける。「にらんだとおりだった・あやしいと―」④監視するような目で見る。「警察から にらまれる」⑤〔そのことも〕計算に入れる。「総選挙をにらんだ発言」

**にらめっこ**［×睨めっこ］《名・自サ》①子どもなどが、ふたり向きあって、にらみあう遊び(をすること)。先に笑った者が負け。②じっと見つめること。「計器と―」

**にら・める**［×睨める］《他下一》〔古風〕にらむ。

**にらんせい**［二卵性］《生》二つの卵子であること。●**にらんせいそうせいじ**［二卵性双生児］《医》二つの卵子が同時に受精して生まれた ふたご。(↕一卵性双生児)

☆☆**にりつはいはん**［二律背反］《名・自サ》①《哲》おたがいに矛盾するが、それぞれ説得力のある二つの命題。「『世界に始まりはある』『世界に始まりはない』という―」(カントの用語アンチノミー(ド Antinomie)の訳語)②相反する性質の、二つの ものごと。また、それが生じる〈こと／状態〉。「伝統を守り、しかも新しさを出すという―を実現する・―に おちいる」

**にりゅう**［二流］①〔文〕二つの流派。②第一等よりも低い〈地位／程度〉。「―の役者」(↕一流)

**にりん**［二輪］二つの車輪。●**にりんしゃ**［二輪車］①自転車。②オートバイ。スクーター。単車。〔自動二輪車とも言う〕(↕三輪車・四輪車)

**にる［似る］《自上一》①〔ふつう似〈た／て〉〕同じような特徴を持つ。「かぜ〈に／と〉似た症状・〔自分の子をしかって〕だれに似たのかしら！・形はアユに―〔=似ている。文章語的〕」区別 一方が他方の特徴を思わせる場合は「パンに似た雲」のように「に」を、たがいに同じようである場合は「前回と似たような話」のように「と」を使う。②〔…に似ず〕…らしくなく。「いつもの課長に似ずミスが多い」☞似たり寄ったり・似て非なる・似ても似つかぬ。

**にる**［煮る］《他上一》①食材などに水(と調味料)を加え、火にかけて熱をとおす。「大根を―・なべを―」区別「**煮る**」も「**ゆでる**」も、湯の中で加熱する点では同じだが、「煮る」は、湯も煮汁として料理の一部になる。「ゆでる」は、湯は最後に捨てる。「**炊く**」は、米を水分がなくなるまで煮て ごはんにする意味だが、西日本方言では「煮る」の意味でも使う。☞「焼く③」の区別。②〔食べる目的でなく〕水に入れて火にかけ、やわらかくする。「まゆを―・新聞紙を―」可能 煮られる。●**煮ても焼いても食えない** 句 したたか者で、とうてい手に負えない。●**煮るなり焼くなり** 句〔覚悟を決めて〕処分の方法を相手にゆだねるときの捨てぜりふ。「―好きにしてくれ」

**にるい**［二塁］《野球》一塁と三塁の間の塁(を守る人)。セカンド(ベース)。●**にるいしゅ**［二塁手］《野球》二塁を守る人。二塁。セカンド。●**にるいだ**［二塁打］《野球》バッターが一度に二塁まで進むことのできる安打。ツーベース ヒット。☞エンタイトルツーベース。

**にれ**［×楡］北の地方に はえる、背の高くなる落葉樹。葉は小さくて かたい。エルム。

**にろくじちゅう**［二六時中］《副》〔昔、朝夕をそれぞれ六つの時に分けたので言う〕①一日じゅう。②しじゅう。いつも。▽四六時中。

*__にわ__［庭］①屋敷の中の、木などを植え、また、泉水などを作ってある所。「―の手入れ・―作り」②屋敷の中の、仕事などをする〈場所／土間〉。③〔文〕場所。「学びの―・教えの―」④〔俗〕すみからすみまで知っている場所であることの たとえ。「ハワイは おれの―だ」

**にわいじり**［庭いじり］たのしみで、庭の手入れをすること。

←**にわか**［×俄・⁑仁輪加・⁑仁和加］↑俄狂言。「博多―」●**にわかきょうげん**［×俄狂言］座興におこなう、即興の狂言。

→☆☆**にわか**［×俄か］㊀**にわか**《ナダ》急にそう〈なる／する〉ようす。〔少し かたい言い方〕「―に空が くもってきた・―な空腹・―雪・―づくり・―じたて」㊁遺 その時だけの。かりそめの。「―勉強・―サッカーファン」㊂**にわか** その時だけ関心を持つ人。関心を持って間もない人。にわかファン。「―が急に増えた」〔二十一世紀になって、特に二〇一〇年代に広まった用法〕●**にわかあめ**［×俄か雨］《地》急に やや激しく降り、短時間で やむような雨。例、夕立。●**にわかじこみ**

〔×俄か〕仕込み〕 間に合わせのために、急に覚えること。「一の芸」

**にわき**〔庭木〕 庭に植えてある木。

**にわきど**〔庭木戸〕 庭の出入り口に作った木戸。

**にわくさ**〔庭草〕 庭に植えてある〈草/草花〉。

**にわさき**〔庭先〕 ①庭の手前のほう〈建物に近いほう〉。②庭のはしのほう〈建物から遠いほう〉。●**にわさきわたし**〔庭先渡し〕《経》①商品を生産者の〈庭先/仕事場〉で手わたすこと。②商品を買い手の庭先まで届けて手わたすこと。

**にわし**〔庭師〕 庭を作り、庭木の手入れをする職業の人。植木屋。

**にわとこ**〔(:接骨木)〕 庭木の名。枝が波をうって横に広がる。

**にわとり**〔鶏・×雞〕(=庭鳥) たまご・肉をとるために飼う鳥。頭に赤いとさか(鶏冠)があり、あごの下にも肉がたれている。ほとんど飛べない。鳴き声は、こけこっこう。「一は三歩歩いたら忘れるという」●**鶏が先か卵が先か** 句 (=ニワトリが卵を産むのと、卵からニワトリが生まれるのと、どちらが先か) 原因と結果がぐるぐる回って、どちらが本当の原因か わからないこと。卵が先か鶏が先か。鶏か卵か。にわとりたまご〈俗〉。●**鶏を割くに牛刀を用いる** 句 〈文〉ちょっとしたことをするのに大げさな手段を用いる。

**にん**〔任〕〈文〉①つとめ。任務。「一をまっとうする・一におもむく・その一ではない(=適任でない)」②任じること。任命。「一大臣」

**にん**〔忍〕〈文〉がまん。しんぼう。「捜査は『一』の一字につきる」

****にん**〔人〕 一 接尾 人数を数えることば。「十五一」 二 造 ①その立場にある人。「当選一・受取一・世話一」②その境遇・状況にある人。「貧乏一・勤め一・とが一・けが一」③その性質をもつ人。「苦労一・遊び一」 ☞じん(人) 二。 三 にん〈「ニン」とも書く〉〈文/方〉ひと(がら)。「一を見て話をする・一の厚み」●**人を見て法を説け** 句 ⇩ひとを見て法を説け〔「人」の句〕。

☆☆**にんい**〔任意〕《名・ナダ》 ①その人の考えにまかせること。思うまま。「一の(=好きな)時間」②《法》その人(たち)の意思でおこなうこと。「警察に一同行する・一団体(=法人格を持たない小さな団体)」③↑任意出頭。「一で(取り)調べる」④《数》どれとは決まっていないこと。勝手。「一の実数」●**にんいしゅっとう**〔任意出頭〕《名・自サ》《法》犯罪の参考人が、もとめに応じて、自分の意思で〈警察署/検察庁〉に出向くこと。「一で取り調べる」●**にんいそうさ**〔任意捜査〕《名・他サ》《法》逮捕などの強制手段を使わないでおこなう捜査。

**にんいん**〔認印〕〈文〉①承認したしるしに、書類などにおす印。「一を受ける」②認め印。

**にんか**〔認可〕《名・他サ》①認めて許すこと。②《法》実行を許可する行政処分。「営業を一する」

**にんがい**〔人界〕《仏》(天界などに対して)人間の住む世界。☞じんかい(人界)。

**にんかつ**〔妊活〕 妊娠することを目的にした、病院での治療をふくめた活動。

**にんかん**〔任官〕《名・自サ》 官職に任じられること。「検事に一する」(↔退官)

****にんき**〔人気〕 ①その人やものが好きだ、と思う、みんなの気持ち。「一のあるタレント・一が高い・一が集まる・一を呼ぶ・一商売(=芸能人など)・一投票(=〈だれ/どれ〉が人気があるかを決める投票)」②↑人気①が高いこと。「若者に一のメニュー・一者・一スポット」〈俗に、形動ナダでも使う。「一なメニュー」〉③その土地の気風。じんき。「一の悪い土地」☞じんき(人気)・ひとけ(人気)。●**にんきとり**〔人気取り〕 世間の人気を集める〈ための方法/ことのうまい人〉。「一政策」

**にんき**〔任期〕 その職務にいる期間。「一が切れる・一満了」

**にんぎょ**〔人魚〕(西洋の伝説で)下半身がさかなのすがたをした、若い女。マーメイド。「一姫」(日本では、人面魚のことも言った)

**にんきょう**〔任×侠・△仁×侠〕〈文〉正義や義理を重んじる、おとこぎにあふれた気風。「一映画」

**にんぎょう**〔人形〕 ①人や動物のかたちをまねて作った〈もの/おもちゃ〉。「お一・一劇」②ほかの人の言うままになっている人。●**にんぎょうじょうるり**〔人形浄瑠璃〕 浄瑠璃にあわせて、人形を使ってする芝居。文楽はその代表。あやつり芝居。●**にんぎょうつかい**〔人形遣い〕〈文楽で〉人形をあやつる人。

**にんく**〔忍苦〕《名・自サ》〈文〉苦しみをたえしのぶこと。「一の一生」

**にんげつ**〔人月〕 仕事の規模をあらわす単位。その仕事で働く人の数に、働く月数をかけあわせた数。「八一の仕事」 ☞人日。

****にんげん**〔人間〕 ①〈動植物や機械などと区別して〉ひと。「一界・一ばなれ・検事だって一だ・一、あきらめが肝心だ」②〈他人を軽く見て、また、自分をさして〉ひと。「どこの一か知らないが・おれという一は」③ひとがら。人格。人物。「一ができている・一が小さい・一形成(=のぞましい人間に作り上げること)・一疎外(=資本主義社会が進んで、人間性や個性が無視されること)」 由来 人のいる世の中、世間のこと。後に人そのものを指すようになった。●**人間到る処青山あり** 句 ⇩じんかん到る処青山あり〔「人間」の句〕 ●**人間の皮をかぶった** 句 外見は人間の姿をしているが、心の中は人間らしさを持っていない。「一悪魔」 ●**人間万事塞翁が馬** 句 悪いこと、いいことは、交互にやってくるものだ、ということ。塞翁が馬。「人間」を「世間」と解して「じんかん」と読むという意見があるが、昔から「にんげん」と読む。「にんげん」には本来「世間」の意味もあり、また「人」の意味に解しても問題ない。 由来 昔、中国北方の国境地方に住む老人の馬(=塞翁が馬)がにげたが、その後にいいことがあった。その後も、悪いこと、いいことが交互におとずれた、という故事から。●**にんげんかんけい**〔人間関係〕 人と人とのかかわり。特に、仕事を進め、人とふれあうときにできる、人と人との、気持ちのつながり。「希薄な一・一を大切にする」 ●**にんげんくさ・い**〔人間(臭い)〕《形》 ①人間が生活しているふんいきがある。②ふつうの人が持つ感情や欲望が感じとれる。派 -さ。 ●**にんげんこうがく**〔人間工学〕 人間のからだ・心理によくあわせて、機械・設備の設計をする科学。エ

に

ルゴノミクス。●☆☆にんげんこくほう［人間国宝］重要無形文化財保持者の通称。人間らしさ。●にんげんせい［人間性］人間の本性。人間らしさ。「—が豊かだ」●にんげんぞう［人間像］人間としての(あるべき)姿。「期待される—」●にんげんそんざい［人間存在］〔文〕一つの存在として見た人間。人間という存在。●にんげんてき［人間的］《ナダ》人間としての性質・情愛があるようす。「—な生活・—に成長する」●☆☆にんげんドック［人間ドック］《医》(中年以上の人の)健康管理のために、精密検査をおこなう〈こと／設備〉。ドック。「—にはいる」●にんげんなみ［人間並み］《名・ナダ》(ふつうの)人間と同じ程度であること。「—の知能をもつ」●にんげんみ［人間味］人間らしいあたたかみ。●にんげんもよう［人間模様］複雑な人間関係を、織物のたて糸とよこ糸が織りなす模様にたとえた語。●にんげんわざ［人間業］人間の能力でできること。人のしわざ。「—とは思えない」

にんごく［任国］①昔、国司として赴任した国。②大使・公使・領事などが赴任する国。

にんさん［妊産］《医》妊娠と出産。「—授乳期」●にんさんぷ［妊産婦］《医》妊婦と産婦。

*にんしき［認識］《名・他サ》①ものごとをとらえ、見分け、判断すること。また、そのようにして得られた知識。「—が足りない・—を深める」②《情》〔コンピューターが〕映像・音声などの情報を受けとること。「画像—の技術」●にんしきぶそく［認識不足］あるものごとについて正当な判断をするだけの知識がたりないこと。にんしきふそく。

にんじゃ［忍者］〔戦国時代に〕敵国にはいって国情をさぐったり、暗殺や破壊工作をおこなったりした者。忍術使い。忍び(の者)。

にんじゅう［忍従］《名・自サ》〔文〕苦しい境遇にたえて、じっとがまんすること。

にんじゅつ［忍術］そっと敵の中にはいりこむ術。しのびの術。忍法。「—使い」

にんしょう［人称］《言》人をさす代名詞のうち、話し手・相手・第三者の区別。「(第)一—・(第)二—・(第)三—」●にんしょうだいめいし［人称代名詞］《言》代名詞の一種。人をさししめす。一人称〔=自称〕、二人称〔=対称〕、三人称〔=他称〕に分ける。例、わたし・あなた・かれ。(↔指示代名詞)

☆☆にんしょう［認証］《名・他サ》①《情》その人やものにまちがいないと認めること。「ユーザー—・ICカードで—する・指紋—〔=指紋による本人確認〕」☞生体認証」②《法》天皇やおおやけの機関が認めて証明すること。「—式〔=認証官を任命する式〕」●にんしょうかん［認証官］《法》任命にあたって天皇の認証を必要とする国家公務員。国務大臣・最高裁判所判事・大使・公使など。

にんじょう［人情］人が本来持っている、人間らしい気持ち。「人々の温かい—にふれる・—の機微をえがいた作品・けなされたら腹が立つのは—だ・—紙のごとき〔=うすい〕世の中」●にんじょうばなし［人情話・人情×噺］家族・仕事仲間・町内の知り合いなどの人間関係の機微をついて、ほろりとさせる落語。●にんじょうぼん［人情本］江戸時代後期から明治時代の初めに流行した恋愛小説。例、為永春水の「春色梅児誉美」。●にんじょうみ［人情味］あたたかい、人情の味。情味。「—を解しない」

にんじょう［△刃傷］《名・他サ》〔文〕刃物で人をきずつけること。●☆☆にんじょうざた［△刃傷沙汰］けんかなどが原因の、傷害事件。「—におよぶ」

にん・じる［任じる］〔文〕■《自上一》引き受けて自分の役目とする。「指導者をもってみずから—」■《他上一》職務につかせる。「外務大臣に—」▽■■任ずる。

にんしん［妊娠］《名・自他サ》子を腹の中に持つこと。〔受精した卵が子宮に着床すること〕「—中絶〔⇩中絶②〕」●にんしんこうけつあつしょうこうぐん［妊娠高血圧症候群］《医》妊娠して六か月ごろからあらわれる、血圧の上昇、尿たんぱくの増加、むくみを特色とする症状。〔もと「妊娠中毒症」と呼んだ〕●にんしんせん［妊娠線］《医》妊娠中におなかや乳房にあらわれる、赤むらさき色の線。表皮の伸びに真皮や皮下組織が追いつかないためにできる。●にんしんちゅうどくしょう［妊娠中毒症］《医》⇩妊娠高血圧症候群。

にんじん［人△参］①ⓐ野菜の名。根は赤黄色で、食用とする。「—のグラッセ」ⓑ⇩朝鮮にんじん。②〔俗〕人を動かすためのほうび。由来②は、馬の鼻先にニンジンをぶら下げると、それを追いかけて走るだろうという話から。

にんずう［人数］①人のかず。「—を数える」②大ぜいの人。「—をくりだす」▽にんず。

にんそう［人相］①顔かたち。「—が変わる・犯人の—書き」②その人の性質・運勢を知る目じるしとされる、顔だちの特色。「—見・—学」

にんそく［人足］力仕事をする労働者。☞ひとあし(人足)。

にんたい［忍耐］《名・自他サ》〔苦しいことを〕がまんすること。「—力・—強い〔名忍耐強さ〕」

にんだく［認諾］《名・他サ》《法》〔民事訴訟で〕被告が原告の請求を正当だと認めること。

にんち［任地］任務につく土地。「—におもむく・—をはなれる」

にんち［認知］《名・他サ》①たしかにそうだと認めること。「目標を—する」②《法》〔親がはっきりわからない子どもについて〕自分がその子の〈父／母〉であることを認めること。③人々が知(り、いいと認め)ること。「商品が—される」④〔俗〕↑認知症。「—が進む」●☆☆にんちしょう［認知症］《医》脳の障害によって記憶力や判断力が低下し、日常生活に支障をきたす病気。アルツハイマー病による場合〔=アルツハイマー型〕、脳の血管の障害〔特に脳梗塞〕によって起こる場合〔=脳血管性〕などがある。〔二〇〇四年からのことば。もと、「痴呆(症)」と呼んだ〕●にんちど［認知度］どのくらい世間に知られているかという程度。「—が低い企業」

にんちくしょう［人畜生］〔文〕畜生のような人間。「恩知らずの—め！」

にんてい［人体］〔文〕〔身なりを主とした〕その人のようす。「あやしい—の男・—いやしからぬ紳士」☞じんたい(人体)。

**にんてい**【認定】《名・他サ》①事実や資格を認め決定すること。「資格の―・―試験」②《俗》はっきりそう評価すること。「いい人―される」•**にんていい**【認定医】一定水準の専門知識や技術を備えていると、学会が認定した医師。「―制度」•**にんていかんごし**【認定看護師】高度な技術と知識を資格試験で認められた看護師。☞専門看護師。

**にんとうぜい**【人頭税】⇩じんとうぜい。

**にんにく**【(:大蒜)】調味料・食用にする多年草。根茎(こんけい)はタマネギより小さくごつごつした形で、においが非常に強い。食べると精力がつく。ガーリック。「―の芽(=くきの部分)・―ましまし」

**にんにく**【忍△辱】《仏》はずかしめをたえしのぶこと。「慈悲(じひ)―」

**にんにち**【人日】仕事の規模をあらわす単位。その仕事で働く人の数に、働く日数をかけあわせた数。☞人月(にんげつ)。

**にんのう**【人皇】《文》《神代(じんだい)の神々と区別して》神武(じんむ)天皇以後の代々の天皇。じんのう。じんこう。

**にんぴ**【認否】《文》認めることと認めないこと。認めるか認めないか。「罪状―」

**にんぴにん**【人非人】ひとでなし。

**ニンフ**【nymph】①美しい少女の姿をした、水や森などの精。②《釣り》幼虫の形に似せた毛ばり。

**にんぷ**【人夫】力仕事をする労働者。〔古い言い方〕

**にんぷ**【妊婦】妊娠(にんしん)している女性。「―帯(いた)(=岩田帯(おび))」

**にんべつ**【人別】〔←人別帳〕《江戸(えど)時代の》戸籍(こせき)。「―改め(=戸籍調べ。人口調査)」

**にんべん**【(人偏)】漢字の部首の一つ。「休」「作」などの、左がわの「亻」の部分。〔人の動作などに関係がある〕

**にんぽう**【忍法】忍術。しのびの術。

**にんまり**《副・自サ》《うまくいったと満足げに》口もとに笑いをうかべるようす。「―(と)ほくそえむ」

**にんむ**【任務】その人にあたえられたつとめ。やくめ。「―を果たす・―を帯びる」

**にんめい**【任命】《名・他サ》職務につくように命じること。「―責任(=任命者に生じる責任)」

**にんめん**【任免】《名・他サ》《文》その職務につけることと、やめさせること。「―権」

**にんよう**【任用】《名・他サ》①《文》人を職務につけて使うこと。②《法》事務心得・嘱託(しょくたく)の人を本官に任命すること。「―基準」

**にんよう**【認容】《名・他サ》《文》それでよいと認めて受け入れること。「請求(せいきゅう)を―する」

# ぬ　ヌ

**ぬ** 一《助動特殊型》《動詞の未然形＋―》《文》《否定の助動詞》…ない。「まだ見―国・泣か―ばかりに(⇩ばかり⑥)・見当がつか―・勉強もせず、遊んでいる」(連用形『ず』の例)」 ❗もと文語助動詞「ず」の連体形で、現代ではこの形を終止・連体形に使う。「信じられぬ！」のように、話しことばで使うと、芝居(しばい)がかった重々しい感じが出る。二《助動ナ型》《動詞の連用形＋―》《雅》《完了(かんりょう)の助動詞》ものごとの完了をあらわす。もう…てしまった。「夏は来(き)―」

**ぬい**【縫い】(ぬひ) 一①ぬうこと。②ぬいめ。二【×繡】帯・着物などの、ししゅう。ぬいとり。「染め、織り、―」

**ぬいあが・る**【縫い上がる】(ぬひ)《自五》すっかりぬって、できあがる。名縫い上がり。他縫い上げる《下一》。

**ぬいあわ・せる**【縫い合わせる】(ぬひあはせる)《他下一》ぬってつなぐ。「傷口を―・前身ごろと後ろ身ごろを―」名縫い合わせ。

**ぬいぐるみ**【縫い△包み】(ぬひ) ①布を人形・動物などの形にぬって、中に綿などをつめたもの。「―のくま」②⇩着ぐるみ。

**ぬいこ**【縫い子】(ぬひ) 店にやとわれて、着物や洋服をぬう女性。(お)針子。

**ぬいこ・む**【縫い込む】(ぬひ)《他五》①ぬって、中に入れる。ぬいつける。②《服》布をぬいあわせるとき、ぬいしろの寸法以上にゆとりを取ってぬう。名縫い込み。

**ぬいしろ**【縫い《代》】(ぬひ) 《服》ぬいあわせるときやぬいつけるときに必要な、まわりの部分。

**ぬいとり**【縫い取り】(ぬひ)《名・他サ》布地の上にいろいろの色糸で模様や絵をぬいあらわ〈すこと/したもの〉。動縫い取る《他五》。

**ぬいはく**【縫い×箔】(ぬひ) 〈金〉〈銀〉の糸でするししゅう。

**ぬいばり**【縫い針】(ぬひ) 裁縫(さいほう)に使う針。(⇔待ち針)

**ぬいめ**【縫い目】(ぬひ) ぬいあわせた部分。「シャツの―・野球のボールの―・きずあとの―」

**ぬいもの**【縫い物】(ぬひ) ①衣服などをぬうこと。裁縫(さいほう)。「―をする」②ぬう対象の衣服など。「―を広げる」

**ぬ・う**【縫う】(ぬふ)《他五》①《布をあわせたり、布につけたりするために》糸をつけた針を布などに刺(さ)してはぬき、刺してはぬきする。②ぬいとりをする。③すりぬけるようにして通る。「人々の間を縫って行く・あわただしい日程を縫って訪問した」自縫える《下一》。可能縫える。

**ヌー**【gnu】アフリカの草原にすむ、ウシの一種。草を求めて大群で移動する。

**ヌーディスト**【nudist】はだかで過ごす主義の人。裸体(らたい)主義者。「―ビーチ」

**ヌード**【nude】①はだか。裸体(らたい)《画》。②カバーをつけていないもの。「―クッション」•**ヌードカラー**【nude color】《けしょう品や身につけるもので》はだの色に近い色。ベージュやピンクをふくむこともある。「―のマニキュア・―のドレス」

**ヌートリア**【nutria】南アメリカ原産の小さなけもの。毛皮を取る。

☆☆**ヌードル**【noodle】たまごを入れて作った、西洋ふうのめん。

**ヌーベルバーグ**【フ nouvelles vagues＝新しい波】一九五〇年代末からフランスでおこった、映画の新しい傾向(けいこう)。それまでの制作手法や道徳観にとらわれない。

**ヌーボー** 一造【フ nouveau】①新しいこと。「―ロマン(=前衛小説)」②新酒。「ボジョレー―」 二**ヌーボー**《タル》《一の音(おん)の感じから》《俗》ぼんやりして、とぼけたようす。「―とした顔だち」派―さ。

☆☆**ぬえ**【(×鵺)】①頭はサル、からだはタヌキ、手足はトラ、尾(お)はヘビに似ているといわれる、想像上のけもの。②何がその人の本体であるのか、はっきりしないもの。「―的存在」

**ぬか**【(×糠)】玄米(げんまい)をついて白米にするとき、うす皮がはがれて粉になったもの。こぬか。•**ぬかにくぎ**【釘】句手ごたえがないことのたとえ。

**ヌガー**〔フ nougat〕 ピーナッツやアーモンドなどを入れた、やわらかい西洋ふうの あめ(飴)。

**ぬかあめ**[(×糠)雨] こぬかあめ。

**ぬかご**[(:零余子)] ⇩むかご。

**ぬか・す**[抜かす]《他五》 ①おとす。もらす。「番地を抜かして書いた」 ②〔間を〕とばす。「一ページー」 ③ぬけるようにする。「腰を一〔⇩「腰」の句〕」 ④[(△吐かす)]〔俗〕相手が言うことを、いやしんで言うことば。言いやがる。「何をーか」

**ぬが・す**[脱がす]《他五》 ぬぐようにさせる。ぬがせる。(↕着せる)

**ぬかず・く**[(△額ずく)]《自五》〔文〕 ①頭を地につけて礼をする。「神前にー」 ②ていねいに礼をする。「ぬかずいて あやまる」 由来「ぬか」は額。「額を突っく」の意味。 表記 現代語では「額+突く」の意識がないとみて、かなでは「ぬかずく」と書くが、「ぬかづく」も許容。

**ぬかづけ**[(×糠)漬け] ぬかみそに〈つけること/つけたもの〉。ぬかみそづけ。

**ぬかどこ**[(×糠)床] ぬかみそづけの もとになる、ぬかと塩をまぜあわせたもの。

**ぬかぶくろ**[(×糠)袋] はだを洗うときに使う、ぬかを入れたふくろ。

**ぬかみそ**[(×糠味×噌)] ①ぬかに塩を加えたもの。おけなどに入れて野菜をつける。「ー漬けのキュウリ」 ②〔←ぬかみそづけ〕 ぬかづけ。「キュウリのー」 ●**ぬかみそが腐る** 句 悪い声、調子外れの歌声をけなして言うときのことば。 ●**ぬかみそくさ・い**[(×糠味×噌)臭い]《形》〔古風〕〔女性が家事に追われて〕所帯じみている。派 -さ。

**ぬかよろこび**[(×糠)喜び]《名・自サ》 すぐに期待が外れるとは知らずに、つかの間 喜ぶこと。「ーに終わる」

**ぬかり**[抜かり] ぬかること。手ぬかり。「ーなく用意する・そこにーはない」

**ぬか・る**[抜かる]《自五》 ゆだんして、しそんじる。

**ぬか・る**《自五》 ぬかるむ。

**ぬかるみ**[(:泥濘)] ①道などが どろどろになっていて歩きにくい所。 ②ぬけようとしても なかなかぬけられない(悪い)環境。

**ぬかる・む**[(:泥濘む)]《自五》 道などが ぬかるみになる。「道がー」

**ぬき**[抜き] ぬくこと。「損得ー・朝めしー・担当者ーでは進まない・ーで撮る〔⇩抜く 一 ⑫〕」

**ぬき**[(△貫)]〔=つらぬくこと〕 ①壁をじょうぶにするために、横に柱をつらぬく板。 ②[(×櫝)] うすくて はばのせまい板材。荷造りなどに使う。

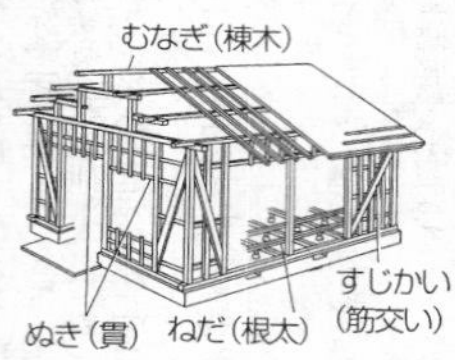


[ぬき ①]

**ぬきあし**[抜き足] ①足をしずかにぬくように上げて、そっと歩くこと。 ②〔ハードル・走り高跳びで〕地面をふみ切るほうの足。 ●**ぬきあし さしあし**[抜き足差し足] 音のしないように そっと歩く〈こと/かっこう〉。「ーで しのびこむ」

**ぬきあわ・せる**[抜き合わせる]《他下一》 相手が刀をぬく動作に合わせて、こちらも刀をぬく。

**ぬきいと**[(△緯糸)] よこいと。ぬき。(↕縦糸)

**ぬきうち**[抜き打ち] ①刀をぬくと同時に切りつけること。 ②前もって知らせないで、とつぜん おこなうこと。「議会のー解散・ー検査」

**ぬきうち**[抜き撃ち] ピストルを取り出すと同時にうつこと。

**ぬきえり**[抜き襟]《服》後ろの えりが大きく下がって、首筋が見える〈こと/着方〉。☞抜き衣紋。

**ぬきえもん**[抜き(△衣紋)]《服》〔和服で〕ぬきえり。

**ぬきがき**[抜き書き]《名・他サ》 一部分を書きぬく〈こと/いたもの〉。書きぬき。

**ぬきがた・い**[抜き(難い)]《形》〔文〕 ①取り去ることがむずかしい。「ー不信感」 ②攻めおとすことが むずかしい。「ーとりで」

**ぬぎき**[脱ぎ着]《名・他サ》 着物を、脱いだり着たりすること。

**ぬきさし**[抜き差し]《名・他サ》 ①ぬき出すことと さしこむこと。 ②取り除くことと加えること。 ●**抜き差しならない** 句〔さびついた刀の状態のことから〕どうしようもない。抜き差しがならない。「ー状態になる」

**ぬきさ・る**[抜き去る]《自五》 ①ぬき出して、取り去る。 ②勢いよく追いぬいて、先へ行く。「一気にー」

**ぬぎす・てる**[脱ぎ捨てる]《他下一》 ①服などを(勢いよく)ぬいで、そのままにしておく。「上着をー」 ②それまでの習慣や考えなどを捨て去る。「旧習をー」

**ぬきずり**[抜き刷り]《名・他サ》 雑誌などの一部のページを、ぬき出して別に印刷〈すること/したもの〉。〔自然科学で〕べつずり。「論文のーを作る」

**ぬきだ・す**[抜き出す]《他五》 ①ひきぬいて出す。 ②よりだす。えらびだす。「要点をー」

**ぬきつ・れる**[抜き連れる]《他下一》 大ぜいが いっせいに刀をぬく。

**ぬきて**[抜き手] 両手をかわるがわる水の上にぬき出して進む泳ぎ方。ぬきで。「ーを切る」

**ぬきと・る**[抜き取る]《他五》 ①ひきぬいて取り出す。「おさつを一枚ー」 ②中身をぬき去る。「エアコンからガスをー」 ③大切な情報をうばい取る。「暗証番号をー」 名 抜き取り。「ー検査」

**ぬきはな・つ**[抜き放つ]《他五》 一気に刀をぬく。ぬきはなす。「名刀をー」

**ぬきみ**[抜き身] 〈さや/ホルスター〉から ぬいた、はだかの〈刀/ピストル〉。

**ぬきよみ**[抜き読み]《名・他サ》 必要な部分だけを読むこと。

☆☆**ぬきん・でる**[抜きん(出る)・(△抽んでる)]《自他下一》 とびぬけて すぐれる。ぬきでる。「才能がー」

**ぬ・く**[抜く] 一 《他五》 ①中にはいっているものを、引き出す。「刀をー」 ②中のものを出して からにする。「ふろの湯をー・空気をー」 ③えらんで(いいものを)取り出す。「人材をー」 ④取り除く。「しみをー・骨をー」 ⑤〔すりが〕すり取る。「さいふをー」 ⑥はぶく。「力をー・手をー」 ⑦〈先/上〉へ出る。「三人ー・〔相場で〕三万円をー」 ⑧つらぬくように通りぬける。「ピッチャーのまたぐらをー・センター、抜かれました」 ⑨はまっているものを、力を加えて外す。「おけの底をー」 ⑩〔文〕攻めおとす。「城をー」 ⑪〔俗〕スクープする。「倒産を

—」⑫《映画・放送》〔俗〕その〈人/もの〉だけをクローズアップにしたカットを入れる。㊁[造]①終わりまでする。どこまでもする。「やり—・こだわり—」②すっかり…する。はてる。「困り—」[可能]抜ける。•**抜きつ抜かれつ**[句] 追いぬいたり、追いぬかれたり。「—の接戦」

**ぬ・ぐ**[脱ぐ]㊀《他五》からだにつけているものを取る。「上着を—・くつを—」(↔着る・はく)㊁《自五》〔俗〕〔撮影で〕ヌードになる。「人気女優が—」[可能]脱げる。

**ぬく・い**[(△温い)]《形》〔方〕あたたかい。ぬくとい。[派]-さ。

**ぬぐ・う**[拭う]《他五》①ふいて、よごれや水分を取る。「手を—」②取り去る。「おかしい、という印象を拭いきれない」

**ぬくぬく**[(△温々)]《副・自サ》①気持ちよくあたたかいようす。②(ずうずうしく)自分ひとり、楽をしているようす。「—といすわる」

**ぬくみ**[(△温み)]〔方〕あたたかみ。

**ぬく・める**[(△温める)]《他下一》〔人のはだの温度ぐらいに〕あたためる。〔[自]ぬくまる《五》[名]ぬくまり〕。

**ぬくもり**[(△温もり)]あたたかみ。ぬくみ。「人はだの—・木の—・生活の—」[動]ぬくもる《自五》。

**ぬけ**[抜け・ヌケ]①ぬけること。「かみの毛の—がはげしい・データに—(=もれ。落ち)がある・〔相場で〕千円—(=千円以上になること)」②〔ファッションで〕びしっと決めず、ほどよく力がぬけていること。「—感・わざと—を作る」③《写真・映画》背景。「—に海が見える・海—で撮る」•**抜けがいい**[句] 色や音がさえてすっきりしていること。「高音の—マイク・—写真」

**ぬけあが・る**[抜け上がる]《自五》かみの毛のはえぎわが、おくまではげる。「ひたいが—」

**ぬけあな**[抜け穴]①通りぬけられる穴。②のがれ出るための穴。③のがれる手段。「—だらけの法律」

**ぬけうら**[抜け裏]通りぬけることのできる裏道。

**ぬけお・ちる**[抜け落ちる・△脱け落ちる]《自上一》①ぬけて落ちる。「毛が—」②大事な部分が欠ける。「歴史的な視点が—」[名]抜け落ち。

☆☆**ぬけがけ**[抜け駆け・抜け×駈け]《名・自サ》そっとぬけ出して先ばしりすること。他人に知られないように、早くおこなうこと。「—の功名(=抜け駆けして立てたてがら)」

**ぬけがら**[抜け殻・△脱け殻]①〔セミなどの〕皮をぬいだあとのから。②中身がなくなった状態。「住人が去って—となった部屋・女にふられて—のようになる(=ぼんやりする)」

**ぬけかわ・る**[抜け替わる]《自五》乳歯やかみの毛がぬけて、新しいものがはえる。[名]抜け替わり。

**ぬけげ**[抜け毛・△脱け毛](かみの)毛がぬけること。また、ぬけた(かみの)毛。「—がひどい」

**ぬけさく**[抜け作]〔俗〕おろかな人。まぬけ。

**ぬけだ・す**[抜け出す・△脱け出す]《自他五》①そっと、そこからのがれ出る。「寮を—」②そこからいなくなる。「貧困から—」③⇩抜け出る①②。「絵から抜け出したような姿・一歩—」

**ぬけ・でる**[抜け出る・△脱け出る]《自他下一》①ぬけて外に出る。「穴から空気が—・森を—・原っぱに—・カタログから抜け出たような車」②追いぬいて前へ出る。ぬきんでる。「一歩—(⇩「一歩」の[句])」③⇩抜け出す①②。「会社を—」

**ぬけに**[抜け荷]〔江戸時代の〕密貿易。

**ぬけぬけ**《副》〔〈わかりきっている/やましい〉ことを〕あつかましく。「—とでたらめを言った」

**ぬけみち**[抜け道・抜け△路]《名・自サ》①本道以外の近道。うらみち(を通って進むこと)。間道。「—を通って、先回りする」②にげみち。③のがれる手段。「規則に—を作る」

**ぬけめ**[抜け目]ゆだん。手ぬかり。•**抜け目(が)ない**[句] ①手ぬかりなく、〈ずるがしこく/ずうずうしく〉行動するようすだ。「抜け目なくふるまう・強欲で—」②手ぬかりがない。「—プレー」(一九九〇年代から例がある用法)✎②の意味で相手をほめても、①と誤解されるおそれがある。

**ぬ・ける**[抜ける]㊀《自下一》①ぬいた状態になる。「くぎが—・ふろの水が—」②ひとりでにはなれて落ちる。「毛が—」③もれる。落ちる。「名簿から—」④〔本体からはなれて〕なくなる。消える。「力が—・ほっとして気が—・くさみが—・甘えるくせが抜けない」⑤きれいにすきとおる。「—ような青空・—ように色の白い美人」⑥〔**抜けた・抜けている**〕まぬけである。「抜けた男」⑦関節が外れ(たように力がはいらなくな)る。「腰が—(⇩「腰」の[句])・肩が抜けそうだ」⑧〔方〕土がくずれおちる。「山が—」⑨「抜く」の可能形。㊁《自他下一》①はなれ出る。「列を—・一気に抜けて先頭に出た・古い発想から抜けきれない」②やめて出る。脱退する。「チームから—」③のがれる。「城を—」④〔向こうまで〕通る。「うら道を—・台風は日本海へ抜けた」㊂《他下一》〔相場で〕それ以上の値段になる。「三百円を—」[表記]㊀①〜④、㊁①〜③は「△脱ける」とも。[可能]抜けられる。抜けれる〔俗〕。

**ぬ・げる**[脱げる]《自下一》からだにつけているものが、ひとりでに取れる。「くつが—」

**ぬさ**[(△幣)]神へのそなえ物。幣帛。

**ぬし**[主]㊀①あるじ。「宿屋の—・部屋(の)—・話題の—(=話題になった人)」②持ち主。「さいふの—・手紙の—(=手紙を書いた人)」③そのことを〈する/した〉人。「声の—・善意の—」④古くからそこを支配する動物。「—でもいそうな池」⑤ずっと前からそこにいる人。「会社の—」⑥〔古風〕夫。「—ある身」㊁《代》〔古風〕①同等(以下)の人を尊敬して言うことば。「—はどこから来た」②女が親しい男を呼ぶことば。「—さん」☞お主。

**ぬすっと**[(盗っ△人)]《名・他サ》〔古風・俗〕どろぼう(すること)。ぬすびと。ぬすと。ぬすっとう。•**盗っ人たけだけしい**[句] どろぼうをしていながら、かえって文句を言うようす。•**盗っ人に追い銭**[句] ⇩泥棒に追い銭(「泥棒」の[句])。•**盗っ人にも三分の理**[句] ⇩泥棒にも三分の理(「泥棒」の[句])。•**盗っ人の昼寝**[句] どろぼうが昼間寝るのは夜に働くためである。何の目的もなさそうに見える行動も、実はほかに目的があるのだ。•**盗っ人を捕らえて見ればわが子なり**[句] ⇩泥棒を捕らえて見ればわが子なり(「泥棒」の[句])。

**ぬすびと**[盗人]〔古風〕どろぼう。ぬすっと〔古風・俗〕。

**ぬすみ**[盗み]ぬすむこと。「—をはたらく・—心」•ぬ

**すみあし**［盗み足］ こっそりと足音を立てないように歩くこと。ぬきあし。●**ぬすみぎき**［盗み聞き］《名・他サ》 そっと立ち聞きすること。動盗み聞く《他五》。●**ぬすみぐい**［盗み食い］《名・他サ》①人に見つからないようにそっと食べること。②ぬすんで食べること。●**ぬすみどり**［盗み撮り］《名・他サ》こっそり写真やビデオに撮ること。盗撮。●**ぬすみどり**［盗み（△録り）］《名・他サ》こっそり録音すること。●**ぬすみみ**［盗み見］《名・他サ》 相手に気づかれないように、（ちらりと）見ること。動盗み見る《他上一》。●**ぬすみよみ**［盗み読み］《名・他サ》〈そっと／人の読んでいるものをわきから〉読むこと。

**ぬす・む**［盗む］《他五》①人の お金や品物などを、そっと取る。「盗み出す・他人の作品を一（＝盗作する）」・芸を一（＝見て、自分のものにする）」②ごまかす。「人の目を一・投手のモーションを一（＝モーションにつけ入る）」③やりくりをする。「ひまを一」④《野球》盗塁する。「二塁を一」

**ぬた**［（×饅）］ 魚肉・ネギなどを、酢みそで、あえた料理。ぬたあえ。

**ぬたく・る**《他五》①〔へたな字や和歌などを〕書きつける。②ごてごて塗りつける。ぬったくる。

**ぬっ**《感》〔俗〕不都合なことに出合って、おどろく声。ぬぬっ。「ぬっ（↗）、おぬし、なかなかやるな」

**ぬっと**《副》①音もなく、急に〈あらわれ出る／立ち上がる〉ようす。「一手が出る」②人に気味の悪い感じをあたえるようにして、立っているようす。

**ぬの**［布］ 織物。きれ。「一マスク」

**ぬのきれ**［布（切れ）］ 布を切ったもの。ぬのぎれ。ぬのっきれ〔話〕。

**ぬのこ**［布子］ もめんの綿入れ。（↔小袖）

**ぬのじ**［布地］ 衣服をつくるための布。生地。

**ぬのめ**［布目］ 布の織り目（の模様）。

**ぬばたまの**［（：射干＝玉の）］《連体》（ぬばたま＝ヒオウギという草の実。黒くてまるい）〔雅〕「黒・夜・やみ」などにかかる まくらことば。

**ヌバック**［nubuck］ 表面をけばだたせた革。「一スキンのバッグ」

**ぬま**［沼］①水が自然に たまってできた、水草や藻の多い所。「千葉県の手賀一」（何かが かくれた、ぶきみな語感もある）区別⇩池①。②〔俗〕人をどっぷりとはまらせる、趣味などの分野。「自転車一にはまる・一に落ちる」（二十一世紀になって使われだし、二〇一〇年代に広まった用法）

**ぬまじり**［沼尻］ 沼の、せまく浅くなっている、はしの部分。「一で道が分かれる」

**ぬまち**［沼地］ どろ沼・水たまりなどの続いている所。

**ぬめ**［（×絖）］①地がうすくて なめらかな絹布。日本画をかくのに使う。②↑ぬめ革。

**ぬめかわ**［（×絖）革］ タンニンで なめした、表面がなめらかな革。くつ・かばんなどにする。ぬめ。

**ぬめぬめ**《副・自サ》 なめらかで しめりけをおび、つやのあるようす。「一と光る くちびる」

**ぬめやか**《ナダ》 しっとりとして つやのあるようす。「一な肌」派-さ。

**ぬめ・る**《自五》 ぬめぬめする。名ぬめり。「サトイモの一」

**ぬらくら**《副・自サ》 のらくら。「一して、ちっとも仕事をしない」

**ぬら・す**［（×濡らす）］《他五》 ぬれた状態にする。

**ぬらぬら** 一 **ぬらぬら**《副・自サ》 表面が水分をふくみ、〈ねばりつくようで／すべりやすくて〉、気味が悪いようす。「一したナメクジ」二 **ぬらぬら**「ぬらぬら一」した成分。

**ぬらりくらり**《副・自サ》 のらりくらり。「一と答弁する」

**ぬらりと**《副・自サ》①表面に水っぽい ねばりけがあって、〈すべる／にぶく光る〉ようす。「一した さかなの からだ」②はっきりとつかまえにくいようす。「一とぼける」

**ぬり** 一［塗り］①塗ること。塗ったようす。「一が はげる・ペンキ一〈をする／の家〉・白一」②うるし塗り。「一のたる・一げた」二［塗］ 工芸品としての塗りもの。「春慶一・輪島一」

**ぬりえ**［塗り絵］ 輪郭だけを印刷しておき、それに色を塗って仕上げる絵。

**ぬりか・える**［塗り変える］《他下一》 塗って、別の色に変える。自塗り変わる《五》。

**ぬりか・える**［塗り替える］《他下一》①新しく塗り直す。②〔記録を出したり、行動を起こしたりして〕今までと はっきり ちがったものにする。「歴史を一」名塗り替え。自塗り替わる《五》。

**ぬりかた・める**［塗り固める］《他下一》 セメントやコンクリートのようなものを、すきまなく塗って、固くする。「窓をしっくいで一・うそで一（⇩「うそ」の句）」

**ぬりぐすり**［塗り薬］ 皮膚に塗る薬。

**ぬりこ・める**［塗り込める］《他下一》 塗って〈ものをその中に入れる／すきまをふさぐ〉。

**ぬりたく・る**［塗りたくる］《他五》 ごてごて塗りつける。ぬったくる。ぬたくる。「どろを一」

**ぬりたて**［塗り（立て）］ 塗ったばかりで、時間がたっていないこと。「ペンキ一」

**ぬりた・てる**［塗り立てる］《他下一》①きれいに塗ってかざる。②むやみに塗る。③厚げしょうをする。

**ぬりつ・ける**［塗り（付ける）］《他下一》①（色を）なすりつける。②罪や責任を人に かぶせる。なすりつける。

**ぬりつぶ・す**［塗り（潰す）］《他五》 すきまのないように、ぜんぶ塗る。

**ぬりばし**［塗り箸］ うるしなどを塗ったはし。

**ぬりもの**［塗り物］ うるし塗りの器。漆器。「一師」

**ぬる**［ヌル］〔俗〕ぬめり。ぬるみ。ヌラ。「サトイモの一を取る」

**ぬ・る**［塗る］《他五》①液体・粉などを、ものの表面におしつけて、広げていく。「パンにバターを一・しっくいで壁を一」②ある範囲に色をつける。「地図を四色で一」③厚げしょうする。「顔を一」可能塗れる。

**ぬる・い**［（△温い）］《形》①〔湯などの〕あたたかさが（あまり）ない。「一ふろ・こたつが一」②〔水などの〕冷たさが（あまり）ない。「一ビール・気持ちの悪い一風」③〔俗〕緊張感がない。考えが あまい。なまぬるい。「一ことを言う・一ファン」派-さ。

**ぬるかん**［（△温×燗）］ 酒をぬるく あたためた状態。（↔熱かん《燗》）

**ぬるつ・く**《自五》 ぬるぬるする。「浴室の ゆかが一」

名ぬるつき。

**ぬるで**【(:白膠木)】山野にはえる、ウルシに似た木。葉は大きく、紅葉が美しい。

**ぬるぬる** 一 **ぬるぬる**《副・自サ》①水分をふくみ、〈ねばりつく／すべりやすい〉ようす。「手が―する・―したウナギ」②〔俗〕〔動画・アニメなどの〕動きが自然で、自由自在なようす。「人物を―動かす」(↔かくかく) 二 **ぬる**「ぬるぬる 一①」した成分。

**ぬるまゆ**【ぬるま湯】①少しあたたかい湯。「―につける」(↔煮え湯) ②少しあたたかい ふろ。ぬる湯。(↔あつ湯) ③態度や体質が なまぬるいこと。「―経営」 ●**ぬるま湯につかる**句 外部からの刺激がないので、のんきに今の状態にいる。

**ぬる・む**【(△温む)】《自五》〔文〕ぬるくなる。「水―」

**ぬる・める**【(△温める)】《他下一》ぬるくする。「ふろの湯を―」

**ぬるゆ**【(△温)湯】ぬるま湯。ぬるめの温泉。「―好き」(↔あつ湯)

**ぬるりと**《副・自サ》ぬるぬる。ぬるっと。

**ぬれいろ**【(×濡れ)色】水にぬれたような色。

**ぬれえん**【(×濡れ)縁】雨戸の敷居の外にある、はばのせまい縁側。

**ぬれおちば**【(×濡れ)落ち葉】〔俗〕〔ぬれた落ち葉がくっついて取れないように〕定年退職したあと、妻のそばにつきまとう夫。

☆☆**ぬれぎぬ**【(×濡れ△衣)】〔=ぬれた衣服〕実際にはおかしていない罪。「―を着せられる」

**ぬれごと**【(×濡れ事)】①《芝居》⇩いろごと②。「―師」②〔古風〕情事。

**ぬれしょぼた・れる**【(×濡れしょぼたれる)】《自下一》みじめなほど、びっしょりぬれる。ぬれしょびれる。

**ぬれそぼ・つ**【(×濡れそぼつ)】《自五》ぬれて びしょびしょになる。ぬれそぼる。ぬれそぼれる。ぬれそぼちる。

**ぬれつばめ**【(×濡れ×燕)】①〔雅〕雨にぬれたツバメ。②雨の中をとぶツバメをかたどった模様。

**ぬれて**【(×濡れ)手】〔=水にぬれた手〕 ●☆☆**ぬれ手〈で／に〉あわ(粟)**句 やすやすと たくさんの利益を得ることのたとえ。「―のつかみ取り」

**ぬれぬれ**【(×濡れ×濡れ)】《副・自サ》水にぬれたようにつやのあるようす。「―とした黒い髪」

**ぬれねずみ**【(×濡れ×鼠)】〔=水にぬれたネズミ〕衣服を着たまま、全身がびしょぬれになること。

**ぬれば**【(×濡れ)場】《芝居》二人が愛し合う場面。ベッドシーン。「―を演じる」

**ぬればいろ**【(×濡れ)羽色】水にぬれたカラスの羽のように、しっとりした黒色。「髪はカラスの―」

**ぬれもの**【(×濡れ)物】火事のとき、水をかぶってぬれた物。「―の安売り」

**ぬ・れる**【(×濡れる)】《自下一》①水が かかったりして、水気を持つ。「雨に―」②〔俗〕情事をする。「しっぽり―」名ぬれ。 ●**ぬれぬ先こそ露をも いと(厭)え**句〔ぬれる前は草の露さえいやがるが、いったんぬれてしまうと平気になるように〕一度あやまちをおかしてしまうと、いけないと思っていたことが平気になる。

**ぬんちゃく**【ヌンチャク】短いカシの棒二本を、ひもまたは鎖で結んだ武具。空手・拳法で使う。

## ね　ネ

**ね**【(△子)】①十二支の第一。ねずみ。「―の年・―年」〔年のほか月・日にも言う〕②昔の時刻の名。今の、夜の十二時ごろ。九つ。「―の刻」③昔の方角の名。北。

**ね**【音】①〔美しい、感じのいい〕おと。「笛の―・虫の―・琴の―」②つらいときに出す声。「ぐうの―も出ない」 ●**音を上げる**句 よわねをはく。

**ね**【値】値段。あたい。「―が高い・いい―になる・たいそうな―がする〔=値段である〕・終わり―」 ●**値が張る**句 値段が高い。 ●**値を消す**句《経》〔今まで高かった株の〕値段が安くなる。

**ね**【根】一 **ね** ①植物の、地下にある部分で、植物を支え、また栄養分を地中からすいとり、たくわえるはたらきをするもの。〔ジャガイモ・ユリなどの、地下にかくれた くきも、根と言う〕②ねもと。もと。「歯の―」③おおもと。根本。「問題の―が深い」④原因。「紛争の―は石油だ」⑤はれものの、ねもとのほうの かたい部分。「―がふっ切れる」⑥《釣り》岩礁。 二 **ね** 生まれつきの性質。「―は おとなしい子だ」 ●**根が生える**句 その場所や地位から、動かなくなる。いすわる。定着する。根を生やす。「根が生えたように じっとしている」 ●**根に持つ**句 いつまでも忘れないで うらみに思う。 ●☆☆**根も葉もない**句 なんの根拠もない。でたらめな。「―うわさを広める」 ●**根を下ろす**句 根づく。定着する。 ●**根を据える**句 心の中にしっかりと定着する。「にくしみが―」

**ね**【寝】ねむり。「―が足りない」

**ね**【(×嶺)】〔雅〕みね。「富士の―・浅間―」

****ね** 一 **ね**《感》〔話〕①呼びかけに使う。「―、ちょっと待って」②念をおしたり、同意してほしかったりするときに使う。「ね(↓)、わかった?・ね(↓)、おいしいでしょ?」③同意をあらわす。「『きれいだね』『ね(↓)』」▽親しい間がらの人に使う。ねっ。ねえ。 二《終助》〔話〕①感動や思いを、相手に同意を求めるように のべることば。「もうすぐ春です―・月が きれいです―・〔相手への あいづちで〕ああ、そうなんです―〔『そうなんですか』の新しい言い方〕」〔女性のことばでは、名詞・形容動詞の語幹にもつく。「もう春―・まあ、きれい―」〕②だれにともなく言う気持ちをあらわす。「こいつは おどろいた―」③たずねられて、答える気持ちをあらわす。「おもしろいと思います―・私は いやだ―」④やわらかに念をおすことば。「じゃあ、帰る―・気をつけて(ください)―・〔説明して〕ここが大事なんです―」⑤〔疑問をあらわす ことばとともに使って〕やわらかに たずねる気持ちをあらわす。「どうした(ん)だ―〔男〕・なんです―、そのかっこうは〔古風・女〕」⑥軽く呼びかけることば。「みなさん―、うそだと思うでしょ」⑦ことばを続けたいとき、つなぎに使う。「それで―、ぼくが―・よくあることでして―〔言いさしにする例〕」▽ねえ。⑧〔補助形容詞「ない」から〕〔俗〕同意や共感を求めたり、自分の印象を述べたりする。「超かわいく―?〔=かわいいね〕」〔二十一世紀になって広まった用法。しり上がりの調子で言う〕☞じゃね。 三 ◇ 否定の助動詞「ぬ」の仮定形。「早く行か―ば」

**ねあがり**【根上がり】根が地上にあらわれること。「―松」

**ねあがり**【値上がり】《名・自サ》値段が高くなること。

「野菜の―」(↕値下がり) 動 値上がる《自五》。

**ねあげ**［値上げ］《名・自他サ》値段を高くすること。「運賃―」(↕値下げ)

**ねあせ**［寝汗］ねむっている間に、からだや顔にかく汗。盗汗。「―をかく」

**ねいき**［寝息］ねむっている間の呼吸。「―を立てる」

**ねいげん**［×佞言］〔文〕相手に取り入るために言うことば。へつらいのことば。「―を弄する」

**ねいじつ**［寧日］〔文〕仕事をしないで、家にぶらぶらしている日。休みの日。「―がない」

**ねいしん**［×佞臣］〔文〕表面は忠実そうに見えて、内心は悪いことを考える家来。

**ねいす**［寝椅子］人がよりかかったまま ねられるように作った、(ひるね用の)いす。「とう(籐)の―」

☆☆**ネイチャー**〔nature〕自然。ネーチャー。「―ガイド」

☆☆**ネイティブ**〔native〕【一】遺 ①その土地で生まれ育った。「―ハワイアン(=ハワイ人)」 ②加工される前の。「―データ(=PDF形式などにする前のデータ)」 【二】「ネイティブ ①↑ネイティブ スピーカー。「―の人・英語―・関西弁―・―チェック(=ネイティブスピーカーによる文章チェック)」 ②生まれたときから、それに親しんでいた(世代の)人。「スマホ―」▽(↕ノンネイティブ)▽ネーティブ。ネイティヴ。 ●**ネイティブアメリカン**【一】【二】〔Native American〕南北アメリカ大陸に住む先住民族。皮膚は銅色で、かみの毛や ひとみが黒い。アメリカインディアン。ネイティヴ アメリカン。☞インディオ。 ●**ネイティブスピーカー**〔native speaker〕その言語を母語とする人。ネイティヴ スピーカー。ネイティブ。「―に習う」

**ネイビー**〔navy〕①海軍。「―タウン」(↕アーミー) ②〔↑ネイビーブルー。イギリス海軍の制服の色から〕濃い青色。「―のスカート」▽ネービー。

**ネイリスト**〔和製 ←nail＋ist〕つめの手入れや、ネイルアートなどの仕事をする人。ネイル アーティスト。

**ねいりばな**［寝入り(△端)］寝入って まもないころ。「―をたたき起こされた」

**ねい・る**［寝入る］《自五》①ねむりにつく。ねつく。②よくねる。「ぐっすり―」

☆☆**ネイル**〔nail〕①つめ。「―エナメル(=つめの つやを出す塗料)・―ポリッシュ(=つめみがき)・―チップ(=つけづめ)」 ②つけづめや、つめの塗料。▽ネール。 ●**ネイルアート**〔nail art〕つめに絵をかいたり かざりをつけたりする おしゃれ。ネール アート。人 ネイル アーティスト(nail artist)。

**ねいろ**［音色］ある おとを、ほかの おとから区別する、そのおとに特有な ひびき。おんしょく。「笛の―」

**ねうごき**［値動き］《経》〔商品・株式の〕値段の動き。「―が はげしい・荒い―」

**ねうち**［値打ち］【一】①その値段にふさわしいと思われる、そのものの役に立つ度合い。「一万円の―がある」 ②そのものごとが持っている、大切さや すぐれている程度。価値。「人間の―・見る―がある・―物」 【二】《名・ナダ》⇩お値打ち。

**ねえ**【一】ねえ《感》〔話〕感動詞「ね【一】」をのばして言う形。ねーえ。「―、遊びに来ない?」 【二】《終助》①〔話〕終助詞「ね【二】①〜⑦」をのばして言う形。ねーえ。「いい―・あの―」 ②〔話〕非難をこめて呼びかけることば。「あなた―、そんなこと およしなさい」 ③〔俗〕…なさい。「すしを食い―・貸してくん―(=ください)」 【三】◇〔俗〕「ない《形・補形・助動》」の終止・連体形の変化。「なんも言え―」

**ねえ**［(△姉)］接尾〔俗〕年上の女性の名に そえて、親しみをあらわす ことば。「ゆみ―」

**ねえさん**［姉さん］①「お姉さん」よりも軽い言い方。〔くだけて〕ねえちゃん。あねさん。(↕兄さん) ②［×姐さん］旅館・料理店などの、女性の従業員を呼ぶときの軽い尊敬語。③［×姐さん］(先輩の)芸者。「小梅―」 ●**ねえさんかぶり**［姉さん(△被り)］〔古風〕⇩あねさんかぶり。

**ネーチャー**〔nature〕⇩ネイチャー。

**ネーデルラント**〔Nederland=低い国〕オランダ。ネーデルランド。

**ネープ**〔nape〕〔美容で〕えりくび。うなじ。

**ネーブル**〔↑navel《=へそ》orange〕かんきつ類の一種。まんまるで、へそのようなくぼみがある。あまくて、かおりがいい。〔なまって、ネープル〕

☆☆**ネーミング**《名・自他サ》〔naming〕〔商品や会社の名などの〕命名。名づけ。 ●**ネーミングライツ**〔naming rights〕スポーツ・文化施設や チーム名などに、スポンサー企業が自社名などをつける権利。命名権。

**ネーム**〔name〕①名。呼び名。②〔グラビア・写真などの〕説明のことば。③↑ネーム プレート。④〔漫画で〕せりふ(や こま割りを書いた下書き)。 ●**ネームバリュー**〔和製 name value〕名前が よく知られている、という価値。「―のある人」 ●**ネームプレート**〔nameplate〕(製造者・所有者などをしめす、金属の)名札。ネーム。

**ねえや**［(△姉や)］もと、若い女性の奉公人を〈さして／親しんで〉言ったことば。「お宅の―さん」

**ネール**〔nail〕⇩ネイル。

**ネオ** 遺〔neo〕新しい。新。「―ロマンチシズム」

**ねおい**［根生い］〔その土地の〕はえぬき。「銀座―の人たち」

**ねおき**［寝起き］【一】ねおき 朝、起きたばかりであること。また、そのときの気分。【二】ねおき《名・自サ》ねることと起きること。ふだんの生活。おきふし。 ●**寝起きが悪い** 句 起きたときの きげんが悪い。

**ねおし**［寝押し］《名・他サ》ズボンなどをふとんの下に敷いてねて、しわをのばすこと。寝敷き。

**ねおち**［寝落ち］《名・自サ》〔俗〕何かをしながらとちゅうで寝てしまうこと。「ゲームの最中に―する・子どもといっしょに―(=子どものねかしつけで自分も寝てしまうこと)」 動 寝落ちる《自上一》。

**ネオン**〔neon〕①《理》空気中に ごくわずかにある気体〔元素記号 Ne〕。味・色・においは ない。ネオン サインに使う。②↑ネオン サイン。「―の かがやき・―街(=歓楽地帯)」 ●**ネオンサイン**〔neon sign〕ガラス管に低圧のネオン・ヘリウムなどを入れて電流を通し、絵や文字の形にして光らせるもの。広告などに使う。ネオン。

**ネガ**〔↑ネガティブ〕【一】《写真》現像したフィルムに写った画像。陰画。また、そのフィルム。明暗や色相が実際と逆になる。ネガ フィルム。【二】《名・ナダ》〔俗〕⇩ネガティブ。「―な発想」▽【一】【二】(↕ポジ)

**ねがい**【一】［願い］願う〈こと／ことがら〉。「―をこめる・星に—をかける・—主」☞お願い。㊂［願］願書。「辞職—」•**ねがいあ・げる**［願い上げる］《他下一》〔文〕ていねいにお願いする。「この段、つつしんで願い上げます」•**ねがいごと**［願い事］そうなってほしいと、心で願っていることがら。「—がかなう」•**ねがいさげ**［願い下げ］①たのまれてもことわること。「そんな客は—だ」②〈願書/希望したこと〉を取り下げること。「例の件は—にしてもらいたい」動願い下げる《他下一》。•**ねがいで**［願い出］願い出ること。願いいで。•**ねがい・でる**［願い出る］《他下一》願いの内容を申し出る。•**ねがいましては**［願いましては］《感》〔=これからお願いする計算としては〕〔そろばんの読み上げ算で〕はじめに言うことば。「—、八〇円なり、…」

**ねが・う［願う］《他五》①そうなってほしいと、神や仏にくり返して たのむ。「神や仏に—」②自分の希望がかなえられるように(下手に出て)たのむ。「ご起立願います・答弁願いたい」③〔古風〕〔客に〕買うようにたのむ。「いかがです、お安く願っておきますよ」可能願える。☞願いましては・願ったりかなったり。•**願ってもない**句(=たとえ願っても(そういうことは)無い)ふつうはなかなか実現しない。うれしい。ありがたい。「—お話」•**ねがうべくは**［願うべくは］《副》〔発音はネゴーベクワとも〕〔文〕そう願うことができるなら。ねがわくは。ねがうらくは。•**ねがうらくは**［願うらくは］《副》〔発音はネゴーラクワとも〕〔文〕⇩願わくは。

**ねがえり**［寝返り］《名・自サ》①ねていて からだの向きを変えること。「—を打つ」②味方をうらぎって敵と手をにぎること。動寝返る《自五》。

**ねがお**［寝顔］ねている(ときの)顔。「—がかわいい」

**ねがかり**［根掛(か)り］《名・自サ》《釣り》さおの しかけが水底に引っかかること。

**ねがさ**［値(×嵩)］《経》値段が高いこと。「—株」

**ねかしつ・ける**［寝かし(付ける)］《他下一》①小さな子どもをねむらせる。「むすめを—」②横にならせる。「ベッドの上に—」名寝かしつけ。

**ねか・せる**［寝かせる］《他下一》①ねるようにする。「赤ちゃんを—」②横に たおす。「包丁を寝かせて切る」▽（↔起こす）③使わないで置いておく。「商品を、ひと冬—・資金を—・原稿を(発表せず)—」④〔こうじ・なっとう・ワインなどを〕発酵や熟成のため、むろなどに入れて置いておく。▽寝かす。

**ねかた**［根方］ねもと(のほう)。ねがた。「松の(木の)—」

**ねがったりかなったり**［願ったり(×叶ったり)］〔=願った、(すると)かなった〕そうなってほしいと願ったとおりになること。「—の展開」〔略して「願ったり」とも〕

☆☆**ネガティブ**《名・ナダ》〔negative〕消極的(な気持ち)。否定的。ネガティヴ。ネガ〔俗〕。「—な感情」(↔ポジティブ)•**ネガティブキャンペーン**〔negative campaign〕〔選挙や広告などで〕対立するものの弱点を攻撃したり中傷したりする宣伝活動。悪宣伝。ネガキャン〔俗〕。

**ねかぶ**［根株］木の切り株。かぶ。

☆☆**ねがわくは**［願わくは］《副》〔「願うところ」という意味の「願わく」に副助詞「は」がついたもの〕〔文〕願うところは。どうか。ねがうらくは。ねがわくば。「—、読者がいっそうの喜びを感じられんことを」

**ねがわし・い**［願わしい］《形》〔文〕お願いしたいような〈気持ち/ようす〉だ。「ご一見のほど、願わしゅう存じます・理解ある態度が—」派—さ。

**ねかん**［寝棺］死体をねかせたままにして入れる棺。ねがん。(↔座棺)

**ねぎ**［(×葱)］①にがみがあり、刻んで薬味にしたりする、ふつう細長い野菜。「青—・九条—」〔玉ねぎも、この一種〕②特に、長ねぎ。「—油」

**ねぎ**［×禰宜］①下の階級の、神主。かん。②神職。神官。

**ねぎとろ**［(×葱)トロ］さしみに使わない部分のマグロ肉をペースト状にして、ネギをそえたもの。軍艦巻きなどにする。「—丼」

**ねぎぼうず**［(×葱)坊主］ネギにさく、たまのような花。

**ねぎま**［(×葱)間］とり肉とネギを交互に串にさした焼き鳥。

**ねぎま**［(×葱×鮪)］〔ま←マグロ〕ネギとマグロをいっしょに〈煮たもの/煮ながら食べるなべ料理〉。

**ねぎら・う**［(×犒う)・(△労う)］《他五》苦労に感謝してやさしくいたわる。「労を—」名ねぎらい。

**ねぎ・る**［値切る］《他五》値段をまけさせる。「千円に—」名値切り。

**ねぐさ・い**［寝臭い］《形》〔方〕ねていたときの、ぬくもりやにおいが感じられるようすだ。「—からだ」

**ねぐされ**［根腐れ］《名・自サ》水や肥料のやりすぎ、病菌などがもとで、植物の根が くさってしまうこと。動根腐れる《自下一》。

**ねくずれ**［値崩れ］《名・自サ》《経》供給がふえすぎたりして、今までの値段が大はばに安くなること。「イワシが豊漁で—する」

**ねぐせ**［寝癖］①〔ねたときに〕まくらにおしつけられて、かみの毛がへんな形になること。「—のついた髪」②床についてねむったときの、からだを動かすくせ。「—の悪い子ども」③ねていることが あたりまえになるようなくせ。「ねてばかりいると—がつく」

**ネクター**〔nectar〕くだものをすりつぶして作った、こいジュース。

**ネクタイ**〔necktie〕(ワイシャツの前で結んで)えりもとをかざる、細長い布。えりかざり。タイ。「—を締める」•**ネクタイどめ**［ネクタイ留め］ネクタイをワイシャツに とめるもの。クリップ式〔「タイクリップ」と言う〕が多い。タイどめ。•**ネクタイピン**〔和製 necktie-pin〕タイピン。

**ネクタリン**〔nectarine〕モモの一種。小形のモモのような形で、皮に毛がなく、肉はオレンジ色。

**ねくび**［寝首］ねむっている人の首。•**寝首をか(掻)く**句①ねむっている人の首を切る。②ゆだんをねらっておとしいれる。

**ねくら**［(根暗)・ネクラ］《名・ナダ》〔俗〕生まれつき、性格が暗い〈こと/人〉。〔一九八二年ごろから流行したことば〕(↔ねあか《根明》)☞陰キャ。

**ねぐら**［(×塒)］①〔鳥が〕ねむる所。「—に帰る」②〔古風・俗〕〔自分の〕家。

**ネグリジェ**〔フ négligé〕ワンピース型で ゆったりした、女性用の ねまき。

**ネグ・る**《他五》〔ネグ←ネグレクト〕〔古風・俗〕①無視する。否定する。②サボって、しないですます。

**ねぐるし・い**[寝苦しい]《形》よく ねつかれない。「暑くて―」派―がる・―げ・―さ。

☆☆**ネグレクト**《名・他サ》[neglect] ①無視。否定。☞ネグる。②児童虐待の一種。子どもをほったらかしにして、ろくに世話をしないこと。育児放棄。養育放棄。

**ネグロイド**[Negroid] 黒色人種。ニグロイド。

*__ねこ__[猫] ①三毛猫・虎猫・ペルシャ・シャムなど、古くから家で飼われている小形のけもの。多く、耳は三角でぴんと立ち、目はアーモンド形、左右に ひげが のびる。じょうずにネズミをつかまえる。鳴き声は、にゃあにゃあ・にゃんにゃん。「―の恋(=発情期。春の季語)」由来 古く、鳴き声を「ねうねう」などと聞きなした。その「ね」に小さいものをさす「こ」がついたもの。「にゃんこ」と同様の構成。区別⇩犬①。②〔古風・俗〕芸者。③↑ねこぐるま。●**猫にかつお節** 句〔↑猫にかつお節をあずける〕好物を目の前に置くことは、いつえじきにされるかわからず危険だ。●**猫に小判** 句 ねうちの わからない者に貴重なものをあたえても、何の役にも立たない。豚に真珠。●**猫にまたたび** 句 大好物。相手のごきげんをとるのにいちばん効果があることの たとえ。「―、お女郎に小判」●**猫の首に鈴をつける** 句 弱い者どうしが強い者に対抗する手段を取ろうとするが、それを実行できる者がいないこと。できない相談のたとえ。●**猫の子一匹いない** 句 人の姿が全く見えないことのたとえ。「道を聞こうにも―」●**猫の手も借りたい** 句 いそがしくて たいへんなようす。●**猫もしゃくし(杓子)も** 句 だれもかれも例外なく。●**猫をかぶ(被)る** 句 ⇩ねこかぶり。

**ねこあし**[猫足] ①[猫脚] 机・いすなどの あしが、少しS字に曲がり、先が丸くなって、ネコの あしに似ているもの。②〔すもうなど〕強くて なかなかたおれない足。③ネコのように、音を立てない歩き方。

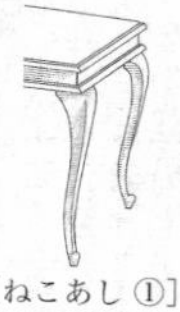

[ねこあし①]

**ねこいらず**[猫要らず]〔商標名〕りん(燐)などを主とした、ネズミを殺す薬。

**ねこカフェ**[猫カフェ] 店内にいるネコたちをながめたり、いっしょに遊んだりしながら過ごせるカフェ。キャットカフェ。☞ドッグカフェ。

**ねこかぶり**[猫(△被り)]《名・自サ》本性をつつみかくして おとなしくすること。ねこっかぶり。

**ねこかわいがり**[猫(:可愛がり)]《名・他サ》なでるようにして、やたらにかわいがること。ねこっかわいがり。「―にかわいがる」

**ねこぎ**[根(△扱ぎ)] ねもとから ひきぬくこと。「木を―にする」

**ねこぐさ**[猫草] ネコが好んで食べる、エンバクやエノコログサなどの葉の総称。食べたあとに、毛玉とともにはき出すことが多い。

**ねこぐるま**[猫車] 二本の柄を、手でおして動かす一輪車。ものをはこぶのに使う。ねこ。

**ねごこち**[寝心地] ねたときのこころもち。

[ねこぐるま]

**ネゴシエーション**[negotiation] 交渉。取り引き。ネゴ。

**ネゴシエーター**[negotiator] 交渉する人。「タフ―」

**ねこじた**[猫舌] 熱いものを飲み食い できない舌(の人)。

**ねこじゃらし**[猫じゃらし] ⇩えのころぐさ。

**ねこずな**[猫砂] 飼いねこのトイレに敷きつめる砂状のもの。尿をふくむと固まるものなどがある。

**ねこぜ**[猫背] 首が前に出て せなかが まがっている〈こと・人〉。

**ねこそぎ**[根こそぎ]《副》①根もとから全部取り去るようす。「―にする」②残らず。全部。そっくり。「悪人を―つかまえた」

**ねこだまし**[猫(×騙し)] ①〔すもう〕立ち合いのとき、相手の顔の前で両手を打ち、おどろいたすきに技をしかける戦法。②意表をつく作戦で、相手の関心をうまくそらすこと。「―解散」

**ねこっけ**[猫っ毛] やわらかくて、ねやすい かみの毛。ねこげ。

**ねごと**[寝言] ①ねむっている間に、自分では気がつかないで言うことば。②わけのわからない ことば。たわごと。「ふざけた―をぬかすな」☞唐人の寝言。

**ねこなでごえ**[猫(×撫で)声] やさしく相手のきげんをとるような声。

**ねこのひたい**[猫の額]〔ネコのひたいのように〕敷地が非常にせまいことのたとえ。猫額。「―ほどの庭」

**ねこのめ**[猫の目] 目まぐるしく変わることのたとえ。「―行政」由来 ネコの ひとみは、光の強さに応じてたえず大きさが変わることから。

**ねこばば**[猫(×糞)・ネコババ]《名・他サ》ひろったりしたものを、こっそり自分のものにすること。「おつりを―する。―をきめこむ」由来 猫が ふん(=ばば)をしたあと、前足で砂をかけて かくすことから。

**ねこパンチ**[猫パンチ]《名・自他サ》ネコが前足で相手をぴしゃりとはたくこと。「―をくり出す」

**ねこまたぎ**[猫(×跨ぎ)]〔俗〕さかなの好きなネコでさえふりむきもしない、まずいさかな。また、ネコがまったく興味を示さないもの。

**ねこみ**[寝込み] ねている最中。ねごみ。「―をおそう」

**ねこみみ**[猫耳] ネコの耳(の形をした、頭に つける かざり)。

**ねこ・む**[寝込む]《自五》①ぐっすりねむる。②病気ですっかり床につく。「かぜで―」

**ねこめいし**[猫目石]〔鉱〕⇩キャッツアイ①。

**ねこやなぎ**[猫柳] ヤナギの一種。たけは低く、根もとから枝が分かれ、春ごろ葉に先だって、絹のようにやわらかい毛の はえた花をつける。

**ネゴ・る**《自五》[ネゴ↑ネゴシエーション]〔俗〕交渉する。

**ねごろ**[値頃] 一 値段の程度。「―が低い」二《名・ナダ》ちょうど買いやすい値段であること。「―感・―な品・お―品」

**ねころが・る**[寝転がる]《自五》〔行儀悪く〕横になる。ねっころがる。〔話〕。

**ねころ・ぶ**[寝転ぶ]《自五》横に ごろりとねる。ね(っ)ころがる。「芝生に―」

**ねさがり**[値下がり]《名・自サ》値段が安くなること。

**ねさげ**［値下げ］《名・自他サ》 値段を安くすること。（↕値上がり）動値下がる《自五》。「―競争」（↕値上げ）

**ねざけ**［寝酒］ ねる前に飲む酒。ナイトキャップ。

**ねざさ**［根（×笹）］ 大きな木の根もとにちょっと生えているささ。

**ねざ・す**［根（差す）］《自五》 ①根を張る。②もとづく。原因となる。根づく。「生活信条に根ざした行動」 ③基盤をおく。「地域に根ざした政策」

**ねざめ**［寝覚め］ ねむりからさめること。•**寝覚めが悪い**句 ①目がさめた状態が気持ちよくない。②悪いことをして良心に苦しめられ、気持ちが悪い。

**ねざや**［値（×鞘）］《経》 ①売値と買値との差額。②ある相場と他の相場との差額。「―をかせぐ」

**ねじ**［（:螺子）・（:捻子）・ネジ］ 物をしめつけるのに使う、らせんのようなみぞを刻んだもの。外がわに刻んだ「雄ねじ」と、内がわに刻んだ「雌ねじ」との二種類がある。「―穴・―がゆるむ（仕事などでたるむ意味にも）」•―を切る（=ねじのみぞを作り出す）」 •**ねじを巻く**句 しっかり行動するように、はげましたり、注意したりする。

**ねじあ・げる**［（×捩じ）上げる］《他下一》 ねじりあげる。「うでを―」

**ねじき**［寝敷き］《名・他サ》 ねおし。

**ねじき・る**［（×捩じ）切る］《他五》 ねじって切る。

**ねじくぎ**［（:螺子=×釘）］ ドライバーでねじこめるように、ねじが刻んであるくぎ。

**ねじく・れる**［（×拗くれる）］《自下一》 ①力を入れてねじったようなかっこうになる。ねじれる。②ねじける。他ねじくる《五》。

**ねじ・ける**［（×拗ける）］《自下一》（性質が）悪いほうにまがる。ひねくれる。ねじくれる。「根性が―」

**ねじこ・む**［（×捩じ）込む］《他五》 ①ねじって中に入れる。②むりに入れる。■《自五》 苦情を言って責める。おしかけて抗議する。

**ねしずま・る**［寝静まる］《自五》（みんな）ねむってしずかになる。

**ねしな**［寝しな］ 寝ようとするとき。ねぎわ。（↕起きしな）☞しな接尾。

**ねじはちまき**［（×捩じ）鉢巻き］《名・自サ》 ねじりはちまき。

**ねじふ・せる**［（×捩じ）伏せる］《他下一》 ①（相手の）うでをねじって おさえつける。②屈服させる。「速球で相手打線を―」

**ねじぶた**［（:螺子=蓋）］ らせん状のみぞで身の部分に合わさるようになっているふた。

**ねじま・げる**［（×捩じ）曲げる］《他下一》 ①ねじって曲げる。「首を―ようにして」 ②わざと悪い方向へ向ける。「歴史を―」 自ねじ曲がる《五》。

**ねじまわし**［（:螺子）回し］ ねじを回して はめこみ、また、ぬき取る道具。ドライバー。

**ねじむ・ける**［（×捩じ）向ける］《他下一》 ねじって向かせる。「首を―」

**ねじめ**［音締め］ 調子を整えるために、琴・三味線などの糸を巻きしめて音を出すこと。また、そのようにして ひいたときの音。

**ねじめ**［根締め］ ①移植した木の根をつ（搗）きかためること。②生け花の根もと〈のしまり/にそえる花〉。

**ねじやま**［（:螺子）山］ ねじの、みぞとみぞの間の高い部分。「―がつぶれる」

**ねしょうが**［根（生×姜）］ 葉・くきの部分を取り去った、根だけのショウガ。

**ねしょうがつ**［寝正月］〈ゆっくりねて/病気でねたま〉正月を過ごすこと。

**ねしょうべん**［寝小便］《名・自サ》 ねむっているとき、気がつかないうちに床の中で〈小便をもらすこと/もらす小便〉。おねしょ。ねしょんべん〔俗〕。

**ねじり**［（×捩り）］ ねじること。•**ねじりあ・げる**［（×捩り）上げる］《他下一》 上へ向けてねじる。ねじあげる。「うでを―」 •**ねじりはちまき**［（×捩り）鉢巻き］《名・自サ》 手ぬぐいをねじって頭に巻きつけ〈たもの/ること〉。ねじはちまき。「―でがんばる」

**ねじ・る**［（×捩る）・（△捻る）］《他五》 ①（手で）一つの方向にだけ回す。「うでを―・首をねじって（=ねじるようにして）」 ②（手に持って）おたがいに反対の方向に回す。「紙をねじって捨てた」 ▽「首をねじて」など、上一段にも活用する。

**ねじ・れる**［（×捩れる）・（△捻れる）］《自下一》 ①ねじった（ような）状態になる。「ネクタイが―」 ②筋のとおらない状態になる。「文脈が―」 名ねじれ。「―が生じる・―現象」

**ねじろ**［根城］ ①本拠とする城。本城。（↕出城）②根拠地。

**ねすがた**［寝姿］ ねているときの、からだ全体のかっこう。

**ねすご・す**［寝過ごす］《自五》 ねていて、その時間に間に合わない。「うっかり寝過ごして遅刻をした」 名寝過ごし。

**ねずの**［寝ずの］《連体》 ひと晩じゅうねないでする。「―看護・―番（=不寝番。寝ず番）」

**ねずみ**［（×鼠）］ ①ドブネズミ・ハツカネズミなど、家の中や周辺に巣をつくる小さなけもの。物を食い荒らし、よくふえる。「ただの―ではない（⇩「ただ（只）」の句）」☞ちゅう■②。②⇩ね（子）①。「―年」 •**ねずみに引かれる**句 ひとりだけでいて〈さびしい/不用心だ〉。•**ねずみいらず**［（×鼠）入らず］ ネズミがはいらないようにつくった食器だな。「作りつけの―」 •**ねずみいろ**［（×鼠）色］ ネズミの毛の色。白と黒をまぜた色。灰色。•**ねずみこう**［ネズミ講］ 会員が本部に送金すると同時に、新しい会員を次々とねずみ算式に増やすことによって、新会員からたくさんのお金がもどってくると説明する、詐欺のしくみ。〔実際には、会員は無限には増えないので、やがて行きづまる。法律では「無限連鎖講」と言う〕 ☞マルチ商法。•**ねずみざん**［（×鼠）算］ ネズミがふえるように、数がどんどんふえて行く〈こと/ときの計算法〉。「―式にふえる」 •**ねずみとり**［（×鼠）捕り・（×鼠）取り］ ①ネズミをつかまえる〈こと/道具〉。②〔俗〕警察の、スピード違反の取りしまり。•**ねずみはなび**［（×鼠）花火］ 地面の上をすばやく回転し、はい回る花火。火薬を包んだ紙が管状の輪になっている。

**ね・せる**［寝せる］《他下一》 ねさせる。ねかせる。

**ねぞう**［寝相］ ねているときの〈かっこう/姿〉。ねざま。「―が悪い」

**ねそび・れる**［寝そびれる］《自下一》 ちょうどいい おり

をのがして、うまく ねむれなくなる。

**ねそべ・る**［寝そべる］《自五》 腹ばいになって ねる。图寝そべり。「一は禁止」

**ねた**［ネタ］〔「たね」の さかさことば〕〔俗〕①たね。材料。「話の一・新聞記事の一・一元・すし(寿司)一」②証拠(の品)。「一は あがってるんだ」③手品などのしかけ。「一が割れる」④〔演芸で〕出し物。「一を高座にかける・一を披露する・一下ろし(=初演)・一帳〔『根太帳』とも書く〕」⑤〔受けをねらった〕作り話。冗談。「それ一でしょ」

**ねだ**［根太］ 床を支える横木。☞「ぬき(貫)①」の絵。

**ねだい**［寝台］〔古風〕寝床にする台。しんだい。

**ねたきり**［寝たきり］ 病気や老衰で、長く ねたままの状態。「一老人」

**ねだけ**［根竹］ 竹の、根もとに近い、節の部分。「一のれん」

**ねだな**［寝棚］〔文〕蚕棚式のベッド。

**ねたば**［△寝刃］ 切れ味の にぶった刃。 ●**ねたばを合わせる**句 ①刀の刃をといで切れるようにする。②ひそかに事をくわだてる。▽ねたばを合わす。

**ねタバコ**［寝(:煙草)］ 寝床の中でタバコを吸うこと。「一厳禁」

**ねたばれ**［ネタバレ］《名・自サ》〔俗〕映画・小説などのあらすじや結末が、〈見る/読む〉前に明かされてしまうこと。「一注意」〔あえて明かすことは「ネタばらし」と言う〕

**ねたまし・い**［妬ましい］《形》 人をねたむ気持ち(に させるようす)だ。「人の成功を妬ましく思う」派-げ。-さ。

**ねた・む**［妬む］《他五》 相手が自分よりすぐれている状態が うらやましくて、にくむ。图妬み。

**ねだめ**［寝(×溜め)］《名・自サ》 前もって たくさんねて、体力をたくわえておくこと。「日曜には一をする」

**ねだやし**［根絶やし］ ①根もとから取り去って、絶やすこと。「雑草を一にする」②すっかり なくすこと。「悪党を一にする」

**ねだ・る**［(:強請る)］《他五》 あまえて たのんで、手に入れようとする。「ゲームソフトを一・芸能人にサインを一」图ねだり。☞おねだり・ゆす(強請)る。

***ねだん**［値段］ その品物をいくらで売るかを示す金額。価格。値。「一をつける・野菜の一が上がる・けっこうな一がする(=値段である)・お一」

**ねちがえ**［寝違え］ ねちがえること。ねちがい。

**ねちが・える**［寝違える］《自下一》 ねむっている間にからだの筋をちがえる。

**ねちっこ・い**《形》〔俗〕ねちねちしているようすだ。しつこく ねばるようすだ。ねちこい。ねっこい。「ねちっこく考える・一性格」派-さ。

**ねちねち**《副・自サ》 ①しつこく ねばりつくようす。「一(と)歯にくっつく」②いつまでも からみつくように、しつこくくり返すようす。「一した話しぶり」

***ねつ**［熱］ ①熱さを感じさせるもの。「一を生じる・一を持つ・一に強い」②病気などのための、ふつうより高い体温。「一がある・一が下がる」③熱心さ。「論戦が一を帯びる・仕事に一がない・一のこもった試合」④熱中(した状態)。「野球一」☞お熱。 ●**熱が冷める**句 夢中になっていた状態から、もとにもどる。 ●**熱に浮かされる**句 ①熱が出て うわごとを言う。②夢中になって のぼせる。 ●**熱を上げる**句 夢中になる。

**ねつあい**［熱愛］《名・他サ》 熱心に愛すること。「妻を一する・平和を一する・タレント同士の一報道」

**ねつい**［熱意］ ぜひ それを〈したい/しよう〉という、あつい気持ち。熱心さ。「仕事への一を示す・一を持つ・一が足りない・一に動かされる」

**ねつ・い**《形》〔古風/方〕しつこい。

**ねつえん**［熱演］《名・自他サ》 熱心に演じること。

**ねつかく**［熱核］〔↑熱原子核〕《理》はげしい熱を出す、原子核。「一爆弾」 ●**ねつかくはんのう**［熱核反応］〔↑熱原子核反応〕《理》はげしい熱を出して原子核が〈分裂/融合〉すること。 ●**ねつかくへいき**［熱核兵器］《軍》水素爆弾。

**ネッカチーフ**〔neckerchief〕 首に巻く、正方形の布。三角に折って頭にかぶることもある。

**ねっから**［根っから］《副》〔俗〕①もとから。もともと。「一の東京そだち」②〔後ろに否定が来る〕少しも。「一熱心でない」▽根から。

**ねつかれ**［寝疲れ］《名・自サ》 寝すぎて、かえって だるく感じること。

**ねつかん**［熱感］《医》からだに熱が出た感じ。「一がある」

**ねつがん**［熱願］《名・他サ》〔文〕熱心な ねがい。熱心に ねがうこと。

**ねっき**［熱気］ ①温度の高い〈空気/気体〉。②熱中して高まった気持ち。「一あふれる応援・一が こもる」

**ねつき**［寝(付き)］ ねつくこと。「一が悪い」

**ねつききゅう**［熱気球］ ガスバーナーで熱した空気をふきこんで飛ばす気球。

**ねつきぐ**［熱器具］ 電気・ガス・石油などの熱を利用する器具。ストーブ・コンロなど。

**ねっきゅう**［熱球］《野球》勢いの はげしいたま。

**ねっきょう**［熱狂］《名・自サ》夢中になること。「一的な歓迎」

**ネック**一〔neck〕①首。「一ストラップ(=首にぶらさげるストラップ)・ぶた一(=首の部分の肉)」②《服》えり。「ハイ一(=立ちえり)」③首のように細長くなった部分。「ギターの一(=柄)」二〔↑ボトル ネック〕隘路。障害。「生産の一になる」 ●**ネックウォーマー**〔neck warmer〕 首に巻いて使う防寒具。スヌード。 ●**ネックピロー**〔和製 neck pillow〕首にはめて使う、U字形のまくら。乗り物で いすにすわって ねむるときなどに使う。 ●**ネックライン**〔neckline〕《服》えりぐりの線。ネック。 ●**ネックレス**〔necklace〕 首かざり。ネックレース〔古風〕。

**ねつ・く**［寝(付く)］《自五》 ①ねむりに つく。②病気になって ねる。

**ねづ・く**［根(付く)］《自五》 ①植えた草の苗や木の根が育って、土から はなれなくなる。②定着する。「民主主義が一」图根づき。

**ねつけ**［根付け］ タバコ入れ・印籠などのひもの はしにつけた かざりもの。細かいほりものがあり、帯などに はさむ。

**ねづけ**［値付け］《名・自他サ》 値段を決めること。ねつけ。

**ねっけつ**［熱血］〔=あつい血しお〕 はげしくて さかんな意気。「一漢」

**ねつげん**［熱源］〔文〕熱を供給するもと。

**ねっこ**［根(っ子)］根。根本。「木の―・問題の―・作家の―になっている体験」

**ねっさ**［熱砂］〔文〕あついすな。太陽に照らされて、焼けたすな。ねっしゃ。

**ねつさまし**［熱冷まし］高い体温を下げるための薬。解熱剤。

**ねっさん**［熱賛］《名・他サ》〔文〕熱烈な ほめことば(で ほめること)。

**ねっしせん**［熱視線］熱い視線。「スカウトが―を送る選手」

**ねっしゃびょう**［熱射病］《医》高温の場所に長い時間いて、熱がからだにたまり、体温の調節ができなくなって起こる熱中症。体温が四〇度以上に上がり、けいれんや意識障害などを起こす。☞日射病・熱中症。

**ねっしょ**［熱暑］〔文〕焼けつくような、夏のきびしい暑さ。炎暑。暑熱。「―の砂漠」

**ねっしょう**［熱傷］《医》火ぶくれ、やけどをまとめた呼び名。

**ねっしょう**［熱唱］《名・他サ》情熱をこめて大声で歌うこと。「カラオケで―する」

**ねつじょう**［熱情］〔文〕熱烈な思い。「―をこめて歌う」 ●**ねつじょうてき**［熱情的］《ナダ》〔文〕熱情の〈ある/はげしい〉ようす。

**ねつしょり**［熱処理］《名・他サ》金属に加熱・冷却の処理をして、硬度などの性質を変化させること。焼き入れなど。

**ねっしん**［熱心］《名・ナダ》熱意をもってするようす。「―な先生・―に勧める」(↕不熱心) 派 -さ。

**ねっすい**［熱水］①熱せられた水。「日なたのホースから出る―に注意」②《地》地殻の中にある、百度以上にもなる高温の水。熱水溶液。「―のふき出す海底」

**ねっ・する**［熱する］㊀《他サ》熱くする。「金属を―」㊁《自サ》①熱くなる。②熱心になる。夢中になる。「熱しやすく、さめやすい性質」▽㊀㊁熱す。

**ねっせい**［熱誠］〔文〕相手のことを思う、あつい まごころ。「―あふれる忠告」

**ねっせん**［熱戦］はげしい〈戦い/勝負/試合〉。「―をくり広げる・―の火蓋を切る」

**ねっせん**［熱線］①《理》⇩赤外線。②高い熱を持つ、光線。

☆☆**ねつぞう**［×捏造］《名・他サ》本当はないことをあるようにいつわって つくること。でっちあげ(ること)。でつぞう。「話を―する・―記事」

**ねったい**［熱帯］《地》赤道を中心に北緯・南緯それぞれ二三・二七度以内の地帯。地球上で いちばん暑い。「―植物」(↕寒帯) ☞温帯。 ●**ねったいうりん**［熱帯雨林］熱帯の、雨の多い地域にある森林。 ●**ねったいぎょ**［熱帯魚］熱帯地方の海や川などにすむ美しいさかな。多く小形で、種類が多い。 ●☆☆**ねったいていきあつ**［熱帯低気圧］《天》熱帯地方の海上に発生する低気圧。風速が強いものを、地域によって台風・ハリケーン・サイクロンと言う。熱低。(↕温帯低気圧) ●☆☆**ねったいや**［熱帯夜］《天》最低気温が二五度より下がらない、暑くるしい夜。

**ねっちゅう**［熱中］《名・自サ》ほかのことを忘れて、一つの(好きな)ことばかりをずっとすること。「野球に―する・他人の揚げ足取りに―する」 ●☆☆**ねっちゅうしょう**［熱中症］《医》異常に高い〈気温/熱〉にさらされたために起こる障害の総称。〔熱射病・日射病をふくむ〕

**ねっちり**《副・自サ》しつこくて、いつまでも はなれないような感じがするようす。「―(と)食いさがる」

**ねつっぽ・い**［熱っぽい］《形》①熱のあるようすだ。②夢中になっているようすだ。派 -さ。

**ねってい**［熱低］《天》↑熱帯低気圧。(↕温低)

**ねってつ**［熱鉄］〔文〕熱でとけた鉄。 ●**熱鉄を飲む思い** 句 たいそうつらくて、苦しい気持ち。

**ねつでんどう**［熱伝導］《理》〔おもに金属で〕熱が、物体の高温部から低温部へと移動する現象。「―率」

☆☆**ネット**〔net〕㊀ネット ①網(のようなもの)。②《球技など》コートの中央やゴールのうしろに張る網。「―タッチ・《サッカー》―をゆらす〔=ゴールをきめる〕」③〔容器にはいった食品の〕内容(総)量。正味。「―三百グラム」(↕グロス) 表記 重量の表示では「NET」と書く。④〔↑ネット スコア〕《ゴルフ》グロスからハンディキャップを引いたスコア。(↕グロス)▽①②と③④とは語源が別。㊁ネット ↑インターネット。「―(で)検索する・―上の情報・―通販」㊂ネット《名・他サ》①〔↑ネット ワーク〕放送網を利用して同時放送すること。「全国三十局―」②〔交通・運輸関係の〕路線を拡張整備すること。「首都圏を―する」「日本の空を―する」③支店を各地に置くこと。 ●**ネットイン**《名・自サ》〔和製 net in〕《テニスなど》ボールが いったんネットにさわってから、相手がわのコートにはいること。 ●**ネットうら**［ネット裏］《野球》①正面〔=キャッチャーの うしろ〕の、ネットをはった客席。②記者席。 ●**ネットオークション**〔net auction〕インターネットを使って、競売方式で物を売ること。 ●**ネットかでん**［ネット家電］インターネットなどのネットワークを利用する家庭電化製品。製品どうしが連携するほか、家の外からの制御、情報のやりとりができる。 ●**ネットカフェ**〔和製 net＋フ café〕インターネットにつないだパソコンが使え(て、漫画も読め)る喫茶店。インターネットカフェ。ネカフェ〔俗〕。☞漫画喫茶。 ●**ネットゲーム**〔↑ internet game〕オンラインゲーム。ネトゲ〔俗〕。 ●**ネットサーフィン**〔net surfing〕インターネットのネットワークシステムを用いて、情報をつぎつぎと自由に見てまわること。 ●**ネットショッピング**〔net shopping〕インターネットを通してする〈買い物/通信販売〉。オンラインショッピング。 ●**ネットとりひき**［ネット取引］インターネットを通じて、品物や証券などを売買すること。 ●**ネットバンキング**〔net banking〕《経》インターネットを通じて、残高照会や振り込みなどができる銀行サービス。インターネット バンキング。 ●**ネットプレー**〔net play〕《球技》ネットのそばで おこなうプレー。テニスのボレー、バレーボールのブロックなど。 ●**ネットワーク**《名・他サ》〔network〕網の目のように つながった組織・系列。「通信―・物流―・友人の―」

**ねつど**［熱度］〔文〕①熱さの度合い。熱の高さ。②熱心さの度合い。

**ねっとう**【熱投】《野球》熱のこもった投球。

**ねっとう**【熱湯】にえゆ。「―消毒」⇨あつゆ(熱湯)。

**ねっとう**【熱闘】〔文〕熱のこもった試合(をおこなうこと)。「―をくりひろげる」

**ねっとり**《副・自サ》①ねばるようす。「―するまで煮(に)る」②じろじろ見るようす。「―した視線」

**ねつのはな**【熱の花】高い熱を出したとき、くちびるや口もとにぶつぶつできるもの。

☆☆**ねっぱ**【熱波】《天》夏に、気温が急に高まり、はげしい暑さがおそってくること。(↔寒波)

**ねっぱつ**【熱発】《名・自サ》《医》発熱。

**ねつば・む**【熱ばむ】《自五》熱が出た状態になる。

**ねっぴつ**【熱筆】〔文〕熱烈(ねつれつ)な書き方。「―をふるう」

**ねつびょう**【熱病】高い熱をともなう病気。

**ネップ**〔←ネップヤーン(nepyarn)〕①糸にある節・こぶ。「―(=まだら状の節の入った)ツイード」②節のはいった織り糸・毛糸。

**ねっぷう**【熱風】あつい風。

**ねつべん**【熱弁】《名・自サ》熱烈(ねつれつ)な話し方。「―をふるう」

**ねつぼう**【熱望】《名・他サ》熱心に希望すること。

**ねづよ・い**【根強い】《形》長く続いて変わらない。「―人気・―習慣」派―さ。

**ねつらい**【熱雷】《天》夏の暑い日に発生した上昇(じょうしょう)気流がもとで起こるかみなり。ふつうのかみなりは、たいていこれ。(↔界雷)

**ねつりょう**【熱量】①《理》熱が発生したり、吸収されたりする量。単位はジュールであらわす。②《生》食べたものがからだの中で出す、熱の量。単位はふつうキロカロリーであらわす。③熱気の度合い。「すさまじい―を持つ作家」

**ねつるい**【熱涙】たいへん興奮・感激して流すなみだ。

**ねつれつ**【熱烈】《ダ》感情がたかぶってはげしいようす。「―な恋愛(れんあい)」派―さ。

**ねつろん**【熱論】《名・自サ》〔文〕熱心な議論(をすること)。

**ねていとうけん**【根抵当権】《経》担保となる不動産などに融資(ゆうし)の限度額を一度決めれば、その範囲(はんい)でなら何度でも融資を受けられる抵当権。根抵当。「―を設定する」

**ねと**【ネト】《料》ソーセージ・かまぼこなどの表面に細菌(さいきん)がついて、ねとねとしめりけを帯びたもの。

**ねどこ**【寝床】ねるためにととのえた〈ふとん/ベッド〉。とこ。「―を作る・―を敷(し)く・―にはいる」

**ねどころ**【寝所】〔古風〕ねるところ。ねぐら。しんじょ。ねどこ(俗)。「カラスの―」

**ねとねと**《副・自サ》さわると糸を引くようにねばりつくようす。「なっとうが―(と)からむ」

**ねとぼ・ける**【寝(×惚ける)】《自下一》ねぼける。

**ねとまり**【寝泊まり】《名・自サ》しばらく宿泊(しゅくはく)すること。「お寺の本堂に―する」

**ねと・る**【寝取る】《他五》他人の夫・妻・愛人などと情を通じ、自分のものにする。「妻を寝取られる」

**ねなし**【根無し】①根がついていないこと。ふわふわしていること。②よりどころがないこと。「―言(ごと)(=いいかげんな つくりごと)」 ●☆☆**ねなしぐさ**【根(無し)草】①根が土にはっていない草。うきくさ。②よりどころがなく、不安定なことのたとえ。「―の生活」

**ねのほし**【△子の星】〔方〕北極星。

**ねば**〔否定の助動詞「ぬ」の仮定形「ね」+接続助詞「ば」〕一《接助》〔もし〕…なければ。「予習せ―当てられて恥(はじ)をかく」二《終助》ねばならぬ。「この世はあまくない。がんばら―」

**ネバーギブアップ**〔never give up〕決してあきらめないこと。

**ねば・い**【粘い】《形》〔方〕①ねばりけがある。「―たん(痰)」②(すぐには折れない)しなやかな強さがある。「―執念(しゅうねん)」派―さ。

**ねばしょ**【寝場所】寝る場所。

**ねばち**【根鉢】鉢(はち)の中に根がいっぱいにひろがり、土といっしょにかたまったもの。「―をほぐす」

**ねばつ・く**【粘つく】《自五》ねばねばする。名粘つき。

**ねばっこ・い**【粘っこい】《形》ねばる感じだ。「―性質」派―さ。

**ねばなら・ぬ**《助動形(ヌズ)型》〔文〕「なければならない 一」のかたい言い方。「なにがなんでも勝た―」

**ねばねば** 一 ねばねば《副・自サ》よくねばってものにつくようす。「―した液」二 ねばねば「ねばねば 一」した成分。

**ねはば**【値幅】《経》①値段の差。②高値と安値の差。

**ねばり**【粘り】ねばる〈こと/程度〉。「―が足りない」 ●**ねばりがち**【粘り勝ち】《名・自サ》最後までねばり強く戦って、勝つこと。(↔粘り負け)動粘り勝(か)つ《自五》。 ●**ねばりけ**【粘り(気)】ねばる〈力/性質〉。 ●**ねばりごし**【粘り腰】①《すもう・柔道》ねばり強くてなかなか腰がくずれない状態。②ねばり強くがんばる姿勢。「交渉(こうしょう)で―を見せる」▽二枚腰。 ●**ねばりづよ・い**【粘り強い】《形》①ねばりけが多い。②しなやかで強い。③根気がある。「―人」派―さ。

**ねば・る**【粘る】《自五》①やわらかで、さわるとくっつく状態である。「ねばりつく」②根気強くがんばる。「最後まで―」③《俗》喫茶(きっさ)店などに長居する。「紅茶一杯(いっぱい)で―」

**ねばれ**【寝腫れ】《名・自サ》《俗》ねて起きたときに(そのときだけ)顔がはれること。

**ねはん**【×涅×槃】〔梵語(ぼんご) nirvāṇaの音訳〕《仏》①煩悩(ぼんのう)のない さとりの境地。ニルバーナ。②(すべての煩悩をなくした)釈迦(しゃか)の死。「―図」 ●**ねはんえ**【×涅×槃会】《仏》釈迦(しゃか)が死んだ当日(=旧暦(きゅうれき)二月十五日)におこなう法会(ほうえ)。

**ねびえ**【寝冷え】《名・自サ》ねむっているときにからだがひえてかぜをひいたり、下痢(げり)をしたりすること。 ●**ねびえしらず**【寝冷え知らず】子どもが、ねている間に腹を出して寝冷えすることのないように仕立てたねまき。

**ねびき**【根引き】草木を根ごと引きぬくこと。根こぎ。

**ねびき**【値引き】《名・自他サ》値段を安くすること。動値引く《自五》。

**ねぶか・い**【根深い】《形》そうなった原因などが、おく深い。「―対立」派―さ。

**ねぶくろ**【寝袋】〔登山などで〕中にはいってねる、あたたかく作ったふくろ。スリーピングバッグ。シュラーフザック。

ク。シュラフ。

**ねぶそく**【寝不足】《名・ナダ》ねむりがたりない〈こと/ようす〉。「—の顔」

**ねふだ**【値札】商品(が置かれたところ)にはってある、値段が書かれたふだ。

**ねぶみ**【値踏み】《名・他サ》①実物を見て、値段の見当をつけること。「百万円と—する」②人やものごとを評価すること。

**ネブライザー**〔nebulizer〕薬液を霧(きり)状にして、のど・鼻の中に吹(ふ)きかける器具。吸入器。噴霧(ふんむ)器。

**ねぶりばし**【(×舐り)箸】食事中、はしをぴちゃぴちゃなめること。行儀(ぎょうぎ)が悪いとされる。☞嫌(きら)い箸。

**ねぶ・る**【(×舐る)】《他五》〔西日本方言〕なめる。「あめ(飴)をねぶらせる」

**ネフローゼしょうこうぐん**【ネフローゼ症候群】〔ド Nephrose〕《医》腎臓(じんぞう)の病気の一つ。尿(にょう)の中のたんぱくがふえ、逆に血液の中のたんぱくがへり、むくみが出る。ネフローゼ。

**ねぼう**【寝坊】《名・自サ・ナダ》朝おそくまでねる〈人/こと〉。「朝—」

**ねぼけまなこ**【寝(×惚け)眼】ねぼけた状態の、あまり開いていない目つき。「—をこすりこすり起きてくる」

**ねぼ・ける**【寝(×惚ける)】《自下一》①ねむったままの状態で起き上がって、わけのわからないことをする。②目がさめても、まだ頭がぼんやりする。③よくわからずに見当ちがいなことを〈言う/する〉。〔非難した言い方〕▽ねとぼける。名寝ぼけ。

**ねぼすけ**【(寝^坊助)】〔俗〕ねぼうな人。

**ねぼとけ**【寝仏】横を向いてねた形の仏像。釈迦(しゃか)の場合は、「寝釈迦」と言う。

**ねほり**【根掘り】一 草の根をほり取る道具。二《副》ねほりはほり。●☆☆**ねほり-はほり**【根掘り葉掘り】《副・他サ》全体にわたって残りなく、聞くこと。事細かに。「—問いただす」

**ねま**【寝間】ねる部屋。しんしつ。

**ねまがりだけ**【(根曲竹)】ササの一種。幹は細工物・ステッキに使い、タケノコは食用。根もとがまがっている。ちしまざさ(千島笹)。

**ねまき**【寝巻き・寝間着】ねるときに着る衣服。

**ネマトーダ**〔ラ nematoda〕⇩線虫。

**ねま・る**《自五》〔方〕①くつろいですわる。②〔:寝まる〕ねる。

☆☆**ねまわし**【根回し】《名・自サ》①了解(りょうかい)が得られるよう、事前に工作しておくこと。「役員に—をする」②〔①の由来〕大きな木を移植する準備として、土をほって太い根を切り、小さい根を出させること。

**ねまわり**【根回り】木の根の回り。

**ねみだ・れる**【寝乱れる】《自下一》ねたために、服装やかみの毛などがみだれる。「寝乱れた服装・寝乱れ髪(がみ)」

**ねみみ**【寝耳】ねていて、夢うつつの間に聞くこと。●**寝耳に水** 句〔水=洪水(こうずい)〕だしぬけでびっくりすること。「—の話だ」

**ねむ**【〔:合歓〕】ねむのき。

**ねむ・い**【眠い】《形》①ねむりたい感じだ。ねむりそうな感じだ。「—目をこすりながら出勤する」派-げ。-さ。②《写真》濃淡(のうたん)がくっきりしない。「絵が—」

**ねむけ**【眠(気)】ねむくなる感じ。「—がさす」派-がる。●**ねむけざまし**【眠(気)覚まし】ねむけをさます手段(となるもの)。「—にガムをかむ」

**ねむた・い**【眠たい】《形》①ねむ(くてつら)い。「—授業」②〔考えなどが〕あまい。「—ことを言うな」派-がる。-げ。-さ。

**ねむのき**【〔:合歓の木〕】野山にはえる落葉樹。葉は細かく、夜になるととじる。ねむ。

**ねむら・せる**【眠らせる】《他下一》〔俗〕殺す。眠らす。

**ねむり**【眠り】①ねむること。睡眠(すいみん)。「深い—・—を眠る〔⇩眠る二①〕」②〔婉曲(えんきょく)に〕死。「とわの—」●**ねむりぐすり**【眠り薬】①ねむれないとき、ぐっすりねむれるように飲む薬。睡眠薬(すいみんやく)。②麻酔薬(ますいやく)。●**ねむりこ・ける**【眠りこける】《自下一》起こしてもなかなか起きないほど、深くねむっている。●**ねむりこ・む**【眠り込む】《自五》ぐっすりねむる。「こたつで—」●**ねむりひめ**【眠り姫】のろいによって百年間ねむりつづけている姫。ヨーロッパの昔話の女主人公。

*__ねむ・る__【眠る】一《自五》①目がとじて、手足や頭の活動がいちじ休んだ状態になる。「ぐっすり—」尊敬おやすみになる。可能眠れる。②活用されない状態にある。「工場で眠ったままの機械・地下に—財宝」③死んで横たわる。死ぬ。「雪の下に—友」☞眠らせる。二《他五》①〔=深く眠る〕「眠りを—」「眠る一①」と同じ。「深い眠りを—」②〔古風〕つぶる。「目を—」

**ねむれる**【眠れる】《連体》〔文〕ねむっている。「—獅子(しし)〔=大きな力を持ちながら、表に出さない人〕」

**ねめつ・ける**【(×睨め付ける)】《他下一》〔古風〕にらみつける。

**ね・める**【(×睨める)】《他下一》〔古風〕にらむ。「狂暴(きょうぼう)な目つきで—・ねめまわす」

**ねもと**【根元】①根(のところ)。「木の—」②つけ根(のところ)。

**ねもの**【根物】野菜のうち、根を食べるもの。根菜。(↕葉物・実(み)物)

**ねものがたり**【寝物語】〔同じ寝床(ねどこ)で/床をならべて〕ねながらする話。ピロートーク。

**ネモフィラ**〔ラ Nemophila〕草花の名。四、五月ごろ、青い小さな花を開く。「青いじゅうたんのような—の花畑」

**ねや**【(×閨)】〔雅〕ねる部屋。ねま。「—のむつごと」

**ねゆき**【根雪】積もったまま春まで残る雪。「—になる・—がとける」

**ねらい**【狙い・×覘い】①ねらうこと。「—を定める・受け—・—球(だま)・—どころ」②めざす目的や意図。「この会の—」●**ねらいうち**【狙い打ち】《名・他サ》〔野球〕ねらいをつけたボールを打つこと。「カーブを—する」動狙い打つ《他五》。●**ねらいうち**【狙い撃ち】《名・他サ》まと・目標をよくねらって〈射撃(しゃげき)/攻撃(こうげき)〉すること。「勤め人を—にした増税」動狙い撃つ《他五》。●**ねらいすま・す**【狙い(澄ます)】《他五》注意を集中して、ねらいをつける。狙いすませる。「タイミングをじっと—・食事どきを狙いすましたように電話が来る」●**ねらいめ**【狙い目】①出てほしいと思ってねらっている、さいころの目。②ねらうべきものごとやチャンス。ねらいどころ。「〔釣り〕満潮前後が—〔=時合い〕」

ね

**＊ねら・う**［狙う・×覘う］《他五》①目標をそこに決めて、弓矢・銃などを向ける。「ピストルで的を―・虫を狙ってスプレーする・カメラが被写体を―」②害をあたえたり、殺したりしようとして、機会を待つ。「お前は狙われている・子どもを―犯罪」③手に入れようとして〈機会を待つ／努力する〉。「ライオンが えものを―〔＝うかがう〕・遺産を―・国立大学〔の合格〕を―」④都合のいい時が来るのを待つ。「相手の すきを―〔＝うかがう〕・留守を狙ったように宅配便が来る」⑤実現しようとする。意図する。「経費の節約を―・レトロな雰囲気を―」 可能 狙える。☞狙ってる。

**ねらっ・てる**［狙ってる］《自下一》〔俗〕相手に受けようとする。「このポスターは絶対―」

**ねり**［練り］①ねること。「計画の―が足りない」 表記 火にかけて ねる場合には「×煉り」とも。②⇩おねり。

**ねりあ・げる**［練り上げる］《他下一》①よく練って仕上げる。「あん（餡）を―」②よく考えて仕上げる。「計画を―」 名 練り上げ。

**ねりあし**［練り足・×邌り足］〔儀式などで〕一足ずつゆっくり歩く歩き方。

**ねりある・く**［練り歩く・×邌り歩く］《自他五》〔列を作って〕ゆっくり歩く。「みこし（御輿）が町内を―」

**ねりあわ・せる**［練り合わせる・×煉り合わせる］《他下一》二つ以上の材料をねって混ぜあわせる。「豚肉と牛肉をひいて―」

**ねりあん**［練り（×餡）］煮たアズキをこし、砂糖を加え、火にかけて ねったもの。

**ねりいと**［練り糸］生糸を精練した〔＝練った〕糸。絹糸。

**ねりえ**［練り餌］①ぬか・魚粉・なっぱなどをねりあわせた、小鳥の えさ。②小麦粉などに いろいろなものをまぜてねった、釣りのえさ。

**ねりがらし**［練り（辛子）］からしの粉末を溶いたもの。ときがらし。ねりからし。

**ねりぎぬ**［練り絹］生糸で織った絹織物を、ねってやわらかくしたもの。

**ねりきり**［練り切り］白あんに砂糖などを加えて作る和菓子。季節を感じさせる細工をほどこす。

**ねりこう**［練り香］くだいた香料をねりかためたもの。「―をたく」

**ねりせいひん**［練り製品］さかなの肉をすり身にして作った食品。ねりもの。例、かまぼこ・ちくわ。

**ねりなお・す**［練り直す］《他五》もう一度〈ねる／よく考え、吟味する〉。「原案を―・計画案を―」 名 練り直し。

**ねりはみがき**［練り歯磨き］歯みがき粉をねって、クリーム状にしたもの。

**ねりべい**［練り塀］かわらと練り土をかわるがわる積み重ねてつくった塀。上に かわらをのせる。

**ねりもの**［練り物・×煉り物］①ねりかためたもの。②練り製品。

**ねりようかん**［練り（羊×羹）］あん（餡）と寒天をまぜ、ねりながら煮つめて かためた ようかん。（↔蒸しようかん）

**＊＊ねる**［寝る］《自下一》①人が、ゆか・ふとんなどの上で、横に長い向きになる。「診察台に―」②横に長い向きになって、休む。「ベッドでしばらく―」（↔起きる）▽横になる。③ねむる。「―子は育つ・よく寝た」 尊敬 お休みになる。④（病気になって）床につく。「熱を出して寝ている」⑤（寝床で）肉体関係を結ぶ。⑥『柔道』寝技をしかける。⑦毛・草などが、たおれた向きになる。「かみの毛が―・台風でイネが―」⑧縦のものが、横の向きになる。「文字が寝ている」⑨〔商品や資金が〕動かない状態になる。「寝ている品物を安売りする」⑩こうじ（麹）が、よくできた状態になる。⑪〔俗〕〔国会で〕審議を拒否する。「野党が―」 表記 ①～④「×寐る」とも書いた。 可能 寝られる。寝れる〔俗〕。●寝た子を起こす 句 そのままにしておけば なんでもないのに、何かして悪い結果を招く。●寝ていて 句 働かないで。「―食べる方法」●寝ても覚めても 句 いつも。たえず。「よい方法を―考えている」

**ね・る**［練る］ 一 《他五》①こねて ねばらせる。こねかためる。「小麦粉を―・あん（餡）を―」 表記 火にかけて ねる場合には、「×煉る」とも。②いろいろ くふうしてよくする。「計画を―・想を―」③修養をつむ。「精神を―」④生糸（の織物）をソーダなどで煮て、不純物を取り除き、やわらかくする。精練する。 可能 練れる。 二 ［×邌る］《自五》①ひと足ずつ、ゆっくり歩く。②行列を整えて進む。

**ネル** ↑フランネル。「―の ねまき」

**ネルドリップ**〔和製 nel《↑flannel》 drip〕フランネル製のふくろに入れたコーヒーの粉に湯をそそいで、こしていれる方式。

**ね・れる**［練れる］《自下一》①ねった状態になる。「セメントが―」 表記 火にかけて ねった場合には「×煉れる」とも。②ねられて じょうずになる。「技術が―」③苦労して円熟する。「心が―」

**ねわけ**［根分け］《名・他サ》植物の根を分けて移し植えること。株分け。

**ねわざ**［寝技］①『柔道』たたみに ねたような状態で相手を攻める わざ。（↔立ち技）②［寝業］〔俗〕かげでこそこそ動いて工作すること。「政界の―師」

**ねわす・れる**［寝忘れる］《自下一》〔古風〕ねすごす。

**ねわら**［寝（×藁）］家畜をねかせるために しく わら。

**＊＊ねん**［年］ 一 ねん ①⇩とし（年）①。「成立―・国際児童―・―が年中〔＝年がら年中〕」②そのとし。一年。「―後半・―一回〔俗に『年一』とも〕」③年季。「―が明ける〔＝奉公人の年季が終わる〕」 二 接尾 ①年数を数えることば。「あれから十―たつ・小学三―から野球を始めた」②年忌。「ことしは父の十三―だ」③歳。「二―のクロダイ・〔法律で〕当時三十一―」

**ねん**［念］①〔文〕気持ち。思い。「尊敬の―を〈いだく／持つ／覚える〉・感謝の―をあらわす・自責の―を禁じえない」②かねての願い。「―が届く」③手おちがないように注意すること。「―を込める〔＝入れる〕・―には およばない」☞念のため。●念を入れる 句 まちがいのないように、細かいところまで注意する。「念には―〔＝念を入れた上に、さらに念を入れる〕」 自 念が入る。●念を押す 句 まちがいが起こらないように、ことさらに言う。「忘れるなと何度も―」

**ねんあけ**［年明け］①年季が あけること。ねんあき。②としあけ。

**ねん‐いちねん**［年一年］《副》一年一年。としが たつにつれて。「この町も―と ひらけてきた」

**ねんいり**【念入り】《ナダ》よく注意するようす。入念。「―に作る」派―さ。

**ねんえき**【粘液】ねばねばした液体。「―便」●**ねんえきしつ**【粘液質】《心》性格の分類の一つ。動作や反応はすばやくないが、ねばり強い。☞多血質・胆汁質・憂鬱質。

**ねんおう**【年央】〔文〕一年のなかば。「今年―には回復する」

**ねんおし**【念押し】《名・自サ》念を押すこと。

**ねんが**【年賀】年の初めを祝うあいさつ。「喪中につき―欠礼します・―はがき」☞お年賀。●**ねんがじょう**【年賀状】年賀のために出すはがき(や手紙)。年始状。賀状。

**ねんかい**【年会】年に一度の集会。「航空学会―」

**ねんかい**【年回】《仏》⇩年忌。「―表」

**ねんがく**【年額】一年分の金額。

**ねんがっぴ**【年月日】〔あることについての〕としとつきと日。「建築―」

**ねんがらねんじゅう**【年がら年(中)】《副》一年じゅう。いつも。しょっちゅう。年が年中。年百年中。

←**ねんかん**【年刊】一年に一回の刊行。

→****ねんかん**【年間】①一年じゅう。「―営業」②一年間。「―の収入」③ある年号のあいだ。「明治―」

**ねんかん**【年鑑】一年間の、いろいろの統計・展望・調査などをのせて毎年一回発行する記録。イヤーブック。

**ねんがん**【念願】《名・他サ》ねがい。のぞみ。「成功を―してやみません・―を達する」

**ねんき**【年忌】《仏》人が死んだあと、ある決まった年数がたった時の忌日。一周忌・三回忌・七回忌など。また、そのときの法事。年回。

**ねんき**【年季】奉公人をやとう約束の年限。「―奉公・―明け(=年季が終わること)」●**年季が入る** 句 ①経験が積み重なる。「商売人として―」他 年季を入れる。「酒屋で―」②長年使って古くなる。「年季の入った家」

**ねんきゅう**【年休】↑年次休暇。「―を取る」

**ねんきゅう**【年給】〔文〕年俸。

****ねんきん**【年金】制度や契約にもとづいて、毎年、決まった時期に受け取るお金。「―の支給・公的―・私的―・―生活者」

**ねんきん**【粘菌】《生》動物と植物の両方の性質をもつアメーバ状の生物。枯れ葉や枯れ木などにすむ。変形菌。

**ねんぐ**【年貢】①昔、毎年、農民に割り当てられた租税。②小作料。●**ねんぐのおさめどき**【年貢の納め時】悪いことをしていた者がつかまって、処分を受ける時期。

**ねんげつ**【年月】としつき。歳月。

**ねんげん**【年限】としを単位として決めた期限。「在職―」

**ねんこう**【年功】長年の熟練。「―を積む・―型賃金(↔成果型賃金)」●☆**ねんこうじょれつ**【年功序列】会社などで、勤続した年数によって決まる、地位の順序。「―制」

**ねんごう**【年号】①としにつける称号。元号。例、令和。「―が改まる」②歴史上のとし。「―をごろ合わせで覚える」

☆**ねんごろ**【懇ろ】《ナダ》①だいじにするようす。「―にもてなす」②ていねいなようす。「―にあいさつする」③親しいようす。「―になる」派―さ。

**ねんざ**【捻挫】《名・自他サ》《医》関節をくじくこと。「足首の―」

**ねんさい**【年祭】造 ある人の誕生・死亡や歴史上の出来事から、区切りのいい年数をへたときにおこなう記念の行事。

**ねんさん**【年産】一年間の生産高。

**ねんし**【年始】①としのはじめ。年初。年頭。(↔年末)②年賀。「―客・―回り・お―・―状(=年賀状)」

**ねんし**【×撚糸】二本以上の糸をよって、一本にすること。また、そうしたもの。「無―タオル」

**ねんじ**【年次】①〔文〕〔入学・卒業の〕としの順序。「卒業―・一―(生)」②〔年度をもとにした〕一年間。「―計画・―総会・―報告」●**ねんじきゅうか**【年次休暇】〔↑年次有給休暇〕《法》〔勤労者が〕一年間に取ることを認められた有給休暇。年休。

**ねんじあ・げる**【念じ上げる】《他下一》〔文〕(しあわせであるようにと)お祈り申し上げる。〔手紙文などで使うことば〕

**ねんしき**【年式】自動車などの、そのとしの型。「―が古い」〈『低―』とも〉

**ねんしゃ**【念写】《名・他サ》心に思った物の形をフィルムなどに写すこと。

**ねんじゅ**【念珠】《仏》じゅず。

**ねんしゅう**【年収】一年間の収入。

**ねんじゅう**【年(中)】《副》①一年の間(いつでも)。ねんちゅう。「―花がさいている・―無休」②あけくれ。いつも。「―いそがしい」●**ねんじゅうぎょうじ**【年中行事】一年間の慣例としておこなわれる、一定の〈儀式/行事〉。ねんちゅうぎょうじ。

☆**ねんしゅつ**【捻出】《名・他サ》〔文〕ひねり出すこと。やりくりして支出すること。「費用を―する」

**ねんしょ**【年初】〔文〕年の初め。年始。(↔年末)

☆**ねんしょ**【念書】《法》あとの証拠のために書いて、相手にわたすかきつけ。

**ねんしょう**【年少】①としの若い〈こと/人〉。「―者・最―」(↔年長)②〔幼稚園・保育園で〕三歳児の年次。「―組・―さん」(↔年中・年長)

**ねんしょう**【年商】《経》一年を単位として数えた、売上高。「―十五億円」

**ねんしょう**【燃焼】《名・自サ》①燃えること。②持っている力を出しつくすこと。また、エネルギーを集中すること。「ドラマとしての―度がたりない」

**ねん・じる**【念じる】《他上一》〔文〕①心をこめて思う。「合格を―」②〔心の中で〕いのる。「無事を―」③〔心の中で〕となえる。「お経を―」▽念ずる。

**ねんすう**【年数】としのかず。としかず。「勤続―・耐用―」

**ねんせい**【粘性】ねばる性質。ねばりけ。

**ねんせい**【年生】接尾 ━ねんせい ①学校に入学してからの年数で数えた生徒・学生。「一―」②衆議院の当選回数で数えた代議士。「五―」③〔沖縄方言〕生まれた年をあらわすことば。「『あなた、何―?』『昭和三十五―です』」━ねんせい。《植》芽が出てから生

ね

長して枯れるまでのサイクル。「一ー・多ー草本」

**ねんだい**［年代］①年を単位としてまとめた、ある長さの時代。「ー順・昭和ー・二〇〇〇ー（＝ⓐ二〇〇〇年から〇九年まで。ⓑ二〇〇〇年から二九九九年まで）」②年齢層。「ー別に見ると」●**ねんだいき**［年代記］おもな出来事を年代順に記した歴史書。●**ねんだいもの**［年代物］長い年月を経たもの。古くなって ねうちが出たもの。「ーの建物・ーの つぼ」

**ねんちゃく**［粘着］《名・自サ》①ねばりつくこと。「ー力」②〔性格やふるまいが〕しつこいこと。「ー質」●**ねんちゃくテープ**［粘着テープ］セロハン・ビニール・紙などのテープに接着剤を塗りつけたもの。

**ねんちゅう**［年中］[一]〔幼稚園・保育園で〕四歳児の年次。「ー組・ーさん」（↔年少・年長）[二]《副》⇩ねんじゅう①。●**ねんちゅうぎょうじ**［年中行事］⇩ねんじゅうぎょうじ。

**ねんちょう**［年長］①としうえ(の人)。「ー者・ー少年（＝法律で、十八歳以上の少年）」（↔年少）②〔幼稚園・保育園で〕五歳児の年次。「ー組・ーさん」（↔年少・年中）

**ねんてん**［捻転］《名・自他サ》〔文〕ねじれること。ねじること。「腸ー・上体のー」

**ねんど［年度］事務上のつごうによって区分した、一年の期間。「ー末・会計ーは四月から三月まで・新ー・ー替わり」

**ねんど**［粘土］《鉱》細かい つぶが集まってできた、ねばねばした土。工作にも使う。ねばつち。「ーをこねる・ー細工・油ー（＝油をまぜた粘土）」☞シルト。

**ねんど**［粘度］ねばりけの度合い。「血液のー」

**ねんとう**［年頭］〔文〕年始。としの はじめ。「ーの あいさつ」

**ねんとう**［念頭］考え。あたま。「ーに〈置く/入れる〉（＝考えに入れる）・ーにない・ーを去らない・法改正をーに（置いて）議論する」✎「頭」は、「…の付近」の意味で、全体で「考えの周辺」の意味。「念頭に置く」「念頭に入れる」は、ともに二十世紀初めから例がある。☞心頭。

**ねんとう**［粘投］《名・自サ》《野球》投手が ねばり強く投げぬくこと。

**ねんない**［年内］その としのうち。「ーに完成する」

**ねんね**[一]《名・自サ》〔児〕ねること。「おーしなさい」[二]〔赤ちゃんのように〕世間知らず(の むすめ)。ねんねえ。「まだいっこうにーでして」

**ねんねこ**①〔児〕ねること。「ーよう、おころりよう〔子もり歌の一節〕」②《服》↑ねんねこばんてん。●**ねんねこばんてん**［ねんねこ(半×纏)］《服》子どもをおんぶし、その上からはおる はんてん。ねんねこ。

**ねんねん**［年々］《副》年がたつとともに。一年一年。「事故がーふえ続ける」☞としどし(年々)。●**ねんねんさいさい**［年々歳々］《副》〔文〕毎年。年々。

**ねんのため**［念のため］《名・副》まちがいないと思うが、いっそう注意するため。「ーに説明すれば・ー申し上げます・ー（＝万一のときのため）傘を持っていこう」

**ねんぱ**［念波］《心》相手を自分の思うとおりに行動させようとして脳から出す、目に見えない波動。

表記 候文ふうに「∴為念」とも。

**ねんぱい**［年配・年輩］①ある範囲のとし。ある年齢を中心とする、その前後のとし。「五十ーの男・同ーだ」②相当の年齢。また、中年。「ー者・ーの紳士」③としうえ。「森さんより七つーだ」

**ねんばらい**［年払い］①一年に一回のわりで、分けてはらうこと。②一年分をまとめて一度にはらうこと。「ー保険」

**ねんばんがん**［粘板岩］《鉱》粘土などが かたまってできた堆積岩の一種。うすく板状にはがれやすい。すずり・スレートなどに使う。

**☆☆ねんぴ**［燃費］①（↑燃料消費率）燃料一リットルで走れるキロ数。「ーのいい車」②燃料費。

**ねんびゃく- ねんじゅう**［年百年(中)］《副》⇩年がら年じゅう。

**ねんぴょう**［年表］年を単位として事件を順々に書いた表。「国史ー・文化史ー」

**ねんぷ**［年賦］〔古風〕金額を一年ずつ分けて しはらうこと。年ばらい。「ーで買う」（↔月賦）

**ねんぷ**［年譜］特定のものごとや個人の一生について、としを追って書いた記録。「ーをまとめる」

**ねんぶつ**［念仏］《名・自サ》《仏》阿弥陀仏の名をとなえること。「南無阿弥陀仏」「なんまいだ」などと言うこと。「(お)ーをとなえる」

**ねんべつ**［年別］〔文〕としによってする区別。

**ねんぽう**［年俸］一年を単位として決めた給料。年給。●**ねんぽうせい**［年俸制］業績に応じて、報酬を年単位で定める制度。スポーツ選手や管理職・専門職に多い。

**ねんぽう**［年報］一年ごとに出す報告書。「研究所ー」

**ねんまく**［粘膜］《生》からだの中の〈すきま/内臓〉の内面をおおい、ねばねばした液体で うるおされている膜。「目のー」

**ねんまつ**［年末］一年の終わり（＝十二月）。「ーまで（＝十二月三十一日まで）に仕上げる・ー賞与（＝ボーナス）」（↔年始・年初）●**ねんまつちょうせい**［年末調整］《法》年末の給料をしはらうさいに、毎月源泉徴収をした所得税の合計額と、その年の年収の実際の所得税との差を精算すること。年調。

**ねんゆ**［燃油］〔文〕燃料となる あぶら。「ー高」

**ねんよ**［年余］〔文〕一年あまり。「ーにわたる努力・ーをへて完成」

**ねんらい**［年来］《副》〔文〕何年も前から。としごろ。「ーの のぞみ・ーの懸案」

**ねんり**［年利］《経》一年の〈利率/利息〉。（↔月利・日歩）

**ねんりき**［念力］①〔文〕思いをこめることから生じる力。「思うー岩をも通す」②手をふれずに ものを動かす、ふしぎな力。サイコキネシス(psychokinesis)。テレキネシス(telekinesis)。念動力。

**ねんりつ**［年率］一年間を単位として数えた〈比率/利率〉。「ー五パーセントの成長率」

**ねんりょ**［念慮］〔文〕(…したいという)思い。「復讐のー」☞希死念慮。

**ねんりょう**［燃料］熱を得るために燃やす材料。まき・炭・石炭・石油・ガスなど。●**ねんりょうでんち**［燃料電池］《理》天然ガスなどから水素を取り出し、空気中の酸素と反応させることによって発生する電

ね

気を取り出す装置。FC。「―車」

**ねんりょく**[粘力]〔文〕ねばる力。「―の強い土」

**ねんりん**[年輪]①《植》木の幹の中心から外がわに向かって一年に一つずつ増える、輪の形をした層。②人間の成長や修業の積み重ね。「―を重ねた芸」

●**年輪を刻む** 句 ①(植物が)生長する。②年齢とともに経験や人間味が深まっていく。「人生の―」

**ねんれい[年齢] 一 ねんれい 生まれてからの年数。とし。「―的にたえられない・結婚―・―別リレー」☞月齢②。二 造 発育や老化の度合い。「精神―・肌―・血管―」 表記 〈俗に/小学校で簡単に〉「年令」とも。●**ねんれいそう**[年齢層] 年齢によって分けた層。年齢階層。●**ねんれいふもん**[年齢不問]〔=年齢を問わない〕何歳でもいい。

**ねんわり**[年割り]①金額・数量などを、一年分ずつに割り当てて計算すること。②[年割]一年単位の割引。

# の　ノ

**の**[野]一 の〔文〕広い平地。のはら。「―にさく花・武蔵―」二 遺 野生の。「―ウサギ・―バラ」

**の 一《格助》①所有をあらわす。…が持つ。…に属する。…にそなわる。「わたし―本・本校―生徒・カップ―取っ手・包丁―切れ味」②種類を限定することをあらわす。「コスモス―花・たらこ―おにぎり・新幹線―切符・ひとえ―着物・外国―絵本」③同格をあらわす。…である(ところの)。…という名を持つ。「むすこ―太郎・よう、太郎―あにき!」④…から見て。…を基準としたとき。「屋根―上・部屋―中」⑤…を特徴とする。…で有名な。「技術―A社・ようかん―○○屋」⑥引用をあらわす。…という。「ごめんなさい―一言」⑦〔連体修飾語で〕いろいろな動詞句の代わりに使う。「母から―〔=来た〕手紙・東京で―〔=おこなう〕会合・ゆかた―〔=を着て たずねる〕京都」⑧名詞句の中で、「が」「を」「で」などの格助詞の代わりに使う。「事件―発生〔=事件が発生すること〕・文学―研究〔=文学を研究すること〕」⑨〔文の中の節に使って〕ⓐ主語をあらわす。…が。「友だち―来る日・気―きいた文句〔↑気が きく〕」☑昔は、長い節にも使った。「彼女の〔=が〕息をはずませていることに気づいた」ⓑ対象をあらわす。…を。…が。「人手―ほしい農家」⑩感情をこめて名詞で終わる文で、意味上の主語をあらわす。「ふく風―なんという心地よいことか」・〔非難して〕パパ―ばか!」☑「パパのばか!」は、「パパはばかだ」という論理的な言い方とはちがい、「パパの持つ ばかという性質!」という意味に近い。なお、「息子の ばかが失礼しました」や、ロシア小説「イワンのばか」は、「息子である ばか」「イワンという名のばか」で、同格をあらわす。⑪様子をあらわす名詞や、副詞について、連体修飾語にする。「大荒れ―天気・少し―野菜」⑫〔文〕動詞・助動詞について、連体修飾語であることをはっきりさせる。「決断する―ほかなし・日本人たる―立場」〔中世以降に生じた用法。なくても意味は通じる〕⑬…のもの。「これは ぼく―だ・そっち―を貸せ」⑭〔古風・俗〕〔ばくち打ちどうしが人名につけて〕…さん(よ)。「なあ、大山―」⑮〔俗〕ほかと くらべて、まさるほうをあらわす。…のほう。「お茶よりジュース―がいい」 表記 屋号・雅号などでは、「×廼」とも。例、萩廼屋。また、特別に「×之」「×乃」と書くことがある。例、先祖代々之墓・貴乃花。 アク ウシの・ネコの・イヌの。 二《副助》〔A―B―〕とか。だの。「おどろいた―おどろかない―ではない〔=ひどく おどろいた〕・うまい―まずい―と・卒業式あり―入学準備あり―で、いそがしい」 三《接助》〔A―B―〕〔話〕順番をあらわす。…て。「芝居を見物し(い)―、みやげを買い(い)―という日程」 四《終助》〔話〕①じつは そうだと説明・主張する気持ちをあらわす。「お願いがある―・いい―いい―、気にすんな」②じれて言う気持ちをあらわす。「だから、知らないって言ってる―!」③くわしく〈たずねる/たしかめる〉気持ちをあらわす。「行く―、行かない―?」④事情がわかっ(て)おどろい)たことをあらわす。「そうだった―」⑤指図をあらわす。「それぐらいで泣かない―!」▽親しい間がらの人に使う。女性が丁寧体の会話で「夫が言いました―・いったい何のことです―?」のように言うのは、〈古風/演劇的〉な言い方。 五〔連体修飾語を受けて〕①もの。「もっと大きい―はないか」②こと。「行く―をやめる・その食べる―の早いこと!」③〔ぞんざいに〕人。「さっき来た―はだれだ・うちの若い―」☑「社長というのはどんな方ですか」は ぞんざいに聞こえる。「社長はどんな方ですか」がいい。④事情や理由をあらわす。わけ。「いまごろ どうしている―かしら・電車がおくれた―ですね」☞のだ。

**の**[△布・△幅] 接尾 布の はばを数えることば。くじら尺で九寸〔=約三四センチ〕ぐらい。「三―敷き ぶとん」☞三布・四布。

**のあそび**[野遊び] 野原に出て遊ぶこと。

**ノアのはこぶね**[ノアの箱船・ノアの△方舟]〔Noah=人名〕《宗》〔旧約聖書で〕ノアが造った大きい箱船。家族や、おすとめす ひと組みずつの動物たちを乗せて、洪水〔=ノアの洪水〕をのがれた。

☆☆**ノイズ**〔noise〕①雑音。②《理》入れた信号と関係なしに出てくる、余分な音や、画面の ざらつき・ちらつきなど。③余分な情報。「―をのぞいて伝達する」

**のいちご**[野(×苺)] 野生のイチゴ。

**のいばら**[(野茨)・(野:薔薇)] 野原などに生えるバラの一種。初夏に白い花をつける。のばら。

☆☆**ノイローゼ**〔ド Neurose〕《医》不安などが原因で起こる、からだや精神の故障。(精神)神経症。「育児―・―気味」

**のう**[能] 一 のう ①何かをすることが できる力。はたらき。能力。②〔文〕できること。「―不能」 二 のう ↑能楽。「お―」 ●**能ある たか(鷹)は爪を隠す** 句 才能のある人は、能力を見せびらかして目立ったりしない。●**能がない** 句 ①〈能力/しかた〉がない。「働くしか―」②くふうがない。「ビラを配るだけでは―」●**能ではない** 句〔…〈だけ/ばかり〉が―〕…しさえすればい、というものではない。「人間、がまんするだけが―・早いばかりが―」

*__のう__[脳] 一 のう ①《生》頭蓋骨の中にあって、複雑な精神の はたらきを受けもつ、やわらかくてひだのあるもの。脳髄。②頭の はたらき。「―が弱い」 二 造〔俗〕ある考え方の人々に特有の脳。「理系―の人」

〔（ばかにした）非科学的な言い方〕

**のう**【農】㊀のう ①農業。農作。「―の心」②農民。「労―一体」③↑農学部。④↑農業高校。㊁[遣]〈農業／農学〉に関する。「―作業」㊂[遣] 農民。農家。「自作―」

**のう**【×膿】《医》うみ。「―をぬぐう」

**のう**〔古風／方〕㊀《終助》なあ。「そうじゃ―・わしは―、年をとって―」㊁のう《感》呼びかけることば。「―、―、聞いたか?」▽㊀㊁のお。

**のう**【濃】[遣]〔文〕こい。「―褐色・―硫酸（↔希硫酸）」

**のうあつ**【脳圧】《医》脳のすきまを満たす液体の圧力。脳の出血で脳圧が高まると呼吸が困難になる。「―下降剤」

**のういっけつ**【脳（×溢）血】《医》⇩脳出血。

**のうえん**【脳炎】《医》脳髄の炎症。「日本―」

**のうえん**【農園】園芸用の作物を作る農場。

**のうえん**【濃艶】《ナダ》〔文〕なまめかしくてあでやかなようす。[派]-さ。

**のうか**【農科】①農業に関する学科。②農学部。

**のうか**【農家】①農業を職業としている〈家庭／人〉。「うちは―だ・―木村さん」②農民の家。

**のうかい**【納会】①（一年の）最後にひらく会。おさめ会。「柔道部の―」②《経》〔取引所で〕その月の最後の立ち会い。（↔発会）☞大納会。

**のうかい**【能会】能楽を演じる会。

**のうかい**【能界】〔文〕能楽の社会。能楽界。

**のうがい**【農外】〔文〕農業以外。「―収入〔=農家が、出かせぎ・就職・商業などで得る収入〕」

☆☆**のうがき**【能書き】①（薬の）ききめを書きつけた文書。②こうすればこんなにいいことがある、と言って宣伝する文句。「―をならべたてる」

**のうがく**【能楽】日本の古典的な楽劇の一つ。はやし（囃子）にあわせ、謡をうたいながら、能面をつけて舞う。能。〔広くは、狂言をふくむ〕「―師・―堂」

**のうがく**【農学】農業の原理・技術を研究する学問。「―博士」

**のうかしん**【×膿×痂×疹】《医》⇩とびひ㊁。

**のうかすいたい**【脳下垂体】「下垂体」の古い呼び方。

**のうかん**【脳幹】《生》大脳と小脳を結ぶ部分。脳のいちばん大切なところ。

**のうかん**【納棺】《名・他サ》遺体を棺の中に入れること。入棺。

**のうかんき**【農閑期】農業のひまな時期。（↔農繁期）

**のうき**【納期】（お金や製品などを）おさめる期限。「―に間に合わせる」

**のうきぐ**【農機（具）】《農》農業の仕事に使う機械・器具。

**のうきゅうび**【農休日】農作業を休む日。

**のうきょう**【農協】↑農業協同組合。

＊**のうぎょう**【農業】土地を利用して作物を植え、また、家畜を養い、それらの生産物を売って利益を得る〈産業／職業〉。「―生産」●**のうぎょうきょうどうくみあい**【農業協同組合】農家が、生産性・生活向上のために作った団体。共同での仕入れ・出荷や、銀行・保険の業務などをおこなう。農協。JA。

**のうきょうげん**【能狂言】①能楽と狂言。②《芝居》〔歌舞伎狂言に対して〕能楽の狂言。狂言。

**のうきょけつ**【脳虚血】《医》脳の血管に起こる虚血。脳梗塞の前ぶれであることが多い。

**のうきん**【納金】《名・自他サ》①お金をおさめること。②おさめるべきお金。

**のうぐ**【農具】農業に使う器具。

**のうげい**【農芸】農作物を作る〈こと／技芸〉。

**のうげか**【脳外科】脳や脊髄の病気を治療する外科。脳神経外科。〔脳外科医院などの名前にも使う〕

**のうけっせん**【脳血栓】《医》脳梗塞の一種。動脈硬化が進んで、脳の血管がせまくなり、血栓〔=血のかたまり〕がつまることで起こる病気。

**のうこう**【農工】〔文〕農業と工業。「―両全」

**のうこう**【農耕】〔文〕耕作をすること。

**のうこう**【農高】↑農業高等学校。

**のうこう**【濃厚】《ナダ》①味などがこいようす。「―な味」（↔淡泊）②〈液体／気体〉がこいようす。「―飼料」（↔希薄）③ふくまれる成分が多いようす。④そどぎつくて、欲情をさそうようす。「―な描写」⑤その傾向が強いようす。「味方の勝利が―となった・―接触」[派]-さ。

☆☆**のうこうそく**【脳梗塞】《医》脳の血管がつまり、血液が流れなくなることによって起こる病気。脳血栓と脳塞栓の二つがある。脳軟化症。☞脳卒中。

**のうこつ**【納骨】《名・自他サ》火葬にした遺骨をお墓におさめること。「―式・―堂」

**のうこん**【濃紺】こい紺色。

**のうさい**【納采】〔文〕〔皇族などが〕結納を取りかわすこと。「―の儀」

**のうさいぼう**【脳細胞】《生》脳を形づくっている細胞。人間の場合は約一四〇億個ある。

**のうさぎょう**【農作業】《農》農作の仕事。のら仕事。

**のうさく**【農作】米・麦・野菜などをつくること。耕作。●**のうさくぶつ**【農作物】《農》田畑に栽培されるもの。のうさくもつ。

**のうさつ**【悩殺】《名・他サ》（性的魅力などをしめして）相手をなやますこと。

**のうさん**【農産】田や畑などからの生産(物)。「―加工・―業」●**のうさんひん**【農産品】農業で収穫した物やその加工品。のうさんぴん。●**のうさんぶつ**【農産物】田や畑などからとれる、穀物・野菜など。

**のうさんそん**【農山村】〔文〕農村と山村。

**のうし**【△直△衣】平安時代に貴族の男が着たふだん着。指貫というはかまをはく。

［のうし］

☆☆**のうし**【脳死】《医》死の判定の基準の一つ。脳のはたらきが完全に停止してしまった状態。「―判定」（↔心臓死）

**のうし**［農試］《農》↑農事試験場。

**のうじ**［能事］〔文〕なすべきことがら。●**能事終われりとする**〔句〕〔文〕やるだけのことはやったから、あとは自分の責任でないと思う。

**のうじ**［農事］〔文〕農業に関することがら。

**のうしつ**［脳室］《生》脳の内部にある、水のような液体で満たされた空間。「―の撮影（さつえい）」

**のうしゃ**［農舎］《農》取り入れたものの処理をする小屋。

**のうしゃ**［納車］《名・自他サ》①自動車などを買い主におさめること。②「納車①」してもらうこと。「新しいバイクを―した」〔二十一世紀になって広まった用法〕✎おさめる側の行動に使うことばが誤解されて、受け取る側にも使うようになった。☞「募金（ぼきん）」の✎。

**のうしゅ**［（×囊）腫］《医》ふくろのようにはれた、はれもの。「卵巣（らんそう）―」

**のうしゅく**［濃縮］《名・他サ》（加熱・冷凍（れいとう）などして）こくすること。「―ジュース」●**のうしゅくウラン**［濃縮ウラン］《理》核（かく）燃料となる質量数二三五のウランを、天然のウランの存在比（〇・七一パーセント）より高くしたもの。

☆☆**のうしゅっけつ**［脳出血］《医》おもに高血圧のために、脳の血管が破れて、脳の中に血液があふれ出る病気。脳内出血。脳いっ（溢）血。☞脳卒中。

**のうしゅよう**［脳腫瘍］《医》脳にできる腫瘍。頭痛・はきけ・視力障害などを起こす。

**のうしょ**［能書］〔文〕文字を書くことがじょうずな〈こと／人〉。能筆。「―家・―筆をえらばず」

**のうしょう**［脳症］《医》病気が重かったり、高い熱が出たりしたために、意識が変になる症状。

**のうしょう**［脳×漿］①《生》脳のすきまや脊髄（せきずい）を満たす無色透明（めい）の液体。髄液。②脳みそ。頭脳。「―（=知恵（ちえ））をしぼる」

**のうしょう**［農相］〔文〕⇩農水相。

**のうじょう**［農場］農業経営に必要な設備をした場所。

**のうしょく**［濃色］〔文〕こい色。（↔淡色（たんしょく））

**のうしんけい**［脳神経］《生》脳から出て、おもに頭部にひろがっている神経。「―外科（げか）（=脳外科）」

☆☆**のうしんとう**［脳震（×盪）・脳振（×盪）］《医》頭を強く打ったとき、ぼうっとなったり気を失ったりする状態。

**のうずい**［脳髄］〔文〕脳。

←**のうすいしょう**［農水省］《法》↑農林水産省。

→**のうすいしょう**［農水相］〔文〕農林水産大臣。農相。

**のうせい**［脳性］《医》脳に〈関係／影響（えいきょう）〉のあること。●**のうせいまひ**［脳性（麻×痺）］《医》胎児（たいじ）の時や出生時に、脳の運動をつかさどる部分がおかされ、からだがまひする病気。ＣＰ。

**のうせい**［農政］〔文〕農業についての行政。

☆☆**のうぜい**［納税］《名・自他サ》税金をおさめること。「―者・―貯金」

**のうぜんかずら**［（:凌霄花）］（のうぜんかずら）庭に植える、つるになる木。夏、赤黄色の大きな花がむらがってさく。

**のうそくせん**［脳塞栓］《医》脳梗塞（こうそく）の一種。おもに心臓病によってできた血のかたまりが、血流によってはこばれて、脳の血管が突然（とつぜん）つまる病気。

☆☆**のうそっちゅう**［脳卒中］《医》脳の血管が破れたりつまったりして、急に起こる病気。脳梗塞（こうそく）・脳出血・くも膜下（まくか）出血をまとめた呼び名。卒中。

**のうそん**［農村］農民の生活するむら。「―生活・―工業」（↔山村・漁村）

**のうだい**［農大］↑農業大学。

**のうたん**［濃淡］色・味などの、こいこととうすいこと。こいうすい。「えんぴつの―・―をつける・賛否（さんぴ）にも―がある」

**のうち**［農地］農業に使う土地。「―解放」

**のうちゅう**［脳中］〔文〕①脳の中。②頭の中の考え。

**のうちゅう**［（×囊）中］〔文〕①ふくろの中。②さいふの中。懐中（かいちゅう）。「―無一文（むいちもん）」●**のうちゅうのきり**［×囊中の（×錐）］〔文〕かくしても才能のあらわれる人。

**のうてい**［脳底］①《生》脳のそこの部分。「―骨折」②〔文〕意識のそこ。

**のうてん**［脳天］頭のいちばん上の所。「―を直撃される」

**のうてんき**［能天気・脳天気］《ナダ》〔俗〕のんきでばかげているようす。とんきょう。ノーテンキ。「―なやつ」派―さ。

**のうど**［農奴］《歴》（中世のヨーロッパで）身分が、農民と奴隷（どれい）の中間の人民。「―制」

**のうど**［濃度］①《理》一定の体積の溶液（ようえき）の中にとけている、物質の量の割合。「塩分―・―をはかる」②濃さの度合い。「闇（やみ）の―」

**のうどう**［能動］①〔文〕ほかへはたらきかけること。②《言》ある動作を、その主語がおこなうこと。例、「打たれる」に対して「（わたしが）打つ」。「―態」▽（↔受動）●☆☆**のうどうてき**［能動的］《ナダ》〔文〕進んではたらきかけるようす。（↔受動的）

**のうどう**［農道］①《農》荷車などで農作物・肥料などをはこぶ、農地の中の道。②〔文〕農業をおこなう〈精神／道〉。

**のうドック**［脳ドック］脳の病気の早期発見や予防をするための人間ドック。

**のうない**［脳内］①《医》脳の中。「―出血」②〔俗〕頭の中に（だけ）あること。「―妄想（もうそう）」

**のうなし**［能（無し）］役に立たない〈こと／人〉。はたらきのない〈こと／人〉。「―の上司」

**のうなんかしょう**［脳軟化症］《医》⇩脳梗塞（こうそく）。

**のうにゅう**［納入］《名・他サ》〔文〕①お金を、おさめること。「月謝―袋（ぶくろ）」②注文主に納品すること。③仏像などの中におさめること。「像内―品」

**のうのうさま**［のうのう様］〔児〕⇩ののさま。

**のうのうと**《副・自サ》なんの心配もなく のんびりしているようす。「―暮らす」

☆☆**のうは**［脳波］《生》脳の神経細胞（さいぼう）の活動にともなってあらわれる、弱い電気の波（を紙に記録したもの）。

☆☆**ノウハウ**［know-how=知識。技術］①製造・取り扱い上の技術情報。②（ものごとの）やり方。「―を身につける」▽ノーハウ。

**のうはく**［農博］〔文〕↑農学博士。

**のうはん**［農繁］〔文〕農事のいそがしいこと。「―休暇（きゅうか）」●**のうはんき**［農繁期］（田植え・収穫（しゅうかく）

などで〕農業の いそがしい時期。(↔農閑期)

のうひ【能否】〔文〕できるか、できないか。「着工の—を検討する」

のうひつ【能筆】〔文〕⇩能書。

のうひん【納品】《名・自他サ》 納入する品物。品物をおさめること。「—書」

のうひんけつ【脳貧血】《医》一時的に起こる、脳の中の貧血。急にめまいを起こしてたおれたりする。

のうふ【農夫】①農業で生活している男性。〔女性は、農婦〕②農業にやとわれる人。

☆☆のうふ【納付】《名・他サ》《法》〔税金などを官庁に〕おさめること。「—金」

のうへい【農兵】農民を集めて組織した兵士。

のうべん【能弁】《名・ナダ》〔文〕よどみなくじょうずに話すこと。「—に語る・—家」(↔訥弁) 派—さ。

のうほう【農法】農作の方法。

のうほう【×膿×疱】《医》皮膚が小さくふくらんで、うみがたまったもの。

のうほう【(×嚢)胞】《医》腺がつまって、ふくろのようにはれたもの。「—性病変」

のうぼく【農牧】農業と牧畜。「—の国・—地(=農地と牧地)」

のうほん【農本】農業をその国の産業の中心にすること。「—的思想・—主義」

のうほん【納本】《名・自他サ》印刷してできあがった本を、出版社や国会図書館などにおさめること。

のうまく【脳膜】《生》頭蓋骨の中にあって脳を包む膜。●のうまくえん【脳膜炎】《医》「髄膜炎」の、もとの呼び名。

のうみそ【脳(味×噌)】〔俗〕脳。

のうみつ【濃密】《ナダ》〔文〕密度がこいようす。こまやか。「—な描写」派—さ。

のうみん【農民】農業で生活している人々。

のうむ【農務】〔文〕農業についての行政事務。「〔アメリカの〕—省」

のうむ【濃霧】〈こい〈深い〉きり。「—注意報」

のうめん【能面】能楽に使う面。おもて。「—を打つ(=彫る)」・—のよう(に無表情)な顔」

のうやく【農薬】《農》農業に使う薬品。

のうよう【農用】〔文〕農業のために使うこと。農業用。「—地」

のうよう【×膿瘍】《医》細菌がはいったため、からだの組織の中にうみがたまった状態(になったもの)。「肺—」

のうらん【悩乱】《名・自サ》〔文〕ショックを受けて、頭が混乱し、苦しむこと。

のうり【能吏】〔文〕手ぎわよく事務を処理する役人。

☆☆のうり【脳裏・脳×裡】〔文〕頭の中。心の中。「—にうかぶ・—から消え去る」

のうりつ【能率】〔決まった時間の中での〕仕事や作業の はかどり具合。「—的・—がいい・—が下がる・—よく働く」☞効率。●のうりつきゅう【能率給】仕事の能率に応じてしはらわれる給料。歩合給。

のうりょう【脳×梁】《生》右脳と左脳を連絡する神経線維のたば。

のうりょう【納涼】《名・自サ》すずしさを味わうこと。すずみ。「—花火大会」

**のうりょく【能力】①ものごとをすることができる力。「高い—を持つ・—を発揮する・—をみがく・—の差」②《法》個人として権利を完全に行使できる資格。☞無能力。●のうりょくきゅう【能力給】労働に関して能力に応じてしはらわれる給料。(↔生活給)

のうりょく【脳力】〔文〕脳の力。頭の はたらき。「—測定」

のうりょく【濃緑】〔文〕黒ずんだ感じの、こいみどり(色)。

のうりん【農林】農業と林業。「—漁業者(↔商工業者)」●のうりんすいさんしょう【農林水産省】《法》農林・水産の行政事務をあつかう中央官庁。農水省。

ノエル《フ Noël》《宗》クリスマス。

ノー【no】㊀ノー《感・名》否定のことば。いいえ。ちがう。だめだ。「—の返事」(↔イエス) ㊁接頭 ①…なし。「—ヘル・—チェック・—プランで(=計画なしに)旅に出る・—上着・—勉(=俗に、勉強していないこと)」②禁止。「—スモーキング(=禁煙)・—パーキング(=駐車禁止)・—ポイ(=ゴミを捨てない)運動」

ノーアウト【no out】《野球》ひとりもアウトになっていないこと。無死。ノーダン。

ノーカウント【no count】〔競技で〕点数などの計算に加えないこと。ノーカン(ト)。

ノーカット【和製 no cut】〔映像などの〕作品がどこも削除されていないこと。「完全—版」

ノーゲーム【和製 no game】《野球》雨などのために試合が中断し、無効になること。無効試合。〔五回がすむ前に決める〕☞コールドゲーム。

☆☆ノーコメント【no comment】〔そのことに関して〕何も言わないこと。論評しないこと。否定も肯定もしないこと。「質問には—」

ノーコン〔←ノーコントロール〕《野球》〔俗〕コントロールが悪い〈こと・投手〉。

ノーサイド【no side】①《ラグビー》試合終了。「—寸前に逆転」②どちらのがわにもつかないこと。

ノーサンキュー《感》【No, thank you=いいえ、けっこうです】いらない。辞退する。

ノーズ【nose=鼻】いちばん〈前〈先端〉の部分。「車の—・サーフボードの—」

ノースリーブ【和製 no sleeve】《服》袖のない(女性用の)衣服。そでなし。スリーブレス。ノースリ。

ノーズロ〔←ノーズロース(=ズロースをはかない)〕〔古風・俗〕①無防備な状態。ノンズロ。ノーズル。「個人情報が—になる」②《ゴルフ》チップイン。

ノータイム【和製 no time】①《野球など》タイムのあとでまた試合を始めるときに、主審の言うことば。②《碁・将棋》一分以内に次の手を打つ〈さす〉こと。「—で打つ」

ノータッチ【和製 no touch】①そのことに関係し(てい)ないこと。②《野球》野手がランナーにタッチしていないこと。

ノーダン【no down】《野球》ノーアウト。

ノート【note】《名・他サ》①(←ノートブック) 必要なことや計算などを書きつける、紙をうすい本の形にとじたもの。帳面。「算数の—・—に記入する」②覚え書き。「創作—」③注(解)。「フット—(=脚注)」④

書きとめること。筆記。「ーを取る〔=筆記する〕」 ⑤調子。…調。「ハイー」 ⑥↑ノート パソコン。 ●**ノートパソコン** ノートのように折りたたんで持ち運びのできる、うすいパソコン。ノート(ブック)型パソコン。ノート(ブック)。ノーパソ。 ●**ノートブック**〔notebook〕 ①⇩ノート①。②ノートパソコン。

**ノーネクタイ**〔和製 no necktie〕〔ワイシャツなどの服装で〕ネクタイをしめないこと。ノータイ。

**ノーハウ**〔know-how〕 ⇩ノウハウ。

**ノーパン**〔↑和製 no panties〕〔俗〕〈パンティー/パンツ〉を着けないこと。

**ノーヒット**〔no hit〕《野球》安打がないこと。無安打。 ●**ノーヒット ノーラン**〔no-hit and no-run〕《野球》投手が相手チームを無安打、無得点におさえること。ノーノー。

**ノーブラ**〔和製 no bra〕〔俗〕ブラジャーを着けないこと。

**ノーブランド**〔和製 no brand〕 価格を安くするために宣伝費などをおさえた、商標をつけない商品。無印。「ー品」

**ノーブル**《ナダ》〔noble〕 気高いようす。高尚。「ーな顔立ち・ーな服装」

**ノープレー**〔和製 no play〕《野球・フットボールなど》試合の継続が一時停止された状態。また試合停止中の、正規でないプレー。

**ノープロブレム**《ナダ》〔no problem〕 問題がない。だいじょうぶ。

☆☆**ノーベルしょう**［ノーベル賞］〔Nobel=人名〕 スウェーデンの発明家ノーベルの遺言と遺産によって、一八九六年にもうけられた賞。物理学・化学・医学生理学・文学・平和・経済学に画期的な貢献をした人におくられる。

**ノーマーク**〔和製 no mark〕 ①《スポーツ》ある選手に対して必要な注意をはらわないこと。「ーで得点される」 ②特定の人物として注目しないこと。「犯人はーの男だった」

☆☆**ノーマライゼーション**〔normalization=標準化。正常化〕 障害者などを、地域社会の中に受け入れて、いっしょに暮らそうとする、福祉の理念。ノーマリゼーション。

☆☆**ノーマル**《ナダ》〔normal〕 標準。正常。「ーな社会人」〔↔アブノーマル〕 ●**ノーマルヒル**〔normal hill〕《スキー》ヒルサイズ〔=安全に着地できる限界点までの距離〕が八五〜一〇九メートルのジャンプ台(でおこなう競技)。NH。☞ラージヒル。

**ノームコア**《ナダ》〔normcore←normal《=ふつう》+hardcore《=徹底した。筋金入り》〕 装飾を排した、非常にシンプルなファッション。

**ノーメイク**〔和製 no make〕 けしょうをしていないこと。ノーメーク。

**ノーモア**〔造〕〔no more〕「〔…を〕二度とくり返してはならない」とうったえるときに使うことば。「ーヒロシマ〔=広島の原爆の悲劇をくり返すな〕」

**ノーラン**〔no run〕《野球》得点がないこと。無得点。「ノー ヒットー」

**ノーリターン**〔no return〕 ①もどらないこと。「ノークレームーー〔=クレームも返品も受けつけない〕・ハイリスクーー〔=危険が大きく得るものがない〕」 ②⇩直帰。③〔表記〕職場の掲示板などに、略して「NR」とも。《ゴルフ》途中棄権。

**のか** ㊀《終助》①本当にそうかと疑い、たしかめる気持ちをあらわす。「責任は果たせるー・宿題は したー?〔=していないだろう〕」 ②〔「なぜ」「何」などといっしょに使って〕事情を問いただす。「どうして そう思うー?・いつ決まったー?」〔会話では「…の?」「…〈んだ/のだ〉?」〔男〕」をよく使う〕 ③事情を知って、〈おどろく/しみじみとする〉気持ちをあらわす。「無事だったー・もう行ってしまうー」 〔丁寧〕のですか。☞か。 ㊁《副助》①事情がわからないことをあらわす。「若いー年寄りなー、見当もつかない・本当にできるー(どうか)は疑問だ」 ②事情を推測する。「あきらめたー、とちゅうで引き返してきた」

**のが・す**［逃す］ ㊀ **のがす**《他五》①にがす。②つかみそこなう。「機会をー」 ㊁〔造〕…する機会をつかみそこなう。「聞きー・見ー」

**のが・れる**［逃れる］《自他下一》①にげ出す。「都会〈を/から〉ー・逃れ出る」 ②まぬがれる。「難をー」 〔名〕逃れ。「責任ー」

**のがわ**［野川］ 野原を流れる小川。

**のき**［軒］ 屋根の はしの、下に はり出した部分。「ーをつらねる〔=家がたくさん ならぶ〕・ー下」

**のぎ**［(×芒)・(×禾)］ ①イネ・ムギなどの実の、外がわの先についている、かたい毛。②［(×鯁)］〔俗〕のどにささる、さかなの骨。▽のげ。

**のぎく**［野菊］ 野山にさくキクをまとめて言う呼び名。例、ヨメナ。

**のきさき**［軒先］ 軒のはし(の近く)。

**のきした**［軒下］ 軒の下(のあたり)。「ーで雨宿りする」

**のきしのぶ**［(軒忍)］ 風鈴などにつける、シダ類の一種。葉は細長く、うらに ぶつぶつが たくさん ついている。

**ノギス**〔↑ド Nonius = 数学者の名〕 物の厚さ・直径などをはかる工具。

☆☆**のきなみ**［軒並み］ ㊀ 家の軒の、ならび方。家並み。「ーのそろった町」 ㊁《副》①家ごと。すべての家。「ーー〔=一軒一軒全部〕どろぼうに やられた」 ②どれもこれも全部。「列車はーおくれた・ー値上がりした」

**のきば**［軒端］〔雅〕①軒の はし。「ーの風鈴」 ②軒に近いところ。

**のぎへん**［(ノ木偏)・(×禾偏)］ 漢字の部首の一つ。「秋」「科」などの、左がわの「禾」の部分。〔穀物に関係がある〕

**の・く**［(△退く)］《自他五》〔古風/方〕①どく。「ちょっとのいてくれ」 ②脱退する。「会をー」

**のぐそ**［野(×糞)］ 野外の、便所でないところで〈ふんをすること/したふん〉。

**ノクターン**〔nocturne〕《音》⇩夜想曲。

**のけぞ・る**［のけ(反る)］《自五》①あおむけに そる。「のけぞって笑う」 ②〔俗〕非常に おどろく。〔他〕のけぞらせる《下一》・のけぞらす《五》。「からだをー」

**のけもの**［(△除け者)］ 仲間外れ(の人)。「ーにする」

←**の・ける** ㊀［(△退ける)］《他下一》しりぞかせる。どかす。 ㊁《補動下一》〔てー〕①みごとに しとげる。「や

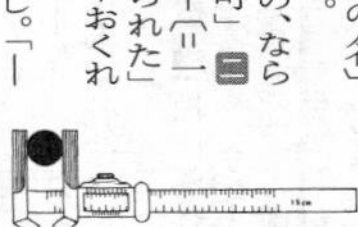

［ノギス］



の

って—」②思いきってする。「言って—」

↑の・ける［（△除ける）］《他下一》のぞく。とりのける。

のこ［（×鋸）・ノコ］〔俗〕↑のこぎり。「電—（=電動のこぎり）」

のこぎり［（×鋸）］材木をひき切る工具。歯のたくさんならんだ刃物に柄をつけたもの。のこ〔俗〕。「—の歯のようなリアス海岸」

**のこ・す［残す］㊀［（△遺す）］《他五》①去ったあとに置く。「置き手紙を—・子どもを残して死ぬ・問題を—・財産を—」②後の世に伝える。「りっぱな作品を—」㊁《他五》①〔差し引きして〕あまらせる。「予算を—・おかずを—・今年も—ところ あとわずか」②〔すもう〕もちこたえて、負けないようにする。「よく残しました」㊂造 全部し尽くさないで〈いる／ある〉。「書き—・言い—・食べ—」名残し。「食べ—・シャンプーのすすぎ—」可能残せる。

のこった［（残った）］《感》〔すもう〕取り組んでいる力士に対し、土俵にまだ余地が残っていることを知らせる行司のかけ声。☞はっけよい。

のこのこ《副》〔ぐあいのわるい場に〕平気で〈出てくる／あらわれる〉ようす。「何も知らずに—（と）出てくる」

のこらず［残らず］《副》全部。皆。「一つ—」

*のこり［残り］残ること。残ったもの。「—なく散る桜・—の月（=ありあけの月。のこんの月）」•のこりおし・い［残り惜しい］（—しい）《形》（ある人と）別れたり、（ある場所から）去ったりするのが残念だ。なごりおしい。派—さ。•のこりが［残り香］〔文〕〈その物がなくなった／その人がいなくなった〉あとに残った、いいにおい。余香。のこりか。•のこりすくな［残り少な］《ナダ》残りが少ないようす。残りずくな。「夏休みも—になった」•のこりすくな・い［残り少ない］《形》あとに残っている〈もの／時間〉が少ない。「—人生だ、有意義に過ごそう」派—さ。•のこりづゆ［残り梅雨］つゆ明けのあとに降る、つゆの雨。•のこりび［残り火］①〔火ばち・こたつなどに〕火のついたまま、残っている炭。②たき火・火事などの、あとに残った火。「—から火がつく」•のこりもの［残り物］あとに残った食べ物。また、みんなで分けたあとに残ったもの。「—には福があると言う」•のこりゆ［残り湯］前日にわかした風呂の、残った湯水。

**のこ・る［残る］《自五》①あとにとどまる。「放課後残って練習する」②〔差し引きして〕あまる。「金が—・—半分も処分した・弁当が三人分残った」③あとまで、続く。「朝のうちは雨が—でしょう・疑問が—・つかれが—・未練が—」④［（△遺る）］〔後の世に〕伝わる。「昔のおもかげが—・歴史に—快挙だ」⑤生き残る。⑥〔すもう〕もちこたえて、負けない。☞残った。可能残れる。

のこんの［残んの］造〔文〕「のこりの」の音便。「—香（か）」•のこんのつき［残んの月］（↑残りの月）〔雅〕ありあけの月。

のさ《終助》①〔男〕〈じつは／きっと〉そうだと、強く知らせる気持ちをあらわす。「みんなそう思っている—」（古風または俗な言い方では、女性も使う）②〔話〕〔疑問をあらわすことばとともに使って〕なじる気持ちをあらわす。「どうすりゃいい—・何な—」

のさば・る《自五》ぶえんりょにふるまう。はびこる。「わがもの顔に—・やつらをのさばらせてはならぬ」

のざらし［野（×晒し）］①風雨にさらされること。外に出したまま〈であること／のもの〉。「—の自転車」②〔文〕されこうべ。どくろ（髑髏）。

*のざわな［（野沢菜）］アブラナの一種。長野県野沢地方を中心に栽培される。葉をつけものにする。

のし［（△伸し）］日本式の泳ぎ方。横向きにねて、手足をかいては一直線にのばしながら進む。
☆☆のし［（：熨斗）］（↑のしあわび）紅白の紙をたたんで、おくりものの右上につけるもの。中にしんがある。凶事にはつけない。•のしを付けて〈進呈する／差し上げる〉句（ほしがっている人に）喜んでおくりものにする。〔もらったことを不快として突っき返す場合に「のしを付けて返してやれ」などと言う〕

［のし］

のしあが・る［（△伸し）上がる］《自五》①ほかをおしのけて、どんどん上位に行く。「トップに—・スターダムに—」②からだをのばして上に行く。「岸へ—」

のしあ・げる［（△伸し）上げる］㊀《他下一》のしあがらせる。「主役に—・からだを—」㊁《自他下一》乗り上げる。「船を浅瀬に—」

のしある・く［（△伸し）歩く］《自五》ぶえんりょに、大またで歩く。「町をわがもの顔で—」

のしいか［（△伸し：烏賊）］スルメをうすくのばして、あまからく味つけしたもの。

のしかか・る［（△伸し掛かる）］《自五》①おしたおすように、おおいかぶさる。「上から—」②精神的な圧力がかかる。「難問がのしかかってくる」他のしかける（下一）。

のしがみ［（：熨斗）紙］のし・水引の形が印刷してある紙。おくりものの上にかぶせる。

のしぶくろ［（：熨斗）袋］のし・水引を〈付けた／印刷した〉紙のふくろ。お祝いのお金などをおくるときに使う。祝儀袋。

のしもち［（△伸し）餅］長方形に平たくのばしたもち。

のじゅく［野宿］《名・自サ》野山や家の外にねてとまること。

の・す［（△伸す）］㊀《自五》①〔成績・地位などが〕上がる。のびる。「のし出る」②進出する。「ぐんぐん—」③発展する。④〔古風・俗〕勢いよく足をのばす。「銀座へ—」㊁《他五》①のばして広げる。「もちを—」②〔古風・俗〕ひどくなぐる。なぐりたおす。「チンピラにのされた」

のずえ［野末］（—ずゑ）〔雅〕野のはし。野のはて。
☆☆ノスタルジー〔フ nostalgie〕郷愁。ノスタルジア（nostalgia）。
ノスタルジック《ナダ》〔nostalgic〕郷愁を感じさせるようす。

ノズル〔nozzle〕①筒先。②ガス管の、ガスの出口。③管の先に取りつけて水の出方を調節する、おおい。

のせか・ける［乗せ（掛ける）］《他下一》相手のからだに乗りかかるようなかっこうにする。

↔**の・せる［乗せる］㊀《他下一》①乗るようにさせる。（↔降ろす）②なかまに入れる。参加させる。「一口乗せてほしい」③〔感動・興奮させて〕反応をよくする。「聴衆を―」④相手を、こちらの思うとおりに動かす。あざむく。「口車に―・たくみな宣伝に乗せられた」⑤調子にあわせる。「メロディーに―」⑥それによってはこぶ。「電波に―」⑦勢いを加える。「スピードを―」⑧〔おしろい・アイシャドウなどを〕つける。[可能]乗せられる。[二]《自下一》ある基準以上になる。「利益が五千万円台に―」[名]乗せ。

→**の・せる**【載せる】《他下一》①物を何かの上に置く。「机の上に―」②〔車などに〕荷物などを積む。③〔新聞・雑誌などの〕紙面に出す。「雑誌に―」

**のぞか・せる**【〈×覗かせる〉】《他下一》①相手に見えるようにする。「顔を―・ハンカチを―」②〔すもう〕相手のわきに手首がかかる程度に浅く差す。「左を―」

**のぞき**【〈×覗き〉】①のぞくこと。特に、他人の家などをのぞく犯罪。のぞき見。「―の疑い」②↑のぞきめがね。●**のぞき あな**【〈×覗き〉穴】向こうがわの様子を見るためにあけた小さい穴。●**のぞき からくり**【〈×覗きからくり〉】⇩のぞきめがね①。●**のぞき まど**【〈×覗き〉窓】内がわから来客などの様子を見るためにドアなどに取りつけた、小さい窓。●**のぞき み**【〈×覗き〉見】《名・他サ》①のぞいて見ること。「窓から―する」②他人の生活などに興味をもって、知ろうとすること。「―趣味」[動]のぞき見る《他上一》。●**のぞき めがね**【〈×覗き〉眼鏡】①箱のうしろのほうに入れた絵をとりかえながら、箱の前のほうのレンズからのぞくしかけのもの。のぞきからくり。②⇩はこめがね。▽のぞき。

****のぞ・く**【除く】《他五》①その範囲から外す。「日曜を―毎日・ただし、十八歳以下を―」「関東(―東京)」のようにも使う〕(↔含む)②じゃまなものを、その場からなくす。「障害を―・除き去る」③〔文〕〔じゃま者を〕殺す。[可能]除ける。

***のぞ・く**【〈×覗く〉】[一]《他五》①すきま・小さな穴などから見る。うかがう。②背をかがめるようにして、高い所から下を見る。「谷底を―・顔をのぞきこむ」③少しだけ知る。「経済学を―」④ちょっと立ち寄る。「帰りがけに書店を―」[二]《自五》〔物のはし・先など〕一部分があらわれる。「晴れ間が―・屋根が―」[可能]のぞける。

**のぞ・ける**【〈×覗ける〉】[一]《他下一》のぞかせる。「顔を―」[二]《自下一》見える。「走っている車が橋の下からのぞけた」

**のそだち**【野育ち】①放し飼いのまま育つこと。②しつけなどされずに〈自然のまま/粗野〉に育つこと。「―の娘」

**のそのそ**《副・自サ》動きがにぶくておそいようす。「―(と)歩く」

**のぞまし・い**【望ましい】《形》①そうあることがのぞまれる〈ようす/気持ち〉だ。「議論することが―」②のぞんだとおりだ。「―結果」[派]-さ。

**のぞみ**【望み:希望】①〔ものごとがいいほうに進む〕見こみ。可能性。「回復の―がある・―うす(薄)」②そうありたいというねがい。「むすこに―を託す」

←**のぞ・む**【臨む】《自五》〔文〕①向く。面する。「海に臨んだ旅館・東南に―」②行く。出席する。「式場に―・試験に―」③そういう状況に出あう。「別れに―・危険に―・終わりに臨んで(=終わりの場面になって)」[可能]臨める。

→***のぞ・む**【望む】《他五》①〔文〕ながめる。「遠く富士を―・天の一角を―」②〈そうあってほしい/そうなりたい〉と思う。「出世を―・適切な対策が望まれる(=対策をすべきだ)・望みうる最高のメンバー・勝負は―ところだ(=自信をもって応じよう)」③注文する。「青年に―」[可能]望める。●**のぞむ べくんば**【望むべくんば】《副》〔文〕のぞむことができるならば。のぞむべくは。●**のぞむ らくは**【望むらくは】《副》〔文〕のぞむところは。のぞむことには。「―おいでいただきたい」

**のそり のそり**《副》からだが重そうで、歩き方がおそいようす。

****の・だ**《助動ナダ型》〔活用は「だろ|だっ・で|だ|○|なら|○」〕①相手の知らないことを説明したり、自分のさとったことを確認したりする言い方。〔強めて言う感じがする〕「じつは、そういうわけな―・きっとこう言いたい―・行かねばならぬ―」☞のではないか。②〔「なぜ」「何」「どこ」などといっしょに使って〕疑問をあらわす。「どこへ行く―」③命令をあらわす。「さあ、早く立つ―」④〔**のだった**〕ⓐそうしないで後悔する気持ちをあらわす。「もっとお話をうかがっておくのだった」ⓑ〔物語などで〕過去のことを感傷的に述べる。「ふたりは運命を共にするのだった」▽んだ。[丁寧]のです。☞のである。

**のたう・つ**《自五》〔苦しいときに〕たおれて、からだをばたんばたんと動かし もがいて、ころがる。「のたうち回って苦しがる」

**のたく・る**[一]《自他五》①〔ミミズなどが〕からだをまげて動く。「ミミズのたくったような〔⇩「みみず」の[句]〕字」②〔俗〕歩きまわる。「どこをのたくってたんだ!」[二]《他五》〔俗〕〔わけのわからない文章を〕書く。

**のだち**【野立ち】⇩野立て。

←**のだて**【野立て】①野外に立てること。「お―所」「―広告」②身分の高い人が野外で休むこと。▽野立ち。

→**のだて**【野〈△点〉】野外で抹茶をたてること。「―をもよおす」

**のたま・う**【〈△宣う〉・〈×曰う〉】《他五》〔発音はノタモーとも〕①〔文〕「言う」の尊敬語。おっしゃる。「わが師の―には…」②「言う」の、皮肉や からかいをこめた言い方。「むすこは平然と そう のたまった」▽「のたもう」は、文語の発音「ノタモー」をそのまま書いたもの。音便の形は、「のたまっ〈た/て〉」以外に「のたもう〈た/て〉」も見られる。「のたまわる」「のたまわった」は、「賜る」などと混同した形。

**のたま わく**【〈△宣わく〉・〈×曰わく〉】《副》〔文〕おっしゃるには。「子(=孔子)―」

**のたり のたり**《副・自サ》〔波などが〕ゆるくうねるようす。「春の海ひねもす―かな」

**のたれじに**【〈:野垂れ〉死に】《名・自サ》①道中で死ぬこと。ゆきだおれ。[由来]「のたれ」は、「のたれる(=たおれる)」の名詞形。②〈認められないままで/何もしないで〉死ぬこと。[動]のたれ死ぬ《自五》。

**のだろう**|だろう[連]〔名詞「の」+助動詞「だろう」〕事情や理由を推量することをあらわす。んだろう〔話〕。「どこで落とした―・いらないからくれた―」

**のち**【後】①まとまった時間がたった時。「―に判明した・三年(の)―に・―(=その後)の首相、田中角栄・晴れ―雨」(↔前)[区別](1)「**あと**(後)」は現時点と連続する感じがあり、「**のち**」は現時点とははなれた感じがある。それで、「すぐ あとで わかった」とは言えるが、「すぐ

のちに わかった」とは言いにくい。(2)「あとで ご連絡します」と「のちに ご連絡します」では、後者のほうが かたく改まった言い方。②将来。「―の百より今の五十・―の世代」

**のちざん**［後産］《医》⇩あとざん。

**のちぞい**［後添い］―ぞひ 後妻。のちぞえ。

**のちのち**［後々］〔時間について〕これから先。将来。あとあと。「―まで語り伝える」

**のちのよ**［後の世］〔文〕①将来。②死んだあと。後世。「―までも」

**のちば**［後場］《能》二部構成の演目の後半。中入りの後。(↔前場) ☞ごば(後場)。

**のちほど**［後ほど］〔時間について〕少し あと。「―(=あとで)お届けします」

**ノッカー**〔knocker〕①とびらに取りつけて、客が たたくようにした金具。②《野球》ノックする人。

［ノッカー①］

**のっかかる**［乗っ(掛かる)］《自五》〔話〕乗りかかる。

**のっかる**［乗っかる・載っかる］《自五》〔話〕①〈簡単に ちょっと〉のる。「とうふに ねぎが―・バスに―・時流に―」他 乗っける《下一》。②乗りかかった状態になる。「ダンプカーがタクシーに―・上に―」

**ノッキング**《名・自サ》〔knocking〕〔ガソリンエンジンなどで〕燃料の異常燃焼。

**ノック**《名・自他サ》〔knock〕①〔ドアなどを〕こつこつとたたくこと。②打つこと。打撃。③《野球》守備の練習のために、ボールを打ってあげること。「シートー」

●**ノックアウト**《名・他サ》〔knockout〕①《ボクシング》相手を完全に たおすこと。KO。②《野球》投手を打ち負かして交替させること。③相手をすっかりやっつけること。「チャーミングな笑顔に―」

●**ノックオン**《名・自サ》〔knock on〕《ラグビー》ボールを前に落とす反則。ノッコン。「―ボール」

●**ノックダウン**《名・他サ》〔knockdown〕①《ボクシング》相手をいちじ、たおすこと。〔十秒以内に立ち上がらないと、ノックアウトになる〕②〔↑ノックダウン輸出〕部品をセットで輸出し、現地で組み立てる方式。

**ノックス**［NO$x$］〔↑nitrogen oxides〕《理》⇩窒素酸化物。

**のっけ**〔前ぶれもない〕最初。「―から、いきなり本題にはいる・―にこう質問した〔古風な言い方〕」

**のっしのっし**《副》からだの重いものが、ゆっくり地面をふみつけながら歩くようす。「―と土俵に上がる」

**のっそり**《副》①動きがゆっくりしているようす。「―(と)起き上がる」②ぼんやり立っているようす。

**ノッチ**〔notch=刻み目〕①《服》〔スーツなどの〕えりの切れこみ。②《服》布をぬい合わせるときの目印(にする切れこみ)。合い印。「―を入れる」③〔電車で〕加速のためのコントローラー(の目もり)。「―を入れる」

**ノット**〔knot〕船・海流などの速さの単位〔記号 kt, kn〕。一ノットは一時間に一海里〔=一八五二メートル〕進む速さ。

**のっとる**［(△則る)・(△法る)］《自五》〔文〕法則・手本として したがう。「故実に―・先例に―」表記「:節」とも書いた。

**のっとる**［乗っ取る］《他五》①うばい取って自分のものにする。「城を―・会社を―」②乗員をおどし、乗り物を支配する。ジャックする。「航空機を―」名 乗っ取り。

**のっぴきならない**［(△退っ引きならない)］《形ヌズ》①避けて通れない。「―要件」②さしせまって、どうしようもない。「借金が増えて のっぴきならなくなる」由来「のっぴき」は「退き引き〔=後ろに引き下がること〕」の変化。

**のっぺい**［(△能平)・(△濃餅)］根菜類や あぶらあげなどを煮こんで、とろみをつけた料理。「―汁」

**のっぺらぼう**［のっぺら(:坊)・のっぺら(:棒)］《名・ナダ》①一面に平らで なめらかな〈こと/ようす〉。「―な顔」②顔に、目も鼻も口もないこと。「―のおばけ」③変化のない〈こと/ようす〉。▽のっぺらぽう〔古風〕。

**のっぺり**《副・自サ》①起伏がなく、平らなようす。「―(と)した地形」②〔顔が〕整っているが、平たくて変化に とぼしいようす。「―(と)した二枚目」

**のつぼ**［野(×壺)］畑のあいだに土をほって作った、こえだめ。

**のっぽ**《名・ナダ》〔「ノッポ」とも書く〕〔俗〕からだが細くて、背の高い〈こと/人〉。(↔ちび)

**のづみ**［野積み］野外に ものを積むこと。「―の資材」

**のづら**［野面］①〔目の前に広がる〕野原。②切り出したままの石(の面)。「―積み〔=石垣の積み方の一つ〕」

**のづり**［野釣り］《名・自サ》〔釣りぼりなどでなく〕川や池などでする釣り。

**ので** 一《接助》理由をあらわす。ために。「しばらく雨が降らない―ほこりがひどい・バスが動きます―ご注意ください」区別 ⇩から 二①。二《終助》①〔話〕あとをにごす気持ちをあらわす。「じゃあ、書類は きょう送ります―」②〔古風〕↑のでしょうか。「いただいても よろしい―?」③〔古風〕↑のである(よ)。「ともかく そう信じている―」三◇ 助動詞「のだ」の連用形。「批判しているわけではない―〔=のであって〕、ただ質問しているだけだ・知らない人も多い―は(ないか)」四 **ので**《接》〔古風/俗〕それなので。だから。「鏡がない。―、窓ガラスに映した」

****のである**《助動五型》「のだ」の、文章語的で おもおもしい言い方。「そのような事実は見られない―」〔副助詞と合わさった「のではある」「のでもある」などの形もある〕

****のです**《助動マス型》「のだ」の丁寧語。んです〔話〕。「あなたに聞きたい―・どこへ行く―か〔☞のか 一〕」☞んす。

**のではないか**《終助》〔↑助動詞「のだ」の連用形「ので」+副助詞「は」+形容詞「ない」+終助詞「か」〕〔文〕①根拠に もとづいた問いかけや推量をあらわす。「君、それは ちがう―?〔=ちがうだろう。ちがうよ〕・景気は上向いていく―」②根拠もなく考えることをあらわす。「ほっとけば、だれかが やってくれる―・〔おそれて〕敵が攻めてくる―」▽んじゃないか・のでは〔話〕。丁寧 のではないですか。☞ではないか。

**のてん**［野天］外の、屋根のない所。露天。野外。「―風呂」

**のと**［(△能登)］旧国名の一つ。今の石川県の能登半島。能州。

**の」ど** [一]〔喉・△咽〕①口のおくから下へ続く部分。声を出し、食べた物や空気を通す。「かぜを引いて―が痛い・番茶で―をうるおす・心配でごはんも―を通らない」②首の、前がわの部分。「―に湿布をする」③歌う声。「―がいい」[二]〔ノド〕〔製本・印刷で〕本をひらいたとき、のり(糊)などでとじてあるほうの部分。(↔小口)
●**喉が鳴る**[句] 早く〈食べ/飲み〉たくて、がまんできないようす。●**喉から手が出る**[句] ほしくて、がまんができないようす。「―ほどほしい・ほしくて喉から手が出そうだ」●**喉に刺さったとげ**[句] なかなか解決できず、それだけのためにほかのことまで進まなくなる、やっかいな問題。「献金問題が政権にとって―になる」●**喉まで出かかる**[句] ⇩喉元まで出かかる(「喉元」の[句])。

**のど」あめ**〔(喉×飴)〕 のどの はれや痛みなどをしずめたいときになめる あめ。

**のとあわせ(て)**〔のと併せ(て)〕《接助》⇩併せて[二]。

**の」どか**〔(:長閑)〕《ナダ》①〈おちついて/のんびりして〉しずかなようす。「―に暮らす」②空が晴れて おだやかなようす。「―な春の日」[派]-さ。

**のど」かぜ**〔喉(風邪)〕 のどが不快だったり痛んだりするかぜ。

**のど」くび**〔喉首・喉×頸〕 首のうち、のどのあるあたり。
●**喉首を押さえる**[句] 相手を生かすも殺すも自由になる。喉首をにぎる。

**のど」ぐろ**〔(喉黒)〕 のどの奥が黒い、赤色の さかな。あぶらが多く、白身は やわらかい。あかむつ(赤鯥)。

**のどけ」・し**〔(:長閑し)〕《形ク》〔雅〕おだやかで のんびりしている。のどかだ。[派]-さ。

**のど」ごし**〔喉越し〕 食べ物・飲み物などが のどを通っておくへはいる〈こと/ときの感じ〉。「―のいい〈そば/酒〉」

**のど」じまん**〔喉自慢〕 ①声のよさや歌のうまさのじまん(をする人)。②歌のうまさをきそう大会。

**のど」ちんこ**〔喉ちんこ〕〔俗〕⇩こうがいすい(口蓋垂)。

**のど」ぶえ**〔喉笛〕 のどの部分の、息の通路。「―に食らいつく」

**のど」ぼとけ**〔喉仏〕 あごの下・くびの前の部分で、突き出た所。女性や子どものものは目立たない。

**のどもと」**〔喉元〕 のどの〈あたり/ところ〉。●**喉元過ぎれば熱さを忘れる**[句] つらかったことも、時間がたてば忘れてしまう。●**喉元まで出かかる**[句] ①もう少しで、そのことばを言いそうになる。「喉元まで出かかった反論をのみこんだ」②もうひと息で思い出せそうになる。
▽〈喉/口(先)〉まで出かかる。喉の所まで出る。

**のど」やか**〔(:長閑やか)〕《ナダ》 のどかな感じをあたえるようすだ。[派]-さ。

**のどわ」**〔喉輪〕《すもう》手のひらを相手のあごに当てておす わざ。のどわぜめ。

**のな**《終助》〔話〕①気づいて〈あきれた/感心した〉気持ちをあらわす。…のだなあ。「あたし根性ない―」②相手に知らせる。…のだよ。「あいつ こう言う―」

**の」なか**〔野中〕 野原の中。「―の一軒家」

**のなんの**〔の(何の)〕《副助》⇩なんの[四]。

**のに** [一]《接助》前の部分からは予想されないことを、おどろきをこめて、あとに続けることば。「ある―ないと言う・めんどうを見てやった―裏切られた」[二]《終助》望んだとおりにならず〈くやしい/不満な〉気持ちなどをあらわす。「こんなに がんばってる―!・よせばいい―」[三][連]…をするために。「行く―時間がかかる」

**のにあわせ(て)**〔のに併せ(て)〕《接助》⇩併せて[二]。

**のにたいし(て)**〔のに対し(て)〕《接助》⇩対して[二]。

**のにはんし(て)**〔のに反し(て)〕《接助》〔文〕⇩反して。

**のにひきかえ(て)**〔のに(引き換え(て))〕《接助》⇩ひきかえ[二]。

**のね**《終助》〔女〕①知って〈感動した/おどろいた〉気持ちをあらわす。「とても日当たりがいい―」②強く念をおすことば。「信じていい―」③相手も当然わかってくれるはずだという気持ちをあらわす。のよね。「私、あきっぽい―」

**の」ねこ**〔野猫〕 ①のらねこ。②山野に住むネコ。

**の」ねずみ**〔野(×鼠)〕 畑などにすむネズミ。野鼠。

**の」のさま**〔のの様〕〔児〕①神さま。仏さま。②「太陽・月」の尊敬語。▽のうのうさま。のんの(ん)さま。

**のの」じ**〔のの字〕 ひらがなの「の」の字(の形)。「たたみに―を書く(=すわった人が、はずかしくて おちつかないときの、指の動作)」

**ののし」・る**〔(罵る)〕《自他五》①口ぎたなく悪口を言う。②どなって しかる。[名]ののしり。「―声」

**のの」てん**〔ノノ点〕 文章・図表・簿記などで、たて書きの場合には「右に同じ」、横書きの場合には「上に同じ」を意味する符号。「〃」。〔英語では、ディットマーク(ditto mark)〕

**のばしのばし**〔延ばし延ばし〕《名・他サ》 ものごとに取りかかろうとせず、ずるずると おくらせること。「部屋の掃除を―にする」

←*__のば」・す__〔伸ばす〕《他五》①のびるようにする。「手を―・語尾を―・勢力を―・票(=得票数)を―・才能を―・髪を伸ばした(=髪の長い)人」(↔縮める)②まっすぐにする。「針金を―」(↔曲げる)③やわらかいものをうすく広げる。「クリームを―」④水などを加えて〈液状に/うすく〉する。「スープを―」⑤〔俗〕なぐりたおす。[名]伸ばし。「曲げ―」[可能]伸ばせる。

→__のば」・す__〔延ばす〕《他五》①時間を(予定より)おくらせる。「出発を―」②先まで続くようにする。「地下鉄を―・会期を―」③とかしたり たたいたりして、うすくする。「鉄を―」[可能]延ばせる。

**の」ばなし**〔野放し〕 ①鳥や けものを野に はなして飼うこと。②放任すること。勝手にさせておくこと。「非行を―にする」

**の」はら**〔野原〕 建物などのない、草の はえた広い平地。

**の」ばら**〔野(:薔薇)〕 野生のバラの総称。ひとえの花をつける。のいばら。

←**の」び**〔伸び〕 ①のびること。「おしろいの―・球に―がある(=投球のスピードが落ちないこと)」②手足をのばして、あくびなどをすること。「―をする」

→**のび」**〔延び〕 のびること。「寿命の―」

**の」び**〔野火〕 ①野山で枯れ草を焼く火。②野山の火事。

**のびあが」・る**〔伸び上がる〕《自五》(足をつまだてて)からだを上にのばすようにする。[名]伸び上がり。

**のびざ」かり**〔伸び盛り〕 ①そだちざかり。②能力や才能が大いに のびる時期。

**のびしろ**［伸び〈代〉］①物質が曲がったり膨張したりするときにのびる長さ。②将来発展する余地。「―のある選手」

**のびちぢみ**［伸び縮み］《名・自サ》伸びたり縮んだりすること。伸縮。「よく―するくつ下」

**のびなや・む**［伸び悩む］《自五》①なかなか〈進ま／ふえ〉なくなる。「成績が―・選挙の票が―」②《経》相場が上がりにくくなる。(↔下げ渋る) 名伸び悩み。

←**のびのび**［延び延び］予定していたものごとが何度も先延ばしになること。「しはらいが―になる」

→**のびのび**［伸び伸び］《副・自サ》①〔おさえつけるものがなく〕自由でゆったりしているようす。「―と育つ・―した文章」②すっかり伸びきったようす。「―のセーター」

→**のびやか**［伸びやか］《ナダ》のびのびするようす。「―な歌声」派―さ。

**のびりつ**［伸び率］〔業績などの〕のびる割合。「売り上げの―・個人消費の―」

**のびる**［野×蒜］(:山蒜) 春、道ばたなどにはえる、細いネギのような草。根もとが白く球形。酢みそであえたり、いためたりして食べる。

↔*__の・びる__《自上一》□一［伸びる］①長くなる。〔背が〕高くなる。「草が―」②縮んでいたものがぴんとなる。「しわが―」(↔縮む) ③まっすぐになる。「腰が―」(↔曲がる) ④さかんになる。多くなる。「勢力が―・売り上げが―」⑤上達する。「学力が―」⑥やわらかいものがうすく広がる。「クリームがよく―」⑦《経》相場が上がる。⑧〔打球が〕勢いよく遠くへ飛ぶ。⑨そば・うどんなどの弾力がなくなる。□二〔「ノビる」とも書く〕《俗》〈つかれて／たおれて〉動けなくなる。「山登りでのびちゃった・アッパーカットでのびた」可能伸びられる。

→**の・びる**［延びる］《自上一》①時間が〔予定より〕おくれる。「出発が―・開会が―」②先まで続くようになる。「鉄道が―・寿命が―」

**ノブ**〔knob〕〔ドアなどの〕取っ手。にぎり。ノッブ〔古風〕。「ドア―」

**の・ぶし**［野武士・野伏し］昔、野山にかくれ、落ち武者の武具などをはぎとって武装した、土民または武士〔の集まり〕。のぶせり。「―のような風格」

**のぶせり**［野伏せり］〔文〕①野武士。②山賊。

**のぶと・い**［野太い］《形》①〔声が〕ふとい。「―男の声」②〔古風〕ずぶとい。「―やつめ」派―さ。

**ノブレスオブリージュ**〔フ noblesse oblige〕身分や地位の高い人間にともなう義務と責任。ノブレスオブリージ。ノーブレスオブリージ(ュ)。

**のぶれば**［▵陳▵者］《接》〔手紙〕〔文〕〔候文で〕申しあげます〈と／が〉。「拝啓。―……」

**のべ**［延べ］①同じものごとがくり返されても、それぞれ別のものとして数えること。「同じ人が店に三回来ても、―〔で〕三人来たことになる〔『のべ三人』とも〕」②ある仕事を、一日でするのに何人必要か、一人でするのに何日かかるかという数。「五人で三日の仕事だから、―人数は十五人、―日数は十五日だ」☞人日。③それぞれの部分の合計。「―面積」

**のべ**［野辺］〔文〕のはら〔のあたり〕。

**のべいた**［延べ板］〔金・銀などの〕金属を打ちのばして板の形にしたもの。

**のべおくり**［野辺送り］死んだ人を火葬場または埋葬地まで送ること。また、その行列や葬式。野辺の送り。

**のべがね**［延べ金］①打ってのばした金属。②〔俗〕刀。「金は―で払ってやる(=切り殺す)」

**のべざお**［延べ〈×竿〉］継ぎ竿を継がずにそのまま使う、リールのない釣りざお。(↔継ぎ竿)

**のべたらに**《副》〔古風〕ずっと〈続く／つながる〉ようす。のべったらに。「つららが―下がる」

**のべつ**《副》たえず。ひっきりなしに。「―(に)しゃべる」

●☆☆**のべつ・まくなし**［のべつ幕なし］たえまなくすること。「―に食べている・―の騒音」

**のべつぼ**［延べ坪］延べ面積を、坪数であらわしたもの。☞建て坪。

**のべばらい**［延べ払い］《経》代金のしはらいの時期をのばすこと。

**のべぼう**［延べ棒］金属をのばして棒の形にしたもの。「金の―」

**のべめんせき**［延べ面積］建物のそれぞれの階の床面積を合計したもの。延べ床。☞建て面積・延べ坪。

**ノベライズ**《名・他サ》〔novelize〕ヒットした映画やドラマの脚本を、小説に仕立て刊行すること。小説化。ノベライゼーション。「―本」

←**の・べる**［伸べる］《他下一》〔文〕のばして長くする。「首を―・救いの手を―」

→**の・べる**［延べる］《他下一》①〔文〕とかしたりたたいたりして、うすい形にする。「鉄を―」②広げて敷く。「床を―」

**__の・べる__［述べる］《他下一》〔順序を追って〕〈言う／書く〉。「意見を―」可能述べられる。

**ノベル**〔novel〕〔長編〕小説。「ファンタジー―」〔本来は、写実的な長編小説。☞ロマン①〕●**ノベルス**〔novels〕新書サイズの小説本〔のシリーズ名〕。ノベルズ。「―版」

**ノベルティ(ー)**〔novelty〕宣伝のために配る、社名などをしるした日用雑貨。ノベルティ(ー)グッズ。

☆☆**のほうず**［野放図・野方図］《ナダ》①自由に行動するようす。また、自分勝手にふるまうようす。「―な人物・―な性格」②歯止めがないようす。「―にお金を使う」派―さ。

**のぼせ**［(:逆上せ)］のぼせること。上気。●**のぼせあが・る**［(:逆上せ)上がる］《自五》①のぼせた状態が極端になる。②ひどく夢中になる。

←**のぼ・せる**［(:逆上せる)］《自下一》①頭に血が集まり、顔が熱くなる。「お湯に―」②興奮して正しい判断ができなくなる。「すぐ―男だ」③〔ほかのことを忘れて〕夢中になる。「ゴルフに―」④自分だけがえらいと思う。「あいつこのごろのぼせている」

→**のぼ・せる**［上せる］《他下一》①のぼらせる。「議題に―」②〔文〕すすめる。あげる。「食膳に―」③〔文〕書きのせる。▽上す。

**のほほんと**《副・自サ》①何もしないでのんきにしているようす。「―おさまっている・―暮らす」②のんびり。

←**のぼり**［上り］①のぼること。「―下り・―エスカレーター」②上り坂。「ここから―だ」③地方から東京へ、また、支線から幹線へ行く〈こと／列車〉。④市外から都心へ向かう〈こと／もの〉。「―車線」⑤《情》ファイルをアップロードするときなどの通信速度。「―最大五ギガ

bps」▽（↕下り） ●**のぼり あゆ**［上り（×鮎）］海で育ち、二、三月ごろ川をさかのぼる、小さなアユ。（↕下りあゆ） ●**のぼり おり**［上り下り・昇り降り］《名・他サ》のぼることと おりること。「階段の―」 ●**のぼりがつお**［上り（×鰹）］―が/つを 春に、南の海から北上してくる、あっさりとした味のカツオ。（↕戻りがつお）☞初がつお。 ●**のぼり ぐち**［上り口］階段・道などの、のぼりはじめる所。（↕下り口） ●**のぼり ざか**［上り坂］①のぼりになっている坂道。②いいほうに向かっている状態。「業績も―だ」▽（↕下り坂） ●**のぼり ちょうし**［上り調子］①（からだなどの）調子が、だんだん いいほうへ移ること。「―のチーム」②（値段が）高くなるようなようすが あらわれること。「―の相場」▽のぼりぢょうし。 ●**のぼり つ・める**［上り詰める］《自他下一》①いちばん上までのぼる。「階段を二階まで―」②［昇り詰める］最高の地位まで進む。「官位を―・トップ〈まで/に〉―」

→**のぼり**［登り］①登る〈こと/とき〉。「―は得意だ」②山を登る道。登り道。「―は急だった」▽（↕下り） ●**のぼりがま**［登り窯］陶器を焼くために斜面に作ったかま。下のほうの かまから焼き始め、余熱を順々に上の かまに送って焼き上げる。 ●**のぼり ぐち**［登り口］山へのぼる道の、はじめの所。登山口。「富士山の―」 ●**のぼり つ・める**［登り詰める］《自他下一》〔頂上まで〕のぼる。「山を―・山頂に―」 ●**のぼり ぼう**［登り棒］いくつかの鉄の棒を垂直に立てた〈遊具/運動用具〉。手足を使って よじのぼる。 ●**のぼり りゅう**［登り竜・昇り竜］〔絵・彫刻などで〕空にのぼって行くかっこうの竜。（↕下り竜）

**のぼり**［（×幟）］①細長い布のはしに さおを通して立てるもの。のぼりばた。②←こいのぼり。

↔＊＊**のぼ・る**［上る］㊀《自他五》①低い所から高い所へ、だんだんに行く。「坂を―・階段を―」区別⇩上がる㊀。②さかのぼる。「川を―」▽（↕下る）㊁《自五》①上のほうに続く。「石段が―」②昔、地方から都へ行く。「京の都に―」▽（↕下る）③（…にも）なる。「損害は三千万円に―・多数に―」④（…に）とりあげられる。「うわさに―・人の口に―」⑤〔食事に〕出される。「食膳に―」可能上れる。☞血が上る（「血」の句）。

↔＊＊**のぼ・る**［昇る・上る］《自他五》①空のほうへ（一気に）向かう。「日が―（↕しずむ）・けむりが天に―・エレベーターで展望台に―」②神聖な高い場所へ行く。「神殿に―」③高い地位にすすむ。「帝王の位に―・地位を―」可能昇れる。

→＊＊**のぼ・る**［登る］《自他五》周囲よりも高いところへ行く。「山〈に/を〉―・木に―・城に―・東京スカイツリーに―・演壇に―・マウンドに―」（↕おりる・下る）可能登れる。

**のまずくわず**［飲まず食わず］何も飲んだり食べたりしない状態。「―で作業を続けた」

**のま・せる**［飲ませる］《自下一》おいしくて、思わず もっと飲むようにさせる。「これは―酒だ」

**ノマド**［nomad］①遊牧民。「砂漠の―」②パソコンなどを持ち歩いて、時間・場所を選ばずに働く方式。「―ワーカー」

**のま・れる**［（×呑まれる）］《自下一》①すっかり はいりこむ。「海に―」②相手や その場のふんいきなどに圧倒される。「相手にのまれて何も言えなくなる」

**のみ**［（×蚤）］人や動物の血を吸う、小さい昆虫。赤茶色で、よく はねる。

**のみ**［飲み］①飲むこと。「ミルクの―が悪い・朝―〔俗に、朝 酒を飲むこと〕」②〔俗〕飲み会。「きょう これから―なの」

**のみ**［（×鑿）］〈穴をあける/みぞをほる〉工具。

**のみ**［ノミ］↑ノミ行為。「―屋」

＊＊**のみ**《副助》〔文〕だけ。ばかり。「春は名―で、風はつめたい・神―ぞ知る」〔「あすは午前中―」などは、「だけ」の改まった言い方〕アク ウシのみ・ネコーのみ・イヌーのみ。

**のみあか・す**［飲み明かす］《自五》酒を飲んで、夜を明かす。「旧友と―」

**のみある・く**［飲み歩く］《自五》いくつかの店を回り、酒を飲む。名飲み歩き。

**のみあわせ**［飲み合わせ］（同時に飲んではいけない）〈薬どうし/薬と食品〉の組み合わせ。「危険な―」

**のみか** ㊀《副助》〔文〕ばかりか。だけでなく。㊁《接》それだけでなく。

**のみかい**［飲み会］酒を飲んで楽しむ（少人数の）会。

**のみくい**［飲み食い］《名・自他サ》飲んだり食ったりすること。

**のみぐすり**［飲み薬］口から飲む薬。内服薬。

**のみくだ・す**［飲み下す］《他五》飲んで のどから胃のほうへ通す。

**のみくち**［飲み口］①（酒などを）飲んだときの口あたり。「―がいい」②〔茶わんや缶ジュース・牛乳びんなどの〕飲んだとき口のあたる所。「―が広い」③［（×呑み口）］たるの中の酒などを出すための口。▽のみぐち。

**のみこうい**［ノミ行為］〔ノミ＝呑み〕①《経》取次業者が取引所を通さないで、自分を相手にして株の売買をする違法行為。②《競馬・競輪など》許可を得ずに、勝手に馬券・車券を発行する違法行為。▽ノミ。

**のみこみ**［（×呑み）込み］理解。承知。「―の〈悪い/おそい〉人」

←**のみこ・む**［（×呑み）込む］《他五》①の（呑）んで のどを通す。②口から出そうになるのをこらえる。「あくびを―・言いかけた ことばを―」③すっかり中に取りこむ。「波が船を―・大資本に のみ込まれる」④理解する。承知する。「要領を―・事情は のみ込んでいる」

→**のみこ・む**［飲み込む］《他五》飲んで のどを通す。「酒を一気に―・つばを―」

**のみしろ**［飲み（代）］酒を飲むのに あてる金。

**のみすけ**［飲み助］〔俗〕酒好きで、よく飲む人。〔人名めかした言い方〕

**のみたお・す**［飲み倒す］《他五》①酒を飲んだ代金をふみたおす。②飲みつぶす。

**のみち**［野道］野中の道。野路。

**のみつぶ・す**［飲み（潰す）］《他五》酒を飲みすぎて、財産をなくす。のみたおす。

**のみつぶ・れる**［飲み（潰れる）］《自下一》ひどく酔っ てその場にたおれる。

**のみて**［飲み手］（よく酒を）飲む人。

**のみで**［飲みで］飲むときの分量（が多いこと）。「大どっくりで―がある」

**のみともだち**［飲み友（達）］よく酒を飲む友だち。飲み仲間。飲み友。

**のみとり**【(×蚤)取り】①ノミを取ること。「猿の―」②ノミを駆除する薬。●**のみとりまなこ**【(×蚤)取り眼】どんな小さなものも見おとさないように、注意して見る目つき。「―でさがす」

**のみなおす**【飲み直す】《自五》(場所を変えて)あらためて酒を飲む。「どこかでもう一杯飲み直そう」

名飲み直し。

**のみならず**〔文〕㊀《接助》…だけでなく。「人の役に立つ―、利益にもなる・歌手として―、作詞家としても活躍する」㊁**のみならず**《接》(それ)ばかりでなく。そのうえ。

**のみならんや**連〔文〕…だけであろうか、それだけではない。「国の将来を思う者、あに政治家―(=政治家だけではない)」☞あに(豈)。

**のみニケーション**【飲みニケーション・ノミニケーション】〔俗〕仕事なかまなどと、酒を飲みながらコミュニケーションを深めること。飲みニュケーション。飲ミュニケーション。

☆☆**ノミネート**《名・他サ》〔nominate〕〔候補者に〕指名すること。「主演賞に―される」

**のみのいち**【(×蚤の)市】古物市。フリーマーケット。

**のみのしんぞう**【(×蚤の)心臓】度胸がなく、臆病なことのたとえ。「からだは大きいが―だ」

**のみのふうふ**【(×蚤の)夫婦】〔俗〕夫より妻のほうが大きい夫婦。由来ノミは、雌のほうが雄より大きいことから。

**のみほす**【飲み干す・飲み△乾す】《他五》飲んで、うつわをからにする。

**のみみず**【飲み水】ふだん飲む(ための)水。

**のみもの**【飲み物】口に入れて飲むもの。飲料。

**のみや**【ノミ屋】〔俗〕「ノミ行為②」をする者。

**のみや**【飲み屋】手軽に酒を飲ませる店。居酒屋。「―さん」

←**のむ**【(×呑む)】《他五》①〔かたまりを〕口に入れて、かまずにのどを通す。「蛇が人を―」表記薬の場合は「△服む」とも。②中に取り入れる。「高波が人を―・人波にのまれる」③受け入れる。おさめ入れる。「清濁あわせ―・相手の要求を―」④かるく見る。「のんでかかる・敵を―」⑤かくし持つ。「どす(=短刀)を―」⑥《経》客から受けた注文の手数料などを、横どりする。⑦口から出そうになるものをこらえる。「息を―・声を―」⑧⇩飲む②。

→****のむ**【飲む】《他五》①〔液体などを〕口に入れて、かまずにのどを通す。「お茶を―・水薬を―〔『服む』とも〕」②【×呑む】酒を「飲む①」。「飲めや歌え(や)の大さわぎ・―、〔ばくちを〕打つ、〔女を〕買う、の三道楽」③【△喫む】〔タバコを〕吸う。可能のめる。☞のまれる。

謙譲①②いただく・頂戴する。尊敬①②召し上がる。丁寧①②いただく。可能飲める。

**のめす**接尾〔=のめらせる。他五をつくる〕徹底的にする。「しゃれ―・たたき―」

**のめのめ**《副》おめおめ。

**のめりこむ**【のめり込む】《自五》①のめるようにして、はいりこむ。のめずりこむ。②〔ものごとや人に〕夢中になる。のめる。「仕事に―・アイドルに―」名のめり込み。

**のめる**《自五》①前へたおれる。前へかたむく。②⇩のめりこむ②。「同人誌活動にのめっていく」

**のめる**【飲める】《自下一》①飲んでおいしい。いける。「―酒」②「飲む」の可能形。

**のやき**【野焼き】《名・自サ》①春のはじめ、野原の雑草を焼きはらうこと。②野外で焼くこと。「―して土器を仕上げる」

**のやま**【野山】野と山。

**のよ**《終助》〔女〕①じつはそうだと知らせる気持ちをあらわす。「あなたのせいな―・そうです―」〔語尾を上げても下げても言う。男性が語尾を上げずに言うこともある。「それがまた、いやなやつな―」〕②〔疑問をあらわすことばとともに使って〕問いただす気持ちをあらわす。「何をする―」③さしずして、念をおす気持ちをあらわす。「ちゃんとあいさつする―」

**のら**【野良】(=野。「ら」は接尾語)㊀**のら**耕作をして働く場所。田畑。「―帰り・―仕事」㊁**のら**①〔飼い主がいなくて〕動物が屋外で生活すること。また、その動物。「―の子猫・―ちゃん」②〔俗〕非公式なもの。「―アプリ」

**のらいぬ**【野良犬】飼い主のいない犬。野犬。(↕飼い犬)

**のらくら**《副・自サ》⇩のらりくらり。「大人になっても―している・―発言」

**のらねこ**【野良猫】飼い主のいないネコ。(↕飼い猫)☞野猫・どら猫。

**のらむすこ**【のら息子】どらむすこ。

**のらりくらり**《副・自サ》①要点をはっきりさせないようす。ぬらりくらり。「―(と)言いのがれる」②なまけて何もせずに暮らしているようす。▽のらくら。

**のり**【△法・△則・×矩】①〔文〕おきて。規則。②〔文〕手本。模範。規範。「矩を踰えず(=正しい道をふみはずさない。『論語』のことば)」③《仏》仏法。

**のり**【(:海苔)】①海中の岩などについている、べとべとした海藻。例、アオノリ。「―のつくだ煮」②「のり①」(=おもにスサビノリ)を、紙のようにうすく平たく干した食品。干しのり。「焼き―・味つけ―」

**のり**【(×糊)】①紙・布などをくっつけるのに使う接着剤。「でんぷん―・スティック―」②布を、ぴんと張るのに使う溶液。「ふのり」などで作る。「―の利いたワイシャツ」③ねばねばしたもの。「血―・―状(=ペースト状)」

●**のりとはさみ**句 ひとの説をあちこちつなぎ合わせて、安直に論文などを作ることのたとえ。

**のり**㊀【乗り】造 乗る〈こと/人〉。「五人―の車・飛行機―」㊁**のり**【ノリ】①〔おもしろい・あぶらなどが〕のること。「けしょう(の)―がいい」②リズム感。「―のいい曲」③〔音楽・演芸などに対する〕気分の高まり。「きょうの観客は―がいい」④調子。ふんいき。反応のよさ。「軽い―の番組・東京の人と大阪の人は―がちがう」

**のりあい**【乗り合い】①一つの船・車に知らない人どうしがいっしょに乗ること。「―馬車・―船」②〔古風〕↑乗り合い自動車(=バス)。

**のりあげる**【乗り上げる】㊀《他下一》進行している船や車を障害物の上に勢いよく乗せて、動けなくする。「船を浅瀬に―」㊁《自下一》船や車などが障害物の上に乗って、動きがとれなくなる。「船が浅瀬に―・車が歩道に―」

**のりあじ**【乗り味】乗ったときの感じ。乗りごこち。

「車の―」

**のりあわ・せる**【乗り合わせる】《自下一》（ちょうど/ぐうぜん）いっしょに乗る。乗り合わす。

**のりい・れる**【乗り入れる】㊀《他下一》乗ったままで、その車・自動車を中に入れる。「車を―」㊁《自下一》別な会社・土地の路線にはいって運転する。「地下鉄が―」名乗り入れ。「相互―」

**のりうつ・る**【乗り移る】《自五》①別な乗り物に移る。②神霊などが人の心にはいりこむ。（とり）つく。名乗り移り。

**のりおく・れる**【乗り遅れる】《自下一》①乗るはずだった乗り物の時刻におくれて、乗れなくなる。②他人よりおくれて乗る。名乗り遅れ。

**のりおり**【乗り降り】《名・自サ》乗り物に乗ることと、おりること。「電車の―・エレベーターの―」

**のりか・える**【乗り換える】《自他下一》①〈乗り物/便〉を、別のものにかえる。「名古屋で急行に―」②今までのものや立場、考え方をほかのものにとりかえる。「新車に―・携帯電話の会社を―・別の女に―〔＝交際相手を変える〕・現実路線に―」③《経》株式・債券などを、ほかの株式・債券などに買いかえる。名乗り換え。「乗換駅」

**のりかか・る**【乗り掛かる】《自五》①乗ろうとする。②しはじめる。「乗りかかった仕事」③乗ってからだをもたせかける。▽乗っかかる。●**乗りかかった船** 句 そのことにかかわった以上は、とちゅうで投げ出すことはできないということ。「―だ。最後までやろう」

**のりき**【乗り気】《名・ナダ》する気になって、心がはずんで進むこと。熱心。積極的。「先方も―だ」

**のりき・る**【乗り切る】《自五》①乗ったままで終わりまで行く。②困難な場面を切りぬける。名乗り切り。可能乗り切れる。

**のりぐち**【乗り口】乗り物などに乗るところ。「バスの―」〔＝乗車口〕（↔降り口）

**のりくみ**【乗り組み】①乗り組むこと。「乗組員」②〔↑乗組員〕乗り組んで、運転や操縦などの仕事をする人。

**のりく・む**【乗り組む】《自五》〔運転や操縦などをするために〕いっしょに乗る。

**のりこ・える**【乗り越える】《他下一》①物の上をこえて向こうがわへ行く。「塀を―」②ほかの人の業績を追いこす。「先輩を―」③困難な場面を切りぬける。「悲しみを―」

**のりごこち**【乗り心地】乗ってみたときの感じ。

**のりこ・す**【乗り越す】《他五》①〔乗車券の〕目的地〈の先まで/を越えて〉行く。②乗り越える。名乗り越し。「乗車券の―（の）精算」

**のりこ・む**【乗り込む】《自五》①〔乗るために〕乗り物の中にはいる。②〔はりきって/けんかごしで〕そこへ行く。「相手の会社へ―」名乗り込み。

**のりしろ**【×糊代】①のりをつけるために残す部分。②〔うまくまとめるための〕ゆとり。クッション。交渉事での妥協の余地など。

**のりすご・す**【乗り過ごす】《他五》乗り物に乗っていて、うっかり目的の所を通り過ぎる。

**のりす・てる**【乗り捨てる】《他下一》そこで乗り物をおりそのままにして行く。名乗り捨て。

**のり・する**【×糊する】《自他サ》《文》かゆをすする。「口に―・口を―」〔⇩「口」の句〕☞糊口

**のりだ・す**【乗り出す】㊀《自五》①船に乗って出て行く。「海に―」②進んであることを始める。「事業に―・捜査に―」㊁《他五》からだの重心を前に移す。「ひざを―・窓から身を―」名乗り出し。

**のりちゃ**【(:海苔茶】焼きのりをかけた茶づけ。

**のりつ・ぐ**【乗り継ぐ】《他五》別な〈乗り物/便〉に乗りかえて、先へ進む。「飛行機（と列車）を―」名乗り継ぎ。「―が不便だ」

**のりづけ**【×糊付け】《名・他サ》①のりでつけ〈ること/たもの〉。「封筒の口を―する」②せんたくした布にのりをつけること。▽のりつけ。

**のりつ・ける**《自下一》㊀【乗り(付ける)】車に乗って到着する。「リムジンで―・現場に―」㊁【乗りつける】乗ることになれる。「乗りつけない車」

**のりつぶ・す**【乗り(潰す)】《他五》乗りすぎて、だめにする。「馬を―・自転車を―」名乗りつぶし。

**のりて**【乗り手】①馬に〈じょうずに〉乗る人。②乗り物に乗る人。また、乗客。「船の―」

**のりで**【乗りで】長く乗った、という感じがする距離（があること）。「―がある」

**のりと**【祝詞】神式による儀式のさい、神主が神にのべることば。「―奏上」☞しゅくし（祝詞）。

**のりにげ**【乗り逃げ】《名・自サ》①乗って代金をはらわずににげること。「タクシーの―」②他人の車をうばい、乗ってにげること。

**のりのり**【ノリノリ】《名・ナダ》《俗》①リズムがよくて、ノリのいいようす。「―のラップ音楽」②非常に勢いに乗っているようす。

**のりば**【乗り場】乗り物などに乗るための場所。「バスの―・東京方面行き―」

**のりべん**【(:海苔弁】①ごはんにのりをのせた弁当。②「のり弁①」のように、大部分が黒くぬられた文書。

**のりまき**【(:海苔巻き】㊀**のりまき** すしめしをのりで巻いたもの。芯に、キュウリやかんぴょうなどの具を入れる。☞巻きずし。㊁**のりまき** のりで巻いたもの。「―せんべい」

**のりまわ・す**【乗り回す】《他五》乗ってほうぼうを走らせる。自乗り回る（五）。

**のりめん**【(△法)面】堤防・石垣の、斜面。

**のりもの**【乗り物】①乗って行くもの。電車・バスなど。また、交通手段。「―が不便」②遊園地で、乗って遊ぶもの。●**のりものよい**【乗り物酔い】乗り物でゆられて、気分が悪くなること。加速度病。動揺病。

↕****の・る**【乗る】《自五》①〔台などの〕上にのぼる。「山車に―」②乗り物の中にはいる。「歩かないで―よ」▽（↔降りる）③乗り物を利用する。④それによってはこばれる。「電波に―・軌道に―・流通機構に―」⑤〔状況が〕うまい具合に行く。「エリートコースに―・好調の波に―・〔水泳で〕からだが水に―」⑥調子がうまくあう。「リズムに―」⑦勢いが加わる。「スピードが―」⑧【ノる】気分が高まる。反応がよくなる。「聴衆が―」⑨加わる。参加する。「計画に―・賭けに―・一口―」⑩だまされる。「口車に―」⑪〔インク・おしろいなどが〕よくつく。⑫ある基準以上になる。「占有

の

率が六割台に—」⑬積極的にしようという気持ちになる。「気が—」⑭〔一般道路から高速道路に〕はいる。可能 乗れる。

**→の・る**〔載る〕《自五》①何かの上に置いた状態になる。「机に載っている」②〔はこぶものに〕荷物などが、積んだ状態になる。「そんなには載らない」③〔新聞・雑誌などの〕紙面に出る。「新聞に—・地図に載っている」

**ノルウェー**〔Norway〕北ヨーロッパのスカンジナビア半島の西部を占める王国。首都、オスロ(Oslo)。ノルウエー。ノルウェイ。諾。表記「:諾威」は、古い音訳字。

**☆☆のるか-そるか**〔(△伸るか反るか)〕《副》〔伸る=長くのびる〕運にまかせてするようす。いちかばちか。「—やってみよう」表記 俗に「乗るか反るか」とも。

**ノルディック**〔Nordic=北欧の〕①《スキー》↑ノルディック〈種目/スキー〉。②北欧(風)の。「—ウォーキング(=ストックを使って歩くスポーツ)・—柄(=トナカイ・もみの木・雪の結晶などをモチーフとした、セーターなどの伝統的な柄)」 ●**ノルディックしゅもく**〔ノルディック種目〕〔Nordic=北ヨーロッパ人。特に、スカンジナビア人〕《スキー》クロスカントリー・ジャンプ・複合競技の三種目。ノルディック(スキー)。☞アルペン種目。

**☆☆ノルマ**〔ロ norma〕決められた仕事の量。「—をこなす・—がきつい」

**のれそれ**〔(=伸れ反れ)〕アナゴの稚魚。すきとおって、細長い葉のような形をしている。

**のれん**〔(△暖×簾)〕①屋号を書き、店先に下げて日よけにする布。〔部屋の出入り口などにたらす布にも言う〕②店の営業や、そこから生まれる信用・伝統。「—を守る・—にかかわる」☞看板②。③《経》買収や合併の際、相手の会社などに実際の価値より高い金額をしはらう場合、その上乗せ分の金額をさす呼び名。のれん代。由来 もと、禅宗で、風を防ぐための綿布を張ったすだれ。発音は「暖簾」の唐音「のんれん」の変化。 ●**のれんに腕押し** 句 はたらきかけても手ごたえがないこと。 ●**のれんを下ろす** 句 営業をやめる。 ●**のれんを分ける** 句 長くつとめた店員に、同じ屋号で独立の店を作らせる。名 のれん分け。 ●**のれんかい**〔(△暖×簾)会〕長くいとなんでいる店々や、同じ店からのれん分けをした店々が集まって作る連合会。「浅草—」

**のろい**〔呪い・×詛い〕のろう〈こと/ことば〉。「—をかける」☞まじな(呪)い。

**のろ・い**〔(△鈍い)〕《形》①動きがにぶい。②頭のはたらきがにぶく、仕事のはかどりがおそい。▽のろくさい。③〔俗〕女にあまい。派 -さ。

**のろ・う**〔呪う・×詛う〕《他五》①うらみのある人に、悪いことが起こってほしいとのぞむ気持ちを、ことばやおこないにあらわす。「人を—・呪い殺す」②強くうらむ。「世を—・運命を—」☞呪われた・まじな(呪)う。

**☆☆ノロウイルス**〔ド Norovirus〕《医》食中毒を起こすウイルスの一種。貝類の生食などでうつる。腹痛・嘔吐・下痢などを引き起こす。ノロ。

**のろくさ**《副・自サ》動きがゆっくりしていて、はかどらない(のがいらだたしい)ようす。「—(と)進む」

**のろけ**〔(×惚:気)〕のろけること。「—を聞かされる・おー」

**のろ・ける**〔(×惚:気る)〕《自下一》〈恋人/妻/夫〉と自分の話を、うれしそうに人に聞かせる。

**のろし**〔(:狼煙)・(:烽火)〕①昔、戦争や事件が起こったあいずに、火を燃やしてあげたけむり。②大きな動きのきっかけとなるあいず。「新しい時代の到来を告げる—」 ●**のろしを上げる** 句 大きな事件に発展するきっかけの行動を起こす。

**のろのろ**《副・自サ》動作のにぶいようす。「—運転(=事故や混雑のために、のろのろと運転すること)」

**のろま**《名・ナダ》①動作のにぶい〈こと/人〉。②気のきかない〈こと/人〉。

**のろわし・い**〔呪わしい〕《形》〔文〕①のろいたくなる気持ちだ。「—気持ちになる」②のろいがかかったようなようすだ。「—出来事」派 -げ。-さ。

**のろわれた**〔呪われた〕《連体》悪魔にうらまれたかと思われる(ほど運の悪い)状態の。「—人生」

**ノワール**《名・ナダ》〔フ noir=黒〕暗い人間心理が現れている〈作品/ようす〉。「—小説・—なタッチ」

**のわき**〔野分き〕〔=野の草をふき分ける風〕〔雅〕今の台風をさすことば。野分け。

**ノン**《感》〔フ non〕いいえ。いや。ノー。ナイン。(↔ウイ)

**ノン** 接頭〔non〕「非・無」などをあらわす。「—ストップ・—セクション・—アルコール」

**ノンアルコール**〔↑nonalcoholic〕アルコールが(ほとんど)はいっていないこと。ノンアル。「—ビール・—カクテル〔『モクテル(mocktail)』とも〕」

**のんき**〔(×暢気)・(:呑=気)〕《名・ナダ》気持ちの上の、苦労がないようす。気にしないようす。「—な人・あいかわらず—ね」派 -さ。

**ノンキャリア**〔和製 non career〕国家公務員のうち、「キャリア(career)③」でない人。ノンキャリ。

**ノンシャラン**《ナダ》〔フ nonchalant〕無頓着。なげやり。

**ノンステップバス**〔nonstep bus〕乗りおりのときのステップが、フロアと同じ高さになっているバス。超低床バス。

**☆☆ノンストップ**〔nonstop〕①無停車。無着陸。「両駅間を—で走る特急」②とちゅうで休まず最後までおこなうこと。

**ノンセクション**〔nonsection〕〔クイズの問題などで〕部門の区別がないこと。

**ノンセクト**〔和製 non sect〕〔学〕学生運動などで、どの党派にも属さない〈こと/人〉。「—ラジカル(=ノンセクトの過激派)」

**ノンタイトル**〔nontitle〕〔プロボクシングなどで〕選手権のかかっていない試合であること。「—戦(↔タイトルマッチ)」

**のんだくれ**〔飲んだくれ〕〔俗〕①ひどく酔っぱらった〈こと/人〉。②大酒飲み。のんべえ。自 飲んだくれる《下一》。「毎日飲んだくれてばかりいる」

**ノントロッポ**〔イ non troppo〕《音》あまり度をこさずに。「アレグロ マ(ma=しかし)—(=速く、しかし速すぎず)」

**のんの**《名・自サ》〔児〕乗ること。(↔おんり)

**☆☆ノンバンク**〔nonbank〕《経》銀行以外の金融機関。客にお金を貸すが、預金は受け入れない。例、信販会社・消費者金融・リース会社。

**のんびり**《副・自サ》急ぐ気持ちがなく、心や からだが緊張しないようす。のんびりかん。「定年後は―(と)暮らす・―した顔・―した性格」派―さ。

☆☆**ノンフィクション**〔nonfiction〕事実にもとづいた作品。記録文学など。(↔フィクション)

**ノンブル**〔フ nombre=数字〕書物などで、ページの順序を示す数字。ページ番号。

**ノンプロ**〔↑nonprofessional〕職業的でないこと。「―野球」(↔プロ)

**のんべえ**〔飲ん(△兵△衛)・×呑ん(△兵△衛)〕〔俗〕大酒飲み。のんべ。〔人名めかした言い方〕

**のんべんだらり**《副》だらだらと むだに日を過ごすようす。「―と日を送る」

**ノンポリ**〔↑nonpolitical〕政治〈問題/運動〉に関心がない〈こと/人〉。「―学生」

**ノンレムすいみん**〔ノンレム睡眠〕〔non-REM〕《生》睡眠の一つの型。レム睡眠以外の睡眠で、ぐっすりねむる。成人では睡眠の八割をしめる。(↔レム睡眠)

## は　ハ

**は**〔刃〕〔刃物の〕うすくて するどい、ものを切る部分。やいば。「かみそりの―」「刃のあとがつかない。☞歯が立たない」 •**刃が立たない** 句〔かたくて〕(「歯」の句)。

**は**〔羽〕はね。「たか(鷹)の―の紋所」

*__は__〔派〕一 は〔=枝(分かれ)〕①考えや行動のしかたなどによって分かれた集団の一つ一つ。「三つの―・保守―・戦後―」②主義。性分。「朝食は絶対とる―」〔二十一世紀になって広まった用法〕二 遣〔文〕…へ派遣すること。「―米」

*__は__〔葉〕植物の枝・くきからはえ、養分をつくる はたらきをするもの。多くは緑色で、平たい。春、出てきて、冬のはじめに落ちるものが多い。

*__は__〔歯〕①動物の口の中の上下にならぶ、白いかたいもの。食べ物をかんだり、かみついたりするときに使う。人の場合は発音を助ける。「―が ぬける」②〔器具・機械のふちなどに〕「歯①」の形にならんだもの。「くしの―・げたの―・のこぎりの―」 •**歯が浮くよう** 句〔歯が浮く=歯の根が浮き上がったように感じる〕聞いていられないほど そらぞらしいようす。「―な おせじ」 •**歯が立たない** 句 ①固くて かじれない。②相手が強くて、かなわない。③むずかしくて、できない。☞刃が立たない(「刃」の句)。 •**歯に きぬ(衣)着せぬ** 句 えんりょせずに、思っていることを言うようす。歯に きぬ(を)着せない。 •**歯には歯を** 句 ⇩目には目を、歯には歯を(「目」の句)。 •**歯の抜けたよう** 句 にぎやかだったところが、まばらになって さびしいようす。 •**歯の根が合わない** 句 寒さや おそろしさのため、歯がちがち音をたてるほど、からだがふるえる。 •**歯を食いしばる** 句 くやしさ・いかり・苦しさなどを こらえるようす。 •**歯を見せる** 句〔口を開けて〕笑う。

**は**〔覇〕〔文〕覇者。覇権。「―をとな(称)える〔=覇権をにぎる〕・―を競う〔=覇権を争う〕」

**は**〔ハ〕《音》長音階のハ調のドにあたる音。C音。

**は**《感》〔話〕①〔かしこまって〕受け答えするときの声。「―、承知しました」②聞き返すときの声。「は(↗)、なんでしょうか」③↑はあ 一 ③。「は(↓)? なんと おっしゃいました?」

****は**《副助》〔発音は「ワ」〕①話し手が話題にしたいことを取り上げる。…に関して言えば。「私―高橋と申します・これ―何ですか・ごはん―食べました・シャンプー―何を使ってる?・海外旅行―今が おすすめ」〔必ずしも主語をあらわさない〕②〈ほかのものと区別して/それだけを特に取り上げて〉言う。「〔他人は ともかく〕私―いやですよ・きょう―早起きだね・いつも返事だけ―いい」③一応認めることをあらわす。〔後ろに逆接の内容が来る〕「わかって―いるが、実行できない・〔『A―Aだが』の形で〕読んだこと―読んだが、もう忘れた・不安―不安だがやってみる」④〈少なく/多く〉見積もることをあらわす。「駅まで二キロ―〔=最低でも二キロ〕ある・二キロ―ない〔=せいぜい二キロだ〕・もう半年―前のこと・あさってに―〔=おそくとも あさってに〕帰ります」⑤〔A―A〕どんな場合でも変わらないことをあらわす。「人―人、自分―自分だ・規則―規則だ〔=規則は曲げられない〕」⑥〔A―Aで〕独自・独特であることをあらわす。「私―私で考えがある・これ―これで いいところがある」⑦あとの否定の意味をはっきりさせる。「私で―ない・何もでき―〔『できや』とも〕しない」⑧場所・時を限定する。…の中でも。「東京―浅草の生まれ・秋―九月、祭りのころ」⑨〔話〕相手の問いかけを受けて、下に説明を続ける。それは。「『今までに休んだことは?』『―、ないですね』」⑩《数》〔数式で〕「=」の読み。イコール。「『2+3=5』を読んで〕二たす三―五」 区別 (1)「**は**」と「**が**」のちがい。人に たずねるとき、「趣味は何ですか」とは言うが、「趣味が何ですか」とは言わない。「は」は、話し手が話題にしたいこと〔ここでは「趣味」〕を取り上げて示す。一方、「新しい趣味が ふえた」とは言うが、「新しい趣味は ふえた」とは言わない。「が」は、話題にしたいことではなく、「何が どうした」「何が どうだ」など、知らせたい情報の主語をあらわす〔ここでは「新しい趣味が ふえた」全体が知らせたい情報〕。「象は鼻が長い」の場合、「は」は「象」が話題であることを示し、「が」は「(象の)鼻が長い」という情報の主語をあらわす。(2)「は」は、話題として取り上げることが役目なので、「が」に限らず、「を」「に」などの意味も かねることがある。例、「宿題は〔↑を〕やったの?・京都は〔↑に〕以前 行ったことがある」。 表記 「来るワ来るワ」「雨は降るワ、風は吹くワ」のような場合は、「わ」と書く。☞わ 一《終助》①③。 アク ウシは・ネコは・イヌは。

**は**〔波〕一 接尾 ①波を数えることば。「津波の第一―」②何度もくり返す〈行動/攻撃〉。「第二―スト・五―にわたる爆撃・テレビ四―〔=四つの電波〕」「感染者数の第一―〔=最初のピーク〕」二 造 なみ。波動。「電磁―」

**は**〔△八〕造 はち。「三―二十四、四―三十二、五―四十」「〔一九八〇円〕などを俗に、「いちきゅっぱ」とも言う〕

****ば**〔場〕①場所。「物が―をふさぐ・―を取る・温泉―・釣り―」②人が集まっている所。「―をなごませる・―を暖める〔=笑わせたりして、観客などの緊張を解く〕」③場合。状況。「親分が来て(その)―〔=けんかなど〕を収めた・その―〔=本番など〕に臨んで どう行動するか」④《芝居》ひと幕の中の、小さな くぎり。「第一幕第二―」⑤機会。「話し合いの―をもうける・―

慣れ」⑥《理》何かが影響をおよぼしている空間。「電磁―・重力―・―から受ける力」

**ば　㊀《接助》①仮定の条件をあらわす。もし…なら。…だとすれば。「今から行け―間に合う・命がおしけれ―立ち去れ」✎仮定形につくが、文語動詞では「暇あらば行かん(=時間があれば行こう)」のように未然形につく。文語形容詞では、古く「命おしくは(=おしければ)立ち去れ」のように連用形に副助詞「は」をつけたが、のちに「おしくば」と「ば」を使う形も現れた。区別 (1)仮定の用法では、「ば」は「そこに行けば会える」のように、当然そうなる、という場合に使う。「と」は「そこに行くとあぶない」のように、どうなるか わからない、という場合に使う。「たら」はやや話しことば的で、どちらの場合にも使う。(2)「入力が終わったらボタンをおしてください」は、「入力が〈終わればば/終わると〉…」とは言いにくい。この「たら」は「…したあとに」の意味で、「ば」「と」には この意味がない。②ある条件のもとでは、いつも そうなることをあらわす。「春が来れ―、花がさく」のように已然形につく。✎文語では、「命長ければ恥多し」のように已然形につく。③同類のものごとをならべて挙げるのに使う。「親もなけれ―妻もない」④話題をもちだすときに使う。「山田といえ―、このごろ会わないな」⑤〔…しなければ〕で言い終わって〕…しなければならない。「もう行かなけれ―」⑥〔…ば…ほど〕…すると、いっそう。「見れ―見るほどおもしろい」☞ほど㊁⑤。⑦〔文語の已然形＋―〕〔文〕理由をあらわす。ので。「雨降れ―、行かず(=雨が降るので、行かない)」☞ばこそ①。㊁《終助》〔話〕つきはなすように、相手にすすめる。「あなたがやれ―?・もう帰れ―?」

ば［馬］造〔競馬に出る〕うま。「出走―・対抗―」

ぱ　造〔俗〕⇩っぱ。「置きっ―」

パ　㊀パ ↑パ リーグ。(↕セ) ㊁造〔俗〕↑パーティ(ー)①。パー。「なべ―・たこ―(=たこ焼きパーティー)」

はあ［八］〔話〕はち。〔数えるときに言うことば〕「二、四、六、―『やあ』とも〕・六―(=六八〇〇円など)」

はあ　㊀《感》〔話〕①はあ　受け答えの声。「―、そうです」②おどろき・感心の気持ちをあらわす声。「はあ(↗)、すごいですねえ」③(なっとくが いかず)〈聞き返す/不満を表す〉ときの声。ああ? はあっ? は? 「はあ(↗)? なんですか」④はあ なっとくのいったときなどに出す声。「―、そうか」㊁はあ《副》息をはく声。「―(っ)とため息をつく」

ばあ《感》〔児〕幼児に向かって、不意に顔を見せるときに発する声。「いない いない、―」

ばあ［(婆)］接尾〔俗〕年とった女性の名に そえて、親しみをあらわすことば。「ちよ―」

バー〔bar〕①棒(の形をしたもの)。「チョコレート―」②〔走り高とび・ハードルなどの〕横木。③〔洋風の〕酒場。④ジュースなどを売るスタンド。⑤〔飲食店で〕セルフサービス(で取りほうだい)の、飲み物・食べ物のある場所。「ドリンク―・サラダー・カレー―」

ぱあ［パー］①〔じゃんけんの〕紙。指を開いて出す。②〔俗〕あとに何も残らないこと。「今月のサラリーは―だ」③〔俗〕ご破算。おじゃん。「計画が―になる」④〔俗〕ばか。「クルクル―」

パー〔par=同じ価値〕①〔経〕ⓐ額面金額。ⓑ額面または発行価格と、相場が等しいこと。ⓒ外国為替の平価。②『ゴルフ』〈各ホール/一コース〉での基準打数。「イーブン―」

パー　接頭〔per〕…につき。…ごとに。…あたり。「二ミリグラム―リットル」〔記号で「2mg/L」と書き、「二ミリグラム毎リットル」とも読む〕

パー〔俗〕㊀接尾 ↑パーセント。「五―の値上げ」㊁造 ↑パーティ(ー)①。パ。「すし―」

**ばあい［場合］①〈起こりうる/選べる〉事態の一つ。ある事態。「欠席の―(=とき)はお知らせください・予定は変わる―(=こと)がある・―によっては入院も必要だ・笑ってる―じゃない・―が―だけに(=特別の事態なので)」区別 法律では、「場合」で大まかな状況を示し、「とき」で さらに限られた状況を示す。「犯罪を捜査する場合において必要があるときは」②それに〈関する/限った〉こと。「私の―は(=私に関しては。私は)どうかというと」▽ばやい・ばわい〔話〕。

バーガー〔burger〕↑ハンバーガー。「チーズ(=チーズ入り)―・てりやき―・ライス(=バンズの代わりに米を使った)―」

パーカ(ー)〔parka〕《服》①フードのついた、腰たけほどの上着。アノラック。「ヨット―」②フードのついたスウェットシャツ。フーディ(ー)。

パーカッション〔percussion〕《音》打楽器(の担当)。パーカス〔俗〕。〔ドラムスより広く、木琴やコンガ、マラカスなど、さまざまなものをふくむ〕入パーカッショニスト(percussionist)。

☆☆パーキング《名・自サ》〔parking〕車をとめる〈こと/場所〉。駐車(場)。「―メーター」●パーキングエリア〔parking area〕高速道路に設けられた、休息のための駐車区域。食堂や給油などの施設があるところもある。PA。☞サービスエリア②・ドライブイン①。

パーキンソンびょう［パーキンソン病］〔Parkinson=人名〕《医》中脳の障害による病気。手足がふるえ、動作が不自由になる。震顫まひ。

はあく［把握］《名・他サ》(=手でつかむこと)事情・内容などをしっかりと理解すること。とらえること。「よく大局を―する・文脈を―する」

パーク〔park〕㊀公園。㊁《名・自サ》駐車すること。パーキング。●パークアンドライド〔park-and-ride〕駅まで車で行って駐車しておき、そこからバスや電車を利用する方式。●パークゴルフ〔park golf〕公園などに設けられたコースで、木製のスティックを使ってプレーする、ゴルフに似たスポーツ。

バークシャー〔Berkshire〕イギリスのバークシャー地方原産の黒豚。肉質がいい。

バーゲニングパワー〔bargaining power〕交渉力。

ハーケン〔ド Haken〕《登山》足場などにするため、岩の割れ目に打ちこむ金具。ピトン。

バーゲン〔bargain〕①見切り品。ほりだしもの。「―セール(=見切り売り。特売)」②↑バーゲン セール。「―会場」

パーコー［(:排骨)］〔中国語〕⇩パイコー。

☆☆バーコード〔bar code〕〔商品を区別するため〕太さや間隔の異なる黒い線の組み合わせで、情報を記録したもの。スキャナーで読み取る。POSシステムなどで商品管理に使う。

**パーゴラ**〔pergola〕 ツタ・バラなどの つるをからませた棚(でおおった、庭の小道)。つるだな。

**パーコレーター**(ー)〔percolator〕 熱に強いガラスでつくったコーヒーわかし。煮に立った湯が、中央のパイプを上がって、上の入れ物に入れたコーヒーの粉の間を通り、ろ過されて下に落ちる。

**パーサー**〔purser〕 ①船舶の事務長。②〔飛行機・客船・特急などの〕(首席の)客室乗務員。「チーフー」

**バーサス**[VS.・vs.]〔←versus〕 ⇩ブイエス。

**ばあさん**[(△婆さん)・(:祖母さん)] 「おばあさん」の、ぞんざいな言い方。(↔じいさん)

**バージ**〔barge〕 貨物を運ぶための、箱形の はしけ。

**パージ**《名・他サ》〔purge〕 政府や公共団体の職務から追い出すこと。(公職)追放。「レッドー」

**パーシモン**〔persimmon〕 カキ(の木)。

**パーシャル**《ナダ》〔partial〕 部分的な。半。「—連合〔=政党どうしが、政策実現のために部分的に協力すること〕・—フリージング〔=食材を、セ氏マイナス三度ぐらいで半凍結にする方法〕」

☆☆**バージョン**〔version=翻訳。改訂〕 コンピューターのソフトウェアなどの、作りかえた版。ヴァージョン。 ●☆☆**バージョンアップ**《名・自他サ》〔和製 version up〕 ①コンピューターのソフトウェアなどを改訂すること。②改良〈する/される〉こと。

**バージン**〔virgin〕 ①処女。②人の手が はいらないこと。未使用。未加工。「—スノー〔=処女雪〕・—(オリーブ)オイル〔=精製処理をしないオリーブ油〕」 ●**バージンロード**〔和製 virgin road〕〔キリスト教式の結婚式で〕花嫁とその父親が通る、教会の入り口から祭壇までの、布やじゅうたんを敷いた通路。

**バース**〔berth〕 ①〔岸壁・ふとう(埠頭)の〕船をつなぐ施設。船の停泊地。②バス・タクシーの、発着場。

**パース**〔←パースペクティブ〕《美術・建築》透視図。〔建物の〕完成予想図。「—を取る〔=えがく〕」

**バースコントロール**〔birth control〕 産児〈調節/制限〉。

**バースデー**〔birthday〕 誕生日。「—ケーキ・ハッピーー〔=誕生日おめでとう。俗に略して『ハピバ』〕」

**バースト**《名・自サ》〔burst〕 破裂。「タイヤがーする」

**パースペクティブ**〔perspective〕 ①《美術・建築》遠近法。透視図(法)。☞パース。②視野。「広いー」 ③広く見わたすこと。展望。

**パーセク**〔parsec=一秒の視差〕《天》天体間の距離をあらわす単位。一パーセクは約三・二六光年。

**パーセンタイル**〔percentile〕《数》データの値を小さいほうから順に数えたとき、ある値が全体の何パーセントに当たるかを示す数字。百分位数。

**パーセンテージ**〔percentage〕 百分の一を単位とする、割合。百分率。百分比。「—が増える」

****パーセント**〔per cent〕 パーセンテージをあらわす単位〔記号%〕。分。パー〔俗〕。「一五—〔=一割五分〕」 〔パ〕二〇パーセントが二五パーセントに増えた場合、誤解をさけるため、「五パーセント増えた」ではなく「五ポイント増えた」とも言う。☞パーミル。

☆☆**パーソナリティ**(ー)〔personality〕 ①個性。人格。人柄。パースナリティ(ー)。②ラジオの番組などで、しゃべって進行する人。☞ディスクジョッキー①。 ●**パーソナリティ(ー)しょうがい**[パーソナリティ(ー)障害]《医》ものごとに対する反応や言動が大きく かたより、本人や周囲が苦しむ障害。〔もと、「人格障害」と呼んだ。二十一世紀になって言いかえが進んだ〕

☆☆**パーソナル**《ナダ》〔personal〕 ①個人的。(その人)個人に関する。「—な魅力・—ローン・—カラー〔=その人に似合う色〕」 ②自分ひとりの。「—トレーナー」 ●**パーソナルコンピューター**(ー)〔personal computer〕 ⇩パソコン。 ●**パーソナルスペース**〔personal space〕《心》他人に はいって来られると不快に感じる、自分のまわりの空間。

**バーター**〔barter〕 ㊀①物々交換による貿易。交換貿易。「—制」 ②〔「束」を反対にしたことばからともいう〕〔芸能界で〕無名な人を、有名な人と だき合わせで売り出すこと。「—芸人」 ㊁《名・他サ》あるものごとと交換(条件と)すること。

**はあたり**[歯当たり] ①食べ物を前歯で かんだときの感じ。「このリンゴは—がいい・かたいー」 ②歯車のかみ合いのよしあし。「—検査」

**ばあたり**[場当たり] ①〔演劇・集会の席で〕その場の機転で、かっさいを得ること。②原則もなく、その場しのぎであること。「—的な対応」 ③《演劇など》実際の舞台を使って、けいこを部分的におこなうこと。☞ゲネプロ。

☆☆**バーチャル**《ナダ》〔virtual〕 ①仮想の。特に、コンピューターによって作り出される世界を言う。「—な世界・—モール〔=インターネット上の仮想商店街〕」 ②擬似的。「—体験」 ●**バーチャルリアリティ**(ー)〔virtual reality〕 ⇩ブイアール(VR)。

**パーツ**〔parts〕〔機械・器具などの〕部品。また、一部分。

**ぱあっと**《副》 ①大きく広がるようす。「うわさが—広まる」 ②すばやく動くようす。「—にげる」 ③はでに〈おこなう/お金を使う〉ようす。「今夜は— いきましょう」 ④(表情が)明るくなるようす。「—笑顔になった」

**バーディ**(ー)〔birdie〕《ゴルフ》基準打数より一つ少ない打数でホールに入れること。☞イーグル・アルバトロス。

**パーティ**(ー)〔party〕 ①飲食などをしながら、みんなで楽しむ集まり。「—会場・ホームー」 ☞パリピ。②〔登山などの〕なかま。一行。隊。③政党。党派。

**パーティクルボード**〔particle board〕 小さな木くずに接着剤をまぜ、加熱・圧縮して作る板。チップボード。

**パーティション**〔partition〕 ①間仕切り板。「オフィスのー」 ②《情》〔コンピューターで〕ハードディスクなどの記憶装置の領域を区切ること。「—を切る」 ▽パーテーション。

**パーテーション**〔partition〕 ⇩パーティション。

**バーテンダー**〔米 bartender〕 バーや喫茶店のカウンターにいて、飲み物を作って出す人。バーテン。

**ハート**〔heart=心臓〕 ①心。気持ち。「—を射止める〔=愛の気持ちをいだかせる〕」 ②《トランプ》♥形のしる



は

し(のカード)。「―のエース・―マーク(愛情・恋心(こいごころ)の意にも)」 ●ハートウォーミング(ナダ)〔heart warming〕心温まるようす。ハートフル。ハートウォーム。「―なストーリー」 ●ハートフル(ナダ)〔heartful〕心がこもっているようす。温かい気持ちのあるようす。「―コメディー」

**ハード**〔hard〕一(ナダ) ①きびしいようす。きついようす。「―トレーニング・―スケジュール」②はげしいようす。「―パンチ」③かたいようす。「―ケース・―クッキー・―パン」派―さ。二①《情》↑ハードウエア。②機械や設備など、ものに関することがら。「―面への投資」▽(↔ソフト) ●☆☆ハードウエア〔hardware〕《情》〔コンピューターの〕機械および装置の部分。ハード。(↔ソフトウエア) ●ハードカバー〔hardcover〕かたい表紙の本。(↔ソフトカバー) ●ハードカレンシー〔hard currency〕世界のさまざまな通貨の中で特に信頼(しんらい)されていて、ほかの通貨と自由に交換(こうかん)できるもの。例、ドル・ユーロ・円。 ●ハードコア(名・ナダ)〔hard core〕①中核(ちゅうかく)。筋金入り。「―部門・―な雑誌」②組織内の強硬(きょうこう)派。「―要員」③過激(な音楽)であること。「―な試合・―パンク」④性描写(びょうしゃ)が露骨(ろこつ)なポルノ。ハードポルノ。 ●ハードコート〔hard court〕セメントなどでできた、かたいテニスコート。☞グラスコート・クレーコート。 ●ハードコピー〔hard copy〕《情》コンピューターの表示画面をプリンターで印刷したもの。 ●ハードディスク〔hard disk〕金属を材料とした、コンピューター用の磁気記憶(きおく)装置。容量が大きく、高速処理ができる。HD。 ●ハードディスクドライブ〔hard disk drive〕ハードディスクの読み書き装置。ハードディスク駆動(くどう)装置。コンピューターや録画再生機器に広く使われる。HDD。 ●ハードトップ〔hardtop〕自動車の型の一つ。屋根が金属で、窓と窓の間に仕切りの柱がない。 ●ハードパンチャー〔hard puncher〕はげしいパンチをくり出すボクサー。 ●ハードボイルド(名・ナダ)〔hard-boiled=かたくゆでた〕①事件や場面を、さめた見方でえがくようす。また、そのような作品。「―小説」②さめた見方や行動(をするようす)。「―な殺し屋」 ●ハードボード〔hard board〕木材をパルプ状にし、接着剤(ざい)をまぜて、板の形におしかためたもの。 ●ハードロック〔hard rock〕《音》エレキギターを中心とした大音量の演奏に、さけぶような歌声をかぶせるロック音楽。〔一九七〇年代から流行〕

**バード** 造〔bird〕(小)鳥。「―ウイーク(=愛鳥週間)・―ウォッチング・―ケージ(=鳥かご)」 ●バードストライク〔bird strike〕飛行機に、鳥がぶつかってしまうこと。事故の原因になることもある。

**パート**〔part〕一パート ①部分。「いくつかの―に分かれた展示」②役割。「重要な―をになう」③《音》演奏するときの、楽器や声で、受け持つ部分。④↑パートタイム。「―労働」⑤↑パートタイマー。二 接頭 (作品などで)順番になっているものや、くり返すものを数えることば。第…部。第…弾(だん)。「映画の―2(ツー)」 ●パートタイマー〔part-timer〕パートタイムで働く人。パート。(↔フルタイマー) ●☆☆パートタイム〔part-time〕正規の勤務時間の一部だけ勤務すること。短時間勤務。パート。(↔フルタイム)

**☆☆パートナー**〔partner〕①(ダンスなど、ふたりで組んでするときの)相手。②いっしょに仕事をする、なかま。共同でする人。「国際社会の―」③配偶(はいぐう)者。つれあい。〔法律上の夫婦(ふうふ)でなくても使われる〕 ●パートナーシップ〔partnership〕①対等で友好的な協力関係。(↔オーナーシップ)②結婚(けっこん)にあたる同性同士の関係。「―制度(=自治体による公認(こうにん)制度)」

**ハードリング**(名・他サ)〔hurdling〕《陸上》走路上のハードルをとびこすこと。

**ハードル**〔hurdle〕①《陸上》とびこえるために走路上におく四角な形のわく。②〔↑ハードルレース〕《陸上》「ハードル①」をとびこえて走る競走。「四百メートル―」入ハードラー(hurdler)。③乗りこえなければならない障害。「大学受験という―・―を上げる・―を越(こ)える」 ●ハードルが高い 句 ①〈目的を達成/課題を解決〉するのがむずかしい。「いきなり長いレポートを書くのは―」②⇩敷居(しきい)が高い③(「敷居」の句)。「いいものだけど―古典芸能」区別⇩敷居が高い。

**バーナー**〔burner〕①ガス釜(がま)やガスコンロの中にある、ガスを燃やす装置。②実験や工作・料理などで、ガスを燃やす道具。「すしの表面を―であぶる」

**バーニャカウダ**〔イ bagna càuda〕オリーブオイル・ニンニク・アンチョビで作ったソースを食卓(しょくたく)で温めながら、それに野菜をつけて食べるイタリア料理。また、そのソース。

**ハーネス**〔harness〕①盲導(もうどう)犬などが、からだに付ける、ひもの付いた革具(かわぐ)。胴輪(どうわ)。②《登山・ヨットなど》安全確保のために装着する、ベルト状の固定具。

**ばあば**〔児〕〔子どもから見て〕おばあちゃん。〔家族も、自分自身も使う〕(↔じいじ)

**はあはあ**(副)口を大きくあけ、連続的に息をはく〈声/ようす〉。「―息をかける・苦しそうに―と肩(かた)で息をする」

**ハーバー** 造〔harbor; harbour〕港。「ヨット―(=海岸で、ヨットをとめておく設備のある所)」

**バーバー** 造〔barber〕理髪(りはつ)店。〔多く、店の名前に使う〕

**ハーバリウム**〔herbarium=植物標本〕植物を液体(えきたい)のはいったびんにつめて、きれいな標本にしたインテリア。

**バーバリズム**〔barbarism〕野蛮(やばん)(なやり方)。無作法。

**ハーピスト**〔harpist〕ハープを演奏する人。

**ハーフ**〔half〕①半分。「〔ゴルフのクラブや食器などの〕―セット・四十分―(=前半・後半各四十分のゲーム)・〔ゴルフ〕―五〇(=九ホール五〇打)・―チキン」②《俗》⇩ダブル⑤。③↑ハーフマラソン。 ●ハーフアンドハーフ〔half and half〕①ビールなど、二種類の酒を半分ずつあわせたカクテル。②二種類の料理や食材を、半分ずつ盛りつけたもの。「バターとジャムの―トースト・―のピザ」 ●ハーフウエイ〔halfway〕①中途(ちゅうと)。②《野球》次の塁(るい)までの途中。「―から引き返す」 ●ハーフウェイライン〔halfway line〕《サッカー・ラグビーなど》敵味方の陣(じん)を二分する、中央の線。ハーフライン。 ●ハーフコート〔和製 half coat〕《服》腰(こし)にあたりまでの長さのコート。半コート。 ●ハーフサイズ〔half size〕ふつうの大きさの半分。「ーのケーキ」(↔フル サイズ) ●ハーフスイング〘名・自サ〙〔half swing〕〘野球〙バットをとちゅうまでふってやめること。●ハーフタイム〔half time〕〔フットボールなどで〕前半と後半の間の、休み時間。●ハーフトーン〔halftone〕 ①〔明暗の〕中間の調子。②網点。③〘音〙半音。●ハーフパイプ〔half pipe〕〔スノーボード・スキー〕フリースタイルの一種目。半円筒形にへこんだコースをすべって、ジャンプや回転のわざをきそうもの。●ハーフパンツ〔和製 half pants〕〘服〙長ズボンと半ズボンの中間ぐらいの丈のズボン。●ハーフボトル〔half bottle〕 容量がふつうの半分の〔ワインの〕びん。●ハーフマラソン〔half marathon〕 正式のマラソンの半分にあたる、二一・〇九七五キロを走る競走。ハーフ。☞フルマラソン。●ハーフミラー〔和製 half mirror〕⇩マジックミラー。

☆☆**ハーブ**〔herb〕 薬草や香草。「ーティー」

☆☆**ハープ**〔harp〕〘音〙弓のような形をしたわくに、弦を縦にならべて張った楽器。指ではじく。たてごと。

［ハープ］

☆☆**パーフェクト**〔perfect〕 一〘ナダ〙完全。「ー主義〔=完全無欠にやりぬく主義〕」 二〘野球〙↑パーフェクトゲーム。「ーを達成」●パーフェクトゲーム〔米 perfect game〕〘野球〙完全試合。パーフェクト。

**ハープシコード**〔harpsichord〕〘音〙ピアノのもとになった打楽器。鍵盤をおすと、弦がはじかれて、軽い金属的な音が出る。チェンバロ。クラブサン。

**パープル**〔purple〕 むらさき〔色〕。

**パープレー**〔和製 par play〕〘ゴルフ〙パーでボールをホールに入れること。

**バーベキュー**〔barbecue〕 野外で肉などを焼いて〈食べること/作った料理〉。「ーソース〔=ケチャップなどで作るソース〕」 表記 俗に「バーベQ」「BBQ」とも。

**バーベナ**〔verbena〕 西洋草花の一種。夏から秋にかけ、くきの先に小さな花が集まってさく。花は、まわりが赤・白・むらさきなどで、中心が白。美女桜。

**バーベル**〔barbell〕 鉄棒の両端に鉄の円板のおもりをつけた運動用具。重量あげや筋力トレーニングで使う。

［バーベル］

**バーボン**〔bourbon〕 トウモロコシをおもな原料として造った、アメリカのウイスキー。

**パーマ**〔↑パーマネント〕 電気・薬品などで、かみの毛を〈波打たせる/縮らせる〉こと。「ーをかける〔関西などでは『あてる』とも〕・コールドー」☞ストレートパーマ。

**パーマネント**〔permanent〕 一〘ナダ〙①永久〔不変〕。「ープリーツ」②期間を定めない雇用契約。「ー職」 二〔↑パーマネントウェーブ〕⇩パーマ。

**バーミキュライト**〔vermiculite〕 ①〘鉱〙⇩ひる〔蛭〕石。②「バーミキュライト①」を焼いて作った、園芸用の土の代用品。

**バーミリオン**〔vermilion〕 黄色みがかった明るい赤。

**パーミル**〔per mill〕 千分の一を単位として数えた値〔記号‰〕。千分率。千分比。

**バーム**〔balm〕 クリームよりも固めの軟膏・塗り薬。「リップー・クレンジングー」

**パーム**〔palm〕 やし〔椰子〕。「ー油」

**パーム**〔palm=手のひら〕〘野球〙↑パームボール。●パームボール〔palm ball〕〘野球〙打者のところで、ゆれながら落ちる投球。親指と小指でボールをはさみ、手のひらでおし出すように投げる。パーム。

**ハーモニー**〘名・自サ〙〔harmony〕 ①調和。和合。②〘音〙⇩和声。ハモ〔俗〕。

**ハーモニカ**〔harmonica〕〘音〙横にかまえ、息をふいたりすったりして音を出す楽器。ハモニカ〔古風〕。

**ばあや**〔〈婆や〉〕 子守や家事を手伝う、年とった女性〔を親しんで呼ぶことば〕。(↔じいや)

**パーラー**〔parlor; parlour=談話室〕 ①売店・喫茶室などの店。「フルーツー・パチンコー」②〔沖縄方言〕洋風の軽食堂。

**ハーラーダービー**〔hurler〔=投手〕derby〕〔プロ野球で〕そのシーズンの、投手の勝ち星競争。ハーラー。

**はあり**〔羽(×蟻)〕〘夏、繁殖するときに〙はねがはえて、とび歩くアリ。はねあり。

**バール**〔bar〕〔↑クローバール(crowbar)〕 金属で作ったてこ。かなてこ。「ーでこじ開ける」

**バール**〔イ bar〕 立ち飲みが基本の、イタリア〔ふう〕のカフェ。コーヒー・酒などを出す。☞バル。

**パール**〔pearl〕 ①真珠。②真珠のような〈色/つや〉。「ーホワイト」

**バーレスク**〔burlesque〕 下品でおもしろおかしいしぐさを入れた、おどりの多い芝居。

**ハーレム**〔harem〕 ①〔イスラム社会で〕女性専用の居間。②〔イスラム帝国やオスマン帝国で〕後宮。③一人の男性が多くの女性をそばにおく状態。④〘動〙ライオンなどのオスがたくさんのメスをしたがえ、家族をつくった状態。▽ハレム。〔ニューヨーク市の黒人街のハーレム(Harlem)は別〕

**バーレル**〔barrel=たる〕 ①⇩バレル。②口の広い、たる形の入れもの。「チキンー」

**パーレン**〔↑parenthesis〕〘印刷〙〔組み版で〕丸い形のかっこ。まるがっこ。( )。

**バーン**〔ド Bahn=道〕 スキー場のコース。「回転ー・スラロームー〔=まがりくねってすべりおりるコース〕」

**バーンアウト**〘名・自サ〙〔burn out〕 精力を使いはたして、無気力な状態になること。燃えつき〔症候群〕。バーンナウト。

**はい**〔灰〕 燃えたあとに残る粉のようなもの。●灰になる 句 ①焼けて、なくなる。②火葬にされる。他 灰にする。

**はい**〔拝〕〔文〕①おがむこと。頭を下げておこなう敬礼。「〔神社に おまいりして〕二ー〔=二礼〕二拍手一ー」②〔手紙〕自分の名前の下に書いて相手に敬意をあらわすことば。「佐藤ー」

**はい**〔杯・×盃〕 一 はい〔文〕さかずき。「ーをあげる」 二 接尾 ①中身のはいった、さかずき・コップ・わん・おけなど〔または、その中身〕を数えることば。「グラス一ー・コーヒー二ー」②水あげしたイカ・タコ・アワビ・カニなどを数えることば。〔生きたものは「匹」〕 由来 からだや殻を容器としても使えるから。③〔俗〕船を数えることば。

④《映画・放送》セットを数えることば。[二]造 賞杯。カップ。トロフィー。「市長―・優勝―」 表記「盃」は「杯」と通じるが、「皿」の部分があらわすとおり、平たいさかずきの場合に使われる。

**はい**【背】〔視覚語〕↑背泳。「百―(=百メートル背泳ぎ)」

**はい**【肺】①呼吸器の一つ。体内に酸素を取り入れ、二酸化炭素を排出する器官。胸の両がわにある。肺臓。②↑肺病。③〈航空機などの〉エンジン。「片―(飛行)」

**はい**【×胚】《生》たまごの黄身やたねの中にあって、ひなや芽になる小さな部分。

**はい**【敗】[一]**はい**〔文〕負けること。負け。「―を取る・KO―(=ノックアウト負け)」[二]接尾〈試合/競技〉に負けた回数を数えることば。「一勝三―」(↔勝)

**はい**【×牌】[一]**はい** ⇩パイ(牌)。[二]造 メダル。「賞―・金―」

**はい**【(×蝿)】(はひ)〔東京などの方言〕⇩はえ(蝿)。

**はい 《感》〔話〕①呼びかけられたとき、電話を受けるときなどに、答えることば。「『ごはんですよ』『―』・『―、こちら現場です』」②相手の言うことを認めたり、引き受けたりするときのことば。「『あなたが当番?』『―、そうです』・『お使いに行ってくれる?』『―(=わかりました)』・『―よ!(=威勢のいい返事)』」(↔いいえ)③あいづちを打つときのことば。「『すごい人ごみでしてね』『―(=なるほど)』」④自分にあいづちを打つように言うことば。「ほんとに感謝したいです、―(=まちがいありません)」(口ぐせで言う人もいる)⑤注意をうながす声。「―、立って(ください)」⑥聞きかえすときの声。はあ?。「はい(↗)?なんですか」⑦馬を進ませるときにかける声。「―、どうどう」⑧〈気合/かけ声〉をかけるときの声。「三、二、一、―」⑨ものを差し出すときの声。「―(どうぞ)」▽はいっ。はあい。 表記 軽く「ハイ」とも。

**はい**【排】造 しりぞけること。排斥。「―日(=日本〈人〉を排斥すること)」

**はい**【廃】造 使わなくなった。役に立たなくなった。「―工場・―ビル・―プラ(=プラスチック)」

☆☆**ハイ**【high】[一]造 ①高い。「―ルーフの(=天井が高い)車・―スコア(=高得点)」(↔ロー)②高級の。「―クラス・―レベル」③はやい。「―スピード」④多い。多くの。「―カロリー」(↔ロー)[二]**ハイ**《ナ》気分が高揚するようす。「―な状態・―な気分」

**ハイ** 造 ①↑ハイボール。「コーク(=コーラで割った)―・酎―」②↑酎ハイ。「レモン―・ウーロン―」

**ばい**【(△貝)・(×蛽)】海にすむ巻き貝の一種。からの表面に茶色の斑紋がある。食用。からは貝細工用。つぶ。ばいがい。

*__ばい__【倍】[一]**ばい** ある数を二つあわせた量。二倍。[二]造《名・他サ》をつくる 同じ数を何回か加える度数をあらわすことば。「十―」☞倍速。

**バイ** ①↑バイラテラル(bilateral)〈外交における〉二国間。「―の協議」(↔マルチ)②↑バイセクシュアル。

**パイ**【(:牌)】《中国語》マージャンのこま。牌。

**パイ**【pi】[一]【Π・π】ギリシャ文字の十六番目の字。[二]【π】《数》円周率をあらわす記号。

**パイ**【pie】①小麦粉にバターを折りこんだ生地をくだものなどを包んで焼きあげた菓子。「アップル―・冷凍―シート」②分け前の全体。「―を分けあう」

**はいあが・る**【(×這い)上がる】(はひ)《自五》①はって、上がる。②苦労をして、やっとその地位になる。

**バイアグラ**【Viagra=商標名】《医》経口の、EDの治療薬。☞ED①。

**バイアス**【bias】①〈考え方・ものの見方など〉のかたより。ゆがみ。「―がかかった(=偏向した)報道・アンコンシャス―(=無意識の偏見)」☞正常性バイアス。②《服》織り目がななめになるよう裁断した状態。「布を―に使う」▽バイヤス。

**バイアスロン**【biathlon】スキーの距離競技とライフルの射撃競技を組み合わせた競技。冬季近代二種競技。

**ハイアライ**【ス jai alai】三方を壁で囲んだコートで、ざるのようなラケットをふってボールを打ち合う競技。

☆☆**はいあん**【廃案】《名・他サ》〈国会などで〉議案が会期中に議決されないこと。また、その案。「―になる」

**はいい**【廃位】《名・他サ》〔文〕国王・天皇などをやめさせること。

**はいいろ**【灰色】(はひ) ①灰のような色。白と黒をまぜた色。グレー。ねずみ色。②希望や楽しみがなくて心がはればれしない状態。「―の人生」③〈いいか悪いかなど〉がはっきりしないこと。グレー。「―の決着」

**はいいん**【敗因】負けた原因。(↔勝因)

**はいいん**【廃院】《名・自他サ》病院など、院と名のつくものを廃止すること。

**ばいう**【梅雨】(=梅の実が熟するころの雨)つゆ。「―期間」 ●☆☆**ばいうぜんせん**【梅雨前線】《天》梅雨期に、本州付近に停滞する前線。☞停滞前線。

**ハイウエイ**【highway=公道】幹線道路。高速道路。ハイウェー。 ●**ハイウェイオアシス**【highway oasis】高速道路のサービスエリアやパーキングエリアに連結した公園や娯楽施設。☞道の駅。

**ハイウエスト**【high waist】《服》ウエストラインを、胴の細くなっている所よりも上にくるようにすること。「―ジーンズ」(↔ローウエスト)

**はいえい**【背泳】背泳ぎ。背。

↑**はいえき**【排液】①入れ物の液体を、外に出すこと。②廃液。

↑**はいえき**【廃液】〈工場などで〉使用したあとのすてる液体。

**はいえき**【廃駅】〔文〕使われなくなった駅。

**はいえそ**【肺(△壊×疽)】《医》肺が化膿する炎症。

**はいえつ**【拝謁】《名・自サ》〔文〕〈天皇などに〉お目にかかること。

**ハイエナ**【hyena】①アフリカ大陸などにすむ、犬に似た猛獣。死肉を食べ、また、群れで狩りもする。②どん欲にお金や利権をむさぼる者のたとえ。

☆☆**はいえん**【肺炎】《医》細菌やウイルスなどによって引き起こされる、肺の炎症。

**はいえん**【排煙】[一]〈工場などの煙突から〉はき出すけむり。[二]《名・自他サ》建物などの中につまっているけむりを外に〈吸い〉出すこと。「―車・―装置」

**はいえん**【廃園】〔文〕[一]長く手入れをしないで、あれはてた庭園。[二]《名・他サ》遊園地・幼稚園などを廃止すること。

**ばいえん**［梅園］〔文〕ウメの木をたくさん植えた庭園。

**ばいえん**［×煤煙］石炭などを燃やしたときに出る、すすとけむり。

**ハイエンド**《名・ナダ》〔high-end〕最高級品。最高の品質・機能のもの。「―モデル」（↕ローエンド）

☆☆**バイオ**〔bio〕①生物・生命に関すること。「―の力・―サイエンス・―センサー〈=酵素などを利用したセンサー〉」②《生》↑バイオテクノロジー。●**バイオエタノール**〔bio-ethanol〕《理》サトウキビやトウモロコシなどを発酵させて作るエタノール。バイオ燃料の一種。●**バイオガス**〔biogas〕食品の残りなどの有機廃棄物から、微生物のはたらきによって生じる可燃ガス。「―発電」●**バイオガソリン**〔biogasoline〕バイオエタノールを少量まぜたガソリン。☆☆●**バイオテクノロジー**〔biotechnology〕《生》生物の生命力や繁殖のしくみなどを、医療・農業生産・化学工業・環境などの領域に利用する技術。生命工学。生物工学。バイオ（テク）。バイテク。●**バイオテロ**〔←bioterrorism〕ウイルスや細菌などの生物兵器を使ったテロ。●**バイオねんりょう**［バイオ燃料］バイオマスを燃料としたもの。バイオエタノールや、植物性の廃油を使ったものなど。二酸化炭素や硫黄酸化物をふやさないと言われ、石油に代わって自動車などに使われる。エコ燃料。●**バイオハザード**〔biohazard〕《医》病院や研究施設から、有害な微生物などがもれ出し、周辺の住民や環境がおかされること。生物災害。●**バイオマス**〔biomass〕燃料や工業原料に使う、生物からとれる資源。生物由来資源。例、間伐材・稲わら・動物のふん。「―発電〈=バイオマスを使う火力発電〉・木質―」☞バイオ燃料。●**バイオメトリクス**〔biometrics〕⇩生体認証。●**バイオリズム**〔biorhythm〕生命の活動にともなってあらわれる、肉体・感情・知性のはたらきの周期的な変動。●**バイオロジー**〔biology〕生物学。●**バイオロジカル**《ナダ》〔biological〕生物学的。生物の。

**はいおく**［廃屋］〔文〕住む人のいないあばらや。廃家。

**ハイオク**〔↑ハイオクタン（high-octane）〕〔ガソリンの〕オクタン価が高い〈こと／ガソリン〉。（↕レギュラー）☞オクタン価。

**はいおとし**［灰落とし］タバコなどの灰を入れる器具。はいざら。

☆☆**パイオニア**〔pioneer〕先駆者。開拓者。「―精神」

**バイオリニスト**〔violinist〕バイオリンをひくことを職業とする人。バイオリンひき。ヴァイオリニスト。

**バイオリン**〔violin〕《音》四本の糸を張った弦楽器。馬の尾の毛を張った弓でこすって演奏する。ヴァイオリン。

**バイオレット**〔violet〕①すみれ。特に、ヨーロッパ原産のニオイスミレ。西洋すみれ。②すみれ色。

**バイオレンス**〔violence〕㊀暴力。「―ノベル〈=暴力を主題にした小説〉・―アクション」㊁《ナダ》あらあらしく、暴力的なようす。「―な作品」

**ばいおん**［倍音］《音》基本となる音の整数倍の振動数を持つ音。例、ドの倍音は、一オクターブ上のド・ソ、さらに上のド・ミなど。

**はいか**［配下］〔文〕支配下（の者）。てした。

**はいか**［廃家］〔文〕廃屋。あばらや。

**はいか**［配架・排架］《名・他サ》本などの資料を本だなに配列すること。「返却図書を―する」

**はいが**［×胚芽］《植》たねの中にあり、芽となって生長する、大切な部分。「―米」

**はいが**［俳画］俳諧のおもむきを持った、簡略な絵。

←**ばいか**［売価］〔文〕売る値段。うりね。（↕買価）

→**ばいか**［買価］〔文〕買う値段。かいね。（↕売価）

**ばいか**［梅花］〔文〕ウメの花。

**ばいか**［倍加］《名・自他サ》〔文〕①二倍に〈ふえる／ふやす〉こと。②大いに増加すること。

**ハイカー**〔米 hiker〕ハイキングをする人。

**はいかい**［俳諧・×誹諧］〈=たわむれ。おどけ〉①連歌の一種。上品なおもしろみのある五・七・五の句と七・七の句を、かわるがわるつらねて長編としたもの。江戸時代に発達した。俳諧連歌。連句。②俳句。発句。●**はいかいし**［俳諧師］俳諧を作る人。

☆☆**はいかい**［×徘×徊］《名・自他サ》あてもなく歩き回ること。うろつくこと。「市中を―する・―が起こる原因」✎認知症の人が外で道に迷うことも指すが、侮蔑的だと受け取られることもある。

←**はいがい**［拝外］〔文〕外国の人やものごとを尊敬・崇拝すること。「―主義」

→**はいがい**［排外］〔文〕外国（の人やものごとなど）を排斥すること。「―運動・―思想」

☆☆**ばいかい**［媒介］《名・他サ》①両方の間に立って〈とりつぐ／橋わたしをする〉こと。また、それをするもの。仲立ち。とりもち。②《医》〔病菌を運んで〕うつすこと。「ハエは感染症を―する」

**ばいがえし**［倍返し］《名・他サ》①お金などを倍にして返すこと。「手付金を―にする」②ひどい仕打ちを受けた相手に、よりひどい仕返しをすること。

**ばいがく**［倍額］二倍の金額。

**はいかぐら**［灰神楽］火の気のある灰の中に湯・水をこぼしたために、灰がふき上がること。「―が立つ」

←**はいガス**［排ガス］自動車などから出る排気。排気ガス。

→**はいガス**［廃ガス］石油を精製したり、金属を精錬したりするとちゅうで出る、余分なガス。

**はいかつりょう**［肺活量］《医》じゅうぶん深く息を吸ったのちにはき出す空気の量。肺に入れることのできる空気の量。

**ハイカラ**《名・ナダ》〔high collar=高いえり〕①〔古風〕西洋ふうを好む〈ようす／人〉。西洋ふうにしゃれた〈ようす／人〉。「―さん・若い人は―だね」☞蛮カラ。②明治・大正時代ふうの、近代的でしゃれたようす。「レトロで―な店」派-さ。

**バイカラー**〔bi-color〕〔服やアクセサリーなどが〕二色でデザインされていること。

**はいかん**［廃管］使わなくなったガス管・水道管。

**はいかん**［配管］《名・自他サ》ガスや水道などを通すために〈管をひくこと／ひいた管〉。

**はいかん**［廃刊］《名・自他サ》〔定期刊行物の〕刊

行をやめること。

**はいかん**［廃館］《名・自他サ》〔文〕映画館などを廃止すること。

**はいかん**［拝観］《名・他サ》「神社・寺院などの建物や宝物などを見ること」の謙譲語。「—料」

**はいかん**［廃艦］《名・他サ》〔文〕軍艦としての使用をやめること。また、使わなくなった軍艦。

**はいがん**［肺(×癌)］《医》肺にできる がん。タバコの吸いすぎなどが原因で起こる。

**はいがん**［拝顔］《名・自サ》〔文〕「相手に会うこと」の謙譲語。「—の栄に浴する」

**ばいかん**［陪観］《名・他サ》〔文〕〔天皇などの〕〈そばでお供をして〉見ること。「—者」

**はいき**［拝×跪］《名・自他サ》〔文〕ひざまずいて拝むこと。「権力者の前に—する」

←**はいき**［排気］《名・自他サ》①内部の空気を取り去ること。②エンジンの中で燃焼が終わって、ガスが はき出されること。また、そのガス。「—ガス・オートバイの—音」③廃気。 ●**はいきりょう**［排気量］《理》エンジン内で、シリンダーのピストンが上下する部分の容積。エンジンの出力をあらわす。「—二リットル・総—〔=全シリンダーの排気量〕」

→**はいき**［廃気］《名・自他サ》 廃ガス(を出すこと)。

**はいき**［廃棄］《名・他サ》①不用なものとしてすてること。「—物」②〔文〕やめて使わないようにすること。「規約を—する」

**はいきしゅ**［肺気腫］《医》肺の機能が おとろえたり、組織が破壊されたりして、うまく息がはき出せなくなる病気。

**ばいきゃく**［売却］《名・他サ》 売りはらうこと。

**はいきゅう**［配球］《野球》投球する球種やコースの取り合わせ。(投球の)組み立て。〔テニス・サッカーその他の打球にも言う〕

**はいきゅう**［排球］〔文・古風〕バレーボール。

**はいきゅう**［配給］《名・他サ》①(数量に限りのある)物資を割り当てて供給すること。「—制度」②映画館に映画を貸し出すこと。「—収入・—会社」

**ばいきゅう**［倍旧］《名・自サ》〔文〕前よりも いっそうますこと。「—のお引き立てのほどを願い上げます」

**はいきゅうちゅう**［肺吸虫］ 人の肺に寄生する平たい寄生虫。谷川にすむカニなどをなまで食べたときに感染する。肺ジストマ。

☆☆**はいきょ**［廃×墟・廃虚］ あれはてた、城・市街などの あと。「—と化す」

**はいぎょ**［(肺魚)］ えらのほかに肺に似た器官を持つ、細長い さかな。

**はいきょう**［背教］〔文〕宗教の おしえに そむくこと。「—者」

**はいぎょう**［廃業］《名・自他サ》①会社や事業をたたむこと。(↔創業・開業)②《すもう》力士をやめ、(年寄にもならず)すもうの社会から去ること。③芸者・遊女が つとめをやめること。

**はいきょく**［敗局］《碁・将棋》負けとなった対局。負けること。(↔勝局)

**はいきょく**［廃曲］ 演奏されなくなった楽曲。

**はいきん**［拝金］〔文〕お金の力を極端に とうとぶこと。「—主義・—思想」

**はいきん**［背筋］《生》背中の筋肉。「—をきたえる」☞せすじ(背筋)。

**はいきん**［排菌］《名・自サ》《医》細菌を自分のからだの外に出すこと。「—者」

**はいきん**［配筋］《名・他サ》〔鉄筋コンクリート工事で〕図面どおりに鉄筋を配置すること。「—工事」

**ばいきん**［(×黴)菌・バイ菌］ 有害な菌類の俗称。

**ハイキング**《名・自他サ》〔hiking〕 楽しみ・健康のために、野山を歩き回ること。ハイク。「森林を—する・—コース」

☆☆**バイキング**〔Viking〕①《歴》八世紀から十一世紀にかけてヨーロッパ沿岸に進出した北欧の人々。おもにノルマン人。②決まった料金で、好きな料理を好きなだけ自分で取って食べる方式。ビュッフェ。「—料理・中華—」 [由来] 帝国ホテルが一九五八年にスモーガスボード〔=北欧の食事の方式〕を紹介した際に命名したもの。③〔スーパーマーケットなどで〕うつわに のった料理を、ほしい分量だけ取って買う方式。「天ぷら—」

**はいく**［俳句］ 五・七・五の十七音〔=十七拍〕からできている、短い詩。季節をふくむ語句が入れてある。俳諧。発句。

**ハイク**《名・自サ》〔hike〕 ハイキング。

**はいぐ**［拝具］《手紙》〔文〕終わりに書く、あいさつの ことば。敬具。〔初めが「拝啓」「拝復」などの場合に使う〕

**バイク**〔bike〕①〔↑モーター バイク〕 オートバイ。[入] バイカー(biker)。②自転車。「レース用—」

**はいぐう**［配偶］〔=そえあわせること〕〔文〕夫婦の一方。つれあい。「好—」 ●☆☆**はいぐうしゃ**［配偶者］《法》夫婦の 一方にとって、相手の人。つれあい。 ✎「主人」「家内」「旦那さま」「奥さま」などの呼び方を夫婦同等でないと感じて避ける人も多い。自分の夫を「夫」、自分の妻を「妻」〔または両方とも「つれあい」「パートナー」〕、他人の夫または妻を「おつれあい(さま)」「パートナーさん」と呼ぶ人も増えた。

**ハイクラス**《名・ダナ》〔high class〕 高級。上級。ハイランク。「—の製品・—テスト」

**はいぐん**［敗軍］〔文〕①戦いに負けること。「—の責任を問う」②戦いに負けた軍隊。 ●**敗軍の将、兵を語らず** [句]〔兵=戦い〕 失敗した者は言いわけ〈しない/してはならない〉。

☆☆**はいけい**［拝啓］《手紙》〔文〕初めに書く、あいさつの ことば。つつしんで申し上げます。〔終わりには「敬具」「拝具」などを使う〕☞前略。

*__はいけい__［背景］①肖像画・静物画などの背後の空間。②舞台のうしろのほうのけしき。③背後の事情。「社会的—・事件の—を洗ってみる」④背後から支えていることがら。「経済力を—とした外交」▽バック。⑤⇩壁紙②。

**はいげき**［排撃］《名・他サ》 排斥して攻撃すること。「古い思想を—する」

**ばいけつ**［売血］《名・自他サ》 輸血用として〈血液を売ること/売った血液〉。(↔買血)

**はいけっかく**［肺結核］《医》結核菌のために起こる、肺の病気。肺病。

**はいけつしょう**［敗血症］《医》細菌が〈血液/リンパ管〉の中に はいり、臓器に重い障害が生じる病気。

**はいけん**［拝見］《名・他サ》「見ること」の謙譲語。「ちょっと―〔=見せてください〕」

**はいご**［背後］①うしろ。背中のほう。「―に立つ」②事件などの、かげにかくれた部分。「―関係を調べる」

●**はいごれい**［背後霊］人（のすぐうしろ）に（とり）ついている霊魂。

**はいご**［廃語］制度や流行の移り変わりなどにつれて、今では使われなくなったことば。☞古語・死語①。

←**はいこう**［廃坑］使うのをやめた坑道。

→**はいこう**［廃鉱］《名・他サ》廃止された鉱山。また、鉱山を廃止すること。

**はいこう**［廃校］《名・自他サ》廃止された学校（の校舎）。また、学校を廃止すること。

**はいこう**［廃港］《名・他サ》廃止された港や空港。また、港や空港を廃止すること。

**はいごう**［俳号］俳人としての雅号。

**はいごう**［配合］《名・他サ》複数のものを混ぜ合わせること。また、その比率。「色の―・ギョーザのたれの―」

●**はいごうしりょう**［配合飼料］いろいろの栄養分を適当な割合で混ぜ合わせた、家畜のえさ。

**はいごう**［廃合］《名・他サ》〔文〕廃止することと合併すること。「府県―」

**パイコー**［〈中〉排骨］〔中国語〕ブタ・牛などの（骨付きの）ばら肉。スペアリブ。パーコー。「―麺〔=〈あげた／煮た〉パイコーをのせた中華そば〕」

**ばいこく**［売国］〔文〕自分の利益のために、敵の国に自分の国の秘密を知らせたりすること。国を売ること。

●**ばいこくど**［売国奴］売国の行為をする人を、ののしって呼ぶことば。

**バイコロジー**〔bicology〕自動車の代わりに自転車を使うことによって人間らしさを取りもどし、自然環境を守ろうとする運動。

**はいざい**［廃材］〔文〕〈いらなくなった／使えなくなった〉材木・材料。

**はいざい**［配剤］《名・他サ》①《医》薬を配合すること。②〔文〕ほどよく取り合わせること。☞天の配剤。

**はいさつ**［拝察］《名・他サ》〔文〕「推察」の謙譲語。

**はいざら**［灰皿］タバコの灰や吸いがらを入れる皿。はいおとし。

**はいざん**［敗残］〔文〕戦いにやぶれて、生き残ること。「―の兵」

**はいざん**［廃山］《名・他サ》廃止された鉱山。また、鉱山を廃止すること。

**はいし**［廃市］〔文〕①さびれた、しずかな都市。②人の住まなくなった都市。

**はいし**［俳誌］〔文〕俳句の雑誌。

**はいし**［廃紙］〔文〕いらなくなった紙。「―を利用する・トイレの―入れ」

**はいし**［×稗史］〔文〕民間で書いた、読み物ふうの歴史（書）。（↔正史）

**はいし**［敗死］《名・自サ》〔文〕戦いに負けて死ぬこと。「―した武将の墓」

**はいし**［排紙］《名・他サ》印刷済みの紙をプリンターから出すこと。（↔給紙）

**はいし**［廃止］《名・他サ》おこなわれてきたことをやめること。「優遇措置の―」

**はいじ**［拝辞］《名・自他サ》〔文〕「辞退・辞去・辞任」の謙譲語。「―のごあいさつ」

**はいじ**［廃寺］《名・他サ》①管理する人のいない、あれはてた寺。②寺を廃止すること。また、その寺。

**ハイシーズン**〔high season〕一年のうちで、いちばん客が多く、仕事がいそがしい時期。繁忙期。（↔ローシーズン・オフシーズン）

**はいしつ**［廃疾・×癈疾］〔文〕回復のむずかしい病気。

**ばいしつ**［媒質］《理》力や波動などをほかへ伝える役割をするもの。例、音を伝える空気、光の進む空間、石を投げたときの池の水面。

**はいじつせい**［背日性］《植》植物の根などが、光の来る方向と反対向きに生長する性質。背光性。（↔向日性）

**はいしゃ**［敗者］〔文〕〔戦い・試合に〕負けた人やチームなど。「―復活戦〔記事の見出しで、略して『敗復』とも〕」（↔勝者）

**はいしゃ**［歯医者］歯の治療をする〈医者／医院〉。歯科医。

**はいしゃ**［拝謝］《名・自サ》〔文〕「礼を言うこと」の謙譲語。「―に堪えません」

**はいしゃ**［配車］《名・自他サ》タクシーやバスなどを必要なところにふり分けて、向かわせること。

**はいしゃ**［廃車］《名・他サ》①使わなくなった車。②車の登録を取り消すこと。

**はいしゃく**［拝借］《名・他サ》「借りること」の謙譲語。

**ばいしゃく**［媒酌・媒×妁］《名・他サ》間に立って、結婚の話をまとめる〈こと／人〉。仲人。「―の労を取る・―人〔特に、結婚式・披露宴で言う〕」

**ハイジャッカー**〔hijacker〕①ハイジャックをした犯人。②《情》ブラウザーの設定を勝手に変えたりする悪質なプログラム。ブラウザ（ー）ハイジャッカー。

☆☆**ハイジャック**《名・他サ》〔hijack〕飛行機の乗っ取り。スカイジャック。

**ハイジャンプ**〔high jump〕①《陸上》走り高とび。ハイジャンプ。囚ハイジャンパー（high jumper）②高くとぶこと。

**はいしゅ**［×胚珠］《植》種子植物の中で、受精すると種子〔=たね〕になる部分。

**はいじゅ**［拝受］《名・他サ》〔文〕「うけとること」の謙譲語。いただくこと。

**はいしゅう**［配収］《映画》↑配給収入。

**はいしゅう**［排臭］〔文〕トイレなどの臭気を外に出すこと。「―器」

**ばいしゅう**［買収］《名・他サ》①〔土地・建物・工場・会社などの〕経営権を買いとること。②利益をあたえて味方に引き入れること。「反対派を―する」

←**はいしゅつ**［輩出］《名・自他サ》〔文〕世の中に、つぎつぎに人材など〈が出る／を出す〉こと。「著名な卒業生〈が／を〉―する」✎近代には、すでに自動詞でも他動詞でも使っていた。悪い人々を世に出す場合にも使った。

→**はいしゅつ**［排出］《名・他サ》①〔文〕中にたまったものを、外におし出すこと。「ガスの―」②《生》「はいせつ（排泄）」の新しい言い方。「―物」

は

←**ばいしゅん**【売春】《名・自サ》お金をもらって、性行為をすること。売笑。「―婦」

←**ばいしゅん**【買春】《名・自他サ》お金をはらって、性行為をすること。かいしゅん。

**はいしょ**【俳書】〔文〕①俳句についての書物。②句集。

**はいしょ**【配所】〔文〕罪をおかして流された土地。「―の月をながめる」

☆☆**はいじょ**【排除】《名・他サ》おしのけること。取り除くこと。「暴力(団)を―する・―命令(=不当表示などをやめさせる命令)」

←**はいじょ**【廃除】《名・他サ》《法》遺産の相続人から、その相続権をうばう手続き。☞廃嫡。

**はいしょう**【拝承】《名・他サ》〔文〕「聞くこと・承知すること」の謙譲語。「ご栄転のよし―いたし…」

**はいじょう**【廃城】〔文〕①あれはてた城。②城を使わなくすること。「―令」

☆☆**ばいしょう**【賠償】《名・他サ》他にあたえた損害〈をつぐなう/のうめあわせをする〉こと。「―金」

**ばいしょう**【売笑】〔文〕売春。「―婦」

**はいしょく**【敗色】〔文〕負けそうなようす。負けいろ。「―がこい」

**はいしょく**【配食】《名・自サ》高齢者の家庭などに食事を届けること。「―サービス」

**はいしょく**【配色】《名・他サ》いくつかの色を取り合わせること。取り合わせた色。「―がいい」

**ばいしょく**【陪食】《名・自サ》〔文〕身分の高い人といっしょに食事をすること。「―の栄を賜る」

☆☆**はいしん**【背信】〔文〕信義にそむくこと。「―行為」

**はいしん**【背進】《名・自サ》〔文〕うしろのほうへ進むこと。バック。

**はいしん**【拝診】《名・他サ》「診察」の謙譲語。ご診察申し上げること。

☆☆**はいしん**【配信】《名・他サ》①取材したニュースなどを流すこと。「―網」②《情》インターネットを通じて、音楽・動画・ゲームなどを多くの人に届けること。「動画―」

**はいじん**【俳人】(専門に)俳句を作る人。

**はいじん**【廃人・×癈人】(病気やけがによって)ふつうの生活ができなくなった人。

**ばいしん**【陪臣】①〔文〕臣下につかえるけらい。またげらい。②《歴》江戸時代、諸侯につかえたけらい。(↕直参)

☆☆**ばいしん**【陪審】《法》刑事裁判で、住民の中からえらばれた人が、有罪であるかどうかについて判断する制度。「―員」☞裁判員①。

**ばいじん**【×煤×塵】〔文〕すすのような、細かいほこり。「降下―量」

**はいしんじゅん**【肺浸潤】《医》肺の一部に起こった結核が広がった状態。

**はい・す**【拝す】《他五》〔文〕⇩拝する。「ライバルの後塵は拝さない」

**はい・す**【配す】《他五》〔文〕⇩配する。「重要な役に配される」

←**はい・す**【排す】《他五》〔文〕⇩排する。「どんな手段も排さない」

←**はい・す**【廃す】《他五》〔文〕⇩廃する。「特権を廃さなければならない」

**はいすい**【背水】①〔文〕川などをうしろにすること。「―の構え」②↑背水の陣。「―の気持ち」 ●☆☆**はいすいのじん**【背水の陣】あとに引けない状態に身を置いて、必死でおこなうこと。「―を敷く」

←**はいすい**【廃水】〔文〕一度使って、用のすんだ水。「工場―」

←**はいすい**【排水】《名・自他サ》①中の水を外へ出すこと。「―溝・―口(『―孔』とも)・―ポンプ」(↕給水)②せき(堰)などからはき出される水。 ●**はいすいトンすう**【排水トン数】うかんだ船が水をおし分ける量をトン数で数えたもの。☞総トン数。

**はいすい**【配水】《名・自他サ》水道などの水を配給すること。「―管・―池」

**はいすいしゅ**【肺水腫】《医》肺全体が水分をたくさんふくんだ状態。あわのまじった水っぽいたんをたくさん出す。輸血・輸液のあとなどに起こる。

**はいすう**【拝×趨】《名・自サ》〔文〕〔おもに手紙で〕「出向くこと」の謙譲語。参上。「いちいち―の上御礼申し上げるべきところ略儀ながら」

**ばいすう**【倍数】《数》ある数の〈二倍/整数倍〉の数。(↕約数)

**ハイスクール**〔high school〕高等学校。〔アメリカの八四制では、中等学校〕

**ハイスピード**《名・ナ》〔high-speed〕速度が速いようす。高速度。「―カメラ(=高速度撮影用カメラ)」

**ハイスペック**《名・ナ》〔high spec〕①〔パソコン・電子機器の〕性能がよいこと。「―〈な/の〉パソコン」②〔俗〕その人の外見・学歴・年収などが、世間的にみてよいとされる位置づけであること。「―な相手を追い求める」▽高スペック。ハイスペ〔俗〕。

**はいずりまわ・る**【×這いずり回る】《自五》はっていろいろなところを回る。「地べたをはいずり回って(=現場をねばり強く)取材する」

**はい・する**【拝する】《他サ》〔文〕①頭を下げ、からだをかがめて敬礼する。おがむ。②〈ありがたく/つつしんで〉受ける。「命を―」③つつしんで見る。「皇居を―」▽拝す。

**はい・する**【配する】《他サ》〔文〕①ふりあてる。地位につかせる。「幹部に腹心を―」②適当な場所に置く。「庭園に石を―」③取り合わせる。「バックに松を―」④島流しにする。▽配す。

←**はい・する**【排する】《他サ》〔文〕①おしのける。「反対派を―」②おしひらく。「ドアを排して」▽排す。

←**はい・する**【廃する】《他サ》〔文〕①やめる。すてる。「制度を―」②しりぞかせる。「暴君を―」▽廃す。

**はいず・る**【(×這いずる)・(×匍いずる)】《自五》はって進む。☞はいずり回る。

**ばい・する**【倍する】《自他サ》〔文〕①二倍に〈なる/する〉。「われに―兵力」②大いに〈ふえる/ふやす〉。「旧に―ご愛顧を」▽倍す。

**はいせい**【俳聖】〔文〕古今にすぐれた俳句の名人。「―芭蕉」

**はいせい**【敗勢】〔文〕敗色。(↕勝勢)

**はいせいかんさいぼう**【×胚性幹細胞】《生》⇩イーエス(ES)細胞。

**はいせいしん**【肺性心】《医》肺の病気のため、肺へ血を送る心臓に負担がかかり、異常が起こった状態。

**はいせき**【配席】《名・他サ》〔宴会や会議での〕席の配置(を決めること)。「—表」

**はいせき**【排斥】《名・他サ》その地位などから追いはらうこと。「—運動」

**ばいせき**【陪席】《名・自サ》〔文〕目上の人と同じ席にいること。「—裁判官〔=裁判長とともに裁判に加わる裁判官〕」

**バイセクシュアル**〔bisexual〕異性も同性も恋愛対象にできること。バイセクシャル。バイ。

**はいせつ**【排雪】《名・自サ》〔文〕①積もった雪を取りのけること。「—車・除—」②積もった所から取りのけた雪。「—が川につまる」

**はいせつ**【排×泄】《名・他サ》《生》動物が、栄養分を取ったあとの残りをからだの外に出すこと。排出。

•**はいせつぶつ**【排×泄物】大小便。

**はいぜつ**【廃絶】㊀《名・自サ》〔文〕とだえて、なくなること。「先祖代々の墓は—してしまった」㊁《名・他サ》廃止してなくすこと。「核の—」

**はいせん**【杯洗・×盃洗】さかずきの やり取りをするとき、軽くひたして さかずきを洗うためのうつわ。

**はいせん**【肺×尖】《生》肺の上のほうの、とがった部分。「—カタル〔=肺結核の初期〕」

**はいせん**【廃船】〔文〕船としての使用をやめること。また、使わなくなった船。

**はいせん**【敗戦】《名・自サ》戦争や試合などに負けること。まけいくさ。「—投手〔=負け投手〕・—処理〔=負けに決まった試合や、たちゆかなくなった事業などをうまく終わらせること〕」 •**はいせんしゅぎ**【敗戦主義】⇩敗北主義。

**はいせん**【配船】《名・自他サ》①船を割り当てて運用すること。②船を必要な所に回すこと。

**はいせん**【配線】《名・自他サ》①電力を使うために、電線を引いて取りつけること。また、その線。「—工事」②電気〈機械/器具〉などの各部分を電線でつなぐこと。また、その線。「機器の間を—する」

**はいせん**【廃線】《名・他サ》〔文〕鉄道で、ある区間の営業を廃止すること。また、営業をやめた路線。

**はいぜん**【配膳】《名・自他サ》食事を客の前に くばること。「—室」

**はいぜん**【×沛然】《タトル》〔文〕雨がものすごい勢いで降るようす。「—たる豪雨」

**ばいせん**【×焙煎】《名・他サ》コーヒー豆などを煎ること。

**ぱいせん**【パイセン】〔「せんぱい(先輩)」の さかさことば〕〔俗〕先輩。「—、かっこいいっす」

**ハイセンス**《名・ナダ》〔和製 high sense〕センスがよく、品があること。「—な品々」

**はいそ**【敗訴】《名・自サ》《法》訴訟に負けること。(↔勝訴)

**ハイソ**〔俗〕㊀ハイソ《名・ナダ》〔↑ハイソサエティ(ー)〕上流社会(に属しているようす)。「—な生活」㊁ハイソ ↑ハイソックス。「黒の—」

**はいそう**【背走】《名・自サ》①前を向いたまま、うしろのほうへ走ること。②《球技》高くあがったボールをとるために、ボールに背を向けて走ること。

**はいそう**【敗走】《名・自サ》〔文〕戦いに負けて、にげること。

**はいそう**【拝送】《名・他サ》〔文〕「送ること」の謙譲語。

**はいそう**【配送】《名・他サ》〔文〕配達して送り届けること。「—課・—所」

**はいぞう**【肺臓】《生》肺。

**ばいぞう**【倍増】《名・自他サ》〔文〕二倍に ふえること。二倍に ふやすこと。倍まし。

**はいぞく**【配属】《名・他サ》割り当てて、所属させること。

**ばいそく**【倍速】㊀ばいそく 通常の二倍の速さ。㊁ばいそく㊁〔DVDなどの読み書きの速さが〕通常の何倍かをあらわすことば。「四—再生」「〔映像・音声を〕—で再生」

**はいそくせん**【肺塞栓】《医》脚の静脈に生じた血栓などによって肺動脈がつまった状態。「—症」

**ハイソサエティ(ー)**〔high society〕上流社会。ハイソ〔俗〕。

**ハイソックス**〔和製 high socks〕ひざ下までの寸法の、長いソックス。ハイソ〔俗〕。

**はいそん**【廃村】〔文〕①今は人の住まなくなったむら。②市町村の合併で、なくなった村。

**バイソン**〔bison〕毛が長い大形の野牛。アメリカバイソン〔=バッファロー〕とヨーロッパバイソンがある。

**はいた**【排他】〔文〕〈なかま/もとからいる人〉以外のものを、排斥すること。「—性」 •**はいたてき**【排他的】《ナダ》他人やよそ者を受け入れず、仲間だけでまとまるようす。 •**はいたてきけいざいすいいき**【排他的経済水域】《法》領海の外がわ、二百海里〔=約三七〇キロ〕までの水域。水産資源や海底資源に対する、その沿岸国の独占的な権利が認められる。経済水域。EEZ。☞接続水域。

**ばいた**【〔売△女〕】〔古風・俗〕①売春婦。②女性をののしって言うことば。

**はいたい**【×胚胎】《名・自サ》〔=みごもること〕〔文〕〔表面に出てくる前に〕そうなるもとが始まること。根ざすこと。「士気の低下に—した事件」

**はいたい**【敗退】《名・自サ》〔文〕戦争や試合に負けてしりぞくこと。

**ばいたい**【媒体】①広く情報を伝えるときの手段として使うもの。「広告の—」②《情》⇩記憶媒体。▽メディア。

**ばいだい**【倍大】〔文〕倍の大きさ。「—号」

**はいだす**【〔×這い〕出す】《自五》①はって外に出る。はい出る。②はって、からだを乗り出す。

**はいたつ**【配達】《名・他サ》一軒一軒に届けて歩く〈こと/人〉。「新聞—・—さん」 •**はいたつしょうめい**【配達証明】〔郵便局で〕郵便物などを相手に配達したことを、差出人に証明する取りあつかい。

**ハイタッチ**《名・自サ》〔和製 high touch〕〔試合などで〕チームのなかま〈と喜びをあらわす/をたたえる〉ために、たがいに〈両手/片手〉をあげて打ち合わせること。

**バイタリティ(ー)**〔vitality〕生命力。活力。生気。「—に富む」

**バイタル**〔vital〕㊀《ナダ》活気のあるようす。活力に満ちたようす。㊁《医》↑バイタルサイン。「—が低い・—

は

チェック」 ●**バイタル サイン**〔vital signs〕《医》人間が生きていることを示すサイン。血圧・脈拍・呼吸・体温など。生命徴候。バイタル。

**はいだん**［俳壇］①俳句を作る人の社会。「―の雄」②新聞などの俳句欄の呼び名。

**パイタン**［(:白湯)］〔中国語〕とりガラや豚骨のスープを煮こみ、乳化させて白くしたもの。「―スープ・とり―」☞さゆ(白湯)。

**はいち**［背×馳］《名・自サ》〔文〕反対になること。背反。「従来の方針に―しない」

**はいち**［配置］《名・他サ》人や物を、それぞれ適当な位置におくこと。「人員の―・全員―につけ」●**はいちがえ**［配置換え］へ―が《名・他サ》①おき場所をかえること。②その人の勤務する〈場所/職務〉をかえること。配置転換。配転。●**はいちやく**［配置薬］おきぐすり。

**ばいち**［培地］《医》細菌を人工的にふやすため、主として肉のしるに寒天などを加えたもの。培養基。

**はいちせい**［背地性］《植》植物のくきなどが、重力とは反対に、上に向かって生長する性質。(↕向地性)

**はいちゃい**《感》(↑はい、ちゃい《=さよう》なら)〔俗〕さようなら。「では―」

**はいちゃく**［廃嫡］〔旧民法で〕家や財産をつぐべき相続人の権利をなくすこと。☞廃除。

**はいちゃく**［敗着］《名・自サ》《碁・将棋》負けが決まる決め手となった着手。

**はいちょう**［(×蠅)帳］はひ―①昔、食品を入れた、金網などを張った戸棚。風通しがよく、虫もはいらない。②料理に虫がつかないようにかぶせる、網状の布などを張った、傘のようなおおい。▽はえちょう。

**はいちょう**［拝聴］《名・他サ》〔文〕「聞くこと」の謙譲語。「お説―いたしました」

**ハイツ** 造〔heights=高台。高地〕(高台の)集合住宅につける名前。

**はいつう**［背痛］〔文〕背中の痛み。

**はいつくばう**［(×這い×蹲う)］はひ―《自五》「はいつくばる」のもとの形。

**はいつくばる**［(×這いつくばる)］はひ―《自五》(↑はいつくばう)両手を前について、ひれふす。へいつくばる。「ひらぐものように―」

**はいてい**［廃帝］〔文〕位を追われた皇帝。

**はいてい**［拝呈］《名・他サ》〔文〕①「贈ること」の謙譲語。つつしんでさしあげること。②《手紙》初めに書く、あいさつのことば。拝啓。

**ハイティーン**〔和製 high teen〕高校生から、大学一、二年ぐらいまでの年ごろ(の少年・少女)。十代の後期。〔一九五八年からのことば〕(↕ローティーン)

☆☆**ハイテク**《名・ナダ》〔high-tech〕ハイテクノロジー(を使うようす)。「―企業・―株・―な機器」(↕ローテク)

**バイテク** ↑バイオテクノロジー。「―産業」

**ハイテクノロジー**〔high technology〕高度な科学技術。先端科学技術。ハイテク。

**はいてん**［配点］《名・自サ》試験などの問題や科目に対して、点を割りふること。また、その点。「英語の―が大きい」

**はいてん**［配転］《名・他サ》↑配置転換。

**はいでん**［拝殿］〔神社で〕拝礼するための建物。本殿の前に建てる。

**はいでん**［配電］《名・自サ》電流を分配すること。●**はいでんばん**［配電盤］電気を各部屋などに分配する、スイッチのついた装置。パネル。スイッチボード。

**ばいてん**［売店］建物・敷地の中にあってものを売る、簡単な設備の店。

←**ばいでん**［売電］《名・他サ》一般企業や家庭などが、太陽光などで発電した電気を電力会社に売ること。(↕買電)

→**ばいでん**［買電］《名・他サ》電力会社が一般企業や家庭から電気を買うこと。また、企業や家庭が電力会社から電気を買うこと。(↕売電)

**ハイテンション**《名・ナダ》〔和製 high tension〕興奮・緊張などで、気分が高揚しているようす。

**ハイテンポ**《名・ナダ》〔high tempo〕テンポが速いようす。速いテンポ。「―な展開」

**バイト**〔byte〕《情》情報量・記憶容量の単位。八ビット。アルファベット・アラビア数字の一文字は一バイトであらわされる。「キロ―〔⇩「キロ①」の用例〕」

**バイト**《名・自サ》⇩アルバイト①〜③。「―に行く・―代・仕事を―にたのむ」

**はいとう**［×佩刀］《名・自サ》〔文〕刀を腰につけること。また、その刀。帯刀。

**はいとう**［配湯］《名・自他サ》〔文〕〔温泉のもとからパイプで〕温泉の湯を配給すること。

☆☆**はいとう**［配当］《名・他サ》①割り当てること。②《経》株式会社などが純益金の一部を株主に分けること。また、分ける金額。利益配当。「―金・高―」③《競馬・競輪など》買った券が当たった場合にはらいもどすお金。●**はいとう おち**［配当落ち］《経》配当金のしはらいを受ける権利の保証されている日を過ぎ(て株価が下が)ること。

**はいどう**［廃道］〔文〕使われなくなった道。

**ハイトーン**〔high tone〕《音》高音。「―ボイス」

**はいとく**［背徳・×悖徳］〔文〕道徳にそむくこと。「―者・―行為〔=道に外れたおこない〕」

**はいどく**［拝読］《名・他サ》〔文〕「読むこと」の謙譲語。「お手紙―」

**ばいどく**［梅毒・×黴毒］《医》性病の一つ。梅毒トレポネーマという細菌によって起こる、慢性の感染症。ほうっておくと、全身がおかされる。☞スピロヘータ。

**ばいにく**［梅肉］梅の果肉(を裏ごししたもの)。あえものなどに使う。

**パイナップル**〔pineapple〕熱帯産のくだもの。かたい皮の中に、黄色くてあまずっぱい果肉がある。パイン(アップル)。「―ケーキ」表記「×鳳梨」とも書いた。

**はいにち**［排日］日本(人)を排斥すること。「―思想」

**はいにゅう**［×胚乳］種子の中で、発芽するときの養分をたくわえてあるところ。

**はいにょう**［排尿］《名・自サ》《医》小便をすること。

☆☆**はいにん**［背任］《名・自サ》《法》〔公務員・会社員などが〕まかされた任務にそむいて、まかせた人に金銭上の損害をあたえること。「―罪・特別―罪〔=会社の役員がその地位を利用して不正をおこない、会社に損害をあたえる罪〕」

は

**ばいにん**【売人】〔↑密売人〕〔俗〕麻薬などを売りさばく人。

**ばいね**【倍値】〔以前の〕二倍の値段。

**はいねつ**【廃熱】用がすんで、クーラー・エンジンなどから出される熱気。「—利用のプール」

**はいねつ**【排熱】《名・自サ》こもった熱を外に出すこと。

**ハイネック**〔high necked〕《服》セーターなどのえりが、くびに沿って高くついていること。また、そのようになっているえり。たちえり。

**はいのう**【背×嚢】兵士などがものを入れてせおう、四角なふくろやかばん。

**はいのう**【排×膿】《名・自他サ》《医》切開したりして、うみを排出すること。「—作用・—薬」

**はいのり**【背乗り】《警察》〔俗〕自分の素性や悪事をかくすために、行方不明者などの戸籍を乗っ取り、その人になりすますこと。

**ハイパー**〔遺〕〔hyper〕①度をこえた。極度の。「—インフレ」②能力が極度にすぐれた。「—レスキュー隊」③《情》↑ハイパーリンク。「—テキスト」●**ハイパーマーケット**〔hypermarket〕郊外立地の巨大なスーパーマーケット。●**ハイパーメディア**〔hypermedia〕《情》文字・音声・画像などをつないで、ひとまとまりの情報にしたもの。文字をクリックすると音声や動画が流れるホームページなど。●**ハイパーリンク**〔hyperlink〕《情》〔インターネットで〕ホームページの文字やアイコンをクリックすると、別のページが表示されるしくみ。
▽「スーパー」より高い程度をあらわす。

**はいはい**【(×這い×這い)・ハイハイ】《名・自サ》〔児〕赤ちゃんがはうこと。「—ができる」

**はい-はい**《感》〔話〕①「はい」を重ねたことば。「—、お電話かわりました・—、みなさん、静かにして・—、わかってますよ」🅩場合によって、積極的とも、〈なげやり/軽薄〉で失礼とも受け取られる。☞二つ返事。②民謡などの合いの手。「ソーランソーラン、—」③牛や馬を追うときのかけ声。

**ばいばい**【倍々】二倍二倍とふえること。●**ばいばいゲーム**【倍々ゲーム】〔俗〕〔業績などが〕二倍になり、さらにその二倍となるような急成長をすること。

**ばいばい**【売買】《名・他サ》①うりかい。②《法》当事者の一方が商品を相手にわたし、相手がこれに対してお金をしはらうこと。「—契約」

**バイバイ**《感・自サ》〔bye-bye〕〔俗〕さようなら。

☆☆**バイパス**〔bypass〕㊀交通の混雑を少なくするために作った補助道路。側道。㊁《名・自他サ》よけて通ること。●**バイパスしゅじゅつ**【バイパス手術】《医》血管や消化管がせまくなったり、つまったりしたとき、その部分を迂回する管をつくる手術。

**ハイハット**〔hi-hat〕《音》〔ドラムセットで〕立てた棒に、二つ合わせたシンバルをつき通した楽器。ハイハットシンバル。〔スティックでたたく〕

**ハイパワー**《名・ナダ》〔high power〕〔製品の能力が〕強力な〈こと/ようす〉。「—の乾電池」

**はいはん**【背反・×悖反】《名・自サ》〔文〕そむくこと。違反。「命令に—する」

**はいばん**【廃番】メーカーが製造をやめたりして、取りあつかわなくなった商品(の品番)。「—品」

**はいばん**【廃盤】CD・レコードなどの製造をやめること。また、そのCD・レコードなど。絶盤。

**はいはんちけん**【廃藩置県】《歴》明治四(一八七一)年に全国の藩をやめて府・県をおいた大改革。

**はいばんろうぜき**【杯盤(×狼×藉)】〔文〕さかもり(のあと)の席の、さかずきや皿・小ばちなどが乱れた様子。

**はいび**【拝眉】《名・自サ》〔文〕「相手に会うこと」の謙譲語。拝顔。

**はいび**【配備】《名・他サ》配置して準備すること。「軍隊を—する・警察官を—する」

**ハイビーム**〔high beam〕自動車のヘッドライトを上向きにすること。「ライトを—に切りかえる」(↕ロービーム)

**ハイヒール**〔↑high-heeled shoes〕かかとの高い、女性のくつ。(↕ローヒール)

☆☆**ハイビジョン**〔Hi-Vision〕画面品質を向上させたテレビ放送。走査線〔=テレビ画面の横に走る電気信号の線〕が一一二五本の高精細度テレビ。地上デジタル放送や衛星デジタル放送に使われる。規格名はHDTV〔↑high-definition television〕。

**ハイビスカス**〔hibiscus〕赤・黄色などの花がさく、フヨウに似た南方原産の花の名。ハワイの代表的な花。ヒビスカス。「—ティー」☞ぶっそうげ(仏桑花)。

**ハイピッチ**《名・ナダ》〔和製 high pitch〕進行が速い〈こと/ようす〉。「工事を—で進める」

**はいびょう**【肺病】肺の病気。特に、肺結核。

**はいひん**【廃品】使いふるして役に立たなくなった物。「—回収業」

**ばいひん**【売品】〔文〕売る品物。(↕非売品)

**パイピング**〔piping〕《服》えり・そで口・帽子のつばなどを、布・ビニールなどの細いテープでふちどってかざること。

**はいふ**【肺×腑】〔文〕①肺臓。「—をえぐる〔=大きな苦痛やショックをあたえる〕一言」②心のおくそこ。「—の言〔=考えた末の、心からのことば〕」●**肺腑を突っく**《句》①深く感動させる。②非常におどろかす。
表記「肺×腑を△衝く」とも。

**はいふ**【配布】《名・他サ》①くばって行きわたらせること。「パンフレットを—する」②【配付】めいめいにくばりわたすこと。「出席者に資料を—する」

**はいぶ**【背部】〔文〕せなか(のほう)。

**はいぶ**【廃部】《名・自他サ》〔文芸部・運動部などの〕部を廃止すること。

**バイブ**㊀①〔↑バイブレーション〕スマートフォンなどの着信のとき、音を出さずに、振動によって知らせる設定。②↑バイブレーター。●**バイブス**〔米 vibes←vibration〕㊁〔vibes〕《音》⇩ビブラフォン。〔俗〕①気分(が高まった状態)。やる気。「メイクがうまくできて—上がる!・—をもらう」②感性。「—が合わない」
▽二〇一〇年代に広まったことば。

**パイプ**〔pipe〕①管。導管。「ガスの—」②刻みタバコをつめてすう用具。タバコをつめる火皿と吸い口、吸い口をつなぐ軸から成る。〔紙巻きタバコを差してすう吸い口のことも言う〕③連絡をつける役割をはたすもの。橋わたし。「—役・話し合いの—を残す・経済界に太い—がある」●**パイプいす**【パイプ椅子】わくを金属製のパイプで作った(折りたたみ式の)いす。●**パイプオ**

ルガン〔pipe organ〕〔音〕動力で空気を〈木製／金属製〉の管に送りこみ、キーをおして音を出す、大形の楽器。●パイプカット《名・他サ》〔和製 pipe cut〕〔俗〕男性の不妊手術。精管を切除したり、しばったりする。●パイプライン〔pipeline〕ガス・石油などを遠くへ送るための管。

**ハイファイ**〔hi-fi←high fidelity〕〔オーディオ装置が〕もとの音に、非常に忠実に再生できること。

**ハイファッション**〔high fashion〕最新の流行〈の型〉。

**はいふく**【拝復】《手紙》〔文〕返事の初めに書く、あいさつの ことば。〔終わりには「敬具」「拝具」などを使う〕

**はいぶつ**【廃物】〈使え／使わ〉なくなったもの。役に立たないもの。廃品。「ー利用」

**はいぶつきしゃく**【廃仏毀釈・排仏棄釈】〔歴〕明治のはじめ、仏教を排斥して、寺などをこわしたこと。

**はいぶつしそう**【拝物思想】〔宗〕⇩フェティシズム①。

**ハイブラウ**《名・ナダ》〔highbrow〕①学識や教養〈のある／をひけらかす〉人。知識人。②知的で高級なようす。▽ハイブロー。ハイブロウ。

☆☆**ハイブリッド**〔hybrid〕㊀動植物の雑種。異種配合。「ー種」㊁《名・ナダ》複数のものが〈混ざり合って／組み合わさって〉いること。また、そのようす。「ーな文化」▽㊀㊁なまって、ハイブリット。●ハイブリッドしゃ【ハイブリッド車】エンジンと電気モーターを組み合わせた、低燃費の自動車。ハイブリッドカー。HV。

**バイブル**〔Bible〕①〔宗〕キリスト教の経典。聖書。②いちばん大切な本。必携の書。「経営学のー・言語研究者のー」

**バイブレーション**〔vibration〕①振動。②〔音〕声をふるわせること。ふるわせて出す声。

**バイブレーター**〔vibrator〕電気で細かく振動させる、マッサージ器。バイブ。

**バイプレーヤー**〔和製 by-player〕わき役。助演者。

**ハイブロー**《名・ナダ》〔highbrow〕⇩ハイブラウ。

**ハイフン**〔hyphen〕〔欧文などで〕〈ことばと ことば／つづりと つづり〉の間に使う、短い線。forget-me-not〔=忘れな草〕などの「-」。

**はいぶん**【俳文】俳味をたたえた文語文。多くは俳句をともなう。

**はいぶん**【拝聞】《名・他サ》〔文〕「聞くこと」の謙譲語。つつしんで聞くこと。

**はいぶん**【配分】《名・他サ》割り当てて くばること。「利益のー」

**ばいぶん**【売文】文章を書いて、その原稿料で生活すること。〔多く、いやしめて言う〕「ー業」

**はいへい**【敗兵】〔文〕戦争にやぶれた兵士。「ーとなってにげる」

**ハイペース**《名・ナダ》〔和製 high pace〕ものごとの進み方や、調子がふつうより速い〈こと／ようす〉。「ーでとばす」

**はいべん**【排便】《名・自サ》〔医〕大便をからだの外に出すこと。

**はいほう**【肺胞】〔医〕気管支のはしにブドウのような形について いる ふくろ。呼吸によるガス交換がおこなわれる。

**はいほう**【敗報】〔文〕戦いや試合に負けた知らせ。〔↔勝報〕

**はいぼう**【敗亡】《名・自サ》〔文〕争いにやぶれて〈ほろびる〉こと。「祖国ー」

**ハイボール**〔米 highball〕ウイスキーを炭酸水で割った飲み物。☞ハイ[造]。

**はいぼく**【敗北】《名・自サ》戦いや試合に負けること。「ーを喫する」〔↔勝利〕●はいぼくしゅぎ【敗北主義】自分のほうが負ける〈ことを願う／だろうと考える〉傾向。敗戦主義。「ーにおちいる」

**はいほん**【配本】《名・自他サ》刊行された書物を小売店に くばること。また、くばられた本。

**はいまつ**【×這松】高山にはえる、マツの一種。枝・幹は地面をはうようにのびる。

**はいまつわ・る**【×這い×纏る】《自五》はっていって巻きつく。「木の幹にーツタ」

**はいみ**【俳味】俳諧独特の、四角ばらない、上品なおもしろみ。

**ハイミス**〔和製 high miss〕〔古風〕結婚しないまま年月が過ぎた女性。〔一九六〇年代後半、「オールドミス」の言いかえとして広まった。三十歳になる前でも言われた。今では失礼なことば〕

**ハイム**[造]〔ド Heim=家〕集合住宅につける名前。

**はいめい**【俳名】〔文〕俳人としての名前。

**はいめい**【拝命】《名・他サ》〔文〕①つつしんで任命を受けること。「巡査をーする」②つつしんで命令を引き受けること。

**ばいめい**【売名】〔機会を利用して、さかんに〕自分の名前を世間に広めること。「ー行為」

**バイメタル**〔bimetal〕〔理〕膨張の度合いのちがう二種類の金属の板を張りあわせたもの。温度の変化にともない、そり返ったり もとにもどったりする。自動温度調節器に利用する。

**はいめつ**【廃滅】《名・自サ》〔文〕すたれて なくなること。

**はいめん**【背面】〔文〕背中のがわ。うしろがわ。「〔走り高跳びの〕ー跳び・ノート パソコンのー」〔↔〈正面／前面〉・側面〕

**はいもん**【肺門】〔生〕肺臓の内がわで、気管支などのはいりこんでいるところ。

**ハイヤー**〔hire=賃貸し〕営業所などに待機し、たのまれると客をむかえに行く、貸し切りの自動車。〔↔タクシー〕

**バイヤー**〔buyer〕〔外国貿易商の〕買い手。仕入れ係。〔↔サプライヤー〕

**はいやく**【配役】《名・他サ》〔演劇・映画などの〕役の割りふり。「ドラマのー」

**ばいやく**【売薬】市販されている くすり。買い薬。

**ばいやく**【売約】《名・自サ》売る約束。「ー済み」

**はいゆ**【廃油】使用ずみの、役に立たなくなった油。「ーボール〔=船から捨てられた油がかたまりになったもの〕」

**はいゆう**【俳優】演劇・映画などに出ることを職業とする人。役者。

**はいよう**【×胚葉】〔生〕受精卵が細胞分裂をくり返すうちに あらわれる、三つの層。それぞれ、神経・筋肉・内臓など、決まった組織になる。

**はいよう**［廃用］はたらきが悪くなり、使えなくなること。「—牛（=乳が出なくなったり、出産しなくなったりした雌牛）」 ●**はいようしょうこうぐん**［廃用症候群］《医》病気やけがなどでからだを動かさないために、関節がかたまったり、筋力がおとろえたり、高齢者なら認知症が出たりする状態。生活不活発病。

**はいよう**［×佩用］《名・他サ》〔文〕〔勲章を〕衣服の上につけること。

**ばいよう**［培養］《名・他サ》①〔研究のために〕細菌などをやしなってふやすこと。「—器」②〔文〕草や木のせわをしてやしなうこと。「—土」

**はいよる**［(×這い)寄る］《自五》はって近づく。「母のひざに—」

**ハイライト**《名・他サ》〔highlight〕①《写真》光線をいちばん強く受けた、明るい部分。(↔シャドー) ②〔ニュース・行事などで〕最も注目される場面。「—シーン」③〔コンピューターの画面で〕文字列の背景に色をつけたりして、目立たせること。

**はいらん**［排卵］《名・自サ》①《生》哺乳類が、卵巣から卵子を出すこと。〔卵子はその後、卵管にはいって受精を待つ〕「—期・—誘発剤（=妊娠しにくい人のために使う、卵子の成熟と排卵をうながす薬）」②《動》さかなが、からだの外へたまごを出すこと。

**ハイランド**①〔highlands〕山岳地帯。②〔Highlands〕〔イギリスの〕スコットランド北部の山岳地帯。「〔ウイスキーの〕—もの」

**はいり**［入り］はいること。●**はいりぐち**［入り口］中へはいりこむ所。いりぐち。●**はいりこむ**［入り込む］《自五》〈中へ／おく深く〉はいる。いりこむ〔古風〕。「空き家に—・夢の世界に—・役に—」

**はいり**［背理］〔文〕ものの道理にそむくこと。●**はいりほう**［背理法］《哲》ある命題の否定を受け入れると矛盾が導かれることを根拠として、その命題が正しいことを証明する、間接的な証明方法。帰謬法。

**はいり**［背離］《名・自サ》〔文〕そむいてはなれること。

「感情の—」

**ハイリスク**《名・ダナ》〔high risk〕危険が大きい〈こと／ようす〉。「—の患者」 ●**ハイリスク-ハイリターン**〔high risk high return〕《経》投資で、損する危険も大きいかわりに、大きいもうけが期待できること。

**ばいりつ**［倍率］①ある数が基準の何倍になっているかの数字。「入試の—・求人—」②《理》顕微鏡などを通して目に見える大きさと、実物の大きさとの比。

**はいりょ**［配慮］《名・自他サ》さしつかえがないように、気をつかうこと。心づかい。「環境に—する・ご—にあずかりまして」

**はいりょう**［拝領］《名・他サ》〔文〕目上の人からものをいただくこと。「主君から—した刀」

**ばいりょう**［倍量］二倍の量。二倍量。

**ばいりん**［梅林］〔文〕ウメのはやし。

**バイリンガル**〔bilingual〕二つの言語を自由に話す〈こと／人〉。☞トライリンガル。

**はいる**［配流］《名・他サ》〔文〕流罪にすること。「僧が島に—される」

**はいる［入る・×這入る]** ㊀《自他五》外から内に〈行く／移る〉。「家の中に—・門を—・列車がホームに—・すきま風が—・ふろに—・東京に—（=着く）」（↔出る）㊁《自五》①組織や団体などのひとりになる。「大学に—・野球部に—・保険に—」（↔出る・やめる）②ある状態へ移る。「独走態勢に—・調査に—・核心に—」③刃物がさしこまれる。「からだにメスが—」④一部分が、刃物などで切った状態になる。「切れこみが—・ミシン目が—」⑤加わる。「砂糖が—・他人の手が—・雑音が—・水玉模様の入ったグラス」⑥外から来て仕事をする。「大工が—」⑦自分のものになる。「点が—・印税が—」⑧取りつけたりして、利用できる状態になる。「水道が—・スイッチが—・電源が—・衛星放送が—」⑨〔連絡・電話が〕来る。「メールが—」⑩〔ある時期に〕なる。「三月に—・夏休みに—」⑪ふくまれる。分類される。「小柄な部類に—」⑫〔目や耳に〕ふれる。「すぐ耳に—」⑬〔酒を〕飲む。「酒が—・だいぶ入ってますね」⑭すぐ飲める状態になる。「お茶が入りました」⑮〔東北などの方言〕放送される。「いまテレビで何が入ってる？」 可能 入れる。

**パイル**〔pile〕①ビロードのけばや、タオルのわな（輪奈）など、織物・じゅうたんをおおう長い糸。また、その糸におおわれた生地。「—織り・—のくつ下・—地」②くい（杭）。「コンクリート—」

**はいれい**［拝礼］《名・自他サ》〔神仏・死者の霊などに〕頭を下げておがむこと。

**はいれき**［俳歴］〈俳人として活動して／俳句を作って〉きた経歴。句歴。

**ハイレグ**〔high leg〕〔水着や体操着などで〕足のつけねの部分をV状にカットしたもの。

**ハイレゾ**〔↑high-resolution=高解像度〕CDの音質よりももっと再現度が高い音質。「—音源」

**はいれつ**［配列・排列］《名・他サ》①ならべること。②ならび(方)。ならんだもの。「—を変える」

**ハイレベル**《名・ダナ》〔high level〕①高い水準。上級。「—の問題」②首脳級(が おこなうこと)。「—会合」

**はいろ**［廃炉］《名・他サ》溶鉱炉・原子炉などの使用をやめて、施設を解体したりすること。また、そうなった炉。

**パイロット**〔pilot〕㊀パイロット ①水先案内人。②〔航空機の〕操縦者。機長。③案内者。指導者。④〔↑パイロット バーナー〕〔湯わかし器などの〕種火。㊁造 ①案内をする。すぐ使える状態にある。「—ランプ」②試験的。実験的。「—生産・—ファーム（=実験的モデル農場）」③見本の。「ドラマの—版」

**はいろん**［俳論］俳句についての評論・理論。

**パイロン**〔pylon〕工事のときなどに道路に置く、円錐形の標識塔。(ロード)コーン。三角コーン。

**パイン**①〔↑パインアップル〕食材としてのパイナップル。また、パイナップル味。「—ジュース・—缶」②〔pine〕〔木材の〕マツ。「—集成材」

**バインダー**〔binder〕①〔書類・雑誌などの〕とじこみ用の、厚い表紙と金具などのついた文具。②作物を自動的に刈り取ってたばねる農業機械。

**バインディング**〔binding〕⇩ビンディング。

**バインミー**〔ベトナム bánh mì〕フランスパンで作る、ベトナムのサンドイッチ。野菜・ハーブ・肉などをはさみ、ニョクマムで味つけする。

**は・う**[(×這う)・(×匍う)] 一《自他五》①手足を地面・たたみなどにつけて進む。「赤ちゃんが―」②(虫などが)面に沿って動く。③面に沿ってのびてゆく。「つるが地面を―」［他］はわせる《下一》。「視線を―」 二《自五》はらばう。「ふとんに―ようなかっこう」 ●**はえば立て、立てば歩めの親心**［句］子どもが育てば育つほど、親がさらにその成長を期待すること。

**ハウジング**〔housing〕住宅の〈建設/供給〉。

**ハウス**〔house〕一 ハウス ①家。住宅。建物。「組み立て―・スキー―・―ルール〔=身内だけのルール〕」②《農》↑ビニール ハウス。「―栽培(↔露地栽培)」③犬の小屋やさく(に はいるよう、犬に言うことば)。二 ハウス〔↑ハウス ミュージック〕《音》「クラブ二」でかかる、メロディーよりもリズムを強調したダンス音楽。 ●**ハウスキーパー**〔housekeeper〕①家政婦。②住宅の管理人。 ●**ハウスクリーニング**〔house cleaning〕専門業者による住宅の清掃代行サービス。 ●**ハウスダスト**〔house dust〕室内のほこり。アレルゲンの一つ。室内塵。 ●**ハウスワイン**〔house wine〕そのレストランで多く提供しているワイン。ふつう割安で、グラスでも注文できる。

**はうた**[端唄]《音》多く三味線に あわせて歌う、短い俗謡。☞小唄。

**パウダー**〔powder〕①粉。「ベーキング―・―状」②〔粉の〕おしろい。「―コーナー〔=(トイレの)けしょう用の場所〕」③↑ベビー パウダー。 ●**パウダースノー**〔powder snow〕さらさらとした粉雪。スキーに適している。 ●**パウダールーム**〔powder room〕①けしょう用の場所。②トイレ。▽けしょう室。

**パウチ**〔pouch〕一 小さな ふくろ。「レトルト―」 二《名・自他サ》紙のカードなどをうすいフィルムで はさみ、熱で密着させ〈ること/たもの〉。ラミネート加工の一種。

**バウチャー**〔voucher〕①取引などの証票。領収書。②〔ホテル・飛行機などの〕利用券。引換券。クーポン。

**はうちわ**[羽(:団扇)] 鳥の はねで作った うちわ。

「天狗の―」

**ハウツー**〔how-to〕やり方・作り方の実用技術を教えること。ハウトゥー。「―もの」

**ばうて**[場(打て)]〔古風〕その場の様子に気おくれすること。「―がする」

**バウムクーヘン**〔ド Baumkuchen=木のケーキ〕輪切りにすると、木の年輪のように見える洋菓子。バームクーヘン。バウム。

**ハウリング**《名・自サ》〔howling=遠ぼえ〕〔オーディオ装置などで〕スピーカーの音をマイクが拾い、耳ざわりな雑音が出ること。〔俗に、動詞化して、ハウる《自五》〕

**バウンド**《名・自サ》〔bound〕ボールが地面に はずむこと。バンド〔俗〕。「ワン―・ツー―」

**パウンド**〔pound〕⇩ポンド①。〔プロレスなどでは「パウンド」を使う〕 ●**パウンドケーキ**〔pound cake〕まぜあわせ、練ったバターに、砂糖、たまご、小麦粉を加えて まぜあわせ、長方形の型で焼いたケーキ。 ●**パウンドサイン**〔pound sign〕⇩番号記号。

**はえ**[(:南風)]〔九州・沖縄などの方言〕みなみかぜ。☞東風。

**はえ**[栄え]〔文〕光栄。ほまれ。「―ある勝利」

**はえ**[(×鮠)] ⇩はや(鮠)。

**はえ**[(×蠅)] 小形の昆虫。食べ物などにたかり、感染症を広げる。はい。

**ばえ** 一[映え・栄え]［造］《名・自サをつくる》その〈場所/状況〉で引き立って感じられること。「仕立て―がする・舞台―する・SNS―する・肌―ファンデ」［表記］「できばえ」「見ばえ」は、「栄え」が多い。 二 ばえ[(△映え)]《名・ナダ》〔俗〕写真などが「ばえる」ようす。「―な感じ・すごい―」

**はえかわ・る**[生え替わる]《自五》前のものに代わって、新しく はえる。

**はえぎわ**[生え際] かみの毛の はえている きわ。

**はえたたき**[(×蠅×叩き)] ハエをたたく道具。柄の先についた網目状の平たい面で たたく。はいたたき。

**はえとりがみ**[(×蠅)取り紙] 飛んで来るハエをくっつけるために つるしておく、ねばりけのある帯状の紙。はいとりがみ。〔昔の家庭で よく使った〕

**はえなわ**[(△延)縄] 一本の綱に、それぞれ釣り針のついた たくさんの釣り糸をつけ、海の中に投げ入れて さかなを釣る道具。「―漁」

[はえなわ]

**はえぬき**[生え抜き] ①その土地にうまれて その土地で育ったこと。「―の江戸っ子」②最初からずっとそこにつとめていること。「―の社員」

**パエリア**〔ス paella〕スペインの炊きこみご飯。肉・魚介類などとサフランをオリーブオイルでいため、米を入れてブイヨンで炊きあげる。パエリヤ〔古風〕。パエーリヤ。パエージャ。

**は・える**[生える]《自下一》根もとからのびて出る。「草が―・歯が―・カビが―」

**は・える**[映える]《自下一》①光を受けて かがやく。「夕日に―山脈・新緑が―」②[栄える] りっぱに感じられる。引き立つ。「この柄のほうが映えて見える・SNSで―写真・映えない顔立ち」［名］映え。「西日の―」☞ばえ。

**ば・える**[(△映える)]《自下一》〔俗〕〔写真などが〈SNSで/SNSに投稿したくなるほど〉〕きれいで目立つ。はえる。「―カフェ」〔二〇一〇年代末からの ことば。「SNS映えする」などの表現の「ばえ」を動詞化したもの〕☞ばえ二。

**パオ**[(:包)]〔中国語〕⇩ゲル(モンゴル ger)。

**はおう**[覇王] ①〔文〕武力で天下を統一して おさめる王。②すべてを制するもの。「芸能界の―」

**はおく**[破屋]〔文〕こわれた家。あばらや。

**パオズ**[(:包子)]〔中国語〕小麦粉で作った皮の中に、ひき肉や あんなどを包んで むした、中国料理。「焼き―」☞中華まんじゅう。

**はおと**[羽音] ①鳥・虫の、はねの音。②矢の はねが風を切って とぶ音。

**はおと**[葉音] 葉が すれあって出る音。

**バオバブ**〔baobab〕アフリカのサバンナ地帯やオーストラリアに分布する高木。幹が ひどく太く、水分を大量にたくわえる。バオバブの木。

**はおり**[羽織] 着物の上に着る、短い衣服。●**はおりはかま**[羽織下] 寒さを防ぐため羽織の下に着る、ちゃんちゃんこのような形のもの。●**はおりはかま**[羽織(×袴)] 男性の、正式の和装。「仲人が—でやってきた」

**はお・る**[羽織る]《他五》〔「羽織」を動詞化したことば〕衣服の上にかけて着る。「〈はんてん/ジャケット〉を—・羽織りもの(=羽織る上着)」

**はか**[墓] 死体・遺骨をほうむった所。

**はか**(=イネを〈植える/刈る〉区画) 仕事の進む程度。「—が行く」

**はか**[破×瓜]《名・他サ》〔文〕①女子の十六歳。思春期のころ。「—期(=生理の始まる年ごろ)」 由来 瓜の字を縦に破ると、八と八になることから。「八かける八」で、男子の六十四歳もいう。②〔性交によって〕処女膜が破れること。

***ばか**[(:馬鹿)・(:莫迦)・バカ] ㊀**ばか**《名・ナダ》①ものを考える力が弱い〈ようす/人〉。また、誤った考え方をする〈ようす/人〉。おろか(もの)。「—者・—をさらす・—は死ななきゃ治らない・—な犬・—なことをした・—とけむりは高い所にのぼる」(↕利口) ✓ののしるときにも使う。親しい間がらで、「ばかだなあ」と軽い気持ちでからかうこともあるが、誤解のもとにもなるので注意。②りくつに合わない〈ようす/こと/ことば〉。「そんな—な(ことが)!・—も休み休み言え」③つまらないようす。「—な目にあう」④〔はたらきが〕だめになるようす。「鼻が—になる・鍵が—になる」⑤〔俗〕程度がむやみに大きいようす。めちゃめちゃ。「そこの焼き鳥が—にうまかった・—な受けようだ・—ほどねむい」派 —さ。☞おばか・ばかの一つ覚え。㊁ 造〔俗〕程度がすぎること。「—安(値)・—高い・—受け・—かわいがり・頭に—がつくほどの正直(=ばか正直)」〔強調して「ばかっ高い・ばかっ早い」などと言う〕㊂ 造〔俗〕それだけにかかわってばかりいること。「専門—・仕事—」 ●**ばかとはさみ(鋏)は使いよう** 句 切れないはさみが使いようで切れるように、おろか者も使いようでは役に立つ。〔人はじょうずに使うものだ、というたとえ〕 ●**ばかにする** 句 〈おとった者だ/たいしたことがない〉と思って、軽くあつかう。あなどる。「国民を—・一円を—者は一円に泣く」 ●**ばかにつける薬はない** 句 ばかは直すことができない。 ●**ばかにならない** 句 軽く見られない。無視できない。ばかにできない。 ●**ばかを言え** 句〔話〕「ばかな発言だ」ととがめることば。ばか言え。ばかを言いなさい(やや丁寧)。 由来 ばかなことを言っていろ、あとでくやむぞ、の意味から。 ●**ばかを見る** 句 期待していた結果が逆になる。つまらない目にあう。損をする。

**ばか**《副助》〔↑ばかり〕〔俗〕だいたい、そのくらい。「二十万—、お金がいるんです」

**ばかあたり**[(:馬鹿)当たり]《名・自サ》〔俗〕〔興行・商売・打者などが〕なみはずれて当たること。

**はかあな**[墓穴] 墓の下にほる、死者をほうむる穴。☞ぼけつ(墓穴)。

**はかい**[破戒] ①《仏》僧が戒律をやぶること。「—僧」(↕持戒) ②〔文〕いましめをやぶること。 ●**はかいむざん**[破戒無×慙]《仏》戒律をやぶってはずかしいとも思わないこと。

**はかい**[破壊]《名・自他サ》こわれること。うちこわすこと。「—力(=相手に打撃をあたえる力。得点能力)」(↕建設) ●**はかいてき**[破壊的]《ナダ》ぶちこわしにしようとするようす。「—意見」(↕建設的)

**はがい**[羽交い] ①鳥がはねをたたんだとき、左右のはねのかさなりあった所。②はね(羽)。つばさ。 ●**はがいじめ**[羽交い締め] 相手のせなかに回って、両わきの下にうでを通し、首のうしろで手を組み合わせて強くしめつけること。

**はがい**[派外] 派閥のそと。「官房長官を—から起用」(↕派内)

**はかいし**[墓石] 墓のしるしとして立てた石。ぼせき。

**ばかうれ**[(:馬鹿)売れ]《名・自サ》〔俗〕〔商品などが〕なみはずれて売れること。

**ばかがい**[(:馬鹿=貝)] 海にすむ二枚貝。むき身は「あおやぎ」、貝柱は「こばしら」と言い、どちらも食用。

**はがき**[(:葉=書)・ハガキ] ↑郵便はがき。「年賀—」 表記「端書」とも書いた。

**はかく**[破格]《名・ナダ》①格に外れること。特別。「—の待遇・参加者が—に多い」②文法や文章表現のきまりに外れていること。

**はがく**[端額] (きりの悪い)中途はんぱで小さな金額。「四十一円は—だ」

**ばかくさ・い**[(:馬鹿=臭い)]《形》ばからしい。つまらない。派 —さ。

**はがくれ**[葉隠れ] 木の葉の間にかくれること。

**はかげ**[葉陰] 木の葉の陰。「ヤシの—」

**ばか・げる**[(:馬鹿げる)]《自下一》①〔ふつう **ばかげ**〈た/て〉〕ばからしく感じられる。「ふん、ばかげた話さ」②〔**ばかげて**〕〔俗〕非常に。たいへん。「ばかげて大きい」

**ばかさわぎ**[(:馬鹿)騒ぎ]《名・自サ》ばかげた大さわぎ。

**ばかし**《副助》〔俗〕ばかり。ばっかし。ぱかし。

**はかじまい**[墓(:仕舞い)]《名・自他サ》身内が管理できなくなった墓をしまうこと。墓石を撤去し、遺骨は別の場所に移したり、別の形で供養したりする。

**ばかしょうじき**[(:馬鹿)正直]《名・ナダ》正直すぎて気がきかない〈こと/人〉。派 —さ。

**はかじるし**[墓(△標)] 墓であることをしめす、めじるし(の石や柱)。ぼひょう。

**はか・す**[(×捌かす)]《他五》はけるようにする。「在庫を—」

**はが・す**[剝がす]《他五》はがれた状態にする。「紙を一枚ずつ—・薄紙を—よう(⇩「薄紙」の 句)」

**ばか・す**[化かす]《他五》①だましてまよわせる。だます。②ばけさせる。

**ばかず**[場数] 経験の度数。「—をふむ」

**ばかすか**《副》〔俗〕①あれこれと、やたらに〈量をふやす/量がふえる〉ようす。「商品をかごに—入れる・—売れる」②ドラムなどの、うるさく鳴り続ける音。

**はかせ**[博士] ①学問やその道にくわしい人。ものしり。「昆虫—」②〔俗〕はくし(博士)。〔ドラマや小説などでは、呼びかけや接尾語としても使う。「—、大変です!・《漫画『鉄腕アトム』の》天馬—」〕

**はかぜ**[羽風] はねが動いて起こる風。

**はかぜ**[葉風] 木や草の葉を動かす そよかぜ。「—に耳をかたむける」

**はかた**[△博多]〔=福岡市内の地名〕↑はかた織。「—帯」●**はかたおり**[△博多織] 絹のより糸を使った地の厚い織物。多くは帯地に使う。●**はかたドンタク**[△博多どんたく] 福岡市で、毎年五月三・四日におこなわれる祭り。おどり手の行列が、しゃもじを打ち鳴らしながら、通りをねり歩く。博多どんたく港まつり。どんたく。

←**はがた**[歯形] 歯でかんだあとに残るかたち。

→**はがた**[歯型]《医》入れ歯などを作るために取る、歯の型。「—を取る」

**はがため**[歯固め] ①歯の生えはじめた赤ちゃんにかませる、おもちゃや菓子。②歯をじょうぶにしようと、固いものを食べる正月の風習。

**ばかたれ**[(:馬鹿たれ)]〔俗〕ののしることばの「ばか」を強めた言い方。ばかったれ。「この—め」

**ばかぢから**[(:馬鹿)力] なみはずれて強い力。

**ぱかっと**《副》ついていたものが、そっくりはなれたり取れたりして、大きくひらくようす。「ふたが—あく」

**ばかていねい**[(:馬鹿)丁寧]《ナダ》ていねいすぎるようす。派-さ。

**ばかでか・い**[(:馬鹿でかい)]《形》〔俗〕むやみに大きい。派-さ。

**はかどころ**[墓所]〔文〕はかば。ぼしょ。はかしょ。「四十七士の—」

**はかど・る**[△捗る]《自五》ものごとが順調に進む。「仕事が—」名はかどり。

**はかな・い**[(×儚い)・(:果敢=無い)]《形》①消えてしまいそうで、たよりない。「—願い(=かなわないかもしれない願い)・ホタルの—美しさ」②(簡単に)死んで、あわれだ。「—運命・はかなくなる(=死ぬ)」③つまらない。むなしい。「—人生」派-がる。-げ。-さ。

**はかな・む**[(×儚む)]《他五》世の中(のこと)を、つまらなく、たよりにならないと思う。

**はがね**[鋼]〔=刃金〕鋼鉄。

**ばかね**[(:馬鹿)値]〔俗〕常識を外れた〈高い/安い〉値段。

**ばかねん**[(:馬鹿)念]〔古風・俗〕念を入れすぎること。「—をおす」

**ばかのひとつおぼえ**[(:馬鹿の)一つ覚え] 状況を考えず、いつも同じことを言ったりしたりすること。「心配ない、と—のように言う」

**はかば**[墓場] 墓のある所。はかどころ。「—まで持って行く(=死ぬまで秘密にする)」

**ぱかぱか**《副》①馬が歩いたり走ったりするときの、ひづめの音。②すきまがあってぴったり合わないようす。「かかとが—の靴」③何度も開け閉めするようす。「ふたを—する」

**はかばかし・い**[(△捗々しい)]《形》〔後ろに否定が来る〕①いかにもはかどる感じだ。「仕事がはかばかしく進まない」②ものごとがいいほうに向かうようすだ。「病状がはかばかしくない」派-さ。

**ばかばかし・い**[(:馬鹿馬鹿しい)]《形》①非常にばからしい。「—話」②あきれるほど程度が大きい。「ばかばかしく高いカクテル」派-さ。

**ばかばなし**[(:馬鹿)話] くだらない話。ばかっぱなし。

**ばかばやし**[(:馬鹿=×囃:子)] 神社の祭礼に演奏されるおはやし。屋台ばやし。

**はかぶ**[端株]《経》取り引き単位未満の数の株。

**バガボンド**〔vagabond〕放浪者。

**はかま**[(×袴)] ①(男の)和服の正装のときに、腰から下につける、ひだのある衣服。「羽織—」②草のくきを包む皮。「ツクシの—」③テーブルをよごさないように、とっくりやビールびんの底の部分を入れる、短い筒形の入れもの。

**はがま**[羽釜] かまどにかけるために つばをめぐらせた炊飯用のかま。底は丸い。

**はかまいり**[墓参り]《名・自サ》墓にお参りをすること。墓参。

**はがみ**[歯(×噛み)]《名・自サ》くやしがって、歯をかみしめること。

**はかもり**[墓守] 墓の番人。

**ばかやろう**[(:馬鹿=野郎)]《名・感》〔俗〕ばかな人。ばかもの。ばっきゃろう。ばかやろ。〔ののしって言う。「ちくしょう」のように、頭にきて言うこともある〕

**はがゆ・い**[歯(×痒い)]《形》思うようにならなくて、いらだたしい。もどかしい。「見ていても—」派-がる。-げ。-さ。

**バカラ**〔フ baccara〕トランプを使った賭博の一種。胴元(=バンカー)と一対一で勝負する。

**はから・う**[計らう]《他五》人のために考えて、うまくいくように処理する。配慮する。「進級できるよう計らってもらう」名計らい。「特別な—」

**ばからし・い**[(:馬鹿らしい)]《形》くだらない。つまらない。派-げ。-さ。

**はからずも**[図らずも]《副》〔文〕思いがけず。思いがけなく。「今回—総務部長を命ぜられまして」

←**はかり**[(×秤)] 重さをはかる器械。●**はかりに掛ける**句 くらべて、どちらが得かを考える。

→**はかり**[量り] (ますで)はかること。「—売り・—減り」●**はかりこ・む**[量り込む]《他五》目もりにあらわれた量より多く入れる。名量り込み。

****ばかり**《副助》①それに限ることをあらわす。だけ。「同じこと—言う・言うことをきかない—でなく」〔「これ」「それ」などに続くときは、くだけて「っぱかり」とも言う〕②いつ(まで)もそう〈する/なる〉ことをあらわす。「泣いて—いる・雨—降る」③「…して間もない」の気持ちをあらわす。「着いた—だ」▽ばっかり。ばっかり。ばっか〔俗〕。④「それだけが原因で」の気持ちをあらわす。ばっかり。「うんと言った—にひどい目にあった」⑤「…しないだけで、実はするのと同じ」の気持ちをあらわす。「いやだと〈言わん/言わぬ/言わない〉—の顔で」⑥「今にも…しそうである」の気持ちをあらわす。「〈泣かん/泣かぬ/泣かない〉—にたのむ」⑦「そう思いこんで」の気持ちをあらわす。「この時と—(に)攻撃する」⑧だいたいの数量をあらわす。ほど。ばか〔俗〕。(はっきりした数量を、わざとぼかして言うときにも使う)「五日—休む」アクウシばかり・ネコばかり・イヌばかり。●**ばかりか** 一《副助》…だけでなく。「お菓子—こづかいもくれた・休んだ—連絡もしなかった」二ばかりか《接》そればかりでなく。「必要がない—、じゃまでもある」

**はかりか・ねる**[測り(兼ねる)]《他下一》推測することがむずかしい。はかりがたい。「相手の真意を—・影響を—」

**はかりごと**[(△謀)]〔文〕①計略。「—をめぐらす」②戦術。「—を練る」

**はかりしれ・ない**[計り知れない]《形ヌ》推測・想像することができない〈ほど〈大きい/多い〉〉。「影響は—・—損害は—・—苦労」丁寧 計り知れません。

↔**はか・る**[図る]《他五》①それが実現するように考えて行動する。〔その結果、実現する場合にも言う〕「解決を—・利益を—・便宜を—・自殺を図った(=ⓐ自殺しようとした。ⓑ自殺した)」②〔文〕考える。「図らざりき(=思いもかけなかった)」☞図らずも。可能 図れる。

↔**はか・る**[計る]《他五》①かかる時間を、しらべて知る。「砂時計で—」②ちょうどいい時機を見きわめる。見計らう。「タイミングを—・毎朝、計ったように七時に目が覚める」③いろいろと考えて決める。計画する。「国の将来を—」④だます。あざむく。「まんまと計られた」⑤〈大きさ/多さ〉を推測する。〔後ろに不可能の意味が来る〕「受けた打撃は—ことができない」可能 計れる。

↔**はか・る**[測る]《他五》①〔器械などで〕数量をしらべて知る。「定規で長さを—・測ったようにくるいのない形・水深を—・標高を—・血圧を—・体温を—・雨量を—」②見定める。推測・推量する。「精神状態を—・真意を—・本気度を—」表記 推量する意味では「量る」とも。可能 測れる。

↔**はか・る**[量る]《他五》①〔はかり・ますなどで〕重さ・容積をしらべて知る。「目方を—・米を—」②⇩測る②。「相手の意図を—」可能 量れる。

↔**はか・る**[諮る]《他五》相談する。「会議に—・みなさんにお諮りいたします」可能 諮れる。

→**はか・る**[謀る]《他五》計略をめぐらす。「暗殺を—」

**はが・れる**[剝がれる]《自下一》はげてとれる。

**バカロレア**〔フ baccalauréat〕①フランスの大学入学資格(試験)。②〔↑国際バカロレア〕「バカロレア①」を参考にした大学入学資格(試験)と、そのための教育。

**ばかわらい**[(:馬鹿)笑い]《名・自サ》大声でしまりなく笑う〈こと/笑い〉。

**はがん**[破顔]《名・自サ》〔文〕〈にっこり/大いに〉笑うこと。「—して喜ぶ・大きく—する」●**はがんいっしょう**[破顔一笑]《名・自サ》にっこり笑うこと。

**バカンス**〔フ vacance〕〔避暑などのために取る長い期間の〕休暇。バケーション。☞ホリデー。

☆☆**はき**[覇気]①進んでものごとをやりとげようとする意気。闘志。「—に欠ける」②野心。

☆☆**はき**[破棄・破毀]《名・他サ》〔文〕①やぶって〈すてる/だめにする〉こと。「不要の書類を—する」②取り決めや、もとの裁判の判決を取り消すこと。「契約—・原判決を—する」

**はぎ**[(△接ぎ)]《服》〔きれを〕つぎあわせ〈ること/た所〉。「—をする」

**はぎ**[(×脛)]〔文〕ひざから足首までの間の(うしろの)部分。

**はぎ**[(×萩)]野山にはえる、背の低い木。多くは枝がたわみ、秋、赤むらさきや白の小さい花をひらく。秋の七草の一つ。

**はぎあわ・せる**[(△接ぎ)合わせる]《他下一》布や板などをつぎあわせて、一つのものにする。はぎあわす。名 はぎ合わせ。「—の着物」

**バギー**〔baggy=だぶだぶの〕《服》〔ジーンズなどで〕形がゆったりしたもの。バギーパンツ。「—デニム」(↔スキニー)

**バギー**〔buggy〕①小型のベビーカー。②荒れ地を走ることを目的とする、レジャー用の車。タイヤが太い。サンドバギー。

**はききよ・める**[掃き清める]《他下一》掃いてきれいにする。「参道を—」

**はきくだし**[吐き下し]《名・自サ》吐いたり、腹をくだしたりすること。吐瀉。

**はきけ**[吐き(気)]吐きたくなる不快な気持ち。「—をもよおす」

**はぎしり**[歯(×軋り)]《名・自サ》①ねむっているときに歯を強くかみあわせて音をたてること。②(歯を強くかみあわせて)くやしがること。また、いらだつこと。

**はきす・てる**[吐き捨てる]《他下一》①はき出してすてる。「ガムを—」名 吐き捨て。「たんの—」②はき出すような口調で言う。

**はきそうじ**[掃き掃除]《名・自サ》ほうきで掃いて、そうじすること。(↔ふき掃除)

**はきだし**[掃き出し]①掃き出すこと。「ごみの—・水の—」②↑掃き出し窓。●**はきだしまど**[掃き出し窓]①部屋の中のごみを掃き出すための、床まである大きな窓。②和室のかべの下がわに設けた、ごみを掃き出すための小窓。▽掃き出し(口)。

←**はきだ・す**[吐き出す]《他五》①吐いて外へ出す。「スイカの種を—」②外へ(勢いよく)出す。「データを—」③ためたお金などを支出する。「もうけを—」④〔思っていること、かくしていることを〕ことばに出して言う。名 吐き出し。

→**はきだ・す**[掃き出す]《他五》ごみなどを掃いて、外へ出す。「ほうきで—・どろを—」

**はきだめ**[掃き(×溜め)]ごみをすてる場所。ごみため。●**掃きだめに鶴(が降りたよう)**句 つまらないものばかりのところへ、不似合いにすぐれたものが はいってくることのたとえ。

**はきちが・える**[履き違える]《他下一》①誤って他人のはきものをはく。②考えちがいをする。「自由を—」▽履き違う。名 履き違い。名 履き違え。

**はきて**[掃き手]《すもう》からだが くずれて土俵に手をふれること。これをすると、負けになる。

**はぎと・る**[剝ぎ取る]《他五》はいで取り去る(ようにして、うばう)。「皮を—・残らず剝ぎ取られる」名 剝ぎ取り。

**バギナ**〔ド Vagina〕《生》膣。ワギナ。ヴァギナ。

**はきはき**《副・自サ》ものの言い方・態度などが、活発ではっきりしているようす。「—(と)質問に答える」

**ばきばき**《副》①大きくてかたいものをくだいたり折ったりするときの〈音/ようす〉。「肩の関節が—鳴る・板チョコを—にくだく」②〔俗〕筋肉が、凹凸ができるほどきたえられたようす。「—の腹筋」

**はきもの**[履物]足にはいて歩くもの。くつ・げたなど。

**はきゃく**[破却]《名・他サ》〔文〕こわして なくすこと。「—をまぬがれた城」

**ばきゃく**[馬脚]〔文〕馬の あし。●**馬脚を現す**句 (うまく)かくしていた正体をあらわす。

☆☆**はきゅう**[波及]《名・自サ》影響が しだいにおよぶこと。「—効果(=何かをしたことにともなって ほかのことにまでおよぶ、いい影響」」

**バキューム**《名・他サ》〔vacuum〕①真空。「―クリーナー〔=真空掃除機〕・―カー〔=たまった大小便をホースで吸い取る自動車〕」②吸い取ること。吸引。

**はきょう**［破鏡］〔=割った鏡〕〔文〕離婚。「―の嘆き」由来 割った鏡を半分ずつ分け持ち、はなれて暮らしていた夫婦が、最後に離婚した故事から。

**はぎょう**［覇業］〔文〕武力で征服して支配者になること。

☆☆**はきょく**［破局］《名・自サ》①〈痛ましい／悲劇的な〉結末(になること)。カタストロフィ(1)。「―をむかえる」②〔俗〕〈交際／結婚〉していた二人が別れること。「結婚目前だったが―した」

**パキラ**〔ラ pachira〕観葉植物の一つ。太く長く のびた幹の先に、広い葉が たくさん出る。幹をなわのように編んだものも多い。

**はぎれ**［歯切れ］①歯でかみ切るときの、ぐあい。②ものの言い方の、はっきりしている度合い。「―のいい発音・―の悪い話しぶり」

**はぎれ**［端(切れ)・ハギレ］はんぱな布きれ。「―でバッグを作る」☞はしき(端切)れ。

**はく**［白］■一 はく しろ(いこと)。「―一色」■二 遺 しろい(色をおびた)。「―緑色」

**はく**［伯］↑ブラジル(伯剌西爾)。「日―協会」

**はく**［拍］①リズムの単位。四分音符〔♩〕で一拍。由来 手で打って拍子を取ることから。②《言》言語のリズムの単位。日本語では、和歌や俳句の一音が一拍に相当する。例、「いっぽん」は二音節だが、四拍となる。☞音節。

**はく**［泊］■一 はく〔文〕宿泊。「別府温泉―・車中―」■二《名》・接尾〔自サをつくる〕夜、とまる回数。「二―三日・三―する」〔DVD・CDなどの貸し出しや、駐車場の利用などにも言う〕

**はく**［×箔］①金属をうすく平たく のばしたもの。「銅―・―押し」②〔表面上の〕貫禄。権威。「―がつく・―をつける」

**はく**［吐く］《他五》①〔呼吸のために〕息を口・鼻から出す。(↔吸う)②口の中にあるものを外に出す。「つばを―」③〔病気などで〕胃の中のものを口から出す。あげる。④ことばに出して言う。「意見を―」⑤中から外に出す。「けむりを―」⑥〔俗〕白状する。可能 吐ける。☞つ(吐)く。

**はく**［(×佩く)］《他五》〔雅〕腰につける。おびる。「太刀を―」

**はく**［(×穿く)］《他五》①〔はかま・ズボンなどを〕腰から下につける。「スカートを―」②〔たびなどを〕足につける。「くつ下を―」③〔北海道・東北などの方言〕〔手ぶくろを〕手にはめる。▽(↔ぬぐ) 可能 はける。

**はく**［履く］《他五》①〔げた・くつなどを〕足に つける。「サンダルを―・スキーを―」(↔ぬぐ)②〔タイヤを〕取りつける。「スタッドレスタイヤを―」可能 履ける。

**はく**［(△刷く)］《他五》①はけなどで つけ(たように見え)る。「ほおに べにを―・もちに しょうゆを―・雲をはいた空」②うっすらと見せる。「暗い影をはいた顔」

**はく**［掃く］《他五》ほうきなどを使って、ごみを取りのける。「ゆかを―・落ち葉を―」●**掃いて捨てるほど** 句 ありあまるほど、たくさん。

**はく**［博］遺 ①↑博士。「経―」②↑博覧会。「平和―・万国―」③↑博物館。

**はぐ**［剝ぐ］《他五》①表面にくっついているものをはなす。「木の皮を―」②身につけているものを取る。はだかにする。「かけぶとんを―」③衣服をぬがせて うばう。「身ぐるみ―」

**はぐ**［(△接ぐ)］《他五》ぬいあわせて、つなぐ。「はぎあわせる」

**ハグ**《名・自他サ》〔hug〕〔あいさつのときなどに〕だきしめること。だき合うこと。☞ハグハグ。

**ばく**［縛］〔文〕なわ。●**縛に就く** 句〔文〕しばられる。逮捕される。

**ばく**［(×貘)］①中南米や東南アジアにすむ けもの。形はサイに似て、鼻と上くちびるとは長く突き出る。からだの色は黒い。②〔中国で〕想像上のけもの。形はクマに似て、ゾウのような鼻を持つ。悪い夢を食うと言われる。

**ばく**［漠］《タルト》〔文〕〔広すぎて／大きすぎて〕はっきりしないようす。「―たる感想・―たる不安・―とした計画・―として見当がつかぬ」

**ばく**［爆］〔俗〕■一 遺 激しく。たいへん。「―売れ・―食い・―安・―増」〔「―売れする」のように自他サにもなる〕〔くだけた文章の文末に、(爆)のように書く〕■二 ばく ↑爆笑。

**ばぐ**［馬具］馬に着ける用具。くら(鞍)・あぶみなど。

**バグ**〔bug=虫〕《情》コンピューターの、プログラムにおける誤りの箇所。「―を除く」☞バグる。

**パグ**〔pug〕中国原産の、ずんぐりした小形の犬。たれた耳とつぶらな目、低い鼻を持つ。ひたいに しわがある。顔の前面や耳などが黒い。ペットにする。

**はくあ**［白亜・白×堊］〔文〕白い色の壁。「―の殿堂・―館〔=ホワイト ハウス〕」

**はくあい**［博愛］すべての人を平等に愛すること。「―心・―主義」

**ばくあげ**［爆上げ］《名・自他サ》急激に上がること。爆上がり。また、上げること。「株価の―・視聴率―」(↔爆下げ)

**ばくあつ**［爆圧］爆発のさいの圧力。爆風の圧力。

**はくい**［白衣］①白い衣服。②医師・看護師などが着る、白い上っぱり。「―をぬぐ〔=医師や看護師をやめる〕」③実験などのときに着る、白い上っぱり。▽びゃくえ。

●**はくいのてんし**［白衣の天使］女性の看護師。

**はくい**《形》〔古風・俗〕①いい。きれい。いかす。「―女」②うまい。つごうがいい。「―話」

**はくいっしょく**［白一色］〔雪が積もって〕見わたすかぎり まっしろなこと。

**はくいんぼうしょう**［博引×旁証］《名・他サ》〔文〕たくさんの書物から例を引いて、それを証拠に ものごとを説明すること。「―の研究書」

**はくうん**［白雲］〔文〕白い くも。

**ばくえい**［幕営］《名・自サ》テントを張っ〈た陣営／てとまること〉。

**はくえん**［白煙］〔文〕白い けむり。

**ばくおん**［爆音］①爆発の音。②航空機などのエンジンの、やかましい音。③耳をつんざくような大音量。「―でヘビメタを聴く」〔二十世紀末には もうあった用法。二十一世紀にはいって広まった〕

**はくが**[博雅]《名・ナダ》〔文〕知識が豊富で正確であるようす〈人〉。「—の士」

**ばくが**[麦芽] オオムギの、もやし。ほして、ビール・水あめの原料とする。モルト。•**ばくがとう**[麦芽糖]〔理〕麦芽の中の酵素がでんぷんに作用してできる糖分。水あめの甘味のもと。マルトース。

☆☆**はくがい**[迫害]《名・他サ》害を加えて苦しめること。「—を受ける」

**はくがく**[博学]《名・ナダ》いろいろなものごとを、広く〈くわしく〉知っていること。「—多才」

**はくがん**[白眼]〔文〕しろめ。「—で見る〔⇩白眼視〕」•**はくがんし**[白眼視]《名・他サ》〔文〕つめたい目で見ること。人を、つめたくあつかうこと。

**はぐき**[歯茎] 歯の根をおおい包む肉。歯肉。

**ばくぎゃく**[×莫逆]〔=逆らうこと莫し〕〔文〕心の通じ合う非常に親しいあいだがら。ばくげき。「—の友」〔荘子のことば〕

**はくぎん**[白銀]〔文〕①銀。しろがね。②雪。「—の世界」

**はぐくむ**[育む]《他五》〔=親鳥がひなを羽でつつむ〕気をつけてそだてる。養いそだてる。「ひなを—・両親の愛情に育まれる・民主主義を—社会」

**ばくぐん**[幕軍]〔徳川〕幕府の軍隊。

**ばくげき**[爆撃]《名・他サ》〔軍〕飛行機から爆弾・しょうい〈焼夷〉弾などを落として攻撃すること。

**はくげきほう**[迫撃砲]〔軍〕砲身が短くて軽い大砲。近距離の敵を撃つ。

**はくさ**[白砂]〔文〕⇩はくしゃ(白砂)。

**はくさい**[白菜] 葉を食べる野菜の一種。葉は大きく、細かいしわがある。つけ物・なべ物用。表記 店で「白才」とも。

**ばくさい**[博才]〔俗〕ばくちの才能。賭けに勝つ才能。「—がある」

**ばくさい**[爆砕]《名・他サ》爆発物を使って、物をこなごなにくだくこと。「ダイナマイトでビルを—する」

**ばくさつ**[爆殺]《名・他サ》爆弾・爆薬などを使って殺すこと。

**はくし**[白紙] ①(何も書いてない)白い紙。②(前もって)意見や方針を持っていないこと。「—でのぞむ」③何も〈なかった/手の加わらない〉ときの状態。「問題を—に〈返す/もどす〉・まだまったくの—だ」•**はくしいにんじょう**[白紙委任状]〔法〕会議などに出られないとき、すべてをまかせるため、代理人の名や委任内容を書かずにわたす書類。•**はくしてっかい**[白紙撤回]《名・他サ》一度合意した内容や計画を、無条件に、何もなかったものとして取り下げること。

**はくし**[博士] 専門の学術論文の審査に合格した人にあたえられる学位(を持った人)。ドクター。〔ふつう、大学院で五年以上研究し論文を提出した人にさずけられる〕「—論文・高田—」〔↔修士・学士〕☞はかせ〔博士〕。•**はくしごう**[博士号] 博士の称号。はかせごう。

**はくじ**[白磁・白×瓷] まっしろな磁器。

**ばくし**[爆死]《名・自サ》〈爆撃/爆発〉で死ぬこと。

☆☆**はくしき**[博識]《名・ナダ》広くものごとを知っていること。「—をひけらかす」派—さ。

**はくしじゃっこう**[薄志弱行]〔文〕意志がよわくてものごとをおこなう気力のないこと。

**はくじつ**[白日]〔文〕①明るい太陽。②真っ昼間。•**白日の下に** 句 はっきりと、だれでもわかる場所に。「証拠が—さらされる・問題を—さらけ出す」

•**はくじつむ**[白日夢]〔文〕白昼夢。

**はくしゃ**[白砂]〔文〕(海岸の)白いすな。はくさ。しらすな〔雅〕。•**はくしゃせいしょう**[白砂青松]〔文〕長く続いた白い砂浜に青い松がはえている、美しいけしき。

**はくしゃ**[拍車] 馬に乗る人がくつのかかとにつける金具。•**拍車をかける** 句 ①拍車で馬の腹を打つ。自拍車がかかる。②いっそう〈力を加える/勢いをます〉。

**はくしゃ**[薄謝]〔文〕①わずかの謝礼。②「人にあげる謝礼」の謙譲語。「—進呈・—呈上」

**はくじゃ**[白蛇]〔文〕白いヘビ。家に幸いをもたらすといわれる。

**ばくしゃ**[幕舎] ねとまりできるように作ったテント。テントばりの仮小屋。

**はくしゃく**[伯爵]〈もとの華族/ヨーロッパの貴族〉の階級の第三。また、その階級の人。☞爵位。

**はくじゃく**[薄弱]《ナダ》〔文〕よわくてしっかりしていないようす。「意志—・根拠—」派—さ。

**はくしゅ**[拍手]《名・自サ》(続けざまに)くり返し両手を打ち合わせて音を出すこと。ほめる、賛成する、歓迎するなどの意をあらわす。「—喝采・—を送る・万雷の—・〔神社におまいりして〕二拝二—一拝」

**はくじゅ**[白寿]〔文〕(数え年の)九十九歳(の祝い)。由来「百」の字から「一」をとると「白」になることから。

**はくしゅう**[白秋]〔文〕秋。由来 五行説で、秋に白色を当てることから。詩人の北原白秋の雅号は、この語にちなむ。☞青春・朱夏・玄冬。

**ばくしゅう**[麦秋]〔文〕麦のとりいれどき。五月から六月ごろ。むぎ(の)あき。

**ばくじゅう**[麦汁] ビールやウイスキーの原料となる液体。ワート。

☆☆**はくしょ**[白書] 政府が発表する、実情の報告書。「経済—・犯罪—」由来 イギリス政府が外交の実情を報告する文書に白い表紙を使ったことから。

**はくしょ**[薄暑]〔文〕初夏のころの、ちょっとした暑さ。「—の候」

**ばくしょ**[×曝書]《名・自他サ》①〔文〕書物を虫干しすること。②〔図書館などで〕蔵書を点検し整理すること。

**はくじょう**[白×杖] 目の不自由な人が外を歩くときに使う白色のつえ。

**はくじょう**[白状]《名・他サ》①取り調べに対して、自分のおかした罪を申し立てること。②かくしていたことを打ち明けること。

**はくじょう**[薄情]《名・ナダ》思いやりがあまりないようす。愛情が少ないようす。「みまいにも行かないのは—だ」〔↔親切〕派—さ。

☆☆**ばくしょう**[爆笑]《名・自サ》ふき出すように大きく笑うこと。「大口をあけて—した・会場が—のうずになる」❗「一人で笑う場合に使うのは誤り」と言われることがあるが、このことばが広まった昭和戦前から一人で爆笑する例は多く、人数を問わず使える。☞爆㊁。

**はくしょく**【白色】〔文〕白い色。しろいろ。「―テロ〔=国家がわのテロ。(↔赤色テロ)〕」●**はくしょくじんしゅ**【白色人種】はだの色が、多くは白っぽく、高い鼻を持つ人種。ヨーロッパ人のほか、インド人などもふくまれる。コーカソイド。●**はくしょくひょう**【白色票】⇩白票②。(↔青色票)

**ばくしょく**【爆食】《名・他サ》大量に食べること。爆食い。

**はくしょん**《副》くしゃみをする声。はっくしょん。

☆☆**はくしん**【迫真】〔文〕ほんもの そっくりに見えること。「―力・―の演技」

**はくじん**【白人】白色人種に属する人。●**はくじんしゅ**【白人種】白色人種。

**はくじん**【白刃】〔文〕さやから抜いた刀。しらは。

**ばくしん**【幕臣】幕府につかえるけらい。直参。

**ばくしん**【爆心】爆発の中心地点。被爆の中心地点。「―地」

**ばくしん**【×驀進】《名・自他サ》まっしぐらに進むこと。突進。「出世街道を―する」

**はく・す**【博す】《他五》〔文〕⇩博する。「それほど人気を博さなかった」

**ばくすい**【爆睡】《名・自サ》〔俗〕つかれて、深く、長くねむること。「電車で―する」

**はく・する**【博する】《他サ》〔文〕〔好意的な反応を〕ひろく世間から得る。博す。「名声を―・喝采を―」

**ばく・する**【×駁する】《他サ》〔文〕相手のことばや説を非難する。駁す。

**はくせい**【剝製】動物の皮をはぎ、綿などをつめてからぬいあわせ、生きているように作ったもの。

**はくせき**【白×皙】〔文〕はだが白いこと。〔おもに若い男性について言う〕「―の貴公子」

**はくせつ**【白雪】〔文〕しらゆき。「―を頂く富士」

**はくせん**【白扇】地紙の白いおうぎ。

**はくせん**【白線】①白い色の線。「―帽〔=頭のまわりに白い線のはいった学生帽〕」②腹筋の中央をたてに走る割れ目。

**はくせん**【白×癬】〔医〕白癬菌〔=カビの一種〕に感染して起こる皮膚病。たむし・しらくも・みずむしなど。

**はくぜん**【白×髯】〔文〕ほおひげが白いこと。「白髪―の老人」

**ばくぜん**【漠然】《トタル》とりとめのないようす。はっきりしないようす。ぼんやり。「―とした言い方」

**はくそ**【歯×糞・歯×屎】〔俗〕歯の間にたまる、黄色みをおびたかす。歯垢。

**ばくそう**【爆走】《名・自他サ》〔車などが〕ものすごい〈スピードで／音をたてて〉走ること。「サーキットを―する」

**ばくそく**【爆速】〔俗〕ものすごい速さ。「今日は―で帰宅する」

**ばくだい**【×莫大】《ナ》〔金額などが〕この上もなく〈大きい／多い〉ようす。「―な借金・―なエネルギーを費やす」派―さ。●**ばくだいもな・い**【×莫大もない】《形》〔古風〕莫大な。「―金額」由来「莫大」に、強調をあらわす「もない」がついた形。

**はくだく**【白濁】《名・自サ》〔液体などが〕白くにごること。

↔**はくだつ**【剝脱】《名・自サ》〔文〕表面が はがれ落ちること。「表皮が―する」

↔☆☆**はくだつ**【剝奪】《名・他サ》はぎとること。とりあげること。「権利を―する」

**ばくたん**【爆誕】《名・自サ》〔俗〕〔おどろくようなものが〕誕生すること。「新しいメニューが―」〔二十一世紀になって広まったことば〕

**ばくだん**【爆弾】①〔軍〕爆薬を中につめ〈飛行機などから落とし／投げつけ〉て爆発させるもの。②人をおどろかせるほど重大であるたとえ。「―質問・―声明」●**爆弾を抱える** 句 ①いつ再発するかわからない病気などを持っている。「ひざに―」②自分の属する集団の中に、危険な〈要素がある／人がいる〉。●**ばくだんていきあつ**【爆弾低気圧】〔天〕急速に発達する温帯低気圧。春に日本海や北日本で、または冬に日本の東がわや千島近海で生じる。〔気象庁は使わないことば〕

**はくち**【白痴】〔文〕ばか。おろかもの。〔もと、重度の知的障害のことも言った〕

**はくち**【泊地】〔文〕安全に船がとまることのできる所。

**ばくち**【〔博△打〕・〔博奕〕】①お金を賭け、さいころの目の出方などによって勝負を争うこと。博奕。②賭博。③万一の成功をねらってする、こころみ。「大―を打つ」●**ばくちうち**【〔博△打〕打ち】ばくちを打って生活する人。博徒。

**パクチー**〔タイ phak chii〕ハーブの一種。深くぎざぎざがはいった若葉を食用、果実を香辛料や薬などに使う。コリアンダー。香菜。シャンツァイ。「チキンライスに―をのせる」

**ばくちく**【爆竹】〔中国で〕竹や紙の筒に火薬をつめてつないだもの。祝賀用に、火をつけて続けざまに鳴らす。

**はくちず**【白地図】輪郭だけを書いて、ほかは白いままにしてある地図。しろちず。

**はくちゅう**【白昼】〔文〕まひる。「―堂々と」●**はくちゅうむ**【白昼夢】〔文〕まひるに見るゆめ〔のような空想〕。白日夢。

☆☆**はくちゅう**【伯仲】《名・自サ》〔=兄と次の弟〕〔文〕両者ともに まさりおとりの ないこと。「実力が―する」●**伯仲の間にある** 句 〔文〕まさりおとりがない。

**バクちゅう**【バク宙】《名・自サ》〔バク↔バック(back)〕後方宙返り。バック宙。☞バク転。

**はくちょう**【白丁】①【白張】のりをきかせて作った、白い狩衣。昔、雑用をする男が着た。②神事や神式の葬式のときに ものをかつぐ人。

**はくちょう**【白鳥】大形の水鳥。ガチョウに似て首が長く、全身は白く、姿が美しい。スワン。●**はくちょうのうた**【白鳥の歌】最後の作品。絶筆。「『桜の園』はチェーホフの―だ」由来 白鳥は死の直前に歌う、というギリシャ神話から。

**ばくちょう**【爆釣】〔俗〕①爆発的にたくさんの魚をつり上げること。②インターネット上に人を引きつける話題やデマを流し、アクセス数を大幅に増やすこと。▽ばくつり。

**ばくちん**【爆沈】《名・自他サ》〔文〕艦船が爆発してしずむこと。また、爆弾・魚雷などで艦船をしずめること。

**ぱくつ・く**【パクつく】《他五》〔俗〕〔口を大きく あけて〕

さかんに食べる。「ごちそうを—」

**ぱくっと**《副》⇨ぱくりと。

**バクテリア**〔bacteria〕《生》細菌。バクテリヤ〔古風〕。

**バクてん**［バク転］《名・自サ》〔バク←バック(back)〕立った姿勢から、うしろに一回転すること。後転(とび)。バック転。〔とちゅうで下に手をつく〕☞バク宙。

**ばくと**［博徒］〔文〕ばくちうち。

**はくとう**［白桃］実の肉がうす黄色のモモ。しろもも。(↔黄桃)

**はくとう**［白糖］精製した白い砂糖。白砂糖。「上—」(↔黒糖)

**はくとう**［白頭］〔文〕しらがあたま。「—翁(=しらがのおじいさん)」

**はくどう**［白銅］銅とニッケルの合金。「—貨」

**はくどう**［拍動・×搏動］《名・自サ》《生》心臓が規則正しくゆるんだり、しまったりする動き。鼓動。「—が乱れる」

**ばくとう**［爆騰］《名・自サ》はげしく上昇すること。爆上げ。「株価が—する」

**はくとうゆ**［白灯油］《理》灯油を精製したもの。よく燃えて、いやなにおいが出ない。家庭用の暖房・燃料に使う。

**はくないしょう**［白内障］《医》目の水晶体が白くにごって、だんだん目が見えなくなる病気。老人性のものが多い。しろそこひ。

☆☆**はくねつ**［白熱］《名・自サ》①《理》物体が非常な高温に熱せられて、白い光を出すこと。②いちばん熱をおびた状態になること。「—戦・—した試合」•**はくねつてき**［白熱的］《ナダ》①非常に熱をおびるようす。②非常に人気が高まるようす。•**はくねつでんきゅう**［白熱電球］電流を通すとタングステンのフィラメントが発熱して、白い光を発する電球。

**はくば**［白馬］〔文〕白い馬。「—の〔=にまたがった〕王子様〔=夢のような結婚相手の男性〕」☞しろうま〔白馬〕。

**ばくは**［爆破］《名・他サ》爆薬で破壊すること。

**はくばい**［白梅］白いウメの花。しらうめ。

**バグパイプ**〔bagpipe〕《音》スコットランドの楽器。革で作ったふくろに長い笛をつけたもの。

［バグパイプ］

**ハグハグ**《名・自他サ》〔ハグ=hug〕《俗》〈軽く/何度も〉だきしめること。「恋人と—する」

**ばくばく**［漠々］〔文〕《タトル》〈とりとめのない/まとまりがない〉ようす。「—と広がる雲海・空々—」

**ばくばく** ■一《副》さかんに食べるようす。「骨まで—食べる」■二《副・自サ》《俗》ひどくどきどきするようす。「心臓が—する」

**ぱくぱく**《副・自サ》①口を何度もあけたり、とじたりするようす。「金魚が口を—させる」②さかんに食べるようす。「—(と)たいらげる」③合わせ目が、あいたりとじたりするようす。「くつの底が—している」

**はくはつ**［白髪］〔文〕全体がしらがの髪。☞しらが〔白髪〕。•**白髪三千丈** 句 (=なやみによって、白髪が長くのびたようす。三千丈=約九キロメートル)〔文〕大げさな表現のたとえ。「—式の表現」由来 唐の詩人、李白の詩から。

**ばくはつ**［爆発］《名・自サ》①《理》圧力が急に増し、熱・光・音をともなって、とび散ること。「—物(=爆弾など)」②まわりにとび散るように、強い勢いであらわれること。「不満が—する・打線が—する(=どんどん打つ)」③急に、なみはずれて大きな程度になること。「感染—〔⇨パンデミック〕・—的〈に売れる/な人気〉」

**はくはん**［白斑］①〔文〕白くまだらになっている部分。②《医》皮膚の色素がなくなり、白いまだらになったもの。しろなまず。

**はくはん**［白飯］⇨しろめし。

**はくばん**［白板］⇨ホワイトボード。

**ばくはんたいせい**［幕藩体制］《歴》幕府と藩から成る、江戸時代の封建体制。

☆☆**はくび**［白眉］〔文〕同類の中で、いちばんすぐれたもの。出色。

**はくびしん**［(白鼻心)］タヌキに似たけもの。鼻の中心部から額にかけて白いすじがあり、長い尾を持つ。雑食。

**はくひょう**［白票］①何も書かないで投票された、投票用紙。「—を投じる」②(国会で)賛成投票に使う、白いふだ。白色票。(↔青票)

**はくひょう**［薄氷］〔文〕①うすい氷。②↑薄氷を踏む思い。「—の勝利」•**薄氷を踏む思い** 句 非常にあぶない思い。

**はくふ**［白布］〔文〕白い布。しろぬの。

**ばくふ**［幕府］《歴》武士の時代、将軍が政治をおこなった所。また、武士の政権。「—を鎌倉に置いた・室町—・江戸—(『徳川—』とも)」由来 もと、源頼朝の、鎌倉の館を言ったことば。

**ばくふ**［×瀑布］〔文〕〔大きな〕滝。「ナイアガラ—」

**ばくふう**［爆風］爆発にともなって急に起こる、空気の強い動き。

**はくぶつ**［博物］↑博物学。•**はくぶつがく**［博物学］動物・植物・鉱物などの自然物を対象とする学問。動物学や植物学など、学問分野が専門に分かれる前の言い方。博物。•**はくぶつかん**［博物館］動物・植物・鉱物や生産品・歴史資料・芸術品などを広く集めてならべ、一般の人々に見せる所。

**はくぶん**［白文］返り点・句読点・送りがなをつけない漢文。「—で示す」

**はくへいせん**［白兵戦］〔銃撃戦でなく〕刀などで切りあったり、格闘したりするような接近戦。

**はくぼ**［薄暮］〔文〕ゆうぐれ。たそがれ。「—の街・—試合(=夕方から始まる試合)」

**はくほうじだい**［白×鳳時代］《歴》〔美術史で〕律令制の形成期、七世紀後半〜八世紀初頭の時代。薬師寺に代表される白鳳文化が起こった。☞飛鳥時代。

**はくぼく**［白墨］〔古風〕⇨チョーク(chalk)①。

**はくぼたん**［白(×牡丹)］ボタンの中で、花の色の白いもの。

**はくま**［白魔］〔文〕大雪を魔物にたとえたことば。

**はくまい**［白米］白くつ(搗)いた米。精米。「—のごはん」(↔玄米)

**はくまく**［薄膜］〔文〕うすい膜。うすまく。

**ばくまつ**［幕末］《歴》江戸幕府の末期。

**はくめい**［薄命］〔文〕①ふしあわせ。②いのちが短いこと。「佳人—」

**はくめい**［薄明］〔文〕〔〈あけ方/夕方〉の〕うすあかり。

**ばくめい**［幕命］〔文〕幕府の命令。

**はくめん**［白面］〔文〕①色じろの顔。「—の貴公子」②年が若くて経験の少ないこと。未熟。「—の書生」

**はくもくれん**［白（木×蓮）］モクレンのうち、白い花がさくもの。花びらは、九枚に見えるが六枚で大きく、かおりが高い。はくれん(白蓮)。

**はくや**［白夜］⇩びゃくや。

**ばくやく**［爆薬］爆破するために使う火薬。

**はくゆ**［白油］〔色の黒い重油に対して〕灯油・軽油など。

**はくらい**［舶来］《名・自他サ》①外国から船で(持って)来ること。②外国製(品)。「—品」(↕国産)

**ばくらい**［爆雷］《軍》潜水艦を攻撃するときに使う、水中で爆発する兵器。

**はぐらか・す**《他五》問いに答えないで、うまく話を変える。「質問を—」名はぐらかし。

**はくらく**［伯楽］①いい馬を見分けてりっぱに育て上げることがうまい人。②有望な新人をほり出して成功させることがうまい人。「名—」

**はくらく**［剝落］《名・自サ》はがれて おちること。「絵の具の—がいちじるしい壁画」

**はくらん**［白（×蘭）］ランの中で花の色の白いもの。びゃくらん。

**はくらん**［博覧］《名・他サ》〔文〕①広く本などを読むこと。②広くものごとを見ること。●**はくらんかい**［博覧会］ある題目に関係のあるものごとを集めて、人々に見せるもよおし物。「宇宙—」●**はくらんきょうき**［博覧強記］広く読んで、よく覚えていること。「学者も顔負けの—で鳴る男」

**はくり**［薄利］〔文〕わずかの利益。●**はくりたばい**［薄利多売］《経》利益を少なくして数多く売ること。「—主義」

☆☆**はくり**［剝離］《名・自他サ》はがれて はなれること。はいではなすこと。「網膜—」●**はくりし**［剝離紙］シール〔=粘着ラベル〕を使うときに そこからはがす台紙。セパレーター。

**ぱくり**［パクリ・パクり］〔「パクる」の名詞形〕〔俗〕①かっぱらうこと。「—屋」②盗用。剽窃。「人気ドラマの—」

**はくりきこ**［薄力粉］たんぱく質の少ない小麦粉。ねばりけが弱く、菓子・天ぷらに使う。(↕強力粉・中力粉)

**ぱくりと**《副》①大きく口をひらいて〈食べる/食いつく〉ようす。②割れ目などが大きくひらいているようす。「傷口が—ひらく」▽ぱくっと。

**ばくりょう**［幕僚］《軍》①司令部に直属する参謀将校。②だいじな計画に参加する部下。●**ばくりょうかんぶ**［幕僚監部］《法》防衛大臣のもとで、防衛・警備についての計画や運営などを受け持つ機関。陸上・海上・航空の各自衛隊に置かれ、また、統合幕僚監部がある。●**ばくりょうちょう**［幕僚長］《法》幕僚監部の長。

**はくりょく**［迫力］人の心に強くせまる力。「—がある・—満点」

**はぐ・る**《他五》剝いで まくる。「ページを—〔=めくる〕」

**バグ・る**《自五》〔↑バグ〕〔俗〕①コンピューターの動作が異常になる。②異常になる。「思考が—」

**ぱく・る**［パクる］《他五》〔俗〕①逮捕する。「現行犯で—」②かっぱらう。③文章・アイデアなどをぬすむ。盗用する。「他局の番組を—」

**はぐるま**［歯車］①まわりに歯を刻みつけて動力を伝える車。ギア。「—がかみ合う・—が くるう〔=順調でなくなる〕」②組織を支える、一つ一つの要素。「会社の—として働く」

**ばくれつ**［爆裂］㊀《名・自サ》〔文〕はげしい音とともに破裂すること。「—音」㊁《ナダ》〔俗〕程度がはなはだしいようす。「—にねむい・—にわからない」

**はぐ・れる**㊀《自下一》つれの人を見失う。「つれに—・親から—・お母さんと—」㊁造 …しそこなう。「乗り—」

**はくれん**［（白×蓮）］⇩はくもくれん。

**ばくれん**［（×莫連）］〔古風〕世間ずれして あつかましい〈こと/人〉。すれっからし。〔女性を侮辱したことば〕

**はくろ**［白露］〔=しらつゆ(の季節)〕《天》二十四節気の一つ。九月八日ごろ。☞しらつゆ(白露)。

☆☆**ばくろ**［暴露・×曝露］㊀《名・他サ》秘密・悪事を〈あばく/さらけ出す〉こと。「内情を—する」㊁《名・自他サ》〔文〕〔風雨・有害物質などに〕〈さらされる/さらす〉こと。「水銀に—する・—時間」

**はくろう**［白（×蠟）］まっしろな ろう。●**はくろうびょう**［白（×蠟）病］《医》チェーンソーなど振動する機械をあつかう人の手足の先が白くなってしびれる病気。振動病。

**ばくろう**［博労・∴馬喰］〔↑伯楽〕馬・牛の仲買いをする人。

**はくろん**［博論］〔学〕↑博士論文。

**ばくろん**［×駁論］《名・他サ》〔文〕相手の意見に反対して、非難や攻撃をする〈こと/議論〉。

**はくわ**［白話］中国の(それぞれの時代の)口語。「—小説」

**はけ**［（△刷毛）］塗料・液体などを塗る道具。けものの毛をたばねて柄につけたもの。

**はけ**［（×捌け）］①水などが(よく)流れ去ること。「水の—がいい」②(よく)売れること。「品物の—がいい」

**はげ**［（×禿げ）］㊀はげ はげること。かみの毛の ぬけおちたあと。㊁はげ はげた頭(の人)。

**パケ**〔俗〕①↑パッケージ。「—買い〔=パッケージのデザインに ひかれて買うこと〕」☞完パケ①。②↑パケット。「—通〔=パケット通信〕」

**はげあが・る**［（×禿げ）上がる］《自五》ひたいから頭のてっぺんのほうに向かって、つるりと はげている。

**はけい**［波形］①波のような形。なみがた。②〔測定器ではかった〕波のような形でしめされるデータ。「心電図で—を取る」

**はげいとう**［（葉鶏頭）］草花の一種。葉は赤・黄などのまだらがある。がんらいこう(雁来紅)。

**バケーション**〔vacation〕⇩バカンス。

**ばけがく**［化学］〔話〕⇩かがく(化学)。

**はけぐち**［(×捌け)口］①水などが流れ出る口。②売れてゆく先。「品物の—」③心の中にためこんだものを発散するための対象や方法。「不満の—・—を求める」▽はけくち。

****はげし・い**［激しい・△劇しい・△烈しい］《形》①危険だと思われるほど、勢いが強い。「—風・—爆音・激しく戦う」②感情が、爆発するほど強い。「—怒り・気性が—」③〈がまんできない／手に負えない〉ほど、程度が強い。「—頭痛・—暑さ・傷み方が—」④動きや変化が大きい。「人の出入りが—・—物価下落」⑤〔**激しく**〕〔俗〕非常に。まったく。「激しくほしい・激しく同意」[派]-さ。

**はげたか**［(×禿×鷹)］①ⓐコンドル。ⓑはげわし。②〔俗〕弱い立場のものから利益をむさぼるもの。「外資系の—ファンド」

**はげちゃびん**［(×禿げ茶瓶)］〔俗〕はげあたま(の人)を悪く言うことば。

**はげちょろ**［(剝げちょろ)］《名・ダナ》〔俗〕ところどころがはげて みにくい〈こと／ようす〉。はげっちょろ(け)。はげちょろけ〔動詞化して、はげちょろける《自下一》〕。

**はげちらか・す**［はげ散らかす］〔俗〕[一]《自五》①［×禿げ散らかす］少ない かみの毛が、めちゃめちゃに乱れる。また、ひどく はげる。「はげ散らかした人」②〈めちゃめちゃな／はげしい〉状態になる。「トークが—」[二][造]程度が はげしいようす。「二人で語り—」▽[一][二]二十一世紀になって広まったことば。「はげ散らかる」とも。

**バケツ**〔bucket〕水を〈くむ／運ぶ〉ための、つるの付いたおけ形の入れもの。ブリキ・プラスチックなどで作る。「—をひっくり返したような(=どしゃぶりの)雨」[表記]「:馬穴」は、古い音訳字。「:馬尻」とも書いた。●**バケツリレー**〔和製 bucket relay〕火事の際、水の はいったバケツを人から人へとわたしながら消火すること。

**はけついで**［(△刷毛△序で)］①はけで何かを塗ったついでに、別のものも塗ってしまうこと。②何かのついでに別のことにも手をつけること。

**バケット**〔bucket〕①おけ(状の入れもの)。「氷の はいった—」②起重機の先につけて、土や鉱石などをすくい取る入れもの。③《自動車》←バケットシート。「—タイプ」●**バケットシート**〔bucket seat〕《自動車》ひとりぶんずつ別に作った座席。バケット。(↔ベンチシート)

**バゲット**〔フ baguette=棒〕棒形に焼いた、長くて太いフランスパン。クラストの部分が多く、ぱりぱりしている。バケット。

☆☆**パケット**〔packet=小包〕《情》インターネットで送受信するデータの基本単位。送信がわで これをばらばらに送り、受信がわで ひと続きの形に復元する。パケ〔俗〕。「—通信料(=送受信したパケットの量で決まる通信料金)」

**ばけねこ**［化け猫］人などに ばけると言われる ねこ。怪猫。

**ばけのかわ**［化けの皮］うわべを包みかざっていた体裁。●**化けの皮が剝がれる**[句] かくしていた正体などが、わかる。[他]化けの皮を剝ぐ。

**はけば**［(×捌け)場］はけさせる場所。「若者の、—のないエネルギー」

**はげま・す**［励ます］《他五》①元気をつけてやる。「しっかりやれと—」②強くする。「声を—」[名]励まし。

**はげみ**［励み］①はげむこと。「勉学にお—のご様子」②精を出して何かをやろうとする気持ち(を起こさせるもの)。「—になる・—が なくなる」

**はげ・む**［励む］《自五》夢中で、一生懸命にする。「勉強に—・恋愛に—」[区別]⇩努力。

**ばけもの**［化け物］①化けて姿を変えたもの。妖怪。おばけ。「—屋敷」②ふつうでは考えられない能力・状態の人。「あいつは—だよ」③巨大なもの。「—キャベツ」

**はげやま**［(×禿げ)山］木の はえていない(赤茶色の)山。ぼうずやま。

**は・ける**［(×捌ける)］《自下一》①水などが、たまらないで流れる。「雨水が—」②よく売れていく。「商品が一日で—」③《演劇など》舞台から しりぞく。

←**は・げる**［(×禿げる)］《自下一》①かみの毛が ぬけおちて、頭の はだが見える状態になる。「つるつるに—」②〔山などの〕木が なくなる。

→**は・げる**［剝げる］《自下一》①〔表面が〕とれて はなれる。「金箔が—」②色が うすくなる。「ペンキの—」③少なくなる。おとろえる。「人気が—」[名]剝げ。

**ば・ける**［化ける］《自下一》①姿を変えて〈妙な形の／別の〉ものになる。「タヌキが人に—・着物が米に—(=着物を売って米を得る)」②素性をかくして ふるまう。「刑事が業者に—」③〔俗〕きれいに けしょうして、別人のようになる。④急に〈大きく／いいほうに〉変化する。「あの選手は最近化けたね・株価が—(=大きく上がる)」⑤まったく ちがったものになる。「〔パソコンで〕文字が—」[名]化け。「大—」

**はげわし**［(×禿×鷲)］大形の猛鳥の名。首のうしろが はげている。地中海沿岸・インド・中国などにすみ、死肉をあさる。はげたか。

☆☆**はけん**［覇権］〔文〕覇者としての、権力。支配権。「—をにぎる・—を争う」

**はけん**［派遣］《名・他サ》①〈命令／指示〉して行かせること。「大使を—する・救助に—する」②↑派遣労働・派遣社員。「—の求人」●☆☆**はけんしゃいん**［派遣社員］その会社の正社員ではなく、派遣されて(短期間)働く社員。派遣労働者。派遣。〔人材派遣会社と雇用契約を結ぶ〕☞契約社員。

**ばけん**［馬券］競馬で、勝ち馬を当てるために買う券。〔正式の呼び名は、勝ち馬投票券〕

**ばげん**［罵言］〔文〕ののしりの ことば。「—を浴びせられる」

***はこ**[一]［箱・×函］①ものを入れておく、四角などの形の入れもの。「人形を—に入れる・—形(=箱のような四角い形)」[表記]小箱や手箱は「×匣」とも。りっぱなものは「×筐(=もと、四角のかご)」「×筥(=もと、筒形のかご)」とも。②〔特に〕三味線を入れる「箱[一]①」。転じて三味線。③客車。車両。「前の—に移る」④エレベーターの、人や物が はいる場所。[二]［ハコ］①〔俗〕人を集める施設。劇場・店など。小屋。「大きな—」②〔↑箱点〕《マージャン》零点以下。

**はごいた**［羽子板］羽根つきに使う、柄のついた長四角の板。「—市」

**はこいり**［箱入り］①箱に はいっている〈こと／もの〉。②↑箱入りむすめ。●**はこいりむすめ**［箱入り娘］

めったに外へ出さないで、だいじに育てられたむすめ。箱入り。

**はこう**【波高】〔文〕なみの高さ。

**はこう**【×跛行】《名・自サ》〔文〕①片足を引いて歩くこと。②〔ものごとが〕つりあいがとれないまま進行すること。「―景気」

**はこがい**【箱買い】《名・他サ》箱単位でいっぺんに買うこと。「インスタントラーメンを―する」

**はこがき**【箱書き】《名・自サ》中身の工芸品や書画がほんものであることを証明して、それを入れる箱に作者などが〈名前を書くこと／書いた名前〉。

**はごく**【破獄】《名・自サ》〔文〕牢屋・刑務所を破って脱走すること。牢破り。

**はこし**【箱師】〔俗〕電車・バスなど、乗り物の中を専門にしてかせぐすり。

**はごし**【葉越し】木々の葉の間から向こうを見ること。「―に星空を見上げる」

**はこじょう**【箱錠】かぎ穴から箱の部分にかぎをさしこんで回すしかけになった、ドアの錠。

**はこせこ**【〈箱△迫〉・(×筥△迫)】花嫁姿のとき、かざりとしてふところに入れて持つ紙入れ。女の子が七五三の和服を着るときにも使う。

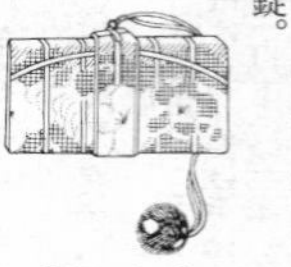

［はこせこ］

**はこぜん**【箱膳】食器を入れておく箱。ふたを裏返すと、そのままお膳になる。

**ばこそ**《接助》①「…だから(=理由)」を強調した言い方。「きみの将来を思え―(言うのだ)」②〔文〕決して…しない。「おしても引いても動か―」

**パゴダ**〔pagoda〕〔東南アジアの〕寺にある塔。特に、ミャンマーのものをさす。仏塔。パゴタ。

**はごたえ**【歯応え】①食べ物をかんだときに、歯に受ける感じ。「―がある」②いどみがいのあること。手ごたえ。「―のない相手チーム・―のある文章」

**はこづめ**【箱詰め】《名・他サ》箱に〈つめること／つめたもの〉。

**はこにわ**【箱庭】浅い箱に土などを入れ、小さな草木・石や模型の家・橋などを配して、山や川のけしきや庭園などを小さく作ったもの。

**はこのり**【箱乗り】《名・自サ》①走る乗用車の窓わくにこしかけ、上半身を車外につき出して乗ること。②記者が、乗り物に乗ったまま相手に取材すること。

**はこび**【運び】①はこぶこと。進め方。進み方。「足の―(=歩き方)・話の―・試合―」☞お運び。②段階。段取り。「完成〈する／の〉―となる」●**はこびあし**【運び足】《すもう》からだの動きについて行く、足の動かし方。●**はこびや**【運び屋】たのまれて麻薬などの違法な物をひそかに運ぶ者。

***はこ・ぶ**【運ぶ】■《他五》①ものを持ち、またはのせて、ほかの場所へ移す。「車で―・膳を―・運びこむ」②〔ことを〕進める。「交渉を―」③《野球》〔ボールを〕(大きく)打つ。「レフトへ―」④道具を使って、ある仕事をする。「筆を―・針を―」可能運べる。■《自五》進む。はかどる。「仕事がうまく―・話が―」

**はこふぐ**【〔箱：河豚〕】四角い箱のような姿のフグ。六角形のかたいうろこでおおわれ、表皮に毒がある。「―のみそ焼き(=五島列島の名物料理)」

**はこぶね**【箱船・△方舟】四角な形の船。☞ノアの箱船。

**はこべ**【〔：蘩蔞〕】道ばたなどにはえる野草。春、白い小さな花をひらく。やわらかで小鳥のえさにする。春の七草の一つ。はこべら〔文〕。

**はこぼれ**【刃〈△毀れ〉】《名・自サ》固いものなどを切ったために、刀・包丁などの刃がかけること。

**はこまくら**【箱枕】下の部分が木の箱になっているまくら。〔日本髪がくずれるのを防ぐために使った〕

［はこまくら］

**はこみや**【箱宮】神だなにかざる、神社の屋根の手前半分ととびらをかたどって作ったもの。

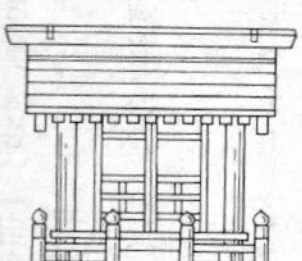

［はこみや］

**はこめがね**【箱眼鏡】箱の底にガラスを入れて水の中をのぞき、魚介をとる道具。のぞきめがね。

**はこもの**■【箱物】たんすや書棚など、箱形に作った家具。■【ハコモノ】〔俗〕〔地方自治体などがつくる〕大きな建物。「―行政」

**はごろも**【羽衣】鳥のはねで作ったという、うすい衣。〔天人が着て空を飛ぶとされる〕

**はこん**【破婚】《名・自サ》〔文〕結婚生活に失敗すること。

**はさ**【〔：稲架〕】《農》いなかけ。はぜ。はせ。

**バザー**〔bazaar=市場〕団体の資金を集めるためにひらく市。

**ハザード**〔hazard〕①危険。障害。②《ゴルフ》バンカー・池など、コース中の障害地域。③↑ハザードランプ。●☆☆**ハザードマップ**〔hazard map〕地震・噴火など(で避難するとき)の災害予測地図。緊急避難地図。●**ハザードランプ**〔hazard lamp〕自動車の緊急警告灯。緊急停車をするときや路上停車をするときに点滅させる。ハザード。

**バザール**〔ペルシャ bāzār〕①〔西アジア地方などの〕街頭の市場。スーク。②大安売り。バーゲン。

**はさい**【破砕】《名・自他サ》〔文〕くだいてこわすこと。やぶれくだけること。「―処理・マグマの―」

**はざい**【端材】建築や物を製造する過程で出る、材料の余分。

**はざかいき**【端境期】①古米と新米との入れかわるころ。野菜などについても言う。②新旧の商品などが入れかわる時期。▽はざかい。

**はさき**【刃先】刃物の、とがった先端。切っ先。「―を向ける」

**はさき**【葉先】葉っぱの、くきからいちばん遠い部分。

**はざくら**【葉桜】①花が落ちて若葉の出た桜。②さかりを過ぎたとしま(年増)の女性。

**ばさし**【馬刺し】馬肉のさしみ。

**ぱさつ・く**《自五》水けや油けが少なくなって、なめらかでなくなる。「かみの毛が―・パンが―」名ぱさつき。

**ばさっと**《副》①紙のたばなどが落ちたり、大きいものが動いたりするときの音のようす。「枝を―切りおとす」▽ばさりと。②勢いよく切るよう

**ばさばさ** 一《副・自サ》①紙・羽など、大きくてうすいものが、ふれあったり、風を起こしたりする〈音/ようす〉。「―と羽ばたく」②水けや油けがなく、かわいているようす。「かみの毛が―だ」 二《副》思いきって切るようす。「予算を―とけずる」

**ぱさぱさ**《副・自サ》水けや油けが少な(くて、味わいのな)いようす。「―のパン・はだが―だ」

**はざま**[(△狭間)]〔文〕①ものとものとのあいだ(のせまい所)。②谷間。③事と事のあいだ。「理想と現実の―」④⇩さま(狭間)。

**はさま・る**[挟まる]《自五》①はさんだ状態になる。すきまにはいる。「歯に―」②対立する人の間に立つ。

**はさみ**[(×鋏)・ハサミ]①布・紙などをはさんで切る道具。②⇩パンチ 二②。③ちょき。●**はさみを入れる** 句 ①はさみで切り取る。②検閲して、けずる。④切符などに穴をあけたり、切りこみを入れたりする。③開場式などで、テープを切る。

**はさみ**[(×螯)] カニ・エビなどの、ものをはさむ大きな前足。

**はさみあげ**[挟み揚げ] 野菜などの中に具をはさみ、ころもをつけて揚げた料理。「レンコンの―・ナスの―」

**はさみうち**[挟み撃ち]《名・他サ》敵を両がわから囲んでうつこと。挟撃。

**はさみこ・む**[挟み込む]《他五》ものの間にはさんで入れる。「雑誌にチラシを―」名 挟み込み。

**はさみしょうぎ**[挟み将棋] 将棋の駒を縦横に動かし、相手の駒を前後または左右からはさんで取る遊び。

***はさ・む**[挟む]《他五》①(物と物の)間に置く。「食パンの間にハムを―・川を挟んでにらみ合う」②両がわからおさえて、持つ。「箸で―」③両がわから強くおさえる。「車に挟まれる・ドアに手を―(=はさまれた状態になる)」④あいだに入れる。「休憩を―・疑いを―(=いだく)」 可能 はさめる。

**はさ・む**[(×鋏む)]《他五》はさみで切る。 可能 はさめる。

**ばさら**[婆×娑羅]《名・ナダ》《歴》遠慮がなく、はでにふるまうこと。南北朝時代の風俗。「―大名」

**バサロキック**〔Vassallo《=人名》kick〕《競泳》〔背泳ぎで〕もぐったまま両手をのばし、両足をそろえて上下に動かし、水をけって進むスタートの方法。バサロ。

**はざわり**[歯触り] 歯でかんで軽くくだけるときの感じ。

**はさん**[破産]《名・自サ》①財産をすべてなくすこと。②《法》借金をした人が返せなくなったとき、いっさいの財産をさし出させて、貸した人々に公平に返させるようにする、裁判上の手続き。「―宣告(=『破産手続き開始の決定』の、以前の言い方)」

**はし**[端]①長く続いているものの〈始まり/終わり〉。一端。「ひもの―・―から―まで一メートルある」②〈中央/重要な部分〉から遠いほう。「《将棋》―の歩をつく・ことばの―に」③いらないものとして切りすてた部分。「木の―」▽はじ。はしっこ〔俗〕。④〔…する―から〕…したものを間をおかず つぎつぎに。さき。「かせぐ―から使ってしまう」

**はし**[箸]〔東洋で〕食べ物をはさんで食べたりするのに使う、二本の細い棒。「―をつける(=食べる。食べ始める)・―を動かす(=食べ続ける)・―を置く(=食べ終わる)」☞箸の上げ下ろし。⇩箸が転んでも笑う 句。●**箸が転んでもおかしい** 句 ●**箸が転んでも笑う** 句〔思春期の女の子などが〕日常の なんでもないことにもよく笑う。箸が〈転んで/転げて〉もおかしい。「―年ごろ」●**箸が進む** 句 おいしくて たくさん食べられる。●**箸にも棒にもかからない** 句 まったく手に負えない。もてあます。

***はし**[橋] 川・道などの両がわに わたして人や車を通すもの。「―をかける・―を渡す」

**はじ**[恥・△辱]①はじる〈こと/気持ち〉。「―を知れ・―をしのぶ」②名誉をそこなう〈こと/もの/人〉。「―をさらす・国民の―となるような発言」☞恥の上塗り。●**恥をかく** 句 他人の前で はずかしい思いをする。●**恥をすす(雪)ぐ** 句 失った名誉を取りもどす。はじをそそぐ。

**はじ**[(△端)]〔話〕はし。はじっこ。

**はじ**[把持]《名・他サ》①〔文〕しっかりと手で つかむこと。かたく にぎって持つこと。「権力の―・理想の―」②《心》記憶したことが残っていること。保持。「記憶の―率」

**ばじ**[馬事]〔文〕馬についてのことがら。「―協会」

**はしあらい**[箸洗い]《料》懐石料理の中ほどで出す、簡単な吸い物。

**はしい**[端居]《名・自サ》〔雅〕縁側など、家のはしのほうにいること。

**はじい・る**[恥じ入る]《自他五》〔文〕はずかしくて、からだが縮まるように感じる。「不勉強で―次第です」

**バジェット**〔budget〕予算。「―が足りない」

**はしおき**[箸置き]〔食卓で〕箸の先をのせておく、小さな台。箸枕。はしまくら。

**はしか**[(:麻疹)] 子どもに多い急性の感染症。熱やせきが出て、やがて全身に赤い発疹があらわれる。ましん。●**はしかのようなもの** 句〔はしかは、子どもが一度は かかるから〕若い一時期だけ夢中になること。「流行に かぶれるなんて―だ」

**はしがかり**[橋懸かり]《能・狂言》楽屋から舞台へ通じる(演技もする)通路。

**はしがき**[(端書き)] 序文。(↔あとがき)

**はじかみ** あまり光に当てないで育てたショウガ(=矢しょうが)の、根の上に長く生えるくきの部分を切って、甘酢で漬っけたもの。根に近いところは白く、くきのほうはピンク色。焼き魚などにそえて、白くてやわらかい部分だけを食べる。

**はじき**[(△弾き)] 一 はじき はじくこと。「このバットは―がいい(=ボールをよくはじく)」☞おはじき。 二 はじき〔俗〕ピストル。由来 たまをはじき出すから。●**はじき**

**だ・す**[(△弾き)出す]《他五》①はじいて外に出す。②そろばんをはじいて、答えを出す。③計算して、数字を出す。

**はしきれ**[端切れ] ちぎれた、小さな部分。きれはし。「ハムの―・もめんの―」☞はぎ(端切)れ。

**はじ・く**[(△弾く)]《他五》①急に強い力を加えて、とぶように動かす。はねかえす(力で打つ)。「指で―・はじき飛ばす」②寄せつけないで、はねかえす。「水を―塗料・〔インターネットで〕アクセスしようとしたが はじかれた」

は

③そろばんなどで計算する。「そろばんを―」④《野球》ボールを取りそこなって、そらす。

**はしくれ**[(端くれ)]〔=きれはし〕〔…の中で〕つまらないもの。〔けんそん または、けいべつして言うことが多い〕「代議士の―」

**はしけ**[(×艀)] 波止場と本船の間を、貨物や旅客などをのせて移動するふね。はしけぶね。

**はしげた**[橋桁] 橋のくいの上に横にわたして橋の板を支える、長い材。

**はじけと・ぶ**[(△弾け)飛ぶ]《自五》はじかれたように勢いよく飛ぶ。「ホウセンカの種が―」

**はじ・ける**[(△弾ける)]《自下一》①内がわからふくれて、急に さける。「豆が―」②勢いよく飛び散る。「熱せられた炭が―」③勢いよく あらわれる。「笑い声が―・若さが―」④〔俗〕(じみな人が急に)はでになる。また、ふっきれて思いきったことをする。「あの子最近ずいぶん はじけたね・きのうの飲み会は はじけたなあ」⑤〔俗〕ひそかに調べられていた事件が、おもてざたになる。

**はしご**[(×梯子)・ハシゴ] [一] ①寄せかけて高い所に登る道具。「―をかける」②〔取り外しできる〕簡単な階段。「非常―・なわ―」 [二]《名・自サ》①はしご酒(をすること)。②続けてわたり歩くこと。「―受診・パチンコの―」 ●**はしごを外される**〔句〕 とちゅうまで助けてもらった人に見放されて、苦しい立場に追いこまれる。「土壇場で―」☞二階へ上げてはしごを外す(「二階」の〔句〕)。 ●**はしござけ**[(×梯子)酒] つぎつぎに店を移って酒を飲むこと。はしご。 ●**はしごしゃ**[(×梯子)車] 長くのばせる はしごを備えた消防自動車。

**はしこ・い**《形》はしっこい。[派]-さ。

**はしさき**[箸先] 箸の先の、食べ物をつまむ部分。「―をそろえる」

**はじさらし**[恥(×晒し)・恥(×曝し)]《名・ダナ》はじを世間に さらけ出す〈ようす/人〉。「いい―だ」

**ハシシュ**〔hashish〕 大麻。また、その樹脂をかためた、有害な薬物。ハシッシ(ュ)。ハッシ(ッ)シ。

**はじしらず**[恥知らず]《名・ダナ》はじとなることを平気でして、はじとも思わない〈ようす/人〉。

**はした**[(端た)] ①端数。「―を切りすてる」②[(×婢)]〔古風〕↑はしため。「お―」 ●**はしたがね**[(端た)金]〔けいべつした言い方〕わずかの お金。はしたぜに。「―には目もくれない」 ●**はしたな・い**[(端たない)]《形》品がない。つつしみがない。「―言いぐさ」 [由来]「中途半端」「整わないようす」という意味の「はした」に、強調の「ない」がついた形。[派]-さ。 ●**はしため**[(端た女)・(×婢女)・(×婢)]〔文〕下女。はした。

**はしぢか**[(端)近]《名・ダナ》家の上がり口や縁側に近い〈所/ようす〉。

**はしっこ**[端っこ]〔俗〕はし。はじっこ。

**はしっこ・い**《形》すばやい。すばしこい。はしこい。[派]-さ。

**ハシッシュ**〔hashish〕 ⇩ハシシュ。

**ばしっと**《副》①ものが強く、まともに当たる音のようす。「―たたく・ボールを〈バット/グローブ〉で―とらえた」②棒などが折れる音のようす。③きびしく しかるようす。「―言う」④確かで、あいまいなところがないようす。「―話を決める・―たずねる」⑤〔服装に〕すきがないようす。「―よそ行きを着る」▽「びしっと」よりも強い感じ。

**ばじとうふう**[馬耳東風]〔馬の耳に東風(=春風)がふくように〕人の意見や批評を聞き流して、耳を貸そうとしないこと。「―と受け流す」 [由来] 唐の詩人、李白の作とされる詩から。「馬の耳に風」「馬の耳に念仏(⇩「馬」の〔句〕)」は、ここから派生。

☆☆**はしなくも**[(端なくも)]《副》〔端=兆候〕〔文〕そうしようと思わなかったのに。はからずも。はしなく〔古風〕。「考えの あまさを―露呈した・―白状した」

**はしのあげおろし**[箸の上げ下ろし] ほんのちょっとした動作。「―にもうるさい」

**はじのうわぬり**[恥の上塗り] はじをかいた上に、さらに はじをかくこと。

**はしばこ**[箸箱] 箸を入れておく細長い箱。

**はしばし**[(端々)] ちょっとした部分部分。ところどころ。はしはし。「ことばの―に うかがわれる」

**ばしばし**《副》①何度も たたく音。「鳥の羽音が―(と)聞こえる」②〔俗〕思い切って、どんどん おこなうようす。「―きたえる・―写真をとる・―捨てる」

**はしばみ**[(×榛)] 野山に はえる落葉樹。実は平たくて先がとがり、茶色。食用。

**はしびろこう**[(×嘴広×鸛)] くつに似た大きなくちばしをもち、全身灰色で大型の鳥。ほとんど動かず、めったに鳴かない。絶滅危惧種。

**はしぶくろ**[箸袋] 一膳の箸を入れる袋。紙製が多い。

**はしまくら**[箸枕] はしおき。

**はじまら・ない**[始まらない]《形ヌズ》なんにも ならない。しかたがない。「さわいでも―・注意しても―」[丁寧]始まりません。

**はじまり**[始まり] ①始まる〈こと/ところ〉。「二学期の―・支流の―・さあ、紙しばいの―――!」(↕終わり) ②ものごとの起こり。始め。「〔売り口上で〕物の―が一ならば、国の―が大和の国」

****はじま・る**[始まる]《自五》①新しく起こる。そこから先に続く。「けんかが―・この行事は明治時代に―・今に始まったことで(は)ない(⇩「今」の〔句〕)・ここから登り道が―」(↕終わる) ②いつもの くせが出る。「そら、始まった」☞始まらない。

↔***はじめ**[初め] [一] **はじめ** ①その期間に はいったばかりのとき。「年の―〔『始め』とも書く〕・五月(の)―」(↕末) ②何かが そこから しばらく続く、という部分。冒頭。「章の―・映画の―のほう・―のうちは もうかってい た」(↕終わり) ③そのことを一度目にした〈とき/ころ〉。「―(は)一人で行き、次に二人で行った」 [二][造] 初めて…した〈とき/ころ〉。「学び―」☞ぞ(初)め。

↔***はじめ**[始め] [一] **はじめ** ①ものごとを、これから しようというとき。「仕事の―に予定を確かめる・はじめに(=文章・話の前置き)」(↕終わり) ②ものごとの始まり。「郵便の―・そもそもの―」 ③いちばん おもだったものを代表としてあげるときのことば。「校長先生を―(として)・ナイル川―多くの川」 [二] **はじめ**《感》〔話〕動作を始めさせるときの合図。「用意、―!」 [三] **はじめ**[造] …すること〈を始める/が始まる〉とき・状態。「書き―・降り―」(↕終わり) [四] **はじめ**[造] そのことを始める〈とき/こと〉。「商売―の日・農事―・学年―」 ●**始め良ければ終わり良し**〔句〕 ものごとの始まりがうまくいくと、最

後までうまくいく。●はじめね［始値］《経》その日の〈午前／午後〉の取引時間のうちで、最初に成立した値段。(↔終値)

**はじめて［初めて］《副》①一度目であるようす。最初に。「―海外旅行をする」②その条件を満たすことで、やっと。「経験して―わかることもある」

はじめまして［(初めまして)］《感》初めて会ったときに言う、あいさつのことば。「―、鈴木です」〖由来〗「はじめてお目にかかります」をていねいに言った「はじめましてお目にかかります」から。

**はじ・める［始める］■一はじめる《他下一》①新しく起こす。やりだす。「勉強会を―・喫茶店を―・ゴルフを―・授業を―」(↔終える・終わる)〖表記〗事業などには「△創める」とも。②いつものくせを出す。「また貧乏ゆすりを始めた」■二〖造〗①その行動を(ほぼ)そのときからおこなう。「考え―・歩き―」(↔終える・終わる)②その現象が(ほぼ)そのときからあらわれる。「咲き―・吹き―」(↔終わる)〖可能〗始められる。

☆☆はしゃ［覇者］〔文〕①武力で天下をおさめる人。(↔王者)②競技などの優勝者。

はじゃ［破邪］《仏》邪道をやぶること。「―の剣」

ばしゃ［馬車］人やものをのせて馬に引かせる車。

ばしゃうま［馬車馬］馬車を引く馬。「黒毛の―・―のように〔=わき目も振らず〕働いた」

はしや・ぐ［(△燥ぐ)］《自五》〔うれしいときなどに〕うきうきしてさわぐ。「子どもが遊園地で―・優勝して―選手たち」〖名〗はしゃぎ。

はじゃく［羽尺］《服》おとなの羽織が一枚仕立てられる反物(の長さ)。「小紋―」(↔着尺)

はしやすめ［箸休め］《料》おもな料理の間に食べて口をさっぱりさせる、酢のもの・あえものなど。

ばしゃっと《副》水が物にぶつかったり、とび散ったりする音のようす。「バケツで水を―まく・車がどろ水を―はねる」

ばしゃばしゃ《副》「ぱしゃぱしゃ」よりも強い〈音／ようす〉。「湯を―はねる・カメラで―とる」

ぱしゃぱしゃ《副》①水を軽くはねる音。②表面を軽くたたく音。「ぬれた手ぬぐいで顔を―たたく」③シャッターを連続して何度も切る音。「写真を―とる」

パジャマ〔米 pajamas〕うわぎとズボンとに分かれている、ゆったりと仕立てた(西洋ふうの)ねまき。ピジャマ(フ pyjama)。

ぱしゃり《副》カメラのシャッターを切るようす。ぱしゃっ。「スマホで―」

はしゅ［×播種］《名・自他サ》①《農》たねをまくこと。②《医》細胞〈をまく／が ちらばる〉こと。「がん細胞が―する」

ばしゅ［馬主］〔文〕うまぬし。ばぬし。

ばしゅ［馬首］〔文〕馬の くび。「―をめぐらす〔=うしろへ向きを変える〕」

パシュート〔pursuit=追跡〕自転車やスピードスケートの種目の一つ。〈二人／二組〉の選手が左回りにスタートする。トラックコースの半周分はなれたところから〈二人／二組〉の選手が左回りにスタートする。ゴールラインを先に通過するか、相手を追いこした方が勝ち。

はしゅつ［派出］《名・他サ》〔文〕本部(となるところ)から、仕事先へ出向かせること。「家政婦を―する」●はしゅつじょ［派出所］①職員を出向かせてある、小さな事務所。②〔↑巡査派出所〕「交番」の、もとの呼び名。●はしゅつふ［派出婦］〔古風〕家事の手伝いに出向くことを職業とする女性。

ばじゅつ［馬術］馬を乗りこなす技術(をきそうスポーツ)。「オリンピックの―」☞乗馬。

パシュミナ〔pashmina〕ヒマラヤ地方のヤギの毛で作った、高級織物。カシミヤの一種。また、この素材を使った色のあざやかな大型の肩かけ。「―ストール」

**ばしょ［場所］①その上に ものを置いたり、人が立ったり、集まったりできるところ。「すわる―がない・静かな―・生まれた―」②土地の上の、ある決まったところ。位置。地点。「ちょうど死角になる―・調査―」③《すもう》興行する〈期間／所〉。大ずもうの本場所は十五日間。「夏―・大阪―・―が近づく・〔力士が〕―入りする」

はじょう［波状］〔文〕なみのように〈うねる／一定の間隔をおいてくり返す〉ようす。「―紋・―攻撃・―スト」

ばしょう［(×芭×蕉)］中国原産の、背の高くなる草。鳥のはねを大きくしたような葉は、雨・風に破れやすい。●ばしょうふ［(×芭×蕉)布］イトバショウの繊維で織りあげた布。軽くて風通しがよく、夏の着物などに使う。蕉紗。〔沖縄・奄美の特産〕

ばじょう［馬上］〔文〕①馬の せなか。②馬に乗っていること。「―の人となる〔=馬に乗る〕」●馬上豊かに〖句〗〔文〕ゆったりと馬にまたがるようす。

はしょうふう［破傷風］《医》破傷風菌が きずぐちからはいって起こる感染症。けいれん・筋肉の痛みをともなう。

ばしょがら［場所柄］■一その場所の ふんいきや特色。ところがら。「―をわきまえぬ言動」■二《副》場所が場所だけに。「―地価が高い」

はしょく［波食・波×蝕］《地》波の打ち寄せる力で陸地・岩をけずること。

ばしょく［馬×謖］《歴》中国の三国時代の武将の名。「泣いて―を斬る〔⇩「泣く」の〖句〗〕」

ばしょふさぎ［場所塞ぎ］■一《名・ナダ》かなりの場所を占めてじゃまになる〈もの／ようす〉。「―な家具」■二空いた場所を、とりあえず うめる〈もの／こと〉。「雑誌の―の文章」▽■一■二場ふさぎ。場所ふさげ〔古風〕。

はしょ・る《他五》〔↑端折る〕①着物の すその はしを折り返す。②一部をはぶく。「話を―」▽はしおる。

ばしょわり［場所割り］場所の割り当て。「露天商の―」

はしら［柱］■一はしら ①土台の上に立てて家のむね・はりを受け、屋根を支える、長い棒。②骨組みになる、大切なもの。「インフレ対策の―」③たよりにされる人。「一家の―」④《印刷》書物の本文の欄外に、見出しや題などを印刷した部分。「―見出し」⑤↑貝柱②。■二〖接尾〗身分の高い人・神体・遺骨などを数えることば。「二―の神」●はしらごよみ［柱暦］部屋の柱に かける、日めくり式のこよみ。●はしらどけい［柱時計］柱や かべに かける大型の時計。

はじら・う［恥じらう・△羞じらう］《自五》〔人目などを〕はずかしがる。「―少女・花も―〔⇩「花」の〖句〗〕」〖名〗恥じらい。

はしら・せる［走らせる］《他下一》①急いで行かせる。

「使いを―」②にげさせる。「敵を―」③速く動くようにする。「ペンを―・目を―・車を―」④動かす。「〔コンピューターで〕プログラムを―」▽走らす。

**はしり** ㊀［走り］走ること。「すばらしい―を見せる・筆の―」㊁①［〔走り〕］旬に先立って出る食品。はつもの。しんもの。はしりもの。②先がけ。「梅雨の―」 •**はしりかか・る**［走り〔掛かる〕］《自五》走りよ(っ)て とびかか(っ)る。 •**はしりがき**［走り書き］《名・他サ》筆をはやく動かし、急いで〈書くこと／書いたもの〉。表記 絵は「走り描き」。 •**はしりこ・む**［走り込む］《自五》①走ってはいる。②〈回数をかさねて／長い距離を〉じゅうぶんに走る。名 走り込み。 •**はしりたかとび**［走り高跳び］《陸上》横木をかけわたし、走って来てそれをとびこえる競技。高跳び。ハイジャンプ。 •**はしりづかい**［走り使い］かけ回って用事をたす〈こと／人〉。はしりつかい。 •**はしりづゆ**［走り梅雨］《天》五月ごろ、つゆの前ぶれのように降り続くあめ。うの花くたし。はしりつゆ。 •**はしりぬ・ける**［走り抜ける］《自下一》①走って通り抜ける。「全速力で―」②〔寒けなどが〕からだの中を一気に伝わる。 •**はしりはばとび**［走り幅跳び］《陸上》走って来て板をふみ切って とぶ競技。幅跳び。 •**はしりや**［走り屋］〔俗〕(スピードを出して)自動車やバイクを運転することを好む人。 •**はしりよみ**［走り読み］《名・他サ》急いでとびとびに読むこと。

**ぱしり**［パシリ］〔俗〕使い走りをさせられる役(の人)。

**バジリコ**〔イ basilico〕⇩バジル。

****はし・る**［走る］㊀《自他五》①〈両足／四つ足〉で交互に地面を後ろへ けることをくりかえして、速く進む。「馬が―・廊下を―な」②乗り物が速く進む。「電車が―〈運行する意味にも〉・川を水上バスが―」③大急ぎで行く。かけつける。「空港へ―」④勢いよく流れる。ほとばしる。「水が用水路を―」⑤すべ(り出)る。「刀が(さやを)―」㊁《自五》①速く動く。速さが感じられる。「ペンが―〔=文章が どんどん書ける〕・球が―〔⇩「球」の句〕・トランペットが―〔=正しいテンポより早くなってしまう。(↔もたる)〕」②《情》〔プログラムが〕動く。「アプリが―」③〔事業や計画が〕実行される。「会社で多くのプロジェクトが走っている」④かたよった方向に進む。「極端に―・非行に―」⑤〔文〕(負けて)にげる。「東国へ―」⑥〔文〕ぬけだして、敵のほうにつく。「敵の陣へ―」⑦線やあみの目のようにのびる。「亀裂が―・南北に―大通り」可能 走れる。

**は・じる**［恥じる］《自他上一》はずかしく思う。「良心に恥じない・わが身を―・人目を―」

**バジル**〔basil〕ハーブの一種。葉は、イタリア料理の香辛料に使う。バジリコ。

**はしわたし**［橋渡し］《名・自サ》〔=橋をかけること〕両方の間に立って、仲立ちをすること。とりもち。「先方への―をたのむ」

**ばしん**［馬身］接尾《競馬》距離の差を、馬の一頭分の長さで あらわすことば。「半―の差」

**はす**［〔△斜〕］なめ。はすかい。 •**はすに構える** 句 ①相手をまっすぐに見ず、からだをななめにして対する。真正面から真剣にとりあわない態度。②⇩斜に構える①〔「斜」の句〕。

**はす**［〔×蓮〕］①池・沼に はえる水草。葉は まるくて大きい。夏、花びらの多い、白または赤の花をひらく。根はれんこん(蓮根)と言う。はちす。〔仏教では、極楽には えているとされる〕②〔東京などの方言〕れんこん。

****はず** ㊀〔連体修飾語を受ける〕①当然そうなるわけ。「安い―だよ、にせものだった・ぼくに わかる―がない」②推測・見こみをあらわす。「もう そろそろ帰ってくる―です」③確信をあらわす。「これだけ勉強したんだから合格できる―だ・かぎは たしかに閉めた―だ〔それなのになぜか開いていた、という場合にも使う〕」④〔―の〕当然そう思われるが、実際は ちがう場合に使う。「安全な―の自宅で事故に あう」由来 矢の「はず㊁①」から。「はず」は、弓のつるに引っかかるのが当然であることから、「当然…するはず」という用法が生まれた。表記 かたく「×筈」とも。㊁［〔×筈〕］①矢の、つるにかける部分。矢筈。②⇩ゆはず(弓筈)。③《すもう》親指と四本の指を矢はずのような形〔=Yの形〕にひらいた手のひら(を相手のわきの下や わき腹に あてがうこと)。「―にかかる」☞はず押し。

**ハズ**〔古風〕↑ハズバンド。「未来の―」(↔ワイフ)

**バス**〔bass〕《音》①男声の最低音域(で歌う歌手)。②楽曲の中の最低音部。③〔同じ種類の楽器で〕最低音を出すもの。「―トロンボーン」④↑コントラバス。

***バス**〔bus〕①大ぜいの客を乗せて走る、大型の自動車。「観光―・―待ち・―レーン〔=バス専用の車線〕」②時間を決めて往復する、乗りあい式の乗り物。「水上―」 •**バスに乗り遅れる** 句 時代の流れに取り残される。

**バス**↑ブラック バス。「―釣り」

**バス** 造〔bath〕西洋ふうの湯ぶね・浴室。「―付き・ユニット―」

**パス**〔pass〕㊀《名・自他サ》①合格(すること)。②《サッカー・バスケットボールなど》ボールを味方へ送りわたすこと。送球。③〔トランプなどで〕棄権して次の番へ回すこと。「一回―」④〔俗〕遠慮すること。「飲み会は―・私、あの人は―」㊁①定期券。「―ケース」②⇩パスポート②。「年間―・シルバー―」③入場許可証。「見学―」

**はすい**［破水］《名・自サ》《生》出産のとき〈羊水が出ること／出る羊水〉。

**はず・い**［〔恥ずい〕］《形》〔俗〕↑はずかしい。「ばれたら―」

**はすいも**［〔×蓮芋〕］サトイモの栽培品種。ずいきを食用する。くきの切り口に、レンコンのように小さな穴がたくさん空いている。しろいも(白芋)。

**はすう**［端数］少し あまった数。例、千五十円の「五十円」。はした。「―を切りすてる」

**バズーカ**〔米 bazooka〕《軍》戦車攻撃などに使う、筒形のロケット弾発射器。軽くて持ち運びができる。バズーカ砲。

**バスーン**〔bassoon〕《音》⇩ファゴット。

**はずえ**［葉末］〔雅〕葉の先。

**ばすえ**［場末］町の はずれ。「―の酒場」

**はずおし**［〔×筈〕押し］《名・他サ》《すもう》「はず㊁③」を相手の わきに当てて、おし上げること。

**はすかい**［〔△斜交い〕］ななめ。

**バスガイド**〔bus guide〕観光バスに乗りこんで案内・説明をする乗務員。

**はずかし」い**［恥ずかしい］《形》①［△羞ずかしい］人に笑われ(る気がし)て、顔が ほてるような、身をかくしたいような〈気持ち／ようす〉だ。きまりが悪い。「あいさつするのが—・—手紙」②名誉がそこなわれた〈気持ち／ようす〉だ。はじだ。「成績が悪くて—・おとなとして—行動」▽はずい〔俗〕。派 -がる。-げ。-さ。

**はずかしく」な・い**［恥ずかしくない］《形》はじにならない。りっぱに通用する状態だ。「だれに見せても—・どこへ出しても—」丁寧 恥ずかしくありません。

**はずかしなが」ら**［恥ずかしながら］《副》はずかしいことだが。「—初めて知った」

**はずかし・め」る**［辱める］《他下一》〔文〕①はじをかかせる。②名誉などをきずつける。「会長の名を—〔会長の職にあることをけんそんして言うこともある〕・使命を—」③強姦する。おかす。名 辱め。「—を受ける」

**ハスカ」ップ**〔アイヌ haskaop〕北海道にはえる落葉樹。青むらさき色の実を食べる。「—のジャム」

**パ」スカル**〔pascal=もと、人名〕《理》圧力の単位〔記号Pa〕。一パスカルは、一平方メートルに一ニュートンの力が はたらく圧力。☞ヘクトパスカル。

**ハ」スキー**《ナダ》〔husky〕〔声が〕やや かすれたような感じであるようす。「—ボイス〔=かすれ声〕」

**バスクジャ」ケット**〔basque jacket〕《服》女性用のぴったりした上着。ウエストから下がゆったりと広がる。

**バ」スケ** ↑バスケット ボール。「—チーム」

**バスケ」ット**〔basket〕①〔洋式の〕かご。手さげかご。「フルーツ—」②バスケットボールで使う、つり下げた、底のない網。③↑バスケット ボール。●**バスケットシ」ューズ**〔basket shoes〕バスケットボールをするときにはく(タイプの)編み上げぐつ。バッシュ(—)。●**バスケットボ」ール**〔basketball〕五人ずつ ふた組みに分かれ、相手の「バスケット②」にボールを投げ入れる競技。籠球。バスケット。バスケ。

*__はず・す__［外す］■《他五》①〔はまっているものなどを〕はなす。「ボタンを—(↔掛ける)・あみ戸を—」②その範囲の外に出す。除く。「予定から—」③席をはなれる。しりぞく。「いったん席を—・ちょっと外してください〈内輪の話があるとき、部外者に言う〉」④失う。にがす。「機会を—」⑤目標に当たらないようにする。また、当てるのに失敗する。そらす。「急所を外して なぐる・ねらいを—」⑥正しい答えや事実を得るのに失敗する。「正解を—」⑦くじで、はずれを引く。⑧不成功に終わらせる。「ドラマを—・ギャグを—」▽⑤～⑧(↔当てる) ⑨正統からずらす。「ワンピを外して着る」■《自五》不成功に終わる。「大舞台で—・外した〔=受けない〕ことを言う」表記 ■⑧⑨・■は、俗に「ハズす」とも。可能 外せる。☞外せない。

**バスストッ」プ**〔bus stop〕⇩バス停。

**はずせ・な」い**［外せない］《形ヌズ》なくてはならない。だいじだ。「—アイテム」表記 俗に「ハズせない」とも。

**パ」スタ**〔ド Pasta=軟膏〕のり(糊)状のもの。「洗顔—」

☆☆**パ」スタ**〔イ pasta=こねて作ったもの〕イタリア料理で、小麦粉をこねて、めんなどの形にした食材をまとめた呼び名。スパゲッティやマカロニのほか、種類が多い。「ロング—〔=スパゲッティなど〕」〔一九六〇年代から例があり、目にする種類の増えた一九八〇年代に特に広まったことば〕☞うどん。

**バ」スター**〔↑和製 bastard bunt〕《野球》バントのかまえから、一転して強打に出ること。

**バ」スターズ**〔busters〕退治する〈部隊／活動〉。「いじめ—」

**バスタ」オル**〔bath towel〕入浴後に からだをふく、大きなタオル。湯上がりタオル。湯上げタオル。

**バスタ」ブ**〔bathtub〕西洋ふうの湯ぶね。

**はすっぱ」**［(×蓮っ葉)］《名・ナダ》〔俗〕態度や おこないが不まじめで、かるがるしいようす。「—な口調・—な人がら」〔従来、女性をけなすのに使うことが多かったが、もとは男女について使った〕

**バスて」い**［バス停］バスの停留所。バス ストップ。

**パスティ」ーシュ**《名・他サ》〔フ pastiche〕〔美術・音楽・文学などで〕主題や技法を、先行作品から大幅に借用した作品(を作ること)。模作。パスティシュ。

**パ」ステル**〔pastel〕チョークのように粉を棒状に固めた画材。クレヨンとちがって紙に定着しにくいが、色をまぜたり、ぼかしたりしやすい。「—画・—カラー〔=パステルでうすく かいたような色〕」

**バ」スト**〔bust〕①〔女性の〕胸(の部分)。「—トップ〔=ちくび〕」②《服》ちくびを通る胸のまわり(の寸法)。胸まわり。〔Bで示す〕☞胸囲・チェスト③。③胸の位置。「—ショット〔=カメラで胸から上をうつすこと〕」④胸像。半身像。

**パスト」ラミ**〔pastrami〕塩づけにした肉をくん製にして、こしょうなどの香辛料をまぶしたもの。ふつう牛肉で作り、ハムのようにうすく切ったものを重ねてサンドイッチの具にしたりする。「—サンド」

**バスド」ラム**〔bass drum〕《音》〔ドラムセットで〕大太鼓。バスドラ。〔足でペダルをふんで たたく〕

**はすのうてな」**［(×蓮の△台)］極楽に往生した人がすわる、れんげ(蓮華)の台座。

**ハ」ズバンド**〔husband〕夫。ハズ。(↔ワイフ)

**はずべ」き**［恥ずべき］《連体》〔文〕はずかしいと思うのが当然な。「—おこない」

**パスポ」ート**〔passport〕①海外旅行者のために政府が出す身分証明書。旅券。「—の発給を受ける」☞ビザ。②一定期間使える、定額の入場券・乗車券。パス。「年間—〔略して『年パス』〕・特典つき—」③サービスが受けられる証明書。「メンテナンス—」

**パスボ」ール**《名・自サ》〔米 passed ball〕《野球》捕手が投手の投球を受けそこなって走者を進塁させること。捕逸。(↔ワイルド ピッチ)

**はずま・せ」る**［弾ませる］《他下一》はずむようにする。弾ます。「〈運動／興奮〉して息を—・期待で心を—・声を—〔⇩「声」の句〕」

**バスマ」ット**〔bath mat〕ふろ場の出入り口に置いて足をふく敷物。

**はずみ」**［弾み］①はね返る力。「—のいいボールだ」②もっと前に進む力。勢い。「—がついて止まらなくなる・実用化に—がつく」③急な動きにともなうこと。拍子。「よけた—に足をくじいた」④その場の なりゆき。「どういう—でか、ふと思い出した・ものの—」●**弾みを食らう」** 句 あおりを受ける。

**はず・む」**［弾む］■《自五》①地面・ゆかなどに当た

った勢いで はね返る。「まりが―」 ②楽しく、テンポよく続く。「会話が―」 ③〔息が〕速くなる。はあはあ言う。④うれしくて、気持ちや声、動作が かろやかになる。「弾んだ声」 ☞弾ませる。 ㊁《他五》 気前よく、たくさんのお金を出す。「チップを―」

**はすむかい**【△斜向かい】―むかひ ななめむかい。

**ハスラー**〔hustler=詐欺師〕 ビリヤードの賭けゲームで生活している人。

**バズ・る**《自五》〔←buzz=流行(する)〕〔俗〕〔SNSなどで大量に拡散されたりして〕非常に話題になる。「バズってる動画」 名 バズり。

**パズル**〔puzzle〕 ①〔遊びとして考えさせる〕難問。「クロスワード―」 ☞クイズ。 ②ばらばらの断片をあわせて、もとの絵に仕上げるもの。☞ジグソーパズル。

**バスルーム**〔bath room〕 浴室。ふろ場。

**はずれ**【外れ】はづれ ①目標をそれること。「矢が大―」 ②推理が正しくない(と わかった)こと。不正解。「予想は―だった・期待―」 ③〔くじなどで〕悪いもの・何も得られないもの(を選んだこと)。「―くじ・―馬券・この店は―だ」 ④失敗すること。「映画は大―」 ▽(↔当たり) ⑤中央からはなれた所。はし。「村(の)―・宿―」 表記 ③④「ハズレ」とも。

**はずれ**【葉擦れ】 草木の葉が すれあうこと。

**はず・れる**【外れる】はづれる《自他下一》 ①〔はまっているものなどが〕ぬけてはなれる。「ボタンが―・車輪が―」 ②その範囲の外に出る。「レギュラー〈を/から〉―・人の道に―(=そむく)・人並み外れて力が強い」 ③目標とほちがう方向へ行く。それる。「ロケットが軌道〈を/から〉―・ボールがストライク〈を/から〉―(↔当たる)」 ④推理したことが、正しい答えや事実に合わない結果になる。不正解になる。「見こみが―・全問―」 ⑤〔くじで〕何ももらえないものを選んだ、とわかる。 ⑥不成功に終わる。「映画が―」 ▽④〜⑥(↔当たる)

**バスローブ**〔米 bathrobe〕 湯あがりに着る、ゆったりした部屋着。

**パスワーク**〔和製 pass work〕〔サッカーなど〕味方どうしでボールをわたしあうこと。

**バズワード**〔buzzword=流行語〕 何かというと使われる、こけおどしのキーワードや流行語。バズ。「だれもが『効率化、効率化』と―のように くり返す」

☆☆**パスワード**〔password=合いことば〕〔コンピューターなどを利用するときの〕利用者確認のための符号。識別符号。パスコード。PW。

**はせ**【△稲架】《農》⇩はさ。

**はせ**【×馳せ】 造 〔文〕はしって。かけて。「―集まる・―帰る・―もどる・―寄る」

**はぜ**【△黄櫨】・【×櫨】 庭に植える落葉樹。ウルシに似て、葉は小形。秋、葉が赤くなる。実から もくろう(木蠟)がとれる。はぜの木。はじ。

**はぜ**【×鯊】・【△沙魚】 マハゼ・ヨシノボリなど、海や川にすむ、小さな さかな。せなかは茶色で、うす黒い まだらがある。食用。

**はせい**【派生】《名・自他サ》 ①分かれて出てくること。「新しい問題が―する・―的に生まれた企画」 ②〔言〕独立の単語や語幹に、接頭語や接尾語が付いて新しい単語を作ること。「―形」 ●**はせいご**【派生語】〔言〕「派生②」によって新しくできた単語。例、おっ始める・春めく・うれしがる。☞合成語①。

☆☆**ばせい**【罵声】〔文〕ののしる声。 ●**罵声を浴びせる** 句〔文〕ののしる。

**ばせき**【場席】〔俗〕座席。席。

**はせさん・じる**【×馳せ参じる】《自上一》〔文〕はしって参上する。はせ参ずる。

**はせつ・ける**【×馳せ着ける】・【×馳せ付ける】《自下一》〔文〕かけつける。

**パセティック**〔pathetic〕 ①人を感動させるようす。感動的。 ②悲愴。 ▽パセチック。

**バセドウびょう**【バセドウ病】〔Basedow=人名〕〔医〕甲状腺のはたらきがたかぶって起こる病気。甲状腺がはれ、眼球が突き出ることが多い。バセドー氏病〔古風〕。

**はせむか・う**【×馳せ向かう】―むかふ《自五》〔文〕急いでおもむく。かけつける。

**パセリ**〔parsley〕 においの強い西洋野菜。葉が細かく縮れているものと、イタリアンパセリのように細かく切れているものがある。洋食のつけあわせに使う。

**は・せる**【×馳せる】《他下一》〔文〕 ①はしらせる。「馬を―」 ②〔気持ちを〕遠くまでいかせる。「ふるさとに思いを―」 ③広く知れわたらせる。「世に名を―」

**は・ぜる**【△爆ぜる】《自下一》〔熱を加えられて〕はじけひらく。「クリの実が―」

←**はせん**【波線】 ⇩なみせん。

→**はせん**【破線】 短い切れ目が等間隔で はいった線。「‐‐‐‐」など。

**はせん**【破船】《名・自サ》〔文〕〔暴風などで〕船がこわれること。こわれた船。

**ばぜん**【馬前】〔文〕馬の まえ。「殿の―」

**ばそう**【馬装】《名・自サ》 馬に鞍などをつけ、人が乗れるようにすること。

**はそく**【把捉】《名・他サ》〔文〕しっかりと とらえること。意味や本質を理解すること。「原因を―する」

**ばぞく**【馬賊】〔昔の満州で〕馬に乗って荒らし回った盗賊のむれ。

＊**パソコン**〔←パーソナル コンピュータ(ー)〕 個人用の小型コンピューター。デスク(トップ)型・ノート型などがある。PC。「―通信(=インターネットの普及以前に、パソコンどうしを通信回線で結んで おこなった通信)」

**パソドブレ**〔ス paso doble〕〔音〕闘牛のときなどに使う、挑発的なラテンリズムの曲(でおどるダンス)。パソドブル。

**ばそり**【馬×橇】 馬に ひかせるそり。

**はそん**【破損】《名・自他サ》 物の一部〈が こわれる/を こわす〉こと。「―箇所・機体の一部を―する」

**はた**【畑】・【×畠】 はたけ。(↔田)

←**はた**【△傍】 その事に関係のない立場(の人)。わき。「―で見るほど楽ではない・―が承知しない」 ●**はたの見る目も** 句 そばで見ていても。他人が見ても。はたで見る目も。「―痛ましい」

→**はた**【端】 へり。はし。「池の―・口の―・海岸―ばた」

**はた**【旗】 ①布地で作り、さおに つけて空中にひるがえすしるし。「日本の―・白組の―」 ②主義・主張などのしるし。はたじるし。「正義の―をかかげる」 由来 風にひるがえる擬音語「はた(=ぱたぱた)」から。☞錦の御旗みはた。●**旗を揚あげる**句 旗揚げをする。「打倒だとう平家の―」●**旗を振ふる**句 (運動などを)推進する。「行政改革の―」●**旗を巻く**句 降参する。「旗を巻いて帰る」

**はた**【機】布地を織る機械。「―を織る(=機で布を織る。『弓を射る』と同じ言い方)」由来 機を織る擬音語「はた(=ぱたぱた)」から。

**はた**【△将た】《接》〔文〕あるいは。「散るはなみだか―露つゆか」

***はだ**【肌・△膚】①人間のからだの表面。皮膚ひふ。〔特に上半身について言うことが多い〕「―があれる・お―の手入れ(顔を中心とする)・―をさすようにつめたい風・―を焼く・―をぬぐ(=衣服をぬいで、上半身のはだをあらわす)」②物の(なめらかな)表面。「せともの の―・木の―・山の―」③相手から受ける、全体の感じ。「学者―」●**肌が合わない**句 気持ちがなんとなく合わない。●**肌で感じる**句 直接体験してわかる。肌で知る。●**肌を入れる**句 肌脱ぬぎにしていた着物を着直す。肌をおさめる。(↔肌をぬぐ)●**肌を許す**句 相手に肉体を許す。からだを許す。

**バタ**〔視覚語〕↔バタフライ①。「女子百メートル―」

**バター**〔butter〕牛乳からとった脂肪しぼうを固めた食品。バタ。「―ナイフ・―いため・―コーン・じゃが―・―クリーム(=バターをたくさん使った、ケーキ用のクリーム)」表記「:牛酪」とも書いた。●**バターピーナ(ッ)ツ**〔和製 butter peanuts〕バターで味つけしていためた、ピーナッツ。バタピーナ(ッ)ツ。バタピー。☞ピーナ(ッ)ツ(↗ブ)バター。

**パター**〔putter〕《ゴルフ》パットをするときに使うクラブ。

**はだあい**【肌合い】①その人から受ける(全体の)感じ。「―がちがう」②はだざわり。「すべすべした―」

**はたあげ**【旗揚げ】《名・自サ》①兵を挙げること。②事をはじめて起こすこと。

**ばたあし**【ばた足】①《水泳》両足をかわるがわる上下に動かして水を打つこと。②《すもう》すり足でなく、ばたばた動かすように、足を移すこと。

**はだあたり**【肌当たり】〔けしょう品や温泉などが〕はだに ふれる感触かんしょく。「―のいいお湯」

**パターナリズム**〔paternalism〕父が子に対するように、温情のつもりで干渉かんしょうすること。雇用こよう関係や、医師と患者かんじゃの関係などにみられる。父権主義。

**バタール**〔フ bâtard〕バゲットよりも少し短くて太いフランスパン。クラムの部分が多い。

**はだあれ**【肌荒れ】はだに うるおいがなくなって、かさかさになること。

**パターン**〔pattern〕①(人の行動・ものごとの なりゆきなどの)型。類型。「景気回復の―・文化の―・ワン―」②おきまり。通例。「正月は寝ねて過ごすのが―」③図案・模様。柄がら。「テスト―」④《服》型紙。⑤《放送》〔NHKで〕⇨フリップ①。▽パタン。

**ばたい**【馬体】(競走用の)馬の からだ(の調子)。「―も回復して」

**ばだい**【場代】場所代。「マージャンの―」

**はたいろ**【旗色】①戦争や試合の、勝ち負けのようす。形勢。「―が悪い」②態度。旗幟きし。

**はだいろ**【肌色】①はだの色。「―に合ったリップ」②うすいオレンジ色を言った、以前の ことば。〔日本人に多いはだの色を想定し、多様な人々の はだの色をあらわさないから、二十一世紀には「うすだいだい」「ペールオレンジ」と言うようになった〕

**はだえ**【△肌・△膚】〔雅〕はだ。

**はたおさめ**【旗納め】―をさめ 労働組合などで、年末におこなう懇親こんしん会。組合旗をかざる。(↔旗開き)

**はたおり**【機織り】□一《名・自サ》機はたで布地を織る〈こと/人〉。□二【機織】〔雅〕↔はたおりむし。●**はたおりむし**【機織虫】〔雅〕きりぎりす。また、しょうりょうばった。はたおり。

**はだか**【裸】①からだに、着るものを(ほとんど)つけていない姿。「―で歩く・上半身―・―おどり・―んぼ」②おおいのないこと。むき出し。「札束を―で わたす・―岩・―電球(=かさ(笠)のない電灯)」③持ち物のないこと。無一物むいちぶつであること。「破産して―になる」④かくしごとがなく、平等であること。「―の付き合い」⑤《経》増資の権利などを落としたこと。「―値ね・―利回り」●**はだかいっかん**【裸一貫】自分のからだのほかに何も持っていないこと。「―で(=自分だけの力で)」●**はだかうま**【裸馬】くらを置かない馬。●**はだかぎ**【裸木】〔冬が近づいて〕葉が全部落ちてしまった木。●**はだかのおうさま**【裸の王様】自分につごうのいいことだけを知らされて真実を見失っている人のたとえ。「社長は―だ」由来 見えない生地きじで作ったという服を着たつもりで、裸で歩く王に、真実を指摘してきしたのは子どもだけだったという、アンデルセンの童話から。●**はだかび**【裸火】(電熱器具に対して)おおいなどがなく、炎ほのおがむき出しで燃えている火。「(地下室などで)―厳禁」●**はだかむぎ**【裸麦】オオムギの一種。実の表皮がはがれやすい。●**はだかむし**【裸虫】①昆虫こんちゅうの幼虫で、毛がなくて からだが むき出しになっているもの。②〔俗〕人間。特に、はだかの人。③〔俗〕びんぼうで衣類の(ほとんど)ない人。

**はだかけぶとん**【肌掛け布団】はだの上に直接かける、やわらかくてうすい かけぶとん。はだぶとん。はだかけ。

**はたがしら**【旗頭】①集団の かしら。「一方の―となる」②運動の先頭に立つ人。「反対派の―」

**はだか・る**《自五》①またを広げて立つ。「立ち―」②⇨はだける□二。

**はだかん**【肌感】①素材や塗装とそうの表面の感じ。②肌感覚。

**はだかんかく**【肌感覚】①現場で感じ取る実感。「―でも人が減ったと感じる」②体験から得られた感覚。▽皮膚ふ感覚。肌感。

**はたき**【×叩き】①ちりをはらう道具。ちりはらい。「―をかける」②《すもう》はたくこと。「強烈きょうれつな―」●**はたきこ・む**【×叩き込む】《他五》《すもう》相手が突つっこんで きたり おしたりしてくるのを、体たいをひらきながら相手の肩かたなどをたたいて土俵に たおす。名はたき込み。

**はだぎ**【肌着・肌△衣】はだに じかに着る衣類。

**はたぎょうれつ**【旗行列】大ぜいが小旗をふって(お祝いなどのため)ねり歩く〈こと/ときの行列〉。

**はた・く**【(×叩く)】《他五》①はらいのける。「ちりを―」②〈平手で/平たいもので〉たたく。「はたき落とす」③財産・お金を全部使う。「さいふの底を―・あり金を―」④《すもう》相手の首や肩かたの上からたたいて前にたおす。⑤〔こなを〕軽くたたきつけるようにして、表面に付ける。

る。「ベビーパウダーを―・おこなを―・小麦粉を―」

**バタくさ・い**［バタ(臭い)］《形》〔バタ＝バター〕〔古風〕西洋ふう(でいやみ)だ。「―文章」派 ―さ。

**はたけ**［畑・×畠］①(たがやして)野菜・穀物などを作る土地。「―に種をまく・―仕事」(↕田) ②専門(の領域)。「―ちがい・行政―」

**はたけ**《医》(子どもの顔に)白いまだらができ、細かにはがれた表面が、粉をふいたようになる病気。

**はだ・ける** 一《他下一》〔衣服の えりもとなどを〕広げる。ひらく。「胸を―」 二《自下一》〔衣服の えりもとなどが〕広がる。はだかる。「裾が はだけた」

**はたご**［(:旅籠)］〔↑はたご屋〕江戸時代の宿屋。

**はたざお**［旗(×竿)］旗をつけて揚げる さお。「―地(＝細長い通路を通って玄関にはいる、旗ざお状の土地)」

**はたさく**［畑作］畑に作物をつくること。また、その作物。

**はたさしもの**［旗指物］昔、よろいの せなかにさして、戦場で目じるしにした小旗。

**はださびし・い**［肌寂しい］《形》恋人のはだにふれないで、さびしい感じがするようすだ。人肌さびしい。はださみしい。

**はださむ**［肌寒］〔秋などに〕はだ寒く感じる〈こと／気温の状態〉。●**はださむ・い**［肌寒い］《形》①〔秋などに〕はだに寒さを少し感じる状態だ。②〔はだが寒くなるような〕いやな感じだ。「―光景」▽はだざむい。派 ―さ。

**はだざわり**［肌触り］①はだに ふれる感じ。「―がなめらか」②受ける感じ。「―のいい人」

**はだし**［(:裸足)・(×跣)・(:跣足)］①はきものをはかない足(で歩くこと)。②顔負け。「専門家―の技術」由来 およばないと思って「はだし①」のまま にげ出すことから。

**はたしあい**［果たし合い］おたがいに うらみのある者が、一方が死ぬまで戦うこと。

**はたしじょう**［果たし状］果たし合いをもとめる書状。

**はだしつ**［肌質］人の はだの質。普通肌・乾燥肌・脂性肌など。

**はたして**［(果たして)］《副》①実際はどうかと疑うことば。本当に。「―成功するだろうか」②思ったとおり。やはり。「―雨になった」③〔文〕もし。「―そうだとすれば」④結果として。結局。「―、予想は裏切られた」〔新しい用法〕

**はだジュバン**［肌:襦袢・肌じゅばん］《服》和服で、はだに直接着る じゅばん。ふつう、長じゅばんの下に着る。はだじばん。

**はだしょう**［肌性］はだの性質。

**はたじるし**［旗印］①昔、戦場で旗につけた、紋所などの目じるし。②かかげる主義や目標。「政権交代を―にする」

***はた・す**［果たす］《他五》①なしとげる。「目的を―・役割を―」②〔動詞の あとについて〕…して(なくして)しまう。「使い―」可能 果たせる。

**はたせるかな**［果たせるかな］《副》〔文〕思ったとおり。やっぱり。「―そうだった」

**はたち**［二十歳・二十］二十歳。「―になる・―も年下の友・―代」由来「はた」は二十の意味。「ち」は数をあらわす接尾語で、「三十」などの「じ」と同じ。

**はたち**［畑地］畑となって(ってい)る土地。

**はだつき**［肌(付き)］皮膚のようす。はだから受ける感じ。

**ばたつ・く**《自五》①ばたばた音がする。ばたばたと音をさせて歩く。②ばたばたする。あがく。

**ばたっと**《副》①厚くて重いものが〈たおれる／当たる〉音のようす。「戸が―しまる」②急に とぎれるようす。「―客がこなくなる」▽ばたりと。

**ぱたっと**《副》①うすくて軽いものが〈たおれる／当たる〉音のようす。「本を―とじる」②〔続いていた動きが〕急に止まるようす。「―連絡が絶える」▽ぱたりと。

**はたと**《副》〔文〕①〔自分の考え・動作などが〕急に。「―気づく・―ことばに つまる・―立ち止まる」②強くたたくようす。ぽんと。「―ひざを打つ」③⇩はったと。

**はたとせ**［(△二△十△歳)］〔雅〕①二十年。②二十歳。はたち。

**パタニティ(ー)ハラスメント**〔和製 paternity harassment〕⇩パタハラ。

**はだぬぎ**［肌脱ぎ］着物などを上半身だけぬいで、はだを出すこと。「―になる」

**はタバコ**［葉(:煙草)］〔製品にする前の〕タバコの葉。

**はたはた**［(×鰰)］北日本の海でとれる中形の さかな。せは黄茶色で、腹は銀白色、うろこがない。たまごは「ぶりこ」と言う。かみなりうお。

**ばたばた** 一 **ばたばた**《副・自サ》①ものが風にあおられたり、続けて何かに当たったりする〈音／ようす〉。「木戸が―している」②足をあらっぽく動かして歩く〈ようす／音〉。③鳥が はばたく音。④ものごとが つぎつぎにたおれるようす。ばったばった。「―倒産する」⑤ものごとが急に はかどるようす。「―とかたづく」⑥ものごとを急いでするようす。「―と準備する」⑦いそがしくて混乱しているようす。「ちょっと―しておりまして」 二 **ばたばた**〔古風・俗〕①スクーター。②バイク。

**ぱたぱた**《副・自サ》①軽いものが風にあおられたり、続けて何かに当たったりする〈音／ようす〉。「旗が―(と)ひるがえる・うちわで―あおぐ」②足を軽く動かして歩く〈音／ようす〉。「スリッパで―(と)歩く」③ものごとが急に はかどるようす。

**パタハラ**〔↑パタニティ(ー) ハラスメント〕パワハラの一種。育児休業などの制度を利用しようとする男性社員へのいやがらせ。例、制度利用にいやみを言う、妨害する、昇進させない、など。

**はたび**［旗日］〔国旗をかかげて祝う〕祝日。

**バタピー** ↑バターピーナ(ッ)ツ。

**はたびらき**［旗開き］労働組合などで、新年に おこなう懇親会。組合旗をかざる。(↕旗納め)

**はだぶとん**［肌布団］↑はだかけ ぶとん。

**バタフライ**〔butterfly＝ちょう(蝶)〕①泳ぎ方の一種。両手をいっしょに水からぬき、足はドルフィンキックする。バ(ッ)タ。②ストリッパーが局部につける小さい布。

**はたふり**［旗振り］①交通整理や あいずの旗をふる〈こと／人〉。②運動などの中心となってリードする〈こと／人〉。「―役」

**はだま**［端玉］〔パチンコで〕たまを景品に替えたあと

にあまって残る、はしたのたま。「—景品」

**はたまた**［（△将た又）］《接》〔文〕それとも。「流れ星か—UFOか」

**はだまもり**［肌守り］はだにつけて持っているお守り。

**はだみ**［肌身］はだ（におおわれた、からだ）。「—はなさず〔＝からだから少しもはなさず〕持つ・—に感じる〔＝実感する〕」

**はため**［（△傍）目］よその人の見た感じ。「—にも気の毒なほど悲しむ」

**はためいわく**［（△傍）迷惑］《名・ナダ》周りの人への迷惑。「—な話だ」

**はため・く**《自五》①〔旗・布などが〕風にふかれてひるがえる。「のぼりが—・コートのすそが—」②〔文〕かみなりのような音を立てて、なりひびく。「雷鳴が〔鳴り〕—」【由来】擬音語の「はた〔＝ぱたぱた〕」に接尾語の「めく」がついたもの。【名】はためき。

**はたもと**［旗本］〔＝大将の本陣（の兵士）〕《歴》江戸時代、将軍家直参で、将軍に会うことのできた武士。「—八万騎」●**はたもとやっこ**［旗本（△奴）］江戸時代の、旗本のやくざ集団。（↔町奴）

**はたや**［機屋］機織りを職業とする〈家/人〉。織り屋。

**ばたや**［バタ屋］〔古風・俗〕廃品を集める職業を言ったことば。

***はたらき**［働き］①仕事をすること。「外に—に出る・あの男は—がある〔＝ⓐよく働く。ⓑかなりの収入がある〕」②活動。作用。機能。「頭の—・電気の—・薬の—」③てがら。功績。「予想外の—」●**はたらきあり**［働き（×蟻）］《動》巣を作り、食べ物を集めるなど、労働を受け持つ、めすのアリ。●**はたらきか・ける**［働き（掛ける）］《自下一》①相手に対して、（要求のための）行動を起こす。②作用をあたえる。「五官に—」【名】働きかけ。●**はたらきぐち**［働き口］働いてお金をかせぐための職。「—をさがす」●**はたらきざかり**［働き盛り］人生の、最もよく働ける年代。●**はたらきづめ**［働き詰め］働き続けること。【動】働き詰める《自下一》。●**はたらきて**［働き手］①よく働く人。②働いて、生活の中心になる人。●**はたらきばち**［働き蜂］①《動》巣を作り、蜜を集めるなどの働きをする、めすのハチ。②よく働く人のたとえ。「会社で—になる」（いっしょうけんめいに）よく働く人。「評判の—」●**はたらきもの**［働き者］

****はたら・く**［働く］【一】《自五》①仕事をする。「工場で—・働かざるもの食うべからず」②よく動く。活動する。「胃腸が—・頭が—」③力を持つものが、何かに影響をあたえることをする。「酵素が—〔＝作用する〕・機械が—〔＝機能する〕」④《言》活用する。【由来】もと、「動く」の意味。「はた〔＝周囲の人〕を楽にする」からというのは、道徳を教えるための俗説。【他】働かせる《下一》・働かす《五》。【可能】働ける。【二】《他五》〔悪いことを〕する。「ぬすみを—・無礼を—」

**はだれゆき**［（△斑）雪］〔雅〕まだら雪。

☆☆**はたん**［破綻］《名・自サ》〔＝やぶれほころびること〕①うまくゆかず、だめになること。「政策に—をきたす・生活が—する・—国家」②《経》〔経営が〕行きづまること。

**はだん**［破談］①相談や約束を取りやめること。②縁談を取りやめること。「—になる」

**はだん**［破断］《名・自サ》《理》材料に力が加わり、二つ以上の部分に分離してしまうこと。「—面・レールが—する」

**ばたん**《副》ものが強くぶつかる音。「ドアを—と閉める」●**ばたんきゅう**〔俗〕つかれて、横になるなりねむってしまうこと。「床にはいると—だ」

**ぱたん**《副》軽いものがたおれたり、打ちつけられたりする音。「本を—と閉じる」

**パタン**〔pattern〕⇩パターン。

**はたんきょう**［（×巴旦×杏）］①スモモの一種。実が大きくあまい。②アーモンドの別名。

****はち**［八］七より一つだけ多い数。や（っ）つ。や。はあ。〔他と複合して「ぱち」とも。「二—〔＝二月と八月〕・環—〔＝環状八号線〕」〕【表記】アラビア数字では「8」。

**はち**［蜂］スズメバチ・ミツバチなど、昆虫の一種。からだは細長く、はねを持ち、胸と腹の境はくびれている。しりの先に針を持つのは、めす。「—の あたまもない〔⇩へったくれ〕」☞蜂の巣。

**はち**［鉢］①《仏》僧が使う食器。②皿より深くて、上が大きくひらいた食器。③〔日本料理で〕焼き物。④↑植木ばち。「—植え」⑤頭蓋骨。「—のひらいた〔＝上がわの大きい〕頭」☞おはち。

←**ばち**［（×枹）］太鼓を打つ棒。

→**ばち**［（×撥）］琵琶・三味線などの糸をはじいてひく道具。☞「びわ」「しゃみせん」の絵。

**ばち**［罰］①人間の悪いおこないを、神や仏がこらしめること。「—があたる」②悪いことをしたむくい。☞ばつ（罰）。

**ばちあたり**［罰当たり］【一】ばちがあたるのが当然である人。「この—め」【二】《ナダ》ばちがあたって当然であるようす。「—なことをする」

**はちあわせ**［鉢合わせ］《名・自サ》①頭と頭を打ちあわせること。②〈ぱったり/思いがけず〉出あうこと。③正面衝突。

**はちうえ**［鉢植え］草木を植木鉢に植えること。また、その草木。

**ばちがい**［場違い］《名・ナダ》①その場所にふさわしくないようす。「—〈の/な〉あいさつ」②本場の産物でないこと。ばち。「—もの」

***はちがつ**［八月］一年の第八の月。☞葉月。

**バチカン**〔Vatican〕①〔↑バチカン市国〕ローマ市に囲まれた世界最小の独立国。ここにローマ教皇の役所〔＝教皇庁〕がある。国連に未加盟。②〔↑バチカン宮殿〕ローマ教皇庁。教皇庁。法王庁。

**はちきょう**［八強］準々決勝戦に残った、八つの強いチーム。ベスト エイト。はっきょう。

**はちき・れる**［はち（切れる）］《自下一》いっぱいになって破裂する。

**はちく**［破竹］↑破竹の勢い。「—の十連勝」●**はちくのいきおい**［破竹の勢い］竹が割れるようにはげしくて、とちゅうでおさえられない勢い。

**ぱちくり**《副・自サ》おどろいてまばたきするようす。「目を—させる」

**はちケー**［8K］画像や動画の規格の一つ。フルハイビジョンの十六倍の解像度。☞4K。

**はちじ**［八字］「八」の字の形。「—ひげ」

****はちじゅう**［八十］①十の八倍。②八十歳。「—

の男」 ●**はちじゅうはちや**［八十八夜］《天》立春から、八十八日目。五月二日ごろ。茶つみの季節。 ●**はちじゅうはっかしょ**［八十八（箇）所］《仏》四国に八十八ある、弘法大師に関係のある霊地。

**はちす**［(×蓮)］〔雅〕①⇩はす（蓮）①。②⇩むくげ（木槿）。

**パチスロ**［パチスロ］パチンコ店などにある、スロットマシン式のゲーム機。絵がそろうように複数のボタンをおすと、結果に応じてメダルが出る。「—店」

**ぱちっと**《副》①小さなかたいものが当たって出す音のようす。「ホックを—とめる」②熱せられてはじける音のようす。「炭火が—飛ぶ」③まばたきを一回するようす。「—まばたく」

**はちどり**［(蜂鳥)］南北アメリカにすむ、最も小形の鳥。花の蜜を吸う。

**はちのこ**［蜂の子］クロスズメバチなどの、ハチの幼虫。長野県などで食べる。へぼ。

**はちのじ**［八の字］漢字の「八」の字（の形）。「—（形）のまゆ」 ●**八の字を寄せる**〔句〕〔考えこんだり、おこったりして〕むずかしい顔をする。

**はちのす** ㊀**はちのす**［蜂の巣］①ハチの作った巣。六角形の穴がたくさん集まってできている。②穴がたくさん空いているもの。「〔無数の弾丸で〕—にしてやる」 ㊁**はちのす**［ハチノス］牛の第二胃。内がわがハチの巣のようになっている。煮物などにする。☞ミノ・センマイ・ギアラ。 ●**蜂の巣をつ（つ）いたよう**〔句〕取りしずめることができないほどの大さわぎになるようす。

**ばちばち**《副・自サ》①「ぱちぱち」よりも強い〈音/ようす〉。「たきぎが—はぜる・—と火花を散らす」②敵対心を持つ〈こと/ようす〉。「ライバル同士で—する・—に争う〔俗〕」③いきのいいようす。「—したキャラクター」④〔俗〕ばっちり決めたようす。完璧なようす。「—のけしょう・—の名曲」

**ぱちぱち**《副・自他サ》①小さなかたいものがくり返しあたる音。「そろばんを—（と）はじく」②拍手の音。③熱せられて続けてはじける音。「ごまが—（と）はぜる」④火花が散る〈音/ようす〉。⑤写真をつぎつぎに撮る〈音/ようす〉。「そう—撮るもんじゃない」⑥何度もまばたきをするようす。「目を—する」

**はちぶ**［八分］①十分の八。全体の八割。はちぶん。「腹—・—そで」②むらはちぶ。 ●**はちぶおんぷ**［八分音符］《音》全音符の八分の一の長さをしめす音符。「♪」。はちぶんおんぷ。

**パチプロ**［パチプロ］〔↑パチンコ＋プロフェッショナル〕〔俗〕パチンコでかせいで生活している人。

**はちぶんめ**［八分（目）］①〔全体の〕十分の八。八割。はちぶ。②ひかえめにすること。

**はちまき**［鉢巻き］《名・自サ》頭のまわりに巻きつける細い布。また、その布を巻きつけること。「—をしめる」

**はちまん**［八×幡］〔ふつう—さま〕①↑八幡大菩薩。「南無—〔＝ああ、八幡さま〕」②↑八幡宮。 ●**はちまんぐう**［八×幡宮］応神天皇をまつった神社。 ●**はちまん-だいぼさつ**［八×幡大×菩×薩］八幡宮の祭神、応神天皇。八幡大神。

**はちみつ**［蜂蜜］ミツバチの巣にたくわえてある蜜。食用。蜜。ハニー。

**はちミリ**［八ミリ］フィルムのはばが八ミリの、小型映画（のカメラ）。

**はちめん**［八面］〔文〕①八つの平面。「—体」②八方。 ●**はちめんれいろう**［八面×玲×瓏］〔文〕①どの方面から見ても美しいこと。「—の富士の姿」②心にわだかまりのないこと。 ●☆☆**はちめんろっぴ**［八面六×臂］〔＝八つの顔と、六つのひじ〕〔文〕あらゆる方面で大活躍をすること。三面六臂。

**はちもの**［鉢物］①はち植えにして楽しむ草木。②はちに盛って出す料理。

**ぱちもん**［パチモン］〔俗・方〕にせもの。パ（ッ）チモノ。

**はちもんじ**［八文字］①八の字の形。②おいらん道中で、八の字を書くように足を動かす歩き方。「—を踏む」

**はぢゃ**［葉茶］①〔茶の葉を蒸してかわかした〕ふつうのお茶。はちゃ。（↔抹茶）②〔ティーバッグに対して〕缶などに入った紅茶。

**はちゃめちゃ**《名・ナダ》めちゃくちゃ。「—人生」

**はちゅうるい**［×爬虫類］〔爬＝は（這）う〕《動》うろこまたは甲羅をもつ脊椎動物。多く陸上にすむ。例、ヘビ・ワニ・トカゲ。

**はちょう**［波長］①《理》空間を伝わる波〔＝波動〕の山と山、また谷と谷の間の長さ。②〔人によってちがう〕感性・考え方などの特徴。「—が合う二人・私と—の合わない本」

**はちょう**［破調］〔文〕決まったリズム・型などをやぶること。「—の句〔字余りなど〕・—の人生」

**はちょう**［ハ調］《音》「ハ」から始まる音階の調子。

**ぱちり**《副》①指先で、かたいものを打ちつけたり、おしたりして鳴らす音。「碁石が—と鳴る」②まぶたがあいたり、とじたりするようす。「—とまばたく」③写真をとる〈音/ようす〉。

**ぱちん**《副》①金属などが打ち合って、勢いよく出す音。「がまぐちを—と閉める・—と爪を切る・指を—と鳴らす」②ほおなどを強くたたく音。③風船などがはじける音。

**ぱちんカー**［パチンカー］〔俗〕「パチンコをする人」の英語ふうの言い方。「プロの—」

**ぱちんこ**［パチンコ］①取っ手を回して小さな玉をはじいて上げ、盤面のくぎの間の穴に入れる遊技。当たりを出して出玉をふやすことをねらう。「—の台」②ふたまたの木の枝にゴムをつけ、小石などをはじきとばすおもちゃ。③〔俗〕ピストル。

**はっ**《感》〔話〕①かしこまって答えるときのことば。「はっ（↓）、かしこまりました」②おどろいたり、気がついたりしたときのことば。「—、思い出した」☞は《感》・はっと。

**はっ**［八］〔遺〕はち。「—八六十四・—、九年・一時—分（『はちふん』とも）・—階（『はちかい』とも）」

＊**はつ**［初］㊀〔遺〕①最初の。第一回の。「—の会議・今大会—」㊁**はつ** はじめ。最初。「—出演・—登庁・—けんか・—ハワイ」②その年はじめての。「—売り・—日の出・—泳ぎ・—富士〔＝元旦にながめる富士山〕」

**はつ**［発］㊀**はつ** ①たつこと。出発。「十時—・東京—」（↔着）②〔手紙などを〕出すこと。発信すること。「五日—・ロンドン—」㊁〔接尾〕①弾丸・ミサイル・ロケットなどの（発射）数を数えることば。②げんこつでなぐる回数を数えることば。③《野球・サッカーなど》ホームランやゴールの数を数えることば。「プログラムの一―目」④〔俗〕順番を数えることば。⑤《写真》シャッターやストロボの回数を数えることば。「二―光らせる」⑥汽笛・信号などを数えることば。「長声一―(=出航のあいずとして長い汽笛を一回鳴らせという号令)」⑦〔↑発動機〕エンジン。「四―のジェット機」

**ハツ**〔↑heart〕〔焼き鳥店・焼き肉店で〕心臓。

**ばつ**[×跋]〔文〕あとがき。跋文。(↕序)

**ばつ**[罰]罪やあやまちを犯した人にあたえる、〈痛い/つらい〉しうち。「―を受ける」(↕賞) ☞ばち(罰)。

**ばつ**[閥]出身や利害関係を同じくする者の〈集まり/結びつき〉。「東大―」

**ばつ**[×・バツ]〔「罰」から〕①「だめ」「まちがい」などをあらわすしるし。バッテン。バツじるし。②伏せ字をあらわすしるし。「×月×日」▽ペケ。 由来 ⇩バッテン 一。

**ばつ**〔↑場都合〕①その場の調子・ぐあい。「相手の話に―を合わせる」②つじつま。「むりに―を合わせる」 ●**ばつが悪い** 句 間がぬけて、きまりが悪い。「じまんが うそだったと ばれて―」 表記「バツが悪い」とも。

**はつあき**[初秋]〔雅〕秋のはじめ。しょしゅう。

**はつあん**[発案]《名・自他サ》①〔計画などの〕案を出すこと。また、その案。「課長の―」②議案を提出すること。

**はつい**[発意]《名・自他サ》〔文〕思いたつこと。考えつくこと。ほつい。「担当者の―による紙面」

**はついく**[発育]《名・自サ》からだ(の一部分)の成長。「―がいい」

**ばついち**[バツイチ]〔俗〕一度だけ離婚したことがある〈人/こと〉。「―の男性」 由来 戸籍の名前に×印が記入されることから。

**はつうま**[初△午]二月のはじめの うま(午)の日。稲荷神社の祭りの日。

**はつえき**[発駅]出発する駅。また、荷物を出す駅。(↕着駅)

**はつえん**[発煙]《名・自サ》あいずなどのために、けむりを出すこと。「―弾・―筒〔ほのおを上げるものは『発炎筒』と書く〕」

**はつお**[初△穂]⇩はつほ。

**はつおん**[×撥音]〔言〕〔日本語で〕「ん」「ン」であらわされる鼻音。ふつう、語頭には あらわれない。はねおん。☞ん。

**はつおん**[発音]《名・自他サ》①ことばを組み立てる声を出すこと。出した音声。「きれいな―・―記号」②音を出すこと。「―装置」

**はつおんびん**[×撥音便]〔言〕音便の一つ。「ビ・ミ・ニ」などの音が「ン」の音になるもの。例、「飛びて」→「飛んで」、「死にて」→「死んで」。〔このほか、話しことばで「ならない」「やりなさい」を「なんない」「やんなさい」と言う例なども撥音便と言える。☞付録「話しことばでの活用語」〕

**はっか**[(薄荷)]①野山に はえる草。夏から秋にかけてうすむらさきの花をひらく。②[ハッカ]「はっか①」のくきや葉からとる香料。いい においと、さわやかな味をもつ。▽ミント。

**はっか**[発火]《名・自サ》火を出すこと。燃え出すこと。(↕消火) ●**はっかてん**[発火点]①《理》熱を加えたとき、火をつけなくても自然に燃え出す温度。引火点より高い。②争いの、きっかけ。「争議の―」③燃え出す場所。

**はつか**[二十日]①その月の二十番目の日。②日かずで数えて二十。 ●**はつかえびす**[二十日(∴恵比寿)]十月二十日、商家でえびす(恵比寿)をまつる行事。えびす講。 ●**はつかしょうがつ**[二十日正月]一月二十日。正月の祝い納めの日。 ●**はつかだいこん**[(二十日大根)]⇩ラディッシュ。 ●**はつかねずみ**[(二十日×鼠)]ネズミの一種。からだは小形で、色は白または灰黒色。医学の実験などに使う。マウス。

**はつが**[発芽]《名・自サ》たねから芽が出ること。めばえ。「―期・―玄米」

**ばっか**《副助》〔俗〕↑ばっかり。「じょうだん―言ってる・聞いた―だ」

☆☆**ハッカー**〔hacker〕①コンピューターの達人。②通信回線を通して、他のコンピューターに不法に侵入し、内部のデータやプログラムを破壊する者。クラッカー。

**パッカーしゃ**[パッカー車]〔packer truck〕ごみ収集車。うしろの投入口に、ごみを圧縮する回転プレートがついている。

**はっかい**[発会]一《名・自サ》「会②」ができあがって活動を始めること。「―式」二《経》〔取引所で〕その月の最初の立ち会い。(↕納会) ☞大発会。

**はつがお**[初顔]①《すもう・スポーツなど》初顔合わせ(の相手)。②会合などに はじめて参加した人。新顔。

**はつかおあわせ**[初顔合わせ]①《演劇・すもう・スポーツなど》はじめての顔合わせ。②関係者全部の、最初の集まり。

**はっかく**[(八角)]トウシキミ(唐樒)という木になる、角が八つの星形をした実。あまい かおりがあり、中国料理の香辛料や漢方薬に使う。大茴香。スターアニス(star anise)。

**はっかく**[発覚]《名・自サ》〔=あばかれ、気づかれる〕〈悪い/困った/かくしていた〉ことが知れること。「不正が―する・問題が―・忘れ物が―・芸能人の熱愛が―」

**ばっかく**[幕閣]幕府の最高首脳部。

**はっかけ**[八掛け]《服》すそまわし。

**はっかげんしょう**[白化現象]《動》サンゴが白くなること。その状態が続けば死滅する。海水温が上がり、共生する藻がサンゴからぬけ出すことが原因。

**ばっかし**《副助》〔俗〕「ばかし」を強めた言い方。「うそ―」

**バッカス**〔Bacchus〕〔ローマ神話で〕酒の神。〔ギリシャ神話のディオニソスにあたる〕

**はつがつお**[初(×鰹)]初夏に近海でとれる、その年の最初のカツオ。☞上りがつお。

**はつがま**[初釜]新年に はじめて茶の湯の かまをすえて茶をたてること。

**はつかり**[初(×雁)]〔雅〕秋のはじめに、北から来るガン。

**ばっかり**《副助》〔↑ばかり〕〔話〕①ほかはなくて、それだけ。「うそ―言う・ねて―いる」②…して間もない。「今来た—だ」▽ばっか〔俗〕。③それだけが原因で。「欲を出した—に損をした」

**はっかん**［発汗］《名・自サ》《医》あせを出すこと。「—作用」

**はっかん**［発艦］《名・自サ》《軍》飛行機が航空母艦などからとび立つこと。(↔着艦)

**はっかん**［発刊］《名・他サ》〔文〕本や雑誌を発行すること。

☆☆**はつがん**［発(×癌)］《名・自他サ》がん(癌)〈が発生する/を発生させる〉こと。「—(性)物質」

**ばっかん**［抜管］《名・自他サ》くだの形をしたものをぬくこと。「気管内チューブを—する」

**はっき**［白旗］〔文〕しろはた。

**はっき**［発揮］《名・他サ》じゅうぶんに あらわして しめすこと。「実力を—する」

**はつぎ**［発議］《名・自他サ》①〔文〕意見を言い出すこと。②《法》議事の対象となる問題〔おもに議案〕を会議に出すこと。▽ほつぎ。

**はづき**［葉月］〔文〕旧暦八月。

**ばっき**［×曝気］微生物に酸素をあたえるために、下水の中に空気を送りこむこと。「—槽(=曝気式浄化槽)」

**はっきゅう**［白球］《野球・ゴルフなど》〔文〕白いボール。●**白球を追う** 句〔野球・ソフトボールなどで〕試合や練習に打ちこむ。

**はっきゅう**［薄給］わずかの給料。安(い)月給。(↔高給)

**はっきゅう**［発給］《名・他サ》〔文〕〔証明書などを〕発行してあたえること。「ビザの—」

**ばっきょ**［抜去］《名・他サ》〔文〕ぬいて取ること。「カテーテルを—する・臼歯を—する」

**はっきよい**《感》《すもう》⇩はっけよい。

**はっきょう**［発狂］《名・自サ》気が くるうこと。

＊＊**はっきり**《副・自サ》①まわりのものと まぎれないように区別されるようす。はっきし〔俗〕。「—見える・態度を—させる」②〔頭や意識が〕(ぼんやりせず)うまく はたらく状態であるようす。「頭が—する」▽(↔ぼんやり) ③〔—しない〕病気や天気などが、よくならない。④自分のことなどで、えんりょするべきことについて えんりょしないようす。「いやに—しているね」●**はっきり言って** 句 本当のことを言うと。「—迷惑なんだからね」

**はっきん**［白金］《理》銀白色で変質しにくい貴金属〔元素記号 Pt〕。自由に打ちのばすことができ、装飾品のほか、電極や触媒などに広く使う。プラチナ(platinum)。プラチナ。「純—」

**はっきん**［白筋］《生》瞬発力を出すのに向いた、白っぽい筋肉。速筋。☞赤筋。

**はっきん**［発禁］《名・他サ》〔↑発売禁止〕出版物の発売を禁止すること。

**ばっきん**［罰金］①罰として取り立てるお金。制裁金。「—を科す」②《法》財産刑の一つ。罪をおかした者から罰として お金を取り立てるもの。科料より重い。〔一万円以上〕

**パッキン**〔packing〕①管の つぎ目などに はさんで、液体や気体が もれないように しめつけるもの。パッキング。「ゴム—」②⇩パッキング①②。

**ハッキング**《名・他サ》〔hacking〕①コンピューターシステムに不法に侵入すること。②《バスケットボール》選手のからだをたたく反則。▽ハック。③《ラグビー》選手のすねをける反則。

**パッキング**《名・他サ》〔packing〕①荷造り。包装。「—ペーパー」②つめこむもの。つめもの。▽パッキン。③⇩パッキン①。

**ハック**《名・他サ》〔hack〕①問題をすばやく解決できる裏技を使うこと。☞ライフハック。②⇩ハッキング①②。

**バック**〔back〕━①せなか。「—スタイル」②うしろ。背後。後部。(↔フロント)③背景。④後援者。⑤《バレーボール・アイスホッケーなど》後衛。⑥《野球》〔投手のうしろを守る〕内野手と外野手。⑦↑オールバック。⑧↑バック バンド。⑨↑バック ハンド。(↔《テニスなど》フォア)⑩↑バック ヤード。⑪〔↑バック ストローク〕背泳ぎ。━《名・自他サ》①うしろへ下がること。あともどり。逆もどり。②割りもどし。キック バック。③つり銭(をわたすこと)。●**バックアップ**《名・自他サ》〔back up〕①うしろだてになること。支えてもりたてること。②《野球》守る選手のうしろに回って、万一にそなえること。カバーリング。カバー。③〔コンピューターで〕事故にそなえて、プログラムやデータのコピーを作っておくこと。また、そのコピー。④予備。「—電源」●**バック オフィス**〔back office〕〔現業部門に対して〕事務部門。●**バックカントリー**〔backcountry=未開地〕《スキー・スノーボード》ゲレンデのように整備されてはいない、雪山の自然の斜面。さらさらの雪が楽しめるが、管理されていないので危険も多い。●**バックカントリー スキー**〔backcountry skiing〕自然の雪山をすべるスキー。自力で山を登ったり森の中を歩いたりするため、特別な装備がいる。●**バックグラウンド**〔background〕背景。バック グランド。「事件の—」●**バックグラウンド ミュージック**〔background music〕⇩ビージーエム(BGM)。●**バック シャン**《名・ナダ》〔和製 back＋ド schön〕うしろからの見た目が、うつくしいこと。「—なブラウス」●**バックス**〔backs〕《ラグビーなど》後方に位置する選手。〔サッカーでは「ディフェンダー」と言う〕(↔フォワード)●**バック スイング**〔backswing〕《野球・ゴルフなど》〈打つ/投げる〉準備として、バットやクラブ、うでをうしろへ ふること。●**バック スクリーン**〔和製 back screen〕〔野球場で〕打者に対する投球が見やすいように、センター後方のスタンド内に設けてある、こい緑色にぬった壁。●**バック スタンド**〔和製 back stand〕競技場で、正面席の反対がわにある観客席。(↔メイン スタンド)●**バック ステージ**〔backstage〕劇場の舞台裏。楽屋。●**バック ストレッチ**〔backstretch〕〔競技場で〕決勝点の反対がわの直線コース。バック ストレート。(↔ホーム ストレッチ)●**バック スピン**〔backspin〕《球技》飛ぶ方向と逆向きのボールの回転。逆回転。下回転。(↔トップスピン)●**バックだい**［バック台］ボートをこぐ練習をする台。●**バック チャージ**〔back charge〕①《サッカー》ボールを持った相手方の選手の背後からチャージする反則。②⇩キックバック。●**バックてん**［バック転］《名・自サ》⇩バク転。●**バック ナンバー**〔back number〕①〔雑誌の〕今までに発行された号。旧号。②〔インターネットで〕以前の記事。③背番号。•**バックネット**〔和製 back net〕《野球》捕手のうしろのほうに張ってある網。•**バックパッカー**〔backpacker〕バックパックを背負って、格安の長旅をする人。•**バックパッキング**〔backpacking〕バックパックに道具をつめ(て旅をす)ること。•**バックパック**〔backpack〕(おとなが使う)リュックサック。☞デイパック。•**バックハンド**〔backhand〕①《テニスなど》ラケットを持つ手と反対がわに来たボールを打つこと。さか手打ち。バック。(↔フォアハンド) ②《野球》逆シングル。「—キャッチ」•**バックバンド**〔和製 back band〕歌手のうしろにいる、伴奏を受け持つバンド。バック。•**バックホーム**《名・他サ》〔和製 back home〕《野球》守備がわの選手が、走者をアウトにするためにボールを本塁へ投げ返すこと。•**バックボーン**〔backbone=背骨〕中心となる〈信念/思想〉。•**バックミラー**〔和製 back mirror〕自動車のフロントガラスの内がわなどに取りつけて、うしろを見る鏡。ルームミラー。•**バックヤード**〔backyard=裏庭〕〔店や施設で〕客や来場者を入れない区画。小売店の倉庫や事務室、飲食店の厨房など。バック。

**バック**〔bag〕⇩バッグ。

**バッグ**〔bag〕①ふくろ。かばん。「ハンドー・ショルダーー」②←ハンドバッグ。▽なまって、バック。

**パック**〔pack〕㊀①入れもの。容器。「紙ー・ーづめ・ー三百円」②⇩パッケージ②。「ー料金」③←パック旅行。「ーで行く」㊁《名・自他サ》①つめること。一つにまとめること。②顔などをうすい膜でおおう美容法。はだにうるおいをあたえたり、膜をはがしてよごれを取ったりする。•**パックりょこう**〔パック旅行〕旅行会社がすべてのめんどうを見る旅行。〈パック/パッケージ〉ツアー。パック。

**パック**〔puck〕アイスホッケーでゴールに打ちこむ、かたいゴム製の円盤。

**バックスキン**〔buckskin〕シカの皮(に似せて作った毛織物)。

**はっくつ**〔発掘〕《名・他サ》①ほり出すこと。「遺跡の—」②世に知られていない優秀な人や物を見つけ出すこと。「人材の—」

**バックル**〔buckle〕ベルトをしめて固定するため、先端につけた金具。尾錠。

**ばっく・れる**〔バックレる〕《自他下一》(↑しらばっくれる)〔俗〕①すっとぼける。②にげる。ずらかる。③行かずにサボる。「仕事を—・授業を—」㊔バックレ。

**はづくろい**〔羽繕い〕《名・自サ》鳥が飛ぼうとしてはねをととのえること。

**ばつぐん**〔抜群〕《名・ナダ》多くのものの中で非常にすぐれていること。「—の成績・耐久力は—だ」

**はっけ**〔八×卦〕〔=易の八種のけ(卦)〕易にもとづく、うらない。「—見〔=易者〕」☞当たるも八卦当たらぬも八卦〔「当たる」の㊒〕。

**はっけいロシアじん**〔白系ロシア人〕《歴》一九一七年にできたソビエト政権に反対して国外に亡命したロシア人。由来 共産主義〔=赤〕に反対することから。

**パッケージ**《名・他サ》〔package〕①包装〈すること/したもの〉。②関係のある いくつかのものを一つにまとめること。また、まとめたもの。パック。「—ツアー〔⇩パック旅行〕・政策—」③一つの番組として そのまま〈上演/放送〉できるようにまとめること。また、まとめたもの。「—ショー・—プログラム」☞パケ①。

**ばつゲーム**〔罰ゲーム〕ゲームで負けた者が、罰としてしなければならないこと。

**はっけっきゅう**〔白血球〕《生》血液のおもな成分。色がなくて、核のある細胞。からだを病気から守るはたらきをする。(↔赤血球)

**はっけつびょう**〔白血病〕《医》血液の中の白血球が異常にふえる病気。

**はっけよい**《感》《すもう》行司が力士をうながす かけ声。立ち合いの後や組み合ったまま動かないときに言う。はっきよい。「—残った」由来 古語の「はや、きおえ〔=早く競え〕」の変化。「八卦良い」「発気揚々」からという説は誤り。ただし、当て字としては「八卦良い」も使う。

**はっけん**〔白鍵〕《音》ピアノ・オルガンなどの、白い鍵盤。(↔黒鍵)

***はっけん**〔発見〕《名・他サ》まだ知られていない ものごとを(はじめて)見つけること。「万有引力の—・死体となって—された」

**はっけん**〔発券〕《名・他サ》①切符・入場券などを人に発行すること。「—所・—機」②お札・債券などを発行すること。「日本銀行—局」

**はつげん**〔発言〕《名・自サ》①〈声に出して/文章で〉意見をのべること。「会議で—を求める・—を封じる・—権・—力〔=自分の意見を通す力〕のある人・雑誌で—する」②〔インターネットの掲示板・SNSなどで〕意見・感想など、何かの文章を書きこむこと。

**はつげん**〔発現〕《名・自他サ》〔文〕〈実際/表面〉にあらわれ出ること。あらわし出すこと。「効力の—」

**バッケン**〔ド Backen=両ほお〕ビンディングの一部で、スキーにくつの前の部分を固定させるための金具。耳金。

**バッケンレコード**〔和製 ノルウェー bakken《=丘》+record〕《スキー》そのジャンプ台で記録された最長不倒(飛行)距離。

［バッケン］

**はつご**〔初子〕はじめて生まれた子ども。ういご。

**はつご**〔発語〕《名・自サ》①〔文〕ことばを発すること。発言。②言い出しや、書き始めに用いることば。例、「さて」「さあ」。

☆☆**ばっこ**〔×跋×扈〕《名・自サ》〔文〕思うままに〈ふるまう/勢力をふるう〉こと。横行。「悪徳業者が—する」

**はつこい**〔初恋〕はじめての恋。

**はっこう**〔白光〕〔文〕白くかがやく光。

**はっこう**〔発光〕《名・自サ》光を出すこと。「—塗料〔=暗い所でも、光って見える塗料〕」•**はっこうダイオード**〔発光ダイオード〕《理》⇩エルイーディー(LED)。

**はっこう**〔発向〕《名・自サ》〔文〕〔使者などが〕目的地に向かって出発すること。

**はっこう**〔発効〕《名・自サ》〔文〕効力が発生すること。「条約が—する」(↔失効)

**はっこう**〔発酵・×醱酵〕《名・自サ》《理》微生物が持つ酵素の はたらきで、糖質・たんぱく質などが分解すること。例、米がこうじ(麹)の力で酒になる、など。

**はっこう**【発行】《名・他サ》①図書・新聞・紙幣・債券などを印刷して世の中に出すこと。「一所・一部数」②証明書・割引券・入場券・定期券などを作って出すこと。

**はっこう**【薄幸・薄×倖】《名・ダ》〔文〕ふしあわせ。「一な少女」

**はつごおり**【初氷】冬になってはじめて張る氷。

**はっこつ**【白骨】風雨にさらされて、白くなったほね。「一化・一体(=骨だけになった死体)」

**はっこん**【発根】《名・自サ》〔文〕根が出ること。「バラのさし木が一する」

**はっさい**【発災】《名・自サ》〔文〕災害が発生すること。「一直後の対応」

**ばっさい**【伐採】《名・他サ》〔文〕〔山林などの〕木や竹を切り出すこと。

**パッサカリア**〔イ passacaglia〕《音》スペイン起源と考えられる、三拍子のゆるやかな民族舞曲。

**はっさく** 一【八×朔】旧暦八月一日。二〔八×朔〕ナツミカンに似たくだもの。酸味が少ない。

**ばっさ-ばっさ**《副》勢いよく、連続して〈切りすてる/ものごとをかたづける〉ようす。「予算を一とけずる・一と酷評する」

**ばっさり**《副》①一刀のもとに切ってしまうようす。②一言のもとに〈やっつける/しりぞける〉ようす。③思い切ってすてたり、けずったりするようす。「予算を一(と)けずられた」

**はっさん**【発散】《名・自他サ》外部へ〈散る/散らす〉こと。「化学物質が一する・ストレスを一する」

**はつざん**【初産】⇩ういざん。

**ばっし**【末子】〔文〕⇩まっし。

←**ばっし**【抜糸】《名・自サ》《医》手術した切り口をぬいあわせた糸をぬき取ること。〔「抜歯」と区別して「ばついと」とも読む〕

←**ばっし**【抜歯】《名・自他サ》《医》歯をぬくこと。

**バッジ**〔badge〕えり・帽子などにピンなどで止める、絵や文字をデザインした、小さな金属板。所属の表示や、かざりなどのために使う。「(議員の)一を賭けた公約」(なまって、バッチ) ☞記章①。

**ハッシ(ッ)シ**〔hashish〕⇩ハシシュ。

**はっしと**〔:発止と〕《副》①かたいものどうしがうち当たるようす。「丁々一」②〔飛んでくる〕矢がつきささるようす。③強く打ったり、しっかり受けとめたりするようす。「一打つ」

**パッシブ**《ダ》〔passive〕受け身であるようす。受動的。消極的。「一な姿勢」(↔アクティブ)

**はつしも**【初霜】草の葉の先などにうすく置く、その年はじめての霜。「一を見る」

**はっしゃ**【発車】《名・自他サ》電車・バスなどが出発すること。「一オーライ・一メロディー」(↔停車)

**はっしゃ**【発射】《名・他サ》矢・たま・ロケットなどをうち出すこと。「ミサイルの一・電波を一する」

**ハッシュタグ**〔hashtag〕《情》SNSで、投稿にそえる検索用の語句。「#(=番号記号)」に続けて書く。例、#今日のおやつ。

**はっしゅつ**【発出】《名・他サ》〔文〕文書・談話などを、外に向かって出すこと。「通知を一する」

**ハッシュドビーフ**〔hashed beaf〕刻んだ牛肉・タマネギをいため、デミグラスソースなどで煮こんだ料理。〔ごはんにかけたものは「ハヤシライス」〕☞ビーフシチュー・ビーフストロガノフ。

☆☆**はっしょう**【発祥】《名・自サ》①ものごとが起こり始まること。「野球一の地・アメリカ一のスポーツ」②↑発祥地。「スープカレーは北海道が一だ」

☆☆**はっしょう**【発症】《名・自他サ》《医》症状〈が/を〉あらわれる/あらわす〉こと。「がん(癌)〈が/を〉一する・一率」

**はつじょう**【発情】《名・自サ》《動》動物が〈成熟して/その時期になって〉欲情を起こすこと。さかりがつくこと。「一期」

**ばっしょう**【×跋渉】《名・他サ》〔文〕山をこえ川をわたること。踏破。「山野を一する」

**はっしょく**【発色】《名・自サ》(写真・染め物などの)色があらわれること。色のしあがり。「一がいい・一剤」

**パッション**〔passion〕①激情。熱情。情熱。②《宗》キリストの受難。●**パッションフルーツ**〔passion-fruit〕熱帯産のくだものの名。赤茶色の固い皮の中に、黄色い果肉のついた種がたくさん入っている。果肉はあまずっぱく、かおりがよい。

**はっしん**【発振】《名・自サ》《理》振動を起こすこと。「一器」

**はっしん**【発×疹】《名・自サ》《医》皮膚に小さなふき出ものが出ること。また、そのふき出もの。ほっしん。●**はっしんチフス**【発×疹チフス】《医》シラミが媒介する感染症。小つぶの発疹があらわれる。

**はっしん**【発進】《名・自サ》①出発して進むこと。スタート。「急一」②飛行機が飛び立つこと。また、自動車が走り出すこと。「一加速(=自動車の、出足のはやさ)」③活動を始めること。「好一」

**はっしん**【発信】《名・自他サ》①通信や電波を送り出すこと。「SOSを一する・一者・一音(=受話器を取ると聞こえる高いおと。電話をかけられる状態であることを示す)」(↔着信・受信)②情報などを送り出すこと。「流行の一地」

☆☆**バッシング**《名・他サ》〔bashing〕手きびしく非難・攻撃すること。「一を受ける・一記事」

**バッシング**《名・他サ》〔bussing〕〔飲食店で〕客が食べ終わった食器を、店員がかたづけること。「テーブルを一する」

**パッシング**《名・自サ》〔passing〕①〔追いこす意思などを示すために〕前の自動車に向けて、ライトを点滅させること。②〔↑パッシングショット〕《テニス》相手のわきをぬくボールを打つこと。③素どおり。無視。「ジャパン一(=日本はずし)」

☆☆**はっすい**【×撥水】〔布・紙などが〕表面にかかった水を玉状にしてはじくこと。「一性」

☆☆**ばっすい**【抜粋・抜×萃】《名・他サ》〈ぬき出すこと/ぬき出したもの〉。「本文の一部を一する」

***はっ・する**【発する】〔文〕一《自サ》①起こる。始まる。「ギリシャに発した文明」②あらわれる。「心の底から一怒り」③出て行く。出発する。「横浜港を一」(↔着する)④〔…と〕言う。「思わず『へえ一』と一・〔渡世人のことばで〕手前、生国と発しまするは……」二《他サ》①起こす。「みなもとを一」②あらわす。「怒

りを―」③出す。放つ。「熱を―・声を―」④つかわす。「使いを―」⑤発表する。「喪を―」▽[一][二]発す。

**ハッスル**《名・自サ》〔hustle〕はりき(ってす)ること。精力的に活動すること。〔一九六〇年代から流行したことば〕

**ばっ・する**[罰する]《他サ》罰をあたえる。罰す。「犯罪者を―」

**はっすん**[八寸]《料》正式の日本料理で、いちばんおもな料理。由来 八寸角のうつわに盛るところから。

**はっせい**[発声]《名・自サ》①声を出すこと。出した声。「―練習」②大ぜいの中で、音頭をとること。「校長の―で万歳三唱」③歌会始で、和歌の第一句から朗詠する〈こと／役〉。☞講頌。

**はっせい**[発生]《名・自他サ》①たいへんなことが起こること。「事故の―・コレラが―した」②それまでなかったものがあらわれること。「霧が―した・手数料が―する」③《生》個体が生まれること。「カエルの―・胚―」

**はっせき**[発赤]《名・自サ》《医》皮膚などが、赤くなること。ほっせき。

**はつせき**[初席]新年に はじめて おこなわれる、寄席の興行。

**ばっせき**[末席]〔文〕⇩まっせき。

**はつぜっく**[初節句]生まれた子が はじめてむかえる節句。

**ばっせん**[抜染]《名・他サ》無地に そめた布に型をおいて色をぬき取り、模様をあらわす方法。

**ばっせん**[抜栓]《名・他サ》〔文〕びんの栓をぬくこと。特に、ワインのボトルからコルクをぬくこと。「―料」

**はっそう**[発走]《名・自サ》《競馬・競輪など》競走が始まること。スタート。

**はっそう**[発送]《名・他サ》〔郵便物などを〕届け先に送り出すこと。

**はっそう**[発想]《名・他サ》①思いつくこと。思いつき。「おもしろい―」②考えや気持ちをあらわす、問題のとらえ方。また、その角度。「日本人的―・―の転換・―法〔=アイデアを作り出す方法〕」

**はつそうでん**[発送電]発電と送電。はっそうでん。「―分離」☞送配電。

**はっそく**[発足]《名・自サ》⇩ほっそく。

**ばっそく**[罰則]規則を破った者を罰するための規則。

**はつぞら**[初空]〔雅〕元旦の大空。

**ばっそん**[末孫]〔文〕⇩まっそん。

**ばった**[〈:飛蝗〉・〈:蝗虫〉]トノサマバッタやイナゴ類など、秋のころ田や草むらに多い虫。うしろの一対の足が長く、よくはねる。

**ばった**[バッタ]思い切った安値で大量に売りさばくこと。投げ売り。安売り。「―屋・―もん〔=バッタ屋の格安品〕」

**バッター**〔batter〕《野球》ボールを打つ人。打者。●**バッターボックス**〔米 batter's box〕《野球》バッターがボールを打つために立つ場所。打席。

**はつだい**[発題]《名・他サ》〔講演会などで〕その題をかかげて話をすること。「研究会の―者」

**パッタイ**〔タイ phad thai〕あまからい、タイ式の焼きそば。米で作った平たい麺を使う。

**はつたいけん**[初体験]《名・自サ》①最初の体験。「ボランティアは―だ」②最初の性体験。▽しょたいけん。

**はったいこ**[〈×糗〉粉]⇩むぎこがし。

**はつたけ**[〈初×茸〉]秋の はじめ、松林などに はえるキノコ。かさは茶色で、きずをつけると、青緑色に変わる。食用。

**はったつ**[発達]《名・自サ》①〈成長／進歩〉して完全な姿に近づくこと。「心身の―段階・文化が―する」②規模や組織が大きくなること。「―した低気圧・交通の―・―を見る〔=発達する〕」●**はったつしょうがい**[発達障害]子どものころにあらわれる、脳機能の発達の障害。自閉スペクトラム症、LD〔=学習障害〕、ADHD〔=注意欠陥多動性障害〕など。「―児」

**はったと**《副》〔文〕強く にらむようす。はたと。「―にらみつける」

**ばったばった**《副》〔人を〕つぎつぎに たおすようす。「敵を―と斬り捨てる」

**はったり**〔=なぐること。「ハッタリ」とも書く〕相手をおどろかすように、大げさに ものを言ったり おこなったりすること。「―をかける・―をきかす」

**ばったり**《副》①重いものがたおれるようす。「大木が―(と)たおれる」②思いがけなく出あうようす。「旧友に―あう」③急にとだえるようす。「客足が―絶えた」

**ぱったり**《副》①軽いものがたおれるようす。「障子が―たおれる」②いきなりあうようす。「目が―あう」③急にとだえるようす。「歌声が―やんだ」

**はったん**[八端・八反]〔↑八端織り〕繻子に似ているが、つやが少ない絹織物。ふとん・丹前などに使う。

**はっち**[発地]〔文〕出発地。「荷物の―」(↔着地)

**ハッチ**〔hatch〕①甲板と、下の船室の間をのぼりおりする口(の ふた)。②台所と食堂の間に作った、料理の出し入れ口。●**ハッチバック**〔hatchback〕自動車で、後部に はね上げ式に開くドアがあるもの。小型車に多く、荷物が多く積める。リフトバック。

**バッチ**⇩バッジ。

**パッチ**〔patch〕①当て布(の代わりに つける革)。「エルボー〔=ひじ〕―」②《情》プログラムを修正するデータ。「―を当てる」●**パッチテスト**〔patch test〕皮膚が、薬品や けしょう品などに かぶれるかどうかを調べる検査。●**パッチワーク**〔patchwork〕①《服》さまざまの ちがった布をはぎあわせ〈ること／たもの〉。②〔かろんじて〕寄せ集め。

**パッチ** 長い ももひき。〔もとは朝鮮語という〕「必死の―〔=関西方言で一生懸命〕」

**ばっち・い**《形》〔児〕きたない。

**はっちゃく**[発着]《名・自サ》出発と到着。とうちゃく。「―所」

**はっちゃ・ける**《自下一》〔俗〕思いきり はめを外す。「はっちゃけたキャラクター」[名]はっちゃけ。

**はっちゅう**[発注]《名・他サ》注文を出すこと。「工場へ―する」(↔受注)

**はっちょう**[八丁・八×挺]よくはたらくこと。たっしゃ。「口も―、手も―〔いやしめる気持ちもある〕」●**はっちょうみそ**[八丁〈味×噌〉]ダイズのこうじ(麹)を使って、三年ほど寝かせて造った みそ。色が黒く、味がこい。[由来] 愛知県岡崎市内の地名から。☞赤だし。

**ばっちり**《副》①不十分なところがないようす。「準備は―だ・―覚えている」②うまくいくようす。「―合格した・―かせいだ」▽ばっちし〔俗〕。

**ぱっちり**《副・自サ》目がはっきりして大きいようす。また、目を大きく見開くようす。「目が―さめる」

**はっ・つ・ける**【貼っ〈付ける〉】《他下一》〔話〕はりつける。「シールを―」

**ぱっつん**《副・名》〔俗〕前髪を切りそろえる〈音/ようす〉。また、そういう髪型。「―と切る・前髪が―な人」☞ぱつぱつ。

**ばってい**【末弟】〔文〕⇩まってい。

**バッティング**〔batting〕《野球》ボールを打つこと。打撃。「―オーダー〔=打順〕・―ケージ〔=バッティング練習のための、金網を張った囲い〕」•**バッティングセンター**〔和製batting center〕機械が投げるボールを打って、野球の打撃練習をする施設。

☆☆**バッティング**〔butting〕[一]《ボクシング》相手を自分の頭で突いたりおしたりすること。[二]《名・自サ》予定などがぶつかること。競合。

**パッティング**《名・他サ》〔patting〕指などでけしょう水をはだに軽くたたきつけること。

**パッティング**《名・他サ》〔putting〕《ゴルフ》パット。

☆☆**ばってき**【抜〈×擢〉】《名・他サ》多くの人の中から、いい地位にひきぬ〈く/いて使う〉こと。登用。「若手を主役に―する・課長に―する・大―」

**バッテラ**〔ポ bateira=ボート〕舟形の木の わくに入れて作る、しめさばの おしずし。

**バッテリー**〔battery〕[一]**バッテリー**蓄電池。[二]**バッテリー**《野球》投手と捕手。

***はってん**【発展】《名・自サ》①〔勢いなどが〕のび広がること。「国力の―」②いっそう さかえていくこと。「商業都市として―する」③〔ハッテン〕〔俗〕〔恋愛などの方面で〕さかんに活動すること。「―家」•**はってんてきかいしょう**【発展的解消】発展してもとの形がなくなり、新しい形になること。•☆☆**はってんとじょうこく**【発展途上国】経済発展の途上にある国。開発途上国。〔一九六〇年代後半からの ことば。もと「後進国」「低開発国」と言った〕(↔先進国)

**はつでん**【発電】《名・自サ》①電気を起こすこと。「―所」②電信・電報を出すこと。(↔受電)

**ばってん** [一]【バッテン】×の印。バツ。バツじるし。バッテンじるし。「大きな―」[由来] 近代以降、「罰となるマイナスの点」の意味で×印を指すようになった。×は不可・否定の意味で外国でも使われる。[二]【罰点】①〔古風〕試験で不合格となる点数。「―をもらう」②《スポーツ・ゲーム》反則などに対する減点。「―三」

**ばってん**〔九州方言〕[一]《接助》…のだが。「行ったー会えんかった〔=会えなかった〕」[二]**ばってん**《接》けれども。だが。しかし。▽[一][二]ばってんが。[由来] 文語の逆接表現「…ばとても〔=…からといっても〕」の変化。

**はっと**【法度】《歴》武士の時代の法律。おきて。「武家諸―」☞ご法度。

**はっと**《副・自サ》①〔おどろいて〕急に息をのみこむようす。「思わず―息をのんだ」②急に思いつくようす。「―思いあたる」③意外なことに出あっておどろくようす。「―して立ち止まる」

**ハット**〔hat〕つばのある帽子。(↔キャップ)•**ハットトリック**〔hat trick〕①《サッカー・アイスホッケーなど》ひとりの選手が一試合で三得点以上をあげること。②《登山》八千メートル以上の山を一年間で三つ登頂すること。

**バット**〔bat〕《野球など》ボールを打つ用具。

**バット**〔vat〕料理や化学実験、写真の現像などに使う、角形の平たい皿。☞流し箱。

**バッド**[選]〔bad〕悪い。不正な。「―エンド(↔ハッピーエンド)・―ニュース・―マナー」〔俗に、形動でも使う。「―なタイミング」〕

**ぱっと** [一]**ぱっと**《副》①急に すばやく動くようす。「道に―飛び出す・鳥が―にげる」②急に〈ひらく/散る〉ようす。「花が―さく」[二]**ぱっと**《副・自サ》目立つようす。•**ぱっとしない**[句]①引き立って見えない。②活躍しない。•**ぱっとみ**【ぱっと見】〔俗〕ぱっと見た〈ところ/感じ〉。ちょっと見。〔副詞的にも使う〕「―(は)五十過ぎの中年」

**パット**《名・他サ》〔putt〕《ゴルフ》グリーンの上で、ボールをホール〔=穴〕に向かって軽く打つこと。パッティング。「―をしずめる〔=ボールを穴に入れる〕」☞ショット③。

**パッド**〔pad〕①《服》肩などに入れる、つめもの。肩台。肩パッド。②生理用品の一種。ナプキン。③衝撃・摩擦などを防ぐために当てる物。また、包帯などがずれないように当てる物。「敷き―」▽なまって、パット。

**はつどう**【発動】《名・自他サ》①〔権力などを〕動き出させること。②動力を起こすこと。〔権力などが〕動き出すこと。「強権―」「―機関」•**はつどうき**【発動機】①内燃機関。「―船」②原動機。

**ばっとう**【抜刀】《名・自サ》〔文〕かたなをぬくこと。「―術〔=居合〕」

**はっとうしん**【八頭身】〔美容で〕頭が身長の八分の一であること。「―の美人」〔一九五三年から流行したことば〕

**ハットグ**〔米 hot dog の韓国での発音から〕くしにさしたソーセージを、のびるチーズなどといっしょにころもで包み、パン粉をつけて、油であげたもの。韓国の手軽な食べ物。「チーズ―」☞アメリカンドッグ。

**はつなき**【初鳴き】①鳥や虫などが、その季節にはじめて鳴く〈こと/声〉。「ウグイスの―」②〔俗〕新人アナウンサーの、はじめての放送。

**ばつなぎ**【場〈×繫ぎ〉】話題がとぎれたときに出される、あまり重くない内容の話。

**はつなつ**【初夏】〔雅〕夏の はじめ。しょか。

**はつなり**【初〈△生り〉】はじめて なった〈実/くだもの〉。

**はつに**【初荷】〔正月二日に、かざりたてて〕その年はじめて送り出す荷や商品。

**はつね**【初音】〔ウグイスなどの〕その年はじめて鳴く声。

**はつね**【初値】《経》初めて上場された株の、最初の取引の値段。「―がつかない」

**はつねつ**【発熱】《名・自サ》①熱を出すこと。熱が出ること。②《医》体温が高まること。熱発。

**はつのり**【初乗り】①〈まだだれも乗ったことのない/自分の所有になった〉ものに、はじめて乗ること。②新年になって、はじめて乗ること。③〔↑初乗り運賃〕鉄道・

タクシーなどの最低運賃。しょのり。

**はつば**［発馬］《名・自サ》《競馬》発走。

**はっぱ**［発破］岩などを火薬で爆破すること。また、その火薬。●**発破をかける**句 あらっぽく〈注意する／はげます〉。強くはたらきかける。

**はっぱ**［葉っぱ］①葉。〔日常語としては「葉」よりもふつう〕②〔ハッパ〕〔俗〕マリファナ。

**はつばい**［発売］《名・他サ》売り出すこと。「新―・〔本の〕―禁止」

**はつばしょ**［初場所］毎年一月に興行される大ずもう。一月場所。

**ばつばつ**［××］伏せ字をあらわすことば。「―銀行」☞まるまる(○○)。

**ぱつぱつ**《副・自サ》〔俗〕①〔服などが〕きゅうくつで、はちきれそうなようす。「―のスーツ」②ひどくふくらんだようす。「足がむくんで―だ」③余裕がなくなる。いっぱいいっぱいになる。「私はもう―です・予定が―だ」④前髪を切りそろえるようす。「―に切る」▽ぱ(っ)つん ぱ(っ)つん。☞ぱっつん。

**ぱっぱと**《副》①小刻みにくり返し起こるようす。「あかりが―点滅する」②勢いよく飛び散る(ようにする)ようす。「ほこりを―はらう」③思い切りよくするようす。「お金を―つかう」④手早く。ぱぱっと。「―かたづける」

**はつはな**［初花］〔雅〕①その〈年／季節〉にはじめてさいた花。②その草木にはじめてさいた花。

**はつはる**［初春］〔=春の初め〕〔雅〕年の初め。しょしゅん。「―をことほぐ」

**はつばん**［発番］《名・他サ》番号を発行すること。「電話番号を―する・企業コードの―」

**はつひ**［初日］元日の朝日。☞しょにち(初日)。●**はつひかげ**［初日影］〔雅〕元日の(朝の)日の光。●**はつひので**［初日の出］元日の、日の出。

**はっぴ**［法被・ハッピ］〔武家の中間や大家の使用人、職人などが着た〕しるしばんてん。

**ハッピー**《ナダ》〔happy〕しあわせ。幸福。「とても―です・―エンド〔=幸福な結末。俗に略して『ハピエン』。(↔バッド エンド)〕」派-さ。●**ハッピーアワー**〔happy hour〕〔居酒屋などで〕夕方、飲み物などが安くなる時間帯。

**はっぴゃくやちょう**［八百八町］江戸の、たくさんの町々。

**はつびょう**［発病］《名・自他サ》〔症状があらわれて〕病気になること。「結核を―する」

***はっぴょう**［発表］《名・他サ》①一般に知らせること。「政府が―する」②みんなの前で意見などをのべたり、演奏したりすること。「ピアノの―会」

**ばつびょう**［抜×錨］《名・自サ》〔文〕船がいかりを巻き上げて出港すること。(↔投錨)

←**はっぷ**［発付］《名・他サ》《法》命令する文書を公的機関が出すこと。「令状の―」

→**はっぷ**［発布］《名・他サ》〔文〕広く国民に発表すること。「憲法―」

**パップ**〔オ pap=粥・糊〕パップ剤〔=薬をふくんだ、ジェル状の粘着剤〕を使った湿布。水分が多いため、冷やしたり温めたりする効果も続く。

**バッファー**〔buffer〕①二つのものの間にあって〈衝突／ショック〉をやわらげるもの。「連結器の―・―ゾーン〔=緩衝地帯〕」②《情》データを転送する際の一時的な記憶領域。③ゆとり。予備。▽バッファ。

**バッファロー**〔buffalo〕北アメリカ大陸にすむ野牛。角は曲がり、肩はもりあがっている。アメリカ バイソン。

**バ(ッ)フェ**〔buffet〕⇩ビュッフェ。☞バファロー。

**はつぶたい**［初舞台］①はじめて舞台に上がって演技すること。「―をふむ」②はじめて人々の前で、ものごとをおこなう〈こと／場〉。

**はつふゆ**［初冬］〔雅〕冬のはじめ。しょとう。

**はっぷん**［発奮・発憤］《名・自サ》〔発憤=いきどおりを起こすこと〕心をふるいおこすこと。「おおいに―する」

**ばつぶん**［×跋文］〔文〕書物などの終わりに書き加える文。あとがき。跋。(↔序文)

**はつほ**［初穂］〔多く **お―**〕①その年はじめてみのった〈イネの穂／穀物／くだもの〉。②神社にそなえるお金。また、神主へのお礼。「(お)―料」③はじめてもらった給料の中から両親や恩師へおくる〈お金／品物〉。▽はつお。

**はっぽう**［八方］〔=四方と四すみ〕あらゆる〈方向／方面〉。ほうぼう。「四方―・―に目をくばる・―円満に解決」●**はっぽうにらみ**［八方(×睨み)］①八方に目をくばること。②〔絵で〕どこから見てもこっちをにらんでいるように見える〈こと／もの〉。●**はっぽうびじん**［八方美人］だれに対してもほどよく応対して、ぬけめのない〈こと／人〉。●**はっぽうふさがり**［八方塞がり］どちらの方面にもさしさわりがあって、どうにも動きがとれないこと。「―でお手上げだ」●**はっぽうやぶれ**［八方破れ］《名・ナダ》①どこから見てもすきだらけであること。「―の状態」②破れかぶれの態度であること。③常識にとらわれず自由奔放なこと。

←**はっぽう**［発泡］《名・自サ》〔文〕あわだつこと。●**はっぽうしゅ**［発泡酒］①麦芽の割合を、ふつうのビールより少なくした、あわの出る酒。②シャンパンなどの、あわの出るワイン。●**はっぽうスチロール**［発泡スチロール］気泡をふくんだ軽くてもろい合成樹脂。断熱・保護材などに用いる。

→**はっぽう**［発砲］《名・自他サ》銃や大砲などをうつこと。

**はっぽう**［発報］《名・自他サ》〔文〕知らせが出ること。警報音が鳴ること。また、そうすること。「センサーが―する」

**はっぽうさい**［八宝菜］ぶた肉・白菜・ニンジンなど、いろいろの具を油でいため、かたくり粉でとろみをつけた中国料理。

**はつぼし**［初星］《すもう》はじめての白星。初勝利。「―をあげる」

**はつぼん**［初盆］人が死んで最初にむかえる、おぼん。〔「にいぼん」「しんぼん」は、関東・甲信越での言い方〕

☆☆**ばっぽん**［抜本］〔文〕根本の原因をぬきとること。「―的〔=根本的〕対策・―措置」

**はつまいり**［初参り］《名・自サ》〈正月に／生まれて〉はじめて神社へお参りすること。はつもうで。

**はつまご**［初孫］はじめてできた孫。ういまご。

**はつみみ**［初耳］はじめて聞く〈こと／話〉。「それは―だ」

**はつめい**［発明］■一 はつめい《名・他サ》〔機械・装



は

置・やり方などを〕はじめて考え出すこと。㊁《ナダ》〔古風〕かしこいようす。「―な人だ」

**はつもう**［発毛］《名・自サ》毛がはえだすこと。「―剤」

**はつもうで**［初詣］《名・自サ》〈正月に/生まれて〉はじめて、神社やお寺へお参りすること。はつまいり。

**はつもの**［初物］①その季節にはじめてできた野菜・くだものなど。はしり。②その季節にはじめて食べるもの。③はじめて〈できた/売り出された〉もの。「―好き」

**はつもん**［発問］《名・自サ》〔文〕相手に質問を出すこと。「ポイントをついて―する」

**はつやく**［初役］はじめてする役。

**はつゆ**［初湯］①その年はじめての入浴。②うぶゆ。

**はつゆき**［初雪］その〈冬/年〉にはじめて降る雪。

**はつゆめ**［初夢］〈正月二日/元日〉の夜に見る夢。

**はつよう**［発揚］《名・他サ》〔文〕〔勢いや名声などを〕さかんにすること。「国威の―」

**はつらい**［発雷］《名・自サ》《天》かみなりが発生すること。「―確率」

**はつらつ**［(×溌×剌)・(×溌×溂)］《トタル》〔もと、さかながはねるようす〕からだや顔つきに元気があふれて、勢いよく勢いのいいようす。ぴちぴち。「元気―・―とした青年」派―さ。

**はつる**［(△削る)・(×斫る)］《他五》《建築》うすくけずりとる。「コンクリートを―」名はつり。

**はつる**［果つる］◇〔文語動詞「果つ」の連体形〕〔文〕果てる。「文化―所」

☆☆**はつれい**［発令］《名・自他サ》辞令・警報などを出すこと。

**はつろ**［発露］《名・自サ》〔文〕外にあらわれ(で)ること。「感情の―・まごころの―」

**はつわ**［発話］《名・自サ》音声を使って相手に話す行為。また、その音声。

**ぱつんぱつん**《副・自サ》〔俗〕「ぱつぱつ」を強調したことば。ぱっつんぱっつん。「前髪が―だ・シャツが―だ」

**はて**［果て］①終わり。「―知らぬ苦悩」②行きつくところ。「旅路の―・地の―」③変化した結果。最後。「なれの―・議論の―がけんかになる」☞果ては。

**はて**《感》〔話〕あやしむとき、考えこむときなどに使うことば。「―、だれだろう・―、困ったぞ・―ね」

**はで**［(:派手)］《ナダ》①はなやかで人目につくようす。「―なネクタイ・―に祝う」(↕地味)②程度や勢いが強くて、人目につくようす。「―なけんか・―に転ぶ・お金を―に使う」派―さ。

**パテ**〔フ pâté＝ペースト〕すりつぶしたレバーや肉を、パイの皮で包んでオーブンで焼いた料理。☞テリーヌ①。

**パテ**〔putty〕窓わくにガラスを取りつけたり、すきまをうめるときなどに使う、(白くて)やわらかな材料。

**ばてい**［馬丁］乗馬の せわをする人。〔古い言い方〕☞厩務員。

**ばてい**［馬×蹄］〔文〕馬の ひづめ。「―形(＝U字形)」

**パティ**〔patty〕ハンバーガーに使う、ひらたいハンバーグ。パテ。「ビーフ―」

**バディ(ー)**〔buddy〕二人組の相方。相棒。「―システム(＝ダイビングで、二人ひと組みで行動すること)・―ムービー」

**パティオ**〔ス patio〕スペインふうの建築にある中庭。

**パティシエ**〔フ pâtissier〕洋菓子をつくる職人。〔女性はパティシエール(フ patissière)とも〕☞ショコラティエ。

**パティスリー**〔フ pâtisserie〕①洋菓子店。「おしゃれな―」②洋菓子。

**はてさて**《感》〔話〕おどろきや強い感動などをあらわすことば。「―困ったやつだ」

**はてし**［果てし］終わり。果て。「―がない・―もなく続く」●**はてしな・い**［果てしない］《形》終わりがない。かぎりない。はてない。「―草原」派―さ。

**はてな**〔↑「はて」＋終助詞「な」〕㊀《感》〔話〕あやしいと思うとき、考えこむときに発する語。「―、変だぞ」㊁↑はてなマーク。「計画に―がつく」●**はてなマーク** 疑問符。「?」。はてな。

**はては**［果ては］《副》しまいには。ついには。「大家さんや近所の人、―警官まで出てきて大さわぎになった」

**ばてばて**《ナダ》〔俗〕ばてたようす。つかれきったようす。「運動して―になる」

**はではでし・い**［(:派手派手しい)］《形》たいへんはでな感じがするようすだ。派―さ。

**はでやか**［(:派手やか)］《ナダ》はでな感じが目立つようす。きらびやか。派―さ。

**は・てる**［果てる］㊀《自下一》①〔文〕終わる。「宴が―・いつ―とも知れない」②〔文〕死ぬ。③力を使いきって、ぐったりする。㊁造 すっかり…する。きる。「あきれ―・困り―・つかれ―」

**ば・てる**［バテる］《自下一》〔俗〕つかれきる。つかれて動けなくなる。由来「つかれ果てる」の「果てる」からと言う。濁音化して、よくない意味を強調した。名バテ。

**バテレン**〔ポ padre〕①室町時代の末に日本に来た、カトリックの神父。キリシタンバテレン。②(↑バテレン宗)キリスト教。表記「:伴天連」は、古い音訳字。

☆☆**はてんこう**［破天荒］《名・ナダ》①〔文〕今までだれもおこなわなかったことをおこなうようす。前代未聞。「―の快挙・―の大事業」②〔俗〕型破りで豪快なようす。「―な人」派―さ。

**パテント**〔patent〕特許(権)。「―料」

**はと**［波止・波戸］波止場(のための構築物)。「―釣り」

**はと**［(×鳩)］中形の鳥。胸を突き出して歩く。平和の象徴とされる。鳴き声は、ドバトは「くうくう」、ヤマバトは「でででっぽっぽう」。☞ぽっぽ②ⓐ。●**はとが豆鉄砲を食ったよう** 句 とても意外できょとんとするようす。はとに豆鉄砲。

**パト**〔俗〕①↑パトカー。「ミニ―」②↑パトロール。「―車」

**はとう**［波頭］〔文〕なみがしら。

**はとう**［波×濤］〔文〕海の大波。波浪。

**はどう**［波動］①《理》水面の なみのように、ある場所でおきた状態の変化が連続的に周囲に伝わる現象。電磁波などに見られる。なみ。②なみの動きのような、高低の変化。「景気の―」

**はどう**［覇道］〔文〕計略や武力によって国を治める政治。(↕王道)

☆☆**ばとう**［罵倒］《名・他サ》ひどく ののしること。「口を極めて―する」

**ばとうきん**［馬頭琴］《音》モンゴルの弦楽器。弦と弓に馬の毛を用い、さおの先に馬の頭の彫刻がある。

**パトカー** ↑パトロール カー。パト〔俗〕。「覆面—」

**はとこ**［(:再従兄弟)・(:再従姉妹)］またいとこ。ふたいとこ。

**パトス**〔ギ pathos〕《哲》受動的・一時的な心の動き。感情。情熱。(↔エートス・ロゴス)

**パドック**〔paddock〕①〔競馬場で〕競走の始まる前に、馬を見せる場所。下見所。②自動車レースに出る自動車を、整備・点検・集合させる場所のこと。☞ピット①。

**パドドゥ**〔フ pas de deux〕《バレエ》ふたりで おどる〈こと/おどり〉。

**はとどけい**［(×鳩)時計］中から作り物のハト〔じつは、カッコウ〕が出て、鳴き声で時刻を知らせるしかけの かけ時計。

☆☆**はとは**［ハト派］〔ハト=鳩〕おだやかに解決しようとするグループ。穏健派。(↔タカ派)

**はとば**［波止場・:波戸=場］なみをよけて、船をつなぎ、荷物をあげおろしするために、海中に突っき出して造った設備。

**はとぽっぽ**［(×鳩ぽっぽ)］〔児〕はと。

**バドミントン**〔badminton〕ネットをはさみ、小型のラケットで羽根状のもの〔=シャトル コック〕を打ち合うスポーツ。バド。〔なまって、バトミントン〕

**はとむぎ**［(×鳩麦)］田畑に植える薬草。実は じゅずのたまに似ている。

**はとむね**［(×鳩)胸］胸が高く突っき出ている〈こと/人〉。

**はとめ**［(×鳩目)］①〔くつ・書類などの〕ひもなどを通す、まるい穴(の金具)。②「鳩目①」の穴をあける道具。鳩目のみ・鳩目パンチなど。

**はどめ**［歯止め］①車輪の回転を止める装置。制動機。ブレーキ。②とめてある自動車などが動かないように車輪に当てるもの。③ものごとのゆきすぎを食い止めるための てだて。「—をかける」

**バトラー**〔butler〕①執事。②〔ホテルで〕専属の客室係。

**パドリング**《名・自サ》〔paddling〕①カヌーなどで、パドルを使ってこぐこと。②サーフィンで沖に出るとき、サーフボードに腹ばいになって、水泳のクロールのように水をかいて進むこと。

**バトる**《自五》〔「バトル」から〕〔俗〕戦う。けんかする。「仲間内でバトってる」〔二十一世紀になって広まったことば〕

☆☆**バトル**〔battle〕戦い。あらそい。「トーク—」 ●**バトル ロイヤル**〔battle royal〕①《プロレス》多人数が入り乱れておこなう勝ちぬき試合。②乱戦。

**パドル**〔paddle〕カヌーなどをこぐ かい(櫂)。

**パトロール**《名・自サ》〔patrol〕〔警察官などが〕警備や保安のために回って歩くこと。パト〔俗〕。 ●**パトロール カー**〔patrol car〕①警察官がパトロールのために乗る自動車。パトカー。②故障などにそなえて巡回する自動車。

☆☆**パトロン**〔patron〕(経済上の)後援者。

**ハトロンし**［ハトロン紙］〔オ patroonpapier=薬莢(の外がわの)紙〕じょうぶな、茶色の西洋紙。包み紙・封筒用。ハトロン。

**バトン**〔baton〕①リレー競走で、走る人が持つ、中がからの短い筒。「—パス」②応援やパレードなどでふったり回したりする細い棒。③《音》指揮棒。 ●**バトンを渡す** 句 引きつぐ。 ●**バトン ガール**〔和製 baton girl〕音楽隊の行進の先頭に立って、バトントワリングをしながら進む少女。 ●**バトン タッチ**《名・自他サ》〔和製 baton touch〕①リレー競走で、走ってきた選手が次の選手に「バトン①」をわたすこと。バトンパス。②仕事を引きつぐこと。「後任者に業務を—する」 ●**バトン トワリング**〔baton twirling〕「バトン②」を回したり、ふったり、投げ上げたりして、あやつること。また、その競技。バトン トワーリング。入 バトン トワラー(baton twirler)。

←＊＊**はな**［花］①植物で、いちばん目立ってきれいな部分。しべがあり、一定の時期に ひらく。「バラの—が咲く・—を摘む・タンポポの—〔植物学的には、花びらに見える一つ一つが花〕・ミズバショウの—〔植物学的には、白い部分は苞と言い、中の穂のような部分が花〕」②桜の「花①」。「—を見る・—の下にて春死なん〔西行〕」③生け花に使う材料。例、ハラン(葉蘭)の葉。④美しいものの たとえ。「—の かんばせ〔=美しい顔〕」⑤はなやかな〈感じ/部分〉。特に女性を言う。「—がある・—の都」⑥〔古風〕はなやかで目立つ〈人/もの〉。「両手に—」⑦いちばん〈いい/楽しい〉時期。「若いうちが—だ・知らないうちが—よ」⑧↑花札。「—を引く」⑨芸人などにあげる お金。チップ。花代。「—をはずむ」☞お花。 ●**花が咲く** 句 ①ますます さかんになる。「話に—」②(時期が来て)さかえる。「人生に—」 ●**花に嵐** 句 いいことは長く続かず、とかく障害が多いことの たとえ。月に群雲花に風。 ●**花は桜木 人は武士** 句 花の中では桜が第一で、人の中では武士が第一だ。 ●**花も恥じらう** 句〔=花でさえ、その美しさに かなわず、はずかしく思う〕花よりも美しく見える。年ごろの女性の美しさを言う。「—乙女」 ●**花も実もある** 句 ①名実ともにそなわっている。②口先だけでなく、人情のあるようす。 ●**花より だんご(団子)** 句 ていさいよりは実際の利益のほうがいい。 ●**花を咲かせる** 句 はなばなしく活躍する。「最後の—」 ●**花を添える** 句 記念すべきときに、はなやかなことをつけ加える。「引退試合に—ホームラン」 ●**花を持たせる** 句〈勝ち/てがら〉をゆずる。

→**はな**［華］①いちばん〈すぐれた/はなやかな〉もの。「武士道の—・王朝文化の—・火事とけんかは江戸の—」②はなばなしいこと。「—と散る」

←**はな**［(×洟)］「鼻①」から出る液体。はなじる。「—をかむ・—をたらす」 ●**はなも引っかけない** 句 まったく相手にしない。

→＊**はな**［鼻］①顔の中央の(突っき出ていて)穴が二つある部分。呼吸をし、また においをかぐ はたらきをする。「—のあたま〔=鼻の中央の、突き出た所〕・—の脂」②岬(のように、突き出た所)。端。③《自動車》車体のうち、前に突き出た部分。ノーズ。④《競馬》↑鼻差。「着差—」☞鼻の先・鼻の下。 ●**鼻が あぐらを かく** 句 鼻が低く、横に広がっていて、穴が大きく、上を向いているようす。 ●**鼻が利く** 句 ①においをかぎ

は

わけるはたらきが、すぐれている。鼻がいい。②ものごとをさぐり当てる能力が、すぐれている。●**鼻が高い** 句 〔じまんしたいことがあって〕得意だ。「優勝したので―」●**鼻であしらう** 句 相手をばかにして、つめたくあつかう。鼻の先であしらう。●**鼻で笑う** 句 相手を小ばかにして笑う。鼻先で笑う。「大きな夢を語ったら鼻で笑われた」●**鼻にかかる** 句 話すとき、息を鼻に通して発音する。「鼻にかかった声」●**鼻にかける** 句 いやみな感じで自慢する。「学歴を―・海外経験を―」●**鼻につく** 句 ①いやみに感じられる。「気取った話し方が―」②しつこくて、いやになる。「メロディーのくり返しが―」③〔いやなにおいが〕強く感じられる。「きなくささが―」●**鼻を明かす** 句 相手を出しぬいて、びっくりさせる。●**鼻を折る** 句 相手のじまんしたところを、やりこめる。「高慢な人の―」●**鼻を高くする** 句 得意そうなようすをする。●**鼻を突き合わす** 句 何人かの人が、ごく近い距離、または せまい場所にいる。鼻を突き合わせる。●**鼻を突く** 句 〔においなどが〕鼻を強く刺激する。鼻を打つ。「臭気が―」●**鼻をつままれてもわからない** 句 まっくらで、すぐ前も見えない。●**鼻をつまむ** 句 ①あまりにも くさいときにする動作。「鼻をつまみたくなる悪臭」②いやだと思いつつ、がまんしてするようす。「鼻をつまんで首相を支持する」●**鼻を鳴らす** 句 ①鼻がつまったような音を出す。「子犬が くんくん―」②あまえ声を出す。あまえる。③小ばかにしたような声を出す。「ふんと―」

**はな**〔△端〕 一 **はな** ①〔ハナ〕〔古風〕はじめ。「―(っ)から・―のうちは さっぱりわからない」②⇩はな(鼻)②。 二 造 …してすぐのとき。「寝入り―・出―」

**はなあかり**〔花明かり〕 桜の花などの色のために、あたりが明るく見えること。

**バナーこうこく**〔バナー広告〕〔banner=旗〕〔インターネットで〕ホームページにある帯状の広告。

**はなあらし**〔花嵐〕 ①花がさいたころにふく あらし。②桜の花があらしのように散ること。

**はなあわせ**〔花合わせ〕―あはせ 花札を数人にくばり、決まった点数によって得点を争う遊び。花札。花。

**はない**〔派内〕〔派閥などの〕同じなかま。「―をまとめる」(↔派外)

**はないかだ**〔花(×筏)〕〔雅〕散った桜の花びらが かたまって水面を流れていくようすを、いかだにたとえた語。

**はないき**〔鼻息〕 鼻でする息。●**鼻息が荒い** 句 意気ごみが はげしくて、まわりの人を問題にしない。動 ●**鼻息をうかがう** 句 相手のきげんをそこなわないように気をつかって行動する。

**はないけ**〔花生け・花△活け〕 花を生けておく器。花入れ。かめ(瓶)。

**はないた**〔花板〕 ⇩板長。

**はないちもんめ**〔花一(×匁)〕 子どもの遊び。ふた組みに分かれ、歌いながら相手方の子どもをひとりずつ指名してじゃんけんで勝ったほうがなかまに加える。「勝ってうれしい―、負けてくやしい―」

**はないばら**〔花茨〕 花の さいているイバラ。はなうばら。

**はないれ**〔花入れ〕 ⇩花生け。

**はないろ**〔花色〕 ①草花などの、花の色。②〔↑はなだ色〕うすい藍色。「―もめん」

**はなうた**〔鼻歌・鼻唄〕 鼻から息を出しながら、小声で〔節だけを〕歌うこと。また、その歌。「軽い気分で―まじりでやる」

**はなうらない**〔花占い〕―うらなひ ①花びらを一枚ずつ ちぎりながら、二つの答えを交互にとなえ、最後の一枚で決めるうらない。「好き、きらい、と―をする」②どの花を選ぶかなどによっておこなう、運勢うらない。

**はなお**〔鼻緒〕―を げたや ぞうりに すげる緒の、つま先の指のかかる部分。また、緒の全体。「―をすげる」

**はなおち**〔花落ち〕 ①実が大きくなり、ついていた花が取れておちた部分。②花がおちたばかりのころ とった、小形のキュウリやナスなど。

**はながく**〔花額〕 毛布を花柄の布で額縁ふうに包むこと。「―毛布」

**はなかご**〔花籠〕 草花をつみ入れたり、花の枝を生けたりするかご。「見舞いの―」

**はながさ**〔花(×笠)〕 祭りのときにかぶる、造花などでかざったかさ。

**はながしら**〔鼻頭〕 鼻の先の部分。鼻のあたま。

**はながすみ**〔花(×霞)〕 満開の桜の花が、遠くから かすみのように見えること。

**はなかぜ**〔鼻(風邪)〕 鼻が つまり、鼻じるが多く出る、かぜ。はなっかぜ。

**はながた**〔花形〕 ①花の かたち(の模様)。②人気のある、若い〈俳優〈人〉〉。「―役者」③いちばん活動して目立つもの。「時代の―」

**はながつお**〔花(×鰹)〕―がつを かつおぶしを花びらのようにうすくけずったもの。はなかつお。

**はながみ**〔鼻紙〕 鼻じるなどをぬぐうための紙。表記 白い上等のものは「花紙」。「京花紙」

**はながら**〔花柄〕〔衣服などで〕花の模様。

**はながら**〔花殻〕 さき終わって、くきに ついたままの花。「―をつむ」

**はなかんざし**〔花(×簪)〕 造花のかざりをつけた かんざし。

**はなキャベツ**〔花キャベツ〕 カリフラワー。

**はなきん**〔花金〕〔↑花の金曜日〕〔やや古風・俗〕週末の休みをひかえた金曜日の夜。〔一九八五年に広まったことば〕

**はなぐすり**〔鼻薬〕 ①鼻の病気を治すために鼻につける薬。②わずかの わいろ。「―をきかす」③子どもをなだめるために あたえる菓子など。

**はなくそ**〔鼻(×糞)〕 鼻じると ほこりとが まじって鼻の中でかたまったもの。「―をほじる」

**はなくび**〔花首〕 くきの先の、花のついている部分。

**はなぐもり**〔花曇り〕 桜の さくころの、くもった空模様。

**はなげ**〔鼻毛〕 鼻の穴の中に はえている毛。「―カッター」●**鼻毛を伸ばす** 句 女性にあまい態度をとる。●**鼻毛を読まれる** 句 好きな女性に うまく利用される。鼻毛を数えられる。

**はなごえ**〔鼻声〕―ごゑ ①なみだを流したせいで鼻のつまった声。②〔かぜのとき、あまえるときなどの〕鼻にかかって出る声。③〔音〕〔日本音楽の発声法で〕鼻にかかった声。なにわ節や演歌に多く使われる。

**はなごおり**〔花氷〕―ごほり 花を中に入れたままこおらせた、氷の柱。

**はなござ**［花（×莫×蓙）］イグサの くきを編んで模様を織り出したござ。はなむしろ。

**はなことば**［花（言葉）・花（△詞）］花によって伝える、思いをあらわすことば。例、バラは「恋愛」など。

**はなごよみ**［花暦］それぞれの季節にさく花で、一年をあらわしたこよみ。

**はなこん**［花紺］明るい感じの紺の色。「—のウール」

**はなさ**［鼻差］《競馬》馬の鼻先だけの、わずかの差。鼻（の差）。「—で勝つ・—届かなかった」〔広く、わずかの差の意味でも使う。「—で追う」〕☞頭差・首差。

**はなざかり**［花盛り］①花がさかんに さく〈こと／時節〉。②同じ種類のものごとが、ほぼ同じ時期にさかんにおこなわれること。最盛期。「文化祭の—」

**はなさき**［鼻先］①鼻の先端。②鼻のすぐ前。目の前。「—に突きつける」▽はなっつら・はなっつぁき〔俗〕。

****はなし**［話］①はなすこと。談話。「—をするな・私から—をしておきましょう・—好き」②話すことの内容。話したことがら。「お—はうかがっております・—の順序として・—がちがう」③ある内容を、ことばにまとめてあらわしたもの。おはなし。「人工衛星の—・桃太郎の（お）—」④話題。「—は変わりますが」⑤うわさ。「やめるという—だ」⑥ものごとの道理。わけ。「—の わかる人」⑦相談。交渉。「—に乗る・ちょっと—がある・結婚の—・—を進める」⑧口で言うだけのことがら。「—だけで、実現はしなかった・ただの—」⑨［×噺・×咄］落語。おとしばなし。●**話が落ちる**句 話のなかみが下品になる。他話を落とす。●**話が かみ合わない**句 話の焦点が一致しない。●**話がつく**句 交渉がまとまる。他話をつける。●**話が遠い**句 ①話がよく聞こえない。②話が うまく通じない。●**話が弾む**句 楽しい話が、テンポよく続く。会話が弾む。●**話が早い**句（相手が事情をよく知っていて）手間がかからない。「それなら—」●**話が見えない**句（相手の）話の内容が理解できない。よくわからない。●**話変わって**句〔文章で、次の話題を持ち出すときなどに使うことば〕さて。ところで。●**話にならない**句 ①まともに〈話し合え／論じられ〉ない。「ばかばかしくて（お）—」②どうすることも できない。「技術が なければ—」●**話に花が咲く**句 話が にぎやかに はずむ。他話に花を咲かせる。●**話に実が入る**句 話に夢中になる。●**話の穂を継ぐ**句 さらに（別の）話を続ける。話に穂を継ぐ。「しばらく だまっていたが、やがて話の穂を継いだ」●**話を合わせる**句 うわべだけ賛成したり同意したりして、相手との会話が くいちがわないようにする。「よく知らない話題でも、適当に—」●**話をつける**句 交渉をまとめる。「お金で—」●**話を通す**句 前もって先方に話し（て了解を得）ておく。●**はなしあ・う**［話し合う］《自五》①いっしょに話す。②相談する。名話し合い。「お—」●**はなしか**［（×噺）家・（×咄）家］落語を職業とする人。落語家。●**はなしか・ける**［話し（掛ける）］《自下一》①相手に話をしかける。②話し始める。●**はなしかた**［話し方］話の しかた。話をする技術。●**はなしごえ**［話し声］人と話し合う声。「—が聞こえる」●**はなしことば**［話し（言葉）］①ふだんの会話で自然に出る、くだけたことば。例、「見ちゃう〔↑見てしまう〕」。〔この辞書では〔話〕で示し、俗語と区別する。くだけてはいるが目上に使って不自然でないもの《例、「じゃあ、これで失礼します」の「じゃあ」》をふくむ〕②音声で伝えることば。音声言語。▽口頭語。（↕書きことば・文章語）☞打ちことば。●**はなしこ・む**［話し込む］《自五》相手との話に熱中する。「夜十時まで話し込んだ」●**はなしちゅう**［話し中］①話している さいちゅう。②〔電話で〕通話中（で つながらないこと）。●**はなして**［話し手］話をする（ほうの）人。（↕聞き手）●**はなしはんぶん**［話半分］実際のところは話の半分ぐらいであること。

**ぱなし**［（放し）］造 ⇩っぱなし。「—としても たいしたものだ」

**バナジウム**［vanadium］《理》銀色の金属〔元素記号V〕。合金、特殊鋼の材料となる。

**はなしがい**［放し飼い］《名・他サ》家畜などをつながないで飼うこと。野飼い。放牧。

**はなじどうしゃ**［花自動車］〈祝い／記念〉のために、美しくかざって運転する自動車。

**はなしょうぶ**［（花×菖×蒲）］池などに植える、アヤメに似た草花。初夏、むらさき色などの花をひらく。しょうぶ。区別 ⇩あやめ①。

**はなじる**［鼻汁］鼻の穴から出る しる。はなしる。はな。

**はなじろ・む**［鼻白む］《自五》①しらけて、ふきげんになる。「きざな せりふに—」②気おくれした顔つきをする。「相手ににらまれて—」▽はなじらむ。

←**はな・す**［放す］《他五》①解放する。自由にする。はなつ。「犬を—・小鳥を—」②《料》素材を液体の中に入れる。「ナスを水に—」可能 放せる。

→**はな・す**［離す］《他五》①くっついているものを分ける。「手を—」☞目を離す〔「目」の句〕。②〔間を〕遠くする。「ふたりの仲を—・二メートル—」可能 離せる。

****はな・す**［話す］《他五》①ことばを声に出して、気持ち・できごと・ことがらなどを伝える。「学校であったことを—・英語で話そうか」②事情や自分の希望などを、言いあらわす。「先生に話してあげよう・君に話したいことがある」▽（↕聞く）③〔外国語を〕使う。「英語を—」可能 話せる。

**はなすじ**［鼻筋］みけんから鼻先までの線。「—が通る」

**はなすすき**［花（△薄）］穂の出たススキ。

**はなずもう**［花相撲］本場所以外に興行するすもう。

**はな・せる**［話せる］《自下一》①〈話／わけ〉が よくわかる。「あの人は—」②「話す」の可能形。

**はなぞの**［花園］草花をたくさん植えた園。

**はなだ**［×縹］うすい藍色。はなだ色。

**はなだい**［花代］⇩玉代。

**はなだい**［（鼻×鯛）・（花×鯛）］〔方〕海にすむ さかな。マダイによく似るが、それより小さく、色はあざやか。食用。ちだい（血鯛）。

**はなたかだか**［鼻高々］《ナダ》大いに じまんするようす。非常に得意になるようす。「合格して—だ」

**はなたけ**［鼻（×茸）］《医》鼻の穴にできる、一種の はれもの。鼻ポリープ。びじょう（鼻茸）。

**はなたて**［花立て］〔仏前・墓前などに供える〕花を立てる入れ物。

**はなたば**［花束］草花をたばねたもの。ブーケ。「—贈呈」

**はなだより**［花便り］花の さいた程度などを知らせる

たより。「各地の―」

**はなたらし**【〈洟垂らし〉】はなをたらしている〈こと／子ども〉。はなったらし。

**はなたれ**【〈洟垂れ〉】①はなをたらしている〈こと／子ども〉。はなったれ。はなたらし。②若者や経験の浅い人をばかにして言うことば。▽「―小僧」

**はなぢ**【鼻血】鼻の穴から出る血。●**鼻血も出ない** 句 すっかりしぼり取られて、もう何も出ない。「さかさにふっても―・さかだちしても―」

**はなちょうちん**【鼻△提△灯】鼻から、はなじるが風船のようにふくらんで出るもの。鼻風船。はなぢょうちん。「―を出してねる」

**はな・つ**【放つ】《他五》〔文〕①⇩放す①。「とらを野に―〔⇩「とら(虎)」の句〕・収容所から―」②とばす。「矢を―」③外に出す。「光を―・臭気を―」④あらわす。しめす。「異彩を―」⑤〔送り〕出す。「スパイを―・ホームランを―・第一声を―」⑥〔火を〕つける。⑦追放する。「東国に―」

**はなつき**【花〈付き〉】①花がつく〈こと／ぐあい〉。「―の枝・―がいい」②メロンなどの果実の下部。花がついていた部分。

**はなづつ**【花筒】花をいけるつつ。はないれ。

**はなっつら**【鼻っ面】〔俗〕鼻先。はなづら。

**はなづな**【花〈綵〉】花や葉を綱のように編んだ〈もの／かざり〉。かさい。「―列島(=アリューシャン・千島・日本・琉球列島などのつらなり)」

**はなっぱし**【鼻っぱし】〔↑鼻っ張り〕〔俗〕見かけの元気。向こう意気。はなっぱしら。「―が強い」

**はなっぱしら**【鼻っ柱】〔俗〕①はなばしら。②はなっぱし。「―をくじく」●**鼻っ柱が強い** 句 ごうじょうだ。●**鼻っ柱をへし折る** 句 ごうじょうな人をやりこめる。

**はなつまみ**【鼻△摘み】人にきらわれる〈こと／人〉。はなっつまみ。

**はなづまり**【鼻詰まり】鼻の病気やかぜなどのため、鼻の中がはれてふさがること。鼻つまり。

**はなづら**【鼻面】鼻の先。はな(っ)つら。

**はなでんしゃ**【花電車】〈祝い／記念〉のために、美しくかざって運転する電車。

**はなどき**【花時】花のさくころ。

**はなどろぼう**【花〈泥棒〉】花を(折って)ぬすむ者。はなぬすびと。

**はなな**【花菜】若い花を食べる種類の、ナノハナ。

**バナナ**〔banana〕熱帯産の、細長くて黄色いくだもの。皮は手でむける。実はやわらかくてかおりがよく、あまい。「―ジュース(=ミルクとまぜた飲み物)・―チップ(=スライスして揚げたもの)」

**はななえ**【花苗】〔―な〕花のさいたなえ。「―四個ポット入り」

**はなぬすびと**【花盗人】花をぬすむ人。特に、花見などの帰りに、桜の枝などを折り取る人。

**はなの**【花野】〔雅〕秋草の美しくさいている野原。

**はなのさき**【鼻の先】①鼻の先端。②すぐそば。目の前。●**鼻の先であしらう** 句 ⇩鼻であしらう〔「鼻」の句〕。

**はなのした**【鼻の下】①鼻と口の間の部分。②〔俗〕口。●**鼻の下が長い** 句 女性にあまい。動 鼻の下を長くする。●**鼻の下が干上がる** 句 お金がなくて生活に困る。あごが干上がる。●**鼻の下を伸ばす** 句 女性にだらしなく夢中になる。鼻の下を長くする。

**はなのしょうじ**【鼻の障子】〔俗〕鼻の左右の穴の間にある、軟骨でできた仕切り。鼻中隔。

**はなばさみ**【花〈鋏〉】木の小枝や草花を切ったり、生け花に使ったりする、刃の厚いはさみ。

［はなばさみ］

**はなばしら**【鼻柱】①鼻の左右の穴の間にある肉。②鼻を出っぱらせている骨。▽はなっぱしら〔俗〕。

**はなはずかし・い**【花恥ずかしい】〔―はづかしい〕《形》〔文〕花もはじらうほど美しい。「―美女」

**はなはだ**【〈甚だ〉】《副》〔文〕非常に。たいへん。「―困る・―おもしろい」〔「はなはだもって」は、強めた言い方〕

●**はなはだし・い**【〈甚だしい〉】《形》〔文〕これ以上ないほどだ。ひどい。「―誤解だ・思いあがりも―・はなはだしくは(=極端な場合は)」〈おもに、よくないことに使う〉派―さ。

**はなばたけ**【花畑・花〈畠〉】①花を栽培する畑。②花がいちめんにさきそろった草原。☞お花畑。

**はなばち**【花鉢】花を植えたはち。「路上に―をならべる」

**はなばなし・い**【華々しい】《形》①花がぱっとさいたように、みごとだ。りっぱだ。「―活躍」②壮烈だ。「―戦死」派―さ。

**はなび**【花火】火薬を筒やよ(縒)った紙などに入れ、点火して破裂させ、音や、美しい色・形を出させるもの。例、打ち上げ花火・しかけ花火・線香花火。「―が上がる」

**はなびえ**【花冷え】桜の花がさくころに〈寒さがくること／くる寒さ〉。

**はなひげ**【鼻〈髭〉】鼻の下のひげ。くちひげ。

**はなびら**【花△片】・(:花弁)・(〈葩〉) 花(の外がわ)を形づくる一枚一枚。花弁。花片。

**はな・ひらく**【花開く】《自五》〔文〕(花がひらくように)はつらつとしたときをむかえる。「―青春・―文化」

**はなぶさ**【花房】ふさになってさく花。また、そのふさ。「フジの―」☞開花。

**はなふだ**【花札】①花合わせに使う、季節の花をかいたカルタ。花ガルタ。②⇩花合わせ。▽花。

**はなふぶき**【花吹雪】桜の花がみだれちるようすをふぶきにたとえたことば。

**はなぺちゃ**【鼻ぺちゃ】《名・ナダ》〔俗〕鼻が平たく見えるようす〈人〉。はなぺしゃ。

**パナマ**①〔Panama〕中央アメリカのいちばん南にある共和国。首都、パナマシティー(Panama City)。パナマ運河がある。表記「:巴奈馬」は、古い音訳字。②↑パナマ帽。●**パナマぼう**【パナマ帽】パナマソウ(=熱帯アメリカのヤシ)の若葉で編んだ、夏向きの帽子。パナマ(ハット)。

**はなまがり**【鼻曲がり】①鼻すじがまがっていること。②(秋田などの方言)繁殖のころ、口先がまがっている雄のサケ。

**はなまきそば**［花巻（：蕎麦）］かけそばに、あぶったのりをもんで ふりかけたもの。花巻。由来 花に見立てたノリを一面に「まく」から。

**はなまち**［花街］かがい。

**はなまつり**［花祭り］①《仏》⇩かんぶつえ（灌仏会）。②農村で、イネに花が たくさんついて豊作になることをいのって おこなう祭り。

**はなまる**［花丸］①〔小学校などで〕よくできた作品につける まるじるしの一種。まるの外がわに花びら形の模様のついたもの。②日本料理にそえる、花のついている ごく小さなキュウリ。

**はなみ**［花見］おもに、桜の花を見て、遊び楽しむこと。「（お）－に行く」 ●**はなみざけ**［花見酒］花見をしながら飲む酒。

**はなみ**［花実］花と実。「－が咲く〔＝いい結果を得る〕」

**はなみ**［歯並み］歯ならび。

**はなみず**［鼻水］うすい鼻じる。

**はなみずき**［（花水木）］アメリカからはいってきた、たけの高い木。四枚の苞が花のように見える。アメリカの国花。アメリカはなみずき。

**はなみち**［花道］①《芝居》俳優が舞台に出はいりする、客席をつらぬく一段高い通路。②《すもう》力士が土俵に出はいりする通路。③引退をかざる場面。「引退の－を用意する」④〈名誉となる／活躍の〉場面。「男の－」⑤《ゴルフ》グリーンの手前の、〈傾斜のある〉フェアウェイの部分。

**はなみどう**［花△御堂］花祭りのときに仏像を置き、屋根を花で かざった堂。

**はなむけ**［（×餞）・（×贐）］遠くへ行く人・新しい出発をする人へおくる、はげましのことばや品物・お金。由来 古典では送別会・餞別を「馬の鼻向け」と言う。もと、人の乗った馬の鼻を旅立つほうへ向けてやること。

**はなむこ**［花婿・花×聟］結婚〈まぎわ／したばかり〉の男性。新郎。お婿さん。（↔花嫁）

**はなむしろ**［花（×筵）］はなござ。

**はなむすび**［花結び］⇩ちょう結び。

**はなむら**［花群］〔雅〕むらがって さいている花。

**はなむれ**［花群れ］花がいちめんに さきみだれているようす。

**はなめ**［花芽］《植》芽のうちで、大きくなって花になるもの。

**はなめがね**［鼻眼鏡］①鼻の根もとに はさんでかける、つるのない めがね。②めがねが ずり落ちて鼻先にかかること。

**はなもじ**［花文字］①〔ローマ字などで〕段落の始まりなどに使う、かざり模様の大文字。②花を〈植えて／かざって〉、文字の形にしたもの。

**はなもち**［花持ち］生け花などにしたときに、花が生気をたもつ度合い。「－がいい」

**はなもち**［鼻持ち］〔＝鼻が においに持ちこたえること〕 ●**鼻持ちならない** 句〔他人の言動が〕不愉快でがまんできない。鼻持ちがならない。「－態度」

**はなもの**［花物］〔生け花などで〕花を観賞する植物。（↔葉物・実物）

**はなもり**［花守］〔文〕花の番人。

**はなやか**［華やか・花やか］《ナダ》①明るくて目立つようす。「部屋を－に かざる」②勢いがあって注目を集めるようす。「－な活動・－にデビュー・バブル経済－なりし〔＝盛大だった。文語の例〕ころ」派 －さ。

**はなや・ぐ**［華やぐ・花やぐ］《自五》はなやかになる。「主役をむかえて、席が華やいだ」名 華やぎ。

**はなやさい**［花野菜・花×椰菜］カリフラワー。〔ブロッコリーをふくめることもある〕

**はなよめ**［花嫁］結婚〈まぎわ／したばかり〉の女性。新婦。お嫁さん。（↔花婿） ●**はなよめごりょう**［花嫁御寮］〔古風〕花嫁を尊敬した言い方。花嫁御。

**はならび**［歯並び］歯の ならび方。「－が悪い」

**はなれ**［離れ］㊀①〔↑離れ座敷〕母屋から はなれている、縁側づたいに行ける座敷。②↑離れ家や。㊁造〔ばなれ〕①それから はなれ（てい）ること。「浮き世－・活字－・金－がいい」②そのもの〔特に客など〕が はなれること。「ファン－・学生－・皮－のいいブドウ」 ●**はなれさ・る**［離れ去る］《自五》（心が）はなれて遠ざかる。 ●**はなれじま**［離れ島］①陸地から遠く はなれている島。離島。②全体から〈そこ／その人〉だけ はなれている状態。「席が－になる」▽小規模なものは「離れ小島」。 ●**はなればなれ**［離れ（離れ）］おたがいに はなれること。別れ別れ。「家族が－になる」 ●**はなれや**［離れ家］母屋から はなれて別に建てた、小さな建物。はなれ。 ●**はなれわざ**［離れ業・離れ技］〈大胆で奇抜な／人をはらはらさせるような〉ふるまいや芸当や演技。

**ばなれ**［場慣れ］《名・自サ》〔何度も経験して〕その場のようすに なれること。「－（が）している」

**ばなれ**［離れ］造 ⇩はなれ㊁。

**はなれごま**［放れ駒］にげ出して、つなぐことのできない馬。はなれうま。

←**はな・れる**［放れる］《自他下一》①とらえられていたものが、自由になる。「つながれていた馬が－・矢が つる〈を／から〉－・ナイフが手〈を／から〉－」②管理の範囲から外に出る。「〈子ども／仕事〉が自分の手を－」可能 放れられる。

→****はな・れる**［離れる］《自他下一》①〈くっついていた／いっしょだった〉ものが、分かれる。別々になる。「手と手が－・親と子が－」（↔合う）②遠ざかる。「ドアから－・〈故郷／親元〉を遠く－」③場所・時が大きくちがう。「駅〈から／と〉離れたビル・年の離れた妹」④関係がうとくなる。「ふたりの仲が－・客が－」可能 離れられる。

**はなわ**［花輪・花△環］生花や造花をまるく輪の形にしたもの。葬式・開店祝いなどに使う。「－をおくる」

**はなわ**［鼻輪］牛の鼻に通す輪。鼻木。

**ハニー**〔honey〕㊀造 はちみつ。あまいもの。「－トースト〔＝厚切りのトーストに はちみつをかけ、アイスクリームなどをのせたもの〕」㊁ハニー いとしい相手に呼びかけることば。 ●**ハニートラップ**〔honey trap〕〔女性スパイなどによる〕色じかけ。ハニトラ〔俗〕。

**バニー**〔bunny〕うさぎちゃん。うさちゃん。「－ガール〔＝クラブなどで、うさぎを思わせる衣装を着たホステス〕」

**パニーノ**〔イ panino〕フォカッチャなどのパンに具材をはさんだ、イタリアふうのサンドイッチ。〔複数形は、パニーニ（イ panini）〕

**はにか・む**[(△羞む)・(∴羞恥む)・(∴含羞む)]《自五》あいまいな ほほえみをうかべて、はずかしそうにする。「人前で─」 名はにかみ。

**ハニカム**〔honeycomb=ハチの巣〕ハチの巣のように正六角形を敷しきつめた形。少ない材料で強度が高く、飛行機の つばさにも応用される。ハニカム構造。

**はにく**[歯肉]〔生〕⇩しにく(歯肉)。

**ばにく**[馬肉] 馬の肉。さくら(肉)。け(っ)とばし。

**パニク・る**《自五》〔「パニック」から〕〔俗〕どうすればいいか わからない精神状態になる。まるで冷静さを失う。

**バニシングクリーム**〔vanishing cream〕脂肪しぼう分の少ないクリーム。(↔コールド クリーム)

☆☆**パニック**〔panic〕①心理的な恐怖きょうふや不安。「─におちいる」 ②《心》(火事や地震じしんにあったときなどに起こる)群衆の混乱。 ③《経》恐慌きょうこう。また、それにともなう社会的な混乱。 ●**パニックしょうがい**[パニック障害]《医》突然とつぜん、はげしい どうきがしたり、息が苦しくなったりする発作ほっさ〔=パニック発作〕をくり返す障害。外出や乗り物に乗ることがこわくなる。パニック症しょう。

**バニティーケース**〔vanity case〕ハンドバッグなどに入れて持ち歩く、けしょう品入れ。

**はにゅうのやど**[(×埴△生の)宿]はにふ─〔雅〕土で塗ぬった、みすぼらしい家。「─もわが宿」

**バニラ**〔vanilla〕香料こうりょうの名。熱帯の つる草の実〔=バニラ ビーンズ〕からとる。あまい においがする。「─エッセンス・─アイス」

**はにわ**[(×埴輪)] 古墳こふんの表面に立ててならべた、素すすき焼きの円筒えんとうや、人・動物などの像。

[はにわ]

**ばぬし**[馬主] ⇩うまぬし。

←**はね**[羽] ①鳥のからだに一面にはえているもの。ごく小さいもの〔=羽毛うもう〕から、大きく長いものまである。 ②鳥や虫などが とぶときに広げる部分。つばさ。「─をたたむ」 ③飛行機の翼よく。つばさ。 表記 虫の場合は「×翅」とも。 ●**羽が生えたよう** 句 どんどん〈売れる/お金がなくなる〉たとえ。「─に〔=飛ぶように〕売れる」 ●**羽を伸のばす** 句〔それまで窮屈きゅうくつだったのが〕のびのびと動き回る。

→**はね**[羽根] ①ばらばらにした、鳥の羽。まんなかに軸じくがある。「赤い─」 ②黒い小さいたまに「羽根①」をさしたもの。羽子はごのこと。羽子板で ついて遊ぶ。 ③矢ばね。 ④「羽根①」の形の部品。「タービンの─・扇風機せんぷうきの─」 ⑤⇩シャトル③。

←**はね** 一[跳ね] ①はねること。「─馬」 ②〈はね上がる/はね上がって ついた〉どろ。「どろ道で─が上がる」 二[はね・ハネ] 興行が終わること。打ち出し。

→**はね**[(×撥ね)] 漢字を書くとき、線の終わりを上に はねるように まげる〈こと/部分〉。☞止め②・払はらい①。

[はね]

**ばね**[(∴発条)・バネ](↑跳はね) ①はがねなどを〈巻いて/まげて〉、はねる力を利用するもの。衝撃しょうげきをやわらげたり、はかりに使ったりする。スプリング。「─ばかり(秤)」 ②弾力だんりょく。「足腰あしこしの─が強い」 ③ある行動を起こす きっかけとなるもの。「くやしさを─に(して)がんばる・基地反対の─としての住民運動」

**はねあがり**[跳ね上がり] ①はね上がること。 ②はね上がったことをする人。また、おてんば。「─者」

**はねあが・る**[跳ね上がる]《自五》 ①はねて、勢いよく上がる。とび上がる。 ②値段や数値が急に上がる。「物価が─」 ③〈全体/上の者〉の考えを無視して、勝手に行動する。

←**はねあ・げる**[跳ね上げる]《他下一》 ①勢いよく上げる。「収入を─」 ②一辺を軸じくにして、全体を上に上げる。「サングラスのレンズを─・跳ね上げ式の座席」

→**はねあ・げる**[(×撥ね)上げる]《他下一》 水などをはねて、上へあげる。「自動車が どろ水を─」

**はねお・きる**[跳ね起きる]《自上一》 勢いよく起き上がる。 他跳ね起こす《五》。

**はねかえ・す**[(×撥ね)返す]─かへす《他五》 ①はねとばすようにして、ひっくり返す。 ②はねつける。つきもどす。

**はねかえり**[跳ね返り]─かへり はねかえること。はねっかえり。

**はねかえ・る**[跳ね返る]─かへる《自五》 ①投げつけたりしたものが、もとへ返る。 ②勢いよく とびはねる。 ③あるものごとの変化や影響えいきょうが〈ほかにおよぶ/もとへ返る〉。「値上げが物価に─」 ▽はねっかえる。

**はねかか・る**[跳ね(掛かる)]《自五》 水などが、はねてかかる。

**はねか・ける**[(×撥ね掛ける)]《他下一》 水などをはねて、かける。

**はねぐるま**[羽根車] 回転軸じくのまわりに羽根を取りつけたもの。水車・タービンなどで、水・蒸気などを受けて回転させる。

**ばねじかけ**[(∴発条)仕掛け] ばねの力で運動するようにした装置。例、びっくり箱。

**はねっかえり**[跳ねっ返り]─かへり ①おてんば。「─むすめ」 ②人にしたがわず、気ままに ふるまう者。「─の若い者」 ▽はねかえり。 動跳ねっ返る《自五》。

**はねつき**[羽根突き] 正月にする、羽根を羽子板で打ち合う遊び。おいばね。おいはご。

**はねつきギョーザ**[羽根付き(∴餃子)] ギョーザを焼くときに、そのまわりに うすくぱりぱりした部分ができるように仕上げたもの。かたくり粉や小麦粉を水で溶といたものを加えて作る。

**はねつ・ける**[(×撥ね付ける)]《他下一》 受け入れることをきびしくことわる。はね返す。「要求を─」

**パネトーネ**〔イ panettone〕レーズンなどのドライフルーツを入れて焼いたドーム型のパン。イタリアではクリスマスをむかえる時期などに食べる。パネットーネ。

**はねとば・す**[(×撥ね)飛ばす]《他五》 はじくようにして飛ばす。「小石を─・車に はね飛ばされる」

←**はねの・ける**[(×撥ね△退ける)]《他下一》 はねとばすようにして、どける。「ふとんを足で─」

→**はねの・ける**[(×撥ね△除ける)]《他下一》 多くのものの中から取り出して、除き去る。「四十点以下は─」

**はねばし**[跳ね橋] 下を船が通るとき、橋げたが中央などで はね上がる橋。

**はねぶとん**[羽布団] 鳥の羽を入れた ふとん。軽くてあたたかい。

**はねぼうき**[羽(×帚)]─ばうき 鳥の羽をたばねて作った、小形の ほうき。はぼうき。

**はねまわ・る**[跳ね回る]─まはる《自他五》 ほうぼうを、はねるようにして歩き回る。「雪の中を―」

**ハネムーン**〔honeymoon＝蜜月〕①結婚後の一か月。②新婚旅行。「―ベビー(＝新婚旅行で妊娠してできた赤ちゃん)」③仲のよい時期。蜜月時代。▽ハニムーン。

**ばねゆび**【(:発条)指】《医》指の腱などがはれて、指をまげたりのばしたりするとき、音がしたりひっかかるような感じがしたりする症状。

**パネラー**〔和製 panel＋er〕①⇩パネリスト。②クイズ番組の解答者。

☆☆**パネリスト**〔panelist; panellist〕討論会・会議で、招かれて意見を述べ、また、意見の形で問題を提出する人。パネラー。

**は・ねる**《自下一》㊀【跳ねる】①地面やゆかをけって高く上がる。「ノミが―」②とびちる。「水が―」③はじける。「炭が―」㊁(「ハネる」とも書く)その日の興行が終わる。「芝居が―」

**は・ねる**【(×刎ねる)】《他下一》横にはらうようにして切る。「首を―」

**は・ねる**【(×撥ねる)】《他下一》①漢字を書くとき、筆の終わりの向きを変えて、勢いよく紙からはなす。「『水』の縦棒は―」②取り除く。「不良品を―」③はじきとばす。「自動車が人を―」④かすめ取る。「上前を―」⑤不合格にする。⑥「ン」を発音する。「―音」

**パネル**〔panel〕①板。羽目板。②画板(にかいた絵)。パネル画。③配電盤。④機器の操作をおこなう盤面。「タッチ―」⑤《服》女性の服で、縦にぬいつける、別の布やかざり布。「―ライン(＝身ごろとパネルのつぎ目)」⑥(＝討論者の集団)委員会。機構。「気候変動に関する政府間―」⑦↑パネル ディスカッション。●☆☆**パネル ディスカッション**〔panel discussion〕えらばれた人が交替で意見をのべあう討論(会)。パネル(討論)。

**はのじ**【ハの字】カタカナの「ハ」の字(の形)。「―形のまゆ」

**パノラマ**〔panorama〕①四方にひろがる景色。②(①の由来)高い所から四方を見わたしたのと同じ感じを出すように作った模型。「―館」

＊＊**はは**【母】①(自分の)女の親。(お)かあさん。「―がお世話になりました・一男一女の―となる」区別⇩お母さん①。②動物のめすの親。「―やぎ」▽(↕父) ③(生み出される)もと。「必要は発明の―」☞母なる。●**母は強し**句 子どもを持った女性はたくましい。「女は弱し。されど、―」

＊**はば**【幅】①細長いものの横の距離。「川―」②左右の長さ。「たんすの―と高さ、奥行きを測る」③はしからはしまでの長さ。「縦―」④高低の差。「値段の―が広い・下げ―」⑤ゆとり。あいまいさ。「規則の運用に―をもたせる・―のある見解」表記 俗に「巾」とも。●**幅を利かせる**句 勢力があって自由にふるまう。幅を利かす。自幅が利く。

**ばば**【(祖母)】祖母。おばあさん。(↕じじ《祖父》)

**ばば**㊀ばば【(婆)】年とった女の人。〔自分を卑下して使うこともある〕(↕じじ《爺》)㊁ばば【ババ】《トランプ》ジョーカー。●**ババをつかむ**句 自分(たち)だけが損をする。ババを引く。「株の暴落でババをつかまされた人」由来 手でふん(＝ばば)をつかんでしまう不運の意味に、トランプのババを引く意味が合わさったもの。●**ババを引く**句(＝ババぬきでジョーカーを引く)⇩ババをつかむ句。

**ばば**【馬場】①馬に乗る練習をする所。②競馬の走路。☞重馬場・良馬場。

**ばば**【(×糞)】〔俗〕くそ。うんこ。

**パパ**〔papa〕①〔児〕おとうさん。②父親。「教育―」▽(↕ママ) ③〔俗〕若い女性のパトロンとなる(中年)男性。

**ははあ**《感》〔話〕①見当がついたり、なっとくしたりしたときに発する声。ははーん。「―、あれが弱点だな」②おそれ入って答える声。ははーっ。「―、ありがたき幸せ」

**ばばあ**【(婆あ)】〔俗〕年とった女の人。〔かろんじた言い方〕(↕じじい)

**パバーヌ**〔フ pavane〕《音》十六世紀にヨーロッパで流行した、偶数の拍子の優雅な舞踊(曲)。パヴァーヌ。

**パパイヤ**〔papaya〕熱帯産のくだもの。長円形で、肉は黄色。パパイア。

**ははうえ**【母上】〔古風〕(自分の)母を尊敬して呼ぶ言い方。「―さま」(↕父上)

＊＊**ははおや**【母親】母にあたる親。おんなおや。(↕父親) 区別 ⇩お母さん①。

**ははかた**【母方】(自分の)母の血筋。「―の祖父」(↕父方)

**はばかり**【(×憚り)】①〔文〕おそれつつしむこと。えんりょ。「主家に対し―がある」②〔古風〕便所。●**はばかりさま**【(×憚り様)】《感》〔古風〕①人のせわになったときの あいさつのことば。ご苦労さま。「これは―」②(いやみをこめて)お気の毒さま。●**はばかりながら**【(×憚りながら)】《副》①〔文〕おそれいりますが。よけいなことですが。「―申し上げます」②なまいきを言うようだが。「―ぬすみだけはしたことがない」

**はばか・る**【(×憚る)】㊀《他五》気をつかってさしひかえる。えんりょする。「あたりを―・人前を―・世論をはばからず自説を説く・人前でははばか(ら)れることば」㊁《自五》〔文〕はばをきかせる。「にくまれっ子、世に―」

**はばき**【幅木】壁の下方に、ゆかと接触する部分を保護するために張られた板。表記 俗に「巾木」とも。

**ははぎみ**【母君】〔文〕(相手の)母を尊敬した言い方。(↕父君)

**ははこ**【母子】母と子。表記 子が女の場合は「母娘」とも。●**ははこぐさ**【(母子草)】道ばたにはえる野草の名。全体は白い綿毛で包まれ、夏、黄色くて小さい花をつける。春の七草の一つ。おぎょう。ごぎょう。

**ははご**【母御】〔古風〕「相手の母」の尊敬語。(↕父御)

**ばばシャツ**【(婆)シャツ・ババシャツ】〔俗〕厚手で長そでの女性用下着。

**はばせま**【幅狭】《ナダ》幅がせまいようす。「―な道」

**はばた・く**【羽ばたく】《自五》①鳥がつばさを広げて動かす。②世の中に出て活躍する。名 羽ばたき。

☆☆**はばつ**【派閥】利害関係などで作られたなかま。特に、政党内の政治家の集団。「―争い」

**はばった・い**【幅ったい】《形》①幅いっぱいに〈広がる/つっぱる〉感じだ。②口幅ったい。「―物の言いよう」

は

**ばばっちい**《形》〔児〕きたない。ばっちい。

**はばとび**【幅跳び】↑走り幅跳び・立ち幅跳び。

**ははなる**【母なる】《連体》母である。「—人・—大地(=母のような存在である大地)」

**ばばぬき**【ババ抜き】〔トランプ〕相手のふだから順々に一枚ずつぬき取り、最後までジョーカー(=ババ)を持っていた者を負けとする遊び。

**ハバネロ**〔ス habanero〕中南米原産の、非常にからいトウガラシ。「—ソース」

**ははのひ**【母の日】母の愛に感謝する日。五月の第二日曜日。(↔父の日)

**はばびろ**【幅広】《名・ナダ》①ふつうより幅が広いようす。「—のネクタイ」②範囲を広げて取り入れるようす。▽はばひろ。

**はばひろ・い**【幅広い】《形》①ふつうより幅が広い。「—板」②範囲が広い。「—活動」派—さ。

**はば・む**【阻む】《他五》(進むことを防いで)じゃまする。さまたげる。「行く手を—・通行を—・敵を—」

**はばよせ**【幅寄せ】《名・自サ》〔自動車の運転で〕①車を道路のわきへ寄せること。②ほかの車との横の間隔をつめること。

**パパラッチ**《名・他サ》〔イ paparazzi〕有名人のゴシップ写真をとろうと、しつこく追いかけまわすカメラマン。また、そうして写真をとること。

**ババロア**〔フ bavarois〕牛乳・卵黄・砂糖をまぜて火にかけ、ゼラチンと生クリームを加え、型に流しこんで、ひやしてかためた洋菓子。ババロワ。

**はびこ・る**【(:蔓延る)】《自五》①のびて広がる。「雑草が—」②〈一面/ほうぼう〉に広がる。「疫病が—」③よくないものの勢いが強くなる。のさばる。「政界に汚職が—」▽蔓延する。他はびこらせる《下一》。「植物が根を—」

**パピヨン**〔フ papillon=チョウ〕全身の毛が長い小形の犬。大きく立った両耳から長い毛がたれた様子がチョウのように見える。

**パビリオン**〔pavilion〕博覧会での展示用に建てた建物。展示館。

**パピルス**〔ラ papyrus〕〔古代のエジプト・ギリシャなどで〕アシに似た草の繊維で作り、紙の代わりに使ったもの。

**はふ**【破風】切り妻屋根の、「へ」の形になっている板。破風板。

**はぶ**【ハブ】〔俗〕仲間外れ。「—にする」由来「省く(=仲間から除く)」の略で、「村八分」の「八分」の連想が加わってできたことば。☞ハブく・ハブる。

**はぶ** 沖縄などにすむ毒蛇。マムシより毒が強い。頭が平たくはって三角になっている。

**ハブ**〔hub〕①車輪の中心部。「自転車の—」②活動の中心(地)。「—空港(=拠点となる空港)」③複数のパソコンなどをLANで接続するための中継装置。「USB—」

**パフ**〔puff〕①粉おしろいをたたいてつけるけしょう用具。②小麦や米などを熱でふくらませた、さくさくとした食べ物。菓子の材料にする。「—スナック・クリーム—(=シュークリーム)」

**パブ**①〔pub←public house〕〔本来、イギリスふうの〕大衆酒場。洋風居酒屋。②一種の「スナック②」の呼び名。「カラオケ—」③↑パブリシティ(ー)。「—効果」

**バファロー**〔buffalo〕⇩バッファロー。

**パフェ**〔parfait〕アイスクリームとくだもの・ジャム・チョコレートなどをかわるがわるかさね、泡立てた生クリームをのせた食べ物。パルフェ(フ parfait)。パフェー。「いちご—」☞サンデー(sundae)。

**パフォーマー**〔performer〕パフォーマンスをする人。演者。大道芸人など。「パントマイムの—」

**パフォーマンス**〔performance〕①〔現代芸術やスポーツで〕演技・演奏などに、肉体を用いた表現形態。②突発的・見せ物ふうにおこなう演劇表現。ショー。「街頭—・マイク—」③人目を引くための ふるまい。「人気取りの—」④性能。機能。「—を上げる」

**はぶ・く**【省く】《他五》①〔一部分を〕取り除く。「不要なものは—・むだを—」②へらす。「手間を—・時間がないので報告は—」直省ける《下一》。

**はぶ・く**【ハブく】《他五》〔俗〕⇩ハブる。

**ばふく**【馬腹】〔文〕馬のはら(の部分)。

**ばふさぎ**【場塞ぎ】《名・ナダ》場所ふさぎ。「—になる本」

**はぶたえ**【羽二重】①うすくてなめらかでつやのある、目の細かな絹布。②きめが細かくて白いこと。「—餅」

**はぶちゃ**【(:波布)茶】ハブソウという薬草のたねを、煎って茶の代わりにしたもの。薬にする。

**ハプニング**〔happening〕①意外なできごと。「—が生じた」②《美術》ふつうでない表現手段による、前衛的な風俗や芸術活動。〔一九五〇年代末に始まる〕

**はふはふ**《副・自サ》口の中の熱い食べ物を、口をあけしめして冷ますようす。「からあげを—しつつ食べる」

**ばぶばぶ**《副》〔児〕まだ言葉を話せない赤ちゃんの声を表したことば。赤ちゃんをあやすときにも使う。ばぶー。

**はブラシ**【歯ブラシ】「歯みがき[三]」などをつけて歯をみがくための、柄のついたブラシ。

**はぶり**【(羽振り)】〔=はねをふるうこと〕威勢。「—がいい」

**バブリー**《ナダ》〔bubbly〕①あわのように はかなくすぐ消えるようす。②バブル経済にうかれて、ぜいたくをするようす。

**パプリカ**〔paprika〕①赤・黄・オレンジ色などの、大きなピーマン状の野菜。肉厚で あまみがある。カラーピーマン。②「パプリカ①」を乾燥させて粉にした香辛料。からみは少ない。

**パブリシティ(ー)**〔publicity〕事業や製品をニュース・記事・番組として取り上げてもらう活動。パブ。

●**パブリシティ(ー)けん**【パブリシティ(ー)権】〔法〕タレントやスポーツ選手などが、自分の顔や名前を使って収入を得る権利。「—の侵害」

**パブリック**《ナダ》〔public〕公共に関するようす。公的。「—アート(=広場などにある芸術作品)・—コース(=会員以外でも利用できるゴルフコース)」(↔プライベート)

●**パブリックコメント**〔public comment〕法令などの制定や改廃をするさい、国民から意見をつのること。意見公募(手続き)。パブコメ。●**パブリックスクール**〔public school〕①イギリスで伝統のある、寄宿制の私立中高一貫校。②アメリカの公立学校。 ●**パブリックスペース**〔public space〕①〔ホテル・旅館などで〕玄関ホール・食堂・ロビーなど、客が共同で使う部分。②マンションなどの、共有部分。 ●**パブリックドメイン**〔public domain〕特許権や著作権がない状態で、だれでも自由に利用できること。公有。PD。「―〔=著作権の放棄された〕ソフトウェア」 ●**パブリックビューイング**〔public viewing=一般公開〕試合の模様などを、別の場所の大型スクリーンでみんなが見るもよおし。PV。

**はぶ・る**［ハブる］《他五》〔俗〕仲間外れにする。無視する。ハブにする。ハブく。「いきなりハブられた」☞ハブ。

☆☆**バブル**〔bubble〕①あわ。あぶく。②あわのように はかないもの。「―人気」③《経》投機によって、地価・株価などが、実態と かけはなれて、大幅につり上がった状態。〔特に、一九八六～九一年の好景気をさす〕「―景気・―経済・―が はじける」

**パブロフ の いぬ**［パブロフの犬］〔Pavlov=人名〕合図のベルを聞かせてからえさをあたえられていた犬が、ベルを聞くだけで唾液を分泌するようになったという、条件反射の例。〔生理学者パブロフが発見〕

**ばふん**［馬(×糞)］馬の くそ。まぐそ。

**はへい**［派兵］《名・自サ》〔文〕軍隊を派遣すること。

**パペット**〔puppet〕①あやつり人形。かいらい(傀儡)。②指人形。

**はべ・る**［(△侍る)］《自五》〔身分の高い人の〕そばにひかえている。「客の席に―・美女をはべらせる」

**バベル の とう**［バベルの塔］〔Babel=地名〕①旧約聖書にある伝説の中の、未完成の塔。②実現でき(そうも)ない計画。

**はへん**［破片］こわれた かけら。「ガラスの―」

**ばぼう**［馬房］〔文〕馬小屋。厩舎。

**はぼたん**［(葉×牡丹)］キャベツの変種。葉の色が さまざまで、冬の観賞用として使う。

**はほん**［端本］〔ひとそろいの本のうち〕そろっていない一部分の本。零本。(↔完本)

**はま**［浜］①湖や海に沿った平地。砂浜・磯浜など。「―の まさご〔=砂。なくなることがない たとえ〕」②《碁》囲んで取った相手の石。③↑横浜。「―っ子」

**はま おぎ**［(浜×荻)］〔雅〕あし。「難波の あし(葦)は伊勢の―〔⇩「難波」の句〕」

**はま かぜ**［浜風］①浜べをふく風。②海岸から陸に向かって ふく風。

**はまき**［葉巻］〔↑葉巻きタバコ〕タバコの葉をかたく巻いたもの。シガー。(↔紙巻きタバコ・刻みタバコ)

**はまぐり**［(×蛤)］浅い海でとれる二枚貝。からは なめらかで丸みがあり、内がわは白色。酒蒸しや吸い物などにする。

**はまち**［(×魬)］イナダ〔=ブリの若魚〕の関西方言。また関東で、イナダを養殖したもの。☞出世魚①。

**はま ちどり**［浜千鳥］浜べに遊ぶ千鳥。

**はま ぢゃや**［浜茶屋］海水浴場の、休憩・着替えなどのための店。

**はまて**［浜手］海岸に近い〈方面/方角〉。(↔山手・山の手)

**はま なし**［(浜梨)］はまなす。

**はま なす**［(浜：茄子)］〔↑はまなし(浜梨)〕北海道や本州北部の海岸に はえる、バラの一種。夏、紅色の花をひらき、赤く まるい実を結ぶ。

**はま なべ**［(×蛤)鍋］むき身のハマグリを主体にしたなべ料理。はまぐりなべ。

**はま びらき**［浜開き］《名・自サ》海びらき。

**はま べ**［浜辺］湖や海の水に沿った平地。

**はま や**［破魔矢］昔、破魔弓に つがえて射た矢。今は、神社で正月の お守り用として売る。

**はま やき**［浜焼き］タイなど、とったばかりの さかなを、うろこをつけたまま蒸し焼きにしたもの。

**はま ゆう**［(浜：木綿)］あたたかい地方の海岸には える大形の草。夏、白くて においのいい花をひらく。花びらは糸のように細い。はまおもと。

**はま ゆみ**［破魔弓］昔、正月に子どもが持って遊んだ、おもちゃの弓。今は、正月の縁起物。

**はまり やく**［(×嵌まり)役］その人に ちょうど適した役。ぴったりの役。

**はま・る**［(×嵌まる)・(△塡まる)］《自五》①ちょうどよくはいる。「はまりこむ・型に―〔マンネリの意味にも〕」②ぴったり あう。あてはまる。「役に―」③うまくいく。「その手法が―」④おちいる。落ちる。「穴に―・川に―〔=おぼれる〕」⑤だまされる。「まんまと―」⑥［ハマる］〔俗〕のめりこむ。夢中になる。「テレビゲームに―」

**はみがき**［歯磨き］㊀《名・自サ》歯をみがくこと。歯磨き。歯磨き粉。㊁［ハミガキ］「歯磨き㊀」に使うクリームや粉。練り歯磨き〔クリーム状でも言う〕。

**はみず**［葉水］〔乾燥を防ぐなどのため〕葉っぱにかける水。「―をあたえる」

**はみだ・す**［はみ出す］《自五》①中に おさまらずに、外へ出る。「人の列が車道に―・シャツがズボンから―」②〈当然/ふつう〉とされる枠から外に出る。「常識〈から/を〉―・社会から―・はみ出し者」▽はみ出る。由来「はみ」は「食む」の連用形。外がわの部分まで食っていく意味。名はみ出し。

**はみ・でる**［はみ出る］《自下一》はみ出す。「枠から文字が―・組織から はみ出た人」

**はみ にく**［はみ肉］〔俗〕ベルトの上や下着のすき間から はみ出た ぜい肉。

**バミューダ パンツ**〔和製 Bermuda《=北大西洋の西部にある諸島》pants〕《服》ひざ上までの、すそ口の細いズボン。バミューダ。

**ばみ・る**［バミる］《自五》〔=場見る〕《演劇・放送》〔俗〕出演者や道具の位置を指定するため、テープをゆかに はる。〔「バミリ」は、そのテープ〕

**ハミング**《名・自他サ》〔humming〕《音》口をとじ、声を鼻にぬいて歌う〈こと/歌い方〉。

**は・む**［(△食む)］《他五》〔文〕①(動物が)食べる。「草を―牛」②給料などをもらう。「高給を―」

**ハム**〔ham〕①ブタの もも肉を塩水につけて燻製にしたもの。「ロース―・―サラダ」②〔①とは別語源〕しろうとで無線発信機を持ち、通信する人。「―仲間」

**ば・む** 接尾〔自五をつくる〕その様子をおびる。「あせ―・気色―」

**ハムエッグ**〔ham and eggs〕ハムをそえて作った目玉焼き。

**はむか・う**［刃向かう・歯向かう］《自五》①かみつこうとする。②さからう。反抗する。「親に―」名刃向かい。

**はむし**［羽虫］①〔夏の夜などに、明かりのまわりにむらがる〕はねの はえている小さな虫。②ニワトリや小鳥のはねにつく、白い小さな虫。

**はむし**［（葉虫）］植物の くき・葉・根を食べる害虫。

**ハムスター**〔hamster〕ネズミの一種。ペットとして飼ったり、実験に使ったりする。〔特に、ゴールデン ハムスターを言う。顔つきは、モルモットよりもネズミらしい〕

**ハムストリング**〔hamstring〕《生》太ももの裏側の筋肉の総称。

**はむら**［葉群・葉×叢］〔雅〕たくさんおいしげった葉。

**はめ**［:羽目］①板をはりつけた壁。②［:破目・ハメ］（困った）場合。（追いこまれた）立場。「辞職する—になる」 由来 ①は「はめる」の名詞形からか。②との関連は不明。 ●**羽目を外す** 句〔ふだんとちがって〕ぎょうぎが悪いほど、好き勝手に ふるまう。「羽目を外してさわぐ」 由来 「はめ」は、「はみ（馬銜）〔=荒馬をおとなしくさせるために、口に くわえさせてしばる なわ〕」の変化。「羽目」は当て字。 表記 「ハメを外す」とも。

**ばめい**［馬名］競走馬につけられた名前。

**はめいた**［:羽目=板］「羽目①」に張った板。

**はめえ**［（×嵌め）絵］①あたえられた形の わくの中に、当てはめて かいた絵。②〔古風〕ジグソー パズル。

**はめこ・む**［（×嵌め）込む］《他五》①ちょうどよく、入れる。②おとしいれる。「相手を計略に—」 名 はめ込み。

**はめごろし**［（×嵌め）殺し］障子やガラス窓などを、あけしめ できないように はめこんであるもの。はめころし。「—の窓」

**はめつ**［破滅］《名・自サ》大切なものが すべて失われ、取り返しが つかないこと。「身の—〔=財産などをすべて失うこと〕」・—的な〔=破滅に向かうような〕考え方」

**はめて**［（×嵌め）手］《碁・将棋など》相手をだます計略。「—に おちいる」

**は・める**［（×嵌める）・（△塡める）］《他下一》①ぴったり合うように〈入れる／かぶせる〉。「わくに—・手ぶくろを—」②落とす。「池に はめられる」③だます。おとしいれる。「あいつに はめられた」

***ばめん**［場面］①《芝居など》舞台の、一つ一つの動き。「息づまる—」②動作が おこなわれる、その場のようす。情景。「ひきにげ—の目撃者」

**はも**［（×鱧）］ウナギに似て、長くて大きい さかな。小骨が多いので、骨切りして食べる。「—なべ」

**はもの**［刃物］刃のある道具。包丁など。きれもの。 ●**はもの ざんまい**［刃物三昧］何かというと、刃物を持ち出して あばれること。

**はもの**［葉物］①〔生け花などで〕葉の部分を観賞する植物。（↔花物・実物）②野菜のうち、葉を食べるもの。葉菜。（↔実物・根物）

**はもの**［端物］数や量がそろわない、はんぱもの。

**ハモ・る**《自他五》〔ハモ↑ハーモニー〕〔俗〕①二人以上で歌って、ハーモニー〔=和声〕を生み出す。②二人以上が同時に同じことを言う。 名 ハモり。

**はもれび**［葉漏れ日・葉×洩れ日］〔文〕立ち木のしげみのすきまから わずかにさしてくる日の光。

**はもん**［波紋］①石などを水に投げたとき、水面に広がる、波の模様。②影響。「—が起こる・事件の—」 ●**波紋を投じる** 句 問題になるような影響をおよぼす。波紋を投げ（かけ）る。 ●**波紋を広げる** 句 広い範囲に影響を順次およぼしてゆく。 直 波紋が広がる。 ●**波紋を呼ぶ** 句 影響をあたえ、変化や動揺を呼び起こす。

**はもん**［破門］《名・他サ》①師弟の関係をたち切って、門人を追いはらうこと。②宗門から追いはらうこと。

**ハモン セラーノ**〔ス jamón serrano=山のハム〕スペインの生ハム。☞プロシュート。

**ハモンド オルガン**〔Hammond organ＝商標名〕《音》電気で真空管に振動を起こし、パイプオルガンのような音を出させる楽器。

**はや**［（×鮠）］「うぐい」などの、別の名。はえ。

**はや** 一 はや［（早）］《副》〔文〕すでに。もはや。「—五十をこえる年になった」 二［早］造 ①早めにする。早期の。「—じまい・—起き・—ま（蒔）き」②早すぎる。「—合点」③すばやくする。すぐにする。「—碁・—わかり」

**ばや**《終助》〔文〕願望をあらわす。…したい。「青春を語らー」

**はやあがり**［早上がり］《名・自サ》仕事や練習をいつもより早く終えること。

**はやあし**［早足・速足］①はやい足取り。はやあるき。②《馬術》馬の、やや はやい足なみ。▽（↔並足・駆け足）

****はや・い**［早い］《形》①時間が短くてすむ状態だ。「早くしろ」②ある時間・時期に、まだ なっていない。「話すのは—」③時間・時期が、前のほうだ。「朝早く起きる・あしたは出発が—ぞ・昭和の まだ—時代・《野球》—回」④順番が前のほうだ。「出席番号の—人・—ほうのページ」▽（↔遅い）⑤〔…が—か〕…やいなや。…とすぐ。「帰るが—か、また出かけた」⑥〔…より早く〕〔文〕…し終わるか どうかという時に。…とすぐ。「刀をぬくより早く突っき立てた」 派 -さ。 ●**はやい こと**［早いこと］《副》早いところ。 ●**はやい ところ**［早いところ］《副》早く。ぐずぐずせずに。早いこと。早いとこ〔話〕。「—謝ったほうがいいよ」 ●**はやい- はなしが**［早い話が］《副・接》簡単に言うと。早く言えば。早い話。「—、読書をすれば ことばを覚えるのだ」 ●**はやい ものがち**［早い者勝ち］先に行動した者が、数の少ないものを手に入れたりして、有利になること。早いもんがち。☞者勝ち。

**はや・い**［速い］《形》①見ているうちに、先へ先へと進む状態だ。ある時間内の移動・変化の量が大きい。「流れが—・速く走る・読むのが—」②動きが〈はげしい／急だ〉。「呼吸が—」▽（↔遅い）

**はやうち**［早打ち］《名・他サ》①はやく打つこと。「太鼓の—」②《野球》早いボールカウントから打つこと。③《碁》時間をおかずに打つ〈こと／人〉。☞早指し。④昔、馬を走らせて急ぎの知らせを伝えた人。⑤⇩はやかご②。

**はやうち**［早撃ち・早△射ち］《名・他サ》〔ピストルなどを〕ぬき出して すばやくうつこと。また、間をおかずに続けてうつこと。

**はやうま**［早馬］「早打ち④」が乗って走らせた馬。

**はやうまれ**［早生まれ］一月一日から四月一日までの間に、生まれ〈ること／た人〉。〔四月二日以後に生まれ

た子より一年早く小学校にはいる」(↕遅生まれ)

**はやおき**[早起き]《名・ナダ・自サ》朝はやく起きる〈こと/人〉。●**早起きは三文の得** 句〔「得」は、本来は「徳」〕早起きは何か利益があるものだ。

**はやおくり**[早送り]《名・他サ》録音・録画を、現在の再生位置より先へはやく送ること。(↕早戻し・巻き戻し)

**はやおし**[早押し]《名・他サ》〔クイズ番組で〕正解がわかった人が、はやくボタンをおすこと。「―クイズ」

**はやがえり**[早帰り]―がへり《名・自サ》決まった時刻よりはやく帰ること。「急用で―した」

**はやがけ**[早駆け]①〔他人よりも〕速く走ること。②〔俗〕問題をすばやく処理すること。

**はやかご**[早(×駕△籠)]①江戸時代、はやく走らせたかご。②江戸時代、急ぎの使者が乗り、昼も夜も休まずに走らせたかご。早打ち。

**はやがてん**[早合点]《名・自サ》人の言ったことをよく聞かないで、勝手にこうだと思いこむこと。はやのみこみ。はやがってん。「―して、道をまちがえた」

**はやがね**[早鐘]昔、近い所の火事などの知らせに、はげしくはやくうち鳴らした半鐘。●**早鐘を打つ** 句〔不安や緊張のために〕はげしい動悸がする。「胸が―〔=どきどきする〕」

**はやがわり**[早変わり]―がはり《名・自サ》①すばやく姿や職業を変えること。②役者が、劇の中ですばやく衣装を取りかえて別の人物に変わること。

**はやく**[早く]㊀早い時期。「―から独立した・―に手を打つ」㊁《副》早い時期に(は)。「―〔=すでに〕平安時代からあることば・―(して)〔=子どものうちに〕親に別れた」●**はやくも**[早くも]《副》早くて おどろくことには。もう。もはや。「―三月になった」

**はやく**[端役]つまらない、ちょっとした役。

**はやく**[破約]《名・他サ》〔文〕約束を〈とりけす/実行しない〉こと。

**はやぐい**[早食い]―ぐひ《名・他サ》はやく食べること。「―競争」

**はやくち**[早口]ものの言い方がはやいこと。はやぐち。「―になる」(↕遅口) ●**はやくちことば**[早口言葉]〔言葉〕発音しにくいことばを速く言うことば遊び(に用いる語句)。例、生麦生米生卵。

**はやさ**[速さ]①速い〈こと/程度〉。スピード。「目にもとまらぬ―」②《理》ある時間に進む距離。〔「時速」などであらわす〕☞速度。

**はやざき**[早咲き]ふつうの時期よりはやくさくこと。「―の梅」(↕遅咲き)

**はやざし**[早指し]《将棋》時間をおかずにさす〈こと/人〉。☞早打ち③。

**はやし**[林]①木がたくさん、一面にはえている所。「雑木―・松―」〔竹などの場合にも言う〕 区別 語源的に「林」は「生やし」、「森」は「盛り」と関係がある。「林」は、たくさんはえている点、「森」は〔人や建物をおおいかくすように〕盛り上がっている点に重点がある。「鎮守の森」のように広くない森もあり、規模は関係がない。漢字の字形では「林」より「森」のほうが木の数が多いが、「林」は集まった樹木そのもの、「森」は樹木が密集しているようすをあらわす漢字で、やはり規模は関係がない。②同種のものが多く集まっている状態。「煙突の―・ことばの―」

**はやし**[(×囃:子)]①はや(囃)すこと。「―ことば」②拍子をとるため、また気分をそえるための伴奏。〔日常語としては「おはやし」のほうがふつう〕笛・太鼓・三味線などを組み合わせる。「はやし(囃子)②」の演奏をする人。●**はやしかた**[(×囃:子)方]

**はやしたてる**[(×囃し)立てる]《他下一》(ほめことばやけなすことばを)さかんに言い立てる。

**はやじに**[早死に]《名・自サ》①まだ死ぬときでもないのに、死ぬこと。「社長は六十歳で―した」②若死に。天折。(↕長生き)

**はやじまい**[早(:仕舞い)]―じまひ《名・自他サ》いつもよりはやく〈仕事を終える/店を閉じる〉こと。

**はやじも**[早霜]《農》〈秋のはじめごろ/季節よりもはやく〉おりる霜。(↕遅霜)

**ハヤシライス** 牛肉・タマネギをいため、トマトなどを加えて煮こんだソースをごはんにかけた、日本生まれの洋食。ハイシライス〔関西方言〕。由来「ハヤシ」は「ハッシュ〔hash=こま切れ肉の料理〕」の変化。「実業家の早矢仕有的が作ったから」というのは俗説。☞ハッシュドビーフ。

**はやす**[生やす]《他五》①はえた状態にする。のばす。「ひげを―」②自然にはえたままにする。「雑草を―」

**はやす**[(×囃す)]《他五》①声を出して調子をとる。②「はやし(囃子)②」を演奏する。③はやし立てる。「弱虫や―いと―」④〔相場などで〕いい材料としてとりざたする。「増配を―・復興特需を―」

**はやずり**[早刷り]⇩早版。

**はやせ**[早瀬]流れのはやい瀬。

**はやだし**[早出し]《農》〔野菜・くだものなどを〕時期よりもはやく送り出すこと。(↕遅出し)

**はやだち**[早立ち]《名・自サ》朝はやく〔旅行に〕出発すること。

**はやづけ**[早漬け]すぐ食べられるようにつけた、つけ物。「白菜の―」

**はやて**[(△疾△風)]〔文〕急に起こる暴風。

**はやで**[早出]《名・自サ》定刻よりも早く出勤すること。(↕遅出)

**はやてまわし**[早手回し]―てまはし さきに〈手回し/処置〉をしておくこと。手回しがはやいこと。「―に予約する」

**はやとく**[早得]〔商標名〕早めに買えば値段が安くなること。

**はやとちり**[早とちり]《名・自サ》〔俗〕早がてん(をして、せりふをまちがえること)。はやとっちり。

**はやにえ**[(早×贄)・(速×贄)]―にへ ⇩もずのはやにえ。

**はやね**[早寝]《名・自サ》はやくねること。「―早起き」(↕遅寝)

**はやのみこみ**[早(×呑み)込み]《名・自サ》早がてん。

**はやば**[早場]〔米が〕ほかより はやくとれる場所。「―地帯・―米」

**はやばや**[早々]《副》たいそうはやく。「―と決めた」

**はやばん**[早版]〔新聞の〕その号で、最初に刷った版。早刷り。

**はやばん**[早番]交替制の仕事で、朝を中心とした時間帯の勤務(の担当者)。(↕遅番) ☞中番。

**はやびき**[早引き]《名・自他サ》①⇩はやびけ。②さがしていることば・文字をはやく〈引くこと/引ける辞

は

書〉。

**はやびけ**【早引け】《名・自サ》決まった時刻よりもはやく退出すること。早退。はやびき。

**はやひる**【早昼】はやいひるめし。はやびる。

**はやぶさ**【(×隼)】中形の猛鳥の名。はやくとぶ。

**はやべん**【早弁】《名・自サ》〔学〕昼になる前に弁当を食べること。

**はやま**【端山】〔雅〕ひと続きの山のうちで、里に近い低い山。

**はやまき**【早(×蒔き)】ふつうにまく時期よりはやくたねをまくこと。(↔遅まき)

↑**はやま・る**【早まる】《自五》①早くなる。「開催の時期が―」②あせる。はやる。「早まってけがをする」名早まり。

↑**はやま・る**【速まる】《自五》速度が増す。「高齢化のテンポが―」名速まり。

**はやまわし**【早回し】《名・他サ》①早く回すこと。早送り再生。「アニメを―で見る」②いそがしくて落ち着かないこと。「―の生活」

**はやみ**【早見】簡単にすぐ見ることができる〈こと/もの〉。「―表」

**はやみち**【早道】①ちかみち。②(はやくわかる)便利な方法。

**はやみみ**【早耳】《名・他サ》ものごとをはやく聞きつける〈こと/人〉。

**はやめ** ㊀**はやめ**【早目】情報をはやく手に入れて見る〈こと/人〉。「―早耳」㊁**はやめ**【早(目)】《名・ナダ》決まった時刻より少し早いこと。はやいめ。(↔遅め)

**はやめし**【早飯】①飯の食べ方のはやいこと。「―にしよう」②決まった時刻よりも早めに飯を食べること。●**早飯も芸のうち**句「はやめし①」も、つまらないことのようだが、才能の一つだ。

↑**はや・める**【早める】《他下一》①予定よりもはやくする。「時期を―」②うながす。急がせる。「生長を―」

↑**はや・める**【速める】《他下一》速度を増す。「足を―・列車が速度を―」

**はやもどし**【早戻し】《名・他サ》録音・録画を、現在の再生位置より前へはやく戻すこと。〔昔のテープ式の「巻き戻し」に当たる〕(↔早送り)

**はやよみ**【早読み】《名・他サ》①時間をかけずにはやく読むこと。速読。②早がてんした読み方。

**はやり**【(:流行り)】はやること。流行。「これがことしの―なんだ・―病」●**はやりうた**【(:流行り)歌】〔古風〕ある時期、世間にはやって広く歌われる〈歌/歌謡曲〉。流行歌。●**はやりかぜ**【(:流行り)風邪】〔俗〕インフルエンザ。●**はやりすたり**【(:流行り)廃り】はやることとすたれること。●**はやりっこ**【(:流行り)っ子】①ほうぼうでもてはやされる人。②【(:流行り)っ×妓】全盛の芸者。▽売れっ子。●**はやりめ**【(:流行り)目】〔医〕流行性の結膜炎。

**はやりた・つ**【(△逸り)立つ】《自五》興奮して、しきりに勇み立つ。

**はや・る**【(:流行る)】《自五》①広くおこなわれる。流行する。「ミニスカートが―」(↔すたれる)②(病気などが)広がる。「かぜが―」③はんじょうする。「店が―」

☆**はや・る**【(△逸る)】《自五》〔そのことをはやくしたくて〕興奮状態になる。「―(=走り出そうと興奮する)馬・―心をしずめる・〔野球〕打ち気に―」名はやり。

**はやわかり**【早分かり】《名・自サ》①すぐわかること。②はやくわからせるためにくふうされたもの。〔多く、題目などに使う〕「マージャン―」

**はやわざ**【早業・早技】すばやくてじょうずな〈動作/技術〉。「目にもとまらぬ―」

**はやわり**【早割】〔商標名〕早期に予約した客が受けられる割引。

**はら**【原】①平たくて広い土地。②耕作していない平地。

＊**はら**【腹】㊀**はら** ①からだのうち、胴の下半分。胃腸などがはいっている部分。「〔太って〕―が出る・―が痛い・―ぐあい」(↔背・背中)②母親が子をやどすところ。胎内。また、その母親から生まれたこと。「―にやどる・ネコがひと―で四ひき生んだ」▽日常語としてはやや乱暴で、「おなか」のほうがふつう。③物の中央のふくらんだ部分。「指の―・アズキの―・船の―」④考え。心の中。「―からそう思う・―に入れる・―の中(=内心)が読めない」⑤度量。心。きもったま。「―が大きい」⑥気分。「―がおさまらない・―がおちつかない」表記④～⑥「×肚」とも。㊁接尾 さかなのはらこを数えることば。「たらこ一―(=一本)」●**腹が癒える**句 腹立ちがおさまる。●**腹が大きくなる**句〔妊娠して〕腹が出てくる。●**腹が下る**句 下痢の状態になる。☞腹下り。●**腹が黒い**句 心の中に悪い考えを持っている。●**腹が据わる**句 度胸がすわっている。ものごとにあわてない覚悟ができる。●**腹が立つ**句 怒りが生まれる。「ばかにされて―」●**腹ができる**句 ①〔食事をして〕満腹になる。②心がまえがしっかりできる。「腹ができている男だ」●**腹が張る**句〔食物やガスが腹の中にたまったようになって〕腹がつっぱる。●**腹がふくれる**句 ①〔食べたり飲んだりして〕腹がいっぱいになる。②言いたいことを言わずにいるので、欲求不満になる。●**腹が太い**句 ①腹が大きく、太っている。②度量が大きい。度胸がいい。●**腹が減る**句 胃の中がからになる。おなかが減る。〈おなか/腹〉がすく。「腹が減っては戦ができぬ(=空腹では、ちゃんとした仕事はできない)」他腹を減らす。●**腹がよじれる**句 ⇩腹の皮がよじれる句。●**腹に一物**句 ⇩胸に一物〔「胸」の句〕。●**腹に収める**句〔知っている秘密などを〕心の中にしまって表に出さない。●**腹に落ちる**句〔りくつが〕じゅうぶんにわかる。胸に落ちる。「助言が―」〔二十一世紀になって増えた言い方。昔から言うが、「胸に落ちる」のほうがよく使われてきた〕●**腹に据えかねる**句 怒りのために、おちついていられなくなる。●**腹の皮がよじれる**句 腹がねじれるほど大笑いする。〈腹/はらわた〉がよじれる。「―ほどおもしろい」他腹の皮をよじる。〔「腹をよじる・腹をよじらせる・腹(の〈皮/筋〉)をよ(縒)る」なども〕●**腹八分目に医者いらず**句 腹八分にしておけば病気をしない。腹八分に医者いらず。●**腹も身の内**句 腹も自分のからだの一部だから、暴飲暴食をしてはいけない。●**腹を合わせる**句 しめしあわせて同じ行動をとる。●**腹を痛める**句 ①苦しい思いをして産む。おなかを痛める。「腹を痛めた子」②自分自身の金を出す。自腹が痛む。●**腹を癒やす**句 怒りや不愉快な気分を解消する。●**腹を抱える**句 ①あまりのおかしさに、腹を

おさえて大笑いする。「大きな―・六か月の―」②〔妊娠して〕そのようなおなかをしている。▽おなかを抱える。●腹を固める句〔何となく考えていたことを〕はっきり決意する。「引退する―」自腹が固まる。●腹を決める句〔もう迷わずに〕決意する。「画家になる―」自腹が決まる。●腹を切る句①〔責任を取るために〕切腹する。②責任を取って辞職する。尊敬〈腹／おなか〉を召す。③〔俗〕〔煮にすぎたり揚げすぎたりして〕豆などの皮を破る。自腹が切れる。●腹をくくる句〔何があってもいいように〕腹を決める。度胸をすえる。「なやんだあげく―」●腹を下す句〔もと西日本方言〕下痢をする。☞腹下し。●腹をこしらえる句腹ごしらえをする。●腹を肥やす句⇩私腹を肥やす〔「私腹」の句〕。●腹を壊す句腹のぐあいを悪くする。おなかをこわす。●腹を探る句それとなく相手の気持ちをうかがう。●腹を据える句じゅうぶん覚悟を決める。●腹を立てる句怒る。怒る。「からかわれたことに―」●腹を召す句「腹を切る句①」の尊敬した言い方。●腹をよじる句⇩腹の皮がよじれる句。●腹を読む句〔試合・勝負・交渉などで〕相手が何を考えているかを察する。「きっとこう来るだろうと―」●腹を割る句かくさずに本心を打ち明ける。

**ハラ** 造↑ハラスメント。「セクー・モラー」

**ばら**〔(×肋)〕↑ばら肉。「ぶたー・ー焼き」

←**ばら**〔(△茨)〕とげのある木(をひろく言うことば)。いばら。

→**ばら**〔(:薔薇)〕とげのある、背の低い木の名。花はきれいで、あまいにおいがする。多くは八重ざき。香水に使う。薔薇。

**ばら**〔「バラ」とも書く〕①〔組みやたばになっているものがとかれて〕ばらばらであるくこと／もの〉。「―で買う」②ばらせん。

**ばら**〔(△輩)・(:原)〕接尾〔古風〕〔見下げる意味をこめて〕たち。ども。「役人―」

**パラ** 一 パラ ①↑パラリンピック。「―競技」②〔俗〕↑パラレル③。二 造 障害者スポーツの。「―アスリート・―カヌー・―バドミントン」

**はらあて**〔腹当て〕⇩はらがけ②。

☆☆**バラード**〔フ ballade〕①物語ふうの詩。譚詩。②〔音〕物語ふうの歌曲。譚詩曲。③〔音〕ポピュラー音楽で、しみじみとした曲調のもの。▽バラッド。

**はらあわせ**〔腹合わせ〕①〔服〕〔帯の〕表と裏を別々の布でぬいあわせたもの。「―帯」②向きあうこと。〔↔背中合わせ〕③ともに同じ考えを持てるように、話し合うこと。「トップ同士が―をする」

**はらい**〔払い〕①はらうこと。「〔漢字の筆づかいの〕右―、左―」☞止め②・は(撥)ね。②しはらい。「―がおくれる・みそかの―・一時払い」③売りはらうこと。「歳末大蔵払い」●はらいおと・す〔払い落とす〕《他五》〔じゃまなものを〕はらって下に落とす。「玄関先で花粉を―」●はらいこ・む〔払い込む〕《他五》相手の口座などに、お金をはらう。名払い込み。〔経済関係の熟語では「払込」と書く。「払込期日」〕●はらいさ・げる〔払い下げる〕《他下一》役所から民間に売りわたす。名払い下げ。●はらいだ・す〔払い出す〕《他五》お金をしはらう。名払い出し。●はらいの・ける〔払い(△除ける)〕《他下一》①手を横にふるようにして、のける。「人の手を―」②除き去る。「災難を―」●はらいもど・す〔払い戻す〕《他五》いちど受け取ったお金などを〈返す／返してもらう〉。「税金を―・貯金を―」名払い戻し。〔経済関係の熟語では「払戻」と書く。「払戻金」〕

**はらいきよ・める**〔(×祓い)清める〕《他下一》おはらいをして、けがれやわざわいを取り除く。

**はらいせ**〔腹(△癒せ)〕いかり・うらみを関係ない人やものにぶつけて晴らすこと。

**はらいた**〔腹痛〕腹の中が痛むこと。ふくつう。

**はらいっぱい**〔腹(一杯)〕《名・副》①食べた物が腹にじゅうぶんたまること。②思う存分。

**ばらいろ**〔(:薔薇)色〕①こくあざやかなピンク色。②希望に満ちて明るい状態。「―の未来」

←**はら・う**〔払う〕一 はらう《他五》①手や足を横に勢いよく動かして、じゃまなものをどける。「ほこりを―・相手の足を―・枝を―」②取り除く。「箱のふたを―・心のもやもやを―・分母を―」③立ちのかせる。「人を―・敵を―〔=追い散らす〕・威風辺りを―」④〔文〕ある範囲〈から／まで〉すっかりなくなる。「地を―・底を―」⑤〔値段やきまりに従い、お金を〕わたす。「料金を―・罰金を―」⑥〔古風〕〔くずを〕売りはらう。⑦〔何かを得る代わりに〕かけがえのないものをさし出す。「犠牲を―・代償を―」⑧〔目的のために〕がんばってつぎこむ。「努力を―・苦心を―」⑨〔注意を〕向ける。「関心を―・敬意を―」⑩〔そろばんで〕たまを、計算を始める前の状態にもどす。⑪「ノ」の字を書くときのように、とちゅうから力をぬきながら筆を動かす。二 造 すっかり…する。「開け―・落ち着き―」可能 払える。

→**はら・う**〔(×祓う)〕《他五》神にいのって罪・けがれ・わざわいなどを除き去る。名はらい。

**ばらうり**〔ばら売り〕《名・他サ》〔まとまっているものを〕ばらばらに分けて売ること。「回数券の―をする」

☆☆**バラエティ(ー)**〔variety〕①〈種類／変種〉の数。「カボチャをあらわす方言の―」②いろいろ特徴のちがったものがあること。「―に富んだメニュー」③テレビのバラエティー番組。ⓐ会話・コント・歌・ダンスなどを組み合わせたもの。ⓑ出演者たちがスタジオでおしゃべり・ゲームなどをするもの。●バラエティ(ー)ミート〔和製 variety meat〕食用の内臓肉。もつ。

**はらおち**〔腹落ち〕《名・自サ》①〔りくつが〕じゅうぶんにわかること。「相手が―するように話す」〔二十一世紀になってからの言い方〕☞腹に落ちる〔「腹」の句〕。

**はらおび**〔腹帯〕①腹巻き。②岩田帯。③馬の鞍を腹に結びつける帯。②《水泳・トランポリン競技など》腹から落ちること。

**はらがけ**〔腹掛け〕①胸・腹をおおい、せなかでつりひもを交差させた布。植木職人などが身につける。「はんてんに―」②子どもが胸・腹に当てる布。はらあて。☞金太郎②。

**はらがため**〔腹固め〕腹をかためること。

**はらがまえ**〔腹構え〕《名・自サ》これから何かをしようとする、心の準備。

**はらから**〔(:同胞)〕〔雅〕①兄弟姉妹。②同じ国民。同胞。

**はらかわ**〔腹皮〕①さかなの、腹の部分の皮(と肉〕。「カツオの━」②ワニの、腹の部分の皮。

**はらきり**［腹切り］切腹。

**はらぐあい**［腹〈具合〉］おなか〔=胃腸〕の調子。

**はらくだし**［腹下し］《名・自サ》①おなかをくだすこと。下痢。②下剤。「━を飲む」

**はらくだり**［腹下り］《名・自サ》おなかがくだること。下痢。

**パラグライダー**〔paraglider ← parachute + glider〕山の斜面をかけ下りて、離陸・滑空するために背負う長方形のパラシュート。また、これを使ったスポーツ。パラパント。パラグライディング。

［パラグライダー］

**パラグラフ**〔paragraph〕〔文章の〕段落。節。項。

**はらぐろ・い**［腹黒い］《形》心の中で、きたない方法で得をすることを考える性質だ。「━人間」派━さ。

**はらげい**［腹芸］①《芝居》役者がせりふ・動作以外の、思い入れなどで気持ちをあらわすこと。②度胸や政治的手腕による処理のしかた。「━に長じた政治家」③腹を使ってする(曲)芸。

**ばら・ける**《自下一》《俗》まとまっていたものが、間をあけてばらばらになる。「まきの束が━・マラソンの先頭集団が━」

**はらこ** ㊀［腹子］〔サケなどの〕腹の中にあるたまご(を塩づけにした食品)。すじこ。すずこ。ばらこ。はらご。「━めし〔=サケとイクラをのせたごはん〕」㊁［ハラコ］〔=腹仔〕牛・羊などの胎児の皮をなめしたもの。▽㊀㊁はらご。

**はらごしらえ**［腹〈×拵え〉］《名・自サ》〔ひと仕事する前に〕食事をして腹を満たしておくこと。「まずは━」

**はらごたえ**［腹応え］《名・自サ》食べたときに、腹にたまって、食べた感じが残ること。食べごたえ。

**はらごなし**［腹ごなし］《名・自サ》食べ物の消化を助ける〈こと／運動〉。「━に散歩する」

**パラサイト**《名・自サ》〔parasite=寄生生物〕自活できず、他をたよって生活すること。寄生。「実家に━する」●**パラサイトシングル**〔parasite single〕自立できずに、親のせわになっている独身者。すねかじり。

**はらさんざん**［腹〈散々〉］《副》〈古風〉①腹いっぱい。「━つめこむ」②さんざん。「━苦労をかけた」▽さんざっぱら。腹さんざ。

**パラジウム**〔palladium〕《理》銀白色の金属〔元素記号Pd〕。合金・触媒などに使う。

**パラシュート**〔parachute〕飛行機からとびおりて安全に着陸するときに使う、傘のような形のもの。落下傘。

**はらす**［ハラス］さかなの腹がわの、あぶらののった肉。ハラミ。はらんぼ。「サケの━焼き」

**はら・す**［晴らす・〈×霽らす〉］《他五》①晴れるようにする。「お天気もあしたあたりは晴らしたいものだ・疑いを━」②不満やうらみなどを取り除く。「気を━・うらみを━」

**はら・す**［腫らす］《他五》はれるようにする。はらせる。「〔泣いて〕目を━」

**ばら・す**《他五》〔「バラす」とも書く〕〈俗〉①秘密をあばく。②ばらばらに〈する／こわす〉。「箱を━」③殺す。④《映画・放送》セットなどをかたづける。⑤《釣り》一度はりにかかったさかなをにがしてしまう。名ばらし。

**バラス**「バラスト」の変化。

**ばらずし**［ばら〈寿司〉］〔西日本方言〕五目ずし。ちらしずし。ばらちらし。

**バラスト**〔ballast〕①船を安定させるために、船底に積む石や海水など。「━タンク・━水」②〔気球の〕おもり。「━をすてて上昇する」③鉄道や道路に敷く小石や砕石。▽バラス。

**ハラスメント**〔harassment〕人を困らせること。いやがらせ。「セクシュアル━」☞ハラ。

**ばらせん**［ばら銭］小銭。はしたぜに。ばら。

**ばらせん**［ばら線］〈俗〉有刺鉄線。

**パラソル**〔parasol〕①洋風の日がさ。②↑ビーチパラソル。

**パラダイス**〔paradise〕楽園。天国。

**パラダイム**〔paradigm〕ある時代・社会がひろく受け入れている、基本的な考え方。思考の枠組み。範型。「新しい━をつくる・━シフト〔=転換〕」

**はらだたし・い**［腹立たしい］《形》しゃくにさわる状態だ。腹が立つ状態だ。「━事件」派━げ。━さ。

**はらだち**［腹立ち］腹が立つこと。おこること。「━まぎれ・お━でしょうが」動腹立つ《自五》。

**ばらだま**［ばら弾］①散弾。②一発ずつになっている弾丸。

**はらちがい**［腹違い］〈俗〉〔きょうだいのあいだで〕父が同じで、母がちがう〈こと／人〉。異腹。異母。「━の兄」(↔種違い)

**パラチフス**〔ド Paratyphus〕《医》腸チフスより軽い、急性の感染症。パラチブス。

**バラック**〔barrack〕一時しのぎに建てた、そまつな建物。仮設住宅。「焼けあとに建てた━」

**ばらつ・く**《自五》①〔かみの毛などが〕ばらばらになってみだれる。②大つぶの雨が少し降る。③〔統計などで〕平均した値から外れて散らばる。名ばらつき。

**ぱらつ・く**《自五》雨が少し降る。「小雨が━」

**はらつづみ**［腹鼓］①じゅうぶん食べて腹をたたいて音を立てること。「━を打つ」②タヌキが腹を打って鼓の音のまねをするということ。▽はらづつみ。

**はらづつみ**［腹▵鼓］⇩はらつづみ。

**ぱらっと**《副》①小つぶのものが散らばるようす。「━塩をふる」②軽いものが落ちるようす。「紙が━落ちる」③雨・あられなどが少し降るようす。「雨が━きた」▽ぱらりと。

**はらっぱ**［原っぱ］住宅地の間などにある、雑草のはえたあき地。「うらの━で遊ぶ」

**はらづもり**［腹〈積もり〉］これから何かをしようとするための、心の〈準備／予定〉。

**パラドキシカル**《ナダ》〔paradoxical〕逆説的。

**はらどけい**［腹時計］おなかのすいた状態から考えた時刻。「━はもう十二時だ」

**パラドックス**〔paradox〕逆説。パラドクス。

**ばらにく**［〈×肋〉肉・バラ肉］〔ばら←あばら〕三枚肉。ばら。「ブタの━〔略して『豚バラ』〕」

**パラノイア**〔ド Paranoia〕《医》妄想によって、あるものごとに異常に執着する病気。妄想症。

**はらのむし**【腹の虫】①きげんのよしあしに関係するという虫。感情。「―がおさまらない・―が承知しない・―の居所が悪い」②人のおなかをすかせるという虫。「―が鳴く・―をなだめる」③からだの中に寄生する虫。回虫など。

**はらばい**【腹（×這い）】①腹を〈地/ゆか〉につけてはうこと。「―で進む」②腹を下にしてねそべること。「―になる」動腹ばう《自五》。

**はらはちぶ**【腹八分】腹いっぱいに食べず、八分目ぐらいにしておくこと。腹八分目。「―に医者いらず〔⇩「腹」の句〕」

**はらはら**《副・自サ》①うすくて軽いものが続いて落ちるようす。「葉が―(と)散る」②なみだ・しずく・雨がしずかに落ちるようす。③あぶないことになりそうで、だいじょうぶかと気づかうようす。「見ていて―する」

**ばらばら** 一**ばらばら**《副》①小つぶでかたいものが続けて落ちてくる〈音/ようす〉。「あられが―と降ってくる・弾丸が―飛んでくる」②数人の人が飛び出してくるようす。「車から―と出てくる」 二**ばらばら**《ナダ》①一つにまとまっていたものが、別々にな(ってい)るようす。「卒業生が―になる・家族が―に生活する」②まとまりのないようす。そろっていないようす。「考え方が―だ」派―さ。
●**ばらばらさつじん**【バラバラ殺人】〔俗〕殺して手足をばらばらにする殺人(事件)。バラバラ事件。

**ぱらぱら**《副》①小つぶのものがまばらに続けて落ちてくる〈音/ようす〉。「雨が―(と)降ってくる」②続けて紙などをめくる〈音/ようす〉。「本を―(と)めくる」③はなれ散るようす。「たねを―(と)まく」④まばらなようす。「観衆は―だ」 ●**ぱらぱらまんが**【ぱらぱら(漫画)】本などのはしに少しずつちがう絵をかいて、ぱらぱらめくると動いて見えるようにしたもの。

**パラフィン**〔paraffin〕《理》石油からとれる白色の蠟状の物質。ろうそくやクレヨンの原料。パラピン。「―紙」

**パラフレーズ**《名・他サ》〔paraphrase〕①原文の語句をわかりやすく言いかえたり、説明したりすること。②《音》ある曲を、他の楽器の演奏用に変形・編曲をすること。また、その曲。

**はらぺこ**【腹ぺこ】《名・ナダ》〔俗〕腹が非常にすいていること。

**パラボラ**〔parabola=放物線〕①↑パラボラアンテナ。②放物線の形のもの。「―鏡」 ●**パラボラアンテナ**〔和製 parabola antenna〕衛星放送の受信やレーダーなどに使う、おわんのような形のアンテナ。パラボラ。

**はらまき**【腹巻き】①〔メリヤス・毛糸などで作り〕おなかをひやさないように腹に巻くもの。②よろいの一種。そでがなく、背中であわせて着ける。

**ばらまく**【ばら(×撒く)】《他五》①ばらばら〈まく/まいてあたえる〉。②気前よくお金や品物を使う。「―政策」名ばらまき。

**はらみ**【ハラミ】〔=腹身〕①〔牛・ブタなどの〕横隔膜の肉。〔肋骨に近いがわを「サガリ」とも言う〕②⇩ハラス。

**はらむ**【(×孕む)】一《自他五》腹の中に子どもができ(て、腹が大きくな)る。妊娠する。「子を―」二《他五》ふくんでいっぱいになる。「帆が風を―・危機を―」名はらみ。

**パラメーター**〔parameter〕①《数》ⓐ補助的な変数。媒介変数。ⓑ〔統計で〕母集団の分布の特性をあらわす数値。②《情》プログラムの動作を細かく指定するための数値やアルファベット記号など。〔コンピューターゲームで、キャラクターの能力などを示す数値は、これ〕☞引き数。▽パラメータ。

**はらもち**【腹持ち】食べたものが腹の中で長くとどまり、空腹をおさえること。「―のいい菓子」

**バラモン**〔サンスクリット brāhmaṇa〕①インドの社会階級で、いちばん高い身分。②バラモン教の僧。表記「:婆羅門」は、古い音訳字。 ●**バラモンきょう**【バラモン教】仏教のおこる前に、「バラモン①」の間でおこなわれていた宗教。

［バラライカ ①］

**バラライカ**〔ロ balalayka〕①《音》ウクライナの独特の弦楽器。三角形の胴に三本の糸を張ったもので、指ではじいて演奏する。②ウォッカでつくった、カクテルの一種。

**はららご**【(×鮞)】腹子。

**ぱらりと**《副》⇩ぱらっと。

**パラリンピアン**〔Paralympian〕(元)パラリンピック選手。パラアスリート。

☆☆**パラリンピック**〔Paralympics←parallel《=並行して おこなう》＋Olympics〕〔オリンピックと同時期の〕国際身体障害者スポーツ大会。パラ。

**ハラル**〔アラビア Halāl〕イスラム教徒が食べても、さしつかえのないもの。ハラール。「―フード」

**パラレル**《名・ナダ・自サ》〔parallel〕①平行なこと。「《スキー》―ターン」②〔電気の〕並列。③二つのことがたがいに応じあっていること。並行しておこなうようす。パラ〔俗〕。「複数の交渉を―で進める」 ●**パラレルワールド**〔parallel world〕〔SF作品で〕この世界とは別に存在するとされる、そっくりなもう一つの世界。並行世界。☞世界線①。

**はらわた**【(△腸)】①大腸および小腸。②臓物。③ウリの中の、たねをふくんだ、綿のような部分。④性根。心。「くさった―」 ●**はらわたが煮えくり返る** 句 おさえることができないほどの はげしい怒りを感じる。五臓六腑が煮えくり返る。 ●**はらわたがよじれる** 句 ⇩腹の皮がよじれる〔「腹」の句〕。

☆☆**はらん**【波乱・波×瀾】〔=なみ〕①さわぎ。もめごと。「―ぶくみ」②ものごとに起伏や変化があること。「―に富む」 ●☆☆**はらんばんじょう**【波乱万丈・波×瀾万丈】《名・ナダ》〔文〕劇的で変化の はげしいこと。「―の人生」

**はらん**【(葉×蘭)】①庭に植える草。大きな さじ形の葉は、生け花の材料や、すしなどをのせるのに使う。②⇩ばらん。

**ばらん**【バラン】弁当のおかずの しきりなどに使う、「はらん(葉蘭)①」の葉に似せたもの。はらん。

**バランサー**〔balancer=バランスを取るもの〕①組織やグループ内の調和をはかり、安定させる人。「チームの―」②重荷に取りつけて、人が かるがると運べるようにする装置。

**バランス**［balance］㊀《名・自サ》つりあい（が取れること）。均衡(きんこう)。「―がくずれる・―をとる・―感覚・国際収支の―」☞アンバランス。㊁〔体操で〕「バランス㊀」をとるトレーニング。●**バランスシート**［balance sheet］《経》⇩貸借(たいしゃく)対照表。●**バランスボール**［balance ball］エクササイズ用の、大きな塩ビ製ボール。ボールに腰(こし)かけたり半身をあずけたりしてバランスを取りながら体を動かし、体幹をきたえる。

**はり**［派利］〔文〕自分の派閥(はばつ)の利益。「―派略」

**はり**［×玻璃］〔梵語(ぼんご) sphaṭikā の音訳〕〔文〕①水晶(すいしょう)。「瑠璃(るり)る、―」 ②ガラス。「―戸・―窓」

←**はり**［針］㊀**はり** ①布地などをぬうときに使う、金属製の小形の細長いもの。ふつう、一方のはしに糸を通す穴がある。「もめん―(ばり)・待ち―(ばり)」☞針のむしろ・針の山。②ハチ・サソリにある、細長くてするどい器官。さして毒を入れる。③形や用途(ようと)が「針㊀①」に似たもの。「注射器の―・時計の―・ホチキスの―」④〈人をするどく責めるような/とげとげしい〉ことば。とげ。「―をふくんだことば」⑤裁縫(さいほう)。ぬいもの。「―の達者な人」☞お針。⑥［×鉤］つりばり。㊁接尾「針㊀①」でぬった目を数えることば。「けがで七―ぬった」

→**はり**［(×鍼)・ハリ］①細い針の形をした、金属の医療(いりょう)器具。からだのつぼにさして治療(ちりょう)する。「―を打つ」②⇩しんじゅつ(鍼術)。

**はり**［張り］㊀**はり**［ハリ］①張ること。「はだの―を保つ」②ひきしまった状態。緊張(きんちょう)。「心の―・―のある声」③相手の力をはね返す、強い気持ち。「意地も―もある」④はりあい。「生活に―が出る・生きる―がなくなる」㊁接尾 琴(こと)・弓・ちょうちん・太鼓(たいこ)・テント・かやなどを数えることば。☞張(ちょう)。

**はり**［(×梁)］棟(むね)と直角に柱の上にわたして屋根を支える、水平の〈材木/鉄材〉。うつばり。うちばり。☞「けた①」の絵。

**ばり**［罵×詈］《名・他サ》〔文〕ののしること。わるくち。「―雑言(ぞうごん)」☞罵詈讒謗(ざんぼう)。

**ばり**［バリ］《副》〔↑ばりばり〕〔俗〕非常に。「―近い・―つかれた・―カタの〔=非常に かたい〕ラーメン」〔一九八〇年ごろ、西日本の若者から広まった言い方〕

**ばり** ㊀［張り］造 …が張ってあること。「布―・革(かわ)―・レース―」㊁［張り］接尾 弓のつるを張る人数によってあらわす、弓の強さ。「五人―」㊂接尾 似ていること。まねていること。「漱石(そうせき)―の文章」

**バリ** ㊀〔↑burr=ぎざぎざ。「ばり」とも書く〕金属・プラスチックなどの材料を加工した後、取れずに残っている、よけいなでっぱりなど。「―を取る」㊁〔俗〕↑バリケード。「―封鎖(ふうさ)」

**バリア(ー)**［barrier］①障壁(しょうへき)。「―を張る〔=他人がはいりこめないようにする〕」②障害。▽バリヤ(ー)。●☆☆**バリア(ー)フリー**《名・ナダ》［barrier free］障害者や高齢(こうれい)者の生活の障害になるものを取り除く〈こと/ために作ったもの〉。バリヤ(ー)フリー。「―商品・―住宅」

**はりあい**［張り合い］(ひ―あ) ①はりあうこと。対抗(たいこう)。「両者の―が続く」②するだけの かい〔=効果〕があること。やりがい。「―のある仕事」

**はりあ・う**［張り合う］(ふ―あ)《自五》相手に負けていない、むしろ自分のほうが上だ、と争う。対抗(たいこう)する。「おたがいに―・子どもと張り合っても しかたがない」

**はりあ・げる**［張り上げる］《他下一》〔声を〕強く高く出す。「大声を―」

**バリアント**［variant］変種。変異体。

**はりい**［(×鍼)医］はり(鍼)を使って病気を治す人。

**パリーグ**〔↑パシフィック リーグ (Pacific League)〕日本のプロ野球リーグの一方。六球団ある。パシフィック。パ。(↕セリーグ)

**はりいた**［張り板］〈洗った布/すいた紙〉をはってかわかす板。

**バリウム**〔ド Barium〕《理》①銀白色の やわらかい金属〔元素記号 Ba〕。胃のX線写真をとるときに飲むものは、これの化合物である硫酸(りゅうさん)バリウム。「―造影剤(ぞうえいざい)」②↑硫酸バリウム。

**はりえ**［貼り絵］(細かく ちぎった たくさんの) いろがみを台紙にはって絵にしたもの。ちぎり絵。

☆☆**バリエーション**［variation］①変化(形)。変種。「この物語には いくつかの―がある」②〔色・柄(がら)など〕種類の ちがうもの。バリエ〔俗〕。「豊富な―」③《音》変奏曲。

**はりえんじゅ**［(針×槐)］⇩アカシア①。

**はりおうぎ**［張り扇］(ふぎ―あ) 講談師が語りながら台をたたく、たたんだおうぎ。外がわを紙で張り包んである。はりせん。

**はりか・える**［張り替える］(へる―か)《他下一》張ってあるものを取り去って、新しいものを張る。「障子を―・ラケットのガットを―」名張り替え。

**はりがね**［針金］金属を細長く線のようにのばしたもの。「―細工(ざいく)」

**はりがみ**［貼り紙・張り紙］《名・他サ》①はりつけた紙。また、紙をはりつけること。「―細工」②伝達や宣伝のために、人目につくところに紙をはること。また、その紙。③付箋(ふせん)。

**バリカン**〔↑フ Bariquand et Marre=製造所の名〕かみの毛を刈(か)りこむ、金属で作った道具。

**ばりき**［馬力］①《理》仕事率の単位。日本ではメートル法に もとづく単位〔=仏(ふつ)馬力。記号 PS〕を使用。一馬力は、七三五・五ワットの電力に相当する。由来 もともとは馬が継続(けいぞく)的に荷を引っ張る際の仕事率をあらわし、国際的には さまざまな基準がある。②仕事につぎこむ力。精力。「―をかける」③力仕事などをおこなう体力。「―がある」④〔古風〕荷馬車。

**はりき・る**［張り切る］《自五》①じゅうぶんに はる。②気力がみちている。何かをやろうとして、意気ごむ。「張り切って働く」

**はりくよう**［針供養］二月八日〔地方によっては十二月八日〕に、裁縫(さいほう)などに使って折れた針を集めて供養をする行事。

**はりぐるみ**［張りぐるみ］〔家具などで〕外から布などをはって、くるむように作ったもの。「―の いす」

☆☆**バリケード**［barricade］道や広場などに障害物を積み上げて、通れないようにしたもの。バリ〔俗〕。「―をきずく」〔敵を防ぐためのものは「防塞(ぼうさい)」とも言う〕

**ハリケーン**［hurricane］《天》アメリカ大陸の東西の海に発生する、強い熱帯低気圧。☞台風・サイクロン①。

**はりこ**［針子］縫(ぬ)い子。おはり(こ)。

**はりこ**［張り子］型に紙をかさねてはり、型をぬき取った細工もの。はりぬき。「犬の―」☞張りぼて①。●**はりこのとら**［張り子の虎］見かけだけ強そうで実は弱いもの。

**はりこ・む**［張り込む］《自他五》①中のほうへ〈順々に〉はる。「アルバムに―」②力をこめる。③いきごむ。④思い切ってお金を出す。おごる。「十万円―」⑤見はる。「刑事が―」[名]張り込み。

**パリさい**［パリ祭］フランス革命の記念日〔=七月十四日〕〔の行事〕。〔映画の題名からきた、日本での呼び方〕

**はりさ・ける**［張り裂ける］《自下一》①ふくれてさける。②〈強い/悲しい〉感情のために胸がさけるような気がする。

**はりさし**［針刺し］《服》使わない針をさしておく道具。わた、毛などを布に包んで作る。針山。ピンクッション。

**ばりざんぼう**［罵×詈×讒×謗］〔文〕ののしって〈悪口を言うこと/言う悪口〉。

**パリジェンヌ**〔フ Parisienne〕パリで生まれ育った女性。パリむすめ。

**はりしごと**［針仕事］裁縫。ぬいもの。

**パリジャン**①〔フ Parisien〕パリで生まれ育った男性。②〔フ parisien〕バゲットよりも少し太いフランスパン。クラムの部分が多く、サンドイッチにも向いている。

**はりす**［針素・×鉤素］《釣り》釣り糸のうち、おもりと釣り針をつなぐ細い糸。リーダー。（↔道糸）

**バリスタ**〔イ barista〕バール〔=イタリアのカフェ〕の従業員。特に、エスプレッソを専門にいれる人。

**ハリストス**〔ロ Khristos〕〔正教会で〕キリスト。「日本―正教会」

**はりせん**［張り扇］①はりおうぎ。②〔寸劇などで〕人をたたくのに使う、厚紙を折って作ったおうぎ。

**はりせんぼん**［針千本］体に何百本もの とげをもつ、フグの仲間。敵を見ると水や空気を吸って体をふくらませ、とげを立てて威嚇する。

**はりたお・す**［張り倒す］《他五》（平手で）なぐりたおす。

**はりだし**［張り出し］①はり出すこと。「―窓」②はりがみ。③［張出］番付の欄外に出すこと。「―横綱（↔正横綱）」〔今の大ずもうにはない〕

**はりだ・す**［張り出す］《自五》外がわまで広がって、出っぱる。「枝が―・高気圧が―」

**はりだ・す**［貼り出す］《他五》貼って〈外へ出す/みんなに見せる〉。「掲示板にポスターを―」

**はりつ・く**［張り（付く）］《自五》①〔のりづけされずに〕表面にはなれにくくつく。「あせでシャツが肌に―・壁にヤモリが―」②〔仕事・見張りなどで〕そこにずっといる。「従業員が現場に―」

**はりつ・く**［貼り（付く）］《自五》のりなどで、表面にぴったりとつく。「シールが―」

**はりつけ**［（×磔）］昔、〈板/柱〉にしばりつけて、やり〈槍〉で突き殺した刑罰。

**はりつ・ける**［張り（付ける）］《他下一》①〔のりづけせずに〕表面にはなれにくくつける。「着物を板に張りつけてかわかす」②〔仕事・見張りなどで〕そこに、ずっといさせる。「担当者を―」[名]張りつけ。

**はりつ・ける**［貼り（付ける）］《他下一》貼りつくようにする。「ガーゼをテープで―・切手を台紙に―・アドレスをメールに―」[名]貼りつけ。

**ばりっと**【一】《副》①かたいものをかんだり割ったりする音のようす。「せんべいを―かじる」②ものがさけたりはがれたりする音のようす。「粘着テープを―はがす」【二】《副・自サ》⇩ぱりっと【二】②。

**ぱりっと**【一】《副》かたくうすいものを、かんだり割ったりする音のようす。「はった氷を―割る」【二】《副・自サ》①布にしわがなく、張りのあるようす。「―したテーブルクロス」②服装などが見ばえのいいようす。ぱりっと。「―した新調のスーツ」

**はりつ・める**［張り詰める］《自他下一》①紙・板などをすきまのないように、いちめんに はる。②緊張する。心がひきしまる。「気を―」

**はりて**［張り手］《すもう》相手の顔を手のひらで打つわざ。「―をかます」

**パリティ（ー）**〔parity〕①等価。均衡。②《経》転換社債を売るときに基準にする理論的な価格。その社債の時価が、この価格より高いときはそのまま売り、低いときは株式に転換して売るほうが有利。パリティ（ー）価格。

**はりとば・す**［張り飛ばす］《他五》（手のひらで）はげしくなぐりつける。

**バリトン**〔baritone〕《音》①男声の中ぐらいの高さの音域〔で歌う歌手〕。テナーとバスの中間。②〔同じ型の楽器で〕非常に低い音を出すもの。「―サックス」

**はりぬき**［張り抜き］はりこ。はりぼて。「―細工」

**はりねずみ**［針×鼠］ユーラシア大陸の各地にすむ小さいけもの。形はネズミに似て、せなか一面に針のような毛がある。

**はりのむしろ**［針の〈×筵〉］強い批判を向けられたりして、つらい状況。「―にすわる思いだ」

**はりのやま**［針の山］《仏》地獄にあるという、針が一面にはえている山。「―をふむ思い」

**はりばこ**［針箱］裁縫道具の ひとそろいを入れる箱。

**はりはり** 干し大根を刻み、酢・しょうゆに つけたもの。はりはりづけ。

**ばりばり**【一】**ばりばり**《副》①かたくてうすいものが、はがれたり、くだけたりする〈音/ようす〉。「せんべいを―（と）食べる」②〈ものすごい勢いで/精力的に〉働くようす。「―（と）仕事をする」【二】**ばりばり**《名・ダ》①こわばっているようす。「のりが ききすぎて―のワイシャツ・―の肩」②（実力があって）勢いのいいようす（の人）。「大学出の―だ・―の大阪弁」【三】**ばりばり**《副》〔俗〕非常に。ばり。「―うれしい・―目が覚めた」

**ぱりぱり**【一】**ぱりぱり**《副》うすいものが、はがれたり、くだけたりする〈音/ようす〉。「氷が―（と）割れる」【二】**ぱりぱり** ①よくかわいているようす。「―のシーツ」②新しくてりっぱな〈ようす/もの〉。「仕立ておろしの―」③活力と勢いにあふれた〈ようす/人〉。「若手の―の医者」

**はりばん**［張り番］《名・自サ》見はって番をする〈こと/人〉。「―に立つ」

**パリピ**〔←パーリー ピーポー（party people）〕〔俗〕いつもパーティーをして さわいでいる（ような、軽薄な）人。〔二〇一〇年代に広まったことば〕

**はりぼて**［張りぼて］①骨組みに紙や布をはったり、ねんどをぬったりして、人や物の形を作ったもの。☞張り子。②〔ハリボテ〕うわべはりっぱだが、中身がないもの。「—論文・—の会社」

**はりま**〔×播磨〕旧国名の一つ。今の兵庫県の南西部。播州。

**はりまぜ**〔張り交ぜ〕いろいろなものを取り合わせて〈はること／はった、びょうぶ・ふすまなど〉。「四季の色紙—のついたて」

**はりめ**〔針目〕針で糸を布に通してつくる模様。「細かい—」

**はりめぐら・す**〔張り巡らす〕《他五》まわり一面にはる。はりめぐらせる。「ポスターを—」

**はりゃく**〔派略〕自分の派閥を有利にするためのかけひき。「派利—」

**はりやま**〔針山〕《服》⇩針さし。

**バリュー**〔value〕価値。ねうち。ヴァリュー。「ニュース—・—セット」

**はりょく**〔波力〕波のうねりによって起こるエネルギー。「—発電」

**はりわた・す**〔張り渡す〕《他五》綱・布・板などを、一方から他方へ とぎれることなく張る。「ロープを—」

*__はる__〔春〕①四季の第一。夏の前。草木の芽が もえ出る季節。だいたい三・四・五月〔旧暦では一・二・三月〕の三か月。〔こよみの上では、立春から立夏の前日まで〕「—は名のみの〔=春といっても名前だけの〕風の寒さ・—うらら」(↔秋) ②年の初め。新春。「また—にうかがいます」 ③若くて元気のいい〈時代／年ごろ〉。青春。「人生の—」 ④思いどおりになって楽しい時期。「デビューが決まり、ようやく—が来た」☞わが世の春。 ⑤〔思春期の〕性欲。「—の目ざめ・—に目ざめる」 ●**春立つ** 句〔雅〕立春になる。春が来る。 ●**春を売る** 句 売春をする。春をひさぐ。

↔**__は・る__〔張る〕㊀《他五》①のばして広げる。「幕を—・網を—・〔インターネットで〕リンクを—」 ②〔糸などを〕引きわたす。「電線を—」 ③〔肩を〕四角ばらせる。いからせる。 ④〔姿勢をよくして、胸を〕突き出させる。「胸を—」 ⑤勢いをさかんにする。「勢力を—」 ⑥〔文〕もよおす。「宴を—」 ⑦設ける。「非常線を—・店を—」 ⑧〔液体を〕いっぱいに入れる。「バケツに水を—・おわんに すまし汁を—」 ⑨声を、強く出す。 ⑩のりをつけた紙・布などで、ぴったりと おおう。「障子を—・ふすまを—」 ⑪ゆか・かべ・天井などを、材料で おおう。「板を—・タイルで—」 ⑫〔意地を〕おし通す。「強情を—」 ⑬〔俗〕見はる。つけねらう。「容疑者を—」 ⑭手のひらで打つ。「横つらを—」 ⑮よく見せようとつとめる。「見えを—」 ⑯様子を見せる。「にげを—」 ⑰〔文〕〔陣を〕かまえる。「筆陣を—・論陣を—」 ⑱賭ける。「相場を—」 ⑲〔高い地位に〕しっかりと身をおく。「大関を張りつづける・番長を—」 ㊁《自五》①〔中心となる所から〕のび広がる。「根が—」 ②表面が、はじけそうに つっぱる。「おなかが—」 ③〔乳がたまって ちぶさが〕おし出されるように ふくらむ。「乳が—」 ④〔一面に〕おおう。「氷が—」 ⑤〔肩はばが〕広くて上がりぎみで、いかつく見える。 ⑥緊張する。「気が—」 ⑦度をこして強くあらわれる。「食い意地が—・欲の皮が—」 ⑧〔布地や紙などの〕たるんだ所がなくなる。「糸が—」 ⑨〔値段が〕かさむ。「値の—商品」 ⑩〔筋肉が〕かたくなる。こる。「肩が—」 可能 張れる。☞ば(張)る。

→**は・る**〔貼る〕《他五》〔のりなどで〕表面につける。「切手を—・ブログに画像を—〔=ペーストする〕」 可能 貼れる。

**は・る**《補動五》〔関西方言〕話題の人物に対する軽い敬意をあらわす。「通ら—〔=お通りになる〕・行か—〔=いらっしゃる〕・考えて—」

**ば・る**〔張る〕接尾〔自五をつくる〕…のように〈なる／ふるまう〉。「格式—・四角—」

**バル**〔ス bar〕〔本来、スペインふうの〕軽食堂。カフェや居酒屋もかねる。「和—〔=日本ふうのバル〕」☞バール(イ bar)。

**はるあき**〔春秋〕①春と秋。 ②〔雅〕年月。

**はるあらし**〔春嵐〕①春あれ。 ②春先にふく強風。

**はるあれ**〔春荒れ〕春先の暴風雨。春あらし。春はやて。

☆☆**はるいちばん**〔春一番〕《天》立春から春分までの間に、その年最初にふく、強く暖かい南風。

**はるいろ**〔春色〕〔服装などで〕春らしい色。ピンクや黄色など、明るくやさしい色。(↔秋色) ☞しゅんしょく(春色)。

**バルーン**〔balloon〕①風船。「—アート・—〔=ふくらんだ〕スカート・《医》—拡張術〔=風船で臓器などの内部を広げる治療〕」 ②〔熱〕気球。「—フェスタ」

*__はるか__〔〔×遥か〕〕《副・ナダ》①遠くへだたるようす。「—昔・—かなた・—な理想」 ②非常にちがうようす。「—にすぐれている」

**はるがすみ**〔春〔×霞〕〕春にたちこめる かすみ。「—がたなびく」

**はるかぜ**〔春風〕春にやさしくふく、あたたかい風。

**はるぎ**〔春着〕①正月用に作った晴れ着。 ②春に着る衣服。

**バルキー**《ナダ》〔bulky〕大きくて〈かさばった／厚ぼったい〉ようす。「—カーディガン」

**はるキャベツ**〔春キャベツ〕春に出まわる、やわらかいキャベツ。

**バルク**〔bulk〕〔コンピューター部品で〕大口の業者向けに売る、簡素な包装の格安品。「—品」(↔リテール)

**はるけ・し**〔〔×遥けし〕〕《形ク》〔雅〕はるかだ。はろけし。「道は はるけく、かつ遠い」 派—さ。

**はるご**〔春△蚕〕春から初夏に飼うカイコ。はるこ。☞夏蚕・秋蚕。

**バルコニー**〔balcony〕①西洋建築で、二階以上の部屋の外にはり出した、手すりがついて屋根のない台。露台。☞ベランダ。 ②〔劇場の〕二階席のとちゅうまで はり出した、さじき。▽バルコン。

**バルコン**〔オ balkon〕バルコニー。

**パルサー**〔pulsar〕《天》規則正しく一定の間隔で電波を出す、目に見えない星。電波星。☞中性子星。

**はるさき**〔春先〕春のはじめ。

**はるさく**〔春作〕《農》春に作る作物。

**バルサミコ**〔イ balsamico〕ブドウの果汁で造った、イタリア産の醸造酢。バルサミコ酢。「—ソース」

**はるさめ**〔春雨〕①春、しずかに降る雨。(↔秋雨) ②緑豆・ジャガイモ・サツマイモなどの でんぷんから作った、すきとおったひものような形の食品。

**はるじおん**〔〔春紫×菀〕〕北アメリカ原産の野草。花は小さなキクに似て、花びらは無数の白い糸状。はるじょおん(春女苑)。〔厳密には、花びらに見える一つ一つが花」

**パルス**〔pulse〕①《医》脈拍。②《理》瞬間的に流れてしばらく静かになる電流の波形。

**はるぞら**［春空］春の、うららかな空。雲はないが、うすぐもりのような感じ。

**パルチザン**〔ロ partizan〕①ゲリラ。「―闘争」②〔もと、ソビエト赤軍の〕別動隊。

**はるつげうお**［春告げ魚］〔雅〕春が来たことを知らせるさかな。ニシンやメバルなどをいう。

**はるつげどり**［春告げ鳥］〔雅〕春が来たことを知らせる鳥。ウグイスをいう。

**パルティータ**〔イ partita〕《音》十七、八世紀の、組曲。「バッハの―」

**バルトさんごく**［バルト三国］ロシアの西にあり、バルト海に沿った、(北から)エストニア〔首都、タリン〕・ラトビア〔首都、リガ〕・リトアニア〔首都、ビリニュス〕の三つの共和国。

**はるなつ**［春夏］春(物)と夏(物)をあわせた言い方。「―コレクション・―物」☞秋冬。

**はるのななくさ**［春の七草］春の七種類の野草。セリ・ナズナ〔=ペンペングサ〕・ゴギョウ〔=ハハコグサ〕・ハコベラ〔=ハコベ〕・ホトケノザ・スズナ〔=カブ〕・スズシロ〔=ダイコン〕。(↕秋の七草)

**はるばしょ**［春場所］毎年三月に(大阪で)おこなわれる、大ずもうの興行。三月場所。

**はるばる**［(×遥々)］《副》遠くから来るようす。遠くへ行くようす。「―(と)たずねて来た」

**バルブ**〔bulb〕①《植》草花の、ふとった茎。②《写真》任意の時間だけシャッターをひらいて(長時間)露出する装置。〔記号B〕

**バルブ**〔valve〕弁。「―を閉める」

**パルプ**〔pulp〕植物の繊維を、紙・人絹などの原料として適当な形に分離したもの。

**はるまき**［春巻き］〔中国語「春巻」から〕中華料理の一つ。刻んだ豚肉やシイタケを、うすい小麦粉の皮で包み、油で揚げたもの。揚げ春巻き。スプリングロール。☞生春巻き。

**はるまき**［春(×蒔き)］春に種をまくこと。また、その品種。「―のキャベツ」

**ハルマゲドン**〔ギ Harmagedon〕世界最終戦争(の場所)。アルマゲドン。〔聖書の黙示録から〕

**はるまだき**［春(△未き)］〔文〕春がたけなわとならないころ。早春。

**はるめ・く**［春めく］《自五》春らしくなる。「日ざしが―・ようやく春めいてまいりました」

**パルメザンチーズ**〔Parmesan cheese〕イタリアのパルマ地方原産の固いチーズ。粉状にして、パスタなどにかける。〔チーズのかたまりや、その場で粉状にしたものは「パルミジャーノ(レッジャーノ)」とも呼ぶ〕

**はるもの**［春物］春向けの衣服・アクセサリー。「―スーツ」(↕秋物)

**はるやさい**［春野菜］春にとれる野菜。例、フキノトウ・タケノコ・タラの芽・ウド・春キャベツ。

**はるやすみ**［春休み］三月から四月にかけての、学年の終わりの休暇。

**はれ**［晴れ］①空が晴れ(てい)ること。②多くの人から注目される、改まった場面。「―の試合・―(の)舞台・―の場所・―の衣装〔=晴れ着〕」③［ハレ］祭りのときなどの、非日常。(↕ケ《褻》)

**はれ**［腫れ］はれること。「―が引く」

**ばれ**［バレ］造〔俗〕ばれること。「親―〔=親にばれること〕・彼氏―」☞顔バレ・身バレ。

**はれあが・る**［晴れ上がる］《自五》すっかり晴れる。「元日の空が―」

**はれあが・る**［腫れ上がる］《自五》はれてふくれる。ひどくはれる。「傷口が―」

**ばれい**［馬齢］①馬の年齢。「―六歳」②〔文〕自分の年齢をけんそんして言うことば。●**馬齢を重ねる**句〔文〕むだに年を取る。

**ばれいしょ**［(馬鈴×薯)］⇩ジャガいも。

**バレエ**〔フ ballet〕オーケストラの音楽にのせて、すべておどりで表現する劇。〔フランスの宮廷で発達〕

**バレー**↑バレーボール。●**バレーボール**〔volleyball〕コートの中央にネットを高く張り、六人または九人ずつの ふた組みに分かれて ボールを相手のコートに打ち入れる競技。排球。バレー。

**ハレーション**〔halation〕①〔写真・テレビなどで〕光源や、強い光が当たったものをうつすと、まわりが白くかすむこと。②つごろの悪い反応。「不用意な発言が―を起こす」

**パレード**〔parade〕㊀《名・自サ》はなやかな行進。「―をくりひろげる・馬車の―」㊁次から次へと〈見せる/聞かせる〉番組。「ニュース―・ヒット―」

**パレオ**〔フ paréo〕《服》腰やからだに巻きつけてよそおう、長方形の布。タヒチの民族衣装。

**はれおとこ**［晴れ男］〔俗〕その人が出かける日はいつも晴れになる、と言われる男。(↕雨男)

**はれおんな**［晴れ女］〔俗〕その人が出かける日はいつも晴れになる、と言われる女。(↕雨女)

**はれがまし・い**［晴れがましい］《形》はなやかな「晴れ②」の場所に出て、なんだか はずかしい。また、光栄でほこらしい。「―席に出る」派-げ。-さ。

**はれぎ**［晴れ着］「晴れ②」の〈場所/場合〉に着る衣服。(↕普段着)

**パレス**造〔palace=宮殿〕ホテル・マンション・娯楽場などにつける名前。

**はれすがた**［晴れ姿］①晴れ着を着た姿。②晴れやかな場所に出る姿。「優勝パレードの―」

**はれつ**［破裂］《名・自サ》①やぶれて さけること。「内臓―で死亡」②爆発。「爆弾が―した」●**はれつおん**［破裂音］①破裂する音。②《言》息を、くちびるなどの所で いったんとめてから、急にはき出すときの音。例、カ行・ガ行・タ行・ダ行・パ行・バ行の子音〔k, g, t, d, p, b〕。

**バレッタ**〔フ barrette〕髪をたばねるのに使う、裏にとめ具のある髪かざり。バレット。

［バレッタ］

**パレット**〔palette〕①絵の具を混ぜ合わせて色を作る板。「―ナイフ」②各色のパウダーなどのけしょう品を収めた、平たくて小さい箱。「メイク―」

**パレット**〔pallet〕積み上げた荷物を運ぶための荷台。二枚の板をかさね合わせた すき間に、フォークリフトのつめをさしこんで運ぶ。

**はれて**[晴れて]《副》〔いろいろのことが解決して〕正式に。公然と。「立候補し、―当選する」

**はればれ**[晴れ晴れ]《副・自サ》すっかり晴れたようす。「心が―する・―とした表情」●**はればれし・い**[晴れ晴れしい]《形》①心がすっきりしている。②はなやかである。③さえぎるものがなく、見通しがいい。「北がわは特に―」派-さ。

**ばればれ**[バレバレ]《名・ナダ》〔俗〕すっかりばれているようす。「かくしていても―だ・―のうそ」

**はれぼった・い**[腫れぼったい]《形》〔俗〕〔目・顔などが〕はれて、ふくらんだような感じだ。派-さ。

**はれま**[晴れ間]①雨・雪などのやんでいるあいだ。②雲のきれたすきま。「―がのぞく」

**ハレム**〔harem〕ハーレム。

**はれもの**[腫れ物]できもの。●**腫れ物に触るよう** 句 おそるおそるするようす。

**はれやか**[晴れやか]《ナダ》①くもりがなく、明るい(気持ちになる)ようす。「―な顔色・―な日ざし」②あらたまって、はなやかなようす。「―な式典」派-さ。

**バレリーナ**〔イ ballerina〕女性のバレエダンサー。

**は・れる**[晴れる・×霽れる]《自下一》①〈雲や霧が消えて/雨や雪がやんで〉青空が出る。「空が―・長雨が―」②心をおおっていたものがなくなって、さっぱりする。「心が―・疑いが―」▽(↔曇る)☞晴れて。

**は・れる**[腫れる]《自下一》〔病気・けがなどのために〕からだの一部分がふくれる。

**ば・れる**《自下一》〔「バレる」とも書く〕〔俗〕①あらわれる。露見する。「秘密が―」☞バレ。②《釣り》一度はりにかかったさかながにげる。③《演劇》ⓐ終演になる。ⓑ解散する。帰る。「きょうはばれます」

**バレル**〔barrel=たる〕液体の分量の単位。石油の場合、一バレルは約一五九リットル〔アメリカで四二ガロン〕。バーレル。

**ハレルヤ**〔hallelujah〕《宗》〔キリスト教で〕〈賛美/喜び〉をあらわすことば。

**はれわた・る**[晴れ渡る]《自五》①空がすっかり晴れる。②心がすがすがしくて、気持ちがよくなる。

**ばれん**[(馬×楝)・バレン]版木に当てた紙を上からこする道具。

［ばれん］

**バレンタインデー**〔←St. Valentine's Day=聖バレンタインの祭日〕二月十四日。日本では、女性から男性にチョコレートなどをおくる習慣がある。バレンタイン(の日)。☞ホワイトデー。

**はれんち**[破廉恥]《名・ナダ》①〔文〕はじ知らず。「―なふるまい・―罪〔=殺人・放火など人道に反する犯罪〕」(↔廉恥)②[ハレンチ]〔俗〕いやらしいようす。エッチ。「―なことを言う」派-さ。

**はろう**[波浪]〔文〕海の(大)波。「―注意報」

**ハロウィン**〔Halloween〕アメリカなどでさかんな祭り。十月三十一日の夜、カボチャのちょうちんをかざったり、子どもたちが仮装して家々を回ったりする。ハロウィーン。〔キリスト教の万聖節の前夜に当たる。日本でも、二〇一〇年代に特にさかんになった〕

**ハロー**〔halo〕①《天》⇩かさ(暈)。②⇩光輪。③《天》銀河系の周辺部に球形に広がる領域。球状星団が分布。▽ハロ。

**ハロー**《感》〔hello〕こんにちは。●☆☆**ハローワーク**〔和製 Hello Work〕公共職業安定所の愛称。ハロワ〔俗〕。

**ハロゲン**〔ド Halogen〕《理》フッ素・臭素・塩素・ヨウ素・アスタチンの五つの非金属元素の総称。ハロゲン元素。●**ハロゲンヒーター**〔halogen heater〕ハロゲンランプを熱源とする電気ストーブ。●**ハロゲンランプ**〔halogen lamp〕希ガスとともにヨウ素などのハロゲン物質を入れた電球。明るく長持ちする。

**パロチン**〔parotin〕《生》つばの中にあるホルモンの成分。歯や骨をじょうぶにし、代謝を活発にする。

**バロック**〔フ baroque〕十六世紀から十八世紀までヨーロッパで流行した、建築・美術の様式。細かいところの技巧・装飾を重んじた。「―(式)建築〔例、ベルサイユ宮殿〕」●**バロックおんがく**[バロック音楽]《音》十七世紀から十八世紀なかばまでさかんだった音楽。明るく単純で、通奏低音をともなう。バッハやヘンデルが代表。

☆☆**パロディ(ー)**〔parody〕有名な語句・作品・できごとなどをまねて、おもしろく作った作品。もじり。例、「伊勢物語」をまねた「仁勢物語」。☞換骨奪胎①・パロる。

**パロディスト**〔parodist〕パロディー作家。

☆☆**バロメーター**〔barometer〕①気圧計。晴雨計。②目じるし。ものさし。「食欲は健康の―だ」

**パロ・る**《他五》〔俗〕パロディーに作る。

**ハロン**〔furlong〕競馬で用いる距離の単位。一マイルの八分の一〔日本では二百メートルに換算〕。

**バロン**〔baron〕イギリス貴族のいちばん下の階級。男爵。

**バロンドール**〔フ Ballon d'Or=黄金のボール〕フランスのサッカー専門誌が創設した、サッカーの年間最優秀選手賞。サッカー記者の投票で選ばれる。

**パワー**〔power〕①(打撃・攻撃の)力。「―アップ」②馬力。動力。「―がある・エンジン―」③権力。「―エリート〔=国家権力の中心にいるエリート〕」「―ポリティクス〔⇩「ポリティ(ッ)クス」の用例〕」④武力。「―ポリティクス」⑤勢力。「オールド〔=老人〕―」●**パワーウインドウ**〔power window〕スイッチで自動的に開閉する、自動車のガラス窓。パワー〈ウインドー/ウィンドウ〉。「―が下りる」●**パワーゲーム**〔power game〕国際政治における大国間のかけひき。●**パワーショベル**〔power shovel〕⇩ショベルカー。●**パワーステアリング**〔power steering〕〔自動車で〕油圧によってハンドルの操作を軽くするしくみ。パワステ。●**パワースポット**〔和製 power spot〕超自然的な力が宿っているとされる場所。パワスポ。●**パワーハラスメント**〔power harassment〕職務権限などを背景とした、職場でのいじめやいやがらせ。パワハラ。「上司の―になやむ」●**パワープレー**〔power play〕①《アイスホッケー》相手チームの退場者がいる間に、一気に攻めこむ攻撃法。②《サッカーなど》攻撃重視の戦略。③⇩ヘビーローテーション①。④

〔俗〕力でむりやりおし切ること。ごりおし。●**パワーユーザー**〔power user〕パソコンの使い方に精通している人。ヘビーユーザー。●**パワーリフティング**〔power lifting〕バーベルを持ち上げて力の強さを争う競技。重量あげとは、バーベルのあげ方が異なる。☞スクワット②・ベンチプレス。●**パワーワード**〔power word〕みんなの関心を集める、非常に力のある表現。「『まるごと桃パフェ』という―に引き寄せられた」

**ハワイ**〔Hawaii〕太平洋のほぼ中央にあるハワイ諸島から成る、アメリカ合衆国の州。州都、ホノルル(Honolulu)。[表記]「:布哇」は、古い音訳字。

**ハワイアン**〔Hawaiian〕㊀[造] ハワイの。㊁**ハワイアン**《ナダ》ハワイふう。㊂**ハワイアン** ①ハワイ音楽。「―ギター(=スチールギター)」②ハワイの人。

**パワステ** ↑パワー ステアリング。

**はわたり**［刃渡り］①刃物の刃の長さ。②刃物の刃の上を素足でふんでわたること。「つるぎの―・―の行者」

**パワハラ** ↑パワー ハラスメント。

**パワフル**《ナダ》〔powerful〕〈力強い/強力な〉ようす。「―なエンジン」[派]-さ。

＊**はん**［半］㊀**はん** ①なかば。半分。「五メートル―」②奇数。(↔丁)㊁[造] ①半分の。「―製品・―地下」②なかば。半分までの。「―歩・―量」③だいたい。ほとんど。「―永久的・―強制的」

**はん**［判］①「はんこ」の改まった言い方。「書類に―をおす・ご―を願います」②⇩ばん(判)。●**判で押したよう**[句] いつも同じであるようす。判を押したよう。「―な返事」

**はん**［阪］↑大阪。「―神・在―中」

**はん**［版］〔=版木。鉛版〕㊀**はん** ①印刷用のインクを塗ればすぐ印刷ができるように、活字や写真などを整えたもの。「活字を―に組む・―を改める」②〔内容を改めた〕出版の回数。「―をかさねる・辞書の第六―」☞刷り③。㊁**ばん** [造]〔**ばん**〕①出版(物)。「豪華―・縮刷―」②製版。印刷版。「オフセット―」③〔新聞・雑誌で〕特定の地域や曜日を限定して編集するページ・出版物。「静岡―・アジア―・日曜―」④様式。ふう。「ハムレットの現代―」

**はん**［班］いっしょに仕事などをする大きななかまを小さな組に分けたもの。「第二―・作業―」

**はん**［煩］〔文〕わずらわしいこと。「―をいとわず・―に堪えない」

**はん**［範］〔文〕てほん。模範。「―となる」●**範を垂れる**[句]〔文〕模範をしめす。範を示す。

**はん**［繁］〔文〕ものごとが複雑でわかりにくいこと。「―をいとわず・―を避け簡を選ぶ」

**はん**［藩］〔=かき。囲み〕江戸時代、大名が支配した領地。また、領地を支配した組織。「仙台―」

**はん**［反］[接頭] ①…に反対する。アンチ。「―米・―革命」②…にそむく。「―社会的」③反対の方向の。逆の。「―作用」

**はん**［汎］[接頭]〔もと、panに漢字をあてたもの〕〔文〕広く全体にわたる。パン。「―アメリカ」

**はん**［犯］㊀[接尾] 刑を受けた回数を数えることば。「前科二―」㊁[造] ①犯罪(者)。「知能―・殺人―」②犯行。「単独―」

**はん** [接尾]〔関西方言〕さん。「あんた―・いと(嬢)―」

**はん**［畔］[造]〔文〕ほとり。「加茂川―」

**はん**［斑］[造]《医》〔皮膚の〕変色部分。「出血―・紫―」

**ハン**［:恨］〔朝鮮 han〕迫害や抑圧によって朝鮮の民衆が持っている、痛恨・なげきなどの感情。

**ばん**［判］紙や本などの大きさ。「―が大きい・B5―〔以上『はん』とも〕・A4―」

**ばん**［晩］㊀**ばん** ①ゆうがた。「―のごはん」②日がくれてからねるまでの間。「あしたの―・三日三―」㊁[造] おくての。「―稲」

＊**ばん**［番］㊀**ばん** ①順番。「君の―だよ」②見はり(の人)。番人。「―をする・火の―・金庫―(=会計責任者)」③その役割を受け持つ人。「料理―・首相―(=首相の番記者)」④〔俗〕番長。「―を張る(=つとめる)」㊁[接尾] ①順番・等級をあらわすことば。「クラスで一―になった・二―人気・歌詞の一―・〔囚人を呼んで〕おい、二十七―!」②〔勝負の〕回数。「五―勝負」③〔住所で〕丁目の下位のくぎり。「二丁目三―四号」

**ばん**［盤］㊀**ばん** 将棋盤。碁盤。「―に向かう」②㊁[造] ①板のような台。「配電―・点字―・野球―」②CD・レコードなど。「ベスト―」

**ばん**［(×鷭)］中形の水鳥。全身黒みがかった褐色で、くちばしは赤く、先が黄色。人の笑い声に似た鳴き声を出す。

**ばん**［万］《副》〔文〕万が一にも。決して。「―あるまい・―遺漏なきよう」●**万遺憾なきを期す**[句]〔文〕すべて手おちがないようにすることを心に決める。●**万やむを得ず**[句]〔文〕どうにもならなくて。なんともしかたなくて。「―中止した」

**ばん**［板］[造] ①いた。「掲示―・回覧―」②〔俗〕⇩掲示板②。「ラーメン―」

**ばん**［版］[造] ⇩はん(版)㊁。

**ばん**［(×絆)］[造] ばんそうこう。「救急―」

**バン**〔van〕①↑ライト バン。②箱型のトラック。☞ミニバン。

**パン**〔ギ Pan〕〔ギリシャ神話で〕牧羊神。牧神。パンの神。

**パン**〔ポ pão〕①小麦粉を水でこねて発酵させ、焼いた食品。「食―・菓子―・―屋〔報道などでは『パン店』も〕・ちぎり―(=切れ目からちぎって食べるパン)」②命を養う食べ物。めし。「―のために(=生活のために働く)・人は―のみにて生くるものにあらず〔⇩「人」の[句]〕」[表記]「:麺麭」「:麺包」とも書いた。

**パン**《名・他サ》〔pan〕《映画など》カメラを〈左右/上下〉に回しながら撮影する方法。パンニング。パーン。「―ダウン」

**パン**[造]〔pan〕全。汎。「―アメリカン」

**パン**[造]〔pan〕〔柄のついた〕なべ。「ミルク―・フライ―」

**パン**[造] ①↑パンツ。「トレー―・綿―」②↑パンティ(1)。「ノー―」

**はんい**［犯意］《法》罪をおかそうとする意思。

＊＊**はんい**［範囲］〔土地・行動・考えなどの〕ある限られた広がり。「被害が広い―におよぶ・できる―でがんばろう」

は

**はんい**【藩医】江戸（えど）時代、藩につかえた医者。

**はんいご**【反意語】⇩対義語。(↔同義語)

**はんいん**【班員】班の人員。

**はんいんよう**【半陰陽】〘医〙⇩性分化疾患（しっかん）。

**はんえい**【繁栄】《名・自サ》さかえて発展すること。「一家の—」

**はんえい**【反映】《名・自他サ》①〘文〙反射して目に見えること。「夕日が—する」②考えや影響（えいきょう）が、あるものの上にあらわれること。「個性が文章に—する・国民の声を行政に—〈する/させる〉」

**はんえいきゅう**【半永久】ほとんど永久に近い年月。「—的」

**ばんえいけいば**【×輓×曳競馬】〔輓曳＝車をひく〕馬に騎手（きしゅ）の乗ったそりを引かせ、坂のあるコースで競走する、北海道の競馬。

**はんえり**【半襟】〘服〙じゅばんのえりの上にかける、かざりのえり。

**はんえん**【半円】円を二つに分けた一方。「—形」

**はんおし**【半押し】《名・他サ》〔焦点（しょうてん）を合わせるため〕カメラのシャッターボタンを半分おすこと。

**はんおち**【半落ち】〘警察〙〘俗〙取り調べに対して、容疑は認めるが、犯（おか）した罪のすべては白状しないこと。(↔完落ち)

**はんおん**【半音】〘音〙ピアノの鍵盤（けんばん）でとなり合った鍵どうしの、音の高さの差。例、ミとファ。(↔全音)

**はんおんかい**【半音階】〘音〙十二個の半音からできている音階。(↔全音階)

**はんか**【反歌】長歌のあとにそえた短歌。かえしうた。

**はんか**【頒価】〔会員などに〕有料でゆずるときの価格。頒布（はんぷ）価格。

**はんか**【繁華】《名・ダ》人通りが多くにぎやかなこと。「—街」〘派〙—さ。

**はんが**【版画】木版・石版・銅版などから写しとった絵。

**ばんか**【×挽歌】〔＝死んだ人を送るときに歌う歌〕〘文〙①死んだ人をいたむ和歌。②死んだ人やほろびたものをいたむ歌・文章など。

**ばんか**【晩夏】〘文〙①夏の末。八月のなかばすぎ。(↔初夏)②旧暦（きゅうれき）六月。今の七月ごろ。(↔初夏・仲夏（ちゅうか）)

**ハンガー**〔hanger〕洋服をかけてつるしておく道具。洋服かけ。えもんかけ。「—ラック〔⇩洋服かけ①〕」

●**ハンガーボード**〔hanger board〕ハードボードに小さな穴をたくさんあけ、S字形の金物で物をつるすように作ったもの。

**バンカー**〔banker〕①銀行家。銀行の経営者・重役など。②バカラの胴元（どうもと）。

**バンカー**〔bunker〕〘ゴルフ〙コースの障害としてもうけられた、砂地のくぼみ。

**ハンガーストライキ**〔hunger-strike〕おおやけの場で絶食することによって、抗議（こうぎ）や要求をうったえること。ハンスト。

**はんかい**【半壊】《名・自サ》半分ほどこわれること。「家屋が—する」(↔全壊)

**はんかい**【半開】《名・自他サ》〘文〙①半分ほどひらくこと。(↔全開)②野蛮（やばん）な状態から、文明が少し進むこと。

☆☆**ばんかい**【×挽回】《名・他サ》〔以前持っていたものを取りもどして〕もとどおりにすること。もり返すこと。「名誉（めいよ）を—する〔＝取りもどす〕・不名誉を—する〔＝不名誉な状態からぬけ出て、もとの名誉を取りもどす〕・劣勢（れっせい）を—する」☞汚名（おめい）。

**ばんがい**【番外】①決まった数のほか。「—地〔＝番地のない土地〕」②決まった番数（ばんかず）・番組のほか。「—でもファンのために活動する」

**ばんがい**【盤外】〘碁・将棋〙試合や勝負以外のこと。

**はんがえし**【半返し】《名・自サ》おくられたお金の半分にあたる品物をお礼として返すこと。「香典（こうでん）返しは—がふつうだ」

**ばんかきょう**【万華鏡】⇩まんげきょう。

**はんかく**【反核】核兵器の開発・保有・使用に反対する立場。「—団体」

**はんかく**【半角】①和文活字で、全角を半分に割った長方形の大きさ。②〔コンピューターで〕日本語入力を解除し、英数文字などを入力するときの、一字分の大きさ。▽(↔全角)

**はんがく**【半額】決まった〈金額/料金〉の半分。「子どもは—」(↔全額)

**ばんがく**【晩学】〘文〙年を取ってから学問を始めること。

**はんかくめい**【反革命】革命に反対〈すること/して起こす行動〉。「—勢力」

**ばんがさ**【番傘】骨の太い、じょうぶなからかさ。

**ばんかず**【番数】〈取組/番組〉の数。

**はんがた**【判型】⇩はんけい〔判型〕。

**ばんがた**【晩方】くれがた。ゆうがた。

**ハンカチ**〔↑handkerchief〕小形で薄手（うすで）の手ふき。ハンカチーフ。ハンケチ。表記「:手巾」「:手帛」とも書いた。

☆☆**はんかつう**【半可通】《名・ダ》よく知らないのに、知っているふりをする〈こと/人〉。

**ばんカラ**【蛮カラ・バンカラ】《名・ダ》〔「ハイカラ」のもじり〕〔古風〕身なり・ことば・行動が粗野（そや）な〈ようす/人〉。

**ハンガリー**〔Hungary〕ヨーロッパの中部、ドナウ川の中流域を占（し）める内陸国。共和制。首都、ブダペスト〔Budapest〕。表記「:洪牙利」は、古い音訳字。

**バンガロー**〔bungalow〕①屋根のかたむきがゆるくてベランダのある、手軽な住宅。②キャンプに使う山小屋。

**はんかん**【反感】相手〔のすること〕を受け入れられず、不愉快（ふゆかい）や怒（いか）りを感じる気持ち。「政策が国民の—を買う〔＝反感を持たれる〕・親に対して—を持つ」

←**はんかん**【繁閑】〘文〙いそがしい状態とひまな状態。「業務の—に応じて」

→**はんかん**【繁簡】〘文〙繁雑（はんざつ）と簡略。「—よろしきを得る」

**はんがん**【半眼】〘文〙半目（はんめ）。「目を—に開く」

**はんがん**【判官】①〘歴〙⇩ほうがん〔判官〕。②〘文〙裁判官。「名—」●**はんがんびいき**【判官×贔×屓】⇩ほうがんびいき。

**ばんかん**【万感】〘文〙心にうかぶさまざまの感情。「—の思い・—胸にせまる」

**ばんかん**【晩×柑】かんきつ類のおくてのもの。甘夏なつ・はっさく・いよかんなど。

**はんかんくにく**【反間苦肉】〔反間=相手をなかまわれさせること。苦肉=自分を傷つけてみせること〕〔文〕いろいろなやり方で、敵をおとしいれること。「―の策」☞苦肉の策。

**はんかんはんみん**【半官半民】政府と民間とが協同で資金を出して経営すること。

**はんき**【反旗・×叛旗】むほん人の立てる旗。●**反旗を翻す**〔句〕そむく。反抗する。

←**はんき**【半季】①一つの季節の半分。②半年。半期。

→**はんき**【半期】一年を半分に分けた期間。「上―」

☆☆**はんき**【半旗】人の死を悲しむ気持ちをあらわすために、さお(竿)の先から少し下げてあげる旗。「―をかかげる」

**はんき**【搬器】〔スキーリフト・ロープウェイ・エレベーターなどの〕人が乗る部分。「二人乗りの―」

**はんぎ**【版木・板木】文字や絵をほりこんだ、印刷の土台にする いた。

**ばんき**【晩期】①〔文〕終わりの時期。また、おそい時期。「人生の―・明治―(=末期)・〔医〕―出血(=出産後、一日以上たってからの出血)」②〔歴〕縄文時代の区分の一つ。☞草創期②。

**ばんぎく**【晩菊】秋の終わりまでさき残ったキク。

**ばんきしゃ**【番記者】〔情報を得るために〕特定の人にいつもつくことになっている記者。「首相―」

**はんぎゃく**【反逆・×叛逆】《名・自サ》国や支配者、世間のやり方などに、さからうこと。「―児・―者」

**はんきゅう**【半弓】すわって射る、小形のゆみ。(↔大弓)

**はんきゅう**【半休】半日の〈休暇/休業〉。「土曜―」

**はんきゅう**【半球】①球を二つに分けた一方。「―形」②〔地〕地球を中心から〈東西/南北〉にくぎったものの一つ。

**ばんきょ**【×蟠×踞】《名・自サ》(=とぐろをまくこと)〔文〕①うずくまること。②そこを根拠地にして、勢力をふるうこと。

**はんきょう**【反共】共産主義に反対すること。(↔容共)

**はんきょう**【反響】《名・自サ》①音が何かにぶつかり、返ってきて聞こえる〈こと/もの〉。②世間にはたらきかけた影響として返ってくるもの。「大きな―を呼ぶ」

**はんきょうらん**【半狂乱】ショックなどで冷静さを失い、異常に取りみだした状態。

**はんぎょく**【半玉】〔玉代が半分の〕まだ一人前でない芸者。おしゃく。(↔一本)

**はんぎり**【半切り】⇩盤台①。

**はんきん**【半金】半額(の内金)。「―を入れる」

**ばんきん**【板金・×鈑金】①〔ブリキ・ステンレスなどの〕金属の板。いたがね。②「板金①」を加工すること。「―工」

**バンキング**〔banking〕〔預金、引き出し、為替の操作など〕銀行の業務。「ホーム―・ネット―」

**バンク**〔bank〕一〔造〕①銀行。②情報を集めたり提供したりする機関。「データ―・空き家―(=空き家の貸し借りなどを、地方自治体が仲介する制度)」③臓器移植のためにつくられた施設。「アイ―・腎―・骨髄―」二〔一とは別語源〕競輪場・自転車競技場〔のコースの、カーブしている斜面〕。

**バング**〔bang〕〔ファッションで〕前髪。

**パンク**〔punk=不良〕一①〔音〕↑パンクロック。②不良っぽい、奇抜で過激なファッション。二〔ナダ〕〔俗〕スタイルや行動が、奇抜で過激なようす。「―なかっこう・―な生き方」●**パンクロック**〔punk rock〕〔音〕体制への反抗を表現する、不良っぽく暴力的なロック音楽。奇抜で過激なファッションで、さけぶように歌うものが多い。パンク。〔一九七〇年代後半から流行〕

**パンク**《名・自サ》〔↑パンクチュア(puncture)〕①タイヤに穴があいて、空気がもれること。②物がふくれすぎて破裂すること。③〔殺到して〕役に立たなくなること。「電話回線が―寸前」④限界をこえて機能しなくなること。「家計は―(=破産)寸前」

**ハンググライダー**〔hang glider〕三角形のわくに布を張った翼をかついで、走って離陸するグライダー(を使ったスポーツ)。ハング。

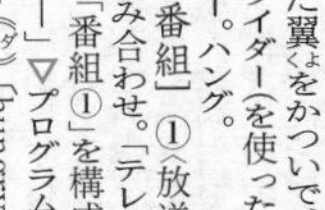

[ハンググライダー]

*__ばんぐみ__【番組】①〈放送/上演〉する内容の組み合わせ。「テレビ・寄席の―」②「番組①」を構成する一つ一つ。「情報―」▽プログラム。

☆☆**ハングリー**〔ナダ〕〔hungry〕①腹がすいている。②〔精神的に〕飢えている。「―スポーツ(=ボクシングなど)」③貪欲。派―さ。●**ハングリーせいしん**【ハングリー精神】〔スポーツなど〕強くもとめてやまない精神。「―に欠ける」

☆☆**ハングル**〔朝鮮 hangeul=偉大な文字〕朝鮮語を書きあらわすために作られた表音文字。日本のかなに当たる。

**バングル**〔bangle〕〔金属製の〕C字形の腕輪。「ゴールドの―」☞ブレスレット。

**ばんくるわせ**【番狂わせ】予想された順序がくるって、意外な結果になること。「大―」

**はんぐれ**【半グレ】暴力団のようには組織化されていない反社会的集団。〔二〇一〇年代からのことば〕
由来「半分ぐれている」などから。

**はんぐん**【反軍】〔文〕①軍部に反対すること。②反戦。「―思想」③〔×叛軍〕反乱軍。

**はんけい**【半径】①〔数〕直径の半分の長さ。②行動する範囲(の距離)。「行動―」

**はんけい**【判型】本の大きさ。A5判・B6判など。はんがた。

**はんけい**【範型】〔文〕手本。モデル。「近代美術の―となった作品」

**ばんけい**【晩景】①〔文〕夕方のけしき。②夕方。ばんげ。

**ばんけい**【盤景】皿・盆などの上に、土や砂で自然の風景を芸術的にあらわしたもの。

**パンケーキ**①〔pancake〕〔あまさがひかえめな〕ホットケーキ。「スフレ―」②〔Pan-Cake=商標名〕平たいコンパクトにはいった、固形のファンデーション。

**はんげき**【反撃】《名・自サ》攻撃してくる〈敵/相

手〉を、こちらから反対に攻せめること。反攻。「政府軍に─する・─に出る・─を加える・─を封じる」

**はんげしょう** ㊀[半夏生] 夏至から十一日目。七月二日ごろ。半夏。㊁[(半夏生)] 湿地にはえる草。夏に、上のほうの葉が白くなり、小さな白い花をつける。

**ハンケチ** 〔古風〕ハンカチ。

☆☆**はんけつ**[判決]《名・他サ》《法》裁判所が法律を適用して訴訟事件に判断・決定を言いわたす〈こと／もの〉。「─文・─がくだる・─がおりる」

**はんげつ**[半月] ①半円の形に見える月。②「半月①」に似た形。「爪─〔⇩小爪〕」 ☞はんつき(半月)。 ●**はんげつぎり**[半月切り]《料》ダイコンやニンジンなどの野菜を輪切りにし、さらに半分に切ること。「─にする」 ☞いちょう切り。 ●**はんげつばん**[半月板]《生》ひざの関節の左右にある、半月状の軟骨。「─の損傷」

**バンケット**〔banquet〕 晩餐会。「─ルーム〔=ホテルなどの宴会場〕」

**はんけん**[半券] 物をあずかったり料金を受け取ったりしたしるしに、半分ほど切って わたす ふだ。

**はんけん**[版権] ①↑出版権。「─所有」 ②著作権の古い呼び方。

**はんげん**[半減]《名・自他サ》 半分に〈へる／へらす〉こと。「費用─」 ●**はんげんき**[半減期] ①《理》放射性元素の分子などの量が半分になるまでの期間。②《生》体内にたまった物質の量が半分になるまでの期間。「ダイオキシンの─」

**ばんけん**[番犬] ①番をさせるために飼う犬。②〔俗〕忠実な用心棒。「会社の─」

**はんこ**[(判子)・ハンコ]〔↑版行〕 ①紙に おしつけて、名前の文字などをしるす道具。「承諾の─をおす・─をつく・日付の─」 ②「はんこ①」をおすこと。押印。なつ(捺)印。「─(を)お願いします」 ③「はんこ①」をおしたあとの しるし。印影。「上司の─をもらう〔=文書に おしてもらう〕」 ▽判。〔なまって「はんこう」とも〕

**はんご**[反語] ①表面は疑問の形で結んで、実は強く否定する表現法。例、「こんな暴挙が許されるだろうか〔いや、許されない〕」。②意味を反対にして、皮肉に言う表現法。アイロニー。例、不合格の点数を「いい点数」と言うなど。③対義語。

**パンこ**[パン粉] パンをかわかして粉にしたもの。

**はんこう**[犯行]《法》犯罪の行為。「─現場」

**はんこう**[藩侯] ⇩藩主。

**はんこう**[藩校]《歴》江戸時代、武士の子どもを教育するために藩がつくった学校。儒学・武芸・医術などを教えた。

←**はんこう**[反抗]《名・自サ》 てむかうこと。さからうこと。「─心」(↕服従) ●☆☆**はんこうき**[反抗期]《心》自我にめざめた子どもが親などの言うことに反抗する時期。幼年期〔第一反抗期〕と青年初期〔第二反抗期〕の二回あらわれる。 ●**はんこうてき**[反抗的]《ナダ》 反抗するようなようす。

→**はんこう**[反攻]《名・自サ》〈守って／防いで〉いた側が攻撃に出ること。反撃。

**はんこう**[版行・板行]《名・他サ》〔文〕書籍を印刷して売り出すこと。

**はんごう**[飯(×盒)] ごはんをたくことができる、アルミニウム製の食器。登山やキャンプで使う。「─炊爨〔=飯盒でごはんをたくこと〕・─炊飯〔=飯盒炊爨〕」

**ばんこう**[蛮行]〔文〕野蛮な おこない。

*__ばんごう__[番号] ①順番をあらわす〈符号／数字〉。「─を打つ・─順・当選─」 ②↑電話番号。「─教えてよ」 ●**ばんごうきごう**[番号記号] 番号の前にそえる「#」の記号。ナンバーサイン。パウンドサイン。ハッシュマーク。井桁。例、「#6」。〔「#《=シャープ》」とは別〕 ☞ハッシュタグ。

**はんコート**[半コート]《服》たけの短いコート。洋装では腰がかくれる程度、和装では羽織より少し長いもの。半ゴート〔古風〕。

**ばんこく**[万国] 世界のすべての国。万邦。「─共通」 ●**ばんこくはくらんかい**[万国博覧会] 世界各国から参加してひらかれる、国際的な博覧会。万国博。万博。

**ばんこく**[万×斛]〔斛=石〕〔文〕非常に多いこと。

☆☆**はんこつ**[反骨・×叛骨] むやみに その時の政治や権力などにしたがわない、しっかりした心。「─の人」「─の涙を飲む・涼味─」

**ばんこつ**[万骨]〔文〕⇩一将 功成りて万骨枯る〔「一将」の㊐〕。

**ばんこっき**[万国旗] 世界各国の国旗。ばんこくき。

**ばんごはん**[晩(御飯)] 夕食。

**ばんこ-ふえき**[万古不易]〔万古=遠い昔(から)〕〔文〕永久に変わらないこと。「─の法則」

**ばんごや**[番小屋] 見張り番のための小屋。

**はんごろし**[半殺し] ①暴力をふるって、死にそうな目にあわせること。「─にする」 ②おはぎを作るときに、つぶのままのごはんが半分くらい残るようにして仕上げること。また、そうして作ったおはぎ。

**はんこん**[×瘢痕]《医》きずの あと。

**ばんこん**[晩婚] 高めの年齢で結婚すること。(↕早婚)

**はんごんこう**[反魂香] たくと、死んだ人の姿が けむりの中にあらわれるという香。

**ばんこんさくせつ**[盤根錯節]〔=わだかまった根と入り組んだ節〕〔文〕解決が困難なことがら。

**はんごんたん**[反魂丹] 死んだ人のたましいを呼び返すほどのききめがあるといわれた丸薬。腹痛などにきく。「越中富山の─」

☆☆**はんさ**[(煩×瑣)]《名・ナダ》〔文〕手順などが細かすぎて、わずらわしいこと。「─な事務・─な手続き」 派─さ。

*__はんざい__[犯罪] 法律にそむく おこない。「─者」 ●**はんざいしょうねん**[犯罪少年]《法》罪をおかした少年のうち、十四歳以上の者。〔十四歳未満は「触法少年」と言う〕

**ばんざい**[万歳] ㊀〔文〕いつまでも生きて さかえること。「千秋─」 ㊁《名・自サ》 ①〔両手を上げて〕「ばんざい」と大声で言うこと。「─三唱」 ②《野球》〔俗〕野手が目測を誤って、飛球が頭上をこすこと。 ③〔俗〕どうしようもないこと。おてあげ。「─だよ」 ④〔俗〕倒産。 ㊂《感》〔話〕祝福や喜びの気持ちをあらわすために〔両手を上げて〕大声で言うことば。「〔送別会で〕西村君、─・─、勝った、勝った」 ☞まんざい(万歳)。

**はんざき**【(半割)・(半裂)】オオサンショウウオの別名。由来 からだを半分に裂かれても生きていることから。

**はんさく**【半作】《農》①平年の半分の収穫。②全体の収穫の半分。

**ばんさく**【万策】〔文〕〈いろいろな/あらゆる〉方法・戦術。「―尽きる」

**はんさつ**【藩札】《歴》江戸時代、藩で発行し、藩内だけで通用した紙幣。

←☆☆**はんざつ**【煩雑】《名・ナダ》ややこしくてめんどうなこと。「―な仕事」派―さ。

→**はんざつ**【繁雑】《名・ナダ》〔文〕いろいろあってややこしいこと。「―な引用」表記 新聞では「煩雑」とも。派―さ。

**ハンサム**《名・ナダ》〔handsome〕①〔やや古風〕美男子(であるようす)。「―ボーイ」②〔ファッション・生き方などが〕かっこいいようす。「―なコート・―マザー」

**はんさよう**【反作用】《理》加えた力に対し、同じ大きさで逆の方向にはたらく力。反動。

**ばんさん**【晩産】〔文〕高めの年齢で子どもをうむこと。「―化」

**ばんさん**【晩(×餐)】〔文〕夕食(として食べるごちそう)。「―会」

**はんし**【半死】〔文〕なかば死んでいること。死にそうなこと。「―(の)状態」●**はんしはんしょう**【半死半生】生きてはいるが、死ぬかと思われるような状態。「なぐられて―の目にあわされる」

**はんし**【半紙】習字などに使う和紙。縦二四センチ、横三四センチぐらい。

**はんし**【範士】《剣道・弓道など》五段以上の者にあたえられる称号のうち上位のもの。☞錬士・教士。

**はんし**【藩士】《歴》江戸時代、諸侯の臣下である武士。

**はんじ**【判事】《法》裁判官の官名の一つ。裁判をおこない、判決を出す役の人。●**はんじほ**【判事補】《法》裁判官の官名の一つ。判事の下で、地方裁判所・家庭裁判所に置かれる。

**はんじ**【判示】《名・自サ》《法》〔裁判官の考えを〕判決の形で示すこと。

**ばんし**【万死】〔文〕〈何度も/どうしても〉死ぬこと。「罪―に〈値する/当たる〉」●**万死に一生を得る** 句 助かるはずのない命が、やっと助かる。

**ばんし**【番士】①昔、城の警備にあたった武士。番衆。②〔見はりの〕出番の兵士。

**ばんじ**【万事】すべてのこと。●**万事休す** 句 何もかも、もうだめだ。

**パンジー**〔pansy〕小形の西洋草花の名。春、スミレに似て大形の花をひらく。むらさき・黄・白などがある。三色すみれ。

**バンジージャンプ**〔bungee jump〕足首などにゴム製の命綱をつけて、高い所から飛び下りる、冒険的な遊び。バンジー。

**はんじえ**【判じ絵】ある意味や形を文字・絵の中にかくして、あてさせるもの。

**はんした**【版下】(=版木にはりつけてほるための下書き)《印刷》製版に用いる絵や図表、文字などの原稿。

**はんじつかそう**【反実仮想】《言》実際とは逆のことを想定する表現。例、「あと五分おそく家を出ていたら、きっと雨に降られていただろう(=実際には雨に降られていない)」。☞まし二。

**はんして**【反して】《(の)に反して で接助》〔文〕…と反対に。反し。「冬が過酷であるのに―、夏は快適である・これに―」

**はんじもの**【判じ物】(判じ絵のような)なぞ。

**はんしゃ**【反社】①(↑反社会的勢力)暴力団など、暴力や詐欺といった方法で利益を得ようとする勢力。②↑反社会。「―(的)勢力」▽二〇一〇年代に広まったことば。

**はんしゃ**【販社】↑販売会社。

**はんしゃ**【反射】《名・自他サ》①《理》光・音などの波が物につきあたり、はね返(って/もど)ること。「―光線・―波」②《生》無意識のうちに起こる、生理的な反応。「―運動(=くしゃみ、まばたきなど)」●**はんしゃきょう**【反射鏡】光や電波がある方向に反射する鏡。「道路―(=カーブミラー)」●**はんしゃざい**【反射材】暗いところでも気づかれやすいようにつける、光を反射するシールなど。自転車やくつなどにつける。リフレクター。●**はんしゃしんけい**【反射神経】①刺激を受けるとすぐに反応する、神経の能力。〔特定の神経を言うわけではない〕「―がおとろえる」②何かが起こったら、考えるよりも先にすばやく対処する能力。「政治的な―」●**はんしゃてき**【反射的】《ナダ》ある刺激を受けたとたんに〈何かを/反応〉するようす。「―にとびのいた」

**はん・しゃかい**【反社会】社会の約束や常識・習慣などにさからうこと。反社。「―的行動」

**ばんしゃく**【晩酌】《名・自サ》(家庭で)夕飯のときに〈酒を飲むこと/飲む酒〉。「毎晩のように―する」

☆☆**ばんじゃく**【盤石・×磐石】〔文〕①岩。おおいし。②堅固なこと。強いこと。「大―・―の(=盤石のような)重み」「―のそなえ」

**はんしゅ**【藩主】江戸時代の、藩の領主。大名。藩侯。

**はんじゅ**【半寿】〔文〕(数え年の)八十一歳(の祝い)。由来「半(=半)」は「八十一」に分解できるところから。

**ばんじゅ**【盤寿】〔将棋界で〕(数え年の)八十一歳(の祝い)。由来 盤の目の数から。

**はんしゅう**【半周】《名・自他サ》半分だけ回ること。「校庭を―する・島を―する道」

**はんじゅう**【半獣】からだの(下)半分がけものであること。「―人」●**はんじゅうしん**【半獣神】牧羊神。

**ばんしゅう**【晩秋】〔文〕①秋の末。十一月のなかばすぎ。(↔初秋・仲秋・早秋)②旧暦九月。今の十月ごろ。(↔初秋・仲秋)

**はんじゅく**【半熟】①《料》たまごの中身がじゅうぶん固まらない程度に火を通すこと。また、そのたまご。「―オムライス・―玉子〔略して『半玉』〕・―一個」(↔固ゆで・全熟)②じゅうぶん熟さないこと。③〔ケーキなどが〕ふつうよりもやわらかく、しっとりとしていること。「―チーズケーキ・―カステラ」

**ばんじゅく**【晩熟】おくれて熟すこと。おくて。「―の作

物」(↔早熟)

**はんしゅつ**［搬出］《名・他サ》〔文〕〔倉庫や会場から〕はこびだすこと。(↔搬入)

**ばんしゅん**［晩春］〔文〕①春の末。五月のなかばすぎ。(↔初春・早春) ②旧暦三月。今の四月ごろ。(↔初春・仲春)

**ばんしょ**［番所］〔文〕番人がつめている所。

**ばんしょ**［板書］《名・他サ》黒板に書くこと。

**はんしょう**［半鐘］火事などを知らせるための、小さなつりがね(を鳴らす音)。

**はんしょう**［反照］《名・自サ》〔文〕①日光のてりかえし。②ゆうばえ。

**はんしょう**［半焼］《名・自他サ》〔火事で、建物などが〕半分ぐらい焼けること。(↔全焼)

**はんしょう**［反証］《名・他サ》〔文〕反対の(ことを証明する)証拠(をあげること)。

**はんじょう**［半畳］①たたみ一畳の半分。「起きて—、寝て一畳」②芝居見物をしているときに出す、非難・からかいのかけ声。由来 江戸時代、芝居小屋で見物人が敷いた、小さなたたみ。へたな芝居のとき、それを投げたことから。③相手の話をまぜっかえすことば。やじ。「—を入れる」

**はんじょう**［犯情］〔文〕犯罪を起こすにいたった事情。

**はんじょう**［繁盛・繁×昌］《名・自サ》〔商店などが〕にぎわって活気があること。「商売—・—記(=繁盛の様子を書いた文章)」

**ばんしょう**［万象］〔文〕さまざまの形をした、あらゆるもの。☞森羅万象。

☆☆**ばんしょう**［万障］〔文〕あらゆるさしつかえ。「—繰り合わせてご出席ください」

**ばんしょう**［晩鐘］〔文〕夕方につく鐘。入相の鐘。暮鐘。(↔暁鐘)

**ばんじょう**［万丈］(=一丈の一万倍)〔文〕非常に高く上がること。「—の気炎」

**ばんじょう**［板状］〔文〕いたのような形。

**ばんじょう**［盤上］〔文〕碁盤・将棋盤などの上。「—の勝負」

**はんしょうがい**［半生涯］〔文〕半生。「わが—」

**バンジョー**〔banjo〕《音》まるい胴に羊の皮を張り、四本または五本の糸を、指またはピックではじいて演奏する弦楽器。アメリカ民謡・デキシーランドジャズなどに用いる。

［バンジョー］

**はんしょく**［繁殖］《名・自サ》生物がうまれてふえること。「害虫の—・—地」

**ばんしょく**［晩食］〔古風〕晩にとる食事。夕食。

**ばんしょく**［伴食］《名・自サ》(=お相伴)〔文〕実権・実力がないのに職についていること。「—大臣」

**パンしょく**［パン食］《名・自サ》パンを主食とした食事。

**はん・じる**［判じる］《他上一》〔文〕①判断する。②考えて意味をとく。「夢を—」▽判ずる。

**はんしん**［半身］全身の半分。「—像(=上半身像)」(↔全身) ☞はんみ(半身)。●**はんしんふずい**［半身不随］《医》片がわの手足がまひ(麻痺)して動かなくなること。片まひ。●**はんしんよく**［半身浴］ぬるめの湯に下半身だけつかる入浴(法)。

**はんしん**［半神］〔文〕からだや能力が、なかば神のようであること。「—半人」

**はんしん**［阪神］大阪と神戸(を中心とする地域)。「—工業地帯」

**はんじん**［半人］〔神話などで〕からだの上半分が人間であること。「—半獣・—半馬」

**ばんじん**［万人］⇩ばんにん(万人)。

**ばんじん**［蛮人］〔文〕未開の人。

☆☆**はんしんはんぎ**［半信半疑］《名・ナダ》なかば信じ、なかばうたがうこと。本当と思っていいかどうか、まようこと。「—で聞く」

**はんしんろん**［汎神論］《哲》神はあらゆるものの中にあり、あらゆるものは神である、という考え方。

**バンズ**〔buns〕ハンバーガーのパンの部分。

**はんすい**［半睡］《名・自サ》〔文〕半分ねむっていること。「—状態・半醒—」(⇩「半醒」の用例)

**はんすう**［半数］全体の数の半分。なかば。

☆☆**はんすう**［反×芻］《名・他サ》①《動》一度のみくだした食べ物を、もう一度口にもどしてかむこと。ウシ・ヒツジ・キリン・ラクダなどの習性。かみ返し。②〔文〕ことばや記憶などを、くり返して味わうこと。

**ハンスト** ↑ハンガーストライキ。

**パンスト** ↑パンティーストッキング。

**ハンズフリー**《ナダ》〔handsfree〕手を使う必要がないようす。特に、手で持たなくても通話できる電話に言う。「—マイク」

**はんズボン**［半ズボン］丈が、ひざまでの、または、それより短いズボン。

**はん・する**［反する］《自サ》①反対の状態になる。「期待に—結果」☞反して。②ちがう。違反する。「規則に—」▽反す。

**はんせい**［半生］〔文〕一生の半分。「—をささげた・前—」☞はんなま(半生)。

**はんせい**［藩政］〔文〕江戸時代の、藩の政治。「—時代」

**はんせい**［半醒］《名・自サ》〔文〕なかば目がさめていること。「—半睡(=半分ねむり、半分さめている状態。ゆめうつつ)」

**はんせい**［反省］《名・他サ》自分の考え方やおこないをふり返って、悪かったと考えること。「自分の態度を—する・—の色がない・試合後の—会」

**はんぜい**［反税］〔文〕納税に反対すること。

**ばんせい**［万世］〔文〕永久。「—に伝える」●**ばんせいいっけい**［万世一系］永久に一つの血統であること。

**ばんせい**［晩生］《農》おくて。「—種」

**ばんせい**［晩成］〔文〕①おそくできあがること。「大器—」②年を取ってから成功すること。

**ばんせい**［蛮声］野蛮な大ごえ。

**はんせいひん**［半製品］とちゅうまでできているが、まだ完成していない製品。「—の輸出」

**はんせき**［犯跡］〔文〕犯罪をおこなった跡。「—をくらます」

**はんせき**［版籍］(=版図と戸籍)〔文〕土地と人民。「—奉還」

**はんせつ**【半切・半×截】〔文〕①半分に切ること。②唐紙(とうし)・画仙紙(がせんし)などを縦に半分に切ったもの。

**ばんせつ**【晩節】〔文〕晩年の節操。「—を全うする・—をけがす」

**はんせん**【反戦】戦争に反対すること。「—論」☞非戦。

**はんせん**【帆船】たくさんの帆を張り、風の力を利用して走る、大きな船。帆前船(ほまえせん)。☞ほぶね(帆船)。

**はんぜん**【判然】《トタル・自サ》〔文〕はっきりしているようす。「理由が—としない〔『—しない』は古風〕」

**ばんせん**【番宣】←番組宣伝。

**ばんせん**【番線】①太さによって番号の決まっている針金。②駅のホームの、番号のついた線路。「到着(とうちゃく)—」

**ばんぜん**【万全】《名・ナダ》〔用意などに〕不十分なところがないこと。「—の策・—を期す・体調は—だ」

**ハンセンびょう**【ハンセン病】〔Hansen=人名〕〔医〕らい(癩)菌(きん)によって皮膚(ひふ)などがおかされる、慢性(まんせい)の感染症(かんせんしょう)。今では完全に治る。レプラ。ハンセン氏病〔古風〕。〔もと「らい病」と言った〕

**はんそ**【反訴】《名・自サ》〔法〕〔訴訟(そしょう)中に〕被告(ひこく)のほうから原告を相手どって起こす訴訟。〔↔本訴〕

**はんそう**【半双】〔びょうぶ〕一双の半分。

**はんそう**【帆走】《名・自他サ》〔文〕帆(ほ)をかけて船が走ること。「水面を—する」

**はんそう**【搬送】《名・他サ》①車や船などに乗せてはこぶこと。「急病人をヘリで—する」②音声・画像などの信号を変調して、高周波にのせて送ること。

**ばんそう**【晩霜】〔文〕春の終わりごろに おりる しも。おそじも。

**ばんそう**【伴走】《名・自サ》〔マラソンなどで、選手について〕いっしょに走ること。はんそう。「—車」☞並走(へいそう)。

**ばんそう**【伴奏】《名・自サ》〔音〕①主となる声楽・器楽を助けるための演奏。「—楽器・—者」②劇などの後ろで おこなう演奏。「ドラマの—音楽」☞劇伴(げきばん)。

**ばんそうこう**【(×絆創×膏)】傷口を守り、つけた薬などが落ちないように はっておく、〔ガーゼのついた〕ねばりけのある布。ばんそこ〔話〕。

**はんそく**【半速】〔汽船で〕全速に対して、半分の速度。

**はんそく**【反則】《名・自サ》①規則にそむくこと。ルール違反(いはん)。「—で失点」②〔俗〕すばらしすぎて、くやしく感じられるようす。卑怯(ひきょう)。「この かわいさは—」☞ずるい③。

**はんそく**【販促】《名・自他サ》〔←販売促進〕商品を売るため、宣伝やプレゼントなどをすること。「—品」☞ノベルティ(1)。

**はんぞく**【反俗】〔文〕世間の ふつうのやり方に さからうこと。「—精神」

**ばんそく**【盤側】《碁・将棋》対局をおこなっているすぐそばにある机。記録係などがすわる。

**ばんぞく**【蛮族】①〔文〕未開の民族。②〔俗〕マナーを守らない、野蛮で粗野(そや)な人。「おれって—だから」

**はんそで**【半袖】ひじまでの長さの そで(の衣服)。「—シャツ」〔↔長袖(ながそで)〕

**はんそん**【半損】建物・家財・荷物が、災害のために、一部分がだめになること。〔↔全損〕

**はんた**【繁多】《名・ナダ》〔文〕用事が多くていそがしいこと。「御用(ごよう)—のところ」

**はんだ**【(半田)・ハンダ】金属をつなぎ合わせるときにとかして使う、鉛(なまり)とすずの合金。「—づけ」•**はんだごて**【(半田×鏝)】はんだをとかして金属をつなぎ合わせるのに使う工具。

**ばんだ**【万×朶】〔文〕たくさんの花(をつけた枝)。「—の桜」

**パンタ** ←パンタグラフ②。

**パンダ**〔panda〕①ヒマラヤから中国にかけての山地にすむ、クマのなかま。特に、ジャイアント パンダ。☞レッサーパンダ。②〔俗〕←パンダ目(め)。「—にならないマスカラ」•**パンダめ**【パンダ目】〔俗〕ぬったマスカラなどがにじんで、まわりが黒くなった目。パンダ。

**ハンター**〔hunter〕①狩(か)りをする人。猟師(りょうし)。②あさる人。「ラブ—」

*__はんたい__【反対】㊀《名・ナダ》①〔動きや性質が〕もう一方のものとは まったく ちがった方向に向かっているようす。あべこべ。逆。うらはら。「太陽と—の方角・予想とは—の結果になった・—色〔=補色〕・—車線〔=対向車線〕」②もう一方のものとあわせて、ひと組みになるようす。「男の—は女・精神の—は肉体」③入れかわっているようす。あべこべ。逆。「さっきとは立場が—になる・シャツを後ろ前—に着る・左右—の文字」㊁《名・自他サ》人の意見や立場に対し、それを否定することを言ったりしたりすること。「値上げに—する・—運動・二人の結婚(けっこん)〈に/を〉—する」〔↔賛成〕•**はんたいきゅうふ**【反対給付】①《経》品物を買った人が売った人に代金をしはらうように、一方の給付に対して相手が同じ価格の給付をすること。②〔俗〕お返し。•**はんたいご**【反対語】⇩対義語。•**はんたいじんもん**【反対尋問】《法》裁判に証人を呼び出すことを請求(せいきゅう)したがわの尋問に続いて、相手方の弁護士などが、その証言をくつがえすために おこなう尋問。〔↔主尋問〕

**はんだい**【飯台】①〔数人が囲んで〕食事をする台。②ちゃぶだい。

**はんだい**【(△盤台・半台)】①すしめしを作るときに使う、ひらたい木の おけ。半切り。半切れ。②昔の さかな売りが てんびん棒に下げて持ち歩いた、浅くて大きな長円形のたらい。▽ばんだい。

**ばんだい**【万代】〔文〕永久。万世。「—不易(ふえき)〔=永久に変わらないようす〕」

**ばんだい**【番台】番をするために すわる台。また、そこにすわっている人。「おふろ屋さんの—」

**ばんだい**【盤台】⇩はんだい(盤台)。

**はんたいじ**【繁体字】簡体字のもとになった、画数の多い漢字。台湾(たいわん)や香港(ホンコン)などで使われている。☞簡体字。

**はんたいせい**【反体制】その時の社会の体制に反対する立場をとる〈こと/がわの人々〉。「—的」〔↔体制〕

**はんだくおん**【半濁音】〔言〕パ行の仮名(かな)を使ってあらわされる音(おん)。例、「パ」「ピャ」。〔↔濁音・清音〕

**はんだくてん**【半濁点】半濁音をあらわす符号(ふごう)。「パ」「ぱ」などの「゜」。まる。

**パンタグラフ**〔pantograph〕①〔pantagraph とも〕

もとの形を大きくしたり小さくしたりして書く器械。縮図器。②架線(かせん)から電気をとるために電車の屋根に取りつける、ひし形・くの字形などの、のび縮みする装置。パンタ。

**バンダナ**〔bandan(n)a〕色も柄(がら)も豊富な、正方形のもめんの布。ねじって首にまいたり、三角巾(きん)のような形に折って頭にまいたりする。

**パンだね**〔パン種〕①パンを作るために、小麦粉などをねって準備したもの。②パンを作るときに入れる、酵母(こうぼ)。イースト。

**バンタム**〔bantam=チャボ〕↑バンタム級。●**バンタムきゅう**〔バンタム級〕体重で分けた選手の階級の一つ。プロボクシングでは、一一五ポンド〔=約五二・一キロ〕以上、一一八ポンド〔=約五三・五キロ〕までの体重。

**パンタロン**〔フ pantalon=細ズボン〕《服》女性のはくベルボトム。〔一九六〇年代末～七〇年代に流行〕

**はんだん〔判断〕《名・他サ》①それはどんなものか、それがあるかないか、そうであるかどうか、それでいいかどうかなどを、見分けて決めること。「人を外見で―する・薬の効果を―する・価値―・―力」②うらない。「姓名(せいめい)―」

☆☆**ばんたん**〔万端〕【一】さまざまのものごと。一切(いっさい)。「―をとりしきる・準備―ととのった」【二】《名・ナダ》「万端【一】」がととのったこと。万全。「準備は―だ・―でむかえた当日」〔注意〕【二】は、述語「ととのう」の意味を、主語「万端」がふくむようになった用法。☞「天気③」の〔注意〕。

**ばんち**〔番地〕【一】ばんち ①居住地の区別・順序をつけるための番号。②住所。「相手の―がわからない」【二】〔接尾〕同じ〈町内/丁目〉の下位のくぎり。「二丁目三―」

**パンチ**〔punch〕【一】パンチ 迫力(はくりょく)。「―の利(き)いた〔=迫力のある〕〈歌/キャッチフレーズ〉」【二】パンチ〔【一】とは別語源〕フルーツジュースに洋酒・砂糖・香料(こうりょう)などをまぜた飲み物。ポンチ。ポンス。ポンチ。【三】パンチ《名・自他サ》①《ボクシング》げんこつの一撃(いちげき)。「―をく(ら)わす」②穴をあける〈こと/道具〉。「穴開け―・〔昔のコンピューターの〕―カード」●**パンチパーマ**〔↑和製 punch permanent〕かりこんだ髪(かみ)を、細かく縮らせた男性のヘアスタイル。

**パンチェッタ**〔イ pancetta〕ブタのばら肉を塩づけして乾燥(かんそう)させ、熟成させたもの。イタリア料理に使う。〔これを燻製(くんせい)にしたものが「ベーコン」〕

**はんちく**〔半ちく〕《名・ナダ》〔古風・俗〕中途(ちゅうと)はんぱな〈こと/ようす〉。「―な仕事」

**ばんちゃ**〔番茶〕一番茶〔=最初につむ新芽で作る茶〕・二番茶のあとにつんだ、かたい葉の茶(に湯をそそいだ飲み物)。☞煎茶(せんちゃ)。●**番茶も出花**(でばな)〔句〕⇩鬼(おに)も十八、番茶も出花〔「鬼」の〔句〕〕。

**パンチャー**〔puncher〕①パンチをする人。「ハード―」②〔カードなどに〕穴をあける〈人/機械〉。

**はんチャン**〔半チャン〕〔チャン↑チャーハン〕〔俗〕半分の量のチャーハン。「―ラーメンセット」

**はんチャン**〔半(:荘)〕〔チャン(荘)は中国語〕《マージャン》一回のゲーム。親の番が二巡(じゅん)する。〔本来は、その二倍のイーチャン(一荘)でおこなう〕

☆☆**はんちゅう**〔範×疇〕〔文〕分類のわく。範囲。カテゴリ(ー)。「別の―に属する」

**はんちょう**〔班長〕班のかしら。

**ばんちょう**〔番長〕〔中学・高校の〕不良少年グループのリーダー。

**パンちら**〔「パンチラ」〕〔俗〕スカートのすそから、パンティーがちらりと見えること。

**ハンチング**〔↑hunting cap〕平たくて、前にひさしのついている帽子(ぼうし)。鳥打ち帽。

**パンチング**〔punching〕《名・他サ》①こぶしで打つこと。「―ボール〔=ボクシングの打撃(だげき)練習につかう小さなサンドバッグ〕」②《サッカー》ゴールキーパーが、飛んできたボールをこぶしで打ち返すこと。③板状の金属などに規則正しく並んだ小さな穴を開ける加工をほどこすこと。「―メタル」

**パンツ**〔米 pants〕①ズボン。「トレーニング―」②〔陸上競技などをするときにはく〕短いズボン。短パン。③〔男性や子どものはく〕股下(またした)の短い下ばき。ブリーフ・トランクスなど。④《服》ズボン・スラックスなどをまとめていう呼び方。「デニム―」●**パンツスーツ**〔pants suit〕《服》上着とスラックスの、女性用のスーツ。

**はんつき**〔半月〕一か月の半分。☞はんげつ(半月)。

**はんつき**〔半(×搗き)〕玄米(げんまい)を、半分白くつくこと。五分(ぶ)づき。「―米(まい)」

**ばんづけ**〔番付〕①《すもう》力士の地位をあらわした印刷物。番付表。「―が下がる・―を上げる」〔それになぞらえた順位表にも言う。「酒豪(しゅごう)―」〕②演芸などの番組をしめした印刷物。

**はんつや**〔半通夜〕⇩通夜②。

**ばんて**〔番手〕【一】ばんて 糸の太さやトタンの厚さ、ゴルフクラブの種類などをあらわす番号。「太(ふと)―」【二】ばんて〔接尾〕〔競技などで〕出場する順序や競技中の順位を言うことば。「二―で登場する・三―につける」

**はんてい**〔反帝〕〔↑反帝国主義〕帝国主義に反対すること。

**はんてい**〔藩邸〕江戸(えど)時代、江戸・京都などにあった諸侯(しょこう)のやしき。

**はんてい**〔判定〕《名・他サ》見分けてさだめること。「勝負の―」●**はんていがち**〔判定勝ち〕《ボクシングなど》決定的な勝敗がつかないとき、審判(しんぱん)が優勢と認めたほうを勝ちとすること。〔↔判定負け〕

**ハンデ(ィ)**↑ハンディキャップ。「―を背負う・―を乗りこえる・《ゴルフなど》―をつける」

**ハンディ(ー)**《ナダ》〔handy〕持ちやすいようす。てがる。軽便。「―タイプ」〔派〕-さ。

**パンティ(ー)**〔panties〕女性のはく、肌(はだ)にぴったりしたごく短い下ばき。ショーツ。●**パンティ(ー)ストッキング**〔和製 panty stockings〕足の先から腰(こし)までをおおう、ストッキング。パンスト。

☆☆**ハンディキャップ**〔handicap〕①不利な条件。また、心身の障害。「―がつく・―をかかえる」②〔競技で〕優劣(ゆうれつ)を平均するために、優位の者にあたえる負担。競馬では、足が速い馬ほどおもりの量を多くする。③《ゴルフ》プレーヤーの実力に応じて、上級者ほど少なくあたえられる数字。プレーでの総打数から各自のハンディキャップを差し引いたスコアで順位をきそう。▽ハンデキャップ。ハンデ(ィ)。

**ハンティング**〔hunting〕《名・他サ》①〔楽しみに〕狩

りをすること。狩猟。②目的のものをねらって、さがしまわること。「ヘッドー・ロケーションー〔⇩ロケハン〕」▽ハント。

**バンデージ**〔bandage〕①包帯。②《ボクシング》グローブをはめる前に素手に巻く、手を保護するための布。

☆☆**パンデミック**〔pandemic〕感染症の世界的大流行。感染爆発。「新型コロナウイルスのー」

**はんてん**［(半×纏)・(半天)］①羽織に似て、えりのかえらない うわっぱり。「綿入れのー」②↑しるしばんてん。「ー着の職人」

**はんてん**［斑点］まだらな点。しみ。

**はんてん**［飯店］①(高級な)中国料理店。〔多く、店の名前に使う〕「太湖ー」②〔中国で〕ホテル。

**はんてん**［反転］《名・自他サ》〔文〕①ひっくり〈かえす/かえる〉こと。②反対の方向へ向きをかえること。「ーしてもとにもどる・ー攻勢」

**はんと**［反徒・×叛徒］〔文〕むほん人(たち)。

**はんと**［半途］道のりの半分。途中。中途。「事業ーで挫折した」

**はんと**［版図］〔=戸籍と地図〕〔文〕領土。「ーの拡張」

**ハント**《名・他サ》〔hunt〕①⇩ハンティング。「ヘッドー」②〔古風〕⇩なんぱ(ナンパ)㊂。「ガールー」

**ハンド**《名・自サ》〔hand〕①手。「ーカット〔=手でカットした〕」「ーローション」②手を使ってすること。③《サッカー》⇩ハンドリング①。④↑ハンド ボール。●**ハンドアウト**〔handout〕研究発表や記者会見などで、聞く人に資料として配る印刷物。●**ハンドクラフト**〔handcraft〕手づくりの工芸品。手工芸品。ハンディクラフト(handicraft)。●**ハンドクリーム**〔hand cream〕荒れどめのため手につける(かおりのない)クリーム。●**ハンドサイン**〔hand sign〕指や手による合図。声が〈出せない/届かない〉ようなときにも意思を伝えることができる。ハンド シグナル。●**ハンドタオル**〔和製 hand towel〕手をふくための小さいタオル。●**ハンドドライヤー**〔hand dryer〕手を洗ったあと かわかすために使う、風が ふき出してくる器械。●**ハンドトラクター**〔hand tractor〕手でおして動かす、軽便な動力耕耘機。●**ハンドバイク**〔hand bike〕手でこぐ自転車。レース用のものと、車いすに取り付ける形式のものがある。ハンドサイクル。●**ハンドバッグ**〔handbag〕〔女性が〕ハンカチ・けしょう品・さいふなどを入れて手に持つ、小形のかばん。バッグ。〔なまって、ハンド バック〕●**ハンドブック**〔handbook〕案内書。便覧。●**ハンドベル**〔handbell〕《音》手で ふり鳴らすすず。複数用いて、さまざまな音を出す。●**ハンドボール**〔handball〕七人ずつ ふた組みに分かれて、ボールを手であつかいながら相手のゴールへ投げこむ球技。送球。ハンド。●**ハンドマイク**〔和製 hand mike〕手で持って使うマイク。●**ハンドメイド**〔handmade〕手製。手作り。ハンド メード。「ーのよさ」

**バント**《名・他サ》〔米 bunt〕《野球》バットをふらずにボールに軽く当て、ボールを内野へ ゆるくころがすこと。〔なまって、バンド〕☞送りバント。

**バンド**〔band〕①ひも(の形をしたもの)。「ゴムー・ヘアー」②〔古風〕腰にやうでなどに巻く帯。ベルト。③《理》〔放送に割り当てた〕周波数の範囲。中波・短波などの大きな区別。④〔①〜③とは別語源〕(現代ふうの)音楽を演奏するグループ。「ーを組む・ーマン・コピーー〔=メジャーなバンドの音楽をコピーするバンド。コピバン〕」●**バンドカラー**〔band collar〕襟ぐりに、帯状の細い布がついた襟。●**バンドボーイ**〔和製 band boy〕楽団・歌手などの雑用をする若い男性。ボーヤ(坊や)〔俗〕。●**バンドマスター**〔band master〕《音》楽団の演奏者のうち、中心になる人。バンマス〔俗〕。●**バンドワゴン**〔米 bandwagon=楽隊車〕選挙で、優勢なほうに投票しようとする現象。勝ち馬に乗る現象。「ー効果(↔アンダードッグ効果)」

**バンド**《野球》〔俗〕㊀《名・自サ》「バウンド」の変化。「ワンーする」㊁《名・他サ》「バント」の変化。

**パント**《名・他サ》〔punt〕《ラグビー》ボールを手から落とし、地面につかないうちにけること。「ハイー」

**はんドア**［半ドア］〔自動車や冷蔵庫などで〕ドアのしめ方が不十分な状態。「ーで走る」

**はんとう**［半島］①《地》海に〈大きく/長く〉突っき出ている陸地。「能登のー」②↑朝鮮半島。「ー情勢」

**はんとう**［反党］《名・自サ》〔文〕その政党のやり方に反対すること。「ー行為・ーグループ」

**はんとう**［反騰］《名・自サ》《経》下がっていた相場が、急に大きく上がること。反発。(↔反落)

**はんどう**［反動］①ある動作に さからって起こる動作。「ーをつけて起き上がる」(↔動)②《理》⇩反作用。③歴史の流れにさからって、進歩をはばむ保守的な傾向。「保守ー・ー勢力」●**はんどうしゅぎ**［反動主義］暴力を使う、極端な保守主義。

**ばんとう**［晩冬］〔文〕①冬の末。二月の なかばすぎ。(↔初冬・仲冬)②旧暦十二月。今の一月ごろ。(↔初冬)

**ばんとう**［番頭］①昔の商店で、使用人の かしら。主人に代わって、店をとりしきる。②主人に代わって、会社などの実権をにぎる人。「内閣の大ー〔=官房長官〕・ー役」

**ばんどう**［△坂東］〔=足柄峠・碓氷峠の坂から東〕「関東」の古い言い方。「ー武者」●**ばんどうたろう**［△坂東太郎］①日本の有名な三つの川の一つ。関東の、利根川。☞筑紫次郎・四国三郎。②関東地方で見られる、大きな雷雲。

☆☆**はんどうたい**［半導体］《理》金属のような導体と、ゴムやガラスのように電気を通さない絶縁体の中間的な性質を持つ物質。シリコンやゲルマニウムなど。電子部品に使われる。☞ダイオード・トランジスタ(ー)・集積回路。

**はんとうまく**［半透膜］《生》溶液の成分のうち、ある成分は通すが他の成分は通さないという膜。人工透析などに利用する。

**はんとき**［半時］①昔の時間で、一時の半分。今の約一時間。②少しの時間。「ーを争う」

**はんどく**［判読］《名・他サ》わかりにくい文字や文章を判断して読むこと。「姓名をーする・乱筆、どうかごーください」

**はんとし**［半年］一年の半分。はんねん。

**パントテンさん**［パントテン酸］〔ド Pantothen〕

〖理〗ビタミンB群に属する物質。多くの食品に ふくまれ、栄養素の代謝を助ける。

**バンドネオン**〔ス bandoneón〕〖音〗アコーディオンに似た楽器。ボタン式で鍵盤はない。〔アルゼンチンタンゴには欠かせない楽器〕

**パントマイム**〔pantomime〕①身ぶりでする、ものまね。②おどり・身ぶり・表情だけで ものごとをあらわす劇。無言劇。黙劇。▽マイム。㊇パントマイマー。

**ハンドラー**〔handler〕警察犬・麻薬探知犬などをあつかう人。

☆☆**パンドラ の はこ**［パンドラの箱］〔ギ Pandora〕ギリシャ神話で、ゼウスが、パンドラ〔=神が最初に作った女性の名〕に、人間のあらゆる罪や わざわいを入れて わたしたといわれる箱。「—を開ける〔=取り返しのつかない事態にする〕」

**パントリー**〔pantry〕食品・食器の置き場。食品庫。

**ハンドリング**《名・他サ》〔handling〕①〖サッカー〗ボールに手・うでをふれる反則。ハンド。②〖ラグビーなど〗ボールを手で処理すること。③ハンドル操作。④取り回すこと。対応。運用。「チームを—する」

**ハンドル**〔handle〕①手で にぎる所。取っ手。「ドアの—」②〔機械などを〕〈操作/運転〉するときに、手でにぎる部分。「自転車の—・—を取られる〔=ハンドルの操作が思うようにできなくなる〕」③↑ハンドル ネーム。「固 定 —」 ●**ハンドル キーパー**〔和製 handle keeper〕仲間と酒を飲んだとき、一人だけ酒を飲まない運転役。〔全日本交通安全協会が定めた愛称〕 ●**ハンドル ネーム**〔和製 handle name〕インターネットで使う仮の名。ハンドル。HN。

**バンドル**《名・他サ》〔bundle〕ある製品に別の製品を組み合わせて販売すること。パソコンにソフトウェアを組み合わせるなど。

**はんドン**［半ドン］〔=半分のドンタク《=日曜日》〕〔古風〕午前中で勤務や授業が終わる〈こと/日〉。「土曜日は—だ」

**はんなき**［半泣き］泣きかけていること。

**パンナコッタ**〔イ panna cotta〕生クリームをあたためて、砂糖・ゼラチンを加え、ひやしてプリンのように かためた洋菓子。

**はんなま**［半生］㊀《名・ナダ》①じゅうぶん火が通っていないようす。「焼き加減が—だ」②かわききっていないようす。③じゅうぶん身についていないようす。「—の英語」㊁↑半生菓子。☞はんせい(半生)。 ●**はんなまがし**［半生菓子］かたさが、生菓子と干菓子の間の和菓子。はんなま。

**はんなり**《副・自サ》〔京阪地方の方言〕品のいい、はなやかな感じがするようす。「—とした女性・あんどんの—とした あかり・—した情緒」

☆☆**ばんなん**［万難］〔文〕〔障害となる〕多くの困難。「—を排して進める」

**はんにえ**［半煮え］《名・ナダ》なまにえ。

**はんにち**［反日］〔文〕日本に反感を持つこと。「—分子」(↔親日)

**はんにち**［半日］一日の半分の長さ。「小—」

**はんにゃ**［般△若］〔=知恵。梵語 prajñā の音訳〕〖仏〗おそろしい顔をした鬼女(の面)。 ●**はんにゃとう**［般△若湯］〔僧の隠語で〕酒。

**はんにゅう**［搬入］《名・他サ》〔文〕〔倉庫や会場に〕はこびいれること。(↔搬出)

*****はんにん**［犯人］①〔法律上の〕罪をおかした者。「—像〔=情報から作り上げた、犯人の姿や性格などのイメージ〕」②悪いできごとが起きたとき、その原因となる〈人/こと〉。「作物を枯らした—は虫だ」 ●**はんにんさがし**［犯人捜し・犯人探し］犯人をさがすこと。「情報もれの—をする」

**ばんにん**［万人］(ほとんど)すべての人。ばんじん。まんにん。「—向き・—受け」

**ばんにん**［番人］番をする人。

**はんにんまえ**［半人前］技能や経験が不足して、人なみの半分ほどの働きしかできないこと。「仕事の腕は—だ」

**はんね**［半値］定価の半分(の値段)。「—八掛け二割引き〔=たいそう安い値段〕」

**はんねん**［半年］はんとし。

**ばんねん**［晩年］〔故人の〈一生/職業生活〉のうち〕終わりに近い時期。「—の心境」

**はんのう**［半農］〔文〕暮らしのなかばを農業生産によってたてること。「—半漁・—半商」

*****はんのう**［反応］《名・自サ》①はたらきかけに対する、相手の動き・変化。手ごたえ。ききめ。「読者からの—」②刺激した結果起こる現象。「生体—・レーダーに—がある」(↔刺激)③〖理〗物質どうしが作用して起こる化学変化。「中和—」

**ばんのう**［万能］①何にでも使えること。「—の薬・—細胞〔=からだのどの部分にもなる細胞。例、iPS細胞〕・—ねぎ〔=細く小さい緑色のネギ。商標名〕」②何でも得意で、うまくできること。「—選手・辞書は—ではない」

**はんのき**［×榛の木］山野に多い雑木の一つ。実はマツの実に似て、小形で茶色。

**パンのき**［パンの木］ポリネシアの島々に はえる、高い木。パンのような感じの肉を持った実がなる。食用。

**はんば**［飯場］〔古風・俗〕〔土木・建設工事のために、現場近くに設けた〕作業員宿舎。

**はんぱ**［半端］《名・ナダ》①数が そろわないこと。量が まとまらないこと。「—もの特売・—な時間」②端数。はした。「—は切りすてる」③どちらとも つかないこと。中途半端。「—な気持ち」④完全でないこと。「—者〔=一人前でない者〕・—仕事〔=それだけでは生活できない仕事〕」⑤大した程度でな(く、つまらな)いようす。「—なワインより酔える曲」㊇—さ。 ●**はんぱでない**［半端でない］《形》程度がたいへん大きい。ものすごい。半端ではない。半端じゃない。半端ない〔俗〕。「量が—・意気ごみは—」〔一九七〇年代末からの言い方。もと、俗語〕 ●**はんぱない**［半端ない・ハンパない］《形》〔俗〕↑半端でない。パない。パねえ。「—食欲・〔副詞的に〕半端ねえ うまい」〔一九九〇年代に例があり、二十一世紀になって広まったことば〕

**ばんば**［×輓馬］〔文〕車や そりを引かせる馬。

**ばんぱ**［万波］〔文〕多くの なみ。

**バンパー**〔米 bumper〕衝撃力をへらす装置。自動車の前後や、競技用の車椅子の前などに つける。

**ハンバーガー**〔米 hamburger〕ハンバーグやレタスなどを、ひらたいパン〔=バンズ〕で はさんだ食べ物。バーガー。

**ハンバーグ**〔↑米 Hamburger steak〕牛肉などのひき肉にタマネギ・たまご・パン粉などをくわえてこね、小判形にまとめて、フライパンなどで焼いた料理。ハンバーグステーキ。バーグ。「和風—」

**はんばい**［販売］《名・他サ》売りさばくこと。「—店・委託—」

**バンパイア**〔vampire〕①吸血鬼。②バンプ。▽バンパイヤ。ヴァンパイア。

**ぱんぱかぱーん**《副・感》ファンファーレの音(をまねたことば)。「—、朝ですよ」

**はんばく**［反×駁］《名・自他サ》反対して非難すること。反論。はんぱく。「—を加える」

**はんぱく**［半白］〔文〕しらががまじった髪。ごましお。

**ばんぱく**［万博］↑万国博覧会。

**パンパス**〔pampas〕①《地》南アメリカ大陸、特にアルゼンチンの大草原。パンパ。②〔↑パンパス グラス(pampas grass)〕「パンパス①」にはえる、ススキに似た植物。生け花の材料。

**はんばつ**［藩閥］《歴》明治政府で、勢力のある藩の出身者が作った閥。「—政治」

**はんぱつ**［反発・反×撥］《名・自他サ》①はね〈かえす/かえる〉こと。「—力」②反抗して、相手を受けつけないこと。「—を感じる」③《経》反騰。「急—」(↕反落)

**はんはば**［半幅］《服》並幅の半分の幅。「—(の)帯」

**はんぱり**［半張り］くつの底のうち、かかと以外の部分を〈はること/はったもの〉。

**はんはん**［半々］半分ずつ。「—にまぜる」

**ばんばん**［万々］《副》〔文〕①けっして。②じゅうぶんに。まったく。③種々。いろいろ。

**ばんばん**《副》①鉄砲などを続けてうつ音。「—と銃声がする」②続けて爆発する〈音/ようす〉。「爆竹が—鳴る」③勢いよくおこなうようす。「意見を—言う」

**ばんぱん**［万般］〔文〕いろいろの方面のこと。「社会—に通じる」

**ぱんぱん** [一] **ぱんぱん**《副》①ピストルを続けてうつ音。「—と発射する」②続けて破裂する〈音/ようす〉。「風船を—と割る」 [二] **ぱんぱん**《ナダ》①はりさけそうにふくらんでいるようす。「おなかが—になる」②〔俗〕限度いっぱいであるようす。「スケジュールが—だ」

**ばんばんざい**［万々歳］「ばんざい」を強めた言い方。非常にめでたいということ。

**バンバンジー**〔:棒々鶏〕〔中国語〕ゆでたとり肉を細くさき、ごまだれをかけた料理。キュウリなどをそえる。

**ぱんピー**［パンピー］〔↑一般ピープル(=人)〕〔俗〕一般人やしろうとを見くだして呼ぶことば。〔一九八〇年代からのことば〕

**はんびょうにん**［半病人］病人のようにからだが弱っている人。

**はんびらき**［半開き］なかば開いていること。「—のドア・目が—」

**はんぴれい**［反比例］《名・自サ》《数》一つの量が〈ふえる/へる〉につれて、ほかの量が同じ割合だけ〈へる/ふえる〉こと。逆比例。(↕正比例)

**はんびろ**［ばん広］《名・ナダ》〔俗〕〈足/くつ〉の横はばが広いこと。「—甲高」

**はんぷ**［帆布］船の帆やテントに用いる、綿や麻の厚地の布。ほぬの。

**はんぷ**［頒布］《名・他サ》特定のものを特定の人々に〈くばる/実費で売る〉こと。「無料で—する・—会」

**バンプ**〔vamp〕男をまよわす女。妖婦。バンパイア。

**パンフ**↑パンフレット。

**パンプアップ**《名・自サ》〔pump up〕激しい筋トレの直後、筋肉が充血し、一時的に風船のようにふくらむ現象。

**ばんぷう**［蛮風］〔文〕野蛮な風習。

**パンプキン**〔pumpkin〕カボチャ。「—パイ」

←**はんぷく**［反覆］《名・自他サ》①〔文〕うらがえること。うらがえすこと。②⇩反復。

→**はんぷく**［反復・反覆］《名・他サ》何度もくり返すこと。「—練習」●**はんぷくよことび**［反復横跳び］敏捷性を測る体力テスト。三本の線の真ん中に立ち、左右の線を外側の足で越すか踏むかして真ん中にもどる回数を測る。

**ばんぷく**［万福］〔文〕幸福の多いこと。まんぷく。「貴家の—をいのる」

**パンプス**〔pumps〕女性がはく、足の甲の大きくあいた、ひもや留め金などがないくつ。「ハイヒール—」

**ばんぶつ**［万物］〔文〕宇宙にあるすべてのもの。「雨は—をうるおす・—は流転する」●**ばんぶつのれいちょう**［万物の霊長］万物のかしら。人間。人類。

**はんぶっしつ**［反物質］《理》反粒子で構成されている物質。宇宙のはじまるときに生じたとされる。☞反粒子。

**ハンブル**《名・他サ》〔米 fumble〕⇩ファンブル。

**パンフレット**〔pamphlet〕案内・宣伝用の小冊子。パンフ。☞リーフレット。

*__はんぶん__［半分］ [一] **はんぶん**《名》・**はんぶん**《副》①同じように二つに分けたうちの、一つ分。二分の一。「こづかいの—を貯金する・ガソリンが—しかない・ごはんを—残した・—こ(=俗に、半分わけ)(に)する」②なかばその状態であること。「—(は)本気だ」 [二] 造 なかばそういう気持ちであること。「いたずら—・冗談—」

**はんぶんじょくれい**［繁文×縟礼］〔文〕こまごまとしてわずらわしい、形式的な規則や儀礼。

**はんぺい**［藩×屏］〔=垣根〕〔文〕王室や皇室の守りとなるもの。

**ばんぺい**［番兵］番をする兵士。

**ばんぺイユ**〔晩:白柚〕〔ペイユ=中国語の方言〕ザボンの一種。果実はうす黄緑色で、大きさは世界最大級。〔熊本県の特産〕

**はんべそ**［半べそ］〔子どもが〕今にも泣き出しそうになって顔をゆがめること。「—をかく」

**はんべつ**［判別］《名・他サ》見分けること。はっきり区別すること。「善悪を—する」

**はんぺら**［半ぺら］〔俗〕〔紙などの〕半分の大きさ。

**はんぺん**［半片］〔文〕①一片の半分。はんきれ。②半券。

**はんぺん**［(半△平)・ハンペン］魚肉のすり身にヤマノイモとしんこ(糝粉)をまぜてむした、やわらかい食品。おでんなどに入れて食べる。

**はんぽ**［半歩］一歩の半分。「時代の—先を行く」

**はんぼいん**【半母音】〘言〙母音の性質と子音の性質を持った音。半子音。例、ヤ行・ワ行の子音〔j〕〔w〕。

**ばんぼう**【繁忙】〈名・ダナ〉〔文〕仕事が多くていそがしいこと。「―期(↔閑散期)」派―さ。

**ばんぽう**【万邦】〔文〕あらゆる国。万国。「―無比(=くらべるものがない)」

**はんぽん**【版本・板本】版木をほって印刷した本。(↔写本)

**ハンマー**〔hammer〕①(大きな)かなづち。木づち。②〘音〙チャイムなどを演奏するためのつち。③基礎工事のくいを打ちこむときに使う、鉄のおもり。「パイル―」④⇩撃鉄。▽ハンマ。●**ハンマーなげ**【ハンマー投げ】〘陸上〙鋼鉄のワイヤのついた鉄のたまを両手でふり回して投げ、飛ばした距離をきそう競技。

**はんまい**【飯米】〔文〕たいて食べる米。「―農家(=自分の家で食べる米だけを作っている農家)」

**バンマス**〈俗〉←バンドマスター。

**はんみ**【半身】①相手に対し、からだの向きをななめにして身がまえた姿勢。「―になる・―の かまえ」②さかなを背骨に沿って半分に切った一つ。☞はんしん(半身)。

**はんみち**【半道】〔古風〕①一里の半分。「―そこそこ」②みちのりの半分。「―をこえる」

**はんみょう**【斑×猫】光沢がある肉食の昆虫。人が近づくと、少し前に飛んでは止まる。道教え。

**ばんみん**【万民】〔文〕すべての人民。

**はんむ**【繁務・煩務】〔文〕いそがしい仕事。「―に追われる」

**はんめ**【半目】目をなかばひらくこと。また、なかばひらいた目。半眼。「―を開ける・―になる」

**はんめい**【藩命】江戸時代の、藩の命令。「―により長崎で医術を学ぶ」

**はんめい**【判明】〈名・自サ〉はっきりわかること。「身元が―した・選挙結果の大勢が―する」

**ばんめし**【晩飯】夕食。〔少しぞんざいな言い方〕

→**はんめん**【反面】㊀①反対の(方)面。「やさしさの―にたくましさを秘めている」②〔接続助詞的に用いて〕…のと同時に、別の面では。「期待する―(で)、不安もある」㊁〈接〉別の面では。反対の面からみると。「結果には満足している。―、反省もある」表記㊀②・㊁は、新聞などでは「半面」が多いが、一般には「反面」がより多い。●**はんめんきょうし**【反面教師】いましめとなる、悪い手本。「他社の失敗を―とする」由来中国の毛沢東のことばから。

→**はんめん**【半面】㊀①かたほうの面。一面。「建物の―に日が当たる・気むずかし屋の―がある・―の真理(=一方だけから見た、絶対的でない真理)」②⇩反面㊀②。③〔文〕顔の半分。「―を布で おおう」④一つの面の半分。「新聞の―を使った広告」㊁〈接〉⇩反面㊁。

**ばんめん**【盤面】①碁盤・将棋盤の表面。また、その局面。②盤の表面。「時計の―・CDの―・パチンコ台の―」

**はんも**【繁茂】〈名・自サ〉〔草木が〕おいしげること。

**はんもく**【反目】〈名・自サ〉仲が悪くて、おたがいににらみあうこと。対立。「兄弟で―する」

**ハンモック**〔hammock〕じょうぶな ひもを編んで作った、また、ズックで仕立てた、柱と柱の間につって ねる道具。つり床。

**はんもと**【版元】発行所。出版もと。

**はんもん**【斑紋・斑文】まだらの模様。

**はんもん**【反問】〈名・自サ〉〔相手の問いに対して〕問いかえすこと。

**はんもん**【煩×悶】〈名・自サ〉〔文〕なやみ(もだえること)。「ひとり―する」

**はんや**【半夜】〔文〕①ひと晩の半分。「―の通夜」②よなか。

**ばんや**【番屋】①番人のいる小屋。②獲物を見張る小屋。③北海道・東北で、夏、漁師が宿泊や作業に使う小屋。

**パンヤ**〔ポ panha〕綿の代わりに ふとんなどに入れるもの。木綿。カポック。「―のまくら」

**はんやく**【反訳】〈名・他サ〉①速記の記号で書いたことばを、ふつうの文字にもどすこと。②〔文〕翻訳。

**ばんゆう**【万有】〔文〕万物。●**ばんゆういんりょく**【万有引力】〘理〙質量を持つすべての物体がたがいに引き合う力。ニュートン(Newton)が発見した。

**ばんゆう**【蛮勇】〔文〕結果は どうなっても いいから、とにかく やってみようという、乱暴とも言える勇気。「―をふるって計画を実行する」

☆**はんよう**【汎用】何にでも使えること。「―性が高いシステム」

**はんよう**【繁用】〔文〕㊀用事が多くて いそがしいこと。「ご―中恐れ入ります」㊁〈名・他サ〉頻繁に使うこと。頻用。「―される薬」

**はんら**【半裸】半分はだか。(↔全裸)

**ばんらい**【万雷】〔文〕①多くの かみなり。②割れるように大きな音。「―の拍手(=おおぜいの さかんな拍手)・―のごとき大声」

**はんらく**【反落】〈名・自サ〉〘経〙上がっていた相場が、急に大きく下がること。(↔反騰・反発)

**はんらん**【反乱・×叛乱】〈名・自サ〉そむいて みだれること。内乱を起こすこと。「―軍」

**はんらん**【氾濫】〈名・自サ〉①川や水路の水が外にあふれ出ること。「―危険水位(=川がいつ氾濫してもおかしくない、危険な水位)」②〔よくないものが〕いっぱい出まわること。「無数の情報が―する」

**ばんり**【万里】〔文〕きわめて遠い〈こと/所〉。「―のかなた」●**ばんりのちょうじょう**【万里の長城】〘歴〙中国歴代の王朝が北方(特にモンゴル)の遊牧民族に備えて造った長い城壁。長城。

**ハンリュー**【:韓流】〔中国語〕⇩かんりゅう(韓流)。

**はんりゅうし**【反粒子】〘理〙通常の素粒子と質量や寿命は同じだが、電荷が逆の素粒子。例、電子に対する陽電子。☞反物質。

☆**はんりょ**【伴侶】〔文〕①いつもそばに〈いる/ある〉だいじな存在。とも。「―動物(=家族のようなペット)」②配偶者。つれあい。「人生の―・好―」

**はんりょう**【半量】半分の量。

**ばんりょう**【晩涼】〔文〕〔夏の〕夕方のすずしさ。

**はんりょく**【反力】〘理〙外力に対して反対方向にはたらく力。「押し返そうとする―が はたらく」

**ばんりょく**【万緑】〔文〕一面に みどり色であること。●**万緑叢中紅一点** 句(=青葉の中にザクロの花が咲いている)多くの男性の中に女性が ひとりいるたとえ。

**ばんりょく**【蛮力】〔文〕①蛮勇をふるう力。②乱暴な力。

**はんりん**【半輪】〔文〕輪の半分。半円形。「—の月〔=半月〕」

☆☆**はんれい**【凡例】①辞書や本の、編集方針や使い方などを書いた部分。「—を読む・—参照」②グラフの各項目が何をあらわすか説明した、ひとまとまりの部分。

**はんれい**【反例】①ある命題や理論が成り立たないことを示す例。「—が出る」②その人の議論に反する例。

**はんれい**【判例】《法》判決の実例。判決例。

**はんれい**【範例】〔文〕模範となる例。手本。見本。

**ばんれい**【万霊】〔文〕〔人間をふくむ〕すべての生き物のたましい。「—(供養)塔」

**はんれき**【犯歴】犯罪をおこなった経歴。

**はんろ**【販路】品物を売りさばく方面。売れくち。「—を広げる・—が開ける」

**はんろう**【煩労】〔文〕わずらわしい骨折り。

**はんろん**【汎論】〔文〕全体にわたって、広く議論〈する こと/した本〉。「芸術—」

**はんろん**【反論】《名・自他サ》〈反対/反駁〉の議論(をすること)。「批判に—する・無実を〔=無実だと〕—する」

**はんわらい**【半笑い】《名・自サ》中途はんぱな笑い(の表情)。「—を浮かべる」

**はんわり**【半割り】縦半分に割ること。「—若どり(鶏)」

## ひ　ヒ

**ひ**【一】ひとつ。「—の二の三」

＊＊**ひ**【日】㊀【陽】①太陽。「—が出る・—が落ちる・—があるうちに・—が回る」②日光。「—に照らされる・—があたる・—にさらす」㊁①ひる(ま)。「—が長い・—が暮れる」②昼と夜。一日。二十四時間。「—に三度」③〔時の流れの ひとくぎりとしての〕一日。「ある—・雨の—・月曜—」④〔ある特別の〕一日。「母の—・誕生—」⑤日限。「—を切る」⑥日数。「—がかかる」⑦とき。「若き—の思い出・—とともに」⑧〔—には〕場合には。「失敗した—には目もあてられない」☞来た日には〔「来た」の句〕。⑨まいにち。「—風呂」アク「この—が」のように、前にことばがつく場合は、ひ。☞日

●**日出ずる国**句 日本。「—日本」●**日一日と**句 一日ごとに。一日たつにつれて。「—あたたかくなる」●**日が浅い**句 それほど日がたっていない。「発見されてからまだ—」●**日が当たらない**句 地位や環境にめぐまれない。●**日が暮れてしまう**句 ●**日暮れて道遠し**句 時間がかかりすぎて待っていられない。●**日暮れて道遠し**句〔文〕(年を取って)目的を達するまで ほど遠い。もう間にあわない。●**日に月に**句 一日ごとに、ひと月ごとに。☞日に日に。●**日の当たる場所**句 めぐまれた地位・環境。●**日を改めて**句 別な日をえらんで。●**日を移す**句 ①予定の日をずらす。②(ぐずぐずして)日を過ごす。日を送る。●**日を追って**句 ①日付の順に。「—記入する」②日がたつにつれて。「—はげしくなる」●**日を同じくして論ずべきでない**句〔文〕⇩同日の談で(は)ない〔「同日」の句〕。

**ひ**【比】㊀ひ ①くらべもの。たぐい。「当時のショックは今回の—ではない〔=くらべものにならない〕」②《数》ものの数量が、相手と比べて〈何倍/何分の一〉であるかを示す数字。割合。「男女(の)—は三対二だった・女に対する男の—(の値)は二分の三だ」③↑フィリピン(比律賓)。「—国・—島」㊁造 ①…との比較。「前年同期—で減益」②(…に対する)比率。「人口十万—の医師数・構成—」●**比を見ない**句 くらべるものがない。

＊＊**ひ**【火】㊀ひ ①ひどく熱い、上に向かって ゆらめく(赤い)光。油や木・紙などから起こり、まわりを黒くこがす。「—をたく・—が燃える・—を消す」②炭などが熱くなり、赤く光ったもの。あとに灰が残る。「コークスの—・—〔=炭火〕をつぐ・ちょっと(タバコの)—を拝借・タバコ—」③火事。「—の用心・—を出す・不審—」④火山。「—の島・—の国〔=今の熊本県〕」⑤激しい感情。「胸の—」㊁接尾 おきゅうの もぐさをすえる回数を数えることば。「三十—」●**火がつく**句 ①燃えはじめる。②〔あることが原因で〕さわぎなどが起こる。「論戦に—・やる気に—」③《野球》打って勢いが出る。「打線に—」④かくれていた問題や事件が表面化し、危険な状態になる。「身辺に—」☞火のついたよう句。●**火が出る**句 ①火事になる。燃え出す。「台所から—」②火花が散る。「目から—〔⇩「目」の句〕」他 火を出す。●**火が入る**句 ①〔火事で、建物の中に〕燃え移る。②〔揚げ油が熱くなりすぎて〕燃え出す。「なべに—」●**火に油を注ぐ**句 ますます激しくする。「なべを—」●**火にかける**句 料理をするために火の上に置く。●**火の消えたよう**句〔家や商店街などが〕すっかり活気がなくなって、さびしくなるようす。●**火のついたよう**句 ①大さわぎになることのたとえ。「—な さわぎ」②赤ちゃんが激しく泣くようす。〔「火がつくように」とも〕●**火の出るよう**句 激しい勢いですることのたとえ。「—な練習」●**火のない所に煙は立たぬ**句 うわさは、何かの事実をよりどころにしているものだ。●**火の中 水の中**句 非常に苦しい試練のたとえ。水火の中。火の中 水の底。「君のためなら、たとえ—(でも飛びこむつもり)だ」●**火を入れる**句 ①「火入れ」をする。②電気機器などを作動させる。「自家発電に—・魚群探知機に—」③⇩火を通す句。●**火を落とす**句 調理場の火を消す。●**火をかける**句〔文〕〔火事を起こすために〕火をつける。●**火を失する**句〔文〕まちがって火事を起こす。●**火をつける**句 ①点火する。②放火する。③〔さわぎや やる気の〕きっかけをつくる。「反対運動に—・私の心に火をつけた〔=私を本気にさせた〕」●**火を通す**句〔食べ物に〕熱をじゅうぶん加える。火を入れる。直 火が通る。●**火を噴く**句 ①火がふき出す。「—火山」②大さわぎになる。「火を噴いた汚職事件」③《野球》猛烈に打ちまくる。火を吐く。「バットが—・—打線」●☆☆**火を見るより(も)明らか**句 きわめて はっきりしている。明白すぎるほど明白だ。

**ひ**【灯】照らすための光。ともしび。あかり。「—が ともる・遠くの町の—」☞灯の海。●**灯が入る**句〔夜になって〕あかりがともる。●**灯を消す**句 ①看板などの灯

を消す。営業をやめる。②灯を絶やす。●**灯を絶やす** 句（長く続いてきたものを）とちゅうで絶やす。灯を消す。「伝統の―」

**ひ**［妃］〔文〕きさき。「―となる・皇太子―」

**ひ**［否］〔文〕認めないこと。不賛成。「〔票決で〕―とするもの二十五、可とするもの八」（↔可・諾）

↑***ひ**［非］⊟ひ〔文〕①悪いこと。（↔是）②不利。「形勢が―である」③つみ。不正。「―をあばく」④誤り。「―を認める」⑤欠点。きず。⊟接頭 …でない。…しない。「―公開・―人道的」●☆**非の打ち所がない** 句 すぐれていて、ここが悪いというところがない。申し分ない。「この文章は―」●**非を鳴らす** 句 悪いと言って責める。

**ひ**［（×杼）・（×梭）］機織りの横糸を中に巻いて入れた、小さな舟の形の道具。縦糸の間を左右にいそがしく動かして、横糸を通す。シャトル。

**ひ**［飛］①《将棋》↑飛車。②《視覚語》《野球》↑飛球。フライ。「二―・左―」

**ひ**［秘］①〔文〕〈見せ/知らせ〉ないで、大切にかくしておく〈こと/もの〉。秘密。「秘中の―・社外―」②↑ペルー。

**ひ**［×脾］《医》脾臓。「―機能」

**ひ**［碑］石碑。いしぶみ。「記念の―・―を建てる」

**ひ**［×緋］火のような色の赤。緋色。スカーレット。「―の長じゅばん」

**ひ**［×樋］①川から水を引いてくる、〈竹や木で〉できた水路。とい。「清流の水を―に引く」②水路の、逆流を防ぐ水門。③刀の背に近いところにある みぞ。「―が はいっている」

**ひ**［被］接頭〔文〕受け身をあらわす。…される。「―選挙人・―抑圧者・―本塁打〔＝ホームランを打た〈れること〉〕」

**ひ**［皮］選《医》かわ。「キナ―」

****ひ**［費］選 費用。「運動―・交通―」

**び**［美］⊟①美しい〈こと/もの〉。「―に出合う・―少年・健康―」（↔醜）②〔文〕りっぱなこと。「有終の―をかざる〔⇒「有終」の句〕」⊟《ナリ》〔文〕〔形・色・味が〕いいようす。「その味―なり」

**び**［微］⊟び〔文〕細かいこと。⊟選 かすかな。わずかの。「―酸性・―修正」●**微に入り細をうがつ** 句〔文〕非常に細かい点にまでおよぶ。微に入り細にわたる。微に入り細に入る。

**び**［尾］接尾 水あげした さかなを数えることば。「三―」〔生きたものは「匹」〕

**び**［鼻］選 鼻の。「―粘膜・―濁音」

**ビア** 選〔beer〕ビール。ビヤ。「―パーティー」

**ピア** 造〔←「ユートピア」など〕公共施設などの名前につけることば。「ハート―」

**ひあい**［悲哀］〔文〕身にしみじみと感じられる、悲しさ。「人生の―を感じる・―がただよう」

**ビアガーデン**〔beer garden〕庭園ふうに作った、ビールを飲ませる店。ビヤガーデン。

**ピアカウンセリング**〔米 peer counseling〕同じ障害や病気を持つ なかまどうしでのカウンセリング。

↑**ひあかり**［火明かり］燃えている火の、明るさ。「ガスストーブの青い―」

↑**ひあかり**［灯明かり］ろうそくや電灯の光の、明るさ。

**ひあが・る**［干上がる］《自五》完全に かわく。「田んぼが―・あごが―〔⇒「あご」の句〕」

↑**ひあし**［日足］《経》日ごとの株価の動きを、ローソク足で示した図。

↑**ひあし**［日脚・日足］日が出てから暮れるまでの時間。「―がのびる」

**ひあし**［火脚・火足］火の燃えひろがる速さ。「―が速い」

**ピアス**〔pierce＝さし通す〕耳たぶなどに穴をあけて付けるかざり。

**ひあそび**［火遊び］《名・自サ》①火をもてあそぶこと。②その場かぎりの危険な恋愛。

**ひあたり**［日当たり］日光の当たりぐあい。

**ビアだる**［ビア（×樽）］ビールを入れる、中央部のふくれたたる。ビールだる。ビヤだる。

**ピアニスト**〔pianist〕ピアノの演奏家。ピアノひき。

**ピアニズム**〔pianism〕《音》ピアノ演奏の技術と芸術性。「詩情あふれる―」

**ピアニ（ッ）シモ**〔イ pianissimo〕《音》ごく弱く〔記号 *pp*〕。（↔フォルティ（ッ）シモ）

**ピアノ**〔イ piano〕《音》①鍵盤楽器の一つ。箱の中に金属の弦を張り、キーをおすとハンマーが弦をたたいて音を出す。ピヤノ〔古風〕。「―三重奏〔＝ピアノ・バイオリン・チェロの三重奏〕」表記「洋琴」とも書いた。②弱く〔記号 *p*〕。（↔フォルテ）●**ピアノせん**［ピアノ線］ピアノなどに使う、鋼鉄のはりがね。

**ひあぶり**［火（×炙）り］昔、罪人を焼き殺した刑罰。火刑。

**ビアホール**〔米 beer hall〕おもにビールを飲ませる飲食店。ビヤホール。

**ヒアリング**《名・自他サ》〔hearing〕①聞き取り調査。「公開―〔＝応答・説明をつけ加えた公聴会〕」②⇒リスニング①。▽ヒヤリング。

**ヒアルロンさん**［ヒアルロン酸］〔ド Hyaluron〕《理》動物の細胞にふくまれる物質。軟骨に多く、関節の機能を維持する。けしょう品や食品にも使われる。

**ひあんだ**［被安打］《野球》投手が、安打を打たれること。打たれた安打。「―三」

**ひい**［（△一）］〔古風〕ひとつ。〔数えるときに言うことば〕「―、ふう、みい、よお、いつ、むう、なあ、やあ、ここ(の)『この』とも〕、とお」

**ひい**［非違］〔文〕法に外れたこと。例、税金のごまかし。

**ひい**［（△曽）］接頭 二代へだたった。「―おじいさん・―孫」

**びい**［微意］〔文〕「自分の気持ち」の謙譲語。「―の存するところをお察しください」

**ビー** ⊟〔B・b〕アルファベットの二番目の字。⊟〔B〕①名を出さないで〔Aに続けて〕言うときに使う符号。「A高校の―先生」②等級の二番目。☞B級。③〔←black〕えんぴつの芯のやわらかいことをあらわす記号。「2―」（↔H）④血液型の一つ。☞A⊟④。⑤〔←boron〕《理》ホウ素の元素記号。⑥〔←basement〕《視覚語》地階。「―2〔＝地下二階〕」⑦《視覚語》《野球》⇒ボール⊟。⑧《視覚語》バスト〔＝胸まわり〕。☞バイト (byte)・バルブ (bulb)②。

**ぴい**《副》⊟ぴい①笛の するどい音。「―と祭りの笛が鳴る」②小鳥の鳴き声。③赤ちゃんの泣き出す声。

■二 ぴい〔ピー〕 アラームなどの するどい音。「―音(=放送で、問題のある発言に かぶせる音)」

**ピー** ■一[P・p] アルファベットの十六番目の字。■二[P] ①《野球》〔俗〕⇩ピッチャー・ピッチング②。「―ゴロ・ナイス―!」 ②《放送など》プロデューサー。「山田―」 ③〔↑phosphorus〕《理》りん(燐)の元素記号。 ④〔↑parking〕〔視覚語〕 駐車(場)。 ⑤〔↑piece〕〔視覚語〕 ピース。「フライドチキン2―・くつ下3― 千円」 ☞ピアノ②・ピコ・ページ■三・ペタ・ポイント⑥。

☆☆**ピーアール**[PR]《名・他サ》〔↑public relations〕〔官庁や会社が〕〈事業/営業〉内容を広く公衆に、宣伝して知らせること。広報。「―活動」

**ビーアンドビー**[B&B]〔↑bed and breakfast〕宿泊と朝食をセットで提供する、手ごろな宿。

**ピーエイチ**[pH]《理》水素イオンの濃度をしめす指数。「pH7」は中性で、これより大きい値はアルカリ性、小さい値は酸性。ペーハー。

**ピーエイチエス**[PHS]〔↑personal handyphone system〕 簡易型携帯電話(の通信システム)。市中に基地局をたくさん設置して、弱い電波で通信する。ピー エッチ エス。ピッチ〔俗〕。

**ビーエイチシー**[BHC]〔↑benzene hexachloride〕《理》ベンゼンに塩素を作用させて作る、強い殺虫剤。日本では一九七一年に使用が禁止された。ヘキサクロロシクロ ヘキサン。ビー エッチシー。

**ピーエー**[PA] ⇩パーキングエリア。

**ビーエス**[BS]〔↑broadcasting satellite〕 放送衛星。「―デジタル放送」 ☞CS①。

**ピーエス**[PS]〔ドPferdestärke〕《自動車》馬力。

**ピーエス**[P.S.]〔↑ラpostscriptum〕 手紙の追って書きをあらわす記号。追伸。二伸。

**ビーエスイー**[BSE]〔↑ bovine spongiform encephalopathy〕《医》脳がスポンジのように縮まって死ぬ、ウシの病気。病原体のついた部分を食べると、人にも感染するとされる。牛海綿状脳症。狂牛病〔俗〕。〔日本では二〇〇一年に問題化〕

**ピーエスイーマーク**[PSEマーク]〔PSE↑product safety of electrical appliance and materials〕 電気器具が安全な製品であることを表示するマーク。電気用品安全法による。

**ピーエックス**[PX]〔↑post exchange〕《軍》米軍基地の中にある売店。酒保。

**ピーエフアイ**[PFI]〔↑private finance initiative〕社会資本の整備を民間にゆだねる手法。

**ピーエム**[PM]〔↑particulate matter〕《理》⇩粒子状物質。 ●☆☆**ピーエムにいてんご**[PM2.5]《理》大きさが二・五マイクロメートル以下の粒子状物質。大気中にただよい、吸いこむと肺や気管支の健康をそこなう。微小粒子状物質。

**ピーエム**[p.m.]〔↑ラ post meridiem〕 午後。「8:30 p.m.〔PM 8:30 なども書く〕」(↕エー エム(a.m.))

**ビーエムアイ**[BMI]〔↑body mass index〕 肥満度を示す体格指数。体重〔キログラム〕を身長〔メートル〕の二乗で割った数値。日本人は二二前後が めやす。ボディ・マス指数。

**ビーエムエックス**[BMX]〔↑ bicycle motocross〕 モトクロスから生まれた自転車競技。また、それに使う専用の小型自転車。速さをきそうレースと、技をきそうフリースタイルがある。

**ビーエル**[BL]〔↑和製boys love〕 男性同士の恋愛(をあつかった漫画・小説など)。ボーイズラブ。「―同人誌」(↕GL)

**ピーエルシー**[PLC]〔↑power line communication〕 ⇩電力線通信。

**ビーエルティー**[BLT]〔↑bacon, lettuce and tomato〕 ベーコン・レタス・トマト(をはさんだサンドイッチ)。

**ピーエルほう**[PL法]〔PL↑product liability〕《法》製造物責任法。消費者が、製品の欠陥で被害を受けた場合、製造者が損害賠償の責任を負うことを定めた法律。

**ビーオーディー**[BOD]〔↑biochemical oxygen demand〕 水質汚染のめやす。水を採取して、中の有機物を微生物に分解させたときに使われる、酸素の量。生物化学的酸素要求量。☞COD①・TOC・TOD。

**ピーオーディー**[POD]〔↑print on demand〕〔書籍などを〕注文を受けてから一冊ずつ印刷して販売する方法。

**ピーオーピー**[POP]〔↑point-of-purchase〕 ⇩ポップ(POP)。

**ビーカー**〔beaker〕《理》化学実験に使う、円筒形のガラス製容器。広口でつぎ口がある。

**ビーガン**〔vegan〕 牛乳やたまごをふくめ、動物性食品をいっさい食べない人。毛皮などの動物製品も使わない。完全菜食主義者。ヴィーガン。☞ベジタリアン・マクロビオティック。

**ぴーかん**[ピーカン]〔俗〕天気がいいこと。快晴。「―の午後」 由来 映画用語で、ぴーっと晴れた かんかん照りから。

**ピーカンナッツ**〔pecan nut〕 クルミに似た、やや細長い木の実。おつまみや菓子などに使う。ペカン。

**ひいき**[(×贔×屓)]《名・自他サ》(↑ひき(贔屓)) ①好意を持ち、個人的に力をそえること。「若い人〈を/に〉―する・店を―にする」 ②一方だけを、不当なまでにだいじにすること。えこひいき。「できる子ばかり―しないで」 ③「ひいき①」にして〈いる/くれる〉人。「ご―さまのお引き立て」 ●**ひいきのひきたおし**[(×贔×屓の)引き倒し] ひいきしすぎて、かえって悪い結果になること。 ●**ひいきめ**[(×贔×屓)目] ひいきした見方。「どう―に見ても負けている」

☆☆**ビーきゅう**[B級] ①〔Aクラスの下の〕第二級。Bクラス。 ②マニアに人気のあるもの。「―映画・―グルメ〔=大衆料理〕」

**ひいく**[肥育]《名・他サ》《農》家畜に、えさをたくさんやって ふとらせること。「―牛」

☆☆**ピーク**〔peak〕 ①山のいただき。頂上。 ②頂点。最高潮。「生産が―に達する」(↕ボトム) ③いちばん こむとき。「―時・六時ごろが―だ」 ●**ピークを打つ** 句《経》⇩天井を打つ(「天井」の句)。 ●**ピークアウト**《名・自サ》〔peak out〕 数量・価値などが最高となって、もうそれ以上は上がらないこと。頂点に達する

ひ

こと。上げどまり。「地価が―する」

**ビークラス**［Bクラス］〔B class〕⇩B級①。

**ビーグル**〔beagle〕イギリス原産の小形の猟犬。足は短く、耳が長くたれている。色は、白・黒・茶の混合など。〔アメリカ漫画のスヌーピーのモデル〕

**ピーケー**［PK］《サッカー・ラグビー》⇩ペナルティ(ー)キック。●**ピーケーせん**［PK戦］《サッカー》同点のとき、五人ずつを出して たがいにペナルティーキックをおこない、そのゴール数で勝敗を決めること。PK合戦。

**ピーケーエフ**［PKF］〔↑ Peace-Keeping Forces〕PKOに従事する軍隊。国連平和維持軍。

☆☆**ピーケーオー**［PKO］〔↑Peace-Keeping Operations〕加盟国が提供した部隊を国連が編制し、紛争地域に派遣してその拡大防止や休戦協定履行の監視などに当たること。国連平和維持活動。

**ビーご**［B5］JISによる紙の大きさの一種。縦二五・七センチ、横一八・二センチ。週刊誌は、ふつうこの大きさ。「―判」☞A4・B4。

**ピーコート**〔pea coat〕《服》腰ぐらいまでの長さで、ダブルボタンのウールなどのコート。ピージャケット。〔元は船員用の防寒コート〕 表記 俗に「Pコート」とも。

**ひいこら**《副》がんばって運動・作業などをするとき、苦しくて声を出すようす。「―言いながら山を登る・―と原稿を書く」

**ピーごろ**［ピーゴロ］〔↑ピッチャー ゴロ〕《野球》〔俗〕ピッチャーの所にころがるゴロ。

**ビーコン**〔beacon〕(航空)標識。「ラジオ―〔=無線標識〕」

**ビーシー**［B.C.］〔↑before Christ〕西暦の紀元前をあらわす記号。例、B.C.100 または 100 B.C.〔=紀元前百年〕。(↔エーディー《A.D.》)

**ピーシー**［PC］①⇩パソコン。②⇩ポリティカルコレクトネス。

**ピージー**［PG］《ラグビー》⇩ペナルティ(ー)ゴール。

☆☆**ビージーエム**［BGM］〔↑ background music〕①《映画・放送・演劇など》場面の ふんいきを作るために演奏する音楽。背景音楽〔古風〕。②〔店などで〕ふんいきを作るため、流しておく音楽。▽バック(グラウンド)ミュージック。

**ビーシーシー**［bcc］〔↑ blind carbon copy〕〔メールで〕受取人に知らせずに、受取人以外の人にもメールのコピーを送る機能。☞cc ▣。

**ビーシージー**［BCG］〔↑フ Bacille de Calmette《=人名》et Guérin《=人名》〕《医》結核を予防するために注射する、牛の結核菌から作った なまのワクチン。

**ピーシービー**［PCB］〔↑ polychlorinated biphenyl〕《理》ポリ塩化ビフェニ(ー)ル。工業用に広く使われたが、人体に有害なため、日本では一九七二年に製造と使用が禁止された。

**ビーシーへいき**［BC兵器］〔BC↑biological and chemical〕《軍》生物化学兵器。CB兵器。

**びいしき**［美意識］美に対する意識。美を感じとる感覚。「―に欠ける」

**ヒース**〔heath〕エリカ。

**ビーズ**〔beads〕ガラスで作った かざり玉。なんきん玉。「―のハンドバッグ」

**ピース**〔peace〕▣ 平和。▣《名・感》ピースサイン(を出しながら言うことば)。「―をする・――!〔一九七一年からの言い方〕」●**ピースサイン**〔peace sign〕⇩Vサイン。「カメラに―を出す」

**ピース**〔peas〕↑グリン ピース。「―ごはん」

**ピース**〔piece〕①ひと組みのものを構成する一つ一つ。P。「三百―のジグソーパズル・四種類のケーキの一―・ワン―のピザ」②《音》ⓐ〔折りたたんだ〕楽譜。「ギター―」ⓑ曲目。部分。「アンコール―」●**ピースが揃う** 句 最後まで残っていた なぞが解ける。ピースが〈はまる/うまる〉。「パズルの―」

**ヒーター**〔heater〕①暖房装置。「オイル―」②電熱器。

**ビーだま**［ビー玉］ころがして遊ぶ、(きれいな色の)小さなガラス玉。由来「ビー」は「ビードロ〔=ガラス〕」の略。「A玉でなく、質の悪いB玉の意味」という説は誤り。

**ビーたん**［B反］〔俗〕上質だが、わずかな きずや染むらのある反物。

**ピータン**［(:皮蛋)］〔中国語〕アヒルのたまごを灰や塩などにつけ、ゼリー状にかたまらせたもの。中国料理に使う。

**ビーチ**〔beach〕浜。海岸。「―ウェア〔=海浜着〕」●**ビーチコーミング**〔beachcombing〕〔趣味として〕海岸を歩いて、漂着物を拾い集めること。●**ビーチサッカー**〔beach soccer〕砂浜でする、五人制のサッカー。コートがせまく、オフサイドのルールもない。●**ビーチサンダル**〔beach sandals〕鼻緒のついた、ゴムやビニールなどのサンダル。はまべなどで はく。島ぞうり〔沖縄方言〕。ビーサン〔俗〕。●**ビーチパラソル**〔和製 beach parasol〕海水浴場などで立てる、日よけの大きな かさ。パラソル。●**ビーチバレー**〔↑beach volleyball〕砂浜でする、二人制のバレーボール。ルールは、六人制とほぼ同じ。●**ビーチフラッグス**〔beach flags〕ライフセービング競技の一つ。はまべで、ゴールとは逆向きにうつぶせの形で位置につき、合図とともに走り出し、二十メートル先に置かれた旗を取り合う。

**ピーチ**〔peach〕食材としてのモモ。また、モモの味。「―パイ」

**ぴいちく・ぱあちく**《副》①ヒバリが、かん高く鳴く声。②人が(集まって)耳立つように うるさく しゃべる〈声/ようす〉。

**ビーツ**〔beets←red beets〕赤カブに似た野菜。中身の赤い根の部分を食べる。酢づけやボルシチに使う。〔ビートと同じ種類〕

**ビーディー**［BD］⇩ブルーレイ。

**ピーティー**［PT］⇩プロジェクトチーム。

**ピーティーエー**［PTA］〔↑Parent-Teacher Association〕保護者と教師が協力して教育効果をあげるための会。〔ふつう、教師に対して保護者のほうだけを言う〕

☆☆**ピーティーエスディー**［PTSD］〔↑ posttraumatic stress disorders〕《医》心的外傷後ストレス障害。たいへん強いストレスを受けたあとに起こる精神障害。

**ピーディーエフ**［PDF］〔↑ portable document

format〕《情》コンピューターの機種に関係なく同じレイアウトで見られる電子文書の形式。

**ピーディーシーエー**［ＰＤＣＡ］〔← plan-do-check-action〕仕事の効率化に必要な要素。計画・実行・評価・改善。「―サイクル・―を回す」

**ひいては**［▵延いては］《副》《文》それがもとになって、さらに。「人のためにすることが―自分のためになる」〔なまって「しいては」〕

**ひい・でる**［秀でる］《自下一》《文》①すぐれる。ぬきんでる。「語学に―・秀でた才能」②強く印象づけられる。「まゆが―」

**ヒート**〔heat〕熱。熱気。●**ヒートアイランド**〔heat island〕人口の多い都市部の気温が周辺より高くなり、等温線を書くと島のように見えること。熱の島。「―現象」●**ヒートアップ**《名・自サ》〔heat up〕いちだんと熱気をおびること。「論争が―する」●**ヒートショック**〔heat shock〕温度の急な変化が、からだにあたえるショック。「―対策」●**ヒートポンプ**〔heat pump〕《理》低温の物体から圧縮器で熱を集め、パイプを通してはこぶ装置。熱の流れを変えると、加熱・暖房、冷却・冷房の両方に使える。熱ポンプ。「―式冷暖房」

**ビート**〔beat=たたく〕①《音》拍子。一拍。「エイト―〔=八拍子〕」②《競泳》足で水をたたくこと。「強い―・―板〔=ばた足練習用の板〕・6―泳法〔=手のひとかきの間に六回足で水をたたくこと〕」

**ビート**〔beet〕⇩てんさい（甜菜）。

**ピート**〔peat〕①泥炭。②←ピートモス。●**ピートモス**〔peat moss〕湿地帯にできる、コケが厚く積もったもの。乾燥させて園芸用土とする。

**ビートゥーシー**［B to C・B2C］〔←business to consumer〕《経》企業と消費者との間のインターネット上の商取引。

**ビートゥービー**［B to B・B2B］〔←business to business〕《経》インターネット上の企業間の商取引。

**ビードロ**〔ポ vidro〕①《古風》ガラス（でできたうつわ）。②息をふいて音を鳴らす、ガラス製のおもちゃ。ぽんぴん。

**ヒートン**〔←piton〕頭が輪の形になった、細いねじくぎ。ヒートン環。

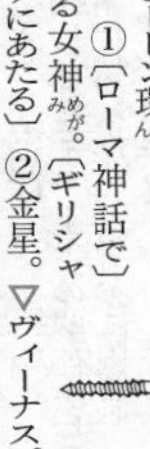

［ヒートン］

**ビーナス**〔Venus〕①《ローマ神話で》美と愛をつかさどる女神。《ギリシャ神話のアフロディテにあたる》②金星。▽ヴィーナス。

**ピーナ(ッ)ツ**〔peanut〕（煎った）落花生。●**ピーナ(ッ)ツバター**〔peanut butter〕落花生をすりつぶして練り、バターのようにかたまらせたもの。パンに塗ったりして食べる。☞バターピーナ(ッ)ツ。

**ビーニー**〔beanie〕ぴったり頭に沿った、つばのないニット帽。ビーニー帽。☞正ちゃん帽。

［ビーニー］

**ピーは**［Ｐ波］〔←primary wave〕《地》最初に伝わる地震波。縦波で、初期微動を引き起こす。☞Ｓ波。

**ビーバー**〔beaver〕北ヨーロッパや北アメリカ大陸の北部の川や湖などにすむけもの。形はラッコに似るがそれより小さく、よく泳ぐ。毛皮は貴重。海狸。

**ビーバップ**〔bebop〕一九四〇年代にアメリカで始まった、初期のモダンジャズ。ビバップ。バップ。

**ひいひい**《副》苦しい〈ようす/ときに出す声〉。「痛くて―言う」

**びいびい**《副》〔小さな子どもが〕不満げに立てる、大きな泣き声。「―泣くんじゃない」

**ぴいぴい** ㊀《副》①笛が続けて鳴る音。②小鳥の鳴き声。③赤ちゃんの小さな泣き声。㊁《副・自サ》①お金がないようす。「いつも―している」②腹をくだしたようす。ぴーごろ。

**ビーピーエス**［ｂｐｓ］〔←bits per second〕《情》〔インターネットで〕一秒間に送受信できる情報量をあらわす単位。ビット毎秒。

**ピーピーエス**［ＰＰＳ］〔←power producer and supplier〕特定規模電気事業者。大手の電力会社とは別に、自社の発電所で発電したり、ほかから調達したりして、電気を販売する。

**ピーピーエム**［ｐｐｍ］〔←parts per million〕比率や濃度を、百万分の一を単位として数えた値。百万分率。

**ピーピーシー**［ＰＰＣ］〔plain paper copier〕普通紙を使う、現在主流のコピー機。「―用紙」〔昔は感光紙を使った〕

**ビービーだん**［ＢＢ弾］プラスチックなどでできた、エアガンのたま。直径六ミリのものが多い。「バイオ―〔=生分解性プラスチック製の、土にかえるＢＢ弾〕」

**びいびしょく**［美衣美食］ぜいたくな衣服と食事。

**ぴいひゃら**《副》祭礼などのはやし（囃子）の音。

**ビーフ**〔beef〕牛肉。「―カレー・―カツ」●**ビーフシチュー**〔beef stew〕（大きめの）牛肉とタマネギ・ニンジンなどを煮こんで、デミグラスソースなどで味つけした料理。☞ハッシュドビーフ。●**ビーフジャーキー**〔beef jerky〕味つけした牛肉を干した食べ物。●**ビーフステーキ**〔beefsteak〕牛肉を厚く切り、両面を焼いたもの。ビフテキ。●**ビーフストロガノフ**〔beef stroganoff〕牛肉をタマネギやマッシュルームなどとともにいため、サワークリームで煮こんだロシア料理。☞ハッシュドビーフ・ビーフシチュー。

**ピーブイ**［ＰＶ］①⇩プロモーションビデオ。②⇩ページビュー。③⇩パブリックビューイング。

**ビープおん**［ビープ音］〔beep〕〔コンピューターなどの〕ビーッという警告の音。

**ビーフン**［▵米粉］《中国語》ふつうの米〔=うるち〕の粉で作った、はるさめに似た麺類。☞こめこ（米粉）。

**ぴーぽー**［ピーポー］《副》救急車のサイレンの音。

**ピーポー**〔←people〕《俗》人々。「一般―・おしゃれ―」☞パリピ。

**ひいまご**［▵曽孫］ひまご。そうそん。

**ピーマン**〔フ piment〕野菜の一種。ふつうは緑色で、熟すと赤くなる。形は大きな鈴に似て、でこぼこがある。西洋とうがらし。「―の肉づめ」☞パプリカ。

**ビーム**〔beam〕《理》光・電子などの粒子が、一定方向にそろった細い流れとなること。光線。また、電波線。「レーザー―・電子―」

**ビーメロ**［Ｂメロ］〔ポップスなどの〕Ａメロが終わって、

サビにはいる手前の部分。曲が盛り上がり始めるところ。

**ヒーメン**〔ド Hymen〕《医》処女膜。

**ビーめん**〔B面〕レコード盤や録音テープなどで、裏の面(に入れた曲)。(↔A面)

**ビーよん**〔B4〕JISによる紙の大きさの一種。縦三六・四センチ、横二五・七センチ。多く事務用に使われる。「―判」☞A4・B5。

**ピーラー**〔peeler〕野菜やくだもの用の皮むき器。

**ひいらぎ**〔×柊〕庭に植える常緑樹。葉はかたくて、ふちのところどころが針のようにとがっている。

**ヒーリング**〔healing〕心をいやすこと。心の治療。「―音楽〔=いやしのための、ゆったりしたテンポの音楽〕」

**ピーリング**〔peeling=皮むき〕皮膚に弱い酸をぬったりレーザーで焼いたりして古い角質をはがし、新陳代謝をうながす美容法。

**ヒール**〔heel〕①〔くつの〕かかと。「―の高いくつ・ハイ―」②〔プロレスやドラマなどで〕悪役。(↔ベビーフェイス)

**ビール**〔オ bier〕オオムギの麦芽を原料として、ホップを加え、発酵させて造った酒。あわが立ち、少しにがい。ビヤ。ビア。表記「:麦酒」は、〈古い/しゃれた〉当て字。●**ビールばら**〔ビール腹〕ビールを飲みすぎたために太ったと思われる腹。ビールっぱら。

**ピール**〔peel〕オレンジ・レモンなどの皮を煮て、砂糖づけにしたもの。

**ビールス**〔ド Virus〕《医》〔古風〕ウイルス。

**ひいれ**〔火入れ〕①〔溶鉱炉などが落成して〕はじめて火を入れること。〔工事が終わって、はじめて電気を通すことなどにも言う〕「―式」②〔清酒・しょうゆを造るときに〕くさらないように熱を加えること。熱殺菌。

☆☆**ヒーロー**〔hero〕①英雄。勇士。②小説・戯曲などの、男性の主人公。③はなばなしく活躍した男性。「―インタビュー」▽②③(↔ヒロイン)

**ビーンボール**〔米 bean《=俗語で、頭》ball〕《野球》投手がわざとバッターの頭をねらって投げるたま。危険球。

**びう**〔眉宇〕〔文〕まゆ(のあたり)。「決意を―にただよわせる」

**びう**〔微雨〕〔文〕こさめ。

**ひうち**〔ヒウチ〕牛のモモ肉の一部で、しもふりの多い貴重な部分。

**ひうちいし**〔火打ち石・×燧石〕石英の一種。とがったかどを鋼鉄と打ち合わせて火を出す。

**ひうん**〔非運・否運〕〔文〕運がひらけないこと。ふしあわせ。(↔幸運)

**ひうん**〔悲運〕〔文〕かなしい運命。「―をかこつ」

**ひえ**〔冷え〕①ひえること。②腰から下がひえる病気。

**ひえ**〔×稗〕畑に作る穀物の一種。つぶはアワに似て茶色。おもに家畜や小鳥のえさにする。

**ひえいせい**〔非衛生〕《名・ナダ》衛生的でないこと。不衛生。「―(的)な生活」(↔衛生的)

**ひええ**《感》〔話〕おどろいたときのことば。ひょえー。ひえー(っ)。「ひええ(―)、こわすぎる」

**ひえき**〔×裨益〕《名・自他サ》〔文〕役に立つこと。助けとなること。益すること。「社会を―する」

**ひえきる**〔冷え切る〕《自五》すっかりひえる。「ごはんが―・冷え切った関係」

**ひえこむ**〔冷え込む〕《自五》①〔気温が下がって〕強くひえる。②〔寒さで〕からだが、ひえる。③友好関係などがすっかりうすれる。④勢いがすっかり弱くなる。「設備投資が―」名冷え込み。

**ひえしょう**〔冷え性〕《医》あたたかい所にいても、足・腰だけがつめたく感じる体質。

**ひえつ**〔飛越〕《名・他サ》〔陸上競技・馬術などで〕障害物をとびこすこと。ハードリング。「障害―」

**ひえひえ**〔冷え冷え〕《名・ナダ》非常に冷えたようす。「―のジュース」(↔熱々)

**ひえびえ**〔冷え冷え〕《副・自サ》①肌につめたく感じられるようす。「―(と)した気候」②人とのつながりがつめたいようす。「―(と)した〈家庭/関係〉」③むなしくさびしいようす。「―(と)した心境」

**ヒエラルキー**〔ド Hierarchie〕上下の関係がピラミッド形になっている組織や秩序。(身分)階層制。ハイアラーキー(hierarchy)。ヒエラルヒー。

**ひえる**〔冷える〕《自下一》①つめたく〈なる/感じる〉。「熱した鉄が―・冷蔵庫にビールが冷えている」②寒く〈なる/感じる〉。「急に冷えてきましたね」③熱意・愛情・友好関係などがうすれる。「冷えた関係」④景気が低迷する。「消費が―」

**ピエロ**〔フ pierrot〕①サーカスなどではでな服を着て、無言でおもしろおかしい演技をする人。道化師。②笑いものにされる人。▽道化。

**ヒエログリフ**〔hieroglyph〕古代エジプトの象形文字。

**ひえん**〔飛×燕〕〔文〕空をとぶツバメ。

**びえん**〔鼻炎〕《医》はなの粘膜の炎症。急性のものを俗にはなかぜと言う。もと、鼻カタル。

**ぴえん**《感・副》〔俗〕小声で泣きまねをするときのことば。また、小さく泣く声。「電車に間に合わない、―・赤ちゃんが―と泣く」〔二〇一〇年代末に広まったことば。大泣きをあらわす「ぴえーん」から作ったもの〕

**ビエンナーレ**〔イ biennale〕一年おきにひらく美術展。☞トリエンナーレ

**ひお**〔氷△魚〕たまごからかえってまもない、小さなアユ。はだがすきとおっている。琵琶湖でとれるものが有名。ひうお。

**ひおい**〔日△覆い〕(↑ひおおい)日よけ。

**ひおう**〔秘奥〕〔文〕ものごとのなかなか知ることのできないおくそこ。

**ひおうぎ** 一〔×檜扇〕ヒノキのうすい板で作った扇。昔、公家が手に持った。二〔×檜扇〕つるぎの形の葉が、扇のように集まってはえる草。夏に、だいだい色で斑点のある花がさく。

**ひおけ**〔火×桶〕木で作ったまるい火ばち。

**ビオトープ**〔ド Biotop〕野生の動植物の安定した生息地。生物生息空間。「大きな―を設ける」

**ひおどし**〔×緋×縅〕よろいを緋色の糸または革をとじあわせて作ること。また、そのように作ったよろい。

**ひおもて**〔日表〕〔文〕ひなた。

**ビオラ**〔イ viola〕《音》バイオリンに似て、少し大形の楽器。バイオリンより低い音が出る。ヴィオラ。

**ビオラ**〔ラ viola〕スミレの一種。パンジーより少し小さい。ヴィオラ。

**ビオロン**〔フ violon〕《音》〔古風〕バイオリン。

**びおん**【美音】〔文〕美しい〈音/声〉。

**びおん**【微音】〔文〕かすかな音。「地虫の—」

**びおん**【微温】〔文〕なまぬるい温度。●**びおんてき**【微温的】〘ナダ〙〔文〕てぬるいようす。徹底(てってい)しないようす。「—な態度」●**びおんとう**【微温湯】〔文〕ぬるまゆ。

**びおん**【鼻音】①〘言〙声帯を振動(しんどう)させながら、息をはなに通して出す音(おん)。例、マ行の子音(しいん)[m]、ナ行の子音[n]、語頭以外のガ行の子音[ŋ]など。②〔文〕はなにかかった声。

**ひか**【皮下】〘医〙皮膚(ひふ)の内部。「—注射」

**ひか**【悲歌】〔文〕①かなしい歌。エレジー。②かなしんで歌うこと。「—慷慨(こうがい)」

**ひが**【火×蛾】〘雅〙夏、電灯・火のまわりに集まるガ。かが。

**ひが**【彼我】〔文〕相手と自分。「—の状況(じょうきょう)」

**びか**【美果】〔文〕①おいしいくだもの。「南国の—」②いい結果。「—をおさめる」

**びか**【鼻下】〔文〕はなのした。「—にひげをたくわえる」

☆☆**びか**【美化】〘名・他サ〙①〈心の中・表現などで〉実際より美しくすること。「現実を—する」②ごみを拾ったりして、きれいにすること。「—袋(ぶくろ)〔=ごみを入れる袋〕」

****ひがい**【被害】害を受けること。「台風の—・—者」(↔加害)●**ひがいもうそう**【被害妄想】〘医〙他人から害を加えられていると思いこむ妄想。

**ひがい**【×鰉】〈ひがい〉銀色がかった灰色で、せびれに黒い斑紋(はんもん)のある、小形のさかな。琵琶(びわ)湖でとれるものが有名。

**ぴかいち**【ピカイチ・ピカ一】〘俗〙いちばんすぐれている〈人/もの〉。由来 花札で、光り物〔=二十点札〕が一枚だけあることから。

**ひかえ**【控え】(ひかへ) ①書いて、とっておくもの。「—を取る」②いつでも働けるように、用意して待つ〈こと/人〉。「—選手」③そばにいて助ける役の人。④〘すもう〙力士や行司が、土俵の下で自分の出番を待つ〈こと/場所〉。「—の力士」●**ひかえしつ**【控え室】行事などが始まるまで、出席する人が待っている部屋。●**ひかえばしら**【控え柱】塀(へい)・壁(かべ)がたおれないように、支えとして立てる柱。●**ひかえめ**【控え目】〘名・ナダ〙①じゅうぶんにやらないようす。えんりょしながらやるようす。「—な発言・—にふるまう・—に言って(も)傑作(けっさく)だ〔=率直(そっちょく)に言えば大傑作だ〕」②少なめ。「塩分—」

**ひがえり**【日帰り】(—がへり)〘名・自サ〙その日のうちに、行って帰ること。「—の旅行」

**ひかえる**【控える】(ひかへる) 一〘自下一〙①ある場所にいて待つ。「ここに控えておれ」②命じられた用をするために、そば近くにいる。「次の間(ま)に—」③〈時間/距離(きょり)〉的に〉すぐ近くにある。「選挙が—・関所が—」二〘他下一〙①〔文〕ひきとめる。「そでを控えていさめる」②ひかえめにする。しないですませる。えんりょする。「発言を—・食事を—」③〈時間/距離〉的に〉まぢかにする。「出発をあすに—・後方に山を—」④書きとめる。「手帳に—」

**ひかがみ**【×膕】(↑引っ屈(かが)み) ひざがしらのうしろのくぼんだ部分。

**ひかく**【皮革】〔文〕①毛がわとなめしがわ。②毛をぬいた動物の皮を加工したもの。なめしがわ。レザー。「—類」

**ひかく**【非核】(↑非核武装)核兵器の保有・実験・使用などをしないこと。「—国・—地域・—化」●**ひかくさんげんそく**【非核三原則】核兵器を、作らず・持たず・持ちこませずという、日本の政策。

***ひかく**【比較】〘名・他サ〙くらべて、ちがいを見ること。「料金の—・いつも兄と—される・—研究・—検討・—考量する」☞シーエフ(cf.)。●**ひかくきゅう**【比較級】〘言〙英語などの形容詞で、程度がより大きいことをあらわす形。例、better〔=よりよい〕。☞原級②・最上級③。●**ひかくたすう**【比較多数】過半数まではいかないが、いちばん数が多いこと。(↔絶対多数)●**ひかくてき**【比較的】〘副〙ほかとくらべて。わりあい(に)。「—しずかだ」

**びがく**【美学】①自然や美術にあらわれる美を研究する学問。審美学(しんびがく)。②美意識(にもとづく行為(こうい))。「男の—」

↑**ひかげ**【日陰】①日光の当たらない所。(↔ひなた)②〈事情があって〉公然と社会で活動ができないこと。「—の身・—者(もの)」

↑**ひかげ**【日影】日が当たってできる影。「ビルの—」〘法律では「にちえい」とも言う。「日影(にちえい)規制」〙

↑**ひがけ**【日掛け】〘名・自サ〙毎日少しずつお金をあずけること。「—貯金」(↔月掛け)

**ひかげん**【火加減】①火力の強さ。「—がたりない」②火力の調節。火のぐあい。「—を見る」

**びかご**【美化語】〘言〙〔広い意味の〕敬語の一種。ものごとを美化して、上品にていねいに述べるときのことば。例、お水・お花・ご本・お暑い・おいしい(↑うまい)。☞尊敬語・謙譲(けんじょう)語・丁重(ていちょう)語・丁寧(ていねい)語。

**ひがさ**【日傘】日光をよけるためのかさ。(↔雨傘(あまがさ))

**ひかされる**【引かされる】〘自下一〙〈気持ちが〉ひきつけられる。ほだされる。「子どもに—・情に—」

**ひがし**【干菓子】砂糖や粉を固めた、水分の少ない和菓子。(↔生菓子(なまがし))

***ひがし**【東】①日の出る方角。②東風。③〘すもう〙ⓐ正面から土俵に向かって左のほう。ⓑ番付の右がわ。西より格上。「—の横綱(よこづな)」④(↑東本願寺)〘仏〙浄土(じょうど)真宗大谷(おおたに)派の本願寺。お東。▽(↔西)●**ひがしアジア**【東アジア】日本・朝鮮(ちょうせん)・中国・モンゴルなどの地域。極東。●**ひがしかぜ**【東風】東のほうからふく風。こち。(↔西風)●**ひがしがわ**【東側】(—がは)①東の方角に当たる所。②〈アメリカ・西部ヨーロッパなどの諸国に対して〉もとのソ連および東部ヨーロッパなどの社会主義諸国を言ったことば。「—陣営(じんえい)」▽(↔西側)●**ひがしきた**【東北】東と北との中間。とうほく。●**ひがしする**【東する】〘自サ〙〔文〕東へ行く。(↔西する)●**ひがしにほん**【東△日本】日本の東半分。中部地方以東。ひがしにっぽん。〈気象では、関東甲信(こうしん)・北陸・東海をさし、北海道・東北は「北日本」と言う〉(↔西日本)●**ひがしはんきゅう**【東半球】〘地〙地球のうち、アジア州・ヨーロッパ州・アフリカ州・オセアニア州のある半球。(↔西半球)●**ひがしみなみ**【東南】東と南との中間。とうなん。

☆☆**ひかしぼう**【皮下脂肪】皮下の組織にたまった脂肪。(↔内臓脂肪)

**ひか・す**［⁝落籍す］《他五》芸者・遊女などを身受けする。ひかせる。

**ひかず**［日数］〔古風〕にっすう。

☆☆**ひかぜい**［非課税］《法》税金をかけないこと。

**ひがた**［干潟］潮が引いたあとにあらわれる、遠浅の砂浜(すなはま)。

**ピカタ**〔イ piccata〕うす切りの肉などに、小麦粉とたまごをつけて焼いた料理。ピッカータ。「サバの―・ズッキーニの―」

**びかちょう**［鼻下長］〔⁼鼻の下が長い〕〔古風・俗〕女性にあまい男。

**ぴかどん**［ピカドン］〔俗〕原子爆弾(ばくだん)。原爆。〔広島では「ピカ」とも言う〕

**ひがないちにち**［日がな一日］《副》朝から晩まで。一日じゅう。「―ステレオを鳴らす」〔単に「日がな」とも。「日がなぶらぶらする」〕

**ぴかぴか** ぴかぴか《副・自サ》・ぴかぴか《ダナ》①つやがあって、光っているようす。「―にみがき上げる」②くりかえして、瞬間(しゅんかん)的に光るようす。「いなずまが―(と)光る」③真新しいようす。なりたて。つくりたて。「―のくつ・―の一年生」▽①③ぴっかぴか。

**ひがみひぶろ**［日髪日風呂］〔古風〕毎日 髪をゆい、入浴すること。ぜいたくな暮らしの たとえ。

**ひが・む**［(×僻む)］《自五》ものごとをすなおに受け取らず、自分が悪くあつかわれていると考える。名ひがみ。「年寄りの―・―根性(こんじょう)」

**ひがめ**［(×僻)目］①斜視(しゃし)。②見ちがい。見そこない。③偏見(へんけん)。

**ひがら**［日柄］①その日の、縁起(えんぎ)の よしあし。「―がいい・本日はよいお―で」②《経》日数。

**ひがら**［(日×雀)］シジュウカラに似て、それより小さい小鳥。秋、庭先に来て鳴く。

**ひから・せる**［光らせる］《他下一》光るようにする。光らす。「好奇(こうき)の目を―・車がライトを―」

**ひから・びる**［干(×涸びる)］《自上一》①すっかりかわく。②内容が古くさくなる。「思想が―」

****ひかり** ㊀［光］①太陽・電灯などから出て、目に明るく感じられるもの。「月の―・ホタルの―が差す・―を出す・―を放つ・電灯の―を当てる」表記 閃光(せんこう)の場合は「⁝閃光」とも。②つや。「みがいて―を出す」③「光㊀①」を感じる力。視力。「―を失う」④希望。「前途(ぜんと)に―を見いだす」⑤名誉(めいよ)。「国の―」⑥そのものが持っている、大きな力。威光(いこう)。「親の―・金の―」㊁［光り］光ること。「黒光(くろびか)り・七(なな)―」●**光を当てる** 句 ①光で明るくする。②新しい〈立場／視点〉から研究の対象とする。「日本人の精神面に新しい―」③真実を明らかにする。「事件の核心(かくしん)に―」●**ひかりかがや・く**［光り輝く］《自五》①光を出しながらきらめく。「―ダイヤモンド」②ほかとくらべて、きわだってりっぱに見える。●**ひかりしょくばい**［光触媒］《理》光を受けると、それ自身は変化せずに、化学反応をうながす物質。例、酸化チタン〔よごれを分解したりする〕。●**ひかりつうしん**［光通信］《情》音声・画像・文字などのデータをレーザー光線に変え、光ファイバーを使って多量の通信をいちどに送るやり方。●**ひかりディスク**［光ディスク］レーザー光線を使って情報を読み書きするディスク。例、CD。●**ひかりファイバー**［光ファイバー］《情》光通信などに用いる、ごく細いガラス繊維(せんい)をたばねたケーブル。「―網(もう)」●**ひかりもの**［光り物］①光を出すもの。流星など。②〔俗〕古物(ふるもの)の金属類。③〔すしで〕コハダ・アジ・サバなど。④〔花札で〕最も点数が高い、二十点札。☞ピカイチ。⑤〔俗〕ぴかぴか光るアクセサリー類。

**ぴかりと**《副》ごく短い時間、するどく光るようす。ぴかっと。「―光ると、雷(かみなり)が鳴った」

**ひか・る**［光る］《自五》①一か所から〈四方へ〉光が出る。「星が―・ネコの目が―」②こすったり、みがいたりした結果、表面から光が出る。「くつが―」③すぐれていて目立つ。「知性が―・一段と光った作品」

**ピカレスク**〔picaresque〕悪漢の冒険(ぼうけん)をえがく小説。悪漢小説。ピカレスク小説。ピカレスク ロマン。

**ひかれもののこうた**［引かれ者の小唄］〔引かれ者⁼しばられて つれて行かれる人〕負けおしみで強がること。

**ひか・れる**［(引かれる)・(×惹かれる)・(△魅かれる)］《自下一》〔心が〕引きつけられる。「おもしろさに―・似た者どうしが ひかれあう」☞心ひかれる。

**ひがわり**［日替わり］〔―がはり〕〔メニューやあつかう商品などが〕毎日かわること。「―定食」

**ひかん**［避寒］《名・自サ》〔文〕いちじ、暖かい所へ移って、寒さを避(さ)けること。〔↔避暑(ひしょ)〕

**ひかん**［悲観］《名・自他サ》①かなしんで失望すること。力を落とすこと。②人生や世界を〈苦痛／悪〉と考えること。「―論」▽〔↔楽観〕●**ひかんてき**［悲観的］《ダナ》ものごとがうまくいかないと考えがちなようす。〔↔楽観的〕

☆☆**ひがん**［彼岸］①〔文〕向こうがわ(のきし)。〔↔此岸(しがん)〕②《仏》〈春分／秋分〉の日とその前後の三日をあわせた七日間。この間に、墓参り・法事〈彼岸会(え)と言う〉をおこなう。「お―」③《仏》さとりをひらいた境地。涅槃(ねはん)。〔↔此岸〕④〔宗〕来世(らいせ)。「―思想」●**ひがんえ**［彼岸会］《仏》「彼岸②」におこなう法事。●**ひがんざくら**［彼岸桜］サクラの一種。花はやや小形で、二〜三月ごろにひらく。●**ひがんばな**［彼岸花］秋の彼岸のころ、葉に先だって、長いくきの先に赤い花をひらく植物。根に毒がある。まんじゅしゃげ〈曼珠沙華〉。

☆☆**ひがん**［悲願］①《仏》仏の慈悲(じひ)の心から出た願い。②〔文〕どうしても やりとげたいと思っている願い。「―を達成する」

**びかん**［美感］うつくしいと感じる気持ち。また、その感覚。「自然に対する―」

☆☆**びかん**［美観］〔文〕美しい ながめ。「街の―をそこなう」

**びがん**［美顔］かおを美しくすること。「―水・―術〈マッサージなどもふくむ〉」

**ひかんざくら**［(×緋寒桜)］三月はじめごろにさく、野生のサクラ。花は こい赤。かんひざくら(寒緋桜)。ひざくら(緋桜)。

**ひき**［引き］㊀ひき ①引く〈こと／力〉。引っぱる〈こと／力〉。「―が強い」②縁故(えんこ)。コネ。「―がある」③ロングショット〈を撮(と)るために後ろへ下がる余地〉。「―で撮る・〔カメラの〕―がない」〔↔寄り〕④引退。「―際(ぎわ)」⑤〔俗〕〔勝負ごとや くじの〕運。「―がいい・―が強い」⑥〔俗〕関心を引きつける〈こと／材料〉。「―のいいトピック」〔表記〕⑤⑥「ヒキ」とも。［二］〔接頭〕〔—＋動詞〕「引っぱる」「近づける」などの意味をそえることば。「—回す・—合わせる」

**ひき【悲喜】**〔文〕かなしみと よろこび。☞悲喜劇・悲喜こもごも。

**ひき【〈×蟇〉】**↑ひきがえる。

**ひき【匹・×疋】**［一］〔接尾〕小形のけものや、さかな(大形も)・虫などを数えることば。「一—(いっぴき)・四—(よんひき)・千—(せんびき)」［二］ひき ①昔の お金の単位。江戸(えど)時代は、ぜに二十五文(もん)を一匹とした。②布地二反(たん)を単位として数えることば。

**ひぎ【秘技】**〔文〕秘密の〈技術／わざ〉。

**ひぎ【秘儀】**〔文〕秘密におこなう儀式。

**ひぎ【被疑】**〔法〕犯罪をおこなったうたがいのあること。「—事実」☞被疑者。

**びき【美〈姫〉】**〔文〕美しい姫(ひめ)。美人。

**びぎ【美技】**〔文〕みごとな〈技術／演技〉。ファインプレー。「—をきそう」

**ひきあい【引き合い】**①例や証拠(しょうこ)として使うこと。「最近の小説を—に(出して)現代文学を語る・若者ことばの代表として—に出される言い方」②取引したい、仕事をたのみたい、という申し出や問い合わせ。「海外からも—が〈ある／来る〉」

**ひきあう【引き合う】**［一］《他五》おたがいに〈引く／引っぱる〉。「袖(そで)を—」［二］《自五》得をする。割にあう。「—仕事・引き合わない話だ」

**ひきあけ【引き明け】**〔古風〕あけがた。「夜(よ)の—と同時に行動開始」

**ひきあける【引き開ける】**《他下一》 引いて あける。「障子を—」

↑**ひきあげる【引き揚げる】**《自他下一》①その場を去って、もとの〈土地／場所〉へ帰る。「外地から—・花道を—」②手元へもどす。「資金を—」〔名〕引き揚げ。「—船(せん)・—者(しゃ)」

↑**ひきあげる【引き上げる】**《他下一》①引いて高く上げる。②上の地位につける。「若い人を—」③〈値段や比率を〉高くする。(↔引き下げる)〔名〕引き上げ。

**ひきあし【引き足】**①うしろへ引く足。②《すもう》うしろへ下がっていく足。(↔寄り足)

**ひきあて【引き当て】**《経》将来の支出のために、お金を準備しておくこと。また、そのお金。〔表記〕熟語では「引当」と書く。「退職給与(きゅうよ)引当金」

**ひきあてる【引き当てる】**《他下一》①くじ・抽選(ちゅうせん)などで、うまく当てる。また、はずれなどを引く。「一等を—・びんぼうくじを—」②あてはめる。「わが身に引き当てて考える」③《経》お金をそのために準備する。「貸しだおれに備えて百万円を—」

**ひきあみ【引き網・×曳き網】** 海岸や船上に引き上げてさかなをとる網。地引き網・底引き網など。

**ひきあわせる【引き合わせる】**《他下一》①くらべあわせる。「原文と—」②とりもって、対面させる。紹介(しょうかい)する。「ふたりを—」▽引き合わす。〔名〕引き合わせ。

**ひきいる【率いる】**《他上一》①おおぜいを引きつれる。「兵を率いて川をわたる」②全体の中心になってものごとを進める。「グループを—・議論を—」

**ひきいれる【引き入れる】**《他下一》①引っぱって中へ入れる。②さそって なかまにする。

**ひきうける【引き受ける】**《他下一》①相手からのたのみごとを、責任を持って受ける。「講演の依頼(いらい)を—・弁護を—」②そのことに責任を持つ。「あと(のこと)は引き受けた・少年の身元を—・敗北を—・人の罪を—(=かぶる)」③《経》〔証券会社や銀行が〕有価証券を買い取る。〔名〕引き受け。〔熟語では「引受」と書く。「身元引受人・引受時刻」〕

**ひきうす【〈×碾き〉臼・〈×挽き〉臼】**まるい厚い石を二つかさね、上の石を回して穀粒(こくつぶ)を粉にする道具。

**ひきうたい【弾き歌い】**《名・他サ》楽器をひきながら歌を歌うこと。「ギターを—する」

**ひきうつす【引き写す】**《他五》〔書いてあるものを〕そのままに書き写す。〔名〕引き写し。

**ひきうつる【引き移る】**《自五》 ほかへ場所を変える。引っこす。「東京に—」

**ひきうり【〈×挽き〉売り】**《名・他サ》コーヒー豆を粉にひいて売ること。

**ひきおこす【引き起こす】**《他五》①引っぱって起こす。〔名〕引き起こし。②【×惹き起こす】〔事件などを〕起こす。「まちがいを—」

**ひきおとす【引き落とす】**《他五》①《経》帳簿(ちょうぼ)の上で、さし引く。特に、預金口座から受取人の口座に送金する。「月末に電気代を—」②《すもう》相手のさし出した手などを前に引いて、両手を土俵に突っかせる。〔名〕引き落とし。

**ひきおろす【引き下ろす】**《他五》①引っぱって おろす。②〈預金を〉おろす。ひきだす。〔名〕引き下ろし。

**ひきかえ【引き換え】** 引き換えること。「—券・—所・代金—・援助(えんじょ)と—に協力を求める」［一］ひきかえ【(引き換え)】《(の)にひきかえ(て)で接助》…とは反対に。「駅の向こうが にぎやかなのに—、こっちはさっぱりだ」［二］ひきかえ【(引き換え)】《接》↑それにひきかえ。ひきかえて。「敵は強い。—、味方は たよりない」

**ひきかえす【引き返す】**《自他五》 来たほうへ もどる。ひっかえす。「今来た道を—・空港に—・無理な計画をやめて—」〔名〕引き返し。

**ひきかえる【引き換える】**《他下一》〔もう一方のものと〕とりかえる。「ポイントを商品と—・命と引き換えても子どもを守る」☞ひきかえ。

**ひきがえる【〈×蟇×蛙〉・(:蟾蜍)】** 黄色または赤みがかった茶色で、からだじゅうにいぼのある、大形のカエル。動作がにぶく、皮膚(ひふ)から毒を出す。がま。ひき。

**ひきがし【引き菓子】** 婚礼(こんれい)や法事でくばる菓子。式菓子。

**ひきがたり【弾き語り】**《名・他サ》①自分で三味線(しゃみせん)をひきながら、浄瑠璃(じょうるり)などを語ること。②ピアノやギターなどをひきながら、歌を歌ったり せりふをしゃべったりすること。〔動〕弾き語る《他五》。

**ひきがね【引き金】**①銃(じゅう)についている、指で引いてたまを発射させる金具。トリガー。②〔できごとなどの〕直接の原因。

**ひきかぶる【引き〈被る〉】**《他五》⇩ひっかぶる。

**ひきぎわ【引き際・〈退き際〉】**つとめていた職場や今までの仕事をやめようとする まぎわ。ひけぎわ。「人間は—が大切だ」

**ひきぐす【引き具す】**《他五》〔文〕引きつれる。

**ひきくら・べる**【引き比べる】《他下一》①あてはめてくらべる。「わが身に—」②たがいにくらべる。

**ひきげき**【悲喜劇】①悲劇と喜劇。悲しいこととうれしいこと。「人生の—」②悲劇的な喜劇。本人にとっては悲劇だが、どこかおかしみのあるできごと。

**ひきこみせん**【引き込み線】①貨物などをはこぶために、工場・ふとう(埠頭)などの構内に引きこんだ、鉄道線路。②おもな配電線から引きこんだ電線。▽ひっこみせん。

**ひきこ・む**【引き込む】《他五》①引いて中へ入れる。「電話線を—」②さそい入れる。「相手を味方に—・自分のペースに—」③引きつける。「きれいな音色に引き込まれた」④すっかりひく。「かぜを—」▽ひっこむ。名引き込み。「回線の—」

☆☆**ひき-こもごも**【悲喜(△交々)】《副》①〔ひとりの人に〕悲しみと喜びが、入れかわりあらわれること。「—いたる」②〔俗〕悲しむ人と喜ぶ人がまざっているようす。「—の合格発表風景」

☆☆**ひきこもり**【引き(籠もり)】①ひきこもること。②〔学校や社会に出なくてはという思いをもちながら〕自宅などにひきこもっている〈こと/人〉。

**ひきこも・る**【引き(籠もる)】《自五》①外出しないでとじこもる。「家に—」②しりぞいて城などの中にこもる。

**ひきころ・す**【(×轢き)殺す】《他五》〔車などで〕ひいて死なせる。「トラックで—」

**ひきさが・る**【引き下がる】《自五》①しりぞく。「負けてすごすごと—」②主張を取り下げる。

**ひきさ・く**【引き裂く】《他五》①引いて〈裂く/破る〉。「布を—・身を引き裂かれる思い」②親しい者どうしの間をへだてる。「ふたりの仲を—」名引き裂き。直引き裂ける《下一》。

**ひきさ・げる**【引き下げる】《他下一》①〔値段や水準を〕下げて低くする。「利子を—」(↔引き上げる)②うしろへ下がらせる。名引き下げ。

**ひきさら・う**【引き(×攫う)】《他五》ひっさらう。

**ひきさ・る**【引き去る】《他五》〔文〕さし引いて取りのける。「給料から—」名引き去り。

**ひきざん**【引き算】《名・他サ》①引いて答えを出す〈こと〉計算。減算。②よけいなものを減らすこと。「—の発想」▽(↔足し算)

**ひきしお**【引き潮】海の水が引いて、海面が低くなる〈こと/状態〉。さげしお。(↔満ち潮・上げ潮)☞干潮。

**ひきしぼ・る**【引き絞る】《他五》①弓に矢をつがえてじゅうぶんに引っぱる。しぼる。「満月のごとく—」②引っぱって、しめつける。「ロープを—」

**ひきし・める**【引き締める】《他下一》①〔帯・ひもなどを〕引っぱってきつくする。②たるみをなくして、細くかたくする。「からだを—」③心を緊張させる。「気を—」④むだをなくす。「家計を—」名引き締め。直引き締まる《五》。

☆☆**ひぎしゃ**【被疑者】〔法〕犯罪の容疑をかけられて〈捜査/取り調べ〉中の人。容疑者。

**ひきすう**【引き数】〔情〕パラメーターとして指定する数値や式など。引数。

**ひきす・える**【引き据える】《他下一》むりにつかまえて、そこにすわらせる。

**ひきずら・れる**【引き(×摺られる)】《自下一》①その影響を受けて〔て、同じようにな〕る。「まわりのふんいきに引きずられて飲み続ける」②さからえなくなる。「おもしろさに引きずられて読み進める・政府が軍部に—」

**ひきずり**【引き(×摺り)】〔俗〕きれいな着物を着ているだけで働かない〈女/こと〉を悪く言うことば。おひきずり。「この—め」●**ひきずりおろ・す**【引き(×摺り)下ろす】《他五》①高いところにあるものをむりに引っぱって下におろす。②高い位にある人の地位をうばう。「首位の座から—」●**ひきずりこ・む**【引き(×摺り)込む】《他五》①引きずるようにして、むりに中へ入れる。②むりになかまにする。●**ひきずりだ・す**【引き(×摺り)出す】《他五》中に〈あるもの/いる人〉を、むりに引っぱって外に出す。●**ひきずりまわ・す**【引き(×摺り)回す】《他五》①引きずって、あちこちへ動かす。②いっしょにつれてあちこち歩かせる。「東京じゅうを—」

**ひきず・る**【引き(×摺る)】㊀《他五》①ものの端や底を、地面にふれさせたままで、引っぱって進む。「すそを—・たこ(凧)を—」②〔地面から上がらない足などを〕むりやり前に進める。「つかれた足を—・身を—・罪人を引きずって(=むりやり引っぱって)行く」③長びかせる。「審議を故意に—」④悪い影響をずっと受ける。「いやな経験を—」☞引きずられる。㊁《自五》〔歩くときに〕着物などのすそが〕地面にふれる。「すそが引きずってしまう」

**ひきそ・う**【引き添う】《自五》ぴったり寄りそう。「父に—ように立つ母」

**ひきぞめ**【引き染め】はけで染料を引いて布を染めること。「着物の—」

**ひきぞめ**【弾き初め】〈正月に/新しい〉琴やピアノなどをはじめてひくこと。

**ひきたお・す**【引き倒す】《他五》〔強く〕引っぱって、たおす。名引き倒し。

**ひきだし**【引き出し】①引き出すこと。②【△抽き出し・抽斗】たんす・机などの、ぬき出すことのできる箱。「たんすの小—」③活用できる知識や才能。「—の多い人」

**ひきだ・す**【引き出す】《他五》①引いて外へ出す。②外にあらわし出す。「才能を—」③〔資金を〕出させる。「友人から二万円引き出した」④〔預金を〕おろす。

**ひきた・つ**【引き立つ】《自五》①〔ほかの部分との取り合わせで〕〈よく/りっぱに〉見える。②さかんになる。「市場の人気が—」

**ひきたて**【引き立て】①引き立てること。②ひいき。「お—にあずかりまして」●**ひきたてやく**【引き立て役】〈相手/中心になる人〉を、りっぱに見せるようにふるまう人。

**ひきた・てる**【引き立てる】《他下一》①引き立つようにする。「〔相手を〕—役にまわる」②ふるい起こす。はげます。「気を—」③〔目下の者や商人などを〕ひいきにして、助ける。④⇩引っ立てる①。

**ひきちがい**【引き違い】左右反対に引っぱること。「—戸」

**ひきちぎ・る**【引き(千切る)】《他五》強く引っぱってちぎる。直引きちぎれる《下一》。

**ひきちゃ**【(×挽き)茶・(×碾き)茶】粉にした、抹茶用の茶の葉。「—をお菓子に使う」☞てんちゃ(碾茶)。

**ひきつ・ぐ**［引き継ぐ］《他五》①あとを受けつぐ。「仕事を前任者から—・伝統を—」②あとを受けついでもらう。「業務を後任者に—・文化を次世代に—」［名］引き継ぎ。

**ひきつけ**［引き〈付け〉］近くに引きつけること。「打者はボールの—が足りない」㊁［〈引き付け〉］熱にともなって起きる、子どものけいれん。「—を起こす」

**ひきつ・ける**㊀［引き〈付ける〉］《他下一》①近くへ引っぱる。近寄せる。「磁石が鉄を—・関心を—」②〔似たような場合に〕あてはめる。「自分に引きつけて考える」㊁［〈引き付ける〉・〈×惹き付ける〉］《他下一》その魅力で、相手がじっと注意を向けるようにする。「見る者を—演技」㊂［〈引き付ける〉］《自下一》子どもがけいれんを起こす。

**ひきつづき**［引き続き］㊀引き続く〈こと/もの〉。「—のお願い」㊁《副》①すぐ続いて。「—よろしく」②続けざまに。［丁寧］引き続きまして。

*__ひきつづ・く__［引き続く］《自五》①ずっと続く。②すぐあとに続く。

**ひきづり**［引き釣り］《名・自サ》《釣り》①川の流れと逆の方向に釣り糸を引いたりゆるめたりしながら釣る方法。②⇩トローリング。

**ひきつ・る**［引き〈×攣る〉］《自五》①皮膚が縮れる。筋がつれて痛む。②けいれん〈する/を起こす〉。③〔表情が〕かたくこわばる。「顔が—」［名］引きつり。［他］引きつらせる《下一》。「目を—」

**ひきつ・れる**［引き〈×攣れる〉］《自下一》引きつった状態になる。［名］引きつれ。

**ひきつ・れる**［引き連れる］《他下一》つれて行く。「家族を—・犬を引き連れて歩く・警官に引き連れられる」

**ひきて**［引き手］①ふすま・障子などをあけしめするときや、ものを引いて運ぶときなどに、手をかける所。②《柔道》相手のそでを持ったほうの手。〔手前へ引いて わざをしかける〕(↕釣り手)

**ひきて**［弾き手］〔三味線・琴・バイオリン・ピアノなど〕楽器をひく人。演奏者。

**ひきでもの**［引き出物］〔宴会・祝い・法事などで〕おみやげとして主人が客にくばるもの。引き物。

**ひきど**［引き戸］敷居・かもいのみぞにはめ、左右に引いてあける戸。やりど。(↕開き戸)

**ひきどき**［引き時・△退き時］今の仕事・地位から身を引く(=やめる)べき時。「ここらが—だよ」

**ひきと・める**［引き止める］《他下一》①手・そで・たづななどを引いて、止める。②思いとどまらせる。▽引きとどめる。

**ひきと・る**［引き取る］㊀《他五》①〔行き場のないものを〕自分のほうにもらう。「むすめを—・荷物を—」②受けついで続ける。「話を—・ことばを—」③最後の呼吸を終える。「息を—(=死ぬ)」㊁《自五》〔その場から〕帰る。「自室に—・どうぞお引き取りください」［名］引き取り。

☆☆**ビギナー**〔beginner〕初心者。入門者。●ビギナーズラック〔beginner's luck〕〔かけごとなどで〕初めての人につきが回ること。

**ひきなお・す**［引き直す］《他五》①もう一度引く。「線を—・かぜを—」②あてはめて計算し直す。「八パーセントの要求を金額に—と」

**ひきなみ**［引き波］①いちど打ち寄せてから沖へ引き返す波。②モーターボートなどが走ったあと、後方に起こる波。「—を立てる」

**ビキニ**〔米 bikini=地名から〕①ごく短いパンツと胸のおおいだけの、女性用の〈水着/ユニフォーム〉。「—スタイル」②〔男性用の〕ごく短い〈下着/水着〉のパンツ。

**ひきにく**［〈×挽き〉肉］細かくひいた肉。ミンチ。

**ひきにげ**［〈×轢き〉逃げ］《名・自他サ》車で人をひいて、そのまま にげること。☞当て逃げ。

**ひきぬき**［引き抜き］①引きぬく〈こと/もの〉。②《芝居》役者が、すばやく上の衣装をぬいで、中に着こんでいた衣装をあらわすこと。

**ひきぬ・く**［引き抜く］《他五》①引っぱって ぬく。「大根を—」②〔ほかの会社の職員などを〕待遇をよくして自分のほうに移す。「俳優を—」

**ひきの・ける**［引き〈△退ける〉］《他下一》引っぱってどける。「ふとんを—・手を—」

**ひきのば・す**［引き伸ばす］《他五》①引っぱって〈のばす/大きくする〉。②写真を大きく複写する。［名］引き伸ばし。

**ひきのば・す**［引き延ばす］《他五》〈日数/時間〉を多くかけて、長びかせる。「会議を—」［名］引き延ばし。

**ひきはが・す**［引き剝がす］《他五》①引っぱって はがす。②強く はがす。「仮面を—」▽引き剝ぐ。

**ひきはな・す**［引き離す］《他五》①引っぱって はなす。②むりに はなす。「あとを追う子を—」③〔競走などで、相手を〕おくれさせる。はなす。［名］引き離し。

**ひきはら・う**［引き払う］《他五》そこから出て、よそへ移る。退去する。「家を—・東京を—」

**ひきふだ**［引き札］〔古風〕広告のチラシ。

**ひきふね**［引き船・×曳き船］⇩タグボート。

**ひきまく**［引き幕］舞台で、横に引いてあけしめする幕。(↕どんちょう《緞帳》)

**ひきまど**［引き窓］綱をつけて、あけしめする天窓。

**ひきまわし**［引き回し］①江戸時代、打ち首以上の重い罪人を、しばったまま馬にのせ、町の中をひと回りして人々に見せたこと。②〔古風〕世話。「よろしくおーのほどをお願いします〔=お世話になります〕」

**ひきまわ・す**［引き回す］《他五》①まわりを囲むように引っぱる。引きめぐらす。「幕を—」②遠くまで引っぱる。「コードを—」③相手を〔あちこちに〕つれて行く。④〔古風〕世話をする。「よく引き回していただいた」

**ひきむす・ぶ**［引き結ぶ］《他五》〔くちびるなどを〕強くとじる。「一文字に—」

**ひきも・きら・ない**［引きも切らない］《形ヌズ》絶え間なく続くようすだ。「買い物客が—・注文が—・相談者が引きも切らず(に)やって来る」

**ひきもど・す**［引き戻す］《他五》引っぱって もとへもどす。［名］引き戻し。［丁寧］引きも切りません。

**ひきもの**［引き物］引き出物。「お—」

**ひきや**［×曳き家］建物や橋などを解体することなく、持ち上げたりして別の場所に移すこと。「—工法」

**ひきゃく**［飛脚］①昔、急いで知らせるために送った使い。②昔、手紙を遠い所に送り届けた人。

**ひぎゃく**［被虐］〔文〕〔他人から〕残酷なあつかい

を受けること。「―趣味」(↔加虐)

**びきゃく**[美脚] すらりとした美しいあし。「―ライン」

**ひきゅう**[飛球]《野球》〔文〕フライ。「大―」〔ゴルフにも言う〕

**ひきゅう**[秘球]《野球》投球が、他人にまねのできないように変化するボール。

**ひきゅう**[悲泣]《名・自サ》〔文〕かなしんで なくこと。

**ビキューナ**〔ス vicuña〕⇩ビクーニャ。

**びきょ**[美挙]〔文〕りっぱな くわだて。うるわしい おこない。「天下の―」

**ひきょう**[秘教] 秘密の儀式をおこなう宗教。

☆☆**ひきょう**[秘境] 人間が まだ(ほとんど)行ったことのない場所。「―をさぐる」

←**ひきょう**[悲況]〔文〕かなしいありさま。悲観すべき状況。

→**ひきょう**[悲境]〔文〕かなしい境遇。

**ひきょう**[(卑×怯)]《ナダ》①堂々とせず、ひそかに ずるいことをするようす。「―者」②〔俗〕すばらしすぎて、くやしく感じられるようす。反則。「このCMには笑った、これは―だ」☞ずるい③。派-さ。

**ひぎょう**[罷業]〔文〕わざと仕事をしないこと。ストライキ。「―権」

**ひきょく**[秘曲]〔文〕秘密にして、むやみに ほかに伝えない曲。「琵琶の―」

**ひきょく**[悲曲]〔文〕かなしい曲。

**ひきよ・せる**[引き寄せる]《他下一》手などで〈引いて/引くかのように〉、近くによせる。引っぱる。「本を―・視線が引き寄せられる」

**ひきょり**[飛距離] ①《野球・ゴルフなど》打ったボールがとんだ距離。②《スキー》ジャンプして空中をとんだ距離。

**ひきわけ**[引き分け] 勝負が つかないで終わること。

**ひきわ・ける**[引き分ける] 一《自下一》引き分けになる。「時間切れで―」 二《他下一》〔間に はいって〕分けて はなれさせる。

**ひきわざ**[引き技]《すもう》相手のからだを手前に引いてたおす わざ。「引きおとし」の類。

**ひきわた・す**[引き渡す]《他五》①糸・なわ などをはりわたす。②受け取るべき相手に わたす。「身柄を―・容疑者を本国に―・家屋を―」名引き渡し。

**ひきわり**[(×碾き)割り・(×挽き)割り] ①臼で ひいて割ること。「―納豆」②〔↑ひき割り麦〕あらくひいて つぶを割った大麦。わりむぎ。動ひき割る《他五》。

☆☆**ひきん**[卑近]《ナダ》身近で なじみ深いようす。「―な例を引く・日常―」派-さ。

**びぎん**[微吟]《名・他サ》〔文〕小さな声で詩や歌を歌うこと。

**ひきんぞく**[卑金属]《理》空気中で酸化しやすく、水分や二酸化炭素に弱い金属。例、鉄・亜鉛・アルミニウムなど。(↔貴金属)

←*__ひ・く__[引く] 一《他五》①手で自分のほうへ近づける。引っぱる。引き寄せる。「袖を―・サイドブレーキを―・とびらを―(↔押す)・包丁を―(=引く動作で切る)」表記「網を―」は「×曳く」とも。ドアには、記号的に「引」とも。②つかんで ぬく。引きぬく。「草を―・大根を引きに(=収穫しに)行く・まゆから糸を―(=ぬき出す)」③〔手をとって〕みちびく。「子どもの手を―」④[×曳く・×牽く]〔つな・かじ棒などを持って〕前へ進める。「馬を―・神木を―・車を―」⑤〔地面を〕引きずる。「すそを―」⑥そっとぬすむ。「ネズミが ものを―」⑦〔線を〕長く書く。「眉を―」⑧〔図面を〕書く。「設計図を―」⑨長くのばす。「声を―・幕を―・カーテンを―」⑩のばして塗る。「ろう(蠟)を―・フライパンに油を―」⑪〈自分/目的〉の所に来るようにする。「田んぼに水を―・客を―(=さそう)」⑫〔電灯・ガスなどを〕取りつける。「水道を―」⑬[×惹く] 人の気持ちを〈自分/そこ〉へ向かわせる。引きつける。「同情を―・読者の気を―」⑭〔例として〕あげる。引用する。「論語を―」⑮〔自分がわを〕後ろに遠ざける。「手を―・身を―・カメラを引いて(=ロングで)撮る」⑯戦うことをやめる。「刀を―・兵を―」⑰へらす。「値を―・点を引かれる・五から三を―と二(数式『5－3＝2』は『五ひく三は二』と読む)」(↔足す) ⑱吸いこむ。「息を―」⑲身に受け入れる。「かぜを―」由来⇩かぜを引く① ⑳〔辞書を見て〕ことばをさがしあてる。㉑[△抽く]〔くじなどを〕ぬき出す。「おみくじを―」㉒《すもう》相手のまわしをつかむ。「上手を―」㉓続けて受けつぐ。「血すじを―」可能引ける。㉔「し(敷)く 一①②」の なまり。「ふとんを―」 二[△退く]《自他五》①〔仕事などを〕やめる。「会社を―・番組から―」②〔古風〕退学する。「学校を―」 三[△退く]《自五》①うしろに下がる。「あとへ―・カメラが―・〔合戦で〕引け！・一歩引いて考える」②〔今まであったものが〕なくなる。「水が―・熱が―」③ひきしおになる。(↔差す) 四《自五》〔俗〕①相手が異様で、近づきたくない気持ちになる。「はげしい情熱に思わず―」②しらけて、相手にしたくなくなる。「くだらないギャグに―」▽一九九〇年代からの用法。
●**引くに引けない** 句 やめたくても、引き下がれない。「責任上―」

↔**ひ・く**[(×挽く)]《他五》①のこぎりを動かして、切る。「木を―」②ろくろ(轆轤)を回して、道具を作る。〔刃物 などを使って〕くだいたり、つぶしたりする。「コーヒー豆を―・牛肉を―」④⇩ひ(碾)く。可能ひける。

↔**ひ・く**[弾く]《他五》鍵盤楽器や弦楽器を演奏する。「ピアノを―・チェロを―」可能弾ける。

↔**ひ・く**[(×碾く)・(×挽く)]《他五》臼で すって、くだく。「お茶を―」可能ひける。

→**ひ・く**[(×轢く)]《他五》車が人・動物を下敷きにする。「子どもを―・自動車にひかれる」

**びく**[△比△丘]〔梵語 bhikṣu の音訳〕《仏》①出家した男子。(↔比丘尼) ②〔古く、誤って〕比丘尼。

**びく**[(∴魚籠)] 釣った さかなを入れる かご。

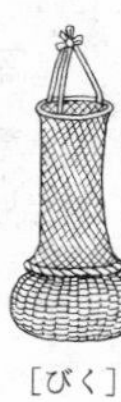
[びく]

**ひく・い**[低い]《形》①下からの〈長さ/へだたり〉が小さい。「―丘・背が―・天井が―」②あまり つき出ていない。「鼻が―」③水準・等級が下のほうで、のぞましくない。「能力が―・評価がつく・次元が―・志が―・身分が―・価値が―」④度合いをあらわす数字が小さい。「温度が―・血圧が―」⑤声・音の振動数が少ない。「男の―声・一オクターブ―音」⑥小さく聞こえるようすだ。「ラジオの音が―」▽(↔高い) 派-さ。

**びくう**[鼻×腔]《生》はなの内部。〔「びこう」の、医師

による慣用読み〕

**ビクーニャ**〔ス vicuña〕①南アメリカのアンデス山脈にすむ、カモシカに似たけもの。②「ビクーニャ①」の毛で織った、やわらかでつやのある高級な布。また、それに似せて織った織物。▽ビキューナ。

**びくしょう**［微苦笑］《名・自サ》〔文〕かすかな にがわらい。

**ピクセル**〔pixel〕⇩がそ(画素)。

**ひぐち**［火口］①火事の火の燃えはじめ(の所)。火元。②点火するための口。☞かこう(火口)。

☆☆**ひくつ**［卑屈］《ナダ》〔必要以上に へりくだったりして〕ほこりが感じられず、なさけないようす。「金持ちに対して―な態度を取る・―な考え」派―さ。

**ひくつ・く**《自五》ひくひく動く。「小鼻が―」他ひくつかせる《下一》。

**びくつ・く**《自五》びくびくする。

**びくっと**《副・自サ》おどろいて身をふるわせるようす。びくりと。「一瞬―した」

**ぴくっと**《副・自サ》からだの一部が小さく動くようす。ぴくりと。「ほおが―する」

**ひくて**［引く手］①さそいをかける人。「―数多〔=あちこちから さそいがかかること〕」②〔舞で〕手前へ引く手。「さす手―」

**ピクトグラム**〔pictogram〕⇩絵文字。ピクトグラフ(pictograph)。ピクト。

**びくとも**《副》〔後ろに否定が来る〕少しも動かないようす。「―動かない・機械が―言わない」●**びくともしない** 句 ①少しも動かない。「ドアを開けようとしても―」②〔気持ち・からだなどが〕少しも影響されない。「非難されても―・災害にも―街」

**びくに**［比丘尼］〔梵語 bhikṣunī の音訳〕《仏》出家した女子。あま。(↔比丘)

**ピクニック**《名・自サ》〔picnic〕(グループで)近くの野山へ出かけて、遊んだり弁当を食べたりして楽しむこと。

**ひくひく**《副・自サ》小刻みに動くようす。「鼻を―させる」

**びくびく**《副・自サ》こわがって(ふるえ)るようす。「しかられるかと―している」●**びくびくもの**〔俗〕おそろしいことや困ることが起こりはしないかと、心配すること。「ばれはしないかと―だ」

**ぴくぴく**《副・自サ》〔けいれんを起こしたように〕急に小刻みに動くようす。「まぶたが―する」

**ひぐま**［(×羆)］日本では北海道にすむ、大形のクマ。性質が あらい。冬は穴にはいって冬眠する。

**ひくみ**［低み］低い所。「水が―に流れる」(↔高み)

**ひく・める**［低める］《他下一》低くする。「声を低めて秘密を話す・謙譲語は、自分を―〔=けんそんする〕ことばだ」(↔高める)自低まる《五》。

**ひぐらし**［(×蜩)・(:茅蜩)］中形で黒茶色のセミ。夏の明け方や夕方に、「カナカナ」とすずしい声で鳴く。かなかな。

**ひぐらし**［日暮らし］《副》〔雅〕一日じゅう。「―読書にふけった」

**びくりと**《副・自サ》⇩びくっと。

**ぴくりと**《副・自サ》⇩ぴくっと。

**ピクルス**〔pickles〕(塩づけの)野菜を砂糖・香辛料入りの酢につけた、西洋のつけもの。「キュウリの―」

**ひぐれ**［日暮れ］太陽がしずんで暗くなりかけるとき。「―方」(↔夜明け)

**びくん**［微×醺］〔文〕ほろよい。「―を帯びて帰宅する」

**ひけ**［引け］①退出。②おくれ。負け。「―を取らない」③〔↑引け相場〕《経》その日の、午前または午後の、最後の相場。「―あと」(↔寄り付き)

**ひげ**［(×髭)］①男の、口の上・あご・ほおのあたりに はえるかたい毛。「―をそる・―のちり(塵)を払う〔⇩「おひげ」の句〕」表記 厳密に書く場合、口ひげは「×髭」、あごひげは「×鬚」、ほおひげは「×髯」。②動物の、口のあたりに はえる長い毛。「ネコの―」

☆☆**ひげ**［卑下］《名・自他サ》①自分を、人よりおとっているとして、へりくだること。「必要以上に―する」②〔俗〕みくだすこと。「私のことを―しないで」

**ピケ**〔picket〕ストライキの妨害者を見はる〈こと/人〉。ピケット。「―をはる・―ライン」

**ピケ**〔フ piqué〕〈うね織りの/うき出し模様のある〉もめんの厚い織物。「―帽〔=登山帽〕」

**ひけい**［飛型］《スキー・高跳び・飛び込みなど》ジャンプをしたときのフォーム。「あざやかな―」

**ひげい**［秘芸］他人には教えない、自分だけができる芸。

**びけい**［美形］〔文〕①見た目の美しい かたち。②美人。「―ぞろい」③美人の芸者。

**びけい**［美景］〔文〕美しい けしき。

**ひげき**［悲劇］①不幸・悲惨な できごとを表現した劇。②悲惨な、人生のできごと。「―に終わる」▽(↔喜劇)●**ひげきてき**［悲劇的］《ナダ》悲劇の性質をもつようす。(↔喜劇的)

**ひけぎわ**［引け際・△退け際］①つとめ先の仕事が終わる まぎわ。②《経》「立ち会い②」の時間が終わろうとする まぎわ。③⇩引き際。

**ひけし**［火消し］①火を消すこと。「―つぼ」②事態をしずめること。「発言を否定し、―に躍起となる・―役」③《野球》追加点を取られるのを防ぐために出て来る投手。ストッパー。「―役」

**ひげじまん**［卑下自慢］卑下したように見せかけて、じつは じまんすること。

**ひけつ**［秘×訣］そのことが うまくやれるための、ちょっと大切な方法。コツ。「長生きの―」

**ひけつ**［秘結］《名・自サ》《医》便秘。

**ひけつ**［否決］《名・他サ》議案を承認しないという議決(をすること)。「不信任案を―する」(↔可決)

**ひげづら**［(×髭)面］ひげのたくさん はえている顔。

**ひけどき**［引け時・△退け時］学校・会社などがひける時刻。

**ひけむり**［火煙］火のまじったけむり。

**ひけめ**［引け目］相手や世間に対して、自分がおとっていると思う気持ち。「―を感じる・―がある」

**ひげもじゃ**［(×髭もじゃ)］《名・ナダ》ひげが たくさんはえている〈ようす/人〉。ひげむじゃ(ら)。ひげもしゃ。

**ひけらか・す**《他五》しきりに見せびらかす。「学のあるところを―」名ひけらかし。

**ひ・ける**［引ける・△退ける］一《自下一》①…を引いた〈状態/かっこう〉になる。「腰が―・水が―」②…を引いてできあがる。「図面が―」③…を設備して使えるようになる。「ガスが―・電話が―」④気おくれがする。

「気が―」⑤さし引かれる。「雑費で二割―」⑥《経》(相場が)ある値段で終わる。「三百円で―」㊁《自他下一》その日のつとめが終わ(って退出す)る。「学校が―・勤め先を―」

ひけん【卑見】〔文〕「自分の意見」の謙譲語。(↔高見)

ひけん【秘剣】〔文〕他人にまねのできない すぐれた、剣のさばき方。「―をふるう」

ひけん【比肩】《名・自サ》〔文〕同じぐらい高い程度に達すること。肩をならべること。匹敵。「『ハムレット』に―しうる作品」

ひけん【披見】《名・他サ》〔文〕(文書などを)ひらいて見ること。「書籍を―する」

びげん【微減】《名・自サ》〔文〕わずかに へること。(↔微増)

ひげんぎょう【非現業】現場の仕事でない、ふつうの事務。「―官庁」(↔現業)

←ひけんしゃ【被検者】〔検査の対象となって〕調べられる人。

→ひけんしゃ【被験者】試験や実験の対象になる人。

ひこ【▵曽▵孫】〔東日本方言〕ひまご。「まご、―、やしゃご」

ひこ【×彦】接尾 男の名前につける。「照る―」☞姫㊁。

ひご【肥後】旧国名の一つ。今の熊本県。「―もっこす(=がんこに信念を守る熊本人(気質))」

ひご【卑語】〔文〕下品な内容のことば。

ひご【飛語・×蜚語】〔文〕根拠のない うわさ。「流言―」

ひご【×籤】竹を細く割って けずったもの。工作に使う。竹ひご。

☆☆ひご【×庇護】《名・他サ》かばって守ること。「親の―のもと」

ピコ【pico】一兆分の一(記号p)。「―秒・―グラム」☞ナノ・フェムト。

ピコ【フ picot】《服》→ピコット。

ひごい【×緋×鯉】コイの変種。全身が〈赤黄色/紅色〉。飼って楽しむ。(↔まごい)

ひこう【非行】①青少年がする、社会の決まりにそむくおこない。暴力・万引き・タバコ・シンナーなど。②〔文〕してはならない、悪いおこない。「―をあばく」•ひこうしょうねん【非行少年】《法》十四歳以上の犯罪少年と、十四歳にならない触法少年・虞犯少年。少女をふくむ。

ひこう【肥厚】《名・自サ》《医》病気のために、ある部分が厚くなること。「―性鼻炎・表皮の―」

*ひこう【飛行】《名・自サ》空をとぶこと。「―士」•ひこうき【飛行機】発動機をそなえ、〈プロペラを回転して/ガスをふき出して〉空をとぶ乗り物。航空機。•ひこうきぐも【飛行機雲】飛行機が高い空をとんだあとに、長く尾のようにあらわれる、白い雲。•ひこうじょう【飛行場】飛行機が離陸・着陸する設備のある場所。〔規模が大きくない語感がある〕☞空港。•ひこうせん【飛行船】胴体にヘリウムなどを満たして空中にうかび、プロペラで飛行する乗り物。•ひこうてい【飛行艇】ボート状の胴体が水面にうかび、水面で離着水できる大型の飛行機。

☆☆ひごう【非業】《名・ナダ》《仏》罪のむくいでそうなった、というのではないこと。「―の最期を遂げる(=思いがけない災難で死ぬ)」派―さ。

びこう【美×肴】〔文〕おいしい料理。「―が続く」

びこう【美校】→美術学校。

びこう【備考】参考としてつけ加えること。「―欄」

びこう【微光】〔文〕かすかな光。「―灯」

びこう【微香】〔文〕かすかな かおり。「―タイプのシャンプー」

びこう【鼻口】はなとくち。「―から吸い込む」

びこう【鼻孔】《生》はなの穴。

→びこう【鼻×腔】《生》⇩びくう(鼻腔)。「こうばしいにおいが―をくすぐる」

←びこう【微行】《名・自サ》〔文〕身分の高い人が、その身分をかくして こっそり出あるくこと。おしのび。「―して民情をさぐる」

☆☆びこう【尾行】《名・他サ》相手に気づかれないようにあとからついてゆくこと。「犯人を―する」

ひこうかい【非公開】公開しないこと。一般の人に見せないこと。(↔公開)

ひこうしき【非公式】《名・ナダ》公式でないこと。「―の会見」(↔公式)

ひごうほう【非合法】《名・ナダ》合法でないこと。「―運動」(↔合法)

ひごうり【非合理】《名・ナダ》①合理的でないこと。不合理。「―的・―な農業」②《哲》知性では とらえられないこと。「美の―性」派―さ。

ひこうりつ【非効率】《名・ナダ》効率の わるいこと。不効率。「―(↔効率的)な流通構造」

☆☆ひこく【被告】①《法》ⓐ原告の相手方。裁判所にうったえられた人。(↔原告)ⓑ→被告人。②ものごとを問いただされるような〈受け身の〉立場の人。「きょうは―だから何も言わない」•ひこくにん【被告人】《法》刑事事件で裁判にかけられている人。「疑わしきは―の利益に」

ひこくみん【非国民】国民の資格がない者。〔第二次大戦中、戦争に非協力的な人を非難して呼んだことば〕

ひこつ【×腓骨】《生》すねに二本ある骨のうち、外がわにある細い骨。☞脛骨。

びこつ【尾骨】《生》背骨の下の はしの ほね。びていこつ(尾骶骨)。

びこつ【鼻骨】《生》はなの中心にある骨。

ピコット【フ picot】《服》レースなどの編み物の へりをかざるために、小さな輪のならんだ形に糸をとび出させる〈こと/もの〉。ピコ。「―編み」

ひごと【日ごと】〔ごと=毎〕①日を追うごと。毎日。「愛情が―に深まる」②毎回の昼。「―夜ごと(=昼も夜も)泣き続ける」

ひごのかみ【肥後▵守】ナイフの一種。柄をかねた鉄製のさやに「肥後守」の銘があり、刃をさやの中に折りこむようになっている。

ひこばえ【×蘖】切り株から出た〈芽/若い枝〉。

ぴこぴこ《副》①電子機器が出す、小刻みな音。「着信音が―鳴る・〈ゲームを〉―やる」②わずかに ぎこちなく動くようす。「耳が―動く」

ひこぼし【×彦星】七夕にまつる牽牛星。

ひこまご【△曽孫】〔東日本方言〕ひまご。ひこ。

ひ-こようしゃ【被雇用者】やとわれている人。(↕雇用者)

ひごろ【日頃】《名・副》ふだん。平生(へいぜい)。

ひこん【非婚】①事実上の結婚生活をしているが、あえて婚姻届(こんいんとどけ)を出さないこと。「―カップル」②〔一つの生き方として〕結婚をしないこと。

*ひざ【膝】①ももとすねをつなぐ、関節の部分。「―の(お)皿・―丈(たけ)のスカート」②衣服の、「ひざ①」の当たる部分。「ズボンの―がぬけた」③〔すわったときの〕ももの上がわ。「―まくら・子どもを―にのせる」④〔↑膝替(がわ)り。ふつう「ヒザ」と書く〕《寄席》トリの前の出演者。●膝が抜ける 句 ①ズボンの、ひざの部分がすり切れたり、のびたりして形が悪くなる。②ひざの力がぬける。●膝が笑う 句〔登山などで〕ひざが がくがくになる。●膝とも談合 句〔ひざをだいて考えこむことから〕ひざと相談してさえ、いい考えが出る〔から、だれかと相談すればもっといい〕。「―、私に話してみて」●膝を打つ 句 ①とつぜん思い当たったときの動作。②同感したときの動作。③感心したときの動作。▽膝をたたく。●膝を折る 句 屈服(くっぷく)する。「威力(いりょく)に―」●膝を抱(かか)える 句 ①立てた自分のひざを、うでで だく。②何もしないでじっとしている。●膝を崩す 句 正座をやめてらくな姿勢ですわる。●膝を屈(くっ)する 句 負けて、相手に従う。●膝を組む 句 あぐらをかく。●膝を進める 句〔すわった人が〕じっくり〈話す/聞く〉ために、ひざを相手のほうに近づける。「『ところで』と―」●膝を正す 句 ①きちんと正座する。②改まった態度をとる。●膝を突(つ)き合わせる 句〔たがいのひざがくっつくくらい〕近づいてすわる。「膝(を)突き合わせて話し合う〔=本心を打ち明けてじっくり相談する〕」●膝を詰(つ)める 句 ひざづめになる。●膝を乗り出す 句〔すわった人が〕もっと話を〈聞きたい/したい〉と、ひざを前に出して、からだを相手のほうに かたむける。「うまい話に思わず―」●膝を交える 句〔ひざを近づけて〕うちとけて話し合う。

び-さ【微差】〔文〕ごく わずかの差。

☆☆ビザ【visa】その国への入国・滞在(たいざい)を認める証明。ふつう、スタンプやシールでパスポートに示される。査証。「―の申請(しんせい)・―が下りる」☞パスポート①。

ピザ【PISA】〔↑Programme for International Student Assessment〕OECDが十五歳(さい)の生徒に対して三年おきに おこなう、国際的な学習到達度(とうたつど)調査。ピサ。

ピザ【イ pizza】小麦粉から作った生地(きじ)を平たく まるい形にし、トマトソースやチーズなどをのせて焼いたイタリア料理。ピッツァ。ピザ パイ〔古風〕。「―トースト」☞マルゲリータ。

ひ-さい【非才・×菲才】〔文〕才能のないことをけんそんして言うことば。浅才。「浅学(せんがく)―」

☆☆ひ-さい【被災】《名・自サ》災害を受けること。「―者」☞罹災(りさい)。

び-さい【微細】《ナダ》〔文〕細かなようす。「説明は―にわたる」

び-ざい【微罪】《法》わずかな つみ。「―処分」(↕重罪)

ひざ-うえ【膝上】(―うへ) ①座った ひざの上。②〔スカートで〕膝丈(ひざたけ)よりも短い〈こと/長さ〉。「―十センチ〔=膝丈よりも十センチ短い〕」

ひざ-おくり【膝送り】《名・自サ》〔東京方言〕すわっている人が順々に ひざを動かして移動し、席をつめること。ひざぐり。「お―をお願いします」

ひさかき【(×柃)】サカキの一種。神棚(かみだな)にそなえる。

ひざ-かくし【膝隠し】〔上方(かみがた)落語で〕見台(けんだい)の前に置いて、演者の ひざをかくす ついたて。☞見台②。

ひざ-かけ【膝掛け】防寒などのために ひざにかける布。「毛布の―」

ひざ-がしら【膝頭】「ひざ①」の、まるく突き出た部分。ひざこぞう。ひざぼうず。ひざかぶ。

ひさかたぶり【久方(振り)】ひさしぶり。

ひ-ざかり【日盛り】さかんに日の照る時刻。

ひ-さく【秘策】〔文〕効果のある、秘密の方法・戦術。「勝つための―・美しい はだを保つ―・―をさずける」

ひさ・ぐ【(×鬻ぐ)】《他五》〔文〕売る。あきなう。「春を―〔=売春する〕」

ひざくりげ【膝×栗毛】《名・自サ》〔古風〕歩いて旅をすること。「東海道中―」

ひさご【(×瓠)】〔雅〕ヒョウタンなどの実。中をからにして、酒などを入れるのに使う。

ひざ-こぞう【膝小僧】ひざがしら。

ひざ-ざら【膝皿】ひざの関節の前がわにある、皿のような形の骨。ひざの皿。膝蓋骨(しつがいこつ)。

ひさし【(×庇)・(×廂)】①軒(のき)にさし出た小さな屋根。②帽子(ぼうし)の、前のほうに突き出た部分。③〔寝殿(しんでん)造りで〕母屋(おもや)の まわりのせまい部屋。広縁(ひろえん)。ひろびさし。●ひさしを貸して母屋(おもや)を取られる 句 一部分だけ貸した相手に、全部をうばわれてしまう。

ひ-ざし【日差し・△陽△射し】太陽の光が さすこと。また、その光(のぐあい)。「春の―(をあびる)」

ひさし・い【久しい】《形》①〔文〕長い時間、そういう状態のままだ。「待つこと久しかった・久しく待っている」②〔文〕時が長く経過するようすだ。「―以前から」③会わない時間が長い。「お久しゅうございます〔=お久しぶりです〕」④〔久しく〕〔俗〕ひさしぶりに。「友だちと久しく会ってきた」〔二〇一〇年代に広まった用法〕派 -さ。☞久しからずして・久しき・久しゅうする。

ひさしからずして【久しからずして】《副》〔文〕あまり時間・年月が たたないうちに。「―滅亡(めつぼう)した」

ひさしき【久しき】〔文〕長い期間。「慣用―に およぶ〔=長く続く〕」

ひさしぶり【久し(振り)】〔何かを経験したり、その人と会ったりしてから〕かなり長い時間がたつこと。ひさかたぶり。「―で会う・―に帰省する・やあ、―だね」

ひさしゅう・する【久しゅうする】(ひさしう―)《他サ》〔「久しくする」の音便〕〔文〕長い時間、それをする。「感嘆(かんたん)これを―〔=ずっと感嘆している〕」

ひざ-つう【膝痛】ひざの痛み。

ひざ-づめ【膝詰め】おたがいに相手のひざがふれるほど近寄って、向きあうこと。「―談判」

ひさびさ【久々】ひさしぶり。「―の対面」

ひざ-ぼうず【膝坊主】ひざがしら。

ひざ-まえ【膝前】(―まへ) すわったとき、ひざの前にできる空間。「―に差し出す・ゆったりした―の客席」

ひざ-まくら【膝枕】ほかの人のひざに頭をのせて横にな

ること。「恋人の―でねる」

**ひざまず・く**【×跪く】《自五》ひざを地面に突いてかがむ。〔祈ったり、相手に降参したり、許しを乞うたりするときにもする動作〕「ひざまずいてものを探す・墓前に―・膝下に―」 由来 「ひざを突く」から。「まく」は「つまずく」に類推したものか。 表記 現代語では「突く」の意識がないとみて、かなでは「ひざまずく」と書くが、「ひざまづく」も許容。「膝まずく」とも。

**ピザまん**〔まん←まんじゅう〕トマトソースやチーズなどを、肉まんと同じ皮で包んで蒸した、日本の中華まんじゅう。

**ひさめ**【氷雨】①〔文〕秋の、つめたいあめ。②〔雅〕ひょう(雹)。

**ひざもと**【膝元・膝下】①ひざのすぐそば。②ても と。身ぢか。「親の―をはなれる」③⇩お膝元。

**ひさん**【飛散】《名・自他サ》〔文〕とびちること。とばしちらすこと。

**ひさん**【悲惨】《名・ナダ》〔見たり聞いたりして〕心が痛むようす。痛ましくみじめなようす。「―な運命・―事」 表記 「悲酸」とも書いた。 派 ―さ。

**ひし**【皮脂】《生》皮膚の表面に分泌されるあぶら分。

**ひし**【彼×此】〔文〕あれとこれと。「―を比較する」

**ひし**【秘史】〔文〕秘密の歴史。かくされた歴史。

**ひし**【×菱】沼などにはえる水草の名。実は黒く熟し、先のとがったダイヤ形をしている。中の白い部分を食用とする。

[ひし]

**ひじ**【肘・×肱・×臂】①うでのまんなかで、内がわにまがる、関節の部分。また、うでをまげたとき、外がわに突き出る部分。「―をつく」②衣服のそでの、「ひじ①」の当たる部分。「―がぬける」

**ひじ**【秘事】〔文〕秘密にするものごと。「家庭の―をあばく」

**びじ**【美辞】〔文〕〔表現をかざるための〕美しい文句。「―を並べる」☞美辞麗句。

**ひしお**【×醤】①なめみその一種。食用にする、しょうゆのもろみ。ひしおみそ。②しょうゆのもろみやみそに似た、古代の調味料。③【×醢】魚や鳥などの肉の塩づけ。しおから。ししびしお。

**ひしかく・す**【秘し隠す】《他五》〔文〕秘密にしてかくす。 名 秘し隠し。

**ひじかけ**【肘掛け】①ひじをまげてかけること。「―窓・―いす」②〔列車の座席などの〕ひじをかける所。③きょうそく(脇息)。

**ひしがた**【×菱形】四つの辺の長さが同じで、一方の対角線が他方より長い四角形。トランプのダイヤの形。〔「正方形」は、ひし形の特殊な場合〕

**ひじがね**【肘金】とびらに取りつけて あけたてできるようにする、折れくぎのようにまがった金具。

**ひしが・れる**【△拉がれる】《自下一》〔気持ちが〕おしつぶされる。うちひしがれる。「失望に―・意志が―」

**ひじき**【:鹿尾菜】茶色の海藻。かわかすと黒くなる。くきはまるくて細い。食用。「―の煮物」

**ひし・ぐ**【△拉ぐ】《他五》〔文〕おしつぶす。「鬼をも―剛の者」☞ひしがれる。

**ひし・げる**【△拉げる】《自下一》〔文〕おされて つぶれる。ひしゃげる。「地震で家が―」

**ひしこいわし**【×鯷×鰯】かたくちいわし。しこいわし。ひしこ。

**ひしょくぶつ**【被子植物】《植》胚珠(=受粉後、種になる部分)が子房におおわれている植物。花びらのある花をさかせる。(↔裸子植物)

**ひしせん**【皮脂腺】《生》皮膚の表面の下にある組織。皮脂を出して皮膚の表面や かみの毛などにやわらかみや つやをあたえる。

**ビシソワーズ**〔フ vichyssoise〕裏ごししたジャガイモでつくった冷たいスープ。ヴィシソワーズ。

**ビジター**〔visitor〕①〔会社などで〕訪問客。「―センター(=国立公園・国定公園などの観光案内施設)」②《野球など》ほかの土地から試合に来たチーム。ビジティング チーム(visiting team)。③《ゴルフなど》会員外で、そのときに料金をはらってプレーなどをする人。(↔メンバー)

**ひしだい**【×菱台】ひな祭りのときに ひしもちなどをのせる、上がひし形の台。

**ひじちょうもく**【飛耳長目】(=遠くのものごとを居ながらにして知る目と耳)〔文〕観察がするどく早いこと。

**ひしつ**【皮質】①《生》中がつまった臓器の、外がわに近い部分。「大脳―・副腎―」②〔文〕野菜・かみの毛などの、外がわの部分。

**びしつ**【美室】〔文〕きれいな部屋。「〔不動産の広告で〕内装済み―」

**びしつ**【美質】〔文〕〔生まれつきの〕すぐれた性質や姿かたち。

**ひじつう**【肘痛】ひじの痛み。

**びしっと**《副・自サ》①棒などで打ったり、ものが折れたりする〈音/ようす〉。「枝が―折れる」②文句の言えないほど きびしいようす。「―言う」③きちんとして、すきのないようす。「紺のスーツで―決める」▽ぴしっと。

**ぴしっと**《副・自サ》①むちなどで打ったり、碁石を盤に打ったりする〈音/ようす〉。「むちで―たたく」②ちょうどよく いっぱいにつめこまれるようす。「箱に―つめる」③厳密に、予定どおりに行くようす。「期限を―守る」④きちんと〈ととのった/ひきしまった〉ようす。「―した服装・気持ちが―なる」

**びしてき**【微視的】《ナダ》〔文〕①〈目で見分けられない/顕微鏡で見分けられる〉程度の大きさであるようす。②ものごとの見方が細かいようす。「―にとらえる」▽(↔巨視的)

**ひじてつ**【肘鉄】↑肘鉄砲。

**ひじでっぽう**【肘鉄砲】〈いやだと言って〉ひじで突くこと。ひじてつ。「―を食(ら)わす(=はねつけて、ことわる)」

**ひしと**《副》〔文〕①強くだきつくようす。「―すがりつく」②身にせまるようす。「寒さが―身にしみる」

☆**ビジネス**〔business〕①仕事。業務。「―スーツ」②実業。「―チャンス」▽ビズネス。●**ビジネスクラス**〔business class〕《飛行機で》エコノミークラスよりもやや上位の席。(↔ファーストクラス・エコノミークラス)●**ビジネススクール**〔business school〕①経営学や簿記などの知識・技能を教える学校。②経営学専攻の大学院。●ビジネスパーソン〔business person〕 会社員。実務家。実業家。〔「ビジネスマン」などに対し、性別を限定しない言い方〕 ●ビジネスホテル〔和製 business hotel〕 おもに出張者を対象とした、シングルの部屋が多いホテル。ビジホ〔俗〕。 ●ビジネスマン〔businessman〕〔男性に言う〕⇩ビジネスパーソン。〔女性は、ビジネスウーマン〕 ●☆☆ビジネスモデル〔business model〕 事業の具体的な仕組み。「―特許」 ●ビジネスライク《ナダ》〔businesslike〕 ①事務的。「―に処理する」 ②能率的。

**ひしはい**［被支配］〔文〕支配されること。「支配と―・―者」

**びしばし**《副》〔俗〕 ①⇩びしびし①②。 ②勢いのいいようす。「―答える」

**ひしひし**《副》強く身にこたえるようす。「寒さが―と身にせまる」

**びしびし**《副》 ①むちなどで何度もたたく音。「むちで―打つ」 ②えんりょしないできびしくおこなうようす。「―取りしまる」▽びしばし〔俗〕。 ③強く身に感じられるようす。「気配が―と伝わる」

**ぴしぴし**《副》 ①ものが割れたり、ひびがはいったりする音。「氷が―割れる」 ②〈的確に/ぬかりなく〉するようす。「―さしずする」

**ひじまくら**［肘枕］《名・自サ》ひじをまげて自分のまくらとして横になること。

**ひしめ・く**［×犇めく］《自五》人がおしあいへしあい、大ぜい集ま(ってさわぎ立て)る。「ひしめきあう」

**ひしもち**［×菱餅］ひし形に切ったもち。赤・白・緑のものを重ねて、ひな祭りのときにかざる。

**ひしゃ**［飛車］《将棋》前後左右へ、いくつでも動ける駒。飛。

**ひしゃく**［△柄×杓］湯や水などをくむ、長い柄のついた道具。しゃく。

**☆☆びじゃく**［微弱］《ナダ》かすかで弱いようす。「―な影響」派-さ。

**ひしゃ・げる**《自下一》〔話〕ひしげる。へしゃげる〔俗〕。

**☆☆ひしゃたい**［被写体］《写真》写す対象となるもの。

**ぴしゃっと**《副》「ぴしゃりと」よりもっと強い感じをあらわすことば。

**びしゃびしゃ** びしゃびしゃ《副》・びしゃびしゃ《ナダ》 ①雨が強く降り続ける〈ようす/音〉。「毎日―(と)降る」 ②水びたしになっているようす。「床下まで―だ」▽びちゃびちゃ。

**ぴしゃぴしゃ**《副》 ①水が続けてはねる〈ようす/音〉。「水たまりを―歩く」 ②手のひらで続けてたたく〈ようす/音〉。「しりを―とたたく」▽ぴちゃぴちゃ。

**ヒジャブ**〔アラビア hijāb〕イスラム教徒の女性が外出時にまとう、髪から肩のあたりをおおう布。ヘジャ(ー)ブ。ヒジャーブ。☞チャドル・ニカブ・ブルカ。

**びしゃもんてん**［×毘△沙門天］〔毘沙門＝梵語 vaiśravaṇa の音訳〕七福神のひとり。四天王では多聞天と呼ぶ。よろい・かぶとを着け、手に宝塔やほこを持つ。仏法を守る。毘沙門。

［びしゃもんてん］

**ぴしゃりと**《副》 ①障子・ガラス戸などを乱暴にしめるようす。 ②手のひらや平たいものなどで、音を立てて打つようす。 ③相手をおさえつけるように、きっぱりと言うようす。「―ことわる」 ④相手を完全に封じるようす。「〔投手が〕九回裏も―封じる」 ⑤〈正確に合う/進む〉ようす。▽ぴしゃっと。

**ひしゅ**［×匕首］〔文〕あいくち(匕首)。

**びしゅ**［美酒］〔文〕うまい酒。うまざけ。「―に酔う」

**☆☆ビジュアル**〔visual〕一《名・ナダ》目に見えるようす。視覚(的)。「―デザイン」 二 人の外見。「―を重視する」▽一二ヴィジュアル。

**ひしゅう**［悲愁］〔文〕かなしみにしずむ〈気持ち/こと〉。「―にとざされる」

**☆☆ひじゅう**［比重］ ①《理》ある物質の質量を、同じ体積のセ氏四度の水の質量とくらべたときの〈比/割合〉。「―が小さいからしずまない」 ②割合。重要さの度合い。「生活費が大きな―を占める」 ③重点。「対話に―を置く路線・―をかける」

**びしゅう**［美醜］〔文〕 ①美しいこととみにくいこと。 ②顔かたちのよしあし。

**ビジュー**〔フ bijou＝宝石〕ビーズなど、小さな光るかざり。「―つきのブラウス」

**ひじゅうか**［非住家］〔文〕倉庫・物置など、人の住まない建物。(↕住家)

**ひしゅうしょくご**［被修飾語］《言》修飾語によって、意味内容が修飾されている文節。例、「きれいな花」「少し寒い」の「花」「寒い」。(↕修飾語)

**ひじゅつ**［秘術］〔文〕 ①かくして、人に知らせない術。 ②おくの手。「―をつくす」

***びじゅつ**［美術］ ①色・形の美を表現する芸術。絵・彫刻など。「―品」 ②「美術①」を鑑賞したり、作品を制作したりする、中学校の教科。

**☆☆ひじゅん**［批准］《名・他サ》 ①《法》署名された条約に対し、国家として正式に同意すること。「―書」 ②労働組合の連合会で決めたことを、それぞれの組合が正式に同意すること。

**ひしょ**［秘書］重い役目やいそがしい仕事をもつ人のそばにいて、機密のことがらや文書などを取りあつかう役目(の人)。「社長―・―官(＝大臣に秘書として直属する公務員)」

**ひしょ**［避暑］《名・自サ》いちじ、すずしい所へ移って、暑さを避けること。「―地」(↕避寒)

**びじょ**［美女］きれいな女の人。(↕醜女)

**ひしょう**［飛×翔］《名・自サ》〔文〕とぶこと。飛行。

**ひしょう**［卑称］《名・他サ》〔文〕いやしめて呼ぶ〈呼び名/こと〉。例、わたくしめ・てめえ。(↕尊称)

**ひしょう**［悲傷］《名・他サ》〔文〕痛ましいできごとにあって、深く悲しみなげくこと。

**ひしょう**［費消］《名・他サ》〔文〕使いはたすこと。「公金―」

**ひしょう**［卑小］《ナダ》〔文〕ねうちがなくて問題にならないようす。けち。派-さ。

****ひじょう**［非常］一 ①ふだんとちがう(危険な)状態。「―の際・―階段・―ボタン・―事態・―招集」 ②ふつうでないこと。「―手段」 二《ナダ》ふつうの程度を大きくこえているようす。「―な努力・―にうれしい」区別⇩

大変[二]。•**ひじょうぐち**［非常口］万一のときににげ出す戸口。•**ひじょうじ**［非常時］①ふつうのときでない場合。②重大な危機がせまった場合。③事変の起こったとき。•**ひじょうしょく**［非常食］災害が起こったときのために準備しておく食料。•**ひじょうせん**［非常線］①《法》火災などのとき、一定の区域を限って、一般民衆の通行や立ち入りを禁止する〈こと/線〉。②犯人をつかまえるときなどに、一定の区域にわたって警察官を配置する〈こと/線〉。警戒線。「―をはる」

**ひじょう**［非情］[一]《仏》〔心の はたらきを持たない〕木や石の類。[二]《名・ナダ》〔文〕人間らしい感情を持たない〈こと/ようす〉。無情。「―な しうち」▽[一][二](↔有情)[派]-さ。

**びしょう**［美粧］〔文〕美しくけしょうすること。美しいけしょう。「―院(=『美容院』の古い言い方)」

**びしょう**［微傷］〔文〕わずかの きず。かすりきず。「―だに負わなかった」

**びしょう**［微笑］《名・自サ》ほほえむこと。「―をたたえる」

**びしょう**［美称］《名・他サ》〔文〕ほめて呼ぶ〈呼び名/こと〉。例、結婚式を「華燭の典」と言うなど。

**びしょう**［微小］《ナダ》〔文〕かすかで細かいようす。「―生物」(↔巨大)[派]-さ。

**びしょう**［微少］《ナダ》〔文〕非常に少ないようす。「―なガス」[派]-さ。

**びじょう**［尾錠・美錠］〔文〕バックル。びじょがね〔古風〕。

**ひじょうきん**［非常勤］常勤でない形の勤務。「―講師・―取締役」(↔常勤)

**ひじょうしき**［非常識］《名・ナダ》常識に外れていること。「―なふるまい・―も はなはだしい」[派]-さ。

**ひしようしゃ**［被使用者］《法》給料をもらって、使われている人。使用人。(↔使用者)

**びしょうじょ**［美少女］美しい少女。(↔美少年)

**びしょうねん**［美少年］美しい少年。(↔美少女)

**びじょうふ**［美丈夫］〔文〕りりしい感じの美男子。

**ひじょうり**［非条理］《ナダ》〔文〕筋道が通って道理にかなう、という状態でないようす。[派]-さ。

**ひしょく**［非職］〔文〕〔公務員などが〕地位がありながら、受け持つ職務がないこと。

**びしょく**［美食］《名・自サ》(うまくて)ぜいたくな食事。「―家」(↔粗食)

**びじょざくら**［(美女桜)］⇩バーベナ。

**ビショップ**〔bishop〕《宗》キリスト教会の聖職者の位の一つ。カトリックでは司教、ギリシャ正教では主教、プロテスタントでは監督。

**びしょぬれ**［びしょ(×濡れ)］びしょびしょにぬれること。ひどくぬれたようす。

**びしょびしょ**[一]《副》雨が、やや強く同じ勢いで降り続けるようす。[二]**びしょびしょ**《ナダ》しずくがたれるほど、「頭から―にぬれた」

**びじょやなぎ**［(美女柳)］⇩びようやなぎ。

☆☆**ビジョン**〔vision〕①想像(力)。「―にうったえる」②将来の目標として思いえがく形。未来像。「新しい―」③大型の映像装置。オーロラ ビジョン。

**ひじり**［(△聖)］①徳の高い僧。②学問・技術の特にすぐれた人。「歌の―」

**びじり**［美尻］見た目のいい しり。びしり。

☆☆**びじれいく**［美辞麗句］〔文〕美しく かざって言う文句。「―をならべる」

**ひしろう**［皮脂漏］《医》皮膚から脂肪が出すぎること。脂漏。

**ひしん**［皮×疹］《医》皮膚の表面にできる ふき出もの。

**びしん**［美身］〔文〕〔美容術で〕からだをきれいにすること。「―術・―法」

**びしん**［美神］〔文〕美を支配する女神。

**びじん**［美人］顔かたちの美しい女性。「絶世の―・―の〔俗に『―な』〕女性・―画」(↔不美人)

**ピジン**〔pidgin〕《言》別々の言語を話す人どうしが、商売などで やりとりするために作り出した、簡単な言語。「―英語」☞クレオール。

**ひ・す**［秘す］《他五》〔文〕⇩秘する。「名前を秘さずに言う」

**ヒス**〔古風・俗〕↑ヒステリー①。「―を起こす・お―」〔動詞化して、ヒスる《自五》〕

**ひず**［氷頭］サケの頭の、軟骨。うすく刻んで酢の物にする。「―なます」

**ひず**［秘図］〔文〕①めったに人に見せられない、秘密の〈絵/図面/地図〉。②男女の まじわりをかいた絵。

**ビス**〔フ vis〕ねじ。ねじくぎ。

**ビズ**(造)〔biz←business〕ビジネス。「ショー―」

**ひすい**［(×翡×翠)］①《鉱》玉に似た緑色の鉱石。宝石にする。②カワセミの別名。

**びすい**［微酔］〔文〕ほろよい。微醺。

**ビスク**〔フ bisque〕エビやカニでつくる、こいクリーム状のスープ。

**ビスケット**〔biscuit〕小麦粉・たまご・バター・砂糖などをまぜてこね、小さく分けて焼いた菓子。ビスキュイ(フ biscuit)。☞クッキー[二]。

**ビスコース**〔viscose〕《理》①木材パルプを試薬にとかして作った粘性のある液体。レーヨンやセロファンの原料。②「ビスコース①」で作ったレーヨン。ビスコースレーヨン。▽ビスコス。

**ビスタ**〔vista〕見はらし。展望。「―カー」

**ピスタチオ**〔イ pistacchio〕西アジア原産の、からにさけ目のある木の実。中の緑がかった黄色のたねを、料理や洋菓子に使う。「―クリーム」

**ヒスタミン**〔histamine〕《医》からだの中にできる物質。アレルギー症状を起こす もとになる。「抗―剤」

**ビスチエ**〔フ bustier〕《服》①肩ひもがなく、胸から腰までをおおう、女性用の〈下着/服〉。ビュスチエ。②肩ひもがついて、胸(から腰)のあたりをおおう、女性用の服。服の上に重ね着もする。

**ヒステリー**〔ド Hysterie〕①興奮して感情がコントロールできない状態。ヒス〔古風・俗〕。②《医》〔古風〕神経症の一種。心理的な葛藤がもとで、さまざまな症状が あらわれるもの。

**ヒステリカル**《ナダ》〔hysterical〕ヒステリック。

**ヒステリック**《ナダ》〔hysteric〕ヒステリー的。

**ピスト**〔フ piste〕ブレーキのない、競技用の自転車。ピスト バイク。ピスト自転車。

**ヒストリー**〔history〕歴史。「ライフ―(=個人史)」

**ピストル**〔オ pistol〕拳銃。

**ビストロ**〔フ bistro〕フランス料理を気軽に楽しめるレストラン。

**ピストン**〔piston〕①機関やポンプの筒の中にはめ入れて、往復運動をする栓。②休みなしに往復すること。「―輸送」

**ヒスパニック**〔Hispanic〕〔アメリカで〕スペイン語を話す、中南米からの移住者。ラティーノ。

**ビスマス**〔bismuth〕《理》赤みのある銀白色の金属〔元素記号 Bi〕。整腸剤やヒューズなどの合金に使う。

☆☆**ひずみ**［〈×歪み〉］①ひずむこと。「―がうまれる」②変化にともなって生まれた、悪い状態。「高度経済成長の―」③《理》物体に外からの力が加わったときに起こる、長さ・体積・形などの変化。

**ひず・む**［〈×歪む〉］《自五》正しい状態からずれて、ゆがむ。「形が―・レンズを通すとひずんで見える・音が―」☞ゆがむ。

**ひ・する**［比する］《他サ》〔文〕くらべる。比較する。「前回に〈比すれば／比して〉格段の進歩がある」

**ひ・する**［秘する］《他サ》〔文〕秘密にする。ひめる。秘す。「名は特に―」●**秘すれば花** 句 ①どんなふうに演じるか、手の内を見せないほうが、大きな感動を呼ぶ。〔世阿弥の「風姿花伝」のことば〕②あからさまに表に出さないほうが、魅力的に見える。「恋心は―」

**ひせい**［非勢］〔文〕〔勝負などで〕形勢がよくないこと。

**ひせい**［批正］《名・他サ》〔文〕批判して、誤りを正すこと。「ご―を請う」

**びせい**［美声］美しい声。美音。（↔悪声）

☆☆**ひせいき**［非正規］〔←非正規雇用〕パート・アルバイト・〈契約／派遣〉社員など、短期で働く立場。「―労働者」（↔正規）

**びせいぶつ**［微生物］《生》細菌・単細胞生物などの、ごく小さい生物。

**ひせき**［秘跡・秘×蹟］《宗》カトリックの神父がおこなう、洗礼・結婚などの大切な儀式。サクラメント。「ゆるしの―〈☞告解〉を受ける」

**びせきぶん**［微積分］微分と積分。微積。

**ひせつ**［飛雪］〔文〕風にふきとばされて降る雪。ふぶき。

**ひぜに**［日銭］毎日、収入としてはいるお金。ひがね。「―をかせぐ」

←**ひぜめ**［火攻め］①昔の戦争などで、火を使って敵を攻めたこと。焼き打ち。☞水攻め。②火事などで焼かれて苦しむこと。

→**ひぜめ**［火責め］火を使ってする拷問。☞水責め。

**ひせん**［非戦］戦争をしないこと。「―論（↔主戦論）」☞反戦。

**ひせん**［卑×賤］《名・ナダ》〔文〕地位・身分のいやしい〈こと／ようす〉。（↔高貴）

**ひせん**［皮×癬］《医》⇨かいせん（疥癬）。

**ひぜん**［肥前］旧国名の一つ。今の佐賀県と、壱岐・対馬を除く長崎県。

**びせん**［微×賤］《名・ナダ》〔文〕身分がいやしい〈こと／ようす〉。卑賤。

**びぜん**［美×髯］〔文〕〈ほおから／あごにかけての〉りっぱなひげ。「―をたくわえる」

**びぜん**［備前］旧国名の一つ。今の岡山県の南東部。「―焼」

**ひせんきょけん**［被選挙権］《法》国民から選挙されて、一定の公職につくことのできる権利。

**ひせんとういん**［非戦闘員］①《軍》兵力を構成するが、直接戦闘に加わらない者。②軍人以外の一般国民。

**ひそ**［×砒素・ヒ素］《理》毒性が強い元素〔元素記号As〕。以前は農薬などに使われた。「―剤」

**びそ**［鼻祖］〔鼻＝はじめ〕〔文〕元祖。「医学の―」

**ひそう**［皮相］《名・ナダ》〔文〕うわべ。うわっつら。「―的な観察」派―さ。

←☆☆**ひそう**［悲壮］《ナダ》①かなしいできごとの中で、りっぱにふるまうようす。「―な最期」②困難やかなしみに出あって、心をふるい起こすようす。「―な決心をする・―な顔つき」派―がる。―さ。●**ひそうび**［悲壮美］悲壮なものごとに見いだされる美しさ。

→**ひそう**［悲×愴］《ナダ》〔文〕かなしみで心が痛むようす。「―感」派―さ。

**ひぞう**［×脾臓］《生》胃の左うしろがわにある、小さな内臓。リンパ球を作るはたらきなどをする。

☆☆**ひぞう**［秘蔵］《名・他サ》①大切にしまって、なかなか人に見せない〈こと／もの〉。「―の書画・―映像」②非常に大切にしてかわいがること。「―むすこ（＝秘蔵っ子）」

**びそう**［美装］〔文〕美しい〈服装／外観〉。「―を凝らす」

**びそう**［美△爪］〔マニキュアや付けづめで〕つめを美しくすること。また、美しいつめ。びづめ。びつめ。「―術」

**びぞう**［微増］《名・自サ》〔文〕ほんの少しふえること。（↔微減）

**ひそうしゃ**［被葬者］《歴》死んでお墓に入れられた人。

**ひそうぞくにん**［被相続人］《法》財産の相続をされる人。例、夫が妻と子どもを残して死んだ場合、妻・子は相続人、死んだ夫は被相続人。（↔相続人）

**ひぞうぶつ**［被造物］〔神の手で〕つくられたもの。

**ひそか**［〈△密か〉・〈△秘か〉・〈△窃か〉］《ナダ》人に知られないでするようす。「―に会談する・―に成功を期する」

**ひぞく**［卑属］《法》親族の系統の上で、自分よりあとの世代の者。子・孫・おい・めいなど。「直系―」（↔尊属）

**ひぞく**［×匪賊］〔昔、中国などで〕集団で略奪・殺人などをおこなった賊。

**ひぞく**［卑俗］《名・ナダ》下品で、いやしいようす。「―な歌」派―さ。

**びぞく**［美俗］〔文〕うるわしい風俗。「良風―」

**びそくど**［微速度］とてもおそい速度。低速度。「背景が―で動く」●**びそくどさつえい**［微速度撮影］通常よりもおそい間隔で画像をとり、つなげて動画にすること。それを、ふつうの速度で映写すると、実際よりはやく動くように見える。コマ撮り。タイムラプス。インターバル撮影。（↔高速度撮影）

**ひぞっこ**［秘△蔵っ子］〔俗〕非常に大切にしてかわいがっている〈子／弟子〉。ひぞうっこ。

ひ

**ひそひそ**《副》まわりに聞こえないように ささやく〈声/ようす〉。「—話す・—声・—話」

**ひそま・せる**[潜ませる]《他下一》ひそむようにする。

**ひそみ**[(×顰み)]〔文〕まゆをしかめること。•**ひそみに倣う**㊊①いいつもりで、まねをする。②その人のまねをするときの けんそんした言い方。

**ひそ・む**[潜む]《自五》かくれる。「事件の陰に犯罪が—」「物陰に身を—」

**ひそ・める**[潜める]《他下一》①しのばせる。かくす。「影を—」②目立たせないようにする。「息を—・声を—」 自 潜まる《五》。

**ひそ・める**[(×顰める)]《他下一》まゆのあたりに しわを寄せる。しかめる。「まゆを—」

**ひそやか**[(△密やか)]《ナダ》〔人が〕いかにも ひっそりしているようす。「—に暮らす」 派 -さ。

**ひぞ・る**[(干反る)・(△乾反る)]《自五》かわいて そりかえる。

**ひた** 接頭 ①ひたすら。「—叫ぶ」②ひたひたと。「時代の波が—寄せる」

**ひだ**[飛×驒] 旧国名の一つ。今の岐阜県の北部。飛州。

**ひだ**[(×襞)] ①〔衣服などの〕折りたたんで つけた折り目。「スカートの—」②「ひだ①」のようなしわ。「小腸の—」③〔気持ちの〕微妙な部分。「心の—」

**ビター**《ナダ》〔bitter〕にがいようす。「—な風味・—チョコレート・—テイスト」

**ひたあやまり**[ひた謝り]《名・自サ》ひたすら あやまること。「—に あやまる」

**ひたい**[額] 顔の中で、まゆから上の、広い部分。「—ぎわ」•**額が曇る**㊊ 心配そうな顔つきになる。他 額を曇らせる。•**額で見る**㊊ 下を向いて、相手にひたいを向けたまま ぬすみ見るようにする。•**額に汗する**㊊ あせを流して一生懸命に働く。•**額を集める**㊊ 寄り集まって相談する。

☆☆**ひだい**[肥大]《名・自サ》①《医》病気のために、からだの器官が はれたり、大きくなったりすること。「扁桃—」②〔文〕大きいこと。大きくなること。「行政組織の—化」③〔文〕〔欲望や考えが〕ふくれあがること。

**びたい**[(×媚態)]〔文〕①なまめかしく さそう態度や動作。「—を示す」②こびへつらう態度や動作。

**びだい**[美大]↑美術大学。「—生」

**ひたいしょう**[非対称]《名・ナダ》①《数》「対称 ⊟」でない〈こと/ようす〉。「左右—」(↕対称)②ふつりあい。「情報の—性(=格差)」

**びた-いちもん**[(×鐚)一文]〔鐚=価値の低い粗悪なお金〕きわめてわずかな お金。「—出そうとしない」

**ひたおし**[ひた押し]《名・他サ》ひたすら おすこと。「—に押す」

**ひたかくし**[ひた隠し]ひたすら かくすこと。「事件を—にする・—に隠す」 動 ひた隠す《他五》。

**ひたき**[(×鶲)] スズメぐらいの小鳥。キビタキ(黄鶲)は、胸から腹が黄色く、のどは赤みの強いオレンジ色。せなかは黒く、はねに白い斑紋がある。

**びだくおん**[鼻濁音]《言》鼻に息をぬいて発音する、ガ行の音。ガ行鼻音。 ✎ ことばの途中や最後のガ行音は、昔の東京ことばでは多く鼻濁音になる。マンガ(漫画家)・カギ(鍵)のガ・ギなどがそれで、大げさに発音すると、マンナカ・カニに近く聞こえる。

**ひだこ**[火(:斑)] 火に長くあたったとき、皮膚にできる、まだらの模様。

**ひたし**[浸し] ⇩おひたし。

**ひた・す**[浸す]《他五》①〈水/液体〉などに入れる。漬ける。「からだを湯ぶねに—・布を染料に—」②水面が そこまで来る。「水が一階の部屋を—」③しみこませる。「油を浸した布」④その気持ちだけを味わうようにする。「喜びに全身を—」⑤すっかり つつむ。「暑さが街を—」

**ひたすら**《副》それればかり。いちずに。ただただ。「—安全をいのる」 表記 かたく「:只管」とも。

**ひたたれ**[(△直垂)] 昔、武士などが着た衣服。袖は広く、胸には ひもがある。裾は はかまの中に入れて着る。

[ひたたれ]

**ひたち**[:常陸] 旧国名の一つ。今の茨城県の大部分。常州。「えぼし、—」〔なまって「したたれ」〕

**ひだち**[肥立ち] お産のあとの、回復。「産後の—が〈い/い〉」

**ぴたっと**《副》「ぴたりと」よりも、強い感じをあらわすことば。「足が—とまる」

**ひだて**[日建て] 賃金・家賃などを、一日を単位に計算すること。日割り。また、その お金。

**ひたと**《副》〔文〕①じかに。「—顔をあわせる」②ぴたりと。しっかり。「—寄りそう」

**ひだね**[火種] ①火をおこすときの、もとになる火。②火事のもとになる火。③〔争いの〕もと。「紛争の—」

•**火種を残す**㊊ 事件や争いの原因となるものを、そのままにしておくことのたとえ。

**ひたはし・る**[ひた走る]《自五》休まずに、ひたすら走る。ひたばしる。「現場へと—」 ✎ 名詞「ひた走り」が動詞化したもの。 名 ひた走り。「—に走る」

**ひたひた**《副》①水が、ゆるやかに当たる〈ようす/音〉。「波が—(と)寄せる」②しだいに せまってくるようす。「—と大軍が押し寄せる」③《料》水の分量が、材料が水面から少し出る程度であるようす。〔「かぶる」より少なめ〕「—の水・出しじるを—に そそぐ」④水分が たっぷりしみこんだようす。「牛乳で—にしたパン」

**ひたぶる**《ナダ・副》〔古風〕ひたすら。「—(に)はげむ・—にうら悲し」 派 -さ。

**ひだま**[火玉] ①とんで行く、玉のような火。②キセルにつめて火をつけた、タバコの かたまり。

←**ひだまり**[日(×溜まり)・△陽(×溜まり)]〔冬に〕太陽の光を受けて あたたかい所。

→**ひだまり**[灯(×溜まり)] 電灯の光が一か所、たまったように集まっている所。

**ビタミン**〔ド Vitamin〕《理》人間の体内で合成されず、栄養素の一つとして、食品の形で取り入れなければならない有機化合物。•**ビタミンイー**[ビタミンE]〔vitamin E〕《理》植物油やナッツなどに多くふくまれるビタミン。油に とける。抗酸化作用がある。•**ビタミンエー**[ビタミンA]〔vitamin A〕《理》牛・ブタ・ニワトリの肝臓や乳製品に多く ふくまれるビタミン。油にとける。目の機能を高め、皮膚を乾燥から守る。☞カロテン。●ビタミン カラー〔vitamin color〕かんきつ類を思わせるような、オレンジ色・黄色・緑色などをまとめて呼ぶことば。●ビタミン ケー[ビタミンK]〔vitamin K〕《理》納豆やチーズなどに多くふくまれるビタミン。油にとける。血液を固める作用を早めたり、骨の形成をうながしたりする。●ビタミン シー[ビタミンC]〔vitamin C〕《理》くだものや野菜に多くふくまれるビタミン。水にとける。皮膚などのコラーゲンを作る。抗酸化作用がある。アスコルビン酸。●ビタミン ディー[ビタミンD]〔vitamin D〕《理》魚やきのこなどに多くふくまれるビタミン。油にとける。体内でカルシウムやリンの吸収をうながす。日光浴で増える。●ビタミンビー ぐん[ビタミンB群]《理》からだのエネルギーを作るのにかかわる栄養素の一群。水にとける。ビタミン$B_1$・$B_2$・$B_3$〔=ナイアシン〕・$B_{12}$や葉酸などがある。

**ひたむき**[△直向き]《ナダ》いちずに熱中するようす。「—な態度」派—さ。

**ひだら**[干(×鱈)]うすく塩をふってほしたタラ。

**ひだり[左]** ①横に〈広がる/ならぶ〉もののうち、一方のがわをさすことば。「リ」の字では、線の短いほう。「一」の字では、書きはじめのほう。「向かって—・—寄り」②「左①」のほうの手。「《すもう》—がはいる・—投手」③⇩左翼③。「—がかる」④《野球》左翼手。レフト。「—越えホームラン」▽(↕右)⑤〔俗〕酒飲みであること。左党。●ひだり うち[左打ち]《野球》左打席で打つ〈こと/人〉。また、レフト方向に打つこと。(↕右打ち)●ひだり うちわ[左(:団扇)]①何もしないで、楽に暮らすこと。②隠居をして、楽な身分であること。●ひだり がき[左書き]文字を〈一字ずつ/一行ずつ〉左から右へ書くこと。(↕右書き)●ひだりきき[左利き]①左手のほうがよくはたらく〈こと/人〉。左ぎっちょ〔俗〕。(↕右利き)②酒が好きな〈こと/人〉。●ひだり ぎっちょ[左ぎっちょ]〔俗〕⇩左きき①。●ひだり・する[左する]《自サ》〔文〕左のほうへ行く。「右せんか左せんか〔⇩「右する」の用例〕」●ひだり ぜん[左膳]しるわんを、食べる人から見てごはんの左がわへ置くこと。葬式のとき・仏前にそなえるときの置き方とされる。●ひだり づま[左(×褄)]①和服の左のつま。②芸者の身分。「—を取る」●ひだり づめ[左詰め]ひとつづきの数字やかなをます目に記入するとき、左のはしから間をあけずに書き入れること。(↕右詰め)●ひだり て[左手]左のほう(の手)。(↕右手)☞弓手。●ひだり なげ[左投げ]《野球》投手などが、左手で投げること。「—右打ち」(↕右投げ)●ひだり のう[左脳]《生》⇩さのう(左脳)。●ひだり まえ[左前]①左がわの、前。②《服》ⓐ和服の着方の一つ。正面から見たとき、左がわ〔=右の身ごろ〕が上に来る。ふつうとは逆の着方〔=死者の装束〕とされる。ⓑ男の洋服の仕立て方。前をあわせたとき、左の身ごろが上に来る。▽①②(↕右前)③家の勢いがおとろえること。家計が苦しくなること。左向き。●ひだり まき[左巻き]①左に巻くこと。(↕右巻き)②〔俗〕変人であること。●ひだり よつ[左四つ]《すもう》おたがいに左手を相手の右わきに入れて組んだ状態。(↕右四つ)

**ぴたり と**《副》①とつぜんとまるようす。「—静止する」②すきまなくつくようす。「—寄りそう」③少しも外れないで合うようす。「—ねらいを付ける」

**ひた・る**[浸る]《自五》①水にはいる。「湯ぶねに—・洪水で家が水に—」②そのことしか〈考えない/しない〉状態になる。その気持ちだけを味わう。「音楽に—・悲しみに—・浸りきる」▽漬かる。

**ひだる・い**《形》〔古風〕腹がへって、元気がない。派—げ。—さ。

**ひだるま**[火(:達磨)]①火がついて全体が燃えあがっている状態。「全身が—になる」②猛烈な批判を受けたり、大きな損失をこうむったりして、追いつめられた状態。「—になってでもやりぬく」

**ひたん**[悲嘆・悲×歎]《名・自サ》〔文〕かなしんでなげくこと。「—のなみだにくれる」

**ひだん**[被弾]《名・自サ》①《軍》敵にたまをあてられること。「機体に—した」②《野球》投手がホームランを打たれること。「エースが—する」

☆☆**び だん**[美談]美しい話。ほめるべき話。

**び だんし**[美男子]顔かたちの美しい男子。びなんし。

**ピチカート**〔イ pizzicato〕《音》弦楽器を指で(はじいて)ひく演奏法。ピッチカート。

☆☆**び ちく**[備蓄]《名・他サ》万一のときにそなえて、ためておくこと。

**ひち しゃ**[被治者]《法》統治を受ける国民。(↕治者)

**ぴちっ と**《副・自サ》ゆるみやすきまがなく合わさるようす。「髪を—たばねる・—したTシャツ」

**ぴち ぴち**《副・自サ》①〔さかななどが〕勢いよくはねかえるようす。②若々しくて元気のいいようす。「明るくて—(と)した子どもたち」③からだにぴちっとしているようす。「—のズボン・—したTシャツ」

**ひ ちゃくしゅつ**[非嫡出]《法》正式の夫婦以外の男女の間に生まれたこと。もと「庶出」と言った。「—子〔もと『庶子』と言った。(↕嫡出子)〕」

**びちゃ びちゃ** びちゃびちゃ《副》・びちゃびちゃ《ナダ》⇩びしゃびしゃ。

**ぴちゃ ぴちゃ**《副》⇩ぴしゃぴしゃ。

**びちゅう**[微衷]〔文〕自分の心の中をへりくだって言うことば。「—、おくみ取りください」

**びちゅう かく**[鼻中隔]《生》鼻の穴を左右に分ける骨。

**ひちゅうの ひ**[秘中の秘]秘密の中の秘密。絶対の秘密。

**ひちょう**[飛鳥]〔文〕空をとぶ鳥。「—のような早わざ」

**ひちょう**[秘帳・秘×帖]〔文〕秘密の〈手帳/本〉。

**ひちょう**[悲調]〔文〕かなしそうな音調。

**びちょうせい**[微調整]《名・他サ》仕上げのためにわずかな部分だけを直すこと。微修正。「意見をもとに方針を—する」

**ひちりき**[(×篳×篥)]《音》雅楽などで使う管楽器の一つ。表に七つ、裏に二つの穴があ

[ひちりき]

り、縦にして吹く。リード〔＝舌〕にアシ(葦)を使う。

**ひぢりめん**[〔×緋△縮×緬〕] 赤い色の ちりめん。「―の長じゅばん」

**ひっ**[〔引っ〕] [接頭]〔↑引き〕 ①引くような動作をあらわすことば。「―かく」 ②勢いよくするようすをあらわすことば。「―かき回す」 ▽俗語として使う場合も多い。「―つかまえる」

**ひつ**[筆] [一] **ひつ**〔文〕〔文字・絵を〕筆でかいたこと。「弘法大師の―」 [二] [接尾] ①土地の区画を数えることば。ふで。「一―の土地」 ②署名を数えることば。「五百―の要請書」

**ひつ**[〔×櫃〕] ①ふたのある大型のじょうぶな箱。「米―・よろい―」 ②⇩おひつ。

**ひつ**[必] [造]〔文〕かならず。「―合格〔＝入学試験に合格するよう、はげますことば〕」

**ぴっ**[ピッ]《副》 ①するどく短い電子音。「バーコードを―と読み取る」 ②笛などの短い音。☞ぴっと。

**ひつあつ**[筆圧] 文字を書くとき、ふで・ペンなどの先に加わる力。

**ひつい**[筆意] 〔文〕〔書道で〕ふでづかいに こめた気持ち。

☆☆**ひつう**[悲痛]《ナダ》 かなしくて心が痛むようす。「―なさけび声・―なおももち」 [派]-がる。-さ。

**ひっか**[筆禍] 〔文〕自分の書いた文章のために受ける災難。「―事件」(↕舌禍)

**ひっかえ・す**[引っ返す]《自五》〔話〕ひきかえす。

**ひっかか・える**[〔引っ〕抱える]《他下一》〔俗〕(あわてて)乱暴にかかえる。「小脇に―」

**ひっかかり**[〔引っ掛かり〕] ①ひっかかる〈こと/ところ〉。「相手のことばに―〔＝疑問など〕を感じる」 ②〔古風〕(義理のある)関係。行きがかり。「今までの―でやめられない」

**ひっかか・る**[〔引っ掛かる〕]《自五》 ①(ちょっと)かかる。「たこ(凧)が木の枝に―・魚が あみに―・バケツの水が―」 ②〔何かによって〕そこで止まって、うまく先へ進まなくなる。「ズボンが くぎに―・赤信号に―・帰りに どこかでひっかかって飲んでいる」 ③試験・検査などを通らず、問題があるとされる。「検閲に―」 ④危ないところで、なんとか合格する。「第二志望の大学に―」 ⑤調べた範囲にはいる。「捜査の あみに―・ネットを検索して―」 ⑥疑問や違和感が残る。なっとくできない。「―なあ、その話」 ⑦だまされる。「悪徳商法に―」

**ひっかきまわ・す**[〔引っ×搔き〕回す]《他五》「かきまわす」を強めて言うことば。

**ひっか・く**[〔引っ×搔く〕]《他五》 ①つめや先のとがったもので、強くかく。 ②〔俗〕「かく」を強めて言うことば。「大あぐらを―」

**ひっか・ける**[〔引っ掛ける〕]《他下一》 ①(ちょっと)かける。「電線にたこを―」 ②上にちょっと着る。ちょっと、はく。「上着を―・くつを―」 ③〔水などを〕あびせる。 ④くぎなどにかけて、破りさく。「ストッキングを―」 ⑤だます。「見事に ひっかけられた」 ⑥(むりに)関係づける。「『後生畏るべし』にひっかけて『校正恐るべし』」 ⑦〔酒を〕勢いよく飲む。「一杯―」 ⑧《すもう》相手の片うでを両手でつかみ、出て来ようとするところをくずす。 ⑨《野球》バットの先にからませるようにして打つ。「カーブを―」 ⑩〔俗〕ナンパする。「女の子を―」 [名]ひっかけ。「―(の)問題」

**ひっかつ・ぐ**[〔引っ〕担ぐ]《他五》〔俗〕勢いよく かつぐ。

**ひっかぶ・る**[〔引っ△被る〕]《他五》〔俗〕 ①すっかりかぶる。「水を―・ふとんを―」 ②〔人の罪や責任を〕完全に引き受ける。「責任を―」 ▽ひきかぶる。

**ひっからま・る**[〔引っ〕絡まる]《自五》〔俗〕ひっかかってからまる。 [他]ひっ絡める《下一》。

**ひっき**[筆記] [一]《名・他サ》書きつけること。「―用具・―帳・―試験(↕口述試験)」 [二]↑筆記試験。

●**ひっきたい**[筆記体] 〔ローマ字などで〕手書きするときに使う書体。筆写体。(↕活字体)

**ひつき**[火〔付き〕] 火がつくこと。「―がいい」

**ひつぎ**[日△嗣ぎ] 皇位(をつぐこと)。 ●**ひつぎのみこ**[日△嗣ぎの△御子] 〔雅〕皇太子。

**ひつぎ**[〔×柩〕] 〔文〕遺体を入れる箱。棺。

☆☆**ひっきょう**[〔×畢×竟〕]《副・接・自サ》〔文〕つまり。しょせん。結局。「詩は―何の役に立つか・―するに〔＝結局は〕政治の問題である」

**ひっきりなし**[〔引っ切りなし〕] たえまないこと。「―に降る・―の あくびだ」

**ピッキング**[picking] ①特殊な工具で錠をこわさずにあけること。「―による空き巣の被害」 ②必要な商品を倉庫などから取り出して用意すること。

**ひっく**《副》 しゃっくりの音をあらわすことば。特に、よっぱらったようすをあらわすときに使う。

**ビッグ**[big] [一]**ビッグ**《ナダ》 ①〔規模の〕大きいようす。「―な番組」 ②たいへん価値のあるようす。「―なプレゼント」 ③偉大。「―なアーティスト」 [二][造] 大きな。重要な。「―ニュース・―ネーム〔＝有名な〈人/もの〉〕・―ビジネス〔＝三つの代表的な会社など〕・―カード〔＝強豪どうしの試合〕」 ▽[一][二]なまって、ビック。 ●**ビッグデータ**[big data] 《情》通信網を通じて集めた大量のデータ。これを分析して調査・研究に使う。例、インターネットの交流サイトの発言全部。 ●**ビッグバン**[big bang] ①《天》宇宙の はじめのときにあったとされる大爆発。☞インフレーション②。 ②〔金融制度などの〕大改革。「金融―」 ●**ビッグマウス**[big mouth] ①大口をたたく人。発言だけは りっぱな人。 ②やかましくしゃべる人。

**ピック**[pick] ①《音》ギターの、つめ。「―ギター〔＝つめでひくギター〕」 ②ピッケルの、つるはしの形をした部分。(↕ブレード)☞「ピッケル」の絵。 ③物に さして使うようじ状のもの。「お弁当用の―」 ●**ピックアップ**[pick up] [一]《名・他サ》 ①ひろいあげること。とりあげること。「車で友人を―する」 ②よりぬくこと。選抜。「―チーム」 [二] ①〔音楽プレーヤーなどで〕ディスクの情報を読み取る装置。 ②荷物をのせる部分に屋根のない小型トラック。ピックアップ トラック。

**ひっくく・る**[〔引っ△括る〕]《他五》〔俗〕「くくる」を強めて言うことば。

**ビックス**[VICS] 〔← Vehicle Information and Communication System〕 道路交通情報通信システム。道路わきの通信施設などから走行中の自動車のカーナビなどに、渋滞や交通規制の情報を知らせるシステム。

**びっくり**《名・自サ》おどろくこと。びっくら〔俗〕。「急な知らせに—する・モデルも—のスタイル・—こく（=びっくりする）」表記かたく「:吃驚」「:喫驚」とも。●**びっくりぎょうてん**[びっくり仰天]《名・自サ》ひどくおどろくこと。●**びっくりばこ**[びっくり箱]箱のふたをあけると、ばねじかけで中からものが飛び出して人をおどろかせるおもちゃ。●**びっくりみず**[びっくり水]〔料〕麺(めん)などをうまくゆであげるために、湯が沸騰(ふっとう)したときに加える、冷たい水。差し水。●**びっくりマーク**〔俗〕感嘆符(かんたんふ)。

**ひっくりかえ・す**[引っ繰り返す]《他五》①〔順序や方向などを〕逆にする。②横にたおす。「コップを—」③〔決めたことを〕だめにする。「計画を—」④あちこちさがす。「資料をひっくり返して調べる」名ひっくり返し。

**ひっくりかえ・る**[引っ繰り返る]《自五》①〔順序や方向などが〕さかさまになる。「天地が—ような大さわぎ」②あおむけになる。「たたみの上に—」③たおれる。「花瓶(かびん)が—」④〔決めたことが〕だめになる。「計画が—」⑤たおれるくらい、からだをそらせる。「ひっくり返って大笑いする」▽ひっくりがえる。

**ひっくる・める**[引っ△括める]《他下一》一つにまとめる。ひきくるめる。「全部ひっくるめて二万円です」

**ひつけ**[火〔付け〕]①人の家に火をつける〈こと／人〉。放火(犯人)。②〔事件などの〕直接のきっかけ。「—となる発言・—役」

**ひづけ**[日付]①手紙・書類に書き入れる、それを書いたときの年月日。「—を入れる」②暦(こよみ)のうえの年月日。「—が変わって十月三日」●**ひづけへんこうせん**[日付変更線]《地》太平洋上を通る、百八十度の経線にほぼ沿った線。この線を東に向かってこえるときは日付を一日もどし、西に向かってこえるときは次の日付にする。

**ひっけい**[必携]〔文〕かならずそばに持っていなければならない〈こと／もの〉。「キャンプに—のテント・—書」(ハンドブックなどの書名にも使う。「化学—」)

**ピッケル**[ドPickel]登山に使うつるはし状の用具。雪の斜面(しゃめん)で足場を作ったり、からだを支えたりするときに使う。

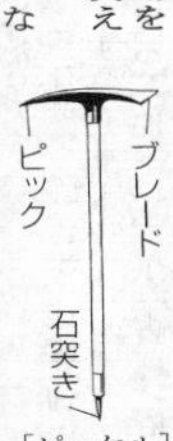


[ピッケル]

☆☆**ひっけん**[必見]かならず見なければならないこと。「—の映画」

**ひっけん**[筆×硯](=ふでとすずり)〔文〕文筆家の仕事。●**筆硯を新たにする**句〔文〕〔書くために〕新しく準備する。新しく書く。

**びっこ**[(×跛)]〔古風・俗〕①一方の足に故障があって、歩きにくい〈こと／人〉。「—をひく」〔差別的なことば〕②形や大きさがふぞろいなこと。「くつが—だ」〔①の意味を連想させて、語感が悪い〕

**ひっこう**[筆耕]《名・他サ》本や書類を書き写してお金をもらう〈こと／人〉。「—料・招待状の—」

**ひっこし**[ひっ腰]〔俗〕⇩しっこし。

**ひっこし**[引っ越し]《名・自サ》引っ越すこと。転居。転宅。移転。●**ひっこしそば**[引っ越し(:蕎麦)]〔「おそばに参りました」の意味をかけて〕近所に引っ越してきたあいさつとして配るそば。

**ひっこ・す**[引っ越す]《自五》住んでいた部屋や建物を出て、よそへ移る。転居する。移転する。「事務所が—」

**ひっこぬ・く**[引っこ抜く]《他五》〔俗〕引き抜く。「雑草を—・人を—」名引っこ抜き。

**ひっこみ**[引っ込み]ひっこむこと。●**引っ込みがつかない**句〔意外な結果になって〕うまくその場から去ることができない。●**ひっこみじあん**[引っ込み思案]《名・ナダ》消極的な性格や考え(であるようす)。

**ひっこ・む**[引っ込む]㊀《自五》①中に居て、出ないようにする。「家に—・用のない者は引っ込んでいろ」②〈奥(おく)のほう／目立たない所〉にある。「いなかに—・通りから引っ込んだ家」③出ていたものが、出なくなる。「こぶが—・手が—・小言(こごと)が—」④くぼむ。「目の引っ込んだ男」他引っ込ませる《下一》。「腹を—」㊁《他五》〔話〕「引き込む」をぞんざいに発音したもの。

**ひっこ・める**[引っ込める]《他下一》①出ていたものを出なくする。「手を—」②とりさげる。「要求を—」③下げて低くする。「頭を—」

**ヒッコリー**[hickory]①北アメリカ大陸原産の落葉高木。実は食用。材はスキー板やゴルフのクラブ、家具などに使う。②細いしま模様のはいった、あや織りのじょうぶな綿布。

**ピッコロ**[イpiccolo=小さい]〔音〕フルートより小さく、それより音が一オクターブ高い横笛。ピッコロフルート。

**ひっさい**[筆才]〔文〕文才。

**ひっさ・げる**[引っ提げる]・[△提げる]《他下一》①手にさげて持つ。「両手に紙ぶくろを—」②人前に出るときに、じまんできるものを持つ。「新曲をひっさげて登場」③引きつれる。「手勢五十騎(き)をひっさげて」④〔古風〕むりに動かす。「病軀(びょうく)を—」

**ひっさつ**[必殺]相手をかならず〈殺す／参らせる〉こと。「—(の)技(わざ)・—一撃(いちげき)」

**ひっさら・う**[引っ×攫う]《他五》〔俗〕勢いよくさらう。ひきさらう。

**ひっさん**[筆算]《名・他サ》数字を紙に書いて計算すること。

**ひっし**[筆紙]〔文〕ふでとかみ。●**筆紙に尽(つ)くしがたい**句文章にはとても表現できない。

**ひっし**[必死]㊀《名・ナダ》〔ほかのことはかえりみず〕全力をつくすようす。「—の形相(ぎょうそう)・—な顔で・—に反対する」派—さ。㊁①〔文〕いさぎよく死のうとすること。「—の覚悟(かくご)」②〔将棋〕⇩必至㊁。

☆☆**ひっし**[必至]㊀《名・ナダ》かならずそうなること。かならず来ること。「改革は—だ」㊁〔将棋〕あと一手さすと絶対に詰む形。必死。

**ひつじ**[△未]①十二支の第八。うま(午)の次。「—年」(年のほか、月・日にも言う)②昔の時刻の名。今の午後二時ごろに当たる。八(や)つ。「—の刻」③昔の方角の名。南南西。●**ひつじぐさ**[△未草]すいれん(睡蓮)。

**ひつじ**[羊]中形の、おとなしい家畜(かちく)。つのはねじれている。毛は毛織物にする。肉は食用。鳴き声は、めえめえ。「—飼い」●**羊の皮をかぶったおおかみ**(狼)句やさしそうに見えるが、じつは〈悪い／おそろしい〉人のたとえ。●**ひつじぐも**[羊雲]秋晴れの空に多い、ヒツジの群れのような雲。高積雲。

**ひっしゃ**【筆者】①文章を書いた人。「—の考えを問う試験問題」 区別 ⇩作者①。②〔この文章を書いている〕私。「傍点は—」

**ひっしゃ**【筆写】《名・他サ》書き写すこと。

**ひつじゅ**【必需】〔文〕かならず いること。必要。●**ひつじゅ ひん**【必需品】なくてはならない物。「生活—」

**ひっしゅう**【必修】《名・他サ》かならず学習しなければならない〈こと／学科〉。「—科目」

**ひっしゅつ**【必出】〔文〕試験に かならず出されること。「—問題」

**ひつじゅん**【筆順】文字の点や線を書く順序。書き順。

**ひっしょう**【必勝】戦争・試合などに、かならず勝つこと。「—の信念」(↔必敗)

**ひつじょう**【必定】〔古風〕かならずそうなること。「成功は—だ」

**ひっしょく**【筆触】〔文〕〔絵・書道で〕ふでの使い方(から来る感じ)。タッチ。

**ひっしょく**【必食】《名・他サ》ぜひ食べなければならない〈こと／食べ物〉。「この店の みそラーメンは—だ」

**びっしょり**《副》ひどく ぬれるようす。「—(と)汗をかく」

**びっしり**《副》①すきまがないほど、つまっているようす。「家が—(と)たちならぶ」②息をぬかないで、じゅうぶんにするようす。みっしり。「八時間—働いた」

**ひつじん**【筆陣】〔文〕文章による論陣。●**筆陣を張る** 句 社会に対して、議論の形で出版物に意見をのべる。

**ひっす**【必須】《名・ナダ》①ぬかすわけには いかないこと。ひっしゅ〔古風〕。「—科目・—〈の／な〉条件」②「必至」の誤り。「爆笑—」●**ひっすアミノさん**【必須アミノ酸】《理》人間の体内で合成されず、健康のために食物の形で取り入れなければならないアミノ酸。

**ひっせい**【×畢生】〔=生をお(畢)えるまでの間〕〔文〕一生をかけること。「—の大作・—の大業」

**ひっせい**【筆勢】〔文〕ふでの勢い。ふでづかい。

**ひっせき**【筆跡・筆×蹟】書いた文字の あと。字の書きぶり。「—鑑定」

**ひつぜつ**【筆舌】〔=ふでと舌〕〔文〕文章と ことば。●☆☆**筆舌に尽くしがたい** 句〔文〕文章やことばには あらわしきれない。筆舌に尽くせない。

**ひっせん**【筆洗】〔字や絵をかいたあとで〕ふでをあらう器。

☆☆**ひつぜん**【必然】一 そうなることが決まっていること。「—の勢い〔=必然的(に)〕・失敗は—である・論理的—を追う」 派 -さ。二《副》当然。きまって。結果として。「—それに敗れる」▽一二(↔偶然) ●**ひつぜんせい**【必然性】かならず そうあるはずの性質。(↔偶然性) ●**ひつぜんてき**【必然的】《ナダ》かならずそうであるべきようす。「—な結論」

**ひっそく**【×逼塞】《名・自サ》〔文〕①活躍できず、人目につかずに暮らすこと。②とじこもること。「下宿に—する」③お金がなく行きづまること。逼迫。「—した経済状態」

**ひっそり**《副・自サ》①人に知れないように、しずかにしているようす。「—(と)暮らす」②しずかで人がいないように感じられるようす。「うちの中が—している」●**ひっそりかんと**《副・自サ》〔「かん」は接尾語〕しずまりかえっているようす。「—した校庭」 表記「ひっそり:閑と」は、似た意味の「閑」を使った当て字。

**ひつだ**【必打】《野球》かならず うつこと。「好球—」

**ヒッター** 造〔hitter〕《野球など》打つ人。打者。「ピンチ—・ロング—〔=長打者〕」

**ひったくり**【(引ったくり)】すれちがいざまに、通りすがりの人からバッグなどをひったくるぬすみ(をする者)。

**ひったく・る**【(引ったくる)】《他五》人の持っているものをうばい取る。「ハンドバッグを—・号外を—ように受け取る」 由来「引き」と、うばう意味の「たくる(☞ぶったくる・ふんだくる)」から。

**ぴったし**《副》〔俗〕ぴったり。

**ひったつ**【必達】《名・自他サ》かならず〈達成／到達〉すること。「目標を—する・売上—」

**ひった・てる**【引っ立てる】《他下一》①〔古風／俗〕〔犯人などを〕むりに引いてつれて行く。引き立てる。「罪人を—」②〔俗〕勢いよく立てる。「耳を—」

**ぴったり**《副・自サ》①すきまなく つくようす。「—(と)戸をしめる」②くいちがいがなく あうようす。「答えが—(と)あう」③すっかり とまるようす。「酒を—(と)やめる」④ふさわしいようす。「その場に—したことば」

**ひつだん**【筆談】《名・自サ》〔口で話す代わりに〕用件を紙に書いて問答すること。●**ひつだんき**【筆談器】耳の不自由な人〈が／と〉やりとりするための、書いた文字がすぐに消せるボード。磁石のペンで砂鉄を引きつけて記すものなどがある。筆談具。

**ひっち**【筆致】〔文〕文字・文章・絵の書きぶり。「軽妙な—」

**ビッチ**〔bitch〕〔俗〕尻軽な女。〔けなして言う〕

**ピッチ**〔pitch〕①一定の時間に くり返す回数。〔ボートでは、オールを動かす回数。水泳では、手で水をかく回数〕②「ピッチ①」をはやくする方式。「—走法〔=歩幅を小さく取り、一歩の時間を短くする走法。(↔ストライド走法)〕・—泳法」③《言》音の高さ。「日本語のアクセントは—アクセントだ」(↔ストレス)④ねじ・歯車など、たくさん続いているものの、となりあった二つの間の長さ。⑤《サッカー・ホッケーなど》競技をする長方形の場所。「—での熱戦」⑥《登山》つなぎあった一本のロープの長さ(であらわす区間)。「二—で登る」⑦ピッチング。「ナイス—」⑧〔①〜⑦とは別語源〕タールを乾留してできる、黒い ねばねばした かす。チャン。●**ピッチが速い** 句(酒を飲む)ペースが速い。「—と酔うのも早い・円高の—」●**ピッチを上げる** 句 速くする。直ピッチが上がる。

**ヒッチハイク**《名・自サ》〔米 hitchhike〕通りがかりの自動車などに、ただで乗せてもらってする旅行。

**ピッチャー**〔pitcher〕①《野球》投手。「—プレート」②水差し。「生ビールの—」

**ひっちゃく**【必着】一《名・自サ》かならず到着すること。「はがきは十日—〔=おそくとも十日じゅうに届かなければならない〕・新宿に五時—」二《名・他サ》〔文〕かならず着用すること。「シートベルト—」

**ひっちゅう**【必中】《名・自サ》〔文〕かならず〈命中す

る〈あたる〉こと。「一発―」

**ひっちゅう**［筆×誅］《名・他サ》〔文〕罪悪を書きたてて、責めること。筆罰。「―を加える」

**びっちゅう**［△備中］旧国名の一つ。今の岡山県の西部。

**ひっちょう**［必聴］〔文〕かならず聞かなければならないこと。「ジャズファン―の名曲」

**ピッチング**《名・自サ》〔pitching〕①船や飛行機が上下にゆれること。縦ゆれ。（↔ローリング）②《野球》投球。ピッチ。「―マシン〔=打撃練習用に、ボールを送り出す機械〕」

**ピッツァ**〔イ pizza〕⇩ピザ（イ pizza）。

**ひっつかま・える**［〔引っ〕捕まえる］《他下一》〔俗〕「つかまえる」を強めた言い方。「いたずら小僧を―」

**ひっつか・む**［〔引っ×摑む〕］《他五》〔俗〕勢いよくつかむ。

**ひっつ・く**［〔引っ付く〕］《自五》ぴったりとつく。他ひっつける《下一》。

**ひっつめ**［〔引っ詰め〕］うしろでたばねてゆわえる、（女性の）髪の形。動ひっつめる《他下一》。

**ひっつれ**［〔引っ×攣れ〕］やけどなどのために、皮膚が縮んでつれること。ひっつり。ひきつれ。

**ヒッティング**〔hitting〕《野球》バントなどをしないで、積極的に打つこと。「―に出る」

**ひってき**［匹敵］《名・自サ》ねうち・程度などが、同じぐらいに達すること。「プロに―〔=比肩〕するうでまえ・四国に―する広さ」

**ヒット**《名・自他サ》〔hit〕①《野球》安打。②人気などの、大当たり(をとること)。「―曲〔⇩流行歌〕・―チャート〔⇩チャート②〕」③《ボクシング》打って、命中〈する/させる〉こと。「右ストレートを―する・―アンドアウェー〔=打ったあとすばやく後退すること〕」④あてはまること。該当。「指名手配ファイルの中に―するものが出た・―数」●**ヒットエンドラン**〔米 hit-and-run〕《野球》バッターとランナーがしめしあわせて、投球と同時に、ランナーが走り、バッターもボールを打つこと。エンドラン。●**ヒットマン**〔hit man〕（男の）殺し屋。

**ビット**〔bit←binary digit〕《情》二進法の数字〔0と1の組み合わせであらわす〕でしめされる、情報量の単位。たとえば五ビットは、五けたの数字であらわされ、$2^5$〔=三二〕の情報を知らせる。

**ぴっと**《副》①まっすぐに のびるようす。「指を―のばす・鼻筋が―通る」②急に勢いよく動くようす。「しるが―飛ぶ・ふくろの口を―裂く・語尾を―上げる」③少しくっつけるようす。「付箋を―はる」☞ピッ。

**ピット**〔pit=穴〕①〔自動車やボートのレース場の〕修理・点検をするための場所。「―イン」②囲い。「〔劇場の〕オーケストラ―」③《陸上》〔跳躍競技で〕着地場。④配管(を点検)するための床下の空間。「―にもぐりこむ」

**ひっとう**［筆頭］①〔文〕書きだし。「―第一」②名前を出した中での一番目(の人)。「戸籍―者〔=その戸籍を代表する人。もとの戸主に当たる〕・前頭―」

**ひっとう**［筆答］《名・自サ》〔文〕筆記でこたえること。「―試験」（↔口答）

**ひつどく**［必読］《名・他サ》〔文〕かならず読むべき〈こと/もの〉。「―(の)書・万人の―すべき書」

**ひっとら・える**［〔引っ〕捕らえる］《他下一》〔俗〕「捕らえる」を強めて言うことば。

**ひっぱが・す**［引っ剝がす］《他五》〔俗〕勢いよくはがす。ひっぺがす。ひっぱぐ。

**ひっぱく**［×逼迫］《名・自サ》①〔情勢が〕動きがとれないほど苦しくなること。「事態が―する」②財政が苦しくなること。窮迫。「財政―」

**ひっぱ・ぐ**［引っ剝ぐ］《他五》〔俗〕勢いよくはぐ。「ビラを―」

**ひっぱた・く**《他五》強くたたく。

**ひつばつ**［必罰］〔悪いことをしたときに〕かならず罰すること。「―主義・信賞―」

**ひっぱり**［引っ張り］引っぱること。「―強度」●**ひっぱりこ・む**［引っ張り込む］《他五》引っぱって中へ入れる。●**ひっぱりだこ**［引っ張り(×凧)・引っ張り(×蛸)］みんなが争ってほしがるほど、人気のある〈こと/もの/人〉。「―になる」●**ひっぱりだ・す**［引っ張り出す］《他五》①おくにしまいこんでいたものを外に出す。「昔のアルバムを―」②むりやり連れてくる。「友人に引っ張り出される」

**ひっぱ・る**［引っ張る］《他五》①引き寄せる。「母の手をぐいと―・引っ張り上げる」②後ろにつないで進む。牽引する。「貨車を―」③先に立ってみちびく。「後輩たちを―・日本経済を―」④（たるまないように）のばす。「ゴムを―・えんぴつで線を―」⑤なかまにさそいこむ。「部員に―」⑥むりやり連れて行く。「警察に引っ張られる」⑦《野球》ボールにバットを早めに当て、右打者の場合はレフト、左打者の場合はライトのほうへ打つ。（↔流す）⑧〔俗〕引きつけて気を持たせる。「相手を―話術」⑨〔俗〕お金を、まんまと〈取る/借りる〉。「銀行から一億円―」

**ひつび**［必備］〔文〕かならず そなえつけなければならないこと。「―の書」

**ヒッピー**〔hippie〕一九六〇年代後半にあらわれた、競争社会を否定して暮らす若者。長髪や変わった服装をしたり、大麻を用いたりする。「―族」

**ひっぷ**［匹夫］〔文〕①身分の低い男。②道理にくらい、ただの男。●**ひっぷのゆう**［匹夫の勇］〔文〕考えもなく、血気にはやるだけの勇気。「―をふるう」

**ヒップ**〔hip〕①(女性の)尻。「―アップ」②《服》尻のまわり(の寸法)。腰回り。〔Hで示す〕「―サイズ」

**ヒップ**《ナダ》〔hip〕流行の先端をいくようす。かっこいいようす。「―なサウンド」●**ヒップホップ**〔hip-hop〕①ニューヨークの黒人の若者たちが始めた、ラップやブレイクダンス、カジュアルなファッションなどを組み合わせた文化。「―ファッション」②《音》「ヒップホップ①」スタイルの、ラップ主体の音楽。③「ヒップホップ①」スタイルのブレイクダンス。人〔特に②③〕ヒップホッパー（hip-hopper）。

**ビップ**［VIP］〔←very important person〕最重要人物。政府の要人など。ブイアイピー。「―ルーム」

**ひっぺが・す**［引っ(△剝がす)］《他五》〔俗〕引きはがす。「ポスターを―」

**ひっぽう**［筆法］①〔文字や絵をかくときの〕ふでのは

こび。②〔文〕言いまわし。☞春秋の筆法。③やり方。方法。「いつもの―だ」

→**ひっぽう**［筆×鋒］〔文〕①ふでの先。②文字・文章の勢い。「するどい―」

**ひっぽく**［筆墨］〔文〕ふでとすみ。

**ひつまぶし**［（×櫃△塗し）］〔商標名〕ウナギのかば焼きを細かく刻み、おひつによそったごはんの上にのせたもの。混ぜて食べる。ひつまむし。〔名古屋の名物〕

**ひづめ**［（×蹄）］牛・馬・羊などの足の先にある、かたい角質のつめ。

**びづめ**［美爪］見た目のいいつめ。びつめ。

**ひつめい**［筆名］文章を書くときにだけ使う、本名以外の名前。ペンネーム。

←**ひつよう**［必用］〔文〕かならず使用すること。「日常―の品・当該作業に―と指定された工具」

→**ひつよう**［必要］《名・ナダ》〈それがなくては/そうしなくては〉困ること。「―性・―以上に気をつかう・警戒が―だ・―最低限〔⇩最低限〕・―最小限〔⇩最小限〕・―十分（=必要で、しかも十分）な量」（↔不必要・不要）派―さ。●**必要に迫られる**句 そうしなければならない状態におちいる。「必要に迫られて買いこむ」●**必要は発明の母**句 発明は必要から生まれる、ということ。●**ひつようあく**［必要悪］よくないことだが、社会生活をいとなむ上でやむをえず必要とされること。「談合は―だという意見」●**ひつようじょうけん**［必要条件］〔哲〕あることが成立するために満たさなければならない条件（の一つ）。例、鳥であることは、カラスであるための必要条件。「努力は成功するための―だが、十分条件ではない」（↔十分条件）

**ひつりょく**［筆力］①ふでの力。筆勢。②文章に表現する力。

**ひつろく**［筆録］《名・他サ》文字に書いて記録すること。また、その記録。「講演を―する」

**ビデ**［フ bidet］女性の局部を洗う装置。

**ひてい**［比定］《名・他サ》〔文〕資料を比べ、考証して、同じものと認めること。「倭王武は、雄略天皇に―（=雄略天皇のことだと）されている」

**ひてい**［否定］《名・他サ》①そうでない、と言うこと。打ち消すこと。「うわさを―する・―的見解」②〈だめ/まちがい〉だと考え、認めないこと。「人格を―される」▽（↔肯定）③《言》動作・存在・状態を打ち消すときの言い方。「行かない・行かぬ」のように助動詞「ない・ぬ」や、「遠くない・行くわけではない」のように補助形容詞「ない」などをそえてあらわす。打ち消し。

**びてい**［美邸］りっぱに建てた、大きな住宅。

**びていこつ**［尾（×骶）骨］⇩尾骨

**ビデオ**〔video〕①（録画した）映像。「メイキング―・インターネット―・―判定」（↔オーディオ）②映像ソフト。ビデオテープ・DVDなど。「―にとる・レンタル―」③↑ビデオカメラ。「―会議・―通話」●**ビデオオンデマンド**〔video on demand〕映画や番組を見たいときに家庭のテレビやパソコンに呼び出せるサービス。VOD。●**ビデオカメラ**〔video camera〕動画と音声を（デジタルデータに）録画・録音するカメラ。「デジタル―」●**ビデオクリップ**〔video clip〕⇩プロモーションビデオ。●**ビデオディスク**〔video-disc〕映像や音声を収録した光ディスク。例、DVD。●**ビデオテープ**〔video tape〕磁気によって映像・音声を記録し再生するテープ。●**ビデオデッキ**〔video deck〕（↑ビデオテープデッキ）ビデオテープで録画・録音し再生する装置。VTR。●**ビデオレター**〔videoletter〕手紙の代わりに、相手に話しかける姿をビデオや動画にして送るもの。ビデオメッセージ。

**びてき**［美的］《ナダ》美が感じられるようす。美に関係があるようす。「―感覚」

**ひてつ**［非鉄］↑非鉄金属。「―業界・―相場」●**ひてつきんぞく**［非鉄金属］鉄以外の金属で、工業上利用価値が高いもの。非鉄。例、銅・鉛・ニッケルなど。

←**ひでり**［日照り］日が照りつけること。「よい―・―が足りない」●**ひでりあめ**［日照り雨］日が照りながら降る雨。きつねのよめいり。

→**ひでり**［（×旱）］①夏、長く雨が降らないこと。②〔俗〕必要なものが不足すること。「男―」

☆☆**ひでん**［秘伝］特別の人にしか伝えない〈技術/ことがら〉。「わが家―の料理」

**びてん**［美点］〔文〕〔人の〕いい〈ところ/点〉。（↔欠点）

**びてん**［美展］↑美術展覧会。「県―」

**びでん**［美田］〔文〕地味のいい田地。「児孫のために―を買わず〔⇩「児孫」の句〕」

**ひでんか**［妃殿下］皇族の妻を尊敬して（下につけて）呼ぶ名。

＊＊**ひと**［人］㊀①いちばん知能の発達した動物。立って歩き、手を自由にはたらかせ、火を使い、ことばを持つ。人類。表記 生物学の分類では「ヒト」と書く。☞者。②この社会にいるひとりひとりをさす、ごくふつうの言い方。「男の―が来た・おおい、旅の―・車上の―となる（=自動車に乗る）・駅前はすごい―（の数）だ」表記 文脈により「：人間」「：女」「：男」なども。③［：他人］他人。「―に笑われるな・―をおしのける」④人々。みんな。「―も知るように」⑤特定の人物をぼかして言うことば。「―と会う約束がある」⑥そのことをするのにふさわしい人物。「―をさがす・彼以外に―がいない・執筆者に―を得た」⑦すぐれた人物。「この会社には―がいない」⑧人がら。性質。「学歴でなく―を見て判断する」⑨夫。恋人。「うちの―・わたしの―」⑩話し手が、自分を第三者のように言うことば。「―（=わたし）のことも少しは考えろ」⑪〔文〕おとな。「―となる」⑫〔俗〕自分をさして言うことば。「わたし、こういうのが好きな―（=人間）なの」表記「ヒト、モノ、カネ」「あのヒト」など「ヒト」とも。アク「…の人」「明るい人」「まじめな人」などは、ひと。ただし、「この人・その人」は、このひと・そのひと。㊁造…の人。「万葉―・〔漢文で〕楚―（=楚に住む人）・〔聖書で〕サマリア―」●**人あって**句〔文〕たまたまだれかがいて。「もし―問わば」●**人がいい**句 ①気だてがいい。人がらがいい。②お人よしだ。好人物だ。「―ので、よくだまされる」●**人が変わる**句 性格・人格が変わる。●**人が悪い**句 人の言ったことをわざと誤解したり、困らせたり、性格がまっすぐでない。●**人となる**句 ①おとなになる。成人する。②人として生まれる。「この世に―」●**人には添うてみよ、馬には乗ってみよ**句 ⇩馬には乗ってみよ、人には添うてみよ〔「馬」の句〕。

●**人のうわさも七十五日** 句 人の評判とかかげ口などは、長くは続かない。●**人の口に戸は立てられない** 句 人が悪口を言ったりうわさをしたりするのを、防ぐことはできない。●**人の不幸は蜜の味** 句 他人の不幸をわきで見ているのは、ちょっと気分のいいものだ。他人の不幸は蜜の味。〈人/隣〉の不幸は鴨の味。●**人のふり見て我がふり直せ** 句 他人のすることをよく見て、自分の悪いところを直すのに役立てなさい。●**人のふんどしで相撲を取る** 句 自分の利益のために、他人のものを利用する。●**人は一代、名は末代** 句 命は死ねばなくなるが、評判はあとまで長く残る。●**人はパンのみにて生くるものにあらず** 句 人は物質的なものばかりではなく、精神的なものも求める生き物である。〔新約聖書にあることば〕●**人も無げ** 句 人を人と思わないように、ふるまうようす。「—な言動」●**人呼んで** 句 人が呼んでいるあだ名は。「—視聴率の女王」●**人を選ぶ** 句 〔作品などの〕特徴が強いため、好ききらいや相性が人によって分かれたり、価値がわかる人が少なかったりする。「(見る)—バイオレンス映画」●**人を食う** 句 じょうだんのようなことを言ったりしたりして、人をこばかにする。「人を食った〈態度/コマーシャル〉」●**人を立てる** 句 ①本人の代わりになる人を表に出す。②その人の体面を傷つけないようにする。●**人を呪わば穴二つ** 句 人を傷つけようとすると、かえって自分が害を受ける。●**人をばかにする** 句 人を軽視する。「—な!・人をばかにしてる!」●**人を人とも思わない** 句 人をばかにして、尊敬しない。●**人を見たら泥棒と思え** 句 世の中には悪い人がいるので、他人を簡単に信じてはいけない。●**人を見て法を説け** 句 相手によって、どう説得するかの方法を考える。人を見て法を説け。

**ひと** 一〔(一)〕 造 ①一つの。一回の。「—勝負・—列車乗りおくれる」②〔期間をあらわすことばの前につけて〕(ある)一つの。「—日(=ⓐまるまる一日。ⓑある一日)・—年」③一回で簡単にすませること。「—ひねり・—なぎにする」④ひとしきり何か〈する/起こる〉こと。「—思案・—働き・—悶着」⑤軽く何かをすること。「—あせ流す・—ふろ(=ひとっぷろ)あびる・—走り(=ひとっぱしり)行ってくる」 表記 後ろが仮名の場合は「ひと」と書くと読みやすい。例、「一しきり」でなく「ひとしきり」と書くなど。二**ひと**〔一〕 いち。〔数字を聞きまちがえないように言う〕「—二〇八・B29—機」

**ひとあし**〔一足〕 ①わずかの距離。「お寺までは—だった」②わずかの時間。「—ちがい・—早く・—(お)先に(=ほかよりも少し早く)スタート」③歩いて、足を前に一回出す動作。「もう—も歩けない」▽一歩。

**ひとあし**〔人足〕 人のゆきき。「—が多い」☞にんそく(人足)。

**ひとあじ**〔一味〕 味などの良さの一段階。「—ちがう(=味や程度が一つ上である)・—足りない」☞いちみ(一味)。

**ひとあしらい**〔人あしらい〕 人に対する接し方。応対。「—がうまい」

**ひとあせ**〔一汗〕 ●一汗〈かく/流す〉句 (からだを動かして)ひとしきり汗をかく。

**ひとあたり**〔人当たり〕 応接したときの、相手にあたえる感じ。「—がいい」

**ひとあたり**〔一当たり〕《名・自サ》 ①(ためしに)あたってみること。「どんな人物か—してみよう」②ひととおりあたってみること。「関係者に—する」

**ひとあめ**〔一雨〕 〈一回/ひとしきり〉降る雨。「—ごとに・—来そうだ」

**ひとあれ**〔一荒れ〕 ①(天気が)ひとしきり荒れること。②きげんが悪くなり、ひとしきりどなりちらすこと。「こいつは—来るぞ」

**ひとあわ**〔一泡〕 ●一泡吹かせる 句 予想外の行動に出て、相手をおどろきあわてさせる。泡を吹かせる。

**ひとあんしん**〔一安心〕《名・自サ》 一応、安心すること。

**ひど・い**《形》 一〔(酷い)〕 ①〔(非道い)〕 人を非常に苦しませるようすだ。ざんこくだ。むごい。「—仕打ち・—ことを言う」②〈たえられない/どうすることもできない〉ほど悪い。「災害現場の—状況・—点数・—目にあう」 二〈困る/おどろく〉ほど)程度が大きい。「—(=はげしい)雨・ひどくうらまれる・ひどくぶあつい本」 表記 俗に「ヒドい」「ヒドイ」とも。 派 —さ。

**ひといき**〔一息〕 ①いちど息をつぐこと。ひとやすみ。「—つく」②わずか(の努力)。「あと—だ」☞もう一息。③〔—〈に/で〉〕休まずにすること。一気に。「—に飲む」

●**一息入れる** 句 ちょっと休む。

**ひといきれ**〔人いきれ〕 人が多く集まったときに、からだから出る熱で、むんむんすること。「満員の会場は—に満ちていた」

**ひといちばい**〔人一倍〕《名・副》 ほかの人の倍ほどであるようす。「—の努力・—好奇心が強い」

**ひといろ**〔一色〕 ①一つの色。②一つの種類。

**ひとう**〔秘湯〕 〔文〕人にあまり知られていない温泉。かくれゆ。ひゆ。

**ひどう**〔非道〕《名・ナダ》 〔文〕①道理に外れること。②人情に外れるようす。残酷。

**びとう**〔尾灯〕 電車・自動車などのうしろにつける、赤い灯火。テールランプ。

**びとう**〔美湯〕 風光明媚な所にあり、この上なくいやされる温泉。「東北三大—」

**びとう**〔微糖〕 〔缶コーヒーなどで〕ふくまれる糖分がごくわずかであること。

**びとう**〔微騰〕《名・自サ》 《経》物価などが、わずかに上がること。(↔微落)

**びどう**〔微動〕《名・自サ》 〔文〕少し動くこと。わずかな動き。「—だにしない」

**ひとうけ**〔人受け〕 その人が他人に持たれる感情。他人からの信用。うけ。「—がいい」

**ひとえ**〔一重〕 ①かさなっていないこと。②花びらがかさなりあわないでならんでいること。「—咲き(↔八重咲き)」③↑ひとえまぶた。●**ひとえまぶた**〔一重(瞼)〕 まぶたに横ひだがなく、ひとえであるこ〈こと/もの〉。ひとえ。(↔二重まぶた)

**ひとえ**〔(単)・(単衣)〕 ①(↑ひとえもの) 裏をつけないで作った着物。夏に着る。②裏をつけないこと。「—仕立て」▽(↔あわせ(袷)・綿入れ) ●**ひとえおび**〔(単)帯〕 厚くかたく織り、そのままでしめられる、女の帯。夏にだけ使う。

**ひとえ**〔人絵〕 ならんだ大ぜいの人が、色のちがう板をかざして作った絵の形。☞人文字。

**ひとえに**［△偏に］《副》〔文〕ひたすら。ただただ。まったく。もっぱら。「―あなたのおかげです・―お願いします」由来 ほかのものが重ならず「一重に」ということ。

**ひとおし**［一押し］《名・他サ》①一度押すこと。「―で土俵を割る」②〔さらに〕一歩努力すること。「もう―で何とかなりそうだ」

**ひとおじ**［人△怖じ］《名・自サ》〔子どもなどが〕知らない人と会うことをいやがること。

**ひとおもいに**［一思いに］《副》いっそ思いきって。「―買ってしまおうか」

**ひとかい**［人買い］〔古風〕子どもや女性の身柄を買って、よそへ売りとばす〈こと／人〉。

**ひとかかえ**［一抱え］両うでをいっぱいに広げてかかえるほどの〈大きさ／量〉。「―もある石」

**ひとがき**［人垣］かきねのように立ちならぶ人々。「―ができる」

**ひとかげ**［人影］①〔影のように見える〕人の姿。「―もまばらな夜の通り・かたわらに―がさした」②人の影。「―が映る」

**ひとかず**［人数］①にんず(う)。②一人前の人間に数えられること。ひとなみ。「―にはいらない」

**ひとかせぎ**［一稼ぎ］《名・自サ》短期間にまとまった金額を稼ぐこと。「カジノで―する」

**ひとかた** ㊀［一方］①「ひとり」の尊敬語。「もう(お)―」②⇩一片。㊁［〈一方〉］《ナダ》〔後ろに否定が来る〕ひととおり。「喜びは―ではなかった」☞いっぽう(一方)。●**ひとかたならず**［〈一方ならず〉］《副》〔文〕ひととおりでなく。おおいに。●**ひとかたならぬ**［〈一方ならぬ〉］《連体》〔文〕ひととおりでない。たいへんな。「―苦労(『ひとかたでない苦労』とも)」

**ひとかた**［一片・一方］ひとつの区切り。☞いっぺん(一片)。●**一片つく** 句 ひとつ片がつく。一区切りつく。他 一片つける。

←**ひとがた**［人形］①人の形(をしたもの)。②⇩かたしろ(形代)②。

→**ひとがた**［人型］①人の型をしているもの。「―ロボット」②人間に感染するタイプ。「―に変異したウイルス」

**ひとかたまり**［〈一塊〉］ひとつにかたまること。また、そうなったもの。「―の雲・―で行動する」

**ひとかど**［〈一△廉〉］〔一つの方面で〕すぐれていること。「―の人物」

**ひとかまえ**［一構え］一家(の構え)。

**ひとがら**［人柄］㊀自然に〈感じ取られる／にじみ出る〉、その人の性質や教養。人品。㊁《ナダ》「ひとがら㊀」がいいこと。「お―な人」

**ひとからげ**［〈一△絡げ〉］〔おおざっぱに〕一つにまとめること。「十把―」

**ひとかわ**［一皮］①表面の皮一枚。②ひとえ。「―まぶた」●**一皮むく(剝く)** 句 表面上の〈かざった〉ものを取りさる。一皮めくる。「一皮むけば大悪人だ・人間、一皮むけばそう変わらない」●**一皮むける(剝ける)** 句 洗練される。あかぬける。「一皮むけたデザイン・一皮むけた芸・人間として―」●**ひとかわめ**［一皮目］ひとえまぶた。ひとかわ。(↔二皮目)

**ひとぎき**［人聞き］人に聞かれること。外聞。「―の悪いことを言わないで」

**ひとぎらい**［人嫌い］《名・ナダ》他人〈にあう／とつきあう〉ことをきらうこと。また、そういう性格の人。「彼の―は有名だ」

**ひときり**［一切り］〔古風〕ひとくぎり。「―つく」

**ひときりぼうちょう**［人切り包丁・人斬り包丁］〔古風〕刀。

**ひときわ**［〈一際〉］《副》①ほかとくらべて目立つようす。「田園の中で―目を引く建物」②一段と。「拍手が―大きくなった」

**ひとく**［秘匿］《名・他サ》〔文〕こっそりかくすこと。

**びとく**［美徳］道徳的に見て〈美しい／りっぱな〉こと。「日本ではひかえめにふるまうことが―とされる」(↔悪徳)

**ひとくい**［人食い］人を食べること。人肉を食うこと。「―ザメ」

**ひとくぎり**［一区切り］《名・自サ》一段落。ひときり。「―つける」

**ひとくくり**［〈一△括り〉］全部を一つにまとめること。一括。「『今どきの若者』と―に〈する／論じる〉」

**ひとくさ・い**［人〈臭い〉］《形》①人間のにおいがするようだ。人のいる気配がするようだ。②人間らしい。「―とも思わない」派 -さ。

**ひとくさり**［〈一×齣〉］〔談話などの〕ひとくぎり。「政局安定論を―ぶつ」

**ひとくせ**［一癖］①一つのくせ。②どことなく変わった〔油断のならない〕性格。「―(も二癖も)ある人」

**ひとくち**［一口］①口を一度入れること。②口の中に一度動かすこと。「―でかみ切った」③少し飲み食いすること。「―では食べきれない・―カツ・肉は―大に切る」④簡単にまとめること。「―に言えば・―に(=簡単に)大学生と言っても・―メモ」⑤寄付・申しこみなどの単位。「―五千円」⑥ひとり分のわけまえ・わりあて。「もうけ話があるから、―乗らないか(=出資してくれ)」●**ひとくちばなし**［〈一口話〉］短い(おもしろい)話。

**ひとくふう**［〈一工夫〉］《名・他サ》もう少し知恵や考えを加えること。「―ほしい」

**ひとくみ** ㊀［一組み］ひとそろい。一セット。一対。ペア。「洋食器―・―の男女・―の夫婦(『一組の夫婦』とも書く)」㊁［一組］ひとつの組。ひとクラス。「全体を―にする」☞くみ。

**ひとぐり**［人繰り］仕事をするための、人のやりくり。「―をつける」

**ひとくろう**［一苦労］《名・自サ》(ちょっとした)苦労を経験すること。「あの人なら添って―してもいい」

**ひとけ**［人〈気〉］人のいるようす。ひとっけ。「―(の)ない広場」☞じんき(人気)・にんき(人気)。

**ひどけい**［日時計］棒を立て、それが太陽に照らされてできる影の方向で時刻を知るしかけ。

**ひとけた**［一桁］①《数》数字の、けた一つ。「―ちがう・―の成長率」②一から九まで。③一の位の数の〈年／年代〉。「昭和―生まれ」

**ヒトゲノム**《生》ヒト〔=人類〕の遺伝情報の全体。「―の解読」☞ゲノム。

**ひとこいし・い**［人恋しい］《形》さびしくて、だれかに会いたい気持ちだ。派 -さ。

**ひとこえ**［一声］①一度出す声。「えい、と―」②

ひと言を口に出すこと。「—かける」③〔口に出して言う〕値段の、一段階。「もう—(ないか)」●一声千両 句 歌舞伎役者などのせりふ回しが、みごとであること。

**ひとごえ**［人声］人がものを言う声。

**ひとこきゅう**［一呼吸］《名・自サ》①一回呼吸すること。②ちょっと間をおくこと。「—入れる・—おく」

**ひとごこち**［人心地］緊張や不安から解放されたあとの、おちついたふだんどおりの気持ち。「やっと—がつく」

**ひとごころ**［人心］①人間の心。人情。②ひとごこち。「—がつく」☞じんしん(人心)。

**ひとこし**［一越］〔ちりめんで〕よ(撚)った横糸を一本ずつ織りこんだもの。「—小紋」●ひとこしちりめん［一越△縮×緬］横糸を二本ずつ使う、しぼが細かいちりめん。

*__ひとこと__［(一)言］①ひとつながりの短いことば。ひとつの語句。「友だちの—が心にひびいた・すばらしいの—だ〔=すばらしい、としか言えない〕・私の性格を—で言うと、マイペースだ」②短くまとまった〈発言/話〉。「—言いたい・あいさつを—」▽いちごん。いちげん。

☆☆**ひとごと**［人(事)・(:他人=事)］自分には関係のない、〈他人/よそ〉のこと。他人ごと。「—のような言い方・—ながら心配だ・日本にとっても—ではない」(↔わがこと・自分ごと) ☞じんじ(人事)。

**ひとこま**［(一)×齣］〔短い〕一場面。「映画の—・日常生活の—・青春の—」☞一ページ①。

**ひとごみ**［人混み・人込み］人がこみあう〈こと/場所〉。

**ひところ**［(一)頃］①いちじ。「—さかえた町」②以前。「—の元気が見られない」

**ひとごろし**［人殺し］人を殺す〈こと/者〉。

**ひとさかり**［一盛り］さかんな(一つの)時期。「—過ぎた選手」

**ひとさしゆび**［人(差し)指・人(指し)指］(手の)親指のとなりの指。お母さん指。

**ひとざと**［人里］人の住んでいる所。「—はなれた山奥」

**ひとさびし・い**［人寂しい］《形》①人こいしい。「人寂しくて飲みに行く」②人けがなくてさびしい。「—場所」派 -さ。

**ひとさま**［人様・:他人=様］他人を尊敬して言うことば。ひとさん。「—のことに口を出すな」

**ひとさらい**［人(×攫い)］よその子どもなどを、むりにつれ去る〈こと/人〉。

**ひとさわがせ**［人騒がせ］《名・ナダ》たいしたことでもないのに、人をおどろかしさわがせること。

**ひとし・い**［等しい］《形》二つ(以上)のものごとをくらべたときに変わりがない。「長さが—・二つの—角・計画をあきらめる(の)に—〔=事実上、あきらめている(状態に近い)〕」派 -さ。☞等しく。

**ひとしお**［一塩］さかな・野菜などに、うすく塩を〈ふること/ふったもの〉。「あじ(鯵)の—」

☆☆**ひとしお**［(一△入)］《副》〔きっかけがあって〕よけいに。いっそう。「さびしさが—身にしみた・野外で食べるとおいしさも—だ」

**ひとしきり**［(一△頻り)］《副》いちじさかんなようす。しばらく続くようす。ひとっきり。「—セミが鳴いた」

**ひとしく**［等しく］《副》〔「等しい」の連用形から〕〔文〕みな同じように。「人間は—尊重されるべきだ」●ひとしく・する［等しくする］《他サ》〔文〕同じくする。等しゅうする。「二つの問題は性格を—〔=性格が同じだ〕」

**ひとしごと**［一仕事］《名・自サ》①ひとしきり仕事をすること。「—してから行く」②ひとまとまりの大きな仕事。「準備だけでも—だ」

**ひとじち**［人質］①強盗やハイジャックの犯人などが、交渉相手を自分の思いどおりにするために、つかまえておく人。「—〈に/を〉取る」②昔、〈ちかいを立てた/仲よくなる〉しるしとして相手にあずけた、自分の妻子・親族・友人など。「—を差し出す」

**ひとしなみ**［等し並み］《ナダ》等しいようす。同等。「貴族も商人も—にあつかわれた」

**ひとしばい**［一芝居］人をだまそうとして計画的にしくむ作り事。「—打つ」

**ひとしれず**［人知れず］《副》ほかの人に知れないように。ひそかに。「—思いなやむ」

**ひとしれぬ**［人知れぬ］《連体》ほかの人にはわからない。「—なやみ」

**ひとずき**［人好き］他人が好くこと。「—のする顔立ち」

**ひとずくな**［人少な］《ナダ》人数が少ないようす。

**ひとすじ**［一筋］①筋が一本であること。②いちずに熱中すること。「仕事—に生きる」●ひとすじなわ［一筋縄］●一筋縄ではいかない 句 ふつうの手段では自分の思うとおりにならない。

**ひとずれ**［人擦れ］《名・自サ》多くの人とつきあって性質がずるくな(ってい)ること。

**ひとだかり**［人だかり］《名・自サ》人が大ぜい集ま(って見)ること。「—している」

**ひとだすけ**［人助け］困っている人を助ける〈こと/おこない〉。「—をする・—になる」

**ひとたち**［一太刀］一回、斬りつけること。「—でたおす・—浴びせる〔きびしい批判・反論をする意味にも〕」

*__ひとたち__［人(△達)］大ぜいの人。人々。「—はその日その日を生きている」

**ひとだち**［人立ち］人が大ぜい立っていること。人だかり。「—がしている」

**ひとだのみ**［人頼み］《名・自サ》(ほかの)人をあてにすること。

**ひとたび**［(一度)］《名・副》〔文〕①いちど。「今—」②いっぺん。「—思い立った以上は」

**ひとだま**［人(△魂)］青白い火の玉の形になって、夜、空中をとぶという、死んだ人のたましい。

**ひとたまり**［(一×溜まり)］●ひとたまりもない 句 わずかな時間も支えきれない。

**ひとだまり**［人(×溜まり)］(人の流れがとまって)一か所に人が集まること。

**ひとたらし**［人(×誑し)・人(×蕩し)］人をうまく味方につける〈こと/人〉。「—の術」

**ひとだんらく**［一段落］《名・自サ》〔話〕⇩いちだんらく 目。

**ひとちがい**［人違い］《名・自サ》①別の人をその人と思いちがえること。ひとまちがい。②人がちがったように変わること。「—したようによく働く」

**ひとっ**[(一っ)][造]「ひと(一)㊁」の強調。「—かけら・—風呂ぶろ」 ●**ひとっとび**[(一っ)飛び] ①一度に〈飛んで行く/飛びこえる〉こと。「パリまで—・高いビルも—」②ちょっと走って行くこと。「—酒屋さんへ行ってくる」③⇩一足いっそく飛び②。「—に昇進しょうしんする」▽ひととび。 ●**ひとっぱしり**[(一っ)走り]《名・自他サ》①ちょっと走ること。「朝食の前に—する・—店まで行く・視線を—走らせる」②すぐに走って行けること。「—の距離きょり」▽ひとはしり。

**ひとつ ㊀[一つ] ①ものを数えるときの〈最初/最小〉のかず。いち。「—ずつ・—ください」②一歳いっさい。「—になる・—年をとる」③まとまったもの。一体。「世界が—になる」④[一]〈箇条かじょう書きなどで〉第一。また、その項目こうもくごとに付ける数字。「一、金きん五万円也なり」⑤理由・要因などの一部。「—には時間がないせいもあってできなかった」⑥例としてあげることをあらわす。「交通の便—を考えても」⑦それ以外にはないことをあらわす。…だけ。「母の手—で育てられた・胸—にしまっておく・きみの決心—だ(=決心だけで決まる)」⑧〈後ろに否定が来る〉…さえ。…も。「あいさつ—できない」[「一本」「一枚」など、一のつく数詞には同じ用法がある。「電話一本(=一本も)よこさない」]⑨〔文〕同じこと。「私にとって書くことは生きることと—だ」㊁[(一つ)]《副》①あることだけ。一つだけ。「—聞きたいのですが・—勉強になったのは…」②〈物をすすめるとき、さそうときのことば〉ちょっと。ためしに。「お—どうぞ・—出かけようか」③まずは。まあ。「—よろしくお願いします」 ●**一つ穴のむじな(狢)**[句] ⇩同じ穴のむじな(「同じ」の[句])。 ●**一つ上**[句] 通常のものより一段階よいこと。「—のぜいたく」 ●**一つ釜かまの飯を食う**[句] ⇩同じ釜の飯を食う(「同じ」の[句])。 ●**一つ間違まちがえば**[句] ちょっとでも〈間違えば/何かがくるえば〉。一歩間違えば。「—大事故につながる」 ●**ひとついえ**[一つ家]ーいへ 同じ家の中。一つ屋根の下。「—に寝ね起きする」 ●**ひとつおぼえ**[一つ覚え] 一つのことだけをだいじに覚えていること。☞ばかの一つ覚え。 ●**ひとつこと**[一つ(事)] 同じこと。ひとつのこと。「—に夢中になる・—を何度も言う」 ●**ひとつところ**[一つ所] ひとところ。「家族と—に住む」 ●**ひとつとして**[一つとして]《副》〈後ろに否定が来る〉一つも。「(どれ)—まともなものがない」 [区別]「一つとして同じ人生はない」は、「二人の人生が同じだ、という例は一つもない」の意味。「二つとして同じ人生はない」は、「同じ人生が二つあることはない」の意味。結局同じ意味となる。 ●**ひとつばなし**[一つ話] ①いつも決まったように話題となる話。②ずっと語りつがれる、めずらしい話。 ●**ひとつひとつ**[一つ一つ] 多くのものの、それぞれ。ひとつびとつ。「思い出の—が目に浮うかぶ」 ●**ひとつみ**[一つ身]《服》生まれてすぐの赤ちゃんから二歳にさいごろまでの子どもが着る着物(の裁たち方)。[由来]うしろ身ごろを一幅ひとはばに裁つことから。☞三つ身・四つ身。 ●**ひとつも**[一つも]《副》〈後ろに否定が来る〉どのような一つのものも。なにも。「—できない」 ●**ひとつや**[一つ家] ①一軒家いっけんや。②同じいえ。ひとついえ。 ●**ひとつやねの-した**[一つ屋根の下] 同じ家の中。ひとついえ。同じ屋根の下。「—に住む」

**ひとづかい**[人使い]ーづかひ 人を使う〈こと/方法〉。「—があらい」

**ひとつき**[一月] ①毎月の、始まりの日から終わりの日までの間。②一か月。「—おくれ」

**ひとづき**[人付き] [古風] 社交の態度。社交性。「—がいい(=気さくだ)」

**ひとづきあい**[人付き合い]ーづきあひ 他人とのつきあい。交際。「—がいい」

**ひとづくり**[人作り] 〔教育によって〕社会に役立つりっぱな人を作りあげること。ひとつくり。

**ひとっこ**[人っ子] 「人」を強めた言い方。 ●**人っ子一人ひとり**[句] だれひとり。だれも。「—通らない」

**ひとつづき**[一続き] 切れないで、ずっと続く〈こと/もの〉。「—の物語」

**ひとづて**[人(伝)] 〈他人を通して/人の口から口へと〉伝わること。「—に聞く」

**ひとつながり**[(一×繋がり)] ひとつに〈つながること/つながったもの〉。「—になった服・—の事件」

**ひとつぶ**[一粒] 一つのつぶ。「—よ(選)り(=つぶよりり)」 ●**ひとつぶだね**[一粒種] 〈だいじな〉ただひとりの子。 ●**ひとつぶの-むぎ**[一粒の麦](=一粒の麦が地に落ちると、多くの実を結ぶ)《宗》他人の幸福のためにみずからを犠牲ぎせいにする人のたとえ。〔聖書のことば〕

**ひとづま**[人妻] (他人の)妻。

**ひとつまみ**[一△摘み・一△撮み]《名・他サ》①指先で、一度つまむ〈こと/だけの分量〉。〔料理では、三本の指先でつまむ分量。☞少々①〕②ごく少数。「—の批判者」

**ひとて**[一手] ①全部を一つにまとめること。一括いっかつ。「—に引き受ける」②ひと組。一隊。③〔手でする〕一回のわざ。「—おくれる・—ご指南ください」

**ひとで**[人手] ①他人の助け。「—を借りる」②他人の手。「—にわたる」③働く人。働き手。「—をかける」

**ひとで**[人出] 人が多く出(て集ま)ること。「観光地はたいへんな—だ」

**ひとで**[(海星)] オニヒトデ・イトマキヒトデなど、海底にすむ動物。からだは平たく、多くは五本の突起とっきがある星の形。

**ひとでいり**[人出入り] ①人が出入りすること。②人とのつきあい。「はでで—が多い」

**ひとでなし**[人でなし]《名・ナダ》人間の形をしながら、人間の心を持たない〈者/ようす〉。恩義・人情のわからない〈者/ようす〉。にんぴにん。「この—め」

**ひとてま**[一手間] 一段階の手間。「—かける(=手順を一段階加えて、くふうをする)」

**ひととおり**[(一通り)]ーとほり《名・副》①ふつう。「—の常識・その努力は—でなかった」☞並ひととおり。②ざっと。あらまし。「—読む」③一応、全部。「—買いそろえる」

**ひとどおり**[人通り]ーどほり 人のゆきき。交通量。「—が多い」

**ひととき** ㊀[(一時)] ①〈人がすごす〉少しの間。「楽しい—」②わずかの時間。いっとき。「—も休まず」㊁[一時・一△刻] 昔の時間の数え方で、今の約二時間。☞いちじ(一時)・いっとき(一時)。

**ひとところ**【(一所)】同じ場所。一か所。ひとつところ。「―にじっとしている」☞いっしょ(一所)。

☆☆**ひととなり**【人となり・為人】生まれつき。性質。「温和な―」

**ひとなか**【人中】多くの人の中。世間。☞じんちゅう(人中)。

**ひとなかせ**【人泣かせ】《名・ナダ》人を苦しめて困らせること。「―な制度」

**ひとなぎ**【(一×薙ぎ)】《名・他サ》①刀などを一回横にはらうこと。②いっぺんにやっつけること。「敵を―にする」

**ひとなだれ**【人雪崩】群衆がかさなりあって、なだれのようにくずれおちること。

**ひとなつ**【一夏】①まるまる一つの夏。「―かかった仕事」②ある夏。「―の経験」▽(↔一冬)

**ひとなつかし・い**【人懐かしい】《形》さびしくて、自分以外の人がなつかしい。派-さ。

**ひとなつ(っ)こ・い**【人懐(っ)こい】《形》人にすぐ親しんでなつきやすい。「―えがお・―犬」派-さ。

**ひとなぬか**【一七日】《仏》しょなぬか。いっしちにち。ひとなのか。

**ひとなみ**【人波】次から次へと進み動く群衆。

**ひとなみ**【人並み】《名・ナダ》ふつうの人と同じであるようす。「―(の/な)生活・―に育つ・―外れたすばらしい能力・―優れた(手腕/善行)」

**ひとなれ**【人(×馴れ)】《名・自サ》(動物などが)人間になれていること。「―したのら猫」動人なれる《自下一》。

**ひとにぎり**【一握り】①片手で一度にぎる(こと/だけの分量)。②少しばかり。少数。「―のエリート幹部が支配する」

**ひとにたち**【一煮(立ち)】《名・自サ》《料》なべの中のものが一度、煮えたつこと。「―したら火をとめる」

**ひとねいり**【一寝入り】《名・自サ》ひとねむり。

**ひとねむり**【一眠り】《名・自サ》しばらくねむること。

**ひとのおや**【人の親】子どもを持っている立場の者。(人の)子の親。「わたしも―だから、よくわかる」

**ひとのこ**【人の子】①(感情を持った)人間。「わたしも―だ」②子ども。「―の親(=人の親)」③他人の子。④《宗》キリストが自分をさして言うことば。

**ひとのみち**【人の道】社会に住む人間として守らなければならないことがら。人倫。

**ひとのよ**【人の世】人間の世の中。人間社会。「栄枯盛衰は―の習い」

**ひとばしご**【人(×梯子)】立っている人の肩を、はしごの代わりにして乗ること。

**ひとばしら**【人柱】①昔、城や橋などの むずかしい工事を成功させるため、いけにえとして、人を水の底や土の中に うめたこと。また、うめられた人。②ある目的のためにささげる犠牲。「―となって新しいソフトをためす」

**ひとはた**【一旗】(ひと=ちょっと)ちょっと旗を揚げること。●**一旗揚げる**句 事業を始め(て成功す)る。由来 武士が旗をかかげて戦いにのぞむようすをふまえた表現。●**ひとはたぐみ**【一旗組】事業を始めて成功をねらう人々。

**ひとはだ**【一肌】●**一肌脱ぐ**句 その人のために力をつくす。

**ひとはだ**【人肌】(温かみを持った)人間のはだ(ぐらいの温度)。「(酒を)―に温める」

**ひとはたらき**【一働き】《名・自サ》①ひとくぎりの仕事をすること。「朝食前に―」②はりきって活躍すること。「君の―を期待したい」▽ひとっぱたらき。

**ひとはな**【一花】●**一花咲かせる**句 仕事の上で、はなやかな成功をおさめる。「もう一花咲かせたい」

**ひとはば**【一幅】《服》並幅(=約三六センチ)の反物と同じ幅。

**ひとはら**【一腹】①(動物が)同じ母親から生まれること。②同じ腹に はいっている、さかなの たまごの(ひとつながりになった)かたまり二本。「たらこ―」

**ひとばらい**【人払い】《名・自サ》相手以外の人をその場からどかせること。

**ひとばん**【一晩】①日暮れから次の朝までの間。「山中で―明かす」②ある一回の晩。「―だけ日記をなまけた」

**ひとびと**【人々・人びと】多くの さまざまな人。「道行く―・―の生活を変える技術」

**ひとひねり**【(一△捻り)】《名・他サ》①一回ひねること。②たやすく負かすこと。「あいつなど―さ」③ちょっと変わったくふうをすること。「―した問題」

**ひとひら**【(一△片)・(一△枚)】(文)平らで うすく、かろやかなもの(一つ/一枚)。「―の雲・―の花びら」

**ひとふし**【一節】歌や音楽の一部分。「―聞かせる」☞いっせつ(一節)。

**ひとふで**【一筆】①(文)短く書きつけること。「―申し上げます」②(筆に墨を一度つけただけで/線を切らないで)書き続けること。「―で書き上げた(わずかの時間に書き上げる意にも)」③土地の一区画。「―の土地」▽いっぴつ。●**一筆湿し参らせ候**句 昔の女性の手紙の、書き出しのことば。男性の手紙の「一筆啓上」に当たる。●**ひとふでがき**【一筆書き】①図形などを、同じ線をなぞることなく、一回で書き上げ(ること/たもの)。②線をとちゅうで つがずに、さらさらと書くこと。③(↑一筆書き乗車)同じ駅は二度通らずに、一枚の乗車券で できるだけ長く乗ること。表記 絵は「一筆描き」とも。

**ひとふゆ**【一冬】①まるまる一つの冬。「―を越える」②ある冬。▽(↔一夏)

**ひとふり**【一降り】(雨・雪が)ひとしきり降ること。ひとっぷり(俗)。「―ありそうな雲行きだ」

**ひとふろ**【一風呂】(短い)入浴。ひとっぷろ。●**一風呂浴びる**句(短時間)ふろにはいる。

**ひとべらし**【人減らし】《名・自サ》会社などで働く人の数をへらすこと。人員整理。合理化。

**ひとほね**【一骨】●**一骨折る**句 その人のために、努力する。

**ひとま**【一間】一つの部屋。「―に とじこもる」

**ひとまえ**【人前】他人の(見て)いる所。「―に出るのが苦手だ・―に出せない作品・―をはばからず泣く」☞じんぜん(人前)。

**ひとまかせ**【人任せ】用事や仕事をほかの人にまかせて、自分はしないこと。

**ひとまく**【一幕】①《演劇》幕が上がってからおりるまでの、大きな ひとくぎり。「―見・―物」②一場面。「とつぜん泣き出す―があった」

**ひとまず**【一先ず】《副》いちおう。とにかく。「一中止する・一帰る」表記かたく「一△先ず」とも。

**ひとまたぎ**【一×跨ぎ】《名・他サ》①ひとあしでまたぐこと。また、それぐらいのわずかな距離。②気軽に往来すること。「太平洋も一だ」

**ひとまちがお**【人待ち顔】《名・ダ》人が来るのを待つような〈顔つき/ようす〉。「一にたたずむ」

**ひとまとまり**【一×纏まり】いくつかのものをまとめて、全体でひとつにしたもの。一体。「一の文章」

**ひとまとめ**【一×纏め】ひとつにまとめること。一括すること。「一に論じる」

**ひとまね**【人△真似】《名・自サ》①他人の着想や行動をまねること。「一で独創性がない」②人の様子をまねること。「猿は一がうまい」

**ひとまわり**【一回り】❶《名・自他サ》①〈まわり/その場所〉を一度まわること。「池を一する・九州、沖縄を一する」②一度まわって、もとにもどること。「時計の針が一する・一して(=一周回って。⇩「一周」の句)かっこいい」▽一巡。ひとめぐり。❷①十二支が一度まわった年の差。十二歳。「兄とは一ちがう」✎現代では十歳の意味に使うこともある。②ものごとの大きさの、一段階。「週刊誌より一大きい」

**ひとみ**【瞳】①⇩瞳孔。②目の黒い部分。「つぶらな一」✎「瞳を閉じる」は「まぶたを閉じて瞳をおおう」の意味。「顔をぬる」が「おしろいをぬって顔をおおう」の意味なのと同じ。●**瞳を凝らす**句 じっと見つめる。

☆☆**ひとみごくう**【人身御△供】①いけにえとして神にそなえる、人のからだ。②相手の欲望を満足させるための犠牲になる人。

**ひとみしり**【人見知り】《名・自サ・ダ》〔子どもなどが〕見なれない人を見て〈きらう/はにかむ〉こと。「一する赤ちゃん」

**ひとむかし**【一昔】もう昔のことだと思われるほどの過去。「一前のこと・十年一と言うが」〔ふつう十年前を言う。「二十年たつと二昔」とも言う〕

**ひとむれ**【一群れ・一×叢】〔文〕一か所に集まっていること。ひとかたまり。ひとむら。「コスモスの一・一の少女たち」

**ひとむれ**【人群れ】〔文〕人の群れ。「歩道の一」

**ひとめ**【一目】①一度見ること。ちょっと見ること。②一度に全部見わたすこと。☞いちもく(一目)。●**ひとめぼれ**【一目(×惚れ)】《名・自サ》①一目見ただけで恋いすること。②一目見て気に入ること。「一して買った」

**ひとめ**【人目】自分を見る、他人の目。「一がうるさい・一にさらす」●**人目に立つ**句 人からはっきり見える。目立つ。●**人目につく**句 人が見て気づく。「人目につかない店」●**人目を忍ぶ**句 人に見られないようにして、する。●**人目をはばかる**句 人に見られないよう、用心深く行動する。●**人目を引く**句 ほかの人の注意を引きつける。

**ひどめ**【火止め】①〔ストーブなどの〕火をとめること。②石油などの引火点を高くすること。

**ひともうけ**【一×儲け】《名・自サ》まとまった利益を得ること。「株で一する・一をたくらむ」

**ひともじ**【人文字】人が〈ならんで/色のちがう板をかざして〉、文字の形になったもの。☞人絵。

**ひともしごろ**【火(△灯し)頃】〔文〕ゆうがた。

**ひともと**【一本】〔雅〕①草や木の一本。いっぽん。「一の桜」②草や木が一本だけ立っていること。「一柳」

**ひとや**【(△獄)】〔雅〕つかまえた罪人を入れておく建物。刑務所。獄。

**ひとやく**【一役】ある一つの役割。●**一役買う**句 役割の一部を引き受ける。力をそえる。「A氏も宣伝に一役買った・新技術が町おこしに一」

**ひとやすみ**【一休み】《名・自サ》少し休むこと。「このあたりで一しよう」

**ひとやま**【一山】①一つの山(全体)。「一越えた集落・一の杉」②積み上げた かたまり一つ。「一五百円」③〔食パン・チョコレートなどの〕ひとくぎりの〈かたまり/かけら〉。●**一山当てる**句 大穴をねらって成功する。●**一山越す**句 いちばんむずかしいところを通り越して、一段落する。一山越える。

**ひとやま**【人山】人が大ぜい集まったようす。「一をきずく」

**ひとよ**【一夜】〔文〕①ひとばん。②ある夜。●**ひとよづま**【一夜妻】〔文〕ひと晩だけ関係をもつ女性。いちやづま。

**ひとよい**【人酔い】《名・自サ》あまりの人ごみで、ふらふらすること。

**ひとよせ**【人寄せ】《名・自サ》人を招き寄せる〈こと/ためにおこなう芸、または、口上〉。●**ひとよせパンダ**【人寄せパンダ】⇩客寄せパンダ。

↔**ひとり ❶【一人】①一個の人。いちにん。「一ずつ・一ならず(=だけでなく)二、三人いた・〔副詞的に〕一、荒野にたたずむ・社員一(=一人さえ)やとえない」✎人の数え方は、「一人・二人」は和語で、三以上は漢語の「人」をつけて言うが、まれに和語の「三人・四人」も使う。☞お一人さま。②ほかに〈同類/なかま〉がいないこと。「一親方(=使用者をやとわない自営業者)」❷【(一人)】自分だけですること。「一遊び・一うらない・一カラオケ」●**ひとりあたま**【一人頭】費用を人数で割った、ひとり分の割り当て。●**ひとりあるき**【一人歩き】《名・自他サ》〔つれもなく〕ひとりだけで歩くこと。「酒場を一する・夜の一は危険」☞独り歩き。●**ひとりおや**【一人親】両親のどちらかがいないこと。「一家庭」●**ひとりがたり**【一人語り・独り語り】《映画・演劇》一人だけがずっと〈せりふ/ナレーション〉を語ること。モノローグ。●**ひとりがち**【一人勝ち・独り勝ち】《名・自サ》多くの中で、その者だけが〈勝つ/成功する〉こと。「マージャンで一する・アメリカの一」(↔一人負け)●**ひとりぐち**【一人口】ひとりの生活。●**一人口は食えぬが二人口は食える**句 ひとりだけの暮らしは成り立たなくても、結婚してふたりになればなんとかやっていける。●**ひとりぐらし**【一人暮らし】自分ひとりだけで暮らすこと。ひとりずまい。☞独り暮らし。●**ひとりご**【一人子】〔文〕ひとりっこ。●**ひとりたび**【一人旅】①一人で旅をすること。また、その旅。②〔競馬やマラソンなどの競技で〕ほかに大きく差をつけてトップにいる状態。●**ひとりっこ**【一人っ子】きょうだいのいない子。ひとりご。●**ひとりでんか**【一人天下】天下を取ったように、自分だけで、思うとおりにすること。ひとりてんか。「弟の一になった」●**ひとりとして**【一人として」《副》〔後ろに否定が来る〕ひとりも。「(だれ)ー協力する者がいない」•**ひとりね**[一人寝]ひとりだけで寝ること。「ーの赤ちゃん」☞独り寝。•**ひとりひとり**[一人(一人)]何人もの人の、それぞれ。ひとりびとり。「ーが順番に感想を言う・ーの個性を発揮する」尊敬お一人お一人。•**ひとりまえ**[一人前]いちにんまえ。•**ひとりまけ**[一人負け・独り負け]《名・自サ》多くの中で、その者だけが〈負ける/失敗する〉こと。「ーの会社」(↔一人勝ち)•**ひとりむすこ**[一人息子](男きょうだいのいない)男のひとりご。•**ひとりむすめ**[一人娘](女きょうだいの中での)女のひとりご。•**ひとりも**[一人も]《副》〔後ろに否定が来る〕そういう人がまったくいない場合に使う。だれも。「ー行かなかった」

**ひとり**[独り]㊀①〔文〕〔ほかの人のいない所に〕自分だけがいること。「ーをつつしむ」表記さびしさをあらわして「:孤独」とも。②[:独身]独身。「今もーだ」㊁《副》〔文〕①〔後ろに否定が来る〕それだけのこと。単に。「ー個人の問題ではない」②ひとりで。「ー悲憤のなみだにくれた」•**ひとりあるき**[独り歩き]《名・自他サ》①自分の力だけで歩くこと。「赤ちゃんは一年前後でーができる」②他人の力を借りないで、自分の力でやること。③〔本来のものから離れて〕勝手に動きだすこと。「うわさのー・法律がーする」☞一人歩き。•**ひとりい**[独り居]〔文〕自分ひとりで部屋にいること。•**ひとりがてん**[独り合点]《名・自サ》自分だけ〈わかる/で承知する〉こと。ひとりのみこみ。•**ひとりぎめ**[独り決め]《名・他サ》①自分だけの考えで決めること。②自分だけで、そう思いこむこと。•**ひとりぐらし**[独り暮らし]独身で暮らすこと。ひとりずまい。☞一人暮らし。•**ひとりごちる**[独りごちる]《自上一》〔文〕ひとりごとを言う。ひとりごつ。「…と、独りごちた」名独りごち。•**ひとりごと**[独り言]相手がなく、自分だけでしゃべること。独語。•**ひとりじめ**[独り占め]《名・他サ》それを自分だけのものにすること。独占。「利益をーにする」•**ひとりずもう**[独り相撲]①《すもう》攻めようとした動きが空回りして、みずから負けること。②自分だけで勢いこむこと。「だれも協力しなかったのでーに終わった」•**ひとりだち**[独り立ち]《名・自サ》自分だけの力で(世に)立つこと。独立。•**ひとりでに**[(独りで)に]《副》外から力が加わらないのに、そうなるようす。自然に。「ーこわれたんです」•**ひとりね**[独り寝]〔妻・夫などと別れて〕ひとりで寝ること。「ーのつらさ」☞一人寝。•**ひとりぶたい**[独り舞台]①役者がひとりだけで(はれがましく)舞台に立って演じること。②多くの人の中で、ひとりだけ特にすぐれていること。③自分の思うままにふるまうこと。•**ひとりぼっち**[独りぼっち・一人ぼっち](ぼっち↑法師)①ひとりでいること。ひとりしかいな(くてさみし)いこと。「ーで生活する・ひどくーになった」②なかまがいないこと。▽ひとりぽっち。ひとりぼし〔方〕。ぼっち〔俗〕。•**ひとりみ**[独り身・一人身]①独身。②家族と別れて、ひとりだけでいること。単身。•**ひとりもの**[独り者]独身者。•**ひとりよがり**[独り(善がり)]《名・ナダ》自分だけでいいと思いこんで、ほかの人の言うことを聞き入れないこと。独善。

**ひどり**[日取り]〔式など、だいじなことを〕どの日におこなうかという予定。「結婚式のーが決まる・出発のー」

**ひとりむし**[(火取虫)]《動》夏の夜、灯火に寄り集まる虫。おもに、ガ。

**ひどる**[火取る]《他五》〔食べ物を〕火にあぶる。「のりをー」

**ひとわたり**[(一わたり)]《名・副》①順番に全部。「出席者の意見をー聞く」②ぐるっと全部。「周囲をー見回す」③一応、全体に。「家電製品がー普及した」

**ひとわらわせ**[人笑わせ]《名・ナダ》人を笑わせる、ばかげたこと。「ーのふるまい」

**ピトン**〔フ piton〕《登山》⇩ハーケン。

**ひな**[(×鄙)]〔雅〕いなか。「ーにはまれな洋館」

**ひな**[(×雛)]①ひよこ。②ひな人形。「ーかざり」☞内裏びな。

**ひなあそび**[(×雛)遊び]①ひな人形をかざって遊ぶこと。②ひなまつり。

**ひなあられ**[(×雛×霰)]ひな祭りにそなえる菓子。米つぶをふくらませ、赤・白などの砂糖みつをまぶしたもの。〔関西では、しょうゆ味のあられ〕

**ひない**[皮内]《医》皮膚の、特に表皮のすぐ下。「ー(に)注射」

**ひなうた**[(×鄙)歌]〔雅〕民謡。

**ひなか**[日中]昼間。「昼(の)ー〔=真っ昼間〕から遊んでいる」☞にっちゅう(日中)。

**ひなが**[日長・日永]昼の長いこと。(↔夜長)

**ひながし**[(×雛)菓子]ひな祭りにそなえる菓子。ひなあられ・ひしもちなど。

**ひながた**[(×雛)型・(×雛)形]①(小さな)模型。「説明のためのー」②見本となる型。様式。書式。テンプレート。「契約書のー」③手本となる実例。「近代国家のー」④たたき台。

**ひなかわ**[(×雛)皮]①とり肉の、皮の部分。②⇩ひめかわ(姫皮)。

**ひなぎく**[(×雛菊)]葉はさじ形で、春、赤・白などの、小さなキクに似た花をひらく西洋草花。デイジー。

**ひなげし**[(×雛:罌粟)]草花の名。形はケシに似ているが小さい。五月ごろ、赤・白・オレンジ色などの四弁の花をひらく。虞美人草。ポピー。コクリコ〔フ coquelicot〕。

**ひなた**[(日△向)・(日△南)]日光が当たっている所。(↔日陰)•**ひなたくさい**[(日△向)臭い]《形》ひなたにほしたにおいがする感じだ。派ーさ。•**ひなたぼっこ**[(日△向ぼっこ)]《名・自サ》〔冬などの寒いときに〕ひなたに出てあたたまること。•**ひなたみず**[(日△向)水]ひなたに置いて、自然にあたたまったたらいの水。

**ひなだん**[(×雛)壇]①〔ひな祭りで〕ひな人形や道具などをならべる壇。「ー式の宅地」②〔国会やバラエティー番組などで〕「ひなだん①」のように作った〈座席/場所〉。「ー芸人」

**ひなどり**[(×雛)鳥]①鳥のひな。ひよこ。②[(×雛)△鶏]ニワトリのひな。チキン。「ーのからあげ」

**ひなにんぎょう**[(×雛)人形]ひな祭りにかざる人形。内裏びなや五人ばやしなどから成る。おひなさま。

（↕五月人形・武者人形）

**ひなのせっく**【（×雛の）節句】⇩桃の節句。

**ひな・びる**【（×鄙びる）】《自上一》いなかめく。いなかびる。「ひなびた温泉」

**ひなべ**【火鍋】中国の寄せなべ。四川ふうのものはからい。ホーコーズ（火鍋子）。ホーコー（火鍋）。「マーラー―」

**ひなまつり**【（×雛）祭り】①三月三日の節句に、女の子のいるうちで、ひな人形や道具類などをかざって祭ること。ひな遊び。②三月三日の節句。上巳。桃の節句。ひなの節句。

**ひなみ**【日並み】〔古風〕日がら。日のよしあし。「本日はお―もよろしく」

**ひならず（して）**【日ならず（して）】《副》〔文〕何日もたたないうちに。まもなく。「―返信が来た・―全快するだろう」

**ひなわ**【火縄】竹・ヒノキの皮などの繊維でなわを作り、硝石を吸収させたもの。火をつけるのに使う。●**ひなわじゅう**【火縄銃】戦国時代から江戸時代に使われた、火縄で点火して発射した小銃。種子島。

**ひなん**【避難】《名・自サ》災難をさけて、ほかの場所へ移ること。「―民・―場所（＝災害の際ににげこむ所）・―所（＝避難生活のための場所）」

**ひなん**【非難・批難】《名・他サ》相手の言ったことやしたことを、悪いと言ってとがめ、せめること。「―をあびる・―ごうごう（囂々）」

**びなん**【美男】きれいな男。「―美女」

**びなんし**【美男子】⇩びだんし。

**ビニール**〔vinyl〕アセチレンから作った透明な合成樹脂。ビニル。「―袋・―傘」●**ビニールクロス**〔vinyl cloth〕ビニールで、布のように作ったもの。書物の表紙や建築物の内装に使われる。●**ビニールハウス**〔和製 vinyl house〕《農》ビニールの膜で作った、簡単な温室。促成栽培用。ハウス。

**ひにく**【×髀肉】〔文〕ももの肉。●**ひにくのたん**【×髀肉の嘆】〔文〕うでまえを見せる機会が、なかなかないのをなげくこと。「―をかこつ」 由来 中国の三国時代、蜀の劉備が、馬にまたがって戦場に出ないため、ももにぜい肉がつくのをなげいたという故事から。

**ひにく**【皮肉】《名・ナダ》①わざと反対に言ったりして、遠まわしに〈非難する／からかう〉ことばやようす。「『いい成績だね』と―を言う・―な表情・―屋」 由来 ことばを相手の骨まで到達させず、皮や肉のところでとどめておくことから。②〔まるでからかわれているように〕期待と反対になるようす。「―な結果を招いた」 派 -さ。●**ひにく・る**【皮肉る】《自他五》〔俗〕皮肉を言う。皮肉なおこないをする。

**ひにち**【日にち】〔にち＝日〕①日かず。「―がたつ」②あることをおこなう日。日どり。「―を決める」☞にちにち（日々）・ひび（日々）。●**ひにちぐすり**【日にち薬】⇩ときぐすり。

**ひにひに**【日に日に】《副》日を追って。日ごとに。

**ひにまし**【日に増し】《副》〔文〕日ごとに加わって。日増しに。「―あたたかくなってまいりました」

**ひにょうき**【泌尿器】《生》尿の分泌・排出に関係する臓器。「―科の医師」

**ビニロン**〔vinylon〕合成繊維の一種。湿気をよくすい、燃えにくく、摩擦に強い。漁網・ロープ・衣服などに使う。

**ひにん**【非人】《歴》江戸時代、刑場の用事などに使われた、身分の低い人。

**ひにん**【避妊】《名・自サ》妊娠しないようにすること。「―具・―薬」●**ひにんリング**【避妊リング】《医》ポリエチレンの輪にナイロンの糸を巻きつけたもの。避妊のために、子宮の中に入れる。リング。

**ひにん**【否認】《名・他サ》そうであると認めないこと。承認しないこと。「犯行を―する・申請を―する」（↕是認）

**ひにんじょう**【非人情】《名・ナダ》①人情がないこと。「―な人」②〔夏目漱石の説〕人情をのりこえて、それにわずらわされないこと。

**ひね**【（△陳）】①古くなった穀物・つけものなど。「―もの」②〔俗〕売れ残り。

**ビネガー**〔vinegar〕西洋料理で使う、酢。

**ひねくりまわ・す**【（△捻くり）回す】《他五》ひねりまわす。

**ひねく・る**【（△捻くる）】《他五》①手先でいじって遊ぶ。手でいろいろにひねりまわす。②いろいろりくつを〈言う／考える〉。

**ひねくれもの**【（△捻くれ）者】性格がひねくれた人。すなおでない人。

**ひねく・れる**【（△捻くれる）】《自下一》①ものの見方や、考え方がゆがむ。また、そういう性質になる。「ひねくれた解釈・性格が―」②ゆがむ。まがる。「ひねくれた字」

**ひねこ・びる**《自上一》こまっしゃくれる。ませる。ひねこびれる。

**ひねしょうが**【（△陳生×姜）】前年から根として残っている、（たねとして使った）ショウガ。多く、おろして使う。

**ひねつ**【比熱】《理》一グラムの物質の温度をセ氏一度だけ上げるのに必要な熱の量。物質によって決まっている。比熱容量。「―が小さい（＝熱しやすく冷めやすい）」

☆☆**びねつ**【微熱】①少しの熱。②《医》平常より少し高い、三七度五分ぐらいまでの体温。「―が出る」（↕高熱）

**ひねもす**【（：終日）】《副》〔雅〕朝から晩まで。一日じゅう。「―遊びくらす」（↕夜もすがら）

**ひねり**【（△捻り）】①ひねること。「何の―もない」②⇩おひねり。●**ひねりだ・す**【（△捻り）出す】《他五》①やっとのことで、考え出す。「〔俳句を〕一句―」②無理して費用を作り出す。●**ひねりつぶ・す**【（△捻り潰す）】《他五》①指先でねじってつぶす。②〔自分より弱い相手を〕完全にやっつける。●**ひねりまわ・す**【（△捻り）回す】《他五》①いろいろにひねってみる。②いじりまわす。③いろいろとこったおもむきを考える。▽ひねくりまわす。

**ひ・ねる**【（△陳ねる）】《自下一》〔ふつう ひね〈た／て〉〕①古くなる。古びる。「ひねたたくあん（沢庵）」②ませる。「ひねた子」③〔俗〕ひねくれる。「ひねた性格を直したい」 表記 俗に「ヒネる」とも。

**ひね・る**【（△捻る）】《他五》①〈指でつまんで／ねじって〉回す。「ドアのノブを―・ガスせんを―・とり（＝ニワトリ）を―

〔＝しめ殺す〕」②せんを回して〈出す／止める〉。「ガスを―」③〔からだの一部を〕まげるようにして回す。「腰を―・足首を―〔＝ねんざする〕」④〔ふつう ひねった〈た／て〉〕くふうして、ふつうと変える。「ひねった〔＝答えにくいようにした〕問題」⑤〔俳句などを〕くふうして、作る。「一句―」⑥焼き物を作る。「茶わんを―」⑦〔俗〕〔勝負で〕相手を簡単に負かす。「軽く―」可能 ひねれる。

**びねんまく**【鼻粘膜】《生》はなの穴の粘膜。においを感じるはたらきをする。「―を刺激する〔＝ⓐにおいがする。ⓑはなの中が むずむずする〕」

**ひのあめ**【火の雨】雨が降るように、火の粉がたくさん落ちること。「―をくぐって」

**ひのいり**【日の入り】①太陽が〈地平線／水平線〉にしずむ〈こと／時刻〉。日没。(↔日の出) ②ひぐれ。

**ひのうみ**【火の海】火事で、いちめんに火が燃え広がった状態。「あたりは―だ・空襲で東京が―になる」

**ひのうみ**【灯の海】夜に、電灯やネオンサインの光がいちめんに広がった状態。「眼下に―が見える」

**ひのうりつ**【非能率】《名・ナダ》能率が悪いこと。派 ―さ。

**ひのえ**【(丙)】十干の第三。きのと(乙)の次。へい。
●**ひのえうま**【(丙午)】ひのえとうま〔＝十二支の七番目〕の組み合わせの年。火事が多いとか、この年生まれの女性は夫を殺すとかいう迷信がある。

**ひのき**【(檜)】山にはえる代表的な常緑樹。葉は、ごまつぶほどの小さなうろこを、細かい枝状につらねた形。実は茶色で まるい。建築材料として すぐれる。由来 古くは「檜」で、「檜の木」の意味。古代の発音を考えると「火の木」ではない。●**ひのきぶたい**【(檜)舞台】①ヒノキの板で張った、歌舞伎などの舞台。②うでまえをしめす、晴れの場所。

**ひのくるま**【火の車】①《仏》地獄にあるという、火の燃えている車。②〈家計／生活〉の状態が苦しいこと。「年中―だ」

**ひのくれ**【日の暮れ】ゆうぐれ。「―がた・―どき」

**ひのけ**【火の気】①火の あたたかみ。「―のない部屋」②火だね。

**ひのこ**【火の粉】①火が こなのように とびちるもの。②まきぞえ。「―が ふりかかる」

**ひのしたかいさん**【日の下開山】〔日の下＝天下〕〔武芸・すもうで〕天下に肩をならべるものが ないこと。特に、すもうの横綱。

**ひのたま**【火の玉】①玉の形になった火のかたまり。②はげしい勢い。「全員―となって練習する」③おにび。ひとだま。

**ひのて**【火の手】火が燃えあがる〈状態／勢い〉。●**火の手が上がる** 句 ①火事になる。②勢いよく はじまる。「改革の―」他 火の手を上げる。

**ひので**【日の出】太陽が〈地平線／水平線〉の上にのぼって出る〈こと／時刻〉。(↔日の入り) ●**ひのでのいきおい**【日の出の勢い】〔朝日が出るように〕さかんな勢い。「―で連勝する」

**ひのと**【(丁)】十干の第四。ひのえ(丙)の次。てい。

**ひのふのみ**【(一)の(二)の(三)】《感》〔話・古風〕⇩いちにのさん。

**ひのべ**【日延べ】《名・自他サ》〈決まった日取り／興行などの終わりの日〉をのばすこと。「十日まで―する」

**ひのまる**【日の丸】①太陽の かたちをあらわす、赤い丸。②〔↑日の丸の旗〕日章旗。日本の国旗。③日本(人)。「―船団・―を背負う〔＝日本を代表して国際大会に出る〕・―飛行士」●**ひのまるべんとう**【日の丸弁当】弁当箱の、白いごはんのまんなかに梅干しを入れた弁当。

**ひのみやぐら**【火の見(櫓)】火事を警戒して見はるための やぐら。火の見。

**ひのめ**【日の目】●**日の目を見る** 句 ①世間に発表される。「遺稿が―」②うずもれていたものが、世に出る。

**ひのもと**【日の本】〔雅〕日本をほめた呼び名。「―一〔＝日本一〕」

**ひのもと**【火の元】①火事の もと。火もと。②火のある場所。「―に用心」

**ひば**【(檜葉)】①ひのき(の葉)。「―垣」②あすなろ。「青森―」

**ビバ**《感》〔イ viva〕〔話〕万歳。

**ビバーク**《名・自サ》〔フ bivouac〕《登山》〔予定外の〕露営。野宿。

**ビバーチェ**〔イ vivace〕《音》生き生きと。活発に。速く。毎分一五〇〜一八〇拍程度。ヴィヴァーチェ。

**ひばいひん**【非売品】一般には売らない品物。(↔売品)

**ビハインド**〔behind〕得点を相手チームにリードされていること。(↔アヘッド)

**ひばく**【飛(瀑)】〔文〕高い所から落ちる滝。

**ひばく**【被(曝)】《名・自サ》放射能などに さらされること。「―者・―事故」

**ひばく**【被爆】《名・自サ》①爆撃を受けること。「―地帯」②原子爆弾の被害にあうこと。「―者」

**びはく**【美白】〔けしょうで〕メラニンの生成をおさえ、しみ・そばかすのない美しい はだにすること。ホワイトニング。「―けしょう品」〔白だけが美しいという価値観を見直し、「ブライトニング (brightening)〔＝かがやかせること〕」とも〕

**ひばし**【火箸】炭火をはさむ、金属の はし。

**ひばしら**【火柱】強く燃えて、柱のように立ちのぼる火。「―が立つ」

**びはだ**【美肌】①はだを美しくすること。「―作用」②美しい はだ。

**ひばち**【火鉢】中に灰を入れて炭火を置き、手や部屋の中をあたためる道具。「長―・練炭―」

**びはつ**【美髪】《名・自サ》〔文〕①美しい かみの毛。②かみの毛を美しく ととのえること。「―料」

**ひばな**【火花】①細かく とび散る火。②《理》放電するときの光。スパーク。●**火花を散らす** 句 はげしく争う。自 火花が散る。

**ひばら**【(脾)腹】〔文〕よこばら。

**びはら**【美腹】〔俗〕引きしまった、形のいい おなか。びばら。びふく。「―術」

**ひばらい**【日払い】その日の賃金などを、その日のうちにしはらうこと。

**ひばり**【(雲雀)】麦畑などにすむ小鳥の名。春、まっすぐに空高く上がり、たえまなく さえずる。

**ビバレッジ**〔bevarage〕飲み物。ビバレージ。

*__ひはん__【批判】《名・他サ》①相手の言ったことや した

ことを、まちがっていてよくないと論じること。「政府の方針を―する・的外れな―・自己―」②まちがいがないかどうか判断すること。「古典の本文を―する」●**ひはんてき**[批判的]《ナダ》①批判する〈性質をもつ／立場に立つ〉ようす。「ものを―に見る」②否定的な立場に立つようす。「―な目」

**ひばん**[非番] 当番でない〈こと／人〉。

**ひはんしょう**[肥×胖症]〔医〕肥満症。

**ひひ**[×狒々] 熱帯にすむ大形のサル。鼻と口が突っき出て、顔からせなかにかけてたてがみがある。〔日本では人身御供の美人をさらうと信じられた〕

**ひび**[日々] ①それぞれの日。「―の暮らし」②日が積み重なったある期間。「平和な―が続く」③どの日も。「―(=たえず)努力する」☞にちにち(日々)・日にち。●**日々是好日** 句 ⇩にちにち是好日〔「日々」の句〕。

**ひび**[(×皹)・(×皸)] 寒さのため手の甲などにできる、皮膚の細かなさけめ。「―が切れる」

**ひび**[(×罅)]〔壁やガラスなどの〕細かく割れてさけたきず。●**ひびが入る** 句 関係がつめたくなる。「友情に―」

**ひび**[(×篊)] ノリの胞子やカキの小さな子貝をつけて、生長させるために海の中に立てる〈竹／枝〉。しび。「のり―(のりそだ[粗朶]とも)」

**びび**[微々]《タル》〔文〕かすかなようす。小さいようす。「―たる勢力」

**ひびか・う**[響かう]《自五》〔雅〕〔長く、またはしきりに〕ひびく。「春を呼ぶ声空に―」

**ひびき**[響き] ①ひびく〈こと／音〉。「サイレンの―」②振動。「電車の―」③余韻。「鐘の―」④耳に聞こえる、ことばの音の感じ。「―のいい詩」

**ひび・く**[響く]《自五》①音がまわりに伝わって聞こえる。「サイレンが夜空に―・号令がするどく―」②音があとまで残る。残響がある。「このマイクは―」③振動・刺激が伝わる。「工事の振動が部屋中に―・背中に痛みが―」④悪く影響する。さしつかえる。「ミスが―・ふところに―問題だ」⑤〔心に〕感動・衝撃などをあたえる。「〈胸／耳〉に―ことば」⑥〔人に〕感動・衝撃などをあたえる。「若者に―メッセージ」▽⑤が昔から多いのに対し、⑥は二十一世紀になってふえた言い方。⑦〔ことばが特別の感じに〕聞こえる。「こう言ったほうが美しく―」⑧評判が、広く伝わる。「名が―」⑨《服》裏地や下着の線などの様子が、服の外から見える。他 響かせる《下一》。

**びびし・い**[美々しい]《形》〔文〕かざりたてて美しい。「―行列・―服装」派 ―げ・―さ。

**びびっと**《副》①刺激や反応がすばやく伝わるようす。②直観的に魅力を感じるようす。「はじめて会ったとき―来た」

**ビビッド**《ナダ》[vivid] 生き生きしたようす。「―な描写」派 ―さ。

**ひひょう**[批評]《名・他サ》いいところや悪いところを取りあげて評価をのべること。「―家・文芸―」●**ひひょうがん**[批評眼] 批評をする力。

**びび・る**《自五》〔「ビビる」とも書く〕〔俗〕こわがる。おじけづく。名 びびり。

**ひびわれ**[(×罅)割れ]《名・自サ》ひびがはいって割れること。また、その割れ目。動 ひび割れる《自下一》。

**ひひん**《副》馬のいななく声。ひひーん。

**びひん**[美品]〔文〕中古だが、見た目にきずやよごれのない商品。

**びひん**[備品] そなえつけて使う物。例、机・いす・ロッカー。☞消耗品①。

**ビビンバ**〔朝鮮 bibimbap=まぜごはん〕ごはんの上に、ナムルや肉などをのせ、コチュジャンとごま油を加えてまぜて食べる料理。ビビンパ。「石焼き―」

**ひふ**[皮膚]〔生〕はだ。「―がん(癌)」表記 病院などでは「皮フ」「皮ふ」とも。

**ひふ**[被布]〔服〕外出用に女性や女の子が着物の上に着る、羽織ぐらいのたけの衣服。えりがまるく、前が四角にあいている。「お―」

[ひふ]

**ひぶ**[日歩]《経》元金百円に対する一日の利息。「―二銭七厘」(↔月利・年利)

**ひぶ**[秘部]〔文〕陰部。恥部。

**ビブ**[bib] ①よだれかけ。スタイ。②⇩ビブス。

**ビフィズスきん**[ビフィズス菌]〔ラ bifidus〕乳酸菌の一種。腸の中で、有害な菌をへらし、整腸に役立つ。

**ひふう**[悲風]〔文〕かなしい気持ちにさせる風。

**びふう**[美風]〔文〕〈美しい／りっぱな〉風習。「―を今に伝える」

**びふう**[微風]〔文〕そよかぜ。

**ひふえん**[皮膚炎]〔医〕皮膚の炎症。湿疹。「接触性―(=かぶれ)」

**ビフォー**[before] 以前。ビフォア。「―アフター(=使用前と使用後など)・―写真(=けしょうする前、やせる前などの写真)」(↔アフター)

**ひふか**[皮膚科] 皮膚病に関する、医学・診療の一部門。「―医」〔皮膚科医院などの名前にも使う〕

**ひふかんかく**[皮膚感覚] ①皮膚で感じる感覚。触覚・痛覚・温度覚など。②⇩肌感覚①。「戦争のつらさが―でわかる」

**ひふきだけ**[火吹き竹] 息を吹きかけて火を〈おこす／強くする〉ための竹筒。

**ひふく**[被服]〔文〕着物。衣服。「―費」

**ひふく**[被覆]《名・他サ》〔文〕かぶせて包むこと。「―管」

**ひふくきん**[×腓腹筋]〔生〕ふくらはぎを作る、左右に分かれた筋肉。ひざを屈伸したり、かかとを上げたりするときに使う。

**ひぶくれ**[火膨れ・火×脹れ] やけどで皮膚がふくれて水分をふくんだ状態。水疱。

**ひぶくろ**[火袋] ①灯籠の、火をともすところ。また、ちょうちんなどの、紙のおおい。②暖炉の、火をたくところ。

**ひふこきゅう**[皮膚呼吸]〔生〕皮膚から二酸化炭素を出して、酸素をとり入れること。

**ビブス**[bibs] スポーツの競技や練習試合、イベントなどでユニフォームや服の上にはおる、ランニングシャツ形の上着。競技者の番号を付けたり、色でチームの区別をしたりする。ビブ。

**ひぶた**[火蓋] ①火縄銃の火皿(=火薬をつめこ

むところ〉をおおうふた。②ライターの火口（ひぐち）に かぶせるふた。●☆☆**火ぶたを切る** 句〔切る＝あける〕戦い・競技などを始める。火ぶたが切られる。「論戦の―」〔「幕が切って落とされる」からの類推で「火ぶたが切って落とされる」とも〕

**ひ‐ぶつ**［秘仏］〔文〕だいじにして、ふだんは人に見せない仏像。「寺の―」

**び‐ぶつ**［微物］非常に小さいもの。特に、犯罪の捜査（そうさ）で調べられるごく小さい資料。

**ビフテキ**［フ bifteck］〔やや古風〕ビーフ ステーキ。テキ。「―丼（どん）」

**ひふ‐びょう**［皮膚病］〔医〕皮膚・粘膜（ねんまく）がただれたり、かぶれたりする病気の総称（そうしょう）。

**ひ‐ふようしゃ**［被扶養者］〔法〕扶養される家族。配偶（はいぐう）者や子どもなど。

**ビブラート**［イ vibrato］〔音〕音を上下に わずかにふるわせながら〈歌う／演奏する〉こと。「―をかける」

**ビブラフォン**［vibraphone］〔音〕金属の板に共鳴用のチューブをつけ、電気で音を長くひびかせる打楽器。電気鉄琴（てっきん）。バイブラフォン。バイブ。

**ビブリオ**［ラ vibrio］〔医〕腸炎（ちょうえん）を起こす細菌（さいきん）。コレラ菌もこのなかま。ビブリオ菌。☞腸炎ビブリオ。

**ビブリオバトル**［和製 biblio＋battle］発表者がおすすめの本を順に紹介（しょうかい）し、参加者が読みたくなった本に投票するゲーム。

**ビブリオマニア**［bibliomania］ひたすら本を買いあさり、ためこむ人。蔵書狂（きょう）。書籍（しょせき）収集狂。書痴（しょち）。

**ひ‐ふん**［悲憤］〈名・自サ〉〔文〕かなしんで いきどおること。「―慷慨（こうがい）する」

**ひ‐ぶん**［碑文］石碑に〈ほる／ほった〉文章。

**び‐ふん**［微粉］細かなこな。「―状」

**び‐ぶん**［美文］美しい語句で かざった文章。〔特に明治中期に おこなわれた〕「―調」

**び‐ぶん**［微分］〈名・他サ〉〔数〕ある変数の非常に小さい変化に対応する、関数の変化の割合の極限を求めること。(↔積分)

**ひぶん‐しょう**［飛△蚊症］〔医〕明るいところを見たとき、目の前を蚊（か）などがとんでいるように見える症状。

☆☆**ひ‐へい**［疲弊］〈名・自サ〉〔文〕つかれて弱ること。「国力が―する」

**ビヘイビア**［behavior; behaviour］行動。ふるまい。態度。ビヘイヴィア。「企業（きぎょう）の―」

**ピペット**［フ pipette］〔理〕化学実験で、少量の液体を〈はかる／たらす〉に使う、先の細いガラスやポリエチレン製の管。「マイクロ―」

**ひ‐へん**［日〈偏〉］漢字の部首の一つ。「時」「曜」などの、左がわの「日」の部分。

**ひ‐へん**［火〈偏〉］漢字の部首の一つ。「灯」「焼」などの、左がわの「火」の部分。

**ひ‐べん**［非弁］(↔非弁護士) 弁護士でないのに、お金を得る目的で、もめごとの解決にわりこむ〈こと／人〉。「―行為（こうい）・―活動」●**ひべん‐ていけい**［非弁提携］弁護士が、貸し金業者などに名前を貸して、客の借金を整理させたりする、違法（いほう）な行為（こうい）。

**ひ‐ぼ**［悲母］〔文〕慈悲（じひ）の深い母。「―観音（かんのん）」

**ひ‐ほう**［飛報］〔文〕急ぎの知らせ。

←**ひ‐ほう**［秘方］〔文〕だれにも教えない、薬の調合のしかた。

→**ひ‐ほう**［秘法］〔文〕秘密の方法。

**ひ‐ほう**［秘宝］〔文〕人に見せずに、大切にしておくたからもの。

**ひ‐ほう**［秘峰］〔文〕人に知られていない高い峰（みね）。

☆☆**ひ‐ほう**［悲報］〔文〕かなしい知らせ。「―をもたらす」(↔朗報)

**ひ‐ぼう**［非望］〔文〕身分をこえた のぞみ。「―をいだく」

☆☆**ひ‐ぼう**［×誹×謗］〈名・他サ〉〔文〕そしること。中傷。

**び‐ほう**［△弥縫］〈名・他サ〉〔文〕とりつくろうこと。びぼう。「―策（＝まにあわせの方法）」

**び‐ぼう**［美貌］〔文〕美しい顔かたち。「―の持ち主」

**び‐ぼう**［備忘］〔文〕忘れたときの用意。「―用」●**びぼうろく**［備忘録］忘れたときの用意に書きとめておくための手帳。手びかえ。メモ。忘備録。

**ひ‐ほけんしゃ**［被保険者］〔法〕保険の契約（けいやく）によって、保険をつける対象になる人。

**ひ‐ほけんぶつ**［被保険物］〔法〕損害保険をつける対象になるもの。例、自動車。

**ヒポコンデリー**［オ hypochondrie］〔医〕⇩心気症（しんきしょう）。

←**ひ‐ぼし**［干〈△乾し〉］食べるものがなくて、やせること。「―になる」

→**ひ‐ぼし**［日干し・日△乾し］①日光や風にあてて〈ほすこと／ほしたもの〉。「―れんが」②日の当たる所に出して、ほすこと。(↔陰（かげ）干し)

**ひ‐ほん**［秘本］〔文〕①だれにも見せないで大切にしている本。②春本。

☆☆**ひ‐ぼん**［非凡］〈名・ダ〉ほかの人よりも特にすぐれていること。人なみ以上。「―な才能」(↔平凡) 派―さ。

**び‐ほん**［美本］〔文〕①美しい本。②よごれていない、きれいな書物。

**ひほん‐るいだ**［被本塁打］〔野球〕投手が、本塁打を打たれること。打たれた本塁打。被ホームラン。「一試合三―」

**ひま**［暇］一①〈あいた〉時間。「本を読む―がない」②あいだ。「文句を言う―に自分で行って来い」③休み。「―を取る」二〈ナ〉用事がないようす。「―な人・―にする・そんなに―じゃない」三〈自サ〉〔俗〕用事もなくすごすこと。「日曜日は―してる」●**暇がいる** 句 時間がかかる。「書類を整理するにも―」●**暇に飽（あ）かせて** 句 じゅうぶんに時間をかけて。●**暇を惜しむ** 句 少しの時間もむだにしない。「暇を惜しんで研究をすすめる」●**暇を食う** 句 時間がかかる。時間を食う。●**暇を割（さ）く** 句〔そのことのために〕時間を作る。●**暇を出す** 句 ①奉公人（ほうこうにん）を、やめさせる。②妻を離縁（りえん）する。▽暇をやる。自 暇が出る。●**暇を潰（つぶ）す** 句 するべきことがないとき、何かをして時間をついやす。●**暇を取る** 句 ①休暇（きゅうか）をとる。仕事を休む。「暇を取って帰郷する」②奉公人（ほうこうにん）が主人に申し出て、仕事をやめる。③妻が夫のもとから去る。●**暇を盗（ぬす）む** 句 わずかな時間を利用する。「暇を盗んで会いに行く」●**暇を見る** 句 いそがしい仕事中に、他のことをする時間を見つける。「暇を見て子どもの相手をする」

**ひま**［(△隙)］〔雅〕物の すきま。「雨雲の―より日がさす」

←ひまく【皮膜】①表面にできる厚い膜。②皮膚とその下の膜。ごく わずかな間。☞虚実皮膜の間。

→ひまく【被膜】表面にかぶせて包む膜。「配線の―」

ひまご【(△曽)孫】孫の子ども。ひいまご。ひこ。

ひまし【日増し】①日ごとに増すこと。「―に大きくなる」②作ってから、日がたっていること。「―のようかん」

ひましゆ【(×蓖麻子)油】ヒマ(=ヤツデに似た葉を持つ、大形の草)のたねをしぼってとったあぶら。工業・下剤に使う。

ひまじん【暇人・△閑人】ひまのある人。用事のない人。

☆☆ひまつ【飛×沫】しぶき。「どろ水の―をあびる・くしゃみで―が飛ぶ・波の―」•ひまつかんせん【飛×沫感染】〘医〙病原体が せきや くしゃみなどで飛び散り、ほかの人に感染すること。例、インフルエンザ。☞空気感染・接触感染。

ひまつぶし【暇(潰し)】〘名・自サ〙①あまった時間を過ごすこと。②時間をむだに使うこと。「とんだ―をした」▽時間つぶし。

ひまつり【火祭り】火をたくことを中心の行事とする祭り。「鞍馬の―」

ひまど・る【暇(取る)】〘自五〙〔古風〕時間が かかる。「準備に―」

ひまねた【ヒマネタ】〔俗〕〔マスコミで取り上げる〕緊急な社会情勢とは関係のないニュース。

ひまひま【暇々】ときどきある、ひま。「―に俳句を作る」

びまゆ【美眉】美しく形の整ったまゆげ。「―を描く」

ヒマラヤすぎ【ヒマラヤ杉】ヒマラヤ地方原産の常緑高木。枝は横に広がり、樹形は円錐形。葉は細長く針状。

ヒマラヤン〔Himalayan〕青い目と長い ふわふわの毛をもつネコ。シャムとペルシャの交配種。

ひまわり【(:向日葵)】庭に植える大形の草。夏、くきの頂上に、大形で黄色い花をつける。たねから油をとる。ひまわりそう。〔厳密には、花びらに見える一つ一つが花〕

ひまん【肥満】〘名・自サ〙まるまると ふとること。「大兵―・―児・―体」•ひまんしょう【肥満症】〘医〙からだに脂肪がたまって、減量が必要な状態。肥胖症。

びまん【×瀰漫】〘名・自サ〙〔文〕はびこって、広くゆきわたること。「不正を見のがす風潮が―する」

びみ【美味】〘名・ナ〙〔文〕おいしい〈こと/飲食物〉。「天下の―」(⇔不味)

びみきゅうしん【美味求真】〔文〕美味の中の、真の美味をもとめること。

ひみつ【秘密】〘名・ナ〙①かくして知らせない〈こと/ことがら〉。かくされていること。「―(の)書類・―をあばく・―がもれる」②公開しないこと。「―会・―結社」③ひそかにすること。「―に交渉する・―裏の訪問」•ひみつけいさつ【秘密警察】〔国家体制を守るため〕その機構や活動の実態が秘密にされている警察組織。•ひみつせんきょ【秘密選挙】自分の名前を書かないで投票する選挙。

←びみょう【美妙】〘ナ〙〔文〕なんとも言えず きれいで、すぐれているようす。派―さ。

→☆☆びみょう【微妙】〘ナ〙①美しさ・味わい・状態などの、細かなところに重要な意味がこめられていて、ひとくちに言いあらわせないようす。デリケート。「―なちがい」②どっちとも はっきり言い切れないようす。「成功するかどうかは―だ・金利引き下げは―」③〔ビミョー〕〔俗〕ⓐあまり よくないようすを、遠まわしに言う。「『試験どうだった?』『―』・すごく―な味だ(=まずい)」〔二〇〇二年ごろからの用法〕ⓑなんとなく。「―に心がこもっていないあいさつ」派―さ。

ひむれ【灯群れ】〔文〕光りかがやく、電灯やネオンサインのむれ。ほむれ。

ひむろ【氷室】天然の氷をたくわえておく〈部屋/穴〉。☞ひょうしつ(氷室)。

ひめ【姫】㊀ひめ ①身分の高い人の むすめ。呼びかけにも使う。「―君・―(さま)!」②むすめをほめて言うことば。「わが家の―・一―二太郎」③〔俗〕ⓐ女性。「―トラ(=女性のよっぱらい)」ⓑちやほやされる女性。「サークルの―」㊁接尾〔童話や昔話などで〕身分の高い人の むすめ。「かぐや―・シンデレラ―」☞彦。㊂選 小さくて かわいらしい。「―鏡台・―ユリ・―リンゴ」

ひめい【非命】〔文〕天命のままでないこと。思いがけない災難。「―にたおれる」

ひめい【悲鳴】①〈おどろいて/おそろしくて〉さけぶ声。「―を上げる」②あわれな〈泣き声/鳴き声〉。「犬の―」③困って言うことば。よわね。

ひめい【碑銘】石碑にほりこまれた文句。

びめい【美名】〔文〕①いい評判。ほまれ。②ていさいのいい名目。「平和の―にかくれて」

ひめかわ【姫皮】タケノコの先の部分の、内がわの皮。身と同じ色をしていて、やわらかい。絹皮。ひなかわ。「―の梅肉あえ」

ひめぎみ【姫君】〔文〕身分の高い人のむすめの敬称。ひめごぜん。

ひめくり【日(×捲り)】毎日一枚ずつ めくる暦。「卓上―」(⇔月めくり)☞柱暦

ひめごぜん【姫御前】〔文〕姫君。ひめごぜ。「―のあられもない姿」

ひめごと【秘め(事)】ないしょごと。秘密。「男女の―(=まじわり)」

ひめこまつ【姫小松】①〔雅〕小形のマツをほめて言うことば。②ごようまつ。

ひめたけ【姫竹】根曲がり竹の若竹。煮物や みそしる、いためものなどにして食べる。姫たけのこ。

ひめます【姫×鱒】湖水で育った、ベニザケ。

ひめやか【秘めやか】〘ナ〙人に知られないようにするようす。ひそやか。「―な思い」

ひめゆり【姫:百合】ユリの一種。オニユリに似ているが、花は小形で上向きにつく。

ひ・める【秘める】〘他下一〙かくして知らせないようにする。「悲しい思いを胸に―」

ひめん【碑面】〔文〕石碑の表面。「こけむした―」

☆☆ひめん【罷免】〘名・他サ〙〔文〕職務をやめさせること。免職。

ピメント〔pimento〕①ピーマン。赤や黄色のものが多い。☞パプリカ。②⇩オールスパイス。

ひも㊀【(×紐)・ヒモ】①ものをたばね〈る/て つなぐ〉太い糸や細い布など。「くつの―を結ぶ」②条件。☞ひも

付き②。③〔すじだねで〕アカガイ・ホタテガイなどの身のまわりの、ひものような部分。外套膜(がいとうまく)。がいとう。三〔ヒモ〕〔俗〕自分は働かず、女にかせがせる情夫。

**ひもかわうどん**〔(×紐革×饂×飩)〕(ひもかわ—) 〔関東方言〕きしめん。ひもかわ。

**ひもく**〔費目〕お金の使い道の区分。例、光熱費・広告費。「予算の—」

**びもく**〔眉目〕〔=まゆと目〕〔文〕顔だち。 ●**びもくしゅうれい**〔眉目秀麗〕《名・ダナ》男性の顔だちの、りりしいようす。

**ひもぐつ**〔(×紐)靴〕くつひもで結んで、足に固定するようになっている靴。

**ひもじ・い**《形》非常に腹がへっている。「—思いをする」派—がる。—げ。—さ。

**ひもすがら**〔日もすがら：終日〕《副》〔雅〕一日じゅう。ひねもす。(↔夜(よ)もすがら)

**ひもち**〔火持ち・火△保ち〕火が消えないでいること。「—のいい炭」

**ひもち**〔日持ち・日△保ち〕《名・自サ》〔食べ物の〕保存が きくこと。「—が いい」

**ひもつき**〔(×紐)付き〕①ひもが ついている〈こと/着物〉。②使用目的などの条件が つくこと。「—融資(ゆうし)」③陰(かげ)であやつられていること。④〔俗〕「ひも三」にお金をみつぐ女。

**ひもづ・ける**〔(×紐付ける)〕《他下一》関係づける。「出席簿(ぼ)と成績データとを—」名ひもづけ。直ひもづく《五》。

**ひもと**〔火元〕①〔何軒(げん)も焼けた火事で〕最初に火を出した家。②火事の もとになった場所。③さわぎのもと。

☆☆**ひもと・く**〔(×繙く)・(×紐)解く〕《他五》〔=ひもを解く〕①本をひらいて読む。「古典を—」②古いことを調べる。「歴史を—」③明らかにする。「真実を—・人気の理由を—」▽②は明治時代から、③は一九九〇年代から例がある用法。

**ひもの**〔干物・△乾物〕さかなや貝をほした食品。

**ひや**〔日矢・日×箭〕〔文〕①〔ふりそそぐ〕日光。②(雲の間から もれる)日の光を矢にたとえたことば。

**ひや**〔冷や〕↑冷や酒。「—で飲む」☞お冷や。

**ビヤ**造〔beer〕〔古風〕ビール。ビア。「—だる」

**ひやあせ**〔冷や汗〕〈はじ入って/ひやひやして〉出す、つめたく感じるあせ。「—を流す」

**ひやか・す**〔冷やかす〕《他五》①〔はずかしがらせたりして〕からかう。「仲のいい二人を—」②買わないで〈値段だけを聞く/見るだけにする〉。「夜店を—」③《料》〔豆などを〕水につける。ふやかす。名冷やかし。

****ひゃく**〔百〕①十の十倍の数。「—点・—(ひゃっ)キロ」表記重要な文書で、金額などを書く場合、「×佰」と書く。☞百万。②百歳(さい)。③多くのもの。「—の議論よりも一つの実行」「危険は—だ」●**百も承知**句 じゅうぶん わかっていること。

**ひやく**〔秘薬〕〔文〕①秘密の くすり。②ききめのいちじるしい くすり。

**ひやく**〔飛躍〕《名・自サ》①〔高く〕とび上がること。②大きく進歩すること。「—的発展」③〔論理的に〕順序を追わないこと。「議論に—がある」④《スキー》ジャンプ。

**びやく**〔×媚薬〕性欲を起こさせる くすり。

**びゃくえ**〔白△衣〕〔古風〕白い色の衣服。はくい。びゃくい。

**ひゃくがい**〔百害〕〔文〕多くの害。「—あって一利なし〔=害ばかりで、少しも利点がない〕」

**びゃくごう**〔白×毫〕《仏》仏の眉間(みけん)にあって光を放つという、白い巻き毛。仏像では、玉(ぎょく)をはめこんで、これをあらわす。

**ひゃくしゃくかんとう**〔百尺×竿頭〕〔=百尺の さおの先〕●**百尺竿頭一歩を進める**句 (ぎりぎりのところまで行った上に)さらに一歩を進める。

**ひゃくじゅ**〔百寿〕〔文〕百歳(さい)の寿命(じゅみょう)。ももじゅ。「—者〔=百歳以上の人。センテナリアン(centenarian)〕」

**ひゃくじゅう**〔百獣〕〔文〕たくさんの けもの。「—の王〔=ライオン〕」

**ひゃくじゅうきゅうばん**〔一一九番〕《名・自サ》火事を知らせるとき、救急車を呼ぶときなどの電話番号。また、その番号に電話すること。いちいちきゅう。

**ひゃくじゅうはちばん**〔一一八番〕《名・自サ》海上での事件・事故を知らせるときの電話番号。また、その番号に電話して知らせること。いちいちはち。

**ひゃくしゅつ**〔百出〕《名・自サ》〔文〕〔意見などが〕いろいろ出ること。「議論—」

**ひゃくしょう**〔百姓〕①農業をして生活する人。農民。②農業。「—をする」

**ひゃくせい**〔百世〕〔文〕長い年代。「—にまれな才能」

**ひゃくせん**〔百千〕〔文〕数多いこと。「—の軍勢」

**ひゃくせん**〔百戦〕〔文〕数多くの戦い。●**ひゃくせんひゃくしょう**〔百戦百勝〕戦うたびに勝つこと。●**ひゃくせんれんま**〔百戦錬磨〕何度も戦ってきたえられること。「—のつわもの」

**ひゃくせん**〔百選〕〔文〕すぐれたものを百だけえらぶこと。「—会・名所—」

**ひゃくたい**〔百態〕〔文〕いろいろの〈ありさま/姿〉。「釣(つ)り—・美人—」

**びゃくだん**〔(白×檀)〕インド産の香木(こうぼく)。香・じゅずなどにする。せんだん(栴檀)。

**ひゃくてんまんてん**〔百点満点〕①満点を百点とする、採点のしかた。また、その得点。②申し分のないこと。完全無欠。百点。「—の出来」

**ひゃくとおばん**〔一一×〇番〕《名・自サ》①警察に事件を知らせるときの電話番号。また、その番号に電話して知らせること。②〔俗〕苦情・相談などを受け付ける、民間の組織。「赤ちゃん—・医療(いりょう)—」

**ひゃくにち**〔百日〕①百の日数。②多くの日数。「—交渉(こうしょう)」③短い日数。「—裁判」●**百日の説法、屁(へ)一つ**句 長い間の苦心も、つまらないことでむだになること。●**ひゃくにちかずら**〔百日(×鬘)〕《歌舞伎》さかやき(月代)ののびたかつら。盗賊(とうぞく)などを演じるときに使う。●**ひゃくにちぜき**〔百日(×咳)〕《医》子どもに多い感染症(かんせんしょう)。気管に炎症(えんしょう)を起こし、特有の けいれん性の せきをする。●**ひ**

[ひゃくにちかずら]

**ゃくにちそう**「(百日草)」 草花の名。キクに似た赤・黄などの花が、夏から秋にかけて長くさく。

**ひゃく」にん**「百人」 百(も)の人。「―斬り・―百様」 **●ひゃくにん い」っしゅ**「百人一首」 ひとりから一首ずつ えらんだ、百首の和歌(をカルタにしたもの)。小倉百人一首は、その代表。ひゃくにんしゅ。 **●ひゃくにんりき**「百人力」 ①百人分の力を持っていること。力持ち。②百人分もの援助があること。「きみが来てくれれば―だ(=心強い)」

**ひゃく」ねん**「百年」 ①百の年数。②非常に多くの年数。「―の知己」 **●百年河清を待つ**句〔河清=中国の黄河の黄色くにごった水がすむこと〕いつまで待ってもだめなことのたとえ。 **●百年の恋も一時に冷める**句 欠点に気づくなどして、長い間夢中になってきた気持ちが急にひえる。 **●ひゃく」ねんの けい**「百年の計」 長い将来にわたる計画。「国家―」 **●ひゃくねんめ」**「百年目」 のがれられない状況。運の尽き。「ここで会ったが―(⇩「ここ」の句)」

**ひゃくパーセ」ント**「百パーセント」《名・副》 ①一パーセントの百倍。全部。②完全(に)。絶対(に)。「出馬は―(=絶対に)ありえない〔強調して、『一二〇パーセント』などとも言う〕」 ③申し分のないこと。満点。「効果―」▽百パー〔俗〕。

**ひゃくはちじゅ」うど**「百八十度」《名・副》 ①《数》一直線になる角度。②正反対の方向。「態度を―変える」

**ひゃくはちぼ」んのう**「百八煩悩」《仏》人間の持つ百八種の煩悩。〔除夜の鐘も同数打つ〕

**ひゃくぶん**「百聞」〔文〕いく度も聞くこと。 **●百聞は一見にしかず**句〔文〕何度も聞くよりも一度実際に見るほうがよくわかる。

**ひゃくぶ」ん ひ**「百分比」 ⇩パーセンテージ。

**ひゃくぶ」んりつ**「百分率」 ⇩パーセンテージ。

**ひゃくま」ん**「百万」 ①一万の百倍。「―ドルの(=百万ドルの ねうちがある)夜景」 ②非常に数が多いこと。「―の敵・―長者(=大金持ち)」 **●ひゃくまんげん」**「百万言」〔文〕非常に多くのことば。「―をついやす」 **●ひゃくまん だら」**「百万(×陀羅)」〔古風・俗〕何度もくり返して言うこと。「お礼の―」 **●ひゃくまんべん」**「百万遍」 ①百万回。②非常に多くの回数。③《仏》仏の名を百万回となえる仏事。

**ひゃくめんそう」**「百面相」 いろいろな種類の顔つきをして見せる〈こと/演芸〉。

**びゃ」くや**「白夜」〔緯度の高い地方で〕日がしずんでから日の出まで、空が太陽の光を映して、うす明るいこと。はくや。(↔極夜)

**ひゃくやく」**「百薬」〔文〕いろいろの くすり。「酒は―の長(⇩「酒」の句)」

**ひゃくよ」う ばこ**「百葉箱」《理》地上の気象観測のための器械を入れておく、木の箱。周囲が よろい戸のようになっている。ひゃくようそう。

[ひゃくようばこ]

**ひゃくらい」**「百雷」〔文〕多くの かみなり。「―一時に落ちる」

**ひやけ」**「日焼け」《名・自サ》 ①日光に直射されて黒くなること。②日に当たって、色が変わること。動日焼ける《自下一》。 **●ひやけサ」ロン**「日焼けサロン」 紫外線をあてて、人工的に日焼けをほどこしてくれる店。日サロ。

**ひや」ざけ**「冷や酒」 かん(燗)をしない、常温の日本酒。冷や。冷酒。(↔かん酒)

**ひやし」**「冷やし」 ①冷やすこと。②冷やした料理。例、冷やしうどん。 **●ひやしちゅ」うか**「冷やし中華」 ゆでて冷やした中華めんに、細く切ったうす焼きたまご・ハム・キュウリなどをのせ、酸味のある たれをかけた料理。冷やしそば。冷やしラーメン。冷めん。ひやちゅう〔俗〕。「ごまだれ―」 **●ひやしラ」ーメン**「冷やしラーメン」 ①スープとめんを冷やしたラーメン。〔山形のものが有名〕 ②〔北海道方言〕冷やし中華。

**ひやじる」**「冷や汁」 冷やした みそ汁に刻んだ野菜を入れて、ごはんに かけたもの。冷やし汁。ひやしる。

**ヒヤシ」ンス**〔hyacinth〕 西洋草花の名。葉は細長く、春、赤・青・白などの、ユリに似た小形の花をふさのようにつける。

**ひや」・す**「冷やす」《他五》 ひえるようにする。「ビールを―・腰を―」

**ひゃ」っか**「百花」〔文〕さまざまな たくさんの花。「―を散らした図案」 **●ひゃ」っかりょうらん**「百花×繚乱」《名・トタル》〔文〕①たくさんの花が さきみだれること。「―の野原・―と さきほこる」 ②美しいものが たくさんあること。「―の花火」 ③さまざまな種類の(すばらしい)ものが生まれること。「―の漫画文化」

**ひゃ」っか**「百科」 ①〔文〕いろいろの〈科目/学科〉。「―の学術」 ②↑百科事典。「昆虫―(=昆虫について、何でも書いてある本)」 **●ひゃっかじ」てん**「百科事典」 世の中の ものごとを広く集めて解説した事典。エンサイクロペディア。百科全書。百科。 **●ひゃっかぜ」んしょ**「百科全書」 百科事典。「―派(=十八世紀のフランスの啓蒙思想家たち)」

**ひゃ」っか**「百貨」〔文〕いろいろの商品。「日用―」 **●ひゃっか」てん**「百貨店」 「デパート」の改まった言い方。

**ひゃっかそうめい**「百家争鳴」〔文〕いろいろな立場の学者が自由に発言・論争すること。「英語教育をめぐっては―の観がある」〔古くからある ことばだが、中国で一九五六年に政治的な標語として公表された。「百花斉放《=花が いっせいに ひらくように、芸術活動を活発化すること》」とともに使われた〕

**ひゃっか」にち**「百(箇)日」《仏》その人の死んだ日を入れて百日目(に おこなう法事)。

**ひゃっかん」**「百官」 数多くの役人。「文武―」

**ひゃ」っきやこう**「百鬼夜行」〔百鬼=いろいろの ばけもの〕〔文〕①多くの ばけものが夜中に列を作って歩くこと。②多くの人が、みにくい ふるまいをすること。「―の世の中」▽ひゃっきやぎょう。

**ひゃっきん」**「百均」〔↑百円均一〕〔俗〕(ほとんど)すべての商品を百円で売る店。百円ショップ。

**ひゃっけい」**「百計」〔文〕〈いろいろな/あらゆる〉方法・戦術。万策。「―尽きる」

**びゃ」っこ**「白虎」 トラの形をした、中国の想像上の神獣。西の守護神とされる。

**びゃ」っこ**「白×狐」〔文〕白いキツネ。

ひやっこ・い[冷やっこい]《形》つめたく感じられる状態だ。ひゃっこい。派ーさ。

ひやっと《副・自サ》一[冷やっと]〔からだの一部が〕つめたく感じるようす。「水に手を入れるとーする」二[冷やっと]あぶない目にあって、おどろくようす。「転落するかとーした」▽一二ひやりと。

ひゃっぱつひゃくちゅう[百発百中]①発射すると必ず命中すること。②予想がいつでも必ず当たること。ひゃっぱつ ひゃっちゅう。

ひゃっぱん[百般]〔文〕さまざま(の方面)。「武芸ー・園芸ー」

ひゃっぽ[百歩]●百歩譲ゆずって 句 かりに、相手の言うことを大幅おおはばに認めて。「ー君が正しいとしよう。だとしても…」

ひゃっぽう[百方]ほうぼう。あらゆる方面。「ー手をつくして」

ひやとい[日雇い]一日ごとの契約けいやくでやとわれる〈こと・人〉。「ー労働者」(↔常雇い)

ひやひや《副・自サ》一[冷や冷や]つめたさを続けて感じるようす。「背筋がーする」二[冷や冷や]いつあぶない目にあうかと思って、おそれるようす。「見つかるかとーした」

ひやみず[冷や水]つめたい(飲み)水。(お)冷や。冷水。●冷や水を浴びせる/かける 句 ①熱意や勢いを一気に失わせる。「景気にー」②びっくりさせる。いきなりおそろしがらせる。「冷や水を浴びせられたようにぞっとした」▽冷水を浴びせる/かける。

ひやむぎ[冷や麦]そうめんに似て、それよりも少し太いめん類。ゆでたあとつめたい水にはなち、つけ汁じるにつけて食べる。☞そうめん。

ひやめし[冷や飯]つめたくなった飯。ひやごはん。●冷や飯を食う 句 めぐまれない あつかいを受ける。「人事で冷や飯を食わされる」

ひややか[冷ややか]《ナダ》①つめたい感じをあたえるようす。「ーな高原の風」②心の あたたかみ〈がない/を見せようとしない〉ようす。冷淡れいたん。「ーな態度」派ーさ。

ひややっこ[冷や(△奴)]とうふを、小皿にのる大きさの四角に切って冷やし、しょうゆ・薬味で食べる料理。やっこ(どうふ)。

ひやりと[冷やりと]《副・自サ》⇩冷やっと。

ひやりはっと[ヒヤリハット]〔副詞「ひやりと」「はっと」から〕もう少しで事故を起こしそうになった事例。「ー体験を集めて今後に生かす」

ヒヤリング[hearing]⇩ヒアリング。

ビャンビャンめん[(:𰻞𰻞)麺]〔「𰻞𰻞」は中国語〕きしめんよりも はばの広い めんをゆでて、しるや具材と まぜて食べる料理。〔中国・陝西せんせい地方の料理〕表記「𰻞」〔☞下図〕は五七画の複雑な漢字として知られる。

[ビャン]

ひゆ[秘湯]⇩ひとう(秘湯)。

ひゆ[(×莧)]インド原産の草。葉などを食べる。ひょう。〔ヒユ科には、ホウレンソウやハゲイトウのほか、スーパーフードとされるアマランサス(ラ Amaranthus)が属する〕☞すべりひゆ。

ひゆ[比喩・×譬喩]《名・他サ》ものごとを直接に言いあらわさないで、似たものにたとえたりして表現する方法。特に、直喩・隠喩いんゆなど。たとえ。

ピュア《ナダ》[pure]まじりけのないようす。純粋じゅんすい。ピュアー。「ーモルト・ーな気持ち」派ーさ。

ビュー[view]①ながめ。見晴らし。「ハーバーー(=港のながめ)・ースポット(=けしきのいい場所)」②画面を見ること。視聴しちょう。「ペイー(=有料視聴)」③↑ページビュー。「月間四千万ー」

ビューアー[viewer]①スライドを見る、簡単な道具。②《情》画像などを見るためのソフトウエア。▽ビューワ(ー)。ビューア。

ひゅうが[日向]旧国名の一つ。今の宮崎県。日州にっしゅう。「ー夏(=宮崎県原産の、ユズに似たかんきつ類)」

びゅうけん[×謬見]〔文〕まちがったものの見かた。「はなはだしいーだ」

ヒューズ[fuse]《理》①設定した温度でとけるように配合した合金で作ったほそい線。安全器などに使う。「ーが飛ぶ」②ガス栓せんに取り付け、ガスがもれたとき、自動的にガスを止める装置。▽フューズ。

びゅうせつ[×謬説]〔文〕まちがった考えの説。

ビューティ(ー) 造 [beauty]①美。美人。「アジアンー」②美容の。「ーアドバイザー」●ビューティ(ー)サロン[beauty salon]美容院。ビューティ(ー)パーラー。ビューティ(ー)ショップ。●ビューティ(ー)スポット[beauty spot]①その地域の代表的なものがある場所。②つけぼくろ。

ビューティフル《ナダ》[beautiful]①美しい。きれい。②すばらしい。「ーライフ」

ひゅーどろどろ[ヒュードロドロ]①〔芝居など〕幽霊ゆうれいが出る場面に使われる音。笛を吹ふき、大太鼓おおだいこを小刻みに打つ。②幽霊。

ひゅうひゅう 一ひゅうひゅう《副》①風が はげしくふく〈ようす/音〉。「北風がーふく」②ものが風を切る音。「弾丸だんがんがー飛びかう」③空気が せまい すき間を通るときに出る音。「のどがー鳴る」二ひゅうーひゅう《感》〔俗〕〔口笛を鳴らすように〕冷やかすときの かけ声。

びゅうびゅう《副》①風がふきあれる〈ようす/音〉。「強風がー(と)ふきまくる」②細く長いものが風を切る音。「棒をーふり回す」

ぴゅうぴゅう《副》①風がするどくふく〈ようす/音〉。「木枯こがらしがーふきつける」②ものが風を切る音。「石がー飛んでくる」

ビューポイント[viewpoint]①ながめのいい場所。「最高のー」②観点。

ピューマ[puma]南北アメリカ大陸にすむ、ライオンに似た猛獣もうじゅう。たてがみはない。アメリカライオン。クーガー。

ヒューマニスティック《ナダ》[humanistic]人道主義的だ。人間味がある。

ヒューマニスト[humanist]ヒューマニズムの立場に立つ人。人道主義者。
☆☆ヒューマニズム[humanism]①人に思いやりを持ち、平和をきずこうとする考え方。人道主義。②人間の持つ自然な感情や個性を尊重する、ルネサンスに起こった考え方。人文主義。ユマニスム。△ユマニテ。
ヒューマニティ(ー)[humanity]人間性。人間味。

ヒューマノイド[humanoid]〔SFなどで〕人間に

似た形をしたロボット。☞アンドロイド。

**ヒューマン**《ナダ》〔human〕①人間的。人間に関するようす。「ーインタレスト〔=人間的興味〕・ーリレーション〔=人間関係〕・ーエラー〔=人為的ミス〕」②人間味のあるようす。「ードキュメント・ーな愛情」

**ヒュームかん**[ヒューム管]〔Hume=人名〕鉄筋のはいった、コンクリートの管。

**ビューラー**〔商標名〕まつげをはさんで、(上向きに)そらせるけしょう用具。アイラッシュ カーラー。

**ピューリタニズム**①〔Puritanism〕《宗》「ピューリタン①」の教え。②〔puritanism〕きびしく道徳を守る生き方。

**ピューリタン**①〔Puritan〕《宗》十六世紀後半のイギリスに起こったプロテスタントの一派。清教徒。②〔puritan〕きびしく道徳を守る人。

**ピューレ**〔フ purée〕煮た野菜や肉、くだものなどをうらごしした、どろっとしたしる。ピュレ。「トマトー」☞マッシュ。

**ビューロー**〔bureau〕①官庁の局・課。②事務所。事務局。

**ヒュッテ**〔ド Hütte〕(山)小屋。

**ビュッフェ**〔フ buffet〕①〔駅や列車の中の〕立ったまま食べる、簡単な食堂。②⇩バイキング②。「ランチー」▽ビュフェ。ブッフェ。バ(ッ)フェ。

**ピュリッツアーしょう**[ピュリッツァー賞]〔Pulitzer=人名〕〔アメリカで〕報道・文学・音楽の分野で、その年のすぐれた業績におくられる賞。

**ピュレ**〔フ purée〕⇩ピューレ。「アンズのー」

**びゅんびゅん**《副》風を切って勢いよく動くようす。「車がー走る」

**ひょいと**《副》①軽い気持ちで、とつぜんするようす。「ーふりかえる・ー手を出す」②かるがると、楽にするようす。「ー持ち上げる・ーとびこえる」

****ひょう**[表]項目・要点・数値などだけを書いて見やすくした〈もの/文書〉。「一覧ー・調査ー」(↔図)

**ひょう**[(×豹)]熱帯の密林にすむ猛獣。形はトラに似ているが、少し小さい。黄色の地に黒茶色の斑紋がある。レオパード。「ー柄」

**ひょう**[票]■一■ひょう 選挙・採決などに用いるふだ。また、その数。「ーを集める・ーをのばす・ーを読む〔⇩票読み〕・浮動ー・反対ーを投じる」■二■《接尾》投票数を数えることば。「一ー」■三■造 書きつけた紙。ふだ。「申しこみー・規格ー・〔ファックスの〕送信ー」●票が開く 句 開票が始まる。票がひらく。他 票を開ける。

**ひょう**[評]批評。「映画ー」

**ひょう**[(×雹)]夏、雷にともなって降る氷のつぶ。あれより大きくて〔直径五ミリメートル以上〕、農作物に害をあたえる。☞あられ①。

**ひょう**[俵]《接尾》たわらに入れたものを数えることば。「米二ー」

**ひょう**[標]造 しるし(の柱)。「駅名ー・里程ー・一マイルー」

**ひよう**[日×傭]日やとい(の賃金)。●**ひようとり**[日×傭取り]日やとい(の労働者)。

****ひよう**[費用]何かをするために必要なお金。入費。「旅行のー」●☆☆**ひようたいこうか**[費用対効果]〔事業などで〕かけた費用に対して得られる成果の割合。ビー バイシー(B/C←benefit by cost)。対費用効果。「ーの低い工事」

**ひよう**[飛揚]《名・自サ》〔文〕飛んで高くあがること。「鳥がーする・波しぶきがーする」

**びょう**[秒]〔時間・角度・経度・緯度で〕一分の六十分の一。☞秒で。

**びょう**[×廟]①王者などの墓(を囲む建物)。おたまや。「レーニンー・御ー」②中国やモンゴルなどの〈ほこら/寺院〉。

**びょう**[(×鋲)]①板などに打ちこむ、頭の大きな、太くて短いくぎ。②⇩リベット。③画びょう。

***びょう**[病]■一■造 病気。「胃腸ー」■二■びょう 造 病気の。「ー詩人」

**びよう**[美容]顔・髪などの形を美しく整えること。美粧。「ー師・ー食・ー体操・ー部員〔=高級なけしょう品の販売員〕」☞理容。●**びよういん**[美容院]客の美容をおこなう所。美容室。ビューティ(ー)サロン。●**びようせいけい**[美容整形]《医》手術によって顔などのかたちを美しくすること。美容形成。美容整形。

**ひょうい**[表意]〔文〕文字などが直接に、ある意味をあらわすこと。「漢字のー機能・漢字のー性」●**ひょういもじ**[表意文字]《言》一字一字が単語の意味をしめすことを原則とする文字。ひょういもんじ。例、漢字。(↔表音文字)

**ひょうい**[×憑依]《名・自サ》〔文〕霊などが乗り移ること。「みこ(巫女)に神霊がーする」

**びょうい**[病衣]〔文〕病人に着せる衣服。

**ひょういつ**[×飄逸]《名・ナダ》〔文〕世間に気がねせず、のんきに思うままに行動するようす。「ーな人がら」派 ーさ。

**びょういん**[病因]《医》病気の原因。

****びょういん**[病院]病気のある人やけがをした人を入れて、その病気やけがを治す施設。「救急ー・ー船」〔医療法では入院用のベッドが二十以上あるもの〕☞診療所。

**ひょうおん**[氷温]①(スケートリンクの)氷の温度。②零度以下の、食品や花などがこおる寸前までの温度。「ー食品」

**ひょうおん**[表音]〔文〕文字などが直接に、ある発音をあらわすこと。「ー記号」●**ひょうおんもじ**[表音文字]《言》一字一字が音をしめすことを原則とする文字。ひょうおんもんじ。例、ローマ字・かな文字。(↔表意文字)

**ひょうか**[氷菓]〔文〕つめたくこおらせた菓子。アイスクリーム・シャーベットなど。〔業界では、アイスキャンディーなど、乳成分のほとんどないものを言う〕☞冷菓。

****ひょうか**[評価]《名・他サ》①ねうち・効果・成績などを判断すること。「品質をーする・影響をーする・高いーを受ける・Aーをつける・過大ー」②ねうちを認めること。ほめること。「その努力はーされてよい・ーを得る」

**ひょうが**[氷河]《地》〔南極やグリーンランドなどで〕陸地をおおい、重さで少しずつ移動する巨大な氷のかたまり。●**ひょうがき**[氷河期]①《地》⇩氷期。②景気や人気が冷えこんでいる時期。「就職ー・アイドルー」●**ひょうがじだい**[氷河時代]《地》氷河が広範囲にわたって発達した、非常に寒冷な時代。ふつう新生代の第四紀をさす。

びょうが【病×臥】《名・自サ》〔文〕病気でねること。「自室で―する・―生活」

びょうが【描画】《名・他サ》①〔文〕絵をかくこと。②《情》画面に図形や画像を出力すること。

ひょうかい【氷海】〔文〕いちめんにこおった海。

ひょうかい【氷塊】〔文〕氷のかたまり。
☆☆ひょうかい【氷解】《名・自他サ》〔文〕〔疑問などの気持ちが〕すっかりなくなること。また、なくすこと。「わだかまりが―する」
ひょうかい【表解】《名・他サ》〔文〕表のかたちで、わかりやすく解説すること。

ひょうがい【表外】①一覧表・数表などの、そと。②常用漢字表(の音訓)以外。「―漢字〔この辞書では、字の右上に×をつけて示す〕・―音訓〔この辞書では、字の右上に△をつけて示す〕」

ひょうがい【(×雹)害】《農》ひょうが降ったために受ける損害。

びょうがい【病害】《農》病気による、農作物の被害。

びょうがいちゅう【病害虫】《農》農作物に害をあたえる病気や害虫。「―の防除」

びょうがく【猫額】〔文〕非常にせまいこと。ねこのひたい。「―の庭」

ひょうがため【票固め】選挙の前に、自分に入れてくれそうな票を確保すること。

ひょうかん【×剽×悍】《名・ナダ》〔文〕すばやくてたけだけしいようす。「―で勇猛な男」派―さ。

びょうかん【病感】《医》〔実際には異常がないのに〕ぐあいが悪くて、病気があるような感じ。

ひょうき【氷期】《地》氷河時代のうち、地球全体の気温が下がり、氷河のおおう面積が広くなる時期。氷河期。(↔間氷期)

ひょうき【標旗】〔文〕目じるしの旗。「街頭演説用の―」
→ひょうき【表記】《名・他サ》〔文〕①おもて書き。上書き。「―の住所」②ことばを文字で書きあらわすこと。「仮名―〔=仮名書き〕・―の誤り〔=文字・仮名遣い・送り仮名などの誤り〕」●ひょうきほう【表記法】文字や符号でことばを書きあらわす方法。
→ひょうき【標記】《名・他サ》〔文〕題目として〈書くこと/書いたことがら〉。首記。頭記。「―の件につき」
ひょうぎ【評議】《名・他サ》〔文〕〔団体などからえらばれた人が〕重要な問題について意見を出しあって相談すること。「―一決した・―会」●ひょうぎいん【評議員】会員などの中からえらばれて、その団体の運営などについて相談する人。

*びょうき【病気】①からだや心の調子が悪くなり、熱や痛みが出たりして苦しく感じる状態。疾病。やまい。「―になる・―が治る」②〔人の〕欠点や悪いくせ。「また例の―が始まった」③〔俗〕常識を外れて、異様なこと。「ほとんど―の企画」〔一九八二年に広まった用法〕表記②③俗に「ビョーキ」とも。

びょうき【病期】《医》病気の経過を病状で分けたもの。潜伏期・初期・回復期など。ステージ。

びょうきゅう【病休】〔仕事や学校を〕病気で休むこと。

ひょうきん【(×剽△軽)】《ナダ》気さくに、おもしろおかしい言動をするようす。「―なしぐさ」派―さ。

びょうきん【病菌】《医》病原菌。

ひょうぐ【表具】《名・他サ》表装。「―店」●ひょうぐし【表具師】表装を職業とする人。経師。

びょうく【病苦】〔文〕病気の苦しみ。

びょうく【病×軀】〔文〕病気のからだ。病身。「―をおして出席した」

ひょうけい【表敬】《名・自他サ》敬意をあらわす(ため)に訪問すること。「―訪問」

びょうけい【病型】《医》その病気の特色を形づくる、症状の型。

ひょうけいさんソフト【表計算ソフト】データを一覧表の形で管理するためのソフトウエア。行を並べかえたり、データの数値を使って簡単に計算したりできる。スプレッドシート。

ひょうけつ【氷結】《名・自サ》〔文〕こおりつくこと。
→ひょうけつ【表決】《名・他サ》〔文〕議案に賛成するかどうかの意思をあらわすこと。「―に加わる」
↔ひょうけつ【票決】《名・他サ》投票で決めること。
→ひょうけつ【評決】《名・他サ》評議して決めること。「役員による―」
びょうけつ【病欠】《名・自サ》病気による欠席。

ひょうげん【氷原】一面にこおっている、広い原野。「南極大陸の―を行く」

ひょうげん【評言】〔文〕批評のことば。

**ひょうげん【表現】《名・他サ》ことば・絵・音楽・身ぶりなどによって、自分のあらわしたい内容をあらわ〈し/しめ〉すこと。「喜びを音楽で―する・―力」

びょうけん【病犬】〔文〕病気の犬。

びょうげん【病原・病源】《医》①病気を起こすもと。②↑病原体。「かぜの―」●☆☆びょうげんきん【病原菌】《医》病気のもとになる、細菌。病菌。●びょうげんせいだいちょうきん【病原性大腸菌】《医》大腸菌のうち、食中毒の原因となるもの。中でも、O157は、強力な毒素を出す。●びょうげんたい【病原体】《医》〔細菌・ウイルスなど〕生物の病気を起こすもとになるもの。

ひょうご【評語】〔文〕①批評のことば。②〔学校の〕成績の等級をあらわすことば。

ひょうご【標語】主義や守るべきことがらなどを簡単にはっきりあらわした、短い語句。モットー。「交通安全の―」

びょうご【病後】〔文〕病気のあと。やみあがり。(↔病前)

ひょうこう【氷厚】〔文〕氷の厚さ。
☆☆ひょうこう【標高】《地》(海面からの)高さ。海抜。「―が高い・―差一八〇〇メートル」
びょうこん【病根】〔文〕①病因。②〈悪い習慣/弊害〉のもと。
ひょうさ【票差】〈投票/得票〉数の差。
びょうさ【秒差】〔文〕一秒またはそれ以下の差。「―を争う」
びょうさい【病妻】〔文〕病気の妻。(↔病夫)
←ひょうさつ【表札】戸口や門に出す なふだ。
→ひょうさつ【標札】①目じるしとして出す ふだ。「選

ひ

挙事務所の―」②表札。

**びょうさつ**［秒殺］《名・他サ》〔俗〕⇩瞬殺。「ひざげりで―する・―（で）断られた」

**ひょうざん**［氷山］《地》〔南極や北大西洋で〕氷河のはしが海に落ちて、小山のようにうかんだもの。海上に見える部分は、全体の約十分の一。●**ひょうざんの-いっかく**［氷山の一角］重大な〈事件／問題〉のほんの一部分があらわれているにすぎないことのたとえ。

**ひょうし**［拍子］①《音》音楽のリズムをつくる単位。「強・弱（＝二拍子）」「強・弱・弱（＝三拍子）」など、同じ間隔で鳴らす、強弱の音のまとまり。「―を刻む・変―（＝曲のとちゅうで変わる拍子）」②音楽の演奏や歌・舞の節にあわせて動かしたり、打ったりする、手などの動き。リズム。「手―を打つ・三三七―」③はずみ。「よろけた―にしりもちをついた」●**拍子を取る**㊕（音楽にあわせて）同じ間隔で、手などを打ち鳴らしたり、棒などをふったりする。リズムを取る。「指でとんとんと―」●**ひょうしぎ**［拍子木］①二つ打ち合わせて鳴らす、長方形の木。☞小拍子。②《料》「拍子木①」のような角柱。「野菜を―に切る」●**ひょうしぬけ**［拍子抜け］《名・自サ》結果が思ったほどでなく、心配や期待がむだになったような気持ちになること。「テストの問題が簡単で―した」

**ひょうし**［表紙］本などのいちばん外がわにある、厚紙などの、おおい。「―絵・裏―・背―」

↔**ひょうじ［表示］《名・他サ》①おもてに示して見せること。公表して示すこと。また、そうしたもの。「意思―・住居―」②表の形で〈示すこと／示したもの〉。

→**ひょうじ**［標示］《名・他サ》目じるしなどで、見てすぐわかるように〈示すこと／示したもの〉。「史跡の―・道路―板」

**びょうし**［病死］《名・自サ》病気で死ぬこと。

**びょうじ**［病児］〔文〕病気の子ども。「―保育」

**ひょうしき**［標識］目じるし（として立てるもの）。「道路―・交通―」

**びょうしき**［病識］《医》自分は病気である、ということについての意識。「―がない患者」

**ひょうしつ**［氷室］〔文〕氷をしまっておく部屋。〔製氷業の店名にも使う〕☞ひむろ（氷室）。

**ひょうしつ**［氷質］氷の（性）質。「リンクの―」

**びょうしつ**［病室］病人のねる部屋。

**ひょうしゃ**［評者］〔文〕批評する人。

**ひようしゃ**［被用者・被×傭者］やとわれた人。「―保険」（↔雇用者）

**びょうしゃ**［病舎］〔文〕病室のある建物。

**びょうしゃ**［病者］〔文〕病人。

☆☆**びょうしゃ**［描写］《名・他サ》①実際の感じや状態がはっきり思いうかぶようにかきあらわすこと。「心理―」②〔カメラのレンズが〕実物の感じをそのとおりに写し取ること。「すぐれた―力」

**ひょうしゃく**［評釈］《名・他サ》〔文〕批評を加えた解釈（をすること）。「源氏物語―」

**びょうじゃく**［病弱］《名・ナダ》よわくて、病気にかかりやすいこと。「―な体質」派-さ。

**ひょうしゅつ**［表出］《名・他サ》〔文〕心の中にあるものをあらわしだすこと。

**びょうしゅつ**［描出］《名・他サ》〔文〕えがきだすこと。

**ひょうじゅん**［標準］①めやす。「体力の―・―値」②〈手本／模範〉となるもの。「イギリス英語を―とする」③ふつうはこれである、という理由で、一つのめやすとなるもの。「―タイプ・―治療・―レンズ（↔交換レンズ）」●**ひょうじゅんき**［標準軌］鉄道のレールの間隔が一・四三五メートルあること。☞狭軌・広軌。●**ひょうじゅんご**［標準語］発音やことばづかいの点で、その国の標準として認められることば。（↔方言）●**ひょうじゅんじ**［標準時］各国や各地域で共通に使用するものとして定められた時刻。〔日本では明石市を通る東経一三五度の経線の時刻を基準とする〕●**ひょうじゅんへんさ**［標準偏差］《数》〔統計で〕データの散らばりの度合いを示す値。個々のデータの数字が平均に近い所に集まっていれば、標準偏差は小さくなる。

**びょうしょ**［×廟所］〔文〕⇩おたまや。

**ひょうしょう**［氷晶］《理》氷の結晶。雪はその一つ。「巻雲は―の集まりだ」

**ひょうしょう**［標章］〔文〕①シンボルマーク。「大会の―・類似の―」②ステッカー。マーク。「運行禁止の―をはられる」

**ひょうしょう**［表章］《名・他サ》はっきりとあらわすこと。「小数点第一位まで―する」

**ひょうしょう**［表象］《名・他サ》①《哲・心》目の前になくても、そのものを頭に思いうかべること。また、その思いうかべた内容。「―能力」②〔文〕象徴。

**ひょうしょう**［表彰］《名・他サ》みんなの前で文書をわたしたりして、行動や成績をたたえること。「―状・―式」●**ひょうしょうだい**［表彰台］競技後の表彰式で、優秀な成績を収めた人が上がり、メダルやトロフィーをもらう台。「―にのぼる（＝三位以内に入る）・―をのがす（＝四位以下になる）」

**ひょうじょう**［氷上］〔文〕氷の上。「―競技」

**ひょうじょう**［氷状］〔文〕〔極地・こおった海などの〕氷の状態。

**ひょうじょう［表情］①感情の動きにつれて変わる顔つき。「生き生きした―・―がくもる・―にとぼしい・無―・―筋（＝表情を作る筋肉）」②自然や作品から感じられる変化。「―豊かな風景・ガラスの表面に―をあたえる」③実際の様子。「正月の各地の―」

**ひょうじょう**［評定］《名・他サ》〔古風〕評議して決めること。評決。「小田原―」☞ひょうてい（評定）。

☆☆**びょうしょう**［病床］〔文〕①病人の、ねどこ。「―に伏す」②病院の、ベッド。

**びょうしょう**［病症］《医》病気の症状。

**びょうじょう**［病状］病気のようす。

**びょうじょく**［病×褥］〔文〕病人の、ねどこ。病床。「―に半年を過ごす」

**びょうしん**［秒針］時計の、秒をさす、いちばん細くて長いはり。（↔分針・時針）

**びょうしん**［病身］病気（がち）のからだ。

**ひょう・す**［表す］《他五》〔文〕⇩表する。「敬意を表さなくてはならない」

**ひょうすう**［票数］得票数。

**びょうすう**［秒数］秒を単位にした時間の長さ。「―計算・残り―」

**ひょう・する**［表する］《他サ》〔文〕あらわす。しめす。表す。「敬意を―・感謝の意を―」

**ひょう・する**［評する］《他サ》〔文〕論じて（ねうちを）定める。批評する。評す。

**びょうせい**［病勢］〔文〕病気の勢い。

**ひょうせつ**［氷雪］〔文〕氷と雪。

☆☆**ひょうせつ**［×剽窃］《名・他サ》〔文〕他人の文章・文句をぬすんで使うこと。盗作。

**ひょうぜん**［×飄然］《トタル》〔文〕ふらりと来たり去ったりするようす。

**びょうせん**［描線］形をえがいた線。「顔の―」

**ひょうそ**［×瘭×疽］《医》手足の指に とげがささったりしてうむ、ひどい炎症。ひょうそう。

**ひょうそう**［表層］層になっているもののうち、表面の部分。「―土・―的な批評」（↔深層）●**ひょうそうなだれ**［表層雪崩］《天》古い積雪の上に積もった数十センチ以上の新雪がすべりおちる なだれ。（↔全層雪崩）

**ひょうそう**［表装］《名・他サ》文字や絵をかいた紙または布地をほかの織物や紙に はって、巻物・かけ軸などに仕立てること。表具。

**ひょうぞう**［氷像］氷を刻んで、人や物の形をあらわしたもの。

**びょうそう**［病巣］《医》やまいに おかされている（中心の）ところ。

**びょうそう**［病窓］〔文〕病室の まど。

**びょうぞう**［病像］《医》症状や観察の結果にもとづいてまとめた、その病気についてのイメージ。

**びょうぞう**［描像］〔具体的なイメージにするため〕像をえがくこと。また、えがいた像。「宇宙の―」

**ひょうそく**［△平×仄］漢詩を作るときに大切な、韻の二種類の区別。平らでアクセントのない音〔＝平〕と、それ以外の音〔＝仄〕。●**平仄が合わない** 句 つじつまが合わない。

**びょうそく**［秒速］①一秒間に〈動く／進む〉距離（で示したはやさ）。「―二十メートルの風」②一秒単位で数えるほどの はやさ。「―で調理」☞秒で。

**ひょうだい**［表題・標題］①書物の（表紙に書いた）題名。「―作ほか八編」②文章・談話・作品などの題名。「報告書の―・章の―・メールの―」

●**ひょうだいおんがく**［標題音楽］《音》その題目の内容にふさわしく作られた音楽。例、ビバルディの「四季」。

←**びょうたい**［病体］〔文〕病気の からだ。

→**びょうたい**［病態］〔文〕病気のようす。病状。

**びょうたる**［〈×眇たる〉・〈×渺たる〉］《連体》〔文〕小さな。取るに足らない。「―一小島」

**ひょうたん**［氷炭］〔＝氷と炭〕〔文〕対照的なもの。●**氷炭相容れず** 句 考えなどが ひどくかけはなれていて、おたがいに一致しない。

**ひょうたん**［〈×瓢×箪〉］８の字のように、中ほどが くびれた実がなる つる草。また、その実。かわかして、中の たねをとり、酒を入れる。ふくべ。●**ひょうたんから駒（が出る）** 句 じょうだんが本当になること。●**ひょうたんなまず**［〈×瓢×箪×鯰〉］のらりくらりと答えて、何を言っているのか はっきりつかめないこと。

**びょうち**［×錨地］〔文〕船が いかりをおろして とまる所。

**ひょうちゃく**［漂着］《名・自サ》〔文〕ただよって つくこと。「海岸に―する」

**ひょうちゅう**［氷柱］〔文〕①つらら。②柱の形の氷。特に、夏、すずしさを増すために部屋の中などに立てるもの。「式場に―を置く」●**ひょうちゅうか**［氷柱花］「氷柱②」の中に花を入れたもの。

**ひょうちゅう**［標柱］名所・史跡・道路などで、その名前や由来などを示したはしら。

**びょうちゅう**［病中］〔文〕病気の間。「―は お世話になりました」

**びょうちゅう**［病虫］《農》植物につく、病気や害虫。「―対策」●**びょうちゅうがい**［病虫害］《農》病気や害虫による、農作物の被害。

**ひょうちょう**［表徴］〔文〕①外にあらわれたしるし。②象徴。シンボル。「平和の―」「流行語は社会の―である」

**ひょうちょう**［漂鳥］《動》野鳥のうち、季節によって、山地と平地などの間を移動する鳥。例、ウグイス・ヒヨドリ。☞候鳥・留鳥。

**びょうで**［秒で］《副》〔俗〕一瞬で。すぐに。「―わかる・―終わった」〔二〇一〇年代からの ことば〕

**ひょうてい**［評定］《名・他サ》〔文〕いいか悪いかを、評価して決めること。「勤務―・―尺度」☞ひょうじょう（評定）。

**ひょうてき**［標的］めじるし。まと。

**びょうてき**［病的］《ナダ》健全でないようす。「―な思想」

**ひょうてん**［氷点］《理》水が こおり始める温度。セ氏零度。「―で貯蔵する」●**ひょうてんか**［氷点下］セ氏零度よりも低いこと。零下。「―五度」

**ひょうてん**［評点］〔文〕成績をあらわす点数。

**ひょうでん**［票田］選挙で、票が取れるもとになる地盤〔＝地域・団体・職域など〕。「大―」

**ひょうでん**［評伝］〔文〕評論をまじえた伝記。

**ひょうど**［表土］表層の土。「耕作に適した―・―をけずる」

**びょうとう**［病棟］大きな病院の中にある、病室のならんでいる建物。「内科―」

**びょうどう**［平等］《名・ナダ》すべて ひとしいこと。差別をしないこと。「男女―・―なあつかい・結果の―〔＝みながひとしい結果を出せるようにすること。（↔機会の平等）〕」（↔不平等）派 -さ。

**びょうどく**［病毒］〔文〕病気の原因となる毒。

**びょうなん**［病難］〔文〕病気による災難。

**びょうにん**［病人］病気の人。患者。

**ひょうのう**［氷〈×嚢〉］《医》氷を入れ、からだの一部に当てて冷やす ふくろ。こおりぶくろ。

**びょうは**［描破］《名・他サ》〔文〕じゅうぶんに えがくこと。えがききること。「如実に―する」

**ひょうはく**［漂泊］《名・自他サ》〔文〕①さすらい歩くこと。「全国を―する・―の詩人」②船がエンジンをとめて波間をただようこと。「漁船が―する」

**ひょうはく**［表白］《名・他サ》〔文〕〔考えや気持ちをはっきり〕ことばにあらわして言うこと。

**ひょうはく**［漂白］《名・他サ》さらして白くすること。ブリーチ。「さらし粉で―する・―剤」

**ひょうばく**［氷×瀑］氷結した滝。

ひ

**ひょうばん**［評判］《名・他サ》①世間の人がつける〈点数/評価〉。「今度の映画は―が〈いい/悪い〉・―を落とす・上々の―を得る」②いい「評判①」。「いま―の作品・(―が)―を呼ぶ・―を取る・大―」③〈よく知られた/うわさ〉。「あの古家には幽霊が出るという―だ」

**ひょうひ**［表皮］〔生〕動物・植物の表面をおおう かわ。(↔(動物の場合)真皮)

**ひょうひょう**［×飄々］《(ト)タル》①行く先の定まらないようす。②考えや行動が世間ばなれがしていて、つかまえどころがないようす。③周りを気にせず、自分のペースでものごとをおこなうようす。「―と語る」

**ひょうびょう**［×縹×渺］《(ト)タル》〔文〕①かすかなようす。「神韻―」②広がっていて、はてのないようす。ひろびろ。「―たる水平線」

**びょうびょう**［×渺々］《(ト)タル》〔文〕〔水が〕はてもなく広がるようす。「―たるうなばら」

**びょうふ**［病夫］〔文〕病気の夫。(↔病妻)

**びょうふ**［病父］〔文〕病気の父。(↔病母)

**びょうぶ**［×屏風］紙で はり、折りまげた状態で部屋の中に立て、風をさえぎるもの。装飾としても使う。「―岩(=びょうぶを立てたように、高く平たく突っき出た岩)」●**びょうぶと商人は まっすぐでは立たぬ** 句 商人は、正直だけでは商売がやっていけない。

**びょうへい**［病兵］〔文〕病気にかかった兵士。

**びょうへい**［病弊］〔文〕ものごとをむしばむ弊害。「時代の―をえぐる」

**ひょうへき**［氷壁］こおりついた岩壁。また、かべのようにこおりついた氷。

**びょうへき**［病癖］〔文〕〈病的な/悪い〉くせ。

**ひょうへん**［氷片］〔文〕氷のかけら。

☆☆**ひょうへん**［×豹変］《名・自サ》〔文〕〔それまでとっていた態度などが〕とつぜん変わること。急変。「あの―ぶりにはおどろいた・君子―」〔⇩「君子」の句〕

**びょうへん**［病変］〔医〕①病気になったしるしとして起こる変化。②「病変①」が起こった組織。

**びょうほ**［苗×圃］〔農〕苗木を育てる畑。苗床。

**びょうぼ**［病母］〔文〕病気の母。(↔病父)

**ひょうほう**［兵法］⇩へいほう(兵法)。「―者」

☆☆**ひょうぼう**［標×榜］《名・他サ》(=看板)〔文〕意見・主張・主義を人の前にあらわすこと。「正義を―する」

**びょうほう**［描法］〔文〕〔絵・文学での〕えがきかた。「大胆な―」

**びょうぼう**［×渺×茫］《(ト)タル》〔文〕はてもなく広がって、先がわからなくなるようす。「―たる太平洋」

**びょうぼつ**［病没・病×歿］《名・自サ》〔文〕病気で死ぬこと。

**ひょうほん**［標本］①動物・植物・鉱物などの実物を採集して、見本用に作ったもの。②見本。代表。「父はがんこの―だ」③〔数〕〔統計で〕母集団から抜き出された、一部の人やもの。▽サンプル。●**ひょうほんちょうさ**［標本調査］〔数〕「標本③」の調査によって全体の性質を統計学的に推測すること。サンプリング調査。サンプル調査。●**ひょうほんぼく**［標本木］サクラなどが開花した日を決めるための木。

☆☆**びょうま**［病魔］〔文〕病気を悪魔にたとえて言ったことば。

**ひょうみん**［漂民］〔文〕漂流している人。漂流民。

**ひょうめい**［表明］《名・他サ》〔文〕〔態度・方針・意向などを〕人の前にあらわししめすこと。「所信―」

**びょうめい**［病名］〔医〕病気の名前。

**ひょうめん**［氷面］〔文〕氷の表面。

*__ひょうめん__［表面］①〈外にあらわれた/外から見える〉面。いちばん外がわの部分。「月の―」②おもてがわ。(↔裏面)③うわべ。「―(的に)は平静をよそおう」●**表面切って** 句 ⇩正面切って(「正面」の句)。●☆☆**ひょうめんか**［表面化］《名・自サ》おもてにあらわれること。「争いが―する」●**ひょうめんちょうりょく**［表面張力］〔理〕気体に接している液体の表面にはたらく、いつも できるだけ小さい表面積をとろうとする力。

**ひょうめんせき**［表面積］〔文〕立体の、表面の面積。

**びょうやなぎ**［△未△央柳］高さ一メートルぐらいの、草に似た低木。夏のはじめ、細い枝の先に、あざやかな黄色の花をつける。ヒペリカム(hypericum)。びじょやなぎ。

**びょうゆう**［病友］①病気の友人。②入院中にできた友人。③同じ病気にかかっている人を仲間と感じて言うことば。

**ひょうよみ**［票読み］《名・自サ》①投票の数が どれぐらいになるか、見積もること。②投票した数を数えること。

**びょうよみ**［秒読み］《名・自サ》⇩カウントダウン。

**ひょうり**［表裏］《名・自サ》〔文〕①おもてとうら。②おもてとうらと〈逆になる/相違する〉こと。うらはら。「―のある言動」●**表裏をなす** 句 両方あわせて一つになる。表裏する。●**ひょうりいったい**［表裏一体］一つのものの表と裏のように、切りはなせない関係にあること。

**びょうり**［病理］〔医〕①病気の原因・症状・経過についての理論。「―学」②↑病理検査。「検体を―に送る」●**びょうりかいぼう**［病理解剖］《名・他サ》〔医〕病死した人を解剖して、死因などを調べること。剖検。●**びょうりけんさ**［病理検査］〔医〕病気の可能性のある部分の組織をくわしく調べること。病理。

**ひょうりゅう**［漂流］《名・自他サ》①ただよい流れること。「大海を―する」②〔文〕さすらい歩くこと。「都会を―する」

**ひょうりょう**［×秤量］(「しょうりょう」の慣用読み)一《名・他サ》〔文〕(はかりで重さを)はかること。「散薬の―」二 そのはかりで はかることのできる最大限の重さ。「―十キロ」(↔感量)

**ひょうれい**［×憑霊］〔文〕つきもの。

**びょうれき**［病歴］〔医〕今までに かかった病気や現在の病気などに関する経歴(の記録)。

**ひょうろう**［兵糧］①軍隊の食糧。②食べ物。●**ひょうろうぜめ**［兵糧攻め］敵の食糧をはこぶ道をふさいで、戦う力を弱らせること。

**ひょうろう**［漂浪］《名・自サ》〔文〕一か所にとどまらずに、さまよう こと。

**ひょうろくだま**［(表六)玉・(兵六)玉］〔俗〕まぬけな人をののしることば。「この―め」

**ひょうろん**［評論］《名・他サ》批評して〈論じること/

論じた文章〉。「―家・文芸―」

**ひょうわれ**【票割れ】〔選挙で〕立候補者が多いために票が分散し、じゅうぶんに得票できないこと。「保守乱立で―が起こる」

**ひよく**【比翼】①〔文〕翼（つばさ）が片方しかない おす・めすの鳥が、翼をならべ〔=比〕て飛ぶこと。夫婦（ふうふ）・男女の仲がいいたとえ。「―の鳥」②〔↑比翼仕立（じた）て〕〔服〕着物の裾（すそ）・袖口（そでぐち）などの部分だけを二枚に仕立てること。•**ひよくづか**【比翼塚】 おたがいにしたいあった〈若い〉男女を同じ所にほうむったつか。•**ひよくれんり**【比翼連理】〔=翼（つばさ）をならべて飛ぶ鳥と、本（もと）は別々で末が一つになった枝〕〔文〕夫婦（ふうふ）・男女の仲がとてもいいたとえ。「―の契（ちぎ）り〔=末永く仲よくする約束〕」

☆☆**ひよく**【肥沃】《名・ダナ》〔文〕地味（ちみ）が こえていること。「―な土地」派―さ。

**びよく**【尾翼】飛行機の胴（どう）の うしろに取り付けた翼（つばさ）。機体を安定させる。「垂直―・水平―」〈↔主翼〉

**びよく**【鼻翼】〔生〕⇩小鼻（こばな）。

**ひよけ**【日△除け】 日光をよけるための おおい。ひおい。「店先の―」

**ひよけ**【火△除け】①火事の予防。火伏（ひぶ）せ。「―のお守り」②昔、火事が燃え広がるのを防いだこと。「―地」

**ひよこ**【×雛】①鳥〔特にニワトリ〕の子。ひな。ひよっこ〔俗〕。☞ぴよぴよ。②⇩ひよっこ①。•**ひよこまめ**【×雛豆】 ひよこのくちばしのような突起（とっき）がある、マメの一種。サラダやスープに使う。ガルバンゾ〈―〉〔ス garbanzo〕。☞フムス。

**ぴょこんと**《副》①はずみをつけて動作をするようす。「―飛び乗る・―おじぎする」②そこだけが突っき出ているようす。「―出っぱる」▽ぴょこっと。

**ひよっこ**〔俗〕①未熟な者。ひよこ。「まだほんの―だ」②⇩ひよこ①。

**ひょっこり**《副》〈知らせておかないで/思いがけなく〉、あらわれるようす。ひょっくり。「―帰ってきた」

**ひょっと**《副》①不意に。「―顔を出す」②もしも。万一。ひょっとして。「―出会いでもしたら困る」•**ひょっとしたら**《副》もしかしたら。ひょっとすると。「―、ひょっとするかもしれない〔=何かのはずみで何が起こるかわからない〕」•**ひょっとして**《副》もしかして。「―おこっていますか？」

**ひょっとこ**〔↑火男（ひおとこ）。「ヒョットコ」とも書く〕①片目が小さくて口のとがった、こっけいな顔をした男の面。②〔俗〕男をののしって言うことば。「この―め」

**ひよどり**【×鵯】 ハトより少し小形の鳥。冬になると山から人里にやって来て、さかんに鳴きたてる。由来「ひよ」は、ピヨという鳴き声から。

**ぴよぴよ**《副》ひよこの鳴き声。

**ひよめき**〔生〕乳児の頭の前の部分で、脈拍（みゃくはく）を打つたびに動く所。おどりこ。

**ひより**【日和】㊀ひより 天気。「―が定まる・いい―」㊁ひより 造〔びより〕…にふさわしい、いい天気。「行楽―・秋―」•**ひよりげた**【日和下△駄】 足駄（あしだ）に似て、歯の低いげた。•☆☆**ひよりみ**【日和見】《名・自サ》①天気の様子を見ること。②なりゆきをうかがっていて、態度をはっきりさせないこと。「―主義」•**ひよりみかんせん**【日和見感染】〔医〕免疫（めんえき）が低下し、健康体なら かからない病気に感染すること。

**びより**【日和】造 ⇩ひより㊁。

**ひよ・る**《自五》〔俗〕①【日△和る】〔↑ひより見をする〕なりゆきをうかがって、態度をはっきりさせないでいる。また、有利なほうにつく。「こころざしを曲げて―」〔一九六〇年代の学生運動から生まれたことば〕②びびる。「人が多くて―」〔一九九〇年代後半からの用法〕

**ひょろ・い**《形》〔俗〕〔からだが〕ひょろひょろしたようすだ。「ひょろくて かっこいい・うでが―」

**ひょろつ・く**《自五》〔足もとが定まらず〕ひょろひょろ〈する/歩く〉。ひょろめく。「足が―」

**ひょろなが・い**【ひょろ長い】《形》ひょろりとして長い。派―さ。

**ひょろひょろ**《副・自サ》①足どりが不確かで、たおれそうなようす。「―〈と〉した足どり」②細長く、弱々しくのびているようす。「―〈と〉のびた枝」

**ひょろりと**《副・自サ》①細長く のびて〈立って〉いるようす。「―した長身」②よろけるようす。「―よろめく」▽ひょろっと。

**ひよわ**【ひ弱】〈ダナ〉〔からだなどが〕見ただけで弱そうな感じをあたえるようす。「―な体質」•**ひよわ・い**【ひ弱い】《形》ひよわだ。派―さ。

**ぴょんと**《副》一回はねたり とんだりするようす。「カエルが―とぶ」

**ひょんな**《連体》〔俗〕意外な。とんでもない。「―所で出会った」

**ぴょんぴょん**《副・自サ》続けて はねるようす。「―〈と〉飛びこえる」

**ひら**【平】①たいらな〈こと/所〉。「手の―」②【ヒラ】ふつう。「―〈の〉〔=役職などについていない〕社員」③〔↑ひらわん〕⇩おひら。④〔視覚語〕↑平泳ぎ。「男子百―」

**ひら**【△片】接尾〔文〕うすく切ったもの、平たくて小さいものなどを数えることば。「ひと―の雲」

**びら**【ビラ】広告や主張を書いて、配ったり はりつけたりする紙。「―をまく」

**ビラ**〔villa〕別荘（べっそう）。「―ふうの建物」

**ひらあやまり**【平謝り】 ただただ あやまること。「―にあやまる」

←**ひらい**【避雷】〔文〕かみなりによる事故をさけること。かみなりよけ。「―器・―針〔=建物の上に立てる、細長い金属の棒〕」

**ひらい**【被雷】《名・自サ》〔文〕かみなりに あたること。

→**ひらい**【飛来】《名・自サ》〔文〕①とんでくること。「―した弾丸（だんがん）・―物」②飛行機に乗って来ること。

**ひらうち**【平打ち】①ひもなどを平たく編むこと。また、そのようなひも。〈↔丸打ち〉②〔麺（めん）・金属などを〕打ってたいらにのばすこと。また、そうして作ったもの。「―麺・―のかんざし」

**ひらおき**【平置き】《名・他サ》①たいらなところに置くこと。「洋服を―してサイズをはかる・書店で辞書が―されている」②地面と同じ高さのところに置くこと。「―駐車（ちゅうしゃ）場〔立体駐車場に対して言う〕」

**ひらおよぎ**【平泳ぎ】 からだを下に向け、両手・両足を同時に動かして、水をかき分けながら進む泳ぎ方。ブレスト。胸泳〔古風〕。平（ひら）。

ひ

**ひらおり**［平織り］織物で、縦糸と横糸を一本ずつ交差させて織る、いちばん簡単な織り方。(↕綾織り・繻子織り)

**ひらがい**［平飼い］ニワトリなどを地面で放し飼いにして育てること。「―卵」

**ひらかざり**［平飾り］ひな人形や五月人形を、床の間などの平たい場所にかざったもの。(↕段飾り)

**ひらがな**［(平仮名)］漢字の草書体から変化・独立したかな文字。(↕カタカナ)

**ひらかれた**［開かれた］《連体》かくしごとのない。だれでも参加できる。オープンな。「―行政」

**ピラカンサ**〔ラ pyracantha〕いけがきなどにする常緑の低木。枝にはとげがあり、秋に赤い小つぶの実がたくさんつく。ピラカン(サス)。

**ひらき**［開き］[一]ひらき ①ひらくこと。あけること。②へだたり。差。「実力〈の/に〉―がある」③さかなの腹をひらい(て、ほし)たもの。「アジの―」☞お開き。[二]びらき [造]〔びらき〕①ひらく〈こと/もの〉。「両―・観音―」②〔はじめて、または、その年はじめて〕広くみんなに開放して〈使わせる/入れる〉こと。「プール―・海―」③〔その年の仕事を〕始めること。「う(鵜)飼い―」●**ひらきど**［開き戸］ちょうつがいなどで、前後にひらくようにした戸。(↕引き戸)●**ひらきなお・る**［開き直る］《自五》①いきなりまじめになる。「開き直ってあいさつする」②えんりょを捨てて、自分のりくつ〈を言う/で行動する〉。「なぜ悪いと―」③どうなってもいいと覚悟を決める。「負けてもともと―」[名]開き直り。

**びらき**［開き］[造]⇩ひらき[二]。

**ひら・く**［開く］[一]《自五》①あわさっていたものが(両がわに)分かれて、中のものが見える。あく。「とびらが―・まぶたが―・ページが―」②とちゅうをさえぎるものがなくなる。あく。「ガス栓が―・弁が―」③はしのほうが広がる。「足(の間)が―・頭のはちが―」④穴が広がる。「毛穴が―・瞳孔が―」▽(↕閉じる)⑤花や傘が広がる。(↕閉じる・つぼむ)⑥〔店などが〕(新しく)始まる。「スーパーが―」(↕閉まる・閉じる)⑦差がつく。差が大きくなる。「実力が―・点が―」(↕縮まる)」⑧〔文〕…になる。始まる。「春―・夜―」[二]《他五》①あわさっていたものを(両がわに)分けて、中のものが見えるようにする。あける。「とびらを―・辞書を―・小包を―・心を―」[表記]書物・手紙などは「抜く」とも。②とちゅうをさえぎるものをなくす。あける。「元栓を―」③はしのほうを広げる。「指(の間)を―」④《情》ソフトウェアやファイルを画面上に出す。▽(↕閉じる)⑤花や傘を広げる。(↕閉じる・つぼめる)⑥口やこぶしを広げる。(↕閉じる・結ぶ)⑦〔店などを〕(新しく)始める。「窓口を―」(↕閉める・閉じる)⑧もよおす。「会を―」(↕閉じる)⑨始める。おこす。「幕府を―・私塾を―」⑩預金の口座を設ける。「銀行に口座を―」⑪［拓く］〔新しく〕作り出す。「新時代を―」⑫［拓く］〔土地を〕切りひらく。開拓する。⑬あけて通す。「血路を―」⑭《数》平方根の値をもとめる。⑮《医》手術のために、胃・腹などをあける。⑯さかなを、腹か背のほうから切ってひろげる。⑰〔校正などで〕原稿の漢字を仮名に直す。「仮名に―」[可能]開ける。

**ひら・く**［抜く］《他五》①《能・狂言》初演する。「『釣狐』を―」②⇩開く[二]①。「手紙を―」[名]抜き(「抜キ」とも書く)。

**びらく**［微落］《名・自サ》《経》物価などが、少し下がること。(↕微騰)

**ひらくび**［平首］〔馬の〕首の側面。

**ひらぐも**［(平:蜘蛛)］家の中にすむ、からだの平たいクモ。「―のようにあやまる」

**ひら・ける**［開ける］《自下一》①せまい所から広い所に出た状態になる。「急に道が―・運が―」②広く見わたされる。広がる。「視界が―」③つかえていたものが取れて気持ちよくなる。「胸が―」④〔鉄道が〕通る。⑤〔土地に〕人が多く住むようになる。⑥〔知恵・文化などが〕進む。⑦新しい〈気持ち/ものごと〉に理解がある。「開けたおやじ」[表記]①②「展ける」とも。[名]開け。

**ひらざむらい**［平侍］身分の低いさむらい。

**ひらざら**［平皿］深さがない、平たい皿。〔和食のマナーでは持ち上げない〕

**ひらじろ**［平城］たいらな土地に作った城。(↕山城)

**ひらた・い**［平たい］《形》①厚さが少なくて横に広い。「平たくなる」②でこぼこが〈ない/少ない〉。③わかりやすい。やさしい。「平たく言えば」▽ひらったい。[派]-さ。

**ひらだい**［平台］①平たい台。「―印刷機」②書店で、新刊本を平積みにする台。

**ひらたけ**［(平×茸)］キノコの一種。色はシメジと似ているが、かさが非常に大きい。「―の天ぷら」

**ひらち**［平地］〔傾斜した土地に対して〕へいち。

**ひらづみ**［平積み］《名・他サ》〔書店で〕本の表紙が見えるようにして、何冊も積みかさねること。「―にして売る」

**ひらて**［平手］①ひらいた手のひら。「―打ち」②《将棋》相手と対等にさすこと。(↕駒落ち)

**ピラティス**〔pilates=もと、人名〕軽い運動法の一つ。からだの奥の筋肉をきたえ、姿勢をよくする目的で、ゆっくりとストレッチをおこなう。☞ヨガ。

**ひらとり**［平取］(↑平取締役)〔俗〕〔専務・常務などに対して〕一般の取締役。

**ひらに**［(平に)］《副》〔文〕ひたすら。なにとぞ。「―おゆるしください」

**ピラニア**〔piranha〕ブラジルのアマゾン川などにすむさかな。群れをつくって泳ぎ、するどい歯で水中の人間や動物を食いつくす。

**ひらば**［平場］①〔山地・谷間に対して〕たいらな土地の所。平野部。「―の農村」②公開の場所。「―で議論する」

**ひらひら**[一]ひらひら《副・自サ》紙・旗など、うすいものがひるがえるようす。「―(と)花びらが散る・ハンカチを―させる」[二]ひらひら 衣服のかざりとしてつける、「ひらひら[一]」したもの。

**ピラフ**〔pilaf〕バターでいためた米をスープでたき、味をつけた肉やエビなどをまぜた料理。ごはんをバターでいためて作ることもある。ピラウ。「エビ―・カレー―」☞チャーハン。

**ひらぶん**［平文］暗号文ではない、ふつうの文章。へいぶん。「―電報」

**ひらべった・い**［平べったい］《形》平たく広がっている感じだ。ひらべたい。「―顔」[派]-さ。

**ひらまく**［平幕］《すもう》三役や横綱でない幕内

（の力士）。前頭（の力士）。

**ひらまさ**【平△政】海にすむ さかな。見た目はブリに よく似るが、それより ひらたい。夏が旬。

**ピラミッド**〔pyramid〕①古代人が大きな石を積みかさねてつくった、巨大な建造物。正方形の底面の上に立つ四面は、三角形をしている。古代エジプトの国王などの墓として有名。☞金字塔。②「ピラミッド①」の形のように、上層になるほど人数が少なく、下層にいくほど人数が多い構造。「組織の―・人口―・逆―形〈=逆三角形〉」

**ひらめ** 一【(平目)・(×鮃)・(:比目魚)】海の底にすむ さかな。からだは平たく、ふつう、目は からだの左面〈いつも上にしている面〉に寄っている。食用。「左―に右かれい」☞かれい(鰈)。二【ヒラメ】〔俗〕上司の顔色をいつも うかがうこと。「―社員」●**ひらめきん**【(平目筋)】〔生〕ふくらはぎの奥の筋肉。下のほうでアキレス腱につながる。直立するときや かかとを上げたりするときに使う。

**ひらめ・く**《自五》 ひらひらする。「―日章旗」他 ひらめかせる《下一》。「旗を―」

**ひらめ・く**【(×閃く)】《自他五》 ①ごく短い時間、強く光る。「いなずまが―」②〔考えや霊感などが〕不意に、頭にうかぶ。「アイデアが―」〔「アイデアを―」は新しい言い方〕」名 ひらめき。「―のある作品」他 ひらめかせる《下一》。「さかながうろこを―」

**ひらや**【平屋・平家】二階のない家。「―建て」

**ひらりと**《副》①軽くひるがえるようす。「―体をかわす」②すばやくとび移るようす。「―とび乗る」

**びらん**【(×糜×爛)】《名・自サ》〔文〕①ただれること。②腐乱。「―死体」

**びり**〔「ビリ」とも書く〕〔俗〕いちばん すえ。最後。どんじり。「―っこ」

☆☆**ピリオド**〔period〕①欧文・ローマ字文・横書きの日本文で句読点の一つ。「.」。文の終わりに使うほか、小数点や省略もあらわす。終止符。フルストップ。☞ドット③。②〔アイスホッケー・水球などで〕試合時間のひとくぎり。「第三―」▽ピリ。●**ピリオドを打つ** 句 終わりにする。終止符を打つ。

**ぴりから**【ピリ辛】《名・ナダ》トウガラシのように、ぴりっと辛いこと。「―いため・―なスープ」

**ひりき**【非力】《名・ナダ》〔文〕①筋肉の力がないこと。②能力・実力がないこと。「おのれの―を知る」▽ひりょく。派 ―さ。

**ビリケン**〔米 Billiken〕アメリカの、福の神。はだかで、まゆがつり上がり、頭の先が とがっている。「―頭」

**ひりだ・す**【(△放り)出す】《他五》〔俗〕〔ある時間をかけて〕ひる。「くそを―・駄作を―〈=書く〉」

***ひりつ**【比率】二つ以上の量をくらべたときの、割合。

**びりっけつ**【びりっ(△尻)】〔俗〕びり。びりっかす。びりけつ。

**びりっと**《副・自サ》①紙や布などが勢いよくさける、少し低い音のようす。「―破る」②強い刺激を受けて、しびれるようす。「電気が―きた」

**ぴりっと**《副・自サ》①紙や布などが勢いよくさける、少し高い音のようす。②強い刺激を受けて、ちょっとしびれるようす。「トウガラシが―する」③行動などがしっかりしているようす。「―しなさい」

**ひりひり**《副・自サ》痛みや からみを続けて感じるようす。「傷口が―する・舌が―する」

**びりびり** 一**びりびり**《副・自サ》①紙や布などが続けてやぶれる、少し低い音。「布を―(と)さく」②ものが小刻みにふるえるようす。「ガラス戸が―する」③強い刺激を続けて受けるようす。「電気が手に―ときた」二**びりびり**《ナダ》紙や布などが乱暴にやぶれているようす。「ポスターが―に破られた」

**ぴりぴり** 一《副》①小さな笛などがするどく鳴る音。「―とふいて合図する」②紙や布などが続けてやぶれる、少し高い音。二《副・自サ》①「びりびり一③」より刺激が弱い感じをあらわすことば。②神経が はりつめているようす。「入試を前に―している」

**ビリヤード**〔billiards〕長方形の台の上に、数個のたまを置き、専用の棒〈=キュー〉で突いて他のたまに当てて勝敗をあらそう〈ゲーム〉競技。たまつき。撞球。

**ビリヤニ**〔biriani〕インド・中東などの たきこみごはん。スパイスが きいている。ビリヤーニ(ー)。「マトン―・ベジタブル―」

**ひりゅう**【飛竜】〔文〕空をとぶ竜。ひりょう。

**びりゅうし**【微粒子】非常に小さなつぶ(の形をしたもの)。

**ひりょう**【肥料】土の中に入れたりして作物が育つのを助けるもの。こやし。

**びりょう**【微量】ごくわずかな量。

**びりょう**【鼻×梁】〔文〕鼻すじ。

**ヒリョウズ**【(:飛竜頭・ひりょうず)】〔ポ filhos〕〔方〕がんもどき。ひりゅうず。ひろうす。

**ひりょく**【非力】《名・ナダ》〔文〕⇨ひりき。派 ―さ。

☆☆**びりょく**【微力】《名・ナダ》〈=少しの力〉〈力/能力〉が少ないと言って けんそんすることば。「―〈=全力〉をつくす・―ながら」

**びりん**【美林】〔文〕〈スギ・ヒノキなどの〉りっぱな林。

**ピリング**〔pilling〕毛玉。

**ひる**【昼】①朝と夕方との間。太陽が高くなっているころ。「―の部の公演・―(の)日中〈=真っ昼間〉から何をなまけているんだ」〈↔夜〉②【△午】正午。「―過ぎ・(お)―ごろ」③昼食。「(お)―にする」●**昼を欺く** 句 明るくて昼間かと思うほどである。「―明るさ」

**ひる**【(×蛭)】沼や湿地にすむ動物。からだは平たくて細長く、人や動物の血を吸う。

**ひる**【干る・△乾る】《自上一》水分がなくなる。かわく。「田んぼが―」

**ひ・る**【(△放る)】《他五》〔俗〕からだの中に たまったものを、外へ おし出す。「くそを―・へ(屁)を―」

**びる** 接尾〔自上一をつくる〕…のふうになる。…らしくなる。「おとな―」

**ビル**〔bill〕勘定書き。請求書。

**ビル** ↑ビルディング。「―街・駅―」

**ピル**〔pill〕①小つぶの まるい薬。②経口〈=飲む〉避妊薬。飲んでいる間は妊娠しない。

**ひるあんどん**【昼(行△灯)】〔昼間につけた行灯のように〕ぼんやりした人。いても役に立たない人。

**ひるい**【比類】〔文〕くらべるもの。たぐい。「―(が)ない名作」

**ひるいし**【(×蛭)石】〔鉱〕黒雲母の変質したもの。急に熱すると よくのびる。バーミキュライト。園芸用・耐

ひ

熱材・防音材などに使う。

**ひるおび**【昼帯】昼の帯番組。〔時間によって「朝帯」「夜帯」などと言う〕「―ドラマ」

**ひるがえ・す**【翻す】《他五》①ひっくりかえす。「手のひらを―」②急に改め変える。「自説を―」③〔身を〕おどらせる。④ひらひらさせる。「旗を―」

**ひるがえって**【翻って】〔文〕㊀《副》別の面から。「ここで―考えてみると」㊁《接》一方。さて。「海外の事情はこうだ。―、日本はどうか」

**ひるがえ・る**【翻る】《自五》①おどり上がる。「急流に―銀鱗」②ひらひらする。「旗が―」名翻り。

**ひるがお**【昼顔】道ばたに はえる雑草の名。夏の昼、アサガオに似た、さくら色の花をひらく。

**ビルかぜ**【ビル風】風が高いビルに当たったとき、気流がみだれ、とつぜん不規則に強くふく風。

**ひるげ**【昼×餉】〔古風〕昼食。

**ひるごはん**【昼(御飯)】昼食。「お―」

**ひるさがり**【昼下がり】昼を少し過ぎたころ。午後二時ごろ。

**びるしゃなぶつ**【×毘×盧遮那仏・×毘×盧舎那仏】〔毘盧遮那=太陽のように照らす。梵語 vairocana の音訳〕《仏》〔華厳宗などで〕ほとけ。盧遮那仏。「東大寺の―(=大仏)」☞大日如来。

**ひるしょく**【昼職】勤務の時間帯が、主に朝から夕方までの仕事。「―に転職する」(↔夜職)

**ヒルズ** 造〔hills=丘〕超高層ビル群やマンションなどの名前に使うことば。

**ひるすぎ**【昼過ぎ】昼を過ぎたころ。昼下がり。「お―」〔気象では十二時ごろから十五時ごろまで〕

**ピルスナー**〔ド Pilsner=チェコのピルゼン地方の〕ラガービールの一種。最もよく飲まれている金色のビール。☞ラガービール。

**ひるせき**【昼席】寄席で、昼の部の興行。(↔夜席)

**ビルディング**〔building〕鉄筋コンクリートの大きな建物。会社や店などがはいり、業務をおこなう。ビルヂング。ビル。

**ビルトイン**《名・他サ》〔built-in〕①機械などの中に入れて組み立てること。内蔵。「セルフタイマー―」②〔家具などの〕作りつけ。「―の食洗器」

**ひるどき**【昼時】①正午のころ。②昼食の時刻。「そろそろ―だ。お―」

**ひるドラ**【昼ドラ】〔←昼のドラマ〕昼に放送される、帯番組の(メロ)ドラマ。昼メロ〔俗〕。

**ひるなか**【昼中】ひるま。「―はまだ暑い」

**ひるね**【昼寝】《名・自サ》ひるまに ねむること。午睡。

**ひるひなか**【昼日中】まっぴるま。ひるの ひなか。「―から宴会をするとは」

**ひるま**【昼間】朝から夕方まで。日中。

**ビルマ**〔オ Birma〕ミャンマーのもとの呼び名。緬。表記「緬甸」は、古い音訳字。

**ひるまえ**【昼前】①昼になる少し前の時間帯。〔気象では午前九時ごろから十二時ごろまで〕②昼食をとる前。「―で空腹だ」▽「お―」

**ひる・む**【×怯む】《自五》おそれて、勢いが弱る。「どなられて―」名ひるみ。

**ひるめし**【昼飯】昼食。〔少しぞんざいな言い方〕「―どき」

**ひるメロ**【昼メロ】〔俗〕昼帯で放送されるメロドラマ。

**ひるやすみ**【昼休み】①昼飯を食べたりするための休憩。②ひるね。

**ひれ**【×鰭】①《動》さかなの からだの、わき腹などに突き出た部分。さかなは、これを動かして進む。イカの場合は、耳という。②⇩フィン①。

**ヒレ**〔フ filet〕牛・ブタの腰の肉のうち、背骨に沿った両がわについている、やわらかい、いちばん上等な肉。テンダーロイン。繊肉。ヒレ肉。フィレ。ヘレ〔関西方言〕。「牛―・―カツ」

**ひれい**【比例】《名・自サ》①《数》二つの量の比が、ほかの二つの量の比に等しいこと(をあらわす数式)。正比例。②二つの ものごとが、たがいに一定の関係で変化すること。③《美術》均整。プロポーション。●☆☆**ひれいだいひょうせい**【比例代表制】《法》政党に対する投票数に比例して、政党に議席の数を分配する選挙制度。〔衆議院では全国十一ブロックから、参議院では全国から選出される〕☞小選挙区・選挙区。●**ひれいはいぶん**【比例配分】《名・他サ》《数》あたえられた数量を、前もってわかっている割合で分けること。案分比例。

**ひれい**【非礼】《名・ナダ》〔文〕礼儀に外れる〈こと/ようす〉。失礼。「―をわびる」派―さ。

**びれい**【美麗】《ナダ》〔文〕(はでで)美しいようす。派―さ。

**ひれき**【披×瀝・披歴】《名・他サ》〔文〕思いや考えを、人前に示すこと。「見解を―する・誠意を―する」

**ひれざけ**【×鰭酒】フグやタイのひれをあぶって、日本酒にひたしたもの。

☆☆**ひれつ**【卑劣・×鄙劣】《ナダ》人のやることとは思えないほど ひきょうな〈ようす/ことをする性質〉。「―な犯罪・―きわまりない」派―さ。

**ヒレにく**【ヒレ肉】⇩ヒレ。

**ひれふ・す**【ひれ伏す】《自五》〔おがむように〕すわったまま、からだを前にたおして、平たくなる。「地に―」

**ひれん**【悲恋】かなしい恋。悲劇に終わって、とげられない恋。

**ひろ**【△尋】両手を左右に のばした長さ。昔の単位。約六尺(=一・八メートル)。「千―の海底」

**ひろい**【拾い】ひろうこと。「ごみ―」☞お拾い。

●**ひろいあ・げる**【拾い上げる】《他下一》①拾って持ち上げる。「ごみを―」②特に選んで取り上げる。「問題点を―」●**ひろいぐい**【拾い食い】《名・他サ》おちているものをひろって食べること。●**ひろいだ・す**【拾い出す】《他五》多くの中から選んでとりだす。「参考となる資料を―」●**ひろいもの**【拾い物】①ひろったもの。ものをひろうこと。②もうけもの。「これは―だ」●**ひろいや**【拾い屋】〔古風・俗〕廃品を集める職業を言った ことば。●**ひろいよみ**【拾い読み】《名・他サ》①あちこちを少しずつ読むこと。②〈文字/読める文字だけ〉を一つ一つ、たどたどしく読むこと。動拾い読む《他五》。

****ひろ・い**【広い】《形》①〈場所の面積/空間〉が大きい。「庭が―・―世界」②はばが長い。「道が―」③周囲が長い。「口の―花びん」④範囲が広がっている状

態だ。「視野が━・知識が━・意味が━」⑤小さな感情などに こだわらず、こせこせしない。「心が━」▽(↕狭い)

**ヒロイズム**〔heroism〕 英雄的行為(を愛する主義)。英雄気取り。英雄主義。

☆☆**ヒロイン**〔heroine〕 ①小説・戯曲などの、女性の主人公。②はなばなしく活躍した女性。▽(↕ヒーロー)

**ひろう**[疲労]《名・自サ》①つかれ(ること)。「━と闘う・━回復剤」②長いあいだ使った結果、本来の機能や性能が保てなくなること。「制度━」☞金属疲労。●**ひろうこっせつ**[疲労骨折]《医》同じ動作をくり返して特定の骨を使いすぎることによる骨折。●**ひろうこんぱい**[疲労(困×憊)]《名・自サ》つかれはてること。

**ひろう**[披露]《名・他サ》〔喜ばせたり、広く知らせたりするために〕人前に出すこと。「市民を前に歌を━する・逸話を━する」●**ひろうえん**[披露宴] ①結婚したことを知らせる、はれやかな会。結婚式の すぐあとにおこなう。結婚披露宴。②喜びごとなどを知らせる会。「新築━」

**ひろ・う**[拾う]《他五》①〈落ち/落とし〉たものを手で取り上げる。「お金を━」(↕捨てる) ②えらんで取り出す。「項目を━・問題を━」③えらんで乗る。「タクシーを━」④ある場所で、人を車に乗せる。ピックアップする。⑤〔マイクなどが、感じて〕音を取り入れる。「よく音を━・雑音を━」⑥〔打球を〕ミスしないで処理する。「拾いまくる」⑦思いがけず〈勝つ/手に入れる〉。「勝ちを━・一点を━」⑧ふさわしい地位につけて待遇する。「ぼくを拾ってくれた恩人」⑨〔編み物で〕新たに目を作り出す。「目を━」⑩〔体形が〕はっきりわかるようにする。「この服は体のラインを━」 可能 拾える。

**びろう**[(×檳×榔)・(:蒲葵)] 九州以南の海岸にはえるヤシの一種。び(ん)ろうやし。〔ビンロウジュと混同されることがある〕

**びろう**[尾籠]《ナダ》 きたならしいようす。「━な話(=大小便などに関係のある話)ですが」 由来 「ばか」の意味の「おこ」を「尾籠」と書き、それを音読みしたもの。☞おこがましい。

**ヒロウス**[ひろうす]〔↑ヒリョウズ。大阪などの方言〕 ひりょうず。

**ひろえん**[広縁] ①おくゆきの広いえんがわ。「━に腰かける」②⇩ひさし③。

**ピロー**〔pillow〕 まくら。「━トーク(=寝室での むつごと)」

**ビロード**〔ポ veludo〕 綿・絹などで織って毛を立てた、やわらかくて なめらかな織物。ベルベット。 表記 「:天鵞絨」とも書いた。

**ひろがり**[広がり] ①広がって〈いく/いる〉感じや ようす。「運動が━を見せる」②長さと はば(と高さ)がある〈こと/もの〉。「三次元の━を持った空間」

*__ひろが・る__[広がる・△拡がる]《自五》①まんなかから、まわりへ向かって広さが大きくなる。広くなる。「波紋が━・青空が━・スカート(のすそ)が━」②ひろびろと、見える。「眼下に━ジャングル」③はばや面積が大きくなる。「差が━」④規模が大きくなる。「事業が━」 可能 広がれる。

**ひろく**[秘録]〔文〕秘密の記録。

**びろく**[美×禄]〔=すばらしいたまもの〕〔文〕酒の美称。 由来 「漢書」の「酒は天の美禄」から。

**びろく**[微×禄]《名・自サ》〔文〕①わずかな給与。②おちぶれること。

**ひろくち**[広口] ①びんなどの口の広い〈こと/もの〉。②水盤。

*__ひろ・げる__[広げる・△拡げる]《他下一》①たたんであるものをのばしひらく。「ふろしきを━」②ひらく。あける。「本を━」③はばや面積を大きくする。「差を━」④規模を大きくする。「事業を━」 可能 広げられる。

**ひろこうじ**[広△小路] はばの広い街路。

**ひろさ**[広さ] 広い〈こと/程度〉。

**ピロシキ**〔ロ pirozhki〕 小麦粉の皮で、ひき肉・はるさめ・野菜などの具をつつんで油であげたロシア料理。

**ひろそで**[広袖]《服》着物のそで口が そでの下の部分まで広くあいているもの。

**ひろっぱ**[広っぱ]〔俗〕広場。あき地。「━で遊ぶ」

**ピロティ**〔フ pilotis=くい(杭)〕 太いコンクリートの柱だけで建物を支える建て方。また、その柱付近に広がる、通りぬけられる空間。

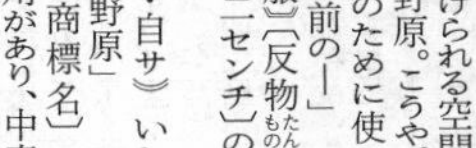

[ピロティ]

**ひろの**[広野] 広い野原。こうや。

**ひろば**[広場] 公衆のために使う、市街地の広い場所。「駅前の━」

**ひろはば**[広幅]《服》〔反物で〕並幅の二倍(=約七二センチ)のもの。大幅。(↕並幅)

**ひろびろ**[広々]《副・自サ》 いかにも広いようす。「━とした野原」

**ヒロポン**〔Philopon=商標名〕 覚醒剤の一つ。副作用があり、中毒になりやすい。ポン。

**ひろま**[広間] 広い〈座敷/部屋〉。「宴会用━」

**ひろまえ**[広前] 神殿の前の庭。

**ひろま・る**[広まる]《自五》 広くゆきわたる。広く知られる。「うわさが━」

**ひろ・める**[広める]《他下一》①広く おこなわれるようにする。広く知られるようにする。「技術を━・名を━」②範囲を大きくする。「知識を━」

**ひろやか**[広やか]《ナダ》 広いことが目立つようす。広々としたようす。 派 ━さ。

**ピロリきん**[ピロリ菌]〔pylori〕《医》胃潰瘍・胃がんなどとのかかわりがあるとされる細菌。ヘリコバクターピロリ。

☆☆**ひわ**[秘話] だれにも〈知らせない/知られていない〉話。「維新━」

**ひわ**[悲話]〔文〕かなしい物語。「戦争━」

**ひわ**[(×鶸)] 小鳥の名。全身、くすんだ黄緑色で、秋のころ、澄んだ声で鳴く。

**びわ**[(×枇×杷)] 初夏のころ とれる くだものの名。たまご形で だいだい色。たねは大きい。

**びわ**[×琵×琶]《音》弦楽器の一つ。しゃもじのよ

[びわ]

う形の木で作った平たい胴に、ふつう四本の糸を張り、ばちで演奏する。「―歌・―法師」

**ひわい**【卑×猥】《ナダ》 いやしくてみだらなようす。「―な歌」派―さ。

**ひわだ**【×檜△皮】 ①ヒノキの皮。「―色(=くすんだ茶色)」②↑ひわだぶき。●**ひわだぶき**【×檜△皮×葺き】 ヒノキの皮で屋根をふくこと。また、その屋根。ひわだ。

**ひわたり**【火渡り】 火が燃えている所を素足で歩く、山伏の荒行。

**ひわり**【日割り】 ①仕事などを、一日を単位として割り当てること。②利息・賃金などを、一日ごとに計算すること。「―計算」

**ひわ・れる**【干割れる・日割れる】《自下一》 ①かわいて割れる。「田が―」②ひびわれができる。名干割れ。

**ひん【品】 ㊀ひん ①その〈人/もの〉にそなわっていて、自然ににじみ出るような(好ましい)感じ。「―がいい(=上品だ)・―よく着こなす・―が悪い(=下品だ)」②品位。「(お)―がある・―がない」㊁造 もの。品物。部品。「付属―・食料―」

**ひん**【貧】 〔文〕㊀ひん まずしいこと。びんぼう。「―に泣く・―の盗み」㊁造 ①まずしい。「―書生(=びんぼう学生)」②貧弱な。「―打線」●**貧に迫る** 句 びんぼうな暮らしになる。

**ひん** 接頭 〔俗〕勢いよくするようすをあらわすことば。「―めくる」

**びん**【便】 (=いいついで) ㊀びん 時刻を定めて客や荷物をはこぶ手段(として利用するもの)。「次の―・空の―・到着―・定期―・深夜―・―数」㊁接尾 「便㊀」の回数や名前をあらわすことば。「一日五―・日本航空一〇三―」㊂造 郵便。「航空―」

**びん**【瓶・×罎・ビン】 細長くて口の せまいガラスなどでできた、かたい入れもの。「―の栓・一升―・ビールの大―」

**びん**【×鬢】 頭の左右のわきの、耳より前の かみの毛。「―が白くなった」

**びん**【敏】《ナダ》〔文〕すばやいようす。「機を見るに―」

**ピン**【pin】 ①とめばり。「―で とめる」②かみの毛をとめる、小さな折りまげたもの。「ヘアー―」③機械の心棒にさしこむ、細い棒。④《ボウリング》ボールを当ててたおす、とっくり形のもの。⑤《ゴルフ》ホールに立てる、目じるしの柱。

**ピン**【←ポ pinta=点】 ①カルタ・さいころの目などの、一。②はじめ。③いちばん上等(のもの)。(↔キリ)④〔←ピン芸人〕ひとりで活動するお笑い芸人。「―になる」●**ピンからキリまで** 句 ①いちばんいいものからいちばん悪いものまで。②始めから終わりまで。▽ピンキリ〔俗〕。●**ピンをはねる** 句 〔俗〕ピンハネする。

**ピン** 〔話〕←ピント①。「―があまい・前―(=被写体よりも手前にピントが合うこと)」

**ピンアップ**【米 pinup】 ⇩ピンナップ。

**ひんい**【品位】 ①自然に そなわった〈けだかい/りっぱな〉感じやようす。品。「教授の―をけがす・―を保つ・―を下げる」②金銀の〈地金/お金〉にふくまれる、金銀の成分の割合。純度。☞金㊁。③《鉱》鉱石にふくまれる、金属の割合。「低―鉱」④《放送》走査線(=画面の横に走る電気信号の線)の数であらわす、テレビの画質。「高―テレビ」

**ピンイン**【:拼音】〔中国語〕 中国語の発音をローマ字で表記したもの。例、「你好(=こんにちは)」は「nǐ hǎo」。

**ひんか**【貧家】 〔文〕まずしい家。「―の出」

**ピンカール**《名・自サ》【pin curl】 髪の形をふっくら整えるため、前もって かみの毛を少しずつ巻いて、ピンでとめておくこと。

**ひんかい**【頻回】《名・ナダ》《医》回数が多く、間をおかないこと。「うがいを―に おこなう」

☆☆**ひんかく**【品格】 品位と風格。「―が落ちる」

**ひんかく**【賓客】 〔文〕⇩ひんきゃく。

**びんがた**【△紅型】 (=べにがた) 沖縄に伝わる染め物。模様を切りぬいた型を使い、色彩が美しい。

**びんかつ**【敏活】《名・ナダ》 〔文〕〔からだが〕すばやく動くこと。「―な動作」派―さ。

**ひんかん**【貧寒】《ナダ・タルト》 〔文〕〈まずしい/みすぼらしい〉ようす。「―な漁村・教育の―とした実情」派―さ。

**びんかん**【敏感】《ナダ》 ①ちょっとしたことにも、すぐ感じるようす。「ごまかしを―に感じ取る・物音に―になる」(↔鈍感)②〔美容で〕刺激に弱いようす。「―肌」③〔sensitive の中国語訳〕取りあつかいに注意が必要なようす。「―な問題」〔一九八〇年代からの用法〕派―さ。

☆☆**ひんきゃく**【賓客】 〔文〕客(人)。ひんかく。「―として むかえる」

**ひんきゅう**【×殯宮】 天皇などの ひつぎを、本葬までの間、まつる宮。もがりのみや。あらきのみや。

**ひんきゅう**【貧窮】《名・自サ》〔文〕まずしくて困ること。「―の中に育つ」

**ピンキリ** 〔俗〕←ピンからキリまで(「ピン」の句)。

**ピンキング**【pinking】《服》はさみで、布のはしを、ぎざぎざの形に切ること。「―ばさみ」

**ひんく**【貧苦】 〔文〕びんぼうの苦しみ。「―にあえぐ」●**貧苦に迫る** 句 びんぼうにくるしむ。

**ピンク**【pink】 ①ももいろ。ピンク色。「―の〔俗に『―な』〕セーター」②〔俗〕性愛。ポルノ。「―映画」

**ピンクッション**【pincushion】《服》洋裁で、とめばりをさしておくもの。はりさし。

**ひんけつ**【貧血】《名・自サ》《医》①血液の中の赤血球がへり、血がうすくなること。「全身性―」②血管の一部に、血が少なくなること。特に、脳貧血。「〔脳〕―を起こす」☞虚血。

**びんご**【△備後】 旧国名の一つ。今の広島県の東部。

**ビンゴ**【米 bingo】 ㊀数字合わせのゲーム。手持ちカードの、縦・横五列の ます目に書かれた数字と、くじなどで決まる数字とが合えば、カードの数字を消していき、縦・横・ななめの どれか一列が早く消えれば、勝ちとなる。㊁《名・感》〔俗〕図星。正解。当たり。

**ひんこう**【品行】 ⇩おこない②。「―方正」

**ひんこう**【貧攻】 《野球》貧弱な攻撃。さっぱり打たず、走らないこと。

**ひんこう**【貧鉱】 ①「品位③」の低い鉱石。②産出量の少ない鉱山。▽(↔富鉱)

☆☆**ひんこん**【貧困】《名・ナダ》 ①〔生活が〕まずしくて苦しいこと。「―家庭・―率」②たいした発想がないこと。「企画の―・政策の―」派―さ。

**びんさつ**［×憫察］〔文〕あわれみ、思いやる。「諸事情ご―のほど、よろしくお願い申し上げます」

**ぴんさつ**［ピン札］〔俗〕折り目のついていない、(新しい)お札。新札。

**ひんし**［品詞］《言》単語を文法上の性質によって分けたもの。例、名詞・動詞・助詞など。

☆☆**ひんし**［×瀕死］死にかけること。「―の状態・―の重傷を負う・―の床(とこ)」

**ヒンジ**〔hinge〕ドアなどの、ちょうつがい。

**ひんしつ**［品質］製品・農産物などの、できのよさ・悪さ。「―がいい・―管理〔=品質を一定にして、不良品が出ないようにすること〕」

**ひんしつ**［×稟質］〔文〕⇩りんしつ(稟質)。

**ひんじゃ**［貧者］〔文〕まずしい人。(↕富者) ●**ひんじゃのいっとう**［貧者の一灯］〔↑長者の万灯(まんどう)より貧者の一灯〕わずかではあるが、まずしい人のまごころのこもった奉仕(ほうし)。

**ひんじゃく**［貧弱］《名・ナダ》①やせて、見た目が悪いようす。「―なからだ」②みすぼらしいようす。「―な身なり」③中身が不十分なようす。「―な知識」派 -さ。

**ぴんしゃん**《副・自サ》〔古風・俗〕〔年をとっていても腰(こし)もまがらず〕元気に動くようす。

**ひんしゅ**［品種］①《生》同じ作物や家畜(かちく)などの、細かな種類分け。「イネの―改良」②品物の種類。「多―少量生産」

☆☆**ひんしゅく**［(×顰×蹙)］《名・自サ》①〔顔をしかめて〕いやだという気持ちをあらわすこと。まゆをひそめること。②↑ひんしゅくを買う 句。「こんな服で行ったら―だよね」 ●**ひんしゅくを買う** 句 非常識なことを言ったりしたりして、いやがられる。

**ひんしゅつ**［頻出］《名・自サ》〔文〕くり返し何度もあらわれること。「―語句・―度」

**びんしょう**［×憫笑］《名・他サ》〔文〕かわいそうなやつ、と思ってわらうこと。

☆☆**びんしょう**［敏×捷］《名・ナダ》すばしこいようす。「リスは―だ・―に立ちまわる」派 -さ。

☆☆**びんじょう**［便乗］《名・自サ》①〔ほかの人の車に〕ついでに乗ること。「車に―する」②〔自分にとっていい機会を〕ついでにうまく利用すること。「―値上げ」

**ひんすう**［頻数］〔文〕短い時間をおいて何回もあること。「尿意(にょうい)―」

**ヒンズーきょう**［ヒンズー教］〔Hindu〕《宗》⇩ヒンドゥー教。

**ひん・する**［貧する］《自サ》〔文〕びんぼうになる。 ●**貧すれば鈍(どん)する** 句 びんぼうになると、正しい判断力がにぶる。

**ひん・する**［(×瀕する)］《自サ》〔文〕近づく。のぞむ。「危機に―・死に―」

**ひんせい**［品性］道徳的価値を基準とした、性格。人がら。「―下劣(げれつ)」

**ひんせき**［×擯斥］《名・他サ》〔文〕しりぞけること。「―処分」

**ピンセット**〔オ pincet〕小さなものをはさむ、金属または竹で作った器具。

**ひんせん**［貧×賤］《名・ナダ》〔文〕まずしくていやしいこと。(↕富貴(ふうき))

**びんせん**［便船］ちょうどつごうよく乗って行ける船。「―を待つ」

**びんせん**［便箋］〔一枚ずつはぎ取ることのできる〕手紙を書くための紙。レターペーパー。

**ひんそう**［貧相］《名・ナダ》①〔顔や姿が〕びんぼうそうなようす。また、その顔。「―な顔つき・―の人」(↕福相) ②〔見た感じ・内容などが〕貧弱なようす。「―な松の枝」派 -さ。

**びんそく**［敏速］《名・ナダ》〔文〕すばやいようす。「―に行動する」派 -さ。

**びんぞこ**［瓶底］ガラスびんの底の、円形の平らな部分。「―めがね〔=瓶底のようにレンズが厚いめがね〕」

**ひんそん**［貧村］〔文〕まずしいむら。

**ひんだ**［貧打］《野球》貧弱な打撃(だげき)。

**びんた**［ビンタ］《名・他サ》平手でほおを打つこと。「―を張る・往復―」由来「頭」の意味の九州方言から。そのもとは「鬢(びん)のあたり」の意味。

**ヒンターランド**〔hinterland〕⇩後背地。

**ピンタック**〔pin tuck〕《服》ブラウスの前身ごろなどにつける、細く折ってぬいつけたひだ。

**ピンチ**〔pinch〕一《名・ナダ》非常に〈重大な/危険な〉場面(であるようす)。「―を切りぬける・生活の―・―な状況(じょうきょう)」二《名・他サ》①〔園芸で〕枝の先を切ること。芽つみ。②ピンチ〈イン/アウト〉すること。三せんたくばさみ。 ●**ピンチアウト**《名・他サ》〔pinch out〕タッチパネルに置いた二本の指の間を広げる操作。画面上の写真などが拡大される。(↕ピンチイン) ●**ピンチイン**《名・他サ》〔pinch in〕タッチパネルに置いた二本の指の間をせばめる操作。画面上の写真などが縮小される。(↕ピンチアウト) ●**ピンチヒッター**〔米 pinch hitter〕①《野球》⇩代打①ⓑ。②非常に重大なときに、その人に代わって働く人。代打。 ●**ピンチランナー**〔米 pinch runner〕《野球》代走。

**びんちょうたん**［△備長炭］ウバメガシを材料とした、質のいい、表面が白っぽい炭。びんちょう(ずみ)。由来 江戸(えど)時代、備中屋長左衛門(びっちゅうやちょうざえもん)が作って売り出したことから。

**ピンチョス**〔ス pinchos=串(くし)〕スペインの軽食。ようじに刺(さ)したおつまみや、ひと口サイズのパンに肉やさかなをのせたものなど。

**びんつけあぶら**［(×鬢)付け油］日本髪(にほんがみ)をととのえるのに使う油。びんつけ。

**びんづめ**［瓶詰め］①食品などをびんにつめること。②［瓶詰］「びんづめ①」にした食品。「―のジャム」

**ビンディング**〔↑ド Bindung〕スノーボードやスキーなどがくつから外れないように、取りつけてしめる道具。バインディング。

**ビンテージ**〔vintage〕①ブドウの収穫(しゅうかく)年。また、ワインの醸造(じょうぞう)年。「―がついたワイン」②〔↑ビンテージワイン〕特にいいブドウが取れたときに生産されたワイン。「―もの・―イヤー〔=優良なワインの醸造された年〕」③古くてねうちのあるもの。「―ジーンズ」▽ヴィンテージ。

**びんでん**［便殿］〔天皇の〕「御休所(ごきゅうしょ)」の古い呼び名。お休み所(じょ)。べんでん。

**ヒント**〔hint〕考えるための助けになる〈ことば/もの〉。示唆(しさ)。暗示。「―をあたえる」

☆☆**ひんど**［頻度］くり返して起こる度数。「―が高い・―

数・使用―」

**ぴんと**《副》①強く〈そりかえる／張る〉ようす。「―そりかえったひげ」②はね上がるようす。「株価が―上がる」③直感するようす。「―ひらめいた」●**ぴんと来る** 句 ①直感的にわかる。「それはうそだとぴんと来た」②これはいい、と興味をそそられる。「どの服もぴんと来ない」

**ピント**［←オ brandpunt］①写真のレンズの焦点。ピン。「―が合う・―合わせ」②ものごとの中心点。「話の―が外れる」

**ヒンドゥーきょう**［ヒンドゥー教］［Hindu］《宗》バラモン教が発展したインドの宗教。カースト制を守り、シバの神などをおがむ。インド教。ヒンズー教。

**びんとろ**［(×鬢)トロ］ビンナガマグロの、あぶらがのった肉。刺し身やすしにする。

**びんなが**［(×鬢長)］体長約一メートルの、胸びれが長いマグロ。ツナ缶に使う。とんぼしび。びんちょう(まぐろ)。びんながまぐろ。

**ピンナップ**［米 pinup］雑誌の付録などになっている、アイドルなどの大判の写真や絵。ピンアップ。由来 ピンで壁にとめる意味から。

**ひんにょう**［頻尿］《医》たびたび小便が出ること。尿の回数が多いこと。

**ひんのう**［貧農］〔文〕びんぼうな〈農夫／農家〉。「―の出」(↔富農)

**ひんば**［×牝馬］めすの馬。(↔牡馬)

☆☆**ひんぱつ**［頻発］《名・自サ》〔文〕①くり返し起こること。続発。「事故が―する」(↔散発)②数多く発車すること。「―運転」

**びんぱつ**［(×鬢髪)］〔文〕びん(鬢)の部分のかみの毛。

**ピンバッジ**［pin badge］服や帽子、かばんなどにピンでとめる、小型のアクセサリー。ピンズ(pins)。

**ピンはね**［ピンハネ］《名・自他サ》〔俗〕うわまえをはねること。

**ひんばん**［品番］管理のために、商品につける番号。しなばん。

**ひんぱん**［頻繁］《ナダ》たびたびあるようす。しきりに起こるようす。「―に往来する」派―さ。

**ピンヒール**［pin heel］女性のはくハイヒールで、かかとの部分がピンのように細いもの。

**ひんぴょう**［品評］《名・他サ》〔文〕作品・生産品などを集めて、優劣を決めること。品定め。「―会」

**ひんぴん**［頻々］《トタル》〔文〕くり返し起こるようす。「盗難が―と(=たびたび)起こる」

**びんびん**《副》①〔振動などが〕強く感じられるようす。「声が―と伝わる」②元気があるようす。

**ぴんぴん** 一《副》①さかなが、勢いよくはねまわるようす。②強く、はねかえるように当たるようす。「胸(=こころ)に―ひびく」二《副・自サ》元気に動き回るようす。「病気が治って―している」●**ぴんぴんころり**［ピンピンコロリ］年老いても元気でぴんぴんしていて、最後はわずらわないでころりと死ぬこと。ピンコロ。〔略して「PPK」〕

**ひんぷ**［貧富］貧しいことと富むこと。びんぼう人と金持ち。「―の差」

☆☆**ピンポイント**［pinpoint=針の先］①非常に正確に目標を定めること。「―着陸」②非常にせまく特定された場所。「―の天気予報」

**びんぼう**［貧乏］《名・自サ・ナダ》①財産や収入が少ないこと。まずしいこと。「―人・―所帯」②そのことが原因で、かえって損をすること。「器用―・豊作―」▽ビンボー〔俗〕。派―さ。「―加減」●**貧乏暇なし** 句 びんぼうなため、生活に追われてゆっくりできない。●**びんぼうがみ**［貧乏神］人々をびんぼうにさせるという神。●**びんぼうくじ**［貧乏(×籤)］いちばん損な〈くじ運命／立場〉。「―を引く」●**びんぼうしょう**［貧乏性］①びんぼうでもないのにけちけちして暮らす性質。②ゆとりのない暮らし方や考え方をする性質。●**びんぼうゆすり**［貧乏揺すり］《名・自サ》すわっていてたえずからだや足などを細かく動かすこと。びんぼうゆるぎ。●**びんぼうゆるぎ**［貧乏揺るぎ］①びんぼうゆすり。②かすかに動くこと。●**貧乏揺るぎもしない** 句 どっしりして、びくともしない。

**ピンホール**［pinhole］針で突っいた(ような小さな)穴。●**ピンホールカメラ**［pinhole camera］レンズもシャッターもなく、ごく小さな穴があいているだけのカメラ。露出時間は一秒以上必要。

**ピンボール**［pinball］かたむいた台の上で、転がってくる金属のたまを二つのバーで打ち返し、盤にある的(=ピン)に当てて点数をきそうゲーム。「―マシン」

**ピンぼけ**［ピンボケ］《名・自サ・ナダ》①《写真》ピントがあわないで画面がぼけること。②いちばん大切なところがはっきりしないこと。「―(=的外れ)な考え方」

**ぴんぽん**［ピンポン］一《副》インターホンなどのチャイムの音。二《感》〔俗〕正解！(クイズ番組で正解をあらわすチャイムの音から)(↔ブー)▽一二ピンポーン。三《名・他サ》〔俗〕インターホン(をおすこと)。「―を鳴らす・―ダッシュ(=玄関のチャイムを鳴らしてにげるいたずら)」

**ピンポン**［ping-pong］〔古風〕⇒卓球。「―球(=卓球のボール)」

**ピンマイク**［←和製 pin microphone］胸元やえりにクリップでとめて使う小型マイク。

**ひんま・げる**［ひん曲げる］《他下一》〔俗〕〈勢いよく／ぐんと〉曲げる。自 ひん曲がる《五》。

**ひんみゃく**［頻脈］《医》脈拍数が異常に多い状態。ふつう、毎分百以上を言う。(↔徐脈)

**ひんみん**［貧民］〔文〕びんぼうな人々。「―街」●**ひんみんくつ**［貧民窟］⇒スラム。

**ひんむ・く**［ひん(△剝く)］《他五》〔俗〕勢いよくむく。ひきむく。

**ひんめい**［品名］品物の名前。

**ひんもく**［品目］いろいろな種類(の品物)。「輸出―」

**ひんやり**［(△冷んやり)］《副・自サ》はだにつめたく感じられるようす。「―(と)した風」

**ひんよう**［頻用］《名・他サ》〔文〕頻繁に使うこと。繁用。「―されることば」

**びんらん**［便覧］ある分野の情報を簡単に一覧できる本。ハンドブック。べんらん。「旅行―」

**びんらん**［(×紊乱)］《名・自他サ》〔「ぶんらん」の慣用読み〕〔文〕みだれること。みだすこと。「風紀の―」

**びんろう**［(×檳×榔)］①⇒びんろうじゅ。②ビンロウジュのたね。覚醒作用があり、かみタバコにする。漢方薬にも用いる。檳榔子。「―売り」●**びんろうじ**［(×檳×榔子)］①⇒びんろう②。②⇒びんろうじゅ。

▽びろうじ。●びんろうじゅ［(×檳×榔樹)］熱帯アジアにはえるヤシの一種。実を煎じて、黒紋付きの染色に用いた。びんろうじ。びんろう。

☆☆びんわん［敏腕］《名・ダナ》(事務を)うまく処理するうでまえ(があるようす)。「―家・―記者・―をふるう」(↔鈍腕) 派―さ。

# ふ　フ

ふ［二］ふたつ。「ひ―の―の三」

ふ［付・附］〔文〕つけたすことをあらわす。つけたり。「ギリシャ・ローマ神話、―インド神話」

＊ふ［府］①〔文〕中心となる場所。「学問の―・言論の―(=国会)」②〔文〕役所。「行政(の)―(=各省)・内閣―」③《法》県と同じ資格を持つ行政区画・地方自治体。現在、大阪・京都だけ。

ふ［歩］〔↑歩兵〕《将棋》前に一つ進むだけの駒。

ふ［訃］〔文〕人の死んだ知らせ。「―に接する」

ふ［負］①《数・理》⇩マイナス 一①ⓑ・④。「―の数・―の電荷」(↔正) ②不利。「―の要因」③よくないものごと。「―の連鎖」

ふ［符］一ふ〔文〕〔お守りや証拠などの〕紙のふだ。「道中安全の―」二造 ①〔文〕ふだ。「免罪―」②記号。符号。「疑問―・感嘆―」

ふ［(△斑)］まだら。ぶち。「―入り」

ふ［(×腑)］こころ。●☆☆腑に落ちる 句 そういうことか、と納得できる。胸に落ちる。「説明が腑に落ちない・やっと腑に落ちた」注 多く、否定形「腑に落ちない」が使われるが、明治時代から肯定形もふつうに使われた。他 腑に落とす。●腑の抜けたよう 句 たましいの抜けたよう。ふぬけたよう。「―な顔」

ふ［賦］①対句が多く、韻をふんだ漢文。「赤壁の―」②(長い)詩。「早春―」

ふ［(×麩)］小麦粉にふくまれるたんぱく質(=グルテン)で作った食品。ふつう、焼きふをさす。「お―」

ふ［譜］一ふ ①《音》楽譜。「―を読む」②棋譜。「第五―」二造 ①系図。「皇統―」②同類のものを順序立てて集めた絵。「梅花―」③記録。…記。

＊＊ふ［不］接頭 ①…しない。「―一致・―参加・―慣れ」②…でない。「―鮮明・―確か」③…がない。「―条理」④…がよくない。いい…でない。「―景気・―品行」

ふ［夫］造 (仕事をする)男性。「清掃―」

ふ［布］造 ぬの。「防水―」

ふ［婦］造 (仕事をする)女性。「家政―」

←ぶ［分］一ぶ ①寸の十分の一。一分は約三・〇三ミリ。「三―刈り(=正確に三分ではなく、五分刈りより短い髪型)」②十に分けたものの中の一つ。割り。「七―の入り・五―咲き(=五割の花が咲いたこと)」③割の十分の一。つまり、百分の一。「二割五―(=二五パーセント)」④江戸時代の、お金の単位。一分は一両の四分の一、ぜに千文。⑤〔体温計などの〕度の十分の一。「三七度二―」二造《音》それだけの数に分けたもの。ぶん。「四―音符」●分が厚い 句 ぶあつい。●分がある 句 勝つ見こみがある。(↔分がない)●分が悪い 句 形勢が悪い。不利だ。(↔分がいい)

→ぶ［歩］①農地の面積の単位。一歩は一畝の三十分の一。六尺四方(=約三・三平方メートル)。②歩合。「―をはらう」●歩に合わない 句 割に合わない。

ぶ［武］〔文〕①軍事。武芸。(↔文) ②武力。

＊＊ぶ［部］一ぶ ①いくつかに分かれたものの一つ。「昼の―・団体の―・第一―」②部類。うち。「上の―の出来」③〔役所・会社などで〕組織の単位。課の上。「宣伝―・―課制」④〔学校・会社などの〕スポーツ・文化活動の団体。例、野球部・写真部。二接尾 書籍を数えることば。〔分冊は、ふつう全部で一部〕「百万―売れた」三造 部分。「心臓―」

←ぶ［不］接頭 ⇩ふ(不)。「―細工・―器用」

→ぶ［無］接頭 ①…がない。「―愛想・―遠慮」②…でない。「―風流」

ファ［イ fa］《音》ミの一つ上の音の名。

プア《ダナ》〔poor〕①まずしいようす。「―な階層」(↔リッチ) 参 ワーキングプア。②貧弱なようす。▽プアー。

ファー〔fur〕毛皮(製品)。

ファー《感》〔fore〕《ゴルフ》〔話〕たまの飛ぶ方向にいる人に警告する声。気をつけろ。フォア。

ファーザー〔father〕①父親。ファザー。(↔マザー) ②《宗》神父。●ファーザー コンプレックス〔和製 father complex〕⇩ファザコン。

ファース〔farce〕⇩ファルス。

ファースト〔first〕一ファースト《野球》①〔↑ファースト ベース〕一塁。②〔↑ファースト ベースマン〕一塁手。二選 第一の。最初の。一番目の。「―インプレッション(=第一印象)・―ピッチセレモニー(⇩始球式)」三造 …を第一に考えること。…を優先すること。「レディー―」注 二〇一〇年代後半から、いろいろな語句につくようになった。「選手―・歩行者―・自分―(=利己主義)」●ファースト クラス〔first class〕①〔飛行機などの〕一等席。(↔ビジネス クラス・エコノミー クラス) ②第一級。最上級。一流。「―のホテル」●ファースト ネーム〔first name〕名字に対して、家族のそれぞれが持っている名前。例、花子・ジョン。〔英語では最初に来るから言う〕(↔ファミリー ネーム)●ファースト レディー〔米 first lady〕アメリカの、大統領夫人。日本では首相夫人。

ファ(ー)スト バック〔fastback〕自動車の、屋根からトランクにかけてななめに流れるような形をしている車体。

ファーストフード〔fast food〕⇩ファストフード。

ファ(ー)ニチャー〔furniture〕家具。調度。ファニチュア。

ファーマシー 造〔pharmacy〕薬局。〔多く、店の名前に使う〕

ファーム〔farm〕①農場。農園。②〔↑farm team〕《野球》二軍。「―の選手」

ファール《名・自他サ》〔foul〕⇩ファウル。

ぶあい［歩合］①《数》割合を、割・分などの単位で表したもの。例、五割四分八厘。②仕事量や取引高に応じてしはらわれるお金(の割合)。「―制の給料・高い―」●ぶあいきゅう［歩合給］仕事の出来高に応じてしはらわれる給料。(↔固定給)

ファイア(ー)〔fire〕火。たきび。ファイヤ(ー)。「キャンプ―」●ファイア(ー) ウォール〔fire wall=防火壁き〕《情》コンピューターネットワークを不正な侵入から守るシステム。 ●**ファイア(ー)ストーム**〔和製 fire storm〕〔学生などが〕たき火の まわりで歌ったりしてさわぐこと。「後夜祭の―」

**ぶあいそう**［無愛想・不愛想］《名・ナダ》愛想がないこと。ぶっきらぼう。ぶあいそ。「―な返事」(↕愛想) [派]-さ。

**ファイター**〔fighter〕①闘士。〔攻撃型のボクサーの意味にも使う〕②ファイトのある人。③《軍》戦闘機。

**ファイティング** [遺]〔fighting〕戦う。戦おうとする。「―スピリット〔=闘志〕」・―ポーズ〔=ボクサーの、戦う姿勢〕」

**ファイト**〔fight〕■一①戦闘力。闘志。②元気。気力。「―がたりない」③《ボクシング》試合。「―マネー〔=試合で、選手がもらう お金〕」■二《感》〔話〕①がんばろう、の意味のかけ声。②元気よく戦え、とはげますことば。

**ファイナライズ**《名・他サ》〔finalize〕 DVDなどの光ディスクに記録した内容を、ほかの機器でも読み取れるように処理すること。

**ファイナリスト**〔finalist〕 勝ちぬいて決勝戦に進出する選手・出場者。

☆☆**ファイナル**〔final〕■一[遺] 最終の。最後の。「―セット」■二ファイナル ①決勝〈試合/戦〉。☞セミファイナル。②最終回。最終日。「コンサートツアーの―」

**ファイナンシャル** [遺]〔financial〕 資産運用の。金融の。フィナンシャル。 ●**ファイナンシャルプランナー**〔financial planner〕 個人の資産運用などについて助言する職業(の人)。FP。

**ファイナンス**《名・他サ》〔finance〕(金融市場で)資金を調達・運用すること。「―事業部・赤字を―する〔=うめ合わせる〕」

**ファイバー**〔fiber; fibre〕 ①繊維(の質)。「グラス―」②ぼろなどを薬品にひたして おしかためた、革の代用品。表紙・トランクなどに使う。 ③食物繊維。

●**ファイバースコープ**〔fiberscope〕《医》細いガラスの繊維をたばねて先にレンズをつけたもの。内臓の観察や撮影に利用する。

**ファイブ** [造]〔five〕 五。「ビッグ―〔=上位のもの〈五つ/五人〉〕」

**ファイリング**《名・他サ》〔filing〕 ファイルに入れて整理すること。「―キャビネット〔=引き出し式の書類整理箱〕」

***ファイル**《名・他サ》〔file〕 ①書類ばさみ。「クリアー―」②〔書類・新聞などを〕整理してつづりこむこと。また、そのつづりこみ。③《情》〔コンピューターで〕一つのまとまったデータ。「画像―・―ネーム」

**ファイン** [遺]〔fine〕 ①みごとな。「《テニスなど》―ショット」②精密な。「―チューニング〔=微調整〕」 ●**ファインケミカル**〔fine chemical〕《理》医薬品・けしょう品・香料などの、付加価値の高い精密化学製品(を作る工業)。 ●**ファインセラミックス**〔fine ceramics〕《理》耐熱・耐薬品・絶縁などのすぐれた機能をもつセラミックス。精密機械・半導体・医療などに使われる。ニュー セラミックス。 ●**ファインプレー**〔fine play〕《球技》すばらしい わざ。美技。

**ファインダー**〔finder〕 カメラについている、小さな のぞき窓。写すものの位置を決めるのに使う。

**ファウル**《名・自他サ》〔foul〕 ①〔競技の〕反則。②〔↑米 foul ball〕《野球》打ったボールが規定の線の外がわに落ち〈ること/たもの〉。「―グラウンド・―フライ」(↕フェア) ▽ファール。 ●**ファウルチップ**〔米 foul tip〕《野球》バットをかすって、キャッチャーに捕られたボール。チップ。〔ストライクになる〕

**ファウンデーション**〔foundation〕 ①《服》からだの線をととのえるための、女性用下着。ブラジャー・ガードルなど。基礎下着。ファンデーション。☞ランジェリー。②⇩ファンデーション①。

**ファウンテン** [造]〔fountain〕 噴水(のように液体がふき上がるもの)。「ソーダー・チョコレート―」

**ファクシミリ**〔facsimile〕 ①文字・写真・図表などを電気信号に変え、通信回線を通して送るシステム。ファ(ッ)クス。 ②複製。複写。

**ファクター**〔factor〕 要因。因子。

**ファクト**〔fact〕 事実。実情。「―チェック〔=事実確認〕」

**ファゴット**〔イ fagotto〕《音》長い筒の形の木管楽器。オーボエと同じくリードが二枚あるが、音は ずっと低い。バスーン。

**ファサード**〔フ façade〕〔建物の〕正面。

**ファザコン**〔↑ファーザー コンプレックス〕 娘が成人しても、父親ばなれができないこと。(↕マザ コン)

**ファジー**《ナダ》〔fuzzy〕 あいまいなようす。ぼやけたようす。「―理論〔=二者択一的な判断ではなく、あいまいな要素を加えた考え方。コンピューターに応用する〕」

**ファシスト**〔fascist〕 ①「ファッショ①」の党員。②ファシズムを主義とする者。▽ファッシスト。

**ファシズム** ①〔Fascism〕 第一次世界大戦のあと、イタリアのムッソリーニ(Mussolini)のファシスト党を中心として起こった独裁的な全体主義の政治(運動)。②〔fascism〕「ファシズム①」に似た独裁政治。▽ファッシズム。

**ファシリテーター**〔facilitator〕 集会などで、議論を進行する まとめ役。ファシリ。〔「ファシリテーション」は、議論の進行〕

**ファスティング**《名・自サ》〔fasting〕 断食。

**ファストファッション**〔fast fashion〕 安く買える、最新流行のファッション(のブランド)。〔「ファストフード」になぞらえたことば〕

☆☆**ファストフード**〔fast《=速い》food〕 店で待たずに食べられる、簡単な食べ物。ハンバーガー・ホットドッグ・フライドチキン・牛丼など。ファーストフード。(↕スローフード)

**ファスナー**〔fastener=締め具〕 中央の金具を引っぱって、両がわの歯をかみあわせることで、開けたり閉めたりする しかけ。衣類やバッグなどに使う。チャック。ジッパー。スライド ファスナー。「―を開ける・―を上げる〔=スライダーを上げてファスナーを閉める〕」

**ぶあつ**［分厚・部厚］《ナダ》 ぶあついようす。「―な書物」

●**ぶあつ・い**［分厚い・部厚い］《形》 かなり厚みがある。〔平らなものの厚さについて言う〕「―書物」 [派]-さ。

**ファック**《名・自サ》〔fuck〕〔俗〕性交。〔英語では、の

のしることばにも使う〕

*ファ(ッ)クス[〔FAX〕]《名・他サ》ファクシミリ(で送信すること)。

ファッショ〔イ Fascio=結束〕①ファシズムの中心となった、イタリア国粋党。ファシスト党。②ファシズムの傾向をもつ〈人/団体/運動〉。☞ファシズム。

ファッショナブル《ナダ》〔fashionable〕①流行を取り入れたようす。②今ふうで おしゃれなようす。▽「—な帽子」派-さ。

ファッション〔fashion〕①〔服装などの〕流行。「オールドー」②〔洋服の〕型。服装。「—センス・—モデル〔=ファッションショーなどでモデルになる人〕」 ●ファッションショー〔fashion show〕〔洋服などの〕いちばん新しいデザインの、発表会。●ファッションビル〔←和製 fashion building〕ブティックやレストランなどの専門店を集めた商業ビル。●ファッションブック〔fashion book〕⇩スタイルブック①。●ファッションリーダー〔fashion leader〕最新の流行を取り入れた服装やヘアスタイルをして、みんなに影響をあたえる人。

ファットスプレッド〔fat spread〕マーガリンよりも水分が多く、ふくまれる油脂が八〇パーセント未満の食品。低カロリーマーガリン。

ファナティック《ナダ》〔fanatic〕狂信的。熱狂的。ファナチック。

ファニーフェイス〔funny face〕あいきょうのある顔。ファニーフェース。

ファニチュア〔furniture〕⇩ファ(ー)ニチャー。

ファブリック〔fabric〕布地。織物。「—シート」

ファミリア《ナダ》〔familiar〕家族的で、親しみのあるようす。「—な夕食」

ファミリアル《ナダ》〔familial〕身近にある、あたたかく家族的なようす。「—なマイホーム パパ」

ファミリー〔family〕一①家族。一家。「—カー・—ネーム〔=名字。(↔ファーストネーム)〕」②一族。同族。「—企業」③同じ〈仕事をする/番組に出る〉芸能人の仲間。「小室—」④暴力団の「組」に当たる、犯罪組織。二《ナダ》家族的。肩の張らないようす。

●ファミリーレストラン〔family restaurant〕家族づれで気楽に行けるレストラン。ファミレス。

ファミレス ↑ファミリー レストラン。

ファムファタル〔フ femme fatal=死をもたらす女〕男を堕落させ、破滅させる悪女。

ファラオ〔pharaoh〕《歴》古代エジプトの王の称号。

ファラフェル〔falafel〕中東のコロッケ。つぶした豆に香辛料を入れてだんごの形にする。ピタ(pita)〔=まるくてうすいパン。ピタパン〕にはさんだりして食べる。

ファルス〔フ farce〕ひと幕の喜劇。笑劇。ファース。

ファルセット〔イ falsetto〕裏声。

ファン〔fan〕①扇風機。送風機。「—が回る」②〔①とは別語源〕熱心な愛好者。好意を持って援助する人。ファン〔古風〕。「映画—・—クラブ〔略して『FC』とも書く〕・—レター〔=ファンからの手紙〕」

*ふあん[不安]《名・ナダ》どうなるかと心配して、おちつかない〈ようす/気持ち〉。「—に思う・—の念・—が高じる・—の声が上がっている」(↔安心) 派-がる。-げ。-さ。

●ふあんしんけいしょう[不安神経症]《医》原因のはっきりしない強い不安が続き、動悸や呼吸困難が起きたりする神経症。

ファンキー《ナダ》〔funky〕①〔ジャズなどで〕黒人的な感覚を強調したようす。「—なサウンド」②けばけばしくてはでなようす。「—なスタイル」

ファンク〔funk〕《音》十六ビートのリズムと反復するフレーズを特徴とする、軽快なソウルミュージック。

ファンクション〔function〕機能。「—キー〔=キーボードで、特別の機能を持つキー〕」

ファンシー〔fancy=凝った〕一《ナダ》〔キャラクターなどが〕かわいらしいようす。「—なぬいぐるみ・—グッズ」二かわいらしい小物・商品。「—コーナー」

ファンタジア〔イ fantasia〕《音》幻想曲。ファンタジー。

☆☆ファンタジー〔fantasy〕一①空想。幻想。②〈空想/幻想〉的な物語。「—小説」③《音》ファンタジア。二《ナダ》ファンタジック。「—な作品」

ファンタジスタ〔イ fantasista〕《サッカー》はなやかなプレーを見せる選手。

ファンタジック《ナダ》〔和製 ↑fantasy+ic〕(物語のように)空想的・幻想的。ファンタスティック。「—な映画」

ファンタスティック《ナダ》〔fantastic〕①空想的。幻想的。ファンタジック。「—なムード」②すばらしいようす。▽ファンタスチック。

ファンダム〔fandom〕いろいろな娯楽の、ファンの集団。

ファンダメンタリズム〔fundamentalism〕《宗》⇩原理主義。

ファンダメンタルズ〔fundamentals〕《経》一国の経済状態をしめす、基本的な〈条件/指標〉。経済成長率・物価上昇率・国際収支・失業率など。

ふあんてい[不安定]《ナダ》安定しないようす。ぐらついておちつかないようす。「—な姿勢・生活が—だ・—な〔=もとの状態をたもちにくい〕物質」(↔安定) 派-さ。

ファンデーション〔foundation=土台〕①〔↑ファンデーション クリーム〕健康的な はだの色に見せて顔に立体感を出す、仕上げ用のけしょう品。ファンデ。ファウンデーション。②《服》⇩ファウンデーション①。

ファンド〔fund〕《経》①基金。資金。②投資信託。「株式—・人気—」③↑投資ファンド。

ふあんない[不案内]《名・ナダ》案内を知らないようす。様子を知らないこと。ぶあんない。

ファンヒーター〔fan heater〕熱を風で送り出す方式の暖房機。「石油—」

ファンファーレ〔ド Fanfare〕《音》ラッパ(と太鼓)のための、はなやかで短い曲。

ファンブル《名・他サ》〔米 fumble〕《野球・アメリカンフットボールなど》グラブや手でボールをとりそこなって、落とすこと。ハンブル。

ふい〔「フイ」とも書く〕むなしい結果。むだ。「長年の苦労が—になる〔=むだになる〕・売り上げを—にする〔=なくす〕」

ふい[不意]《名・ナダ・タトル》それが とつぜんであること。思いがけないこと。「—に来られる・—な できごと・—の知らせ・—と見えなくなる」●**不意を打つ** 句 まったくとつぜんに、あることをしかける。不意を突っく。不意をおそう。「不意を打たれて おどろいた」☞不意打ち。●**不意を食らう** 句 〔俗〕不意を打たれる。

**ぶい**［部位］〔からだの〕部分。「牛肉の あぶらの多い—・けがの—」

**ブイ** ㊀［V・v］アルファベットの二十二番目の字。㊁［V］①〔←victory〕勝利。優勝。「—3スリー〔=三連覇ぱれん〕・—打〔=決勝打〕・—逸つい〔=のがす〕」②《放送》〔テレビで〕VTR。「—を見る・—振ふり〔=VTRを流す際の前置きの ことば。VTR振り〕」③〔←vanadium〕《理》バナジウムの元素記号。☞Vサイン・V字・Vライン・ボルト(volt)。

**ブイ**〔buoy〕①波に うかべた目じるし。浮標ふひょう。②〔泳ぎに使う〕うきぶくろ。

**ブイアール**［VR］〔←virtual reality〕〔専用のゴーグルに映像を映したりして〕まるで実物を見ているかのような体験をさせること。仮想現実(感)。バーチャル リアリティ(1)。「—技術」

**ブイアイオー**［VIO］Vライン・Iライン・Oラインのこと。脱毛だつもうの対象となる、女性の陰部いんぶのあたり。

**ブイアイピー**［VIP］⇨ビップ(VIP)。

**フィアンセ**〔フ fiancé〕婚約こんやく中の〈男性/女性〉。いいなずけ。〔女性形は fiancée〕

**フィーダー**〔feeder〕①プリンターやコピー機などの給紙装置。「オートシートー」②えさ箱。「鳥の—」

**フィーチャー**《名・他サ》〔feature〕前面に出すこと。目立たせること。フィーチャリング。「エレキギターを—した新曲」✓「フューチャー」と言いまちがえる人がいるが、futureは「未来」の意味。

**フィーチャリング**《名・他サ》〔featuring〕①フィーチャー。②〔音楽業界で〕(格上のゲストとして)作品に参加してもらうこと。客演。「—ゲスト・有名なアーティストを—したアルバム」表記「feat.」とも。

**フィート**〔feet=foot の複数形〕ヤードポンド法の長さの単位。一フィートは、三〇・四八センチ。表記「×呎」とも書いた。

**フィード**〔feed=供給〕《情》ウェブサイトの概略がいりゃくや更新こうしん情報を配信する〈こと/ためのデータ〉。●☆☆**フィードバック**《名・他サ》〔feedback〕①〔情報処理・オートメーション装置で〕処理の結果を見て自動的に原因を調整すること。②受け手から得られた情報を、送り手のやり方に反映させること。「消費者の声を—する」

**フィーバー**《名・自サ》〔fever〕熱狂ねっきょう。熱中。「考古学—」

☆☆**フィーリング**〔feeling〕①感覚。気分。「相手と—が合う〔=馬が合う〕」②〔演奏のさいの〕曲の感じ・ふんいき。▽一九七〇年代、「ナウな—」などの形で特に流行した。

**フィールディング**〔米 fielding〕《野球》守備。守り。

**フィールド**〔field〕①〔競技場で〕トラックの内がわの、跳躍ちょうやく・投擲とうてきなどに使う場所。「—競技」(↔トラック)②《ラグビー・サッカーなど》競技をする長方形の場所。〔サッカーの〕ピッチ。☞コート(court)。③活躍かつやくする場所。「きみの—は本当に日本か？」④〔研究室でない〕野外。現場。「—ノート〔=実地調査の記録〕」●**フィールドアスレチック**〔和製 Field Athletic=商標名〕山林に、丸太やロープで遊び道具をつくり、自然に親しみながら体力をつくるしくみ。●**フィールドワーク**〔fieldwork〕現地調査。調査対象のある場所に研究者が実際に行って調べること。

**ふいうち**［不意打ち］①〔不意討ち〕不意に相手におそいかかること。「敵に—をかける」②相手の予期しないことを、とつぜん おこなうこと。「相手〈に/から〉—を食らって おどろいた」

**ブイエイチエフ**［VHF］〔←very high frequency〕超ちょう短波。ブイ エッチ エフ。

☆☆**ブイエス**［VS・vs・VS.・vs.］〔vs.←ラ versus〕試合・勝負・比較ひかくの組み合わせをあらわす。対たい。バーサス。「東日本—西日本」

**ブイエフエックス**［VFX］〔←visual effects〕コンピューターを使って実写映像を合成・加工し、現実にはありえない映像を作る技術。「—クリエイター」

☆☆**フィギュア**〔figure=図形・姿〕①←フィギュア スケート。②人や動物、アニメのキャラクターなどをかたどった人形。フィギュアモデル。●**フィギュア スケート**〔figure skating〕音楽に合わせて、ジャンプやスピンなどをまじえて氷上をすべり、技術力や表現力をきそうスケート競技。男女別のシングル、男女のペア、アイスダンスがある。フィギュア。㊅フィギュア スケーター(figure skater)。

**ふいく**［不育］《医》おなかの中で、赤ちゃんが うまく育たないこと。●**ふいくしょう**［不育症］《医》妊娠にんしんするが、流産や死産などをくり返す症状。

←**ふいく**［扶育］《名・他サ》〔文〕子どもをせわして そだてること。「遺児を—する」

→**ふいく**［×傅育］《名・他サ》〔文〕天皇などの子に つかえて そだてること。「—官」

**ぶいく**［×撫育］《名・他サ》〔文〕かわいがって大切に そだてること。「父母の—をうける」

**フィクサー**〔fixer〕政界や財界の裏で問題や事件を解決して利益を得る、かげの実力者。「大物—」

**フィクショナル**《ナダ》〔fictional〕虚構きょこうや作り物であるようす。「—キャラクター〔=小説などで言語で表現されるキャラクター〕」

☆☆**フィクション**〔fiction〕①こしらえごと。虚構きょこう。②小説。作り話。(↔ノンフィクション)

**ふいご**［(×鞴)・(×韛)］火をおこすために〈手で動かして/足でふんで〉風を送る器具。ふいごう。

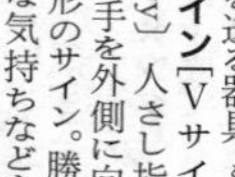
［ふいご］

**ブイサイン**［Vサイン］〔V←victory〕人さし指と中指を立てた手を外側に向けて作る、V字形のサイン。勝利・平和・得意な気持ちなどをあらわす。「—を出す」〔第二次大戦中に連合国で広まった。一九六〇年代の反戦平和運動では、ピースサインとも〕

**ブイじ**［V字］アルファベットの「V」の形。●**ブイじかいふく**［V字回復］最悪に落ちこんだ業績や相場などが、V字形をえがくように一気に回復すること。●**ブイじだに**［V字谷］《地》V字形に切れこんだ谷。ブイじこく。「深い—」

**フィジカル**〔physical〕㊀《名・ナダ》①物理(学)的。「—な現象」②身体的。肉体的。「—トレーニング」㊁身体面。体力。「—も強い」▽㊀㊁(↔メンタル)

**ブイゾーン**〔Vゾーン〕(和製 V zone) V字形の部分。「ジャケットを着たときの胸元の—」

☆☆**ふいちょう**〔△吹聴〕《名・他サ》①言いふらすこと。「あること ないことを—する」②〔古風〕宣伝。「何とぞご—をおたのみ申します」

**ふいつ**〔不一・不△乙〕《手紙》〔文〕終わりに書く、あいさつの ことば。じゅうぶんに意をつくせません、の意味。〔初めが「前略」「冠省」などの場合に使う〕

**フィックス**《名・他サ》〔fix〕固定すること。決めること。

**フィッシュ**〔fish〕さかな。「—ミール(⇩魚粉)」

**フィッシング**〔fishing〕釣り。「ルアー—」

**フィッシング**〔phishing ← sophisticated fishing=洗練された釣り〕インターネットを使った詐欺の手口。銀行・企業などのホームページに似せたものを作って、人をおびきよせ、カード番号などを聞き出す。

**フィッティング**〔fitting〕①試着。「—ルーム」②からだなどに合わせて調整すること。

**フィット**《名・自他サ》〔fit〕①適合。ぴったりあうこと。②ためしに着て、からだに合わせてみること。

**フィットネス**〔fitness〕①精神と肉体がぴったり調和した健康状態。②健康維持や体力づくりのための、運動やスポーツ。●**フィットネスクラブ**〔fitness club〕専門のインストラクターのもとで、各種の施設や器具を使って体力づくりをおこなう、会員制のクラブ。スポーツジム。

**ブイティーアール**〔VTR〕(← videotape recorder) 磁気テープを使ってテレビの録画・再生をおこなう装置。また、録画を再生した映像。

**ブイディーティー**〔VDT〕(← ⟨video/visual⟩ display terminal)《情》コンピューターのディスプレイ。キーボードなどの入力装置をふくめることもある。

**ぷいと**《副》①急に不機嫌になるようす。「顔を—そむける」②急に いなくなるようす。▽ぷいっと。

**フィドル**〔fiddle〕《音》カントリー ミュージックなどで使うバイオリン。

**フィトンチッド**〔ロ fitontsid〕樹木が発する香気をふくみ、殺菌力をもつ物質。森林浴が健康にいいのは、この物質のためとされる。

☆☆**フィナーレ**〔イ finale〕《音》①楽曲の最後の部分。最終楽章。②(オペラ・レビューなどの)最後の場面。「—をかざる」▽終曲。

**フィナンシェ**〔フ financier〕アーモンドの粉を使った、ひと口サイズの しっとりした食感のケーキ。

**フィナンシャル** 略 〔financial〕⇩ファイナンシャル。「—グループ〔略して『FG』とも書く〕」

☆☆**フィニッシュ**《名・自サ》〔finish〕①仕上げ。終結。②(スポーツなどの、連続した動作で)最後の動作。③(競走などで)ゴール。「—地点」(↔スタート)

**ブイネック**〔Vネック〕〔V-neck〕《服》(ワンピース・セーターなどの)前がV字形の えりぐり。Vえり。

**ぶいぶい**《副》小言などをうるさく言うようす。●**ぶいぶい言わせる** 句〔もと関西方言〕大きな顔をする。はばをきかせる。はでに遊び回る。「若いころは ぶいぶい言わせていた」

**フィフティ(ー)フィフティ(ー)**〔fifty-fifty〕五分五分。半々。「わけまえは—だ」

**フィフティーン**〔fifteen=十五〕ラグビー チームの全員。「両軍の—」

**ブイヤベース**〔フ bouillabaisse〕さかなや貝にトマトとスパイスを加えて軽く煮こんだ、フランスの地中海地方の料理。

**フィヨルド**〔ノルウェー fjord〕《地》両がわに がけが切り立っている、細長い湾。峡湾。例、ノルウェー海岸。

**ブイヨン**〔フ bouillon〕《料》牛・ニワトリの骨や肉などを煮て取った、スープのもとになる出しじる。「固形—・野菜—」☞コンソメ。

**ブイライン**〔Vライン〕(和製 V line) 女性の陰部の前がわにあたる、V字形の部分。脱毛の対象。☞VIO。

**フィラメント**〔filament〕電流を通すと強く光る、電球の中の細い線。繊条。

**フィラリア**〔ラ filaria=病原体となる、糸のような虫の名〕《医》①犬の心臓に寄生虫が はいりこんで起こる病気。②象皮病。▽フィラリア症。フィラリア病。

**フィランソロピー**〔philanthropy=慈善〕医療・福祉・環境・文化などへの企業の社会貢献活動。

**ふいり**〔不入り〕興行物などの入場者が少ないこと。(↔大入り)

**ふいり**〔△斑入り〕(植物の花・葉などで)地の色とちがう色が、まだらにまじっている⟨こと/もの⟩。「—のおもと〔万年青〕・—あざらし」

**フィリバスター**〔filibuster〕議会で長い演説をおこなうなどして、わざと議事の進行をおくらせる行為。議事妨害。

**フィリピン**〔Philippines〕ルソン島・ミンダナオ島などから成る、東南アジアの共和国。首都、マニラ(Manila)。比国。比。表記「△比律賓」は、古い音訳字。

**フィル** 略 ↑フィルハーモニー・フィルハーモニック。「ベルリン—」

**フィルター**〔filter〕①じゃまなものや有害なものを取り除くしかけ。ろか(濾過)装置。「—つきタバコ」②カメラの写りをよくするためにレンズの前に はめる、色つきの まるいガラス。③特定の見方に かたよらせるもの。バイアス。「メディアの—の かかった情報」

**フィルダー**〔米 fielder〕《野球》野手。フィールダー。●**フィルダースチョイス**〔米 fielder's choice〕《野球》打球をとった野手がそのボールを送る先にまよい、バッターとランナーの両方を生かしてしまうこと。フィルダーズチョイス。野手選択。野選。

**フィルタリング**〔filtering=ろか(濾過)〕選別して、不要なものを取り除くこと。特に、有害なホームページを表示しないようにすること。「—ソフト」

**フィルハーモニー**〔ド Philharmonie〕《音》音楽愛好家(の団体)。フィル。〔交響楽団などの名前に使う〕

**フィルハーモニック**〔philharmonic〕《音》音楽を好む⟨こと/人⟩。フィル。〔交響楽団などの名前に使う〕

ふ

**フィルム**〔film〕①合成樹脂で作った、うすくてすきとおった膜。「農業用—・包装用—(=ラップ)」②昔のカメラで、像を記録するために入れる合成樹脂の〈帯/シート〉。「—カメラ(↔デジタル カメラ)・映画—」③映画(の作品・画面)。▽フイルム。●**フィルムに収める**句〈写真/映画〉にとる。●**フィルムコミッション**〔film commission〕映画・ドラマ・CMなどのロケ撮影を支援する非営利団体。FC。

**フィルモグラフィー**〔filmography〕①映画作品のリスト。「SF映画の—」②映画に関する文献。

**フィレ**〔フ filet〕①⇩ヒレ。②さかなをおろして、頭と骨を除いた部分。③とり肉の、脂肪の少ない部分。「チキン—」▽フィレー。

**フィロソフィー**〔philosophy〕基本的な考え方。哲学。「営業方針に—がない」

**フィン**〔fin=ひれ〕①潜水用の足ひれ。②ひれの形をしたもの。「放熱器の—・サーフボードの—(=方向を安定させる、下面の板)」

**ふいん**[訃音]〔文〕(ある人が)死んだという知らせ。訃報。

**ぶいん**[部員]部に属する〈職員/人〉。

**ぶいん**[無音]《手紙》〔文〕⇩ごぶいん(御無音)。☞むおん(無音)。

**フィンガー**〔finger〕①手の指。「—チョコレート」②飛行場の建物から、わたり廊下のようにはり出した、送りむかえをする所。送迎デッキ。●**フィンガーボウル**〔finger bowl〕〔西洋料理で〕食後のくだものなどを食べたあとで、指先を洗う水を入れる器。

**ふいんき**[:雰囲気]〔話〕「ふんいき」の聞き誤りからできた形。✎「fun-i-ki」の「un-i」の部分はどれも鼻にかかる音になるため、「ふんいき」と言ったつもりでも、「ふい(ん)き」「ふういき」などと聞こえることがある。

**フィンテック**〔fintech〕IT技術を利用した金融サービス。例、スマートフォンによる送金など。

**フィンランド**〔Finland〕北ヨーロッパの共和国。東はロシア連邦に接する。首都、ヘルシンキ(Helsinki)。スオミ。芬。表記「:芬蘭」は、古い音訳字。

**ふう**[△二]〔古風〕ふたつ。〔数えるときに言うことば〕☞ひい(一)。

**ふう**[封]一ふう ①〔簡単にはあかないように〕とじること。「—をする」②とじめ(のしるし)。二造《野球》↑封殺。「三—(=三塁で封殺)」

**ふう** 一ふう[風]①〔文〕習わし。「都会の—に染まる」②〔文〕おもむき。「君子の—がある」③ていさい。ようす。「堂々たる—をしている」☞ふうだ。二ふう[(風)]ふり。ようす。「そしらぬ—をする」三[風]造 かぜ。「季節—」四[(風)]造 ようす。おもむき。「いなか—・西洋—」

**ふう**《感》〔話〕〔あきれたり つかれたりして〕ため息が出るときに言うことば。「—、まだできないのか・—、もう限界」

**ぶう** 一ぶう《副》ブタの鳴き声。ぶうぶう。二ぶう《副》①おならの音。②[ブー]ブザーや車のエンジンなどの音。ブ(ッ)ブー。三ぶう[ブー]《感》〔クイズ番組で不正解をあらわすブザーの音から〕〔俗〕ちがいます。ブ(ッ)ブー。(↔ピンポン)

**プーアールちゃ**[(:普洱)茶]〔プーアール(普洱)=中国、雲南省の地名〕色がこく、独特のかおりがある、中国のお茶。プーアル茶。

**ふうあい**[風合い]ものの手ざわりや見た目からくる全体の感じ。また、おもむきや味わいのあるようす。「自然な—のカーテン・—のある(=味わいのある)家具」

**ふうあつ**[風圧]《天》風の圧力。

**ふうあつ**[封圧]《名・他サ》〔文〕封じこめて、動きをおさえつけること。「ゲリラを—する」

**ふういん**[風韻]〔文〕おもむき。雅致。風趣。

**ふういん**[封印]《名・自他サ》①封じ目に〈おした印/印をおすこと〉。②〔開けられないように〕封をすること。③表に出さないようにすること。さしとめること。「歴史の—を解く・四回転ジャンプを—する」

**ブーイング**〔booing〕音楽・演劇・競技などで、観客が不満を〈あらわすこと/あらわして発する声や物音〉。

**ふうう**[風雨]①風と雨。②強い風をともなった雨。あらし。

**ふううん**[風雲]〔=風と雲〕〔文〕天下が大きく動こうとする機運。●**風雲急を告げる**句 今にも天下を動かす大事件が起こりそうな状況である。●**ふううんじ**[風雲児]社会の大きな変動を利用して活躍する人。

**ふうえい**[×諷詠]《名・他サ》〔文〕〔自然などを〕詩歌によむこと。「花鳥—」

**ふうえいほう**[風営法]〔↑風俗営業等の規制及び業務の適正化等に関する法律〕風俗営業をとりしまる法律。

**ふうか**[風化]《名・自サ》①《地》地表の岩石が、日照りや風雨などにさらされて、しだいに変質したり細かくなったりすること。②年月がたって、記憶や印象がうすれること。「戦争体験が—する」

**ふうが**[風雅]《名・ナダ》〔文〕①みやびやかなこと。風流。「—を解する」②詩文・書画などの道。

**フーガ**〔イ fuga〕《音》もとになるメロディーに似た旋律が、つぎつぎと追いかけるように あらわれる曲。遁走曲。

**ふうかい**[風懐]〔文〕〔俗気をはなれた〕上品な考え。

**ふうがい**[風害]暴風による被害。

**ふうかく**[風格]①ひとがら。人品。②おもむき。「—のある文章」

**ふうがわり**[風変わり]《ナダ》ふつうと様子が かわっている状態。「—な作品」

**ふうかん**[封(×緘)]《名・他サ》手紙などの封をすること。封。「—紙」

**ふうき**[風紀]人々が社会生活を送るうえでの規律。特に、性的な規律。「町の—がみだれる・—紊乱」

**ふうき**[富貴]《名・ナダ》〔文〕金持ちで身分が高いこと。ふっき。(↔貧賤)

**ふうぎ**[風儀]〔文〕社会や家庭におこなわれる、行儀作法。「—がいい・—が悪い」

**ふうきり**[封切り]《名・他サ》①封をしてあるものの、封を〈切ること/切ったもの〉。②映画館で、新しい映画をはじめて上映すること。ふうぎり。「—館」動 封切る《他五》。

**ブークレ**〔フ bouclé〕主となる糸に、毛糸をゆるくよりあわせて、「6」の字がつながったようにした糸。布に織ると、表面にたくさんの小さな輪ができる。ブークレヤーン。

「―ワンピース」
**ブーケ**〔フ bouquet〕①〔手に持ってアクセサリーにする〕花たば。「ブライダル〔=結婚式で使う〕―」②〔ワインの〕かおり。●**ブーケガルニ**〔フ bouquet garni〕何種類かのハーブをたばにしたもの。煮こみ料理などの風味づけに使う。●**ブーケトス**〔bouquet toss〕結婚式で、後ろを向いた花よめが、女性客のほうに花たばを投げること。受け取った女性は〔次に〕結婚できるという。

＊**ふうけい**【風景】①自然や町並みなどの ながめ。景色。「―画・田園―・―が開ける」②そこで起こる できごとの様子。「授業―・いつもの出社―」 区別 「**風景**」は静的な ながめにも、できごとの様子にも使うのに対し、「**景色**」は特に静的な ながめに使う。「**光景**」は特に印象的なできごとの様子に使う。「**情景**」は、創作などで、「心理」の対義語として、その場の様子をさすのに使う。③〔←風景画〕「風景①」をかいた絵。

**ふうけつ**【風穴】〔文〕⇩かざあな②。

**ふうげつ**【風月】〔=かぜとつき〕〔文〕自然界の風物。●**風月を友とする** 句 風流な生活を送る。

**ブーゲンビリア**〔bougainvillea〕南アメリカ原産の、枝がつる〔蔓〕のようにのびる低木。赤むらさき色の苞が、花のように目立つ。ブーゲンビレア。

**ふうこう**【風光】〔文〕けしき。風景。●**ふうこうめいび**【風光明×媚】《名・ナダ》自然の景色がすがすがしく、心ひかれるほど美しいようす。「―な海岸」

**ふうこう**【風向】《天》風のふいて来る方向。ふつう、十六に分けた方位であらわす。かざむき。「―計」

**ふうこつ**【風骨】〔文〕姿。風貌。「教養豊かな―」

**ふうさ**【封鎖】《名・他サ》①〈出はいり/出し入れ〉ができないように、とざすこと。「道路を―する」②《法》相手の国の海上交通を実力でさえぎること。

**ふうさい**【風災】〔文〕風による災害。

☆☆**ふうさい**【風采】身なりや態度などの全体から受ける感じ。〔おもに男性について言う〕「―が上がらない〔=ぱっとしない〕・堂々たる―の人」

**ふうさつ**【封殺】《名・他サ》①《野球》〔次のベースに走らなければならない〕ランナーが走りつかないうちに、ボールをベースに投げてアウトにすること。フォースアウト。②相手の活動を封じること。

**ふうし**【夫子】①〔文〕先生を尊敬して言うことば。⇨村夫子。②〔古風〕ご本人。ご自分。〔皮肉な言い方〕「―自身も知らないのだろう」

**ふうし**【風姿】〔文〕〔品のある〕すがた。「かくしゃくとした―」

☆☆**ふうし**【風刺・×諷刺】《名・他サ》絵・物語などで、皮肉をこめて批評すること。「現代を―する」

**ふうじこ・む**【封じ込む】《他五》①〔中に入れ〕封をして、見ることができないようにする。②封じ込める。

**ふうじこ・める**【封じ込める】《他下一》①中に入れて出られないようにする。②相手の活動をおさえて、とじこめる。名 封じ込め。

**ふうじて**【封じ手】①《碁・将棋》翌日まで続く対局のさい、その日の最後の手を書いて封筒などにしまっておくこと。翌日、その手が公開され、再開する。②《すもうなど》使うことをとめられている わざ。

**ふうじめ**【封じ目】封をしてあわせたところ。

**ふうしゃ**【風車】風の力を利用して回る、大きな羽根車。かざぐるま。「オランダの―小屋」

**ふうじゃ**【風邪】〔文〕かぜ〔ひき〕。「―の気味で」

**ふうしゅ**【風趣】〔文〕おもむき。「しのびよる秋の―」

**ふうしゅう**【風習】習わし。しきたり。「いなかの―・―が残る」

**ふうしょ**【封書】封をした郵便物。

**ふうしょう**【風尚】〔文〕その時代の人々の好み。「時代の―や必要から」

**ふうしょく**【風色】〔文〕けしき。風光。

**ふうしょく**【風食・風×蝕】《名・他サ》《地》風が岩の表面に砂をふきつけて、岩をへらし こわすこと。

**ふう・じる**【封じる】《他上一》①封をする。②神や仏の力で とじこめる。「虫を―」③自由に使えないようにする。「得意わざを封じられる」④さしとめる。くいとめる。「敵の攻撃を―」⑤ふさぐ。「退路を―」⑥《碁・将棋》封じ手をする。▽封ずる。名 封じ。「言論―」⇨ほう(封)ずる。

☆☆**ふうしん**【風×疹】《医》春から夏にかけて多く流行する、「はしか〔麻疹〕」に似た感染症。妊娠初期の女性がかかると、生まれてくる赤ちゃんに障害の出る可能性が高くなる。みっかばしか。

**ふうじん**【風神】風をふかせると考えられた神。⇨雷神。

**ふうじん**【風×塵】〔文〕強い風のためにまい上がる砂やほこり。

**フーズ** 造〔foods〕食品。フード。「パーティー―・―ストア」

**ブース**〔booth〕①〔語学練習用の〕小さく仕切った席。②切符を売ったり、検査をしたりするための、窓口のある場所。「インターチェンジの―」③〔展示会・説明会などで〕参加団体ごとに仕切った場所。小間。

**ふうすい**【風水】〔=風と水〕土地や水流など自然の様子から陰陽の気を読み取って、住居や墓地に適する方位などを定める術。●**ふうすいがい**【風水害】風害と水害。

**ブースター**〔米 booster〕①機械などの はたらきや速度を増すための しかけ。受信機の増幅器など。②〔人工衛星やミサイルで〕最初〔のほう〕に切りはなす、推進用のロケット。

**ブースト**《名・自他サ》〔boost〕①勢いづけること。促進。②アンプを用いた音量の増幅。③自動車のエンジンに送る空気圧を上げること。④〔スマートフォンやパソコンで〕不要なアプリを削除するなどして速く動作するようにすること。

**ふう・する**【×諷する】《他サ》〔文〕遠まわしに言う。

**ふうせつ**【風雪】《名・自サ》〔文〕①風と雪。「―が強まる・―波浪注意報」②ふぶき。③さまざまな苦労。「―に耐えて生きる・―十年」

**ふうせつ**【風説】《名・自サ》〔文〕うわさすること。風評。「―が立つ・―の流布」

**ふうせん**【風船】①ゴム・紙の ふくろをふくらませたおもちゃ。風船玉。②「気球」の古い言い方。「―旅行」●**ふうせんだま**【風船玉】⇩風船①。

**ふうぜん**【風前】風のあたるところ。●**ふうぜんのともしび**【風前の〈△灯〉】今にもあぶない〈状態〉運命〉。

**ふうそう**【風葬】 葬礼の一つ。死体を外に置いて風雨にさらす。

**ふうそう**【風霜】〔=かぜと しも〕〔文〕世わたりの困難。「—に耐える」

**ふうそく**【風速】〔一秒あたりの〕風の はやさ。風の速度。「—八メートル」

**ふうぞく**【風俗】①世間に暮らす人々の、生活の様子。「—喜劇・—小説」②社会の風紀。「—壊乱・—犯〔=わいせつ犯など〕」③〔↑性風俗業。「フーゾク」とも書く〕〔俗〕性に かかわる営業。「—嬢」 ●**ふうぞくえいぎょう**【風俗営業】《法》客に遊興や飲食をさせる営業。バー・クラブ・マージャン店・パチンコ店など。

**ふう・だ**《助動ナ型》〔=風だ〕 ようだ。「どんなふうに作るの?・聞いたふうなことを言うな」

**ふうたい**【風袋】①〔はかりで はかるものについて〕ふくろ・入れものなど。②〔俗〕外観。

**ふうたく**【風×鐸】①お堂や塔などの、軒の四すみにつるす鐘の形をしたすず。②〔雅〕ふうりん。

**ぶーた・れる**［ブー（垂れる）］《自下一》〔俗〕ぶうぶう不平を言う。文句を言う。ぶうたれる。〔戦後に隠語から広まったことば〕

**ぷーたろう**［プー太郎］〔↑風太郎〕〔俗〕きまった職も(家も)なく、ぶらぶらしている人。プータロー。プー。

**ふうち**【風致】〔文〕自然に包まれたけしきの美しさ。「—地区・—をそこなう」

**ふうちょう**【風潮】 一般の傾向。世間のなりゆき。「世の—・かねがすべての—」

**ふうちん**【風鎮】〔風でゆれ動かないように〕掛け軸の下の両はしにつける玉や石のおもり。

**ブーツ**〔boots〕〔革製・エナメル製などの おしゃれな〕長ぐつ。「—イン〔=ズボンの すそをブーツに入れること〕」 ●**ブーツカット**〔boots cut〕《服》〔ジーンズやスラックスで〕太ももから ひざは細く、ひざから すそにかけて少し広がっている型。 ●**ブーツサンダル**〔boots sandal〕 ブーツのように足首まで おおってあるが、足の先や甲のあいたくつ。ブーサン〔俗〕。

**ふうてい**【風体・風△態】 身なり。ふうたい。「あやしい—・人相—が よくない」

**フーディ(ー)**〔hoodie〕《服》⇩パーカ(ー)②。

**ブーティ(ー)**〔bootee〕 ブーツの、くるぶしより下だけを残した形の くつ。

**ふうてん**［(×瘋×癲)］〔俗〕①精神状態が正常でない〈こと/人〉。②〔「フーテン」とも書く〕 きまった仕事を持たないで、ぶらぶらしている人。

**フート**〔foot〕 ⇩フィート。

**ふうど**【風土】 ①その土地の状態・地質・気候など。②〔考え方・気質の〕傾向。「政治(的)—・企業—」 ●**ふうどびょう**【風土病】 その土地だけにある病気。例、日本脳炎・マラリア。

**フード**〔food〕 ①食べ物。食品。「—ビジネス・—ロス〔⇩食品ロス〕・—トラック〔⇩キッチンカー〕」②〔↑ペットフード〕 ペット用の、売り物の えさ。 ●**フードコート**〔food court〕 ショッピングセンターなどの中にある、セルフサービスの飲食店を集めたスペース。 ●**フードプロセッサー**〔food processor〕 食品を中に入れ、電動で切ったり、すりつぶしたり、混ぜたりする調理器具。フープロ。☞ミキサー②。

**フード**〔hood〕 ①《服》〔コートなどについている〕ずきん。②おおうもの。おおい。「カメラのレンズの—・レンジ—」

**ふうとう**【封筒】 手紙などを入れて送る ふくろ。状袋。「茶—」

**ふうとう**【風倒】〔文〕風で たおれること。「—木」

**ふうどう**【風洞】 飛行機などの空気抵抗をはかるための、トンネル型の実験装置。人工的に風を起こす。

**プードル**〔poodle〕 ヨーロッパ原産の犬。耳は たれ、からだは毛が長く、独特の形にかりこむ。ペットにする。「トイ〔=小形の〕—」

**ふうにゅう**【封入】《名・他サ》〔文〕中にいれて封をすること。

**ふうは**【風波】〔文〕①風と波。「—が はげしい」②争い。もめごと。「—が絶えない」

**ふうばいか**【風媒花】《植》風によって、花粉が おしべからめしべに運ばれて受粉する花。例、マツ・クリ・イネ。

**ふうばぎゅう**【風馬牛】〔文〕自分とまったく関係がないこと。

**ふうび**【(風×靡)】《名・他サ》〔文〕なびき したがわせること。なびかせること。「一世を—する〔⇩「一世」の 句〕」

**ブービー**〔booby〕《ゴルフ・ボウリングなど》成績が下から二番目(の人)。「—賞・—メーカー〔=最下位〕」

**ふうひょう**【風評】 うわさ。 ●☆☆**ふうひょうひがい**【風評被害】 根拠の はっきりしない情報が世間に流されることによって受ける被害。「安全基準を満たす作物を出荷する農家が—を受ける」

***ふうふ**【夫婦】 結婚している ひと組みの男女。めおと。「—愛・—者・—仲が いい」 ☞夫妻。 ●**夫婦げんかは犬も食わない** 句 夫婦げんかは、ばかばかしくて、相手にするねうちがない。 ●**ふうふせいかつ**【夫婦生活】 ①夫婦としての生活。②夫婦の性生活。「—がない」 ●**ふうふべっせい**【夫婦別姓】 夫婦が同じ姓にならず、結婚前のそれぞれの姓を名のること(を認める制度)。

**フープ**〔hoop〕 ①⇩フラフープ。②新体操で使う輪。☞手具。③輪の形のピアス。

**ふうふう**《副・自サ》①口をすぼめて何度も息をふきかけるようす。「—ふいて火をおこす・〔幼児に〕—して食べてね」②苦しそうに息をするようす。「—言いながら走る」③〔仕事や時間に追われて〕苦しんでいるようす。「仕事で—言っている」

**ぶうぶう** 一《副》①ブタの鳴き声。②不平や不満を言いたてるようす。「—文句を言う」③〔ブーブー〕〈何度も/あちこちで〉鳴る、ブザーや車のエンジンなどの音。 二〔児〕①ブタ。②〔ブーブー〕 自動車。

**ふうぶつ**【風物】〔文〕①その季節の特色をあらわす風景や ものごと。「四季折々の—・三月の—」②〔その土地の〕ながめ。「山村の—」 ●☆☆**ふうぶつし**【風物詩】〔文〕季節の感じをよくあらわし、詩のような感じをあたえるもの。「夏の—、花火」

**ふうぶん**【風聞】《名・他サ》〔文〕うわさ。風説。「よからぬ—を耳にする」

**ふうぼう**【風防】 かぜよけ。防風。「バイクの—・時計の—ガラス」

☆☆**ふうぼう**【風貌】 顔かたち・からだつきなどから受ける、

全体の感じ。「哲人の―」

**ふうみ**【風味】《名・他サ》いい かおりをともなった、特有の味。「しょうゆの―・独特の―がある・洋酒を―づけに使う」

**ブーム**〔boom〕急に〈強い関心が集まる／さかんになる〉こと。社会現象。にわか景気。…熱。「健康―・―に乗る・大会を―アップする〔=盛り上げる〕」

**ブーメラン**〔boomerang〕①投げとばすと もとにもどってくる、くの字形の短い棒（の おもちゃ）。〔もと、オーストラリア先住民が猟に使った〕②自分にはね返ってくるもの。「批判が―となって返る・海外での人気が―現象で国内にブームをもたらす」

**ふうもん**【風紋】《地》風が砂丘などの上をふいてできた模様。

**ふうゆ**【×諷喩・風諭】《名・他サ》①〔文〕遠まわしにさとすこと。②⇩アレゴリー②。

**ふうらいぼう**【風来坊】どこからともなくやって〈きた／きて、また去っていく〉人。

**ブーランジェリー**〔フ boulangerie〕〔フランス風のパンを売っている〕パン屋。ブランジェリー。

**フーリガン**〔hooligan〕騒動を引き起こす、サッカーの熱狂的なファン。

**ふうりゅう**【風流】《名・ナダ》俗世間のことをはなれて、和歌や俳句を作り、また茶の湯などを楽しむこと。「―隠者・―人」（↔無風流）派-さ。●**ふうりゅういんじ**【風流韻事】〔文〕和歌・俳句などを作ったり、書画に親しんだりして楽しむこと。みやびやかな遊び。

**ふうりょく**【風力】①《天》風の はやさの度合い。「―階級」②《理》風の力やそこから生じるエネルギー。●**ふうりょくはつでん**【風力発電】《理》風の力で(大きな)風車を回す発電方式。

**ふうりん**【風鈴】風にふかれると ゆれて鳴る、小さなつりがね形のもの。夏、軒に下げて、すずしい音を楽しむ。〔中に ぶらさげた金具《=舌》が、外がわの かねに当たって鳴る〕

**ふうりんかざん**【風林火山】武田信玄の戦術の精神をあらわすということば。「孫子」から引用した「疾きこと風のごとく、徐かなること林のごとし。侵掠すること火のごとく、動かざること山のごとし」。

**ブール**〔フ boule〕丸い形に作った、フランスパン。

**プール**《名・他サ》〔pool〕①まわりを囲って作った水泳(競技)場。「―サイド〔=プールのすぐそば〕」②ためること。「資金を―する」③たまり場。置き場。「タクシー・モーター―」●**プールねつ**【プール熱】のどがはれ、結膜が赤くなる、子どもに多い感染症。プールでうつることが多い。プール病。咽頭結膜熱《医》。●**プールバー**〔和製 pool bar〕ビリヤードのできる酒場。

**ブールバール**〔フ boulevard〕並木道の大通り。ブールバード(boulevard)。

**ふうろう**【封(×蝋)】書状やワインなどの栓を封じるための ろう(蝋)(のようなもの)。

**ふうろう**【風浪】〔文〕風波。

**ふうん**【不運】《名・ナダ》運が悪いようす。ふしあわせ。「身の―」(↔幸運) 派-さ。

**ふうん**《感》〔話〕①それまで知らなかったことに対する、軽いおどろき・感心・うたがいなどの気持ちを表すことば。ふーん。「ふうん(↗)、そうなんだ」(1)多く、口をとじてハミングのように発音する。(2)ふつう、自分のことには言わない。「『ごはんつぶついてるよ』『ふうん』」はおかしい。(3)目上に言うのは失礼。区別⇩へえ㊀。②⇩ふん《感》①③。

**ぶうん**【武運】〈武士や軍人／戦い〉の運命。「―長久をいのる・―つたなく敗れ去る」

**ぶうん**《副》①小さい虫の〈羽音／飛ぶようす〉。「―とハチが飛ぶ」②軽飛行機などのエンジンの音。☞ぶんぶん。

**ぷうんと**《副・自サ》(いやな)においが ただようようす。「酒のにおいが―鼻をつく」

←**ふえ**【(×吭)】〔文〕のどぶえ。

→**ふえ**【笛】①《音》管楽器の一つ。管の側面に一つの歌口と いくつかの穴があって、息をふいて鳴らす。特に、日本古来の横笛をさす。②あいずのために ふき鳴らす道具。呼び子など。●**笛吹けど踊らず** 句 さそってそうさせようとしても なかなかそれに応じない。●**笛を吹く** 句《サッカー・バレーボールなど》審判をつとめる。

**ふえ**【(×鰾)】《動》⇩うきぶくろ②。

☆☆**フェア**〔fair〕㊀《名・ナダ》かけひきのない態度。公明正大。(↔アンフェア) 派-さ。㊁①《野球》打球が規定の線の内がわに〈はいること／はいったもの〉。「―グラウンド・―フライ」(↔ファウル) ②《ゴルフ》↑フェアウェイ。③〔以上とは別語源〕もよおし。特別企画。「ブック―〔=本まつり〕・〔メニューで〕ハンバーグ―」▽㊀㊁フェアー。

**フェアウェイ**〔fairway〕《ゴルフ》ティーグラウンドからグリーンに向かって芝を短く刈り、手入れをしたところ。フェアウェー。(↔ラフ)

**フェアトレード**〔fair trade=公正な貿易〕発展途上国の産品を、生産者から直接、適正な価格で購入して、その生活向上をたすけるしくみ。FT。

**フェアプレー**〔fair play〕①正々堂々の試合ぶり。「―精神」②公明正大な〈行動／態度〉。

**フェアリー**〔fairly〕妖精。「―ランド〔=おとぎの国〕」

**ふえい**【府営】「府③」が経営〈すること／しているもの〉。「―プール」

**フェイク**〔fake〕①模造。「―食品〔=コピー食品〕・―レザー〔⇩合皮〕」②もっともらしい にせ情報。「―を見ぬく・ディープ―〔=巧妙な にせ動画〕」③《アメリカンフットボール》クオーターバックが、ボールを手わたすふりをすること。④《音》即興のメロディー。▽フェーク。●**フェイクニュース**〔fake news〕もっともらしい うそのニュース。〔二〇一六年のアメリカ大統領選挙で広まったことば〕●**フェイクファー**〔fake fur〕合成繊維で作る、人工の毛皮。フェークファー。

**フェイシャル** 造〔facial〕顔の。顔に〈ぬる／つける〉。フェーシャル。「―ケア・―ソープ」

**フェイス**〔face〕①顔。「―ローション」②《登山》広く大きな岩壁。▽フェース。●**フェイストゥーフェイス**〔face-to-face〕対面。差し向かうこと。「―で話し合う」●**フェイスブック**【〔Facebook〕】〔商標名〕実名で、近況や写真などを自分のホームページに自由に追加したり、ほかの人のページにコメントしたりできる、インターネットのサービス。FB。☞SNS。 ●フェイスペインティング〔face painting〕顔に絵や模様を顔料でかくこと。スポーツ観戦やイベントなどでおこなう。

**ふえいせい**【不衛生】《名・ナダ》衛生的でないこと。「―な食品」(↔衛生的) 派―さ。

**ふえいようか**【富栄養化】〔地〕湖などに生活排水などが流れこんで、プランクトンが異常に発生し、水質が悪くなること。

**フェイルセーフ**〔fail-safe〕装置が故障したとき、安全な状態のほうへ機械がはたらくこと。フェールセーフ。

**フェイント**〔feint=見せかけ〕見せかけの動作・プレー。例、バレーボールで、強く打つと見せかけて、ゆるいボールを相手のコートに返すこと。

**フェーズ**〔phase〕段階。局面。フェイズ。「インフルエンザの流行レベルは―6が最も危険な段階だ」

**フェード**〔fade=あせる。うすれる〕(↑フェードボール)〔ゴルフ〕右打ちの人は右(左打ちの人は左)にカーブしながら飛ぶ打球。(↔ドロー) ●☆☆**フェードアウト**《名・自サ》〔fade out〕①〔映画・放送〕ⓐ画面をだんだんに暗くしていって、まっ暗にすること。溶暗。ⓑ音声をだんだんに小さくしていって消すこと。▽①(↔フェードイン) ②しだいに消え去ること。▽フェイドアウト。 ●**フェードイン**《名・自サ》〔fade in〕〔映画・放送〕①画面をだんだんに明るくすること。溶明。②音声をだんだんに大きくすること。▽(↔フェードアウト)

**フェーンげんしょう**【フェーン現象】〔ド Föhn〕〔天〕山脈をこえてふきおろす、かわいた熱い風(=フェーン)が、乾燥と高温をもたらす現象。大火事が起こりやすい。表記「フェーン」は「風炎」とも書いた。意味と音をかねた当て字。

**ふえき**【賦役】〔歴〕年貢と労役。夫役。

**ふえき**【不易】《名・ナダ》〔文〕時代を通じて変わらないこと。「万古―」 ●**ふえきりゅうこう**【不易流行】(=変わらないものと、変わるもの) 変化を取り入れつつ、根本に不変のものを持つこと。〔松尾芭蕉の俳諧理念〕「―の精神」

**フェザー**〔feather〕①〔軸のついた〕鳥のはね。「―タッチ(=はねのように軽い感じ)」☞ダウン(三)。②↑フェザー級。 ●**フェザーきゅう**【フェザー級】体重で分けた選手の階級の一つ。プロボクシングでは、一二二ポンド(=約五五・三キロ)以上、一二六ポンド(=約五七・一キロ)までの体重。

**フェス**〔音楽などの〕↑フェスティバル。「夏―」

**フェスタ**〔イ festa〕フェスティバル。「スポーツ―」

☆☆**フェスティバル**〔festival〕祭典。大きなもよおし。フェスタ。フェス。「クラシック―・〔デパートで〕東京みやげ―」

**ふえつ**【斧鉞】《名・他サ》(=「おの」と「まさかり」)〔文〕文章を添削すること。「―を加える」

**フェチ**〔俗〕①↑フェティシズム②。「時計―」②特定のものに異常に愛着を示す〈こと/人〉。

**フェットチーネ**〔イ Fettuccine〕きしめんのようにひらたくて長いパスタ。フィットチーネ。「トマトクリーム―」

**ふえて**【不得手】《名・ナダ》①得意でないこと。「自己表現が―だ」(↔得手) ②好まないこと。「牛乳が―だ」

**フェティシズム**〔fetishism〕①〔宗〕石や木などに神聖な威力を認めて崇拝すること。物神崇拝。呪物崇拝。拝物思想。②〔心〕相手のからだの一部や、身につけているものなどに性的な関心をもつこと。フェチ〔俗〕。▽フェチシズム。

**フェニックス**①〔ド Phönix〕不死鳥。②〔ラ phoenix〕熱帯の植物。細かくさけた葉が幹の頂上から長くしなやかに出る。

**フェノール**〔phenol〕〔理〕特有の、鼻をつくようなにおいの薬品。防腐剤や消毒・殺菌に使う。石炭酸。

☆☆**フェミニスト**〔feminist〕①フェミニズムの考えを持つ人。フェミ〔俗〕。②〔古風〕女性を大切にする男性。〔日本独自の用法〕

**フェミニズム**〔feminism〕男も女も性的少数者も平等にあつかわれるべきだという〈考え方/運動〉。フェミ〔俗〕。〔以前は「女権(拡張)論」などと訳された〕

**フェミニン**《ナダ》〔feminine〕女性的な〈ようす/こと〉。「―なファッション」(↔マニッシュ)

**フェムト**〔femto〕千兆分の一〔記号f〕。「―秒」☞ピコ〔pico〕。

**フェライト**〔ferrite〕〔理〕酸化鉄を主成分とする、磁力の強い物質。「―磁石」

**フェリー**〔ferry〕↑フェリーボート。「カー―」 ●**フェリーボート**〔ferryboat〕自動車を乗客や積み荷ごと乗せて運ぶ船。航送船。フェリー。

**ふ・える**【増える】〔自下一〕〔数や量が〕多くなる。増す。加わる。「人数が―・体重が―・負担が―」(↔減る) 表記 財産・生物などは「殖える」とも。

**フェルト**〔felt〕羊毛などの毛を水分と熱でおし縮めて布のようにしたもの。敷物・帽子・はきものなどを作る。フエルト。 ●**フェルトペン**〔felt pen〕中のインクがフェルト状のペン先にしみ出るようにしたペン。☞サインペン・マジックインキ。

**フェルマータ**〔イ fermata〕〔音〕音または休止を、適当な長さにのばす記号。「𝄐」。

**フェレット**〔ferret〕イタチのなかまの、小形のけもの。活動的でよく人になれるので、ペットにする。

**フェロー**〔fellow=仲間〕〔大学や企業で〕特別の資格をあたえられて研究に従事する人。

**フェロモン**〔pheromone〕①〔生〕動物が体外に分泌し、なかまになんらかの行動を起こさせる物質。「性―」②〔俗〕色気。「―全開」

**ふえん**【不縁】①縁組みがこわれること。「つりあわぬは―のもと」②縁遠いこと。

☆☆**ふえん**【敷衍・敷延】《名・他サ》(=推し広げる)〔文〕①広く当てはめること。「一つの事例を全体に―する」②ことばをつけ加えて、くわしく説明すること。「彼の説を―すると…」

**フェンシング**〔fencing〕西洋流の剣術(の競技)。

**フェンス**〔fence〕①金網のかきね。柵。塀。②競技場の囲い。

**フェンダー**〔fender〕自動車のどろよけ。

**フェンネル**〔fennel〕ハーブの一種。葉は糸状に広がる。たねは料理のかおりづけや薬用に使う。ういきょう。

**ぶえんりょ**【無遠慮】《ナダ》〔えんりょすべきところを〕え

んりょしないようす。[派]ーさ。

**フォア**〔four〕①⇩フォー(four)。②四人でこぐボート(レース)。

**フォア**《テニスなど》←フォア ハンド。(↕バック)

**フォアグラ**〔フ foie gras〕肥えさせたガチョウの肝臓を練りつぶして、湯煎したもの。キャビア・トリュフとともに、フランス料理の高級食材。フォワグラ。

**フォア ハンド**〔forehand〕《テニスなど》ラケットを持つ手の がわに来たボールを打つこと。前打ち。フォア。(↕バック ハンド)

**フォア ボール**〔和製 four ball〕《野球》投手が、ストライクでないボールを四回投げること。打者は一塁へ進む。四球。

**フォイル**〔foil〕⇩ホイル。

**フォー**〔ベトナム pho〕米粉で作る麺を使ったベトナム料理。牛の骨やとりガラのスープをニョクマムで味つけする。「牛肉の―」

**フォー**(造)〔four〕四。四つ。フォア。「ベスト―・―ドア」

**フォーカス**《名・自サ》〔focus〕①焦点。ピント。「ソフト―」②焦点を当てること。

**フォーク**〔folk=民衆〕①←フォーク ソング。「―調・―バンド」②〔←フォーク ミュージック〕その土地に古くから伝わる、そぼくな音楽。 ●**フォーク ソング**〔folk song〕①〔外国の〕民謡。②〔アメリカで生まれた〕そぼくなポピュラーソング。ギターの弾き語りなどをして、民衆の感情や主張を歌ったもの。▽フォーク。 ●**フォーク ダンス**〔folk dance〕〔レクリエーションとして〕多くの人が、手を取り合って、いっしょに おどるダンス。

**フォーク**〔fork〕[一]①洋食で、肉などをさして食べる道具。ホーク。[表記]「:肉匙」「:肉刺」とも書いた。②《野球》←フォーク ボール。[二]《名・他サ》《情》オープンソースなどをもとに別のソフトウェアを開発すること。 ●**フォーク ならび**〔フォーク並び〕〔ATMやレジなどの利用で〕それぞれに列をつくらず、来た人から一列に並んで、あいた機械を順番に使うようにする並び方。 ●**フォーク ボール**〔米 fork ball〕《野球》打者の近くで不規則な変化をしながら落ちる投球。人さし指と中指の間に はさんで投げる。フォーク。 ●**フォーク リフト**〔fork lift〕車の前に突き出た二本の鉄のうでが上がり下がりして、構内での荷物の積みおろしや運搬をする車。

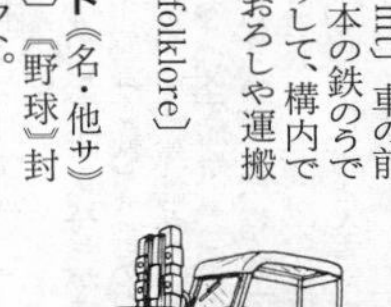
［フォークリフト］

**フォークロア**〔folklore〕民俗学。

**フォースアウト**《名・他サ》〔米 force-out〕《野球》封殺。ホース アウト。

**フォー ナイン**〔four nines〕九九・九九パーセント。「金貨の純度は―」☞テンナイン。

**フォービズム**〔Fauvism〕《美術》あらあらしい筆づかいとあざやかな原色を特色とする絵をかく流派。野獣派。野獣主義。フォーヴィスム(フ fauvisme)。フォーヴ(フ fauve=野獣)。

**フォーマット**〔format〕[一]書式。記入形式。[二]《名・他サ》《情》〔コンピューターのディスクなどを〕データの記録ができる状態にすること。初期化。

☆☆**フォーマル**〔formal〕[一]《ナダ》公式。正式。「―な場面・―ウェア〔=礼服〕」[派]ーさ。[二]《服》礼服。礼装。▽[一][二](↕インフォーマル)

**フォーミュラ ワン**〔Formula One〕⇩エフワン(F1)。

**フォーム**〔foam〕泡。「洗顔―・―ラバー〔=スポンジ状のゴム〕」

**フォーム**〔form〕①形式。型。②《スポーツ》プレーするときの、かっこう・姿勢。

**フォーメーション**〔formation〕試合のときの、チームの隊形。

**フォーラム**〔forum=公共広場。集会所〕〔←フォーラム ディスカッション〕公開討論会。

**フォール**《名・他サ》〔fall=負け〕《レスリング》相手の両肩を、マットにおさえつけること。こちらの勝ちになる。〔プロレスでは、三秒間その状態にすると勝ち〕「―をねらう・―勝ち」

**フォールト**〔fault〕《テニスなど》⇩フォルト。

**フォカッチャ**〔イ focaccia〕オリーブオイルを入れて焼いた、もちもちしたイタリアのパン。「ローズマリー―」

**フォグランプ**〔fog lamp〕霧が出ても見えやすくするよう、自動車などに取りつける補助ランプ。霧灯。フォグ ライト。

**フォッサ マグナ**〔ラ Fossa Magna=大きな みぞ〕《地》本州の中央部を南北に通る、地質の独特な地帯。大きな みぞ〔=大地溝帯〕が、岩石でうまってできたもの。ここを境に東日本と西日本に分かれる。☞地溝。

**フォト**〔photo〕写真。フォトグラフ。「―コンテスト・―スタジオ・―ニュース」

**フォトグラファー**〔photographer〕写真を撮影する仕事をする人。写真家。「ファッション―」〔「カメラマン」よりも男女を問わず使いやすい〕

**ぶおとこ**〔△醜男〕みにくい男性。(↕ぶおんな)

**フォトジェニック**《ナダ》〔photogenic〕写真写りのいいようす。写真に ふさわしいようす。「―な建物」

**フォビア**〔phobia〕《医》⇩恐怖症。「アゴラ―〔=広場恐怖症〕」(↕フィリア《philia》)

**フォルクローレ**〔ス folklore〕《音》中南米の民俗音楽。ケーナと呼ばれる あし笛の演奏で知られる。

**フォルダ(ー)**〔folder〕①厚紙を二つ折りにしたりして、中に書類などをはさむ入れもの。紙ばさみ。②《情》〔コンピューターで〕関連したファイルごとに ひとまとめにしておく、入れ物。

**フォルテ**〔イ forte〕《音》強く〔記号 *f*〕。(↕ピアノ)

**フォルティ(ッ)シモ**〔イ fortissimo〕《音》ごく強く〔記号 *ff*〕。(↕ピアニ(ッ)シモ)

**フォルト**〔fault=失策〕《テニスなど》サーブのボールが外れること。フォールト。「ダブル―」

**フォルム**〔フ forme〕《美術など》形。形式。「丸みのある―」

☆☆**フォロー**〔follow〕[一]《名・他サ》①あとを追うこと。「味方の攻撃を―する・シュートの―」②その後どうなったかを追って、確かめること。「事件を―した記事・施行された法律を―する」③おぎなうこと。「栄養を―する」④〔問題を〈防ぐ/おさめる〉ために〕助けること。「上司が―する」⑤インターネットのツイッターなどで、人の発言の固定読者〔=フォロワー〕になること。㊁《ゴルフなど》追い風。順風。(↔アゲンスト) •**フォローアップ**《名・他サ》〔follow-up〕①あとのことまで責任を持って かかわること。「―(のための)会合」②しっかり追跡調査をすること。•**フォロースルー**〔follow-through〕《球技》投球や打球のあと、うでをそのままふりきる動作。

**フォロワー**〔follower=フォローする人。ついていく人〕インターネットのツイッターなどで、その人の発言の固定読者。「―数がふえる」☞フォロー㊀⑤。

**フォワード**〔forward〕《サッカー・ラグビーなど》最前部に位置しておもに攻撃に当たる選手。FW。(↔バックス・ディフェンダー)

**フォン**〔フ fond〕フランス料理の出しじる。ソースのベースなどに使う。「―ド ボライユ〔=とり肉の〕」☞フォンドボー。

**フォン**〔phon〕《理》人が実感する音の大きさの単位。ひどく高い音や低い音は、実際より小さく聞こえるため、客観的なデシベルの数値を実感に合わせて修正したもの。〔ホン(phon)とは異なる〕

☆☆**ふおん**〔不穏〕《ナダ》事件が起こりそうで、おだやかでないようす。「―な空気」派-さ。

**フォンダン**〔フ fondant〕菓子にかける、クリーム状の砂糖ごろも。「―ショコラ〔=中にとろっとしたチョコレートが入ったチョコレートケーキ〕」

**フォンデュ(ー)**〔フ fondue〕①チーズにワインを加え、小なべで煮てとかし、パンなどをつけて食べるスイス料理。チーズフォンデュ。また、それに似た料理。「チョコレートー〔=チョコレートをとかし、くだものなどをつけて食べるもの〕」②角切りの牛肉などをくしにさし、揚げながら食べるスイス料理。オイル フォンデュ。▽フォンジュ。ホンデュ。

**フォント**〔font〕〔印刷・コンピューターなどで〕書体が同じデザイン文字の ひとそろい。「毛筆―」

☆☆**ふおんとう**〔不穏当〕《ナダ》不適当で、おだやかでないようす。さしさわりがあるようす。「―なことば」(↔穏当)

**フォンドボー**〔フ fond de veau〕《料》子牛の骨やすじを煮こんだ出しじる。フォンドヴォー。

**ぶおんな**〔醜女〕みにくい女性。(↔ぶおとこ)

**ふか**〔不可〕①〔文〕よくないこと。「可もなく―もなし〔⇩「可」の句〕」②〔文〕〔許されず〕できないこと。「払い戻し―」▽(↔可) ③試験の成績などの、不合格の評点。

**ふか**〔府下〕〔文〕府内。「大阪―」

**ふか**〔府歌〕その「府③」を代表し、公式の行事のときなどに歌う歌。

**ふか**〔鱶〕〔方〕大形のサメ。「〔中国料理の〕―のひれ」

**ふか**〔付加・附加〕《名・自他サ》〔文〕つけ加えること。つけ加わること。「―条項」

**ふか**〔孵化〕《名・自他サ》〔文〕たまごが かえること。たまごをかえすこと。「―器・人工―」

☆☆**ふか**〔負荷〕《名・他サ》①《理》機械を運転して実際にさせる仕事の量。また、消費電力量。②《医》内臓のはたらきを調べるために、運動させ、また薬をあたえて、からだに負担をかけること。「運動―テスト」③労働の量。負担。「過大な―をかける」④〔文〕負わせること。「―された使命・―の大任〔=負わされた大きな責任〕」

**ふか**〔賦課〕《名・他サ》〔文〕割り当てる負担。負担を割り当てること。「税を―する・―金」

**ぶか**〔部下〕ある人の下で さしず・監督を受けて働く人。「直属の―」(↔上司・上長)

**ふかあみがさ**〔深編み笠〕深く顔をかくすように作ったあみがさ。「―に尺八の男」

**ふかい**〔府会〕①↑府議会。②「府議会」の もとの呼び名。

**ふかい**〔付会・附会〕《名・他サ》〔文〕こじつけること。「―の説」

**ふかい**〔不快〕《名・ナダ》①気持ちが悪いようす。「―な暑さ・おなかの―感」(↔快) ②ものごとや人の行動がいやで、たえがたい〈ようす/気持ち〉。「―な音楽・発言に―感を示す」③〔文〕病気。「ごーの由」派-げ。-さ。 •**ふかいしすう**〔不快指数〕《天》気温と湿度をもとに計算した、人間が不快に思う度合いをあらわす数値。八〇以上は、ほとんどすべての人が不快に感じる。

**ふか・い**〔深い〕㊀ふかい《形》①底までの距離が長い。「―谷間・深く ほる・底―」②位置が底に近い。「―所まで もぐる」③位置が奥に近い。「山深く分け入る・《野球》内野が深く守る・いすに深く かける」④あさはかでない。軽はずみでない。「―考え・―意味なんてない」⑤行き届いてじゅうぶんな状態だ。「―知識」▽(↔浅い) ⑥密度がこい。「―霧・―かおりの酒」⑦〔積雪の量が〕多い。「残雪が―」⑧〔色が〕こい。「―緑色」(↔薄い) ⑨程度が〈強い/進んでいる〉。「―感動・欲が―・―仲・深く おわびします」⑩しみわたるような味わいがある。むずかしい意味がある。「―せりふ」⑪季節が おそい。「秋―十一月」(↔浅い) ⑫時間が おそい。「夜が―・―時間(帯)〔新しい言い方〕」㊁造 程度が強い。「えんりょ深い・情け深い」派-げ。-さ。

**ふがい**〔不甲斐・腑甲斐〕いくじ。「―のないやつだ」 •**ふがいな・い**〔不甲斐ない〕《形》いくじがな(くて、いい結果が出な)い。「―試合・何も できない自分をふがいなく思う」派-さ。

**ぶかい**〔部会〕部門ごとに小さく分けた集会。

**ぶがい**〔部外〕その〈部/組織〉と関係のない外部。「―者・―秘〔=部外の人には秘密〕」(↔部内)

**ふかいし**〔不開始〕〔↑審判不開始〕《法》非行を重ねた少年の処分について、家庭裁判所が審判する必要がないと認めること。

**ふかいり**〔深入り〕《名・自サ》①深く はいりこむこと。②深く関係すること。「事件に―した」

**ふかおい**〔深追い〕《名・他サ》いつまでも(しつこく)追うこと。

**ふかかい**〔不可解〕《名・ナダ》(あまりにも ふしぎで)理解できないようす。「人生は―だ」派-さ。

☆☆**ふかかち**〔付加価値〕《経》ものを生産する段階でつけ加わる価値。例、金属を加工して、スプーンという製品にしたときに生まれる価値。「―が高い」

**ふかがわめし**〔深川(飯)〕アサリをネギなどと みそしるで煮こみ、どんぶりごはんに かけた料理。たきこみごはんにもする。深川丼。〔東京・深川地区の名物〕

**ふかぎゃく**〔不可逆〕《名・ナダ》もとどおりにすることができないこと。「―的な反応」(↔可逆)

ふ

ふかく［×俯角］物を見おろしたときの視線と、水平面とがつくる角度。(↔仰角)

ふかく［深く］深い所。「地の底―から わく」

ふかく［不覚］《名・ナダ》①心がまえが しっかりできていないこと。「一生の―」②思わずするようす。「―にも取りおとした」●不覚を取る 句 ゆだんして しくじる。

ふがく［不学］〔文〕学問をしないこと。無学。

ふがく［富岳・富×嶽］〔文〕富士山。「―百景」

ぶがく［舞楽］面をかぶり、雅楽を伴奏にしてまう舞。

ふかくじつ［不確実］《ナダ》確実でないようす。「―な情報」(↔確実) 派 ―さ。

ふかくてい［不確定］《ナダ》はっきりとは決まっていないようす。(↔確定) 派 ―さ。

ふかけつ［不可欠］《名・ナダ》なくてはならないようす。「―の条件」派 ―さ。

ふかげん［不加減］《ナダ》味のぐあいが よくないようす。「―ではございますが、おあがりください」

ふかこう［不可抗］〔文〕人の力では どうすることもできないこと。「―的(=抵抗できない)」●☆☆ふかこうりょく［不可抗力］人の力ではどうすることもできない力。「事故は―(のせい)だ」

ふかさ［深さ］深い〈こと〉程度。

ふかざけ［深酒］ひどく酔うほど酒を飲むこと。

ふかし［不可視］〔文〕人間の目では見えないこと。「―光線」(↔可視)

ふかしぎ［不可思議］《名・ナダ》〔文〕不思議。派 ―さ。

ふかしん［不可侵］〔文〕侵害を許さないこと。おかさないこと。「相互―条約」

ふか・す［吹かす］《他五》①(タバコのけむりを)すいこまないで、口から出す。「パイプを―・葉巻を―」②人前でいばった態度をとる。ふかせる。「先輩風を―」③エンジンを高速回転させる。ふかせる。

ふか・す［更かす・△深かす］《他五》夜、おそくまで起きている。「夜を―」

ふか・す［△蒸かす］《他五》湯気で熱を加える。むす。「いもを―」名 ふかし。

ふかぞり［深×剃り］《名・自サ》そり残しがないように、刃をひげの根元まで当てて そること。

ふかち［不可知］〔哲〕認識や経験の外にあって、知ることができないこと。●ふかちろん［不可知論］〔哲〕物の本質や実在の根拠はとうてい知ることができないものだ、という考え。

ぶかつ［賦活］《名・他サ》〔医〕活力をあたえること。

ぶかつ［部活］(↑部活動) 音楽部・テニス部など、学生・生徒のクラブ活動。

ふかつかワクチン［不活化ワクチン］〔医〕材料とする病原体が増殖しないように処理して作ったワクチン。例、日本脳炎・インフルエンザ・ポリオのワクチン。(↔生ワクチン)

ぶかっこう［不格好・不×恰好］《名・ナダ》かっこうの悪いようす。派 ―さ。

ふかづめ［深爪］《名・自サ》(肉のところまで)つめの先を深く切ること。「―を切る」

ふかで［深手］深い きず。重い きず。「―を負う」(↔浅手・薄手)

ふかなさけ［深情け］愛情が深いこと。深い愛情。「悪女の―(⇨「悪女」の句)」(↔薄情け)

ふかのう［不可能］《名・ナダ》することが できないようす。「実行―」(↔可能) 派 ―さ。

☆☆ふかひ［不可避］《名・ナダ》〔文〕さけることが できないこと。「ストライキは―だ」

ふかびゅう［不可×謬］《名・ナダ》〔文〕絶対に正しくて、まちがいのありえないこと。

ふかひれ［×鱶×鰭］干したサメの ひれ。中国料理の食材として珍重される。ふかのひれ。「―スープ・―の姿煮」

ふかふか ふかふか《副・自サ》・ふかふか《ナダ》やわらかにふくれているようす。「―したパン・―の ふとん」

ふかぶか［深々］《副》いかにも深く感じられるようす。「―と頭を下げる・右中間を―と破った」

ぶかぶか ぶかぶか《副・自サ》・ぶかぶか《ナダ》からだに着けるものの寸法が大きすぎて、ゆるいようす。「ズボンが―だ・―なスーツ」

ぷかぷか《副・自サ》①タバコをさかんに ふかすようす。②ものが軽そうに水に ういているようす。「海面に―(と)ただよう」

☆☆ふかぶん［不可分］《名・ナダ》〔文〕分けることができないようす。「―の関係・―性」(↔可分)

ふかぼり［深掘り］《名・他サ》①地面を深く掘ること。②じゅうぶんに掘り下げること。本格的に おこなうこと。「情報を―する・商売は まず あみを広げて、それから―する」

ふかま［深間］(=水の深い所) 男女の交わりがたいそう親密なこと。「芸者と―になる・―に はまりこむ」

ふかまさ・る［深増さる］《自五》〔文〕いっそう深くなる。「―秋」

ふかま・る［深まる］《自五》深くなる。程度が進む。「愛情が―」名 深まり。

ふかみ［深み］①深いこと。「―のある味」②水の深い所。(↔浅み) ③深入りして、簡単に のがれられない状態。「―に はまる」④《雅》深まった状態。「秋―かも」

ふかみどり［深緑］こい緑。

ふか・む［深む］《自五》《雅》深まる。「深みゆく秋・夏―」

ふか・める［深める］《他下一》深くする。程度を進める。「友情を―・混迷の度を―」

ふかよい［深酔い］《名・自サ》酒を飲んで、深く酔うこと。

ふかよみ［深読み］《名・他サ》書いてあることや、人の言動などの意味を、実際以上に深く解釈すること。

ぷかり《副》①タバコのけむりを軽く ふき出すようす。②水の表面に軽くうき上がるようす。

☆☆ふかん［×俯×瞰］《名・他サ》〔文〕①見おろすこと。「―図(=鳥瞰図)・―撮影」(↔仰望)②ある視点から全体を見わたすこと。「文化的観点で人類の歴史を―する」

ぶかん［武官］①軍事にしたがう役人。(↔文官) ②下士官以上の軍人。

ふかんしへい［不換紙幣］〔経〕正貨と交換されない紙幣。(↔兌換紙幣)

ふかんしょう［不感症］①(本来は気になるはずのことが)気にならない状態。「社会悪に―になる」②〔医〕

性交のときに快感を感じないこと。冷感症。

**ふかんぜん**【不完全】《名・ナダ》完全でないこと。(↔完全) 派-さ。 •**ふかんぜん ねんしょう**【不完全燃焼】①〔理〕酸素や加熱温度が足りないまま、燃えること。一酸化炭素やすすが出る。②力を出しきれず不満が残ること。「一で物足りない」▽(↔完全燃焼)

**ふき**【不帰】〔文〕二度と帰らないこと。 •**不帰の客となる** 句〔文〕死ぬ。

**ふき**【不×羈】(羈=しばりつなぐ)〔文〕自由をしばられないこと。「独立一・一奔放」

**ふき**【府旗】その「府③」を代表する旗。

**ふき**【×袘】〔服〕着物のすそ・そで口を、少し裏地を折り返して仕立てた部分。「一を出す」

**ふき**【×蕗】中が空洞になった長い柄のある野草。葉は まるくて大形。「一のつくだ煮」☞きゃらぶき・ふきのとう。

**ふき**【付記・附記】《名・他サ》つけ加えて書くこと。

**ふぎ**【不義】①〔文〕正義に反すること。「社会の一を正す」②〔結婚した人が〕別の異性と情を通じること。「一密通・一をかさねる」

**ふぎ**【府議】↑府議会議員。

**ふぎ**【付議】《名・他サ》〔文〕会議にかけること。上程。「法案を一する」

**ぶき**【武器】①戦いに使う器具。刀・弓矢・銃・大砲など。②目的をとげるための、有力な手段。「涙は女の一だ」

**ぶぎ**【武技】〔文〕武術。

←**ふきあ・げる**【吹き上げる】[一]《自下一》①吹いて上にあがる。「一強風」②《経》〔相場が〕とつぜん大きく値上がりする。▽吹き上がる。[二]《他下一》①吹いて上にあげる。「風が すだれを一」②楽器を最後まで吹く。「難しいフレーズを一」

→**ふきあ・げる**【噴き上げる・吹き上げる】《自他下一》水・火・けむりなどが、勢いよく上がる。噴き上がる。また、勢いよく上げる。「けむり〈が/を〉一」

**ふきあ・れる**【吹き荒れる】《自下一》①風が強く吹いて、空が荒れる。②荒れくるう。

**ふきおろ・す**【吹き下ろす】《自五》〔風が〕高い所から低い所へ向かって吹く。名吹き下ろし。

**ふぎかい**【府議会】〔法〕府民から選ばれた議員が、府の行政に必要なことを決める議会。

**ふきかえ**【吹き替え】①金属の器具をとかして もう一度鋳ること/たもの〉。②外国映画の せりふを日本語に直して吹きこむ〈こと/人〉。③〔映画・演劇〕客にわからないように、あぶない場面などの代役をする〈こと/人〉。〔人の場合は、スタント(マン)とも〕動吹き替える《他下一》。

**ふきかえ**【(×葺き)替え】屋根の表面を新しくすること。屋根替え。「かやぶき屋根の一」動ふき替える《他下一》。

**ふきかえ・す**【吹き返す】《他五》①吹いて〈うら返す/もとの所へもどす〉。②ふたたび吹く。「北風が一・息を一〔=生き返る〕」名吹き返し。

**ふきか・ける**【吹き〔掛ける〕】[一]《他下一》吹いてかける。ふっかける〔俗〕。「息を一」[二]《自下一》吹きつける。ふきかかる。「雨が一」

**ふきかよ・う**【吹き通う】《自五》〔文〕①〔風などが〕行き来する。②心や考え方が かよう。「先生の学風が一作品」

**ふきき・える**【吹き消える】《自下一》〔ろうそくやガスコンロなどの火が〕風などのために消える。

**ふきき・る**【吹き切る】《他五》きっぱりとたちきる。吹っ切る。

**ふきけ・す**【吹き消す】《他五》火などを〈息を吹いて/風が吹いて〉消す。「ろうそくの火を一」

**ふきけ・す**【拭き消す】《他五》ぬぐって消す。

**ふきげん**【不機嫌】《名・ナダ》悪いきげん。きげんが悪いようす。派-さ。

**ふきこぼ・す**【噴き(△零す)・吹き(△零す)】《他五》〔煮たきしているものを〕誤って ふきあがらせて、湯や しるをこぼしてしまう。

**ふきこぼ・れる**【噴き(△零れる)・吹き(△零れる)】《自下一》〔煮たきしているとちゅうで、湯や しるが〕ふきあがってこぼれる。名噴きこぼれ。

**ふきこ・む**【吹き込む】[一]《自五》風や雪などが〈吹いて/吹かれて〉はいる。[二]《他五》①吹いて中に入れる。②教えこむ。入れぢえをする。「片よった思想を一」③録音する。「声をテープに一」名吹き込み。

**ふきこ・む**【拭き込む】《他五》〔つやが出るまでに〕じゅうぶんに ふく。「廊下を一」

**ふきさらし**【吹き(×晒し)・吹き(×曝し)】おおいがなくて風に当たったままであること。吹きざらし。吹きっさらし。動吹きさらす《他五》。

**ふきすさ・ぶ**【吹き(△荒ぶ)】《自五》〔文〕風が はげしく吹いて あれる。ふきあれる。

☆☆**ふきそ**【不起訴】〔法〕〔有罪となる見こみのない場合に〕検察官が起訴をしないこと。「一処分」(↔起訴) ☞起訴猶予。

**ふきそうじ**【拭き掃除】《名・自サ》ぞうきんなどでふいて、そうじすること。(↔掃き掃除)

**ふきそく**【不規則】《名・ナダ》規則正しくないこと。「一な生活・一発言〔=国会で、『やじ』のこと〕」(↔規則的) 派-さ。

**ふきたお・す**【吹き倒す】《他五》①風が吹いても のをたおす。②〔俗〕大げさに話して相手を圧倒する。

**ふきだし**【吹き出し】①吹き出すこと。②【フキダシ】〔漫画で〕話し手(の口)から吹き出した形にかいた、せりふの囲み。

←**ふきだ・す**【噴き出す・吹き出す】[一]《自他五》①〔圧力が高まって〕勢いよく内から外に〈出る/出す〉。「マグマが一・なべが一・血を一」②〔困ったもの・悪いものが〕〈勢いよく/つぎつぎに〉出る。また、出す。「反発が一・問題が一」自噴き出る《下一》。[二]《自五》こらえきれずに、ぷっと息を出すようにして笑う。「思わず一」

→**ふきだ・す**【吹き出す】[一]《他五》吹いて外へ出す。「エアコンが冷たい風を一」[二]《自他五》芽が外に出る(ようにする)。「木の芽が一・木々が芽を一」

**ふきだまり**【吹き(×溜まり)】①風に吹きつけられて〈雪/落ち葉〉が一か所にたくさん たまった所。②おちぶれた人や組織から脱落した人などが集まる所。「社会の一」動吹きたまる・吹きだまる《自五》。

**ふきちぎ・れる**【吹き(千切れる)】《自下一》風が強く吹きつけて、ちぎれる。他吹きちぎる《五》。

**ふきちら・す**［吹き散らす］《他五》〈風が・息を〉吹いて散らす。「落ち葉を―・灰をふっと―」自吹き散る《五》。「波しぶきが風に―」

**ふきつ**［不吉］《名・ナダ》何か悪いことが起こりそうなようす。吉でないこと。「―な予感がする」派-さ。

**ふきつ・ける**［吹き付ける］一《他下一》①強く吹いて、当てる。「息を―」②霧のように吹き出させて、くっつける。「ラッカーを―」二《自下一》〈風・雨・けむりなどが〉強く吹いて、当たる。名吹きつけ。

**ぶきっちょ**《名・ナダ》〔俗〕不器用。ぶきっちょう。派-さ。

**ふきつの・る**［吹き募る］《自五》ますますはげしく吹く。

**ふきでもの**［吹き出物］小さいあわつぶのようなできもの。おとなにきび。

**ふきとば・す**［吹き飛ばす］《他五》①吹いてとばす。②大げさなことを言っておどろかす。③追いはらう。「暑さを―」▽吹っ飛ばす。

**ふきと・ぶ**［吹き飛ぶ］《自五》①吹かれて勢いよく飛ぶ。②さっぱりと消えてなくなる。「不安が―」▽吹っ飛ぶ。

**ふきと・る**［拭き取る］《他五》ふいて取り去る。「よごれを―」名拭き取り。

**ふきながし**［吹き流し］①数本の細長い布を輪につけ、さおの先にあげて風になびかせるもの。また、それに似た形のもの。「こいのぼりの―・仙台のたなばたの―」②〔高速道路・飛行場などで〕風向きなどを知るために使う、筒形ののぼりのようなもの。

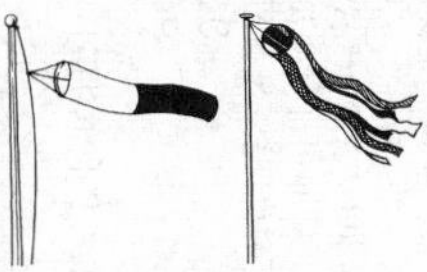

［ふきながし ①(右) ②(左)］

**ふきぬき**［吹き抜き］①風の吹き通す所。②⇩ふきぬけ②。動吹き抜く《他五》。

**ふきぬけ**［吹き抜け］①吹き抜けること。②壁のない、あけはなしの建て方。また、二階(以上)の床をつらぬいて上の階とひとつながりの空間を作った建て方。吹き抜き。

**ふきぬ・ける**［吹き抜ける］《自下一》①〈風が〉吹いて、通りぬける。②〈火が〉吹き上げて、上へぬける。

**ふきのとう**［×蕗の×薹］つぼみのついた、フキの若芽。〈ほろにがさを味わって食べる〉「―の天ぷら」

**ふきはら・う**［吹き払う］《他五》〈風が吹いて〉はらいのける。「大風が雲を吹き払った」

**ふきぶり**［吹き降り］はげしい風といっしょに雨が降ること。

**ふきまく・る**［吹きまくる］一《自五》風がはげしく吹く。「強風が―」二《他五》言いたいことを、さかんに言う。「大ぼらを―」

**ふきまめ**［富貴豆］ソラマメや青エンドウをあまく煮た菓子。ふうきまめ。ふっきまめ。〔山形県の名物〕

**ふきまわし**［吹き回し］①風向きのぐあい。②ものごとの、そのときの〈模様・調子〉。「どういう風の―か」

**ぶきみ**［不気味・無気味］《ナダ》気味が悪いようす。「―な声・―な笑い」派-がる。-さ。

**ふきみだ・れる**［吹き乱れる］《自下一》風が吹いて乱れる。「ヤナギの枝が風に―」他吹き乱す《五》。

**ふきや**［吹き矢］羽根をつけた小さな矢を筒に入れ、息を吹いて飛ばすもの。

**ふきゅう**［不休］休まないこと。「不眠―で働く」

☆☆**ふきゅう**［不朽］〔文〕後世まで長く残ること。「―の名作・業績を―に伝えたい」

**ふきゅう**［腐朽］《名・自サ》〔文〕古くなって、くちること。

**ふきゅう**［普及］《名・自他サ》広く行きわた(らせ)ること。「パソコンが―する」●**ふきゅうばん**［普及版］もとの装丁を簡単にして、値段を安くした本。「愛蔵版と―」

**ふきゅう**［不急］《名・ナダ》〔文〕特にいそぐ必要のないこと。「不要―」

**ふきょ**［不許］〔文〕ゆるさないこと。「―複製」

**ふきょう**［不況］〔経〕景気が悪いこと。「―対策」(⇔好況)

**ふきょう**［布教］《名・自他サ》宗教を広めること。「―師・―活動」

**ふきょう**［不興］《名・ナダ》〔文〕〈目上の人が〉きげんを悪くすること。「王様の―を買う(=きげんを損じる)・―をこうむる・こう申しますとご―でしょうけれど」派-げ。

**ふきょう**［富強］《名・ナダ》〔文〕富んでいて強いこと。

**ふぎょう**［×俯仰］〔文〕地面を見おろすことと、天をあおぐこと。●**俯仰天地に恥じない** 句〔文〕何ものにもはじることがない。

**ぶきょう**［武×侠］〔文〕義理を重んじ、武術にたけていること。「―の士・―小説」

**ぶきよう**［不器用・無器用］《名・ナダ》①手先の技術がへたなようす。②やり方がぎこちないようす。「世わたりが―だ」▽ぶきっちょ〔俗〕。(⇔器用)派-さ。

**ぶぎょう**［奉行］〔歴〕①江戸時代、おもに行政事務を受け持った、武士の長官。寺や神社を取りしまる寺社奉行、町を取りしまる町奉行、財務を担当する勘定奉行などがあった。②特に、町奉行。「大岡越前守は名―だ・―所」

**ふぎょうぎ**［不行儀］《名・ナダ》〔文〕行儀が悪いこと。

**ふぎょうじょう**［不行状］《名・ナダ》ふだんの行いが悪いようす。ふしだら。不行跡。「先の―をお許しください」

**ふぎょうせき**［不行跡］《名・ナダ》〔文〕おこないが悪いこと。不行状。

☆☆**ふきょうわおん**［不協和音］①〔音〕同時に出る二つ以上の音が一つにとけあわない感じであること。(⇔協和音)②なかまうちの調和を乱す〈行動・状態〉。「―が高まる」

**ふきょく**［負極］〔理〕〈電池などの〉陰極。

**ぶきょく**［部局］官庁の内部で事務を分担する、局・部・課など。「各―・―長」

**ぶきょく**［舞曲］ダンスのリズムを取り入れて作った曲。「ハンガリー―」

**ふきよせ**［吹き寄せ］①吹いて一か所に寄せ集めること。②笛などを吹いて、小鳥を寄せ集めること。③いろいろな音曲を続けて演じるもの。音曲吹き寄せ。④いろいろな野菜の煮物や揚げ物などを美しく盛りつけた料理。「―ずし(=ちらしずし)」動吹き寄せる《他下一》。

**ふぎり**［不義理］《名・ナダ》①義理に外れたおこないをすること。「―をかさねる・―な借金」②借金を返さないこと。「―をする」

**ふきりつ**【不規律】《名・ナダ》〔文〕規律がないこと。無規律。[派]-さ。

**ぶきりょう**【不器量・無器量】《名・ナダ》きりょうの悪いようす。ふきりょう。[派]-さ。

**ふきわ・ける**【吹き分ける】《他下一》①〈風が吹いて／息を吹いて〉右と左へおし分けたようにする。②⇩吹く[一]⑥。[名]吹き分け。

**ふきわた・る**【吹き渡る】《他五》〔風などが〕広い空間をこえて吹いていく。

**ふきん**【付近・附近】近所。あたり。

**ふきん**【布巾】食器などをふくぬの。

**ふきんこう**【不均衡】《名・ナダ》つりあいが取れないこと。「―を是正する・収支が―になる」[派]-さ。

☆☆**ふきんしん**【不謹慎】《名・ナダ》つつしみのないこと。ふまじめ。「―な態度」[派]-さ。

＊**ふく**【服】[一]ふく ①着るもの。衣服。②洋服。[二][接尾]①粉薬・煎薬などの包みを数えることば。「くすり二―」②タバコ・茶を飲む回数を数えることば。「お茶を一―」●**服を着て(歩いて)いる**[句]そういう性質を強く持つ人を評して言うことば。「〈謙虚／食欲〉が―ような人」

**ふく**【副】[一]ふく ①ひかえ。写し。「正―二通」②そえて、たすけとするもの。「正―二名」▽(↕正)[二][遺]主となるものにそえて、たすけとする。「―社長・―収入・―教材・―編集長〔略して『副編』〕」

**ふく**【幅】[一]ふく〔文〕掛けもの。掛け軸。[二][接尾]掛け軸を数えることば。

**ふく**【福】しあわせ。☞福の神。●**福は内、鬼は外**[句]〔=福は中へ入れ、鬼は出ろ〕節分の夜の豆まきにとなえる、まじないのことば。

**ふく**【複】①《テニスなど》ダブルス。「単―二冠」②《競馬・競輪など》ⓐ↑複勝(式)。ⓑ↑複式②。「三連―〔=組み合わせで一、二、三着を当てるもの〕」(↕単)

←**ふ・く**【噴く・吹く】[一]《自他五》〔水・火・けむりなどが〕強い勢いで内から外に出る。また、強い勢いで出す。「ごはんが―・あせが―・浅間山が(火を)―」[二]《自五》〔俗〕(こらえきれずに)笑う。ふきだす。「本番で―・思わず噴いた」

→**ふ・く**【吹く】[一]《他五》①口をつぼめて息を出す。「口笛を―・霧を―」②息といっしょに出す。「あわを―・クジラが潮を―」③〔息で〕楽器を鳴らす。「フルートを―」④〔芽を〕出す。「草木が芽を―」⑤いちめんに生じる。「粉を吹いた柿」⑥金属を鉱石からとかして分ける。吹き分ける。「土から金銀を―」⑦金属をとかし、型に流して、器具を作る。「鐘を―」⑧じまん話をする。大げさなことを言う。「ほらを―」〔自動詞的にも使う。「さんざん吹いた」〕[二]《自五》①空気が(自然に)流れ動く。「風が―・春風に吹かれる」②ふぶく。「山で吹かれる」③〔芽が〕出る。「新芽が―」④いちめんに生じる。「緑青が―・粉が吹いたはだ」[可能]吹ける。●**吹けば飛ぶよう**[句]軽く、たよりないようすのたとえ。

**ふ・く**【拭く】《他五》きれ・紙を表面に当てて動かし、よごれや水分を取る。「手を―・あせを―」[可能]拭ける。

**ふ・く**【(×葺く)】《他五》①屋根をおおって作る。「かわらで―」②〔軒に〕さす。「ショウブを―」

**ふぐ**【不具】〔文〕①からだの一部に障害のあること。〔今では使わない〕②《手紙》終わりに書く、あいさつのことば。不備。

**ふぐ**【(:河豚)】マフグ・トラフグなど、海にすむさかな。おこると腹がふくれる。高級料理に使うが、内臓などに毒がある。てっぽう。ふく〔中国・九州方言〕。「―のからあげ」[由来]もと、「ふく」。ふくれる意味から。漢字の「河豚」は、川にすみ、ブタのようにふくれる意味。☞てっちり。●**ふぐは食いたし命は惜しし**[句]✎利益は得たいが、危険があって、実行がためらわれる。✎「惜しし」は、「惜し」の語尾がかさなってできたク活用の形容詞。このように「…しし」の形になる形容詞は平安時代末期から見られる。

[ふぐ]

**ぶぐ**【武具】〔文〕戦いの道具。特によろい・かぶとのこと。

**ふぐあい**【不具合】《名・ナダ》機器・ものごとの、ぐあいがよくないこと。「部品の―」

☆☆**ふくあつ**【腹圧】《医》はらの中の、圧力。

**ふくあん**【腹案】心の中に持っている〈考え／案〉。「―を練る」

**ふくい**【腹囲】へその位置での胴まわり。〔「ウエスト」よりも下の位置になる〕

**ふくい**【復位】《名・自サ》〔文〕もとの〈位置／地位〉にかえること。

**ふくいく**【(×馥×郁)】《タル》〔文〕いいにおいがするようす。「―とした香り」

**ふくいち**【福市】正月の初売りの市。

**ふくいん**【副因】〔文〕主でない二次的な原因。(↕主因)

**ふくいん**【幅員】〔文〕〔道路や船などの〕はば。「―八メートル」

☆☆**ふくいん**【福音】①《宗》キリストによって人類がすくわれるという教え。②〔文〕喜ばしい〈おとずれ／知らせ〉。

●**ふくいんしょ**【福音書】〔新約聖書の中で〕キリストのことばやおこないを書いた四つの本。

**ふくいん**【復員】《名・自サ》《軍》召集した軍人の任務を〈とく／といて家庭へ帰す〉こと。(↕動員)

☆☆**ふぐう**【不遇】《名・ナダ》能力・才能がありながら、不運で〈世間に認められ／出世でき〉ないこと。「―のうちに死ぬ・―をかこつ」

**ふくうん**【福運】〔文〕幸福と幸運。「―にめぐまれる」

**ふくえき**【服役】《名・自サ》懲役・兵役に服すること。

**ふくえん**【復縁】《名・自サ》①〈離婚した／養子縁組の縁を切った〉どうしが、もとにもどること。「元妻に―をせまる」②別れた恋人どうしが、もとにもどること。✎①が本来の用法だが、若い世代ほど、むしろ②の用法がふつうと感じる人が多い。③協力関係を回復すること。「A社とB社の―」▽(↕絶縁)

**ふくおんせい**【副音声】〔テレビなどで〕本来の音声のほかに、映像や場面について説明した音声。

**ふくが**【伏×臥】《名・自サ》〔文〕うつぶせにねること。「―上体そらし・―位〔☞臥位〕」(↕仰臥)

**ふくがく**【復学】《名・自サ》①〔休学などをしていた

学生が〕また学校にもどること。②〔教師が〕一度やめた大学にもどること。

**ふくかん**【副官】〘軍〙⇩ふっかん(副官)。

**ふくかん**【復刊】《名・他サ》⇩ふっかん(復刊)。

**ふくがん**【復顔】白骨化した死体の身もとなどを知るために、頭蓋骨に肉づけをして、もとの顔をあらわすこと。「—術・—像」

**ふくがん**【複眼】①〘動〙トンボ・ハエの目のように、たくさんの小さな目が集まって、全体として一つの目のはたらきをするもの。(↔単眼) ②〔文〕複数の視点。「—的考察」

**ふくぎょう**【副業】本業のかたわらにする仕事。内職。「農家の—・—規定」(↔本業)

**ふくくう**【腹×腔】〘生〙横隔膜より下の、内臓がはいっているところ。ふっくう。ふっこう。〔「ふくこう」の、医師による慣用読み〕 ●**ふくくうきょう**【腹×腔鏡】〘医〙腹部にあけた穴から入れる内視鏡。「—(下)手術(=開腹せずに腹腔鏡を用いてする手術)」

**ふくけい**【復啓】〘手紙〙〔文〕⇩ふっけい。

↑**ふくげん**【復元】《名・自他サ》もとの状態に〈もどす/もどる〉こと。「パソコンのデータを—する・壁画の—・資源が—する」

↑**ふくげん**【復原】《名・自他サ》〔文〕①復元。〔特に、昔の姿を復元する場合に使う〕「東京駅の—」②かたむいた船がまっすぐ立つこと。「—力」

**ふくこう**【腹×腔】〘生〙⇩ふくくう。

**ふくごう**【複合】㊀《名・自他サ》二種以上のものがあわさって一つに〈なる/する〉こと。㊁〘スキー〙↑複合競技。「ノルディック—」 ●**ふくごうき**【複合機】プリンターのほか、スキャナーやコピー機、ファクシミリとしても使える機器。 ●**ふくごうきぎょう**【複合企業】⇩コングロマリット。 ●**ふくごうきょうぎ**【複合競技】〘スキー〙①ノルディック種目の一つ。クロスカントリーとジャンプの二種をおこなう。〔冬季オリンピックの種目〕②アルペン種目の一つ。滑降と回転の二種をおこなう。▽複合。 ●**ふくごうご**【複合語】〘言〙まとまった意味を持つことばが複合してできたことば。例、赤とんぼ・放送・スポーツカー・早起き。☞合成語①。

**ふくこうかんしんけい**【副交感神経】〘生〙自律神経の一つ。からだの活動をしずめる作用をする。(↔交感神経)

**ふくこうちょう**【副校長】校長の仕事を直接助ける先生。

**ふくこうよう**【副効用】〔薬などで〕目的とするききめ以外にあらわれるききめ。

**ふくさ**【副査】主査を助けて、審査にあたる人。(↔主査)

**ふくさ**【×袱×紗】①小形の、絹のふろしき。②茶の湯に用いる、絹で作った小さい布。 ●**ふくささばき**【×袱×紗×捌き】〘茶道〙ふくさのあつかい方。 ●**ふくさずし**【×袱×紗:寿司】うすく焼いたたまご焼きを折りたたんで五目ずしを包んだもの。☞茶きんずし。

**ふくさい**【副菜】主となるおかずのほかに、そえて出すもの。こづけ。例、酢のもの・つけもの・煮豆など。(↔主菜)

**ふくざい**【伏在】《名・自サ》〔文〕表にあらわれずに〈ひそんで/かくれて〉いること。「原因が—する」

**ふくざい**【服罪】《名・自サ》〔文〕刑罰に服すること。「判決を受け入れて—する」

**ふぐさし**【〈河豚〉刺し】フグのさしみ。てっさ。

**ふくざつ**【複雑】《名・ナダ》ものごとがいろいろにからみあい、こみいっていること。「—な事情・—な気持ち・—怪奇」(↔簡単・単純) 派—さ。 ●**ふくざつこっせつ**【複雑骨折】骨が皮膚をつき破る骨折。開放骨折〘医〙。(↔単純骨折(=骨が皮膚をつき破らない骨折))

☆☆**ふくさよう**【副作用】〘医〙薬やワクチンを使ったときに起こる、目的にあわない悪い作用。〔ワクチンの場合、正式には「副反応」と言う〕「薬の—」

☆☆**ふくさんぶつ**【副産物】①おもな生産物にともなって生産されるもの。②おもな結果にともなってあらわれるもの。「経済成長の—」

**ふくし**【副使】正使につきそう使者。(↔正使)

**ふくし**【副詞】〘言〙品詞の一つ。おもに用言を修飾することば。例、はっきり・しばらく・きっと。〔「しばらくだね」「きっとだな」など、述語の一部になることもある〕

**ふくし**【復氏】〘法〙離婚などしたときに、もとの姓にもどること。復姓。「—届」

**ふくし【福祉】①〔文〕幸福。②⇩社会福祉。「公共の—・老人—」 ●**ふくしこっか**【福祉国家】社会福祉に関する制度・設備の行き届いた国家。 ●**ふくしじむしょ**【福祉事務所】社会福祉に関する、実際の業務をおこなう行政機関。

**ふくじ**【服地】洋服に使う布地。

**フクシア**〔fuchsia〕温室でさかせる鉢植えの草花。初夏、くきの先に青むらさき色の花弁を持つ花をつけ、たれ下がってさく。フクシャ。ホクシャ。

**ふくしき**【複式】①二つ以上から成る〈形式/方式〉。「—簿記」②《競馬・競輪など》組み合わせを当てるもの。「連勝—(=一、二着を着順に関係なしで当てるもの。連複)」▽(↔単式) ●**ふくしきかざん**【複式火山】〘地〙火口ができた後、その中に新しく噴火してできた火山。例、阿蘇山。☞外輪山・内輪山。 ●**ふくしきがっきゅう**【複式学級】〔児童・生徒が少ない場合に〕複数の学年にわたる児童・生徒を一つに編成した学級。

**ふくしきこきゅう**【腹式呼吸】はらをふくらませたり縮めたりして深く呼吸する方法。

**ふくじてき**【副次的】《ナダ》〔文〕①〈本質/中心〉的ではないようす。「—な問題」②何かにともなって生じるようす。「—な効果」▽二次的。

**ふくしゃ**【伏射】腹ばいになって銃をうつこと。伏せ撃ち。(↔立射)

**ふくしゃ**【復社】《名・自サ》〈会社をやめた/いったんよその会社に出た〉人が、もとの会社へもどること。

**ふくしゃ**【複写】《名・他サ》①⇩コピー㊀①。②二枚以上かさねて一度に写すこと。「—紙」

**ふくしゃ**【×輻射】《名・他サ》〘理〙「放射」の古い呼び名。「—熱(⇩放射熱)」

**ふくしゅ**【服種】〘服〙洋服の種類。「—別の売り場」

**ふくしゅ**【副手】大学の教職員の職名で、助手の下。教務補佐員。

**ふくしゅう**【復×讐】《名・自サ》自分をひどい目にあ

わせた相手を、あとで ひどい目に あわせること。「ーをちかう・会社にーする」

**ふくしゅう**【復習】《名・他サ》 習ったことを、くり返して勉強すること。おさらい。(↕予習)

**ふくじゅう**【服従】《名・自サ》 相手の言うとおりになって、おとなしくすること。「命令にーする」(↕反抗)

**ふくしゅうにゅう**【副収入】 副業などで はいる収入。

**ふくじゅそう**【(福寿草)】 冬に さく、背の低い草花。花はタンポポほどの大きさで、黄色いつやのある花びらがたくさん重なって ついている。めでたい花とされ、正月にかざる。

**ふくしょ**【副署】《名・自サ》〔旧憲法で〕天皇の署名にそえて国務大臣がする署名。

**ふくしょう**【副将】 ①〔全軍やチームで〕主将につぐ地位の人。(↕主将) ②《剣道・柔道など》団体戦で四番目に出て戦う選手。☞先鋒②。

**ふくしょう**【副賞】 正式の賞にそえて おくるもの。「正賞賞状、ー三十万円」(↕正賞・本賞)

**ふくしょう**【複勝】〔↑複勝式〕《競馬など》〈三着/二着〉までのものを一つだけ当てる方式。☞単勝・連勝②。

**ふくしょう**【復唱・復×誦】《名・他サ》〔言われた命令などを〕くり返して言うこと。

**ふくじょうし**【腹上死】《名・自サ》〔俗〕性交の時に死ぬこと。

**ふくしょく**【服飾】〔文〕衣服と(その)かざり。「ー品」

**ふくしょく**【副食】 おかず。副食物。副食品。「ー費」(↕主食)

**ふくしょく**【副職】 ①本職以外に持つ職業。副業。②内職。アルバイト。

**ふくしょく**【復職】《名・自サ》 その職をはなれていた者が、もとの職に かえること。

**ふくじょし**【副助詞】《言》体言・用言について、それらのことばに副詞のような はたらきをあたえて下の用言を修飾する助詞。「は・も・ほど・まで・ぐらい・ばかり・さえ・しか・でも」など。

**ふくしん**【副審】〔競技で〕主審を助けて審判にあたる人。(↕主審)

☆☆**ふくしん**【腹心】 深く信頼する〈こと/人〉。「ーの部下・ーの友」

**ふくじん**【副腎】《生》腎臓の上のほうにある、小さな内臓。ホルモンを出す。「ー皮質ホルモン〔=からだの抵抗力を増すのに役立つホルモン〕」

**ふくじんづけ**【福神漬け】〔七種の材料を用いたのを七福神になぞらえて名づけたという〕 ダイコン・ナス・レンコンなどを刻んで塩漬けにし、みりん・しょうゆで さらに漬けたもの。ふくしんづけ〔関西などの方言〕。

**ふく・す**【服す】《自他五》〔文〕⇩服する。「兵役に服さない」

**ふく・す**【復す】《自他五》〔文〕⇩復する。「原状に復さなければならない」

**ふくすい**【復水】〔発電所などで〕発生した蒸気を冷やして、冷却用の水にもどすこと。「ー器」

**ふくすい**【腹水】《医》はらの内部に にじみ出てたまる液体。

**ふくすい**【覆水】〔文〕ひっくり返した水。●**覆水盆に返らず**句〔盆=水を入れる器〕〔文〕①別れた夫婦の仲は もとどおりにならない。②一度してしまったことは、もう取り返しがつかない。

*__ふくすう__【複数】 ①《言》二人または二つ以上をあらわすことば(とそれに応じた語形の上の区別)。「ー形」②数が二つ(以上)。「ーの候補・ー政党」▽(↕単数)

●**ふくすうかいとう**【複数回答】〔アンケートで〕一つの項目に二つ以上答えてさしつかえないこと。集計して百パーセントをこえることが多い。(↕単数回答)

**ふくすけ**【福助】 背が低くて頭の大きい童顔の男の人形。幸福を招くという。「ー型〔=頭でっかち〕」

←**ふく・する**【伏する】《自サ》〔文〕したがう。「威にー」

→**ふく・する**【服する】〔文〕㊀《自サ》 受け入れて、それにしたがう。「命令にー・喪にー」 ㊁《他サ》 飲む。「茶をー」▽㊀㊁服す。

**ふく・する**【復する】〔文〕㊀《自サ》 かえる。もどる。「旧にー」 ㊁《他サ》 かえす。もどす。▽㊀㊁復す。

**ふくせい**【復姓】《名・自サ》〔文〕もとの姓にもどること。

**ふくせい**【複製】《名・他サ》 ①もとのものと、そっくりのものを作ること。また、そのように作ったもの。「美術品のー・ソフトウェアのー」②《法》ある著作物を再現したもの(を作ること)。例、演劇の録画。

**ふくせいぶつ**【副生物】 食肉用の家畜を処理するさいに得られる内臓。畜産副生物。もつ。例、レバー。

**ふくせき**【復籍】《名・自サ》 ①《法》もとの戸籍に もどること。②復学して、もとの学籍に もどること。

☆☆**ふくせん**【伏線】 ①〔小説・ドラマなどで〕あとの筋の展開に備えて、それに関連した ものごとを前もって それとなく示しておくこと。また、その ものごと。「ーを張る・ーが回収される〔=伏線が生かされ、きちんと つじつまの合う展開になる〕」 ②あとに起こる事件などを暗示するものごと。「事業の失敗が倒産のーとなった」 ③ある目的を持って、あらかじめ仕組んでおくこと。「それとなくーを敷く」

**ふくせん**【複線】 ①すれちがいが できるように、二つならべて敷いた線路。②二つ(以上)のコース。「高校教育のー化」▽(↕単線)

**ふくそう**【服装】〔着ている〕衣服の状態。身なり。「ーを整える・りっぱなー」

**ふくそう**【複層】〔文〕複数の層。「要因のー化・ーガラス〔=複層構造にした断熱ガラス〕」

**ふくそう**【(×輻×輳)・(×輻×湊)】《名・自サ》 ①〔文〕ものごとが一か所に寄り集まること。集中。「記事ーのため増ページ・事務がーする」 ②《情》通信が、設備の処理能力をこえるほど集中すること。

**ふくそう**【副葬】《名・他サ》《歴》死んだ人が使っていた品などを、その人の死体と いっしょにうめること。「ー品」

**ふくそう**【福相】《名・ナダ》〔文〕ふくぶくしい人相(をしているようす)。(↕貧相)

**ふくぞうな・い**【腹蔵ない】《形》〔蔵=かくす〕〔文〕心の中に つつみかくさない。率直だ。「ー意見を述べる・腹蔵なく言う」〔「腹蔵のない」の形でも使う〕

**ふくぞく**【服属】《名・自サ》〔文〕降伏して家来になること。つき従うこと。

**ふくたい**【腹帯】 ①岩田帯。②《医》腹部の手術のあと、はらにしめる おび。

**ふくだい**【副題】⇩サブタイトル。(↔主題)

**ふくだいじん**【副大臣】《法》大臣の命を受けて、政策および企画の決定にかかわり、大臣不在のときは、その職務を代行する人。

**ふぐたいてん**【不×倶戴天】(=倶に天を戴かず)〔文〕この世でいっしょに生きていたくないほど〈うらみがある/にくい〉こと。「—の かたき・—の敵」

**ふくちゃ**【福茶】クロマメ・コンブ・梅干しなどを加えたせん茶。正月・節分などに飲む。

**ふくちゅう**【腹中】〔文〕①はらの なか。②心の なか。③度量。「大—」

**ふくちょう**【副長】①《軍》艦長を助け、軍艦の中を取りしまる役。②長を助ける役。「支店(の)—・部長、—」

**ふくちょう**【復調】《名・自サ》〔文〕〈からだの調子・市況〉もとに もどること。立ち直り。「—のきざしを見せる」

**ふぐちり**【(:河豚ちり)】⇩てっちり。

☆☆**ふくつ**【不屈】《名・ナダ》〔文〕屈しないこと。くじけないこと。「—〈の/な〉精神」派—さ。

**ふくつう**【腹痛】はらいた。

**ふくてつ**【覆×轍】〔文〕ひっくり返った車の あと(=わだち)。「前車の—、後車の戒め(⇩「前車」の句)・—を踏む(=前の人の失敗と同じ失敗をする)」

**ふくでん**【復田】《農》コメを作らないでいた田を、コメを作る田に もどすこと。

**ふくでん**【復電】《名・自サ》〔文〕停電が終わって、電気が つながること。

**ふくど**【覆土】《名・自サ》《農》たねをまいたあとなどに、土をかぶせること。また、その土。

**ふくとう**【復党】《名・自サ》〔文〕もとの党へ もどること。

**ふくとく**【福徳】〔文〕幸福と財産。「—円満」

**ふくどく**【服毒】《名・自サ》毒を飲むこと。「—死」

**ふくどくほん**【副読本】正式の教科書のほかに使う本。サイド リーダー。「社会科の—」

**ふくとしん**【副都心】都心部に集まりすぎた会社や大きなビルなどを分散させるために作られる、新しい中心の地区。「臨海—」

**ふくのかみ**【福の神】(経済上の)幸福を持ってくるという神。

**ふくはい**【腹背】〔文〕①はらと せなか。②前後。「—に敵を受ける」

**ふくはい**【復配】《名・自サ》《経》配当を復活すること。

**ふくはんのう**【副反応】《医》ワクチンを使ったときに起こる、正常でない反応。例、発熱。☞副作用。

**ふくびき**【福引き】くじ引きで景品を〈分けてとる/あたえる〉こと。

**ふくびくう**【副鼻×腔】《生》はなの穴の まわりにあって、小さな穴で はなと通じる、四対の空所。(「ふくびこう」の、医師による慣用読み) ●**ふくびくうえん**【副鼻×腔炎】《医》細菌の感染によって、副鼻腔の粘膜に炎症が起こり、うみ(膿)がたまってくる病気。「急性—・慢性—(=蓄膿症)」

**ふくびこう**【副鼻×腔】《生》⇩ふくびくう。

**ふくぶ**【腹部】①はらの部分。②はらのように ふくらんだ部分。「中指の—」

**ふくぶく**【福々】《副・自サ》顔がまるくて おだやかな感じのするようす。●**ふくぶくしい**【福々しい】《形》福があるようすだ。「—顔つき」派—さ。

**ぶくぶく** 一 ぶくぶく《副・自サ》・ぶくぶく《ナダ》①あわが水中から続けて出ている〈ようす/音〉。「—とふき出す」②しまりなく太っているようす。「—に太る」 二 ぶくぶく《名・自サ》〔児〕うがい。

**ぷくぷく**《副・自サ》①小さな あわが水中から続けて出ている〈ようす/音〉。②ふくれているようす。「—(と)ふくらむ」

**ふくふくせん**【複々線】複線を、ふた組み敷いた線路。☞三複線。

**ふくぶくろ**【福袋】①幸福を持ってくる ふくろ。②正月などに、いろいろの品物をふくろにつめて安く売り出すもの。

**ふくぶん**【副文】①《法》条約・契約の正文に そえたもの。解釈の基準とはならない。「日本文の契約書を正文とし、英文の契約書を—とする」(↔正文) ②(手紙の)追って書き。追伸。二伸。

**ふくぶん**【複文】《言》付属する「節」一④を持つ文。例、「春が来ると、花がさく」(「春が来ると」の部分が節)。(↔単文・重文)

**ふくべ**【(×瓠・×瓢・×匏)】〔雅〕ひょうたん。

**ふくへい**【伏兵】①敵の来るのを待ちぶせして急におそう〈兵/戦術〉。伏せ勢。②思いがけない敵や障害。

**ふくへき**【腹壁】《生》はらの内がわの、かべのように広がった所。

**ふくぼく**【副木】《医》骨折した手や足などに あてがって支えるもの。そえぎ。

**ふくぼつ**【覆没】《名・自サ》〔文〕〈船などが〉ひっくり返って しずむこと。

↓**ふくほん**【副本】〈正本/原本〉の写し。ひかえ。複本。(↔正本)

↑**ふくほん**【複本】①⇩副本。②同じ書名の複数の本。「(図書館の)—制度」

**ふくまく**【腹膜】①《生》はらの内がわをおおい、内臓を包む膜。②↑腹膜炎。●**ふくまくえん**【腹膜炎】《医》消化管に あなが あき、細菌が腹膜の中に はいりこんだりして起こる炎症。

**ふくませ**【含ませ】⇩含め煮。

**ふくま・せる**【含ませる】《他下一》①ふくむように させる。「ちぶさを—・筆に墨を—・その旨を—」②《料》味を材料にしみこませる。「だしを大根に—」

**ふくまでん**【伏魔殿】①悪魔のひそむ殿堂。②悪事や わるだくみが、ひそかに おこなわれているところ。③ともすれば悪の根城となる、入り組んだ組織や機構。

**ふくまめ**【福豆】節分にまく いり豆。

**ふくみ**【含み】①ふくむ〈こと/もの〉。「波乱含み・昇進含みの異動」②表にあらわれないで、中にこめられている意味や内容。含蓄。「—のある発言」③《経》↑含み益。●**ふくみえき**【含み益】《経》資産の時価が、帳簿の価額より上昇することによって生じる利益。含み。「—が大きい」(↔含み損) ●**ふくみごえ**【含み声】口に こもっているような声。●**ふくみしさん**【含み資産】《経》会計帳簿に記入してあ



ふ

る価額が実際より低いため、表面にあらわれない、土地・株式などの資産。●ふくみ｜そん［含み損］《経》資産の時価が、帳簿の価額より下落することによって生じる損失。ふくみぞん。(↔含み益) ●ふくみ｜わらい［含み笑い］口をとじたまま軽く声を出して笑う〈こと／笑い〉。「意味ありげな—」動含み笑う《自五》。

ふくみだし［副見出し］⇩空見出し。(↔主見出し)

ふくみみ［福耳］耳たぶの大きい耳。幸福になる しるしとされる。

ふく｜む［服務］《名・自サ》①職務にしたがうこと。「—規律」②〔中国で〕サービス。「—員」

**ふく・む［含む］《他五》①口に入れて、その状態をたもつ。「水を—」②内に包んで持つ。「笑みを—・雨気を含んだ風」③事情を知って(人には言わないで)おく。「今の件、含んでおいてください」☞お含み置き。④〔文〕様子をおびる。「うれいを—」⑤その範囲の中に持つ。「交通費を—」〔「放送局(—NHK)」のようにも使う〕(↔除く) ●含む所がある 句 心の中で、うらみや怒りの気持ちを持つ。

ふくめい［復命］《名・他サ》〔文〕あたえられた命令を果たして、その結果を上役に報告すること。「—書」

ふくめつ［覆滅］《名・自他サ》〔文〕すっかり〈ほろびる／ほろぼす〉こと。「敵を—する」

ふくめに［含め煮］しるが しみこむように ゆっくりと〈煮たもの／煮ること〉。ふくませ。

**ふく・める［含める］《他下一》①ふくむようにする。直含まる《五》。②よく説明して、なっとくさせる。「かんで—ように話す」可能 含められる。

ふくめん［覆面］《名・自サ》①顔をおおい包む〈こと／もの〉。「—の強盗」②正体をかくして行動すること。「—パトカー・—批評・—調査員」

ふく｜も［服喪］《名・自サ》〔文〕喪に服すること。「—中〔=喪中〕」

ふくやく［服薬］《名・自サ》〔文〕薬を飲むこと。

ふくよう［複葉］①《植》一つの柄から、何枚も出ている葉。②〔飛行機で〕主翼が上下二枚あること。「—機」▽(↔単葉)

☆☆ふくよう［服用］《名・他サ》〔薬などを〕飲むこと。「食後に—する」

ふく｜よか《ナダ》①やわらかそうに ふっくらとしているようす。「—な顔」②ふんわりとした、いい香りがするようす。「—な新茶の香り」派 -さ。

ふく｜らか《ナダ》〔文〕ふっくらとしているようす。

ふくらしこ［膨らし粉］⇩ベーキングパウダー。

ふくら｜すずめ［(×脹ら×雀)］①ふとって ふくれたスズメ。②寒さで、からだの羽をふくらませたスズメ。③［(:福良=×雀)］女性の帯の結び方。ふくれたスズメが両方の羽を広げたような形。はなやかで若い人向き。

［ふくらすずめ ③］

ふくら・せる［膨らせる・×脹らせる］《他下一》ふくれるようにする。ふくらす。ふくらかす。

ふくら｜はぎ［(×脹ら×脛)］すねの うらがわの、肉がついて ふくれた部分。

ふくら・む［膨らむ・×脹らむ］《自五》①ふくれた状態になる。「つぼみが—」②規模が より大きくなる。「借金が—・計画が—・夢が—」名 膨らみ。他 膨らませる《下一》。「膨らめる《下一》」とも。「期待に胸を—」〔膨らむ〕「鼻を—」

ふく｜り［福利］〔文〕幸福と利益。「公共の—・—厚生」

☆☆ふく｜り［複利］《経》複利法で計算する〈利息／利率〉。(↔単利) ●ふくり｜ほう［複利法］《経》利息を元金に くり入れた額を次の期間の元金とし、それに利息をつける計算法。(↔単利法)

ふ｜ぐり〔古風〕いんのう(陰嚢)。

ふくりゅう［伏流］《名・自サ》①《地》地上の水流が、ある場所だけ地下を流れるもの。「—水」②〔文〕〈目に見えない／目立たない〉場所を流れること。「オイルマネーは人脈をパイプに—する」

ふくりゅう｜えん［副流煙］火をつけたタバコから立ちのぼる けむり。主流煙〔=タバコを吸う人が吸いこむ けむり〕よりも、有害な物質が多くふくまれる。

ふくれ｜あが・る［膨れ上がる］《自五》①ふくれて大きくなる。「ほっぺたが—」②基準や予定を上回る。「予算が—」

ふくれ｜おり［膨れ織り］でこぼこした感じに模様を織り出した厚地の織物。マトラッセ(フ matelassé)。

ふくれっ｜つら［膨れっ面］不平・不満で ほおがふくれたように見える顔。ふくれつら。

ふく・れる［膨れる・×脹れる］《自下一》①内から外へ向かって もり上がる。「おなかが—・パンが—」②おこって不愉快な顔つきをする。むくれる。「小言を言われて—」

*ふくろ［袋・×嚢］①中に ものを入れて口をしめる用具。「布—・—入り・—張り〔=紙で袋を作ること〕」②〔ミカンなどの〕食べられる部分を包んでいる薄い皮。③《料》あぶらあげの中に、刻んだ野菜・豚肉・しらたきなどをつめたもの。●ふくろ｜あみ［袋網］細長いふくろの形をし、口を広げて海底を引っぱって さかなをとる網。●ふくろ｜おび［袋帯］ふくろ織りの帯。●ふくろ｜おり［袋織り］丸帯に似せた、糸で表と裏を二重に織って、筒状にする織り方(の布)。●ふくろ｜こうじ［袋小路］①行きどまりになっている小路。袋道。②どうすることもできない、困った状況。「—に迷いこむ」●ふくろ｜じ［袋路］行きどまりになっている道路。●ふくろ｜だたき［袋(×叩き)］①大ぜいで取り囲んで人をたたくこと。②大ぜいで さんざん非難すること。●ふくろ｜ち［袋地］〔まわりに道路がなく〕他人の土地を通らないと道路に出られない土地。●ふくろ｜づめ［袋詰め］《名・他サ》〔製品・商品などを〕ふくろに〈つめること／つめたもの〉。●ふくろ｜とじ［袋(×綴じ)］〔和本などで〕二つ折りにした紙の、折り目でないほうをとじる とじ方。洋本では、読むときにここを切るものがある。●ふくろ｜とだな［袋戸棚］内部に段を設けていない、作りつけの戸棚。☞天袋・地袋。●ふくろ｜ぬい［袋縫い］《服》〔ひとえの〕ぬいしろが ふくろ状になるように、うら返してもう一度ぬうこと。●ふくろ｜の｜ねずみ［袋の(×鼠)］〔追いつめられて〕逃げ場がないことの たとえ。●ふくろ｜みみ［袋耳］①一度聞いたら決して

忘れない〈こと/人〉。ふくろうみみ。(↕ざる耳) ②織物の耳〔=へり〕の部分をふくろ織りにしたもの。●ふくろめん［袋麺］ふくろにはいった麺。ラーメンなどの即席麺をさすことが多い。☞カップ麺。●ふくろもの［袋物］ふくろ状の入れ物。紙入れ・タバコ入れ・ハンドバッグなど。●ふくろろじ［袋路地］行きどまりになっている路地。

**ふくろ**［復路］〔文〕かえりみち。(↕往路)

**ふくろう**［(×梟)］①夜、活動する中形の鳥。大きなまるい目が前向きについている。音もなく飛び、おもにノネズミを食べる。鳴き声は「ごろすけほっほ」と聞こえる。②夜、活動するもののたとえ。「―部隊」●**ふくろうみみ**［(×梟)耳］⇩ふくろみみ(袋耳)①。

**ふくろくじゅ**［福×禄寿］〔=幸福・財産・長生き〕七福神のひとり。背が低く頭が長く、あごひげも長い。福禄人。

［ふくろくじゅ］

**ふくわじゅつ**［腹話術］くちびるをほとんど動かさずに声を出して、他人が話しているように見せかける芸。

**ふくわらい**［福笑い］正月の遊び。輪郭だけの おかめや ひょっとこの顔の絵に、目かくしをしたまま、目・鼻・口などをかいた紙を置いていく。うまく置けた人が勝ち。

**ふくん**［夫君］〔文〕他人の夫を尊敬した言い方。

**ふくん**［父君］〔文〕他人の父を尊敬した言い方。ちちぎみ。

**ぶくん**［武勲］〔文〕いくさの上での てがら。

**ふけ**［老け］①ふけること。「―が目立つ・―顔」②《演劇》↑ふけ役。

**ふけ**［吹け］〔エンジンの〕高速回転のぐあい。「―がもうひとつだった〔=不満足〕」☞吹かす③。

**ふけ**［(:雲脂)・フケ］頭の皮膚から はがれて出る、白い小さな うろこのようなもの。

**ぶけ**［武家］武士(の家筋)。「お―さま・―時代〔=武士が力を持った時代〕」(↕公家)

**ふけい**［父兄］〔=父や兄〕以前、学校で、児童・生徒の保護者をさしたことば。(↕子弟)

**ふけい**［父系］①父方の系統(に属する〈こと/もの〉)。②家族の形式の一つ。父方を基準にして、家の血統・相続などを決める。「―社会」▽(↕母系)

**ふけい**［府警］↑府警察本部。「京都―」

**ふけい**［婦警］(↑婦人警察官)〔古風〕「女性警察官」の、もとの略称。婦人警官。

**ふけい**［不敬］《名・ナダ》〔文〕〔皇室・社寺などに対して〕失礼なことを言ったり したりすること。「―罪〔一九四七年廃止〕」

**ぶげい**［武芸］武術。●**ぶげいしゃ**［武芸者］①武芸に たずさわる人。②武芸の すぐれた人。●**ぶげいじゅうはっぱん**［武芸十八般］十八種の、代表的な武術。武芸全般。

**ふけいき**［不景気］《名・ナダ》①景気が悪いこと。「世の中が―だ」(↕好景気) ②はんじょうしないこと。「店が―だ」③気分が さえないこと。元気がないこと。「―な顔」

**ふけいざい**［不経済］《名・ナダ》(お金などを)むだに使う〈こと/ようす〉。「だらだら過ごすのは時間の―だ」(↕経済《的》)

**ふけこむ**［老け込む］《自五》すっかり ふける。名老け込み。

**ふけそう**［普化僧］《仏》⇩こむそう(虚無僧)。

**ふけつ**［不潔］《名・ナダ》①よごれて きたないこと。「―な手・―感」②けがらわしいようす。「まあ、―ね」③《医》滅菌あるいは消毒されていないこと。「―な手ぶくろ」▽(↕清潔) 派―がる。―さ。

**ふけっか**［不結果］《名・ナダ》〔文〕〈よく/思わしく〉ない結果。「―に終わる」

**ふけつだん**［不決断］〔文〕決断力のないこと。「運の悪い人は―の人」

**ぶけのしょうほう**［武家の商法］⇩士族の商法。

**ふけやく**［老け役］《演劇》老人の役(をする俳優)。ふけ。

**ふける**［(×耽る)］《自五》〔ほかのことを忘れるほど〕一つのことに夢中になる。「思いに―・読書に―」

**ふける**［老ける］《自下一》年を取(って見え)る。「老けた顔〔=年寄りじみた顔〕・年よりも老けて見える」

**ふける**［更ける・(△深ける)］《自下一》①季節が進んで、深くなる。「秋―」②〔夜が〕おそくなる。真夜中に近づく。「夜ょが―」

**ふける**［(△蒸ける)］《自下一》むされて、熱が通る。「いもが―」

**ふける**［フケる］《自下一》〔俗〕①にげる。②〔学〕授業をサボる。

**ふけん**［父権］〔文〕①父の権利。②父が一家の支配権を持つこと。▽(↕母権)

**ふけん**［府県］府と県。「都道―・他―」

**ふげん**［付言・附言］《名・他サ》〔文〕つけ加えて言うこと。

**ぶげん**［(×誣言)］〔文〕中傷。言いがかり。ふげん。「そう言っても―ではないと思う」

**ふけんこう**［不健康］《名・ナダ》健康でないようす。また、健康に悪い影響をあたえるようす。「―な人・―な社会・―な食品」(↕健康)

☆☆**ふけんしき**［不見識］《名・ナダ》見識が低いこと。「―な発言」

☆☆**ふげんじっこう**［不言実行］〔文〕だまっていて実行すること。

**ぶげんしゃ**［分限者］〔文〕財産のたくさんある人。財産家。

**ふけんぜん**［不健全］《名・ナダ》健全でないようす。「―な心理状態・―な映画・―な運営」(↕健全) 派―さ。

**フコイダン**［fucoidan］《理》コンブ・ワカメなどの ぬるぬるした部分に ふくまれる食物繊維。食品などに使われる。

**ふこう**［付高・附高］↑〈付属/附属〉高校。

**ふこう**［富鉱］①「品位③」の高い鉱石。②産出量の多い鉱山。▽(↕貧鉱)

**ふこう**［不孝］《名・ナダ》親に孝行をしない〈こと/ようす〉。親不孝。「この―者め」(↕孝・孝行)

**ふこう**［不幸］《名・ナダ》①幸福でないこと。ふしあわせ。「―が おとずれる・―な目に あう・―にして〔=不幸なことに〕才能がない」(↕幸福) ②〔その家の〕家族・親族が死ぬこと。「近所に―があった」派―さ。●**ふこうちゅ**

うのさいわい【不幸中の幸い】不幸なできごとの中でせめてもの救いとなることがら。

**ふごう**【負号】〘数〙負数をあらわす記号。「－」。マイナス。(↔正号)

**ふごう**【符号】①しるし。あいじるし。「—をつける」②一定の体系にもとづいて作られたしるし。「モールス—・くり返し—」③〘数〙数の性質をしめす、プラス・マイナスのしるし。

☆☆**ふごう**【符合】〘名・自サ〙〔割り符をあわせたように〕ぴったりあうこと。「事実と—する証言」

**ふごう**【富豪】かねもち。ものもち。「大—」

**ぶこう**【武功】〔文〕いくさで立てた手がら。

**ふこうせい**【不公正】〘名・ナダ〙公正でないこと。「—な取引」(↔公正)

**ふこうへい**【不公平】〘名・ナダ〙あつかいが平等でないこと。(↔公平) 派—さ。

**ふごうり**【不合理】〘名・ナダ〙合理的でないこと。非合理。「—な主張」派—さ。

**ふこく**【布告】〘名・他サ〙〔文〕①広く一般の人々に事実を知らせること。「宣戦—」②政府が出す法律・命令。

**ぶこく**【×誣告】〘名・他サ〙〘法〙相手をおとしいれるために、わざといつわりの申し立てをすること。「—罪(現在は『虚偽告訴罪』)」

**ふこくきょうへい**【富国強兵】国を富ませ、軍隊を強くすること。「—策」

**ふこころえ**【不心得】〘名・ナダ〙よくない〈心得/心がけ〉。「—な社員・—者」

**ぶこつ**【武骨・無骨】〘名・ナダ〙①作法や趣味を解さないこと。風流がわからないようす。「—者」②ごつごつしているようす。「—な手」派—さ。

**ふさ**【房・総】①たばねた糸の先のほうを散らしたもの。「—のついたざぶとん」②花や実などがたくさんつい(てたれ下がっ)たもの。「フジの花の—・ブドウの—」

**ブザー**〔buzzer〕ボタンをおすと、電磁石のはたらきで鉄の板が振動して音を出す器具。「防犯—」

**ふさい**【不才】〔文〕才能が少ないこと。〔自分をけんそんして言う〕「—不学・浅学—」

**ふさい**【夫妻】おっととつま。〔「夫婦」の改まった言い方〕「国王—・木村(ご)—」

☆☆**ふさい**【負債】借金。債務。

**ふさい**【付載・附載】〘名・他サ〙〔文〕本文につけ加えて、のせること。「年表を—する」

**ふざい**【不在】〔文〕①〈家/勤務先〉にいないこと。留守。「—がち」②いないかのようにあつかわれること。「国民—の(=国民のことを頭におかない)政策」●**ふざいじぬし**【不在地主】よそに住んでいて、自分の所有地の管理を他人にまかせている(大)地主。●**ふざいしゃとうひょう**【不在者投票】〘名・自サ〙〘法〙よその場所に滞在中の人や病院・老人ホームなどの施設の入所者などが、投票日より前に投票をすませること。滞在先や所定の施設などでおこなう。不在投票。☞期日前投票。

**ぶさい**【部際】〔「国際」「学際」にならって作ったことば〕いくつかの部にまたがること。

**ぶざい**【部材】部品に使う材料。

**ぶさいく**【不細工・無細工】〘名・ナダ〙①物を作ったり、仕事をしたりするやり方がへたなようす。②〔俗〕目鼻立ちの整わないようす。「—な顔」派—さ。

**ふさいさん**【不採算】採算がとれないこと。「—路線」

**ふさかざり**【房飾り】〘服〙ショールや上着などのへりの糸を房のようなかざりにしたもの。フリンジ。

☆☆**ふさが・る**【塞がる】〘自五〙①いっぱいになる。つまる。「穴が—・傷口が—・腹が—・会議で—」(↔開く・空く)②ほかのことに使っていて、使えない状態になる。「手が—・部屋が—」(↔空く)

**ふさぎ**【塞ぎ】ふさぐこと。●**ふさぎこ・む**【塞ぎ込む】〘自五〙すっかり気がふさぐ。●**ふさぎのむし**【塞ぎの虫】からだの中にいて、気分をゆううつにさせるもとになるといわれる虫。

**ふさく**【不作】①作物のみのりが悪いこと。②あまり成果がないこと。▽(↔豊作)③できが悪いこと。「〈百年/六十年〉の—」〔もとは悪妻の意味で、今は配偶者・やとった人物などを悪く言うことば〕

**ふさ・ぐ**【塞ぐ】㊀〘他五〙①あいているところに物をつめて、いっぱいにする。「穴を—・腹を—」②通路をさえぎって、通れなくする。「道を—・風を—」③ふたをする。とじる。「目を—」④場所や時間を、いっぱいにする。「席を—・時間を—」▽(↔開ける・空ける)⑤〔任務などを〕果たす。「責めを—」可能 塞げる。㊁〘自五〙気持ちがはればれしない状態になる。「塞いだ顔・気が—」

☆☆**ふさくい**【不作為】〘法〙〔あることをしなければならないのに〕何もしないこと。「—殺人(=当然すべきことをしなかったために人を死なせること。例、赤ちゃんに乳を飲ませないなど)・—〔による〕責任」(↔作為)

**ふざ・ける**〘自下一〙①はしゃいで、ばかなことを言ったりしたりする。「教室でふざけてはいけない・恋人どうしがふざけあう」②人をおもしろがらせようと、ばかなことを言ったりしたりする。「ふざけた歌をよむ」③人をばかにしたことを言ったりしたりする。「ふざけた話だ・—な〔俗に『(ふ)ざけんな』とも〕」表記「:巫山戯る」とも書いた。名 ふざけ。「—がすぎるぞ」☞おふざけ。

**ぶさた**【無沙汰】〘名・自サ〙〔文〕長い間、〈訪問/たより〉をしないこと。☞ご無沙汰。

**ぶざつ**【×蕪雑】〘名・ナダ〙〔文〕入りまじって整わないこと。「—な文章」派—さ。

**ふさふさ** ㊀〘副・自サ〙〔毛などが〕〔ふさのように〕すきまなくたくさん生えているようす。「—した黒髪」㊁**ふさふさ**「—(=ポンポン)のついたぼうし」

**ぶさほう**【無作法・不作法】〘名・ナダ〙作法に外れるようす。「—な食べ方」派—さ。

**ぶざま**【無様・不様】〘名・ナダ〙みにくいようす。ぶかっこう。「—な負け方」派—さ。

**ふさわし・い**〔:相応しい〕〘形〙条件に合っていて、のぞましい。よくつりあうようすだ。「社会人として—服装・あなたに—友だち」由来「つりあう」の意味の動詞「ふさう」に、形容詞を作る接尾語「しい」がついたもの。派—さ。

**ふさん**【不参】〘名・自サ〙〔文〕〔集まりなどに〕出席しないこと。「—者」

**ふし**【不死】死ぬことなく、いつまでも生きること。「不老—」

**ふし**［父子］〔文〕父と子。☞父子家庭。

**ふし**［節］■一 ふし ①竹などの くきの、くぎりになっている、ふくらみのある部分。②木の幹から枝〈が出た／を切り落とした〉跡。③板や柱の、「節■一②」の跡。「―の多い材木」④関節。⑤糸などが かたく結ばれて、こぶのような形になった所。⑥くぎり。段落。ふしめ。⑦〔「ふし」「フシ」とも書く〕ところ。(…と思われる)点。「疑問の―がある・知っていた―がある」⑧声の上がり下がり。メロディーやイントネーション。節回し。「―をつけて〈歌う／語る〉」⑨そうめんを製品にするときに切り落とす、はしのU字形の部分。節麺。■二 ぶし 造〔ぶし〕①民謡。「追分―・安来―」②かつおぶし。「土佐―」〔ほかの さかなで作ったものにも言う。「さば―」〕③その人に独特の話術。「田中―」

**ふじ**［不二］〔文〕①二つではないこと。「―一体の関係」②⇩ふじ(富士)。

**ふじ**［不治］〔文〕治らないこと。ふち。「―の病」

**ふじ**［不時］〔文〕思いがけないとき。予想しないとき。「―の来客・―の出費」

**ふじ**［富士］■一 ふじ ↑富士山。「―見」表記「不二」「不尽」などとも書いた。■二 造 富士山に似た、形のいい山につける名。「出羽―(=鳥海山)」

**ふじ**［藤］①つるに なる木の名。五月ごろ、うすむらさき色のチョウ形の花をふさのようにつける。②ふじ色。

**ぶし**［武士］①昔、武芸をおさめて主君につかえた男。さむらい。「刀は―の魂」☞武士の情け。②⇩さむらい■一②。「A選手は―だな!」
●**武士に二言はない** 句 さむらいは、一度こうだと言ったら、それとちがうことは言わない。武士はうそを言わない。
●**武士は相身互い** 句 同じ立場の者は、おたがいに思いやりをもって助け合わなければならない。
●**武士は食わねど高ようじ(楊枝)** 句 武士は体面を重んじるから、腹がへっていても、いま食事がすんだように つまようじを使う。やせがまんの たとえにも言う。

**ぶし**［節］造 ⇩ふし(節)■二。

**ぶじ**［×蕪辞］〔文〕乱雑なことば。〔多く、自分のあいさつのけんそんに使う〕「―をつらねる」

**ぶじ**［無事］《名・ナダ・副》①事件・事故など、変わったことがない〈こと／ようす〉。「平穏―に暮らす・―(に)到着した・太平―の世」②〔非常の場合に〕大きなけが・損害などがない〈こと／ようす〉。「遭難者の―を確認・カメラを落としたが―だった」③特別の失敗がないようす。「会社生活四十年を―(に)勤め上げた」

**ふしあな**［節穴］①板などにある、節のあとの穴。「―からのぞく」②見ぬく力がない目。「おれの目は―ではない」

**ふしあわせ**［不幸せ・不仕合わせ］《名・ナダ》しあわせでないこと。不運。不幸。(↔幸せ) 派 -さ。

**ふじいろ**［藤色］うすいむらさき色。

**ふしおが・む**［伏し拝む］《他五》①ひれふして おがむ。②はるかに おがむ。

**ふしかてい**［父子家庭］配偶者のいない父親と、二十歳未満の子から成る家庭。父子世帯。(↔母子家庭)

***ふしぎ**［不思議］《名・ナダ》(↑不可思議) 変わっていて、ふつうでは考えられない〈こと／ようす〉。「生命の―を感じる・―な形の植物・―な なつかしさ・―なことに、だれもいなかった・―〈に／と〉落ち着く場所・―や―(=本当に不思議だ)」派 -がる。-さ。

**ふしくれだ・つ**［節×榑立つ］《自五》①〔木などが〕節が多くて でこぼこする。②筋肉が こぶのように もり上がる。ふしくれる。

**ふしぜん**［不自然］《ナダ》自然でないようす。わざとらしいようす。「―な態度」(↔自然) 派 -さ。

**ふじだな**［藤棚］フジのつるをからみつかせるために作ったたな。

**ふしだら**《名・ナダ》〔おこないが〕だらしないようす。「―な生活・―な(=みだらな)男女関係」由来「だらしない」のもとの形「しだらない」の「ない」を「無い」と考え、「不しだら」の形にしたもの。☞だらしない。派 -さ。

**ふじちゃく**［不時着］《名・自サ》(↑不時着陸) 航空機が〔飛行場以外の地点に〕臨時に着陸すること。〔海の場合は、不時着水〕

**ふしちょう**［不死鳥］五百年ごとに祭壇の火で焼け死に、灰の中から また生まれてくるという鳥。フェニックス。「―のごとく よみがえる」

**ふじつ**［不実］《名・ナダ》①〔恋人や つれあいに〕誠実でないこと。「―な態度・夫の―」②〔文〕事実とちがうこと。「公文書―記載・―な診断」

**ふじつ**［不日］《副》〔文〕あまり日がたたないうちに。(それから)ほどなく。「―お伺いいたします」

**ぶしつ**［部室］部員が使うために、部に割り当てられた部屋。

☆☆**ぶしつけ**［(不×躾)］《名・ナダ》ぶえんりょで失礼なこと。「―なお願い」派 -さ。

**ふじつぼ**［(富士×壺)］海岸の岩などにくっついている、富士山の形をした殻を持った小さな動物。

**ふして**［伏して］《副》〔文〕ひれふして。つつしんで。「この段、―お願い申しあげます」

**ふしど**［(×臥し△所)］〔雅〕ねどこ。ねや。

**ぶしどう**［武士道］武士階級に発達した、独特の道徳。

**ふじなみ**［藤波］長くたれ下がって動く、フジの花。

**ぶしのなさけ**［武士の情け］(武士が)立場のちがう相手にも持つ思いやり。「―で、見なかったことにする」

**ふじばかま**［(藤×袴)］野山にはえる草。うす赤むらさき色の花が、くきの先に集まってつく。枯れると、いいかおりを出す。秋の七草の一つ。

**ふじびたい**［富士額］ひたいの かみの毛のはえぎわが富士山の形に似ているもの。

**ふしぶし**［節々］①からだの、あちこちの関節。「―が痛む」②〔文〕かずかずの点。「疑問の―」

☆☆**ふしまつ**［不始末］《名・ナダ》①始末のしかたが悪いこと。「火の―」②だらしのない おこない。ふしだら。「―をしでかす」

**ふしまわし**［節回し］〔曲の〕節の調子・抑揚。

**ふじみ**［不死身］《名・ナダ》①打たれても切られても ほとんど なんともない〈こと／からだ〉。②どんな苦しみにも ひるまない〈こと／人〉。派 -さ。

**ふじむらさき**［藤紫］フジの花の色に似た、明るい紫色。

**ふしめ**［伏し目］〔人と向きあっているときなどに〕目を下のほうへ向けること。「―がち」

**ふしめ**［節目］①材木の、節のある部分。②大きな変わり目。「人生の―・折り目―」 ③あることがあって以来の、区切りとなる時期。「三十周年の―」

**ふしゃ**[富者]〔文〕金持ち。(↔貧者)

**ふしゃくしんみょう**[不△惜身命]《仏》仏道の修行のためには、命をもおしまないこと。

**ふしゅ**[浮腫]《医》むくみ。

**ぶしゅ**[部首]〔漢和辞典で〕漢字をさがす目安となる、共通の部分。偏・つくり(旁)・冠などがある。

**ふしゅう**[×俘囚]〔文〕とりこ。捕虜。俘虜。「―の身となる」

**ふしゅう**[腐臭]〔文〕くさったにおい。

**ふじゆう**[不自由]《名・自サ・ナダ》①自分の思うようにならないこと。「何―なく暮らす・目の―な人〔=視覚障害者〕」 ②必要なものがなかったり、たりなかったりして、思うとおりにならないこと。「お金に―する」▽ふじゅう〔話〕。派-さ。

**ぶしゅうぎ**[不祝儀]人の死などの、悪いできごと。「―袋〔=香典などを入れる、黒白の水引の袋〕」(↔祝儀)

**ふじゅうぶん**[不十分・不:充=分]《名・ナダ》じゅうぶんでないこと。(↔十分)派-さ。

**ぶしゅかん**[〔△仏手×柑〕]インド原産のかんきつ類。果実の先が指のように分かれていて、仏の手のように見える。てぶしゅかん。ぶっしゅかん。〔日本在来の丸仏手柑《=シトロン》の変種〕

**ぶしゅさくいん**[部首索引]〔漢和辞典などで〕漢字を、その部首によって引けるようにした索引。☞総画索引・音訓索引。

**ふしゅつ**[不出]外へ〈出ない/出さない〉こと。「門外―の秘伝」

**ぶじゅつ**[武術]敵を攻めたり殺したり、暴力から身を守ったりするために、からだや道具をうまく使う術。武芸。

**ふしゅび**[不首尾]《名・ナダ》首尾が悪いこと。うまく行かないこと。「―に終わる」(↔上首尾)

**ふじゅん**[不純]《名・ナダ》〈純真/純粋〉でないこと。「―物・―な動機・―異性交遊〔=少年少女の乱れた交際〕」(↔純)派-さ。

**ふじゅん**[不順]《名・ナダ》〈順当/順調〉でないこと。「気候―・生理―」派-さ。

**ふじょ**[×巫女]〔文〕みこ(巫女)。

**ふじょ**[婦女]〔古風〕女性。婦人。

**ふじょ**[扶助]《名・他サ》〔文〕力をそえて助けること。「生活を―する・―料」

**ぶしょ**[部署]《名・他サ》〔文〕①決められた、受け持ちの場所。持ち場。「―につく」 ②受け持ちの場所を決めて、役目を割り当てること。

**ふしょう**[不肖]〔文〕㊀①父に似ないで、おろかなこと。「―の子」 ②おろかなこと。おろかもの。〔自分をけんそんして言う〕「身―といえども・―わたくしが」 ㊁《代》自分をけんそんして言うことば。おろかな わたし。「はからずも―が任命され」

**ふしょう**[不詳]〔文〕はっきりしないこと。よくわからないこと。「氏名―」

**ふしょう**[付小・附小]↑〈付属/附属〉小学校。

**ふしょう**[付章・附章]〔文〕本文につけたして書いた一章。

**ふしょう**[府省]日本の行政機関の総称。内閣府と、総務省・財務省などの十二省。「関係―」

**ふしょう**[負傷]《名・自他サ》けがをすること。きずを負うこと。「右足を―する・―者八名・―上がり〔=けがが治って、間もないこと〕」

**ふしょう**[不承]《名・ナダ》〔文〕いやに思うようす。いやいや承知するようす。「―そうに うなずく」☞ご不承。
●**ふしょうぶしょう**[不承不承]《副》いやいや(ながら)。しぶしぶ。

**ふしょう**[不祥]《名・ナダ》〔文〕めでたくないこと。よくないこと。「―事件」●☆☆**ふしょうじ**[不祥事]好ましくないできごと。特に、組織(の一員)の犯罪など。「―が続発」

**ふじょう**[浮上]《名・自サ》①水面にうかび上がること。②順位がよくなること。「二位に―」 ③あらわれ出ること。「更迭論が―する」

**ふじょう**[不浄]㊀《名・ナダ》〔文〕清浄でないこと。けがれていること。「―を避ける」㊁便所。ご不浄。

**ぶしょう**[武将]〈武士/軍人〉のかしら。

**ぶしょう**[部将]〔文〕一部隊のかしらである〈武士/軍人〉。

**ぶしょう**[無精・不精]《名・自サ・ナダ》なまけること。精を出さないこと。おっくうがること。「―者」派-さ。
●**ぶしょうひげ**[無精〈×髭〉]のびても かまわずに、そらないでいる ひげ。

**ふしょうか**[不消化]《名・ナダ》①消化が悪いこと。「―物」 ②〈読んだ/聞いた〉ことをじゅうぶんに理解できていないこと。「―な知識」

**ふしょうじき**[不正直]《名・ナダ》正直でないこと。(↔正直)派-さ。

**ふしょうち**[不承知]承知しないこと。(↔承知)

**ふしょうふずい**[夫唱婦随]〔文〕夫が言い出して、妻がそれにしたがうこと。(↔婦唱夫随)

☆☆**ふじょうり**[不条理]《名・ナダ》①ものごとの すじが通らないこと。「―な社会〔=なっとくできない、許せないことが起こる社会〕・―なストーリー〔=めちゃくちゃに見える、実験的なストーリー〕」 ②《哲》実存主義の考え方。人間はこの世界に意味を見いだすことができないが、それを求めようとする矛盾した状況を指す。派-さ。

**ふしょく**[腐植]土の中で、動植物がくさってできた暗黒色の有機物。「―土〔=腐植を多くふくんだ土のようなもの。作物の栽培に適する〕」

**ふしょく**[腐食・腐×蝕]《名・自他サ》《理》①くさったり、さびたりして形がくずれること。また、くさらせて形をくずすこと。「ペン先の―」 ②金属が酸素・水などとの化学反応によって変質すること。「―作用」

**ふしょく**[扶植]《名・他サ》〔文〕〔勢力などを〕うえつけること。

**ぶじょく**[侮辱]《名・他サ》相手を見くだして はずかしい思いをさせること。「―を受ける」

**ふしょくふ**[不織布]合成繊維を、織らないで布のような感じに仕上げたもの。「―のマスク」

**ふじょし**[婦女子]〔古風〕女性や子ども。

**ふしょぞん**[不所存]《名・ナダ》〔文〕よくない考え。不心得。「―者」

**ふしょぶん**[不処分]《法》少年事件の審判で、保護観察などの処分をする必要がないと認めること。

**ふしん**［不信］信用しないこと。「—の目で見る・—感が高まる・同僚の—を買う」

☆☆**ふしん**［不審］《名・ナダ》なっとくできず、おかしいと思うこと。あやしいと思うこと。「—(の念)をいだく〔=不審に思う〕・近所の—を買う〔=近所から不審に思われる〕・—顔・—者・—な車」派-がる。-げ。-さ。●**ふしんじんもん**［不審尋問］《名・他サ》「職務質問」の古い言い方。●**ふしんび**［不審火］原因がわからない火事。

**ふしん**［腐心］《名・自サ》〔文〕さまざまに考えて、うまく行くようにくふうすること。「円満解決に—する」

**ふしん**［普請］《名・他サ》家を建てたり直したりすること。「安—」

**ふしん**［不振］《名・ナダ》〔勢力・成績などが〕ふるわないこと。「食欲—」派-さ。

**ふじん**［不尽］〔文〕①じゅうぶん つくさないこと。「審理—」②〔手紙〕終わりに書くあいさつのことば。

**ふじん**［夫人］他人の妻を尊敬した言い方。おくさま。〔接尾語としても使う。呼びかけには使わない〕「社長—になる・Y氏の—・松子—」

**ふじん**［婦人］〔古風〕大人の女性。「ご—・—雑誌〔複合語で、必ずしも古風でないものもある。「—服・産—科」〕」(↔紳士) 区別 ⇩女②。●**ふじんか**［婦人科］婦人病に関する、医学・診療の一部門。「産—医」●**ふじんびょう**［婦人病］《医》女性の生殖器関係の病気。

☆☆**ふじん**［府人］〔文〕同じ「府③」の出身者。「—会」

**ふじん**［布陣］《名・自他サ》〔=陣をしく〕戦闘・試合などの かまえ(を整えること)。陣立て。

**ぶしん**［武臣］〔文〕武士である臣下。

**ぶしん**［武神］〔文〕戦争の神さま。いくさがみ。

**ぶじん**［武人］〔文〕武士や軍人。

**ふしんじん**［不信心］《名・ナダ》神や仏を信じない〈気持ち／こと〉。ぶしんじん。

**ふしんせつ**［不親切］《名・ナダ》親切でないようす。(↔親切) 派-さ。

☆☆**ふしんにん**［不信任］《名・他サ》信任しないこと。「内閣—案」

**ふしんばん**［不寝番］ひと晩じゅう ねないで見はる〈こと／人〉。ねず(の)ばん。

**ふしんぱん**［付審判］《法》告訴や告発を検察官が不起訴処分にした場合、告訴・告発人の請求にもとづいて裁判所がその事件を審判に付すこと。準起訴。

**ふじんぼう**［不人望］《ナダ》〔文〕人望がないようす。

**ふ・す**［伏す］㊀《自五》①姿勢を低くして、かくれる。「草に—」②うつぶせになる。③たおれて横になる。④〔文〕ひれふす。☞伏して。⑤［×臥す］ふせる。「床に伏しがちだった」㊁《他五》①うつぶせにする。②かくす。「名を—」▽㊀㊁伏せる。

**ふ・す**［付す］《他五》〔文〕①［附す］つける。「付録に地図を—・条件を—」②…の対象にする。「討議に—・不問に—」▽付する。

**ふず**［付図・附図］付属する〈地図／図面〉。〔本文などに〕つけた(地)図。

**ぶす**《名・ナダ》(↑ぶすけ)〔俗〕器量の悪い女性を悪く言うことば。おかちめんこ。「性格—〔=よくない性格〕」

**ぶ・す**［×撫す］《他五》〔文〕⇩撫する。「腕—強豪」

**ふずい**［不随］〔文〕①からだが自由に動かないこと。「半身—〔=片まひ(麻痺)〕」②↑不随意。「—運動」

**ふずい**［付随・附随］《名・自サ》〔文〕ともなうこと。

**ぶすい**［無粋・不粋］《名・ナダ》①人情が わからないようす。「—ないなかざむらい」②かっこ悪いようす。「観光地に—な看板」▽やぼ。(↔粋) 派-さ。

**ふずいい**［不随意］〔文〕思いどおりにならないこと。「—筋〔=内臓の筋肉などのように、自分で自由に動かせない筋肉。(↔随意筋)〕」

**ふすう**［負数］《数》零より小さい かず。〔マイナスをつけて呼ぶ〕(↔正数)

**ぶすう**［部数］①冊数。「少〔『小』も使う〕—」②「部㊀③④」の かず。

**ぶすっと**《副・自サ》①にぶい音を立てて、勢いよく突きささるようす。ぶすりと。「矢が—ささる」②ふきげんな顔つきをしているようす。「—おしだまる」

**ぶすぶす**《副》①先のとがったもので何度も突きさすようす。「矢を—(と)的にあてる」②火がくすぶり続けるようす。「—(と)くすぶる」③いつまでも不満を言うようす。「—(と)文句を言う」

**ふすぶ・る**［(×燻ぶる)］《自五》くすぶる。他ふすべる(下一)。

**ふすま**［(×麩)・フスマ］小麦を粉にするときにできる、皮のくず。小麦ふすま。

**ふすま**［(×襖)］木で骨を組み、両がわから〈紙／布〉をはった建具。唐紙。●**ふすまえ**［(×襖)絵］ふすまにかいた絵。「お寺の—」

**ふ・する**［付する］《他サ》〔文〕⇩付す。

**ふ・する**［賦する］《他サ》〔文〕〔詩などを〕作る。

**ぶ・する**［×撫する］《他サ》〔文〕なでてさわる。なでさする。撫す。「腕を撫して待つ〔=実力を見せる機会を待つ〕」

**ふせ**［布施］《仏》僧にあげる お金や品物。〔日常語としては「お布施」のほうが ふつう〕

**ふせ**［伏せ］①ふせること。「—の姿勢」②犬に、ふせるように言うことば。「おすわり！ —！」

**ふせい**［父性］父親としての性質。「—愛・—的な力強さ」(↔母性)

**ふせい**［府政］「府③」の行政。

**ふせい**［府勢］〔文〕数字で あらわした、「府③」の(経済上の)状態。

**ふせい**［×斧正］〔文〕文章を大いに添削すること。「〔相手に添削をたのむときにへりくだって〕—を請う」

**ふせい**［不正］《名・ナダ》①きまりに外れていて、悪い〈ようす／こと〉。「—をはたらく・—入学」②ふつうと異な(っ)て、害になるようす。「—出血〔=生理でないのに性器から出血すること〕・コンピューターが—な動作をする」

**ふせい**［不整］《ナダ》〔文〕形が整わないようす。そろわないようす。「—形な土地・—地」●☆☆**ふせいみゃく**［不整脈］《医》脈のリズムが乱れたり、回数がふえたりすること。〔心配のいらない場合もある〕

**ふぜい** ㊀ ふぜい［風情］①味わいのあるようす。おもむき。「—のある庭」②もてなし。「なんの—もなくて…」③ようす。「楽しんでいる—が見られた」㊁［(風情)］

接尾 …のようなもの。〔けいべつ・けんそんの気持ちで言う〕「町人ー・わたくしー」

**ぶぜい**【無勢】〔文〕人数が少ないこと。「多勢にー」

**ふせいかく**【不正確】《名・ナダ》正確でないようす。(↔正確) 派ーさ。

**ふせいこう**【不成功】成功しないこと。「ーに終わる」

**ふせいじつ**【不誠実】《名・ナダ》誠実でないようす。(↔誠実) 派ーさ。

☆☆**ふせいしゅつ**【不世出】〔文〕めったに世にあらわれないほど、すぐれていること。「ーの天才」

**ふせいせき**【不成績】《名・ナダ》成績がよくないようす。「ーに終わる」(↔好成績)

**ふせいとん**【不整頓】《名・ナダ》〔よく〕整頓されていないようす。

**ふせいりつ**【不成立】なりたたないこと。「議案ー」

**ふせうち**【伏せ撃ち】⇩伏射。(↔立ち撃ち)

**ふせき**【布石】①〔碁〕対局のはじめのころにうつ、碁石のならべ方。②〔将来にそなえての〕用意・準備。「着々と立候補へのーを打つ」

*__ふせ・ぐ__【防ぐ・×禦ぐ】《他五》①おかされないように守る。はいらせないように準備する。「外敵をー・防ぎとめる」(↔攻める) ②支えとめる。「寒さをー」 名 防ぎ。 可能 防げる。

**ふせじ**【伏せ字】はっきり書くとさしさわりのある文字の代わりに印刷する、符号。○(=まる)・×(=ばつ)など。

**ふせつ**【浮説】〔文〕よりどころのないうわさ。「ー紛々」

**ふせつ**【符節】〔文〕⇩わりふ①。●**符節を合わせるよう** 句〔文〕ぴったり一致するようす。「氏の言は古人の説くところとーである」

**ふせつ**【膚接】《名・自サ》〔文〕ぴったりつくほど、接近すること。

**ふせつ**【付設・附設】《名・他サ》〔文〕付属させてもうけること。「研究所をーする」

**ふせつ**【付説・附説】《名・他サ》〔文〕つけ加えて説明すること〈おこなう説明〉。

**ふせつ**【敷設・布設】《名・他サ》〔文〕①〔鉄道などを〕しくこと。②〔機雷・地雷を〕しかけること。

☆☆**ふせっせい**【不摂生】《名・ナダ》健康に気をつけないようす。「ーをする」 派ーさ。

**ふせや**【伏せ屋】〔雅〕低い家。「しず〈賤〉がー(=まずしい住まい)」

**ふせ・る**【伏せる】《自五》①[×臥せる] 病気で横になる。「ただいま伏せております」〔「病気で」と言わなくても通じる〕②うつぶせになる。「つくえに伏せった」

**ふせ・る**【伏せる】 一《他下一》①下向きにする。「茶わんをー・本をー(=開いていた本を裏返す)」②うつむかせる。「顔をー」③姿勢を低くする。「身をー」④〔ほかに知らせないで〕かくす。「この話は伏せておこう」⑤〔文〕たおす。「切ってー」 二《自下一》①うつぶせになる。「その場にー」②[×臥せる]〔ねどこで〕横になる。伏す。「病に伏せている友」

**ふせん**【不戦】〔文〕①戦わないこと。②戦争をしないこと。「ー条約(=一九二九年発効の国際条約)」 ●**ふせんしょう**【不戦勝】〔相手が出場しないことなどのため〕試合をしないで勝つこと。不戦勝ち。(↔不戦敗) ●**ふせんぱい**【不戦敗】〔自分が出場しないことなどのため〕試合をしないで負けること。不戦負け。(↔不戦勝)

**ふせん**【付箋・附箋】疑問の点や用件などを書いたりして、注意のためにはりつける紙。☞ポストイット。

☆☆**ふぜん**【不全】はたらきや状態がじゅうぶんでないこと。「機能ー・心ー・発育ー」

**ふぜん**【不善】〔文〕よくないこと。「ーをなす」

**ぶぜん**【△豊前】旧国名の一つ。今の福岡県の北東部と、大分県の北部。

☆☆**ぶぜん**【×憮然】《タル》①〔文〕どうにもならずに、力を落とすようす。「老体の身をかえりみてーとする・ーとしたおももち」②〔文〕意外なできごとにぼうぜんとするようす。「言い争いをーとながめる」③むっとしたようす。「たたき起こされてーとする」 古くからの用法は①②。現在最も多く目にするのは③で、戦後に広まった。

**ふせんめい**【不鮮明】《ナダ》〔ものの形などが〕はっきりしないようす。「ーな写真・旗幟ー」(↔鮮明) 派ーさ。

**ふそ**【父祖】〔文〕①父と祖父。「ーの代からの」②祖先。先祖。「ーの地」▽(↔子孫)

**ふそう**【扶桑】①〔文〕日本。 由来 東海の日の出る所にあるという、中国伝説の神木から。②〔特に中国で〕ブッソウゲ〈仏桑花〉。

**ぶそう**【武装】《名・自サ》①戦闘にそなえて、武器を身につけること。「ー警官」②相手にすきを見せないように準備すること。「理論ー」

**ふそうおう**【不相応】《名・ナダ》つりあわないこと。「身分ーのぞみ」(↔相応)

☆☆**ふそく**【不測】〔文〕予測できないこと。「ーの事態」

**ふそく**【付則・附則】〔本則に〕付属した〈法則/規則〉。(↔本則) 表記「附則」は、特に法令・公用文で使う。

*__ふそく__【不足】 一《名・自サ・ナダ》たりない〈こと/もの〉。不十分〈な部分〉。「認識ー・ーをおぎなう」 二不満。「〔故人は〕九十だから年にーはない(=長生きした)・相手に〈とって〉ーはない(=戦いがいのある相手だ)・ーを言う」

**ふぞく**【付属・附属】《名・自サ》①本体につけ加わっている〈こと/もの〉。「ー書類・パソコンのーソフト」②本体とつながりの深い施設など。「医大ー病院・子どもをー(=大学付属小学校など)に入れる」 表記「附属」は、特に法令・公用文で使う。●**ふぞくご**【付属語】《言》いつも自立語のあとについて使われることば。助詞・助動詞をまとめて言うことば。(↔自立語)

**ぶぞく**【部族】〔文〕ある地域に住み、政治的にまとまっている集団。〔原始的であるというニュアンスがある〕

**ふそくふり**【不即不離】〔文〕つきもはなれもしないこと。「ーの関係」

**ふぞろい**【不×揃い】《名・ナダ》そろわないこと。ふぞろい。「大小ー」

☆☆**ふそん**【不遜】《名・ナダ》〔文〕相手に対して尊敬する気持ちも持たず、思い上がっていること。高慢。「ーな態度」 派ーさ。

**ふぞん**【賦存】《名・自サ》〔文〕まとまった量が、天然に存在すること。「ウランのー量」〔伝統的には「ふそん」〕

**ふた**【〈蓋〉・フタ】①かぶせて、入れものの口をかくす部分。②サザエ・タニシなどの貝の口にかぶさっている、かたいもの。へた(曆)。●**ふたを開ける**句 ①ものごとを始める。②〔予想した〕結果をたしかめる。「ふたを開けてみれば」自ふたが開く。●**ふたをする**句 あえて〈見ない／おさえる〉ようにする。「問題に―・本当の気持ちに―・臭(くさ)い物に―〔⇩「臭い」の句〕」

↔**ふた【二】 一〔造〕①二つの。「―けた・―幕め」②二度。また、二。「―目と見られない・―いとこ」 二 **ふた** に。〔数字を聞きまちがえないように言う〕「風力―・―六五・―十八(ふたじゅうはち)」

→**ふた**【双】〔造〕二つそろって、対(つい)になっていること。「―子・―葉」

**ふだ**【札】①文字を書く小さな紙・板など。②⇩おふだ。③かけておく「ふだ①」。かけふだ。④カルタ・トランプの「ふだ①」。⑤〔俗〕〔選挙の〕票。⑥入札で、金額を書いて出す紙。「一番―〔=注文する人の希望にいちばん近い札〕」

**ぶた**【豚】①家畜(かちく)の一つ。よく太り、鼻は突き出て、先が平たい。肉は食用。鳴き声は、ぶうぶう。②豚肉。「―三百グラムください・―キムチ〔=豚肉とキムチのいためもの〕」③〔太った人をけいべつして言うことば。「―野郎(やろう)」●**豚に真珠(しんじゅ)**句〔新約聖書のことばから〕⇩猫(ねこ)に小判〔「猫」の句〕。●**豚もおだてりゃ木に登る**句 能力の低い者でも、おだてられれば能力以上のことをする。

**ふたあけ**【〈蓋〉明け】始まること。開始。「いよいよ連休の―」

**ふたい**【付帯・附帯】《名・自他サ》〔文〕おもなものごとに〈ともなう／つけ加える〉こと。「―決議・―工事」表記「附帯」は、特に法令・公用文で使う。

**ふだい**【譜代・譜第】《歴》代々つかえてきた臣下。特に、関が原の戦いの前から徳川氏につかえてきた大名。「―大名」(↔外様(とざま))

**ぶたい**【部隊】①軍隊・自衛隊などで、行動をともにする一団。「戦車―」②同じ目的をもった人の集団。「応援(おうえん)―」

*__ぶたい__【舞台】①演技・演奏などを見せる場所。ステージ。「―姿・―装置・―挨拶(あいさつ)〔=映画の監督(かんとく)や出演者が、映画館などの舞台で挨拶すること〕」②「舞台①」での演技。「名―」③↑舞台劇・舞台公演。「人気―」④〈人の活動する／ものごとの起こる〉場所。「小説の―・銀行を―にした不正取引・高裁に―を移す」●**舞台に立つ**句 舞台に出て、劇や演奏をする。●**ぶたいうら**【舞台裏】①舞台のうらの、大道具を置いたり、裏方の働いたりする場所。②表にあらわれず、知られることのない活動の場面。裏舞台。「―でのかけひき・辞書作りの―」●**ぶたいげき**【舞台劇】舞台で演じる劇。

☆☆**ふたいてん**【不退転】〔文〕信念を持って、あとに引かないこと。「―の決意で取り組む」由来 もと仏教語で「退転せず〔=修行(しゅぎょう)でたどり着いた境地から転落しない〕」の意味。

**ふたいとこ**【二:従兄弟】・【二:従姉妹】またいとこ。

**ふたいほとっけん**【不逮捕特権】《法》国会議員が、国会会期中には逮捕されない特権。〔院外における現行犯罪の場合と院の許諾(きょだく)がある場合とを除く〕

**ふたえ**【二重】①二つにかさなること。②折れてまがること。③↑ふたえまぶた。☞にじゅう(二重)。●**ふたえまぶた**【二重(×瞼)】まぶたが二重になっていること(もの)。ふたかわめ。ふたえ。(↔一重(ひとえ)まぶた)

**ふたおや**【二親】父と母。両親。(↔片親)

**ふたかた**【二方】「ふたり」の尊敬語。「お―(さま)」

**ふたかわめ**【二皮目】ふたえまぶた。ふたかわ。(↔一(ひと)皮目)

←**ふたく**【付託・附託】《名・他サ》〔文〕たのむこと。まかせること。「委員会に―する」

→**ふたく**【負託】《名・他サ》〔文〕〔大きな仕事・責任を〕引き受けさせてまかせること。「国民の―にこたえる」

**ふた・ぐ**【▵塞ぐ】《自他五》〔雅〕ふさぐ。「胸―」

**ぶたくさ**【豚草】ヨモギに似た雑草。夏に小つぶで黄色い花がさき、花粉を吸いこむと、ぜんそくなどのアレルギー症状(しょうじょう)を起こす。

**ふたけた**【二桁】①《数》数字の、けたが二つであること。「―の数字」②一〇から九九までの数。

**ふたご**【双子】①同じ母から一度にうまれた、ふたりの子。双生児(そうせいじ)。一卵(いちらん)性と二卵性とがある。☞一卵性双生児・二卵性双生児。②鶏卵(けいらん)に黄身が二つはいっていること。

**ふたごころ**【二心・▵弐心】そむく心。「主君に―をいだく」

**ふたこと**【二言】わずかなことば。短い発言。「―三言」☞にごん(二言)。●**ふたことめ**【二言目】何かにつけて、必ずそれを言うこと。「―にはきょうは暑いと言う」

**ぶたこま**【豚〈小間〉・豚コマ】豚肉のこま切れ。

**ふださし**【札差】《歴》江戸(えど)時代、旗本・御家人(ごけにん)の代理となって、禄米(ろくまい)を浅草の倉庫で受け取ったり販売(はんばい)したりした商人。米を担保に金融(きんゆう)業もおこなった。

**ふたしか**【不確か】《ナダ》はっきりとしないようす。あやふや。「―なことは言えない」

**ふだしょ**【札所】お参りしたしるしとしてふだをさずけてくれる霊場(れいじょう)。

**ぶたじる**【豚汁】〔西日本・北海道方言〕⇩とんじる。

**ふたすじみち**【二筋道(ふたすぢー)】①二筋の道。「明暗―」②分かれ道。ふたまた道。

**ふた・する**【〈蓋〉する】《他サ》ふたをする。ふた〈を／のように〉かぶせる。「入り口を―」

**__ふたたび__【再び】《副》〔=二度〕〔文〕もう一度。かさねて。「―三度(みたび)」

**ぶたたま**【豚玉】豚肉のはいったお好み焼き。ぶた天〔関東方言〕。

*__ふたつ__【二つ】①一つより、一つだけ多い数。に。「―に折る〔=折って二枚重なったようにする〕」②二歳(さい)。③二つめ。第二。「注目すべき点がいくつかある。その一つは…、その―は…」●**二つに一つ**句 二つ考えられる結果のうち、どちらか一つ。「死んで名を残すか生きて恥(はじ)をさらすか―だ」●**ふたつとして**【二つとして】《副》〔後ろに否定が来る〕ほかには絶対に。「―同じケースはない」区別⇩一つとして。●**ふたつとない**【二つとない】《形》二つめの まったく同じものが ほかに

ない。ほかにくらべるものがない。「世に―〔＝最高の〕宝物・真実は―」●ふたつ な【二つ名】〔本名と、それにかぶせる〕別名。二つ名前。『「らくだの卯之助』と―を取っている」●ふたつ ながら【二つながら】《副》〔文〕両方とも。いずれも。●ふたつ へんじ【二つ返事】すぐに承知すること。「―で引き受ける」由来「はいはい」と二回重ねて、気軽に返事をすることから。江戸時代からある返事で、特に失礼な言い方ではなかった。☞はいはい①。●ふたつ むすび【二つ結び】後ろ髪の左右を〔耳より下で〕たばねた、女性の髪型。二つ結い。二つしばり。☞ツインテール・おさげ①。●ふたつめ ㊀【二つ目】①目が二つあること。②ヘッドライトの玉が二つついていること。㊁【二つ（目）】二番目。㊂【二ツ目】講談界や東京の落語界で、前座と真打ちとの間の階級（の人）。〔上方落語では「中座」と言った〕

ふたつ【不達】郵便・メールなどが届かないこと。

ふだつき【札付き】決まった悪い評判があること。「―の悪党」

ふたて【二手】二つの方面（に分けた部隊・集まり）。「―に分かれた道・―三手に分かれる」

ぶだて【部立て】全体をいくつかの部類に分け〈ること/たもの〉。和歌集で、春・夏・秋・冬・恋に分けるなど。

ふだどめ【札止め】〔満員で〕入場券を売るのをやめること。「〔満員〕―の盛況」

ぶたどん【豚丼】調理した豚肉をのせた、どんぶりごはん。とんどん。ぶためし。〔北海道・十勝では、たれで焼いた豚肉をのせるのが有名〕

ふたなのか【二七日】《仏》その人の死んだ日を入れて十四日目（の法事）。ふたなぬか。

ぶたにく【豚肉】〔食品としての〕ブタの肉。とんにく。

ふたの【〔二△布〕・〔二△幅〕】《服》もめんものの並幅の布を二枚ぬいあわせた幅。着物の幅。約七五センチ。

ふたば【双葉・二葉】芽を出したばかりの二枚の葉。

ぶたばこ【豚箱・ブタ箱】〔俗〕留置場。

←ふたまた【二〔×叉〕】先が二つに分かれている〈こと/もの〉。「―ソケット」

→ふたまた【二股】〔＝股の両がわ〕①本来は一方に決めるべきなのに、両方にかかわって利益を得ようとすること。②同時に二人の恋人とつきあうこと。▽「―〔を〕かける」●ふたまた こうやく【二股×膏薬】股にはった膏薬のように、どちらのがわにもくっつくこと。ふたまたごうやく。「勝ったほうをひいきする―」

ぶたまめ【豚豆】ブタの腎臓。

ぶたまん【豚まん】〔まん↑まんじゅう〕肉まん。〔多く関西で言う〕

ふたみち【二道】二つの道。両面。「―かける」

ふため【二目】●二目と見られない 句 二度と見る気になれないほど〈みにくい/むごたらしい〉。「―顔」

ふため【不〔△為〕】《名・ナダ》〔古風〕ためにならないこと。「身の―」

ふたもの【〔蓋〕物】①ふたの ある器。②〔品書きで〕「ふたもの①」に入れた料理。

**ふたり【二人】ひとりに ひとりを加えたかずの人。「―して〔＝二人で〕語り合う・―づれ・お―さん〔＝恋人どうしなど〕・〔副詞的に〕―、だまって歩いた」●ふたりぐち【二人口】⇩一人口は食えぬが二人口は食える〔「二人口」の 句〕。

ふだわれ【札割れ】入札で、応札額が予定額を下回ること。「国債の―が起きる」

*ふたん【負担】〔＝せおい、かつぐ こと〕㊀①重すぎたり、力が かかりすぎたりして、からだ・機械などをいためるもとになるもの。「腰に―が かかる・エンジンへの―が大きい」②よけいな時間やお金、労力などが かかり、苦しく感じる ものごと。重荷。「作業が―になる・期待を―に感じる」㊁《名・他サ》〔費用などを〕引き受けること。「送料を―する・義務を―する」

←ふだん【不断】〔文〕たえまないこと。「―の努力」☞優柔不断。

→ふだん【〔普段〕】〔↑不断〕㊀ふだん《名・副》特別なことのない、平凡な〈日/場合〉。平生。「―の生活・―よく行く店・―から災害に備える」㊁ 造 日ごろ…するもの。「―ばきの くつ・―乗りの車」●ふだんぎ【〔普段〕着】①ふだん着る服。〔↔晴れ着〕②気どらず、ふだんの感じそのままであること。「気の置けない―のお店」▽〔↔よそ行き〕●ふだんづかい【〔普段〕使い】ふだんの生活で使える小物など。「―の食器」

ブタン〔ド Butan〕《理》カセットボンベやライターなどにふくまれている、無色のガス。炭化水素の一種。

ぶだん【武断】〔文〕①武力に たよって政治を専制的におこなうこと。「―的態度」②武力にたよって勝手にふるまうこと。「―政治・―派」〔↔文治〕

ふち【不治】〔文〕⇩ふじ（不治）。

ふち【不知】〔文〕〔ものごとを〕知らないこと。「法令は―を許さず」

ふち【〔×淵〕】①水が深く よどんでいる所。〔↔瀬〕②苦しい境遇。「悲しみの―にしずむ」③せとぎわ。「滅亡の―」

ふち【縁】①ものの はしや周りを示す線。また、その〈内がわ/外がわ〉に沿った細長い部分。「皿の―・帽子の―〔＝つば〕・赤いきれで―をとる〔＝つける〕・川―」☞へり①。②めがねのレンズを囲む わく。フレーム。

ふち【付置・附置】《名・他サ》〔文〕〔大学などに〕付属して設置すること。「―研究所」表記「附置」は、特に法令・公用文で使う。

ふち【布置】《名・他サ》〔文〕それぞれの位置に くばること。配置。

ふち【扶〔△持〕】《名・他サ》《歴》武家の主人が家臣に対して玄米であたえた給与。扶持米。「一人―〔＝一日に玄米で五合の給与〕」

ぶち【〔△斑〕】〔動物の毛について〕白などの地色に別の色の斑点が まじっている〈こと/もの〉。「―犬」

ぶち 接頭〔↑ぶ（打）ち。「ブチ」とも書く〕〔―＋動詞〕勢いよく。思い切って。「―当たる・―こわす・―割る」〔多くは、俗語になる〕

プチ 造〔フ petit〕①小さい。小形な。「―トマト・―サイズ」②〔俗〕小規模の。「―整形・―家出」③〔俗〕安い。「―価格」☞プチプラ。

←ぶちあ・ける【ぶち明ける】《他下一》〔俗〕打ち明ける。「腹の中を―」

→ぶちあ・ける【ぶち空ける】《他下一》〔俗〕①穴などを勢いよくあける。②中のものをすべてほうり出す。「箱の中身を―」

ぶちあ・げる【ぶち上げる】《他下一》〔俗〕大げさに

**ぶちあた・る**【ぶち当たる】《自五》〔俗〕強い勢いで当たる。ぶつかる。他ぶち当てる《下一》。

**ふちいし**【縁石】⇨えんせき(縁石)。

**ふちかがり**【縁×縢り】《名・自他サ》〔服〕はしがほつれないように、ふちをかがること。

**ぶちかま・す**《他五》〔かます＝噛ます〕①〘すもう〙体当たりをする。くらわす。②〔俗〕相手の出鼻をくじくように、最初に強い一撃を加える。名ぶちかまし。

**ぶちぎれ**【ぶち切れ・ブチ切れ・ブチギレ】《名・自サ》〔俗〕がまんできなくなって、怒りが爆発すること。ぶちきれ。「ささいなことで—する」動ぶち切れる《自下一》。

**ぶちこ・む**【ぶち込む】《他五》〔俗〕投げこむ(ようにして入れる)。「川へ—・刑務所に—」

**ぶちころ・す**【ぶち殺す】《他五》①〔俗〕強く たたいて殺す。②「殺す」を強めた言い方。▽ぶっ殺す。

**ぶちこわ・す**【ぶち壊す】《他五》①(強くたたいて)こわす。②いい結果が出そうなものを、まったくだめにする。台なしにする。「縁談を—」▽ぶっ壊す〔俗〕。名ぶち壊し。自ぶち壊れる《下一》。

**ふちどり**【縁取り】《名・自他サ》①ふちをつけること。②特に、洋服のかざりとして、別の布をふちにかざりつけること。トリミング。

**ふちど・る**【縁取る】《自他五》ふちをつけて〈かざりにする/さかいめをはっきりさせる〉。「えりをフリルで—・公園を—木々」

**プチナイフ**〔和製フ petit＋knife〕⇨ペティナイフ。

**ぶちぬ・く**【ぶち抜く】《他五》①間にあるものを取って、ひと続きの〈部屋/空間〉にする。②掘って通れるようにする。「トンネルを—」③〔俗〕予定どおり最後までやる。「ストを—」④【×撃ち抜く】〔俗〕撃ちぬく。名ぶち抜き。「六段—の記事」自ぶち抜ける《下一》。

**ぶちのめ・す**《他五》〔俗〕たたきのめす。うちのめす。

**プチフール**〔フ petits fours〕一口サイズのケーキ。プティフール。

**ぷちぷち** 一 ぷちぷち《副・自サ》①小さな つぶ状のもの〈が はじける/をつぶす〉音・ようす。「あわが—(と)はじける・イクラの—した歯ごたえ」②小さな つぶ状であるようす。「—したケシの実」二 ぷちぷち〔商標名〕気泡のはいった包装用のシート。気泡緩衝材。

**プチプラ**(↑プチ プライス)〔俗〕値段が高くないこと。「—コーデ」

**プチブル**(↑プチブルジョア)①中産階級。②ちょっとした金持ち。小金持ち。

**ぶちま・ける**《他下一》①ひっくりかえして中のものをみんな出す。②〔俗〕つつみかくさず はき出す。「心の中を—」

**ふちゃく**【不着】〔文〕到着しないこと。

**ふちゃく**【付着・附着】《名・自サ》〔文〕くっつくこと。「指紋が コップに—する」

**ふちゃりょうり**【普茶料理】黄檗宗(＝禅宗の一宗派)独特の、中国ふうの精進料理。普茶。ふさりょうり。

**ふちゅう**【付中・附中】↑〈付属/附属〉中学校。

**ふちゅう**【不忠】《名・ナダ》〔文〕忠義でないこと。

**ふちゅうい**【不注意】《名・ナダ》注意の たりないこと。派—さ。

**ふちょう**【府庁】「府③」の行政事務をあつかう役所。

**ふちょう**【婦長】〔古風〕「師長」の、もとの呼び名。

**ふちょう**【符丁・符×牒】①商品の値段をしめす数字の隠語。例、(すし店で)げた＝三。②なかまどうしの隠語・暗号。例、(落語界で)たろ＝お金。

**ふちょう**【不調】《名・ナダ》①いい調子が出ないこと。スランプ。(↔好調)②ものごとがうまくととのわないこと。「交渉が—に終わった」

**ぶちょう**【部長】〔役所や会社などで〕一つの部の長。会社では、取締役の下で、次長・課長・係長の上。「池田—」

**ぶちょうほう**【不調法・無調法】《名・ナダ》①行き届かないこと。なれないで、へたなこと。「口が—で」②あやまち。そこつ。「—をしでかす」③酒や芸事をたしなめないこと。「わたくし、—でして」派—さ。

**ふちょうわ**【不調和】《名・ナダ》調和しないこと。派—さ。

↓**ふちん**【不沈】〔文〕ぜったいに沈没しないこと。「—艦・—空母」

↑**ふちん**【浮沈】《名・自サ》〔文〕①うくことと しずむこと。②(地位などの)上がり下がり。③さかえることと〈おとろえる/おちぶれる〉こと。「国家の—にかかわる」

**ふっ**【吹っ】接頭 勢いのいいようすをあらわすことば。「—切れる・—とばす」

**ふつ**【×仏】↑フランス(仏蘭西)。「—政府・—文学・訪—」

**ぶっ** 接頭(↑ぶち)〔—＋動詞〕〔俗〕①勢いよく。思い切って。「—こわす・ビルを—建てる」②ふてぶてしく。あつかましく。「—立ってやがる・—座る」☞ぶん。

**ぶつ**【仏】〔仏〕①ほとけ。②仏法。仏教。

****ぶつ**【物】一 ぶつ ①〔学〕↑物理。「数—」②(↑物品)〔俗〕しなもの。もの。「—撮り(＝商品撮影)」③(↑現物。「ブツ」とも書く)〔俗〕ⓐ盗品。ⓑ証拠の品。「—を押収する」二 逆 もの。「障害—」

**ぶつ**〔「ブツ」とも書く〕↑ぶつ切り①。「—にする・タコ—・マグロ—」

**ぶ・つ**《他五》①手でうつ。たたく。②〔俗〕演説する。「一席—」③〔古風・俗〕する。「返答ぶて」由来「打つ」から。濁音化して、よくない意味を強調した。表記「×打つ」とも書いた。可能 ぶてる。

☆☆**ふつう**【不通】①交通が できないこと。「鉄道が—になる」②ことばが通じないこと。「言語—」③通信〈しない/できない〉こと。「音信—・電話が—だ」

****ふつう**【普通】一《名・ナダ》①〈どこにでも/いつでも〉あって、めずらしくないこと。一般的なこと。「日本に—の鳥・世間—の習慣・—〈で/に〉は考えられない」(↔特殊)②取り分けた一部を除く、大部分のもの。一般。「—高校・—列車・—人の感じ方」(↔特別)③特に変わったところがないこと。いつもどおり。「—に生活する・きょうは—に学校に行った」④〈よくも悪くもない/極端でない〉こと。中ぐらい。「成績は—だ・—の速さ」⑤〔—に〕〔俗〕ⓐ何も条件をつけずに。文字どおりの意味で。「あの人、—に歌うまいよね・このアイス、わたし的には—においしい〈以上、ほめた言い方〉・裏切られて—にショックです」ⓑ当然(であるかのように)。「あんな

ふ

ことを言われたら―におこる・おれが言ったことを、なに―に忘れてるんだ？」⑤は、二十一世紀になって広まった用法。」㊁《副》だいたいの〈場合／人〉は。「―そう言っています」[表記]俗に「フツー」とも。●**ふつうか**【普通科】①高等学校の普通課程。〔職業科・専門科などに対していう〕②自衛隊で、部隊の区分。おもに小銃・機関銃を使う。歩兵。●**ふつうせんきょ**【普通選挙】すべての成人に選挙権を認める選挙。普選。（↔制限選挙）●**ふつうたい**【普通体】〔言〕口語文で、文の終わりに「だ」「である」など、ていねいでない、ふつうのことばづかいをする文体。常体。（↔丁寧体）●**ふつうめいし**【普通名詞】〔言〕名詞の一つで、同じ種類のものの名前をあらわす名詞。例、山・車・休日。（↔固有名詞）●**ふつうよきん**【普通預金】《経》いつでもあずけ入れと引き出しができる預金。〔ゆうちょ銀行の場合は、通常貯金〕☞定期預金。

**ぶつえん**【仏縁】《仏》ほとけとの間に結ばれる縁。

**ふつお**【フツ男】〔俗〕ごくふつうの男。

**ふつか**【二日】①その月の二番目の日。②日かずで数えて二つ。「―かかる仕事」●**ふつかづき**【二日月】旧暦で、二日の夜に見える月。糸のように細い。●**ふつかよい**【二日酔い】酒の酔いが翌日まで残って気分が悪い状態。宿酔。

**ぶっか**【仏花】仏前・墓前などにそなえる花。キクなど。

**ぶっか**【仏果】《仏》仏道を修行することによって得られる境地。

**ぶっか**【物価】ものの値段。商品の市価。「―上昇」●**ぶっかしすう**【物価指数】《経》基本となる年度の各種の商品の〈いちいち／総合〉の価格を百として、毎年の価格の変動をしめす数。「企業―・消費者―」

**ぶつが**【仏画】仏教に関する絵。

**ぶっかき**【ぶっ欠き】〔俗〕①ぶっかくこと。②⇩カチワリ。

**ぶっかく**【仏閣】〔文〕てら。仏堂。「神社―」

**ぶっか・く**【ぶっ欠く】《他五》〔俗〕たたいて、大きなものから一部分を取る。「氷を―」

**ぶっかけ**【ぶっ〈掛け〉】こいしるをかけたうどんやそば。「温玉―・冷やし―」

**ふっか・ける**【吹っ〈掛ける〉】《他下一》〔俗〕①〈あらそいを〉しかける。「けんかを―・議論を―」②〈大げさに／値段を高く〉言う。「高値を―」③⇩吹きかける㊁。

**ぶっか・ける**【ぶっ〈掛ける〉】《他下一》〔俗〕水・粉などを勢いよくかける。「水を―」

**ふっかつ**【復活】《名・自他サ》①いったん〈消えた／やめた〉ものが、もとにもどること。また、もどすこと。「旧制度の―・―予算」②《宗》死者が生き返ること。「キリストの―」③調子がもとにもどること。「よくねて―した」●**ふっかつさい**【復活祭】《宗》⇩イースター。

**ぶつかりげいこ**【ぶつかり稽古】〔すもう〕実戦と同じようにするけいこ。

**ぶつか・る**《自五》（↑打っ付かる）①はげしく当たる。突き当たる。衝突する。「頭から―・力と力がぶつかり合う・意見が―」②出合う。「道路が―・ラッシュアワーに―」③直接あって〈交渉する／様子をさぐる〉。④いっしょになる。かちあう。「予定が―」▽ぶつかる。[可能]ぶつかれる。

**ふっかん**【副官】《軍》部隊・司令部などの長を助けて、事務の整理や取りしまりをする武官。ふくかん。

**ふっかん**【復刊】《名・他サ》休んでいた雑誌などの刊行を復活すること。また、以前刊行した単行本を、復活して刊行すること。ふくかん。

**ふっき**【復帰】《名・自サ》①もとへかえること。「本隊に―する」②もとどおりになること。カムバック。「社長に―した」

**ふっき**【富貴】《名・ナダ》〔文〕⇩ふうき(富貴)。

**ふづき**【〈文月〉】旧暦七月。ふみづき。

**ぶつぎ**【物議】世間の議論。「―の種・海外で―」●☆☆**物議を醸す**[句]〔文〕〔言動などが〕世間で批判や論争を引き起こす。「不用意な発言で―」〔古くは「物議を〈引き〉起こす・物議を生じる」なども〕

**ふっきゅう**【復×仇】〔文〕あだうち。かたきうち。

**ふっきゅう**【復旧】《名・自他サ》もとに〈かえる／かえす〉こと。〔こわれた所やものについて言う〕「―工事」

**ふつぎょう**【払暁】〔文〕あけがた。

**ぶっきょう**【仏教】《仏》釈迦がインドでおこした宗教。さとりを開いてほとけになることを目的とする。釈教。「―者・―徒」

**ふっきょく**【復曲】《名・自他サ》〔文〕長い間すたれていた曲を復活させること。「―能」

**ぶっきらぼう**【ぶっきら〈棒〉】《名・ナダ》ことばや態度がそっけないこと。ぶあいそう。「―な口のきき方」[派]―さ。

**ぶつぎり**【ぶつ切り・ブツ切り】（↑ぶつぶつ切る）①食材を大きく〈切ること／切ったもの〉。ぶつ。「タコの―」②ひと続きのものが、ところどころで切れること。「―の音声」

**ぶっき・る**【ぶっ切る】《他五》〔俗〕乱暴に切る。「なたで―」

**ふっき・れる**【吹っ切れる】《自下一》①風が吹いて〈雲が〉切れる。「雲が吹っ切れて青空がのぞいた」②はれものがさけて、うみが出る。③〈病気や気持ちの〉わだかまりがなくなって、さっぱりする。[他]吹っ切る(五)。

**ふっきん**【腹筋】①《生》はらの部分を形づくっている筋肉。「―が割れる」②（↑腹筋運動）あおむけになって、上体を起こす運動。

**ブッキング**《名・他サ》〔booking〕①帳簿に記入すること。②〈予約／約束〉すること。「オーバー―（＝定員以上の予約を受け付けること）」☞ダブルブッキング。

**フック**〔hook〕㊀①かぎ(鉤)。ホック。「ハンガー―（＝ハンガーをひっかけるかぎ）」②〔ボクシング〕ひじを曲げてわきから打つこと。㊁《名・自サ》①〔ゴルフ〕(右打ちの場合)打球が左に曲がりながら飛ぶこと。（↔スライス）②興味・関心などを、引きつけたりつなぎとめたりする〈もの／こと〉。「―のない曲・―する要素」

**ブック**〔book〕①書籍。本。「―カバー」②帳面。「スクラップ―」●**ブックエンド**〔book end〕書籍がたおれないように両はしに立てるもの。本立て。●**ブッククラブ**〔book club〕会員制による、本の通信販売組織。ふつうより安く手にはいる。●**ブックス**〔books〕新書判で出版する、似たような本をまとめて言う呼び名。「NHK―」●**ブックトーク**〔book talk〕〔図書館などで〕テーマを設け、数冊の本を推薦し、紹介するもよおし。●**ブックマーク**《名・他サ》〔bookmark=しおり〕〔インターネットのブラウザーで〕よく見るウェブサイトのアドレスを登録すること。お気に入り。ブクマ〔俗〕。●**ブックメーカー**〔bookmaker〕①〔金もうけのために〕むやみに本を書く人。②〔競馬などの〕賭け元。●**ブックレット**〔booklet〕小冊子の本。●**ブックレビュー**〔book review〕〔新刊書の〕書評。

**ぶつぐ**［仏具］《仏》仏事に使う道具。「ー店」

**ふっくう**［腹×腔］《生》⇩ふくくう。

**ふづくえ**［△文机］読書や書き物をするための、和風の低い机。ふみづくえ。

**ぶつくさ**《副》〔人に聞こえるところで〕不平などを、つぶやくように言うようす。「何をー言ってるんだ」

**ふっくら**《副・自サ》やわらかそうに ふくらんでいるようす。ふっくり。「ごはんがー(と)たきあがった」

**ふっけい**［復啓］《手紙》〔文〕返事の初めに書く、あいさつのことば。拝復。ふくけい。

**ぶつ・ける**《他下一》〔↑打っ付ける〕①投げつける。②はげしく当てる。「頭をー・車をー」③問題を投げかけて、せまる。「疑問をー」▽ぶっつける。

**ふっけん**［復権］《名・自他サ》①《法》ⓐ刑の宣告によって失った公法上の権利を回復させること。ⓑ破産者が債務を弁済して、法律上の能力を回復すること。②権威や勢いを取りもどすこと。「父親のー」

**ぶっけん**［物件］①売買・調査などの対象になるもの。「証拠ー・ー費〔↕人件費〕」②売買や賃貸の対象になっている不動産。「駅近ー」

**ぶっけん**［物権］《法》ものを直接に支配することのできる権利。所有権・地上権・抵当権など。

**ふっこ**［〈:福子〉］スズキの、二、三歳のもの〔三、四〇センチぐらい〕の呼び名。☞すずき。

**ふっこ**［復古］《名・自他サ》〔文〕昔に〈かえる/かえす〉こと。「ー調」

**ふつご**［△仏語］〔文〕フランス(の国)語。

**ぶっこ**［物故］《名・自サ》〔文〕以前に死ぬこと。すでに死んでいること。「昨年ーしたA氏・ー者だけをのせた人名辞典」区別⇩死ぬ㊀①。

**ぶつご**［仏語］〔文〕仏教の用語。仏教語。

**ふっこう**［復航］〔文〕かえりの〈航海/航空〉。(↕往航)

**ふっこう**［腹×腔］《生》⇩ふくくう。

**ふっこう**［復交］《名・自サ》〔文〕いったん とぎれていた国交を復活させること。

**ふっこう**［復校］《名・自サ》一度やめた学校に もどること。

☆☆**ふっこう**［復興］《名・自他サ》一度おとろえたものが、ふたたび さかんになること。また、さかんにすること。「経済のー・被災地のー・ーの槌音が ひびく〔=復興が始まり、進む〕」

**ふつごう**［不都合］《名・ナダ》①当人にとって望ましくないこと。また、そのようす。「ーな事実をかくす・ーがあれば訂正します」②事情が ゆるさない〈こと/ようす〉。「ーで出席できない」③〔古風〕めいわくな〈こと/ようす〉。「このたびのーをわびる・ーな おこない」派-さ。

**ふっこく**［復刻］《名・他サ》①［覆刻・複刻］昔の本・雑誌などの印刷物を、原物どおりに新しく作ること。「初版本のー」②昔の作品・商品などを、原物どおりに新しく作ること。「ジーンズのー版・名曲をCDでーする」

**ぶっこ・く**《他五》〔俗〕する。なる。「余裕をー・大損ー」

**ぶっこぬ・く**［ぶっこ抜く］《他五》〔俗〕①ぶ(打)ちぬく。②〔個人情報などを〕ぬすみとる。

**ぶっこみづり**［ぶっ込み釣り］《名・自サ》おもりとえさを付けた しかけを、水底に投げ入れたままで待つ釣り方。ぶっこみ。

**ぶっこ・む**［ぶっ込む］《他五》〔俗〕①(勢いよく)入れる。投入する。「池にー〔=投げこむ〕・独房にー・ドラマにギャグをー・競馬に十万円ー」②うちこむ。「くい(杭)をー」③〔古風〕〔刀などを〕腰に差す。名ぶっ込み。

**ぶっころ・す**［ぶっ殺す］《他五》〔俗〕ぶちころす。

**ぶっこわ・す**［ぶっ壊す］《他五》〔俗〕ぶちこわす。自ぶっ壊れる《下一》。

**ぶっさん**［物産］土地の産物。「ー展・ー館〔⇩アンテナショップ②〕」

**ぶっし**［仏子］《仏》五戒を受けて僧になった人。

**ぶっし**［仏師］仏像を製作する職人。

**ぶっし**［物資］生活・業務などに必要となる、大量の物。「ーの不足・救援ー・軍事ー」

**ぶつじ**［仏事］《仏》法事。法会。

**ブッシェル**〔bushel〕穀物の重さをあらわす単位〔記号bu〕。一ブッシェルは、小麦・ダイズでは約二七・二キログラム、トウモロコシでは約二五・四〇キログラム。〔本来は体積の単位〕

**ふっしき**［払△拭］《名・他サ》〔文〕⇩ふっしょく。

**ぶっしき**［仏式］仏教のやり方。「葬儀はーにより とりおこないます」

***ぶっしつ**［物質］①もの。〔広く、お金や品物などをさして言う〕「ー文明・ー欲」(↕精神)②《理》物体を形づくり一定の性質をもつ存在。空間の一部を占め、有限の質量をもつ。●**ぶっしつてき**［物質的］《ナダ》物質についての。物質を重んじるようす。「ーな豊かさ」(↕精神的)

**ぶっしゃり**［仏舎利］《仏》釈迦の遺骨。舎利。

**ブッシュ**〔ド Busch〕《登山・スキー》やぶ。しげみ。

☆☆**プッシュ**《名・他サ》〔push〕①おすこと。「ーボタン〔=おしボタン〕」②〔相手に〕圧力を加えること。「実行を求めるー」③推薦すること。また、売りこむこと。「新人をーする」●**プッシュかいせん**［プッシュ回線］プッシュホンのための回線。(↕ダイヤル回線)●**プッシュバント**〔米 push bunt〕《野球》バントのやり方の一つ。バットをおし出すようにして軽くボールに当てる。(↕ドラッグ バント)●**プッシュホン**〔和製 push phone〕ボタンをおしてかける電話機。

**ブッシュドノエル**〔フ bûche de Noël=クリスマスのたきぎ〕丸太の形をした、フランスふうクリスマスケーキ。ビュッシュ ドノエル。

**ぶっしょう**［物証］《法》証拠としての物。物的証拠。

**ぶつじょう**［物情］〔文〕世間の ようす・人心。●**ぶつじょうそうぜん**［物情騒然］《名・タルト》〔文〕ぶっそうなことが起こって、または起こりそうで、世の中が おちつかないようす。

☆☆**ふっしょく**【払拭】《名・他サ》すっかり取り除くこと。ふっしき。「疑念を―する」

☆☆**ぶっしょく**【物色】《名・他サ》あれこれ見たりしながら適当な〈もの／人〉をさがすこと。「いい物件を―する・空き巣が室内を―する」

**ぶっしん**【仏心】《仏》ほとけの心。ほとけごころ。

**ぶっしん**【物心】〔文〕物質と精神。「―両面から援助する」

**ぶっしん**【物神】《宗》呪物。「―崇拝〔⇩フェティシズム①〕」

**プッシング**〔pushing〕《サッカーなど》相手がわの選手のからだをおす反則。

**ブッセ**〔和製 busse←フ bouchée《=一口分》〕クリームなどをはさんだ、丸い形のやわらかい焼き菓子。

**ぶっせき**【仏跡・仏×蹟】釈迦の遺跡。また、古い仏教の遺跡。

**ぶつぜん**【仏前】ほとけの前。「―にそなえる・―結婚式」☞御仏前。

**ふっそ**【フッ素】《理》ハロゲンの中で最も軽い気体〔元素記号F〕。虫歯予防のために、歯みがき粉の中に入れられる。「―〈樹脂〉加工」 表記 「×弗素」は、本来の用字。 ●**ふっそじゅし**【フッ素樹脂】《理》フッ素をふくむプラスチック。熱に強く、対薬品性、絶縁性にすぐれる。水をはじく性質があり、フライパンや防水スプレーに使われる。

**ぶっそう**【仏葬】〔文〕仏式の葬儀。(↔神葬)

**ぶっそう**【仏僧】〔文〕仏教の僧。

**ぶっそう**【物騒】《ナダ》①世間が おちつかず、命や財産を取られる心配があるようす。「―な世の中」②あぶないようす。「夜の ひとり歩きは―だ・―な物を持つ」

**ぶつぞう**【仏像】《仏》ほとけなどの像。

**ぶっそうげ**【仏桑△花】ハイビスカス(の一種)。扶桑。

**ぶっそん**【物損】①〔事故などによる〕物質的な損害。物的損害。「―事故(↔人身事故)」②↑物損事故。

**ぶっだ**【仏×陀・ブッダ】〔=さとりを開いた聖者。梵語 buddha の音訳〕《仏》釈迦。ほとけ。仏。ぶつだ。

**フッター**〔footer〕文書の下の余白の部分(に表示されるページ数や定型の標題など)。フッタ。(↔ヘッダー)

**ぶったい**【物体】①空間にある、具体的な形を持ったもの。「質量の小さい―」②生物でないもの。「自分が一個の―に思われてきた」

**ぶったお・れる**【ぶっ倒れる】《自下一》〔俗〕〈急に／強く〉たおれる。 他ぶっ倒す《五》。

**ぶったぎ・る**【ぶった切る・ぶった斬る】《他五》〔俗〕勢いよく切る。たたっきる。 名ぶった切り。

**ぶったく・る**《他五》〔俗〕むりに取る。うばう。「大金を―」 由来 「打ち」の変化した「ぶっ」と、うばう意味の「たくる〔☞ひったくる・ふんだくる〕」から。 名ぶったくり。「バッグの―」☞ぼったくり・やらずぶったくり。

**ぶったた・く**【ぶっ〈×叩く〉】《他五》〔俗〕〔乱暴に〕たたく。

**ぶったま・げる**《自下一》〔俗〕「たまげる」を強めた言い方。おったまげる。「いやあ、ぶったまげたなあ」

**ぶつだん**【仏壇】①位牌や仏像を安置する、〔両開きのとびらのついた木製箱型の〕仏具。「お―」②仏像を安置するために、堂内に作られた壇。

**ぶっち**【ブッチ】《名・他サ》(↑ぶっちぎる)〔俗〕行くべきところに、わざと行かないこと。すっぽかすこと。「また―かよ・そんな授業―しちゃえ」

**ぶっちがい**【ぶっ違い】〔俗〕ななめに交差すること。ぶっちがえ。「―にうちつける」

**ぶっちぎり**〔俗〕「ぶっちぎる 二」こと。「―のトップ」

**ぶっちぎ・る**〔俗〕 一《自五》〔競走などで〕〔二位以下を〕大きく引きはなす。「ぶっちぎってゴール」 二《他五》強い勢いでちぎる(ように利益を求める)。 自ぶっちぎれる《下一》。

**ぶっちゃけ**〔俗〕 一 ぶっちゃけること。「―情報・―トーク」 二《副》じつを言うと。はっきり言って。「―勝ちたかった・―めいわくだ」〔二〇〇三年に広まった用法〕

**ぶっちゃ・ける**《他下一》(↑ぶち明ける)〔俗〕うちあける。腹を割る。「この際ぶっちゃけた話」があった・ぶっちゃけてしまうと、実は下心

**ぶっちょうづら**【仏頂面】ぶあいそうな顔。ふくれた顔つき。「―をする」

**ぶっちらか・す**【ぶっ散らかす】《他五》〔俗〕ひどく、ちらかす。 自ぶっ散らかる《五》。

☆☆**ふつつか**【〈不△束〉】《ナダ》行き届かないようす。「―者ですが」 派―さ。

**ぶっつけ**《名・ナダ》(↑打ち付け)〔俗〕〈最初に／いきなり〉するようす。「―で始める・―に行ったので断られた」 ●**ぶっつけほんばん**【ぶっつけ本番】練習なしで、本番にはいること。

**ぶっつ・ける**《他下一》(↑打ち付ける)〔話〕ぶつける。 自ぶっつかる《五》。

**ぶっつづけ**【ぶっ続け】〔俗〕休まずに続けてすること。「一週間―」 動ぶっ続ける《他下一》。

**ぶっつぶ・す**【ぶっ〈潰す〉】《他五》〔俗〕〔強い勢いで〕つぶす。 自ぶっつぶれる《下一》。

**ふっつり**《副》①かみの毛や細い糸などが切れるようす。②ある時をさかいにして、きっぱりとやめるようす。「―酒を断った」

**ぷっつり**《副》①〔強く引っぱられた〕ひもやロープなどが、急に切れるようす。②とがったものが勢いよくささるようす。「針が―ささった」③ある時をさかいにして急にとだえるようす。「消息が―とだえた」

**ぷっつん** 一《副》〔強く引っぱられた〕糸などが切れる〈音／ようす〉。ぷつん。 二【プッツン】《名・自サ》〔俗〕〔頭の回路が切れて〕①行動が おかしくなること。②がまんできずに、はげしく怒ること。「ついに―した」▽一九八〇年代からの用法。

☆☆**ふってい**【払底】《名・自サ》〔=底を払う〕〔文〕すっかりなくなること。「商品が―する」

**ぶってき**【物的】《ナダ》〔文〕ものに関するようす。「―証拠」(↕心的・人的)

**ぶつでし**【仏弟子】《仏》①釈迦の弟子。②仏教徒。

**ふってん**【沸点】①《理》液体が沸騰する温度。沸騰点。②感情が爆発する限度。また、もり上がりの頂点。「怒りの―が低い〔=すぐ おこる〕」

**ぶってん**【仏典】〔文〕仏教の経典。仏書。

**ぶつでん**【仏殿】《仏》仏像を置いて礼拝する建物。

**ふっと**《副》①口をすぼめて息を一回ふくようす。「―

ふき消す」②〔今までのことと関係なく〕とつぜん。ふと。「―いい考えがうかんだ」

**フット**〔foot〕足。「―マッサージ・―バス〔=足湯〕・―ケア・―ブレーキ〔=足でふむブレーキ。(↔エンジンブレーキ)〕」●**フットボーラー**〔footballer〕フットボールをする〈人／選手〉。●**フットボール**〔football〕サッカー・ラグビー・アメリカンフットボールなどの総称。特に、サッカー。蹴球。●**フットライト**〔footlights〕①脚光。②〔室内や劇場などで〕足もとを照らすあかり。●**フットワーク**〔footwork〕①《サッカー・ボクシングなど》足の運び方。足さばき。②〔組織などの〕機動性。身軽さ。「地域に密着した―」③交通などの便。「都心まで三十分という、絶好の―」

**ぶっと**【仏都】〔文〕仏教のさかんな都市。「―会津」

**ぷっと**《副》①口から一気に息をふき出すようす。「おかしくて―ふき出す」②口からものをはき出すようす。「たねを―はき出す」③ふくらむようす。「ほおを―ふくらませる」④ふくれっつらをするようす。「すぐ―なる」

**ぶっと・い**【(△太い)】《形》〔俗〕非常にふとい。「―足」

**ふっとう**【沸騰】《名・自サ》①《理》液面だけでなく、液体内部から気体のあわが発生する現象。②わきたつようにさかんになること。白熱化。「人気―・議論が―する」●**ふっとうてん**【沸騰点】《理》沸点。

**ぶっとう**【仏塔】《仏》寺院にある塔。ほとけの遺骨などをまつる。

**ぶつどう**【仏堂】《仏》てら。寺院。

**ぶつどう**【仏道】《仏》ほとけの教え。仏教。「―修行」

**ぶっとお・す**【ぶっ通す】《他五》〔俗〕①とおす。②休まずに続ける。名ぶっ通し。

**フットサル**〔futsal〕五人制のミニサッカー。コートはサッカーの約八分の一。室内でプレーできる。

**ふっとば・す**【吹っ飛ばす】《他五》〔話〕①ふきとばす。②とばす。

**ぶっとば・す**【ぶっ飛ばす】《他五》〔俗〕①「とばす」を強めて言うことば。「ホームランを―」②なぐりつける。ぶんなぐる。

**ふっと・ぶ**【吹っ飛ぶ】《自五》〔話〕ふきとぶ。

**ぶっと・ぶ**【ぶっ飛ぶ】《自五》〔俗〕①「飛ぶ」を強めて言うことば。「あいつ、部屋からぶっ飛んでいったよ」②ひどくおどろく。「これにはぶっ飛んだ」③常識では考えられないほど、めちゃくちゃになる。「ぶっ飛んだ展開」名ぶっ飛び。

**ぶつのう**【物納】《名・自他サ》お金の代わりに、物や土地で税金をおさめること。(↔金納)

**ぶつばつ**【仏罰】《仏》ほとけから受けるばち。ぶつばち。

**ぶっぱな・す**【ぶっ放す】《他五》〔俗〕発射する。「ピストルを―」

**ぶっぱん**【仏飯】仏壇に供える、たいたごはん。「お―」

**ぶっぱん**【物販】↑物品販売。「―店・食―〔=料理や加工食品を店で売ること〕」

**ぶっぴん**【物品】〔文〕(価値のある)もの。品物。「―販売・―の管理」

**ブッフェ**〔buffet〕⇩ビュッフェ。

**ふつふつ**【(沸々)】《副》①〈わき立つ／煮えたぎる〉ようす。「湯が―いう」②気持ちがこみ上げるようす。「〈怒り／喜び〉が―(と)わいてくる」

**ぶつぶつ** ━ **ぶつぶつ**《副》①ひとりごとや不平などを言うようす。「文句を―言う」②先のとがったもので何度も突きさすようす。「―(と)さす」③〈短めに／むぞうさに〉切るようす。「ひもを―切る」④あわを出しながら、煮えたりわいたりする〈ようす／音〉。「おかゆが―と煮えてきた」━ **ぶつぶつ**《副・自サ》小さなつぶのような、たくさんの突起のあるようす。「表面が―している」━ **ぶつぶつ** 小さなつぶのような、たくさんの突起。「皮膚に―が残る」

**ぷつぷつ** ━《副》①先のとがったもので小さな穴をあけるようす。「針で―突きさす」②たやすく切れるようす。「古い糸が―切れる」━《副・自サ》小さなつぶがたくさんできるようす。「にきびが―出る」

**ぶつぶつこうかん**【物々交換】《名・自サ》《経》ものとものとをたがいに取りかえること。

**ふつぶん**【△仏文】①フランス語の文章。②↑フランス文学(科)。

**ぶっぽう**【仏法】《仏》仏教。仏道。●**ぶっぽうそう** ━【仏法僧】《仏》仏と法と僧。三宝。━【(仏法僧)】深山にすむ、美しい鳥。深夜、「ぶっぽうそう」と鳴くと伝えられたが、この声の鳥は、じつはコノハズクという、小形のミミズク。

**ぶつぼさつ**【仏×菩×薩】《仏》ほとけとぼさつ。

**ぶつま**【仏間】「仏壇①」のある部屋。

**ぶづみ**【歩積み】《経》銀行で手形を割り引いたさい、現金の一部をその場で預金すること。「―預金」(↔両建て)

**ぶつめつ**【仏滅】①《仏》ほとけが死ぬこと。②〔↑仏滅日に〕俗に、すべてのことをするのに不吉だという日。☞六曜。

**ぶつもん**【仏門】《仏》ほとけの道。法門。●**仏門に入る**句 僧になる。

**ふつやく**【△仏訳】《名・他サ》フランス語に翻訳〈すること／したもの〉。

**ぶつよく**【物欲】〔文〕お金やものについての欲望。

**ぶつり**【物理】①ものの性質やエネルギーの状態。「―現象」②↑物理学。③現実に形をもって存在するもの。「タッチパネルではなく―ボタンがある」●**ぶつりがく**【物理学】《理》物質の運動や構造、熱・光・音・電気などの作用について研究する学問。物理。●**ぶつりてき**【物理的】《ナダ》力・運動・場所などに関係があるようす。「―に不可能〔=時間が足りなくてできない、場所がなくてできない、など〕」●**ぶつりりょうほう**【物理療法】《医》病気を、電気・放射能・熱などの物理的作用によって治す方法。物療。(↔化学療法)

**ふつりあい**【不釣り合い】《名・ナダ》つりあわないこと。

**ぶつりき**【仏力】《仏》ほとけの持つ(特別な)力。

☆☆**ぶつりゅう**【物流】〔↑物的流通〕《経》物が、生産者から消費者にわたるまでの、保管・輸送などの活動の全体。「―センター・―システム」☞商流。

**ぶつりょう**【物量】〔文〕(たくさんの)物資の量。「―(にものを言わせた)作戦・―攻撃」

**ぶつりょう**【物療】《医》↑物理療法。「―内科」

ふつわ［△仏和］↑仏和辞典（=フランス語の見出しに日本語で意味を書いた辞典）。（↕和仏）

ふで［筆］㊀ふで ①毛筆。また、広く筆記用具。「―をにぎる（=書や絵、文章をかく）」②「筆㊀①」で〈かくこと／かいたもの〉。「ピカソの―だ・ピカソの―になる作品」③文章（を書くこと）。「―が さえる・―を進める」㊁［接尾］①毛筆に墨をたす回数をあらわすことば。②筆記用具を紙から はなす回数をあらわすことば。「ひと―書き」③土地の区画を数えることば。ひつ。「二―の土地」 ●筆が荒れる［句］作品のできばえが雑になる。●筆が滑る［句］書いてはいけないことをうっかり書く。●筆が立つ［句］文章をじょうずに書く力がある。●筆を置く［句］書くのをやめる。文章をそこで終わりとする。ペンを置く。［表記］「筆を×擱く」とも。●筆を起こす［句］〔文〕書き始める。●筆を折る［句］〔文〕〈作家などが〉文章を書く活動をやめる。筆を断つ。ペンを折る。●筆を下ろす［句］①筆に墨をふくませて、すぐ書けるようにする。②墨をふくませた筆を紙におろす。書き出す。●筆を加える［句］①書き加える。②文章を直す。▽筆を入れる。●筆を染める［句］①筆に墨をふくませる。②はじめて書く。書き始める。「小説に―」●筆を断つ［句］〔文〕⇒筆を折る［句］。●筆を執る［句］文章を書く。執筆する。ペンを執る。●筆を走らせる［句］〈すらすらと／せっせと〉書く。ペンを走らせる。●筆を振るう［句］自由に字や文章を書く。●筆を曲げる［句］〔圧力や誘惑に負けて〕事実や考えとちがうことを書く。

ふてい［不定］《名・ナダ》〔文〕一定しないこと。決まらないこと。「住所―・―冠詞」●ふていしゅうそ［不定愁訴］〔医〕これといった原因がないのに感じられる、からだの不調（のうったえ）。例、肩がこる・腰が痛む・いらいらする・頭が重いなど。●ふていしょう［不定称］〔言〕代名詞などのうち、自分と相手のどちらのがわにあるのか、位置づけの わかっていないものごとをさすもの。多くは「ど」がつく。例、どれ・どこ・どの・どう。（↕近称・中称・遠称）

ふてい［不貞］《名・ナダ》〔文〕〈夫／妻〉としての貞操を守らないこと。「―をはたらく」

ふてい［不×逞］《名・ナダ》〔文〕法律・道徳などに反して、許しがたいようす。不届き。「―のやから（=連中）・―な陰謀」

ふていき［不定期］《名・ナダ》①時期が一定していないこと。「―急行」②期間が一定していないこと。「少年法の―刑」▽（↕定期）

ふていさい［不体裁］《名・ナダ》ていさいが よくないこと。ぶていさい。

ブティック〔フ boutique=小売店〕流行の服やアクセサリーを売る専門店。ブチック〔古風〕。●ブティックホテル〔boutique hotel〕①規模の大きくない、しゃれたホテル。②ラブホテル。

ふでいれ［筆入れ］えんぴつ・ボールペンなど、書く道具を入れる〈箱／筒〉。

プディング〔pudding〕牛乳・たまご・砂糖などで作るやわらかい洋菓子。ふつう、カスタードプリンをさす。〔パンや米で作るものもある〕☞プリン。

ふてき［不適］《名・ナダ》〔文〕適さないこと。適していないこと。不適当。「適―・畑作には―な土地」

☆☆ふてき［不敵］《ナダ》①大胆で おそれないようす。「大胆―なつらがまえ」②ずうずうしいようす。［派］―さ。

ふでき［不出来］《ナダ》できが悪いようす。「―な料理」（↕上出来）

ふてきかく［不適格］《名・ナダ》資格にあわないようす。ふてっかく。（↕適格）

☆☆ふてきせつ［不適切］《ナダ》①あてはまらないようす。場をわきまえないようす。「―な発言」（↕適切）②社会的に許されないようす。「妻以外と―な関係をもつ」〔一九九八年にアメリカ大統領のスキャンダルから広まった用法〕［派］―さ。

ふてきとう［不適当］《ナダ》適当でないようす。（↕適当）［派］―さ。

ふてきにん［不適任］《ナダ》その任務に適していないようす。（↕適任）

ふてぎわ［不手際］《名・ナダ》てぎわが悪いこと。ふでき。「―をわびる」［派］―さ。

ふてくさ・れる［（：不貞=腐れる）］《自下一》（目上の人に対する）不平の気持ちから、反抗的になり、わざと なまける。ふてくさる。［名］ふてくされ。

ふでぐせ［筆癖］①筆で字を書くときにあらわれるくせ。②文章を書くときの、ことばづかいなどのくせ。▽ふでくせ。

ふでさき［筆先］①筆の先。②筆のはこび。☞お筆先。

ふでじ［筆字］筆で書いた文字。

ふでたて［筆立て］筆や えんぴつ・ペンなどをさして立てておく道具。

ふでづか［筆塚］長い間の苦労を感謝するために、いらなくなった筆を土にうずめて作ったつか。

ふでづかい［筆遣い］①〔字や絵をかくときの〕筆のつかい方。②文章の書き方。「軽妙な―」

ふでつき［筆（付き）］筆で書いた、絵や文字のようす。

ふでづつ［筆筒］書く道具を入れるつつ。

ふてってい［不徹底］《名・ナダ》徹底しないようす。「―な処置」［派］―さ。

ふてね［（：不貞寝・フテ寝）］《名・自サ》ふてくされて寝ること。「仕事もせずに―している」

ふでばこ［筆箱］えんぴつ・ボールペン・消しゴムなどを入れる箱。ペンケース。

ふではこび［筆運び］①運筆。②文章の書きぶり。

ふでぶしょう［筆無精・筆不精］《名・自サ・ナダ》文字や手紙を書くのをめんどうくさがる〈こと／人〉。（↕筆まめ）

ふでぶと［筆太］《名・ナダ》書いた文字のあとが太いこと。「―に書く」

ふてぶてし・い［△太々しい］《形》堂々と、〈無礼／反抗的〉にふるまうようすだ。「―態度」［派］―さ。

ふでペン［筆ペン］毛筆ふうの文字が書けるペン。先が、やわらかい合成繊維（の毛）でできている。

ふでまめ［筆まめ］《名・ナダ》文字や手紙を書くのをめんどうがらない〈こと／人〉。（↕筆無精）［派］―さ。

ふ・てる［フテる］《自下一》〔俗〕ふてくされる。

*ふと《副》そうしようと思わないで、偶然そうするようす。「―思い出す・―見ると」［表記］「：不図」は、「図らずも」という意味を持たせた、古い当て字。

ふと・い［太い］《形》①ひも・棒・線など、長いものの はばが大きい。「—柱・—麺・—しま模様・—うで・ズボンが—・〔語幹用法で〕太ベルト・太眉」②太っているようすだ。「—人」③声が低くて、よくひびく。「—声」④〔俗〕収入源としてたのもしい。「—客〔⇩太客〕・実家が—人」▽〈↕細い〉⑤ふてぶてしい。ずぶとい。「—やつ〈奴〉・胆が—」派 -さ。

**ふとう**【不倒】たおれないこと。「最長—距離〔=スキーのジャンプで、転ばずに最も遠くまで飛んだ距離〕・銀行の—神話」 ●**ふとう おう**【不倒翁】おきあがりこぼし。

**ふとう**【不凍】〔文〕冬でもこおらないこと。「—湖・—液・—港」

**ふとう**【不等】〔文〕ひとしくないこと。 ●**ふとうごう**【不等号】《数》〔二つの数・式のあいだにはさんで〕①両方の大小の関係をあらわす記号。「>」「<」など。②ひとしくないことをあらわす記号。「≠」など。▽〈↕等号〉 ●**ふとう しき**【不等式】《数》「不等号①」で結んだ式。〈↕等式〉 ●**ふとう ちんか**【不等沈下】場所によって地盤沈下の度合いがちがい、建物がかたむいたりすること。不同沈下。

**ふとう**【不×撓】〔文〕困難に負けないこと。「—の努力」 ●**ふとう ふくつ**【不×撓不屈】《名・ナダ》〔文〕困難にくじけないようす。

**ふとう**【〈×埠〉頭】船を着けて荷物の積みおろし・保管ができるように造った、港の中の設備。はとば。

**ふとう**【不当】《名・ナダ》正当でないこと。「—な処置」〈↕正当〉派 -さ。 ●**ふとう ひょうじ**【不当表示】広告や商品の説明で、事実とちがう書き方をすること。例、誇大広告。 ●**ふとう ろうどう こうい**【不当労働行為】《法》労働組合の正当な活動に対して、使用者のがわが加える圧迫。

**ふどう**【不動】**一** ふどう〔文〕①動かないこと。「直立—・—の姿勢」②ほかのものの力で動かされないこと。「—の信念」**二** ふどう《仏》↑不動明王。「(お)—さま」 ●**ふどう そん**【不動尊】《仏》⇩不動明王。 ●**ふどう みょうおう**【不動明王】《仏》明王の一つ。おこった顔つきをし、右手に剣、左手になわを持ち、火炎をせおう。不動尊。不動。

**ふどう**【府道】府の費用で造って管理する道路。

**ふどう**【婦道】〔文・古風〕昔、女性が守るように求められた道徳。

**ふどう**【浮動】《名・自サ》〔文〕①ただよって動くこと。②どちらにでも動くこと。「—票〔=だれに投票されるか、候補者につかみにくい票。〈↕固定票〉〕」

**ふどう**【不同】《名・ナダ》〔文〕同じでないこと。

**ぶとう**【武闘】〔文〕武力や腕力で戦うこと。「—派」

**ぶとう**【舞踏】《名・自サ》〔文〕①まい、おどること。②ダンス。「—会」 ●**ぶとう びょう**【舞踏病】《医》手足や全身が、ひとりでに細かく動き、おどっているように見える病気。

**ぶどう**【武道】①武芸。武術。②武士道。

**ぶどう**【〈×葡×萄〉】まるい小つぶの実が集まってふさになっているくだもの。色はむらさき・緑など。しるが多く、あまくてすっぱい。ワインの原料。「—畑・—棚・—パン〔=レーズンの入ったパン〕」 由来 原産地の中央アジアのことばを中国語で音訳したもの。同じことばが西にも伝わり、古代ギリシャ語の botrus〔=ひとふさのブドウ〕になったともいう。 ●**ぶどう いろ**【〈×葡×萄〉色】赤みをおびたむらさき色。 ●**ぶどう きゅうきん**【ブドウ球菌】《医》化膿性の病気の原因となる、ブドウの実の集まったような形の菌。「多剤耐性黄色—〔⇩MRSA〕」 表記 「×葡×萄球菌」は、本来の用字。 ●**ぶどう しゅ**【〈×葡×萄〉酒】〔古風〕ワイン。 ●**ぶどう とう**【ブドウ糖】《理》あまい果実に多くふくまれる糖分。血液中にもわずかにふくまれる〔=血糖〕。エネルギー代謝の基本物質。グルコース(glucose)。 表記 「×葡×萄糖」は、本来の用字。 ●**ぶどう まめ**【〈×葡×萄〉豆】煮豆の一種。ダイズをあまく煮ふくめたもの。

**ふどうい**【不同意】〔文〕同意しないこと。不賛成。〈↕同意〉

**ふとういつ**【不統一】《名・ナダ》統一のとれないこと。「前後—な文章」派 -さ。

☆☆**ふとうこう**【不登校】児童・生徒が、心理的な原因などで(年間三十日以上)学校へ〈行かなく/行けなく〉なること。登校拒否。「—児」

☆☆**ふどうさん**【不動産】《法》〔財産としての〕土地・建物など。〈↕動産〉 ●**ふどうさん かんていし**【不動産鑑定士】《法》不動産の鑑定・評価をおこなう資格を持った人。

**ふどうたい**【不導体】《理》〈熱/電気〉を伝えない物体。絶縁体。〈↕導体〉

**ふどうとく**【不道徳】《名・ナダ》道徳にそむくようす。「—なおこない」〈↕道徳的〉

☆☆**ふとうめい**【不透明】《名・ナダ》①すきとおらないようす。光を通さないようす。〈↕透明〉②見通しや実態がはっきりしないようす。「来年の景気に—感・先行き—・—な政治献金」派 -さ。

**ふどき**【風土記】①奈良時代のはじめに国々の地名の由来・地勢・産物・伝説などを書いて朝廷にさし出した記録。②地誌。③各方面の情勢を地方別に書いたもの。「政界—」

**ふときゃく**【太客】〔俗〕〔飲食店などで〕お金をたくさんはらってくれる常連客。

**ふとく**【不徳】①〔文〕徳にそむくこと。「—漢」②徳のたりないこと。 ●☆☆**不徳の致すところ** 句 悪い事態になったのは自分の「不徳②」が原因である、ということ。「すべて私の—です」

**ふとくい**【不得意】《名・ナダ》うまくできず、自信が持てないこと。不得手。「—な科目」〈↕得意〉

**ふとくぎ**【不徳義】《名・ナダ》〔文〕徳義にそむくこと。「—漢」

**ふとくさく**【不得策】《名・ナダ》得策でないようす。有利でないようす。〈↕得策〉

☆☆**ふとくてい**【不特定】《名・ナダ》特に〈それ/その人〉、と範囲を限らないようす。「—多数の者」〈↕特定〉

**ふとくようりょう**【不得要領】《名・ナダ》〔文〕要領をえないようす。わけがわからないようす。

**ふところ**【懐】①着物の左右を前で重ねるとできる、ものが入れられる部分。また、その着物と胸との間の部分。「—にしまう・両手を—に入れる」②かかえたうでと胸の間。「母の—にだかれる」③〔手もとの〕お金。「—の心配がいらない店・—にやさしい・—ぐあい〔=財政状態〕」④心の中。「―をさぐる・―を見すかす」⑤内がわ。「敵の―に飛びこむ」●懐が暖かい句 お金をたくさん持っているようす。(↔懐が寒い)●懐が痛む句 自分のお金を使って、持ち金がへる。●懐が〈寂しい/寒い〉句 お金を少ししか持っていない。(↔懐が暖かい)●懐が深い句 ①人を受け入れる気持ちが大きい。包容力がある。ふところぶかい。「―人・―考え」②いろいろのものを取り入れるゆとりがある。●懐に入れる句〔お金を〕ぬすんだり、それらしい名目をつけたりして、自分のものにする。「会社のかねを―」●懐にする句 ①ふところに入れて持つ。「辞表を―」②手に入れる。「大金を―」●懐に入る句 ①〔武道・格闘技で〕相手のかまえの中にはいる。②警戒を解かせて、信頼を得る。「取材相手の―」③〔お金が〕それらしい名目で、苦労せずにはいる。「手数料として三割が―」●懐を痛める句 むりしてお金を出す。●懐を肥やす句 正しい方法によらないで、利益を自分のものにする。私腹を肥やす。●ふところがたな【懐刀】①ふところの中に入れて歩く、まもり刀。②秘密の計画の相談などにあずかる、腹心の部下。●ふところかんじょう【懐勘定】①〔金まわり/持っているお金〕の状態。ふところぐあい。②心の中でする、損得や収入・支出などの計算。「―があわない」●ふところで【懐手】①両手をふところに入れること。②何もしないこと。「―をして暮らす」

ふとざお【太(×棹)】義太夫や津軽三味線などに使う、さおの太い三味線。(↔細ざお)

ふとじ【太字】①線の太い文字。「―ペン」(↔細字)②ゴシック体。また、ボールド体。「―の見出し」

ふとした《連体》思いがけない。ちょっとした。「―機会に知った・―ひょうしに転ぶ」

ふとっちょ【太っちょ】〔俗〕よく太っている人をからかった言い方。

ふとっぱら【太っ腹】《名・ダナ》①小さいことにこだわらないようす。剛腹。②気前がいいようす。

ふとどき【不届き】《名・ダナ》法律・道徳などに反して、許しがたいようす。「―至極・―者」

ふとぶと【太々】《副》いかにも太く感じられるようす。「筆―と」●ふとぶとし・い【太々しい】《形》①いかにも太い。「―筆致」②肝っ玉が大きい。「―態度」派-さ。

ふとまき【太巻き】〔のり巻きなどで〕太く巻いたもの。「―ずし」(↔細巻き)

ぶどまり【歩留まり】①原料の量に対する、製品の量の割合。「むだを少なくすれば、―はよくなる」②かけた労力に対する、得られた成果の割合。「五校受けて三校合格、―は六割だ」動 歩留まる《自五》。

ふとめ【太(目)】《名・ダナ》やや〈太い/太っている〉と思われるようす。(↔細め)

ふともの【太物】綿織物。由来 絹織物よりも糸が太いことから。

ふともも【太(△股)】ももの つけね近くの、ふくらんだ所。

ふとやか【太やか】《ダナ》太く見えるようす。

ふとりじし【太り(△肉)】太ったにくづき。

ふと・る【太る・△肥る】《自五》①肉が厚くつく(ようにする)。こえる。「食べすぎで―・もう少し太らないと」(↔やせる)②金まわりがよくなる。「身代が―・暴力団を太らせる」可能 太れる。

ふとん【布団・×蒲団・フトン】綿・羽毛などを入れて作り、〈すわる/ねる〉ときに使うもの。「―皮・―綿・―をしく・―を上げる・お―・かけ―」●ふとんむし【布団蒸し】《名・他サ》人に頭からふとんをかぶせて、苦しめること。

ふな【(×鮒)・(×鯽)】キンブナ・ゲンゴロウブナなど、川にすむさかな。コイに似ているが小さく、ひげはない。食用。

ふな【船・舟】造「ふね」が語の上がわに来るときの形。「―火事・―荷」

ぶな【(×橅)・(∴山毛欅)】山野に はえる高木。葉はクリに似ている。たきぎや炭にする。

ふなあし【船脚・船足】①船の速度。「―が〈重い/軽い〉」②船の喫水。「―いっぱいに積む」

ふなあそび【舟遊び・船遊び】《名・自サ》舟に乗って水の上で遊ぶこと。

ふない【府内】〔大阪府・京都府の〕府の区域のうち。府下。(↔府外)

ぶない【部内】その〈部/組織〉の中。「―で議論する」(↔部外)

ふないた【船板・舟板】①船の中の あげ板。②船を造るときに使う板。●ふないたべい【船板塀】古い船の板で作ったへい。「―に見越しの松」

ふなうた【舟歌・舟唄】舟をこぎながら歌う歌。

ふなか【不仲】《名・ダナ》なかが よくないこと。

ふながかり【船(×繋かり)】《名・自サ》船の停泊(する所)。

ふなかた【船方・舟方】船頭。

ふなくだり【舟下り・船下り】急な流れの川を舟で下ること。ふねくだり。

ふなけん【舟券】競艇で、どのモーターボートが勝つかを当てるために買う券。しゅうけん。〔正式の呼び名は、勝ち舟投票券〕

ふなじ【船路】〔文〕①船の通う道。航路。②船旅。

ぶなしめじ【(×橅湿地)】シメジよりも小ぶりのキノコ。大人の指ほどの大きさで、かさは小さく丸っこい。「―のマヨネーズソテー」

ふなぞこ【船底・舟底】①船の底。②「船底①」のようにそった形のもの。「―天井」

ふなだいく【船大工・舟大工】船を作る大工。

ふなたび【船旅】船に乗ってする旅。

ふなだま【船霊】船の中にまつる、その船の守り神。「―さま」

ふなだまり【船(×溜まり)】漁船が、一か所にかたまってとまる場所。

ふなちん【船賃・舟賃】船〈に乗る/をやとう〉ときにはらうお金。

ふなつき【船着き・舟着き】船が着いて とまる所。「―場」

ふなづみ【船積み】《名・他サ》船に荷物を積みこむこと。

ふなで【船出】《名・自サ》①船が港を出ること。航海への出発。出帆。出航。②〔組織・制度などが〕正式に始まること。「新内閣の―・―を果たす・―を切る〔=俗に、スタートを切る〕」

**ふなに**［船荷］船に積む荷物。

**ふなぬし**［船主］船の持ち主。せんしゅ。

**ふなのり**［船乗り］船に乗り組む人。船員。海員。

**ふなばし**［船橋・舟橋］小型の船を横にならべ、板をわたして橋の代わりにするもの。うきはし。

**ふなばた**［船端・舟端・△舷］船のへり。ふなべり。

**ふなびん**［船便］船を使ってする、人や荷物の輸送。せんびん。(↕航空便)

**ふなべり**［船(△縁)・舟(△縁)］ふなばた。

**ふなまち**［船待ち］《名・自サ》船(の出帆)を待つこと。

**ふなむし**［(船虫)］海岸の船・岩などにすむ、小さな虫。ワラジムシに似ているが、少し大きく、すばやくはいまわる。

**ふなもり**［舟盛り］舟の形をした器に刺身などを豪勢に盛りつけたもの。ふねもり。

**ふなやど**［船宿・舟宿］釣り船を仕立てる家。

**ふなよい**［船酔い・舟酔い］《名・自サ》船のゆれで、気分が悪くなること。

**ふなれ**［不慣れ・不×馴れ］《名・ナダ》〈はじめてで/始めたばかりで〉、なれていないこと。

**ぶなん**［無難］《ナダ》①問題が起きないようす。「ほめておいたほうが―だ・仕事を―にこなす」②取り立てて言うほどの欠点がないようす。「―な作品・―な人選」③〔古風〕けがなどがないようす。無事。「家族は―だった・―に帰還した」④〔―に〕〔俗〕ⓐ問題が起きないように。「きょうは―に寝るか・言い返したかったけれど、―にやめた」ⓑべつに変なところがなく。「この服は―にかっこいい」

**ふにあい**［不似合い］《名・ナダ》似合わないようす。不調和。「―な夫婦」

**ふにく**［腐肉］〔文〕くさった肉。

**ぷにぷに**《副・自サ》はりがあって、やわらかいようす。

**ふにゃふにゃ** ふにゃふにゃ《副・自サ》・ふにゃふにゃ《ナダ》①やわらかくて弾力やしまりのないようす。「―で歯ごたえがない」②たよりにならないようす。「態度が―している」「―の肉球」

**ふにょい**［不如意］《名・ナダ》〔=思うようにならない〕〔文〕家計の状態が苦しいこと。「手もと―」

**ぷにょぷにょ**《副》〔俗〕はだが、ふくよかで弾力のあるようす。ぷにぷに。「―のほっぺた」

**ふにん**［不妊］《医》妊娠〈しない/できない〉こと。「―手術・―症・―治療」

**ふにん**［赴任］《名・自サ》任地へおもむくこと。「単身―」(↕帰任)

**ぶにん**［無人］《名・ナダ》〔文〕人数が少ない〈こと/ようす〉。ひとでがたりないこと。☞むじん(無人)。

**ふにんき**［不人気］《名・ナダ》人気がない〈こと/ようす〉。

**ふにんじょう**［不人情］《名・ナダ》人情が〈ない/うすい〉こと。薄情。

**ふぬけ**［(×腑抜け)］①たましいがぬけたようになって、しっかりした精神がないこと。②いくじなし。こしぬけ。動ふぬける《自下一》。

←**ふね**［舟］①〔手でこぐ〕小さな船。②むき身の貝・さしみやたこ焼きなどを入れる、底の浅い入れもの。●舟をこ(漕)ぐ 句 からだを前後に動かしながらいねむりをする。

↑**ふね［船］①人や荷物をのせて、水の上を走る乗り物。船舶。②［△槽］〈水/液体〉を入れる、箱形の入れもの。「紙をすく―」

**ふねっしん**［不熱心］《名・ナダ》熱心でない〈こと/ようす〉。(仕事などを)気を入れてしない〈こと/ようす〉。(↕熱心)派 -さ。

**ふねん**［不燃］①燃えないこと。燃えにくいこと。「住宅の―化・―ごみ〔=あきかんなど〕」②〔↑不燃ごみ〕燃えないごみ。「きょうは―の日」▽(↕可燃)

☆☆**ふのいさん**［負の遺産］①あとに残された借金。②あとの人にとってめいわくになるものごと。「前社長時代の―を清算する」③警鐘や教訓として後世に引きつがれるものごと。例、原爆ドーム。

**ふのう**［不納］〔文〕(税金や学費などを)おさめないこと。

**ふのう**［富農］〔文〕(多くの耕地を持つ)暮らしのゆたかな農家。(↕貧農)

**ふのう**［不能］《名・ナダ》①〔能力・方法がなく〕できないこと。不可能。「連絡―」②男としての性的能力がないこと。☞ED①。

**ふのり**［(布：海苔)］①浅い海の岩石にくっついてはえる海藻。「―のみそしる」②「ふのり①」を干したもの。これを煮てのり(糊)を作り、洗い張りなどに使う。

**ぷはあ**《感》〔話〕ビールなどをひと飲みして、気持ちよく発する声。

**ふはい**［不敗］〔文〕負け(たことが)ないこと。

**ふはい**［腐敗］《名・自サ》①くさること。くさり。くされ。②堕落して悪くなること。「政治の―」

←**ふばい**［不売］〔文〕〔申しあわせて〕売らないこと。「用地の―運動」

→**ふばい**［不買］〔申しあわせて〕買わないこと。「―運動・―同盟〔=ボイコット〕」

**ふはく**［布×帛］〔文〕①麻・もめんなどの布と、絹の布。②織物。布地。

**ふはく**［不泊］《名・自サ》予約したホテルなどに、当日とまらないこと。

**ふはく**［浮薄］《名・ナダ》〔文〕よく考えず、態度がうわついているようす。「軽佻―」派 -さ。

**ふばこ**［△文箱］便箋・封筒などの手紙用品を入れる箱。ふみばこ。

**ふはつ**［不発］①《軍》砲弾などが破裂しないこと。弾丸が発射されないこと。「―弾」②やろうとしたことが、だめになること。成功しないこと。「―に終わる」

**ふばつ**［不抜］《名・ナダ》〔文〕かたくてゆるがないこと。強くてくじけないこと。「確固―の精神」

**ふばらい**［不払い］しはらわないこと。ふはらい。「賃金の―」●**ふばらいざんぎょう**［不払い残業］⇩サービス残業。

**ぶばらい**［△賦払い］⇩かっぷ(割賦)。

**ぶばる**［武(張る)］《自五》①強くて勇ましいようすをする。②〔古風〕いかにも武術ができるような、ごつごつしたふるまいをする。

**ふひ**［府費］「府③」の〈経費/費用〉。

**ふび**［不備］《名・ナダ》①じゅうぶんにととのっていないこと。欠けている所があること。「計画に―がある・相手の―を突く」(↕完備)②《手紙》〔文〕終わりに書く、あいさつのことば。

ぶひ【部費】「部㊀④」の活動のために必要な費用。

ぶび【武備】〔文〕軍備。

ぶびき【分引き・歩引き】《名・他サ》〔経〕〔取引代金の〕割引。

ふびじん【不美人】美人でない〈こと／女性〉。(↔美人)

ふひつよう【不必要】《名・ナダ》必要がないこと。「—な品物」(↔必要) 派—さ。

ふひょう【不評】評判がよくないこと。不評判。「—を買う(=評判が悪くなる)」(↔好評)

←ふひょう【付表・附表】〔文〕本文に付属する表。「常用漢字表の—」

→ふひょう【付票・附票】〔文〕本文・説明書などに付属する、紙のふだ。

ふひょう【浮氷】〔文〕水の上にうかぶ氷。

ふひょう【浮標】①川や海の一定の場所をしめすために水にうかばせておく目じるし。ブイ。②網・漁具などのうき。

ふびょうどう【不平等】《名・ナダ》平等でないこと。不公平。「—条約」(↔平等) 派—さ。

ふびん【不敏】《名・ナダ》〔文〕頭がよくないこと。「—にして〈知らなかった／名案がうかばない〉」派—さ。

ふびん【不×憫・不×愍】《名・ナダ》〔文〕かわいそうなこと。あわれなこと。あわれみ。「—をかける・—に思う」派—がる。—さ。

ぶひん【部品】機械・器具などの組み立ての一部として使われているもの。部分品。パーツ。

ふひんこう【不品行】《名・ナダ》〔文〕品行がよくないこと。

ぶふうりゅう【無風流・不風流】《名・ナダ》風流なおもむきがわからないこと。「—な人」(↔風流)

ふぶき【吹雪】①風にふかれて〈雪が乱れ飛ぶこと／乱れ飛ぶ雪〉。②乱れ飛ぶものをたとえたことば。「花—・血—」

ふふく【不服】《名・ナダ》不満があって、なっとくしないこと。「何が—なのだ」派—げ。

ふぶく【(:吹雪く)】《自五》強い風にふかれて雪がはげしく降る。

ぶぶづけ【ぶぶ漬け】〔ぶぶ=お茶・お湯。関西方言〕お茶づけ。「—でもいかがどす?」(=昔、京都で、客に帰宅をうながす意図で使ったとされる表現)

ふふん《副・感》〔「ふ」は、鼻から息をもらす音〕〔話〕①ばかにして笑う声。ふん。「—と鼻であしらう・—、気取ってやがる」②見当がついたときに使うことば。ははあ。「—、そういうことか」

ふぶん【不文】〔文〕①文章がじょうずでないこと。「—悪筆」②〔慣例などを〕文書に書きあらわさないこと。「—法(↔成文法)」•☆ふぶんりつ【不文律】①〔法〕文書でしめされない法律。不文法。②〔文〕おたがいに心の中でわかっているおきて。

**ぶぶん【部分】全体の中の小分け(の一つ)。(↔全体)•ぶぶんしょく【部分食・部分×蝕】〔天〕一部分がかける〈日食／月食〉。分食。(↔皆既食)•ぶぶんてき【部分的】《ナダ》部分に分け(てす)るようす。(↔全体的)•ぶぶんひん【部分品】〔古風〕部品。

ふぶんめい【不分明】《名・ナダ》〔文〕〈あきらかでない／はっきりしない〉ようす。ふぶんみょう。「意味が—だ・境界が—だ」(↔分明) 派—さ。

ふへい【不平】《名・ナダ》相手のやり方に満足できず、不愉快に思う〈気持ち／ようす〉。「—家・—分子・—をならべる」

ふへいきん【不平均】《名・ナダ》〔文〕平均しないこと。そろっていないこと。

ぶべつ【侮蔑】《名・他サ》〔文〕おとったものと考えて、ばかにすること。あなどり。

ふへん【不変】《名・ナダ》〔文〕変わらないで、いつも同じであること。(↔可変) 派—さ。

ふへん【普遍】《名・ナダ》〔文〕①広く行きわたること。すべてのものに通じて、あること。「—化する(=一般化する)」②すべてのものにあてはまること。「—性・—妥当的」•☆ふへんだとうせい【普遍妥当性】〔哲〕どんな場合にあてはめても通用するという性質。•☆ふへんてき【普遍的】《ナダ》すべてのものに〈共通している／あてはまる〉ようす。「—に認められる法則」

ふべん【不弁】〔文〕口べた。「〔浪曲で〕—ながらも一席」

ふべん【不便】《名・自サ・ナダ》便利でない(ままに過ごす)ようす。(↔便利) 派—さ。

ぶへん【武辺】〔文〕武道に関することがら。「—者」(=武士)

ぶべん【武弁】〔文〕武士。武人。「一介の—」

ふべんきょう【不勉強】《名・ナダ》勉強をしないこと。知識や能力を持つための努力をしないこと。「—が目立つ」派—さ。

ふへんふとう【不偏不党】〔文〕どちらにも味方しないこと。中立。「—の立場」

ふぼ【父母】〔文〕父(と)母。両親。

☆ふほう【訃報】〔文〕死んだという知らせ。悲報。「—に接する」

ふほう【不法】《名・ナダ》法に外れていること。「拳銃の—所持・残土の—投棄」

ぶほう【部報】部内の人に知らせる目的で定期的に出す印刷物。「営業部の—・学生部—」

ふほうわしぼうさん【不飽和脂肪酸】〔理〕炭素原子のつらなりに、水素原子の結びついていないところがある脂肪酸。魚・ごまなどの、さらっとした油にふくまれる。低温でとける。(↔飽和脂肪酸)

ふぼん【不△犯】〔仏〕僧が、女性とまじわらないこと。「一生—」

ふほんい【不本意】《名・ナダ》自分が本当に望んだわけではないようす。「—ながら承知する・—な(=期待より低い)結果に終わった」(↔本意)

ふまえどころ【踏まえ所】①足で踏んで立つ所。踏み所。②よりどころ。立場。

*ふまえる【踏まえる】《他下一》①動かないように、ふむ。「大地をしっかと—」②よりどころにする。「事実を踏まえて論じる」

ふまじめ【不真面目】《名・ナダ》まじめでないこと。(↔まじめ) 派—さ。

ふまのたいてん【不磨の大典】〔不磨=すりへらない〕〔文〕①変わることのない、偉大な法典。②大日本帝国憲法の美称。

ふまん【不満】《名・ナダ》思うとおりにならないために起

こる、不愉快(ふゆかい)な気持ち。「—をもらす」[派]—がる。—げ。

**ふまんぞく**【不満足】《名・ナダ》満足しないこと。「—な結果」(↔満足) [派]—さ。

**ふみ**【文・△書】〔雅〕①本。書物。②手紙。特に、恋文(こいぶみ)。「—を付ける(=恋文をわたす)」

**ふみ**【不味】《名・ナダ》〔文〕①味がよくないこと。(↔美味) ②うまみがないこと。

**ふみあと**【踏み跡】足・はきもので、土や雪をふんだあと。

**ふみあら・す**【踏み荒らす】《他五》(中にはいり)ふみつけて、めちゃめちゃにする。

**ふみいし**【踏み石】①玄関(げんかん)などに置いて、その上ではきものをぬぐ石。②飛び石。

**ふみいた**【踏み板】①その上をふんで通るためにわたした板。②ふんで、その上に立つ板。

**ふみい・れる**【踏み入れる】《他下一》中にはいる。「一足(ひとあし)—」

**ふみえ**【踏み絵】①《歴》絵踏(えぶ)み(に使った板)。②その人の忠誠心などをたしかめるために使う材料。「—をせまる・—を踏ませる」

**ふみおこな・う**【踏み行う・△践み行う】(—おこなふ)《他五》〔文〕そのとおりに実践(じっせん)する。「正しい道を—」

**ふみか・える**【踏み替える】(—かへる)《他下一》①別な片足でふむ。②足をたがいちがいに出す。

**ふみかた・める**【踏み固める】《他下一》踏んで力を加えて固くする。「雪を—」

←**ふみきり**【踏切】鉄道線路を横切って作った道路。

→**ふみきり**【踏み切り】①ふみきること。②《競技で》ふみきる場所。

**ふみき・る**【踏み切る】《自他五》①はきもので ふみつけたひょうしに、切る。「鼻緒(はなお)を—」②《すもう》足を土俵の外へふみ出す。③地面をふんで、とび〈出す/こす〉。④思いきってする。「改革へ—」[可能] 踏み切れる。

**ふみこ・える**【踏み越える】《自下一》①《片足で》ふんで、越える。②困難を乗り越える。

**ふみこし**【踏み越し】《すもう》足を土俵の外に出すこと。ふみきり。[動] 踏み越す《他五》。

**ふみこた・える**【踏み(△堪える)】(—こたへる)《自下一》(足を)ふんばってこらえる。

**ふみこみ**【踏み込み】①ふみこむこと。「—が足りない」②家・部屋の入り口で、はきものをぬぐ所。

**ふみこ・む**【踏み込む】[一]《自五》①ふんだ足が中におちこむ。「ぬかるみに—」②足を〈ふみ出す/ふみ入れる〉。「原生林に—」③前ぶれなしに とつぜんはいりこむ。「人の家へ—」④深くおよぶ。つっこむ。「踏み込んだ発言」[二]《他五》《自動車で》アクセルを大きくふむ。

**ふみしだ・く**【踏み(△拉く)】《他五》〔文〕ふみにじる。「夏草を—」

**ふみし・める**【踏み締める】《他下一》①しっかりふむ。「足を—・玉砂利(たまじゃり)を—」②ふんでかためる。

**ふみしろ**【踏み(代)】自動車のブレーキをふんだとき、ブレーキペダルが動く長さ。「—が少ない」

**ふみだい**【踏み台】①高い所にあるものを取るときなどにのる台。あしつぎ。②ある目的のために、一時的に利用するもの。「人を—にする・他人のパソコンをサイバーテロの—にする」

**ふみたお・す**【踏み倒す】(—たふす)《他五》①ふんでたおす。②代金や借金をはらわないで損をさせる。「食事代を—」[名] 踏み倒し。

**ふみだ・す**【踏み出す】《他五》①足を前へ出して ふむ。「右足を—」②新しいことをはじめる。「改革に(一歩を)—」[名] 踏み出し。

**ふみだん**【踏み段】はしごなどの、ふんで のぼる段。

**ふみちが・える**【踏み違える】(—ちがへる)《他下一》①(道を)まちがえる。「人生を—」②別な片足でふむ。「きき足を—」③まちがえてふむ。「階段を—」[名] 踏み違え。

**ふみづき**【文月】〔文〕旧暦(きゅうれき)七月。ふづき。

**ふみづくえ**【文机】⇩ふづくえ。

**ふみつ・ける**【踏み(付ける)】《他下一》①強くふんでおさえる。②ないがしろにする。「ひとの権利を—」[名] 踏みつけ。

**ふみづら**【踏み面】①階段の、一段の奥(おく)行き。(↔蹴(け)上げ) ②足でふんだときに さわる、表面。「—の平らな飛び石」③⇩トレッド①。

**ふみとどま・る**【踏み(△止まる)】《自他五》①足に力を入れて、とまる。「土俵ぎわで—」②そこを去らないで、ずっと残る。「現地に—・この問題に踏みとどまって考える」③かろうじて、その状態に残る。「優勝争いに—」④しようと思ったが、しないで がまんする。「犯行を—」

←**ふみなら・す**【踏み(△均す)】《他五》(土などを) ふんで平らにする。

→**ふみなら・す**【踏み鳴らす】《他五》(足で)ふんで音を立てる。「ゆかを—」

**ふみにじ・る**【踏み(×躙る)】《他五》(気持ちの上で)ふみつけて〈つぶす/ひしぐ〉。「人の気持ちを—」

**ふみぬ・く**【踏み抜く】《他五》①強くふんで、穴をあける。②ふんで、足に通す。「くぎを—」[名] 踏み抜き。

**ふみば**【踏み場】ふむ場所。ふみどころ。「足の—もない」

**ふみばこ**【文箱】⇩ふばこ。

**ふみはず・す**【踏み外す】(—はづす)《他五》①ふむ場所をまちがえて、足がそれる。「階段から足を—」②人としておこなうべき正しいやり方からそれる。

**ふみまよ・う**【踏み迷う】(—まよふ)《自五》①道にまよう。「山道に—」②あやまちをおかして、悪いことをする。「悪の道に—」

**ふみもち**【不身持ち】《名・ナダ》〔文〕身持ちが悪いこと。不品行。道楽。

**ふみわ・ける**【踏み分ける】《他下一》木の枝や草を分けて、足をふみ入れる。「道なき道を—」

**ふみん**【不眠】〔文〕ねむらないこと。ねむれないこと。

●**ふみんしょう**【不眠症】《医》ぐっすり ねむれない病気。インソムニア(insomnia)。●**ふみんふきゅう**【不眠不休】〔文〕(仕事に取り組んで)ねむらず、また やすまないこと。「—の努力」

**ふみん**【府民】府の住民。

**ふ・む**【踏む・△履む】《他五》①足をのせて、上からしっかりとおす。②(かわるがわる、左右の)足を上げて地面におろす(動作をくり返す)。③行く。歩く。「ヨーロッパの土を—」④経験する。「場数を—」⑤(△践む)守っておこなう。「正道を—」⑥同じ韻(いん)を使う。「韻を—」⑦値段をつける。評価する。「高く—」⑧予想する。「たいしたことはあるまいと—」⑨一定の順序〈をとる/にしたがって進める〉。「手続きを—」⑩《経》相場で、安く売ったものを、損をして買いもどす。(↕投げる) ⑪舞を演じる。「三番叟〔=舞の名〕を—・二の舞を—」 名 踏み。 自 踏める《下一》。 可能 踏める。☞踏んだり蹴ったり。

**ふむ**《感》〔話〕なっとくして発する声。「—、これですな」

**ふむき**[不向き]《名・ナダ》①〔能力・才能が〕向いていないこと。あわないこと。「商人には—な性質だ」②好みにあわないこと。

**フムス**〔アラビア hummus〕ヒヨコマメとゴマなどで作る、中東のペースト。パンといっしょに食べたりする。

**ふめい**[不明]《名・ナダ》①あきらかでないこと。はっきりわからないこと。「原因—」②〔文〕〈才能/ものを見通す力〉がたりないこと。「—をはじる」③↑ゆくえ不明。「死者二、—五・—者」④↑国籍不明。「—機」

**ぶめい**[武名]〔文〕武勇の評判。

**ふめいよ**[不名誉]《名・ナダ》名誉をけがすこと。名折れ。「—な事件」(↕名誉) 派 -さ。

**ふめいりょう**[不明瞭]《ナダ》はっきりしないようす。(↕明瞭) 派 -さ。

**ふめいろう**[不明朗]《ナダ》明朗でないようす。〔ごまかしたり、かくしたりしていそうなことを非難する気持ちで使う〕(↕明朗) 派 -さ。

**ふめつ**[不滅]〔文〕いつまでもほろびないこと。「—の業績・永久—」☞霊魂不滅。

**ふめん**[譜面]①《音》楽譜を紙に書いたもの。「—台」②棋譜にあらわれたところ。「—の解説」

**ぶめん**[部面]〔文〕部分の面。全体をいくつかに分けた、一つの面。

**ふめんぼく**[不面目]《名・ナダ》面目をつぶすこと。不名誉。派 -さ。

**ふもう**[不毛]《名・ナダ》〔文〕①土地がやせていて、作物や草木がはえ育たないこと。「—の地」②のぞましい結果が得られないこと。みのりがないこと。「—の論議・愛は—に終わった」

**ふもと**[麓]山のすそ。(↕頂)

**ふもん**[不問]〔文〕問題として特に取り上げないこと。問わないこと。「学歴—」●**不問に付す** 句〔文〕問いただされないことにする。

**ぶもん**[武門]〔文〕武士の家筋。武家。「—のほまれ」

**ぶもん**[部門]組織・体系を持つ全体の、中の一つ。「営業—・小説の—」

**ふや・ける**《自下一》①水にひたって ふくれる。「足が—」②〔**ふやけた**〕だらしのない。「ふやけた考え・ふやけた笑い」名 ふやけ。他 ふやかす《五》。「豆を—」

**ふやじょう**[不夜城]夜でも昼のように明るい、(にぎやかな)所。

**ふや・す**[増やす]《他五》数や分量を〈大きくする/多くする〉。「人数を—・回数を—」(↕減らす) 表記 財産・生物などは「殖やす」とも。可能 増やせる。

***ふゆ**[冬]①四季の第四。秋の次に来る、寒い季節。だいたい十二・一・二月。〔こよみの上では、立冬から立春の前日まで〕「厳寒の—」(↕夏) ②⇩冬の時代。●**冬来たりなば春遠からじ** 句〔文〕①冬がやってきたならば、春は遠くはあるまい。②つらい時期をのりこえれば、やがて楽しい時期がやってくる。

**ぶゆ**[〈×蚋〉]⇩ぶよ。

**ふゆう**[府有]〔文〕府で所有すること。「—地」

**ふゆう**[浮遊・浮×游]《名・自サ》〔文〕水の上や中、また空中をふわふわ動くこと。「—生物〔=プランクトン〕・—物」

**ふゆう**[富裕]《名・ナダ》金持ちで、暮らしがゆたかなこと。「—層」表記「富有」とも書いた。派 -さ。

**ぶゆう**[武勇]武術にすぐれ、勇気があること。●**ぶゆうでん**[武勇伝]①武勇の人の物語。②〔俗〕型破りなことをしたエピソード。勇ましい手柄ばなし。〔冷やかして言うこともある〕

**ふゆうがき**[富有柿]代表的な あまがき。実は、やや平たい形で、やわらかく あまい。ふゆう。

**フュージョン**〔fusion〕①融合。②《音》ジャズ・ロック・ソウルミュージックなどの要素がまじりあった、技巧的な音楽。〔一九七〇年代から流行〕

**ふゆかい**[不愉快]《名・ナダ》①〔人の言動などが〕いやで、がまんできない〈ようす/気持ち〉。「—な人物・—なメール」②心が はれず、だれかに文句を言いたい気持ち。「—な日々を送る」▽(↕愉快) ③からだが いやな感じを受けるようす。「あせで ぬれて—だ」派 -がる。-げ。-さ。

**ふゆがこい**[冬囲い]《名・他サ》①冬の寒さを防ぐため、家のまわりに作る囲い。②冬をこしても食べられるように、野菜などを土に うめたりすること。

**ふゆがた**[冬型]《天》冬、日本列島付近に見られる、西高東低の気圧配置。北風が強く ふき、日本海側では雪や雨、太平洋側では晴天になる。

**ふゆがまえ**[冬構え]冬を過ごすための準備。冬じたく。

**ふゆがれ**[冬枯れ]《名・自サ》①冬に草木が枯れること。(↕夏枯れ) ②冬の さびしいながめ。③冬、特に二月ごろ、商品が売れないこと。(↕夏枯れ) 動 冬枯れる《自下一》。

**ふゆぎ**[冬着]冬に着る〈はだ着/衣服〉。(↕夏着)

**ふゆきとどき**[不行き届き]《名・ナダ》(注意が)行き届かないこと。じゅうぶんに手が回らないこと。

**ふゆくさ**[冬草]冬の枯れ草。また、冬、青々としている草。(↕夏草)

**ふゆげしょう**[冬化粧]《名・自サ》冬になって山に雪が積もったことの たとえ。「山は もう—だ」

**ふゆごし**[冬越し]《名・自サ》寒い冬をこして、生活すること。越冬。

**ふゆこだち**[冬木立]〔雅〕冬の落葉した木立。(↕夏木立)

**ふゆごもり**[冬〈籠もり〉]《名・自サ》冬の間、巣や家にこもっていること。「—にはいる」

**ふゆさく**[冬作]冬に育ち、春にとれる作物。(↕夏作)

**ふゆざくら**[冬桜]秋から冬に さく桜。例、カンザクラ・ヒガンザクラ。

**ふゆざれ**[冬ざれ]〔雅〕草木の枯れはてた、冬の野原の さびしい状態。動 冬ざれる《自下一》。

**ふゆしょうぐん**[冬将軍]冬のきびしい寒さ。〔天気予報などでは、シベリア寒気団を指すこともある〕由来 ロシアに遠征したナポレオンが厳冬のため敗北したことから。

**ふゆ ぞら**[冬空]冬の空(の ようす)。

**ふゆどり**[冬鳥]《動》秋におとずれ、その土地で冬を過ごして春に北方へ去る わたり鳥。日本では、ツグミ・ハクチョウなど。(↔夏鳥)
**ふゆな**[冬菜] 冬、畑でとれる菜類。ホウレンソウ・コマツナなど。
**ふゆのじだい**[冬の時代] 景気が落ちこんだり、人気が集まらなかったりして、がまんしていなければならない時期。冬。「アイドル—」
**ふゆば**[冬場] 冬の期間。(↔夏場)
**ふゆばれ**[冬晴れ] ①冬に空がはれわたること。②冬びより。
**ふゆびより**[冬日和] 冬の間にあらわれる、風のないおだやかな日。ふゆばれ。
**ふゆび**[冬日] ㊀ふゆび 冬の、弱い日光。㊁ふゆび《天》一日の最低気温が零度未満の日。(↔夏日) ☞真冬日。
**ふゆふく**[冬服] 冬用の あたたかい服。秋の衣替えのあとに着る。(↔夏服)
**ふゆめ・く**[冬めく]《自五》冬が来たという感じがする。
**ふゆみち**[冬道] こおったり雪が積もっていたりする、冬の道。「—の運転には注意する」
**ふゆもの**[冬物] ①冬に着るための あたたかい布地・衣服など。「秋—」②冬向きのもの。「—野菜(=冬野菜)」▽(↔夏物)
**ふゆやさい**[冬野菜] 冬に おいしくなる野菜。冬物野菜。例、白菜・大根。(↔夏野菜)
**ふゆやすみ**[冬休み] 十二月から一月にかけての、(学校の)休暇。正月休み。
**ふゆやま**[冬山] ①冬枯れの山。②冬にのぼる山。冬の登山。(↔夏山)
→**ふよ**[付与]《名・他サ》〔文〕(資格・性質などを)あたえること。「権利を—する・ポイントを—する・悪いイメージを—する」
→**ふよ**[賦与]《名・他サ》〔文〕(神などが)あたえること。「天から—された力」
**ぶよ**[×蚋] 草原などにいる、ハエに形が似た小さな虫。さされると痛くて かゆい。ぶと〔西日本方言〕。〔動物学では「ブユ」〕

**ふよう** ㊀[×芙×蓉] 背の低い庭木の名。夏から秋にかけて、うすい赤または白の、ふわふわした大きな花がさく。もくふよう(木芙蓉)。㊁[×芙×蓉]〔文〕はす(蓮)。「—峰(=富士山の美称)」
**ふよう**[浮揚]《名・自他サ》〔文〕うかびあが(らせ)ること。「景気—策」
☆☆**ふよう**[扶養]《名・他サ》(家族〈をとして〉)せわをし、やしなうこと。「—家族・—の義務」
→**ふよう**[不用]《名・ダ》①〔文〕使わないこと。「—の国有財産」②(役に立たないため)いらないこと。「—品」(↔入用)
→**ふよう**[不要]《名・ダ》必要がないこと。不必要。「予約—・—不急の(=さしあたって必要がない)外出」(↔必要)
**ぶよう**[舞踊]〔文〕おどり。「日本—」
**ふようい**[不用意]《名・ダ》用意の たりないこと。うっかりしていること。「—なことば」㊖-さ。
**ふようじょう**[不養生]《名・ダ》健康に気をくばらないこと。「—をする・医者の—」(↔養生)
**ぶようじん**[不用心・無用心]《名・ダ》用心の悪いこと。「—な家」㊖-さ。
**ふようせい**[不溶性]《理》液体に とけない性質。(↔可溶性)
**ふようど**[腐葉土] おち葉が くさって、やわらかい土のようになったもの。園芸用。
**ぶよぶよ** ぶよぶよ《副・自サ》・ぶよぶよ《ダ》①水けをたくさんふくんで、ふくらんでいるようす。「—していて気味が悪い」②やわらかくて たるんでいるようす。「—した からだ・—なおなか」
**ぷよぷよ**《副・自サ》やわらかくて弾力があるようす。「—した肌」
**ふら**[フラ]《落語》演者に そなわった、なんとも言えない おかしみ。「—のある若手」
**フラ**[hula] ハワイの民族舞踊。腰をふりながら おどる。フラダンス。「—チーム」
**ブラ**[bra] ↑ブラジャー。「ノー—・スポー—(=スポーツ用のブラジャー)」

**プラ** 造 ①↑プラスチック。「—ケース・—ボート・—模型・—ごみ」②《経》↑プライムレート。「短(=短期)—」
**プラーク**[plaque]《医》⇩しこう(歯垢)。
**フライ**[fly] ㊀フライ《野球》高く打ち上げたボール。飛球。「センター—」(↔ゴロ) ㊁フライ《釣り》毛ばり。「—フィッシング」㊂フライ ↑フライ級。●**フライきゅう**[フライ級] 体重で分けた選手の階級の一つ。プロボクシングでは、一〇八ポンド(=約四九・〇キロ)以上、一一二ポンド(=約五〇・八キロ)までの体重。
**フライ**[fry] さかな・肉・野菜などに、小麦粉・ときたまご・パン粉をつけて油であげた料理。「カキ—・アジ—」 ☞フライド。●**フライがえし**[フライ返し] 食材をひっくり返したり、混ぜたりする調理器具。ターナー。●**フライパン**[frypan] 柄がついた、底が浅くて平たいなべ。「—を振る」●**フライめん**[フライ麺] ①(インスタントラーメンで)一度ゆでてから油であげためん。(↔ノンフライ麺)②〔西日本方言〕かた焼きそば。
**ぶらい**[無頼]《名・ダ》〔文〕定職につかず、おこないが不良な(こと/人)。「—の徒」㊖-さ。●**ぶらいかん**[無頼漢]〔文〕ならずもの。ごろつき〔俗〕。
☆☆**プライオリティ(ー)**[priority] 優先順位。優先権。「この案件の方に—がある・—シート(=優先席)」
**プライス**[price] 価格。「—カード(=商品のたなにかかげた値札)・—ダウン(=値下げ)」●**プライスリーダー**[price leader]《経》市場価格の決定に強い影響力を持つもの。「—の大手企業」●**プライスレス**[priceless]《名・ダ》ねだんがつけられないくらい、貴重であること。「—〈のな〉価値」
**フライスばん**[フライス盤][フ fraise] 回転する棒状のドリル(=フライス)に、加工する物を当てて切りけずる機械。☞旋盤。
**ブライダル**[bridal] 結婚式(に関すること)。「—産業・デパートの—コーナー・—で使われる花」
**フライト**[flight]《名・自サ》①飛行。「—レコーダー(=自動飛行記録装置)・—アテンダント(⇩キャビンアテンダント)」②《スキー》空中を飛ぶこと。
**フライド** 造[fried] 油であげた。「—(=からあげの)チキン・─オニオン」●フライド ポテト〔和製 fried potatoes〕ジャガイモを〈細長く/くし形に〉切って素あげにし、塩をふったもの。フレンチ フライ。

ブライト《ナダ》〔bright〕①明るく かがやくようす。②色の鮮明なようす。「─イエロー」

プライド〔pride〕自分は すぐれている(だから きちんと しよう)と思う心。ほこり。自尊心。「─をきずつける・─を持て・─が高い」「『高慢』の意味にも」

☆☆プライバシー〔privacy〕個人の私生活に関すること。「─の侵害」●プライバシーけん〔プライバシー権〕個人的なことがらを人に知られない権利。プライバシーの権利。

☆☆プライベート〔private〕㊀《ナダ》個人的。私的。「─な問題」(↔パブリック) ㊁私的な生活。「─を楽しむ」●プライベートしょうひん〔プライベート商品〕プライベート ブランドの商品。PB商品。●プライベートゾーン〔和製 private zone〕陰部や胸。水着を着たときに、かくれる部分。●プライベートビーチ〔private beach〕個人やホテルが所有する、海水浴のできる はまべ。●プライベートブランド〔private brand〕チェーンストアなどが独自に開発して、メーカーに作らせた商品につける商標。自家商標。自主企画商品。PB。(↔ナショナル ブランド)

プライマリー [造]〔primary〕初歩的。基本的。●プライマリー ケア〔primary care〕《医》身近な開業医などによる、病気の初期治療。●プライマリー バランス〔primary balance〕《経》公債をふくまない租税だけの収入と、公債費以外の支出との差額。基礎的財政収支。

プライム〔prime〕㊀[造]最も重要な。主要な。「─(=最高級の)ビーフ」㊁プライム ↑プライム タイム。●プライムタイム〔prime time〕《放送》(テレビで)午後七時から十一時までの放送時間帯。プライム(帯)。☞ゴールデンタイム①。●プライムレート〔prime rate〕《経》銀行が優良企業に、資金を貸し出すときの最優遇貸し出し金利。「長期─『長プラ』とも」

フライヤー〔flyer〕案内用のチラシ。「─配り」

フライヤー〔fryer〕豚カツなどの揚げものを作るための機器。油を入れて、ガスや電気で加熱する。「電気─・ノン─(=油を使わず熱風で仕上げるもの)」

プライヤー〔pliers〕ペンチに似た形の工具。〈つかむ/回す〉はたらきをする。

フライング《名・自サ》〔flying〕①空中を飛ぶこと。②(↑フライング スタート)《競走・競泳・ボートなどで》出発の あいず以前にとび出すこと。フライイング。③早まって、言ったり したりすること。「─記事」●フライングディスク〔flying disk〕投げたり受けたりして遊ぶ、プラスチック製の円盤。「『フリスビー』は商標名」

ブラインド〔blind〕①日よけ・目かくしなどのため、窓に取りつけて、上げ下げするもの。②《サッカー・ラグビー》「オープン㊁②」の反対がわ。「─攻撃」(↔オープン)●ブラインドサッカー〔blind soccer〕目の見えない人がおこなうサッカー。転がると音の出るボールを使い、フィールドの選手はアイマスクをする。ブラ サカ。●ブラインドタッチ〔blind touch〕⇩タッチタイピング。●ブラインドテスト〔blind test〕同類の商品の銘柄を伏せて〈味わわせ/使わせ〉、商品の名や良し悪しを当てさせること。目隠しテスト。

フラウ〔ド Frau〕《古風》①〈自分や他人の〉妻。②女性。

プラウ〔plough〕《農》西洋の すき(犂)。

ブラウザー〔browser〕《情》ホームページを画面上に表示するためのソフトウエア。ウェブ ブラウザ(ー)。ブラウザ。

ブラウス〔blouse〕《服》女性の着る、ゆったりとした軽い感じの服。スーツの下に着ることもある。ブラース。

[ブラウス]

ブラウニー〔brownie〕生地にチョコレートをたっぷり入れて焼いた、素朴なケーキ。アメリカの家庭料理で、四角に切って食べる。「抹茶─」

ブラウン〔brown〕茶色。また、こげ茶色。「ダーク─」●ブラウン ソース〔brown sauce〕小麦粉をバターで いためて、フォンドボーで のばしたソース。肉料理などに使う。

ブラウンかん〔ブラウン管〕〔Braun=人名〕①《理》昔のテレビなどに使った管。先が広がって四角の画面になっており、外から届いた電気信号が光の画像に変わる。②《古風》テレビ。「─の人気者」

プラカード〔placard〕スローガンを書きこんだ、持ちはこびの できる板。

ふらく〔不落〕《文》(攻撃しても)おちないこと。「─の名城」

フラグ〔flag=旗〕①《情》プログラムで、ある条件を有効にするかどうかを指定する部分。「─が立つ(=条件が有効になる)」②《俗》先の読める伏線。「主人公に死亡─が立つ(=主人公はたぶん死ぬな、とわかるできごとが起こる)」「二十一世紀になって広まった用法」

ぶらく〔部落〕①《古風》民家の集まる所。集落。②(↑被差別部落)祖先の身分や職業、また、そこの出身であることなどを理由に、住民や出身者が不当な差別を受けている地区。同和地区。「─解放運動」

プラグ〔plug〕①コンセントにつなぐために コードの先に取りつける さしこみ。②(↑点火プラグ)エンジンのシリンダー内で燃料に点火するための部品。●プラグイン〔plug-in〕①《情》前からあるソフトウエアに、新しい機能を加えるためのソフトウエア。②プラグをコンセントに さしこむこと。「─ハイブリッド車(=コンセントから充電できる車)」

フラクション〔fraction〕分派。フラク。

フラクタル〔fractal〕どの部分をとっても形が全体と相似している〈性質/図形〉。例、木が枝分かれをし、その枝がまた同じ形に、無限に枝分かれをくり返している形。

プラクティカル《ナダ》〔practical〕〈実際的/実用的〉であるようす。「─な方策」

プラクティス〔practice〕練習。実践。

プラグマティズム〔pragmatism〕《哲》真理や意味は、実際に経験されたり役立ったりするかどうかできまるという考え方。実用主義。プラグマチズム。

プラグマティック《ナダ》〔pragmatic〕〈実用的/実利

的〉であるようす。「—な研究」

**ブラケット**〔bracket〕①かべに取りつけて たなを受ける、L字形などの部品。「—ライト〔=ブラケットで取りつける照明器具〕」②《印刷》〔組み版で〕角型のかっこ。［ ］。

**プラザ**〔plaza〕広場。もよおし物の名前や施設などに用いる。

**ブラザー**〔brother=男の きょうだい〕《宗》カトリックの修道士。(↔シスター)

**ぶらさがり**[ぶら下がり] ①ぶら下がること。②〈移動中/立ったまま〉の要人を囲んでする取材。ぶら下がり取材。③〔古風・俗〕既製服。つるし。

**ぶらさが・る**[ぶら下がる]《自五》①取りついて、ぶらりと下がる。②〔得たい地位などが〕すぐ近くにある。「優勝が目の前に—」③もっぱら他の人の力にたよる。「組織に—」[他]ぶら下げる《下一》。

**ブラシ**〔brush〕はけ。ブラッシュ。「歯—・洋服—」

**プラシーボ**〔placebo〕《医》⇩プラセボ。

**ブラジャー**〔brassiere〕女性用の下着の一つ。乳房をおおい、胸の形を整えるもの。ブラ。

**ブラジル**〔Brazil〕南アメリカ大陸の東部と北部を占める連邦共和国。首都、ブラジリア(Brasília)。伯。[表記]「:伯剌西爾」は、古い音訳字。

**ふら・す**[降らす]《他五》降るようにする。くだす。降らせる。「大雨を—」

**ブラス**〔brass=しんちゅう(真鍮)〕《音》金管楽器。

●**ブラスバンド**〔brass band〕管楽器を中心とする楽団。吹奏楽団。ブラバン。

**プラス**〔plus〕[一]《名・自他サ》①《数》ⓐたす〈こと/しるし〉。「+」。「A—〔=Aの上。A⁺〕」ⓑ正数(をあらわす しるし)。「+」。正。②有利。利益。「将来に—する」③《理》陽電気。陽極。正。④「+」の形のもの。「—ドライバー・—ねじ」[二]《名・ナダ》良い〈こと/面〉。「—〈の/な〉評価・—イメージ・—思考」▽[一][二](↔マイナス)[三]《接》〔俗〕そのうえに。さらに。それプラス。「場所を提供し、—お金も出す」 ●☆☆**プラスアルファ**[プラス(α)]《名・他サ》〔和製 plus α〕基準になる数量や金額などに追加〈すること/したもの〉。プラスアルファー。「—のくふう」[由来]⇩アルファ[三]。 ●**プラスマイナス**《名・他サ》〔和製 plus minus〕①差し引き。「—ゼロ」②得失。③前後に許容する範囲。また、そのしるし。「±」。「四百—二」▽プラマイ〔俗〕。

**フラスコ**〔ポ frasco〕①《理》化学実験で使う、くびの長いガラスの水入れ。「三角—」②平たい〈びん/水筒〉。「ウイスキー—」

**プラスター**〔plaster=しっくい〕①壁や天井に塗って仕上げに使う材料。しっくいに似ているが、石膏などをおもな成分とする。②《医》こうやく(膏薬)。

**プラスチック**〔plastics〕《理》⇩合成樹脂。プラスティック。プラッチック〔関西方言〕。「—製品」 ●**プラスチックばくだん**[プラスチック爆弾]《軍》火薬とゴムを練り合わせた爆弾。

**フラスト**《名・自サ》←フラストレーション。

☆☆**フラストレーション**〔frustration〕①《心》欲求不満。②挫折感。▽フラスト。

**プラスマ**〔ド Plasma〕《医》けっしょう(血漿)。

**プラズマ**〔plasma〕《理》正・負の電荷を持つ粒子が共存して、全体として電気的に中性になっている物質の状態。気体を高温にするとできる。 ●**プラズマテレビ**〔←plasma television〕放電による発光で画像を映すテレビ受像器。消費電力は液晶テレビより大きい。

**ブラスリップ**〔和製 bra slip〕《服》ブラジャーとスリップがひと続きになったもの。

**プラセボ**〔placebo〕《医》ほんもののように作った、にせのくすり。新しい くすりのききめをためしたり、患者を安心させたりするために使う。偽薬。プラシーボ。 ●**プラセボこうか**[プラセボ効果]《医》にせの薬でも、本当の薬だと思ってのむと、きいてしまうという効果。偽薬効果。プラシーボ効果。〔薬の ききめを調べる二重盲検法は、この効果を除くためのもの〕

**プラセンタ**〔placenta=胎盤〕胎盤からとったエキス。薬やけしょう品などに使う。

**プラタナス**〔platanus〕⇩すずかけのき。

**フラダンス**〔和製 hula dance〕⇩フラ。

**ふらち**[(不×埒)]《名・ナダ》法律や道徳に外れるようす。「—な下心・—な行動・—者」

**プラチナ**〔オ platina〕①《理》⇩はっきん(白金)。②特別のランクをあらわすことば。「—会員・—カード」 ●**プラチナチケット**〔和製 オ platina + ticket〕手に入れることが困難な入場券。プラチナ ペーパー。

**ふらつ・く**《自五》①ふらふらする。[名]ふらつき。②ふらふら歩く。「どこをふらついていたんだ」

**フラッグ**〔flag〕①旗。「チェッカー—」②国旗。 ●**フラッグシップ**〔flagship=旗艦〕最も〈重要/高級〉なもの。「—ショップ〔⇩旗艦店〕・—モデル〔=最上位機種〕」

**ブラック**〔black〕[一]①黒。黒色。②クリームなどを入れないコーヒー。ブラック コーヒー。[二]《名・ナダ》①〔人権侵害などの〕問題があるようす。「—(な)会社・—校則」(↔ホワイト)②ブラックユーモア(のあるようす)。 ●**ブラックアウト**《名・自サ》〔blackout〕①(地域全体の)停電。②灯火管制。③情報管制。④一時的に記憶を失うこと。「飲みすぎて—した」 ●**ブラックきぎょう**[ブラック企業]労働条件が法律にふれるほど劣悪で、働くのが つらい企業。ブラック会社。(↔ホワイト企業) ●**ブラックコメディ(ー)**〔black comedy〕残酷で、痛烈な風刺のある喜劇。 ●**ブラックジャーナリズム**〔black journalism〕スキャンダルなどの裏情報をのせて、人を中傷したり、脅迫したりする新聞や雑誌。 ●**ブラックジャック**〔blackjack〕《トランプ》札の目の合計が二十一以下で、点数の多い者が勝つゲーム。トゥエンティー ワン。二十一。ドボン。 ●**ブラックジョーク**〔black joke〕ふつうなら笑ってはいけないことをあつかう じょうだん。ブラック ユーモア。 ●**ブラックタイ**〔black tie〕黒のちょう(蝶)ネクタイ(をタキシードにつけた、男性の準正装)。夜のパーティー用。 ●**ブラックタイガー**〔black tiger〕黒のしま模様があるエビ。クルマエビの なかまでは最も大きい。うしえび。 ●**ブラックバス**〔black bass〕北アメリカ原産の淡水魚。ルアー釣りの対象魚で、背は黒みをおびる。アユ・フナなどを捕食する。大口バス。バス。〔特定外来生物〕 ●**ブラックペッパー**〔black pepper〕⇩黒こしょう。●ブラックホール〔black hole=黒い穴〕《天》超新星爆発のあとにできる、見えない星。強い引力を持ち、あらゆるものを吸い寄せ、光さえも外へ出られない。☞中性子星。●☆☆ブラックボックス〔black box=中身のわからない箱〕①中の構造はわからないままに使う、電子装置。②中身の構造や原理がわからないもののたとえ。③飛行機のフライトレコーダーとボイスレコーダーを収納した箱。●ブラックマーケット〔black market〕闇市。闇の市場。●ブラックマネー〔black money〕⇨アングラマネー。●ブラックユーモア〔black humor〕死や差別など、ふつうなら笑えないことをあつかう、皮肉なユーモア。●☆☆ブラックリスト〔blacklist〕要注意である〈人/ものごと〉の一覧表。「—にのっている」

**ぶらつ・く**《自五》〔楽しみのために〕あてもなく歩く。散歩する。

**フラッシャー**〔flasher〕⇨ウインカー。

**フラッシュ**〔flash〕①閃光(の出る電球)。「ストロボの—・—をたく」②短いニュースを集めたコーナー。「ニュース—」●フラッシュオーバー〔flash over〕火災のとき、可燃性のガスが室内にたまってそれに引火し、一瞬にして火の海になること。●フラッシュバック《名・自サ》〔flashback〕①《映画》非常に短いカットバック。②〔思い出したくない〕過去の記憶や情景が、はっきりと思い出されること。③麻薬などの常用者であった者に、幻覚が再現すること。●フラッシュメモリー〔flash memory〕《情》データの消去・書きこみができ、電源を切ってもそのデータが消えないメモリー。「USB—」●フラッシュモブ〔flash mob〕公共の場で、通行人などをよそおった集団が急にダンスや歌などを披露し、平然と立ち去るパフォーマンス。●フラッシュライト〔flash light〕①閃光。フラッシュ。「カメラの—」②懐中電灯。

**ブラッシュ**〔brush〕ブラシ。●ブラッシュアップ《名・他サ》〔brush up〕みがきをかけること。

**ブラッシング**《名・自他サ》〔brushing〕ブラシをかけること。「飼い犬の—・—〔=歯みがき〕指導」

**ブラッスリー**〔フ brasserie〕フランスふうの居酒屋。ブラッセリー。

**ふらっ・と**《副・自サ》⇨ふらりと。

**フラット**《名・ナダ》〔flat〕①たいら。平面的。「—なくつ・フル—〔=段差をなくした〕」②対等。分けへだてのない。「—な関係・—に接する」③先入観にとらわれない。感情に左右されない。「—な気持ち・—に考える」④単調。「—な色」⑤〔マンションで〕各戸の内部が一つの階だけで完結しているもの。(↔メゾネット)⑥《音》半音だけ下げる〈こと/記号〉。変記号。記号は♭。(↔シャープ)⑦〔競技で〕かかった時間に秒以下の端数がないこと。かっきり。フラ。「十一秒—」

**ぶらっ・と**《副・自サ》⇨ぶらりと。

**プラットフォーマー**〔和製 platform+er〕インターネット上でサービスの基盤を提供する巨大企業。

**プラットフォーム**〔platform〕①駅のホーム。プラットホーム。②拠点となる施設・組織・メディアなど。「石油採掘のための海上—・ネットの動画配信—」③《情》コンピューターを動かすための、OSやハードウェアの基本的な環境。④自動車の車台。

**フラップ**〔flap〕①飛行機の主翼の一部分を、下に少し動かすようにしたもの。離陸や着陸のときに使う。下げ翼。②ポケットなどをおおうふた。

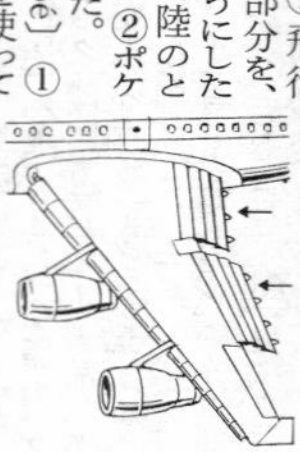

［フラップ①］

**フラッペ**〔フ frappé〕①細かくくだいた氷を使ってひやした飲み物・料理。②〔洋風の〕かき氷。

**ブラトップ**〔bra top〕《服》バストに当てるカップのついた、キャミソールなどの服。

**プラトニック**《ナダ》〔Platonic〕〔ギリシャの哲学者プラトンがのべたような〕純粋に精神的なようす。「—ラブ〔=肉欲をはなれた、精神的な恋愛〕」

**プラナリア**〔ラ Planaria〕淡水にいる、体長三センチほどの平たく細長い生き物。再生能力が高く、切りとられた一部分からでも元の体にもどる。

**プラネタリウム**〔ド Planetarium〕《天》まるい天井に映写機で天体の運行を映し出す装置。

**フラノ**〔←flannel〕洋服地に使うやわらかで厚いフランネル。

**ブラフ**〔bluff〕おどし。恫喝。はったり。「—をかける」

**フラフープ**〔Hula-Hoop=商標名〕腰でくるくる回して遊ぶ、直径一メートルほどのプラスチック製の輪。フープ。

**ふらふら** ふらふら《副・自サ》・ふらふら《ナダ》①力がぬけて、からだや足どりなどがしっかり定まらないようす。「足が—だ」②つかれたり、暑かったりして、まとまったことが考えられなくなるようす。「頭が—になった」③おちついて一か所にとまっていないようす。「—と出歩く」④ろくに考えないで、するようす。「—と盗みにはいった」

**ぶらぶら**《副・自他サ》①ぶら下がって、ゆれているようす。「ちょうちんが—(と)ゆれる」②特別の用もなく、なんとなくゆっくりと歩き回るようす。「公園を—する」③〔職がなく、また病気で〕仕事もせずに、暮らしているようす。「家で—している」

**ぷらぷら**《副・自サ》①つり下がったものが、小さくゆれ動くようす。「ストラップが—ゆれている」②ひまそうに遊び歩くようす。③職につかないで遊んでいるようす。

**ブラボー**《感》〔イ bravo〕《話》うまいぞ！すてきだ！ブラーボー。ブラヴォー。〔多く、クラシック音楽のコンサートで、演奏後の拍手のときに言う〕

**フラボノイド**〔flavonoid〕《理》かんきつ類などにふくまれる色素成分の一種。活性酸素の害を防ぐ抗酸化作用などがある。

**プラマイ**《俗》↑プラスマイナス。「—ゼロ」

**ブラマンジェ**〔フ blanc-manger=白い食べ物〕牛乳に砂糖を加え、ゼラチンで冷やしてかためた洋菓子。ブランマンジェ。

**フラミンゴ**〔flamingo〕ツルに似た水鳥。羽はうす赤く見える。べにづる。「—ダンス」

**プラム**〔plum〕西洋のスモモの実。赤むらさきまたは緑色。干したものは、プルーンという。

**フラメンコ**〔ス flamenco〕スペインの民族舞踊。ギターや歌に合わせ、手やカスタネットを打ったりして情熱

的に おどる。

**プラモデル**〔←プラスチックモデル〕組み立てて作る、プラスチック製の模型。プラ模型。プラモ。

**ふらりと**《副・自サ》①力なくゆれ動くようす。「―よろける」②これといった目的もないようす。「―立ち寄った」▽ふらっと。

**ぶらりと**《副・自サ》①ぶら下がっているようす。「ヘチマが―下がっている」②これといった目的もないようす。「―公園を歩く」③何もしないでいるようす。「一日じゅう―している」▽ぶらっと。

**ふら・れる**［振られる・フラれる］《自下一》求愛や要求をあっさり断られる。「好きな女性に―」☞振る⑦。

**フラワー**〔flour〕小麦粉。メリケン粉。

**フラワー**〔flower〕花。「―ショップ・ドライ―」●**フラワーアレンジメント**〔和製 flower arrangement〕洋風の生け花。花かごなどに、色どりよく花や葉をさして、装飾として楽しむ。●**フラワーシャワー**〔flower shower〕結婚式で、新郎新婦に花びらをふりかけて祝う演出。

**ふらん**［腐乱・腐×爛］《名・自サ》〔文〕くさって ただれること。「―死体」

**ふらん**［×孵卵］《名・自他サ》〔文〕たまご〈が かえる／を かえす〉こと。「―器」

**フラン**〔フ franc〕スイスなどの お金(の単位)。〔もと、フランス・ベルギーなどでも使われたが、現在は「ユーロ」が使われる〕表記「:法」とも書いた。

**プラン**〔plan〕①設計図。②計画。「ペーパー―・―を立てる・―B〔=できなかったときの別の案〕」●**プランニング**《名・他サ》〔planning〕企画(すること)。プラニング。

**フランク**《ナダ》〔frank〕率直。ざっくばらん。「―に話す」派-さ。

☆☆**ブランク**〔blank〕①何も〈書いて／印刷して〉ないこと。白紙。②余白。③(時間的な)空白。「一年間の―〔=一年間何も活動しなかったこと〕」

**プランクトン**〔plankton〕《生》水の中にすむ、目に見えないくらいの小さな動植物。さかなが えさにして食べる。浮遊生物。

**フランクフルトソーセージ**〔和製 ド Frankfurt＋sausage〕ブタの腸につめた、太いソーセージ。フランク(フルト)。

**ブランケット**〔blanket〕①毛布。ケット。②布製などの敷物。

**ぶらんこ**［ブランコ］つり下げた二本のつなの間に座席をつけ、前後にふり動かす遊び道具。表記「:鞦韆」とも書いた。

＊**フランス**〔France〕ヨーロッパの西部にある共和国。首都、パリ(―)(Paris・巴里)。仏。「お―〔=おしゃれなフランスの国。じょうだんで言う〕」表記「:仏蘭西」は、古い音訳字。●**フランスかくめい**［フランス革命］《歴》一七八九年七月十四日にフランスで起こった大革命。●**フランスパン**〔和製 France＋ポ pão〕かわのかたい、あまくないパン。☞カンパーニュ・バゲット・バタール・パリジャン②。

**プランター**〔planter〕庭先やベランダに置いて草花や野菜を育てる、(四角い)箱。

**ブランチ**〔brunch←breakfast＋lunch〕昼食をかねたおそい朝食。

**フランチャイズ**〔米 franchise〕①〔地域ごとの〕本拠地。②球団の根拠地。ホームグラウンド。③《経》親会社が、加盟店に、一定の地域内で独占的に販売する権利をあたえること。また、その権利。加盟店商法。「―制・―チェーン〔=加盟店の組織。FC〕」

**ブランディング**〔branding〕ブランドとして確立させること。

**ブランデー**〔brandy〕ブドウなどを発酵させ、蒸留して造った、強い酒。

**プランテーション**〔plantation〕アジアやアフリカなどで、安くて豊富な労働力を利用して大量に輸出用の作物を作る大規模農園。かつて欧米の植民地にさかんに作られた。「綿花―」

☆☆**ブランド**〔brand〕①商標。銘柄。「―名・高級―」②高級な「ブランド①」(の商品)。「―もの・―志向」

☆☆**プラント**〔plant〕一 **プラント** 工場の設備・機械一式。「―輸出・セメント―」二 造 植物。「―ベース〔=植物を中心に作った食べ物〕」

**プランナー**〔planner〕計画を立てる人。企画者。

**フランネル**〔flannel〕紡毛糸を主にして織った、やわらかで軽い毛織物。(本)ネル。

**フランベ**《名・他サ》〔フ flamber〕肉やデザートなどを調理するとき、ふりかけた酒に火をつけて とばし、かおりをつけること。また、その料理。

**フランボワーズ**〔フ framboise〕⇩ラズベリー。フランボアーズ。

**ブランマンジェ**〔フ blanc-manger〕⇩ブラマンジェ。

**ふり**［不離］〔文〕〔関係が深くて〕分けて考えられないこと。「―一体」

**ふり** 一 **ふり**［振り］①ふること。「バットの―が にぶい」②おどるときの動き。「―をつける」③［フリ］前ふり。「―が長い」④《服》〔女性の着物で〕そでつけからそで下までの、ぬいつけない所。☞八つ口。二 **ふり**［(振り)］人の紹介がないこと。「―の客」三 **ふり**［(振り)・(△風)］①そのように見せかけること。「見ない―をする」②〔古風〕ふるまい。しぐさ。「なりも―も かまわない」四［振り・△口］接尾 刀を数えることば。☞腰二②。五［振］〔視覚語〕↑振替休日。

**ふり**［浮利］〔文〕まともでないやり方で得る利益。「―を追う」

**ふり**［降り］〔雨や雪が〕降る〈こと／程度〉。「ひどい―だ」(↕照り)

**ふり**［不利］《名・ナダ》有利でないこと。つごうが悪いようす。「形勢―」(↕有利) 派-さ。

**ぶり**［(×鰤)］海にすむ さかな。マグロに似るが、側面に黄色い線が一本ある。身は白く、食用。☞出世魚①・ぶり大根。

＊**ぶり**［(振り)］造 ①…の(する)ようす。「あわて―・混雑―・対応の ばらばら―」☞っぷり。②…(として)のやり方。「生活―・お役人―」③〔文〕ふう。様式。「万葉―」④間に それだけの時間が はいるようす。「七日―〈に／で〉〔=八日目に〕救出された・五年―の再会」⑤《俗》〔しばらく とぎれていたことについて〕…以来。「君と会ったのは いつ―かな・去年―」〔一九八〇年代から

例がある用法〕

**プリ**〔俗〕↑プリクラ。「―を撮る・―機」

**ふりあい**【振り合い】〔古風〕ほかとの〈比較/つりあい〉。「他社との―で賃金を決める」

**ふりあ・う**【振り合う】《自五》①おたがいに ふる。「手を―」②【触り合う】おたがいに ふれる。ふれあう。すりあう。「袖を―」

**ふりあお・ぐ**【振り仰ぐ】《他五》ゆっくり首を動かして、上を向く。

**ふりあ・げる**【振り上げる】《他下一》〔勢いよく〕ふって上に上げる。「こぶしを―」名振り上げ。●**振り上げた拳の下ろし所**句 相手に争いをしかけたあとで、ことをうまく おさめる理由や時機。拳の下ろし所。「―がない・―になやむ」

**ふりあ・てる**【振り当てる】《他下一》やるべきことをいくつかに分け、それぞれに担当させる。わりふる。わりあてる。名振り当て。

**ふりあらい**【振り洗い】《名・他サ》水の中で、ふり動かして洗うこと。

**プリアンプ**〔preamp〕音質や、音域ごとのレベルなどを調整して、メインアンプに送るオーディオ装置。

**フリー**〔free〕一フリー《名・ナダ》①束縛のないようす。自由。「―トーキング〔=自由な談話。自由討論〕・―フロー〔=飲みほうだい〕」②↑フリーランサー・フリーランス。「―になる・―(の)アナウンサー」③〔↑フリープラン〕現地で自由行動になるパック旅行。「ソウル―四日間」④↑フリー スケーティング。⑤↑フリー スタイル。二造 無料。「―マガジン・―フード」三フリー造〔名・形動ナダをつくる〕①…がないようす。「カフェイン―・ストレス―な毎日」②…から自由なようす。「エイジ―な〔=年齢不問の〕社会」●**フリーアドレス**〔和製 free address〕職場で、自分専用の机を決めず、日によっていろいろな座席で仕事をするやり方。●**フリーウエア**〔freeware〕無料で自由に使えるソフトウエア。☞シェアウエア。●**フリーウエイ**〔freeway〕〔アメリカの〕高速道路。立体交差で信号がない。●**フリーエージェントせい**【フリーエージェント制】〔free agent=自由契約選手〕〔プロ野球で〕同じ球団に一定期間在籍した選手は、自由に希望の球団に移れるという制度。FA制。●**フリーキック**〔free kick〕《サッカー・ラグビーなど》相手がわが反則をしたとき、その地点から、妨害されずに自由におこなえるキック。FK。●**フリークライミング**〔free climbing〕(ほとんど)道具を使わないで岩壁をよじ登るロッククライミング。☞ボルダリング。●**フリーサイズ**〔和製 free size〕〔衣服などで〕着る人の体型にかかわらず着られるように作ってあること。〔Fで示す〕●**フリースクール**〔free school〕学習指導要領にとらわれず、個性や自主性を重視して教育をおこなう学校。●**フリースケーティング**〔free skating〕フィギュアスケートの種目。ある制限の中で、スピンやジャンプなどの技を自由に組み合わせて、音楽を表現する。フリー(プログラム)。☞ショートプログラム。●**フリースタイル**〔freestyle〕①《レスリング・競泳など》自由形。(↔《レスリング》グレコローマン)②《スキー》ジャンプや空中回転などを組み合わせた、技と美しさを見せる競技。フリースタイル スキー。☞モーグル・エアリアル・ハーフパイプ。▽フリー。●**フリースロー**〔free throw〕《バスケットボールなど》相手の反則のために、ゴールにボールを投げられる〈権利/投球〉。自由投。●**フリータイム**〔和製 free time〕①〔団体旅行で〕自由時間。②勤務時間などが自由であること。●☆☆**フリーダイヤル**〔和製 free dial=商標名〕電話を受けたがわが通話料金をしはらう方式。●**フリートーク**〔和製 free talk〕自由な話し合い。フリー トーキング。●**フリーパス**〔free pass〕①無料の〈乗車券/入場券〉。②何も制約・制限・試験などを受けずに〈通る/合格する〉こと。●**フリーバッティング**〔和製 free batting〕《野球》投手に、打ちやすいボールを投げてもらって、自由に打撃を練習すること。●**フリーハンド**〔freehand〕①定規などを使わないで図形をかくこと。②自由に動ける余地があること。「―を残す」●**フリーペーパー**〔free paper〕無料で配る生活情報紙。●**フリーライター**〔和製 free writer〕自由契約のルポライターや記者など。●**フリーライド**〔free ride〕①自分は何もせず、利益だけ受けること。ただ乗り。「他社の研究成果に―する」人フリー ライダー(free rider)。②自由な乗り方。「―スキー」▽フリーライディング。●**フリーランサー**〔free-lancer〕どこにも所属していない人。自由契約者。フリー。●**フリーランス**〔free lance=自由の やり(槍)〕専属でないこと。自由契約。フリー。

**フリーク**〔freak〕何か一つのことに夢中になっている人。マニア。「スキー―」

**フリーザー**〔freezer〕①冷凍装置。「アイスクリーム―」②〔冷蔵庫の〕冷凍室。

**フリージア**〔freesia=人名 Fries から〕西洋草花の名。春、白または うす黄色で、テッポウユリに似た小さな花を一列にひらく。

**フリージング**《名・他サ》〔freezing〕食品を冷凍すること。冷凍保存。

**フリース**〔fleece=羊毛〕起毛して けばだたせた織物(を使った製品)。「ポリエステルの―をはおる」

**フリーズ**《名・自サ》〔freeze〕①こおること。凍結。②コンピューターが入力を受けつけず、反応しなくなること。ハング アップ。●**フリーズドライ**《名・他サ》〔freeze-dry〕食品を凍結させてから乾燥させる加工方法。凍結乾燥。

☆☆**フリーター**〔↑フリー アルバイター(和製 free+ドArbeiter)〕正社員でなくアルバイトで働き続ける人。

**ブリーダー**〔breeder〕家畜・ペット・昆虫などを飼育したり繁殖させたりする人。

**ブリーチ**《名・他サ》〔bleach〕過酸化水素などで、かみの毛などの色をぬくこと。脱色。漂白。

**プリーツ**〔pleats〕《服》ひだ。「―スカート・マスクの―」

**ブリーフ** ①〔briefs〕からだに ぴったりあった、股下のない、男性用の下ばき。☞パンツ③。②〔brief〕⇩ブリーフィング①。●**ブリーフケース**〔briefcase〕書類を入れる、うすい角形の革かばん。

**ブリーフィング**〔briefing〕①現在の状況や、決定・予定などについての、簡単な説明(会)。ブリーフ。「記者―」②打ち合わせ会。

**フリーマーケット**〔flea《=のみ(蚤)》market〕いら

なくなった物を、めいめい持ちよって売り買いする市場。のみ(蚤)の市。古物市。フリマ〔俗〕。

**ふりうり**［振り売り］てんびん棒をかつぎ、品物の名を声に出して売り歩く〈こと／人〉。江戸時代に普及。棒手振り。「かぼちゃの―」

**ふりえき**［不利益］《名・ナダ》利益にならないこと。「―をこうむる・―な処分」

**ブリオッシュ**〔フ brioche〕バターとたまごをたっぷり使った菓子パン。ブリオ(ー)シュ。

**ふりおと・す**［振り落とす］《他五》〔振動などで〕横にふるようにして落とす。「列車から振り落とされた」【名】振り落とし。【自】振り落ちる《上一》。

**ふりおろ・す**［振り下ろす］《他五》上から下へ向けて勢いよく動かす。「木刀を―」

**プリオン**〔prion〕《医》動物の脳などにあるたんぱく質性の病原体。プリオン病〔＝クロイツフェルトヤコブ病・BSEなど〕を引き起こすとされる。

**ふりかえ**【一】［振り替え］事情があって、別のものと入れかえること。「〔事故のさいの〕―輸送・〔休講などの〕―授業」【二】［振替］《経》たがいに帳簿上の記入をするだけでしはらいをおこなうこと。「―口座・―用紙」 ●**ふりかえきゅうじつ**［振り替え休日］①日曜日と祝日と重なった場合に、翌日が休日になるときの呼び名。②休日に出勤や登校をしたとき、代わりに休める日。

**ぶりかえ・す**［(△振り)返す］《自五》①いちじよくなった状態が、また悪い状態にもどる。「暑さが―・病気が―」②いったんおさまったことが、また問題になる。【名】ぶり返し。

***ふりかえ・る**［振り返る］《他五》①〔後ろを〕ふりむく。②〔過去のことを〕どうだったか、と思い出す。「学生時代を―」③〔過去や自分のことを〕改めて見(て、よかったかどうかなどを考え)る。「試合の経過を―・今週の業務を―・わが身を―〔＝反省する〕」【名】振り返り。【可能】振り返れる。

**ふりか・える**［振り替える］《他下一》①かわりにふりむけて使う。流用する。「乗る飛行機を次の便に―」②《経》振替をする。【自】振り替わる《五》。【可能】振り替えられる。

**ふりかか・る**［降り(掛かる)］《自五》①降って、からだにかかる。「―火の粉」②身におよぶ。「災難が―・身に危険が―」

**ふりかけ**〔ごはんに〕ふりかけて食べるもの。海藻・干したさかなの身など、細かくしたいろいろなものをまぜて作る。「かつおぶしの―・やきそばにかける―」

**ふりか・ける**［振り(掛ける)］《他下一》ちらしてかける。ぱらぱらとかける。「こしょうを―」

**ふりかざ・す**［振り(×翳す)］《他五》①頭の上に、勢いよくかざす。「刀を―」②〔自分に都合のいいように〕相手の反対しにくい主義・主張などを、強調して言う。「権利を―・大義名分を―」

**ふりかた**［振り方］①ふる方法。②あつかい方。処置。「身の―を考える」

**フリカッセ**〔フ fricassée〕肉をホワイトソースで煮こんだ、白い色のシチュー。「チキン―」

**ふりがな**［(振り仮名)］漢字のわきに、その読み方などをしめすためにつけるかな。ルビ。

**ふりかぶ・る**［振りかぶる］《他五》頭の上のほうに大きくふり上げる。「太刀を―・振りかぶって投げる」

**ブリキ**〔オ blik〕うすい鉄板にすず(錫)をめっきしたもの。「―缶」〔なまって、ブルキ〕【表記】「:鉗力」とも書いた。☞板金。

**ふりき・る**［振り切る］【一】《他五》①〔まといつくものを〕ふりはなす。「つかんだ手を―・制止を―・迷いを―」②しつこい相手を拒否(して、思いどおりに)する。「忠告を―・親の反対を―」③追って来る相手を引きはなす。「パトカーを―・強敵を振り切って初優勝」④完全に最後までふる。「バットを―」⑤じゅうぶんふって、取る。「水分を―」【二】《自五》〔俗〕極限まで行くようにする。「コメディーに振り切った作品」

**ふりき・れる**［振り切れる］《自下一》①メーターの針が回りすぎて、目もりの外へ出る。②完全に最後までふった状態になる。「バットが―」③〔俗〕極限まで行く。「テンションが―・寝不足が―」

**ふりく**［不陸］地面などが平らでないこと。〔本来の読みは「ふろく」〕

**ふりぐせ**［降り癖］〔雨や雪が〕いちど降ると続けて降ること。「―がつく」

**プリクラ**〔↑プリント倶楽部。商標名〕自分(たち)の顔写真を写して、何枚ものシールにプリントできる一種の自動販売機。また、その写真シール。プリントシール(機)。プリ〔俗〕。

**フリゲート**〔frigate〕《軍》船団の護衛などに用いる、小型ではやい軍艦。「―艦」

**ふりこ**［振り子］上からつり下げた糸・棒の先におもりをつけたしかけ。決まった時間で左右にくり返し動く。振子。

☆☆**ふりこう**［不履行］〔文〕契約などを実行しないこと。「契約―」

**ふりごと**［振り事］⇩所作事。

**ふりごま**［振り駒］《将棋》先手を決めるために、盤の上でこまを五枚ふること。

**ふりこ・む**［降り込む］《自五》降る雨や雪などが、家の中にはいる。

**ふりこ・む**［振り込む］《他五》①ふって中へ入れる。②口座などにお金を入れる。③《マージャン》自分の捨てたパイが、相手の上がりパイになる。「マンガン(満貫)を―」④《野球》素振りをくり返し練習する。「バットを―」【名】振り込み。〔経済関係の熟語では「振込」と書く。「振込口座・お振込」〕

☆☆**ふりこめさぎ**［振り込め詐欺］特殊詐欺の一つ。うその理由をでっちあげて、指定した口座にお金を振りこませる。☞オレオレ詐欺。

**ふりこ・める**［降り(△籠める)］《他下一》〔雨などが降って〕外出ができないようにする。「雨に降りこめられた」

**ブリザード**〔blizzard〕《天》南極圏や北極圏の、大ふぶき。雪あらし。

**プリザーブ**〔preserves〕くだものを、その形を残すように砂糖で煮たもの。 ●**プリザーブド フラワー**〔preserved《＝保存された》flower〕生花を脱水・脱色して染料を吸わせ、みずみずしい姿のまま保存できるようにしたもの。

**ふりじお**［振り塩］《料》材料の表面に塩をふりかけること。また、その塩。

ふ

**ふりしき・る**［降り（△頻る）］《自五》 雨や雪が、さかんに降る。「—雨」

**ふりし・く**［降り敷く］《自五》〔雅〕降って地面をおおう。「庭に—雪」

**ふりしぼ・る**［振り絞る］《他五》〔あるだけの力や声などを〕必死になって、ぜんぶ出す。

**ふりす・てる**［振り捨てる］《他下一》 ふりはなしてすて去る。きっぱりとすてる。「妻子を振り捨てて行く」

**フリスビー**〔Frisbee＝商標名〕⇩フライングディスク。

**プリズム**〔prism〕《理》よく みがかれた平面をもつ透明な多面体。ガラスなどから作られ、三角柱のものが多い。光を分散させ、屈折・反射させるのに使う。分光器。

**プリセット**《名・他サ》〔preset〕 あらかじめ機械の設定・調整をしておくこと。

**ふりそそ・ぐ**［降り注ぐ］《自五》〔(細かな)雨・日光などが〕休みなく降って、かかる。

**ふりそで**［振り袖］ ①若い女性の着る、そでの「振り㊀④」が下までたれた、きれいな和服。(↔留め袖) ②〔俗〕(女性の)二の うでの ぜい肉。振り袖肉。

**ぶりだいこん**［(×鰤)大根］ ブリの切り身や あらと大根をいっしょに しょうゆで煮た料理。

**ふりだし** ㊀［振り出し］ ①すごろくの、はじめの場所。(↔上がり) ②ものごとの〈最初/出発点〉。「—にもどって考え直す・試合が—に もどる〔＝同点になる〕」 ③熱い湯の中でふって成分を出す薬。浸剤。 ㊁［振出］《経》為替、または手形を発行すること。「—人」

**ふりだ・す**［振り出す］《他五》 ①ふって ものを出す。②熱い湯の中でふって薬の成分を出す。 ③《経》為替・手形を発行する。

**ふりた・てる**［振り立てる］《他下一》 ①はげしく ふる。「しらが頭を—」 ②(さかんに)ふって鳴らす。 ③〔声を〕はり上げる。

**ふりちん**［フリチン］〔＝振りちん〕〔俗〕⇩フルチン。

**ふりつ**［府立］ 府が作り、維持する〈こと/もの〉。「—大学」

**フリック**《名・他サ》〔flick〕 タッチパネルの上で、文字を入力する場合などに、指をこするように すばやく動かすこと。「—入力」 ☞スワイプ。

**ふりつけ**［振り(付け)］ ①曲に合わせた おどりや しぐさ(を演者に教えること)。「—を考える・振付師」 ②どういう言動をすればいいか、段取りを教えること。「役人の—どおり答弁する」 [動]振りつける《他下一》。

**ぶりっこ**［ぶりっ子］《名・自サ》〔俗〕〈いい子/かわいい子〉のような ふりをしている〈こと/人〉。「いい子—している」〔一九八〇年から流行したことば〕

**ブリッジ**〔bridge〕 ①橋(のように横にわたしたもの)。②橋わたし(役)。 ③艦橋。船橋。 ④〔↑オーバーブリッジ〕 跨線橋。 ⑤めがねの、鼻にかかる部分。「ハイ—」 ⑥《医》抜いた歯の両がわの歯を支えとして、橋のようにわたす入れ歯。 ⑦《トランプ》コントラクトブリッジ・セブンブリッジなど。 ⑧あお向けになったまま頭と足を使って、からだを橋のように そらせること。〔レスリングではフォールを防ぐために おこなう〕

**フリッター**〔fritter〕 天ぷらふうに軽くあげた料理。ころもあげ。「えび—・アップル—」

**フリット**〔イ fritto〕 揚げ物。「イカの—」

**フリップ** ①〔↑flip chart〕《放送》〔テレビで〕説明などを書く大型のカード。〔NHKでは、パターンと言う〕 ②〔↑flip jump〕《フィギュアスケート》六つのうち、難度が三番目のジャンプ。〔なまって、フィリップ〕 ☞ジャンプ④。

**ふりつ・む**［降り積む］《自五》〔雅〕降り積もる。「—雪をふみしめて」

**ブリトー**〔ス burrito〕 豆・肉・チーズなどをトルティーヤで包みこんだ、メキシコの食べ物。ブリート。「ビーフ—」

**ふりにげ**［振り逃げ］《名・自サ》《野球》からぶりの三振をした打者が、捕手がボールを捕りそこねたすきに一塁に走り、セーフになること。

**ふりぬ・く**［振り抜く］《他五》 最後まで完全に振る。振り切る。「バットを—・ラケットを—・《サッカー》右足を—」 [名]振り抜き。

**ふりはな・す**［振り放す］《他五》 ①〔まといついているものを〕ふってはなす。「手を—」 ②苦戦して、相手に勝つ。「二位を—」▽振り切る。

**ふりはば**［振り幅］ ①《理》振幅。振れ幅。 ②多様さの度合い。「人間としての—がある」

**ふりはら・う**［振り払う］《他五》 勢いよく はらいのける。「すがりつく、そでを—・涙を—」

**プリフィ(ッ)クス**〔フ prix fixe＝一定価格〕 前菜・主菜・デザートなどからそれぞれ一品ずつ客が選ぶ、定額制のコース料理。

**フリフリ**〔フリ↑フリル〕〔俗〕(たくさんの)フリル。「—のついたドレス」

**ぷりぷり**《副・自サ》 ①おこって機嫌の悪いようす。ぶりぶり。「—して口もきかない」 ②身がしまって弾力のあるようす。「—のエビ・—した刺身」

**☆☆プリペイドカード**〔prepaid card〕 代金前払い式のカード。プリカ。

**ふりほど・く**［振り(△解く)］《他五》 ①からまるものを、ふってはなす。「相手の手を—」 ②結んだものを、ふってほどく。「髪を—」

**フリマ**〔俗〕↑フリー マーケット。

**プリマ**〔イ prima〕 ㊀プリマ ↑プリマ ドンナ。 ㊁[遺]主役の。「—バレリーナ」 ●**プリマドンナ**〔イ prima donna＝第一の女優〕 歌劇の主役女優。プリマ。

**ふりま・く**［振り(×撒く)］《他五》 まきちらす。「あいきょうを—」

**ふりま・ける**［振り負ける］《他下一》《野球・テニスなど》ボールの勢いに負けて、打ったボールがうまく飛ばない。「速いストレートに—」

**ふりまわ・す**［振り回す］《他五》 ①〔手などを〕回すように振る。「両手を—・頭を—・しっぽを—」 ②手に持ったものを、むやみに振る。「刃物を振り回してはいけない」 ③むやみに使う。「権力を—」 ④むやみに持ち出して、見せびらかす。「知識を—」 ⑤〔主義・主張などを〕ふりかざす。「道徳を—」 ⑥人を思いどおりに動かす。翻弄する。「捜査陣を—・にせの情報に振り回される」

**ふりみだ・す**［振り乱す］《他五》〔かみの毛などを〕ばらばらに みだす。[自]振り乱れる《下一》。

**プリミティブ**《ナダ》〔primitive〕 ①原始的。根源的。 ②素朴。 ③幼稚。「—な感受性」「—な くどき文句」

**ふりみ-ふらずみ**［降りみ降らずみ］〔文〕降ったり、降らなかったり。「—の天気」

**ブリム**〔brim〕帽子のふち。

**ふりむ・く**［振り向く］《自他五》首や上半身の向きをさっと変えて、そのほうを見る。「とっさに—・声がした方向を—・後ろを—」可能 振り向ける。☞ふり返る。

**ふりむ・ける**［振り向ける］■一《他下一》①移してほかへ当てる。また、ほかの方面に使う。「資金を研究開発に—・米を飼料用に—」②動かして、ある方向を向かせる。「顔をこちらに—」■二《自下一》「振り向く」の可能形。

**プリムラ**〔primula〕サクラソウのなかまの草花。種類が多い。冬から春にかけて花をつける。西洋さくらそう。☞ポリアンサ。

**ふりもが・く**［振り〈×踠く〉］《自五》苦しみからのがれようとするように手足をふり回す。

**ふりもぎ・る**［振り〈×捥ぎる〉］《他五》はらいのけて、もぎ取るようにする。

**ふりや・む**［降り〈△止む〉］《自五》降っていたのがやむ。「雨が—」

**フリュート**〔フ flûte〕《音》⇩フルート。

**ふりゅう-もんじ**［不立文字］《仏》悟りは心から心へ直接伝わるもので、ことばでは あらわせない、という禅宗の教え。ふりつもんじ。

☆☆**ふりょ**［不慮］〔文〕思いがけないこと。〔よくないことについて言う〕「—の災難」

**ふりょ**［×俘虜］〔文〕捕虜。「—収容所」

←**ふりょう**［不猟］猟の えものが少ないこと。

→**ふりょう**［不漁］漁の えものが少ないこと。「—年」（↕大漁・豊漁）

**ふりょう**［不良］《名・ナダ》①よくないようす。「成績—」②悪いおこないをする〈ようす／人〉。「—行為（=少年にふさわしくない行為。例、タバコを吸うこと）・—少年」

●☆☆**ふりょうさいけん**［不良債権］《経》金融機関などの貸し金のうち、回収できない(おそれの強い)もの。

●**ふりょうひん**［不良品］欠陥があって、よくない品物。「—の交換」（↕良品）

**ぶりょう**［無×聊］《名・ナダ》〔文〕たいくつ。「—をかこつ・—をなぐさめる」派 —さ。

**ふりょうけん**［不了見］《名・ナダ》〔文〕悪い了見。よくない考え。

**ぶりょうとうげん**［武陵桃源］〔文〕⇩桃源郷。

**ふりょく**［浮力］《理》気体や液体などの流体中にある物体が、重力と反対方向に受ける力。物体がおしのけた流体の重さに等しい。☞揚力。

**ふりょく**［富力］〔文〕〈とみ／財政〉の力。

**ぶりょく**［武力］武器・軍隊の力。「—にうったえる・—衝突」

**ブリリアント**《ナダ》〔brilliant〕①かがやかしい。華麗。「〔ダイヤモンドの〕—カット」②かがやくばかりの才能を持った。「—な思想家」

**フリル**〔frill〕《服》えり・そで口などに、ひだの形につけたかざり。☞ラッフル。

**ふりわけ**［振り分け］①〔まんなかから左右に、また、あちらとこちら〈へ〉〕ふり分けること。「—にして背負う・—荷物」②二つの部屋の間がかべで仕切られた間取り。〔横の部屋を通って行き来する〕

**ふりわ・ける**［振り分ける］《他下一》①半分に分ける。②〔仕事などを〕わりあてる。「五人に—」

**ふりん**［不倫］■一〔文〕人の道に外れること。「—の恋」■二《名・自サ・ナダ》自分の結婚相手以外の人と関係を持つこと。「—相手」〔「不倫の恋」などの表現から、一九八〇年代、行動自体を指すようになったもの〕

**プリン**〔←pudding（プディング）〕①たまご・牛乳・砂糖をまぜあわせ、型に入れて蒸した菓子。カラメルソースをかけて食べる。カスタード プリン。「—アラモード」②〔俗〕染めた髪が のびて、根元だけ黒くなった状態。

**フリンジ**〔fringe〕《服》〔肩かけや すそなどのふちの〕ふさかざり。

**プリンシプル**〔principle〕①原理。原則。「経営の—」②根本方針。主義。

**プリンス**〔prince〕①王子。皇太子。（↕プリンセス）②〔俗〕〔団体・会社で〕将来あとをつぐと期待されている人。

●**プリンスメロン**〔和製 prince melon〕マクワウリとメロンを交配して作った、日本生まれのメロン。皮は うす緑色で網目がなく、果肉はオレンジ色。

**プリンセス**〔princess〕①王女。②王子・皇太子のきさき。▽（↕プリンス）

**プリンター**〔printer〕①印刷機。②写真の焼き付け機。③コンピューターなどのデータを、文字や図形として、用紙に打ち出す装置。

**プリンたい**［プリン体］〔purine〕《理》細胞中の核酸を構成する成分。体内で分解されると尿酸になる。☞尿酸。

**プリント**《名・他サ》〔print〕①印刷(したもの)。すりもの。「練習問題の—を配る・—合板」②版画。③フィルムに写した像を印画紙やフィルムに焼きつけ〈ること／たもの〉。印画。④型紙を当てて、模様を染めつけ〈ること／たもの〉。捺染。「—柄」

●**プリントアウト**《名・他サ》〔print out〕コンピューターで作った文章・写真などのデータを、プリンターで打ち出すこと。印刷。

●**プリントはいせん**［プリント配線］電子回路などの配線を、はりがねの代わりに金属の はく(箔)などを印刷の技術で基板に はりつけること。

**ふる**［古］■一 ふる ⇩おふる。■二 造 使い古した。古い。「—新聞・—雑誌・—道具」

＊**ふ・る**［降る］《自五》①雨・雪などが、空から落ちて来る。「こぬか雨が—・〔窓がわにいる人に〕降ってますか?・あすは—らしい」②上のほうから〈たくさん／広がるように〉落ちてくる。「火山灰が—・弾丸が—・光が—・頭の上から声が降ってくる」③〔霜が〕地面に降りる。④〔—ように・—ほど など〕非常にたくさん。「縁談が—ようにある」 ●**降って湧いた** 句 まったく思いがけない。「—話」

＊＊**ふ・る**［振る］《他五》①支えた部分を中心にして、先を左右・上下などに動かす。「首を—・手を—・しっぽを—」②手に持ったまま、左右・上下などに(大きく)動かす。「旗を—・バットを—」③ほうってころがす。「さいころを—」④散らして まく。「塩を—」⑤わきに小さくそえる。「かなを—・番号を—」⑥〔役目などを〕わりあてる。「主役を振った」⑦求愛をことわる。つれなくする。「男を—・遊女が客を—」⑧いらない、とことわる。すてる。「大臣の地位を振った・試験を—」⑨《落語》「まく

ら③ⓐ」を話す。⑩相手に話題を向ける。「話を―・急にこっちに―なよ」☞むちゃぶり。⑪方角を変える。「台風がコースを北東に―」⑫楽団を指揮する。「N響を―・『第九』を―」可能 振れる。☞振られる。

**フル**〔full〕①限度いっぱいであること。「―に使う・―活用・―操業〔=百パーセント操業〕・―パワー」②全部にわたること。全部そろっていること。「アルバムを―で聴く・―オート(マチック)・―メンバー〔=全員〕」

**ぶ・る** 一〔(振る)〕接尾〔自五をつくる〕…らしくふるまう(そして得意になる)。「学者―・いい子―・もったい―」二**ぶる**〔(振る)〕《自五》〔俗〕①〔古風〕きどる。②「いい子ぶる・若ぶる」などの意味。「ぶってるけど、もういい年だ」

**ブル** ①↑ブルドッグ。②↑ブルドーザー。

**ふるい**〔(×篩)〕粉などを入れ、ふり動かしてより分ける、網をはった道具。●**ふるいにかける** 句 ある基準で、より分ける。

**ふる・い**〔古い・旧い〕《形》①現在からかなりさかのぼるようすだ。昔になったようすだ。「―時代・―記憶・―話を今ごろ持ち出す・―型」②長い時間がたって、よごれたり、いたんだりしたようすだ。「―くつ・―アルバム・―牛乳」③昔から〈ある/いる〉ようすだ。「―町並み・―友人・社内の―人に聞いてみる」④変化や進歩がないようすだ。時代おくれだ。「―考え」▽(↕新しい) 派 ―さ。

**ぶるい**〔部類〕種類によって区別したときのグループ。「小柄〈な/の〉―にはいる」

**ふるいおこ・す**〔奮い起こす〕《他五》強く起こす。強くわき立たす。「勇気を―」

**ふるいおと・す**〔(×篩い)落とす〕《他五》①ふるいにかけて落とす。②基準に合わないものをすてる。

**ふるいた・つ**〔奮い立つ・奮い起つ〕《自五》精神が勇みふるう。「奮い立って戦う」

**ふるいつ・く**〔震い(付く)〕《自五》感情がたかぶって、だきつく。むしゃぶりつく。「震いつきたいような、いい女」

**ふるいわ・ける**〔(×篩い)分ける〕《他下一》①ふるいを使ってより分ける。②基準をもうけて選別する。

「成績で―」名 ふるい分け。

**ふる・う**〔震う〕《自五》〔文〕ふるえる。「声も―寒さ」

**ふる・う**〔振るう〕《他五》①勢いよくふり動かす。「刀を―」②勢いなどを示す。「インフルエンザが猛威を―」③〔揮う〕思いのままに使う。「筆を―・熱弁を―・権力を―・暴力を―」☞ふるった・ふるっている・振るわない。

**ふる・う**〔奮う〕《他五》〔心を〕わき立たせる。「勇気を奮って言い出す」☞奮って。

**ふる・う**〔(×篩う)〕《他五》①ふるいに入れてより分ける。②より分ける。「テストで―」

**ぶる・う**《自五》〔「ブルう」とも書く〕〔俗〕ぶるぶると、ふるえ(あが)る。

**ブルー**〔blue〕一⇩青①。「―ジーンズ・―トレイン〔=一九七〇年代後半から特に親しまれた、青い寝台特急列車。現在は廃止。ブルトレ〕」二《ナダ》ゆううつ。「―な気分・―デー〔=俗に、生理の日〕・内定―〔=企業から内定を得たあとに思いなやむこと〕」●**ブルーオーシャン**〔blue ocean=青々とした海〕《経》競争相手のいない、未開拓の市場。(↕レッドオーシャン) ●**ブルーカラー**〔米 blue-collar〕工場労働者。工員。(↕ホワイトカラー) ●**ブルーギル**〔bluegill=青いえら〕北アメリカ原産の、えらに青黒い出っぱりがある淡水魚。釣りの対象魚。〔特定外来生物〕 ●**ブルーシート**〔和製 blue sheet〕野外で敷きものにしたり、災害時に雨よけにしたりする、合成樹脂製の大きな青いシート。●**ブルーチーズ**〔blue cheese〕アオカビで熟成させたチーズ。においが独特で、塩味が強い。イタリア・イギリス・フランスのものが有名。青かびチーズ。☞ゴルゴンゾーラ。●**ブルーハワイ**〔Blue Hawaii〕①ラムなどに、青色のキュラソーをまぜた、あまいカクテル。②かき氷の種類。ラムネ味の青い蜜をかける。●**ブルーフィルム**〔blue film〕性行為を写した、昔のわいせつな映画。●**ブルーブラック**〔blue black〕黒に近い青色(のインク)。●**ブルーベリー**〔blueberry〕北アメリカ原産の、背の低い果樹。実は黒むらさき色などで、あまずっぱく、ジャムなどにする。●**ブルーライト**〔blue light〕①青い光。青色光。②特に、パソコンのディスプレイなどから出る青い光。〔長時間あびると目の健康に悪い影響があるという〕

**プルークボーゲン**〔ド Pflugbogen〕《スキー》二枚の板の先をとじ、うしろを大きくひらいて速度をおさえ、体重を左右に移動させながら回転すること。全制動回転。

**ブルース**〔blues〕《音》①ジャズのもとになった黒人音楽。十二小節が一単位で、ものうい感じを出す半音〔=ブルーノート〕が特徴。曲の調子はさまざま。②もの悲しい感じの、日本の歌謡曲。「別れの―」

**フルーツ**〔fruit〕くだもの。果実。フリュイ(フ fruit)。「―ジュース・―サンド・―トマト〔=小さくてあまいトマト〕」●**フルーツパーラー**〔和製 fruit parlor〕くだもの店をかねている喫茶店。●**フルーツポンチ**〔和製 fruit punch〕小さく切ったくだものを、シロップやサイダーにひたした〈軽い食品/飲み物〉。フルーツパンチ。

**フルーティ(ー)**《ナダ》〔fruity〕くだものの風味がゆたかなようす。「―なかおり」

**フルーティスト**〔flutist〕フルート奏者。

**フルート**〔flute〕《音》やわらかい音色を出す横笛。古くは黒檀などで作ったため、木管楽器に分類される。今は金属製が多い。フリュート。●**フルートグラス**〔和製 フ flûte + glass〕脚付きの細長い形のワイングラス。スパークリングワイン用。

［フルート］

**ブルートゥース**〔Bluetooth=商標名〕無線の規格の一つ。近距離用でWi-Fiよりも出力が弱く、あまり電力を使わない。イヤホン・マウス・キーボードなどを機器本体と無線でつなぐときなどに使う。

**プルーフ**〔proof〕一**プルーフ** ①ウイスキーなどのアルコールの強さをあらわす単位。八六プルーフは四三度。②

新発行の貨幣のうち、収集家のために、みがき上げてきれいに作ったもの。「―コイン・―仕上げ」㊁遣…よけ。「ウォーター―（=防水）」

**ブルーム**〔bloom〕ブドウやキュウリなどの表面に白くふく粉。新鮮さの めやす。果粉。

**ブルーレイ**〔↑Blu-ray Disc=商標名〕DVDより容量の大きな光ディスク。青むらさき色のレーザーでデータの読み書きをする。BD。「―（ディスク）レコーダー」

**プルーン**〔prune〕①プラムの一種。②干したプラム。

**ふるえ**【震え】ふるえること。ふるい。「―が くる・―声」 ●**ふるえあが・る**【震え上がる】《自五》①（おそろしくて）ぶるぶる ふるえる。②非常に おそれる。

**ふる・える**【震える】《自下一》①くり返し細かに動く。振動する。「窓ガラスが―」②（寒さ・こわさ・病気などで）からだの筋肉が小刻みに動く。「足が―」

**プルオーバー**〔pullover〕《服》（毛糸などで編んだ）頭から かぶって着る上着。セーターなど。（↔カーディガン）

**ブルカ**〔アラビア burqu'〕アフガニスタンなどで、イスラム教徒の女性が外出時に頭からかぶり、全身を完全にかくす布。☞チャドル・ニカブ・ヒジャブ。

**フルかいてん**【フル回転】《名・自サ》①機器や設備を最大の能力で動かすこと。「エアコンを―させる」②全力でおこなうこと。「頭を―させる」

**フルカウント**〔和製 full count〕《野球》スリー ボール、ツー ストライクの状態。

**ふるがお**【古顔】（その職場などに）古くからいる人。古参。「―の職員」（↔新顔）

**ふるかぶ**【古株】①（俗）古顔。②（はち植え・木などの）年数のたった株。

**ブルガリア**〔Bulgaria〕バルカン半島の南東部にある共和国。首都、ソフィア（Sofia）。表記「:勃牙利」は、古い音訳字。

**ふるかわ**【古川・古河】〔文〕古くから流れている川。「―に水絶えず（=基礎のしっかりしたものは簡単には滅びない）」

**ふるき**【古き】《連体・名》〔文語形容詞「古し」の連体形から〕〔文〕古い（こと・もの）。「―良き時代・―（=古い人）は去り、新人が登場する」●**古きをたずね（温ね）て新しきを知る** 句 ⇩温故知新。

**ふるぎ**【古着】①長い間着て古くなった衣服。②新品でない衣服。「―屋」

**ふるきず**【古傷・古△創】①以前に受けた きず。（↔生傷）②以前に おかした〈罪〉失敗〉。「―に さわる・―をあばく」

**ふるぎつね**【古×狐】①年を取ったキツネ。②経験を積んだ、悪がしこい人。

**ふるく**【古く】㊀古い時期。昔。「―から住んでいる・―はA博士、近くはB博士の研究がある」㊁《副》昔に（は）。「―漁業が さかんだった地方・ダイコンは―『おおね』と言った」

**ふるくさ・い**【古（臭）い】《形》①いかにも古ぼけているようすだ。②古くなって めずらしくない。派―さ。

**フルコース**〔full course〕《料》洋食で、前菜・スープに始まり、デザートで終わる正式のコース。

**プルコギ**〔朝鮮 bulgogi〕味をつけた肉を直火や鉄板の上で焼く料理。プルゴギ。

**プルサーマル**〔和製 plutonium ＋ thermal reactor（=軽水炉の一種）〕（原子力発電で）使用ずみ核燃料から作るMOX燃料を、ふつうの軽水炉で使うこと。（日本などでは、計画がおくれている）☞核燃料サイクル。

**ふるさと**【（古里）・（△故里）・（△故△郷）】自分が生まれ（育っ）た土地。故郷。●**ふるさとのうぜい**【ふるさと納税】《法》個人が ある自治体に寄付すると、その金額の一部が所得税・住民税から控除されるしくみ。「―の返礼品」

**フルシーズン**〔和製 full season〕全シーズン。一年じゅう。「―活躍できる体力」

**ブルジョア**〔フ bourgeois〕①（近世ヨーロッパで）都市のゆたかな商工業者。市民。②（近代社会で）資本家。ブル。（↔プロレタリア）③金持ち。▽ブルジョワ。●**ブルジョアかくめい**【ブルジョア革命】封建社会を民主主義社会にするために、「ブルジョア①」が指導しておこなう社会革命。市民革命。ブルジョワ革命。例、フランス革命。

**ブルジョアジー**〔フ bourgeoisie〕有産階級。資本家階級。ブルジョワジー。（↔プロレタリアート）

**ブルジョワ**〔フ bourgeois〕⇩ブルジョア。

**ふるす**【古巣】①もとの巣。②もといた所。

**ふる・す**【古す】遣《動五をつくる》古くする。長い間…して、めずらしくないものにする。「使い―・言い―」

**プルス**〔ド Puls〕《医》脈拍。脈。パルス。

**フルスイング**《名・他サ》〔full swing〕《野球・ゴルフ》力いっぱい〈バット〉クラブ〉をふること。

**ブルスケッタ**〔イ bruschetta〕オリーブオイルをかけた、イタリアのガーリックトースト。トマトやハムなどをのせることが多い。前菜や酒のつまみにする。

**フルスピード**〔full speed〕全速力。

**フルスペック**〔和製 full spec〕①（電化製品や車などで）すべての機能がそなわっていること。「―モデル」②（俗）完璧であるようす。「―の掃除をした」

**フルスロットル**〔full-throttle〕①エンジン全開。②全力を出すこと。「朝から―だ」

**フルセット**〔full set〕《バレーボール・テニスなど》最終セットまでのすべてのセットを戦うこと。

**ブルゾン**〔フ blouson〕《服》「ジャンパー①」の新しい言い方。

**フルタイマー**〔full-timer〕フルタイムで働く人。（↔パートタイマー）

**フルタイム**〔full-time〕①正規の勤務時間を、全部勤務すること。（↔パートタイム）②二十四時間いつでもサービスをおこなうこと。「―でお届けします」

**プルダウンメニュー**〔pulldown menu〕《情》（コンピューターで）下にのびて現れる選択肢の中から選ぶ方式のメニュー。ドロップダウン リスト。プルダウン。☞ラジオボタン。

**ふるだぬき**【古（×狸）】（=年を取ったタヌキ）経験を積んだ、悪がしこい（男の）人。

**プルタブ**〔pull tab〕ビールやジュースなどの缶をあけるときに引っぱって取る部分。

**ふるちん**【フルチン】〔↑フリチン〕（俗）（はだかで）ちんちんを丸出しにすること。

**ふるづけ**【古漬け】古くから つけてある つけもの。（↔

新漬け〕

**ふるった**〔〈振るった〉〕《連体》だいぶ ふつうと変わった。奇抜な。「―答え・―ことをするね」

**ふるって**〔奮って〕《副》進んで。「―ご参加ください」

**ふるって・いる**〔〈振るっている〉〕《自上一》①だいぶ ふつうと変わっている。奇抜である。「発想が―」②人をあきれさせる。「その言いわけが―」

**ぶるっと**《副・自サ》寒さなどで身ぶるいするようす。「寒風に―くる」

**ふるつわもの**〔古〈兵〉〕①〔文〕経験を積んだ武士。②その方面で経験を積んだ人。☞こへい（古兵）。

**ふるて**〔古手〕①古くなったもの。古くからいるもの。「役人の―」②古着。「―屋」

**ふるどうぐ**〔古道具〕使って古くなった道具や器具。〔多くは売買の対象となる〕「―屋」

**ブルドーザー**〔bulldozer〕土木工事で地ならし・土ほりなどに使う建設機械。キャタピラーで走り、前面につけた板で土砂をおし出す。ブルドーザ。ブル。〔なまって、ブルトーザー。強引にものごとをおし進める〈人/こと〉のたとえにも使う〕

**ブルドッグ**〔bulldog〕イギリス原産の、ずんぐりした犬。鼻が低く、鼻の両がわの肉がたれ下がっている。ブル。〔なまって、ブルドック〕

**プルトップ**〔pull top〕缶のふたにあるつまみに指をかけて引き開ける方式のもの。また、そのつまみ（=プルタブ）。

**プルトニウム**〔plutonium〕《理》放射性元素の一つ〔記号Pu〕。原子爆弾の材料や核燃料に使われる。

**ふるとり**〔〈隹〉〕漢字の部首の一つ。「集」「雑」などの、「隹」の部分。〔鳥に関係がある。「旧〈=ふるい〉」の正字「舊」の中に使われているからという〕

**ふるなじみ**〔古〈馴染み〉〕昔から親しくしている〈人/こと〉。昔なじみ。

☆☆**フルネーム**〔full name〕姓と名のそろった、略さない名前。氏名。

**ブルネット**〔brunette〕黒みがかった茶色のかみの毛〈をした女性〉。

**フルバック**〔fullback〕《ラグビーなど》相手の攻撃を防ぐために、最後尾に位置する選手。FB。

**ふる・びる**〔古びる〕《自上一》古くなる。名古び。「―が来ない家具」

**フルフェイス**〔和製 full face〕①顔もふくめて、頭全体をすっぽりおおいかくすタイプ〈のヘルメット〉。②顔全体。「―パック」▽フルフェース。

**ふるふる**《副・自サ》①〈やわらかい/かよわい〉ものが、小さくふるえるようす。「心が―ふるえる」②小さく首をふるようす。③やわらかく、わずかに弾力のあるようす。「杏仁豆腐の―した食感」

**ぶるぶる**《副・自サ》①続けて振動するようす。「―とマッサージする」②こわさや寒さでふるえるようす。「足が―（と）ふるえる」

**ぷるぷる**《副・自サ》①弾力のあるものが、小さくふるえるようす。「こんにゃくが箸の先で―ふるえる」②〔肌・ゼリーなどが〕弾力のあるようす。「―のくちびる」

**フルベース**〔和製 full base〕《野球》満塁。

**ブルペン**〔bullpen〕《野球》〔試合のとちゅうから投げる〕投手が投球の練習をする場所。

**ふるぼ・ける**〔古〈惚ける〉〕《自下一》古くなって、見た感じが悪くなる。

**フルぼっこ**〔フルボッコ〕《名・他サ》〔フル←フルパワー〕《俗》①〈全力で〉ぼこぼこになるまでなぐること。②徹底的に〈負かす/痛めつける〉こと。「チェスで―にされる」▽二十一世紀になって広まったことば。

**フルボディ（ー）**〔full-bodied〕ワインなどの風味をあらわすことば。味やかおりがしっかりとしていてコクがあること。

**ふるほん**〔古本〕①読み古した本。②昔、著作・刊行された本。「―屋」▽ふるぼん。（↔新本）

**ブルマー**〔bloomers=もと、人名〕《服》以前、女性がはいた、もも（のつけ根）までの短い運動用ズボン。すそがゴムでしぼってある。ブルーマ（ー）。ブルマ。「ちょうちん―〔=ちょうちんのようにふくらんだブルマー〕」

**ふるまい**〔〈振る舞い〉〕①ふるまうこと。動作。「優雅な―」②もてなし。「―酒」③《理》〔その条件のもとでの〕動き。「ガン細胞の―」

**ふるま・う**〔〈振る舞う〉〕㊀《自五》①身ぶりやからだの動きにあらわす。動作をする。「わがままに―」②相手と場所がらに応じた行動をする。「学校では教師として―」㊁《他五》①もてなす。ごちそうする。「みんなに酒を―」②〔みんなに〕気前よくあたえる。

**フルマラソン**〔full marathon〕正式のマラソン。四二・一九五キロを走る。☞ハーフマラソン。

**ふるめかし・い**〔古めかしい〕《形》いかにも〈現代にあわない/古風な〉感じだ。「―建物・―帽子」派―さ。

**ふるもの**〔古物〕古くなっ（て使えなくなっ）たもの。こぶつ。

**ふるわ・せる**〔震わせる〕《他下一》ふるえさせる。震わす。「声を―」

**ふるわ・ない**〔振るわない〕《形ヌズ》勢いがよくならない。「士気が―・成績が―・近ごろ〈商売が〉―ね」丁寧振るいません。

**ブルワリー**〔brewery〕ビールの醸造所。ブリュワリー。「地ビールの―」

**ぷるんと**《副》やわらかくて、しかも弾力のあるようす。「―した肌」

**ふれ**〔振れ〕①振れる〈こと/程度〉。「―が大きい」②基準からのずれ〈の程度〉。ぶれ。「磁石の針の―」

**ふれ**〔触れ〕〈：布令〉①広く一般に知らせる〈こと/もの〉。「―を回す・お―」②《すもう》見物の客への知らせ。「結びの―」

**ぶれ**〔「ブレ」とも書く〕①《写真》ぶれて、画像がぼやけること。「―が生じる・手―」②あるべき位置からずれること。「体幹の―」③発言や考え方が以前と変わること。「方向性に―がない」

**プレ** 造〔pre〕…以前の。「―ハネムーン〔=婚前旅行〕・―オーダー〔=発売前の注文〕・―カット〔=建築用材を前もって工場で加工しておくこと〕・―オープン〔=正式開業する前の営業。〔↔グランド オープン〕〕・―近代」（↔ポスト）☞プレオリンピック。

**フレア**〔flare=ぱっと燃え上がる ほのお〕①《服》すそが、アサガオの形にひらくこと。「―スカート」②《天》太陽の黒点付近にある表面が爆発的に明るくなる現象。太陽フレア。▽フレアー。フレヤー。

**ふれあい**［触れ合い］おたがいにふれること。気持ちがかようこと。「心の—・—の場」動触れ合う〈自五〉。

**ふれある・く**［触れ歩く］〈自他五〉あちこちに、知らせてまわる。「クマが出たと—・うわさを—」

**ぶれい**［無礼］〈名・形動〉礼儀に外れること。「—千万」 •**ぶれいこう**［無礼講］身分のちがいや礼儀を忘れてする〈宴会／集まり〉。

**プレイ**〈名・自サ〉［play］「プレー」の、特にスポーツ以外での書き方。「ゲームの—時間」 •**プレイガイド**［和製 play guide］演劇・音楽会などのチケットの前売り・案内をおこなう〈サービス／場所〉。プレー ガイド。 •**プレイバック**〈名・自他サ〉［playback］①〔録音・録画の〕再生。②以前をふりかえること。 •**プレイボーイ**［playboy］女性と遊ぶことを楽しむ男性。（↔プレイガール） •**プレイルーム**［playroom］〔施設の一部に設けた〕子どもの遊び部屋。

☆☆**ブレイク**〈名・自他サ〉［break］①急に人気が上がったり、はやったりすること。「大—」②休憩。「コーヒー—・—タイム」③〔ボクシング〕クリンチを解くことを命じることば。④〔テニス〕相手にサービスの権利があるゲームに勝つこと。サービスブレイク。（↔キープ）▽ブレーク。 •**ブレイクスルー**〈名・自他サ〉［break-through］①困難を突破すること。突破口。「不況—」②科学・技術での躍進。 •**ブレイクダウン**［breakdown］一〔ラグビー〕タックルのあとにボールをうばいあう局面。二〈名・他サ〉小分けすること。「会社の目標を部署ごとに—する」 •**ブレイクダンス**［break dance］アクロバット的なはげしいダンス。☞ヒップホップ。

**プレイヤー**［player］「プレーヤー①」の、特にゲーム・音楽分野などでの書き方。「—ID・サックス—」

**フレイル**［frailty〈=老衰・虚弱〉からの造語］筋力や認知機能の低下など、老化の兆候が出ること。「—予防」☞サルコペニア。

**フレー**〈感〉［hurray］〔話〕喝采・はげましをあらわすことば。「—、—、赤組」

**プレー**〈名・自サ〉［play］①遊び。「—スポット」②遊技や競技（を演じること）。「ファイン—」③演奏。「ロング—（=長時間演奏）」④試合開始をつげること。〔表記〕スポーツでは「プレー」、それ以外では「プレイ」と書くことが多い。☞プレイ。 •**プレーオフ**［play off］〔スポーツ〕①引き分け・同点・同勝率のときなどの優勝決定のための〈再試合／延長戦〉。②通常のリーグ戦のあとにおこなわれる、上位チームによる優勝決定戦。 •**プレーボール**［米 play ball］〔野球などの試合の〕開始をつげることば。（↔ゲーム セット）

**プレーイングマネージャー**［playing manager］〔スポーツ〕選手をかねている監督。プレイング マネ（ー）ジャー。プレーイング マネジャー。

**ブレーカー**［breaker］（←サーキットブレーカー）〔理〕一定値以上の強い電流が流れると、回路が切れるようにした装置。電流制限器。安全器。ブレーカ。「—が落ちる」

**ブレーキ**［brake］①車輪などを減速・停止させる装置。制動（機）。「—（=ブレーキペダル）をふむ」②動きをおそくするもの。歯止め。制動。「景気に—がかかる・〔駅伝で〕五区で選手が—（=おそくなること）」▽「—をかける」（↔アクセル）

**フレーク**［flake］①〔食材を〕細かくしたもの。「まぐろ—」②←コーンフレーク。「チョコ—」

**ブレーク**〈名・自他サ〉［break］⇨ブレイク。

**フレージング**［phrasing］〔音〕メロディーの流れの区切り方。〔文章で言えば、句読点の打ち方に当たる〕

**フレーズ**［phrase］①つらなったことば。句。文句。「広告の気のきいた—」②〔音〕メロディーのひとくぎり。

**プレース**〈名・他サ〉［place=場所。置くこと］〔ゴルフ〕急斜面などで「ドロップ④」のできないとき、ボールを手で置くこと。 •**プレースキック**［place-kick］〔球技〕ボールを地面に置いてけること。 •**プレースヒット**［place hit］〔野球〕野手のいない所にねらって打ったヒット。

**ブレード**［blade］①ボートのオールの、水をかく平たい部分。②刃物の、刃の部分。③ピッケルの、平たくなったほうの部分。（↔ピック）☞「ピッケル」の絵。④アイス スケートのくつの、金属の刃。

**ブレード**［braid］〔服〕テープ状のひも。えりやそで口のふちをかざったり、うず高く巻いて帽子にしたりする。

**プレート**［plate］①板。板金。「ナンバー—」②〔理〕〔真空管の〕陽極。③〔写真〕乾板。④〔野球〕ⓐ本塁。「ホーム—・アンパイア」ⓑ（←ピッチャーズプレート）投手が打者にボールを投げるときふむ板。⑤〔地〕地球の表面をおおう、厚さ一〇〇キロ程度の岩の板。地殻とマントル最上部からなる。岩板。「太平洋—・—境界地震」⑥ひと皿にもった洋風定食。「本日のライス—」 •**プレートテクトニクス**［plate tectonics］〔地〕地球全体は何枚かのプレートでおおわれていて、そのプレートが動くことによって、地震・火山活動・大陸移動などが生じるとする理論。

**フレーバー**［flavor; flavour］①かおり。香味。風味。「—ティー・アイスクリームの—」②香味料。

**フレーム**［frame］①わく。ふち。「めがねの—・ラケットの—」②自転車・自動車などの車体わく。③〔テレビ・写真などで〕撮影画面のわく取り。また、その画面。④苗床（に使うわく）。温床。⑤〔ボウリング〕投球するひとくぎり。一ゲームは十フレームから成る。 •**フレームアップ**〈名・他サ〉［frame-up］①でっちあげ。「国家権力による—」②必要以上に取り上げたり、注目の対象にしたりすること。「ささいな出来事が—される」 •**フレームワーク**［frame-work］①わく組み。骨組み。骨格。②組織。体制。

☆☆**プレーヤー**［player］①プレーする人。ⓐ競技者。選手。「スター—」ⓑゲームをする人。「ポーカーの—」ⓒ演技者。演奏者。「ジャズ—」ⓓ役割を果たす人。「国際政治の—」②音楽・映像などの再生装置。「DVD—・携帯オーディオ—・レコード—」▽プレイヤー〔特に、①ⓑⓒ〕。

**プレーリードッグ**［prairie dog］北アメリカの草原にすむ、リスのなかま。鳴き声は犬に似る。

☆☆**ブレーン**［brain］①頭脳。「—ワーカー（=頭脳労働者）」②ブレーン トラスト（のひとり）。 •**ブレーンストーミング**［brainstorming］多くの人が一つの問題について、あらゆる角度からアイデアを出し合い、ふるいにかけること。ブレスト。●**ブレーントラスト**〔米 brain trust〕〔国家・会社・個人などの〕顧問(の機関)。ブレントラスト。

**プレーン**《名・ナダ》〔plain〕①かざらないようす。単純。プレン。「—なワンピース」②味や具を加えていないもの。「—オムレツ・—ヨーグルト・—ソーダ」

**プレオリンピック**〔pre-Olympic〕オリンピックの前年におこなう、スポーツ大会。プレ五輪。

☆☆**フレキシブル**《ナダ》〔flexible〕①しなやか。柔軟。「—な思考」②自由に動くようす。派—さ。

**フレグランス**〔fragrance=いいかおり〕①香水やオーデコロンなど、かおりのあるけしょう品。②芳香製品。

**ふれこみ**【触れ込み】(おおげさに)あらかじめ言いふらすこと。前宣伝。「大発明家という—の男」動ふれこむ《他五》。

**ブレザー**〔blazer〕《服》学校の生徒やスポーツ選手などが着る、スーツの上着の形をした洋服。金色のボタンをつけたり、胸にエンブレム(=記章)をつけたりする。ブレザーコート。「制服の紺色—〔略して『紺ブレ』とも〕」

**プレジデント**〔president〕大統領。

**プレジャーボート**〔pleasure boat〕レジャー用の船。例、カヌー・ヨット・モーターボート・クルーザー。

**ブレス**〔breath〕〔歌唱や水泳で〕息つぎ。

**ブレス** ↑ブレスレット。

**プレス**〔press〕一《名・他サ》①おすこと。おしつけること。②〈おしつけて/おしてしぼって〉必要な型をあたえ、また模様などをつける〈こと/機械〉。成型。③アイロンなどで仕上げをすること。プレッシング。二①印刷。出版(物)。②新聞(社)。報道機関。「—クラブ(=記者クラブ)」③《サッカーなど》攻めこむ圧力。プレッシャー。「—があまい」●**プレスセンター**〔press center〕国際会議やスポーツ大会などのときに設けられる、報道機関の詰め所。●**プレスハム**〔pressed ham〕いろいろな肉をまぜあわせ、押し固めて作ったハム。●**プレスリリース**〔press release〕官庁や企業などが、広く知らせるためにおこなう、報道関係者向けの発表(資料)。ニュースリリース。

**フレスコ**〔イ fresco〕《美術》壁に塗ったしっくいがかわかないうちに水彩絵の具をぬる、昔の壁画のかき方。「—画」

**プレステージ**〔prestige〕威信。〔高い〕格式。プレスティージ。

**ブレスト**〔breast〕①胸。胸部。②〔↑ブレストストローク〕平泳ぎ。胸泳。

**ブレスト** ↑ブレーンストーミング。

**プレスト**〔イ presto〕《音》非常に速く。毎分一八〇〜一九〇拍程度。

**ブレスレット**〔bracelet〕(留め具のある)腕輪。ブレス。☞アンクレット・バングル。

**プレゼン**《名・他サ》↑プレゼンテーション。「自分の考えをうまく—する・—用の資料」

**プレゼンス**〔presence〕①存在。「日本の—は自動車・電子機器・カメラなどの輸出で世界にきわだっている」②威力を誇示すること。示威行動。「アジアにおけるアメリカの軍事的—」

**プレゼンター**〔presenter〕①おくりものをする人。②放送番組の総合司会者。③(授賞式で)賞などを手わたす人。④プレゼンテーションをする人。

**プレゼンツ**《名・他サ》〔presents〕〔企業などによる〕企画。主催。

☆☆**プレゼンテーション**《名・他サ》〔presentation=提示〕スクリーンの映像などを使って、人前で説明すること。プレゼン。「広告代理店の—・計画の具体案を—する」

**プレゼンテーター**〔和製 presentator〕⇩プレゼンター④。

**プレゼント**《名・他サ》〔present〕おくりもの(をすること)。「クリスマスの—」

**ふれだいこ**【触れ太鼓】すもうなどが始まる前の日に、太鼓をたたきながら市中を回って取組を知らせること。

**プレタポルテ**〔フ prêt-à-porter〕高級既製服。プレタ。(↔オートクチュール)

**フレックスタイム**〔flextime〕出社・退社の時間を自分で選べる制度。自由勤務時間制。

**フレッシャー**〔fresher〕〔複数形「フレッシャーズ」でも使う〕①〔大学の〕新入生。②新人。新入社員。▽男は「フレッシュマン」とも。

☆☆**プレッシャー**〔pressure〕圧力。「—をかける・—グループ(=圧力団体)」

**フレッシュ** 一《名・ナダ》〔fresh〕①新鮮。清新。「—な感覚」②なま(の材料で作ったこと)。「—ジュース」③新入り。新人。「—ガール」派—さ。二〈関西などの方言〉⇩ミルク④。コーヒーフレッシュ。●**フレッシュマン**〔freshman〕⇩フレッシャー。

**プレッツェル**〔pretzel〕①8の字形の、ドイツのパン。表面は茶色で固く、岩塩がまぶしてある。ブレッツェル(ド Brezel)。②「プレッツェル①」に似た形の、北アメリカのパン。また、ひと口サイズのスナック(棒状のものもある)。

**フレット**〔fret〕《音》ギターなどの弦を指でおさえるときの位置を示した区切り。

**ブレッド** 造〔bread〕パン。「ジャーマン—」

**ふれはば**【振れ幅】①《理》振幅。振り幅。②ものごとの変動する度合い。「株価の—が大きい・感情の—」

**プレハブ**〔prefab〕①組み立てて簡単に仕上げられるように、工場であらかじめ部品を製造すること。「—住宅・—校舎」②「プレハブ①」式の住宅。

**プレパラート**〔ド Präparat〕ガラスではさんで作った、顕微鏡用の標本。

**プレビュー**《名・他サ》〔preview〕①試写会。試演会。②内覧。下見。また、その会。③《情》印刷や送信などの処理をおこなう前に、そのイメージを画面に表示すること。「—機能」

**ぶれぶれ**《名・ナダ》《俗》非常にぶれていること。「—〈の/な〉写真・意見が—だ」

**ふれまわ・る**【触れ回る】—まはる《自五》いろいろな人に知らせて回る。

**プレミア**〔premiere=初演・初日〕↑プレミアショー。「ワールド—(=世界初公開)」●**プレミアショー**〔premiere show〕一般公開前の有料試写会。

**プレミア**〔↑プレミアム。「―つき」〕

☆☆**プレミアム**〔premium=お礼の お金〕①〔債券などの〕額面をこえた金額。②〔入場券などの〕割り増し金。③〔商品の〕おまけ。景品。④特別に上等であること。「―会員」⑤〔経〕販売価格への上乗せ金。▽プレミア。

**フレヤー**〔flare〕〔古風〕⇩フレア。

**プレリュード**〔prelude〕〔音〕前奏曲。序曲。

**ふ・れる**〔^狂れる〕《自下一》〔気が〕くるう。

**ふ・れる**〔振れる〕《自下一》①うまくふった状態にある。「バットがよく振れている」②〔電気のメーターの針などが〕ゆれ動く。③〔磁石の針・建物などが〕ずれてある向きになる。

**ふ・れる〔触れる〕㊀《自他下一》ものの一部分に、軽く手などを当てる。また、軽く当たる。「ぬれた手で機械に―な・髪に手を―・指が肩に―・脈が触れない〔=指先に感じられない〕」区別⇩触る㊀①。㊁《自下一》①さらされる。「鉄は空気に―とさびる・海水に―と死ぬ生き物」②〔目や耳で〕感じる。「目に―・耳目に―」③取り上げて、言う。「問題点に―」④はたらきかけて、反応を起こさせる。「怒りに―・急所に―」⑤規則に反する。「法に―」⑥体験する。「実社会に―」㊂《他下一》多くの人に知らせる。「うわさを触れて歩く・〔すもう〕懸賞を―」可能 触れられる。

●**触れなば落ちん** 句〔文〕さわったらすぐにでも落ちそうな。「―風情〔=さそわれるのを待ちかまえているようす〕」

**ぶ・れる**《自下一》〔「ブレる」とも書く〕①〔写真〕写すときに、カメラが動く。また、そのために画面がぼやける。②標準や基準からずれる。「観測位置が―」③信念や言動が前と変わる。「やりたいことがぶれない」由来「振れる」から。濁音化して、よくない意味を強調した。他 ぶらす《五》。「ぶらして撮る」

**ふれん**〔府連〕↑〈大阪/京都〉府〔組合・政党支部〕連合会。

**ふれんぞくせん**〔不連続線〕〔天〕それを境にして、空気の温度・湿度・風向きなどが急に変わる、目に見えない線。前線は、この一種。

**フレンチ**〔French〕㊀遺 フランス〈の/ふう〉。「―カンカン〔⇩カンカン〕・―キス〔=ディープキス。軽いキスの意味にも〕」㊁フレンチ フランス料理。●**フレンチトースト**〔French toast〕牛乳とたまご、砂糖をまぜたものにパンをひたし、フライパンで焼いたトースト。●**フレンチドッグ**〔和製 French dog〕〔北海道などの方言〕⇩アメリカンドッグ。●**フレンチドレッシング**〔French dressing〕酢とサラダ油をまぜ、塩・こしょうを加えたもの。サラダに使う。フレンチソース。

**フレンド**〔friend〕友だち。友人。「ペン―・ガール―」

●**フレンドシップ**〔friendship〕友情。

**ブレンド**《名・他サ》〔blend〕〔ちがった種類の原酒・コーヒーなどを〕まぜあわせること。「―コーヒー」〔↔ストレート〕

**フレンドリー**〈ナダ〉〔friendly〕友好的。親しみのあるようす。「―な明るい性格」派―さ。

**ふろ**〔風呂〕①はいってあせを流し、からだをきれいにする湯〔をたたえる湯ぶね〕。湯。「―を立てる〔=わかす〕」②入浴。「―にする〔=入浴する〕・朝―」③↑ふろ場。「―のそうじ」④銭湯。「―に行く」▽日常語としてはやや乱暴で、「お風呂」のほうがふつう。

**ふろ**〔風炉〕〔茶道〕五月から十月の間、炉の代わりに、たたみの上に置いて、かまをかけ湯をわかす道具。

［ふろ］

**プロ** ㊀①〔↑プロフェッショナル〕ⓐそれを職業とする人。職業人。「―ゴルファー・―スポーツ・―入り」〔↔ノンプロ・アマ〕ⓑ専門家。「選挙の―」②↑プロダクション。㊁接尾 ゴルフ・テニスなど、スポーツを職業とし、それで生活している人の名前にそえることば。「高木―」

**フロア**〔floor〕①ゆか。「―スタンド・―タイプ〔=ゆかに置く型のもの〕」②階。「上の―」③〔クラブなどで〕ショーやダンスをする場所。「ダンス―・―ショー」④売り場。接客する場所。「―スタッフ」⑤聴衆席。議員席。「―からの意見」▽フロアー。●**フロアディレクター**〔floor director〕スタジオで、出演者に指示を伝えるディレクター。F.D.

**ふろあがり**〔風呂上がり〕入浴して、出たばかりの状態。

**ブロイラー**〔broiler〕食肉用の若いニワトリ。

**ふろう**〔不老〕〔文〕年を取らないこと。「―長寿」

●**ふろうふし**〔不老不死〕年も取らず、死にもしないこと。「―の妙薬」

**ふろう**〔浮浪〕《名・自サ》決まった住所・職業を持たず、ほうぼうをうろつくこと。「―者〔現代の人を指すのは差別的な言い方。☞ホームレス〕」

**ふろうしょとく**〔不労所得〕労働せずに手にはいるお金。貯金の利子、家賃、株の配当金など。

**フロー**〔flow=流れ〕①〔経〕一定期間に動きのあった財貨の量。〔↔ストック〕②↑フローチャート。「業務―」●**フローチャート**〔flow chart〕仕事の流れや処理の手順を図式化したもの。流れ図。フロー。

**ブロー**《名・他サ》〔blow=吹く〕①洗髪のあとで、ドライヤーとブラシで、軽いウェーブをつけること。ブローセット。「―仕上げ」②〔音〕楽器を吹くこと。吹奏。③〔ボクシング・ゴルフ〕強く打つこと。打撃。

**ブローカー**〔broker〕仲買人。「土地―・闇―」

**ブロークン**〈ナダ〉〔broken〕〔発音や文法などが〕正式でないようす。かたこと。「―イングリッシュ」

**ふろおけ**〔風呂×桶〕①〔木製の〕湯ぶね。②ふろで使う手おけ。

**フローズン** 遺〔frozen=freeze の過去分詞〕こおらせた。「―ヨーグルト・―ドリンク」

**ブローチ**〔brooch〕洋服のえりや胸にピンでとめる、小さなかざり。

**フロート**〔float〕①うくこと。うかしたもの。「コーヒー―〔=アイスコーヒーにアイスクリームをうかした飲み物〕」②いかだ。③水上飛行機のあし。スキーのような形をして、水にうく。④西洋ふうの山車。「白雪姫の―」

**ブロード**〔broad←broadcloth〕ポプリンのやわらかい布地の一種。はばが広い。●**ブロードバンド**〔broadband〕〔情〕〔光ファイバー・ケーブルテレビ・A

DSLなどによる〕高速・大容量の通信回線。(↔ナローバンド)

**ブローニング**〔Browning=人名〕 自動式ピストルの一種。

**フローリスト**〔florist〕 花屋。生花店。フロリスト。

☆☆**フローリング**〔flooring〕 加工した、木の床材。また、それを張った床。

**ブロガー**〔blogger〕 ブログを開設して毎日のように更新する人。ブロッガー。

**ふろがま**［風呂釜］ ①大きな かまの形に似た、鉄の湯ぶね。まわりをセメントでかためて すえつけ、まるい板を敷いて はいる。 ②ふろおけについている、火をたきつけてふろおけの水を熱くする部分。

**プロキシ(ー)**〔proxy=代理〕《情》会社や学校などで、外部・内部のネットワークをたがいに中継するサーバーコンピューター。利用者の閲覧を速くしたり、外部からの攻撃を防いだりする。プロキシ(ー)サーバー。プロクシ(ー)。串〔俗〕。

**ふろく**［不△陸］ ⇩ふりく。

**ふろく**［付録・附録］ ①新聞・雑誌などで、本文のほかに つけてあるもの。「別冊―・巻末―」(↔本紙・本誌) ②おまけ。つけたり。

☆☆**ブログ**〔blog←weblog=webとlog《=通信記録》の合成語〕 インターネット上で公開する、日記ふうのホームページ。作成・更新が簡単で、読み手もコメントを書きこめる。☞ブロガー・トラックバック②。

**プログラマー**〔programmer〕《情》コンピューターのプログラムを作る人。プログラマ。

**プログラミング**《名・他サ》〔programming〕《情》コンピューターへの命令を書くこと。プログラム。 ●**プログラミングげんご**［プログラミング言語］《情》コンピューターへの命令に使う、一定の文法に従った文字・記号の連続。プログラム言語。

☆☆**プログラム**〔program; programme〕 ㊀人前で演じたり語ったりするものの順番(を記した紙など)。「〈演奏/講演〉会の―」 ㊁《名・他サ》 ①《情》コンピューターへの命令を、プログラミング言語で〈書くこと/書いたもの〉。「ロボットの動きを―〔=プログラミング〕する」 ②ねらった結果が出るように予定を立てること。また、立てた予定。「研修―・うまく―された教材」

**プログレッシブ**〔progressive〕 ㊀《ナダ》 進歩的。前衛的。 ㊁《音》⇩プログレッシブロック。 ●**プログレッシブロック**〔progressive rock〕《音》楽曲の技巧を追求し、楽器演奏を重視した、イギリス生まれのロック音楽。プログレッシブ。プログレ。〔一九七〇年代から流行〕

**ブロケード**〔brocade〕 織って模様を表面に うき出させた織物。「―かけぶとん」

**プロジェクションマッピング**〔projection mapping〕 建物の かべなどに動画を映写して、その建物などが変化しているように見せる映像芸術。プロジェクション。

**プロジェクター**〔projector〕 ①投影機。説明内容をスクリーンに映し出す機械。「液晶―」 ②映写機。

☆☆**プロジェクト**〔project〕 ㊀①企画。②研究計画。事業計画。「石油化学―」 ㊁《名・他サ》 映写。投影。 ●**プロジェクトチーム**〔project team〕 新しい計画に取り組むために、必要な能力を持った人を集めて編成したグループ。PT。「―を作る」

**ブロシェット**〔フ brochette=かねの焼きぐし〕 肉・野菜などを焼きぐしにさして焼いた料理。ブロセット。

**ふろしき**［風呂敷］ ものを包む、四角な布。「―を広げる〔=おおげさなことを言う〕・―残業〔=会社では終わらず、自宅に持ち帰ってする仕事〕」

**プロシュート**〔イ prosciutto〕 イタリアの(生)ハム。プロシュット。「―のサラダ」 ☞ハモンセラーノ。

☆☆**プロセス**〔process〕 ①経過。過程。「作業の―」 ②手続き。手順。 ③写真を応用して多色版を作る技術。「二色―」 ●**プロセスチーズ**〔process cheese〕 なまのチーズを二種類以上まぜあわせて加熱・殺菌し、長く保存できるようにしたもの。(↔ナチュラル チーズ)

**プロセッサー**〔processor=処理するもの〕《情》〔コンピューターで〕命令を解読・実行する装置。プロセッサ。

**プロダクション**〔production〕 ①映画・テレビ・出版物などの製作所。「編集―〔略して『編プロ』〕」 ②芸能関係の人を集めて興行などをおこなう組織。▽プロ。

**プロダクト**〔product〕 製品。「―デザイン」

**ブロッキング**《名・他サ》〔blocking〕 ①遮断。「特定サイトへの接続を―する」 ②《ボクシング》手・ひじなどを使って、相手の攻撃を防ぎとめること。▽ブロック。

**フロック**〔fluke〕 ①〔ビリヤード・野球などで〕まぐれ当たり。 ②まぐれで成功すること。

**フロック**〔frock〕 ↑フロック コート。 ●**フロックコート**〔frock coat〕《服》昼間に着る、男子の洋式礼服の一つ。黒ラシャで作る。上着はダブルで、たけは ひざまであり、すそを水平に切る。フロック。

**ブロック**〔フ bloc〕 共通の利益で結びついた国々(の地域)。「―経済〔=広域経済〕」 ●**ブロックし**［ブロック紙］ 数県にわたる地域で販売される地方新聞。

**ブロック**〔block〕 ㊀①(四角な)かたまり。「―肉」 ②市街などの区画。街区。 ③〔↑コンクリート ブロック〕四角な わくの形に作った、コンクリートの かたまり。建築材料に使う。「―建築・―塀」 ④小さい(四角な)かけらを組み合わせて、ものの形をつくる おもちゃ。 ㊁《名・他サ》 ①遮断。ブロッキング。「〔SNSで〕相手を―する〔=やりとりできない状態にする〕・神経―の注射で痛みを除く」 ②《スポーツ》相手の攻撃を防ぎとめること。〔野球では、本塁に突入しようとする走者に対し、捕手が全身でホームベースを守ること〕 ●**ブロックサイン**〔和製 block sign〕《野球》監督と選手の間でとりかわす、複雑に組み合わせたサイン。 ●**ブロックチェーン**〔block chain〕《情》取引の台帳を、ネットワークでつないだ複数のコンピューターに分散して〔ブロックに分けて〕管理する仕組み。改ざんしにくく、攻撃を受けても損害が小さいとされる。

**ブロッケンげんしょう**［ブロッケン現象］《天》山上で、雲や霧に自分の巨大な影や光の輪が映る現象。ブロッケンの妖怪。 由来 ドイツのブロッケン(Brocken)山で見られたことから。

**ブロッコリー**〔broccoli〕 カリフラワーのうちで、食べる部分が緑色のもの。〔植物学上は、カリフラワーは「わせ」。ブロッコリーは「おくて」〕「―をゆでる・―のアンチョビいため」

**プロット**〔plot〕㊀物語・映画などの骨組み。筋書き。㊁《名・他サ》グラフの中に、一つ一つのデータを点として書き入れること。「数値を―する」

**フロッピー**〔floppy=〈なへなの〉〕←フロッピーディスク。●**フロッピーディスク**〔floppy disk〕昔のコンピューターで使った、ごくうすいプラスチックの磁気ディスク。FD。フロッピー。

**プロテイン**〔protein〕①たんぱく質。②たんぱく質が多くふくまれた健康食品。

**プロテクター**〔protector=保護するもの〕〔スポーツなど〕からだを保護する防具の総称。

☆☆**プロテクト**《名・他サ》〔protect〕①保護。②データの消去やコピーをされないようにすること。「―をかける」

**プロテスタント**〔Protestant=抗議する者〕《宗》十六世紀の宗教改革で、カトリックに反抗して起こった、キリスト教の一派(の信徒)。新教(徒)。(↔カトリック)

**プロテスト**《名・自サ》〔protest〕抗議(すること)。「―ソング(=反戦歌)」

☆☆**プロデューサー**〔producer〕〔映画・放送・演劇など〕製作責任者。P。「広告―・チーフ―(⇩シーピー(CP)④)」☞ディレクター①。

**プロデュース**《名・他サ》〔produce〕内容・予算などを自分の責任で決めて、テレビ番組や映画を作ったり、イベントを実行したりすること。製作。

**プロトコル**〔protocol〕①《情》コンピューターどうしが通信できるようにするための約束ごと。例、TCP/IP(=インターネットで使用するもの)。②〔条約などの〕議定書。「京都―」③儀礼。「外交―」

**プロトタイプ**〔prototype〕①原型。典型。「近代小説の―と言える作品」②実験的に作ったモデル。試作品。

**プロトン**〔proton〕《理》⇩陽子。

**ふろば**[風呂場] ふろのある部屋。浴室。

**プロパー**〔proper〕①その部門で〈はえぬき/専門〉であること。「経理の―」②固有であること。「法律学―の問題」

**プロバイオティクス**〔probiotics〕《生》消化管の中で、からだにいい影響をあたえる生菌(をふくむ食品)。

**プロバイダー**〔provider〕インターネットへの接続サービスをする業者。

**プロパガンダ**〔propaganda〕宣伝。特に、特定の思想を宣伝し、行動させようとすること。

**プロバビリティ(ー)**〔probability〕①〔そうなりそうな〕見こみ。公算。②《数》確率。

**プロパンガス**〔propane gas〕《理》石油からとれるガスの一種。家庭用の燃料に使う。プロパン。

**プロファイリング**《名・他サ》〔profiling〕過去の犯罪事件や、その動機などをデータベース化し、新事件の犯人の特徴を推定する方法。プロファイル。

**プロファイル**〔profile〕㊀①《情》〔コンピューターで〕設定の情報。「ユーザー―(=複数の利用者が同じパソコンを使っても、その人専用の設定に切りかえられるように作成しておく、利用者ごとのプロフィール)」②⇩プロフィール。㊁《名・他サ》⇩プロファイリング。

☆☆**プロフィール**〔フ profil=横顔(の輪郭をかいた図)〕〔生年・出身地など〕人物の基本的な紹介。側面観。プロファイル。プロフィル。プロフ〔俗〕。「新大臣の―」

**プロフェッサー**〔professor〕〔大学などの〕教授。

**プロフェッショナル**《名・ダナ》〔professional〕それを職業としておこなうようす。職業的。プロ。(↔アマチュア)

**ふろふき**[(風呂吹き)] 輪切りにしたダイコンなどの野菜をやわらかく煮た料理。みそのたれをかけたりする。「―大根・―かぶ」

**プロブレム**〔problem〕問題。「ノー―(=問題ない)」

**プロペラ**〔propeller〕①軸のまわりに回転して飛行機を進ませる、竹とんぼのはねの形に似たもの。②推進器。スクリュー(プロペラ)。▽ペラ。

**プロポーション**〔proportion=比例〕〔からだの〕つりあい。均整。「すばらしい―」

**プロポーズ**《名・自サ》〔propose〕結婚を申しこむこと。求婚。

**プロポリス**〔propolis〕ミツバチが巣作りに使うねばりけのある物質。樹液とみつろう(蜜蠟)のまじったもの。

**フロマージュ**〔フ fromage〕チーズ。「スフレ―」

**ブロマイド**〔bromide〕〔店で売っている〕俳優・歌手・選手などの小形写真。〔「プロマイド」は商標名〕

**プロミネンス**〔prominence〕①《天》太陽の表面でふき上がる赤いほのお。紅炎。②《言》文中のある語句を強く発音すること。卓立。

**プロムナード**〔フ promenade〕散歩道。遊歩道。

**ブロム**〔ド Brom〕《理》⇩しゅうそ(臭素)。

**プロモーション**〔promotion〕販売などの促進。また、新製品などの宣伝。プロモ。「セールス―(=販売促進)」●**プロモーションビデオ**〔promotion video〕新曲などに映像をつけた、販売促進用の短い作品。ビデオクリップ。プロモ(ビデオ)。PV。

**プロモーター**〔promoter〕①主催者。発起人。②外国から、芸術家・楽団などを招いて興行することを職業とする人。興行師。呼び屋〔俗〕。

**プロモート**《名・他サ》〔promote〕①事業・計画などを助けて進行させること。②興行を企画・主催すること。③売り出し。宣伝。

**ふろや**[風呂屋] 銭湯。公衆浴場。

**プロやきゅう**[プロ野球]〔プロ←プロフェッショナル〕高い技術を持ち、試合を見せることを職業とするチームによっておこなわれる野球。職業野球〔古風〕。

**プロレス**〔←プロレスリング〕ショーの要素を取り入れた、レスリングふうの格闘技。㊇プロレスラー。

**プロレタリア**〔ド Proletarier〕財産のない労働者(の階級)。無産者。プロレタリアート。(↔ブルジョア)

**プロレタリアート**〔ド Proletariat〕無産階級。労働階級。プロレタリア。(↔ブルジョアジー)

**プロローグ**〔prologue〕①小説・演劇などの前おきの部分。序言・序詩・序幕など。②ものごとの始まり。「二十一世紀の―」▽(↔エピローグ)

**フロン**〔←fluorocarbon〕《理》フッ素・塩素をふくむ

炭化水素の気体。冷蔵庫・クーラーの冷媒、ヘアスプレーの噴射剤などに使われた。成層圏のオゾン層を破壊するとされ、使用中止になった。フロンガス。

**ブロンズ**〔bronze〕青銅(の彫刻)。「―像」

**フロンティア**〔frontier〕①国境地方。辺境地区。「―スピリット〔=アメリカ人の、開拓者精神〕」②未開拓の分野。新分野。③〔知識・学問などの〕最先端。

**フロント**〔front〕①〔乗り物の〕前部。「―エンジン」(↔リア《―》)②正面。前面。「―ガラス」(↔バック)③〔←front counter〕窓口。「サービス―」④〔←front office〕ⓐ〔ホテルの〕客の受け付け・会計などをあつかう部門。ⓑ〔球団の〕事務局。経営陣。首脳部。⑤〔劇団の〕事務所。⑥〔←front page〕新聞の第一面。「日曜版の―」●**フロントライン**〔frontline=前線〕①現場の最前線。研究の最先端。「教育現場の―・がん研究の―」②〔企業で〕顧客と接する部署。

**ブロンド**〔blonde〕金髪(の女性)。

**プロンプター**〔prompter〕①《演劇》舞台のかげにいて、俳優にせりふを教えたりする人。後見役。プロンプ。②《放送》〔テレビで〕カメラの前に原稿を表示する装置。読み手がそらで話しているように見える。

**プロンプト**〔prompt〕《情》コンピューターの画面上に出る、次の入力をうながす特定の表示。

☆☆**ふわ**【不和】《名・ナダ》なかが悪いこと。「家庭の―」

☆☆**ふわく**【不惑】〔=まどわないこと〕〔文〕四十歳のこと。【由来】「論語」の「四十而不惑〔=四十にして惑わず〕」から。☞志学・而立・知命・耳順。

**ふわけ**【×腑分け】《名・他サ》①〔古風〕解剖。②複雑なものを分類・整理すること。「自分の感情を―してみる」

**ふわたり**【不渡り】《経》①手形・小切手を持つ人がしはらい日にしはらいを受けることができないこと。「―手形」②↑不渡り〈手形/小切手〉。「―を出す」

**ふわつ・く**《自五》ふわふわ動く。

**ふわっと**《副》①軽くゆるやかに〈動く/うかぶ〉ようす。「―舞い上がる・―着陸した」②軽く(やさしく)のせるようす。「ふとんを―かける」③やわらかいようす。「パンが―焼けた」▽ふわりと。④はっきりしていないようす。「―〔=大まかに〕ご報告します」⑤のんびりしておだやかなようす。おっとり。「―した性格」

**ふわとろ**〔俗〕〔オムレツ・お好み焼きなどが〕ふわりと軽く、とろりとやわらかいこと。「―の食感」

**ふわふわ**【一】**ふわふわ**《副・自サ》・**ふわふわ**《ナダ》①〔空に、また水の上に〕軽くうかんでただようようす。「雲が―(と)うかんでいる」②〔カーテンなどが〕風を受けて、軽くゆれ動くようす。③〔気持ち・態度が〕おちつかないようす。「―した気持ち」④やわらかくふくらんでいるようす。「―したネコの毛・―のベッド・日にほしたふとんが―になる」【二】**ふわふわ**《歌舞伎など》⇩宙乗り。

**ふわもこ**《ナダ》ふわふわとやわらかく、もこもこと ふくらんで、感触がいいようす。「―ルームウェア」

☆☆**ふわらいどう**【付和雷同・附和雷同】《名・自サ》〔文〕ちゃんとした考えもなく、ただ他人の説にしたがうこと。「何かにつけて―する」

**ふわり**【譜割り】《音》音符と歌詞との対応。「―のむずかしい曲」

**ふわりと**《副》⇩ふわっと①~③。

****ふん**【分】①時間の単位。一時間の六十分の一。「二時五―〔時刻〕・五―で行ける〔時間〕・三―、四―、何―〔最近は『さんふん、よんふん、なんふん』とも〕・八―」②《数》角度の単位。一度の六十分の一。③重さの単位。一匁の十分の一。約○・三八グラム。

**ふん**【×糞・フン】動物が肛門から外へ出す、食べ物のかす。くそ〔俗〕。大便。

**ふん**《感》〔「ふ」は鼻から息をもらす音〕〔話〕①ふんおうちゃくに答える声。うん。ふうん。②不満やけいべつの気持ちをあらわす。ふふん。「ふん(↓)、勝手にしろ・ふん(↓)、お前に できるかよ」③なかば感心し、なかばあやしむ気持ちをあらわす。ふうん。「ふん(↗)、そうか」

**ふん**【墳】【造】《歴》土を高く盛り上げて造った、墓。「前方後円―・一号―」

**ふん**【造】〔俗〕↑ふんどし。「赤―・ゆる―」

****ぶん**【分】【一】**ぶん** ①ほかのものと区別された(特別の)もの。「その―をよこせ・余った―は取っておく」②わりあて。わけまえ。「これは わたしの―だ」③身のほど。身分。「―に過ぎた〔=過分な〕おほめの ことば・―を知る・―をわきまえる」④その立場・身分としてのつとめ。「さむらいの―をつくす」⑤品。ほう。「この―を千円くれ」⑥状態。「この―なら だいじょうぶ」⑦その程度。かぎり。「見ている―には簡単そうだ」【二】【漢】分かれ(出)た。「―工場」【三】【造】①それだけの数に〈分けること/分けたもの〉。「内容を三―する・〔分数で〕三―の二・八―〔『はちぶ』とも〕音符」②十分の一。ぶ。「八―目」③きょうだい・親子などに たとえた関係。「弟―」④それに相当する部分。「増加―」⑤それに相当する数量。「五万円―の図書カード・三日―の薬」⑥成分。「砂糖―」

***ぶん**【文】〔=あや。模様〕①文章。②〔文〕学芸。学問と芸能。(↔武)③《言》内容の上で、一つのまとまった考えをあらわしており、形の上で、終わりを言い切っている、ひと続きの表現。文字で書くときは、ふつう、終わりに「。」をつける。☞文の成分。④ⓐ↑文学部。ⓑ人文科学・社会科学〔=文科〕。「―理融合」(↔理)

**ぶん**【接頭】〔↑ぶち。ナ行・マ行の動詞につく〕〔俗〕勢いよくするようす。「―なぐる・―回す・―撒(ま)く」☞ぶっ。

**ぶんあん**【文案】原稿に書く〈文/文章〉の案。「―を練る」

**ぶんい**【文意】文章の意味。「―が通らない」

***ふんいき**【雰囲気】①その場 全体を包む感じ。空気。「楽しい―・あわただしい―」②いい「雰囲気①」。「―のある店」【由来】江戸時代後期からの ことば。「雰囲」は もやもやと取りまくもので、大気を指す。「雰囲気」も、もとは大気のこと。☞ふいんき。

**ぶんいん**【分院】本院のほかに作った(院と呼ばれる)建物。(↔本院)

**ぶんうん**【文運】〔文〕学問・芸術の進む勢い。

**ふんえん**【噴煙】〔火山から〕ふき出す けむり。

**ぶんえん**【分煙】タバコが すえる場所や時間を限定すること。「職場での―化」

**ぶんえん**【文×苑】〔文〕文集。

**ふんか**【噴火】《名・自サ》〘地〙火山が爆発して、マグマや火山ガス、溶岩などをふき出す現象。●**ふんかこう**【噴火口】〘地〙火山の噴火する口。●**ふんかざん**【噴火山】噴火している山。活火山。

**ぶんか**【分科】科目や専門に分けること。「—会」

＊＊**ぶんか**【文化】㊀ぶんか ①それぞれの時代や地域、集団によって異なる、人々の精神的・社会的ないとなみ。「外国—・町人—・言語は—を反映する・わが社の—〔=気風〕」②人間らしい暮らしを支えるもの。発達した文明。「—生活・—国家〔=文明国〕・—果つる〔=野蛮な〕所」[区別]「文明」は、人々を動物の集団と区別するもの。「文化」は、人々がより人間らしく生きるのに必要なもの。③学問や芸術。「—欄・〔学校などの部活動で〕—部(↔運動部)」㊁〔遺〕それまでにない、新しいものにつけたことば。「—住宅・—包丁・—なべ〔=ふきこぼれしにくい、アルミ製のなべ〕」〔大正末期から戦後にかけて、いろいろな複合語が作られた〕●**ぶんかいさん**【文化遺産】〔文〕現代までに伝わった、前の時代の文化財。●**ぶんかくんしょう**【文化勲章】文化の発達のために絶大な功績のあった人にあたえる勲章。●**ぶんかこうろうしゃ**【文化功労者】文化の向上・発展に特に功績があったことにより年金をあたえられる人。●**ぶんかさい**【文化祭】学校で、学生・生徒が中心となって研究発表・演劇・音楽会・講演会などをする行事。●☆☆**ぶんかざい**【文化財】国や地域の文化を映す、大切なものごと。例、書画・建築・祭り。「重要—・無形—」●**ぶんかじゅうたく**【文化住宅】①〔西洋ふうの〕しゃれた感じの、便利な小住宅。大正から昭和初期に広まった。②〔大阪などの方言〕二階建てで玄関つきの、木造アパート。●**ぶんかじん**【文化人】学問や芸術の分野で活躍する人。●**ぶんかじんるいがく**【文化人類学】集団生活を営む人間を社会・文化の面から研究する学問。(↔自然人類学)●**ぶんかちょう**【文化庁】〘法〙文化の振興・普及、文化財の保存・活用などの事務をあつかう官庁。文部科学省の外局。●**ぶんかてき**【文化的】《ナダ》①文化に関係のあるようす。「—価値が高い」②文化の感じられるようす。「—な生活」●**ぶんかのひ**【文化の日】国民の祝日の一つ。十一月三日。芸術にふれるなど、文化を通して、自由と平和を実感する日。〔一九四八年から実施。文化勲章の授与がおこなわれる。もとの明治節《=明治天皇の誕生日に当たる日》〕●**ぶんかぼうちょう**【文化包丁】肉・魚・野菜を切る、先が少しだけかどぼった、家庭用の包丁。三徳包丁。●**ぶんかぼし**【文化干し】天日干しにせず、機械で冷風乾燥させたりした干物。「サバの—」

**ぶんか**【文科】①〔大学で〕人文科学・社会科学を研究する専門の分野。「—系」(↔理科)②文学部。

**ぶんか**【分化】《名・自サ》〔文〕〔発達して〕一つのものが、ちがうはたらきを持ついくつかのものに分かれること。「機能の—」

**ぶんか**【分火】《名・他サ》たいまつなどの火を、別のたいまつなどに移して〈分けること／分けたもの〉。

**ぶんが**【文雅】《名・ナダ》〔文〕文学などに親しんで、風流なこと。

**ふんがい**【(×糞)害】動物のふんによる害。

**ふんがい**【憤慨】《名・自他サ》不正・不当なことに対して、おこること。「そう—するな・—に堪えない〔=憤慨せずにいられない〕」

**ぶんかい**【分会】本部から分かれて、ある地域や職場などに作った会。

**ぶんかい**【分界】線を引いて分けたさかいめ。「軍事—線」

**ぶんかい**【分解】《名・自他サ》①部分に分けること。「—掃除・空中—」②〘理〙一つの物質が化学変化によって二種以上の物質に分かれること。「熱—」

＊**ぶんがく**【文学】①〔書いた〕ことばで表現する芸術や娯楽。詩・小説・戯曲など。文芸。「—作品・—賞・大衆—・口承—」②「文学①」に関する学問。文芸学。「—概論」③「文学②」のほか、哲学・歴史学・社会学・宗教学などの総称。「—部・—博士」●**ぶんがくしゃ**【文学者】詩・小説・戯曲などを〈作る／評論・研究する〉人。●**ぶんがくてき**【文学的】《ナダ》①「文学①」に関係するようす。「聖書の—研究」②「文学①」を読むような感じ。「—な表現」

**ぶんかつ**【分割】《名・他サ》一つのものや、まとまったものをいくつかに分けること。「—ばらい〔=代金を何回かに分けてはらうやり方〕・領土を—する」

**ぶんかん**【分館】本館から分かれた〔館と呼ばれる〕建物。「図書館の—」(↔本館)

**ぶんかん**【文官】軍事以外の仕事をする役人。(↔武官)

**ふんき**【噴気】〔文〕蒸気やガスをふき出すこと。「—孔〔『—口』とも〕・—活動」

**ふんき**【奮起】《名・自サ》何かがきっかけとなって、大いにやる気を出すこと。「—して勉強する・—一番」

**ふんぎ**【紛議】〔文〕話し合いがもつれること。もつれた話し合い。「—の調停」

**ぶんき**【分岐】《名・自サ》〔文〕①〔道などが〕分かれること。②〔登山道などの〕分かれみち。●**ぶんきてん**【分岐点】①〔道路・線路などの〕分かれる地点。②分かれめ。「人生の—」

**ふんきざみ**【分刻み】①一分ごとに区切りを示すこと。「—で変わる数字」②〔予定などが〕何時何分という単位まで細かく決まっていること。「—のいそがしさ〔さらに細かいと「秒刻み」〕」

**ふんきゅう**【墳丘】〘歴〙〔古墳などで〕盛り土をしてできたおか。「弥生時代の—墓」

☆☆**ふんきゅう**【紛糾】《名・自サ》もつれみだれること。「事態が—する」

**ぶんきょう**【文教】〔文〕学問・教育によって、人をおしえみちびくこと。「—〔=文化・教育〕政策・—地区〔=学校などの多い地区〕」●**ぶんきょうのふ**【文教の府】文教をつかさどる中央官庁。文部科学省。

**ぶんぎょう**【文業】〔文〕〈文学／文筆〉の上での業績。また、書かれた作品。

**ぶんぎょう**【分業】《名・自他サ》①〔文〕手分けして業務を受け持つこと。「医薬—」②〘経〙生産の工程をいくつかに分け、分担して製品を作ること。

**ぶんきょうじょう**【分教場】〔小・中学校の〕「分校」の、もとの呼び名。

**ぶんきょく**【分局】本局から分かれて作られた局。(↕本局)

**ぶんきょく**【分極】《名・自サ》〔文〕対立する、いくつかの中心(ができること)。「外交政策の―化」

**ふんぎり**【踏ん切り】思い切ってする決心。「―がつかない」

**ふんぎ・る**【踏ん切る】《他五》思い切ってする。決断する。

**ぶんきんたかしまだ**【文金高島田】島田まげ(髷)の根もまげも高くした、女性の上品な髪のゆい方。婚礼のときにゆう。文金島田。☞高島田。

[ぶんきんたかしまだ]

**ぶんく**【分区】《名・他サ》①地区より せまい範囲の場所。また、地区をいくつかに分けたもの。②区を二つに分けること。③区から分かれ、せまい範囲の仕事を取りあつかう部門。「保線―」

**ぶんぐ**【文具】文房具。「―店」

**ぶんけ**【分家】《名・自サ》家族の一部が分かれて、別に〈一家を立てること/立てた家〉。(↕本家)

**ふんけい**【×刎×頸】(=頸を刎ねる)〔文〕↑刎頸の交わり。「二人は―の仲だ」●**ふんけいのとも**【×刎×頸の友】〔文〕刎頸の交わりを結んだ友。●**ふんけいのまじわり**【×刎×頸の交わり】〔文〕いっしょに首を切られても変わらない、かたい交わり。

**ふんけい**【×焚刑】〔文〕火あぶりの刑。

**ぶんけい**【文系】文科の系統。文科系。(↕理系)

**ぶんけい**【文型】〔言〕表現しようとすることを文の形であらわしたときに見られる、いろいろの、文の型。例、「…が…を…する」「…は…が…たい」などの型。「基本―」

**ぶんげい**【文芸】①ことばによって あらわされる芸術。文学。「―時評」②学問と芸術。●**ぶんげいふっこう**【文芸復興】《歴》⇩ルネサンス①。

**ふんげき**【憤激】《名・自サ》〔文〕はげしく いかること。「―に堪えない」

**ぶんけつ**【分(×蘖)】《名・自サ》《農》イネなどのくきが根の近くから枝分かれすること。株張り。ぶんげつ。

**ぶんけん**【分県】日本全体を、都道府県別に分けたもの。「―地図」

**ぶんけん**【分権】〔政治などで〕権力・権限をあちこちに分散させ、一か所に集中させないこと。「地方―」(↕集権)

**ぶんけん**【文献】①何かを知るために役立つ、書いたものや印刷したもの。「―をあさる・参考―」②昔の文化遺産を知るための記録。「―資料」

**ぶんげん**【分限】〔文〕職業・地位などによって定まる身分。「―をわきまえる・公務員の―」

**ぶんげん**【文言】〔文〕⇩もんごん。

**ぶんけんたい**【分遣隊】本隊から派遣される小さい部隊。

**ぶんこ**【文庫】(=書物を入れておくくら)①書類などを入れておく箱。「手―」②文庫判の、文学書・教養書など(のシリーズ)。「―本・岩波―」③ある わくの中で集められた本。図書館の名前にもつける。「学級―」●**ぶんこばん**【文庫判】本の大きさの一種。A6判。

**ぶんご**【文語】①平安時代ぐらいの古い文法に もとづく書きことば。単語も古めかしいものを使う。例、「われ発見せり(=私は発見した)」。〔明治時代の なかばまでは、文語で書く文章(=文語文)が主流だった。現在でも、短歌・俳句などで使う〕②文章語。▽(↕口語)●**ぶんごたい**【文語体】「文語①」でつづった文体。(↕口語体)●**ぶんごぶん**【文語文】文語体の文。(↕口語文)

**ぶんご**【△豊後】旧国名の一つ。今の大分県の大部分。

**ふんごう**【×吻合】《名・自他サ》①〔文〕食いちがいがなく、ぴったり合うこと。「需給の―」②《医》切り口どうしをぴったり合わせること。また、合うこと。「胃と食道の―」

**ぶんこう**【分校】本校から分かれて、作られた学校。(↕本校)

**ぶんこう**【分光】《名・他サ》《理》プリズムを通して、光をスペクトルに分けること。「―器・―分析」

**ぶんごう**【文豪】偉大な文学者。〔おもに小説家について言う〕

**ぶんごう**【分合】《名・他サ》〔文〕分けたり、あわせて一つにしたりすること。「農地の―」

**ふんこつ**【粉骨】《名・他サ》〔文〕①骨をこな状にくだくこと。「散骨のため―する」②⇩粉骨砕身。●**ふんこつさいしん**【粉骨砕身】《名・自サ》〔文〕力の限り努力すること。粉骨。「―して働く」

**ぶんこつ**【分骨】《名・自他サ》死んだ人の火葬にした骨を、二か所以上に分けて うずめること。

**ふんご・む**【踏ん込む】《自五》〔古風・俗〕ふみこむ。

**ふんころがし**【〈×糞転がし〉】⇩スカラベ。

**ふんさ**【噴砂】《地》地震などで地盤が液状化して、水といっしょに砂が ふき出すこと。また、ふき出した砂。

**☆☆ふんさい**【粉砕】《名・自他サ》①こなごなに〈くだくこと/くだけること〉。「―機」②完全に負かすこと。「敵を―する」

**ふんざい**【粉剤】こなになった薬。(↕液剤)

**ぶんさい**【文才】文章を書く才能。

**ぶんざい**【分際】身分。〔たしなめるときに使う〕「学生の―で何を言うか」

**ぶんさつ**【分冊】《名・他サ》一つの本をいく冊かに分け〈ること/たもの〉。「第一―」

**ぶんさん**【分散】《名・自他サ》①一つのものが、いくつかに分かれること。また、いくつかに分けること。「勢力を―する・光の―・―和音(=『ドソミソ』のように、一音ずつ鳴らす和音)」②《数》〔統計で〕ばらつきの度合いをあらわす値。

**ふんし**【〈×糞し〉】〔古風〕ふんの しかたや始末。「―のいい猫」

**ふんし**【憤死】《名・自サ》①憤慨して死ぬこと。②《野球》おしいところで、アウトになること。

**ぶんし**【分子】①《理》その物質の化学的性質を失わない状態で、原子から成り立っている、いちばん小さいつぶ。②集団の中の、一部のもの。「強硬―・不良―」③《数》分数の、横線の上にある数。(↕分母)●**ぶんししき**【分子式】《理》分子を構成する原子の種類と数を元素記号であらわした化学式。例、$H_2O$(=水)。●**ぶんしせいぶつがく**【分子生物学】

〘生〙生物学の事実を、細胞(さいぼう)の中の分子のレベルで研究する学問。分子遺伝学は、その一つの部門。

**ぶんし**【文士】〔文〕小説などを書くことを職業とする人。作家。「三文(さんもん)―」

**ぶんし**【分枝】《名・自サ》〔文〕①分かれて のびたえだ。②えだわかれ〈すること/したもの〉。

**ぶんし**【分×祀・分×祠】《名・他サ》①新しく神社をつくって、本社と同じ神をまつること。また、その新しい神社。「出雲(いずも)大社東京―」②いっしょに まつってあった神を、別々にまつること。

**ぶんじ**【文事】〔文〕学問・芸術に関することがら。(↔武事)

**ぶんじ**【文治】〔文〕⇩ぶんち。

**ぶんじ**【文辞】〔文〕文章のことば。

**ふんしつ**【紛失】《名・自他サ》どこかに〈なくなる/なくす〉こと。「―物」

**ぶんしつ**【分室】①小さく分けられた部屋。②本部・本社などから分かれて、別の所に作った組織。「編集所―」

**ふんじば・る**【ふん縛る】《他五》〔俗〕〈乱暴に/にげないように〉しばる。

**ふんしゃ**【噴射】《名・他サ》①ガスの圧力で、霧(きり)のようにふき出すこと。「―剤(ざい)」②〘理〙燃料の油を霧のようにして空気とまぜ、爆発(ばくはつ)させて その排気(はいき)をふき出すこと。「―推進機」

**ぶんしゃ**【分社】《名・他サ》①一つの会社が、それぞれの事業部門を分けて、独立した会社(のよう)にすること。「―化する」②「本社③」から〈分かれた神社/神社を分けること〉。

**ぶんじゃく**【文弱】《名・ナダ》〔文〕〈武道などに はげまず〉学問・文学・芸能などに おぼれるようす。「武士が―に流れる・―の徒」派-さ。

**プンシュ**【フ punch】⇩パンチ二。

**ぶんしゅう**【文集】文章などを集めて、本の形にまとめたもの。「クラスで―を作る」

**ぶんしゅく**【分宿】《名・自サ》一つの団体が何か所かに分かれて泊(と)まること。

**ふんしゅつ**【噴出】《名・自他サ》〔文〕ふき出すこと。ふき出ること。「ガスが―する・異論が―する」

**ふんしょ**【×焚書】〔文〕書物を焼きすてること。

**ぶんしょ**【分所】本部から分かれて、別の場所に作った事務所・営業所など。

**ぶんしょ**【分署】本署から分かれて、別の場所に作った警察署・税務署など。(↔本署)

***ぶんしょ**【文書】文字や文章を書きしるした紙。「―で通達する・〔コンピューターの〕―ファイル」

***ぶんしょう**【文章】①文字に書いて思想・感情をあらわしたもの。「―がうまい」②〘言〙「文③」がいくつか集まって、まとまった内容をあらわしたもの。●**ぶんしょうご**【文章語】現代語のうち、おもに文章で使う、(やや)かたいことば。書きことば。例、「去来(きょらい)(=行ったり来たり)する」「されたい(=してほしい)」。(↔口頭語・話しことば) ●**ぶんしょうだい**【文章題】〘数〙式でなく、文章の形であたえる計算問題。応用問題。

**ぶんしょう**【文証】〔文〕書いた文章に見られる証拠(しょうこ)(となるもの)。

**ぶんしょう**【分掌】《名・他サ》〔文〕責任・権限をあたえられて仕事の一部を受け持つこと。分担。「事務―」

**ぶんじょう**【分場】本部から分かれて、別の所に作った試験場・作業場など。

**ぶんじょう**【分乗】《名・自サ》一つの団体や一行が分かれて乗ること。「バスに―する」

**ぶんじょう**【分譲】《名・他サ》①たくさん あるものをいくつかに分けて売ること。「土地の―・―住宅」②↑分譲住宅。

**ふんしょく**【粉食】《名・自サ》パン・めん類など、粉から作る食べ物を主食とすること。(↔粒(りゅう)食)

☆☆**ふんしょく**【粉飾・×扮飾】《名・他サ》①〔文〕うわべをかざりたてること。「文章の―」②〘経〙利益がないのにあるように見せかけること。「―決算」

**ぶんしょく**【文飾】《名・自サ》〔文〕文章の中で、あまり内容に関係のない かざり。「―をほどこす・―を排(はい)する・―した言い回し」

**ぶんしん**【分針】時計の、分をさす、長いほうの はり。長針。(↔時針・秒針)

☆☆**ふんじん**【粉(×塵)】〈石炭・鉱石・金属などが〉細かにくだけて とびちる、ごみのようなこな。「浮遊(ふゆう)―」(=けむりの中にふくまれて空中をただよう、細かな鉱物質)

**ふんじん**【奮迅】〔文〕ふるいたつこと。たけり はやること。「獅子(しし)―の勢い」

**ぶんしん**【分身】〔文〕①もとのものから分かれたからだ。「主人公は作者の―」②術を使って、自分の からだをいくつかに分けてみせること。「―(の)術」

**ぶんじん**【文人】〔文〕文芸の方面に親しむ人。●**ぶんじんが**【文人画】⇩南画。●**ぶんじんぼっかく**【文人墨客】〔文〕文人と、墨(すみ)で文字や絵をかく人。風流に親しむ人。

**ふんすい**【噴水】①ふき出る水。ふきあげ。②水が上にふき出るようにした しかけ。

**ぶんすい**【分水】《名・自他サ》〔文〕①降った雨水が、川となり、山の背をはさんで たがいに反対の方向に流れること。「―界」②水を本流から別に分けること。また、分かれた水流。「―路」③(水道に使う)水を分けて流すこと。水道用の水を分けあたえること。●**ぶんすいれい**【分水×嶺】①降った雨水を、別々の方向の川に分ける、山の みね。②大きく進路を左右する きっかけ。

**ぶんすう**【分数】〘数〙整数$a$を、零(れい)でない整数$b$で割った結果を、$\frac{a}{b}$(「$b$分(ぶん)の$a$」と読む)の形であらわしたもの。例、$\frac{2}{3}$(=三分の二)。(↔小数・整数) ☞真分数・帯分数・仮分数。

**ぷんすか**《副・自サ》〔俗〕腹を立てているようす。

**ふん・する**【(×扮する)】《自サ》①〘演劇など〙その人物の姿をする。「ハムレットに―」②ある人物に姿を変える。「商人に―(=商人をよそおう)」

**ふんせき**【噴石】〘地〙火山の噴火のとき、火口から とび出す溶岩(ようがん)の かたまりなど。

**ぶんせき**【文責】〔文〕書いた文章についての責任。「―は私にある・― 細川」☞言責。

**ぶんせき**【分籍】《名・自サ》〘法〙一つの戸籍(こせき)を分けて、新しく戸籍を作ること。

***ぶんせき**【分析】《名・他サ》①〘理〙実験や機械を使い、物質に ふくまれている成分の種類や量を求めるこ

ふ

と。②複雑なものをいくつかの要素に分けて、本質を明らかにすること。「情勢を—する」(↕総合)

**ぶんせつ**【文節】〘言〙文を読むとき、息つぎを入れても不自然にならない部分で区切った単位。例、「今夜、雨が降るらしいよ」の「今夜」「雨が」「降るらしいよ」。✓文法的には、「自立語」または「自立語＋付属語」でできた単位。「書いている」「読んでほしい」の「いる」「ほしい」などの補助動詞・補助形容詞は、前の部分で息つぎを入れにくいが、それだけで文節と みなされる。☞単語。

**ぶんせつ**【分節】《名・他サ》〔文〕ひと続きのものに、くぎりをつけて いくつかの部分に分け〈たもの/ること〉。

**ふんせん**【噴泉】〔文〕勢いよくふき出している温泉。

**ふんせん**【奮戦】《名・自サ》〔文〕力をふるって戦うこと。「—力闘」

←**ふんぜん**【憤然】《トタル》〔文〕憤慨するようす。「—として ことわった」

→**ふんぜん**【奮然】《トタル》〔文〕勢いよく ふるいたつようす。「—と戦う」

**ぶんせん**【文選】《名・自他サ》〘印刷〙原稿のとおりに活字をひろい集める〈こと/工員〉。「—工」

**ふんそう**【×扮装】《名・自サ》①〘演劇など〙登場人物の姿や服装(になること)。②ある人物の姿や服装(になること)。変装。「サンタクロースに—する」

**ふんそう**【紛争】《名・自サ》〔文〕もつれた あらそい。ごたごた。「国際間の—・—処理」

**ぶんそう**【文藻】〔文〕①詩や文章を作る才能。「—に富む」②詩や文章。「—欄」

**ぶんそうおう**【分相応】《名・ナダ》身分にふさわしいようす。「—なことを言う」(↕分不相応)

**ふんそく**【分速】一分間に〈動く/進む〉距離。(で示したはやさ)。

**ふんぞりかえ・る**【(踏ん反り)返る】—かへる《自五》①〔いすに かけた人が〕いばって、胸をそらすようにする。②いばる。「議員になって—」

**ぶんそん**【分村】《名・自サ》もとの村から分かれて、別の所に〈村を作ること/作った村〉。(↕本村)

**ふんたい**【粉体】〘理〙非常に細かい こな。「—工学」

**ふんたい**【粉×黛】〔=おしろいと まゆずみ〕〔文〕けしょう。「—をほどこす」

**ぶんたい**【分隊】①本隊から分かれた隊。(↕本隊) ②〘軍〙戦闘・作業などの いちばん小さな単位。旧陸軍では小隊を構成し、十人ぐらい。

**ぶんたい**【文体】①文章の〈体裁/形式/様式〉。「口語—」②その〈作品/作家〉に見られる、文章の上での個性的な特色。「漱石の—」

**ぶんだい**【文題】文章・詩などにつける題目。

**ふんだく・る**《他五》〔俗〕〈乱暴に/ひどい方法で〉うばうようにして お金をはらわせる。「手紙を—・高い会費を—」由来 乱暴なようすをあらわす「ふん」と、うばう意味の「たくる(☞ひったくる・ぶったくる)」から。名 ふんだくり〔=強奪〕。

**ふんだりけったり**【踏んだり蹴ったり】ひどい経験が重なるようす。ふんだりけたり。「物価は上がる、税金は上がるで、—だ・—の目にあう」由来 人を踏んだり蹴ったりしてひどい目にあわせる意味。今では、ひどい目にあう本人の立場で使うことが多い。

**ふんだん**《ナダ》(↑不断) たっぷり。たくさん。「水を—に使う・—な日光」

**ぶんたん**【(文旦)】ザボンのうち、実の色が うすい黄色をしたもの。ボンタン。

**ぶんたん**【分担】《名・他サ》分けて負担すること。分けて受け持つこと。「仕事の—・費用は各自—」

**ぶんだん**【分団】①細かく分けて作った、小さな集団。グループ。「—学習」②本部から分かれて作った集団。「消防—」

**ぶんだん**【文壇】文学者の社会。「—にデビューする」

**ぶんだん**【分断】《名・自他サ》〔文〕〔一つだったものが〕分けられて別々になること。また、分けて別々にすること。「東西に—する」

**ぶんち**【文治】〔文〕武力を使わず法令で世をおさめること。ぶんじ。「—政治・—派」(↕武断)

**ぶんちゅう**【文中】〔文〕文・文章の なか。

**ぶんちゅう**【分駐】《名・自サ》本隊・本部と分かれてそこに常駐すること。「—隊・消防—所」

**ぶんちょう**【(文鳥)】家で飼う小鳥の名。スズメに似て、くちばしが厚い。足とくちばしは、美しいピンク色。人によく なれる。「手乗り—」

**ぶんちん**【文鎮】書類・紙が動かないように、上からおさえるもの。ペーパーウエイト。

**ぶんつう**【文通】《名・自サ》手紙の やりとりをすること。「—の友」

**ふんづかま・える**【ふん捕まえる】—づかまへる《他下一》〔俗〕つかまえる。自 ふん捕まる《五》。

**ふんづ・ける**【踏ん(付ける)】《他下一》(↑ふみつける)〔俗〕①おさえつけるように ふむ。強く ふむ。②思わずふむ。「ネコを—」③利用する。ふみ台にする。「人を踏んづけて出世する」

**ふんづまり**【×糞詰まり】〔俗〕①大便が出なくなること。便秘。②なかなか前へ進めない状態。

**ぶんてん**【分店】本店から分かれて、別の所に作った店。〔支店より小さい〕

**ぶんてん**【文典】〔文〕文法を書いた本。

**ぶんてん**【文転】〔学〕高校生・大学生などが、理科系から文科系に〈所属/志望〉を変えること。(↕理転)

**ふんど**【憤怒・×忿怒】《名・自サ》〔文〕⇩ふんぬ。

**ぷんと**《副・自サ》①強く においようす。「—鼻をつく」②軽く おこって見せるようす。「すぐ—なる」

**ふんとう**【粉糖】くだいて粉にした、さらさらの砂糖。粉砂糖。「シュークリームに—をふりかける」

**ふんとう**【噴湯】《名・自サ》〔文〕ある間隔をおいて〈温泉の熱湯が ふき出すこと/ふき出す、温泉の熱湯〉。

**ふんとう**【奮闘】《名・自サ》①力をふるって戦うこと。「孤軍—」②力をふるって つとめること。「—努力する」

**ふんどう**【分銅】はかりで重さをはかるときに使う、金属のおもり。

**ぶんとう**【文頭】〔文〕文・文章の、はじめの部分。(↕文末)

**ぶんとう**【分党】《名・自他サ》政党が いくつかの政党に分かれること。

**ぶんどき**【分度器】角度をはかるのに使う器具。

**ふんどし**一【(×褌)】①男子の股の部分をおおう、細長い布。したおび。☞越中ふんどし・六尺ふんどし。

②まわし。「人の―で相撲(すもう)を取る〔⇩「人」の句〕」㊁「フンドシ」カニの、腹の面にあって、甲羅(こうら)に続く細長い部分。「タラバガニの―」 ●**ふんどしを締(し)める** 句 かたい決心のもとにものごとをするようす。「ふんどしを締めてかかる〔=とりかかる〕・ふんどしを締め直す」 ●**ふんどしかつぎ**「(×褌)担ぎ」〔俗〕①⇩とりてき(取的)。②部内の いちばん下級の者。

**ぶんど・る**〔:分=捕る〕《他五》〔「ぶん」は接頭語〕①〔戦場で〕敵のものをうばい取る。②他人のものをうばい取る。名 分捕り。

**ぶんなぐ・る**「ぶん殴る」《他五》〔俗〕乱暴に なぐる。

**ぶんな・げる**「ぶん投げる」《他下一》〔俗〕乱暴に投げる。

**ふんにゅう**「粉乳」牛乳から水分を取り去り、粉の状態にしたもの。こなミルク。「脱脂(だっし)―」

**ふんにょう**「(×糞)尿」〔文〕大便と小便。汚物(おぶつ)。「―処理」

**ふんぬ**「憤△怒・×忿△怒」《名・自サ》〔文〕はげしい いかりをあらわすこと。ふんど。「―の形相(ぎょうそう)ものすごく」

**ぶんのう**「分納」《名・他サ》何回かに分けて おさめること。「税金を―する」

**ぶんのせいぶん**「文の成分」〔言〕「文③」を組み立てている、それぞれの部分。主語・述語・連体修飾語・連用修飾(しゅうしょく)語・接続語・独立語など。〔二文節以上の まとまりは、主部・述部…などと呼ぶ〕

**ぶんぱ**「分派」《名・自サ》〔文〕中心勢力から分かれてできた、小さな集団(となること)。セクト。「―行動」

**ぶんばい**「分売」《名・他サ》〔文〕ひとそろいのものを、分けて売ること。ばら売り。「この全集は―しない」

**ぶんぱい**「分配」《名・他サ》①分けて くばること。「利益を―する・アンテナの―器」②〔経〕生産物が交換(こうかん)されて各方面に分けられること。

**ぶんはく**「文博」〔文〕↑文学博士。

**ふんぱつ**「奮発」《名・自他サ》①精神をふるいおこすこと。②思い切って〈買う/お金を出す〉こと。「おこづかいを―する」

**ふんば・る**「(踏ん張る)」《自五》①両ももに力を入れて、足を大きくひらく。②ひらいた足に力を入れ、たおれないようにがんばる。③がんばる。「最後まで―」名 ふんばり。

**ふんぱん**「噴飯」〔=口に入れたごはんを急に ふき出す〕〔文〕程度の低さにあきれて、思わず笑ってしまうこと。「―の いたりだ・議員の弁解は―ものだ」

**ぶんび**「文尾」〔文〕文末。

**ぶんぴ**「分泌」《名・自他サ》〔生〕⇩ぶんぴつ(分泌)。

**ぶんぴつ**「文筆」〔文〕文章を書くこと。「―家・―業〔=著述業〕」

**ぶんぴつ**「分泌」《名・自他サ》〔生〕細胞(さいぼう)が、からだの活動に役立つ液体を作って、からだの外や血液の中などに送り出すこと。ぶんぴ。「―腺(せん)・―物」☞外分泌・内分泌。

**ぶんぴつ**「分筆」《名・他サ》〔法〕ひとくぎりとして認められている土地を二つ以上に分けること。

**ふんびょう**「分秒」〔文〕分と秒。非常に わずかの時間。「―を争う」

**ぶんぶ**「文武」〔文〕学問と、武道・スポーツ。「―両道〔=文武の両方(に力を入れること)〕」

**ぶんぷ**「分布」《名・自サ》地域ごとに広がって、あること。「勢力の―・全国の天気―図」

**ぶんぷく**「分服」《名・他サ》〔医〕何回かに分けて、薬を飲むこと。(↔頓服(とんぷく))

**ぶんぶつ**「文物」〔文〕文化の生産物。学問・芸術など。「西欧(せいおう)の―を輸入する」

**ふんふん** ㊀《副》においをかぐときの鼻の息の〈音/ようす〉。「鼻を―と鳴らす」㊁《感》〔話〕人の話に かるくうなずくときに言うことば。「―、なるほど」

**ふんぷん**「(×芬々)」《タル》〔文〕においが強く感じられるようす。「悪臭(あくしゅう)―・香気(こうき)―」

**ふんぷん**「紛々」《タル》〔文〕入りみだれるようす。「白雪(はくせつ)―・諸説―・悪評―」☞「嘖々(さくさく)」の[注]」

**ぶんぶん**《副》①ハチなどの虫が飛ぶときの〈音/ようす〉。「スズメバチが―飛び回る」②かたいものが、風を切って出す〈音/ようす〉。「バットを―ふり回す」☞ぶうん。

**ぷんぷん** ぷんぷん《副・自サ》・ぷんぷん《ナダ》①強いにおいが鼻をつくようす。「酒の においを―させる・香水(こうすい)―な人」②やたらに腹を立てるようす。「―に なって おこる」

**ふんべつ**「分別」《名・他サ》〔世の中で まじめに暮らしていくために〕こんなときには こうするものだ、と判断すること〈能力〉。「―がある・―がついてきた・―が足りない・―顔(がお)〔=分別がありそうな顔〕」☞ぶんべつ(分別)・無分別(むふんべつ)。 ●**ふんべつくさ・い**「分別(臭)い」《形》いかにも分別のありそうなようすだ。「―顔つき」派 ―げ。―さ。 ●**ふんべつざかり**「分別盛り」いちばん分別がある年ごろ。「四十五十は―」 ●**ふんべつらし・い**「分別らしい」《形》分別があるようすだ。「―顔」

**ぶんべつ**「分別」《名・他サ》種類ごとに分け(てす)ること。「ごみの―収集」☞ふんべつ(分別)。 ●**ぶんべつしょほう**「分別書法」⇩分かち書き。

**ふんべん**「(×糞)便」〔文〕大便。

**ぶんべん**「分×娩」《名・他サ》〔医〕子をうむこと。出産。「―台」

**ふんぼ**「墳墓」〔文〕墓。 ●**ふんぼのち**「墳墓の地」〔文〕①墓場。②祖先の墓のある土地。故郷。

**ぶんぼ**「分母」〔数〕分数の、横線の下に ある数。(↔分子) ●**分母を払(はら)う** 句〔数〕分数に、分母と同じ数を掛(か)けて、分母をなくする。

**ぶんぽう**「文法」①語句と語句とがつながって文を作るときの法則。ことばの きまりと はたらき。②「文法①」を研究する学問。文法学。文法論。③作り方。構成のしかた。「映画の―」

**ぶんぽう**「分封」《名・自他サ》①〔歴〕大名などの〈領地を分けること/分けられた領地〉。②〔動〕一群のミツバチがもとの巣をはなれて新しい巣を作ること。

**ぶんぽう**「分包」《名・他サ》薬を一回分に分けて包むこと。また、その包み。

**ぶんぼうぐ**「文房具」〔文房=書斎(しょさい)〕書類などを作るのに必要な道具。ペン・ノート・はさみ・セロハンテープなど。文具。ぶんぼうぐ(古風)。ステーショナリー。

**ふんぽん**「粉本」〔文〕①絵の下書き。②〈絵や文章の〉手本。

**ふんま・える**「踏んまえる」(ふんまへる)《他下一》〔話〕「ふまえる」の変化。

**ふんまつ【粉末】** こな。「―スープ・―状」

**ぶんまつ【文末】**〔文〕文・文章の、終わりの部分。文尾(ぶんび)。(↔文頭)

**ふんまん【憤×懣・×忿×懣】**〔文〕腹が立って、がまんができない〈こと/気持ち〉。「―やるかたない」

**ぶんみゃく【文脈】** ①文章や文の中での、意味の続きぐあい。「―から意味を判断する」②つながり。面。「人間性の回復という―で問題をとらえる」

**ぶんみん【文民】**〔文〕職業軍人でない人。〔日本国憲法にあることば〕 ●**ぶんみんとうせい【文民統制】** 防衛計画に対して、文民が決定権を持つこと。シビリアン コントロール。

**ふんむ【噴霧】**《名・他サ》〔文〕水や薬の液体を霧(きり)のように、ふき出すこと。「―器」

**ぶんむくれる**《自下一》〔俗〕ひどくおこって むくれる。名 ぶんむくれ。

**ぶんめい【文名】**〔文〕〈文章がじょうずだ/すぐれた文学者だ〉という評判。「―が高い」

**ぶんめい【文明】** 人々が、知恵(ちえ)を発達させて、高度な技術や制度、思想を手に入れた状態。「―の利器・―国・―社会・古代エジプト―」(↔野蛮(やばん)) 区別 ⇩文化 二。 ●**ぶんめいかいか【文明開化】**(=文明が発達して世の中がひらけること)〔歴〕明治時代のはじめ、西洋の文物を取り入れて、社会が大きく発展したこと。 ●**ぶんめいひひょう【文明批評】** 世相や文化現象などをとらえて、その意義や本質について批評すること。 ●**ぶんめいびょう【文明病】** 文明が進んだところで起こる病気。例、花粉症(しょう)・冷房(れいぼう)病。

**ぶんめい【分明】**〔文〕一《名・ナダ》あきらかなこと。はっきりしているようす。ぶんみょう。「―な理由・―を欠く」(↔不分明) 派 ―さ。 二《名・自サ》あきらかになること。「すべてが―する」(一より かたい用法)

**ぶんめん【文面】**〔手紙などの〕文章に書いてあることがら。「―によれば」

**ふんもん【噴門】**〔生〕食道の下の はしの、胃に続く所。⇨幽門(ゆうもん)。

***ぶんや【分野】** 領域。範囲(はんい)。「科学の各―・勢力―」

**ぶんや【ブン屋・ブンヤ】**(←新聞屋)〔俗〕「新聞記者」をかろんじて呼ぶことば。

**ふんゆ【噴油】**《名・自サ》ある間隔(かんかく)をおいて〈石油がふき出すこと/ふき出た石油〉。

**ぶんゆう【分有】**《名・他サ》〔文〕分けて持つこと。

**ぶんよ【分与】**《名・他サ》〔文〕分けて あたえること。「財産―」

**ぶんらく【文楽】** 義太夫(ぎだゆう)にあわせておこなう、大阪の人形浄瑠璃(じょうるり)。文楽浄瑠璃。 由来 江戸(えど)時代、植村文楽軒(うえむらぶんらくけん)が始めたとされ、のちに文楽をおこなう劇場の名となった「文楽座」にちなむ。

**ふんらん【紛乱】**《名・自サ》〔文〕まぎれて みだれること。「教義の―」

**ぶんらん【×紊乱】**《名・自他サ》〔文〕⇩びんらん(紊乱)。

**ぶんり【分利】**〔医〕肺炎(はいえん)などの高い熱が、わずかの時間で下がること。

**ぶんり【分離】**《名・自他サ》①もとのものから〈はなれる/はなす〉こと。「―帯(↑中央分離帯)」②特定の電波・物質などを、分けて取り出すこと。

**ぶんりつ【分立】**《名・自他サ》〔文〕①分かれて独立すること。②分けて独立させること。「三権―」

**ふんりゅう【噴流】**〔文〕ふき出すように動く、はげしい流れ。

**ぶんりゅう【分流】**《名・自サ》〔文〕①分かれて流れること。②分かれた流れ。支流。③分かれ。分派。

**ぶんりゅう【分留・分×溜】**《名・他サ》成分のまざった液体を熱し、沸点(ふってん)のちがいを利用して各成分を取り出すこと。分別蒸留。

**ぶんりょう【分量】** ①〔ちょうどいいかどうかを問題にする場合の〕量。「決まった―・米の―を量る・仕事の―が多い」②それに相当する量。「本一冊の―の文章・割り当てられた―」

**ぶんりょく【分力】**〔理〕一つの力を、二つ以上の異なる方向に分けたときの、それぞれの力。(↔合力(ごうりょく))

**ぶんるい【分類】**《名・他サ》基準をもとに、〈いくつかの種類に分ける/ある種類に入れる〉こと。また、分けられた種類。「植物を―する・ペンギンは鳥に―される・A類のほかにB類という―がある」

**ふんれい【奮励】**《名・自サ》〔文〕元気を出して がんばること。「―努力せよ」

**ぶんれい【文例】** 文や文章の〈書き方の〉例。「―集」

**ぶんれい【分霊】**《名・他サ》祭神のたましいを分けること。また、分けられた たましい。わけみたま。「伏見稲荷(ふしみいなり)神社から祭神を―する・―が宿る」

**ぶんれつ【分列】**《名・自サ》隊ごとに、隊形を整えて横にならぶこと。「―行進」

**ぶんれつ【分裂】**《名・自他サ》①一つのものが〈いくつかに〉分かれること。「細胞(さいぼう)の―・葉の先が―している」②一つのものが、分かれて まとまりを失うこと。「党内の―・人格の―」(↔統一) ●**ぶんれつしょう【分裂症】**〔医〕⇩統合失調症(しょう)。

**ふんわか**《副・自サ》〔俗〕雲にでも乗って ただようかと思われるように、気分のいいようす。「―(と)した酔(よ)いごこち」

**ふんわり**《副・自サ》「ふわり」の、感じを強めた言い方。「―した かけぶとん」

## へ

**へ【△辺】**〔雅〕あたり。「白雲の遠き―にわく」

**へ【×屁】** 肛門(こうもん)から もれる、腸の中のガス。おなら。「―をひる」⇨へのかっぱ。 ●**へ(屁)でもない** 句〔俗〕まったく問題にならない。こわくない。 ●**へ(屁)とも思わない** 句〔俗〕まったく問題にしない。こわいと思わない。 ●**へ(屁)の突っ張りにもならない** 句〔俗〕なんの役にも立たない。屁の突っかい棒にもならない。

**へ【へ】**《音》長音階のハ調のファにあたる音(おん)。F音。

**へ**《感》①〔話〕まったく初耳であるときに発することば。「『電話しておいてくれた?』『へ(↓)、なんのこと?』」⇨ええ③ⓐ。②〔俗〕↑へい《感》。

****へ**《格助》〔発音は「エ」〕①動作・作用の向かう方向をあらわす。「右から来て左―通りすぎる・大統領、ロンドン―〔=ロンドンへ出発する〕・先生―の〔=にあてた〕手紙」②事態の向かう方向をあらわす。「〔記事の見出しで〕法案、成立ー〔=成立が近づいた〕・解決ー」 一歩前進」 ③動作・作用の行きつく地点をあらわす。に。「京都駅ー着いた」 区別 ⇩に[一]。 表記 花輪や役者へのおくりものなどで「:江」とも。「○○さん江(『賛江』とも)・○○丈江」 アク ウシへ・ネコへ・イヌへ。

**べ**《終助》〔東日本方言/俗〕↑べえ。「来たー・だれだー〔=だれですか〕」 ☞っぺ。

**べ**〔辺〕[造]〔文〕ほとり。あたり。「浜ー」

**ぺ** [接尾]〔視覚語〕↑ページ[二]。「十三ー」

**ヘア**〔hair〕①〔美容・理髪で〕髪。頭髪。「ースタイル・ーブラシ・ーケア」 ②陰毛。アンダー ヘア。「ーヌード」 ▽ヘアー。ヘヤー。

**ベア** ↑ベースアップ。

**ベア** [造]〔bare〕むき出しであるようす。「ーワンピ〔=肩や胸もとを露出したワンピース〕」 ☞ベアトップ・ベアバック。

☆☆**ペア**〔pair〕①二つで ひと組みに なるもの。対。おそろい。「ースタイル・ールック・ーリング」 ②〔ふたりで ひと組みの〕組。「ーを組む・フィギュアスケートのー(↔シングル・アイス ダンス)」 ③ふたりで こぐボート(レース)。

**ペア**〔pear〕洋ナシ。西洋ナシ。ペアー。

**ヘアアイロン**〔hair iron〕かみの毛をはさんで熱しながら形を作る、V字形のアイロン。☞こて(鏝)③。

**ヘアアレンジ**〔hair arrange〕髪型をうまくくふうすること。ヘアアレ〔俗〕。「簡単ー」

**ヘアカラー**〔haircoloring〕かみの毛の内部まで染める染色剤。☞ヘアマニキュア。

**ヘアスプレー**〔hair spray〕かみの毛に霧のようにふきかけて、形が くずれないようにするもの。

**ヘアダイ**〔hair dye〕〔古風〕毛を染めること。毛染め。ヘア カラー。

**ベアてん**「ベア天」〔ベア↑ベア糸《=むき出しの合成繊維》。天↑天竺木綿〕綿にポリウレタンを入れて編んだ生地。「ーのTシャツ」

**ベアトップ**〔和製 bare top〕《服》胸よりも上をあらわにした、女性の服。肩ひもはあってもいい。「ーのドレス」

**ヘアトニック**〔hair tonic〕頭皮にふりかけて使う、かおりのいい液体の養毛剤。

**ヘアドネーション**〔hair donation〕病気や事故で髪を失った子どもに、かつらを作って寄付すること。また、そのために髪を提供すること。

**ヘアドライヤー**〔hair dryer〕(熱い)空気をふき出させて かみの毛をかわかす道具。ドライヤー。

**ベアバック**〔bare back〕《服》女性の服の せなかが大きく あいているスタイル。

**ヘアバンド**〔hair band〕髪をととのえたり、髪かざりにしたりするために、頭に まくバンド。

**ヘアピース**〔hairpiece〕洋髪の、部分かつら。つけ毛。

**ヘアピン**〔hairpin〕①女性の髪の形を整えるためのピン。②↑ヘアピン カーブ。●**ヘアピン カーブ**〔和製 hairpin curve〕道路で、するどくU字形に折れ曲がったカーブ。ヘアピン。

**ヘアマニキュア**〔hair manicure〕かみの毛の表面を染める染色剤。☞ヘアカラー。

**ヘアメイク**〔和製 hair make〕髪型をととのえ〔=ヘアスタイリング〕、顔のけしょうをする〈こと/仕事〉。

**ヘアリキッド**〔和製 hair liquid〕ねばりけの強い、液体の整髪料。リキッド。

**ベアリング**〔bearing〕機械の軸を支える装置。軸受け。

**ペアリング**《名・自他サ》〔pairing〕①〔子孫をふやすために〕動物の雄と雌をひと組みにして飼育すること。②動物が交尾すること。③電子機器どうしを無線でつなぐこと。④ある食べ物によく合う酒〔特に、ワイン〕をえらんで組み合わせること。☞マリアージュ①。

**ペアレント**〔parent〕①親。②ユースホステルの世話人。▽ペアレンツ(parents=両親)。

**ヘアローション**〔hair lotion〕かみの毛に ふりかけ、マッサージするための、けしょう水。ローション。

**へい**[丙]①十干の第三。乙の次。ひのえ。②〔甲・乙に対して〕三番目(のもの)。また、第三位の等級。「ー種」

**へい**[平]〔視覚語〕↑平成。「ー7」

**へい**[兵]①〔文〕軍勢。軍隊。「ーを進める」 ②〔文〕軍事。戦い。「敗軍の将は、ーを語らず」 ③《軍》軍隊の階級を大きく三つに分けたときの、いちばん下の階級(の者)。兵卒。〔旧日本軍では、上から兵長・上等兵・一等兵・二等兵〕(↔士官・下士官) ●**兵を〈挙げる/起こす〉** [句]〔文〕軍勢を集めて、戦いを始める。●**兵を収める** [句]〔文〕戦いをやめる。●**兵を構える** [句]〔文〕①挙兵する。②戦う。「敵とー」 ●**兵を催す** [句]〔文〕〔戦いを始めるために〕軍勢を集める。

**へい**[閉][一]〔文〕エレベーターなどのドアや、光ディスクのトレーなどを閉じることをあらわす文字。[二][造] 閉じられた。「ー回路」 ▽[一][二](↔開)

**へい**[塀]〔中が見られないように〕家・土地の さかいに作った しきり。おもに、板の へい。「ーの中〔=刑務所内〕」

**へい**[弊]〔文〕[一] 習わしとなった、悪いこと。「多年のーを改める」 [二] [接頭] わたくしどもの。手前どもの。「ー商会」〔「当」より さらに けんそんした言い方〕(↔貴) 区別 ⇩当社①。

**へい**《感》〔俗〕感動詞「はい」の変化したことば。もと、商人・子分などが使った。へえ。へ。

**ヘイ**《感》〔hey〕〔話〕気どった呼びかけのことば。おい。やあ。ちょっと。「ー、タクシー」

＊**べい**[米]①↑米国。「日ー・訪ー」 ②↑米州。「南ー」

**べい**《終助》〔東日本方言/俗〕⇩べえ。

**ベイ** [造]〔bay〕湾。入り江。「ーエリア」

**ペイ**〔pay〕[一]《名・自他サ》①報酬。賃金。「ーは八千円だ」 ②しはらうこと。[二]《名・ナダ》割に あうこと。もうかること。「ーしない仕事」 [三]〔(Pay)〕[造] スマートフォン決済の名前に使う ことば。

**へいあん**[平安][一]〔文〕無事でおだやかなこと。「ーに暮らす」 [二]《歴》↑平安時代。「ーの昔・ー文学」 ●**へいあん きょう**[平安京]《歴》平安時代の都。今の京都市。●**へいあんじだい**[平安時代]《歴》今の京都市に都があって、天皇がおさめていた時代。平安朝。〔七九四~一一八五〕 ●**へいあんちょう**[平安朝]《歴》①平安時代の朝廷

②平安時代。

へいい【平易】《名・ナダ》〔文〕〔理解・解釈するのに〕やさしいようす。「―に解説する・―な試験問題・―簡明」派―さ。

へいいはぼう【弊衣破帽】〔文〕ぼろぼろの衣服とやぶれた帽子。特に、旧制高等学校の生徒が好んだ服装。

へいいん【兵員】《軍》兵士(の数)。

へいいん【閉院】《名・自他サ》〔文〕①病院や少年院などを閉鎖すること。②病院などが、その日の仕事を終えること。「―時刻」▽(↔開院)

へいえい【兵営】〔文〕兵舎のある構内。

へいえい【併映】《名・他サ》〔文〕映画会や映画の興行で、おもな映画といっしょに映す〈こと/もの〉。

へいえい【併営】《名・他サ》〔文〕本業のほかの業務も取りあつかうこと。「信託―の銀行」

へいえき【兵役】ある期間、兵隊になること。「―の義務」

へいえん【閉園】《名・自他サ》①遊園地や動物園などが、その日の入場をうちきること。「午後五時―」②遊園地や幼稚園などを閉鎖すること。▽(↔開園)

べいえん【米塩】〔文〕米や塩。生きるのに必要な食べ物。「―に窮する・―の資(=生活費)」

ペイオフ〔pay-off〕《経》経営破綻した金融機関に代わって、預金保険機構が預金をはらいもどすこと。一般の預金では、元本一千万円と、その利子を限度とする。

へいおん【平穏】《名・ナダ》何事もなく、おだやかなこと。「―を保つ・―を取りもどす・―無事」派―さ。

へいか【平価】《経》証券の価格が額面の金額に等しいこと。パー。「社債の―発行」

へいか【兵火】〔文〕戦争(の ための火災)。「―の ちまた」

へいか【兵家】〔文〕軍隊をひきいて戦う人。軍人。「勝敗は―の常」

へいか【陛下】①天皇・皇后・皇太后などを尊敬して(下につけて)呼ぶ名。「天皇―」②国王・皇帝などを尊敬して(下につけて)呼ぶ名。③多く、「天皇陛下」の略。「―の おことば」

へいか【△瓶花】《華道》投げ入れ(をした花)。

へいか【閉架】〔図書館で〕利用者が書架から自由に本を取り出せないこと。請求して本を取り出してもらう。「―式」(↔開架)

へいか【併科】《名・他サ》《法》二つ以上の刑を科すこと。「懲役と罰金を―する」

へいか【併課】《名・他サ》〔文〕〔税などの義務を〕二つ以上あわせて課すこと。

べいか【米価】米の値段。「―引き上げ」

べいか【米菓】〔文〕あられ・おかき・せんべいをまとめて呼ぶことば。

べいか【米貨】〔文〕アメリカの お金。

へいかい【弊会】〔文〕「自分の〈会/協会/委員会〉」の謙譲語。

へいかい【閉会】《名・自他サ》会議や集会〈が終わること/を終えること〉。(↔開会)

☆☆へいがい【弊害】何かをしたために〈生じる/ほかのものにおよぼす〉害悪。「―が あらわれる」

へいがく【兵学】兵法を研究する学問。

へいがく【弊学】〔文〕「自分の大学」の謙譲語。「―の研究活動」

へいかつ【平滑】《名・ナダ》たいらで なめらかなようす。「表面の―な石」派―さ。

へいかん【弊館】〔文〕「自分の〈館/建物〉」の謙譲語。

へいかん【閉館】《名・自他サ》①図書館・博物館などが、その日の仕事を〈休む/終える〉こと。「月曜日―」②図書館・博物館などを閉鎖すること。▽(↔開館)

へいがん【併願】《名・他サ》受験のさい、いくつかの学校を同時に志願すること。(↔単願・専願)

へいき【兵器】戦いに使う機器や資材。「核―・化学―」〔自衛隊では「装備品」と言う〕●へいきしょう【兵器×廠】《軍》兵器の買い入れ・保存・修理をあつかうところ。

へいき【併記・並記】《名・他サ》いっしょに ならべて書くこと。「両案を―する」

へいき【平気】《名・ナダ》①おちついて変わりがないようす。「―をよそおう」②気にしないようす。「人を待たせても―でいる」③からだに異常がないようす。「生水を飲んでも―だった」④〔俗〕心配がないようす。だいじょうぶ。「地図がなくても―かな」⑤〔―で〕〔俗〕簡単に。「相場が五円ぐらいは―で動いている」派―さ。●へいきのへいざ【平気の平左】少しも気にかけないこと。「何を言われても―だ」由来「平気」を強調して人名のようにした「平気の平左衛門」の略。

へいきゅう【併給】《名・他サ》〔文〕いっしょに〈支給/給付〉すること。「年金を―する」

へいきょ【閉居】《名・自サ》〔文〕家に とじこもること。「終日、自宅に―する」

へいぎょう【閉業】《名・自他サ》〈営業/事業の経営〉をやめること。(↔開業)

へいきょく【平曲】⇩平家琵琶。

へいきょく【閉局】《名・自他サ》①郵便局・放送局などを閉鎖すること。「今月かぎりで―」②郵便局・放送局などが、その日の仕事を〈休む/終える〉こと。▽(↔開局)

*へいきん【平均】《名・他サ》〔=ならすこと〕①〔からだなどの〕つりあい。「―を取る」②《数》多くの数量の中間の値(を、計算して出すこと)。特に、相加平均。「―値・―点」●☆☆へいきんじゅみょう【平均寿命】《医》年齢ごとの死亡率の統計から割り出して、零歳の赤ちゃんの寿命を予想した数字。「―八十歳」●へいきんだい【平均台】体操で、からだの平均を取る運動で使う、角柱の両はしに脚のついた体操用具。また、それを使ってする、女子の体操競技の種目。●へいきんよめい【平均余命】《医》ある年齢の人がその後いくつまで生きたか、という統計から予想した、年齢ごとの、死ぬまでの生存期間。へいきんよみょう。

ベイクド園〔baked〕焼き上げたもの。ベークド。ベイクト。「―ポテト・―チーズケーキ・―ビーンズ〔=トマトソースで煮た豆〕」

へいけ【平家】《歴》⇩平氏。●へいけがに【(平家×蟹】カニの一種。甲羅の表面は人の顔に似ている。瀬戸内海で多くとれる。●**へいけびわ**【平家×琵×琶】平家物語を琵琶にあわせて語る、語り物。平曲。●**へいけぼたる**【平家蛍】ゲンジボタルより小型の、体長一センチほどのホタル。

**へいけい**【閉経】《名・自サ》〔生〕更年期になって、月経〔=生理〕がなくなること。

**へいげい**【×睥×睨】《名・他サ》〔文〕まわりをにらみつけて、威力をしめすこと。「天下を―する」

**へいけつ**【併結】《名・他サ》〔文〕行き先のちがう列車を連結して、一つの列車にすること。

**へいげつ**【平月】〔ボーナスの出ない〕ふだんの月。「―の返済は三万円」

**へいけん**【兵権】〔文〕軍事の権力。

**へいげん**【平原】たいらな野原。平野。

**べいご**【米語】〔文〕アメリカ英語。

☆☆**へいこう**【平衡】〔文〕つりあい。「―を保つ」●**へいこうかんかく**【平衡感覚】①〔医〕からだのかたむきぐあいや、速度の増加・減少などを感じる感覚。②ものごとを、バランスをとって〈見る/判断する〉能力。「―のすぐれた人」

**へいこう**【弊行】〔文〕「自分の銀行」の謙譲語。〔↔貴行・御行〕

↑**へいこう**【並行・併行】《名・自サ》①並んで進むこと。「二隻の船が―する」②並んでのびること。「道路〈に/と〉―する鉄道」③それぞれが同時(期)に〈おこなわれる/起こる〉こと。「二つの作業を―して進める・同時―」④それぞれが同じような変化・特徴を示すこと。「二つの―する事実・―的な関係」表記②～④「平行」とも。ただし「同時並行」は「並行」が多い。●**へいこうゆにゅう**【並行輸入】《名・他サ》外国の商品を、独占契約で輸入している国内店とは別に、他国の独占契約店から安く輸入すること。「―店」

↑**へいこう**【平行】《名・自サ・ナダ》①〔数〕二つの直線が同じ平面にあって、どこまでのばしてもまじわらない〈こと/ようす〉。また、平面と平面、平面と直線が、どこまでのばしてもぶつかり合わない〈こと/ようす〉。「二本の―〈する/な〉線」②⇩並行②～④。●**へいこうしへんけい**【平行四辺形】〔数〕向かい合う二組の辺が、それぞれ平行な四角形。●**へいこうせん**【平行線】①〔数〕たがいに平行する直線。②話し合いがつかないままで対立がつづくこと。「―をたどる・―に終わる」●**へいこうぼう**【平行棒】体操で、回転やさか立ちなどをするために、二本の平行する棒で作った体操用具。また、それを使ってする、男子の体操競技の種目。

☆☆**へいこう**【閉口】《名・自サ》〔=口をとじて何も言わない〕すっかり困ること。まいること。「暑さに―した」●**へいこうとんしゅ**【閉口頓首】《名・自サ》〔文〕すっかり降参すること。お手上げ。「妻にしかられて―」

**へいこう**【閉校】《名・自他サ》①〔文〕学校や教室が経営をやめること。②学校や教室がその日の仕事を休むこと。「一月の教室―日」▽〔↔開校〕

**へいこう**【閉講】《名・自他サ》〔文〕講義や講習会〈が終わる/を終える〉こと。「―式」〔↔開講〕

**へいごう**【併合】《名・自他サ》〔文〕あわせて一つにすること。

**べいこく**【米国】⇩アメリカ合衆国。

＊**べいこく**【米穀】〔文〕米。●**べいこくねんど**【米穀年度】米の取り入れの時期をもとにした年度。十一月～翌年十月。

**べいごま**【ベイゴマ】⇩ベーゴマ。

**へいこら**《副・自サ》〔こら←これは〕〔俗〕ぺこぺこ頭を下げて、相手の言うとおりになるようす。へえこら。へいへい。

**へいさ**【閉鎖】《名・自他サ》①〔戸などを、はいれないように〕とざすこと。しめきること。「校門を―する・―(型)社会」〔↔開放〕②〔施設をとざして〕仕事・活動をやめること。「工場〈を/が〉―する・学級―・ウェブサイト―」③とじること。「弁が―する・食道が―する」●**へいさてき**【閉鎖的】《ナダ》人を受け入れないようす。「―な態度」〔↔開放的〕

**へいさい**【併催】《名・他サ》〔主となるものと〕いっしょに、ほかのもよおしをひらくこと。

**へいさい**【併載】《名・他サ》〔主となる作品などと〕いっしょに、雑誌などにのせること。

**べいざい**【米材】北アメリカから輸入する木材。

**べいさく**【米作】①米の栽培。②米の作柄。▽稲作。

**へいさつ**【併殺】《名・他サ》《野球》⇩ダブルプレー。

**へいざん**【閉山】《名・自他サ》①登山の期間が終わり、山にのぼらせないようにすること。②炭鉱などの鉱山の事業をやめること。▽〔↔開山〕

**べいさん**【米産】①米の生産。「―地・―県」②アメリカ産。「―レモン」

**へいし**【平氏】《歴》平の姓を名のる一族。平家。〔↔源氏〕

**へいし**【兵士】階級の低い軍人。特に「兵③」のこと。兵卒。兵隊。「出征―」

←**へいし**【弊紙】〔文〕「自分の新聞」の謙譲語。

→**へいし**【弊誌】〔文〕「自分の雑誌」の謙譲語。

**へいし**【閉止】《名・自サ》①弁などを閉じてとめること。「配管の―」②《生》はたらきがなくなること。「月経―〔=閉経〕」

**へいし**【×斃死】《名・自サ》①〔文〕のたれ死に。②魚介類などが病気や環境悪化で死ぬこと。「サザエの大量―」

**へいじ**【平時】〔文〕①戦争や災害などがない、平穏なとき。〔↔戦時・有事〕②平常時。ふだん。「―の血圧」

**へいしき**【閉式】《名・自サ》〔文〕式を終えること。〔↔開式〕

**へいしつ**【閉室】《名・自他サ》①よその人が、その部屋に出はいりできない状態にすること。「日曜―」②呼び名に「室」などのつく組織を閉じて仕事や活動をやめること。「三月末日をもって―いたします」▽〔↔開室〕

**へいじつ**【平日】土曜・日曜・祝日以外の、ふつうの日。ウイークデー。「―ダイヤ」

**へいしゃ**【兵舎】兵隊がねおきする建物。

☆☆**へいしゃ**【弊社】「自分の〈会社/神社〉」の謙譲語。〔↔貴社・御社〕区別⇩当社①。

☆☆**べいじゅ**【米寿】(数え年の)八十八歳(の祝い)。

由来「八十八」をつめて書くと「米」と読めることから。

**へいしゅう**［弊習］〔文〕よくない習慣。

**へいしゅう**［併収］《名・他サ》〔文〕(主となる作品と)いっしょに、一冊の単行本におさめること。

**べいしゅう**［米収］〔文〕米の収穫。「一高」

**べいしゅう**［米州］⇩アメリカ②。

**へいじゅん**［平準］〔文〕水準のちがいによる差がないこと。「生活の一化」

**へいしょ**［兵書］〔文〕①兵学の書。②軍隊で使う、軍事に関係のある書物。

**へいしょ**［閉所］〔文〕━ 出口のない、とじられた場所。━《名・自他サ》事務所・出張所などが、事務をとるのをやめること。(↕開所) ●**へいしょきょうふしょう**［閉所恐怖症］《医》強迫性障害の一つ。しめきった場所〔たとえばエレベーターの中〕にいることを非常におそれる。閉所恐怖。

**へいしょ**［弊所］〔文〕「自分の事務所・研究所」などの謙譲語。

**へいじょ**［平叙］《名・他サ》〔文〕事実を、そのとおりに説明してのべること。「一文〔=疑問や命令をあらわす文に対して、事実をのべるだけの文〕」

**へいしょう**［併称・並称］《名・他サ》〔文〕(すぐれたものとして)二つのものをならべて呼ぶこと。「空海と一される最澄」

**へいじょう**［平常］いつもの状態。ふだんと変わらない状態。「一の生活・一時」 ●**へいじょうしん**［平常心］ふだんと変わらないで行動できる、おちついた心。 ●**へいじょうてん**［平常点］ふだんの、授業のときの生徒の態度でつける点数。

**へいじょう**［閉場］《名・自サ》①会場をとじて、人を入れないようにすること。②劇場などが、営業をやめること。▽(↕開場)

**へいじょうきょう**［平城京］《歴》奈良時代のみやこ。今の奈良市とその付近。へいぜいきょう。

**べいしょく**［米食］《名・自サ》米を(主食として)食べること。「一をやめてパン食にする」

**へいしん**［平信］〔文〕〔急ぎの用件などでない〕ふつうのたより。〔封筒の表書きに書く〕

**へいしん**［並進・併進］《名・自他サ》〔文〕たがいに横にならんで進むこと。「自転車が一する」

**へいしんていとう**［平身低頭］《名・自サ》からだを前に折り、あたまを、たたみにこすりつけるようにして下げること。「一して わびる」

**へいすい**［平水］〔文〕①ふだんの水かさ。「一時」②波のおだやかな水面。「一区域〔=湖や川、湾内など〕」

**ペイズリー**〔paisley〕まが玉ふうのプリント柄。ネクタイ・スカーフなどの模様として用いられる。ペーズリー。

****へいせい**［平成］①昭和の次、令和の前の年号〔一九八九年一月八日～二〇一九年四月三十日〕。〔略記して「H23」「平23」などと書く〕由来 中国の「史記」の「内平らかに外成る」、「書経」の「地平らかに天成る」から。②平成時代。「一の大横綱」

**へいせい**［幣制］〔文〕お金の制度。「一改革」

**へいせい**［弊政］〔文〕弊害の多い政治。「一に苦しむ」

**へいせい**［平静］《名・ナダ》〔態度や状態が〕おだやかでふだんと変わらないようす。「心の一を失う」派 -さ。

**へいぜい**［平生］ふだん。いつも。「一の おこない・一おとなしい人間ほど、いざとなると…」

**へいせつ**［併設］《名・他サ》主となるものにあわせて〈設備/設置〉すること。

**へいせつ**［閉設］《名・他サ》活動のための〈拠点/窓口〉を閉じること。「ブログーのごあいさつ」(↕開設)

**へいぜん**［平然］《タルト》平気なようす。「一たる態度」派 -さ。

**へいそ**［平素］〔文〕ふだん。日ごろ。「一の おこないが大切だ・一の ごぶさたをおわび申し上げます・一より当社への格別のご支援をたまわり…」〔手紙でよく使う ことば〕

**へいそう**［兵曹］《軍》旧海軍の下士官の階級。「上等一・一等一・二等一」 ●**へいそうちょう**［兵曹長］《軍》旧海軍の軍人の階級の一つ。士官と下士官の間。〔旧陸軍の准尉とともに、准士官と言う〕

**へいそう**［並走・併走］《名・自他サ》〔文〕いっしょにならんで走ること。「二人が首位を一する・二つの路線が一する」☞伴走。

☆☆**へいそく**［閉塞］《名・自他サ》〔文〕閉じて〈ふさぐ/ふさがる〉こと。閉鎖。「腸一・一した時代」

**へいぞく**［平俗］《名・ナダ》〔文〕すぐれたところがなく、通俗的なようす。派 -さ。

**へいそつ**［兵卒］《軍》⇩兵③。☞一兵卒。

**へいそん**［閉村］《名・自他サ》〔文〕村としての仕事をやめること。「選手村の一式」(↕開村)

**へいぞん**［併存・並存］《名・自サ》〔文〕いくつかのものが、いっしょに存在すること。〔伝統的には「へいそん」〕

**へいたい**［兵隊］①軍隊。「一に取られる〔=軍務に服する〕」②兵士。兵。「一の位」③〔俗〕下っぱ。平社員。 ●**へいたいかんじょう**［兵隊勘定］〔古風〕⇩わりかん①。

**へいたん**［兵站］《軍》兵員・軍需品の輸送や補給。ロジスティ(ッ)クス。「一部」

**へいたん**［兵端］〔文〕いくさの〈はじめ/いとぐち〉。 ●**兵端を開く** 句〔文〕いくさを始める。

**へいたん**［平坦］《名・ナダ》①土地・道路がたいらなこと。「一部」②平穏。「前半生は決して一ではなかった」派 -さ。

**へいたん**［平淡］《名・ナダ》〔文〕特別に変わったところもなく、あっさりしていること。「一な味わい」派 -さ。

**へいだん**［兵団］《軍》いくつかの師団をあわせた部隊。

**へいち**［平地］たいらな土地。ひらち。(↕山地) ●**平地に波乱を起こす** 句 わざと めんどうなことを言い出して もめごとを起こす。

**へいち**［併置］《名・他サ》二つ以上のものを同じ所に設置すること。「本社と研究所を一する」

**へいちゃら**［平ちゃら］《ナダ》〔俗〕平気。へっちゃら。

**へいちょう**［兵長］《軍》もと陸軍で、兵の階級のいちばん上。上等兵の上。

**へいちょう**［閉庁］《名・自他サ》〔文〕今まであった官庁・市庁の事務をやめること。「一日」(↕開庁)

**へいてい**［閉廷］《名・自サ》その日の公判を終わること。(↕開廷)

**へいてい**［平定］《名・自他サ》〔文〕敵や賊などを討

うち、しずめること。「天下を―する」

へいてん【弊店】〔文〕「自分の店」の謙譲語。小店。区別⇩当社①。

へいてん【閉店】《名・自他サ》①その日の営業をやめて、店をしめること。②店をやめること。また、改装などのために一時的に店をしめること。「―セール」▽店じまい。(↔開店)

ヘイト〔hate=にくしみ〕①にくしみから来る、差別的・犯罪的な行為。「―団体・―クライム〔=差別にもとづく犯罪〕」②↑ヘイト スピーチ。●ヘイトスピーチ〔hate speech〕にくしみから来る、差別的な発言・表現。憎悪表現。ヘイト。

へいどく【併読】《名・他サ》〔文〕ほかのものといっしょに〈読む/読み進める〉こと。

へいどん【併×呑】《名・他サ》〔文〕強い国などが弱い国などを自分の勢力下に入れること。

へいねつ【平熱】(その人の)ふだんの体温。

☆☆へいねん【平年】①ふつうのとし。「〔天〕―値〔=過去三十年間の数字を平均した、気象上の数値〕」②閏年ではない年。●へいねんさく【平年作】〔農〕過去五年間の収穫にもとづいてわり出した、平均的な収穫高とほぼ等しい、平年なみの作柄。

へいねんど【平年度】特別の変化のない、いつもの年度。

へいば【兵馬】〔文〕①兵士と軍馬。「―倥偬〔⇩倥偬〕」②軍備。軍隊。●へいばの けん【兵馬の権】〔文〕軍事上の権力。

ペイパービュー〔pay-per-view〕見た番組ごとに料金をはらう有料テレビの方式。PPV。

へいばい【併売】《名・他サ》①ちがった種類の物をいっしょに売ること。「新刊書と古書を―する」②同じ商品を複数の会社が売ること。

へいはく【幣×帛】〔文〕神前に供える物。ぬさ。「―料〔=玉串料〕」

べいばく【米麦】〔文〕米と麦。穀物。

☆☆へいはつ【併発】《名・自他サ》①〔医〕ほかの病気がもとでその病気にかかること。「かぜから肺炎を―する」②〔文〕ほかのものといっしょに〈起こる/起こす〉こと。

へいはん【平版】インクをつけて印刷する部分がたいらな印刷版。水と油のはじきあう性質を利用する。「―印刷」☞オフセット・石版。

へいばん【平板】《名・ナダ》①たいらな〈板/こと〉。②変化にとぼしくて、おもしろみがないようす。「―な描写」③〔言〕〔最初に音が上がったまま〕急激に下がるところのないアクセント。平板〈式/型〉アクセント。派―さ。

べいはん【米飯】〔文〕米のめし。

へいび【兵備】〔文〕戦争のための準備。軍備。

ベイビー〔baby〕㊀ベビー。㊁《感》〔話〕若い男性が、親しく思う女性に気取って呼びかけることば。ベイベー〔俗〕。

へいふう【弊風】〔文〕悪い〈風習/風俗〉。「―を打破する」

☆☆へいふく【平服】ふだんの衣服。ふだんぎ。〔会合では、スーツやワンピース、訪問着、ふりそでなどをさす〕「―でお出かけください」(↔礼服)

へいふく【平伏】《名・自サ》ひれふすこと。

へいぶん【平文】⇩ひらぶん。

へいへい ㊀《感》〔俗〕感動詞「へい」をかさねたことば。㊁《副・自サ》へいこら。

へいべい【平米】〔「米」は、メートルの当て字〕平方メートル。へいべ。

ぺいぺい〔俗〕地位が低く、じゅうぶんに仕事ができない者をかろんじて言うことば。ぺえぺえ。〔けんそんする場合にも使う〕

へいへいたんたん【平々坦々】《トタル》〔文〕非常に平坦なようす。「―たる広い道」

へいへいぼんぼん【平々凡々】《トタル・ナダ》まったく平凡なようす。「―と暮らす」

べいべつ【×袂別】《名・自サ》〔=たもとを分かつ〕〔文〕①絶交。「師との―」②別れること。▽決別。

へいほ【弊舗】〔文〕弊店。

へいほう【平方】《数》①⇩にじょう(二乗)①。②正方形の面積。「百メートル―〔=一辺が百メートルの、正方形の面積〕」③面積の単位。「百―メートル」

●へいほうこん【平方根】《数》ある数を二乗して得た数に対する、もとの数のこと。例、九の平方根は、三とマイナス三。「―をもとめる」

へいほう【兵法】①軍隊の運用や戦略についての方法。②武術。▽ひょうほう。

へいぼん【平凡】《名・ナダ》ふつうで、〈変わった/すぐれた〉ところがないようす。「―に生きる・―な作品」(↔非凡)派―さ。

へいまく【閉幕】《名・自サ》①(幕が下りて)演劇などが終わること。②ものごとが終わること。「議会―・―試合」▽(↔開幕)

へいみゃく【平脈】〔医〕ふつうの脈拍。

へいみん【平民】①(官位のない)ふつうの人民。庶民。「―宰相〔=華族出身でない総理大臣、原敬〕」②もと、戸籍に書いた身分の区別の一つ。士族の下。

へいめい【平明】《名・ナダ》〔文〕〔用語・内容が〕わかりやすいようす。「―な文章」派―さ。

へいめん【平面】たいらな表面。(↔立体)●へいめんず【平面図】《数》真上から見おろした形にかいた図面。●へいめんてき【平面的】《ナダ》①平面の感じをあたえるようす。②表面だけを見てすませるようす。▽(↔立体的)

へいもん【閉門】《名・自サ》①門をとじること。「―四時半」(↔開門)②江戸時代、外から門をとじて出入りを許さず、謹慎させた刑罰。

へいや【平野】〔地〕低く平らで、広々とした土地。「関東―」

へいゆ【平癒】《名・自サ》〔文〕病気が治って、からだがふつうの状態になること。全快。

へいよう【併用】《名・他サ》①(何かと)あわせて、いっしょに使うこと。「二種の辞書を―する」②兼用。「日記―家計簿」

へいらん【兵乱】〔文〕戦争で世の中がみだれること。「―が続く」

へいり【弊履】〔文〕破れたぞうり。ねうちのないもののたとえ。●弊履のごとく捨てる 句〔文〕おしげもなく捨てる。

**ベイリーフ** [bay leaf] ⇩ローリエ。

**へいりつ** [並立]《名・自サ》〔文〕対等にならびたつこと。●**へいりつご** [並立語]〔言〕文の成分の一つ。対等にならぶ文節の前がわ〈うしろがわをふくむ場合もある〉。例、「雨や風が強い」の「雨や」（と「風が」）。

**へいりゃく** [兵略]〔文〕戦略。軍略。「一家か」

**へいりょく** [兵力]〔武器の量・兵隊の数などであらわした〕軍隊の力。「一削減さくげん」

**へいれつ** [並列]《名・自他サ》①同じ資格で〈並ぶ/並べる〉こと。「語句を一させる」②〔理〕いくつかの電池・電球などを横ならびにするつなぎ方。「一回路」▽(↔直列)

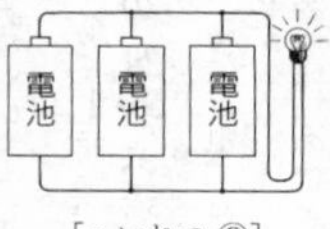

[へいれつ ②]

**へいろく** [併録]《名・他サ》〔文〕主となるものといっしょに、本やアルバムの中におさめること。「単行本に一された作品・一曲」

***へいわ** [平和]《名・ダナ》①争いなどがなく、おだやかなこと。「一国家・一(的)解決(=武力によらない解決)」②争いなどを好まないようす。「一な民族」派ーさ。●**へいわきょうぞん** [平和共存] 考えのちがう国々がたがいに平和にやっていくこと。へいわきょうそん。

**ペインクリニック** [pain clinic]〔医〕神経の痛み(=ペイン)から起こる治りにくい病気の治療ちりょうをする、医学・医療いりょうの一部門。

**ペインティング** [painting] ①絵をえがくこと。「ボディーー」②ペンキをぬること。

**ペイント** [paint] ①ペンキ。②塗料とりょう。

**へえ**《感》□一〔話〕それまで知らなかったことに対する、おどろき・感心・うたがいなどの気持ちをあらわすことば。「へえ(⤴)、よく知ってるね」〔そのときの調子で、「へえー」「へーえ」「へっ」などとも言う〕✓(1)ふつう、自分のことには言わない。『最高得点はあなたでした』『へえ』はおかしい。(2)目上に言うのは失礼。区別「ふうん」よりも「へえ」のほうが、おどろきかたが大きい。□二へぇ〔俗〕⇩へい《感》。

**べえ**《終助》〔↑「べし」の連体形「べき」〕〔東日本方言〕〔俗〕意志・推量・勧誘かんゆう・問いかけなどをあらわす。べ。べい。〔助動詞の「う・よう」にあたる〕「行くー・よかんべ(=いいだろう)」☞っぺ。

**べー**《感》〔話〕あかんべーのように、口から舌をべろりと出すときに言うことば。「お前なんか きらいだ、べー(⤵)」

**ベーカリー** [米 bakery] パンを作って売る店。ブーランジェリー。

**ベーキングパウダー** [baking powder] パン・菓子かし・ビスケット類をふくらませるために入れる粉。ふくらし粉。

**ベークライト** [Bakelite=商標名]〔理〕世界で初めて作られた合成樹脂じゅし。日用の器具や電気の絶縁ぜつえん物に使う。フェノール樹脂。

**ベーグル** [bagel] 生地きじをゆでてから焼いた、ドーナツ形のパン。「もちもちのー」

**べーごま** [べーゴマ]〔↑ばいごま(貝独楽)〕ひらたい、小さな鉄製のこま。昔、よく子どもがぶつけ合って遊んだ。ベイゴマ。由来 巻き貝の貝がらに似せて作ったことから。

**ベーコン** [bacon] ブタなどのせなかや腹の肉を塩につけて燻製くんせいにした食べ物。「ーエッグ(=ベーコンをそえた目玉焼き)」

****ページ** [(:頁)] [page] □一ページ ①書物・帳面などの紙の片面。〔新聞では「面」と呼ぶ〕「ーをめくる・ーを繰くる」②段階。展開。「科学史に新たなーを〈加える/刻む〉(=新しい時代をひらく)」☞一ページ。③〔情〕↑ウェブ ページ。「トップー」□二ページ 接尾 書物・帳面などの紙の片面(が、全部でいくつあるか)を数えることば。〔なまって、ペーシ〕「二百ーを見よ・二百ーをこえる本」〔記号として「ぺ」や「p.」「pp.」「P」などを使う。「六〇ぺ」「p.60」「pp.60-65」「オールカラー128P」〕由来 漢字は、紙などを数える「葉よう」と同音の「頁」を「ページ」に当てたもの。●**ページビュー** [page view]〔インターネットで〕ホームページのあるページが、一定期間に何回見られたかという数字。PV。「月平均三〇〇万(の)ー」

**ページェント** [pageant] ①野外劇。②野外でおこなわれる大規模なもよおし。「航空ー」

**ベーシスト** [bassist]〔ジャズやロックなどで〕ベース奏者。

☆☆**ベーシック** □一《ダナ》[basic]〈基本的/基礎きそ的〉であること。「ーな学習・ーな服装」□二[BASIC]〔↑Beginner's All-purpose Symbolic Instruction Code〕〔情〕「プログラム□一①」のための言語の一種。初心者向けに開発されたもの。●**ベーシック インカム** [basic income] 最低限度の生活を送るためのお金(を行政が支給するという考え方)。BI。

**ベージュ** [フ beige] うすくて明るい茶色。

☆☆**ベース** [base] □一ベース ①基礎きそ。基本。「白をーにしたジャケット・豚骨とんこつ(が)ーのスープ」②基地。根拠こんきょ地。「ーキャンプ・ーにいる人」③〔野球〕ランナーが順々に走って通り、また帰ってくる所(をあらわすために置くもの)。塁るい。「ファースト・ホームー・ーカバー(=守備動作をするために、野手がベースにはいること)」□二 適 ①基本的なわく組み。「所得などを課税ー(=課税の基本となる対象)とする・連結ーの(=子会社などもふくめた)売上高・民間ー(=主体)の国際交流」②水準。「商業ーに乗る(=商売として採算が取れる水準になる)・賃金ー(=平均賃金)の引き上げを図はかる」③〔俗〕…を基本姿勢にすること。「本音ーで話す〔「本音で話す」とほぼ同じ〕・正直ーで言うと」●**ベースアップ**《名・自サ》[和製 base up] 賃上げ。ベア。●**ベースキャンプ** [base camp] 登山隊が根拠こんきょ地として使うキャンプ。前進基地。BC。●**ベースボール** [米 baseball] 野球。●**ベースライン** [baseline] ①基準となる線。特に、ⓐ〔テニス・バスケットボール〕競技場の短いほうの線。(↔サイド ライン) ⓑ〔野球〕塁るいと塁とを結ぶ線。②基準値。最低値。「売り上げ一割アップはーだ」

**ベース** [bass]〔音〕①コントラバス。ダブル ベース。「〔ジャズの〕ーマン」②男声の最低音域。バス。③〔同じ種類の楽器で〕最低音域の楽器(の担当)。コントラバスやベースギターなど。④〔合奏で〕おもにリズムの部分を受け持つ低音部。「ーを入れる」

☆☆**ペース** [pace] ①歩くときや走るときなどの速さ。② 仕事や作業を進める速さ。▽「ーが〈速い/おそい〉」③

(都合のいい)進め方や やり方。「自分の―で生きる」④有利な状況。「試合は相手(の)―で進んだ」
●**ペースダウン**《名・自他サ》〔和製 pace down〕ペースが〈落ちる/おそくなる〉こと。また、ペースを〈落とす/おそくする〉こと。「マラソンの後半で―した」 ●**ペースメーカー**〔pace maker〕①中・長距離競走などで、先頭を走り、他の選手が好記録を出すようなペースを作る選手。ラビット。②交渉・ストなどの先頭に立って、あとのモデルとなるもの。③《医》心臓の脈拍を、電流の刺激で正常に もどす装置。脈拍調整器。

**ペースト**〔paste〕[一]ペースト ①のり(糊)。②材料をすりつぶして のり(糊)のようになめらかに仕上げた食べ物。「ごま―・たらこ―」 [二]ペースト《名・他サ》《情》〔コンピューターで〕データをはりつけること。☞カットアンドペースト・コピーアンドペースト。

**ベーゼ**《名・自サ》〔フ baiser〕〔文〕キス。接吻。

**ヘーゼルナッツ**〔hazelnut〕セイヨウハシバミの実。煎って食べたり、洋菓子の かざりや風味をつけるのに使う。「―クッキー」

**ペーソス**〔pathos〕哀愁。

**ベータ**〔B・β〕〔beta〕ギリシャ文字の二番目の字。ベーター。 ●**ベータせん**〔(β)線〕《理》放射線の一つ。高速で とぶ電子。アルミなどの金属板で さえぎることができる。☞α線・γ線。 ●**ベータばん**〔(β)版〕〔ソフトウエアの〕試用版。βバージョン。

**ベーチェットびょう**〔ベーチェット病〕〔Behçet=トルコの医師の名〕《医》口内炎や目の痛みなどに加えて、からだが痛んだり だるくなったりする難病。失明の危険もある。ベ病。

**ペーチカ**〔ロ pechka〕⇩ペチカ。

**ペーハー**〔pH〕〔←ド Potenz Hydrogen〕《理》⇩ピーエイチ。

**ペーパー**〔paper〕①紙。「トイレット―・―テスト(=筆答試験)・―ウエイト(=文鎮)」②文書。書類。「まだ―の段階だ・―を配付する・―ワーク(=書類を作ったりする仕事)」③書類の中にだけあること。「―カンパニー(=営業実態のない会社)・―取引」④論文。⑤レッテル。ペーパ。「マッチの―」⑥↑サンド ペーパー。「―をかける」⑦〔俗〕↑ペーパードライバー。 ●**ペーパークラフト**〔papercraft〕紙細工。紙工芸。 ●**ペーパータオル**〔paper towel〕紙製のタオル。「トイレの―」☞キッチンペーパー。 ●**ペーパータトゥー**〔paper tattoo〕〈はりつけ式/写し絵式〉のいれずみ。 ●**ペーパードライバー**〔和製 paper driver〕運転免許はあるが、実際には運転していない人。ペーパー〔俗〕。 ●**ペーパーナイフ**〔paper knife〕紙切り用のナイフ。 ●**ペーパーバック**〔paperback〕紙表紙の装丁(の、安い本)。ペーパー バックス。 ●**ペーパープラン**〔paper plan〕実際には おこなわれない計画。机上案。 ●**ペーパーレス**〔paperless〕情報の伝達や保存を電子機器でおこない、紙を使わないこと。「―化が進む」

**ペーブメント**〔pavement〕舗道。ペーブ〔古風〕。

**ぺえぺえ**〔俗〕⇩ぺいぺい。

**ベール**〔veil〕①女性が頭からかぶる、うすい絹の布。②女性が帽子の まわりに たらす〈網/うすい布〉。③とばり。「夜の―」④なぞ。秘密。「―に包まれた船・―をはぐ」▽ヴェール。

**ペール**〔pail〕バケツ形の入れもの。「アイス―」

**ペール** 造〔pale〕青白い。白っぽい。「―ピンク」

**へおんきごう**〔へ音記号〕《音》楽譜で へ音(F音)の位置を示す記号。「𝄢」。低音部記号。☞ト音記号。

**ペガサス**〔Pegasus〕〔ギリシャ神話で〕つばさのある馬。天馬。ペガスス。

**べからざる** 接尾〔文語助動詞「べし」の否定形から。連体詞をつくる〕〔文〕①…することが できない。「許す―おこない・当たる―勢い」②…しては いけない。「見る―ものを見る」▽べからぬ。

**べからず**《終助》〔文語助動詞「べし」の否定形から〕〔文〕〔…する〕な。…ては いけない。「この場所立ち入る―・団体旅行―集(=禁止事項集)」☞ざるべからず・なかるべからず。

**べかり**◇〔文〕文語助動詞「べし」の連用形の一つ。「酒は しずかに飲む―けり(=飲むべきであるなあ)」☞得べかりし。

**へき**〔癖〕くせ。「酔うと だきつく―がある・放浪―」

**へき**〔壁〕造〔文〕①かべ。「防火―」②かべのように(なって)囲むもの。「火口―・動脈―」③岩壁。「アイガー北―・アンナプルナ南―」

**べき**〔(×冪)・(×羃)〕《数》累乗。 表記 俗に「△巾」とも。

**べき**◇ [一]助動詞「べきだ」の連体形または語幹。「『辞任す―』と主張した」 [二]〔文〕文語助動詞「べし」の連体形。

☆☆**へきえき**〔×辟易〕《名・自サ》〔文〕いやになること。やめてほしくなること。閉口。「強い香水の においに―する・不毛な議論に―する」〔「辟易とする」《自サ》は、一九七〇年代から例がある形〕 由来 おそれて、その道を辟け(=避け)、場所を易えることから。

**へきえん**〔×僻遠〕《名・ナダ》〔文〕〔文化の中心から〕かたよって遠いこと。「―の地」

**へきが**〔壁画〕かべ・天井などに かいた絵。

**へきがん**〔×碧眼〕〔文・古風〕あおい色の目。西洋人(の目)を言ったことば。「紅毛―」

**へきぎょく**〔×碧玉〕①〔文〕緑色の宝石。②《鉱》不純物をふくむため、すきとおっていない石英。色は緑・赤など。

**へきくう**〔×碧空〕〔文〕晴れわたった深い青色の空。青空。

**へきけん**〔×僻見〕〔文〕かたよった物の〈見方/考え方〉。

**べきじょう**〔(×冪)乗〕《名・他サ》《数》「累乗」の、古い言い方。

**へきすい**〔×碧水〕〔文〕青緑に見える、川の水。

**へきすう**〔×僻×陬〕〔文〕かたいなか。「―の地」

**へき・する**〔×僻する〕《自サ》〔文〕かたよる。「極右に僻した見解」

**へきせつ**〔×僻説〕〔文〕かたよった意見。

**へきそん**〔×僻村〕〔文〕かたいなかの村。

**べき・だ**《助動特殊型》〔↑文語助動詞「べし」の連体形「べき」+助動詞「だ」〕〔当然・適当の助動詞〕①…することが〈必要/適当〉だ。「慎重に行動す(る)

—・武士は強くある—・注目すべき(こと)は この変化だ・『改善す—』と勧告した・書くべきか、書かざるべきか〔古い形は『書くべからざるか』〕」 ②〔べきで(は)ない〕不適当をあらわす。…のはよくない。「そんなことは言うべきでない」 ③〔べき〕…することが可能な。…するのが当然の。「信頼すべき情報によれば・喜ぶべき結果」 丁寧 べきです。 ✓(1)「する」〔などサ変動詞〕を受ける形は「すべきだ」「するべきだ」の両方がある。前者は文語由来の形。(2)「『反省すべき』と述べた」のような言い方は語幹用法。助動詞「ようだ」を「まるでうそのよう」で止めるのと同じ。(3)不適当の意味の「行くべきでない」を「行かないべきだ」と言うのは新しい形。古文でも「行くべからず〔=行くべきでない〕」と「行かざるべきなり〔=行かないべきだ〕」の形があり、後者のほうが新しい。 表記「△可きだ」とも書いた。☞べく。

**へきたん**【×碧×潭】〔文〕深い青色をした淵。緑潭。

☆☆**へきち**【(×僻)地】 都会から遠い、かたいなか。辺地。「—教育・—手当」

**へきとう**【×劈頭】〔文〕〔集会・会議などの〕はじめ。最初。「開会—」

**へぎと・る**【(△剝ぎ)取る】《他五》〔俗〕うすくけずりとる。

**へきめん**【壁面】①かべの表面。②岩壁の表面。

**へきれき**【×霹×靂】〔文〕かみなり。急雷。☞青天の霹靂。

**へきろん**【×僻論】〔文〕〈ゆがんだ/かたよった〉ものの考え方。

**べきろん**【べき論】 本来は こうあるべきだという、理想についての議論。あるべき論。「—をならべる」

**ペキンダック**【(:北京)ダック】〔Peking duck〕 表面に水あめをぬって ぱりっと焼きあげた、アヒルの肉。皮の部分を、小麦粉で作ったうすい皮にのせ、テンメンジャン・ネギ・キュウリといっしょに巻いて食べる。

**へ・ぐ**【(△剝ぐ)】《他五》〔俗〕うすくけずる。「へぎ取る」

**べく** 一 接尾〔副詞をつくる。文語助動詞「べし」の連用形から〕 ①…するために。「会う—出かけた」 ②…することができるように。「間に合わせる—努力する」 ③〔文〕べきであって。「それは極論と言う—〔=言うのが適切で〕、同意できない」 ④〔文〕…するに(して)は。「認める—あまりに重大な過失〔=あまりに重大で容認できない過失〕」 二◇〔文〕文語助動詞「べし」の連用形。「梅の花 散る—なりぬ〔=散りそうになっている〕」

**べくして**《接助》〔文〕 ①…することが当然な状況で。「起こる—起こった事故・書かれる—〔=べきなのに〕書かれなかった歴史」 ②…することはできても。「制度改革は、言う—おこなわれない」

**ヘクタール**〔hectare〕 面積の単位〔記号 ha〕。一ヘクタールは百アール。ヘク。

**ペクチン**〔pectin〕《理》植物の果実・葉・茎に ふくまれる糖類。食品添加物。ペクチンを多く ふくむオレンジの皮などに砂糖を加えて熱すると、ゲル化しジャムができる。

**ヘクト**〔hecto〕 百倍〔記号 h〕。☞キロ・デカ。 ●☆☆**ヘクトパスカル**〔hectopascal〕《天》気圧の単位〔記号 hPa〕。一ヘクトパスカルはパスカルの百倍で、もとの一ミリバールと同じ。

☆☆**ベクトル**〔ド Vektor〕 ①《数》大きさと方向をもった量。例、速度・力。(↔スカラー) ②〔ものごとの〕動いていく方向。方向性。「選手の—が一つになる」

**べくもな・い**《助動形型》〔文〕…(さえ)もできない。…の余地もない。べくもあらず。「のぞむ—」

☆☆**ベクレル**〔becquerel=もと、人名〕《理》放射能の強さの単位〔記号 Bq〕。大人の体内には数千ベクレルの放射能がある。三百七十ベクレルが一キュリーにあたる。〔二〇一二年からの基準では、一般食品一キログラムの放射性物質の上限は百ベクレル〕

**べくんば**《接助》〔↑べくば《本来は「べくは」》〕〔文〕…ができるならば。べくば。「のぞむ—」

**ペケ**〔関西・中国・四国方言〕 ①だめ。いけない。 ②〔×〕 ばつ。ばってん。 ③びり。

**ヘゲモニー**〔ド Hegemonie〕〔文〕覇権。指導権。

**べけんや** 連〔べけん=文語助動詞「べし」の古い未然形「べけ」+文語助動詞「ん」〕〔文〕…ていいだろうか、いいわけがない。「行かざる—〔=行かなくていいだろうか、行くべきだ〕・争う—〔=争うべきでない〕」

**べこ**【(△牛)】〔北海道・東北方言〕 牛。「赤—の人形」 由来 鳴き声「べえ」に接尾語「こ」がついた形から。

**へこおび**【(△兵△児)帯】 ちりめんや もめんの布を切っただけの、やわらかい、男や子どもの帯。〔「へこ」は、鹿児島で青年の意味〕

**へこた・れる**《自下一》〔俗〕苦しくて、続ける気持ちがなくなる。「きびしい訓練にも へこたれない」 由来「へたる」と語源的に関係がある。

**ベゴニア**〔begonia〕 あたたかい地方で庭に植える、シュウカイドウに似た西洋草花の名。ベゴニヤ。〔なまって、べコニア〕

**ぺこぺこ**〔俗〕 一 **ぺこぺこ**《副・自サ》①うすい板が、へこんだり もどったりする〈音/ようす〉。「ベニヤが—する」 ②頭をさかんに下げて、相手の言うとおりになるようす。「上役に—する」 二 **ぺこぺこ**《ナダ》 非常に おなかがすいているようす。「腹が—だ」

**へこま・す**【(△凹ます)】《他五》 ①へこむようにする。「おなかを—」 ②【ヘコます】〔俗〕やりこめる。「兄を—」▽へこませる。

**へこ・む**【(△凹む)】《自五》 ①〔おしたり たたいたりされて〕平らな表面の一部が、少し〈中/おく〉に はいりこむ。「地面が—・けられて へこんだドア」 ②盛り上がっていたものが、平らに(近く)なる。「こぶが—・ダイエットして腹が—」 ③【ヘコむ】〔俗〕ⓐ降参する。まいる。「皮肉を言っても へこまない」 ⓑ気分が おちこむ。「テストができなくて へこんだ」 ④〔古風・俗〕赤字になる。「二万円へこんだ」 ⑤《マージャン》〔俗〕しずむ。 名 へこみ。

**ぺこり**《副》 頭を下げるようす。あいさつ・おわび・たのみごとなどをするときの動作。

**ペコロス** 小さく育てた ひと口サイズのタマネギ。まるごとシチューに入れたり、ピクルスにしたりする。

**へさき**【(×舳先)】 船首。みよし。(↔とも《艫》)

**ペザント**〔peasant〕 農民。農夫。農婦。「—ふう〔=田園調〕のツーピース」

****べ・し**《助動形ク型》〔文〕〈意志・推量/当然・適当〉の助動詞〕 ①強い意志をあらわす。「われは死す—」 ②推量をあらわす。「風雨強かる—」 ③…のが当然だ。…していい。「おどろく—」 ☞おそるべし。 ④命令をあらわす。「すみやかに去る—」 表記「△可し」とも書いた。☞

べからざる・べからず・べきだ・べく・べくして・べくもない・べくんば・べけんや。

**ベジ** 造〔veg〕↑ベジタブル。「―ライフ(=野菜を多めにとる食生活)・―スイーツ」

**へしお・る**[(△圧し)折る]〔を〕《他五》おしつぶすようにして折る。「うでを―」自へし折れる《下一》。

**へしこ** さかなの ぬかづけ。「サバの―」

**ベジタブル** 造〔vegetable〕野菜。ベジ。「―スープ」

☆☆**ベジタリアン**〔vegetarian〕肉・さかな(や乳製品・たまご)など、動物性のものを食べない(主義の)人。菜食主義者。☞ビーガン・マクロビオティック。

**へしま・げる**[(△圧し)曲げる]《他下一》おしつぶすようにしてまげる。自へし曲がる《五》。

**ペシミスティック**《ナダ》〔pessimistic〕物事の悪い面だけを見て、悪い展開ばかりを予想するようす。悲観的。ペシミスチック。(↔オプティミスティック)

**ペシミスト**〔pessimist〕①悲観論者。②厭世(えんせい)主義者。厭世家。▽(↔オプティミスト)

**ペシミズム**〔pessimism〕①悲観論。②〔哲〕⇩厭世(えんせい)主義。▽(↔オプティミズム)

**へしゃ・げる**《自下一》〔俗〕ひしゃげる。

**ヘジャブ**〔アラビア hijāb〕⇩ヒジャブ。

**ベシャメルソース**〔béchamel sauce〕〔ベシャメル=人名〕⇩ホワイトソース。

**ぺしゃんこ**《ナダ》①おしつぶされて ひらたくなったようす。ぺたんこ。「―のボール」②完全にやりこめられて負かされたようす。「―にやられる」▽ぺ(っ)ちゃんこ。ぺっしゃんこ。

**へ・す**[「減す」]《他五》〔方〕へらす。

**ペスカトーレ**〔イ pescatore〕魚介(ぎょかい)類で作るスパゲッティ。

**ベスト**〔米 vest〕《服》①上着の下に着る、そでなしの短い胴着(どうぎ)。チョッキ。②そでなしの、上着として着る胴着。「ダウン―」

**ベスト**《名・ナダ》〔best〕①いちばん すぐれていること。最良。「―(な)コンディション・―メンバー・―ポジション(俗に略して『ベスポジ』)・―エイト(⇩八強)・―フォー(⇩四強)・―ワン」(↔ワースト)②最善。全力。「―をつくす」●**ベストセラー(ズ)**〔best sellers〕〔ある期間に〕いちばんよく売れた〈本/商品〉。●**ベストテン**〔best ten〕〔その部門で〕特にすぐれた〈十人/十種〉。☞トップテン。●**ベストドレッサー**〔best dresser〕最高のよそおいをする人。洋服をたくみに着こなす人。●**ベストミックス**〔best mix〕ちょうどいい割合で まざっていること。「官と民との―」

**ペスト**〔オ pest〕〔医〕ネズミについたノミが媒介(ばいかい)する急性の感染症(かんせんしょう)。黒死病。

**ペストリー**〔pastry〕油を多く使った、パイのような菓子(かし)パン。

**へず・る**〔へづる〕《他五》〔古風〕①けずりとる。「まわりを―」②かすめとる。「もうけを―」

**へそ**[(×臍)・ヘソ]①腹の中心にあって、「臍の緒(お)」のついていたあと。ほぞ。おへそ。「―のごま(=黒くこびりついたあか)」②「へそ①」に似て、小さくもり上がった部分。また、中心の少しへこんだ部分。「乾電池(かんでんち)の―・ネーブルの―・あんパンの―」③ゴム製ボールの、空気注入ポイント。④中心。「日本の―」⑤全体をひきしめる大切なもの。かくれた中心。「文章に―がない」●**へそが茶を沸(わ)かす**句 笑いがとまらないほど非常におかしい。へそで茶をわかす。●**へそを曲げる**句 きげんを悪くする。すねる。

**べそ**〔「ベソ」とも書く〕〔子どもが〕泣き顔になること。泣きべそ。「―をかく(=口をゆがめて泣き顔になる)」

**ペソ**〔ス peso〕中南米やフィリピンで使われる お金(の単位)。

**へそくり**[(×臍繰り)]倹約(けんやく)して、そっとためたお金。「―貯金」由来 女性が内職で、麻(あさ)から糸を繰り出して、へそ(綜麻)(=織機にかけるために糸を巻いたもの)を作る仕事をしたことから。動へそくる《他五》。

**へそのお**[(×臍の)緒]⇩さいたい(臍帯)。ほぞのお。●**へその緒切って以来**句 生まれてからこれまで。

**へそまがり**[(×臍)曲がり]《名・ナダ》つむじまがり。

**へた**[(×蔕)・ヘタ]ナス・カキなどの実の根もとに、ひらたくくっついているもの。

**へた**[(×厴)]《動》巻き貝の ふた。

**へた**[下手・ヘタ]《名・ナダ》①〔能力がたりなくて〕やったあとが まずいこと。できばえが悪いこと。「文章が―だ・商売が―だ・話し―(べた)」②〔古風〕「へた①」な人。しろうと。③不用意なようす。まずいやり方。「―に動くと命がない・―をして犯人を取りにがす」④ねうちのおとるようす。「―な大学より設備がいい高等学校」派―さ。☞したて(下手)・しもて(下手)・下手(へた)の長談義・下手の横好き。●**下手な鉄砲(てっぽう)も数撃(かずう)ちゃ当たる**句 技術が悪いために ものごとがうまく運ばなくても、何度もやってみると、偶然(ぐうぜん)にうまくいくことがある、というたとえ。●**下手の考え休むに似たり**句 いい知恵(ちえ)も出ないのに いつまでも考えているのは、時間のむだだ。●**下手を打つ**句 失敗する。へまをする。●**下手(を)すると**句 ①もしうまく行かなかったら。悪い結果になったら。「―クビになるかもしれない」②〔俗〕ひょっとしたら。「―優勝もありうる」▽下手(を)したら。

**べた**[ベタ]■《名・ナダ》〔俗〕①〈全体/一面〉に同じ状態であるようす。「―に植える」②表現が〈ありきたり/正統的〉なようす。「―な恋愛(れんあい)ドラマ」■①〔写真〕↑ベタ焼き。②↑ベタ記事。③〔印刷〕↑ベタ組み。④〔漫画(まんが)などで〕黒くぬりつぶすこと。ベタぬり。

**ペタ**〔peta〕千兆倍〔記号 P〕。「―バイト(=千テラバイト。一〇二四(=二の十乗)テラバイトで換算(かんさん)することも多い。記号 PB)」☞エクサ・テラ①。

**ベター**《ナダ》〔better〕よりよいようす。もっといい。「ベストではないが―だ・―リビング」●**ベターハーフ**〔better half〕最愛の〈つれあい/妻〉。

**べたあし**[ベタ足]〔俗〕扁平足(へんぺいそく)。

**べたいちめん**[べた一面]表面全体。「―にぬりつぶす」

**へたうま**[ヘタウマ]〔ウマ↑うまい〕〔俗〕へたな落書きのように見えるが、センスのいい絵。

**べたおくれ**[ベタ遅れ]列車などの到着(とうちゃく)が、どれもみな おくれること。

**べたきじ**[ベタ記事]〔新聞などで〕一段見出しの小さな記事。ベタ。

**へたくそ**[下手(×糞)]《名・ナダ》〔俗〕非常にへたな〈こと/人〉。

**べたぐみ**[ベタ組み]〔印刷〕〔組み版で〕字間や行間をあけないで組むこと。ベタ。

へ

**へだた・る**[隔たる]《自五》〔二つのものの間が〕はなれる。差がある。「実力がー」名隔たり。

**べたつ・く**《自五》「べたべた①〜③」の状態になる。名べたつき。

**へたっぴ**[下手っぴ]《名・ナダ》〔俗〕へた。へたっぴい。

**へだて**[隔て]①へだてる〈こと／もの〉。「ーの川が一筋」②ちがい。差異。「恋に上下のーなし」③うちとけない〈こと／気持ち〉。「ーくピアノをひく」派ーさ。「ーなくつきあう」

**へだ・てる**[隔てる]《他下一》①間に置いてさえぎる。「ふすまを隔てて話す」②間を引きはなす。遠ざける。「二人の間をー」③一定の距離を置く。「百メートルー」④一定の時間を置く。「五年の年月をー」

**べたなぎ**[べた(×凪)]①風が少しもなく、海面が静かなこと。「ーでの釣り」②少しも変化がなく、平穏であること。「ー政局」

**へたの ながだんぎ**[下手の長談義]へたな人に限って、話が長ったらしくて退屈するということ。

**へたの よこずき**[下手の横好き]じょうずでもないのに、やたらにそれが好きなこと。

**へたば・る**《自五》〔俗〕①つかれたりして、すわりこむ。「土間にー」②力を使いはたして、つかれきる。「徹夜が続いてー」③へこたれる。「受験生よ、ーな」▽②③へばる。

**へたへた**《副》①からだから力がぬけて、立っていられなくなるようす。「ー(と)すわりこむ」②すりへって弱ったようす。

**べたべた** べたべた《副・自サ》・べたべた《ナダ》①〔〈ねばりけのある／しめっぽい〉ものが〕表面につくようす。「油で手がーする」②きげんをとったり、せわをやいたりして、まといつくようにするようす。「ー(と)かわいがる」③人目もかまわず、愛情を示しあうようす。「人前でーするな」④一面にはったり、塗ったり、印をおしたりするようす。「ペンキをー(と)塗る」⑤〔俗〕すっかり。「ーにほれこむ」⑥〔俗〕⇩こてこて 二①。

**ぺたぺた**《副・自サ》①手のひらやたいらなもので軽くたたくようす。②軽い音を立ててはったり塗ったり、印をおしたりするようす。「ビラをー(と)はる」③(すあしで)軽く音を立てて歩くようす。

**べたぼめ**[べた褒め]《名・他サ》何から何まで、全部ほめること。べたほめ。

**べたぼれ**[べた(×惚れ)]《名・自サ》すっかりほれこむこと。

**べたやき**[ベタ焼き]《写真》ネガを印画紙に密着させて焼きつけること。コンタクト プリント。ベタ。

**べたゆき**[べた雪]べたべたした、しめっぽい雪。

**へたりこ・む**[へたり込む]《自五》〔俗〕へたへたとすわりこむ。「その場にー」

**べたりと**《副・自サ》①ねばりけのあるものがはりつくようす。「ポスターをーはる・はだがーする」②しりをゆかにつけてすわるようす。「ーすわりこむ」③判をこくおすようす。「スタンプをーおす」▽べたっと。

**ぺたりと**《副》「べたりと」より少し軽い感じをあらわすことば。ぺたっと。「切手をーはる」

**ペダリング**《名・自サ》〔米 pedaling〕〔自転車の〕ペダルをふむこと。

**へた・る**《自五》〔俗〕①しりをつけてすわりこむ。②質が悪くなり、形がくずれる。だれる。「パッキンがー・ふとんがー」③弱くなる。「世論がー」名へたり。

**ペダル**〔pedal〕〔自転車・ピアノなどの〕足でふむ部分。ペタル。「〔自転車の〕ーをこぐ」

**へたれ**[ヘタレ]《名・ナダ》〔「へたれる《=へたばる》」から。もと関西方言〕〔俗〕根性がない〈こと／人〉。動ヘタレる《自下一》。

**ペタンク**〔フ pétanque〕金属製のボールを地面にほうり投げ、小さな目標球に近づけることをきそう野外ゲーム。

**ぺたんこ**《名・ナダ》つぶれたように、高さや厚みがないようす。ぺったんこ。ぺちゃんこ。「ーぐつ〔=ヒールのない くつ〕・ーの〔=出っぱっていない〕おなか」

**ペダンチズム**〔pedantism〕学識を見せびらかそうとすること。衒学趣味。ペダントリー。

**ペダンチック**《ナダ》〔pedantic〕学識を見せびらかすようす。学者ぶるようす。衒学的。

**ペダントリー**〔pedantry〕⇩ペダンチズム。

**ペチカ**〔ロ pechka〕れんが・粘土などで部屋の高さいっぱいに築いた、ロシア式の暖炉。ペーチカ。

**ペチコート**〔petticoat〕《服》スカートの下に着て〈すべりをよくする／ふくらみをつける〉、スカート形の下着。ペティコート。

**へちま**[〔:糸瓜〕]①多く、棚に作る、ウリの一種。実は大きく長く、下が太い。中の繊維の部分をたわしのように利用する。「ー水〔=ヘチマのくきからとった液体。けしょう水用・薬用〕」②〔俗〕たいした役にも立たないもの。「このーやろうめ」③〔…もーもない など〕〔俗〕⇩へったくれ。「いやもーもない」 ●**へちま えり**[〔:糸瓜〕襟]《服》細長くて、下のほうがまるみをもってせまくなるえり。へちまカラー。

**べちゃくちゃ**《副》何人かの人が、うるさく続けざまにしゃべるようす。べちゃべちゃ。

**ぺちゃくちゃ**《副》何人かの人が、かるく続けざまにしゃべるようす。ぺちゃぺちゃ。

**へちゃむくれ**〔「ヘチャムクレ」とも書く〕〔俗〕人の容貌をののしるときのことば。へちゃもくれ。

**ぺちゃんこ**《ナダ》⇩ぺしゃんこ。

**ペチュニア**〔petunia〕夏、アサガオに似た花をつける西洋草花。色は、赤・白・むらさきなど。つくばねあさがお。

**へちょう**[へ調]《音》「へ」から始まる音階の調子。

**へっ**《感》〔俗〕気にくわず、ばかにして言うことば。「へっ(↓)、なにが社長だ」

**べつ**[別]一べつ《名・ナダ》①ちがうこと。区別。「公私のーがつかない」②〔複数あるうちで〕それとはちがうこと。「ーの部屋・ーな車・ー案」(↕同じ)③今問題にしていることから〈分ける／外す〉こと。「それは話がーだ・食費はーに〔=別途〕はらう・いいか悪いかはーとして〔=ともかく〕個性がある」☞別に。二造…による区別。「年齢ー・学校ー」

**べつあつらえ**[別(×誂え)]《名・他サ》特別注文(の品)。「ーの家具」

**べついん**[別院]《仏》「本山①ⓐ」に属する〈寺院／出張所〉。「身延山関東ー」

**べつうり**[別売り]《名・他サ》本体の価格とは別に、付属品や電池などを売ること。別売。

**べつえん**[別宴]〔文〕わかれの宴。「ーをはる」

**べつおり**【別織り】《名・他サ》特別に〈織ること／織った織物〉。

**べっか**【別科】本科の ほかに作った科。「留学生—」(↔本科)

**べっかい**【別解】①別の〈解答／解決方法〉。「このクイズには—がある」②〔文〕別の解釈(かいしゃく)。「この説以外にも—がある」

**べっかく**【別格】定まった格式以外の、格式。特別の地位。「—にあつかう」

**べつがく**【別学】〔男女が〕それぞれ別の学校で勉強すること。(↔共学)

**べっかん**【別巻】〔全集などで〕本体となるもののほかにつけ加えた本。(↔本巻)

**べっかん**【別館】本館のほかに造った建物。(↔本館)

**べっかんこ**〔古風・俗〕⇒あかんべ(ー)。

**べっき**【別記】《名・他サ》〔文〕①本文に付属させて〈書くこと／書いたもの〉。「日本語文典—」②名前・文章などを別に書きつけること。

**べっきょ**【別居】《名・自サ》〔いっしょに住むはずの人が〕わかれて住むこと。「—生活」(↔同居)

**べつぎょう**【別業】①〔文〕別の職業。②別荘。

**べつぐう**【別宮】主になる神社とは別に、祭神をまつったおみや。(↔本宮(ほんぐう))

**べつくち**【別口】①別(の方面)。「—の話」②《経》ⓐ別の取引。ⓑ別の口座。

**べっけ**【別家】《名・自サ》分家以外に、さらに本家から分かれた家。

**べっけい**【別掲】《名・他サ》〔文〕別に〈掲載(けいさい)／掲示(けいじ)〉すること。「—のように」

☆☆**べっけん**【別件】①別の件。別の用件。②別の事件。「—逮捕(たいほ)〔=容疑者と思われる人を、ひとまず別の事件の容疑で逮捕すること〕」(↔本件)

**べっけん**【×瞥見】《名・他サ》〔文〕ちらりと見ること。一瞥(いちべつ)。一見。

**べつげん**【別言】《名・他サ》〔文〕別のことばで言うこと。

**べっこ**【別個・別△箇】《名・ナダ》①別々。「—に会見する」②別。「—の問題」

**べつご**【別語】〔文〕別のことば。(↔同語)

**べっこう**【別項】〔文〕別の〈箇条(かじょう)／項目〉。

**べっこう**【×鼈甲】ウミガメのタイマイの甲羅(こうら)。高級なくし・こうがいなどを作る材料となる。〔ワシントン条約で輸入が禁じられている〕

**べつごう**【別号】別の〈称号(しょうごう)／呼び名〉。

**べつこうどう**【別行動】《名・自サ》本隊やなかまとわかれて、別に取る行動。また、行動を別にすること。

**へっこむ**《自五》〔俗〕へこむ。「山のてっぺんが—」他 へっこませる《下一》・へっこます《五》。「おなかを—」

**べっこん**【別懇】《名・ナダ》〔文〕特別に親しくつきあうようす。昵懇(じっこん)。「—の間がら」

**べっさつ**【別冊】①本体になる雑誌・書類などに、別につけ加えるもの。「—付録」②本体となる雑誌のほかに、同じ名前で別に発行する雑誌。

**ペッサリー**〔pessary〕《医》子宮の入り口にかぶせて使う、ゴムの膜(まく)で作った避妊(ひにん)器具。

**ヘッジ**《名・他サ》〔hedge=防御措置(ぼうぎょそち)〕《経》為替(かわせ)・商品などの取引で、買い方の値下がり損や、売り方の値上がり損を防ぐための操作。つなぎ売買。リスクヘッジ。「為替リスクを—する」●**ヘッジファンド**〔hedge fund〕《経》大口投資家から資金を集め、売りと買いの組み合わせや先物取引などによって相場の上下に影響(えいきょう)されないで高収益をあげようとするファンド。

**べっし**【別紙】①別の紙。「—に書く」②別にそえた〈紙面／書面〉。「—参照」

**べっし**【蔑視】《名・他サ》けいべつの目で見ること。

**べつじ**【別辞】〔文〕わかれのあいさつ。「—をのべる」

**べっしつ**【別室】別の部屋。

**べっして**【別して】《副》〔文〕とりわけ。特に。「今年は—寒い」

**べっしゅ**【別種】それとはちがう種類。「—の生き物」(↔同種)

**べっしょう**【別称】《名・他サ》〔文〕別の呼び方(で呼ぶこと)。

**べっしょう**【蔑称】《名・他サ》〔文〕けいべつして呼ぶ〈呼び名／こと〉。例、サンピン。

☆☆**べつじょう**【別条・別状】〔多く、後ろに否定が来る〕取り立てて言うべきこと。「命に—〔=さしさわり〕はない・—ない毎日」

**べつじん**【別人】その人でない、別の人。「—のような態度」

**べつず**【別図】本文とは別に示した図。

**べつずり**【別刷り】①本文とは別に印刷〈すること／したもの〉。「—の解説参照」②〔おもに自然科学の方面で〕論文のぬき刷り。

**べっせい**【別製】特別に念を入れて〈作ること／作ったもの〉。「—の洋菓子(ようがし)」

**べっせい**【別姓】別々の姓。「夫婦(ふうふ)—」

**べっせかい**【別世界】〈人間／現実〉の世界とはちがう、別の世界。べつせかい。

**べっせき**【別席】①特別に用意した座席。②別の席。

**べっそう**【別荘】①ふだん住む家以外に、避暑(ひしょ)・避寒用の土地に作った家。「—地」②〔俗〕刑務(けいむ)所。

**べっそう**【別送】《名・他サ》〔文〕別に(して)送ること。

**べつぞめ**【別染め】《名・他サ》特別に染め〈ること／たもの〉。

**ヘッダー**〔header〕①文書の上の余白の部分(に表示される定型の標題など)。(↔フッター)②《情》電子メールの冒頭(ぼうとう)に記録される、送受信者や日時などの情報。▽ヘッダ。

**べったく**【別宅】本宅以外の家。(↔本宅)

**へったくれ**〔…も—もない〕など〕〔俗〕とても…どころではない、…なんてとんでもない、などの意味をあらわすことば。へちま。はちのあたま。「いやも—もあるものか」

**べったらづけ**【べったら漬け】なまぼしのダイコンを、うす塩とこうじでつけた甘(あま)みのある つけもの。浅漬けの一種。

**べつだて**【別立て・別建て】別々に分けて取りあつかうこと。「—の料金」

**べったり**《副・自サ》①〈ねばりけのあるものが／一面に〉くっつくようす。「—とはりつける」②〈つかれて〉しりをたたみなどにつけ、からだをくずしてすわるようす。③いつも

へ

相手にくっついてたよるようす。「母親—の子」④〔批判する気持ちもなく〕関係が深いようす。「業界—のお役所」

**ぺったり**《副・自サ》「べったり①②」より少し軽い感じをあらわすことば。

**べつだん**〔別段〕《副》〔後ろに否定が来る〕特別。格別。「—変化はない」

**ぺったん**《副》やわらかい平らなもの〈が/に〉当たる〈音/ようす〉。「もちを—つく・——と歩く」 ●**ぺったんこ**《名・ナダ》「ぺたんこ」を強めた言い方。「—のくつ」

**べっち**〔別置〕《名・他サ》〔文〕〔図書館で〕図書を別の書棚にならべておくこと。「—図書」

**へっちゃら**《ナダ》〔俗〕平気。へいちゃら。

**べっちゅう**〔別注〕《名・他サ》特別注文。「—家具」

**ベッチン**〔velveteenを略した形〕綿糸で作ったビロード。 表記「:別珍」は、古い音訳字。

**へっつい**〔(×竈)〕〔方〕かまど。

**べってい**〔別邸〕本邸以外のおやしき。(↔本邸)

**ヘッディング**《名・他サ》〔heading〕⇩ヘディング。

**ペッティング**《名・自サ》〔petting〕性交をともなわない、肉体的な、愛のふれあい。

**べってん**〔別添〕《名・他サ》〔文〕別にそえること。「資料—」

**べってんち**〔別天地〕 俗世間をはなれた、すばらしい〈所/環境〉。

**ヘット**〔オ vet〕〔料理に使う〕牛のあぶら。牛脂。⇨ラード。

**ヘッド**〔head〕①あたま。②〔器具・機械の〕頭部。「ミシンの—・電気かみそりの—・—カバー」③〔サッカー〕ヘディング。「決勝—」④かしら。首脳部。⑤〔テープレコーダー・ビデオデッキなどの〕テープにふれる部分。 ●**ヘッドアップ**《名・自サ》〔和製 head up〕〔野球・ゴルフ〕ボールを打つときに、目がボールからそれてあごが上がること。 ●**ヘッドギア**〔headgear〕〔ボクシング・ラグビーなど〕頭を保護する防具。 ●**ヘッドクオーター**〔headquarters〕本部。本社。「リージョナル—〔=地域統括本部。RHQ〕」 ●**ヘッドコーチ**〔head coach〕〔スポーツ〕主任コーチ。ヘッド。 ●**ヘッドスパ**〔和製 head spa〕髪や頭皮の手入れやマッサージをする〈サービス/店〉。 ●**ヘッドスライディング**〔head sliding〕〔野球〕頭のほうからすべりこみをすること。 ●**ヘッドセット**〔head set〕ヘッドホンとマイクが一つになった機器。「—を装着する・—でおこなう英語テスト」 ●**ヘッドバンギング**《名・自サ》〔headbanging〕ロックのコンサートなどで、リズムに合わせて頭を激しく上下にふること。ヘドバン〔俗〕。 ●**ヘッドハンター**〔headhunter〕在職中の優秀な人材をスカウトしてくる人。 ●☆☆**ヘッドハンティング**《名・他サ》〔headhunting〕他社の優秀な人材を引きぬくこと。ヘッドハント。「—で転職する」 ●**ヘッドホン**〔headphones〕ステレオなどをひとりで聞くために、頭にのせて耳に当てる装置。ヘッドフォン。「—ステレオ」 ●**ヘッドライト**〔headlight〕乗り物の前の部分に取りつけたあかり。前照灯。(↔テールランプ) ●**ヘッドライン**〔headline〕〔ニュース・広告などの〕見出し。 ●**ヘッドレスト**〔headrest〕座席の上部に取りつけた、頭をもたせかけて休めるためのもの。 ●**ヘッドロック**〔headlock〕〔プロレスで〕相手の頭をわきの下にはさんでしめつける技。 ●**ヘッドワーク**〔headwork〕頭を使う仕事。頭脳労働。

**べっと**〔別途〕《名・副》①別のしかた。別に。「それは—〔に〕考える」②使い道がちがうこと。「—会計」

**ベッド**〔bed〕寝台。寝床。「—カバー・—ルーム〔=寝室〕」〔なまって、ベット〕 ●**ベッドイン**《名・自サ》〔和製 bed in〕〔やや古風〕恋人どうしが、ベッドを共にすること。 ●**ベッドサイド**〔bedside〕ベッド、特に病室のベッドのそば。 ●**ベッドシーン**〔和製 bed scene〕〔映画・放送〕ベッドの上で二人が愛し合う場面。 ●☆☆**ベッドタウン**〔和製 bed town〕大都市への通勤者が住む、大都市近辺の団地・都市。 ●**ベッドハウス**〔和製 bed house〕二段式のベッドを用意した、簡易宿泊所。ハウス。 ●**ベッドメイキング**〔bedmaking〕ベッドをきれいにととのえること。〔ベッド〕メイク。

**ぺっと**《副》口からものをはき出す音のようす。「—つばをはく」

**ペット**〔PET〕〔← positron emission tomography〕〔医〕陽電子放射断層撮影。細胞がブドウ糖を取りこむようすをとらえる検査。がん(癌)などの診断に用いる。

**ペット**〔pet〕①かわいがって飼う動物。「—ショップ・—フード・—シーツ〔=室内で犬に排尿・排便させるための、紙や化学繊維などでできたシート〕」②〔俗〕お気に入りの年少者。「社長の—」 ●**ペットネーム**〔pet name〕愛称。 ●**ペットマーク**〔和製 pet mark〕スポーツチームのシンボルマーク。ユニフォームやグッズにあしらわれる。 ●**ペットロス**〔pet loss〕ペットが死んでしまい、飼い主がさびしさから体調をくずすこと。「—症候群」

**ペット**①〔音〕←トランペット。②←ペットボトル。「—のお茶」

**べつどうたい**〔別動隊・別働隊〕特別の任務を持ち、本隊と別に行動する部隊。

☆☆**ペットボトル**〔PET bottle〕合成樹脂の一つ、ポリエチレンテレフタレート〔=PET〕で作られた容器。軽くて割れにくい容器として広く使われる。ペット。

**べっとり**《副・自サ》ねばりけのあるものが、一面にはなれにくくつくようす。「重油が—〔と〕つく」〔「べったり①」より、ねばりけが強い感じ〕

**べつに**〔別に〕《副》①〔後ろに否定が来る〕とりたてて言うほど。これといって特別に。「—用はありません・—いいですよ〔=特にさしつかえはない〕」②〔話〕〔答えるほどのことは〕何もない。「『どう思いましたか』『—』」〔そっけない言い方〕

**べつのう**〔別納〕《名・他サ》〔文〕別におさめること。「料金—郵便」

**べっぱ**〔別派〕別の〈流派/党派〉。

**ペッパー**〔pepper〕①こしょう。「ブラック—・ホワイト—」②とうがらし。「チリ—」

**べつばい**〔別売〕《名・他サ》⇩べつうり。

**べっぱい**〔別杯・別×盃〕別れるときにくみかわす酒。別れのさかずき。

**べつばら**〔別腹〕〔俗〕満腹のあと、好物がもう一つのおなかにはいるように食べられること。「ケーキは―」

**べつび**［別日］ 別の日。「―を設ける」

**べっぴょう**［別表］ 別にそえた表。「上映時間は―のとおり」

**へっぴりごし**［(×屁っ△放り)腰］ ①しりを突き出した、中腰の、おちつかないかっこう。「―でボールを受ける」 ②自信のない態度。おっかなびっくり。「―で仕事に取り組む」

**べつびん**［別便］ 別の〈郵便／便〉。「―で送る」

**べっぴん**［(別×嬪)］ 美しい女性。「―さん」 由来 もとは「別品」で、特別にいい品物。

**べっぷう**［別封］〔文〕㊀《名・他サ》 そのものとは別に封をすること。㊁ 別にそえた封書。

**ヘップサンダル**〔←和製 Hepburn sandal〕 人造皮革などでできた、つっかけふうの(女性用の)サンダル。ヘップ。〔一九五〇年代なかばから流行。女優のオードリー・ヘップバーンをイメージした〕 ☞ミュール。

**べつべつ**［別々］《名・ナダ》 それぞれ別に〈ある／なる〉こと。「―に帰る・―に考える」

**べっぽう**［別報］〔文〕(ある知らせとは)別の知らせ。「―がはいった」

**へっぽこ**《名・ナダ》〔俗〕能力の低い〈こと／人〉をののしって言うことば。「―医者・―役人」

**べつま**［別間］ 別の部屋。別室。

**べつみょう**［別名］〔文〕⇩べつめい(別名)。

**べつむね**［別棟］ 同じ敷地の中で、別に建っている建物。

**べつめい**［別名］ ①本名のほかに別につけた名前。②別称。▽べつみょう。

**べつめい**［別命］〔文〕別にあたえる命令。「―あるまで待て」

**べつめん**［別面］ 別の紙面(=ページ)。「―に報道のとおり」

**べつもの**［別物］ 別の物。ちがうもの。「ことばと実物とは―だ」

**べつもんだい**［別問題］ 今の問題とは別に考えるべき問題。

**べつよう**［別様］《名・ナダ》〔文〕別の〈様式／やりよう〉。

☆☆**へつらう**［(×諂う)］《自五》 相手に気に入られようとして、きげんをとる。「上に―」 名 へつらい。

**べつり**［別離］〔文〕人と別れること。別れ。「―の悲しみ」

**べつわく**［別枠］ 特別な用途のために、お金や人などのわくを別につくること。また、そのわく。

**ペディキュア**〔pedicure〕 足の指のつめにするけしょう(用の塗料)。(↔マニキュア)

**ペティコート**〔petticoat〕《服》⇩ペチコート。

**ペティナイフ**〔和製 petty knife〕 くだものの皮むきなどに使う、小形の包丁。プチナイフ。ペティーナイフ。

**ヘディング**《名・他サ》〔heading〕 ①《サッカー》ボールを頭部で処理すること。「―シュート」 ②《ボクシング》反則行為の一つ。頭を低く下げて突っこむこと。③見出し。表題。▽ヘッディング。

**ペデストリアンデッキ**〔pedestrian (=歩行者) deck〕 駅の周囲などにのびる、高架になった通路。地上に降りずに近くの建物に行けたりもする。

**ベテラン**〔veteran〕 じゅうぶん経験を積んだ、能力の高い人。老練家。「―選手」

**ヘテロ** ①〔hetero〕 異種であること。(↔ホモ) ②〔←heterosexual〕〔同性愛に対して〕異性愛(者)。ヘテロセクシュアル。

**ぺてん**［ペテン］ 人をだます〈こと／手段〉。「―にかける」 •**ぺてんし**［ペテン師］ 詐欺師。

**へど**［(△反吐)］ いちど飲みこんだものを〈はくこと／はいたもの〉。「―をはく・―が出る(=ひどく不愉快になる)」

**べとつく**《自五》 べとべとしている。名 べとつき。

**ベトナム**〔Vietnam〕 インドシナ半島の東部にある社会主義共和国。南北に長い。首都、ハノイ(Hanoi)。越。 表記 「:越南」は、古い当て字。

**へとへと**《ナダ》 すっかり元気がなくなるほどつかれたようす。「働きすぎて―だ・―な状態」

**べとべと**《副・自サ》 ねばりつくようす。ねばってくっつくようす。「手のひらが―になる・ゆかが油で―している」

**へどもど**《副・自サ》 返事につまったり、あわててまごついたりするようす。「答えが―になる」

**へどろ**［ヘドロ］ 川口に続く海底などに厚くたまった、やわらかいどろ。特に、工場廃水などによるくさいどろ。「―の除去」

**ベトン**〔フ béton〕 コンクリート。ペトン。

**ヘナ**〔henna〕 ①北アフリカ・南西アジア原産の低木。ヘンナ。②「ヘナ①」から取れる染料。しらが染めなどに使う。「―トリートメント」

**へなちょこ**［〈へな(:猪口)〕《名・ナダ》(=楽焼きの、そまつなさかずき)〔俗〕未熟な者をばかにして言うことば。

**へなへな**《副・自サ》 ①〈うすくて／やわらかくて〉簡単にまがるようす。「―(と)した枝」 ②力がぬけたように、よわよわしく見えるようす。「―とすわりこむ」

☆☆**ペナルティ(ー)**〔penalty〕 ①罰。罰金。②《スポーツ》反則行為による罰則。 •**ペナルティ(ー)エリア**〔penalty area〕《サッカー》ゴール前にある長方形の区域。守備がわがここで反則をおかすと、攻撃がわにペナルティーキックがあたえられる。 •**ペナルティ(ー)キック**〔penalty kick〕《サッカー・ラグビー》相手方に反則があったとき、ゴールをねらってボールをけること。PK。☞PK戦。 •**ペナルティ(ー)ゴール**〔penalty goal〕《ラグビー》ペナルティーキックによって得点すること。PG。

**ペナント**〔pennant〕 ①細長い三角形の旗。②〔野球などで〕優勝(旗)。「―を獲得する」 •**ペナントレース**〔pennant race〕〔プロ野球で〕公式戦。

**べに**［紅］ ①口やほおにつける、赤い色の染料を主とした、けしょう品。口べに・ほおべになど。「―を差す・―を引く」 ②少しむらさきがかったこい赤。くれない。べにいろ。

**べにがら**［紅殻］ ⇩ベンガラ。「―格子」

**べにざけ**［(紅×鮭)］ サケの一種。北太平洋でとれる。産卵のころに、からだの色がまっかになる。べにます。レッドサーモン。べにじゃけ。

**べにさしゆび**［紅差し指］〔雅〕くすりゆび。 由来 これで紅をつけたことから。

**べにしょうが**［紅(生×姜)］ 梅酢に漬けて赤くしたショウガ。

**ペニシリン**〔penicillin〕《医》アオカビ類の抗生物質。肺炎・淋病・梅毒などにきく。「―ショック(=

ペニシリンを使ったために起こるショック症状」」

**ペニス**〔ド Penis〕《生》陰茎。

**べにばな**［（紅花）］アザミに似た野草。赤黄色い花から取る染料はべにの原料となり、種からサラダ油を作る。サフラワー。

**べにふで**［紅筆］口紅をぬる筆。リップブラシ。

**べにます**［（紅×鱒）］⇩べにざけ。

**ベニヤ**〔veneer〕①木から皮をむくようにして取った一枚のうすい板。単板。②合板の簡単なもの。二枚以上のうすい板をはりあわせて作った板。建築・家具に使う。ベニヤいた。☞積層。

**ベネフィット**〔benefit〕利益。便益。効果。「コストとー」

**ベネルクス**〔Benelux〕ベルギー・オランダ〔=ネーデルラント〕・ルクセンブルクの三国をまとめた呼び名。ベネルックス。

**へのかっぱ**［（×屁の△河△童）］〔俗〕なんとも思わないこと。へいきのへいざ。「そんなことはーだ」

**へのじ**［への字］ひらがなの「へ」の字(の形)。「口をーに〈曲げる/結ぶ〉〔=きげんの悪い状態〕」

**へのへのもへじ**「へ」など七文字のひらがなで、人の顔を作った絵。へへののもへじ。〔「へのへの」は変種〕

［へのへのもへじ］

**ペパーミント**〔peppermint〕①ハーブの一種。「ーティー」②ハッカの味をつけたリキュールや洋酒。

**へばりつ・く**［へばり（付く）］《自五》はりつけたように、ぴたりとくっつく。「ヤモリがー」

**へば・る**《自五》〔俗〕①つかれきる。②へこたれる。▽へたばる。名へばり。

**へび**［蛇］①アオダイショウ・マムシなど、なわのように細長くて、からだをうねらせて動く動物。からだはうろこでおおわれ、毒をもつものもいる。人におそれられきらわれる。くちなわ。②⇩み(巳)①。「ー年」☞蛇の生殺し。●**蛇ににらまれたかえる**(蛙)句 力や地位が上の人に目をつけられて、恐怖のあまり動けなくなる様子。蛇に見込まれたかえる。

**ヘビー**〔heavy〕━《名・ナダ》①重いこと。(↔ライト)②はげしいこと。きびしいようす。「ーパンチ」━①馬力。「ーをかける」②↑ヘビー級。●**ヘビーきゅう**［ヘビー級］体重で分けた選手の階級の一つ。プロボクシングでは、二〇〇ポンド〔=約九〇・七キロ〕以上の体重。●**ヘビースモーカー**〔heavy smoker〕タバコをたくさん吸う人。●**ヘビーメタル**〔heavy metal〕《音》電子装置による金属音と重いビートを特色とするロック音楽。ヘビメタ。ヘヴィメタ(ル)。メタル。●**ヘビーユーザー**〔heavy user〕①よく〈使用/利用〉する人。②⇩パワーユーザー。▽(↔ライトユーザー)●**ヘビーローテーション**〔heavy rotation〕①〔ラジオなどで〕ある曲を集中して何度も流すこと。パワープレー。②お気に入りのものを頻繁に〈使う/食べる〉こと。「ー確実のアイテム」▽ヘビロテ。

**ベビー**〔baby〕━ベビー 赤ちゃん。赤んぼう。ベイビー。「ー服・ー用品・ーフード〔=離乳食〕」━選 小形の。小型の。「ーカステラ・ーコーン〔⇩ヤングコーン〕」●**ベビーオイル**〔baby oil〕赤ちゃんのはだの手入れに使う、刺激の少ない油。●**ベビーカー**〔和製 baby car〕座席に赤ちゃんを〈すわらせて/ねかせて〉運ぶ車。うば車。☞バギー①。●**ベビーキープ**〔和製 baby keep〕トイレの個室に設置された、保護者が用を足している間に幼児が動かないよう座らせておくいす。●**ベビーサークル**〔和製 baby circle〕赤ちゃんがその中で安全に遊び回るための囲い。●**ベビーシッター**〔baby-sitter〕親が外出中に、そこの子どものせわをする人。子守。●**ベビーパウダー**〔baby powder〕はだにはたいて、汗をすい取る粉。赤ちゃんのあせもを防ぐためなどに使う。(タルカム)パウダー。〔「シッカロール」は商標名〕☞汗知らず。●**ベビーブーム**〔baby boom〕出生率が急増すること。〔その子どもを「ベビーブーマー」と言う。特に、一九四七～四九年生まれ《=団塊の世代》と一九七一～七四年生まれ《=団塊ジュニア》をさす〕●**ベビーフェイス**〔baby-face〕①童顔。②〔プロレスなどで〕善玉の役。(↔ヒール)▽ベビーフェース。●**ベビーリーフ**〔baby leaf〕ミズナなどの野菜の若い葉。サラダなどにする。

**へびいちご**［（蛇×苺）］野原や道ばたにはえる多年草。春に黄色い花が咲き、初夏にイチゴのような赤い実がなる。

**へびのなまごろし**［蛇の生殺し］〔=ヘビにのまれたまま、まだ生きている状態〕①先の見こみがあるのかないのか、はっきりせず、苦しい状態。「ラブレターの返事が来なくて、ーだ」②ほしいものが目の前にあるのに、得られないで、がまんできない状態。「禁酒中なのに酒をもらったのは、まったくーだ」

**ヘビメタ**《音》↑ヘビーメタル。

**ヘビロテ**《名・他サ》↑ヘビーローテーション。「ーする曲・ーのおかず」

**ペプシン**〔ド Pepsin〕《生》胃液の中の、たんぱく質を分解する酵素。

**ペプチド**〔peptide〕《生》アミノ酸が二個以上つながったもの。たんぱく質を消化するときにできる。

**ヘブライ**〔ギ Hebraios〕ユダヤ人の、もとの呼び名。イスラエル民族、また、その文化。「ー語」

**ペプラム**〔peplum〕《服》女性の服の、上着の腰から下のフレアなどの部分。

［ペプラム］

**べべ**〔古風/方〕「着物」「服」の幼児語。「おー・赤いー」

**へべれけ**《ナダ》〔俗〕酒にひどく酔った〈状態/ようす〉。「ーに酔っぱらう」

**ペペロンチーノ**〔イ peperoncino=トウガラシ〕オリーブオイルでニンニクとトウガラシをいためて、パスタにからめたイタリア料理。〔アーリオ オーリオ(aglio olio) ペペロンチーノの略。複数形は、ペペロンチーニ(peperoncini)〕

**へぼ**〔「へボ」とも書く〕━《名・ナダ》〔俗〕①へた。「ー医者・ー将棋」②〔野菜の〕できが悪いこと。「ーキュウリ」━〔岐阜方言〕⇩蜂の子。

**ヘボンしき**［ヘボン式］〔Hepburn=人名〕日本語をローマ字で書く方式の一種。「シ」を「shi」、「ジ」を「ji」、「フ」を「fu」などと書く。(↔訓令式・日本式)

**へま**《名・ナダ》〔俗〕間がぬけていること。できが悪いこと。また、そういう人。「ーをやる・ーな仕事・何をやってもーだね」

**ヘム**〔hem〕《服》①折り返して始末をした、すそのうらがわの部分。「ーライン」②〔↑ヘムリボン〕「ヘム①」の始末をするときにぬいつける細い布。

**へめぐ・る**〔経巡る〕《他五》〔文〕めぐり歩く。「諸国をー」

**ヘモグロビン**〔ド Hämoglobin〕《生》赤血球にふくまれる、赤い色のたんぱく質。酸素をはこぶ役目をする。血色素。

****へや**〔部屋〕①家の中で、人が住むようにくぎった場所。「ーのすみ・勉強ー」②すもうべや。「高砂ー」③仕切られた空間。「耳の中のー」

**ヘヤー**〔hair〕⇩ヘア。

**へやぎ**〔部屋着〕自分の部屋でくつろぐときに着る、ゆったりした衣服。ガウン・どてらなど。

**へやしょく**〔部屋食〕旅館の食事が、広間や食堂ではなく、泊まった部屋に出されること。部屋出し。「夕食はーです」

**へやずみ**〔部屋住み〕①昔、長男で、まだ家督を相続しない間の身分。②昔、次男以下で、家督相続のできない身分。

**へやだし**〔部屋出し〕⇩部屋食。

**へやびらき**〔部屋開き〕〔すもう〕年寄〔=親方〕を襲名して、部屋を新しくつくること。

**へやぼし**〔部屋干し〕《名・他サ》〔外に干せないので〕せんたく物を家の中に干すこと。室内干し。中干し。〔↔外干し〕

**へやわり**〔部屋割り〕《名・自サ》〔宿泊者などの〕部屋の割り当てを決めること。

**へら**〔〔×篦〕・ヘラ〕①竹などを細長くたいらにけずり、先のへりをうすく作った道具。しるしをつけたり、ものをねったりするのに使う。「ゴム〈べら/へら〉」②↑へらぶな。「釣りはーに始まりーに終わる」③⇩こて(鏝)④。

**ぺら** 【一】ぺら〔「ペラ」とも書く〕〔俗〕一枚になった紙。「ーの紙〔『ー紙』とも〕・ー一枚〔⇩ぺら一〕」【二】接尾 ⇩っぺら。「紙ー」

**ペラ** ↑プロペラ。「三枚ー」

**ぺらいち**〔ぺら一・ペライチ〕〔↑ぺら一枚〕〔俗〕一枚の紙。「ーの台本・ーの企画書」

**へら・す**〔減らす〕《他五》少なくする。へす。「予算をー」〔↔増やす・増す〕可能 減らせる。

**へらずぐち**〔減らず口〕負けおしみで言う、にくまれぐち。「ーをたたく」

**へらぶな**〔〔×篦×鮒〕〕フナの一種。ふつうのフナよりも平たくてはばが広く、口が短い。げんごろうぶな。へら。

**へらへら**《副・自サ》①意味もなくうす笑いをするようす。「ー笑ってごまかす」②くだらないことを、よくしゃべるようす。「ーするな」

**べらべら** 【一】べらべら《副》・べらべら《ナダ》①〔とちゅうでつかえずに〕よくしゃべるようす。「ー(と)まくしたてる・秘密をーしゃべる」②⇩ぺらぺら【二】。【二】べらべら《ナダ》・べらべら《自サ》布などがうすくて弱いようす。「ーしたカーテン」

**ぺらぺら** 【一】ぺらぺら《副》①〔あまり考えずに〕よくしゃべるようす。②ページを、続けてはやくめくるようす。「本をー(と)めくる」【二】ぺらぺら《副》・ぺらぺら《ナダ》外国語をじょうずにしゃべるようす。べらべら。「三つの言語をー(と)話す」【三】ぺらぺら《名・ナダ》・ぺらぺら《自サ》布などが、うすっぺらなようす。「ーの肉・ーした安物の生地」

**べらぼう**〔〔:篦棒〕〕〔俗〕【一】《名・ナダ》ばか。「ーめ」【二】《ナダ》非常に度が過ぎるようす。めちゃめちゃ。「ーに暑い」派 ーさ。

**ベラルーシ**〔Belarus〕ヨーロッパの東部にある共和国。東はロシア連邦に接する。もと「白ロシア」と呼ばれた。首都、ミンスク(Minsk)。

**ベランダ**〔veranda〕①部屋の外に張り出した所。「ーから庭に出る」②バルコニー。「八階のー」

**べらんめえ** 【一】《感》〔↑べらぼうめ〕〔古風〕〔江戸っ子が〕人をののしることば。「ふざけるな、ー」【二】「べらんめえ【一】」を使うような、威勢のいい口調。べらんめえ調。例、「何をぬかしやがんでえ〔=言いやがるのだ〕」。

**へり**〔〔△縁〕〕①もののはしや まわり(の、かどになった部分)。「茶わんのー・机のー・沼ー」☞縁①。②「へり①」につけるもの。「帽子のー〔=つば〕・〔たたみの〕備後ー」

**ヘリ** ↑ヘリコプター。「ー空母・ー便」

**ベリー**〔berry〕ストロベリー〔=いちご〕・ラズベリー・ブルーベリーなどをまとめて呼ぶことば。「冷凍ミックスー」

**ベリー**《副》〔very〕非常に。たいへん。ベリ。「ーグッド」

●**ベリーショート**〔和製 very short〕通常のショートカットよりもさらに短い髪型。

**へりいし**〔〔△縁〕石〕⇩えんせき(縁石)。

**ベリーセット**〔和製 berry set〕くだものなどを入れる、ひと組みの皿。

**ベリーダンス**〔belly《=腹》dance〕腹部をくねらせておどる、アラビアふうの官能的なダンス。

**ヘリウム**〔ド Helium〕《理》水素の次に軽い気体〔元素記号 He〕。気球に入れるガス。また、リニアやMRIなどの超電導磁石の冷媒に使う。

**ヘリオトロープ**〔heliotrope〕西洋草花の名。夏・秋のころ、〈むらさき/白〉の小さい花を、ぎっしりつける。花は香水に使う。

**ペリカン**〔pelican〕水鳥の一種。全身が白く、下のくちばしが大きなふくろのようになっている。

**へりくだ・る**〔〔△遜る〕〕《自五》相手に対して、自分を低いもの、価値の少ないものとして、行動する。けんそんする。「へりくだった言い方」名 へりくだり。

**へりくつ**〔〔×屁〕理屈〕役に立たないりくつ。筋の通らない、自分勝手なりくつ。「ーをこねる」

**ヘリコプター**〔helicopter〕航空機の一種。機体の上に大きな回転するつばさがあり、垂直の上下や前進・後退をするほか、空中にとまることもできる。ヘリコ。ヘリ。

**ペリドット**〔peridot〕《鉱》黄緑色ですきとおった、かんらん(橄欖)石の一種。八月の誕生石。

**ヘリポート**〔heliport〕ヘリコプターが離着陸する設備のある場所。☞エアポート。

**ヘリボーン**〔heliborne〕《軍》空挺作戦の一種。ヘリコプターによる(敵地への)兵員輸送。「ー作戦」

**ベリリウム**〔beryllium〕《理》元素の一つ。銀白色の軽金属〔記号 Be〕。鉱石は緑柱石で宝石のエメラルドがふくまれる。ミサイル・ロケット・原子炉などに使う。

金属化合物は有毒。

**ヘリンボーン**〔herringbone＝ニシンの骨〕①⇩すぎあや(杉綾)。②《スキー》スキーの先を開いて斜面を登る〈こと／方法〉。▽ヘリングボーン。

***へ・る**［減る］《自五》①少なくなる。「体重が―・人数が―・楽しみが―」(↕増える・増す) ②すりへる。「くつの底が―・タイヤが―」 名減り。 ●**減るもんじゃなし** 句〔話〕相手が見せたり貸したりしてくれない場合などに言うことば。減るものではないのに。「いいじゃない、―」

***へる**［経る］《他下一》①〔時が〕過ぎて行く。通りこす。ふる《上二》。「年月を―」②〔その所を〕通り過ぎる。「いくつかの村を経て都に着いた・段階を―」

**ヘル** 造 ↑ヘルメット。「赤―」

**ベル**〔bell〕〈人を呼ぶために／合図に〉鳴らすしかけのもの。鈴。電鈴。「自転車の―・電話の―・非常―」 表記「:号鈴」「:電鈴」とも書いた。

**ペルー**〔Peru〕南アメリカ大陸の西北部にある共和国。インカ帝国があった。首都、リマ(Lima)。秘。 表記「:秘露」は、古い音訳字。

**ベルエポック**〔フ Belle Époque＝いい時代〕《歴》二十世紀初頭のフランスを中心とした、はなやかな時代。技術革新があり、文化が栄えたが、第一次世界大戦で終わりをむかえた。

**ベルガモット**〔bergamot〕南イタリア原産のかんきつ類。皮と葉から油をとって香料にする。☞アールグレイ。

**ベルカント**〔イ bel canto〕《音》オペラや歌曲での、イタリア式歌唱法。華麗さや、やわらかなひびきを特色とする。

**ベルギー**〔オ België〕ドイツの西、フランスの北にある王国。首都ブリュッセル(Bruxelles)にEUとNATOの本部がある。白。 表記「:白耳義」は、古い音訳字。

☆☆**ヘルシー**《ナダ》〔healthy〕①健康にいい。「―なメニュー」②健康な。「―にやせよう」

**ペルシャ**〔Persia〕①イランの、もとの呼び名。「―じゅうたん」 表記「:波斯」は、古い音訳字。②長い毛におおわれた、ずんぐりしたネコ。顔は横長の楕円形。ペルシャねこ。▽ペルシア。

☆☆**ヘルス**〔health〕①健康。「―食品〔『―フード』とも〕・―ケア〔＝健康管理〕」②〔↑ファッション ヘルス〕従業員がマッサージをおこなう、風俗営業の店。 ●**ヘルスメーター**〔和製 health meter〕家庭用の体重計。

**ペルソナ**〔ラ persona＝人。仮面〕①(表向きの)人格。②(演じる)役がら。

**ヘルツ**〔hertz＝もと、人名〕《理》周波数の単位。交流電気や電波・音波の、一秒間の振動数〔記号 Hz〕。東日本では五十ヘルツ、西日本では六十ヘルツの電気が送られる。〔もと、サイクル〕

**ベルト**〔belt〕①《服》細い革などで作り、腰やうでなどに巻きつけるもの。革帯。バンド。「ズボンの―・―レス〔＝ベルトなし〕」②機械の回転する軸にはめて動力や回転を伝える、おび状のもの。③おび状の地帯。「グリーン―」④放送時間帯。「月～金で五時半からの―」 ●**ベルトコンベア**〔belt conveyor〕土木工事や工場などで、材料・製品などをのせて運ぶ、ベルト式の広いおび。ベルト コンベヤ(ー)。ベルト コンベアー。

**ヘルニア**〔hernia〕《医》内臓・脊椎の一部が、異常な位置に とび出していること。例、脱腸。☞椎間板。

☆☆**ヘルパー**〔helper〕①仕事・事務の手助けをする人。助手。補助者。②からだの不自由な人のせわをする人。「介護―」

**ヘルプ**〔help〕一《名・他サ》①手助けすること。手伝うこと。援助。「―デスク〔＝会社などで、お客からの問い合わせに応じる部署〕」②⇩オンライン ヘルプ。二 手伝い(の人)。 ●**ヘルプマーク**〔help mark〕見た目では分かりにくい障害や病気のある人が、周囲に援助や配慮を求めるためのマーク。〔赤地に白い十字とハート〕

**ヘルペス**〔ド Herpes〕《医》①単純疱疹。皮膚にむらがってできる、小つぶの水疱。口のまわり・陰部などにでき、かゆい。②帯状疱疹。胸・腰・顔などにおび状にできる疱疹。神経痛が残る場合がある。

**ベルベット**〔velvet〕⇩ビロード。

**ベルボーイ**〔bell boy〕ホテルなどで、客の送りむかえや案内などのサービスをする男性の従業員。

**ベルボトム**〔bell-bottoms〕《服》すそが広がった形のズボン。〔一九六〇年代末～七〇年代に流行〕「―のジーンズ」

**ヘルメット**〔helmet〕①衝撃から頭を守るための、プラスチック製や金属製の帽子。メット〔俗〕。②暑さから頭を守る帽子。コルクで作る。

**ベルモット**〔フ vermouth〕白ワインにハーブで風味をつけた酒。

**ベレー**〔フ béret〕↑ベレー帽。 ●**ベレーぼう**［ベレー帽］つばのない、まるい形の やわらかい帽子。ベレー。

**ペレット**〔pellet〕①《医》⇩粒剤。②廃棄物を粉末にしてから、円柱形のつぶに かためた燃料。「木質―」③ウラン粉末を高温で焼き、円柱形のつぶにかためた燃料。原子炉で使う燃料棒に はいっている。

**べろ**〔「べロ」とも書く〕①〔話〕舌。「―を出す」②舌のような形をしたもの。

**ベロア**〔フ velours〕手ざわりの やわらかい、毛のビロード。「―スカート」

**ヘロイン**〔ド Heroin〕モルヒネから作る麻薬。ぺー〔俗〕。

**ベロタクシー**〔Velotaxi ↑ラ velo《＝自転車》＋taxi〕〔商標名〕後部に二人の乗客を乗せられる自転車タクシー。

**ベロどくそ**［ベロ毒素］〔vero＝細胞の名〕《医》病原性大腸菌が出す、毒性の強い たんぱく質。げりや激しい腹痛を起こす。

**ベロニカ**〔veronica〕山地にはえる草。夏の初め、長くのびた くきのまわりに ふじむらさき色の たくさんの小さな花が、下から上へさいていく。とらのお。

**へろへろ**《ナダ》力がなく、まっすぐにならないようす。へなへな。「―の球・腰つきが―だ・つかれて―だ」

**べろべろ** 一《副》出した舌を広く使ってなめるようす。「犬に顔を―なめられた」 二 **べろべろ**《ナダ》ひどく酔っぱらって、だらしがないようす。べろんべろん。

**ぺろぺろ**《副》①舌を出して、いそがしく物をなめるようす。「指先を―なめる・―キャンディー」②ヘビなどが舌先を、いそがしく出したり引っこめたりするようす。③たちまち食べつくすようす。「ーと平らげた」

**ぺろりと**《副》①すばやく舌を出すようす。「失敗してー舌を出す」②舌を出して、一度なめるようす。③一気に食べてしまうようす。「ーたいらげる」④広く〈はがれる/むける〉ようす。「皮がーむける」▽ぺろっと。

*__へん__[辺]①あたり。ほとり。「このー・そこらー・東京ー〔=近辺〕で」☞らへん。②程度。くらい。「まあ、そのーだ」③《数》多角形を囲む、一つ一つの直線。「正四角形の三ー」

**へん**[変]㊀①〔文〕思いがけない できごと。「ーを聞いてかけつけた」②〔文〕事変。事件。「桜田門外のー」③〔古風〕容体の急変。「ーが来る」④《音》半音だけ下げること。「ー記号〔=フラット〕・ーホ長調」(↔嬰)㊁《ナダ》①ふつうと変わっているようす。「ーなかっこう・どうもーだ・ーな目で見られる〔=変わっていると見なされる〕」②正体がわからなくて、あやしいようす。「ーな人物が見ている」③〔ーに〕ふつうとちがって。どうしたのかと思うほど。「ことしはーに暑い」[表記]㊁は、俗に「ヘン」とも。☞変な話。

**へん**[偏・×扁]漢字の、左のほうを形づくっている部分。例、しめすへん〔=ネ・礻〕・にんべん〔=亻〕。(↔つくり《旁》)

**へん**[編]㊀へん①編集。編纂。「広報部ー」②書物・作品の一部分。㊁[×篇][造]〔=ひとつづりの書物〕①書物・作品の一部分。「第二ー・完結ー」②全体がそろって完結した詩文。「叙情ー」㊂[×篇][接尾]作品を数えることば。「八十ーの作文」

**へん**《感》〔話〕反感や あざけりをあらわす ことば。へーん。「へん(↓)、だれも そんなことは信じないよ」

**へん**[〈返〉]㊀[接尾]⇩遍。㊁へん〔古風〕〔電報で〕↑返事。「ヘンマツ〔=返事を待つ〕」

**へん**[〈遍〉・〈返〉][接尾]ひきつづいてくりかえす数をあらわすことば。「一ー・二ー・三ー」

**へん**[片][造]きれはし。かけら。「金属ー・ガラスー」

**べん**[弁]㊀べん[×瓣]①花びら。②機械の中の二つの部屋の間にあり、あけたり しめたりして水・油・ガスなどの出はいりを調節する、ひらたいもの。バルブ。「調整ー」[表記]古いマンホールのふたで、「×弁」〔本来の読みは「えん」〕と書くものがある。「排気弁」③《生》⇩べんまく(弁膜)。㊁[×瓣][接尾]花びらを数えることば。「五ー」㊂べん[×辯]①ことばづかい。「東京ー」②口のきき方。弁舌。「ーが立つ〔=話し方がうまい〕」③相手に向かってする、まとまった説明。「離党のー」㊃[×辨][造]弁当。「シャケー・ビニー〔俗〕〔=コンビニの弁当〕」

**べん**[便]㊀《名・ナダ》つごう。便利(なこと)。「交通のーがよい」㊁大小便。特に大便。●**便に供する**[句]〔文〕便利な手段となるように提供する。「愛好家のー」

**ペン**㊀[pen]①インクをつけて書く筆記用具。ペン軸とペン先からできている。②ペン先。「金ー」③文筆〔活動〕。「ーが進む・ーの力」㊁[PEN]⇩ペンクラブ。「日本ー」●**ペンは剣よりも強し**[句]言論の力のほうが暴力よりも強い。●**ペンを入れる**[句]①ペンで文章を直す。ペンを加える〔=書き加える〕。②〔漫画などで〕下がきの上からペンでかく。☞ペン入れ。●**ペンを置く**[句]⇩筆を置く〔「筆」の[句]〕。●**ペンを折る**[句]⇩筆を折る〔「筆」の[句]〕。●**ペンを執る**[句]⇩筆を執る〔「筆」の[句]〕。●**ペンを走らせる**[句]⇩筆を走らせる〔「筆」の[句]〕。

**へんあい**[偏愛]《名・他サ》〔文〕特定の〈人/もの〉だけを愛すること。

**へんあつ**[変圧]《理》〈圧力/交流の電圧〉を変えること。「ー器」

←**へんい**[変異]《名・自サ》①〔文〕異変。「天地のー・ーが生じる」②《生》同じ類の生物の間で性質や形がちがうこと。☞突然変異。

→**へんい**[変移]《名・自サ》〔文〕①別の状態に移り変わること。「時代のー」②別の位置に変わること。「車道の中央線のー」

**べんい**[便意]〔文〕大小便、ことに大便が したいという気持ち。「ーをもよおす」(↔尿意)

**ペンいれ**[ペン入れ]《名・自他サ》①〔漫画などで〕下がきの上にペンで仕上げの線をかく〈こと/作業〉。②原稿の文章を直すこと。

**へんうん**[片雲]〔文〕ちぎれ雲。

**へんえい**[片影]〔文〕わずかの かげ。「飛ぶ鳥のーも認めない」

**べんえき**[便益]〔文〕便利で利益があること。

**へんえん**[辺縁]〔文〕周辺。周縁。「大脳ー系」

**へんおんどうぶつ**[変温動物]《動》外の温度によって、体温が大きく変わる動物。爬虫類・両生類・魚類など。(↔恒温動物)

**へんか**[返歌]人から おくられた歌に答えてよむ歌。かえし歌。

**__へんか__[変化]《名・自サ》①〔状態・性質が〕変わること。「ーを加える・ーをつける・化学ー・語尾ー」②《すもう》ぶつかる瞬間に、相手をかわすこと。「左にーする」☞へんげ(変化)。●**へんかきゅう**[変化球]①《野球》カーブ・スライダー・シュート・フォークボール・シンカーなど、打者の近くでコースを変えるボール。②少し毛色の変わった方法。「ーの質問」▽(↔直球)

**へんかい**[変改]《名・他サ》〔文〕今までの状態を変え改めること。改変。

**べんかい**[弁解]《名・自他サ》自分は悪くない、しかたがない、という説明。「ーの余地がない・被告人のーを聞く・へたなー〔=言い訳〕はやめろ」

**へんがお**[変顔]《名・自サ》〔俗〕〔写真をとるときわざと〕おもしろおかしい顔をすること。また、その顔。

**へんかく**[変格]①〔文〕正規でない格式。変則。「ー漢文」②《言》↑変格活用。「ラ行ー」▽(↔正格)

●**へんかくかつよう**[変格活用]《言》動詞の活用の中で、「来る・する」の活用に見られるような、変則な活用。変格。「サ行ー」(↔正格活用)

**へんかく**[変革]《名・自他サ》〔政治・社会などのしくみが〕変わり あらたまること。また、変え あらためること。「制度のー」

**へんがく**[変額]一定でない額。特に、保険会社の運用実績で受け取り額の変わることに言う。「ー年金保険」(↔定額)

**へんがく**[×扁額]横に長い額。

**べんがく**[勉学]《名・自他サ》勉強して まなぶこと。勉強。「ーにいそしむ」

**ベンガラ**[〈:紅柄〉・〈:紅殻〉・〈:弁柄〉・べんがら]〔オ

Bengala〕 紅色の顔料。べにがら。「―格子〔=ベンガラを塗った格子〕」 由来 インドのベンガル地方で産出したから。

**へんかん**【変換】《名・自他サ》〔今までのものを〕別なものに変えること。また、変わること。「かなを漢字に―する・体位の―」

**へんかん**【返還】《名・他サ》もとの持ち主に かえすこと。「領土―・優勝旗の―」

**べんき**【便器】 大便や小便を受けるための器具。☞おまる・しびん。

☆☆**べんぎ**【便宜】《名・ナダ》①つごうの いいようす。「―の方法・―はだめだ」 ②特別の はからい。「―をはかる」 派 ―さ。 ●**べんぎじょう**【便宜上】《名・副》そのほうが つごうが いいという事情(で)。「―こちらで おあずかりしておきます」 ●**べんぎてき**【便宜的】《ナダ》 そのときの つごうで決めるようす。まにあわせ。「―手段」

**へんきごう**【変記号】《音》⇩フラット⑥。〈↔嬰記号〉

**ペンキ**〔←オ pek〕 色のある粉を油などに とかした塗料。ペイント。「〔銭湯のかべの〕―絵」

**へんきゃく**【返却】《名・他サ》 借りていた物をかえすこと。「図書の―」

**へんきゅう**【返球】《名・自他サ》①《野球》受けたボールを投げかえすこと。「外野手が本塁に好―」 ②《球技》ボールを打ちかえすこと。

**へんきょう**【辺境】 ①国境の地方。 ②かたいなか。

**へんきょう**【偏狭】《ナダ》〔文〕かたいじで、心が せまいようす。「―な性格」 派 ―さ。

*__べんきょう__【勉強】 一《名・自他サ》①〔能力や知識などを得るために〕心をはげまして、習ったり学問をしたりすること。「英語を―する・徹夜で―する・お―」 ②〔将来のための〕経験。「いい―になった」 ③値段を安くすること。「―しておきましょう」 二《ナダ》〔古風〕つとめ はげむようす。「たいへんご―ですね」

**へんきょく**【編曲】《名・自他サ》《音》〔別の楽器編成にして〕ある曲を作りかえること。また、その曲。アレンジ〈メント〉。

**へんきん**【返金】《名・自他サ》〈借りた〉使わないで余った〉お金をかえすこと。

**ペンギン**〔penguin〕 コウテイペンギン・キングペンギンなど、南半球にすむ鳥。せなかが黒く、腹は白い。まっすぐ立って歩く。飛べないが、たくみに水にもぐる。

**へんくつ**【偏屈・変屈】《名・ナダ》 気むずかしくて がんこな〈ようす／人〉。「―な老人」 派 ―さ。

**ペンクラブ** ことばや表現の自由にかかわる人々の国際的な団体。「日本―」。国際ペンクラブの英語名は「PEN International」。「PEN」は「Poets, Playwrights, Editors, Essayists and Novelists」の略。

**へんげ**【変化】《名・自サ》①〔文〕神や仏が かりに人の姿になって〈あらわれること／あらわれたもの〉。 ②〔文〕動物などが ばけたもの。妖怪。「妖怪―」 ③《演劇》ひとりの役者が、つぎつぎとちがう人物に変わること。「七―」 ☞へんか(変化)。

↔**へんけい**【変型】 ふつうの型と ちがう型。「A5判―」

↔**へんけい**【変形】《名・自他サ》①形が変わること。形を変えること。 ②ふつうと変わった形。「―の土地」

**べんけい**【弁慶】 ①〔↔武蔵坊弁慶。人名〕源義経の強い家来。「―の立ち往生」 ②↔内弁慶。「ネット―」 ●**べんけいのなきどころ**【弁慶の泣き所】 むこうずね。由来 弁慶でさえ、けられると痛がったと言われるところから。

**へんけん**【偏見】 ①かたよった見方。「独断と―で野球の順位を予想」 ②特に、差別的な見方。「外国人に対する―を持つ」

**へんげん**【片言】〔文〕わずかの ことば。☞かたこと(片言)。 ●**へんげんせきご**【片言隻語】〔文〕ちょっとした、短いことば。片言隻句。「―をとらえて非難する」

**へんげん**【変幻】《名・自サ》〔文〕あらわれたかと思うと、すぐ消えること。 ●**へんげんじざい**【変幻自在】《名・ナダ》①あちらと思えばこちら、というように、自由にあらわれたり消えたりすること。「―の動きをするボクシング選手」 ②めまぐるしく、自由に変化すること。「―の演奏」

*__べんご__【弁護】《名・他サ》 当人の利益を主張し、その人の立場を守ること。「―人〔=刑事事件の弁護を引き受ける人〕」 ●**べんごし**【弁護士】《法》〈訴訟当事者の依頼／裁判所の命令〉によって、本人の代理または弁護をすることを仕事とする人。

**へんこう**【偏光】《理》光の進行方向に対して いつも一定の方向に振動する光。例、ガラス・水面の反射光線など。「―フィルター〔=反射光線が うつらないフィルター〕・―レンズ〔=釣りやスキーに使う、まぶしさを防ぐめがね〕」

**へんこう**【偏向】《名・自サ》 かたよった傾向〈を見せること〉。「政治の―」

*__へんこう__【変更】《名・他サ》 いったん決めたものごとを変えること。「規則の―・予定―」

**へんさ**【偏差】《数》〈標準／平均〉からの ずれ。 ●☆☆**へんさち**【偏差値】《数》その人の学力などが、全体の中でどの程度の水準にあるかをあらわす あたい。偏差値五〇は平均の水準。学力偏差値では、数字が大きいほうが優秀。

**べんざ**【便座】 洋式の便器で、すわって肌をつける部分。「温水洗浄―」〔⇩シャワートイレ〕

**へんさい**【変災】〔文〕〔事故による〕災難。

**へんさい**【返済】《名・他サ》 借りたお金や ものをかえすこと。「借金の―」

↔**へんざい**【偏在】《名・自サ》〔文〕かたよって あること。「富の―を防ぐ」

↔**へんざい**【遍在】《名・自サ》〔文〕広く ゆきわたって、どこにでも あること。

**べんさい**【弁才】〔文〕うまく話す能力。「―に欠ける」

**べんさい**【弁済】《名・他サ》《経》借金を返さなければならない、法律上の義務をはたすこと。

**べんざいてん**【弁財天・弁才天】 七福神のひとり。音楽・弁舌を受け持つ女神。琵琶を持つ。弁天。

［べんざいてん］

**ペンさき**【ペン先】 金属で作り、〈軸／万年筆〉の先にはめて書くもの。ペン。

**へんさん**［編×纂］《名・他サ》材料を集めて本にまとめること。「辞書の―」

**へんし**［変死］《名・自サ》〔病死などではなく〕災害・事故や、自殺・他殺などで死ぬこと。「―体」

**へんじ**［変事］〔文〕変わったできごと。

**へんじ**［返事・返辞］《名・自サ》答えること。返答。また、その〈ことば／手紙〉。「大きな声で―する・―に困る・ご―をいただく」 ✓「ご返事」「お返事」の両方とも使えるが、「返信」の意味では「ご返事」がより改まっている。子どもが親に答えるのは「お返事」。

**べんし**［弁士］①〈演説／説明〉をする人。「応援―」②⇩活弁。

**ペンじ**［ペン字］①ペンで書いた文字。「―横書き」②ペンでする習字。ペン習字。「―教室」

**ペンじく**［ペン軸］ペン先をはめこんで書く道具。

**へんしつ**［偏執］〔文〕かたよった意見を持っていてほかの意見をうけつけないこと。へんしゅう。「―性・―的」
●**へんしつきょう**［偏執狂］一つのことに病的に熱中すること。モノマニア。へんしゅうきょう。

**へんしつ**［変質］《名・自サ》①性質が変わること。②ふつうとちがった、病的な性質。「―的」 ●**へんしつしゃ**［変質者］性格の異常な者。

**へんじゃ**［編者］編集〈する／した〉人。へんしゃ。

**へんしゅ**［変種］①種類の変わっている〈こと／もの〉。かわりだね。「ウイルスの地域的な―・ギターの―」（↕原種）②《植》種あるいは亜種の下に位置するもの。

**へんしゅう**［偏執］〔文〕⇩へんしつ（偏執）。

**へんしゅう**［編修］《名・他サ》〔文〕いろいろの材料を集めて書物にまとめあげること。「辞典―（＝編纂）・歴史書の―」

**へんしゅう**［編集・編×輯］《名・他サ》①いろいろの材料を集め、また原稿をたのんで、雑誌・新聞・単行本などの形にまとめること。「―後記（＝編集者の書いたあとがき）・―者」②映像や音声の素材をつなぎ合わせて、作品に仕上げること。「動画―」③《情》データを書きかえること。「ファイルを―する」④↑編集者。「担当―」

**べんしゅう**［便臭］〔文〕大便のにおい。「―がもれる」

**へんしょ**［返書］〔文〕返事の手紙。返信。

**べんじょ**［便所］大小便をする所。手洗い。トイレ。●**便所が近い**〔句〕⇩トイレが近い（「トイレ」の〔句〕）。●**べんじょのらくがき**［便所の落書き］〔俗〕①公衆便所のかべなどにある落書き。②〔インターネットで〕だれが書いたかもわからず、読む価値もない（下品な）書きこみ。▽トイレの落書き。

**へんじょう**［返上］《名・他サ》かえすこと（の謙譲語）。「予算―・辞令―（＝受け取らないこと）・汚名を―する・休日―で仕事をする」

**べんしょう**［弁証］《名・他サ》〔文〕①弁論によって証明すること。②弁別して証明すること。●**べんしょうほう**［弁証法］《哲》みずからの発展によって、自分の内にある矛盾をのりこえ、新しい統一に行きつく方法。

**べんしょう**［弁償］《名・他サ》相手にあたえた損害に対してつぐなうこと。つぐない。「損害を―する」

**へんしょく**［変色］《名・自サ》色が変わること。

☆☆**へんしょく**［偏食］《名・自サ》わずかな種類の、好きなものだけを食べること。すききらい。「―をなおす」

**ペンション**〔pension〕民宿ふうのホテル。洋風民宿。

**へん・じる**［変じる］〔文〕【一】《自上一》変わる。【二】《他上一》変える。「予定を―」▽【一】【二】変ずる。

**べん・じる**［便じる］〔文〕【一】《自上一》①〔用が〕たりる。②便利にする。「使用に―」【二】《他上一》〔用を〕たす。▽【一】【二】便ずる。

**べん・じる**［弁じる］《自他上一》〔文〕【一】［×辯じる］立場をはっきりさせるために、意見をのべる。「一席―」【二】［×辨じる］①区別する。「善悪を―」②すませる。すむ。「用を―・用が―」③〔費用を〕出す。▽【一】【二】弁ずる。

**ペンシル**〔pencil〕①えんぴつ。「―ビル（＝細長いビル）」②えんぴつ形の、まゆなどをかく道具。「アイ―・リップ―・チョコ―（＝ケーキなどに文字を書くためのチョコ）」

**へんしん**［変心］《名・自サ》心がわり（をすること）。

**へんしん**［変身］《名・自サ》からだがほかの姿に変わること。また、その変わった姿。

**へんしん**［返信］《名・自他サ》①返事の手紙（を出すこと）。返書。「ご―」（↕往信）②〔ファックス・メール・SNSなどの通信手段で〕返事（を送信すること）。

**へんじん**［変人］ふつうと変わった性質を持つ人。変わり者。「交際ぎらいの―」表記「偏人」とも書いた。

**ベンジン**〔benzine〕《理》原油から精製した揮発性の高い可燃性の液体。溶媒や、衣服のしみぬきなどに使う。石油ベンジン。揮発油。☞ベンゼン。

**ペンス**〔pence〕イギリスのお金の単位。「ペニー（penny）」の複数形。百ペンスで一ポンド。

**へんすう**［変数］《数》条件によって値が自由に変わる数。（↕定数）

☆☆**へんずつう**［片頭痛・偏頭痛］《医》頭のかたがわの、はげしい痛み。

**へん・する**［偏する］《自サ》かたよる。「一方に偏した見方」

**へんせい**［変声］〔文〕こえがわり。「―期」

←**へんせい**［変性］《名・自サ》①物質の性質が変化すること。②《理》たんぱく質が熱やさまざまな薬品で立体構造が変化し凝固・沈殿すること。

→**へんせい**［変成］《名・他サ》《理》熱や圧力などによって、鉱物のなりたちが変化すること。「熱―」●**へんせいがん**［変成岩］《鉱》火成岩や堆積岩が、地中の熱や圧力などにより、変化してできた岩石。例、大理石。

←**へんせい**［編成］《名・他サ》集めて一つにまとめあげること。「時間割の―・列車の―・予算の―・学級―（『編制』とも）・楽器―（＝楽団の楽器の構成）」

↔**へんせい**［編制］《名・他サ》〔文〕団体・軍隊を組織すること。「艦隊―表」

→**へんせい**［編製］《名・他サ》《法》〔結婚などの理由で〕戸籍を新しくつくること。

**へんせいふう**［偏西風］《天》上空で、一年を通じて、西から東にふいている風。☞ジェット気流。

←**へんせつ**［変節］《名・自サ》これまでの自分の態度や主義を変えること。●**へんせつかん**［変節漢］変節した男をけいべつして呼ぶ言い方。

**へんせつ**［変説］《名・自サ》〔文〕自分の主張を変えること。「―しないと約束する」

**べんぜつ**［弁舌］ものの言い方。「たくみな―・―さわやか〔=よどみがないようす〕」

**へんせん**［変遷］《名・自サ》移り変わること。移り変わり。「服装の―」

**ベンゼン**〔benzene〕〘理〙コールタールなどからとれる、無色でにおいのある液体。溶媒や燃料、薬・爆薬などの原料。発がん性がある。ベンゾール。☞ベンジン。

**べんそ**［弁×疏］《名・自他サ》〔文〕弁明。弁解。言い訳。「―の余地がない」

**へんそう**［変装］《名・自サ》〔人の目をくらますために〕別人のような姿をすること。また、変えた姿。

**へんそう**［返送］《名・他サ》送りかえすこと。

**へんそう**［変奏］《名・他サ》〘音〙ある主題をもとにして、メロディーなどをさまざまに変化させ〈ること／たもの〉。「主題と―・第一―・―曲」

**へんぞう**［変造］《名・他サ》〘法〙加工して形を変えること。「貨幣の―」

**べんそう**［便槽］〔文〕大小便を受けて ためる、入れもの。便つぼ。

**ベンゾール**〔benzol〕〘理〙①ベンゼン。②特に、工業用の、不純物をふくむベンゼン。

**へんそく**［変速］《名・自サ》①速度を変えること。「―機・―装置」②↑変速装置。「三段―の自転車」

**へんそく**［変則］《名・ナダ》規則・規定に外れること。「―的な処理」(↕正則)

**ベンダー**〔vendor=売り手〕①〔コンピューター業界などで〕納入業者。販売会社。「システム―」②自動販売機。「災害救援〔=災害時も使える〕―」

**へんたい**［変体］形式がふつうとちがうこと。「―漢文〔=日本語の語法が まじった漢文。(↕正格漢文)〕」
●**へんたいがな**［変体〈仮名〉］ふつうの ひらがなと ちがう字体の かな。草がな。例、ょ=に、ゐ=は。

**へんたい**［変態］《名・自サ》①〔文〕形や様子を変えること。②〘動〙動物が、発育の時期に応じて形を変えること。例、幼虫がさなぎになること。③〔↑変態性欲〕性欲の対象やあらわれ方が異常な〈こと／人〉。④〔俗〕ほめることば。ⓐ異様なほど すぐれている〈こと／人〉。天才。「―アレンジ」ⓑ異様なほど こだわる〈こと／人〉。「生き物に くわしすぎる―」

**へんたい**［編隊］航空機などが隊形を整えてひと組みになったもの。「―飛行・三機―」

**ペンだこ**［ペン(:胼胝)］ペンを長く使い続けたため、指にできた たこ。

**ペンタゴン**〔Pentagon=五角形〕アメリカ国防総省の通称。由来 建物の正五角形の形から。

☆☆**べんたつ**［×鞭×撻］《名・他サ》〔=むちうつこと〕〔文〕はげますこと。督励。「ご指導ご―のほどを」

**ペンタッチ**〔和製 pen touch〕①〔絵をかくときの〕ペンの使い方。「細密な―」②〘情〙パネルをペンでおす入力方法。

**ペンダント**〔pendant=ぶら下がったもの〕①ネックレスに宝石・木・金属などをつけて、首から下げる胸かざり。②〔ネックレス・イヤリングなどにつける〕宝石・メダルなど。③つり下げて、真下を明るく照らすようにした電灯。ペンダントライト。ペンダントランプ。

**へんち**［辺地］交通の不便な、都会から はなれた土地。僻地。「―に移り住む」

**ベンチ**〔bench〕①数人が こしかけられる、長いす。「公園の―・―シート〔=自動車の座席で、ひとりひとり用に分かれないタイプ。(↕バケットシート)〕」②〘野球・サッカー・バスケットボールなど〙選手・監督のいる席。また、作戦を指図する監督・コーチ。「―ワーク〔=ベンチの指揮〕」☞ダグアウト。●**ベンチを温める**句 ひかえの選手としてベンチにすわる。●**ベンチウォーマー**〔米 bench warmer〕ベンチにすわっている、ひかえの選手。補欠選手。●**ベンチプレス**〔bench press〕パワーリフティングの一種目。台に あおむけにねた状態で、バーベルをうでの長さいっぱいまで おし上げる競技。また、そのトレーニング。●**ベンチマーク**〔bench-mark〕①〔測量で〕水準点。②〔判断や評価の〕指標。基準。「小型クラスの―になる車種・―テスト」

**ペンチ**〔↑pincers(ピンチャーズ)〕針金を切ったり まげたりする工具。

**へんちき**［(変:痴気)・(変:痴奇)・ヘンチキ］《ナダ》〔俗〕変なようす。妙なようす。へんてこ。へんちきりん。「―論〔=りくつの通らない、おかしな論〕」由来「変」を、かね(鉦)の音の「ちゃんちき」のように言ったもの。

**へんちくりん**［変ちくりん・ヘンチクリン］《ナダ》〔俗〕非常に変なようす。へんちきりん。へんちょこりん。「―な形」

**ベンチャー**〔venture〕①冒険。冒険的な試み。②↑ベンチャービジネス。「―キャピタル〔=ベンチャービジネスへの投資をする会社やファンド。VC〕」●☆☆**ベンチャービジネス**〔venture business〕高度な先端技術などを生かして未開発分野に冒険的にいどむ中小企業。また、その事業。研究開発型企業。ベンチャー(企業)。VB。

**べんちゃら**〔話〕⇩おべんちゃら。

**へんちょ**［編著］《名・他サ》〔文〕出版物を編集し、かつ著述すること。また、その出版物。「―者」

**へんちょう**［変調］《名・自他サ》①調子が〈くるう／悪くなる〉こと。「からだに―をきたす」②〘音〙曲のとちゅうで調子を変えること。移調。③〘理〙電気信号を、伝送しやすい信号波に変えること。振幅変調〔=AM〕、周波数変調〔=FM〕など。

☆☆**へんちょう**［偏重］《名・他サ》かたよって おもんじること。「知識を―する・学歴―」

**へんちょうし**［変調子］変な調子。変調。

**ベンチレーター**〔ventilator〕①換気のために内部に風を送る装置。送風機。②人工呼吸器。

**ベンツ**〔vents〕〘服〙「ベント②」の複数形。

**べんつう**［便通］大便が出ること。

☆☆**ペンディング**《名・他サ》〔pending〕保留。懸案。「企画を―(に)する」

**へんてこ**［(変:梃)・ヘンテコ］《ナダ》〔俗〕変なようす。妙なようす。へんてこりん。由来「変」を、「てんてこ」のように太鼓の音に似せたもの。派―さ。

☆☆**へんてつ**［変:哲］変わった〈こと／ところ〉。「何の―もない話だが」由来「変」と、「編綴〔=医者などの着た羽織〕」をかけたものか。

**へんてん**［変転］《名・自他サ》〔文〕ほかの状態に変わること。また、変えること。「―きわまりない世相」

**へんでん**【返電】《名・自サ》返事の電報(を打つこと)。「―なし」

**べんてん**【弁天】⇩弁財天。「―さまのように美しい〈人〉」

**べんでん**【便殿】⇩びんでん。

**へんでんしょ**【変電所】発電所から送られた電気の電圧を調整して、配電する所。へんでんじょ。

**へんど**【辺土】〔文〕辺地。僻地(へきち)。「人も住まぬ―」

**ベント**〔vent〕①(=排気(はいき))〔理〕(原子力発電で)原子炉(ろ)の格納容器の圧力が異常に高くなって、破損のおそれのあるとき、弁を開け、水蒸気を外に出して、圧力を下げること。〈大気中に放射性物質が出る〉②〔服〕上着のすそに、たてに入れた切りこみ。☞センターベント・サイドベンツ。

**へんとう**【(×扁)桃】(=アーモンド)〔生〕人ののどの左右のおくにある、平たい長円形のもの。かぜをひいたりすると赤くはれて痛む。もと、扁桃腺(せん)。「―炎(えん)」●**へんとうせん**【(×扁桃)腺】①⇩扁桃。②扁桃炎(えん)。●**へんとうたい**【×扁桃体】〔生〕脳の側面にある、アーモンド形の神経細胞(さいぼう)の集団。記憶(きおく)や感情を処理する。

**へんとう**【返答】《名・自サ》こたえ(ること)。返事。

**へんどう**【変動】《名・自サ》一定の状態をたもたずに、いろいろと変わること。「物価の―」

**べんとう**【弁当】①入れものに入れて持って行き、外出先で食べる簡単な食事。「―箱・―を使う(=食べる)」②〔食堂・仕出し屋などで売る〕おかずとごはんを木箱などにつめたもの。「幕の内―」☞お弁当。

**ペントハウス**〔penthouse〕マンションの最上階に作った、ほかよりもぜいたくな住戸(じゅうこ)。

**へんなはなし**【変な話】㊀へんな-はなし すじの通らない話。「卒業させるために試験をやさしくするというのも―だ」㊁へんなはなし《副》適切な〈話題/言い方〉ではないかもしれないが。「―、運転中はトイレにも行けない」〈あまり意味もなく口ぐせで言う人もいる〉

**へんにゅう**【編入】《名・自他サ》すでにある組織の中に、新しく〈入れる/はいる〉こと。「となり村に―する・三年生に―(=編入学)する」

**へんにゅうがく**【編入学】《名・自サ》その大学に、他の大学・短期大学などの学生が、とちゅうの学年からはいること。編入。

**ペンネ**〔イ penne=ペン〕はしがペン先のようにななめに切れている、短い筒(つつ)状のパスタ。「ゴルゴンゾーラの―」

**ペンネーム**〔pen name〕作家などが、文章を発表するときに使う名前。筆名。雅号(がごう)。PN。

**へんねんし**【編年史】年代を追って書いた歴史。

**へんねんたい**【編年体】〔歴〕歴史の記述で、起こった出来事を年代順に書く形式。例、「日本書紀」「資治通鑑(しじつがん)」。(⇔紀伝体)

**へんのう**【返納】《名・他サ》もとの所に返すこと。「図書を―する・免許(めんきょ)証の―」

**へんぱ**【偏×頗】《名・ダ》〔文〕考え方や立場が、一方にかたよっていること。不公平。「―のないように」

**へんぱい**【返杯・返×盃】《名・自他サ》さされたさかずきを飲みほして相手にさしかえすこと。「ご―」

**べんばく**【弁×駁】《名・他サ》〔文〕相手の説に反対し、自分の考えの正しいことを主張すること。反論。べんぱく。

**べんぱつ**【弁髪・×辮髪】昔、男子の後頭部に残したかみの毛を、長く編んでうしろにたらした髪型(かみがた)。北方アジアでおこなわれた風俗(ふうぞく)。

**ペンパル**〔pen pal=なかよし〕ペンフレンド。

**へんぴ**【辺×鄙】《ナダ》都会から遠くはなれて不便なようす。「―な土地」派―さ。

**べんぴ**【便秘】《名・自サ》毎日のように出るはずの大便が出ないこと。ふんづまり〔俗〕。

**へんびょうし**【変拍子】〔音〕①基本となる二拍子・三拍子・四拍子を組み合わせた拍子。②曲の一部分がちがう拍子になったり、拍子が次々に変化したりすること。

**へんぴん**【返品】《名・自他サ》〈買った/仕入れた〉品物をかえすこと。

**へんぷく**【辺幅】〔文〕うわべ。外観。「―をかざらない人」

**へんぶつ**【変物・偏物】〔古風〕変人。

**ペンフレンド**〔pen friend〕遠くに住んでいて、手紙のやりとりで友だちになった人。ペンパル。

**へんぺい**【×扁平】《名・ダ》〔文〕ひらたいこと。表記 俗に「偏平」とも。派―さ。●**へんぺいそく**【×扁平足】〔医〕足のうらがひらたくて、土ふまずの部分がほとんどない足。長く歩くとつかれやすい。ベタ足〔俗〕。

**べんべつ**【弁別】《名・他サ》〔文〕ちがいを認めて、区別すること。「善悪を―する」

**へんぺん**【片々】《トタル》〔文〕①きれぎれになっているようす。「―たる知識」②うすっぺらなようす。「―たる(=ぺらぺらの)小冊子」③ほんのわずかであるようす。「―たることば」

**べんべん**【便々】《トタル》〔文〕①むだに時を過ごすようす。「―として日を過ごす」②ふとって腹がはり出しているようす。「―たる太鼓(たいこ)腹」

**ぺんぺんぐさ**【ぺんぺん草】〔俗〕①なずな。②大形の雑草。●**ぺんぺん草が生える** 句 家などがあれはてることのたとえ。

**へんぼう**【偏×旁・×扁×旁】漢字の偏と旁(つくり)。「―冠脚(かんきゃく)(=かんむりとあし)」

☆☆**へんぼう**【変貌】《名・自サ》〔文〕(見かけの)様子が変わること。変容。「近代都市へと―した」

**へんぽう**【返報】《名・自サ》〔文〕①(うらみに対する)しかえし(をすること)。②むくいること。「―を受ける」「好意の―性(=自分が好意を示せば、相手も好意を示すこと)」

**べんぽう**【便法】便利な方法。「―を講じる」

**ペンホルダー**〔penholder〕①手帳などにペンを取りつける文具。②(↑ペンホルダーグリップ)〔卓球(たっきゅう)で〕ペンを持つときのようなラケットのにぎり方(をして使うラケット)。☞シェークハンド②。

**へんぽん**【返本】《名・自他サ》〈仕入れた/買った〉本をかえすこと。

**へんぽん**【(×翩翻)】《トタル》〔文〕旗などがひるがえるようす。ひらひら。

**べんまく**【弁膜】〔生〕心臓・静脈(じょうみゃく)などの内部にある膜。血が逆に流れるのを防ぐ。弁。「心臓―症(しょう)」

**へんみ**【変味】《名・自サ》〔文〕(日がたって、食べ物の)味が変わること。

**へんむ**【片務】〔法〕契約(けいやく)した当事者の一方だけ

へ

が、義務を負担すること。「━条約」(↔双務(そうむ))

**べんむかん**【弁務官】⇩高等弁務官。

**べんめい**【変名】《名・自サ》①本名をかくして別につけた名前。②名前を変えること。

☆☆**べんめい**【弁明】《名・自他サ》〔疑問・非難に答えて〕自分のしたことの説明をすること。また、その説明。「一身上の━」

**べんもう**【×鞭毛】〔生〕原生動物や菌類(きんるい)などに見られる、運動や捕食(ほしょく)に使う長い毛のような器官。

**へんやく**【編訳】《名・自他サ》文章を集めたり ぬき出したりして編集し、翻訳(ほんやく)すること。「━者」

**へんよう**【変容】《名・自他サ》〔文〕外観が変わること。外観を変えること。「地形が━する」

**ペンライト**〔penlight〕万年筆の形をした、小形の懐中(かいちゅう)電灯。

**へんらん**【変乱】〔文〕変事のために起こる、世の中のみだれ。

**べんらん**【便覧】⇩びんらん(便覧)。

**べんり**【便利】《名・ナダ》それの おかげで、やりたいことが簡単にできる〈ようす/こと〉。「車があると━だ・━のいい〔=便利な〕通路・上司に━に〔=手軽に〕使われる男」(↔不便)派━がる。━さ。●**べんりや**【便利屋】①人にたのまれて、ちょっとした用事を代行する職業の人。②〔俗〕どんなちょっとした用でも、たしてくれる人。

**べんりし**【弁理士】〔法〕特許や実用新案などを本人に代わって申請(しんせい)・出願することを職業とする人。

☆☆**へんりん**【片×鱗】〔=一つの うろこ〕〔文〕全体の中のごくわずかな部分。一端(いったん)。「━をのぞかせる・大器(たいき)の━」

**へんれい**【返礼】《名・自サ》①相手から受けたことに対してする敬礼。②相手からもらった品物に対して、お礼の品物をかえすこと。また、その品物。

**へんれい**【返戻】《名・他サ》〔文〕かえすこと。もどすこと。「解約━金」

**べんれい**【勉励】《名・自サ》〔文〕つとめ はげむこと。「刻苦━」

☆☆**へんれき**【遍歴】《名・自他サ》①諸国を回って歩くこと。②いろいろな経験をすること。「愛の━」

**へんろ**【遍路】四国の八十八か所の巡礼(じゅんれい)〈をする人〉。「歩き━」☞お遍路。

☆☆**べんろん**【弁論】《名・自サ》①(大ぜいの前で)筋道を立てて意見をのべること。「━大会」②〔法〕法廷(ほうてい)で、訴訟(そしょう)の原告・被告(ひこく)・弁護人が意見をのべること。「最終━」

## ほ ホ

**ほ**【帆】風を受けて船を進めるために、マストに広げる布。「━を張る・━を揚(あ)げる」

**ほ**【△秀】〔雅〕いちばん高いところ。「山の━〔=いただき〕・木々の━〔=こずえ〕・杉(すぎ)の━」

**ほ**【歩】━ほ ①〔文〕あゆみ。あしどり。「━を進める・━を運ぶ〔=あゆむ〕」②〔視覚語〕〔広告で〕↔徒歩。「━五分」③〔軍〕↔歩兵。「━騎砲(きほう)工」━接尾 歩くときの、足を動かす回数をあらわすことば。●**歩を一(つい)にする** 句〔文〕歩調をそろえる。

**ほ**【捕】〔視覚語〕〔野球〕↔捕手。「━邪飛(じゃひ)〔=キャッチャーが とったファウルフライ〕」

**ほ**【×葡】↔ポルトガル(葡萄牙)。「━日〔『ポにち』とも読む〕辞典」

**ほ**【補】━ほ 〔文〕①おぎなうこと。「木下一郎(いちろう)作、田村武(たけし)━」②官職に任じること。「━、一等書記官」━造〔その職を補佐する〕一段下の位。「警部━・主事━・演出━」

**ほ**【穂】①花・実が花茎(かけい)の まわりに むらがりついたもの。②先について いて、「穂①」の形をしたもの。「筆の━・やり(槍)の━〔☞「やり①」の絵〕」●**穂に出る** 句 ススキなどの穂が、あらわれて見える。

**ほ**【△頬】〔雅〕ほお。

**ほ**【ホ】〔音〕長音階のハ調のミにあたる音(おん)。E音。

**ほ**【×圃】造〔文〕はたけ。「採種━」

**ほ**【舗】造〔文〕みせ。「新聞━・菓子(かし)━」

**ぼ**【母】接頭 親の。もとになるところの。「━集団・━細胞(さいぼう)」

**ぼ**【簿】造 帳簿。一覧表。「出勤━」

**ぼ** 造 ⇩んぼう。「こわがりん━・はだかん━・きかん━」

**ぽ** 造〔古風・俗〕⇩っぽ。

**ポ**〔印刷〕↔ポイント⑥。「九━」

**ボア**〔boa〕①毛皮・はねで作った、女性用の えり巻き。②ふさふさしたニット地。

**ボアシーツ**〔和製 boa sheets〕アクリルや綿でつくった厚手のシーツ。

**ホアジャオ**〔:花椒〕〔中国語〕サンショウの一種。実の皮を中国料理〔特に、四川(しせん)料理〕の香辛(こうしん)料に用いる。舌がしびれるほど からい。中国サンショウ。四川サンショウ。花椒(かしょう)。ホワジャオ。

**ポアレ**《名・他サ》〔フ poêler〕⇩ポワレ。

**ほあん**【保安】①〔文〕社会の平安と秩序(ちつじょ)をたもつこと。「━要員」②危険の考えられる職場の安全をたもつこと。●**ほあんかん**【保安官】〔アメリカで〕郡の治安維持(じ)と司法をまかされる人。シェリフ(sheriff)。

**ほい**【補遺】〔文〕もれていた文章・作品などを、あとからおぎなったもの。「全集の━」

**ほい**《感》〔音調は(↓)〕①〔俗〕〔ものをわたすときなどに〕相手の注意をうながす ことば。「━、一個やるよ」②〔俗〕〈呼ばれて/たのまれて〉、気軽に返事をするときのことば。「『ちょっとこれ見て』『━』・━来た〔⇩来た①〕」☞ほいほい。③〔話〕かけ声や、歌の はやしことばなどに使う。「えんやら━」

**ぽい**【ポイ】《名・他サ》〔俗〕投げすてること。すて去ること。☞ぽいと。

**ぽ・い** 接尾《助動形型》・**ぽい**《形》⇩っぽい。派━さ。

**ホイール**〔wheel〕車輪。「━キャップ」●**ホイールベース**〔wheelbase〕〔自動車〕前後の車軸(しゃじく)間の距離(きょり)。「ロング━」

**ぼいき**【墓域】〔文〕墓地として区切られている地域。

**ほいく**【保育】《名・他サ》①子どもの心身を保護しそだてること。「━玩具(がんぐ)」②【哺育】〔動物の親が〕(乳をあたえて)子をそだてること。「人工━・〔たとえて〕文明を━する」●**ほいくえん**【保育園】⇩保育所。●**ほいくき**【保育器】未熟児を入れて育てるための装置。●☆☆**ほいくし**【保育士】保育所や児童養護施設(しせつ)で、児童を保育する資格を持った人。

〔一九九九年からの ことば。「保母」「保父」の新しい呼び名〕●ほいくしゃ〔保育者〕保育士・幼稚園教員など、子どもの保育に たずさわる仕事をする人。●ほいくしょ〔保育所〕仕事・健康上などの事情のある保護者から、時間を決めて乳幼児をあずかり、保育する所。保育園。ほいくじょ。

**ホイコーロー**〔(:回鍋肉)〕〔中国語〕豚肉をキャベツやニンニクとともにいため、テンメンジャンで味つけした料理。ホイコーロウ。

☆☆**ボイコット**《名・他サ》〔boycott=もと、人名〕①消費者が団結して、商品を買わないこと。不買同盟。②共同で排斥すること。「課長を―する」③拒絶すること。「説明会を―する」

**ボイス**〔voice〕こえ。「ハスキー―」●**ボイスオーバー**〔voice over〕《映画・放送》①顔を画面に出さず、声だけで語ること。「―出演」②外国語の音声に、翻訳の音声をかぶせること。●**ボイストレーニング**〔voice training〕発声訓練。ボイトレ。●**ボイスレコーダー**〔voice recorder〕①飛行機の操縦室内の声や音を自動的に記録する装置。②⇩アイシー(IC)レコーダー。

**ぽいすて**〔ポイ捨て〕《名・他サ》道路などに、ぽいと、むぞうさに捨てること。「吸いがらの―・―のあきかん」

**ホイスト**〔hoist〕重いものを上げ下げしたり、運んだりする軽便な起重機。

［ホイスト］

**ポイズンピル**〔poison pill=毒薬〕《経》買収をしかけられた会社が対抗してとる措置。買収者以外の株主に、安い値段で新株を発行して、買収者の株式の持ち分を少なくするなど。

**ほいつ**〔捕逸〕《野球》⇩パスボール。(↔暴投)

**ホイッスル**〔whistle〕①〔競技で〕審判の鳴らす笛。「試合終了の―」②〔船などの〕警笛。

**ホイッパー**〔whipper〕泡立て器。

**ホイップ**《名・他サ》〔whip=むち打つ〕①《料》泡立てること。②生クリームを泡立てたもの。ホイップクリーム。

**ほいっぽ**〔歩一歩〕《副》〔文〕一歩一歩。「―成功に近づく」

**ほいで**《接》〔話/方〕それで。そいで。「―、どうなった」

**ぽいと**《副》軽く投げ(すて)るようす。ぽいっと。「―捨てる」☞ポイ。

**ほいな・い**〔(△本意ない)〕《形》〔古風〕不本意だ。「家事をほいなく手伝っている」

**ほいほい**《副・自サ》深く考えないで、簡単に相手に従うようす。「―(と)言うとおりになる・―ついて行く」

**ぽいぽい**《副》むぞうさに続けて投げすてるようす。「吸いがらを―(と)すてる」

**ボイラー**〔boiler〕①蒸気を大量に発生させるためのかま。蒸気機関(車)のかま。汽缶。「―技士」②〔暖房・給湯のために〕大量に湯をわかすかま。

**ホイル**〔foil〕包んで料理するときなどに使う、アルミニウムなどのはく(箔)。フォイル。「―焼き」

**ボイル**《名・他サ》〔boil〕ゆでること。ゆでたもの。ゆで煮に。「ソーセージを―する」●**ボイルド**[逸]〔boiled〕ゆでた。煮た。「―エッグ〔=ゆでたまご〕」

**ほいろ**〔(×焙炉)・ホイロ〕茶の葉などを入れ、火にかけてかわかす道具。

**ぼいん**〔母音〕《言》発音のさい、口の中や のどで息の通路がじゃまされないで出る音。ぼおん。例、あ〔a〕・う〔u〕。(↔子音)

**ぼいん**〔(×拇印・母印)〕親指や人さし指の先を印肉につけてから紙に おしつけ、印の代わりにするもの。指印。爪印。

**ポインセチア**〔poinsettia〕メキシコ原産の低木。クリスマスのころに、頂上の数枚の苞が赤・黄白色などになる。はち植えにして楽しむ。

**ポインター**〔pointer〕■一 **ポインター** 大形の猟犬。耳がたれ、毛が短く、白地に ぶちがある。鼻と前足で獲物の方向を知らせる。■二 **ポインター** ①コンピューターの画面に表示され、マウスなどで動かす、矢印形などのカーソル。マウス カーソル。②↑レーザー ポインター。▽ポインタ。

***ポイント**〔point〕①点。「ウイーク―〔=弱点〕」②地点。拠点。「監視―」③点(数)。得点。「―をかせぐ・―が高い〔=なかなかいい。高評価の〕ファッション」④〔指数などで〕上がり下がりの はばを百分率などで示すことば。「支持率が五―上昇〔例、四〇パーセントから四五パーセントになる〕」⑤購入額などに応じて発行される点数。たまった分だけ値引きなどが受けられる。サービス ポイント。「―プログラム」⑥《印刷》活字の大きさの単位〔記号P. pt〕。ポ。「十一―〔=一辺が約三・五ミリ〕」⑦(重要な)箇所。要点。急所。「―をおさえて話す」⑧〔鉄道で〕車両が別の線路に はいるように、線路の分かれめに取り付けた装置(のある場所)。転轍機。分岐器。「―の切りかえ」⑨《トランプ》一点札。エース。⑩小数点。「三―八メートル」⑪《釣り》ⓐさかなが えさに食いつく場所。ⓑつり糸を投げる距離。「―ホテル」●**ポイントが高い**[句] 評価が高い。●**ポイントを落とす**[句] ①得点をうしなう。②《印刷》活字を小さくする。▽(↔ポイントを上げる)●**ポイントカード**〔point card〕「ポイント⑤」をためるための、個人用のカード。●**ポイントゲッター**〔point getter〕チームの中心となって、得点を上げる選手。

****ほう** ■一〔方〕正方形の、一辺の長さ。「―四キロ〔=四キロ平方〕」■二〔(方)〕①方角。「東の―へ」②その方角。その方面。〔ぼかして言うときに使うことば〕「市の南部の―に住む・病院の―に つとめております」③方面。部門。「食べる―では負けません」④〈ならべて/くらべて〉考えられるものの 一つを取り上げて さすことば。「君の―が正しい・やめた―がいいよ」⑤部類(に属するもの)。「性質が おくびょうな―だ」⑥〔俗〕何かに関して、ぼかして言うことば。「お会計の―、六千円になります」☞その方・わが方。

****ほう**〔法〕①共同の生活をいとなむ上で守らなければならない、その社会の決まり。おきて。②法律。法規。「―にそむく・―の裁きを受ける・―を曲げる・学校教育―」③しかた。方法。「検査―」④礼儀。作法。「―に かなう」⑤《仏》仏法。⑥↑法学部。●**法に照らす**[句] 法律の条文にもとづいて判断する。

**ほう**〔(×苞・包)〕《植》つぼみや芽を包む小さな葉。フキノトウは、うろこ状の苞に包まれたフキのつぼみ。ポインセチアのまっかな葉は、苞の変形したもの。

ほ

**ほう**[砲] 一 ほう《軍》①大砲。「ロケットー」②↑砲兵。「歩騎ー工」 二 造《野球》強打者。「長距離ー」

**ほう**[報] 一 ほう〔文〕しらせ。「死去のーに接する・帰京のーを〈受ける／得る〉」 二 造 ①しらせ。「第五ー・社内ー・注意ー」②報告。「研究所ー」

**ほう** 一《感》〔話〕おどろきや感心の気持ちをあらわすことば。ほー。「ー、それで(どうした)?・ほう(ノ)、それは初耳だ」☞ほほう。 二《副》〔方〕そう。「ーか(=そうか)・ーやな(=そうだな)」

**ほう**[包] 接尾 粉薬などを紙に包んだものを数えることば。

**ほう**[訪] 造〔文〕…を訪問すること。「ーロ(=ロシア訪〈問〉)」

**ほう**[俸] 造 俸給。「三等級四号ー」

**ほう**[峰・×峯] 造〔文〕高い山の、みね。「無名ー」

**ぼう**[忙]〔文〕いそがしさ。多忙。「ー中閑あり(⇩「忙中」の句)」

**ぼう**[坊] 一 ぼう ①《仏》僧の住む家。「ーの あるじ」②〔文〕僧。「師のー」③〔古風〕男の子〈を呼ぶ／が自分を呼ぶ〉ことば。坊や。 二 接尾 ①その人や動物に〈親しみ／からかい〉をあらわすことば。「マーー・〔女性に〕お春ー〔古風〕・次男ー・見えー・うりー」②《仏》僧の名前にそえることば。「武蔵ー」☞んぼう。

**ぼう**[房] 一 ぼう 監獄や留置場の、仕切られた部屋。「ーの中・十九ー・独居ー」 二 接尾 ①家の雅号にそえることば。②《仏》僧の名前にそえることば。

☆☆**ぼう**[某] 一 ぼう なんとか(という名前の人)。なにがし。「少年ーの犯行・木村ー」 二 接頭 名前〈のはっきりしない／をはっきり出したくない〉場合に使うことば。あ(或)る。「ー課長・ー市」

**ぼう**[帽] 帽子。「ー振れ・運動ー・安全ー」

**ぼう**[棒] ①細長い木・竹・金属など。「マッチのー(=じく)」②まっすぐな線。「ーを引く」③《音》↑指揮棒。「ーを振る・ーさばき」④〔ーに〕ⓐ一本調子。「せりふをーに読む」ⓑ《碁・将棋》たてつづけ。「三番、ーに勝つ」●**棒に振る** 句 努力して手に入れたものを失う。手に入れそこなう。「社長のいすをー・一生をー」

●**棒をの(呑)んだよう** 句 ①からだをまっすぐにして〈いる／立つ〉たとえ。②ゆうずうの きかないたとえ。「ーな対応」

**ぼう**[暴]〔文〕乱暴。不法。●**暴をもって暴に報いる** 句〔文〕暴力をふるって、相手の暴力にこたえる。

**ぼう**[亡] 接頭〔文〕死んだ人(の姓名)にかぶせることば。故。「ー祖父」

**ぼう**[防] 造〔…を〕ふせぐ。〔…から〕まもる。「ーさび・ーかび・ー泥」

**ぼう**[紡] 造 紡績会社。「東洋ー」

**ボウ**〔bow〕⇩ボー。

**ぼうあく**[暴悪]《名・ナダ》〔文〕乱暴で、道理に外れているようす。派ーさ。

**ぼうあげ**[棒上げ]《名・自サ》《経》相場がいちどきにまっすぐ上がること。(↔棒下げ)

↔**ぼうあつ**[防圧・防×遏]《名・他サ》〔文〕防ぎとめること。防止。

↑**ぼうあつ**[暴圧]《名・他サ》〔文〕力でおさえつけること。「ーするようなことば」

**ほうあん**[法案] 法律の案文・下書き。「ーが可決する」

**ぼうあんき**[棒暗記]《名・他サ》理解もせずに、ただむやみに暗記すること。☞丸暗記。

**ほうい**[方位] ①〔数字・名前などであらわす〕方向・方角。「ーが十度ずれる・南南東のー・うしとらのー」②〔うらないで〕方角。「ーを気にする」●**ほういじしん**[方位磁針] 方角を知るための道具。中央に磁石でできた針があり、南北をさすようになっている。方位磁石。コンパス。☞羅針盤①。

**ほうい**[法衣] ①《仏》僧が、儀式のときに着る衣服。ほうえ。ころも。②〔文〕⇩法服。

**ほうい**[包囲]《名・他サ》〔敵・犯人などを〕とりかこむこと。「ー網」

**ぼうい**[暴威]〔文〕猛烈な〈威力／勢い〉。「ーをふるった台風」

**ほういがく**[法医学]《医》変死体の鑑定など、法律にかかわる問題を医学的に解明・研究する学問。

**ほういつ**[放逸・放×佚]《名・ナダ》〔文〕勝手気ままで、だらしがないこと。放恣。「ーに流れる」

**ほういん**[法印] ①《仏》僧正にあたえる、僧の最高の位。②中世・近世、医師・絵かき・連歌師・儒者などにあたえられた称号。

**ぼういん**[暴飲]《名・他サ》むやみに酒や飲み物を飲むこと。「ー暴食」

**ぼうう**[防雨]〔文〕雨にぬれるのを防ぐこと。「ー装置」

**ぼうう**[暴雨]〔文〕おおあめ。

**ほうえ**[法会]《仏》①人々を集めて説法・読経などをする行事。②死んだ人の追善・供養をする行事。法事。「一周忌のー」

**ほうえ**[法△衣]《仏》⇩ほうい(法衣)①。

**ほうえい**[放映]《名・他サ》テレビで放送すること。「CMのー・ー権」

**ぼうえい**[防衛]《名・他サ》①それが害を受けたり、うばわれたりするのを防ぎ、守ること。「組織をーする・生活ー(=むだな出費をおさえたりすること)・タイトルー・ー戦」②特に、外国の侵略から国を守ること。国防。「ー産業・ー力」●**ぼうえいきせい**[防衛機制]《心》危険や苦痛を予感したとき、自分を守るため無意識にはたらくしくみ。例、抑圧・投影・合理化。●**ぼうえいしょう**[防衛省]《法》日本の防衛を受け持ち、自衛隊を管理・運営する中央官庁。〔もと防衛庁〕●**ぼうえいしょう**[防衛相]〔文〕防衛大臣。●**ぼうえいそうびちょう**[防衛装備庁]《法》防衛省で使う装備品の開発・生産をつかさどる官庁。防衛省の外局。

**ほうえき**[法益]《法》法律によって守られる利益。「個人的ー」

*__ぼうえき__[貿易]《名・自サ》《経》外国と商業取引をおこなうこと。「ー商・自由ー・ー黒字」●**ぼうえきふう**[貿易風]《天》緯度三〇度付近から、赤道に向かって、いつもふいている風。由来 昔、貿易をする帆船が、この風を利用したことから。

☆☆**ぼうえき**[防疫]《名・他サ》《医》感染症の侵入を予防し、また、その侵入を防ぐこと。

ほうえつ【法悦】①〔仏〕教えを聞いて心に起こる喜び。②〔文〕うっとりとするような喜び。「―境(きょう)・―にひたる」

ほうえん【方円】四角と丸。「水は―の器(うつわ)に従う〔⇩「水」の句〕」

ほうえん【砲煙】〔文〕大砲を発射したときのけむり。

●ほうえんだんう【砲煙弾雨】〔文〕はげしく飛びかう、銃砲(じゅうほう)の弾丸。

ほうえん【豊艶】《ナダ》〔文〕〔女性の〕肉づきがゆたかで、あでやかなようす。派―さ。

ぼうえん【防炎・防×焔】〔文〕火がついて燃え上がるのを防ぐこと。「―加工・―剤(ざい)」

ぼうえん【防煙】〔文〕〔火事で〕けむりが広がることを防ぐこと。

ぼうえん【望遠】①〔文〕遠くを見ること。②↑望遠レンズ。●ぼうえんきょう【望遠鏡】遠くのものを拡大して見るときに使う、長い筒(つつ)形の光学器械。とおめがね。●ぼうえんレンズ【望遠レンズ】遠くにあるものを大きく撮影(さつえい)するためのレンズ。望遠。

ぼうお【防汚】よごれがつくのを防ぐこと。「―加工」

ほうおう【法王】〔宗〕教皇。「―庁」

←ほうおう【法皇】〔歴〕仏門にはいった上皇。

→ほうおう【×鳳×凰】〔昔中国で〕めでたいときにあらわれると考えられた鳥。形はクジャクに似ている。

ほうおう【訪欧】《名・自サ》〔文〕ヨーロッパを訪問すること。「―の旅」

ぼうおく【×茅屋】〔文〕あばらや。〔自分の家をけんそんして言うことば〕

ほうおん【芳恩】〔文〕受けた恩を尊敬して言うことば。「―をかたじけなくし」

ほうおん【砲音】〔文〕大砲を発射するおと。

ほうおん【報恩】〔文〕受けた恩にむくいること。

ぼうおん【忘恩】〔文〕受けた恩をわすれること。「―の徒」

ぼうおん【防音】《名・自サ》①遮音(しゃおん)や吸音によって、外部の音が中にはいるのを防ぐこと。また、内部の音が外へもれるのを防ぐこと。「―装置・―校舎・―テックス」②さわがしい音をたてないようにすること。「―工法」

ほうか【邦家】〔文〕〔わが〕国。国家。「―のため慶賀(けいが)にたえない」

ほうか【邦貨】〔文〕日本のお金。「―に換算(かんさん)すると」

ほうか【放課】①学校などで、その日の課業を終えること。「―後」②〔愛知などの方言〕学校の休み時間。「昼(ひる)―」

ほうか【法科】①法律に関する学科。②法学部。

●ほうかだいがくいん【法科大学院】法律家を養成するための専門職大学院。ロー スクール。

ほうか【法貨】〔経〕法律によって強制的に通用するように定めた、お金。法定貨幣(かへい)。

ほうか【砲火】大砲を発射したときに出る火。「―を浴びせる(=砲撃(ほうげき)する)・―のちまた(=戦場)・集中―」

●砲火を交える 句〔文〕たがいに戦う。戦闘(せんとう)状態になる。

ほうか【放歌】《名・自サ》〔文〕大きな声で歌うこと。「―高吟(こうぎん)」

ほうか【×烽火】〔文〕のろし(の火)。「革命の―」

ほうか【放火】《名・自他サ》家などに火をつけること。「民家(に/を)―する」

ほうか【放下】《名・他サ》〔文〕①そそぐこと。「光を―する」②下におくこと。「荷物を―する」③手ばなすこと。「名馬を―する」☞ほうげ(放下)。

ほうが【邦画】①日本で作った映画。(↔洋画)②〔文〕日本画。

☆ほうが【×萌芽】《名・自サ》①〔農〕芽が出ること。また、その芽。「―力」②〔文〕何かが起こりそうなきざし。「悪の―をつみ取る」▽めばえ。

ほうが【奉加】《名・他サ》〔文〕①社寺に、お金や品物を寄付すること。②寄付金(集め)。「―に歩き回る」

●ほうがちょう【奉加帳】社寺に寄付する金額・品物名・寄付者名などを記入する帳面。「―を回す(=寄付をつのる)」

ほうが【奉賀】《名・他サ》〔文〕つつしんで祝うこと。「―新年」

ぼうか【防火】①火事になるのを防ぐこと。「―建築」②火が燃え広がるのをくいとめること。「―扉(とびら)・―地帯・―林」

ぼうが【忘我】〔文〕〈うっとり/熱中〉して自分をわすれること。「―の境(きょう)」

☆ほうかい【崩壊・崩潰】《名・自サ》①〔建物・がけなどが〕くずれこわれること。「ビルが―する」②ある〈組織が/体制が〉くずれて、その機能を失うこと。「ローマ帝国(ていこく)の―・学級―・医療(いりょう)―」

ほうかい【抱懐】《名・他サ》〔文〕心の中で思うこと。「理想を―する」

ほうがい【法外】《ナダ》程度が過ぎるようす。「―な(=とほうもない)値段」派―さ。

ぼうがい【望外】〔文〕〔自分が〕願っていた以上であること。「―の喜び」

ぼうがい【妨害・妨×碍】《名・他サ》さまたげ(ること)。じゃま。「営業―・―工作」

ほうかいせき【方解石】《鉱》ガラスのように すきとおった鉱物。大理石のおもな成分。カルサイト(calcite)。由来 たたくと、ひしもちのような六面体に割れることから。

ほうがく【方角】①ある点をもとにして考えた、東西南北などの方向。方位。「北の―」②方向。「駅の―」③見当。「―ちがい」

ほうがく【邦楽】①日本に昔から伝わる音楽。②日本の楽曲。▽(↔洋楽)

ほうがく【法学】法律の原理・適用を研究する学問。「―博士」

☆ほうかつ【包括】《名・他サ》〔文〕一つに まとめること。

ぼうかび【防×黴】〔文〕カビが はえるのを防ぐこと。ぼうばい。

ほうかん【宝冠】〔文〕宝石でかざったかんむり。

ほうかん【宝鑑】(=重宝(ちょうほう)な本)〔文〕いろいろ便利なことが書いてあり、日常的に参考にする本。「家庭―」

ほうかん【法官】〔文〕裁判官。

ほうかん【砲艦】〔軍〕海岸や川を警備する、喫水(きっすい)の浅い小型の軍艦。「―外交(=武力を背景にしておこなう外交)」

ほうかん【×幇間】〔文〕たいこもち。

ほ

**ほうかん**【奉還】《名・他サ》〔文〕おかえし申しあげること。「大政―」

**ほうがん**【方眼】〔紙全体にたくさん書いた〕真四角なしきり。「五ミリ―」 ●**ほうがんし**【方眼紙】真四角なます目のたくさんある用紙。設計やグラフを書くときなどに使う。セクションペーパー。

**ほうがん**【△判官】《歴》検非違使の尉（=三等官）。はんがん。●☆**ほうがんびいき**【△判官×贔×屓】弱い者に同情すること。はんがんびいき。由来 九郎判官源義経の不幸な運命に対する同情から。

**ほうがん**【砲丸】（=昔の大砲のたま）《陸上》①砲丸投げで投げる、金属のたま。②↑砲丸投げ。●**ほうがんなげ**【砲丸投げ】《陸上》片手で支えた金属のたまを遠くまで投げる競技。砲丸。

☆**ほうがん**【包含】《名・他サ》〔文〕中に〈ふくむ／ふくんで持つ〉こと。

**ぼうかん**【防汗】〔文〕①あせでさびるのを防ぐこと。「―仕様のうで時計」②あせどめ。「―剤」

**ぼうかん**【防寒】熱がにげないようにして、寒さを防ぐこと。「―対策」（↔防暑）

☆**ぼうかん**【暴漢】乱暴をする男。「―におそわれる」

☆**ぼうかん**【傍観】《名・他サ》〈何もしないで〉そばで見ていること。「―者・―的な態度」

**ボウガン**〔bowgun〕⇩クロスボウ。

**ほうき**【△伯×耆】旧国名の一つ。今の鳥取県の西部。伯州。

**ほうき**【芳紀】〔文〕年ごろの女性の年齢。「―まさに十九歳」

**ほうき**【宝器】〔文〕たからものとされるうつわ。宝物。

**ほうき**【（×帚）・（×箒）】ちり・ごみをはく道具。●**ほうきぐさ**【（×帚）草】くきを干してたばね、草ぼうきにする草。若い葉や実は食用。コキア（ラ kochia）。●**ほうきぼし**【（×帚）星】〔天〕⇩すいせい（彗星）。●**ほうきめ**【（×帚）目】①ほうきで地面をはいたあとのすじ。「―を立てる」②ほうきの先。「―の届かないすみに、ほこりがたまる」

**ほうき**【法規】《法》法律上の決まり。「―に照らす」

☆**ほうき**【蜂起】《名・自サ》大ぜいの人がいっせいに暴動・反乱を起こすこと。「武装―」

☆**ほうき**【放棄・×抛棄】《名・他サ》権利または義務があることを、しないこと。手ばなすこと。「相続を―する・戦争―・育児―」

**ぼうぎ**【謀議】《名・自他サ》①〔文〕悪い相談（をすること）。「反対派を除こうという―」②《法》犯罪の計画や方法の相談（をすること）。「共同―」

**ほうきゃく**【訪客】〔文〕客がおとずれること。また、おとずれる客。ほうかく。「―がある」

☆**ぼうきゃく**【忘却】《名・他サ》わすれてしまうこと。「使命を―する」●**ぼうきゃくのかなた**【忘却の（:彼方）】忘れた記憶が行き着く、遠い所。記憶のかなた。「―から浮かび上がる・―に〈追い／押し〉やる」

**ぼうぎゃく**【暴虐】《名・ナダ》〔文〕乱暴で、むごたらしいしうちをするようす。派―さ。

**ほうきゅう**【俸給】公務員・会社員などにあたえる報酬。給料。サラリー。区別⇩報酬。

**ほうきゅう**【放×鳩】《名・自他サ》〔文〕儀式や通信のため、ハトをとび立たせること。

**ほうぎょ**【崩御】《名・自サ》〔文〕天皇・皇后・皇太后・太皇太后（=先々代の天皇の皇后）がなくなること。

**ぼうきょ**【暴挙】〔文〕乱暴な行動。横暴なふるまい。

**ぼうぎょ**【防御・防×禦】《名・他サ》それが〈攻撃／打撃〉を受けるのを防ぎ、守ること。「村を―する・顔面の―・病原体からからだを―する・チームの―力」（↔攻撃）●**ぼうぎょりつ**【防御率】《野球》投手の、一試合平均の自責点。

**ほうきょう**【豊凶】〔文〕①豊年と凶年。また、豊作と凶作。「―をうらなう」②豊漁と凶漁。

**ほうきょう**【豊胸】〔文〕①女性の胸をゆたかにすること。「―（手）術」②ゆたかな胸。豊乳。

**ほうきょう**【豊△頰】〔文〕ふっくらとしたほお。

**ぼうきょう**【防共】〔文〕共産主義の侵入を防ぐこと。（↔容共）

☆**ぼうきょう**【望郷】〔文〕故郷を（遠くから）したうこと。「―の念にかられる」

**ほうぎょく**【宝玉】〔文〕たからのたま。

**ぼうきれ**【棒切れ】棒の切れはし。ぼうっきれ。ぼうぎれ。

**ほうきん**【砲金】《理》すず（錫）約一〇パーセントをふくむ青銅の合金。軸受けなど、機械部品に使う。ガンメタル（gunmetal）。由来 昔、大砲に使ったことから。

**ほうぎん**【邦銀】（外国にある）日本の銀行。（↔外銀）

**ほうぎん**【放吟】《名・他サ》〔文〕ぶえんりょに大声で詩や歌を歌うこと。「浪曲を―する・高歌―」

**ぼうぐ**【防具】《剣道・フェンシング・アメリカンフットボールなど》からだに着けて、攻撃されたときのけがを防ぐ道具。

**ぼうぐい**【棒〈×杭〉】まるい木材のくい。ぼうくい。

**ぼうくう**【防空】空中からの攻撃を防ぐこと。「―ごう（壕）」●**ぼうくうしきべつけん**【防空識別圏】防衛のために領空の外側に定めた空域。ここにはいってきた航空機を識別し必要な措置をとる。

**ぼうぐみ**【棒組み】①《印刷》（組み版で）字詰め・行数は整えるが、まだ図版などは入れず、仕上がりの形にしないもの。②《古風》（かごをかつぐ）相棒。

**ぼうグラフ**【棒グラフ】数量を〈棒／細い長方形〉で示すグラフ。

**ぼうくん**【亡君】〔文〕死んだ主君。先君。「―のうらみを晴らす」

**ぼうくん**【暴君】①乱暴で残酷な主君。タイラント。②自分勝手で横暴な（男の）人。

**ほうげ**【放下】《名・他サ》《仏》《禅宗で》こだわりをなくして捨て去ること。「自己を―する」☞ほうか（放下）。

**ほうけい**【方形】〔文〕四角（形）。

**ほうけい**【包茎】《医》おとなになっても、陰茎の先が皮でつつまれている〈状態／もの〉。皮かむり。

**ほうげい**【奉迎】《名・他サ》〔文〕身分の高い人をむかえること。（↔奉送）

**ぼうけい**【亡兄】〔文〕死んだ兄。（↔亡弟）

**ぼうけい**【傍系】①もとになるものから分かれ出た系統。（↔直系）②主流でない系統（の人）。「―会社・―

社員」

**ぼうけい**【謀計】〔文〕悪い計略。「緻密な―」

**ほうげき**【砲撃】《名・他サ》大砲で攻撃すること。

**ぼうげつ**【某月】〔文〕ある月。「―某日」

**ほう・ける**【×惚ける・×呆ける】《自下一》①〈何かのために〉ぼけたようになる。「病み―・ほうけたような表情」②そのことに夢中になる。「遊び―」

**ほうけん**【宝剣】宝物のつるぎ。

**ほうけん**【封建】〔歴〕君主が土地を分けあたえて諸侯に国をたてさせること。「―性〈=封建的な性格〉」 ●**ほうけんじだい**【封建時代】〔歴〕封建制の時代。●**ほうけんしゅぎ**【封建主義】〔歴〕支配者や家の主人が、強い権力で人々や目下の者をおさえつけるやり方。●**ほうけんせい**【封建制】〔歴〕〈君主/将軍〉が、臣下の諸侯に土地を分けあたえ、諸侯はその領地で専制政治をおこなった制度。封建制度。☆☆●**ほうけんてき**【封建的】《ナダ》封建〈主義/制〉のやり方であるようす。上下の関係を重んじて、個人の自由や権利を認めないようす。

**ほうけん**【奉献】《名・他サ》〔文〕つつしんでさしあげること。〔神社の石灯籠などに刻みつけてある〕

**ほうげん**【方言】①ある地方に おこなわれる言語の全体。〈↔共通語〉②標準語とちがう、なまりのあることば。また、その地方だけのことば。〈↔標準語〉

**ほうげん**【法眼】①〔仏〕法印の次の位。僧都にあたえる、僧の位。②中世・近世、医師・絵かき・連歌師・儒者などに あたえられた称号。「狩野―元信」

☆☆**ほうげん**【放言】《名・他サ》①〔文〕思うままに言うこと。②無責任な〈ことば/発言をすること〉。

**ぼうけん**【冒険】《名・自サ》危険を承知の上でおこなうこと。「それは―だ・―小説・―心」

**ぼうけん**【剖検】《名・他サ》〈↔解剖検査〉〔医〕解剖して調べること。

**ぼうけん**【望見】《名・他サ》〔文〕遠くから ながめること。「富士を―する」

**ぼうげん**【妄言】⇩もうげん。

**ぼうげん**【防×眩・防幻】〔文〕自動車の まぶしい光で目がくらむのを防ぐこと。「―めがね」

☆☆**ぼうげん**【暴言】乱暴なことば。「―をはく」

**ほうこ**【宝庫】①たからものを入れるくら。「美術の―ルーブル美術館」②多くの有用なものが〈産出する/取り出される〉所。「知識の―」

**ほうご**【法語】〔仏〕仏の教えをやさしく解説した〈話/文章〉。

**ぼうこ**【×茫×乎】《トタル》〔文〕ぼんやり。「―とした視線」

**ぼうご**【防護】《名・他サ》防いで守ること。「―服」

＊＊**ほうこう**【方向】①〈ものが動くときの〉上下・左右・前後などの、むき。「右の―・一―だけ見る・―転換・新宿―」②めあて。「研究の―」③〈あることを〉めざすこと。「採用する―だ」 ●**ほうこうおんち**【方向音痴】方向の感覚がにぶい〈こと/人〉。●**ほうこうかん**【方向感】〈ものごとが〉ある方向へむかうという感じ。「―が定まらない」●**ほうこうせい**【方向性】これから進むべき、大まかな道すじ。「―を示す」●**ほうこうだ**【方向×舵】飛行機の尾翼の一部。縦に取り付けて、左右に方向を変える役目をする。〈↔昇降舵〉●**ほうこうづけ**【方向〈付け〉】《名・他サ》進む方向を決めること。動 方向づける《他下一》。

☆☆**ほうこう**【芳香】〔文〕やわらかな感じの、いいにおい。

**ほうこう**【砲口】〔文〕大砲などの、たまの出るくち。

**ほうこう**【×彷×徨】《名・自サ》〔文〕さまようこと。うろつくこと。

**ほうこう**【×咆×哮・×咆×吼】《名・自サ》〔文〕〈けものなどが〉ほえること。「野獣の―」

**ほうこう**【奉公】《名・自サ》①〔文〕国家のために力をつくすこと。「滅私―」②〔古風〕主人につかえること。●**ほうこうにん**【奉公人】もと、家庭や商店で、やとわれて家や店の用事をした人。

**ほうこう**【放校】《名・他サ》〔文〕学生・生徒を退学させ、よそへの転学・転校も できなくすること。

**ほうごう**【法号】〔仏〕①五戒を受けるとき、師が門弟に さずける称号。②死んだ人に僧が さずける、「院」「居士」などの称号〈のついた戒名〉。

**ほうごう**【縫合】《名・他サ》〔医〕〈傷口を〉ぬいあわせること。「心室―・―術」

**ぼうこう**【×膀×胱】〔生〕腎臓から送られる尿をためておく、ふくろのような内臓。「―がん〈癌〉」

**ぼうこう**【暴行】《名・自他サ》①なぐる・けるなど、相手に対する乱暴なおこない。暴力行為。「仲間〈に/を〉―する・―罪」②強姦。性的暴行。「女性を―する」

**ほうこく**【報国】〔文〕自分が生まれた国のために、力をささげること。「―の念」

**ほうこく**【奉告】《名・他サ》〔文〕〈神/身分の高い人〉に知らせること。「―祭」

＊＊**ほうこく**【報告】《名・他サ》①つげ知らせること。「現状を―する」②あたえられた仕事の結果を〈のべること/のべたもの〉。「中間―」

**ぼうこく**【亡国】〔文〕①ほろびた国。「―の民」②国をほろぼすこと。〈↔興国〉

**ぼうこく**【某国】〔文〕ある国。「―大使館員」

**ほうこん**【方今】《名・副》〔文〕ただいま。

**ぼうこん**【亡魂】〔文〕死んだ人のたましい。

**ほうざ**【砲座】大砲をすえる台座。

**ぼうさ**【防砂】砂を防ぎ さえぎること。「―林」⇩砂防。

**ほうさい**【奉×賽】〔文〕さいせん〈賽銭〉をさしあげること。〔さいせん箱の前に書いてある〕

**ほうざい**【包材】〔文〕ものを包むための材料。包装資材。例、包装紙・つめもの。

**ぼうさい**【亡妻】〔文〕死んだ妻。〈↔亡夫〉

**ぼうさい**【防災】天災を防ぐこと。「―訓練・―ずきん」

**ぼうさい**【防塞】〔文〕敵を防ぐ、とりで。バリケード。防塁。

**ほうさく**【方策】〔文〕目的を達するための方法。「政策を実現する―・―を立てる」

**ほうさく**【豊作】①穀物がゆたかに みのること。②いい人材・作品などが たくさん出ること。「今年のドラフトは―だ」▽〈↔凶作・不作〉●**ほうさくびんぼ**

ほ

う［豊作貧乏］作物がとれすぎて、かえって収入がへること。

**ぼうさく**［防柵］そとから はいれないように まわりを囲ったさく。

**ぼうさげ**［棒下げ］《名・自サ》《経》相場がいちどきに まっすぐ下がること。（↔棒上げ）

**ぼうざし**［棒差し］《すもう》もろざしに なったままのこと。「－で動きがない」

☆☆**ぼうさつ**［忙殺］《名・他サ》（「殺」は、強めのことば）〔－される〕〔文〕非常に いそがしいこと。「仕事に－される」

**ぼうさつ**［謀殺］《名・他サ》〔文〕計画的に人を殺すこと。〔旧刑法では「故殺」と区別していた〕

**ほうさん**［宝算］〔文〕天皇の お年。「－八十七」〔亡くなったときの お年にも言う〕

**ほうさん**［×硼酸・ホウ酸］《理》白くて つやの ある、うろこのような形の結晶。弱い酸性を示すホウ素の化合物。硬質ガラスの原料。薬などに使う。「－水で目を洗う」

**ほうさん**［放散］《名・自他サ》〔文〕中に こもっているものを外へ出して散らすこと。「熱を－する」

**ほうさん**［奉賛］《名・他サ》〔文〕〔つつしんで〕神社などの事業を賛助すること。「－会・－金」

**ぼうさん**［坊さん］僧を、親しみをこめて呼ぶ ことば。☞お坊さん。

**ほうさんしょう**［法三章］昔、漢の高祖が作った、三か条の簡単な法律〔＝殺すな、きずつけるな、ぬすむな〕。「－の精神を生かせ」

**ほうし**［芳志］〔文〕相手の気持ち・心づかいを尊敬して言うことば。芳情。「ご－〔礼状に使う〕」

**ほうし**［法師］僧。坊さん。「三蔵－」

**ほうし**［胞子］《生》〔シダ・コケなど〕花の ひらかない植物が ふえるのに必要な、細胞。●**ほうししょくぶつ**［胞子植物］《植》花が さかず、たねも つけない植物。胞子などでふえる。隠花植物。（↔種子植物）

☆☆**ほうし**［奉仕］《名・自サ》①社会・お客などのために つくすこと。「社会に－する・－活動」②値段を安くすること。サービス。「－品・－価格」

**ほうし**［放恣・放×肆］《名・ナダ》〔文〕気ままで、だらしがないようす。「－な生活」派－さ。

**ほうじ**［邦字］〔文〕①その国の文字。②日本の字。漢字とかな。「－新聞」

**ほうじ**［法事］《仏》死んだ人の冥福をいのるために おこなう行事。

**ほうじ**［奉持・×捧持］《名・他サ》〔文〕ささげもつこと。「卒業証書を－する」

**ぼうし**［亡姉］〔文〕死んだ姉。（↔亡妹）

**ぼうし**［某氏］ある人。〔名を知らないとき、名を伏せたいときに使う〕

**ぼうし**［帽子］①頭にかぶり、寒さ・暑さ・ほこりなどを防ぎ、身なりを整えるもの。②ものの上のところにかぶせるもの。

＊**ぼうし**［防止］《名・他サ》防ぎ とめること。「危険を－する」

**ぼうじ**［亡児］〔文〕死んだ子ども。

**ぼうじ**［房事］〔文〕〔寝室での〕性的な まじわり。「－過多」

↔＊**ほうしき**［方式］決まった〈形式/やり方〉。「一定の－にしたがう・新しい－」

→**ほうしき**［法式］①儀式や礼儀などの、決まったやり方・順序。②方式。

**ほうじちゃ**［〈×焙じ〉茶］番茶などを強火で煎って、こげたにおいをつけたもの。

**ぼうしつ**［防湿］《名・自サ》〔文〕湿気を防ぐこと。「－剤」

**ぼうしつ**［忘失］《名・他サ》〔文〕①すっかりわすれること。②わすれて、なくすこと。「書類を－する」

**ぼうじつ**［某日］〔文〕ある日。「九月－」

**ぼうじま**［棒〈×縞〉］太い筋の縦じま。

**ほうしゃ**［×硼砂・ホウ砂］《理》ホウ酸とナトリウムの化合物。白い すなのような粉。耐熱ガラスの原料。ほうさ。

**ほうしゃ**［報謝］《名・自サ》①〔文〕恩に むくいること。「－の意を表したい」②僧や巡礼に お布施をあげること。「巡礼に ご－〔お布施を求める呼び声〕」

**ほうしゃ**［放射］《名・他サ》①〔文〕まんなかから、四方へ〔勢いよく〕出すこと。「－状」②《理》光・熱・電波が、物体から四方に広がり伝わる現象。輻射。●**ほうしゃぎり**［放射霧］《天》地表の放射冷却によってできる霧。風の弱い晴天の明け方に多く発生する。●**ほうしゃせい**［放射性］《理》放射線を出す性質。「－同位体〔⇩ラジオアイソトープ〕・－セシウム・－物質・－廃棄物」●**ほうしゃせいげんそ**［放射性元素］《理》放射線を出す元素。ラジウム・ウラン・プルトニウムなどの天然放射性元素と、原子炉などで人工的に作られる人工放射性元素がある。●☆☆**ほうしゃせん**［放射線］《理》ラジウム・ウラン・プルトニウムなど不安定な物質の原子核がこわれるとき、高速で飛び出すもの（のえがく線）。α線・β線など粒子の形のもの、γ線・X線など波の形のものがある。医療などに利用される一方、人体に悪い影響をあたえる。●**ほうしゃねつ**［放射熱］《理》放射によって伝わる熱。●☆☆**ほうしゃのう**［放射能］①《理》放射線を出す能力。「－を持った物質」②「放射線」「放射性物質」の、一般的な言い方。「－漏れ・－に汚染された食品・－雨〔＝放射性物質をふくんだ雨〕」●**ほうしゃれいきゃく**［放射冷却］《天》地表の冷えこみによって熱が上空にうばわれ、気温が下がること。晴れて風がない日の、夜半から明け方にかけていちじるしい。

**ぼうじゃくぶじん**［傍若無人］《ナダ》〔＝傍らに人無きが若し〕①人目を気にせず、勝手気ままに ふるまうようす。「－な団体旅行客」②横柄。無礼。「父親に対し－に ふるまう」派－さ。

**ほうしゅ**［法主］《仏》その宗の かしら。ほっしゅ。ほっす。

**ほうしゅ**［砲手］《軍》砲を発射する任務の兵士。

**ほうじゅ**［宝珠］①〔文〕たからの玉。②〔↑宝珠の玉〕《仏》頭が とがって、炎の形になった玉。▽ほうしゅ。

**ぼうしゅ**［×芒種］〔＝イネやムギなどの穀物〕《天》二十四節気の一つ。六月六日ごろ。由来 ムギを刈って イネを植える時期の意味。

**ぼうじゅ**［傍受］《名・他サ》他人の間に やりとりされ

る通信をわきから聞くこと。〔盗聴をふくむ〕

☆☆**ほうしゅう**［報酬］①勤労・骨折りの〈見返り/お礼〉として受け取るお金や品物。「アルバイトの―・役員―〔＝役員として毎月受け取るお金〕」②〔地方議会議員の〕一年間の手当。☞歳費。③自分のしたことに対する〈見返り/むくい〉。「―を求める愛情・二日酔いは深酒の―」区別「**報酬**」は、仕事をして受け取る対価を広く指す。③のように仕事以外にも使う。「**賃金**」は、やとわれている人が受け取る対価。「**給料**」は勤め人が受け取る対価で、「**給与**」は手当などをふくむ。「**俸給**」は、公務員・会社員などの場合に限られる。

**ほうじゅう**［放獣］《名・自他サ》〔文〕けものをはなすこと。「人里はなれた場所に―する・天敵を―する」

**ほうじゅう**［放縦］《名・ナダ》〔文〕不規則で、だらしがないようす。ほうしょう。「―な生活」派-さ。

**ぼうしゅう**［防臭］《名・自サ》くさい においを防ぐこと。「―剤」

**ほうしゅく**［奉祝］《名・他サ》〔文〕つつしんでおいわいすること。「―行事」

**ほうじゅく**［豊熟］《名・自サ》〔文〕①穀物の豊作。②ゆたかに熟すこと。

**ぼうしゅく**［防縮］《名・自サ》〔文〕布地が縮まないようにすること。「―加工」

**ほうしゅつ**［放出］《名・他サ》①〈ためておいた/たまっていた〉ものを一度に出すこと。「ガスを―する・物資を―する」②〔プロ スポーツで〕トレードに出すこと。「若手を―する」

**ほうじゅつ**［方術］〔文〕神仙の術。

**ほうじゅつ**［砲術］〔文〕火砲を使用する技術。「―家」

☆☆**ほうじゅん**［芳×醇］《名・ナダ》〔文〕かおりが高く、味のいいようす。「―な酒・―な かおり」派-さ。

**ほうじゅん**［豊潤］《ナダ》〔文〕ふっくらとして〈うるおいのある/みずみずしい〉ようす。「―な音色・―な くだもの」派-さ。

**ほうしょ**［芳書］〔文〕相手の手紙を尊敬して言うことば。お手紙。「ご―拝見」〔芳信・芳簡・芳墨などとも言う〕

**ほうしょ**［奉書］①〔文〕身分の高い人の命令を受け、臣下が作成する文書。②〔↑奉書紙〕コウゾの繊維で作った、厚くてやわらかな和紙。〔もと、「奉書①」に用いた〕

☆☆**ほうじょ**［×幇助］《名・他サ》《法》犯罪を実行しようとする人を、そばから助けること。〔教唆よりも刑が軽い〕「殺人―罪」☞教唆。

**ぼうしょ**［防暑］〔文〕暑さを防ぐこと。「―服」〔↔防寒〕

**ぼうしょ**［某所］〔文〕ある所。「都内―で」

**ぼうじょ**［防除］《名・他サ》《農》予防して害を受けないようにすること。「虫害―」

**ほうしょう**［法相］〔文〕法務大臣。

**ほうしょう**［褒章］《法》社会のために、長い間、その職場や専門でりっぱな活動をした人に、表彰の意味で国があたえる記章。☞紅綬褒章・緑綬褒章・黄綬褒章・紫綬褒章・藍綬褒章・紺綬褒章。

**ほうしょう**［放唱］《名・他サ》〔文〕放吟。「応援歌を―する・高歌―」

←**ほうしょう**［報奨］《名・他サ》〔文〕勤労や いいおこないに むくい、はげますこと。「〔税金の〕前納―金制度」

↔**ほうしょう**［報賞］《名・他サ》〔文〕功績にむくい、ほめること。「―の品」

↔**ほうしょう**［報償］《名・他サ》〔文〕①損害をあたえた相手に、国家や公共団体などが弁償すること。「―金・〔警察の〕捜査―費」②相手の骨折りに対し、決まった割合で お金などを出すこと。「売上―金」

→**ほうしょう**［褒賞］《名・他サ》〔文〕ほめてあたえる〈こと/もの〉。ほうび。「〔大ずもうの〕―金」

**ほうしょう**［放△縦］《名・ナダ》〔文〕⇩ほうじゅう〔放縦〕。

**ほうじょう**［方丈］①〔文〕一丈〔＝約三メートル〕四方であること。四畳半の広さ。②《仏》〔禅宗で、寺院の〕住持〔の居間〕。

**ほうじょう**［芳情］〔文〕⇩芳志。

**ほうじょう**［法城］①《仏》ⓐ〔心のよりどころとしての〕仏法。ⓑ仏教の、本山。②聖域。

**ほうじょう**［褒状］〔文〕①ほめてあたえる書きつけ。②褒章に そえられた書きつけ。▽賞状。

←☆☆**ほうじょう**［豊×穣］《名・ナダ》〔文〕穀物や作物のゆたかな みのり。豊作。豊熟。「―の秋・五穀―をいのる」派-さ。

→**ほうじょう**［豊×饒］《名・ナダ》〔文〕土地がこえて、農作物が よくみのるようす。派-さ。

**ぼうしょう**［帽章］ 帽子につける、学校や会社などの記章。

**ぼうしょう**［謀将］〔文〕計略のうまい大将。

☆☆**ぼうしょう**［傍証］《名・他サ》〔文〕間接の証拠。間接に証明すること。「―をかためる」

**ぼうじょう**［棒状］〔文〕棒のようなまっすぐな形。

**ぼうじょう**［暴状］〔文〕乱暴な ありさま。「―をうったえる」

**ほうじょうえ**［放生会］《仏》九月十五日、功徳を積むため、つかまえた鳥や さかなをにがすこと〔＝放生〕をする儀式。「八幡宮の―」

**ほうじょう きたい**［胞状奇胎］《医》異常妊娠の一つ。胎児が育たず、子宮の中がブドウの つぶのようなもので満たされる病気。ブドウ(葡萄)状奇胎。

**ほうしょく**［宝飾］〔文〕宝石や貴金属のアクセサリー。「―店・―品」

**ほうしょく**［奉職］《名・自サ》〔＝職を奉じる。辞令を受けて職業につく〕〔文〕〈官職/教職〉につくこと。「大学に長年―した」

☆☆**ほうしょく**［飽食］《名・自他サ》〔文〕腹いっぱい食べ〔て満ちたり〕ること。☞暖衣飽食。

**ぼうしょく**［防食・防×蝕］〔文〕金属の表面がくさるのを防ぐこと。「―工事・―剤」

**ぼうしょく**［紡織］〔文〕糸をつむぐことと、布を織ること。「―機械」

**ぼうしょく**［望×蜀］〔文〕〔最初の望みをとげて〕さらにその上を望むこと。「―の言」

**ぼうしょく**［暴食］《名・他サ》 やたらに食べること。「暴飲―」

**ほう・じる**［崩じる］《自上一》〔文〕天皇・皇后・皇太后・太皇太后〔＝先々代の天皇の皇后〕がな

ほ

くなる。崩ずる。

**ほう・じる**【報じる】《自他上一》〔文〕①知らせる。報道する。「変を―」②むくいる。「恩に―」▽報ずる。

**ほう・じる**【奉じる】《他上一》〔文〕①たてまつる。さしあげる。「神前に舞を―・義勇を公に―(=天皇にささげる)」②うけたまわる。「勅命を―・職を―(⇩奉職)」③価値があると考えて、大事にする。「民主主義を―・仏教を―(=信仰する)」④高貴な人を、自分たちの上に頂く。「幼い天皇を奉じて都をはなれる」⑤ささげ持つ。「校旗を―」▽奉ずる。

**ほう・じる**【〈×焙じる〉】《他上一》熱を加えて しめりけを取り去る。ほうずる。「お茶を―」名ほうじ。

**ぼうしわ**【防〈×皺〉】〔文〕布地に しわが寄るのを防ぐこと。ぼうしゅう。「―性」

***ほうしん**【方針】(=羅針盤の方位をさししめす磁針)それを目ざして進んで行く、一定の方向・目的。「―を立てる・根本―・大―(=いちばんだいじで、基本となる方針)」

**ほうしん**【芳信】〔文〕⇩芳書。

**ほうしん**【〈×疱×疹〉】《医》⇩ヘルペス。

**ほうしん**【砲身】《軍》(大砲で)火薬・たまをつめて発射する、筒の形をした部分。

**ほうしん**【放心】《名・自サ》①何かに心をうばわれて ぼんやりすること。「死なれて―する・―状態」②放念。「ご―ください」

☆**ほうじん**【邦人】(=自分の国の人)〔文〕外国〈に居住する/を旅行する〉日本人。「在留―」

****ほうじん**【法人】《法》(人間以外に)人格があると見なされた、権利・義務の主体。「財団―・株式会社は―である」(ふつうの人間は、法律上、「自然人」という) •**ほうじんぜい**【法人税】《法》株式会社などの法人の所得にかける税。(↔所得税)

**ぼうしん**【亡親】〔文〕死んだおや。「―の供養」

**ぼうしん**【防振】〔文〕振動を防ぐこと。「―装置」

**ぼうじん**【防刃】刃物が通らないように防ぐこと。耐刃。「―チョッキ」

**ぼうじん**【防〈×塵〉】〔文〕ほこり(埃)の はいるのを防ぐこと。ちりよけ。「―めがね・―室」

**ぼうじん**【傍人】〔文〕そばにいる人。

**ほうしんのう**【法親王】《歴》天皇の子で、出家ののちに親王の位をさずけられた人。ほっしんのう。

**ほうず**【方図】〔文〕際限。かぎり。「―〈が/も〉ない」

**ぼうず**【坊主】㊀**ぼうず** ①《仏》寺の あるじである僧。②「僧」の ぞんざいな言い方。③かみの毛をそった頭(の人)。④武家につかえ、茶の湯・雑用を受け持った役(の人)。⑤はげ(あたま)。⑥男の子ども。「いたずら―・うちの―」⑦〔ボウズ〕〔俗〕さかなが釣れないこと。また、客がひとりも来ないこと。ゼロ。⑧〔俗〕すりへって、つるつるになっていること。「―タイヤ」㊁〔造〕人。子ども。「のんき―・一年―」(おもに男の子について、親しんで言う) •**坊主憎けりゃ けさ(袈裟)まで憎い** 句 相手が にくらしいと、その人に関係のあるものすべてが にくらしくなる。 •**ぼうずあたま**【坊主頭】①かみの毛をそった頭。②丸がりの頭。 •**ぼうずまくら**【坊主枕】中に そばがらなどを入れ、両はしを くくって作った円筒形のまくら。くくりまくら。 •**ぼうずやま**【坊主山】はげやま。

**ほうすい**【豊水】〔文〕水量が ゆたかなこと。「―期」(↔渇水)

**ほうすい**【放水】《名・自サ》①水をみちびき流すこと。「―路」②(消火のために)ホースで水をかけること。「―演習」

**ぼうすい**【紡×錘】⇩つむ(錘)。「―形(=両はしが とがった円柱)」

**ぼうすい**【防水】《名・自サ》①水が しみとおるのを防ぐこと。「―加工・―布」②「防水①」の加工をすること。「これは―になっています」

**ほう・ずる**【封ずる】《他サ》〔文〕領地や地位をあたえる。封じる。「功臣を王に―」☞ふう(封)じる。

**ぼう・ずる**【忘ずる】《他サ》〔文〕わすれる。「故郷忘じがたし」

**ほうすん**【方寸】(=一寸〈=約三センチ〉四方)〔文〕心の中。「万事は かれの―にある」

**ほうせい**【法制】法律上の制度。「―化」 •**ほうせいきょく**【法制局】《法》法律の原案を書いたり、審査などの事務をおこなう機関。内閣と衆議院・参議院にある。「内閣―」

**ほうせい**【砲声】大砲を撃つ音。つつおと。

**ほうせい**【放精】《名・自サ》《動》(水生動物の おすが)水中に精子を放出すること。(↔放卵)

**ほうせい**【縫製】《名・他サ》ミシンなどで ぬって作ること。また、その仕上がり。「―業・―がいい」

**ほうせい**【方正】《名・ダ》〔文〕(おこないが)正しいようす。「品行―」

**ぼうせい**【防×錆】〔文〕さびどめ。ぼうしょう。「―加工」

**ぼうせい**【暴政】〔文〕暴虐な政治。

**ほうせき**【宝石】美しくて かたい、産出量の少ない鉱物。かざりや財産として とうとばれる。例、ダイヤ・ルビー・サファイア。

**ぼうせき**【防石】〔文〕〈投げつけられる/落ちる〉石による けがを防ぐこと。「―面・―ネット」

**ぼうせき**【紡績】①糸をつむぐこと。「―工場」②↑紡績会社。

**ほうせつ**【包摂】《名・自他サ》①〔文〕つつみこむこと。「大自然に―される・社会的―(=すべての人を社会の一員として取りこむこと)」②《哲》ある概念や ことがらを、それより大きな概念や ことがらが つつみこむ〈こと/関係〉。「『犬』は『動物』に―される」

**ぼうせつ**【防雪】〔文〕ふぶきの ふきだまりや、なだれを防ぐこと。「―林」

**ほうせん**【邦船】〔文〕日本の国の ふね。

**ほうせん**【砲戦】《軍》大砲を使ってする戦闘。砲撃戦。

**ほうせん**【奉遷】《名・他サ》〔文〕(つつしんで)神体などを ほかへ移すこと。

**ほうぜん**【宝前】〔文〕神や仏の前。☞御宝前。

↑**ぼうせん**【傍線】字の わきに引いた線。サイドライン。「―をほどこす・―部」

↑**ぼうせん**【棒線】まっすぐに引いた線。「―を引いて消す」

**ぼうせん**【防戦】《名・自サ》(敵の攻撃に対して)防ぎ戦うこと。

↑**ぼうぜん**【〈×呆然〉・〈×茫然〉】《タト》おどろき あきれて、

ほ

物も言えないようす。ぼんやりするようす。「後ろ姿を―と見送る」

**ぼうぜん**［（×茫然）］《副・タル》①⇩呆然。②〔文〕漠然。●**ぼうぜんじしつ**［×茫然自失］《名・自サ》気がぬけて ぼんやりして、どうしていいかわからないこと。「―の体」

**ほうせんか**［（×鳳仙花）］庭に作る草花の名。夏、葉のかげに赤・白などの花を下に向けてひらく。実は、熟すとはじけて、たねが とび出す。

**ほうそ**［×硼素・ホウ素］《理》黒っぽく、金属のようなつやがある、かたい固体〔元素記号B〕。ボロン（boron）。☞硼酸。

☆☆**ほうそう**［法曹］〔文〕①裁判官。②法律の事務を取りあつかう人。法律家。●**ほうそうかい**［法曹界］司法官や弁護士などの なかま。

**ほうそう**［（×疱×瘡）］①天然痘。②〔↑植えぼうそう〕種痘。

**ほうそう**［包装］《名・他サ》①うわづつみを〈かけること／かけた状態〉。また、そのうわづつみ。「―紙」②荷づくり。「厳重な―」

**ほうそう**［奉奏］《名・他サ》〔文〕神に演奏をささげること。「神楽―」

*__ほうそう__［放送］《名・他サ》①電波やケーブルを使って、大ぜいの人々に情報を送り、送ったと同時に見たり聞いたりできるようにすること。また、その送った情報。「テレビ―・有線―・館内―・インターネット―〔厳密には『配信』〕・―局」②〔俗〕大ぜいに言いふらすこと。「近所じゅうに―する」●**ほうそうえいせい**［放送衛星］放送電波を中継・増幅するために宇宙に打ち上げられる静止衛星。BS。

**ほうぞう**［宝蔵］〔文〕宝物を入れておくくら。「―の国宝」

**ほうぞう**［包蔵］《名・他サ》〔文〕〔そのものを〕中に〈つつみかくしている／持つ〉こと。「危険を―する・メタンガスの―量」

**ぼうそう**［房総］①安房・上総・下総。〔だいたい千葉県の地域にあたる〕②↑房総半島。「―地方」

**ぼうそう**［暴走］《名・自他サ》①〈考えなしに／乱暴に〉走ること。「トラックが国道を―する」②運転する人のいない車が、自然に走り出すこと。③どんどん先に進んで、止めようがなくなること。「軍部が―する・考えが―する」④〔コンピューターで〕プログラムが制御できない状態になること。●**ぼうそうぞく**［暴走族］集団でオートバイや自動車を乗り回し、めいわくをかける者。族。〔俗〕。〔俗に、けいべつして〕珍走団。

**ほうそく**［法則］①この場合には必ず こうなるという、ものごとを支配する決まり。「メンデルの―」②〔文〕守るべき決まり。おきて。のり。

**ぼうだ**［×滂×沱］《タル》〔文〕なみだや あせが、あとからあとから流れるようす。「―たる なみだ」

**ほうたい**［包帯・×繃帯］《名・自サ》傷口や、はれものなど〈に巻きつける／をおおう〉綿布やガーゼの類。

**ほうたい**［奉戴］《名・他サ》〔文〕〔つつしんで〕〔かしらに〕頂くこと。「会長に―する」

**ほうだい**［邦題］〔文〕〔外国の作品に〕日本でつけた題。

**ほうだい**［砲台］《軍》射撃しやすいように築いた、大砲をそなえつけた所。

**ほうだい**［（放題）］造 ①気ままに、いくらでも…すること。「言いたい―・乱暴のし―・勝手―」②いくらでも…していいこと。「食べ―〔店では略して『食放』とも書く〕」〔略して「ほ」。「総菜 取りほ・クッキーつめほ」〕

**ぼうだい**［傍題］《名・自サ》〔文〕サブ タイトル（をつけること）。表記 俗に「ホーダイ」とも。

**ぼうだい**［膨大・×厖大］《ナダ》〔量・内容などが〕非常に大きいようす。「―な費用・―な時間」派 -さ。

**ぼうたおし**［棒倒し］ふた組みに分かれ、相手方が支えて立てている長い棒を、たがいに倒しあう競技。「運動会の―」

**ぼうたかとび**［棒高跳び］《陸上》走って来て棒を突き立て、その反発力で横木をとびこす競技。

**ぼうだち**［棒立ち］《名・自サ》①おどろいて、または、ぼんやりして、まっすぐに立っていること。②何もできないで、立ったままでいること。③〔馬の〕さおだち。

**ぼうだま**［棒球］《野球》まっすぐに投げられた、打ちやすいボール。

**ぼうだら**［棒（×鱈）］三枚におろして、身の部分だけを干したタラ。

**ほうたん**［放胆］《名・ナダ》〔文〕非常に大胆なようす。「―な作戦」派 -さ。

**ほうだん**［法談］《仏》仏法をわかりやすく説ききかせる〈こと／談義〉。説法。法話。

**ほうだん**［法壇］法廷で裁判官がすわる、一段高い場所。「―の中央にすわる」

**ほうだん**［砲弾］大砲の たま。

**ほうだん**［放談］《名・自サ》〔文〕思ったとおりのことを勝手気ままに話すこと。「新春―」

**ぼうだん**［防弾］ピストルなどのたまが通らないように防ぐこと。「―ガラス・―チョッキ」

☆☆**ほうち**［法治］法律に もとづいて政治をおこなうこと。「―国・―国家・―主義」（↕徳治）

**ほうち**［放置］《名・他サ》①ほうっておくこと。「病人を―する」②置きっぱなし。「自転車の―」

**ほうち**［報知］《名・他サ》〔文〕知らせ（ること）。報告。「火災―機」

**ほうちく**［放逐］《名・他サ》追い出すこと。「反対派を―する」

**ほうちゃく**［×逢着］《名・自サ》〔文〕できごとなどに、であうこと。「困難に―〔=直面〕する・根本的な疑問に―する」

**ほうちゅう**［×庖×厨］〔文〕台所。くりや。

**ぼうちゅう**［忙中］〔文〕いそがしい最中。「―寸暇を得て土に親しむ」（↕閑中）●**忙中閑あり** 句〔文〕いそがしい なかにも、たまにはひまなときがある。（↕閑中忙あり）

**ぼうちゅう**［防虫］①衣服・書物などに虫のつくのを防ぐこと。「―剤」②部屋に虫がとびこむのを防ぐこと。虫よけ。「―網」

**ぼうちゅう**［傍注・×旁×註］本文の わきに書きそえた注釈。

**ほうちょう**［包丁・×庖丁］〔庖丁=昔、中国にいたという料理の名人〕一 料理に使う、平たくてうすい刃物。「―を入れる・さえた―さばき〔=あつかい方〕」

[二]《名・自サ》「包丁[一]」で切ること。「さいの目に―します」●**包丁を握る**[句] 料理をする。

**ほうちょう**【放鳥】《名・自他サ》①ふやすために、野鳥のひなを育ててはなしてあげること。また、調査のために、つかまえた鳥に目じるしをつけてはなしてあげること。②《仏》功徳を積むために、つかまえた鳥をにがしてあげること。

**ぼうちょう**【防鳥】〔文〕鳥の侵入を防ぐこと。「―ネット」

**ぼうちょう**【防潮】海水・高潮がはいりこむのを防ぐこと。「―堤〔=堤防〕」

**ぼうちょう**【防×諜】〔文〕スパイの侵入・活動を防ぎとめること。

**ぼうちょう**【膨張・膨×脹】《名・自サ》①ふくらむこと。体積がふえること。(↔収縮) ②〈発展し/広がっ〉て大きくなること。「都市が―する」●**ぼうちょうしょく**【膨張色】明るい色や暖色など、実際よりも大きく見える色。進出色。「―のセーター」(↔収縮色・後退色)

☆☆**ぼうちょう**【傍聴】《名・他サ》〔会議・公判などを〕そばで聞くこと。「―席」

**ほうちょく**【奉勅】〔文〕天皇の命令をうけたまわること。「―命令〔=旧憲法下で、天皇が直接くだした命令〕」

**ぼうちん**【冒陳】《法》↑冒頭陳述。

**ぼうっと**《副・自サ》①火が急に、燃えあがるようす。「かれ草が―燃える」②かすんだように見えて、はっきりしないようす。「山が―かすんでいる」③意識がはっきりしていないようす。「頭が―なる」④ぼんやりしているようす。「―突っ立っている」▽ぼおっと。

**ぽうっと**《副・自サ》①ほんのりと明るくなるようす。「東の空が―してきた」②〈はずかしくて、また、酒に少し酔っ〉て〉顔が、のぼせたように赤くなるようす。③心が他のものにうばわれたようになるようす。「美女を前にして―なる」

☆☆**ほうてい**【法廷】《法》裁判官が訴訟事件を審理する場所。●**ほうていとうそう**【法廷闘争】裁判で争うこと。特に、政治犯などが、法廷で自分の思想の正しさを強く主張する活動。

**ほうてい**【奉呈・×捧呈】《名・他サ》〔文〕〔つつしんで〕提出すること。「信任状を―する」

**ほうてい**【法定】《名・他サ》〔文〕法律で決めること。「―貨幣〔=法貨〕・―金利・―相続人」

**ぼうてい**【亡弟】〔文〕死んだ弟。(↔亡兄)

**ぼうてい**【暴帝】〔文〕乱暴・残酷な皇帝。

**ほうていしき**【方程式】①〔数〕式の中の未知数に特別の値をあたえるとき、成立する等式。「―を解く」②〔俗〕うまくおこなうための方法・パターン。「勝利の―・恋愛の―」

**ほうてき**【法敵】《仏》仏法の敵。仏敵。

**ほうてき**【放×擲】《名・他サ》〔文〕何もしないで、ほうっておくこと。放棄。「任務を―する」

**ほうてき**【法的】(ナダ) 法の立場に立つようす。法律的。「―には問題がない」

**ぼうてき**【防滴】〔文〕しずくが〈はいりこむ/つく〉のを防ぐこと。「〔ブザーなどの〕―型おしボタン・―天井」

**ほうてらす**【法テラス】〔←法で明るく照らす〕「日本司法支援センター」の愛称。全国どこにいても法律相談ができるように、各地に地方事務所がある。

**ほうてん**【宝典】〔文〕①大切な本。②便利なようにまとめた本。「育児―」

**ほうてん**【法典】法律を〈内容ごとに分けて〉まとめた書物。

**ほうてん**【奉×奠】《名・他サ》〔文〕〔つつしんで〕そなえること。「玉串―」

**ほうでん**【宝殿】〔文〕①宝物殿。②神殿。

**ほうでん**【放電】《名・自サ》①《理》電圧を強くした二つの電極の間の気体に電流が流れること。②コンデンサや電池において、ためていた電気を失うこと。(↔充電)

**ぼうてん**【傍点】文字のわきに打った点。

**ほうと**【方途】〔文〕①〔進むべき〕みち。「―に迷う」②〔取るべき〕みち。しかた。「解決の―」

**ほうど**【邦土】〔文〕〔わが〕国土。

☆☆**ぼうと**【暴徒】暴動を起こした者ども。

**ほうとう**【奉悼】〔文〕〔身分の高い人の〕死をいたむこと。「―文」

**ほうとう**【宝刀】宝物のかたな。「伝家の―」

**ほうとう**【宝塔】《仏》寺の塔。

**ほうとう**【法灯】《仏》①まよいのやみを照らす正しい教え。②灯明。

**ほうとう**【砲塔】〔軍〕〔軍艦・戦車などで〕砲・砲手などを守る鋼鉄の囲い。

**ほうとう**【×餺×飥】〔↑はくたく〕うどんに似た麺を、カボチャなどの野菜や肉とともに煮こみ、みそを加えた料理。〔山梨県の名物〕

**ほうとう**【奉答】《名・自サ》〔文〕〔身分の高い人の〕質問に答えること。

☆☆**ほうとう**【放×蕩】《名・自サ》酒や女遊びにふけって身持ち〈の悪い/を悪くする〉こと。道楽。「―息子」

**ほうどう**【報道】《名・他サ》広く、一般の人々にできごとを知らせること。ニュース。「―記者」●**ほうどうきかん**【報道機関】ニュースなどを知らせるための機関。新聞社・放送局など。●**ほうどうじん**【報道陣】集まってきた、報道機関の人々。

**ぼうとう**【防盗】〔文〕どろぼうの侵入を防ぐこと。どろぼうよけ。「―装置」

☆☆**ぼうとう**【冒頭】文章・談話・作品などのはじめ。「―のことば・会議の―・ドラマの―・会見の―、こう切り出した」●**ぼうとうちんじゅつ**【冒頭陳述】《法》〔刑事事件の裁判で〕証拠調べにはいる前に、検事が、証明すべき法律違反の事実についてのべる意見。冒陳。

**ぼうとう**【暴投】《名・自サ》《野球》投手が、捕手の取れないようなひどい投球をし、走者を進塁させること。ワイルドピッチ。(↔捕逸) ☞悪送球。

☆☆**ぼうとう**【暴騰】《名・自サ》《経》値段が急に大はばに上がること。「地価が―する」(↔暴落)

**ぼうどう**【暴動】多くの者が集まってさわぎを起こし、社会の平和をみだすこと。「―を起こす」

**ほうとく**【報徳】〔文〕受けた恩を返すこと。報恩。「―の教え」

☆☆**ぼうとく**【冒×瀆】《名・他サ》〔文〕〔とうといものや権威を〕けがし、きずつけること。「死者を―することば・国会を―する おこない」

**ぼうどく**【防毒】毒ガスを防ぐこと。「―マスク」

**ほうなん**【法難】《仏》仏法を広めるために受ける迫害。

**ほうにち**【訪日】《名・自サ》日本を訪問すること。

**ほうにゅう**【豊乳】〔文〕女性の、ゆたかな むね。

**ほうにょう**【放尿】《名・自サ》〔文〕小便をすること。

☆☆**ほうにん**【放任】《名・他サ》相手の自由に まかせて、あまり めんどうを見ないこと。「自由―・―主義」(↔干渉)

**ぼうにんげん**【棒人間】人体の頭部を丸、胴体や手足を棒線でえがいた、簡潔な絵。

［ぼうにんげん］

**ほうねつ**【放熱】《名・自サ》熱を放出すること。「―性の高い下着・―器(=ラジエーター)」

**ぼうねつ**【防熱】〔文〕外からの熱を防ぐこと。「―服」

**ほうねん**【豊年】豊作のとし。(↔凶年) ●**ほうねんまんさく**【豊年満作】イネがよくみのり、米がじゅうぶんにたくさん取れること。

☆☆**ほうねん**【放念】《名・自サ》《手紙》〔文〕(相手が)気にかけないこと。放心。「もし解決ずみでしたら、このメールはご―ください」

**ぼうねん**【忘年】①そのとしの苦労をわすれること。としわすれ。「―会」②〔文〕年齢のちがいを気にしないこと。「―の交わり」

**ぼうねん**【防燃】〔文〕布などが燃え上がるのを防ぐこと。「―加工・―性」

**ぼうねん**【某年】〔文〕あるとし。

**ほうのう**【奉納】《名・他サ》(つつしんで)神や仏にさしあげること。●**ほうのうじあい**【奉納試合】〔祭礼のときなどに〕神や仏にささげるために境内でおこなう、武術の試合。〔「奉納ずもう」は、同じ趣旨でおこなう すもうの競技〕

**ぼうは**【防波】〔文〕打ち寄せる波によって生じる被害を防ぐこと。「―柵」 ●**ぼうはてい**【防波堤】①外海の波をさえぎり港の中をしずかにしておくため、突き出してきずく堤防。②〔攻撃や圧力から〕防ぎとめるもの。「―となる」

**ほうはい**【奉拝】《名・他サ》〔文〕(つつしんで)おがむこと。

**ほうはい**【×澎×湃】《タル》〔=水が みなぎって波打つようす〕〔文〕広く、さかんに起こるようす。「平和をのぞむ声が―として起こる」

**ほうばい**【×朋輩・△傍輩】〔文〕①同じ先生につくなかま。②同じ家に奉公する なかま。

**ぼうばい**【防×黴】〔文〕⇒ぼうかび。「―剤」

**ほうはく**【法博】〔文〕←法学博士。

**ぼうはく**【傍白】〔文〕〔舞台などで〕相手には聞こえないことにして、わきで言う せりふ。わきぜりふ。

**ぼうばく**【×茫漠】《タル》〔文〕①広くて とりとめのないようす。「―たる大平原」②とりとめのないようす。「―たる不安・―と生きる」

**ほうはつ**【×蓬髪】〔文〕長くのびて みだれた かみの毛。

**ぼうはつ**【暴発】《名・自サ》①不注意のため、不意にたまが とび出すこと。誤発。「ピストルの―」②大砲のたまや花火などが、不意に爆発すること。③にわかに事件や暴動が起こること。

**ぼうばり**【棒針】〔編み物で〕先が とがっている針。「―編み」(↔かぎ針)

**ほうはん**【訪販】〔文〕←訪問販売。

**ほうばん**【邦盤】〈日本で作られた/邦楽の〉CDやレコード。(↔洋盤)

**ぼうはん**【防犯】犯罪を防ぐこと。「―ベル」

**ほうひ**【包皮】①表面をつつむ皮。②陰茎の先をつつむ皮膚。

**ほうひ**【法×匪】〔文〕法律の条文にこだわり、それを悪用する者。

**ほうひ**【放×屁】《名・自サ》〔文〕おなら(をすること)。

**ほうび**【褒美】ほめてあたえる お金や品物。「―を取らせる」☞ご褒美。

**ぼうび**【防備】《名・他サ》敵の攻撃を防ぎ守る〈こと/ためのそなえ〉。「―をかためる」

**ぼうびき**【棒引き】《名・自他サ》①縦の線を引くこと。②お金の貸し借りが なくなったものとすること。帳消し。「借金―」 由来 ②は、代金をはらった しるしに墨で縦の線を引いたことから。 動棒引く《他五》。

**ぼうひょう**【暴評】〔文〕乱暴な批評。

**ほうふ**【包布】〔文〕かけぶとんのカバー。

☆☆**ほうふ**【抱負】心の中に持っている考えや計画。「大臣就任の―を語る」

**ほうふ**【豊富】《ナダ》たっぷりあるようす。「―な学識・栄養―」 派―さ。

**ほうぶ**【邦舞】〔文〕日本舞踊。日舞。(↔洋舞)

**ぼうふ**【亡夫】〔文〕死んだ夫。(↔亡妻)

**ぼうふ**【亡父】〔文〕死んだ父。先考。(↔亡母)

**ぼうふ**【防腐】〔文〕くさるのを防ぐこと。「―剤」

**ぼうふう** 一 ぼうふう【防風】〔文〕風を防ぎ さえぎること。風防。「―林」 二 ぼうふう【防風】さしみの つまなどにする草の名。かおりがよく くきが赤い。はまぼうふう。

**ぼうふう**【暴風】《天》大きな被害をあたえる、はげしい風。「―警報(=おおむね風速二十メートル以上が予想されるときの警報)」 ●**ぼうふうう**【暴風雨】《天》風雨が非常に強くて、天気の悪い状態。あらし。 ●**ぼうふうけん**【暴風圏】《天》台風にともなって移動する、暴風のふいている範囲。 ●**ぼうふうせつ**【暴風雪】《天》おおむね風速二十メートル以上の風をともなった吹雪。

**ほうふく**【法服】裁判官などが法廷で着る制服。法衣。

**ほうふく**【抱腹】《名・自サ》はらをかかえて笑うこと。「―エッセイ」 表記 もと、「×捧腹」と書いた。 ●☆☆**ほうふくぜっとう**【抱腹絶倒】《名・自サ》はらをかかえて、たおれそうになるほど笑うこと。「―の大喜劇」 表記 もと、「×捧腹絶倒」と書いた。

☆☆**ほうふく**【報復】《名・自サ》しかえし(をすること)。「―手段・―攻撃」

☆☆**ほうふつ**【(×彷×彿)・(×髣×髴)】《タル・自他サ》〔文〕①〔そこにないものが〕ありありと目にうかぶ〈ようす/こと〉。「目の前に―と(して)あらわれる・情景が―(と)してくる」②〔そこにないものを〕ありありと目に〈うかべる/うかばせる〉こと。「当時の様子を―する」

ほ

☆☆**ほうぶつせん**［放物線・×抛物線］〔数〕物を投げ上げたときに、物のえがく曲線。

**ほうぶつめん**［放物面・×抛物面］〔数〕放物線を軸(じく)のまわりに回転させるとできる曲面。例、パラボラアンテナの表面。

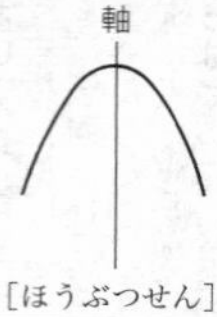

［ほうぶつせん］

**ぼうふら**［〈孑孒〉］水たまりにいる、蚊(か)の幼虫。からだを曲げたりのばしたりして泳ぐ。ぼうふり。

**ぼうふり**［棒振り］［棒↑指揮棒］〔俗〕楽団の指揮をすること。また、指揮者。

**ほうぶん**［邦文］〔文〕和文。「―タイプ(ライター)」(↔欧文(おうぶん))

**ほうぶん**［法文］①〔法〕法令の条文。②法科と文科。「―系の学生」

**ほうぶん**［報文］報告文。レポート。〔論文を指すこともある〕

**ほうへい**［砲兵］〔軍〕大砲(たいほう)を使用する兵隊。

**ほうへい**［奉幣］《名・自他サ》〔文〕つつしんで神に幣帛(へいはく)(=おそなえもの)をさしあげること。「―の儀(ぎ)」

**ぼうへき**［防壁］〔文〕〔敵などを〕防ぐための〈かべとりで〉。

☆☆**ほうべん**［方便］①〔仏〕仏が衆生(しゅじょう)をすくうためにとる、うまい方法。②つごうのいい手段。てだて。「うそも―」③〔大きい目的のための〕うそ。「今のは―だよ」

**ぼうぼ**［亡母］〔文〕死んだ母。先妣(せんぴ)。(↔亡父)

＊＊**ほうほう**［方法］どうやって それをするかということ。やりかた。しかた。「簡単な―を取る・―的に問題がある」

●**ほうほうろん**［方法論］①研究の方法に関する議論。②こういう方法にしたらいい、という考え方。方法。「独自の―でやる」

**ほうほう**《副》(=這(は)う這(ほ)う)〔「這うようにして」の意味〕やっとのことで にげるようす。また、あわててにげ出すようす。「―の体(てい)で にげかえる」

**ほうぼう**［〈×魴×鮄〉］海の底にすむ さかな。赤むらさき色で、胸(むな)びれが大きい。食用。表記 俗に「〈方々〉」とも。

**ほうぼう**［〈方々〉］《名・副》いろいろな場所(を)。あちこち。「―探し回る・―の美術館をめぐる」☞かたがた(方々)。

**ぼうぼう**［某々］〔文〕㊀ぼうぼう ①だれだれ。②ある人。㊁〔接頭〕ある。さる。〔わざと名前をかくすときに使う〕「―有名会社」

**ぼうぼう**［×茫々］《(ト)(タル)》〔文〕①広く はてしないようす。「―たる大洋」②何年もたって〈ぼんやりして〉いるようす。「―九十年・往事は―として夢のよう」③とりとめのないようす。「―たる物思い」

**ぼうぼう**《副》㊀ぼうぼう ①草が おいしげるようす。「草―だ」②毛などが のびほうだいであるようす。「ひげ―の男」㊁ぼうぼう 火が さかんに燃えているようす。「―(と)燃える」

**ほうぼく**［放牧］《名・自他サ》牛や馬などを はなし飼いにすること。

**ほうほけきょ**《副》ウグイスの鳴き声。由来「法華経(ほけきょう)」と鳴いていると聞きなしたもの。☞経を読む〔「経」の句〕。

☆☆**ぼうまい**［亡妹］〔文〕死んだ妹。(↔亡姉(ぼうし))

**ほうまつ**［泡×沫］〔文〕①あわ。あぶく。②はかない存在。「―会社(=できたかと思うと すぐつぶれてしまう会社)・―候補(=当選の見こみの まったくない無名の候補)」☞うたかた(泡沫)。

**ほうまん**［飽満］《名・自サ》〔文〕あきあきするほど〈満腹・満足〉するようす。飽食。「幸福に―する」

☆☆**ほうまん**［放漫］《名・ナダ》ほったらかしで、しまりのないようす。「―財政」派―さ。

**ほうまん**［豊満］《ナダ》①〔女性の〕からだの肉づきがいいようす。「―な肉体」②ゆたかに充実(じゅうじつ)しているようす。「―な色彩(しきさい)」派―さ。

**ぼうまん**［膨満］《名・自サ》〔医〕〔ガスがたまって〕ふくれること。「腹部―」

**ぼうまん**［暴慢］《名・ナダ》〔文〕乱暴で ごうまんなこと。「平家の―」派―さ。

**ほうみょう**［法名］〔仏〕①僧(そう)になる者にさずける、僧としての名前。戒名(かいみょう)。②⇩戒名①。▽(↔俗名(ぞくみょう))

**ぼうみん**［暴民］〔文〕暴動を起こした人民。

**ほうむ**［法務］①法律上の事務。「―部」②法律の運用などに関する行政事務。「―事務次官」③〔仏〕ⓐ仏法上の事務。ⓑ法会(ほうえ)の事務。ⓒ寺院の事務。●**ほうむしょう**［法務省］〔法〕法律の運用や人権の保護などの行政事務をあつかう中央官庁。

**ほうむ・る**［葬る］《他五》①死体・遺骨を〈うずめたり〉して、自然に返す。②人目につかないように始末する。「事件を闇(やみ)に―」③世間に出てこないようにする。「法案を―・社会から葬り去られる」④試合で相手を負かす。「三対一で―」名 葬り。

☆☆**ほうめい**［芳名］〔文〕①相手の名前の尊敬語。お名前。「―録(=参会者の署名帳)」〔「ご芳名」は、より尊敬した言い方〕②名誉(めいよ)ある名前。「―を後世に伝える」

☆☆**ぼうめい**［亡命］《名・自サ》〔命=戸籍(こせき)〕思想や政治上の意見のちがいから外国へ にげること。「―者」

**ほうめん**［方面］①〔その方向の〕地域。「関西―」②〔その方の〕領域・分野。「―違(ちが)い・自然科学―」

●**ほうめんたい**［方面隊］〔自衛隊で〕いくつかの師団をまとめた部隊。

**ほうめん**［放免］《名・他サ》①被疑者(ひぎしゃ)や刑期(けいき)を終えた囚人(しゅうじん)などを自由の身にすること。「無罪―」②解放して自由にすること。「仕事から―された」

**ほうもう**［法網］〔文〕法律の あみ。●**法網をくぐる** 句 法律の すきをねらって悪いことをする。

**ぼうもう**［紡毛］短い繊維(せんい)の羊毛をよ(縒)って作った、毛織り用の糸。毛布・オーバー・ツイードなどの材料。(↔梳毛(そもう))

**ほうもつ**［宝物］たから(もの)。「―殿(でん)」

**ほうもん**［砲門］〔文〕大砲(たいほう)の、たまの出る口。●**砲門を開く** 句 砲撃(ほうげき)を始める。

**ほうもん**［訪問］《名・他サ》人(の家)をおとずれること。「各家庭を―する・―客・―者」●**ほうもんかいご**［訪問介護］⇩ホームヘルプ。●**ほうもんかんご**［訪問看護］看護師が、高齢(こうれい)の患者(かんじゃ)などの家庭を訪問して看護すること。「―ステーション」●**ほうもんぎ**［訪問着］〔服〕〔女性の着物で〕略式の礼服。一越(ひとこし)・綸子(りんず)などの織物で作った、絵羽(えば)模様のはなやかな着物。●**ほうもんはんばい**[訪問販売] 販売員が家庭や職場を回って商品などを売ること。訪販。

**ぼうや**[坊や] ㊀ぼうや 男の子を親しんで呼ぶことば。「—、おいで・どこの—かな・——した青年」 ㊁ぼうや〔俗〕バンドボーイ。ボーヤ。

**ぼうや**[某夜]〔文〕ある夜。

**ほうやく**[邦訳]《名・他サ》〔文〕外国文を日本文に〈訳すこと/訳したもの〉。和訳。

**ほうゆう**[×朋友]〔文〕(仲のいい)友だち。友人。ポンユー〔古風・俗〕。

**ぼうゆう**[亡友]〔文〕死んだ友だち。

**ぼうゆてい**[防油堤] 流れ出た石油が広がらないように、石油タンクのまわりに作った囲い。

**ほうよう**[法要]《仏》亡くなった人を供養するためにおこなう儀式。「—を営む」

←**ほうよう**[包容]《名・他サ》あやまちや欠点などにこだわらず、広く人を受け入れること。「—力」

→**ほうよう**[抱擁]《名・他サ》〔文〕だきかかえること。だきあって愛撫すること。「むすめを—する」

**ぼうよう**[×茫洋]《タルト》〔文〕①広すぎて、とらえどころがないようす。「—たる海原」②性格はおだやかだが、とらえどころがないようす。「—とした人物」派-さ。

**ぼうようのたん**[亡羊の嘆]〔亡羊=羊を見失う〕①学問の道は広く、なかなか真理が得られないとなげくこと。「—をかこつ」②あれこれまようこと。▽多岐亡羊。由来 分かれ道が多い道では、にげた羊を見失ってしまうという、中国の「列子」の文章から。

**ほうよく**[豊沃]《名・ナダ》〔文〕土地が肥えて作物がよくみのるようす。「—な大地のめぐみ」派-さ。

**ぼうよみ**[棒読み]《名・他サ》①文章を一本調子に読みくだすこと。「せりふの—」②〔単語を〕区切らず抑揚をつけないで、ひと続きに言うこと。

**ボウラー**〔bowler〕ボウリングをする人。

**ほうらい**[×蓬×莱] ①〔中国の伝説で〕東の海にあって仙人の住むという山。「—山」②「蓬莱①」にかたどって、縁起のいいものをかざった台。③〔↑蓬莱かざり〕新年の祝いに、三方に米をもり、のしあわび・かちぐりなどをかざったもの。

**ほうらく**[法楽] ①《仏》法悦。②[放楽] なぐさみ。楽しみ。「口の—をする・見るが—」

**ほうらく**[崩落]《名・自サ》①〔文〕くずれおちること。「—事故」②《経》相場が急に下がること。

☆☆**ぼうらく**[暴落]《名・自サ》《経》値段が急に大はばに下がること。「株価の—」(↕暴騰)

**ほうらつ**[放×埒]《名・ナダ》〔文〕①気ままに放蕩すること。②気ままに ふしだらな おこないをすること。「—娘」派-さ。

**ほうらん**[抱卵]《名・自サ》《動》①鳥が、たまごをだいてあたためること。②さかなが、腹のなかに たまごを持つこと。

**ほうらん**[放卵]《名・自サ》《動》〔水生動物の めすが〕水中に産卵すること。その卵は放精された精子と体外受精をする。(↕放精)

**ほうり**[法理]〔文〕法律の原理。「確立された—・—論」

☆☆**ぼうり**[暴利] 不当に多い利益。法外の利得。「—をむさぼる」

**ほうりき**[法力]《仏》仏法の〈功徳/威力〉。

**ほうりこ・む**[放り込む]《他五》投げこむ。

**ほうりだ・す**[放り出す]《他五》①〈外/前〉に、乱暴にほうって落とす。「本を—」②しまわないで、乱雑に置く。「食器を—」③追い出す。「店から—」④置きざりにする。「寒風の中に—」⑤だらしなく突っき出す。「足を—」⑥とちゅうでやめる。「仕事を—」

＊＊**ほうりつ**[法律] 国民のしたがうべき決まり。法。〔日本では、国会で議決して、政府から公布される〕「—家・—行為・—的・—上認められない」☞命令②。

**ほうりな・げる**[放り投げる]《他下一》①ほうるように、投げる。「かばんを—」②やりかけたことを、ほったらかす。「途中で—」

**ほうりゃく**[方略]〔文〕戦略的な方法。「敵を防ぐ—・経営—・言語習得の—」

**ぼうりゃく**[謀略] 組織的な、ただごとでない計略。「敵国の—・政治的—」

**ほうりゅう**[放流]《名・他サ》①せきとめた水、たまった水を流すこと。②〔さかなを〕川などに はなすこと。「稚魚を—する」

**ぼうりゅう**[傍流]〔文〕①本流から分かれ出た流れ。②主流から外れた流派。

→**ほうりょう**[豊猟] 猟で、えものが多いこと。

←**ほうりょう**[豊漁] 漁で、漁獲が多いこと。大漁。「イワシの—・コンブの—・—年」(↕不漁・凶漁)

**ぼうりょく**[暴力] なぐる・けるなどの乱暴な力。「—を振るう〔=使う〕・—にうったえる〔=使う〕・—行為・—的」●**ぼうりょくだん**[暴力団] 暴力を見せつけて悪事をはたらく、組織化された集団。やくざ。

**ボウリング**〔bowling〕プラスチックの大きいボールをゆか〔=レーン〕の上にころがし、十本のとっくり形のもの〔=ピン〕をたおすゲーム。ボーリング。

**ほう・る**[放る]《他五》①空中で山形の線をえがいてとぶように、投げる。「ボールを—」②投げてすてる。「窓から—」③とちゅうでやめる。投げ出す。「仕事を中途で—」④〔おもに**放っておく**〕そのままにしておく。「放っておけない・放りっぱなしにする」☞ほっておく。⑤〔中国・四国方言〕捨てる。ほる。「ごみを—」可能 放れる。

**ボウル**〔bowl〕㊀ボウル 粉を練ったり、サラダをかきまぜたりするのに使う、(金属製の)半球形の鉢。「サラダ—」㊁ボウル 造 ①アメリカンフットボールの対抗試合。「甲子園—」由来 観客席の形がすりばち形であることから。②〔①とは別語源〕ボウリング(のボール)。ボウリング場の名前にも使う。▽㊀㊁ボール。

**ほうるい**[×堡塁]〔文〕とりで。防塁。

**ぼうるい**[防塁]〔文〕とりで。

☆☆**ほうれい**[法令]《法》法律、行政機関の命令、条例・規則をまとめて言う呼び名。「—により次の行為は禁止されています」

**ほうれい**[豊麗]《名・ナダ》〔文〕ゆたかで うるわしいこと。「—な美人」派-さ。

**ぼうれい**[亡霊] ①死んだ人の たましい。「—に つきまとわれる」②幽霊。③すでに ほろび去ったはずの おそろしいもの。「軍国主義の—」

**ぼうれい**[暴戻]《ナダ》〔文〕やることが乱暴で道理に外

ほ

れているようす。派-さ。

**ほうれいせん**［ほうれい線］鼻の わきから口の はしにのびる、八の字形の しわ。由来「法令線」から。人相学で、鼻の わきを「法令」と言い、規則正しさなどに関係するという。

**ほうれき**［邦暦］⇩和暦。

**ほうれつ**［放列］①［砲列］《軍》火砲を射撃できるようにならべた隊形。②〔文〕ずらりとならんだようす。「カメラの―をしく」

**ほうれつ**［芳烈］《ナダ》〔文〕たいへん、いい においがするようす。「―な かおり」派-さ。

**ほうれんそう**［(×菠×薐草)］おひたしなどにする菜。葉はこい緑色で やわらかく、根が赤い。「―のバター いため」

**ほう-れん-そう**［報連相］報告・連絡・相談。「上司への―」

**ぼうろ**［防露］〔文〕(壁や窓ガラスなどに)露がつくのを防ぐこと。「―性のサッシ」

**ほうろう**［報労］〔文〕苦労にむくいること。「―金」

**ほうろう**［(×琺×瑯)］金属の器や陶磁器の表面に、うわぐすりを焼きつけたもの。瀬戸引き。琺瑯引き。ホーロー。「―看板・―なべ」●**ほうろうしつ**［(×琺×瑯)質］①ほうろうの性質。②《生》⇩エナメル質。

**ほうろう**［放浪］《名・自他サ》あてもなく さまよい歩くこと。「世界を―する・―の旅」

**ぼうろう**［望楼］〔文〕遠くのほうを見はるためのやぐら。

**ほうろく**［俸×禄］《歴》武士が、給与として主君からもらう米や金銭。扶持。「―を食む」

**ほうろく**［(×焙×烙)］①豆や茶を煎ったりするのに使う、小さな素焼きの調理器具。柄がついて、そそぎ口のない きゅうすのような形。②お盆の むかえ火・送り火を入れる、素焼きの皿。▽ほうらく。

**ほうろん**［法論］《仏》仏法上の議論。「―をたたかわせる」

**ぼうろん**［暴論］乱暴な議論。暴説。「―をはく」

**ほうわ**［法話］《仏》仏法についての話。法談。

☆☆**ほうわ**［飽和］《名・自サ》①《理》ある量をふくむことのできる限度になった状態。「―溶液」②〔文〕これ以上、入れられないほど いっぱいになっていること。「―状態」●**ほうわしぼうさん**［飽和脂肪酸］《理》炭素原子のつらなりに、水素原子が すき間なく結びついてできた脂肪酸。肉やバターなどの、動物性のあぶらに多くふくまれる。高温で とける。(↔不飽和脂肪酸)

**ホエール**〔whale〕くじら。●**ホエールウォッチング**《名・自サ》〔whale watching〕(ツアーなどで、船に乗って)クジラを観察すること。

**ポエジー**〔フ poésie〕詩。詩情。「―を感じる」

**ほえづら**［(×吠え)面］〔俗〕泣き顔。泣き(っ)つら。「―かくな!〔=あとで くやし泣きするな〕」

**ポエム**〔poem〕①〔一つ一つの〕詩。②〔俗〕客観的なデータにもとづかない話。

**ほ・える**［(×吠える)・(×吼える)］《自下一》①犬・ライオンなどが、(強く)声を出す。「ほえ声」②〔俗〕わめく。どなる。③〔古風・俗〕大声で泣く。

**ぼえん**［墓園・墓×苑］〔文〕霊園。

**ほお**［(△朴)］野山に はえる、背の高くなる木。葉はカシワに似て大形。材木は げた・版木などに使う。ほおのき。

**ほお**［頬］顔のわきの やわらかい部分。ほほ。ほっぺた。ほっぺ。●**頬が落ちる**句 ①やせて、ほおのあたりが おちくぼむ。②⇩ほっぺたが落ちそう〔「ほっぺた」の句〕。●**頬が ゆるむ**句〔うれしくて〕にこにこする。他頬をゆるめる。●**頬を染める**句 顔を赤くする。自頬が染まる。●**頬をつねる**句 ⇩ほっぺたをつねる〔「ほっぺた」の句〕。●**頬をふくらませる**句 不満な顔つきをする。

**ボー**〔bow〕①《服》えりなどにつける、ちょう(蝶)形に結んだリボン。「―を結ぶ」②弓。▽ボウ。

**ボーイ**〔boy〕一造 男の子。少年。(↔ガール) 二〔ホテル・レストランなどの〕サービス係の男性。ウェイター。●**ボーイズ**〔boys〕①少年たち。「―ビーアンビシャス〔=少年よ、大志を抱け〕・―ラブ〔⇩BL〕」②男性が何人かで演じる、楽器を使った漫談。●**ボーイスカウト**〔Boy Scouts〕少年の心身をきたえ、奉仕活動もする少年団。(↔ガール スカウト)●**ボーイフレンド**〔boyfriend〕〔やや古風〕男の〈友だち/恋人〉。BF。(↔ガール フレンド)

**ボーイッシュ**《ナダ》〔boyish〕〔女性の髪型や かっこうが〕少年らしいようす。

**ポーカー**〔poker〕《トランプ》五枚のカードで作る役の強さをきそうゲーム。●**ポーカーフェイス**〔poker face〕感情をおもてに出さない顔。ポーカー フェース。「―をくずさない」由来 ポーカーで手札をさとられないようにするときの顔から。

**ほおがえし**［頬返し］〔古風〕始末。「―が つかない〔=どうにも しようがない〕」〔江戸の下町のことば〕由来 ほおばったものをかむために、口を動かすこと。●**頬返しがつかない**句〔俗〕どうにも しようがない。

**ほおかぶり**［頬(△被り)］《名・自サ》①頭からあごの下へかけて布で おおうこと。②知らないふりをすること。「―でおし通す」▽ほおかむり。ほっかぶり。

**ボーカリスト**〔vocalist〕①歌手。「ジャズ―」②⇩ボーカル②。

**ボーカル**〔vocal〕①声楽。「―ソロ〔=独唱〕」②バンドの中で、歌唱を担当する人。ボーカリスト。

**ボーガン**〔bowgun〕⇩クロスボウ。

**ボーキサイト**〔bauxite〕《鉱》アルミニウムの原料となる鉱石。

**ボーク**《名・自サ》〔balk〕①じゃま。妨害。②《野球》投球動作のとちゅうから急に走者をけん制するなど、走者がいるとき、投手が規則に反する投球動作をすること。

**ポーク**〔pork〕①豚肉。「―カツ・―ソテー」②〔沖縄方言〕ランチョン ミート。「―たまご〔=ランチョンミートにたまご焼きをそえた料理〕」

**ほおげた**［頬桁］ ほおぼねの突っき出たところ。

**ほお・ける**［(×蓬ける)］《自下一》〔タンポポのたねなどが〕日がたって けばだつ。けばだって みだれる。ほける。

**ボーゲン**〔ド Bogen=弓形〕①《音》バイオリンなどの、弓。②《スキー》二枚の板の後ろを開いた形で回転すること。おもに、プルークボーゲンのこと。

**ポーコ**〔イ poco〕《音》⇩ポコ。

**ほおざし**［頬刺し］ イワシなどを、えらのあたりから竹のくしなどでさし通して干したもの。

**ボージョレ(ー)ヌーボー**〔フ Beaujolais nouveau〕⇩ボジョレ(ー)ヌーボー。

**ポーション**〔portion＝一部〕①料理の一人前(の量)。「サラダのミニー」②〔シロップなどの〕一回分(を入れた容器)。「ーパック」③同じ割合で、小さく分けたもの。「ーチーズ」

**ほおじろ**[(頰白)]スズメによく似た小鳥。目のうしろに細く白い線があり、よくさえずる。

**ポージング**《名・自サ》〔posing〕写真撮影などでポーズを作ること。また、そのポーズ。「ーを決める」

**ホース**〔オ hoos〕水などを通すのに使うくだ。ゴム・ビニールなどで作る。「水道のー・ビニールー」

**ポーズ**〔pause〕休止。間。「ーをおく」

**ポーズ**《名・自サ》〔pose〕①人に見せたり、写真をとったりするために作る(いい)姿勢。「鏡の前でーをとる・〔写真をとるとき〕はい、ー」②見せかけの態度。「ーにすぎない・進歩的なーをとる」

**ホースアウト**《名・他サ》〔米 force-out〕《野球》⇩フォースアウト。

**ほおずき**[(:酸漿)・(:鬼灯)]①庭や鉢に植える草。角ばったハート形のふくろが実を包み、夏に赤くなる。中の赤く丸い実を取り出し、中身を除いて口にふくみ、鳴らして遊ぶ。②海ほおずき。巻き貝の卵を包むふくろ。口にふくんで鳴らす。表記 かなでは「ほおづき」も許容。

**ホースラディッシュ**〔horseradish〕根が太めで白く、ぴりっとからい野菜。ローストビーフの薬味に使う。西洋わさび。わさびだいこん。ホースラディシュ。

**ほおずり**[頰擦り]《名・自サ》自分のほおを相手のほおにすりつけること。「やさしくーする」

**ボースン**〔boatswain〕①甲板長。②親方。▽ボーシン。

**ボーダー**〔boarder〕〈スノーボード/スケートボード〉の愛好者。

**ボーダー**〔border〕①境界。②横じま。「ーのTシャツ・ー柄」●**ボーダーライン**〔border-line〕①境界線。②どちらとも決めにくいところ。「ーのケース」

●**ボーダーレス**《名・ナダ》〔borderless〕国境や境界が〈ない/うすれた〉ようす。ボーダレス。「ーの世界経済」

**ポーター**〔porter〕①〔鉄道・ホテルなどで〕客の荷物を運ぶ人。②登山隊の荷物を運ぶ現地の人。

**ボータイ**〔bow tie〕ちょう(蝶)ネクタイ。ボウタイ。

**ポータビリティ(ー)**〔portability〕①持ち運びできること。②〔確定拠出型年金で〕積み立てた年金の原資を転職先へ持っていけること。

**ポータブル**〔portable〕①手軽に持ち運べる〈こと/製品〉。「ートイレ」②〔古風〕持ち運べるレコードプレーヤー。

**ポータルサイト**〔portal《＝入り口》site〕〔インターネットで〕情報の検索やニュースの閲覧など、便利なサービスをそろえて提供するサイト。ポータル。

**ポーチ**〔porch〕西洋ふう建築の、玄関口。〔ひさし・小屋根が出ている部分〕

**ポーチ**〔pouch〕小物やけしょう品などを収納する小形のバッグ。「ベルトー・ウエストー」

**ポーチドエッグ**〔poached egg〕熱湯にたまごを割り入れて作った、ふにゃふにゃしたゆでたまご。落としたまご。☞温泉卵。

**ほおづえ**[頰(×杖)]ひじをつき、手でほおを支えること。「ーをつく」

**ボーディングブリッジ**〔boarding bridge〕空港の施設から旅客機に差しわたして、乗客の乗り降りに使う通路。搭乗橋。

**ボート**〔boat〕①オールでこぐ、西洋ふうの小舟。「ーで遊ぶ・救命ー」②船。「モーターー」③↑ボートレース。「ーの選手」④〔↑モーターボートレース〕競艇。「戸田ー」●**ボートピープル**〔boat people〕ベトナム戦争〔一九七五年終結〕後、インドシナ諸国から小舟で脱出した難民。●**ボートレース**〔boat race〕ボートをはやくこぐ競技。レガッタ。

**ボード**〔board〕①文字などを示す板。「ホワイトー・こちらのーにまとめました」②(加工して強くした)板。「耐火ー」③サーフボード・ボディーボード・スノーボードなどに使う板状の道具。●**ボードゲーム**〔board game〕チェスやバックギャモンなど、盤の上でするゲーム。●**ボードセーリング**〔board sailing〕サーフボードに帆を立て、風の力で水上を走るスポーツ。ウインドサーフィン。

**ボードビリアン**〔米 vaudevillian〕話術や歌、おどりなどが得意な芸人。ボードビリヤン。

**ボードビル**〔フ vaudeville〕レビュー・漫才・奇術・曲芸など、いろいろな演芸をとりまぜておこなう寄席演芸。

**ポートフォリオ**〔portfolio＝書類入れ〕①《経》現金・株式・債券などの資産の全体。資産の構成。②作品集。記録集。

**ポートレート**〔portrait〕肖像画。肖像写真。

**ポートワイン**〔port wine＝ポルトガルの積み出し港の名から〕①〔ポルトガルでできる〕ブドウのあまみのあるワイン。②砂糖であまみをつけた、赤ワイン。

**ボーナス**〔bonus〕①⇩賞与。②特別配当金。③追加される特典。「ーポイント」

**ほおば**[(△朴)葉]ホオの葉。「ーみそ〔＝ほお葉の上で、みそをネギなどとともに焼いたもの〕」

**ほおば**[(△朴)歯]ホオの木で作った、げたの歯(を入れた、鼻緒の太い高げた)。

**ホーバークラフト**〔hovercraft〕⇩ホバークラフト。

**ほおばる**[頰張る]《他五》口いっぱいに食べ物を入れ(て食べ)る。

**ホープ**〔hope〕①希望。期待。②期待されている人。希望の星。「わが社のー」

**ほおべに**[頰紅]ほおにつける紅。チーク。ほほべに。

**ほおぼね**[頰骨]ほおの上のほうの、少し高く出ている骨。ほおげた。顴骨。

**ホーマー**〔米 homer〕《野球》ホームラン。

**ホーミー**〔モンゴル khöömii〕《音》だみ声のような低音と笛のような高音を同時に出す、モンゴルの歌唱法。喉歌。ホーメイ。

*__ホーム__〔home〕①わが家。家庭。「ーパーティー・ードレス〔＝家庭着。『ーウエア』とも〕・ーライフ〔＝家庭生活〕・ーメイド〔＝自家製〕」②本国。故国。③《野球》本塁。ホームプレート。ホームベース。「ーをふませ

ない」④《サッカー・野球など》自分たちの(国の)グラウンド。「—ゲーム・—で戦う」(↔アウェー・ロード) ⑤本拠地。母校など。「—の大学での講演」(↔アウェー) ⑥入所して生活する福祉施設。「—に入所する・老人—」⑦《情》↔ホーム ページ②。

•**ホームアンドアウェー**〔home-and-away〕《サッカー・野球など》二つのチームがたがいの本拠地で交互に試合をすること。

•**ホームイン**《名・自サ》〔和製 home in〕《野球》⇩生還②。

•**ホームカミングデー**〔homecoming day〕〔大学や高校で〕卒業生が母校に集まって楽しむ、お祭りの日。ホームカミング デイ。

•**ホームグラウンド**〔home ground〕①自分の〈故郷/古巣/根城〉。②《野球・サッカーなど》そのチームの本拠地とするスタジアム。

•**ホームシアター**〔home theater〕大型の画面と性能のいいスピーカーを自宅にそなえつけて、映画館のようにしたもの。

•**ホームシック**〔←homesickness〕自分の〈故郷/家庭〉を恋しいと思う(病的な)心の状態。

•**ホームショッピング**〔home shopping〕ネットショッピングやテレビショッピングなど、家庭にいながらおこなう買い物。

•**ホームスチール**《名・自サ》〔和製 home steal〕《野球》本塁への盗塁。本盗。

•**ホームステイ**《名・自サ》〔homestay〕留学生などが、滞在国の一般家庭で、その家族といっしょに生活すること。

•**ホームストレッチ**〔homestretch〕競走の最後の、直線コース。ホーム ストレート。(↔バックストレッチ)

•**ホームスパン**〔homespun〕糸の太い手織りの布。また、その風合いの機械織りの布。

•**ホームセキュリティ(ー)**〔home security〕一般家庭が警備会社と契約し、家の安全を守ること。

•**ホームセンター**〔home center〕日曜大工用品・家庭用雑貨をあつかう大型の小売店。ホムセン。☞DIY。

•**ホームタウン**〔hometown=故郷〕《スポーツ》チームの本拠地。

•**ホームタウンデシジョン**〔hometown decision〕〔スポーツの試合で〕地元や自国の選手に有利な採点や判定がされやすいこと。

•**ホームチーム**〔home team〕本拠地で試合をするチーム。

•**ホームドクター**〔和製 home doctor〕(近所の)かかりつけの医者。

•**ホームドラマ**〔和製 home drama〕一般の家庭のできごとを題材にした劇。

•**ホームバー**〔和製 home bar〕家庭の部屋にもうけた、バーふうの設備。

•**ホームバンキング**〔home banking〕コンピューターを使って、家庭にいながら銀行を利用するシステム。

•**ホームプレート**〔米 home plate〕《野球》本塁。ホーム ベース。

•**ホームベーカリー**〔和製 home bakery〕家庭用の自動パン焼き器。

•☆☆**ホームページ**〔home page〕《情》①団体や個人が、インターネットを通じて情報を提供するために用意する、文章・写真・絵などの画面。ウェブ ページ。HP。「—のアドレス」②「ホームページ①」のトップ〔=先頭〕ページやブラウザーの起動後 最初にあらわれるページ。ホーム。

•**ホームベース**〔米 home base〕《野球》ホームプレート。

•**ホームヘルパー**〔和製 home helper〕日常生活に支障のある高齢者などの家庭を訪問して、介護や家事援助をする(資格のある)人。訪問介護員。☞ケアワーカー。

•**ホームヘルプ**〔home help〕ホームヘルパーが家庭を訪問して介護すること。訪問介護。「—サービス」

•**ホームポジション**〔home position〕タイピングで、指をキーボードに置くときの、基本の位置。〔左右の人差し指を「F」と「J」のキーに置く〕

•**ホームラン**〔米 home run〕《野球》打ったボールが外野のフェンスを越えたりして、打者がホームに帰ってくることのできる安打。本塁打。ホーマー。HR。「—ダービー〔=シーズンのホームラン王を争う競争〕」

•**ホームルーム**〔米 homeroom〕中学校・高等学校で、受け持ちの先生と生徒が、いろいろな問題を話し合う〈こと/時間〉。HR。☞学活。

•**ホームレス**〔homeless〕住む家がなくて、地下道や公園などにねとまりする人。〔差別的な「浮浪者」に代わり、一九八〇年代後半から広まったことば〕

**ホーム**〔←プラットホーム〕駅で、列車に乗りおりするために高くした場所。歩廊。「三番—」

•**ホームドア**〔←和製 platform door〕転落事故を防ぐために駅のホームに設置したドア。ふだんは閉じていて、乗り降りのときだけ開く。安全柵。ホーム柵。ホーム ゲート。

**ポーラ**〔poral〕ちがう色に染めた二本の梳毛糸で、あらく織った織物。夏服を作るのに使う。ポーラー。

**ポーランド**〔Poland〕ヨーロッパの中部にある共和国。首都、ワルシャワ(Warszawa)。波。表記「:波蘭」は、古い音訳字。

**ボーリング**〔bowling〕⇩ボウリング。

**ボーリング**《名・自他サ》〔boring〕①かたいものに穴をあけること。「—マシン」②〈石油をとる/井戸をほる〉ために、地中に深く穴をあけること。試錐。鑿井。鑿泉。「—調査」

**ホール**〔hall〕①集会・宴会などをおこなう広い部屋。大広間。②〔飲食店などで〕客のはいる部屋。「—スタッフ〔=接客係など〕」③入り口をはいったところの、通路をかねた広い場所。「玄関—」④会館。会堂。「市民—」⑤↔ダンス ホール。

**ホール**〔hole〕①穴。「ボタン—」②《ゴルフ》ボールを入れる穴。カップ。また、その穴に入れる、それぞれのコース。「十八—〔略して『18H』とも書く〕」

•**ホールアウト**《名・自サ》〔hole out〕《ゴルフ》最後の一打をカップに入れて、そのホールを終えること。〔多く、最終ホールに言う〕

•**ホールインワン**〔hole in one〕《ゴルフ》最初の一打で、ボールが穴にはいること。

**ホール**〔whole〕①〔かんづめで〕実などを切らないでまるごと入れてある〈もの/こと〉。「—トマト」②切っていない、まるごとのケーキ。ホール ケーキ。「—で買う」

•**ホールセール**〔wholesale〕卸売り。

*__ボール__〔ball〕[一]ボール ①球。〔ボウリングのボールの場合は、ボウル(bowl)〕②〔交渉ごとで〕一方が提起して、他方がそれにどう対処すべきかという課題。「—は、相手がわにある」[二]ボール《野球》ストライクにならない投球。「—球・—フォア!」(↔ストライク)

•**ボールカウント**〔ball count〕《野球》ボールとストライクの数。「—、ワンボール ワンストライクです」

•**ボールゲーム**〔ball game〕球技。特に、野球やソフトボール。

•**ボールベアリング**〔ball bearing〕たま入りの軸受け。

[ボールベアリング]

•**ボールペン**〔←ballpoint pen〕インクを入れた芯の先に回転する小さなたまをはめこんだ、筆記用具。●**ボールボーイ**〔ball boy〕《野球・テニス・サッカーなど》たま拾いなどをしてゲームの進行を助ける少年。●**ボールルーム**〔ballroom〕〔ball=舞踏会〕舞踏場。舞踏室。「―ダンス」

**ボール**〔board〕ボール紙。「―箱・段―」●**ボールがみ**［ボール紙］わらなどを原料とした、〈黄色/茶色〉がかった厚紙。板紙。

**ボール**〔bowl〕⇩ボウル。

**ポール**〔pole〕①棒。さお(竿)。「センター―」②〔棒高とびの〕棒。③〔スキーの〕ストック。●**ポールポジション**〔pole position〕〔自動車レースなどの〕予選で最高タイムを出した者にあたえられる、スタート時の好位置。

**ホールディング**《名・自サ》〔holding=保持〕①《バレーボール》反則の一つ。ボールを手に持った状態になること。②⇩ロードホールディング。③《ボクシング》相手のうでをわきでかかえたりして、動きをおさえる反則。●**ホールディングカンパニー**〔holding company〕《経》⇩持ち株会社。●**ホールディングス**〔holdings〕《経》持ち株会社。HD。〔会社名に使う〕

**ホールド**《名・他サ》〔hold〕①保持。②岩登りに利用する手がかり・足場。●**ホールドアップ**㊀《感》〔米 hold up〕〔話〕手を上げろ。〔ピストル強盗が、人を呼びとめ、また命令するときのことば〕㊁《名・自サ》〔米 holdup〕①〔強盗におどされて〕手を上げること。②ピストルなどでおどして、うばい取ること。

**ボールド**〔board←black board〕〔古風〕黒板。

**ボールド**〔bold〕欧文活字の書体の一つ。たての線がふつうよりも太い。表題などに使う。ボールド体。例、**bold**。☞イタリック・ローマン。

**ボーロ**〔ポ bolo〕小麦粉にたまごなどを入れて軽く焼いた、小さくてまるい菓子。ぼうろ。

**ほおん**［保温］《名・他サ》温度をにがさないようにすること。「―装置」

**ホーン**〔horn=角〕①角笛。②〔自動車などの〕警笛。クラクション。

**ぼおん**［母音］《言》⇩ぼいん(母音)。

**ボーンチャイナ**〔bone china〕動物の骨を焼いて粉にしたものをまぜて作った、上等の磁器。ボンチャイナ。

**ぽおんと**《副》軽くものを打ったり、ほうり投げたりする〈音の〉ようす。「ボールを―ける・紙風船を―打ち上げる」

**ボーンヘッド**〔bonehead=まぬけ〕《野球》常識外れのまずいプレー。

**ほか**［〈他〉］①それでなく、別の〈もの/こと/所〉。他。「―の者が代わりに まいります・―の辞書を見る・―を当たって〔=よそをたずねて〕ください・この―にも いろいろな説がある・植木さん、谷さん―〔=あと何人か〕の出演」②そのほか。その他。「―三名が入選しました」区別 ⇩他 ㊀。☞ほかでもない・ほかならない。

**ほか**［〈外〉］㊀ **ほか** その範囲のそとがわの〈もの/こと/所〉。以外。「恋は思案の―・思いの―・もっての―・胃が弱い―はいたって健康」㊁《副助》〔後ろに否定が来る〕それ以外にない、という気持ちをあらわす。「そうする―(しかたが)ない・ことわるより―(に)方法がない」

**ぼか**［簿価］《経》資産や負債などの帳簿に記入してある価額。帳簿価額。

**ぽか**［ポカ］〔俗〕①不注意での失敗。ポカミス。「―をやる・大―」②《碁・将棋など》悪い手。「―が出る」

**ぼがい**［簿外］《経》正式の帳簿以外。「―資産・―負債」

**ほかく**［保革］㊀ **ほかく** 保守と革新。「―逆転」㊁ **ほかく** 革を保護するもの。「―油」

**ほかく**［捕獲］《名・他サ》①〔野犬などを〕いけどること。②ぶんどること。「漁船を―する」

**ほかげ**［火影・灯影］〔文〕①〔暗い所で見える〕火の光。②ともしびで映し出された影。

**ほかげ**［帆影］遠くに見える、船の帆(の影)。

**ほかけぶね**［帆掛け船］帆をかけた船。帆かけ。

**ほかごと**［〈他事〉・〈外事〉］〔愛知などの方言〕関係のないものごと。「―を考える」☞たじ(他事)・がいじ(外事)。

**ぼかしことば**［〈×暈し言葉〉］〔おもに話しことばで〕内容をぼかす言い方。あいまいことば。例、「お荷物のほう、お預かりします」の「ほう」、「鈴木さんと話とかしてました」の「とか」、「わたし的にはそう思います」の「的」。

**ほか・す**《他五》〔関西などの方言〕捨てる。

**ぼか・す**［〈×暈す〉］《他五》①こいところとうすいところの境をぼんやりさせる。②内容をあいまいに〈する/言う〉。「重要な点を―」名 ぼかし。

**ぼかすか**《副》〔俗〕ぼかぼか。「―なぐる・シャンパンを―ぬく」

**ほかでもな・い**［〈他でもない〉・〈外でもない〉］《形》そのほかの〈もの/こと〉ではない。まさに。ほかならない。「わざわざ来てもらったのは―〔=ほかの理由ではない〕・―君のたのみだ、引き受けよう」丁寧 ほかでもありません。

**ほかなら・ない**［〈他ならない〉・〈外ならない〉］《形ヌズ》①ほかでもない。特にだいじな関係にある。「―あなたの言うことですから信じましょう」②…のほかではない。…以外のものではない。「努力の結果に―」丁寧 ほかなりません。由来 文語「ほかならず」の「ず」だけが口語形「ない」になったもの。全体を口語形にすると「ほかで〈も/は〉ない」になる。

**ほかほか**《副》あたたかみの感じられるようす。ほっかほか。「―の弁当・からだが―になる」

**ぼかぼか**《副》①続けざまに強くたたく〈音/ようす〉。「―(と)なぐられた」②〔俗〕どんどん、いくらでも。「―もうかる」▽ぼかすか。

**ぽかぽか** ㊀《副・自サ》空気・光がからだをあたたかく包み、気持ちよく感じるようす。「―とあたたかい小春びより・からだが―してきた・―陽気」㊁《副》①〔頭を〕続けざまに なぐるようす。②電灯・信号が、やわらかな感じで、ついたり消えたりするようす。

**ほがら**［朗ら］《ナリ》〔雅〕ほがらか。「―に歌う」●**ほがらか**［朗らか］《ナダ》①雲がなくて明るいようす。②はれやかなようす。気分が明るいようす。「―な顔つき」派 ―さ。

**ボカロ**〔↑ボーカロイド(VOCALOID)。商標名〕①歌詞とメロディーを入力すると、データベースにある声を合成して、パソコンの中のキャラクターが歌うソフトウェア(を使った音楽ジャンル)。「―曲」②「ボカロ①」で活動

ほ

する、バーチャルなキャラクター。

**ほかん**［補巻］〔文〕全集などの足りない部分をおぎなうために、追加して出す本。

**ほかん**［保管］《名・他サ》なくならないように、だいじにしまっておくこと。「―料」

**ほかん**［補完］《名・他サ》〔文〕かけているところ、不十分なところをおぎなって、完全なものにすること。「公共交通を―するシェアサイクル」

**ほかん**［補間］《名・他サ》あいだの、とぎれた部分をつなぐこと。「音声―」

**ぼかん**［母艦］《軍》飛行機・潜水艦などの移動基地となり、指揮や補給などをおこなう軍艦。「航空―・潜水―」

**ぽかんと**《副・自サ》①〈頭などを〉たたく音のようす。ぽかりと。「―なぐられた」②〈口／穴〉が大きくあいているようす。「―口をあける・心に―穴があく」③〈あっけにとられて／ぼんやりして〉いるようす。「―している」▽ぽかっと。

**ほき**［補記］《名・他サ》足りないところを補うために〈書くこと／書いたもの〉。「くわしい説明を―する」

**ぼき**［簿記］《経》お金の出し入れや取引の状態を記入・整理する方法。

**ボギー**〔bogey〕《ゴルフ》基準打数より一つだけ多い打数。「ダブル―（＝二つ多い打数。ダボ）」

**ボギー**〔bogy＝おばけ〕《軍》敵機。また、（敵味方）不明機。

**ボギーしゃ**［ボギー車］〔bogie〕二つの台車の上に車体をのせた鉄道車両。カーブに沿って台車が回転するため、安定して走行できる。ボギー。

**ほぎうた**［祝ぎ歌］〔雅〕いわって〈うたう／つくる〉歌。ことほぎ歌。

**ほきだ・す**［（吐き）出す］《他五》〔埼玉などの方言〕（口の外へ）はき出す。「たねを―」

**ぽきっと**《副》細くてかたい物が折れる音のようす。「枝が―折れる」

**ぼきぼき**《副》太くてかたいものが続けて折れる〈音／ようす〉。「枝が―（と）折れる」

**ぽきぽき**《副》細くてかたいものが続けて折れる〈音／ようす〉。「小枝を―（と）折る」

**ボキャブラリー**〔vocabulary〕語彙。「―の不足・―が豊かな人」

**ほきゅう**［捕球］《名・自他サ》《野球》ボールをとること。

**ほきゅう**［補給］《名・他サ》〈たりなく／少なく〉なった分をおぎなうこと。「栄養の―・―路をたち切る・―船」

**ほきょう**［補強］《名・他サ》弱い所に手を加えて、もっと強くすること。「堤防の―工事・投手陣の―」

**ほきん**［保菌］《名・自サ》《医》〔発病はしないが〕からだに病原菌がいること。「―者（⇩キャリア（carrier）②）」

☆☆**ぼきん**［募金］《名・自他サ》①寄付金を呼びかけること。「―にご協力ください・―活動」②お金を寄付すること。また、そのお金。「おこづかいを―した・―が集まった」〔一九六〇年代から例がある用法〕 呼びかける側の行動に使うことばが誤解されて、応じる側にも使うようになった。同様の例に「課金」「貸し切る」「納車」がある。

**ぽきん**《副》細長い物が折れる音。ぽきっ。「枝を―と折る」

**ほく**［北］㊀**ほく** きた。「西、南、―の三方から」㊁遺 きた（のほう）の。「―軍・―壁・―北西（＝北と北西の中間）」

**ほぐ**［（反故）］⇩ほご（反故）。

**ぼく**［木］㊀**ぼく**〔庭木・盆栽などの〕長い年月がたってふしくれだった、古い木。「みごとな―」㊁遺 木。

**ぼく**［墨］↑メキシコ（墨西哥）。「日―親善試合」「風倒―」

＊＊**ぼく**［僕］《代》（もと、「しもべ」の意）①〔男〕自分をさすことば。同等・目下の人や、家族に対して使うことが多い。「―が手伝ってあげるよ・―ら・―んち（＝の家）」〔「おれ」よりていねいで、「わた（く）し」よりくだけた言い方。子どもは、おとなに対しても使う〕（↔君）②〔話〕親・おとなが、小さい男の子を呼ぶときのことば。「―いくつ？・―ちゃん」表記〈俗に／軽く〉「ボク」とも。

**ほくア**［北ア］①↑北アルプス。☞日本アルプス。②↑北アフリカ。

**ほくい**［北緯］《地》赤道から北へはかった緯度。九〇度までである。（↔南緯）

**ほくおう**［北欧］ヨーロッパの北の地方。北ヨーロッパ。（↔南欧）

**ほくが**［北画］中国の絵の一派。するどい線と強いタッチで山や岩や木をえがくのが特徴。北宗画。（↔南画）

**ぼくが**［墨画］〔文〕すみ絵。

**ほくがん**［北岸］〔文〕北がわのきし。（↔南岸）

**ぼくぎゅう**［牧牛］〔文〕はなし飼いにした牛。

**ほくげん**［北限］〔文〕北のほうの限界。「稲作の―地帯」（↔南限）

**ボクサー**〔boxer〕①ボクシングを専門にする人。②大形でスマートな体型の犬。顔はブルドッグに似て、耳はたれているが、一部を切断して立たせることもある。番犬用。③↑ボクサーパンツ。●**ボクサーパンツ**〔和製boxer pants〕からだにぴったりあった、股下のある、男性用の下ばき。ボクサー。

**ぼくさいが**［墨彩画］墨と絵の具でかいた絵。

**ぼくさつ**［撲殺］《名・他サ》〔文〕たたき殺すこと。

**ぼくし**［牧師］《宗》〔プロテスタントで〕信者の指導・監督をする職（の人）。

**ホクシャ**〔fuchsia〕⇩フクシア。

**ぼくしゃ**［牧舎］〔文〕牧場で、牛や馬などを入れておく小屋。

**ぼくしゅ**［墨守］《名・他サ》〔文〕〈かたく／がんこに〉守り通すこと。「旧習を―する」

**ぼくじゅう**［墨汁］筆につけて書く、すみをすったしる。〔特に、製品となったものを言う〕

**ぼくしょ**［墨書］《名・他サ》〔文〕すみで〈書くこと／書いたもの〉。「名を―する・―土器」

**ほくじょう**［北上］《名・自他サ》北のほうへ進むこと。「台風が日本列島を―する」（↔南下）

**ぼくしょう**［墨象］〔＝すみの かたち〕前衛芸術としての書道。前衛書道。

**ぼくじょう**［牧場］牛・馬・羊などをはなし飼いにする、広い土地。まきば。

**ぼくしょく**［墨色］〔文〕すみの色。すみいろ。

**ほくしん**［北進］《名・自他サ》〔文〕北のほうへ進むこ

ほ

と。「海路を—する」(↕南進)

**ぼくしん**【牧神】⇩牧羊神。

**ぼくじん**【牧人】〔文〕はなし飼いの羊や牛などの せわをする人。牧者。まきびと。

**ボクシング**〔boxing〕両手にグローブをはめ、ロープを張ったリング上で相手と打ち合う競技。拳闘。「—ジム」

**ほぐ・す**【(△解す)】《他五》①〈もつれて/かたまって〉いるものを、といて〈ばらばらにする/やわらげる〉。ほごす。「糸のもつれを—・サケの身を—・気分を—」②〔割ったたまごを〕かきまぜる。

**ぼく・する**【×トする】《他サ》〔文〕①うらなう。「将来を—」②(うらなって)定める。「地を—」

**ぼく・する**【牧する】《他サ》〔文〕(信者を)導く。説教する。

**ほくせい**【北西】北と西との中間の方角。西北。「—の風」(↕南東)

**ぼくせき**【木石】〔文〕①木と石。②〈人情/男女の情愛〉がわからないもの。岩木。

**ぼくせき**【墨跡・墨×蹟】〔文〕筆の あと。筆跡。

**ぼくそう**【牧草】家畜の えさになる草。

**ほくそえ・む**【ほくそ(笑む)】《自五》〔計画がうまくいって〕そっと、満足そうに笑う。「ひそかに—」 由来 中国の北叟〔=北方の国境地方〕にいる老人〔=塞翁〕が、いい時も悪い時も少し笑ったことから。 表記 「北×叟笑む」とも書いた。 名 ほくそえみ。

**ぼくたく**【木×鐸】〔=舌を木で作った、金属の鈴〕〔文〕〔社会を〕教えみちびく人。「新聞は社会の—だと言われる」

**ほくたん**【北端】〔文〕北の はし。「本州の—」(↕南端)

**ほくち**【北地】〔文〕北のほうの土地。

**ぼくち**【牧地】〔文〕牧畜をする土地。

**ぼくちく**【牧畜】牛・馬・羊などを飼って ふやす仕事。また、それによって、衣類や食べ物の材料を生産すること。「—業」

**ほくちょう**【北朝】《歴》足利氏が京都に立てた天皇(の世)。〔一三三一〜一三九二〕(↕南朝) ☞南北朝時代。

**ぼくちょく**【朴直・×樸直】《ナダ》〔文〕かざらず、すなおで誠実なようす。実直。

**ぼくてい**【墨堤・×濹堤】〔文〕墨水〔=隅田川〕のどて。「—の桜」

**ぼくてき**【牧笛】〔文〕羊飼いが鳴らす ふえ。

**ほくと**【北斗】《天》↑北斗七星。●**ほくとしちせい**【北斗七星】《天》天の北極から少し はなれたところにあって、ひしゃくの形をしている七つの星。北極星を探すときに目安となる。北斗星。北斗。

**ほくと**【北都】〔=北のほうにある みやこ〕〔文〕〔平安京があった〕京都の別名。(↕南都)

**ほくとう**【北東】北と東との中間の方角。東北。(↕南西)

**ぼくとう**【木刀】木で作った かたな。木だち。

**ぼくどう**【牧童】〔文〕牛や羊のせわをする、男(の子)。☞カウボーイ・ガウチョ。

**ぼくとつ**【朴×訥・木×訥】《ダナ・トタル》かざりけがなく、無口なようす。「—な人がら・—とした話し方・剛毅—」 派 -げ。-さ。

**ぼくねんじん**【(朴念仁)】〔俗〕世間のことや人情がわからず、〈おもしろくない/がんこな〉人。「研究一筋の—」〔古くは「ぼくにんじん」とも〕

**ぼくば**【牧馬】〔文〕はなし飼いにした馬。

**ほくび**【穂首】〔イネ・キビ・ススキなどの〕穂の先。

**ほくぶ**【北部】北(のほう)の部分。(↕南部)

**ぼくふ**【牧夫】〔文〕牧場で家畜のせわをする男。

**ほくふう**【北風】〔文〕北から ふく風。きたかぜ。さく(朔)風。(↕南風)

**ほくべい**【北米】↑北アメリカ。「—大陸」(↕南米)

**ほくへん**【北辺】〔文〕北の あたり。北の はて。「—の守り」

**ほくほく**《副・自サ》①満足して喜ぶようす。「売れ行きがよくて—顔だ・—してやって来た」②〔煮にたカボチャ・ジャガイモなどが〕水け・ねばりけがなく、口あたりがいいようす。ぽくぽく。

**ぽくぽく**《副・自サ》①木魚をたたく音。②⇩ほくほく②。「—としたサツマイモ」

☆☆**ぼくめつ**【撲滅】《名・他サ》よくないものを完全に〈ほろぼす/なくす〉こと。「がん(癌)の—運動・害虫の—」

**ほくめん**【北面】〔文〕一 北がわの(方)面。二《名・自サ》①北のほうに向くこと。②臣下の地位(につくこと)。▽一二(↕南面) ●**ほくめんのぶし**【北面の武士】《歴》平安時代の後期、上皇の御所を守った武士。

**ぼくや**【牧野】《農》家畜をはなし飼いにする、自然のままの野原。

**ほくよう**【北洋】日本の北にある、オホーツク海・ベーリング海などの海。北海。「—漁業」(↕南洋)

**ぼくよう**【牧羊】《名・自サ》〔文〕羊を飼うこと。「—犬」 ●**ぼくようしん**【牧羊神】〔ローマ神話で〕ヤギの足とつのを持つ、森と野原・牧畜の神。ギリシャ神話の、パンの神。牧神。半獣神。フォーヌ(フ faune)。

**ぼくり**【木履】①木で作ったくつ。今は、神主が儀式のときに はく。②⇩ぽっくり(木履)。

**ほくりく**【北陸】①〔↑北陸地方〕中部地方の日本海がわ。福井・石川・富山・新潟の四県。〔新潟をふくまない場合もある〕「—路の秋」②↑北陸道①。 ●**ほくりくどう**【北陸道】①もと、日本を八つに分けた地域の一つ。若狭・越前・加賀・能登・越中・越後・佐渡の七国。今の北陸地方。越(こし)(の国)。ほくろくどう。②↑北陸自動車道。

**ほくりゅう**【北流】《名・自サ》〔文〕〔川・海流などが〕北のほうへ流れること。(↕南流)

**ほぐ・れる**【(△解れる)】《自下一》ほぐした状態になる。「糸が—・しこりが—・緊張が—」

**ほくろ**【(:黒子)・ホクロ】《生》皮膚の表面にある、(少し もり上がった)黒っぽい点。☞くろこ(黒子)。

**ほくろく**【北麓】〔文〕〔山の〕北がわの ふもと。

**ぼけ**【(:木瓜)】庭木にする低木。春、葉とともに朱色や白い花を、こぼれるように つける。

**ぼけ**【(×惚け)・(×呆け)・ボケ】一 **ぼけ** ①ぼけること。「時差—」②〔漫才で〕とぼけた おかしなことを言う〈役/こと〉。「—をかます」(↕つっこみ)③〔俗〕ぼんやりした人をののしる ことば。まぬけ。④認知症。「—のお年寄り」 ㊁ぼけ 造 …に身をおきすぎて、危機感のないこと。「平和―・安全―」

**ポケ** 接尾 ポケットを数えることば。「四―ジャケット」

**ほげい**【捕鯨】クジラをとること。●**ほげいせん**【捕鯨船】捕鯨のための装備をした船。

**ぼけい**【母系】①母方の系統(に属する〈こと/もの〉)。②家族の形式の一つ。母方を基準にして、家の血統・相続などを決める。「―社会・―制度」▽(↔父系)

**ぼけい**【母型】活字の鋳型(いがた)。活字母型。

**ほけつ**【補欠】かけた人員をおぎなう〈こと/ために用意された人/選手〉。「―で入学した・―選手(↔レギュラー)」●**ほけつせんきょ**【補欠選挙】《法》国会・地方議会の議員に、欠員ができたときにおこなう選挙。補選。

**ぼけつ**【墓穴】(=はかあな)↑墓穴を掘(ほ)る。「結果は―だった」●**墓穴を掘(ほ)る** 句 自分の〈失敗/破滅(はめつ)〉の原因を作る。「得点を求めすぎて―」

**ポケッタブル**《名・ダ》【pocketable】ポケットに入れられるぐらい小さいこと。「―ラジオ」

**ぼけっと**《副》《俗》何も考えないでぼんやりしているようす。ぼけっと。「―立っている」

**ポケット**【pocket】㊀ポケット ①洋服などにつけてある物入れ。かくし。ポッケ。②ふところ。ポケットマネー。「―がさびしい」③《野球》ミット・グラブの、ボールを受ける部分。④せまく囲まれた場所。「―地帯・歯周―」⑤《ビリヤードで》台のすみにある、たまを入れるための穴。「ボールを―にしずめる」㊁ 造 小型。「―カメラ・―サイズ」●**ポケットチーフ**【和製 ↑pocket handkerchief】上着の胸ポケットに入れてかざりとするハンカチ。●**ポケットティッシュ**【pocket tissue】ポケットにはいる、小形のティッシュ。●**ポケットブック**【pocketbook】①手帳。②小形の本。●**ポケットベル**【和製 pocket bell=もと、商標名】携帯(けいたい)用の、小型の無線呼び出し機。ポケベル。〔一九九〇年代によく使われた〕●**ポケットマネー**【pocket money】こづかい銭。

**ぼけなす**【(×惚け:茄子)・ボケナス】(=大きくなりすぎた、色の悪いナス)《俗》ぼんやりした人をののしって言うことば。

**ポケベル** ↑ポケット ベル。

**ほ・ける**《自下一》⇩ほお(蓬)ける。「タンポポが―」

**ぼ・ける**【(×惚ける)・(×呆ける)】《自下一》①頭のはたらきがにぶる。「年を取って―」②わざとぼけたことを言ったりしたりする。「うまいタイミングでぼけて見せた」(↔突っ込(こ)む) ③《経》相場の上がる勢いが、弱くなる。表記 ①②俗に「ボケる」とも。

**ぼ・ける**【(×暈ける)】《自下一》色・輪郭(りんかく)が、ぼんやりする。「ピントが―」

*__ほけん__【保健】健康をたもつこと。「―室・―衛生(=保健と衛生)・―薬(=健康で過ごすために買って飲むくすり)・―体育(=中学・高校の教科の一つ。略して『保体』)・地域―」●**ほけんきのうしょくひん**【保健機能食品】特定保健用食品・機能性表示食品・栄養機能食品をまとめて言う呼び名。●**ほけんし**【保健師】保健所・会社などに勤務し、保健の指導をする資格を持った人。〔二〇〇二年からのことば。もと、女性は「保健婦」、男性は「保健士」〕●**ほけんじょ**【保健所】その土地の衛生・栄養改善・健康相談などの仕事をする機関。

**__ほけん__【保険】①病気や死亡、事故などにそなえて、あらかじめ保険料をしはらい、もしもの場合に保険金を受け取る契約(けいやく)。「―にはいる・〈夫/美術品〉に―をかける・火災―」②保険金。「―が下りる」③損害をしはらってくれる保証。確実なことの保証。「―つきだ」④健康保険・共済保険などの略語。「―医(=健康保険加入者を診療(しんりょう)する医者)」⑤もしものときの代わりとして用意しておく〈もの/人〉。「―としてもう一校受験する・―をかける」●**ほけんきん**【保険金】「保険①」の契約(けいやく)にしたがい、受取人にしはらわれる、まとまったお金。●**ほけんしょう**【保険証】↑健康保険証。●**ほけんベッド**【保険ベッド】《医》健康保険による医療(いりょう)費だけではいれる病室。(↔差額ベッド)●**ほけんりょう**【保険料】「保険①」に加入した人がしはらう掛(か)け金。

**ぼけん**【母権】《文》①母の権利。②母が一家の支配権を持つこと。「―制の時代」▽(↔父権)

**ほこ**【矛・×鉾】槍(やり)に似て、先に両刃(りょうば)の剣(けん)のついた武器。●**矛を収める** 句 戦うことをやめる。「反対運動の―」

**ほこ**【×鉾】↑鉾山車(ほこだし)。〔祇園祭(ぎおんまつり)では、山鉾のうち、武器のほこを上に立てた、せの高い山車。(↔山)〕

**ほご**【(△反故)・(△反古)】①書き損じたりしていらなくなった紙。②〈役に立たない/いらない〉もの。▽ほぐ。ほうぐ。●☆**ほごにする** 句 ①すてる。②〔約束を〕やぶる。

**ほご**【補語】《言》目的語以外で、動詞の意味をおぎなう語句。例、「This is an apple(=これはリンゴだ)」の「an apple」や、「I call him Tony(=かれをトニーと呼ぶ)」の「Tony」。

**__ほご__【保護】《名・他サ》①危険から守ること。悪い影響(えいきょう)がおよばないようにすること。「―預かり・―(された)ネコ・環境(かんきょう)―・個人情報の―」②警察にいちじとめておくこと。

**ぼご**【母語】①生まれ育った場所で、自然に覚えたことば。〔国の場合は母国語とも言う〕「―話者」②《言》⇩祖語。

**ポコ**【イ poco】《音》少し。ポーコ。「―アダージョ」

**ほこう**【歩行】《名・自他サ》歩くこと。あゆむこと。「雪上を―する・―困難・―器(=赤ちゃんなどが歩くための補助器具)・―者優先」●**ほこうしゃてんごく**【歩行者天国】日曜日などに、車の進入を止めて、車道も歩行者が歩けるようにした場所。ホコ天〔俗〕。

**ほこう**【補講】《名・自他サ》(正規以外に)おぎなってする講義。また、そういう講義をすること。

**ぼこう**【母校】①自分の卒業した学校。「―を巣立って十年たった」②自分の在学している学校。「―の名誉(めいよ)」

**ぼこう**【母港】その船が根拠(こんきょ)地とする港。

**ほごかんさつ**【保護観察】《法》事件を起こした少年や仮釈放(かりしゃくほう)者などに対し、刑務(けいむ)所などに入れないで指導・監督(かんとく)をおこないながら、立ち直るように助けること。

**ぼこく**［母国］自分の（生まれた）国。祖国。●**ぼこくご**［母国語］⇩母語①。

**ほごこく**［保護国］〔法〕条約により、他国の主権によって保護される国。

**ほこさき**［矛先・×鋒先］①きっさき。穂先。「やいばの—」②（するどい攻撃の）勢い。「非難の—を向ける」

**ほごし**［保護司］〔法〕犯罪者の更生を助け、地域の犯罪の予防をはかるために国からたのまれ、無給で協力する人。

☆☆**ほごしゃ**［保護者］親、または親に代わって児童などを保護する義務のある人。「（学校での）—会」

**ほごしゅぎ**［保護主義］輸入を制限したり、関税をかけたりして、自国の産業を守ろうとする〈こと／考え〉。保護貿易主義。

**ほごしょく**［保護色］《動》動物がまわりのものの色に似せて自分を保護する、からだの色。（↔警戒色）

**ほご・す**［（△解す）］《他五》ほぐす。

**ほこだし**［×鉾山車］ほこをかざった山車。ほこ。

**ほごちょう**［保護鳥］法律によって、つかまえることが禁止されている鳥。禁鳥。例、トキ・ライチョウ・タンチョウ。「国際—」

**ぽこっと**《副》まるくつき出たり、へこんだりするようす。ぽこりと。「腹が—出ている・—穴があく」

**ほこてん**［ホコ天］〔俗〕↑歩行者天国。

**ほごぼう**［保護帽］建設作業の現場で、頭を保護するためにかぶる帽子。安全帽。

**ほごぼうえき**［保護貿易］《経》国家が国内産業の保護・推進のため、関税をかけたり輸入規制をしたりする貿易。（↔自由貿易）

**ぼこぼこ** ㊀**ぼこぼこ**《副・自サ》①中がからのものを続けてたたいたときの にぶい音。②水の中の空気が泡立つ〈ようす／音〉。「—（と）わき上がる」㊁**ぼこぼこ**《副》①でこぼこしているようす。「顔が—にはれる」②いためつけるようす。「相手を—にする（＝ひどく なぐる）」

**ぽこぽこ**《副・自サ》①「ぼこぼこ㊀」より軽い感じをあらわすことば。②あちこちに出っぱりや穴があるようす。「土が—と もりあがる」

**ほこら**［（×祠）］（鳥居のない）小さな社殿。

**ほこらか**［誇らか］《ナダ》〔文〕ほこらしげなようす。ほこり(や)か。

**ほこらし・い**［誇らしい］《形》得意（なようす）だ。派-げ。-さ。

**ほこり**［（×埃）・ホコリ］ものの上に積もったり、空気中に舞い上がったりする、細かいごみ。「—まみれ」●**ほこりをかぶる**句①（ほこりが積もるほど）長く使われないでいる。「本だなで ほこりをかぶったままの全集」②忘れ去られている。「ほこりをかぶっていた記憶」●**ほこりっぽ・い**［（×埃っぽい）］《形》ほこりが多くあ（って、せきが出そうにな）るようすだ。「—部屋」派-さ。

**ほこり**［誇り］①自分は価値がある（ことをしている）と思う気持ち。プライド。「—を持って仕事をする・—高い男」②その物や人と つながりのある自分（たち）はすばらしい、と思わせてくれる物や人。「富士山は日本人の—だ・君は郷土の—だよ」●**ほこりか**［誇りか］《ナダ》〔雅〕ほこらか。ほこりやか。

**ほこ・る**［誇る］㊀《他五》（自分や自分に関係のあることについて）りっぱだと思う（ようすを見せる）。「家柄を—」㊁《自五》〔文〕得意になる。「勝ちに—」可能 誇れる。

**ぼこ・る**［ボコる］《他五》〔俗〕なぐって、ぼこぼこにする。

**ほころば・せる**［綻ばせる］《他下一》ほころびるようにする。綻ばす。「顔を—（＝笑顔になる）」

**ほころ・びる**［綻びる］《自上一》①ぬい目が とける。「そで口が—」②つぼみが少しひらく。「桃が—」③（うれしくて）かたさが取れて笑う。「〈口元／顔／表情〉が—」④うまくいかない部分があらわれる。「結束が—」▽綻ぶ。名 綻び。「—を見せる・—が生じる」

**ほころ・ぶ**［綻ぶ］《自五》⇩ほころびる。

**ほさ**［補佐・×輔佐］《名・他サ》主になってする人の仕事を助ける〈こと／人〉。「課長—」

**ほさき**［穂先］①穂の先。「イネの—・筆の—・—メンマ」②きっさき。「やり（槍）の—」

**ほさく**［補作］《名・他サ》〔文〕ほかの人の作品に手を入れて、よくすること。

**ほざ・く**《他五》〔俗〕言う。言いやがる。「つべこべ—な」

**ほさつ**［捕殺］《名・他サ》〔文〕（動物を）つかまえて殺すこと。

**ほさつ**［補殺］《名・他サ》《野球》味方の選手にボールを送り、その選手が走者や打者をアウトにする（＝刺殺する）のを助けること。☞刺殺②。

**ぼさつ**［×菩×薩］〔↑菩提薩埵＝梵語 bodhisattva の音訳〕①《仏》ⓐすべての生き物をすくおうという大きな ちかいを立てて仏道を修行する人。仏陀の次の地位。「観音—」ⓑ朝廷から、徳の高い僧に あたえられた号。「行基—」②仏になぞらえて神を尊敬した言い方。「八幡大—」

**ぼさっと**《副・自サ》①ぼんやりと、何も考えないでいるようす。「何を—しているんだ」②かみの毛が、あぶらけがなくて みだれているようす。

**ボサノバ**〔ポ bossa nova＝新しい傾向〕《音》サンバにジャズの要素が加わり、都会的に洗練された音楽。〔ブラジルで生まれ、一九六〇年代から流行〕

**ぼさぼさ** ぼさぼさ《副・自サ》・ぼさぼさ《ナダ》①かみの毛が、あぶらけがなくて、ひどく みだれているようす。「—〈の／な〉頭」②〔俗〕何も考えないで、ぼんやりしているようす。「何を—してる」

**ほさ・れる**［干される］《自他下一》仕事をもらえず、ほうっておかれる。「干されたタレント・役を—」

**ぼさん**［墓参］《名・自サ》〔文〕墓まいり。

＊**ほし** ㊀［星］①ⓐ晴れた夜空に、点のように小さくかがやいて見えるもの。「降るような—の下・—に願いをかける」ⓑ天体。「この—（＝地球）に生まれて」②小さなまるい点。また、星じるし。「—的（＝弓道で、白地の中心に黒丸のある的）」③《すもう》勝ち負けをあらわす、まるい しるし。勝ち星。成績。「—勘定・—を残す・—を分ける・五分の—」④評価や階級を数で示す星じるし。「五つ—のレストラン」⑤（生まれたときから）その人の運命を支配するというもの。運勢。「よい—のもとに生まれる」⑥〔文〕年月。「—移り、もの変わり」⑦みんなの あこがれや期待が集まる人。「シャンソン界の—（＝スター）・希望の—」㊁［ホシ］〔俗〕犯人。「—を挙げる（＝逮捕する）」●**星が降る**句 星が、降るように空一面にかがやく。●**星が割れる**句〔俗〕犯人

がわかる。●**星になる** 句 「死ぬ」の詩的な言い方。●**星を頂く** 句 〈朝の暗いうちから/日が暮れてまで〉ものごとをする。〔朝早くから夕方おそくまで働くたとえ〕 ●**星を落とす** 句 〔運悪く〕負ける。「だいじな—」（↕星を拾う）

**ほじ**［保持］《名・他サ》〔文〕①続けて自分のものにしておくこと。「記録—者」②動かないように、おさえてもつこと。「両手でしっかりと銃を—する」

**ぼし**［母子］母と子。母児。「〔お産のあと〕—ともに健康・—感染〔⇩垂直感染〕」☞母子家庭・母子手帳。

**ぼし**［×拇指・母指］〔文〕（手の）親指。

**ぼし**［×拇×趾・母×趾］《医》足の親指。☞外反拇趾。

**ぼし**［墓誌］〔文〕死んだ人の経歴などを石などに刻んだ〈もの/文〉。〔古くは墓の中におさめられた〕☞墓誌銘。

**ポジ**〔↑ポジティブ〕㊀《写真》現像したとき、明暗や色相が実際と同じように見える画像。また、そのフィルム（や写真）。陽画。ポジフィルム。㊁《名・ナダ》〔俗〕⇩ポジティブ。「—な気分」▽㊀㊁（↕ネガ）

**ほしあかり**［星明かり］星だけの夜の、空のかすかな明るさ。

**ほしあ・げる**［干し上げる］《他下一》①日光や火ですっかりかわかす。②池などの水をすっかりなくす。③〔俗〕何も食べさせないで苦しめる。直干し上がる《五》。

**ほしいい**［(×糒)］〔↑干しいい(飯)〕ごはんを干したもの。昔、軍隊・旅行者が食べた。

＊＊**ほし・い** ㊀［欲しい］《形》①手に入れたい。「水が—・ゲーム機が—・あなたが—〔=強く愛し合いたい〕」 「…を欲しい」の形も江戸時代からある。「自分を欲しいと思う会社」のように、「が」では誤解が起こる場合に使うと有効。②〈起こる/ある〉ことがのぞましい。「ひと雨—・配慮が—」㊁《補形》〔て—〕…してくれることがのぞましい。「注意して—」派-さ。「金—に空き巣にはいる」

☆☆**ほしいまま**［(△恣)・(△縦)・(×擅)］《ナダ》〔↑欲しきまま〕〔文〕①思うとおり。気まま。「—にふるまう・—な感想を述べる」②ほしいだけ得るようす。「名声を—にする」③力を手にして、思いどおりにするようす。「政治を—にする・—な策略」

**ほしうらない**［星占い］星の位置や運行などで、運勢や吉凶をうらなうこと。占星術。

**ポシェット**〔フ pochette=小さなポケット〕〔長いつりひものついた〕小さなバッグ。

**ほしがき**［干し柿］皮をむいて干した柿。〔干すと、しぶみがぬけてあまくなる〕

**ほしかげ**［星影］〔雅〕星の光。「—青く海を照らす」

**ぼしかてい**［母子家庭］配偶者のいない母親と、二十歳未満の子から成る家庭。母子世帯。（↕父子家庭）

**ほしが・る**［欲しがる］《他五》ほしいと思う（様子をする）。「お金を—」

**ほしくさ**［干し草・△乾し草］刈りとって干した草。家畜のえさにする。ほしぐさ。

**ほしくず**［星(×屑)］〔文〕夜、小さくたくさん光って見える星。スターダスト。

**ほじく・る**《他五》〔俗〕①穴をほってあける。②〔細かいことまで〕さがしもとめる。「あらを—」▽ほじる。

**ほしころ・す**［干し殺す・△乾し殺す］《他五》〔俗〕食べさせないで殺す。

**ポジショニング**〔positioning〕位置を決めること。「野手の—・商品の—」

☆☆**ポジション**〔position〕①地位。立場。「職場内の—」②〔競技で〕選手が守る位置。③《経》〔株や為替などの取引で〕〈買い/売り〉越している額。持ち高。「—をへらす」●**ポジショントーク**〔和製 position talk〕①〔相場で〕自分の立場に利益を導こうとする発言。②〔本音とは関係なく〕立場上おこなう発言。「広報担当者が『わが社に責任はない』と—をする」

**ほしじるし**［星印］記号として使う、星の形のしるし。「☆」「★」「＊」など。

**ほじそ**［穂(紫×蘇)］シソの、穂の部分。

**ほしぞら**［星空］星の（たくさん）出ている空。

**ほしつ**［保湿］《名・他サ》ふくまれる水分がなくならないようにすること。「—剤」

**ほしづきよ**［星月夜］〔雅〕星の光が明るい夜。ほしづくよ。

☆☆**ポジティブ**《名・ナダ》〔positive〕積極的（な気持ち）。ポジティヴ。ポジ〔俗〕。「—な側面・—シンキング〔=プラス思考〕」（↕ネガティブ）●**ポジティブアクション**〔positive action〕差別的にあつかわれてきた人々を積極的に優遇すること。例、企業が女性を管理職に取り立てるなど。●**ポジティブリストせいど**［ポジティブリスト制度］使用基準の決められていない農薬が一定量食品に残留していれば、その食品の販売を禁じる制度。〔使用していい《=ポジティブ》ものをリストにして示す〕

**ぼしてちょう**［母子手帳］〔↑母子健康手帳〕妊娠した女性と生まれた子どもの健康を管理するために、市町村長または特別区の区長の名でわたす手帳。親子(健康)手帳。

**ほしとり**［星取り］《すもうなど》勝ち負けを数えること。「—表」

**ほしのり**［干し(:海苔)・△乾し(:海苔)］⇩のり(海苔)②。

**ほしぼし**［星々］多くのさまざまな星。「夜空の—」

**ほしまつり**［星祭り］⇩たなばた。

**ほしまわり**［星回り］人の運命を定めるという星のめぐりあわせ。

**ほしめ**［星目］《医》目のふちに、あわつぶぐらいの白い星のようなものがあらわれる症状。

**ぼしめい**［墓誌銘］〔文〕①墓誌の終わりに加える（四字一句の）短い文。☞墓碑銘。②墓誌。

**ほしもの**［干し物・△乾し物］①日に干すもの。②日に干すせんたく物。「—がかわかない」

**ほしゃ**［歩車］歩行者と車両。「—分離式交差点」

**ほしゃく**［保釈］《名・他サ》《法》一定の保証金をおさめさせて、勾留中の刑事被告人を自由にすること。「—(保証)金」

**ぽしゃ・る**［ポシャる］《自五》〔俗〕とちゅうでだめにな

る。つぶれる。「計画が―」 由来「シャッポをぬぐ」の「シャッポ(=帽子)」の さかさことば「ポシャ」が、降参・当て外れなどの意味になり、さらに動詞化したもの。

**ほしゅ**【捕手】《野球》本塁にいて、投手の投げたボールを受ける人。キャッチャー。

☆☆**ほしゅ**【保守】《名・他サ》①昔からの伝統を守り、ものごとを急に改めることに反対すること。「―主義・―党・現状を―する」(↔革新) ②保持して守ること。「機械の―点検」

**ほしゅう**【捕囚】《名・他サ》〔文〕とらわれ。「―の身の上」

**ほしゅう**【捕集】《名・他サ》〈空気/水〉中に ただよう特定の物質を取り集めること。「花粉―器」

**ほしゅう**【補修】《名・他サ》〈いたんだ/こわれた〉部分を修理すること。手入れ。「衣類の―・―工事」

**ほしゅう**【補習】《名・他サ》決まった授業の補充として、習うこと。「―授業」

**ほじゅう**【補充】《名・他サ》〈たりない/へった〉分をおぎなって、もとどおりにすること。「欠員の―」

**ぼしゅう**【暮秋】〔文〕秋の終わりごろ。晩秋。(↔暮春)

**ぼしゅう**【募集】《名・他サ》広く知らせて、〈希望者を〉集めること。「生徒―・寄付金を―する」

**ぼしゅうだん**【母集団】《数》〔統計で〕調査の対象となる集団全体。「―から標本を取り出す」

**ほしゅてき**【保守的】(ナダ) 今までのやり方を守ろうとするようす。(↔革新的・進歩的)

**ぼしゅん**【暮春】〔文〕春の終わりごろ。晩春。(↔暮秋)

**ほじょ**【補助】《名・他サ》おぎなってたすける〈こと/もの〉。「―いす・―金・―輪・親からの―・―的な手段」

**ぼしょ**【墓所】〔文〕墓のある場所。はかば。

**ほしょう**【歩×哨】《軍》徒歩の兵士による、見はり。また、その役の兵士。

**ほしょう**【補章】〔文〕本文の補充として もうけた章。

←**ほしょう**【保証】《名・他サ》①まちがいが ないということをうけあうこと。「将来が―されている・日給一万円―」②将来の結果や行為について責任を持つこと。「―金・―つき(の製品)・―人」

↔**ほしょう**【保障】《名・他サ》じゃまされたり おかされたりしないように約束し、必要な処置をとること。「生活を―する・安全―」

→**ほしょう**【補償】《名・他サ》受けた損害を、お金などでうめあわせること。「―金・損害―」

**ほじょう**【×圃場】《農》(試験的に栽培する植物の植えてある)はたけ。農場。農園。「実験―」

**ほじょう**【捕縄】〔文〕〔警察官が〕犯罪者の逮捕や護送のときに使うなわ。

**ぼじょう**【慕情】〔文〕こいしたう気持ち。

**ほしょく**【補色】二つの色をまぜあわせると、光は白色光に、絵の具などは灰色になる一方の色。余色。反対色。例、赤と青緑、黄と藍。「―の関係」

←**ほしょく**【補食】〔文〕食事の不足をおぎなうために食べるもの。

→**ほしょく**【捕食】《名・他サ》《生》生物が、他の生物をつかまえて食べること。「―者」

**ぼしょく**【暮色】〔文〕①夕方の色。「―が こくなる」②夕方のけしき。

**ほじょけいようし**【補助形容詞】《言》補助的に使われる形容詞。「おもしろく(は)ない・例外で(は)ない・行ってほしい」の「ない」「ほしい」のように、ほかの用言に(助詞・助動詞などをはさんで)続く。

**ほじょけん**【補助犬】盲導犬・介助犬・聴導犬の総称。「障害者―」 表記 受け入れ可能な店のステッカーでは「ほじょ犬」。

**ほじょせき**【補助席】〔劇場・ホール・長距離バスなどで〕折りたたみいすなどを持ち出して臨時に作った座席。

**ほじょせん**【補助線】《数》図形の問題を解くとき、考えやすくするために書き加える線。「―を引く」

**ほじょどうし**【補助動詞】《言》補助的に使われる動詞。①「動詞連用形＋て」の形につく。例、「書いて〈みる/しまう/もらう/くださる〉」の「みる」以下の ことば。②敬語で、「(〈お/ご〉＋)動詞連用形またはサ変動詞語幹(＋に)」の形につく。例、「お知らせ〈くださる/申し上げる/になる〉」の「くださる」「申し上げる」「なる」や、「ご旅行なさる」の「なさる」、「書きたまえ」の「たまえ」。③けいべつした言い方で、動詞連用形につく。例、「言いくさる」「見やがる」の「くさる」「やがる」。▽(↔本動詞)

**ほじょようげん**【補助用言】《言》補助動詞と補助形容詞をまとめた呼び名。

**ボジョレ(ー)ヌーボー**〔フ Beaujolais nouveau〕フランスのブルゴーニュ地方ボジョレー地区で、その年新しくできた赤ワイン。十一月の第三木曜日に解禁される。ボージョレ(ー)ヌーボー。

**ぼしりょう**【母子寮】配偶者のいない女性とその子を安く住まわせ、生活・教育・就職などの指導や援助をおこなう所。

**ほじる**《他五》〔俗〕ほじくる。「耳の穴を―・鼻くそを―」

☆☆**ほしん**【保身】〈うまく世わたりが できるように〉かしこく自分(の身)を守ること。「―術」

**ほす**【干す・乾す】《他五》①ふくまれる水分を蒸発させるために、日に当てたり空気にさらしたりする。「せんたく物を外に―・コンブを―」 区別⇩乾かす。②中の水を、すっかりさらう。「池の水を―」③飲んで、からにする。「コップの水を―・さかずきを―・ひとつ お干しください」④食べないでいる。「一日干したほうがいい」⑤〔俗〕食べ物をあたえないで、干ぼしにする。⑥仕事をあたえない。☞干される。 名 干し。「ふとん―」 可能 干せる。

**ボス**〔boss〕①かしらに立つ人。上役。②〈職人などの〉親方。③政党の かしら。④親分。顔役。「町の―」

**ポス**〔POS〕〔←point of sale〕売り上げや在庫などに関する情報を販売時点でコンピューターで処理すること。「―システム」

**ほすい**【保水】〔文〕水分をたもつこと。「森林の―能力」

**ほすい**【補水】《名・自他サ》水分をおぎなうこと。給水。「経口―液」

**ほすう**【歩数】歩くとき、足でふむ数。●**ほすうけい**【歩数計】腰につけて使う、歩くたびに数字が ふえて

いく計器。〔「万歩計」は商標名〕

**ぼすう**［母数］①《数》〔統計で〕分布の様子を推定してグラフをえがくときに必要な、基本的な数値。平均値や分散の値など。②〔①を誤解して、一般に〕母集団のこと。サンプル数。分母。

**ほすすき**［穂（薄）］穂の出ているススキ。

**ポスター**〔poster〕宣伝や呼びかけのための(大形の)はり紙。「交通安全—・—バリュー〔=宣伝価値〕」 •**ポスターカラー**〔poster color〕ポスターなどを書くのに使う絵の具。

**ポスティング**《名・他サ》〔posting〕①広告のチラシなどを家々の郵便受けに入れてまわること。②大リーグの球団が日本のプロ野球選手を移籍させる交渉権を得るための入札(制度)。「—システム」

**ホステス**〔hostess〕①会・パーティーなどを取りしきる女性。「パーティーの—」②〔クラブやスナックなどで〕客の接待をする女性。▽(↔ホスト)

**ホステラー**〔hosteler〕ユースホステルにとまる人。ユースホステラー。

**ホステリング**〔hosteling〕ユースホステルを利用した旅行。

**ホステル**〔hostel〕①↑ユース ホステル。②ユースホステル式の、簡単なホテル・旅館。

**ホスト**《名・他サ》〔host〕①会・パーティーなどを取りしきる〈男性/役〉。「会議の—・—国」(↔ゲスト)②〔ホストクラブなどで〕客の接待をする男性。▽(↔ホステス) •**ホストクラブ**〔和製 host club〕「ホスト②」が女性客を接待する酒場。ホスクラ〔俗〕。 •**ホストコンピューター(ー)**〔host computer〕《情》ネットワーク上で、それぞれの端末から情報を読み書きしに行く、中心となるコンピューター。

**ポスト**〔post〕■ポスト ①差し出す郵便物を入れる、入れもの。郵便ポスト。②配達される郵便物を入れる、入れもの。郵便受け。③柱状のもの。「ゴールー・テニスー〔=ネットを張りわたすための柱〕・モニタリングー」④任務。地位。「重要な—につく・—があく・—をあけて待つ」⑤〔株式の〕立ち会い場所。「監理—」■〔選〕…以後。…後。…の次。「—冷戦・—ドクター〔⇩ポスドク〕・—ロック〔=電子楽器の演奏が中心の、新感覚のロック〕」(↔プレ) •**ポストイット**〔Post-it=商標名〕はりつけるのも はがすのも簡単な付箋(紙)。 •**ポストカード**〔postcard〕郵便はがき。絵はがき。 •**ポストハーベスト**〔post-harvest〕《農》収穫後、農産物にカビや害虫が出ないように農薬を使うこと。 •**ポストモダン**〔postmodern〕合理的・啓蒙的な近代主義からぬけだそうとする立場や傾向。

**ポスドク**〔↑postdoctoral fellow〕博士課程を修了したあと、大学や研究機関で、任期つきで働く研究者。博士研究員。ポストドクター。

**ボストンバッグ**〔Boston bag〕底は長方形で、中のふくれた旅行かばん。ボストン。

☆☆**ホスピス**〔hospice〕《医》おもに末期の がん(癌)患者を看護する病院。延命治療をせず、安らかな死をむかえさせる。

**ホスピタリティ(ー)**〔hospitality〕旅行者や客を親切に もてなすこと。歓待。

**ほ・する**［保する］《他サ》〔文〕うけあう。ひきうける。保証する。「成功は保しがたい」

**ほ・する**［補する］《他サ》〔文〕公務員に職務の担当を命じる。「校長に—」

**ほせい**［保清］《名・他サ》《医》身体を清潔に保つこと。

←**ほせい**［補正］《名・他サ》不十分なところをおぎなって直すこと。「—予算・〔カメラの〕手ぶれ—」

→**ほせい**［補整］《名・他サ》何かをおぎなって状態を整えること。「土器を—する・—下着〔『補正下着』とも書く〕」

**ほぜい**［保税］《法》輸入の手続きがすむまで税の取り立てをしないこと。「—倉庫」

**ぼせい**［母性］〈母親としての/母親になる〉性質。「—本能・—保護」(↔父性) •**ぼせいあい**［母性愛］母親が子どもに対して、本能的に持つ、愛情。(↔父性愛)

**ぼせき**［墓石］〔文〕はかいし。

**ほせつ**［補説］《名・他サ》〔文〕補充の説明(をすること)。

**ほせん**［保線］〔文〕鉄道線路を、安全に運転できる状態にたもつこと。「—区」

**ほせん**［補選］《法》↑補欠選挙。

☆☆**ほぜん**［保全］《名・他サ》〔文〕保護して安全にすること。「環境—・証拠—」

**ぼせん**［母川］〔文〕サケ・マスなど、海にくだるさかなが生まれた川。「—回帰〔=産卵のため、生まれた川に海からもどること〕」

**ぼせん**［母船］漁船がとってきたさかな類を加工・貯蔵する設備を持つ船。「船団の—」

**ぼぜん**［墓前］〔文〕お墓の前。「—にぬかずく」

**ほぞ**［(×枘)］木材をつぎあわせる、一方の木のはしに作った、出っぱり。

**ほぞ**［(×臍)］①〔文〕へそ。②へた(蔕)。 •**ほぞを固める**〔句〕決意する。腹を決める。 •**ほぞをか(噛)む**〔句〕後悔する。

*__ほそ・い__［細い］《形》①線・棒など、長いものの はばが小さい。「—道・—糸・木の枝を細くけずる・—目・神経が—〔=こまやかで感じやすい〕・〔語幹用法で〕細サインペン」②やせているようすだ。「—からだ」③〔声が〕小さくて高い。「消え入るような—声」④〔俗〕あまり収入源にならない。「—客」▽(↔太い)⑤少ない。「食が—・乳(の出)が—・客足が細くなる」〔派〕-さ。 •**細く長く**〔句〕無理をせずに少しずつ進めて、いつまでも続けるようす。「—生きる」(↔太く短く)

**ほそう**［舗装・(×鋪)装］《名・他サ》道路の表面をアスファルトやコンクリートなどでかためること。「—道路」

**ぼそう**［墓相］〔文〕その人の運勢に影響するとされる、墓のたて方や方角の特色。

**ほそうぐ**［補装具］《医》からだの不自由な人の動作を助けるための道具。義手・義足のほか、視覚障害者のための、(白色の)つえや、矯正眼鏡など。

**ほそうで**［細腕］①細くて力のない うで。②とぼしいかせぎ。やせうで。「女の—で、一家を支える」

**ほそおび**［細帯］(じゅばんなどに締める)はばの細い帯。

**ほそおもて**［細面］細い感じの顔。ほそおも。

**ほそく**【歩速】〔文〕歩くはやさ。

**ほそく**【補則】《法》法令の規定をおぎなうためにつけ加えた規則。

**ほそく**【歩測】《名・他サ》〔文〕一定の歩幅で歩き、その歩数で距離をはかること。

**ほそく**【捕捉】《名・他サ》〔文〕つかまえること。とらえること。「レーダーで目標を―した」

**ほそく**【補足】《名・他サ》不十分なところをおぎなうこと。「説明を―する・―的説明」

**ほそごし**【細腰】①ほっそりとした腰。さいよう〔文〕。「―の女性」②〔帯をしめる〕腰の細くなったあたり。

**ほそづくり**【細作り】①細く〈作ること／作ったもの〉。②からだが細くできていること。きゃしゃ。③糸作り。「さよりの―」

**ぼそっと**《副》①ぼんやりしているようす。「―突っ立っている」②ひとことつぶやくようす。「―つぶやく」

**ほそなが・い**【細長い】《形》細くて長い。長細い。[派]―さ。

**ほぞのお**【×臍の緒】へそのお。

**ほそびき**【細引き】アサをよ(縒)って作った細いなわ。「荷物を―でからげる」

**ほそぼそ**【細々】《副》①いかにも細く感じられるようす。「―とした道」②どうやらこうやら〈続いて／暮らして〉いるようす。「―とした暮らし」

**ぼそぼそ**《副・自サ》①水けやうまみがないようす。「―(と)したパン」②小声で話すようす。「―(と)話し声がする・―(と)した口調」

**ほそまき**【細巻き】〔のり巻きやタバコなどで〕細く巻いたもの。「―ずし」(↔太巻き)

**ほそみ**【細み】《短歌・俳句》こまやかで微妙な感じ。〔松尾芭蕉の重んじた作風の一つ〕☞軽み②・しお(撓)り・わ(侘)び。

**ほそみ**【細身】《名・ダナ》①はばのせまい、きゃしゃな作り。「―の刀・―のズボン」②細作り(のからだ)。

**ほそめ** [一]**ほそめ**【細目】細くひらいた目。細い目。「―の人・―をあける(=目を少しあける)」[二]**ほそめ**【細目】《名・ダナ》①やや細いと思われるようす。「―に切る・―のからだ」(↔太め)②〔戸などが〕ごく細くあいたようす。「ドアを―にあける」

**ほそ・める**【細める】《他下一》細くする。「目を―」[自]

**ほそ・る**【細る】《自五》細くなる。「脈が―(=脈が弱くなる)・身も―思い」

＊**ほぞん**【保存】《名・他サ》〔長く〕変わらないようにして、取っておくこと。「―用・―がきく・―食」●**ほぞんりょう**【保存料】長く置いても、くさったりしないよう、食品などに加えるもの。

**ほだ**【×榾】〔たきものにする〕木の切れはしや枝。ほだぎ。

**ぼた**【ボタ】〔九州方言〕石炭を掘ったあとの岩石。また、くず石炭。[表記]鉱山では「△硬」とも。☞ズリ[二]①・ボタ山。

**ポタージュ**〔フ potage=スープ〕どろっとした、こいスープ。「かぼちゃの―」(↔コンソメ)

←**ぼたい**【母体】①母親のからだ。「―保護法」②もとになる団体・組織など。「住民運動の―」

→**ぼたい**【母胎】①《生》〔赤ちゃんがいる〕母親の腹の中。②生み出す、もとになるもの。「西洋文化の―」

**ぼだい**【×菩△提】〔梵語 bodhi の音訳〕《仏》①究極のさとり。②成仏して、極楽に往生すること。●**菩提を弔う**《句》死んだ人の冥福を祈る。●**ぼだいじ**【×菩△提寺】《仏》代々の位牌をまつるお寺。だんなでら。ぼだいしょ。●**ぼだいじゅ**【×菩△提樹】①釈迦が、その下でさとりをひらいたという木の名。②お寺の境内などに植える木の名。大きくなり、夏ごろ、黄色い花を一面につける。●**ぼだいしょ**【×菩△提所】《仏》⇩ぼだいじ。●**ぼだいしん**【×菩△提心】《仏》①仏道にはいる心。「―を起こす」②ほとけごころ。

**ぼたおち**【ぼた落ち】《名・自サ》気圧・気温の変化で、万年筆のペン先からインクが流れ出ること。

**ほだぎ**【×榾木】①ほだ。②シイタケの菌を植えつけてはえさせるために使う、シイ・クヌギなどを切ったもの。

☆☆**ほださ・れる**【×絆される】《自下一》〔人情に〕からまれる。情にひかされる。「相手の情にほだされて結婚した・熱意に―」[由来]「ほだす(=つなぎとめる)」の受け身形から。

**ほだし**【×絆し】(=馬の足をつなぐなわ)自由な行動を束縛するものごと。「うき世の―」

**ほたてがい**【帆立貝】―が海でとれる、大きな二枚貝。形は、柄をとったうちわに似ている。太い貝柱などを食用にする。ほたて。「―のソテー・―のフライ」

**ボタニカル**[選]〔botanical〕植物(学)の。「―アート(=植物画)」

**ほたび**【×榾火】ほだの燃える火。

**ぽたぽた**《副》液体が、つぶの形で続けて落ちる〈音／ようす〉。ぼたぼた。ぽとぽと。「あせが―落ちる」

**ぼたもち**【×牡△丹餅】⇩おはぎ。「棚から―」〔⇩「棚」の句〕

**ぼたやま**【ボタ山】ボタを積み上げてできた山。ズリ山。

**ぼたゆき**【ぼた雪】〔方〕⇩ぼたんゆき。

**ぽたりと**《副》水などが、つぶの形で落ちる音のようす。ぽたっと。

**ポタリング**〔pottering=ぶらぶら歩き〕自転車で気の向くままに走る、軽い遠乗り。

**ほたる**【蛍】ゲンジボタル・ヘイケボタルなど、水べにすむ、はねのある昆虫。夏の夜、しりから青白い光を出す。ほうたる〔雅〕。●**ほたるいか**【蛍:烏賊】からだが青白く光る、小形のイカ。酢みそあえなどにして食べる。●**ほたるがり**【蛍狩り】①ホタルを追ってつかまえること。②ホタルをながめて楽しむこと。●**ほたるのひかり**【蛍の光】《音》別れのときに歌う曲。スコットランドの民謡に、日本でことばをつけたもの。〔閉店を知らせる曲としても使われる〕「―に送られて卒業した」●**ほたるび**【蛍火】①ホタルの出す(わずかな)光。②わずかに消え残った炭火。③《料》ごく弱いとろ火。

**ぼたん**【×牡丹】①背の低い庭木の名。五月ごろ、赤・白などの、大形ではでな花をひらく。「―花(=ボタンの花)」②イノシシの肉。「―なべ」[由来]図がらで「獅子と牡丹」がいい取り合わせだから。☞桜肉。●**ぼたんえび**【×牡丹えび】【×牡丹:海老】太平洋側にすむ、赤いエビ。すしや塩焼きにする。〔日本海側にすむ朱色のトヤマエビを呼ぶことも多い〕●**ぼたんゆき**

ほ

〔(:牡丹)雪〕 雪片が大きな雪。ぼたゆき。由来「ぼたぼたと降る雪」の意味。

**ボタン**〔ポ botão〕 ①洋服の前がわ・そで口などの合わせ目を止めたり、かざりにしたりする、小さな円形などの部品。「ーホール〔=ボタン穴〕」 ②機械の操作などのため、指で おせるように作った(突っき出た)部分。「エレベーターのー」 表記「:釦」とも書いた。●**ボタンダウン**〔button-down〕《服》ワイシャツで、えり先をボタンでとめるもの。●**ボタンでんち**〔ボタン電池〕 円形の平たい電池。ボタン型電池。コイン(型)電池。豆電池。「ーの誤飲」 ●**ボタンの かけちがい**〔ボタンの掛け違い〕 手順をまちがえて、先に行ってものごとがずれてくること。ボタンの掛け違え。「ーがあった」 動ボタンを掛け違う。

**ぼち**〔墓地〕 墓の集まっている場所。はかば。

**ぽち** 一 **ぽち**〔ポチ〕 ①ポツ。 ②犬につける代表的な名。 ③〔俗〕力のある者にしっぽをふる存在。 二 接尾 ⇩っぽち。

**ホチキス**〔Hotchkiss〕 おさえると、［ の形に集まった金具が一つずつ おし出されて、紙をとじあわせる器具。紙とじ器。ステープラ(ー)。ホッチキス。

**ぽちっと**《副・自サ》 ①点のように小さいようす。「ーした明かりが見える」 ②小さなボタンをおす(音の)ようす。「マウスをークリックする」 ③〔俗〕インターネットの通信販売で(マウスをクリックして)買うようす。「ほしかったバッグをーする」〔二十一世紀になって広まった用法〕 ☞ポチる。

**ぽちぶくろ**〔ぽち袋・ポチ袋〕 祝儀やお年玉など、心づけを入れる小さな のしぶくろ。由来 京阪地方で芸者などへの祝儀を「ぽち〔←たったこれっぽっち〕」と言うことから。

**ぼちぼち** 一 **ぼちぼち**《副》 ①そろそろ。「このへんでー身をかためたい」 ②少しずつ ゆっくり。「からだと相談しながらーやっていきます」 二 **ぼちぼち**《副》〔大阪などの方言〕 まずまず。「『もうかりまっか?』『ーでんな』」 三 **ぼちぼち** 散らばっている小さな点。「赤いーがある虫」

**ぽちぽち**《副・自サ》 ①小さな〈点/穴〉がたくさんあるようす。 ②小さめのボタンを何回も おすようす。

**ぽちゃぽちゃ**《副・自サ》〔子どもなどの顔が〕ふっくらして かわいらしいようす。

**ぽちゃん**《副》 小さいものが水中に落ちる音。「ーと池に落ちる」

**ほちゅう**〔補注・補×註〕〔文〕おぎなって、つけ加えた注釈。

**ほちゅう**〔捕虫〕《名・自サ》〔文〕虫をつかまえること。「ー器」 ●**ほちゅうあみ**〔捕虫網〕 昆虫をつかまえるための、ふくろのような形の あみ。虫取りあみ。

**ほちょう**〔歩調〕 足なみ(をそろえて、いっしょに歩くときの調子)。「ーをあわせる」

**ほちょう**〔ホ調〕《音》その音階の第一の音に「ホ」の音をあてた調子。

**ほちょうき**〔補聴器〕 聞く力をおぎなうために耳につける器具。「デジタルー」

**ぽちる**〔ポチる〕《他五》〔俗〕インターネットの通信販売で(マウスをクリックして)買う。ポチする。「高い服をー」〔二十一世紀になって広まったことば〕 ☞ぽちっと③。

**ぼつ**〔没〕 一 ①〔×歿〕〔文〕人が死ぬこと。〔記事・伝記などに書くとき使う〕「平成三年ー」 ②〔ボツ〕〔↑没書〕投書や提案などを採用しないこと。「ーになる」 二 接頭〔文〕全然ないこと。「ー個性的・ー常識」

**ぽつ**〔ポツ〕〔俗〕①点。「間にーを入れる」 ②中黒。中点。「・」。▽ポチ。

**ほつい**〔発意〕《名・自他サ》〔文〕⇩はつい。

**ぼっか**〔△歩荷・ボッカ〕 山道を、重い荷物をせおって運ぶ〈こと/職業の人〉。

**ぼっか**〔牧歌〕〔文〕①牧童の歌う歌。 ②牧人・農夫を主題とする〈詩や歌/歌曲〉。田園詩。「ー調」 ●**ぼっかてき**〔牧歌的〕《ナダ》 素朴で叙情的なようす。

**ぼつが**〔没我〕〔文〕(何かに打ちこんで)自分をまったくすてること。「ーの境地・ー的」

**ほっかい**〔北海〕 一 **ほっかい** ヨーロッパの北西部、イギリスとデンマークの間の海。 二 **ほっかい**〔文〕北のほうの海。北洋。 ●**ほっかいどう**〔北海道〕 ①本州の北にある、大きな島。もと、日本の八つのおもな地域の一つ。 ②「北海道①」とその周辺の島を区域とする地方自治体。道。

**ほっかぶり**〔(△頰っ△被り)〕《名・自サ》 ほおかぶり。ほっかむり。

**ぽっかり**《副》 ①軽そうにうかんでいるようす。「白い雲がー(と)うかぶ」 ②目の前に急に あらわれるようす。「水面にー(と)頭を出す」 ③急に すきまができるようす。「胸の中にー(と)穴があいたような、さびしい気持ち」

**ほつがん**〔発願〕《名・他サ》〔文〕①神や仏に願をかけること。 ②〔神や仏に関する事業を〕しようと思うこと。「大仏建立をーした」

**ほっき**〔発起〕《名・他サ》〔文〕①計画して始めること。「ー人」 ②発心。「一念ーして」

**ほつぎ**〔発議〕《名・自他サ》⇩はつぎ。

**ぼっき**〔勃起〕《名・自サ》 興奮してペニスが起き上がること。エレクト。

**ほっきがい**〔(北寄貝)〕 寒い地方でとれる二枚貝。食用。うばがい。

**ほっきこう**〔北帰行〕 ツルなどの わたり鳥が、春になって北の繁殖地へ帰っていくこと。

**ぼっきゃく**〔没却〕《名・他サ》〔文〕なくすこと。無視すること。「おのれをーする」

**ほっきょう**〔法橋〕 ①《仏》「法眼①」の次の位。 ②中世・近世、医師・絵かき・連歌師などに あたえられた称号。

**ほっきょく**〔北極〕 ①《地》〈地軸/天球の軸〉の北のはし。 ②北極圏。北極地方。▽(↔南極) ●**ほっきょくかい**〔北極海〕 北極地方の海。北氷洋。(↔南極海) ●**ほっきょくぐま**〔(北極熊)〕 ⇩しろくま。 ●**ほっきょくけん**〔北極圏〕 北緯六六度三三分以北の地域。(↔南極圏) ●**ほっきょくせい**〔北極星〕《天》ほぼ天の北極にある星。航海のときに目印になる。ポーラー スター(polar star)。子の星。☞南十字星。

**ぽっきり** 接尾〔俗〕ちょうど それだけ。「千円ー」

**ほっく**〔発句〕 ①俳句。「ー集」 ②〔①の由来〕連歌・連句の第一句。十七音の句。☞脇 一⑦・挙げ句②。

**ホック**〔オ hoek〕①引っかけて止める、かぎ(鉤)のように先の まがった金具。衣服などの合わせ目に使う。かぎホック。②⇩スナップ①。

**ボックス**〔box〕①箱。「ＤＶＤ━(=箱にはいったセット。『ＢＯＸ』とも書く)・━ティッシュ」②箱形のもの。「インターネットの検索(けんさく)━」③〔バーなどの〕座席(↔カウンター)。また、劇場の、仕切った座席。④箱形の建物。「電話━・ポリス━(=交番)・カラオケ━」⑤牛のなめしがわ。⑥《野球》バッターやコーチャーの立つ所。「バッター━」⑦《服》箱のように四角な感じの仕立て。「━コート・━プリーツ」

**ぽっくり**[△木履]　少女がはく、うるし塗(ぬ)りの げた。高さのある箱形で、前が船のように つき出ていて、底はくりぬいてある。歩くと、ぽくぽく音を立てる。ぽっくり。ぼくり。

**ぽっくり**《副》①もろく〈折れ/こわれ〉るようす。②急に死ぬようす。「━(と)ゆく」

**ほっけ**[法華]《仏》①法華経(ほけきょう)。「━三昧(ざんまい)」②(↑法華宗)⇩日蓮(にちれん)宗。●**ほっけのたいこ**[法華の太鼓](↑だんだんよく鳴る法華の太鼓)　熱心にやっているとだんだん よさがわかって、ますます熱中することのたとえ。

**ほっけ**[×𩸽]　北海道などの寒い海にすむ さかな。ひらきは肉が厚く、焼いて食べる。「━の塩焼き」

**ポッケ**〔児〕↑ポケット[一]①。

**ホッケー**〔hockey〕　ふた組みに分かれ、先の まがったスティックでボールを打ち、相手のゴールに入れる競技。一チーム十一人。☞アイスホッケー。

**ぼっけん**[木剣]　木刀。木太刀(きだち)。(↔真剣)

**ぼつご**[没後・×歿後]〔文〕死んだ のち。死後。

**ほっこう**[北行]〔文〕〔飛行機などで〕北のほうへ行くこと。「━便」(↔南行)

**ほっこう**[北郊]〔文〕北のほうの郊外。(↔南郊)

**ぼっこう**[勃興]《名・自サ》〔文〕急に、勢いよく始まって、さかんになること。興起。「新しい国家の━」

**ぼっこうしょう**[没交渉]《名・ナダ》　交渉がないようす。無関係。ぼっこうしょう。「━になる」

**ほっこく**[北国]　北のほうの国。(↔南国(なんごく))

**ぼっこせい**[没個性]《名・ナダ》〔文〕個性・特徴(とくちょう)が感じられず、魅力(みりょく)がないようす。ぼっこせい。「最近の学生は━だ」

**ほっこり**《副・自サ》①〔イモ・カボチャなどが〕熱く、やわらかく ふかされたようす。ほっくり。②心があたたまって、安らかになるようす。「心地(ここち)よい部屋で━する」

**ぽっこり**《副・自サ》まるく、やわらかそうに ふくらんでいるようす。「おなかが━と出ている」

**ぼっこん**[墨痕]〔文〕すみのあと。筆のあと。「━あざやかに」●**ぼっこんりんり**[墨痕×淋×漓]《トタル》〔文〕墨(すみ)くろぐろと おどるような勢いで書いたようす。

☆☆**ほっさ**[発作]《医》急に起こってすぐやむ病気の症状(しょうじょう)。「心臓の━・━的に痛む」

**ほっしゅ**[法主]《仏》⇩ほうしゅ(法主)。

**ぼっしゅう**[没収]《名・他サ》①強制的に取り上げること。②《法》国家が、個人の〈所有物/権利〉を取り上げること。●**ぼっしゅうじあい**[没収試合]《野球など》審判(しんぱん)の命令にそむいたときなどに、そのチームを負けとすること。野球では九対零(れい)となる。放棄(ほうき)試合。

**ぼっしゅみ**[没趣味]《ナダ》〔文〕①おもしろみのないようす。「━な文章」②趣味をまったく持たないようす。「━な人間」(↔多趣味)▽ぼっしゅみ。☞没[一]②。

**ぼっしょ**[没書]〔文〕投書が採用されないこと。

**ほっしん**[発心]《名・自サ》①〔文〕思い立つこと。「━して勉強をするようになった」②《仏》ぼだい心を起こすこと。出家すること。

**ほっしん**[発×疹]《名・自サ》《医》⇩はっしん(発疹)。

**ほっす**[△払子]《仏》馬の尾(お)・アサなどをたばねて柄(え)をつけたもの。僧(そう)が説法などで威儀(いぎ)を正すために持つ。

[ほっす]

**ほっす**[法主]《仏》⇩ほうしゅ(法主)。

**ほっ・する**[欲する]〔文〕[一]《他サ》ほしいと思う。ねがう。「名誉(めいよ)を━・━と欲しないとにかかわらず」[二]《自サ》〔…〈ん/う〉と━〕①…しようと思う。「ぼくの言わんと━ところは・論じようと━」②…しそうになる。「日暮れんと━とき」▽[一][二]欲す。

**ぼっ・する**[没する]〔文〕[一]《自サ》①水の中にしずむ。「波間に━」②かくれる。「太陽が━」③[×歿する]　死ぬ。[二]《他サ》①かくす。見えなくする。「影(かげ)を━・ひざを━ぬかるみ」②無視する。「功を━」③とりあげる。めしあげる。「所領を━」▽[一][二]没す。

**ぼつぜん**[没前・×歿前]〔文〕死ぬ前。

**ぼつぜん**[勃然]《トタル》〔文〕①急に起こるようす。「━たる野望」②むっとして おこるようす。

**ほっそく**[発足]《名・自サ》①〔新しい団体・会などが〕活動を始めること。「新委員会が━した」②計画などが実行に移されること。「━を見る(=発足する)」▽はっそく。

**ほっそり**《副・自サ》〔からだが〕細いようす。「━した姿」

**ほったい**[法体]《仏》出家の姿(になること)。僧体(そうたい)。ほうたい。

**ぼったくり**〔俗〕客をだまして、法外なお金をむしり取ること。「━の被害(ひがい)・やらずー(⇩やらずぶったくり)」[由来]「暴(ぼ)る」と「ぶったくり」の あわさったことば。[動]ぼったくる《他五》。

**ほったて**[掘っ建て]①土台を置かずに、柱をじかに地面に うずめて建てること。②↑掘っ建て小屋。●**ほったてごや**[掘っ建て小屋]　非常に そまつな小屋。ほったて。

**ほったらか・す**《他五》　ほうっておく。ほっぽらかす〔俗〕。「仕事を━」[名]ほったらかし。

**ほったん**[発端]　起こりはじめ。いとぐち。「事件の━」

☆☆**ぼっち**[一]**ぼっち**[ボッチ]　⇩ぽっち[一]。「━をおす」[二]**ぼっち**[接尾](↑法師)〔俗〕↑ひとりぼっち。ぽっち。「━カラオケ」[三]**ぼっち**　人をあらわすことば。ぽっち。「ひとり━」

**ぼっち**[没地・×歿地]〔文〕死んだ場所。「没年月日と━」

**ぽっち**[一]**ぽっち**[ポッチ]　小さい突起(とっき)。ボッチ。「━をおせば録画できる」[二]**ぽっち**[接尾]①⇩っぽっち①。「これ━・百円━」②⇩ぼっち[二]。「ひとり━」③⇩っぽち①。「やせっ━」

**ホッチキス**〔Hotchkiss〕⇩ホチキス。

**ボッチャ**〔イ boccia〕パラリンピック種目の球技の一つ。ジャックボール〔=白い球〕に向かって、それぞれが六球ずつ投げたり転がしたりして、ジャックボールにより近いところに置けた方が勝ち。

**ぽっちゃり**《副・自サ・名》〔からだつきや顔が〕まるくふくらんで かわいらしい〈ようす/人〉。「―(と)した女の子・―さん」

**ぼっちゃん**［坊ちゃん］①〈他人/相手の人〉の男の子を尊敬して呼ぶ言い方。「―は お利口さんですね」②いい家に生まれ、苦労を知らずに育った男性(をからかって言うことば)。「―育ち・――した人がら」☞お坊ちゃん。 ●**ぼっちゃんがり**［坊ちゃん刈り］前髪をひたいの ところで切りそろえた、男の子の髪型。

**ほっちらか・す**［ほっ散らかす］《他五》〔俗〕ほうっておく。やりっぱなしで おく。[名]ほっ散らかし。[自]ほっ散らかる《五》。

**ぽっちり**《副》〔俗〕①ごく小さなものが 一つあるようす。「―(と)見える遠くの明かり」②わずか。少し。「しょうゆを―たらす」

**ほっつ・く**《自五》〔俗〕歩き回る。うろつく。「どこをほっついていたんだ・ほっつき歩く」

**ぽつっと**《副》①何かが、小さな点のように〈見える/当たる〉ようす。「雨が―当たった・黒い雲が―出てきた」②小さなものが 一つできているようす。「ドレスに―穴があく」

**ほってお・く**［△放って置く］《他五》〔↑ほうっておく〕〔話〕そのままにしておく。ほったらかす。ほっとく。「ほっておいても勉強する・けがを―・仕事を―〔=投げ出す〕」

**ぼってり**《副・自サ》厚く ふくらんだ(ように太っている)ようす。「―(と)した からだ」

**ほっと** [一]《副》軽く、息をつくようす。「―ひと息つく」[二]《副・自サ》無事にすんで安心するようす。「むすめが結婚して―した」

**ホット**〔hot〕[一]《ナダ》①熱いようす。あたたまっているようす。「―コーヒー・―サンド〔=焼いたサンドイッチ〕」②熱気のあるようす。「―な議論」③いちばん新しいようす。ほやほや。「―ニュース」[二]↑ホット コーヒー。 ●**ホットケーキ**〔米 hot cake〕小麦粉・たまご・砂糖・ベーキングパウダー・牛乳をまぜあわせ、円形に焼いたもの。バターやシロップをそえて食べる。「―ミックス〔略して『ホケミ』『HM』とも〕」☞パンケーキ①。 ●**ホットコーナー**〔米 hot corner〕《野球》三塁。[由来]強い打球がよく飛んでくることから。 ●**ホットジャズ**〔hot jazz〕《音》楽譜をはなれて自由に はげしく演奏するジャズ。 ●☆☆**ホットスポット**〔hot spot〕①そこだけ、周囲とは様子が ちがっている場所。「放射線量の高い―」②《情》〔パソコンなどの画面で〕ハイパーリンクが設定されている部分。③《情》無線LANがつながる場所。 ●**ホットドッグ**〔米 hot dog〕①長いパンの間に、温めたソーセージをはさんだ食べ物。ケチャップや からしをぬる。②〔東北などの方言〕アメリカンドッグ。〔なまって、ホットドック〕 ●**ホットパンツ**〔hot pants〕《服》股下の ごく短い、ぴったりした女性用の半ズボン。 ●**ホットプレート**〔hot plate〕鉄板焼きなどに用いる、電熱式の鉄板。 ●**ホットマネー**〔hot money〕《経》国際金融市場を動き回る短期資金。 ●**ホットヨガ**〔hot yoga〕温度と湿度の高い部屋で おこなうヨガ。水分をとりつつ、あせをたくさん かく。 ●**ホットライン**〔hot line〕①非常のさいに二国の首脳部の間で使う、直通の通信線。②非常用の直通電話線。③電話による相談窓口。「女性の人権―」

**ボット**〔bot←robot〕《情》①インターネットを通じ、外部から命令を受けて活動するコンピューターウイルス。ボット ウイルス。②〔ツイッターで〕前もって用意した発言や、コンピューターが作成した発言などを、自動で投稿するシステム。

**ぽっと**《副》①急に赤みが さすようす。「ほほを―そめる」②急に光が さしたり、明かりが ついたりするようす。「街灯が―ともる」 ●**ぽっとで**［ぽっと出］〔俗〕①いなかから はじめて都会に出て来た〈こと/人〉。②その世界に入ってきたばかりであること。また、その人。「―の新人」

**ポット**〔pot〕①魔法びん。②〔↑電気ポット〕電気で水をわかしたあと、保温できる容器。③西洋ふうの急須。「コーヒー・ティー―」④苗を植える、小さなはち。「―苗」

☆☆**ぼっとう**［没頭］《名・自サ》ほかのことは見向きもせず、一つのことをずっとするること。「研究に―する」

**ほっとうにん**［発頭人］〔文〕はじめに計画した人。

**ポッドキャスティング**〔podcasting〕《情》インターネット上で音声や動画のデータを配信すること。携帯型音声プレーヤーなどで利用する。

**ホットク**〔朝鮮 hotteog〕みつや あんなどを入れた、ひらたい お焼き。ホットック。

**ぼつにゅう**［没入］《名・自サ》〔文〕中に すっかり〈はいりこむ/はいって自分を忘れる〉こと。「読書に―する」

**ぼつねん**［没年・×歿年］〔文〕①死んだときの、その人の年齢。②死んだ〔こよみの〕とし。

**ぽつねんと**《副・自サ》何もすることがなく、ひとりでいるようす。「火ばちの前に―していた」

**ホッパー**〔hopper〕石炭・砂利などを中に入れて、下のほうの口から出すようにした器械。ホッパ。

☆☆**ぼっぱつ**［勃発］《名・自サ》〔文〕急に起こること。突発。「戦争の―」

**ほっぴょうよう**［北氷洋］⇩北極海。(↔南氷洋)

**ホップ**〔オ hop〕寒い所で栽培する つる草。雌花が松かさ状に成長したものは、ビールに にがみをつけるのに使う。

**ホップ**《名・自サ》〔hop〕①《野球》投球がバッターの手もとでうき上がること。②片足で とぶこと。「―ステップ(アンド)ジャンプ〔=三段とび〕」

**ポップ**［〔POP〕］〔↑point-of-purchase〕〔小売店で〕客の関心を引くため、商品の近くに取りつける、(手作りの)カード・ポスターなどの宣伝物。ポップ広告。

**ポップ**〔pop←popular=大衆的〕[一]**ポップ**《名・ナダ》色・デザイン・方法などが斬新で おもしろいようす。「―な色合い・―な演出」[二]⇩ポップス。「―シンガー」[三]《遺》〔[一][二]とは別語源〕とび出すこと。「―アイ〔=魚の目が飛び出る症状〕」 ●**ポップアート**〔pop art〕ありふれた商品や漫画などを素材にした、前衛美術。〔一九六〇年代、アメリカで さかんになった〕 ●**ポップアップ**〔pop-up〕①ぽんと とび出すこと。「―式トースター・―ブック〔=とび出す絵本〕」②〔コンピューターで〕画面の最前面にあらわれる、小さなウインドウ。「―広告」●ポップカルチャー〔pop culture〕（若い世代の）大衆文化。●ポップコーン〔popcorn〕トウモロコシのつぶを煎って、はじけさせたもの。●ポップス〔pops←popular song〕現代的で親しみやすい、洋楽（ふう）の歌。ポップ。「―コンサート・―歌手」☞ポピュラー。●ポップフライ〔米 pop fly〕《野球》平凡な内野フライ。小飛球。

ほっぺ［〈△頰っぺ〉］〔話〕ほっぺた。

ほっぺた［〈△頰っぺた〉］〔話〕ほお（の あたり）。●ほっぺたが落ちそう 句 非常に おいしいことのたとえ。ほおが落ちそう。●ほっぺたをつねる 句 信じられない ほどうれしいことがあったときにする動作。ほおをつねる。

ぽっぽ ①〔古風・俗〕ふところ。ポケット。懐中。「―が暖かい」②〔児〕ⓐハト。ⓑ汽車。●ぽっぽと《副》①煙・湯気などが立ちのぼるようす。②血が急に顔などに集まって、熱くなるようす。「顔が―ほてる」

ほっぽう［北方］北の方角（にあたる所）。「―領土〔=もともと日本領の歯舞・色丹・国後・択捉などの島々〕返還要求」（↔南方）

ぼつぼつ [一]ぼつぼつ《副》①少しずつ するようす。だんだん進むようす。「花が―さきはじめる」②まもなく。そろそろ。「―出かけようか」▽ぽつぽつ。[二]ぼつぼつ《名》・ぼつぼつ《副》ちらばった小さな点・穴・突起などの あるようす）。「鼻に―が できる」（「ぽつぽつ」よりも大きい）

ぽつぽつ [一]ぽつぽつ《副》①雨（の つぶ）が音をたてて降り始めるようす。「―（と）降ってきた」②まばらに。点々と。「民家が―見える」③⇩ぼつぼつ[一]。「―読み始める」[二]ぽつぽつ《名》・ぽつぽつ《副》⇩ぼつぼつ[二]。「―が できる」

ほっぽらか・す《他五》〔俗〕ほったらかす。名 ほっぽらかし。

ほっぽ・る《他五》〔俗〕ほうる。投げすてる。「仕事をほっぽって かけつけた・ほっぽり出す」

ぼつらく［没落］《名・自サ》①〔さかえていたものが〕おちぶれること。「―した貴族」②破産（すること）。

ボツリヌスきん［ボツリヌス菌］〔botulinus〕《医》はげしい毒素を出し、下痢や嘔吐、神経まひ（麻痺）を起こす菌。〔筋肉の収縮を止める作用もあり、しわ取りなどに利用される。「ボトックス」は それを使った商標名〕

ぽつり-ぽつり《副》①雨や しずくが、間をおいて落ちてくる〈音／ようす〉。②あちこちに散らばっているようす。「空席が―ある」③間をおいて、少しずつ するようす。「―（と）話す」▽ぽつんぽつん。

ほつ・れる［〈△解れる〉］《自下一》ほどける。とける。「着物のすそが―・前髪が―」名 ほつれ。「びん（鬢）の―」〔使役形「ほつれさせる」も多く使う〕他 ほつらせる《下一》・ほつらす《五》。「糸を―」

ぽつんと《副》①雨や しずくが、一滴落ちるようす。「―雨つぶが あたる」②ものが一つだけ存在するようす。「灯が―ともっている」③点や小さな穴が できるようす。「―穴があく」④一言だけ話すようす。「―つぶやく」▽ぽつりと。

ぽつん-ぽつん《副》⇩ぽつりぽつり。

ほてい［〈△布△袋〉］七福神のひとり。僧のような身なりをして、日常用具を入れた袋をせおい、太って腹が大きく つき出ている。●ほていばら［〈△布△袋〉腹］つき出て大きい腹。

［ほてい］

ほてい［歩程］〔文〕〔ハイキングなどで〕歩く距離。「―三キロ」

←ほてい［補訂］《名・他サ》説明のたりないところをおぎない〈直すこと／直した文章〉。「―を加える」

→ほてい［補×綴］《名・他サ》①⇩ほてつ。②《歌舞伎》昔の脚本を書き直すこと。

ボディ（ー）〔body〕①からだ。「―ローション・―タッチ・ナイスー〔『バディ（ー）』とも〕」②胴の部分。「『ボクシング』―攻撃・カメラ―」③《服》⇩人台。④車体。機体。船体。⑤ワインなどの風味。「フルー・―が しっかりしている」▽ボデー。●ボディ（ー）ガード〔bodyguard〕要人の身のまわりの護衛をする係の人。●ボディ（ー）スイング《名・自サ》〔body swing〕《野球・ボクシングなど》調子をつけるために からだをゆり動かすこと。●ボディ（ー）スーツ〔body suit〕《服》上下ひと続きの、女性の補整用下着。●ボディ（ー）チェック〔和製 body check〕空港などでおこなう、危険物を持っていないかを調べる身体検査。セキュリティーチェック。●ボディ（ー）ビル〔↑ボディ（ー）ビルディング〕エキスパンダー・ダンベルなどの道具を使い、筋肉の発達した からだを〈作る方法／作って美しさをきそう競技〉。人 ボディ（ー）ビルダー（body-builder）。●ボディ（ー）ブロー〔body blow=強打〕①《ボクシング》相手の胸や腹を打つこと。②じわじわと時間をかけて きいてくる痛手。「―のように きいてくる」●ボディ（ー）ボード〔body board〕長さ一メートルほどの板に腹ばいになり、波の上をすべるスポーツ。●ボディ（ー）ライン〔body line〕からだの輪郭をしめす曲線。●ボディ（ー）ランゲージ〔body language〕ことばを使わずに、からだや手足の動きで、意思や感情を伝えること。身ぶり言語。身体言語。

ボディコン〔↑和製 body conscious〕女性特有の からだの線を強調したファッション。〔バブル景気のころに一般化〕

ボデー〔body〕⇩ボディ（ー）。

ほてつ［補×綴］《名・他サ》①〔文〕文章に手を入れて、適当に おぎない改めること。②〔文〕布などの破れた所をつくろうこと。③《医》入れ歯などで歯の欠けたところをおぎなうこと。▽ほてい。

ポテト〔potato〕①じゃがいも。「―フライ・―グラタン」②↑フライド ポテト。●ポテトサラダ〔potato salad〕ゆでたジャガイモをあらくつぶして他の野菜を混ぜ、マヨネーズなどで あえたもの。ポテサラ。●ポテトチップ（ス）〔potato chips〕ジャガイモをうすく切って、素あげにしたもの。ポテチ。「塩味の―」

ぼてぼて《副・自サ》①からだの肉が、たるんでいるようす。「―した腹」「―（と）した服」②厚くて重く感じるようす。③《野球》打ったボールに勢いがないこと。「―のゴロ」

ほて・る［〈火照る〉・〈△熱る〉］《自五》顔や からだが熱

く感じる。「はずかしさで顔が—」名ほてり。他ほてらせる《下一》。「ほおを—」

***ホテル**〔hotel〕 客を有料で とめる、近代的な建物。「ビジネス—」

**ほてん**［補塡］《名・他サ》 おぎなって うめること。穴うめ。「赤字を—する」

**ぼてん**［母店］〔文〕〔銀行やチェーン店などで〕その地域の支店の中で中心的な みせ。

**ぼてん**［暮天］〔文〕夕ぐれの空。

**ポテンシャル**〔potential〕 潜在的な能力。潜在力。可能性。「高い—を秘める」

**ぽてんヒット**［ポテンヒット］〔ポテン＝落ちる音〕《野球》内野手と外野手の間に落ちて安打になった、弱い当たりのフライ。テキサス ヒット。

**ほど**［歩度］〔文〕①歩く〈はやさ／足はば〉。「—をゆるめる」 ②〔時計の〕進みおくれの度合い。

****ほど** 一 ほど［(程)］ ①程度。「—が知れない・—のよさ」 ②〔ゆるされる〕限度。☞程がある句。③〔身分の〕限度。「身の—を知れ」 ④〔文〕みちのり。長さ。「—遠からぬ」 ⑤〔文〕時間。「—なく」 ⑥〔文〕ころ。時分。「宵の—」 ⑦〔…の—(を)〕…いただくこと。「ご自愛の—(を)おいのり申し上げます」 二《副助》 ①だいたいの数量・程度をあらわす。「三日—前・大型犬—の大きさ」 ②…のような(大きな)程度。「日本—四季の変化に富んだ国はない・なみだが出る—うれしかった」▽「くらい」よりも かたい言い方。 ③高い程度をあらわす。「君—の(優秀な)人物が やれないとはね」 ④上品に言うために、そえることば。「ブタのひき肉、五百グラム—ください・けさ—はどうも」 ⑤…するにつれて(ますます)。「見れば見る—・飲む—に」 区別⇩程度 二。 アク ウシほど・ネコほど・イヌほど。 ●程がある 句 ①お話にならないほどひどい。「おそいにも—」 ②あまりにひどくて…しきれないほどだ。「がまんにも—」 ●程がいい 句 ほどよい。「—大きさ」 ●程経て 句〔文〕しばらく たって。

**ほどあい**［(程合い)］ (ちょうどいい)程度。「声の—・—の大きさの げた」

**ほどう**［歩道］ ①人が歩くように造った道。人道。「横断—」(↔車道) ②〔山で〕人がひとり通れるだけの、細い道。 ●ほどうきょう［歩道橋］ 交通のはげしい大通りをまたいで、歩行者が向こうがわへ わたれるように作った橋。横断歩道橋。

**ほどう**［舗道・×鋪道］ 舗装した道路。ペーブメント。

**ほどう**［補導］《名・他サ》 一［×輔導］ ①〔文〕援護し、指導すること。「農業—・学生の—」 ②非行少年などを指導・保護すること。「—員・—歴」 ③〔文〕〔犬などを散歩させるとき〕引きづななどでつないで、よそにそれないようにして歩かせること。 二〔芸の〕たりないところをおぎなって指導すること。「陶芸—所」

**ぼどう**［母堂］〔文〕他人の母を尊敬した言い方。母君。母上。「ご—(さま)」

**ほど・く**［(解く)］《他五》 ①結んだり組んだりしたところを、はなす。「ひもを—・帯を—」(↔結ぶ) ②〔からんでいるもの・ぬいものなどを〕ばらばらにする。「荷物を—・着物を—」▽解く。 ③満願になって やめる。「願を—」 自ほどける《下一》。

**ほとけ**［仏］ ①《仏》 ⓐ仏陀。お釈迦さま。 ⓑ仏像。 ⓒ死んで仏式で ほうむられた人。「—様」 ②むじゃきな人や慈悲深い人のたとえ。「—の善六」 ③死者。死人。「—さん」 ●仏作って魂入れず 句 ものごとがほとんどできていながら、いちばん大切なところができていない。 ●仏の顔も三度(まで) 句 何度も ひどいことをされれば、どんなに やさしい人でも おこりだす。 ●ほとけごころ［仏心］ いたわりあわれむ、同情心。ぼだい心。「—を起こす」 ●ほとけしょう［仏性］ 慈悲深い性質。 ●ほとけのざ 一［仏の座］《仏》⇩しゅみだん(須弥壇)。 二［(仏の座)］ ①田のあぜに はえる野草。形はタンポポに似ているが、小形。植物学上はタビラコと言う。春の七草の一つ。 ②道ばたに はえる野草。春、むらさき色の小さな花がさく。

**ほどこ・す**［施す］《他五》〔文〕 ①〔政策などを〕広くおこなう。「中外に—」 ②あらわし しめす。「面目を—〔⇩「面目」の句〕」 ③おこなう。「手術を—・改訂を—・—すべもない」 ④つけ加える。「ふりがなを—」 ⑤めぐみあたえる。「徳を—・肥料を—」 名施し。 可能 施せる。

**ポトス**〔ラ pothos〕 鉢に植えて葉をたのしむ植物。葉は先のとがった長円形で、筋や斑点の はいったものが多い。

**ほどちか・い**［(程)近い］《形》 ①みちのりが近い。「駅から—所」 ②年月・月日が近い。「立春も—」▽(↔程遠い)

**ほどとお・い**［(程)遠い］《形》 ①みちのりが遠い。「駅から—場所」 ②年月・月日が遠い。「現代からほど遠くない時代」▽「ほど遠くない」は、連体詞「ほど遠からぬ」の形も。(↔程近い) ③差が大きい。ひどく ちがうようすだ。「この作品は完成〈に／と／から〉は—〔＝まだまだかかる〕・親切には—応対」

**ほととぎす**［(:時鳥)・(:杜鵑)・(:不如帰)］ 中形の野鳥の名。初夏のころ、「てっぺんかけたか」「特許許可局」と聞こえる するどい声で鳴く。子規。 由来「ほととぎ」は、ポトトキという鳴き声。「す」は鳥を指す接尾語。☞名乗る④。

**ほどなく**［(程なく)］《副》〔文〕あまり時間をおかないで。まもなく。「—(して)帰ってきた」

**ほとばし・る**［(×迸る)］《自五》 勢いよくとびちる。「血が—」 名ほとばしり。 他ほとばしらせる《下一》。「情熱を—」

**ほと・びる**［(△潤びる)］《自上一》〔水分をふくんで〕ふやける。やわらかになる。

**ポトフ**〔フ pot-au-feu〕 肉と野菜をとろとろと長時間煮こんで作る料理。フランスふう おでん。ポトフー。

**ほとほと**《副》 なんとも言えないほど、ひどく。どうすることもできないほど。「—閉口した・—あいそがつきた・—感心した」

**ほどほど**［(程々)］《名・副》 度をこさない、ちょうどいい程度。適当。「物事は—がいい・お酒を—に飲む〔『—に飲む』は まれ〕」

**ぽとぽと**《副》 ⇩ぽたぽた。

**ほとぼり** ①あとに残る あたたかみ。ぬくみ。「—が残っている」 ②〔事件などに対する〕興奮や関心が残っている状態。「—が さめるまで かくれる」

**ボトム**〔bottom〕 ①いちばん下。底。(↔トップ) ②いちばん〈低い／さかんでない〉所。(↔ピーク) ③《服》⇩ボトムス。(↕トップ) ●ボトムアップ〔bottom-up〕①下の者が提案・要望などをおこない、上の者が決定すること。下意上達。「―型の市政」②〈下から上/細部から全体〉へと向かう方式。「―でセーターを編む・―式の思考」▽(↕トップ ダウン) ●ボトムス〔bottoms〕《服》下半身につける衣服の総称。ボトム。例、スカート・ズボン・レギンス。(↕トップス)

ほどよ・い[(程良い)]《形》ちょうどいい〈程度/ぐあい〉だ。ほどがいい。「―色あい」派-さ。

ほとり[(△辺り)]①[(△畔)]岸。「池の―」②〔文〕そば近く。「小諸なる古城の―」

ぽとりと《副》①しずくがだんだん大きくなり、重さにたえきれず落ちるようす。「なみだを―落とす」②思わずものを落とすようす。「たまを―落とす」

ボトリング〔bottling〕食品をびんづめにすること。「ビールの―工場」

ボトル〔bottle〕びん(瓶)。「ウイスキーの―・シャンプーの―」●ボトルキープ《名・自サ》〔和製 bottle keep〕行きつけのバー・飲み屋などに、客が自分の飲む酒をびんごと買って置いておくこと。●ボトルネック〔bottleneck=びんの首〕①円滑な活動をさまたげる〈こと/要素〉。障害。隘路。ネック。②《服》牛乳びんのように なだらかに立った、服の首の形。「―のカットソー」

**ほとんど ㊀《副》①〔後ろに否定が来る〕その数量・要素などが、きわめて少ないようす。「気づいた者は―いない・―気にしない」②大部分。おおかた。「せりふは―覚えた・休日は―家にいる」③その状態に きわめて近いようす。「―同時に声を上げた・―たおれそうだった・―神業だ」㊁大部分。「問題の―が かたづいた」由来「…にきわめて近いようす」をあらわす「ほとほと」の変化。表記かたく「×殆ど」とも。

ほなみ[穂波]イネなどの穂が風にゆらぐようすを波にたとえた言い方。「黄金の―」

ポニー〔pony〕小形の馬。●ポニーテール〔ponytail=ポニーのしっぽ〕おもに若い女性の髪型で、長い髪をうしろでたばね、たらしたもの。ポニテ〔俗〕。

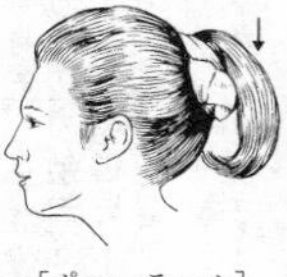

[ポニーテール]

ほにゃらら[ホニャララ]〔俗〕ことばをぼかすときや、ふせられた文字を読むときなどに使うことば。何々。「―パーセント」〔一九七〇年代、テレビのクイズ番組「ぴったしカン・カン」から出たことば〕

ほにゅう[哺乳]《名・自サ》《医》母親が ちちを赤ちゃんに飲ませて育てること。授乳。「―びん」●ほにゅうるい[哺乳類]《動》子を母乳で育てる、最も高等な動物。哺乳動物。例、イヌ・ライオン・クジラ。

ぼにゅう[母乳]母親の ちち。「―栄養(↕人工栄養)」

ほぬの[帆布]帆に使う、厚い布。はんぷ。

ほね[骨]①動物の からだの中にあって、からだの芯を形づくり支えている、かたい部分。「―の多い魚」②紙・布などを張って全体を支える、器具の芯。「障子の―・扇の―」③(ものごとの)中心。「―となる人物」④気骨。気概。「―のある人間」⑤苦労。「読むのは―だ」●骨が折れる句 するのが たいへんだ。めんどうだ。●骨と皮になる句 やせて、肉がなくなる。●骨の髄まで句 とことんまで。徹底して。●骨までしゃぶる句 どんなものも残さず、すべての利益を吸い上げる。●骨をうず(埋)める句 ①その土地で、死ぬ。②〔職場に〕一生をささげる。●骨を折る句 ②苦労する。努力する。「企画の実現のために―」②苦労する。「笑いをこらえるのに―」▽骨折る。●骨を拾う句 ①火葬して遺骨を拾う。②死んだ人の、あとのめんどうを見る。

ほねおしみ[骨惜しみ]《名・自サ》〔仕事をいいかげんにしたりして〕なまけること。「―せずに働く」

ほねおり[骨折り]苦労。努力。尽力。●ほねおりぞん[骨折り損]苦労したことが むだになること。●骨折り損のくたびれもうけ句 苦労するだけで、なんのいいこともない。

ほねお・る[骨折る]《自五》⇩骨を折る(「骨」の句)。

ほねがらみ[骨絡み]①梅毒などが全身に回って、骨までいたりこんで痛むこと。②完全に、ある気風に染まること。「―になる」

ほねきり[骨切り]《名・自他サ》①骨を切ること。②《料》ハモなどの さかなの小骨を切るため、皮一枚残して、身ごと千切りのようにすること。

ほねぐみ[骨組み]①骨の組み合わせ。骨格。②根本の構造。おもな組み立て。「文章の―」

ほねつぎ[骨接ぎ]骨折・脱臼の処置をする〈こと/人〉。接骨。

ほねっぷし[骨っ節]①骨の関節。②相手の言うとおりにはならない、しっかりした性質。気骨。「―のある男」▽ほねぶし。●骨っ節が太い句 骨組みが がっしりしている。

ほねっぽ・い[骨っぽい]《形》①(さかななどで)骨の部分が多い。②やせて骨ばっている。「―手」③しっかりしたようすだ。手ごわい。「―人間・―意見」④ごつごつした感じだ。練れていない。「―文章」派-さ。

ほねなし[骨(無し)]一貫したところがなく、たよりない〈こと/人〉。

ほねぬき[骨抜き]①さかななどの骨を〈ぬき取ること/ぬき取ったもの〉。②主義・気骨のないこと。「お金をもらって―にされる」③〔計画などの〕大切な点を除き去ること。「法案が―になる」

ほねばなれ[骨離れ]焼き魚の身をむしったときに、骨から(きれいに)身がはがれること。身ばなれ。「―がいい」

ほねば・る[骨(張る)]《自五》〔ふつう 骨ばっ〈た/て〉〕①やせて、骨が出っぱって見える。②意地を張る。

ほねぶと[骨太]《名・ナダ》①骨が太くて、からだつきが がっしりしているようす。「―な からだ」(↕骨細)②組み立てが がっしりしていて、強い主張でつらぬかれていること。「―の作品・―の方針」●ほねぶと・い[骨太い]《形》ほねぶとだ。派-さ。

ほねぼそ[骨細]《名・ナダ》骨が細くて、きゃしゃなようす。「―の すらりとしたからだ」(↕骨太) ●ほねぼそ・い[骨細い]《形》ほねぼそだ。派-さ。

ほねみ[骨身]骨(を中心とした、からだ)。●骨身にこたえる句 〔痛み・苦しみなどが〕心やからだの深いところまで達する。骨に こたえる。「先輩の教訓が―」●骨身に染みる句 心やからだに強く感じる。「―寒さ・やさしさが―」●骨身を惜しまない句 精出し



ほ

て働くようす。骨を惜しまない。「骨身を惜しまず（＝少しもなまけず）」●**骨身を削る** 句〔仕事・勉強で〕からだがやせるほどに苦労する。「骨身を削って書いた本」

**ほねやすめ**【骨休め】《名・自サ》休息。休憩。骨休み。「一日ゆっくり—をした」

**ほの**【（×仄）】造〔文〕ほのかに。わずかに。「—見える・—青い・—明るい」

**ほのあかり**【（×仄）明かり】かすかなあかり。

**ほのお**【炎・×焔】①ろうそく・ガスなどが燃えるときに見える、火の先。「—があがる・—に包まれる」②〔心の中で燃えあがる〕はげしい気持ち。「怒りの—・嫉妬の—」

**ほのか**【（×仄か）】《ナダ》〈ほんの わずかだけ／かすかに〉感じられるようす。「—に見える・—なぬくもり」

**ほのぐらい**【（×仄）暗い】《形》〔文〕うすぐらい。派—さ。

**ほのじ**【ほの字】〔俗〕ほれていること。「お前はあの子に—だろう」

**ほのじろい**【（×仄）白い】《形》〔文〕ぼんやりとして白い。「夕やみにほの白くうかぶ花」派—さ。

**ほのじろむ**【（×仄）白む】《自五》〔文〕〔明けがたに〕空がかすかに白くなる。ほのじらむ。

**ほのぼの** ㊀【（×仄々）】《副》①弱い明るさが（しだいに増して）感じられるようす。「夜が—と明けていく」②〔形・色・かおりなどが〕ぼんやり感じられるようす。「—と立ちのぼる煙」㊁《副・自サ》あたたかみがおだやかに感じられるようす。「—（と）したユーモア・—するドラマ」派—さ。

**ほのみえる**【（×仄）見える】《自下一》〔文〕①ぼんやり見える。「灯台の あかりが—・希望が—」②ちらちら見える。「岩かげから羽衣が—」

**ほのめかす**【（×仄めかす）】《他五》〔ことばや行動で〕それとなく しめす。示唆する。ほのめかせる。「中止を—」名ほのめかし。

**ほのめく**【（×仄めく）】《自五》〔文〕ほのかに見える。「ともしびが—」名ほのめき。

**ぼば**【×牡馬】おすの馬。（↔牝馬）

**ホバークラフト**〔hovercraft＝もと、商標名〕空気を船の底から下にふきつけて船体をうき上がらせ、高速で走る船。ホーバークラフト。

**ほばく**【捕縛】《名・他サ》〔文〕〔犯人などを〕つかまえてしばること。

**ほばしら**【帆柱】船に帆を張るための柱。マスト。

**ほはば**【歩幅】歩くときの、両足の幅。一歩の幅。「—をそろえる」

**ホバリング**《名・自サ》〔hovering〕〔ヘリコプターが〕空中で停止した状態になること。ホバーリング。

**ぼはん**【母斑】〔医〕色素をふくむ細胞が異常にふえて起こる、皮膚組織の異常。俗に、あざ・ほくろなどと呼ばれる。

**ぼはん**【墓畔】〔文〕墓のそば。

**ぼひ**【墓碑】〔文〕〔文字を刻んだ〕はかいし。

**ホビー**〔hobby〕趣味。

**ポピー**〔poppy〕⇨ひなげし。

**ほひつ**【補筆】《名・他サ》〔文〕〔文章や絵を〕かき加えること。「—訂正」

**ほひつ**【×輔×弼】《名・他サ》〔文〕天子や君主を補佐すること。「—の臣」

**ぼひめい**【墓碑銘】〔文〕はかいしに刻んだ、経歴などの文句。墓銘。☞墓誌銘。

☆**ポピュラー**〔popular〕㊀《ナダ》一般に知られて人気のあるようす。大衆的。「—なイタリア料理」派—さ。㊁①〔↑ポピュラー ミュージック〕〔クラシックに対して〕ジャズ・ロック・ラテンなどの大衆的な軽音楽。②〔↑ポピュラーソング〕大衆に人気のある歌。「海外—」☞ポップス。

**ポピュリスト**〔populist〕ポピュリズムの政治家。大衆迎合主義者。

**ポピュリズム**〔populism〕〔政治をおこなううえで〕大衆の人気を得ることを第一におく考え方。大衆迎合主義。

**ぼひょう**【墓標・墓表】〔文〕はかじるし。

**ボビン**〔bobbin〕①筒（の形の糸巻き）。巻き枠。②ミシンの、下糸を巻く糸巻き。「—ケース」

**ほふ**【保父】男性の保育士の、もとの呼び名。（↔保母）

**ほぶ**【歩武】〔文〕あしどり。あゆみ。「—堂々」

**ボブ**〔bob〕えりくびまでに短く切りそろえた（女性の）髪型。ボブカット。「ショート—・メンズ—」

**ほふく**【（×匍×匐）】《名・自サ》〔文〕腹ばい（になること）。はうこと。「—前進」

**ボブスレー**〔bobsleigh〕①ブレーキ・操縦装置をそなえた、鋼鉄製のそり。また、それに乗って、氷でかためたコースをすべりおりる競技。☞リュージュ・スケルトン⑤。②〔北海道方言〕遊具の雪ぞり。

**ほぶね**【帆船】帆かけぶね。☞はんせん（帆船）。

**ポプラ**〔poplar〕並木などにする落葉高木。枝は上にのび、うちわに似た小さい葉がたくさんつく。

**ポプリ**〔フ pot-pourri〕乾燥した花びらや草を、香油などとつぼに入れて熟成させたもの。香つぼ。

**ポプリン**〔poplin〕もめん・毛などで、細かいうね織りにした、やわらかな布。ブラウス・ワイシャツなどに使う。

**ほふる**【（×屠る）】《他五》〔文〕①鳥・けものの からだを〈切りさく／切りさいて殺す〉。②〔戦い・試合で〕相手をやっつける。やぶる。「城を—・横綱を—」

**ほへい**【歩兵】〔軍〕軍の主力となり、徒歩で戦闘する兵隊。

**ぼへい**【募兵】《名・自サ》〔文〕広く知らせて、兵士を集めること。

**ボヘミアン**〔Bohemian〕㊀ボヘミアン ①⇨ロマ。②世間の型に はまらず、思うままの生活をする人。自由人。③〔服〕ゆったりした、民族衣装ふうの柄のファッション。㊁造 ボヘミア地方（＝チェコ西部）の。「—ガラス」

**ほほ**【頬】⇨ほお（頬）。「—をなでる風・—肉」〔歌詞や詩的な文章では ふつうに使う〕

**ほぼ**【保母・保×姆】女性の保育士の、もとの呼び名。（↔保父）

＊＊**ほぼ**《副》①数量・程度などが、それに きわめて近いようす。「—二週間・—完成した・—誤りはない・—全滅・—町の—中心」②〔否定をともなって〕数量・程度がきわめてとぼしいようす。ほとんど（…ない）。「—わからなかった・—期待していない・—ない」〔二十一世紀になって広まった用法〕表記「△略」「△略く」とも書いた。

☞ほぼほぼ。

**ほほう**《感》〔話〕「ほう」を強めたことば。ほほー。「―、見事だ・―、そういうことか」

**ほほえまし・い**［(:微笑ましい)・(頬笑ましい)］《形》ほほえみたくなるように、好ましい。ほおえましい。「―光景」派―げ。―さ。

**ほほえ・む**［(:微笑む)・(頬笑む)］《自五》①〔声を出さないで〕顔つきで、うれしさや好意をあらわす。「ほほえみかける」②〔文〕〔花が〕少しひらく。▽ほおえむ。名ほほえみ。「―を浮かべる」

**ほぼ ほぼ**《副》〔俗〕「ほぼ」をくり返して、きわめて近い、という気持ちを強めた言い方。「―同じ・定員が―埋まった」〔二十世紀末から例が目立ち、二〇一〇年代に広まったことば〕

**ポマード**〔pomade〕男性のかみの毛につける、香料を入れてねったあぶら。

**ほまえせん**［帆前船］⇩帆船。

**ほまち**〔=帆待ち。船乗りが寄港中にかせぐこづかい〕〔古風〕臨時収入。役得。「―かせぎ」

**ほまれ**［誉れ］世間から、りっぱだと認められること。「名人の―が高い・郷土の―〔=名誉〕」

**ほむぎ**［穂麦］穂が出たムギ。

**ほむら**［(△炎)・(×焰)］〔=火群〕〔雅〕ほのお。「嫉妬の―」

**ほむれ**［(△灯)群れ］〔文〕⇩ひむれ。

**ほめあ・げる**［褒め上げる］《他下一》おおげさなほどほめる。「作家の新作を―」

**ぼめい**［墓銘］〔文〕⇩墓碑銘。

**ホメオスタシス**〔homeostasis=同一の状態〕《生》環境が変化しても、生物がその形や機能を一定の状態に保とうとする性質。生体恒常性。ホメオスターシス。

**ほめことば**［褒め(言葉)］ほめて言うことば。賛辞。「最高の―」

**ほめごろし**［褒め殺し］〔俗〕実質以上にほめそやすことで、相手を不利な立場に追いやること。「―にあう」

**ほめそや・す**［褒めそやす］《他五》(口々に)さかんにほめる。

**ほめたた・える**［褒め(△称える)］《他下一》すばらしいと言って、さかんにほめる。「勇気を―」区別⇩ほめる。

**ほめた・てる**［褒め立てる］《他下一》〈くり返し/くちぐちに〉ほめる。ほめそやす。

**ほめちぎ・る**［褒めちぎる］《他五》これ以上はほめられないというほどに、たいへんほめる。

**ほめもの**［褒め者］多くの人にほめられる人。

**ポメラニアン**〔Pomeranian〕スピッツの一種。白や茶色のふさふさの毛でおおわれている。ポーランド西部、ポメラニアの原産。

**ほ・める**［褒める・△誉める・△賞める］《他下一》〔同等・目下の人などのことを〕すばらしい、よくできた、と言う。「相手の着物を―・子どもを―・酒を―・うそをつくのは、決して褒められた〈こと/もの〉ではない〔=いいことではない〕」区別「ほめる」には相手を評価する気持ちがあり、目上には使わない。「称賛」「絶賛」は、すばらしいと感動した気持ちを示すことで、目上にも使える。古くは、目上・目下の区別なく「ほめる」を使い、「ほめたたえる」にはその意味が残る。この辞書では、目上にも使うことばの意味も、わかりやすく「ほめる」と説明することがある。なお、目上に「おじょうずですね」などと直接評価のことばを使うのは、もともと失礼。☞「感心」の区別。名褒め。

**ホモ** 一 遺 ①〔ラ homo〕人間。☞ホモサピエンス。②〔↑ホモジナイズ(homogenized)〕均質。「―牛乳〔=成分を均質にした、一般的な牛乳〕」 二 ホモ ①〔homo〕同じであること。「―ソーシャル〔=同性どうしの関係〕」(↕ヘテロ) ②〔↑ホモ セクシュアル〕〔俗〕男性の同性愛者。〔差別的なことば〕☞ゲイ。

**ホモサピエンス**〔ラ homo sapiens=かしこい人〕①動物学上の人類の学名。ヒト。②《哲》理性人間。

**ホモ セクシュアル**〔homosexual〕(男性の)同性愛(者)。ホモ セクシャル。(↕ヘテロ セクシュアル)

**ほや**［(火屋)］①ランプの火をおおい包む、ガラスのまるい筒。②電球の、グローブ。③香炉や手あぶりなどのふた。

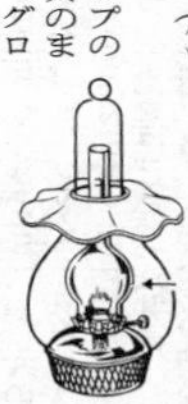

［ほや ①］

**ほや**［(:海鞘)］海にすむ動物の一つ。からだは赤茶色のふくろに包まれ、岩についている。「―の酢の物」

**ぼや**［(:小火)］小さい火事。

**ぼや**［暮夜］〔文〕よる。夜分。「―ひそかに」

**ぼや・く**《自五》ぶつぶつ不平を言う。名ぼやき。

**ぼや・ける**《自下一》①〔ものの形・様子などが〕はっきりしなくなる。「輪郭が―」②〔頭のはたらきが〕ぼんやりする。他ぼやかす《五》。「ぼやかした言い方」

**ぼやっと**《副・自サ》①注意が足りないようす。「―突っ立っている」②形がぼんやりしているようす。「もやで―かすんでいる」

**ほやほや**《名・ダナ》①できたてで、(湯気が立って)やわらかなようす。「できたての―」②その状態になったばかりのようす。「新婚―」

**ぼやぼや**《副・自サ》注意が足りないようす。ぼんやり。

**ほゆう**［保有］《名・他サ》〔文〕手もとに置いて持ち続けること。

**ほよう**［歩容］歩くときの姿勢。歩幅や腕のふりなどの特徴。「―認証〔=歩容によって人物を特定する認証〕」

**ほよう**［保養］《名・自サ》①からだを休め、元気になるようにすること。「病後の―・―所」②心などをなぐさめ楽しませること。「目の―・いい―になりました」

**ほら**［(△法×螺)］〔=ほらがい〕大げさなことば。誇張して言ううそ。「―をふく・―ふき・―話・大―」

**ほら**［洞］①中がうつろな穴。「木の―」②ほらあな。

**ほら**《感》〔話〕①相手の注意をひくときのことば。「―、海が見える・―、そこの君！・―よ、おみやげだ」②予想どおりだ、という気持ちをあらわす。「―、やっぱりここにあった」③相手に思い出させようとするときのことば。「―、こないだ言ってたじゃない」▽ゆっくり言うときは「ほうら」「ほらあ」。重ねて「ほらほら」とも。

**ぼら**［(×鯔)］海にすむさかな。からだはまるみをおびて黒灰色。食用。「―のへそ〔=ボラの胃袋〕」☞からすみ・出世魚①。

☆☆**ホラー**〔horror〕恐怖(を主題にした映画・小説など)。「この状況は―だ」

ほ

**ほらあな**［洞穴］がけ、岩などに、横に大きくあいた穴。ほら。

**ポライトネス**〔politeness〕〘言〙ことばにあらわれる、円滑な人間関係を築くための配慮。「―理論」

**ほらがい**［〈法〉×螺貝］①大形の巻き貝。頭のほうはすぼまり、貝がらの表面に美しいまだらがある。②「ほらがい①」の頭に穴をあけ、ふき鳴らすようにしたもの。山伏が使う。☞「しゅげんじゃ」の絵。

**ほらがとうげ**［洞が峠・洞ヶ峠］有利なほうへつこうとして、なりゆきを見ること。ひよりみ。「―をきめこむ」
由来 山崎の戦いのとき、筒井順慶が形勢のいいほうにつこうと、この峠から戦況をながめていたという言い伝えから。

**ほらふき**［〈法〉×螺吹き］うそや大げさなことばかり言う人。うそつき。

**ポラロイド**〔Polaroid=商標名〕ポラロイドカメラ(で写した写真)。●**ポラロイドカメラ**〔←Polaroid Land Camera=商標名〕シャッターを切ると、カメラの中で自動的に現像・焼き付けがおこなわれるしくみのカメラ。インスタントカメラの一種。ポラ(ロイド)。

**ボランタリー**〔voluntary〕人のため社会のためにすすんで協力すること。有志。

**ボランチ**〔ポ volante〕〘サッカー〙ミッドフィルダーのうち、後方に位置して守備のかなめとなる選手。守備的ミッドフィルダー。

☆☆**ボランティア**《名・自サ》〔volunteer〕自発的に(無料で)社会事業に奉仕する〈人〈こと〉〉。「―活動」

**ほり**［捕吏］〘文〙捕り手。

**ほり**［堀・×濠］(城のまわりに)細長くほって、水をたたえた所。

**ほり**［彫り］ほること。ほったようす。「―の深い(=突き出た所とくぼんだ所のちがいがきわだった)顔」

**ぼり**［彫］〘造〙工芸品としてのほりもの。「鎌倉―」

**ポリ**〘俗〙←ポリス。「―が来た!・―ボックス」

**ポリ**〘造〙←ポリエチレン・ポリエステル。「―容器・―袋・―製品」

**ほりあ・てる**［掘り当てる］《他下一》うまくほって見つける。

**ポリアンサ**〔←ラ Primula polyantha〕春先の草花。プリムラの一種。葉は〈へら形。プリムラ ポリアンタ。ポリアンサス〔←polyanthus primrose〕。

**ほりいど**［掘り井戸］土をほって作った井戸。

**ポリープ**〔ド Polyp〕〘医〙胃・鼻・大腸などの粘膜にできたはれもの。いろいろな形のものがある。鼻たけもこの一種。ポリプ。

**ポリウレタン**〔ド Polyurethan〕〘理〙⇒ウレタン。

**ポリエステル**〔ド Polyester〕〘理〙合成樹脂の一つ。熱に強く、ペットボトルやフリースなどの材料にもなる。

**ポリエチレン**〔ド Polyäthylen〕〘理〙エチレンの重合で作る合成樹脂。高圧で作るものは低密度でやわらかく、ふくろやラップなどに使う。低圧で触媒を使って作るものは高密度でかたく、びん・バケツなどに使う。PE〔←polyethylene〕。

**ポリオ**〔polio〕〘医〙ウイルスの感染で脊髄に変化が起こり、手足がまひする病気。急性灰白髄炎。〔子どもに多く、昔は「小児まひ」と言った〕

**ほりおこ・す**［掘り起こす］《他五》①ほって、中の土を外へ出す。「畑を―」②ほって、かくれているものをあらわす。「石碑を―」③今まで気がついていなかったものごとを表面に出す。発掘する。「需要を―・新しい読者を―」名掘り起こし。

**ほりかえ・す**［掘り返す］《他五》①ほって、下の土を上のほうに出す。「畑を―」②もう一度ほる。▽掘りくり返す。名掘り返し。

**ポリグラフ**〔polygraph〕①〘医〙心電図・脈・呼吸・脳波などの状態を同時にグラフに書く装置。②「ポリグラフ①」を利用した、心の本当の動きを知る器械。うそ発見器。

**ほりごたつ**［掘り〈×炬×燵〉］ゆかの一部を切って作ったこたつ。多く、腰かけてあたる。切りごたつ。(↔置きごたつ)

**ほりさ・げる**［掘り下げる］《他下一》①下へ深くほる。②深く突っこんで考える。「問題を―」名掘り下げ。

☆☆**ポリシー**〔policy〕①〔政府・政党の〕政策。「保守党の―」②〔会社・団体の〕方針。政策。「販売―」③〘俗〙自分の一貫した〈やり方〈方針〉〉。「―をつらぬく」

**ポリス**〔police〕警察。警察官。ポリ〘俗〙。「―マン・―ボックス(=交番)」

**ポリスチレン**〔polystyrene〕〘理〙スチロール(スチレンのドイツ語)を重合させて作った合成樹脂。発泡スチロールやプラスチックなどに使う。PS。

**ホリゾント**〔ド Horizont=地平線〕〘舞台・スタジオで〙セットの後方にあるかべや幕。照明の当て方によって、空などを表現する。

**ほりだしもの**［掘り出し物］思いがけずさがし出した、めずらしい品。安く手に入れた品。掘り出し。

**ほりだ・す**［掘り出す］《他五》①ほって出す。②偶然さがし出す。安く手に入れる。「めずらしい本を―」

**ポリタンク**〔和製 poly tank〕水や灯油などを入れておくための、ポリエチレン製の容器。

**ほりつ・ける**［彫り〈付ける〉］《他下一》かたいものの表面に、刻みつける。

**ポリッシュ**〔polish〕①みがくこと。研磨材。②つめにつける塗料。マニキュア。ネイル ポリッシュ。

**ポリティカル**〘ナダ〙〔political〕政治に関するようす。政治的。「―アパシー(=政治的無関心)・―サイエンス(=政治学)・―パーティー(=政党)」●**ポリティカルコレクトネス**〔political correctness〕〔語句や表現が〕性差別・人種差別などの偏見をふくまないこと。ポリティカリー コレクト。ポリコレ。PC。

**ポリティ(ッ)クス**〔politics〕政治。政策。「パワー―(=軍事力を背景にした外交。権力政治)」

**ホリデー**〔holiday〕〔楽しい〕休日。〔休養のための〕休暇。☞バカンス。

**ほりぬきいど**［掘り抜き井戸］地下深くの地下水に達するまでほりぬいた井戸。掘り抜き。

**ポリバケツ**〔商標名〕ポリエチレン製のバケツ。

**ポリバス** ポリエステルにグラスファイバーをまぜて作ったふろおけ。

**ほりばた**［堀端］ほりのすぐそば。「お―」

☆☆**ポリフェノール**〔polyphenol〕〘理〙植物に多くふく

まれている有機化合物。活性酸素の害を防ぐはたらきがある。例、アントシアニン・カテキン・タンニン。

**ポリフォニー** 〔polyphony〕 ①《音》複数のメロディーが調和しながら進行する音楽。多声音楽。②〔文学作品で〕登場人物たちのいろいろな考え方が合わさることで、一つの主題が現れる構造。

**ポリぶくろ** 〔ポリ袋〕 ポリエチレンで作ったふくろ。ナイロン袋〔おもに西日本での言い方〕。

**ポリプロピレン** 〔polypropylene〕 《理》石油を原料とする合成樹脂。ポリエチレンよりじょうぶで軽く、熱に強い。繊維製品や容器などに使う。PP。

**ぼりぼり** 《副》①かたいものを続けてかみくだく〈音/ようす〉。「せんべいを―かじる」②つめで続けてひっかく〈ようす/音〉。「背中を―かく」

**ぽりぽり** 《副》「ぼりぼり」より軽い感じをあらわすことば。「ポテトチップを―食べる・頭を―かく」

**ポリマー** 〔polymer〕 《理》同じ種類の分子どうしが多数結びついた化合物。重合体。例、エチレンからできるポリエチレン。

**ほりもの** 〔彫り物〕 ①彫刻。②皮膚に模様をほりつけたもの。いれずみ。

**ほりゅう** 〔×蒲柳〕 〔=川柳〕〔文〕虚弱なこと。「―の質〔=ほっそりして病気になりやすい体質〕」

**ほりゅう** 〔保留〕 《名・他サ》①とめておくこと。決定・発表などをのばすこと。「回答を―する」②全部は認めずに、つける条件。「『多くの場合は』と―をつける」▽留保。③電話を人につなぐまでの間、音楽を流したりして通話をとめた状態。

**ボリューミー** 《ナダ》 〔和製 volume＋y〕 量が多いようす。「―なランチ・〔ヘアスタイルで〕トップを―にする」

**ボリューム** 〔volume〕 [一]**ボリューム** ①(分)量。かさ。「―のある食事」②音量。「ステレオの―を下げる」[二][接頭]〔雑誌で〕第…巻。(↔ナンバー) [表記]略して「Vol.」。●**ボリュームゾーン** 〔volume zone〕 ①《経》いちばん売れ筋の〔=よく売れる〕価格帯。普及価格帯。②〔ある統計を見たとき〕いちばん多い世代・階層など。

**ほりょ** 〔捕虜〕 敵に〈降参して〉とらえられた人。とりこ。捕囚。

**ポリようき** 〔ポリ容器〕 ポリエチレンなどの合成樹脂で作った入れ物。

**ほりわり** 〔堀割・掘り割り〕 地面をほって造った〈水路/道路〉。また、それを造ること。

**ほ・る** 〔△放る〕 《他五》〔関西などの方言〕①投げる。「強く―」②捨てる。▽ほうる。☞ほっておく。

**ほ・る** 〔彫る〕 《他五》①刻む。刻みつける。「はんこを―・石に―」②物を刻んで形を作る。「仏像を―」 [直]彫れる《下一》。[可能]彫れる。

**ほ・る** 〔掘る〕 《他五》①手・足・道具などを使って、地面に穴をあける。「穴を―〔☞結果目的語〕・トンネルを―・雪を―〔=ほって、よそへ捨てる〕」②うずまっているものを取り出す。「石炭を―・芋を―」③植物を根ごと地面から取り出す。「木を―」④〈探索/探究〉する。「レアもののレコードを―」 [直]掘れる《下一》。[可能]掘れる。

**ぼ・る** 《自五》〔俗〕不当に高い料金を取る。「飲み屋でぼられた」 [由来]「暴利」を動詞化したことば。

**ポルカ** 〔polka〕 《音》二拍子の快活なダンス(の曲)。

**ボルシェビキ** 〔ロ Bol'sheviki=多数派〕 ①《歴》ソビエト連邦を樹立した、ロシア共産党の前身。②革命的左翼。過激派。▽ボリシェビキ。

**ボルシチ** 〔ロ borshch〕 ビーツやトマトなどの野菜と肉を入れて煮こんだ、ロシアやウクライナなどの赤いスープ。サワークリームをかけて食べる。

**ホルスター** 〔holster〕 ピストルを入れてつり下げる、革などのケース。

**ホルスタイン** 〔ド Holstein=地名〕 牛の品種の一つ。からだは大きく黒白のまだらがあり、乳牛として飼育する。☞ジャージー④。

**ホルダー** 〔holder〕 ①支え(るもの)。「キー―・ペットボトル―」②保持者。「レコード―」

**ポルターガイスト** 〔ド Poltergeist=ガタガタ音をたてる霊〕 何かが勝手に動いたり音を立てたりするが、姿は見えないという心霊現象。騒霊。

**ホルターネック** 〔halterneck〕 《服》女性の服のデザインで、〈ひも/布〉を首にかけてとめるもの。そでがなく、背中があいている。

**ボルダリング** 〔bouldering〕 フリークライミングの一つ。岩や、ところどころ突起のある壁を、まったく道具を使わないでよじ登る。

**ポルチーニ** 〔イ porcini〕 イタリア料理に用いる、かおりのいいキノコ。やまどりたけ。「―だけ(茸)・―のリゾット」

**ボルテージ** 〔voltage〕 ①《理》電圧。②熱のこもった調子。熱気。「―が上がる・―を上げる・―の高い記事」

**ポルテニアおんがく** 〔ポルテニア音楽〕〔ス porteña〕 《音》タンゴなどを演奏する、アルゼンチンの民俗音楽。おどりは社交ダンスふう。

**ボルト** 〔bolt〕 一方のはしに六角形の頭を作り、もう一方のはしにねじを切った、太いくぎ。ボート。☞「ナット」の絵。

**ボルト** 〔volt=もと、人名〕 《理》①電圧の実用単位〔記号V〕。②電圧。ボルテージ。「―を上げる」

**ボルドー** 〔フ Bordeaux〕 ①フランス南西部、ボルドー産のワイン。複数のブドウをブレンドして造る。ボルドーワイン。②「ボルドー①」のような、暗い赤むらさき色。

**ポルトガル** 〔Portugal〕 ヨーロッパの南西端部にある共和国。首都、リスボン(Lisbon)。葡。[表記]「葡萄牙」は、古い音訳字。

**ポルノ** 〔←ポルノグラフィー(pornography)〕 わいせつな文学・絵・写真など。「―映画・―チック〔=ポルノ的〕」

**ホルマリン** 〔ド Formalin〕 《理》鼻をつくようなにおいのする液体。消毒やくさるのを防ぐためなどに使う。ホルムアルデヒドを水にとかしたもの。

**ホルムアルデヒド** 〔ド Formaldehyd〕 《理》鼻をつくようなにおいがする無色の気体。有毒。合成樹脂や接着剤、塗料などにはば広く使われる。メタナール(methanal)。☞シックハウス症候群。

☆☆**ホルモン** 〔ド Hormon〕 ①《生》ⓐ内分泌腺から血液に分泌され、からだの活動を調整する物質。分量はごくわずかだが、健康に重要。「―剤」ⓑ⇨植物ホルモン。②←ホルモン焼き。●**ホルモンやき** 〔ホルモン焼き〕 ブタなどの内臓を小さく切り、(くしにさして)焼いたもの。ホルモン。[由来]戦前から、「ホルモン①」

にちなみ、栄養のある料理に「ホルモン」を冠したことから。「いらない肉で、放るもん(=捨てるもの)だから」という説は誤り。

**ホルン**〔horn〕《音》金管楽器の一つ。角笛を改良したもので、管は円形に巻かれる。ラッパの先に右手を入れて音色を調節する。〔木管楽器のイングリッシュホルン(=コーラングレ)と区別して、「フレンチ ホルン」とも言う〕

［ホルン］

**ほれ**《感》〔話/方〕「それ」の、ぞんざいな言い方。「—、こづかいやるぞ」

**ほれい**【保冷】《名・他サ》低温にたもつこと。「—車・—庫・—剤・—バッグ」

**ボレー**〔volley〕《テニス・サッカーなど》ボールが地面におちないうちに〔打ち/けり〕返すこと。「—シュート」

**ほれこ・む**【(×惚れ)込む】《自五》魅力を感じて深く好きになる。「人物に—」

**ほれなお・す**【(×惚れ)直す】《自他五》〔もともと好きだった人やものについて〕改めてその良さを感じてほれこむ。「その仕事ぶりに—・妻〈に/を〉—」

**ほれぼれ**【(×惚れ×惚れ)】《副・自サ》心が引きつけられて、ひどくうっとりとするようす。「美しい声に—する」

**ほ・れる**【(×惚れる)】㊀**ほれる**《自下一》①〔俗〕相手に恋をして、ぼうっとなる。「女に—・ほれっぽい性分」②たまらなく好きになる。「何よりも人物にほれた」㊁遺 うっとりする。「聞き—(=うっとり聞き入る)」●**ほれた腫れた** 句〔「ほれた」を強めた言い方〕〈たわいない/ばかげた〉恋愛。「—のさわぎ・—をくり返す」

**ボレロ**〔ス bolero〕①《音》三拍子のスペインのダンス(曲)。②《服》女性の着る、たけが腰の上ぐらいまでしかない、前あきの服。ボタンもないものが多い。

**ほろ**【(:母衣)】昔、よろいの背中につけて矢を防いだ、ふくろのようなもの。「—武者」

**ほろ**【(×幌)】①雨風などを防ぐため、車にかけるおおい。②客車と客車をつなぐ部分の おおい。

**ほろ**【(△微)】接頭 少し。何となく。「—苦い・—酔い」

**ぼろ** ㊀**ぼろ**【(:襤褸)・ボロ】①使い古した布。つづれ。ぼろきれ。ぼろぬの。②古ぼけてやぶれた着物。「—を下げる(=やぶれた着物を引きずるように着る)・—隠し」③ぐあいの悪い点。欠点。「—が出る(=隠していた欠点があらわれる)・—を出す」㊁遺〔「ボロ」とも書く〕①古くて、やぶれたり こわれたりしたようす。「—ぐつ・—ぞうきん・—自転車・—アパート」②《名・自サをつくる》めちゃめちゃ。程度が非常に大きい。「—勝ち・—負け・—もうけ・—泣き」

**ポロ**〔polo〕①馬に乗り、棒状のマレットでボールを打ち合う競技。②↑ポロシャツ。

**ぼろ・い**《形》〔「ボロい」とも書く〕〔俗〕①〔あまり お金や労力をかけずに〕たくさん もうかるようすだ。「—商売だ」②〔↑ぼろ(襤褸)〕古びてきたなくなり、こわれたり破れたりしているようすだ。「—ビル・—自転車」派—さ。

**ほろう**【歩廊】①〔文〕二列の柱の間に作った通路。回廊。②〔古風〕駅のホーム。

**ぼろかす**【ぼろ(×滓)】〔俗〕ひどく悪く言うこと。ぼろくそ。

**ほろがや**【(:母衣)蚊帳】広げて、寝ている赤ちゃんにかぶせる、小形の かや。

**ぼろきれ**【ぼろ(切れ)】ぼろの きれはし。ぼろっきれ。ぼろぎれ。

**ぼろくそ**【ぼろ(×糞)】《ナダ》〔俗〕①つまらない、おとったものごとをののしって言うことば。②さんざん ののしるようす。ぼろかす。「—にやっつける」

**ホログラフィ(ー)**〔holography〕①《理》レーザー光線などを利用して、空間に立体的な映像を作り出す技術。②ホログラム。

**ホログラム**〔hologram〕ホログラフィーを使った、きらきら光る立体的な模様。お札・カード・商品券などにつけて、偽造防止に役立てる。

**ホロコースト**〔holocaust〕大虐殺。特に、ナチスによる、ユダヤ人大虐殺。

**ポロシャツ**〔polo shirt〕《服》(半そでで)えりがあり、二、三個のボタンつきの、軽い感じのシャツ。ポロ。

**ホロスコープ**〔horoscope〕西洋の占星術。自分が生まれた日・時刻と、そのときの星座の状態から運勢をうらなうもの。

**ぼろっち・い**《形》〔俗〕ぼろい。ぼろだ。「—洋服」

**ほろっと**《副・自サ》⇒ほろりと。「なみだが—こぼれた」

**ほろにが・い**【(△微)苦い】《形》①少しにが(みがあって うま)い。「—ビール」②ちょっと悲しい(が快くもある)。「—思い出」派—さ。

**ポロネーズ**〔フ polonaise〕《音》ポーランド特有の歌曲・舞踊。

**ボロネーゼ**〔イ bolognese〕パスタ料理のソース。ひき肉をオリーブオイルでいため、トマトや香辛料を加えて煮こんだもの。ミートソース。

**ポロねぎ**【ポロ(×葱)】⇒リーキ。

**ほろばしゃ**【(×幌)馬車】ほろをかけた馬車。

**ほろ・びる**【滅びる・△亡びる】《自上一》〔以前は勢いのあったものが〕なくなって、絶える。ほろぶ。「国が—・平家一族が—・農業が—・身代が—」名 滅び。

**ほろ・ぶ**【滅ぶ・△亡ぶ】《自五》ほろびる。「国が滅んだ」

**ほろぼ・す**【滅ぼす・△亡ぼす】《他五》ほろびるようにする。絶やす。「敵を—」

**ほろほろ**《副》①軽く散りこぼれるようす。「花びらが—(と)散る」②なみだの こぼれるようす。「—(と)泣く」③かむとすぐ くずれるほど、やわらかいようす。「肉を—になるまで煮こむ」④山鳥の鳴く声。●**ほろほろちょう**【(ほろほろ鳥)】家で飼う、もとアフリカ産の鳥。ニワトリぐらいの大きさで、細い首が ひょろりと出ている。小さな とさかと、あごの下にたれた肉がある。食べられる。

**ぼろぼろ** ㊀**ぼろぼろ**《名・ナダ》①ぼろのように、ひどく破れるようす。「—の洋服」②建物が古くなって、あちこちこわれるようす。「壁が—にはがれる」③心身が ひどくつかれているようす。また、ひどく みじめなようす。「生活が苦しくて もう—だ・—の成績」㊁**ぼろぼろ**《副》つぶや小さな かたまりが、続いてこぼれおちるようす。「ごはんが—(と)こぼれる・大つぶの なみだを—(と)こぼす」

**ぽろぽろ**《副》つぶや小さな かたまりが、続いてこぼれおちるようす。「草花の たねが—(と)おちる・なみだを—(と)こぼす」〔「ぼろぼろ」より軽い感じ〕

**ぼろもうけ**【ぼろ(×儲け)】《名・他サ》〔俗〕資本や労

力などの割に、非常に多くもうけること。

**ぼろや**［ぼろ家］ぼろぼろの家。あばらや。

**ほろよい**［(△微)酔い］いい気持ちに軽く酔うこと。「一きげん」動 ほろ酔う《自五》。

**ほろりと**《副・自サ》①なみだが ひとしずく落ちるようす。②深く感動して なみだが出そうになるようす。「一させる話」③軽く酔ようようす。「一酔う」▽ほろっと。

**ぽろりと**《副》①もろく落ちるようす。②なみだなどが こぼれるようす。③うっかり おもてに出てしまうようす。「一本音をもらす」▽ぽろっと。

**ほろん**［補論］〔文〕本論のおぎないとして つけ加えた論文。

**ホワイエ**〔フ foyer=暖炉〕劇場・ホテルなどの休憩所。ロビー。

**ホワイト**〔white〕[一]①白。白色。「一タイガー・一チョコレート〔=ココアバター《=カカオの脂肪》を使った白いチョコレート〕」②白の修正液。[二]《名・ナダ》問題がないようす。健全なようす。「一(な)企業」(↔ブラック) ●**ホワイトアウト**〔whiteout〕《天》あたり一面が吹雪や雲で白一色となり、地形や方向、高度がわからなくなる現象。●**ホワイトアスパラガス**〔white asparagus〕〔日光に当てずに育てた〕白くてやわらかいアスパラガス。ホワイトアスパラ。☞グリーンアスパラガス。●**ホワイトカラー**〔↑white-collar worker〕事務所で働く人。頭脳労働者。(↔ブルーカラー) ●**ホワイトクリスマス**〔white Christmas〕雪景色でむかえるクリスマス。●**ホワイトゴールド**〔white gold〕《理》金にニッケル・銀などをまぜた、白色の合金。見かけはプラチナによく似ている。●**ホワイトソース**〔white sauce〕バターと小麦粉を焦がさないようにいためて作ったルーを、牛乳でのばした、白いソース。ベシャメルソース。●**ホワイトデー**〔和製 white day〕バレンタインデーに女性からチョコレートをもらった男性が、そのお返しに菓子などを贈る日。三月十四日。●**ホワイトハウス**〔White House〕アメリカ大統領の官邸。白亜館。●**ホワイトペッパー**〔white pepper〕⇩白こしょう。●**ホワイトボード**〔white board〕専用のマーカーで書きこめ、また消すことのできる白い板。白板。●**ホワイトリカー**〔和製 white liquor〕〔リカー=蒸留酒〕焼酎のうち、何回も蒸留したもの。

**ホワイトニング**〔whitening〕①白くすること。「歯の一」②⇩美白。

**ほわた**［穂綿］綿の代わりに使う、チガヤ・アシなどの穂。

**ポワレ**《名・他サ》〔フ poêler〕肉・魚などをフライパンで〈焼いた料理/焼くこと〉。ポアレ。〔バターで蒸し焼きにする場合もある〕「タイの一」☞ムニエル。

****ほん**［本］[一]ほん ①文章・絵などをかいたり印刷したりした紙の たばを、厚みが出るくらい重ねて とじ、きちんとした表紙をつけたもの。「一を読む・一を書く・一を出す・漫画一」 区別「本」は最もふつうの言い方で、広く使う。「書籍」は商品や情報媒体として、雑誌・テレビなどと対比して使う。「書物」は読んで学んだり楽しんだりする場合に使う。「図書」は部屋に収めるものや、内容によって分類したものに使う。②［ホン］《演劇・映画》脚本。台本。「一打ち〔=脚本打ち合わせ〕」③《視覚語》《野球》↑本塁。「三一間・一盗」[二]ほん《連体》〔文〕①この。「一会・一曲・一県・一大会」②自分をさすことば。「一大臣〔=大臣としての わたくし〕」③きょう(の)。今。「一八日未明」[三]造 ①ほんものの。「一牛革・《芝居》一火」②本式の。本格的な。「一放送」[四]接尾 ①糸・ひも・棒など細くて長いもの、また、柱・びんなど細長くて立っているものを数えることば。「高炉五一・超高層ビル七一」②たる(樽)・家具などのように立てて使う商品を数えることば。③管楽器・弦楽器を数えることば。「コントラバス二一」④めがねを数えることば。⑤ズボンなどを数えることば。⑥列車・線路を数えることば。⑦川を数えることば。⑧原稿・放送作品・講演などを数えることば。「連載四一をかかえる」⑨契約数などを数えることば。「今月は七一取った」⑩〔手紙・メール・電話などでの〕連絡を数えることば。「手紙一一〔=一本も〕よこさない」⑪注射の回数を数えることば。⑫落雷を数えることば。「三分間で十二一」⑬《野球》安打やホームランを数えることば。⑭《スポーツ》一回ごとのわざや練習の回数を数えることば。「二一取る・シュート五一・回転の二一目・素振り百一」

**ほん**［△品］接尾 ①昔、親王にたまわった位。〔一品から四品まである〕②《仏》仏典の中の編・章。「普門一〔=法華経の一章〕」

**ホン**〔phon〕《理》もと、騒音の大きさをあらわす、日本での単位。客観的なデシベルの数値を、人の実感に合わせて修正したもの。〔現在は廃止。フォンとは異なる〕

**ホン**造〔phone〕電話機。「コードレス一」

**ぼん**［(△坊)］〔関西などの方言〕⇩ぼんぼん(坊々)①。

**ぼん**［盆］[一]ぼん 浅く平たく作り、物を〈のせる/のせて運ぶ〉もの。「お一」[二]ぼん ⇩お盆[二]。●**盆と正月がいっしょに来たよう** 句 ①〈にぎやかな/いそがしい〉ようす。「一なさわぎ」②うれしいことが重なるようす。

**ぼん**［凡］[一]造 平凡な。つまらない。「《野球》一フライ」[二]ぼん《ナリ》〔文〕なみ。ふつう。平凡。「一なる作品・一ならざる才能」

**ポン**〔俗〕↑ヒロポン。「一中(毒)」

**ぼんあけ**［盆明け］盆の期間が終わったあと。

**ほんあさ**［本麻］〔人造繊維でない〕本物の麻糸・麻織物。「一ハンカチ」

**ほんあん**［本案］〔文〕この〈案/議案〉。

**ほんあん**［翻案］《名・他サ》原作の内容をもとにして、改めて〈作ったもの/作ること〉。「ハムレットの一」

**ほんい**［本位］①〔何かをするときの〕基準・中心となるもの。「自分一に考える・読者一・サービス一」②〔文〕もとの位置。「一に復する」③〔九星で〕標準の方位。●**ほんいかへい**［本位貨幣］《経》その国の貨幣制度の基準となる貨幣。金本位制では金貨。●**ほんいきごう**［本位記号］《音》⇩ナチュラル[二]。

**ほんい**［本意］①本当の気持ち。真意。「ここでやめるのは一でない」(↔不本意) ②〔文〕本来の意味。本義。「この字の一は…」

☆☆**ほんい**［翻意］《名・自サ》〔文〕決心を変えること。翻心。「一をうながす」

**ぼんい**［凡医］〔文〕①特別にすぐれたところもない、ふつうの医師。②つまらない医師。へたな医師。

ほ

**ほんいつ**［奔逸］〔文〕勝手に走り出すこと。「〔心〕観念―（=考えがとめどなく わきでてきてしまうこと）」

**ほんいん**［本院］[一]ほんいん（病院などで）主となる院。（↔分院）[二]ほんいん〔文〕この院。

**ほんいん**［本員］《代》〔文〕議員・委員などが、自分をさすことば。

**ほんいんぼう**［本因坊］碁の優勝者にあたえられる称号の一つ。

**ぼんうた**［盆歌・盆唄］盆おどりの歌。

**ほんえい**［本営］総大将のいる陣営。本陣。

**ほんおく**［本屋］おもな建物。母屋。ほんや。

**ぼんおどり**［盆踊り］―をおどり お盆のころの夜、大ぜいが集まっておどるおどり。

**ほんか**［本科］①その学校で、本体となる〈課程／コース〉。（↔予科・別科）②〔文〕この科。

**ほんか**［本歌］和歌を作るときに ふまえた、それ以前の和歌。もとうた。●**ほんかどり**［本歌取り］すでにある和歌の語句をふまえて、和歌を作る方法。〔広く詩歌の場合にも言う〕

**ほんが**［本画］①《美術》〔日本画で、下絵に対し〕正式に仕上げた絵。②複製画の もとになる絵。

**ぼんが**［盆画］《美術》うるし塗りの板に、大理石の粉で絵のようなけしき・形をあらわしたもの。盆絵。

**ほんかい**［本会］[一]ほんかい〔文〕この会。[二]ほんかい 本議会。

**ほんかい**［本懐］〔文〕本意。本望。「男子の―」

**ほんかいぎ**［本会議］①〔委員会・部会・分会などに対して〕会議に参加した者全部で おこなう会議。②〔国会で〕議員全員による会議。

**ほんかく**［本格］本来これが正しい、とされる形を守っているもの。「―推理小説・―派」[派]―さ。●**ほんかくてき**［本格的］《ダナ》①まねごとでなく、本来の正しい形であるようす。「―なフランス料理」②そのことが、不完全・部分的にではなく〈始まる／おこなわれる〉ようす。「―な夏が来た・設備を―に導入する」

**ほんがく**［本学］〔文〕この大学。

**ほんがわ**［本革］―がは〔合成した革でない〕本物の革。ほんかわ。

**ほんかん**［本官］[一]ほんかん〔事務官・技官など、役人として〕正式の官職。「―に任命される」[二]ほんかん《代》〔文〕役人、特に警察官が、自分をさすことば。本職。

**ほんかん**［本巻］[一]ほんかん〔別巻に対して〕ひとそろいになって出版される本の、本体の部分。[二]ほんかん〔文〕この巻。この一冊。

**ほんかん**［本管］水道・ガス・下水を通すために、公道の下にもうけた、太い管。（↔支管）

**ほんかん**［本館］[一]ほんかん 中心となる、おもな建物。（↔別館・分館）[二]ほんかん〔文〕この建物。

**ほんかん**［本艦］〔文〕この軍艦。

**ほんがん**［本願］《仏》①本来の ねがい。②仏が衆生をすくうために立てたちかい。

**ぼんがん**［凡眼］〔文〕平凡な眼力。（↔慧眼）

**ポンかん**［(:椪=×柑)］〔ポンは、インドの地名Poonaから〕かんきつ類の一種。ネーブルに似て、やや大形。インド原産。

**ほんき**［本記］〔新聞で〕基本的な事実関係を伝える、中心的な記事(の本文)。「一面―」☞雑感。

**ほんき**［本器］〔文〕この〈器具／器械〉。

**ほんき**［本機］〔文〕①本体となる機械・器具。②この機械。③この飛行機。

**ほんき**［本気］《名・ダナ》①〔いいかげんやじょうだんでなく〕まじめで熱心な気持ち。「―で努力する・―を出す」②〔俗〕程度が大きいようす。「―でねむい」●**本気にする**[句] 本当のことと思う。「じょうだんを―」●**本気になる**[句]〈まじめに／遊び半分でなく〉やる気持ちになる。「本気になって勉強する」

**ほんぎ**［本義］〔文〕①〔文字やことばの〕本来の意味。②根本的な精神。「建軍の―」

**ぼんき**［凡器］〔文〕平凡な人物。「やはり―でない」

**ほんぎまり**［本決まり・本▵極まり］〈本式／最終的〉に決まること。「―になる」

**ほんきゅう**［本給］手当などを加えない基本になる給与。基本給。

**ほんきょ**［本拠］〔生活や仕事の〕中心となる場所。「―地」

**ほんぎょう**［本業］いくつかある仕事のうちで、いちばんだいじな仕事。「―にはげむ」（↔副業）

**ほんきょく**［本局］[一]ほんきょく 中心になる局。（↔支局・分局）[二]ほんきょく ①〔文〕この局。②《碁・将棋》この対局。

**ぼんぐ**［凡愚］〔文〕ありふれた、ごくふつうな〈こと／人〉。「―の及ぶところでない」

**ほんぐう**［本宮］もとから祭神がそこにある、中心となる神社。「熊野―・総―・―伏見稲荷大社」（↔新宮・別宮）

**ほんぐもり**［本曇り］今にも降り出しそうに、すっかりくもること。

**ぼんくら**《名・ダナ》〔「ボンクラ」とも書く〕〔俗〕頭がはやくはたらかず、ぼんやりしている〈ようす／人〉。ぼんつく。

**ぼんくれ**［盆暮れ］お盆と年末。「―のつけ届け」

**ほんけ**［本家］①一族の中心となる家筋。（↔分家）②分かれて広まったものごとの、おおもとの流れをくむ人・店など。宗家。「―本元・漢字の―中国」

**ぼんげ**［凡下］〔文〕平凡な〈こと／人〉。一般庶民。一般。「―の民」

**ぼんけい**［盆景］盆の上に おもむきのある石や砂、木などを置いて、海や山のけしきをあらわし、かざりとするもの。盆石。

**ほんけがえり**［本×卦▵還り］―がへり〔本卦=ひとまわりした、生まれた年の干支〕還暦。満六十歳。

**ほんげつ**［本月］〔文〕この月。今月。

**ほんけん**［本件］[一]ほんけん〔文〕この(事)件。[二]ほんけん 本来捜査しようとしている重大な事件。（↔別件）

**ほんけん**［本券］[一]ほんけん〔文〕この券。この切符。[二]ほんけん〔引換券などに対して〕正式の券。

**ほんけん**［本絹］本物の絹糸(で作った製品)。（↔人絹）

**ほんげん**［本源］〔文〕もと。みなもと。「宇宙の―をたずねる」

**ぼんご**［×梵語］古代インドの言語。サンスクリット。

**ボンゴ**〔ス bongo〕《音》指でたたく、小さな太鼓。ラテン音楽で使い、二つで ひと組みになっている。☞コンガ。

**ほんこう**［本工］本採用の工員。本工員。常用工。(↔臨時工)

**ほんこう**［本行］〔文〕この銀行。わが銀行。

**ほんこう**［本坑］中心になる、おもな坑道。また、それのある所。

**ほんこう**［本校］㊀**ほんこう** 本体となる学校。(↔分校) ㊁**ほんこう** 〔文〕この学校。わが校。

**ほんこう**［本稿］〔文〕この原稿。

**ほんこう**［本港］㊀**ほんこう** 中心となる、おもな港。(↔副港) ㊁**ほんこう** 〔文〕この港。

**ほんごう**［本号］〔文〕〔新聞・雑誌の〕この号。

**ほんこく**［翻刻］《名・他サ》古書などを、原本のままの内容で再び出版すること。

**ほんごく**［本国］①本人の国籍のある国。「―に送還する」②〔植民地などに対して〕その国の政府のある土地。「英―」

**ほんごし**［本腰］〔仕事・作業を〕本気でやる姿勢・態度。「―で取り組む・―になる・どこまで―か わからない」 ●**本腰を入れる** 句 〔=本格的に腰を入れる〕〔仕事・作業に〕本気になる。本腰を据える。「制度改革に―」

**ぼんこつ**［凡骨］〔文〕平凡な才能・素質の人。「わたしのような―には無理です」

**ぽんこつ**［ポンコツ］〔俗〕㊀①〔乗り物・機械などの〕こわれかかったもの。役に立たなくなったもの。「―の車〔再生自動車の意味にも〕・―のからだにむち打つ」②〔古風〕自動車の解体・修理。「―屋」③〔古風〕げんこつ。「―をくわせる」 ㊁《名・ナダ》〔性格が〕ぬけている〈人/ようす〉。 由来 かなづちやげんこつでたたく音から。「―(な)司会者」〔二〇一〇年代からの用法〕

**ボンゴレ**〔イ vongole〕からつきのアサリを使ったイタリア料理〔特に、スパゲッティ〕。「―ロッソ〔=トマトソースが入った赤いボンゴレ〕・―ビアンコ〔=トマトソースなしの白いボンゴレ〕」

**ほんさい**［本妻］正式の妻。正妻。

**ほんざい**［本剤］〔文〕この薬剤。

**ぼんさい**［凡才］〔文〕平凡な才能(の人)。

**ぼんさい**［盆栽］はち植えの草木。

**ぼんさく**［凡作］つまらない(ありふれた)作品。

**ほんさつ**［本冊］〔別冊をふくむ単行本で〕本体になる本。

**ほんざん**［本山］①《仏》ⓐその宗派の寺院を支配する寺院。ⓑ当山。②もとじめ。「浮世絵研究の―」☞総本山。

**ぼんさん**［〈坊さん〉］〔関西などの方言〕ぼうさん。「―が屁をこいた、においだら〔=かいだら〕くさかった〔=数を数える文句。☞だるまさんが転んだ〕」

**ほんし**［本旨］本来の趣旨。

**ほんし**［本紙］①新聞などの、本体になる紙面。(↔付録)②〔文〕この新聞。わが新聞。

**ほんし**［本誌］①雑誌の、本体になる部分。(↔付録)②〔文〕この雑誌。わが雑誌。

**ほんじ**［本字］①本来はそう書く字体。ある漢字のもとになる字体。例、學〔=学〕、羣〔=群〕。(↔略字・俗字)②漢字。真名。

**ほんじ**［本寺］《仏》①本山。②このてら。当寺。

**ほんじ**［翻字］《名・他サ》ある文字で書かれた文章を、別の文字の文章に直すこと。「ローマ字文を漢字かなまじり文に―する・機械―」

**ぼんじ**［凡事］〔文〕ありきたりのこと。平凡なこと。「―徹底〔=当たり前のことを徹底して実行する〕」

**ぼんじ**［×梵字］梵語を書く文字。

**ほんしき**［本式］《名・ナダ》①本来の正しい〈形式/やり方〉。「―の訓練」(↔略式)②本格的。「―にねむりに落ちた」

**ほんしけん**［本試験］〔予備試験・模擬試験などに対して〕〔最後におこなう〕主となる試験。

**ほんしつ**［本質］そのものの根本となる、最も大切な性質・要素。「問題の―をとらえる・―を突く」 ●**ほんしつてき**［本質的］《ナダ》本質〈に関係する/と考えられる〉ようす。「―な問題」

**ほんじつ**［本日］この日。きょう。今日。「―休業・―は晴天なり〔マイクテストに使うことば〕」

**ぼんしつ**［凡失］《野球》つまらないところでする、失策。

**ほんしゃ**［本社］①本店である会社。(↔支社)②〔文〕この会社。わが社。 区別 ⇩当社①。③中心となる神社。☞分社②・摂社・末社。④〔文〕この神社。

**ぼんしゅ**［凡手］〔文〕ふつうのうでまえ(の人)。

**ほんしゅう**［本州］日本列島の中心にある、いちばん大きな島。〔北海道・九州・四国などに対して言う〕

**ほんしゅう**［本集］〔文〕①この文集・詩歌集・画集など。②この編集(物)。③〔雑誌の〕この集。

**ボンジュール**《感》〔フ bonjour〕おはよう。こんにちは。

**ほんしゅつ**［奔出］《名・自サ》〔文〕はげしくふき出すこと。ほとばしり出ること。「情熱の―にまかせる」

**ほんしょ**［本所］〔文〕ここの事務所。ここ。

**ほんしょ**［本書］〔文〕この〈文書/書物〉。

**ほんしょ**［本署］①税務署・消防署などの、主となる役所。②交番や駐在所が属している、主となる警察署。▽(↔支署・分署)③〔文〕この警察署・税務署・消防署など。

**ほんしょう**［本性］①〔かくしていた〕本当の性質。「ついに―をあらわす」②⇩ほんせい(本性)。③正気。「―たがわず〔⇩「生酔い」の 句〕」

**ほんしょう**［本省］㊀**ほんしょう** 下級の役所を支配する、中央官庁。㊁**ほんしょう** 〔文〕この省。

**ほんしょう**［本症］〔文〕この症状。

**ほんしょう**［本章］〔文〕この章。

**ほんしょう**［本賞］㊀**ほんしょう** 中心となる賞。(↔副賞) ㊁**ほんしょう** 〔文〕この賞。

**ほんじょう**［本状］〔文〕この手紙・賞状・表彰状など。「―持参の者に」

**ほんじょう**［本場］中心となる、おもな市場・試験場など。「築地―〔=魚市場〕」(↔支場) ☞ほんば(本場)。

**ぼんしょう**［凡将］〔文〕特別にすぐれたところのない将軍。

**ぼんしょう**［×梵鐘］〔文〕鐘楼のつりがね。

**ぼんじょう**［凡情］〔文〕凡人の起こす、つまらない感情。「さらりと忘れられないのが―のあさましさだ」

ほ

**ほんじょうぞう**[本醸造] 醸造アルコールの使用量が白米の重量の一〇パーセント以下の日本酒。清酒の代表的なもの。

**ほんしょく**[本色]〔=もとの色〕〔文〕生まれつき持っている性質。

**ほんしょく**[本職] ㈠**ほんしょく** ①〈本来の/主となる〉職業や職務。(↕兼職・内職) ②その道の専門家。「—にはかなわない」 ㈡**ほんしょく**《代》〔文〕役人などが、自分をさすことば。本官。

**ぼんじり** 〔焼き鳥店で〕とりのしっぽの付け根の肉。あぶらがのってぷりぷりしている。さんかく。ぼんじり。

**ほんしん**[本心] ①(そとにあらわさなかった)本当の心。「—をうちあける」 ②〔文〕本来の正しい心。「—に立ち返る」

**ほんしん**[本信] 〔文〕この〈たより/通信〉。

**ほんしん**[本震] 《地》同じ地域に起こった一連の地震の中で、いちばん大きな地震。☞前震・余震①。

**ほんしん**[翻心]《名・自サ》〔文〕翻意。

**ほんじん**[本陣] ①本営。②江戸時代、宿場で大名がとまった公認の旅館。本陣宿。

**ぼんじん**[凡人] ①ふつうの人。「偉大なる—」 ②つまらない人。

**ほんず**[本図] ㈠**ほんず** 主となる図。㈡**ほんず** 〔文〕この図。

**ポンス**〔オ pons〕①⇩ポン酢①。②⇩パンチ㈡。

**ポンず**[ポン:酢]〔↑オ pons〕①ダイダイ・ユズなどのしぼりじる。ポンス。②「ポン酢①」にしょうゆを加えた調味料。ちりなべなどにそえる。ポン酢しょうゆ。ちり酢。

**ほんすう**[本数] 「本」をそえて数えるものの数。「歯の—・列車の—」

**ほんすじ**[本筋] 中心となる筋道。「話の—」(↕横筋)

**ほんせい**[本姓] ①〈もと/生まれた家〉のみょうじ。旧姓。②本当のみょうじ。

**ほんせい**[本性] 〔包み隠しのない〕生まれつきの性質。ほんしょう。「人間の—」

**ほんせき**[本夕] 〔文〕今夜。今夕。「—はご多忙中のところわざわざ…」

**ほんせき**[本籍] 《法》その人の、戸籍のある所。「—地」☞原籍①。

**ぼんせき**[盆石] ①盆栽の中に、そえてながめる、おもむきのある石。(↕水石) ②⇩盆景。

**ほんせん**[本船] ㈠**ほんせん** 〔はしけなどに対して〕主となる船。もとぶね。㈡**ほんせん** 〔文〕この船。

**ほんせん**[本戦] 〔予選を通過した者の中から〕優勝者をえらぶ試合・競技。

**ほんせん**[本線] ㈠**ほんせん** ①〔鉄道で〕幹線となる線路。「東海道—」(↕支線) ②〔高速道路で〕中心となる、おもな車線。③主軸にすえるもの。「《競馬》—的中・—の捜査」 ㈡**ほんせん** 〔文〕この線。

**ほんせん**[本選] 〔予選を通過した者の中から〕優勝者をえらぶコンクール。(↕予選)

**ほんぜん**[本然] 〔文〕もともとそうであること。ほんねん。「ねむければねる、これは人間—の欲求だ」

**ほんぜん**[本膳] ①《料》⇩一の膳。②〔↑本膳料理〕正式の日本料理。おもに一の膳〔=本膳〕・二の膳・三の膳から成る。

**ほんぜん**[翻然]《副》〔文〕急に心を改めるようす。「—と(して)非をさとる」

**ぼんせん**[凡戦]《名・自サ》〔文〕つまらない試合。

**ほんそ**[本訴] 《法》一つの訴訟事件のうち、最初に出されたうったえ。(↕反訴)

**ほんそう**[本葬] 正式の葬儀。(↕密葬)

☆☆**ほんそう**[奔走]《名・自サ》あちこち動き回って努力すること。「資金の調達に—する」

**ほんぞう**[本草]〔=草と木〕①《漢方》薬草など。②↑本草学。▽ほんそう。●**ほんぞうがく**[本草学] 中国古来の薬物学。植物ばかりでなく動物や鉱物もふくまれる。本草。

**ぼんそう**[凡走]《名・自サ》〈へたな/平凡な〉走り方(をすること)。「—で八着」

**ほんそく**[本則] ①原則。②《法》法令の、本体となる部分。(↕付則)

**ぼんぞく**[凡俗] 〔文〕①下品でいやしいこと。②凡人。俗人。派—さ。

**ほんそん**[本村] ㈠**ほんそん** 〔分かれた村に対して〕中心となる、もとの村。(↕分村) ㈡**ほんそん** 〔文〕この村。

**ほんぞん**[本尊] ①《仏》信仰・いのりの対象として尊敬する仏像。②ものごとの中心となる〈人/もの〉。③目的のもの。④〔俗〕当人。「ご—はご存じない」

**ぼんだ**[凡打]《名・他サ》《野球》ヒットにならない打撃。「—の山をきずく」

**ほんたい**[本体] ①〔付属部分以外の〕主になる部分。「機械の—・ビルの—工事・〔消費税ぬきの〕—価格」 ②はっきりとは見えない、本当のすがた。実体。正体。「自己の—を把握する」

**ほんたい**[本態] ①〔文〕本当のようす。実態。「病気の—」 ②《医》特別の原因がなくて、そうなること。「—性高血圧」

**ほんたい**[本隊] ①中心になる隊。「自衛隊の—・代表選手団の—」(↕支隊・分隊) ②〔文〕この隊。

**ほんだい**[本題] ①中心になる題目。「話の—にはいる」 ②正式の題。(↕仮題)

**ぼんたい**[凡退]《名・自サ》《野球》打者が、ヒットを打てなかったりしてひきさがること。「三者—」

**ほんたく**[本宅] ふだん住んでいて、家庭生活の中心になっている家。(↕別宅)

**ほんだち**[本裁ち] 《服》おとなものの和服の仕立て。

**ほんたて**[本立て] ①板の両はしに支えをつけて、本を立ててならべるように作ったもの。②ブックエンド。▽ほんだて。

**ほんだな**[本棚] 本をのせておくたな。書架。

**ぼんだな**[盆棚] お盆の時期に、先祖の霊をむかえるために供え物などを並べる祭壇。精霊棚。

**ほんだわら** 草のように見える、茶色の海藻。新年のかざりに使う。

**ほんたん**[奔×湍] 〔文〕急な流れ。激流。

**ボンタン**[(:文旦)・(:文橙)]〔中国語〕ぶんたん。

**ぼんち**[(△坊ち)]〔関西などの方言〕ぼんぼん。

**ぼんち**[盆地] 《地》高い〈土地/山〉に囲まれた平地。「奈良—」

**ポンチ**〔punch〕㈠①⇩パンチ㈡。「フルーツ—」②

⇩ポンチ絵①。【二】《名・ナダ》〔俗〕〈おかしな/気楽な〉こと。また、その人。「(お)ーな発想」☞いかれぽんち。

•ポンチえ【ポンチ絵】①漫画。風刺画。ポンチ。②〔俗〕考えを示した略図やイラスト。

ほんチャン【本チャン】〔チャン(荘)は中国語。マージャン用語から〕〔俗〕本番。「ー(=正式)の書類」

ほんちょ【本著】〔文〕この著書。

ポンチョ〔ス poncho〕《服》布のまんなかに穴をあけて頭からかぶり、前後にたらして着る衣服。「ニットのー・レインー」〔もと、南米の先住民族の衣服〕

ほんちょう【本庁】【一】ほんちょう ①中心になる官庁。(↔支庁) ②《宗》その宗教・宗派の、中心となって事務をとる所。「神社ー」 ③《警察》警視庁。警察庁。【二】ほんちょう〔文〕この(官)庁。当庁。

ほんちょう【本朝】〔文〕日本(の朝廷)。「ー画人伝」

ぼんちょう【凡調】《名・ナダ》〔文〕目立った特色の見られないこと。平凡な調子。「ーに終始する」

ほんちょうし【本調子】①三味線の、最も基本的な調弦法。一の糸を基準として、二の糸の調子を高くし、三の糸の調子をさらに高くする。(↔二上がり・三下がり) ②本当の調子が出ること。「やみ上がりでまだーでない」

ぼんぢょうちん【盆△提△灯】お盆のとき、仏壇のそばにかざる ちょうちん。

ぽんつく《名・ナダ》〔俗〕ぼんくら。ぽんすけ。

ほんづくり【本造り】〔酒・みそ・しょうゆなどを〕いい材料を使い、時間をかけて ていねいにつくること。

ほんつや【本通夜】葬式の前日の晩におこなう、本式の通夜。

ほんて【本手】《碁・将棋など》その場面では そうするのが本筋だという手。

ほんてい【本邸】本宅。(↔別邸)

ポンデケージョ〔ポ Pão de queijo〕ブラジルのチーズパン。ポンデケイジョ。

ほんてん【本店】【一】ほんてん 事業の中心となる店。本社のある店。「ー所在地」(↔支店・分店) 【二】ほんてん〔文〕この店。当店。

ほんてん【本展】【一】ほんてん 一般の人に見せる、正式の展覧会。(↔内覧会) 【二】ほんてん〔文〕この展覧会。

ほんてん【翻転】《名・他サ》〔体操で〕手で支えたまま、からだをくるりと回すこと。でんぐりがえし。

ほんでん【本伝】〔文〕伝記の、中心になる部分。

ほんでん【本殿】神社で、神の みたまをまつっておく、中心になる社殿。

ぼんてん【×梵天】①《宗》インド古代の宇宙の本源。あらゆるものを作ったという神。②《仏》仏法を守り、国家に利益をあたえる神。③耳かきの ふさふさした部分。

ほんと《名・副・感》〔話〕「ほんとう(本当)」の変化。「あらー〔あいづちのことば〕・ー(=本当に)待ち遠しい」 表記 俗に「ホント」とも。 •ほんとに《副》〔話〕↑本当に。「ーご苦労さん」

ほんど【本土】①〔植民地に対して〕本国。「ー政府」②〔その国の〕おもな国土。日本では、本州・四国・九州・北海道をまとめて呼ぶ言い方。それより小さい土地を「島」と呼ぶ。

ボンド〔bond〕①〔商標名〕化学的に合成した、強力なのり。接着剤。ボンドのり。②《経》公債。社債。③《経》約束を果たさなかった場合に、保険会社などを通じて お金をしはらうという保証(証書)。「入札ー(=落札したのに契約しなかった場合にそなえる保証)」

ぽんと《副》①軽く破裂する音のようす。「シャンパンの栓をーぬく」②軽く一回たたく音のようす。「ーひざを打つ」③ほうり出すようす。「書類をー置く」④気前よく大金を出すようす。

ポンド〔もと、オ pond から。英語では pound〕①〔ヤードポンド法で〕質量・重量の単位〔記号 lb〕。一ポンドは十六オンス。約四五三・五九グラム。パウンド。②〔イギリスの〕お金(の単位)〔記号 £〕。一ポンドは、もと二十シリング。現在は百ペンス。表記 ①「:封度」、②「:磅」は、古い音訳字。

**ほんとう【本当】【一】①事実と あっていること(がら)。まこと。真実。「新聞の記事はーだった・ーを言えば行きたくはない・『かばん あいてるよ』『〔気づいて〕ああ、ーだ』」(↔うそ) ②本来そうあるべきこと。「ーなら もう家に着いているはずだ・困っている人を助けるのがーだ」【二】《副》〔話〕本当に。「もうー、天にものぼる気持ちっていうか」【三】《感》〔話〕①思わず問い返すことば。「『うなぎ おごるよ』『〔よろこんで〕ー?』」②相手の話への関心をあらわす、あいづちの ことば。「ーですか(=そうですか)」〔疑う意図は特にない〕 ▽【一】~【三】ほんと。表記【一】文脈により「:真実」「:真個」「本:統」とも書いた。 •ほんとうに【本当に】《副》①まちがいない、という意味を強調することば。実に。「あなたはー いい人だ・きょうはー暑い」 区別「本当に」は文章語・話しことばで広く使える。「実に」は やや文章語的。「まことに」は改まった言い方。「実際」は「ことばの上だけでない」という意味合いで使う。あいさつでは「本当にありがとうございます」のように「本当に」「まことに」を使う。☞大変【二】。②〔話〕「そう実感する」という気持ちをこめて、つなぎに使うことば。「ー楽しい職場で、ーいい経験になりました」▽ほんとに。

ほんとう【本島】①中心になる島。「沖縄ー」②本州。③〔文〕この島。

ほんとう【本盗】《名・自サ》《野球》⇩ホームスチール。

ほんとう【奔騰】《名・自サ》〔文〕勢いよく高く上がること。「波がーする・若い血がーする(=たぎる)・株価がーする」

ほんどう【本堂】《仏》本尊をまつる建物。

ほんどう【本道】【一】ほんどう ①主になる、大きな街道。(↔間道) ②〈正しい/正当な〉道筋。「教育のー」【二】ほんどう ①〔文〕この、北海道。②北海道に付属している島から、北海道本島を呼ぶことば。

ほんどうし【本動詞】《言》文法的に動詞本来のはたらきを持つ動詞。(↔補助動詞)

ほんなおし【本直し】みりん(味醂)に焼酎をまぜて清酒に似せた、あまい酒。直し。柳陰。

ほんに【(本に)】《副》〔方〕本当に。いかにも。まったく。「ー幸せなことです」

**ほんにん【本人】その人自身。当人。「ーの知らないところで決める・首相ーが否定した」

**ほんぬい**［本縫い］《服》仮ぬいのあとで、仕上げるためにぬうこと。(↕仮縫い)

**ほんね**［本音］本心から出たことば。「—をはく」

**ボンネット**〔bonnet〕①自動車の、エンジンのおおい。「—バス(=ボンネットのある昔のバス)」②ふちがなくてひもがついた、子どもの帽子。③つばが広くてひもで結ぶ、女性の帽子。

**ほんねん**［本年］〔文〕ことし。当年。

**ほんねんど**［本年度］〔文〕今年度。「—予算」

***ほんの**《連体》(=本の)①まったくの。「—思いつきです」②まったくわずかの。「—一メートルばかり」

**ほんのう**［本能］教えられなくても生まれつきそなわっている、性質や能力。「—的にとびのいた」

**☆☆ぼんのう**［煩悩］《仏》心やからだをなやますいっさいの欲望。「—を断つ」

**ぼんのくぼ**［(盆の×窪)］首筋のうしろで、頭の骨のすぐ下のところ。

**ほんのり**《副・自サ》〔光・色・味・かおりなどが〕わずかにあらわれるようす。かすかに。「空が—(と)明るくなった・—におう梅の花・—あまい」

**ほんば**［本場］①〈おもな/いちばんの〉産地。本来の産地。「北海道はさけ(鮭)の—だ」②本式のものごとがある場所。「おしゃれの—、パリ」☞ほんじょう(本場)。

**ほんば**［本葉］《植》子葉の後に出る葉。「双葉の間から—が出る」

**ほんば**［奔馬］〔文〕ものすごい勢いで走る馬。

**ほんばこ**［本箱］本をしまっておく(たなのついた)箱形の家具。

**ほんばしょ**［本場所］力士の番付の地位を定めるためにおこなう、本式のすもうの興行。現在は、年六回。

**ポンパドール**〔フ pompadour=もと、人名〕前髪をふくらませて束ね、高く盛り上げた髪型。ポンパドゥール。

［ポンパドール］

**ほんばん**［本番］①〔映画・放送・舞台などで、練習ではなく〕本式にやる番。「—当日」(↕テスト・リハーサル)☞ぶっつけ本番。②いちばん さかんなとき。「いよいよ夏—」

**ぼんひ**［凡飛］〔↑凡飛球〕《野球》捕られやすいフライ。凡フライ。

**ぽんびき**［ポン引き・ポンビキ］〔俗〕①(売春の)客引き。②しろうとをだましてお金をまきあげる者。▽ぽんひき。由来 客の肩を「ポン」とたたき、引っ張りこむから。

**ほんびのすがい**［(本:美之主=貝)］東京湾にすむ大型の二枚貝。〔美之主=ビーナス〕

**ぼんぴゃく**［凡百］〔文〕①つまらないたくさんのもの。「—の小説とはちがう傑作」②〔古風〕多くのもの。すべて(のもの)。「—の芸に通じる」▽ぼんびゃく。✓本来「凡(=すべて)」だが、「平凡」の意味が強く意識されるようになった。

**ほんぴょう**［本表］㊀ほんぴょう 主になる表。㊁ほんぴょう〔文〕この表。

**ほんぴん**［本品］〔文〕この品物。

**ほんぶ**［本部］組織の中心になって事務などをとる所。「営業—・捜査—」(↕支部)

**ほんぷ**［本譜］㊀ほんぷ《音》五線紙に書いた、本式の楽譜。(↕略譜)㊁ほんぷ《碁・将棋》この譜。

**ぼんぷ**［凡夫］《仏》欲望や迷いを捨て切れない、ふつうの人。ぼんぶ。「—の身」

**ポンプ**〔オ pomp〕圧力のはたらきを利用して、液体・気体を吸いこみ、また、おし出す機械。表記「:喞筒」とも書いた。

**ほんぷう**［本封］《名・他サ》《野球》三塁からの走者を本塁で封殺すること。

**ほんぷく**［本復］《名・自サ》「全快」の、少し古い言い方。ほんぶく。

**ほんぶし**［本節］カツオのせなかの肉で作った、上等のかつおぶし。(↕亀節)

**ほんぶたい**［本舞台］①劇場で、舞台の両はしなどを除く、おもな部分。「—にかかる」②本式の場所。「政界の—をふむ」

**ほんぶり**［本降り］雨や雪が本格的に(長く)降ること。「—になる」(↕小降り)

**ほんぶん**［本分］本来つくさなければならない義務。「—をつくす」

**ほんぶん**［本文］①文書や本の中の、主になる文。②解釈したり注をつけたりする場合の、もとになる文。▽ほんもん。

**ボンベ**〔ド Bombe〕高圧の気体などを入れる、鋼鉄で作った筒形の入れもの。「酸素—」

**ほんぺん**［本編・本×篇］①〔付録に対して〕本体となる文章。②〔予告編に対して〕予告で紹介された映画そのもの。③〔コマーシャルに対して〕テレビで放送する作品。④この〈編/文章〉。

**ほんぽ**［本舗・本×鋪］〔文〕ある食品・薬などの製造元である店。〔多く、店の名前に使う〕

**ほんぽう**［本邦］〔文〕わが国。日本。「—初演」

**ほんぽう**［本法］㊀ほんぽう〔文〕本体となる法律。㊁ほんぽう ①この法律。②この方法。

**ほんぽう**［本俸］基本給。本給。

**☆☆ほんぽう**［奔放］《名・ナダ》〔文〕世の中の常識にとらわれず、自分のしたいように ふるまうようす。「自由—な生活」派—さ。

**ほんぼし**［本星］〔俗〕本当の犯人。犯人にまちがいのない容疑者。

**ボンボニエール**〔フ bonbonnière〕「ボンボン②」を入れる容器。陶器や金属などで作られ、装飾がほどこされている。

**ボンボヤージュ**《感》〔フ bon voyage=いい旅を〕〔別れぎわに〕相手の旅の平安をいのることば。ボンボヤージ。

**ぼんぼり**［(:雪洞)］小さな、あんどんの一つ。手に持つものもある。

［ぼんぼり］

**ぼんぼん**［(△坊々)］①〔関西などの方言〕ⓐ坊や。ぼっちゃん。ⓑ若だんな。▽①ぼん。(↕いとはん)②〔俗〕めぐまれて育った世間知らずの男をけいべつして言うことば。「金持ちの—」

**ぼんぼん**［凡々］《タト・タル》〔文〕きわめて平凡なようす。「—たる一生を終わる」

**ぼんぼん**《副》①物が連続して飛ぶ〈音/ようす〉。「荷物を—放りこむ」②勢いよく つぎつぎに進むようす。「新商品が—売れる」

**ボンボン** 〔フ bonbon〕 ①ウイスキーなどを入れたシロップを、砂糖・チョコレートで包んだ菓子。 ②小形の美しいキャンディー。「一入れ」

**ボンボン** ⇩ポンポン。

**ぽんぽん** [一]《副》 ①手・鼓などを続けて打つ音。「一とかしわ手を打つ」 ②〈えんりょなく／勢いよく続けて〉言うようす。「そんなに一言わなくてもいいだろう」 [二]〔児〕おなか。腹。ぽんぽ。 ●**ぽんぽんじょうき**［ぽんぽん蒸気］ ぽんぽんと音を出して走る、小さな蒸気船。ぽんぽん船。

**ポンポン** 〔フ pompon〕 ①帽子の頭などにつける、丸いふさかざり。 ②チアリーダーが両手に持って打ちふる、毛のふさふさした丸いかざり物。▽ボンボン。 ●**ポンポンダリア** 〔pompon dahlia〕 まりのような小さい花がたくさんさくダリア。

**ほんま** 《名・副》〔＝本真〕 関西方言。「ホンマ」とも書く〕 本当。「そら一でっか・一(に)おもろいな・一もんの味」

**ほんまつ**［本末］〔＝もととすえ〕〔文〕大切なことと、それほど大切でないこと。 ●☆☆**ほんまつてんとう**［本末転倒］《名・自サ》 大切なことと、そうでないことのあつかいが、反対になること。「計画に時間をかけて実行できなくなってはーだ」

**ほんまる**［本丸］ ①城の中心になる部分。☞二の丸・三の丸。 ②核心。

**ほんみ**［本身］〔竹光などに対して〕本当の刀。真剣。

**ぼんミス**［凡ミス］ つまらない失敗。

**ほんみだし**［本見出し］〔辞書で〕見出しとして出して、解説をしている項目。本項目。主見出し。(↕空見出し)

**ほんみょう**［本名］ 本当の名前。実名。ほんめい。「一を名乗る」

**ほんみりん**［本〈味×醂〉］ みりん。〔「みりん風調味料」や、飲用の「本直し」と区別するときの言い方〕

**ほんむ**［本務］ ①その人の本来の つとめ。(↕兼務) ②当然つくすべきつとめ。本分。

**ほんめい**［本名］ ⇩ほんみょう。

☆☆**ほんめい**［本命］〔もと、易の用語〕 ①〔競馬・競輪・競技などで〕優勝候補。 ②いちばん有力だと予想される人。 ③いちばん ねらっている〈人／もの〉。「一(に わたす)チョコ」 ▽(↕対抗)

**ほんめい**［奔命］《名・自サ》〔文〕〔ある目的のために〕いそがしく行動すること。「一につかれる」

**ほんもう**［本望］ ①〔文〕前からの のぞみ。本懐。 ②満足。「さぞーだろう」

**ほんもと**［本元］ 本当の もと。「本家一」「一をとげる」

**ほんもの**［本物］ ①本当のもの。また、本当の人〔＝本人〕。「一の金」(↕偽物・偽者) ②いいかげんでない〈こと／もの〉。「あの人の決意は一だ」

**ほんもん**［本文］ ⇩ほんぶん(本文)。

**ほんや**［本屋］ ①本を売る店。書店。 ②〔「ホン屋」とも書く〕《映画・演劇》〔俗〕脚本作家。シナリオライター。 ③〔古風〕出版社。 ④⇩ほんおく。「駅一」

**ほんやく**［本厄］〔前厄や後厄でない〕本当の厄年。

**ほんやく**［翻訳］《名・他サ》 ①ある言語で〈話され／書かれ〉たものを、ほかの言語に〈直すこと／直したもの〉。「一調の文章・外国語に一できない表現」 ②《生》遺伝子の情報をもとにして、たんぱく質を合成すること。

**ぼんやすみ**［盆休み］ お盆のときに取る休暇。盆休。「お一」

**ぼんやり** 《名・副・自サ》 ①形・色・音・味などが、はっきり ほかとは区別されないようす。「一見える・一した色・ところどころ一覚えている」(↕はっきり) ②まとまったことをしないようす。「一暮らす」 ③注意が はたらかない〈ようす／人〉。「一するんじゃない・一とながめる」 [区別] ⇩うっかり。[派]ーさ。

**ポンユー**〔＝朋友〕〔中国語〕〔古風・俗〕友だち。ポンヨウ。

**ぼんよう**［凡庸］《名・ナダ》〔文〕特に、これといってすぐれた点のない〈こと／ようす〉。ふつう。平凡。並。「一な作品」[派]ーさ。

**ほんよみ**［本読み］ ①書物を読むのを好む〈こと／人〉。 ②〔作者・演出者などが〕出演者を集めて脚本を読んで聞かせること。 ③役をもらった俳優が脚本を読みあう〈こと／けいこ〉。読み合わせ。

***ほんらい**［本来］《名・副》 ①いちばん昔の状態。もともと。元来。「『キリギリス』は一コオロギを指した」 ②何かが加わったり、異常が起こったりしていない、ふつうの状態。「一の業務・梅干し一の味」 ③特別な事情が、もしなかった場合。常識で考えた場合。本当。ふつう。「一なら合格できたはず・一許されない行為」 ●**本来無一物** [句]《仏》〔禅宗で〕人間は、本来執着すべき物は何一つ持たない。 ●**ほんらいのめんもく**［本来の面目］ ①《仏》〔禅宗で〕生物が生まれつき持っている心、つまり、仏になれる心。 ②その人本来の持ち味。

**ほんらん**［本欄］ [一]**ほんらん** 〔雑誌などで〕おもな欄。 [二]**ほんらん** 〔文〕この欄。

**ほんりゅう**［本流］ ①〔その川の〕主になる川筋。(↕支流) ②主になる流派。主流。「保守一」 ③〔文〕本格。「一の小説」

**ほんりゅう**［奔流］《名・自サ》〔文〕はげしく流れる〈水／こと〉。「一のように押し寄せる情報」

**ぼんりょ**［凡慮］〔文〕凡人の考え。「一の およぶところではない」

**ほんりょう**［本領］ ①〔文〕本来の領地。 ②本来の特色。特質。「一を発揮する」

**ほんるい**［本塁］ ①〔文〕おもな よりどころにするとりで。 ②《野球》捕手の前のベース。打者が ひと回りしてここへ帰ってくると得点になる。ホーム プレート。 ●**ほんるいだ**［本塁打］《名・自他サ》《野球》ホームラン。

**ほんれい**［本鈴］ 正式に、開始をつげるために鳴らすベル。(↕予鈴)

**ほんれき**［本暦］ 基本になる、くわしい こよみ。(↕略本暦)

**ボンレスハム** 〔boneless ham〕〔骨つきの昔ふうのハムに対して〕骨を取って作ったハム。

☆☆**ほんろう**［翻弄］《名・他サ》〔文〕自分の思うとおりにもてあそぶこと。「敵を一する」

**ほんろん**［本論］ [一]**ほんろん** 〔論文などの〕主になる議論。「序論、一、結論」 [二]**ほんろん** 〔文〕この(議論)。

ほ

**ほんわか**《副・自サ》あたたかな感じに つつまれているようす。「—(と)した気分」

**ほんわり**〔本割〕《すもう》本場所での正規の取組。〔優勝決定戦はふくまない〕

**ほんわり**《副・自サ》①空気のように形のはっきりしないものから受ける、やさしい感じ。「料理から—と かおりが流れる・—(と)したユーモア」 ②心が なごみ、軽くなる感じ。「絵本を見て—(と)した」

# ま　マ

**ま**〔真〕㊀ま 本当。㊁【造】①まじめな。「—顔・—人間」 ②完全な。規則正しい。「—四角・—帆」(↕片)　③まじりけのない。「—水」 ④ちょうど。「—上・—裏・—東」 ⑤〔その動植物のなかまで〕いちばん代表的な。「—あじ(鯵)・—がも(鴨)・—竹」〔さかなの場合が多い〕 ●**真に受ける**【句】〔言われたことなどを〕そのとおりに受け取る。「じょうだんを—」

*****ま**〔間〕㊀ま ①(何かと何かの あいだの)時間。「—を空ける・—を置く・ちょっとの—に・まだ—がある」 ②〔芝居など〕せりふと せりふのあいだの、何も言わない時間。〔日本音楽で〕音と音とのあいだ。 ③あいだの空間。「じゅうぶんに—を取る・—を詰める」☞木の間。 ④ちょうどいい ころあい。しお。「—を見はからう」 ⑤ものごとのはこびぐあい。その場のぐあい。 ⑥部屋。ざしき。「八畳—・奥の—」 ㊁【接尾】部屋を数えることば。「ふた—」 ●**間が抜ける**【句】①時や場合に あわず、へんな感じがする。「間の抜けた あいさつ」 ②あるべきものがなくて、へんな感じがする。「間の抜けた風景」 ③注意力に欠ける。「間の抜けたところがある人」 ④ばかげた感じがする。「間の抜けた声」☞間抜け。 ●**間が持てない**【句】会話が とぎれたりして、時間が、うまく うまらない。間が持たない。「二人でバスを待つのは—ものだ」〔肯定形は「間が持てる」「間が持つ」〕 ●**間が悪い**【句】①できごとや行動の、時間や間隔が悪い。「間の悪いなりゆき・今こんな話をするのは—」 ②きまりが悪い。「間の悪そうな顔をする」 ●**間に合う**【句】①〔その場の〕役に立つ。用が足りる。「当座の—・急場の—・三万円あれば—・間に合ってます〔=ご用聞きや訪問販売をことわるときのことば〕」 ②〔時間・時期に〕おくれずにすむ。「電車に—・とても今年や来春の間に(は)合わない」【他】間に合わせる。「突貫工事で—・出来合いのもので—」☞間に合わせ。

**ま**〔魔〕㊀ま ①《仏》人の心をなやまし、修行をじゃまするという悪い神。悪魔。 ②〔西洋で〕人間以上のふしぎな力を持ち、人の命をおびやかすと考えられるもの。 ③〔—の〕あぶない。おそろしい。「—の踏切・—の二歳児〔=わがままな年ごろ〕」☞魔の手。 ㊁【造】①度をこして、あることをする人。「収集—・電話—」 ②悪魔のように悪いやつ。「放火—」 ●**魔が差す**【句】〔=悪魔が ふとあらわれる〕ふと悪い考えが起こる。【アク】まがさす。

**ま**㊀《副》①〔話〕まあ。まず。「—、そんなところでしょう」 ②〔古風〕いま。もう。「—一つ」 ㊁《感》〔話〕まあ。「そんなことを、—、言ってみたんですが・あら—〔女〕」

******まあ**㊀《副》①不十分だが。いちおう。「—いいでしょう・あれでも—学者のうちだろう」 ②正確ではない(かもしれない)が。「—そんなところだ・—ねずみか何かの しわざだろう」 ③はっきりした理由はないが。「—やめておきます」 ④あとで どうするかは ともかく。いちおう。「—書いてみました・—考えておこう〔遠まわしに ことわるときにも使う〕」 ⑤とりあえず、そうするように うながすことば。「—お上がりください」 ⑥相手の気持ちをおさえ、なだめるときのことば。「—そうおこるなよ」 ⑦本当に。非常に。まー。▽ま。 ㊁《感》①〔話〕ことばをさがすときに使う。「ええ、—、その…」 ②〔女〕おどろいたときのことば。んまあ。「—、どうしましょう」▽まー。ま。☞まあまあ。

**まあい**〔間合い〕①(ちょうどいい)間隔。「—をとる・—をつめる」 ②(ちょうどいい)ころあい。「—をはかって突撃する」

**マーカー**〔marker〕①(色でしるしをつけるための)フェルトペン。 ②兆候をしめすもの。「腫瘍—」

**マーガリン**〔margarine〕植物油・動物脂肪などを原料とした、バターに似た食品。

**マーガレット**〔marguerite〕①西洋草花の名。夏、キクに似た白い花が分かれた枝の先にさく。 ②《服》毛糸で編んだ(そでの ついた)女性用肩かけ。

**マーキュロクロム**〔Mercurochrome〕《医》水銀をふくむ、紅色の消毒剤。赤チン。マーキュロクローム。マーキ(ュ)ロ。〔日本では製造中止〕

**マーキング**《名・自他サ》〔marking〕①しるしをつけること。「人が立つ位置〈に/を〉—する」 ②《動》動物が尿をかけたり においをつけたりして、なわばりをしめすこと。

☆☆**マーク**《名・自他サ》〔mark〕①しるし(をつけること)。記号。符号。 ②記録すること。「大会新を—する」 ③《サッカーなど》敵の選手の行動をさまたげるために つきまとうこと。 ④気をつけて監視すること。 ⑤《服》強調して見せる。「ベルトでウエストを—する」 ●**マークアップ**〔markup〕㊀《経》利ざや。マージン。㊁《名・他サ》《情》文書のレイアウトや書式などを表す目印を書きこむこと。「—言語」 ●**マークシート**〔和製mark sheet〕用意された長円形などの空欄のうち、当てはまるものを選んで、えんぴつで ぬりつぶすようになっている用紙。光を当てて内容を読み取る。「—方式の試験」

☆☆**マーケット**〔market〕①市場。「—街」 ②《経》⇩市場②。「—の開拓・金融—」 ●**マーケットリサーチ**〔market research〕《経》⇩市場調査。

☆☆**マーケティング**〔marketing〕《経》製品がたくさん売れるように、販売計画・宣伝法・市場の調査などを、じょうずに組み合わせておこなう活動。販売戦略。マーケッティング〔古風〕。マーケ。 ●**マーケティングリサーチ**〔marketing research〕《経》⇩市場調査。MR。

**マージ**《名・他サ》〔merge〕《情》〔コンピューターで〕複数のファイルを合わせ、重複するものは削除して、一つのファイルにすること。

**マージナル**《ナダ》〔marginal〕①周辺的なようす。「—な分野」 ②限界に近いようす。

**マージャン**〔(:麻雀)〕〔中国語〕中国で始まった、室内ゲーム。百三十六枚のパイを使い、四人で遊ぶ。「—

を打つ・—荘(⇩ジャン荘)・—パイ」

☆☆**マージン**[margin]①商売での、利ざや。もうけ。②手数料。③〔印刷物の〕余白。

**まあたらし・い**[真新しい]《形》まったく新しい。「—洋服」派—さ。

**マーチ**[march]①《音》行進曲。②行進。

**マーチャンダイジング**[merchandising]〔経〕商品(化)計画。消費者の欲求を満たすような商品を市場に提供する企業活動。

**マーチング**[marching]行進。「—バンド」

**マート** 造[mart=市場]食料品などを売る店。マーケット。〔食料品店の名前に使う〕

**まあね**《感》《話》あいまいにあいづちを打つときのことば。

**マーブル**[marble]①大理石。②大理石の表面のような模様(のある紙)。「—シフォンケーキ」

**マーボー**[(:麻婆)](中国語)①↑マーボー豆腐。「—丼・—めん」②ひき肉をいため、トウバンジャンなどで味つけしたものを使った料理。「—なす・—はるさめ」▽マーボ。●**マーボーどうふ**[(:麻婆)豆腐]いためたひき肉と、小さく切ったとうふをスープで煮て、トウバンジャンなどで味つけした料理。マーボどうふ。

**まあまあ** 一 **まあまあ**《副》完全にではないが、ある程度まで行っているようす。「—知っている・—満足した」二 **まあ-まあ**《副》「まあ一」をくり返し、気持ちを強めた言い方。「—どうぞ・—おちついて」三 **まあ-まあ**《感》〔女〕「まあ二②」を強めた言い方。「—お久しぶり」

**マーマレード**[marmalade]オレンジなどのかんきつ類で作るほろ苦いジャム。細切りにした皮を入れる。ママレード。

**マーメイド**[mermaid]人魚。マーメード。

**マーラー**[(:麻辣)]選(中国語)トウガラシのからさと、舌がしびれるようなホアジャオの刺激が合わさった味。「—タン(=スープ)・—担々麺」

**マーラーカオ**[中国 馬拉糕]中国ふうの、カステラのような蒸しパン。マーライコ(ー)。

**まい** 一[舞い]まうこと。二[舞]音楽などにあわせて、からだや手足をゆるやかに動かす芸術。日本の舞は原則として、すり足で動く。☞踊り。

*__まい__《助動特殊型》〔否定意志・否定推量の助動詞〕①否定の意志をあらわす。…(し)ないことにしよう。…(し)ないつもりだ。「二度と行く—と思う・決して し—とちかう」②否定の推量をあらわす。…(し)ないだろう。「まだ花は咲く—・よろこぶ—ことか(=非常によろこんだ)・あろうことか ある—ことか(=あってはならないことに)」③〔…では ある—し など〕…ではないのだから。「しろうとじゃある—し、そんなことができないはずはない」④〔…しようが…し—が など〕…しても…しなくても。「行こうが行く—が、勝手にすればよい」✓五段の動詞の終止形、五段以外の動詞の未然形につき、「行くまい」「見まい」「出まい」「しまい」「来まい」のように言う。ただし、「見るまい」「出るまい」「す(る)まい」「来(る)まい」の形も多い。由来 文語助動詞「まじ」の変化。

**まい**[毎]接頭 それぞれの。…ごと。「—土曜日に(=土曜日ごとに)」

**__まい__[枚]接尾 ①〔紙・板など〕平たくてうすいものを数えることば。「はがき五—・ざる(そば)一—・子どもに着物一—(=一枚も)残してやれない」②原稿用紙を数えることば。「五百—の長編」③〔すもう〕番付で、席次を数えることば。「五—あがった」④〔すもう〕その階級の人数。「幕内を二—ふやす」⑤〔サッカー〕攻撃・防御の人数。「四—で攻める」⑥釣ったさかなを数えることば。⑦田畑の区画を数えることば。「田一—」⑧〔俗〕前科を数えることば。「前が何—もありましてねえ」

**まい**[米]選(…でとれる)こめ。「新潟—」

**まい**[妹]選〔文〕いもうと。「異母—」

**マイ** 選[my]①わたしの。自分の。わたしだけの。「—ウェイ(=わが道)・—ホーム」②自分専用の。「—箸・—バッグ(=自分用の(エコ)バッグ)」✓「あなたのマイバッグ」は、英語式に考えるとおかしいが、日本語ではふつう。

**まいあが・る**[舞い上がる]《自五》①舞うようにゆるやかに〈空/うえ〉へ上がる。「ほこりが—」②調子づく。有頂天になる。「舞い上がってさわぐ」他 舞い上げる(下一)。

**まいあき**[毎秋]毎年の秋。まいしゅう。「—恒例」

**まいあさ**[毎朝]毎日の朝。朝ごと。

**まいおうぎ**[舞扇]舞を舞うときに手に持つ扇。

**まいおさ・める**[舞い納める]《他下一》①舞い終わる。②最後の舞を舞う。名 舞い納め。

**まいお・りる**[舞い降りる]《自上一》高いところから舞うようにしてゆるやかにおりる。舞いくだる。

**マイカー**[和製 my car]自家用の乗用車。自分の車。「—通勤・—族」

**まいかい**[毎回]一回ごと。そのたびごと。

**まいかい**[×玫×瑰]①中国産の、きれいな赤い石。②はまなす。

**まいかん**[毎巻]〔文〕一巻ごと。

**まいき**[毎期]一期ごと。期ごと。

**まいきゃく**[埋却]《名・自他サ》〔文〕〈うめる/うもれる〉こと。「家畜の—処分」

**まいきょ**[枚挙]《名・他サ》〔文〕いちいち数えあげること。●**枚挙にいとまがない** 句 あまりに多くて、いちいち数えあげることができない。

**マイク**(↑マイクロフォン)音声を電気信号に変える装置。「—スタンド・—をお返しします(=中継放送で、スタジオに切りかえるときのことば)」

☆☆**マイクロ**[micro]一 **マイクロ** ①百万分の一〔記号μ〕。ミクロ。「—グラム・—セカンド(=百万分の一秒)」☞ミリ①・ナノ。②↑マイクロフィルム。③↑マイクロバス。二 選 ごく小さいこと。「—テレビ・—ビジネス」●**マイクロウェーブ**[microwave]〔理〕⇩マイクロ波。●**マイクロは**[マイクロ波]〔理〕波長が一メートル以下の電波の総称。テレビ放送や電子レンジ、レーダー、各種の通信などに使う。マイクロウェーブ。●**マイクロバス**[microbus]十人から三十人ぐらいまで乗れる、小型のバス。マイクロ。☞ミニバス。●**マイクロファイバー**[microfiber]直径が数マイクロメートルの、非常に細い合成繊維。モップに使うと、ほこりをよく吸いつける。「—クロス・—パンツ」●**マイクロフィルム**[microfilm]以前、書物などの内容を写すのに使った、三十五ミリ幅のフィルム。マイクロリーダーで拡大して読む。マイクロ。●**マイクロフォン**[microphone]⇩マイク。〔「マイクロホン」とも〕

•**マイクロプラスチック**〔microplastic〕海中でこなごなにくだけた、大量のプラスチックごみ。さかなが食べるなど、環境に深刻な影響がある。•**マイクロプロセッサー**〔microprocessor〕《情》コンピューターの心臓部に当たる、超小型の演算処理装置。MPU。マイクロプロセッサ。•**マイクロマシン**〔micromachine〕超小型の機械。一立方センチ程度の大きさに、モーター・センサーなどの部品が組みこまれる。•**マイクロメーター**〔micrometer〕ねじの回転を利用して、物の長さを精密にはかる器具。•**マイクロメートル**〔micrometer〕長さをあらわす国際単位〔記号 μm〕。千分の一ミリメートル。〔「ミクロン」の新しい言い方〕•**マイクロリーダー**〔microreader〕マイクロフィルムを読むための装置。

**まいげつ**［毎月］つきづき。まいつき。

**まいこ**［舞×妓・舞子］〔京都、祇園で〕宴会で舞を舞う少女。

**まいご**［迷子］いっしょにいたおとなとはぐれて、家に帰れない子ども。また、道にまよった子ども。まよいご。〔おとなにも言う〕

**まいごう**［毎号］号ごと。

**まいこつ**［埋骨］《名・自他サ》〔文〕(葬式をすませた)死んだ人のほねを墓にうめ(て供養す)ること。「―式」

**まいこどん**［舞子丼］割いたドジョウのたまごとじをのせた、どんぶりごはん。柳川丼。舞子どんぶり。【由来】舞子は、滋賀県にある、ドジョウの名産地。

**マイコプラズマ**〔mycoplasma〕《医》細菌とウイルスの中間の微生物群。「―肺炎」

**まいこむ**［舞い込む］《自五》①舞うようにしてはいる。「雪が―」②(ふらりと)思いがけないものが、はいって来る。「みょうな手紙が舞い込んできた」

**マイコン**〔↑マイクロコンピューター〕《情》①電気製品に組みこんで使う、超小型のコンピューター。②「パソコン」の、一九七〇～八〇年代前半の言い方。

**まいさく**［毎作］〔新しい〕作品ごと。

**まいじ**［毎時］一時間〈ごと/につき〉。「―三〇分出発・―五〇キロのスピード」

**まいしゅう**［毎週］一週間ごと。

**まいじゅん**［毎旬］〔文〕一旬(=十日間)ごと。

**まいしょく**［毎食］食事ごと。

**まいしん**［×邁進］《名・自他サ》全力でつき進むこと。「出世街道を―する・職務に―する・一路―・勇往―」

**まいす**［△売△僧］①正しくないおこないをする僧。②僧をののしって呼ぶことば。

**まいすう**［枚数］紙・着物など「枚」をそえて数えるもののかず。

**まいすがた**［舞姿］舞を舞うすがた。「天女の―」

**マイスター**〔ド Meister=徒弟制度の親方〕①〔職人などの〕名人。〔資格の名や称号に使う〕「―制度(=熟練技能者を認定・支援するしくみ)・コーヒー―」②巨匠。マエストロ。

**まいせつ**［埋設］《名・他サ》〔文〕地下にうめて設備すること。

**まいそう**［埋葬］《名・他サ》(葬式をすませた)死んだ人のからだや骨を土の中にうめること。

☆☆**まいぞう**［埋蔵］《名・自他サ》①土の中にうずめかくすこと。「―品」②土の中にうずまっていること。「―量・―文化財」•**まいぞうきん**［埋蔵金］①地中にうめてかくした金塊やお金。「徳川の―」②一般に知られていない積立金や余剰金。

**まいたけ**［(舞×茸)］花びらのような茶色のかさが集まってはえる、食用のキノコ。歯切れがよく、独特の味とかおりがある。「―の天ぷら・―のバターいため」

**まいちもんじ**［真一文字］まっすぐ。「―に突進する」

**まいちる**［舞い散る］《自五》舞うようにして散る。「風に―桜の花・雪が―・砂が―」

**まいつき**［毎月］一か月ごと。つきづき。

**まいった**［参った］《感》武道の試合などで、自分が負けたことを知らせるときに言うことば。☞参る【一】④。

**マイト**《理》↑ダイナマイト。

**まいど**［毎度］【一】《名・副》①そのたびごと。毎回。「会議には―顔を出す」②いつも。「―おなじみのせりふ・〔店で〕―ありがとうございます〔俗に『毎度あり〔―〕』〕」▽まいたび。【二】《感》〔もと大阪方言〕↑毎度おおきに。

**まいとし**［毎年］一年ごと。としごと。まいねん。

☆☆**マイナー**《名・ナダ》〔minor〕①小規模である〈こと/さま〉。「―チェンジ」②次に位すること。「―スポーツ・―リーグ(=アメリカのプロ野球では、メジャーリーグより下位のリーグ)」③《音》短音階。「―調(=短調)」▽(↔メジャー)【派】―さ。

**まいない**［(:賄賂)］〔文〕わいろ。

**マイナス**〔minus〕【一】《名・他サ》①《数》ⓐ減らす〈こと/しるし〉。「―」。「A―B・A―(=評価で、Aの下)」ⓑ負数(をあらわすしるし)。「―」。負。「―成長(=減少・低下)」②不利(になること)。「君の将来に―だよ・―効果」③損失。不足。赤字。「百万円の―」④《理》陰。陰極。負。⑤「―」の形のもの。「―ドライバー・―ねじ」【二】《名・ナダ》悪い〈こと/面〉。「―〈の/な〉評価・―イメージ」▽【一】【二】(↔プラス)

**まいなつ**［毎夏］毎年の夏。まいか。「―の旅行」

**マイナンバー**〔和製 my number〕国民一人一人に政府が割りふった十二けたの番号。社会保障や税に関する手続きなどで使われる。個人番号。「―カード」〔二〇一六年から利用開始〕

＊**まいにち**［毎日］①同じようにくり返す、それぞれの日。「―の通勤・猛訓練の―」②一日もとぎれないこと。「客が―のように来る・―練習する」

**まいにゅう**［埋入］《名・他サ》《医》からだの中にうめて入れること。「人工歯根を―する」

**マイニング**《名・他サ》〔mining=採掘〕《情》①大量のデータを人工知能や統計学の技術を使って分析し、かくれている法則を見つけること。「データ―」②暗号資産の取引を記録する膨大な作業を自分のパソコンで分担し、報酬を得ること。

**まいねん**［毎年］一年ごと。としごと。まいとし。

☆☆**マイノリティ(ー)**〔minority〕少数(派)。「性的―・民族的―」(↔マジョリティ(ー))

**まいはる**［毎春］毎年の春。まいしゅん。

**まいばん**［毎晩］どの晩も。よごと。毎夜。

**まいひめ**［舞姫］〔雅〕ダンス・バレエをする女性。

**まいびょう**【毎秒】一秒〈ごとにつき〉。

**マイブーム**〔和製 my boom〕個人的に今、熱中していること。「カラオケが—」〔漫画家・みうらじゅんが作ったことばで、一九九〇年代後半に広まった〕

**まいふゆ**【毎冬】毎年の冬。まいとう。

**まいふん**【毎分】一分〈ごとにつき〉。

☆☆**マイペース**〈名・ナダ〉〔和製 my pace〕〔仕事などを〕自分に適した速度で進めること。「—で行こう・—な人」

**マイホーム**〔和製 my home〕〔楽しい〕わが家。持ち家。「—主義〔=家庭の幸福を第一にしようとする考え方〕」

**まいぼつ**【埋没】〈名・自サ〉①すっかりうずもれてしまうこと。「地中に—する」②世間にうずもれて、人に知られなくなること。「僻地に—する」③あることにひたりきってしまうこと。「仕事に—する」

**まいまい**【舞々】①〔↑まいまいむし〕ミズスマシの別名。②〔↑まいまいつぶろ〕カタツムリの別名。

**まいまい**【毎々】〈副〉〔文〕いつも。常に。毎度。

**マイム**〔mime〕⇩パントマイム。

**まいもど・る**【舞い戻る】〈自五〉〔よそへ出て行った者が〕元の所へもどる。「東京へ—」

**まいゆう**【毎夕】夕方ごと。毎晩。

**まいよ**【毎夜】よごと。毎晩。

***まい・る**【参る】㊀〈自五〉①〔多く**参ります**〕「行く・来る」の〈けんそんした/丁重な〉言い方。「すぐ参りますのでお待ちを・お車が参りました」②〔古風〕「行く・来る」の重々しい言い方。「見物に参ろう・窓口一本化とは参らぬのである」✓「参られる」は、昔の武士などが、「遊びに参られよ」のように使った。これは、丁重な、または②の重々しい意味の「参る」に、尊敬の助動詞「れる」がついたもの。現代でも、「部長が参られました」のように言うが、①のけんそんの意味が感じられ、好まない人が多い。「いらっしゃる」と言うとよい。③〔寺・神社などに〕おまいりをする。④負ける。降参する。「あの演技力には—・どうだ、参ったか」⑤困る。閉口する。「母に泣かれたのには参った」⑥〔からだが〕弱る。「暑さに—」⑦しんそこからほれる。「彼女に—」⑧〔古風〕剣(道)の勝負をする。「一本—ぞ」㊁〈自五〉〔手紙〕〔文・女〕あて名のわきづけに書くことば。「真一様—」㊂【参る】〈他五〉〔古風〕〔酒などを〕さしあげる。「一献—」㊃〈補動五〉〔多く**てまいります**〕「行く・来る」の〈けんそんした/丁重な〉言い方。「精進して—所存です・行ってまいります・暑くなってまいりました」
[可能]参れる。☞参った。

**マイル**〔mile〕①ヤードポンド法の、長さの単位。一マイルは約一六〇九メートル。[表記]「哩」とも書いた。☞海里。②マイレージの単位。飛行距離に応じてあたえられる。「—をためる」•**マイルストーン**〔mile-stone〕①〔一マイルごとに置かれた〕道しるべの石。里程標。②歴史や人生の大きな区切りとなるできごと。③〔ビジネスで〕工程上の重要な節目〔における成果物〕。

☆☆**マイルド**〈ナダ〉〔mild〕①〔態度・気候が〕おだやかなようす。②〔味が〕刺激が少なくてほどよいようす。

**マイレージ**〔mileage=総マイル数〕〔↑マイレージサービス〕航空会社などがおこなう特典サービス。一定距離を搭乗した客に、無料航空券を発行するなど。☞マイル②。

☆☆**マインド**〔mind〕①心。精神。②〔何かをしようとする〕気持ち。「—が冷えきる・消費—」•☆☆**マインドコントロール**〈名・他サ〉〔mind control〕①自分の心理状態を意のままにすること。②洗脳などによって、他人の考え方や行動のしかたを意のままにすること。•**マインドフルネス**〔mindfulness=意識すること〕自分の判断を加えず、今の瞬間をあるがままに知覚することで、得られる気づき。また、そのための瞑想や、それを取り入れた心理療法。

**ま・う**【×眩う】〈自五〉〔目が〕くらむ。

**ま・う**【舞う】〈自他五〉①ひらひらとゆるやかに空中を動く。「ちょうが—・木の葉が—・粉雪が—」②輪をかいて空中を回る。「とんびが—」③舞をする。「一つ舞おうか・舞を—」④能を演じる。「羽衣を—」
[可能]舞える。

**まうえ**【真上】ちょうど上。〔↔真下〕

**マウス**〔mouse〕①〔実験用の〕ハツカネズミ。②〔コンピューターで〕片手に持って、机の上で動かして使う入力装置。〔形や動きがネズミに似ているところから〕•**マウスパッド**〔mouse pad〕「マウス②」を操作するときに使う下じき。

**マウスウォッシュ**〔mouthwash〕口の中を殺菌したり口臭を予防したりするための液体。

**マウスピース**〔mouthpiece〕①〈ボクシングなど〉試合中、舌や歯を損傷しないように、口に入れる防具。マウスガード。②管楽器の、口にあてる部分。

**まうら**【真裏】ちょうど裏にあたるところ。「家の—」

**マウンティング**〈名・自他サ〉〔mounting〕①〈動〉サルが、優位を示すためにほかのサルの背に乗る動作。②自分の優位を示すこと。「マウント㊀③」を取ること。「聞きかじりの知識で—してくる男」〔二〇一〇年代に広まった用法〕

**マウンテン**[選]〔mountain〕①山で用いる。「—パーカー〔=〔登山用の〕防寒パーカー〕」②山でおこなう。山の。「—マラソン・—ロッジ」•**マウンテンバイク**〔mountain bike〕野山などを走るために、深いみぞのある太いタイヤがついた、がんじょうな作りの自転車。MTB。☞ロードバイク・クロスバイク。

**マウント**〔mount〕㊀〈名・自他サ〉①のること。のせること。「ロボットに武器を—する・パソコンにハードディスクを—〔=接続して使えるように〕する」②〔プロレスなどの技で〕馬乗り。「—〔ポジション〕を取る」③自分の優位を示す言動。「まちがいを指摘して—を取る〔=マウンティングする〕」〔二〇一〇年代に広まった用法〕㊁①台座。台紙。②レンズ交換式カメラの本体側の接合部。

**マウンド**〔米 mound〕〈野球〉投手がボールを投げる、小高くもり上がった所。ピッチャーマウンド。「—に登る・おちついた—さばき〔=ピッチング〕」•**マウンドを踏む**[句]〈野球〉投手として試合に出る。マウンドに立つ。

****まえ**【前】㊀**まえ** ①正面のがわ。顔のあるがわ。「和服の—」②正面の方角。前方。「—を見ろ・猛攻の—に手も足も出ない・厳しい現実を—に(して)なやむ」③先頭に近いほう。「—の列」▽〔↔後ろ〕④他人のいる

ま

ところ。面前。「子どもの―でそんな話はするな」⑤〔ばくぜんと〕昔。以前。「―に来たことがある・―どおり つきあう」⑥ある時が まだ来ない時期。それ以前。「テスト〔の〕―に先生に質問する〔『テストを―《=目前》に〔して〕』とも〕」〔↔後〕⑦順番が ひとつ早いこと。「―の日・荒木《=剣豪の荒木又右衛門》の―に荒木なく、荒木の あとに荒木なし」〔↔次・後〕⑧〔マエ〕〔俗〕前科。「―がある」⑨〔俗〕陰部。「―をかくす」 [二][造] ①それだけの時間をさかのぼった時。「今から三年―・ちょうどその二年―」 「八時三十分前」は、ふつう「七時三十分」の意味だが、「八時三十分になる前〔=七時二十八、九分ぐらい〕」と受け取る人もいる。「七時三十分」と言えば まちがいがない。②〔法〕〔その時をふくまずに〕その時までの期間。「法律の施行―において」 ☞以前[二]②。▽〔↔後〕 [三][接尾] ①割り当ての分。「五人―の料理・半人―の仕事」②昔、貴婦人の名前にそえた尊敬語。御前。「玉藻の―」 ●前に落ちる[句]《すもう》前方に両手をつく。●前を向く[句] 積極的な気持ちになる。「今度は負けないと―」

**まえあき**【前開き・前明き】《服》セーター・スカートなどの、前があいて、ボタンなどで とめるようになっている〈ところ/もの〉。〔↔後ろ開き・背開き〕

**まえあし**【前足】①前に出したほうの足。〔↔後ろ足〕②【前脚】動物の、前のほうの足。前肢。〔↔後足・後ろ足〕

**まえいわい**【前祝い】《名・自サ》成功・成立を見こして、前もって祝うこと。また、その祝い。

**まえうしろ**【前後ろ】①前とうしろ。「スカートの―がわからない」②うしろまえ。

**まえうり**【前売り】《名・他サ》入場券などを興行・行事などの当日よりも前に売ること。「―券」〔↔当日売り〕

**まえおき**【前置き】《名・自サ》〈本論/おもな話〉にはいる前に のべること。また、そのことば・文章。

**まえかがみ**【前〈△屈み〉】からだが前のほうに かがむこと。まえこごみ。「―に歩く」

**まえがかり**【前〈掛かり〉】①《サッカーなど》攻撃を重視した〔守備がおろそかになっている〕陣形。「―になりすぎないように」②前のめり。「―の姿勢」

**まえがき**【前書き】本文の前に書きそえる文句。〔↔あとがき〕

**まえがき**【前〈×掻き〉】動物が前足で地面などをかくこと。

**まえかけ**【前掛け】①〔酒店などの商人が〕衣服がよごれないように、ひざの前に かける厚い布。まえだれ。②〔古風〕エプロン。

**まえかご**【前籠】自転車などの前についている、荷物を入れるための かご。

**まえがし**【前貸し】《名・他サ》給料などを、しはらう日より前に貸すこと。先貸し。〔↔前借り〕

**まえがしら**【前頭】《すもう》十両の上、三役の下の幕内力士〔の位〕。平幕。「―筆頭・―三枚目」☞ぜんとう〔前頭〕。

**まえかの**【前カノ】〈↑前の彼女〉〔俗〕現在の恋人の前に恋人だった女性。また、いちばん最後に別れた女性。〔↔今カノ〕

**まえかぶ**【前株】〔俗〕⇩あたまかぶ〔頭株〕②。〔↔後株〕

**まえがみ**【前髪】①ひたいに近い部分にはえている かみの毛。②ひたいの前に短くたらした髪。バング。③昔、まだ元服しない男子。

**まえがり**【前借り】《名・他サ》給料などを、しはらわれる日より前に借りること。先借り。〔↔前貸し〕

**まえかれ**【前彼・前カレ】〈↑前の彼氏〉〔俗〕現在の恋人の前に恋人だった男性。また、いちばん最後に別れた男性。〔↔今彼〕

**まえきん**【前金】前もって〈代金をはらうこと/はらう代金〉。ぜんきん。「―で受ける」〔↔後金〕

**まえくづけ**【前句付け】〔俳諧で〕出題された七・七の句〔=前句〕に、五・七・五の句〔=付句〕をつけるもの。例、「切りたくもあり切りたくもなし」に「盗人を捕らえて見れば わが子なり」とつけるなど。〔現代の大喜利では、答えの五・七・五を「前句」として先に出題された七・七を後につけて言う〕☞川柳。

**まえげいき**【前景気】事が始まる前の景気。「―は上々」

**まえこうじょう**【前口上】〈本すじ/芸〉にはいる前の口上。

**まえこごみ**【前〈△屈み〉】〔古風〕まえかがみ。

**まえさがり**【前下がり】〔着物・髪型などで〕前の部分が、うしろよりも下がっていること。「―のボブ」〔↔前上がり〕

**まえさばき**【前〈×捌き〉】①《すもう》立ち上がったあと、有利な組み手になるために相手の手をはねかえして争うこと。②ものごとをうまく進めるために前もって行うことがら。

**まえじらせ**【前知らせ】事前の知らせ。前兆。

**マエストロ**〔イ maestro〕〔音楽などで〕名匠。巨匠。

**まえずもう**【前相撲】すもうの番付にまだ名前がのっていない、新弟子で検査に合格したばかりの者の取組。

**まえせつ**【前説】〈↑前説明〉〔公開放送・舞台などで〕本番が始まる前に、客に趣旨や注意事項を説明したり、会場のふんいきを盛り上げたりする〈こと/人〉。

**まえせんでん**【前宣伝】売り出し・もよおし物などの前におこなう宣伝。

☆**まえだおし**【前倒し】《名・他サ》予定を早めておこなうこと。「公共事業の―発注・選挙を―する」〔↔後ろ倒し〕[動]前倒す〔他五〕〔俗〕。

**まえたて**【前立て】《服》ブラウス・ズボンなどの前あきに、別につける細長い布。〔ボタンをつける所〕

**まえだて**【前立て】かぶとの前につける しるし。例、伊達政宗の前立ては三日月。

**まえだれ**【前垂れ】①⇩まえかけ①。②〔俗〕新聞売り場に はる、記事の見出しを書いた垂れ幕。チンピラ〔=陳列ビラ〕。●まえだれ〈がけ〉せいしん【前垂れ〈がけ〉精神】えらそうにしないで商売人のようにふるまう精神。

**まえづけ**【前付け】本の前のほうにつける、序文・目次・凡例などの部分。〔↔後付け〕

**まえどり**【前撮り】行事の日よりも前に、その日の

服装で写真をとること。「成人式の—」(↔後撮あとどり)

**まえにわ**[前庭]まへには 建物の前にある庭。

**まえにんき**[前人気]まへ— ものごとが始まる前の人気。「—が高い・—をあおる」

**まえのめり**[前のめり]まへ— 一 たおれそうに、からだが前へかたむくこと。二(名・ダナ)①先走ること。「—の議論は避さけたい」②〔俗〕積極的であるようす。「—になって学ぶ」

**まえのり**[前乗り]まへ—(名・自サ)①仕事先の土地に、前日から行くこと。前入り。「映画のロケのために—する」☞先乗り②。②〔サーフィンで〕人の波に割りこむこと。③〔バスで〕前のドアから乗る方式。(↔後ろ乗り)

**まえば**[前場]まへ—〔能〕二部構成の演目の前半。中入りの前。(↔後場のちば)☞ぜんば(前場)。

**まえば**[前歯]まへ— ①口の中の前のほうにある歯。門歯。(↔奥歯おくば)②げたの、前のほうの歯。

**まえはば**[前幅]まへ—〔服〕和服で、前身ごろの片がわの幅。(↔後ろ幅)

**まえばらい**[前払い]まへばらひ(名・他サ)〈品物の受けわたし/しはらい日〉の前に、お金をはらうこと。先払い。(↔後払い)

**まえひょうばん**[前評判]まへ— ある事が正式におこなわれる前の評判。「—ほどではない」

**まえびろに**[前広に]まへびろ—〔副〕前もって。あらかじめ。「—検討する」

**まえふり**[前振り]まへ— ①本題にはいる前にする話。前置き。ふり。「—が長い」②〔体操で〕からだを前にふること。「懸垂けんすい—」(↔後ろ振り)③〔服〕シャツのそでを、うでを少し前にふったときの形につけたもの。

**まえぶれ**[前触れ]まへ— ①あらかじめ知らせること。予告。「台風の—だ」②何かが起こるしるし。前兆。「なんの—もなしに」

**まえへ-ならえ**[前へ倣え]まへへならへ(感・名) たてに列を作るとき、前の人に向かって、両手を内がわに向けたまま平行にのばして整列させる号令。「小さく—」〔幕末から使われる〕

**まえまえ**[前々]まへまへ 以前。「—から」

**まえみごろ**[前身頃]まへ—〔服〕身ごろの、前の部分。前身みまえ。(↔後ろ身頃)

**まえみつ**[前(×褌)]まへ—〔すもう〕力士がまわしをしめたとき、からだの前にくる部分。前まわし。

**まえむき**[前向き]まへ—(名・ダナ)①正面を向くこと。「—駐車」(=前面をかべに向けて駐車すること)②積極的な気持ちであること。「—に生きる・—に(=実現する方向で)検討する」〔政治家や役人の言いのがれの答弁によく使われる〕▽(↔後ろ向き) 派—さ。

**まえもって**[前もって]まへ—〔副〕〔もって=以て〕何か〈をする/が起こる〉前に。「—相談する」

**まえやく**[前厄]まへ— 厄年やくどしの前の年。(↔後厄あとやく)

**まえわたし**[前渡し]まへ— 一(名・他サ)〈受けわたしのとき/約束の日〉より前に、お金をわたすこと。二 手付け。

**まおう**[魔王] ①〔仏〕天魔の王。②悪魔の王。

**マオカラー**〔Mao(=毛沢東もうたくとう) collar〕〔服〕〔中国ふうの〕立ちえり。

**まお・す**[(△申)す]まをす〔他四〕〔祝詞のりとなどで〕もうしあげる。「かしこみかしこみも(=心からおそれつつしんで)—」

**マオタイしゅ**[(:茅台)酒]〔「茅台」は中国語〕コーリャンを主原料とする、中国の蒸留酒。アルコール分は五〇パーセントをこえる。マオタイチュー。

**まおとこ**[間男]まをとこ 一(名・自サ) 夫のある女性がほかの男性とこっそり関係を結ぶこと。二 夫のある女性とこっそり関係を結んだ男性。

**まかい**[魔界] 悪魔のすむ世界。魔境。

**まがい**[(△紛い)]まがひ ①まがうこと。「—(も)なく当の本人だ・詐欺さぎ—」②まがいもの。「—の真珠しんじゅ」•**まがいもの**[(△紛い)物] にせもの。

**まがいぶつ**[磨崖仏] 岩壁がんぺきを彫ほってつくった仏像。「国東くにさき半島の—」

**まが・う**[(△紛う)]まがふ〔自五〕〔発音はマゴーとも〕〔文〕〈ほかのものと〉よく似ていて、区別のつけにくい状態にある。まぎれる。「星かと—無数のあかり」•**まがう-かた(も)-なく**[(△紛う)方(も)なく]〔副〕〔文〕⇩まごうかた(も)なく。

**まがお**[真顔]まがほ まじめな顔。

**まがき**[(×籬)]〔文〕しば(柴)などで粗あらく作ったかきね。ませがき。

**まかげ**[目陰] 目の上に手などをかざして、強い光が目に直接あたらないようにすること。「—をする」

**まがごと**[(△禍事)]〔文〕わざわい。凶事きょうじ。

**まがし**[間貸し](名・自他サ) お金を取って、家の中の部屋を人に貸すこと。(↔間借り)

**まかじき**[真(×梶)木]まかぢき カジキ類の代表的なさかな。身は赤く、さしみなどにする。

**マガジン**〔magazine〕①雑誌。「ワンテーマ—」②雑誌ふうの定期的な読み物。「ウェブ—」③弾倉だんそう。

•**マガジンラック**〔magazine rack〕雑誌立て。

**まか・す**[任す]〔他五〕まかせる。「上司から仕事を任される」

**まか・す**[負かす]〔他五〕相手を負けさせる。「大人も—腕前うでまえ」

**まかず**[間数] 部屋のかず。

**まかせ**[任せ]〔造〕〔…の〕なすがままにさせること。「風—・あなた—・医者—」

**まかぜ**[魔風] 悪魔がふかせる、あやしい風。まふう。

*__まか・せる__[任せる]〔他下一〕①こちらからはたらきかけないで、なすがままにさせる。「流れに身を—・運を天に—・想像に—」②たのんで、相手の判断で仕事をしてもらう。「確定申告しんこくを税理士に—・ここはわたしに任せなさい」③その力やはたらきをぞんぶんに使う。「力に任せておす・かねに任せて」☞飽あかせる。▽任す。可能 任せられる。

**まがたま**[(△勾)玉・曲玉] 古代、日本で装身具などに使った、C字形などに曲がった玉。

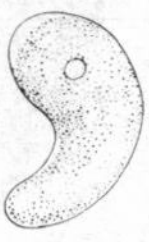

[まがたま]

**マカダミアナッツ**〔macadamia nut〕 ハワイなどで作られるナッツ。マカデミアナッツ。「—チョコ」

**まかない**[賄い]まかなひ ①まかなうこと。②食事。「—つき」③(↑まかない方)〔寮りょうや下宿などで〕食事を作る人。「—婦」④(↑まかない料理。

•**まかないりょうり**[賄い料理] 飲食店の従業員が自分たちのために作る食事。まかない。〈客に出

すこともある〕

**まかな・う**［賄う］《他五》①なんとかやりくりしてまにあわせる。「千円ですべてを—」②食事を出す。「昼食を—」

**まがな-すきがな**［間がな隙がな］《副》〔文〕ひまさえあればそうしようと、いつもすきをねらっているようす。まがなひまがな。

**まがね**［真金・真△鉄］〔雅〕鉄。くろがね。「—の船」

**まかふしぎ**［〈摩×訶〉不思議］《ナダ》〔摩訶＝大。梵語mahāの音訳〕非常に不思議なようす。派—さ。

**まがまがし・い**［〈△禍々しい〉・〈△凶々しい〉］《形》〔文〕わざわいをもたらすような感じだ。不吉だ。派—さ。

**まがも**［〈真×鴨〉］カモの一種。大形で、雄は頭・首の部分が緑色でつやがある。食用。〔雄は俗に、あおくび〕

**まがり**［曲がり］まがる〈こと/ようす/程度〉。「—を直す」

**まがり かど**［曲がり角］①道が折れ曲がっている所。②新しい状態に移る、変わり目。「人生の—〔＝転機〕」・—をむかえる政局」 ●**まがりくね・る**［曲がりくねる］《自五》〔ふつう **曲がりくねった〈た/て〉**〕複雑にくねる。「曲がりくねった山道」名曲がりくねり。 ●**まがり なり**［曲がりなり］〔なり＝形〕不完全(な形)。「—とは言え・—の補償」 ●**曲がりなりにも** 句 不十分ながら。どうにか こうにか。「—大学を出たが」

**まがり**［間借り］《名・自他サ》お金をはらって他人の家の中の部屋を借りること。「—人」(↔間貸し)

**まかりこ・す**［〈△罷り〉越す］《自五》〔文〕参上する。

**まかり・でる**［〈△罷り〉出る］《自下一》①人前に出る。「あつかましくも—」②〔文〕参上する。

☆☆**まかりとお・る**［〈△罷り〉通る］《自五》①〔文〕通り過ぎる。「—ことならぬ」②堂々と〈通る/通用する〉。「にせ千円札が—」他まかり通す《五》。

**まかりなら・ぬ**［〈△罷り成らぬ〉］《形ヌ》〔「まかりならない」はまれ〕〔文〕許されない。いけない。「他言はいっさい—」

☆☆**まかりまちが・う**［〈△罷り〉間違う］《自五》〔仮定の話で〕まさか、というような間違いをする。「—と命にかかわる・まかり間違っても言わない」

**まか・る**［負かる］《自五》値段を安くすることができる。「もう少し負からないかね」

**まが・る**［曲がる］■一《自五》①まっすぐでなくなる。「針金が—・額が曲がって〔＝かたむいて〕いる・ネクタイが曲がって〔＝ずれて〕いる・曲がった〔＝途中で方向が変わる〕道」②かがむ。「腰が—」(↔伸びる) ③ねじける。「根性が—」④〔**曲がった**〕不正である。「曲がったことは大きらいだ」■二《自他五》進む向きを変える。「交差点〈で/を〉右に—」可能 曲がれる。

**まか・れる**［巻かれる］《自下一》とりまかれる。「煙に—・ガス〔＝霧〕に—・けむに—〔⇩「けむ(煙)」の句〕」

**マカロニ**〔イ maccheroni〕中に穴のあいた、短いパスタ。貝殻形などもある。「—グラタン・—サラダ」 ●**マカロニ ウエスタン**〔和製 macaroni western〕イタリアで作った西部劇映画。

**マカロン**〔フ macaron〕たまごの白身を泡立てて、まるい形に焼いた、あまくて歯ざわりのやわらかい菓子。

**まき**［牧］〔雅〕まきば。牧場。

**まき** ■一 まき［巻き］①巻くこと。巻いた程度。「—が強い」②《放送》急ぐこと。予定より早くすること。「—でお願い・—を入れる」■二 まき［巻］書物・まきものなどの区分。「—の一」■三［巻き］造〔…を〕巻いたもの。「キャベツ—」■四［巻き］接尾 ①くるくる巻いているものを数えることば。「毛糸ひと—」②巻く回数を数えることば。「ふた—する」

**まき**［〈×槙〉］〔＝真木〕庭木や生けがきなどにする常緑樹。葉の形はヤナギに似るが、かたい。

**まき**［〈△薪〉］たきぎ。「—を割る」

**マキアート**〔↑イ caffè macchiato＝しみのついたコーヒー〕エスプレッソに、泡立てたあたたかいミルクをひかえめに加えたもの。カフェ マキアート。マッキャート。「キャラメル—〔＝最後にキャラメルシロップをたらすもの〕」☞カフェラテ・カプチーノ。

**まきあ・げる**［巻き上げる］《他下一》①巻いて上に上げる。「帆を—」②空中に(うず巻くように)上げる。「車が砂ぼこりを—」③〔だましたり おどしたりして〕うばい取る。「お金を—」名巻き上げ。自巻き上がる《五》。

**まきあみ**［巻き網・△旋き網］さかなの むれを囲んでとらえる はばの広い網。

**まきえ**［〈×撒き〉餌］鳥・さかなを寄せ集めてとるために、えさをまくこと。また、まく えさ。

**まきえ**［〈×蒔絵〉］《名・他サ》金・銀の粉で漆器の表面にかいた絵(をほどこすこと)。

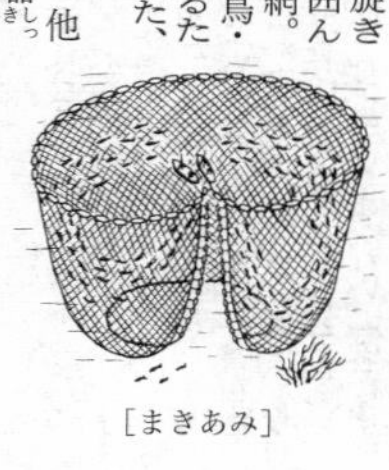
［まきあみ］

**まきえび**［〈巻:海老〉］クルマエビの小形のもの。まき。

**まきおこ・す**［巻き起こす］《他五》強い勢いで、引き起こす。「センセーションを—」自巻き起こる《五》。

**まきおとし**［巻き落とし］《すもう》さし手で相手の胴をかかえて横にひねりたおす わざ。動巻き落とす《他五》。

**まきがい**［巻き貝］《動》サザエ・タニシなどのように、貝がらが うずまきの形に巻いている貝類。☞二枚貝。

**まきかえし**［巻き返し］①反対に巻いて、元へもどすこと。☞くり返し。②負けそうになった勢いをもり返すために、反対にしかけること。ロールバック。「—をはかる・—政策」動巻き返す《他五》。

**まきか・える**［巻き替える］《他下一》①新しく別なものを巻く。②《すもう》四つ身の状態で、上手の状態から下手〔＝差し手〕に替える。名巻き替え。

**まきがみ**［巻紙］①半切の紙をつぎあわせて巻いたもの。筆で手紙を書くのに使う。②長く巻きつけた紙。ロール紙。「トイレの—・新聞用の—」

**まきがみ**［巻き髪］コテやカーラーなどで巻いて整えた髪型。

**まきがり**［巻き狩り］四方を取り囲んでおこなう狩り。「富士の—」

**まきげ**［巻き毛］うずを巻いたようにカール〈した/させた〉かみの毛。

**まきこ・む**［巻き込む］《他五》①巻いて内に入れる。「舟がうずに巻き込まれる」②〔なかまに〕引き入れる。③まきぞえにする。「事件に巻き込まれる」名巻き込み。

**まきざっぽう**［〈△薪ざっぽう〉］〔俗〕〔棒の代わりに使

ま

える〕まき。まきざっぽ。

**マキシ**〔maxi〕①《服》かかとまで届く、長いスカートやコート(の寸法)。「—丈」②↑マキシシングル。●**マキシシングル**〔和製 maxi-single〕アルバムサイズ〔=直径十二センチのCDのはいる大きさ〕のジャケットにはいったシングルCD。マキシ。

**まきじた**〔巻き舌〕①ラ行音を、舌を巻くようにしてふるわせ、あらっぽく言うこと。②英語のRのように、舌の先を上あごにつけないで発音すること。

**マキシマム**《名・ナダ》〔maximum〕最大限。最高。マクシマム。(↔ミニマム)

**まきじゃく**〔巻き尺〕テープのような金属・布などに目もりをつけて、入れものに巻きこんだものさし。

**まきスカート**〔巻きスカート〕腰にまきつけて とめるスカート。

**まきずし**〔巻き(:寿司)〕〈干しのり/たまご焼き〉などで巻いたすし。巻きもの。☞軍艦巻き・手巻き②・のり巻き■。

**まきぞえ**〔巻き添え〕自分のせいでない事件・事故などのために、ひどい目にあうこと。巻きぞい。「銃撃事件の—になる・—を食う」

**まきた**〔真北〕ちょうど北。

**まきタバコ**〔巻き(:煙草)〕⇩紙巻きタバコ。

**まきちら・す**〔(×撒き)散らす〕《他五》(好ましくないものを)まいて ほうぼうへ散るようにする。「ふんを—・公害を—」

**まきつ・く**〔巻き(付く)〕《自五》細長いものが、まわりを取り巻くような状態で、くっつく。「アサガオのつるが—」㊔巻きつき。㊀巻きつける《下一》。

**まきつけ**〔(×蒔き付け)〕《名・他サ》《農》作物の たねをまくこと。㊋まきつける《他下一》。

**まきづめ**〔巻き爪〕〔足の親指などの〕つめの左右が丸まって、指の肉にくいこんだ状態。

**まきと・る**〔巻き取る〕《他五》巻いて引き取る。「機械がワイヤを—」㊔巻き取り。

**まきなみ**〔巻き波〕切り立った がけのような波頭が、内がわに巻きこむようにしてくだける波。

**まきば**〔牧場〕⇩ぼくじょう。

**まきひげ**〔巻き(×鬚)〕《植》キュウリ・エンドウなどの枝や葉が変形して ひげのようにのびて、ほかのものに巻きつくようになったもの。

**まきびし**〔(×撒×菱)〕忍者が用いる道具。小さな三角錐状の角が とがった形で、にげる際に追っ手の進路にまいて、けがをさせたり足止めしたりする。

**まきびと**〔牧人〕〔雅〕⇩ぼくじん。

**まきもど・す**〔巻き戻す〕《他五》①巻いて元の状態にもどす。「反物を—・時計の針を—〔昔に もどす意味にも〕」②録音・録画を、現在の再生位置より前にもどす。「ビデオを—・ブルーレイを—〔=早戻しする〕」㊔巻き戻し。(↔早送り)㊂巻き戻る《五》。

**まきもの**〔巻物〕①一方の はしに、巻きつけるための軸をつけた書画。「絵—」②巻いた反物。③〔すし店で〕巻きずし。

**まぎゃく**〔真逆〕《名・ナダ》まったくの逆。正反対。「自分とは—の性格」〔二〇〇〇年以降に広まったことば〕☞まさか。

**マキャベリスト**〔Machiavellist=人名 Machiavelliから〕マキャベリズムにしたがって行動する人。マキアベリスト。

**マキャベリズム**〔Machiavellism=人名 Machiavelliから〕目的のためには手段を選ばないで、政治などを強引に進めるやり方。権謀術数主義。マキアベリズム。

**まきゅう**〔魔球〕《野球・テニスなど》相手が打ちにくい、非常に威力のある変化球。

**まきょう**〔魔境〕〔文〕何が出てくるか わからない、おそろしい世界。

**まぎらか・す**〔紛らかす〕《他五》〔俗〕まぎらす。

**まぎら・す**〔紛らす〕《他五》①ごまかして、わからなくする。「自分の失敗を—・答えないで、笑いに—」②ほかのことに注意を向けて、つらさなどを忘れるようにする。「音楽で気を—・暑さを—」▽まぎらせる。

**まぎらわし・い**〔紛らわしい〕《形》似ていて、ほかのものと まちがうような感じだ。「—題名」㊊-げ。-さ。

**まぎらわ・す**〔紛らわす〕《他五》まぎらす。まぎらわせる。

**まぎ・る**〔間切る〕《自五》〔向かい風のとき〕風をななめに受けて、船を進める。㊔間切り。

**まぎれ**〔紛れ〕㊀まぎれること。ほかのものと まちがうこと。㊁まぎれ㊂まぎれ㊈…のあまり、がまんできず。「くやし—・腹立ち—」●**紛れもない**㊗まちがいのない、本当の。「—事実」●**まぎれこ・む**〔紛れ込む〕《自五》①ほかのものの中に はいって、見つからなくなる。「雑踏に—」②いつの間にか はいりこむ。「異様な世界に—」㊔紛れ込み。

**まぎ・れる**〔紛れる〕《自下一》①いりまじって、わからなくなる。「人ごみに—」②似ていて、ほかのものと まちがう。まがう。『私立』が『市立』と—」③ほかのことに気を取られて、つらさなどをしばらく忘れる。「気が—」

**まぎわ**〔間際〕ちょうど ものごとが起ころうとする とき。寸前。「発車—に」

**まきわり**〔(△薪)割り〕丸太などを割って たきぎにする〈こと/ための刃物〉。

**まく**〔幕〕①長く〈ぬい/はり〉あわせて、おおいや しきりに使う布。②〔芝居などの〕舞台と客席の間をしきる大きな布。③《演劇》「幕②」が一回上がって下りるまでの、ひとくぎりの場面。「次の—・第一—第三場」④場合。場面。「おれの出る—じゃない」⑤《すもう》幕内。「—に上がる」⑥↑幕が下りる。●**幕が上がる**㊗始まる。(↔幕が下りる)㊀幕を開ける。●**幕が開く**㊗〔演劇や ものごとが〕始まる。(↔幕が上がる)㊀幕を下ろす。●**幕が下りる**㊗終わる。(↔幕が上がる)㊀幕を下ろす。●**幕が切って落とされる**㊗競争・戦いなどが、はなばなしく始まる。「決戦の—」(↔幕が閉じる)[由来]歌舞伎の最初に幕の上部が切られ、一気に落とされることから。●**幕になる**㊗終わる。幕を閉じる。㊀幕にする。

**まく**〔膜〕①ものの表面をおおう うすい皮。②《生》細胞や、動物の筋肉・内臓をおおう うすい皮。

**ま・く**〔巻く〕㊀《他五》①一方の はしが いちばん中になるように、まるく たたみこむ。「紙を—・うずを—」②まるいものをねじって回す。「時計のねじを—」③まわりに回す。「うでを首に—」④まわりに回して着ける。「包帯を—」⑤まわりを囲む。「遠巻きに—・ガス〔=霧〕が—」⑥巻き上げる。「いかり(錨)を—」⑦巻き起こす。

「風を巻いて飛び立つヘリ」⑧まわりをひと回りする。「丘をーように流れる川」⑨《登山》山頂などをさけ、迂回して進む。可能 巻ける。□二《自五》①まるく巻いた状態になる。「ひとりでにー・うずがー」②《放送》予定より早く〈進む/進ませる〉。(↔押す) ☞巻かれる。

**ま・く**[(×蒔く)・(×播く)]《他五》①〔芽を出させる目的で〕たねを土に〈散らす/散らしてうめる〉。「たねをー」②〔文〕蒔絵を作る。「金粉をー」可能 まける。●**まかぬ種は生えぬ** 句 何もしないのに、いい結果を期待するな。

**ま・く**[(×撒く)]《他五》①散らしながら落とす。ふりまく。「豆をー」②そそぎかける。「水をー」③配布する。「ビラをー」④〈あとをつけてきた/つれの〉者を、とちゅうでうまく遠ざける。可能 まける。

**マグ**〔mug〕(取っ手のついた)大きめのカップ。マグ カップ。「コーヒー・ビアー・ウォールー〔=保温機能のある、持ち運べるマグ〕」

**まくあい**[幕(△間)]　演劇の ひとくぎりがついて幕をおろしている あいだ。まくま〔俗〕。

**まくあき**[幕開き]①幕が あいて演劇が始まること。幕あけ。②⇩幕あけ①。▽(↔幕切れ)

☆☆**まくあけ**[幕開け]①〔もと、「幕あき」〕ものごとの始まり。「スキーシーズンのー」②⇩幕あき①。▽(↔幕切れ)

**まくうち**[幕内]《すもう》番付で、第一段の位置(に書かれる、前頭以上の力士)。幕の内。

**マグカップ**〔和製 mug cup〕⇩マグ。

**まくぎれ**[幕切れ]①劇の ひと幕の終わり。②ものごとの終わり。「事件のー」▽(↔幕あき・幕あけ)

**まぐさ**[(×秣)]〔=馬草〕馬や牛の飼料にする草。かいば。

**まくしあ・げる**[(×捲し)上げる]《他下一》〔俗〕まくりあげる。「ズボンをー・すそをー」

**まくした**[幕下]《すもう》番付で、幕内の下の位置(の力士)。〔ふつうは十両の下、三段目の上〕

**まくした・てる**[(×捲し立てる)]《他下一》勢い はげしく言〈う/い続ける〉。「早口でー」

**まくじり**[幕尻]《すもう》幕内のいちばん最後の位置(の力士)。

**まぐそ**[馬(×糞)]馬の くそ。ばふん。

**まぐち**[間口]①家屋・地面などの正面の はば。②活動や知識の範囲。「仕事のーを広げる」▽(↔奥行き)

**まくつ**[魔窟]〔文〕①悪魔が住む場所。②犯罪者や売春婦などの集まる、あやしげな場所。

**マグナム**〔Magnum=商標名〕通常よりも強力な銃弾(を使う大型の拳銃)。

☆☆**マグニチュード**〔magnitude〕《地》地震の規模(=放出されたエネルギーの大きさ)を表す単位〔記号M〕。阪神・淡路大震災では七・三、東日本大震災では九・〇。「モーメントー〔=断層の動いた量で判断する、地震計で はかるより正確なマグニチュード〕」☞震度。

**マグネシウム**〔オ magnesium〕《理》銀白色の軽い金属〔元素記号 Mg〕。合金や花火に使う。人体に不足すると、いろいろな生活習慣病の原因になる。

**マグネット**〔magnet〕磁石。

**まくのうち**[幕の内]①《すもう》⇩まくうち。②↑幕の内弁当。●**まくのうち べんとう**[幕の内弁当]俵形の ごはんを並べて おかずをつめ合わせた、和風の弁当。幕の内。由来 芝居の幕間に食べたことから。

**まくひき**[幕引き]ものごとを終わらせたり、人を引退させたりすること。「もめごとのーをはかる・ー役」由来 芝居の幕を引くことから。

**まくま**[幕間]〔俗〕⇩まくあい。

**マグマ**〔magma〕①《地》地面の深い底で、熱のためにとけて どろどろになっているもの。岩しょう(漿)。☞溶岩。②今にもふき出しそうなほど たまった、不満などの強い感情。「国民の怒りのー」

**まくみ**[幕見]《歌舞伎》ひと幕だけの見物。ひとまくみ。「ー席〔=一幕見席〕」

**まくら**[枕]①ねるときに頭の下に当て、支えるもの。②下に置いて支えるもの。「古雑誌を机のーとする」③〔マクラ〕ⓐ《落語》本題にはいる前の軽い話。「ーを振る〔=語る〕」ⓑ前置きにする話。●**枕を交わす** 句 男と女がいっしょにねる。●**枕を高くして寝る** 句 ①安心して ねむる。②心配なく暮らす。●**枕を並べる** 句 ならんで〈ねる/横たわる〉。「兄弟がー・枕を並べて討ち死にする〔みんなが負けたり、責任をとったりする場合にも言う〕」●**枕をぬらす** 句 ふとんの中で泣く。●**まくらえ**[枕絵]春画。●**まくらえいぎょう**[枕営業]〔俗〕性的サービスと交換に自分に有利な契約をさせたりする、不当な営業方法。●**まくらがみ**[枕上]〔文〕まくらもと。●**まくらぎ**[枕木]〔鉄道で〕レールの下に横に敷く木。今は、コンクリート製や樹脂製。●**まくらぎょう**[枕経]死んだあとすぐ、死者の まくらもとであげる お経。●**まくらことば**[枕△詞]①〔おもに和歌で〕ことばの前にそえて〈修飾する/語調をととのえる〉ことば。例、「奈良」にかかる「あおによし(青丹吉)」。②〈話のはじめ/そのことばの前〉にそえて言う決まり文句。「『伝統の一戦』というーのつく阪神・巨人戦」●**まくらさがし**[枕探し]旅館などで、客のねむっている間に、お金や品物をぬすむ〈こと/者〉。邯鄲師。●**まくらせん**[枕銭]欧米のホテルなどに泊まったとき、まくらの下に置く、部屋のそうじ係に対するチップ。まくらチップ。まくらぜに。●**まくらだんご**[枕(団子)]死んだ人のまくらもとに そなえる、白いだんご。●**まくらなげ**[枕投げ]修学旅行などで、夜、ねる前の子どもたちがする、まくらを投げあう遊び。●**まくらばな**[枕花]死んだ人の まくらもとに そなえる花。●**まくらべ**[枕辺]〔雅〕まくらの近く。まくらもと。●**まくらもと**[枕元・枕△許]まくらのあたり。「ーに置く」

**マクラメ**〔フ macramé〕平行に はった太い糸を結びあわせて模様をあらわす手芸。マクラメ レース。

**まくりあ・げる**[(×捲り)上げる]《他下一》〔すそ・そでなどを〕まくって上に上げる。まくしあげる〔俗〕。直 まくれ上がる《五》。

**まく・る**□一まくる[(×捲る)]《他五》①着物などを、はしのほうから裏返すようにして引き上げる。「すそをー」②めくる。「ページをー」③《競馬・競輪など》追いあげて、一気に抜く。□二 造 ①やめないで〈何度も/どこまでも)…する。「書いて書いて書き—・電話をかけ—・かせぎ—」②〔俗〕ひどく…する。「あせり—・食材にこだわり—」名まくり。

**まぐれ** 〈思いがけず／運よく〉いい結果になること。「いやあ、—ですよ・—幸い」 ・**まぐれあたり**〔まぐれ当たり〕偶然〈当たる／いい結果になる〉こと。「—のホームラン」

**まく・れる**〔(×捲れる〕《自下一》まくった状態になる。「すそが—」

☆☆**マクロ**〔macro〕㊀《名・ナダ》巨視的。大局。(↔ミクロ) ㊁①〔↑マクロ経済〕〔経〕国全体の経済の動き。「—政策」(↔ミクロ) ②〔情〕〔コンピューターで〕複数の操作手順を登録して、一度に実行できるようにする機能。マクロ機能。 ・**マクロコスモス**〔ド Makrokosmos〕大宇宙。(↔ミクロコスモス) ・**マクロビオティック**〔macrobiotic〕精白しない穀物や野菜・豆など、自然の植物性食品を中心とした食事をする健康法。マクロビ。☞ビーガン・ベジタリアン。

**まぐろ**〔(×鮪〕クロマグロ・メバチ・キハダなど、海でとれる、大形で赤身のさかな。さしみ・すしねたなどにする。しび。「—のづけ丼・—の山かけ」☞ツナ。

**まぐわ**〔(馬×鍬〕〔農〕横の柄に数本の太い歯をつけて、牛馬に引かせるくわ。代かきなどに使う。まんが。

**まぐわい**〔文〕性的なまじわり。動まぐわう《自五》。

**まくわうり**〔真桑×瓜〕ウリの一種。長円形で、独特のかおりがある。まくわ。

**まけ**〔負け〕負けること。敗北。(↔勝ち) ☞おまけ。

**まげ**〔(×髷〕かみの毛をたばね整え、もとどりを二つに折り曲げたもの。わげ。「—を結う」

**まけいくさ**〔負け戦〕戦いに負けること。また、その戦い。敗軍。(↔勝ち戦)

**まけいぬ**〔負け犬〕①けんかに負けた犬。「—の遠ぼえ」②勝負に負け(ていくじがなくなっ)た人。「—根性」③人生で、ほかの人に負けている(と思っている)人。

**まけいろ**〔負け色〕敗色。「—が見える」

**まけおしみ**〔負け惜しみ〕負けたのに、くやしくない、本当は勝てる、などと強情をはること。また、そのことば。「—を言う」

**まげき**〔曲げ木〕(↑曲げ木細工) ほそい木を曲げて作った細工。

**まけぎらい**〔負け嫌い〕《名・ナダ》「負けず嫌い」の、もとの形。

☆☆**まけぐみ**〔負け組〕〈競争で負けた／社会的に成功しなかった〉グループ(の人々)。(↔勝ち組)

**まけこ・す**〔負け越す〕《自五》負けた数が、勝った数より多くなる。(↔勝ち越す) 名負け越し。

**まけこみ**〔負け込み〕負ける回数がふえること。「—がひどい・—予想」動負け込む《自五》。

**まけじ**〔負けじ〕連負けるものか。負けてはいられない。「—と(ばかり)奮起した」 ・**まけじだましい**〔負けじ魂〕ほかの人に負けまいとしてはりきる精神。

**まけずおとらず**〔負けず劣らず〕《副》たがいにまさりおとりがないようす。同じくらいに。「—の成績」

**まけずぎらい**〔負けず嫌い〕《名・ナダ》(↑負け嫌い) 負けるのをきらう〈こと／性質〉。勝ち気。✓負けたくない、という気持ちから「ず」がはいったもの。「食わず嫌い」などの影響もある。「変わりはない」と強調するつもりで「変わりはないじゃなし」と言うなど、無意味な否定がはいる例は多い。

**まげて**〔(×枉げて)〕《副》〔文〕むりに。ぜひとも。「—ご承知ください」

**まけぼし**〔負け星〕負けたしるし(の黒丸)。黒星。(↔勝ち星)

**まげもの**〔曲げ物〕ヒノキ・スギなどのうすい板を曲げて作った器。ひもの(檜物)。

**まげもの**〔(×髷)物〕ちょんまげを結っていた時代を題材にした小説・映画など。

＊**ま・ける**〔負ける〕㊀《自下一》①〔△敗ける〕相手と争って、自分のほうが〈弱い／おとっている〉という結果になる。「戦いに—・世間に—・裁判〈で／に〉—(=敗訴する)・相手も負けてはいない(=反撃しようとする)」②さからったり、反対したりする気持ちを失う。「誘惑に—・熱意に負けてOKする・あいつには負けたよ(=かなわないよ)」③かけごとで当たらず、損をする。「競馬で—・二万円負けた」▽(↔勝つ) ④からだ(の皮膚)が刺激物で弱る。「暑さに—・うるしに—(=かぶれる)」㊁《他下一》①値段を安くする。「もっと負けてよ」②おまけとしてつける。「これをお負けしておきましょう」可能負けられる。 ・**負けるが勝ち** 句 相手に勝ちをゆずってやるのが、結局は勝つことになる。

**ま・げる**〔曲げる〕《他下一》①曲がるようにする。「ひざを—」(↔伸ばす) ②〔×枉げる〕道理や規則、本来の主義・主張に反するようにする。「志を—」③〔古風〕質に入れる。「時計を—」名曲げ。「手足の—のばし」可能曲げられる。曲げれる〔俗〕。

**まけん**〔魔剣〕〔文〕ぬけば必ず人を殺す、おそろしい剣。

**まけんき**〔負けん気〕負けまいとする気持ち。負けぬ気。「—を起こす・—が強い」

**まこ**〔真子〕さかなの、たまご。(↔白子)

**まご**〔孫〕①(自分の)子どもの、その子ども。「—むすめ・お—さん」②下位の下位。「—企業」

**まご**〔馬子〕昔、おもに人を乗せた馬をひいた職業の人。「—唄」 ・☆☆**馬子にも衣装** 句 りっぱな着物を着せれば、どんな人でもりっぱに見えることのたとえ。

**まごい**〔真×鯉〕黒い色のコイ。(↔ひごい)

**まご・う**〔△紛う〕《自五》〔終止形・連体形しかない〕〔文〕⇩まがう。 ・**まごうかた(も)なく**〔△紛う方(も)なく〕《副》〔文〕まぎれようもなく。まちがいようもなく。「—その人であった」「まごうこと(も)なく」とも。「まがうかた(も)なく」とも。連体詞の形もある。「まごうかた(も)〈なき／ない〉真実」

**まごうけ**〔孫請け〕《名・他サ》(↑孫請負) 下請け会社の仕事を、さらに引き受けること。

**まごがいしゃ**〔孫会社〕子会社の、また子会社。孫企業。

**まごこ**〔孫子〕①孫と子。②子孫。「—の代まで」

**まごころ**〔真心〕相手を心から思う、まじめな気持ち。「—をこめてもてなす」

**まごたろうむし**〔孫太郎虫〕ヘビトンボ(=トンボに似た虫)の幼虫。黒焼きにしたものを子どものかん(疳)の薬とした。

**まごつ・く**《自五》①〈どうしたら／どこへ行ったら〉いい

かわからないで まよう。まごまごする。②〔俗〕うろつく。「どこをまごついていたんだ」名まごつき。

**まごでし**［孫弟子］弟子の、また弟子。(↕直弟子)

**まこと** 一［誠・△真・△実］①本当(のこと)。「一の武士の姿」(かたい言い方)(↕偽り) ②〔古風〕相手に対する、まじめな心。まごころ。「一をつくす・哀悼の一をささげます」 二［(誠)］《副》〔古風〕本当に。じつに。まっこと。「一うれしい」 ●☆☆**まことしやか**［(△実しやか)・(△真しやか)］《ナダ》いかにも本当らしいようす。「一なうそをつく」派 -さ。 ●**まことに**［(誠に)・(△真に)・(×寔に)］《副》「本当に」の改まった言い方。「一おつかれさまでした」〔「まことにもって」は、強めた言い方〕区別 ⇩本当に①。

**まごのて**［孫の手］棒の先に小さな指のような形のものをつけた、背中をかく道具。

**まごびき**［孫引き］《名・他サ》ほかの本に引用してある文句をそのまま(よく調べないで)引用すること。

**まごまご**《副・自サ》まごつくようす。「出口がわからず一する」

**まごむすこ**［孫息子］孫に当たる、男の子。(↕孫娘)

**まごむすめ**［孫娘］孫に当たる、女の子。(↕孫息子)

**まこも**［(真×菰)］ススキに似て、水べにはえる草の名。穂はススキより まばら。むしろの材料。

**まごようし**［孫養子］祖父母が、孫を養子にすること。また、養子になった孫。

**まさ**［(×柾)］⇩まさめ。「きり(桐)一」

**マザー**〔mother〕①母親。(↕ファーザー) ②《宗》女子修道院の、院長。 ●**マザー コンプレックス**〔和製 mother complex〕⇩マザコン。 ●**マザーボード**〔motherboard〕《情》〔パソコンで〕プリント基板に中央処理装置や記憶装置などが装着された、重要な部分。メイン ボード。マザ ボ〔俗〕。

**マザーズ**〔Mothers←Market of the high-growth and emerging stocks〕《経》東京証券取引所が新興企業向けに もうけた市場。

**まさか**《副・名》①そんなことはないだろうという推量や、それが実際にあったという おどろきをあらわす。「一知るまい・一入賞するとは、と喜んだ・一の初戦敗退・『おばけかな』『一!』」☞よもや。②りくつから言って。いくらなんでも。「一ことわる わけにも いかない」③万一。「一の場合」由来「現実・本当」の意味の「まさ」に、接尾語「か」がついたもの。表記「:真逆」とも書いた。☞まぎゃく(真逆)。

**まさかり**［(×鉞)］大形の おの。

**まさき**［(正木)・(×柾)］①おもに生けがきなどにする常緑樹。葉は茶の木に似て、つやがある。②〔↑まさきのかずら〕「まさき①」の変種。くきは つるのような形で、夏、白い、細かな花をひらく。実は黄色く熟して さける。つるまさき(蔓正木)。

**まさぐる**［(△弄る)］《他五》手でいじる。もてあそぶ。「手先で一」

**まさご**［(真△砂)］〔雅〕すな。「浜の一」 ●**まさごあえ**［(真△砂△和え)］たらこやイクラを使った あえもの。もみじあえ。

**マザコン**〔↑マザー コンプレックス〕息子が成人しても、母親ばなれができないこと。(↕ファザ コン)

**まさしく**［(正しく)］《副》〔まちがいなく〕たしかに。まさに。「一彼のしわざだ」

**まさつ**［摩擦］一《名・自他サ》すれあうこと。こすること。 二①〔理〕運動する物体が、他の物体と接触することで、その運動をとめようとする力がはたらくこと。また、その力。「一熱」②相手や まわりの人と うまくいかないこと。「一を生じる・経済一」 ●**まさつおん**［摩擦音］《言》舌と上あごの間をせまくし、息がこすれるようにして出すときの音。例、サ行・ザ行の子音〔s. z. sh. j〕。

****まさに**《副》①［(正に)］〔まちがいなく〕たしかに。まさしく。「一そのとおりだ・上記一領収いたしました」②［(△当に)］〔文〕当然。「一決行すべきことだ」③［(△将に)］今にも。もうすぐ。「一死のうとしている」

**まざまざ**《副》はっきり(目の前にうかぶようす)。「一とよみがえる・一と見せつける」☞ありあり。

**まさむね**［正△宗］①兵庫県灘の清酒の名。〔今は、すべて「○○正宗」と呼び、「正宗」とだけ呼ぶ酒はない〕②鎌倉時代の刀工、岡崎五郎正宗が作ったと伝えられる刀。名刀の代表。

**まさめ**［(×柾)目・正目］もくめが まっすぐに通っている〈こと／もの〉。まさ。(↕板目)

［まさめ］

**まさゆめ**［正夢］事実と よくあう夢。(↕逆夢)

**まざりあう**［交ざり合う］《自五》⇩交じり合う。

**まざりあう**［混ざり合う］《自五》たがいに混ざって区別がつかない状態になる。混じり合う。「期待と不安が混ざり合った表情」「古さと新しさが一」

**まさりおとり**［勝り劣り・△優り劣り］まさっている度合いと おとっている度合いの差。優劣。「一がない」

**まざりもの**［混ざり物］まざって はいっている、不純なもの、または性質の ちがうもの。

**まさる**［勝る・△優る］《自五》〔能力・性質などが〕ほかのものより上である。「品質が外国製〈より／に〉一」・体格〈で／が〉一相手・言わぬは言うに一」(↕劣る) 区別 ⇩すぐれる 一。 ●**勝るとも劣らない** 句 まさっていることはあっても、おとっていることはない。同等以上だ。

**まさる**［増さる］《自五》〔文〕ました状態になる。「いとしさが一・冷え一」

**まざる**［交ざる］《自五》二つ以上の種類のものが、区別を失わないまま、ひとまとまりになる。「一年生と六年生が一・子どもたちに おとなが一」〔=交じる〕区別「まざる」は、別々のもの同士が一つに合わさる場合に、広く使う。「まじる」は、少数・少量の別のものが、本体に はい(って違和感がある)る場合に使う。漢字「交」は分けようと思えば分けられる場合に、「混」は とけあって(いるかのように)分けられなくなる場合に使う。

**まざる**［混ざる］《自五》二つ以上の種類のものが、一つに合わさって、たがいに区別のつかない状態になる。「真水と海水が一」区別 ⇩交ざる。

**まし** 一［増し］ますこと。「二割一・ラーメンの野菜を一でたのむ」☞ましまし。 二［まし・マシ］《名・ナダ》満足ではないが、ほかよりも いいこと。「行かないほうが一だ」

**まし** 一《助動特殊型》〔文〕現実でないことを推量することをあらわす。〔もし○○だったら〕…だろう(に)。「急

がずは ぬれざらーを(=急がなければ ぬれなかっただろうに)」 **二**◇〔古風〕助動詞「ます」の命令形。「いらっしゃいー」

**まじ**〔マジ・(：本気)・(：本当)〕〔↑まじめ〕〈俗〉**一**《名・ナダ》〈本気/本当〉であること。「ーになる・ーで言っている・ー買い(=本気で買うこと)・ーギレする(=本気でおこる)」 **二**《感》〈おどろいて聞き返す/たいしたおどろきもなく返す〉あいづち。マジか。「えっ、ー?〔SNSなどで『マ?』とも〕」 **三**《副》本当に。マジで。「ーおもしろい」▽江戸時代からある古風なことばだったが、一九八〇年代に**一**・**二**が若者ことばとして広まり、二十一世紀になって**三**が、さらに**二**の「マジか」「マ?」の形が広まった。

**ま・じ**《助動形シク型》〔文〕①…まい。「流行に遅れーと・世に盗っ人の種は尽きー」 ②…してはならない。「公害許すー〔決意をあらわす〕」

**マシーン**〔machine〕⇩マシン。

**まじ・える**〔交える〕《他下一》 ①まぜる。「私情をー」 ②二つの線状のものを(十文字に)組み合わせる。交差させる。「枝をー」 ③たがいにやりとりする。かわす。「ことばをー・一戦をー」

**ましかく**〔真四角〕《名・ナダ》正方形。まっしかく〔話〕。まっちかく〔俗〕。(↔長四角)

**マジカル**《ナダ》〔magical〕魔法のよう。不思議。「ーパワー」

**まじき**◇〔文語助動詞「まじ」の連体形〕…してはならない。「許すー差別」☞あるまじき・すまじき。

**まじきり**〔間仕切り〕《名・他サ》部屋と部屋のあいだの仕切り(をすること)。

**マジシャン**〔magician〕①奇術師。手品師。②魔術師。魔法使い。

**ました**〔真下〕ちょうど下。(↔真上)

**マジック**〔magic〕①魔法。魔術。②手品・奇術・魔術をまとめて言う呼び名。③〔商標名〕↑マジックインキ。④《野球など》↑マジックナンバー。「ーが点灯」 ●**マジックインキ**〔和製 Magic Ink=商標名〕フェルトペンの一種。インクは油性で、水にぬれてもにじまない。マジック(ペン)。 ●**マジックガラス**〔和製 magic＋オ glas〕⇩マジックミラー。 ●**マジックテープ**〔Magic Tape=商標名〕ボタン・ベルト・ファスナーなどを使わず、重ねあわせるだけで布をとめる、テープ式のしかけ。面ファスナー。 ●**マジックナンバー**〔magic number〕《野球など》リーグ戦の終盤で、あるチームがその数だけ勝つと、他のチームの勝敗にかかわらず優勝できるという試合数。マジック。〔Mで示す〕 ●**マジックハンド**〔和製 magic hand〕人間の手の代わりをする器械。〔正式にはマニピュレーター〕 ●**マジックミラー**〔和製 magic mirror〕暗いがわから明るいがわだけ見えるように作ったガラス。反対がわは鏡のように物を映す。マジックガラス。ハーフミラー。

[マジックテープ]

←**まして**〔増して〕《副》〔に(も)ー〕…以上に。「きのうにもーいい天気」☞それにも増して。

→**まして**《副》なおさら。だから、いっそう。ましてや。「おとなにも理解できない。ー子どもに わかるはずがない」 表記 かたく「△況して」とも。

**まして ございま・す**《助動マス型》〔古風〕⇩ございます 四。

**まじない**〔(△呪い)〕まじなう〈こと/ことば〉。「ー師・おー」☞のろ(呪)い。

**まじな・う**〔(△呪う)〕《他五》〔文〕神・仏などの力によって わざわいをのがれることが できるように、いのる。☞のろ(呪)う。

**マジパン**〔marzipan〕アーモンドの粉と砂糖をまぜて固めたもの。洋菓子の材料やかざりに使う。

**ましまし**〔増し増し〕〔料理の具や調味料を〕ふつうよりもかなり多く入れること。「野菜ーのラーメン」

**まじまじ**《副》目をそらさないで、しばらく見るようす。「ー(と)顔を見つめる」

**まします**〔(△在します)〕《自五》〔文〕「ま(在)す」よりさらに尊敬する気持ちの強いことば。いらっしゃる。「天にー神」

**まじめ**〔真面目〕《名・ナダ》 ①本気であること。たわむれでないこと。「ーに働く・もっとーにやれ・ーな話、食事は大事だ」 ②性質や おこないが誠実であること。「ーな人」▽(↔ふまじめ) 表記 俗に「マジメ」とも。派 ーさ。 ☞しんめんもく(真面目)。 ●**まじめくさ・る**〔真面目くさる〕《自五》(ことさら)まじめな ようすをする。

**ましゃく**〔間尺〕 ①〔文〕工事の、寸法。②計算。割。「ーにあわない」 ③尺度。「自分のーで考える」 ④《演劇など》タイミング。「せりふのー」▽まじゃく。

**ましゅ**〔魔手〕〔文〕魔の手。「ーにかかる」

**まじゅつ**〔魔術〕 ①人の心をまどわす術。ふしぎな術。「ー師」 ②大きな道具を使ってする手品。

**マシュマロ**〔marshmallow〕たまごの白身・砂糖・ゼラチンなどで作った、ふわふわして弾力のある菓子。ギモーブ。マシマロ。「焼きー・ートースト」

**まじょ**〔魔女〕 ①女の魔法使い。 ②〔西洋の〕女の悪魔。☞魔女狩り。

**ましょう**〔魔性〕 悪魔の持っているような、人をまどわす性質。「ーの者」

**ましょう**〔魔障〕《仏》修行をさまたげる、悪魔のしわざ。

**ましょうじき**〔真正直〕《名・ナダ》うそがなくて、本当に正直なようす。まっしょうじき。「ーな人」派 ーさ。

**ましょうめん**〔真正面〕ちょうど正面。まっしょうめん。「ーからぶつかっていく」

**まじょがり**〔魔女狩り〕 ①《歴》十六～十七世紀、西洋の教会で、異端者を追放した運動。 ②ある社会や集団が、思想・信条を異にする者を摘発・排除すること。「現代のー」

**マジョリカ**〔majolica〕イタリアの代表的な陶器。美しい色の うわぐすりで はなやかな模様をあらわす。マジョルカ。マヨリカ。マヨルカ。

☆☆**マジョリティ(ー)**〔majority〕多数(派)。(↔マイノリティ(ー))

**ましら**〔(△猿)〕〔雅〕さる。「ーのごとく よじのぼる」

**まじら・う**〔交じらう〕《自五》〔文〕いりまじる。「人にー」 名 交じらい。

**まじり**〔(交じり)〕 造 交じること。ところどころに はさまること。「ため息ーにつぶやく・じょうだんーに話す・しらがー・みぞれー」

←**まじりあ・う**〔交じり合う〕《自五》別々のものが、

それぞれ区別のつく状態で、ひとまとまりになる。交ざり合う。「多民族が交じり合って暮らす」

**まじりあ・う**[混じり合う]《自五》⇩混ざり合う。「三色が―」

**まじりけ**[混じり(気)]まじっている〈こと/もの〉。不純なもの。まじりっけ。〔多く、下に「ない」「少ない」などが来る〕「―のない油」

**まじ・る**[交じる]《自五》別の種類のものが、少しの数量だけ、ほかと区別のつく状態ではいりこむ。「別の糸が―・ローマ字が―」区別⇩交ざる。

**まじ・る**[混じる]《自五》別の種類のものが、少しの量だけはいりこんで、分けられない状態になる。「はき出したつばに血が混じっている・こしょうに砂が―・雑音が―」区別⇩交ざる。

**まじろ・ぐ**[△瞬ぐ]《自五》〔文〕まばたきをする。名まじろぎ。「―もせずに見つめる」

**まじわり**[交わり]①交差。②つきあい。交際。「―を絶つ(=絶交する)」③性交。「夫婦の―」

**まじわ・る**[交わる]《自五》①二つの線状のものが(十文字に)組み合う。交差する。「相―二つの直線」②つきあう。交際する。「友と―・朱に交われば赤くなる(⇩「朱」の句)」③性交する。

**ましん**[真芯]ちょうどしんに当たる部分。まっしん。「バットの―」

**ましん**[麻×疹]《医》はしか。

**ましん**[魔神]〔文〕わざわいを起こす、不吉な神。まじん。

**マシン**〔machine〕①機械。「―オイル」②↑マシンガン。③〔競走用の〕自動車。また、オートバイ。④コンピューター。パソコン。▽マシーン。●**マシンガン**〔machine gun〕機関銃。「―トーク(=息つく間もないような速いおしゃべり)」

**ます**[升・×枡・×桝]①液体・穀物の量をはかる(四角い)入れもの。②[マス]四角に区切ったわく。「〔すごろくで〕二―進む」③「ます①」ではかった分量。ますめ。「―が足りない」④《芝居・すもうなど》⇩ますせき(升席)。

**ます**[(×鱒)]カラフトマス・サクラマスなど、サケに似て少し小形のさかな。「―のムニエル」

*__ま・す__[増す・△益す]㊀《自五》〔前にくらべて〕数・量・程度がふえる。「需要が―」(↔減る)㊁《他五》ふやす。加える。「人数を―」(↔減らす)可能 増せる。☞増して。

**ま・す**[(△在す)・(△座す)・(×坐す)]《自四》〔文〕「ある・いる」の尊敬語。いらっしゃる。「神―ごとし」☞まします。

**ま・す《助動マス型》〔丁寧の助動詞〕動詞などについて、言い方をていねいにすることば。「雨が降り―・早く見ましょうよ・お待ちください―か・お願いできませんか・やって―〔☞てる〕・あすは雨が降りましょう〔=降るでしょう。古風〕・一言で申しますれば〔古風〕・いらっしゃいませ〔☞ませ〕」由来「参らす」が「まるらする→まらする→まっする→まする→ます」と変化したもの。現代でも古風な形として「まする」「ますれ〔ば〕」を使う。表記 看板などで「〼」とも。「サイダーあり〼」☞丁寧語・ません・で。

**マス**〔mass〕①集まり。集団。マッス。「消費者を―でとらえる・―ゲーム」②多数。たくさん。「―プロダクション(=量産)」③大衆。「―社会」

**まず**《副》①ほかのものごとよりもさきに。「―玉ねぎをいためます・―最初に〔強調した言い方〕」②あとのことはともかく。一応。「これで―安心だ」③だいたい。およそ。たぶん。「―そんなところだ」表記 かたく「△先ず」とも。☞まずは・まずまず・まずもって。

**ますい**[麻酔]《名・他サ》《医》①〈からだの一部/全身〉の感覚をいちじ失わせること。「局所―・全身―」②↑麻酔薬。「―が効く」

**まず・い**《形》①[(:不味い)]味がよくないと感じる状態だ。「―食べ物」②[(△拙い)]やり方がへただ。「―絵だ」③〈つごう/ぐあい〉が悪い。「きょうは―んだ・―所で会ったなあ」▽(↔うまい)④ぶさいくだ。「―顔」⑤つきあいの状態が悪い。気まずい。「このごろ社長とまずくなった」✍日常語としては、やや乱暴と感じる人もいる。①の意味では「おいしくない」と表現するか、婉曲に「好みが分かれる味だ」などと言うといい。表記 俗に「マズい」とも。派 ―さ。

**ますおさん**[マスオさん]〔俗〕妻の実家に同居している(婿養子でない)夫。〔長谷川町子の漫画「サザエさん」の登場人物から〕

**ますがた**[升形・×枡形]①「ます(升)①」のようなかたち。②城の入り口にある、門と門にはさまれた正方形の空間。

**マスカット**〔muscat〕ブドウの品種の一つ。皮はうす緑色。大つぶで、あまみとかおりが強い。ワインの原料。

**マスカラ**〔mascara〕まつげにぬりつけて、濃く長く見せるけしょう品。

**マスカルポーネ**〔イ mascarpone〕イタリア原産のチーズ。乳白色でやわらかい。ティラミスなどに使う。

**マスカレード**〔masquerade〕仮面舞踏会。身元をかくすため、参加者は仮面をつける。

**マスキング**《名・他サ》〔masking〕①ペンキなどを塗るとき、塗りたくない部分におおいをかけること。「―テープ」②おおいかくすこと。わからなくすること。「住所を―〔=マスク〕する・―効果〔=大きい音が小さい雑音を聞こえなくする現象〕・強い芳香剤で―消臭」

**マスク**〔mask〕㊀①口・鼻をおおう布。ひもなどがついて、耳にかけて止める。〔細菌やウイルスを〈まき散らさない/吸いこまない〉ため、また、粉じんなどを防ぐために使う〕「―を〈する/着ける〉・―をかける〔やや古風〕・花粉用―」②顔を保護するために〈着ける/かぶる〉もの。「防毒―・溶接用の―・選手や審判の―」③覆面。仮面。「プロレスの―・鉄の―・―プレイ〔=仮面劇〕」④〔↑シートマスク〕〔美容で〕パックのため、ガーゼなどにけしょう水やオイルをふくませて、顔をおおうもの。⑤顔だち。容貌。「あまい―」㊁《名・他サ》おおいかくすこと。マスキング。「個人情報を―する」●**マスクをかぶる**句《野球》捕手・審判として試合に出る。

**マスクメロン**〔muskmelon〕〔musk=じゃこうのかおり〕代表的なメロン。皮がうす緑色で、あみの目のような筋がある。

**マスゲーム**〔和製 mass game〕多くの人が一団となっておこなう体操やダンス。

**マスコット**〔mascot〕①幸運を得るためのお守りとする、人形や動物など。守り神。②団体・チーム・商品などのシンボルとする、キャラクターやタレント。マスコットキャラクター。「―ガール」

**マスコミ** ①↑マス コミュニケーション。②有力な新聞・雑誌・放送の会社(にかかわる人々)。(マス)メディア。「―に就職する・―(の取材)が来る」(↔ミニ コミ)

**マスコミュニケーション**〔mass communication〕新聞・雑誌・放送などを使って、多くの人々に情報を送ること。マスコミ。

**ますざけ**[升酒]〔さかずき・コップの代わりに〕小さなますについで飲ませる酒。

**まずしい**[貧しい]《形》①びんぼうだ。「―生活」②内容が あまりない。貧弱だ。「―頭脳」▽(↔豊か)派―げ。―さ。

**マスセール**〔mass sales〕《経》大量販売。マス販売。マス セールス。

**ますせき**[升席・×枡席]《芝居・すもうなど》四人がすわって見物できる程度の広さに仕切った、四角い座席。ます。

**マスター**〔master〕■一 ①〔店の〕主人。②〔酒場などの〕責任者。③〔大学の〕修士。「―コース(=修士課程)」④ダビングなどをするための原盤。「―音源」■二《名・他サ》熟達すること。ものにすること。「フランス語を―する」●**マスターキー**〔master key〕一つでたくさんの ちがう錠をあけることが できるように作ったかぎ。親かぎ。●**マスターズ**〔Masters〕①〔↑マスターズ トーナメント〕アメリカで毎年開かれるゴルフの国際大会。②中高年でおこなう競技会。〔参加できる年齢は競技により異なる〕●**マスターテープ**〔master tape〕編集や加工をしていない、基本になる〈録音/録画〉テープ。●**マスター プラン**〔master plan〕全体の基本となる計画・設計。

**マスタード**〔mustard〕①西洋料理に使う からし。洋がらし。「ホットドッグに―をかける・―チキン」②からし色。

**マスターベーション**《名・自サ》〔masturbation〕①自分の性器をいじって気持ちよくすること。自瀆〔古風〕。☞手淫。②自己満足。「―にすぎない作品」▽オナニー。自慰。

**マステ**〔↑マスキング テープ〕装飾用の、おしゃれな粘着テープ。〔もともとはペンキなどで色をぬるときに使う、保護用のテープ〕

**マスト**〔mast〕船に帆を張るための柱。ほばしら。

**マスト**《名・ナダ》〔must=すべし〕なくてはならないもの。必須。「―の条件・―アイテム」

**ますのすけ**[〔×鱒×之△介〕]サケ・マス類で最大のもの。キング サーモン。

**まずは**《副》「まず」をきわだたせた言い方。「―問題を整理しよう・―御礼まで」

**マスプロ**〔↑マス プロダクション〕大量生産。量産。マス生産。「―教育」

***ますます**《副》程度がもっと進むようす。いよいよ。いっそう。「―のご活躍」〔「ますます もっ(以)て」は、強めた言い方〕表記 かたく「△益々」とも。「△益」「△益く」とも書いた。

**まずまず**《副》〔=先ず先ず〕①ほかのことは、このさい別にして。ともかく。「―よかった」②じゅうぶんとまでは言えないが、いちおう いいと言えるようす。まあまあ。「―の成績・―の天気」

**ますみ**[真澄]〔雅〕よくすんでいること。すみきっていること。「―の空」

**ますめ**[升目・×枡目]①ますで はかった量。②真四角な模様。「―の敷布」③真四角に たくさんくぎったしきり。「原稿用紙の―」表記②③「マス目」とも。

**まずめ**《釣り》朝夕の、うすぐらい時刻。「夕―をねらう・↑―時」

☆☆**マスメディア**〔mass media〕〔メディア=媒体〕①マス コミュニケーションの手段となるもの。有力な新聞・雑誌・放送など。「―でよく見かける表現」②「マスメディア①」にかかわる人々や会社。マス コミ。「―の取材を受ける」▽メディア。

**まずもって**《副》〔文〕①まず。第一に。「―国民に説明しなければならない・これが―いやだ」②最初から。そもそも。「計画自体が―無理だった」表記 かたく「△先ず△以て」とも。

**ますらお**[〔∴益荒=△男〕・〔∴丈夫〕]〔雅〕力の強い、勇ましい男子。おおしい男子。ますらたけお。(↔たおやめ)●**ますらおぶり**[〔∴益荒=△男振り〕]古代の武人を思わせる、おおらかな〈作風/様子〉。奈良時代の「万葉集」の歌が典型的。(↔たおやめぶり)

**ま・する**[摩する]《他サ》〔文〕①こする。みがく。②(こするほど)近づく。「天を―〔⇩「天」の句〕」☞摩天楼。▽摩す。

**まする**◇〔古風〕助動詞「ます」の終止・連体形。「お役に立ってみせ―」〔時代がかった、非常に ていねいな言い方〕由来 ⇩ます。

**まず・る**《自五》〔俗〕まずいことをする。しくじる。「まず↑ったなあ」

**マズルカ**〔mazurka〕《音》快活な調子のポーランドの舞踊(曲)。

**ませ**◇助動詞「ます」の命令形。「いらっしゃい―〔『いらっしゃいまし』は古風〕・ご覧ください―・お帰りなさい―」〔尊敬をあらわす動詞につく。「見―」など、ふつうの動詞につく方言もある〕

**まぜあわ・せる**[混ぜ合わせる]《他下一》まぜたものを、かきまわしたり こねたりして、一つにあわせる。自 混ぜ合わさる《五》。

**ませい**◇〔助動詞「ます」の命令形「ませ」の、古い形〕…なさい。「〔奉行所の お白州で〕一同の者、立ち―」

**まぜがき**[交ぜ書き]①一枚の紙に、ちがった書体や ちがった色で文字を書くこと。また、書いたもの。②漢字だけで書けることばを、漢字と かなをまぜて書くこと。例、「祈禱」→「祈とう」。

**まぜこぜ**[〔交ぜこぜ〕]《名・ナダ》〔俗〕いろいろなものが いりまじっていること。「―になる」

**まぜごはん**[混ぜ〔御飯〕]たきあげたごはんに、味をつけて煮た肉・野菜などをまぜたもの。まぜめし。「キノコの―」☞五目飯。

**まぜっかえ・す**[混ぜっ返す]《他五》じょうだんを言って話を混乱させる。まぜ返す。「人の話を―」名 混ぜっ返し。

**まぜまぜ**[混ぜ混ぜ]〔俗〕■一 **まぜまぜ** ごちゃ混ぜ。「和洋―コーデ」■二 **まぜまぜ**《名・他サ》何度も よく混ぜること。「納豆を―する」

**まぜもの**[混ぜ物]量をふやすため、また、品質をごまかすために、まぜた別な物。

**ま・せる**《自下一》年のわりに おとなびる。「ませた子ども」

**ま・ぜる**［交ぜる］《他下一》①別の種類のものを、区別を失うことなく入れる。「別の糸を交ぜて織る・漢字にかなを―」②仲間に入れる。「私も交ぜてちょうだい」

**ま・ぜる**［混ぜる］《他下一》①二つ以上の種類のものを、一つに合わせて、たがいに区別のつかない状態にする。「酢と みりんを―・セメントに砂を―」②かきまぜる。「ごはんをよく―」可能 混ぜられる。

**マゼンタ**〔magenta〕印刷インクの三原色の一つ。明るい赤むらさき色。マジェンタ。「―色」

**ませんで**《接助》「…なくて」の丁寧語。「なんの おかまいも でき―〔=できなくて失礼しました〕・問題は これだけでは ござい―〔=なくて〕・だれも おり―〔=いなくて〕」〔「で」は、格助詞からとも、助動詞「だ」の連用形からとも考えられる〕

**マゾ** ①↑マゾヒスト。②↑マゾヒズム。▽(↔サド)

**マゾヒスト**〔masochist〕《心》マゾヒズムの傾向がある人。マゾ。M。(↔サディスト)

**マゾヒズム**〔masochism=人名 Masoch から〕《心》相手から いじめられて満足を感じる、ふつうと異なる性欲。マゾ。(↔サディズム)

**まそん**［磨損］《名・自サ》〔文〕摩擦によって、すりへること。「歯車が―する」

**また**［(×叉)］㊀幹から枝が分かれ出ている〈所/状態〉。「木の―」㊁造 道が分かれている〈所/状態〉。「五つ―」

**また**［股］①胴から足が分かれ出る所(からものあたり)。「―を広げる」②二つに分かれているところ。「指の―」・**股にかける** 句 広く あちこちを〈歩き回る/飛び回る〉。「全国を―」

**また** ㊀また《副》①同じく。「彼も語らず、私も―語らなかった」②もう一度。ふたたび。さらに。「―あの人に会った・夢の―夢」③次の機会(に)。そのうち いつか。「では―会いましょう・―ね!〔別れのことば〕」✎遠まわしに ことわるとき、「また(今度)にしましょう」と言うことがある。言われた人は、「いつなら いいですか」と聞くのでなく、「では、また お願いします」と応じるのが礼儀にかなう。④おどろき・疑問をあらわす。「これは―えらいことになった」⑤受け流す気持ちをあらわす。またあ。またまた(あ)。「―、〈ごじょうだん/ごけんそん〉を」㊁また《接》①さらに。「山―山の〔=山の続く〕道」②それと同時に。「画家でもあり、―俳人でもあった」㊂接頭 あいだに別のものが はいること。間接。「―だのみ・―いとこ」表記 かたく「又」とも。㊀①は「×亦」、㊀②は「△復た」とも書いた。☞またしても・またとない・またの・または・またも(や)。

**まだ** ㊀《副》①これまでの状態が続くようす。今になっても なお。いまだ(に)。「昔の服を―持っている・〔いらだって〕―起きてるの?」②今の調子が(すぐ終わらず)続きそうなようす。「このペンは―書ける」③そのことが実現していないようす。「―来ない・―見ぬ〔=会ったことのない〕母」④じゅうぶんな程度に達していないようす。「―ほんの子どもだ」▽(↔もう)⑤限度まで余裕があるようす。「約束の時刻には―〔=あと〕三十分ある〔『もう三十分しかない』は、余裕がないように言う表現〕」⑥もっと。ほかにも。「理由は―ある」⑦〔じゅうぶんではないが〕ほかとくらべて、ましなようす。まだしも。「ドイツ語より英語のほうが―わかる」㊁《ナダ》そのことが今になってもおこなわれていないようす。「投票が―な人・『できたかい』『―だ』」表記 かたく「△未だ」とも。「未」の漢字は、本来、「まだ…ない」など否定する場合に使った。

**マター**〔matter〕〔その方面で とりあつかうべき〕ことがら。問題。「この件は政治―だ」

**まだい**［(真×鯛)］代表的なタイ。桜色で、形が整っている。「―の塩焼き・―のカルパッチョ」

**まだい**［間代］部屋の借り賃。部屋代。

**またいとこ**［(又:従兄弟)・(又:従姉妹)］(自分の)いとこの子どもどうしをたがいに呼ぶ言い方。はとこ。ふたいとこ。

**またがし**［又貸し］《名・他サ》借りたものを、ほかの人に貸すこと。転貸し。(↔又借り)

**またがみ**［股上］《服》ズボンの、またのつけねから上の、腰をおおう部分。(↔股下)

**またがり**［又借り］《名・他サ》人が借りたものを、また、借り受けること。(↔又貸し)

**またが・る**［(×跨がる)・(股がる)］《自五》①股を広げて乗る。「馬に―」②一方から ほかのほうへ かかる。「二つの県に―」

**またぎ**［マタギ］東北地方の山間部に住む猟師。〔猟に出ると、特別なことばを使う〕

**またぎ**［(×跨ぎ)］造 またぐこと。「年―の〔=開演中に新年をむかえる〕コンサート・CM―〔=コマーシャルを間にはさんで話題を続けること〕」

**まだき**［(△未だき)］〔雅〕早く。「朝は―から」

**またぎき**［又聞き］《名・他サ》その話を聞いた人から、聞くこと。「―の話で不確かだが」

**また・ぐ**［(×跨ぐ)］《他五》①股を広げて こえる。「家のしきいを―」②その両がわに支えを持つ。「谷を―橋」③区切りをこえる。「日付を―・分野を―教養」

**またぐら**［股(△座)］①またを広げて できる空間。股間。「―を犬がくぐる」②また(股)。

**またぐり**［股(×刳り)］《服》へそから またを通って へその反対がわまでの部分。「―が深いジーンズ」

**まだけ**［(真竹)］原野にはえる竹。節と節の間が長い。苦竹。雄竹。

**またげらい**［(又)家来］家来の家来。陪臣。

**まだこ**［(真×蛸)］いちばんふつうに見られるタコ。ゆでた肉はしまって、酢だこなどにして食べる。「―の にぎり」

**またさき**［股裂き］①《レスリングなど》またを無理に広げる わざ。②〔俗〕板ばさみ。「―になる・―状態」

**またした**［股下］《服》ズボンの、またのつけねから下の、足を包む部分。(↔股上)

**またしても**《副》なんと ふたたび。またも。「―優勝をのがした・―疑問が わいてきた」

**まだしも**《副》①ほかの場合と くらべて、ましなようす。まだ。「けがが なかったのは、―幸運と言うべきだ」②いくらか ましだが。ともかく。「あやまりに来るなら―、抗議とは何事だ」表記 かたく「△未だしも」とも。

**またずれ**［股擦れ］《名・自サ》(太った人の)またの内がわが すれあって、はだが すりむけること。「―を起こす」

**また・せる**［待たせる］《他下一》相手を、待つ状態にする。待たす。「車を―・お待たせしました〔あいさつのことば〕」

**またぞろ**《副》〔=又候〕〔よくないことについて〕またしても。「—批判が起こりそうだ」

**またた・く**［瞬く］《自他五》〔=目＋たたく〕①まばたきをする。「目〈が／を〉—」②〔光が〕見えたり見えなくなったりする。「星（の光）が—」名 瞬き。他 瞬かせる《下一》。●**またたくま**［瞬く間］ほんのわずかの時間。またたくうち。またたくあいだ。「—に出来た・—のできごと」

**またたび**［〈:木天蓼〉］つるを出してからまる落葉樹。長円形の実は、ネコが好んで食べる。

**またたび**［股旅］〔股=又の当て字〕ばくち打ちが旅をして歩くこと。「—物」

**マタドール**〔ス matador=殺す人〕主役の闘牛士。☞トレアドル。

**またと-な・い**《形》①二度と来ない。「—〔=絶好の〕機会」②貴重で、ほかにはない。「—おくりもの」

**まただなり**［又隣］一軒おいたとなり。

**マタニティ（ー）**〔maternity=母性〕①妊婦。産婦。「—用品・—ドレス」②〔↑マタニティ（ー）ドレス〕妊婦服。●**マタニティ（ー）ハラスメント**〔和製 maternity harassment〕⇩マタハラ。●**マタニティ（ー）ブルー**〔maternity blues〕《医》〈出産後／妊娠中〉の一時期、なみだもろくなったり、ふさぎこんだり、夜ねむれなくなったり、頭痛がしたりすること。●**マタニティ（ー）マーク**〔和製 maternity mark〕妊産婦をあらわすマーク。妊産婦が身につけ、周囲に配慮が必要であることを知らせる。

**またの**《連体》①もう一度の。別の。「—機会にゆずる・—会う日」②〔雅〕つぎの。「—年」●**またのな**［〈又の〉名］もう一つの名前。別の名前。一名。●**またのひ**［〈又の〉日］①〔古風〕のちの日。「—を約束する」②〔雅〕つぎの日。

****または**［〈又は〉］《接》〔A—B〕AかBかのどちらか。「ランチにはコーヒー—紅茶がつく」区別 (1)論理学では、一般とは用法が異なり、「**または**」は、AかBかのどちらかの場合と、AでもBでもある場合とをあわせて言う。「**かつ**」は、AでもBでもある場合だけを言う。例、父・母・娘の家族で、「親または女」は全員、「親かつ女」は母だけ。(2)法律では、「または」は大きな要素どうしの接続を、「**もしくは**」は小さな要素どうしの接続をあらわす。例、「死刑または無期もしくは五年以上の懲役」は、「死刑」と「無期もしくは五年以上の懲役」とが大きな要素。(3)一般に、「または」は、AとB以外の場合はない、という感じをともなう。「**あるいは**」は、AとB以外の場合もありうる、という感じをともなう。

**マタハラ**《名・自サ》〔↑マタニティ（ー）ハラスメント〕妊娠・出産を理由に、職場で不当な待遇やいやがらせをすること。

**またび**［股火］火ばちやたき火に、またを広げてあたること。

**またまた** 一《副》またかさねて。「—ごめいわくをおかけします・—忘れてしまった」二《感》〔話〕「いつものじょうだんでしょう」という気持ちをあらわす。「—、そんなこと言って！」

***まだまだ**《副》①もっと。ほかにもたくさん。「—話したいことがある」②今の調子が、当分続きそうなようす。「売り上げは—のびそうだ」③じゅうぶんな程度にほど遠いようす。「—反省が足りない・私は—〔=未熟〕です」④かなり余裕があるようす。「『参ったか』『—！〔=参らないぞ〕』」

**マダム**〔madam〕①おくさま。夫人。「有閑—」②バーなどの、女主人。〔呼びかけるときは「ママ（さん）」〕「バーの—といっても、やとわれ—です」

**またも（や）**《副》〈おどろいた／困った〉ことにふたたびかさねて。「—ホームラン・—雲行きがあやしくなってきた」

**まだら**［〈△斑〉］不規則な形をしたちがった色がいりまじって〈いること／作る模様〉。「—にはげる」●**まだらゆき**［〈△斑〉雪］まだらに〈積もった／消え残った〉雪。はだれ雪。

**まだるっこ・い**［〈間△怠っこい〉］《形》まどろっこしい。まだるい〔古風〕。「まだるっこくて見ていられない」派 -さ。

**まだれ**［〈麻垂れ〉］漢字の部首の一つ。「店」「麻」などの、上から左がわにかけての「广」の部分。〔家に関係がある〕

**またわり**［股割り］《すもう》両足をじゅうぶんに広げて、腰を地面につけるけいこ。

****まち**［町］一 まち ①人家や商店などが多く集まった所。「—のお医者さん・—（の）道場・—中華〔=個人経営の、庶民的な中華料理店〕」②《法》⇩ちょう（町）二 ①。「東京都瑞穂—」二 造 ⇩ちょう（町）二。〔地方自治体名でない〕「神田小川—」

***まち**［街］①商店がならんだにぎやかな〈通り／所〉。「—の明かり・学生の—・—の声〔=庶民の意見・感想〕」②都会。「—は眠らない」表記 歌詞などで「:都会」とも。

**まち**［待ち］待つこと。「—の姿勢・信号—・空席—・ひより—・—に待った〔=長く待ち続けた〕夏休み」

**まち**［〈×襠〉・マチ］①《服》服の布の足りないところに、別にそえる布。「羽織の—〔=わきの布〕・はかまの—〔=うちまたを仕切る布〕」②かばん・紙袋などの横がわの、折り目のはいった部分（の厚み）。「—四センチ」

**まちあい** 一［待合］①↑待合い。二［待ち合い］おたがいに待ち受けること。②客が芸者を呼んで遊ぶ所。●**まちあいしつ**［待合室］乗り物の客や患者などが、時間や順番を待つ部屋。待合。

**まちあか・す**［待ち明かす］《他五》〔人が来るのを〕待ちながら夜を明かす。

**まちあかり**［街明かり］まちの、電灯やネオンなどのあかり。

**まちあぐ・む**［待ち〈×倦む〉］《他五》いやになるほど長く待つ。待ちあぐねる。「きょうかあすかと—」

**まちあるき**［街歩き］まちの中を散歩すること。

**まちあわ・せる**［待ち合わせる］《他下一》場所・時刻を決めておいて、そこで〈会う／乗り物に乗る〉ようにする。待ち合わす。名 待ち合わせ。

**まちいしゃ**［町医者］町なかで開業している医者。開業医。町医。

**まちうけ**［待ち受け］①待ち受けること。②〔↑待ち受け画面〕⇩壁紙②。〔携帯電話では、メールが来るのを待つときにあらわれるから言う〕

**まちう・ける**［待ち受ける］《他下一》来るのを待つ。

**マチエール**〔フ matière〕《美術》材料（の出す感じ）。絵肌。質感。

**まちおこし**［町〈興し〉・街〈興し〉］まちを活性化・発

ま

展させる〈こと／取り組み〉。

**まちおと**［街音］ まちから聞こえてくる、さまざまな物音。

**まぢか**［間近］《名・ナダ》〔時間や距離について〕そこまでが近いようす。「卒業が―にせまる・富士山を―にあおぐ」(↔間遠) 表記「∴真=近」とも書いた。 由来「間隔が近いこと」の意味。 ●**まぢか・い**［間近い］《形》まぢかであるようす。(↔間遠い) 派-さ。 ●**まぢかく**［間近く］すぐ近く。(すぐ)近い所。「―で喚声があがる」

＊**まちがい**［間違い］【一】**まちがい** ①正しくない〈こと／結果〉。誤り。「―を犯す・―を認める・予想に―がある・文章の―・―電話」②やりそこない。失敗。あやまち。「―をしでかす」③事故。「子どもに―でもあるといけない」④不道徳な おこない。「生徒に―がないように」【二】造 正しく…するのに失敗すること。「見―・聞き―・言い―・読み―・書き―・計算―」▽【一】【二】間違え。☞間違い【二】①。 ●**まちがい-な・い**［間違いない］《形》①考え方の誤りや、かんちがいなどではない。確かだ。「千円貸したのは―・間違いなく(=絶対に)あいつが犯人だ・〔店員が〕以上でお―でしょうか?〔『間違いございませんか?』の新しい言い方〕」②誤りをふくまない。「―報告」③信用できる。確かだ。「―人物」丁寧 間違いありません。

**まちが・う**［間違う］【一】《自五》①正しいところから外れる。「間違った発音・君の判断は間違っている」②道徳に反する。「間違ったことをした」【二】《他五》・造⇩間違える。☞間違っても。

**まちが・える**［間違える］【一】《他下一》①うっかりして、正しくないことをする。「字を―・方法を―」②とりちがえる。「部屋を―・別の本と―」③やりそこなう。「一歩間違えれば死につながる」【二】造 正しく…するのに失敗する。「見―・聞き―・言い―・読み―・書き―・文字を写し―・ボタンを押し―」▽【一】【二】間違う。名 間違え。可能 間違えられる。

**まちがっても**［間違っても］《副》決して。何が起こっても。「そんな店は―行かない」

**まちかど**［街角］①街路の曲がりかど。「―を曲がる」②まちの通り。街頭。「―の話題」

**まちか・ねる**［待ち〈兼ねる〉］《他下一》待つことが〈がまんできなくなる／困難になる〉。「医者を待ちかねて むかえを出す」

**まちかま・える**［待ち構える］《他下一》準備をして、相手を待つ。待ちもうける。

**まちぎ**［街着］外出のときの衣服。外出着。

**まちきん**［街金・マチ金］〔←街金融〕〔俗〕まちなかに店をかまえる、中小の金融業者。

**まちくたび・れる**［待ち〈∴草臥れる〉］《自下一》〔人などを〕長い間待って〈つかれる／いやになる〉。

**まちこうば**［町工場］町なかの、小さな工場。

**まちこが・れる**［待ち焦がれる］《他下一》待っているうちに、おちついて いられなくなる。「夏休みを―」

**まちコン**［街コン］地域や地方自治体が企画する合コン。

**まちじかん**［待ち時間］用をたすまでに待つ時間。「乗り換えの―」

**まちすじ**［町筋］町の道筋。町の通り。「―を通り抜ける」

**まちつく・す**［待ち尽くす］《他五》来るはずの人を、いつまでも待つ。

**まちづくり**〔町作り〕・〔街作り〕①新しく まちを作ること。②まちの環境をととのえ、暮らしやすくすること。「災害に強い―・―協議会」

**まちどお**［待ち遠］《ナダ》〔古風〕待ち遠しいようす。☞おまちどおさま。 ●**まちどおし・い**［待ち遠しい］《形》待つことが長(くて やりきれな)い。派-がる。-げ。-さ。

**まちどおり**［町通り］人家や商店などの多い町の通り。

**まちどしより**［町年寄］《歴》江戸時代、町内の公務を処理した役人。身分は町人。

**まちなか**［町(中)・街(中)］まちの、家の ある所。まちのなか。(↔町外れ)

**まちなみ**［町並み・街並み］まちに家々が たちならぶ様子。「―がそろっている」

**マチネ(ー)**〔フ matinée〕昼間の興行。(↔ソワレ)

**まちのぞ・む**［待ち望む］《他五》そのことが実現するのを、あてにして待つ。待望する。「営業再開を―」

**まちば**［町場・街場］①〔農村・住宅地などに対して〕商業地。「―暮らし」②身近な まちの中。ちまた。「〔大手企業でなく〕―の工務店・―の声」

**まちはずれ**［町外れ・街外れ］まちの中心部からはなれた所。場末。(↔町中)

**まちばり**［待ち針］ぬう前に布をとめておくときなどに使う、頭に小さな玉の ついた針。(↔縫い針)

**まちびと**［待ち人］〔文〕来るのが待たれる人。「―きたらず」

**まちぶぎょう**［町奉行］《歴》江戸幕府が、江戸・京都・大坂などに置いて、市中の行政・司法を取りあつかわせた職名。「―所」

**まちぶせ**［待ち伏せ］《名・他サ》人の来るのをかくれて待ち、不意をつくこと。「敵を―する」動 待ち伏せる《他下一》。

**まちぶら**［街ブラ・街ぶら］《名・自サ》〔俗〕街をぶらぶらと散歩すること。「―番組」

**まちぼうけ**［待ち(×惚け)］待っていたものが来ないで、はりあいが ぬけること。まちぼけ。「―をくう」

**まちまち**［町々・街々］多くの さまざまな まち。「東京の―」

**まちまち**［(△区々)］《ナダ》それぞれにちがって、同じでないようす。「意見が―だ・区々―」

**まちむすめ**［町娘］〔古風〕町で暮らす むすめ。「江戸の―」

**まちもう・ける**［待ち設ける］《他下一》①〔準備をして〕待ちうける。「どんな困難が待ち設けているかわからない」②そうなるだろうと〈思って／期待して〉待つ。

**まちや**［町家］町の中にある(商人の)家。ちょうか。

**まちやくば**［町役場］〔地方自治体としての〕町の事務をとる役所。ちょうやくば。

**まちやっこ**［町(△奴)］江戸時代の、町民の やくざ集団。侠客。(↔旗本奴)

**まちわ・びる**［待ち(×侘びる)］《他上一》長く待って心がじれ(て つかれ)る。

**まちわり**［町割り］町の区画。「新しい―を決める」

**まっ**［真っ］造「ま(真)【二】」を強めた言い方。「―黄色・

―黒こげ・―平ら・―ぱだか」

**まつ**【松】①アカマツ・ゴヨウマツなど、日本の代表的な常緑樹。木の皮はカメの甲(こう)のような形にさけ、葉は針のようにとがる。新芽を「松の緑」、実を「まつかさ」と言う。②三つの等級に分けたときの、一番目。「―、竹、梅」③門松(かどまつ)。④松の内。「―が過ぎる」●**松が取れる**〔句〕松かざりが外される。松の内が過ぎる。

←**ま・つ**【(×俟つ)】《自他五》〔文〕①〔後ろに否定が来る〕必要とする。「論をまたない・決定を―までもない」

→**ま・つ【待つ】《他五》①〔人・もの・時期などが〕来るのをのぞむ。「郵便物を―・春のおとずれを―・―ほどもなく相手が現れた・〔舞台(ぶたい)に向かって〕待ってました!・質問されて、待って〔まし〕たとばかりに答えはじめる」②来るのをむかえる。「人を―心得」③〔動作・話などを〕そこで とどめる。「待って、行かないで・ちょっと待て、それは言いすぎだろう」☞待てよ。④期限をのばす。「しめきりを一日待ってくれ」☞待ってくれ〔可能〕待てる。●**待てしばし**〔暫し〕〔句〕〔文〕ちょっと待て。「―がない〔=非常に気が短い〕」●**待てど暮らせど**〔句〕いつまで待っても。●**待てば海路の日和(ひより)あり**〔句〕〔=しばらく待っていれば航海に適した好天気となる〕あせらずに時期を待っていれば、そのうち好機がおとずれるものだ、というたとえ。

*__まつ__【末】〔造〕①すえ。「年度―・今世紀―」②《医》細かい粉〔になった薬〕。「大黄(だいおう)―」

**まつい**【末位】〔文〕①いちばん下の地位。②いちばん終わりのけた。「―番号八」

☆☆**まつえい**【末×裔】〔文〕子孫。後裔(こうえい)。「平家の―」

**まつエク**〔←まつげエクステンション。「マツエク」とも書く〕接着剤(ざい)で一本一本つけていく、人工のまつげ。

**まっか**【真っ赤】《ナダ》①まったくあかいようす。「〔強調して〕―っか」②明らか。まるっきり。「―なうそ・―なにせもの」☞赤〔三〕

**まつがえ**【松が△枝】〔雅〕松のえだ。

**まつかさ**【松(×毬)】松の木の実。まつぼっくり。

**まつかざり**【松飾り】正月の、門松(かどまつ)のかざり。

**まつかぜ**【松風】①松にふく風。②《茶道》茶がまの煮(に)え立つ音。

**まっき**【末期】①終わりに非常に近い時期。「明治―」〔↔初期〕②〔病気・事態などが〕非常に悪化した段階。「―がん・―的〔=末期を思わせるようす〕」〔↔早期〕☞まつご〔末期〕。

**まっき**【真っ黄】《ナダ》まったく黄色であるようす。まっきい。「―っ黄(き)」

**まつぎ**【末技】〔文〕大切なところを忘れた、細かな〈技術〈技芸〉。「―に走る」

**まっく**【末句】短歌や漢詩の、最後の句。

**まつくいむし**【(松食虫)】松の木を食いあらす害虫。毛虫とは別。

☆☆**マックス**〔max〕最大限。最高値。マキシマム。〔俗に、副詞的にも使う。「―疲(つか)れた」〕

**まっくら**【真っ暗】《ナダ》①完全に暗いようす。②まったく希望がもてないようす。「お先―」●**まっくら・い**【真っ暗い】《形》完全に暗い。●**まっくらがり**【真っ暗がり】《名・ナダ》〔俗〕まっくら(な所)。●**まっくらやみ**【真っ暗闇】完全なやみ。真のやみ。

**まっくろ**【真っ黒】《ナダ》①まったく黒いようす。「―黒」②〔日ざしや雪の反射で〕はだがすっかり焼けるようす。③黒ずんで一面によごれているようす。「―な手をしている」●**真っ黒になって**〔句〕夢中になって。「―働く」●**まっくろ・い**【真っ黒い】《形》まっくろな状態だ。●**まっくろけ**【真っ黒け】《ナダ》〔俗〕まっくろ。

**まつげ**【まつ毛・×睫】〔=目の毛〕まぶたのふちにはえている毛。

☆☆**まつご**【末期】〔文〕一生の終わり。臨終。☞まっき〔末期〕。●**まつごのみず**【末期の水】〔―みづ〕人が死ぬときに口にふくませる水。死に水。

**まっこう**【抹香】《仏》シキミの〈葉〈皮〉を粉にした香。●**まっこうくさ・い**【抹香臭い】《形》①抹香のにおいがするようすだ。②いかにも仏教らしい感じだ。坊主(ぼうず)くさい。●**まっこうくじら**【抹香鯨】〔―くぢら〕歯をもつクジラの中では最大のクジラ。頭部が長い。腸から竜涎香(りゅうぜんこう)という香料がとれる。

**まっこう**【真っ向】①真正面。まとも。「―から反対する・―勝負〔=真正面からの勝負〕・〔見出しで〕―異議〔=真っ向からの異議〕・―微塵(みじん)に〔=真っ向から、こなごなになれと〕斬(き)りかかる」②〔文〕ひたいのまんなか。「―幹竹(からたけ)割り」

**マッコリ**〔朝鮮 makgeolli〕米や小麦が原料の、あまずっぱいにごり酒。マッカリ。マッコルリ。「―にはチヂミが合う・フローズン―」

**まつざ**【末座】〔文〕しもざ。末席。すえのざ。「―に控(ひか)える」

**マッサージ**《名・他サ》〔massage〕手でからだをもんだり おしたりして、筋肉のこりをほぐすこと。美容のためにもする。「フット―」

**まっさいちゅう**【真っ最中】本格的に〈何かをして〈何かが始まって〉まだまだ終わりそうにないころ。まっただなか。「子育ての―・夏休み―」

**まっさお**【真っ青】〔―さを〕《ナダ》①まったく青いようす。②顔色がすっかり青ざめるようす。「さあたいへんだと、一同―」

**まっさかさま**【真っ逆〈様〉】《ナダ》すっかりさかさまなようす。「―に落ちる」

**まっさかり**【真っ盛り】ものごとのいちばんさかんな時期。まさかり。「夏の―・バブル経済―」

**まっさき**【真っ先】いちばん初め。最初。「―に駆(か)けつける・―〔を〕駆けて斬(き)りこむ〔古風〕」

☆☆**まっさつ**【抹殺】《名・他サ》①人や事実などを〈社会から〉なくしてしまうこと。「事実を―する」②〔文〕こすって消して、なくすこと。抹消。

**まっさら**【〈真っ更〉・〈真っ△新〉】《名・ナダ》〔一度も使っていなくて〕真新しい〈こと・もの〉。「―のシャツ」

**まっし**【末子】〔文〕すえの子。ばっし。〔↔長子〕

**まつじ**【末寺】《仏》別の土地にある、本山に従属したてら。

**まっしぐら**《副》勢い はげしく進むようす。一目散。いっさん。「―に突進(とっしん)する」〔表記〕「×驀ら」「:驀地」とも書いた。「真っしぐら」と書くこともある。

**まつじつ**【末日】〔文〕最後の日。「一月―」

**まっしゃ**【末社】「本社③」に従属した神社。☞摂社(せっしゃ)。

**マッシャー**〔masher〕〔台所用品で〕ゆでたイモや野菜をつぶす器具。

**マッシュ**《名・他サ》〔mash〕《料》野菜を煮にてうらごしにかけ、牛乳・バターを〈加えること／加えたもの〉。「―(ド)ポテト」☞ピューレ。●**マッシュアップ**《名・他サ》〔mashup＝混ぜ合わせる〕①《音》〔ポピュラー音楽で〕複数の曲を混ぜて新しい曲を作ること。②《情》インターネット上で、複数のサービスを組み合わせて提供すること。

**マッシュルーム**〔mushroom〕西洋産のキノコ。かさはまんじゅうに似て、白または うす茶色。ミートソースなどに入れる。西洋まつたけ。シャンピニオン。「―のアヒージョ」

**まつじょ**〔末女〕〔文〕すえの むすめ。ばつじょ。(↔長女)

**まっしょう**〔末×梢〕〔文〕(枝の)はし。すえ。●**まっしょうしんけい**〔末×梢神経〕《生》脳・脊髄せきずいから分かれて全身に広がる神経線維せんい。(↔中枢ちゅうすう神経)●**まっしょうてき**〔末×梢的〕《ナダ》〔文〕①すえのことで、大切でないようす。(↔根本的)②取るにたりないようす。つまらないようす。

**まっしょう**〔末章〕〔文〕いちばん終わりの章。

☆☆**まっしょう**〔抹消〕《名・他サ》〔字などを〕消すこと。「三字―・登録―(＝名簿ぼめぃなどから名前を消すこと)」

**まっしょうじき**〔真っ正直〕《名・ナダ》「ましょうじき」を強めた言い方。派―さ。

**まっしょうめん**〔真っ正面〕「ましょうめん」を強めた言い方。「―から見る」

**まっしろ**〔真っ白〕《ナダ》①まったく白いようす。白くて、少しもよごれていないようす。「―なシャツ」☞頭(の中)が真っ白になる〔「頭」の句〕。②何も書いてないようす。「―な紙」③〔俗〕まったくの無罪。派―さ。●**まっしろい**〔真っ白い〕《形》まっしろな状態だ。●**まっしろけ**〔真っ白け〕《ナダ》〔俗〕まっしろ。

**まっしん**〔真っ芯〕「ましん(真芯)」を強めた言い方。

**マッス**〔mass〕①《美術》大きな かたまり。②〔古風〕⇩マス①。

**まっすぐ**〔(真っ△直ぐ)〕《名・ナダ・副》①少しもゆがまないようす。「―な線・―(に)歩く」②ひねくれた所がないようす。「―な性質・―に育つ」派―さ。

**まっせ**〔末世〕〔文〕すえの世。

**まっせき**〔末席〕すえの座席。しもざ。ばっせき。(↔上席)●☆☆**末席を汚けがす** 句 自分がその〈地位にいる／会に出席する〉ことの、けんそんした言い方。

**まっせつ**〔末節〕〔文〕あまり重要でない箇所かしょ。「枝葉しよう―」

**まっそん**〔末孫〕〔文〕遠い子孫。ばっそん。

**まった**〔待った〕一《感》〔話〕待ってくれ。「ちょっと―」二《名・自サ》①〔すもう・碁・将棋など〕相手がしかけてきた、立ち合いや手を待ってもらう〈こと／ことば〉。②中止をもとめること。「工事に―をかける」●**まったなし**〔待った(無し)〕①〔すもう・碁・将棋など〕「待った二①」を許さないこと。②先のばしが できないこと。「少子化対策は―だ」

**まったい**〔△全い〕《連体》〔文〕完全な。まったき。「―思想」

**まつだい**〔末代〕〔文〕①すえの世。②死んだあとの世。「―物もの(＝いつまでも使えるもの)」

**まったからしめる**〔△全からしめる〕《他下一》〔文〕完全なものとさせる。「地位を―」

**まったき**〔△全き〕《連体・名》〔文語形容詞「まったし」の連体形から〕〔文〕完全な(こと)。「山の―姿をあらわす・―を期する」

****まったく**〔(全く)〕一《副》①そうでない点が、少しもないようす。完全に。「両者が―一体となる・―(の)初耳だ」②〔後ろに否定が来る〕少しも。「―聞いていない・『台本できた?』『―ですよ(＝少しもできていない)』」③本当に。まことに。「―よかった」④〔賛成して〕そのとおり。「『便利になったものだ』『―ですな』」▽③④は、やや〈かたい／古風な〉言い方。アク「の」などがつく場合は、まったく。二《感》〔話〕いらだったり、あきれたりして発する声。ったく。「―もう」●**まったくもって**〔(全くもって)〕《副》(もって＝以て)〔文〕「まったく一」を強めた言い方。「―残念だ」

**まつたけ**〔(松×茸)〕アカマツの林に はえるキノコ。かおりが珍重ちんちょうされる。食用。まつだけ。まったけ〔西日本方言〕。「香おかおり―、味しめじ・―ごはん」

**まっただなか**〔(真っ×只)中・(真っ△直)中〕①その中に完全に はいりこんだ所。まんなか(に近い所)。「繁華街はんかがいの―・群衆の―」②それがずっと続き、まだまだ終わりそうにないころ。まっさいちゅう。「梅雨つゆの―・競技の―」

**まったり**《副・自サ》①コクがあって、ゆっくり口の中で味わいが広がるようす。「―(と)したふかひれ煮に」②〔ふんいきが〕ゆったりしたようす。「―と過ごす」

**まったん**〔末端〕①はし。さき。「指の―」②組織のいちばん下部。「組合の―まで」

**まつだん**〔末段〕〔文〕(文章などの)終わりのほうの〈部分／段落〉。

**マッチ**〔match〕こすって火をつける用具。「―を擦すする・―箱」表記「燐寸」とも書いた。●**マッチポンプ**〔和製 match＋オ pomp〕〔俗〕①自分でさわぎに火をつけたあと、しずめるがわに回ること。②問題をあばいたあと、もみ消しを条件に、金品をゆすること。

**マッチ**〔match〕一試合。「タイトル―・リターン―」二《名・自サ》一致いっちすること。似合うこと。調和すること。「周囲の景色と―する建物」●**マッチプレー**〔match play〕《ゴルフ》プレーヤーが一対一で、ホールごとに勝敗をきめていく方式。勝ち負けのホール数を争う。(↔ストローク プレー)●**マッチポイント**〔match point〕〔テニス・バレーボールなど〕あと一点取れれば、その試合に勝つという状態。また、その最後の一点。☞ゲームポイント・セットポイント。●**マッチレース**〔和製 match race〕一対一で勝敗を争うこと。特に、二強の争い。「―の様相」

**まっちゃ**〔抹茶〕茶うすで ひいて粉にした、上等の緑茶。また、その飲み物。「お―・―色(＝くすんだ黄緑色)・―ラテ」(↔葉茶はぢゃ) ☞ひき茶。

**マッチョ**《名・ナダ》〔macho〕①〈力強くて／筋骨隆々りゅうりゅうで〉男っぽいようす。また、その男性。「―マン・細―」②男らしさをほこって、女性をかろんじる〈ようす／男性〉。

**マッチング**《名・自他サ》〔matching〕①(色や外観が)つりあうこと。似合うこと。②対照させること。「―リスト」③双方そうほうをうまく組み合わせること。「企業きぎょうどうしの―・―アプリ・―サイト」

**まってい**〔末弟〕〔文〕すえの弟。ばってい。(↔長兄)

マット〔mat=ござ。敷物(しきもの)〕①シュロで作った靴(くつ)ぬぐい。②ゆかの上などに敷(し)く、足ふき。また、玄関(げんかん)の上がり口などに敷く、小さな厚い敷物。「玄関―・バス―」③食器やグラスの下に敷くもの。④〔体操で〕回転運動のときなどに使う、厚い敷物。⑤レスリングなどの試合の場所に敷く、厚い敷物。⑥〔↑マットボード〕絵などを額に入れるときに下敷きとする、厚い紙。●マットに沈(しず)む 句〔レスリング・ボクシング〕負けてたおれる。他マットに沈める。

マット〔matte〕つや消しのもの(であるようす)。「―な素材のジャケット・―なピンクのネイル」●マットペイント〔matte paint〕①写真のように精密な背景画(を使うSFX)。「―ディレクター」②つや消しの塗装(とそう)。マット塗装。「―の中古車」

マッド《名・ナダ》〔mad=正気ではない〕頭がおかしいようす。錯乱(さくらん)したようす。「―サイエンティスト(=錯乱し、倫理(りんり)観を失った科学者)」☞クレイジー。

マッド《名・ナダ》〔mud〕どろ。ぬかるみ。また、ぬかるんだようす。「―ガード(=自動車などのどろよけ)・―タイヤ・―な路面」

まっとう〔末等〕〔文〕競技や抽選(ちゅうせん)などで、おしまいの等級。びり〔俗〕。

まっとう〔〔真っ当〕〕《ナダ》まとも。「―な生活」派―さ。

☆☆まっとう・する〔全(まった)うする〕《他サ》完全に〈する/果たす/たもつ〉。「任務を―」

マットレス〔mattress〕その上に敷(し)きぶとんを敷く、厚くて弾力(だんりょく)のある敷物(しきもの)。

まつなん〔末男〕〔文〕すえの男の子。(↔長男)

まつねん〔末年〕〔文〕終わりのとし。「明治―」

まつのうち〔松の内〕正月の松かざりのある間。松。〔関東では元日から七日まで。関西では十五日まで〕

まつのは〔松の葉〕〔文〕「寸志」の意味で、祝儀袋(しゅうぎぶくろ)・おくりものの表書きに書くことば。

まつのみ〔松の実〕松かさにはいっている種子。「バジルと―でジェノベーゼを作る」

マッハ〔Mach=人名〕①〔理〕〔超音速(ちょうおんそく)の航空機やミサイルなどの速さの〕音速に対する比〔記号M〕。マッハ一は音速と等しく、一気圧で気温一五度のとき秒速約三四〇メートル。マッハ数。「―二のジェット機」②〔俗〕ものすごいスピード。「〔自動車〕―レース」

まつば〔松葉〕〔針のようにとがった〕松の葉。「―模様」●まつばがに〔〔松葉×蟹〕〕①房総(ぼうそう)半島から沖縄までに分布するカニ。食用。②〔山陰(さんいん)方言〕ズワイガニ。●まつばづえ〔松葉(×杖)〕足の不自由な人が、わきの下に入れてからだを支えて歩く、つえ。●まつばぼたん〔〔松葉×牡丹〕〕背の低い庭草。葉は松の葉のような形で短く、夏、べに・黄色・白色などの花をひらく。

まっぱ〔末派〕〔文〕①芸術・宗教などの、すえの流派。②末輩(まっぱい)。

まっぱい〔末輩〕〔文〕地位・技術が下の人。〔けんそんして言うときにも使う〕

まっぱだか〔真っ裸〕まったくの はだか。すっぱだか。まるはだか。まっぱ〔俗〕。

まつばら〔松原〕松が〔多く〕はえている海岸・平地など。

まつび〔末尾〕〔文章・番号などの〕終わり。

まっぴつ〔末筆〕〔文〕手紙の終わりの ほうに書く文句。「―ながら奥様(おくさま)によろしく」

まっぴら〔〔真っ平〕〕《副》〔俗〕①ひたすら。ひらに。「―ごめんこうむりたい」②どうしても いやだ。「そんな所へ行くのは―だ」

まっぴるま〔真っ昼間〕まったくの〔明るい〕ひるま。「―に堂々とおこなわれた犯罪」

マッピング《名・他サ》〔mapping〕①地図を作ること。「ラーメン店を―する(=分布を地図にあらわす)」②〔情〕対応づけること。③↑プロジェクション マッピング。

☆☆マップ〔map〕〔一枚の紙に印刷した〕地図。「ドライブ―」☞アトラス。

まっぷたつ〔真っ二つ〕ちょうど二つ。まふたつ。「―に〈なる〉」

まつぶん〔末文〕〔文〕①手紙の終わりに書く文。②文章の終わり〔の部分〕。例、「まずは右御礼(おんれい)まで」。

まっぽ〔マッポ〕〔俗〕警察官。

まっぽう〔末法〕①〔仏〕釈迦(しゃか)が死んでから二千年たった あとに続く、一万年の間。②〔文〕すえの世。澆季(ぎょうき)。

まつぼっくり〔松(×毬)〕まつかさ。まつぼくり。

まつまい〔末妹〕〔文〕すえの妹。(↔長姉(ちょうし))

まつまえづけ〔松前漬け〕細長く切ったスルメイカ・コンブ・かずのこなどを漬けこんだ、北海道の郷土料理。しょうゆ味で、ねばねばしている。

まつむし〔〔松虫〕〕秋に鳴く昆虫(こんちゅう)の一種。スズムシに似て、茶色。鳴き声は「ちんちろりん」と聞こえる。

まつやに〔松(△脂)〕松の木からにじむようにして出る、ねばねばした液体。☞ロージン。

まつよい〔待つ宵〕〔文〕十五夜の前の夜。●まつよいぐさ〔待宵草〕①道ばたなどに生える野草。夏の夕方、黄色い花がさき、翌朝には しぼんで赤くなる。②「まつよいぐさ①」の なかま。☞宵待草(よいまちぐさ)・月見草。

まつよう〔末葉〕〔文〕①ある時代の終わりのころ。「十九世紀―・明治の―」(↔初葉・中葉)②末孫。

*まつり〔祭り〕㊀まつり ①〔祖先・神霊(しんれい)などを〕祭ること。「祖先の―を絶やさない」②「祭り㊀①」にともなう、にぎやかな行事。お祭り。「―太鼓(だいこ)・―ぢょうちん」③人の多く集まる、特別の もよおし。「ゆかた―・区民―」表記「祇園(ぎおん)祭」など、固有名詞は「祭」「まつり」とも。㊁まつり 造①品物などを多く そろえた、特別企画(きかく)。「ジーンズ―・〔メニューで〕まったけ―(=づくし)」②…が、にぎやかに たくさん あること。「きょうは宿題―だ」●まつりあ・げる〔祭り上げる〕《他下一》①〔高い地位に〕むりに すえる。②おだてて すえる。「会長に―」

まつりか〔〔×茉×莉花〕〕背の低い熱帯植物。初夏に、白くて、強い かおりの花をつける。ジャスミンの一種。☞ジャスミン茶。

☆☆まつりごと〔政〕〔=祭り事〕〔文〕政治。「国の―」

まつりぬい〔〔×纏り〕縫い〕布の端(はし)を折り返して表から目立たないようにする縫い方。まつりぐけ。

まつりゅう〔末流〕〔文〕①子孫。②すえの流派。③つまらない流派。▽ばつりゅう。

まつ・る〔祭る・×祀る〕《他五》①〔仏壇(ぶつだん)などを用意して〕祖先の霊(れい)をなぐさめる。②儀式(ぎしき)をととのえて神霊をなぐさめる。③神として しずめ あがめる。

**まつ・る**〔×纏る〕《他五》《服》スカートのすそなどの折り返した部分を、表がわに ぬい目が目立たないようにして、裏から表へ針をわたしながら ぬいつける。

**まつ・る**〔△奉る〕《補動四》〔文〕尊敬の気持ちをあらわす。「祝い―〔=お祝い申しあげる〕・迎えまつれ」

☆☆**まつろ**〔末路〕〔文〕〔おとろえた〕一生の終わり。なれのはて。「あわれな―」

**まつろわぬ**〔△服わぬ〕《連体》〔雅〕服従しない。「―者ども」

**まつわりつ・く**〔×纏わり付く〕《自五》⇩まとわりつく。

**まつわ・る**〔×纏わる〕《自五》①からみつくようにする。②関係する。「星に―伝説」

＊＊**まで**《副助》①時間・空間の行きつく点をあらわす。「夜十一時―営業・順番が来る―待つ・家から学校―電車で通う・地の果て―も追う」②範囲の一方のはしをあらわす。「何から何―売っている」③行きつく程度・段階をあらわす。「わかる―教える・くさる―放置する」④ふつうの範囲をこえていることをあらわす。「親類に―見はなされた・私―お招きくださった・命―もうばう」⑤時間・量の限度をあらわす。「三時―に来てください・二五グラム―八〇円」⑥それ以上の たいしたことではない、という感じをあらわす。「ためしに聞いてみた―〔=だけ〕だ・君が行けないなら、私が行く―〔=だけ〕のことだ・以上参考―(に申しました)・《手紙》右ご返事―〔=とりあえずの ご返事です〕」⑦〔―もない〕必要がない、の意味をあらわす。「調べる―もない」⑧〔ない―も〕ないにしても。「全部とは言わない―も」⑨〔―ある〕〔俗〕ⓐ極端な可能性をあらわす。「ふられたら、悲しすぎて立ち直れない―ある〔=立ち直れない可能性さえある〕」ⓑ程度が極端であることをあらわす。「かわいすぎて、気持ち悪くなった―ある〔=気持ち悪くなったほどだ〕」〔二〇一〇年代に広まった用法〕 表記 かたく「×迄」とも。 アク ウシまで・ネコ―まで・イヌ―まで。

**マティーニ**〔martini〕 ジンとベルモットで作った透明なカクテル。オリーブの実を入れることが多い。マーティーニ。「ドライ〔=ジンの割合が多い〕―」

**まてき**〔魔笛〕 悪魔がふく、不吉な ふえ。

**マテちゃ**〔マテ茶〕〔ス maté〕 南アメリカ原産の、紅茶に似た飲み物。

**まてよ**〔待てよ〕《感》〔話〕何か おかしいと思い、考え直すときに発する語。「―、この道じゃないな」

**マテリアル**〔material〕①材料。工業用の原材料。〔社名にも使う〕②生地。材質。素材。

☆☆**まてんろう**〔摩天楼〕〔skyscraper《=天を摩するもの》の訳語〕 非常に高い建物。「ニューヨーク市の―」

**まと**〔的〕①〈弓の矢/たま〉を当てる目じるしとなるもの。②目標。「攻撃の―となる・―をしぼる」③一か所に集まるところ。「注目の―」④めあて。急所。要点。
●☆☆**的を射る** 句 ①うまく まとに当てる。②大切なところを正確に指摘する。急所をつく。正鵠を射る。的を得る。「的を射た質問」 ✓ ●**的を得る** 句 ⇩的を射る 句②。「的を得た表現」 ✓「的を射る」「的を得る」とも、特に戦後 広まった言い方。「得る」は「要領を得る」などと同様、「うまく とらえる」の意味。同義語「正鵠を〈射る/得る〉」も二通りの言い方がある。

**まと**〔魔都〕 欲望と犯罪の うずまく、おそろしい都市。

＊＊**まど**〔窓〕①部屋に光や空気を入れるために、壁や屋根にあけた穴(に取りつけた建具)。「ガラス―」②ひらいていて、外の状態を知るためのもの。「世界の―・目は心の―〔⇩「目」の 句〕」

**まどあかり**〔窓明かり〕 窓から さす光線。

**まとい**〔×纏い〕①江戸時代、火消しの人が火事場で使った、自分の組の目じるし。②昔、大将の そばに立てた目じるし。

［まとい ①］

**まどい**〔△団居〕・〔△円居〕《名・自サ》〔雅〕①集まって楽しむこと。だんらん。「家族の―」②集まって、まるく すわること。くるまざ。

**まといつ・く**〔×纏い付く〕《自五》⇩まとわりつく。

**まと・う**〔×纏う〕《他五》①〔からだをつつむように〕着る。「ころもを身に―・一糸も まとわぬすがた」②まわりを、それで つつむ。「ふしぎな ふんいきをまとった女」

**まどう**〔魔道〕〔文〕悪魔の道。「―に落ちる」

**まど・う**〔惑う〕 一《自五》 どうするか決めかねて心が乱れる。思い迷う。「四十にして惑わず〔⇩不惑〕」「にげ―」 二 造 どうすればいいか わからなくて、うろたえる。 名 惑い。

**まどお**〔間遠〕《名・ナダ》〔時間や距離について〕そこまでの あいだが遠いようす。「余震が―になる〔=回数がへる〕」(↔間近) ●**まどお・い**〔間遠い〕《形》まどおで あるようす。「庭に間遠く虫が鳴く」(↔間近い) 派 ―さ。

**まどか**〔△円か〕《ナダ》〔雅〕①まるい ようす。「―な月」②やすらか。おだやか。「―な夢」③和気あいあい。「―な声」 派 ―さ。

**まどかけ**〔窓掛け〕 窓に かける布。カーテン。

**まどぎわ**〔窓際〕①〔部屋の中の〕窓のすぐそば。②〔↑窓際族〕〔会社などで〕ひまな職務。「―に追いやられる」 ●**まどぎわぞく**〔窓際族〕(窓の そばの席で)ひまな職務についている中高年社員。〔一九七八年からの ことば〕

**まどぐち**〔窓口〕①窓になった所。「―から顔を出す」②(窓を通して)応対・お金の出し入れなどの事務をとる所。「―事務」③外部と連絡したり話し合ったりする役目をする所。「相談―・交渉の―・会社がわの―」

**まとはずれ**〔的外れ〕《名・ナダ》〔=矢・たまが的を外れること〕だいじな点を外れること。「―〈な/の〉非難」

**まどはん**〔窓販〕 ↑窓口販売。「保険商品の銀行―」

**まどべ**〔窓辺〕 窓の近く。窓の そば。「―の花」

**まとま・る**〔×纏まる〕《自五》①〔ばらばらだったものが〕同じ所に集まった状態になる。一つの かたちになる。「チームが―・まとまった〔=かなり多くの〕お金」②筋道が立つ。きちんと できあがる。「考えが―」③うまく決まる。「縁談が―」④〔争議などが〕解決する。 名 まとまり。「―のいいチーム」 可能 まとまれる。

**まとめがい**〔×纏め買い〕《名・他サ》一度にたくさんの物を買うこと。「週末に食料を―する」

＊**まと・める**〔×纏める〕《他下一》①〔ばらばらだったも

のを〕同じ所に集める。一つの かたちにする。「データをー・報告書をー・まとめて読む・まとめ上げる」②筋道を立てて、整える。「考えをー」③決まりをつける。「商談をー」④〔争議などを〕解決する。名まとめ。「ー役」可能まとめられる。

**まとも**〔(:真面)・(:真正面)〕《名・ダ》①少しもそれずに、〈正面に当たる/正面を向ける〉ようす。「ーに風を受ける・光をーに見る」②片手間でなく、本気でおこなうようす。「研究にーに取り組む」③変わった方法を使わず、ふつうにおこなうようす。「ーに戦っては勝てない」④問題がないようす。正常。「ーな主張・ーな頭ではない・ーな時間に起きている」⑤じゅうぶん。満足。「何ひとつーに答えられない・まあまあーな料理」⑥まじめ。「ーな人間・ーな商売・ーに働く」派ーさ。

**マドモアゼル**〔フ mademoiselle〕お嬢さん。マドモワゼル。

**まどやか**〔(△円やか)〕《ダ》〔文〕かどがなくて おだやかなようす。「ーな性格」派ーさ。

**マドラー**〔muddler〕飲み物をかきまぜる、棒の形をした道具。

**まどり**〔間取り〕建物の中の、部屋の配置。「ーのいい家」

**マトリックス**〔matrix〕①《数》⇩行列二①。②一覧表。▽マトリクス。

**マトリョーシカ**〔ロ matryoshka〕農婦の人形の中に、同じ形の人形が、いくつも入れ子になってはいっている、ロシアの民芸品。

**マドレーヌ**〔フ madeleine〕バター・たまご・小麦粉などから作る、しっとりしたケーキ菓子。

**マドロス**〔オ matroos〕水夫。船乗り。●**マドロスパイプ**〔和製 オ matroos + pipe〕太く折れまがって、火皿の大きいパイプ。

**まどろ(っ)こし・い**《形》いらいらするほど、むだに手間がかかるようすだ。まだるい。まだるっこい。まだる(っ)こしい。まどろ(っ)こい。「ー表現・手続きがー」派ーげ。ーさ。

**まどろ・む**〔(:微睡む)〕《自五》しばらく浅いねむりをとる。「少しー」名まどろみ。

**まどわく**〔窓枠〕窓のまわりに取りつけたわく。☞サッシ。

**まどわ・せる**〔惑わせる〕《他下一》①考えをみだす。「人心をー」②よくないほうにさそい入れる。「青少年をー」③あざむきだます。「消費者をー宣伝」▽惑わす。

**まとわりつ・く**〔(×纏わり付く)〕《自五》物や人の〈まわり/そば〉に、はなれないようにしっかりと(からみ)つく。まといつく。まつわりつく。「糸が手にー・子どもが母親にー」

**マトン**〔mutton〕成長した羊の肉。羊肉。「ーカレー・ーキーマ(=ひき肉)」☞ラム(lamb)①。

**マドンナ**〔イ Madonna〕①聖母マリア(の像)。②あこがれの的となる女性。「われらがー」

**まな**〔真名・真△字〕〔=(仮名に対して)正式の文字〕漢字。「ー本(=古文を、漢字だけで書いた本)」(↔仮名)

☆☆**マナー**〔manners〕礼儀にかなったやり方。行儀作法。「ーを守る・ーのいい観客・ーに反する・テーブルー」区別⇩エチケット①。●☆☆**マナーモード**〔和製 manner mode〕〔携帯電話で〕人の迷惑にならないように、音を出さないで振動などによって着信を知らせる〈設定/機能〉。サイレントモード。

**まないた**〔(×俎)板・(×俎)〕食材をのせて包丁で切るための板。●**まな板に載せる**句 自由な論議の対象にする。俎上に載せる。「予算案をー」●**まないたのうえのこい**〔(×俎)板の上の(×鯉)〕運命をほかの人の手ににぎられて、すっかり覚悟を決めた人のたとえ。まな板の鯉。

**まなうら**〔△目裏・△眼裏〕〔雅〕目の おく。「ーに残る姿」

**まなかい**〔(△目交い)〕〔雅〕目の前。

**まながつお**〔(真△魚×鰹)〕銀白色の うろこの美しい、ひし形をしたひらたいさかな。海にすみ、肉は白身。

**まなこ**〔眼〕(=目の子)〔文〕①めだま。「どんぐりー」②目。「好奇のー・ねぼけー」

**まなざし**〔(△眼差し)・(△目差し)〕ものを見る、目の表情。目つき。「慈愛のー・熱いー」

**まなしに**〔間なしに〕《副》〔時間の〕あいだをあけないようす。すぐ。「ー電話がかかってくる」〔連体詞の形もある。「入学して間なしのころ」〕

**まなじり**〔(×眦)〕〔文〕目じり。「ーを下げて笑う」由来「まな」は「目の」、「しり」は「端のほう」の意味。●**まなじりを決する**句〔文〕目を見ひらいて〈怒った/決心した〉顔つきをする。「まなじりを決して〈抗議する/必勝を期す〉」由来「決する」は「決裂」の「決」と同じで、「切れる・ひらく」の意味。

**まなつ**〔真夏〕夏の いちばん暑いころ。盛夏。●**まなつび**〔真夏日〕《天》一日の最高気温が三〇度以上、三五度未満の日。(↔真冬日) ☞夏日・猛暑日。

**まなづる**〔(真名鶴)・(△真鶴)〕ツルの一種。形はタンチョウヅルに似ているが、全身、灰黒色。ひたい・ほおははだかで赤い。天然記念物。

**マナティ(ー)**〔manatee〕大西洋の湾や河口にすむ海獣。ジュゴンに似るが、もっと大きい。☞ジュゴン。

**まなでし**〔(△愛)弟子〕特にかわいがっている弟子。「教授のー」

**まなび**〔学び〕①〔文〕学問。「ーの道」②勉強してわかること。「子どもの ーを助ける」●**まなびと・る**〔学び取る〕《他五》〔ほかの人の弟子になり、またはほかの人の作品などを〕学んで、自分のものにする。「技術をー」●**まなびのにわ**〔学びの庭〕〔雅〕学校。学びの園。●**まなびや**〔学び△舎・:学舎〕〔雅〕学校(の建物)。

****まな・ぶ**〔学ぶ〕一《他五》知識・能力などを得るため、本などを見たり、先生に教わったり、実際にやってみたりする。勉強する。学問をする。「法律をー・着つけをー」二《自五》①〔その人に/その場所で〕教えを受ける。「先生にー・大学でー(『大学にー』はかたい言い方)」②教訓を得る。「失敗にー」由来「まねをする」の意味の「まねぶ」と同源。人のすることをまねるのが もとの意味。可能学べる。

**まなむすめ**〔(△愛)娘〕〔親の〕かわいがっているむすめ。

☆☆**マニア**〔mania=熱狂〕趣味などに のめりこんでいる人。「鉄道ー・切手ー」〔戦前からあることばで、「電話ー」など「中毒」の意味でも使われた〕☞おたく三。

☆☆**マニアック**《ダ》〔maniac〕趣味などに のめりこむよ

うす。また、そのような人にしか わからないようす。「―な視聴者・―な質問」

**まにあわせ**【間に合わせ】その場をしのぐための用にあてること。「―の処置」☞間に合う〔「間」の句〕。

**マニキュア**《名・自サ》〔manicure〕手の指の つめにするけしょう。美爪術。また、そのための塗料。(↔ペディキュア)

**まにし**【真西】ちょうど西。

**マニッシュ**《ナダ》〔mannish〕男性的な〈ようす／こと〉。マスキュリン。「―なブーツ」(↔フェミニン)

**マニピュレーター**〔manipulator〕①操作する人。「シンセサイザーの―〔=プログラマー〕」②〔ロボットで〕ものをつかんだりする、人間の手のような部分。

☆☆**マニフェスト** 一〔manifesto〕①宣言。宣言書。②〔政策の数値目標・実施期限・財源などを明示した〕政策綱領。「ローカル〔=地方政治の〕―」 二〔manifest〕産業廃棄物の受けわたしをする業者が、順番に書きこむ伝票。不法投棄を防ぐためのもの。

**まにまに**【(△随に)】《副》〔雅〕なりゆきにまかせて。したがって。ままに。「筆の―しるす・波の―ただよう」 表記「波のまにまに」は、「波間に」の意味と考えて「波の間に間に」とも。

☆☆**マニュアル**〔manual〕①手引書。取扱説明書。「―化する」②(自動ではなく)手で操作すること。手動。 ●**マニュアル しゃ**【マニュアル車】クラッチペダルをふんで変速装置を動かす方式の自動車。MT〔←manual transmission〕車。(↔オートマチック車・AT車)

**マニュファクチュア**〔manufacture〕〔経〕人を集めて工場で手仕事をさせた、機械化する前の工業。工場制手工業。マニュファクチャー。☞家内工業。

**まにんげん**【真人間】ふつうの社会生活をする、まともな人。「更生して―になる」

**まぬが・れる**【免れる】《他下一》好ましくない ものごとに出あわないですむ。のがれる。まぬかれる。「危機を―・責めを―」 ✎古くは「まぬかる」と清音で、今でも「まぬかれる」と言う。一方、江戸時代の版本に「まぬがる」とあり、濁音形も長く使われている。

**マヌカン**〔フ mannequin〕①ブティックの店員。ハウスマヌカン。〔バブル景気のころの ことば〕②ファッションモデル。「花形―」☞マネキン。

**まぬけ**【(間抜け)・マヌケ】《名・ナダ》することに ぬかりがある〈ようす／人〉。とんま。「―野郎・お―」 派 -さ。 動 まぬける《自下一》。

**まぬる・い**【(間△緩い)】《形》のろ(くて おそ)い。「やり方が―」 派 -さ。

**まね**【(:真似)】《名・他サ》①まねること。「死んだ―をする・顔―」②〔俗〕好ましくない ふるまい。「ふざけた―をするな」

**マネ** 造 ↑マネージャー。「女子―」

**マネー**〔money〕①お金。「電子―」②取引に使う資金。「巨額の―」 ●**マネー ゲーム**〔和製 money game〕金融市場などで、知恵をしぼって資金を運用し、できるだけ多くの利益を得ようとすること。 ●**マネー サプライ**〔money supply〕〔経〕市場に流通している通貨の量。通貨供給量。 ●**マネーロンダリング**〔money laundering〕犯罪や不正な手段で得たお金を、預金の口座をつぎつぎに移しかえるなどして、出所をわからなくすること。資金洗浄。マネロン。

**マネージメント**《名・他サ》〔management〕⇩マネジメント。

☆☆**マネージャー**〔manager〕①支配人。管理者。「ホテルの―・フロアー―・ケアー―」②〔芸能人・スポーツのチームなどの〕スケジュールその他の世話役。▽マネジャー。

**まねき** 一【招き】まねくこと。 二〔↑招き看板〕劇場・寄席の入り口にかかげる、出演者の名前を書いたふだ。 ●**招きを受ける** 句 招待される。 ●**まねきい・れる**【招き入れる】《他下一》まねいて、部屋・家の中に相手を入れる。招じ入れる。 ●**まねきねこ**【招き猫】あと足ですわり、前足で人を招く姿をしたネコの置物。 ●**まねきよ・せる**【招き寄せる】《他下一》①(手でまねいて)自分のほうへ来させる。「かたわらに―」②自然に、自分のほうに近づける。「花が虫を―・危機を―」

**マネキン**〔mannequin〕①衣服を着せて、店にならべる人形。マネキン人形。②〔古風〕洋服やけしょう品の売り子。「―ガール」③〔古風〕ファッション モデル。☞マヌカン。

＊**まね・く**【招く】《他五》①手などをふって、近くに来させ(ようとす)る。手まねきする。「遠くから―」②さそって、むかえ入れる。招待する。「友人を家に―」③〔結果を〕引き起こす。「不注意が死を招いた・繁栄を―」

**まねごと**【(:真似=事)】形だけをまねて、それらしくやること。「〔けんそんして〕手品の―ぐらいはできる」

☆☆**マネジメント**《名・他サ》〔management〕①管理。「クライシス―〔=危機管理〕」②経営。▽マネージメント。

**マネジャー**〔manager〕⇩マネージャー。

**マネタイズ**《名・他サ》〔monetize〕収益化をはかること。特に、インターネットの無料サービスを収益につなげること。

**マネタリー** 造〔monetary〕通貨や金融に関すること。 ●**マネタリー ベース**〔monetary base〕〔経〕中央銀行が供給する通貨の量。流通している現金と、市中銀行が中央銀行に預けている当座預金との合計。

**まねっこ**【(:真似っこ)】《名・自サ》〔俗〕まねをすること。

**ま・ねる**【(:真似る)】《他下一》ほかのものに にせてする。まねをする。「歩き方を―」

☆☆**まのあたり**【目の当たり】《名・副》①自分の目の前。「おそろしい光景を―に見る」②じかに。直接。「―に見聞する」 ●**目の当たりにする** 句〔びっくりするようなことを〕目の前に見る。「きびしい現実を―・子どもの成長を―」

**まの-て**【魔の手】危害を加えるもの。魔手。「―がおよぶ・―にかかる」

**まのび**【間延び】《名・自サ》間が長くな(って だらけ)ること。しまりがないこと。「―した声で答える」

**まばたき**【(△瞬き)】まぶたを、ごくわずかの時間に とじてあけること。「―もせず見つめる」 動 まばたく《自五》。

**まばゆ・い**【(目△映い)・(×眩い)】《形》光りかがやいて、まぶしい。「―電光・―ばかりのドレス」 派 -がる。-げ。-さ。

**まばら**【(△疎ら)】《名・ナダ》①間がすいて あらいようす。「人かげも―だ」「―な林」②ちらほらしているようす。

派ーさ。

**まひ**[麻×痺]・マヒ《名・自サ》①しびれて感覚がなくなること。「神経がーする」②運動神経が役に立たなくなって、手足などを動かせなくなること。「手足のー」③〔故障などのため〕本来のはたらきができなくなること。「高速道路がーした・良心のー」

**まひがし**[真東] ちょうど東。

**まびき**[間引き]《名・他サ》まびくこと。「ー運転」●**まびきな**[間引き菜] 芽が出てまだ若いうちに、まびいた菜。

**まびく**[間引く]《他五》①〔よく育つように〕芽を出した作物のこみあっているところを、ぬき取る。「大根をー」②あいだにあるものをはぶく。「列車をー」③〔子どもが多かったり まずしかったりして育てられないとき〕親が、生まれたばかりの赤んぼうを殺す。〔江戸時代に多くおこなわれた〕

**まびさし**[目×庇]〈かぶと／帽子〉などの、前に、突き出て光をさえぎる部分。

**まひる**[真昼] 昼、日が高い最中。白昼。「ーの太陽・ーのように明るい」

**マフ**[muff] 毛皮で作った、筒の形をした一種の手ぶくろ。両手をさしこんで寒さを防ぐ。

**まぶ**[間夫]〔古風〕情夫。

**まぶい**[マブい]《形》〔俗〕〔女性が〕かわいくて美しい。〔江戸時代からあることばで、戦後、一般に広まった〕

☆☆**マフィア**[Mafia]〔もと、イタリアのシチリア島で結成された秘密組織〕イタリアやアメリカなどで勢力を持つ、大きな秘密犯罪組織。

**マフィン**[muffin]①カップケーキに似た菓子パン。食事用の、あまくないものもある。「バナナー」☞スコーン。②朝食用の丸く平たい、白っぽいパン。二枚に割って具をはさんで食べる。イングリッシュ マフィン。「エッグー」

**まふう**[魔風]〔文〕まかぜ。

**まぶか**[目深]《ナダ》〔帽子などを〕目がかくれるほど深くかぶるようす。●**まぶかい**[目深い]《形》目深なようすだ。

**まぶしい**[×眩しい]《形》①光が強くて目が向けられないような状態だ。②たいへん〈美しくて／りっぱで〉、まともには見られないほどだ。「ーほどの美しい姿」派ーがる。ーげ。ーさ。

**まぶす**[△塗す]《他五》まわり全体につける。「きなこをー」

**まぶた**[×瞼]・[目蓋]〔=目のふた〕目の上をおおって上下に動く、うすい皮。眼瞼。「ーをとじる」●**まぶたが合わない** 句 ねむれない。「心配でー」●**まぶたが重くなる** 句 ねむくなって、まぶたをあけていられなくなる。●**まぶたに浮かぶ** 句 目に見えるようにはっきり覚えている。まぶたに残る。まぶたに映る。●**まぶたの母**[×瞼の母] おもかげとして残っている、記憶の中の母。

**まぶだち**[マブダチ]〔マブ=本当。ダチ↑友だち〕〔俗〕親友。

**まぶち**[目縁] 目のふち。

**まふゆ**[真冬] 冬の いちばん寒いころ。厳冬。●**まふゆび**[真冬日]《天》一日の最高気温が零度未満の日。(↔真夏日)☞冬日。

**マフラー**[muffler]①防寒用に えりもとに巻く、長方形の厚い布。えり巻き。首巻き。②〔自動車などの〕消音器。

**まほ**[真帆] 船の帆を全部張り、順風を受ける状態。(↔片帆)

**まほう**[魔法] あやしく ふしぎなことをおこなう術。妖術。魔術。●**まほうつかい**[魔法使い] 魔法をおこなう人。●**まほうのつえ**[魔法の(×杖)]①魔法をかけるときに使うつえ。②魔法のように、すべてがうまくいくという〈もの／方法〉。「さまざまなことができるスマートフォンはまるでーだ」●**まほうびん**[魔法瓶] まわりに真空の層を作って、中の温度をたもたせるびん。ポット。ジャー。

**まほうじん**[魔方陣] 縦・横・ななめのどちらから合計しても同じ数になるように、正方形内に別々の数字をならべたもの。

| | | | |
|---|---|---|---|
| 6 | 3 | 13 | 12 |
| 9 | 16 | 2 | 7 |
| 4 | 5 | 11 | 14 |
| 15 | 10 | 8 | 1 |

［まほうじん］

**マホガニー**[mahogany] 熱帯産の大きな常緑樹。また、その材木の名。木目が美しく、家具の材料に使われる。

**まほし**《助動形シク型》〔↑まく欲し〕〔文〕〔希望の助動詞〕…たい。…てほしい。「聞かー」

**マホメット**[Mahomet] ⇨ムハンマド。

**まぼろし**[幻]①そこにはないのに、あるように見えるもの。「ーを追う」②はかなく消えるもの。「ーの世」③あると言われているのに、見つからないもの。「ーの名作」④立ち消えとなったもの。「ーと化した計画」

**まほろば**〔=真秀ろば〕〔雅〕①すぐれた場所。「大和は国のー」②大和の国〔今の奈良県〕。「ーの春」

**まま 一〔上の語句を受けて副詞的にも使う〕①なりゆきにまかせること。そのとおりになること。「相手の言うー(に)行動する・なすがー・なるがー〔=なりゆきのまま〕」②思うとおり。自由。「意のーに動ける」③それを変えない状態(で)。「くつのー上がる・そのー帰った」表記「×儘」とも書いた。二[ママ]①文を引用するとき、誤りと思われる語句のわきに そえて書き、「原文のまま」の意味をあらわす。②〔校正で〕「もとのままにせよ」の意味をあらわす。由来 副詞「随に」として使われる「まにま」の変化。☞ままならない・ままよ。

**まま**[間々]《副》おりおり。ときどき。「そういうことはーある」

**ママ**[ma(m)ma]①〔児〕おかあさん。「ーが呼んでる」②母親。「教育ー」☞ママさん。▽(↔パパ)③バーなどのマダム〔を呼ぶことば〕。「ーさん・チーー」名。

**ままおや**[△継親] ままちちと ままははをまとめた呼び名。

**ままかり** 岡山などの瀬戸内海でとれる、小形のさかな。酢漬けなどにする。さっぱ。

**ままこ**[△継子]〔↔実子〕①子として育てているが、血のつながりのない子。②のけものにされる者。●**ままこあつかい**[△継子扱い]《名・他サ》ことさらに〈のけものに／不利なあつかいを〉すること。

**ままこ**[△継粉]《料》⇩だま①。

**ままごと**[△飯事] 子どもが おもちゃなどで、台所の仕事や食事などの まねをする遊び。

**ママさん** 子どものいる母親を、親しんで言うことば。「ーランナー・ーバレー」(↔パパさん)

**ままちち**[△継父] 血のつながりのない、戸籍の上

での父。けいふ。(↔まま母)
**ママちゃり**［ママチャリ］〔俗〕前かごのついた、乗りやすい自転車。軽快車。由来ママが買い物などに乗って行くチャリンコ(＝自転車)という意味。
**ママとも**［ママ友］〔子どもをきっかけにしてできる〕母親どうしの友人。ママ友だち。
**まま・なら・ない**《形ヌズ》思うままにならない。ままにならない。「―世の中」丁寧ままなりません。
**まま・はは**［(△継)母］血のつながりのない、戸籍(こせき)の上での母。けいぼ。(↔まま父)
**まま・むすこ**［(△継)息子］まま子であるむすこ。(↔まま娘(むすめ))
**まま・むすめ**［(△継)娘］まま子であるむすめ。(↔まま息子(むすこ))
**ままよ**《感》(＝なるがままになれ)〔話〕どうなってもいい。どうでもかまわない。「えい―、やってみよう」
**ママレード**［marmalade］⇩マーマレード。
**マミー**［mommy］〔児〕ママ。(↔ダディ(―)) ●**マミートラック**［mommy track＝ママ用の走路］〔会社などで〕子育てを優先する女性が(やむなく)選ぶ、キャリア形成につながらない働き方。〔男性の場合は「パピー(pappy)トラック」〕
**まみえ**［(△眉)］〔古風〕まゆ(から目のあたり)。「―(のあたり)がよく似ている」
**まみ・える**［(△見える)］《自下一》〔文〕①お目にかかる。「主君に―」②対面する。「両軍相(あい)―」③〔夫に〕つかえる。「二夫(じふ)にまみえず(＝再婚(さいこん)しない)」
**まみず**［真水］(―づ)①ふつうの飲み水。②塩けのない水。(↔塩水)③《経》実質的な財政支出。「―で四兆円の経済対策」
**まみなみ**［真南］ちょうど南。
**まみれ**［(△塗れ)］造 まみれること。まみれた状態。「血―・どろ―・ほこり―・借金―」
**まみ・れる**［(△塗れる)］《自下一》①〔血・あせ・どろ・ほこりなどが〕いちめんについて表面をおおった状態になる。②のぞましくないものに身をおおわれる。「借金に―・汚辱(おじょく)に―」☞一敗、地(ち)にまみ(塗)れる〔「一敗」の句〕。
**まむかい**［真向かい］(―むかひ) ちょうど向かい合うこと。「―に立っている」動真向かう《自五》。
**まむき**［真向き］正面に向かうこと。また、真正面。「ホテルから―の山」
**まむし**［(：真蒸し)］〔←「まぶす」の名詞形「まぶし」〕大阪ふうのうなぎめし。ウナギのかば焼きをどんぶりのめしとめしの間にはさみ、たれをしみわたらせたもの。
**まむし**［(×蝮)］竹やぶやしめった土地にすむ、毒ヘビ。頭は三角形。まるい、黒い斑紋(はんもん)がある。●**まむしゆび**［(×蝮)指］手の指先の関節をマムシが鎌首(かまくび)をもたげた形に曲げられる指。
**まめ**［(：肉刺)］手足にできる、豆のような水ぶくれ。
**まめ**［豆］㊀まめ ①ⓐ穀類の名。また、食用にするその種子。実は丸くて、さやの中にできる。例、アズキ・インゲン。「―ごはん」ⓑ特に、ダイズ。「―かす・―まき」②牛・ブタの、腎臓(じんぞう)。「ブター」㊁接頭①(まるくて)小さい。小形の。小型の。「―電球」②子どもの。「―記者」③ちょっとした。ミニ。「―情報」
**まめ**《ナダ》①［(：忠実・マメ)］めんどうがらず、熱心にいつもするようす。「―に働く・―にノートをとる」②〔古風〕健康なようす。「―に暮らす」③［(：忠実)］〔古風〕まじめ。「―な心」派―さ。
**まめかす**［豆(×粕)］ダイズから油をしぼったあとのかす。
**まめがら**［豆(△幹)］マメの実を取り去ったあとのくき・枝・さやなど。
**まめきゅう**［豆球］①豆電球。②ねるときなどにつける小さな電球。なつめ球。常夜灯。
**まめさく**［豆作］①マメの栽培(さいばい)。②マメの作柄(さくがら)。
**まめしば**［豆(×柴)］交配によって小形にしたシバイヌ。
**まめしぼり**［豆絞り］一面に豆つぶぐらいのまるい形を染め出した布。「―の手ぬぐい」
**まめたん**［豆炭］無煙炭(むえんたん)の粉に木炭の粉をまぜ、たまご大にかためてかわかした燃料。
**まめちしき**［豆知識］ちょっとした知識。「暮らしの―」
**まめつ**［磨滅・摩滅］《名・自サ》すりへること。「タイヤの―」
**まめつぶ**［豆粒］①豆の一つ一つのつぶ。②小さいもののたとえ。「―ほどに見える明かり」
**まめでっぽう**［豆鉄砲］たまの代わりに豆を使ってうつ、おもちゃの鉄砲。
**まめほん**［豆本］指でつまめるような、極端(きょくたん)に小型の本。
**まめまき**［豆(×撒き)］節分の夜に、「福は内、鬼(おに)は外」ととなえながら、煎(い)ったダイズをまく風習。
**まめまめし・い**［(：忠実忠実しい)］《形》①たいへんまじめだ。②〈かげひなたがなく〉かいがいしく〉よく働くようす。「まめまめしく介護(かいご)する」派―げ。―さ。
**まめめいげつ**［豆名月］〔枝豆をそなえるので言う〕旧暦(きゅうれき)九月十三夜の月。栗(くり)名月。☞芋(いも)名月。
**まめやか**［(：忠実やか)］《ナダ》労力・手間をおしまずに働くようす。誠実。「―につかえる」派―さ。
**まもう**［磨耗・摩耗］《名・自サ》〔機械・部品などが〕すりへること。「ピストンの―・―に強い」
**まもなく**［(間もなく)］《副》あまり時間がかからないようす。「―着くだろう・―して知った」
**まもの**［魔物］①悪魔。②〔たとえとして〕こわいもの。「金(かね)は―」
**まもり**［守り］①守備。防備。「―をかためる」②消極的になること。「―の態度」▽(↔攻(せ)め)☞お守り。●**守りに入(はい)る**句①〔試合で〕守備に力を入れる(ことで逃(に)げきろうとする)。②新しいことに挑戦(ちょうせん)するのをさけるようになる。●**まもりがたな**［守り刀］身を守るための短刀。●**まもりがみ**［守り神］わざわいから身を守ってくれる神。●**まもりぞん**［守り本尊］身を守ってくれるものとして信仰(しんこう)する仏(の小さな像)。
**まも・る**［守る］《他五》㊀［(△護る)］①その人やものが、ほかから害を受けないようにする。「敵から城を―(↔攻(せ)める)・犯罪から身を―」②気をつけて、悪い状態にならないようにする。「伝統を―・留守を―・一敗を―(＝これ以上負けないようにする)」㊁決め(られ)たものごとにそむかないようにする。「言いつけを―・約束を―」(↔破る)可能守れる。
**まやかし** ①ごまかすこと。「そんな―にだまされない」②

にせ(もの)。動まやかす《他五》。

**まやく**[麻薬] 知覚を失わせるくすり。中毒になりやすい。例、モルヒネ・コカイン。ヤク〔俗〕。☞ドラッグ。

**まゆ**[眉] ①まゆげ。「―をしかめる・細―」 ②まゆずみ。「―を引く」 ●**眉が曇る**句 心配そうな顔つきになる。(↔眉が晴れる) 他眉を曇らせる。 ●**眉に唾をつける**句 だまされないように用心する。眉につばする。 ●**眉に火がつく**句 急がないと あぶなくなる。 ●**眉一つ動かさない**句 まったく表情を変えない。 ●**眉をつ(吊)り上げる**句 おこった表情をする。 ●**眉をひそめる**句 ①いやそうな顔をする。眉をしかめる。②心配そうな顔をする。 ●**眉を開く**句 ほっと安心する。「うれいの―〔『愁眉を開く』とも〕」 ●**眉を寄せる**句 不愉快・不きげんな顔になる。

**まゆ**[繭]《動》①カイコ・イモムシ・ケムシなどが、さなぎのときにこもる殻。②特に、カイコの「まゆ①」。生糸をとる。

**まゆがしら**[眉頭] まゆね。(↔まゆじり)

**まゆげ**[眉毛] 目の上のほうに、弓のような形に はえる毛。

**まゆじり**[眉尻] まゆげの、鼻から遠いほう。(↔まゆ根・まゆがしら)

**まゆずみ**[眉墨・×黛] まゆをかくためのすみ。

**まゆだま**[繭玉] 木の枝に、たくさんの まゆのような形の もちや、縁起のいいものをつるした、新年などの かざり。☞餅花。

[まゆだま]

**まゆづき**[眉月]〔雅〕まゆのように細い月。三日月。

**まゆつばもの**[眉唾(物)] だまされないように まゆに つばをつけて、用心して かからなければならないもの。正しいかどうか うたがわしいもの。まゆつば。「あの話は―だ」

**まゆね**[眉根] まゆげの、鼻に近いほう。まゆがしら。(↔まゆじり)

**まゆやま**[眉山] まゆの最上部の、折れ曲がったところ。

**まよ**[真夜]〔雅〕よなか。

**マヨ**↑マヨネーズ。「エビ―〔=マヨネーズで味をつけたエビ〕・―ラー〔=マヨネーズ好きの人〕」

**まよい**[迷い] ①まようこと。まどい。「気持ちのうえで―がある・―から さめる」 ②《仏》死んだ人の妄執。 ■造 帰る所の わからなくなった。「―人・―犬」 ■ **まよい** ●**まよいご**[迷い子]〔雅〕まいご。「行く当てもない―」 ●**まよいばし**[迷い箸] どのおかずにはしをつけようかと迷うこと。行儀が悪いとされる。まどいばし。☞嫌い箸。

**まよ・う**[迷う]《自五》 ①〔気持ちがあちら こちらと移り動いて〕どうしていいか わからなくなる。「心が―・判断に―」 ②まちがった方向に進む。「道に―・迷いこんだホタル」 ③心をうばわれて、考えが人なみでなくなる。「女に―」 ④《仏》死んだ人の魂が、ほとけに なれないでいる。「迷わず成仏してくれ・迷って出る」

**まよえる**[迷える]《連体》〔文〕まよっている。道にまよった。「―魂・―人々」 ●**迷える羊**句《宗》どうしたらいいか迷っている人のたとえ。ストレイシープ(stray sheep)。迷える子羊。〔聖書のことば〕

**まよけ**[魔(△除け)] 悪魔やわざわいを避ける〈こと/ための もの〉。「―の お守り」

**まよこ**[真横] ちょうど横。

**まよなか**[真夜中] 夜が いちばん深くなったころ。「―に たたき起こされた」

**マヨネーズ**〔フ mayonnaise〕 たまご(の黄身)・サラダ油・酢・塩などをまぜあわせて作ったソース。サラダなどに使う。マヨ。「ブロッコリーの―焼き」

**まよわ・せる**[迷わせる]《他下一》 迷うようにする。迷わす。「人を―ことば」

**まら**[魔羅]〔=仏道修行の じゃまになるもの。梵語 māra の音訳〕〔俗〕陰茎。

**マラカス**〔ポ maracas〕《音》ラテン音楽で使う楽器。マラカ〔=ウリのなかまの植物〕の果実をくりぬいて干し、中に豆などを入れて ふり鳴らすもの。

**マラソン**〔marathon=もと、地名〕 ①四二・一九五キロを走る競走。マラソン競走。☞フルマラソン・ハーフマラソン。 ②〔根気のいる仕事などで〕終わるまでに長くかかること。「―交渉」 ③ランニング。ジョギング。「早朝―」

**マラリア**〔ド Malaria〕《医》マラリア原虫が血液に寄生して起こる熱病。ハマダラカという蚊によってうつる。おこり(瘧)。

**まり**[(×鞠)・(×毬)] 地面に ついたりして遊ぶたま。特に、手まり。「―つき・―投げ・ゴム―」

**マリア**〔Maria〕 キリストの母の名。「―さま・聖母―」 ☞アベマリア。

**マリアージュ**〔フ mariage=結婚〕 ①酒〔特に、ワイン〕と食べ物の組み合わせ。また、組み合わさったときのいい味。「チーズとワインの―を楽しむ」 ☞ペアリング④。 ②組み合わせの妙。

**マリーゴールド**〔marigold〕 花壇などに植える西洋草花。夏から秋にかけて、キクに似た黄色・オレンジ色の花をさかせる。

**マリーナ**〔marina〕 モーターボート・ヨットの保管その他のサービスを引き受ける施設。

**マリオネット**〔フ marionnette〕 糸で つり下げて あやつる、人形劇(の人形)。 ●**マリオネットライン**〔和製 フ marionnette+line〕 くちびるの わきから あごにかけて伸びる しわ。由来 マリオネットの口の部分に似ていることから。

**まりしてん**[摩利支天]〔摩利支=梵語 marīci の音訳〕《仏》もと、インドで仏教を守るという神の一つ。日本では、武士の守り神として信仰された。

**マリッジ**〔marriage〕 結婚。「―リング・―カウンセリング〔=結婚相談〕」 ●**マリッジブルー**〔marriage blues〕 結婚を目前にして気分が めいること。

**マリトッツォ**〔イ maritozzo〕 パンに生クリームをおしみなく たっぷり はさんだ菓子。

**マリネ**〔フ mariné〕 さかな・肉を、ワイン・酢・香辛料・香味野菜などをまぜた漬けじるに つけた料理。マリーネ。「サケの―・イカの―」

**マリファナ**〔marijuana〕 大麻の花や葉を干したもの。タバコのように吸う、有害な薬物。マリフアナ。マリワナ。

**まりも**[(×毬藻)] 北海道の阿寒湖などに見られる、

ま

まりのようにまるい藻。特別天然記念物。

**まりょく**[魔力] ①魔術の力。②人をまよわす、あやしい力。

**マリワナ**〔marijuana〕⇩マリファナ。

**マリン** 造〔marine〕海の。「—スポーツ・—タワー」

●**マリンスノー**〔marine snow〕海中をゆっくりしずんでいく、死んだプランクトンなどの有機物の総称。海面付近から深海まで見られる。●**マリンルック**〔marine look〕船乗りを思わせるようなファッション。

**マリンバ**〔marimba〕《音》共鳴させるための金属のくだをつり下げた、木琴に似た楽器。

**まる** 一 まる[丸] ①[円]円の形。球の形。「大きな—・—めがね・—いち(=『①』の読み方。山形県では『いちまる』)」②[○・マル] ⓐ「よい」「合っている」などの意味をあらわすしるし。まるじるし。「答案に—をつける・—をもらう・卵料理をプラスするのも○(=いい)」☞二重丸。ⓑ伏せ字をあらわすしるし。「○月○日」③文の終わりにつける「。」のしるし。句点。〔俗に「発言終わり」の意味で言う。「つかれました、—」〕④[×○] 零。〔数字を聞きまちがえないように言う〕「一一三—(=ⓐ千三十。ⓑ十時半)」⑤完全。全体。「トマトを—のまま焼く」⑥城のかまえの内部。「—の内・西の—」⑦骨付きのドジョウ。(↔骨抜き) ⑧〔関西などの方言〕すっぽん。「—なべ・—の吸い物」二[丸] 接頭 ①完全に。まったく。「—はだか・—聞こえ・—わかり」②まるごと。「こい(鯉)の—揚げ・—写し・—読み・—覚え」三[丸] 接尾 男の子・刀・船などの名前にそえることば。「牛若—・氷川—」四[(丸)] 造 満。まるまる。「—三年」(↔足かけ)

**まるあみ**[丸編み]《服》円状に並べた編み針でらせん状に糸を編んでいき、筒状の生地を作る方法。

**まるあらい**[丸洗い]《名・他サ》まるごとせんたくすること。「ふとんの—」☞つまみ洗い。

**まるあんき**[丸暗記]《名・他サ》全部をそのまま覚えること。☞棒暗記。

**まる・い**[丸い]《形》①球の形をしているようすだ。〔半球・円柱などの形にも言う〕「—石・—屋根・—柱・大きな—おなか」②[円い]円の形をしているようすだ。「—月・—窓・丸く輪になる」③とがっていないようすだ。「—鼻・えんぴつの先が丸くなる」④太ったようすだ。「顔が丸くなった」⑤ゆるやかにまがったようすだ。「せなかを丸くする・—形の括弧」⑥円満だ。おだやかだ。「争いを丸くおさめる・—人がら」⑦切りのいい。端数のない。「—数字」派 —さ。☞丸める。●**丸い卵も切りよ(う)で四角** 句 表現しだいで、そのものの印象は変わる。物は言いよう。「—、物も言いよ(う)で角が立つ」

**マルウェア**〔malware←malicious《=悪意のある》software〕《情》有害なプログラム。コンピューターウイルスやスパイウェアなど。

**まるうち**[丸打ち] ひもなどを、まるく編むこと。また、そのようなひも。(↔平打ち)

**まるえり**[丸襟]《服》洋服で、先のとがっていない、丸みをおびたえり。

**まるおび**[丸帯] はばの広い帯地を二つ折りにして仕立てた女帯。〔礼服のときにしめる〕

**まるがお**[丸顔] 丸みのある顔。

**まるがかえ**[丸抱え]《名・他サ》①お金のめんどうを全部見てあげること。「企業—の選挙」(↔自前) ②〔負担を〕全部引き受けること。「自社でリスクを—する」③〔①②の由来〕置屋が芸者の生活費を全部負担してあげること。(↔自前) ▽まるかかえ。

**まるかじり**[丸(×齧)り]《名・他サ》野菜やくだものを、まるごとかじって食べること。

**まるがち**[丸勝ち]《名・自サ》少しも負けずに勝つこと。全勝。

**まるがっこ**[丸(括弧)] かっこの一種で、角のないもの。( )。パーレン。まるかっこ。

**まるかぶり**[丸かぶり]《名・他サ》〔関西方言〕①丸かじり。②節分の日に恵方を向き、願いごとをしながら、巻きずしにかぶりついて食べる習慣。☞恵方巻き。

**まるがり**[丸刈り] かみの毛を全体に短く刈ること。「—にする」

**マルガリータ**〔margarita〕テキーラとキュラソーで作る、ショートカクテルの一種。レモンやライムのジュースを加え、グラスのふちに塩を付ける。「フローズン—」

**まるき**[丸木] 切ったままのまるい木。まるた。●**まるきばし**[丸木橋] 一本の丸木をわたしただけの橋。●**まるきぶね**[丸木舟] 一本の木の幹をくりぬいて作った舟。カヌー。

**マルキシスト**〔Marxist〕マルクス主義者。マルクシスト。マルキスト。

**マルキシズム**〔Marxism〕マルクス主義。マルクシズム。

**マルキスト** 「マルキシスト」の変化。

**まるきり**[(丸きり)]《副》⇩まるっきり。

**マルク**〔ド Mark〕もと、ドイツのお金(の単位)。ドイツマルク。〔現在は「ユーロ」が使われる〕表記「:馬克」は、古い音訳字。

**マルクスしゅぎ**[マルクス主義]〔Marx=人名〕マルクスおよびエンゲルス(Engels)がとなえた科学的社会主義。唯物史観にもとづき、無産階級による革命をめざす。マルキシズム。共産主義。

**マルクス-レーニンしゅぎ**[マルクスレーニン主義]〔Marx も Lenin も人名〕マルクスが考えたことをレーニンがさらに発展させた理論。プロレタリア独裁・世界革命の実現などが中心思想。

**まるくび**[丸首] まるいえりぐり(のセーター・シャツなど)。クルーネック。「—シャツ・—のセーター」

**マルゲリータ**〔イ margherita〕トマトソース・バジル・モッツァレラチーズをのせたピザ。

**まるこう**[マル高]〔俗〕↑高齢出産。

**まるごし**[丸腰] ①武士が腰に刀をつけていないこと。②まったく〈武器を持っていない/軍備のない〉こと。

**まるごと**[丸ごと]《副》〔切ったり減らしたりせず〕そのまま、そっくり。「—かじる」

**まるシー**〔「マルC」とも書く。Cはcopyrightの頭文字〕万国著作権条約に加入している国で、著作権者などの表示にそえ、著作権の保護のしるしとして使う記号。「©」。

**マルシェ**〔フ marché〕(フランスの)市場。〔イベントなどで設けられたフランス風の市場の名前に使う〕

**まるシップ**[丸シップ]《経》外国船主に貸した日本

籍の船を、日本船主がやといあげたもの。〔船名に「丸」がつくことから、もと、日本船を言った〕

**まるぞめ**【丸染め】着物などを、ほどかないで染めること〈もの〉。

**まるぞん**【丸損】もうけがなく、全部損をすること。「投資したが―だ」(↔丸もうけ)

**まるた**【丸太】木の皮を剝いだだけの木材。●**まるたんぼう**【丸太ん棒】〔俗〕まるた。

**まるだし**【丸出し】《名・他サ》〔一部分をかくしたりせずに〕全体を出すこと。むきだし。「腹を―にする・本音〈―〉」

**マルチ**《農》↑マルチング。「―栽培」

☆☆**マルチ**〔multi〕━**マルチ**《ナダ》多方面にわたっているようす。「―な活躍」━《造》多数の。多重の。多様な。「―スクリーン〔=いくつかの区切った画面に、それぞれ画像を映し出す方式〕・―人間〔=なんでもできる人〕・―ユース〔=多目的使用〕」━**マルチ** ①↑マルチ商法。②↑マルチ ポスト。③〔↑マルチラテラル(multilateral)〕(外交における)多国間。「―の協議」(↔バイ)

●**マルチしょうほう**【マルチ商法】会員に高い商品などを買わせ、新しい会員を勧誘して売るように仕向けることで、会員を増やしていく商売の方法。ネットワーク ビジネス。マルチ。〔法律では「連鎖販売取引」と言う〕☞ネズミ講。●**マルチ ポスト**〔multi-post〕〔インターネットで〕多重投稿。マルチ。●**マルチ メディア**〔multimedia〕音声・文字・画像などを双方向で高速に送受信できる、総合的な情報伝達手段。「―放送」

**マルチーズ**〔Maltese=マルタ島の〕白い小形の室内犬。毛は細く、体高と同じくらい長くのびる。

**マルチョイ**〔↑マルチプルチョイス(multiple choice)〕いくつかの答えのうち、正しいと思うものにまるをつけさせる方法。多肢選択法。「―テスト」

**マルチング**《名・自サ》〔mulching〕《農》植木・野菜などの根元に わらやビニールなどを敷くこと。また、敷くもの。敷き草。敷きわら。根おおい。マルチ。

**まるっきり**【(丸っきり)】《副》〔後ろに否定的なことばが来る〕まったく。全然。まるきり。まる(っ)きし〔俗〕。「―元気がない・―しろうとだ」

**まるっこ・い**【丸っこい】《形》まるい(感じだ)。「―字」派―さ。

**まるっと**《副・自サ》〔俗〕①まるっこいようす。「―した鼻」②まるごと。全部。「―お伝えします」

**まるつぶれ**【丸(潰れ)】〈全部/完全に〉つぶれること。「面目―」

＊＊**まるで**《副》①〔後ろに否定(的なことば)が来る〕まったく。てんで。「―あてにならない・―異質だ」②何か(の動きや状態)に似ているようす。ちょうど。さながら。「―絵のようだ・―生きているようだ」

**まるてんじょう**【円天井・丸天井】①半円球の天井。ドーム。②まるく広がって見える大空。

**まるとく**【マル得】〔俗〕お得なこと。記号「㊕」。「―情報」

**まるどり**【丸(鶏)】《料》まるごとのニワトリ一羽。「―のローストチキン・―のサムゲタン」

**まるどり**【丸取り】《名・他サ》全部〈取る/手に入れる〉こと。「利益を―された」

**まるなげ**【丸投げ】《名・他サ》①請け負った工事を、そっくり そのまま下請けに回すこと。「公共事業の―」②自分の仕事をまるごと まかせること。「政策の立案を官僚に―する」

**まるのみ**【丸(呑み)】《名・他サ》①かまないで、そのまま飲みこむこと。②よくわからないままに〈覚えこむ/取り入れる〉こと。「知識を―(に)する・相手の主張を―する」▽うのみ。

**まるのり**【丸乗り】《名・自サ》人が用意したものを、そのまま使うこと。「事務局の案に―する・役所の主張に―して記事を書く」

**まるはだか**【丸裸】①完全な はだか。まっぱだか。すっぱだか。②すべてを失うこと。「火事で―になる」③すっかり明らかに〈なる/される〉こと。「プライバシーを―にされる」

**まるばつ**【〇×・マルバツ】答えの欄に書き入れる、〇〔=正しい〕や×〔=誤り〕の記号。「―(式)テスト」

**まるひ**【マル秘】〔機密書類に㊙の印がおされるところから〕秘密にすべき情報であること。

**まるぼう**【マル暴】《警察》暴力団。「―対策」由来 ㊫と略すことから。

**まるぼうず**【丸坊主】①坊主頭であること。②山などの木が全部なくなること。

**まるぼし**【丸干し】《名・他サ》まるごと〈ほすこと/ほしたもの〉。「イワシの―」

**まるぽちゃ**【丸ぽちゃ】〔俗〕(女性の)顔が まるくて あいきょうがあること。

**まるまげ**【丸(髷)】人妻の、日本髪の かみの形。まげが長円形で、少し平たい。

**まるまっち・い**【丸まっちい】《形》〔俗〕小がらで まるい。「―顔」

**まるまど**【円窓】まるい形の窓。

↓**まるまる**【〇〇】①伏せ字をあらわす。××。「―氏」②ことばをぼんやり言いあらわす。何々。「あなたは『―じゃん』と言いますか」

↑**まるまる**【(丸々)】━**まるまる**《副》①完全に。まる。「―三日間」②全部。みんな。「―横取りされた」━**まるまる**《副・自サ》よくふとっているようす。「―(と)したタヌキ」

**まるま・る**【丸まる】《自五》まるくなる。名 丸まり。

**まるみ**【丸み・円み】まるい〈ところ/程度〉。

**まるみえ**【丸見え】〔かくしたい〈ところ/もの〉までが〕すっかり見えること。

**まるめこ・む**【丸め込む】《他五》①まるめて中に入れる。「紙を手のひらに―」②ことばや お金などで、人をうまく思いどおりにする。「口先で―」

**まる・める**【丸める】《他下一》①まるくする。「紙くずを―」②うまいことを言って、だます。「上役を―」③かみの毛をそる。まろめる。「頭を―」④四捨五入などをして、切りのいい数字にする。「端数を―」名 丸め。

**マルメロ**〔ポ marmelo〕果樹の名。実は黄色い西洋ナシ形で、かおりがよく、細かい綿毛がついている。☞かりん(花梨)①。

**まるもうけ**【丸(儲け)】―まうけ《名・自サ》元手がかからず、収入の全部が もうけになること。「坊主―」(↔丸損)

**まるもじ**【丸文字】〔おもに一九七〇～八〇年代に、少女が書いた〕まるっこい文字。少女文字。まるじ。

**まるもち**【丸餅】円形のもち。(↔角餅)

ま

**まるやき**［丸焼き］〈まるごと／切らないままの形で〉焼くこと。「鶏の―」

**まるやけ**［丸焼け］火事ですっかり焼けること。

**まれ**［（△希）・（×稀）］《ナダ》〈そうなる／それを見る〉場合がほとんどないようす。「―に百点を取ることもある・世にも―な孝行むすこ」●**まれに見る**〔句〕めったにいない。「―努力家」

**まれ**《副助》〔↑もあれ〕〔文〕…であっても。「何に―」

**マレット**〔mallet＝木づち〕①《音》打楽器をたたく道具。先に取りつけた頭の部分はフェルト製・ゴム製・プラスチック製などがあり、音色がちがう。☞スティック③。②〔ポロなどで〕打球に使うスティック。

**まろ**［：麻呂・×麿］《代》昔、身分の高い人が、自分をさしたことば。

**まろ・い**［（△丸い）］《形》〔雅〕まるい。「カラタチの実は―」

**まろうど**［（：客人）］〔雅〕客。

**マロニエ**〔フ marronnier〕葉が大きく、並木にする落葉樹。トチの木のなかま。西洋とち(栃)の木。

**まろ・ぶ**［（△転ぶ）］《自五》〔雅〕ころがる。「豆が―・こけつまろびつ」〔他〕まろばす《五》。「たるを―」

**まろみ**［（△円み）］〔味・形などの〕かどのない、おだやかな状態。「―のある口あたり」

**まろ・める**［（△丸める）］《他下一》〔文〕まるめる。「背をまろめて歩く」

**まろやか**［（△円やか）］《ナダ》①味が強くなく、口当たりがいいようす。「―な味わい」②〔①の由来〕まるいようす。「―な小さい葉」〔派〕-さ。

**マロン**〔フ marron〕①くり(栗)。「―クリーム」②くり色。●**マロングラッセ**〔フ marrons glacés＝砂糖をまぶしたクリ〕皮をむいたクリをやわらかく煮にて、砂糖の膜までおおわれるようにした菓子。

**まわし**［回し・×廻し］〔一〕**まわし**《すもう》①力士が取組のさいにしめる、ふんどし。しめこみ。みつ。②けしょうまわし。〔二〕〔造〕〈順送りに／あちこち〉回すこと。回すもの。「皿―・ボール―・ねじ―」〔三〕〔造〕回すこと。「―読み・―判」●**回しを切る**〔句〕《すもう》「まわし〔一〕①」にかかった相手の手をはなさせる。●**まわしい・れる**［回し入れる］《他下一》《料》なべなどに、液状のものを、うずをえがくように回しながら均等に入れる。「フライパンにたまごを―」●**まわしか・ける**［回し（掛ける）］《他下一》《料》食べ物に、液状のものを、うずをえがくように回しながらかける。「山いもにポン酢を―」●**まわしげり**［回し蹴り］《名・自サ》〔格闘技〕足を横から回すように動かして相手をける技。スピンキック。●**まわしのみ**［回し飲み］《名・他サ》一つのうつわやびんの飲み物を、何人かがかわるがわる飲むこと。●**まわしもの**［回し者］①相手方にまぎれこんで活動する者。スパイ。「敵の―」②関係者であるかのように、強く支持する言動をする人。「まるで○○屋の―だ」●**まわしよみ**［回し読み］《名・他サ》〔本などを〕数人で順に回して読むこと。回読。「話題作を友人と―する」

＊**まわ・す**［回す・×廻す］〔一〕**まわす**《他五》①輪のようにぐるぐる動かす。「こまを―」②順々に(送って)わたす。「さかずきを―」③すべてに行きわたらせる。「通知を―」④さしむける。「むかえの車を―」⑤移す。転送する。「庶務課へ―」⑥自由にあやつる。うまく働かせる。「うまく回された・組織を回していく」⑦〔手段を〕めぐらす。手配する。「手を―」⑧〔投資して〕ある利回りにする。「一割に―」⑨いちめんに行きわたらせる。「なべに油を―」⑩〔映画・ビデオのカメラを〕動かす。〔由来〕昔、カメラの上部にのせたフィルムを巻き取りながら撮影したころの言い方が残ったもの。〔二〕〔造〕①むやみに…する。「こねくり―」②いちめんに…する。「幕を張り―」〔可能〕回せる。

**まわた**［真綿］くず繭を引きのばして、うすい綿のようにしたもの。☞純綿①。●**真綿で首を絞めるよう**〔句〕遠まわしにじわじわと(意地悪く)責めるたとえ。真綿で首。

↑**まわり**［回り・×廻り］〔一〕**まわり**①回ること。「あいさつ―・東―の世界一周」②だんだんに〈広がっていく／行きわたる〉こと。「火の―がはやい」③周囲。「腹の―・幹の―」☞身の回り。④まわり道。「少し―になる」〔二〕〔接尾〕①回る回数を数えることば。「ふた―する」②太さ・体積などをくらべるときに使うことば。「ひと―大きい」③十二年をひとくぎりとして数えることば。☞一回り〔二〕①。〔三〕〔造〕①…の周囲。「首―(の寸法)を測る・デスク―を整理する」②《建築》…に関係する部分。「浴室―・水―」③…の分野。「政治―にはコメントをひかえる」▽周り。●**まわりあわせ**［回り合わせ］〔古風〕めぐりあわせ。運命。●**まわりえん**［回り縁］部屋の外がわを囲む縁側。●**まわりくど・い**［回りくどい］《形》〔表現などが〕よけいな遠回りをして、わかりにくい。「―言い方」〔派〕-さ。●**まわりこ・む**［回り込む］《自五》回って、はいりこむ。●**まわりどうろう**［回り灯籠］⇩走馬灯。●**まわりどお・い**［回り遠い］《形》①道が遠回りだ。②てっとりばやくない。〔派〕-さ。●**まわりぶたい**［回り舞台］〔場面をかえるなどの目的で〕中央が回転するしかけにした舞台。●**まわりまわって**［回り回って］《副》あちらこちらと、ほうぼうを回ったすえに。めぐりめぐって。●**まわりみち**［回り道］《名・自サ》①遠回りの道。②まわりどおいやり方。▽(↕近道)●**まわりもち**［回り持ち］順番に受け持つこと。

↑＊＊**まわり**［周り］〔一〕**まわり**①〈何／だれ〉かを取り巻いている〈こと／もの／人〉。「―の山々・―の人・―が気づいてさわぎだした・―を気にしない」②取り巻いている外がわの部分。周辺。「池の―・家の―を歩く」〔二〕〔造〕⇩回り〔三〕。「キッチン―・肩―」

＊**まわ・る**［回る・×廻る］〔一〕《自他五》①あるもののまわりを動く。一周する。めぐる。「月が地球のまわりを―」②順々に歩く。巡回する。「得意先を―」③別なほうへ〈行く／動く〉。「庭先へ―・うしろへ―・お茶が〔したたって〕急須の底へ―」④遠回りをして行く。「公園のほう〈を／から〉回って行く」⑤沿って行く。「岬を―」⑥〔時刻が〕過ぎる。「二時を回った」〔二〕《自五》①輪のようにぐるぐる動く。回転する。「風車が―」②順々にわたる。「さかずきが―」③行きわたる。「酒が―・毒が―」④機能がはたらく。「口が―・知恵が―・会社が回っていかない」⑤〔投資して〕ある利回りになる。「一割に―」⑥行き届く。「手が回らない・気が―」⑦移る。「庶務課のほうへ―」〔三〕《補動五》〔て―〕ほうぼうを動く。「見せて―・聞いて―」

回能 回れる。

**まわれ みぎ**［回れ右］まはれー 一**まわれ-みぎ**《感》〈立ったままの姿勢/行進しているとちゅう〉で、右回りに向きを変えて まうしろを向かせる号令。〔幕末から使われる〕 二**まわれみぎ**《名・自サ》くるりと まうしろに向きを変えること。「ーしてにげ出した」

**まん［万］ ①千の十倍の数。〔数えるときは「一万」と言う〕「二ー五千円・百ー人・ーの位〔=千の一つ上の位〕」 表記 重要な文書で、金額などを書く場合、旧字体の「×萬」と書く。②一万。「ーをこえる観衆・ー余」

**まん**［満］ 一**まん** ①欠けることなく それだけの時を重ねている、という数え方。「ーで数える」ⓐ年齢に使う。誕生日が来ると一歳増える。「ー(で)三十六歳」(↔数え) ⓑ年・月・週などに使う。まる(まる)。「ー三か月を要した・〔妊娠して〕ー十週」(↔足かけ) ②〔視覚語〕〔駐車場で〕↑満車。(↔空) ③↑満州。「ー蒙」 二 造 いっぱいになること。「ータン・ー充電」 ●☆☆**満を持す** 句 じゅうぶん用意して待つ。「満を持して放たず」 ●**満を引く** 句〔なみなみとついだ酒などを〕ひといきに飲む。「ビールのー」

**まん**〔「間」の音便〕〔俗〕しあわせ。運。「ーがいい」

**まん**［真ん］ 接頭 ちょうど。ま。「ー中・ー丸」 ☞真ん真ん中。

**まん** 造 ↑まんじゅう。「中華ー・肉ー」

**マン** 造〔man〕それに従事する(男の)人。「カメラー・バンドー・鉄道ー・証券ー」

**まんいち**［万一］ 一〔=万分の一〕可能性は低いが、起こるかもしれない、好ましくない場合。非常の場合。「ーにそなえる」 二《副》可能性は低いが、もしも。「ー行けないときは電話します」 ▽二万が一。まんいつ。 ●**まんいち-にも**［万一にも］《副》たとえ可能性が低くても。「ー事故があっては困る」

**まんいん**［満員］ ①定員いっぱいになること。「もうーです」 ②乗り物・会場などに いっぱいに人がはいること。「ー電車・超ー・ー御礼」

**まんえつ**［満悦］《名・自サ》満足して喜ぶこと。「ほめられてごーの体だ」〔多く、尊敬や からかいの気持ちで使う〕

☆☆**まんえん**［×蔓延］《名・自サ》〔蔓=植物の つる〕〔よくないものごとが〕ほうぼうに広がること。はびこること。流行。「インフルエンザがーする・政治不信のー」

**まんが**［〈漫画〉・マンガ］〔=いたずらに かいた絵〕①絵とせりふをかいた こまをならべて、物語を作ったもの。「少女ー・四コマー・ー家」 ②批評をふくむ、おもしろい絵。カリカチュア。「新聞の時事ー」 ③ばかばかしいことのたとえ。「これはーだ」 ●**まんがきっさ**［〈漫画〉喫茶］漫画がたくさんあ(って、インターネットも使え)る喫茶店。コミックカフェ。漫喫〔俗〕。☞ネットカフェ。 ●**まんがチック**［〈漫画〉チック］《ナダ》〔俗〕漫画的。ナンセンス。「ーな展開」

**まんかい**［満開］《名・自サ》〔その木の〕花が、全部ひらくこと。「梅がーだ」

**まんが-いち**［万が一］《名・副》⇩まんいち。〔「まんがいつ」とも〕

**まんがく**［満額］〈要求された/予定した〉分に少しも欠けない金額。「請求に対してーを支払う・保険料を払い続けてーになる」 ●**まんがくかいとう**［満額回答］《名・自サ》①〔賃金・予算などを〕要求された分だけ出すという回答。②要求をすべて聞き入れるという回答。「米政府は日本にーした」▽「ーを示す」

**まんかん**［満館］〔旅館・博物館などが〕予約や利用者で いっぱいになること。

**まんがん**［万巻］〔文〕多くの〈巻物/本〉。ばんかん。「ーの書を読む」

**まんがん**［満願］①《仏》いのり・法会の日数が終わること。結願。「ーの日」 ②願をかける期間が終わること。

**マンガン**［(：満貫)］《中国語》《マージャン》一回の上がりの上限の高点。「ーを振り込む」

**マンガン**〔オ mangaan〕《理》銀白色の金属〔元素記号 Mn〕。空気中で酸化したものは、白っぽく、少し赤みをおびる。かたくて もろい。合金に使う。

**まんかんしょく**［満艦飾］☞満船飾。①国旗・電灯などで軍艦の全体をかざること。②全体を、はでに〈かざる/うめつくす〉こと。「ーに着かざる・洗濯物のー」

**まんかんぜんせき**［満漢全席］ 高級で めずらしい食材を調理し、二、三日かけて味わう中国料理。由来 満州族と漢民族の料理を集めたことから。

**まんき**［満期］ 決められた期間が終わること。「十年ー・来年の八月でーだ」

☆☆**まんきつ**［漫喫・マンキツ］〔俗〕↑漫画喫茶。

**まんきつ**［満喫］《名・他サ》〔=じゅうぶんに飲食すること〕じゅうぶんに味わうこと。たんのうすること。「京都の秋をーした」

**まんきん**［万×鈞］〔文〕非常な重さ。ばんきん。〔一鈞=三十斤〕「ーの重みがある」

**マングース**〔mongoose〕 イタチに似たけもの。からだはうすい茶色で、灰色の まだらがある。ハブの天敵。

**まんくち**［満口］〔ひと口単位の〕申しこみ数が、予定の量になること。

**マングローブ**〔mangrove〕 熱帯・亜熱帯の河口などに生えている常緑樹の群落。気根を水中にのばしている。

**まんげきょう**［万華鏡］ ガラス・鏡で作った筒の中に、切った色紙などを入れ、回しながら のぞく おもちゃ。カレイドスコープ。〔もと、ばんかきょう〕

**まんげつ**［満月］ ①月の全面が かがやいて、まんまるに見えるもの。十五夜の月。もちづき。(↔新月) ☞いざよい(十六夜)。②まんまる。「弓をーにしぼる」

**まんけん**［万券］〔俗〕①一万円札。万札。②《競馬》↑万馬券。

**まんこ**［満庫］〔文〕車庫・倉庫がいっぱいになっていること。

**まんこう**［満×腔］〔文〕からだじゅう。「ーの感謝〔=ふかい感謝〕」

**マンゴー**〔mango〕 熱帯産の くだもの。たまご形の実は黄色くてあまく、かおりが強い。「アップルー〔=赤い皮のマンゴー〕・ープリン」

**マンゴスチン**〔mangosteen〕 熱帯産の あまいくだもの。赤むらさき色の ぶあつい皮の中に、白い果肉の ふさがある。「くだものの女王」と言われる。

**まんざ**［満座］〔文〕その場にいる人全体。「ーの中ではじをかく」

☆☆**まんさい**［満載］《名・他サ》①いっぱい のせること。

「貨物を—する」②いっぱいであること。満ちていること。「遊び心—」

**まんざい**【万歳】新年を祝い、陽気な歌にあわせてまう舞(をする人)。えぼし姿で、つづみを打ちながらまう。「三河—」☞ばんざい(万歳)。

**まんざい**【漫才】一組みの芸人がおもしろおかしい会話をする演芸。「めおと—・トリオ—」表記 もと、「万才」と書いた。

**まんさく**【(万作)】山地に生え、庭木としても植えられる落葉高木。早春、若葉に先立って、よじれた黄色の花をつける。

**まんさく**【満作】作物がよくみのること。豊作。「豊年—」

**まんさつ**【万札】〔俗〕一万円札。

**まんざら**【(満更)】《副》〔後ろに否定が来る〕必ずしも。「—捨てたものでもない」 ●**まんざらでもない** 句 必ずしも〈悪く/いやで〉ない。

**まんさん**【×蹣×跚】《(ト)(タル)》〔文〕よろめきながら歩くようす。ふらふら。「酔歩—」

**まんざん**【満山】〔文〕やま全体。「—燃ゆるがごとし」

**まんじ**【×卍】①インドに伝わる、卍などの形のめでたい印。②〔日本の地図で〕寺院をあらわす、卍の記号。由来 卍の印が中国にはいって「万」をあらわす字に使われたことから「万字」と言った。 ●**まんじともえ**【(×卍×巴)】①AとB、BとC、CとAというように、三、四人ほどが入りみだれてたたかうこと。「—の乱戦」②〔雪が〕縦横にみだれ飛ぶこと。「—と降る雪」▽まんじどもえ。

**まんしつ**【満室】〔宿・アパート・オフィスなどで〕どの部屋もふさがること。

**まんしゃ**【満車】駐車場などが、自動車でいっぱいになること。(↔空車)

**まんしゅう**【満州・満×洲】①中国の東北地方をさしたことば。また、そこに戦前、日本がつくった国。満州国。満。②《マージャン》〔俗〕マンガン(満貫)。

**まんじゅう**【(×饅△頭)】小麦粉などをこね、中にあんを入れて蒸した菓子。「茶—(=黒砂糖を使った茶色のまんじゅう)」表記 店で「:万=頭」「:万十」とも。 ●**まんじゅうがさ**【(×饅△頭×笠)】頂がまるくて浅いかさ。

**まんじゅしゃげ**【(×曼珠△沙華)】〔梵語 mañjū-saka の音訳〕⇩ひがんばな(彼岸花)。

**まんしょう**【満床】病院のベッドが、患者でふさがること。

**まんじょう**【満場】①〔文〕会場いっぱいにみちること。「—の諸君」②会場全体(の人)。「—一致で決議した」

**マンション**〔mansion=大邸宅〕設備のいい中高層の〈集合/分譲〉住宅。☞アパート。

**まんじり**《副》(=少しねむるようす) ●**まんじりともしない** 句 (ひと晩じゅう)少しもねむらない。

**まんしん**【満身】からだ全体。全身。「—の力をこめて」 ●**まんしんそうい**【満身創×痍】①からだじゅうきずだらけ。また、からだのあちこちに病気があること。②非難を受け、手ひどくきずつくこと。

☆☆**まんしん**【慢心】《名・自サ》おごり高ぶる〈心/こと〉。(実際以上に)自分はえらいのだと思う〈心/こと〉。

**まんすい**【満水】《名・自サ》水がいっぱいにはいること。

**まんすう**【満数】①注文の数が予定の数になること。「予約—」②注文どおりの、すべての数。「—出荷」

**マンスプレイニング**〔mansplaining←man+ex-plaining〕男性が、女性や年少者を無知だと決めつけて、えらそうに教えたり説明したりすること。マンスプ〔俗〕。

**マンスリー**〔monthly〕①月刊(雑誌)。「投資—」②月一回の。月づきの。「—(=ひと月契約の)ホテル」

**まん・ずる**【慢ずる】《自サ》〔文〕慢心する。「おのれの知恵に—な」

☆☆**まんせい**【慢性】①《医》長びいて、なかなか治らない、病気の性質。「かぜが—になる」(↔急性) ②〔好ましくない状態が〕長びいていること。「—的な睡眠不足・危機が—化する」

**まんせき**【満席】乗り物・劇場などの座席が、客でふさがること。

**まんせん**【満船】船の乗客・積み荷などが、決められた数・量になること。 ●**まんせんしょく**【満船飾】船の全体を旗や電灯などでかざること。☞満艦飾。

**まんせん**【満線】駅構内の線路が列車でふさがっていること。「東京駅—状態になっております」

**まんぜん**【漫然】《(ト)(タル)》これという目的もなく、とりとめのないようす。ぼんやり。「—と暮らす」

**まんぞく**【満足】□一《名・自サ》自分の思うとおりになって、これでいいと思うこと。みちたりること。「—がいく・—感」(↔不満足) □二《名・他サ》《数》満たすこと。「方程式を—する値」 □三《(ナ)(ダ)》①思ったとおりになって、何も言うことがないようす。「今の生活で—だ」(↔不満足) ②じゅうぶん。「あいさつも—にできない」 ③完全にそなわるようす。「—なからだ」派 -げ。-さ。

**マンタ**〔manta〕熱帯の海にすむさかな。エイのなかまでは最大。おにいとまきえい(鬼糸巻鱝)。

**まんたく**【満卓】マージャン店・食堂などのテーブルが、客でふさがること。

**まんだら**【(×曼×陀羅)・(×曼×荼羅)・マンダラ】〔梵語 maṇḍala の音訳〕《仏》画面に仏や菩薩をたくさんならべて、模様のようにかいた絵。仏教の儀式のときに本堂にかけて拝む。 ●**まんだらげ**【(×曼×陀羅華)】《仏》ハスの花。

**マンダリン**〔mandarin〕①中国原産のミカン。②「マンダリン①」の果皮をブランデーなどにつけて造ったリキュール。③中国語の標準語。

**まんタン**【満タン】(↑満タンク)①タンクに燃料をいっぱいに入れること。また、入れた状態。「—返し(=燃料をいっぱいにしてレンタカーを返すこと)」②〔中身が〕いっぱいになること。「ダムが—になる・体力—」

**まんだん**【漫談】《名・自サ》とりとめのない、ばかばかしい話(をする演芸)。

**マンチカン**〔Munchkin〕アメリカ原産の、足が短いネコ。毛の長さ、色の種類などはさまざま。

**まんちゃく**【×瞞着】《名・他サ》〔文〕あざむくこと。ごまかすこと。「国民を—する」

**まんちゅういん**【満中陰】〔関西方言〕《仏》四十九日の忌明け。

**まんちょう**【満潮】潮がいちばん満ちた状態。(↔干潮)

**マンツーマン**〔man-to-man〕①ひとりの人にひとりがついて相手になること。マンツー〔俗〕。「―で訓練する」②バスケットボールなどで相手側の特定の一人をマークすること。「―ディフェンス(=マンマーク)」

**まんてい**【満廷】〔文〕①法廷が人でいっぱいになること。②法廷全体。

☆☆**まんてん**【満天】空いっぱい。「―の星」

**まんてん**【満点】①定められた点数での最高点。「―をとる・百点―」②非常にすぐれていて申し分のないこと。「態度も ことばも―だ・栄養―の食品・サービス―・スリル―」

**まんてんか**【満天下】〔文〕天下全体。「―に知れわたる・―のすもうファンをうならせる」

**まんと**【満都】〔文〕みやこの全体。「―の話題をさらう」

**マント**〔フ manteau〕そでがなく、そのまま はおるコート。●**マントひひ**【マント〔×狒々〕】アフリカ北東部やアラビアにすむヒヒ。おすには頭から背中にかけてマントのような毛が生えている。

**マントウ**【〔:饅頭〕】〔中国語〕中国の蒸しパン。マントー。

**まんどう**【万灯】①多くのともしび。「長者の―より貧者の一灯〔⇩貧者の一灯〕」②木のわくに紙をはり、中に火をつけてささげ持つ あんどん。▽まんとう。

**まんどく**【漫読】《名・他サ》〔文〕はっきりした目的もなく、気楽に本を読むこと。

**まんどころ**【△政所】〔歴〕①鎌倉・室町幕府の、政務をとった所。②〔↑北の政所〕摂政・関白の妻を尊敬した言い方。

**マントラ**〔サンスクリット mantra〕⇩真言。

**マンドリル**〔mandrill〕アフリカにすむ、ヒヒのなかま。鼻と口が突っき出て赤く、その両わきが水色で ひだがある。顔から背中にかけてたてがみがある。

**マンドリン**〔mandolin〕〔音〕八本の弦を二本ずつ一組みにして張った弦楽器。胴は半球のような形で、ピックで弦をはじいて演奏する。

［マンドリン］

**マントル**〔オ mantel〕マントルピース。●**マントルピース**〔mantelpiece〕壁に作りつけた、西洋ふうの暖炉の上の かざりだな。シュミネ(フ cheminée)。〔俗に、暖炉をふくめた全体を言う〕

［マントルピース］

**マントル**〔mantle〕①〔地〕地殻より下にある、深さ二九〇〇キロまでの部分。高温の固体で、ゆっくり対流している。〔さらに深い部分を核と言う〕②〔ガス灯やガスランタンで〕より明るくするために ほのおをおおう、ふくろ状の網。ガスマントル。

**まんなか**【真ん中】ちょうど中。線や列の両はし、円の周りなどから、いちばん遠いところ。中央。中心。まなか。「―のボタン・広い海の―・青春時代の―」

**まんにょう**【万△葉】〔古風〕⇩まんよう。

**まんにん**【万人】⇩ばんにん(万人)。「―向き」

☆☆**マンネリ**《名・ナダ》〔↑マンネリズム〕新鮮みがなく、ありきたりなようす。「―な日常・―化した考え方」

**マンネリズム**〔mannerism〕一定の〈やり方/技巧〉がむやみに使われて、新鮮みが なくなること。また、なくなった状態。「―におちいる」

**まんねん**【万年】㊀〔文〕多くの とし。「―候補・―青年」㊁〔造〕いつ(まで)もその状態であること。●**まんねんどこ**【万年床】夜も昼も敷きっぱなしにしておく寝床。●**まんねんひつ**【万年筆】ペン軸の中のインクがペン先をうるおして、いつでも自由に書ける しかけのペン。万年ペン〔古風〕。●**まんねんべい**【万年塀】コンクリートの板で作ったへい。●**まんねんゆき**【万年雪】高い山の上などにある、夏でも消えない雪。

**まんねんれい**【満年齢】満で数えた、とし。〔↑数え年〕

**まんば**【慢罵】《名・他サ》〔文〕あなどり ののしること。「―をあびせる」

**まんば**【漫罵】《名・他サ》〔文〕はっきりした理由もなく、やたらに悪口を言うこと。「衆人の中で―する」

**まんぱい**【満杯】①入れものが いっぱいになること。「水で―のバケツ」②いっぱい つまること。「〈教室/書架〉が―になる」

**まんばけん**【万馬券】〔競馬〕〔俗〕百円につき一万円以上の配当がついた馬券。万券。「―が出る」

**マンパワー**〔manpower〕人的資源。人的能力。

**まんぱん**【満パン】〔俗〕ぱんぱんに ふくらむほど、多くつまっていること。「ふくろが―になる」

**まんぱん**【満帆】〔文〕船の帆が風をいっぱいに受けること。「順風―」

**まんびき**【万引き】《名・他サ》売り場などで、ものを買うふりをして そっとぬすむ〈こと/人〉。

**まんぴつ**【漫筆】〔文〕全体の組み立てなども考えないで、気楽に書いた文章。「ことば―」

**まんびょう**【万病】あらゆる病気。「かぜは―のもと」

**まんぴょう**【満票】すべての投票者が票を入れること。「―で当選」

**まんぴょう**【漫評】《名・他サ》〔文〕とりとめの ない批評(をすること)。気楽にする批評。

**まんぷく**【万福】〔文〕⇩ばんぷく。

**まんぷく**【満幅】〔文〕全体(の はば)。全幅。●**満幅の信頼を置く** 句 じゅうぶんに信頼する。

**まんぷく**【満腹】《名・自サ・ナダ》はらが いっぱい〈になる こと/である こと〉。〔↑空腹〕

**まんぶん**【漫文】〔文〕とりとめの ない文章。楽しく読めるように、気楽に書いた文章。

**まんぶんのいち**【万分の一】〔=万に分けた、その一つ〕ごく わずか。「ご恩の―に むくいる」

**まんべんなく**【〔満遍なく〕・〔万遍なく〕】《副》行き届かないところもなく。くまなく。「クリームを―ぬる・―分布する」〔連体詞の形もある。「まんべん(の)ない部屋の明るさ」〕 由来 「満遍」だけで「行き届かないところがないようす」の意味があり、「なく」は強調。

**マンボ**〔ス mambo〕〔音〕ルンバから発達した、ラテンアメリカ音楽の一種(に あわせて おどるダンス)。

**まんぽ**【漫歩】《名・自他サ》〔文〕これという あてもなく、あたりを歩き回ること。「下町を―する」

**まんぼう**【〔:翻車魚〕】円盤のような胴をもつ、全

ま

長三メートル以上になるさかな。からだの上下に、大きなひれがついている。食用。

**マンホール**〔manhole〕 ボイラー・下水などに取りつけた、人が出入りして作業するための穴。

**まんぽけい**〔万歩計〕〔商標名〕 ⇩歩数計。

**まんま**〔△飯〕〔←まま〕〔児〕 ①ごはん。「赤の—（=お赤飯）」 ②食事。「ねこ—」 ☞おまんま。

**まんま** 一〔話〕「まま」の変化。「この—」 二〔副〕〔俗〕そっくりそのまま。「作品の印象は—西部劇だ」

**マンマーク**〔和製 man mark〕〔サッカーなど〕相手方の特定の選手に、いつもついてまわること。マンツーマンディフェンス。

**まんまえ**〔真ん前〕 すぐ前。目の前。

**まんまく**〔×幔幕〕〔式場などにはりめぐらす、紅白などの〕幕。

**まんまと**〔副〕〔←うまうまと〕 ねらったとおりに、うまく。「いたずらは—成功した・—だまされた」

**まんまる**〔真ん丸〕〔名・ダ〕 まんまるい〈ようす／もの〉。真円。「—な月」 ●**まんまる・い**〔真ん丸い〕〔形〕 完全にまるい。派—さ。

**まんまん**〔満々〕〔タト〕〔文〕みちみちているようす。「—と水をたたえる・—たる自信・自信—」

**まんまん**〔漫々〕〔タル〕〔文〕遠くひろびろとしたようす。「—たる大海」

**まんまんいち**〔万々一〕〔副〕「万一」を強めた言い方。万々が一。

**まんまんなか**〔真ん真ん中〕「まんなか」を強めた言い方。〔東京の言い方。「どまんなか」は、もと大阪方言〕

☆☆**まんめん**〔満面〕 顔全体。「得意—・—に笑みをうかべる」 ●**満面朱を注ぐ** 句 〔文〕〔怒りなどで〕顔全体をまっかにする。

**まんもく**〔満目〕〔文〕見わたすかぎり。「—の緑・—蕭条たる風景」

**マンモグラフィ(ー)**〔mammography〕〔医〕乳がんなどの診断に広く用いられる、X線乳房撮影〔法〕。マンモ。

**マンモス**〔mammoth〕 一 マンモス 何万年も前にシベリアなどにすんでいた、大きなゾウの一種。牙が非常に長い。 二 圏 大型。「—タンカー・—都市、東京」

**まんゆう**〔漫遊〕〔名・自他サ〕〔文〕ほうぼうをのんびり旅行すること。「—記・諸国〈を／に〉—する」

**まんよう**〔万葉〕 ↑万葉集〔=日本で、いちばん古い歌集。二十巻。奈良時代の末にできた〕。まんにょう。「—の世界・—ぶり」 ●**まんようがな**〔万葉仮名〕 漢字の音訓を借りて日本語の音を書きあらわした文字。例、也末〔=ヤマ(山)〕。

**まんりき**〔万力〕 工作物をはさみ、ねじでしめつけて、しっかり固定させる器具。バイス(vise)。「—のような力でつかむ」

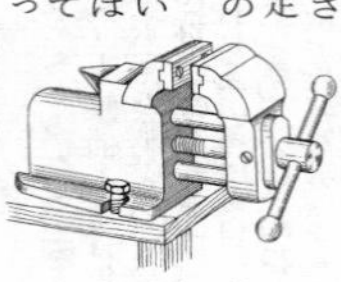
［まんりき］

**まんりょう**〔(万両)〕 背の低い常緑樹。あたたかな地方の林にはえ、鉢植えにもする。冬、赤くて小さい実が、葉の下にたれ下がってつく。正月の生け花に使う。☞千両 二。

**まんりょう**〔満量〕 入れ物にいっぱいの分量。

☆☆**まんりょう**〔満了〕〔名・自サ〕 すっかり終わること。「任期—」

**まんるい**〔満塁〕〔野球〕三つの塁全部にランナーがいること。フルベース。「—ホームラン」

**まんろく**〔漫録〕〔文〕おりにふれて、気楽に書きつけたもの。

# み　ミ

**み**〔×巳〕 ①十二支の第六。たつ(辰)の次。へび。「—年・—の年」〔年のほか、月・日にも言う〕 ②昔の時刻の名。今の午前十時ごろ。四ょつ。 ③昔の方角の名。南南東。

****み**〔身〕 一 ①からだ。「—をよじる・—にまとう」 ②〔衣服を着た〕からだ。「—づくろい・—をかざる」 ③自分自身。「—の破滅・—の不運・—の証を立てる〔=潔白を証明する〕・やめたほうが—のためだ」 ④身分。「—に合う暮らし・—を落とす」 ⑤〔その人の〕立場。「わたしの—にもなってほしい・—の処し方」 ⑥身持ち。「—がおさまらない」 ⑦さかな・けものの肉。「あぶら—・—と皮」 ⑧木の、皮に包まれた部分。 ⑨刀の、刃のついた切れる部分。「—とさや」 ⑩〔ふたのある器の〕ものを入れるほう。「—とふた」 二〔代〕〔古風〕わたし。「—が〔=わたしの〕妹」 ☞おん身・身ども・身一つ。

●**身が立つ** 句 生活ができる。 ●**身が縮む** 句 〔はずかしさ・申し訳なさ・こわさ・寒さなどで〕思わず背を丸め、うつむく姿勢になる。身が縮まる。「身の縮む思いをする」 他 身を縮める。 ●**身が入る** 句 熱心になる。「勉強に身が入らない」 表記「実が入る」とも書いた。 ●**身が持たない** 句 からだが続かない。 ●**身が持てない** 句 自分の立場・おこないが正しく持ち続けられない。 ●**身から出たさび(錆)** 句 〔身=刀身〕 自分のしたことが原因で苦しむこと。 ●**身に余る** 句 自分にはもったいない。「—光栄・—大任」 ●**身に覚えがない** 句 自分が〔わるいことを〕した心当たりがない。 ●**身に染みる** 句 ①〔からだに〕強く感じる。「寒さが—」 ②〔心に〕〈深く／しみじみと〉感じる。「親の〈意見／ありがたみ〉が—」 ▽身に染む。 ●**身に付ける** 句 〔知識や技術を〕本当に自分のものにする。「語学力を—・よい生活態度を—」 表記「身に着ける」とも。 自 身に付く。 ●**身に着ける** 句 ①衣服をまとう。 ②小物などをからだの一部につける。 ③⇩身に付ける 句。 ●**身につまされる** 句 自分にも当てはまるところがあって、人のつらさがよくわかる。「—話だ」 ●**身の置き所がない** 句 はずかしくて、どこにからだを置いたらいいか、わからない。 ●**身の振り方** 句 将来の生活に対する、自分の〈方針／処置〉。「—を決める」 ☆☆**身も蓋もない** 句 〔言い方が〕あまりに露骨で、うるおいが感じられない。 ●**身も細る** 句 〔苦労をして〕やせる。「—思い」 ●**身も世もない** 句 わが身も世間体もかまっていられない。身も世もあらぬ。 ●**身を誤る** 句 正しくない〈生き方／おこない〉をする。 ●**身を入れる** 句 真剣になってものごとにとりくむ。「家業に—」 ●**身を売る** 句 ①借金と引きかえに、ある年数だけ遊女になる。 ②売春をする。 ●**身を置く** 句 そこにいる。「雑踏の中に—」 ●**身を起こす** 句 出世する。「雇い人から—」 ●**身を隠す** 句 ①姿をかくす。 ②世間からかくれる。 ●**身を固める** 句 ①結婚して家庭を持つ。

②きまった職につく。③じゅうぶん身じたくをする。「よろいかぶとに―」 直 ①②身が固まる。 ●**身を切られる** 句 〔自分のからだを切られるように〕非常につらいたとえ。「―(ような)思い・―よりつらい」 ●**身を切る** 句 ①非常に寒いたとえ。「―寒風」②非常につらいたとえ。「―悲しみ」 ●**身を焦がす** 句 〔恋いに〕夢中になって、なやむ。 ☆☆●**身を粉にして** 句 非常に苦労して。 ●**身をささ(捧)げる** 句 自分を犠牲にして、尽くす。「革命に―」 ●**身を沈める** 句 ①身投げをする。「隅田川に―」②おちぶれた生活をする。「遊郭に―」 ●**身を持する** 句 〈きびしい/正しい〉生活態度を持ち続ける。「―こと固く」 ●**身を捨ててこそ浮かぶ瀬もあれ** 句 〔文〕困難にあったとき、命を捨てるぐらいの気持ちでやらなければ、うまくいかない。 ●**身を立てる** 句 ①その仕事で、食べていけるようになる。②出世する。 ●**身を慎む** 句 行動を慎む。酒など遊びをひかえる。 ●**身を包む** 句 〔…に―〕…を(からだを包むように)着る。…を身に まとう。「はなやかな衣装に―」 ●**身を挺する** 句 〔文〕①からだを投げ出す。②命がけでやる。 ●**身を投じる** 句 ①身を投げる。②ある世界にはいり、熱心に活動する。「平和運動に―」 ●**身を投げる** 句 ①からだを投げ出すようにたおれる。②水・鉄道線路などにとびこんで、自殺する。 ●**身を乗り出す** 句 おおいに興味を示して、からだを、そちらのほうに かたむける。「思わず身を乗り出して画面を見た」 ●**身を引く** 句 ①何かをよけて、からだをしりぞける。「一歩―」②(えんりょして)これまでの〈立場/地位〉から はなれる。「政治から―」 ●**身を潜める** 句 ①ものかげに かくれる。身をひそませる。②世間からかくれる。 ●**身を任せる** 句 ①力をぬいて〈もたれる/横たわる〉。「ソファーに―」②〔動きなどに〕さからわず、されるままになる。「時の流れに―・情熱に―・患者が医師に―」③相手に性的関係をゆるす。からだをゆるす。▽身を任す。 ●**身を持ち崩す** 句 乱れた生活をして、おちぶれる。「女のために―」 ●**身をもっ(以)て** 句 ①〔文〕からだを投げ出して。「―防ぐ」②〔口先だけでなく〕自分自身の おこないで。みずから直接に。「―しめす・―体験した」 ●**身をやつす** 句 ①わざと(みすぼらしく)身なりを変える。「僧形に―」②⇩憂き身をやつす(「憂き身」の句)。「おしゃれに―」 ●**身を寄せる** 句 ①からだを近づける。「たき火に―・身を寄せ合って(=ⓐかたまって。ⓑ助け合って)」②〔そこへ行って〕同居する。「親類へ―」

**み**「実」 ①花が終わったあとに でき、中にたねを包んで、熟すもの。②みそしる・吸い物に入れる、野菜・肉など。「しるの―」③ものの中身。内容。「―のある質問」 ●**実が入る** 句 さや・殻の中の実が熟して、大きくなる。 ●**実を結ぶ** 句 ①実が なる。「大きな―」②いい結果を生む。成功する。「苦労が―(『苦労の実が結ぶ』とも)」▽実が結ぶ。

**み**「(×箕)」《農》竹で編んだ農具。穀物を入れて上下にふり動かし、ちり・殻を取り除く。〔合成樹脂製も多い〕

[み]

**み**「未」 接頭 まだ…しない。「―開発・―処理」

**み**「(△深)」 接頭 〔雅〕ほめる気持ちをあらわすために そえることば。「―雪・―空・―吉野」

**み**「△御」 接頭 〔雅〕尊敬の気持ちをあらわすことば。「治まる―世・―仏・―国・神の―前・神の―めぐみ」 表記 神に関する一部の熟語は「△神」とも。「神籤・神子」

←**み**「味」 接尾 ①〈調合材料/食品〉の品数を数えることば。「七―とうがらし」②そのような味わい。「人情―」

→**み** 接尾 一「(∴味)」それを感じさせるもの。そういう要素。「赤―・黄色―・おかし―・ありがた―・真剣―・野性―」 ✓(1)「あわれみ」「痛み」「悲しみ」「苦しみ」「親しみ」「楽しみ」などの「み」は、動詞の連用形の語尾から来たもので、接尾語ではないが、意味・用法は似ている。(2)二〇一〇年代から、俗に「つらい」「ねむい」を「つらみ」「ねむみ」と言うなど、従来は「さ」しかつかなかった形容詞にも使う例が増えた。さらに、「すごく行きたい」を「行きたみが すごい」、「とてもよくわかる」を「わかりみが深い」と言うなど、形容詞以外にも用法が広がった。自分の感情などを強く出すことをさけた表現。〔この場合、「味」とは書かない〕 区別 ⇩さ 接尾 ①。 二 そういう状態の部分。「深―にはまる・弱―(『弱味』とも書く)を見せる」

****み**「三」 一 遺 三つの。〔「さん」よりも古風な場合もある〕「―月(=三か月)・―束(=さんたば)・―棟(=さんむね)」 二 **み** 〔古風〕三つ。みい。「一の二の―」

**ミ**「〈イ mi〉」《音》レの一つ上の音の名。

**みあい**「見合い」《名・自サ》 ①結婚するかどうかを決めるために、他人を仲立ちとして、男女がはじめて会うこと。「―結婚(↔恋愛結婚)・お―」②一方とつりあいを取ること。「生産と出荷の―・生産との―で」 ☞お見合い。

**みあ・う**「見合う」 一《自五》つりあう。「収入に見合った生活をする」 二《他五》①たがいに相手を見る。②《すもう》こぶしを土俵につけたまま、たがいに相手の様子を見る。「双方見合って(=行司の かけごえ)」

**みあかし**「(△御)明かし・(△御)△灯」 神仏に供える明かり。灯明。

**みあげ**「身上げ・身揚げ」《名・自他サ》《服》着物のたけ(=身たけ)を、子どもの身長に合わせて ぬい縮めること。また、そうしたもの。☞肩上げ・腰上げ。

**みあげた**「見上げた」《連体》りっぱな。尊敬できる。「―心がけだ」

**みあ・げる**「見上げる」《他下一》①上のほうを見る。「夜空を―」(↔見下ろす) ②まさって見える。☞見上げた。

**みあた・る**「見当たる」《自五》〔多く否定の形で〕〈さがし/もとめ〉ているものが見つかる。「どこにも見当たらなかった」

**みあつ**「身厚」《名・ナダ》〔さかななどの〕身が厚いこと。「―〈の/な〉ホッケ」

**みあやま・る**「見誤る」《他五》見て、別な〈もの/状態〉と思う。「信号を―」 名 見誤り。

**みあらわ・す**「見(△顕す)」《他五》〔正体などを〕見破る。見つけ出す。

**みあわ・せる**「見合わせる」《他下一》①おたがいに見る。「おどろいて顔を―・目を―」②さしひかえる。やめる。「旅行を―」③くらべて見る。「二つを―」▽見合わす。[名]見合わせ。

**みい**［△三］〔古風〕みっつ。〔数えるときに言うことば〕☞ひい(一)。

**ミー**《代》〔me〕〔俗〕わたし。

**ミーアキャット**〔meerkat〕アフリカ南部に住むマングースの仲間。後ろ足で立ち、群れで日光浴をする姿がよく見られる。スリカタ（ラ suricata）。

**ミーイズム**〔meism〕「私の勝手にさせて」という主義。自己中心主義。エゴチズム。

**みいだ・す**［見（△出だす）］《他五》見つける。見つけだす。【注】語の構成は「見る＋出ィだす」で、「見い＋出す」ではない。

**みーちゃんはーちゃん**［ミーちゃんハーちゃん］〔古風・俗〕教養のない女性や子ども。ミーハー。〔かろんじた言い方〕「―向け映画」【由来】「みよ」「はな」など、女性に多い名前の最初を取って呼んだもの。

☆☆**ミーティング**〔meeting〕打ち合わせ。MTG。MT。

**ミート**《名・自他サ》〔meet〕①〔きっかけなどが〕うまくあうこと。うまく決まること。②《野球》バットがボールにあうこと。また、あわせること。「ジャストー」〔ゴルフなどでも言う〕

**ミート**〔meat〕【一】[造] 食用の（牛・ブタの）肉。「コールドー（＝冷肉）・ーボール（＝肉だんご）・ー皿」【二】**ミート**↑ミートソース。●**ミートソース**〔meat sauce〕①ひき肉入りの、トマト味のソース。パスタによく使う。②特に、スパゲッティ ミートソース。ゆでたスパゲッティに「ミートソース①」をかけたもの。〔日本では、ナポリタンとともに、戦後の代表的なスパゲッティ料理〕●**ミートローフ**〔meat loaf〕ひき肉に野菜・パン粉・香辛料などを加えて、型に入れてオーブンで焼きあげた料理。

**みーはー**［ミーハー］〔俗〕【一】⇩ミーちゃんハーちゃん。【二】《名・ナダ》有名なものや流行のものに、見さかいなく興味を示す〈人／ようす〉。「―な性格」

**みいみい**［見い見い］[連] ⇩見る【一】①。

**ミーム**〔meme〕①人から人へ、複製と模倣をくり返して広まる社会的・文化的な情報。模倣子。②〔インターネットで〕次々にコピー・改変されて広まるフレーズ・画像など。（インター）ネットミーム。

**ミイラ**〔ポ mirra〕人間などの死体が腐敗せず、だいたいそのままの形で かわいて かたまったもの。人工的にミイラにしたものが、エジプトなどに残る。[表記]「:木乃伊」とも書いた。●**ミイラ取りがミイラになる**[句] 相手を説得しようとして、かえって同調してしまう。

←**みいり**［身入り］〔食用の魚介類などの〕肉のつきぐあい。「カニの―が不十分・―の悪いウニ」

→**みいり**［実入り］①実が みのること。②収入。「この商売は―がいい」

←**みい・る**［魅入る・見入る］《自五》とりつく。たたる。「悪魔が―・悪魔に魅入られる」

→**みい・る**［見入る］《自他五》注意して見る。見つめる。見とれる。「画面〈に／を〉―」

**ミール** [造]〔meal〕①食事。「―キット（＝おかずを作るための材料と調味料のセット）・―ス（＝南インドのカレーの定食）」②トウモロコシなどをひき割ったもの。「オートー・コーンー」

**みいわい**［身祝い］〈自分／身うち〉のことで する祝いごと。「全快の―に集まってもらった」

**みうけ**［身請け・身受け］《名・他サ》芸者などの前借り金を代わりに はらってやって、その商売をやめさせること。落籍。

**みう・ける**［見受ける］《他下一》①見て、印象を受ける。見てとる。「お見受けしたところ、お困りのようで」②見かける。「ときどき―顔だ」

**みうごき**［身動き］《名・自サ》①からだを動かすこと。「―の楽な洋服・―も できない・―ならぬ」②〔多く、後ろに否定が来る〕自由に行動すること。「借金で―（が）できない・―が取りにくい状況」

**みうしな・う**［見失う］《他五》それまで見ていたものを、目から とりにがす。「目標を―」

**みうた**［△御歌］〔文〕天皇や皇族の作った歌。おうた。

**みうち**［身内］①からだの なか。「―が ふるえる」②家族や親類。③同じ組織の人。④同じ親分に従う子分たち。「どこの―だ」

**みうり**［身売り］《名・自他サ》①先に代金を受け取って、約束の年月の間、奉公すること。②お金に困って、売ること。「工場の―」

**みえ**［見え］【一】**みえ** ①見かけ。みば。「―が悪い」②［見:栄］自分を（実際よりも）よく見せようと、うわべをかざる〈こと／態度〉。「男の―・―も外聞も忘れる」③［見:得］《芝居》動作がきまるときに、役者がことさらに目立つ表情をすること。「まる―」【二】[造] 見えること。【注】ファッション記事などで、「高―（＝実際の値段よりも高く見えること）・大人―（＝大人に見えること）」など多用される。●**見えも外聞もない**[句] ほかの人が どう思うかを気にかける余裕もない。●**見えを切る**[句] ①役者が、見得の動作をする。②〈自信のありそうな／大げさな〉態度をしめす。●**見えを張る**[句] 自分を（実際よりも）よく見せようと、うわべをかざる。

**みえかくれ**［見え隠れ］《名・自サ》見えたりかくれたりすること。みえがくれ。「人の姿が―する・―に あとをつける」

**みえけし**［見え消し］《名・自サ》文書や書類の内容に手を加えるとき、もともと書いてあった文字も見えるように線を引いて消し、別の文字を書き入れる方法。〔古文書などでは「見せ消ち」〕。

**みえす・く**［見え透く］《自五》（＝底まで すきとおって見える）〔ふつう **見え透い〈た／て〉**〕本心や結果が よくわかる。「見え透いた うそ」[名]見え透き。

**みえっぱり**［見えっ張り・見:栄＝っ張り］《名・ナダ》見えをはる〈こと／人〉。

**みえば・る**［見え張る・見:栄＝張る］《自五》うわべをかざる。「見え張った暮らし」

**みえぼう**［見え坊・見:栄＝坊］《名・ナダ》うわべをかざる〈人／ようす〉。

**みえみえ**［見え見え］《名・ナダ》〔俗〕見えすいていること。「〈意図／ねらい〉が―だ」

＊＊**み・える**【一】［見える］《自下一》①〔ものの形や色などが〕目に映る。「山が―」②「来る」を軽く尊敬して言うことば。「先生が―」☞お見え。③そういう外観だ。「若く―・本物に―」④思われる。ようすだ。「気になると―」⑤見ることができる。「ここからはよく見えない」⑥ものごとの内容などが とらえられる。「ようやく全貌が見えてきた」⑦〔目標や区切りが〕近づく。「優勝が見えてきた」⑧〔**見えない**〕何を考えているのか わからな

い。「子どもが見えない（＝理解できない。心がつかめない）・見えない大学生像」㊁《補動下一》〔中部方言〕〔てー〕…いらっしゃる。…おいでになる。「みなさん知ってーとおり」●**みえるか**〔見える化〕《名・他サ》①情報を、だれにも わかる具体的な形にして示すこと。②何が おこなわれているかが、だれにも わかるようにすること。▽可視化。

**みお**〔×澪〕・〔△水△脈〕・〔△水尾〕ーを ①〔海岸の近くで〕引き潮のときでも船が安全に通れる水路。②航跡（こうせき）。「ーを引く（＝航跡を残す）」 ③〔方〕⇩離岸流（りがんりゅう）。

**みおくり**〔見送り〕《名・他サ》①見送ること。「友人のー（↔出迎（でむか）え）を受ける・掲載（けいさい）がーになる」 ②〔経〕相場で、売り買いとも さしひかえて、様子を見ること。

**みおく・る**〔見送る〕《他五》①去って行くのを、うしろからながめる。「うしろすがたをー・行列をー」 ②人の出発を送る。「駅〈で／まで〉ー」（↔出迎（でむか）える） ③後に残って、その死を見届ける。「親をー・〔葬式（そうしき）をして〕故人をー」 ④先にのばす。また、やめる。「採用をー」 ⑤見ているだけで、そのまま やりすごす。「ボールをー・総裁のポストをー」

**みおさめ**〔見納め〕ーをさめ それが、そのものを見る最後であること。「今生（こんじょう）のー」

**みおつくし**〔（×澪△標）〕みをつくし 〔雅〕「みお①」の目じるしとして海などに立てたくい。

［みおつくし］

**みおと・す**〔見落とす〕《他五》見ているはずなのに、うっかりして気がつかずにすます。名見落とし。

**みおとり**〔見劣り〕《名・自サ》〈予想／一方〉よりもおとって見えること。「ーがする」（↔見勝（みまさ）り）

**みおぼえ**〔見覚え〕 見た記憶（きおく）。「たしかにーがある」 動見覚える《他下一》。

**みおも**〔身重〕 妊娠（にんしん）していること。みもち。

**みおや**〔△御△祖〕 〔雅〕「祖先」の尊敬語。

**みおろ・す**〔見下ろす〕《他五》①〔高い所から〕下を見る。「山頂からー・下界をー」（↔見上げる） ②みくだす。みさげる。

**みかい**〔未開〕①知識や技術が発達していないこと。「ー社会」 ②土地がまだ開拓（かいたく）されていないこと。「ーの土地・ー地」

**みかいけつ**〔未解決〕《名・ナダ》まだ解決されていないこと。「ーの問題・ーに（＝解決しないままに）終わった」

**みかいたく**〔未開拓〕《名・ナダ》まだ開拓されていないこと。「ーの原野」

**みかえし**〔見返し〕ーかへし ①本の、表紙をあけたときに見える、両がわの部分。「表ー・裏ー」 ②〔服〕ⓐ〔和裁で〕そで口などの始末（に使う布）。「ー布」 ⓑ〔洋裁で〕服の あわせ目や えりなどで、裏がわの ふちにつけて補強する布。☞持ち出し③。

**みかえ・す**〔見返す〕ーかへす《他五》①見られた〈仕返しに／ことに対して〉、見る。②もう一度見る。「書類をー」 ③〈すてられた／つめたく あつかわれた〉仕返しとして、成功して見せつける。「あいつを見返してやる」

**みかえり**〔見返り〕ーかへり ①ふり向いて後ろを見ること。「ーの松」 ②相手がしてくれたことに こたえて、相手に何かをしてあげること。「ーを期待する」 ③保証または担保として さし出す〈こと／もの〉。「ー資金・ー物資」 動見返る《他五》。

**みか・える**〔見変える・見替える〕ーかへる《他下一》〔古風〕今までのものを捨て、新しいものに移る。「現在の恋人（こいびと）にー」

**みがき**〔磨き・△研き〕 みがくこと。「ーをかける（＝よくみがく）・くつー」●**みがきあ・げる**〔磨き上げる〕《他下一》じゅうぶん みがく。「ぴかぴかにー」 直磨き上がる《他五》。●**みがきこ**〔磨き粉〕 ものをみがくのに使うこな。●**みがきた・てる**〔磨き立てる〕《他下一》じゅうぶん みがいて、目立つようにする。

**みがきにしん**〔身欠き（×鰊）〕 頭と尾（お）を取ってほしたニシン。みかきにしん。

**みかぎり**〔見限り〕 ①見限ること。「近ごろ おーね」 ②〔おー〕〔客が〕顔を見せないこと。

**みかぎ・る**〔見限る〕《他五》①見こみがないと思って あきらめる。「会社をー」 ②あいそをつかして、とりあわない。「親子の間がらなのでーわけにはいかない」

**みかく**〔味覚〕①《生》ものを食べたときに、舌に起こる感覚。甘味（あまみ）・酸味・苦味・塩味（えんみ）・うま味。「ーの発達した人・ー障害」 ☞五味。 ②おいしい味の食べ物。「旬（しゅん）のー・秋のーを楽しむ・ーの秋」

**みが・く**〔磨く・△研く〕《他五》①こすって〈きれいにする／つやを出す〉。「歯をー・くつをー」 ②けずって、形を整える。「レンズをー」 ③〔入浴して〕きれいにする。「念入りにー」 ④努力して、いっそう いいものにする。「うでをー」 直磨ける《下一》。可能磨ける。

**みかくにん**〔未確認〕 まだ、はっきりとは確認されていないこと。「ー情報・ー飛行物体（⇩ユーフォー）」

**みかけ**〔見（掛け）〕 外から見たようす。外見。うわべ。「ーは強そうだが大したことはない・人はーによらないものだ」●**見かけによらず** 句 見かけで想像したのとちがって。「ー強い」 ●**みかけだおし**〔見（掛け）倒し〕ーだふし 外観よりも内容が おとること。

**みかげいし**〔（△御影）石〕〔御影＝地名〕〔石材としての〕花崗（かこう）岩。

＊**みか・ける**〔見（掛ける）〕《他下一》偶然（ぐうぜん）見る（という経験をする）。「先生を新宿で見かけた・よくー服装・君は見かけない顔（＝よそから来た、会ったことのない人物）だな」

**みかさ**〔三×笠〕〔関西方言〕どら焼き。三笠山。三笠焼き。由来 奈良県の山の名から。

**みかじめ** 〔俗〕監督（かんとく）。取りしまり。「ー料（＝暴力団が飲食店などから取る用心棒代）」

**みかた**〔見方〕 ①見る方法。見よう。「グラフのー」 ②〔それに対する〕見解。考え方。「もののー」

**みかた**〔∴味＝方・∴身＝方〕㊀①同じ敵と争うために、協力する なかま。「ーの兵士・ーのチーム」 ②協力関係にある者。「社内でーを増やす・観客をーにつける」 ③役に立つもの。「受験生のーになる参考書」▽（↔敵・敵方（てきがた）） ㊁《名・自サ》敵・困難などと戦う人に、力を貸すこと。「弱いほうにーする」 由来「天皇の軍隊」の意味の「御方（みかた）」から。

**みかづき**〔三日月〕①〔陰暦（いんれき）で〕一日から三日目の夜に出る、細い月。夕方、西のほうに見られ、☽のような形をしている。〔☾のような形は「有り明けの月」と

み

言い、陰暦十六日目以降の明け方、東のほうに見られる」②「三日月①」の形。「—まゆ」③⇩こづめ〈小爪〉。

**みがって**［身勝手］《名・ナダ》他人の迷惑を考えず、気ままなようす。わがまま。「—な人」派-さ。

**みかど**［〈△帝〉］〔文〕天皇。由来「皇居（の門）」の意味の「御門」から。

**みか・ねる**［見〈兼ねる〉］《他下一》だまって見ていることができなくなる。「見るに見かねて注意する」

**みがまえ**［身構え］《名・自サ》①敵に対してとる、からだのかまえ。②相手に対する〈心のかまえ／態度〉。「—ができていない」

**みがま・える**［身構える］《自下一》①何か起こったら、すぐに にげたり攻撃したりできる かまえや態度をとる。「だれかが来る気配がして身構えた」②自分がこれからすることは むずかしい、と大げさに考える。「『名作文学を読むぞ』と—」

**みがら**［身柄］〔＝からだ〕問題になっている当人（のからだ）。「—を引き取る・—の安全・〔法〕—送検（↕書類送検）」☞がら🈔。

**みがる**［身軽］《名・ナダ》①からだが軽く活動しやすいようす。「—なかっこう」②重荷・やっかいなものがなく、行動が楽なようす。「—なひとり者」●**みがる・い**［身軽い］《形》身軽な感じだ。派-さ。

**みかわ**［三河］旧国名の一つ。今の愛知県の東部。三州。「—万歳」

**みかわ・す**［見交わす］《他五》たがいに見る。

**みがわり**［身代わり］他人の代わりをつとめる〈こと／人〉。「—になる」

**みかん**［未刊］〔文〕まだ刊行されていないこと。「邦訳—」（↕既刊）

**みかん**［未完］まだ〈完結／完成〉していないこと。「—の作品」

**みかん**［〈△蜜×柑〉］皮をむくと、ふくろにはいった実がまるくならんでいるくだもの。さわやかなすっぱさと あまさがある。一般にウンシュウミカンを言う。「—狩り・—山・お—〔女〕」

**みかんせい**［未完成］《名・ナダ》まだ完成していないこと。「—品・—の建築物・体格が—だ」派-さ。

**みき**［幹］①木の、根から上のほうにのびて、枝・葉を出す太い部分。②ものごとの、だいじな部分。根幹。

**みぎ**［右］🈐**みぎ** ①横に〈広がる／ならぶ〉もののうち、一方のがわをさすことば。「一」の字では、書き終わりのほう。「リ」の字では、線の長いほう。「向かって—・—がわ通行」②「右🈐①」のほうの手。「〔すもう〕—がはいる」③⇩右翼③。「—寄り路線・—がかる」④〔野球〕右翼（手）。ライト。「—越えホームラン」▽（↕左）🈔**みぎ** 〔文〕前にのべた〈こと／とおり〉。「—のとおり・—御礼まで・—代表」☞右へならえ。●**右から左** 句 ①受け取ってすぐ。たちまち。「—へ使ってしまう」②簡単に。「—に実現するものではない」③ただ移動〈する／させる〉だけ。「頭にはいらず、—へぬける」●**右と言えば左** 句 他人の言うことに、わざと反対すること。ああ言えばこう言う。●**右に出る者がいない** 句 いちばんすぐれている。（昔、中国で右を上位としたことから）●**右も左も分からない** 句 〔経験がないために〕簡単なことも分からない。

**みぎうち**［右打ち］《野球》右打席で打つ〈こと／人〉。また、ライト方向に打つこと。（↕左打ち）

**みぎうで**［右腕］①右のほうのうで。（↕左腕）②いちばんたのみになる人。「かれは社長の—だ」

**みぎがき**［右書き］文字を〈一字ずつ／一行ずつ〉右から左へ書くこと。（↕左書き）

**みぎかたあがり**［右肩上がり］①文字などの線の、右がわが つり上がったように書いてあること。②数値がだんだん大きくなる〔＝よくなる〕こと。「—の相場・—の成績」〔一九九〇年代から特に広まった用法〕由来グラフで示したとき、「右肩上がり①」の線となることから。▽右上がり。（↕右肩下がり・右下がり）

**みきき**［見聞き］《名・他サ》見たり聞いたりすること。見聞。「ふだん—すること」

**みぎきき**［右利き］右手のほうが よくはたらく〈こと／人〉。（↕左利き）

**ミキサー**〔mixer〕①セメント・砂・砂利などをまぜる機械。②くだものや野菜などをくだいてどろどろにする電動の調理器具。☞フードプロセッサー。③〔放送や録音で〕いくつかの音声や映像を混合し、調整する装置。また、それを操作する人。ミクサー。

**ミキシング**《名・他サ》〔mixing〕①まぜあわせること。「〔カクテルの〕—スプーン」②〔放送や録音で〕いくつかの音声や映像を混合し、調整すること。

**みぎ・する**［右する］《自サ》〔文〕右のほうへ行く。「右せんか左せんか〔＝どうするか〕決断をせまられる」

**みぎだいひょう**［右代表］①以上の者の代表。「〔代表者に証書をわたすとき〕卒業生○名、—、山中進一」②とりあえず代表とするもの。「私が—でしかられた」

**みぎづめ**［右詰め］ひとつづきの数字やかなをます目に記入するとき、右のはしから間をあけずに書き入れること。（↕左詰め）

**みぎて**［右手］右のほう（の手）。（↕左手）☞馬手。

**みぎなげ**［右投げ］《野球》投手などが、右手で投げること。「—右打ち」（↕左投げ）

**みぎのう**［右脳］《生》⇩うのう。

**みぎひだり**［右左］①右と左（の区別）。「—をよく見てわたれ・—がなく気軽に はける靴」②右と左をとりちがえること。あべこべ。逆。

**みぎへならえ**［右へ倣え］🈐《感・名》横にならんだとき、頭を右へ向け、先頭にならって きちんと整列させるときの号令。〔幕末から使われる〕🈔《名・自サ》先にやったものの まねをすること。右ならえ。「—の体質を改める」

**みぎまえ**［右前］①右がわの、前。②《服》ⓐ和服の着方。正面から見たとき、右がわ〔＝左の身ごろ〕が上にくる。ⓑ女性の洋服の仕立て方。前にあわせたとき、右の身ごろが上にくる。▽（↕左前）

**みぎよつ**［右四つ］《すもう》たがいに右手を相手の左わきの下に入れて組んだ、状態。（↕左四つ）

**みきり**［見切り］見切ること。「—をつける・—品〔＝投げ売り品〕・—販売」●**みきりどき**［見切り時］見切ったほうがいい時期。「今が—だ」●**みきりはっしゃ**［見切り発車］《名・自サ》①電車が、乗ろうとする客が まだ残っているのに発車すること。②じゅうぶん議論をつくさないうちに決めて、次へ進めること。

**みぎり**［(×砌)］〔文〕①おり。「上京の―」②ころ。「幼少の―・酷暑の―」

**みき・る**［見切る］《他五》①しまいまで見る。全部見る。②だめだとあきらめて、見すてる。見限る。③投げ売りする。④見きわめる。見定める。

**みぎれい**［身(×綺麗)］《ナダ》①身なりや身の回りが きれいなようす。「いつも―にしている」②服装が よごれないようす。「―な仕事」③悪事や やましいことのないようす。「私生活を―にする」派―さ。

**みき・れる**［見切れる］《自下一》①〔演劇・テレビなどで〕舞台そでなどの、見えてはならない部分が見える。②〔①を反対の意味に誤解して〕画面の外になり見えなくなる。〔二十一世紀になって広まった用法〕名見切れ。「―席〔=舞台などの一部が見えない席〕」

**みぎわ**［(×汀)・(×渚)］〔文〕なぎさ。みずぎわ。「―に遊ぶ」

**みきわ・める**［見極める］《他下一》①最後までしっかりと見届ける。確認する。「なりゆきを―・限界を―」②ものごとを見分けて、はっきりさせる。「相手の力量を―・本物かどうか―」名見極め。「―が つかない」

**ミクサー**〔mixer〕⇩ミキサー③。

**みくじ**［(△御×籤)］おみくじ。「縁結び―・―所」表記 神社では「△神×籤」とも。

**みくずれ**［身崩れ］《名・自サ》煮ざかなの身などが、自然に くずれること。

**みくだ・す**［見下す］《他五》みさげる。ばかにする。「見下したような態度」

**みくだりはん**［三下り半・三△行半］〔江戸時代、妻にあたえた〕離縁状の、遠まわしな言い方。由来 三行半で書いたことから。

**みくび・る**［見(×縊る)］《他五》〔大したことがないと〕ばかにする。「相手を―」名見くびり。

**みくら・べる**［見比べる］《他下一》①見て比べる。「ふたりの顔を―」②考えあわせる。「二つの案を―」

**みぐるし・い**［見苦しい］《形》①〔していることが不愉快で〕見ていたくない。「―態度を見せる」②むさくるしい。「―所」派―さ。

**みぐるみ**［身ぐるみ］《名・副》①着ているもの全部。「―ぬいで置いて行け・―はがれる」②(からだ)全体。「―穴にすいこまれる」

☆☆**ミクロ**〔micro〕一《名・ナダ》微視的。微小。二〔↑ミクロ経済〕《経》会社の経営状態や家庭経済の動き。「―の経済学」▽一二(↕マクロ) ●ミクロコスモス〔ド Mikrokosmos〕小宇宙。(↕マクロ コスモス)

**ミクロン**〔フ micron〕「マイクロメートル」の古い言い方〔記号μ〕。

**みけ**［三毛］白・黒・茶色の まじった毛(のネコ)。「―ねこ〔ネコの名にもつける〕」

**みけいけん**［未経験］《名・ナダ》経験したことがないこと。「―者」派―さ。

**みけた**［三桁］①《数》数字のけたが三つであること。②一〇〇から九九九まで。「―に乗せる」▽さんけた。

**みけつ**［未決］①〔文〕まだ決まらないこと。まだ〈処理/決裁〉していないこと。「―書類」②《法》刑事事件でまだ判決が確定しないこと。「―(の間の)勾留・―囚〔=未決の拘禁者を言う、以前の言い方〕」▽(↕既決)

**みけん**［未見］〔文〕まだ〈見て/会って〉いないこと。「―の書物」

**みけん**［眉間］①まゆと まゆの あいだ。「―に しわを寄せる」②ひたい。「―の傷」

**みこ**［(:巫女)］①[(△神子)] 神社にいて、神につかえるむすめ。②神がかりの状態になって、死んだ人のことばを自分の口で伝える女性。☞口寄せ。

**みこ**［△御子］①［△皇子］〔雅〕天皇の子。皇子。②《宗》〔父である神に対して〕キリスト。「―イエス」

**みごうしゃ**［見巧者］《名・ナダ》〔芝居などに なれて〕見方のじょうずな〈こと/人〉。

**みこし**［見越し］へだてとなるものを越して(高く)見えること。「―の松〔=塀よりも高い松〕」

**みこし**［(△神×輿)・(△御×輿)］①祭礼のときにかつぐ、神体を中に入れたこし。神輿。②〔俗〕腰。しり。▽「お―」 ●みこしを上げる 句 ①立ち上がる。②仕事に取りかかる。▽おみこしを上げる。 ●みこしを担ぐ 句（人をおだてて）祭り上げる。おみこしを担ぐ。「みこしを担いで町会長に立候補させる」 ●みこしを据える 句 座りこんで動かなくなる。長居する。おみこしを据える。 ●みこしふり［(△神×輿)振り］渡御のみこしを威勢よく ふり動かすこと。

**みごしらえ**［身(×拵え)］《名・自サ》何かをするために必要な服装を整えること。身じたく。「―を厳重にする」

**みこ・す**［見越す］《他五》①〔きっと そうなるだろうと〕予想する。「将来を見越して計画する」②へだてを越して見る。

**みごたえ**［見応え］見るだけの ねうち。「―がする・―の ある大ずもう」

**みこと**［△尊・△命］昔、〈神/身分の高い人〉を尊敬して呼んだ言い方。〔今も、祝詞の中で「山本一郎の―」などと使う〕

***みごと**［(見事)］《ナダ・副》①手ぎわや できばえが すぐれていて、あざやかなようす。「―(に)やってのける・―(に)成功した・お―！」②〔反語として〕きれい。すっかり。「―(に)失敗した・―な はげ頭」表記「:美=事」とも書いた。由来「見る ねうちがあること(がら)」の意味から。派―さ。

**みことのり**［詔・△勅］《名・自サ》〔文〕天皇が正式にのべたことば。「―をたまわる」

**みごなし**［身ごなし］⇩身のこなし。

**みこみ**［見込み］①そうなる、という確実な予想。「雨になる―だ・―ちがい・―客〔=客になってくれる可能性のある相手〕」 いいことにも悪いことにも使うが、「回復する見込みがない」など、否定する形は、予想がよくない場合に使う。②将来うまくいくだろう、という期待(がもてる性質)。「先の―がない・君は なかなか―がある」

**みこ・む**［見込む］《他五》①確実だと予想して、考えに入れておく。「赤字が見込まれる・収入増を見込んだ予算案」②有望だと思う。「君を見込んで たのみがある」③魅入る。とりつく。「悪魔に見込まれる」④《能》中を見る。「井戸を―」

**みごも・る**［身(籠もる)］《自他五》妊娠する。はらむ。「子を―」

**みごろ**［見頃］見るのに適当な時期。「花の―」

**みごろ**[身頃・×裑]《服》衣服の、そで・えりなどを除いて、からだの前・うしろの全部をおおう部分。「前―・後ろ―」

**みごろし**[見殺し]①殺されるのをだまって見ていること。②苦しいのを、そばで見ていて助けてやらないこと。「病人を―にする気か」動見殺す《他五》。

**みこん**[未婚]まだ結婚していないこと。「―率」(↔既婚)

**みこん**[未墾]〔文〕まだ開墾していないこと。「―の大地」

**ミサ**〔ラ missa〕①《宗》〔カトリックで〕神をたたえ、罪のつぐないと神のめぐみをいのる儀式。〔ほかの教会の「聖餐式」に当たる〕「〈ご/お〉―」外来語に「ご」がつく めずらしい例。②《音》「ミサ①」に歌う音楽。ミサ曲。「鎮魂―」表記「:弥撒」は、古い音訳字。

**みさい**[未済]〔お金の返済や処理すべきことが〕まだすんでいないこと。「ローン―分」(↔既済)

**みさい**[未載]〔文〕〔全集などに〕まだ のせていないこと。「全集―の資料」

**ミサイル**〔missile〕《軍》先頭部分に爆弾をつけ、ロケットあるいはジェット推進によって、目標に向かって飛ばす兵器。誘導弾。「地対空―・空対空―・巡航―・弾道―」 ●**ミサイルぼうえい**[ミサイル防衛]《軍》他国が発射した弾道ミサイルを、誘導ミサイルで迎撃するシステム。MD〔←missile defense〕。

**みさお**[操]〔文〕①〔志を〕守ってかえない〈こと/志〉。節操。「かたい―」②貞操。「―を守る」 ●**操を立てる**句①自分の主義主張をかたく守りとおす。②貞操を守りとおす。

**みさかい**[見境]きちんと区別・判断すること。見分け。「善悪の―が(つか)ない・だれかれの―なく頭を下げる」☞前後の見境。

**みさかえ**[(△御)栄え]①〔雅〕「栄えること」の尊敬語。②《宗》〔神の〕栄光。

**みさき**[岬]《地》海や湖に突き出た、陸地のはし。

**みさ・げる**[見下げる]《他下一》〔自分とくらべて〕相手をばかにする。みくだす。「見下げはてた〔=最もけいべつすべき〕やつだ」

**みささぎ**[陵]〔雅〕天皇・皇后の墓。御陵。山陵。

**みさだ・める**[見定める]《他下一》ぼんやりしていたものを、よく〈見て/考えて〉はっきりさせる。「だれが敵かを―・目標を―」名見定め。「方向の―がつく」直見定まる《五》。

**みさらし**[未(×晒し)]まだ さらしてないこと。生成り。「―の もめん」

**みざる**[見猿] ●**見猿 聞か猿 言わ猿**句〔=それぞれ手で目・耳・口をふさいだ三びきのサル〕他人の欠点など、自分に関係ないことは、見ず、聞かず、言わずにいろということ。

**ミサンガ**〔ポ missanga〕色とりどりの糸を編んでつくったアクセサリー。輪にして、手首や足首につける。〔つけているうちに糸が切れると、願いが かなうという〕

**ミサンドリー**〔misandry〕男性を軽蔑し、嫌悪すること。(↔ミソジニー) 人ミサンドリスト(misandrist)。

**みさんぷ**[未産婦]《医》お産をしたことのない女性。(↔経産婦)

***みじか・い**[短い]《形》①はしからはしまでの間が、小さい。②持久力が小さい。「気が―・息が―」③時間のへだたりが、小さい。「日が―・命が―」▽(↔長い) 派-さ。

**みじかよ**[短夜]〔雅〕〔夏の〕短い よる。(↔長夜)

**みじたく**[身支度]《名・自サ》何かの目的のために服装を整えること。「旅行の―」

**みじまい**[身(:仕舞い)]《名・自サ》髪や服装などを整えること。身じたく。「手ばやく―する」

**みしみし**《副・自サ》強い力が加えられて きしむ〈音/ようす〉。「家が―いう」

**みじめ**[惨め]《ナダ》ほこりを失うほど つらい〈ようす/気持ち〉。「びんぼうで―な生活・失恋して泣いても―になるだけ」由来「見じ目」で、「見るまいと思う目」、つまり、「したくないと思う経験」の意味から。派-がる。-さ。

●**みじめったらし・い**[惨めったらしい]《形》みじめさが あらわれて、いやな感じだ。みじめらしい〔古風〕。みじめたらしい。「―かっこう」

**みしゅう**[未収]〔文〕まだ徴収・収納していないこと。「―金」

←**みしゅう**[未修]〔文〕〔必要な課程を〕まだ学んでいないこと。未履修。「〔法科大学院の受験で〕法学―者・―科目」(↔既修)

→**みしゅう**[未習]〔文〕まだ〈学習/習得〉していないこと。「―の課目」(↔既習)

**みしゅうがく**[未就学]まだ小学校に はいっていないこと。「―児童」

**みじゅく**[未熟]《名・ナダ》①くだものなどが、まだ、熟していないようす。②発育がじゅうぶんでないようす。③広く世の中に通用しないようす。「―な訳語」④経験が浅くて、じゅうぶん役に立たないようす。「―な技術・―者・〔あいさつで〕なにぶん―でございますので」派-さ。

●**みじゅくじ**[未熟児]胎内にいる期間が短いことなどのため、じゅうぶん発育しないうちに生まれた子。〔体重二千五百グラム未満の場合、医師は「低出生体重児」と言う〕(↔成熟児)

**ミシュラン**〔フ Michelin〕ホテルやレストランを星の数で格づけしていることで有名な、ヨーロッパの旅行案内書。〔発行元のフランスのタイヤ会社の名〕

**みしょう**[未生]〔文〕まだ生まれないこと。「父母―以前」

**みしょう**[未詳]〔文〕まだ くわしく わからないこと。「作者―」

**みしょう**[実生]《名・自サ》たねから芽が出て生長する〈こと/草木〉。みばえ。

**みしょく**[未食]食べた経験が ないこと。(↔既食)

**みしらず**[身知らず]《名・ナダ》〔文〕①身のほどを知らないようす。②からだをだいじに しないようす。

**みしらぬ**[見知らぬ]《連体》〈見た/会った〉ことがなくて、知らない。見知らない。「―男の人」☞見も知らぬ。

**みしりお・く**[見知り(置く)]《他五》顔見知りになっておく。☞お見知り置き。

**みしりごし**[見知り越し]〔人について〕見て知っていること。「―の仲」

**みし・る**[見知る]《他五》前に見たり、会ったりして、知っている。「よく見知った仲」☞お見知り置き・見知らぬ。

**みじろぎ**【身(△動ぎ)】からだを少し動かすこと。みじろき〔古風〕。「―もしないで話に聞きいる」動身じろぐ《自五》。

**ミシン**《名・他サ》〔←(sewing) machine〕布などをぬうときに使う機械(にかけること)。●**ミシンを踏（ふ）む** 句〔足踏（あしぶ）み式のミシンでぬいものをする。●**ミシンめ** 句【ミシン目】ちぎりやすいようにつけた、ミシンの針のあとのような点線状の穴。ミシン線。「―を入れる」

**みじん**【△微×塵】①〔文〕きわめて細かいもの。ごくわずかなこと。「こっぱ―」(=細かいほこり)「―のすきもない」②《料》食材を細かく切ること。「―切（ぎ）り・粗（あら）―」●**みじんこ**【△微×塵子】池や水田にいる、ごく小さな節足動物。キンギョのえさとなる。●**みじんこ**【(△微×塵)粉】蒸（む）してかわかしたもち米をひいて煎（い）ったこな。菓子（かし）を作るのに使う。●☆**みじんも**【△微×塵も】《副》〔後ろに否定が来る〕少しも。「そんな気持ちは―ない」

**みす**【△御×簾】〔宮殿（きゅうでん）・神殿などに使う〕へりつきの目の細かいすだれ。

**ミス**《名・自他サ》〔miss; mis-〕やりそこない。まちがい。ミステイク。「仕事の―・計算―・―ジャッジ」

**ミス-** 造〔Miss〕①未婚（みこん）女性の敬称（けいしょう）。…さん。「―若山」(↔ミスター・ミセス) ☞ミズ。②…を代表する、未婚の女性。「―京都」〔コンテストやPR活動などで呼び名に使う〕☞ミスコン。

＊＊**みず**【水】みず ①自然界に多くあり、われわれの生活になくてはならない、すき通ったつめたい液体。〔水素二、酸素一の割合の化合物〕「川の―・水道の―・ウイスキーを―で割る・―の事故(=水におぼれたりする事故)」(↔湯) ②液状のもの。「ひざに―がたまる」③新しい環境（かんきょう）。「プロの―」④《すもう》↑水入り。☞お水・水の泡（あわ）・水の手。●**水が合う** 句 職業・環境（かんきょう）などが、性格に合う。水に合う。●**水が空（あ）く** 句 ①《ボート・競泳など》差がつく。②競争相手との間に、差がつく。●**水が漬（つ）く** 句 洪水（こうずい）で、水につかる。水に漬く。●**水が出る** 句 大水になる。●**水が入（はい）る** 句《すもう》水入りになる。●**水清ければ魚（うお）棲（す）まず** 句〔文〕あまり〈潔白〉〈厳正〉すぎると、かえって人に親しまれない。しっくりいかない。水に油。●**水と油** 句〔性質などが〕まったくあわない。●**水に落ちた犬は打て** 句 権力を失った悪者が復活しないように、徹底（てってい）的にやっつけろ。池に落ちた犬はたたけ。〔魯迅（ろじん）のことば〕●**水に流す** 句 過去のもめごとなどを、いっさいなかったことと(して仲直り)する。●**水になる** 句 成果・苦労がむだになる。●**水に乗る** 句《競泳》〔水に乗ったように〕はやく泳ぐ。●**水の低きに就（つ）くよう** 句(=水が高い所から低い所に流れるよう)①自然にそうなるたとえ。「人が自由を求めるのは、―なものだ」②文化が〈高い所から低い所へ伝わる〉〈だんだん低俗（ていぞく）になる〉たとえ。▽水の低きに流れるよう。●**水は方円の器（うつわ）に従う** 句〔方円=四角と丸〕〔文〕水は入れ物しだいで、どんな形にもなる。相手にあわせて生活することなどのたとえ。●**水も滴（したた）る** 句 かみの毛がつやつやして、はだのきれいな。水の〈したたる〉〈たれる〉ような。「―美人」●**水もた(溜)まらず** 句〔からだを〕あざやかに切りはなすようす。「―切り捨てる」●**水も漏（も）らさぬ** 句 ①警戒（けいかい）が厳重で、少しのすきもないようす。②たいそう仲がいいようす。●**水を空（あ）ける** 句 ①《ボート・競泳など》差をつける。②競争相手との間に、差をつける。●**水を打ったよう** 句 そこにいる人たちがしいんと静かになるようす。●**水を得た魚（うお）のよう** 句 それまでとちがって、自由に生き生きと活動するようす。魚が水を得たよう。●**水をかける** 句 ⇩水を差す 句。●**水を差す** 句 せっかくの熱意や勢いをそぐ。水をかける。水をあびせる。●**水をつかむ** 句《競泳》〔水をつかんだように〕はやく泳ぐ。●**水をつける** 句《すもう》土俵の力士に力水を手わたす。力水をつける。●**水を向ける** 句 相手が話すように、うまくしむける。

**ミズ-** 造〔Ms〕女性の敬称（けいしょう）。…さん。〔ミス・ミセスとちがい、結婚（けっこん）しているかどうかを区別しない〕

**みずあか**【水(×垢)】みず 水にとけたものが入れものなどにくっついた、あかのようなもの。

**みずあかり**【水明かり】みず 川の水がゆれ動くにつれて、反射して見える光。

**みずあげ**【水揚げ】みず《名・自他サ》①船荷を陸へあげること。②漁獲（ぎょかく）(量)。「―高（だか）」③〔水上げ〕切り花が水をすいあげること。④昔、遊女などが、はじめて客と床（とこ）をともにしたこと。「―がいい」「金持ちに―される」⑤《俗》商売の売り上げ。

**みずあさぎ**【水(浅×葱)】みず うすいあさぎ(浅葱)。「空は五月の―」

**みずあそび**【水遊び】みず《名・自サ》①〈水の上で〉〈水にはいって〉遊ぶこと。②水を使って遊ぶこと。

**みずあたり**【水(△中り)】みず《名・自サ》飲み水にあたって(=中毒して)腹をくだすこと。

**みずあび**【水浴び】みず《名・自サ》①水を浴びること。②〔古風〕水泳。

**みずあめ**【水(×飴)】みず かたまらないで ねばりけのあるあめ。

**みずあらい**【水洗い】みずあらい《名・他サ》①水を使ってせんたくすること。☞ドライクリーニング。②水だけでよごれを洗いおとすこと。「洗剤（せんざい）を使わないで―する」

☆☆**みすい**【未遂】〔法〕やりかけて、まだしとげないこと。「殺人―」(↔既遂（きすい）)

**みずいぼ**【水(×疣)・水イボ】みず《医》子どもに多い、やわらかいいぼ。米つぶから豆つぶぐらいの大きさ。ウイルス性で、接触（せっしょく）により感染（かんせん）する。

**みずいらず**【水入らず】みず 内輪の者だけで、他人をまぜないこと。「親子―」

**みずいり**【水入り】みず《すもう》長く組み合ったまま勝負がつかないとき、いちじ、引きはなして休ませること。水がはいること。「―の大ずもう」

**みずいれ**【水入れ】みず ①水を注ぐこと。「田の―」②(すずりに注ぐ)水を入れる容器。

**みずいろ**【水色】みず うすい青色。「―のゆかた」

**みずうみ**【湖】みずうみ 陸地の中にあり、水が広く一面にたたえられた所。区別 ⇩池①。

**みずえ**【水絵】みず 水彩（すいさい）画。(↔油絵)

**みずえ**【(×瑞△枝)】みず《雅》みずみずしい若いえだ。

**みずえのぐ**【水絵の具】みず 水でといて使う絵の具。

**みす・える**【見据える】―すえる《他下一》①目の中心で見つめる。「相手をはったと―」②見定める。「現実を―」

**みずおち**[(:鳩尾)] 〔=水落ち〕《生》⇩みぞおち。

**みずおと**[水音] 水の〈流れる/落ちる〉音。

**みずがい**[水貝] なまのアワビをさいの目に切って塩水にうかせた料理。

**みずかがみ**[水鏡]《名・自サ》姿が映って見える水面を鏡にたとえた言い方。「—に映す」

**みずかき**[水(×搔き)・(×蹼)]《動》〔水鳥・カエルなどの〕足の指の間にある膜。水をかいて泳ぐためのもの。

☆☆**みずかけろん**[水掛け論] たがいにりくつを言い合って、はてしなく争うこと。結末のつかない議論。「話し合いが—に終わる」

**みずかげん**[水加減]《名・自サ》〔ごはんをたくときなどの〕水の入れぐあい(を調節すること)。

**みずかさ**[水(×嵩)] 川の水などの量。水量。「—が増す」

**みずがし**[水菓子] ①〔古風〕くだもの。②水ようかん・くずもちなど、水分の多い菓子。

**みすかす**[見透かす]《他五》表面にあらわれていない、本当の姿を見ぬく。「内幕を—」

**みずがみ**[水髪] 油を使わないで、水でなでつけたかみの毛。

**みずがめ**[水(△瓶)・水(×甕)] ①水を入れるためのかめ。「—座〔=星座名〕」②〔都市などに水を送る〕ダムや湖など。「東京の—小河内ダム」

*__みずから__[(自ら)] 一(自分)自身。二《副》自分で。「—手をくだす・—遊ぶ」「—を正しく保つ・政治家—が努力をする」☞おのずから。●**みずから(を)持する**句〔文〕ほこりをもって、自分をかたく守る。

**みずがれ**[水(×涸れ)]〔日でりのために〕井戸・池・川などの水がへって、なくなること。

**みすぎ**[身過ぎ]《名・自サ》〔文〕暮らし。生活。「—世過ぎ」

**みずぎ**[水着] 水泳や水遊びをするときに、はだにつける簡単な衣服。海水着。

**みずききん**[水(飢×饉)]〔日でりのために〕生活・農業に必要な水が たりなくなること。

**ミスキャスト**〔miscast〕失敗した配役。

**みずきり**[水切り] ①〔したたらせて〕水分を取り去ること。②洗った茶わん・野菜などの水分を取り去るために、入れておく かご。水切りかご。③〔生け花で〕水あげをよくするために、水の中で くきの根もとを切ること。④小石を投げて、水面をはずむように とばす遊び。石切り。

**みずぎれ**[水切れ] ①水が あとに残らずに、さっと切れること。「—のいいスポンジ」②水が かれること。「—の井戸」

**みずぎわ**[水際] ①海・川・池などの、水と地面が接している所。みぎわ。②上陸直前。また、国内にはいる直前。「密輸を—で摘発」③問題が起こる前。「自殺を—で食い止める」●**みずぎわだつ**[水際立つ]《自五》特に目立つ。「水際だってうまい」

**みずくかばね**[(△水漬く)(×屍)]〔雅〕⇩みづくかばね。

**みずぐき**[水茎]〔雅〕筆。みずくき。●**みずぐきのあと**[水茎の跡]〔文〕筆で書いた文字。「—うるわしく」

**みずくさ**[水草] 水の中にはえる草。

**みずくさい**[水(臭い)]《形》①〔もっと親しい関係のはずなのに〕他人ぎょうぎだ。よそよそしい。「—ことを言う」②〔関西・愛知方言〕水っぽい。「—〔=うすい〕酒だ」派-さ。

**みずぐすり**[水薬] 液体の飲み薬。すいやく。

**みずぐち**[水口] 水が〈落ちる/出る〉口。

**みずぐるま**[水車] 水の力を利用して回す車。すいしゃ。

**みずけ**[水(気)] 水分。「—が多い・—を切る・—のもの〔=水分の多いもの〕」☞すいき(水気)。

**みずげい**[水芸] おうぎの先から水をふき出させるなど、水を使ってする奇術。

**みずけむり**[水煙] ①水面に立つ霧。②とび散って、けむりのように見える しぶき。☞すいえん(水煙)。

**みずこ**[水子] 流産や中絶した胎児。みずご。「—供養・—塚」

**みずごえ**[水肥]《農》とかして水のような状態にした肥料。

**みずごけ**[(水×苔)] 鉢植えなどに使う やわらかいこけ。よく水をふくむので、根を包んだり、土の表面にかぶせたりする。

**みずごころ**[水心] ⇩魚心あれば水心(あり)〔「魚心」の句〕。

**みすごす**[見過ごす]《他五》①見ていながら そのままにする。「犯罪を—」②見おとす。見のがす。「誤植を—」名見過ごし。

**みずこぼし**[水(△翻し)] ⇩建水。

**みずごり**[水(×垢離)] 神や仏に いのるとき、水をあびて心・からだを清めること。「—をとる」

**ミスコン**〔←ミス コンテスト(和製 Miss contest)〕〔俗〕未婚女性の、容姿や人がらなどに注目したコンテスト。「学園祭の—」(↔ミスター コン《テスト》)

**みずさいばい**[水栽培] ①水耕法。②〔球根をのせる所のある〕容器に水を入れ、球根の下部を水につけて育てる方法。「ヒヤシンスの—」

**みずさかずき**[水杯・水×盃]《名・自サ》〔生きてふたたび会えるかどうか わからない、という別れのときに〕酒の代わりに水をさかずきについで飲みかわすこと。「—をかわす」

**みずさき**[水先] ①水の流れて行く方向。②船の進む水路。③↑水先案内。●**みずさきあんない**[水先案内] 船が港に出はいりするさい、船長に代わって船を指揮する〈こと/人〉。パイロット。水先。〔人の場合、正式には「水先人」〕

**みずさし**[水差し] ほかの入れものに水をつぎ入れる器。

**みすじ**[ミスジ]〔=三筋〕牛の肩甲骨の内側の肉で、やわらかい部分。

**みずし**[水仕]〔古風〕台所で働く〈こと/人〉。「—女」

**みずしごと**[水仕事] 水を使ってする、台所の仕事。

**みずしぶき**[水(:飛沫)] 水がはねて、あたりに飛び散る水玉。

**みずしも**[水霜] ⇩露霜①。

**ミスジャッジ**〔misjudge〕《スポーツなど》⇩誤審。

**みずしょうばい**[水商売] バー・クラブ・料理店など、収入が客の人気によって決まる職業。

**みずしらず**【見ず知らず】会ったことがなくて、ぜんぜん知らないこと。「—の人」

**みずすまし**【（水澄）】①小形の、からのかたい昆虫。水の上をくるくる回る。まいまい。②〔:水馬〕《俳句など》あめんぼ。

←**みずぜめ**【水攻め】①敵の給水路をたち切って苦しめること。②川の水を引きこんで敵の城を水びたしにして孤立させること。☞火攻め①。

→**みずぜめ**【水責め】水を使ってする拷問。☞火責め。

**みずた**【水田】⇩すいでん。

**ミスター**〔Mr.〕①男性の敬称。…さん。「—大西」（↔ミス・ミセス）②代表的男性と認められる人。「—失言（=失言ばかりする人）」

**みずたき**【水炊き】とり肉や野菜などを味つけせずに煮て、ポン酢などをつけて食べるなべ料理。みずだき。

**みずだし**【水出し】お茶・麦茶・コーヒーなどを、湯を使わずに水でいれる方法。

**みずたま**【水玉】①まるい玉の形になった、水のしずく。「—模様」②〔↑水玉模様〕「水玉①」をならべた形の模様。ドット（柄）。

**みずたまり**【水（×溜まり）】〔雨のあと〕地面に浅く水のたまっている所。

**みずちゃや**【水茶屋】江戸時代に、道ばたで、お茶などを出して、往来の人を休ませた店。みずぢゃや。

**みずっぱな**【水っ（×洟）】水のようにうすい鼻じる。みずばな。「—をすすり上げる」

**みずっぽ・い**【水っぽい】《形》水でうすめたような。「—酒」派—さ。

**ミステイク**〔mistake〕①誤り。まちがい。②失敗。▽ミス。ミステーク。

**みずでっぽう**【水鉄砲】筒の先の穴から水を強くおし出して とばす おもちゃ。

**ミステリアス**《ナダ》〔mysterious〕①神秘的。②なぞに満ちたようす。

☆☆**ミステリー**〔mystery〕①神秘。ふしぎ。怪奇。「—ゾーン」②事件や なぞの探求が主題の小説。推理小説。ミステリ。「—作家」

**みす・てる**【見捨てる・見△棄てる】《他下一》①〔困った状況を〕見ていながら、そのままほうっておく。「けが人を—」②今までめんどうを見てきたのをやめる。「子に見捨てられた」③うちすてて、かえりみなくなる。「見捨てられた駅舎」

**みずてん**【見ず転・:不見=転】①〔俗〕相手をえらばず、お金しだいで情を通じる〈こと／芸者〉。②相手をえらばず、また、調査もしないで決めること。「—契約」

**ミスト**〔mist〕①霧。きりさめ。②霧状にふき出すヘアスプレーなど。●**ミストサウナ**〔和製 mist＋フィンランド sauna〕温水をノズルで噴霧するサウナ。

**みずどけい**【水時計】一定の容器から水が もれ出る分量によって、時刻をはかるしかけの時計。漏刻。

**みずとり**【水鳥】水べにすむ鳥。水の上を泳いだり、水中に〈もぐって／立って〉えさをとったりする。みずどり。例、カモ・カイツブリ・サギ。

**みずな**【水菜】つけ菜の一種。葉の切れ目が細かく、一つの株からたくさんの くきが出ている。京菜。

**みずに**【水煮】《料》うすい塩あじの水で〈煮ること／煮たもの〉。「サバの—・トマト—缶」

**みずぬき**【水抜き】《名・自サ》たまった水を外へ出すこと。「プールの—・—のための穴」

**みずぬれ**【水（×濡れ）】水がかかって、ぬれること。「—注意、天地無用」

☆☆**みずのあわ**【水の泡】苦心や心づくしが むだになること。「せっかくの計画も—だ」由来 水面にうかぶ あわの意で、すぐ消えることから、はかないことにたとえた。

**みずのえ**【（×壬）】十干の第九。かのと（辛）の次。じん。

**みずので**【水の手】火事を消すときの水（の便）。水利。「—が悪い」

**みずのと**【（×癸）】十干の第十。みずのえ（壬）の次。き。

**みずのみ**【水飲み・水×呑み】水を飲む〈こと／うつわ〉。「—場」●**みずのみびゃくしょう**【水飲み百姓・水×呑み百姓】〔=江戸時代、小作農の呼び名〕まずしい農民。

**みずば**【水場】①〔野外で、飲んだり、水浴びしたりするための〕水がある場所。「野鳥の—・登山道の—」②台所・浴室・トイレなど、水を使う場所。

**みずはき**【水吐き】①〔たまった〕水を流し出す〈こと／口〉。「といの—の所」②みずはけ。

**みずはけ**【水（×捌け）】水が流れ去るぐあい。みずはき。「—が悪い」

**みずばしょう**【（水×芭×蕉）】山地の湿原にはえる多年草。初夏のころ、葉に先立って、大きな白い苞に包まれた黄色の小さな花をつける。

［みずばしょう］

**みずばしら**【水柱】水が柱のように立ち上がったもの。すいちゅう。「—が上がる」

**みずばら**【水腹】①〔暑くて〕水気のものを飲みすぎたときの おなかの状態。②〔食べるものがなくて〕水を飲んで腹をふくれさせること。

☆☆**みずひき**一【水引】こよりに のり（糊）をつけてかためたもの。おくりものの包み紙や祝儀袋などに かける。〔祝いごとには紅白のものを、不幸のさいには黒白を使う〕二【（水引）】夏から秋にかけて、赤または白の小さな花を穂のようにつける野草。みずひきぐさ。みずひきそう。

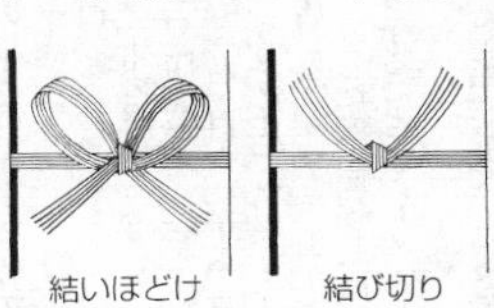


［みずひき一］

**みずびたし**【水浸し】水に〈ひたす／ひたされる〉こと。「畑が—になる」

**みずふうせん**【水風船】水を入れた風船。投げたりして遊ぶ。☞ヨーヨー②。

**みずぶき**【水拭き】《名・他サ》水をしぼったぞうきんや ふきんなどで ふくこと。（↔から拭き）

**みずぶくれ**【水膨れ】①水分をふくんでふくれること。②《医》⇩水疱。

**みずぶとり**【水太り】《名・自サ》からだが だぶだぶに太っていること。

**みずぶね**［水船］ミヅ－ 船が難破して、水につかった状態になること。

**ミスプリ**《名・他サ》↑ミスプリント。

**ミスプリント**《名・他サ》［misprint］ 印刷のまちがい。誤植。ミスプリ。

**みずべ**［水辺］ミヅ－ 〔文〕川・湖など、水のある所のそば。水のほとり。

**みずほ**［×瑞穂］ミヅ－ 〔雅〕みずみずしいイネの穂。●**みずほのくに**［×瑞穂の国］〔雅〕日本国をほめて言う呼び名。

**みずぼうそう**［水（×疱×瘡）］ミヅ－ 「水痘すいとう」の通称つうしょう。

**みすぼらし・い**［〈見×窄らしい〉］《形》 見た目がそまつで、まずしい感じだ。「ー身なり」派ーげ。ーさ。

**みずまくら**［水枕］ミヅ－ 病気で熱があるとき、中に水を入れて頭をひやす、ゴム製のまくら。

**みずまし**［水増し］ミヅ－《名・自他サ》①〔川に〕水がふえること。②〔分量をごまかす手段として〕〔酒に〕水をまぜてふやすこと。③〔ごまかすために〕実際よりも数量を多くすること。「ー請求せいきゅう・ー入学」

**みすま・す**［見〈澄ます〉］《他五》 注意を集中して、よく見る。「相手のすきをー」

**みずまわり**［水回り］ミヅマハリ 建物の中で、台所・浴室・トイレなど、水を使う部分。

☆☆**ミスマッチ**［mismatch］ 調和しないこと。不適合。「服装のー・求人がわと求職者のー」

**みずまんじゅう**［水（×饅△頭）］ミヅ－ ⇨くずまんじゅう。

**みすみす**［〈見す見す〉］《副》〔目の前で見て〕わかっていながら。「ー損をする・チャンスをーのがす」

**みずみず**［〈×瑞々〉］ミヅ《副・自サ》〔文〕みずみずしいようす。「ーした若葉」●**みずみずし・い**［〈×瑞々しい〉］《形》①若く生き生きとしたようすだ。「ーはだ・ー感性」②新鮮しんせんに感じられる状態だ。「見る人にー感動をあたえる」派ーさ。

**みずみずし・い**［水々しい］ミヅミヅ《形》 水分が多いように感じられるようすだ。「ーナシ」派ーさ。

**みずみまい**［水見舞い］ミヅミマヒ 水害にあった人への見舞い。

**みずむし**［水虫］ミヅ－ 〔医〕足の指の間などにできる、小さい水ぶくれ。白癬菌はくせんきんに感染かんせんして起こり、治りにくい。足白癬。

**みずも**［水〈△面〉］ミヅ－ 〔文〕みなも。

**みずもち**［水持ち・水〈△保ち〉］ミヅ－ 〔土が〕水を長くたもつこと。「ーのいい田んぼ」

**みずもの**［水物］ミヅ－ ①水分の多いもの。飲み物。②相手やそのときのようすなどによって、どうなるかわからないもの。「選挙はーだ」③水遊びに使う、夏のおもちゃ。

**みずもれ**［水漏れ］ミヅ－《名・自サ》 水がもれること。みずもり。「ー注意」

**みずや**［水屋］ミヅ－ ①〔神社・寺で〕参拝する人が手を洗う所。手水舎ちょうずや。②茶室に付属する、茶器を洗う所。茶道具を置く棚たながある。③台所。④台所に置く、食器入れの戸だな。⑤昔、飲み水を売った〈商売／人〉。水売り。

**みずやか**［〈×瑞やか〉］ミヅ－《ナダ》〔文〕みずみずしい感じをあたえるようす。「ーな音楽」

**みずやすり**［水〈×鑢〉］ミヅ－ 耐水たいすい性のサンドペーパー。水をつけてみがけるので、かすが飛び散らずにすむ。

**みずやり**［水やり］ミヅ－《名・自サ》〔庭の〕草木に水をあたえること。

**みずようかん**［水（羊×羹）］ミヅ－ 夏の菓子かしの一つ。あずきあんに寒天をまぜてかためた、水けの多いようかん。

**ミスリード**《名・他サ》［mislead］①まちがった方向へみちびくこと。②誤った判断をさせること。誤らせること。「読者をーする」▽ミスリーディング。

**み・する**［魅する］《他サ》〔文〕〔ふしぎな力で〕人を引きつけて、うっとりさせる。「美しさに魅せられる」

**ミス・る**《自他五》〔俗〕ミスをする。しくじる。

**みずわり**［水割り］ミヅ－《名・他サ》①洋酒などに水や氷を入れてうすく〈すること／した飲み物〉。（↔お湯割り）☞オンザロック・ストレート⑥。②⇨水増し②③。

＊＊**みせ**［店：見世］①商品をならべて売るところ。商店。「ーを広げる」②商売。「ーをやる」●**店を畳たたむ**句 商売をやめる。

**みせいじゅく**［未成熟］《名・ナダ》 成熟していないようす。未熟。「ーの豆・ーな精神状態」

**みせいねん**［未成年］ まだおとなになっていない〈こと／人〉。満二十歳はたちにならない〈こと／人〉。「ー者」（↔成年）

**みせいり**［未整理］《名・ナダ》 まだ整理していないようす。派ーさ。

**みせうり**［店売り］《名・他サ》 店で商品を売ること。店売てんばい。「ー価格」（↔外売り）

**みせか・ける**［見せ〈掛ける〉］《他下一》 うわべだけそう見えるようにする。うわべをつくろう。「売ったようにー」名見せかけ。

**みせがね**［見せ金］ 信用を得るために相手に見せるお金。

**みせがまえ**［店構え］ミセガマヘ 店の構え方。店の建物の作り方。「ーが大きい・古いーの酒店」

**みせぐち**［店口］ 店のおもて口。

**みせさき**［店先］①店の前。「ーの看板」②〔外から見える〕店の中。「ーをのぞく」▽店頭。

**みせじまい**［店（：仕舞い）］ミセジマヒ《名・自サ》①一日の商売がすんで店をしめること。②その店で営業するのをやめること。（↔店開き）▽閉店。

**みせしめ**［見せしめ］ 悪いことをした人を罰ばっし、ほかの人に見せて、今後のいましめとすること。こらしめ。「ーのためにきびしく罰する」

**ミセス**［Mrs.］一ミセス－ 適 結婚けっこんしている女性の敬称けいしょう。…さん。「ー川島」（↔ミスター・ミス）☞ミズ。二ミセス〔古風〕結婚している女性。「ーの間で人気」

**みせだま**［見せ球］《野球》次の一球で打ち取るため、わざと打者の印象に残るように投げる球。「直球をーにして、変化球で勝負」

**みせつき**［店（付き）］ 店の〈つくり／ようす〉。店の構造。

**みせつ・ける**［見せ（付ける）］《他下一》①じまんそうに、わざと見せる。「仲のいいところをー」②いやというほど見せて、わからせる。「実力のちがいをー・人間のおろかさを見せつけられた」

**みせどころ**［見せ（所）］ ぜひとも見せたい〈場所／場面〉。「ここがうでのー・小説家の芸のー」

**みぜに**［身銭］ 自分の持っているお金。●**身銭を切る**句 自分のお金ではらう。

**みせば**［見せ場］ 見せるねうちのある場面。特に見せようとする場面。「芝居しばいのー」

**みせばん**【店番】《名・自サ》店にいて番をする〈こと／人〉。「—の店員」

**みせびらか・す**【見せびらかす】《他五》じまんそうに、しきりに見せる。

**みせびらき**【店開き】《名・自サ》はじめて店をひらくこと。開店。(↔店じまい)

**みせまえ**【店前】へま 店の前。みせさき。

**みせもの**【見せ物・:見世=物】①見物料を取って曲芸やめずらしいものを見せる興行。②人々におもしろがって見られる〈こと／もの〉。「—にされる」▽見せもん。

**みせや**【店屋】店。商店。☞お店屋さん。

**みせられる**【魅せられる】運〈動詞「魅する」+助動詞「られる」〉⇩魅する。「美しい音色に—」

**み・せる**【魅せる】《自他下一》〈「魅する」と「見せる」の合成語〉見せて、相手の心を引きつける。魅惑みわくする。「—演技」

**み・せる 一【見せる】《他下一》①人が見るようにする。「みんなに—・笑顔えがおを—・うでを—・先生に本を見せていただく〈『見させていただく』とも〉(↔見る+させていただく)」 謙譲 お目にかける。ご覧に入れる。お見せする。②見る人に、本当にそうだと思わせる。示す。「若く—・本物そっくりに—」③そのように感じさせる。「熱意を—・盛り上がりを—・関心を—(=あらわす)」 二《補動下一》〈て—〉①手本として示す。「先生がやってみせてくれた」②〈ちょっと〉うわべだけ〉…する。「ざっと解説して—・口先だけでわびて—」③みんながおどろくようなことを〈する／やりぬく〉。「文章をそらんじてみせた・勝ちをもぎとって—ぞ！」 可能 見せられる。見せれる〔俗〕。

↑**み・せる**【診せる】《他下一》診察しんさつしてもらう。

**みぜん**【未然】〔文〕まだそうならないこと。まだ起こらないこと。「事故を—」 ●**未然に防ぐ** 句 そうならないように防ぐ。 ●**みぜんけい**【未然形】〔言〕活用形の一つ。①そのことが(まだ)起こらない、または、たしかめられない場合に使う。例、「行かない〈否定をあらわす〉」「行こう〈意志をあらわす〉」「赤かろう〈推量をあらわす〉」の「行か」「行こ」「赤かろ」。〔「赤くない」の「赤く」など、形容詞・形容動詞の否定は連用形であらわす〕 ②「(ら)れる」「(さ)せる」などのことばへ続く。例、「見られる」「食べさせる」の「見」「食べ」。

**みそ**【味×噌】①調味料の一つ。ダイズを蒸むしてつきくだき、こうじと塩をまぜて発酵はっこうさせたもの。「—あえ・—おでん・お—」②〔ミソ〕注目点。くふうした点。「悲話をコメディーにしたところが—だ」③〔古風〕じまんになる点。「将軍家もご覧になったのが—だ」④⇩みそっかす②。 ●**みそもくそ(糞)もいっしょに** 句 いいものも悪いものも区別せずに。みそくそいっしょに。「—あつかう」 ●**みそをつける** 句 失敗して評価を下げる。「誤報を流して—」

**みぞ**【溝】①下水などを流すために地面にほった、細長いくぼみ〈水路〉。②細長いくぼみ。「敷居しきいの—(=ふすまや障子をはめる部分)・タイヤの—・ねじの—」③気持ちのへだたり。「—ができる」

☆☆**みぞう**【未曽有】《名・ナダ》〈発音は、ミゾウのほか、ミゾー・ミゾーウとも〉今までに一度もなかったこと。空前。「—の大暴風雨・古今—」

**みぞおち**【:鳩尾】〔生〕胸の骨の下の中ほどの、くぼんだ部分。胃のまんなかにあたる。急所の一つ。みずおち。

**みそか**【三△十日・:晦日】その月の末日。つごもり。「〔代金の〕—ばらい」 由来 三十日の意味。旧暦きゅうれきの大の月では三十日が末日だった。

**みそかごと**【△密か事】〔文〕①秘密なこと。②恋人こいびとどうしが、人目をしのんで情を通じること。密通。

**みそカツ**【味×噌カツ】とんかつに、八丁はっちょうみそで作ったあまからいたれをかけた料理。〔中京地方の名物〕

**みぞがわ**【溝川】—がは 常に水の流れている溝。

☆☆**みそぎ**【×禊】①身に〈罪〈けがれ〉〉があるとき、川で水をあびて身を清める行事。みそぎはらい。②受けた批判を洗い流す〈おこない／できごと〉。不正を疑われた政治家が選挙で当選するなど。「—がすんだと主張する」 ●**みそぎはらい**【×禊×祓い】—はらひ〔祝詞のりとなどで〕みそぎ。みそぎはらえ。

**みそくそ**【味×噌×糞】《ナダ》〔俗〕⇩くそみそ。

**みそこな・う**【見損なう】—そこなふ《他五》①見誤る。まちがって見る。②見ることができないうちに過ぎてしまう。「映画を—」③人などの価値を見誤る。「あいつを見損なった(=今まで価値があるとかんちがいしていた)・—な、おれはプロだぞ」 名 見損ない。

**みそさざい**【(:鷦鷯)・(:三十三才)】小さい野鳥の名。全身、こげ茶色。いそがしそうにたえずからだを動かし、鳴き声が美しい。

**みそじ**【三△十:路】—ぢ(=三十)①〔雅〕三十歳さい。②三十代。 由来 ⇩じ 接尾 二。「—をむかえる」

**みそしき**【未組織】まだ組織されていないこと。「—(=労働組合〈に加入していない／をもたない〉)労働者」

**ミソジニー**〔misogyny〕女性を軽蔑けいべつし、嫌悪けんおすること。(↔ミサンドリー) 人 ミソジニスト〔misogynist〕。

**みそしる**【味×噌汁】だしに野菜や豆腐とうふなどを入れて、みそで味をつけたしる。おみおつけ。「お—・ネギとワカメの—」

**みそすり**【味×噌×擂り】①みそをすること。②〔古風〕ごますり。 ●**みそすりぼうず**【味×噌×擂り坊主】寺で炊事すいじなどをする、下役の僧そう。

**みそっかす**【味×噌っ×滓】(=みそをこしたあとの、かす)〔俗〕①いちばんつまらないもののたとえ。②〔子どもの遊びで〕一人前になかまに入れてもらえない者。〔おみそ〕。

**みそづけ**【味×噌漬け】①〈キュウリ・ダイコン・ナスなどを〉みそにつけた、つけもの。②みそにつけこんだ食品。「牛肉の—」

**みそっぱ**【味×噌っ歯】〔俗〕子どもの歯の表面が、虫歯のために黒くなり、欠けた〈状態／歯〉。

**みそなわ・す**【×覧す】みそなはす《他五》〔文〕〈神や天皇が〉ご覧になる。みそなわせる。

**みそに**【味×噌煮】〔料〕材料にみそを入れて〈煮ること／煮たもの〉。「サバの—〈略して『サバみそ』〉」

**みそはぎ**【×禊×萩】野草の名。八月ごろ、まっすぐ上にのびたくきの周りにピンク色の小さい花をつける。お盆ぼんにお供えの花とする。干して下痢げりどめの漢方薬にも使う。みぞはぎ。

**みそひともじ**【三△十一文字】〔雅〕和歌。短歌。「—の道」☞十七文字。

**みそ・める**【見初める・見染める】《他下一》①相手

み

を見かけて恋をする。②〔責任者が〕気に入る。「作品が見初められてデビュー」

**みそら**【身空】身の上。からだ。「若い―で」

**みそら**【(△深)空】〔雅〕そら。「晴れた―」

**みぞれ**【(×霙)】①とけて、雨になりかけた状態で降る雪。「―まじり」〔文語の動詞形は「霙る」《自下二》〕②(色のない)かき氷。水。氷みぞれ。③大根おろし。「サバの―煮」 •**みぞれあえ**【(×霙)△和え】おろしあえ。

**みそわん**【(味×噌×椀)】日本料理で出す、みそしる。みそすいもの。

**みだ**【△弥×陀】《仏》あみだ。

**みたい・だ《助動ナダ型》〔↑(を)見たようだ〕〔話〕①ちょうど…のようだ。「ばかみたいに大きな口をあけて・〔語幹用法で〕ばかみたい！」②例をあげてしめすときのことば。たとえば…のようだ。「小説みたいなものを書く」③どうやら…ようだ。「なんだか熱が出てきた―」④…というようだ。「自然以外に何もない、みたいな所・こわいみたいな気持ち・『いかがでした？』『もう びっくり、みたいな〔＝びっくりという感じです〕』」⑤〔相手のことばを受けて〕そのようだ。そうみたいだ。『もうばれたのかな』『―ね』」▽俗に、「みたいなの」を「みたいの」とも言う。「くせみたいのが出る」☞みたく。

**みたく** 接尾〔副詞をつくる〕〔俗〕みたいに。「家族―暮らす・神様―尊敬する」〔一九六〇年代に注目されるようになったことば〕 由来 助動詞「みたいだ」の語幹「みたい」を形容詞のようにとらえて、活用させたもの。もと東北・北関東方言で、幼児のことばにも見られる。

**みたけ**【身丈】①身のたけ。身長。②《服》おはしょりの分を加えた、女性の着物の寸法。☞着丈。

**みだし**【見出し】①内容の要点を、本文の前に短く書いたもの。表題。「新聞の―」②項目の最初にしめした語句。「辞書の―語」

**みだしなみ**【身(×嗜み)】①〔髪型・けしょうなどもふくめた〕身なり(を整えていること)。「―がいい・―を整える」②教養や芸能を身につけること。

*みた・す【満たす・△充たす】《他五》①みちるようにする。「心を―・腹を―」②《数》(代入して)数式などを成立させる。

**みだ・す**【乱す】《他五》みだれるようにする。「心を―」

**みだ・す**【見出す】《他五》見つける。見つけだす。見いだす。

**みたつ**【未達】①達成されないこと。「収益目標―」②配達物が届かないこと。

**みたて**【見立て】①見立てること。②分析や予測。「旅行客が減るとの―・―ちがい」

**みた・てる**【見立てる】《他下一》①見て定める。鑑定する。「いい柄を―」②〔医者が〕診断する。③なぞらえる。「立ち木を人に―」

**みた・ない**【満たない】《形ヌズ》〔↑五段動詞「満つ」＋助動詞「ない」〕〔数量や程度が〕まだそこまでいかない。いっぱいにならない。「一年に―・五十人に―・基準に―・意に―」☞満ちる。

**みたま**【(△御)霊】〔雅〕①【(△御)△魂】死んだ人のたましいを尊敬して呼ぶことば。霊。②神社にまつる霊。神霊。☞ごりょう(御霊)。•**みたましろ**【(△御)霊(代)】みたまの代わりとして(神殿に入れて)まつるもの。•**みたまや**【(△御)霊屋】⇩おたまや。

**みため**【見た目】一 外から見た感じ。外観。「―がいい」二《副》〔俗〕一見。「―、若くてかっこいい人」

**みだら**【(淫ら)】《ナダ》性に関係のあることについて〈つつしみがない/欲望のままにする〉ようす。「―な話・―がましいふるまい」派 -さ。

**みたらし**【(△御手△洗)】①神社の入り口の所にあって、参拝する人が手や口を清める所。②〔↑みたらしだんご〕竹ぐしに五個ほどの だんごをさして焼き、とろりとしたたれをつけたもの。

**みたり**【三△人】〔古風〕さんにん。☞⇩一人 一①。

**みだりがまし・い**【(×猥りがましい)】《形》みだりがわしい。派 -さ。

**みだりがわし・い**【(×猥りがわしい)】《形》〔文〕みだらなようすだ。みだりがましい。みだらがましい。派 -さ。

☆☆**みだりに**《副》〔文〕正当な理由もなく。「―立ち入ることを禁ずる」表記 かたく「△妄りに」「△濫りに」「×猥りに」のほか、「△乱りに」「△漫りに」とも。

**みだ・る**【乱る・×紊る】《他五》〔文〕みだす。「大義名分を―行為」

**みだれ**【乱れ】①みだれること。「ことばの―」②〔文〕騒動。内乱。「国の―・世の―」•**みだれうち**【乱れ打ち】ふつうよりも〈はやく/はげしく/多く〉打つこと。「花火の―・太鼓の―」•**みだれかご**【乱れ籠】ふろ場などで、ぬいだ衣類を入れる、網の目に編んだ入れもの。•**みだれがみ**【乱れ髪】整えたかみの毛が みだれた状態。•**みだれと・ぶ**【乱れ飛ぶ】《自五》入りみだれて とぶ。「―やじ」•**みだればこ**【乱れ箱】衣服をたたんで入れる、ふたの ない箱。

**みだ・れる**【乱れる】《自下一》①規則どおりでなくなる。「呼吸が―・鉄道のダイヤが―・ことばが―」②〈形/もの〉の まとまりが なくなる。「水面が―・髪が―」③平静を失う。「心が―・思いが―」④平和でなくなる。治安が悪くなる。「国が―・世が―」(↔治まる) ⑤ふしだらになる。「乱れた生活・乱れた関係」

**みち**【未知】まだ知られていないこと。「―の世界」(↔既知)

**みち【道・△路・△途】①人・車などが行き来するところ。道路。「―が悪い」②みちのり。前途。「千里の―・―が遠い」③とちゅう。「学校へ行く―で」④あゆみ。「―がはかどる・―を急ぐ」⑤方法。「生活の―・救う―がない」⑥人間がそれにしたがっておこなわなければならないことがら。道徳。「―にそむく」⑦教え。道理。「仏の―」⑧専門。方面。「その―の大家・好きな―」由来「み」は美称。「ち」は道の意味の古語で、「家路」などの「じ」と同語源。•**道が開ける** 句 ①道のなかった所に、道ができる。②見通し・見こみがつく。•**道なき道** 句〔文〕道のまったくない所。直 道を決する 句〔文〕〔進むべき〕方向をきめる。•**道を付ける** 句 ①道をこしらえる。②初心者に手ほどきをする。③いとぐちを作る。段取りをつける。「金融の―」直 道が付く。•**道を開く** 句 今までなかった方法や分野を切りひらく。「改革の―」•**道を拾う** 句 徒歩で進む。あるく。•**道を分ける** 句 ①分かれ道にはいる。「左に―と、ぬまに出る」②分かれて別の道を進む。「没落への―」

**みち あふ・れる**［満ち（×溢れる）］《自サ》 ほぼ完璧（かんぺき）に満たされている。「自信に満ちあふれた表情・光が一部屋」

**みち あんない**［道案内］《名・他サ》 ①道を教える〈こと／人〉。②道順を示した地図など。道しるべ。

**みち いた**［道板］ 通路の代わりに〈わたす／敷（し）く〉、厚い板。

**みち いと**［道糸］ 《釣り》釣っり糸のうち、さおの先からおもりに つなぐところまでの部分。（↔針素（はりす））

**みぢか**［身近］《名・ナダ》 ①自分の すぐ近く（にあるようす）。「一にある大学・一な材料で作品を作る」 ②自分とかかわりが深い〈こと／ようす〉。「一な人物・一な問題として考える」 ●**みぢか・い**［身近い］《形》 身近な状態だ。派一さ。

**みちがい**［見違い］ みちがえること。みちがえ。

**みちが・える**［見違える］《他下 一》 見誤る。見違う。「一ほどりっぱになった」 名見違え。

**みち かけ**［満ち欠け］ （月が）満ちることと欠けること。

**みち くさ**［道草］《名・自サ》（＝道ばたの草） そこへ行くまでの とちゅうで、ほかのことをして時間をつぶすこと。

●**道草を食う** 句 目的地に行く とちゅうで、（別のところへ行って）時間をむだに使う。

**みち しお**［満ち潮］ 引いていた海の水が満ちてきて、海面が高くなる〈こと／状態〉。（↔引き潮） ☞満潮。

**みち じゅん**［道順］ そこへ行くまでの道の順序。また、旅行の経路の順序。「登山の一」

**みち しるべ**［道（△標）］《名・自サ》 ①道ばたに立てて、行き先や道のりをしめすもの。道標（どうひょう）。 ②その方面の案内（書）。

☆☆**みち すう**［未知数］ ①《数》方程式の中で まだわかっていない数（を代表する文字）。②内容などの、まだわかっていない〈もの／こと〉。「一の人物・実力は一だ」▽（↔既知数（きちすう））

**みち すがら**［道すがら］《副》 道を行きながら。…のとちゅう。「一思い出話を聞いた」

**みち すじ**［道筋］ ①通り道。経路。②ものが動いてえがく線。「衛星が通る一」 ③実現に向けての〈方向性／おぜん立て〉。「一をつける」 ④ものの道理。「一が立たない」▽③④筋道。

**みち た・りる**［満ち足りる］《自上 一》 まんぞくする。「満ち足りた気持ち」

**みち づれ**［道連れ］ いっしょに行く人。「旅は一」

**みち なかば**［道半ば］ 目的（地）に まだ届かない〈地点／状態〉。「改革は一だ・一で引き返す」

**みち ならぬ**［道ならぬ］《連体》〔文〕道に外れた。道徳にあわない。「一恋（こい）」

**みち なり**［道（△形）］ 道路のつづく形に沿っていること。「一に行く（＝道路が走っているとおりに進む）」

☆☆**みちの えき**［道の駅］ 国道など主要道路に設けられた休憩（きゅうけい）施設（しせつ）。地域の特産品などを売る。☞ハイウェイオアシス。

**みちの く**［（：陸奥）］（↑道の奥（おく）） ①〔雅〕奥州（おうしゅう）。②東北地方。「一の秘湯」

**みちの べ**［道の辺］〔雅〕みちばた。

**みちの り**［道（△程）］ ①道の距離（きょり）。「一にして三キロ・車で五分の一」 ②達成までの過程。「復興への一・一は険しい」

**みち ばた**［道端］ 道の わき。

**みち ひ**［満ち干］ 満ち引き。「潮の一」

**みち ひき**［満ち引き］ 潮が満ちることと引くこと。満潮と干潮。満ち干（ひ）。

**みちび・く**［導く］《他五》 ①まよわずに目的の所に行けるように、手引きする。「客を座敷（ざしき）に一」 ②教えて、いい方向へ向かわせる。指導する。「生徒を一」 ③〔結果として〕そうなるように持っていく。「計画を失敗に一」 ④手順をふんで、答えを出す。導き出す。「結論を一・以下の定理が導かれる」 名導き。

**みち ぶしん**［道普請］〔古風〕道の工事。

**みち みち**［道々］《副》 道を行きながら。道すがら。

**みち み・ちる**［満ち満ちる］《自上 一》 じゅうぶん満ちる。「平和を望む声が ちまたに満ち満ちている」

**みち ちゃく**［未着］〔文〕まだ つかないこと。（↔既着（きちゃく））

**みち ゆき**［道行］ ①道を行く〈こと／途中（とちゅう）〉。②〔文学・演劇などで〕道中（＝目的地までの途中）の場面。〔歌舞伎（かぶき）の道行は、男女が〈かけおち／旅〉をする場面〕 ③（古文で）旅の途中の風景などを調子よく書いた文章。④《服》被布（ひふ）に似た、和服に使うコートの一種。

［みちゆき ④］

**みち ゆく**［道行く］《連体》 その道を通り過ぎる。「一人々の目を引く」 ●**道行く人の袖（そで）にすがる** 句 ほどこしや助けを求める。

**みち ょう**［未聴］〔楽曲などを〕まだ聞いていないこと。

**み・ちる**［満ちる・△充ちる］《自上 一》 ①限度まで、いっぱいになる。②〔月が〕まんまるになる。（↔欠ける） ③〈期限／期間の終わり〉になる。「任期が一」 ④広くゆきわたる。あふれる。「元気に一」 ⑤みちしおになる。▽否定形は、形容詞「満たない」を使うことが多い。

**みち わた・る**［満ち渡る］《自五》〔文〕いちめんに満ちる。

**みつ**［蜜］ ①ねばりがあって あまい液体。「一に むらがるあり・一のように あまいささやき」 ②↑はちみつ。③砂糖に水を入れて煮（に）つめた、こい液体。糖みつ。シロップ。④よく熟したリンゴの しんのまわりに見られる、半透明（とうめい）の部分。

**みつ**［（×褌）］ ①〔ふんどしで〕腰（こし）の結び目。②《すもう》まわし。「前一」

**みつ**［密］《名・ナダ》 ①ぎっしり つまった状態。人が集まった状態。「花を一につける・人口が一だ・選手どうしの距離（きょり）を一にする」（↔疎（そ）・粗（そ）） ②とぎれないようす。「連絡（れんらく）を一にする」 ③〔文〕秘密にしているようす。「はかりごとは一（なる）をもって良しとする」

**み・つ**［満つ］ 一《自五》 満ちる。〔多く、形容詞「満たない」として使う〕 ☞満たない。 二《自上 二》〔文〕満ちる。「野に満つる かおり」 ●**満つれば欠く** 句（＝満ちれば欠ける） 栄えれば、おとろえはじめる。

**みっ**［三つ］ 遺 みっつ。「一折り・一編み」

**みつ あみ**［三つ編み］ 〈三たばに分けた かみの毛／三本のひも〉を、たがいちがいに組み合わせた編み方。

**みつ うん**［密雲］〔文〕かさなっている くも。こく広がったくも。

**みつ えり**［三つ襟］ ①《服》着物を着たとき、首の後ろに来るえり。②日本髪の後ろのえり足が、Mの字のように、下向きの三本の角の形になったもの。

**みっか**【三日】①その月の三番目の日。「十一月―」②日かずで数えて、三つ。「―かかります」●☆三日に**あげず**句〔上げず＝間をおかず〕三日とたたないうち。しょっちゅう。「―やって来る」●**三日見ぬ間の桜**句〔文〕世の中の変わり方がはげしいことのたとえ。「世の中は―かな」●**みっかてんか**【三日天下】わずかの間〈政権/実権〉をにぎること。みっかでんか。●**みっかばしか**【三日(:麻疹)】「風疹」の通称。●**みっかぼうず**【三日坊主】長続きのしない〈こと/人〉。

**みつが**【密画】線・色を細かにかいた絵。(↔疎画)

**みっかい**【密会】《名・自サ》①恋人どうしが、ひそかに会うこと。あいびき。「―を重ねる」②ひそかに会って話すこと。秘密の会談・会議。「―をひらく」

**みつがさね**【三つ重ね】〔たんす・重箱・さかずきなどを〕みっつ重ねてひと組みにしたもの。

***みつか・る**【見(付かる)】《自五》①人に見つけられる。発見される。「落としたさいふが―」②見つけることができる。「よい方法が見つからない」

**みつぎ**【密議】《名・他サ》〔文〕秘密の評議(をすること)。「―をこらす」

**みつぎもの**【貢ぎ物】人民や属国が献上するお金や品物。

**みっきょう**【密教】《仏》仏が、自分の心境を説く、奥深い絶対真理のおしえ。祈禱を重視し、そのための呪文や儀式がある。真言宗・天台宗など。(↔顕教)

**みつ・ぐ**【貢ぐ】《他五》①お金や品物を(引き続いて)あたえる。「ほれた女に―」②仕送りして助ける。「実家に―」③〔文〕君主・政府などにお金や品物を献上する。

**みづくかばね**【△水漬く(×屍)】〔雅〕〔戦争、特に海戦で死んだ人の〕水につかっている死体。(↔草むすかばね)

**ミックス**〔mix〕㊀《名・他サ》まぜること。まぜたもの。「―ジュース・―ビーンズ・―フライ」㊁①異なる種類を合わせたもの。「―犬」②すぐ作れるように、粉をまぜあわせた材料。「ホットケーキ―」③(男女の)混成チーム。「―ダブルス」④⇩ダブル⑤。

**みつくち**【三つ口・:兎唇】〔古風〕口唇裂。〔差別的なことば〕

**みつぐみ**【三つ組み】①大・中・小のみっつでひと組みになっている〈こと/器具〉。「―のさかずき」②三つ編み。「―に編む」

**みづくろい**【身繕い】《名・自サ》身なりを整えること。身じたく。「―を終える」

**みつくろ・う**【見(繕う)】《他五》必要な品物を適当にえらんで決める。「子どもの服を―・〔すし店で〕ねたは適当に見つくろってくれ」名見つくろい。

**みっけ**【見っけ】《感》〔↑見つけ(た)〕〔話〕見つけてうれしいときに使うことば。めっけ。「花ちゃん―」

**みつけ**【見付・見△附】城のいちばん外がわにあって、番人のいる城門。「―門・赤坂―」

**みっけい**【密計】〔文〕密謀。「政党幹部の―」

**みつげつ**【蜜月】〔honeymoon の訳語〕〔文〕①結婚したばかりの時期。ハネムーン。②親密な関係をたもつ期間。「労使の―終わるか」

****みつ・ける**《他下一》㊀**みつける**【見(付ける)】①〈見えなくなった/求めている〉ものを〕見てさがし出す。見いだす。「見つけ出す・落とし物を―・出口を―・パートナーを―・仕事を―」②〔古風〕〔…だと〕わかる。さとる。「武士道とは死ぬことと見つけた」㊁**みつける**【見つける】見なれる。よく知っている。「いつも見つけている風景」可能見つけられる。

**みつご**【三つ子】①一回の出産で生まれた三人の〈子/きょうだい〉。医学用語で、三生児。②三歳の子ども。●**三つ子の魂百まで**句〔＝その人の一生を支配する性格は三歳までにできあがる〕小さいときの性格は年を取っても変わらない。

←**みつご**【密語】〔文〕ひそひそばなし。「―をかわす」

→**みつご**【蜜語】〔文〕あまいことば。「男女の―」

←**みっこう**【密行】《名・自サ》〔文〕①人に知られないように、行くこと。「現地へ―した」②人に知られないようにおこなうこと。「―捜査」

→**みっこう**【密航】《名・自サ》①船の中にかくれて、航海すること。②規則を破って航海すること。

**みっこく**【密告】《名・他サ》他人の悪いことなどを、その人に知られないように知らせること。「警察に―する」

**みっさつ**【密殺】《名・他サ》〔文〕家畜などをこっそり殺すこと。

**みっし**【密使】〔文〕秘密につかわされる使者。

**みつじ**【密事】〔文〕秘密のことがら。

**ミッシー**〔missy＝お嬢さん〕〔古風〕若い既婚女性。「―&ミセスの婦人服」

**みっしつ**【密室】①しめきってあって、出はいりのできない部屋。また、中の様子のわからない部屋。「―協議・―(での)殺人」②秘密の部屋。

**みっしゅう**【密集】《名・自サ》すきまなく集まること。「人家が―する・―隊形」

**みっしゅっこく**【密出国】《名・自サ》法律にそむいて、こっそり〈自分/相手〉の国をぬけだすこと。みつしゅつこく。(↔密入国)

**みっしょ**【密書】〔文〕秘密の手紙。

☆☆**ミッション**〔mission〕①使節団。②伝道(区域)。③↑ミッションスクール。④任務。使命。⑤《自動車》↑トランスミッション。「五段―〔＝変速〕・―ギア」●**ミッションスクール**〔和製 mission school〕キリスト教団体が経営する学校。ミッション。

**みっしり**《副》①中にいっぱいつまっているようす。びっしり。「かばんの中に―(と)つまっている」②⇩みっちり。

**ミッシングリンク**〔missing link〕①《生》生物の進化の過程の、不連続な部分。②連続する(はずの)ものごとの、不連続な部分。そこにあるはずなのにまだ発見されていない生物。「高速道路の―・研究の―をうめる」

**みっせい**【密生】《名・自サ》〔文〕すきまなくはえること。「毛が―する」

**みっせつ**【密接】㊀《名・自サ》〔文〕①ぴったりとくっつく(くらい近い)こと。「裏の家に―する」②深く関係すること。「生活に―した研究」㊁《名・ナダ》〔関係が〕非常に深いようす。「―なつながりをきずく・―にかかわる・―不離」派-さ。

**みっせん**【密栓】《名・自サ》〔文〕かたく〈せん/ふた〉を

することと。

**みっそう**【密送】《名・他サ》〔文〕こっそりおくること。

☆☆**みっそう**【密葬】《名・他サ》①〔文〕人に知られないように、ほうむること。②家族・親戚など、身内の人だけでする葬式。(↔本葬)

**みつぞう**【密造】《名・他サ》かくれて、こっそりつくること。「—酒」

**みつぞろい**【三つ×揃い】みっつでひとそろいのもの。特に、共ぎれのスーツ(=上着・ベスト・ズボン)。スリーピース。みつぞろえ。(↔上下)

**みつだん**【密談】《名・自サ》ほかの人に聞かれないようにこっそりとする、ないしょの〈話/相談〉。

**みっちゃく**【密着】《名・自サ》①ぴったりくっつくこと。「紙が—してはがれない」②いつも近くに〈ある/いる〉こと。「生活に—した道路・—取材」③↔密着取材。「舞台裏に—する」④《写真》引きのばさないで焼きつける〈こと/た印画〉。ベタ焼き。由来フィルムを印画紙に直接くっつけて焼くことから。

**みっちり**《副》じゅうぶんに、おこなうようす。みっしり。「—(と)芸をしこむ」

*__みっつ__【三つ】①二つより一つだけ多い数。さん。みつ。②三歳。③三つ目。第三。「条件がいくつかある。その一つは、…、その—は…」

**みっつう**【密通】《名・自サ》〔文〕決まった相手以外の人と、ひそかに性的な関係を持つこと。「不義—」☞姦通。

**みってい**【密偵】〔文〕ひそかに秘密をさぐる人。スパイ。「—を放つ」

**ミット**〔mitt〕①《野球》捕手や一塁手の使う、革で作った手ぶくろで、親指だけが分かれているもの。「—さばき」☞グラブ。②《ボクシング》練習する人のパンチを受けるために、手にはめる用具。「—打ち」

**みつど**【密度】①〈ぎっしり〉つまっている度合い。「人口—・—の濃い仕事ぶり」②《理》物体の単位体積あたりの質量。

**ミッドナイト**〔midnight〕深夜。真夜中。「—ショー(=深夜興行)」

**ミッドフィルダー**〔midfielder〕《サッカー》フォワードとディフェンダーの間で競技する選手。ミッドフィールダー。MF。

**みっともい・い**《形》〔俗〕「みっともない」の反対。体裁がいい。「—話ではない(『みっともよくない話だ』とも)」

**みつどもえ**【三つ×巴】①ともえの模様をみっつ組み合わせて円形にしたもの。②みっつのものが〈入りみだれる/たがいに追いかける〉こと。「—の乱戦」

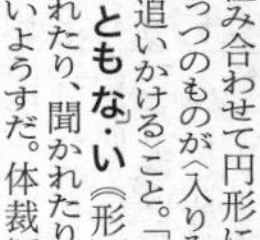
[みつどもえ①]

**みっともな・い**《形》①人に見られたり、聞かれたりしたら、はずかしいようすだ。体裁が悪い。「そんな服装では—」②みにくい。いさぎよくない。「—死に方をしたものだ」丁寧みっともありません。由来「見たくもない」の意味の「見とうもない」の変化。派—さ。

**みつにゅうこく**【密入国】《名・自サ》法律にそむいて、こっそり〈自分/相手〉の国にはいること。みつにゅうごく。(↔密出国)

**みつば** 一【三つ葉】三枚の葉。「—あおい(葵)」二【三葉】若葉を食べる野菜の名。葉はみっつにさけ、かおりがいい。みつばぜり。

**みつばい**【密売】《名・他サ》法律で売ることを禁じられている品を、こっそり売ること。

**みつばいばい**【密売買】《名・他サ》法律で売買を禁じられている品を、こっそり売り買いすること。

**みつばち**【蜜蜂】ハチの一種。女王バチを中心とした社会をつくっている。花の蜜を集め、巣にたくわえる。☞はちみつ。

**みっぷう**【密封】《名・他サ》厳重に封をすること。

**みっぺい**【密閉】《名・他サ》すきまなくとじること。「—容器(=食べ物などを入れるときに使う、ふたがかたくしまる入れ物)」

**みつぼう**【密謀】〔文〕秘密の、悪い相談。密計。「—を凝らす・—をめぐらす」

**みつぼうえき**【密貿易】法を破ってひそかにおこなう貿易。

**みつまた**【三つ×叉】三本に分かれている〈こと/もの〉。「—ソケット・—の川筋」

**みつまた**【三×椏】畑に栽培する、小さな落葉樹。枝が三本ずつに分かれる。皮の繊維は和紙の原料にする。

**みつまめ**【蜜豆】さいの目に切った寒天に、ゆでた赤エンドウやくだもの・ぎゅうひ(求肥)などを入れ、蜜をかけた食べ物。

**みつみ**【三つ身】《服》三、四歳ごろの子どもが着る着物(の裁ち方)。由来身ごろの三倍の布で裁つことから。☞一つ身・四つ身。

**みつみつ**【密々】《副》〔文〕こっそりと。ひそかに。

**みつめ**【三つ目】目がみっつある〈こと/もの〉。「—小僧」

**みつめい**【密命】秘密の〈使命/命令〉。「—を帯びる」

*__みつ・める__【見詰める】《他下一》①強く注意して見続ける。「相手の顔をじっと—」②注意をそそぐ。「ことばの現実を見つめて作った辞書です」

**みつもり**【見積もり】《名・他サ》①みつもること。目算。「—があまい」②かかる予定の金額を計算したもの。表記経済関係の熟語では「見積」と書く。「見積書」

**みつも・る**【見積もる】《他五》①目分量ではかる。②推計する。概算する。「うちわに見積もっても百万円はかかる・確率を—」

**みつやく**【密約】《名・他サ》秘密の〈約束/条約〉。「—を交わす」

**みつゆ**【密輸】《名・他サ》密輸出と密輸入。「—船」

**みつゆしゅつ**【密輸出】《名・他サ》法を破って、こっそり輸出すること。(↔密輸入)

**みつゆにゅう**【密輸入】《名・他サ》法を破って、こっそり輸入すること。(↔密輸出)

**みつゆび**【三つ指】親指・人さし指・中指の、三本の指。●**三つ指をついて** 句 正座したまま両手の三つ指をゆかにつけて、ていねいにおじぎをして。「おかみが—むかえる」

←**みつりょう**【密猟】《名・他サ》法を破って、こっそり鳥やけものをとること。

→**みつりょう**【密漁】《名・他サ》法を破って、こっそりさかな類をとること。

み

**みつりん**［密林］すきまがないほど しげったはやし。ジャングル。(↕疎林)

**みつろう**［蜜(×蠟)］ミツバチが分泌したろう。

**みてい**［未定］《名・ナダ》まだ決まらないこと。「期日は―」(↕既定)　●**みていこう**［未定稿］〔文〕まだじゅうぶんに しあがっていない原稿。(↕決定稿・定稿)

**ミディ**〔midi〕①《服》ふくらはぎの中ほどまでのスカートやコート(の寸法)。ミモレ。「―丈」②↑ミディアムヘア。③中ぐらい。「―トマト(=ふつうのトマトとミニトマトの中間ぐらいの大きさのもの)」

**ミディアム**〔medium〕■一 ミディアム ①〔ステーキの〕中ぐらいの焼き方。(↕ウエル ダン・レア)②サイズが中ぐらい。記号はM。(↕スモール・ラージ)■二 《遺》中ぐらい。「―ドレス・《音》―テンポ・―ヘア(=セミロングよりも少し短い髪型。ミディ)」●**ミディアム レア**〔medium rare〕〔ステーキの〕レアとミディアムの間の焼き方。

**みて(い)ろ**［見て(い)ろ］《感》(↑今に見ていろ。乱暴な言い方〕〔話〕相手を、あとで おどろかせたり、やっつけたりしたいときに言うことば。見てなよ。見てらっしゃい〔女〕。「―、きっと合格してやるぞ」

**みてくれ**［見てくれ］(↑これを見てくれ)〔俗〕見かけ。外見。外観。「―がいい・―で判断するな」

**みて・と・る**［見て取る］《他五》見破る。さとる。「にせ物と―・敵の動きを―」

←**みとう**［未到］〔文〕まだ行きつかないこと。「前人―の境地」

→☆☆**みとう**［未踏］〔文〕人がまだ足をふみ入れていないこと。「人跡―の奥地・―峰(『未登峰』とも書く)」

**みとう**［味到］《名・他サ》〔文〕〔内容を〕じゅうぶんに味わいつくすこと。

**みどう**［(△御)堂］《仏》仏像をすえておく堂。おどう。

**みとおし**［見通し］①その地点から、ずっと先のほうまで見わたすこと。「―の きく場所・―がいい」②そのものごとの なりゆきを見わたすこと。「先の―がつかない・明るい―」☞お見通し。

**みとお・す**［見通す］《他五》①遠くまで見わたす。②将来の なりゆきを見る。「先を―」③察して知る。見すかす。④始めから終わりまで見る。

**みとが・める**［見(×咎める)］《他下一》①見てあやしいとにらみ、質問などして調べる。②よくないと見て注意する。

**みとく**［味得］《名・他サ》〔文〕文章などをよく味わって理解し、自分のものに すること。

**みどく**［未読］まだ読んでいないこと。(↕既読)

**みどく**［味読］《名・他サ》〔文〕よく味わいながら読むこと。「作品を―する」

**みどころ**［見(所)・見(△処)］①見るねうちの あるところ。「芝居の―」②将来の見こみ。「―のある青年」☞けんしょ(見所)。

**ミトコンドリア**〔mitochondria〕《生》動植物の細胞の中にたくさんある、つぶ状や棒状の小器官。酸素からエネルギーを生産する。

**みとど・ける**［見届ける］《他下一》①たしかに見る。②最後まで見る。「子どもの成長を―」

**みとめ**［認め］①みとめること。②↑認め印。●**みとめいん**［認め印］ふだん使う、略式の はんこ。みとめ。「―をおす」(↕実印)

**＊＊みと・める**［認める］《他下一》①たしかに見る。「船影を―」②そのとおりだと判断する。「必要と―・罪状を―」③〔相手の言うことを聞いて〕それでいいことにする。承認する。「不参加を―」④いいと評価する。「大工の うでを―・世間に認められる・個性を認めあう」可能 認められる。

**みども**［身共］《代》〔古風〕自分(たち)。われ(われ)。〔さむらいが同等・目下の者に使った〕

**みとり**［(△看取り)］《名・他サ》①〔文〕病人の世話。看病。②《医》臨終まで専門的に世話すること。

**＊みどり**［緑］①草木の葉の色。みどりいろ。〔青と黄の絵の具をまぜた色〕「―したたる山々」②緑色をした、木や草(の葉)。「―の季節・―に親しむ・―豊かな都市・―深い大自然」③新芽。「松の―」●**みどりご**［(:嬰児)］〔雅〕生まれてから三歳ぐらいまでの子ども。えいじ。●**みどりなす**［緑(成す)］《連体》〔文〕①木や草の葉がしげった。「―山々」②〔髪が〕黒くてつやのある。「―黒髪(⇩緑の黒髪)」●**みどりのカーテン**［緑のカーテン］暑さをしのぐため、建物の外がわを植物でおおったもの。グリーン カーテン。●**みどりのくろかみ**［緑の黒髪］〔文〕〔若い女性などの〕黒くてつやのある、長い髪の毛。緑なす黒髪。●**みどりのひ**［みどりの日］国民の祝日の一つ。五月四日。植物などの自然にふれて、心を豊かにする日。〔一九八九年から実施。当初は四月二十九日《この日は現在、昭和の日》〕●**みどりまい**［緑米］古代に作られた米の一種。中の皮がうすい緑色をしている。☞赤米・黒米①。●**みどりむし**［(緑虫)］鞭毛と目のある、ごく小さい緑色の生物。自分で動くが、植物のように光合成をおこなう。ユーグレナ。

**みとりざん**［見取り算］〔そろばんなどで〕書いてある数字を見ながらする計算。☞読み上げ算。

**みとりず**［見取り図］①形や ならび方などをわかりやすく かいた図。「家の―」②全体像。「今後の研究の―」

←**みと・る**［見取る］《他五》見て知る。見て取る。

→**みと・る**［(△看取る)］《他五》看病する。また、臨終のさいに、かたわらで見守る。「父を―・家族に みとられて死んだ」

☆☆**ミドル**〔middle〕①中間。「―クラス・―ネーム(=ファーストネームとファミリーネームの中間の名)」②中ぐらいの距離。「―シュート」③(↑ミドル マネジメント)中級(=課長程度)管理職。④(↑ミドル エイジ)中年(の男性)。「ナイス―(=魅力的な中年の男性)」⑤↑ミドル級。●**ミドルきゅう**［ミドル級］体重で分けた選手の階級の一つ。プロボクシングでは、一五四ポンド(=約六九・九キロ)以上、一六〇ポンド(=約七二・六キロ)までの体重。

**みと・れる**［見(×惚れる)・見(×蕩れる)］《自下一》うっとりして見る。心をうばわれて見る。「美しい景色に―」

**みどろ** 接尾 からだじゅうに べとべとと くっついている状態。…まみれ。「あせ―・血―」

**ミトン**〔mitten〕親指だけが分かれた手ぶくろ。

**＊＊みな**［皆］■一 みな 〔文〕①すべての〈人／もの〉。「―が賛成した・クラス―が協力する」②まわりの人。だいたいの

人。「—がそう言う」二 みな《代》〔古風〕大ぜいの相手に向かって呼びかけることば。「—聞け」三 みな《副》〔文〕すべて。「木が—枯れた」区別 ⇩みんな。☞皆が皆・皆まで。

**みなお・す**[見直す] 一《他五》①改めて見る。「もう一度—」②再検討する。修正する。「計画を—」③〔気づかなかった〕ねうちを認める。「かれを見直した」二《自五》〔病気や景気などが〕よくなる。名 見直し。

**みなかみ**[△水上]〔雅〕①川上。上流。②みなもと。

**みながみな**[皆が皆]《副》残らず。全部。みんながみんな。

**みなぎ・る**[×漲る]《自五》①水が、あふれたようにいっぱいに広がる。②広がっていっぱいになる。「力が—・活気が—・荘重の気が—」名 みなぎり。

**みなげ**[身投げ]《名・自サ》死のうとして、川・海などに飛びこんだり、高い所から飛びおりたりすること。投身。

**みなごろし**[皆殺し]①ひとり残らず殺すこと。「—にする」②おはぎを作るときに、ごはんつぶがすべてつぶれるようにして仕上げること。

**みなさま**[皆(様)]《名・代》「皆さん」よりも敬意が高く、改まった言い方。「—のご多幸をお祈りいたします」区別 ⇩みんな。

***みなさん**[皆さん]〔軽い敬語〕一 ①すべての人をさして言うことば。「—おそろいになりました」②相手の家族やなかまをさして言うことば。「—お変わりございませんか」二《代》大ぜいの相手に向かって呼びかけることば。「—おしずかに・それでは—ごきげんよう」▽一二 大人にも子どもにも使える。区別 ⇩みんな。☞皆さま。

**みなし**[見×做し]〔同等と〕見なすこと。「—労働〔⇩裁量労働〕」●**みなしこうむいん**[見×做し公務員] 公共性の高い団体に勤務し、刑法などで公務員と同じようにあつかわれる職員。

**みなしご**[(:孤児)] 親のない子ども。こじ。

***みな・す**[見(×做す)]《他五》①必ずしもそうだとは限らないものを、基準にもとづいて、そうだということにする。そのようにあつかう。「退場者は欠席と—」②かりに、そうだと決める。仮定する。「人生を旅と—」

**みなそこ**[△水底]〔雅〕水の底。みずそこ。

**みなづき**[(△水:無=月)]〔みな=水の〕〔文〕旧暦六月。

**みなと**[港・×湊]〔みな=水の。と=門・戸〕外海の波を防ぎ、船を安全にとめる所。「—入り」●**みなとまち**[港町] 港を中心に広がる町。

**みなのか**[三七日]《仏》その人の死んだ日を入れて二十一日目。みなぬか。さんしちにち。

**みなのしゅう**[皆の衆]〔古風〕みなさん。「—、よろしいかな」

**みなまたびょう**[△水×俣病]《医》熊本県水俣市の漁民を中心に、一九五〇年代から発生した、中枢神経をおかされる公害病。工場廃液にふくまれる有機水銀の中毒で起こった。〔一九六〇年代には、新潟県阿賀野川の下流地域でも発生《=第二水俣病》〕

**みなまで**[皆まで]《副》しまいまで。全部。「わかった、—言うな・—言わせず口をはさんだ」

***みなみ**[南]①日の出るほうに向かって、右の方角。「—向き」②南風。▽(↕北) ●**みなみアフリカ**[南アフリカ] アフリカ大陸の南端部にある共和国。首都、プレトリア(Pretoria)。南ア。●**みなみアメリカ**[南アメリカ] 六大州の一つ。西半球の南の部分にある大陸。ブラジル・アルゼンチンなどの国がある。南米。(↕北アメリカ) ●**みなみかいきせん**[南回帰線]《地》冬至の日に太陽が真上を通る、南緯二三度二七分の緯線。(↕北回帰線) ●**みなみかぜ**[南風] 南のほうからふく風。はえ。(↕北風) ●**みなみじゅうじせい**[南十字星]《天》天の南極の近くにある、十字形にならぶ四つの星。南半球を航海するときに目印になる。☞北極星。●**みなみ・する**[南する]《自サ》〔文〕南へ進む。(↕北する) ●**みなみはんきゅう**[南半球]《地》地球の、赤道から南の部分。(↕北半球)

**みなみな**[皆々]《名・代》〔文〕「みな」を強めた言い方。●**みなみなさま**[皆々様]《名・代》〔文〕「みなさま」の特に改まった言い方。〔あいさつなどに使う〕「—には お変わりもなくお過ごしのことと存じ上げます」

**みなも**[△水△面] 水の表面。すいめん。みのも。

**みなもと**[源]〔みな=水の。もと=元〕①川の水の流れ出るもと。②ものごとの起こり始まるもと。「日本文化の—」✎ 事件の原因など、悪い場合には使いにくい。▽源流。

**みならい**[見習い]①見て習うこと。「家事—」②業務を見習う〈こと・人〉。「—工」

**みなら・う**[見習う]《他五》見て、そのとおりにやってみて、覚える。

**みなり**[身(△装)・身(△形):服装] 身につけた衣服などの状態。「—を整える・—にかまわない・りっぱな—の人」

**みな・れる**[見慣れる・見×馴れる]《自下一》いつも見て慣れる。見つける。「見慣れない顔」

←**みなわ**[△水△泡]〔雅〕水のあわ。

→**みなわ**[△水輪]〔雅〕波紋。

**ミニ**〔mini〕一 造 ①小形の。小型の。「—コンサート・—ステーキ・—トラック」②小規模の。「—国家・—ゲーム」二 ミニ《服》↑ミニ スカート。「—のお嬢さん・—スタイル」

**ミニアチュア**〔miniature〕⇩ミニチュア。

**ミニアチュール**〔フ miniature〕《美術》細かくえがかれた小さな絵。細密画。

**ミニカー**〔minicar〕①小型自動車。軽自動車。②マッチ箱ぐらいの、模型自動車。

←**みにく・い**[見(△難い)・見(△悪い)]《形》見るのに苦労するようすだ。「—席」(↕見やすい) 派 -さ。

→**みにく・い**[醜い]《形》①形などが整っていないで、いやな感じだ。「—顔」(↕美しい)②道徳にそむいた、きたない感じだ。見苦しい。「—争い・—心」派 -さ。

**ミニコミ**〔↑和製 mini communication〕少数の読者を相手とする報道・印刷物。「—誌」(↕マスコミ)

**ミニサイクル**〔minicycle〕車輪が小さい自転車。

**ミニスカート**〔miniskirt〕《服》ももが出るほどの、非常に短いスカート。ミニ。ミニ スカ〔俗〕。

**ミニチュア**〔miniature〕①小型の模型。「実物の八分の一の—」②小型の。「—ボトル」▽ミニアチュア。
●**ミニチュアピンシャー**〔miniature pinscher〕小形のスマートな犬。毛は短く、色は黒や茶など。耳は

み

もともと たれているが、一部を切断して立たせる。

**ミニトマト**〔和製 mini tomato〕赤・黄などの小さな実がなるトマトの品種。チェリートマト。プチトマト。

**ミニバイク**〔minibike〕小型オートバイ。原付き自転車。

**ミニバス**〔minibus〕約十人乗りの、小型バス。☞マイクロバス。

**ミニバスケットボール**〔mini basketball〕小学生によるバスケットボール。小さめのコートで、リングをやや低くして おこなう。ミニ バス(ケ)。

**ミニバン**〔minivan〕七、八人乗れて、うしろのほうに荷物も積める、車高の高い乗用車。☞バン・ワゴン車。

**ミニマム**《名・ナダ》〔minimum〕最小。最小限度。「—な空間」(↔マキシマム) ●**ミニマムきゅう**〔ミニマム級〕〔プロボクシングなどで〕体重で分けた選手の階級の一つ。一〇五ポンド〔=約四七・六キロ〕以下で、最も軽い。

**ミニマリスト**〔minimalist〕必要最低限のものしか持たずに生きる人。

**ミニマル**《ナダ》〔minimal〕最小限であるようす。ごく〈少数/少量〉であるようす。「—アート〔=よけいなものを取り去った芸術〕」

**ミニミニ** 遊 超〈小形/小型〉の。「—サイズ・—発表会」

**ミニヨン**〔フ mignon〕①〔↑ヒレ ミニヨン〕ビーフステーキの一種。ヒレ肉をベーコンで巻いたもの。②かわいらしい人。愛人。

**みぬ・く**〔見抜く〕《他五》見すかす。見とおす。「相手の本心を—」

**みね**〔峰・×峯・×嶺〕①山の頂上(の あたり)。また、いちばん高い所。「峠の—」②〔文〕山。「富士の—」③刀・包丁・のこぎりなどの背。

**みねうち**〔峰打ち〕刀の背で打つこと。むねうち。「—をくれる」

**ミネストローネ**〔イ minestrone〕トマトなどの野菜を煮た中にパスタや米を入れたイタリアのスープ。

☆☆**ミネラル**〔mineral〕《理》①鉱物。無機物。②栄養素としての無機物。亜鉛・カリウム・カルシウムなどの無機塩類。無機質。「—ウォーター〔=天然の水源から集めて調整した飲料水〕」

**ミネルバ**〔ラ Minerva〕ローマ神話の、知恵と武勇の女神。ミネルヴァ。〔ギリシャ神話のアテナに あたる〕

**みの**〔三△布・三△幅〕《服》もめんものの並幅の布を三枚あわせた幅(の ふとん)。「—ぶとん〔=おとなの敷きぶとんの、標準の大きさのもの〕」(↔四布)

**みの**〔△美△濃〕旧国名の一つ。今の岐阜県の南部。濃州。「—紙〔=厚くて じょうぶな紙〕」

**みの** 一〔(×蓑)〕カヤ・スゲなどを編んで作った雨具。「—をはおる」二〔ミノ〕牛の第一胃。焼き肉などにする。由来 内がわに柔毛が多く、切り開くと「みの 一」に見えるから。☞ハチノス・センマイ・ギアラ。

**みのう**〔未納〕〔文〕まだ おさめて いないこと。「—金」(↔既納)

**みのうえ**〔身の上〕①〔現在の〕境遇。「—話・—相談・気の毒な—」②一生の運命。「—判断」

**みのが・す**〔見逃す〕《他五》①見ながら、気がつかないですます。「ストライクを—」②見ながら〈とがめないで/つかまえないで〉すます。「過失を—・犯人を—」名見逃し。「—の三振」

**みのがめ**〔(×蓑亀)〕甲羅のすそのほうに藻の ついたカメ。めでたい しるしと言われている。

**みのかわ**〔身の皮〕〔俗〕着ているもの。●**身の皮を剝ぐ** 句 ①着ているものを、むりやりぬがせる。②お金に困って、着ているものまで売る。

**みのけ**〔身の毛〕からだの毛。●**身の毛がよだつ** 句 おそろしくて、からだの毛が さかだつ。身の毛もよだつ。他 身の毛をよだてる。

**みのこ・す**〔見残す〕《他五》見ないまま残す。見ないで終わる。「名所を見残して帰る」名見残し。

**みのこなし**〔身のこなし〕からだの動かし方。ものごし。身ごなし。「品のよい—」

**みのしろきん**〔身代金〕〔=人間を売り買いするときの代金〕誘拐犯などが要求する お金。

**みのたけ**〔身の丈〕①せい。せたけ。「—五尺八寸」②実際の(ささやかな)経済力や能力。「—に合った生活」

**みのほど**〔身の程〕〔その人自身の〕(高くない)地位や能力。「—を知らない・この—知らずめ」

**みのまわり**〔身の回り〕①毎日の生活に必要な衣類や持ち物(の始末)。「—の世話・—品」②ふだんの行動やつきあい関係。身辺。▽身回り。

**みのむし**〔(×蓑虫)〕赤茶色の昆虫。木の枝や葉を巻き、糸を吐いて巣を作り、その中にすむ。ミノガの幼虫。

**みのも**〔△水△面〕〔雅〕⇩みなも。

**みのり**〔実り・×稔り〕①作物などが みのること。「—の秋」②〔努力・研究などの末の〕いい結果。収穫。「—多い研究」

**みの・る**〔実る・×稔る〕《自五》①実が つく。実がなる。「稲がよく—」②努力・苦心などが、いい結果となってあらわれる。実を結ぶ。「長年の努力が—」

**みば**〔見場〕見かけ。外観。「—をよくする・—は悪いけれど使いやすい」

**みばえ**〔見栄え・見映え〕《名・自サ》まわりのものとくらべたとき、引き立って よく見える状態。「—(が)する・—が悪くても おいしい」

**みはから・う**〔見計らう〕《他五》①ちょうどいい時・場合の見当をつける。「時間を—・タイミングを見計らって提案する」②〔古風〕見つくろう。「柄を適当に—」名見計らい。

**みはつ**〔未発〕〔文〕①まだ外に あらわれないこと。②まだ〈発明/発見〉していないこと。「前人—の」③↑未発売・未発表。(↔既発)

**みはったつ**〔未発達〕《ナダ》まだ、じゅうぶん発達していないようす。「心身ともに—」

**みはっぴょう**〔未発表〕まだ世間に発表していないこと。未発。「—作品」

**みはてぬ**〔見果てぬ〕《連体》〔=全部 見ることができない〕〔文〕まだ見ない。「—地平」●**見果てぬ夢** 句 〔文〕永久に実現できない計画。「—を追う・—に終わる」

**みはな・す**〔見放す・見離す〕《他五》(もう だめだとして)すてて かえりみなくなる。「医者が病人を—・運に見放される」

**みばなれ**〔身離れ〕さかなや貝の身が、骨や貝がらから、きれいにはがれること。「―がいい」

**みはば**［身幅］①からだの幅。②《服》身ごろの幅。

**みはらい**［未払い］まだ、しはらっていないこと。みばらい。「―の退職金」(↔既払い)

**みはらし**［見晴らし］みはらすこと。ながめ。「―がいい・―台」

**みはら・す**［見晴らす］《他五》広く見わたす。「―かぎり」

**みはり**［見張り］《名・自サ》「見張る②」〈こと/人〉。「―番人。「―番」

**みは・る**［見張る］《他五》①［×瞠る］目を大きくひらいて見つめる。②(見わたして)番をする。

**みはるか・す**［見晴るかす］《他五》〔文〕みはらす。「谷間の景色を―」

**みばれ**［身バレ］《名・自サ》〔俗〕〔かくしておきたい〕身元や身分が明らかになってしまうこと。「―がこわい」

**みびいき**［身(×贔×屓)］《名・他サ・ナダ》自分に関係のある人をよけいにひいきすること。「―な批評」

**みひつ**［未必］〔＝未だ必ずしも…ならず。まだ…と決まっていない〕《法》今はそうでないが、将来そういうことが起こるかもしれないこと。「―利益」 ●**みひつのこい**［未必の故意］《法》たとえば、相手が死ぬかもしれないと知りながら、わざとそうすること。

**みひとつ**［身一つ］自分のからだ一つ。自分ひとり。単身。「―で上京する」

**みびょう**［未病］病気ではないが、健康でもない状態。「―を治す」☞無病。

**みひらき**［見開き］本や雑誌をひらいたとき、向かい合っている左右の二ページ。

**みひら・く**［見開く・×瞠く］《他五》①〔目を〕はっきりひらく。「かっと目を―・びっくりして目を―」②新しいことに気づく。「本書によって目を見開かされた」

**みふたつ**［身二つ］〔＝からだが二つ〕 ●**身二つになる**句 子どもを産む。

**みぶな**［(×壬△生菜)］ミズナの一種。京野菜の一つで、つけものや煮びたしにする。

**みぶり**［身(振り)］(意味を伝えるための)からだの動かし方。ジェスチャー。「大きな―で話す・―で『帰れ』と示す・―手ぶり」 ●**みぶりげんご**［身(振り)言語］⇩ボディ(ー)ランゲージ。

**みぶるい**［身震い］《名・自サ》①寒さや激しい感情で、からだがふるえ動くこと。②〔動物などが〕からだをふるわせて動かすこと。「犬の―」

**みぶん**［未分］〔文〕一つのままであって、分かれていないこと。「混沌―」

**みぶん**［身分］①その社会・団体の中で決まっている、地位(の上下関係)。「―の高い人・学生の―・―証明書」②身の上。「けっこうな―」

**みほう**［未訪］行った経験がないこと。「―店」

**みぼうじん**［未亡人］〔＝まだ死なない人。もと、夫を失った妻の自称〕夫に死なれた女性。やもめ。寡婦。後家。〔失礼な言い方〕

**みほ・れる**［見(×惚れる)］《自下一》見てわれを忘れる。見とれる。

**みほん**［見本］全体をわかってもらうために見せる、その商品の一部や例。「内容―」 ●**みほんいち**［見本市］①業者などが集まって、商品の見本をならべて宣伝しながら取引をするもよおし。メッセ。②いろいろな種類のものが、一か所で見られるたとえ。「この街は犯罪の―だ」

**みまい**［見舞い］みまうこと。「―客・(お)―金・(お)―品・―状〔＝見舞いの手紙〕・暑中―」☞お見舞い。

**みま・う**［見舞う］《他五》①訪問したり手紙を出したりして、災難・病気などをなぐさめる。「入院中の友人を―」②災難などがおそう。攻撃をあたえる。「〈暴風/不幸〉に見舞われる・げんこつを―」

**みまが・う**［見(△紛う)］《他五》〔発音はミマゴーとも〕見誤る。「本職かと―ほどの腕前」

**みまか・る**［身(△罷る)］《自五》〔文〕「死ぬ」のていねいな言い方。「父が身まかってから」

**みまご・う**［見(△紛う)］《他五》〔終止形・連体形しかない〕⇩みまがう。

**みまさか**［△美△作］旧国名の一つ。今の岡山県の北東部。作州。

**みまま**［身(×儘)］《名・ナダ》自分の思う通りにするようす。身勝手。「―(気まま)な女」

**みまも・る**［見守る］《他五》①じっと見て番をする。②注意して見つめる。「やさしく―」名見守り。「高齢者―サービス」

**みまわ・す**［見回す］《他五》〈ほうぼうを/ぐるっと〉見る。

**みまわり**［身回り］身の回り。「―品」

**みまわ・る**［見回る］《他五》様子を見るために、ほうぼうを回って歩く。「町内を―」名見回り。

**みまん**［未満］造①ある決まった数に届かないこと。「一万円―(↔一万円超)・二十歳―」☞以下①。②その条件を満たしていないこと。「友だち以上、恋人―の関係」

**みみ**［耳］①頭の左右についていて、音や声を聞き、からだの平衡をたもつ器官。「聞く―を持たない〈⇩「聞く」の句〉」②「耳①」の形に似た〈もの/取っ手〉。「カップの―・イカの―〔＝三角のところ〕」③聞くこと。聞こえること。また、その能力。「ひれの役をする」「壁に―あり・―がいい」④紙や布地など平たいもののはし(を切りおとした部分)。「―付きの和紙・食パンの―・ピザの―」 ●**耳が痛い**句 人の話す批判の内容が、自分にも当てはまって、聞くのがつらい。「運動不足の人が多いというが、私も―」 ●**耳が肥える**句 いろいろの音楽や話芸を聞いて、いい悪いの区別がよくわかる。 ●**耳が遠い**句 耳がよく聞こえない。 ●**耳が早い**句 うわさなどを早く知っている。 ●**耳にする**句〔聞くつもりでなく〕聞く。耳にはさむ。 ●**耳にたこ(ができる)**句 いやになるほど何度も同じことを聞かされることのたとえ。耳タコ〔俗〕。 ●**耳に立つ**句 ⇩耳立つ。 ●**耳に達する**句 話の内容が伝わる。「ニュースが―・すでにお耳に達した〔＝お聞きになった〕ことと存じます」 ●**耳につく**句 ①声や音などが〈しつこく聞こえる/記憶に残る〉。②聞きあきる。 ●**耳に残る**句 声や音がいつまでも記憶に残る。 ●**耳に入る**句〔うわさ・情報などが〕聞こえる。伝わる。他耳に入れる〔＝聞かせる〕。 ●**耳にはさむ**句 ⇩耳にする句。 ●**耳にもかけず**句 まったく聞こうとせず。耳にもかけないで。 ●**耳を洗う**句〔耳のよごれを洗いおとすように〕出世への〈さそい/欲〉を、あっさりふり捨てる。 ●**耳を疑う**句聞きちがいではないかと思う。•**耳を打つ**句〔強く〕聞こえる。「雨の音が―」•**耳をおおう**句 ⇩耳を塞ぐ句①。•**耳をおおって鈴を盗む**句 ①人はみんな知っているのに、自分の悪事をかくしたつもりになる。②現実から目をそらす。③矛盾したことをする。▽耳をおさえて鐘を盗む。•**耳を貸す**句 聞いてやる。〔「ちょっとお耳を拝借」は、耳打ちをしたいときに言うことば〕•**耳を傾ける**句 注意して聞く。•**耳を汚す**句 つまらない話・音楽を聞いて気分を悪くする。直耳が汚れる。•**耳を澄ます**句〔音や声がよく聞こえるように〕神経を耳に集める。•**耳をそばだてる**句 耳を立てるようにして、音や話に注意を向ける。•**耳をそろえる**句〔=小判などのへりをそろえる〕金額を、きちんと数だけそろえる。•**耳をダンボにする**句 聞きもらさないよう注意する。耳ダンボ。〔一九八〇年代からのことば。ダンボはディズニーアニメの耳の大きな子象の名〕•**耳をつんざく**句 鼓膜が破れるほど強く大きい物音がするようす。「―悲鳴」•**耳を塞ぐ**句 ①〔聞きたくなくて〕手で耳にふたをする。耳をおおう。②耳いっぱいに聞こえる。•**耳を掘る**句 耳あかを取る。•**耳をろう(聾)する**句〔文〕耳が聞こえなくなるかと思うほど大きな物音がすることのたとえ。耳をつんざく。

**みみあか**[耳(×垢)] 耳の穴の中にたまるあか。耳の中の皮がはがれて、集まったもの。みみくそ。

**みみあたらし・い**[耳新しい]《形》 はじめて聞くことで、その内容になれていない感じがする。「―話」派 -さ。

**みみあたり**[耳当たり] 聞いたとき、耳に受ける感じ。「―のいい音」

**みみうち**[耳打ち]《名・自サ》 耳へ口を寄せて小さい声で話すこと。「そっと―する」

**みみがー**[ミミガー]〔↑耳皮〕 ブタの耳の皮をゆでた沖縄料理。

**みみかき**[耳(×搔き)] 耳の穴をかいてあかをとる道具。

**みみがくもん**[耳学問] 他人の話を聞いてものを知ること。〔他人から〕聞きかじった知識。

**みみかざり**[耳飾り] 耳たぶにつけてかざる、かざり。イヤリング。

**みみくそ**[耳(×糞)] 耳あか。

**みみげ**[耳毛] 耳の中から外まで生えた毛。

**みみごこち**[耳心地] ①耳にふれる感じ。「―のいいヘッドホン」②聞いたときの印象。耳触り。「―のよい声」

**みみこすり**[耳(△擦り)]《名・自サ》〔俗〕〔つげ口などをするための〕耳うち。

**みみコピ**[耳コピ]《名・他サ》〔↑耳からコピー〕『音』〔俗〕生の音楽を聞き取り、同じように演奏したり、楽譜に再現したりすること。聴音。耳コピー。☞採譜。

**みみざと・い**[耳(×聡い)]《形》 物音や声を聞きつけるのが早い。「耳ざとく聞きつける」派 -さ。

**みみざわり**[耳触り]〔俗〕聞いたときの感じ・印象。耳ごこち。耳当たり。「―のいいことを言う」

**みみざわり**[耳障り]《ナダ》 聞いて〈気にさわる/うるさく思う〉ようす。「―な雑音・―な表現」

**みみず**[(:蚯蚓)] まるいひものような形の動物。よくのび縮みするからだはうす赤く、土の中にすむ。•**みみずののたくったよう**句〔へたで読みにくい字のたとえ。みみずがはい(這)った跡のよう。「―な字」•**みみずばれ**[(:蚯蚓)腫れ] からだの一部分が細長く赤くはれ上が〈ること/ったもの〉。

**みみずく**[(:木菟)] フクロウのなかまで、耳のように見えるかざりの毛がある鳥。ずく。由来 耳のある「ずく〔=ミミズクなどの鳥をさす古語〕」の意味。表記 かなでは「みみづく」も許容。

**みみせん**[耳栓] 防音・防水のため、耳の穴につめるもの。

**みみたこ**[耳タコ]〔俗〕↑耳にたこ(ができる)(↑句)。

**みみだ・つ**[耳立つ]《自五》〔音や声、ことばづかいなどが〕注意を引き、神経にさわる。耳に立つ。「廊下の話し声が―」

**みみたぶ**[耳(×朶)] 耳の下の たれ下がった肉の部分。みみたぼ。

**みみだれ**[耳(垂れ)] 耳の穴から〈うみが流れ出る病気/流れ出るうみ〉。

**みみちか・い**[耳近い]《形》 聞きなれて、なじみがある。

**みみっち・い**《形》〔俗〕わずかなお金や、小さなことにこだわるようすだ。「―性格・―ことを言うな」派 -さ。

**みみどお・い**[耳遠い]《形》 ①聞きなれない。耳なれない。「―話」②耳がよく聞こえない。「耳遠くなる」派 -さ。

**みみどしま**[耳年(△増)]〔俗〕経験はないが、性に関することをいろいろ聞いて知っている若い女性。

**みみなじみ**[耳(:馴染み)] ①たびたび聞いて、なじみになっていること。②聞いたときの親しみやすさ。「―のいい歌声」

**みみなり**[耳鳴り]《名・自サ》 頭や耳の中で何か音がするように感じられること。「―がする」

**みみな・れる**[耳慣れる・耳×馴れる]《自下一》 聞いて慣れる。聞き慣れる。「耳慣れないことば」

**みみぬき**[耳抜き] 気圧や水圧のせいで耳の中が痛くなったとき、鼻をつまんだまま、息を強く出して耳に送り、もとにもどすこと。

**みみもと**[耳元・耳(△許)] 耳の すぐそば。「―で ささやく」

**みみより**[耳寄り]《ナダ》 聞くだけの ねうちのあるようす。「それは―な話だ」

**みみわ**[耳輪・耳(△環)]〔古風〕イヤリング。「さんごの―」

**みむき**[見向き] 見向くこと。•**見向きもしない**句〔関心がなくて〕少しも そちらを見ない。

**みむ・く**[見向く]《他五》 そのほうを向いて見る。ふり向く。

**みめ**[(見目)]〔古風〕〔女性の〕目鼻だち。器量。「―うるわしい・―よし〔=美人〕」

☆☆**みめい**[未明] 夜が あけはじめる前の、まだ暗い時分。〔気象では午前〇時から午前三時ごろからを言う。〔午前三時ごろ〕

**みめかたち**[(見目)形]〔古風〕〔女性の〕目鼻だちと姿。容姿。

**みめよ・い**[(見目良い)]《形》〔古風〕目鼻だちが整って、きれいだ。「―女性」

**ミモザ**〔フ mimosa〕 亜熱帯地方のアカシア。三月ごろ、黄色い花をつける。•**ミモザ サラダ**〔mimosa salad〕 刻んだゆでたまごやチーズを使ったサラダ。〔黄色いミモザの花を連想させる」

**みもしらぬ**[見も知らぬ]《連体》まったく見知らぬ。見も知らない。「―赤の他人」

**みもだえ**[身(×悶え)]《名・自サ》身をよじって苦しむこと。「―して泣く」動身もだえる《自下一》。

**みもち**[身持ち]①品行。「―の悪い むすこ」②妊娠していること。身重。

**みもと**[身元・身△許]①素性。うまれ。そだち。「―不明」②一身上についてのこと。身の上。「―引き受け」●**みもとほしょうにん**[身元保証人]つとめ先に損害をあたえたとき、本人に代わって弁償することを約束する人。

**みもの**[見(物)]①見る ねうちのあるもの。「きょうの試合は―だ」②見て楽しむ芸能・芸術・放送など。「―聞きもの」▽(↔聞きもの)☞けんぶつ(見物)。

**みもの**[実物]①(生け花などで)実を観賞する植物。カキ・ザクロなど。(↔花物・葉物)②野菜のうち、実の部分を食べるもの。果菜。(↔葉物・根物)☞じつぶつ(実物)。

**ミモレ**〔フ mi-mollet〕〔mi=半分。mollet=ふくらはぎ〕《服》⇩ミディ①。「―丈」

**みもん**[未聞]〔文〕まだ聞いたことがないこと。「前代―」

**みや**[宮]①神社。「(お)―参り」②皇族を尊敬した呼び名。「弟(の)―・秋篠―〔宮号〕・礼―〔親王の称号〕」③《歴》皇居。「飛鳥浄御原―」由来「み」は美称。「や」は家の意味。

**みやいり**[宮入り]〔みこしなどが〕神社の境内にはいること。(↔宮出し)

**みゃく**[脈]一 みゃく 脈拍。「―を打つ」二 造 つながり。「火山―」●**脈がある**句 まだ望みが持てる。(↔脈がない)●**脈を取る**句 手首のところで、脈を数える。

**みやく**[未訳]〔文〕まだ翻訳していないこと。「本邦―の書」

**みゃくあつ**[脈圧]《医》最大血圧と最小血圧の差。これが大きいと脈が強くふれる。

**みゃくう・つ**[脈打つ]《自五》①脈を打つ。「心臓が―」②絶えることなく、生き生きと感じられる。「批判精神の―文章」他脈打たせる《下一》。「全身を―」

**みゃくかん**[脈管]血液・リンパ液が流れる体内のくだ。みゃっかん。

**みゃくぎれ**[脈切れ]《医》⇩結滞。

**みゃくどう**[脈動]《名・自サ》〔文〕①脈を打つこと。「こめかみが―する」②脈を打つような、生き生きとした動き。「―の感じられる文章」

**みゃくどころ**[脈所]①指でおさえて脈拍がわかるところ。手くびの内がわなど。②大切な点。急所。「―をおさえた論議」

**みゃくはく**[脈拍・脈×搏]《生》血液が心臓からおし出されるにつれて、動脈が、決まった時間をおいてふくれる〈こと/回数〉。パルス。プルス。脈。「―七〇〔=一分間に七〇回脈を打つこと〕」

☆☆**みゃくみゃく**[脈々]《トタル》①絶えないで長く続くようす。「―と伝わる伝統」②脈が打つように、強く感じられるようす。「―たる気迫」

☆☆**みゃくらく**[脈絡]つながっている筋道。つながり。「文章の―」

**みやけ**[宮家]①皇族が天皇から宮号をたまわって別に一家をたてたもの。「秋篠―」②親王や「王」一②」のいえ。「―の出身」

**みやげ**[土産]①旅先から家に持って帰る、その土地の産物。「―物・パリ―」②人の家に行くとき、持って行くおくりもの。手みやげ。③〔俗〕訪問する相手の喜ぶもの。情報や企画など。▽「お―」☞どさん(土産)。●**みやげばなし**[土産話]旅行中に〈見聞きした/出あった〉ことの話。

**みやこ**[都]①〔文〕皇居のある土地。「―大路」②人がたくさん住んで、にぎやかな町。都会。「花の―・―育ち」●**みやこいり**[都入り]《名・自サ》都にはいること。入京。●☆☆**みやこおち**[都落ち]《名・自サ》①都〈から にげて/を去って〉地方へ行くこと。②地方に〈転勤する/左遷される〉こと。●**みやこどり**一[(都鳥)]海べにすむ、チドリの一種。足とくちばしが赤い。二[都鳥]〔雅〕ゆりかもめ。〔平安時代に、在原業平が隅田川で見て和歌によんだことで有名〕●**みやこわすれ**[(都忘)]草花の名。初夏、キクに似た むらさき色や白の小さな花がさく。あずまぎく。

**みやごう**[宮号]天皇からたまわる、宮家の呼び名。例、秋篠宮。

**みやさま**[宮様]皇族を敬愛して呼ぶ言い方。

**みやす・い**[見(△易い)]《形》①見るのに苦労しないようすだ。(↔見にくい)②わかりやすい。やさしい。「―道理」派-さ。

**みやだいく**[宮大工]寺や神社などの建物を専門に造る大工。

**みやだし**[宮出し]〔みこしなどを〕神社の境内から出すこと。(↔宮入り)

**みやづかえ**[宮仕え]《名・自サ》①宮中につかえること。②〔役人・会社員などとして〕人に使われて仕事をすること。「すまじきものは―」〔⇩「すまじき」の句〕▽みやづかい。

**みやつくち**[身八つ口]《服》やつくち。みやつ。

☆☆**みやび**[(△雅び)]《名・ナダ》〔文〕優雅で上品なようす。「―ごころ〔=風流心〕・―な遊び」●**みやびやか**[(△雅びやか)]《ナダ》〔文〕優雅で上品に感じられるようす。派-さ。

**みや・びる**[(△雅びる)]《自上一》〔文〕〈上品/風流〉である。「山村に残る みやびた風俗」

**みやぶ・る**[見破る]《他五》(秘密を)見ぬく。「相手の本心を―」

**みやま**[(△深)山]〔雅〕①山を美しく言うことば。②ふかい山。「―桜」

**みやまいり**[宮参り]《名・自サ》①生まれた子が、母親などにだかれて はじめて土地の神社に参拝すること。うぶすなまいり。〔生まれた日を入れて男は三十一日目、女は三十二日目がふつう〕②七五三の祝いに土地の神社に参拝すること。▽宮もうで。お宮参り。

**みや・る**[見(△遣る)]《他五》〔文〕〈遠くの ほう/そのほう〉を見る。

**ミャンマー**〔Myanmar〕インドシナ半島の西部にある国。ミャンマー連邦共和国。首都、ネピドー(Nay-pyidaw)。もと、ビルマ。

**み・ゆ**[見ゆ]《自上二》〔文〕見える。「敵艦―!・横たわる〈のが〉—」

**ミュージアム**〔museum〕博物館。美術館。

☆☆**ミュージカル**〔musical〕歌と音楽が中心となって進行する劇・映画。

☆☆**ミュージシャン**〔musician〕音楽家。

**ミュージック**〔music〕音楽。楽曲。「—ホール・ダンス—」 ●**ミュージック ビデオ**〔music video〕〔ポピュラー音楽などの〕曲に、その世界観をあらわす映像がついた動画作品。MV。〔プロモーションビデオを指すこともある〕

**ミューズ**〔Muse〕①〔ギリシャ神話で〕詩歌・学問などを受け持つ九人の女神。ムーサ(ギ Mousa)。②〔芸術家にとって〕インスピレーションをくれる女性。③ブランドのイメージモデルを務める女性。

**ミュータンス きん**〔ミュータンス菌〕《医》虫歯の原因となる菌。酸を出して歯をとかす。

**ミュータント**〔mutant〕突然変異の起こった個体・細胞・ウイルスなど。突然変異体。

**ミュート**〔mute〕■一《名・他サ》①音を出さないようにすること。消音。「リモコンの—ボタン・オンライン会議でマイクを—にする」②《情》〔SNSで〕指定した人の投稿が自分の画面に表示されないようにすること。■二楽器の音をおさえたり、音色を変化させたりする装置。弱音器。

**ミュール**〔フ mule〕つっかけふうの、女性用のサンダル。かかとの高いものが多い。〔ヘップサンダルの、今ふうでおしゃれなもの〕

**みゆき**〔(△深)雪〕〔雅〕①雪を美しく言うことば。②深く積もった雪。

**みゆき**〔△御△幸〕《名・自サ》〔ゆき=行き〕〔雅〕天皇がお出かけになること。

**みゆるぎ**〔身揺るぎ〕《名・自サ》身動き。「—一つしない」

**みよ**〔△御代・△御世〕〔文〕天皇の治世。「昭和の—」

**みよ・い**〔見よい〕《形》①見たようすがいい。みにくくない。「しどけない姿は—ものではない」②見やすい。「この場所からが—」派—げ。

**みょう**〔妙〕《名・ナダ》①〔文〕心に深く感じるほど〈いい/じょうずな〉こと。「—を得た指摘・食材の取り合わせの—・言い得て—〔⇩「言う」の句〕」②ふしぎ〈な作用〉。「—なしかけ」③変。「—な音・—に〔=どうしたのかと思うほど〕気がめいる」

**みょう**〔明〕〔文〕■一遺 次の。「—年度」■二みょう《連体》あすの。「—十日」▽■一■二(↕今・昨)

**みょうあさ**〔明朝〕〔文〕「あすの朝」の、やや改まった言い方。みょうちょう。

**みょうあん**〔妙案〕たいへんうまい考え。いい思いつき。「—がうかぶ」

**みょうおう**〔明王〕《仏》①仏の化身とされる、おこった顔つきをした密教の神。②↑不動明王。

**みょうおん**〔妙音〕〔文〕非常にすぐれた、いい〈おと/音楽〉。

**みょうが**〔(×茗荷)〕野菜の名。葉はスズランに似ている。若い芽や花のかおりを味わう。「—の子〔=ミョウガの、花の部分〕・冷ややっこに—をそえる」 ●**みょうがたけ**〔(×茗荷)竹〕芽の出た、ミョウガのくき。

**みょうが**〔冥加〕《名・ナダ》①《仏》知らず知らずのうちに受ける、神や仏の守り。おかげ。みょうり。②〔ふしぎに助かって〕しあわせであること。幸運。「いのち—なやつ(奴)・—に余る〔=もったいないほど ありがたい〕」③↑冥加金。 ●**みょうが きん**〔冥加金〕①神や仏の冥加〈をいのって/のお礼として〉奉納する お金。②〔江戸時代に〕営業許可を認める代償として、商人などに課した献金。▽冥加。

**みょうき**〔妙機〕〔文〕絶妙なチャンス。「—をつかむ」

**みょうぎ**〔妙技〕〔文〕非常にじょうずな わざ。「—を披露する」

**みょうきょう**〔妙境〕〔文〕なんとも言えない、すばらしい〈境地/心境〉。「音楽の—・—を味わう」

**みょうけい**〔妙計〕〔文〕非常にいい〈方法/戦術〉。妙策。「—を案じる」

**みょうご**〔明後〕《連体》〔文〕あさっての。「—三日」 ●**みょうごにち**〔明後日〕〔文〕「あさって」の、やや改まった言い方。 ●**みょうごねん**〔明後年〕〔文〕「さらいねん」の、やや改まった言い方。

**みょうごう**〔名号〕《仏》阿弥陀仏の名。「六字の—〔=南無阿弥陀仏〕」

**みょうごう**〔冥合〕《名・自サ》〔文〕おく深いところで一致すること。「神人—の境地」

**みょうさく**〔妙策〕〔文〕妙計。「起死回生の—」

**みょうじ**〔名字・△苗字〕その〈一族/家族〉であることを示す呼び名。「吉川友美」の「吉川」にあたる部分。姓。氏。(↕名前) ●**みょうじ たいとう**〔名字帯刀〕《歴》江戸時代、名字を名乗り、刀をさした武士の特権。功績や善行のあった百姓・町人にも特に認められた。

**みょうしゅ**〔妙手〕〔文〕①非常にじょうずな わざ〈の人〉。「おどりの—」②《碁・将棋など》非常にすぐれた手。

**みょうしゅ**〔妙趣〕〔文〕すぐれて〈いい/おもむき〉。

**みょうじゅう**〔命終〕《名・自サ》〔文〕生命が終わること。死ぬこと。「—のとき・—をむかえる」

**みょうしゅん**〔明春〕〔文〕明年の〈春/正月〉。

**みょうしょ**〔妙所〕〔文〕非常にすぐれた点。

**みょうじょ**〔冥助〕《仏》神や仏のたすけ。「—をこうむる」

**みょうじょう**〔明星〕〈日の出る前に東の空に/日のしずんだあと西の空に〉見える金星。「明けの—・宵の—」

**みょうじん**〔明神〕霊験のある神。「神田—・—さま」☞大明神。

**みょうせき**〔名跡〕〔文〕代々受けつぐ、呼び名・家名。めいせき。「山城屋の—・年寄—」

**みょうだい**〔名代〕〔文〕代理(の人)。「父の—で参りました・ご—の宮〔=天皇・皇后の代理をされる皇族〕」☞なだい(名代)。

**みょうちきりん**〔妙ちきりん〕《ナダ》〔俗〕奇妙きみょう。ふしぎ。妙てけれん。妙ちくりん。「—なかっこう」

**みょうちょう**〔明朝〕〔文〕あすの朝。みょうあさ。(↕昨朝)

**みょうてい**〔妙諦〕〔文〕なんとも言えない、すぐれた道理。みょうたい。「政治の—」

**みょうと**〔(:夫婦)〕〔古風・俗〕「めおと」の変化。

**みょうにち**〔明日〕「あした・あす」の、やや改まった言い

みょうねん［明年］〔文〕「来年」の、やや改まった言い方。（↕昨日）

方。（↕昨年）

みょうねんど［明年度］〔文〕「来年度」の、やや改まった言い方。（↕昨年度）

みょうばん［明晩］〔文〕「あすの晩」の、やや改まった言い方。（↕昨晩）

みょうばん［（明×礬）・ミョウバン］《理》①漬物の色づけや、水のにごりを取るのに使われる無色の結晶。ふつう、カリウムとアルミニウムとからなる硫酸の塩。②「みょうばん①」を焼いた白い粉。焼きみょうばん。「―水で洗眼する」

みょうひつ［妙筆］〔文〕すぐれた文章や文字。

みょうみ［妙味］①非常にすぐれた〈味／点〉。「文学の―」②いいところ。うまみ。

みょうみまね［見（様）見（:真似）］人の様子を見て、そのまねをすること。「―で仕事を覚える」

みょうみょうごにち［明々後日］〔文〕「しあさって」の、やや改まった言い方。

みょうみょうごねん［明々後年］〔文〕さらいねんの次のとし。

みょうもく［名目］〔古風〕⇩めいもく（名目）。

みょうや［明夜］〔文〕あすのよる。明晩。（↕昨夜）

☆☆みょうやく［妙薬］①〔文〕非常にききめのあるくすり。②特別に効果の出る方法。「少子化を打開する―」

みょうゆう［明夕］〔文〕あすの夕方。（↕昨夕）

みょうり［名利］〔文〕⇩めいり。

みょうり［冥利］①《仏》知らないうちに受けている、仏のご利益。②その〈職業／立場〉の人にとってのしあわせ。「商売―・男―」●冥利が悪い句〔古風〕ばちあたりだ。もったいない。冥加が悪い。「好ききらいを言うのは―」●☆☆冥利に尽きる句 これ以上のしあわせはない。「ほめられて役者（としての）―」

みょうれい［妙齢］〔妙＝若い〕①〔女性の〕若い年ごろ。（お）としごろ。②〔女性の〕年は重ねたが、まだまだ若いと言える年ごろ。▽「―の女性」

みよし［（×舳）・（:船首）］①〔和船の〕船首先端の、水を切る部材。②へさき。

みよじ［:名字］〔話〕⇩みょうじ。

みより［身寄り］親戚。みうち。「―（たより）がない」

ミラー〔mirror〕①かがみ。「ルーム―」②↑バックミラー。●ミラーガラス〔mirror glass〕ガラスにうすい金属の膜を張り、光線を反射するようにしたもの。熱線反射ガラス。●ミラーサイト〔mirror site〕〔インターネットで〕あるウェブサイトを複製した同じ内容のサイト。複数のサイトを作ることで、アクセスによるサーバーの負担をへらす。●ミラーボール〔mirror ball〕キャバレー・ディスコなどの天井からつり下げ、光を反射してきらめきながら回る、かざりのたま。●ミラーレス〔mirrorless〕鏡をつけないこと。「―カメラ〔＝鏡を使わず、ファインダーにデジタル映像を表示するカメラ〕・―カー〔＝バックミラーをつけず、後ろの様子をデジタル映像で表示する自動車〕」

*みらい［未来］①まだ遠いが、いつかやってくる〔空想の部分が大きい〕時。「―社会・わが―の妻」（↕現在・過去）区別⇩将来一。②《仏》来世。③《言》現時点よりのちの動作・状態をあらわす語法。現在と同じく、助動詞「た」のつかない形であらわす。●みらいえいごう［未来永×劫］《名・副》〔文〕これから先、永久に。未来永久。●みらいぞう［未来像］将来のあるべき姿をえがき出したもの。未来図。ビジョン。「地域社会の―」

みらい［味×蕾］《生》味を感じる感覚器官。おもに舌の表面に分布する。

☆☆ミラクル〔miracle〕奇跡。

みら・れる［見られる］《自下一》①認められる。見える。「景気の回復が見られない」②考えられる。「会談を牽制するねらいと―」③見るにあたいする。「見られたものではない」④「見る」の可能形。

ミリ〔フ milli〕①千分の一〔記号 m〕。「―セカンド〔＝千分の一秒〕・五〇―秒〔＝千分の五〇秒〕」☞センチ・マイクロ 一①。②↑ミリ メートル。「五―の雨」③〔―も〕〔俗〕少しも。「―も知らない」☞一ミリ。

ミリオン〔million〕一造 百万。二 ミリオン ↑ミリオン セラー。「―を達成」●ミリオン セラー〔million seller〕百万以上売れた本・楽曲など。

ミリグラム〔フ milligramme〕グラムの千分の一〔記号 mg〕。表記「×瓱」とも書いた。

ミリタリー〔military〕軍隊。軍人。「―ルック」〔俗に略して「ミリ」。「ミリオタ《＝軍事おたく》」〕

ミリタリスト〔militarist〕軍国主義者。

ミリタリズム〔militarism〕軍国主義。

ミリは［ミリ波］〔↑ミリメートル波〕《理》波長が一ミリから一センチまでと極端に短い電波。目標を非常に正確に探知できるので、レーダーなどに使う。

ミリバール〔フ millibar〕もと、気圧の単位〔記号 mb〕。☞ヘクトパスカル。

ミリメートル〔フ millimètre〕メートルの千分の一〔記号 mm〕。ミリ。表記「×粍」とも書いた。

みりょう［未了］〔文〕〔事件や問題の処理などが〕まだ終わらないこと。「審議―」

☆☆みりょう［魅了］《名・他サ》すっかり人の心を〈夢中にさせる／ひきつける〉こと。「読者を―した小説・観衆を―する」

*みりょく［魅力］人をひきつける力。「―的・あの人独特の―」

ミリリットル〔フ millilitre〕リットルの千分の一〔記号 mL, ml〕。酒・しょうゆなどの分量をあらわす。一合は、約一八〇ミリリットル。

みりん［（味×醂）・（味×淋）］焼酎と蒸したもち米、米こうじをまぜてねかせ、自然にあまくしたしるをしぼった酒。味をつけるのに使う。また、正月のとそ（屠蘇）にも使う。「―干し〔＝さかなを開いて、みりんやしょうゆなどで味つけして干したもの〕・―風調味料〔＝アルコールをほとんどふくまないみりん〕」☞本みりん。

**みる 一［見る］《他上一》①［△視る］物の形・色などを目に感じて知る。「相手の目を―・―のもいやだ・見たこともない景色・後ろを見い見い走って行く〔連用形を重ねた場合の形〕」②［△観る］ながめる。見物する。「花を―・映画を見よう」③調べ（て、よしあしを決め）る。「答案を―・人を―目がある・味を―」④たしかめる。検討する。「すでに見たとおり」⑤〔軽い気持ちで〕読む。「本を―」⑥うらなう。「運勢を―・手相を―」⑦

考える。判断する。「私の—ところでは」☞と見ると。⑧考えに入れる。見こむ。「余裕を見て二時に出発する」⑨〔△看る〕せわをする。「親を—・子どものめんどうを—」⑩処理する。「事務を—」⑪〔経験を〕する。「つらい目を—」⑫される。見せる。「計画が実現を—・減税は効果を見なかった」尊敬ご覧になる。謙譲拝見する。 ━《補動上一》〔て—〕①ためしに…する。「食べて—」②〔て—となど〕実際に体験する。「目がさめて—と、公園でねていた」③〔てみたり〕ふと気づくと…する。「株価が乱高下してみたり、通貨が急に動いてみたりする・すぐほかのことに気を取られてみたりする」可能見られる。見れる〔俗〕。✍「見れる」は、「ら抜きことば」としてはわりあい早く広まり、大正時代から例がある(☞「来る」の可能)。☞見ず知らず・見て(い)ろ・見て取る・見も知らぬ・見られる・見るからに・見るべき・見る間に・見るも・見ろ。 ●見てのとおり句 (あなたが)見るとおり。尊敬ご覧のとおり。 ●見て見ぬ振りをする句 気づかないふりをする。無関心をよそおう。「困っている人がいたら、—のはやめよう」 ●見ぬこと清し句 〈きたない/悪い〉ものごとでも、見なければ気にならない。見ぬもの清し。「知らぬが仏、—」 ●見る影もない句 昔のりっぱだった姿がどこにもない。みすぼらしい。「—姿」 ●見るにしのびない句 気の毒で、見ていられない。 ●見るに見かねて句 だまって見ていることができなくなって。 ●見る目がない句 〔価値などを〕的確に判断する能力がない。「人を—」(↔見る目がある) ●見る目も句 ①ちょっと見ただけでも。「—あざやかな色彩」②そばで見ていても。「はたの—(=はた目にも)痛ましい」

みる【診る】《他上一》 診察する。「患者を—・脈を—」

ミル〔mill〕 こなひき機。「コーヒー—」

みるがい【(△海△松貝)】 海にすむ二枚貝。みるくい(海松食)。みる。「—のさしみ」

みるからに【見るからに(古風)】《副》 ちょっと見ただけで、すぐわかるようす。見るから〔古風〕。「—強そうな男」アク みるからにはごく新しい。

ミルキー《ナダ》〔milky〕 ①牛乳の味わいなどがあるようす。「—な風味・—ローション(=乳液)」②乳白色のようす。「—ホワイト」派-さ。

ミルク〔milk〕 ①牛乳。「—カップ・—ティー(=牛乳入りの紅茶)」②粉ミルク。「赤ちゃんの—」③↑コンデンスミルク。④コーヒー用のクリーム。フレッシュ。 ●ミルクセーキ〔米 milk shake〕 牛乳にたまご・砂糖などを入れて、よくかき回して作った飲み物。

ミルクレープ〔フ mille crêpes=千枚のクレープ〕 クレープとクリームのうすい層が何枚も重なったケーキ。

ミルフィーユ〔フ mille-feuille=千枚の葉〕 ①何枚も重ねたパイの皮の間にジャムやクリームをはさんだ菓子。②具や生地を重ねた料理。「ばら肉で作った—豚カツ」▽ミルフイユ。

みるべき【見るべき】《連体》〔文〕①見るねうちのある。「—名所も多い」②はっきり見える。目につく。「—成果がない」

みるまに【見る間に】《副》 見ているあいだに。たちまち。「—波間に消えた」

みるみる【(見る見る)】《副》 見ているうちに。どんどん変化するようす。「—(うちに)燃え広がる」

みるも【見るも】《副》 ちょっと見ただけでも。「—あわれな姿・—無残」

ミレニアム〔millennium〕 ①千年をひと区切りにした時代区分。千年紀。②〔俗〕西暦二〇〇〇年。「—ベビー」

ミレニアル〔millennial〕 ↑ミレニアル世代。 ●ミレニアルせだい【ミレニアル世代】 一九八〇年代から二〇〇〇年ごろにかけて生まれた世代。インターネットを使いこなし、SNSでのつながりを大切にするなどの特徴があるとされる。ミレニアル(ズ)。

みれん【未練】《名・ナダ》 ①〔別れたり、手ばなしたりするのがおしくて〕あきらめきれない気持ち。「—たっぷり・—なやつ・—を残す」②〔文〕いくじがなくて人間ができていないようす。「ひきょう—なふるまい」派-さ。 ●みれんがまし・い【未練がましい】《形》 未練を残して、あきらめが悪いようすだ。派-げ。-さ。 ●みれんげ【未練(気)】《名・ナダ》 未練が残る〈ような気持ち/ようす〉。「—もなく売りわたした・—に見回した」

みろ【見ろ】《感》(「見る」の命令形から。乱暴な言い方)〔話〕①相手の注意を引くことば。ほら。言ったとおりだろう。見なよ。「—、今のせりふ聞いたか」②ざまあ見ろ。「—、おれだってできるんだ」▽見なさい〔女〕。

みろく【△弥×勒】(↑弥勒菩薩)《仏》遠い将来に如来となって出現し、釈迦の説法を受けなかった衆生をすくうという菩薩。

☆☆みわく【魅惑】《名・他サ》 心をひきつけ夢中にさせること。「—的なくちびる・—のワルツ」

みわけ【見分け】 見て区別すること。「—がつかない」

みわ・ける【見分ける】《他下一》 見て区別する。「事のよしあしを—」

みわす・れる【見忘れる】《他下一》 ①以前に〈見た/会った〉ことがあるのに、忘れる。②見ることを忘れる。

みわた・す【見渡す】《他五》 遠く広く見る。「—限りの大雪原」名見渡し。

みわれ【身割れ】《名・自サ》〔食用魚の〕からだが、あつかいが悪くてさけていること。

みん【民】 ━みん 民間。「官と—の協力」 ━造 ①人民。国民。民衆。「避難—」②〔俗〕あることに時間と情熱をそそぐ人たち。「ネット—」

みん【△明】《歴》昔の中国の王朝の名。元の次、清の前。〔一三六八〜一六四四〕

☆☆みんい【民意】〈国民/住民〉の意思。「—を問う」

☆☆みんえい【民営】 民間の経営。「—鉄道(=私鉄)・—化」(↔公営・国営)

みんか【民家】〔商家に対して〕ふつうの人の住宅。「古—」

みんかつ【民活】 ↑民間活力。

*みんかん【民間】 ①一般の人の社会。「—療法・—放送(=民放)・—の学者」②公の機関に属さないこと。在野。「—人・—参入をうながす」③↑民間企業。「—の民間企業の資金力や、活発な事業運営力。民活。 ●みんかんかつりょく【民間活力】 民間企業の資金力や、活発な事業運営力。民活。 ●みんかんきょうりょく【民間協力】 犯人を知らせたりつかまえたりして、一般の人が警察活動に協力すること。民警協力。 ●みんかんほうそう【民間放送】 広告放送の収入によって運営される放送。商業放送。民放。(↔公共放送)

**みんぎょう**【民業】〔営利を目的とした〕民間の事業。「―圧迫」(↔官業)

**ミンク**〔mink〕テンの一種。毛皮は珍重される。「―のコート」

**みんぐ**【民具】民衆が、昔から生産や日常生活のために使ってきた道具。

**みんけい**【民警】〔ロシアの〕警察。ミリツィヤ(ロ militsiya)。

**みんげい**【民芸】〔↑民衆的工芸〕民衆の生活の中に伝えられた工芸(品)。「―品」由来 柳宗悦が大正時代に作った語。

**みんけん**【民権】〔文〕①国民が自分のからだや財産を保持する権利。「―尊重」②国民が政治に加わる権利。「―拡大」

**みんごと**【見ん事】《副》〔古風〕「みごと」の強い言い方。「―投げとばした」

**みんさい**【民際】国境をこえた、民間どうしの交流や提携。「―外交」

**みんざい**【眠剤】〔↑睡眠剤〕〔俗〕睡眠薬。

☆☆**みんじ**【民事】《法》国・公共団体・刑法に関係しない、人と人との〈争い/訴訟〉事件。「―事件・―訴訟」(↔刑事) •**みんじさいせいほう**【民事再生法】《法》経営難におちいった会社が、倒産する前に再建策を作って再生するための法律。もとの「和議法」にかわるもの。•**みんじそしょうほう**【民事訴訟法】《法》民事裁判に関係する手続きを定めた法律。民訴法。

**みんしゅ**【民主】国の主権が国民にあること。民主主義であること。「―国家・―社会・―政治・―化」 •☆☆**みんしゅしゅぎ**【民主主義】①主権が国民にあり、国民の意思をもとに、国民全体の利益をはかる政治をおこなう主義。それぞれの立場で意見を述べ、多数決によって決定する。デモクラシー。②「民主主義①」にならい、組織を構成する人々の意思をもとに運営していくやり方。「直接―」 •**みんしゅせい**【民主制】民主政の制度。•**みんしゅせい**【民主政】民主主義による政治。民主政治。•**みんしゅてき**【民主的】《ナダ》民主主義のやり方にかなうようす。(↔独裁的)

**みんじゅ**【民需】民間での需要。「―品」(↔官需・軍需)

**みんしゅう**【民衆】多くの(ごくふつうの)国民。庶民。大衆。「―的・―語源」

**みんしゅく**【民宿】㊀簡単な宿泊設備のある民家。㊁《名・自サ》「民宿㊀」などの民家にとまること。☞民泊。

**みんじょう**【民情】国民の気持ちや考え、生活などの実情。「―を視察する」

**みんしん**【民心】〔文〕国民の心。「―の安定」

☆☆**みんせい**【民生】国民の〈生計/生活〉。「―の向上・―部門・―用(=軍事・産業用でない一般向け)」 •**みんせいいいん**【民生委員】地域で、援助の必要な人の相談に乗ったり、行政への橋わたしをしたりする、民間のボランティア。

**みんせい**【民政】①国民を主とする政治。②文官による政治。(↔軍政) •**みんせいふ**【民政府】〔第二次世界大戦後、アメリカ軍による占領地域で〕民政をつかさどった役所。「沖縄―」

**みんせん**【民選】《名・他サ》選挙によって、国民が選ぶこと。「―議員(=代議士)」(↔官選)

**みんそ**【民訴】《法》↑民事訴訟(法)。「―法」

☆☆**みんぞく**【民俗】〔文〕民衆の風俗。民間の習俗。•**みんぞくがく**【民俗学】方言・民間の習俗・伝説などを対象として、生活様式の発生・変遷を研究する学問。フォークロア。

***みんぞく**【民族】同じ祖先・土地から起こり、集団としての一体感を持つ人々。多くは人種・言語・宗教が同じ。「大和―・―(大)移動(=集団を作って、大ぜいが移住・旅行することのたとえ)・―解放運動・―性」 •**みんぞくいしょう**【民族衣装】その民族独特の衣装。•**みんぞくがく**【民族学】実地調査により、民族の文化を全般的に研究する学問。エスノロジー。•**みんぞくじけつ**【民族自決】ある民族が、ほかの民族や国家の干渉を受けずに、自分たちで政治的な決断をすること。•**みんぞくしゅぎ**【民族主義】⇩ナショナリズム。

**みんち**【民地】〔文〕民有の土地。民有地。(↔官地)

**ミンチ**〔mince〕ひき肉。「ぶた―」〔西日本方言〕⇩メンチ。•**ミンチカツ**〔和製 mince cutlet〕メンチカツ。•**ミンチボール**〔和製 mince ball〕肉だんごを〈焼いた/揚げた〉もの。メンチボール。「イワシの―」

**みんちょう**【△明朝】①中国の明の〈王朝/国〉。②↑明朝体。「―活字」 •**みんちょうたい**【△明朝体】活字の書体の一つ。最もふつうに使われ、この辞書の本文の活字も明朝体。明朝。

**みんてつ**【民鉄】〔↑民営鉄道〕私鉄。

**ミント**〔mint〕はっか(薄荷)。ペパーミント・スペアミントなどの種類がある。「―ティー・チョコ―アイス」

**みんど**【民度】国民の文明・生活の程度。「―が低い」

***みんな**【△皆】《名・代》・みんな《副》「みな」の〈くだけた/強めた〉言い方。「―がそう言っている・―して(=で)集めた・―どう思う?・ごちそうは―たいらげた」 区別 (1)「**みな**」は「**みんな**」よりかたいが、ものごとを指す場合は、「みな」でもそれほどかたくない。「これもみな、クラスみんなのおかげだ」(2)呼びかけの場合、「みな」は時代劇ふうで尊大。うちとけた相手には「みんな」。「**みなさん**」は一般的で、ていねいな呼びかけ(「**みなさま**」はより改まった尊敬語)。

**みんなみ**【△南】〔雅〕「みなみ」の変化。

**みんぱく**【民泊】《名・自サ》一般の民家にとめてもらうこと。「国体の選手が―する」☞民宿㊁。

**みんぺい**【民兵】郷土の安全を守るため、民間人で編制する軍隊(の兵士)。

**みんぼう**【民暴】〔↑民事介入暴力〕暴力団などが、一般市民のもめごとに割りこんでおどしつけたりして、利益を得ること。

**みんぽう**【民放】↑民間放送。

☆☆**みんぽう**【民法】《法》人が市民生活をする上で、家族や財産についての権利の通則を規定した法律。

**みんみんぜみ**【みんみん×蟬】大型のセミ。「ミーン、ミンミンミンミーン」と力強く鳴く。

**みんゆう**【民有】民間の人の所有。私有。「―地・―林」(↔官有)

**みんよう**【民踊】〔文〕民謡にあわせておどるおどり。

**みんよう**【民謡】広く民衆の間に自然に起こり、生活・感情をそぼくに歌った歌。

**みんりょく**[民力]〔文〕国民の力。民間の財力や労働力。

**みんわ**[民話] 民衆の間に語り伝えられてきた昔話や伝説。

## む　ム

**む[無] ■む ①何もないこと。空虚(くうきょ)。「ーに帰する」(↔有) ②むだ。☞無にする句。■接頭〔後ろに来る語を否定して〕①…がない。「ー抵抗・ー反省」②…しない。「ー原則・ー利息」 ●**無にする**句 むだにする。「人の好意をー」

**む**《助動四型》〔文〕⇩ん■。

**む**[六]選〔古風〕むっつの。「ー月・ーとせ(年)」

**むあんだ**[無安打]《野球》⇩ノーヒット。

**むい**[無位]〔文〕くらいがないこと。「ー無官」

**むい**[無医]〔文〕医者が住んでいないこと。「ー地区(=人口が五十人以上で、半径四キロ以内に診療(しんりょう)所などがない地区)」

☆☆**むい**[無為]〔文〕①自然のままにしておいて、しいてはたらきかけないこと。②何かしなくてはいけないのにぶらぶらしていること。「ーに日を過ごす・ー徒食・ー無策」

**むいか**[六日]①その月の六番目の日。②日かずで数えて六つ。「ーかかります」●**むいかのあやめ**[六日の菖蒲]五月の節句の翌日のアヤメ。時機におくれて役に立たないことのたとえ。「ー、十日の菊(きく)」

**むいぎ**[無意義]《名・ナダ》〔文〕評価されるだけのねうちや意義が認められないようす。「ーな論議」(↔有意義)派ーさ。

**むいしき**[無意識]《名・ナダ》①意識を失っているようす。②意識しないようす。自分のしていることに気がつかないようす。「ーに手を引っこめる」

**むいそん**[無医村] 医者のいないむら。

**むいちぶつ**[無一物] お金や財産など、何一つ持っていないこと。むいちもつ。「焼け出されてーだ」

**むいちもん**[無一文] お金を、ぜんぜん持っていないこと。いちもんなし。からっけつ〔俗〕。「ーになる」

**むいみ**[無意味]《名・ナダ》はっきりした意味やねうちを持たないようす。内容がなくて、つまらないようす。「ーなことば・ーに人生を送る」(↔有意味)派ーさ。

**むいん**[無韻]〔おもに西洋の詩で〕韻をふまないこと。「ー(の)詩」

**むう**[△六]〔古風〕むっつ。〔数えるときに言うことば〕☞ひい(一)。

**ムース**〔フ mousse=泡(あわ)〕①泡立てたたまごの白身や生クリームを使った料理・菓子(かし)。「ホタテガイのー・チョコレートー」②泡状のけしょう品。特に、泡状の整髪(せいはつ)料。

**ムーディ(ー)**《ナダ》〔「ムード」から作られた形〕ムードに富んだ状態だ。ムードあふれる感じだ。〔英語の moody は、むっつりした。ふきげんな〕

**ムード**[mood]①ふんいき。その場の気分。「節約ーが高まる・あきらめ(の)ー・いいー」②情緒(じょうちょ)。ここちよさ。「ーあふれる音楽・ー歌謡(かよう)」●**ムードおんがく**[ムード音楽] あまい、やわらいだふんいきを作り出すための音楽。ムードミュージック。●**ムードメーカー**〔和製 mood maker〕(その場にいるだけで)いいふんいきを作る人。

**ムートン**〔フ mouton〕羊の毛皮。「ーブーツ」

**ムービー**[movie]①映画。②⇩動画①。

**ムーブメント**[movement]〔政治・社会などでの〕動き。動向。「ーを起こす」

**ムームー**[muumuu]《服》はでな柄(がら)でゆったりした、家庭で着る夏用ワンピース。もと、ハワイの女性用民族衣装(いしょう)。

**ムールがい**[ムール貝](ーが)〔フ moule〕スペイン料理などに使う貝。からはちょう(蝶)形で、外がわは黒く、中はむらさきをおびる。むらさきがい。ムール。「ーの白ワイン蒸し」

**ムーンライト**[moonlight] 月の光。月光。

**むえいとう**[無影灯] 明るく影(かげ)が出ないようにくふうされた、手術用の照明灯。

**むえき**[無益]《名・ナダ》利益がないようす。むだ。むやく。「ーな殺生(せっしょう)をする」(↔有益)派ーさ。

**ムエタイ**〔タイ muay thai〕蹴(け)り・ひじ打ち・パンチをくり出して勝負を争うタイ式ボクシング。タイの国技で、キックボクシングのもとになった。

**むえん**[無援]〔文〕〈助け/援助〉のないこと。「ーにおちいる・孤立(こりつ)ー」

**むえん**[無塩] 塩けがないこと。「ーバター(↔加塩バター)」

**むえん**[無煙] けむりが出ないこと。「ータバコ・ーロースター」●**むえんたん**[無煙炭]《鉱》火力が強く、ほとんどけむりを出さないで燃える石炭。

☆☆**むえん**[無縁]《名・ナダ》①縁がないこと。関係がないようす。「ストレスとはーの生活」②《仏》あとをとむらう縁者(えんじゃ)がいないこと。「ー塚(づか)・ー墓地・ー仏(ぼとけ)」③人と人の関係が失われ、それぞれが孤立(こりつ)したようす。「ー社会・ー死」▽(↔有縁(うえん・ゆうえん))

**むえんガソリン**[無鉛ガソリン] 排(はい)ガスに鉛(なまり)が出ないように改良したガソリン。

**むおん**[無音]①おとが出ないこと。おとを出さないこと。「ー工法・曲の間のー部分」②声を出さないこと。発音しないこと。☞ごぶいん(御無音)。

**むか**[無化]《名・自他サ》〔文〕ゼロに〈する/なる〉こと。「個をーする死生観」

**むが**[無我]〔文〕①我意・我欲がないこと。「ー(の)愛」②〔何かに心が集中して〕われを忘れること。「ーの境地」

**むかい**[向かい](むか) そのほうに、面と向かっている〈こと/もの〉。正面。「ーがわ・ーの家」〔なまって「むかえ」〕☞お向かい。●**むかいあう**[向かい合う](ーあ)《自五》①(たがいに)正面を向いた状態になる。「道路をはさんでービル」②⇩向き合う。名向かい合い。●**むかいあわせ**[向かい合わせ](ーあはせ) 向かい合うように〈する/してある〉こと。向かい合うこと。「いすをーに置く・ーに住む」動向かい合わせる《他下一》。●**むかいかぜ**[向かい風] 前のほうからふいてくる風。逆風。「ーを受ける」(↔追い風)●**むかいび**[向かい火] 燃え広がって来る火に向かってこちらからも火をつけて、向こうの火の勢いを弱らせること。

**むがい**[無蓋]〔文〕〈屋根/おおい〉のないこと。「ー(貨)車」(↔有蓋(ゆうがい))

**むがい**[無害]《名・ナダ》〔生命・健康などに〕害がない

ようす。「有益―の薬品・人畜―」(↕有害) 派―さ。

**むか・う[向かう]《自五》①その方向に顔を向ける。「面と―・つくえに―・明日に向かって」②おもむく。行く。「欧州に―・―所敵なし」③近づく。「正月に―」④あたる。はむかう。「敵に―・人間に向かってくる」可能 向かえる。☞向かって。

**むかうのさと**[無何有の郷]〔無何有＝何もないこと〕〔文〕自然のままの理想郷。

**むかえ**[迎え]①むかえること。「―に行く」☞お迎え。②むかえに行く人。▽むかい〔古風／方〕。●**むかえい・れる**[迎え入れる]《他下一》むかえて中へ入れる。「客を―」名 迎え入れ。●**むかえう・つ**[迎え撃つ]《他五》攻めて来る敵を待っていて戦う。名 迎え撃ち。●**むかえざけ**[迎え酒]二日酔いをちらすために飲む酒。●**むかえと・る**[迎え取る]《他五》むかえ入れて、家族のひとりにする。「よめを―」●**むかえび**[迎え火]お盆の始まりの宵(今は、多く八月十三日)に、祖先のたましいをむかえるために門前でたく火。むかい火。「―をまたぐ」(↕送り火)

**むか・える[迎える]《他下一》①(外に出て)人の来るのを待つ。「客を―」(↕送る)②その時期になる。「老いを―・新年を―・結末を―・死を―」③来てもらう。「医者を―・所員として―」④歓迎する。「世に迎えられず」⑤他人の考えを受け入れる。「先方の意を―」可能 迎えられる。

**むがく**[無学]《名・ダ》学問がないようす。「―な人」派―さ。●**むがくもんもう**[無学文盲]《名・ダ》無学で字が読めないようす。☞文盲。

**むかご**[(:零余子)]ヤマノイモやユリなどの葉のわきに出る、イモのようなまるいもの。食用。肉芽。ぬかご。

**むかし[昔]ずっと以前。「―ふう・―物語・―なつかしい歌謡曲・遠い―」(↕今)☞一昔。●**昔取ったきねづか**(杵柄)句 昔きたえたうでに、(今も)自信のあること。●**むかしかたぎ**[昔(:気質)]《名・ダ》古風で一本気な性質。●**むかしがたり**[昔語り]昔あったことを話すこと。●**むかしながら**[昔ながら]《副》昔のまま(であるようす)。「―の友情・―の製法」●**むかしなじみ**[昔(:馴染み)]昔から親しくしていた人。●**むかしばなし**[昔話]①以前あった話。古い話。②「昔、ある所に…」という形で始まる、子どもに聞かせる、言い伝えられてきた話。●**むかしむかし**[昔々]「昔」をくり返した言い方。「―、大昔」〔「昔話②」のはじめのことば〕

**むかしつ**[無過失]〔文〕はっきりした過失が、自分のほうにないこと。●**むかしつせきにん**[無過失責任]〔法〕公害などのように、本人に過失がなくても、被害に対して責任を取って賠償をしなければならない、という考え方。

**むかち**[無価値]《名・ダ》〔文〕価値のない状態。「―な商品」派―さ。

**むかちょう**[無化調]うま味調味料(=化学調味料)がはいっていないこと。「―ラーメン」

**むかつ・く**《自五》[もと関西方言]㊀むかむかする。はきけがする。「胸が―」名 むかつき。㊁[ムカつく]〔俗〕しゃくにさわる。「注意されて―」〔一九八〇年代から全国に広まった用法。少しむっとするだけでも使う〕

**むかって**[向かって]《副》その位置から見て。「客席から―右・黒板に―左」

**むかっと**《副・自サ》①はきけがするようす。②気分を害するようす。「人を―させるようなもの言い」

**むかっぱら**[(向かっ)腹]〔俗〕わけもなく腹を立てること。「―を立てる」

**むかで**[(:百足)・(:蜈蚣)]足のたくさんある長い虫。口から毒を出し、かまれると痛い。

**むかむか**《副・自サ》①たて続けに吐きたくなるようす。「二日酔いで―する」②しきりに腹が立つようす。「顔を見ただけで―する」

☆☆**むがむちゅう**[無我夢中]心をうばわれ、われを忘れること。夢中。「―ではい出す」

**むかん**[無官]〔文〕官職のないこと。「無位―」

**むかん**[無冠]〔文〕①王冠をかぶっていないこと。また、りっぱな地位や肩書きを持たないこと。②名誉ある賞やタイトルをもらっていないこと。●**むかんのていおう**[無冠の帝王]①(=地位はないが、権力に対抗する実力のある人物)新聞記者。ジャーナリスト。②「無冠②」だが実力のある人。

**むかんがえ**[無考え]《ダ》(深い)考えや思慮のないようす。「―な行動」

**むかんかく**[無感覚]《名・ダ》①感覚がないようす。②心に何も感じないこと。「―な人」

**むかんけい**[無関係]《名・ダ》関係がないようす。「今度の事件には―だ」

**むかんじしん**[無感地震]ゆれをからだに感じない地震。(↕有感地震)

**むかんしょう**[無干渉]干渉しないこと。

**むかんしん**[無関心]《名・ダ》①気にかけないようす。「―をよそおう」②興味を持たないようす。「政治に―な人」派―さ。

**むかんどう**[無感動]《名・ダ》感動のないようす。「―な表情」派―さ。

**むき**[向き]㊀むき①方向。「風の―」②〔そのような〕人々。「ご希望の―は・反発する―が多い」③傾向。「理想主義に走る―がある」㊁むき 造①…のほうを向くこと。「南―の部屋」②…にうまく合うこと。「子ども―」☞むきになる。

**むき**[無季]《俳句》季語を入れないこと。季語のない俳句。「―俳句」(↕有季)

**むき**[無期]①期限がないこと。「―延期」(↕有期)②(↕無期懲役)期限の定めがなく、終身拘束する刑。「―の判決」

**むき**[無機]①〔文〕生活機能をもたない〈こと／もの〉。②《理》↑無機〈化合物／化学〉。▽(↕有機)

**むぎ**[麦]オオムギ・コムギなど、畑に作る重要な穀物。五月ごろみのり、実に長いのぎ(芒)がある。

**むきあ・う**[向き合う]《自五》①自分の正面を、相手の正面に向ける。相対する。②その(人の)ことを真剣に考える。「子どもと―」▽向かい合う。

**むぎあき**[麦秋]〔雅〕⇩ばくしゅう。

**むぎうち**[麦打ち]《名・自サ》《農》①麦の穂をからざお(=さおの先に打ち棒をつけた農具)で打って実を落とすこと。②からざお。

**むきかがく**[無機化学]《理》無機化合物および元素について研究する化学の一分野。(↕有機化学)

**むきかごうぶつ**[無機化合物]《理》炭素をふくま

む

ない化合物。簡単な二酸化炭素などの炭素の酸化物、炭酸塩、シアン化物は ふくめる。(↔有機化合物)

**むきかわ・る**【向き変わる】《自五》ほかのほうを向いて、向きが変わる。他向け変える《下一》。

**むきげん**【無期限】一定の期限がないこと。「―スト突入」

**むぎこがし**【麦焦がし】大麦を煎いってひいた粉。砂糖と湯で練って食べたり、和菓子の材料にしたりする。はったい(粉)。煎り麦。香煎。

**むぎさく**【麦作】①麦の栽培。②麦の作柄。

☆☆**むきしつ**【無機質】■〔理〕⇒ミネラル②。■《ナダ》生命を失った、機械や物質のようであるようす。「―なメールの文字・―な声が ひびく」派-さ。

**むきず**【無傷】《名・ナダ》①きずがない〈こと/ようす〉。「―のリンゴ」②負けがない〈こと/ようす〉。「―で十連勝」③潔白。「―を証明する」

**むきだし**【△剝き出し】《名・ナダ》〔おおいかくす はずの〕ものごとを、そのままあらわすようす。まるだし。「―にしたうで・敵意が―(=露骨にあらわれる)」

**むきだ・す**【△剝き出す】《他五》むきだしにする。あらわに出す。「おこって歯を―」

**むぎちゃ**【麦茶】大麦を煎いってこがしたもの(を煮出した飲み物)。麦湯。

**むきつけ**《名・ナダ》〔古風〕ぶえんりょ。露骨。「―に言う」

**むきてき**【無機的】《ナダ》人間らしさや うるおいの感じられないようす。「―な音声」

**むきどう**【無軌道】《名・ナダ》①レールを敷しいていないこと。「―電車(⇒トロリーバス)」②場当たり的で、社会常識から外れたようす。「―な若者・―な経営」派-さ。

**むぎとろ**【麦とろ】麦飯に とろろをかけた料理。

**むきなお・る**【向き直る】《自五》そのほうへ正しく向きを変える。他向け直す《五》。

**むきに・なる**《自五》(「ムキになる」とも書く)①そこまでする必要がないほど、本気になる。「むきになって否定する」②小さなことに、本気で おこる。「すぐ―」由来「向き(=本気)になる」の意味。

**むぎのあき**【麦の秋】〔雅〕⇒ばくしゅう。

**むぎふ**【麦△生】〔文〕麦の はえている所。麦畑。

**むぎぶえ**【麦笛】麦の くきを使って、笛のように吹ふき鳴らすもの。

**むきぶつ**【無機物】〔理〕有機物を除いたすべての物質。無機化合物と単体。例、水・空気・土・鉱物。(↔有機物)

**むぎふみ**【麦踏み】〔農〕麦をじょうぶに育てるために、早春に、麦の芽をふむこと。

**むきふむき**【向き不向き】その人に向いていることと、向いていないこと。「この柄がらは―がある」

**むきみ**【△剝き身】①貝がら・からを取り去った、中の肉。「赤貝の―・小えびの―」②から・さやを取り去った、中の実。「ギンナンの―」

**むきむき**【向き向き】〔好みによって〕方面が ちがうこと。「葉が―に伸のびる・人には―がある」

**むきむき** むきむき《副》・むきむき《ナダ》〔俗〕筋肉のもりあがったようす。

**むきめい**【無記名】〔自分の〕名前を書かない〈こと/様式〉。「―投票」(↔記名)

**むぎめし**【麦飯】①米に麦をまぜて たいためし。②麦だけで たいためし。

**むぎゆ**【麦湯】〔古風〕麦茶。

**むきゅう**【無休】〈やすま〈休業し〉ない〉こと。「年中―」

**むきゅう**【無給】給料が出ないこと。「―で働く」(↔有給)

**むきゅう**【無窮】《名・ナダ》〔文〕きわまりないようす。無限。永遠。「天壌てんじょう―(=天地と同じように永遠に続くこと)」●**むきゅうどう**【無窮動】〔音〕始めから終わりまで、同じ長さの音符で急速に演奏する曲。

**むぎょう**【無業】職業についていないこと。「―者(=収入をともなう仕事をしていない者)」(↔有業)

**むきょういく**【無教育】《名・ナダ》(じゅうぶん)教育を受けていないようす。「―な人間」

**むきょうそう**【無競争】〔候補者や受験者などが〕定員をこさないために、競争相手がいないこと。「―で当選した」

**むきょうよう**【無教養】《名・ナダ》教育を受けた人ならだれでも知っているはずの知識がないようす。

**むきりょく**【無気力】《名・ナダ》気力のないようす。「―な生活・―ずもう」派-さ。

**むぎわら**【麦×藁】麦の実を取り去ったあとの くき。●**むぎわらとんぼ**【麦×藁:蜻蛉】夏のはじめに見られる めすのトンボ。からだは黄茶色で黒い筋がある。おすはシオカラトンボと言う。●**むぎわらぼうし**【麦×藁帽子】むぎわらで編んだ、つばの広い夏用の帽子。むぎわらぼう。

**むきん**【無菌】細菌のない〈こと/状態〉。「―室」

**むく**【×尨】①むく毛。②むく犬。

**むく**【×椋】①むくどり。②むくのき。

**むく**【無×垢】《名・ナダ》〔文〕①けがれのないこと。「清浄せいじょう―・―の少女」②まぜものなどがない〈こと/ようす〉。「金―(=純金)」③全体が無地で同じ色の衣服。「白―」④〔建築〕原木から切り出したままで、ほかの材料を張り合わせたりしていないこと。むく材。「黒檀こくたんの―・―(の)板・総―」派-さ。

*__む・く__【向く】■《自五》①それに対して、その前や正面を見る〈位置/状態〉になる。向かう。「窓が西に―」②そっちのほうへ動く。「気が―・運が―」③うまくあう。適する。「営業職に―人」■《他五》そのほうに顔をまわす。「横を―」可能向ける。

**む・く**【△剝く】《他五》①〔包丁などで〕皮などを取り去る。「いもを―」②外がわをめくったように、その部分を大きく出す。「きばを―・歯を―」③おどろいたりおこったりして、目を大きく開く。「目を―」可能むける。

**むくい**【報い】何かをしたことの結果として、自分に返ってくることがら。返報。「悪事の―」

**むくいぬ**【×尨犬】むく毛の犬。むく。

**むく・いる**【報いる・△酬いる】《他上一》①受けたものごとにこたえる。「恩に―・努力が報いられる(=報われる)」②しかえしをする。「一矢いっしを―」▽報う。

**むく・う**【報う】《自五》〔「報いる」の文語形「報ゆ」の変化〕〔古風〕①⇒報いる。「ご厚情こうじょうに―」②報いがある。「悪事が身に報った」

**むくげ**【△木×槿】落葉樹の一種。夏から秋にかけて、むらさき・白などの、フヨウに似た花をひらき、一日で しぼむ。はちす。むく。

**むくげ**[(×尨)毛] ふさふさと長く たれ下がった毛。むく。「—の犬」

**むくざい**[(無×垢)材]《建築》一本の木から切り出した木材。無垢。「—家具」☞集成材。

**むくち**[無口]《名・ナダ》口数の少ないようす。寡言。「—な人」派-さ。

**むくつけき**《連体》〔文〕ぶこつで あらあらしい。「—武士」由来 古代の形容詞「むくつけし」の連体形から。「むく」は不気味なようすをあらわす擬態語。全体で「不気味な」の意味だったのが変化した。

**むくどり**[(×椋鳥)] スズメより少し大形の野鳥。黒茶色で、顔・腰が白く、平野部にむらがりすむ。むく。

**むくのき**[(×椋の木)] 山や野原に はえる落葉樹。葉は物をみがくのに使い、黒くてあまい実は食べられる。むく。

**むくみ**[(:浮腫)] むくむこと。むくんだ状態。水ぶくれ。浮腫。「足に—がきている」

**むく・む**[(:浮腫む)]《自五》からだや皮膚の中に水けがたまって ふくれる。指でおすと くぼむ。

**むくむく** 一《副》①かさなりあって、あとからあとからわき立つように ふくれ上がるようす。「入道雲が—(と)もり上がる」②ねている状態から、ゆっくりと起き上がるようす。③感情や考えが高まるようす。「悪い心が—(と)頭をもたげる」二《副・自サ》厚く ふくらんだように ふとっているようす。また、厚く毛が はえているようす。「—した小犬」

**むぐら**[(×葎)] つるがあって やぶになる植物。「八重—」

**むく・れる**[(△剝れる)]《自下一》①はがれる。むける。「皮が—」②おこって ふくれる。

**むくろ**[(△骸)]〔文〕死体。なきがら。

**むくわ・れる**[報われる]《自下一》〔「報う」の受け身の形から〕〔努力が〕いい結果につながる。みのる。むくいられる。「多年の労苦が—」

**むけ**[向け]造〔…に〕向けて〈送る/ふさわしいものにする〉こと。「中国—輸出・子ども—の番組」

←**むげ**[無×碍・無×礙]《名・ナダ》〔文〕〈さえぎる/さまたげる〉ものが ないようす。「融通—」

→☆☆**むげ**[(無下)]《ナダ》まったく話を聞かないようす。無視するようす。「—に〔=あたまから〕断っては気の毒だ・客を—にもできず・—な言い方もできない」

**むけい**[無形]《名・ナダ》〔文〕かたちがない〈こと/もの〉。「—の財産」(↕有形) ●**むけいぶんかいさん**[無形文化遺産] 無形文化遺産保護条約により保護される、舞踊・音楽・祭礼などの、形のない文化財。日本では能楽・文楽・歌舞伎などが登録されている。●☆☆**むけいぶんかざい**[無形文化財] 音楽・芝居・工芸技術などで、文化的・歴史的に価値があると認定されたもの。法律で保護される。☞重要無形文化財。

**むげい**[無芸]《名・ナダ》芸を身につけていないようす。「—大食」派-さ。

**むけいかい**[無警戒]《名・ナダ》用心していないようす。

**むけいかく**[無計画]《名・ナダ》(はっきりした)計画を持たないようす。「—な開発事業」派-さ。

**むけいこく**[無警告] 何かをするときに、警告しないこと。「—爆撃」

**むけいさつ**[無警察] 警察の取りしまりができなくなること。「全市は—状態におちいった」

**むけつ**[無欠]〔文〕かけたところの ないこと。「完全—」

**むけつ**[無血] ①血を流す戦争などをしないですますこと。「—占領・—革命」②《医》血を流さないこと。「—手術」

**むげつ**[無月]《俳句》名月の夜に月が見えないこと。

**むけっきん**[無欠勤] ある期間、一度も欠勤しないこと。「無遅刻—で通す」

**むけっせき**[無欠席] ある期間、一度も欠席しないこと。「三年間—」

****む・ける**[向ける] 一《自下一》そのほうに向かう。「カナダに向けて旅立つ・総裁選に向けて動く」二《他下一》①向くようにする。向かせる。②〔使いとして〕行かせる。さしむける。「使者を—」③ほかの方面に使う。ふりむける。「別の用途に—」可能 向けられる。

**む・ける**[(△剝ける)]《自下一》むいた状態になる。とれる。「一皮—〔⇩「一皮」の句〕」

**むげん**[無間]《仏》↑無間地獄。むけん。●**むげんじごく**[無間地獄]《仏》たえまなく苦しみを受ける地獄。阿鼻地獄。無間。むけんじごく。

**むげん**[夢幻]〔文〕①ゆめと まぼろし。②はかないことのたとえ。「—の世」

**むげん**[無限]《名・ナダ》どこまで行っても、かぎりないこと。きわまりないこと。「—の空間」(↕有限) 派-さ。●**むげんきどう**[無限軌道] ⇩キャタピラ。●**むげんせきにん**[無限責任]《法》債務者が個人の全財産を出して債務を負う形の責任。(↕有限責任) ●**むげんだい**[無限大]《名・ナダ》かぎりなく大きいこと。(↕無限小)

**むげんそく**[無原則]《名・ナダ》一定の原則がないようす。

**むこ**[婿・×壻・×聟] ①〔親から見た〕むすめの夫。②〔旧民法で〕女性が親のあとをつぐときに むかえる夫。「—を取る」▽お婿さん。(↕嫁)

**むこ**[無×辜]〔文〕何も悪いことをしていないこと。善良。「—の民を殺す」

**むご・い**[(△惨い)・(△酷い)]《形》残酷だ。ひどい。「—ことを言う・—仕打ち」派-さ。

**むこいり**[婿入り]《名・自サ》婿として、妻や その両親たちの家族になること。

***むこう**[向こう] ①向かい合った、正面。「—河岸・—端」②あちら(のほう)。「—がわ・—向き」③これから行く先。目的地。「—へ着くのは夜だ」④今後。未来。「—三年間」⑤先方。「—の考え・—さん」⑥舞台の 正面の さじき。「大—」⑦《料》↑向こうづけ。⑧外国。特に、欧米。「—の物」●**向こう三軒両隣**句 毎日の生活で、ちょっとしたせわになったり せわをしたりして、つきあう範囲の家。●**向こうに回す**句〔競争の〕相手とする。●**向こうを張る**句 競争相手となって、張りあう。●**むこういき**[向こう意気] 相手に負けないで、やろうとする気持ち。向こうっ気。「—の強い男」●**むこうきず**[向こう傷] 顔や ひたいなどに受けた きず。(↕後ろ傷) ●**むこうじょうめん**[向こう正面] 正面と反対がわ(の席)。すもう場では、土俵の南がわ(の席)。裏正面。(↕正面) ●**むこうずね**[向こう(×脛)] すね

の前の ほう。弁慶の泣き所。●**むこうっき**［向こう意気］⇩向こう意気。●**むこうづけ**［向こう付け］①《料》お膳の向こうがわに つける料理（＝さしみ・なます）（を入れる器）。（お）むこう。②《すもう》ひたいを相手の胸に当て、相手のまわしを引いて、しっかりかまえること。「－になる」●**むこうっつら**［向こうっ面］〔俗〕〔敵対して〕向かい合った相手の顔。むこうづら。「－をひっぱたく」●**むこうどなり**［向こう隣］①通りをへだてて向こうがわ（の家）。「－の住人」②たがいに道をへだてて向かい合っている家（と隣の家）。近隣。「－の つきあい」▽向かい隣。●**むこうはちまき**［向こう鉢巻き］ひたいの上で結んだはちまき。（↕後ろ鉢巻き）●**むこうみず**［向こう見ず］《名・ナダ》考えなしに行動する〈こと／人〉。むてっぽう。●**むこうもち**［向こう持ち］費用などを相手がしはらうこと。「旅費は－だ」

**むこう**［無効］《名・ナダ》〈効力／効果〉がないようす。「－票・－試合〔⇩ノーゲーム〕」（↕有効）

**むこがね**［婿がね］〔古風〕むすめの婿として決めた人。

**むこく**［無告］〔文〕苦しみをうったえ知らせる方法を持たないこと。ぶこく。「－の民（＝あわれな庶民）」

☆☆**むこくせき**［無国籍］《名・ナダ》①どこの国籍も持っていないこと。②どこの国のものでもないこと。「－（な）料理」

**むこせい**［無個性］《名・ナダ》個性・特徴がないようす。「－な住宅地・－の街」

**むごたらし・い**［（△惨たらしい）・（△酷たらしい）］《形》むごくて、いやな気持ちにさせるようすだ。「－死に方」派－さ。

**むことり**［婿取り］むすめに婿をむかえること。（↕嫁取り）

**むこようし**［婿養子］むすめの婿として むかえる養子。

**むこん**［無根］《名・ナダ》〔文〕根拠がないようす。「事実－」

**むごん**［無言］ものを言わないこと。「－の行・－の帰宅（＝死んで家へもどること）」●**むごんげき**［無言劇］⇩パントマイム②。

**むさい**［無才］〔文〕才能の たりないこと。「無能－」（↕多才）

**むさ・い**《形》〔俗〕乱雑で きたない。むさくるしい。「－所ですが どうぞ おはいりください」

**むざい**［無罪］①〔文〕罪がないこと。②《法》法律にてらして、罪と認められないこと。「－放免」▽（↕有罪）

**むさいげん**［無際限］《ナダ》際限がないようす。「－に広がる大平原」派－さ。

**むさいしょく**［無彩色］あざやかな色あいのない、黒・白・灰色。モノトーン。むさいしき。（↕有彩色）

**ムサカ**〔moussaka〕ナス・ひき肉・ホワイトソースなどを使ったグラタン。ギリシャやトルコの料理。

**むさく**［無策］《名・ナダ》〔文〕何も対策を立てないこと。何の手段も とらないこと。「無為－」派－さ。●**むさくのさく**［無策の策］何の対策も計画もないことを、かえって強みとすること。

☆☆**むさくい**［無作為］《名・ナダ》《数》〔統計で〕乱数表などを使って、サンプルが同じ確率で選ばれるようにすること。（アト）ランダム。「－に抽出する」

**むさくるし・い**［むさ（苦しい）］《形》きちんとしてなくて、きたならしい。「－部屋・－服装・－男」派－げ。－さ。

**むささび**［（：鼯鼠）］木の上にすむ、リスに似たけもの。からだの両わきに、前足とうしろ足の間、うしろ足と尾の間に皮の まくがあり、それを広げて木から木へ滑空する。☞ももんが。

**むさし**［武△蔵］旧国名の一つ。今の埼玉県・東京都と、神奈川県の東部。武州。

**むさつ**［無札］〔文〕持つべき入場券・乗車券を持っていないこと。「－入場・－乗車」

**むざつ**［無雑］《名・ナダ》〔文〕まじりけのないこと。「純粋－」

**むざと**《副》〔文〕むざむざと。

☆☆**むさべつ**［無差別］■《名・ナダ》差別のないようす。〔ふつう、攻撃の相手を選ばないようすを言う〕「－爆撃」■〔↑無差別級〕〔柔道の試合で〕体重による区別をしないこと。「－で優勝」

**むさぼりく・う**［（貪り）食う］《他五》むさぼるように、がつがつと食う。丁寧むさぼり食べる。

**むさぼりよ・む**［（貪り）読む］《他五》むさぼるようにして読む。猛烈に読む。

**むさぼ・る**［（貪る）］《他五》①ふつう以上に ほしがる。「暴利を－」②自分の置かれた状態に満足して、いつまでも続けようとする。「安逸を－」名むさぼり（＝貪欲）。

**むざむざ**《副》①なんの手段も取らずに。「－死なせた」②簡単に。あっさり。「－負けてなるものか」

**むさん**［無産］〔文〕財産の ないこと。「－者（＝プロレタリア）・－階級・－政党」（↕有産）

**むさん**［霧散］《名・自サ》〔文〕霧のようにちって、なくなること。霧消。

**むざん**［無残・無惨・無×慚］《ナダ》むごたらしいようす。「－な最期をとげる」派－さ。

**むさんしょう**［無酸症］《医》胃酸が まったくない症状。五十過ぎの人、酒を長く飲んで来た人などに多い。（↕過酸症・低酸症）

**むし**［虫］①ⓐ地上をはったり、とびまわったりする小さい動物。ⓑ秋、（美しい声で）鳴く昆虫。スズムシ・マツムシ・コオロギ・キリギリスなど。「－の声・－の音」ⓒ人間の生活に害をあたえる小さい動物。寄生虫・害虫など。「－が わく」②子どもの体質が弱くて、かん（疳）が強いこと。「－が起こる」③なんとなく心に感じられること。潜在意識をさすことば。〔おもに悪いことについて言う〕「－の知らせ」④かんしゃくを起こす もとになると考えられたもの。「（腹の）－が おさまらない」⑤〔何かをしようとする〕考え。「浮気の－・悪い－が〈起こる／頭をもたげる〉」⑥一つのことに熱中する人。「芸の－・本の－」⑦もとになる心。「ふさぎの－」☞虫息・虫の知らせ。●**虫がいい**句 自分勝手でずうずうしい。「虫のいいことを言う・虫のいい話だ」●**虫が知らせる**句〔悪い知らせなどについて〕なんとなく心に感じる。予感がする。虫の知らせがある。●**虫が好かない**句 なんとなく気に入らない。●**虫が付く**句 ①衣服や植物に、昆虫やうじが付いて害をあたえる。②〔むすめに〕男ができる。「悪い－」●**虫の居所が悪い**句 きげんが悪くて、おこりっぽい状態だ。●**虫も殺**

**さない** 句 虫を殺すことさえもできない。気がやさしいことのたとえ。虫も殺さぬ。 ●**虫を起こす** 句 ①(子どもが)かんしゃくを起こす。②〔俗〕短気を起こす。

**むし**[(務歯)]〖服〗ファスナーの、かみあう部分。

**むし**[無死]〖野球〗ノーアウト。「―満塁」

**むし**[無視]《名・他サ》あってもないように あつかうこと。なんとも思わないこと。「信号―・存在を―する」

**むし**[無私]《名・ナダ》〔文〕自分の利益をはかる心のないようす。「公平―」

**むじ**[無地] 全体が一色で、模様のない〈こと／もの〉。「―の着物」(↕柄物)

**むしあが・る**[蒸し上がる]《自五》蒸して、できあがる。「豚肉が おいしく―」名蒸し上がり。

**むしあ・げる**[蒸し上げる]《他下一》①蒸して仕上げる。「もち米を―」②じゅうぶんに蒸す。「サウナで蒸し上げられる」

**むしあつ・い**[蒸し暑い]《形》風がなくて、温度も湿度も高い。派-さ。

**むしいため**[蒸し(×炒め)]《名・他サ》フライパンやなべに食材を入れ、少量の水と油を加え、ふたをして火にかけること。また、そうして作った料理。

**むしおさえ**[虫押さえ] ①⇩虫封じ。②⇩虫養い。

**むしかえ・す**[蒸し返す]《他五》①もう一度蒸す。「ごはんを―」②一度問題にして議論したことがらをまた問題にする。「話を―」名蒸し返し。

**むしかく**[無資格] そのことをするのに必要な資格がないこと。「―者」(↕有資格)

**むじかく**[無自覚]《名・ナダ》自分のしていることの意味や責任などを自覚しないようす。「―な言動」派-さ。

**むしかご**[虫籠] マツムシ・スズムシ・ホタルなどを入れて飼うための(竹などで作った)かご。

**むしがし**[蒸し菓子] 蒸して作った和菓子。むしもの。例、まんじゅう・むしようかん。

**むしき**[蒸し器] ⇩せいろ(蒸籠)①。

**むしくい**[虫食い・虫×喰い] ①虫が食って いたむこと。また、その穴やあと。「―本」②虫が食ったように、穴があくこと。「問題文の一部が―になっている・―現象〔⇩スプロール〕」 ●**むしくいざん**[虫食い算]〖数〗筆算などの計算式の空白に数字を入れて、計算式が成り立つようにする問題。

**むしくだし**[虫下し] 腹の中の回虫などをからだの外へ出す薬。駆虫剤。

**むしけら**[虫(×螻)] ①虫をけいべつして言うことば。「人を―のように あつかう」②まったくくだらない人間。▽虫っけら。

**むしけん**[無試験] 試験が ないこと。「―入学・―で資格をあたえる」

**むじこ**[無事故] ①事故の ないこと。②事故を起こさないこと。

**むしさされ**[虫刺され] カ・ノミ・シラミ・イエダニなどにさされたり食われたりして起こる、はれ・かゆみの症状。

**むししぐれ**[虫時雨] あたりいちめんで鳴く、たくさんの虫(=スズムシ・マツムシ・スイッチョなど)の声。

**むしず**[虫△酸・虫△唾]〔「唾」の歴史的仮名遣いは「づ」〕 胃から口に出る、気持ちの悪い すっぱい液体。 ●**虫酸が走る** 句 人やものに対して、生理的にいやでたまらない感じになる。

**むしずし**[蒸し(:寿司)] 五目ずしを蒸したもの。熱いうちに食べる。

**むしタオル**[蒸しタオル] 蒸気で蒸してしぼった、熱いタオル。ひげそり・おしぼりなどに使う。

**むしぢゃわん**[蒸し茶(×碗)] ⇩むしわん。

**むじつ**[無実] ①事実がないこと。実質がともなわないこと。無根。「有名―」②問われた罪をおかしていないこと。無実の罪。「―をさけぶ」「―に泣く」 ●**むじつのつみ**[無実の罪] ぬれぎぬ。

**むしとり**[虫取り] 虫をとること。「―網」(⇩捕虫網)

**むじな**[(×狢)・(×貉)] ①ⓐ〔関東方言〕あなぐま。ⓑ〔関西方言〕たぬき。☞同じ穴のむじな(「同じ」の句)。②油あげと天かすの両方を入れた〈そば／うどん〉。

**むしなべ**[蒸し鍋] 蒸し物の料理を作るときに使うなべ。中底に小さな穴があいている。

**むしに**[蒸し煮]〖料〗①一度蒸した食材を、調味料を加えて煮ること。②少しの煮汁で、長時間かけて弱火で煮ること。

☆☆**むしのいき**[虫の息] 死にそうになって、息をしているかどうか わからない状態。

**むしのしらせ**[虫の知らせ] なんとなく悪いことが起こりそうな気がすること。いやな予感。

**むしば**[虫歯]〔乳酸に おかされて〕かけて いたんだ歯。うし(齲歯)。

**むしば・む**[(×蝕む)]《他五》(=虫食む)〔文〕①虫がかじって きずつける。②少しずつ そこなう。「肺をむしばまれる・純真な心を―」

**むしパン**[蒸しパン] せいろで蒸して作ったパン。例、玄米パンなど。「チーズ―」

**むじひ**[無慈悲]《名・ナダ》 あわれみの心が ないこと。「―なしうち」派-さ。

**むしピン**[虫ピン] 取った虫を、標本箱などに止めておくための、針のようなピン。

**むしふうじ**[虫封じ] 子どもに かん(疳)の虫が起こらないようにすること。また、そのための まじないや おふだ。虫おさえ。

**むしぶろ**[蒸し風呂] 湯気で からだをあたためる、湯のない ふろ。サウナぶろなど。空ぶろ。

**むしぼし**[虫干し]《名・自他サ》〔夏の土用など〕天気のいい日に、衣類や書物を日かげに ほし、風に当てて、カビや虫の害を防ぐこと。風入れ。☞土用干し。

**むしほん**[無資本]〔事業や商売などで〕自分の資本金がないこと。「―で開業する」

**むじまり**[無締まり] 戸締まりをしていないこと。「―の事務所」

**むしむし**[(蒸し蒸し)]《副・自サ》 蒸し暑いようす。

**むしめがね**[虫眼鏡] ①凸レンズを使った、拡大鏡。ルーペ。②〔すもう〕〔俗〕序ノ口の力士。

**むしめん**[蒸し麺] 生麺を蒸したもの。やきそばに使う。

**むしもの**[蒸し物] ①蒸し器で蒸して作る料理。例、茶わん蒸し。②⇩むしがし。

**むしゃ**[武者]〔文〕①よろい・かぶとを着けた武士。「―絵」②さむらい。「若―」

**むしやき**[蒸し焼き]《名・他サ》〖料〗器に入れ、ふたをぴたりととじて〈焼くこと／焼いたもの〉。「たい（鯛）をーにする」

**むじゃき**【無邪気】《名・ダ》①心に悪気（わるぎ）がなく、かわいらしいようす。「子どもはーだ」②深い考えもないようす。「ーな質問」派ーさ。

**むしゃくしゃ**《副・自サ》気分がはれず、おこりたくなるようす。「ーして当たり散らす」

**むしやしない**【虫養い】（ーやしなひ）おなかがすいたとき、軽く食べる〈こと／もの〉。腹の虫を養うもの。虫おさえ。〔関西などで言う〕「ーにお上がりください」

**むしゃしゅぎょう**【武者修行】①武術修行のために諸国をめぐり歩くこと。②別の土地や組織などで、うでをみがくこと。

**むしゃにんぎょう**【武者人形】（五月の節句にかざる）武士の姿をした人形。（↔ひな人形）

**むしゃぶりつ・く**《自五》㊀〔武者振り付く〕はなさないように、力をこめて相手に取りつく。㊁〔「むしゃむしゃ」などからの類推〕食いつく。しゃぶりつく。「リンゴにー」

**むしゃむしゃ**《副》大きく口を動かして、無作法に食べるようす。

**むしゃぶるい**【武者震い】（ーぶるひ）《名・自サ》〔戦いや重大事などで〕心が勇み立つあまりに、からだがふるえること。「はじめての出場でーする」

**むしゅう**【無臭】〔文〕においがないこと。「無味ー」

**むじゅう**【無住】①《仏》寺に住職がいないこと。「ー寺」②〔文〕住む人がいないこと。「ー地帯・ー家屋」

**むしゅうきょう**【無宗教】①信仰（しんこう）すべき特定の宗教を持たないこと。②葬儀（そうぎ）などで、どの宗教の儀式（ぎしき）にもしたがわないこと。

**むしゅうにゅう**【無収入】収入がないこと。「ーでは暮らせない」

☆☆**むじゅうりょく**【無重力】《理》地球から遠くはなれた宇宙空間などで、重力がかからないこと。無重量。〔遊園地で、垂直に落ちる乗り物の中なども、似た状態になる〕「ー状態では空中にうく」

**むしゅく**【無宿】〔文〕①住む家がない〈こと／人〉。②〔江戸（えど）時代に〕戸籍（こせき）がない〈こと／人〉。「ー者（もの）」

**むしゅぶつ**【無主物】《法》持ち主のないもの。動産の場合は先に見つけた人のものとなる。

**むしゅみ**【無趣味】《名・ダ》何も趣味を持たないようす。（↔多趣味）

**むじゅん**【矛盾】《名・自サ》①二つのことが、論理的にあわないで、くいちがうこと。つじつまがあわないこと。「ーした表現」②たがいに調和しきれないひずみ。「アメリカ経済と日本経済のー」

**むじゅんび**【無準備】何も準備をしないこと。

**むしょ**【ムショ】〔俗〕刑務所（けいむしょ）。「ー暮らし・ー帰り」由来 江戸（えど）時代に牢屋（ろうや）を言った「むし」（語源は諸説ある）の変化。大正時代に「監獄（かんごく）」が「刑務所」になるより前からあったことばだが、「刑務所」の略との意識もあって定着した。

**むしょう**【無償】①〔文〕むくいられる〈ものがない／こと〉を考えないこと。「ーの愛」②《法》ただ。無料。「ーで譲渡（じょうと）した」（↔有償）

**むしょう**【霧消】《名・自サ》〔文〕霧（きり）が晴れるように、あとかたもなく消えてしまうこと。「雲散ー」

☆☆**むじょう**【無上】《名・ダ》〔文〕この上もないようす。最上。「ーの光栄」

☆☆**むじょう**【無常】《名・ダ》①《仏》ほろびたり移り変わったりして、いつまでも変わらないということはないこと。「諸行（しょぎょう）ー・ー迅速（じんそく）」②はかないこと。「ああ、世はー・ー観（＝いっさいは無常であると観じる境地）」

**むじょう**【無情】《名・ダ》①人間らしい感情や思いやりがないようす。「ーなしうち・ーの雨」②〔文〕心・感情を持たないこと。（↔有情（うじょう））▽非情。派ーさ。

**むしようかん**【蒸し（羊×羹）】こしあんに小麦粉をまぜて蒸した、あまみの少ないようかん。（↔練りようかん）

**むじょうけん**【無条件】なんの条件もつけないこと。「ーで認める・ー降伏（こうふく）」

**むしょうに**【無性に】《副》むやみに。やたらに。「ー母が恋（こい）しい」

**むしょうぶ**【無勝負】①勝負がつかないこと。勝負なし。②勝負をしないこと。

**むしょく**【無色】①（特別な）色がないこと。「ー透明（とうめい）」（↔有色）②白いままで、ほかの色がついていないこと。「ーの生地（きじ）」③どちらの立場にもかたよらないこと。中正。白紙。「ーの立場」

**むしょく**【無職】決まった職業を持たないこと。（↔有職（△ゆうしょく））

**むしよけ**【虫（△除け）】①悪い虫をよける〈こと／しかけ〉。②防虫剤（ぼうちゅうざい）。

**むしょぞく**【無所属】どの党派にも所属していないこと。「ー議員」

**むしょめい**【無署名】記事・作品などに署名〈しない／がない〉こと。

**むしりと・る**【（×毟り）取る】《他五》①むしって、とる。「雑草をー」②むりやりにとりあげる。「人の財産をー」

**むしりょ**【無思慮】《名・ダ》〔文〕（その場に）ふさわしい考えがたりないようす。むやみ。「ーな行動」

**むし・る**【（×毟る）・（×挘る）】《他五》①つかんで引きぬく。「毛をー・草をー」②〔焼き魚・パンなどを〕つまんで少しずつ取る。③〔俗〕おどして、財産をうばう。「暴力団にむしられる」名むしり。直むしれる《下一》。

**むじるし**【無印】①しるしのないこと。②〔競馬など〕注目されていない馬や選手・チーム。ノーマーク。③⇩ノーブランド。④〔俗〕収入がないこと。

**むしろ**【（×筵）・（×蓆）・（×莚）】①イ・ガマ・わら・竹などで編んだ敷物（しきもの）。特に、わらむしろ。「ーを敷（し）く・ー戸」②〔文〕座席。「うたげのー」 ●**むしろばた**【（×筵）旗】「むしろ①」を旗のようにしたもの。昔、百姓一揆（ひゃくしょういっき）などに使った。

＊＊**むしろ**《副・接》①一方よりも、もう一方のほうが〈望ましい／よくあてはまる〉ことをあらわす。どちらかと言うと。「人物画よりもー風景画が好きだ・悪い作品ではない。ー（＝逆に）、いい所がある」②〔俗〕逆に聞きたいが。「『ばれたか』『当然だよ。ー、どうしてばれないと思ったの？』」区別⇩かえって。表記 かたく「△寧ろ」とも。

**むしわん**【蒸し（×碗）】茶わんむしを作るときに使う、やや筒（つつ）形の茶わん。むしぢゃわん。

☆☆**むしん**【無心】㊀《ダ》（じゃまをするような）なんの考えもない（ように見える）ようす。「ーに遊ぶ子どもたち」派ーさ。㊁《名・他サ》〔お金・品物を〕ほしいと望むこと。「お金のーをする・ー状（＝お金を〔貸して〕くださいという手紙〕」

**むじん**[無人] ①人が住んでいないこと。むにん。「—の原野」 ②〔機械などをあつかう〕人がいないこと。「—工場・—駅・—機〔=ドローン〕」 ▽(↔有人) ☞ぶにん(無人)。 ●**むじんとう**[無人島] 人の住んでいない島。むにんとう。

**むじん**[無尽] ①〔文〕つきないこと。 ②たがいにかけ金を出して、くじで順番にお金を融通しあう組合。たのもし(頼母子)講。 ●**むじんぞう**[無尽蔵]《名・ナダ》いくらとっても なくならないようす。「—の資源」

**むしんけい**[無神経]《名・ナダ》 ①感じの にぶいようす。鈍感。「—なやつ」 ②相手の神経にさからうようなことをして、平気なようす。「ずいぶん—なんだねえ」 派-さ。

**むしんろん**[無神論] 《宗》神の存在を否定する立場の論。(↔有神論)

**む・す**[(△生す)・(△産す)]《自五》 〔雅〕うまれる。はえる。生じる。「こけ(が)—」

**む・す**[蒸す] 一《自五》 蒸し暑く感じられる。「きょうは蒸しますねえ」 二《他五》 湯気で熱を加える。「ごはんを—〔=ふかす〕」 名蒸し。 自蒸せる《下一》。 可能蒸せる。

**む・ず**《助動サ型》 〔文〕⇩んず。

**むすい**[無水] ①〔文〕水を使わないこと。水を必要としないこと。「なべで—調理する・—トイレ」 ②《理》ⓐ水・水分がないこと。ⓑ水が化合物からとれていること。「—炭酸〔=二酸化炭素〕・—酢酸」 ⓒ水和水をふくまないこと。

**むず・い**[ムズい]《形》 〔俗〕むずかしい。「—試験」

**むすう**[無数]《名・ナダ》 かずかぎりない ようす。非常に多いようす。

**むずかし・い**[難しい]《形》 ①なかなか わからない。「—文章」 ②なかなか できない。やっかいだ。「—注文を出された・—かじ取りを任される」 ▽(↔易しい) ③(ほとんど)不可能だ。「成功は—」 ④きげんが悪い。「—顔をしている」 ⑤病気が重くて、治りにくい。⑥取りあつかいにくい。気むずかしい。「—人」 ▽むつかしい。 派-がる。-げ。-さ。

**むずがゆ・い**[むず(×痒い)]《形》 むずむずするようにかゆい。むずかゆい。 派-さ。

**ムスカリ**〔ラ Muscari〕 葉の細長い球根植物。早春に小さなつりがね形の花が、ブドウのような ふさ状になって咲く。

**むずか・る**《自五》 〔小さい子どもなどが〕きげんが悪くなって、泣いたりする。むずがる。むつかる。

**むすこ**[息子] (自分の)男の子ども。せがれ。(↔娘) ●**むすこおや**[息子親] ①息子を持つ親。 ②結婚した息子のがわの親。「いい お嫁さんで—としてうれしい」 ▽(↔娘親)

**むずつ・く**《自五》 むずむずした状態になる。「のどのあたりが—」

**むすっと**《副・自サ》 きげんを悪くして、だまっているようす。ぶすっと。「—した顔つき」

**むずと**《副》 〔文〕勢いはげしく力をこめるようす。むんずと。「—組みつく」

**むすば・れる**[結ばれる]《自下一》 関係・縁を結んではなれない状態になる。〔おもに性的関係を持ったり、結婚したりするときに使う〕

**むすび**[結び] ①結ぶこと。 ②終わり。「文の—」・《すもう》「—の一番」 ③おむすび。「塩—」 ④《言》文語で、係助詞を受けて一定の形で結ぶ文末の述語。 ☞係り結び。 ●**むすびあわ・せる**[結び合わせる]《他下一》 ①二つのものを結んで一つにする。 ②ものごとを何かの点で関連させ、ひとつながりのものにする。 ▽結び合わす。 ●**むすびきり**[結び切り] 水引などの結び方の一つ。かたく結んだだけの状態にすること。こまむすび。〔結婚祝いや香典、火事・病気みまいに用いる〕(↔結いほどけ) ☞「みずひき 二」の絵。 ●**むすびつ・く**[結び(付く)]《自五》 ①結ばれて一つになる。「二本のひもが—」 ②関係しあう。つながる。「二つの問題が—・日ごろの練習が優勝に—」 名結びつき。 ●**むすびつ・ける**[結び(付ける)]《他下一》 ①結んで一つにする。ゆわえつける。 ②関係づける。結果につなげる。「得点に—」 ●**むすびのかみ**[結びの神] 「むすぶの神」の変化。 ●**むすびめ**[結び目] 結びあわせたところ。

**むす・ぶ**[(×掬ぶ)]《他五》 〔雅〕(飲むために)水を手ですくう。

**むす・ぶ**[結ぶ] 一《他五》 ①ひもの両はしなどを、たがいに はなれないように巻きつけて、きゅっとしめる。「くつひもを—・ネクタイを—・おみくじを枝に—」(↔ほどく) ②間に線などをわたして、関係をつける。「指と指を糸で—・全国をネットワークで—」 ③人と関係をつける。「縁を—・親交を—・手を—」 ④〔約束などを〕とり決める。「条約を—」 ⑤ある結果をうみだす。「実を—・焦点を—〔=焦点が合って、像ができる〕」 ⑥〔文〕かまえる。つくる。「いおり(庵)を—」 ⑦〔口やこぶしをかたく〕とじる。「への字に—・結んで ひらいて」(↔開く) ⑧〔話・文章を〕しめくくる。「感謝のことばで あいさつを—」 二《自五》 ①〔文〕露が草木の葉などにできる。 ②なかまになる。「有力者と—」 可能結べる。 ☞結ばれる。 ●**むすぶのかみ**[結ぶの神] 男女の縁を結びあわせる神。結びの神。

**むすぼ・れる**[結ぼれる]《自下一》 〔雅〕 ①気が ふさがる。「思いが—」 ②結んで解けない状態になる。 ▽結ぼおれる。 名結ぼれ。

**むずむず**《副・自サ》 ①虫などが はっているような感じがするようす。「背中が—する」 ②したくても できないで、もどかしく思うようす。「早く行きたくて—する」

**むすめ**[娘] ①(自分の)女の子ども。(↔息子) ②若い女性をさして言うことば。「いい—になった・—さん・—時代に おどりを習った」 ●**娘一人に婿八人** 句〔娘一人に対して、むこのなり手が多いことから〕 希望者がたいそう多いこと。 ●**むすめおや**[娘親] ①娘をもつ親。 ②結婚した娘のがわの親。「—として、若夫婦の力になる」 ▽(↔息子親) ●**むすめごころ**[娘心] 年ごろの女の子らしい、純真な心。おとめごころ。 ●**むすめざかり**[娘盛り] 娘としていちばん美しい年ごろ。 ●**むすめっこ**[娘っ子] 〔俗〕むすめ。〔やや軽く見た言い方〕 ●**むすめむこ**[娘婿] 自分の娘の夫。女婿。

**ムスリム**〔アラビア Muslim〕 《宗》イスラム教徒。モスレム。

**むせい**[無声] ①声が ないこと。声を出さないこと。「—映画」 ②《言》声帯をふるわせないで声を出すこと。▽(↔有声) ●**むせいおん**[無声音] 《言》声帯を

ふるわせないで出す音。カ行・サ行・タ行・パ行の子音(しいん)など。(↔有声音)

**むせい**【夢精】《名・自サ》夜、ねむっている間に、性的興奮を感じて精液をもらすこと。

**むぜい**【無税】税がかからないこと。(↔有税)

**むせいげん**【無制限】《名・ナ》数や量、程度などを制限しないこと。

**むせいせいしょく**【無性生殖】《生》受精をしないで、細胞(さいぼう)が分裂(ぶんれつ)したり、芽を出したりして、新しい個体をふやすこと。(↔有性生殖)

**むせいふ**【無政府】(社会の秩序(ちつじょ)をたもつもとになる)政府がないこと。「―状態におちいる」●**むせいふしゅぎ**【無政府主義】国家や政府という権力を否定して、個人の自由な連合による社会を建設しようとする主義。アナーキズム。

**むせいぶつ**【無生物】生長・繁殖(はんしょく)するはたらきを持たないもの。(↔生物)

**むせいらん**【無精卵】受精していないため、産んでもかえらないたまご。(↔有精卵)

**むせかえ・る**【(×噎せ)返る】―かへる《自五》①大いにむせる。「けむりで―・―ようなにおい」②大いに むせび泣く。

**むせき**【無籍】〔文〕国籍・戸籍・学籍などが ないこと。「―者(もの)」

**むせきついどうぶつ**【無脊椎動物】《動》脊椎をもたない動物。節足動物・軟体(なんたい)動物・棘皮(きょくひ)動物など。(↔脊椎動物)

**むせきにん**【無責任】《名・ナ》①責任がないこと。②責任観念がないこと。責任を重んじないこと。「―な発言」派-さ。

**むせつ**【無雪】〔文〕①〔積もった雪が とけて〕雪がないこと。「―化」②雪が降らないこと。

☆☆**むせっそう**【無節操】《名・ナ》節操を持たず、そのときそのときで考えが どうにでも変わるようす。「―な人」派-さ。

**むせっぽ・い**【(×噎せっぽい)】《形》むせて、息がつまるような感じだ。

**むせびなき**【(×噎び)泣き・(△咽び)泣き】《名・自サ》息がのどにつまるような感じの声を出して泣くこと。動 むせび泣く《自五》。

**むせ・ぶ**【(×噎ぶ)・(△咽ぶ)】《自五》①むせる。「けむりに―」②なみだで のどをつまらせる。③水や風が、むせび泣くような音を立てる。「こずえに―〔=するどい音を切れ切れに出す〕風の音」

**む・せる**【(×噎せる)】《自下一》けむり・ごみ・食べ物などが気管に はいって、息がつまりそうになる。また、そうなってせきが出る。「―ような花のかおり・けむりに―」

**むせん**【無銭】お金を持たないこと。「―飲食・―旅行」

**むせん**【無線】①〔通信に〕電線を使わないこと。「―放送」②↑無線通信。③↑無線電話。「―タクシー・防災―」▽(↔有線) ●**むせんそうじゅう**【無線操縦】電波で、無人の車・船・飛行機などをリモートコントロールすること。●**むせんでんしん**【無線電信】たがいに へだたった地点の間で、電波によっておこなう通信。無電。●**むせんでんわ**【無線電話】電線を使わず、電波で通信する電話。無電。(↔有線電話) ●**むせんとじ**【無線(×綴じ)】―とぢ〔糸や針金を用いず〕接着剤(せっちゃくざい)でとじる製本方法。●**むせんひょうしき**【無線標識】特定の方向に特定の電波を発して、航空機や船に方位を知らせる装置。ラジオビーコン。●☆☆**むせんラン**【無線LAN】《情》無線でおこなうLAN。各コンピューターと、間をとりもつルーターとが、電波を使って情報をやりとりする。ワイヤレスLAN。☞LAN(ラン)・Wi-Fi(ワイファイ)。

**むせんまい**【無洗米】ぬかが取り除かれていて、とがずにたける米。

**むそう**【無双】①〔文〕ならぶもののない(ほど すぐれている)こと。無二。「古今―・天下―」②〔衣服・器具などで〕表裏(ひょうり)・内外が同じ こしらえである〈こと/もの〉。「―だんす」③《すもう》片手を相手のひざのあたりに あてて たおすわざ。「内(うち)―・外(そと)―」●**むそうまど**【無双窓】しめるとふさがり、あけると、一つおきにすきまが できるようになっている窓。雨戸などにつける。

［むそうまど］

**むそう**【夢想】《名・他サ》〔文〕①ゆめのような、根拠(こんきょ)もない空想(をすること)。「―家・―だにしない」②ゆめで神や仏のおつげがあること。「ご―」

**むぞうさ**【(無造作)】《名・ナ》①たやすく するようす。ぞうさないようす。「―に取りおさえる」②特に深くも考えないようす。気軽にするようす。「―に引き受ける」③あまり ていねいに しないようす。適当。「雑誌が―に投げ出してある」派-さ。

**むそじ**【(六△十:路)】―ぢ〔=六十〕①〔雅〕六十歳(さい)。②六十代。由来 ⇩じ 接尾 二。

**むそしき**【無組織】集団が、組織されて いないこと。

**むぞり**【無反り】刀身のまっすぐな〈こと/もの〉。

**むだ**【(:無駄)・ムダ】《名・ナ》①役に立つのに、うまく使わなかったり、捨てたりする〈もの/ようす〉。「食材に―が出る・考えるのは時間の―だ」②〈意味/効果〉がないようす。「いくらしかっても―だよ・―な抵抗(ていこう)はやめろ」③〔―に〕不必要。「文章が―に長くなる・―にはしゃぐタレント」

**むだあし**【(:無駄)足】《名・自サ》〔目的が はたせず〕歩いたり、出かけたりした意味がないこと。「―を踏(ふ)む」

**むたい**【無袋】《農》くだものに、害虫よけのふくろをかけないこと。「―栽培(さいばい)・―リンゴ」

**むたい**【無体】《名・ナ》〔文〕やり方が〈乱暴/めちゃくちゃ〉なようす。無法。「―な言いがかり・―をはたらく・そんなご―な〔古風〕」☞無理無体。

**むだい**【無代】〔文〕代金が いらないこと。ただ。

**むだい**【無題】①題詠(だいえい)でなく作った詩や歌。②〔作品に〕題のないこと。

**むだがね**【(:無駄)金】役に立たない お金。「―をつかう」

**むだぐい**【(:無駄)食い】―ぐひ《名・他サ》仕事もしないで、ただ飯をたべるだけであること。

**むだぐち**【(:無駄)口】役に立たないおしゃべり。「―をたたく」

**むだげ**【(:無駄)毛】(美容や けしょうのじゃまになる)顔・えりくび・うで・足などの毛。「顔の―をそる」

**むだごと**【(:無駄)言】内容のない、よけいな発言。

「―を言う」

**むだじに**【:無駄死に】《名・自サ》死んだことが、なんの役にも立たないこと。犬死に。

**むだづかい**【:無駄遣い】《名・他サ》役に立たない使い方をすること。「お金の―・予算の―」

**むだばな**【:無駄花】①さいても実を結ばない花。②何かを期待させながら、結果的に成果のでないこと。▽あだばな。

**むだばなし**【:無駄話】《名・自サ》役に立たない話。おしゃべり。

**むだぼね**【:無駄骨】なんの役にも立たない骨折り。むだぼねおり。「―折った」

**むだぼねおり**【:無駄骨折り】《名・自サ》むだぼね。「―に終わる」

**むだめし**【:無駄飯】働かずに食う飯。●**むだ飯を食う** 句 仕事もしないで、ただ飯ばかり食べる。

**むたん**【夢×譚】〔文〕夢物語。

**むだん**【無段】①〔武道などで〕段位を持たないこと。②いくつもの段階に分かれないこと。「―変速機(=連続的に速度を変える装置)」

**むだん**【無断】何もことわらないこと。前もって許しをえないこと。「―で欠勤する・―借用」

**むたんぽ**【無担保】《経》担保としてさし出すものがないこと。担保をとらないこと。「―貸付(かしつけ)」

**むち**【×鞭・(×笞)・ムチ】①馬などを打って進ませる、細長い棒や、革(かわ)のひも。「―を当てる・―を入れる」②〔罰(ばつ)などで〕人を打つのに使う、細長い棒や、革のひも。③〔古風〕ものをさしめすのに使う、細長い棒。④人をきびしくはげますための〈もの/態度〉。☞愛の鞭。教鞭(きょうべん)。「―を加える」●**ムチとニンジン(人参)** 句 ⇩アメとムチ(「あめ(飴)」の句)。

**むち**【無知・無×智】《名・ナダ》(その方面の)知識がないこと。何も知らないこと。「―につけこまれる」派―さ。

**むち**【無恥】《名・ナダ》〔文〕はじをはじとも思わないこと。「厚顔(こうがん)―」

**むちうちしょう**【(×鞭)打ち症】《医》自動車に追突(ついとつ)されたときなどに背中が前へおされ、そのはずみで首がうしろに強く曲がったために起こる、首の筋肉の痛みなどの症状(しょうじょう)。むちうち。

**むちうつ**【(×鞭)打つ】《自他五》〔文〕①むちで打つ。②元気を出させる。「病弱のからだにむち打って勉学にはげむ」名むち打ち。

**むちこく**【無遅刻】ある期間、一度も遅刻しないこと。「―無欠席」

☆☆**むちつじょ**【無秩序】《名・ナダ》一定の秩序がないこと。秩序がみだれて、でたらめなこと。「―な社会」

**むちむち**《副・自サ》肉づきがよく、弾力(だんりょく)のあるようす。むっちり。「―(と)した腰(こし)つき」

**むちゃ**【:無茶】一 **むちゃ**《名・ナダ》①(人が困るほど)筋道が通らない〈こと/ようす〉。「―を言う・―な結論」②無謀(むぼう)な〈こと/ようす〉。「―をする・―な挑戦(ちょうせん)」③度がすぎるようす。「―な値段・―食(ぐ)い」二 **むちゃ**《副》〔俗〕非常に。むっちゃ。「―泣いた」▽一二めちゃ〔俗〕。派―さ。

**むちゃくちゃ**【:無茶苦茶】一《名・ナダ》①⇩むちゃ一。「―な報告書・病気のからだで―をする・―な量の仕事」②規則的でないようす。「町を―に歩いた」③台なし。「絵を―にする」二《副》〔俗〕非常に。むちゃむちゃ。「―おいしい」▽一二めちゃくちゃ。派―さ。

**むちゃくりく**【無着陸】〔飛行機などが〕とちゅうで地上におりないこと。「―飛行」

**むちゃぶり**【:無茶＝振り】《名・自サ》〔漫才(まんざい)の用語から〕〔俗〕①どう続けていいか困るような話題を、相手に振ること。②できそうもないことを、相手にむりにさせること。「何か物まねして、と―する」

**むちゅう**【霧中】〔文〕霧(きり)のなか。「―の航海訓練」☞五里霧中。

**むちゅう**【夢中】《名・ナダ》①〈好きで/好きなことをして〉、ほかのことが考えられない状態。「あなたに―・話に―になる」②興奮して、わけがわからなくなった状態。無我(むが)夢中。「―でかけつけた」③〔文〕ゆめのなか。「―の美女」

**むちん**【無賃】料金をはらわないこと。また、料金のいらないこと。ただ。「―乗車」

**むつ**【:陸奥】①⇩奥州(おうしゅう)。②明治元(一八六八)年にできた旧国名。今の青森県の全部と、岩手県の一部。

**むつ**【(×鯥)】海にすむ中形のさかな。目と口が大きくて背が青黒い。「寒(かん)―(=旬(しゅん)の、冬のムツ)・―の子(=ムツの卵巣(らんそう)。上等の食品)」

**むつ**【六つ】一 園 むっつ。二 **むつ** 昔の時刻の名。今の、〈午前/午後〉六時ごろ。むつどき。「明け―・暮れ―」

**むつう**【無痛】痛みを感じないこと。「―手術・―分娩(ぶんべん)」

**むつかしい**【難しい】《形》むずかしい。派―さ。

**むつき**【(△睦月)】〔文〕旧暦(きゅうれき)一月。

**むつき**【:襁褓】〔文〕おむつ。おしめ。

**ムック**〔和製 mook←magazine＋book〕雑誌の体裁(ていさい)をとり、内容は書籍(しょせき)のようなテーマ編集の出版物。

**むっくり**《副》①急に起き上がるようす。「土が―(と)もり上がる」②まるく高くなるようす。むくっと。

**むつごと**【(△睦)言】〔文〕〔好きな人どうしが〕むつまじく語りあうことば。

**むつごろう**【(×鯥五郎)】日本では九州の有明(ありあけ)海と八代(やつしろ)海だけにいる、大きな目玉の突(つ)き出たさかな。形はハゼに似る。食用。

**ムッシュ(ー)**〔フ monsieur〕男性の名前につけて呼ぶことば。英語のミスターに当たる。ムシュー。

**むっちゃ**《副》〔俗〕「むちゃ二」を強めた言い方。「バイト―早く終わった」

**むっちり**《副・自サ》①「むちむち」よりも肉づきのいいようす。②もっちり。「―したうどん」

**むっつ**【六つ】①五つより一つだけ多い数。ろく。むつ。②六歳(さい)。

**むっつり**《副・自サ》口数が少なくて愛想がないようす。「―屋・―助平(すけべ)(=口にはしないが、実際はみだらなことが好きな人)」

**むっと**《副・自サ》①いやな〈におい/熱気〉がみちるようす。「―する暑さ」②心の中に、急に怒(いか)りがこみあげて〈くる/きて だまる〉ようす。「思わず―なる」

**むつどき**【六つ時】⇩む(六)つ二。

**むつまじい**【(△睦まじい)】《形》〔家族・恋人(こいびと)どうし

などの」気持ちが ぴったり合って、仲がいい。むつまじい。「夫婦むつまじく・仲―」派―さ。

**むつまやか**[(△睦まやか)]《ナダ》〔文〕むつまじいようす。派―げ。―さ。

**むつみあ・う**[(△睦み)合う]《自五》〔夫婦や恋人どうしが〕うちとけて なかよくする。名むつみ合い。

**むつ・む**[(△睦む)]《自五》〔文〕なかよくする。むつぶ。名むつみ。

**むて**[無手]①武器などを持っていないこと。すで。から て。②資本や役に立つ手段などを持っていないこと。☞無手勝流。

**むていけい**[無定型]〔詩・短歌・俳句で〕約束で決まっている かたに はまらないこと。「―詩・―短歌〔=五・七・五・七・七の約束を守らない短歌〕」

☆☆**むていけん**[無定見]《名・ナダ》〔文〕決まった考えがなく、そのときそのときで変わるようす。「―な施策」派―さ。

**むていこう**[無抵抗]《名・ナダ》〈抵抗し／さからわ〉ないこと。「―主義」派―さ。

**むてかつりゅう**[無手勝流]①武器を使わないで、計略を使って勝つ〈こと／流儀〉。②(勝つ方法も考えずに)自分勝手にやる〈こと／やり方〉。

**むてき**[霧笛]霧の深いとき、安全に航海するため、船や灯台で鳴らす、太い音の汽笛。きりぶえ。

**むてき**[霧滴]〔文〕霧の(ように細かい)しずく。

**むてき**[無敵]《名・ナダ》敵対するものがない(ほど強い)ようす。「―の横綱・天下―」

☆☆**むてっぽう**[(無鉄砲)]《名・ナダ》〔=無手法〕前後をよく考えないで、むちゃなことをするようす。むこうみず。「―な新人」派―さ。

**むでん**[無電]①↑無線〈電信／電話〉。②電気を使わないこと。無電化。「―自動ドア」

**むてんか**[無添加]色素・防腐剤など、健康によくない成分を食品にまぜないこと。「―食品」

**むてんぽはんばい**[無店舗販売]みせを持たないで商品を売ること。通信販売・訪問販売・自動販売機販売などの総称。

**むとう**[無灯]無灯火。「―運転」

**むとう**[無答]〔文〕〔アンケートで〕質問に対する回答がないこと。無回答。NR〔↑no response〕。NA〔↑no answer〕。

**むとう**[無糖]糖分が(ほとんど)はいっていないこと。(↕加糖)

**むとう**[無頭]〔冷凍の魚類で〕あたまがついていないこと。「―エビ・―ダラ(『むとダラ』とも)」(↕有頭)

**むどう**[無道]《名・ナダ》〔文〕道理に外れていること。道徳に そむくこと。「悪逆―」派―さ。

**むとうか**[無灯火]暗いところで あかりをつけないこと。無灯。「―自転車・―航行」

**むとうせい**[無統制]《名・ナダ》統制がとれていないようす。

**むとうは**[無党派]〔選挙で〕支持する政党のない人々。「―層」

**むとうひょう**[無投票]投票がおこなわれないこと。「―当選」

**むとうむは**[無党無派]〔文〕どの党派にも属さないこと。

**むどく**[無毒]《名・ナダ》①毒がないこと。「―化」②毒にならないこと。「―無害」▽(↕有毒)

**むとくてん**[無得点]得点がないこと。

**むとどけ**[無届け]〔何かをする前に、届け出なければいけないのに〕届け出ないこと。「―集会」

☆☆**むとんちゃく**[無頓着]《名・ナダ》ものごとを気にしないようす。むとんじゃく。「身なりに―な人」派―さ。

**むないた**[胸板]①むねの部分の、平たい所。②よろいの むねの部分。

**むないよう**[無内容]《名・ナダ》〔文〕なっとくできる、まとまった内容がないようす。「―なスローガン」

**むなぎ**[棟木]屋根の棟にするための、太くて長い木。☞「ぬき(貫)①」の絵。

**むなくそ**[胸(×糞)]〔俗〕気持ち。むねくそ。「―(が)悪い〔=すっきりしない〕」

**むなぐら**[胸(倉)]衣服の、えりの合わさる あたり。「―をつかむ」

**むなぐるし・い**[胸苦しい]《形》むねの あたりが苦しい。派―げ。―さ。

**むなげ**[胸毛]むねに はえる毛。

**むなさき**[胸先]むねの(みぞおちの)あたり。むなもと。「―に突っきつける・―三寸〔『胸三寸』と『舌先三寸』の まざった言い方〕」

**むなさわぎ**[胸騒ぎ]《名・自サ》(特に、心配や悪い予感で)胸が騒ぐこと。「事故ではないかと―がする・―を覚える・うれしさの―」区別「胸騒ぎ」は、昔から、多く心配や悪い予感の場合に使うが、一九五〇年代の小説に「おそれとも期待とも わからない胸騒ぎ」という例があるなど、現代では いい予感の場合にも使う。「**胸が騒ぐ**」は、昔から いい・悪いを特に区別せず使う。

☆☆**むなざんよう**[胸算用]《名・他サ》心の中での見積もり。心づもり。「収入の―」

**むなし・い**[(△空しい)・(△虚しい)]《形》①ものごとがむだに〈なって／思われて〉、さびしく、つまらない気持ちだ。「今まで何をしてきたのかと むなしくなる」②むだだ。(やるだけの)意味がない。「―努力・善戦むなしく敗れる・時間だけが むなしく過ぎる」派―さ。☞むなしくなる・むなしゅうする。

**むなしく・なる**[(△空しくなる)]《自五》〔文〕①死ぬ。はかなくなる。「身を投げて―」②からっぽになる。「酒の びんが―」

**むなしゅう・する**[(△空しゅうする)・(△虚しゅうする)]《他サ》〔「むなしくする」の音便〕〔文〕何もない状態にする。「己を―〔⇩「おのれ」の句〕・手を―〔=何も持たないでいる〕」

**むなだか**[胸高]《名・ナダ》帯を高く むねのあたりにしめる〈こと／ようす〉。「帯を―に しめる」

**むなぢ**[胸乳]〔雅〕ちぶさ。むなち。

☆☆**むなつきはっちょう**[胸突き八丁]〔=富士山頂までの、最後の八丁《=約八七三メートル》〕①頂上に近い、けわしくて急な のぼり道。「―にさしかかる」②ものごとをなしとげる手前の、いちばん苦しい局面。

**むなびれ**[胸(×鰭)]《動》さかなの頭のうしろにある、一対のひれ。

**むなもと**[胸元]むねのあたり。「―に かざる」

**むに**[無二]〔文〕同じものが ほかには〈ない／いない〉こと。またとないこと。「―の親友」

**ムニエル**《名・他サ》〔フ meunière〕魚に小麦粉をまぶして、バターで〈焼いた料理／焼くこと〉。「カレイの―」

☞ポワレ。

**むにむさん**【無二無三】〔文〕ひたすらなこと。わきめもふらないこと。「―に駆けてくる」

**むにゃむにゃ**《副》意味のわからないことを口の中でつぶやくようす。「―と寝言を言う」

**むにんか**【無認可】行政機関から認可されていないこと。「―保育所」

**むにんしょ**【無任所】分担する任務がないこと。「―大使」 ●**むにんしょだいじん**【無任所大臣】《法》省の事務をとらずに、国務大臣として内閣にはいる人。無任所相。

**むね**【:刀背】〔刀の〕みね。

＊**むね**【旨】①こういうわけだという、おもな内容や意味。「この―お伝えします」②〔文〕意向。「主人の―を受けて」③〔△宗〕〔文〕主とすること。第一(に大切なこと)。「節約を―とする」

＊＊**むね**【胸】㊀①胴の前のほうの、上の部分。中に肺・心臓などがあって、肋骨に包まれる。「―ポケット・―幅が広い」②心。思い。気持ち。「自分の―に聞け・―にあふれる思い・―(一つ)にしまっておく・―に秘める・―の内・―が痛い」☞胸三寸。③心臓。「―がどきどきする」④呼吸器。肺。「―を病む(=肺結核になる)」⑤〔女性の〕ちぶさ。「豊かな―」⑥↑胸肉。「―ひき肉」㊁造「胸が」「胸を」「胸に」の意味をあらわす。「―ふくらむ新学期・―打たれる・―〈いっぱい/深く〉吸いこむ」●**胸が熱くなる**句 強い感動がわき上がる。じんとくる。胸熱〔俗〕。「はげましのことばに―」他胸を熱くする。●**胸がいっぱいになる**句 なみだが出そうなほど感情が高まって、何も言えなくなる。「拍手をもらって―」●**胸が躍る**句 期待や興奮などで、胸がどきどきする。「―ストーリー」他胸を躍らせる。●**胸が騒ぐ**句 悪い予感、または期待などで、心がおだやかでなくなる。胸がどきどきする。「メールの題名を見て―」区別⇩胸騒ぎ。●**胸が潰れる**句 心配・悲しみ・おどろきなどで、ショックを受ける。「―思い」●**胸が詰まる**句 ①胸がつかえる。②心配・悲しみ・感激などで、なみだが出そうで、何も言えなくなる。胸がつまる。胸がふさがる。「思わず―」他胸を詰まらせる。●**胸が弾む**句 期待や興奮、はげしい動作などで、胸がどきどきする。「うれしさで―・試合が始まると―・急いだせいで―」他胸を弾ませる。●**胸が膨らむ**句〔希望や期待の〕気持ちでいっぱいになる。「期待に―」●**胸が塞がる**句 胸がつまる。胸ふさがる。胸ふさぐ。●**胸が焼ける**句 ①胸やけがする。〔胃酸が多すぎると、なる〕②嫉妬の思いで胸が苦しくなる。●**胸が悪くなる**句 ①気分が悪くなる。「飲みすぎて―・ネットで暴言を読んで―」②肺結核になる。●**胸に一物**句 心の中に悪い計画を持っていること。腹に一物。●**胸に落ちる**句 じゅうぶんに わかる。得心がいく。腑に落ちる。腹に落ちる。「説明されて、すとんと―」●**胸に聞く**句 ①〔人に たずねないで〕自分で反省する。「お前の胸に聞いてみろ」②思っていることを知る。「あいつの胸に聞いてみたい」●**胸に刺さる**句 心に強い衝撃をあたえる。「被害者のことばが―」●**胸に迫る**句 その人の気持ちに強い感動をあたえる。胸迫る。「―思いがした」●**胸に畳む**句 だれにも言わずに、心にしまう。●**胸に手を当てて**句 心をしずめて。よく反省して。「―考えろ」●**胸に響く**句 感動や共感、反省などを引き起こす。「―ことば・努力する姿が―」●**胸の すくよう**句 胸のつかえがおりるよう。胸がすかっとなるよう。「―なホームラン」●**胸のつかえが下りる**句 気持ちがすっきりする。溜飲が下がる。●**胸を痛める**句 どうなることかと非常に心配する。直胸が痛む。●**胸を打つ**句 強く感動させる。心を打つ。「胸を〈打つ/打たれる〉光景」●**胸を貸す**句 ①《すもう》位の上の力士が、下の力士のけいこの相手になってやる。☞胸を出す句①。②〔上位の者が〕実力をためさせてやる。「優勝候補のチームに胸を貸してもらう」▽(↔胸を借りる) ●**胸を借りる**句 ①《すもう》上位の力士にけいこ相手になってもらう。②〔下位の者が〕実力をためさせてもらう。▽(↔胸を貸す) ③人の胸に顔を当てて、泣かせてもらう。「母の胸を借りて泣いた」●**胸を焦がす**句 ①夢中になって恋いしたう。②思いなやむ。●**胸をさする**句 ①怒りの気持ちをがまんする。②⇩胸をなで下ろす句。●**胸を出す**句《すもう》①位の上の力士が、ぶつかりげいこの受け手になってやる。☞胸を貸す句①。②〔俗〕おごってやる。●**胸をたたく**句 責任を持って引き受けたときの動作。●**胸を突かれる**句 とつぜん何かに気づいて、あわれみ・悲しみ・後悔などの強い感情が起こる。「はっと―」(「胸を突く光景」のようにも使う) 表記「胸を△衝かれる」とも。●**胸をなで下ろす**句 心配や不安なことが消えて、安心する。胸をさする。●**胸を張る**句 ①姿勢を正し肩を引いて、胸をそらすようにする。②自信に満ちた態度を取る。「胸を張って生きる・任せてくれ、と―」▽胸をそらす。●**胸を膨らませる**句〔希望や期待で〕胸をいっぱいにする。胸を膨らます。

**むね**【棟】㊀むね ①屋根の二つの面がまじわって、高くなった所。②棟木。③建物。㊁接尾 建物を数えることば。「全焼五―」

**むねあき**【胸開き・胸明き】《服》①服の胸のあいた部分。「―の広い服」②服の胸が大きく あいていること。「―トップス(=上着)」

**むねあげ**【棟上げ】《名・自サ》①建物の骨組みができて、その上に棟木を上げること。上棟。建て前。「―式」②↑棟上げ式。

**むねあつ**【胸熱・胸アツ】(↑胸が熱くなる)〔俗〕気持ちがたかぶること。「なつかしすぎて―」

**むねあて**【胸当て】①胸のところに当てる布。むねかけ。②〔競技で〕胸のところに当てる防具。

**むねかざり**【胸飾り】服の胸につける かざり。生花・ブローチなど。

**むねきゅん**【胸キュン】《名・自サ》(↑胸がきゅんとなる) 恋しくて胸がしめつけられるように感じること。「アイドルのしぐさに思わず―」

**むねくそ**【胸(×糞)】〔俗〕⇩むなくそ。

☆☆**むねさんずん**【胸三寸】胸の中(にある考え)。「万事はかれの―にある・―に納める」

**むねつ**【無熱】《医》熱のないこと。

**むねにく**【(胸)肉】ニワトリの、胸の肉。脂肪が少なく、あっさりしている。むね。「―の からあげ」☞サラダチキン。

**むねまわり**【胸回り】胸のまわりの寸法。胸囲。バスト。

**むねやけ**［胸焼け］《名・自サ》〔医〕（胃病などで）みぞおちのあたりに焼けるようないやな感じと、にぶい痛みを感じること。むなやけ。

**むねわりながや**［棟割り長屋］一つの棟の長い家を、壁でいくつかに仕切った長屋。

**むねん**［無念］《名・ダ》①〔文〕何もよけいなことを考えないようす。②望みが絶たれてくやしい〈ようす／気持ち〉。「―のなみだをのむ・残念―」派―がる。―げ。―さ。

•**むねんむそう**［無念無想］〔文〕何も考えず、心をからにしたような状態になること。「―の境地」

**むのう**［無能］《名・ダ》才能がない〈ようす／者〉。なんの役にも立たない〈ようす／者〉。「無芸―」（↔有能）派―さ。

**むのうりょく**［無能力］《名・ダ》①ものごとをする能力のないようす。②〔法〕法律上の行為をする能力を持たないこと。「―者〔現在は『制限行為能力者』と言う〕」派―さ。

**むはい**［無配］〔経〕株主への配当をおこなわないこと。無配当。（↔有配）

**むはい**［無敗］試合・戦いなどに負けたことがないこと。

**むばんそう**［無伴奏］〔音〕ピアノなどの伴奏がないこと。「―バイオリン曲」☞アカペラ。

**むはんのう**［無反応］《ダ》（はたらきかけても）反応のないようす。派―さ。

**ムハンマド**〔アラビア Muhammad〕イスラム教をひらいたアラビア人。マホメット。

**むひ**［無比］《名・ダ》〔文〕くらべるものがないこと。ならびないこと。「―の健康・痛快―〈の／な〉物語」

**むび**［夢×寐］〔文〕ねむること。ゆめの間。「―にも〔=片時も〕忘れない」

**むひつ**［無筆］〔文〕読み書きができない〈こと／人〉。

**むひはん**［無批判］《名・ダ》批判しないこと。「―に受け入れる」

**むびゅう**［無×謬］〔文〕（理論などに）誤りがないこと。「―の真実・〔官僚制度の〕―性の原則」

**むひょう**［霧氷］〔天〕水蒸気や霧が冷やされて、木の枝などにこおりついたもの。例、樹氷。

**むびょう**［無病］〔文〕病気をしないこと。「―息災〔=病気をせずに元気であること〕」☞未病。

**むひょうじょう**［無表情］《名・ダ》表情（の動き）がないようす。「―な顔」派―さ。

**むふう**［無風］〔文〕①風がないこと。②影響・波乱などがないこと。「―地帯・―選挙」

**むふふ**《副・ダ》①いいこと〈があって／を期待して〉ふくみ笑いをする声。また、その声を立てたくなるようす。②色っぽいようす。「―なシーン」

**むふんべつ**［無分別］《名・ダ》分別がないようす。ものの道理がよくわからないようす。「―な行動」派―さ。

**むべなるかな**［（△宜なるかな）］《名・感》〔文〕いかにももっとも（だ）。うべなるかな。「おこるのも―である」

**むへん**［無辺］〔文〕はてのないこと。「広大―の慈悲心」

**むへんざい**［無辺際］〔文〕はてしがな（く広）いこと。むへんさい。

**むほう**［無法］《名・ダ》①法律や社会的な常識を無視して、乱暴なことをするようす。やり方がひどいようす。「話し合わずに暴力をふるうのは―だ・そんな―な話があるか・―者」②とりしまる法律が（おこなわれ）ないこと。「―地帯」派―さ。

**むぼう**［無帽］〔文〕帽子をかぶらないこと。（↔着帽）

**むぼう**［無謀］《名・ダ》結果などを少しも考えないで、向こう見ずなことをするようす。むちゃ。「―な計画」派―さ。

**むほうしゅう**［無報酬］報酬のないこと。報酬を受けないこと。

**むほうしん**［無方針］《名・ダ》決まった方針を持たないこと。

**むぼうび**［無防備］《名・ダ》防備のないこと。「―地帯」派―さ。

☆☆**むほん**［謀反・謀×叛］《名・自サ》①臣下が君主にそむいて戦うこと。そむくこと。②〔俗〕従順だった人が反抗すること。「妻が―を起こす」

**むま**［夢魔］〔文〕①ねむっている人を、ゆめのなかで苦しめるという、悪魔。②こわいゆめ。

**むみ**［無味］〔文〕①味がないこと。「―無臭」②おもしろみがないこと。「単調―」

☆☆**むみかんそう**［無味乾燥］《ダ》内容に少しもおもしろみがないようす。「―な話」

**むみょう**［無明］〔仏〕心が煩悩におおわれて、真理がわからないこと。

**むむ**《感》〔話〕状況を知って、とまどうときの声。うーん。むう。むっ。うむむ。むむっ。「―、もう時間がない」

←**むめい**［無名］①名前がないこと。②名前がわからないこと。「―戦士の墓」③有名でないこと。「―の新人」（↔有名・知名）•**むめいし**［無名氏］①名前がわからない人。②名前が知られないよう、かくしている人。失名氏。「―の投書」•**むめいし**［無名指］〔文〕くすりゆび。

→**むめい**［無銘］〔文〕①作者の名前がはいっていない〈こと／品〉。「―の刀」（↔在銘）②作った会社の名前がわからないこと。「―品」

**むめんきょ**［無免許］免許を〈受けて／持って〉いないこと。「―運転」

**むもう**［無毛］（毛のあるべきところに）毛がはえていないこと。「―症」

**むもくてき**［無目的］《名・ダ》〔文〕はっきりした目的を持たないようす。

**むやく**［無役］特に受け持つ役職がないこと。

**むやく**［無益］《名・ダ》〔文〕⇩むえき。「問答―」

**むやみ**［無闇］《ダ》①よく考えないでするようす。無思慮。やたら。「―に行動するな」②ふつうの程度をこえているようす。「―に暑い」•**むやみやたら**［無闇×矢鱈］《ダ》「むやみ」を強めて言うことば。

**むゆうびょう**［夢遊病］〔医〕ねむっている人が急に起き上がり、自分では知らないで、歩いたり何かをしたりする病気。「―者」

**むよう**［無用］《名・ダ》①用がないようす。「―の者の立ち入りを禁ず」②役に立たないようす。（↔有用）③必要がないようす。「えんりょは―（=しなくていい）・心配（ご）―」④してはいけないようす。「小便―・天地―〔=さかさにしてはいけない〕」⑤ことわるようす。「押し売り―・立ち入り―」•**むようのちょうぶつ**［無用の長物］〔文〕あってもじゃまで、役に立たない（大きなもの。●**むようのよう**［無用の用］〔文〕なんの役にも立たないようで、じつはりっぱに役立つこと。

**むよく**［無欲］《名・ナダ》欲がないこと。「—の勝利」派—さ。

**＊＊むら**［村］①〔いなかで〕家の集まっている、ひとまとまりの土地。また、建物などを集めてそのように作ったところ。「—の祭り・明治—・テント—」☞選手村。②《法》行政区画・地方自治体の一つ。そん。「東京都檜原—」〔固有名詞では、全国的に「むら」が多いが、沖縄などでは「そん」が多い〕③［ムラ］村社会。派閥。「原子力—」

**むら**［(△斑)・ムラ］①ところどころに、こいところやうすいところがあって、一様でないこと。「色に—ができる・絵の具が—になる・塗り—」②一様にそろっていないこと。いつも同じではないこと。「成績に—がある・気分が—だ〔=変わりやすい〕・洗い—がない・温度—」

**むら**［群・×叢］造〔文〕一か所に集まっていること。むれ。「ひと—・—雲・—すずめ」

**むらおこし**［村(興し)］村や地域を活性化・発展させる〈こと／取り組み〉。

**むらおさ**［村△長］〔古風〕村の長。そんちょう。

**むらが・る**［群がる］《自五》ある場所に、多くの人やものなどが集まる。「わっと人が—・群がりさく・群がりつく」名群がり。

**むらき**［(△斑)気］《名・ナダ》一つに決まらない心。気持ちが変わりやすいこと。むらぎ。むらっけ。

**むらぎえ**［(△斑)消え］〔雅〕まばらに消えること。「雪の—」

**むらくも**［群雲・村雲・×叢雲］〔雅〕ひとかたまりの雲。「月に—、花に風〔⇩「月」の句〕」

**むらさき**［紫］①野草の名。根のしるから むらさき色の染料を取る。②〔↑むらさき色〕赤と青の色をまぜてできる色。ナスの皮の、うすい色の部分がこれに近い。③〔すし店で〕しょうゆ。客がまねて使うのをきらう人もいる。●**むらさきいも**［(紫芋)］サツマイモの一品種。果肉は、あざやかな むらさき色。「—のソフトクリーム」●**むらさきしきぶ**［(紫式部)］秋、むらさき色の美しい実がなる背の低い木。山野にはえ、庭木にもする。●**むらさきずいしょう**［紫水晶］《鉱》アメジスト。むらさきすいしょう。

**むらざと**［村里］いなかの、家の集まった所。

**むらさめ**［村雨］〔雅〕ひとしきり降って、すぐやむ雨。にわかあめ。

**むらしぐれ**［村時雨］はげしく降ったかと思うとやみ、やんだかと思うと また降るしぐれ。

**むらしばい**［村芝居］村の人が出演する芝居。いなか芝居。

**☆☆むらしゃかい**［村社会・ムラ社会］特殊で閉鎖的な集団を村にたとえて言ったもの。ムラ。

**むら・す**［蒸らす］《他五》〔ごはんなどを〕むれた状態にする。名蒸らし。

**むらすずめ**［群(×雀)］〔文〕むれているスズメ。

**むらたけ**［群竹］〔雅〕あたりいちめんに、むらがって はえている竹。

**むらだち**［群立ち］〔雅〕木などが、むらがって はえていること。「杉の—」動群立つ《自五》。

**むらちどり**［群千鳥］〔文〕むれている千鳥。

**むらっけ**［(△斑)っ気］《名・ナダ》⇩むらき。「—がある・—が出る」

**☆☆むらはちぶ**［村八分］①村の人全部が申しあわせて、その村の ある〈ひとり／家族〉と絶交すること。②仲間外れ。

**むらびと**［村人］村の住民。

**むらびらき**［村開き］選手村などを使い始めること。↷開村。

**むらむら**［村々］多くの さまざまな村。「山間の—」

**むらむら**《副・自サ》①雲・けむりなどのわき上がるようす。②おさえがたい気持ちが急にわき起こるようす。むらっと。「—と悪心を起こす・—と怒りがわく・情欲が—とわき起こる」

**むらやくにん**［村役人］江戸時代、村の事務をとった村びと。

**むらやくば**［村役場］〔地方自治体としての〕村の事務をとる役所。

**むらやけ**［(△斑)焼け］①はだを日光で焼いたとき、むらが できたように焼けること。②肉・さかなを焼いたとき、熱がむらに通ること。

**＊むり**［無理］《名・自サ・ナダ》①りくつに外れているようす。筋道が通らないようす。「—な要求・—を通す〔=むりな言い分などを認めさせる〕」②ふつうでは むずかしい〔ことを知りながら、それでもする〕ようす。「—算段・—に行かせる・君には—〔=不可能〕だよ・絵の購入に—〔=多額の出費〕をしたらしい」③過度な労働。むちゃ。「この年では—が きかない・—がたたって からだをこわす」④〔俗〕感情が高ぶって、感動詞的に使う。ⓐ拒否をあらわす。「女子を呼び捨てにする男子って、—！」ⓑ感激をあらわす。「かっこよすぎて、—！」●**無理が通れば道理が引っ込む**句 筋道に外れたことが平気でおこなわれると、正しいことがおこなわれなくなる。

**むりおうじょう**［無理往生］〔本来は「無理圧状」〕〔文〕むりに おしつけて服従させること。

**むりおし**［無理押し］《名・他サ》むりに おしきること。「—して意見を通す」

**むりかい**［無理解］《名・ナダ》〔人の気持ちなどについて〕理解のない ようす。「周囲の—に泣かされる」派—さ。

**むりから**［無理から］《副》〔古風／関西方言〕むりやり。むりに。むりくり。「私が—泊まった家・—取りあげたらいかん」

**☆☆むりからぬ**［無理からぬ］《連体》むりでない。もっともな。当然の。無理ならぬ。「—要求」〔「からぬ」は、「良からぬ」などの語形を借りたもの〕

**むりくり**［無理くり］《副》むりやり。むりむり。「—採決する」〔もと東北方言で、二十一世紀になって広まったことば〕

**むりさんだん**［無理算段］《名・自他サ》むりをしてお金を用意すること。

**むりし**［無利子］《経》無利息。

**むりじい**［無理強い］《名・他サ》〔相手のいやがることや できないことを〕むりやりに おしつけて、やらせようとすること。「酒を—する」

**むりしんじゅう**［無理心中］《名・自サ》死ぬつもりのない相手を殺しておいて、自分もその場で死ぬこと。

**むりすう**［無理数］《数》分数の形であらわせない実数。例、$\sqrt{3}$〔「ルートさん」と読む〕。（↔有理数）

む

**むりすじ**［無理筋］①《碁・将棋など》不利となる強引（ごういん）な手順。②むりなやり方。

**むりそく**［無利息］《経》利息が つかないこと。無利子。

**むりなんだい**［無理難題］応じるのが むずかしい、無理な要求。「―に近い注文・―をふっかける」

**むりむたい**［無理無体］《名・ダ》①むりやりにするようす。「―に連れて行く」②まったく乱暴で、筋道の通らないようす。「―なことを言う」

**むりむり**［無理無理］《副》むりをして。なんとか。「―承知させた」

**むりやり**［無理（：矢理）］《副・ダ》〔やり←動詞「やる」の連用形〕〔ふつうは できない、すべきでないことを〕無理にするようす。「酒を―（に）飲ませる・―な解釈（かいしゃく）」

**むりょ**［無慮］《副》〔文〕数が多いことを、おどろきをもってあらわすことば。「死傷者は―数千人に達した」

＊＊**むりょう**［無料］料金が いらないこと。ただ。「入場―」（↔有料）

**むりょう**［無量］〔文〕〔その分量が多くて〕はかりしれないこと。「感慨（かんがい）―」

**むりょく**［無力］《名・ダ》①〔からだに〕力が ないようす。②権力・勢力・資力などが ないようす。「―感」（↔有力）派―さ。

**むりん**［無（×燐）・無リン］《理》〔合成洗剤（せんざい）に〕リン酸をふくまないこと。「―洗剤」（↔有りん《燐》）

**むるい**［無類］《名・ダ》ほかにくらべるものが ないようす。「―の好人物・―の酒好き」☞珍（ちん）無類。

**むれ**［群れ］むらがっている〈こと/もの〉。「人の―・―を作る・―をなす」

**むれあそ・ぶ**［群れ遊ぶ］《自五》〔文〕むれを作って動き回る。「メダカが―」

**むれさ・く**［群れ咲く］《自五》〔文〕むらがって さく。「―花」

**むれた・つ**［群れ立つ］《自五》〔文〕①むらがって立つ。「―木々」②むれを作って とびたつ。「―水鳥」

**むれつど・う**［群れ集う］《自五》〔文〕一か所に集まって、むれをなす。

**むれと・ぶ**［群れ飛ぶ］《自五》むれを作って飛ぶ。

**むれな・す**［群れ成す］《自五》〔文〕むれを作る。むれをなす。「―赤トンボ」

**む・れる**［群れる］《自下一》ある範囲（はんい）の場所に集まって、全体として一つの むれとなる。「鳥が―」

**む・れる**［蒸れる］《自下一》①じゅうぶん熱が通る。「ごはんが―」②熱気と湿気（しっけ）が こもる。「部屋の中が―」名 蒸れ。

**むろ**［室］外の空気をあてないように、地下などに作った、ものを入れておく所。☞石室（いしむろ）・氷室（ひむろ）。

**むろあじ**［（室×鰺）］少し大形のアジ。からだは まるみがあり、食用。「くさや」にする。

**むろく**［無×禄］〔文〕給与（きゅうよ）のないこと。

**むろざき**［室咲き］温室で花をさかせること。また、その花。「―の梅」

**むろまち**［室町］〔＝京都市の地名〕《歴》←室町時代。●**むろまちじだい**［室町時代］《歴》足利（あしかが）氏が政権をにぎっていた時代。〔一三三六～一五七三〕

**むろん**［（無論）］《副》「もちろん」の、少し かたい言い方。「―だれでも知っている・子どもは―のこと、大人も楽しめる・それは―正しい。しかし…」

**むんずと**《副》〔文〕「むずと」を強めた言い方。

**むんむん**《副・自サ》においや熱気などが立ちこめているようす。「部屋の中が―する・お色気―」

## め　メ

＊＊**め**［目］①顔の中で、ものを見る はたらきをする部分。人間では、鼻のやや上よりの左右に、一つずつ ならぶ。見ひらくと丸い。まなこ。めだま。②［△瞳］ひとみ。「すねたその―が好きなのさ」③「目①」の形のもの。「たまごの―〔＝カラザ〕・針の―〔＝穴〕」④中心。「台風の―」⑤目つき。「変な―で見る・―の するどい男・笑って見せたが、―は笑っていなかった」⑥視力。「―が〈悪い/弱い〉」⑦見て判断する力。「人を見る―がある」⑧見ること。注目。視線。「世間の―・―を投げる・―を走らせる・―のやり場がない・―が届く・―を注ぐ」⑨見方。考え。「法律家の―・そういう―でふり返ってみると」⑩あるものごとに出あうこと。経験。「ひどい―にあう・痛い―を見る」⑪〔あみ・ざる・織物などの〕すきま。「―が つんでいる」⑫ならんだ歯の形。「のこぎりの―」⑬〔碁盤（ごばん）などの〕縦・横の線がまじわってできる、四角い しきり。⑭〔はかりの〕めもり。⑮めかた。ますめ。「―減（べ）り」⑯さいころにつけた、数をあらわすしるし。勝負や運命をしめすもの。「いい―が出る」⑰可能性。「逆転の―は消えた〔⇩目がなくなる句〕」⑱木目。「―の あらい板」⑲⇩もんめ（匁）。「百―」表記①～⑨「△眼」とも。☞お目。●**目が明く**句 ①《すもうなど》やっと一勝する。片目が明く。②⇩目が入（はい）る句。●**目が泳ぐ**句 気が動転して、目がどこを見ているか わからない動きをする。●**目が固い**句〔西日本方言〕夜おそくても、ねむくならない。●**目が利（き）く**句 ①暗いところなどでも、ものをよく見ることができる。②ものごとを見分ける能力が すぐれている。「こっとう品に―」●**目が曇（くも）る**句 判断が確かでなくなる。他目を曇らせる。●**目が くらむ**句 ①強く明るい光にうたれて、しばらく目が見えなくなる。②めまいがする。「―ような高さ・空腹で―」③迷って判断力がなくなる。「欲に―」他目をくらませる。●**目が肥える**句 いろいろのものを見て、いい悪いの区別がよくわかる。他目を肥やす。●**目が さえる**句 ねむりからもどる。ねむけがなくなる。●**目が覚める**句 ①ねむりからさめる。②悪の道に迷っていることに気がつく。▽めざめる。他目を覚ます。③あざやかさ・美しさに はっとするたとえ。「―ような青色・―ような美人」●**目が据（す）わる**句〔酔（よ）いや怒（いか）りのために〕目玉が動かなくなる。●**目が高い**句 ものを評価する すぐれた力がある。「お客さまは さすがにお―」●**目が近い**句 近眼だ。近視だ。●**目が出る**句 ①さいころばくちで、出てほしい数が出る。ばくちに勝つ。目と出る。②運が向いてくる。●**目が点になる**句 おどろき、あきれかえった表情になる。〔一九七〇年代の漫画（まんが）の表現から出た言い方で、八〇年代に広まった〕他目を点にする。●**目が遠い**句 遠視だ。「目が遠くなった」●**目が届（とど）く**句 監視（かんし）することができる。「親の―ところで遊ばせる」●**目が飛び出る**句 ⇩目玉が飛び出る〔「目玉」の句〕。●**目が留まる**句

注意を引かれて、見る。●**目がない**[句] すべてを忘れて夢中になるようすだ。「甘いものに―」 ●**目がなくなる**[句] 可能性が消える。「逆転の―」 ●**目が入る**[句] 〔当選したしるしに〕だるまに両目がかきこまれる。目が明く。[他]目を入れる。 ●**目が離せない**[句] 注意し続けなければいけない。「子どもが小さくて―・最後まで―試合」 ●**目が早い**[句] すばやく気がついて、見る。☞目を離す[句]。 ●**目が光る**[句] きびしく警戒する。「警察の―」 ●**目が回る**[句] めまいがする。「目の回るようないそがしさ」 ●**目からうろこが落ちる**[句] 〔目についていたうろこが落ちるように〕今までわからなかったことがとつぜんはっきりわかる。さとる。目からうろこ。〔聖書のことばから〕 ●**目から鼻へ抜ける**[句] ぬけ目なく、すばしこい。利口な人のたとえ。 ●**目から火が出る**[句] 額や頭を強くぶつけたときの感じ。目から星が出る。 ●**目じゃない**[句] 〔「メじゃない」とも書く〕〔俗〕問題にならない。簡単だ。目ではない。「そこらの学者など―・レポートの宿題なんか―」 ●**目と鼻の先**[句] すぐそば。目と鼻の間。「つい―に住む」 ●**目に余る**[句] ①見のがすことができない。②目の前いっぱいに広がる。「―敵の大軍」 ●**目に一丁字もない**[句] 少しも字が読めない。 ●**目に入れても痛くない**[句] 〔子や孫を〕非常にかわいがっていることのたとえ。 ●**目に浮かぶ**[句] 目に見えるように思い出される。[他]目に浮かべる。 ●**目に映る**[句] 目に見える。目に映じる。 ●**目に収める**[句] 実際に見ておく。 ●**目に角を立てる**[句] 怒りや非難の気持ちをふくめた、きつい目で見る。 ●**目に染みる**[句] ①〔水・けむりなどが〕目にはいって、痛みとなる。②色彩・すがたなどがあざやかに目にはいる。「―青空」 ●**目にする**[句] 見る。「近ごろときどき―光景」 ●**目に立つ**[句] 特に目につく。目立つ。 ●**目につく**[句] ①(きわだって)目に見える。「空席が―」②見えて、注意を引く。「看板が目についた」 ●**目に留める**[句] 〔注意して〕見る。[直]目に留まる。 ●**目に残る**[句] 場面や映像が記憶に残る。 ●**目に入る**[句] ①見える。目に入ぃる〔文〕。「一匹のネコが目に入った」[他]目に入れる。②〔光が〕目に当たる。 ●**目には目を、歯には歯を**[句] 同じしかたで仕返しをせよ。〈バビロニアのハンムラビ法典や、聖書にあることば〉 ●**目に触れる**[句] (ちょっと)見える。「ポスターが―・文書が第三者の―」(=第三者が見て知る) ●**目に見える**[句] ①見て、明らかにわかる。目立っている。「―形で示す・目に見えて進歩する」②確実である。「失敗は目に見えている(=わかっている)」 ●**目にも留まらぬ**[句] 非常にはやいようす。「―早わざ」 ●**目にもの言わす**[句] 目の表情で気持ちを伝える。目にもの言わせる。 ●**目に物(を)見せる**[句] 〔自分の力を〕思い知らせる。ひどい目にあわせる。「目に物見せてくれよう」 ●**目の黒いうち**[句] 生きているあいだ。「私の―に」 ●**目は口ほどに物を言う**[句] ことばで言うのと同じくらい、目で気持ちが伝わる。 ●**目は心の窓**[句] 目にはその人の性格や心理状態が現れるものだ。目は心の鏡。 ●**目引き袖引き**[句] 目くばせをしたり、そでを引っぱったりして知らせあうこと。「―うわさをする」 ●**目も当てられない**[句] あまりにひどくて、見ることができない。☞目を当てる[句]。 ●**目もあや〈な/に〉**[句] まばゆいほどに美しいようす。 ●**目もくれない**[句] 〈相手/問題〉にしない。見向きもしない。☞目をくれる[句]。 ●**目を遊ばせる**[句] 〈あたりを〉ながめる。 ●**目を当てる**[句] 〔それを〕はっきり見る。「男の顔に―」 ●**目を合わせる**[句] 視線を合わせる。[直]目が合う。 ●**目を疑う**[句] 見て、まさかと思う。信じられない。「〈わが〉―ミスプリント」 ●**目を奪われる**[句] 注意を引きつけられて、それだけをじっと見る。「思わず画面に―」〔「目を奪う」の形でも使う。「目を奪うような衣装」〕 ●**目を覆う**[句] ①〔手などで〕目をふさぐ。「現実に―(=知らないふりをする。無視する)」②目をふさぎたくなる。「―災害の跡・惨状は―ものがある」 ●**目を落とす**[句] ①下(にあるもの)を見る。「はがきに―」②死ぬ。命を落とす。 ●**目をかける**[句] ひいきにして、引き立てる。せわをする。目にかける。 ●**目をかすめる**[句] すきをねらう。「親の―」 ●**目を切る**[句] 《サッカー・野球など》目をはなす。目をそらす。「ボールから―な」 ●**目を配る**[句] まんべんなく注意をはらう。「安全に―」 ●**目をくれる**[句] 〔そちらを〕見る。「じろりと―」 ●**目を凝らす**[句] 目に注意を集め(て、見)る。 ●**目をさらす**[句] たくさんのものを見る。「古典に―」 ●**目を皿(のよう)にする**[句] 目を大きく見ひらいて〈注意深く見る/さがす〉。〔「皿」は、まんまるなたとえ〕 ●**目を三角にする**[句] おこったり、気が立ったりして、こわい目つきをする。[直]目が三角になる。 ●**目を白黒させる**[句] 〈おどろいて/苦しんで〉、目を大きく開いてぐるぐる動かす。 ●**目を据える**[句] 目玉をまったく動かさずに見つめる。 ●**目をそばだてる**[句] 〔文〕①目を引きつける。目をそばだたせる。②〔おそれて〕横目で見る。 ●**目を背ける**[句] 見ていられなくて視線をほかに移す。「思わず目を背けたくなる光景」 ●**目をそ(逸)らす**[句] ①見ているものから視線をほかへ移す。②そのものをわざと見ないようにする。「現実から―」 ●**目を立てる**[句] のこぎり・やすりなどの、つぶれた目をするどくする。目立てをする。 ●**目をつける**[句] ①注意して、見る。②〔先に〕気がつく。「将来性に―」 ●**目をつぶる**[句] ①死ぬ。②〔相手の行為を〕見て見ないふりをする。③がまんする。▽目をつむる。 ●**目を転じる**[句] 視線を別なところへ移す。別なところを見る。目を移す。目を転ずる。 ●**目を通す**[句] ざっと〈読む/見る〉。 ●**目を留める**[句] 注意を引かれてじっと見る。 ●**目を盗む**[句] ひとに見つからないように、かくれてする。 ●**目を離す**[句] 注意して見ていたものから目をよそへ移す。目を外す。「ちょっと目を離したすきに自転車をぬすまれた」☞目が離せない[句]。 ●**目を放つ**[句] 〔文〕遠くのほうをながめる。「湖に―」 ●**目を光らせる**[句] 〔悪いことができないように〕厳重に監視する。目を光らす。「警察が―」 ●**目を引く**[句] 注意をひきつける。「周囲の―」 ●**目を開く**[句] ①〔…を〕はっきり認める。「現実に―」②おもしろさ・よさを知る。「音楽に―」 ●**目を細める**[句] ①よく見えるように、また用心して、目を細くする。②〈かわいい/気にいった〉ものを見て、うれしそうにして、目を細くする。「孫の成長に―」 ●**目を丸くする**[句] おどろいて目を大きくひらく。 ●**目を回す**[句] ①ひどくあわてる。②気絶する(ほどおどろく)。 ●**目を見張る**[句] ①〈おどろいて/おこって〉目を大きくひらく。②おどろき感心する。「―大活躍」 ●**目をむ(剝)く**[句] 〈おどろいて/怒って〉白目が見えるほど大きな目をする。●目を向ける[句]〈別なところ/そっちのほう〉を〕見る。「海外に―・疑いの―」●目をやる[句]〔そちらを〕ながめる。見る。「外の景色に―」●目を喜ばせる[句] すばらしくて、見て楽しくなる。「車窓の風景が―」

→**め[接尾]〔名・形動をつくる〕[一]〔(目)〕①その順序にあたる〈もの/とき〉。「三球―・入社一年―〔=第二年。また、入社してちょうど一年たった日〕」✎「〇〇は数に入れない。「〇〇からいくつ目」という場合、その〇〇は数に入れない。商店ABCが左右にならんでいる場合、「左から二軒目」と言えばB、「左端の店から二軒目」と言えばCをさす。前者では、「左」という位置は数に入れず、Aが一軒目、Bが二軒目となる。後者では、Aは数に入れず、Bが一軒目、Cが二軒目となる。例外として、「生まれてから十日目〔=生後十日目〕」は、生まれた日を第一日と数える。[区別]⇩第[一]。②ほかとのくぎりや区別がはっきりしている〈とき/ところ〉。〈…する/…している〉ところ。「折り―・親の死に―・結び―」[二]その性質・傾向が、ふつうよりやや強いようす。〔形容詞は、多く語幹につく〕「長―にする・多(い)―・はで―・じみ―・甘さをおさえ―にする・あすは天気悪―で・〔俗に〕きれい―な〔=きれいな感じの〕ファッション」

め[芽]①根・枝の先に出て、そこから生長する部分。②きざし。「新産業の―を育てる」●芽が出る[句] 世の中に認められる。[他]芽を出す。●芽を摘む[句] 早いうちに防ぎ止める。「悪の―・事故の―」●芽を吹く[句] 芽を出す。

め《感》〔児〕子どもなどをたしなめるときのことば。めっ。

め[(△奴)][接尾]①ののしる意味をそえることば。「犬―がほえて困る・ばか―(が)!」②〔古風〕自分をいやしめて言う。「わたくし―がいたします」③親しみの気持ちをあらわす。「こいつ―、からかうなよ」

←め[雌・×牝][造] めす(の)。「―牛・―鹿・―豹」(↕雄)

→め[女][一][造] おんな。「―神・草刈り―」[二][造] 二つあるもののうち、小さく勢いの弱いほう。「―滝・―波」▽[一][二](↕男)

め◇〔文〕文語助動詞「む」の已然形。「今こそ別れ―〔=別れよう〕」☞めや・めやも。

めあか[目(×垢)] 目やに。

めあかし[目明かし]〔古風〕⇩おかっぴき。

めあき[目明き]①目がはっきり見える人。②ものの道理のわかる人。③文字の読める人。▽(↕めくら《盲》)

めあたらし・い[目新しい]《形》はじめて見る感じだ。めずらしい。「―商品」[派]-さ。

めあて[目当て]①ねらい。目標。「学習の―」②よりどころになる標準。目じるし。「駅を―にして行く」③本当のねらい。「お年玉(を)―に孫がたずねて来た・お―」④〔ほかにもいろいろある中で〕特にもとめる〈もの/人〉。「―の歌手・お―」

メアド ↑メールアドレス。

めあわ・せる[(×娶せる)]《他下一》〔文〕結婚(して妻に)させる。めあわす。

めい[命]〔文〕①いのち。寿命。②運命。「―なるかな」③〔上官・上役などの〕言いつけ。命令。「上司の―により」●命旦夕に迫る[句]〔文〕いのちが、今夜か明朝かという、さしせまった状態になる。●命を奉じる[句]〔文〕つつしんで命令を受ける。

めい[明]〔文〕①明るさ。「―と暗の対照がきわだつ」②見通す力。眼識。「先見の―がある」③視力。「―を失う」④〔視覚語〕↑明治。「―14」

めい[(×姪)]〈自分の〉兄弟・姉妹のむすめ。「―っ子」〔相手の「めい」をうやまって呼ぶときは「めいごさん」〕(↕おい)

めい[銘]①器・金石などに刻みつけた、(漢文の)文句。そのいわれや、ほめたたえることばをのべたもの。②いましめのことば。「座右の―とする」③製作物に入れる、作者の名前。「―入り」④〔器・食品などに〕特につけた呼び名。「―を初音とつけた」●銘を切る[句] 刀に「銘③」を刻みつける。

**めい[名][一][造] すぐれた。みごとな。有名な。「―校長・―探偵・―投手・―ぜりふ・―コンビ」[二][造] なまえ。「学校―・市長―での回答」[三][接尾] 人数を数えることば。「定員百―」[四][造]↑名古屋。「東―・―神・―駅」

めい[迷][造]〔「名」のもじり〕おかしな。わけのわからない。「―探偵・―答案・―言・―論・―作」

めいあん[名案] いい考え。すぐれた思いつき。妙案。「―がうかぶ」

めいあん[明暗]①明るいことと暗いこと。②成功と失敗、幸不幸など。●明暗を弁じない[句]〔文〕目が悪くて、明るいか暗いかもわからない。●明暗を分ける[句] 勝ち負け・幸不幸などがはっきり決まる。

めいい[名医]〈すぐれた/有名な〉医者。

めいう・つ[銘打つ]《自五》〈名前/名目〉をつける。「慈善事業と―」

めいうん[命運] 運。運勢。「―を分ける・―がつきる」

めいえん[名園・名×苑]〈すぐれた/有名な〉庭園。

めいえん[名演]《名・自他サ》〔文〕すぐれた演技(を見せること)。すぐれた演奏(をすること)。

めいおうせい[冥王星]《天》海王星の外がわにあり、約二四八年で太陽を回る準惑星。もと、太陽系の第九の惑星とされた。プルート(一)(Pluto)。

めいか[名花]〔文〕①〈すぐれた/有名な〉花。②美人を花にたとえたことば。「祇園の―」

めいか[名家]①有名な家がら。名門。②学問・芸道などにすぐれた、有名な人。

←めいか[名菓]〔文〕すぐれた、おいしい菓子。有名な菓子。

→めいか[銘菓]〔文〕特別の名前をもつ(有名な)菓子。

めいか[名歌]〈すぐれた/有名な〉歌。

めいが[名画] すぐれた、または、有名な〈絵/映画〉。「―座〔=昔のいい映画を見せる映画館〕」

←めいかい[明解][一] はっきりしていて、よくわかる解説。〔書名によく使う〕[二]《ナダ》解説がよくわかるようす。「―な語釈」[派]-さ。

→めいかい[明快]《ナダ》筋が通って、話の内容がはっきりしているようす。「論旨―・―な結論」[派]-さ。

めいかい[冥界]〔文〕あの世。冥土。幽冥界。

*めいかく[明確]《ナダ》はっきりしていて、まちがいがないようす。「―な答弁」[派]-さ。

☆☆**めいがら**［銘柄］①商品や株式の名前。「この酒の―は何ですか」②品質のすぐれた、有名な商品。銘柄品。③有名であること。主要。「―大学」

**めいかん**［名鑑］人やものの名前を集めた本。「現代邦楽―」

**めいき**［名器］①すぐれた、または、有名な〈器物/楽器〉。「楽茶碗の―・―ストラディバリウス(=バイオリンの名)」②〔文〕すぐれた人物。

**めいき**［名機］〔文〕すぐれた、または、有名な〈写真機/機械/飛行機/機関車〉。

**めいき**［明記］《名・自他サ》はっきり書くこと。「住所氏名を―すること」

☆☆**めいき**［銘記］《名・他サ》〔文〕深く心に刻みつけて忘れないこと。「心に―する」

**めいぎ**［名×妓］〔文〕芸のすぐれた芸者。

**めいぎ**［名技］〔文〕すぐれた〈わざ/演技〉。

**めいぎ**［名義］〔書類などで使う〕表向きの名前。「妻の―で申しこむ・―変更・―貸し」

**めいきゅう**［迷宮］①中にはいると出口がわからなくなるようにつくった建物。ラビリンス。②犯罪事件で、解決の見こみが立たなくなること。「―入り」

**めいきょう**［名橋］〔文〕形のすぐれたはし。有名なはし。例、錦帯橋。

**めいきょう**［明鏡］〔文〕くもりのないかがみ。「―のような心」●**めいきょうしすい**［明鏡止水］(=明鏡と静かなみず)〔文〕心にわだかまりやくもりがないこと。「―の心境」

**めいきょく**［名曲］〈すぐれた/有名な〉楽曲。「―鑑賞」

**めいきょく**［名局］《碁・将棋》〈すぐれた/有名な〉対局。

**めいぎん**［名吟］〔文〕すぐれた詩・歌や俳句。

☆☆**メイキング**〔making〕①つくること。製作。「ルール―」②映画などの製作過程を記録したもの。「―ビデオ」▽メーキング。

**めいく**［名句］すぐれた、または、有名な〈文句/俳句〉。「古今の―」

**メイク**《名・自サ》〔make〕①つくること。ととのえること。「チャンス―・ベッド―」②〔↑メイクアップ〕けしょう。「―を落とす・お出かけ―」③人のけしょうをする〈仕事/人〉。「―さん」▽メーク。●**メイクアップ**《名・自サ》〔make-up〕けしょう(の仕上げ)。メイク。☞メーキャップ。●**メイクアップアーティスト**〔makeup artist〕①メイクアップのデザインをする人。②人のけしょうをする専門家。

**めいくん**［名君］〔文〕すぐれていて、有名な君主。名主。「―のほまれが高い」

**メイクイ(ー)ン**〔May queen〕⇩メークイン。

**めいくん**［明君］〔文〕かしこい君主。「―を待望する」(↕暗君)

**めいげつ**［名月・明月］旧暦八月十五夜の月。また、九月十三夜の月。「中秋の―」

**めいげつ**［明月］①晴れた夜にきれいにかがやく、まるい月。「清風―」②⇩名月。

**めいけん**［名犬］りっぱな、かしこい犬。

**めいけん**［名剣］〔文〕〈すぐれた/有名な〉剣。

**めいげん**［名言］なるほどと感心させられるような、すぐれたことば。「―を吐く」

**めいげん**［明言］《名・他サ》はっきり言うこと。「必ずやりとげると―する」

**めいげん**［迷言］〔「名言」のもじり〕〈おかしな/あきれるような〉発言。「大臣の―」

**めいこう**［名工］〔文〕〈すぐれた/有名な〉職人。

**めいこう**［名香］〔文〕〈すぐれた/有名な〉お香。

☆☆**めいさい**［迷彩］①敵の目をごまかすために、建物・戦車・軍艦などに、いろいろな色を不規則に塗ること。「―をほどこす・―服」②〔「迷彩①」に似せて〕いろいろな模様や色を取り合わせた、生地などの柄が。

☆☆**めいさい**［明細］《名・ダ》①うちわけをくわしく書いたもの。明細書。「給与―」②はっきりしてくわしいこと。「状況を―にしるす」

**めいさく**［名作］〈すぐれた/有名な〉作品。

**めいさつ**［名刹］〔文〕有名な寺。

**めいさつ**［明察］《名・他サ》①〔文〕真相を見ぬいた、すぐれた推察。②相手が推察することの尊敬語。「ご―」

**めいさん**［名産］〔その土地の〕有名な産物。「―地・―品」

**めいざん**［名山］〈すぐれた/有名な〉山。

**めいし**［名士］〔それぞれの方面を代表する〕有名な人。「地方の―」

**めいし**［名刺］自分の名前・肩書き・住所などを印刷した、小さな厚めの紙。〔はじめて会ったときなどに、相手にさし出す〕「―を交換する・これはほんの―代わりで、とくだものを出した・お―」

**めいし**［名詞］《言》品詞の一つ。〈ものごと/人〉の呼び名などをあらわし、主語になりうることば。代名詞とともに、体言に分類される。例、えんぴつ・パン・社会・美しさ・おどろき。

**めいし**［名詩］〔文〕〈すぐれた/有名な〉詩。

**めいし**［明視］《名・他サ》〔文〕(目がよくて)はっきり見えること。はっきり見ること。「―スタンド・―距離(=目から約三〇センチメートル)」

**めいじ**［名寺］〔文〕有名なてら。

**めいじ**［名辞］《哲》概念をことばにしたもの。

****めいじ**［明治］①明治天皇の時代の年号(一八六八年九月八日～一九一二年七月三十日)。大正の前。〔略記して「M22」「明22」などと書く〕由来 中国の「易経」の「聖人南面して天下に聴き、明に嚮いて治む」から。②明治時代。「降る雪や―は遠くなりにけり(中村草田男の句)」●**めいじいしん**［明治維新］《歴》十九世紀後半、将軍徳川慶喜が政権を朝廷に返して、明治政府が成立し、いろいろの改革がおこなわれた〈こと/時期〉。

**めいじ**［明示］《名・他サ》明らかにしめすこと。はっきりしめすこと。「日時を―する・法令で―的に規定する」

☆☆**めいじつ**［名実］名前と実質。名前と内容。評判と実際。「―あいともなわぬ・―ともにそなわる」

**めいしゃ**［目医者］目の治療をする医者。眼科医。

**めいしゃ**［名車］〔文〕〈すぐれた/有名な〉自動車や鉄道車両。

**めいしゅ**［名手］①うでまえ・わざのすぐれた人。名人。「弓の―・築城の―」②《碁・将棋など》すぐれた打ち方。「本局一の―・意表をつく―」

**めいしゅ**【名主・明主】〔文〕名君。☞なぬし(名主)。

**めいしゅ**【名酒】〔文〕〈すぐれた/有名な〉酒。

**めいしゅ**【盟主】〔文〕同盟を結んだ者の中の かしら。

**めいしょ**【名所】〈有名な/けしきのいい〉場所。「桜の―・―旧跡(きゅうせき)」

**めいしょう**【名匠】〔文〕①〈すぐれた/有名な〉学者。②〈すぐれた/有名な〉大工。③〈すぐれた/有名な〉芸術家。

**めいしょう**【名松】〔文〕〈りっぱな/有名な〉松。

**めいしょう**【名相】〔文〕〈すぐれた/有名な〉(総理)大臣。

**めいしょう**【名将】①〈すぐれた/有名な〉武将。(↔愚将(ぐしょう)) ②《野球・サッカーなど》すぐれた監督(かんとく)。

**めいしょう**【名称】呼び名。名前。「会の―」

**めいしょう**【名唱】〔文〕すぐれた、歌いぶり。名演唱。

**めいしょう**【名勝】けしきの すぐれた土地。「―史跡(しせき)」

**めいしょう**【明証】《名・他サ》〔文〕はっきりした証拠(しょうこ)。また、はっきり証明すること。

**めいじょう**【名城】〔文〕〈すぐれた/有名な〉城。

**めいじょう**【銘醸】〔文〕清酒を、特に吟味(ぎんみ)して造ること。また、その清酒。「灘(なだ)の―」

**めいじょう**【名状】《名・自サ》〔文〕状態を言いあらわすこと。「―しがたい」

**めいしょく**【明色】明るい感じの色。(↔暗色)

*__めい・じる__【命じる】《他上一》①言いつける。命令する。「部下に―・切腹を―」②任命する。「総務課長に―」▽命ずる。

**めい・じる**【銘じる】《他上一》心にとめる。心に刻みつける。銘ずる。「肝(きも)に銘じて忘れない」

**めいしん**【迷信】①(人をまよわすような)誤った信仰(しんこう)。「―家(=迷信を信じている人)」②りくつにあわない言い伝え。「それは―だ」

**めいじん**【名人】①うでまえ・技術の すぐれた人。「―芸・柔道(じゅうどう)の―」②《将棋・碁など》最高の位の呼び名。●**めいじんかたぎ**【名人(:気質)】「名人」にありがちな、世わたりがへたで がんこな性質。

**めいすい**【名水】〔文〕澄(す)みきって きれいなことで名高い わきみず。

**めいすい**【銘水】〔文〕名づけて売る おいしい水。

**めいすう**【名数】①同類のものをいくつかの数でまとめて言う呼び方。例、御三家(ごさんけ)・四天王・五大陸。②数に単位や助数詞をつけたもの。例、五センチ・七本・十台。(単位や助数詞の つかない、単なる数は「無名数」と言う)

**めいすう**【命数】〔文〕寿命(じゅみょう)。「―がつきる」

**めい・する**【×瞑する】《自サ》〔文〕①目をとじる。②死ぬ。▽瞑す。☞もって瞑すべし(「もって」の句)。

**めいせい**【名声】ほまれ。評判。「―が高い・―を博する」

**めいせき**【名石】〔文〕形の美しい、すぐれた石(=庭石・宝石など)。

**めいせき**【銘石】〔文〕(庭石・水石(すいせき)などで)産地や形などに もとづく名前のついている石。

**めいせき**【名跡・名×蹟】〔文〕①有名な古跡。②⇩みょうせき。「―をつぐ」

☆☆**めいせき**【明×晰】《ダナ》①筋道が通って、はっきりしているようす。「頭脳―・―な文章」②発音が はっきりしていて、わかりやすいようす。「言語―」派―さ。

**めいせん**【名川】〔文〕有名な川。

**めいせん**【銘仙】太くよった絹糸を染めて織った(しま《縞》や かすりの)平織りの布。衣服・ふとんに使う。

**めいそう**【名僧】知識や徳がすぐれ、社会的にも尊敬されている僧。「―智識(ちしき)」

☆☆**めいそう**【×瞑想】《名・自サ》目をとじて、深く考えること。黙想(もくそう)。「―にふける」

☆☆**めいそう**【迷走】《名・自他サ》①方向も わからず、めちゃくちゃに走ること。また、不規則に進むこと。「東京を―する・―台風」②どうすればいいか わからず、方針がくるくる変わること。「政権が―する」●**めいそうしんけい**【迷走神経】《生》脳神経(=脳から出る神経)の一つ。内臓の運動・分泌(ぶんぴつ)を受け持つ。

**めいそうじょうき**【明窓浄机】(=明るい まどと、きれいにした つくえ)〔文〕清潔で、いかにも勉強したくなるような書斎(しょさい)。

☆☆**めいだい**【命題】①《哲》判断をことばに あらわし、真偽(しんぎ)を論じられるもの。例、「戦争は罪悪である」。②課題。問題。「私たちに課せられた―」

**めいたつ**【明達】《名・ダナ》〔文〕ものごとの道理に よく通じているようす。「―の士・―な批評」

**めいだん**【明断】《名・他サ》〔文〕はっきりと、いい悪いを決めること。「―を下す」

**めいち**【明知・明×智】〔文〕くもりのない知恵(ちえ)。

**めいちゃ**【銘茶】特別の名前をつけた、いい茶。

**めいちゅう**【鳴虫】〔文〕秋に、いい声でなく むし。

**めいちゅう**【命中】《名・自サ》(まとに)当たること。的中。「―率」

**めいちょ**【名著】〈すぐれた/有名な〉著書。

**めいちょう**【迷鳥】《動》わたるとちゅうで、台風などにあってまよいこんだ、わたり鳥。

**めいちょう**【明澄】《ダナ》〔文〕すみきって、くもりがないようす。「―な意識」派―さ。

**めいっぱい**【目一杯】《副》(目=はかりの目盛り)限度いっぱい。「力を―発揮する・人生を―楽しむ・―(=非常に)ひまだ」〔なまって「めえいっぱい・めいいっぱい」〕

☆☆**めいてい**【×酩×酊】《名・自サ》〔文〕たいそう酒に酔(よ)うこと。ひどく酔っぱらうこと。大酔(たいすい)。

**めいてつ**【明哲】〔文〕知恵(ちえ)があって、ものごとの道理に通じた人。「―保身の術」

**めいてん**【名店・銘店】〈有名な/名の通った〉店。「―街」

**めいてんし**【明天子】〔文〕すぐれた、かしこい天子。

**メイト** 造 [mate] なかま。メート。「チーム―・ルーム―」

**めいど**【明度】《美術》明るい赤、暗い赤などと言われるときの、色の明るさの度合い。〔テレビの画面などのように、光の場合は「輝度(きど)」と言う〕☞彩度(さいど)・色相(しきそう)。

☆☆**めいど**【冥土・冥途】《仏》死んだ人の たましいが行くという所。冥界。あの世。よみじ。●**冥土の土産(みやげ)にする** 句 死ぬときに あの世へ持って行くための、楽しい思い出にする。

**メイド** [maid] ①お手伝いさん。「―喫茶(きっさ)(=おやしきのメイドの服を着た若い女性が接客する喫茶店)」②(ホテルの)客室係の女性。「ルーム―」▽メード。

**メイドイン** [造]〔made in〕…製(品)。メードイン。「―ジャパン・―ホンコン(香港)」

**めいとう** [名刀] すぐれた つくりで有名な かたな。「家宝の―」

**めいとう** [銘刀] 〔文〕銘を入れた、りっぱな かたな。「国重(くにしげ)の―」

**めいとう** [名湯] 〔文〕すぐれたききめで有名な温泉。

**めいとう** [名答] すぐれた、いい答え。「ご―!」

**めいとう** [明答]《名・自サ》〔文〕はっきりした答え(をすること)。

**めいどう** [鳴動]《名・自サ》〔文〕①大きなものが、音を立てながら、ゆれ動くこと。「大山(たいざん)―してねずみ一匹(いっぴき)〔⇩「大山」の[句]〕・火山の―」②〔ブザー・非常ベルなどが〕鳴ること。「アラームが―する」

**めいにち** [命日]《仏》①⇩祥月(しょうつき)命日。「一月十二日は父の―だ」②⇩月命日。「十二日は父の―だ」

**めいば** [名馬]〈すぐれた/有名な〉馬。

**めいはく** [明白]《ナダ》はっきりしていて うたがいのないようす。「―な事実・―性」[派]-さ。

**めいばく** [名×瀑]〔文〕みごとな、名高い滝(たき)。名瀑布。「日本三大―」

**めいばん** [名盤] 演奏や録音のすぐれた、有名なCDやレコード。

**めいばん** [銘板] 説明の文字を刻みつけた金属の板。「施設(しせつ)の由来を示す―」

**めいび** [明×媚]《名・ナダ》〔文〕けしきがよくて、おだやかな自然の美を感じさせるようす。「風光―」[派]-さ。

**めいひつ** [名筆]〔文〕すぐれた書や絵(をかく人)。有名な書や絵。

**めいひょう** [名評]〔文〕すぐれた批評。

**めいひん** [名品] すぐれた〈作品/品物〉。「セザンヌの―・茶道具の―」

**めいひん** [銘品]〔文〕特別の名前をもつ、すぐれた品物。例、刀の正宗(まさむね)。「古今の―」

**めいびん** [明敏]《名・ナダ》〔文〕かしこくて頭のはたらきのはやいこと。才知・才能が するどいこと。「頭脳―」[派]-さ。

**めいふ** [冥府]〔文〕①あの世。冥土。②地獄(じごく)。

☆☆**めいふく** [冥福]《仏》死んだあとの幸福。後生(ごしょう)。「ご―をいのる〔宗派によっては使わない〕」

**めいぶつ** [名物] ①〔その土地の〕名産。「―にうまいものなし」②変わっている点が親しまれ、有名になっている人。「―教授」

**めいぶん** [名分]〔文〕〔ある行動をとるときの〕表向きの理由。名目。「―が立たない」

**めいぶん** [名文]〔読者に感銘(かんめい)をあたえる〕すぐれた文章。「―家」(↔悪文・拙文(せつぶん))

**めいぶん** [銘文] 石や金属の板などに刻みつけた文章・文句。

**めいぶん** [名聞]〔文〕世間の評判。

**めいぶん** [明文]《法》あきらかに しめされた条文。「―化する」

**めいぶん** [迷文]〔「名文」の もじり〕〔気取って書いているが〕へたで、わけの わからない文章。

**めいへん** [名編・名×篇]〔文〕〈すぐれた/有名な〉作品。

**めいほ** [名舗]〔文〕有名な しにせ(老舗)。

**めいぼ** [名簿] 名前(や住所・職業など)を書きならべた帳簿。「会員―」

**めいほう** [名宝]〔文〕有名な たから。

**めいほう** [名峰]〔文〕形のすぐれている点で有名な〈みね/山〉。名山。

**めいほう** [盟邦]〔文〕同盟を結んだ国。

**めいぼう** [名望]〔文〕名声が高く、世間の人から尊敬されていること。「―家」

**めいぼう** [明×眸]〔文〕はっきりとして美しい目もと。

●**めいぼうこうし** [明×眸×皓歯]〔文〕美しいひとみとまっ白な歯。美人の形容。

**めいぼく** [名木] ①有名な木。②形のすぐれた木。③すぐれた香木(こうぼく)。特に、きゃら(伽羅)。

**めいぼく** [銘木] 床柱(とこばしら)・天井(てんじょう)板などに使う、特別上等の木材。

☆☆**めいみゃく** [命脈]〔文〕(ほそぼそと続く)いのち。「敵の―を絶つ・―を保つ」

**めいむ** [迷夢]〔文〕ゆめのように とりとめのない考え。心の まよい。「―からさめる」

**めいめい** [冥々]〔文〕①くらいようす。②〔事情などが〕よく わからないようす。「―のうちに〔=なんとなく いつの間にか〕暗示をあたえられる」

**めいめい** [〈銘々〉]〔↑面々〕ひとりひとり。「―の考え・―(が)勝手なことを言う」●**めいめいざら** [〈銘々〉皿] ひとりひとりに菓子(かし)などを取り分けてのせる皿。

**めいめい** [命名]《名・自サ》名前をつけること。「―式」●**めいめいけん** [命名権] ⇩ネーミングライツ。「―ビジネス」

**めいめいはくはく** [明々白々]《ナダ・タトタル》〔文〕はっきりしていて、少しもうたがいのないようす。「―たる事実」

**めいめつ** [明滅]《名・自サ》〔文〕〔あかりが〕ついたり、消えたりすること。点滅。

**めいもう** [迷妄]〔文〕心のまよい。まちがった考え。

**めいもく** [名目] ①表向きの理由。「交通費の―で支出する・―が立たない」②見かけ。「―上の君主・―三パーセントの経済成長率」(↔実質)▽みょうもく。●**めいもくちんぎん** [名目賃金]《経》物の値段と関係なく受け取る、決められた賃金。(↔実質賃金)

**めいもく** [×瞑目]《名・自サ》〔文〕①目をとじること。「うでを組んで―する」②死ぬこと。

**めいもん** [名門] ①りっぱな家がら。名家。「―の出」②伝統ある有名な組織。「―校」

**めいやく** [名訳] すぐれた、または、有名な〈翻訳(ほんやく)/解釈(かいしゃく)〉。

**めいやく** [名薬]〔文〕〈すぐれた/有名な〉くすり。

**めいやく** [盟約]《名・他サ》〔文〕誓(ちか)い。誓うこと。「―を結ぶ」

**めいゆう** [名優]〈演技のすぐれた/有名な〉俳優。

**めいゆう** [盟友]〔文〕かたい約束を結んだ友人。同志。「―関係」

**めいよ** [名誉] [一] めいよ《名・ナダ》①世間から、りっぱなものだと認められること。また、そのことを満足に思うこと。ほまれ。「―回復・―毀損(きそん)・学校の―・―に思う」

（↕不名誉）②〔文〕有名。「―の歌よみ」[二][遺] 職名などに付けて、その人の功労をたたえて贈る称号。「―教授〔実際に教えなくてもいい〕・―市民」

☆☆めいよきそんざい【名誉毀損罪】《法》本人の評判をおとすようなことを言いふらしたり書いたりして世間に知らせるつみ。〔事実であってもなくても、うったえれば裁判にかけられる〕 ●めいよしょく【名誉職】①給料を受けないで従事する公職・職務。例、民生委員・保護司。②実質的な仕事や責任のない、形だけの役職。

めいよう【名窯】〔文〕すぐれた焼き物を作り出す窯。↗元窯。

めいり【名利】〔文〕有名になることと利益をえること。みょうり。「―をもとめない」

めいりゅう【名流】〔文〕有名な人々。名士。「―夫人〔＝名士のおくさん〕」

めいりょう【明瞭】《ナダ》〔形・輪郭などが〕はっきりしていること。「発音―・―に言いあらわす」（↕不明瞭）[派]-さ。

めい・る【△滅入る】《自五》元気がなくなる。陰気になる。「気が―・めいりこむ」[他]めいらせる《下一》。「報道に気を―」

めいれい【命令】《名・自他サ》①〔いやだと言うことを認めないで〕絶対にそのとおりにするように言うこと。命じること。言いつけ。「―系統・親に―するのか!・―一下〔＝命令がくだるとすぐ〕」②《法》内閣や各省庁などの行政機関が定めた決まり。☞法律。③《情》コンピューターに対する実行の指示。コマンド。 ●めいれいけい【命令形】《言》活用形の一つ。①〔動詞などで〕ⓐ命令の意味をあらわす。例、「行け」「起きろ」や、「おれにも書かせろ」の「せろ」〔↑助動詞『せる』〕。ⓑほうっておく気持ちをあらわす。例、「勝手にしろ」の「しろ」、「どうにでもなれ」の「なれ」。②どんな事情があっても変わらないことをあらわす。例、「理由が何であれ、許されない」の「あれ」。〔副詞「多かれ少なかれ」なども、文語形容詞のこの用法に由来〕③いのる気持ちをあらわす。例、「君に幸せあれ」の「あれ」や、文語の「安かれ」「すこやかなれ」。 ●めいれいてき【命令的】《ナダ》いかにも命令するような態度であるようす。 ●めいれい

ほう【命令法】《言》ヨーロッパなどの言語で、命令に使う動詞の形。☞仮定法・直説法。

めいろ【目色】目の色。目つき。「―を変える」

めいろ【迷路】まよいやすい(ように作った)道。

めいろう【明朗】《ナダ》①気持ちが明るくて、ほがらかなようす。「―な人物」②はっきりしめして、かけ引きのないようす。「―会計な店」▽（↕不明朗）[派]-さ。

めいろん【名論】〔文〕すぐれた議論。「―を吐く・―卓説」

めいわく【迷惑】《名・自サ・ナダ》その人のしたことがもとになって、相手やまわりの人が困ったり、いやな思いをしたりすること。「近所―・―電話・こっちはいい―だ〔＝たいへん迷惑している〕・まことにご―をおかけしました・〔バスのアナウンスで〕こみあいまして、ご―さまです」[派]-がる。-げ。-さ。 ●☆☆めいわくメール【迷惑メール】受信者にとって迷惑な、一方的に送りつけられるメール。広告・勧誘などの内容で無差別・大量に送信されるもの。スパムメール。

☆☆メイン〔main〕[一]メイン ①中心となる、おもなもの。②《料》↑メインディッシュ。[二][遺] 主要な。おもな。「―ゲスト・―タイトル（↕サブ タイトル）・―マスト」▽[一][二]メーン。 ●メインイベント〔米 main event〕〔その日の〕おもな試合。おもな競技。メーンイベント。メーン エベント〔古風〕。 ●メインスタンド〔和製 main stand〕〔競技場の〕正面スタンド。メーン スタンド。（↕バック スタンド） ●メインストリート〔main street〕本通り。大通り。 ●メインディッシュ〔main dish〕《料》洋食のコース料理で、中心となる料理。メイン。 ●メインテーブル〔main table〕〔宴会で〕おもだった客がすわる、正面中央のテーブル。 ●メインバンク〔main bank〕いくつかある取引銀行のうち、取引金額の一番多い銀行。主力銀行。メーン バンク。 ●メインポール〔和製 main pole〕競技場の正面に立つ、旗をかかげる柱。メーンポール。

メインクーン〔Maine coon〕幼児ぐらいの大きさに育つネコ。毛がふさふさして、しっぽも長い毛におおわれている。

めうえ【目上】自分より〈地位の高い/年上である〉こと。また、そのような関係の人。（↕目下）

めうし【雌牛・×牝牛】めすの牛。（↕雄牛）

めうち【目打ち】①きり(錐)の一種。紙・布にやや大きい穴をあけるときに使う。②ウナギなどを割くとき、目のところにきりを打ちつけること。③郵便切手などを切りはなすときのために連続してあけた、小さな穴。

めうつり【目移り】《名・自サ》①いろいろ、ほかのものを見て心が動くこと。「―して、決められない」②つぎつぎと新しいものに〈興味/関心〉が移ること。「―が激しい」

メーカー〔maker〕[一]①製造業者。「一流(の)―」（↕ユーザー）②信頼できる有名な製造業者。「―品」[二][造]①作る人。作り出す人。「チャンス―」②作る機器。「ヨーグルト―」

メーキャップ《名・自サ》〔make-up〕①〔俳優の〕くまどりなどのけしょうや扮装。②⇩メイクアップ。

メーク《名・自サ》〔make〕⇩メイク。

メークイン〔May queen〕北海道のジャガイモの一種。煮くずれしないので、煮物やカレーに使う。メークイーン。メイクイ(ー)ン。

メージャー〔major〕⇩メジャー。

メーター〔meter; metre〕①量・距離・温度などを自動的にはかる器具。計器。メートル。「ガス―・―制〔＝メーターの目もりによって料金をはらうしくみ〕・タクシーの―をたおす〔＝スイッチを入れ、料金計算を始める〕」②⇩メートル①。「あと五―」

メーデー〔Mayday〕①〔航空機や船舶などで〕救助を求める際に無線電話で発することば。☞SOS。②マイクテストに使うことば。「―・―」[由来]フランス語の m'aidez〔＝助けて!〕からとされる。

メーデー〔May Day〕毎年五月一日におこなう労働者の祭典。労働祭。

メート[造]〔mate〕⇩メイト。

メード〔maid〕⇩メイド。

メードイン[遺]〔made in〕⇩メイドイン。

**メートル〔フ mètre〕①〔(:米)〕ⓐメートル法の長さの基本単位〔記号 m〕。一メートルは、光が真空中を

二億九九七九万二四五八分の一秒間に進む距離。「一一四十(センチ)・一尺(=メートルではかるものさし)」 表記 標識や看板などで「M」とも。ⓑ〔「メートル①ⓐ」ではかった〕長さ。「一が足りない〔=ちょっと短い〕」ⓒ《天》一秒あたりの風速をしめすときに使う。「風速一五一」▽①メーター。②⇩メーター①。「電気の一」 ●**メートルを上げる** 句〔古風〕酒を(たくさん)飲んで勢いづく。 直 メートルが上がる。 ●**メートルほう**〔メートル法〕 長さはメートル、質量はキログラム、体積はリットルを基本単位とする、十進法のはかり方。〔現在の「国際単位系」の基礎となった〕 ☞ヤードポンド法・尺貫法。

**メープル**〔maple〕 ①かえで。②↑メープル シロップ。「一クッキー」▽メイプル。 ●**メープル シロップ**〔maple syrup〕 サトウカエデの樹液を煮につめた液体。ホットケーキなどにかける。メープル。

**めえめえ**《副》 羊やヤギの鳴き声。

**メーリング リスト**〔mailing list〕 ①ダイレクト メールなどで用いる、郵送先のリスト。②特定のグループに属する人に、同じメールを一度に送って、情報を交換するシステム。メーリス〔俗〕。ML。

****メール**〔mail〕 一 郵便。郵便物。「一オーダー〔=通信販売〕・ダイレクト一」 二《名・自サ》 パソコン・スマートフォンなどを利用して、たがいにやりとりする手紙。電子メール。Eメール。「一を打つ・一通の一」 ●☆☆**メール アドレス**〔mail address〕 「メール 二」のあて先。メアド。メル アド。アドレス。アド。〔「ユーザー名＋@＋ドメイン名」で示す〕 ●**メール マガジン**〔mail magazine〕 登録した人にメールで配信される雑誌ふうの読みもの。メル マガ。

**メーン** メーン《名》・遺〔main〕 ⇩メイン。

**めおと**〔(:夫婦)〕〔古風〕夫婦。みょうと〔古風・俗〕。 ●**めおとぢゃわん**〔(:夫婦)茶(×碗)〕 夫婦で使う、二つで ひとそろいの茶わん。みょうとぢゃわん。

**メカ**《名・ナダ》 ↑メカニカル・メカニック。「一〔=機械〕に弱い・一な怪獣」

☆☆**メガ**〔mega〕 一 メガ ①百万倍〔記号 M〕。「一トン・一ヘルツ・一バイト〔=千キロバイト。一〇二四《=二の十乗》キロバイトで換算することも多い。記号 MB〕」 ☞ギガ①・キロ①。②↑メガ バイト。 二 遺 ①巨大曲などで〔百万単位の〕巨大な売り上げを出すヒット〕・一トレンド〔=天下の大勢〕」②〔俗〕大きい。量の多い。「一リボン・一丼・一盛り」

**めがお**〔目顔〕 〔気持ちを伝えるための〕目と顔の表情。「一で知らせる」

**めかくし**〔目隠し〕《名・自サ》 ①目を布きれなどでおおって見えないようにすること。②外から見えないようにすること。また、そのための、囲い・へいなど。

**めかけ**〔(×妾)〕〔古風〕男性が、妻のほかに生活のめんどうを見ている愛人の女性。二号・てかけ〔俗〕。「一を囲う」

**めが・ける**〔(目掛ける)〕《他下一》〔多く めがけ(て)〕 そこに目標を決め(て、急に近づいて行ったり、ものを当てたりす)る。「出口(を)めがけて走る」

**めかご**〔目籠〕 ものを中に入れる、目の あらいかご。

**めかし・い** 接尾〔形容詞をつくる〕 …のように見える。「古一・りくつ一〔=りくつっぽい〕」 派 -げ。-さ。

**めかじき**〔(△眼×梶木)〕 海にすむ大形のさかな。カジキ類の一種。身が白い。「一のソテー」

**めかしこ・む**〔めかし込む〕《自五》 おしゃれをして、ひどく身なりをかざる。

**めがしら**〔目頭〕 鼻に近い、目の はし。(↕目じり) ●**目頭が熱くなる** 句 感動して なみだが うかぶ。 ●**目頭を押さえる** 句 出てくる なみだをおさえる。

**めか・す** 一 めかす《自五》 身なりをかざる。しゃれる。おめかし。 二 接尾〔他五をつくる〕 …のように〈見せかける/よそおう〉。「秘密一・じょうだん一」 ☞

**めかた**〔目方〕 おもさ。重量。「一を量る」

**めかど**〔目角〕 目じり。 ●**目角を立てる** 句 おこって、するどい目つきで見る。目に角を立てる。

**メカトロニクス**〔和製 mechatronics ← mechanics ＋electronics〕 《理》コンピューターを組みこんで機械を動かす技術。電子機械工学。〔一九八〇年代に広まったことば〕

**メガトン**〔megaton〕 百万トン。「一級の爆弾」

**メカニカル**《ナダ》〔mechanical〕 機械の。機械的。メカニック。メカ。「一な社会機構・一な美しさ」

☆☆**メカニズム**〔mechanism=機械装置〕 しくみ。機構。機序。「市場の一・心理的な一」

**メカニック**〔mechanic〕 一《ナダ》 ⇩メカニカル。「一な動き・アニメの一デザイン」 二 ①〔自動車・機械の〕整備員。特に、競走用自動車の技術担当員。②機械。「一好き」▽一 二 メカ。

**めがね**〔眼鏡〕 ①ⓐ〈ものが正しく見えるようにする/目を保護する〉ための器具。両目の位置にレンズがあり、ふつう、つるで両耳にかける。「一の玉〔=レンズ〕・一をかける」 表記 〈俗に/読みやすく〉「メガネ」とも。ⓑ「めがね①ⓐ」に似た形のもの。「3D映画用の一」②〔↑遠めがね〕 望遠鏡。潜望鏡。③目きき。見こみ。「一ちがい」 ●**眼鏡に かなう** 句 いいと認められる。(お)目に かなう。「社長の(お)一」 ●**めがね ざる**〔(眼鏡猿)〕 メガネのレンズのような大きな目をした、小さなサル。自在に動く耳がついている。夜行性。 ●**めがねばし**〔眼鏡橋〕 石などでアーチ形に作った橋。〔水に映るとめがねのように見える〕

**めかぶ**〔(:和布=×蕪)〕 ワカメの根もと近くの、ひだのようになった部分。ねばねばして、歯ごたえがあり、千切りにして食べる。めかぶら。「一のポン酢あえ」

**メガフロート**〔megafloat〕 浮遊式のブロックをつなぎ合わせた、非常に大きな人工の浮き島。海上空港などに使われる。

**メガヘルツ**〔megahertz〕 《理》百万ヘルツ〔記号 MHz〕。〔もと、「メガ サイクル」と言った〕

**メガホン**〔megaphone〕 口に当てて声を拡大する道具。 ●**メガホンを取る** 句 監督として映画を作る。

**めがみ**〔女神〕 おんなの神。じょしん。「自由の一〔=ニューヨーク市の女神像〕」(↕男神)

**メガロポリス**〔megalopolis〕 いくつかの大きな都市が集中している地帯。巨帯都市。例、東海道地域。

**めきき**〔目利き〕《名・他サ》 鑑定(のうまい人)。

**メキシコ**〔Mexico〕 北アメリカ大陸の南部にある連邦共和国。メキシコ合衆国。首都、メキシコ シティー

(Mexico City)。墨。メヒコ。 表記「:墨西哥」は、古い音訳字。

**めきめき**《副》めだってよくなるようす。きわだって。「―(と)上達する」

**めキャベツ**[芽キャベツ] 直径二、三センチの、ごく小形のキャベツ。長いくきのまわりに かたまってつく。子持ち甘藍。「―のクリーム煮」

**めぎれ**[目切れ] 目方の不足。

**め・く** 接尾 〔自五をつくる〕 ①…らしく〈なる/見える〉。②ある様子を見せることをあらわす。「春―・皮肉めいた話・古めいた建物」「色―・ほの―・ゆら―」

**めくぎ**[目(×釘)] 刀身が つか(柄)から ぬけないようにさす くぎ。めぬき(目貫)。

**めくされ**[目腐れ] 〔古風・俗〕目の病気で、目のふちが〈ただれること/ただれた人〉。●**めくされがね**[目腐れ金] 〔古風・俗〕わずかのお金。

**めくじら**[目くじら] 目のすみ。目じり。●**目くじらを立てる** 句 相手の欠点を取り立てて とがめる。

**めぐすり**[目薬] 目の病気を治すために目にさす薬。●**目くそ鼻くそを笑う** 句 たいしたことのない者どうしが、自分の欠点に気づかず、相手の欠点や失敗を笑う。

**めくそ**[目(×糞)] めやにが かたまったもの。

**めくばせ**[目(:配せ)]《名・自サ》①目の表情で あいずすること。めくわせ。めまぜ。「―して知らせる」 由来 古くは「めくわせ」で、「目を食わせる(=合図する)」こと。②目くばり。〔似た発音の語との混同から生まれた用法〕

**めくばり**[目配り]《名・自サ》 注意や配慮を行き届かせること。目をくばること。「―がきく」

**めぐま・れる**[恵まれる]《自下一》①〔…に―〕 幸運にも…をあたえられる。「才能に―・会見する機会に恵まれた」 ②幸福である。「恵まれた環境に育つ・恵まれない家庭(=〈貧しい/不幸な〉家庭)」

**めぐみ**[恵み] ①〔神仏や人からの〕ありがたい思いやり。「天の―の雨」 ②生み出す利益。「大地の―(=農作物など)・市場経済の―」 ☞お恵み。

**めぐ・む**[芽ぐむ]《自五》〔文〕芽を出しかけて ふくらむ。「草木が―」 名 芽ぐみ。

**めぐ・む**[恵む]《他五》 ①〔文〕いたわりの気持ちをおこないにあらわす。「民を―」 ②気の毒に思って ものをあたえる。ほどこす。「お金を―」 可能 恵むことができる。☞恵まれる。

**めくら**[(△盲)] 〔古風〕 ①目が見えない〈こと/人〉。盲人。 ②文字が読めない〈こと/人〉。 ③ものの道理や事情などが わからない〈こと/人〉。▽差別的なことば。「めくらじま」などの複合語も、この意味を連想させて、現代では語感が悪い。(↕目明き) ●**めくら千人目明き千人** 句 〔古風〕世の中には、ものごとの道理を知らない人も多いが、知っている人もそれにおとらず多い。〔差別的なことば〕 ●**めくら蛇に お(怖)じず** 句 〔古風〕事情を知らないために、大胆であること。めくら蛇。〔差別的なことば〕 ●**めくらじま**[(△盲×縞)] 紺色の糸で織った、無地の もめん。〔しまの一種ではない〕 ●**めくらばん**[(△盲)判] 書類の内容をよく調べもしないで〈おす はんこ/はんこをおすこと〉。 ●**めくらめっぽう**[(△盲滅法)]《名・ナダ・副》 まったく見当をつけずにおこなうようす。やみくも。手当たりしだい。「―突っきまくる」 派 -さ。

**めぐら・す**[巡らす]《他五》 ①まわりを囲む。回す。「かきねを―」 ②〔心をはたらかせて〕考える。「はかりごとを―」 ▽めぐらせる。

**めくらまし**[目(×眩まし)] ①手品。魔術。 ②肝心なものが見えないように、人目をごまかすこと。「―戦術」

**めくら・む**[目(×眩む)]《自五》〔文〕 ①〔強い光などにあって〕目が くらむ。 ②強く魅せられて、思わず魂をうばわれる。「―ほどの美の世界」 名 目くらみ。

**めくらめ・く**[目(×眩めく)]《自五》〔文〕めくるめく。名 目くらめき。

**めくり**[(×捲り)] ①めくる〈こと/もの〉。「駄菓子屋の―(=めくる くじ)」 ②〔↑めくりふだ〕 花札。 ③〔寄席・集会などで〕題目・出演者を書いた紙。 ●**めくりあ・げる**[(×捲り)上げる]《他下一》 うすいものを、めくって上に上げる。まくりあげる。 自 めくり上がる《五》。

**めぐり**[巡り] ①めぐること。回ること。「血の―・島―・ひと―」 ②まわり。周囲。 ●**めぐりあ・う**[巡り合う]《自五》〔当然であるかのように〕出あう。「運命の人に―・チャンスに―」 表記 人にあう場合は「巡り会う」「巡り×逢う」とも。 名 巡り合い。 ●**めぐりあわせ**[巡り合わせ] ちょうど ものごとが重なる運命。まわりあわせ。「不景気の年に卒業するという―」 ●**めぐりあわ・せる**[巡り合わせる]《自下一》 たまたま出あう。「変革期に―・幸運に―」 ●**めぐりめぐって**[巡り巡って]《副》 まわりまわって。「―また手元にもどって来た」

**めく・る**[(×捲る)]《他五》 紙などを、はがすようにして、うらがえす。「トランプを―・ページを―・辞書を―」 可能 めくれる。

***めぐ・る** 一[巡る]《他五》 ①〔まわりを〕ぐるりと回る。「池を―」 ②あちらこちらと回り歩く。「諸国を―」 ③まわりを囲む。「城を―堀」 二[(巡る)]《他五》〔議論などで〕あることを中心にする。「日本文化を―諸問題」 三[巡る]《自五》 回って、もとへ かえる。「―因果・季節が―」 可能 巡れる。

☆☆**めくるめ・く**[目(×眩めく)]《自五》〔文〕 ①目が くらくらする。めくらむ。めくらめく。「―光の中」 ②魅力にひかれて、うっとりする。「―楽園」 名 目くるめき。

**めく・れる**[(×捲れる)]《自下一》 ①めくった状態になる。「ページが―・ふとんが―」 ②「めくる」の可能形。

**め・げる**《自下一》 ①気力がおとろえる。「困難にめげず・暑さにもめげず(=暑さにも負けず)」 ②〔俗〕しょげる。がっかりする。

**めけんとう**[目見当] 目で だいたいの見当をつけること。「―で切る」

**めごち**[(雌×鯒)・(目×鯒)] 本州中部以南の沿岸にすむ さかな。コチの一種。頭が大きく、ひらたい。天ぷらやねりものにする。

**めこぼし**[目(×溢し)]《名・他サ》〔不注意で、または、わざと〕見のがすこと。「お―願いたい」

**めこぼれ**[目(×溢れ)] 見のがし。見おとし。

**メサイア**〔Messiah〕《宗》⇩メシア。

**めさき**[目先] ①目の前。「―にちらつく」 ②近い将来。「―の利益・―の こと」 ③(すぐ)先の見通し。

●**目先が利く**〔句〕先の展開を読む能力にすぐれている。機転が利く。目端が利く。●**目先を変える**〔句〕趣向を変える。

**めざし**【目刺し】イワシなどの丸干しの一種。何びきかまとめて、目のところを竹のくしやわらでさし通したもの。

**めざ・す【目指す】《他五》遠くの目標に近づこうとする。「頂上を━・合格を目指して勉強する」

**めざと・い**【目(△敏い)】《形》①すぐ気がついて、見るのがはやい。「目ざとく見つける」②すぐ目がさめるようすだ。派━さ。

**めざまし**【目覚まし】①目覚まし時計(の機能や音)。「━が聞こえる」②ねむけざまし。「━のコーヒー」③⇩おめざ。●**めざましどけい**【目覚まし時計】予定の時刻にベルが鳴るしかけのある時計。

**めざまし・い**【(目覚ましい)】《形》目がさめるような感じだ。びっくりするほど、すばらしい。「━大活躍」派━さ。

**めざま・す**【目覚ます】《他五》〔文〕①目ざめるようにする。②呼び起こす。▽目覚ませる。

**めざ・める**【目覚める】《自下一》①ねむりからさめる。②ねむった状態にあったものがはたらきだす。「性に━」③それまで知らなかったことの価値などに気づく。「信仰に━」④まよいからさめ、はっきりと自覚する。「現実に━」名目覚め。「━がいい」

**めざる**【目(×笊)】目のあらいざる。

**めさ・れる** 一【召される】《自下一》〔古風〕「する」の尊敬語。なさる。あそばす。「ご用心めされよ」〔禁止は文語形が多い。「ご油断めさるな」〕二【召される】連「召す」の〈受け身/尊敬語〉。「天に━・お年を━」

**めざわり**【目障り】《名・ダ》①何かを見るのにじゃまになる〈ようす/もの〉。「━な高層ビル」②見ると不愉快になる〈ようす/こと〉。「━な存在」

**めし**【飯】①米や麦をたいたもの。「米の━・あなご━」②〔メシ〕ⓐ食事。「━にする〔男〕・三度の━」ⓑ料理。「男━(=俗に、男が〈作る/食べる〉料理)」▽日常語としてはやや乱暴で、「ごはん」のほうがふつう。☞飯の食い上げ・飯の種。●**飯を食う**〔句〕①食事をする。②生活する。「小説で━」③〔…の━〕…に勤める。「外務省の━」

**めじ**【目地】タイル・れんが・ブロック・しぼふなどをはったり積んだりするときの、あわせ目。「━を白く仕上げる」

**めじ**【目路・△眼路】〔文〕目に見える範囲。眼界。「━の〈続く〉限り」

**めじ** ↑めじまぐろ。

**メシア**〔ヘブライ Messiah〕《宗》救世主。メサイア。メシヤ〔古風〕。

**めしあがりもの**【召し上がり物】「食べ物・飲み物」の尊敬語。

**めしあが・る**【召し上がる】《他五》「食う・飲む」の尊敬語。「私はおそば。あなたは何を━?」✎「お召し上がりになる」「お召し上がりください」は、それぞれ「召し上がる」「召し上がってください」の、より敬意の強い言い方。「召し上がる」などでは敬意不足と感じられる場合に使われる。「食う・飲む」の尊敬語には、古く「召す」などがあったが、しだいに敬意不足と感じられ、より敬意の強い「召し上がる」、さらに「お召し上がりになる」があらわれた。☞召し上がれ。

**めしあがれ**【召し上がれ】《感》〔話〕〔同等・目下の人に〕食べ物・飲み物をすすめるときに言うことば。「できました、さあ、━・『いただきます』『━』」

**めしあ・げる**【召し上げる】《他下一》〔国・役所などが〕とりあげる。名召し上げ。

**めしい**【(△盲)】〔「めしいる」の名詞形〕〔文〕目が見えない〈こと/人〉。

**めし・いる**【(△盲いる)】《自上一》〔文〕目が見えなくなる。由来「目」と、感覚がなくなる意味の「しいる」から。

**めしうた**【召し歌】歌会始にえらばれてさし出す、お題にちなんだ和歌。

**めしうど**【召△人】皇居での歌会始のとき、お題にちなんだ和歌(=召し歌)を差し出すように、えらばれた人。めしびと。めしゅうど(召人)。

**めしかか・える**【召し抱える】《他下一》①給料をあたえて家来にする。②やとう。名召し抱え。

**めしぐ・す**【召し具す】《他五》〔文〕引き連れる。

**めした**【目下】自分より〈地位が低い/年下である〉こと。また、そのような関係の人。(↔目上)☞もっか〈目下〉。

**めしたき**【飯炊き】飯をたく〈こと/人〉。「━の世話をする」

**めしだ・す**【召し出す】《他五》〔文〕①〔目下の者を〕呼び出す。②呼び出して職や給料をあたえる。「二百石で召し出された」名召し出し。

**めしぢゃわん**【飯茶(×碗)】ごはんをもる茶わん。めしわん。ごはんぢゃわん。

**めしつかい**【召し使い】家の雑用をさせるためにやとった人。下男・下女。

**めしつか・う**【召し使う】《他五》〔文〕〔人を〕やとって、身のまわりの雑用をさせる。

**めしつぶ**【飯粒】たいた米のつぶ。ごはんつぶ。「足の裏についた━(=取らないと気持ち悪いが取っても食えない。学位や資格などを皮肉めいて言う)」☞米粒。

**めしつ・れる**【召し連れる】《他下一》〔文〕〈呼び出して〉いっしょにつれて行く。

**めしどき**【飯時】食事の時間。

**めしと・る**【召し捕る】《他五》〔文〕罪人をつかまえる。

**めしのくいあげ**【飯の食い上げ】〔食い上げ=食べ終わり〕生活できなくなること。

**めしのたね**【飯の種】生活の手段。

**めしびつ**【飯(×櫃)】飯を入れておく、木で作った入れもの。おひつ。

**めしべ**【雌(×蕊)】《植》おしべから花粉を受け取って種をつくるしべ。(↔雄しべ)

**めじまぐろ**【(めじ×鮪)】クロマグロの若魚。めじ。

**めしませ**【召しませ】連〔動詞「召す」+助動詞「ます」の命令形〕〔古風〕お召しください。「花を━(=お買いください)」

**メジャー**〔measure〕①定量。計量。「━カップ・━スプーン」②洋裁などに使う、小形の巻き尺。▽メジャ。

☆☆**メジャー**《名・ダ》〔major〕①大規模である〈こと/さま〉。「━な会社・━デビュー(=音楽などで、大手の会社からのデビュー)」②主流であること。「━スポーツ・〔ゴルフの〕海外━大会」③↑メジャーリーグ。④《音》長音階。「―調〔=長調〕」▽〔↕マイナー〕⑤《経》国際石油資本。▽メージャー。派―さ。●**メジャー リーグ**〔major league〕⇩大リーグ。〔その選手を「メジャーリーガー」と言う〕

**めしゅうど**〔（：囚人）〕〔文〕とらわれの身の人。囚人。

**めしょう**〔目性〕〔古風〕①目の能力や性質。「―が悪い・―が弱る」②物のよしあしなどを見分ける、目の能力。

**めじり**〔目尻〕耳に近い、目の はし。「―を下げて喜んだ」〔↕目がしら〕

**めじるし**〔目印〕見て知るための しるし。

**めじろ**〔（目白）・（△眼白）〕羽が黄緑色をした小鳥。ウグイスに似て、目の ふちが白い。よくさえずる。●**めじろおし**〔（目白）押し〕多くの〈人/ものごと〉がぎっしりとならぶこと。「カウンターに―に ならぶ・行事が―だ」

由来 メジロが枝に おしあって止まる様子から。

**めす**〔雌・メス〕①〔×牝〕動物のうち、妊娠または産卵をするほう。め。めん。〔記号♀であらわす〕②めばなだけを持つ植物。③凸状と凹状で対になっているもののうち、凹状のほう。「―のケーブル」▽〔↕雄〕

**め・す**〔召す〕㊀《他五》①〔文〕呼びよせる。呼び出す。「皇帝が臣下を―」②「食う・飲む・着る・入浴する」など、何かを身に受け入れることの尊敬語。「コートをお召しになる・おかぜなど召し〔=お引きになり〕ませんよう・お年を召した〔=お年よりの〕方・お気に―〔『気に入る』の尊敬語〕」③〔古風〕お買いになる。④〔古風〕お乗りになる。「お車に―」名召し。㊁《自五》〔古風〕お切りになる。「お腹を―」☞お召し・召される・召しませ。

**メス**〔オ mes〕《医》手術・解剖などに使う小刀。●**メスを入れる**句①手術・解剖のために、メスで切る。②根本的に〈深く考え、批判する/思い切った処置を取る〉。自メスが入る。

**メスシリンダー**〔ド Messzylinder〕《理》液体の体積をはかるのに使う、目盛りのついた筒形の容器。透明のガラスやプラスチックでできている。

**めずらか**〔珍か〕《ナダ》〔雅〕めずらしい感じだ。

***めずらし・い**〔珍しい〕《形》①〈目にする/起こる〉機会が少ない。「春に大雪が降るのは―・〔たまたま出あって〕これはお―、どちらへ？」②ふつうと変わっているようすだ。目新しい。「―形の建物」③数が少なくて価値があるようすだ。「―宝石」④〔珍しく〕めずらしいことに。「珍しく(も)早起きした」派―がる。―げ。―さ。

**めずる**〔（△愛ずる）〕◇〔下二段「愛づ」の連体形〕〔文〕好む。かわいがる。めでる。「風流を―茶人」表記「△愛づる」とも。

**メセナ**〔フ mécénat〕〔企業が〕文化・芸術・科学を支援すること。「―活動」

**めせん**〔目線〕①〔もと、演劇・テレビ用語〕目の向く方向。視線。「―が合う・―を外す・カメラ―〔=カメラのほうを向いた目〕」②その立場からの見方。視点。「幼児の―で見る・国民の―に立った政治・―が低い〔=『庶民的②』だ〕・―を落とす〔=庶民的な態度に近づける〕」☞上から目線。③目の高さ。「歩きタバコの火が子どもの―にある」④〔報道などで〕顔写真の目をかくす太い線。「―を入れる」

**メソ**造〔meso〕中間。「―レベル・―低気圧」

**メソード**〔method〕⇩メソッド。

**メゾソプラノ**〔イ mezzo soprano〕《音》ソプラノとアルトの間の音域(で歌う女性歌手)。次高音。メッツォソプラノ。メゾ。メッツォ。

**メソッド**〔method〕①特別の方法・方式。「《スキー》オーストリア―」②教授法。教程。「ダイレクト―〔=学習する外国語だけを使って教えるもの〕・ギター―」▽メソード。

**メゾネット**〔maisonette=小さな家〕〔マンションで〕各戸の内部が上下二つの階に わたるもの。〔↕フラット〕

**めそめそ**《副・自サ》音を立てず、弱々しく泣くようす。「―泣く・―するな」

**メゾン**造〔フ maison=家〕集合住宅につける名前。

**メタ**〔meta〕㊀造 …を超えた。…についての。高次の。「―データ〔=データの作成者・作成日など、データについてのデータ〕」㊁**メタ**《ナダ》「メタ㊀」であるようす。「―な話〔=ことがらの内容ではなく、ことがら自体についての話〕」☞メタ言語。

**めだい**〔（目×鯛）〕日本各地の沖合にすむ、目が大きいさかな。さしみや焼き魚にする。「―の煮つけ」

**めだか**〔（目高）〕日本でいちばん小さい淡水魚。黒や灰色などのからだで、目が大きい。小川などにいて、むらがって泳ぐ。

**めだき**〔雌滝・女滝〕一対の滝のうち、勢いがゆるく、はばも せまいもの。〔↕雄滝〕

**メタげんご**〔メタ言語〕《言》ものごとではなく、ことば自体を表現した ことば。高次言語。例、「私は『さくら』という ひびきが好きだ」と言うときの「さくら」や、「『さくら』は日本語の名詞だ」という説明そのもの。

**めだし**〔芽出し〕芽を出すこと。「球根の―」

**めだしぼう**〔目出し帽〕目の部分だけを出した、頭からすっぽり かぶる形の帽子。目出帽。

**メタセコイア**〔ラ Metasequoia〕生きた化石といわれる、非常に大きな落葉針葉樹。中国で原生種が発見されて以来、世界各地で栽培されている。あけぼのすぎ(曙杉)。

**めだたし・い**〔目立たしい〕《形》〔文〕目立つようすだ。「―変化」派―さ。

**めだち**〔芽立ち〕出た芽が大きくなること。「なえの―が悪い」動芽立つ《自五》。

**めだちたがり**〔目立ちたがり〕《名・ナダ》目立つ言動や外見を好む〈性質/人〉。目立ちたがり屋。

***めだ・つ**〔目立つ〕《自五》〈それが/そこに〉あるということが、ほかのものごとから はっきり区別されて、見える。目につきやすい状態で、ある。「欠点が―・太字で目立たせる・目立たない存在」名目立ち。

**めだって**〔目立って〕《副》変化の程度が、見てすぐわかるほどの状態。目に見えて。「―ふえてきた」

**めたて**〔目立て〕のこぎりの歯や、やすりなどの目の つぶれたものをするどくすること。

**メタノール**〔ド Methanol〕《理》無色でにおいのある有毒の液体。燃料やホルマリンの原料となる。木精。メチル アルコール。メチル。メチール〔古風〕。☞エタノール。

**メタファー**〔metaphor〕⇩隠喩。

**メタボ**㊀《医》↑メタボリック シンドローム。「―対策」

㊁《名・ナダ》〔俗〕①太っている〈こと/ようす〉。「―なおなか」②むだが多いようす。「―な予算」

☆☆**メタボリック シンドローム**〔metabolic《=代謝》syndrome〕《医》内臓脂肪型の肥満に加え、脂質異常症・高血圧・高血糖のうち、二つ以上が重なった状態。メタボ。メタボリック症候群。〔二〇〇六年、厚生労働省の報告書から広まったことば〕

**めだま**〔目玉〕①目のいちばん大切な部分で、玉のようにまるくなっているもの。眼球。目の玉。めんたま。②「目玉①」に似た形のもの。③しかられること。「大―」☞お目玉。④〔俗〕特売などで、客を引きつけるため、特別に安くした品物。おとりの品。「―商品」⑤〔俗〕いちばん中心となる〈大切な/特に目立たせたい〉ものごと。「―条項」●**目玉が飛び出る**㊀①値段が高くて、ひどくおどろくようす。「―ような金額」②ひどくしかられるようす。▽目(の玉)が飛び出る。●**めだまやき**〔目玉焼き〕たまごの中身を、そのままフライパンに落として焼いたもの。黄身が目玉に見える。

**めためた**《ナダ》〔俗〕ひどく痛めつけられるようす。めっためた。「―に負ける」

**メタモルフォーゼ**〔ド Metamorphose〕変形。変身。

☆☆**メダリスト**〔medalist〕競技などで、メダルを受けた人。メダル受領者。〔ふつう、三位までの人〕「金―」

**メタリック**《名・ナダ》〔metallic〕金属の。金属的。金属性。「―カラー《=金属性の色》」

**メタル**〔metal〕①金属(で作ったもの)。「―フレーム」②《音》↑ヘビーメタル。

**メダル**〔medal〕賞としてあたえたり、記念に配ったり売ったりする、(丸い)金属板。「〈金/銀/銅〉―・観光地の―」〈なまって、メタル〉

**めだる・い**〔目△怠い〕《形》〔古風〕見ていて、もどかしい感じだ。めまだるい。「お目だるくはございましょうが」

**メタン**〔ド Methan〕《理》(沼・池などで)底にしずんだ植物質がくさってできるガス。最も簡単な炭化水素。天然ガスの主成分。色も味もなく燃えやすい。燃料に使う。メタンガス。●**メタン ハイドレート**〔methane hydrate〕《理》天然ガスの主成分であるメタンが氷状になったもの。深海底や永久凍土層に存在し、新しいエネルギー資源と見られている。

**メチエ**〔フ métier〕〔絵・彫刻・文学などの〕技巧。技法。メチエー。

**めちがい**〔目違い〕見そこない。

**めぢから**〔目(力)・目ヂカラ〕目の動きや目もとで、人をひきつける力。「―がある」

**めちゃ**〔芽茶〕先端の小さな葉だけを集めた緑茶。☞茎茶。

**めちゃ**〔(:滅茶)・(:目茶)〕〔俗〕㊀**めちゃ**《名・ナダ》⇩むちゃ㊀。「―を言う」㊁**めちゃ**《副》(もと、関西などの方言)非常に。むちゃ。めっちゃ。「―きれい・―悲しい」㊁遣 程度が大きいこと。「―もて」由来「めった〈滅多〉」と同語源の擬態語。

**めちゃくちゃ**〔(:滅茶苦茶)・(:目茶苦茶)〕㊀《名・ナダ》①筋道が通らない〈こと/ようす〉。「―な説明」②規則的でないようす。台なし。「線を―に引く」③ひどくそこなわれるようす。「素材のよさを―にする」④度が過ぎるようす。「―に ひっぱたく」派―さ。㊁《副》〔俗〕非常に。「―つらい・―いっぱいある」▽㊀㊁むちゃくちゃ。めちゃめちゃ。めっちゃくちゃ。

**めちゃめちゃ**〔(:滅茶滅茶)・(:目茶目茶)〕《名・ナダ・副》めちゃくちゃ。「計画が―になる・―うれしい〔俗〕」

**めちょう**〔雌(×蝶)〕①めすのチョウ。②紙をめすのチョウにかたどって折ったかざり。結婚式のとき、三三九度の銚子につける。③「めちょう②」をつけた銚子で酌をする役の人。▽(↔雄蝶) ☞「おちょう②」の絵。

**メチル アルコール**〔ド Methylalkohol〕《理》⇩メタノール。

**めっ**《感》〔児〕⇩め《感》。

**メッカ**〔オ Mekka〕①サウジアラビアの都市。ムハンマドの生まれた所。イスラム教の発祥地で霊地とされ、参拝者が絶えない。②〔俗〕人気の場所。何かが集中する場所。聖地。「新婚旅行の―」〔イスラム教徒に失礼にもなる表現〕

**めづかい**〔目遣い〕《名・自サ》ものを見たり、あいずをしたりするために、目玉を動かすこと。また、目玉の動かし方。

**めっかち**〔古風・俗〕①一方の目に障害のある〈こと/人〉。②左右の目の大きさがちがう〈こと/人〉。▽差別的なことば。

**めっき**〔(:鍍金)・(滅△金)・メッキ〕《名・他サ》①金・銀・クローム・ニッケルなどのうすい層を、ほかの金属の表面に〈かぶせること/かぶせたもの〉。鍍金。「金―」②中身が悪いのに、表面だけをかざっている〈こと/もの〉。天ぷら。(↔地金) 由来 金の合金を言った「滅金」の変化。●**めっきが剝げる**句 貧弱な中身があらわれる。ぼろが出る。

**めつき**〔目付き〕ものを見るときの、目のようす。「―が悪い」

**めっきゃく**〔滅却〕《名・自他サ》〔文〕消えほろびること。消しほろぼすこと。「心頭(を)―すれば火もまた涼し」〔⇩「心頭」の句〕

**めっきり**《副》(変化などが)きわだって感じられるようす。目立って。「―お寒くなりましたね・―(と)ふけこむ」

**めっきん**〔滅菌〕《名・自他サ》《医》熱や薬品の力で、すべての細菌を殺すこと。☞殺菌。

**めつけ**〔目付〕①《歴》違法なことを取りしまった、武家の職名。「―役・お―」②監視する人。「お―役」

**めっけもの**〔(目っけ)物〕〔俗〕偶然見つけた、すばらしい物。ほり出し物。めっけもん。

**めっ・ける**〔(目っける)〕《他下一》〔東日本方言〕〔俗〕見つける。自めっかる(五)。

**めつご**〔滅後〕《仏》釈迦や僧が、入滅《=死ぬこと》したあと。

**めっさ**《副》(もと、関西などの方言)〔俗〕非常に。めっちゃ。「―うまい」

**めつざい**〔滅罪〕《仏》ざんげ(懺悔)や善行などによって、罪をほろぼすこと。「ざんげ―」

**めっし**〔滅私〕〔文〕自分の利益や都合をすて去ること。「―の精神・―奉公」

**めっしつ**〔滅失〕《名・自サ》〔文〕(ほろびて)なくなること。「―のおそれのある文化財」

**メッシュ**〔フ mèche〕かみの毛の一部分を染めたり、脱色したり〈すること／したもの〉。

**メッシュ**〔mesh〕①網の目(のような区切り)。〔数字が大きいほど細かい〕③網の目の細かさをあらわす単位。②網やふるいの目のように、革ひもなどをあらく編んだもの。「夏用の—のくつ」

**めっ・する**［滅する］〔文〕㊀《自サ》①ほろびる。「生あるものは必ず—」②消える。㊁《他サ》①ほろぼす。②消す。なくす。

**メッセ**〔ド Messe〕見本市。定期的に開かれる国際的な展示会。〔施設名にも使う〕

**メッセージ**〔message=通信〕①あいさつのことば。声明(書)。②伝言。ことづて。「—を残す・スマホで送る—〔略して『メッセ』〕・—(用の)アプリ〔=LINEなど〕」③相手に伝えたいことがら。主張。「平和への—・—性の強い映画・—ソング」

**メッセンジャー**〔messenger〕①使者。②配達人。「—ボーイ」

**めっそう**［(滅相)］《ナダ》〔=仏教で、業がつきて、命が終わること〕とんでもないようす。「これは—な」●**めっそうもな・い**［(滅相もない)］《形》とんでもない。丁寧めっそうもありません。由来「滅相」に、強調をあらわす「もない」がついた形。

**めった**［(:滅多)］㊀めった《ナダ》①よく考えないでするようす。むやみ。やたら。「—なことを言うものではない」②〔多く、後ろに否定が来る〕よくあるようす。簡単。「—なことでは近寄らない」㊁遺めちゃくちゃにするようす。「—切り・—突き」由来「めちゃ(滅茶)」と同語源の擬態語「めた」から。●**めったうち**［(:滅多)打ち］①めちゃくちゃにたたくこと。「なたで—にする」②《野球》相手の投手を、めちゃくちゃに打ちこむこと。「エースを—にする」●**めったに**［(:滅多に)］《副》〔後ろに否定が来る〕①機会がほとんどないようす。「—客が来ない」②〔古風〕簡単に。「—気が許せない」●**めったavailableやたら**…

**めっちゃ**㊁《副》〔もと、関西などの方言〕〔俗〕「めちゃ㊁」を強めた言い方。むっちゃ。めっさ。「—おいしい」

**メット**〔俗〕↑ヘルメット。「—インバイク〔=ヘルメットがしまえるバイク〕」

**めつぶし**［目(潰し)］①相手の目に投げつけて、目を見えなくさせる〈こと／もの〉。「—の砂」②建具などのすきまを〈ふさぐ／うめる〉こと。また、〈ふさぐ／うめる〉ためのもの。

**めつぼう**［滅亡］《名・自サ》ほろびること。

**めっぽう**［(滅法)］㊀《ナダ》〔古風〕法外。非常。「—な寒さだ」㊁《副》非常に。「—強い」●**めっぽうかい**［(滅法界)］《副》〔古風〕法外に。非常に。

**めづまり**［目詰まり］《名・自サ》①細かなごみなどがたまって、布などの目がつまること。「プリンターの—」②さまたげになるものがあって物事が順調に進まないこと。「地震で物流が—を起こす」動目詰まる《自五》〔俗〕。

**めて**［(馬手)］〔文〕①(馬の手綱を持つ)右の手。②右のほう。▽(↕弓手)

☆☆**メディア**〔media=medium の複数形〕①媒体。記憶媒体。「電波—〔=テレビ・ラジオ〕」②《情》⇩記憶媒体。③手段。媒介物。「ことばという—を通して」④マスメディア。「—に登場する」●**メディアスクラム**〔media scrum〕相手の迷惑を考えず大ぜいでおこなう取材・報道活動。集団的過熱取材。●**メディアミックス**〔media mix〕映画・テレビ・出版など、複数のメディアで商品を宣伝したり、作品を制作したりすること。●**メディアリテラシー**〔media literacy〕マスメディア〔=新聞・テレビ・インターネットなど〕からの情報を正しく評価し、活用する能力。

**メディカル**遺〔medical〕医療の。「—チェック〔=選手などの健康診断〕」

**メディシンボール**〔medicine ball〕①大ぜいならんで、大きなボールをつぎつぎにうしろへ送る競技。また、そのボール。②トレーニングのときに使う、重いボール。バスケットボールぐらいの大きさで、ダンベルのように使ったりする。▽メジシン ボール。

**めでた・い**［(:目出度い)・(:芽出度い)］《形》①祝いたい気持ちだ。「—新年」②〔文〕まさっているようすだ。好意的だ。「会長の覚えが—」③⇩おめでたい②。派—がる。—さ。

**めでたく・なる**《自五》〔古風・俗〕「死ぬ」のいみことば。「お—」

**めでた・し**［(:目出度し)］《形ク》〔すべて〈まるくおさまり／順調で〉〕めでたい。「これで万事—、—だ」

**めでぼう**［目出帽］目出し帽。

**め・でる**［(愛でる)］《自他下一》〔文〕①かわいがる。②美しさをほめる。「月を—」③〔にめでて〕その点を特に考えてやって。「忠勤にめでて」

**めど**［(:目途)・(目処)］めざすところ。めあて。由来「ど」は「所」から。「途」は音による当て字ではなく、同じ意味の漢語「目途」による。表記報道などで「メド」とも。●**めどがつく**句見こみがつく。めどが立つ。「完成の—」

**めど**［(:針孔)］〔=目処〕糸を通すための、針の穴。みぞ。

**めどおし**［目通し］⇩お目通し。

**めどおり**［目通り］①〔文〕⇩お目通り。②目の高さではかった、木の太さ。「—十センチ」

**めと・る**［(娶る)］《他五》〔文〕妻としてむかえる。

**メドレー**〔medley〕①《音》(間にナレーションなどを入れず)いくつかの曲を続けて演奏すること。②↑メドレーリレー。●**メドレーリレー**〔medley relay〕①《陸上》ひとりひとりの走る距離がそれぞれちがうリレー。②《競泳》背泳ぎ・平泳ぎ・バタフライ・自由形の順に泳ぐ、四人一組みのリレー。☞個人メドレー。▽メドレー。

**メトロ**〔フ métro〕地下鉄。

**メトロノーム**〔ド Metronom〕《音》音楽のテンポ〔=拍子〕を正確にはかる、振り子式の器械。拍節器。

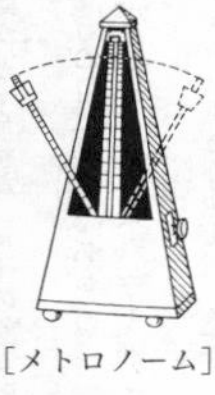
［メトロノーム］

**メトロポリス**〔metropolis〕①首都。首府。②大都会。

**めなみ**［女波］低く弱く打ち寄せる波。「男波―」（↕男波）

**めな・れる**［目慣れる］《自下一》見慣れる。

**メニエールびょう**［メニエール病］〔フ Ménière＝人名〕《医》めまい・耳鳴り・難聴をくり返す病気。メニエ（ー）ル氏病〔古風〕。メニエル病。

**メニュー**〔menu〕①献立（を書いた表）。料理の品目。②前もって用意した項目。「練習―・―方式」③〔コンピューターで〕画面に示される、操作手順の一覧表。「―画面・―バー」

**メヌエット**〔イ minuetto〕《音》ふたりで おどる、三拍子の、上品なダンス（の曲）。

**めぬき**［目抜き］①いちばん目立つ、にぎやかな場所。「―通り」②目立つもの。

**めぬき**［目△貫］刀のつか（柄）にある目釘。また、その頭の部分が装飾品となったもの。

**めぬけ**［（目抜）］おもに北の海の深い所にいる、目の大きな赤いさかなの総称。切り身や かすづけなどを、アコウダイやアカウオの名で売る。

**めぬり**［目塗り］《名・自他サ》①あわせ目〈を塗ること/に塗るもの〉。②〔火事のとき火がはいらないように〕土蔵の戸前を塗って ふさぐこと。

**めの‐いろ**［目の色］目つき。表情。「―をうかがう」●**目の色を変える**句 ―を暗くする・おどろいたり夢中になったりして、目つきや表情が変わる。「お金の話と聞いて―」直目の色が変わる。

**めのう**［（×瑪×瑙）］《鉱》紅・緑・白などの美しい色の模様をもった宝石。

**めのうえの‐こぶ**［目の上の（×瘤）］身近にいて、活動のじゃまになる（目上の）人。目の上のたんこぶ。

**めのかたき**［目の敵］見るたびに、いじめたり争ったりしたくなる相手。目ざわりで にくらしいもの。「―にする」

**めのくりだま**［目の（×刳り玉）］〔古風・俗〕目玉。めんくりだま。

**めのこざん**［目の子算］①目で見て だいたいの計算をすること。概算。②暗算。▽目の子勘定。目の子。

**めのした**［目の下］〔さかな などの〕目から尾の先まで（の長さ）。「―三尺の たい（鯛）」

**めのたま**［目の玉］めだま。めのくりだま〔古風・俗〕。●**目の玉が飛び出る**句 ⇩目玉が飛び出る〔「目玉」の句〕。●**目の玉の黒いうち**句 生きて いる あいだ。

**めのと**［（：乳父）］《歴》身分の高い人の子どもを育てる男性。「後白河天皇の―信西」

**めのと**［（：乳母）］〔雅〕主人の家の子どもの うば。おんば。「―子（＝うばの子）」

**めの‐どく**［目の毒］①見ると〈ほしくなる/害になる〉ので、見ないほうがいいもの。②ねむりをさまたげるもの。「濃茶―気の薬」

**めのほよう**［目の保養］きれいなものなどを見て、楽しい思いをすること。目の正月。

**めのまえ**［目の前］①見ている、すぐ前。「客の―でさかなをさばく」②非常に近い〈所/時〉。目前。「港を―にして しずんだ」●**目の前が〈暗く/真っ暗に〉なる**句 希望が失われる。

**めばえ**［芽生え］①めばえること。めばえた芽。②ものごと〈の始まり/が始まろうとする ようす〉。「現代文学の―・恋の―」

**めば・える**［芽生える］《自下一》①草木の芽が、土の中から あらわれる。②ものごとが、起こり始める。「愛情が―」

**めはし**［目端］どうすれば得になるか判断する能力。機転。「―が利く」

**めばち**［（△眼×撥）］目の大きなマグロ。肉は あわい紅色で、すしに使う。めばちまぐろ。ばち。

**めばちこ**［（目ばちこ）］〔関西方言〕⇩ものもらい㊁。

**めはちぶ（ん）**［目八分］①〔神前や貴人に物を差し上げるとき〕目より少し低くささげて持つこと。②はちぶんめ。「―に見る（＝人を見下す）」

**めはな**［目鼻］①目と鼻。「お盆に―（＝丸顔の人のこと）」②顔だち。「―の整った顔」●**目鼻がつく**句 だいたいの〈決まり/見通し〉がつく。他目鼻をつける。

●**めはなだち**［目鼻（立ち）］目や鼻などの形や つりあい。顔だち。「―の整った赤ちゃん」

**めばな**［雌花］《植》めしべだけ ある花。（↕雄花）

**めばや・い**［目早い］《形》めざとい。派‐さ。

**めばり**［目張り・目貼り］《名・自サ》①ものの つぎめや すきまに紙などをはって、ふさぐこと。「すき間に―する」②目をはっきり見せるために、目がしらや目じりの先を黒く塗ること。☞アイライン。

**めばる**［（△眼張）・（目張）］近海にすむ中形のさかな。目が大きく、からだの色は すむ深さなどでちがう。食用。

**メビウスの‐おび**［メビウスの帯］〔Möbius＝人名〕細長い紙を一回ねじって、表の端と裏の端をつないで作った輪。表裏の区別がない。メビウスの輪。

**めびな**［女（×雛）］内裏びなのうち、女のひな人形。（↕男びな）

**めひょう**［女×豹］〔＝めすのヒョウ〕〔俗〕いさましくセクシーな女性。

**メフィストフェレス**〔ド Mephistopheles〕ドイツの伝説中の悪魔。ファウスト（Faust）の望みをかなえるかわりに、彼の魂を売りわたす契約をさせる。メフィスト。

**めぶ・く**［芽吹く］《自五》①木の枝から芽が わずかに出る。〔生命が誕生するたとえにも使う〕「柳が―・命が―春」②気持ち・才能・活動などが新しく生じる。「ねむっていた感情が―」名芽吹き。

**めぶくろ**［目袋］目の下の肉。「―の たるみ」

**メフン**〔アイヌ mehun〕〔「めふん」とも書く〕サケの背わた（＝腎臓）を塩辛にしたもの。

**めぶんりょう**［目分量］〔調味料などを〕目で はかった、だいたいの分量。

**めべり**［目減り］《名・自サ》〔目＝目方〕①〔関係ない部分を除いたりした結果〕はじめより重量が へること。「脱穀によって米が―する」②見た目は同じでも、実質的な ねうちが下がること。「家の資産価値が―する」③〈少しずつ/いつの間にか〉へること。「信頼が―する」

**めぼし**［目星］①めあて。見当。「―をつける」②《医》はやり目などのときに、角膜の ふちなどにあらわれる、あわつぶぐらいの大きさの白い斑点。フリクテン（phlycten）。

**めぼし・い**《形》〔そこにあるものの中で〕目立っている。

「―物がない・―論文」 表記 「目ぼしい」「目星い」とも書くが、「目星」との関係は はっきりしない。

**めまい**[目まい・目×眩・:眩暈]《名・自サ》 からだが回るような感じがしたり(=目が回る)、貧血を起こして目がくらくらしたり(=目がくらむ)、足もとがよろめいたりする状態。「―におそわれる」

**めまぐるし・い**[目(△紛るしい)]《形》 目先にちらついて、目が回るよう〈だ/に はやい〉。「―変化」 名 目まぐるしさ。

**めまぜ**[目交ぜ]《名・自サ》 ①めくばせ。②まばたき。

**めまだる・い**[目(間△怠い)]《形》〔古風〕⇩めだるい。「お目まだるき点多いかと存じまするが」

**めまつ**[雌松] あかまつ。(↕雄松)

**めみえ**[目見(:得)] ⇩おめみえ。

**めめし・い**[女々しい]《形》〔男性が〕女性のように〈弱々しい/いくじがない〉。〔偏見をふくんだ言い方。もと、「女らしい」の意味〕 派 ―げ。―さ。

**メメントモリ**〔ラ memento mori〕 死ぬということを忘れずにいろ。〔ヨーロッパの警句〕

**メモ**〔memo〕 一〔↑メモランダム〕 覚え書き。備忘録。メモ書き。 二《名・他サ》 忘れないように、要点を書きつけること。「―を取る・要点を―する」

**メモちょう**[メモ帳] メモ用の小形手帳。

**めもと**[目元・目△許] ①目のあたり。「―が かわいい」②目。めつき。「ぱっちりした―」

**メモランダム**〔memorandum〕 ①メモ。②覚書の形で作成する外交書類。

**めもり**[目盛り] 長さ・容積・重さなどを知るために、ものさし・容器・はかりなどに つける しるし。

**メモリアル** 造〔memorial〕 記念の。追悼の。「―ホール(=記念館)・―パーク(=墓地)」

☆☆**メモリー**〔memory〕 ①思い出。記念。②《情》コンピューターの記憶装置。「―に保存する」▽メモリ。

●**メモリーカード**〔memory card〕 パソコンやデジタルカメラなどに使う、カード状の記憶媒体。

**めも・る**[目盛る]《他五》〔ものさしなどに〕目もりをつける。

**メモ・る**《他五》〔俗〕メモを取る。メモする。

**メモワール**〔フ mémoire〕〔おもに外交官・政治家の〕回想録。

**めや** 連〔文語助動詞「む」の已然形+終助詞「や」〕〔文〕反語をあらわす。…するだろうか、そんなことはしない。「忘れ―」

**めやす**[目安] だいたいの基準。「毎日一時間を―に歩く・保険料の―・―をつける(=見当をつける)」 ●**めやすばこ**[目安箱] ①《歴》江戸時代、徳川吉宗が民衆に意見を投書させるために設置した箱。②投書箱。

**めやに**[目(△脂)] 目から出る、ねばねばしたもの。やに。めくそ。めあか。

**めやも** 連〔文〕①「めや」を強めた言い方。…するはずがないよ。「またと あら―・今宵は飲まざら―(=飲もうよ)」②〔①の誤解から〕 強い意志をあらわす。…しようではないか。「いざ生き―」

**メラトニン**〔melatonin〕《生》間脳にある腺から出るホルモン。からだのリズムや睡眠の調節にかかわる。

☆☆**メラニン**〔melanin〕《生》動物の皮膚・毛にある黒っぽい色素。〔ほくろ・そばかす・日焼けなどは、メラニンの病的な発生によるもの〕

**メラノーマ**〔melanoma〕《医》⇩悪性黒色腫。

**メラミン**〔melamine〕 ①《理》尿素とアンモニアから作る有機化合物。毒性がある。②↑メラミン樹脂。「―スポンジ」 ●**メラミンじゅし**[メラミン樹脂]《理》メラミンとホルムアルデヒドから作る合成樹脂。耐熱性・耐薬品性などにすぐれ、食器や家具などに広く使われる。

**めらめら**《副》 ①ほのおを出して燃え広がるようす。「枯れ草が―(と)燃える」②感情が高ぶるようす。「嫉妬のほのおが―と燃えあがる」

**メランコリー**《名・ナダ》〔melancholy〕 ①ゆううつ。②《医》⇩うつ(鬱)病。

**め・り**《助動ラ型》〔文〕〔推量の助動詞〕推量や婉曲をあらわす。…ようだ。「花散る―」

**メリー** ねている赤ちゃんの頭上で、音楽に合わせて、花や玉、キャラクターなどが回転する おもちゃ。ベビー メリー。オルゴール メリー。

**メリークリスマス**《感》〔Merry Christmas〕 クリスマスおめでとう。

**メリーゴーラ(ウ)ンド**〔merry-go-round〕 遊園地にある乗り物。円形の台に取りつけられた木馬が、上下しながら回る。回転木馬。カルーセル(米 carousel)。

**メリケン**〔↑American〕 ①〔古風〕アメリカ。「―仕込みの教育法」②ボクシング(の手)。げんこつで突くこと。「―サック(=なぐるとき、指にはめる金具)」 表記 「:米利堅」は、古い音訳字。 ●**メリケンこ**[メリケン粉]〔古風〕小麦粉。 由来 はじめ、アメリカ合衆国からの輸入小麦粉を呼んだもの。

**めりこ・む**[(△減り)込む]《自五》 おされて はいりこむ。「かかとが砂に―・荷が肩に―」 名 めり込み。 他 めり込ませる《下一》。「雪にタイヤを―」

☆☆**メリット**〔merit〕 利点。長所。「新方式の―」(↕デメリット)

**メリノ**〔merino〕 スペイン原産の、白い毛の羊。多くはオーストラリアで飼育される。「―ウール」

**めりはり**〔「メリハリ」とも書く〕 ①せりふや声の調子の、高低。抑揚。めりかり《音》。②場合ごとの、はっきりした区別。「表現に―をつける」 由来 「減り(=下がる音)」と「張り(=上がる音)」から。「めり」は「めりこむ」の「めり」と同じ。 表記 「△乙張り」とも書いた。 ●**めりはりがきく** 句 高低・抑揚が はっきりつく。

**めりめり**《副》 強い力にたえられないで、さけたり折れたりする〈音/ようす〉。「幹が―とさける」

**メリヤス**〔ス medias〕 細い糸を機械で編んだ、のび縮みの自由な布。シャツ・ズボン下などに作る。 表記 「:莫大小」とも書いた。のび縮みして「大小が莫い」から。 ●**メリヤスあみ**[メリヤス編み]《服》〔棒針の編み物で〕表編みとうら編みを一段ごとに くり返して編む方法。表面が布のように、平らにでき上がる。

**メリンス**〔ス merinos〕 地の うすい、やわらかな毛織物。モスリン。

**メルクマール**〔ド Merkmal〕〔それを特徴づける〕目じるし。目標。

**メルシ(ー)**《感》〔フ merci〕 ありがとう。サンキュー。

**メルトスルー**《名・自サ》〔melt-through〕《理》原

め

☆☆**メルトダウン**《名・自サ》〔meltdown〕①『理』原子炉の炉心がとけて、圧力容器を突き破ること。炉心溶融。②崩壊。「経済が―する」

**メルとも**〔メル友〕〔↑メール友だち〕〔俗〕メールで連絡をとりあう友だち。

**メルヘン**〔ド Märchen〕[一] おとぎばなし。童話。メルヒエン。「―の世界・おとなの―・―チック〔=童話的〕」[二]《ナダ》童話的。

**メルマガ** ↑メール マガジン。

**メルルーサ**〔ス merluza〕深い海にすむ、スケソウダラをひとまわり大きくしたような さかな。たんぱくな味の白身魚で、フライやムニエルなどにする。

**メレンゲ**〔フ meringue〕たまごの白身を泡立てて砂糖を加えたもの。焼き菓子やケーキに使う。

**メロ** 造 ①↑メロ ドラマ。「昼―・アクション―〔=活劇場面もあるメロドラマ〕」②↑メロディ(ー)。「―先〔⇩曲先〕」☞Aメロ・Bメロ・懐メロ。

**めろう**〔女郎〕〔俗〕女をののしって言うことば。(↔野郎) ☞じょろう(女郎)。

**メロー**《ナダ》〔mellow=あまく熟した〕豊かで美しいようす。メロウ。「―な歌声」

**メロディアス**《ナダ》〔melodious〕音楽的であるようす。旋律的なようす。メロディック。

**メロディ(ー)**〔melody〕『音』〔多く西洋音楽で〕音の高低・長短の変化が続くもの。旋律。ふし。メロデー〔古風〕。

**メロディック**《ナダ》〔melodic〕メロディーが美しいようす。メロディアス。

**メロドラマ**〔melodrama〕映画・演劇・テレビなどの、通俗的な恋愛劇。

**めろめろ**《副》愛情におぼれたり酔ったりして、理性をすっかり失うようす。「―になる」

**メロン**〔melon〕ウリのなかまの、大きくて丸い くだもの。皮は うす緑色などで、網目がある種類や、つるつるした種類がある。果肉は緑・オレンジ色などで、やわらかくて あまく、かおりがいい。「―ソーダ〔=緑色のソーダ水〕・生ハム〔をのせた〕―」☞マスクメロン・プリンスメロン。●**メロンパン**〔和製 melon＋ポ pão〕メロンをまねた、丸くて格子模様のある、表面が かたい菓子パン。サンライズ〔関西などの方言〕。

****めん**〔面〕[一] **めん** ①仮面。能面。「―を〈かぶる/つける〉・―を打つ〔=制作する〕・お―」②『剣道』顔・頭を守るために かぶる道具。面頰。また、そこを打つ わざ。表記 わざは「メン」とも。[二] **めん** ①《数》たてに のびるだけでなく、横には ばをもつもの。また、立体の、おもてに あらわれた部分。「立方体の各―」(↔点・線) ②方面。「法律(などの)―では・北東―からの登山・精神―の成長」③いいか悪いか、有利か不利かなどの特徴。「優しい―もある」④新聞の(それをあつかう)ページ。「経済―・三―」⑤木材の かどを、装飾的にけずった部分。[三] **めん**《感》「面[一]②」を打つときの、かけ声。「(お)―!」[四] 接尾 ①平たく作ったものを数えることば。〔飛行場・運動場・球場・トラック・コート・スケートリンク、プール・釣り池、(駅の)ホーム・舞台・土俵、壁・ふすま、額・鏡、碁盤・将棋盤などに使う〕②能面・かつら(鬘)を数えることば。[五] 造 文面。「証書―」●**面が割れる** 句〔俗〕①『警察』写真や面通しなどで、名前や身もとがわかる。②〔秘密にしたいのに〕顔を知られる。「この近所では面が割れている」他 面を割る。●**面と向かって** 句 相手と正面から顔をあわせて。●**面を切る** 句〔俗〕にらむ。メンチ(を)切る。●**面を取る** 句 木材・木の器具・食材などの、かどをけずる。

**めん**〔綿〕①もめん。「―織物・―ネル・―レース」②脱脂綿。「消毒―・カット―」

**めん**〔麺〕[一] **めん** 小麦粉などをこねて、細く長い形にしたもの。例、うどん・そば〔そば粉で作る〕・ラーメン。「腰のある―・ノンフライ―」[二] 造 ①そうめん。「播州―」②中華そば。「チャーシュー―・天津―〔=かにたまをのせたラーメン〕」

**メン** 造 ①〔men〕「マン」の複数形。「ジャズ―」②↑メンバー。「推し―〔=自分が応援するメンバー〕」

☆☆**めんえき**〔免疫〕《名・他サ》①『医』病原菌や毒素がからだに はいった場合に、それに対抗する性質(ができること)。「―性・―される」②ものごとを無理なく受け入れる はたらき。「女子校出身で男性に―がない」●**めんえきグロブリン**〔免疫グロブリン〕〔globulin〕『生』血液にふくまれる たんぱく質。ウイルスなどに対する抗体として はたらく。☞ガンマグロブリン。●**めんえきげん**〔免疫原・免疫元〕『医』免疫を生じる もと。●**めんえきたい**〔免疫体〕『生』⇩こうたい(抗体)。●**めんえきよくせいざい**〔免疫抑制剤〕『医』からだの免疫作用をおさえる薬。

**めんか**〔綿花・×棉花〕①ワタの たねを包む、白い毛のような繊維。綿織物の原料。②『医』わた。「消毒用の―」

**めんかい**〔面会〕《名・自サ》おとずれてきた人と会うこと。こちらからおとずれて、人に会うこと。「―謝絶」

**めんかん**〔免官〕《名・他サ》官職をやめさせること。「依願―」

**めんきつ**〔面詰〕《名・他サ》〔文〕面と向かって相手を責めること。面責。「大臣を―する」

**めんきょ**〔免許〕《名・他サ》①社会の中で あることをすることを、政府が ゆるすこと。「―証〔=自動車の、運転免許証をさすことが多い〕・―がおりる」②師匠が弟子に奥義を伝えること。「―状」●**めんきょかいでん**〔免許皆伝〕師匠から奥義を すっかり伝えられること。「―の うでまえ」

**めんくい**〔面食い〕〔俗〕顔の きれいな人を好きになる性質。器量好み。

**めんくらう**〔面食らう〕《自五》予想外で、わけがわからず、あわてる。「知らない人に あいさつされて―」

**めんこ**〔〔面子〕・メンコ〕ボール紙などを(まるく、または四角く)切った、子どもの おもちゃ。地面にたたきつけて、相手のものを裏返そうと争う。☞メンツ(面子)。

**めんご**〔「ごめん」の さかさことば。「メンゴ」とも書く〕〔俗〕軽くあやまるときに(ややふざけて)使うことば。「―」

**めんご**〔面×晤〕《名・自サ》〔文〕面会すること。「―の機会を得る」

**めんこい**《形》〔東北・北海道方言〕かわいい。めごい。「―子馬」

**めんざい**〔免罪〕《名・他サ》〔文〕罪をゆるすこと。

●☆☆**めんざいふ**［免罪符］①《宗》十五世紀末ごろ、カトリック教会が、それを持っていると、おかした宗教上の罪がゆるされるとして発行した証書。贖宥状。②責任や非難をまぬがれるためにすることの口実。あることが許されるような、都合のいい口実。

**めんし**［綿糸］もめんのいと。

☆☆**めんしき**［面識］顔見知り。「―を得る」●**面識がある**句 会ったことがあって、知っている。●**面識を持つ**句 知りあいになる。

**めんじつゆ**［綿実油］ワタの種からとった油。わたあぶら。

**めんしゅう**［免囚］〔文〕刑が終わって、自由の身になった人。「―保護」

**めんじゅうふくはい**［面従腹背］《名・自サ》〔文〕相手の言うことに服従しているように見せかけて、心の中ではそむくこと。

**めんじょ**［免除］《名・他サ》義務などを果たさなくていいと、相手に対して認めること。「授業料の―」

**めんじょう**［免状］①免許の文書。②卒業の証書。

**めんじょう**［面上］〔文〕顔の表面。「―に朱を注ぐ」

**めんしょく**［免職］《名・他サ》懲戒処分の一つ。職をやめさせること。解雇。☞懲戒。

**めん・じる**［免じる］《他上一》①〔文〕ゆるす。免除する。「罪を―」②〔文〕〔職を〕やめさせる。「課長を―」③〔…に免じて〕〔その〈人/こと〉を〕特に好意的に取り上げて、考えてやる。「この私に免じて、格別のお取りはからいを…」▽免ずる。

☆☆**めんしん**［免震］《理》ビルの下に地震によるゆれを吸収する装置を設置し、ビルのゆれを少なくすること。「―構造・―棟」☞制震・耐震。

**めん・す**［面す］《自五》⇩面する。「道路に面さない敷地」

**メンス**〔←ド Menstruation〕〔古風〕⇩生理②。

☆☆**メンズ** ━ 選〔men's〕男性(用)の。「―バッグ・―ショップ〔=男性用の衣服を売る店〕」〔↔レディ(ー)ス・ウィメンズ〕 ━ **メンズ** ①〔↑メンズ ウェア〕男性用の服。〔↔レディ(ー)ス・ウィメンズ〕②〔俗〕男性たち。〔英語では men〕

**めん・する**［面する］《自サ》①その方向に向く。直接つづく。「庭に―座敷・道路に面した家」②〔文〕あることに直接ぶつかる。直面する。「危難に―」▽面す。

☆☆**めんぜい**［免税］《名・他サ》税を免除すること。「―点・―店・―品」

**めんせき**［面積］平面・球面の広さ。「―百平方メートル」☞表面積。

☆☆**めんせき**［免責］《名・他サ》《法》法律上の責任をまぬがれること。「―条項〔=契約上の責任を取らなくてもいい場合をしめした条項〕」

**めんせき**［面責］《名・他サ》〔文〕面と向かって相手をせめること。

**めんせつ**［面接］《名・自サ》審査などをするために直接会うこと。「―試験・―指導」

**めんぜん**［面前］〔文〕目の前。「公衆の―で恥をかく」

**めんそ**［免租］《名・他サ》〔文〕租税を免除すること。「―地」

**めんそ**［免訴］《名・他サ》《法》刑事被告人に対して事件の審理をせず、訴訟を打ち切る判決。

**めんそう**［面相］①顔つき。「どうもうな―の犬」②〔俗〕顔。「たいへんなご―〔=みっともない顔〕」③《美術》↑面相筆。●**めんそうふで**［面相筆］《美術》日本画に使う、細い線をかく筆。面相。

**メンソール**〔menthol〕《理》⇩メントール。

**メンター**〔mentor=すぐれた指導者〕後輩を指導する助言者。「―制度」

**メンタイ**［(:明太)・めんたい］〔朝鮮語の方言「メンテ」から〕①すけそうだら。②↑めんたいこ。「からし―・―フランス(パン)」●**メンタイこ**［:明太=子・めんたいこ・メンタイコ］①たらこを塩づけにし、トウガラシなどを加えて、熟成させたもの。からしめんたいこ。「―パスタ」②〔九州北部の方言〕たらこ。▽めんたい。

**めんたま**［目ん玉］〔俗〕目の玉。目玉。「―ひんむいて、よく見ろ・―がとび出るほど高い」

**メンタリティ(ー)**〔mentality〕心(の状態)。

☆☆**メンタル**〔mental〕━《ナ》精神的。「―なケア・―トレーニング」━ 精神面。精神力。「―の弱さ・―〔=心〕が折れる」▽━━〔↔フィジカル〕●**メンタルテスト**〔mental test〕個人の才能・性格を知るためにおこなわれる、簡単な検査。知能検査。●**メンタルヘルス**〔mental health〕《医》精神的なストレスや心の病に対する、予防や治療。心の健康。メンヘル。

**めんだん**［面談］《名・自サ》面会して話すこと。「委細―」

**めんち**［メンチ］〔俗〕にらむ。ガンをつける。●**メンチ(を)切る**句〔関西などの方言〕

**メンチ**〔mince〕↑メンチカツ。●**メンチカツ**〔和製 mince cutlet〕ひき肉を平らにのばし、ころもをつけてあげた料理。ミンチ カツ。メンチ。●**メンチボール**〔和製 mince ball〕⇩ミンチボール。

**めんちょう**［面×疔］《医》顔にできる、悪性のはれもの。

**めんちん**［面陳］《名・他サ》〔書店などで〕本などのおもてが見えるように陳列すること。

☆☆**メンツ**［(:面子)］〔中国語〕①体面。面目。「―を立てる」〔大正・昭和時代からのことば〕②〔俗〕何かをするためのメンバー。「―が足りない」〔マージャン用語から〕☞めんこ(面子)。

**めんつゆ**［麺(汁)］しょうゆ・だし・みりんなどを合わせた調味料。そば・うどんなどのつけじるにする。

**めんてい**［免停］〔俗〕↑〔自動車運転や各種営業の〕免許停止処分。「―を食らう」

**めんてい**［面体］〔文〕顔かたち。顔つき。面相。「あやしい―の男・〔かぶり物を取らせて〕―を改める」

☆☆**メンテナンス**《名・他サ》〔maintenance=維持〕〔建物・機械の〕保守・管理。メインテナンス。メンテ。「―フリー〔=不要〕」

**めんど・い**《形》〔もと西日本方言。「メンドい」とも書く〕〔俗〕めんどうくさい。めんどっちい。「計算が―」

**めんどう**［:面倒］━《名・ナダ》①それをするのに手数がかかる状態。「―な問題・ご―さまですが、食器はおもどしください」②解決するのが困難な〈状態/こと〉。「―なことを言い出す・―を起こす」由来「目」に「だくな〔=むだ〕」がついた名詞「目だくな」から「目だうな」→「めんどう(な)」となった。派 -がる。-げ。-さ。□二 世話。「子どもたちの—をたのむ」 ●めんどう見がいい 句 よく世話をしてやる。 ●めんどうをかける 句 めんどうなことで、手数をかけさせる。 ●めんどうを見る 句 目下や、立場の弱い人などの世話をする。「子どもの—」

**めんどうくさ・い** [:面倒〈臭い〉]《形》①めんどうで〈やりたくない/いやになる〉気持ちだ。「ふろにはいるのが—」 ②〔俗〕〔人が〕つきあいにくい。うっとうしい。「すぐ泣く人は—」▽めんどくさい。めんどい〔俗〕。派 -がる。「面倒くさがり(屋)」 -げ。-さ。

**めんとおし** [面通し]《名・他サ》《警察》〔俗〕犯人と思われる者を、事件の関係者に見せてたしかめること。首実検。面割り。めんどおし。

**メントール** 〔ド Menthol〕《理》ハッカにふくまれる、さわやかな かおりと味のある成分。無色で針状の結晶。薄荷脳。メンソール。

**めんとり** [面取り]《名・他サ》《建築・工作・料理など》材料の角(ばったところ)をけずって まるくすること。「大根の—」

**めんどり** [(△雌鳥)] ①めすの鳥類。 ②[(△雌△鶏)] めすのニワトリ。▽(↕おんどり)

**めんば** [面罵]《名・他サ》〔文〕目の前にいる相手に向かって ののしること。

**メンバー** 〔member〕 その団体・チーム・グループに属する人。会員。「構成—・—(ズ)クラブ〔=会員制クラブ〕」 ☞ビジター。 ●メンバーシップ 〔membership〕 ある団体に所属する資格。会員資格。

**めんぴ** [面皮] 〔文〕つらのかわ。「鉄—」 ●面皮を剝ぐ 句 あつかましい人をののしって、恥をかかせる。

**めんぷ** [綿布] 綿糸で織った織物。

**めんぼう** [面貌] 〔文〕顔つき。面相。

**めんぼう** [綿棒] 先に わたを巻いた細い棒。薬をぬったり、耳そうじ・けしょうなどをしたりするときに使う。

**めんぼう** [麵棒] うどんなどを作るとき、生地をおしのばす棒。麦押し。

**めんぼく** [面目] 〔=顔つき〕 ①世間に対する名誉。世間から受ける評価。ほまれ。メンツ。「—をたもつ・—をつぶす・—が立たない・—を失う・なんの—があって報告できよう」 ②世間に見せる姿。ていさい。「—を新たにする・表通りは—を一新した」▽めんもく。 ●面目次第もない 句 まったく面目ない。丁寧 面目次第もありません。 ●面目を施す 句 責任をはたして、自分の名誉をりっぱにたもつ。「一位に入賞して—」 ●めんぼくだま [面目玉] 〔古風・俗〕「面目①」のこと。「—を(ふみ)つぶす」 ●めんぼくな・い [面目ない]《形》(自分のしたことが)はずかしくて人と顔があわせられない。丁寧 面目ありません。派 -げ。-さ。

**めんま** [メンマ・麵麻] ラーメンの具などに使う、麻竹という竹のタケノコ。シナチク。「穂先—」

**めんみつ** [綿密]《名・ナダ》細かく〈考え/見〉て、すきのないようす。「—な計画・—な観察」派 -さ。

**めんめん** [面々] めいめい。おのおの。「委員の—」

**めんめん** [綿々]《トタル》〔文〕長く続いて、絶えないようす。「—たる情緒・—とつづる」

**めんもく** [面目] ⇩めんぼく。「—躍如〔=その人らしいすぐれたところが、いきいきと感じられるようす〕」

**めんよう** [綿羊・×緬羊] 厚く毛のはえた羊。羊毛をとる。

**めんよう** [面妖]《ナダ》〔文〕あやしいようす。ふしぎ。奇っ怪。「はて、—な」派 -さ。

**めんるい** [麵類] めんを使った食品をまとめた呼び名。

**めんわり** [面割り]《警察》〔俗〕⇩めんとおし。「写真—」

## も　モ

**も** [△面] 〔雅〕おもて。表面。「池の—・水の—」

**も** [喪] 喪に服すること。「—が明ける」☞喪中。 ●喪に服する 句 死んだ人の近親の者が、ある日数、外出や つきあいをひかえる。 ●喪を発する 句 帝王などの死を公式に発表する。

**も** [藻] 水の中に はえる植物や藻類の総称。そうし。もぐさ。

**も** 《副》〔↑もう〕〔話〕その数量をつけ加えることをあらわす。「—一度・—少し・〔お酒を〕—ひとつ いかが」

**＊＊も** □一《副助》 ①ほかのものと同様であることをあらわす。また、同様のものをならべて言う。「私—賛成です・そういう言い方—できる・イルカークジラの仲間だ・やる気—実力—ある」 ✍「君は絵も上手だね」と言うと、「ほかのものに加えて絵までが上手」の意味になる。「君も絵は上手だね」と言うと、「とりえの少ない君でさえ絵だけは上手」〔「も□一②」の用法〕の意味にもなるため、失礼。 ②例外ではないことをあらわす。でさえ。「さすがの鬼—にげ出した・さる—木から落ちる」 ③予想外で、おどろく感じをあらわす。「あきれたりくつ—あったものだ・この番組—長く続くねえ・おまえ—にぶい男だな・その名—ずばり『合格ラーメン』」 ④理由・状況などを、軽くつけたして言う。「試験—すんだことだし〔=試験がすんだことでもあるし〕、旅行に行こう・梅のつぼみ—ほころびはじめましたが・足どり—かろやかに、ねこが行く」 ⑤じゅうぶんに たしかではないことをあらわす。「年内に—実現する見通し・〔記事の見出しで〕千五百億円の申告もれ—」 ⑥仮定での話であることをあらわす。「二、三日ならしんぼう—しようが・〔考える気があるなら〕考えて—ごらんなさい」 ⑦程度が大きくて、おどろく感じをあらわす。「半分—ある〔『半分しかない』は、程度が小さいように言う表現〕・そんなに—悲しいのか・あまりに—ひどい」 ⑧それ以下ではないという、だいたいの程度をあらわす。「三日—あれば できます・全部で十四、五人—いただろうか」 ⑨〔後ろに否定が来る〕 ⓐその程度まで行かないことをあらわす。「口ほどに—ない・手紙をやったのに、返事—よこさない〔=返事をよこすこともしない〕・食事—のどを通らない・少し—〔=まったくしもしない〕」 ⓑまったく そういうことがないことをあらわす。「忘れ—しない、中学二年の春・かくれ—ない実力者」 ⑩たとえ それだけでも。「〈一日/一刻/一時〉—早く帰りたい」 ⑪その中でも。「九州—西のほうの生まれ・江戸時代—末期のこと・秋—深まった十一月」 ⑫〔同じことばの間に はさんで〕 ⓐほかと同様であることを強調する。「きょう—きょうとて、親方に しかられた・おまえ—おまえだ〔=おまえにも責任がある〕」 ⓑほかと同様に無視できないことをあらわす。「年—年だから〔=かなりの年だから〕・時間—時間だし」 ⓒ程度が大きいこと

も

を強調する。「まぐれ―まぐれ、大まぐれだ・寒さ―寒し〔=ふつうの寒さではない〕・書き―書いたり〔=よくそんなに〈多く/ひどく〉書いたものだ〕」アク ウシも・ネコも・イヌも。二《接助》〔文〕①ても。とも。「行きたく―行けない・少なく―一時間はかかる・今に至る―わからない」②けれども。「先発出場する―得点できず・好青年なる―意志が弱い」③「するも」「なるも」「あるも」などを省略した言い方。「睡眠時間減少―〔=するも〕体調は良好・A大学が第一志望―〔=なるも〕不合格だった〕〔報道などで使う。一九六〇年代に例があり、九〇年代末に広まった用法〕三《終助》〔文〕感動の気持ちをあらわす。「心すが(清)し―〔=すがすがしいなあ〕」四 接尾〔名・副をつくる〕疑問をあらわすことばについて、「すべて」の意味をあらわす。「だれ―・何―」

**モアレ**〔フ moiré〕一定のくり返し模様を重ねたときにあらわれる、まだらの模様。印刷では網版写真の再複写で生じる。モワレ。「―が出る」

**モイスチャー**〔moisture〕湿気。水分。「―ミルク〔=保湿成分をふくむ乳液〕」

**もう**[毛]①〔お金の〕厘の十分の一。銭の百分の一。「日歩二銭一厘八―」②〔長さ・割合の〕厘の十分の一。寸・割の千分の一。「打率二割八分四厘六―」

**もう**[×蒙]①〔文〕知識がなくて、道理にくらいこと。②↑蒙古。モンゴル。●**蒙をひら(啓)く** 句〔文〕相手の〈知らない/気がついていない〉ことを教える。啓蒙する。「おのれの蒙をひらかれる」

****もう** 一 **もう**《副》①そのことが実現したようす。「宿題は―終わった」②じゅうぶんな程度に達したようす。「―りっぱな大人だ」③思ったよりも早くそうなっているようす。「―九時だ!・えっ、―読んだのか」▽(↔まだ)④限度まで余裕がないようす。「―五千円しかない〔『まだ五千円ある』は、余裕があるように言う表現〕」⑤そのことが間近であるようす。そろそろ。「―寝ます・―来てもいいころだ」☞もうじき・もうすぐ。⑥これ以上のことを、否定または禁止することをあらわす。「―うそはつきません・―やめて・―いや!」⑦本当に。「―うれしくって しかたがない」二 **もう**《副》①その数量をつけ加えることをあらわす。なお。「―二、三日かかる・―数人ほしい・―ちょい」☞もう一度・もう一歩・もう少し・もう一息・もう一つ。②残ったものを指す。「―一人はとりにがした」三 **もう**《感》〔話〕〈いらだって/あきれて〉発する声。んもう。「―、突っ立ってないでよ・―、はるかったら!・―、あんたって人は」

**もう**[猛]造 勢いのはげしい。「―ふぶき・―反対・―勉強・―スピード」

**もう**[網]造 ①あみ。「鉄条―」②あみの目のようにはりめぐらしたもの。ネットワーク。「鉄道―」

**もう**[盲]造 目が見えないこと。「―詩人」

**もうあ**[盲×唖]〔文〕目と口が不自由な〈こと/人〉。

**もうあい**[盲愛]《名・他サ》〔文〕〔かわいいという気持ちにまかせて〕むやみにかわいがること。

☆☆**もうい**[猛威] 猛烈な勢い。「〈台風/インフルエンザ〉が―をふるう」

**もういちど**[もう一度]《副》同じことを、また一度くり返すようす。再度。もいちど〔話〕。「―やり直してみる」

**もういっぽ**[もう一歩]《副・名》〔=さらに ひと足ふみ出すようす〕①より深い段階(に)。「考えを―進める・―の研究を望みたい」②あと少し。「―で事故になるところだった・―のところで敗れ去る」③少し不満足なようす。「英語の成績は―だ」▽あと一歩。いま一歩。

**もうう**[猛雨]〔文〕はげしく降る雨。

**もうえん**[猛炎]〔文〕はげしく燃えあがる ほのお。「―に包まれる」

**もうえん**[猛煙]〔文〕火事などのとき、はげしく出るけむり。「―が立ち上る」

**もうか**[猛火]〔文〕はげしく燃える火。

**もうがっこう**[盲学校]目の(よく)見えない児童・生徒を教育する学校。〔今は「特別支援学校」に統合〕

**もうか・る**[(×儲かる)]《自五》もうけに なる。

**もうかん**[毛管]①《理》⇩毛細管①。②《生》⇩毛細血管。●**もうかんげんしょう**[毛管現象]《理》⇩毛細管現象。

**もうき**[×濛気]〔文〕いちめんに たちこめる、細かい水気。

**もうぎゅう**[猛牛] 性質のあらいウシ。

**もうぎょ**[猛魚] どうもうな性質の さかな。

**もうきん**[猛×禽]〔文〕大形で、つめがするどく、小動物をつかまえて食べる鳥。ワシ・タカなど。猛鳥。「―類」

**もうけ**[設け]〔文〕設けること。準備。「―の席につく」

**もうけ**[(×儲け)] もう(儲)けること。もうけた お金。利益。「―主義〔=もうけることばかりを考えるやり方〕・―話」●**もうけぐち**[(×儲け)口] 利益を得る方法や仕事。●**もうけもの**[(×儲け物)] 思いがけず余分に手に入れて、得になったもの。●**もうけやく**[(×儲け)役]《映画・演劇》出番が少ない割には見せ場のある、得な役。

**もうげき**[猛撃]《名・他サ》〔文〕⇩猛攻。「―に屈する」

**もう・ける**[(×儲ける)]《自他下一》①はじめに出した以上のお金を手に入れる。利益を得る。②〔文〕子どもをつくる。「一子を―」③思いがけず手にはいって、得になる。「わあ、もうけたあ」

*__もう・ける__[設ける]《他下一》①準備する。用意する。「席を―」②ある目的のためにこしらえる。つくる。「土手にさくを―・規約を―・口実を―」可能 設けられる。

**もうけん**[猛犬] どうもうな犬。「―(に)注意」

**もうげん**[妄言] 道理に あわない、乱暴なことば。ぼうげん。「―をつつしむ」●**妄言多謝** 句〔文〕妄言をはいて、すみません。妄言多罪。〔意見などを書いたあとに使う〕

**もうこ**[猛虎]〔文〕性質のあらいトラ。「―の勢い」

**もうこ**[×蒙古]①⇩モンゴル②。②「蒙古①」に住んだ遊牧民族。モンゴル帝国を築いた。「―襲来」●**もうこはん**[×蒙古斑] 黄色人種の幼児のしりにある、青黒い あざ。七、八歳までには消える。

**もうこう**[猛攻]《名・他サ》〔文〕猛烈な攻撃(をすること)。猛撃。「―をかわす」

**もうこん**[毛根]《生》毛の、皮膚の中には いっている部分。

**もうさい**[猛妻]〔俗〕猛烈な妻。強い妻。「―語録」

**もうさい**［毛細］㊣〔文〕毛のように細いこと。「―根」

**•もうさいかん**［毛細管］①《理》細いガラス管。毛管。②《生》↑毛細血管。

**•もうさいかんげんしょう**［毛細管現象］《理》液体の中にごく細い管を立てたとき、液体が管の中をのぼる現象。毛管現象。〔水銀は、逆に管の中をくだる〕

**•☆☆もうさいけっかん**［毛細血管］《生》動脈と静脈の間にあって、全身に広がっている細かい血管。毛細管。毛管。

**もうさば**［申さば］《副》〔古風〕「言わば」のていねいな言い方。

**もうし**［×孟子］①〔人名〕中国の戦国時代の思想家。孔子の思想を受けついで王道政治を説き、性善説をとなえた。〔前三七二～前二八九〕②「孟子①」の言行をまとめた書物の名。もうじ。

**もうし**［申し］《感》〔古風〕人に声をかけるときに使うていねいな言い方。もし。「―、旅のおかた」

**もうしあい**［申し合い］《すもう》力のつりあった力士どうしが取り組むけいこ。

**＊＊もうしあ・げる**［申し上げる］㊀《他下一》①「言う」の謙譲語。「みなさんに申し上げます」②「する」の謙譲語。「お世話を―」㊁《補動下一》〈お／ご〉＋動詞連用形または名詞＋―」「する」の謙譲語。「おわび―・お待ち申し上げています・ご回答申し上げます」

▽㊀㊁「申す」よりも いっそう けんそんした言い方。

**もうしあわせ**［申し合わせ］《名・他サ》①相談して、そうしようと決めること。相談して決めた約束。「―のとおり実行する」②《能・狂言》上演の二日ぐらい前までの間におこなう、装束をつけない予行演習。動申し合わせる《他下一》。申し合わす《他五》。

**もうしいで**［申し出で］《自下一》。

**もうしいれ**［申し入れ］《名・他サ》こちらの希望や意見を、改まった気持ちで、相手に伝えること。意思をあらわすこと。「五項目にわたる―」動申し入れる《他下一》。「抗議を―」

**もうしう・ける**［申し受ける］《他下一》「受ける・受け取る」の謙譲語。「送料は別途申し受けます」

**もうしおくり**［申し送り］《名・他サ》①先方に伝えること。②〔命令などを〕つぎへ伝え送ること。「―事項」動申し送る《他五》。

**もうしおく・れる**［申し遅れる］《自下一》「相手に言うのが おくれる」の謙譲語。「申し遅れましたが、そのせつは いろいろ…」

**もうしおさ・める**［申し納める］《他下一》「申し上げる」の改まった言い方。「新年のお喜び めでたく申し納めます」

**もうしか・ねる**［申し（兼ねる）］《他下一》〔ものをたのむときに〕思い切って言う場合の けんそんした言い方。「申しかねますが…」〔「自分の立場上そのことは言えない」の意味にも使う〕

**もうじき**《副》もうすぐ。「―夏休みだ・―来るだろう」

**もうしきか・せる**［申し聞かせる］《他下一》〔文〕「言い聞かせる」の謙譲語。

**もうしご**［申し子］①神や仏に いのって さずけられた（と言われる）子。「仁王さまの―」②ある特色をあらわす性質を持って生まれたもの。落とし子。「時代の―」

**もうしこし**［申し越し］〔文〕「言ってよこすこと」の改まった言い方。「お―のとおり」「ご希望のかたはお申し越しください」動申し越す《他五》。

**＊＊もうしこみ**［申し込み］申しこむこと。「結婚の―をする・（お）―順」表記 事務関係の熟語では「申込」と書く。「申込用紙」

**もうしこ・む**［申し込む］《他五》①自分がしたいという気持ちを相手に言う。「結婚を―・試合を―」②自分のしたいことをおこないにあらわすための手続きをとる。「寄付を―・参加を―」③意思や希望を相手に伝える。申し入れる。「苦情を―」

**もうしそ・える**［申し添える］《他下一》「言いそえる」の謙譲語。

**もうした・てる**［申し立てる］《他下一》地位が上の人や公的機関に対して、意見や要求を言う。「異議を―」名申し立て。「仮処分の―」〔熟語では「申立」と書く。「申立人・申立書」〕

**もうしつ**［毛質］〔文〕かみの毛の性質。

**もうしつか・る**［申し（付かる）］《他五》「用を言いつかる・指示される」の〈けんそんした／丁重な〉言い方。「文書の提出を―・父からくれぐれも よろしくと申しつかっております」☞申しつける。

**もうしつ・ける**［申し（付ける）］《他下一》〔上の者が下の者に〕用を言いつける。名申しつけ。☞申しつかる。

**もうしつた・える**［申し伝える］《他下一》「相手の話を人に伝える」の謙譲語。「『〈おとうさん／社長〉によろしく』『申し伝えます』」〔相手に そうせよ、という場合は、古風で尊大な言い方。「みなに しかと申し伝えよ」〕名申し伝え。「代々の―」

**もうしで**［申し出］申し出ること。もうしいで。「寄付の―がある・―を受ける」

**もうし・でる**［申し出る］《他下一》①自分がわの事情や意思を、担当の人・機関などに知らせる。「窓口に―・ご都合が悪い方は お申し出ください」②希望や提案を伝える。「友人に協力を（したいと）―・自分にも手伝わせてくれと―」

**もうしの・べる**［申し述べる］《他下一》のべることをけんそんした言い方。

**もうしひらき**［申し開き］《名・他サ》疑いを晴らすために説明すること。弁解。弁明。〔「言い開き」の改まった言い方で、より ふつうに使う〕「どう―をすればいいのか」動申し開く《他五》。

**もうしぶん**［申し分］①言い分。「先方の―を聞く」②〔ふつう、後ろに否定が来る〕非難すべき点。不満なところ。「―のない人がら・―ない成績・天気は―なし」

**もうしゃ**［盲者］〔文〕盲人。

**←もうしゃ**［盲射］《名・他サ》〔文〕目標を定めず、むやみに射撃すること。

**→もうしゃ**［猛射］《名・他サ》〔文〕はげしく射撃すること。

**もうじゃ**［亡者］①《仏》死んだあと、成仏できないでいる人。②それをもとめ、それに とらわれて ぬけ出せない者。「権力の―・金の―」

**もうしゅう**［妄執］《仏》まよいの心から起こる執念

も

妄念。「修羅の―」

**もうしゅう**【猛襲】《名・他サ》〔文〕猛烈な襲撃(をすること)。

**もうじゅう**【猛獣】性質の あらい、肉食の けもの。例、ライオン・トラ・ヒョウなど。

**もうじゅう**【盲従】《名・自サ》〔文〕りくつなしに したがうこと。何から何まで言うとおりになること。「上司の指示に―する」

**もうしょ**【猛暑】〔文〕猛烈な暑さ。●☆☆**もうしょび**【猛暑日】《天》一日の最高気温が三五度以上の日。☞夏日・真夏日。

**もうじょ**【猛女】猛烈に強い女性。

**もうしょう**【猛将】〔文〕①強い大将。②《柔道・剣道など》強い選手。

**もうしよう**【申し(様)】(自分の)「言いよう」の謙譲語。「私の―が悪うございました」

**もうしわけ**【申し訳】《名・自サ》①自分のしたことが悪かった、と相手に説明する〈こと／ことば〉。「―をする・―のないことをいたしました」☞申し訳ない。②何もしなかったと言われないように、形を整えること。「―に本を広げる・―ばかりのお礼をする」●☆☆**もうしわけな・い**【申し訳ない】《形》〔=言い訳のことばがない〕相手にすまなくて、おわびがしたい気持ちだ。「なんとも―」丁寧 申し訳〈ありません／ございません〉。〔「申し訳ないです」は簡単な形〕「後半部分を変えて『申し訳ございません』と言うことはできない」との誤解があるが、本来は「申し訳が、ない」ということであり、「ありません／ございません」と言いかえられる。☞な(無)い 二。

区別 「(どうも)**すみません**」は、ちょっと ぶつかったときなど、軽い おわびに使う。「**ごめんなさい**」も同様だが、親しい人どうしや子どもが、きちんと わびるときにも使う。「**恐れ入ります**」は、改まってはいるが、軽い言い方。「**失礼(いた)しました**」は、失礼があったときのほか、ちょっとしたミスをわびるときにも使う。「**申し訳〈ありません／ございません〉**」は、社会人が わびるときの ふつうの言い方。心からおわびするときは、何が悪かったか、相手に どんな めいわくをかけたかをはっきり述べた上で、「まことに申し訳ございません。今後は このようなことがないようにいたしますので、何とぞ お許しください」などの言い方をする。派 -げ。-さ。

**もうしわた・す**【申し渡す】《他五》〔文〕おもおもしく言いわたす。「罰金を―・絶対安静を―」名 申し渡し。

←**もうしん**【盲進】《名・自他サ》〔文〕何も考えずに、むやみやたらに進むこと。「破滅への道を―する」

→**もうしん**【猛進】《名・自他サ》〔文〕はげしい勢いで進むこと。「猪突―・工業化への道を―する」

**もうしん**【妄信・盲信】《名・他サ》〔文〕むやみに信じこむこと。「あやしげな宗教を―する」

**もうじん**【盲人】〔文〕目の見えない人。視覚障害者。盲者。

*__もう・す__【申す】一《他五》①〔多く**申します**〕「言う」の〈けんそんした／丁重な〉言い方。「川田と申します・夫も そう申しております・―までもなく・昔からよく申しますが…」②〔古風〕「言う」の重々しい言い方。「〔時代劇で〕もうよいと―に!」「申される」は、昔の武士などが、「子細を申されよ」のように使った。これは、丁重な、または②の重々しい意味の「申す」に、尊敬の助動詞「れる」がついたもの。現代でも、「先生の申されるとおり」のように言うが、①の けんそんの意味が感じられ、好まない人が多い。「おっしゃる」と言うといい。二《補動五》〔〈お／ご〉＋動詞連用形または名詞＋**申します**〕「する」の、けんそんした、しかも丁重な言い方。「私からお話し申します・お願い申します・ご案内申します」

**もうすぐ**《副》今から少し時が たてば。もうじき。「―春ですね・―できます」

**もうすこし**【もう少し】《副》〈さらに／あと〉少しだけ。もうちょっと。もうちょい〔俗〕。もすこし〔話〕。「―気をつけなくては・到着まで―のしんぼうだ」

**もうせい**【猛省】《名・他サ》〔文〕強く反省すること。「―をうながす」

**もうせつ**【妄説】〔文〕根拠のない説。でたらめ。

**もうせん**【(毛×氈)・毛せん】毛の繊維を広げのばし、熱を加え、おし縮めて織物のようにしたもの。敷物にする。「ひな段の赤い―」

**もうせん**【もう先】〔古風〕(ずっと)以前。「―から います」

**もうぜん**【猛然】《ト・タル》勢いの はげしいようす。「―と突進する」

☆☆**もうそう**【妄想】《名・他サ》〔もと仏教用語で、「もうぞう」〕①ありえないような、ばかばかしい空想。「告白されることを―する」②《医》まったくの想像をかたく信じてしまう〈こと／症状〉。また、そのような状態での想像。「―症〔⇩パラノイア〕・誇大―」

**もうそうちく**【(×孟宗竹)】幹が太く、葉の細かな竹の名。節と節の間が短く、たけのこは太い。もうそうだけ。

**もうそく**【猛速】〔文〕ものすごく はやい速度。

**もうだ**【猛打】《名・他サ》《野球》はげしい打撃。「―をあびせる」

**もうちょう**【盲腸】①《生》小腸につづく大腸の最初の部分〔=右腹の下〕。その先端に虫垂がついている。②↑盲腸炎。●**もうちょうえん**【盲腸炎】「虫垂炎」の通称。盲腸。

**もうちょう**【猛鳥】〔文〕⇩もうきん(猛禽)。

**もうつい**【猛追】《名・他サ》はげしい勢いで追いかけること。

**もうっと**【(×濛っと)】《副・自サ》けむり・ほこりなどのために、まわりが見えにくいようす。「―かすむ」

**もうで**【詣で】「伊勢―」造〔名・自サをつくる〕①〔文〕もうでること。②〔俗〕〔敬意をあらわすため、また、自分の希望をかなえてもらうために〕さかんに おとずれること。「中央省庁―」

**もう・でる**【詣でる】《自下一》〔文〕お寺や神社に出かけて、おまいりをする。「神社に―」

☆☆**もうてん**【盲点】①《生》網膜に はいりこむ、視神経の先の部分。ものが見えないところ。「―にはいる」②うっかりして気がつかない(欠)点。「―をつく・日本経済の―」

☆☆**もうとう**【毛頭】《副》〔後ろに否定が来る〕そういう気持ちや考えがないことをあらわす。少しも。「そんな意図は―ない・―疑いない」

**もうどう**【妄動・盲動】《名・自サ》〔文〕じゅうぶん考えもせずに、むやみに行動すること。「軽挙―」

**もうどうけん**【盲導犬】訓練を受けて、盲人の歩行を助ける犬。⇨補助犬。

**もうどく**［猛毒］はげしい毒。劇毒。

**もうねん**［妄念］〔仏〕⇨もうしゅう（妄執）。

↕**もうばく**［盲爆］《名・他サ》目標を定めない、無差別の爆撃（ばくげき）（をすること）。

↑**もうばく**［猛爆］《名・他サ》はげしい爆撃（ばくげき）（をすること）。

**もうはつ**［毛髪］かみの毛。「—を採取する」

**もうひつ**［毛筆］柄（え）の先に毛をつけ、墨（すみ）や絵の具をふくませて文字や絵をかく用具。筆（ふで）。（↔硬筆（こうひつ））

**もうひといき**［もう一息］《副・名》①（目標まで）あと少し。「完成まで—だ・—がんばれ」②少し不満足なようす。「出来は—だ」▽あと一息。いま一息。区別 ⇨いまいち。

**もうひとつ**［もう一つ］《副》今ひとつ。もひとつ〔話〕。「乗り心地（ごこち）は—だ・説得力が—足りない」区別 ⇨いまいち。

**もうひょう**［妄評］《名・他サ》〔文〕〈しなくてもいい／でたらめな〉批評（をすること）。ぼうひょう。●**妄評多謝** 句〔文〕見当ちがいの批評で、すみません。妄評多罪。〔書評などに使う〕

**もうふ**［毛布］地（じ）の厚い毛織物。寝具（しんぐ）に使う。（ブランケット。）

**もうべん**［猛勉］《名・他サ》〔古風・学〕ものすごい勢いで勉強すること。ものすごい勉強。猛勉強。

**もうぼ**［×孟母］孟子（もうし）の母。賢母（けんぼ）の代表といわれる。●**もうぼさんせん**［×孟母三遷］〔文〕孟子の母が、孟子の教育にふさわしい環境（かんきょう）の家をもとめて、三度目にやっと見つけた、という話。●**もうぼだんき**［×孟母断機］〔文〕孟子が学問をとちゅうでやめようとしたとき、母が織りかけの機（はた）の糸を切って、とちゅうであきらめるとこのようになる といましめた、という話。

**もうまい**［×蒙昧］《名・ナダ》〔文〕知識がひらけず ものの道理にくらいようす。「無知—のやから」派—さ。

☆☆**もうまく**［網膜］〔生〕目のいちばん内部にあって視神経の広がっている膜。「—剥離（はくり）〔=網膜がはがれること。ほうっておくと失明する〕」

**もうもう**［×濛々］《タル》①霧（きり）などのために空が うすぐらいようす。②けむり・ほこりなどが たちこめるようす。「黒煙（こくえん）が—とあがる」

**もうもう** 一《副》牛の鳴き声。もーう。二〔児〕牛。▽一二 もーもー。

**もうもく**［盲目］〔文〕目が見えない状態。●**もうもくてき**［盲目的］《ナダ》〔文〕先がどうなるか考えないでするようす。「—な愛情」

**もうゆう**［猛勇］〔文〕たけだけしい勇気。「—をふるう」

**もうようたい**［毛様体］〔生〕目の水晶体（すいしょうたい）を囲んでいる組織。引っぱる力によって水晶体の厚みを変え、焦点距離（しょうてんきょり）を調節する。

☆☆**もうら**［網羅］《名・他サ》〔そのことに関係のあることがらを〕残らず取り上げること。「重要問題を—する・—的」

**もうりょう**［毛量］①かみの毛や体毛の量。②歯ブラシやカーペットなどの毛の量。

**もうれつ**［猛烈］一《ナダ》はげしいようす。はげしく活動するようす。「—な台風・—社員」派—さ。二《副》〔俗〕非常に。「—酒がほしい」表記 俗に「モーレツ」とも。

**もうろう**［盲×聾］目と耳が不自由な〈こと／人〉。「—者」

☆☆**もうろう**［×朦×朧］《タル》①ものの形がはっきり見えないようす。おぼろげなようす。「けむりの中から—とあらわれる・酔眼（すいがん）—」②とりとめがなくて、不確かなようす。あいまい。「—とした頭・記憶（きおく）が—とする・意識—」

**もうろく**［×耄×碌］《名・自サ》おいぼれること。「—して忘れっぽくなった」

**もうろん**［妄論］〔文〕でたらめな議論。

**もえ**［×萌え］①若い芽が のびること。「草の—をうながす」②木や草の若芽。「ヨモギの—」③〔俗〕かわいい少女などに、心が強く ときめくこと。また、そうさせるもの。「横顔—・工場—〔=工場に対して萌えること〕・—要素のある絵」〔一九九〇年代末に例があり、二〇〇〇年以降に広まった用法〕

**もえあが・る**［燃え上がる］《自五》①燃えて、ほのおが高く上がる。②情熱・気持ちが、はげしく高まる。

**もえかす**［燃え（×滓）］燃えたあとに残るかす。「マッチの—」

↑**もえがら**［燃え殻］燃えつくしたから。「石炭の—」

↕**もえぎ**［×萌黄］黄色がかった緑色。萌黄色。

↑**もえぎ**［×萌×葱］〔=萌え出るネギの色〕青みがかった深い緑色。萌葱色。

**もえくさ**［燃え（△種）］火を〈燃やす／燃えつかせる〉ための材料。もえぐさ。

**もえさか・る**［燃え盛る］《自五》さかんに燃える。「—火の手」

**もえさし**［燃え（差し）］燃えつきないで残ったもの。燃えのこり。動燃えさす《自五》。

**もえたぎ・る**［燃え（×滾る）］《自五》〔文〕①燃えさかる。「—ほのお」②〈火が燃えさかる／湯が にえたぎる〉ように心がはげしく動く。「—激情」

↕**もえた・つ**［（×萌え）立つ］《自五》さかんな勢いで芽がのびる。「緑一色に—」

↑**もえた・つ**［燃え立つ］《自五》①さかんに燃える。②さかんに心が興奮する。「—情熱」

**もえつきしょうこうぐん**［燃え尽き症候群］〔医〕長い間 一生懸命（けんめい）働いてきた人が、極度の心身の疲労（ひろう）から無感動となって、突然（とつぜん）生きがいを見失い、何をする意欲もなくしてしまう症状。燃え尽き現象。バーンアウト。

**もえつ・きる**［燃え尽きる］《自上一》①完全に燃えてなくなる。②精力を使いはたす。「四十年間働いて燃え尽きた」名燃え尽き。

**もえつ・く**［燃え（付く）］《自五》火がつく。名燃えつき。

**もえ・でる**［（×萌え）出る］《自下一》〔文〕のびて、若い芽があらわれる。「草木の—春」

**もえひろが・る**［燃え広がる］《自五》〔火事で〕燃える面積が広くなる。

↕**も・える**［×萌える］《自下一》①〔文〕若い芽が、のびる。「若草が—」②〔俗〕かわいい少女などに、心が強くときめく。「アニメキャラに—」〔「萌え③」を動詞化したことば〕

も

→も・える【燃える】《自下一》①火がついて、ほのおが上がる。「船が―・さかんに―・燃え残る」②情熱が さかんに起こる。やる気でいっぱいになる。「―思い・向学心に―・燃えている男」③〔かげろうが〕ゆらゆらと立ちのぼる。④〔俗〕〔事業が〕炎上する。名燃え。

モーグル〔mogul〕《スキー》フリースタイルの一種目。でこぼこの多い斜面をすべり降り、ターン・エア〔=空中演技〕・タイムの優劣をきそう。

モーション〔motion〕動作。身ぶり。「―を起こす・スローー・―キャプチャー〔=コンピューターを使って、実際の人間の動作からアニメを作る方法〕」●モーションをかける句〔古風〕はたらきかけて さそう。特に、色目を使う。

モーター〔motor〕①電力で回転し、動力を供給する機械。電動機。②原動機。▽モートル〔古風〕。③自動車。「―ショー〔=新型自動車の展示会〕」●モータース 𠮷〔motors〕自動車・二輪車の販売・修理をする店。モーターズ。●モーター スポーツ〔motor sports〕自動車やオートバイによる競技やレース。●モーター バイク〔米 motorbike〕小型のガソリンエンジンを取りつけた自転車。原動機付き自転車。原付き。●モーター プール〔motor pool〕〔関西などの方言〕有料駐車場。●モーター ボート〔motorboat〕発動機で走る、はやい船。

モータリゼーション〔motorization〕自動車の普及・大衆化。「―の波」〔日本では一九六〇年代に進んだ〕

モーダル シフト〔modal shift〕荷物や人を運ぶ手段を替えること。特に、二酸化炭素の排出を少なくするために、車・トラックから鉄道・船に替えること。

モーテル〔motel〕〔ドライブのとちゅうで〕自動車ごとまれる、簡易ホテル。モテル。

☆☆モード〔mode=様式。形式〕①〔機械で〕場合に応じて選べる、用意された設定。「節電―に〈切りかえる/設定する〉・ゲームの戦闘―」②場合に応じて切りかわる、気持ちや態度、状況など。「仕事―に はいる・選挙―」〔一九九〇年代に広まった用法〕③流行の型。「トップ―」④《数》〔統計で〕度数の最も多い数値。最頻値。

モーニング〔morning〕①朝。午前。②《服》↑モーニングコート。③↑モーニング サービス。●モーニングカップ〔和製 morning cup〕朝食時に使う、大きめのコーヒーカップやマグカップ。●モーニング コート〔morning coat〕《服》男性が着る〈昼間の〉正式な礼装。上着は黒くて前をあわせず、背の すそは縦まるい。ズボンは縦じまをはく。モーニング。☞えんび服・タキシード。●モーニング コール〔和製 morning call〕〔ホテルで〕客がたのんだ時刻に電話で呼び起こしてもらうこと。「―をたのむ」●モーニング サービス〔和製 morning service〕〔喫茶店などの〕安い値段で出す朝食。モーニング(セット)。

［モーニングコート］

モービル〔mobile〕①⇩スノーモービル。②⇩モビール。☞モバイル。

モーメント〔moment〕①瞬間。②《理》物体を回転させる能力。シーソーの右がわに おとなが乗り、左がわに子どもが乗ったとき、おとなが前のほうに、子どもが後ろのほうに乗れば、左右に はたらくモーメントの差をゼロにできる。〔自動車などでは「トルク」と言う〕「―マグニチュード〔☞マグニチュード〕」③《情》ツイッターの発言を〈まとめる機能/まとめたもの〉。☞モメント。

モール〔mall〕①並木のある遊歩道。②〔屋根つきの〕大きな商店街。「駅前―・アウトレット―」

モール〔maul〕《ラグビー》ボールを持った選手のまわりに両軍の選手が密集して、相手をおしあうこと。

モール〔オ moor〕①もと、インドで できた、地の上に模様をうかして織った毛織物。緞子に似ている。「金―・銀―」②細い針金に、色のついた糸やビニールなどを巻きつけたもの。手芸や かざりなどに使う。

モールス ふごう【モールス符号】〔Morse=人名〕電信に使う符号の一つ。長い線と点を組み合わせて送る。トンツー〔俗〕。モールス信号。

モカ〔mocha=かつての輸出港の名から〕①イエメン・エチオピアでとれる、かおりが強くて酸味のあるコーヒー(豆)。②↑カフェ モカ。

もが・く【(×踠く)】《自五》①苦しがって手足を動かす。「水中で―」②あせり苦しむ。「試験がせまって―のはおそい」

もがな 接尾〔文語では、強い希望をあらわす終助詞〕そのほうがいいこと。そうあってほしいこと。「なく―」☞ずもがな。

もがり【×殯】天皇などの死後、本葬までの間、遺体をひつぎに おさめて、別の宮に まつること。また、その宮。あらき。かりもがり。☞殯宮。

もがりぶえ【(∴虎落)笛】〔もがり=竹をななめに組み合わせて作った柵〕冬の強い風が、柵・電線などに当たって出す、ヒューという するどい音。

☆☆も・ぎ【模擬・×摸擬】本物をまねて、同じようにすること。「―国会・―試験」

もぎてん【模擬店】〔パーティー・バザーなどで〕露店のように こしらえて、食べ物を売る所。「文化祭の―」

もぎどう【(△没義道)】《名・ナダ》むごいようす。非道。「―な しうち」

もぎと・る【(×捥ぎ)取る】《他五》①〔くっついているものを〕もいで取る。「ナシを―」②むりやりに うばい取る。「一点を―」▽もぎり取る。名もぎ取り。自もぎ取れる《下一》。

もぎり〔=捥ぎり。「モギリ」とも書く〕①もぎること。②入場券・興行物の切符などの 一部分を入り口でもいで受け取る〈こと/人〉。

もぎ・る【(×捥ぎる)】《他五》 もぐ。もぎとる。自もぎれる《下一》。

もく【木】①木。「―サッシ」②もくめ。目。③↑木曜(日)。

もく【目】一もく ①〔文〕分類・区分するときの小さな区分。〔予算の区分では「項」の下〕②《生》生物の分類で、「綱」の下、「科」の上。「スズキ―サバ科」③〔×杢〕もくめ(をあらわした、木の板)。「―が通る〔=まさ目になる〕」二 接尾《碁》碁盤の目を数えることば。「三―の勝ち」☞子 一②。

もく【モク】〔古風・俗〕タバコ。〔江戸時代からの隠語〕「―ひろい・洋―・しけ―」

**も・ぐ**［（×捥ぐ）］《他五》〔くっついているものを〕手で取って、はなす。「ナシを―」

**もくあみ**［（木×阿△弥）］⇩元のもくあみ。

**もくぎょ**［木魚］読経のときにたたく、木製の仏具。球形に近い形で、中はから。表面にさかなの うろこが ほりつけてある。

［もくぎょ］

**もくげき**［黙劇］⇩パントマイム②。

**もくげき**［目撃］《名・他サ》〔事件などの起こった現場にいて、それを〕実際に見ること。「事故の―者」

**もぐさ**［（×艾）］ヨモギの葉をほして作った、綿のようなもの。色は黄金色やうす黄緑色。きゅう（灸）に使う。

**もぐさ**［藻草］も（藻）。

**もくざい**［木材］木を切って、建築などに使える形にしたもの。丸太などもふくむ。

**もくさく**［木柵］木の さく。

**もくさく**［木酢］《理》木材を乾留して得られる液体。酢酸が主成分。防腐剤などにする。「―液」

☆☆**もくさつ**［黙殺］《名・他サ》〔殺＝意味を強めることば〕だまって取り合わないこと。問題にしないこと。「発言を―する」

**もくさん**［目算］《名・自サ》①見積もり。「―を立てる・―ちがい」②もくろみ。「―が外れる」

**もくし**［黙示］■一《宗》〔キリスト教で〕神意・真理を、神が人に しめすこと。天啓。もくじ。■二《名・他サ》①⇩もくじ（黙示）■一。●**もくしろく**［黙示録］《宗》新約聖書の巻末にある書。キリストの復活や最後の審判をえがいた預言の書ともされる。ヨハネの黙示録。②危機に際して、世界の終末をしめしたもの。

**もくし**［目視］《名・他サ》〔確認のために〕目で見ること。「航空機を―で確認する・―検査」

**もくし**［黙視］《名・他サ》〔文〕だまって見ていること。「―するに しのびない」

**もくじ**［目次］章や節の題目、そのページを、本の前のほうにまとめて出したもの。

**もくじ**［黙示］■一《名・他サ》ことばや文字によらずにしめすこと。もくし。「現実を―する・―の同意・―的に承認する」■二《宗》⇩もくし（黙示）■一。

**もくしつ**［木質］①〔文〕木の（ような）性質。「―ペレット〔＝廃材・間伐材などを固めた燃料〕」②《植》木の内がわの部分。「―部」

**もくじゅう**［黙従］《名・自サ》特に不平も言わずに服従すること。

**もくしょう**［目×睫］〔＝目とまつげ〕〔文〕非常に近いこと。目前。「―（の間）に せまる」

**もくしょく**［黙食］《名・自他サ》〔つばが飛ぶのを防ぐために〕会話をしないで食事すること。〔新型コロナウイルスの感染拡大が続く二〇二一年に広まったことば。だまって入浴する「黙浴」などの語も生まれた〕

**もく・す**［目す］《他五》〔文〕⇩目する。「最高傑作と目される」

**もくず**［藻（×屑）］①海藻などの くず。②水の中のごみ。「海の―となる〔＝海で死ぬ〕」

**もぐずりこ・む**［もぐずり込む］《自五》〔古風・俗〕もぐりこむ。「ふとんに―」

**もく・する**［黙する］《自サ》〔文〕だまる。もだす。黙す。「黙して語らず」

**もく・する**［目する］《他サ》〔文〕①見る。②認める。「ライバルと―」▽目す。

**もくせい**［木星］《天》太陽系の第五惑星。しま模様のある、いちばん大きい惑星。火星の外がわにあり、約一二年で太陽を回る。細い三本の輪と、四つのガリレオ衛星をはじめ、約八〇個の衛星を持つ。ジュピター。

**もくせい**［（木×犀）］庭木にする常緑樹。秋、〈黄茶／白〉色の小形の花をつける。花は、あまいにおいが強い。

**もくせい**［木製］木で〈作ること／作ったもの〉。木づくり。

**もくぜん**［目前］目の まえ。まのあたり。「―にせまる」

**もくぜん**［黙然］《トタル》〔文〕だまっているようす。もくねん。「―とたたずむ」

**もくそう**［黙想］《名・自サ》〔文〕だまって考えこむこと。「―にふける」

**もくそう**［目送］《名・他サ》〔文〕顔をこころもち ふせるようにしながら、通り過ぎる相手をじっと見送ること。「目迎―」

**もくぞう**［木造］木で作った〈もの／こと〉。「―家屋」

**もくぞう**［木像］木で作った像。

**もくそく**［目測］《名・他サ》目で見て はかること。「―を誤る」（↔実測）

**もくだい**［目代］《歴》「国守①」の代理。

**もくだく**［黙諾］《名・他サ》〔文〕ことばには はっきり出さないが、承知すること。

**もくたん**［木炭］①木を蒸し焼きにして作る燃料。炭。②デッサンや下絵をかくのに使う、細くてやわらかな炭の棒。「―画」●**もくたんし**［木炭紙］「木炭②」で絵をかくのに使う、厚くて ざらざらした紙。

**もくちゅう**［木柱］木で できた柱。「巨大―」

←**もくちょう**［木調］外がわの模様を木目にしたもの。「―家具」

↔**もくちょう**［×杢調］〔木の断面の模様のように〕濃い色と淡い色が混ざって少しむらがある、生地の色合い。「―ニットジャケット」

→**もくちょう**［木彫］《名・他サ》〔文〕木材に彫刻すること。また、その彫刻。「―作品」

****もくてき**［目的］何かの手段を通じて、実現しようと思うもの。「―を（なし）遂げる・―を果たす・―を達（成）する・―を持って学ぶ・―地」●**もくてきいしき**［目的意識］なんのためにするかということについての、はっきりした考え。●**もくてきご**［目的語］《言》動作・作用などが およぶ相手をあらわす語句。客語。例、「I read a book〔＝私は本を読む〕」の「a book」。☞補語。●**もくてきぜい**［目的税］特定の経費にあてるために とる税。例、都市計画税。

**もくと**［目途］〔文〕めど。めあて。「四月完成を―として」

**もくと**［目×睹］《名・他サ》〔文〕目で直接見ること。目撃。

☆☆**もくとう**［黙（×禱）］《名・自サ》声を出さないで いのること。「犠牲者のために―をささげる」

**もくどう**［木道］湿原を守るため、板をわたして作った道。

**もくどう**［黙働］《名・他サ》〔文〕〔学校で〕そうじなどを、おしゃべりしないですること。

**もくどく**［黙読］《名・他サ》声を出さずに だまって読むこと。(↔音読)

☆☆**もくにん**［黙認］《名・他サ》①ことばには はっきり出さないが、承認すること。「相手の主張を一する」②みのがすこと。みのがし。「わがままを一する」

**もくねじ**［木(:螺子)］〔木材に使う〕ねじくぎ。

**もくねん**［黙然］《トタル》〔文〕⇩もくぜん(黙然)。「一として立ちつくす」

**もくば**［木馬］〔子どもが乗って遊ぶ〕木で馬の形に作ったもの。「回転一〈=メリーゴーラウンド〉」

**もくはい**［木杯・木×盃］木で作ったさかずき。

**もくはん**［木版］木の板にほった印刷版(で印刷したもの)。「一画」

☆☆**もくひ**［黙秘］《名・自サ》《法》〔相手の質問に対して〕(自分に不利益な事実を述べないで)だまっていること。●**もくひけん**［黙秘権］《法》事件の取り調べや法廷で、自分の不利益になることは答えなくていい権利。〔憲法で認められている〕

****もくひょう**［目標］あそこまで行こう、ものごとを進めよう、と決めておく地点。めあて。「一を立てる・一に達する・一額・ミサイルの攻撃一」

**もくぶ**［木部］①〔文〕木の部分。「一の塗装」②《植》植物の水分の通路となる、かたい部分。〔樹木では、木材となる部分〕

**もくふよう**［(木×芙×蓉)］〔文〕⇩ふよう(芙蓉)[二]。〔昔の中国での呼び名〕

**もくへん**［木片］〔文〕木の きれはし。

**もくほん**［木本］《植》木のこと。かたい幹を持つ多年生植物の総称。(↔草本)

**もくみつ**［木密］↑木造住宅密集(地域)。「一地域」

**もくめ**［木目］材木の切り口にあらわれた、年輪などの線。もく。きめ。「一が通っている」

**もくもく**［黙々］《トタル》何かを、だまってしているようす。「一と(して)働く」

**もくもく**《副》〔けむり・雲などが〕わき上がるようにしてつぎつぎに立ちのぼるようす。「一(と)けむりをはく」

**もぐもぐ**《副・自サ》①口をとじたまま物をかむようす。②⇩もごもご①。

**もくやく**［黙約］〔文〕それとなく とりきめた約束。「一がある」

**もくよう**［木曜］一週の四番目の日。水曜の次。木曜日。

**もくよく**［×沐浴］《名・自サ》①〔文〕かみの毛と からだを洗って、身を清めること。「川で一する・斎戒一」②赤ちゃんが、おふろに入れてもらうこと。

**もぐら**［(:土竜)］土の中にすむ、小さい けもの。ネズミに似て、目が小さく、前足が土かきの役をする。田畑の作物をあらす。もぐらもち。むぐら。●**もぐらたたき**［(:土竜=×叩き)］①ゲームの一つ。十ぐらいの穴のあちこちから不規則にとび出すモグラの人形の頭をたたいてひっこませる遊び。②問題をいくら収めても すぐに別の問題が生じて、きりがないこと。●**もぐらもち**［(:土竜)］もぐら。

**もぐり**［潜り］[二]**もぐり** 水に もぐること。「素一」[二]**もぐり** ①規則を破って、また許可を受けずに する〈こと/人〉。「一の業者・一営業」②ある集団の一員とは認められない〈こと/人〉。「あの人物を知らないとは一と言われても しかたがない」●**もぐりこ・む**［潜り込む］《自五》①もぐって、中まで はいる。②人に知られないように、はいりこむ。「敵のアジトに一」[名]潜り込み。

**もぐ・る**［潜る］《自五》①水の中に はいって、下へ進む。②かくれる。「地下に一」

←**もくれい**［目礼］《名・自サ》目つきで会釈すること。「一をかわす」

→**もくれい**［黙礼］《名・自サ》〔文〕ことばに出さないでおこなう おじぎ。「神前で一する」

**もくれん**［(木×蓮)］庭木にする落葉樹。三、四月ごろ、葉に先だって、赤むらさき または白の、大形の花をつける。

**もくろう**［木(×蠟)］ハゼなどの木の実からとった ろう。ろうそくの原料などにする。

**もくろく**［目録］①集めたものなどの名前を書きつらねたもの。「図書一・財産一」②おくりものの品書き。「結納の一・記念品一」③つつんで人に おくる お金。④目次。⑤〔武道などで〕一定の技量に達した弟子に、師が さずける文書。

**もくろみ**［(目△論:見)］もくろむこと。くわだて。計画。「一どおりに事が運ぶ」●**もくろみしょ**［目△論:見=書］《経》株や投資信託の買い手をつのるときに発行する説明書。

**もくろ・む**［(目△論む)］《他五》〔悪いこと、自分の利益になることなどを、ひそかに〕くわだてる。計画する。「復権を一・世界征服を一」[由来]「目論」を動詞化したことば。

**もけい**［模型］①実物の形をまねて、(小さく)作ったもの。モデル。「一飛行機」②説明のために、構造をわかりやすく示したもの。「原子一」

**モケット**〔フ moquette〕毛の長い、ビロードのような織物。いすなどに張る。

**も・げる**［(×捥げる)］《自下一》はなれて落ちる。とれる。「取っ手が一・人形の足が一」

**もこ**［(模×糊)］《トタル》〔文〕ぼんやりして、はっきり〈見えない/わからない〉ようす。「あいまい一とした態度・実情は一として わからない」

**もこく**［模刻］《名・他サ》〔文〕実物とそっくり同じに彫刻〈すること/したもの〉。

**もこし**［×裳△階・×裳△層］お堂や塔などで、(各階の)屋根の下につけた、もうひとつの屋根。

**もこもこ**《副・自サ》〔着物・ふとんなどが〕ふくらんで厚みのあるようす。「着ぶくれて一(と)している」

**もごもご**《副・自サ》①口をはっきりあけないで、わけのわからないことばを出すようす。もぐもぐ。「一(と)口ごもる」②うごめくようす。「落ち葉の下で虫が一(と)動く」

**もさ**［猛者］〔=あらあらしい人〕①すぐれた体力・技術を持った強い人。「剣道部の一」②あきれるほど度胸のある人。「初出勤で遅刻した一」▽つわもの。

☆☆**モザイク**〔mosaic〕[由来]漢字の音読みから。①ガラス・タイル・大理石などの小さな きれはしを組み合わせ、かべ・床などに はめこんで模様をあらわしたもの。「一の壁画」②〔被写体をぼかすために〕画像の〈一部/全部〉を、タイル状の集ま

も

りに置きかえたもの。「ーをかける」

**もさく**[模作]《名・他サ》〔文〕まねて〈作ること／作ったもの〉。

☆☆**もさく**[模索・×摸索]《名・他サ》てさぐりで たずねさがすこと。「暗中ー」

**もさっと**《副・自サ》無口で、〈気のきかない／ふうさいのあがらない〉ようす。「ーしたやつだ」

**もさもさ**《副・自サ》①動作がにぶいようす。「ー食う」②草や人の毛などが乱雑にはえているようす。「ー(と)したひげ」③たくさんのものが、ひしめきあっているようす。

**もし**[模試]↑模擬試験。

＊＊**もし**《副》〈本当／たしか〉ではないが、次のような状況があった、と考えて、話を進めるときのことば。かりに。もしも。「ー江戸時代なら、切腹ものだ・ー事故があったら、どうするのか・ー興味があるなら、いっしょに来ない?・」 表記 かたく「△若し」とも。漢文では「△如し」とも。

**もし**《感》(↑もうし)〔古風〕人に呼びかけるときに言うことば。「ー、旅のおかた」

＊＊**もじ**[文字] 一 もじ ①〔言〕ことばを目に見える記号であらわしたもの。また、その一つ一つ。もんじ。「表意ー・全角ー・『引退』の二ー」(↔音声) ②〔文〕文章。「これは貴重なーである」 二 接尾 昔、女官がことばの下の部分をはぶいて、その代わりにつけたことば。例、髪を「かもじ」。☞女房詞。

**もしお**[藻塩] 海水をそそいだ海藻を焼いて水にとかし、うわずみを煮に出して作った塩。●**もしおぐさ**[藻塩草]〔雅〕①塩を作るときに集めて焼く海藻。②文を集めて本にしたものをけんそんして言うことば。

**もしか**《副》①〔話〕もしかすると。「ー先生ではないでしょうか?」②〔古風〕もし。「ー見せてもらえたら、どんなにいいでしょう」●**もしかしたら**《副》もしかすると。●**もしかして**《副》①もしかすると。「ーあの人に会ったら、うまく伝えてください」②もし。「ー忘れてきたんじゃない?」●**もしかすると**《副》はっきり わからないが、そういうことがありうる、ということをあらわす。場合によっては。ひょっとすると。もしかして。もしかしたら。「ーまだそのへんにいるかもしれない」

**もしき**[模式] わかりやすく説明するため、模型のように単純化したもの。「ー図・ー的にしめす」

＊＊**もしくは**[(若しくは)]《接》〔A-B〕〔文〕AかBかのどちらか。「土曜ー日曜におこなう・彼は平静だった。ー平静をよそおっていた」 区別 ⇩または。

**もじげんご**[文字言語]〔文〕書きことば。(↔音声言語)

**もじたじゅうほうそう**[文字多重放送] 本来の画像のほかに文字や図形を送るテレビ放送。

**もじづかい**[文字遣い] 文字、特に漢字のつかい方。

**もじづら**[文字面] ⇩じづら。

**もじてん**[文字典] ⇩じてん(字典)。

**もじどおり**[文字(通り)]《名・副》文字に書いてあるとおり。たとえや誇張ではないようす。「ーの狭き門・ー苦しい仕事だった」

☆☆**もじばけ**[文字化け]〔コンピューターで〕データの送受信などのさいに、文字が異常に変換されて読めなくなること。

**もじばん**[文字盤] 時計の針の下にあり、数字や目もりが書いてある盤。文字板。

**もしも** 一《副》「もし」を強めた言い方。「ーあした晴れたら」 二 非常(のとき)。万一。「ーの場合は電話してください」

**もしもし**《感》〔話〕相手に呼びかけるときや、電話をかけるときに使うことば。「ー、何か落ちましたよ・ー、木村先生のお宅ですか」

**もじもじ**《副・自サ》なんとなく、はずかしくて おちつかないようす。また、えんりょして ぐずぐずするようす。「ーしりごみをする・ーして返事もしない」

**もしゃ**[模写]《名・他サ》実物をまねて写すこと。「名画をーする」

**もしや**《副》〔文〕強くうたがって決めかねる気持ちをのべることば。もしかしたら。もしかして。あるいは。ひょっとして。「ー帰ってきたのでは」

**もしゃもしゃ** もしゃもしゃ《副・自サ》・もしゃもしゃ《ナダ》①やわらかい毛などが、ふぞろいに密生しているようす。②ほおばって ゆっくり食べるようす。「バナナをー食べる」

**もじゃもじゃ** もじゃもじゃ《副・自サ》・もじゃもじゃ《ナダ》かみの毛やひげなどが、ふぞろいに密生しているようす。「ーのかみの毛」

**もしゅ**[喪主] 葬式をおこなう当主。

**モジュール**〔module〕①《建築》単位となる、基準の寸法。日本建築では、間・坪など。②自由に交換できる、ある機能をもった部品。それ自身が、多くの部品から成る。「ー化・宇宙ステーションの実験ー(=実験棟)」③《情》あとから追加する、独立したプログラム。▽モデュール。

**モジュラージャック**〔modular jack〕かべなどに もうけられた、コードを差しこんで電話回線につなぐ装置。

**もしょう**[喪章] 人の死をいたんで身につける、黒い色の布やリボン。

**もじり**[(×捩り)] ①もじること。パロディー。「有名な詩のー」②⇩角袖①。

**もじ・る**[(×捩る)]《他五》(=よじる。ねじる) もとのことばや表現を(ふざけて)ちょっと変える。「古歌をー」 表記 俗に「∴文字る」とも。☞パロディ(ー)。

**もじれつ**[文字列]《情》データとしての、文字の並び。数値や画像と区別して言う。

**も・す**[燃す]《他五》〔東日本方言〕燃やす。たく。「まきをー・燃しつける」

**もず**[(∴百舌)・(×鵙)] スズメより少し大形の野鳥。性質があらく、カエルなどを取って木の枝や とげなどにさす習性がある。☞もずのはやにえ。

**モスク**〔mosque〕イスラム教の礼拝所。

**もずく**[(∴海雲)・(∴水雲)] 黄茶色の海藻の名。糸のような形で、真水に入れると緑色になる。もくず。スヌイ〔沖縄方言〕。「ーの酢の物・ーの天ぷら」

**モスグリーン**〔moss green〕〔モス=こけ〕こけの色を思わせる、くすんだ緑色。

**もすそ**[×裳裾]〔雅〕(女性の)着物の すそ。

**もずのはやにえ**[(∴百舌の早×贄)]〔はやにえ=冬の前から用意する えさ〕モズが木の枝や とげなどにさしたえさ。

**モスリン**〔フ mousseline〕メリンス。モス。

**も・する**［模する・×摸する］《他サ》〔文〕まねて つくる。似せる。模す。「自然を―」

**モスレム**〔Moslem〕《宗》⇩ムスリム。

**もそう**［喪装］〔文〕喪服と そのアクセサリー。

**もぞう**［模像］模型の像。

☆☆**もぞう**［模造］《名・他サ》本物に似せて〈作ること／作ったもの〉。「―真珠・―品」 ●**もぞうし**［模造紙］ ポスター・図表などに使う じょうぶな洋紙。「B紙」「大洋紙」「鳥の子用紙」など、全国に方言が多い。由来 局紙という厚い和紙に似せて作ったことから。

**もそっと**《副》〔古風〕もう少し。「―前へ出ろ」〔さむらいのことば〕

**もそもそ**《副・自サ》①⇩もぞもぞ。「足が―動く」②ぼそぼそ。「―した米・小さな声で―話す」③ゆっくり食べるようす。「―と まずそうに食べる」

**もぞもぞ**《副・自サ》①小さな虫が(からだを)はい回る〈ようす／感じ〉。「首筋が―する」②のろのろと からだを小さく動かすようす。「―と立ち上がる」▽もそもそ。

**モダール**〔modal〕《理》レーヨンの一種。やわらかくて、はだざわりがよく、水に ぬれても縮みにくい。

**もだ・える**［(×悶える)］《自下一》ひどく苦しんで、身をよじる。思いなやむ。「もだえ苦しむ」名もだえ。

**もた・げる**［(×擡げる)］《他下一》〔文〕①持ち上げる。「頭を―」②〔表面に〕あらわす。「勢力を―」

**もたざる**［持たざる］《連体》〔文〕〈資源／資産〉の少ない。「―国・―者」(↕持てる)

**もだしがた・い**［(△黙し難い)］《形》〔文〕だまっていられない。無視することがむずかしい。「主命―」

**もだ・す**［(△黙す)］《自五》〔雅〕だまる。「我、もだし居り」☞もだしがたい。

**もたせか・ける**［(×凭せ掛ける)］《他下一》もたれかかるようにさせる。寄せかける。

←**もた・せる**［(×凭せる)］《他下一》〔寄りかかって〕支えさせる。

→**もた・せる**［持たせる］《他下一》①持つようにさせる。「荷物を―」②〔同等・目下の人に〕あたえる。「おくりものを―」③〔同等・目下の人に〕はこばせる。「手紙を―」④そのままの状態が続くようにする。持つようにする。「来週まで―・冷凍して―〔=くさらせない〕」⑤負担させる。「費用を―」⑥期待させる。「気を―」▽持たす。☞お持たせ。

**もたつ・く**《自五》もたもたした状態になる。「交渉が―」名もたつき。

**モダニズム**〔modernism〕①現代ふう。新しがり。②〔美術・思想で〕伝統主義に対して、近代主義。

**もたもた**《副・自サ》判断や行動に時間がかかって、なかなか終わらないようす。「―(と)歩く・―した試合」

*__もたら・す__［(×齎す)］《他五》①〔情報・習慣などを〕持って来る。「ニュースを―」②〔何かの原因が〕そういう結果を生む。「台風が もたらした被害」▽もたらせる。可能もたらせる。

**もた・る**《自五》〔「モタる」とも書く〕〔俗〕リズムが おくれてしまう。(↕走る)

**もたれあ・う**［(×凭れ)合う］《自五》おたがいに相手によりかかる。「二党が―」名もたれ合い。

**もたれかか・る**［(×凭れ掛かる)］《自五》①からだの重みを全部あずけるようにして、寄りかかる。②〔人を〕たよりにする。「相手の好意に―」

**もた・れる**［(×凭れる)・(×靠れる)］《自下一》①からだをつけて、重みをあずけるようにする。「いすに―」②食べたものが胃に とどまって、気持ち悪く感じる。「胃が―」名もたれ。

☆☆**モダン**《ナダ》〔modern〕①近代の。現代の。「―アート〔=現代美術〕・―ダンス〔=現代舞踊〕」②これまでになく、新しいようす。「―ガール〔=昭和初期ごろの、断髪洋装の女性。モガ〕・―ジャズ〔=一九四〇年代からの、音楽性の高い新しいジャズ〕・―焼き〔=焼きそばを入れた お好み焼き〕」▽モダーン〔古風〕。派-さ。

**もち**［持ち］一**もち** ①［(△保ち)］(なくなったりしないで)長くそのままの状態が続くこと。「電池の―が いい・おなかの―がいい おやつ」②費用を出すこと。「出費は使用者がわの―とする」二造 …用。「女―の かさ」

←**もち**［餅］もち米を蒸して つ(搗)いた、ねばりけの強い食べ物。「のし―・丸―・豆―・あんころ―」●**餅は餅屋** 句〈ものごと／人〉には それぞれ専門がある。餅屋は餅屋。

↔**もち**［(×糯)］ ねばりけが多く、つ(搗)いて もちにすることができる穀類。「―あわ(粟)・―麦」(↕うる《粳》)

→**もち**［(×黐)］⇩とりもち(鳥黐)。「―ざお(竿)」

**もち**《副》〔「モチ」とも書く〕〔俗〕↑もちろん。「飲み会、―行く!」〔戦前から、女学生が「―だわ」などと使っていた。現在は男女とも使う〕☞モチのロン。

**もちあい**［持ち合い］①おたがいに持つこと。「株式の―」②両方の力が つりあっていること。③［(△保ち合い)］《経》相場の動きが変わらないこと。動持ち合う《自五》。

**もちあが・る**［持ち上がる］《自五》①持ち上げた状態になる。「土が―」②〔さわぎ・ごたごたなど、よくないことが〕起こる。③生徒の進級とともに、同じ教師が その学級の担任を続ける。名持ち上がり。

**もちあぐ・む**［持ち(×倦む)］《他五》〔自分の力や能力では〕もてあます。もちあぐねる。

**もちあ・げる**［持ち上げる］《他下一》①手に持って上に上げる。②〔相談した企画・案を〕上の人に持ち出す。③おだてる。ほめあげる。名持ち上げ。

**もちあじ**［持ち味］①〔そのものに〕もとからそなわっている味。「材料の―を生かして使う」②〔その人・その芸術作品などの持つ〕独特の味。「彼の―を生かす」

**もちあつか・う**［持ち扱う］《他五》もてあます。もてあつかう。

**もちある・く**［持ち歩く］《他五》①手に持って、歩く。②身につけて歩く。「手紙をポケットに入れて―」名持ち歩き。

**もちあわせ**［持ち合わせ］今、持っている〈お金／品物〉。「あいにく―がない」

**もちあわ・せる**［持ち合わせる］《他下一》ちょうど〈今／そのとき〉持っている。持ち合わす。

**もちいえ**［持ち家］自分の持ち物になっている家。もちや。

☆☆**モチーフ**〔フ motif〕①〔作家・画家などが創作活動をする〕動機となるもの。主題。題材。②《音》主題。楽想。③〔編み物などで〕その作品を作り上げる、同じデザインの一単位。▽モティーフ。 ●**モチーフつなぎ**

〔モチーフ（×繋ぎ）〕《服》「モチーフ③」をつないで一つの作品に〈作ること／作ったもの〉。

**もち・いる【用いる】（もちゐる）《他上一》〔文〕①使う。「工業用に—」②人をある地位につかせて、仕事をさせる。「重く—」可能 用いることができる。

**もちうた**【持ち歌】①〔歌手が〕自分のものとして歌う歌。②自分の得意な歌。

**もちおもり**【持ち重り】《名・自サ》持って重く感じること。持っているうちに重くなって、つかれること。「—のするかばん」

**もちかえ・す**【持ち返す】（—かへす）《自五》もとのいい状態になる。持ち直す。「需要（じゅよう）が—」

**もちかえ・る**【持ち帰る】（—かへる）《他五》①〔品物などを〕持って帰る。②代表で出席した人が、出された案をさらにねり直すため、持って帰る。名 持ち帰り。「牛丼（ぎゅうどん）の—」☞お持ち帰り。

**もちか・ける**【持ち（掛ける）】《他下一》話を持っていって、はたらきかける。「相談を—」

**もちがし**【餅菓子】もち（と あん）を材料に使った菓子。

**もちかぶ**【持ち株】《経》持っている株。●**もちかぶがいしゃ**【持ち株会社】《経》〈ほかの／関係のある〉会社の株式を多く保有して、その会社の事業を支配する（ことを業とする）会社。ホールディングカンパニー。

**もちきり**【持ち切り】もっぱら その〈人／ものごと〉が話題の中心になること。「新しい先生のうわさで—だ」動 持ち切る（自五）。

**もちきれ・ない**【持ち（切れ）ない】《形》（—ヌズ）①全部持てない。「—ほどの荷物」②持ちこたえることができない。「〔低収入で〕家一軒（いっけん）を—」丁寧 持ちきれません。

**もちぐさ**【餅草】もちに まぜて つく（搗く）、ヨモギの若葉。

**もちぐされ**【持ち腐れ】利用する ねうちのあるものを持っていても使わないこと。「宝の—」

**もちくず・す**【持ち崩す】（—くづす）《他五》身持ちを悪くする。品行をみだす。「身を—」

**もちげい**【持ち芸】〔ふだんけいこしていて〕その人が身につけた（得意な）芸。

**もちこ・す**【持ち越す】《他五》そのままにして次へ送る。「結論を—・次の国会へ—」名 持ち越し。

**もちこた・える**【持ち（△堪える）】（—こたへる）《自他下一》ずっと〈支えて／努力して〉、最悪の状態にならないようにする。「破産しそうなのを—・病人が—」名 持ちこたえ。

**もちごま**【持ち駒】①《将棋》相手から取ったこま。いつでも使える。手駒。②〔その人が〕いつも思うように使える人数・手段。「—が豊富だ」

**もちこ・む**【持ち込む】《他五》①〔中に〕持って来る。運んで来る。「外国の習慣を日本に—・学校にゲーム機を—」②人をたよって持って来る。「出版社に作品を—・難題を—」③なんとかして うまく そういう状況（じょうきょう）にする。「法案を成立に—・接戦に—」名 持ち込み。

**もちごめ**【（×糯）米・餅米】ねばりけの多い種類の米。（⇔うるち（粳））

**もちさ・る**【持ち去る】《他五》手に持って、立ち去る。「ちょっとのすきに荷物を持ち去られた〔＝ぬすまれてしまった〕」

**もちじかん**【持ち時間】割り当てられ〈た／て自由に使える〉自分の時間。「—がなくなる」

**もちだい**【餅代】①〔正月用の〕もちの代金。②年を越（こ）すための少額の一時金。「—にも足りないボーナス」③（俗）年末に、派に属する政治家に配られる活動資金。☞氷代。

**もちタイム**【持ちタイム】〔スピードを争う競技で〕その選手や馬が過去に出した最高記録。

**もちだし**【持ち出し】《名・他サ》①持ち出すこと。「非常—」②費用が自分の負担になること。「交通費は—となった」③《服》〔洋裁で〕服やズボンの前の あわせ目などで、下がわに来る布の ぶちにつけて補強する布。☞見返し②ⓑ。

**もちだ・す**【持ち出す】《他五》①持って外へ出す。「重要書類を—」②言い出す。「話を—」③うったえて出る。「法廷（ほうてい）に—」④費用の足りない分を自分で出す。

**もちつき**【餅（×搗き）】もちをつくこと。特に、暮れに、正月用の もちをつくこと。●**もちつきそうば**【餅（×搗き）相場】《経》もちをつくときのきね（杵）のように、はげしく上下する年末の相場。

**もちづき**【（△望月）】〔文〕旧暦（きゅうれき）十五日の夜の月。満月。「小（こ）—〔＝十四日の夜の月〕」☞いざよい（十六夜）。

**もちて**【持ち手】①道具・容器・手おし車などの、手で持つための部分。「かばんの—・包丁の—」②持つ人。「荷物の—がいない」

**もちてん**【持ち点】〔競技・勝負事を始める前に〕〈ひとりひとりが／割り当てられて〉持っている点数。「選手の—」

**もちなお・す**【持ち直す】（—なほす）一《自五》①もとの いい状態に返る。「作柄（さくがら）が—」②〔病状が〕いいほうに向かう。二《他五》持っていた物などをちょっと下に置いて、また持つ。また、持つ手をかえる。名 持ち直し。

**もちにげ**【持ち逃げ】《名・他サ》他人の品物や お金を持って にげること。

**もちぬし**【持ち主】そのものを持っている人。所有主（ぬし）。

**もちねた**【持ちネタ】〔自分だけが〕得意としている芸。「—を披露（ひろう）する」

**もちのき**【（×黐の木）】庭木にする高い木。樹皮を煮（に）て鳥もちをつくる。☞鳥もち。

**もちのろん**【モチのロン】《副》（俗・古風）もちろん。〔一九五三年の歌「モチのロン」から広まったことば〕

**もちば**【持ち場】受け持ちの場所。「—をはなれる・—につく」

**もちはこ・ぶ**【持ち運ぶ】《他五》持って外へ はこぶ。運搬（うんぱん）する。名 持ち運び。

**もちはだ**【餅肌】ついたばかりの もちのように なめらかで ふんわりした感じの はだ。

**もちばな**【餅花】わらや木の枝などに小さく丸めたもちを たくさんつけてイネの花のような形にした、正月・小正月・節分などの かざりもの。☞繭玉（まゆだま）。

**もちばら**【餅腹】もちを食べたあとの、どっしりと からだが重くなったような、おなかの状態。

**もちばん**【持ち番】受け持ちの番。

**もちぶん**【持ち分】全体の うちで、めいめいが〈受け〉持

も

つ部分。

☆☆**モチベーション**〔motivation〕①ものごとをおこなうための動機や意欲をあたえること。動機づけ。②動機や意欲。やる気。モチベ〔俗〕。「―を上げる」

**もちまえ**［持ち前］ そのものに はじめからそなわる性質。「―のユーモアを生かす」

**もちまわり**［持ち回り］ 関係者の間を持って回ること。「会場は―とする・―優勝カップ〔=会が始まる前にいったん返して、そのときの優勝者が改めて受け取る、優勝カップ〕」 動持ち回る《他五》。●**もちまわりかくぎ**［持ち回り閣議］ 閣議をひらく代わりに、議案について各大臣をまわって意見を聞いて まとめるやり方。

**もちもち**《副・自サ》やわらかく、弾力やねばりけがあるようす。もっちり。「―(と)した うどん・―のパン」

**もちもの**［持ち物］〈手に/自分のものとして〉持つもの。「―を調べられる」

**もちや**［持ち家・持ち屋］⇩もちいえ。

**もちや**［餅屋］ もちを(ついて)売る〈人/店〉。●**餅屋は餅屋**句⇩餅は餅屋〔→「餅」の句〕。

**もちやく**［持ち役］〔俳優が〕自分の得意として演じる役。

☆☆**もちゅう**［喪中］ 喪に服する期間。「―はがき・―につき年末年始のごあいさつは えんりょさせて いただきます〔=家族が死んだとき、年賀状の代わりに出す あいさつ状《=喪中欠礼》のことば〕」

**もちよる**［持ち寄る］《他五》〔めいめいが〕持って寄り集まる。「意見を―・資料を―」名持ち寄り。

****もちろん**［〈×勿論〉］《副》①言うまでもなく。「―試合には勝った・英語は―(のこと)、中国語もできる」②下に続く部分をいったん認めることば。〔そのあとに逆接の内容をのべる〕「―金は返す。だが、少し待ってほしい」▽「むろん」は、少しかたい言い方。俗に「もち」「モチのロン」とも。

**もちわざ**［持ち技］ 得意とする技。持ち芸。

**もつ**〔「モツ」とも書く〕↑臓物。「とり―〔=ニワトリのハツ・砂ぎもなど〕・―なべ」

****もつ**［持つ］ 一《他五》①手で にぎる。手にとる。「ペンを―」②身につけておく。携帯する。所持する。「おさいふは持った?」③自分のものにする。自分のものとして、自由にできる状態におく。「家を―・財産を―・口座を―・資格を―」④家族や友人などを得る。「家庭を―・―べきものは友・中三を子に―親」⑤たもつ。「誇りを―・謙虚さを―」⑥受け持つ。「仕事を―・責任を―」⑦負担する。「費用を―」⑧ある気持ちを心にいだく。「わだかまりを―・好感を―・疑問を―〔=疑問に思う〕」⑨相手とかかわるようになる。「交渉を―・関係を―」⑩〔英語 hold の訳から〕開く。おこなう。「会議を―・会談を―」⑪そこに認められる。そなわる。有する。「通信機能を―・かがやかしい経歴を―」⑫持って〈行く/来る〉。「ご自由にお持ちください・これへ持て〔古風〕」 二［〈△保つ〉］《自五》①〔悪くならずに〕そのままの状態が続く。「夏でも―食品・このままでは身が持たない・〔病人は〕よく持って一年だ」②〔…のおかげで〕さかえる。やっていける。「尾張名古屋は城で―」可能持てる。☞持たざる・持ってる・持てる。●**持ちつ持たれつ**句 おたがいに助けたり助けられたりするようす。「世の中は―だ」

**もっか**［目下］〔文〕ただいま。「―研究中」☞めした〈目下〉。

**もっか**［黙過］《名・他サ》〔文〕知らない ふりをして、そのまま すごすこと。「―できない失策」

**もっかい**《副》〔話〕↑もう一回。「―やろうよ」

**もっかん**［木管］①木で作った管。②〔↑木管楽器〕《音》もと、木で作った管楽器。フルート・オーボエ・ファゴット・クラリネット・サクソフォンなど。(↔金管)

**もっかん**［木簡］ 紙が まだない時代、中国や日本で文字を書きつけるのに使った、細長い木の ふだ。使い方は竹簡と同じ。☞竹簡。

**もっきょ**［黙許］《名・他サ》〔文〕知らないふりをしてだまって許すこと。黙認。「二人の交際を―の形にする」

**もっきり**［盛っ切り］〔「もりきり」の音便〕〔古風・俗〕①一度もっただけで、おかわりがない〈こと/もの〉。「―めし」②大きな入れものに もった、酒。

**もっきん**［木琴］《音》⇩シロホン。

**モック**〔mock〕実物大の模型・サンプル。モックアップ(mockup)。

**モックスねんりょう**［MOX燃料］〔MOX↑mixed oxide=混合酸化物〕〔原子力発電で〕使用ずみウラン燃料から出るプルトニウムと劣化ウランをまぜて作る燃料。〔核燃料サイクルで使うことを目的としたもの〕

**もっけい**［木鶏］〔文〕木で作った闘鶏のように、どんな敵にもまったく動じないこと。「いまだ―たりえず〔=横綱双葉山が自分の連勝がとぎれたときに語ったことば〕」由来 中国の古典「荘子」に出てくる話から。

**もっけい**［黙契］〔文〕口には出さなくても、たがいにわかっている約束。「―が成り立つ」

**もっけのさいわい**［〈×勿△怪の〉幸い］ 思いがけない さいわい。「ちょうど雨が上がったのは―だ」

**もっこ**［〈×畚〉］ なわをあみのように編んで、四すみに綱をつけたもの。土などをはこぶのに使う。ふご。

**もっこう**［木工］ 木材の工芸や加工。「―所・―機械」

**もっこう**［黙考］《名・自サ》〔文〕無言のまま考えること。「沈思―」

**もっこく**［〈木×斛〉］ 庭木にする常緑樹。葉は、まるみがあり、ふちが赤い。

**もっこす**〔熊本方言〕 つむじまがり。意地っぱり。反骨。「肥後―」

**もっこり**《副・自サ》 ふくらんで もりあがったようす。「―とした山」

**もっこん**［目今］《副》〔文〕ただいま。目下。

**もっこんしき**［木婚式］ 結婚してから五年目の記念日(を祝う式)。☞婚。

**もっさり**《副・自サ》①動作が のろいようす。「―としたしゃべり方・―したパソコン」②動きや表情が感じられないようす。「何を―立っているんだ」③あかぬけないようす。「―した人」▽もっそり。④毛が厚く はえているようす。「―とした かみの毛」

**モッズコート**〔mods coat〕《服》軍用のパーカーに由来する、防寒性の高いフード付きコート。

**もっそう**［物相］ 昔、ひとり分ずつの飯をはかった入れもの。●**もっそうごはん**[物相〈御飯〉] ひさご・おうぎなどの型に入れてぬいた、五目めし。●**もっそうめし**[物相飯] 物相にもった飯。特に、牢屋(ろうや)で出した、もり切りの飯。

**もっそり**《副・自サ》⇩もっさり①〜③。「—腰(こし)を上げる・—立っている・—した服」

**もったい**[(×勿体)] おもおもしいこと。●**もったいをつける**[句] もったいぶる。●**もったいな・い**[(×勿体ない)]《形》〔ない=無い〕①ねうちがあるものを、むだにするようすだ〈ことがおしい〉。「—ことをした・食べ残すのは—」②つりあわないほど、ねうちがあるようすだ。おそれ多い。「かれには—恋人(こいびと)」③貴重で、ありがたい。おしい。「—おことば・もったいなくもご臨席たまわった」[派]-がる。-さ。●**もったいぶ・る**[(×勿体振る)]《自五》(必要以上に)〈おもおもしそう/大げさ〉にする。[名]もったいぶり。●**もったいらし・い**[(×勿体らしい)]《形》もったいぶったようすだ。たいそうらしい。[派]-さ。

**もったり**《副・自サ》①重たそうなようす。「—とした口調・—した動き」②〔食品などが〕どろっとして、少しねばつくようす。「—した口当たり・—するまでまぜる」

**もっちり**《副・自サ》ふっくらして弾力(だんりょく)のあるようす。もちもち。「—(と)した〈食感/肌(はだ)〉」

**モッツァレラ**〔イ mozzarella〕(水牛の乳からつくる)白く、やわらかいチーズ。熱を加えるとよくのびる。南イタリアの特産。モッツァレッラ。

**もって**〔文〕㊀**もって**[(△以て)]《副》①まさにそれを。まさしく。「その勤勉さは、—範(はん)〔=手本〕とすべきだ」②それによって。「その文章は、—著者の実力を示すに足りる」㊁[接尾] 副詞を強調することば。「はなはだ—めいわくだ」[由来]元の形は「以(も)ちて」で、文語「持ちて〔=持って〕」と同語源。☞でもって・まったくもって・をもって。●**もっていかん(如何)となす**[句] どう思いますか。「総理大臣—」●**もって瞑(めい)すべし**[句]〔=満足して目をつぶって《=死んで》もいい〕これで満足すべきだ。「それなりに評価されたのだから—だ・母の霊(れい)も—だ」●**もって・する**[(△以てする)]《他サ》〔文〕〔性質や能力を〕はたらかせる。活用する。「すぐれた頭脳をもってすれば必ず成功するだろう・豊富な物量をもってしても勝てなかった・氏の言をもってすれば〔=引用すれば〕」●**もってのほか**[(△以ての外)] ①許される範囲(はんい)から大きく外れていること。とんでもないこと。「失敗を人のせいにするなど—だ」②〔古風〕思いのほか(に はなはだしいこと)。「—のご立腹」

**もっていきば**[持って行き場] 持って行くべき場所。やり場。持って行き場所。持って行きどころ。「—のない怒(いか)り」

**もってい・く**[持って行く] ㊀《他五》①ほかの場所まで、自分(の手)で運んでいく。「弁当を—」[尊敬]お持ちになる。「どうぞ、パンフレットをお持ち(になって)ください」[謙譲]お持ちする。②持ち去る。「傘(かさ)を持って行かれた」③計画して、そういう状態にする。仕向ける。「相手から断るように—」㊁《自五》〔俗〕その人だけが、その場の人気をさらう。「子役が持って行っちゃった」

**もってうまれた**[持って生まれた]《連体》それをはじめから身につけて生まれた。生まれつきの。「—性質」

**もって・くる**[持って来る]《他カ》①ほかの場所から、自分(の手)で運んでくる。「カメラを—・縁談(えんだん)を—」[尊敬]お持ちになる。[謙譲]お持ちする。②〔…〈へ/に〉持って来て〕…に加えて。「ただでさえ仕事がおそいところへ持って来て、こうミスが多くては困る」

**もってこい**[(持って来い)] そのことにいちばん適当であるようす。絶好。「つまみに—だ・散策には—の場所」

**もってまわった**[持って回(まわ)った]《連体》〔話の進め方などについて〕わざと回り道をした。「—言い方をする」

**もっ・てる**[持ってる]《自下一》才能・幸運などにめぐまれている。持っている。「—選手」〔二〇一〇年ごろから広まったことば〕

****もっと**《副》ある状態から、それ以上の状態へと、程度が強まるようす。いっそう。さらに。「—大きいのがほしい・—走れるはずだ・事態は—悪くなってきた」

☆☆**モットー**〔motto〕 こう〈したい/ありたい〉と強く思っていることを、短くあらわしたことば。

←***もっとも**[(×尤も)] ㊀《(ナダ)》道理にかなうようす。「—千万(せんばん)・—な意見・おおせは ご—ですが」✎「ごもっとも」は、和語に「ご」がつく めずらしい例。㊁《接》誤解をさけるために補足するときの ことば。「成績は二番だった。—、受験したのはふたりだったが」●**もっともらし・い**[(×尤もらしい)]《形》①りくつにあっているようす。「—りくつをならべる」②もっともな理由がある、といったようすだ。「—顔つき」[派]-げ。-さ。

→****もっとも**[最も]《副》この上なく。いちばん。「日本で—高い山」

**もつに**[もつ煮・モツ煮] 牛・ブタ・ニワトリなどの臓物(ぞうもつ)に、野菜やコンニャク・とうふを加えて、(みそ味で)煮こんだ料理。もつ煮こみ。ホルモン煮。「—定食」

**もっぱら**[(専ら)] ①それればかり〈する/である〉ようす。「休日は—ねている・—〔=一筋に〕学問に はげむ・責任は—〔=すべて〕相手にある」②〔うわさなどが〕どこでも聞かれるようす。「安くてうまいと—の評判だ」●**もっぱらに・する**[専らにする]《他サ》〔文〕①それだけをする。「研究を—」②ひとりじめにする。「権勢を—」

**モッブ**〔mob〕⇩モブ。

**モップ**〔mop〕 柄(え)のついたぞうきん。

**もつやく**[(△没薬)] エジプトやアラビアにはえる、ミルラ(ド Myrrhe)という木の やに(脂)から作った かたまり。健胃剤(けんいざい)などに使う。

**もつれこ・む**[(×縺れ)込む]《自五》成り行きなどが複雑にもつれる。「延長戦に—〔=はいる〕」

**もつ・れる**[(×縺れる)]《自下一》①からまって とけなくなる。「糸が—」②いりみだれる。③話や事件が、混乱して、解決しにくくなる。④成り行きが複雑に進行する。「試合が—」⑤足や舌が自由に動かなくなる。[名]もつれ。「感情の—」[他]もつらせる《下一》・もつらす《五》〔古風〕。「足を—」〔使役形(しえきけい)「もつれさせる」が一般的(いっぱんてき)〕

**もて**[モテ]〔俗〕(多くの)人から好意をもたれること。「—顔(がお)」☞モテ期。

**もて**《格助》〔↑もっ(以)て〕〔文〕で。をもって。「愛情—えがいた名著・石—追われる」

**もてあそ・ぶ**[(弄ぶ)・(△玩ぶ)]《他五》①手に持って遊ぶ。いじくる。「刃物(はもの)を—」②自分の興味にまかせて、好きなように あやつる。「政治を—・わたしの愛情を—の?」▽おもちゃにする。③〔文〕なぐさみとして愛する。「月花を―」 名 もてあそび。

**もてあつか・う**［持て扱う］《他五》〔古風〕①もてあます。「自分の身を―」②うまくあつかう。「自分の気持ちを持て扱いかねる〔=もてあます〕」▽もちあつかう。 ①②とも古くからの用法だが、たがいに逆の意味になっている。名 持て扱い。

**もてあま・す**［持て余す］《他五》そのあつかい方に困る。「ひまを―〔=することがなくてたいくつする〕・親でさえ―ほどの乱暴者・持て余し者」

**もてき**［モテ期］〔俗〕非常にもてる時期。

**モテット**〔イ motetto〕《音》聖書からえらんだ文章を土台にして作った、短い合唱曲。

**もてなし**［（持て成し）］①〔客の〕待遇。「手厚い―・心のこもったお―」②〔客に対する〕ごちそう。「なんのお―もできませんで失礼いたしました」

**もてな・す**［（持て成す）］《他五》①〔客を〕心をこめてあつかう。「厚く―」②〔客に〕ごちそうする。「人を招いて―」

**もてはや・す**［（持て×囃す）］《他五》みんなが〈非常に好む/さかんにほめる〉。「天才少年だと―・新しい学説がもてはやされる」

**モデム**〔modem〕コンピューターの信号を、電話回線の音声信号に変換したり、また、その逆の変換をしたりする装置。「通信―」

**もてもて**［モテモテ］〔俗〕非常にもてること。「女の子に―だ」

**モデラート**〔イ moderato〕《音》中ぐらいの速度(で)。毎分八〇～一〇〇拍程度。

**モデリング**《名・自他サ》〔modeling〕①何かを手本に形を作ること。肉づけ。②《情》CGで立体的な形を作ること。③《心》他人の行動を見てまねること。観察学習。

←**も・てる**［持てる］ 一《自下一》①［△保てる］うまくたもたれる。「間が―」②「持つ」の可能形。 二《連体》〔↑「持つ」＋助動詞「り」の連体形〕〔文〕①持っている。「―力をじゅうぶんに発揮する」②〈資源/資産〉の多い。「―国・―者」〔↔持たざる〕

→**も・てる**《自下一》〔↑持てる〕みんなにちやほやされる。あこがれのまとになる。「男の子に―」 表記 俗に「モテる」とも。

**モーテル**〔motel〕⇩モーテル。

***モデル**〔model〕①型。〔機械・自動車の〕型式。「―チェンジ〔=型式変更〕」②模型。「―プレーン〔=模型飛行機〕」③手本。模範。範型。「―スクール」④その現象を説明するために、模型のように単純化してわかりやすくしたもの。⑤文学作品の人物の素材になる人。⑥美術制作の対象になる(若い女の)人。⑦きれいな容姿を見せる〈仕事/役目〉をする(若い女の)人。「ファッション―・読者―」 ●モデルガン〔model gun〕〈金属/プラスチック〉で、実物そっくりに模造された銃。 ●モデルケース〔model case〕代表的な例。模範例。

**モデレーター**〔moderator=調停者〕〔テレビ番組や討論会などで〕司会者。議長。

←***もと**［（下）］①根もとのところ。何かの下の〈ところ/あたり〉。「木の―・旗の―」②そのはたらき・支配力のおよぶところ。「法の―に平等・勇将の―に弱卒なし」③〔の―に〕〈する/した〉という状態で。で。「そういう約束の―に・一撃の―にたおす」

↔****もと** 一 もと［元］①起こり。始まり。「新劇の―を開いた・―はと言えば私の提案だった」②〈それが出てくる/それを出した〉ところ。「出版―」☞火の元。③もとで。「―がかかる」④元値。「―を切る・―を割る」⑤箸・筆などの、手に持つところ(に近い部分)。⑥［△素］原料。「みその―になるダイズ・スープの―〔=湯でとけば手軽にスープが作れるもの〕」⑦［×酛］酒を発酵させるもとになるこうじ。酒母。 二 もと ①原因(となるもの)。「酒が―でけんかをする・―から断つ」②［△許］その人の所。そば。「友人の―をおとずれる」 三 もと［元］〔選挙で〕↑元職。「無所属―」 四 もと《名・副》以前(は/に)。最初(は/に)。「この店は―(は)民家だった・―来た道を引き返す」 五 もと［元］〔漢〕以前の。もとの。「―校長〔『前』よりも前〕」 ●元のさや（鞘）に収まる 句 けんかや夫婦別れをした者が仲直りして元どおりになる。もとさや〔俗〕。 ●元も子もない 句 すっかりむだになって何も残らない。 ●元を正せば 句 始まりに さかのぼると。元はと言えば。元をたどれば。「補助金も―国民の税金だ」 表記「元を×糺せば」とも。 ●元を取る 句 かけた元手以上の〈金額/結果〉を得る。「高値で売って―」

↔**もと**［本］ 一 もと ①はえ出るものの(いちばん下の)太いだいじな部分。ねもと。つけね。「―が枯れる」②ものごとの中心になる、いちばんだいじなところ。根本。「国政の―を正す」〔↔末〕③和歌の上の句。〔↔末〕 二 接尾〔文〕草木の株を数えることば。「スズランひと―・千―の桜」

→**もと**［基］基礎。土台。もとい。「資料を―に記事を書く・農は国の―」

**もとい**［基］〔=本居〕〔文〕基礎。もと(基)。

**もとい**《感》〔↑元へ〕①〔軍隊・体操などで〕元の姿勢に もどすときの号令。なおれ。②言い直しをするときのことば。「二月、―三月」

**もとうけ**［元請け］仕事の注文主から、直接仕事を引き受けること。また、その引き受け手。その仕事をさらに回す先が「下請け」。元請負。

**もとうた**［元歌・本歌］①その歌のもとになった、メロディーの同じ歌。「『蛍の光』の―はスコットランドの民謡だ」②替え歌のもとになる歌。〔↔替え歌〕③⇩本歌。

**もとうり**［元売り］《経》卸売りを専門にする〈こと/会社〉。「石油の―各社」

**もどかし・い**《形》思うようにならないで、いらいらするようすだ。じれったい。「―話」 派 ―がる。―げ。―さ。

**もとかの**［元カノ］〔↑もと彼女〕〔俗〕以前に恋人だった女性。〔↔今カノ〕

**もとかれ**［元彼・元カレ］〔俗〕以前に恋人だった男性。〔↔今彼〕

**もとき**［本木］木の幹。また、根もとに近い部分。〔↔末木〕

**もどき**［（△擬き）］ 一 造 …に似(せ)ていること。「西部劇―のうちあい・芝居―のせりふ」 二〔俗〕にせもの。「本物かと思ったら―だった」

**もときん**［元金］⇩がんきん。

**モトクロス**〔motocross←motor＋crosscountry〕オートバイで、急な坂やあれ地のコースを走る競技。

**もとごえ**［元肥・基肥］《農》作物の最初の肥料。基

肥。(↑追い肥・追肥)
**もどしじる**【戻し汁】《料》乾物を水でもどしたあとに残った水。乾物のうま味が出ているものを料理に使う。「干しシイタケの―」
**もどしぜい**【戻し税】《経》過去の年度に徴収した所得税の一部を納税者に戻すこと。
**もとじめ**【元締め】①勘定のしめくくりの役(をする人)。②全体をまとめる〈こと/人〉。「総―」
**もとしょく**【元職】その〈議院/議会〉の選挙で、以前に当選したことのある候補者。〔前職は除く〕「C党の―」☞新人③・現職②・前職②。
*__もど・す__【戻す】㊀《他五》①もとの〈所/状態〉にかえす。②《料》水に〈つけて/とかして〉、なまの状態にかえす。「ワカメを―」③吐く。㊁《自五》①《古風》(馬や舟に乗って)もどる。「返せ、戻せ」②《経》(相場で)いちど下がった値段が元にもどる。名戻し。可能戻せる。
**もとせん**【元栓】ガスや水道などを屋内に引きこむ管の根もとにある栓。「―を閉める」
**もとちょう**【元帳】《経》小分けの科目ごとにいちいち口座を分けて書き入れる、会計のもとになる帳簿。原簿。
**__もとづ・く__【基づく】《自五》①根拠にする。「法律に―表示」②原因になる。「誤解に―発言」他基づける〈下一〉》。可能基づける。
**もとづめ**【元詰め】製造元や醸造元などで〈つめること/つめたもの〉。
**もとで**【元手】①営業に必要な資本。「―をかける」②元になるもの。「からだが―だ」
**もとどおり**【元〈通り〉】―どほり 以前と同じ形や状態。「―にしておく」
**もとどり**【(×髻)】(=本取り)かみの毛を頭の上でたばねたところ。たぶさ。
**もとなり**【本(成り)・本(△生り)】植物のつる・幹のもとのほうに〈りっぱな〉実が〈なること/なったもの〉。(↑うらなり)
**もとね**【元値】仕入れた値段。原価。もと。「―で売る」

☆☆**もとのもくあみ**【元の(木×阿△弥)】(木阿弥=人名)すべてむだになって、また元のとおりになること。「結局は―だ」
**もとばらい**【元払い】―ばらひ〔運賃を〕荷物の送り主がはらうこと。(↑先払い・着払い)
**もとばん**【元版】印刷物の最初の版。
**もとばん**【元盤】CDやレコードの、最初の盤。「―さがし」
**もとへ**【元へ】《感》⇩もとい。
**もとま・る**【求まる】《自五》〔数学・物理などで〕数式や計算によって値が得られる。「$x$の値は次の式によって―」
**もと・む**【求む】《他下二》〔文〕もとめる。「貸家を―・〔広告で〕―人材(=人材をもとめる)」
**もとめ**【求め】①ほかからの〈要望/要求〉。「―に応じる」②〔お―〕買うこと。「クレジットカードでもお―になれます・お―になりやすい〔『お求めやすい』とも〕」☞やすい(易)㊁②
**もとめて**【求めて】《副》〔文〕自分から進んで。好きこのんで。「―火中のくりを拾うことはない」
**__もと・める__【求める】《他下一》①手に入れたいという要求をもつ。さがす。「職を―・人材を―」②〔ほしいと思ったものを〕お金を出して、手に入れる。買う。「駅の売店で求めた本」☞求め②。③相手にのぞむ。たのむ。「助けを―・反省を―・起立を求めます」④《数》計算して答えを出す。「平均点を―」可能求められる。
*__もともと__【(元々)】㊀《名・副》①いちばんもとの状態。本来。「人間は―裸で生まれる・この家は―(は)商店だった」②はじめから。「―信じていなかった」㊁損も得もないこと。はじめと変わらないこと。「失敗しても―だ」
**もとゆい**【元結い】―ゆひ もとどりをゆうときに使う〈糸/ひも〉。もっとい〔東京方言〕。
↑**もとより**【(△固より)・(△素より)】《副》(=元より)〔文〕言うまでもなく。もちろん。「―賛成だ・―死は覚悟の上だ・おとなは―幼い者までも」
↑**もとより**【元より】連 もとから。昔から。「民族が―持っていることば」
**もどり**【戻り】①もどること。「〔外出先からの〕―はいつですか」☞寒の戻り。②帰り(道)。③かぎ・釣り針のはしの、逆向きにとがったところ。④《経》相場が下がっているとちゅうで、少し上がること。「―を待って売る」(↑押し目) ●**もどりうり**【戻り売り】《名・他サ》《経》「戻り④」をねらって、株などを売ること。(↑押し目買い) ●**もどりがつお**【戻り(×鰹)】―がつを 秋に、水温の低い北の海からもどってくる、あぶらののったカツオ。下りがつお。(↑上りがつお) ●**もどりづゆ**【戻り梅雨】《天》つゆがあけてから、またつゆの状態にもどること。 ●**もどりねんが**【戻り年賀】⇩返り年賀。
☆☆**もと・る**【(×悖る)】《自五》〔文〕道理にそむく。反する。もどる。「人道に―行為」
**__もど・る__【戻る】《自五》①〔人や動物が〕もとの所(のほう)へ帰る。引き返す。「会社へ戻ってから帰るよ」②〔ものが〕もとの所へ返る。「税金が―」③もとの状態になる。「記憶が―・平和が―」可能戻れる。
**もなか**【(△最中)】①こねた米の粉をうすくのばして焼いた皮の間にあんをはさんだ(平たい)菓子。「白あんの―」②「もなか①」の皮の間に、アイスクリームを入れたもの。「アイス―・チョコ―」③《雅》その時期のまんなか。「秋の―」☞さいちゅう(最中)・さなか(最中)。
**もなにも**【も(何も)】《副助》⇩なにも㊁。
☆☆**モニター**《名・他サ》[monitor]①〔送信・録音や機械の運転などを〕監視する〈しかけ/人/こと〉。「―用スピーカー」②「モニター①」用の画面。ディスプレイ。③たのまれて、放送・新聞記事・商品などの状態を調べて、感想や批評をのべる人。
☆☆**モニタリング**《名・他サ》[monitoring]①継続して監視すること。「―ポスト(=空間の放射線量をはかる装置を入れた、柱状の設備)」②消費者に実際にためしてもらって意見をきくこと。☞モニター③。
**モニュメンタル**《ナ》[monumental]記念となるようす。記念碑的。「―な作品」
☆☆**モニュメント**[monument]①記念碑。記念建造物。②遺跡。③記念として後世まで残る作品。記念碑的作品。「戦後文学の一大―」
**もぬけ**【(∴藻=抜け)・(×蛻)】セミ・ヘビなどが、外の皮をぬぐこと。•**もぬけ の から**〔(:藻=抜けの)殻〕①人がにげ去ったあと。②たましいがぬけ去ったあとのからだ。

↔**もの 一もの〔(物)〕①目で見たり、手でさわったり、機械で調べたり、さらには空想したりして、あると考えられる、すべて。物体。物質。材料。「ここに—を置かないで・—がぼやけて見える」(↔こと) ②品物。商品。「—やサービス・—(=生活必需品)のなかった時代」③「物一①」と「事一①」を広くさすことば。ものごと。「—の道理・—には順序がある・—の順序として」④道理。わけ。「—の わかった人」⑤「何」とはっきり言わないで、それをさすことば。「—(=食べ物)も食べない・—(=ことば)を言う・—を思う・—(=何か)問いたそう」⑥とりたてて言うことがら。「—ともしない」 二もの ①品質。「—がいいから高いよ」②所有物。「学校の—・勝利はこっちの—だ」☞物にする 句。 三もの ①〔多く「…**という—**」〕そのように言われるものごと。「人間の心理という—は」②〔「**—がある**」〕気持ち。「それを思うと複雑な—がある」③…のが〈当然/適当〉。…べき。「親の言うことは聞く—だ・言ってみる—だ(=言ってみるといい結果になった)」☞ものとする。④希望する気持ちをあらわす。「見てみたい—です」⑤過去にたびたび起こったことがらを思い出して言うときに使う。「河原でよく遊んだ—だ」⑥感心する気持ちをあらわす。「よく考えた—だ・落ち着いた—だった」⑦そういう事実・傾向のあることをあらわす。「悪いことは できない—だ」⑧事情を説明するときなどに使う。「今回市民に開放した—です(=したのです)」▽③〜⑧は、「—だ・—です」などの形で使う。 四 接頭 なんとなく(すべてが)。「—悲しい・—さびしい」 五〔(物)〕造 その方面・種類にはいる品物・作品など。「西陣—・男—・春—・現代—・SF—」 六 造 そうなるほどの状態。「ノーベル賞—・冷や汗—」表記「新しいモノやコト」「現代モノ」「ノーベル賞モノ」など「モノ」とも。•**物ともせず** 句 なんとも思わず。問題にせず。「きびしい試練も—」•**物にする** 句 ①習得する。②自分のものにする。手に入れる。③完成させる。•**物になる** 句 ①一人前の〈もの/うでまえ〉になる。②仕事が成功する。「この企画は—よ」•**物は言いよう** 句 表現のしかたによって、印象はよくも悪くもなる。物も言いようで角が立つ。☞丸い卵も切りよ(う)で四角(「丸い」の 句)。•**物は相談** 句 どんなことでも、一度は相談してみるものだ。•**物は試し** 句 ものごとは、まずやってみないと、本当のところが わからない。•**物を言う** 句 ①話す。口をきく。「—のも おっくうだ」②役に立つ。「経験が—・肩書が—」③証拠になる。④はっきり主張や要求をする。「—株主」▽物言う。•**物を言わせる** 句 そのものの力を、じゅうぶんに発揮させる。物言わせる。「お金に—」

↔**もの**〔者〕〔連体修飾語を受ける〕①〔けんそんして、また、下に見て〕人。「私のような—には無理です・だれか見た—はあるか」②〔規則などで、敬意をはぶいて〕人。「〔立て札に〕無用の—立ち入るべからず」③人のほか、妖怪・動物などをばくぜんとふくむ言い方。「夜中に戸をたたく—がある」④《法》人および〔会社などの〕法人。「物品を販売することを業とする—」

*__もの__《終助》〔↑ものを〕やさしく、また、あまえる気持ちをこめて、理由をのべるときのことば。「おつかれでしょう、休みなしです—ね・ぼくは行かなかった—、知るわけがないだろう」

**モノ**〔mono=単一〕①↑モノクロ。②↑モノラル。

**ものあわれ**〔(物)哀れ〕《ナダ》〔文〕なんとなく あわれなようす。「—な空の ありさま」派 -げ。-さ。☞もののあわれ。

**ものいい**〔物言い〕①〔文〕ものを言うこと。ことばづかい。②〔すもうなど〕〈判定/決定〉に対して反対の意見を出すこと。異議。「—がつく・—をつける」

**ものいう**〔物言う〕《自五》〔文〕⇩物を言う〔「物」の 句〕。「—すべ・金が—世の中・—株主」☞物言わぬ。•**物言えば唇寒し秋の風** 句〔=人の短所を言ったあとは、自分がいやな思いをする。芭蕉の句〕何かうっかり言ったことが、あとで災いを招く。

**ものいみ**〔物忌み〕《名・自サ》食事やおこない、また、外出をつつしんで、からだが けがれないようにすること。

**ものいり**〔物入り・物要り〕費用が かかること。出費。「たいへんな—だ」

**ものいれ**〔物入れ〕①ちょっとしたもの、ふだん使わないものなどを入れておくところ。②ポケット。

**ものいわぬ**〔物言わぬ〕《連体》①死んだ状態の。「—帰宅」②口をきかない。「—かしこい友だち(=犬)」

**ものうい**〔(物憂い)・(×懶い)〕《形》なんとなく だるくて、気も晴れない。「—春・—表情」派 -げ。-さ。

**ものうり**〔物売り〕〔店を持たないで〕〈道で/家をおとずれて〉品物を売る〈こと/人〉。

**ものおき**〔物置〕とうぶん使わない道具などを置いておく〈建物/部屋〉。「—小屋」☞納屋。

**ものおじ**〔物(△怖じ)〕《名・自サ》〔多く、後ろに否定が来る〕〔ものごとを〕おそれること。「人前でも—しない子」

**ものおしみ**〔物惜しみ〕《名・自サ》物をあたえたり貸したり使ったりすることをおしむこと。「—しない人物」

**ものおそろしい**〔(物)恐ろしい〕《形》〔文〕なんとなくおそろしい。「—夜」派 -げ。-さ。

**ものおと**〔物音〕〔何がということは はっきり言えないが、何か あるものが立てる〕音。「—一つ聞こえない・何か—がした」

**ものおぼえ**〔物覚え〕①〔ものごとの〕記憶。「—が悪い」②ものごとを習い覚えること。

**ものおもい**〔物思い〕〔心配ごと・なやみごとなどについて〕いろいろ考えること。「—に しずむ・—に ふける」

**ものおもう**〔物思う〕《自五》〔文〕①いろいろのことをあれこれ考える。「川のほとりに—人」②心配ごと・なやみごとなどについて、考える。「—ことの多い青春」

**ものおもわしい**〔物思わしい〕《形》物思いにしずむような感じだ。「—顔をしている」派 -げ。

**ものか**《終助》①うたがう余地もない、と否定することをあらわす。「今から行っても間に合う—(ね/よ)」②そうは〈しない/ならない〉、という強い意志をあらわす。「あんなやつに負ける—(=負けないぞ)」③心のまよいをあらわす。「どうした—(な)と考えこむ」④〔「**…ない—**」〕願望をあらわす。「早く終わらない—(な)(=終わってほしい)」▽もんか。丁寧 ①〜③ものですか。③④ものでしょうか。

**ものかき**〔物書き〕〔職業として〕文章を書く〈こと/

人〉。「ーの ひとりとして発言する」

**←ものかげ**［物陰］ ものに かくれて見えない所。「ーにかくれる」

**→ものかげ**［物影］ 影のように見える、何かの形。「ーが動いた」

**ものがた・い**［物堅い］《形》 きまじめだ。りちぎだ。「ー役人・約束にー」 派ーさ。

***ものがたり**［物語］ ①物語ること。また、人々が物語る話。「世にも ふしぎなー・昔のー」 ②筋を持った、散文体の文学作品。「源氏ー」

**ものがた・る**［物語る］《他五》 ①筋道を立てて、まとまった内容を語る。②ある事実をよく あらわし しめす。「苦しみをー表情・数字が雄弁に物語っている」

**ものがち**［者勝ち］ 造 ①そういう者が利益を得ること。「早いー・強いー」 ②(たとえ いいかげんであっても)それを先にした者が利益を得ること。「言ったー・やったー」▽もんがち〔俗〕。

**ものかな**《終助》 ①〔文〕…ものだなあ。「奇妙なこともあるー」 ②⇩ものか③④。

**ものがなし・い**［(物)悲しい］《形》 なんとなく悲しい。「ー気分・ー曲」 派ーげ。ーさ。

**ものかは**［(物かは)］《副》 〔文〕気にしないようす。平気で。「寒さもー水の中にとびこむ」 由来「もの」は「物ともせず」の「物」と同じ。「かは」は反語。「気にするほどのものか」の意味。

**ものぐさ**［(物臭)］《名・ナダ》 何をするのも めんどうくさがる〈ようす/人〉。 ●**ものぐさ・い**［(物臭い)］《形》〔文〕めんどうくさい。おっくうだ。

**モノグラム**〔monogram〕〔姓名の頭文字など〕ローマ字を組み合わせて、一つの図案にしたもの。組み合わせ文字。

**ものぐるい**［物狂い］ーぐるひ《名・自サ》 正気を〈失うこと/失った人〉。「女ー(=女性の物狂いがシテの能)」

**ものぐるおし・い**［(物)狂おしい］ーぐるほしい《形》〔文〕気がくるいそうな ようすだ。ものぐるわしい。派ーげ。ーさ。

**モノクロ**〔↑モノクローム(monochrome)=単色〕〔画像・映像で〕白黒。モノ。「ー映画」(↔カラー)

**ものごい**［物乞い］ーごひ《名・自サ》 ものをめぐんでくださいとたのむ〈こと/人〉。こじき。

**ものごころ**［物心］ 世の中の いろいろなことについての理解・分別。 ●**物心(が)つく** 句〔子どもが少し大きくなって〕もののよしあしや人の気持ちなどがわかるようになる。

**ものごし**［物腰］ ことばつきや態度。「おちついたーで応対する・ーが やわらかい」

**ものごと**［物事］ ものとこと。いっさいのことがら。

**ものさし**［(物差し)］ ①物に あてがって長さをはかる道具。さし。②ものをはかる標準。尺度。「自分のーで(=自分を基準にして)人をはかるな」

**ものさびし・い**［(物)寂しい・(物)×淋しい］《形》 なんとなくさびしい。ものさみしい。「ー夕暮れ」 派ーげ。ーさ。

**ものさ・びる**［(物△寂びる)］《自上一》〔文〕全体に古めかしくなって、おもむきが感じられる。「ものさびた本堂」

**ものさわがし・い**［(物)騒がしい］《形》〔文〕①(物音がして)なんとなく うるさい。「階下がー」 ②おだやかでない。「世の中がー・胸の中がー」 派ーさ。

**ものしずか**［(物)静か］ーしづか《ナダ》 全体として、いかにも〈しずかな/おだやかな〉ようす。「ーな態度」 派ーさ。

**ものしらず**［物知らず］ 日常生活や礼儀作法などについて知っていなければならないことを知らない〈こと/人〉。

**ものしり**［物知り・物△識り］ 知識の広いこと。なんでも知っている人。「ー顔にしゃべる」

**ものずき**［物好き］《名・ナダ》 ふつうの人と ちょっと変わったことを好む性質(の人)。派ーさ。

**ものすご・い**［(物△凄い)］《形》 ①全体として、いかにもすごいようす。「ー顔つき」 ②程度をこえているようす。猛烈だ。「ー暑さ」〔連用形で「ものすごく」と言うべきところを俗に「ものすごい」と言うことがある。「ー気にしている」〕 派ーさ。

**ものすさまじ・い**［(物△凄まじい)］《形》 おそろしくなるほど はげしい。「ー形相・ー爆音」 派ーさ。

**もの・する**［(物する)］《他サ》〔文〕歌をよんだり、文章を書いたりする。ものす。〔気取った言い方〕「短歌を一首ものした(=よんだ)」

**ものだから**《接助》 理由を打ち明けるように言うことば。「何しろ気が弱いー、強く断れない・初めて〈な/だ〉ーわからない」 丁寧 ものですから。

**ものだち**［物断ち］《名・自サ》 ⇩断ち物。

**ものだね**［物種］ ものの もとになるもの。「命あってのー」〔⇩「命」の 句〕

**ものたりな・い**［(物)足りない］《形ヌズ》 なんとなく満足できない。もの足らない。「それだけではー」 丁寧 もの足りません。派ーがる。ーげ。ーさ。

**ものた・りる**［(物)足りる］《自上一》 じゅうぶんである。満足な状態である。

**ものづくり**［(物作り)］〔積みかさねた技術で〕物を作ること。ものつくり。「日本のー」

**もので**《接助》 …ので。「つとめがあるー失礼します・夜型〈な/だ〉ー朝がつらい・それだー(=それなので)」

**ものといたげ**［物問いたげ］ーとひたげ《ナダ》 たずねたいことがあるようなそぶりを見せているようす。

**モノトーン**《名・ナダ》〔monotone〕 ①彩色してないこと。無彩色。「ーのブラウス」 ②単調。一本調子。

**ものとする** 連《法》「…なければならない」「する」よりも弱い義務・断定をあらわす言い方。「ただちに届け出るー」

**ものども**［者(共)］《代》〔古風〕従者たちを呼ぶときのことば。おまえたち。「ー、まいれ」

**ものとり**［物取り］ ①どろぼう。「ーの しわざ」 ②むやり相手のものを取ること。「ー主義」

**ものなつかし・い**［(物)懐かしい］《形》 どことなく全体として なつかしい感じがするようすだ。派ーげ。ーさ。

**ものなら**《接助》 ①…としたら。「それですませられるー、事は簡単だ」 ②…したら最後。「そんなことを言おうー、えらいことに なる」

**ものな・れる**［物慣れる・物×馴れる］《自下一》 そのものごとに慣れている。「物慣れた手つき・物慣れた態度」

**ものの**［(物の)］《連体》 せいぜい。わずか。「ー十五分もすると やって来た・ー百メートルも行かないうちに」

***ものの**《接助》 前の部分を認めたうえで、反対の内容を続ける。…のは たしかだが、しかし。「返事はしたー、立ち上がるようすはない」

**もののあわれ**［（物の哀れ）］〔文〕自然や人の心などの、しみじみとした よさ。「―を知る人・『源氏物語』に―を感じる」☞もの哀れ。

**もののかず**［物の数］〔後ろに否定が来る〕取り立てて数えるほどのもの。「―にはいらない」●**物の数ではない**［句］大したことがない。「昔を思えば、今の苦労は―」

**もののぐ**［物の具］〔雅〕①道具。②よろい。

**もののけ**［（物の△怪）］うらんで たたりをするといわれる〈死んだ/生きている〉人の たましい。「―につかれたように」

**もののどうり**［物の道理］〔ものごと一般に通じる〕道理。「―をわきまえないやり方」

**もののはずみ**［物の弾み］〔そうしようという気持ちではなく〕その場の〈なりゆき/勢い〉。「―で言ってしまった」

**もののふ**［（：武士）］〔雅〕武士。さむらい。

**もののほん**［物の本］その方面のことが書いてある本。「―によれば…」

**もののみごと**［（物の見事）］《ナダ・副》実にみごと。「―に投げとばされる・―、命中する」

**もののめ**［物の芽］〔雅〕春先に出てくる、いろいろの草木の芽。ものめ。

**ものび**［物日］①祝いごと・祭りなどのある日。②⇩紋日①。

**ものほし**［物干し］せんたくしたものをほすこと。また、ほす設備・場所。「―ざお・屋根の―台」

**ものほしげ**［（物）欲しげ］《ナダ》何か（して）ほしそうな気持ちが外に あらわれたようす。ものほしそう。「―な顔で見る」

**ものほん**［モノホン］〔俗〕「ほんもの」の さかさことば。「このサインは―だ・―感」

**モノマニア**〔monomania〕〘医〙偏執狂。

**ものまね**［物（：真似）］《名・自他サ》ほかのものの態度・音声などの まね。

**ものみ**［物見］〔文〕①見物。「―遊山（＝見物して回ること）」②斥候。見はり。③〔↑物見やぐら〕遠くを見るための、やぐら。望楼。●**ものみだか・い**［物見高い］《形》なんでも めずらしがって見るようすだ。［派］-さ。

**ものみな**［物皆］《副》〔文〕そこにあるもの全部。「―おとろえる秋」

**ものめずらし・い**［（物）珍しい］《形》なんとなく めずらしい。［派］-げ。-さ。

**ものもう・す**［物申す］《自五》〔文〕①ものを言う。②案内を請う。③文句を言う。抗議する。「知事に―会」

**ものもち**［物持ち］［一］**ものもち** お金や高価な物を多く持つ人。財産家。［二］**ものもち** 物の あつかい方が ていねいで、〈長持ちさせる/長く持ちつづける〉こと。「―のいい子」

**ものものし・い**［（物々しい）］《形》①おおごとだ、という感じをあたえるようすだ。「―警戒・ものものしくサイレンを鳴らす救急車」②大げさに力を見せつけるようすだ。「―肩書き」［派］-げ。-さ。

**ものもらい**［一］［物（×貰い）］こじき。［二］まつげの毛穴が うんでできる、はれもの。麦粒腫〘医〙。めばちこ。

**ものやわらか**［（物）柔らか］《ナダ》〔態度などが〕おだやかなようす。［派］-さ。

**モノラル**〔monaural〕〔立体音響でなく〕一つの信号で〈録音/再生〉すること。モノーラル。モノ。「―盤」（↔ステレオ）

**モノレール**〔monorail〕一本のレールに〈またがって/つり下がって〉走る電車。

**モノローグ**〔monolog; monologue〕①独り言。②一人語り。▽独白。（↔ダイアログ）

**ものわかり**［物分かり］ものごとを理解する〈こと/程度〉。「―がいい」

**ものわかれ**［物別れ］意見が一致しないで別れること。「交渉が―に終わる」

**ものわすれ**［物忘れ］《名・自サ》ものごとを忘れること。「年を取ると―が ひどくなる」

**ものわらい**［物笑い］人のしたことなどを、ばかにして笑うこと。「世間の―（の種）になる」

**ものを**《接助・終助》…のに。「だまっていれば いい―・よせばよい―」

**もば**［藻場］海藻のしげった場所。例、テングサ場・コンブ場など。

☆☆**モバイル**〔mobile＝移動できる〕出先でも無線で使えるスマートフォン・タブレット端末・ノートパソコンなど（による通信）。「―バンキング・―バッテリー」☞モビール。

***もはや**《副》①時が早く経って（て、どうしようもなくなったようす。「―秋になった・―これまでと あきらめる」②まったく〈変わった/新しい〉ものになっているようす。「―芸術品と言える料理」［表記］かたく「△最早」とも。

**もはん**［模範］見習うべき てほん。「―をしめす・―演技」●**もはんてき**［模範的］《ナダ》模範に〈なる/していい〉ようす。

**モビール**〔フ mobile＝動く〕紙・金属などで作り、つり下げて室内の装飾に使うもの。動く彫刻。モビル。モービル。

**モヒカン**〔Mohican＝アメリカ先住民のモヒカン族〕頭の中心のかみの毛を、前から後ろにかけて立たせたスタイル。「ソフト―」〔「モヒカン刈り」は、両わきのかみの毛を（すべて）そり落とす〕

**モビリティ（ー）**〔mobility〕人やもの、職業などの〈移動性/移動のしやすさ〉。（交通による）移動手段。「―サービス（＝車による移動を円滑に おこなうサービス。カーシェアなど）」

**モブ**〔mob〕①群衆。「―シーン・―キャラ（＝その他おぜいの役）」②暴徒。▽モッブ。

**もふく**［喪服］葬式・法事などに着る〈黒い/黒を基調とした〉礼服。「―姿」

**もふもふ**［一］**もふもふ**《自サ》・**もふもふ**《名・ナダ》動物などの毛が、やわらかく ふくらみを持って、さわると気持ちいいようす。「―した犬・―〈の/な〉クッション」［二］**もふもふ**《他サ》「もふもふ［一］」したものをさわること。「ぬいぐるみを―する（俗に略して『もふる』）」▽［一］［二］二十一世紀になって広まったことば。

**モヘア**〔mohair〕①アンゴラヤギの毛で織った、上等の布（に似せて加工した織物）。ショールなどにする。モヘヤ〔古風〕。「―のセーター」②戸や とびらの すきまをふさぐために つける、細かい毛が びっしりと ならんだ〈部品/テ

**モペット**〔moped〕ペダルのついた原動機付き自転車。モペッド。

☆☆**もほう**［模倣・×摸倣］《名・他サ》まねること。にせること。「—犯・—的デザイン」(↔創造)

**もま・れる**［(×揉まれる)］《自下一》①社会で、多くの人にふれて苦労する。「財界で—」②大ぜいの人の間にはさまれて、あちこちに動かされる。「人ごみに—」③あちこちにゆり動かされる。「風に—」

**もみ**［(×籾)］①米の かたい外皮。もみがら。②もみのついた米。

**もみ**［(△紅)・(:紅絹)］紅色で無地の うすい絹の布。和服の袖裏や胴裏に使う。

**もみ**［(×樅)］大きくなる常緑樹。針のような形の葉が、小枝の両がわに細かくはえる。クリスマスツリーに使う。

**もみあ・う**［(×揉み)合う］《自五》①たがいに入りみだれて争う。②さかんに議論しあう。③《経》相場が小刻みに変動する。名もみ合い。

**もみあげ**［(×揉み上げ)］びん(鬢)の毛が耳に沿っては え下がった部分。

**もみあわ・せる**［(×揉み)合わせる］《他下一》両手を強くすりあわせる。

**もみうら**［(△紅)裏］もみ(紅)の裏地(を使うこと)。

**もみかえし**［(×揉み)返し］マッサージを受けたあと、刺激が強すぎて かえって痛くなってしまうこと。

**もみがら**［(×籾)殻］⇩もみ(籾)①。

**もみかわ**［(×揉み)革］手や機械で もんで、細かいしわを目立たせた革。

**もみくちゃ**［(×揉みくちゃ)］①もまれて しわになること。②ひどくもまれること。「満員電車で—になる」▽もみくしゃ。

**もみけ・す**［(×揉み)消す］《他五》①もんで火を消す。「タバコの火を—」②よくない事件やうわさが世間に広まらないように、おさえかくす。「悪事を—」名もみ消し。「—をはかる」

**もみこ・む**［(×揉み)込む］《自他五》もんで、中に入れる。「肉に塩を—・きり〈を/で〉—ような痛み」

**もみじ**［(紅葉)］《名・自サ》①秋に、木の葉が赤い色や黄色になること。由来 古くは「もみち」。木の葉が色づく意味の「もみつ」の名詞形。表記 イチョウなど黄色の場合は「:黄葉」とも。②(↑もみじば) 赤くなった(カエデの)木の葉。「—のような手(=幼児の かわいい手)」▽こうよう。③[(×椛)] カエデの通称。④シカ(鹿)の肉。由来 和歌・図がらなどで「鹿と紅葉」がいい取り合わせだから。☞桜肉。⑤ニワトリの足。だしをとるのに使う。●**もみじを散らす** 句〔女性が〕はずかしそうに顔を赤らめる。「ほおに—」●**もみじあえ**［(紅葉△和え)］⇩まさごあえ。●**もみじおろし**［(紅葉)下ろし］①赤トウガラシを、ダイコンにあけた穴に入れて、いっしょに おろした大根おろし。②ダイコンとニンジンをすりおろして まぜたもの。●**もみじがり**［(紅葉)狩り］秋に、木の葉が色づいた山に遊んで、ながめ楽しむこと。

**もみしだ・く**［(×揉み△拉く)］《他五》もんで くしゃくしゃにする。

**もみすり**［(×籾×摺り)］《農》⇩調整㊀④。

**もみつぶ・す**［(×揉み潰す)］《他五》①もんでつぶす。②強引なやり方で問題を消す。にぎりつぶす。もみ消す。

**もみで**［(×揉み)手］《名・自サ》両手をいろいろに すりあわせること。〔わびごと・たのみごとなどの ときにする〕

**もみのり**［(×揉み:海苔)］焼いた のりをもんで細かくしたもの。料理の上に ふりかけて使う。

**もみほぐ・す**［(×揉みほぐす)］《他五》①かたいものを、もんでやわらかくする。「肩を—」②気持ちや雰囲気をやわらげる。「緊張を—」

**もみもみ**《名・他サ》何度も もむこと。「背中を—する」

**もみりょうじ**［(×揉み)療治］《名・他サ》〔古風〕マッサージ。「あんま、—」

**も・む**［(×揉む)］《他五》①〔やわらかくするなどの目的で〕規則正しく何度も つかんだり、おしたりする。「腰を—・ミカンを—・キュウリを塩で—」②〔紙・布などを〕両手で つまんで こすり合わせる。③両方の手のひらを〔ものを中に はさんで〕こすり合わせる。「両手を—・錐を—(=もんで回す)」④会議などで、さかんに議論して検討する。「原案を—」⑤みこしを、とちゅうで ぐるぐる回す。「それ、もめもめ」⑥〔すもう・勝負事などで〕相手になって きたえる。「一番もんでやろう」名もみ。可能もめる。☞もまれる・気をもむ(「気」の句)。

**もめごと**［(×揉め事)］ごたごたした争い。紛争。もめ。「内輪の—が たえない」

**も・める**［(×揉める)］《自下一》①争いが起こる。「つまらないことで—」②心配で いらいらする。「気が—」名もめ。「—が おさまる」

**もめん**［木綿］①わたの繊維から織った布。綿。ふつう、さらしたものをさす。「—の着物」②(↑木綿豆腐)表面に木綿の布目のついた、かための とうふ。☞絹ごし・ゆう(木綿)。

**モメンタム**〔momentum〕①速度。勢い。はずみ。「景気回復に向けた—」②《理》運動量。

**モメント**〔moment〕①《哲》⇩契機②。②きっかけ。動機。③要因。構成要素。☞モーメント。

**もも**［△百］〔雅〕ひゃく。「—近く小鳥が遊び」

**もも**［(△股)・(×腿)］①足の、ひざから上のほうの、腰に続く部分。②↑もも肉。「—焼き」

**もも**［桃］①畑地・庭に植える落葉樹。春、うす赤い花をひらく。「—の木・—がさいた」②水蜜桃などの「桃①」の実。「—をむく・—のコンポート」☞黄桃・白桃。●**桃くり(栗)三年柿八年** 句 芽が出てから実がなるまで、モモやクリは三年、カキは八年かかる。

**ももいろ**［桃色］①モモの花の色。うすい赤色。②〔俗〕性愛。「—遊戯」▽ピンク。③〔俗〕左翼思想に かたむいている〈こと/者〉。

**ももじり**［桃尻］①〔馬に乗るのが へたで〕くら(鞍)に、しりが すわらないこと。②しりがる。「—むすめ」③〔俗〕形のいい しり。

**ももだち**［(△股立ち)］はかまの左右の両わきの、あいた所。「—をとる(=足さばきをよくするため、ももだちをつまみ上げて、帯などの下にはさむ)」

［ももだち］

**ももちどり**［△百千鳥］〔雅〕いろいろの鳥。俳句では、春の野山に鳴く たくさんの鳥。☞色鳥。

も

**もも」とせ**[△百△歳]〔雅〕①百年。②多くの年。

**もも」にく**[(△股)肉] 食用の肉の、もものところ。もも。「鶏—・豚—」

**もものせっく**[桃の節句] ひな祭りの日。ひなの節句。〔旧暦では桃の季節だから言う〕(↕端午の節句)

**ももひき**[(△股引き)] ①足を通して はくズボンふうの下着。②足にぴったりついた、細いズボンふうの労働用衣服。

**もも」よ**[△百代]〔雅〕非常に多くの〈時代/世代〉。長い年月。

**もも」よ**[△百夜]〔雅〕百日間の よる。いく夜も。「—通いつめた」

**ももわれ**[桃割れ] 十六、七歳の少女がゆった日本髪。まげは少し平たいモモの実の形で、後ろの割れ目から、中の手絡の色が見える。

**ももんが**[(:鼯鼠)] ムササビと同じ形で、その半分ぐらいの大きさの けもの。前足とうしろ足との間に皮の まくがあり、それを広げて木から木へ滑空する。ももんがあ。

[ももんが]

**も」や**[(×靄)・モヤ] ①目に見えないほど細かい水滴が、地表近くなどに たちこめたもの。見通せる距離は一キロをこえる。「一面に—が かかる」☞霧①。②「もや①」のようにぼんやりしたもの。「頭の中に—が かかる」

**もやい**[(×舫い)][↑もやいづな] 船を〈おたがいに/陸地に〉つなぎとめる綱。「—を解く」●**もやいぶ」ね**[(×舫い)船]〈たがいに/陸地に〉つなぎとめた船。

**もや」・う**[(×靄う)]《自五》⇩もやる。

**もや」・う**[(×舫う)]《他五》①船と船をつなぎあわせる。②船を陸地に つなぎとめる。▽もやる。

**もやし」**[(×萌やし)] 光をさえぎってダイズなどの芽を出させたもの。食用。 ●**もやしっこ**[(×萌やし)っ子]〔俗〕都会育ちの、ひょろひょろして体力の ない子ども。

**もや・す**[燃やす]《他五》燃えるようにする。燃えた状態にする。「紙を—・情熱を—」

**もや」っと**《副・自サ》①はっきりしない ようす。「—した部分が残る・—した不安」②不満・不愉快などを、ばくぜんと感じるようす。「自分だけ責められて—する」

**もやもや** 一 **もや」もや**《副・自サ》①もやがかかったように、はっきりしない ようす。「—して よく見えない」②形が定まらないようす。「—した雲・—と からまった糸」③〔気分や気持ちが〕いつまでも すっきりしない ようす。「胸が—する・理不尽な あつかいに—する」 二 **もやも」や** すっきりと解決しない状態。わだかまり。「—が残る・—を晴らす」 ●**もやもやびょう**」[もやもや病]《医》脳に特異な血管網〔=もやもやしたX線像〕があらわれて、いろいろな障害を引き起こす病気。

**←もや」・る**[(×靄る)]《自五》もやが かかる。もやう。

**→もや」・る**《自五》〔「モヤる」とも書く〕〔俗〕もやっとする。特に、不満や不愉快などを、ばくぜんと感じる。「一見正論っぽい意見に—」〔二〇一〇年代に広まったことば〕

**も・ゆ」**[燃ゆ]《自下二》〔文〕燃える。「桜島—〔=噴火する〕・燃ゆる思い」

**もよい**[(△催い)] 㐧〔雨や雪が〕降りそうな様子が見えること。「雪—の寒い日」

**もよう**」[模様] ①着物・工芸品などに かざりとしてつける図案。②ありさま。ようす。「取りやめる—だ・—ながめ・荒れ—・雨—」 ●**もようがえ**」[模様替え]《名・他サ》家具や室内の装飾などを変えたりして、見かけを新しくすること。

**もよ」・う**[(△催う)]《自五》〔文〕〔雨や雪が〕降りそうな空模様になる。「雨—・雪—能登路」

**もよおし**[催し] ①もよおすこと。②〔計画してひらいた〕会合。集まり。 ●**もよおしもの**」[催し物] 人を集めてする、いろいろの会や見せものなど。「—会場」

**もよお」・す**[催す] 一《他五》①〔会などを〕計画してひらく。開催する。「茶会を—」②気分や からだの状態を生じる。「寒けを—・なみだを—・便意を—」 二《自五》①起ころうとする。きざす。「雨気が催してきた」②〈大便/小便〉が したくなる。「急に催してきた」

**もより**」[最寄り]〔同類のものが あちこちにある場合〕自分の近く。手近。近所。「—の駅・—品〔=近所の店で買いそろえる品。(↕買い回り品)〕」

**モラ」ール**〔morale〕〔従業員の〕やる気。士気。勤労意欲。モラル。

**もらい」**[(×貰い)] ①もらう〈こと/もの〉。②もらう〈祝儀/ほどこしもの〉。 ●**もらいう・け」る**[(×貰い)受ける]《他下一》人からもらって、自分のものにする。「掛け軸を—」 ●**もらいご」**[(×貰い)子] 他人の子どもをもらって自分の子として育てること。また、その子。もらいっ子。 ●**もらいさ・げ」る**[(×貰い)下げる]《他下一》警察に留置されている人の身もとを保証して、連れて帰る。「身柄を—」 ●**もらいじ」こ**[(×貰い)事故] 相手の落ち度で起こった事故。 ●**もらいぢち**」[(×貰い)乳] 他人の乳をもらって子どもを育てること。また、その乳。もらいぢ。 ●**もらいて**」[(×貰い)手] もらってくれる人。「よめ〈に/の〉—がない」(↕くれ手・やり手) ●**もらいなき**」[(×貰い)泣き]《名・自サ》他人が泣くのにつられて、思わず泣いてしまうこと。 ●**もらいび**」[(×貰い)火] よそから出た火事のために、自分の家が焼けること。類焼。 ●**もら」いみず**[(×貰い)水] 自分の〈家/所〉で使う水をよそからもらうこと。 ●**もらいもの**」[(×貰い)物] 人から もらったもの。いただきもの。 ●**もらいゆ**」[(×貰い)湯] 他人の家の ふろに入れてもらうこと。もらいぶろ。

****もら・う」** 一[(×貰う)]《他五》①利益になるものを、自分が相手から受け取る。自分のものにする。「月給を—・勇気を—・許可を—・先方に(面会の)時間を—・勝負はもらった〔=自分の勝ちだ〕・命を—ぞ〔=殺すぞ〕」(↕くれる・やる) 尊敬 お受け取りになる。得られる。③④の意味では「〈およめさん/かぜ〉をおもらいになる」なども」謙譲 いただく。頂戴する。②引き受ける。「そのけんかは おれがもらった」③家に家族としてむかえる。「よめを—」④害を受ける。「事故を—〔=もらい事故にあう〕・かぜを—〔=うつされる〕」⑤買う。「これをもらおう」 二《補動五》〔て—〕①〔自分が相手から〕利益を受ける。「みやげ話を聞かせて—」(↕くれる・やる) ✎「…てもらっていいですか」は、以前は、「読ませてもらっていいですか」のように「…(さ)せてもらっていいですか」の形で許可を求める表現だったが、二十一世紀になって、「待ってもらっていいですか〔＝待ってください〕」、さらに「どいてもらっていいですか〔＝どけ〕」のように、依頼や婉曲な命令の用法が広まった。②〔自分が相手から〕めいわくを受ける。「誤解してもらっては困る」③むりやり、そうさせる。「君にはきょうでやめて—・死んででもらおう」④〔てもらいたい〕相手に希望することをあらわす。…てほしい。「ぜひ参加してもらいたい」☞いただく ㊁。可能 もらえる。「ちょっと聞いてもらえますか」

**もら・す**〔漏らす〕㊀《他五》①漏れるようにする。こぼす。「水を—」②秘密を知らせる。③思っていることを口に出す。「不平を—」④感情を声などであらわす。「ため息を—」⑤おとす。ぬかす。「説明を—」⑥残すのがす。「証拠を漏らさず集める・—な、みなごろしにしろ」⑦〔子どもが〕しくじって〈小便/大便〉をする。☞お漏らし。㊁造 …おとす。…ぬかす。「書き—」

**モラトリアム**〔moratorium〕①《経》非常の場合、法令で一定の期間、債務者のしはらいを延期すること。しはらい猶予(期間)。モラ。②《心》青年が社会人になるまでの見習い期間。「—人間〔＝おとなになりたがらない、未熟な青年〕」③実行・実施の猶予または停止。

**モラ ハラ** ↑モラル ハラスメント。

**モラリスト**〔moralist〕道徳にかなった生活をする人。道徳家。「—ぶったことを言う」

☆☆**モラル** ①〔moral〕道徳(観念)。「—の問題だ」②〔morale〕⇩モラール。●**モラル ハザード**〔moral hazard〕〔金融機関などが〕道徳的な節度を失って行動すること。倫理の欠如。●**モラル ハラスメント**〔moral harassment〕〔職場・家庭・学校などで〕ことばや態度で人の心をきずつける、長期間のいやがらせ。モラ ハラ。

**もり** ㊀もり〔守り〕⇩お守り。「赤んぼうの—をする」㊁〔守〕造 まもる〈こと/人〉。「灯台—・桜—」

**もり**〔盛り〕①もること。もる程度。「—が多い・—がいい〔＝大盛りだ〕・うつわに ひと—にする」②↑もりそば①。「天—・—とかけ」

*__もり__〔森・×杜〕木がたくさん集まって、まわりから見るとそこだけ盛り上がったようになり、下が暗くなるほど しげっている所。「こんもりとした—・鎮守の—」区別 ⇩林①。

**もり**〔(×銛)〕投げたり突いたりして、さかななどをさしてとる道具。

**もりあが・る**〔盛り上がる〕《自五》①うず高くなる。「地面が—」②底からむくむくと高まる。「入道雲が—」③〔気分が〕高まって、いい状態になる。「ふんいきが—・会話が—」④世の中の〈声/関心〉が高まる。「世論が—・機運が—」⑤生き生きする。活力を持つ。「チームが—・地域が—」名 盛り上がり。他 盛り上げる《下一》名 盛り上げ。

**もりあわ・せる**〔盛り合わせる〕《他下一》一つの入れものに、ちがったものを取り合わせていっしょに もる。「肉と やさいを—」名 盛り合わせ。

**もりかえ・す**〔盛り返す〕《他五》おとろえた勢いを元どおり さかんにする。名 盛り返し。

**もりかげ**〔森陰〕森の木のかげになっている場所。「—の草地・明治神宮の—」

**もりかご**〔盛り籠〕くだものなどをもる、とう(籐)などで編んだ かご。

**もりがし**〔盛り菓子〕霊前に山形にもって そなえる菓子。

**もりきり**〔盛り切り〕一度もって入れただけで、おかわりのない〈こと/もの〉。「—のごはん・—一杯(のお酒)」

**もりこ・む**〔盛り込む〕《他五》①一つの入れものの中に、ちがったものをいっしょに も(りつけ)る。②いろいろなものを入れる。もる。「みんなの考えを—」名 盛り込み。

**もりころ・す**〔盛り殺す〕《他五》毒を飲ませて殺す。

**もりさが・る**〔盛り下がる〕《自五》ふんいきが すっかりしらける。〔「盛り上がる」をもじったことば〕名 盛り下がり。他 盛り下げる《下一》。

**もりじお**〔盛り塩〕〔縁起を祝って〕料理店などで、はき清めた入り口に塩を小さく もり上げ〈ること/たもの〉。

**もりそで**〔盛り袖〕レースやフリルで装飾したり ふくらませたりした袖。

**もりそば**〔盛り(：蕎麦)〕①せいろに もった そば。しるにつけて食べる。もり。「—一枚」〔うどんの場合は、もりうどん〕(↕かけそば) ☞ざるそば。②〔ラーメン店で〕つけめん。

**もりだくさん**〔盛り(沢山)〕《名・ダナ》〔限られた中に〕たくさん もるようす。内容が豊富なようす。「—な行事・—の料理」

↔**もりた・てる**〔(守り)立てる〕《他下一》①そばで助けて、うまく いくようにする。「わき役が主役を—」②もり育てる。「自国のことばを—」

→**もりた・てる**〔盛り立てる〕《他下一》もりあげる。さかんになるように助ける。「広場の聴衆を—・お祝い気分を—・産業を—」

**もりつ・ける**〔盛り(付ける)〕《他下一》調理した食材を〔皿などに〕きれいにまとめて もる。名 盛りつけ。

**もりつち**〔盛り土〕《名・自サ》地盤を高くするために、土をもり上げてかためること。また、その もり上げた土。土盛り。もりど。

**もりつぶ・す**〔盛り(潰す)〕《他五》酔いつぶれるまで、酒をどんどん飲ませる。酔いつぶす。

**もりど**〔盛り土〕《名・自サ》もりつち。〔もと、土木・建設分野での読み方〕

**もりばち**〔盛り鉢〕くだものなどをもる、ガラス・陶器などの はち。

**もりばな**〔盛り花〕《華道》水盤や かごなどに、多くの花を入れ〈る様式/たもの〉。

**モリブデン**〔ド Molybdän〕《理》銀白色で つやのある金属〔元素記号 Mo〕。特殊鋼製造用。

**もりもの**〔盛り物〕神や仏に そなえる食べ物や品物。「お—」

**もりもり**《副》①力強く もり上がってくるような勢いで、何かをするようす。「—仕事をする・—食べる」②〔俗〕分量が多いようす。「野菜が—入っている・フルーツ—のケーキ」

**もりわ・ける**〔盛り分ける〕《他下一》〔料理などを〕いくつかに分けて もりつける。

**も・る**〔漏る・×洩る〕《自五》〔雨や水が〕〈しみこんで/すきまから〉出る。「屋根が—」名 漏り。☞漏れる。

**も・る**〔盛る〕《他五》①入れものに いっぱい入れる。「飯を―・汁を―」②高く積む。「土を―」③薬品を調合して人に飲ませる。「毒を―・一服―」④取り入れる。「宣言に―・新味を―」⑤〔古風〕目もりをつける。「目を―」⑥〔俗〕おおげさに言う。脚色する。「話を―・年を―〔=いつわる〕」⑦〔俗〕けしょうや画像修正などをして、きれいに見せる。「盛って合コンに行く・髪を―〔=大きく見せたりする〕・盛れるプリクラ」可能 盛れる。

**モル**〔ド Mol〕《理》物質量の単位〔記号 mol〕。とても小さい原子や分子の質量を計算しやすいように、おおよそ、六・〇二に十の二三乗をかけた個数だけ集めて一単位としたもの。炭素一モルが ほぼ 一二グラムになる。

**モルタル**〔mortar〕セメントに砂をまぜ、水でねったもの。石・れんが・タイルの接着や家の外壁などに使う。「―塗り・―造り」

**モルト**〔malt〕①麦芽。「―ウイスキー〔=麦芽で作ったウイスキー〕」②↑モルト ウイスキー。「シングル〔=ほかの蒸留所で造ったものを混ぜていない〕―」

**モルヒネ**〔オ morfine〕《理》あへん(阿片)にふくまれるアルカロイド。無色で、にがい結晶。鎮痛・麻酔に使う。モヒ。

**モルモット**〔オ marmot〕①ネズミの なかまの、小形のけもの。小さいウサギのようだが、耳が小さく、尾がなく、足が短い。実験などに使う。〔「テンジクネズミ」という種類に ふくまれる〕☞ハムスター。②実験台として使われる人。

**もれ**〔漏れ・×洩れ〕漏れること。脱落。「―の ないように手配する・水―・申告―」

**モレーン**〔moraine〕⇩たいせき(堆石)②。

**もれき・く**〔漏れ聞く〕《他五》〔文〕間接に聞く。〔「聞く」の けんそんした言い方として使うことが多い。「漏れ承る」は さらに けんそんの度が高い〕「―ところによると」自 漏れ聞こえる(下一)。

**もれつたわ・る**〔漏れ伝わる〕《自五》〔かくされていた情報が〕外部に流れて知られる。

**もれなく**〔漏れなく〕《副》一つの例外もなく。のこらず。「―チェックする・利用者に―プレゼント」

**も・れる**〔漏れる・×洩れる〕《自下一》①すきまから〈こぼれる/はいってくる〉。「割れ目から水が―・空気が―・光が―」②秘密が外部に知られる。③ぬける。おちる。「リストから―・人選に―」

**もろ**《副》〔俗〕①まったく。完全に。「―うまい・―ばれ」②もろに。「いきなり―だものね」

**もろ・い**〔(×脆い)〕《形》①こわれやすい。「―作り」②抵抗らしい抵抗もしない。「もろくも敗れた」③心が動かされやすい。「情に―」派 -さ。

**もろうで**〔(△諸)腕・(△両)腕〕〔文〕両方の うで。☞もろ手。

**もろ きゅう**〔もろ↑もろみ。きゅう↑キュウリ〕キュウリに しょうゆの もろみを添えた料理。

**もろこ**〔(△諸子)〕川にすむ小形の さかな。フナに似て、それより細長い。

**もろ ごえ**〔(△諸)声〕〔文〕おたがいに そろえて呼びあう声。「―に はやし立てる」

**もろこし**〔:唐土〕〔雅〕中国。「―人・昔―という国に」

**もろこし**〔(:蜀黍)〕①穀物の名。葉はトウモロコシに似る。つぶは赤茶色でまるく、菓子の材料や家畜のえさにする。②〔方〕とうもろこし。

**もろ ざし**〔(△諸)差し・(△両)差し〕《すもう》両手を相手のわきに さし入れ〈ること/た状態〉。にほんざし。りょうざし。「―の体勢」

**もろ て**〔(△諸)手・(△両)手〕りょうて。「―をあげて賛成した」(↕片手) ●**もろて づき**〔(△諸)手突き〕①《すもう》両手の手のひらをそろえて相手の胸を突っくこと。②《剣道》相手ののどをねらい、両手で突きを入れること。

**もろ とも**〔(△諸共)〕〔文〕ともども。いっしょ。「―に・死なば―」

**もろ に**《副》〔話〕真正面から。まともに。「―ぶつかる・―影響を受ける」

**もろ は**〔(△諸)刃・(△両)刃〕①両がわに刃のある〈こと/刀〉。両刃。(↕片刃) ②↑もろ刃の剣。「愛は―だ」 ●☆☆**もろは の つるぎ**〔(△諸)刃の剣〕非常に役立つが、使い方をまちがえると害にもなるもの。もろ刃の刃。

**もろ はず**〔(△諸×筈)・(△両×筈)〕《すもう》両手を相手の〈わき/胸〉に、はずに当てて攻めること。

**もろ はだ**〔(△諸)肌・(△両)肌〕左右の はだ。上半身全部の はだ。りょうはだ。「―ぬぎ」(↕片はだ)

**もろ びと**〔(△諸)人〕〔雅〕多くの人。一同。

**モロヘイヤ**〔アラビア mulūkhīya〕栄養価の高い、中東・アフリカ原産の野菜。葉は、青ジソに似る。ゆでると、独特のぬめりが出る。

**もろ み**〔(△諸味)・(×醪)〕まだ こしてない、つぶの まじった〈酒/しょうゆ〉。「―漬け・―みそ」

**もろ もろ**〔(△諸々)〕多くの もの。いろいろ(のもの)。「―の説がある・―の事件・―承知いたしました」表記「△諸」「△諸々」とも書いた。

**もん**〔文〕**一** もん ①昔の お金の最低の単位。一文は一貫の千分の一。②昔、たび・くつなどの底の大きさをはかった単位。一文は約二・四センチ。**二** 造《美術》文様。「円形―」☞縄文。

↔***もん**〔(△物)〕〔話〕もの。「家族が病気な―ですから・おかしな人もいる―で・まがい―」

→**もん**〔(△者)〕〔俗〕もの。「お前のような―は・ばか―!・先に来た―勝ち・いなか―」

**もん**〔門〕**一** もん ①建物や敷地の出入り口(になる構造物)。「―を閉める」②通らなければならない所。「入試の せまき―」③〔文〕一門。門下。「大村先生の―に入る」④《生》生物の分類で、「界」の下、「綱」の上。「節足動物―」**二** 接尾 火砲を数えることば。「大砲八―」 ●**門をたたく** 句 (教えを求めて)おとずれる。

**もん**〔紋〕①紋所。「菊の御―」②↑紋織り。「―ちりめん・―タオル」

**もん**《終助》〔俗〕もの。「だって知らないんだ―」

**もん**〔問〕造 ①質問。「百―百答」②問題。「第一―・過去―」

**もんえい**〔門衛〕門や建造物の出入り口にいて、開閉や人の出入りを取りしまる人。門番。

**もんおめし**〔紋お召し〕紋織りの おめしちりめん。☞お召し **二**。

**もんおり**〔紋織り〕〔↑紋織物〕模様が うき出るよう

に〈織ること／織ったもの〉。「―ちょうネクタイ」

**もんか**【門下】 その先生について教えを受ける〈こと／人〉。門人。「子規の―」 ●**もんかせい**【門下生】 門人。弟子。

**もんか**《終助》〔俗〕ものか。もんかい。「知る―!・だれかいない―ねえ」

**もんがい**【門外】〔文〕①門のそと。(↔門内) ②専門のそと。局外。 ☆☆**もんがいかん**【門外漢】〔漢は、本来「男」の意味〕 ①その専門について知識のない人。「法律については―だ」 ②そのものごとに直接に関係のない人。 ●**もんがいふしゅつ**【門外不出】〔文〕〈門／家〉のそとに出さない(ほど大切にする)こと。「―の名刀」

←**もんかしょう**【文科省】〔法〕←文部科学省。

←**もんかしょう**【文科相】〔文〕文部科学大臣。文科大臣。

**もんがまえ** 一【門構え】 門をかまえること。また、門の造り。 二【門構え】 漢字の部首の一つ。「間」「聞」などの、外がわの「門」の部分。 ✓「门」は略字で、あて名などに使うのは失礼。

**もんかん**【門鑑】 門を出入りするときに見せる〈手形／証明書〉。

**モンキー**〔monkey〕 ①さる。 ②←モンキーレンチ。 ●**モンキーレンチ**〔monkey wrench〕 ものをはさむ はばが、ねじで調節できるレンチ。モンキースパナ(―)。モンキー。

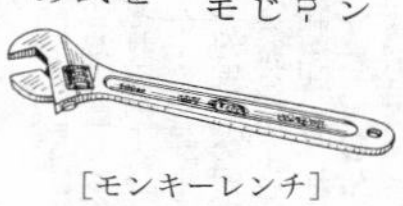

［モンキーレンチ］

☆☆**もんきりがた**【紋切り型】〔=紋の形を切りぬくための型紙〕 決まりきった様式(の文句)。決まり文句。もんきり。「―のあいさつ・―はよしてくれ」

**もんく**【文句】 ①文章の語句。「歌の―」 ②いやだ、だめだ、と相手に(無理に)言うこと。不平。苦情。「―なしに引き受ける・料理に―をつける」

**もんげん**【門限】 ①夜に門をしめる時刻。 ②帰らなければならない時刻。「―は十時・―におくれる」

**もんこ**【門戸】〔文〕かどぐち。入り口。「―をとざす」 ●**門戸を張る** 句 ①一家をかまえる。 ②一派をたてる。 ●**もんこかいほう**【門戸開放】《名・他サ》 ①だれでも自由に出入りさせること。 ②どこの国とも自由に貿易すること。

**もんごういか**【(紋甲:烏賊)】 胴の表面に紋様がある、大形で肉の厚いイカ。さしみなどにする。もんごう(いか)。もんごう。

**モンゴル**〔Mongol〕 ①中国の北、シベリアの南にある共和国。モンゴル国。首都、ウランバートル(Ulan Bator)。 ②シベリアの南から中国北部に広がる高原地帯。「モンゴル①」と中国の内モンゴル自治区をふくむ。蒙古。▽蒙。

**モンゴロイド**〔Mongoloid〕 黄色人種。

**もんごん**【文言】〔文章の中での〕語句。文句。ぶんげん。「法律の―」

**もんさつ**【門札】 家の門に出す、名札。表札。門標。

**もんし**【門歯】〔生〕口の いちばん前にある、上下四枚ずつの歯。まえば。

**もんし**【×悶死】《名・自サ》〔文〕もだえ苦しんで死ぬこと。もだえ死に。

**もんじ**【文字】〔古風〕もじ。

**もんしゃ**【紋×紗】 紋織りにした紗。「―着尺地・色―」

**もんじゃやき**【もんじゃ焼き】 鉄板の上で、まわりを具で囲んだ中に、だし入りの、ゆるくといた小麦粉を流しこんで、具とまぜて焼きながら食べる料理。もんじゃ。〔東京・月島地区の名物〕 由来 昔の駄菓子屋で、鉄板の上で文字の形に焼いて遊びながら食べた「もんじ(文字)焼き」の変化。

**もんしゅ**【門主・門首】 ①《仏》門跡である住職。 ②宗派の長。

**もんじゅのちえ**【文殊の知恵】 ⇩三人寄れば文殊の知恵(「三人」の句)。

**もんじゅぼさつ**【文殊×菩×薩】〔文殊 = 梵語 mañjuśrī の音訳〕《仏》知恵をつかさどるという ぼさつ。獅子に乗る。もんじゅ。 表記 俗に「文珠×菩×薩」とも。 ☞釈迦三尊。

**もんじょ**【文書】〔文〕〔研究の資料としての〕書類。ぶんしょ。「―館・古―」

**もんしょう**【紋章】〈家／団体〉をあらわすしるし。

**もんしろちょう**【紋白×蝶】 キャベツ畑や野原でふつうに見られる白いチョウ。前ばねに二つ、うしろばねに一つ黒い紋がある。幼虫は青虫と言う。

**もんしん**【問診】《名・他サ》《医》医者が患者に、病気の状態や それまでにした病気などについてたずねること。

**もんじん**【門人】 門下の人。弟子。門弟。

**もんすう**【文数】〔足袋などの大きさの〕文をあらわす数。「―があわない」

**モンスーン**〔monsoon〕《天》(インド洋の)季節風(にともなう雨の季節)。「―地帯」

**モンスター**〔monster〕 ①怪物。ばけもの。「―映画」 ②こわいほどの能力がある人。「甲子園の―」 ③むちゃな要求をくり返す、めいわくでこわい人。「―クレーマー」 ☆☆**モンスターペアレント**〔和製 monster parent〕 子どもの通う学校に、むちゃな要求をくり返す親。モンスターペアレンツ。モンペ(ア)。

**もんせい**【門生】〔文〕門人。弟子。徒弟。

**もんせき**【問責】《名・他サ》〔文〕責任を問いつめること。「大臣の―決議」

**もんぜき**【門跡】《仏》①一門の仏法の系統を伝承する寺院の資格。「―寺院」 ②皇族や貴族の子がはいって仏法の系統を継ぐ寺院(の住持)。

**もんぜつ**【×悶絶】《名・自サ》①もだえ苦しんで、気絶すること。 ②〔俗〕あまりの〈すばらしさ／かわいさ〉に、気絶しそうになること。「おいしすぎて―した」

**もんぜん**【門前】〔文〕門の前。 ●**門前市を成す** 句 多くの人が家に出入りする。 ●**門前じゃくら(雀羅)を張る** 句〔雀羅=スズメをとるあみ〕 客が少しも来なくて、さびれること。 ●**門前の小僧習わぬ経を読む** 句〔寺の門前の店の子どもは、習わなくてもお経が読めるように〕日常見聞きしていると、自然に覚えるものだ。門前の小僧。 ●**もんぜんばらい**【門前払い】 ①江戸時代、無宿人などを奉行所の門前から追いはらった刑。 ②来訪者にあわずに追い返すこと。「―をくわせる」 ☞玄関払い。 ③実質的な検討なしに拒否すること。「最高裁が上告を―にした・入試の足切りによる―」●もんぜんまち【門前町】寺・神社などの前にできた町。例、善光寺のある長野市、伊勢神宮のある伊勢市など。

☆☆モンタージュ〈名・他サ〉〔フ montage＝組み立て。結合〕①《写真・映画》多数の〈断片/場面〉を組み合わせて、一つの画面または場面を構成〈すること/したもの〉。「―写真（＝犯罪捜査で使う合成写真）」②《映画の》編集。構成。

**もんだい【問題】①考えさせるための質問。「試験―」②検討や議論の対象になることがら。「―点（＝論点）・―提起・まるで―にならない（＝論外だ）・それは別―だ」③解決しなければならない ことがら。「社会―・大きな―を残した・たいした―ではない」④批判や処罰の対象になることがら。「―（のある）発言・国会議員が―を起こす・―にする（＝重大視する）」⑤議論が起こり、注目されているものごと。「―の作品・―の写真」●もんだいいしき【問題意識】頭の中に問題を用意し、よく考えようとする意識。「何のために政治をこころざすかという―」●もんだいがい【問題外】①問題として取り上げないこと。「うまいかへたかは―だ」②わざわざ考えてみなくても、だめに決まっていること。「結婚相手としては―の人」▽論外。●もんだいじ【問題児】①教育上、特別な配慮・指導が必要な子どもをひとまとめにした、昔の言い方。②何かというと、もめごとばかり起こす〈子ども/人〉。「政界の―」

もんち【門地】〔文〕家がら。家格。「―争い・―にこだわる」

もんちゃく【〔×悶着〕】もめごと。争い。「―が起こる・ひと―あった」

もんちゅう【門柱】門のはしら。

もんちょう【紋帳・紋×帖】紋の見本を集めた本。

もんちりめん【紋〔△縮×緬〕】紋織りのちりめん。

もんつき【紋付き】紋所を染めた衣服。和装の礼服。「―はかま（袴）・黒―」

もんてい【門弟】〔文〕でし。門人。門下。

もんと【門徒】①〔文〕門下の学徒。②《仏》ⓐ宗門の信徒。ⓑ寺院の檀家。ⓒ〔↑門徒宗〕浄土真宗（の信徒）。

もんとう【門灯】門に取りつけた電灯。

もんどう【問答】〈名・自サ〉①問いと答え。問うことと答えること。「禅―」②話し合い。議論。「―無用・押し―」

もんどころ【紋所】家によって定まる紋章。定紋。

もんどり【（：翻筋斗）】宙返り。とんぼ返り。●もんどりうつ【（：翻筋斗）打つ】〈自五〉①宙返りをする。②くるりと倒れる。「もんどり打って絶命した」

もんない【門内】〔文〕門のうち。（↔門外）

もんなし【文〈無し〉】所持金がまったくないこと。一文なし。

もんばつ【門閥】〔文〕家がら。門地。「―家（＝家がらのいい家）」

もんはぶたえ【紋羽二重】紋織りの羽二重。

もんばん【門番】門の番人。門衛。

もんび【（：紋日）】〔「ものび」の音便〕①〔遊郭で〕衣替えの日。遊女が、ひいきの客の助力で祝儀を配った。②⇩物日①。

もんぴ【門扉】門のとびら。「―をとざす」

もんぴょう【門標】門に取りつけた表札。門札。

もんぶかがくしょう【文部科学省】《法》教育・科学技術などの行政事務をあつかう中央官庁。文科省。〔もと、文部省・科学技術庁〕

もんぷく【紋服】紋つきの衣服。

もんぶしょう【文部省】⇩文部科学省。「―唱歌（＝戦前・戦中の国定教科書にのっていた唱歌）」

モンブラン〔Mont Blanc＝白い山。アルプス山脈の最高峰の名〕クリの実を裏ごしして、生地の上に、細くうずを巻くように しぼり出したケーキ。〔クリの代わりにサツマイモなどを使ったものもある〕

もんぺ〔「モンペ」とも書く〕〔農村などで〕女性が労働するときなどにはく、すそのすぼまったはかまのような形の衣服。もんぺえ。もんぺい。

もんめ【〔×匁〕】①質量・重量の単位。一匁は一貫の千分の一（＝三・七五グラム）。「豚肉百―」〔真珠の場合、単位の記号はmom〕②江戸時代の銀貨の単位。一匁は、金一両の六十分の一。▽め（目）。

もんもう【文盲】文字が読めない〈こと/人〉。〔今は「非識字〈者/層〉」と言う〕「無学―」

もんもん【〔×悶々〕】〈タル〉もだえ苦しむようす。「―たる一夜を明かす」

もんよう【文様・紋様】〔文〕図形をくり返しつないでつくる図案。模様。「唐草―・亀甲―」

もんりゅう【門流】〔文〕一門の中の、流派。

モンローしゅぎ【モンロー主義】〔Monroe＝人名〕①一八二三年アメリカ大統領のモンローが発表した主義。アメリカとヨーロッパとはたがいに干渉しあわないという主張。②〔外交上の〕不干渉主義。

## や　ヤ

や【矢・〔×箭〕】①棒の一方のはしに羽根をつけ、他方のはしにやじりをつけ、弓のつるにはめて射る〈武器/狩猟道具〉。「―を放つ・ひと―で射とめた」②〈木/石〉を割るのに打ちこむくさび。③〔猟で〕たま。「―を背負う」●矢でも鉄砲でも持って来い 句 何が来ても負けないぞ。●矢も盾もたまらず 句 どうにもじっとがまんしていることができずに。「親からのたよりで―帰国した」

や【家】[一]や〔文〕いえ。「―の棟・この―のあるじ」[二]造 いえ。屋。「二階―」[三]接尾 家号・雅号の下にそえることば。「小川―」

や【野】[一]や〔文〕①のはら。の。「未開の―」②一般の世間。民間。（↔朝）[二]造 部分。部位。「手術―」●野に遺賢なし 句 民間のすぐれた人物がすべて登用されていること。いい政治のたとえ。●野に下る 句 官職をしりぞいて民間の生活をする。下野する。

や【〔×輻〕】車輪の輪から中心に集まる、細長い棒。スポーク。

や〈ナダ〉〔話〕↑いや（嫌）[一]。「―なこった・もう―だ・―んなっちゃった（＝いやになってしまった）」表記 俗に「ヤ」とも。☞やだ[二]。

**や**《感》〔話〕①おどろいたとき、呼びかけるときに使うことば。やあ。「や(↓)、これはおどろいた・や(↓)、こんにちは」②いや。「や(↓)、かまいませんよ」

****や**** [一]《副助》①〔A—B〕ならべて言う。とか。「笛—太鼓の音・きのう—きょうの新入りではない」〔「宿題—何—でいそがしい」の形でも言う〕 アク ウシや・ネコや・イヌや。②〔文〕話題や場面をしめし、軽い感動をあらわす。「古池—・この日—天気晴朗・ころ—よし・片—…こなた…」③〔文〕疑いをあらわす。「六つになる—ならずに・胸中—いかん」▽文語では係助詞で、疑問や反語をあらわし、文末が連体形になる。「夜—寒き〔=夜が寒いのか。疑問の例〕・おそるること—ある〔=おそれることはない。反語の例〕」④〔話〕「は」の変化。「そんなこと できや—しないよ」 [二]《終助》①〔古風〕目下・ペットなどへの、また、夫婦の間での呼びかけに使う。よ。「番頭さん—・ノラ—・〔夫が〕かあさん—〔老夫婦が『ばあさん—』『じいさん—』とも〕」②〔話〕〔形容詞(型の助動詞)などのあとについて〕強く言い張る感じをあらわす。「そいつは ずるい—・ぼくだって行きたい—・見たことなかった—〔俗・方〕」③さそい・命令の気持ちをあらわす。よ。「早く行こう—〔話〕・急げ—急げ・舞え—歌え—の大さわぎ」④本当に…だなあ、という気持ちをあらわす。「〔形容詞の語幹について〕ああ、ありがた—〔文〕・悲し—な〔文〕・〔『A—A』の形で〕意外—意外・不思議—不思議・春—春〔文〕」⑤〔文〕問いをあらわす。か。「読むべき書あり—」⑥〔文〕疑いをあらわす。か。「いかなる ゆえに—」☞やに《格助》。⑦〔文〕反語をあらわす。か。「なんで えんりょする必要がありましょう—」 [三]《接助》〔文〕①…したかと思うと。「死なんとする—」②ときに。「卒業する—起業した」☞いなや [三]。 [四]《助動特殊型》〔↑じゃ。活用は「○—やっ—や—○—○—○」〕「だ」の、関西・四国・北陸方言。「わしの本—・あるん—・そう—〔=そうだ。『せや』とも〕」〔推量の形は、助動詞「だろう」に当たる「やろう・やろ」を使う。「わかるやろう」〕

**や**〔夜〕 [一] 接尾 よるを数えることば。「二—にわたる」 [二] 造〔…日目の〕よる。「十三—」 [三] 造 よるの。「—学校・—行軍」

**や** 接尾 目下の人の名前などにそえて、親しみをあらわすことば。「竹—・ねえ—・ばあ—」

**や**〔八〕 造 八つ。「七ころび—起き」

****や****〔屋〕 [一] 造 ①…に関する仕事をする〈店/人〉。「洋服—・そば—・運送—・不動産—」 ✓ 昔からある言い方だが、ぞんざいな感じが強くなったため、報道などでは「洋服店(店員)」「運送業(者)」のように言うことが多い。文脈によっては必ずしも ぞんざいではなく、「洋服屋さん」「おそば屋さん」のように ていねいに言う方法もある。②〔そういう性格・傾向を持った〕人。「お天気—・がんばり—・さびしがり—・のんびり—・皮肉—・やかまし—」③…で、不当に金もうけをする者。「政治—・総会—・示談—・殺し—」④〔俗〕専門家。…に打ちこんでいる人。「物理—・英語—・走り—」⑤⇩家 [二]。「二階—」 [二]〔▵舎〕 接尾 屋号・雅号の下にそえることば。「尾張—・鈴の—〔=本居宣長〕」

**やあ**〔▵八〕〔話〕やっつ。〔数えるときに言うことば〕「に い、しい、ろお、—〔『はあ』とも〕・〔古風な数え方で〕ひい、ふう、みい、…、なあ、—」☞ひい(一)。

**やあ** [一]《感》〔話〕①おどろいたとき、呼びかけるときなどに使うことば。や。「—たいへん、たいへん・—、しばらく」②気合をかけるときなどの かけごえ。「えい—」 [二]《ナダ》〔女〕いや。「そんなのって—ね(え)」

**やあい** 〔俗〕 [一]《感》ばかにして はやしたてるときなどに使うことば。「やあい(↙)、やあい(↙)、いくじなし」 [二]《終助》①ばかにして はやしたてるときに そえることば。「やあい〔=感動詞〕、弱虫—」②さがして呼びかけるときに そえることば。「おにいちゃん—・出資者—」▽ [一] [二] やーい。

**ヤーコン**〔yacon〕アンデス地方原産の野菜。イモのように ふくらんだ、あまみのある根を食べる。葉は煎じて飲む。「—茶」

**やーさん**〔ヤーさん〕〔ヤー↑やくざ〕〔俗〕やくざ。ヤーさま。ヤー公。

**ヤード**〔yard〕①ヤードポンド法の長さの単位〔記号 yd〕。一ヤードは三フィート。九一・四四センチ。ヤール。 表記「:碼」とも書いた。②作業場。☞サービスヤード。③操車場。「貨物—」 ●**ヤードポンドほう**〔ヤードポンド法〕長さはヤード、質量はポンド、体積はガロンを基本単位とする はかり方。☞メートル法・尺貫法。

**ヤール**〔yard〕《服》⇩ヤード①。「—幅」

**やあん**〔夜暗・夜▵闇〕〔文〕〔まっくらな〕よるの やみ。「—に乗じて攻めこんだ」

**ヤーン**〔yarn〕①毛糸。②手芸用の編み糸。

**やい** [一]《感》〔俗〕乱暴に呼びかけることば。「—、気をつけろ」 [二]《終助》〔話〕①強く言い張る調子をそえることば。「よせ—・やかましい—・こっちのほうがよっぽどいい—」②ばかにして はやすときに そえることば。「泣き虫—」

**やいた**〔矢板〕工事のとき、土のくずれを防ぐためにならべて打つ、鉄などの板。「鋼—〔⇩シートパイル〕」

**やいと**〔「焼き処」から〕きゅう(灸)。

**やいなや**〔や(否や)〕《副助・接助》⇩いなや [二] [三]。

**やいのやいの**《副》うるさくせかして しつこく求めるようす。「—(と)責められて」

**やいば**〔(▵刃)〕〔=刀身に あらわれた模様。やきば〕〔文〕はもの。刀剣。「ぬけば玉散る氷の—・—をまじえる〔=斬り合う〕」 ●**やいばにかける** 句〔文〕刀で切られる。他 やいばにかける。 ●**やいばに血塗る** 句〔文〕(いくさで)人を切り殺す。

**やいやい** [一]《感》〔俗〕乱暴に呼びかけることば。「—、気をつけろい」 [二]《副》やいのやいの。「—言われて やっと出かけた」

**やいん**〔夜陰〕〔文〕よるの暗いとき。「—に乗じて攻めかけた・—に まぎれて脱出する」

**やうつり**〔家移り〕《名・自サ》〔古風〕引っこすこと。

**やえ**〔八重〕①〈八つ/数多く〉かさなること。また、そのようになったもの。「七重—〔=いくえにも かさなっていること〕」☞八重の潮路。②↑八重ざき。「—のツバキ」

**やえい**〔夜営〕《名・自サ》〔軍隊が〕よる、野外に陣営をはること。

**やえい**〔野営〕《名・自サ》①野外の陣営。②露天にテントを張って ねること。

**やえざき**〔八重咲き〕花びらが いくえにも かさなっ

てさく〈こと／もの〉。「―のヤマブキ」（↕一重（ひとえ）咲き）

**やえざくら**［八重桜］（やへ―） 桜の一種。花は やえざきで、ひとえよりも色が こい。

**やえのしおじ**［八重の潮路］（やへ―しほぢ） はるか遠くまで続く海路。

**やえば**［八重歯］（やへ―） かさなって はえた歯。「かわいい―」 ☞鬼歯（おにば）。

**やえむぐら**［八重（×葎）］（やへ―） ①〔雅〕おいしげっているムグラ。②ムグラの一種。くきが四角く、小さい葉が車輪のように六枚ずつつく。

**やえん**［野宴］〔文〕野外でおこなう宴会。

**やえん**［野猿］ ①〔文〕野山にすんでいるサル。②乗る人が手動で動かすロープウェイ。川をわたる場所に かけられた。

**やおちょう**［八百長］（やほ―） 〔すもう・試合などで〕前もって打ち合わせた上で、わざと負けてやる〈こと／勝負〉。なれあい勝負。「―ずもう」 由来 明治時代、八百屋の長兵衛（ちょうべえ）が、囲碁で、すもうの親方を相手に わざと負けていたことから。

☆☆**やおもて**［矢面］〔＝矢のとんで来る正面〕 質問・非難・抗議などをまともに受ける立場。「批判の―に立つ」

**やおや**［八百屋］（やほ―） ①野菜・くだものなどを売る〈人／店〉。青物（あおもの）屋。②〔俗〕雑学の人。

**やおよろず**［八（△百）（△万）］（やほよろづ） 数の非常に多いこと。「―の神々」

☆☆**やおら**（やをら）《副》①〔文〕〔動作が〕しずかに。ゆっくり。「―ものうげに立ち上がる・―口を開く」 ②〔動作が〕急に。「―地下へ かけ下りた」 ✓①の用法は古代からある。②の用法は明治時代には現れ、一九七〇年代に注目されるようになった。

**やおん**［野音］↑野外音楽〈堂／祭〉。

**やか** 接尾 〔形動（ナダ）をつくる〕 そういう感じをあたえるようす。「にこ―（＝にこにこした感じをあたえるようす）」・ごりっぱ―な おかた」（「あざやか」「すこやか」のように、「やか」を取ると意味が分からないほど一体化したことばも多い）

**やかい**［夜会］ よるの、宴会、または、社交上の集まり。ソワレ。 ●**やかいふく**［夜会服］ 夜会のときに着る正式な服。〔男性はえんび（燕尾）服、女性はイブニングドレス〕

**やがい**［野外］ 屋外の（広い）場所。「―音楽堂・―劇・―活動（＝キャンプなど）」

**やがく**［夜学］〔昼に通えない人のため〕よるに授業をする学校。夜間学校。夜（や）学校。「―生」

**やがすり**［矢（×絣）・矢（：飛白）］ 矢羽根（やばね）の模様のかすり。

**やかた**［屋形］ ①［館］ 貴族・豪族の高い人を尊敬して呼んだ言い方。「お―（さま）」 ③船・車につけた、屋根の形のおおい。「―車（ぐるま）（＝特に、牛車（ぎっしゃ））」 ④↑屋形船。 ●**やかたぶね**［屋形船］ 屋根の形の おおいを取りつけた船。川遊びなどに用いられる。屋根船より大きい。屋形。

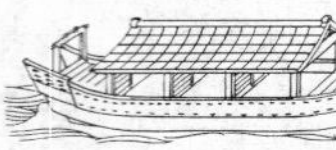

［やかたぶね］

****やがて**《副》①そのまま時が たつようす。「子どもも―（＝そのうちに）（は）大人になる・事件から―（＝もうすぐ）三年になる」 ②結局。「それが―（は）公害のもとになる」 表記 かたく「（×軈て）」とも。

**やかまし・い**［（×喧しい）］《形》①音や声などが耳に強くひびいて、がまんしにくい（状態だ）。「―工場の中」 ②細かなことまで言う状態だ。「警察が―・―ことを言うな」 ③いろいろな人が議論の たねにするようすだ。「―問題になった」 ▽うるさい。 派 -がる。-げ。-さ。

**やかましや**［（×喧し）屋］ よく りくつや こごとを言う人。うるさがた。

←**やから**［（△族）］〔雅〕家族。一族。

→☆☆**やから**［（△輩）］ なかま。連中。〔悪い意味に使う〕「不届きな―」

**やが・る**《補動五》〔俗〕ののしる意味をつけ加える ことば。「行き―・何を言って（い）―・待ちやがれ」

**やかん**［夜間］ よる（の あいだ）。「―営業・〔大学などの〕―部・―中学（＝夜間に中学校の授業をおこなう学級）」

**やかん**［（△薬缶）］ アルミニウム・ステンレスなどで作った、湯わかしの器具。「―が わく（＝やかんに入れた水が沸騰（ふっとう）する）」（もとは、くすりを煎（せん）じるのに使った） ●**やかんあたま**［（△薬缶）頭］〔古風・俗〕かみの毛がぬけて、つるつるに はげた頭。

**やき**［夜気］〔文〕①よるの空気。「―に当たる」 ②よるの静かな気配。「―が せまる」

**やき** 一 **やき**［焼き］ ①焼く〈こと／程度〉。②金属を熱して水に入れ、ひやして かたくすること。「―が あまい」 二 ［焼］ 造 〔その土地の〕焼き物。「有田（ありた）―・備前―」 三 ［焼き］ 造 焼いた〈料理／菓子（かし）〉。「ホルモン―・今川―・―おにぎり・―ラーメン・―プリン」 ●**焼きが回る** 句 ①焼き入れをしすぎて刀が なまくらになる。②年をとって にぶり、役に立たなくなる。 ●**焼きを入れる** 句 ①焼き入れをする。②〔俗〕強くこらしめて反省させる。

**やぎ**［（：山羊）］ 中形の家畜（かちく）。多くは白色。つのが うしろのほうに弓形にのび、雄（おす）は あごの下にひげがある。毛・乳・肉・皮を役立てる。鳴き声は、めえめえ。「―の（乳の）チーズ」

**やきあが・る**［焼き上がる］《自五》 焼いて、できあがる。「パイが きれいに―」 名 焼き上がり。

**やきあ・げる**［焼き上げる］《他下一》 ①焼いて仕上げる。「お菓子（かし）を―・れんがを―」 ②じゅうぶんに焼く。「肉を―」

**やきあみ**［焼き網］ 物をのせて火の上で焼くときに使う、かねの網。「―を替（か）える」

**やきいも**［焼き芋・焼き（×藷）］ サツマイモを、まるのまま、または輪切りにして焼いたもの。「レンジで―を作る」 ☞石焼きいも。

**やきいれ**［焼き入れ］ 金属に熱を加えてから、急にひやし、かたさを増すこと。「包丁の―」

**やきいろ**［焼き色］ 焼いたとき、熱のため表面についた色。「肉の表面に―をつける」

**やきいん**［焼き印］ 焼いて木の道具などにおす、金属製の印。烙印（らくいん）。

**やきうち**［焼き打ち・焼き討ち］《名・他サ》 火をつけて攻（せ）めること。「暴徒が村を―にした」

**やきうどん**［焼き（×饂）（×飩）］ ゆでたうどんを野菜や肉といっしょにいためた料理。かつおぶしをのせることが多い。☞焼きそば。
**やきがし**【焼き菓子】焼いて作る菓子。クッキー・パウンドケーキ・どら焼きなど。
**やきき・る**【焼き切る】《他五》①火で焼いて切る。「金庫を―」②すっかり焼く。名焼き切り。
**やききれる**【焼き切れる】《自下一》焼けて切れた状態になる。やけきれる。「フィラメントが―」
**やきぐし**【焼き串】さかな・肉・野菜などをあぶり焼きするためにさす、竹や金属のくし。
**やきぐり**【焼き×栗】皮のついたままのクリの実を焼いたもの。
**やきごて**【焼き×鏝】火で熱くして、焼き印を入れたり布のしわをのばしたりするために当てるこて。
**やきざかな**【焼き魚】火で焼いたさかな。「グリルで―を作る」(↔煮魚)
**やきざら**【焼き皿】①オーブンに入れるときに使う皿。「ケーキの―」②焼いた食べ物をもりつけるための皿。「焼き魚を―にのせる」
**やきしお**【焼き塩】ほうろく(焙烙)や鉄なべで煎った塩。つぶが細かくて、苦みがない。
**やきす・てる**【焼き捨てる】《他下一》〔手紙・書類などを〕焼いて、なくしてしまう。
**やきそば**【焼きそば】〈蒸した中華そばをいためた／なまの中華そばを油であげた〉料理。「ソース―・あんかけ―・―パン」☞かた焼きそば・焼きうどん。
**やきたて**【焼き(立て)】〔食材を〕焼いてすぐの状態。「―のパン」
**やきだまきかん**【焼き玉機関】内燃機関の一種。シリンダーの圧縮室の一部を熱して、ガスを爆発させるもの。ぽんぽん蒸気と言われる漁船などで使われた。焼き玉エンジン。焼玉。
**やきつ・く**【焼き(付く)】《自五》①焼けてくっつく。②〔印象などが〕はっきりとあとに残る。「心に焼きついてはなれないシーン」③《情》ブラウン管式のディスプレイで長時間同じ画像が表示されたために表示機能が失われる。名焼きつき。
**やきつけ**【焼き(付け)】《名・他サ》①焼いてしるしをつけること。②陶磁器に模様をかき、かまに入れて焼くこと。③《写真》ネガに光を当てて感光させ、ポジを作ること。
**やきつ・ける**【焼き(付ける)】《他下一》①焼き付けをする。②はっきり記憶に残す。「心に深く―・勇姿を目に―」
**やきどうふ**【焼き豆腐】軽くおして水気を切った豆腐を火であぶってこげ目をつけたもの。
**やきとり**【焼き鳥】①鳥の肉やもつをくしにさして焼いた料理。「―丼」②《方》⇩焼きとん。
**やきとん**【焼きとん】〔とん=豚〕ブタの肉やもつをくしにさして焼いた料理。
**やきなおし**【焼き直し】《名・他サ》①もう一度焼くこと。②他人の作品や、自分の古い作品を少し作りかえて、新しい作品であるかのように発表すること。また、その作品。「旧作の―」動焼き直す《他五》。
**やきにく**【焼き肉】牛・ブタなどの肉を〈焼いた料理／焼くこと〉。「―のたれ・―丼」
**やきのり**【焼き(:海苔)】ほしたのりを、火であぶってあるもの。
**やきば**【焼き場】①ものを焼く場所。②火葬をおこなう場所。火葬場。
**やきはた**【焼き畑】《農》草木を焼きはらって、そのあとに作物を作る畑。やきばた。「―農業」
**やきはっすん**【焼き八寸】《料》日本料理で、「八寸」として出す、焼いたさかなや肉。☞八寸。
**やきはら・う**【焼き払う】《他五》①すっかり焼く。「町を―」②焼いて追いはらう。名焼き払い。
**やぎひげ**【(:山羊=×髭)】〔人の〕下あごの先にはやしたひげ。
**やきびたし**【焼き浸し】一度焼いてから、つけ汁に〈つけること／つけたもの〉。「野菜の―」
**やきふ**【焼き(×麩)】なまふ(生麩)をあぶってふくらませたもの。みそしるに入れたり、煮物にもしたりする。
**やきぶた**【焼き豚】⇩チャーシュー①。
**やきまし**【焼き増し】《名・他サ》写真の印画を追加して焼きつけ〈ること／たもの〉。動焼き増す《他五》。
**やきめ**【焼き目】食材を焼いたときに付く焼き色。「―をつける」
**やきめし**【焼き飯】①〔おもに西日本方言〕飯と具を油でいためた料理。チャーハン。②〔おもに東北方言〕にぎりめしを火であぶったもの。
**やきもき**《副・自サ》気をもんで いらいらするようす。やきやき。「まだ来ないかと―する」
**やきもち**【焼き餅】□やきもち 焼きあみにのせて火であぶったもち。□やきもち 嫉妬。ねたみ。●**やきもちやき**【焼き餅焼き】やきもちを焼く〔=嫉妬する〕〈人／こと〉。
**やきもどし**【焼き戻し】《名・他サ》強度を増すため、焼き入れした金属を低い温度で熱すること。動焼き戻す《他五》。
**やきもの**【焼き物】①陶磁器・土器など。②さかなや鳥の肉などを、焼いた料理。③焼き菓子。
**やきゅう**【野球】九人ずつのチームどうしが、九回まで攻守を交替しながら、相手投手の投げるボールをバットで打ち、得点を争う競技。硬式と軟式がある。ベースボール。●**やきゅうけん**【野球拳】野球の動作をまねてじゃんけんをし、負けると服をぬいでいく遊び。
**やぎゅう**【野牛】大きな野生の牛。からだの毛は黒茶色。肩が山形にもり上がる。
**やぎょう**【夜業】《名・自サ》よるの業務。よなべ。
**やきょうしょう**【夜驚症】《医》ねている子どもが、よるとつぜん起き上がり、おびえたようにさわぐ症状。
**やきょく**【夜曲】《音》⇩セレナーデ。
**やきん**【冶金】鉱石から金属を取り出し、精製・加工すること。製錬。
**やきん**【野×禽】〔文〕山野にすむ鳥。野鳥。(↔家禽)
**やきん**【夜勤】《名・自サ》よるの勤務。(↔日勤・夕勤)
**やく**【厄】①〔文〕わざわい。「類焼の―にあう」②↑厄年。「前―・後―」
**やく【役】①役目(の人)。任務。「宣誓する―・聞き―」②〔劇などで〕俳優が受け持ってする役目。「―をつとめる・娘―」③人の上に立つ〈役目／地位〉。「―がつく」④《マージャン》上がるために必要なパイの組み合わせ。●役に立つ 句 目的のために、じゅうぶん助けになる。じゅうぶん利用できる。役立つ。「―情報・組織にとって―人物・このテレビは まだ―・お役に立てず、すみません」●役を作る 句 役作りをする。

**やく[約] 一 〔文〕約束。「―をはたす・―にそむく」 二 《副》およそ。だいたい。「―一キロ・おくれた人が―一名(皮肉で、だれと言わず わざとぼかした言い方)」✐放送では、「百」との聞き誤りをさけて「およそ」と言う。

やく[訳] 訳すこと。また、訳した語句・文章。翻訳。「上田敏の―・現代語―」

やく[(×葯)]《植》おしべの先にある、花粉のふくろ。

←やく[(△妬く)]《他五》嫉妬する。ねたむ。「女房の―ほど亭主もてもせず」

→*やく[焼く]《他五》①燃やす。「ごみを―・(火災で)百平方メートルを―」②[×灼く] 火の中に入れて熱する。「火ばしを―」③食材に こげるほど熱を加えて、食べられるようにする。「もちを―・ステーキを―」 区別 「焼く」「炒める」「煎る」は、水を使わずに加熱調理する点では同じだが、「焼く」は、熱したまま、こげ目がつくまでほうっておくのに対し、「炒める」「煎る」は、なべなどに入れて しじゅう かきまぜる。「煎る」は、特に、つぶ状のものに使う。また、「焼く」は、直接 火に当てる場合もあるのに対し、「炒める」「煎る」は、直接 火には当てない。☞「煮る」①の 区別。④[×灼く] 日光に当てて黒くする。また、薬品でこがす。「せなかを―・硫酸で―」⑤〈焼き物/木炭〉を作る。「茶わんを―・炭を―」⑥心をくばる。気をつかう。「世話を―」⑦《写真》焼き付ける。☞焼き付け③。⑧〔古風〕コピーする。「この書類、焼いといて」⑨CDなどにデータを書きこんで保存する。「DVDに―」 可能 焼ける。

やく 一 [薬] 造 くすり。薬剤。「胃腸―・消毒―・起爆―」 二 やく[薬] ↑薬学部。 三 やく[ヤク]〔俗〕↑麻薬。ドラッグ。

ヤク〔yak〕 チベットなどの高地にすむ けもの。からだは牛に似るが毛は長く、雌雄とも つのがある。家畜にして、乳・肉を利用する。

やぐ[夜具] ねるときに使う ふとん・かいまき・まくらなど。「―ふとん・―地」

やくいん[役印] 役目の上で使う印。

やくいん[役員] ①〔会合や もよおしなどの〕係の人。「―のかたは至急お集まりください」②会社や団体などの、おもだった職員。③会社の重役の、法律上の呼び名。「―会」

やくえき[薬液] 〔文〕液体になった、くすり。

やくおとし[厄落とし]《名・自サ》 やくばらい。

☆☆やくがい[薬害] くすりによって起こる害。特に、ウイルスなど異物の混じったくすりを使われて、深刻な病気になる害。「―エイズ・―肝炎」

やくがく[薬学] 薬剤の化学的性質・製法・効果などを研究する学問。

やくがら[役柄] ①役目の内容や性質。「調整的な―をつとめる・―上やむなし」②〔劇などで〕役の内容や性質。「中年の息子という―を演じる」

やくぎ[役儀] 〔文〕やくめ。つとめ。「―がら」

やくぎょう[訳業] 〔文〕翻訳の〈仕事/業績〉。

やくげん[約言]《名・他サ》〔文〕要点をかいつまんで言うこと。「―すれば」

やくご[訳語] 翻訳したことば。

やくざ《名・ダナ》〔「ヤクザ」とも書く〕①生活の態度がまともでないようす。「―な商売」②ばくち打ち。ならず者。「―渡世・―者」③暴力団(員)。▽(↔堅気)

やくさい[厄災] 〔文〕わざわい。災難。災厄。「―がふりかかる」

やくさい[訳載]《名・他サ》〔文〕翻訳して のせること。

☆☆やくざい[薬剤] くすり(を調合したもの)。〔医薬品以外に、洗剤・農薬なども ふくむ〕「―耐性」●やくざいし[薬剤師] 処方箋の くすりを調合する資格のある人。

やくさつ[×扼殺]《名・他サ》〔文〕手で のどをしめて殺すこと。☞絞殺。

やくさつ[薬殺]《名・他サ》〔文〕毒を使って殺すこと。「野犬の―処分」

←やくし[訳詞] 歌詞を翻訳すること。また、翻訳した歌詞。

→やくし[訳詩] 詩を翻訳すること。また、翻訳した詩。

やくし[薬師]《仏》↑薬師如来。「毎月八日はお―さまの縁日だ」●やくしにょらい[薬師如来]《仏》衆生の病気を治すという仏。瑠璃光如来。薬師。

やくじ[薬事] 〔文〕薬品・医療器具・けしょう品の製造・販売、調剤などに関すること。「―法〈⇩薬機法〉」

やくじ[薬餌] 〔文〕くすり(になる食べ物)。「―に親しむ〔=病気がちだ〕・―療法」

やくしゃ[役者] ①俳優。「歌舞伎の―」②能の演技をする人。③はたらき・才能のある人。うできき。「―がそろっている」④〔表情や態度を〕本当らしく見せかける人。「なかなかの―だ」●やくしゃばか[役者〔=馬鹿〕] ①役者としては りっぱだが、生活に関しては世間知らずであること。役者子ども。②〔俗〕役者の仕事のことしか頭にない、いちずな役者。

やくしゃ[訳者] 〔文〕翻訳した人。

やくしゅ[薬酒] 漢方薬などを入れた酒。

やくしゅ[薬種] 漢方薬などの材料。「―店」

やくしゅつ[訳出]《名・他サ》〔文〕〈訳語/訳文〉にすること。「学術用語の―」

やくじゅつ[訳述]《名・他サ》〔文〕①口に出して訳すこと。②翻訳の著述。

*やくしょ[役所] 役人が事務を取りあつかう場所。官庁。「お―ことば」☞お役所仕事・やくどころ(役所)。

やくしょ[訳書] 〔文〕原書を翻訳した書物。(↔原書)

☆☆やくじょ[躍如]《タト・タル》〔文〕目の前に、いきいきと感じとられるようす。「面目―たるものがある」

やくじょう[約定]《名・他サ》①〔文〕約束して契約を結ぶこと。また、その契約(書)。「お―済みの品物・―書」②《経》株式の売買取引が成立すること。

やくしょく[役職] 会社や団体の係長・課長・部長などの職務(についている人)。役づき。役席。「―につく・―者」●やくしょくいん[役職員] 役員と職員。「大学の―」

やくしん[薬×疹]《医》病気を治すために飲んだ くす

りの副作用で起こる発疹(はっしん)。

☆☆**やくしん**【躍進】《名・自他サ》勢いよく〈進出〈発展〉すること。「—をとげる企業・前線を—する」

**やく・す**【訳す】《他五》①ある言語のことばを別の言語のことばに直す。また、昔のことばを今のことばに直す。②解釈(かいしゃく)する。▽訳する。

**やくすう**【約数】《数》ある整数を割り切ることができる整数。例、6の約数は、1・2・3・6。(↔倍数)

**やく・する**【×扼する】《他サ》〔文〕①手でにぎりしめる。おさえつける。「うでを扼して残念がる」②〔道・地域などの〕入り口を守る(位置にある)。「海峡(かいきょう)を—地点」▽扼す。

**やく・する**【約する】《他サ》①〔文〕約束する。「再会を—」②簡単にする。③《数》約分する。▽約す。

**やく・する**【訳する】《他サ》⇩訳す。

**やくせき**【役席】役職。

**やくせき**【薬石】①(=くすりと石針(=はり(鍼)))〔文〕病気の治療(ちりょう)。「[死亡通知で]—効なく永眠(えいみん)いたしました」②くすりのようなはたらきをする石。

**やくぜん**【薬膳】漢方薬の素材を加えた、健康を保つための中国料理。「—料理」

**やくそう**【役僧】《仏》寺院の事務を取りあつかう僧。

**やくそう**【薬草】くすりになる草。ハーブ。

**やくそく**【約束】《名・他サ》①相手といっしょに、将来のことを取り決めること。また、その取り決めの内容。「—を破る・口—」②規定。規則。「漢詩を作るときの—」③前から定まっていること。「前世の—・社長の地位が—されている(=確実だ)」☞お約束。●**やくそくごと**【約束〈事〉】約束して、そう決めたこと。●**やくそくてがた**【約束手形】《経》その手形をふり出した人自身が、先の日付で一定の金額のしはらいを約束する形式の手形。約手(やくて)。☞手形②。

**やくたい**【益体】〔文〕役に立つこと。らち。●**やくたいもな・い**【益体もない】《形》くだらない。むだだ。「—ことを考える」

**やくたい**【薬袋】薬を入れるふくろ。飲み方や飲む量が書いてある。薬嚢(やくのう)。

**やくだい**【薬大】↑薬科大学。

**やくだい**【薬代】〔文〕くすりの代金。薬価。

**やくだく**【約諾】《名・他サ》〔文〕約束して承諾(しょうだく)すること。「—書」

**やくたたず**【役立たず】《名・ナダ》役に立たないこと。また、その人やもの。「この—め」

**やくだ・つ**【役立つ】《自五》役に立つ。[他]役立てる〈下一〉。

**やくちゅう**【訳注・訳×註】①翻訳(ほんやく)と、その注釈(ちゅうしゃく)。②訳者のつけた注釈。

**やくづき**【厄月】①俗に、わざわいにあいやすいとされる月。②悪いことが起こる月。

**やくづき**【役付き】特別の役職に〈つくこと〈ついている人〉。やくつき。「—者」

**やくづくり**【役作り】〔劇などで〕割り当てられた人物の顔・性格・姿などをそれらしく作り出すこと。

**やくて**【約手】《経》↑約束手形。

**やくてん**【薬店】調剤(ちょうざい)はせず、販売(はんばい)だけをするくすり屋。☞薬局。

**やくとう**【薬湯】〔文〕①くすり湯。②せんじぐすり。

☆☆**やくどう**【躍動】《名・自サ》〈勢いよく〈いきいきと〉活動すること。「筋肉が—している・—感がある」

☆☆**やくとく**【役得】その役目についているためにはいる、余分の収入・利益。

**やくどく**【薬毒】〔文〕くすりの中にふくまれている毒。

**やくどく**【訳読】《名・他サ》翻訳(ほんやく)して読むこと。

☆☆**やくどころ**【役〈所〉】(ちょうどいい)役目〈配役〉。やくどこ。☞やくしょ(役所)。

**やくどし**【厄年】①俗に、わざわいにあいやすいとされる年齢(ねんれい)。数え年で、男は二十五歳・四十二歳・六十一歳、女は十九歳・三十三歳・三十七歳。☞大厄(たいやく)②。②災難の多い年。

**やくなん**【厄難】〔文〕わざわい。災難。

**やくにん**【役人】国や地方の行政に関する事務をあつかう人。「—根性(こんじょう)・幕府の—」

**やくば**【役場】①町村長などの地方公務員が事務をとる所。②公証人などが事務をとる所。「公証(人)—」

**やくはく**【薬博】〔文〕↑薬学博士。

**やくばらい**【厄払い】《名・自サ》①わざわいをはらうこと。やくおとし。「—を受ける」②江戸(えど)時代に、おおみそか・節分の夜に、災難をはらうことばをとなえてお金をもらい歩いた人。▽やくはらい。

**やくび**【厄日】①俗に、災難にあうとしておそれつつしむ日。②災難の起こる悪い日。

**やくひつ**【訳筆】〔文〕訳文。

**やくびょう**【疫病】〔文・古風〕⇩えきびょう。●**やくびょうがみ**【疫病神】①疫病(えきびょう)を流行させるという神。②いみきらわれる人。「むこうから—がやってきた」[表記]俗に「厄病神」とも。

**やくひん**【薬品】①くすり。医薬品。②化学変化を起こさせるために作った、固体・液体など。「化学—」

☆☆**やくぶそく**【役不足】《名・ナダ》①当人が不満に思うほど、軽い役(目)であること。「通行人Aとは—だ・このおれが見張りとは—だ」②〔俗〕力不足。手にあまること。「協力したいが、私では—であろう」

☆☆**やくぶつ**【薬物】①《医》薬品(となる物質)。②⇩ドラッグ(drug)②。「—乱用」

**やくぶん**【訳文】翻訳(ほんやく)した文章。(↔原文)

**やくぶん**【約分】《名・他サ》《数》分数の分母・分子を同じ数で割り、値(あたい)を変えないで簡単にすること。

**やくほ**【訳補】〔文〕翻訳(ほんやく)して、原文にない文をおぎなうこと。

**やくほ**【薬舗・薬×鋪】〔文〕くすり屋。薬店。

**やくほん**【訳本】翻訳(ほんやく)した本。(↔原本)

**やくまえ**【厄前】厄年(やくどし)の前年。

**やくまわり**【役回り】割り当てられた役目。「ありがたくない—」

**やくマン**【役満】(↑役マンガン(満貫))《マージャン》作るのがむずかしく、点数の高い役。

☆☆**やくみ**【薬味】料理にそえて味を引き立てたり、食欲を増したりするための香辛(こうしん)料。加薬。例、ネギ・おろしショウガ・七味とうがらしなど。

**やくむき**【役向き】職務についてのこと。

**やくめ**【役目】役としてつとめなければならないこと。つとめ。職務。役儀(やくぎ)。

**やくめい**【役名】①《芝居》役の上での名前。②〔古風〕役職の名前。

**やくめい**［訳名］〔文〕翻訳してつけた名前。（↕原名）

**やくもの**［約物］〘印刷〙文字・数字以外の、句読点・かっこなどの記号。

**やくよう**［薬用］くすりとして使うこと。「—植物・—酒」

**やくよけ**［厄（△除け）］災難をはらいよける〈こと／方法〉。「—のおふだ」

**やぐら**［（×櫓）］〔＝矢倉（＝武器を入れておいた倉）〕①見わたしたり、矢を射たりするための、城の中の高い建物。②見わたすための高い建物。「火の見—」③すもうなどの興行場で、高く作って太鼓を鳴らす台。④〔↑船やぐら〕和船の甲板の上の建物。⑤〔↑こたつやぐら〕その上にふとんをかけて、こたつを作る台。⑥〔↑やぐら投げ〕〘すもう〙相手のからだをつり上げて投げるわざ。⑦［矢倉］〔↑矢倉囲い〕〘将棋〙金将・銀将などで王将を囲む駒組み。●**やぐらを振る**句〘すもう〙「やぐら⑥」をしかける。●**やぐらだいこ**［（×櫓）太鼓］「やぐら③」で打つ太鼓。

**やくり**［薬理］〘医〙薬品によって起こる〈生理／病理〉的な変化。「—学・—作用」

**やくりきし**［役力士］〘すもう〙三役の力士。

**やくりょう**［薬量］〔文〕くすり・爆薬の分量。

**やくりょう**［訳了］（名・他サ）〔文〕訳し終わること。

**やぐるま**［矢車］中心から軸のまわりに向けて、矢の形のものを取りつけて、回るようにしたもの。こいのぼりのさおにつける。

［やぐるま］

**やくれい**［薬礼］〔文〕医者にかかったときにしはらう、お礼のお金。くすり代。

**やくれき**［薬歴］患者が飲んだ薬の記録。〔薬剤師が作成する〕「—管理」☞お薬手帳。

**やくろう**［薬籠］〔文〕①くすり箱。☞自家薬籠中の物。②⇩いんろう（印籠）①。

＊＊**やくわり**［役割］①役目を割り当てること。②割り当てられた役目。任務。「大きな—を演じた」

**やけ**［焼け］㊀①焼けること。「丸—・生—・表紙に—のある本」②〘鉱〙金属の鉱床が地面にあらわれて、暗い茶色に見えるところ。㊁〘造〙①日光ではだが焼けること。「ゴルフ—」②薬品などで色が変わること。「おしろい—・せんたく—」

**やけ**［（：自棄）］（名・ナダ）自分の思うようにならないために、どうなってもかまわないと思う気持ち。やけくそ。やけっぱち〔俗〕。「—を起こす」☞やけに。

**やけあと**［焼け跡］火事で焼けたあと。

**やけあな**［焼け穴］布などの一部分が焼けてあいた穴。

**やけい**［夜景］よるのけしき。「百万ドルの—」

**やけい**［夜警］よるの警戒をする〈こと／人〉。よまわり。「ビルの—・—団」

**やけいし**［焼け石］〈火／日〉に焼けた石。●**焼け石に水**句 少々の援助や手当てをいくらしてもききめがないことのたとえ。「緊急輸入も—」

**やけう・せる**［焼け（△失せる）］（自下一）〔文〕火事などで焼けて、すっかりなくなる。

**やけお・ちる**［焼け落ちる］（自上一）〔建物が〕火事で焼けて、くずれおちる。

**やけき・れる**［焼け切れる］（自下一）⇩焼き切れる。

**やけくそ**［（：自棄＝×糞）］（名・ナダ）「やけ」を強めた言い方。すてばち。やぶれかぶれ。

**やけこがし**［焼け焦がし］〔衣服・たたみなどについて〕焼けこげた状態に〈すること／なった所〉。動焼け焦がす（他五）。

**やけこげ**［焼け焦げ］〔衣服・たたみなどが〕火で焼けて〈こげること／こげた所〉。動焼け焦げる（自下一）。

**やけざけ**［（：自棄）酒］やけになって飲む酒。

**やけし・ぬ**［焼け死ぬ］（自五）焼かれて死ぬ。焼死する。

**やけださ・れる**［焼け出される］（自下一）火事で自分の家が焼け、住む所がなくなる。名焼け出され。

**やけただ・れる**［焼け（×爛れる）］（自下一）〔日光や熱で〕皮・肉が焼けてくずれる。

**やけつ・く**［焼け（付く）］（自五）〔多く、たとえに使う〕①焼けてくっつく。「腹が—ような痛み」②強い熱が当たって、中まで熱くなり、変質する。「焼けついた砂浜・—ような日ざし」

**やけっぱち**［（：自棄っぱち）］（名・ナダ）〔俗〕「やけ」を強めて言うことば。やけくそ。〔人名のように「八」をつけたもの〕

**やけど**［（：火傷）・ヤケド］（名・自サ）①火・熱湯・ドライアイスなどにふれて、皮膚がただれること。熱傷。「—を負う・大—」②あぶないことに手を出して、ひどいめにあうこと。「ギャンブルで—をする」

**やけどまり**［焼け止まり］〔火事で〕延焼が止まること。また、その場所。

**やけに**（副）（＝自棄に）〔話〕①めちゃくちゃに。ひどく。「—暑いね」②思ったよりも。ずいぶん。「—早いじゃないか」

**やけの**［焼け野］野火で焼けた野。焼け野（が）原。●**焼け野のきぎす（雉子）夜の鶴**句 親が子を思う気持ちの強さをたとえて言うことば。

**やけのこ・る**［焼け残る］（自五）火事でほかが焼けたのに、それだけが残る。名焼け残り。

**やけのはら**［焼け野原］①焼け野。②一面に焼けてしまった所をたとえたことば。「大火事で—になった」▽焼け野が原。

**やけのみ**［（：自棄）飲み］（名・他サ）やけになって酒をたくさん飲むこと。やけ酒を飲むこと。

**やけのやんぱち**［（：自棄のやんぱち）］〔俗〕「やけ（くそ）」を強めて人の名前のように言ったことば。

**やけぶとり**［焼け太り］（名・自サ）①火事などの災難にあって、かえってもうかること。②責任を取るふりをして、かえって得をすること。例、問題解決のためと言って、多くの予算を得るなど。動焼け太る（自五）。

**やけぼっくい**［焼け（△棒×杭）］〔俗〕燃えさしのくい。●**焼けぼっくいに火がつく**句 一度切れた恋愛関係が、もとにもどる。

**やけやま**［焼け山］①草木の焼けた山。②以前、噴火したことのある山。

←**や・ける**［（△妬ける）］（自下一）ねたましく思われる。「ああ、—なあ」

→**や・ける**［焼ける］（自下一）①燃える。「家が—」②

熱くなる。「鉄板がー」③火や熱が通って〈できあがる／食べられるようになる〉。「瀬戸物がー・ステーキがー・パンがー」④［×灼ける］日光に当たったりして、そのものの色が赤くなったり、黒っぽくなったり、あせたりする。「空が夕日でー・日に焼けて黒い顔・緑色のカーテンは焼けやすい」⑤〈空気にふれて／薬品のせいで〉色が変わる。⑥火をふき出す。「モーターがー〈熱くなりすぎる意味にも〉」⑦食べ物が胃にもたれて、胸が熱く感じられる。⑧〔ふだんから酒を飲みすぎているため〕皮膚が赤くなる。

**やけん**［野犬］のらいぬ。「ー狩り」

**やげん**［△薬研］①薬種を細かくくだくための、金属などで作った、船の形の器具。②ニワトリの、胸の骨の先のところ。やげん軟骨。「ーの焼き鳥・ーのからあげ」

［やげん ①］

**やご** トンボの幼虫。

**やこう**［夜光］①〈よるに／暗い所で〉光ること。「ー時計・ー塗料・ーの玉」②《天》晴れた夜、空をぼんやり明るくする光。●**やこうちゅう**［夜光虫］海の中にむらがる、ごく小さな原生動物。よる、青白い光を出す。

**やこう**［夜行］《名・自サ》①よる行動すること。「ー性の動物・百鬼ー」②よるに列車・バスなどを動かすこと。「ー列車・ー便」▽（↔昼行）③↑夜行列車。

☆☆**やごう**［屋号］①商店の呼び名。例、越後屋。②歌舞伎俳優の家の呼び名。例、音羽屋。「ーで帰る」

**やごう**［家号］農村などで、名字の代わりに呼ぶ、その家の呼び名。

**やごう**［野合］《名・自サ》①正式に結婚の手続きをふまずに、夫婦関係のようになること。②〔政党などが〕正式の手続きをふまず、なれあいで関係を結ぶこと。

**やごえ**［（：矢）声］〈敵を討つときの〉「や」というかけごえ。えいごえ。「ーをかけた」

**やこぜん**［（野×狐）禅］《仏》自分だけでさとりきったつもりになって、うぬぼれている〈こと／人〉。

＊**やさい**［野菜］おもに副食とする、畑などで作る植物。きのこをふくめることもある。蔬菜。あおもの。「ーサラダ・ーいため・葉ー〔⇩葉菜〕・おー」

**やさおとこ**［優男］力はなさそうに見えるが、やせ型で見た目のいい〈やさしい〉男。「色白のー」✎「優男」は、江戸時代からある別の形で、二〇一〇年代からは「やさしい男」の意味の俗語として使われる。

**やさがし**［家捜し］《名・自サ》いえの中を残らずさがすこと。

**やさがた**［優形］〔古風〕やせ型で見た目のいい〈やさしい〉姿。「ーの美男・ーの女性」

☆☆**やさき**［矢先］①〔…〈しようとした／していた〉〕ちょうどそのとき。「出かけようと思っていたーの電話」②直後。「結婚したーに戦争が始まった」▽①は江戸時代から、②はおそくとも明治時代からある用法。③〔①②の由来〕矢の先。「ーを胸に受ける」④〔猟で〕たまの飛ぶ方向。「ーの確認」

**やさぐ・れる**《自下一》〔「ヤサグレる」とも書く〕〔俗〕①投げやりになる。すねる。②生活があれる。由来 家出の隠語「やさぐれ」から。

**やさし・い**［易しい］《形》すぐ〈わかる／できる〉状態だ。たやすい。「ー問題・易しく説明する・ー日本語」（↔難しい）派 ーげ。ーさ。

＊＊**やさし・い**［優しい］《形》①〔相手に対して〕思いやりがあるようすだ。「ー人がら・ーことばをかける」②痛手をあたえない。「自然環境にー政策・はだにー〔＝刺激が強くない〕洗顔料・さいふにー〔＝安い〕店」③〔情がこもっていて〕当たりがやわらかい。おだやかだ。「ー笑顔・ー春の日ざし・ー味」④上品で優美だ。「ー笛の音・ー曲線」派 ーげ。ーさ。ーみ。

**やさしの**［優しの］《連体》〔文〕やさしい〈感じのする〉。「ーバラ」

**やさつ**［野冊］採集した植物をはさんで、持って歩く道具。二枚の〈板／竹〉からできている。

**やし**［（：香具師）］テキ屋。「ーの口上」

**やし**［野史］〔文〕外史。

**やし**［（×椰子）］熱帯の大きな常緑樹。幹の頂上に葉がむらがりはえる。実は、ヤシ油の原料とする。ふつう、ココヤシをさす。「ーの実」☞ココナッツ。

**やじ**［（：野次）・（：弥次）・ヤジ］（↑やじる）〈こと／ことば〉。「ーが飛ぶ・ーを飛ばす」

**やじうま**［（：野次馬）］〔＝馬〕自分とは関係のないできごとをおもしろ半分で見物して、わけもなくさわいだりする人々。「ー根性」

**やしき**［屋敷・△邸］①家の敷地。「家ーも人手にわたった」②⇩お屋敷。●**やしきりん**［屋敷林］農家が、防風や防火のために、家のまわりに植える林。

**やじきた**［弥次喜多］〔＝「東海道中膝栗毛」の登場人物、弥次さんと喜多さん〕気軽に見物しながら旅行するふたりづれ。「ー道中〔＝気楽なふたりづれの旅〕」

**やしないおや**［養い親］自分の子ではない子どもを、育ててくれた親。育ての親。（↔実親）

**やしな・う**［養う］《他五》①食べ物などをあたえて、実際にせわをする。「親せきに養われる」②家族などが生活できるようにする。「妻子をー」③ためになることをして、〈力／精神〉を高める。「温泉で英気をー・練習で体力をー」④だんだん作り上げる。「よい習慣をー」名 養い。

**やしゃ**［夜×叉］〔梵語 yakṣa の音訳〕①強くおそろしい、インドの鬼神。②《仏》毘沙門天の従者。北方を守る。「金剛ー明王」

**やしゃご**［（：玄孫）］ひまごの子。玄孫。「まご、ひこ、ー」

**やしゅ**［野手］《野球》投球に関するプレー中の投手・捕手を除く、守備がわの選手。フィルダー。

**やしゅ**［野趣］〔文〕いなからしい、自然で素朴な感じ。「ーに富んだ料理」

**やしゅう**［夜襲］《名・他サ》よる、やみにまぎれてする、襲撃。夜討ち。

**やじゅう**［野獣］①野生のけもの。②「野獣①」のようにあらあらしい人間。●**やじゅうは**［野獣派］《美術》⇩フォービズム。

**やしゅせんたく**［野手選択］《野球》⇩フィルダースチョイス。

**やしょく**［夜食］①決まった食事以外に、よるおそくとる食事。「受験生の―・お―」②〔古風〕夕食。

**やじり**［矢尻・×鏃］矢の先についていて、ものに突っきささる部分。矢の根。

**やじ・る**［（:野次る）・（:弥次る）］《他五》①〔演説の聴衆などが〕非難やからかいのことばを出す。②味方を応援するために相手方を冷やかし、じゃまをする。

**やじるし**［矢印］方向などをしめすための、矢の形のしるし。「↓」「→」など。

**やしろ**［社］〔文〕神社(の社殿)。

**やじろべえ**［（弥次△郎△兵△衛）］半円の形に広がった両うでをつけた、人形のおもちゃ。バランスがとれているのでたおれない。

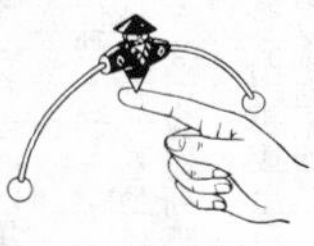
［やじろべえ］

**やしん**［野心］①権力・名誉・お金などを手に入れようとする、大きな〈のぞみ／くわだて〉。野望。「―家」②大胆で新しいことをしようとすること。「―作・―的なこころみ」

**やじん**［野人］①いなかもの。②身なりや礼儀などにかまわない人。③〔文〕一般の民間人。「―の立場で発言する」

**やす**［（×矠）］さかなをさしてつかまえる道具。

**や・す**《助動マス型》〔活用は「せ・しょ―し―す―す―○―せ(し・す)」〕①〔古風・俗〕「ます」の変化。「ここにあり―・さようでござい―」②〔京都などの方言〕ⓐなさい。「お帰り―」ⓑ…なさいました。「おいで―(=よくいらっしゃいました)」

**やす**［安］［一］造 安い。「―月給・―アパート」［二］《経》安値。「終値は五円―」(↕高)

**やすあがり**［安上がり］《名・ナダ》安い値段で〈すむ／できる〉こと。

****やす・い**［安い］《形》①値段が低い。(↕高い)②価値がない。「安く見られる」③〔文〕やすらかだ。「安くねむる」派-さ。☞お安い・安かれ。●**安かろう悪かろう**句(=たしかに安いのだろう、しかし質も悪いのだろう)値段も安いが、品質も悪いこと。「高かろう良かろう、―」

****やす・い**［（△易い）］［一］やすい《形》〔文〕簡単だ。たやすい。「やめるのはいと―・言うはやすく、行うは難し」(↕難い)［二］造〔動詞＋―〕①すぐ…する状態だ。「消え―・燃え―」②〔…するのが〕簡単だ。いい。「はいり―・お求めになり―(『お求め―』は、『お求めになりやすい』のくずれた形とも、『求めやすい』に『お』がついた形とも考えられる)」▽(↕にく(難)い)派-さ。

**やすうけあい**［安請け合い］《名・他サ》かるがるしく引き受けること。「―して、あとで困る」

**やすうり**［安売り］《名・他サ》①安値で売ること。「大―」②おしげもなく、かるがるしくあたえること。「博士号の―」

**やすかれ**［安かれ］《感》〔文語形容詞「安し」の命令形から〕〔文〕安らかであってくれ。「霊よ―」

**やすき**［（△易き）］《連体・名》〔文語形容詞「やすし」の連体形から〕〔文〕たやすい(こと)。楽な(こと)。「人は―に流れる」(↕難き)●**やす(易)きに就く**句 簡単なほうを選ぶ。「めんどうをさけて―」

**やすく**［安く］〔方〕安い値段。「―で買える」

**やすけ・し**［安けし］《形ク》〔雅〕心がおちついて、おだやかだ。「ねむれ、安けく・心―」派-さ。

**やすっぽ・い**［安っぽい］《形》①品物が、安くて悪そうな感じだ。「―バッグ」②深く考えている感じがしない。「―感傷」派-さ。

**やすで**［（:馬陸）］ムカデに似た形の小さな虫。枯れ葉の下などにすみ、危険を感じるとからだを丸める。

**やすで**［安手］《ナダ》①値段が安いようす。②安っぽいようす。派-さ。

**やすね**［安値］①安い値段。②《経》〈その日の／ある期間の〉相場で、いちばん安い値段。「―引け」▽(↕高値)

**やすぶしん**［安普請］①お金をかけないで〈家を建てること／建てた家〉。②安っぽい建築(の家)。

**やすま・る**［休まる］《自五》安らかになる。「心の―ときがない」

**やすみ**［休み］①休むこと。「―なく働く」②休日。休暇。「正月―・試験―」●**やすみぢゃや**［休み茶屋］客の休憩所となる茶店。●**やすみやすみ**［休み休み］《副》休みをはさみながらするようす。「―歩く」●**休み休み言え**句〔…をやめて〕たまにはまともなことを言え。休み休みにしろ。「ばかも―・じょうだんも―」

***やす・む**［休む］《自五》①とまる。やむ。「休まず前へ出る」②からだや心を安らかにする。いこう。「このへんで休もう」③〈欠席／欠勤〉する。「かぜで―・三日―」④「ねむる」を上品に言うことば。「奥で休んでおります・おやすみなさい」他 休ませる《下一》。「手を―」可能 休める。☞休め。

**やすめ**［休め］［一］やすめ《感・名》号令の一つ。立ったままでからだを楽にさせるときにかける。また、その姿勢。〈幕末から使われる〉(↕気をつけ)［二］造 休める〈こと／もの〉。「気―・骨―・羽―・箸―」

**やす・める**［休める］《他下一》休むようにする。「からだを―・仕事の手を―・羽を―」

**やすもの**［安物］値段の安い、質の悪い品物。●**安物買いの銭失い**句 安物は質が悪いから、買えばかえって損になる。

**やすやす**［（△易々）］《副》たいそう簡単なようす。「―とやってのける・そう―と(は)引き受けられない」

**やすやど**［安宿］値段が安く、みすぼらしい宿。

**やすら・う**［休らう］《自五》〔文〕①休む。②ためらう。名 休らい。

**やすらか**［安らか］《ナダ》心配することがなくて、おだやかなようす。「―な寝顔・どうか―にねむってください(=弔辞によく使うことば)・国が―におさまる」派-さ。

**やすら・ぐ**［安らぐ］《自五》安らかな気持ちになる。緊張がとける。「心(が)―」名 安らぎ。他 安らげる《下一》。「人心を―」

**やすらけ・し**［安らけし］《形ク》〔雅〕安らかなようすだ。「友よ、安らけくねむれ」派-さ。

**やすり**［（×鑢）・ヤスリ］金属をすってといだり、のこぎりの目を立てたりする工具。「―をかける」

**やすん・じる**［安んじる］〔文〕［一］《自上一》①安心する。「安んじて後事を託する」②満足する。あまんじる。「現状に―」［二］《他上一》安らかにする。安心させる。▽［一］［二］安んずる。

**やせ**［痩せ・ヤセ］［一］やせること。「夏―」［二］**やせ**やせている人。「お―さん・―の大食い（＝やせているのに大食であること）」

**やせい**［野性］自然の中に生き、本能のままに行動する（あらあらしい）性質。「―に返る・―味」●**やせいてき**［野性的］《ナダ》野性の感じがするようす。ワイルド。「―な魅力のある俳優・―な顔立ち」

**やせい**［野生］［一］**やせい**《名・自サ》自然の中に〈生活する／生える〉こと。「―(の)植物・―のラッコ・―ザル・―化」［二］**やせい**《代》〔文・男〕自分をへりくだって言うことば。小生。●**やせいじ**［野生児］自然の中で育った、〈文明を知らない／元気のいい〉子ども。

**やせうで**［痩せ腕］①やせたうで。②⇩ほそうで（細腕）②。「女の―で店を支える」

**やせおとろ・える**［痩せ衰える］《自下一》〔病気などで〕やせて力がなくなる。

**やせがた**［痩せ型］やせている体型。（↕肥満型）

**やせがまん**［痩せ我慢］《名・自サ》むりに平気そうに見せかけて、がまんすること。「―をはる」

**やせが・れる**［痩せ枯れる］《自下一》やせ細っておとろえる。

**やせぎす**［痩せぎす］《名・ナダ》やせて骨ばって見える〈こと／人〉。

**やせこ・ける**［痩せこける］《自下一》ひどくやせて、からだや顔の肉が落ちる。やせっこける。

**やせさらば・える**［痩せさらばえる］《自下一》〔文〕やせて骨と皮だけのようになる。やせさらぼう。やせさらぼう。「痩せさらばえたすて犬」

**やせじし**［痩せ△肉］〔文〕やせたにくづき。

**やせじょたい**［痩せ所帯］まずしい所帯。

**やせち**［痩せ地］地味の悪い土地。

**やせっぽち**［痩せっぽち］〔俗〕やせている〈こと／人〉を、あざけることば。やせっぽ。（↕でぶ）

**やせほそ・る**［痩せ細る］《自五》①やせて からだが細くなる。（↕肥え太る）②減ったり、おとろえたりして、本来の状態でなくなる。「税収が―」

**や・せる**［痩せる・×瘠せる］《自下一》①からだの肉がへって細くなる（ようにする）。「痩せた人・もっと痩せたい」（↕太る・肥える）②はばが細くなる。「二十三夜の痩せた月・痩せた尾根」③石などが多く、生産力が少なくなる。「痩せた土地・地味が痩せている」（↕肥える）④中身が少なくなる。ゆたかさが欠ける。「痩せた月給袋・川が―・芸が―」［可能］痩せられる。痩せれる〔俗〕。●**痩せても枯れても**［句］どんなに落ちぶれても。「―往年の大女優だ」●**やせるおもい**［痩せる思い］心配のあまり からだがやせてしまうように感じること。「―で見守る」

**やせん**［夜戦］《軍》よるの戦闘。

**やせん**［野戦］《軍》①〔城や要塞以外の〕野原・平地での戦闘。②戦場。「―病院」

**やせん**［野選］〔↑野手選択〕《野球》⇩フィルダースチョイス。

**やぜん**［夜前］〔文〕きのうの よる。ゆうべ。

**ヤソ**［〔:耶蘇〕］〔ラ Jesus〕〔古風〕①⇩イエスキリスト。②キリスト教(徒)。

**やそう**［野草］山野や道ばたなどに はえる草。

**やぞう**［弥蔵］にぎりこぶしを着物のふところに入れ、乳の上のあたりで突き上げるようにする かっこう。「―をこしらえる」

**やそうきょく**［夜想曲］《音》よるの情景・気分をあらわした曲。ノクターン。

**ヤソきょう**［〔:耶蘇〕教］〔古風〕キリスト教。

**やそじ**［〔八△十:路〕］〔＝八十〕①〔雅〕八十歳。②八十代。

**や・だ**〔↑いや（嫌）だ〕〔話〕［一］《ナダ》⇩や《ナダ》。［二］《感》〔女〕おどろいた。いやだ。「―、もう こんな時間・―、うれしい」［由来］⇩じ［接尾］［二］。

**やたい**［屋台］①屋根と車を取りつけ、道ばたで品物を売る台。「―の店・―そば・―村」②祭礼のときに出す、屋根つきの だし（山車）。③《芝居》家の形に作った大道具。「―くずし（＝家がこわれたように見せかけるしかけ）」④↑屋台骨。●**やたいばやし**［屋台△（×囃:子）］⇩ばかばやし。●**やたいぼね**［屋台骨］①屋台や建物の骨組み。土台。②家庭や組織を支える〈人／もの〉。財産。「―を揺るがすような大事件」

**やたけに**［〔弥△猛に〕］《副》〔雅〕いよいよ たけって。「心は―はやれども」

**やたけび**［矢（△叫び）］矢を的に当てたときや、戦いを始めるときに、勢いよく〈声をあげること／あげる声〉。矢さけび。矢ごえ。「―の声」

**やたて**［矢立て］①矢を入れ、入れもの。②武士が「矢立て①」の中に入れて携帯した すずり箱。③墨つぼに、筆を入れる筒のついた、携帯用の筆記用具。

［やたて ③］

**やだま**［矢弾・矢玉］矢と鉄砲の たま。「―が尽きる」

**やたら**［〔:矢鱈〕］《副・ナダ》むやみに するようす。「あたりを―に走り回る・―(と)大声を出すんじゃない・―めったら（＝『やたら』を強めた言い方）」●**やたらづけ**［やたら漬け］いろいろの野菜を刻んで軽く つけた、塩づけ。

**やち**［△谷地］浅い谷のような形の、低くてじめじめした土地。やつ（谷津）。

**やちぐさ**［八千草］〔雅〕たくさんの草。「庭にしげる―」

**やちゅう**［夜中］［一］**やちゅう**〔文〕よるの間。よなか。［二］**やちゅう**↑夜間中学。☞よなか（夜中）。

**やちょ**［野×猪］〔文〕いのしし。

**やちよ**［八千代］〔雅〕多くの年代。よろずよ。「千代に―に（＝いついつまでも）」

**やちょう**［野鳥］野山に すむ鳥。（↕飼い鳥）

**やちん**［家賃］家の借り賃。たなちん。

**＊＊やつ**［〔△奴〕・ヤツ］〔俗〕［一］①〔男〕人を〈ののしって／親しんで〉言うことば。「お前という―は・忘れる―があるか・いい―だ」②〔同類のある〕もの。こと。「もっと大きい―はないの？・ドラマで よくある―だ」〔二〇一〇年代から、同類を意識しなくても使う。「これは まねしたら危険な―だ（＝危険だ）」〕［二］《代》あいつ。きゃつ。〔ののしって、または、親しんで言う〕「―にも話してやろう」▽［一］［二］ぞんざいな言い方。

**やつ**［八つ］［一］［遺］〔文〕やっつ。「―切り」［二］**やつ** 昔の時刻の名。今の〈午前／午後〉二時ごろ。やつどき。

**やつあたり**［八つ当たり］《名・自サ》腹を立てて、関係のない人にまで当たりちらすこと。

**やっか**［薬価］〔文〕くすりの値段。「〔厚生労働省の定める〕ー基準」

**やっか**［薬科］①くすりに関する学科。「ー大学」②薬学部。

**やっか**［薬禍］〔文〕くすりの副作用によってこうむる災難。薬害。

**やっかい**［訳解］《名・他サ》〔文〕訳して説明すること。訳文と注解。

**やっかい**［〈厄介〉］《名・ナダ》①手数がかかって、めんどうな〈こと／ようす〉。「ーな話を持ちこむ・ーをかける・ー者」②めんどうなせわ。「親せきのーになる」派ーさ。

●**やっかいばらい**［〈厄介〉払い］《名・他サ》やっかいをかけているものをおいはらうこと。「ーをしてせいせいした」↑たい。

**やつがしら**［〈八頭〉］サトイモの一種。大形で、少しかたい。

**やっか・む**《他五》〔俗〕ねたむ。そねむ。名やっかみ。

**やつがれ**［〈△僕〉］《代》〔文・男〕自分をへりくだって言うことば。

**やっかん**［約款］《法》多くの人と契約を結ぶとき、あらかじめ用意しておく契約書の条項。

**やっき**［躍起］《名・ナダ》あせってむきになること。「ーに（なって）活動する・ーとなって」

☆☆**やつぎばや**［矢継ぎ早］《名・ナダ》〔=矢のつぎかえがはやいこと〕続けざまにおこなうこと。たたみかけること。「ーに質問する」

**やっきほう**［薬機法］《法》医薬品・医療機器などの規制に関する法律。医薬品医療機器等法。〔もとの「薬事法」を改正し、二〇一四年から施行〕

**やっきょう**［薬×莢］《軍》たまをうち出す火薬を包み入れた、金属製の筒。

**やっきょく**［薬局］①〔病院・医院などで〕くすりを調合する所。②薬剤師が常駐し、調剤施設を持つ、くすり屋。「調剤ー」☞薬店。●**やっきょくほう**［薬局方］《医》薬剤の製法・性質・あたえる分量などを規定した書物。局方。「日本ー〔=国内の薬剤についての規格書〕」

**やつぎり**［八つ切り］①八等分に切ること。「ジャガイモをーにする」②《写真》一六・五センチ×二一・六センチの大きさ。八つ切り判。③〔画用紙で〕「四つ切り③」の半分の大きさ。八つ切り判。

**やつくち**［八つ口］《服》〔女性の着物で〕両わきの下の、少しあいた部分。身八つ口。☞振り一④。

**やづくり**［家作り］家の作り方。「昔ふうのー」

**ヤッケ**〔ド Jacke=上着〕〔↑ウインドヤッケ〕⇩アノラック。

**やっこ**［〈△奴〉］一〔↑やっこ《=家の子。下男》〕①武家の、中間。②江戸時代の男だて（伊達）。侠客。③〔俗〕野郎。「どこのーだ」④⇩冷ややっこ。⑤《料》冷ややっこの大きさ。小皿にのるほどの直方体。「ーに切る」二《代》〔ーさん〕〔俗〕あいつ。大将。「ーさん今どうしているかな」

●**やっこだこ**［〈△奴×凧〉］「やっこ一①」の姿に似せて作ったたこ。●**やっこどうふ**［〈△奴〉豆腐］⇩冷ややっこ。

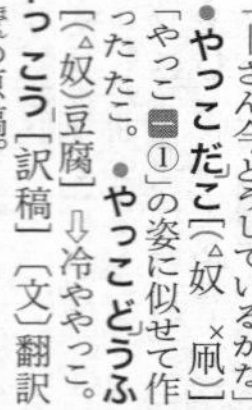

［やっこだこ］

**やっこう**［訳稿］〔文〕翻訳の原稿。

**やっこう**［薬効］〔文〕くすりのききめ。

**やつざき**［八つ裂き］ずたずたにさくこと。

**やっさ-もっさ**《副・自サ》〔俗〕①人が多くて混雑するようす。②交渉などがもつれるようす。

**やつ・す**［〈×窶す〉・〈×俏す〉］《他五》①わざと〈みすぼらしい／目立たない〉服装に変える。「山伏姿に身をー」②やつれるほど夢中になる。③〔関西方言〕けしょうをする。名やつし。「歌舞伎のー」☞憂き身をやつす〔「憂き身」の句〕・身をやつす〔「身」の句〕。

**やった**《感》〔話〕ものごとがうまくいったときに言うことば。やったあ。「ー、合格だ」

**やっちゃば**［やっちゃ場］〔東京方言〕〔俗〕青物市場。青果市場。

**やっつ**［八つ］①七つより一つだけ多い数。はち。やつ。②八歳。

**やっつけ** 急場しのぎで作ること。やっつけ仕事。「ーの弁当・ー企画」●**やっつけしごと**［やっつけ仕事］まにあわせにする、いいかげんな仕事。手をぬいた仕事。やっつけ。

**やっつ・ける**《他下一》〔↑遣り付ける〕①敵を〈負かす／殺す〉。相手を懲らしめる。「悪者をー」②思い切っておこなう。「早くこの仕事をやっつけよう」③食べきる。「残りものをー」

**やつで**［〈八手〉］庭に植える、背の低い常緑樹。大きな手のひらのような、かたい葉をつける。

**やってい・く**［やって（行く）］《他五》①人とのつきあい・仕事などを続ける。「友だちとー方法」②暮らす。生活する。▽やってゆく。やってく〔話〕。

**やっていられ・ない**《形ヌズ》①たえられない。続けていけない。「ばかばかしくてー」②つきあいきれない。「君とはー」▽やってられない・やってらんない〔話〕。

**やって・いる**《自上一》①暮らしている。「元気でーか？」②〔俗〕〔受け身の形のように使って〕〔放送・もよおしなどが〕おこなわれている。「ドラマがー〔『ドラマをー』ならばふつうの言い方〕」▽やってる〔話〕。

**やって・くる**［やって（来る）］《自カ》①「来る」を強めたことば。「わが家にネコがー・正月がー」②〔仕事・生活などを〕続けてくる。「お客さまのおかげで、今までやってこられた」

**やっての・ける**《他下一》〔あざやかに〕やって、かたづける。「みごとにー」

*__やっと__《副》①長い間かかって望ましい状態になるようす。「ー完成した・ーのことで抜け出した」②かろうじて。「ー食べていける」

**やっとう**〔剣道のかけ声「やっ」「とう」から〕〔古風・俗〕剣道。「ーの先生」

**やっとこ**［〈×鋏〉］針金・板金・熱した鉄などをはさんで持つ、くぎぬきに似た工具。

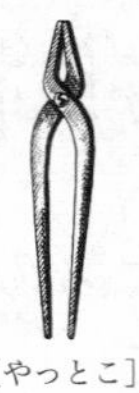

［やっとこ］

**やっとこさ**《副》〔俗〕やっと（のこと）。やっとこ（さっとこ）。「ーたどり着いた・ー食うだけで精いっぱい」

**やっぱ**《副》〔俗〕⇩やっぱり。「ビールには、ー枝豆でしょ」

**やつはし**［八つ橋・八ツ橋］半円筒形の、かたくてあまい焼き菓子。肉桂〔=シナモン〕で風味をつけてある。〔京都の名物〕「生ー〔=八つ橋の生地を焼かずに、あずきあんなどをくるんだもの〉」

**やっぱし**《副》〔俗〕⇩やっぱり。

**やっぱら**【〈△奴:原〉】〔古風〕やっら。

***やっぱり**《副》〔話〕①⇩やはり。②〈相手の同意を得ようとして〉発言の最初や途中で、ついくり返すことば。「—この問題は、—日本の進路にかかわると思います」▽やっぱ・やっぱし〔俗〕。表記「:矢っ張り」とも書いた。

**ヤッホー**《感》〔yo-ho〕①〔話〕登山中の人たちなどが呼びあう声。②〔俗〕こんにちは。やあ。ハロー。

**やつめうなぎ**【〈八目×鰻〉】川口などにすむ、ウナギに似たさかな。目のうしろに、目のような形の えらが七つある。食用・薬用。

**やつら**【〈△奴△等〉】《名・代》〔俗〕「やつ」の複数。

**やつ・れる**【〈×窶れる〉】《自下一》①やせおとろえる。②〈みすぼらしく/見苦しく〉なる。「やつれた身なり」名やつれ。「—顔」

**やと**【〈△谷戸〉】〔方〕平地へ突っき出た丘と丘に はさまれた土地。また、浅い谷あい。やつ。

**やど**【宿】①すみか。住む家。「埴生の—・—なし」②宿屋。旅館。泊まるところ。「—を取る(=ⓐ泊まる。ⓑ宿を予約する)・—を借りる(=家に泊めてもらう)」③奉公人の〈親もと/保証人の家〉。「—下がり」④〔古風〕自分の夫。

**やとい**【雇い】㊀【雇い】やとうこと。また、やとい人。㊁【雇・×傭】〔もと、官庁で〕任官していない下級の職員。臨時の職員。

●**やとい・れる**【雇い入れる】《他下一》やとって、自分の使用人にする。名雇い入れ。

●**やといどめ**【雇い止め】期間を定めた労働契約が終わったときに、契約を更新しないこと。

●**やといにん**【雇い人】やとわれた人。使用人。(↕雇い主)

●**やといぬし**【雇い主】やとう人。やとい手。使用者。(↕雇い人)

**やとう**【夜盗】〔文〕よる、ぬすみをする〈こと/者〉。ようとう。

**やとう**【野盗】〔文〕山賊・追いはぎなど、人から物をうばう盗賊。

**やとう**【野党】政権をにぎっていない政党。(↕与党)

**やと・う**【雇う・×傭う】《他五》①賃金・給料をはらって、人を使う。「アルバイト〈を/に〉—」②料金をはらって、乗り物を使う。「ハイヤーを—」

**やどがえ**【宿替え】《名・自サ》①転居。引っこし。②とまっている旅館を変わること。

**やどかり**【〈宿借〉】カニに似た小さな動物。巻き貝をおそって、うばった殻にすむ。ごうな。

**やど・す**【宿す】《他五》〔文〕①内部に持つ。「非行のたねを—」②妊娠する。「子を—」③表面に〈映す/とどまらせる〉。「池の水に月影を—・草の葉に露を—」

**やどせん**【宿銭】〔古風〕やどちん。宿代。

**やどちょう**【宿帳】宿屋で、とまる人が住所・姓名を書く帳面。

**やどちん**【宿賃】宿屋にとまるとき はらう料金。宿銭。

**やとな**〔↑やとい仲居。古風な関西方言〕宴会のときやとわれて、給仕やおしゃくなどをする女性。

**やどなし**【宿(無し)】決まった住所がない〈こと/人〉。いえなし。

**やどぬし**【宿主】①宿の主人。②《生》⇩しゅくしゅ。

**やどや**【宿屋】〔古風〕客をとめる商売の家。旅館。

**やどり**【宿り】〔文〕宿る〈こと/所〉。(永住する気のない)すみか。「仮の—」

●**やどりぎ** ㊀【宿り木・:寄生木】ほかの木に寄生する植物。例、ネナシカズラ。㊁【〈宿木〉】ほかの大きな木の枝の上に根をおろす常緑樹。竹とんぼのような葉を出し、赤い実を結ぶ。ほや。

**やど・る**【宿る】《自五》〔文〕①旅行中に泊まる。「一夜岩かげに—」②いちじ、とどまる。「露が—」③住む。「健全な精神は健全な肉体に—」④妊娠する。「新しい命が—」⑤寄生する。「巻き貝にヤドカリが—」⑥月・惑星などが動いて、その星座に いる。「火星が みずがめ座に—」

**やどろく**【宿六】〔↑宿の ろくでなし〕〔古風〕夫をかろんじて言うことば。「うちの—ときたら」(↕山の神)

**やどわり**【宿割り】多くの人をとめるために宿舎や部屋を割り当てる〈こと/係の人〉。

**やとわれ**【雇われ】やとわれた身分であること。「—の身・—店長・〔バーの〕—マダム」

**やな**【〈×簗〉・〈×梁〉】川に木・竹などをならべて水流をさえぎり、さかなをとる しかけ。

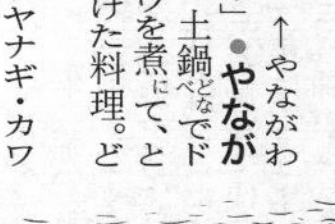
［やな］

**やながわ**【△柳川】↑やながわなべ。「イワシの—ふう」

●**やながわなべ**【△柳川鍋】土鍋でドジョウとささがきゴボウを煮て、ときほぐした たまごをかけた料理。どじょうなべ。柳川。

**やなぎ**【柳】①シダレヤナギ・カワヤナギ・ネコヤナギなど、水べに多い落葉樹。春、銀色の綿のような感じの花をつける。②特に、シダレヤナギ。

●**柳に風**句 さからわないで、あいまいに かわすこと。「記者に聞かれても—だ・求婚を—と受け流す」

●**柳に雪折れなし**句 弾力のあるものは、弱そうに見えても、かえって、かたいものより強いものだ。

●**やなぎごうり**【柳(行×李)】コリヤナギ(=背の低いヤナギ)の枝を糸で編んで作ったこうり。やなぎごり。

●**やなぎごし**【柳腰】〔女性の〕ほっそりして、しなやかな腰つき。

●**やなぎだる**【柳(×樽)】⇩つのだる。表記結納の品書きでは「:家内喜多留」と書く。

●**やなぎのした**【柳の下】(=柳の下に流れる川)

●**柳の下にいつもどじょう(泥鰌)はいない**句 一度成功した方法が、いつも うまくいくとは限らない。

●**やなぎのしたのどじょう**【柳の下の(:泥鰌)】二匹目のどじょう。「—をねらう」例のまねをすること。

●**やなぎば**【柳刃】↑柳刃包丁。やなぎっぱ。

●**やなぎばぼうちょう**【柳刃包丁】一般的なさしみ包丁。ヤナギの葉のように細長く、先が とがっている。やなぎぼ。

**やなぐい**【〈:胡籙〉】昔、武士が腰の右につけた、矢の入れもの。胡籙。

**やなみ**【家並み・屋並み】家の ならび方。ならんだ家。いえなみ。「ごたごたした—」

**やなり**【家鳴り】《名・自サ》家が音を立ててゆれ動くこと。また、その音。

**やに**【〈△脂〉】①木の幹や皮からにじみ出る、水あめのような色の液体。空気にふれると かたまって、ねばねばした感じになる。樹脂(じゅし)。②キセルや歯などにたまる、タバコから出る粘液(ねんえき)。③目やに。

**やに**《副》〔俗〕↑いやに。「―さわがしいじゃないか」

**やに**《格助》〔文〕不確かな推測をのべる気持ちをあらわす。…のではないかと。…ように。「反対する向きもある―伝えられる」

**やにさが・る**［▵脂下がる］《自五》得意になってにやにやする。由来 キセルの雁首(がんくび)を上げてくわえる姿勢から。タバコのやにが、吸い口に下がってきてしまう。

**やにっこ・い**［▵脂っこい］《形》〔俗〕やにの成分が多い。派 -さ。

**やにめ**［▵脂目］①目やにのついた目。②〔医〕まぶたの内がわに炎症(えんしょう)を起こして、目やにが出る状態。

**やにょう**［夜尿］〔医〕ねしょうべん。「―症(しょう)」

☆☆**やにわに**［(矢庭に)］(やにはに)《副》(矢庭=〈矢を射た／矢に当たった〉その場所)①たちどころに。すぐさま。「―刀を抜(ぬ)いて切りかかった」②だしぬけに。いきなり。とつぜん。「―飛び出した」

**やぬし**［家主］貸家の持ち主。いえぬし。

**ヤヌス**〔ラ Janus〕ローマ神話の戸口(とぐち)の神。門の外と内とを見る二つの顔を持つ。

**やぬち**［家▵内］〔文〕家の中。

**やね**［屋根］①建物の上のおおい。「丸―・―がわら」②雨や露(つゆ)を防ぐもの。「苗床(なえどこ)の―・乗用車の―」③いちばん高い所のたとえ。「世界の―ヒマラヤ」

**やねうら**［屋根裏］①屋根の裏がわの部分。小屋裏。②屋根のすぐ下の、せまい部屋。屋根裏部屋。「―に住む」

**やねぶね**［屋根船］簡単な屋根をかけた小さな船。

**やのあさって**［(弥の:明後日)］①しあさっての次の日。②〔東日本方言〕しあさって。▽やな(あ)さって。

**やの-さいそく**［矢の催促］しきりに、せきたてて催促すること。「すぐ来い、と―だ」

**やのじむすび**［やの字結び］「や」の字の形に結ぶ、女性の帯の結び方。(たて)やの字。

［やのじむすび］

**やのね**［矢の根］⇩やじり。「―石(=黒曜石などで作った石器。石鏃(せきぞく))」

**やば**［矢場］弓を射る所。ゆば(弓場)。

**やば・い**《形》〔「ヤバい」とも書く〕〔俗〕①あぶない。「―、警察が来るぞ・―仕事(=ⓐ法にふれる仕事。ⓑ安全でない仕事)・もう帰らないと―(=困ることになる)」②すばらしい。感動や感激が強すぎてあぶない。「今度の新車が―・コンサートが楽しみすぎて―」③〔程度が〕大きい。「教科書の量が―・―(=すごく)おいしいよ・〔下の語と複合して〕やばうまい」▽副詞・感動詞的には「やべ(っ)」「やっべ」とも。由来 江戸(えど)時代のことば「やば(=あぶないようす)」から。①の例は明治時代からあった。②は一九七〇年代から例があり、二十一世紀になって広まった。③はそのあとに広まった。派 -さ。

**ヤハウェ**〔Yahweh=ヘブライ語の音訳〕《宗》⇩エホバ。

**やはず**［矢×筈］①矢の、つるにかける部分。はず。②矢羽根に似た模様。③先に股(また)をつけて、かけ軸(じく)をかけるための、棒。

**やばね**［矢羽根］①矢がまっすぐ飛ぶように、矢の元のところに付けた羽根。②「やばね①」の形のしるし。天気図では、その数で風力をあらわす。

**やはり《副》①〈前／ほか〉と同じであるようす。「今でも―あのままだ」②〈前から〉思ったとおり。「―だめだったか」③あらためて〈考えると／考えた結果〉。「いや、―おかしい・―行くことにしました」④一般(いっぱん)にそう言われているとおり。「―学者だけのことはある」⑤〔話〕表現をやわらげ〈相手の同意を求める〉。「―こういうことだと思いますが」〔ついくり返すこともある。話しことばの「やっぱり」のほうがその傾向(けいこう)が強い〕▽やっぱり。由来「やわら」「やわらか」と同語源。表記「:矢張り」とも書いた。

**やはん**［夜半］〔文〕よなか。よわ。「―の雨」〔気象では午前〇時の前後、合わせて一時間ほど〕

**やばん**［野蛮］《名・ナダ》①文明が進んでいないこと。「―人」(↔文明)②無教養。粗野(そや)なこと。「―なふるまい」派 -さ。

**やひ**［野卑・野×鄙］《名・ナダ》〔文〕下品でいやしいこと。「―な言動」派 -さ。

**やぶ**［(×藪)］①背の低い木やつる草などがいちめんにおいしげって、ふみこめない所。ブッシュ。②竹やぶ。③↑やぶ医者。④↑やぶそば。☞やぶの中。●**やぶから棒** 句 だしぬけ。とつぜん。「―に何を言い出すんだ」

●**やぶをつついて蛇(へび)を出す** 句 ⇩やぶへび。

**やぶいしゃ**［(×藪)医者］診療(しんりょう)のへたな、たよりにならない医者。やぶ。由来 鎌倉(かまくら)時代から「やぶ医師(くすし)」の形で使われた。「やぶ」には「いなか」の意味があり、関連が考えられる。「江戸(えど)時代、養父(やぶ)(=今の兵庫県の地名)にいた医者から」という説は、時代が合わない。

**やぶいり**［(×藪)入り］昔、正月とお盆(ぼん)の十六日に奉公人(ほうこうにん)が休みをとって自分の家に帰ったこと。また、その日。

**やぶうぐいす**［(×藪×鶯)］(―うぐひす)野山の低い木のしげみにいる(まだよく鳴けない)ウグイス。

**やぶか**［(×藪蚊)］カの一種。大形・黒茶色で、白いしま(縞)がある。さされると、痛くてかゆい。しまか(縞蚊)。

**やぶ・く**［破く］《他五》〔「やぶる」と「裂(さ)く」の合成語〕〔話〕引きさくように破る。「封筒(ふうとう)を―・服を破いてしまった」

**やぶ・ける**［破ける］《自下一》〔話〕やぶいた状態になる。

**やぶこうじ**［(×藪×柑子)］マンリョウによく似た、背の低い木。冬、赤くまるい実がたれ下がる。

☆☆**やぶさかでな・い**［(×吝かでない)］《形》(吝か=けちけちする)①積極的にやってもいいという気持ちだ。②それをするのがいやではない。▽「力を貸す(こと)に―・先方と会うのは―」〔「やぶさかではない」とも〕丁寧 やぶさかで(は)ありません。❗戦前から、「やぶさかでないが、事情があってできない」のように、やりたくない場合の社交辞令としても使った。現代では、さらにはっきりと「やってもいいが、実はいやだ」という意味で使うことも多い。

**やぶさめ**［(:流鏑馬)］馬に乗って走りながら、かぶら矢で三つのまとを射ること。神事として伝わる。

**やぶそば**［(×藪:蕎麦)］①甘皮(あまかわ)のついたままひいたそば粉で作った、うす緑色のそば。②「やぶそば①」を出すそば店の屋号。

**やぶだたみ**[×藪畳] ①竹やぶの しげったところ。②〔芝居〕葉のついた竹を短く切ってたばね、竹やぶに見せる大道具。

**やぶつばき**[×藪×椿] 野生のツバキ。

**やぶにらみ**[×藪×睨み] ①〔俗〕斜視。②見当ちがいのことを言ったりしたりすること。

**やぶのなか**[×藪の中] 言い分が食いちがっていて、真相はだれにもわからないこと。由来 芥川龍之介の作品名から。

☆☆**やぶへび**[×藪蛇]〔←やぶをつついて蛇を出す〕よけいなことをして、かえって思わぬ災難を受けること。「それを言うと―になる」

**やぶみ**[矢文] 矢に結びつけ、弓で はなって相手のもとに届ける手紙。

**やぶ・る**[破る]《他五》①うすいものを、裂いたり ちぎったりして、形をこわす。やぶく。「紙を―・ふくろを―」②〈うすい/平らな〉ものに力を加えて、穴をあける。「かべを―・たまごの からを―」③しずかな状態を終わらせる。「平和を―・夢を―・沈黙を―」④決まったものごと〈に そむく/を思い切って変える〉。「規則を―・約束を―・慣例を―」(↔守る) ⑤仕切りや線をこえる。「記録を―・関所を―」⑥〔議論して、また、勝負で〕負かす。勝つ。「選挙で新人が現職を―」

**やぶれ**[破れ] 破れること。破れた〈所/程度〉。●**やぶれかぶれ**[破れかぶれ]《ナダ》やけになるようす。やけくそ。すてばち。「こうなったら―だ・―な気持ち」●**やぶれめ**[破れ目] 破れて、穴の あいた所。「障子の―から のぞく」

↑**やぶ・れる**[破れる]《自下一》①破った状態になる。「紙が―・平和が―」②〔文〕ほろびる。「国破れて山河あり〔⇩「国」の句〕」

↑**やぶ・れる**[敗れる]《自下一》〔議論・勝負などで〕負ける。「織田信長に―・政争に―」

**やぶん**[夜分]〔分=…時分〕夜。夜間。「―は すずしい・―にうかがいまして、申し訳ありません」✓今では多く、相手の めいわくになる時間という意味合いで使う。「夜分に おいでくださって…」と言うと、相手に失礼にひびく。

**やぼ**[(:野暮)・ヤボ]《名・ナダ》①気がきかなくて、世間の習わしや細かい人情に うといようす。粋でない〈ようす/人〉。「―なことを言う」②洗練されていなくて、いなかくさい〈ようす/人〉。「―くさい」▽無粋。(↔粋) 派-さ。

**やぼう**[野望] 野心。非望。「―をいだく」

**やぼった・い**[(:野暮ったい)]《形》やぼな感じがするようすだ。派-さ。

**やぼてん**[(:野暮天)]〔古風〕非常に やぼな〈こと/人〉。

**やぼよう**[(:野暮)用]〔話〕〔遊びや趣味のためでない〕実務上での(つまらない)用。「―ができまして」

＊＊**やま**[山] 一やま ①(すりばちをふせたように)周囲よりも非常に高くもり上がった土地。「―に登る」(↔谷) 区別 古くは特に、「山」は低い山や雑木林も ふくんだのに対し、「岳」は高くけわしい山を指した。「丘」は山より低いが、区別は あいまい。②雑木林。里山。「おじいさんは―へ しば(柴)かりに」③鉱山。④高くもり上がった〈もの/ところ〉。「砂の―・ごみの―・タイヤの―・小さじ―〔=山もり〕一ぱい」☞ひと山。⑤いちばん高い部分。頂点。ピーク。「景気の―」(↔谷) ⑥いちばん たいへんなところ。「議会は きょうが―だ・文章の―〔=もり上がり〕」⑦《警察》〔俗〕事件。「大きな―」⑧〔試験で何が出題されるかなどの〕結果についての予想。「―が外れる」⑨山車。〔祇園祭では、山鉾のうち、舞台に人形をのせた山車。〕(↔鉾)「―をかつぐ」⑩〈多い/高い/大きい〉もののたとえ。「―のような宿題」☞山と。表記 ③⑦⑧「ヤマ」とも。二 造「山」一①に住むもの。「―犬〔=野生化した犬〕・―うば」●**山あり谷あり** 句 いい時期も悪い時期もあって、変化に富むようす。「人生―・―のストーリー」●**山が見える** 句 完成・終わりが近づく。「この仕事もやっと山が見えた」●**山高きが故に貴からず** 句 山は高いから価値があるのではない。見かけではなく、中身が肝心だ。〔「実語教」にあることばで、「樹有るを以て貴しとす〔=役に立つ木があるから価値があるのだ〕」と続く〕●**山高ければ谷深し** 句 相場が上がれば、必ず下がる。景気がよくなれば、必ず悪くなる。●**山眠る** 句〔俳句〕草木も枯れた、冬の山のさびしい様子を言うことば。(↔山笑う) ●**山笑う** 句〔俳句〕新芽の出るころの、活動しはじめようとする山の様子を言うことば。(↔山眠る) ●**山を当てる** 句 ①うまく鉱脈をさがしあてる。②試験問題などを、うまく予想する。(↔山を外す) 直 山が当たる。(↔山が外れる) ●**山をかける** 句 試験問題などの予想をする。山を張る。●**山を越す** 句〔交渉や会議などの〕いちばんむずかしいところを通りすぎる。峠を越す。●**山を立てる** 句 陸地の山・岬などを目じるしにして、釣り場・船の位置をたしかめる。直 山が立つ。●**山を張る** 句 ⇩山をかける 句。●**山を踏む** 句〔俗〕罪となることをする。事件を起こす。

**やまあい**[山△間]〔―あい〕山と山の あいだ(の低地)。「―の村」

**やまあらし** 一[(山荒)] 外国種の、小形のけもの。からだはウサギぐらいの大きさで、胴・尾に とげのような太い長い毛がある。二[山荒らし] 山の木や高山植物を勝手に取って、山をあらす〈こと/人〉。

**やまあらし**[山嵐] ①山でふく、強い風。②山からふいてくる、強い風。

**やまあるき**[山歩き]《名・自サ》〔趣味などで〕山の中を歩くこと。「―を楽しむ」

**やまい**[病] ①病気。「―には勝てない・―の床」②よくない くせ・性質。欠点。「おこりっぽいのが おまえの―だ」●☆☆**病膏肓に入る** 句 病気や悪いくせなどがひどくなって急には治すことのできない状態のたとえ。〔「肓」と「盲」を混同して、「病膏盲に入る」と使われることも多い〕●**病は気から** 句 病気は、気の持ちようで よくも悪くもなる。●**病を養う** 句〔文〕療養する。静養する。●**病を得る** 句〔文〕病気にかかる。

●**やまいだれ**[病(垂れ)]〔文〕漢字の部首の一つ。「病」「痛」などの、「疒」の部分。

**やまいぬ** 一[山犬] 野生の犬。二[(山犬)] 日本にいた、小形のオオカミ。ニホンオオカミ。

**やまいも**[山芋・(:薯蕷)]〔←やまのいも〕

**やまうた**[山歌・山唄] 山で仕事をする人が歌う歌。

や

**やまうば**【山(×姥)】⇩やまんば。

**やまおく**【山奥】山のおくのほう。

**やまおとこ**【山男】①山の中に住むという、男の怪物。②〈山/鉱山〉で仕事をする男。③山が好きで、いつも山登りを楽しむ男。(↔山女)

**やまおり**【山折り】折り目が外がわになるように、紙などを折ること。(↔谷折り)

**やまおろし**【山(×颪)】山からふきおろす風。

**やまおんな**【山女】山が好きでいつも山登りを楽しむ女。(↔山男)

**やまが**【山家】(=山処)山里。山村。「—育ち」

**やまかい**【山(△峡)】〔雅〕山と山とにはさまれた所。「—の村」

**やまかがし**【(:赤楝蛇)】ヘビの一種。野山にすみ、赤茶色をおびる。奥歯の基部から毒を出す。

**やまかけ**【(山掛け)】①とろろいもをすりおろしてかけた料理。「マグロの—・—そば」②〔俗〕〔試験で〕山をかけること。予想。

←**やまかげ**【山陰】山の〈かげ/日かげ〉になった所。「—にしずむ夕日」

→**やまかげ**【山影】山の姿や形。「うっすらとけむる—・湖に映る—」

**やまかご**【山(×駕△籠)】昔、山道で人を乗せるときに使った、竹で編んだ軽便なかご。

**やまかじ**【山火事】山の草木が燃えて起こる火事。山火。

**やまかぜ**【山風】①山の中でふく風。山の奥からふいてくる風。②夜、山の斜面にそってふきおろす風。(↔谷風)

**やまがたな**【山刀】きこりが使う、なたに似た刃物。

**やまがつ**【山(×賤)】〔雅〕山の中で生活する、きこり・猟師など。

**やまがっこ**【山(括弧)】かっこの一種で、山の形をしたもの。〈 〉。やま(がた)かっこ。

**やまがら**【(山×雀)】小鳥の名。スズメぐらいの大きさで、背のほうはくり色・灰色。腹のほうはうす茶色。教えると、よく芸を覚える。

**やまがり**【山狩り】《名・自サ》①山で狩りをすること。②山の中ににげこんだ犯人などを追って、山じゅうをさがすこと。

**やまかわ**【山川】山と川。「幾—を越え行けば」⇨やまがわ(山川)。

**やまがわ**【山川】山を流れる川。「—の早瀬」⇨やまかわ(山川)。

**やまかん**【ヤマカン】〔俗〕(当てもので)根拠のない判断。あてずっぽう。「—で答える」【由来】山を張る勘のこと。「戦国時代の軍師、山本勘助の名から」という説はこじつけ。

**やまぎわ**【山際】〔雅〕山のすぐ近く(の空)。

**やまくじら**【山鯨】イノシシの肉。

**やまくずれ**【山崩れ】《地》豪雨や地震などのために、山の中腹の土や岩が急にくずれおちること。

**やまぐに**【山国】〈山の多い/四方が山に囲まれた〉国や地方。

**やまけ**【山(気)】冒険や投機を好む心。やまっけ。やまき。やまぎ。「—のある人物」

**やまごえ**【山越え】《名・自サ》①山をこえること。やまごし。②昔、関所をさけて、ぬけ道から山をこえたこと。

**やまごし**【山越し】《名・自サ》山ごえ。

**やまことば**【山(言葉)】きこり・猟師などが山にはいったときだけに使う特別のことば。例、風は「そよ」、米は「草の実」など。

**やまごもり**【山(籠もり)】《名・自サ》山の中にこもっていること。

**やまごや**【山小屋】登山者のため、山の中に建てた小屋。ヒュッテ。

**やまさか**【山坂】①山と坂。「—こえて」(人生などのきびしい歩みのたとえにも)②山にある坂道。「箱根の—」

**やまざくら** ㊀【山桜】山にはえている桜。㊁【(山桜)】桜の一種。若葉が出るのといっしょに白い花がさく。

**やまさち**【山幸】〔雅〕⇩やまのさち。(↔海幸)

**やまざと**【山里】山の中の人里。

**やまざる**【山猿】①山にすむサル。②〔俗〕山里に住む人をばかにして言うことば。

**やまし**【山師】①鉱物をほり出す(ことを職業とする)人。また、鉱山ブローカー。②山林を売買する人。また、山で仕事をする人。③投機や冒険を好む人。④詐欺師。

**やまじ**【山路】〔雅〕山の中のこみち。

**やましい**【(×疚しい)】《形》(悪いことをして)心がとがめる気持ちだ。「—ところがある」【派】—げ。—さ。

**やましごと**【山仕事】木を切りたおしたり、炭を焼いたりの、山でする仕事。

**やましろ**【山城】旧国名の一つ。今の京都府の南部。城州。

**やますそ**【山裾】山の下の方の、なだらかな広い部分。

**やませ**【山背】〔東北地方で〕夏に東北の方向からふく、つめたい風。

**やまたいこく**【(△邪馬台国・×耶馬台国)】《歴》中国の史書「三国志」にある「魏志倭人伝」に、二世紀後半から三世紀前半のころ、日本にあったと書いてある国。女王卑弥呼が支配していた。位置については、北九州・大和などの説がある。やまとこく。

**やまたかぼう**【山高帽】上がまるくて高い帽子。男子が礼服のとき、かぶる。山高帽子。やまたか。

**やまだし**【山出し】(=切った材木を山から出すこと)いなかもの。「—のさむらい」

**やまっけ**【山っ(気)】⇩やまけ。

**やまつなみ**【山津波】〔古風〕⇩土石流。

**やまづみ**【山積み】《名・自他サ》①山のように高く積み〈上がる/上げる〉こと。「荷物が—になっている・荷物を—する」②たくさんたまっていること。山積。「—の懸案」

**やまて**【山手】①山に近いほう(の高台)。山の手。「—の住宅地」②〔海に対して〕山のある方角。(↔浜手)

**やまでら**【山寺】山の中の寺。

**やまと** ㊀【大和・×倭】①旧国名の一つ。今の奈良県。和州。倭州。「—路」②〔雅〕日本の国。㊁【ヤマト】〔沖縄方言〕「本土②」をさすことば。ヤマトゥ。「—口(=本土のことば)・—ンチュ(=本土の人)」(↔ウチナー) ●**やまといも**【大和芋】畑に作る、トロロイモの一種。平たくて、手のような形をしている。つくねいも。●**やまと」うた**［大和歌］〔雅〕和歌。（↕唐歌〔＝漢詩〕）●**やまと」え**［大和絵］《美術》①日本の風景・ものごとをかいた絵。②平安朝に起こった、日本画の一つの流派。●**やまと」おのこ**［大和（△男の子）］〔文〕日本の男子。●**やまと」ことば**［大和（言葉）］日本固有の ことば。和語。〔日本語のうち漢語・外来語でないものを特に さすときに言う〕●**やまと」しまね**［大和島根］〔雅〕日本の国。●**やまと」だましい**［大和魂］日本人に固有とされてきた精神。〔もと、中国文化の素養に対比して言い、近代の軍国主義のもとでは、日本人ならではの闘志の意味で使った〕●☆☆**やまと」なでしこ**［大和（×撫子）］①ナデシコの、別の呼び名。（↕唐なでしこ〔＝セキチク〕）②日本の女性。〔ほめて言うことば〕●**やまと」みんぞく**［大和民族］古い時代から日本列島に住みついている民族。

**やま」と**［山と］《副》山のようにうず高く。たくさん。「―積み上げる」

**やま」どり** ㊀［山鳥］山の中にすむ鳥。㊁［（山鳥）］山にすむ、中形の鳥。キジに似て、色は赤茶色。

**やま・ない**［（△止まない）］《形ヌズ》〔…して―〕〔文〕…して、終わることがない。どこまでも…する。「激動して―世界の情勢・実現を期待して―〔『已まない』とも書く〕」丁寧 やみません。「ご回復を願って―」

**やま」なす**［山成す］《連体》〔文〕山のように〈もり上がる/高くなる〉。「―波を乗り切る」

**やま」なみ**［山並み・山△脈］〔文〕山が ならんでいること。また、その山々。山脈。連山。

**やま」なり**［山（△形）］①山のような形。②〔野球で、スピードのないボールを投げたときの〕大きく弧をえがいてとぶ形。「―の たまを投げる」

**やま」なり**［山鳴り］《名・自サ》山が鳴りひびくこと。

**やま」ねこ** ㊀［山猫］野生のネコ。㊁［（山猫）］ネコに似た野獣。頭から せなかにかけて黒茶色の筋がある。日本には、対馬のツシマヤマネコと西表島のイリオモテヤマネコだけが生息する。●**やまねこ スト**［山猫スト］労働組合の支部が中央の承認を得ないで勝手に やるストライキ。

**やまの」いも**［（山の芋）・（:薯蕷）］野山にできるトロロイモ。つえ（杖）のように長くなり、よく ねばる。やまいも。☞ながいも。

**やまの」かみ**［山の神］①山を支配する神。②〔古風〕妻をこわがって言うことば。（↕宿六）

**やまの」さち**［山の幸］山でとれる、けもの・鳥。また、食用の草や木の実など。やまさち。（↕海の幸）

**やまの」て**［山の手］①山に近いほう。山手。「―を歩く」（↕浜手）②〔都会の〕高台の地域。住宅地が多い。〔東京では、四谷・青山・市谷・小石川・本郷方面〕「―ことば」（↕下町）

**やまの」は**［山の端］〔雅〕山のはし。「夕日が―に しずむころ」

**やまの」ひ**［山の日］国民の祝日の一つ。八月十一日。ハイキングをしたりして、山に親しみ、山に感謝する日。〔二〇一六年から実施〕

**やま」のぼり**［山登り］《名・自サ》（ちょっとした）登山。

**やま」ば**［山場・ヤマ場］ものごとの いちばんもり上が（っ）て緊張す）る場面。「交渉の―・前編の―を作る」

**やま」はい**［山廃］日本酒の造り方で、蒸し米をつぶす山卸という工程を廃止したもの。また、その製法で造った酒。「―仕込み」

**やま」はだ**［山肌］山の地はだ。

**やま」ばと**［（山×鳩）］野山にすむ、中形のハト。からだは灰色で、はねに茶色と空色の模様がある。鳴き声は、でっぽっぽう。きじばと。☞どばと。

**やま」ばん**［山番］持ち主から まかされて、山の管理をする人。山守。

**やま」びこ**［山（×彦）］山の こだま。

**やま」ひだ**［山（×襞）］〔尾根と谷の作る凹凸のために〕山はだが、ひだのように見える所。

**やま」びと**［山人］〔雅〕山里に住む人。

**やま」びより**［山日和］①山の、いい天気。②登山にいい天気。

**やま」びらき**［山開き］山小屋などが開かれ、その年はじめて一般の人が登山できるようになる〈こと/日〉。「富士山の―」

**やまぶか」・い**［山深い］《形》山奥に分け入ったところにあるようすだ。やまぶかい。「―宿」

**やま」ぶき**［（山吹）］枝が しだれる、背の低い木。春、あざやかな黄色の花をひらく。●**やまぶき いろ**［（山 吹）色］ヤマブキの花の色。だいだい色に近い黄色。「―の小判」

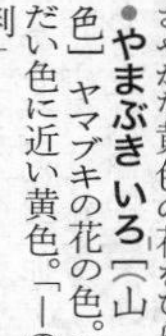
［やまぶき］

**やま」ぶし**［山伏］〔＝山の中に宿ること〕《仏》①野山に寝起きして修行する僧。②修験者。

**やま」ぶどう**［（山×葡×萄）］山に はえるブドウ。実は食用・飲用。つるは、かごなどを作るのに用いる。えびかずら（葡萄葛）。

**やま」ふところ**［山懐］深く山に囲まれた所。やまぶところ。

**やま」べ**［山辺］〔文〕①山の近く。「―の里」②山のある所。

**やま」べ** ①〔北海道・東北方言〕やまめ。②〔関東方言〕おいかわ。

**やま」ほこ**［山×鉾］山車のうち、山と鉾とをあわせた言い方。やまぼこ。「祇園祭の―・―巡行」

**やま」ほど**［山ほど］《副》たくさんあることの たとえ。「課題は―ある・食材を―買ってくる」

**やま」ほととぎす**［山（:時鳥）］〔雅〕山の中にすむホトトギス。

**やま」みち**［山道・山△路］山の中の みち。

**やま」むこう**［山向こう］山をこえた、向こうがわ。

**やま」め**［（山女）］谷川にすむ さかな。サクラマスが幼魚の時期に海にくだらず、川にとどまって成長したもの。黒い斑紋・斑点がある。食用。やまべ。「―の町」

**やま」もと**［山元］①山の持ち主。②炭坑・鉱山の現場。

**やま」もも**［（山桃）］庭や公園に植える常緑樹。実は赤く、サクランボより少し大きくて表面がでこぼこしている。ジャムなどにして食べる。

**やま」もり**［山盛り］山のように もり上げること。「―の飯」（↕す（摺）り切り）

や

**やまやき**［山焼き］《名・自サ》春の はじめに、山などの枯れ草を焼いて、新しい草の芽がよく出るようにすること。

**やまやけ**［山焼け］《名・自サ》①山火事。②山での日焼け。「―した顔」

**やまやま** 一 ［山々］多くの さまざまな山。「伊豆の―」二 やまやま［（山々）］《副》①たくさん。「積もる話は―ある」②〔実際には そうはいかないが〕ぜひそうしたいと思うようす。「貸してあげたいのは―ですが」

**やまゆき**［山行き］〔登山やハイキングなどで〕山へ行くこと。

**やまゆき**［山雪］《天》山に降る雪。（↔里雪）

**やまゆり**［（山：百合）］ユリの一種。野山にはえ、夏、白色・大形で、かおりの高い花をひらく。

**やまよい**［山酔い］《名・自サ》高山の、酸素の少ない空気を吸って、気分が悪くなること。

**やま・る**［（△止まる）］《自五》やむ。「雨が―・不穏な動きが―」

**やまわけ**［山分け］《名・他サ》〔もうけなどを〕みんなで、（だいたい等分に）分けること。「利益を―する」

**やまんば**［山（×姥）］山に住む鬼婆。やまうば。

**やみ** 一 やみ［闇］①光がなくて見えない〈こと／所〉。「―を照らす・―が おりてくる」②のぞみがないこと。「世の中は―だ」③思いなやむ気持ち。「子を思う心の―」④［ヤミ］正規の取引によらない〈こと／品物〉。「―で売る・―売り・―相場・―物資」⑤世間に〈知られない／あらわれない〉こと。「―の帝王」二［ヤミ］造 正規の手続きをふまないこと。「―入学（＝裏口入学）・―献金」 ●闇から闇へ葬る 句 世間に知られないように始末する。やみに葬る。

**やみ**［病み］造〔古風〕病気になっている〈こと／人〉。「肺病―・目―」

**やみあがり**［病み上がり］病気が治ったばかりで、まだ本調子でない〈とき／人〉。「―のからだ」

**やみいち**［闇市・ヤミ市］闇取引の品物をあつかう市場。ブラック マーケット。闇市場。〔終戦直後、焼け跡にバラック建ての闇市があらわれた〕

**やみうち**［闇討ち］《名・他サ》①やみに まぎれて、人を討つこと。②不意うち(をくわせること)。

**やみがた・い**［（△止み難い）］《形》〔文〕やめようとしても、なかなかやまない。「望郷の念、―ものがある」

**やみきん**［ヤミ金］〔俗〕↑闇金融。

☆☆**やみきんゆう**［闇金融］正規の金融機関以外による、法定外の高い金利でおこなう金融。また、その業者。ヤミ金〔俗〕。

**やみくも**［（闇雲）］《ナダ》〈見通しもなく／理由の説明もなく〉するようす。「―に切ってかかる」

**やみじ**［闇路］〔雅〕①やみの中の道。②分別がつかないこと。「恋の―」

**やみじあい**［闇仕合］〔敵や味方もわからないような〕暗やみの中での立ち回りや争い。

**やみじる**［闇汁］⇩やみなべ。

**やみつき**［病み（付き）］くせになって やめられなくなること。「―になる・一度食べたのが―で」

**やみつ・く**［病み（付く）］《自五》①〔床につくほどの〕病気にかかる。②やみつきになる。

**やみとりひき**［闇取引］《名・自他サ》①〈闇値で／闇の品物を〉売買すること。②交渉をうらでこっそり進めること。

**やみなべ**［闇鍋］他人に知られないようにして持ち寄った材料を暗やみの中でなべに入れ、煮て食べる遊び。↑闇汁。

**やみね**［闇値］闇取引での価格。

**やみほう・ける**［病み（×惚ける）・病み（×耄ける）］《自下一》病気をして〈おとろえる／おいぼれる〉。

**やみや**［闇屋］闇取引の品物をあつかう商売(の人)。

**やみやみ**［（闇々）］《副》〔文〕簡単に。むやみに。「―(と)殺されるものか」

**やみよ**［闇夜］まっくらな よる。暗夜。●闇夜に鉄砲 句 目標の定まらないこと。また、目標をきめないでものごとをすること。闇夜につぶて。●やみよのちょうちん［闇夜の（△提△灯）］困っているときに、助けになるものに めぐりあうこと。

↑**や・む**［（×已む）］《自五》〔文〕①すっかり終わりになる。「倒れて後―（⇩「倒れる」の句）」②〔後ろに否定が来る〕そうしないですむ。「―ことを得なかった（＝やむをえなかった）」 ☞やむなく・やむなし・やむをえない。●やむにやまれぬ 句 〔文〕そうせずには いられない。「―事情があって欠席した・―自然の欲求」

↑＊**や・む**［（△止む）］一《自五》①続いてきたことがとまる。終わりになる。「雨が―・さわぎが―」②〔文〕今まで続いてきたことが、とまる。とどまる。「進展して―ことのない産業界」二 造 …が終わりになる。「降り―・笑い―・鳴り―」 区別 ⇩終わる 三。 ☞やまない・やみがたい。

**や・む**［病む］《自他五》①病気にかかる。「胃を―・病んだ心」②なやむ。気にする。「いつまでも気に―」③〔沖縄方言〕痛む。「うでが―・腹が―」

**ヤムチャ**［（：飲茶）］〔中国語〕〔中国南部で〕茶を飲みながら点心を味わうこと。

**やむなく**《副》〔文語形容詞「やむなし」の連用形から〕やむをえず。「―発表会は中止した」

**やむな・し**《形ク》（＝已む無し）〔文〕しかたがない。〔＝やむをえない。「退陣も―・中止の やむなきに至った（＝やむをえず中止することになった）」〕〔口語形を使うこともある。「やむない事情で欠席した」〕

☆☆**やむをえ・ない**［やむを（得ない）］《形ヌズ》〔やむ＝已む〕しかたがない。どうにも ならない。やもうえない。「辞任(することも)―・やむをえず調査を打ち切った」丁寧 やむをえません。

**やめ**［（△止め）］一 やめること。「きょうの会議は―だ・―にする」二《感》〔話〕動作をやめさせるときの合図。「はい、―！」

↑＊＊**や・める**［（△止める）］《他下一》①続いてきたことを、とめる。「勉強を―・酒を―・やめて、お願い」②とりやめる。「行くのを―」③もともと、しないでおく。「機内での喫煙は―よう呼びかける」▽①②中止する。①～③ 可能 やめられる。やめれる〔俗〕。☞と(止)める。

↑**や・める**［辞める］《他下一》職場や仕事から はなれる。辞任する。「会社を―・教師を―・会長を―」

**やめる**［病める］一《連体》〔↑「病む」＋助動詞「り」の連体形〕〔文〕①病んでいる。病気の。「―画伯・―巨大都市」②社会的な欠陥をはらんでいる。二《自下一》〔古風〕からだが痛む。「後腹が―・頭が―」

**やもうえ・ない**《形ヌズ》〔話〕やむをえない。
**やもうしょう**[夜盲症]《医》⇩とりめ。
**やもお**[(:鰥夫)]を ⇩やもめ(鰥夫)。
**やもしれ・ぬ**[やも(知れぬ)]《助動形ヌズ型》〔文〕…かもしれない。「中止するにいたるー」
↑**やもめ**[(:寡婦)・(△寡)] 夫と死別した女性。後家ごけ。未亡人。
↑**やもめ**[(:鰥夫)・(×鰥)] 妻と死別した男性。男やもめ。やもお。
**やもり**[(:守宮)] トカゲに似た小さい動物。せなかは黒みがかった灰色。夜、出てきて、壁などをはい回り、小さな虫を食う。
***やや**《副》①わずかに差があるようす。少し。「ー大きい」②〔文〕しばらく。 表記 かたく「×稍」とも。「×稍々」とも書いた。 ●**ややあって** 句 しばらく たって。
**ややこ**〔関西方言〕赤ちゃん。やや。
**ややこし・い**《形》ものごとが からみあって、頭が混乱するようだ。ややっこしい。「ー文章・ー人間関係・相手が誤解して話が ややこしくなった」 派 -げ。-さ。
**ややもすると**《副》〔文〕ともすると。ややもすれば。ややとも〈すれば/すると〉〔古風〕。「ー なまけようとする」 表記 かたく「△動もすると」とも。
**やゆ**[×揶×揄]《名・他サ》〔文〕からかうこと。「政治をーした戯評」
**やよ**《感》〔雅〕呼びかけるときの ことば。おい。「ー、励めよ」
**やよい**[弥生]〔文〕旧暦三月。 ●**やよいじだい**[弥生時代]《歴》日本の考古学上の時代区分。縄文時代に続く、紀元前五世紀ごろから紀元後三世紀ごろまでの時代。弥生土器を焼き、稲作をし、それにともなう農耕用石器・金属器を使った。 ●**やよいどき**[弥生土器]〔東京都文京区にあった弥生町で最初に見つかったので言う〕《歴》素焼きの土器の一種。弥生時代に作られ、使われた。弥生式土器。
****やら** [一]《副助》①不確かなことを言うときに使う。…か。〔あやしむ感じなどをともなう。☞何やら〕「どこーで見た顔だ・いつの間にー」②〔AーBー〕ⓐならべて言うときに使う。「弁当ーお茶ーを買う・腹が立つー情けないーで なみだが出る」ⓑどちらとも判定しかねることがらを列挙するときに使う。「話していい(の)ーわるい(の)ー迷う」 [二]《終助》不確かなことについて、困ったり、あきれたりする気持ちをあらわす。「いったい今後どうなるー」☞とやら。
**やらい**[:矢来][=や(遣)らう《=追いはらう》こと]竹・丸太をあらく編んだ囲い。「竹ー」

[やらい]

**やらい**[夜来]《副》〔文〕昨夜から。「ーの雨」
**やらか・い**《形》〔方/俗〕やわらかい。「からだがーな」
**やらか・す**〔俗〕[一]《他五》〔とんでもないことを〕する。「何かやらかしてくれそうな人・へまをー」 [二]《自五》大失敗をする。「大臣がやらかした」 名 やらかし。
**やらし・い**《形》〔話〕いやらしい。「ー目つき・攻撃のしかたがー」
**やらず**〔文〕[一]やらず[(△遣らず)] 連 やらない。行かせない。帰さない。 [二] 造〔副詞をつくる〕①〔…もー〕じゅうぶんに…することもできずに。ちっとも…しないで。「寝もー床の上で夜明けを待った」②完全には…しないで。「緊張もさめー」▽「…(も)やらぬ」の形で連体詞をつくる。「似もやらぬ(=ちっとも似ていない)顔・晴れやらぬ(=完全には晴れない)空」 ●**やらずのあめ**[(△遣らずの)雨] 客を帰さないためであるかのように、降ってくる雨。 ●**やらずぶったくり**〔俗〕人にあたえることはしないで、取り上げるばかりで あること。やらずぼったくり。
☆☆**やらせ**〔「ヤラセ」とも書く〕 出演者と前もって打ち合わせて、つくりごとをやらせること。「ドキュメンタリー番組でのー・ー質問」
**やら・れる**《自下一》①弱点をつかれる。やりこめられる。「議論でー」②被害を受ける。きずつけられる。「風邪にー・霜にやられた野菜」③[△殺られる]〔俗〕殺される。「ギャングにー」④〔俗〕魅了される。「歌声にやられた」
**やり**[(×槍)・(×鑓)・ヤリ] ①長い柄の先に細長い刃をつけた、突きさす武器。②「やり①」を使う術。槍術。③《将棋》香車。④やり投げ(に使う用具)。 ●**やりが降っても** 句 どんな困難があっても。雨が降ろうが やりが降ろうが。

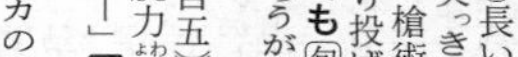

[やり ①]

**やりあ・う**[やり合う]《自五》①おたがいにする。②ことばや腕力などで、おたがいに争う。「はでにー」 名 やり合い。
**やりいか**[(×槍:烏賊)] イカの一種。からだは細長くて、やりの穂に似ている。さしみにする。
**やりがい**[やり(:甲斐)] やるだけの価値(を感じて生まれる、心のはりあい)。「ーを感じる・ーのある仕事・ーの搾取(=やりがいを理由に安く働かせること)」
**やりかえ・す**[やり返す]《他五》〈言い返して/相手にしかえしをして〉やりこめる。 名 やり返し。
**やりかた**[やり方] やる〈方法/態度〉。しかた。「選挙のー・ーがひどい」
**やりきれ・ない**[(やり切れない)]《形ヌズ》①かなわない。たえられない。「暑くてー・さみしくてー」②じゅうぶんにすることができない。「月十万円ではー(=生活できない)」▽やりきれたものではない。 丁寧 やりきれません。 派 -さ。
**やりくち**[やり口] やり方。「ーが きたない」
**やりくり**[(△遣り繰り)]《名・他サ》くふうして、つごうをつけること。「日程をーする・ーじょうず」 動 やりくる《他五》。 ●**やりくりさんだん**[(△遣り繰り)算段]《名・他サ》 やりくりの くふう。
**やりこな・す**《他五》〔むずかしいことなどを〕〔思いどおりに〕やって のける。「りっぱにー」
**やりこ・める**[やり込める]《他下一》 相手を〈だまらせる/やっつける〉。「議論してー〔=言いこめる〕・エースがなみいる打者をー」
**やりすご・す**[やり過ごす]《他五》①うしろから来たものを、自分より前に行かせるようにする。「車をー」②過ぎ去るのを待ったり、適当にあしらったりして すます。「雷雨を―・なんとか その場を―」③やりすぎる。しすごす。「酒を―」

**やりそこな・う**【やり損なう】《他五》うまくいかずに、とちゅうで失敗する。しそこなう。名やり損ない。

**やりだま**【×槍玉・ヤリ玉】〔古風〕やりの まと。「敵の―になる」 ●**やり玉に挙げる** 句 非難・攻撃などの目標にして、相手をやっつける。直やり玉に挙がる。

**やりっぱなし**【やりっ放し】したままで あとしまつをしないこと。

**やりて** 一【やり手】①おこなう人。する人。②あたえる人。(↔もらい手) ③てきぱきとよく仕事の できる人。敏腕家。二【△遣り手】もと、遊郭で遊女を監督した女。「―ばばあ」

**やりど**【△遣り戸】引き戸。

**やりどく**【やり得】不当なことをして、やっただけ得になること。

**やりと・げる**【やり遂げる】《他下一》最後まで して、目的をはたす。しとげる。「仕事を―」

**やりどころ**【△遣り所】持っていくところ。やり場。「怒りの―がない」

**やりとり**【△遣り取り】《名・他サ》やったり取ったりすること。交換。「ことばの―・さかずきの―」

**やりなお・す**【やり直す】《他五》〔うまくいかなかった点を改めて〕もう一度する。し直す。「初めから―」名やり直し。

**やりなげ**【×槍投げ】《陸上》やりの形をした棒を投げて遠くへとばす競技。

**やりにく・い**【やり△難い】《形》ものごとをうまく進めにくい。しにくい。「―仕事・―相手だ」派―がる・―さ。

**やりぬ・く**【やり抜く】《他五》〈最後まで/どこまでも〉やる。「何が何でも―」

**やりのこ・す**【やり残す】《他五》やるべきことを〔終わらせずに〕残す。し残す。「やり残した仕事」

**やりば**【△遣り場】持って行く場所。「目の―に困る・―のない怒り」

**やりぶすま**【×槍×衾】〔文〕敵に向けて、やりを一面に構えること。「―をつくる」

**やりみず**【△遣り水】①〔文〕庭に水を引き入れて流れるようにしたもの。②庭の植えこみなどに水をかけること。

**やりもらい**【やり(×貰い)】①他人にしてやったり、他人からしてもらったりすること。②《言》やったり、もらったりする表現。「やる・あげる・くれる・もらう」によってあらわされる。受給表現。

**やりょう**【夜涼】〔文〕夏の夜の、すずしさ。

****や・る** 一《他五》①【△遣る】行かせる。送る。「使いを―・子どもを大学へ―〔=かよわせる〕」(↔よこす) ②そこに動かす。「ひたいに手を―」③利益になるものを、自分またはだれかが、自分以外にあたえる。〔同等・目下の人、動植物などに使う〕「そんなにほしいなら、―ぞ・子どもにこづかいを―・犬に えさを―・花に水を―」(↔くれる・もらう) 尊敬 おあたえになる。おやりになる。謙譲 差し上げる。☞あげる一⑫・さしあげる一②。④「する」のくだけた言い方。「勉強を―・自分でやりなさい」⑤【△演る】演じる。演奏する。「主役を―・落語を―・音楽を―」⑥【△殺る】〔俗〕殺す。「やってしまえ」 二《自他五》①行動を大ざっぱに指すことば。「近代文学を―〔=研究する〕・ごしごし―〔=ⓐこする。ⓑ切る〕・先生に向かって『よう、元気?』とやった〔=言った〕」②失敗する。そこなう。「あーあ、やっちゃった・腰を―〔=痛める〕」③営業する。「雑貨店を―・日曜もやっている店」④上演・上映・放送などをする。「おもしろい番組をやっている」✓俗に、「やる」を自動詞として使い、「店がやっている〔=開いている〕」「おもしろい番組がやっている〔=放送されている〕」とも言う。☞売る二。 三《自五》①積極的に行動する。「よ、やってるね!・大いにやってください」②すばらしいことをする。成果を上げる。「やりました、ついに初優勝・若いのになかなか―もんだ」③飲む。食べる。「一杯―」④戦う。「この野郎、―か〔=けんかをするか〕」⑤〔俗〕性交する。 四《補動五》〔て―〕①〔ある行動をして〕利益をあたえる。〔同等・目下の人、動植物などに使う。また、けんそんして身内に使う〕「君だけに教えて―・のびた枝を切って―・母にも見せてやりたい」(↔くれる・もらう) ☞あげる四・さしあげる二・くれてやる。②〔ある行動をして〕害をあたえる。また、むりやり そうさせる。「あいつら ぶんなぐって―・敵をだまらせて―」③〈大胆/乱暴〉にそうする。「答案を白紙で出してやった」④がんばって実現する。「なんとしても合格して―」⑤手紙や伝言などで、相手にそう伝える。「代金を持ってこいと言って―」(↔よこす) 可能 やれる。☞やった・やっていく・やっていられない・やっている・やらず・やられる。

**やるかたな・い**【△遣る方ない】《形》〔やるかた=思いをはらす方法〕どうしようもない。やるかたもない。「憤懣―といったおももち」派―さ。

**やるき**【やる気】何かをしようとする積極的な気持ち。「―を出す・―をなくす」

**やることなすこと**《名・副》やることの全部。することなすこと。「―うまく いかない」☞言うことなすこと。

**やるせな・い**【△遣る瀬ない】《形》思いをはらす手段〔=やる瀬〕がない。気持ちが満たされないで、つらい。「失恋して―気持ち・―メロディー」✓「ない」は「無い」だが、否定の助動詞と誤解して「やるせぬ」とも。派―げ。―さ。

**やれ**【△破れ】①〔文〕やぶれ(たところ)。「ふすまの―」②印刷しそこねた紙。ヤレ紙。

**やれ**《感》①〔古風〕うれしいとき、安心したとき、困ったときなどに言うことば。「―うれしや・―つかれた」②二つのものごとをならべて言うときに使うことば。「―陳情(だ)、―宴会(だ)と、いそがしくて やりきれない・それ行け―行け」

**やれでら**【△破れ寺】〔文〕荒れはてた寺。

**やれやれ**《感》〔話〕安心したとき、つかれたとき、困ったときなどに発する語。「―、これでひと安心だ・―困ったことになったわい」

**や・れる**【△破れる】《自下一》〔古風〕やぶれる。こわれる。「やれた傘」

**やろう**【野郎】〔俗〕男(をののしって言うことば)。ヤロー。「―ども、たたんでしまえ・―ばっかりの職場・トラック―」(↔女郎)

**やろうじだい**【夜郎自大】《名・ダ》〔文〕たいしたことがないのに、自分(たち)は強い、すぐれていると思う〈人/ようす〉。夜郎 自らを大となす。「ともすれば―(的)になる国民」由来「夜郎」は、漢代に中国南部にあった小国。大国である漢の使者に「漢と わが国とどちらが大きいか」とたずねたことから。

**や｣わ**［夜話］〔文〕①⇩よばなし。②夜に くつろいで語るような話を書いた本。「芸術—」

**や｣わ**［（柔）］《ナダ》しっかりできていないようす。「戸じまりが—だ・—な床・—な神経」

**やわ・い**［（柔い）］《形》〔方〕やわらかい。「やわくておいしい」 派 -さ。

**やわたまき**［八×幡巻き］ゴボウなどを肉で巻き、しょうゆ・みりんなどをつけて〈焼いた／煮た〉料理。八幡焼き。

**やわはだ**［柔肌］ 女性や赤ちゃんの、やわらかなはだ。

**やわら**［柔ら］ 一 〔古風〕柔道。柔術。 二 《ナダ》〔文〕やわらか。「—なはだ」

**やわらか**［柔らか］《ナダ》柔らかい感じがするようす。「—な毛布・—な風・—な身のこなし・—な調べ」 区別 「柔らかな」は「柔らかい」よりも ばくぜんとして、具体的に「ここ」と示しにくい場合に使う。「軟らかな」と「軟らかい」の区別も同じ。

●**やわらかもの**［柔らか物］絹織物（の衣服）。きぬもの。

**やわらか**［軟らか］《ナダ》 軟らかい感じがするようす。「—な話」 区別 ⇩柔らか。

**やわらか・い**［柔らかい］《形》①ものが ふれると、それにしたがって よく曲がるようすだ。「—ヤナギの枝」（↕硬い・堅い）②軽く ふわふわして、さわると気持ちがいい。「—髪・—毛布」（↕硬い）③〔からだが〕いろいろな形に よく曲がるようすだ。「—身のこなし」（↕硬い）④簡単に（かみ）切れるようすだ。「—パン・ジューシーで—肉」（↕固い） 表記 同じ肉でも、かみ切りやすい上等のステーキは「柔らかい」、ぐにゃぐにゃした生肉は「軟らかい」と書き分けられる。⑤〔考えが〕ものごとに とらわれない。「—発想・頭を柔らかくする」（↕固い）⑥〔人に〕きびしく当たらない。やさしい。「—風・—日ざし・—表情」 区別 ⇩柔らか。 派 -さ。-み。

**やわらか・い**［軟らかい］《形》①力を加えると、簡単に形が変わるようすだ。硬度が低い。「土が—」（↕硬い）・ボールが—（↕硬い）・生肉が—（↕固い）」 表記 ⇩柔らかい④。②水気が多く、どろどろしたようすだ。「—おかゆ」（↕固い）③気軽な感じだ。わかりやすい。「—話・—文章」（↕堅い・硬い） 区別 ⇩柔らか。 派 -さ。-み。

**やわら・ぐ**［和らぐ］《自五》①やわらかになる。「日ざしも—春先・寒さが—」②〔波・風などが〕しずまる。「強風が和らいできた」③おだやかになる。「顔色が—」 名 和らぎ。

**やわら・げる**［和らげる］《他下一》①おだやかにする。「痛みを—・怒りを—・声を—」②わかりやすくする。「表現を—」

**やん**《終助》〔関西方言〕…じゃないか。「どっちゃ（＝どっち）でも ええ—（か／け）」

**ヤンキー** 〔俗〕 一 ヤンキー 不良っぽい若者。「—座り」 二 ヤンキー〔Yankee〕典型的なアメリカ人。

**ヤング**〔young〕 一 造 若いこと。若者に関すること。「—層・—カジュアル・—ケアラー（＝身内を介護する年少者）」（↕オールド） 二 ヤング〔古風〕（十代の）若者。「—のアイドル」

●**ヤングアダルト**〔young adult〕おとなと子どもの間の若者。特に、中学上級生から高校生を言う。YA。「—小説」

●**ヤングコーン**〔young corn〕大きくなる前に収穫したトウモロコシ。ベビーコーン。「—の天ぷら・—のびんづめ」

☆☆**やんごとな・い**《連体》（↑止むこと無き）〔文〕①非常に（身分が）とうとい。「—お生まれ」②やむをえない。よんどころない。「—私用で早退する」 ✓ もとの古い意味が現代に復活した用法。▽やんごとなき。

**やんしゅう**［やん衆］〔北海道方言〕 ニシンをとる漁師。やんしゅ。

**やんちゃ**《名・ナダ・自サ》（「ヤンチャ」とも書く）①子どもの〈わがまま／いたずら〉（なようす）。「—で困ります・—ぼうず」②〔俗〕非行（をするようす）。〔まるで いいことのようにも言う〕「若いころは ずいぶん—（を）した」③型破りで、勢いがあること。「大胆で—な服」 派 -さ。

**やんぬるかな**［（×已んぬるかな）］《感》（↑やみぬるかな）〔文〕もう おしまいだ。万事休す。「—という表情」

**やんばるくいな**［（△山△原：水鶏）］ 沖縄本島北部にすむクイナ。飛べない。天然記念物。

**ヤンピー**〔中国 羊皮〕 ヤギの皮。「—のブレザー」

**やんま**［（×蜻×蜓）］ 大形のトンボ。オニヤンマ・ギンヤンマなどをまとめて言うことば。

**ヤンママ**〔俗〕①（ヤン↑ヤング）若い母親。②（ヤン↑ヤンキー）もと不良だった若い母親。

**やんや**《感・副》 喝采するときのことば。「—、—の大喝采」 由来 昔は口に出して「やんや」と言った（今も言うことがある）。

**やんわり**《副》〈やわらか／おだやか〉であるようす。「—（と）ことわる・—（と）忠告する」 派 -さ。

## ゆ　ユ

**ゆ**［湯］①水を熱くしたもの。「—を沸かす」（↕水）②温泉。いでゆ。「—の町・—の里（＝村）」③ふろ（や）。「—につかる・—に行ってくる」 表記 「おのれん などに「ゆ」とも。④とかした金属。「—を型に そそぐ」 ▽①③は、日常語としては「お湯」のほうが ふつう。

●**湯を使う** 句 ふろに はいる。

**ゆ**［油］ 造 あぶら。「ダイズ—」

**ゆあか**［湯（×垢）］ ふろ・鉄びんなどにつく、水あか。

**ゆあがり**［湯上がり］①ふろから〈出ること／出たとき〉。浴後。②（↑湯上がりタオル）〔古風〕バスタオル。湯上げ（タオル）。

**ゆあたり**［湯（△中り）］《名・自サ》 長い時間〈温泉／ふろ〉にはいったため、からだの具合が悪くなること。

**ゆあつ**［油圧］①あぶらに加わる圧力。「—計」②《理》高い圧力を加えた あぶらを利用してモーターやシリンダーを動かし、装置をはたらかせること。「—式・—機器・—ショベル」

**ゆあみ**［湯（△浴み）］《名・自サ》〔古風〕温泉や ふろに はいること。入浴。

●**ゆあみぎ**［湯（△浴み）着］ 露天ぶろに はいるときに身につける着物。

**ゆい**［結い］ 農作業・屋根ふきなど、助けあってする共同作業。「田植えの—」

**ゆい**［唯］ 造 そのものを最高の原理とすること。「—技術主義・—武器論」

**ゆいあ・げる**【結い上げる】ゆひ《他下一》①むすんで上へあげる。「髪を―」②むすび終える。自結い上がる《五》。

**ゆいいつ**【唯一】ゆゐ 一 ただ一つ(で ほかにはないこと)。「―の解決法・―無二の貴重な存在」二《副》たった一つだけ。「この点が―、残念だ」▽一二ゆいつ。

●**ゆいいつしんきょう**【唯一神教】《宗》⇩一神教。

**ゆいがどくそん**【唯我独尊】《仏》自分以外にはえらいものがない、ということ。「天上天下―」⇩「天上」の句。

**ゆいごん**【遺言】《名・自サ》自分が死んだあとの、財産その他の処置をさしずすること。また、そのことば・文章。〔法律では「いごん」と言う〕「―状」

☆☆**ゆいしょ**【由緒】ものごとの起こりと、今まで過ぎてきた筋道。来歴。いわれ。「―正しい・―深い・―ある(=りっぱな家系の)家がら」

**ゆいしん**【唯心】①《仏》いっさいは ただ、心の作用の結果である、ということ。②〔文〕〔ものに対して〕心を本位として考えること。「あまりにも―的な考え方」(↔唯物) ●**ゆいしんろん**【唯心論】《哲》世界の本体、現象の本質は、精神であるという説。(↔唯物論)

**ゆいつ**【唯一】ゆゐ〔話〕⇩ゆいいつ。

**ゆいのう**【結納】ゆひ ①婚約のしるしに〈品物を交換すること／交換する品物〉。目録〔男性からは「帯一筋」、女性からは「はかま一具」などと書き入れる〕・長のし(熨斗)・金包み〔結納金を入れる〕のほかに、末広・友志良賀などをそえる。「―金・―をとりかわす」②↑結納金。「―はふつう月収の三か月分で、女性は半分を返します・―返し」

**ゆいび**【唯美】〔文〕美的生活に最高の価値を認め、美を生活の目標とすること。「―主義・―的」

**ゆいぶつ**【唯物】〔文〕〔心に対して〕ものを本位として考えること。「―思想」(↔唯心) ●**ゆいぶつしかん**【唯物史観】《哲》人間の歴史をものの面から見て、人間の精神活動も物質的生活によって決まると考える見方。マルクス主義の、歴史に対する立場。●**ゆいぶつべんしょうほう**【唯物弁証法】《哲》唯物論の立場に立つ弁証法。マルクス主義の方法論。弁証法的唯物論。●**ゆいぶつろん**【唯物論】《哲》宇宙の本質は物質であって、精神も物質に規定される、という説。(↔唯心論)

**ゆいほどけ**【結い(△解け)】ゆひ ⇩ちょうむすび。(↔結び切り) ☞「みずひき二」の絵。

**ゆいわた**【結い綿】ゆひ 真綿をまんなかで結んでたばねたもの。祝いに使う。

**ゆう**【夕】ゆふ〔文〕ゆうがた。ゆうべ。「朝に―に・十八日―出発した」(↔朝)

**ゆう**【△木綿】ゆふ《雅》コウゾの皮の繊維のようにした、コウゾの皮の繊維。神事のとき、サカキの枝にたらす。☞もめん(木綿)。

**ゆう**【有】一**ゆう**〔文〕①あること。(↔無)②所有(物)。「我がほうの―に帰する」二〔造〕…がある(こと)。「―資格者・―観客」(↔無)三**ゆう**〔造〕(=又)〈また〉の意。〔文〕〈と〉また。「十―三年」

**ゆう**【勇】〔文〕勇気。「匹夫の―」●**勇を鼓す** 句〔文〕勇気をふるいおこす。

**ゆう**【遊】〔視覚語〕《野球》↑遊撃手。「―ゴロ・―飛」☞二遊間・三遊間。

**ゆう**【雄】〔文〕すぐれている〈人／もの〉。「一方の―・出版界の―」

**ゆう**【×尤】《ナリ》〔文〕〔同類の中で〕いちばんすぐれているようす。「伝記文学の―なるもの」

**ゆう**【優】成績・等級を評価することばの一つ。〔いちばん〕すぐれているものにあたえる。「〔成績で〕(秀)―、良、可、不可」☞優に・優品。

＊＊**ゆ・う**【△言う】いふ《自他五》〔話〕いう。「ゆってやろう」

**ゆ・う**【結う】ゆふ《他五》①むすぶ。「帯を―・かきねを―」②かみの毛を整えてむすぶ。「島田に―・ちょんまげを―」

**ユー** 一**ユー**【U・u】アルファベットの二十一番目の字。二**ユー**【U】①U字の形。「―ターン」②(↑ド Uran)《理》ウランの元素記号。三**ユー**【U】〔造〕⇩アンダー二。「―18」☞U字。

**ユーアールエル**【URL】(↑uniform resource locator)《情》⇩アドレス二①。

**ゆうあい**【友愛】〈親友／なかま〉の間の愛情。

**ゆうあかね**【夕×茜】ゆふ《名・自サ》《雅》ゆうばえ。

**ゆうあかり**【夕明かり】ゆふ 夕ぐれに残る、明るさ。「ほのかな―」

**ゆうあん**【幽暗】《名・ダ》〔文〕うすぐらくて、奥がよく見えない〈こと／ところ〉。ほのぐらさ。「堂内の―の中」

**ゆうあんやき**【幽×庵焼き・×柚×庵焼き】さかなを、しょうゆ・みりん・ユズのしるなどを合わせたたれにつけこんで焼いた料理。「銀だらの―」由来 茶人の北村祐庵から。

**ゆうい**【有為】《名・ダ》〔文〕才能もあり、役に立つようす。「―の青年」☞有為転変。

**ゆうい**【有意】《名・ダ》①《数》統計的にみて偶然とは考えにくいこと。「得点が―に高い・統計的に―だ」②〔心〕意思のあること。●**ゆういさ**【有意差】《数》統計上、偶然に起こったとは考えられない差。

☆☆**ゆうい**【優位】《名・ダ》〔文〕①ほかより まさった地位。「女性―・アンケートで―を占める」(↔劣位)②有利な〈位置／状態〉。「―に立つ・競争を―に進める」派―さ。

**ゆうい**【雄偉】《ダ》〔文〕すぐれていて、りっぱなようす。「豪快―」派―さ。

**ゆういぎ**【有意義】《名・ダ》意義・価値があると認められるようす。「―に過ごす・―な仕事」(↔無意義)派―さ。

**ゆういみ**【有意味】《名・ダ》意味・わけがあると認められるようす。有意義。(↔無意味)

**ゆういん**【有印】《法》押印のあること。「―私文書偽造」(↔無印)

**ゆういん**【誘因】〔文〕あることをひき起こす原因。「爆発の―」

**ゆういん**【誘引】《名・他サ》①〔文〕〔注意・興味をそそって〕ひきつけること。「不当に客を―する・―剤(=めすのにおいを出して、おすの昆虫をさそい寄せる薬剤)」②《植》〔形をととのえるため〕つるや茎を支柱などにからませること。

**ゆううつ**【憂×鬱】【憂(鬱)】《名・ダ》〔思うようにならないで〕気持ちがはればれしないようす。ゆうつ〔俗〕。「―な顔・―になる・雨が続いて―だ」派―さ。●**ゆううつしつ**【憂(鬱)質】《心》性格の分類の一つ。小さなことでも気にしてくよくよし、心が晴れない。☞多血質・胆汁質・粘液質。

**ゆうえい**［遊泳］《名・自サ》①〔文〕およぐこと。およぎ。「―禁止」②〔俗〕処世。世わたり。「―術」

**ユーエイチエフ**［UHF］〔↑ultrahigh frequency〕極超短波。ユーエッチエフ。

**ゆうえき**［誘×掖］《名・他サ》〔文〕みちびいて、わきから助けること。「後輩を―する・指導―」

**ゆうえき**［有益］《名・ナダ》利益があるようす。ためになるようす。「―なお話をうかがいました」(↔無益) 派 -さ。

**ユーエスエー**［USA］〔↑United States of America〕アメリカ合衆国。US。

**ユーエスビー**［USB］〔↑universal serial bus〕①パソコンにさまざまな周辺機器を接続するための規格。「―ポート〔=USB端子〕・―メモリー〔=USB端子につなぐフラッシュメモリー〕」②↑USBメモリー。

**ゆうえつ**［優越］《名・自サ》〔文〕ほかよりもまさること。 ●☆☆**ゆうえつかん**［優越感］自分がほかよりすぐれていることを〈自覚する快感/得意に思う心〉。(↔劣等感)

**ユーエフオー**［UFO］⇩ユーフォー。

**ゆうえん**［有縁］〔文〕①〔人々の間に〕つながりがあること。うえん。「―社会」②関係があること。「ことばと意味の―性」▽(↔無縁)

**ゆうえん**［遊園］子どもたちが遊んで楽しむ、簡単な道具を整えた場所。「児童―」 ●**ゆうえんち**［遊園地］乗って遊ぶもの、ゲーム・食堂・売店などを整えて、多くの人が楽しく遊べるように作った場所。

**ゆうえん**［幽×婉］《名・ナダ》〔文〕おく深くて上品なようす。「―な色彩」派 -さ。

**ゆうえん**［幽遠］《名・ナダ》〔文〕おく深くて、先が見えないようす。「閑寂―の境地」派 -さ。

**ゆうえん**［幽艶］《名・ナダ》〔文〕おく深くて、はなやかな美しさが感じられるようす。「女の世界の―な情趣」派 -さ。

**ゆうえん**［悠遠］《名・ナダ》〔文〕はるかに遠いようす。「―の神代」派 -さ。

**ゆうえん**［優×婉］《名・ナダ》〔文〕上品で、〈やさしい/なよなよした〉感じをあたえるようす。「―な詩情・華麗―」派 -さ。

**ゆうえん**［優艶］《名・ナダ》〔文〕上品で、はなやかな美しさを感じさせるようす。「―な姿態」派 -さ。

**ゆうおう**［勇往］〔文〕勇ましく つき進むこと。「―邁進」

**ゆうか**［有価］《経》ある決まった価格をもっていること。「―物・―物件」(↔無価) ●**ゆうかしょうけん**［有価証券］《経》⇩証券①。

**ゆうが**［幽雅］《名・ナダ》〔文〕おく深くて、上品なようす。「―な日本庭園」

**ゆうが**［優雅］《名・ナダ》①やさしくて上品なようす。気品のすぐれているようす。「―な身のこなし」②ゆとりがあって悠々としているようす。「―な生活」派 -さ。

**ゆうかい**［幽界］〔文〕あの世。よみじ。「―の人」

**ゆうかい**［融解］《名・自他サ》《理》加熱または圧力変化によって、結晶性の固体〈を液体にする/が液体になる〉こと。「鉄を―する・氷の―」 ●**ゆうかいてん**［融解点］《理》⇩融点。

**ゆうかい**［誘拐］《名・他サ》人をだまして つれ去ること。かどわかし。☞略取②。

**ゆうがい**［有蓋］〔文〕〈屋根/おおい〉の あること。「―貨車」(↔無蓋)

**ゆうがい**［有害］《名・ナダ》害があるようす。「健康に―な食品」(↔無害) 派 -さ。 ●**ゆうがいむえき**［有害無益］《名・ナダ》害だけあって なんの役にも立たないこと。

**ゆうがお**［〈夕顔〉］①つる草の名。夏の夕方、白い大きな花をひらく。円形または長円形の実から かんぴょうを作る。②〔正確にはヨルガオ〕鉢植えなどにして、花を楽しむ つる草。七月に、アサガオに似た白い花が夕方にひらき、翌朝しぼむ。

**ゆうかく**［遊郭・遊×廓］もと、遊女屋が集まっていた地域。花柳街。遊里。

**ゆうがく**［遊学］《名・自サ》①〔文〕よその〈土地/国〉に行って学問をすること。「ロンドンに―する」②〔俗〕遊びながら大学へ行くこと。

**ゆうがくかいとう**［有額回答］賃上げ闘争・ボーナス闘争などで、会社がわが、お金を出すと回答すること。また、その回答。(↔ゼロ回答)

**ゆうかげ**［夕陰］〔雅〕夕方の日陰。

**ゆうかげ**［夕影］〔雅〕夕方の、日の光。

**ゆうかげる**［夕陰る］《自五》〔雅〕夕方になって うす暗くなる。名 夕陰り。

**ゆうかぜ**［夕風］夕方に ふく風。(↔朝風)

**ゆうがた**［夕方］日が暮れ始めてから夜に なるまでのあいだ。ゆう。〔気象では十五時ごろから十八時ごろまで〕(↔朝方)

**ゆうがとう**［誘×蛾灯］夜、田んぼなどに集まるガの類をおびきよせ、水におぼれさせる装置の灯火。

**ユーカラ**〔アイヌ Yukar〕アイヌに伝わる、叙事詩。

**ユーカリ**〔↑ユーカリプタス(eucalyptus)〕オーストラリア原産の常緑樹。はやく、高くのびるので有名。葉をコアラが食べる。ユーカリ樹。

**ゆうかん**［夕刊］夕方刊行する新聞。(↔朝刊)

**ゆうかん**［憂患］〔文〕ひどく心配して なやむこと。「―を共にする」

**ゆうかん**［有閑］《名・ナダ》①ひまがあること。「―の日々」②生活に ゆとりがあり、ひまが多いこと。「―階級・―マダム」

**ゆうかん**［勇敢］《ナダ》勇気があり、ひるまず おしきってするようす。「―に戦う」派 -さ。

**ゆうかんじしん**［有感地震］からだに ゆれを感じる地震。(↔無感地震)

**ゆうき**［有季］《俳句》季語があること。季語のある俳句。「―定型」(↔無季)

**ゆうき**［有期］〔文〕一定の期限があること。「―刑・―雇用」(↔無期)

**ゆうき**［有機］一 ゆうき ①生活機能をもつ〈こと/もの〉。「―質」②《理》↑有機〈化合物/化学〉。「―溶剤」▽(↔無機) 二 遺 有機農法で作った。「―米・―野菜」 ●**ゆうきイーエル**［有機EL］〔EL←electroluminescence〕《理》蛍光性の有機化合物に電圧をかけると自ら発光する現象(を利用した発光素子)。薄型ディスプレイなどに使う。 ●**ゆうき**

ゆ

かがく[有機化学]《理》有機化合物を研究する化学。(↕無機化学) •ゆうきかごうぶつ[有機化合物]《理》炭素をふくむ化合物。ただし、二酸化炭素・炭酸塩・シアン化物などは除く。動植物のからだを作る物質。(↕無機化合物) •ゆうきかんかく[有機感覚]《生》生物のからだの中での刺激によって、起こる感覚。例、のどのかわき、ひもじさなど。 •ゆうきさいばい[有機栽培]《農》〔化学肥料・農薬を使わず〕有機肥料だけを使ってする栽培。オーガニック。 •ゆうきすいぎん[有機水銀]《理》水銀をふくむ有機化合物の一種。毒性が強い。水俣病の原因物質であるメチル水銀など。 •ゆうきたい[有機体]①有機物。②有機的にできあがっている〈もの/組織〉。 •☆☆ゆうきてき[有機的]《ナダ》①〔文〕〔生物のからだのように〕多くの部分が強く結びついて全体を形づくり、たがいが密接に関連しあってはたらくようす。②《理》有機物の状態をとるようす。「—に合成する」 •ゆうきのうほう[有機農法]《農》〔化学肥料・農薬を使わず〕有機肥料だけを使って作物を作る農業。有機農業。 •ゆうきひりょう[有機肥料]《農》動植物質からできている肥料。(↕化学肥料) •ゆうきぶつ[有機物]①《理》生物のからだを構成・組織する物質。有機化合物。(↕無機物) ②《農》堆肥・下肥など、合成肥料でないもの。

ゆうき[勇気]いさましい気持ち。ものごとをおそれない強い意気ごみ。「—をふるう・—を出す・みんなに—をもらう・—ある少年」 •ゆうきづける[勇気(付ける)]《他下一》相手をはげまして、何かをしようとする勇気をあたえる。名勇気づけ。直勇気づく《五》。

ゆうき[幽鬼]〔文〕死んだ人の霊。亡霊。

ゆうき[結△城]↑ゆうきつむぎ。 •ゆうきつむぎ[結△城(×紬)]結城縞〔=茨城県の結城地方で作られるしま織物〕のつむぎ。結城。

ゆうぎ[友×誼]〔文〕友だちどうしの、親しい関係。友好。「—団体」

←ゆうぎ[遊技]〔文〕(おとなが店で楽しむ)ゲームなどの遊び。「—場〔=パチンコ店など〕」

→ゆうぎ[遊戯]《名・自サ》①遊んで楽しむ〈こと/ことがら〉。「ことばの—にすぎない・恋愛—・—機械〔=遊園地などにそなえつける乗り物など〕」②⇩おゆうぎ。 •ゆうぎてき[遊戯的]《ナダ》遊び半分でするようす。

ゆうきゃく[遊客]〔文〕遊びに来る客。ゆうかく。「温泉の—」

ゆうきゃく[誘客]〔観光などで〕客を招き寄せること。

←ゆうきゅう[有休]↑有給休暇。「—を取る・—の消化」

→ゆうきゅう[有給]①給料がしはらわれること。「—休暇〔=給料をもらいながら取れる休暇。有休〕」(↕無給) ②↑有給休暇。

ゆうきゅう[遊休]《名・自サ》〔文〕設備などが、使われないままになっていること。「—施設・—地・生産設備が—化する」

ゆうきゅう[悠久]《名・ナダ》〔文〕年月がひさしいようす。「—の昔」派-さ。

ゆうきょ[幽居]《名・自サ》〔文〕世間を避けて住むこと。また、そのすまい。

ゆうぎょ[遊漁]楽しみとして釣りや漁をすること。「—者・—船・—料」(↕職漁)

ゆうきょう[幽境]〔文〕人の住む所からはなれた、しずかな場所。

ゆうきょう[遊×侠]〔文〕おとこだて。「—の徒」

☆☆ゆうきょう[遊興]《名・自サ》〔文〕遊び興じること。特に、料理店・待合などで飲み食いしたり芸者を呼んだりして遊ぶこと。「—にふける・—費」

ゆうぎょう[有業]〔文〕職業についていること。「—人口・—率」(↕無業) •ゆうぎょうしゃ[有業者]〔文〕使用者や使用人、自分で働いている人などをまとめて言うことば。

ゆうぎり[夕霧]夕方に立つ霧。(↕朝霧)

ゆうきん[遊金]《経》使い道がなくて、しまってあるお金。あそびがね。

ゆうきん[夕勤]《名・自サ》夕方から勤務すること。「—募集」(↕日勤・夜勤)

ゆううく[憂苦]〔文〕心配と苦しみ。

ゆうぐ[遊具]〔おもに子どもが〕使って遊び楽しむ道具や簡単な設備。例、ブランコ・シーソーなど。

ゆうぐう[優遇]《名・他サ》手厚く待遇すること。「経験者—します〔=給料をよけいに出すこと〕・旅館で—された」(↕冷遇)

ゆうぐれ[夕暮れ]日がおちて急に暗くなるころ(の時刻)。日暮れ。動夕暮れる《自下一》。

ユーグレナ〔ラ Euglena=美しい目〕ミドリムシ。「—入り食品」

ゆうくん[遊君]〔文〕遊女。

ゆうぐん[友軍]味方の軍隊。「—兵士」(↕敵軍)

ゆうぐん[遊軍]〔文〕待機していて、時機を見て活動する〈軍隊/人〉。「—をくり出す・—記者」

ゆうげ[夕×餉]〔古風〕夕食。「—のけむり」

ゆうけい[夕景]①〔古風〕ゆうがた。「はや—になった」②〔文〕夕げしき。「頂上の—」

ゆうけい[有形]〔文〕かたちがある〈こと/もの〉。「—無形の援助を受けた」(↕無形)

ゆうけい[雄×勁]《名・ナダ》〔文〕はりがあって力強いこと。「筆力—」派-さ。

ゆうげい[遊芸]遊びごとに関する芸能。おどり・音曲・茶の湯など。「—を仕込む」

ゆうげき[遊撃]一《名・他サ》〔文〕うまくチャンスをつかんで、敵を攻撃する〈こと/部隊〉。二(↑遊撃手)《野球》二塁と三塁の間を守る内野手。ショート(ストップ)。

ゆうげしき[夕景色]夕方のけしき。

ゆうげしょう[夕化粧]①夕方にととのえる、簡単なけしょう。②おしろいばな(白粉花)。

ゆうけむり[夕煙]〔文〕①夕方、食事のしたくのために家々から立ちのぼる煙。②夕方、煙のようにかかるもや。

ゆうけん[郵券]《法》郵便切手。「—封入のこと」

ゆうけん[雄県]〔文〕経済力が強く、活気のある県。「東海の—、静岡」

←ゆうけん[勇健]《名・ナダ》〔文〕①いさましくて元気が

あるようす。②《手紙》壮健。息災。「ますます ご―のことと存じます」[派]-さ。

→**ゆうけん**[雄健]《名・ナダ》〔文〕力づよくて元気があるようす。

**ゆうげん**[有言]〔文〕言ったことは責任をもって実行すること。●**ゆうげんじっこう**[有言実行]《名・自サ》〔「不言実行」から作られたことば〕●**ゆうげんふじっこう**[有言不実行] 口先だけで、実行しないこと。

**ゆうげん**[有限]《名・ナダ》かぎりがあること。「―の資源」(↕無限) ●**ゆうげんがいしゃ**[有限会社]《法》株式会社の組織を簡単にした会社。出資者を社員と言う。〔今は、あらたに設立できない〕●**ゆうげんせきにん**[有限責任]《法》債務者の財産のうち、特定の物または一定額を限度として債務を負う形の責任。(↕無限責任) ●**ゆうげんせきにんじぎょうくみあい**[有限責任事業組合]《法》個人や会社が集まって事業をおこなう組合。法人税はかからず、組合員は出資額に応じて有限責任を負う。利益は自由に分配できる。LLP。

**ゆうげん**[幽玄]《名・ナダ》〔文〕①おく深くてはかり知れないこと。②深い余情があること。「能の―な舞・―体」[派]-さ。

☆☆**ゆうけんしゃ**[有権者]《法》選挙権のある人。

**ゆうこう**[友好] 友だちとしての、仲のいいつきあい。「―的・―関係」

**ゆうこう**[優功]〔文〕すぐれた功績。「―賞」

*__ゆうこう__[有効]《名・ナダ》〈効力/効果〉があるようす。「―期限・―性・―適切・―成分」(↕無効)[派]-さ。

●**ゆうこうきゅうじんばいりつ**[有効求人倍率] 公共職業安定所に申しこまれている、前月からの求人数を、前月からの求職者数で割った数値。〔値が高いと人手不足、低いと就職難〕●**ゆうこうじゅよう**[有効需要]《経》実際の購買力にうらづけられた需要。「―の創出」●**ゆうこうすうじ**[有効数字]《数》統計的に意味があると認めたけたの数。「一・〇五は―三けた、〇・〇一五は―二けた」

**ゆうごう**[融合]《名・自サ》一つにとけあうこと。

**ゆうこく**[夕刻]〔文〕日が暮れるころの時刻。ゆうがた。

**ゆうこく**[幽谷]〔文〕人の住む所からはなれた、深いたに。「深山―」

**ゆうこく**[憂国]〔文〕国家のことを心配すること。「―の士」

**ゆうごはん**[夕(御飯)] 夕食。ゆうはん。

**ゆうこん**[幽魂]〔文〕死んだ人の霊魂。亡魂。

**ゆうこん**[雄×渾]《名・ナダ》〔文〕〔文章などが〕力強くて勢いがいいようす。「―な文章」[派]-さ。

☆☆**ユーザー**〔user〕〔機械・自動車・商品の〕使用者。ユーザ。(↕メーカー) ●**ユーザーインターフェイス**〔user interface〕コンピューターとそれを使う人間との間で情報をやりとりする際に使うソフトウェアやハードウェア。また、その使い心地。UI。●**ユーザーフレンドリー**《名・ナダ》〔user-friendly〕利用者にとってわかりやすく使いやすいようす。「―な機能」

**ゆうざい**[有罪]①〔文〕つみがあること。②《法》刑法上、犯罪が成立すること。▽(↕無罪)

**ゆうさく**[優作]〔文〕すぐれた作品。

**ユーザビリティ(ー)**〔usability〕ソフトウェアや機械製品などの使いやすさ。「―の向上」

**ゆうさん**[有産]〔文〕(多くの)財産があること。ものもち。「―階級(=ブルジョアジー)」(↕無産)

**ゆうさんそうんどう**[有酸素運動] からだに酸素をじゅうぶん取り入れながらおこなう、持久力を養う運動。☞エアロビクス。

**ゆうし**[有司]〔文〕役人。「百僚―(=多くの役人)」

☆☆**ゆうし**[有史]〔文〕文字による歴史の記録が残っている〈こと/時代〉。「―時代(=歴史時代)・―以来はじめて」(↕先史)

**ゆうし**[有志] そのことに特に関心のある人。「校友会―・―をつのる」

**ゆうし**[勇士] 勇気のある〈軍人/武士〉。「白衣の―(=傷痍軍人)」

←**ゆうし**[勇姿]〔文〕いさましい姿。

→**ゆうし**[雄姿]〔文〕おおしい姿。

**ゆうし**[遊子]〔文〕旅行者。旅人。「雲白く―悲しむ・―の感傷をそそる」

**ゆうし**[雄志]〔文〕何か大きなことをしようとする気持ち。「―をいだく」

**ゆうし**[雄視]《名・自サ》〔文〕堂々としてほかのものを圧倒すること。「世界に―する」

☆☆**ゆうし**[融資]《名・自他サ》《経》資金を融通する〔=貸し出す〕こと。「―を受ける」

☆☆**ゆうじ**[有事]〔文〕①非常の事態があること。「一朝―の際・―にそなえる」②戦時。「―体制」▽(↕平時)

**ユーじ**[U字] アルファベットの「U」の形。●**ユーじこう**[U字溝] 断面がU字形をした側溝。

**ゆうしかい**[有視界]〔飛行中に〕見通しがきく状態であること。●**ゆうしかいひこう**[有視界飛行] 操縦者の肉眼でおこなう飛行。(↕計器飛行)

**ゆうしかく**[有資格]〔文〕ある資格を持っていること。「―者」(↕無資格)

**ゆうしき**[有識] 知識・見識があること。「―階級」●**ゆうしきしゃ**[有識者] ⇩識者。

**ゆうしてっせん**[有刺鉄線] 太い針金に、とげのように、短く切った針金をからませたもの。鉄条網などに使う。ばら線〔俗〕。

**ゆうしゃ**[勇者]〔文〕勇気のある人。

**ゆうしゃ**[優者]〔文〕①すぐれている人。(↕劣者) ②優勝した人。

**ゆうじゃく**[幽寂]《名・ナダ》〔文〕おく深く、ものしずかなようす。

**ゆうしゅ**[郵趣] 郵便切手と、切手に関係のあるものを集める趣味。切手趣味。「―家」

**ゆうしゅう**[有終]〔文〕終わりまでよくしとげること。●**有終の美を〈飾る/成す〉**[句] 終わりをりっぱにかざる。

**ゆうしゅう**[幽囚]〔文〕つかまって牢屋に入れられる〈こと/た人〉。「―の身」

**ゆうしゅう**[憂愁]〔文〕心配して、しおれること。うれい。「―の色がこい」[派]-さ。

**ゆうしゅう**[優秀]《ナダ》〔能力・品質・成績などが〕特

にすぐれているようす。「―な人材・最―作品・製品の―性」派―さ。⇨優良。

**ゆうじゅう**【優柔】《名・ナダ》〔文〕なかなか決心がつかないで、ぐずぐずするようす。「―な態度」派―さ。●☆☆**ゆうじゅうふだん**【優柔不断】《ナダ》ぐずぐずしていて、ものごとをきっぱりと決めることができないようす。派―さ。

**ゆうしゅん**【優×駿】〔文〕特にすぐれた、競走用の馬。

**ゆうしゅつ**【湧出・×涌出】《名・自サ》〔文〕〔水・温泉・石油などが〕わき出ること。「―量」

**ゆうじょ**【遊女】昔、宴席で歌を歌い、舞を舞い、または客に色を売ることを職業とした女。遊君。女郎。「―屋」

**ゆうじょ**【×宥×恕】《名・他サ》〔文〕あやまちをおおらかな気持ちでゆるすこと。「なにとぞご―くだされたく」

**ゆうしょう**【有償】《法》代価をしはらうこと。(↔無償)

**ゆうしょう**【勇将】〔文〕強く勇ましい大将・将軍。「―のもとに弱卒なし」

**ゆうしょう**【△熊掌】〔中国料理で〕クマの手のひらの肉。珍味とされる。

**ゆうしょう**【優賞】コンクール・品評会などで、すぐれた成績・作品にあたえる賞。

**ゆうしょう**【優勝】《名・自サ》①〔試合・競技で〕第一位で勝つこと。決勝戦で勝つこと。「―杯・―カップ・新記録で―した」②〔俗〕大満足(な体験を)すること。最高なこと。「おでんと酒で―」〔二〇一〇年代に広まった用法〕●**ゆうしょうれっぱい**【優勝劣敗】〔文〕〔生存競争で〕すぐれたものが勝って、おとったものが負けること。

**ゆうじょう**【友情】友だちとして、相手のためにつくそうとする、まごころ。「―に厚い・―出演(=出演者・制作者の友人としての出演)」

**ゆうしょく**【夕食】晩にとる食事。ゆうめし。「お―はいかがなさいますか」

**ゆうしょく**【有色】〔文〕色があること。色をもっていること。「―食品(=合成色素を使って、色を出した食品)」(↔無色)●**ゆうしょくじんしゅ**【有色人種】はだの色が白でなく、黄・黒などの人種。●**ゆうしょくやさい**【有色野菜】⇩緑黄色野菜。

**ゆうしょく**【有職】〔文〕職業を持っていること。「―者」(↔無職)⇨ゆうそく(有職)。

**ゆうしょく**【憂色】〔文〕心配そうな〈顔色/ようす〉。「―ただよう」(↔喜色)

**ゆうしん**【雄心】〔文〕何か大きいことをしてやろうと思う心。「―勃々(=さかんに起こるようす)」

**ゆうじん**【友人】友だち。

＊＊**ゆうじん**【有人】①従事する人がいること。「―施設・―改札・―レジ」②人が乗っていること。「―宇宙船」▽(↔無人)

**ユース**〔youth〕①若い世代。若者。「―代表選手・―部(=青年部)」②↑ユースホステル。「―行脚」●**ユースホステル**〔youth hostel〕利用者同士で交流もできる、手軽な宿舎。YH。ユース。ホステル。〔日本では戦後に一般化。若者以外も泊まる〕

**ユース**適〔use〕…で使うこと。「ビジネス―・ツインルームのシングル―(=二人部屋を一人で使うこと)・シングル―(=一回だけ使って捨ててしまう)プラスチック」

**ゆうすい**【湧水】〔文〕わきみず。

**ゆうすい**【幽×邃】《ナダ》〔文〕人里をはなれ、しげった木立に囲まれて、ものしずかなようす。「―な神社・―境」派―さ。

**ゆうすいち**【遊水池・遊水地】洪水のときに水を流し入れて、水量を調節するための〈池/場所〉。

☆☆**ゆうすう**【有数】《名・ナダ》指折り数えるほど少なく、きわだっているようす。「世界―の学者」

**ゆうずう**【融通】《名・他サ》(=とどこおらずに つうじること)①やりくりすること。「品物を―する・資金の―がつかない」②お金を貸すこと。「少し―してくれませんか」③その場合に応じて、うまくやり方を変えること。「―性・―がきかない」表記「ずう」は「通」のにごった形だが、仮名では「ゆうずう」と書く。この「通」はいつも前の部分と一体で使われ、単独では使われないため、「つう」という元の仮名遣いが無視される。「みかづき(三日月)」の場合に「月」が単独で使われるのとは異なる。ただし、「ゆうづう」も許容。●**ゆうずうてがた**【融通手形】《経》実際の取引はないが、資金を融通するためにふり出す手形。からてがた。●**ゆうずうむげ**【融通無×碍】《ナダ》〔文〕〔考え方や行動などが〕場合に応じて自由に変わり、のびのびしているようす。「―な態度・―に対処する」派―さ。

**ゆうすずみ**【夕涼み】《名・自サ》夏の夕方、えんがわや外に出てすずむこと。

**ゆうずつ**【夕△星】〔雅〕宵の明星。ゆうつづ。

**ユーズド**〔used〕使い古し。中古。「―カー・―家具・―感」

＊＊**ゆう・する**【有する】《他サ》〔文〕持つ。持っている。有す。「土地を―者」

**ゆうせい**【有声】①〔文〕声を出すこと。②《言》声帯をふるわせて声を出すこと。▽(↔無声)●**ゆうせいおん**【有声音】《言》声帯をふるわせて出す音声。母音・鼻音やガ行・ザ行・ダ行・バ行の子音など。(↔無声音)

**ゆうせい**【郵政】郵便事業にかかわる行政。「―省(⇩総務省)・―民営化」

**ゆうせい**【遊星】《天》「惑星」の古い言い方。

**ゆうせい**【憂世】〔文〕今の世の中の状態を心配すること。「―の書」

←**ゆうせい**【優生】遺伝的にすぐれた形質を子孫に残そうとすること。「―思想」

→**ゆうせい**【優性】①〔文〕すぐれた性質(のもの)。②《生》〔遺伝で〕対立する形質のうち、交配したとき次の代(=雑種第一代)に発現するほう。顕性。「―の法則」▽(↔劣性)

**ゆうせい**【幽×棲】《名・自サ》〔文〕俗世間からはなれて静かに暮らす〈こと/住まい〉。

**ゆうせい**【優勢】《名・ナダ》勢いが〈ほか/相手〉よりまさっていること。「―な敵」(↔劣勢)

**ゆうぜい**【有税】〔文〕税金がかかること。「―償却」(↔無税)

**ゆうぜい**【郵税】「郵便料金」の古い言い方。

☆☆**ゆうぜい**【遊説】《名・自他サ》各地を回って〈政治上

の意見をのべること。「全国を―する」

**ゆうせいせいしょく**【有性生殖】《生》おすとめすの生殖細胞が合体して、新しい個体をふやすこと。(↔無性生殖)

**ゆうせいらん**【有精卵】受精した卵。特に、食品としての鶏卵について言う。(↔無精卵)

**ゆうせつ**【融雪】〔文〕①雪どけ。②とけた雪。③雪をとかすこと。「―設備」

**ゆうせん**【有線】①〔通信に〕電線を使うこと。「―(による)通信」②↑有線電話。③↑有線放送。▽(↔無線) ●**ゆうせんテレビ**【有線テレビ】⇩ケーブルテレビ。 ●**ゆうせんでんわ**【有線電話】〔↑有線放送電話〕有線放送の設備を利用した、農村などの電話。有線。(↔無線電話) ●**ゆうせんほうそう**【有線放送】①電線を利用しておこなう音楽放送。飲食店などの契約者に流す。②〔農村などで〕一か所で受けたラジオ放送を、電線でつないで共同で聞く設備。また案内放送・呼び出し用にも利用する。▽有線。

**ゆうせん**【郵船】郵便物を運ぶ船。郵便船。「―会社」

**ゆうせん**【遊船】川下り・釣りなどの遊びのために乗る船。

**ゆうせん**【勇戦】《名・自サ》〔文〕いさましく戦うこと。「―奮闘」

**ゆうせん**【優先】《名・自他サ》①ほかよりも先に、それをすること。「病人を―して運ぶ・―順位をつける」②ほかよりも先になる(べきである)こと。「交差点では左から来た車が―する・―度の高い課題」▽(↔劣後) ●**ゆうせんけん**【優先権】《法》ほかよりも先に行使できる権利。 ●☆☆**ゆうせんせき**【優先席】〔電車やバスで〕お年寄りやからだの不自由な人、妊婦などが優先的にすわれる席。優先座席。☞シルバーシート。 ●**ゆうせんてき**【優先的】《ナダ》ほかよりも先にするようす。「―に処理する」

**ゆうぜん**【友禅】〔↑友禅染め〕小紋の一種。絹布などに花鳥・草木・山水などの模様をあざやかに染め出したもの。

**ゆうぜん**【△油然】《トタル》〔文〕さかんに わき起こるようす。

☆☆**ゆうぜん**【悠然】《トタル》ゆったりと おちついているようす。「―たる態度」

**ゆうそう**【郵送】《名・他サ》郵便で送ること。

**ゆうそう**【勇壮・雄壮】《ナダ》いさましいようす。堂々としているようす。「―な行進曲」派-さ。

**ゆうそうじん**【遊走腎】《医》ねているときの状態にくらべて、立っているときの腎臓の位置が ひどく下がる症状。やせた女性に多い。腎下垂。

**ゆうそく**【有△職】①公家が心得ていなければならない、儀式の規定や慣例、また生活習慣など(にくわしい人)。「―故実」②昔、宮中や貴族の間で使った、高級な織物。「―織物」☞ゆうしょく(有職)。

**ゆうだ**【遊惰】《名・ナダ》〔文〕なまけて遊ぶようす。「―な生活・日々を―のうちに過ごす」

**ユーターン**【Uターン】《名・自サ》〔U-turn〕①〔自動車などが〕U字形に回って逆もどりをすること。「―禁止・―する台風」②〔一般に〕逆もどり。「制度改革は もはや―できない」③帰省や行楽などで出かけて、家に帰ってくること。「―ラッシュ」④大都会に出て来た人が、故郷に帰って就職すること。「―現象」☞Iターン・Jターン。

**ゆうたい**【幽体】肉体から ぬけ出るとされる たましい。「―離脱」

**ゆうたい**【郵袋】郵便物を入れて輸送する ふくろ。郵便袋。〔もと、「行嚢」と言った〕

←**ゆうたい**【勇退】《名・自サ》後進に道をひらくため、〔任期を残して、官職などの〕地位を去ること。「先生は昨年―された・―を表明」

→**ゆうたい**【優退】《名・自サ》〔試合などで〕続けて勝った人が、それ以上は試合をせずに、引き下がること。

**ゆうたい**【優待】《名・他サ》〔特定の人を〕特別に有利に はからうこと。「学生―・―券」

**ゆうだい**【雄大】《ナダ》規模が大きくて堂々としているようす。「―な ながめ・―な計画」派-さ。

**ゆうたいるい**【有袋類】《動》子が未熟な状態で生まれ、母親のおなかにある ふくろの中で育つ動物。例、カンガルー・コアラ。

**ゆうだち**【夕立】夏の夕方近くに(かみなりをともなって)急に はげしく降る雨。 ●**夕立は馬の背を分ける**句〔馬の背の半分だけに降るように〕夕立は、降る境目がはっきりしている。

**ゆうだん**【有段】〔武や碁・将棋などで〕段位を持つこと。「―者」

**ゆうだん**【勇断】《名・他サ》〔文〕勇気のある決断(をすること)。「―を待つ」

☆☆**ゆうち**【誘致】《名・他サ》〔会社などを〕その土地に来るように、招き寄せること。「工場の―」

**ユーチューバー**〔YouTuber〕自分の出演動画などをユーチューブに投稿して、さかんに活動する人。

**ユーチューブ**【〈YouTube〉】〔商標名。tube＝テレビ〕インターネット上の、代表的な動画投稿サイト(のサービス)。

**ゆうちょ**【郵貯】↑郵便貯金。

**ゆうちょう**【悠長】《ナダ》①おちついている ようす。あわてないようす。「―に かまえる」②気が長いようす。「―な話」派-さ。

**ゆうづき**【夕月】〔雅〕夕ぐれに見える月。

**ゆうづきよ**【夕月夜】〔雅〕①月の出ている暮れがた。②ゆうづき。▽ゆうづくよ。

**ゆうづ・く**【夕づく】《自五》〔雅〕日が暮れかかる。

**ゆうづつ**【夕〈△星〉】〔雅〕⇩ゆうずつ。

**ゆうて**【〈言うて〉】《接》〔俗〕⇩言うて。

**ゆうてい**【遊底】銃身についた部品。前後にスライドして、(自動的に)たまをこめたりする。

**ユーティリティ(ー)**〔utility〕①役に立つこと。「―〔＝万能〕ナイフ」②コンピューターの機能をおぎない、使いやすくするためのプログラムやアプリケーションソフト。「―ソフト」③《ゴルフ》ウッドとアイアンの中間にあたるクラブ。ユーティリティ(ー)クラブ。UT。

**ゆうてん**【融点】《理》固体が融解し液体になる温度。融解点。(↔凝固点)

←**ゆうと**【雄図】〔文〕雄大な計画。「―むなしく挫折した」

→**ゆうと**【雄途】〔文〕大きな目標に向けての、勇ましい出発。「―につく」

**ゆうとう**[友党]〔文〕その党の味方の立場に立って、行動をともにする政党。

**ゆうとう**[有頭]〔食材のエビで〕頭がついていること。「―大エビフライ」(↔無頭)

**ゆうとう**[優等]①程度・等級がまさっていること。「―賞・―列車(=普通列車に対して、急行列車・特急列車をさすことば)」②成績がすぐれていること。▽(↔劣等) ●**ゆうとうせい**[優等生]①成績がすぐれた学生・生徒。「―タイプ・―的な(=そつのない)受け答え」(↔劣等生)②すぐれていて、手本となる存在。「『物価の―』と言われる卵・家電業界の―」

**ゆうとう**[遊×蕩]《名・自サ》〔文〕遊興にふけること。道楽。「―児(=道楽者)」

**ゆうどう**[遊動]〔文〕自由に動くこと。●**ゆうどうえんぼく**[遊動円木] 太い丸太を地上低く水平につり下げた運動用具。前後に動かして、その上を歩く。

**ゆうどう**[誘導]《名・他サ》①目的の所や状態へみちびくこと。「館外へ―する・円安―」☞利益誘導。②《理》電気や磁気が電場・磁場中にある物体におよぼす作用。●**ゆうどうじんもん**[誘導尋問]《法》自分の知りたいことを相手に自然に話させるようにうまくくふうした尋問。●**ゆうどうたい**[誘導体]《理》化合物の構造の中の一部が変化してできた、新しい化合物。●**ゆうどうだん**[誘導弾]《軍》⇩ミサイル。「地対空―」

**ゆうとく**[有徳]《名・ナダ》〔文〕徳がそなわり、おこないが正しい〈こと/人〉。うとく。「―の人物」

**ゆうどく**[有毒]《名・ナダ》①毒があること。②毒になること。▽(↔無毒)

**ユートピア**〔Utopia=どこにもない所〕〔現実にはありそうもない〕理想の社会。理想郷。(↔ディストピア)

**ゆうなぎ**[夕(×凪)]〔海岸に沿った地方で〕夕方、風がまったくやんで海がおだやかになること。(↔朝なぎ)

**ゆうに**[優に]《副》①じゅうぶんに。「―十キロをこす」②〔文〕しとやかに。上品で。「―やさしい(=感じがいい)」③〔文〕すぐれていて。「―めでたい(=りっぱだ)」

**ユーネック**[Uネック]〔U-neck〕《服》〔シャツなどの前がU字形のえりぐび。U首。

**ゆうのう**[有能]《名・ナダ》〈才能/はたらき〉のあること。「―な人物」(↔無能) 派-さ。

**ゆうはい**[有配]《経》〔株式で〕配当があること。「―株」(↔無配)

**ゆうばえ**[夕映え]〔文〕①夕焼け。「―の空」②太陽がしずんだあと、なお空に残る光を受けて、雲や地上のものが赤みをおびて見えること。動夕映える《自下一》。

**ゆうばく**[誘爆]《名・自サ》〔文〕火薬・石油タンクなどの爆発が原因となって、近くにある同類の爆発をひき起こすこと。「―を起こす」

☆☆**ゆうはつ**[誘発]《名・他サ》あることが原因となって、ほかの(よくない)ことをひき起こすこと。「大事故を―する・発作が―される」

**ゆうばれ**[夕晴れ] 夕方、空が晴れあがること。

**ゆうはん**[夕飯] 夕食。ゆうめし。「お―」

**ゆうはん**[雄藩]《歴》(幕末に)勢力をふるった藩。例、薩摩・長州・土佐・肥前。

**ゆうはん**[有半]接尾(有=又。「また」の意)〔文〕「…とその半分」の意味。「一年―(=一年半)」

**ゆうひ**[夕日・夕△陽] 夕方の太陽。入り日。「―を浴びながら帰る」(↔朝日) ●**ゆうひかげ**[夕日影]〔文〕夕日の光。(↔朝日影)

**ゆうひ**[雄飛]《名・自サ》〔文〕〔新しい土地に行って〕さかんに活躍すること。「海外に―する」(↔雌伏)

**ゆうび**[優美]《名・ナダ》上品な美しさを感じさせるようす。たおやか。「―な曲線・琴を―にかなでる」派-さ。

**ゆうひつ**[右筆・×祐筆]①昔、身分の高い人につかえて書記を受け持った人。②武家で、記録を受け持った職。

**ゆうひょう**[融氷]〔文〕氷がとけること。「―期」

**ゆうびょう**[有病]〔文〕病気にかかっていること。「―率・―者」

**ゆうひん**[優品]①《美術》すぐれた作品。②等級の「優」の作物。「ブドウの―」

**ゆうびん**[郵便]①通信文・荷物などを取り集めたり配達したりする業務。「―配達・―屋さん」②↑郵便物。「―箱」③↑郵便局。「―貯金」●**ゆうびんかわせ**[郵便為替] 民営化以前の郵便局を通して、為替で送金をおこなった方法。また、その為替の証書。ゆうびんがわせ。〔現在は、ゆうちょ銀行が普通為替と定額小為替をあつかう〕☞定額小為替。●**ゆうびんきって**[郵便切手] 郵便などの料金をはらったしるしにはる、図案を印刷した小さな紙。切手。●**ゆうびんきょく**[郵便局] 郵便・貯金・保険の窓口業務などをあつかう事業所。〔もとは、国の機関の正式の呼び名。●**ゆうびんしょばこ**[郵便私書箱]「私書箱」●**ゆうびんしょかん**[郵便書簡] はがきぐらいの大きさに折りたたんだ紙に通信文を書き、郵便として出せるもの。郵便局で売っている。ミニレター。●**ゆうびんちょきん**[郵便貯金]《名・自サ》①民営化以前の郵便局であつかった貯金。②現在、ゆうちょ銀行があつかう貯金の通称。▽郵貯。●**ゆうびんはがき**[郵便(:葉=書)] 通信文を書いて郵便として出す、おとなの手のひらほどの、しっかりした長方形の紙。はがき。〔日本郵便が発行する「通常はがき」や、切手をはって使う「私製はがき」などがある〕●**ゆうびんばんごう**[郵便番号] 郵便物が早く正しく届くようにあて名といっしょに書きそえる、町域または大口の事業所などを示す七けたの番号。〔〒で示す〕●**ゆうびんぶつ**[郵便物] 郵便にさし出す手紙や荷物。

**ユーピン**[Uピン] よく使うヘアピン。針金をU字に曲げた形。たばねた髪をとめる。☞アメピン。

**ゆうふ**[有夫]〔文〕夫があること。「―の女性」(↔有婦)

**ゆうふ**[有婦]〔文〕妻があること。「―の男性」(↔有夫)

**ゆうぶ**[勇武]《名・ナダ》〔文〕いさましくて武術にすぐれているようす。

☆☆**ユーブイ**[UV]〔←ultraviolet〕紫外線。「―カットのけしょう品」

☆☆**ユーフォー**[UFO]〔← unidentified flying object=未確認飛行物体〕正体がわからない飛行物体。ふつう、宇宙人の乗り物と信じられる「空飛ぶ円盤」をさす。ユー エフ オー。

**ユーフォニアム**〔euphonium〕《音》チューバを小さくしたような金管楽器。音域はトロンボーンと同じで、太くてやわらかい音が出る。主に吹奏楽で使う。ユーフォニウム。ユーフォ。

**ゆうふく**［裕福］《ナダ》生活がゆたかなようす。「—な家庭」派—さ。

**ゆうぶつ**［×尤物］〔文〕すぐれているもの。「なかなかの—だ〔=上物だ〕」

**ゆうふん**［憂憤］〔文〕心配して、憤慨すること。「—やるかたなく」

**ゆうべ**［夕べ］—①〔雅〕ゆうがた。ゆう。「春の—」(↕あした《朝》) ②〔何かの もよおしものをする〕夜。「音楽の—」

**ゆうべ**［〈昨夜〉］— きのうの夜。

**ゆうへい**［幽閉］《名・他サ》人を牢屋や屋敷にとじこめて、外出させないこと。

**ゆうへん**［雄編・雄×篇］〔文〕雄大な〈著作/作品〉。すぐれた〈著作/作品〉。

☆☆**ゆうべん**［雄弁］《名・ナダ》①勢いよく、よどみのない弁舌(をふるうようす)。「—にまくしたてる・—家」派—さ。②〔—に〕はっきりと伝えているようす。「事実を—に物語る映像」

**ゆうほ**［遊歩］《名・自他サ》〔文〕楽しみのために、ぶらぶら歩くこと。そぞろあるき。「海辺を—する・—道(路)」

**ゆうほう**［友邦］〔文〕仲のいい国。

**ゆうほう**［雄峰］〔文〕雄大な高山。「ヒマラヤの—」

**ゆうぼう**［有望］《ナダ》うまくいきそうな見こみがあるようす。「前途—」派—さ。

**ユーボート**［Uボート］〔U《↑ド Untersee=海中》-boat〕第一次・第二次世界大戦で使われた、ドイツの潜水艦。

**ゆうぼく**［遊牧］《名・自サ》家畜のための水と草をもとめて移動しながら、牧畜を仕事にすること。「—の民・—人種」

**ユーマ**［UMA］〔↑和製 unidentified mysterious animal〕実在がはっきりと確かめられていない動物。例、ツチノコや雪男など。未確認動物。

**ゆうまぐれ**［夕〈間暮れ〉］—〔文〕夕方になって、あたりがうす暗く見えるころ。

**ゆうまずめ**［夕まずめ］—《釣り》夕ぐれの、うすぐらい時刻。(↕朝まずめ)

**ゆうみん**［遊民］〔文〕決まった職につかず、ぶらぶらしている人。「太平の—・高等—〔=大卒の遊民〕」

**ゆうめい**［勇名］〔文〕いさましいという評判。「—をとどろかせる」

＊**ゆうめい**［有名］《ナダ》名高いようす。名がよく知られているようす。「ミカンの産地として—だ・—大学・—品」(↕無名) 派—さ。 ●**ゆうめいじん**［有名人］広く名前を知られ、社会的な地位も高い人。 ●**ゆうめいぜい**［有名税］〔俗〕名前をよく知られた人がこうむる めいわくのたとえ。 ●**ゆうめいむじつ**［有名無実］《ナダ》名ばかりで、実質が ともなわないこと。派—さ。

**ゆうめい**［幽明］〔文〕あの世と、この世。「—相隔てる」 ●**幽明 境を異にする** 句〔文〕〔その人が〕死んで、〔自分と〕住む世界が別々になる。表記「境」は「△界」とも。

**ゆうめい**［幽冥］〔文〕あの世。よみじ。「—界」

**ゆうめし**［夕飯］— 夕食。〔少しぞんざいな言い方〕

**ユーモア**〔humor; humour〕人間味のある、上品な〈おかしみ/しゃれ〉。諧謔。ヒューモア。「—を解する・—小説・—作家〔=ユーモア小説の作家〕」

**ゆうもう**［勇猛］《名・ナダ》〔文〕勇気があって たけだけしいようす。「—果敢」派—さ。

**ゆうもや**［夕〈×靄〉］— 夕方に立ちこめる もや。(↕朝もや)

**ユーモラス**《ナダ》〔humorous〕①ユーモアのあるようす。②あいきょうがあって、笑いをさそうようす。「—な表情のナマケモノ」派—さ。

**ユーモリスト**〔humorist〕①ユーモアのある人。②ユーモア作家。

**ユーモレスク**〔フ humoresque〕《音》かろやかで、ユーモアに富んだ小曲。

**ゆうもん**［幽門］《生》胃の、十二指腸に続く部分。☞噴門。

**ゆうもん**［憂×悶］《名・自サ》〔文〕心配し、苦しみなやむ〈こと/思い〉。「日ごろの—も消えて」

**ゆうやく**［×釉薬］〔焼き物で〕うわぐすり。

**ゆうやく**［勇躍］《名・副・自サ》〔文〕いさみたって心がおどること。「—(して)出発した」

**ゆうやけ**［夕焼け］—《名・自サ》太陽がしずむとき、日光の反射で西の空が赤くなること。ゆうばえ。「—空・—雲・燃えるような—」(↕朝焼け) 動夕焼ける《自下一》。 ●**ゆうやけ こやけ**［夕焼け小焼け］夕焼け。〔「こやけ」は、調子をよくするためにそえたことば〕

**ゆうやみ**［夕闇］— 夕方で暗くなった状態。夕方に月がなくて暗いこと。「—が迫る」

**ゆうやろう**［遊冶郎］〔文〕女道楽にふける男。

**ゆうゆう**［悠々］《副・タルト》①ゆったりとして、いそがないようす。「—と歩く」②ゆとりがあって、あぶなげがないようす。「—(と)合格した」③〔文〕〔空間または時間が〕かぎりなく、はるかなようす。「—たる天地」 ●**ゆうゆうかんかん**［悠々閑々］《タルト》〔文〕ゆっくりかまえておちついているようす。 ●**ゆうゆうじてき**［悠々自適］《名・自サ》〔文〕俗世間のことをはなれて、ゆったりと、自分の思うとおりに過ごすこと。晴耕雨読。「—の生活」

☆☆**ゆうよ**［猶予］《名・自他サ》①どうするかを決めないで、ぐずぐずすること。「一刻の—も許されない」②予定の時日を先に のばすこと。「二、三日の—をいただきたい」③《法》↑執行猶予。「—がつく」

**ゆうよ**［有余］接尾〔有=又。「また」の意〕〔文〕…あまり。「一年—」

**ゆうよう**［有用］《ナダ》〔文〕役に立つようす。「社会に—だ」(↕無用) 派—さ。

**ゆうよう**［悠揚］《タルト》〔文〕ゆったりと、おちついているようす。 ●**悠揚迫らぬ** 句〔文〕あわてたり さわいだりしない。「—態度・悠揚迫らず去って行った・悠揚迫らざる微笑〔文語の例〕」

**ゆうよく**［有翼］〔文〕つばさがついていること。「—の天使・—ミサイル〔方向などを調整できる〕」

**ゆうよく**［遊×弋］《名・自サ》〔文〕〔軍艦が海上を〕あちこち動き回ること。「—する機動部隊」

**ゆうらく**［遊楽］《名・自サ》〔文〕あそび たのしむこと。

「—をもっぱらにする・—図屏風」

**ゆうらん**［遊覧］《名・他サ》見物して回ること。「市内を—する・—船・—バス・—飛行」

**ゆうり**［有理］〔文〕りくつが とおっていて、もっともなこと。「造反—」 ●**ゆうりすう**［有理数］《数》整数または分数の形であらわせる実数。(↕無理数)

**ゆうり**［遊里］〔文〕遊郭。

☆☆**ゆうり**［遊離］《名・自サ》①〔文〕ほかと かけはなれていること。「現実から—した考え」 ②《理》ほかのものと化合しない状態にあること。結合が切れて、構造の一部が分離すること。「—酸」

**ゆうり**［有利］《ナダ》①利益があるようす。「—な投資」 ②つごうがいいようす。「—な取引」▽(↕不利) 派-さ。

☆☆**ゆうりょ**［憂慮］《名・他サ》〔文〕〔成り行きについての〕心配(をすること)。「—すべき事態・—に堪えない〔=憂慮せずにいられない〕」

**ゆうりょう**［有料］使うときに、料金がいること。「—トイレ」(↕無料) ●**ゆうりょうどうろ**［有料道路］お金をはらって通行する道路。「一般—〔=高速道路を除く有料道路〕」

**ゆうりょう**［優良］《ナダ》〔文〕〔品質・成績などが〕すぐれているようす。「—な製品・健康—児」(↕劣悪) 派-さ。☞優秀。

**ゆうりょく**［有力］《ナダ》①勢力・資力などがあるようす。「—者」(↕無力) ②大いに効力があるようす。「—な根拠」 派-さ。

**ユーリンチー**［(:油淋鶏)］〔中国語〕とりのからあげに、ネギを入れた酸味のあるたれをかけた料理。ヨウリンチー。〔中国では、味つけをしたとり肉の素揚げ〕

**ゆうれい**［幽霊］①〔文〕死んだ人の たましい。亡霊。②死んだ人間などの霊が生前の姿になって あらわれるというもの。「—屋敷」 ③実際はないのに、あるように見せかけたもの。「—会社・—人口・—〔=実際には活動しない〕部員」 ●**幽霊の正体見たり枯れ尾花** 句 こわいと思ったものも、正体がわかれば たいしたことはない。

**ゆうれい**［優麗］《名・ナダ》〔文〕やさしくて美しいようす。

**ゆうれき**［遊歴］《名・自他サ》〔文〕旅行してほうぼうを歩くこと。「九州〈を/に〉—する」

**ゆうれつ**［優劣］どちらがすぐれていて、どちらがおとっているか、ということ。まさりおとり。「—がない」

☆☆**ユーロ**〔Euro=ヨーロッパの〕欧州連合〔=EU〕のお金(の単位)。〔記号€〕 ●**ユーロダラー**〔Eurodollar〕《経》ヨーロッパなどアメリカ以外の銀行に預金されたドル資金。 ●**ユーロビート**〔Eurobeat〕《音》ヨーロッパから広まった、電子楽器を使った速いテンポのダンス音楽。

←**ゆうわ**［×宥和］《名・自サ》〔文〕対立する相手の姿勢を大目に見て、仲よくすること。「—政策」

→☆☆**ゆうわ**［融和］《名・自サ》〔文〕一つにとけあって、なかよくすること。「社内の—を図る」

**ゆうわく**［誘惑］《名・他サ》①〔よくないこと・恋愛などに〕相手をさそいこむこと。「悪の道に—する・流し目で—する」 ②魅力。「酒の—に勝てない」 ③してみたいという欲求。「—に駆られる」

**ゆえ** 〔文〕一**ゆえ**［(故)］わけ。理由。「—もなく落ちるなみだ・証拠がない—をもって〔=ないので〕否定する」 二《接助》〔文〕理由をあらわす。(…の)ため。「呼ばれた—行って来る」 ☞ゆえに。 ●**故あって** 句 〔文〕事情があって。「—出家した」 ●**故あるかな** 句 〔文〕もっとも(なこと)だ。 ●**故知らず** 句 〔文〕理由もわからず。「—歩みひそめつ」 ●**故なき** 句 〔文〕理由がない。ゆえない。「批判は—ことではない・—にあらず〔=理由がないわけではない〕」 ●**故なく(して)** 句 〔文〕理由がなく(て)。「—欠席してはならない」 ●**故なしとしない** 句 〔文〕それなりの理由がある。

**ゆえき**［輸液］《名・自サ》《医》からだの水分や栄養分などをおぎなうため、必要な成分を水にとかしたもの(を注射して、からだに送りこむこと)。

**ゆえつ**［愉悦］《名・自サ》〔文〕楽しい気持ちになること。喜ぶこと。「勝利の—」

**ゆえに**［ゆえ—］〔文〕一《接》(それ)だから。よって。「現場にいなかった。—犯人でない」 二《接助》…が理由で。…のために。「知らなかった(が)—あやまちをおかした・きみ—心をなやませる」 表記 かたく「故に」とも。

☆☆**ゆえん**［(:所以)］〔↑ゆえに〕〔文〕①わけ。「その名がある—だ〔=そういう わけで、その名前がついた〕」 ②特別の〈理由/根拠〉。「人の人たる—は」 ③〔…ための〕やり方。「友につくす—」

**ゆえん**［油煙］あぶら・ろうそくなどを燃やすときに出る、ごく細かい、黒くて軽い つぶ。「—墨〔=油煙をにかわで固めたすみ〕」

**ゆおう**［△硫黄］《理》〔古風〕⇩いおう(硫黄)。

**ゆおん**［油温］〔文〕〔エンジンや なべなどの中の〕あぶらの温度。「—計」

**ゆおん**［湯温］〔ふろ・湯わかし器などの〕湯の温度。

＊**ゆか** 一［床・×牀］①家の中で、板をはって たたみなどを敷く所。また、板などを敷きつめた所。「—暖房・—をタイルにする」 ②浄瑠璃を語る高座。③〔文楽などの〕義太夫(の語り手)。 二 ↑床運動。

**ゆか**［油化］↑石油化学(工業)。「—製品」

**ゆかあがり**［床上がり］〔↑床上がり寸法〕《服》〔スカートなどの〕ゆかから すそまでの寸法。「—五十センチ」

**ゆかい**［愉快］《名・ナダ》楽しくて、大きく笑いたくなるような〈ようす/気持ち〉。「—な物語・—な人〔=おもしろいことを言ったりしたりして、楽しい人〕・一日—に過ごす」(↕不愉快) 派-がる。-げ。-さ。 ●**ゆかいはん**［愉快犯］世間がさわぐことを楽しむために罪をおかす者。

**ゆかいた**［床板］床に張る板。たたみの下に敷く板。

**ゆかうえ**［床上］床の上。「—浸水」(↕床下)

**ゆかうんどう**［床運動］十二メートル四方のマットの上で、宙返り、さか立ち、そのほか いろいろの運動を組み合わせておこなう体操競技の種目。ゆか。

**ゆが・く**［湯(×掻く)］《他五》たっぷりの湯で、さっとゆでる。「ホウレンソウを—・麺を—」

**ゆかげん**［湯加減］ふろの湯などの、温度のぐあい。「ちょうどいい—だ」

**ゆかざい**［床材］建物の床に使う材料。フローリングやタイルなど。

**ゆかし・い**［(:床しい)］《形》〔文〕①いろいろと思い出されて、なつかしい。「古式—行事〔=古式どおりにすることによって、昔がしのばれる行事」②ひかえめなふるまいに、心が引きつけられるようすだ。おくゆかしい。「—人がら」派-がる。-げ。-さ。

**ゆかした**【床下】床の下。「—浸水(しんすい)(=雨などによる浸水が床下でとまった状態)」(↔床上)

**ゆかた**【浴衣】(↑湯かたびら)〔入浴後や夏に着る〕もめんのひとえ。「—がけで散歩する・—帯(=女性が、ゆかたを着たときに結ぶ帯)」

**ゆかだんぼう**【床暖房】電気や温水で床をあたためるしくみ。床暖(ゆかだん)。

**ゆがま**【湯釜】湯をわかす釜。

**ゆがみ**【(×歪み)】ゆがむこと。ゆがんだ程度。

**ゆが・む**【(×歪む)】《自五》①整っている形がくずれる。「苦痛にゆがんだ顔・窓枠(まどわく)が—」②心やおこないが正しくなくなる。「ゆがんだ根性(こんじょう)」他ゆがめる《下一》。☞ひずむ。

**ゆかめん**【床面】〔文〕床の部分(の表面)。「—暖房(だんぼう)」

**ゆかめんせき**【床面積】建物の、それぞれの階の面積。☞建て面積・延べ面積。

**ゆかり** 一【(△縁)・(:所縁)】〔ある事情に もとづく〕(ちょっとした)関係。「縁(えん)も—もない・漱石(そうせき)(に)—の地(=夏目漱石に関係のある土地)」 二〔商標名〕梅ぼしをつけるときに使ったシソの葉をほして、粉にした食品。

**ゆかん**【湯×灌】《名・他サ》〔仏式の葬式(そうしき)で〕棺(かん)におさめる前に、遺体を湯でふき清めること。「—師」

**ゆき** 一 **ゆき**【行き】行く〈こと/とき〉。「—(=往路)は楽でも、帰りはたいへんだ・あすの岡山—はとりやめだ・東京—(の列車)に乗る」(↔帰り) 二【行】接尾 返信用のはがきや封筒(ふうとう)に自分の名前をあて名として書くとき、下にそえることば。「三省堂—」 ✓返信では、「行」を二本線で消して、「様〈個人の場合〉」「御中(おんちゅう)〈団体の場合〉」に直すのが礼儀(れいぎ)。☞御中。▽一二いき。

**ゆき**【(×裄)】《服》衣服、特に和服の背ぬい(=背すじのぬい目)からそで口までの長さ。ゆきたけ。

***ゆき**【雪】①冬、空から降ってくる、白くてつめたいもの。〔水蒸気が結晶(けっしょう)して できる〕「—が降るぞ〔めずらしく感心なことをした人を、からかって言う場合も〕・—が積もる」②「雪①」の降る天気。「—になる」③「雪①」が降ること。降雪。「—が強まる・—がやむ」④白い色のもののたとえ。「—の肌(はだ)」 ●**雪と墨**(すみ) 句 まったくちがうもののたとえ。 ●**雪を頂く** 句 〔文〕①山の頂上に雪が積もる。②しらがはえて、まっしろになる。「かしらに—」

**ゆきあ・う**【行き合う】《自五》⇩いきあう。名 行き合い。

**ゆきあかり**【雪明かり】積もった雪のために、あたりが明るく見えること。

**ゆきあがり**【雪上がり】雪のやんだ あと。

**ゆきあし**【行き足】⇩いきあし。

**ゆきあそび**【雪遊び】〔子どもが〕雪を使って遊ぶこと。

**ゆきあたりばったり**【行き当たりばったり】《名・ナダ》⇩いきあたりばったり。

**ゆきあた・る**【行き当たる】《自五》①進んで行って、突(つ)き当たる。②行きづまる。「難局に—」

**ゆきあらし**【雪嵐】《天》⇩ブリザード。

**ゆきあわ・せる**【行き合わせる】《自下一》⇩いきあわせる。

**ゆきうさぎ**【雪(×兎)】雪で、ウサギの形に作ったかざりもの。おぼんの上などに置く。

**ゆきおくれ**【行き遅れ】〔古風〕⇩いきおくれ。動 行き遅れる《自下一》。

**ゆきおこし**【雪起こし】雪が降る前に聞こえるかみなり。

**ゆきおとこ**【雪男】ヒマラヤ山中に住むという、人間に似た動物。イエティ(yeti)。

**ゆきおれ**【雪折れ】《名・自サ》降り積もった雪のために枝や幹が折れること。「柳(やなぎ)に—なし」

**ゆきおろし**【雪下ろし】一《名・自サ》屋根に積もった雪を地面におろすこと。二 雪を降らせる、つめたい風。

**ゆきおんな**【雪女】〔雪の多い地方で〕白い着物を着た女の姿で あらわれるという、雪の精。ゆきじょろう。ゆきむすめ。

**ゆきか・う**【行き交う】《自五》〔発音はユキコーとも〕〔文〕⇩いきかう。名 行き交い。

**ゆきかえり**【行き帰り】《名・自サ》⇩いきかえり。

**ゆきがかり**【行き(掛かり)】⇩いきがかり。

**ゆきかき**【雪(×掻き)】《名・自サ》積もった雪をかきのける〈こと/道具〉。

**ゆきがけ**【行き(掛け)】⇩いきがけ。

**ゆきがこい**【雪囲い】①〔雪の多い地域で〕雪の害を受けないように、家の入り口や窓などを囲うこと。また、その囲い。②庭木や野菜などを、わら・むしろなどで囲い、雪から守ること。

**ゆきかぜ**【雪風】①雪といっしょに ふきつける風。②雪を降らせる、つめたい風。

**ゆきかた**【行き方】⇩い(行)きかた。

**ゆきがた**【行き方】〔古風〕ゆくえ。「—知れずに なる」

**ゆきがた**【雪形】春、高い山に残った雪と黒い山肌(やまはだ)との組み合わせであらわれる模様が、動物や人間の形に見えるもの。占(うらな)いや、農作業のめやすとされた。

**ゆきがっせん**【雪合戦】雪をまるめて投げあう遊び。ゆきなげ。

**ゆきかべ**【雪壁】降雪や除雪のさいにできる、(高い)雪の かべ。

**ゆきき**【行き来・(△往き来)】《名・自サ》⇩いきき。

**ゆきぐつ**【雪靴・雪(×沓)】雪の中を歩くときの、わらぐつ。〔現代では、長ぐつなどにも言う〕

[ゆきぐつ]

**ゆきぐに**【雪国】雪の多い地方・国。

**ゆきぐも**【雪雲】雪を降らせる雲。

**ゆきぐもり**【雪曇り】今にも雪が降りそうな、くもりの状態。

**ゆきく・れる**【行き暮れる】《自下一》〔文〕歩いて行くうちに日がくれる。「山の中で—」

**ゆきげ**【雪(△消)】〔雅〕ゆきどけ。「—どき・—水(みず)」

**ゆきげしき**【雪景色】雪の〈降る/積もった〉けしき。☞銀世界。

**ゆきげしょう**【雪化粧】《名・自サ》雪が積もってき

れいに見えることのたとえ。「八合目まで―した富士山」

**ゆきけむり**【雪煙】雪がまい上がるのをけむりにたとえたことば。

**ゆきごろも**【雪衣】山などを、白いころものようにおおっている雪。「山が―をまとう」

**ゆきさき**【行き先】①行こうとしている目あての場所。行った場所。②将来。先行き。▽ゆくさき。いきさき。いくさき。

**ゆきしぐれ**【雪時雨】①雪まじりの雨。みぞれ。②にわかゆき。

**ゆきしつ**【雪質】降り積もった雪の、性質・状態。せきしつ。「―がかたい・〔スキー〕―にあったワックス」

**ゆきじょろう**【雪女郎】ゆきおんな。

**ゆきしろ**【雪代】山に積もった雪がとけて流れ出たもの。ゆきどけの水。ゆきみず。

**ゆきす・ぎる**【行き過ぎる】《自上一》⇩いきすぎる。名行き過ぎ。

**ゆきずり**【行きずり】〔まったく関係のない〈人が／所を〉〕偶然通りかかること。「―にとびこんだ店・―の旅人・―の放火・―の恋〔=出かけた先での、一時の恋愛関係〕」

**ゆきぞら**【雪空】雪が降りそうな空模様。

**ゆきだおれ**【行き倒れ】⇩いきだおれ。動行き倒れる《自下一》。

**ゆきたけ**【×裄丈】《服》ゆき(裄)の長さ。ゆき。

**ゆきた・つ**【行き立つ】《自五》〔文〕①成り立つ。②暮らしができる。▽いきたつ。

**ゆきだま**【雪玉】雪をかたくまるめて作った玉。

**ゆきだるま**【雪だるま】雪をかためて、だるまのように作ったもの。「借金が―式に〔=雪だるまを作るとき、雪のたまをころがしてどんどん大きくするように〕ふえる」

**ゆきちがい**【行き違い】⇩いきちがい。動行き違う《自五》。

**ゆきつ・く**【行き着く】《自五》⇩いきつく。

**ゆきつけ**【行きつけ】⇩いきつけ。動行きつける《自下一》。

**ゆきづま・る**【行き詰まる】《自五》⇩いきづまる。「経営が―」名行き詰まり。

**ゆきつり**【雪〈×吊り〉】雪折れを防ぐために、木の枝をつっておくこと。ゆきづり。

**ゆきつり**【雪釣り】糸の先に炭を結びつけて積もった雪の上に落とし、雪をつり上げる遊び。

**ゆきて**【行き手】行く人。行ってくれる人。「医者の―のない僻地の病院」〔↔来手〕

**ゆきどけ**【雪解け】《名・自サ》①雪がとける〈こと／時期〉。ゆきげ。「―水」②対立の緩和。「―ムード」

由来 ②は、ソ連の作家エレンブルグの小説の題から、最高実力者スターリン死後の政策の緩和を指した。

**ゆきとど・く**【行き届く】《自五》⇩いきとどく。

**ゆきどまり**【行き止まり】⇩いきどまり。

**ゆきなや・む**【行き悩む】《自五》①行くのにさしつかえて、うまく進めなくなる。「雪道で―」②ものごとが思うようにはかどらなくなる。「計画が―」▽いきなやむ。名行き悩み。

**ゆきのした**【雪の下】しめった岩はだなどにはえる、背の低い草。葉はまるくて、細かな毛がはえ厚ぼったい。夏、白い小形の花をひらく。

**ゆきのはら**【雪野原】雪がいちめんに積もって、広い野原のようになった所。

**ゆきば**【行き場】いきば。ゆきばしょ。

**ゆきはだ**【雪肌】①積もった雪の表面。雪面。②美人の、白いはだ。

**ゆきばな**【雪花】花のように散る雪。

**ゆきばら**【雪腹】雪の降るときに、腹が冷えて痛むこと。

**ゆきばれ**【雪晴れ】雪がやんで、空がきれいに晴れ上がること。

**ゆきびさし**【雪〈×庇〉】⇩せっぴ(雪庇)①。ゆきひさし。

**ゆきひら**【〈行平〉・〈雪平〉】陶器やアルミで作った、片手の平たいなべ。かゆなどを煮るときに使う。ゆきひらなべ。

**ゆきぶか・い**【雪深い】《形》雪が多く積もったようすだ。「―山里」

**ゆきふり**【雪降り】雪が降る〈こと／日〉。

**ゆきま**【雪間】①雪のやんだあいだ。②積もった雪が消えて土のあらわれたところ。「―(の)草」

**ゆきまつり**【雪祭り】雪の多い地方で、雪の像を作ったりして楽しむ観光行事。「札幌の―」

**ゆきみ**【雪見】雪げしきをながめること。また、そのさかもり。「―酒」●**ゆきみしょうじ**【雪見障子】〔外の雪景色が見えるように〕障子の下半分にガラスをはめこんだ障子。●**ゆきみどうろう**【雪見灯籠】背が低く、かさが大きく、足が広がった灯籠。ゆきみどうろ。

［ゆきみどうろう］

**ゆきみず**【雪水】①⇩ゆきしろ(雪代)。②雪をとかした水。

**ゆきみち**【雪道】雪が〈積もった／降っている〉道。

**ゆきむし**【雪虫】雪の積もるころあらわれる小さな羽虫。ユスリカ〔=カに似た小さな虫〕など。

**ゆきむすめ**【雪娘】ゆきおんな。

**ゆきめ**【雪目・雪〈△眼〉】《医》雪の反射で目が炎症を起こし、痛むこと。

**ゆきもち**【雪持ち】雪をかぶること。「―松」

**ゆきもどり**【行き戻り】《名・自サ》行ったり来たりすること。

**ゆきもよい**【雪〈△催い〉】〔文〕今にも雪が降りそうに、空がくもり、ひえてくる状態。「―の空」

**ゆきもよう**【雪模様】雪が降ろうとする、空の様子。「あいにくの―」

**ゆきやけ**【雪焼け】《名・自サ》雪に反射する光にふくまれる紫外線のため、はだが黒くなること。

**ゆきやなぎ**【〈雪柳〉】小さな庭木。春、細い枝を出し、白い小さな五弁の花をふさのようにつける。

**ゆきやま**【雪山】①雪の積もった、冬の山。②雪かきをした雪を山のように積み上げたもの。「―を作る」

**ゆきゆ・く**【行き行く】《自五》〔文〕①どこまでも行く。どんどん進む。②つぎつぎに行く。「友ら―」

**ゆぎょう**【遊行】《名・自他サ》《仏》僧が諸国をめぐり歩いて修行すること。行脚。「諸国を―する」

**ゆきよけ**【雪〈△除け〉】①除雪。②雪が降っても困らないように作った設備。

**ゆきり**【湯切り】《名・他サ》《料》〔ラーメンなどの〕めんをゆでたあと、ざるなどで湯をしっかりと切る〔=よけいな水けを取り去る」こと。ゆぎり。「―があまいと、スープがうすまる・カップ焼きそばの―口」

**ゆきわた・る**［行き渡る］《自五》〈全体にもれなく／すみずみまで〉およぶ。いきわたる。「栄養が からだに―」

**ゆきわりそう**［（雪割草）］岩地に はえ、はち植えにもする草。葉はトランプのクラブ形で、春先、花びらの六枚ある、〈赤い／白い〉小形の花をつける。

**ゆきんこ**［雪ん子］雪の降ったときにあらわれるという、子どもの姿をした雪の精。

←**ゆ・く**［△征く］《自五》〔文〕出征する。「南方へ―」

↔☆☆**ゆ・く**［逝く］《自五》〔文〕①死ぬ。いく。「逝いて〔=逝って〕はや十年」②⇩ゆ(行)く【一】②。「―〔=流れ去る〕水・―夏をおしむ」

→**ゆ・く**〔「いく」の書きことばふうの形。音便の形は「いった」「いって」〕【一】ゆく［行く・△往く］《自他五》①いく。「―先を告げる・行けども、行けども、山また山」②［逝く］過ぎ(去)る。「―秋・―年(↔来る年)」【二】ゆく《補動五》⇩いく【四】。【三】［(行く)］造〔文〕…ていく。「明け―空・死に―人々・巣立ち―生徒」可能 行ける。行かれる〔古風〕。●**行きつ戻りつ** 句〔文〕〔なんべんも〕行ったり もどったりすること。「―する」●**行くとして可ならざるはない** 句〔文〕どこへ行っても〔=どんな仕事をやらせても〕うまくやる。

**ゆくえ**［行方］①行くべき方角。「―も知らぬ旅に出た」②行った先。「―不明・―知れずになる・―を絶つ」③今後の なりゆき。「裁判の―」

**ゆくさき**［行く先］⇩ゆきさき。

**ゆくさき**［行く先々］その人が行くほうぼうの場所。「―で歓迎される」

**ゆくすえ**［行く末］将来(の なりゆき)。「来し方―を考える」

**ゆくたて**［(行く立て)・(:経緯)］〔古風〕そうなるまでの事情。いきさつ。由来⇩いきさつ。

**ゆぐち**［湯口］①温泉のわき出る穴。②湯ぶねで、熱くなった湯の出てくる口。

**ゆくて**［行く手］進んで行く先。ゆくさき。

**ゆくゆく**《副》【一】［行く行く］行きながら。「―落日を見る」【二】［(行く行く)］〔多く―は〕やがては。将来。「―は大物になるだろう」

**ゆくりなく(も)**《副》〔文〕思いがけなく(も)。「―旧友に出あった」

**ゆげ**［湯気］湯など、熱いものの表面から立ちのぼる水蒸気がひえて細かい水滴になったもの。白く見える。「浴室に―が立ちこめる・みそしるの―・頭から―を立てる〔⇩「頭」の句〕」〔ドライアイスなどから立ちのぼるのも、同じもの。日常語では「煙・水蒸気・冷気」などとも言う〕●**湯気が立っている** 句〈できたて／なりたて〉である。

**ゆけつ**［輸血］《名・自他サ》《医》患者の静脈の中に、健康な人の血液を〔注射して〕送りこむこと。

**ゆけむり**［湯煙］(温泉の)湯の表面から、けむりのようにこく立ちあがる湯気。

**ゆごう**［癒合］《名・自サ》《医》傷口が治って、くっつくこと。

**ゆこく**［諭告］《名・自サ》〔文〕〔上の者から下の者へ〕さとしきかせる〈こと／ことば〉。

**ゆこぼし**［湯(△零し)］飲み残したお茶をすてるうつわ。穴のあいた受け皿がついている。

**ゆさい**［油彩］あぶら絵の具で色を塗ること。あぶらえ。(↔水彩)

**ゆざい**［油剤］あぶらの〈ような／はいった〉薬剤。

**ゆさぶ・る**［揺さぶる］《他五》①力を加えて、大きくゆれ動くようにする。「幹を―」②相手を大いに動揺させる。③大いに感動させる。「心を揺さぶられる」名 揺さぶり。「―をかける」自 揺さぶれる《下一》。

**ゆざまし**［湯冷まし］①煮立てた湯をさましたもの。②湯をさますのに用いる器。

**ゆざめ**［湯冷め］《名・自サ》ふろから あがって、からだがひえてくること。「―すると かぜをひく」

**ゆさゆさ**《副・自サ》木の枝や建物などが、大きくゆれるようす。「積み荷が―(と)ゆれる」

**ゆさん**［遊山］〔文〕(野山に)あそびに行くこと。「物見―」

**ゆし**［油紙］⇩あぶらがみ。

**ゆし**［油脂］〔文〕液体・固体の あぶらをあわせた言い方。動植物からとった あぶら。「―工業」

**ゆし**［諭旨］〔文〕〔ふつごうなことをした人に対して〕それが ふつごうである理由を言い聞かせること。「―退学・―退職」

**ゆしどうふ**［ゆし豆腐］〔沖縄方言。ゆし=寄せ〕沖縄の おぼろどうふ。

***ゆしゅつ**［輸出］《名・他サ》外国へ産物・生産技術などを送り出すこと。「―品・―代金・公害の―」(↔輸入)☞移出。●**ゆしゅつちょうか**［輸出超過］《経》ある期間内の輸出の総額が、輸入の総額よりも多いこと。出超。(↔輸入超過)●**ゆしゅつにゅう**［輸出入］輸出と輸入。

**ゆしょう**［油床］〔文〕原油が埋蔵している場所。

**ゆじょう**［油状］〔文〕あぶらのような状態。

**ゆず**［(×柚子)］かんきつ類の一種。実は まるくて でこぼこしていて、酸味が強い。かおりがいい。「―茶〔=砂糖づけにしたユズをお湯でといた、韓国の飲み物〕・―塩〔=ユズの皮をまぜあわせた塩〕」

**ゆずがま**［(×柚子)釜］ユズの中身を取り出して、中に料理をもりつけたもの。ゆ(柚)がま。

←**ゆす・ぐ**［(×漱ぐ)］《他五》うがいをして、口の中をきれいにする。すすぐ。名 ゆすぎ。

→**ゆす・ぐ**［(△濯ぐ)］《他五》〔水で〕よごれを洗いおとす。すすぐ。名 ゆすぎ。

**ゆずこしょう**［(×柚子×胡×椒)］ユズの皮をすりおろしてトウガラシや塩などを混ぜ、ペースト状にした緑色の調味料。ゆずごしょう。〔九州の名産〕

**ゆすぶ・る**［揺すぶる］《他五》ゆさぶる。ゆする。自 揺すぶれる《下一》。

**ゆずゆ**［(×柚子)湯］冬至の日に、ユズをうかせてたてる ふろ。ゆずぶろ。

**ゆすらうめ**［(:梅桃)］春、ウメに似た白い花が枝いっぱいにさく、低い木。生け花の材料。実は小つぶで赤く、食べられる。ゆすら。

**ゆすり**［(:強請り)］相手をおどして むりに お金や品物を出させる〈こと／者〉。「―たかり」

**ゆずり**［譲り］ゆず(りうけ)ること。「―を受ける・親―の性格」●**ゆずりあ・う**［譲り合う］《他五》たがいに、席や自分の立場などをゆずる。「席を―」名譲り合い。「—の精神」 ●**ゆずりう・ける**［譲り受ける］《他下一》 ほかの人からゆずられて受け取る。名譲り受け。 ●**ゆずりは**［(譲葉)・(×楪)］ 庭に植える常緑樹。葉はビワに似る。春、黄色みをおびた若い葉が出てから、古いかたい葉が落ちる。葉を正月のかざりにする。 ●**ゆずりわた・す**［譲り渡す］《他五》 ゆずってほかの人にわたす。名譲り渡し。

**ゆすりあ・げる**［揺すり上げる］《他下一》 ゆするようにして、手で上げる。「せなかの赤んぼうを—」

**ゆす・る**［(:強請る)］《他五》 ゆすりをする。「スキャンダルをネタに会社を—」 ☞ねだ(強請)る。

**ゆす・る**［揺する］《他五》 ゆり動かす。「からだを揺すって高笑いした」

**ゆず・る**［譲る］《他五》 ①自分のものをほかの人にあたえる。「財産を—」 ②〔自分をあとにして〕ほかの人を先にする。「道を—」 ③〔自分をおさえて〕ほかの人の意見や主張に近づく。歩みよる。「主張して譲らない」 ④先へのばす。「来週に—」 ⑤「売る」の遠まわしな言い方。わける。「安く譲ってもらった」

**ゆす・れる**［揺すれる］《自下一》 ゆすられてゆれる。「花が風に—」

**ゆせい**［油井］ やぐらを取りつけて、地下の石油をくみ上げるようにした所。

**ゆせい**［油性］ あぶらの性質を持っていること。「—ペンキ」(↔水性)

**ゆせいかん**［輸精管］《生》⇩精管。

**ゆせん**［湯銭］〔古風〕銭湯にはいるためにはらう料金。ふろせん。

**ゆせん**［湯煎］《名・他サ》《料》入れものごと湯の中に入れて、中の材料に熱を加える〈こと／方法〉。「—にかける」

**ゆそう**［油送］ 石油を送ること。「—パイプ・—管」 ●**ゆそうせん**［油送船］ 石油などを積んで輸送する船。タンカー。油槽船。

**ゆそう**［油槽］ 石油・ガソリンなどをためておく大きな入れもの。「—所・—船(=油送船)」

**ゆそう**［油層］ 石油などのたまっている、地中の層。

**ゆそう**［輸送］《名・他サ》 人・貨物などを(大量に)はこぶこと。「—料・—量」

**ユダ**〔Judas〕 ①〔人名〕イエスの弟子で。十二人の使徒の一人で、イエスを裏切った。 ②〔俗〕裏切り者。

*__ゆたか__［豊か］《ナダ》 ①じゅうぶんに多くて、不足がないようす。「—な実り・—な水量・—な創造力・緑—な都市」 ②〈財産／生活に必要なもの〉がじゅうぶんにあるようす。「—な家・—な国」 ③いいものでみちあふれているようす。「—に生きる・—な心・—な文化」 ④いろいろのものがそなわっているようす。「国際色—・表情—・個性—な学生たち」 ⑤肉づきがいいようす。「—なほお」▽(↔貧しい・とぼしい) ⑥〔文〕ゆったりしたようす。「馬上—に(⇩「馬上」の句)」 ⑦〔文〕じゅうぶん それぐらいあるようす。「六尺—な大男」 派—さ。

**ゆだき**［湯炊き］《名・他サ》《料》水の代わりに、湯を入れて米をたくこと。

**ゆだく**［油濁］〔文〕重油による海水や川のよごれ。「—防止設備」

**ゆだ・ねる**［委ねる］《他下一》 ①(すっかり)人にまかせる。「事業を—・結論は読者に—」 ②ささげる。「教育に身を—」

**ゆだま**［湯玉］ ①湯が煮え立ったときにわき上がる、あわ。 ②玉のようにとびちる熱湯。

**ユダヤ**〔ラ Judaea〕 古代のパレスチナにあった王国。「—人」 表記「:猶太」は、古い音訳字。 ●**ユダヤきょう**［ユダヤ教］《宗》ユダヤ人が信じる一神教。

**ゆだ・る**［(×茹だる)］《自五》 ゆでた状態になる。うだる。

**ゆたん**［油単］ たんす・長持などにおおいかぶせる、油をひいた紙や布。「唐草模様の—」

**ゆだん**［油断］《名・自サ》 気をゆるして、注意しないこと。「—するな」 ●**油断も隙も(なら)ない**句 少しもゆだんできない。 ●**ゆだんたいてき**［油断大敵］ ゆだんは、おそろしい敵のようなものだ。「—火がぼうぼう」

**ゆたんぽ**［湯(△湯△婆)］ 湯を入れて、足や腰などをあたためる道具。寝床に入れて使う。

**ゆちゃ**［湯茶］ 湯や茶。「—の接待」

☆☆**ゆちゃく**［癒着］《名・自サ》 ①《医》皮膚・膜などが、けがや炎症などのために、たがいにくっついてしまうこと。「胸膜の—」 ②はなれにくいほど、深い関係を結ぶこと。「業界との—現象」

**ゆちょう**［油兆］ ほれば石油が出るという兆候。

**ユッカ**〔yucca〕 庭に植える常緑樹。短い幹の頂上から剣のような形の葉がむらがり出て、白い花をつける。ユッカらん(蘭)。

**ゆづかれ**［湯疲れ］《名・自サ》 ふろ・温泉にはいりすぎて、つかれること。

**ゆっくり《副・自サ》 ①急がないでするようす。「—(と)歩く・お話はあとで—うかがいましょう・きょうは—して行きなさい」 ☞ごゆっくり。 ②おそいようす。「けさは—(と)起きた」 ③ゆとりがあるようす。「全員が—(と)乗れる」 派—さ。

**ユッケ**〔朝鮮 yukhoe(肉膾)〕 なまの牛肉の赤身を細く切ってしょうゆ・ごま油などで味をつけ、生たまごの黄身をのせた料理。「—ビビンバ・マグロの—ふう」

**ゆづけ**［湯漬け］ 飯に湯をかけたもの。☞茶漬け。

**ゆったり**《副・自サ》 ①ゆとりがじゅうぶんにあるようす。「—(と)した洋服・—した気分で過ごす」 ②急がずに、ゆっくり進むようす。「—と川が流れる」

**ゆつぼ**［湯(×壺)］〔温泉などで〕家庭のふろの湯ぶねにあたる所。

**ゆづる**［△弓弦］(↑ゆみづる) 弓のつる。

**ゆであが・る**［(×茹で)上がる］《自五》 ゆでて、できあがる。「ブロッコリーが—」 他ゆで上げる《下一》。

**ゆてき**［油滴］〔文〕あぶらの〈しずく／したたり〉。

**ゆでこぼ・す**［(×茹で×溢す)］《他五》《料》〔あくやぬめりを取るため〕ゆでて、その汁を流しすてる。名ゆでこぼし。

**ゆでじる**［(×茹で)汁］ 食材をゆでたあとの湯。うま味が出ているものを料理に使う。「パスタの—」

**ゆでだこ**［(×茹で×蛸)］ ①ゆでて赤くなったタコ。 ②入浴や飲酒などで赤くなった人。

**ゆでたまご**［(×茹で)卵］ 殻のままゆでて、中身をかたまらせたたまご。うでたまご。

**ゆでめん**［(×茹で)麺］ ゆでて、すぐ食べられるようにして売っている、うどんやそばの玉。

**ゆ・でる**［(×茹でる)］《他下一》 熱湯の中に入れて、しっかりと加熱する。うでる。「たまごを—・枝豆を—」 区別

⇩煮る①。可能ゆでられる。☞ゆがく。

**ゆでん**【油田】石油のとれる地域。「海底―」

**ゆとう**【湯×桶】そば湯を入れておく、取っ手と口のついた入れもの。●**ゆとうよみ**【湯×桶読み】漢字二字でできていることばの、上を訓で、下を音で読む方式。例、見本・切符。(↔重箱読み)

**ゆどうぐ**【湯道具】ふろにはいるときに使う道具。タオル・せっけん・くし・クリームなど。

**ゆどうふ**【湯豆腐】豆腐をさっと煮て、しょうゆ・薬味で食べる料理。

**ゆどおし**【湯通し】《名・他サ》①織物を湯にひたして〈あとで縮むのを防ぐ/のり(糊)を落とす〉こと。②《料》材料をさっと湯にくぐらせること。☞油通し。

**ゆどの**【湯殿】〔古風〕ふろ場。

**ゆとり**〔空間・時間・気持ちについて〕きゅうくつでなく、自由になる部分。余裕。「―がある・―を持つ」

**ゆな**【湯△女】①昔、温泉宿にいて客のせわをした女性。②江戸時代、湯屋にいた遊女。

**ゆに**【湯煮】《名・他サ》《料》湯で煮ること/煮たもの。

**ユニ**〔uni〕①単一。「―化・―セックス」②〔俗〕↑ユニフォーム。

☆☆**ユニーク**《ナダ》〔unique〕ほかにはない特色を持っているようす。独特。独自。「―なデザイン」派―さ。

☆☆**ユニオン**〔union〕組合。〔同業組合、労働組合など〕●**ユニオンジャック**〔Union Jack〕①イギリスの国旗。②イギリス。●**ユニオンショップ**〔union shop〕会社にはいって一定の期間がたつと、労働者は労働組合員にならなければならず、組合から除名されれば会社もやめなければならない制度。

**ユニコーン**〔unicorn〕①⇩一角獣①。②〔↑ユニコーン企業〕創業から十年以内のベンチャー企業で、評価額が十億ドル以上の未上場の会社。

**ユニセックス**〔unisex〕〔服〕男女の区別がないこと。男女共通。モノセックス。「―のTシャツ」

☆☆**ユニセフ**〔UNICEF=もと、国連国際児童緊急基金〕戦争や災害にあった国の子どもの栄養と健康を守るために作られた、国際連合の補助機関。国連児童基金。

**ユニゾン**〔unison〕〔音〕①斉奏。斉唱。②同じ高さの音。一オクターブちがう、同じ音。

☆☆**ユニット**〔unit〕①単位。一個。②部品。「電源―」③〔教育で〕単元。「―3」④〔ポップスなどで〕グループ。ひと組み。「女性ボーカル―・―を組む」●**ユニットかぐ**【ユニット家具】デザインを統一し、自由に組み合わせて使えるように作った家具。●**ユニットバス**〔和製unit bath〕ホテル・マンションなどで使われる、湯ぶね・洗い場・壁面などを一体化した設備。

**ユニバーサル**《ナダ》〔universal〕①世界的。宇宙的。「環境破壊は―な問題だ」②普遍的。一般的。「―な価値基準」●**ユニバーサルサービス**〔和製universal service〕全国どこでもひとしく受けられるサービス。電話サービスなど。●☆☆**ユニバーサルデザイン**〔universal design〕障害者・高齢者・健常者の区別なしに、すべての人が使いやすいように、製品・建物・環境・情報などをデザイン〈すること/したもの〉。UD。「―フォント・カラー―」

**ユニバーシアード**〔Universiade〕国際学生スポーツ大会。ユニバシアード。ユニバ。〔二年に一回ひらかれる〕

**ユニバーシティ(ー)**〔university〕いくつかの学部をもつ総合大学。☞カレッジ。

**ユニフォーム**〔uniform=制服〕①スポーツチームの、そろいの運動服。②グループの、そろいの服。「ボランティアの―」▽ユニホーム。ユニ〔俗〕。●**ユニフォームを脱ぐ**句〈選手/監督〉を引退する。

*__ゆにゅう__【輸入】《名・他サ》①外国から産物・生産技術などを買い取ること。「―品」(↔輸出)☞移入②。②外部から人をとること。「―人事・―社長」●**ゆにゅうちょうか**【輸入超過】〔経〕ある期間内の輸入の総額が、輸出の総額よりも多いこと。入超。(↔輸出超過)

**ゆにょうかん**【輸尿管】〔生〕⇩尿管。

☆☆**ユネスコ**〔UNESCO=国連教育科学文化機関〕戦争の防止や国際平和を目的とする、国際連合の知的教育機関。

**ゆの-くに**【湯の国】〔文〕温泉の わき出る〈国/地域〉。

**ゆのし**【湯×熨し】《名・他サ》布を蒸気に当てて、しわをのばすこと。

**ゆのはな**【湯の花・湯の華】温泉に沈殿する鉱物質。ゆばな。

**ゆのみ**【湯飲み・湯×呑み】ふつう、筒形の茶飲み茶わん。「―茶わん」

**ゆば**【△湯葉】黄色くて、うすい紙のような食品。豆乳を煮て表面にできる膜をすくい上げて作る。由来しわが寄るので「豆腐の姥」と言い、「うば」がなまって「ゆば」になった。

**ゆはず**【△弓×筈】〔↑ゆみはず〕弓の両はしの、つるをかける部分。はず。

**ゆばな**【湯花】⇩ゆのはな。

**ゆばり**【湯張り】《名・自サ》ふろおけに湯をためること。

*__ゆび__【指】手足の先に分かれ出た細い部分。「―を折って数える・〔案がうかび〕―をぱちんと鳴らす・―鉄砲(=親指と人差し指で作った鉄砲の形)」☞指一本。●**指を屈する**句①指を折り曲げて数える。②すぐれているものとして数えあげる。「第一に―べき人物」▽指を折る。●**指をくわえる**句ほしいけれども、〈力がないので/手出しもせず〉だまってながめる。「指をくわえて見ているだけだった」●**指を差す**句①⇩ゆびさす。②指名する。③(こっそり)悪口を言う。●**指を染める**句やりはじめる。手をつける。●**指を詰める**句①〔俗〕〔やくざが〕わびのしるしに、おもに小指の先を切断する。②〔関西方言〕戸などに指をはさむ。

**ゆび-いっぽん**【指一本】《副》〔後ろに否定が来る〕指を一本も。絶対に。「―ふれてはならない・―動かせない・―さされたことはない〔⇩指を差す句③〕」

**ゆびいん**【指印】《名・自サ》ぼいん(拇印)。しいん。

**ゆびおり**【指折り】―を指を折って数える(ねうちのある)こと。屈指。「―の旧家」

**ゆびお・る**【指折る】―を《自五》〔数えるために〕指を折り曲げる。●**指折り数えて待つ**句指を折って数えながら、しきりに その日の来るのを待つ。

**ゆびき**【湯引き】《名・他サ》《料》①皮つきの さしみ

を作るとき、熱い湯を皮にかけて縮らせること。皮霜。「ハモの—」②下ごしらえのさいに、湯にくぐらせること。湯通し。動湯引く《他五》。

**ユビキタス**〔ubiquitous=どこにでもある〕《情》生活のいたるところでコンピューターネットワークを利用できる環境。「—社会」

**ゆびきり**[指切り] 子どもなどが おたがいに小指をからみあわせること。約束の しるし。げんまん。「—げんまん、うそついたら針千本飲ます」

**ゆびさき**[指先] 指の先の部分。「—が器用だ・—の感覚を失う」

**ゆびさ・す**[指(差す)・指(指す)]《他五》 指の先を向けてしめす。指をさす。ゆびざす。名指さし。「—点呼」

**ゆびずもう**[指相撲] おたがいに四本の指を組み合わせ、親指を立てて、相手の親指をおさえあう遊び。

**ゆびづかい**[指遣い] 指の動かし方。「ピアノの—の練習」

**ゆびづめ**[指詰め]《名・自サ》「指を詰める(⇩「指」の句)」こと。ゆびつめ。「〔関西で、乗り物のドアに〕—注意」

**ゆびどおり**[指通り] 指〈を/に〉通したときの感触。「髪の—がよい〔=なめらかでもつれない〕・—がきゅうくつな指輪」

**ゆびにんぎょう**[指人形] 指先などに はめて動かす、小さな人形。

**ゆびぬき**[指(△貫き)] 裁縫するとき、針の頭をおすために指に はめる〈革/金属〉の輪。

**ゆびぶえ**[指笛] ①指をくわえ、強く息をふいて するどい音を出すこと。②折り曲げた指をくわえ、メロディーをふき鳴らす演奏方法。「—をふく」

**ゆびわ**[指輪・指△環] 指にはめてかざる、金属で作った輪。リング。

**ゆぶね**[湯船・湯△槽] 入浴用の、湯をたたえ、人がその中にはいる、大きな入れもの。浴槽。

**ゆぶん**[油分] その中にふくまれる、油の〈成分/分量〉。あぶらぶん。「メイクの—」

**ゆべし**[(×柚△餅子)] ①ユズをくりぬいて、練ったもち米の粉や みそを入れ、むして干した菓子。②刻んだクルミ入りの、もちもちした しょうゆ味の菓子。

**ゆまき**[湯巻き] 腰巻き。ゆもじ。

**ゆまく**[油膜] 水面やガラスなどの表面にできる油の膜。

**ユマニスム**〔フ humanisme〕⇩ヒューマニズム②。

**ユマニテ**〔フ humanité〕⇩ヒューマニティ(—)。

**ゆみ**[弓] ①つるを張り、矢をつがえて射る〈武器/狩猟道具〉。「—を射る〔=弓を引き放って矢を射る。『機を織る』と同じ言い方〕」②弓の形をしたもの。③《音》バイオリンなどの弦をこすって、音を出すもの。楽弓。ボーゲン。☞「チェロ」の絵。●**弓折れ矢尽きる**句 ①戦いで徹底的に負ける。②力がつきて、どうすることもできない。●**弓を引く**句 そむく。手向かう。弓引く。

**ゆみがた**[弓形] つるを張った弓のかたち。きゅうけい。

**ゆみず**[湯水] 湯や水。「〔ふろ場などで〕—を使う音」●**湯水のように使う**句 お金を非常に むだづかいする たとえ。

**ゆみづかい**[弓遣い] 《音》バイオリンなどの、弓のつかい方。運弓法。

**ゆみとり**[弓取り] ①弓を手に持つ〈こと/人〉。②《文》武士。③(↑弓取り式)《すもう》結びの一番のあと、その勝者をたたえて、幕下の力士が弓を手に取ってする儀式。〔昔は、横綱がおこなった〕

**ゆみなり**[弓(△形)] ゆみがた。「からだを—に そらせる」

**ゆみはり**[弓張り]〔=弓を張ること〕《雅》①↑弓張り月。②↑弓張りぢょうちん。●**ゆみはりぢょうちん**[弓張り(△提△灯)] 弓のようにまげた竹の上下に、ちょうちんの両はしをかけて開いたもの。ゆみはり。●**ゆみはりづき**[弓張り月]《文》弓形の月。弦月。おもに下弦の月。ゆみはり。

**ゆみひ・く**[弓引く]《自五》《文》①弓を射る。②そむく。手向かいをする。弓を引く。

**ゆみや**[弓矢] ①弓と矢。②《文》武器。「—をすてる」③《文》いくさ。「—の神」●**弓矢取る身**句 武士の身。●**ゆみやのみち**[弓矢の道] 武士の道。●**ゆみやはちまん**[弓矢八×幡] 一「弓矢③」の神である八幡大菩薩。二《副》〔武士のことば「弓矢八幡 一」にちかって。決して。必ず。まったく。

**ゆむき**[湯(△剝き)]《名・他サ》《料》食材を湯に通して皮をむくこと。「トマトの—」

**ゆめ**[夢] ①ねむっているとき、実際に いろいろなことを経験しているかのように感じる現象。「さいふを拾った—を見た」(↔うつつ) ②はかないこと。たのみに ならないこと。「人生は—だ・—の世〔=はかない この世〕」③楽しくて、ぼうっとした状態。「新婚の—が破れる・太平の—をむさぼる」④楽しい空想。「—多き十九歳」⑤実現させたい希望。「—を持つ・—がわく・—のある会社・—のマイホーム」⑥現実とは思えない、すばらしいもの。「—の技術」由来 古くは「いめ」で、「ねむり」の意味の「寝」と「目」から。ねむっている間に見るものの意味。☞夢にも。●**夢に夢見る**句 夢の中でまた夢を見るような。「—思い」●**夢の(また)夢**句 夢の中で見る夢のように、現実になりそうもないこと。●**夢は逆夢**句 悪い夢を見ると、かえって いいことがあるものだ。●**夢を結ぶ**句 安らかに ねむる。

**ゆめ**[(△努)]《副》《文》〔後ろに禁止や否定が来る〕⇩ゆめゆめ。「—〔=決して〕忘れるなよ・—〔=夢にも。『夢』とも書く〕考えない」

**ゆめあわせ**[夢合わせ] 夢うらない。夢判断。

**ゆめうつつ**[夢(△現)] ①夢と現実。「—の境をさまようここち」②たしかには意識しないこと。おぼろげ。「—のうちに」

**ゆめうらない**[夢占い] 見た夢によって吉凶をうらなうこと。夢うら。夢合わせ。

**ゆめおち**[夢落ち・夢オチ] 物語で、「実は夢だった」という(安直な)結末。

**ゆめがたり**[夢語り] ①見た夢の物語。②夢のようにはかない話。夢物語。

**ゆめごこち**[夢心地] 夢を見ているときのような、うっとりとした気持ち。ゆめみごこち。「—で聞く」

**ゆめじ**[夢路] 《雅》夢(を見ること)。●**夢路をたどる**句 夢を見る。「—思い〔=夢を見ているような気分〕」

**ゆめちがえ**[夢違え] 悪い夢を見たとき、まじないをして災難をのがれること。

**ゆめ」にも**［夢にも］《副》〔後ろに否定が来る〕少しも。いささかも。「―知らなかった」

**ゆめのま」**［夢の間］あっという間。「―に過ぎない」

**ゆめまくら」**［夢枕］夢を見るまくらもと。「―に立つ」

**ゆめまぼろし**［夢幻］①夢と幻。②現実ばなれしていること。「―のような話」③はかない ものごと。「―の世の中だ」

**ゆめみ」**［夢見］夢を見ること。見た夢。「―が悪い」

•**ゆめみ ごこち」**［夢見心地］⇩ゆめごこち。

**ゆめ・みる** 一［夢見る］《自上一》夢を見る。「夢に―〔⇩「夢」の句〕」 二［夢〈見る〉］《他上一》空想する。「出世を―・夢みがちな少女」 •**夢見るよう** 句 うっとりとした。「―な目つき」

**ゆめ・む」**［夢む］《自他上二》〔雅〕ゆめみる。「死を―」

**ゆめものがたり」**［夢物語］①夢のようにはかない物語。②空想にしかすぎない話。

☆☆**ゆめゆめ**［（△努々）］《副》〔「ゆめ」を強めた言い方。後ろに禁止や否定が来る〕〔文〕①〔たいへんなことになると困るので〕決して。ぜったいに。「―うたがうな・―近づくまい」②［（夢々）］夢にも。「―思わない」 由来「ゆめ」は、「ゆゆしい」などの「ゆ〔=神聖。おそれおおいこと〕」と関係があることば。のちに「夢」と混同されて②の意味が生まれた。

**ゆめん**［湯面］湯の表面。「―から湯気が立つ」

**ゆもじ」**［（湯文字）］女性の腰巻き。ゆまき。

**ゆもと」**［湯元・湯本］温泉の わき出る もと（のある土地）。

**ゆや」**［湯屋］〔古風〕銭湯。ふろや。「お―」

☆☆**ゆゆし」・い**［（:由々しい）］《形》〔文〕ほうっておくとたいへんなことになるようすだ。容易ならぬようすだ。「―〔『ゆゆしき』とも〕問題」 由来「神聖、おそれおおいこと」の意味の「ゆ」を重ねたことば。 派 -げ。-さ。

**ゆらい**［由来］ 一 ゆらい《名・自サ》①ものごとの起こりや移り変わり。由緒。来歴。「ことばの―を調べる・地名の―である神社」②それが、もとになること。「偏見に―する誤解・植物―の燃料」 二 ゆ」らい《副》〔文〕もともと。〔もとをたずねて考えるときに使う〕「―学者というものは」

**ゆらく」**［愉楽］〔文〕たのしみ。

**ゆら・ぐ」**［揺らぐ］《自五》①〔考え・状況などが〕ゆれる。ぐらつく。「信念は揺らがない〔多くは『揺るがない』〕・会社の信用が―」②ゆらめく。「ヤナギの葉が―」 名 揺らぎ。

**ゆら・す」**［揺らす］《他五》ゆらゆら動かす。ゆらせる。「からだを前後に―」

**ゆらめ・く」**［（揺らめく）］《自五》ゆらゆら ゆれながら形を変える。ゆらぐ。「ほのおが―・水面に―月」 名 ゆらめき。 他 ゆらめかせる《下一》。

**ゆ」ら ゆら**《副・自サ》ゆるやかに ゆれるようす。「―（と）立ちのぼる かげろう・ボートが波で―（と）する」

**ゆらり」**《副》①大きくゆるやかに ゆらぐようす。「舟が―（と）ゆれる」②ゆるやかに身を動かすようす。「象が―と向きを変える」

**ゆら・れる」**［揺られる］《自下一》ゆり動かされる。「波に―」

**ゆらん かん」**［輸卵管］《生》⇩卵管。

**ゆり」**［（:百合）］ヤマユリ・カノコユリなど、すらりとしたくきの先に大形の花をひらく草。種類が多い。根は食用。

**ユ」リア じゅ」し**［ユリア樹脂］〔urea=尿素〕《理》尿素を原料とする合成樹脂。器具・絶縁材、合板用の接着剤などに利用する。尿素樹脂。 ↑ユリア樹脂。 •**ユリア**

**ゆり あ・げる」**［揺り上げる］《他下一》ゆさぶるようにして、上げる。「肩を―」

**ゆり いす」**［揺り椅子］⇩ロッキングチェア。

**ゆり うごか」・す**［揺り動かす］《他五》ゆさぶって動かす。

**ゆり おこ」・す**［揺り起こす］《他五》ゆさぶって〈起こす/目をさまさせる〉。

**ゆり おと」・す**［揺り落とす］《他五》ゆさぶって落とす。

**ゆり かえし**［揺り返し］①一度ゆれた反動で、もう一度ゆれること。②大きな地震のあとに続いて起こる地震。余震。ゆりもどし。 動 揺り返す《自五》。

**ゆり かご」**［揺り籠］赤ちゃんを入れて ゆり動かす かご。揺籃。 •**揺り籠から墓場まで** 句 生まれてから死ぬまで。 由来 イギリスの社会福祉政策のスローガンから。

**ゆり かも」め**［（:百合=×鷗）］カモメに似て からだが白く、くちばしと足が赤い水鳥。みやこどり。

**ゆりね」**［（:百合）根］ユリの地下茎が、まるく ふくらんだもの。何層にもなっていて、表面は うろこ状。煮て食べる。

**ゆりもどし」**［揺り戻し］①ゆりかえし。ゆれもどし。②もとの方向へもどること。反動。「強硬路線に対する―」③《すもう》よびもどし。 動 揺り戻す《自五》。

**ゆりょう」**［湯量］お湯の量。「温泉の―・ポットの―」

**ゆ・る」**［揺る］〔文〕 一《自五》ゆれ動く。「ない〔=地震〕揺りつづく」 二《他五》ゆらす。

**ゆる」・い**［緩い・×弛い］《形》①しめ方が足りなくて、外れやすい。すきまが多い。「ひもが―・指輪が―」②きびしさが少ない。「取りしまりが―」③変化が少ない。「傾斜が―」④水分が多くて、ねばりけが足りない。「―かゆ」⑤下痢ぎみだ。「おなかが緩くなる」⑥〔俗〕思わず力が ぬけて、心が なごむようすだ。「―映画・―音楽」 派 -さ。

**ゆるが」・す**［揺るがす］《他五》ゆり動かす。ゆるがせる。「天地を―大音響・文壇を―・日本中を揺るがした事件」

☆☆**ゆるがせ」**［（×忽せ）］おろそか。なおざり。「一字たりとも―にできない・―にする」

**ゆるが」・ない**［揺るがない］《形ヌ》〔考え・状況などが〕まったく変わらない。揺らがない。「信念は―・会社の経営は―」 丁寧 揺るぎません。

**ゆるぎ・でる」**［揺るぎ出る］《自下一》〔文〕ゆらゆらゆれて、あらわれる。揺るぎ出す。「小山の揺るぎ出たような巨体」

**ゆるぎな」・い**［揺るぎない］《形》〔揺るぎ=動詞「揺るぐ」の連用形から来た名詞〕確かだ。揺るぐことがない。揺るぎがない。「―自信・―地位を築く」

**ゆる キャラ」**〔↑ゆるいキャラクター〕デザインは しろうとっぽいが、心がなごむ、〔着ぐるみの〕マスコットキャラクター。〔漫画家・みうらじゅんが作ったことばで、二〇〇八年に広まった〕

**ゆる」・ぐ**［揺るぐ］《自五》〔文〕しっかりしないで、ゆらぐ。

「確信が揺るいだことはない・―ことのない支配」〔多く、形容詞「揺るがない」として使う〕☞揺るがない。

**ゆるし**［許し］①［△赦し］ゆるすこと。「ゆるしの秘跡〔☞告解〕」②奥義伝授の階級の一つ。「初―・中―・奥―」●**ゆるしじょう**［許し状］〔茶の湯・生け花などの〕免状。

**ゆる・す［許す］《他五》①［△赦す］罪・罰・負担を免除する。かんべんする。「―べからざる〔=許せない〕おこない」②さしつかえがないことにする。許容する。「酒を―・プライドが許さない」③願いを聞き入れる。聞き届ける。「入学を―」④〔気を〕ゆるめる。「気を―」⑤〔そうさせたくないことを〕相手にさせる。「盗塁を―・独走を―」⑥〔時間や事情の〕自由がきく。「事情の―かぎり・許された時間」⑦〔世間が〕認める。「自他ともに―名家・みずから―その道の大家」可能 許せる。

**ゆるせ**［許せ］《感》〔古風〕江戸時代、武士が商店にはいるときの、あいさつのことば。

**ゆるふん**〔ふん←ふんどし。「ユルフン」とも書く〕〔俗〕①ふんどしをゆるく しめた状態。②緊張を欠いた、だらしない状態のたとえ。

**ゆるぼ**［〈緩募〉］〔↑ゆるく募集〕〔俗〕〔SNSなどで〕急ぎではない、気軽な募集。「メンバー―」(↕急募・ガチ募)

**ゆるみ**［緩み・×弛み］ゆるむこと。ゆるんだ度合い。「ねじの―を直す・気の―が出る」

**ゆる・む**［緩む・×弛む］《自五》①ゆるくなる。「ねじが―」②緊張が〈とける／なくなる〉。「気が―」▽(↕締まる) ③きびしくなくなる。弱くなる。「規制が―・寒さが―」④《経》しっかりしていた相場・値段が安くなる。(↕締まる)

**ゆる・める**［緩める・×弛める］《他下一》ゆるくする。「帯を―・表情を―」(↕締める) 自 緩まる《五》。

**ゆるやか**［緩やか］《ナダ》①きつくしめたり しばったりしていなくて、楽なようす。「―なズボン」②きびしくなくて、ゆうずうがきくようす。「―な基準」③速度が おそくて、おちついたようす。「川が―に流れる」④変化が少しずつであるようす。「―な傾斜・景気が―に回復する」派 -さ。

**ゆるゆる** ゆるゆる《副・自サ》・ゆるゆる《ナダ》①急がずにゆっくり。「―あゆむ」②ゆるり。「―ご休息を」③しめ方が足りなくて、きっちり あわないようす。すきまが多いようす。「ズボンが―だ」④緊張感がないようす。「社会が―になる」⑤水分が多くて、ねばりけが足りないようす。「―な かゆ」

**ゆるり**《副》ゆっくり。ゆったり。「―と話す・カフェで―」表記「△緩り」とも書いた。☞ごゆるり。

**ゆれ**［揺れ］ゆれる〈こと／程度〉。「大きな―の地震・表記の―〔=いくつかあって、不統一であること〕」

**ゆれうご・く**［揺れ動く］《自五》①ゆれて動く。「小舟は大きく揺れ動いた」②安定せず、はげしく変化する。「―アジアの情勢」

**ゆ・れる**［揺れる］《自下一》①〔ある点を中心に〕前後・左右などに動く。「地震で家が―」②不安定な状態になる。動揺する。ぐらつく。「心が―・解釈が―・漢字の表記が―・工場誘致に―町」③歓声などで わく。「スタジアムが―」

**ゆわえつ・ける**［結わえ〈付ける〉］《他下一》〔ひもなどで〕何かに むすびつける。しばりつける。ゆわいつける。

**ゆわ・える**［結わえる］《他下一》〔ひもなどで〕むすぶ。しばる。「手を―」

**ゆわかし**［湯沸かし］①湯をわかすこと。②湯をわかす、金属で作った器具。「ガス―器」

**ゆわ・く**［〈結わく〉］《他五》〔俗〕ゆわえる。

**ゆんぜい**［△弓勢］〔文〕ゆみをひく力。

**ゆんづえ**［△弓×杖］〔文〕ゆみをつえとして休むこと。「―を突っく」

**ゆんで**［△弓手］〔文〕①〔ゆみを持つ〕左の手。②左のほう。▽(↕馬手)

**ゆんべ**［〈:昨夜〉］〔俗〕ゆうべ。

**ユンボ**〔Yumbo=商標名〕⇩ショベルカー。

# よ　ヨ

**よ**［世］①世間。社会。世の中。「人の―・―の非難・―に立つ・―に認められた」②俗事。俗世。「―をすてる」③《仏》三世のそれぞれ。「あの―・この―・―にあるときは」④時代。時世。「―とともに進む・―はまさにカード時代だ」⑤〔文〕生活。暮らし。「―のいとなみ」☞世にも・世の常・世の中・世の習い。●☆☆**世が世なら**句 順調に栄えているときなら。時代がちがえば。世が世ならば。「―社長になっていたかもしれない・―切腹ものだ」●**世に言う**句 いわゆる。「―桜田門外の変」●**世に出る**句 ①社会に認められる。有名になる。出世する。②出版される。発売される。他 世に出す。●**世に問う**句〔製品や作品を送り出して〕社会の批評を求める。●**世を去る**句 死ぬ。●**世を忍ぶ**句〔正体を〕世間から知られないようにする。「―仮の姿」●**世を救う**句 世の中の悪い状態を直す。●**世を背く**句 出家する。世をすてる。●**世を渡る**句 暮らす。生活する。

**よ**［代］〈その統治者／同じ系統の支配者〉が国をおさめている期間。また、その人が家督を受けついだ期間。代。「君が―・昭和の―」

**よ**［夜］よる。日没から日の出までの間。「その―・―がふける・―が明ける」●**夜の目も寝ずに**句 よるも寝ないで。夜どおし。徹夜で。●**夜も日も明けない**句 一時も過ごせない。夜〈が／も〉明けない。「ジャズなしでは―」●**夜も日もなく**句 昼夜の区別なく。「―はたらく」●**夜を明かす**句 夜が明けるまで時間を過ごす。「まんじりともしないで―」●**夜をこめて**句 ①〔雅〕真夜中に。夜明け前に。②〔現代の用法〕一晩じゅう。●**夜を徹する**句 夜どおしやる。徹夜をする。「夜を徹して作業する」●**夜を日に継いで**句 夜も昼も休まず。「―仕事をする」

**よ**［予］《代》〔古風・男〕⇩余 一。

**よ**［余］一よ［予］《代》〔古風・男〕わたし。われ。「―は将軍なるぞ・〔日記で〕―は妻を愛している」二 造〔文〕あまり。以上。「百―・二十―年・五十年―・十人(の)―〔=十人以上〕にのぼる」三よ〔文〕ほか。「その―のことは知らず」☞余の儀。

**よ 一《感》〔話〕軽く呼びかける声。よっ。よう。「よ(↓)、待ってました!」二《終助》〔話〕①〔感動をともなった〕呼びかけに使う。「太郎―・ふるさと―・神―」②感動や思いを、だれかに知らせるように のべることば。「おお、この身も駆けるー・男は つらいー」 ③〈相手に知らせる〈念をおす〉気持ちをあらわす。「ぼくだー・それじゃ、行くー・ありがとうー〔俗・男〕」〔女性や職人のことばでは、名詞・形容動詞の語幹につけても言う。「私がママー・神田の生まれー・簡単ー」〕 ④相手に はたらきかける気持ちをあらわす。「行きましょうー・早くしろー・もう泣くなー」 ⑤〔疑問をあらわす ことばとともに使って〕とがめる気持ちをあらわす。「いま なんて言ったー〔男〕・なんですー、じろじろ見て〔古風・女〕」 ⑥〔俗・男〕ことばを続けたいとき、つなぎに使う。「それでー、おれがー」 ▽④~⑥よう。☞かよ・ぞよ・のよ・よな《終助》・よね・わよ。 ㊂◇動詞の活用語尾の一部。命令をあらわす。「食べー〔=食べろ〕」

**よ**[四] 造 ①四つの。〔「よん」よりも古風な場合もある〕「ー月〔=四か月〕・ー切れ〔=よんきれ〕・ーけた〔=よんけた〕」 ②四番目(の)。「平成ー年・ー番バッター〔いちばんすぐれた人の意味にも〕・ーの重〔=上から四番目の重箱。ふつう『与の重』と書く〕」 区別 ⇩よん(四)。

**よあかし**[夜明かし]《名・自サ》 ねないで、夜を明かすこと。徹夜。

**よあけ**[夜明け] ①夜が明けるころ。「ー方」(↕日暮れ) ②新しい時代の始まり。「近代社会のー・ー前の日本」

**よあそび**[夜遊び]《名・自サ》 よる外に出て、遊び歩くこと。

**よあつ**[与圧]《名・自サ》〔文〕気圧の低い所で、地上と同じ気圧にすること。「ー装置」

**よあらい**[予洗い]《名・他サ》 ⇩よせん(予洗)。

**よあらし**[夜嵐] よるふく あらし。

**よあるき**[夜歩き] よる〈出歩く/遊び歩く〉こと。

**よい**[宵] 夜になって まだ あまり〈たって/ふけて〉いないころ。「春のー・ーのうちから寝る」 ☞宵の口。

**よい**[酔い] 酔うこと。酔った程度。「ーが回る・自動車ー・乗り物ー」

←**よ・い ㊀よい[(良い)・(△好い)]《形》「いい」の、書きことばふうの形。〔ただし、「よかろ(う)」「よかっ(た)」「よく」「よけれ(ば)」は、話しことばでも ふつうに使う〕「ー悪いは別にして・それは よかった〔=喜ばしいことだ〕・〔あなたの体調が〕早く よくなってください・もうー!〔古風で おもしろい言い方〕」(↕悪い) ㊁造《動詞+ー》①…するのが、やさしい。「読みー〔=読みやすい。読みいい〕」(↕にく《難》い) ②…しても、ていさいがいい。「見ー風景ではない」 ▽㊀㊁様態の助動詞「そうだ」がつづく場合は、「よさそうだ」「よかりそうだ〔古風〕」と言う。☞いい・良からず・良からぬ・良き・よく《副》。

→**よ・い**[(善い)]《形》〔終止形・連体形は、「いい」の書きことばふうの形。それ以外の活用形は、話しことばで ふつうに使う〕 人の おこなうべき道にかなっていて、りっぱだ。「ーおこない・人のためにーことをする」(↕悪い) ☞善からぬ。

**よいこ**[(良い)子] ①〈かわいい/ほめたくなる〉子ども。②「子ども①」の、親しみをこめた言い方。「〔呼びかけて〕ーの みなさん・ーは まねしないでね」

**よいごこち**[酔い心地] 酒に酔ったときの(いい)気持ち。

**よいごし**[宵越し] ひと晩をこすこと。「ーのお茶は飲むな」 ●**宵越しの金は持たない** 句〔江戸っ子の気風として〕もうけたお金は その日のうちに使いはたしてしまう。

**よいざまし**[酔い(△醒まし)・酔い覚まし] 酒の酔いをさますこと。「ーに風に当たる」

**よいざめ**[酔い(△醒め)・酔い覚め]《名・自サ》 酒の酔いがさめる〈こと/とき〉。「ーの水は うまい」

**よいしょ** ㊀《感》〔話〕①重い物を持ち上げたり動かしたりするときの かけ声。②〔たいこもちが〕おせじを言うときの かけ声。 ㊁[ヨイショ]《名・他サ》〔「よいしょ㊀②」から〕〔俗〕相手の調子にあわせて喜ばせること。おだてること。おせじ。

**よいし・れる**[酔い(△痴れる)]《自下一》〔文〕①酔って、理性を失う。「美酒にー」 ②うっとりする。「名演奏にー」

**よいち**[夜市] よるに立つ市。よみせ。よるいち。

**よいづき**[宵月]〔文〕よいのうちに のぼる月。また、よいのうちに西の空に見える月。

**よいっぱり**[宵っ(張り)]《名・自サ》 夜おそくまで起きていて なかなか寝ない〈こと/人〉。「ーの朝ねぼう」(↕宵寝)

**よいつぶ・れる**[酔い(潰れる)]《自下一》 酒に酔って正体が なくなる。「はしご酒でー」 他 酔いつぶす《五》。

**よいとまけ**[ヨイトマケ]〔俗〕建設機械が普及する以前、建築現場で地固めのために、何人かで重い槌を上げ下げしたこと。また、それをした人。

**よいどめ**[酔い止め] 乗り物による酔いを防ぎ、また、とめる〈こと/薬〉。

**よいどれ**[酔いどれ] ひどく酒に酔った人。よっぱらいの ひどい状態。「ー運転」 動 酔いどれる《自下一》。

**よいね**[宵寝]《名・自サ》 よいの口から寝ること。(↕宵っぱり)

**よいのくち**[宵の口] 夜になって まもないとき。よいのうち。「八時は まだーだ」

**よいのみょうじょう**[宵の明星] 日がしずんでから、西の空に見える金星。夕ずつ。(↕明けの明星)

**よいまちぐさ**[(宵待草)] マツヨイグサ(のなかま)の俗称。☞月見草。

**よいまつり**[宵祭り] ⇩宵宮。

**よいみや**[宵宮] 祭りの前の日の晩にする、小さな祭り。よい祭り。前夜祭。よみや(夜宮・宵宮)。

**よいやみ**[宵闇] ①宵の うす暗い状態。「ーが せまる」 ②〔文〕〔旧暦 十六日から二十日ごろまでの〕日がおちてから月が出るまでの暗い状態。

**よいよい**〔古風・俗〕手足の動きが不自由で、口がまわらない病気(の人)。脳出血・アルコール中毒などから起こる。〔差別的なことば〕

☆☆**よいん**[余韻] ①あとに残る ひびき。「ーが残る」 ②あとに残る おもむき・味わい。「ーを味わう」

**よう**[幼] ①〔文〕おさない〈こと/子ども〉。「ーにして詩を作った」 ②↑幼稚園。「ー小中一貫校」

←**よう**[用] ㊀よう ①用事。用件。「ーがある・ーありげな顔」 ②〔文〕使うこと。使用。実用。「居住のーとする」 ③作用。はたらき。役。「ーをはたす」 ④〔文〕費用。「ーを節する」 ⑤用便。「ーをたす」 ●**用に供する** 句 ㊁造 …に使うこと。「工業ー・贈答ー」〔文〕…のために使う。〈使用/利用〉にあてる。「居住の

—・製造の—」●用に立つ 句 〔古風〕役に立つ。●用を足す 句 ①用事をすませる。直 用が足りる。②大小便〔おもに小便〕をする。③〔指定されて〕物をおさめる。「宮中の〔ご〕—」●用をな〔為〕す 句 〔多く、後ろに否定が来る〕〔それだけの〕はたらきをする。役に立つ。「傘が破れて用をなさない」●用を弁ずる 句 〔文〕①用を足す。まにあわせる。「筆談で—」②はたらきをする。「口で呼吸の—」

→よう〔要〕〔文〕㊀ょぅ〔＝かなめ〕①のがしてはいけない大切な点。「—を得ている」②必要。「保護の—なし」☞要は。㊁造 …の必要があること。「—予約・—調査・—チェック」●要をつまんで 句 要点だけぬき出して。

よう〔×俑〕〔歴〕古代中国で、死者とともに埋葬された、土または木で作った人形。「兵馬—」

よう〔洋〕㊀ょぅ〔文〕①西洋。「和漢—」②洋室。「和—三室」㊁造 西洋ふうの。「—家具・—皿・—だんす・—定食」〔↔和〕●洋の東西を問わず 句 東洋・西洋の区別なく。

よう〔陽〕①〔易で〕積極的なもの。男性に関するもの。②目に見えるところ。おもて立ったところ。見せかけ。☞陰に陽に〔「陰」の句〕。▽〔↔陰〕

よう〔×癰〕〔医〕ちょう〔疔〕が一か所に集まってできて口のふさがった、たちの悪いできもの。

よ・う〔酔う〕〔自五〕①酒を飲んで、意識がふつうでなくなる。②心をうばわれて〔うっとり/ぼんやり〕する。「名曲に—・勝利に—」③〔乗り物の動揺・人ごみ・ふろなどで〕気分が悪くなる。「バスに—・船に—」④青ざかななどを食べて、熱を出したりする。「サバに—」可能 酔える。

よう〔副〕①〔良う〕〔方〕「良く」のウ音便。「—来た・—ござんす〔『よござんす』とも〕」②〔関西・中国方言〕〔後ろに否定が来る〕「能力がなくて、できない」の意味をあらわす。「—しません〔＝できません〕」☞よく〈副〉。●よう言わんわ 句 〔関西方言〕あきれて ものが言えない。

よう ㊀ょぅ〈感〉①〔話〕呼びかけのことば。よ。「—、源さん、どこへ行くんだい・—、しばらく」②〔古風〕うながしのことば。「おとうさん、あれ買って。—、—ったら」㊁〈終助〉〔話〕終助詞「よ㊁④〜⑥」をのばして言う形。▽㊀㊁よお。

よう〈助動特殊型〉〔意志・推量の助動詞。五段以外につく〕⇩う。「さあ、食べ—・人にどう見られ—とも・荷物を車に乗せ—とする〔⇩とする㊁〕」由来 文語で、四段以外の動詞に助動詞「む」がついた形から。例、「見む」は「ミム」「ミュー」「ミョー」を経て「見よう」になった。表記「様」と混同して、「食べ様とする」のようにも書いた。

よう〔葉〕㊀接尾〔文〕紙・木の葉・写真などを数えることば。枚。「一—の写真」㊁造〔生〕脳・肺などのひとくぎり。「前頭—・肺—」

**よう〔養〕造 養子先の。「—父母・—祖父」

よう ㊀〔様〕造〔文〕①形などの似ていること。「歯ブラシ—の〔＝歯ブラシのような形をした〕もの」②とおり。いろ。「幾—〔＝幾とおり〕にも取れる発言・百人百—」③書風。「上代—」㊁造〔し〕かた。方法。「なおし—がない・ほかに言い—がありそうなものだ・手の下し—がない」〔歌詞などでは「よ」とも。「丸い卵も切りよで四角」〕㊂ょう〔様〕〔古風〕①方法。「言おう—〔＝言いよう〕もない」②…ことには。「あるじ〔主〕の言う—・つらつら思う—」㊃◇〔「ようだ」の語幹〕①⇩ように④⑤。「おくれない—気をつける・持ってくる—たのむ・どうぞおいでくださいます—」②「ようだ」の終止形にあたる言い方。「予想外にたいへんな作業の—・どうやらちがう—ね〔女〕」✓「テレビを見よう」「知っていようはずはない」などの「よう」は助動詞で、別語源。表記㊁㊃「様」は古風。

よう〔曜〕造 一週間をあらわす日の名前の下にそえることば。「月—・きょうは何—ですか」表記 俗に「旺」とも。

ようありがお〔用あり顔〕何か用がありそうな顔つき。

ようい〔腰囲〕〔文〕ヒップ。こしまわり。

*ようい〔用意〕㊀〈名・他サ〉前もって、すぐ〔始められる/役立つ〕ようにすること。したく。準備。「—周到・—がいい・交渉に応じる—がある〔＝用意ができている〕」㊁〈感〉動作を始めさせるときの合図。「—、始め！」●よういどん〔用意どん〕㊀〈感〉競走のときなどの、始めの合図。「位置に着いて。—」〔「どん」は、鉄砲の音をあらわす〕㊁いっせいに何かを始めること。「各省庁が—で動き出す」▽㊀㊁よーいどん。

ようい〔妖異〕〈名・ナダ〉〔文〕人間ばなれのしたあやしさ〔を持つようす〕。

*ようい〔容易〕ナダ たやすいこと。てがる。「—な方法・—じゃない」〔↔困難〕派 -さ。●よういならぬ〔容易ならぬ〕〈連体〉軽く見すごせない。容易ならざる。容易ならない。「—事態」

よういく〔養育〕〈名・他サ〉①子どもをそだてること。「—費・—放棄〔⇩ネグレクト②〕」②老人・孤児・病人などを保護すること。「—院」

*よういん〔要因〕何かが成り立つために必要な原因または因子。「—を分析する」

よういん〔要員〕必要な人員。「作業—を確保する」

よううん〔妖雲〕〔文〕あやしいくも。不吉なくも。

ようえい〔揺×曳〕〈名・自サ〉〔文〕①流れるようにただようこと。「朝霧の—する中で・ロマンチシズムを—させる」②ゆらゆらゆれること。「—感」

ようえき〔葉×腋〕〔植〕〔くきの一部で〕葉のつけねの、芽の出るところ。

ようえき〔溶液〕〔理〕固体・液体・気体が均一にとけこんでいる液体。

☆☆ようえん〔妖艶・妖×婉〕ナダ〔文〕気味が悪いほどあでやかなようす。「—な姿・—な金色の小へび」派 -さ。

ようおん〔×拗音〕〔言〕〔日本語で〕「や・ゆ・よ」のかなを、ほかのかなの右下に小さく書きそえてあらわす音。例、「キャ」「シュ」。〔↔直音〕

ようか〔八日〕①その月の八番目の日。「一月—」②日かずで数えて、八つ。「—かかります」

ようか〔妖花〕〔文〕あやしく不吉な感じをあたえる花。また、そのような感じをあたえる美人。

ようか〔養家〕〔文〕養子となって行った先の家。〔↔実家〕

ようか〔△沃化・ヨウ化〕〈名・自サ〉〔理〕ヨウ素と化合すること。「—カリウム・—銀」

**ようが**［洋画］①油絵・テンペラ画・フレスコ画など、西洋の技法による絵。西洋画。「─家」(↕日本画) ②欧米など外国から輸入した映画。(↕邦画)

☆☆**ようが**［陽画］ポジ。(↕陰画)

**ようかい**［妖怪］ばけもの。〔各地にいろいろな種類の妖怪がいるという〕「─変化・─漫画」

**ようかい**［容×喙］《名・自サ》〔文〕横から口出しすること。差し出口。

**ようかい**［溶解］《名・自他サ》㊀《理》物質が均一に液体にとけこむ(ようにする)こと。㊁［×熔解・×鎔解］〔文〕金属などが熱によってとけて、液体のようになること。また、そうなるようにすること。

**ようがい**［要害］〔文〕①地勢が けわしくて、防ぎ守るのに便利な場所。「─堅固」 ②とりで。「自然の─」

**ようかいご**［要介護］年をとって、介護保険で定められた範囲の介護が必要な状態。五段階の区分がある。「─3」

**ようがく**［洋学］〔主として江戸時代から明治初期に日本へはいった〕西洋の学問・語学。(↕国学・漢学)

**ようがく**［洋楽］西洋の音楽。「─好きな人」(↕邦楽)

**ようがけ**［洋掛け］〔キルティングなどをした〕洋式の かけぶとん。

**ようがさ**［洋傘］西洋ふうの かさ。こうもりがさ。(↕和傘)

**ようがし**［洋菓子］西洋ふうの菓子。(↕和菓子)

**ようがらし**［洋(辛子)］⇩マスタード①。

**ようかん**［(羊×羹)］あんを〈ねって/蒸して〉かためた菓子。ふつう、細長い四角の形に作る。「水─(=水分の多い、夏向きの ようかん)」 ●**ようかん いろ**［(羊×羹)色］黒や むらさきなどの色がさめて、赤みがかったもの。「─の見すぼらしい羽織」

**ようかん**［洋館］西洋ふうの建物。

**ようがん**［容顔］〔文〕かおつき。かんばせ。「─華麗」

**ようがん**［溶岩・×熔岩］《地》火山から ふき出したマグマが、地上に流れ出(て冷えて固まっ)たもの。ラバ。「─の流出」 ●**ようがん ドーム**［溶岩ドーム］《地》溶岩が、火口に おわんをふせたように たまって固まったもの。例、昭和新山。 ●**ようがんりゅう**［溶岩流］《地》火口から あふれた溶岩が、地表を川のように流れ下るもの。

**ようき**［妖気］〔文〕あやしい、ぶきみな気配。「─が ただよう」

**ようき**［妖△姫］〔文〕あやしい美しさを持つ美人。

**ようき**［容器］うつわなどの入れもの。「カップ麺の─・原子炉格納─」 区別 ⇩器①。

**ようき**［陽気］㊀(あたたかな)気候。「─が いい・─が おくれている」 ㊁《ナダ》①〈性格/気持ち〉が明るいようす。「─な娘・─に さわぐ」 ②明るくて、楽しい気持ちにさせるようす。「─な歌」▽(↕陰気) 派 ─さ。

**ようき**［揚棄］《名・他サ》《哲》⇩止揚。

☆☆**ようぎ**［容疑］〔罪をおかしたと思われる〕うたがい。「殺人の─が はれる」 ●**ようぎ しゃ**［容疑者］「被疑者」の通称。

**ようぎ**［容儀］〔文〕①礼儀正しい姿。 ②姿・よそおい。「─を正す」

**ようきが**［用器画］製図の器具を使って書く、幾何学的図形。(↕自在画)

**ようキャ**［陽キャ］(↑陽気なキャラクター)〔俗〕陽気なふんいきの人。陽キャラ。〔二〇一〇年代に広まったことば〕(↕陰キャ)

**ようきゅう**［洋弓］⇩アーチェリー。

***ようきゅう**［要求］《名・他サ》①こうしてほしいと〈もとめる こと/ている ことがら〉。「時代の─」 ②《法》ある行為の請求。

**ようぎょ**［幼魚］《動》稚魚の少し大きくなったもの。

**ようぎょ**［養魚］〔文〕大がかりに池などに さかなを飼って、育て ふやすこと。「─場・─池」

**ようきょう**［容共］〔文〕共産主義を認めてうけいれること。(↕反共・防共)

**ようぎょう**［窯業］陶磁器・ガラス・セメント・耐火れんがなどを作る事業。

**ようきょく**［陽極］①《理》電位の高いほうの電極。プラス。 ②磁石の北極。N極。▽正極。(↕陰極)

**ようきょく**［謡曲］謡。

**ようぎん**［洋銀］《理》銅にニッケル・亜鉛を加えた合金。美しい銀白色で食器や装飾品に使われる。ニッケルシルバー。洋白。「─製スプーン」

←**ようぐ**［用具］それに使うための道具。「けしょう─・筆記─・生活─」

→**ようぐ**［要具］〔文〕必要な道具。「言語は意思疎通の─だ」

**ようくん**［幼君］〔文〕幼年の主君。

**ようけ**《副》(↑余計。西日本方言) たくさん。ようけ。「─あるなあ」

**ようけい**［養鶏］たまご・肉を取るために、ニワトリを飼うこと。

←**ようげき**［要撃］《名・他サ》〔文〕まちぶせして攻撃すること。

→**ようげき**［×邀撃］《名・他サ》〔文〕攻撃してくる敵を、むかえうつこと。迎撃。

**ようけつ**［要×訣］〔文〕ものごとの いちばん大切な点。急所。「成功の─」

**ようけつ**［溶血］《医》赤血球が破壊されること。「─性・─反応」

←**ようけん**［用件］用事(の内容)。「─を切り出す・ご─は何ですか」

→**ようけん**［要件］①〔文〕大切な用事。要用。 ②必要な条件。「─に該当する方は申し出てください・資格─」

**ようけん**［洋犬］西洋種のイヌ。(↕和犬)

**ようげん**［用言］(=活用することば)《言》動詞・形容詞・形容動詞。単独で述語になりうることば。☞体言。

**ようげん**［妖言］〔文〕悪い事件が起こるなどと言いふらし、人をまよわせることば。

**ようげん**［曜限］学校で、その授業を行う曜日と時限。「─を変更する」

**ようげん**［揚言］《名・他サ》〔文〕〔えんりょすることなく〕公然と言うこと。「─して はばからない」

**ようこ**［妖×狐］〔文〕〈人をだます／あやしい力を持つ〉キツネ。

**ようご**［用語］①書いたり話したりするときに使うことば。「近松の作品の—」②その部門などで専門に使うことば。「哲学—」

**ようご**［要語］〔文〕大切なことば。重要語。「—索引」

**ようご**［洋語］〔文〕①西洋の言語。②外来語のうち、西洋からはいってきたことば。外来語の大部分はこれ。

☆☆**ようご**［養護］《名・他サ》〔からだの弱い子どもなどを〕特別に保護し、せわすること。「—学級・—教諭」［=保健室の先生］」 ●**ようごがっこう**［養護学校］心身の障害を持つ児童・生徒を教育する学校。〔今は「特別支援学校」に統合〕 ●**ようごしせつ**［養護施設］⇩児童養護施設。 ●**ようごろうじんホーム**［養護老人ホーム］心身の障害や経済上の理由などで、家庭での生活が困難な高齢者を受け入れてせわをする施設。☞特別養護老人ホーム。

☆☆**ようご**［擁護］《名・他サ》害されないように、かばい守ること。「人権を—する」

**ようこう**［妖光］〔文〕〈あやしい／不吉な〉光。

**ようこう**［要港］〔文〕大切なみなと。

**ようこう**［要項］〈必要な／大切な〉事項やことがら。「募集—」

**ようこう**［要綱］〔文〕〈要約した／だいたいの〉おおすじ。「講演の—」

**ようこう**［陽光］〔文〕太陽の光。日光。

**ようこう**［洋行］㊀《名・自サ》〔古風〕外国へ旅行・留学すること。「—帰り」㊁〔社名などで〕外国人が経営する会社。また、外国と取り引きする会社。

**ようこうろ**［溶鉱炉・×熔鉱炉］鉱石に熱を加えてとかし、鉄や銅をとるしかけ。ふつう、塔のように高く作る。

**ようこく**［陽刻］《名・他サ》はんこの文字の形を、出っぱらせてほること。（↕陰刻）

**ようこそ**《副・感》〔↑よくこそ〕相手の訪問などを喜びむかえるときのことば。「—おいでくださいました・—のおはこびで、御礼申しあげます・—、お久しぶりです」

**ようさい**［洋菜］〔日本にはいってきた〕西洋野菜。例、セロリ・レタス・パセリ。

**ようさい**［洋裁］洋服を仕立てる〈こと／技術〉。（↕和裁）

**ようさい**［要塞］《軍》国防上大切な地点に作った、砲台などの防衛施設。

**ようさい**［葉菜］くきや葉を食べる野菜類。例、ホウレンソウ・キャベツ。葉物。葉野菜。（↕果菜・花菜・根菜）

**ようざい**［用材］〔文〕使用する材木。「建築—」

**ようざい**［溶剤］《理》ほかの物質をとかすために使う液体。溶媒。

**ようさん**［葉酸］《理》ビタミンB群に属する物質。レバーや緑黄色野菜に多くふくまれる。不足すると貧血になる。

**ようさん**［養蚕］絹糸を取るために、カイコを飼うこと。

**ようし**［用紙］そのことに使う紙。「答案—」

**ようし**［洋紙］西洋ふうの紙。（↕和紙）

**ようし**［要旨］内容を短くまとめたもの。「首相演説—・—（として）、次のような談話を発表した」

**ようし**［容姿］顔だちとすがた。「—端麗なモデル」

**ようし**［陽子］《理》中性子とともに原子核を構成している、素粒子。電子と同じ量の正の電気をおびる。プロトン。

**ようし**［養子］法律上、実の親でない人の子どもに〈なること／なった人〉。「—を取る・むこ—」（↕養親・実子） ●**ようしえんぐみ**［養子縁組］《名・自サ》《法》他人との間に、法律上、親子の関係を生じさせる行為。

**ようじ**［幼児］おさない子ども。おさなご。〔法律では、満一歳から小学校へはいるまでの子ども〕「—期・—体型［=幼児のようなからだつき］」☞乳児。 ●**ようじおん**［幼児音］幼児に多い、舌のまわらない発音。例、イチュチュ［=五つ］。 ●**ようじご**［幼児語］小さい子が話す、子どものときだけのことば。また、大人が小さい子に（ついての話題で）特別に使う、子どもにもわかることば。児童語。例、まんま・ブーブー［=自動車］・はいはい［=はうこと］。〔この辞書では〔児〕で示す〕

**ようじ**［幼時］〔文〕おさないとき。幼年の時代。「—の記憶・—、父に聞いた」

**ようじ**［用字］文章を書くときに使う文字。「—法・—用語辞典」

**ようじ**［用事］しなくては ならないことがら。用件。「—にかまける・急な—で出かける」

**ようじ**［要事］〔文〕〈必要／重要〉なことがら。

**ようじ**［洋字］〔文〕西洋の文字。

**ようじ**［（×楊枝）・（×楊子）］つまようじ。こようじ。「—を使う・重箱の隅を—でつつく〈⇩「重箱」の㊐〉」

**ようしき**［洋式］西洋の〈やり方／様式〉。（西）洋ふう。「—（の）トイレ〔こしかけて使う〕」（↕和式）

**ようしき**［要式］〔文〕必要な形式（をそなえていること）。一定の方式。「遺言書としての—」

**ようしき**［様式］①同類のものに共通している〈型／やり方〉。ようす。「現代人の生活—」②定まった形式。「書類の—」③〔芸術作品などで〕特定の時代・流派などに共通して見られる表現形態。「ゴシック—・—化された表現・—美」

**ようしし**［養嗣子］〔旧法で〕家督相続人の身分を持つ養子。

**ようしつ**［洋室］西洋ふうの部屋。西洋間。洋間。（↕和室）

**ようしゃ**［用捨］《名・他サ》〔文〕①採用することと捨てること。「—を決定する」②⇩ようしゃ（容赦）①。

**ようしゃ**［容赦］《名・他サ》①〔多く、後ろに否定が来る〕手加減すること。えんりょ。用捨。「子どもにも—（は）しない・—（の）ない批判・太陽が—なく照りつける」☞情け容赦。②〔文〕ゆるすこと。かんべん。「品切れの節はご—ください・お取り替えはご—願います［=お取り替えは おことわり］」

**ようじゃく**［用尺・要尺］《服》作るのに必要な布の長さ。

**ようじゃく**［幼若］《名・ナダ》〔文〕おさなく若いこと。「—期・—な細胞」

**ようじゃく**［幼弱］《名・ナダ》〔文〕おさなくて力が弱い

〈こと/人〉。幼少。「一者」

ようしゅ【幼主】〔文〕①幼年の当主。②幼君。

ようしゅ【洋酒】ウイスキーやリキュールなど、西洋の酒。(↕日本酒)

ようしゅ【洋種】〔文〕①西洋の系統。②西洋産の品種。▽西洋種。

ようじゅ【×榕樹】⇩ガジュマル。

ようしゅつ【溶出】《名・自サ》〔文〕成分が、水などにとけてにじみ出ること。

ようじゅつ【妖術】〔文〕あやしい術。魔法。魔術。「一をつかう」

ようしゅん【陽春】〔文〕①旧暦正月。②春。「一の候」

ようしょ【洋書】西洋の書籍。(↕和書・漢籍)

ようしょ【要所】大切な〈所/点〉。「見はりを一一に配置する」

ようじょ【幼女】〔文〕おさない女の子。

ようじょ【妖女】〔文〕①男をまよわす女。妖婦。②女の妖精や魔法使い。

ようじょ【養女】養子になった女(の子)。

☆☆ようしょう【要衝】〔文〕だいじな地点。「交通の一」

ようしょう【幼少】《名・ナダ》〔文〕おさないこと。

ようじょう【洋上】〔文〕広い海の上。

☆☆ようじょう【養生】《名・自サ》①からだを大切にして、健康状態をよくすること。「一訓」(↕不養生) ②保養。「温泉に一に行く」③〔土木工事で〕流しこんでまだかたまらないコンクリートに、おおいをかけて保護すること。④《建築》よごれ・きずがつかないように、柱や壁などをおおうこと。「一テープ」⑤〔公園などで〕〈芝を根づかせる/花をしおれさせない〉よう、水やりなどをおこなうこと。「一中の芝生」

ようしょく【洋食】①西洋料理。例、フランス料理。②西洋風の材料や調理法を使った、日本生まれの料理。洋風料理。例、オムライス・ハンバーグ・コロッケ・ナポリタン。「一店・一弁当」▽(↕和食)

☆☆ようしょく【要職】重要な職務。「一につく」

ようしょく【容色】〔文〕〔女性の〕美しい顔かたち。色香。「一とみに おとろえる」

ようしょく【養殖】《名・他サ》〔さかな類を〕人工的に育て ふやすこと。「ハマチの一・一真珠」

ようしん【×痒×疹】《医》ストロフルス。また、それに引き続いて手足にできる、つぶつぶのもの。非常にかゆい。

ようしん【養親】《法》〔養子縁組で〕おやになった人。(↕養子)

☆☆ようじん【要人】重要な地位にいる人。「政府の一」☞VIP

ようじん【用心・要心】《名・自他サ》〔悪い結果にならないように〕よく考え(て行動す)ること。「火の一〔『火迺の要慎』とも書いた〕・すりにご一・帰り道に一しなさい」●ようじんぶか・い【用心深い】《形》じゅうぶんに気をつける ようすだ。「一性格」派-げ。-さ。

●ようじんぼう【用心棒】①戸じまりに使う棒。しんばり棒。②警護のために やとっておく〈武芸者/力の強い男〉。

＊＊ようす【〔様子〕・〔容子〕】①見たり聞いたりして わかる状態。「どろぼうが はいった一だ・相手の一をうかがう・電話の一では」②ものごとの移り変わり。なりゆき。情勢。「台風が上陸しそうな一だ・しばらく一を見る〔=様子見をする〕」③態度。そぶり。「一が おかしい」④〔古風〕わけ。事情。「一ありげに近づく」⑤〔古風〕身なり。「一のいい若い男」●ようすぶ・る【様子(振る)】《自五》気取る。また、もったいぶる。容体ぶる。「様子ぶった声」

よう・す【要す】《他五》〔文〕⇩要する。「急を要さな〈↑い〉」

ようず【要図】〔文〕必要なことだけを簡単に書いた図面。

ようすい【用水】①かんがい(灌漑)・消火などに使う水。「一池・防火一」②(↑用水路)田んぼへ水をみちびくために作った水路。「一に落ちる」③〔田植えなどのために〕水を使うこと。「一期」

ようすい【羊水】《生》羊膜の内部をみたして、胎児を保護している液体。「一検査〔=胎児の異常の有無を、羊水をとって調べる検査〕」

ようすい【揚水】《名・自他サ》水をくみあげること。「一ポンプ」●ようすいはつでん【揚水発電】《理》水力発電の一つ。電気が あまり使われない夜間などに水を高い位置のダムに くみあげておき、昼に水を落として発電する。揚水式発電。

ようすうじ【洋数字】⇩アラビア数字。(↕漢数字・ローマ数字)

ようずみ【用済み】①〔使って〕用がすむこと。「もう、ご一ですか」②役目が終わって、いらなくなること。「あいつもこれで一だ」

＊よう・する【要する】《他サ》〔文〕①必要とする。「到着までに三時間を一〔=三時間かかる〕」②要約する。「これを一に」③待ちぶせする。「道に要して」▽要す。●ようするに【要するに】《副・接》〈ひとことで/結論を〉言えば。つまり。ひっきょう(畢竟)。「青春とは一迷う時期だ・ルールは決まっていない。一、どっちでもよかったのだ」

☆☆よう・する【擁する】《他サ》〔文〕①だきかかえる。「相擁して泣く」②ひきいる。「兵力を一」③持つ。有する。「巨万の富を一・人材を一」④もりたてる。「幼君を擁して」

ようすれば【要すれば】《副》〔もと軍隊用語〕必要ならば。

ようせい【幼生】《動》たまごから かえったあとの すがた。ふつう、親とは形がちがう。「オタマジャクシはカエルの一」

ようせい【妖星】〔文〕災害の前兆と信じられた、あやしいほし。

ようせい【妖精】①〔文〕あやしい精霊。②〔西洋の話に出てくる〕木や水などの精が小人や少女などの形をしたもの。フェアリー。

ようせい【×夭逝】《名・自サ》〔文〕若死に。夭折。

ようせい【要請】《名・他サ》こうしてほしいと願いもとめること。「講師の派遣を一する」

ようせい【養成】《名・他サ》やしない〈仕立てる/そだてる〉こと。「人材を一する」

ようせい【陽性】[一]《名・ナダ》〈積極的/陽気〉な性質。[二]《医》検査の反応があらわれること。「一転移〔⇩陽転〕」☞偽陽性。▽[一][二](↕陰性)

ようせき【容積】①中にはいる量。容量。②体積。●ようせきりつ【容積率】建物の延べ面積の、敷地面積に対する割合。

☆☆**ようせつ**[×夭折]《名・自サ》〔文〕若死に。早死に。夭死。夭逝。「若き天才の—をおしむ」

**ようせつ**[要説]《名・他サ》〔文〕だいじなところを取り出して説明〈すること/したもの〉。「英文法—」

**ようせつ**[溶接・×熔接]《名・他サ》《理》金属などに熱や圧力を加えとかし、つぎあわせること。「酸素—」

**ようせん**[用船]〔文〕[一] あることのために使う船。[二][×傭船]《名・他サ》①やとい入れた船。チャーター船。②船をやとうこと。

**ようせん**[用箋]〔文〕①便箋。レターペーパー。②心覚えや用件などを書きつけるための紙。

**ようせん**[溶×銑・×熔×銑]《理》①銑鉄をとかすこと。②とけた銑鉄。

**ようそ**[△沃素・ヨウ素]《理》海藻などに多くふくまれる元素〔記号I〕。液は茶色で、でんぷんにたらすとこい青色になる。甲状腺に集まりやすく、放射性のものはがん(癌)などの原因になる。ヨード。ヨジウム(オjodium)。

***ようそ**[要素]①何かが成立するために必要なもの。「衣食住は生活の三—だ」②そういう部分。ある特徴。「ゲームの—を取り入れた授業」

☆☆**ようそう**[様相]〔文〕ようす。ありさま。「複雑な—を呈する」

**ようそう**[洋装]《名・自サ》①西洋ふうの服装。「—店」②西洋ふうの、本の装丁。洋とじ。「—本」▽(↕和装)

**ようそろ**[(△宜う△候)・(良う△候)]《感》(←よくそうろう。船で使う)〔話〕①〔かじ取りに伝達して〕そのままの向きで行け。「十度—」②了解!よろしい!

**ようそん**[養×鱒]〔文〕マスの養殖。「—場」

****よう・だ**《助動ナダ型》①〔たとえの助動詞〕〈…に似ている/…とほとんど変わらない〉ことをあらわす。「夢の—・山のような仕事・燃えるようなもみじ・死んだように〈=正体もなく〉ねている・同じように書く」②〔推定の助動詞〕はっきりしないが、そう〈見える/考えられる〉ことをあらわす。…(の)ようすだ。「知らない—・ある—」[丁寧]ようです。[注](1)「まるでうそのよう〔たとえ〕」や「たいへんな作業のよう〔推定〕」は語幹用法で、会話ややわらかい文章で使う(「ようね〔女〕」なども)。「静かだ」「高そうだ」に語幹用法「静か」「高そう」があるのと同様。(2)「ような」「ように」の形には特有の意味・用法がある。☞ような・ように。

**ようだ**[連]〔女/児〕⇩だ[一]⑥。「うそです—」[区別]⇩そうだ。[表記]かたく「様だ」とも。

**ようたい**[幼体]《動》動物の子ども。(↕成体)

**ようたい**[要△諦]〔文〕⇩ようてい(要諦)。

**ようたい**[様態]①〔文〕もののあり方や、行動のありさま。「西洋文明の—」②《言》そういうようすが見られるときの言い方。助動詞「そうだ・そうです」をそえてあらわす。

☆☆**ようだい**[容体・容態]病気のようす。病状。ようたい。「—が悪化する」●**ようだいぶ・る**[容体(振る)]《自五》⇩様子ぶる。

**ようたし**[用足し]《名・自サ》①用事をすませること。②大便・小便をすること。☞ごようたし(御用達)。

**ようたつ**[用達]⇩ごようたし(御用達)。

**ようだ・てる**[用立てる]《他下一》①役に立てる。②(お金を)貸す。立てかえる。[名]用立て。

**ようだん**[用談]《名・自サ》〔文〕用事の〈話/相談〉。「—をすませる」

**ようだん**[要談]《名・自サ》〔文〕大切な相談。

**ようだん**[溶断・×熔断]《名・自他サ》《理》ガスのほのおなどをふきつけて、金属をとかして切ること。また、そうして切れること。「酸素—機」

**ようだんす**[用(×簞×笥)]身のまわりのものを入れておく、小さいたんす。

**ようだんす**[洋(×簞×笥)]西洋式のたんす。(↕和簞笥)

**ようち**[用地]何かに使う土地。「工場—」

**ようち**[要地]〔文〕大切な〈土地/地点〉。

**ようち**[夜討ち]①よる、敵を攻撃すること。夜襲。「—をかける」②〔記者が〕取材のため、よる、人の家を(とつぜん)たずねること。「—朝駆け」☞夜回り②。

**ようち**[幼稚]《ナダ》①〔文〕おさないようす。②〔考えややうでまえなどが〕一人前に発達していないようす。「—な考え」[派]-さ。●**ようちえん**[幼稚園]満三歳(または二歳)から小学校入学前までの子どもを集めて、遊びや運動などの幼児教育をおこなう所。お幼稚〔高知などの方言〕。

**ようちゅう**[幼虫]《動》〔昆虫・クモなどで〕たまごからかえったあと、まだ〈変態しない/成熟しない〉姿のもの。幼生の虫。(↕成虫)

**ようちゅうい**[要注意]注意が必要であること。「—人物・—の判定」

**ようちょう**[幼鳥]《動》まだ成長しきらない鳥。(↕成鳥)

**ようちょう**[羊腸][一]ヒツジの腸。ソーセージをつくるときに使う。[二]《トタル》〔文〕山道が曲がりくねっているようす。「—たる小道をたどる」

**ようちょう**[×膺懲]《名・他サ》〔文〕征伐してこらしめること。「—の戦」

**ようちょう**[×窈×窕]《トタル》〔文〕美しく、しとやかなようす。「—たる淑女」

**ようつい**[腰椎]《生》背骨の一部。胸椎の下にあり、腰の部分を支える。

**ようつう**[腰痛]〔文〕腰の痛み。

**ようてい**[幼帝]おさない天皇・皇帝。

**ようてい**[要諦]〔文〕ものごとの いちばん大切な〈ところ/点〉。眼目。ようたい。「処世の—」

**ようてい**[揚程]〔文〕ポンプが水をあげることのできる高さ。「—三十メートル」

**ようてん**[要点]大切な箇所。「—を言う」

**ようてん**[陽転]《名・自サ》(←陽性転移)《医》ツベルクリンの反応が、陽性に変わること。

**ようでんき**[陽電気]《理》ガラス棒を絹の布でこすったとき、ガラス棒のほうに起こる電気(と同類の電気)。正の電気。正電荷。(↕陰電気)

**ようでんし**[陽電子]《理》陽電気をおび、電子と同じ質量を持つ素粒子。ポジトロン(positron)。(↕陰電子)

**ようと**[用途]〔文〕使いみち。「—が広い」

**ようど**[用土]園芸に使う土。

**ようど**[用度]〔文〕物品の供給。「—係」

**ようとう**[羊頭]〔文〕ヒツジの あたま。「題名が、いかにも—をかかげた(=見かけだけ りっぱに かざった)感じだ」●**ようとうくにく**[羊頭×狗肉](=ヒツジのあたまを看板に出して、実際は犬の肉を売ること)〔文〕見かけだおし。

**ようとう**[洋陶]〔文〕西洋ふうの陶器。(↕和陶)

**ようとう**[揺×蕩]《名・自サ》〔文〕ゆらめくこと。たゆたい。動揺。「精神の—」

**ようどう**[陽動]《名・自サ》《軍》敵の注意をそらすために、別の方面で わざと目立った動きをすること。「—作戦」

**ようとじ**[洋(×綴じ)]ーとぢ 洋書のとじ方(をした書物)。〔今の一般的な本のとじ方〕(↕和とじ)

**ようとして**[×杳として]《副》〔文〕ぼんやりして、はっきりしないようす。「—消息が わからない」〔後ろに否定が来る。まれに「消息は—絶えた」など肯定形もある〕

**ようと・する**《助動サ型》⇩とする㊁。

**ようとん**[養豚]肉・皮などを取るためにブタを飼うこと。

****ような**◇〔「ようだ」の連体形〕①例としてあげるときに使う。「犬やねこの—動物・あなたの—人」②✎〈かろんじた/ぼかして/非難する〉感じをともなうことがある。「すぐ帰る—ことを言っていた・お願いに上がった—〈わけ/次第〉です・じょうだんだからいい—ものの」③〔後ろに否定・仮定などをともなって〕意味を強める。などという。「おくれる—ことが〈はない/があったら大変だ〉」④〔話〕↑ような気がする。

**ようなし**[用(無し)]必要のないこと。「もう—だ」「だれか来た—」

**ようなし**[洋梨]下が ふくれた形のナシ。やわらかく、水分が多くて あまい。西洋なし。ペアー。「—のタルト」

****ように**◇〔「ようだ」の連用形〕①例としてあげるときに使う。「あなたの—正直な人」②とおりに。「ぼくの言う—しろ」③ほかの動詞を「なる」に接続させるときに使う。「日本でも できる—なった」④目的をあらわす。よう。「かぜをひかない—厚着をする」⑤相手への お願いをあらわす。よう。「ご心配なさいません—」⑥いのりをあらわす。「いい一日であります—」⑦軽い命令をあらわす。「早くねる—」

**ようにく**[羊肉]〔文〕ヒツジの肉。マトン。

**ようにく**[葉肉]《植》(厚い)葉っぱの中身。「アロエの—」

**ようにん**[用人]〔江戸時代に〕主君のそばにいて雑用を処理し、お金の出し入れを取りあつかった人。「ご—」

☆☆**ようにん**[容認]《名・他サ》〔文〕それでいいとして許すこと。「—しがたい」

**ようねん**[幼年]〔文〕人を年齢によって分けた区分の一つ。六、七歳ぐらいまで。「—期」

☆☆**ようは**[要は]《副・接》大切なことは。要点は。結局。「—本人の努力しだいだ」

**ようば**[妖婆]〔文〕魔法使いの、あやしい老婆。

**ようはい**[×遥拝]《名・他サ》〔文〕遠くはなれたところから礼拝すること。「皇居を—する」

**ようばい**[溶媒]《理》ほかの物質を〈とかしている/とかすための〉液体。例、食塩水の水。

**ようはく**[洋白]《理》⇩洋銀。

**ようはつ**[洋髪]〔女性の〕洋風の かみの形。西洋髪。(↕日本髪)

**ようばな**[洋花]西洋の草花。カラーやゼラニウムなど、明るい感じの花が多い。(↕和花)

**ようばん**[洋盤]〈欧米で作られた/洋楽の〉CDやレコード。(↕邦盤)

**ようひ**[要否]〔文〕必要か必要でないか。「—を知らせよ・治療の—を判断する」

**ようび**[妖美]〔文〕人をまよわす、あやしい美しさ。

**ようび**[曜日]曜で呼ぶ、一週間の、それぞれの日。「—の感覚がなくなる・ごみの定—収集・あすは何—?」

**ようひし**[羊皮紙]〔昔、西洋で〕ヒツジなどのかわで作って、紙の代わりに使ったもの。

**ようひつ**[用筆]〔文〕①〔日本画・習字などに〕使うふで。②ふでづかい。「—を誤る」

**ようひん**[用品]〔文〕何かに〈使う/必要な〉品物。「スポーツ—」

**ようひん**[洋品]〔もと西洋からはいって来た〕ハンカチ・くつ下・マフラー・シャツなどの、身につけるもの。「—雑貨・—店」

**ようふ**[用布・要布]《服》着物を仕立てるのに必要な布。

**ようふ**[妖婦]〔文〕男をまよわす、なまめかしく美しい女。妖女。バンプ。

**ようふ**[養父]養子に行った家の父。(↕実父)

**ようぶ**[洋舞]〔文〕西洋ふうの おどり。ダンス。西洋舞踊。(↕日舞・邦舞)

**ようふう**[洋風]西洋ふう。「—そうめん」(↕和風)

**ようふく**[洋服]西洋ふうの衣服。シャツ・ジャケット・ワンピース・ズボン・スカートなど。「—だんす・お—を買う〔女〕」(↕和服)●**ようふくかけ**[洋服掛け]①ハンガーにかけた洋服をたくさん つるせる、横棒を柱で支えた家具。ハンガーラック。②〔古風〕ハンガー。

**ようふぼ**[養父母]養子に行った家の父母。養父と養母。

**ようぶん**[養分]栄養となる成分。

**ようへい**[用兵]①《軍》戦争をするときの、軍隊の動かし方。「—の妙」②試合をするときの、選手の動かし方。↗兵。

**ようへい**[×傭兵]〔文〕お金で やとわれた兵士。やとい兵。

**ようへい**[葉柄]《植》葉の一部。柄のように細くなったところ。

**ようへき**[擁壁]がけや斜面がくずれるのを防ぐために作った、土留めの かべ。

**ようへん**[窯変]《名・自サ》〔文〕①陶磁器が かまの中で焼かれるうちに、色や模様に思わぬ変化が生じること。「—物」②人や ものが思わぬ変化を見せること。「俳句が—する」

**ようべん**[用便]《名・自サ》〈大便/小便〉をすること。「—に立つ(=行く)」

**ようほ**[幼保]幼稚園と保育所。「—連携」

**ようぼ**[養母]養子に行った家の母。(↕実母・生母)

**ようほう**[用法]使い方。もちい方。「ことばの意味と—・薬の—(=服用法)」

**ようほう**[養蜂]〔文〕蜜を取るために、ミツバチを飼うこと。「—家」

☆☆ようぼう［容貌］〔文〕顔かたち。「―魁偉」

ようぼう［要望］《名・他サ》こうしてほしいと、のぞむこと。「いっそうの努力を―したい」

ようぼく［幼木］〔文〕若い木。

ようほご［要保護］〔文〕保護の必要があること。「―児童」

ようほん［洋本］〔文〕①西洋の書物。洋書。②洋とじの書物。(↕和本)

ようま［妖魔］〔文〕ばけもの。まもの。

ようま［洋間］西洋ふうの部屋。(↕日本間)

ようまく［羊膜］《生》子宮の中で胎児を包んでいる、うすい膜。

ようまん［養×鰻］〔文〕ウナギの養殖。「―業」

ようみゃく［葉脈］《植》葉の根もとから細かく分かれ出て、水分や養分の通路となっている筋。

ようみょう［幼名］〔文〕⇩ようめい(幼名)。

←ようむ［用務］①〔文〕仕事。つとめ。「緊急の―」②↑用務員。「―さん・―主事〔＝学校の用務員〕」

●ようむいん［用務員］〔学校・会社などで〕いろいろの用事をする人。☞校務員。

→ようむ［要務］〔文〕大切な職務。大切なつとめ。「―をおびる」

ようむき［用向き］用事の、だいたいの内容。「―をのべる」

ようめい［幼名］〔文〕昔、元服前に名乗った名前。おさなな。ようみょう。

ようめい［用命］〔文〕用を言いつけること。「ご―ください」

ようめん［葉面］〔文〕葉の表面。

ようもう［羊毛］綿羊の毛。毛糸・毛織物の原料。ウール。

ようもう［養毛］〔文〕手入れをして、かみの毛を生き生きさせること。「―剤」

ようもく［要目］〔文〕重要な項目。「教授―」

ようもの［洋物］西洋から来たもの。西洋のもの。(↕和物)

ようやく［要約］《名・他サ》内容のおもな点を短くまとめ〈ること/たもの〉。「―して述べる」●ようやくひっき［要約筆記］耳の不自由な人に、授業・講演などの内容を、その場で文字で要約して伝える方法。「パソコン―」

*ようやく《副》①やっと。かろうじて。ようやくのことで。ようやくにして〔文〕。「―会えたね・―目的を達した」②〔古風〕だんだん。しだいに。「―明けはじめた空」▽ようよう。表記かたく「△漸く」とも。

ようやっと《副》〔話〕「ようやく①」を強めた言い方。やっとのことで。ようやらやっと。

ようゆう［溶融・×熔融］《名・自サ》《理》物が熱を受けて液体になること。融解。「鉄が―する・炉心―〔⇩メルトダウン①〕」

ようよう［要用］〔文〕さしあたって必要な用事。要件。「《手紙》取り急ぎ―のみ」

←ようよう［洋々］《トタル》〔文〕①水がどこまでも広がっているようす。「―たる大河」②行く手がひらけて、希望に満ちているようす。「―たる前途」

→ようよう［揚々］《トタル》〔文〕得意なようす。「意気―として」

ようよう《副》ようやく。「―(のことで)答えた・―夏になりゆく〔古風〕」表記かたく「△漸う」とも。

ようらく［×瓔×珞］《仏》仏像の首・胸などにかける、玉をつないだかざり。

ようらん［洋(×蘭)］〔西洋で〕野生のランを栽培し、観賞用として改良したもの。カトレア・シンビジウムなど種類が多い。オーキッド。

ようらん［要覧］〔文〕統計なども入れて、要点をわかりやすくまとめた印刷物。「学校―」

ようらん［揺×籃］〔文〕①ゆりかご。②ものごとの発展のはじめ。「―期〔＝初期〕・―の地」

ようラン［洋ラン］〔ラン↑オランダ。江戸時代のオランダ人の服装から〕〔俗〕洋服。

ようり［養×鯉］〔文〕コイの養殖。「―業」

ようりく［揚陸］《名・自他サ》〔文〕①船の積み荷を陸上にはこびあげること。陸あげ。②上陸。●ようりくかん［揚陸艦］《軍》ヘリコプターや小型のふねを使って、武器・兵士を直接上陸させる軍艦。「強襲―」

☆☆ようりつ［擁立］《名・他サ》〔文〕周囲の人がもりたてて(て、君主の位に つかせ)ること。「幼君を―する・総裁に―する」

ようりゃく［要略］《名・他サ》〔文〕内容を簡単にまとめ〈ること/たもの〉。

ようりゅう［×楊柳］〔＝ヤナギ〕たて方向にしぼを出した縮み織り。楊柳しぼ。由来ヤナギの葉のような細かいたてじわがあることから。

←ようりょう［用量］〈使用/服用〉する分量。「用法、―を正しくお守りください」

→ようりょう［容量］①中にはいる分量。②《情》⇩記憶容量。

ようりょう［要領］①やり方(のこつ)。「―が悪い」②何かをするための、基本的なきまり。「実施―・指導―・応募―」●要領がいい句 ①ものごとを処理する手ぎわがいい。②かげで手をぬいて、表面をとりつくろうのがうまい。▽(↕要領が悪い)●要領を得ない句 何を言いたいのか、はっきりつかめない。「質問がさっぱり―」〔「要領を得る」の形でも使う。「要領を得た話し方」〕

ようりょく［揚力］《理》液体や気体中を動く物体が、進行方向と直角に受ける力。飛行機を空中にうかせる力。浮揚力。☞浮力。

ようりょくそ［葉緑素］《植》植物の葉にふくまれる、緑色の色素。クロロフィル。

ようれい［用例］①〔そのことばの〕使い方の例。「―を示す」②〔そのことばの〕実際に使われた例。「辞書をつくるために―を集める」

ようれき［陽暦］太陽暦。新暦。(↕陰暦)

ようれんきん［溶連菌］〔↑溶血性連鎖球菌〕《医》連鎖球菌のうち、しょうこう熱・へんとう炎・中耳炎・敗血症などの、炎症や化膿性の病気のもとになる細菌。

ようろ［要路］〔文〕①おもな通路。「交通の―」②大切な地位。「―の大官・政府の―」

ようろ［溶炉・×熔炉］金属をとかす炉。

ようろう［養老］①老人をいたわりせわをすること。「―施設・―院〔＝『老人ホーム』の古い呼び名〕」

②老後を安楽に送ること。●ようろう ほけん［養老保険］生命保険の一種。満期の場合も、とちゅうで死んだ場合も、保険金を全額しはらってもらえる。(↕定期保険)

ようろん［要論］〔文〕大切な点を取り出して論じたもの。「経済史―」

←よえい［余映］〔文〕残ったかがやき。余光。

→よえい［余栄］〔文〕死んだあとまで残る、光栄や名誉。

よえん［余炎］〔文〕①消え残りの ほのお。②残暑。

よお［△四］〔古風〕よっつ。よう。〔数えるときに言うことば〕☞ひい(一)。

ヨーガ〔yoga〕⇩ヨガ。

ヨーク〔yoke〕《服》洋裁で、体形にあわせたり、変化をつけたりするため、つぎ足す布。「肩にーをつける」☞切り替える③。

［ヨーク］

ヨーグルト〔yogurt〕牛乳・ヤギの乳などに乳酸菌を入れて、ゆるく かたまらせたもの。味は、ややすっぱい。「のむー」

ヨーチン ↑ヨードチンキ。

ヨーデル〔ド Jodel〕《音》アルプス地方で、裏声をまぜて歌う〈歌い方/民謡〉。

ヨード〔ド Jod〕《理》⇩ようそ(沃素)。「一卵」表記「:沃度」は、古い音訳字。●ヨードチンキ〔ド Jod-tinktur〕《理》ヨウ素をエタノールにとかした液体。うすめて塗り薬にする。ヨジウム(チンキ)(↑オ jodium tinctuur)。ヨーチン。●ヨードホルム〔ド Jodo-form〕《理》メタンの水素が三つヨウ素で置きかわった化合物。黄色い粉。消毒・防腐・血どめなどに使う。

ヨーヨー〔yo-yo〕①二つの円盤形のものを短い軸でつなぎ、軸に長いひもを巻きつけ、ひもの はしを持って上げ下げして遊ぶ おもちゃ。②水を入れた小形の風船をゴムでつるし、手のひらでつくように上下させて遊ぶ おもちゃ。水ヨーヨー。☞水風船。

*ヨーロッパ〔ポ・オ Europa〕六大州の一つ。アジア大陸の西北部につらなる半島状の大陸。欧州。欧。表記「:欧羅巴」は、古い音訳字。●ヨーロッパきょうどうたい［ヨーロッパ共同体］⇩イーシー(EC)。●ヨーロッパれんごう［ヨーロッパ連合］⇩イーユー(EU)。

ヨーロピアン 造〔European〕ヨーロッパ〈の/ふう〉。「―調・―スタイル」

よか［予価］〔文〕予定の価格。

よか［予科］本科に進む前の課程。(↕本科)

よか［余暇］〔仕事が終わったあとや仕事の あいまなどの〕ひまな時間。「―を利用する・―をさく」

よか《格助》〔俗〕よりか。よっか。「それ―こっちがいい」

ヨガ〔サンスクリット yoga〕①呼吸を整え、瞑想の世界に はいって、理想と一体になる〈こと/修行〉。瑜伽。②「ヨガ①」の一部を取り入れた、軽い運動法。心身をリラックスさせる目的で、ゆっくりと呼吸し、独特のポーズをとる。☞ピラティス。▽ヨーガ。

よかく［与格］《言》間接目的語をあらわす格。日本語では格助詞「に」であらわされる。

よかく［予覚］《名・他サ》〔文〕事が起こる前に あらかじめ さとること。「危険を―する」

よがし 接尾（↑終助詞「よ」＋終助詞「かし」。名・形動をつくる）〔文〕⇩がし。「帰れ―・死ね―」

よかぜ［夜風］よるの風。

よがたり［夜語り］⇩よばなし(夜話)。

よからず［良からず］《副》〔文〕良くない。良くなく。「上役から―(=良くないやつと)思われている」

よがらす［夜(×鳥)］よなかに鳴くカラス。〔ゴイサギの声を聞き誤って言うことが多い〕

←よからぬ［良からぬ］《連体》〔文〕良くない。「―うわさ」

→よからぬ［善からぬ］《連体》〔文〕善くない。「―ことをくわだてる」

よが・る《自五》(↑良がる)快感で思わず声を出す。名よがり。「―声・―泣き」

よかれ-あしかれ［良かれ△悪しかれ］《副》〔文語形容詞「良し」「悪し」の命令形から〕⇩よくも悪くも。「芸を学ぶには、―型を覚えることだ」

よかれと［良かれと］《副》〔良かれ=文語形容詞「良し」の命令形〕〈いい/ためになる〉ようにと。良かれかしと。「相手に―思ってしたことが誤解された」

よかれん［予科練］(↑海軍飛行予科練習生) 旧日本海軍の、飛行兵を養成する組織(の練習生)。

よがわり［世変わり］時代や世の中が変わること。

よかん［余寒］〔文〕立春のあとの さむさ。「《手紙》―厳しい折から」(↕残暑)

よかん［予感］《名・他サ》前もってなんとなく〈感じること/起こる感じ〉。「―が当たる」

よき［(×斧)］〔大工などが〕片手で使う、小形の おの。

よき［予期］《名・他サ》前もって期待・推測すること。「―に反して・―したとおり」

よき［良き］《連体・名》〔文語形容詞「良し」の連体形から〕〔文〕よい(こと・もの)。「―友・―につけ、悪しきにつけ・きょうの―日(=結婚式など、晴れの日)・〔殿様などが〕―にはからえ」

よぎ［余技］専門でない技芸。「いやあ、ほんの―ですよ」

よぎ［夜着］ねるときに かける夜具。かけぶとん・敷きぶとん・かいまきなど。

よぎしゃ［夜汽車］よる運行する汽車。夜行列車。「―でたつ」

よぎなく［余儀なく］《副》〔文〕ほかに方法がなく。避けられず。やむをえず。「―あきらめる」〔連体詞の形もある。「余儀ない事情で おくれる」〕●☆☆余儀なくされる 句〔文〕しないわけには いかなくなる。「退陣を―」〔「社会の変化が、改革を余儀なくする」のようにも使う〕

よきょう［余興］座興をそえる芸。

よきょう［余響］〔文〕あとに残る ひびき。余韻。

よぎり［夜霧］よるに立ちこめる霧。

☆☆よぎ・る［(△過ぎる)］《自他五》(ふと)通りすぎる。「人かげが―・不安が心をよぎった」

よきん［預金］《名・他サ》《経》安全に保管し、また、ふやすために〈お金を銀行などに あずけること/銀行などに あずけた お金〉。「銀行―・―者〔貯金の場合もふくむ〕」☞貯金②。

よく［欲・×慾］①(程度をこえて)ほしがる心。「―が深い・名誉―(=名誉をほしがる心)」②完全をのぞむ心。「―を言えば」●欲の皮が突っ張る 句 非常に欲ばりだ。●**欲も得もない** 句 ①ほかに ほしいものは何もない。②損得を考える余裕もない。●**欲をかく** 句 欲を出す。欲ばる。

**よく**[翼] ①つばさ。特に、飛行機の機体の両がわに突き出た部分。「―を連ねる・主―」②中央部から両わきに出ている部分。ウイング。「建物の西―・左―の部隊」

**よく-**[翌]《連体》〔日づけ・年月などで〕次の。「―五日・―一八年」

****よく**《副》①[(良く)] うまく。みごとに。「―かけました・『住めば都』とは―言ったものだ」②じゅうぶんに。ていねいに。「―見なさい」③どうかすると、すぐに。「―ころぶ」④ふつうに見聞きして めずらしくないようす。いつも。しばしば。「(世間には)―あることだ・―あるやつだ・―言われるように」⑤くり返したことを思い出して言うことば。なん回も。「―見に行ったものだ」⑥相手が実現してくれて、うれしい気持ちをあらわす。よくぞ。「―来てくれた・―こんなに育ってくれた」⑦相手の行動に対し、意外だと〈おどろく/非難する〉気持ちをあらわす。よくも。「―がまんできるねえ・そんなことが―言えたものだ」 表記 「△能く」とも書いた。⑧[(△克く)]〔文〕〔困難にうちかって〕りっぱに。「―偉業をなしとげた」☞よくする・よくも。

**よく**[浴] 造 ①ゆあみ。入浴。「冷水―」②からだにあびること。「日光―・外気―」

**よくあさ**[翌朝]〔その日の〕次の朝。翌日の朝。あくる朝。よくちょう。

**よくあつ**[抑圧]《名・他サ》〔活動や欲望を〕強くおさえつけること。「言論を―する」

**よくいにん**[(×薏×苡△仁)] ハトムギの皮を取り除いて作った漢方薬。いぼや肌荒れが生じた際に飲む。

**よくうつ**[抑(鬱)]《医》気分がしずんでゆううつになり、生き生きした感情がなくなること。「―状態・―症」

**よくか**[翌夏]〔文〕翌年の夏。

**よくか**[翼下]〔文〕①〈はね/飛行機の つばさ〉のした。②その勢力・系列の なか。傘下。「―に おさめる」▽よっか。

**よくぎょう**[翌暁]〔文〕翌日の あけがた。

**よくけ**[欲(気)] もう少し もう少しと、ほしがる気持ち。欲心。「―を出す」

**よくげつ**[翌月]〔その月の〕次の月。よくつき。(↕前月)

**よくご**[浴後]〔文〕入浴の あと。

**よくさん**[翼賛]《名・他サ》〔文〕〔政府のやり方に〕全面的に賛成して たすけること。「―組織・―政治」☞大政翼賛会。

☆☆**よくし**[抑止]《名・他サ》〔文〕〔活動や欲望を〕おさえつけて、動き出させないこと。「―力」

**よくした-もので**[(良くしたもので)]《副》都合よく いくもので。「生物というものは―、なんとか環境に適応する」

**よくしつ**[浴室] ふろば。ゆどの。

**よくじつ**[翌日]〔その日の〕次の日。あくる日。(↕前日)

**よくしゅう**[翌秋]〔文〕翌年の秋。

**よくしゅう**[翌週]〔その週の〕次の週。あくる週。(↕前週)

**よくしゅん**[翌春]〔文〕翌年の〈春/正月〉。よくはる。

**よくじょう**[浴場] ①〔大きな〕ふろば。②〔↑公衆浴場〕ふろや。「大衆―」

**よくじょう**[欲情]《名・自サ》性的な気持ち(を起こすこと)。「はだかを見て―する」

**よくしん**[欲心] ものをほしがる心。欲気。「限りない―」

**よく・す**[浴す]《自五》〔文〕⇩浴する。「機械化の恩恵に浴さない」

←**よく・する**[(良くする)]《自サ》親切にする。「あの人には、本当によくしていただきました」☞よくしたもので。

→☆☆**よく・する**[(△能くする)]《他サ》〔文〕①じょうずにできる。「書を―」②することができる。なしうる。「凡人の―ところではない」

**よく・する**[浴する]《自サ》〔文〕①入浴する。「しょうぶ湯に―」②からだ全体に受ける。あびる。「日光に―」③〔いいことを〕身に受ける。「恩恵に―」▽浴す。

**よくせい**[抑制]《名・他サ》①程度をこさないように、おさえ とめること。「―のきいた筆(=表現)」②⇩拘束③。

**よくせき**《名・ナダ・副》〔古風〕ふつうの程度ではないようす。よくよく。「―〈の/な〉ことだ・―困った人だ」

**よくせん**[翼船] ⇩水中翼船。

**よくぞ**《副》副詞「よく⑥」を強めた言い方。よく まあ。「―お出かけくださいました・―言った」

**よくそう**[浴槽] 湯ぶね。

**よくたん**[翼端]〔文〕〔飛行機の〕翼の はし。

**よくち**[沃地]〔文〕⇩沃土。

**よくちょう**[翌朝]〔文〕⇩よくあさ。

**よくつき**[翌月] ⇩よくげつ。

**よくど**[沃土]〔文〕地味の肥えた土地。肥土。沃地。

**よくとう**[翌冬]〔文〕翌年の冬。

**よくどう**[欲動]〔ド Trieb の訳語〕《心》本能。衝動。「生への―」

**よくとく**[欲得] 利益をほしがること。打算。●**よくとくずく**[欲得(△尽く)] 欲得にもとづくこと。「―で仕事をする」

**よくとし**[翌年] ⇩よくねん(翌年)。

**よくねん**[欲念]〔文〕欲心。

**よくねん**[翌年]〔そのとしの〕次の とし。よくとし。(↕前年)

**よくねんど**[翌年度]〔文〕次の年度。

**よくばり**[欲(張り)]《名・ナダ》よくばる〈人/ようす〉。「―じいさん・〔俗に、ほめて〕―な あなた・―(=具だくさんの)カレー」

**よくはる**[翌春]〔文〕⇩よくしゅん。

**よくば・る**[欲(張る)]《自五》①見苦しく、度をこえてほしがる。「欲ばって人の分まで食べる」②〔俗〕積極的に多くを〈望む/加える〉。「欲ばった企画」

**よくばん**[翌晩] 翌日の晩。

**よくふか**[欲深]《名・ナダ》欲が深い〈こと/人〉。

**よくぶか・い**[欲深い]《形》よくふかだ。よくふかい。派 -さ。

**よくぼう**[欲望]《名・自サ》何かをほしいと思う〈こと/

心〉。「―をいだく・―を満たす」区別「欲望」は、自分にとってより利益になるものを(程度をこえて)ほしがる場合に使う。「欲望の強い人」のように、いろいろな内容をばくぜんと指すこともある。「欲求」は、生理的欲求など、当然必要なものをほしがる場合に使う。「安全に対する欲求」など、対象は具体的。

**よくぼけ**【欲(×呆け)】欲のために頭がぼけたようになること。

**よくめ**【欲目】自分の望む状態に引きつけて見る見方。「親の―で」

**よくも**《副》①副詞「よく⑦」を強めた言い方。「―卒業できたもんだ」②こちらに害をあたえる相手の行動に対し、怒りをあらわすことば。「―おれの顔をつぶしてくれたな・おのれ、―(やったな)!」③〔古風〕よくぞ。「―こんなに育ってくれた」⚠年配者が③の意味で使っても、若い世代には②の意味に誤解されることがある。表記「△能くも」とも書いた。

**よくも わるくも**【(良くも)悪くも】《副》いい面でも悪い面でも。どちらにしても。よかれあしかれ。よくもあしくも。「―人間は変化する」

**よくや**【沃野】〔文〕地味のこえた平野。

**よくや**【翌夜】〔文〕翌日のよる。

**よくやき**【(良く)焼き】⇨ウエルダン。(↔生焼き)

**よくゆう**【翌夕】〔文〕翌日の夕方。

☆☆**よくよう**【抑揚】①⇨イントネーション①。「―をつける」②〔文〕悪く言ったりほめたりすること。「―自在」

**よくよう**【浴用】〔文〕入浴のときに使うこと。「―せっけん」

**よくよく**【翼々】《(ト/タル)》〔文〕用心ぶかい/びくびくするようす。「小心―」

**よくよく**【翌々】一 よくよく《連体》(日づけ・年月などで、)その次の次の。「―平成二十八年」二〔造〕次のまた次の。「―日・―号」

**よくよく**《副》①念を入れて。「―見れば・―考えてみると」②(推量・仮定の文で)ⓐ想像をこえるほど。「―好きとみえる・―のばかだ」ⓑ本当にやむをえないほど。「―の事情があるのだろう・―の場合は」

**よくりゅう**【翼竜】《動》中生代に栄えた爬虫類の一種。空を飛ぶつばさをもつ。例、プテラノドン。

☆☆**よくりゅう**【抑留】《名・他サ》〔法〕①国際法で、特定の人やものを、自分の国に強制的にとめておくこと。「―漁船員・―生活」②比較的みじかい期間、留置場などに入れておくこと。(↔拘禁)

**よけ**【(△除け)】〔造〕そのもののために起こる災難を防ぐ〈こと/ためのもの〉。「どろぼう―・弾―」

**よけい**【余恵】〔文〕おこぼれ。「ブームの―にあずかる」

**よけい**【余慶】〔文〕①功徳のむくいとして受ける幸い。「積善の家に―あり」②〔その人・そのことの〕おかげ。「―をこうむ(蒙)る」

**よけい** 一【余計】《(ナダ)》①あまって、いらないようす。余分。「―者」②無益。むだ。「―なお世話だ」二《副》(ほかの場合とくらべて)もっと(多く)。なおいっそう。「―(に)かわいらしい」

**よけた**【四桁】①《数》数字のけたが四つであること。②一〇〇〇から九九九九まで。「―相場(=千円台の相場)になる」▽よんけた。

**よ・ける**【(△除ける)】《他下一》①わきにおしやる。除く。「不良品を―」②防ぐ。「霜を―」

**よ・ける**【(△避ける)】《他下一》わきへのいて、さける。「車を―」区別⇨避ける①。

**よけん**【与件】〔文〕あたえられたことがら。所与。「国際情勢の―に左右される」

☆☆**よけん**【予見】《名・他サ》〔文〕事が起こる前に、先を見通すこと。「将来を―する」

**よげん**【予言】《名・他サ》未来を予測して言う〈こと/ことば〉。「―者」

**よげん**【預言】《名・他サ》《宗》キリスト教などで、神の霊感に打たれた者が神託としてのべることば。「―者」

**よこ【横】①(〈上下/前後〉に対して)左右の方向(の長さ)。「三つの星が―にならぶ・あて名を―に書く」(↔縦)②ねかせた状態。左右に長い状態。「からだを―にする・ノートを―使いにする」(↔縦)③ものの側面。「箱の―に番号を書く・―髪」④かたわら。わき。「―から口を出す・話が―にそれますが」⑤よこいと。ぬき(緯)。⑥(組織などで)同じ立場の者どうし。「―の〈つながり/関係〉を強める」(↔縦) 表記①〔サイズを示す場合〕や⑥は「ヨコ」とも。●**横から見ても縦から見ても** 句 ⇨縦から見ても横から見ても(「縦」の 句)。●**横に置く** 句 ひとまず ふれないでおく。「難しい問題はしばらく横に置いて」●**横になる** 句 寝る。「つかれたので―」●**横のものを縦にもしない** 句 めんどうくさがって まったく用事をしようとしない。縦のものを横にもしない。●**横を向く** 句〔相手を無視して〕わきのほうを向く。そっぽを向く。「横を向いて知らん顔」

☆☆**よご**【予後】《医》病気になって治療をしたあとの見通し。「―不良(=今後が(かなり)危険な状態)」

**よこあい**【横合い】①横のほう。「―から出てくる」②直接関係のない立場。局外。「―から口を出す」

**よこあな**【横穴】山のふもとや中腹に、横にあいた穴。(↔縦穴)

**よこいっせん**【横一線】①〔競走で〕横に一直線にならぶこと。②差がないこと。

**よこいと**【横糸・△緯糸】①布を織るとき、縦糸の間を横にくぐらせる糸。織物の、横の方向にならんでいる糸。ぬきいと。②長い物語が進むにつれて変わる、話の背景。▽(↔縦糸)

**よこう**【予稿】〔発表などの概要として〕あらかじめ書いておく原稿。「―集」

**よこう**【余光】〔文〕①空に残ったひかり。余映。②おかげ。「親の―で」

**よこう**【余香】〔文〕あとに残った、いい かおり。残り香。「―がただよう」

**よこう**【予行】《名・他サ》本番どおりに練習をおこなうこと。「―練習・―演習」

**よこがお**【横顔】①横向きの顔。横から見た顔。「君の―を思い出す」②その人の、あまり人に知られていない一面。プロフィ(ー)ル。「社長の―」

**よこがき**【横書き】《名・他サ》文字を横にならべて書くこと。〈ふつう左から右へ書く〉(↔縦書き)

**よこかぜ**【横風】〔自動車・飛行機などの〕進む方向に対して、横の方向からふきつける風。「―を受ける」☞おうふう(横風)。

**よこがみやぶり**【横紙破り】ものごとをむりやりにお

し通す〈こと/人〉。

**よこぎ**［横木］横にわたした木。バー。

**よこぎ・る**［横切る］《他五》横の方向に〈わたる/通り過ぎる〉。横断する。「道路を―」

**よこく**［与国］〔文〕同盟国。「大国とその―」

**よこく**［予告］《名・他サ》〔事を起こす前に〕前もって知らせること。前ぶれ。●**よこくへん**［予告編］次回の映画や番組の内容を知らせるために、一部分をぬき出して編集したもの。

**よこぐし**［横串］①さかなの腹の、一方のがわからもう一方のがわへつらぬくくし。「〈アユをならべて/開いたウナギに〉―を打つ」(↔縦串) ②異なる分野・組織・サービスなどの間の連携。「縦割りの組織に―を〈通す/刺す〉」

**よこぐみ**［横組み］《印刷》文字を横にならべて組むこと。「―の本」(↔縦組み)

**よこぐるま**［横車］横方向から車をおすこと。●**横車を押す** 句 ①できないことをむりにする。②相手のめいわくも考えず、むりをおしとおす。

**よこう**［横坑］水平方向にほった坑道。(↔立て坑)

**よこざま**［横(様)］横の方向(になること)。「―にたおれる」

**よこじく**［横軸］①〔機械の〕横の方向に取りつけた軸。②グラフで、横に目もりをつけるために引いた、横の線。数学では $x$ 軸。▽(↔縦軸)

☆☆**よこしま**［(△邪)］《名・ナダ》〔文〕〔心が〕正しくないようす。ねじけているようす。邪悪。「―な考え」由来「横〔=正しい方向でないこと〕」に、状態をあらわす「しま」がついたことば。

**よこじま**［横(×縞)］横の方向に走るしま。「―のはいったソックス」(↔縦じま)

**よこしゃかい**［ヨコ社会・横社会］対等の人間関係を重く見る社会。(↔タテ社会)

**よこ・す** 一［(△寄越す)・(△遣す)］《他五》①〔先方から〕送ってくる。「手紙を―」②自分のほうへわたす。「こっちへよこせ」二《補動五》〔て―〕くる。「言って―」▽一二(↔やる)

**よご・す**［汚す］《他五》①よごれるようにする。きたなくする。「着物を―・本を―」②《料》あえる。「ごまで―」名 汚し。「模型に―を入れる・ごま―」

**よこずき**［横好き］じょうずでもないのに、好きでやたらにしたがること。「へたの―」

**よこすじ**［横筋］①横にのびた筋。②本筋からそれた筋道。横道。「話が―にそれる」(↔本筋)

**よこすべり**［横滑り］《名・自サ》①〔前を向いたまま〕横の方向にすべること。②同じ程度の、別の〈地位/役職〉に移ること。

**よこずわり**［横座り・横×坐り］《名・自サ》きちんとすわった姿勢をくずし、ひざから下をななめにずらしてすわること。

**よこた・える**［横たえる］《他下一》①〔からだなどを〕ねた形にする。「ベッドに身を―・材木を―」②横にさす。「腰に大刀を―」

**よこだおし**［横倒し］横向きにたおれること。横の方向にたおすこと。よこたおし。「―になる」

**よこだき**［横抱き］相手のからだなどを、横にしたままだくこと。「子どもを―にしたままとび出した」

**よこたわ・る**［横たわる］《自五》①〔からだなどが〕ねた形になる。「ベンチに―・大木が―・目の前に川が―」②二つのものをへだてるように、そこにある。「二国の間に―〈海/問題〉」③まるでじゃまをするように、そこにある。「前途に―難問」

**よこちょう**［横町・横丁］表通りから横へはいった〈まち/通り〉。

**よこづけ**［横(付け)］《名・他サ》〔船・車などを〕その場に横につけること。「車を玄関に―する」

**よこっちょ**［横っちょ］〔俗〕横。横むき。よこちょ。「―にかぶる」

**よこ(っ)つら**［横(っ)面］〔俗〕①顔の、横のところ。「―はりとばすぞ」②横のほう。

**よこっとび**［横っ跳び］《名・自サ》①急いで、横のほうに〈飛ぶ/走る〉こと。「―に とぶ・―ににげる」②⇩よことび①。

**よこづな**［横綱］①《すもう》最高の位(の力士)。また、その力士が土俵入りのとき腰にしめる、幣をたらした太い綱。つな。②〔ある分野で〕いちばんすぐれた〈人/もの〉。●**横綱を張る** 句《すもう》⇩綱を張る〔「綱」の 句〕。●**よこづなずもう**［横綱相撲］《すもう》横綱が立ち合いを正面から受け、貫禄じゅうぶんに あぶなげなく勝つこと。

**よこっぱら**［横っ腹］〔話〕⇩よこばら。

**よこて**［横手］横の〈ほう/方向〉。「―の角にある」●**よこてなげ**［横手投げ］《野球》サイドスロー。横投げ。

**よこで**［横手］両手を打ち合わせること。☞よこて(横手)。●**横手を打つ** 句 感心して、思わず両手を打ち合わせる。

**よごと**［夜ごと］〔ごと=毎〕①毎晩。毎夜。「―の宴・―日ごと〔=夜も昼も〕」②夜を重ねるたび。「―にむし暑さが増す」

**よことび**［横跳び］《名・自サ》①横の方向をめがけてとぶこと。「〔体力テストの〕反復―」②⇩よこっとび①。

**よこどり**［横取り］《名・他サ》他人のものを横あいからうばい取ること。「物資の―・成果を―する」

**よこなが**［横長］《名・ナダ》横に長いこと。「―の画面」(↔縦長)

**よこながし**［横流し］《名・他サ》正しくない やり方で、品物をほかへ売ること。

**よこなぎ**［横(×薙ぎ)］横に なぎはらうこと。

**よこなぐり**［横殴り］①横のほうから〈なぐり/たたきつけること。「―の雨・―に やりをはらう」②横に はらうこと。「鼻血を―にする」

**よこなみ**［横波］①船の進む方向に対して、横のほうから来る波。「―を受けて転覆した」②《理》波の進行方向に対して垂直にゆれる波。例、電磁波、地震のS波。(↔縦波)

**よこならび**［横並び］①横に(一直線に)ならぶこと。②差をつけさせないこと。「―行政・―の意識」

**よこにらみ**［横(×睨み)］①横目でにらむこと。②ほかの動き方を注視すること。「物価と景気の―」

**よこばい** 一［横(×這い)］《名・自サ》①横に はうこと。「カニの―」②《経》〔相場・物価などが〕上がり下がりしないで、同じ状態を続けること。「利益は―」 動 横ばう《自五》。 二[(横×這)] 「うんか(浮塵子)①」に似た、農作物の害虫。

**よこはいり**[横入り]《名・自サ》〔愛知・神奈川などの方言〕 横から列に割りこむこと。横ぬかし〔方〕。

**よこはば**[横幅] 左右の長さ。「紙の―・からだの―」(↕縦幅)

**よこばら**[横腹] ①横のほうの腹。わきばら。 ②横のほう。側面。「船の―」▽よこっぱら。

**よこびんた**[横ビンタ]〔俗〕人の顔の横を、平手で打つこと。平手打ち。「―をくらう」

**よこぶえ**[横笛]《音》横にかまえて ふく笛。(↕縦笛)

**よこぶとり**[横太り]《名・自サ》 ふとって、からだが横に広がったように肉がつくこと。

**よこぶり**[横降り] 雨が横のほうから、ふきつけるように降ること。

**よこぶれ**[横振れ]《名・自サ》 進む方向に対して、横のほうにゆれ動くこと。「車輪の―」

**よこぼう**[横棒] ①横に取りつけた棒。 ②〔漢字の〕横に引いた、まっすぐな線。(↕縦棒)

**よこまく**[横幕] 文字を横書きにした、横長のたれ幕。横断幕。

**よこみち**[横道・横△路] ①本道から横のほうへ はいる道。 ②本筋から それた(よくない)方面。「―に それる」

**よこみつ**[横(×褌)]《すもう》まわしの、横の部分。よこまわし。「―を引く」☞縦みつ(褌)。

**よこむき**[横向き] ①横を向くこと。 ②横にたおれた状態。「―になる」

**よこむすび**[横結び] 結んだ ひもの両はしが、ひもの向きと平行になる結び方。(↕縦結び)

**よこめ**[横目] ①顔の向きは変えないで、目だけで横を見る〈こと/目つき〉。「―づかい・―で にらむ・楽しそうな家族を―〈で/に〉見ながら食べる」 ②関係ない、という目つき。しり目。「ライバル社を―に業績をのばす」

**よこめし**[ヨコメシ]〔=横飯〕〔やや古風・俗〕①仕事で、欧米(おうべい)人とする食事。 ②西洋料理店でする食事。

用法。▽①は一九七〇年代、②は八〇年代に広まった。 由来 欧米語(のメニュー)が横文字だから。

**よこもじ**[横文字]〔俗〕①〔横書きの〕西洋の〈文字/文章〉。「―〔=外国語〕は読めない」 ②外来語。「―が多くて理解できない」

**よこもち**[横持ち]《名・他サ》 ①物を横長にして持つこと。「傘(かさ)を―するのは危険だ」 ②引っこしや配送などのとき、トラックと家との間など、平面で荷物をやりとりすること。▽(↕縦持ち)

**よこやり**[横(×槍)・横ヤリ]〔=勝負の最中に、ほかの人が やりを突っき入れて じゃまをすること〕 そばから口を出すこと。 ●☆☆**横やりを入れる** 句 妨害(ぼうがい)する。干渉(かんしょう)する。

**よこゆれ**[横揺れ]《名・自サ》 ①地震(じしん)で、建物が横にゆれること。遠くの地震のときに起こる。 ②⇩ローリング①。▽(↕縦揺れ)

**よごれ** 一 よごれ[汚れ] よごれた〈こと/所〉。「―を落とす・油―」 二 よごれ[ヨゴレ] 下(しも)ネタなどで必死に笑わせようとする、つまらない芸人。 ●**よごれ おち**[汚れ落ち] よごれが落ちること。「―の いい洗剤(せんざい)」 ●**よごれっぽ・い**[汚れっぽい]《形》 すぐによごれる。よごれやすい。 ●**よごれもの**[汚れ物] よごれて、洗わなければならないもの。せんたく物や使った食器。 ●**よごれやく**[汚れ役] ①《演劇・映画》〔娼婦(しょうふ)・犯罪者など〕道徳的に よくない人の役。 ②組織の中で うしろ暗い業務に従う人。

**よご・れる**[汚れる]《自下一》 ①見た目が悪いものや、害になるものが、ついたり、まざったりする。「服がどろで―・海が油で―」 ②不正などをして清らかさを失う。けがれる。「汚れた金」

**よこれんぼ**[横恋慕]《名・自サ》 夫・妻、または決まった恋人(こいびと)の ある人を、ほかの者が わきから こいしたうこと。

**よこわけ**[横分け]《名・他サ》 前髪(まえがみ)を、真ん中よりも左または右に寄った位置で分ける髪型。例、七三(しちさん)。

**よこわり**[横割り] ①横に割ること。 ②組織と組織との関係(が つくようにすること)。▽(↕縦割り)

**よさ**[(良さ)] よい〈こと/程度〉。

**よさ**[(善さ)] 善い〈こと/程度〉。

**よさ**[夜さ]〔文〕よる。よ。「千鳥の鳴く―・一(ひと)―」

**よざい**[余財]〔文〕〔必要以上に〕あまった財産。「これという―もない」

☆☆**よざい**[余罪] その罪のほかに おかしている罪。「―を追及(ついきゅう)する」

**よざくら**[夜桜] よるの桜。よる見る、桜の花。

**よさげ**[(良さげ)]《ナダ》〔↑形容詞「よい」+接尾(せつび)語「さ」+接尾語「げ」〕〔俗〕よさそう。「仲の―なカップル・心地(ここち)―〔=心地よげ〕に ねむる」☞げ(気) 二。

**よさこい**〔=夜(よ)さ来い《=夜に来い》〕 ①高知県の民謡(みんよう)。よさこい節。 ②高知市で、毎年八月十・十一日におこなう祭り。よさこい祭り。また、その おどり。 ③「よさこい②」を もとにした、はでな衣装(いしょう)で通りをねり歩く、各地の祭り。また、その おどり。例、札幌(さっぽろ)市のYOSAKOI(よさこい)ソーラン祭り。

**よさそうだ**[(良さそうだ)] 連〔形容詞「よい」+接尾(せつび)語「さ」+助動詞「そうだ」〕 いい ようすだ。さしつかえないようすだ。「使い勝手が―・信じて―」

**よさむ**[夜寒] よるの寒さ。また、よるに寒くなる季節。よざむ。

**よさり**[夜さり]〔西日本方言〕 よる。よ。

***よさん**[予算] ①ある目的に使うと決めた お金。「―がない・―は十万円だ・〈ご/お〉―」 ②《法》〈政府/地方自治体〉が、次の会計年度の収支を見積もった計算。「―が足りない・―が つく・―案」

**よし**[(△止し)] よすこと。 ●**よしにする** 句 よす。やめる。「その話は よしにしよう」

☆☆**よし**[由]〔文〕①わけ。事情。「―ありげなようす」 ②手段。てだて。「知る―もなく」 ③今まで のべたことの、だいたいの内容。おもむき。「この―お伝えください」 ④…とのこと。…ということ。「ご病気の―」☞由(よし)ない。

**よし**[(×葦)・(×葭)] あし。〔アシの いみことばとして使う〕 ●**よしの髄(ずい)から天井(てんじょう)のぞく** 句 見識が せまいことのたとえ。

**よ・し** 一[良し・△好し]《形ク》〔文〕「よい」の文語形。「その意気や―〔=その意気は けっこうだ〕」 二[(良

よ

し〕・(△好し)〕 ①よいこと。「それで—としよう」 ②〈A〈て/で〉—B〈て/で〉—など〉どれでも〈上等だ/やりこなす〉の意味をあらわす。「煮にて—焼いて—・絵で—随筆で—」 三《感》〔話〕承知・承認・決心をあらわすことば。よっしゃ〔俗〕。「—わかった・—来た〔⇩来た①〕」 ☞良き。 ●良しとする 句 ①まあ それでいい、と認める。「知らなかったのは—にしても」 ②それが望ましいと考える。「あいまいを—文化」

よし〔(△縦し)〕《副》〔文〕たとえ。よしんば。よしや。「—それが許されるにしても」

よじ〔余事〕〔文〕 ①そのことに直接関係のないこと。ほかのこと。 ②あまった時間でする仕事。

よしあし〔(良し△悪し)・(善し△悪し)〕 ①いいことと悪いこと。善悪。良否。「品の—を見分ける」 ②いいとばかりは言えない〈こと/ことがら〉。「ことばが ていねいすぎるのも—だ」▽よしわるし。

よしきり〔(×葦切)〕 あし(葦)原の中に群れてすむ小形の鳥の名。夏のころ さわがしく鳴く。ぎょうぎょうし。

よじげん〔四次元〕 四つの次元。長さ・はば・高さの三次元〔=空間〕に時間を加えたもの。

よじじゅくご〔四字熟語〕 漢字四字でできた熟語。ふつう、古くから言い習わされている、音読みのものを言う。例、一心不乱・温故知新。

よしず〔(×葦×簀)・(×葦×簾)〕 ヨシ〔=アシ〕の茎を編んで作った、すだれに似たもの。立てかけたりして、日よけ・目かくしに使う。 ●よしずばり〔(×葦×簀)張り〕 よしずで〈囲うこと/囲った小屋〉。

よじつ〔余日〕〔文〕 ①〔ある期日になるまでの〕残りの日数。「年内—なく」 ②ほかの日。また いつか。「—うかがいます」

よしない〔(由ない)〕《形》〔=理由がない〕〔文〕 ①方法がない。「おしはかるに由なかった」 ②つまらない。「—ことで相手を傷つけた」 ③しかたがない。「由なくしたがう」

よしなしごと〔(由無し事)〕〔文〕つまらないこと。とりとめもないこと。「—を書きつける」

よしなに《副》 いいように。よろしく。「どうぞ—お伝えください」

よしの〔(△吉野)〕 ↑よしのざくら。 ●よしのざくら〔(△吉野桜)〕〔=奈良県吉野山の桜〕 ⇩そめいよしの。

よじのぼる〔(×攀じ)登る〕《自他五》〈何かに つかまって/すがりつくようにして〉登る。「かべ〈に/を〉—」

よしみ〔(×誼)・(△好)〕 ①〔文〕〔親しい つきあいができるような〕関係。「友人の—を結ぶ・ひそかに—を通じる〔=仲間になる〕」 ②〔…の—で〕…の関係があるので。〔特別に あつかう場合に言う〕「同郷の—で やとってもらった」

よしや〔(△縦しや)〕《副》〔文〕「よ(縦)し」の、感じのこもった言い方。

よしゅう〔予習〕《名・他サ》 前もって学習すること。〔↔復習〕

よしゅく〔予祝〕《名・自他サ》〔文〕前祝い。

よじょう〔余情〕〔詩・歌・文章などの〕あとに残る、しみじみとした味わい。余韻。「—のある詩」

☆☆よじょう〔余剰〕《名・ダナ》〔文〕必要以上にあって、あまった〈もの/ようす〉。のこり。剰余。「—農産物・—金・—な労働力」

よじょうはん〔四畳半〕 ①日本ふうの、畳四枚半の広さの、小さな部屋。 ②芸者と しずかに楽しむ、待合の小部屋。「—趣味」

よしよし 一《感》〔話〕目下のものや子どもなどをなぐさめることば。「—、心配するな・泣くな、—」 二《名・他サ》 いたわって、〈からだ/頭〉をやさしく さすること。「—してあげる」

よじらせる〔(×捩らせる)〕《他下一》 よじる。「身をよじらせて〈笑う/うめく〉」

よじる〔(×攀じる)〕《自上一》〔雅〕何かにつかまってのぼる。

よじる〔(×捩る)〕《他五》 ①部分的に向きを変える。「からだを—・身をよじって〔=よじらせて〕笑う」 ②長いものどうしをからませて 一本にする。「針金をよじ(り合わせ)る」

よじれる〔(×捩れる)〕《自下一》 ①よじったようになる。「ネクタイが—・おかしくて腹の皮が—」 ②筋の通らない状態になる。「文脈が—」▽ねじれる。 名 よじれ。

よしわるし〔(良し)悪し・(善し)悪し〕 ①一方ではいい点もあるが、また、悪い点もあるという状態。「大きい窓も—だ」 ②いい点と悪い点。「—を判断する」▽よしあし。

よしん〔予審〕《法》〔特に戦前、または海外で〕被告人を裁判にかけるかどうかを裁判官が決める審理。「—判事・—調書」

☆☆よしん〔余震〕 ①《地》本震のあとに続いて起こる地震。☞本震・前震。 ②〔俗〕事件などのあとに残る(小さな)影響。

よしん〔与信〕《名・自サ》《経》金融機関などが、融資する相手について、信用してもいいと認めること。「—審査・—枠〔=これだけ融資してもいい、という枠〕」

よしん〔予診〕《名・他サ》《医》診察の前に、これまでにかかった病気や家族の健康状態など、必要なことを前もって聞きとること。「—室」

☆☆よじん〔余人〕〔文〕ほかの人。別人。「—は知らず、私は…。—をもって代えがたい〔=ほかの人に代えられない。その人以外にはいない〕」

よじん〔余×燼〕〔文〕 ①燃えのこった火。「—がくすぶる」 ②事件などの終わったあと、なお残っている影響。

よしんば〔(△縦しんば)〕《副》〔文〕たとえ。よしや。「—知らなかったとしても」

よす〔(△止す)〕《他五》 やめる。「けんかは よせ・よせばいいものを」

よす〔寄す〕《他下二》〔文〕寄せる。「『日本文学講座』に—」

☆☆よすが〔(△縁)〕〔文〕助けとなるもの。たより。ゆかり。「故人をしのぶ—としていただければ」

よすがら〔夜すがら・:終夜〕《副》〔雅〕夜もすがら。

よすぎ〔世過ぎ〕《名・自サ》〔文〕生活。世わたり。「身過ぎ—」

よすてびと〔世捨て人〕〔文〕 ①僧。 ②隠者。

よすみ〔四隅〕 四角なものの、四方の すみ。

よせ〔寄せ〕 ①寄せること。寄せ集めること。「客—」 ②《碁・将棋》終わりに近づいて、勝負を決めるために攻める〈手順／段階〉。収束。③《ゴルフ》アプローチ。寄せ打ち。「－の基本」

**よせ**【寄席】〔↑よせせき〕落語・講談などの演芸を興行する所。「－芸人」

**よせあつ・める**【寄せ集める】《他下一》あちこちから集めて一つにまとめる。名 寄せ集め。「－のチーム」自 寄せ集まる《五》。

**よせい**【余生】社会的な活動をやめてから死ぬまでの〈いのち／生活〉。「－を楽しむ・－をささげる」

**よせい**【余勢】〔何かをして、なお〕あまっている勢い。●**余勢を駆かる** 句 〔文〕勢いに乗る。「初戦圧勝の余勢を駆って」

**よせうえ**【寄せ植え】〔－うゑ〕〔一つの植木ばちに〕種類のちがう草花や木を〈植えること／植えたもの〉。「ハーブの－」

**よせがき**【寄せ書き】《名・自サ》何人かの人が一枚の紙に〈字や絵を書くこと／書いた字や絵〉。

**よせき**【余席】〔文〕〔乗り物・劇場などの〕まだあいている座席。

**よせぎ**【寄せ木】木のきれはしを組み合わせて作ったもの。●**よせぎざいく**【寄せ木細工】色・木目のちがう木のきれはしを寄せ合わせて、模様をあらわした細工。●**よせぎづくり**【寄せ木造り】《美術》〔仏像制作で〕胴体どうたいの部分を、複数の木材を寄せ合わせて造る手法。（↔一木いちぼく造り）

**よせぎれ**【寄せ切れ】布きれを寄せ集めたもの。「－でざぶとんを作る」

**よせざん**【寄せ算】〔古風〕足し算。加法。

**よせつ**【余説】ひととおり説明が終わったあとで、つけ加える説明。

**よせつ・ける**【寄せ付ける】《他下一》〔ふつう、後ろに否定が来る〕近寄らせる。近づける。寄り付かせる。「相手を寄せつけない強さ」

**よせて**【寄せ手】①攻せめ寄せるほうの〈人／軍勢〉。②《碁・将棋》「寄せ②」の手順。

**よせてもら・う**【寄せてもらう】〔－もらふ〕《自五》〔＝立ち寄らせてもらう。もと、関西などの方言〕相手の家をおとずれる。「近いうちに－よ」謙譲 寄せていただく。

**よせどうふ**【寄せ豆腐】⇩おぼろどうふ。

**よせなべ**【寄せ鍋】さかなや貝を取り合わせたものに野菜などをそえ、出しじるで煮にながら食べる料理。

**よせむね**【寄せ棟】中心となるむねの両はしから、むねが四すみにおりている屋根の作り方。「－造り」（↔入母屋いりもや・切り妻づま）

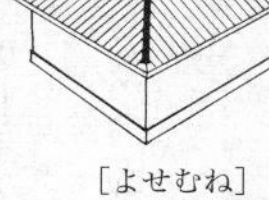

［よせむね］

**よ・せる**【寄せる】一《他下一》①近づける。「机を窓ぎわに－」②〔文〕〔…のために〕文章や作品を〈おくる／つくる〉。〔多く、文章の題目に使う〕「春に－詩・創刊に寄せて」③おくる。「ご意見をお寄せください」④一か所に集める。「顔を－」⑤数を加える。足す。⑥まかせる。たのむ。「身を－」⑦〔思いなどを〕かける。「心を－」⑧性格が近いものにする。似たものにする。「俳優が原作に寄せた演技をする」〔二〇一〇年代からの用法〕⑨《料》〔寒天をとかして〕かためる。二《自下一》①〔こちらへ〕近づく。寄る。「波が－」②せめよせる。「大軍が寄せてくる」可能 寄せられる。☞寄せてもらう。

**よせん**【予選】多くの中からある水準より上のものをえらびだすこと。特に、本大会・優勝決定戦に出場するものをえらび出すための試合。「－会・－を通過する」（↔本選）●**よせんおち**【予選落ち】《名・自サ》〔競技会などで〕予選で勝ち残れず、本選に出られないこと。

**よせん**【預選】〔文〕歌会始に提出された民間人の歌が入選すること。「－歌（『選歌』とも）」

**よせん**【予洗】《名・他サ》〔文〕したあらい。予あらい。

**よぜん**【余×喘】〔文〕死ぬまぎわの、絶えそうな息。虫の息。●**余喘を保つ** 句 〔文〕やっと息をする。

**よせんかい**【予×餞会】〔予餞＝あらかじめはなむけをする〕卒業や旅立ちなどの前にする送別会。

**よそ**【(∴余所)・(∴他所)】①ほかの場所。「ここはだめ、－で遊びなさい」②自分の〈家庭／属している団体や社会〉以外の所。「－の子・－の国」（↔うち）③他人。第三者。「－の見る目・－様〔＝人様〕のお宅」④ほうっておくこと。かえりみないこと。「勉強を－に〔する〕」

**よそいき**【(∴余所)行き】①〔いい服を着て〕よそへ出かけること。「－のかっこう」②よそへ出かけるときに着る、いい服。「－を一枚作る・正月の－」③ふだんとちがい、気取っていること。「－のことば」▽よそゆき。②③（↔ふだん着）

＊**よそう**【予想】《名・他サ》〈将来／実際〉はこうだろうと、前もって考えること。「－どおり・－に反して・津波つなみの－高さ」/ あとでわかるのでなければ、「推測」と言うほうがいい。●**よそうがい**【予想外】《名・ナダ》予想もしていないこと。思いがけないこと。「－の成功」

**よそ・う**【(△装う)】〔よそふ〕《他五》一よそう 飲食物を分けて食器にもる。よそる。二よそう よそおう。「ごはんを－」

**よそ・える**【(△寄える)】〔よそへる〕《他下一》〔文〕①ことよせる。かこつける。②なぞらえる。たとえる。「人生を旅に－」

**よそおい**【装い】〔よそほひ〕①〔人の前に出るときなどの〕服装。よそ行きの姿。「－を改める」②それにふさわしく、いろいろ用意〈すること／された状態〉。「春の－」③見かけ。外観。「－を新たにして開店」●**装いをこらす** 句 ①見かけをかざる。②きれいに着かざる。

**よそお・う**【装う】〔よそほふ〕《他五》①身なりを整える。着かざる。「はなやかに－・美しく－」②そのように見せかける。ふりをする。「平静を－・病気を－」

**よそく**【予測】《名・他サ》前もっておしはかること。見こみ。「－しがたい事故」

**よそごと**【(∴余所)事】関係のないことがら。「－とは思えない」

**よそじ**【(四△十∴路)】〔－ぢ〕〔＝四十〕①〔雅〕四十歳さい。②四十代。由来 ⇩じ 接尾 二。

**よそながら**【(∴余所ながら)】《副》遠くにいながら。〔直接ではなくて〕それとなく。かげながら。「－拝見しておりました」

**よそみ**【(∴余所)見】《名・自サ》わきみ。「－をするな」

**よそめ**【(∴余所)目】①そばで見ること。はたから見る目。「－にもうらやましい」②他人から見られること。「－を気にする」

**よそもの**【(∴余所)者】〔その土地で生まれ育たないで〕よその土地から来た人。よそもん。

**よそゆき**【(∴余所)行き】⇩よそいき。

**よそよそし・い**[(:余所余所しい)]《形》他人に対するときのように、親しみがないようすだ。へだてがましい。他人行儀だ。「—態度をとる」派—げ。—さ。

**よぞら**[夜空] よるの(暗い)空。「—をこがして燃えあがる」

**よそ・る**《他五》(↑よそう)〔話〕⇩よそ(装)う㊁。「茶わんにごはんを—」

**よた**[(:与太)]〔俗〕①でたらめ。「—を言う・—話(=ばかばなし)」②↑よたもの。「—公」 ●**よたを飛ばす**句〔俗〕でたらめを言う。

**よたい**[預貸]《経》〔金融機関で〕預金と貸出金。「—金・—率(=貸出金を預金で割った比率)」

**よたか** ㊀[(夜×鷹)] タカに似た形の、中形の鳥。よるに活動して、「きょきょきょ」と、続けて大きく高い声で鳴く。㊁[夜(×鷹)] 江戸時代、まちかどで客引きをした売春婦。つじぎみ。 ●**よたかそば**[夜(×鷹:蕎麦)] ⇩よなきそば。

**よたく**[余沢]〔文〕あとに残した恩恵。おかげ。「過去の経済発展の—にあずかる」

**よたく**[預託]《名・他サ》〔文〕お金・証券などをあずけて、運用をまかせること。

**よだち**[夜立ち]《名・自サ》よる(おそく)出発すること。(↕朝立ち)

**よだ・つ**[(△弥立つ)]《自五》(おそろしさなどで)からだの毛が立つ。「身の毛も—」他よだてる《下一》。

**よたもの**[(:与太=者)]〔俗〕不良。ならずもの。よた公。よた。よたもん。

**よたよた**《副・自サ》足がもつれたように、ゆっくり左右にゆれながら歩くようす。「つかれて—する」

**よた・る**[(:与太る)]《自五》〔俗〕①よたを言う。②不良のするようなことをする。③よたよたになる。

**よだれ**[(×涎)] 口の中から自然に流れるつばき。「—が出る」 ●**よだれを流す**句 ほしくて たまらない気持ちになる。 ●**よだれかけ**[(×涎)掛け] 乳飲み子の首にかけて、よだれを受ける布。スタイ。 ●**よだれどり**[(×涎)△鶏][中国語「口水鶏」の直訳]〔四川料理で〕ゆでた とり肉に、ラー油やホアジャオで作ったソースをかけたもの。

**よたろう**[(:与太=郎)]〔俗〕まぬけな者。あほ。

**よだん**[余談]〔本筋以外の〕ほかの話。「これは—ですが…・—はさておいて」

**よだん**[予断]《名・他サ》〔文〕前もって判断すること。 ●☆☆**予断を許さない**句 予断できない。

**よだんかつよう**[四段活用]《言》文語動詞の活用の種類の一つ。語尾が五十音図の「ア・イ・ウ・エ」の四段に活用するもの。例、読む・走る。〔口語では、オ段が加わって、五段活用となる〕

☆☆**よち**[余地] ①あいている場所。「立錐の—もない」②(わずかに)残された部分。「疑う—がない・交渉の—がある」

**よち**[予知]《名・他サ》〔事の起こる前に〕前もって知ること。「地震の—は可能か・—能力・—夢」

☆☆**よちょう**[予兆]《名・他サ》〔文〕何かが起こる きざし(を感じること)。「雪崩の—」

**よちょきん**[預貯金] 預金と貯金。

**よちよち**《副・自サ》重いものをせおった人や、おさない子どもなどの、たよりない足つきのようす。「—歩き」

**よつ**[四つ] ㊀遺 よっつ。「—折り・—辻」 ㊁**よつ** 昔の時刻の名。今の〈午前/午後〉十時ごろにあたる。よつどき。㊂**よつ**《すもう》たがいに左右の手をさしあうわざ。よつみ。「右—」 ●**四つに組む**句 ①《すもう》「四つ㊂」の姿勢になる。四つ身に渡る。②相手と対等の姿勢で争う。

**よつあし**[四つ足] ①足が よっつある〈こと/もの〉。②〔俗〕けもの。

**よっか**[四日] ①その月の四番目の日。②日かずで数えて四つ。

**よっか**[翼下]〔文〕⇩よくか(翼下)。

**よっかか・る**[寄っ(掛かる)]《自五》よりかかる。名寄っかかり。

**よつかど**[四つ角] ①四すみの かど。②十字路。

**よつき**[四月] 四か月。

**よつぎ**[世継ぎ] ①相続。②あとつぎの人。「お—」

**よっきゃく**[浴客]〔文〕温泉へ はいりに来る人。よっかく。

**よっきゅう**[欲求]《名・他サ》何かを心に強く のぞむこと。「知識に対する—を〈いだく/満たす〉・生理的—」 区別⇩欲望。 ●**よっきゅうふまん**[欲求不満]《心》欲求が みたされないために、いらいらして楽しくない状態。フラストレーション。「—のあらわれ」

**よつぎり**[四つ切り] ①四等分に切ること。②《写真》二五・四センチ×三〇・五センチの大きさ。四つ切り判。③〔画用紙で〕四六判の紙を「四つ切り①」にしたもの。四つ切り判。

**よっこいしょ**《感》〔話〕⇩よっこらしょ。

**よっこらしょ**《感》〔話〕〈力を入れて/大儀な〉動作をするときに発する声。よっこら。よいこら(しょ)。よっこいしょ。どっこいしょ。「—のせ」

**よっしゃ**《感》(↑よしや)〔俗〕①〈認める/引き受ける〉ことば。いいよ。『例のこと、お願いします』『—、—』②うまくいったときの ことば。いいぞ。やったぞ。おっしゃ(あ)。「—(あ)、ナイスゴール」

**よつずもう**[四つ相撲] ①四つに組んで攻めあうすもう。②四つに組んで攻めるのを得意とする力士。▽(↕押し相撲)

**よったり**[四△人](↑よたり)〔古風〕よにん。⇩一人①。

**よっつ**[四つ] ①三つより一つだけ多い数。四。よつ。②四歳。

**よつつじ**[四つ×辻]〔文〕十字路。四つかど。

**よって**〔「よ(因)りて」の音便〕㊀《にょって で格助》①方法・手段・材料などをあらわす。…を使って。で。「音楽に—自分を表現する」②〔受け身形の文で〕作者・実行者をあらわす。「外国人に—書かれた文章(=外国人が書いた文章)・国家に—おこなわれた犯罪」③原因・理由をあらわす。「火山の噴火に—できた島」④〈それぞれ ちがう/ちがう場合がある〉ことをあらわす。「ものの名前も、地方に—(=地方ごとに)変わる・所に—雨」丁寧よりまして。㊁《によって で接助》〔古風/方〕ので。から。「刀を手に入れたに—、ため し斬りをいたしたい」▽㊀㊁より。㊂《接助》〔関西方言〕ので。から。よってに。「仕事がある—、いそがしい」㊃《接》〔文〕そこで。それだから。「—これを賞する〔表彰状などのことば〕」㊄《副》〔文〕それが〈原因/理由〉で。

「その料理法の―始まるところ」表記「因って」「×仍って」とも書いた。●**よってきた・る**【因って来たる】《自五》〔文〕〈ふつう、あとに名詞が来る〉もととなる。それによって生まれる。よってくる。「作法には、その―理由がある・作家のよって来たった血筋」●**よってくだんの‐ごとし**【〈×仍って〈△件の〈△如し】《手紙》〔文〕終わりに書く、あいさつのことば。そういうわけで、以上のとおり書きつけました、の意味。「遺言(ゆいごん)状、―」●**よってもって**【因って△以て】《接・副》〔文〕「よって」の、漢文ふうの言い方。それによって。「大学を設立し、―人材を育成する・―社会に貢献(こうけん)するところの事業」

**よつであみ**【四つ手網】四すみを竹で張り、水の中にしずめてさかなをとる網。

［よつであみ］

**ヨッティング**【yachting】①ヨットに〈乗る／乗って楽しむ〉こと。②〔←ヨッティング レース〕ヨットレース。

**よってたかって**【寄ってたかって】《副》大ぜいがいっせいに〈集まってきて／はたらきかけて〉。「―いじめる・―説得する」

**よってた・つ**【△拠って立つ】《自五》土台にすえる。よりどころにする。「アメリカ文明の―基盤(きばん)」

**ヨット**【yacht】①三角の帆(ほ)を張って走らせる、軽快な船。スポーツなどに使う。「―ハーバー(=ヨット用の港)」②⇨ヨッティング。「―レース」

**よつどき**【四つ時】⇨四よつ［二］。

**よっとも**【よっ友】〔俗〕会うと「よっ」とあいさつをする程度の、それほど親しくない友だち。「―が多いだけだ」

**よつば**【四つ葉】葉が四枚ある〈こと／もの〉。「―のクローバー」

**よつばい**【四つ〈×這(ひ)い〉】―ばい ⇨よつんばい。

**よっぱらい**【酔っ〈払(ぱら)い〉】―ばらい ①酔っぱらった人。酔漢(すいかん)。②酔っていること。酔っぱらうこと。「―運転」

**よっぱら・う**【酔っ〈払(ぱら)う〉】―ばらう《自五》酒を飲んで、すっかり酔う。

**よっぴて**【夜っぴて】《副》〔←夜一夜(よひとよ)〕ひと晩じゅう。よっぴいて。「―仕事をする」

**よっぽど**《副》「よほど」を強めた言い方。「―おなかがすいていたのだろう」

**よつみ**【四つ身】①《服》四歳(さい)から八、九歳ぐらいの子どもが着る着物(の裁(た)ち方)。由来 身ごろの四倍の布で裁つことから。☞一つ身・三つ身。②《すもう》⇨四よつ［二］。「―のすもう」

**よつめ**【四つ目】①目がよっつある〈こと／もの〉。②ヘッド ライトの玉がよっつ ついていること。③四角をよっつ組み合わせた模様。●**よつめがき**【四つ目垣】竹で四角の目を作ったかきね。

**よづめ**【夜爪】よるに つめを切ること。〔親の死に目に会えないなど、縁起(えんぎ)の悪いこととされる〕

**よつゆ**【夜露】よるの間に、葉などに おりた露。「―にぬれる」(↔朝露)

**よづり**【夜釣り】よるに、さかなを釣ること。

**よつんばい**【四つん〈×這(ひ)い〉】―ばい 手足を地面に〈つけて はう／つくようにして たおれる〉こと。よつばい。

****よてい**【予定】《名・他サ》行事や行動を前もって さだめ〈ること／たもの〉。「三月完成の―・―日・―表・―変更(へんこう)」●**よていこう**【予定稿】〔新聞などで〕予想されるできごとについて、前もって書いておく原稿。予定原稿。●**よていちょうわ**【予定調和】①《哲》この世界の物質や精神を作っているモナド(monado=単子)という目に見えないものが、神が予定したとおり、たがいに調和をたもっていること。〔ライプニッツの説〕②当然そうなる、とみんなが考えるとおりに、ものごとが進むこと。お約束どおり。「―的な番組」

**よてき**【余滴】〔文〕①残ったしずく。雨のあとの、したたり。②こぼれ話。「研究―」

**よど**【〈×淀〉】水の よどんだ所。

**よとう**【与党】政権をにぎっている政党。(↔野党)

**よとうむし**【夜盗虫】イモムシを小さくしたような形の、ヨトウガなどの幼虫。よる土の中から出て来て、バラ・ダリア・キャベツなどの なえをかみ切る害虫。根切り虫。

**よどおし**【夜通し】―どおし《副》よるから朝まで。ひと晩じゅう。よっぴて。

**よとぎ**【夜〈×伽〉】〔文〕夜どおし ねずに、その人のそばにいること。よるの とぎ。

**よとく**【余得】〔文〕〈その職にあるために得られる〉正当な利益以外の利益。

**よとく**【余徳】〔文〕死後にまで残る、先人の めぐみ。余禄(よろく)。「故人の―をこうむる」

**よどみ**【〈×淀み〉】①水の流れの〈とまっている／ほとんど動かない〉所。②とどこおること。「―なく(=すらすらと)話す」

**よど・む**【〈×淀む〉】《自五》①水や空気が流れないでたまる。「よどんだ どぶ川」②ものごとが すらすらと はこばない状態になる。とどこおる。「言い―」③しずんで活気がなくなる。「よどんだ目」

**よど・む**【〈×澱む〉】《自五》底にしずんでたまる。

**よな**《終助》〔話〕〈判断／要求〉を示して、強く同意を求める、やや乱暴な ことば。「どこもおかしくない―・人をなめるな―」

**よな**◇ ←ような。「ふけば とぶ―小さな家」〔歌詞などで言う〕

**よなおし**【世直し】―なおし 世の中の〈不景気な／まちがった〉状態を、もとのいい状態に直すこと。

**よなか**【夜中】よるの なかばごろ。夜半。「夜の―(=真夜中)」☞やちゅう(夜中)。

**よなが**【夜長】よるが長いこと。「秋の―」(↔日長(ひなが))

**よなき**【夜泣き】《名・自サ》①小さい子どもが、よるに(急に)泣くこと。②〔何かをしたくて〕むずむずする たとえ。「腕(うで)が―をする〔⇨「腕」の句〕」

**よなき**【夜鳴き・夜×啼き】《名・自サ》鳥などが、よるに鳴くこと。●**よなきそば**【夜鳴きそば】〔夜鳴き(:蕎麦)〕よるおそくまで売り歩く屋台の そば。また、それを売る人。〔関西で〕うどんの場合は「夜鳴きうどん」〕

**よなぬき**【ヨナ抜き】〔ヨナ=ド・レ・ミ・ファ・ソ・ラ・シにあたるヒ・フ・ミ・ヨ・イ・ム・ナの、ヨとナのこと〕《音》西洋音階からファとシを抜いた、日本ふうの音階。

**よなべ**【夜なべ】《名・自サ》よる(まで)仕事をすること。また、その仕事。夜業。夜(よ)仕事。

**よなよな**【夜な夜な】《副》毎夜。よごと。(↔朝な朝な)

**よな・れる**【世慣れる・世×馴れる】《自下一》世間の

ことに慣れる。「世慣れた人」

**よにげ**【夜逃げ】《名・自サ》〔そこに いられない事情が あって〕よなかに そっとにげ出して、ほかの土地へ行くこと。「借金が返せないで━した」

**よにも**【世にも】《副》〔文〕またとないほど。実に。いかにも。「━うれしそうな顔をする・━不思議な物語」

**よね**《終助》〈判断〈要求〉を示して、同意を求めることば。「びっくりしました━・おやめなさい━〔女〕」

**よねつ**【余熱】①火気を止めたあとに、まだ残っている熱。「━を利用する」②さめきらずに残っている熱気。「コンサートのあとの━」

↑**よねつ**【予熱】《名・他サ》すぐ使えるように、あらかじめあたためておくこと。

**よねん**【余念】〔文〕〈ほか〈余分〉のことを考えること。

●☆☆**余念(が)ない** 句 一心に おこなうようすだ。「訓練に━・余念(も)なく ぬい物をしている」

**よの**【四布・四▵幅】《服》並幅(なみはば)の布の、四倍の幅。ふつう、一三五センチメートル。「━の ふとん」(↔三布(みの)) ☞よのぶとん。

**よのぎ**【余の儀】〔文〕ほかのこと。「これは━ではない」

**よのぜん**【与の膳】《料》三の膳の次に出す膳。〔「四」の字を当てない〕

**よの-つね**【世の常】 世間で ふつうのこと。世間なみ。あたりまえ。

*__よのなか__【世の中】①人々が たがいに かかわりを持って住んでいる所。世間。社会。「━の人」②この世。現世(げんせ)。「この━に生まれて」③時代。「戦乱の━・インターネットの━」

**よの-ならい**【世の習い】━らひ〔文〕だれもが よく出あうことがら。「栄枯盛衰(えいこせいすい)は━」

**よのぶとん**【四▵布団】四布(よの)の布で作った かけぶとん。

☆☆**よは**【余波】①風がおさまったのに、まだ立っている波。なごり。「台風の━」②あとまで残る影響(えいきょう)。あおり。とばっちり〔俗〕。「事件の━を受ける」

**よはい**【余輩】《代》〔文・男〕われわれ。自分たち。

**よばい**【夜〈×這い〉】━ばひ《名・自サ》よる、男性が恋人(こいびと)の寝床(ねどこ)へ しのびこむこと。

**よはく**【余白】 紙の、字や絵の〈書いて〈印刷して〉ない白い部分。「━に書きこむ」

**よばなし**【夜話・夜×咄】 よるにする(気楽な)話。よがたり。やわ。

**よばらい**【預払い】━はらひ《経》金融(きんゆう)機関で、利用者がお金をあずけたり はらいもどしたりすること。あずけばらい。「現金自動━機」

**よば・れる**【呼ばれる】《自下一》①〔関西・中部方言〕〔相手の家庭で〕ごちそうになる。〔外食で〕いただく。「たくさん━」②招かれる。「知人のお宅に呼ばれている」③「呼ぶ」の受け身の言い方。☞お呼ばれ。

**よばわり**【呼ばわり】よばはり 造〔名・他サをつくる〕〔人をののしって〕…と呼ぶこと。…あつかいすること。「どろぼう━される」

**よばわ・る**【呼ばわる】よばはる《自他五》〔文〕呼ぶ。さけぶ。「大声で━」

**よばん**【夜番】①よるの当番。②夜まわり。

**よび**【予備】①万一のときの用心に、また、何かをするための準備として、前もって整えておくこと。「━の車・━費」☞予備知識。②〔法〕犯罪行為(こうい)をおこなう前の準備。「殺人━」☞予備罪。

**よびあ・げる**【呼び上げる】《他下一》①〔人の名前を〕大きな声で呼ぶ。②名前を呼んで、土俵などの高い所へ上がらせる。名呼び上げ。

**よびい・れる**【呼び入れる】《他下一》 呼んで中に入れる。名呼び入れ。

**よびえ**【夜冷え】《名・自サ》〔秋のころ〕よるになって ひえこむこと。

**よびえき**【予備役】《軍》現役を終えた軍人が、ある期間服する兵役。通常は ふつうの生活をし、非常時に召集(しょうしゅう)される。

**よびおこ・す**【呼び起こす】《他五》①呼びかけて、ねているところを起こす。②刺激(しげき)して活動させる。「記憶(きおく)を━」

**よびかけ**【呼び(掛け)】 呼びかけること。「━に応じる」

**よびか・ける**【呼び(掛ける)】《自下一》①呼んで声をかける。②意見をのべて(広く)賛成をもとめる。うったえる。「会員に━」

**よびかわ・す**【呼び交わす】━かはす《他五》 たがいに呼びあう。

☆☆**よびぐん**【予備軍】①《軍》主力を支援(しえん)する予備の軍隊。②【予備群】 将来、そうなる可能性を持つ人々。「糖尿(とうにょう)病━」

**よびこ**【呼び子】 人を呼ぶ あいずの笛。よぶこ。

**よびこう**【予備校】 受験生を集め、上の学校〔おもに大学〕へ入学できるように、教育する学校。

**よびごえ**【呼び声】━ごゑ ①呼ぶ声。「弁当売りの━」②〔将来を期待する〕好意的な評判。「史上最強との━が高い」

**よびこ・む**【呼び込む】《他五》①呼んで中に入れる。②〔あることをきっかけに〕運や勝敗などを引きつける。「勝利を━」名呼び込み。

**よびざい**【予備罪】《法》処罰(しょばつ)の対象となる、犯罪を実行するための準備行為(こうい)。「殺人━」

**よびさま・す**【呼び覚ます】《他五》①ねむっているものを、呼んで起こす。②ふだんは意識されることのない性質や記憶(きおく)などを引き出す。

**よびじお**【呼び塩】━じほ 塩からい食品の塩あじをうすくするため、塩を少し加えた水につけること。また、そのための塩。

**よびすて**【呼び捨て】「さん」「君」などの敬称(けいしょう)をつけないで、名前だけで呼ぶこと。「━にする」動呼び捨てる《他下一》。

**よびだし**【呼び出し】①呼び出すこと。召喚(しょうかん)。「━をかける・先生に━を受ける・〔電話の〕━音」②呼びかけて、つれ出すこと。③〔すもう〕力士の名を呼び上げたり、土俵を造ったりする役の人。

**よびだ・す**【呼び出す】《他五》①呼んでそこへ来させる。さそう。「電話口へ━・テニスに━」②呼んで外へつれ出す。③〔コンピューターなどの〕画面に表示させる。「データを━」

**よびた・てる**【呼び立てる】《他下一》①声をはり上げて呼ぶ。②わざわざ呼び出す。「お呼び立てして すみません」

**よびちしき**【予備知識】〔何かをするための〕準備として必要な知識。「━がないと わかりにくい」

**よびつ・ける**［呼び〈付ける〉］《他下一》①呼んで自分の所へ来させる。②呼びなれる。名呼びつけ。

**よびと・める**［呼び止める］《他下一》声をかけてその場に とどまらせる。「部下を―」

**よびな**［呼び名］（ふだん呼びならわしている)名前。名称。「ギヤマンはガラスの古い―だ」

**よびならわ・す**［呼び〈習わす〉］《他五》そう呼ぶ習慣になっている。いつもそう呼んでいる。

**よびみず**［呼び水］①井戸のポンプから水が出ないときに、水をみちびくために上から別〈の水を入れること/に入れる水〉。②何かを〈始める/引き出す〉きっかけとなるもの。「かれの発言が―となって、さまざまな意見が出た」▽さそい水。

**よびもどし**［呼び戻し］①呼びもどすこと。②《すもう》相手のさした片手を自分のふところに引き寄せ、その反動を使って引き寄せたがわに ひねりたおす大わざ。ゆりもどし。仏壇返し。

**よびもど・す**［呼び戻す］《他五》①呼んで元の所へもどす。②失ったものを回復する。「記憶を―」

**よびもの**［呼び物］〔もよおしものなどで〕評判の高いもの。「その日の―の登場」

**よびや**［呼び屋］〔俗〕⇩プロモーター②。

**よびょう**［余病］ある病気にともなって起こる、ほかの病気。「―を併発する」

**よびよ・せる**［呼び寄せる］《他下一》近くへ呼ぶ。呼んで、来させる。「電報で―」名呼び寄せ。

**よひら**［四×葩］《俳句》あじさい。由来 花びら〔実際は、がく(萼)〕が四枚あることから。

**よびりん**［呼び鈴］ 人を呼ぶために鳴らすベル。

****よ・ぶ**［呼ぶ］《他五》①(大声で)相手の名前などを言う。(大声で)声をかける。呼びかける。「呼ばれたら答えなさい・助けを―」②たのんで、来てもらう。「医者を―・車を―」③招待する。「結婚式に恩師を―」④名づける。称する。「これを日本三景と―」⑤集める。引き寄せる。「人気を―・論議を―・関心を―」⑥引き起こす。「臆測を―・感動を―」可能 呼べる。☞お呼び。

**よふう**［余風］〔文〕風習の なごり。「戦国時代の―」

**よふかし**［夜更かし］《名・自サ》〔何かをして〕よるおそくまで起きていること。

**よふけ**［夜更け］よるが ふけた〈こと/とき〉。深夜。動夜更ける《自下一》。

**よぶこ**［呼ぶ子］⇩呼び子。 ●**よぶこどり**［〈呼子鳥〉］〔雅〕かっこう。

**よぶね**［夜船］ よるに航行する船。よふね。☞白川夜船。

**よふん**［余憤］〔文〕あとまで残る いかりの気持ち。

**よぶん**［余聞］〔文〕こぼればなし。余話。「政界―」

**よぶん**［余分］《名・ナダ》①あまった分。あまり。②余計。「―に働く」

**よへい**［余弊］〔文〕①まだ残っている弊害。②それにともなって あらわれる弊害。「文明の―・戦時の―」

**よほう**［予報］《名・他サ》 前もって報知すること。前もっておこなう知らせ。「天気―」 ●**よほうえん**［予報円］《天》台風の中心が七〇パーセントの確率で到達すると予想される範囲を、円で示したもの。半径が小さいほど精度が高い。

**よぼう**［×輿望］〔文〕世間の〈人望/期待〉。衆望。「―をになって」

**よぼう**［予防］《名・他サ》 前もって防ぐこと。「―注射・火災―運動」 ●**よぼうせっしゅ**［予防接種］《名・他サ》《医》病気を予防するために、ワクチンをからだに入れて、抵抗力がつくようにすること。 ●**よぼうせん**［予防線］〈敵に攻められ/他人に つけいられ〉ないように、前もって ほどこす手段。「―を張る」

**よほど**《副》①〔推測して〕ずいぶん。かなり。「―困ったとみえる」②目に見えて段ちがいに。「前のほうが―よかった」③よくよく。「―のことがなければ言ってこない」④ほとんど そうするつもりになるようす。「―やめようかと思った」▽よっぽど。表記 かたく「余程」とも。

**よぼよぼ** よぼよぼ《副・自サ》・よぼよぼ《ナダ》 年をとって、力がなくて おとろえた(足取りで歩く)ようす。「―(と)歩く・―〈の/な〉老人」

**よまいごと**［世(△迷い)言］〔他人に通じない ばかげたことを〕くどくどと つぶやくことば。「そんなのは一時の―にすぎない」

**よまき**［余(×蒔き)］《農》あとからもう一度たねをまき、おくれて取り入れること。「―キュウリ」

**よま・せる**［読ませる］《自下一》 おもしろくて、おもわず読みたくなるようにさせる。「この本はなかなか―」

**よまつり**［夜祭り］ よるにおこなわれる祭り。「秩父の―」

**よまわり**［夜回り］《名・自他サ》①よるの警戒のため、よる、人の家をたずねて回ること。②〔記者が〕取材のために回って歩く〈こと/人〉。夜警。「―の記者」☞夜討ち②。

**よみ**［:黄泉］ 死んだ人の魂が行くという所。あの世。よみの国。

**よみ**［読み］ ①読む〈こと/程度〉。「―が深い・深い―・―が外れる」②漢字の読み方。また、特に漢字の訓。

**よみあげ**［読み上げ］①書かれた文章などを、声に出して読むこと。「―ソフト」②《碁・将棋など》局面の推移を、声に出して観戦者に知らせる役。 ●**よみあげざん**［読み上げ算］〔そろばんで〕数字を他人に読み上げてもらってする計算。☞見取り算。

**よみあ・げる**［読み上げる］《他下一》①書かれたものを、声に出して読む。「声明文を―・投書を―」②〔本や小説などを〕ぜんぶ読み通す。

**よみあさ・る**［読み(△漁る)］《他サ》〔本を〕手あたりしだい読む。「言語学の本を―」

**よみあわ・せる**［読み合わせる］《他下一》①〔原本と写しなどを〕一人が声に出して読み、もう一人が目で追って、誤りがないか確かめる。②二つの文章を読んでくらべる。③〔俳優どうしが〕本読みをする。「台本を―」名読み合わせ。「―校正」

**よみうり**［読み売り］《名・他サ》 江戸時代に、事件などを書いた瓦版を売り歩いた〈こと/人〉。

**よみかえ・す**［読み返す］《他五》 読んだものを、もう一度読む。「手紙を―」名読み返し。

**よみか・える**［読み替える］《他下一》①読み方をかえる。語句をかえて読む。「私立を、ワタクシリツと―」②《法》法令の規定をほかの場合に あてはめるとき、条文の語句を別の語句に置きかえて読む。「条文の『株主』は、ここでは『社員』と―」名読み替え。

**よみがえ・る**【(×蘇る)・(×甦る)】《自五》①いったん死んで、生き返る。②弱りきったものが元気をとりもどす。③元どおりにあらわれる。「記憶が―」名よみがえり。可能よみがえれる。

**よみかき**【読み書き】《名・他サ》①文字を読むことと書くこと。「―そろばん」②〔コンピューターが〕データを読み取ったり、書きこんだりすること。「プログラムを―する」

**よみかた**【読み方】①文字や外国語の単語をどういう発音で読むかという、方法。②文章を読んで理解する方法。「論説文の―」

**よみがち**【読み勝ち】その人の読みが、相手の読みに勝つこと。作戦勝ち。動読み勝つ《自五》。

**よみがな**【読み(仮名)】漢字の読み方をしめすために記すかな。☞ふりがな。

**よみきかせ**【読み聞かせ】《名・他サ》子どもなどに本を読んで聞かせること。読み語り。「―のボランティア」

**よみきか・せる**【読み聞かせる】《他下一》①手紙や文章を音読して、相手に聞かせる。②「読み聞かせ」をする。

**よみきり**【読み切り】一回で完結する〈こと／読み物〉。「―小説・―連作ドラマ」(↔連載)

**よみき・る**【読み切る】《他五》①終わりまで読む。②形勢の変化を、先のほうまで、すっかり考える。

**よみぐせ**【読み癖】①ものを読むとき、その人特有の読み方。②〔特定の分野で〕習慣的に決まっている、特殊な読み方。例、施行・競売・遺言。▽よみくせ。

**よみくだし**【読み下し】《名・他サ》①〔文章を〕上から下へと読むこと。②漢文を日本語の語順や読み方に直して読むこと。「―文」動読み下す《他五》。

**よみくち**【詠み口】〔短歌や俳句などを〕よむ調子。よみぶり。

**よみくち**【読み口】〔講談などを〕語る調子・態度。よみぶり。「たっしゃな―」

**よみごたえ**【読み応え】〈分量は多い／むずかしい〉が、すぐれた文章を読むときに感じる はりあい。「―のある本」

**よみこな・す**【読みこなす】《他五》読んで〈自分のものにする／よく理解する〉。「じゅうぶんに―」

**よみこ・む**【詠み込む】《他五》短歌・俳句の一部分に、ものの名前やことばなどをうまく取り入れてよむ。名詠み込み。

**よみこ・む**【読み込む】《他五》①理解できるまで しっかりと読む。「台本を―」②先のほうまでじゅうぶん見通しをつける。③〔講談を〕くり返し読んで〔=語って〕ねり上げる。④〔コンピューターで〕プログラムやデータを内部に取りこむ。名読み込み。

**よみさし**【読み(△止し)】読むのをとちゅうでやめること。よみかけ。「―の本」動読みさす《他五》。

**よみじ**【(:黄泉=路)】雅よみへ行く道。また、よみ。「―の旅」

**よみすご・す**【読み過ごす】《他五》気がつかないまま、読んで先へ進む。

**よみすじ**【読み筋】《碁・将棋》今後の相手の動きを予想したもの。

**よみすす・む**【読み進む】《他五》読み進める。

**よみすす・める**【読み進める】《他下一》〔文字・本を〕先のほうまで読む。読み進む。「小説を―」

**よみす・てる**【読み捨てる】《他下一》読んだだけで、そのままにしておく。名読み捨て。

**よみ・する**【(×嘉する)】《他サ》〔文〕ほめ(たたえ)る。

**よみせ**【夜店・夜:見世】よる、道ばたで ものを売る店。

**よみだ・す**【読み出す】《他五》〔コンピューターが〕記憶しているデータを処理するために取り出す。名読み出し。「―専用メモリー」

**よみち**【夜道】よるの道(を歩くこと)。「―の ひとり歩きはあぶない」

**よみちが・える**【読み違える】《他下一》読みまちがえる。読み違う。「地図を―」名読み違え。

**よみつ・ぐ**【読み継ぐ】《他五》①同じ本を、前の時代から次の時代へと受けついで読む。②とちゅうまで読んだ文章の続きを、またあとで読む。

**よみて**【詠み手】和歌などの作者。

**よみて**【読み手】①文章を読む人。②カルタの読みふだを読む人。(↔取り手)

**よみで**【読みで】読むときの分量(が多いこと)。「―がある」

**よみと・く**【読み解く】《他五》①じっくり読んで意味を見きわめる。②深い意味をとらえて理解する。「ニュースを―・時代を―」名読み解き。

**よみどころ**【読み(所)】その文章の中で、注意をはらって読み味わう価値のある部分。

**よみとば・す**【読み飛ばす】《他五》①〔必要のないところを〕ぬかして、読みすすむ。②急いで読む。

**よみと・る**【読み取る】《他五》①読んで、意味や内容を〔よく〕つかむ。「文章の趣旨を―」②察して知る。「真意を―」③〔コンピューターが〕データを認識する。名読み取り。可能読み取れる。

**よみなが・す**【読み流す】《他五》①すらすらとよどみなく続けて読む。②細かいところに注意しないでざっと読む。流し読みする。「記事を―」名読み流し。

**よみのくに**【(:黄泉の)国】⇩よみ(黄泉)。

**よみびと**【詠み人・読み人】雅歌を作った人。歌の作者。「―知らず〔作者の名前をはっきりさせたくないときにも使う〕」

**よみふけ・る**【読み(×耽る)】《自他五》夢中になって読む。「小説〈を／に〉―」

**よみふだ**【読み札】カルタで、読むほうの ふだ。(↔取り札)

**よみふる・す**【読み古す】《他五》①読み終えて、いらなくする。「読み古した週刊誌」②何度も読んでよごす。名読み古し。

**よみほん**【読本】江戸時代後期に流行した、絵の少ない小説。空想的な歴史物語が多い。例、曲亭馬琴の「南総里見八犬伝」。☞とくほん(読本)。

**よみもの**【読み物】①〔物語などの〕読んで味わう文章。「―ふうに まとめた記事」②講談の題目。

**よみや**【夜宮・(△宵宮)】⇩よいみや。

**よみやぶ・る**【読み破る】《他五》〔文〕全部読む。読破する。

**よみわ・ける**【読み分ける】《他下一》その場に応じて区別して、別々の読み方をする。『赤』という字を『アカ』と『セキ』に一」名 読み分け。

←よ・む【詠む】《他五》①〔和歌や俳句などを〕つくる。「一首一」②詩歌の中に表現する。「雨の風景を詩に一」可能 詠める。

→**よ・む【読む】《他五》①目で見た文字の音を声に出す。「ニュースを一・童話を読んで聞かせる」②文字・文章などを見て内容を理解する。「新聞を一・子どもが読んでもわからない」(↔書く) ③文字・図表などを見て意味を理解する。「売り上げのデータを一・計器を一」④〔教室で〕読んで、講義・解説をする。「カントを一・源氏物語を一」⑤深い意味を察する。見ぬく。「相手の心を一・その場の空気を一・手の内を読まれる」⑥〔変化する現象をもとに〕見とおす。「株価を一・時代を一」⑦〔数を〕数える。「票を一・秒を一」⑧《碁・将棋など》勝負の変化を、先のほうまで考える。「手を一」⑨〔講談・なにわ節を〕語る。「講談師が一席一」⑩【△訓む】漢字を訓であらわす。「『秋』を『あき』と一」可能 読める。●**読んで字のごとく** 句 文字に書いてあるそのままの意味で(あって)。読んで字のとおり。「商店街とは一ひとつの街だ」

**よめ【夜目】** よるに見〈ること/た様子〉。「一にもそれとわかる・一が利く」●**夜目遠目かさ(笠)の内** 句 顔が美しく見える三条件。夜だったり、遠くだったり、本人が笠をかぶっていたりするとき。

**よめ【嫁】** ①〔親から見た〕むすこの妻。お嫁さん。「一に世話になる・一をいびる」②男性の結婚相手になる女性。お嫁さん。「一をもらう・(お)一に〈行く/来る〉(=男性の妻になる)」③〔俗〕他人に、自分の妻を言うときの呼び方。「一が言うには・うちの一さん」▽(↔婿)

☆☆**よめい【余命】** 死ぬまでの、残っている(短い)いのち。「一いくばくもない」

**よめいびり【嫁いびり】**《名・自サ》〔いっしょに住んでいる〕しゅうとめ・しゅうとなどが、嫁をいじめること。

**よめいり【嫁入り】**《名・自サ》嫁に行くこと。とつぐ〈こと/儀式〉。「一先」動 嫁入る《自五》。

**よめご【嫁御】** 嫁を尊敬した言い方。

**よめじょ【嫁女】**〔古風〕よめ。

**よめとり【嫁取り】**《名・自サ》〔〈むすこ/家〉に〕嫁をむかえる〈こと/儀式〉。(↔婿取り)

**よめな【(嫁菜)】** ノギクの一種。春、若葉をつんで食べる。秋には、うすむらさき色の花をつける。

**よ・める【読める】**《自下一》①予測できる。「試合の終わる時間が読める」②意味がわかる。理解できる。「はあ、読めた」③読む ねうちがある。「この本は なかなか一」④「読む」の可能形。

**よも【四△方】**〔雅〕すべての方角。周囲。四方。「一の海・一にそびえる山々」

**よも**《副》〔文・古風〕よもや。「一ありますまい」

**よもぎ【(×艾)・(×蓬)】** 野草の名。葉はシュンギクに似ているが、うらが白い。かおりが強く、若葉は もちに入れる。また、もぐさ(艾)にする。もちぐさ。

**よもすがら【夜もすがら:終夜】**《副》〔雅〕夜どおし。ひと晩じゅう。よっぴて。夜ょすがら。「一風がふく・昼はひねもす、夜は一(=つねに)」(↔日もすがら・ひねもす)

☆☆**よもや**《副》〔文〕そんなことは ありえないだろう、と推量することば。「一忘れは しまい・一こんなに つらいとは」☞まさか。

**よもやま【(四△方:山)】**〔↑よもやも(四方八方)〕〔世間のことの〕さまざま。いろいろ。「一の話」

**よやく【与薬】**《名・自他サ》《医》薬をあたえること。投薬。

**よやく【予約】**《名・他サ》前もって約束しておくこと。「一金・一席・事前一」

**よやとう【与野党】** 与党と野党。「一間の対立」

*__よゆう【余裕】__ 一 ①何かのために使える、余った部分。「座席に一がある・三十分一を見て出発する」②あせらず、落ち着いていること。「一のある態度・一しゃくしゃく(綽々)・たいした一だ」▽ゆとり。二《ナダ》「余裕一」があるようす。簡単。「これくらいは一だ」〔一九八〇年代からの用法〕●**よゆうで【余裕で】**《副》①悠々と。あぶなげなく。「一ベスト8を決める」②〔俗〕簡単に。「単位を一落とした」③〔俗〕断然。「私のほうが一へただ」▽①②は一九八〇年代からの用法。③はおそくとも二十一世紀初めには あらわれた用法。

**よよ【代々・世々】**〔文〕代をかさねること。だいだい。「一の言い伝え」

**よよと**《副》〔文〕〔女性が〕しゃくりあげて泣くようす。「一泣く」

**より【寄り】** 一 ①寄ること。よりぐあい。「客の一が悪い」②できものが 一か所に寄って かたく〈なること/なったもの〉。「あせもの一〔赤ちゃんに多い〕・にきびの一」③《すもう》四つに組み、からだを密着させて前へ進むこと。④《経》↑寄り付き。(↔引け) ⑤被写体をアップで撮影すること。(↔引き) 二 造 …のほうへ寄っている〈こと/所〉。「東京駅一・右一」

**より【(×縒り)・(×撚り)】** よ(縒)ること。よったもの。「一をかける(=よる)・腕に一をかける(⇩「腕」の句)」●**よりを戻す** 句 元の関係に もどす。直 よりが戻る。

**より 一《格助》①比較の標準をあらわす。「きのう一きょうのほうが寒い・人一大きい犬・風一も速く走る」②〔古風〕ただ一つを残して ほかを除外する意味をあらわす。以外。しか。「歩く一しかたがない(『歩く一ほかはない』とも)」▽よりか。③「から 一」の改まった言い方。「ただいま一開会いたします・階下一足音が ひびく・〔手紙の署名で〕母一」 公文書では、ふつう「から」を使う。表記 (1)花輪や役者への おくりものなどで「:与利」とも。「ひいき与利」☞「さん①」の 表記。(2)「より」の仮名を合わせて「ゟ」とも書いた。「六時ゟ」④〔古風〕…とすぐ。…し終わるか どうかという時に。「聞く一顔色を変え・見る一早く にげ出した」アク ウシより・ネコーより・イヌーより。二 より《副》〔英語の比較級の訳語から〕〔何かにくらべて〕それ以上に。いっそう。「一はやく・一すぐれた体格・計画が一具体化するにつれて」三 より《により で格助》「命令に一帰国する・所に一雨」「よって 一」の、ややかたい言い方。四 より《により で接助》〔古風〕から。ので。よって。「用事あるに一(=あるので)、これにて ごめん」表記 三 四 「因り」「△依り」とも書いた。

**よりあい【寄り合い】** ①相談のための、人々の集まり。集会。「町会の一」②一か所に集まったもの。「一所帯(=統一のない集団)」③《すもう》たがいに組んでからだを寄せあって、相手をおし出そうとすること。

**よりあ・う【寄り合う】**《自五》〔相談などのために〕同じ場所に集まって、いっしょになる。

よ

**よりあし**［寄り足］《すもう》寄って相手を追いつめて行く足。「―するどく出る」（↔引き足）

**よりあつま・る**［寄り集まる］《自五》まわりから同じ場所に集まる。名寄り集まり。

**よりいじょう**［より以上］今まで以上。より一層。「―の努力を望む」

**よりいっそう**［より一層］《副》今までよりも もっと。なお一層。「―（の）注意をする」

**よりいと**［（×縒り）糸・（×撚り）糸］よりあわせた糸。

**よりか**《格助》〔話〕⇩より㊀①②。よか。

**よりかか・る**［寄り（掛かる）・（×凭り掛かる）］《自五》①からだをかたむけて、〈もの/人〉に身をあずける。「柱に―」②たよりにする。「人に―」▽よっかかる。名寄りかかり。「―のないいす」他寄りかける《下一》。

**よりき**［与力］〔=加勢。助力〕《歴》江戸時代、奉行などの下で、部下の同心を指揮した役人。

**よりきり**［寄り切り］《すもう》四つに組んだまま土俵ぎわまで寄って行き、相手の足を土俵から出させる わざ。

**よりき・る**［寄り切る］《他五》①《すもう》「寄り切り」を決める。②しんぼう強く相手に向かって行って、最後に〈勝つ/言うことを聞かせる〉。「慎重派が改革派に寄り切られる」

**よりけり**［（=因りけり）］〔…によって〕〈ちがい/いい悪い〉があること。「好みは人に―だ・じょうだんも時に―だ」

**よりごのみ**［（△選り）好み］《名・自サ》すきなものばかり選ぶこと。えりごのみ。「―が はげしい」動より好む《他五》。

**よりしろ**［△依り代］神をむかえて祭るとき、神が宿る木・石など。

**よりすが・る**［寄り（×縋る）］《自五》①寄りかかる。すがりつく。②力としてたのむ。すがる。

**よりすぐ・る**［（△選りすぐる）］《他五》いいものを選び出す。えりすぐる。「よりすぐった品」名よりすぐり。

**よりそ・う**［寄り添う］《自五》①そば近く寄る。「寄り添って立つ」②相手のがわに立って支えるようにする。「子どもの心に―」名寄り添い。

**よりたおし**［寄り倒し］《すもう》四つに組んだまま、相手の力士を土俵ぎわまで追いつめて たおす わざ。動寄り倒す《他五》。

**よりた・てる**［寄り立てる］《他下一》《すもう》四つに組んだまま、続けざまに寄って前へ出る。

**よりつき**［寄り（付き）］①寄りつくこと。②庭園の中の、簡単な休み場所。③〔料理店・茶席などで〕はいってすぐの部屋。ひかえ室。寄りつきの間。④《経》〔取引所で〕その日の、午前または午後の最初の売買（の相場）。寄り。（↔引け）

**よりつ・く**［寄り（付く）］《自五》①そばへ〈寄る/近づく〉。「だれも寄りつかない」②《経》〔取引所で〕その日の、午前または午後の最初の売買が成り立つ。

**よりどころ**［（△拠り所）］①ものごとを成り立たせるもと（になるもの）。根拠。「論の―」②支えになる ものごと。「心の―」

**よりどり**［（△選り）取り］《名・他サ》自由に選び取ること。「―五百円」動より取る《他五》〔文〕。●**より取り見取り**句 自由に見て、自由に選ぶこと。

**よりによって**［（△選りに△選って）］《副》〔=選びに選んだすえ〕ほかにも たくさん可能性はあるはずなのに、なぜかこの（いちばん困る）結果になるようす。えりにえって〔古風〕。よりにもよって。「―この いそがしい時期に かぜを引くとは」

**よりぬき**［（△選り）抜き］すぐれたものを選んで ぬき取ること。また、そのすぐれたもの。えりぬき。動より抜く《他五》。

**よりみ**［寄り身］《すもう》相手を寄り立てる〈こと/姿勢〉。「―に行く」

**よりみち**［寄り道］《名・自サ》ついでに ほかの所に立ち寄ること。「ちょっと―しますので…」

**よりめ**［寄り目］①目玉が鼻のほうに寄った状態。「―をつくる」②内斜視。

**よりよ・い**［より（良い）］《形》〔何かにくらべて〕いっそういい。もっといい。「―方法」派-さ。

**よりょく**［余力］〔何かをして なお〕あまっている力。「―がない・―を残す」

**よりより**［（寄り寄り）］《副》①折にふれて。ときどき。「―相談する」②寄り集まって。「―協議の最中」

**よりわ・ける**［（△選り）分ける］《他下一》選んで区別する。えりわける。名より分け。

****よる**［夜］太陽がしずんで暗くなっている間。日の入りから日の出までの間。よ。「―のとばりが下りる〔=夜になる〕・―の夜中〔=真夜中〕にどこに行ってたんだ・―となく昼となく〔=しじゅう〕」（↔昼）

←**よ・る**［△依る］《自五》〔文〕〔神が〕宿る。「神の依りたまう木」

↔**よ・る**［△拠る］《自五》〔文〕①もとづく。「引用文は初版に―」②拠点にする。「独立プロダクションに拠って活動する」③たてこもる。「城に拠って戦う」☞拠って立つ・よると・よれば。

→****よ・る**《自五》①〔…を〕方法・手段・材料とする。「電話に―連絡・裁判に よらない和解」②〔その人が〕作ったり、実行したりする。「住民に―〔=住民が おこなう〕まちづくり」③〔…を〕原因・理由とする。「被害はマツクイムシに―ものだ」④〔…の〕条件しだいで変わる。「作物の出来は、天候に―・成功するかどうかは、努力いかんに―〔=かかっている〕」表記「因る」「△由る」「△依る」とも書いた。☞よって・より。

**よ・る**［寄る］《自五》①その方向へ〈近づく/進む〉。「―波」②かたよる。はしに近づく。「右へ―」③たちよる。「デパートに―」④〔年が〕かさなる。「わたしも―年で」⑤集まる。「みんなが寄って来る」⑥〔しわが〕できる。⑦《すもう》相手のまわしを取って、おして進む。⑧もたれ（かか）る。「いすに―」可能寄れる。☞寄ってたかって・寄るとさわると。●**寄らば大樹の陰**句 たよるなら、力の あるものに たよるほうが いい。

**よ・る**［（△選る）］《他五》悪いものをすて、いいものを選ぶ。☞よりによって。

**よ・る**［（×縒る）・（×撚る）］《他五》ねじりながら一本にからみあわせる。「糸を―・こよりを―」☞綯う。

**よ・る**《助動五型》〔↑おる〕①〔関西方言〕…（てい）やがる。おる。「笑い―・にげて行きよった」②〔中国・四国・九州などの方言〕進行中のことをあらわす。今ちょうど…ている。「雪が降り―」〔結果をあらわす「とる」と区別して使う。「雪が降っとる」は「すでに雪が降って、積もっている」の意味〕

**よるい**［余類］〔文〕残ったなかま。残党。

**よるがお**［（夜顔）］⇩ゆうがお②。

**よるがた**［夜型］夜おそくまで起きている習慣であること。また、夜のほうが仕事や勉強の効率が上がる体質。「―の生活・―人間」（↔朝型）

**よるごはん**［夜（御飯）］「夕ごはん」の新しい言い方。〔第二次大戦前後から幼児語に見られ、一九九〇年代に広まったことば〕

**よるしょく**［夜職］勤務の時間帯が、夜である仕事。ナイト ワーク。（↔昼職）

**よるせき**［夜席］寄席で、夜の部の興行。（↔昼席）

**よると**《によるとで格助》…が〈言う／示す〉ことに もとづくと。よれば。「新聞に―、今大人気らしい」［丁寧］よりますと。

**よると さわると**［寄ると触ると］《副》人が寄り集まるたびに。「―選挙のうわさで もちきりだ」

**よるの あき**［夜の秋］《俳句》夏の末の、暑さはまだ強いが夜になると風が冷たく、秋のように感じられるころ。

**よるの おんな**［夜の女］〔俗〕（街頭に立つ）売春婦。街の女。

**よるの ちょう**［夜の（×蝶）］バーやクラブなどで接客する女性。ホステス。

**よる ひる**［夜昼］［一］よると ひる。［二］《副》よるも ひるも。たえず。「―ぶっとおし」

**よるべ**［寄る（辺）］〔文〕たよりに する〈ところ／人〉。「―ない身」

**よるめし**［夜飯］夜に食べる食事。夜ごはん。「―を食いに行こう」

**よるよなか**［夜夜中］よふけ。

**よれい**［予鈴］予告のために鳴らすベル。（↔本鈴）

**よれい**［予冷］《名・他サ》出荷や貯蔵の前に、食品をあらかじめ ひやしておくこと。

**よれば**《によればで格助》⇩よると。「うわさに―」

**よれよれ**《名・ナダ》①衣類が古くなって、よれたようになっているようす。「形がくずれて―になった服」②つかれきったようす。「―の からだ」

**よ・れる**［（×縒れる）・（×撚れる）］［一］《自下一》よった状態になる。よじれる。「腹の皮が―・あか（垢）が―」［二］《自他下一》正しいコースを外れる。「馬が右に―・道を―」［名］よれ。

**よろい**［（×鎧）］昔、戦いのときに着て、からだを保護した武具。「―かぶと」●**よろいど**［（×鎧）戸］①日よけ・通風のために、すきまを持たせて うすい板をななめにならべた戸。②⇩シャッター①。

**よろ・う**［（×鎧う）］《他五》〔文〕①よろいを着る。②〔…で〕身を守る。「断固たる覚悟によって―」

**よろく**［余×禄］〔文〕⇩余得。

**よろく**［余録］〔文〕おもな記録以外の記録。余話。

**よろけじま**［よろけ（×縞）］波形に線のうねった しま模様。

**よろ・ける**《自下一》⇩よろめく①。

**よろこばし・い**［喜ばしい・△悦ばしい］《形》〔文〕（みんなにとって）喜ぶべきことだ。「―知らせ」（↔悲しい）［派］-げ。-さ。

***よろこび**［喜び・△悦び・△歓び］①喜ぶこと。「成功の―に ひたる・―に たえない・―に わく」（↔悲しみ）②〔文〕気持ちが深く満たされること。「生きる―を知る」③［△慶び］喜ぶ気持ち（をあらわすことば）。祝い。「つつしんで新年のお―を申し上げます」④［△慶び］〔お―〕喜ばしいことがら。喜びごと。祝いごと。「お―がある」●**よろこび いさ・む**［喜び勇む］《自五》非常に喜んで、はりきる。「ゲストとして呼ばれ、喜び勇んで出かけた」●**よろこび ごと**［喜び（事）・△慶び（事）］結婚・出産などの、喜ばしい事。慶事。「親類に―が続く」

***よろこ・ぶ**［喜ぶ・△悦ぶ・△歓ぶ］《自他五》①うれしいと思う（気持ちをあらわす）。「合格して喜んでいる・子どもの成長を―・人の目を喜ばせる草花」（↔悲しむ）②いいこととして、受け入れる。「忠言を喜ばない」③［△慶ぶ］めでたく思う。祝福する。「ご成婚をお慶び申し上げます」④（**喜んで**）（相手のすすめを）気持ちよく受け入れて。「喜んでうかがいます」［可能］喜べる。

**よろし・い**［（△宜しい）］《形》①「いい」の改まった言い方。「もう帰っても―・よろしかったらご案内いたします・よろしゅうございますか・お下げしても―ですか」〔食堂などで「ご注文は以上でよろしかったでしょうか」《↑よろしいでしょうか》」の形で言うのは、一九九〇年代末からの言い方。二十一世紀にはいったころから「だいじょうぶですか」とも言うようになった。☞た《助動》⑥〕②引き受けるときのことば。「―、やりましょう」［派］-さ。☞よろしき・よろしく。

**よろしき**［（△宜しき）］〔文〕ちょうどいい〈こと／程度〉。「指導―を得る（＝ちょうど よく指導する）」

***よろしく**［（△宜しく）］［一］**よろしく**《副》①ほどよく。うまい ぐあいに。「先生に―（＝私が いつも感謝していることなどを、うまく）お伝えください」②〔文〕当然。「―反省すべきだ」［二］**よろしく**《感》「よろしくお願いします」のくだけた形。「どうぞ―（『―どうぞ』とも）・あとは―ね」［三］［接尾］〔副詞をつくる〕…のような状態で。「正義の女神―胸をそらす」［表記］「△宜：敷」とも書いた。●**よろしくやる**［句］①ほどよく ものごとをする。「あとは君たちで よろしくやってくれ」②周囲の人がうらやむほど〈親密に／楽しく〉すごす。「あの二人、よろしくやってるようだよ」●**よろしく おねがいします**［（△宜しく）お願いします］《感》（＝うまい ぐあいに取りはからってくださるよう、お願いします）自分のために何かをしてもらうときや、今後の交際をたのむときなどの あいさつ。「どうぞ―・〔別れぎわに〕それでは また、―」〔「よろしくお願いいたします」「（何とぞ）よろしくお願い申し上げます」は、丁重な言い方。☞よろしく［三］〕［注］別れぎわ、メールの終わりなどに、丁寧な気持ちをあらわすために習慣的に使う。具体的に たのむことがなくても使っていい。

**よろず**［（△万）］［一］〔雅〕①千の十倍。まん。②数の多いこと。「―の神々・―のものごと」［二］《副》ことごとく。すべて。なんでも。「―承ります・―相談室」●**よろずや**［（△万）屋］①広く いろいろなものを売る店。②なんでも ひととおり知っている人。●**よろずよ**［△万代］〔雅〕数限りない年代。永久。

**よろば・う**《自五》〔発音はヨロボーとも〕〔文〕①よろよろ〈となる／歩く〉。「よろばい歩く・よろばい出る」②たおれそうになる。▽よろぼう。

**よろめ・く**［（：蹌踉めく）］《自五》①足取りが みだれて

〈まっすぐ歩けなく／たおれそうに〉なる。よろける。②ささいにひっかかる。心をうばわれる。③〔古風・俗〕うわきをする。〔一九五七年、三島由紀夫の小説「美徳のよろめき」から出た用法〕名よろめき。

**よろよろ**《副・自サ》足がもつれて、よろめくようす。「―〈と〉歩く」

☆☆**よろん**【世論・×輿論】世間一般の〈意見／議論〉。〔「世論」と書くときは「せろん」と読むこともある〕「―の動向・―にうったえる」 ●**よろんちょうさ**【世論調査】国や民間の調査機関が、社会的な問題などについて、世間一般の人たちの意見や考え方を調べること。せろんちょうさ。

**よわ**【余話】〔文〕こぼればなし。余聞。余録。「維新―」

**よわ**【夜わ・:夜半】〔雅〕よる。よなか。「秋の―・―に嵐の吹かぬものかは〔=よなかに あらしが吹かないとは言えない〕」

☆☆**よわい**【(△齢)】〔文〕〔生まれてから今まで過ごしてきた〕とし。年齢。「―七十をむかえた」 ●**よわいを重ねる**句〔文〕年を取る。

＊**よわ・い**【弱い】《形》①力が〈おとっている／あまりない〉ようすだ。「―チーム・―者いじめ・碁が―・視力が―」 ②作用をあたえる程度が小さい。「風が―・―日ざし・―酒」 ③程度が小さく、ぼんやりしたようすだ。「―音・―意見・映像のコントラストが―」 ④じょうぶでない。「足が―・心臓が―」 ⑤意志を通せない。ショックを受けやすい。「気が―・―性格・メンタルが―」 ⑥じゅうぶんに耐えられない。長くもたない。「暑さに―・―くつ下」 ⑦にがてだ。得意でない。「数字〈に／が〉―・借金の話は―んだ」 ⑧すぐ言うことをきくようすだ。きびしくできない。「そう言われると―なあ・親は子に―」▽(↕強い) 派-げ。-さ。 ●**弱い犬ほどよくほ(吠)える**句 実力に自信がない者ほど、すぐに大声をあげて、人をののしったりする。

**よわき**【弱気】《名・ナダ》①気が弱いこと。消極的な態度をとること。「―になる・―な発言」 ②《経》相場が下がると予想する〈こと／人〉。▽(↕強気) ●**弱気を出す**句 ①弱気になる。「―なよ」 ②〔児〕本気を出さず、手加減する。「もっと弱気出してよ」〔小学生以下が使う〕

**よわき**【弱き】《連体・名》〔文語形容詞「よわし」の連体形から〕〔文〕弱い(こと・もの)。「―心」(↕強き) ●**弱きを助け強きをくじ(挫)く**句 弱い者を助け、強い者の乱暴をおさえる。昔の侠客の気性。強きをくじき弱きを助ける。

**よわごし**【弱腰】■ 腰の左右の細い部分。「―を蹴る」 ■《名・ナダ》〈弱気／消極的〉な態度をとること。「文句を言われて―になる」(↕強腰)

**よわ・せる**【酔わせる】《他下一》酔った(ような)状態にする。酔わす。「満場を―」

**よわたり**【世渡り】《名・自サ》世間で暮らして行くこと。処世。「―がうまい〔皮肉をこめて使うことも〕」

**よわっち・い**【弱っちい】《形》〔俗〕とても弱い。弱々しい。「―やつだ」

**よわね**【弱音】いくじのないことば。 ●**弱音を吐く**句 弱気になって、いくじのないことを言う。

**よわび**【弱火】《料》弱くほのおの上がる火。(↕強火・中火)

**よわふくみ**【弱含み】《経》相場が少し下がる傾向にあること。よわぶくみ。(↕強含み) 動弱含む《自五》。

**よわま・る**【弱まる】《自五》〔勢いが〕弱くなる。「風が―・抵抗が―」(↕強まる) 名弱まり。 他弱める《下一》。

**よわみ**【弱(:味)】弱いところ。弱点。「―をつく」(↕強み)

**よわむし**【弱虫】〔俗〕いくじのない人。弱みそ。

**よわよわし・い**【弱々しい】《形》いかにも弱いようすだ。派-げ。-さ。

**よわりめ**【弱り目】弱った〈とき／場合〉。 ●**弱り目にたたり目**句 悪いときに さらに悪いことが かさなること。

**よわ・る**【弱る】《自五》①〔元気が〕おとろえる。弱くなる。「力が―・病人が―」 ②困って、がっかりする。「弱ったなあ、雨が降って」 名弱り。「気の―」

＊＊**よん**【四】〔↑よ〕三より一つだけ多い数。し。よ(っ)つ。よ。 区別 (1)「よん」は、多く単独で、または いろいろな助数詞などをつけて使う。「数字の四・四羽・十四階・四世紀・四グラム」 (2)「よ」は、多く決まったことばだけに使う。「四年・四月・午後四時・四人・4条〔=北海道の地名〕・四十七士」 (3)「し」も、多く決まったことばだけに使う。『よんじょう』とも〕」 (3)「し」も、多く決まったことばだけに使う。「四月・四条大宮〔=京都の地名〕・四十七士〔=討ち入りで有名な赤穂浪士〕」 (4)複数の読み方がある例(先に示すほうが一般的。伝統的には「よ」「し」で読む)。「四番〔よばん／よんばん〕・〔落語家の〕四代目〔よだいめ／よんだいめ〕・四十四〔よんじゅうよん／しじゅうし〕」

**よんきょう**【四強】準決勝に勝ち残った、四つの強いチーム。ベストフォー。 表記 アラビア数字では「4」。

**よんく**【四駆】↑四輪駆動(車)。

**よんぐん**【四軍】《軍》〔アメリカで〕陸軍・海軍・空軍・海兵隊をまとめた呼び名。

**よんケー**【4K】画像や動画の規格の一つ。フルハイビジョンの四倍の解像度。 由来「K」はキロ、つまり千。横の画素数が約四千であるから。

**よんしゅ**【四種】①四つの種類。②↑第四種郵便物〔=通信教育用郵便物、学術刊行物、点字郵便物、農産物の たね・なえなど〕。

**よんだい**【四大】■〔学〕〔「短大」に対して〕四年制の大学。「―の女子学生」 ■ よんだい 遺 四つの大きな。「―大会」

**よんダブリューディー**【4WD】〔WD ← wheel drive〕⇩四輪駆動。

☆☆**よんどころない**《連体》〔「拠り所無き」から〕やむをえない。「―用事で欠席する」〔副詞の形もある。「〈よんどころなく／よんどころなしに〉帰って来た」〕

**よんのじがため**【4の字固め】プロレスのわざ。相手の足が「4」の形に曲がるよう自分の両足をからめ、動けなくする。足4の字固め。

**よんびょうし**【四拍子】《音》「強・弱・弱・弱」のように、四回のうち一回、強い音が あらわれる拍子。しびょうし。

**よんもじご**【四文字語】〔英語で〕性器や性交をあらわす、四文字で書かれる語。四文字ことば。よもじご。例、cock, fuck。

**よんりん**【四輪】①四つの車輪(があること)。②↑

四輪車。「小型ー・ー〔=トラック〕運転手」●よんりんくどう【四輪駆動】前輪・後輪の四つの車輪が動かせる〈こと／自動車〉。4WD。四駆。☞前輪駆動。●よんりんしゃ【四輪車】車輪が四つある、自動車。「軽ー〔=軽自動車〕」(↕二輪車・三輪車)

# ら　ラ

**ら【(△等)】** 接尾 ①ふたり以上であることをあらわす。「ぼくーの たからもの・わたしー〔『わたしたち』よりも方言的〕・君ーは まだまだな・あいつー、ぶんなぐってやる・おさない子ー〔『子どもたち』よりも文章語的〕・選手ー」②〔文〕〔自分のがわや、同等・目下の人に使う〕おもだった人(の名)をあげて、ほかの人を略すときに使う。「専務ー五人・丸山氏ー」③〔「これ」「それ」「あれ」に付いて〕すぐ前に述べた複数の人や ものごとをさす。「これーの人々・それーの批判」

**ラ** 〔イ la〕《音》ソの一つ上の音の名。

**らあ** 《終助》〔上一段・下一段の動詞などにつく〕〔古風・俗〕⇩あ《終助》。「大きすぎー」〔「ら」とも〕

**ラーゲ** 〔ド Lage〕〔古風〕姿勢。特に、性交時の体位。

**ラーゲリ** 〔ロ lager'〕(旧ソ連の)捕虜収容所。ラーゲル。

**ラージ** 〔large〕サイズが大きいこと。記号はL。(↕スモール・ミディアム)●ラージヒル〔large hill〕《スキー》ヒルサイズ〔=安全に着地できる限界点までの距離〕が一一〇メートル以上のジャンプ台(でおこなう競技)。LH。☞ノーマルヒル。

**ラード** 〔lard〕〔料理に使う〕ブタの脂肪からとったあぶら。豚脂。「ーでいためたチャーハン」☞ヘット。

**ラーメン** 〔中国 拉麺・柳麺〕しょうゆ味・みそ味・塩味などのスープに、メンマ・チャーシューなどをのせた中華そば。日本の国民食と言われる。「豚骨ー・ご当地ー」☞油そば・汁そば・湯麺・つけ麺。

**ラーゆ** 【(:辣)油】〔「辣」は中国語〕ギョーザを食べるときなどに使う、トウガラシ入りの油。

**らい** 【雷】〔文〕かみなり。いかずち。「名声ーのごとし」

**らい** 【(×癩)】「ハンセン病」の、古い呼び方。「ー菌」

**らい** 《終助》〔俗〕⇩い㊀⑤。「おれにも できー」

**らい** 【来】㊀ 造 ①次に来る。きたる。「ー学年・ーシーズン(↕昨シーズン)・ー場所(↕先場所)」②〔文〕〔…へ〕来ること。「ー沖〔=沖縄〕・ー阪〔=大阪〕」㊁ 接尾 〔副詞をつくる〕〔文〕このかた。以来。「数日ー・先ほどー〔=先ほどから〕」㊂らい〔文〕…が来ること。「小田氏ー・インフレー〔=インフレがやって来た〕」

**ライ** 〔rye〕↑ライ麦。「ーパン」

**らいい** 【来意】〔文〕たずねて来た〈理由／目的〉。「ーを つげる・ーを通じる」

**らいいん** 【来院】《名・自サ》〔文〕病院など、院と呼ばれるところへ来ること。

**らいう** 【雷雨】《天》かみなりや いなびかりとともに降るはげしい雨。かみなり あめ。

**らいうん** 【雷雲】《天》かみなりや雷雨をもたらす雲。積乱雲。

**らいえん** 【来園】《名・自サ》〔文〕公園・動物園など、園と呼ばれるところへ来ること。「ー者」

**らいえん** 【来演】《名・自サ》〔文〕その土地に来て芝居や音楽会などをすること。

**らいえん** 【来援】《名・他サ》〔文〕来て助けること。

**らいおう** 【来往】《名・自サ》〔文〕ゆきき。往来。

**ライオン** 〔lion〕猛獣の名。アフリカなど熱帯地方にすみ、からだは黄色をおびた茶色。雄には たてがみがある。百獣の王と言われる。獅子。●ライオンズクラブ〔Lions Club〕〔Lions←liberty《=自由》, intelligence《=知性》, our nation's safety《=自国民の安全》〕実業家が集まって作った、各地域での社会奉仕をモットーとする国際的社交団体。

**らいか** 【来夏】〔文〕来年の夏。

**らいか** 【雷火】〔文〕①落雷したために起こる火事。②いなびかり。

**らいが** 【来×駕】〔文〕「来訪」の尊敬語。「ご夫妻でごーくだされたく・ーをたまわる」

**らいかい** 【来会】《名・自サ》〔文〕〔その場所に〕来て集まること。会に集まること。「ー者」

**らいがい** 【来街】《名・自サ》〔文〕人が まちに出ること。「ー者の増加」

**らいかん** 【雷管】火薬に点火する発火用具。爆発しやすい薬を金属の筒に入れたもの。「爆弾のー」

**らいかん** 【来館】《名・自サ》〔文〕図書館など館と呼ばれるところ、また、大きな建物に来ること。「ー者」

**らいかん** 【来観】《名・他サ》〔文〕来て見ること。「仮装行列のー者」

**らいき** 【来季】今から一年後の、同じ季節。特に、スポーツで次のシーズン。(↕昨季・今季)

**らいき** 【来期】〔今から見て〕次の期間。特に、次の決算期。(↕昨期・今期)☞次期。

**らいきゃく** 【来客】たずねて来る客。「午後はーがある・ー用の部屋」

**らいぎょ** 【雷魚】中国などが原産の川ざかな。カムルチーとタイワンドジョウの俗称。頭はヘビに似て、するどい歯をもつ。食用。

**らいきょう** 【来京】《名・自サ》〔文〕①みやこへ来ること。②〈東京／京都〉へ来ること。「ごーの節は」

**らいきょく** 【来局】《名・自サ》〔文〕郵便局・放送局など、局と呼ばれるところへ来ること。

**ライク** 造〔like〕〔形動をつくる〕…のような。「メンズーなジャケット・アメリカーな生活」

**らいげき** 【雷撃】《名・他サ》①かみなりに うたれること。「ー死」②《軍》魚雷で敵艦を攻撃すること。「ー機」

**らいげつ** 【来月】今月の次の つき。(↕先月)

**らいけん** 【来県】《名・自サ》〔文〕よそからその県へ来ること。「総理ー」

**らいこう** 【雷公】〔俗〕かみなり。

**らいこう** 【雷光】〔文〕かみなりの光。電光。

**らいこう** 【来行】《名・自サ》〔文〕銀行へ来ること。

**らいこう** 【来攻】《名・自サ》〔文〕敵が攻めて来ること。

**らいこう** 【来校】《名・自サ》〔文〕その学校へたずねて来ること。

**らいこう** 【来航】《名・自サ》〔文〕外国から航海してその国へ来ること。

**らいこう** 【来講】《名・自サ》〔文〕大学などに講義を

しに来ること。

**らいごう**【来迎】①《仏》臨終のときに仏が来て、その人を浄土(じょうど)へむかえること。②⇨ごらいごう②。

**らいさん**【礼賛・礼×讃】《名・他サ》①《仏》仏をおがんで功徳(くどく)をほめること。「仏を―する」②〔文〕〈ありがたく思い／偉大(いだい)であると感じ〉、ほめたたえること。「業績を―する」

**らいしつ**【来室】《名・自サ》〔文〕その部屋へ来ること。

**らいしゃ**【来社】《名・自サ》〔文〕〈会社／神社〉へ来ること。「見学のため―」

**らいしゃ**【来車】《名・自サ》〔文・古風〕車でたずねて来ること。「ご―くだされたくお願いいたします〔車を使わない来訪にも言う〕」

**らいしゅう**【来秋】〔文〕来年の秋。

**らいしゅう**【来週】今週の次の週。(↔先週)☞一週①。

**らいしゅう**【来集】《名・自サ》〔文〕集まって来ること。「ご―のみなさん」

**らいしゅう**【来襲】《名・自サ》〔文〕おそって来ること。襲来。「敵の―」

**らいじゅう**【雷獣】想像上の怪物(かいぶつ)。落雷(らくらい)とともに地上におちて、人間や家畜(かちく)を害するという。

**らいしゅん**【来春】〔文〕来年の春。らいはる。「―卒業」

**らいしょ**【来書】〔文〕来信。

**らいしょ**【来所】《名・自サ》〔文〕事務所など、所(しょ)やセンターと呼ばれるところへ来ること。

**らいしょ**【来署】《名・自サ》〔文〕警察署・税務署など、署と呼ばれるところへ来ること。

**らいしょう**【来省】《名・自サ》〔文〕法務省など、省と呼ばれる中央の大きな役所へ来ること。

**らいじょう**【来場】《名・自サ》その〈場所／会場〉へ来ること。「ご―のみなさま・―者」

**らいしん**【来信】〔文〕人から来た手紙。来書。

**らいしん**【来診】《名・自サ》〔文〕①〔医者が〕患者(かんじゃ)の家に来て診察すること。「先生のご―をお願いします」②病院などに患者が来て、診察を受けること。「―者」

**らいじん**【雷神】かみなりを起こすと考えられた神。☞風神。

**ライス**〔rice〕■一 造 ①米。「―ストッカー(=米びつ)」②ごはん。「半―」③定食。「ギョーザ―」■二 ライス〔食堂で〕(皿に盛った)ごはん。「エビフライ、―つき」●**ライスカレー**〔和製 rice curry〕〔古風〕⇨カレーライス。●**ライスシャワー**〔rice shower〕結婚式(けっこんしき)で、参列者が新郎(しんろう)新婦に米をまいて祝福する風習。●**ライスペーパー**〔rice paper〕〔ベトナム料理で〕米の粉でつくったうすい皮。春巻きに使う。

**らいせ**【来世】《仏》死んだあとで行く世界。後世(ごせ)。(↔前世(ぜんせ)・現世(げんせ))

**らいせい**【来征】《名・自サ》〔文〕いくさや試合などをしに、遠くからやって来ること。

**らいせん**【来船】《名・自サ》〔文〕〔おとずれて〕その船に来ること。

☆☆**ライセンス**〔license, licence〕①〔その会社の特許にもとづく〕製造許可(を受けること)。免許(めんきょ)。「フォード社の―で製造する・―生産」②免状。免許証。③《経》輸出入許可証。④〔パソコンで〕ソフトウェアなどを使用する権利。「―認証(にんしょう)・―契約(けいやく)」

**らいそう**【来葬】《名・自サ》〔文〕葬式に参列すること。「ご―の各位」

**らいそん**【来孫】ひまごの孫。やしゃごの子。

**ライター**〔lighter〕〔タバコ・燃料などに〕手軽に火をつける道具。

☆☆**ライター**〔writer〕文章を書く(ことを仕事にする)人。「ファッション―・―業」

**ライダー**〔rider〕①〔オートバイ・自転車の〕乗り手。②騎手(きしゅ)。

**らいたく**【来宅】《名・自サ》〔文〕客が自分の家に来ること。「ご―をお待ちします」

**らいだん**【来談】《名・自サ》〔文〕〔用件などで〕人が来て話すこと。「〔日記などに〕三上氏―・―者」

**ライチ**【(:荔枝)】〔中国語〕中国のくだもの。小つぶで、うろこのような皮の下に半透明(はんとうめい)の果肉があり、あまい。れいし(荔枝)。ライチー。「―シャーベット」

**らいちゃく**【来着】《名・自サ》〔文〕①目的地にやって来ること。②そこでおちつくために、来ること。

**らいちょう**【雷鳥】高山にすむ中形の鳥。羽は、夏は茶色で冬は白く変わる。ほとんど飛ばない。特別天然記念物。

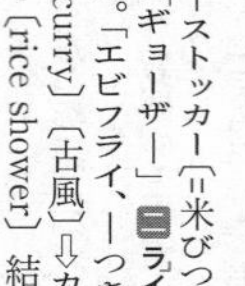

［らいちょう］

**らいちょう**【来庁】《名・自サ》〔文〕文化庁・県庁など、庁と呼ばれる役所へ来ること。「―者」

**らいちょう**【来朝】《名・自サ》〔文〕外国人が日本に来ること。来日。

**らいちょう**【来潮】《名・自サ》《生》「生理②」が始まること。

**らいちょう**【来聴】《名・自サ》〔文〕〈話／演奏〉を聞きにくること。「―者」

**ライティング**〔lighting〕〔撮影(さつえい)・舞台(ぶたい)・展示物などの〕照明。

**ライティング**〔writing〕①文章を書くこと。②〔CDやDVDなどに〕データを書きこむこと。「―ソフト」●**ライティングデスク**〔writing desk〕書きものづくえ。

**らいてん**【来店】《名・自サ》〔文〕店に来ること。「ご―くださいませ」

**らいでん**【来電】〔文〕着いた電報。

**らいでん**【雷電】〔文〕かみなりといなずま。

**ライト**〔light〕■一 ライト ①灯火。照明。あかり。「―を消す・ルーム―」②光線。光。「強い―」■二 造 〔色調が〕明るい。「―ブルー」(↔ダーク)●☆☆**ライトアップ**〔light up〕《名・他サ》①夜、建物・橋などに照明を当てて、浮(う)き上がらせるようにして見せること。②〔俗〕イルミネーション。「東京タワーの―」

**ライト**〔right〕①右(がわ)。右手。②〔↑米 right fielder〕《野球》右翼(うよく)(手)。③右派。「ニュー―」▽(↔レフト)

**ライト**〔light〕■一《名・ナダ》①軽いこと。「―な味わい・―ウエイト」(↔ヘビー)②手軽なこと。あっさりしたようす。「―な料理・―オペラ・―ユーザー(↔ヘビーユーザー」 ㊁ ↑ライト級。●ライトきゅう［ライト級］体重で分けた選手の階級の一つ。プロボクシングでは、一三〇ポンド〔≒約五九・〇キロ〕以上、一三五ポンド〔≒約六一・二キロ〕までの体重。●ライトノベル〔和製 light novel〕アニメふうのイラストや会話を多用した、若者向けの、気軽に読める小説。ラノベ。●ライトバン〔和製 light van〕業務用に使う、荷物を多く積めるワゴン車。バン。「工務店の—」●ライトヘビーきゅう［ライトヘビー級］体重で分けた選手の階級の一つ。プロボクシングでは、一六八ポンド〔≒約七六・二キロ〕以上、一七五ポンド〔≒約七九・四キロ〕までの体重。

**らいとう**［来冬］〔文〕来年の冬。

**らいとう**［来島］《名・自サ》〔文〕島にやって来ること。

**らいどう**［雷同］《名・自サ》〔文〕はっきりした考えを持たず、むやみに他人の意見に同意すること。「—性・付和—」

**ライトモチーフ**〔ド Leitmotiv〕①《音》その音楽の中の人物・感情などをあらわすために使われる旋律。示導動機。②〔文学作品などで〕中心思想。

**ライナー**〔liner〕①《野球》地面とほぼ平行に低く一直線に飛ぶ打球。直飛球。直。「ショート—」②〔外国航路の〕定期船。③《服》取り外しのできる、コートなどの裏地。④快速電車。「通勤—」⑤↑ライナーノーツ。●ライナーノーツ〔liner notes〕CD・レコードなど、録音されたものに添えてある〔演奏者や曲目についての〕解説。ライナーノート。ライナー。

**らいにち**［来日］《名・自サ》外国に住んでいる人が、日本へやって来ること。「選手団が—する」(↔離日)

**らいにん**［来任］《名・自サ》〔文〕赴任して来ること。

**ライニング**《名・他サ》〔lining〕①腐食などを防ぐために、ゴムや化学製品を容器の内がわにはること。うちばり。②《服》裏地(をつけること)。

**らいねん**［来年］ことしの次のとし。(↔去年)●**来年のことを言うと鬼が笑う**[句] 状況が変わるかもしれないので、来年のことを今言ってもしかたがない。

**らいねんど**［来年度］今年度の次の年度。

**らいはい**［礼拝］《名・他サ》《仏》合掌したりして仏をおがむこと。「—堂」☞れいはい(礼拝)。

**らいはく**［来泊］《名・自サ》〔文〕よそから来て、とまること。「学生が—する」

**らいはる**［来春］⇩らいしゅん。

☆☆**ライバル**〔rival〕競争相手。(好)敵手。「—会社・—意識むき出し・恋の—」

**らいひ**［来否］〔文〕〔会へ〕来るか来ないか。「ご—をお知らせください」

**らいびょう**［(×癩)病］「ハンセン病」の、古い呼び方。

☆☆**らいひん**［来賓］〔会などに招待されて〕〈来訪/来場〉した客。「—席」

**ライフ**〔life〕①生命。「—ガード〔≒ライフセーバー〕」②一生。「—プラン・—ヒストリー」③生活。「カレッジ—」●ライフコース〔life course〕進学・就職・結婚・出産などを節目とする人生の進路。人生の軌跡。●ライフサイエンス〔life science〕《理》生命現象や生物のからだのはたらきを研究する学問。生命科学。●ライフサイクル〔life cycle〕①《生》人や生物が生まれてから死ぬまでの一生。〈生命/生活〉周期。生涯計画。②〔商品の〕売れる期間。寿命。●ライフジャケット〔life jacket〕〔船や航空機などにそなえつけてある〕救命胴衣。●☆☆ライフスタイル〔lifestyle〕生活様式。生活習慣。●ライフステージ〔life stage〕人の一生を、幼年期・少年期・青年期・壮年期・老年期などと分けた、おのおのの段階。生活段階。●ライフセーバー〔lifesaver〕水難救助員。ライフガード。●ライフセービング〔lifesaving〕①水難〈防止/救助〉活動。②水難救助員の技術・体力をきそうスポーツ。●ライフハック〔lifehack〕仕事や生活に役立つ、ちょっとした知恵や技術など。例、メールのあて先は最後に入力する。●ライフボート〔lifeboat〕救命ボート。●☆☆ライフライン〔lifeline〕〔電気・ガス・水道など〕生活に不可欠な物資の補給〈路/システム〉。「—を守る」●☆☆ライフワーク〔lifework〕一生をかけて〈する仕事/つくった作品〉。畢生の作。

☆☆**ライブ**〔live〕①生演奏(のコンサート)。また、舞台での実演。「—盤・—活動」②《放送》実況(放送)。現場中継。「—映像」●ライブカメラ〔live camera〕テレビ回線やインターネットを通じて、現地の映像をリアルタイムで送るカメラ。また、その映像。「—でゲレンデの様子を見る」●ライブハウス〔和製 live house〕飲んだり食べたりしながら、なまの演奏を聞いてたのしむ店。

☆☆**ライブラリー**〔library〕①図書館。図書室。「フィルム—」②文庫。③蔵書。④双書。

**ライフル**〔rifle〕銃身の内部に、らせん状のみぞを入れた小銃。ライフル銃。〔みぞを入れるのは、弾丸に回転をあたえて、まっすぐにとばすため。もともとはその「みぞ」をライフルと言う〕

**らいほう**［来訪］《名・自サ》〔文〕人がおとずれて来ること。「—を受ける・—者」(↔往訪)

**らいほう**［来報］《名・他サ》〔文〕①人が来て知らせること。②来た知らせ。

**ライム**〔lime〕レモンを小さくしたような形の、緑色のすっぱいくだもの。「—ジュース・パッタイに—をそえる」

**ライむぎ**［ライ麦］〔rye〕寒い地方で作る、ムギの一種。実は黒みをおび、黒パンにする。

**らいめい**［雷名］〔文〕①広く世間に聞こえている名声。「—天下にとどろく」②「相手の名声」の尊敬語。「ご—」

**らいめい**［雷鳴］〔文〕かみなりの音。

**らいゆう**［来遊］《名・自サ》〔文〕来て見物したりすること。「皇太子ご—・ぜひご—ください」

**らいらい**［来々］[遺] 今から数えて、次の次の。「—期・—週」

**らいらく**［×磊落］《名・ナダ》〔文〕性質が快活で、細かいことにこだわらないこと。むとんちゃく。「豪放—」[派]—さ。

**ライラック**〔lilac〕庭木にする落葉樹。春、うすむらさき色・白色などの小さな花をふさのようにつけ、においがいい。むらさきはしどい。リラ。

**らいりん**［来臨］《名・自サ》〔文〕その〈場所/席〉に来

ることの尊敬語。「妃殿下のご—をあおぎ」

**らいれき**［来歴］ ものごとが今まで経てきた筋道。由緒。「名画の—〔=どのように人手に わたったか〕・ことばの—・故事—」

**ライン** 一 ライン〔line〕 ①線。すじ。「—の外」 ②目安になる線。水準。「三百名の—を割る・五〇パーセント—」 ③列。行。 ④系列。きずなや命令系統を言う。「山下-田中—」 ⑤《経》生産・営業など、現場の部門。(↔スタッフ) ⑥洋服の〈輪郭／シルエット〉。 ⑦航路。路線。「南海四国—」 ⑧通信線。電話線。「ホットー」 二 ライン［ＬＩＮＥ］〔商標名〕 スマートフォンなどで使う、日本で主流のメッセージ用アプリ。文章や絵〔=スタンプ〕を送りあったり、無料で通話したりできる。 三 ライン［ＬＩＮＥ］《名・自他サ》「ＬＩＮＥ 二」でメッセージを送ること。 •**ラインダンス**〔和製 line dance〕〔レビューで〕ダンサーが大ぜい一列になって(足を同じように動かして)おどる おどり。 •☆☆**ラインナップ**〔米 line-up〕 一 ①品目や顔ぶれ(を一覧にしたもの)。「商品—・番組—」 ②《野球》打撃順。 二《名・他サ》品目や顔ぶれ〈をそろえる／に加える〉こと。▽ 一 二 ラインアップ。

**ラインストーン**〔rhinestone=ライン川の石〕 ダイヤモンドふうの人工宝石。アクセサリーに使ったり、小物にはりつけたりする。

**ラウ**［(:羅宇)］〔↑カンボジア Laos=ラオス〕 キセルの(竹でできた)胴の部分。ラオ。「—屋」 ☞「キセル①」の絵。

☆☆**ラウンジ**〔lounge〕 ①休憩室。談話室。「空港の—〔=搭乗待合室〕」 ②〔↑カクテル ラウンジ〕 ホテルなどの、バーのある談話室。 ③〔↑ラウンジ ミュージック〕「ラウンジ②」で聴くような、ゆったりした音楽。「—系」 ④(高級な)キャバクラ。

☆☆**ラウンド**〔round〕 一 ①〔ボクシングやリーグ戦などで〕競技の回。「第三—・決勝—」 表記 略して「Ｒ」。 ②〔牛の〕もも肉。「—ステーキ」 ③《経》関税の引き下げをふくむ、多角的な通商交渉。「新—提唱」 二《名・自サ》《ゴルフ》コース〔=十八ホール〕を一周すること。「ワン—」 •**ラウンドアバウト**〔roundabout〕車の通行部分が円形になっている交差点。目的の道路に来たらここを出る。ここでは車は一方向に回り、環状交差点。 •**ラウンドガール**〔和製 round girl〕 ボクシングや総合格闘技などで、ラウンド間に登場し、次のラウンドの数をかかげる女性。リング ガール。 •**ラウンドナンバー**〔round number〕 端数のつかない、零で終わる数字。切りのいい数。

**ラオ**［(:羅宇)］ ⇩ラウ。「—屋」

**ラオチュー**［(:老酒)］〔中国語〕 アワ・キビ・もち米などから造る、中国の酒。長期間熟成させたものを言う。ろうしゅ(老酒)。☞紹興酒

**らか** 接尾〔形動をつくる〕 そういう感じをあたえるようす。「きら—〔=きらきらしたようす〕・すべ—〔=すべすべしたようす〕」〔「ほがらか」「ほこらか」などは、「か」がついたと考えられる〕

**ラガー**〔rugger〕 ①ラグビー。「—シャツ」 ②ラグビー〈選手／をする人〉。ラガーマン。

**ラガービール**〔lager《↑ド Lager(ねどこ)》 beer〕 ①低温で長期間ねかせて熟成させたビール。すっきりとしていて、日本では最も一般的。☞エールビール。 ②びんづめなどにしてから、殺菌のため、加熱したビール。▽ラガー。☞生ビール。

**らかん**［羅漢］〔↑梵語 arhat の音訳「阿羅漢」〕《仏》完全にさとりをひらいた、仏教の修行者。

**らがん**［裸眼］《医》めがねやコンタクトレンズを使わないときの目。「視力は—で〇・六だ」☞肉眼。

**らぎょう**［裸形］〔文〕はだかのかっこう。「真冬に—で修行する者」

**らぎょう-へんかくかつよう**［ラ行変格活用］《言》文語動詞の活用の種類の一つ。「あり・を(居)り・はべり」などに見られる、不規則な活用。ラ変。☞付録「動詞活用表」。

**らく**［×洛］〔↑洛陽〕〔文〕みやこ。特に、京都。「—の内外」

**らく**［落］ 落選。落第。「五当六—〔=受験勉強で、一日の睡眠時間が五時間なら合格、六時間では落第〕・二当一—〔=選挙運動で、当選・落選の差となる費用のちがい〕」(↔当)

**らく**［楽］ 一 らく《名・ナダ》 ①きゅうくつさ・苦しみ・苦労など、精神的・肉体的な なやみがなくて、安らかなようす。「—をする・生活が—になる・どうぞ お—に〔=楽な姿勢で すわってください〕」(↔苦) ②たやすいこと。ゆとりがあるようす。「—に勝った・—にすわれる・—な仕事」 表記〈俗に／読みやすく〉「ラク」とも。 派 -さ。 •**楽あれば苦あり** 句 楽をしたあとにはきっと苦しみがやってくる。世の中に、いいことばかり、悪いことばかり、ということはない。楽は苦の種、苦は楽の種。 二 らく ①↑千秋楽。 ②↑楽焼き。

**ラグ**〔lag〕 時間の差。おくれ。タイム ラグ。

**ラグ**〔rug〕 部屋の中央に敷く敷物。中敷き。「イグサで作った—」

☆☆**らくいん**［×烙印］ 焼き印。特に、昔、罪人のひたいなどに当てて、しるしをつけたものを言う。 •**烙印を押される** 句 簡単には ぬぐえない汚名を受ける。「裏切り者の—」〔「(相手に)烙印を押す」の形でも使う〕

**らくいん**［落×胤］〔文〕落とし子。「将軍家のご—」

**らくいんきょ**［楽隠居］《名・自サ》 安楽な隠居ぐらし。「—の身」

**ラグー**〔フ ragoût〕 フランス料理で、肉などの煮こみ料理。シチュー。「カモの—・魚介の—のパスタ」

**ラグーン**〔lagoon〕《地》 ①⇩かた(潟)①。 ②環礁に囲まれた浅い海。

**らくえん**［楽園］〔文〕安楽な場所。パラダイス。「地上最後の—」

**らくがい**［×洛外］〔=みやこの外〕 京都の市外。(↔洛中・洛内)

**らくがき**［落書き］《名・自他サ》 ①人のめいわくになる所に〈書くこと／書いたもの〉。「かべに—する」 ②軽い気持ちで〈書くこと／書いたもの〉。「メモ用紙に—する」 ③へたな文章や絵。「ほんの—です」▽いたずら書き。

**らくがん** 一［(落×雁)］ みじん粉などに砂糖を加えてかためた干菓子。 二［落×雁］〔文〕空から地上におりるガン。「—の歌〔=和歌〕」

**らくご**［落語］ 一人で何人かの会話を演じながら物語を進め、最後に「落ち 一 ⑤」をつけて結ぶ、おかしみのある話芸。おとしばなし。☞人情話。 •**らくごか**［落

語家」はなしか。

☆☆**らくご**［落×伍・落後］《名・自サ》〔文〕なかまからおくれること。ほかの者について行けなくなること。脱落（だつらく）。「―者」

**らくさ**［落差］①物が落ちるときの高さの差。「―百メートルのダム」②高低のちがい。「理想と現実の―」

**らくさつ**［落札］《名・他サ》入札の結果、目的物を自分の手に入れる権利を得ること。

**らくさん**［酪酸］〔理〕強い不快臭（しゅう）のする無色で油状の物質。イチョウの実やバターなどの乳製品が腐敗（ふはい）したとき生じる酸。ブタン酸。

**らくじつ**［落日］〔文〕①入り日。「古城の―」②勢いがおとろえたこと。落ち目。「帝国（ていこく）の―」

**らくしゃ**［落車］《名・自サ》〔競輪・オートレースなど〕転倒（てんとう）して自転車やオートバイから落ちること。「―事故」

**らくしゅ**［落首］昔、名前をかくして人目につきやすい所に書いておいた、時事をあてこすった狂歌（きょうか）。

**らくしゅ**［落手］《名・他サ》①〔手紙〕〔文〕受け取ること。落掌（らくしょう）。「貴簡正（まさ）に―」②〔碁・将棋（きょう）〕悪い手。

**ラグジュアリー**《名・ダナ》［luxury］ぜいたく品。ぜいたくなようす。「―ニット」派―さ。

**らくしょ**［落書］《名・自サ》①おもに鎌倉（かまくら）時代から江戸（えど）時代、時事をあてこすって、自分の名前をかくして、人目につきやすい所にはりつけておいた書きもの。②〔文〕らくがき。

**らくしょう**［落掌］《名・他サ》〔手紙〕〔文〕⇩落手①。「ご書面たしかに―いたしました」

**らくしょう**［楽勝］《名・ダナ・自サ》①らくらくと勝つこと。「―な相手」（↔辛勝（しんしょう））②〔俗〕簡単にできること。「五キロなら―で歩ける・―科目［⇩楽単］」

**らくじょう**［落城］《名・自サ》①城が攻（せ）めおとされること。②〔俗〕くどかれて、ついに承知すること。

**らくしょく**［落飾］《名・自サ》〔文〕仏門にはいること。落髪（らくはつ）。由来 かざり［=かみの毛］をそり落とすから。

**らくすい**［落水］《名・自サ》①〔滝（たき）で〕水が落ちること。また、落ちてくる水。「―量」②船や地上から水に落ちること。「―注意」③〔稲刈（いねか）りの前に〕田んぼの水をぬくこと。

**らくせい**［×洛西］〔=みやこの西（の地域）〕京都市の、鴨川（かもがわ）より西の地域。〔現代の地名では、多く「らくさい」と言う〕（↔洛東）

**らくせい**［落勢］〔経〕物価や相場の下がる〔勢い／傾向（けいこう）〕。（↔騰勢（とうせい））

☆☆**らくせい**［落成］《名・自サ》建築工事が終わり、建物などができあがること。「―式」

**らくせき**［落石］《名・自サ》〔文〕山やがけの上から石が落ちること。また、その石。「―注意」

**らくせき**［落籍］《名・他サ》〔文〕芸者・遊女などを身受けすること。ひかすこと。

**らくせつ**［落×屑］〔医〕皮膚（ひふ）の表面が小さなうろこのようになって〔はがれ落ちること／はがれ落ちたもの〕。

**らくせつ**［落雪］《名・自サ》〔文〕屋根などにつもった雪がすべりおちること。また、屋根などから落ちる雪。

**らくせん**［落選］《名・自サ》①当選しないこと。（↔当選）②選にはいらないこと。（↔入選）

**らくだ**［×駱×駝］①砂漠（さばく）にすむ大形の家畜（かちく）。首・足が長く、せなかに肉〔=こぶ〕が大きくもり上がっている。ヒトコブラクダ・フタコブラクダに分かれる。砂漠で旅行者が乗り、毛は織物に使う。②「らくだ①」の毛で織った織物。「―のシャツ」☞キャメル。

**らくだい**［落第］《名・自サ》①試験に合格しないこと。不合格。「―点」②進級できず、原級にとどまること。「―生」③不適当。不適格。「衛生管理の面で―だ」▽（↔及第（きゅうだい））

←**らくたん**［楽単］〔学〕楽に取れる単位。楽勝科目。

→**らくたん**［落単］《名・他サ》〔学〕単位を落とすこと。「英語を―する」

**らくたん**［落胆］《名・自サ》〔文〕気力をおとすこと。がっかりすること。「入試に失敗して―した」

**らくちゃく**［落着］《名・自サ》決まりがつくこと。おちつくこと。「一件―・事件が―した」

**らくちゅう**［×洛中］〔=みやこの中〕京都の市中。洛内。（↔洛外）

**らくちょう**［落丁］本のページがぬけていること。「―や乱丁がないか調べる」

**らくちょう**［落潮］〔文〕①引きしお。②落ち目。

**らくちょう**［落鳥］《名・自サ》鳥が死んで〔地面に〕落ちること。「ビルの窓ガラスにぶつかって―した」

**らくちん**［楽ちん］《ダナ》〔話〕楽なようす。「おんぶしてもらって―だ」

**らくてん**［楽天］〔=天による運命を楽しむ〕ものごとをいいほうに考え、心配や不満をもたないこと。「―性・―的・―ぶり・―観（↔厭世（えんせい）観）」●**らくてんか**［楽天家］楽天的な人。●**らくてんしゅぎ**［楽天主義］〔哲〕人生は善であり、愉快（ゆかい）であり、希望は実現されると考える主義。オプティミズム。（↔厭世（えんせい）主義）

**らくど**［楽土］〔文〕苦しみがなく、楽しい土地。楽園。「王道―」

**らくとう**［×洛東］〔=みやこの東（の地域）〕京都市の、鴨川（かもがわ）より東の地域。（↔洛西）

**らくなん**［×洛南］〔=みやこの南（の地域）〕京都市の南の部分。（↔洛北）

**らくね**［楽寝］《名・自サ》〔文〕らくらくと気持ちよくねること。

**らくのう**［酪農］〔農〕牛・羊・ヤギなどを飼い、牛乳・バター・チーズなどを作る農業。「―家」

**らくば**［落馬］《名・自サ》乗っていた人が馬から落ちること。（↔乗馬）

**らくはく**［落×魄］《名・自サ》〔文〕おちぶれること。零落（れいらく）。「―の身」

**らくばく**［落×莫］〈タル〉〔文〕ものさびしいようす。「秋風（しゅうふう）―」

**らくはつ**［落髪］《名・自サ》〔文〕かみの毛をそって仏門にはいること。剃髪（ていはつ）。落飾（らくしょく）。

**らくばん**［落盤・落×磐］《名・自サ》〔鉱〕〔坑内（こうない）で〕天井（てんじょう）の岩石が落ちること。

**らくひ**［楽悲］〔文〕楽観と悲観。「―両論」

**らくび**［楽日］〔楽←千秋楽〕⇩千秋楽。

**ラグビー**［rugby］長円形のボールを使い、一チーム十五人でおこなうフットボール。ラガー。〔七人制もある〕

**らくほく**［×洛北］〔=みやこの北（の地域）〕京都市の、

北の部分。(↔洛南)

**らくめい**【落命】《名・自サ》〔文〕命を落とすこと。死ぬこと。「戦場で—する」

**らくやき**【楽焼き】①手で(茶わんの)形をつくり、低い温度で焼いた陶器。うわぐすりによって、赤楽・黒楽の別がある。楽。②素焼きの茶わんなどに絵をかかせ、その場で焼いてみやげ物に売る焼き物。

**らくよう**【×洛陽】《歴》昔の中国の みやこの名。●**洛陽の紙価を高からしめる** 句 紙の値段が上がるほど、本がよく売れる。

**らくよう**【落葉】《名・自サ》〔文〕木の葉が落ちること。また、落ちた木の葉。おちば。●**らくようじゅ**【落葉樹】《植》(秋の終わりごろ)葉が落ちる木。(↔常緑樹) ●**らくよう しょう**【落葉松】からまつ。

**らくらい**【落雷】《名・自サ》かみなりが落ちること。

**らくらく**【楽々】《副》①ゆったりとしていて、非常に〈安楽/気楽〉なようす。「—暮らす」②非常にやさしくやれるようす。「—(と)追いつく」

**ラグラン**〔raglan=もと、人名〕《服》そで付けがえりのところから八形に広がっている仕立て方。ラグランスリーブ。

〔ラグラン〕

**らくりん**【落輪】《名・自サ》(みぞなどに)自動車の車輪が落ちこむこと。脱輪。

**らくるい**【落涙】《名・自サ》〔文〕なみだを落とすこと。「はらはらと—する」

**ラクロス**〔lacrosse〕先端にネットのついたスティックでボールをパスし合いながら相手ゴールにシュートする球技。男子は十人、女子は十二人で一チーム。

**ラケット**〔racket〕《テニス・卓球など》ボールを打つ用具。

**ラザニア**〔イ lasagna〕うすくのばして長方形に切ったパスタ(をひき肉やチーズなどといっしょに焼いた料理)。ラザーニャ。「ホウレンソウの—」

**ラジアルタイヤ**〔radial(=放射状) tire〕タイヤ内部の繊維層が、タイヤの円の中心から放射状になっている、高速用のタイヤ。ラジアル。

****らし・い** ㊀《助動形型》〔推定の助動詞〕①〔見聞きした事実から〕…と考えられるようすだ。「父も行きたい—。雨が降った—。あすの朝は寒い—」②〔話〕〔相手のことばを受けて〕そう考えられるようすだ。そうらしい。「『上野さん来ないの?』『—(わ)ね』」㊁ 接尾〔形容詞をつくる〕①…に ふさわしい。「学生—態度・病気—病気をしたことがない」②…だという感じをあたえるようすだ。「いやみ—態度・高慢—顔」派—げ。—さ。㊂**らしい**《形》(㊁が独立したもの)〔俗〕〈それ/その人〉らしい。「—女優(=いかにも女優らしい女優)・—(=もっともらしい)ことを言ってごまかす・らしくない成績に終わった」派—さ。☞らしからぬ。

**ラジウム**〔ド Radium〕《理》放射性の金属元素の一つ(記号Ra)。銀白色で、広く岩石・温泉などに ふくまれる。医療や理化学研究に使われる。

**ラジエーター(ー)**〔radiator〕①機械の動作で熱くなった冷却水を流し入れ、内部をめぐらしながら熱をにがす装置。「エンジンの—」②内部をめぐる温水の熱を放出して、部屋をあたためる装置。▽放熱器。

**ラジオ**〔radio〕①電波を利用して、受信機を持つ人に音声を放送するしくみ。「—放送・インターネット—」②「ラジオ①」の受信機。「—をつける・カー—」③「ラジオ①」の番組(の内容)。「—に出演する・深夜—」●**ラジオアイソトープ**〔radioisotope〕《理》アイソトープのうち、放射性をおびるもの。天然に存在するものと原子炉の中で人工的に作られるものがある。工業(計測・検査など)・医療に利用される。放射性同位体。放射性同位元素。●**ラジオせい**〔ラジオ星〕《天》電波を出す天体。電波星。●**ラジオゾンデ**〔ド Radiosonde〕気球に取りつけ、上空の気圧・温度などを測定して、無線で地上に送信する装置。ゾンデ。●**ラジオたいそう**〔ラジオ体操〕体操のための音楽とかけ声を流すラジオ番組(一九二八年開始)。また、その体操。●**ラジオネーム**〔和製 radio name〕ラジオを聞く人が、番組に送るメールやファックスなどに書きそえる、本名以外の名。●**ラジオビーコン**〔radio beacon〕⇩無線標識。●**ラジオペンチ**〔↑和製 radio pinchers〕〔ラジオの基盤製作のような〕細かい作業で使う、先端の細いペンチ。ラジペン。●**ラジオボタン**〔radio button〕《情》〔コンピューターで〕選択肢を選ぶときにクリックしたりする、小さな丸いボタン。☞プルダウンメニュー。

**ラジカセ**〔↑ラジオ カセット〕ラジオとカセットテープレコーダーを一つにまとめたもの。〔一九七〇~九〇年代に、特に使われた〕

**らしからぬ** ㊀ 接尾〔連体詞をつくる〕〔文〕…らしくない。「新人—おちついた態度」〔「らしからず」は副詞をつくる〕㊁**らしからぬ**《連体》〔俗〕それらしくない。ちょっと変わった。「—喫茶店」

**ラジカル**《ナダ》〔radical〕①急進的。急進派。「—な思想の持ち主」②根本的。「—な批判」▽ラディカル。派—さ。

**らしくない** 連〔俗〕⇩らしい㊂。

**ラジコン**〔RADICON=商標名〕〔↑ラジオ コントロール〕電波で操縦する〈こと/模型〉。無線操縦。

**らししょくぶつ**【裸子植物】《植》胚珠(=受粉後、種になる部分)がむきだしになっている植物。(↔被子植物)

**らした** 連〔話〕「いらした(↑いらっしゃった)」の変化。「けさは何をして—んですか」〔「らして」は、「いらして(↑いらっしゃって)」の変化〕☞いらっしゃる。

**ラシャ**【(×羅紗)・らしゃ】〔ポ raxa〕地が厚くて織り目のはっきりしない毛織物。

**ラジャー**《感》〔roger〕〔話〕〔通信などで〕了解。

**ラシャがみ**【ラシャ紙】外観がラシャに似た厚紙。

**ラシャめん**【ラシャ綿】①綿羊。②〔俗〕〔明治時代に〕外国人の めかけ。

**らじょ**【裸女】《美術など》裸婦。「—をえがく」

**らしん**【裸身】〔文〕はだか(のからだ)。

**らしんぎ**【羅針儀】⇩羅針盤①。

**らしんばん**【羅針盤】①〔船などにある〕方位磁針。羅針儀。コンパス。②将来の計画を定める基準。

**ラスいち**【ラス(一)】〔ラス↑ラスト〕〔俗〕最後の一つ。「—だったのをゲットできた」

**ラスク**〔rusk〕パン・カステラをうすく小さく切って〈あげた/焼いた〉かたい菓子。「シュガーバター—」

**ラスト**〔last〕最後。最終。「―シーン〔=映画や劇などの、最終場面〕」 ●**ラストオーダー**〔last orders〕〔飲食店で〕その日に受ける最後の注文。また、その時刻。「ドリンクの―は夜十一時です」 ●**ラストスパート**〔last spurt〕①〔競走・競泳などで〕ゴールの近くで残りの力を出しきること。②仕事などで、最後のひとがんばりをすること。

**ラスパイレスしすう**［ラスパイレス指数］〔Laspeyres=人名〕《経》国家公務員の給与水準を百としたときの、地方公務員の給与水準。

**ラズベリー**〔raspberry〕〔西洋の〕キイチゴ。あまずっぱくて、ジャムにしたりする。フランボワーズ。「―ソース」

**ラスボス**〔←ラストボス〕〔俗〕①コンピューターゲームで、最後に出てくる強敵。②〔最後に出てくる〕一番の大物や難関。「―的存在」▽二十一世紀になって広まったことば。②は二〇一〇年代に広まった用法。

**らせつ**［羅刹］〔梵語 rākṣasa の音訳〕《仏》仏法の守護神。インド神話の、人を食う鬼に由来する。羅刹天。「悪鬼―」

**らせん**［(×螺旋)］巻き貝の殻のようにぐるぐる巻いているもの。うずまき。「―階段・―状」

**らぞう**［裸像］〔文〕はだかの人をあらわした像。

**らぞく**［裸族］①〔未開社会で〕服を持たずはだかで生活する民族。②〔俗〕家では服を身につけず、まっぱだか（に近いすがた）ですごす人。

**らそつ**［(×邏卒)］①「巡査」の、昔の呼び名。②〔文〕見回り兵。

**らたい**［裸体］〔文〕（まる）はだか。「―画」

**ラタトゥイユ**〔フ ratatouille〕南フランスの野菜煮こみ。ズッキーニ・ナス・トマト・ニンニクがはいることが多い。ラタトゥ（ー）ユ。☞カポナータ。

**ラタン**〔rattan〕とう（籐）。「―家具」

**らち** ㊀［(×埒)］①馬場のまわりのさく。②ものごとのくぎり。さだめ。「―をこえる」 ㊁［ラチ］改札口（のさく）。ラッチ。「―内コンコース」 ●**らちが明かない** 句〔交渉などで〕決まりがつかない。どうにもならない。 ●**らちもない** 句 だらしがない。とりとめもない。「―ことを言う」 ●**らちを明ける** 句〔交渉などで〕決まりをつける。㊂ らちが明く。

☆☆**らち**［拉致］《名・他サ》自由をうばって連れ去ること。「―監禁」☞拉致る。

**らちがい**［(×埒外)］〔文〕範囲のそと。（↔埒内）

**らちない**［(×埒内)］〔文〕範囲のうち。（↔埒外）

**らち・る**［拉致る］《他五》〔俗〕①拉致する。②むりに連れて行く。「飲み会に拉致られた」

**らっか**［落花］〔文〕花が散ること。また、散った花。 ●**らっかせい**［(落花生)］地面の中で熟す、マメの一種。種は繭の形の殻の中にはいっている。なんきんまめ。 ●**らっかろうぜき**［落花(×狼×藉)］〔文・古風〕①ひどくちらかっていること。②女性に乱暴をはたらくこと。

**らっか**［落下］《名・自サ》〔文〕空中を、また、高い所から落ちること。「―物で頭を打った」 ●**らっかさん**［落下傘］パラシュート。「―候補〔=その選挙区に縁のない候補者〕」

**らっか**［落果］《名・自サ》《農》果実が〔台風のために〕落ちること。また、落ちた果実。

**ラッカー**〔lacquer〕セルロース誘導体や合成樹脂の溶液に色をまぜた塗料。ぬってすぐかわく。ラック。

**らっかん**［落款］《名・他サ》〔完成したしるしに〕書画に筆者が署名をし、また、印をおすこと。また、その署名や印。

**らっかん**［楽観］《名・他サ》ものごとが〈簡単に／うまく〉いくと思うこと。くよくよせず、明るい見通しを持つこと。「―論」（↔悲観） ●**らっかんてき**［楽観的］《ナダ》ものごとがうまくいくと考えて、くよくよしないようす。「―な見通し」（↔悲観的）

**らっき**［落×暉］〔文〕落日（のかがやき）。

**ラッキー**《名・ナダ》〔lucky〕①幸運。運のいいこと。「―がともなう・―な男」②まぐれあたりの。▽（↔アンラッキー） 派 ―さ。 ●**ラッキーセブン**〔lucky seventh〕《野球》一つの試合の七回目。由来 得点のチャンスが大きくなることから言う。 ●**ラッキーゾーン**〔lucky zone〕《野球》外野のスタンドと、手前に作ったさくとの間。ここにフライがとびこんでもホームランとなる。 ●**ラッキーボーイ**〔lucky boy〕《スポーツ》チームにつきを呼びこむ男子選手。

**らっきゅう**［落球］《名・自サ》〔野球などで〕一度受けたボールを落とすこと。

**らっきょう**［(辣×韮)・(:楽京)］野菜の一種。形はニンニクに似て、細長く、塩づけ・あまい酢づけにして食べる。らっきょ。

**らっきょう**［落橋］《名・自サ》〔文〕橋が落ちること。「地震で―する」

**ラック**〔rack〕㊀ ラック ものをのせて整理するための、たな。㊁ 造 帽子・かばんなどをかけたり、雑誌・手紙などを入れたりするためのもの。…かけ。…入れ。「スリッパー・ステレオ―」☞マガジンラック。

**ラック**〔ruck〕《ラグビー》両軍の選手が密集して、地上にあるボールを立ったまま足でうばいあうこと。

**らっけい**［落慶］〔文〕神社・仏殿などの落成した喜び（の祝賀）。「本堂―式」

**ラッコ**〔アイヌ rakko〕北太平洋にすむ、中形のけもの。形はタヌキに似て、足はひれの形をしている。毛はこい茶色。海面にあお向けにうかび、腹にのせた石に貝をたたきつけて割って食べる。表記「:猟虎」は、古い音訳字。

**ラッサねつ**［ラッサ熱］〔Lassa=地名〕《医》高い熱が出る、ウイルス性の感染症。

**ラッシー**〔lassi〕ヨーグルトを使った、インドの（あまい）飲み物。「マンゴー―・バナナ―」

**らっしゃ・る**《補動五》〔話〕↑〔…て〕いらっしゃる。「わかって―・早く上がってらっしゃい〔命令形〕」〔「らっしゃった・らっしゃって」は、「らした・らして」とも言う。☞らした〕

**ラッシュ**〔rush〕㊀ ①多くの人がいちじに殺到すること。混雑。「―時・帰省―」②ものごとが引き続いて起こること。「新刊書の―・値上げ―」③編集する前の〈撮影したフィルム／録音したテープ〉。㊁《名・自サ》《ボクシング》〈突進／連打〉すること。 ●**ラッシュアワー**〔rush hours〕〔交通機関が〕通勤・通学で混雑する時間。混雑時（間）。ラッシュ タイム。ラッシュ時間帯。

ら

**ラッシュガード**〔rash guard〕海やプールなどで、なるべく日焼けをしないように着る服。水着の上から はおる上着や、タイツのようにはくものがある。

**ラッセル**〔←ド Rasselgeräusch〕《医》肺や気管に異常があるとき、聴診器(ちょうしんき)に聞こえる雑音のまじった呼吸音。ラッセル音。

**ラッセル**《名・自サ》〔Russell=会社名〕①←ラッセル車。②《登山》先頭に立って、深い雪を分け、道をひらきながら進むこと。●**ラッセルしゃ**〔ラッセル車〕機関車が おして走らせる、車体に雪かきをつけた車。線路上に積もった雪をおしのける。

**らっち**〔△拉致〕《名・他サ》〔文〕⇩らち(拉致)。

**ラッチ**〔latch〕〈ドア・門などに つける〉かけがね。

**ラット**〔rat〕大形のネズミの総称(そうしょう)。特に、実験用のネズミを言う。

**らっぱ**〔ラッパ〕①《音》ⓐ管楽器の一つ。口に当てるほうが細くて、先のほうが太くひらく。「―手・―ズボン(=すその広がった、太いズボン)」ⓑ金管楽器の総称(そうしょう)。②ほら(法螺)。表記 もと、「×喇×叭」と書いた(「ラッ、パ」と鳴る音をあらわした漢語)。●**ラッパを吹(ふ)く** 句 ほらをふく。大きな話をする。●**ラッパのみ**〔ラッパ飲み〕《名・他サ》びんなどをじかに口につけて、中のものを飲むこと。

**ラッパー**〔rapper〕ラップを歌う人。

**ラッピング**《名・他サ》〔wrapping〕①〈進物用の、ちょっとしゃれた〉包装。②広告をプリントした粘着(ねんちゃく)シートで車体のほぼ全体をおおうこと。「―バス」

**ラップ**〔lap〕①〈競技で〉走路の一周、水路の一往復などの、ひとくぎり。「―タイム(=ラップごとの所要時間)」②←ラップタイム。「最高の―を刻む」●**ラップトップ**〔laptop=ひざの上〕ひざの上で操作できるほどの大きさのパソコン。☞デスクトップ①。

**ラップ**〔米 rap=おしゃべり〕《音》リズムに乗って、おしゃべりふうに歌う音楽。「―音楽」☞ヒップホップ。●**ラップげんしょう**〔ラップ現象〕ほかに だれもいない家の中で、不自然な音が聞こえる超常(ちょうじょう)現象。

**ラップ**《名・他サ》〔wrap〕①食品などをつつむフィルム。また、それで つつむこと。「―をかける」②巻きつけること。「―スカート(=巻きスカート)」③トルティーヤなどのうすい皮で具を巻いたサンドイッチ。「チキン―」

**ラッフル**〔ruffle〕《服》少し はばの広いフリル。

**らつわん**〔辣腕〕《名・ダナ》〔文〕〈事務などを処理する〉すごいうでまえ。すごうで。「―家・―をふるう」

**ラテ**〔イ latte=ミルク〕①←カフェラテ。②〈温かい〉ミルクを加えた飲み物。「アイス―」☞オレ。「キャラメル―・ティー―」

**ラテ** ←ラジオ・テレビ。「〔新聞の〕―欄(らん)」

**ラテアート**〔latte art〕コーヒーの表面に、泡(あわ)立てたミルクをそそぎこみながら、模様や絵をかくもの。

**ラティーノ**〔Latino〕⇩ヒスパニック。〔アメリカのカリフォルニア州などで用いられる〕

**ラティス**〔lattice〕角材を格子(こうし)状・ななめ格子状などに組んだもの。園芸で間仕切りやフェンスとして使う。☞トレリス。

**ラディッシュ**〔radish〕根の外がわが赤くて小形の、まるいダイコン。はつかだいこん。ラディシュ。ラレシ。

**ラテン**〔オ Latijn〕①←ラテン語。「―数字(=ローマ数字)」②《音》←ラテン音楽。「―ナンバー」③←ラテン文字。「中国語の―化運動」④ヨーロッパの主として南西部に住む民族。例、イタリア人・フランス人・スペイン人・ポルトガル人など。⑤「ラテン④」を思わせる、明るい性格。「―系・―気質」表記「△拉丁・△羅甸」は、古い音訳字。●**ラテンアメリカ**〔Latin America〕ラテン系言語(=スペイン語・ポルトガル語)を公用語とする、中南米の呼び名。●**ラテンおんがく**〔ラテン音楽〕《音》中南米の音楽。ラテン。例、タンゴ・サンバ・マンボ・ボサノバ。●**ラテンご**〔ラテン語〕古代ローマで用いられた言語。今のイタリア語などの先祖にあたることば。☞学名①。●**ラテンもじ**〔ラテン文字〕⇩ローマ字①。

**らでん**〔×螺×鈿〕貝がらの、真珠(しんじゅ)色に光る部分をうすく切り、漆器(しっき)などに はめこみ、かざりとしたもの。

**ラトル**〔rattle〕⇩がらがら■①。

**ラドン**〔radon〕《理》空中にごくわずかにある天然放射性気体〔元素記号 Rn〕。ラジウムなどの原子核(げんしかく)の崩壊(ほうかい)で生じる。「―温泉」

**ラナンキュラス**〔ラ ranunculus〕春の草花の名。うすい花びらが何重にもふんわりと重なってさく。色はピンク・白・黄色など。

**ラニーニャ**〔ス La Niña=女の子〕太平洋東部の赤道付近の海水温度が低くなる現象。日本では寒い冬になるなどの影響(えいきょう)の出る場合がある。ラニーニャ現象。☞エルニーニョ。

**らぬきことば**〔ら抜き〔言葉〕〕《言》上一段・下一段の動詞に、可能の助動詞「られる」の代わりに「れる」をつけた言い方。気楽な話しことばなどで あらわれる。例、見れる(←見られる)・出れる(←出られる)。〔「来る」を「来(こ)れる」と言うのも、広く「ら抜きことば」に ふくまれるが、一般(いっぱん)化の度合いが より高く、カ変動詞の可能形とも言える〕☞「れる③」の ✓(3)。

**ラノベ** ←ライトノベル。

**ラノリン**〔ド Lanolin〕《理》羊毛にふくまれる、ろうのようなやわらかい成分。青みのある白色で、けしょう品や革(かわ)の手入れに使う。羊毛脂(し)。

**らば**〔×騾馬〕雌(めす)の馬と雄(おす)のロバとの間にできたけもの。からだは じょうぶで、力がある。

**らば** ◇「たら(↑た)」「なら(↑だ)」などに、接続助詞「ば」がついたものの一部。「着いた―電話します・いやな―やめなさい」☞ば■。

**ラバ**〔イ lava〕《地》溶岩(ようがん)。

**ラバー**〔rubber〕ゴム。「フォーム―」●**ラバーセメント**〔rubber cement〕ゴムとゴムをくっつける接着剤(ざい)。●**ラバーソール**〔rubber sole〕〈厚い〉ゴム底(ぞこ)(の革(かわ)ぐつ)。

**ラビオリ**〔イ ravioli〕二枚の皮の間に ひき肉や野菜のみじん切りなどを入れ、ギョーザふうに作ったイタリアの料理。「ホウレンソウとチーズの―」

**ラピスラズリ**〔lapis lazuli〕《鉱》⇩瑠璃(るり)①。

**ラビット**〔rabbit〕①うさぎ(の毛皮)。「―ファー」②⇩ペースメーカー①。

**ラビリンス**〔labyrinth〕迷宮(めいきゅう)。迷路。

**らふ**〔裸婦〕〈美術など〉はだかの女性。裸女(らじょ)。「―像」

☆**ラフ**〔rough〕■《ダナ》①〔服装について〕気どらず、くだけたようす。「ノーネクタイの―なスタイル」②大ざっぱなようす。「―な案」③乱暴なようす。「―プレー」派―さ。
□二 ①〔ゴルフ〕フェアウェイなどを除いた、雑草の しげった区域。(↔フェアウェイ) ②平らでない道。③印刷用の版下を作る前の、大ざっぱなデザイン・絵など。「―画」

**ラブ**《名・自サ》[love] ①愛。愛情。②恋愛(の神)。「フォーリン―(=恋に落ちる)」③〔テニス・バドミントン・卓球など〕零点。「―ゲーム(=一方が零点で終わったゲーム)」

**ラブコール**[和製 love call] ①好きな人への電話。②相手の能力を見こんで、熱心にさそうこと。「熱烈な―を受ける」

**ラブコメ** ↑ラブコメディ(ー)。

**ラブコメディ(ー)**[和製 love comedy] 恋愛をテーマとしたコメディーふうのドラマ・映画・漫画など。ラブコメ。

**ラブシーン**[love scene]〔映画・演劇〕恋人どうしが、愛をささやいたりする場面。

**ラプソディ(ー)**[rhapsody]〔音〕⇩狂詩曲。

**ラフティング**[rafting] 大型のゴムボートで急流を下るスポーツ。

**らふてー**[ラフテー] 沖縄の、ブタの角煮。ラフティー。「―そば・泡盛と黒糖で―を作る」

**ラブホテル**[和製 love hotel] カップルが休んだり、とまったりするホテル。ラブホ〔俗〕。

**ラブラドルレトリ(ー)バー**[Labrador retriever] イギリス原産の大形の犬。耳はたれ、からだは短い毛でもこもこしている。おとなしく、補助犬に向く。ラブラドール レトリ(ー)バー。ラブラド(ー)ル。

**ラブラブ** ラブラブ《名・ナダ》・ラブラブ《自サ》[ラブ=love]〔俗〕恋人どうしがなかよくする〈ようす/こと〉。あつあつ。「彼氏と―だね」

**ラフランス**[フ La France=フランス国] 洋ナシの品種。実は黄緑色で、やわらかくて かおりがよく、あまい。

**ラブリー**《ナダ》[lovely] かわいらしいようす。すてきだ。「―なスカーフ」

**ラブレター**[love letter] 恋いしたう心を打ち明けた手紙。恋文。艶書。

**ラベリング**《名・他サ》[labeling; labelling] ①ラベルをはること。②名前をつけて分類すること。③評価すること。レッテルをはること。

**ラベル**[label] 説明などを書いて、入れものなどに はる、紙のふだ。レッテル。レーベル。

**ラペル**[lapel]〔服〕上着の、折り返した襟。●**ラペルピン**[lapel pin] ジャケットの襟につける、かざりのピン。

**らへん**[ラ変]〔言〕↑ラ行変格活用。

**らへん**[ら(辺)]〔造〕〔俗〕その周辺。そのあたり。辺。「銀座―・最後―」[「ここらへん」などの「らへん」を取り出したことば]

**ラベンダー**[lavender] 草花の名。初夏、くきの上のほうに、小さなうすむらさき色の花がびっしりつく。香料に使う。「―色・いちめんの―畑」

**ラボ**[↑ラボラトリー(laboratory)] ①研究所。②研究室。実験室。③現像所。「カラー―」④[↑ランゲージラボラトリー]⇩エルエル(LL)①。

**らほつ**[螺髪]〔仏〕如来像の頭部にある、うず巻き状の髪。三十二相と呼ばれる仏の姿の特徴の一つ。

**ラマ**[チベット blama] チベット仏教の高僧。ラマ僧。表記「喇嘛」は、古い音訳字。

**ラマ**[llama] ⇩リャマ(llama)。

**ラマーズほう**[ラマーズ法][Lamaze=フランスの医師]〔医〕呼吸とリラックスの訓練をおこない、夫も立ち会って、痛みをやわらげつつ出産する方法。

**ラマきょう**[ラマ教]「チベット仏教」の通称。

**ラマダン**[Ramadan] イスラム暦の九月。イスラム教徒が、この月の日中に断食をする。断食月。ラマダーン。[トルコ語ではラマザン]

**ラミー**[ramie] じょうぶな繊維のとれる、大形のカラムシ。また、その繊維。漁網・ロープ・織物用。

**ラミネート**《名・自他サ》[laminate] ①うすい板などをはりあわせること。「―スキー」②プラスチックなどの、うすい膜をかぶせること。「―加工・―チューブ」☞パウチ□二。

**らむ**《助動四型》〔文〕⇩らん。

**ラム**[RAM][↑random access memory]〔情〕再書きこみ可能な記憶装置。☞ROM。

**ラム**[lamb] ①生後一年までの子羊の肉。「―チョップ・―ステーキ」「マトン」に比べ、肉質がやわらかく、くさみがない。☞マトン。②子羊(の羊毛)。「―ウールのセーター」

**ラム**[rum] サトウキビの糖みつを発酵させて蒸留した、強い酒。ラム酒。[西インド諸島で発祥]「―コーク(=ラムをコーラで割ったカクテル)」☞スピリッツ①。

**ラムサールじょうやく**[ラムサール条約][Ramsar=イランの地名] 水鳥の生息地として国際的に重要な湿地を保護しようとする条約。[一九七五年に発効。釧路湿原などが登録地]

**ラムネ**[↑lemonade] ①炭酸水に砂糖・香料などを加えた飲み物。口にガラス玉をはめたびんにつめる。☞サイダー・レモネード。②[↑ラムネ菓子] コーンスターチに砂糖とクエン酸を混ぜ、つぶ状に乾燥させたもの。

**ラメ**[フ lamé] ①織物に織りこんで光らせる、金属はく(箔)や糸。「―入り・―糸(=金糸・銀糸)」②けしょうの仕上げに、目のまわりなどに部分的に散らす、金色や銀色の、目のあらい粉。

**ララバイ**[lullaby] 子守り歌。

**ラリー**[rally] ①〔テニス・卓球・バレーボールなど〕ボールの打ち合い。②公道を走る自動車レース。「モンテカルロ―」[「ダカールラリー」など、荒野を走るラリーレイドもある]

**らり・る**[ラリる]《自五》〔俗〕睡眠薬や麻薬などによって、〈舌が回らなくなる/ふらふらする〉。

**ら・る**《助動下二型》〔文〕助動詞「られる」の文語形。「委員を命ぜ―」

**ラルゴ**[イ largo]〔音〕きわめてゆっくりと。毎分四〇～五〇拍程度。

☆☆**られつ**[羅列]《名・自他サ》つらなり ならぶこと。ならべたてること。「単なることばの―にすぎない」

**ら・れる《助動下一型》[上一段・下一段・カ変、および、「発する」「達する」など一部のサ変動詞につく]⇩

れる。「人に見ー・もう食べられません・声が発せー」〔「発表せー」「達成せー」など一般のサ変動詞につくのは文章語的〕☞せる⑥。

**ラワン**〔マレー lauan〕東南アジアにはえる背の高い木。木材はうす茶色などで、家具・器具などに使う。

**らん**【乱】■**らん**〔文〕①みだれること。「ーにおよぶ・治に居てーを忘れず〔⇩「治」の句〕」②戦争。騒動。内乱。「応仁のー」■遣①動きのはげしい。「ー高下」②乱暴な。めちゃくちゃな。「ー開発」

**らん**【卵】①〔文〕たまご。②《生》卵子。「受精(した)ー」

**らん**■【(×蘭)】はち植えにする草花の名。葉は多くは細長く、花は、多くはチョウ(蝶)形。■【×蘭】↑オランダ(和蘭)。「ー医〔=オランダ医学の医師〕・ー語・ー書〔=オランダ語で書いた本〕」

**らん**【欄】①〔ある内容を書くための〕〈決められた/囲まれた〉場所。「氏名ー」②新聞・雑誌などの記事の種類の区分。「文芸ーとスポーツー」

**ら・ん**《助動四型》〔文〕〔推量の助動詞〕現在のことについての推量をあらわす。…(の)だろう。「花散るー」✎「らむ→らん」と変化したため、文語文では「らむ」とも書く〔発音は「ラン」〕。

**ラン**【LAN】〔←local area network〕《情》企業内・家庭内など、せまい範囲での、コンピューターを使った情報ネットワーク。☞無線LAN。

**ラン**〔run〕■①走ること。走。「オーバーー・ラストー」②《映画・演劇》興行が続くこと。「ロングー」③《野球》得点。「ツーー〔=二点〕ホームラン・ノーヒットノーー」④《ゴルフ》ボールが着地してから、芝の上を走る距離。(↔キャリー)■《名・自サ》〔くつ下の〕伝線。「ストッキングのーどめ」

**ランウエイ**〔runway〕①飛行場の滑走路。②⇩キャットウォーク②。

**らんうん**【乱雲】①〔文〕みだれ飛ぶ雲。②《天》「乱層雲」の旧称。

**らんえき**【卵液】《料》(味つけをした)ときたまご。☞液卵。

**らんおう**【卵黄】〔たまごの中で〕きいろの部分。脂肪・たんぱく質などの栄養分が多い。黄身。「ー色」(↔卵白)

**らんがい**【欄外】「欄①」のそと。「ーの注」(↔欄内)

**らんかく**【卵殻】《生》たまごの から。

**らんかく**【乱獲・濫獲】《名・他サ》〔文〕けものや さかななどをやたらに とること。「ーを禁じる」

**らんがく**【×蘭学】江戸時代の中期以降に日本で研究した、オランダの〈学問/語学〉。「ー者」

**らんかん**【卵管】《生》卵巣と子宮をつなぐくだ。受精は、卵管の中でおこなわれる。輸卵管。「ー結紮手術〔=女性の不妊手術〕」

**らんかん**【欄干】橋や縁側などのふちに取りつけた横木。てすり。

**らんき**【嵐気】〔文〕山の中にたつ もや。

**らんぎく**【乱菊】花びらを長くして入りみだれたようにさかせた、キクの花(の模様)。

**らんぎょう**【乱行】〔文〕〈みだれた/ふしだらな〉おこない。らんこう。「花見客のー・だいぶごーだね」

**らんぎり**【乱切り】《料》形をそろえないで切ること。「キュウリのー」

**らんきりゅう**【乱気流】《天》はげしく不規則に動く気流。航空機事故を起こしやすい。

☆☆**ランキング**《名・自他サ》〔ranking〕順位。格づけ。「世界ー・上位にー入りした・ベストスリーにーされる」

☆☆**ランク**《名・自他サ》〔rank〕順序・等級。格づけ。等級をつけてならべること。また、その順序・等級。格づけ。「第一位にーする・ーづけ・第一ー・三位にー〈入り/イン〉した」

**らんぐい**【乱(×杙)・乱(×杭)】ふぞろいに打ちこんだくい。●**らんぐいば**【乱(×杙)歯】ふぞろいな歯。

**らんくつ**【乱掘・濫掘】《名・他サ》〔文〕鉱山などを計画もなしに、むやみに ほること。

**ラングドシャ**〔フ langue de chat=ネコの舌〕軽い食感の うすいクッキー。円・四角・筒形などがある。

**らんぐん**【乱軍】〔文〕乱戦。

**らんげき**【乱撃】《名・他サ》めちゃくちゃに、はげしく撃つこと。「乱射ー」

**らんこう**【乱交】《名・自サ》相手かまわず、性的にまじわること。「ーパーティー」

**らんこうげ**【乱高下】《名・自サ》①《経》相場が急激に上がり下がりすること。「株価のー」②はげしく上がり下がりすること。「気温がーする」

**らんごく**【乱国】〔文〕みだれておさまらない国。

**らんこん**【乱婚】〔動物が〕決まった相手とではなく、だれとでも子作りをすること。

**らんさく**【乱作・濫作】《名・他サ》〔文〕やたらに多く作ること。

**らんざつ**【乱雑】《名・ナダ》入りまじること。みだれて秩序がないこと。「ーな室内・ーに積む」派ーさ。

**らんし**【乱視】《医》目の水晶体の屈折が正しくないために、ものがはっきり見えない状態(の目)。

**らんし**【卵子】《生》女性の生殖細胞。☞精子。

**ランジェリー**〔フ lingerie〕《服》女性の、おしゃれ用の下着。スリップ・ペチコートなど。ランジュ。☞ファウンデーション①。

**らんししょく**【藍紫色】〔文〕藍色をおびた むらさき色。

**らんしゃ**【乱射】《名・他サ》〔銃などを〕めちゃくちゃにうつこと。「ピストルー事件」

**らんじゃ**【(×蘭×麝)】〔=ランの花とじゃこうの香〕〔文〕いいかおりの たとえ。「ーのかおり」

**らんじゅく**【×爛熟】《名・自サ》〔文〕①熟しすぎ(てただれ)ること。②ものごとが、極度に発達・成熟すること。「ーした文化」

**らんじゅほうしょう**【藍×綬褒章】発明や社会事業などを通して社会生活の改善につくした人に国があたえる、藍色のリボンのついた記章。

**らんしょう**【濫×觴】〔=觴を濫べる〕〔文〕はじまり。みなもと。起源。由来 長江のような大河も、水源は さかずきをうかべるくらいの小さな流れであることから。

**らんしん**【乱臣】〔文〕反乱をくわだてた臣下。●**らんしんぞくし**【乱臣賊子】乱臣と、親にさからう子。

**らんしん**【乱心】《名・自サ》〔文〕精神が正常でなくなること。また、その状態。

こと。

**らんしんらんりょう**［乱診乱療］〔健康保険制度を悪用して〕不必要な注射・治療などをやたらにすること。

**らんすい**［乱酔］《名・自サ》〔文〕だらしなく酔ようこと。

**らんすう**［乱数］《数》無作為にえらばれ、まったく不規則にならべられた、ひとそろいの数字。「暗号に―を使用する・―表」

**ランスルー**〔run-through〕《放送》本番どおりの手順で、カメラも使っておこなう、直前のリハーサル。通しリハ(ーサル)。☞カメラリハーサル。

**らんせ**［乱世］〔文〕⇩らんせい(乱世)。

**らんせい**［乱世］〔文〕秩序がなく みだれた世の中。いくさの世。らんせ。「―の英雄」(↕治世)

**らんせい**［卵生］《名・自サ》《動》たまご、または「卵②」の細胞の形で うまれること。鳥・魚など。(↕胎生)

**らんせん**［乱戦］①敵味方の入りみだれた戦い。乱軍。②《野球・サッカーなど》点の取り合いが続く はげしい試合。

**らんそ**［乱訴］《名・自サ》むやみに多く裁判を起こすこと。

**らんそう**［卵巣］《生》子宮の外がわにあって、卵子を作る、内臓。「―ホルモン」 ●**らんそう のうしゅ**［卵巣(×嚢)腫］《医》卵巣にできる、こぶのような はれもの。中に水のようなものがたまる。多くは悪性でない。

**らんそう**［(藍藻)］《生》葉緑体を持たないが光合成をおこなう、青緑色の細菌。藍色細菌。シアノバクテリア(cyanobacteria)。

**らんぞう**［乱造・濫造］《名・他サ》〔文〕やたらに つくること。「粗製―」

**らんそううん**［乱層雲］《天》低い空に広がる、暗い雲。雨や雪を降らせる。あまぐも。〔「乱雲」の新しい呼び名〕

**らんだ**［乱打］《名・他サ》①不規則に、はげしく打つこと。「警鐘を―する」②《野球》相手投手を打ちこむこと。また、たがいに打ち合うこと。「―戦」③《バレーボール・テニスなど》試合の前にボールを打ち合うこと。

**らんだ**［×懶惰］《名・ナダ》〔文〕なまけて、仕事などをしないこと。怠惰。

**らんたいせい**［卵胎生］《動》おなかの中で たまごをかえして、うむこと。マムシ・グッピーなど。

☆☆**ランダム**《名・ナダ》〔random〕①手当たりしだい。思いつくまま。任意。「―に例をあげる」②《数》⇩無作為。「―に選ぶ・―方式」▽アトランダム。 ●**ランダム サンプリング**〔random sampling〕〔統計調査で〕その調査の結果から全体のありさまを正しく推定できるよう、主観による選択などをせずに標本をぬき取ること。

**ランタン**〔lantern〕①角灯。手さげランプ。②中国ちょうちん。「祭りで―をたくさん ともす」

**ランチ**〔launch〕①〔軍艦などに積む〕連絡用の小型の船。②港湾内で使用されるモーターボート。☞ローンチ。

**ランチ**《名・自サ》〔lunch〕①簡単な(盛り合わせの)洋風定食。「A―・きょうの―〔=サービスランチ〕」②昼食。「―タイム・こんど―しませんか」 ●**ランチ ミーティング**〔lunch meeting〕昼食をとりながらおこなう会合・打ち合わせ。

**らんちき**［(乱:痴気)］《名・ナダ》正気と思われないほど、さわいで乱れること。「―さわぎ」 由来「乱」を、かね(鉦)の音の「ちゃんちき」のように言ったもの。

**ランチャー**〔launcher〕〔ミサイル・宇宙船などの〕発射台。「ロケット―」

**らんちゅう**［(×蘭鋳)］キンギョの一種。からだは まるくふくれていて背びれがなく、黄金色。頭部は こぶで盛りあがっている。

**らんちょう**［乱丁］本のページの順序をちがえて とじてあること。とじちがえ。「落丁や―のある本」

**らんちょう**［乱調］①調子が みだれること。「先発投手の―で四失点」②わざと決まりを外した俳句や短歌。③《経》相場で、値段の動きが はげしくて おちつかないこと。▽乱調子。

**らんちょうし**［乱調子］⇩乱調。

**ランチョン**〔luncheon〕昼食に食べる、簡単な ひと皿料理。「―マット〔=食卓で、ひとりひとりの食器を置くための、小さな敷物〕」 ●**ランチョン ミート**〔luncheon meat〕細かく練りあげた肉に調味料などを加えて かんづめにしたもの。ポーク。

**ランディング**《名・自サ》〔landing〕①〔飛行機の〕着陸。「ソフト―」②〔高とび・スキーのジャンプなどの〕着地。

**ランデブー**《名・自サ》〔フ rendez-vous〕①〔古風〕恋人どうしが約束して会うこと。デート。②人工衛星や宇宙船が、宇宙空間で出あうこと。

**ランド** 造〔land〕①国。「動物―」②遊園地などの施設の名前につけることば。「ファミリー―・健康―」 ●**ランド スケープ**〔landscape〕景色。風景。「―デザイン」 ●☆☆**ランド マーク**〔landmark=目じるし〕塔や高層ビル、広場など、その地域を特徴づける建造物。例、東京スカイツリー。

**らんとう**［乱闘］《名・自サ》〈敵味方/対立する者どうし〉が入りみだれて争うこと。

**らんとうば**［卵塔場・×蘭塔場］〔卵塔=卵形の墓石〕《仏》墓場。墓地。

**らんどく**［乱読・濫読］《名・他サ》書物などを手当たりしだいに読むこと。「文庫本を―する」

**ランドセル**〔↑オ ransel(ランセル)=背嚢〕小学生などが学用品を入れて せおう かばん。

**らんどり**［乱取り］《柔道》ふたり ひと組みで自由にいろいろな わざで おこなう練習。

**ランドリー**〔laundry〕①クリーニング店。☞コインランドリー。②洗濯機を置く部屋。

**ランナー**〔runner〕①《陸上・野球》走者。②カーテンレールに はめて、カーテンをすべらせるための、小さな車。 ●**ランナーズ ハイ**〔runner's high〕マラソンなど、長距離を走っている途中で、苦しさがなくなり、心地よい気分になる現象。

**らんない**［欄内］「欄①」のうち。「指定の―に書くこと」(↕欄外)

**らんにゅう**［乱入］《名・自サ》乱暴に おしいること。〔多く、おおぜいの場合に言う〕「観客が場内に―する・銀行に男が―」

**ランニング**〔running〕一 ①走ること。かけあし。「―

ら

マシン」②〔↑ランニング シャツ〕〔競技のときなどに着る〕そでのないシャツ。また、そういう形の はだぎ。㊁《名・他サ》運営。運転。「会社の—」●ランニングキャッチ《名・他サ》〔running catch〕『野球』大飛球などを、走りながら、つかむこと。●☆ランニングコスト〔和製 running cost〕①『経』企業の経営維持にかかる費用。運転資金。(↔イニシャル コスト) ②機械や施設の維持にかかる費用。●ランニングホームラン〔和製 running home run〕『野球』外野手がボールを追っている間に走ってホームランにすること。ランニング本塁打。ランニングホーマー。

**らんばい**【乱売】《名・他サ》むやみに〔安く〕売ること。

**らんぱく**【卵白】たまごの しろみ。(↔卵黄)

**らんばつ**【乱伐・濫伐】《名・他サ》〔文〕むやみに山林の木を切ること。「森林の—」

**らんぱつ**【乱発・濫発】《名・他サ》①むやみに発すること。「だじゃれを—する」②むやみに〈起こす/出す〉こと。「訴訟—・紙幣—」

**ランパン**〔↑ランニング パンツ〕競走のときに はくパンツ。

**らんはんしゃ**【乱反射】《名・自他サ》『理』表面がなめらかでない物体に光線があたって、いろいろの方向に反射すること。

**らんぴ**【乱費・濫費】《名・他サ》〔文〕むやみにお金を使うこと。むだづかい。

**らんぴつ**【乱筆】〔文〕みだれた筆跡。〔手紙の終わりに書くけんそんのことば〕「—ごめんください」

**らんぶ**【乱舞】《名・自サ》〔文〕入り乱れてはげしくおどること。「光の—・狂喜—」

**ランプ**〔オ lamp〕①石油を燃料とする、西洋ふうのともし火。②あかり。電灯。「ヘッド—・—シェード」表記「:洋灯」とも書いた。

**ランプ**〔ramp=傾斜した道路・通路〕急な坂になっている、高速道路の出入り口(用の道路)。斜路。ランプウェイ。

**ランプ**〔rump〕①牛肉で、サーロインよりもしりに近い、やわらかい赤身の肉。「—ステーキ」②豚肉で、ロースとももの間にある、希少な部分。

**らんぶん**【乱文】〔文〕文脈などのみだれた、意味のとおらない文章。〔手紙などの終わりに書くけんそんのことば〕「乱筆—をお許しください」

**らんぼう**【乱暴】㊀《名・自サ・ナダ》①あらあらしくものごとをするようす。てあら。「—に置く」(↔丁寧) ②たたく・なぐる・けるなどの ふるまい(をすること)。また、すぐにそんなふるまいをするようす。「—をはたらく・教師に—する・—狼藉・—な男」③ものごとの筋道が立っていないようす。「—な議論」派—さ。㊁《名・自他サ》「強姦」の婉曲な言い方。「女性〈を/に〉—する」

**らんぽう**【×蘭方】江戸時代のオランダ医術。〔それまでの「漢方」と区別して、こう呼んだ〕「—医」

**らんま**【乱麻】〔=みだれたアサ〕〔文〕こんがらがったものごと。「快刀—を断つ〔⇒「快刀」の句〕」

**らんま**【欄間】天井と〈かもい/なげし〉のあいだに作った空間。格子やかざり板をはめこむ。

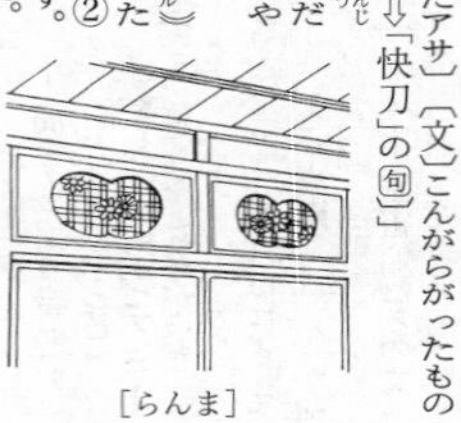

［らんま］

**らんまん**【×爛漫】《トタル》〔文〕①花がさきみだれたようす。「桜花—」②うちから あふれ出るようす。「天真—・春—」派—さ。

**らんみゃく**【乱脈】《名・ナダ》筋道が立たず、めちゃくちゃにみだれたこと。乱雑。「—な経理・—経営」派—さ。

**らんよう**【乱用・濫用】《名・他サ》程度をこして むやみに使うこと。「職権—」

**らんらん**【×爛々】《トタル》〔目が〕ぎらぎら かがやくようす。「—たる眼光」

☆**らんりつ**【乱立・濫立】《名・自サ》〔文〕①〈乱雑に/やたらに〉立ちならぶこと。「ビルの—」②〔選挙で〕多くの人がむやみに候補者として立つこと。

**らんりゅう**【乱流】《名・自他サ》①はげしく みだれて流れること。②『理』流体の速度や圧力が不規則に変動する流れ。「空気の—が発生する」

**らんりん**【乱倫】《名・ナダ》〔文〕人の道に外れた おこない。みだれた性的関係。

**らんる**【×襤×褸】〔文〕ぼろ。「—をまとう」

## り　リ

**り**【利】〔文〕①有利なこと。都合がいいこと。「地の—・こちらに—がある」②利益。もうけ。「—にさとい・—を得る」③利子。利息。「—が—を生む」●利あらず 句〔文〕有利に進まない。勝ち目がない。「時〈と〉—〔=しかける時期がよくなかった〕」

**り**【里】距離の単位。一里は三六町〔=約三・九キロ〕。

**り**【理】①〔文〕法則。原理。「これは自然の—というものだ」②道理。りくつ。「ぬすびとにも三分の—・—にかなう・—を尽くす」(↔情) ③ⓐ↑理学部。ⓑ自然科学〔=理科〕。「文—融合」(↔文) ④〔学〕↑理科。「英、数、国、社、—」⑤↑理事会。「安保—」●理の当然。●理が非でも 句 ぜひとも。●理に落ちる 句 理屈っぽくなる。「話が—」

**り《助動ラ型》〔文〕〔完了の助動詞〕①過去の動作・作用の結果が今まで残っていることをあらわす。…た。「我勝て—」②…ている。「富める人」〔「る」は「り」の連体形。☞る㊁〕

**り**【離】造〔文〕滞在していた所をはなれて、立ち去ること。「—日・—米」

**り**【吏】造〔文〕役人。「税関—」

**り**【裏・×裡】造〔文〕…のうち。…の状態のまま。「暗々—に・秘密—に脱出する・成功—に終わる」

**リア**【—】〔rear〕①うしろがわ。後部。「スマホの—カバー」②特に、乗り物の後部。「—ウインドウ・—シート〔=後部座席〕・—ドライブ〔=後輪駆動〕」(↔フロント) ▽リヤ(—)。

☆☆**リアクション**《名・自サ》〔reaction〕発言や行動に対する反応。「オーバー—・—に困る質問・—ペーパー〔=講義の感想や質問を記す紙。俗に『リアペ』とも〕」

**りあげ**【利上げ】《名・自サ》『経』利息・利率を引き上げること。(↔利下げ)

**リアじゅう**【リア充】《名・ナダ》(↑「リアル④」が充実)〔俗〕恋人がいたりして、インターネット上とは別に、実生活が充実している〈こと/人〉。〔二〇〇九年ごろからのことば」

**リアスかいがん**【リアス海岸】〔rias〕《地》みさきと入り江が、のこぎりの歯のように入り組んだ海岸。リアス式海岸。例、南三陸や伊勢・志摩の海岸。

**リアタイ**《名・他サ》〔←リアル タイム〕テレビやネット放送を〔録画ではなく〕実際の放送時間に見ること。

**リアリスティック**《ナダ》〔realistic〕①現実的であるようす。「―な考え方」②写実的で、なまなましいようす。「―な描写」

**リアリスト**〔realist〕①ものごとを現実的に考える〔主義の〕人。「かれは―だ」②〔芸術で〕リアリズムの立場に立つ人。

**リアリズム**〔realism〕①理想よりも現実を重んじる考え方。現実主義。実際主義。②〔芸術で〕現実をありのままに あらわそうとする立場。写実主義。▽レアリスム。

☆☆**リアリティ(ー)**〔reality〕現実が よくあらわれていること。真実味。現実感。「―に富む〔=いかにも本当らしい感じの〕作品」

☆☆**リアル**《名・ナダ》〔real〕①ありのまま。自然のまま。「若者の―な声を聞く」②現実をよくとらえているようす。写実的。「―な映像・―な質感」③現実的。実際的。「―な判断」④〔仮想ではなく〕現実〈に/で〉あるようす。また、現実。「―な世界・―〔=現実の生活〕が充実している・―書店・―の〔=オンラインでない、対面での〕講義・〔会話で〕その話、―〔=本当〕?」⑤〔―に〕〔俗〕非常に。本当に。「―に頭が痛い・―に わからん」▽④⑤は二十一世紀になって広まった用法。派-さ。

●☆☆**リアルタイム**〔real time=実時間〕〔録画などのように間を置かず〕同時。即時。「情報を―で共有する・動画を―〔⇒リアタイ〕で視聴する」

**リーガル**《ナダ》〔legal〕①法律に関するようす。「―サスペンス」②法的に正当。合法的。「―な判断」〔↔イリーガル(illegal)〕

**リーキ**〔leek〕ネギの一種。長ネギより ずんぐりしている。西洋ねぎ。にらねぎ。ポロねぎ。ポワロ(フ poireau)。リーク。

☆☆**リーク**《名・自他サ》〔leak〕①もれること。「―電流」②第三者に情報をもらすこと。「マスコミに―する」

**リーグ**〔league〕①同盟。連盟。「セントラル―」②↑リーグ戦。「決勝―・―優勝」●**リーグせん**【リーグ戦】参加者の間でおこなわれる、総当たり方式の対戦。リーグ。「六大学―」〔↔トーナメント〕

**リース**〔wreath〕木の つるなどを輪の形に作り、ドライフラワーなどをとめつけて、かべ・ドアなどにかざる花輪。「クリスマス―」

**リース**《名・他サ》〔lease〕〔機械・設備・建物などの〕長期の賃貸し。「―アップ〔=リースの契約期間の満了〕」☞レンタル。

☆☆**リーズナブル**《ナダ》〔reasonable〕①〔値段が〕納得できるほど安いようす。手ごろ。「―な価格」②合理的で、納得できるようす。「―な結論」▽英語では②が基本的な意味。

**リーゼント**〔regent〕男性の髪型の一種。前髪を高くして うしろへそらせ、横の毛をなでつける。リージェント。「―スタイル」

**リーダー**〔leader〕①指導者。「クラブ活動の―」②カメラ用フィルム・録音テープなどを引き出すための、先の部分。③《印刷》点線。「三点―」④《釣り》はりす。●☆☆**リーダーシップ**〔leadership〕①指導者としての地位。指導的地位。指揮権。「―をとる」②指導力。「―に欠ける」

**リーダー**〔reader〕①外国語の文章をおさめた教科書。「英語の―」②読み取り装置。「バーコード―」③《情》ファイルの内容を表示させて読むための専用ソフトウエア。「PDF―」

**リーチ**《名・自サ》〔中国 立直〕①実現までにあと少しの段階になること。王手。「優勝に―がかかる」②〔①の由来〕《マージャン》テンパイの宣言。「―をかける」

**リーチ**《名・自サ》〔reach〕①〔ボクシングなど〕相手まで届く、うでの長さ。「―が長い」②〔サッカーなど〕手足の長さ。③〔テニスなど〕ラケットの届く範囲。④情報などの到達の範囲。「広告の―を広げる」

**リーディング**〔reading〕①〔英文などの〕読解。「―の教育」②読書。「―ルーム・―グラス〔=老眼鏡〕」③朗読。「戯曲の―」

**リーディング** 題〔leading〕①首位の。「―ヒッター〔=首位打者〕・―ジョッキー〔=競馬の最多優勝騎手〕」②主導的な。「―カンパニー〔=主導的な地位にある企業〕」

**リート**【REIT】〔←real estate investment trust〕《経》資金を不動産で運用する投資信託。

**リート**〔ド Lied=歌〕《音》ドイツ語による叙情的な歌曲。ドイツリート。リード。「―歌手」

**リード**〔ド Lied〕《音》⇒リート(ド Lied)。

**リード**〔reed〕《音》木管楽器・ハーモニカ・オルガンなどについている、空気をふきこむと ふるえて音を出すうすい板。簧。「―楽器」

**リード**《名・自他サ》〔lead〕①相手をうまく みちびくこと。「―のしかたがいい」②〈先頭/優位〉に立つこと。③〔試合で〕得点で相手にまさること。「一点―する」「―をたもつ・―をうばう」④《野球》ランナーが、走塁にそなえて、塁から少し はなれること。「―を取る」〔かけ声で「リー、リー」とも言う〕⑤〔新聞・雑誌などで〕見出しと本文の間に置く、本文の簡単なまとめ。「―文」〔テレビ・ラジオのニュースでは、最初に伝える、内容の簡単なまとめ〕⑥《音》メロディーを受け持つこと。「―シンガー・―ボーカル」〔↔サイド〕⑦〔犬・馬などの〕引き綱。●**リードオフマン**〔米 lead-off man〕①《野球》一番打者。先頭打者。②競技で、チームを引っぱっていく人。●**リードギター**〔lead guitar〕《音》おもなメロディーを受け持つギター(奏者)。〔↔サイドギター〕●**リードせん**【リード線】電気の引きこみ線。導線。

**リーフ**〔leaf〕①葉。「―パイ〔=葉の形のパイ〕」②↑ルーズリーフ。③↑リーフレット。●**リーフレット**〔leaflet〕一枚の紙を折りたたんだ形の〔宣伝に使う〕印刷物。リーフ。☞パンフレット。

**リーマン**〔俗〕↑サラリーマン。

**リール**〔reel〕①釣りざおに取りつけて、釣り糸を巻き取るための道具。②録音テープやフィルムを巻き取るためのわく。③映画のフィルムの ひと巻き。

**リーレコ**〔↑リレコーディング(re-recording)〕《映画》収録された音声や音響を調整したり、フィルムに音を記録したりする〈こと/人〉。リレコ。「―作業」

りいん［吏員］〔古風〕(地方)公務員。「消防―・県庁の―」

リウマチ〔←オ rheumatisch〕《医》関節・筋肉が、こわばり痛む病気。リューマチ。ロイマチ(ス)(←ド Rheumatismus)。 •リウマチねつ［リウマチ熱］《医》かぜで扁桃や のどが はれたあとに起こりやすい病気。からだの ふしぶしが はれて痛み、心臓障害を起こす。多く子どもや青年が かかる。リウマチとは別の病気。

**りえき［利益］《名・自サ》①もうけ(ること)。得。「―金・―の配分」②得られるもの。ためになること。「おたがいの―をはかる・公共の―に反する・―代表」▽(↔損失)☞ご利益。 •りえきそうはん［利益相反］《法》同一〈人物/団体〉が かねる二つの立場の利害が、たがいに対立すること。例、団体の理事が、取引関係にある別の会社の取締役でもある場合。〔その人物は、両者の取引に かかわることはできない〕「―行為・―取引」 •りえきゆうどう［利益誘導］政治家や官僚が、ある地域や組織の利益になるように、公共事業などをもたらすこと。「地元への―」 •りえきりつ［利益率］《経》売上高または投下資本に対する利益の割合。

リエゾン《名・自サ》〔フ liaison=つながり〕①《言》〔フランス語などで〕前の単語の終わりと後ろの単語の初めに母音が来るとき、間に子音が加わること。連音。例、petit〔プチ=かわいい〕+ami〔アミ=彼氏〕→petit ami〔プチタミ〕。☞連声。②連携。「―オフィス〔=産学連携のための事務局〕」

リエット〔フ rillettes〕ブタなどの肉をラードでよく煮こんで ほぐし、ペースト状にした食品。パンにぬって食べる。☞レバーペースト。

りえん［△梨園］〔文〕歌舞伎俳優の社会。〔広く、演劇関係者の社会をさすこともある〕「―の名門」

りえん［離縁］《名・他サ》①〔古風〕夫婦の縁を切って、妻を去らせること。「女房を―する」✎昔、妻は「夫と離縁する」ではなく「夫と別れる」「夫に離縁してもらう」と言った。②《法》養子縁組の縁を切ること。 •りえんじょう［離縁状］昔、相手に離縁の理由を書いてわたしたもの。去り状。三下り半。

りか［×李下］〔文〕スモモの木の下。 •李下に冠を正さず(句)〔文〕〔李下で冠を直すと、実をぬすむように見えるので〕疑われやすい行動はするな。李下の冠。☞瓜田に履を納れず〔「瓜田」の(句)〕。

りか［理科］①自然科学についての一般的な知識を学習する教科。②〔大学で〕自然科学を研究する専門の分野。「―系」(↔文科)

リカー〔liquor〕蒸留酒。☞ホワイトリカー。

りかい［理会］《名・他サ》〔文〕深い道理を〈会得する/さとる〉こと。

**りかい［理解］《名・他サ》①〔ものごとの筋道や わけを〕考えて正しく知ること。わかること。「文章を―する・―に苦しむ・―力」②〔相手の気持ちなどを〕正しくくみ取って認めること。「だれもわたしを―してくれない・―のある親・―を示す」

りがい［利害］利益と損害。得失。「―が相反する・―を説く」 •りがいかんけい［利害関係］おたがいに利害が影響しあう関係。「―が からむ・―者」

りがい［理外］〔文〕理屈をこえていること。「―の理〔=ふつうの理屈では説明できない道理〕・《将棋》―の一手」

りかがく［理化学］物理学と化学。「―研究所」

りがく［理学］自然科学。「―部・―診療科〔=理学療法をおこなう部門〕」 •りがくりょうほう［理学療法］《医》リハビリテーションとして おこなう、マッサージ・温熱などの物理療法や、機能訓練・歩行訓練などの運動療法。 •りがくりょうほうし［理学療法士］からだの機能の回復のため、理学療法をおこなう専門家。PT〔←physical therapist〕。

りかつよう［利活用］《名・他サ》利用と活用。「バイオマスの―」

リカバー《名・他サ》〔recover〕回復すること。

リカバリー《名・他サ》〔recovery〕①失ったものを取りもどすこと。回復。②《ゴルフ》←リカバリーショット。 •リカバリーショット〔recovery shot〕《ゴルフ》ミスショットを回復するためのショット。リカバリー。

リカレントきょういく［リカレント教育］〔recurrent=回帰〕生涯にわたって、教育を受ける期間と仕事をする期間をくり返す方式の教育。仕事をしながら教育を受けることをふくむ場合もある。

りかん［×罹患］《名・自サ》《医》病気に かかること。「―率」

りかん［離艦］《名・自サ》乗組員などが、その軍艦をはなれること。

りかん［離間］《名・他サ》〔文〕おたがいの仲をさくこと。「―策」

りがん［離岸］《名・自サ》〔文〕①〔船が〕海岸・岸壁をはなれること。②海流が岸から沖に向かうこと。▽(↔接岸) •りがんりゅう［離岸流］《地》海岸から沖へ向かう、海水の強い流れ。はば十メートルほどの帯状に発生する。リップカレント(rip current)。みお。

りき［利器］①便利な〈器具/器械〉。「文明の―」②よく切れる刃物。(↔鈍器)

りき［力］㊀(造)〔あわせた〕ちから。「三人―」㊁りき〔俗〕ちから。「―が ある・―をいれる」

りきえい［力泳］《名・自サ》力いっぱい およぐこと。

りきえい［力詠］《名・自他サ》〔文〕力をこめて短歌・俳句の作品をよむこと。また、その作品。

りきえん［力演］《名・自他サ》力をこめて演じること。熱演。

りきがく［力学］①《理》物体の運動や、運動と力の関係について研究する学問。「流体―」②〔変化とつりあいを求めて〕その〈方面/組織〉にはたらく力。「選挙の―・派閥―」

りきかん［力感］〔文〕力がこもっている、という感じ。「―にあふれた作品」

りきさく［力作］力をこめて作った作品。

りきし［力士］すもうとり。

りきしょう［力唱］《名・自他サ》〔文〕力をこめてうたうこと。

りきせつ［力説］《名・他サ》力をこめて〈説明/主張〉すること。「くり返し―する」

りきせん［力戦］《名・自サ》力いっぱい戦うこと。力闘。「―むなしく」

**りきそう**[力×漕]《名・自サ》〔文〕〈ボートを〉力いっぱいこぐこと。

**りきそう**[力走]《名・自他サ》力いっぱい走ること。「公園内を―する」

**リキッド**〔liquid〕①液体。「―タイプ」②⇩ヘアリキッド。▽リクイド。

**りきてん**[力点]①主眼とするところ。力を入れる点。「英会話の練習に―をおく」②《理》てこで力を加える点。重点。(↕支点・作用点)

**りきとう**[力投]《名・自サ》《野球》投手が力をこめて投球すること。

**りきとう**[力闘]《名・自サ》〔文〕力戦。

**りきどう**[力動]〔文〕力強く動くこと。「―感」•**りきどうてき**[力動的]《ナダ》〔文〕ダイナミック。

**りきへん**[力編]〔文〕〈小説・映画などの〉力のこもった作品。

**りき・む**[力む]《自五》①〈必要以上に〉力を入れる。「顔をまっかにして―・力んでコントロールを乱した」②むきになって言う。「『自分が正しい』と力んでみせる」名力み。

**りきゅう**[利休]〔=茶人の千利休〕•**りきゅうあげ**[利休揚げ・利久揚げ]肉や魚介・野菜にゴマをまぶして揚げたもの。おでんなどに使う。•**りきゅういろ**[利休色]緑色をおびた灰色。•**りきゅうねずみ**[利休×鼠]緑色をおびたねずみ色。りきゅうねず。

**りきゅう**[離宮]〈皇居/王宮〉以外に作られた宮殿。「赤坂―」

**リキュール**〔フ liqueur〕蒸留酒などに香味料を加えて造った、あまくて強い洋酒。例、アブサン。

**りきょう**[離京]《名・自サ》〔文〕〈東京/みやこ〉をはなれること。

**りきょう**[離郷]《名・自サ》〔文〕ふるさとをはなれること。

**りきりょう**[力量]ものごとをなしとげることのできる能力の程度。「―がためされる」

**りく**[陸]①海や湖などにおおわれていない〈広い〉部分。おか。くが。陸地。(↕海)②↑陸軍。③↑陸上自衛隊。

**リグ**〔rig〕①油田を掘る装置。②〈船で〉帆などの装備。

**りくあげ**[陸揚げ]《名・他サ》船の荷物を陸上へあげること。揚陸。「サンマの―」

**りくい**[陸尉]《軍》陸上自衛官の階級の一つ。陸佐の下、准陸尉の上。(↕海尉・空尉)

**りぐい**[利食い・利×喰い]《名・自サ》《経》株の転売・買いもどしによって差額をもうけること。動利食う《他五》。

**りくうん**[陸運]陸上の運送。(↕海運)

**りくえい**[陸影]〔文〕海上遠くから見た陸地。

☆**リクエスト**〔request〕《名・他サ》①〔人に〕ほしいと希望すること。求め。「―に応じる・朝食に目玉焼きを―する」②特に、曲を希望すること。「―番組」

**りくかい**[陸海]①陸と海。海陸。②陸軍と海軍。陸上および海上自衛隊。•**りく・かい・くう**[陸海空]①陸と海と空。「―から攻撃する」②陸軍・海軍・空軍。陸上・海上・航空の各自衛隊。•**りくかいぐん**[陸海軍]陸軍と海軍。

**りくかぜ**[陸風]《天》⇩りくふう(陸風)。(↕海風)

**りくがめ**[陸亀]ゾウガメなど、陸にすむカメ。草食性で、からだの大きいものが多い。

**りくぐん**[陸軍]《軍》陸上の戦闘・防備にあたる軍隊。(↕海軍・空軍)

**りくさ**[陸佐]《軍》陸上自衛官の階級の一つ。陸将補の下、陸尉の上。(↕海佐・空佐)

**りくさん**[陸産]〔文〕陸上で産出すること。「―貝類・―物(=陸でとれるもの)」(↕海産・水産)

**りくし**[陸士]《軍》①陸上自衛官のいちばん下の階級。陸士長の下。(↕海士・空士)②↑陸軍士官学校。•**りくしちょう**[陸士長]《軍》陸上自衛官の階級の一つ。陸士の上、陸曹の下。

**りくじ**[陸自]↑陸上自衛隊。

**りくしょ**[△六書]①漢字のなりたち・使い方についての六つの種別。象形・指事・会意・形声〈以上、なりたち〉・仮借・転注〈以上、使い方〉。②漢字の六種類の書体。

**りくしょう**[陸相]〔文〕陸軍大臣。

**りくしょう**[陸将]《軍》陸上自衛官の階級のうちで最高のもの。もとの大将・中将に当たる。(↕海将・空将)•**りくしょうほ**[陸将補]《軍》陸将の一つ下の階級。もとの少将に当たる。(↕海将補・空将補)

**りくじょう**[陸上]①陸地のうえ。(↕海上・水上)②↑陸上競技。「男子―百メートル」•**りくじょうきょうぎ**[陸上競技]トラックやフィールドでおこなう、各種の競技。走る、跳ぶ、投げるの わざをきそう。陸上。•**りくじょうじえいたい**[陸上自衛隊]自衛隊の一つ。防衛省に属し、陸上を守る。陸自。

**りくせい**[陸生]①《植》陸上にはえること。②[陸×棲]《動》陸上にすむこと。「―動物」▽(↕水生)

**りくせん**[陸戦]《軍》陸上の戦い。(↕海戦・空戦)

**りくぜん**[陸前]明治元(一八六八)年にできた旧国名。今の宮城県の大部分と、岩手県の一部。

**りくそう**[陸曹]《軍》陸上自衛官の階級の一つ。准陸尉の下、陸士長の上。(↕海曹・空曹)

**りくそう**[陸送]《名・他サ》①〔文〕陸上の輸送〈をおこなうこと〉。(↕海送)②新しい自動車を運転して、注文した人に送り届けること。「―業」

**りくぞく**[陸続]《副》〔文〕あとからあとから ひっきりなしに続くようす。ぞくぞく。「―とつめかける」

**りくだな**[陸棚]《地》大陸だな。りくほう。

**りくち**[陸地]〈海面に対して〉陸である部分。

**りくちゅう**[陸中]明治元(一八六八)年にできた旧国名。今の岩手県の大部分と、秋田県の一部。

**りくちょう**[△六朝]《歴》〈中国で〉後漢がほろびたあと、隋の統一まで、今の南京に都をおいた、六つの王朝。〈二二二～五八九〉

**りくつ**[理屈・理窟]①当然そうなる、という筋道。論理。道理。「ものの―のわかった人・―に合わない規則・―ぬきに(=直感的に)おかしいと感じる」②〈なまいきな/めんどうな/強引な〉論理〈をのべること〉。「―を言うな・―好き・―屋」③合理的なこと。「なるほど、こいつは―だ」•**理屈をこねる**句 あれこれと、うるさく理屈を言う。•**りくつづ・ける**[理屈付ける]《他下一》〔何かについて〕理屈をつけて説明する。名理屈づけ。•**りくつっぽ・い**[理屈っぽい]《形》どんなことにも、もっともらしい理屈をつけたがるようす。とかく理屈が多いようす。派ーさ。

**りくつづき**[陸続き] 間に海や大きな川などなく、陸でつながっていること。

**りくとう**[陸稲]《農》はたけで作るイネ。おかぼ。(↔水稲(すいとう))

**りくのことう**[陸の孤島] 交通のきわめて不便な、飛びはなれた場所。

**りくばく**[陸幕]《法》↑陸上幕僚監部(ばくりょうかんぶ)。☞幕僚監部。

**りくふう**[陸風]《天》夜間、陸から海へ ふく風。陸軟風(りくなんぷう)。りくかぜ。(↔海風)

**りくふう**[陸封]《名・他サ》《動》川にさかのぼって卵をうむ習性のあるさかなが海にもどれなくなり、そのまますみついてしまったもの。例、ヤマメ・ヒメマス。

**りくへい**[陸兵]《軍》陸軍の兵。(↔海兵)

**りくほう**[陸△棚]《地》大陸だな。りくだな。

**りくやね**[陸屋根]⇩ろくやね。

☆☆**リクライニング**《名・自他サ》〔reclining=もたれること〕座席の背もたれをうしろにたおすこと。また、うしろにたおれること。•**リクライニングシート**〔reclining seat〕〔乗り物の〕いすの背をうしろにたおせるように作った座席。

**りくり**[陸離]《タル》《文》美しくきらめくようす。「光彩(こうさい)ーたるものがある」

**リクリエーション**〔recreation〕⇩レクリエーション。

**リクルーター**〔recruiter〕〔会社で〕新人を採用する役の人。「大学OBをーに使う」

**リクルート**《名・他サ》〔recruit〕①社員・会員を勧誘(かんゆう)すること。②学生の就職活動。「ールック・ーファッション」•**リクルートスーツ**〔和製 recruit suits〕学生が就職活動の際に着る、色・デザインがひかえめなスーツ。リクスー〔俗〕。「ーを脱(ぬ)ぐ(=就職活動を終える)」

**りくろ**[陸路] 一 陸上の通路。二《副》陸上の経路で。「ー大阪に向かう」▽一二(↔海路・空路)

**りけい**[理系] 理科の系統。理科系。(↔文系)

**リケッチア**〔rickettsia〕《医》ウイルスより少し大きい細菌(さいきん)。発疹(はっしん)チフス・ツツガムシ病などの病原体。「Q熱ー」

**りけん**[利剣]《文》するどい つるぎ。

☆☆**りけん**[利権] 政策や制度によって生まれる事業を一手に引き受けて、一部の人々だけが、大きな利益を得る権利。「ーが発生する・ーを求める・ー屋」

↑**りげん**[×俚言]《文》①雅語(がご)に対する口語。話しことばや俗(ぞく)なことば。②地方独特のことばや言い方。

↑**りげん**[×俚×諺]《文》〔民衆の生活の中から生まれた〕世間でよく言われることわざ。「格言ー」

**りこ**[利己]《文》自分だけの利益や幸福をはかること。「ー心・ー的」(↔利他)☞利己主義。

**りこう**[理工] ①理学と工学。「ー系の学生」「ー科」②〔大学の〕理学部と工学部。

☆☆**りこう**[履行]《名・他サ》《文》〔約束などを〕実際におこなうこと。「契約(けいやく)をーする・契約不ー」

**りこう**[利口・利巧]《名・ナダ》①考える力があって、何でもよくわかる〈ようす/人〉。〔皮肉な意味でも言う〕「ーな〈学生/動物〉・教えられて、一つーになった」(↔ばか)②〔子どもの〕ききわけがよくて、おとなしくするようす。「おーさん」③ずるくて、ぬけめがないようす。「ーに立ち回る・ー者(もの)」派ーさ。

**りごう**[離合]《名・自サ》①《文》はなれることとあうこと。②〔九州・山口などの方言〕すれちがうこと。「ーのむずかしい道」•**りごうしゅうさん**[離合集散]《名・自サ》人々が集まって団体を作ったり、また、解散したりすること。

**リコーダー**〔recorder〕《音》やわらかな音色のたて笛。木管楽器の一種。〔小学校の音楽教育では、ソプラノリコーダーが使われる〕

☆☆**リコール**《名・他サ》〔recall=召還(しょうかん)〕①《法》選挙でえらんだ知事・市長などを、住民投票によって、やめさせること。「ー運動・ー制」②欠陥(けっかん)のある製品をメーカーが回収して、無料で〈修理/交換(こうかん)〉すること。「ーの社告」

**りこしゅぎ**[利己主義]《名・ナダ》①自分の利益や幸福をはかろうとする主義。(↔利他主義)②自分勝手。身勝手。▽エゴイズム。

**リコッタ**〔イ ricotta〕チーズを造ったときに出る上澄(うわず)みをさらに煮(に)つめて造る、熟成させないチーズ。

**リコピン**〔lycopene〕《理》トマトに多くふくまれる、赤い色素。抗(こう)酸化物質の一つ。リコペン。

**りこん**[離婚]《名・自他サ》結婚生活を終わりにして、別れ別れになること。「協議ー・ー届」

**リコンファーム**〔reconfirm〕予約内容の再確認(かくにん)。リコンファメーション〔reconfirmation〕。「航空会社に搭乗(とうじょう)便のーをする」

**リサーチ**《名・他サ》〔research〕①調査〔研究〕。「ーを重ねる・全体的にーをかける・ークエスチョン(=研究を始めるときに設定する課題)」②(↑マーケットリサーチ)《経》⇩市場調査。

**リサーチャー**〔researcher〕①(↑マーケティングリサーチャー)市場調査をする人。「テレビ番組のー(=企画(きかく)の下調べをする人)」②研究者。

**リザーブ**《名・他サ》〔reserve〕①予約(を受けて、取っておくこと)。「ホテルの部屋をーする」②確保。保有。キープ。「いい材料をーしておく」③予備。「ータンク」④補欠。ひかえ。「ーの選手」▽レザーブ。

**りさい**[×罹災]《名・自サ》《文》災害にあうこと。被災(ひさい)。〔特に、住宅の被害をともなう場合に言う〕「ー者・ー民・ー証明」

**りざい**[理財]《文》財産やお金を有利にはたらかせること。「ー家・ー局」

**リサイクリング**〔recycling〕リサイクルすること。

☆☆**リサイクル**《名・他サ》〔recycle〕①資源を回収して再生・利用すること。廃物(はいぶつ)利用。再利用。再資源化。「ー運動・ー料金(=使用ずみ家電の引き取り料)」②《経》資金の再循環(じゅんかん)。•**リサイクルショップ**〔和製 recycle shop〕不用品を〈買い入れて/委託(いたく)されて〉販売(はんばい)する店。

**リサイズ**《名・他サ》〔resize〕サイズを変えること。「画像のー・洋服のー」

**リサイタル**〔recital〕①《音》独奏会。独唱会。「ピアノー」②独演会。「奇術―」

**りさげ**【利下げ】《名・自サ》《経》利息・利率を引き下げること。(↔利上げ)

**りざや**【利〈×鞘〉】《経》売り買いの差額として得る、利益金。

**りさん**【離散】《名・自サ》〈はなればなれ/ちりぢり〉になること。「一家(が)―する・―家族」●**りさんてき**【離散的】《ナダ》《数》値が連続的でなく、とびとびになっているようす。(↔連続的)

**りし**【利子】《経》貸したりあずけたりしたお金〔=元金〕に対して、決めた割合でしはらわれるお金。利息。「―がつく・―を生む」(↔元金)

**りじ**【理事】《法》①公益法人や特殊法人を代表する役の人。株式会社の取締役に相当する。「―会・―者〔=議員から見た、区長・知事など〕」②団体・委員会などの事務をとりおこなう役の人。

**リジェクト**《名・他サ》〔reject〕却下。否決。「学会発表に応募したが―された」

**りしべつ**【離死別】《名・自サ》夫婦の離婚と死別。「―を経験する」

**りしゅう**【離愁】〔文〕別れの悲しみ。

**りしゅう**【履修】《名・他サ》規定の学科・課程などをおさめること。「単位の―」

☆☆**りじゅん**【利潤】①もうけ。利益。②《経》企業経営の結果うまれる利益。「―をあげる」

**りしょう**【利生】《仏》衆生にあたえる利益。「ご―」

**りしょう**【離床】《名・自サ》〔文〕①〔病気が治って〕ねどこをはなれること。とこばなれ。②起床。

**りしょう**【離礁】《名・自サ》〔文〕船が、乗りあげた暗礁からはなれること。(↔座礁)

**りしょく**【利殖】《名・自サ》《経》〈利子/利益〉を得て財産をふやすこと。かねもうけ。「―の道」

**りしょく**【離職】《名・自サ》職業をやめて、職場をはなれること。「―者・―率」(↔就職・入職)

**りじんしょう**【離人症】《医》自分で経験したり行動したりすることに現実感を持てない症状。

**りす**【〈×栗×鼠〉】エゾリス・シマリスなど、森林にすむ小形のけもの。目がくりくりして、しっぽが太く、木の上をじょうずに走り回る。由来 漢語「栗鼠」の変化。

**りすい**【利水】〔文〕①川やダムの水を利用すること。「―事業・―ダム」②水の通りをよくすること。「―工事」

**りすい**【離水】《名・自サ》〔文〕飛行艇などが水の表面をはなれてとび立つこと。(↔着水)

**りすう**【理数】理科と数学。「―科」

**リスキー**《ナダ》〔risky〕危険なようす。「―な投資」

☆☆**リスク**〔risk〕①危険。「―を負う・―を取る〔=危険を(ある程度)覚悟する〕」②この先よくなるか、悪くなるかの、不確かさの度合い。「投資の際は―を考えるべきだ」☞ハイリスクハイリターン。●**リスクコミュニケーション**〔risk communication〕災害や環境問題など、リスクに関する情報を専門家・事業者・住民が共有し、安全対策をはかること。リスコミ。●**リスクヘッジ**〔risk hedge〕①《経》⇩ヘッジ。②危険回避。「―をはかる」●**リスクマネ(ー)ジメント**〔risk management〕〈危険/危機〉管理。

**リスケ**《名・他サ》〔俗〕↑リスケジュール。「すみませんが―〔=日程変更〕させてください」

**リスケジュール**《名・他サ》〔reschedule〕①スケジュールを変更すること。「打ち合わせを―する」②借金の返済をくりのべること。リスケジューリング。▽リスケ〔俗〕。

**りすざる**【〈×栗×鼠猿〉】中南米にすむ小形のサル。毛は短く、尾は長く、口のまわりは黒い。

**リスタート**《名・自他サ》〔restart〕①再出発。再開。②《情》〔コンピューターで〕再起動。

**リスティング**〔listing=一覧表〕〔検索エンジンで〕入力した語に関連する広告が表示される仕組み。「―広告」

**リスト**〔list〕①名簿。「顧客―」②〔一覧〕表。目録。「ワイン―」●**リストアップ**《名・他サ》〔和製 list up〕表の形にして、書き出すこと。リスティング。

**リスト**〔wrist〕《スポーツなど》手首。●**リストカット**〔wrist cut〕〈自分を痛めつけるために/死のうとして〉手首を切ること。リスカ〔俗〕。●**リストバンド**〔wrist band〕手首につけるバンド。〔汗止めのものや、患者の識別のための名前入りのものなどがある〕

☆☆**リストラ**《名・自他サ》〔↑リストラクチャリング(restructuring)〕①企業が、不採算部門を整理したり、人員の合理化をしたりして、収益力を高めること。企業再構築。②人員をへらすために解雇すること。整理解雇。「―された」〔一九九〇年代初めからの用法〕

**リストランテ**〔イ ristorante〕レストラン。☞トラットリア。

**リスナー**〔listener〕ラジオを聞いている人。聴取者。

**リスニング**〔listening〕①外国語の聞き取り(練習)。ヒアリング。「―テスト」②音楽などを聴くこと。「―ルーム」

**リスペクト**《名・他サ》〔respect〕尊敬。敬意。

**リズミカル**《ナダ》〔rhythmical〕リズムをもっているように、調子のいいようす。律動的。韻律的。リズミック。

**リズミック**《ナダ》〔rhythmic〕リズミカル。「―な動き」

**リズム**〔rhythm〕①音・動きなどを、規則正しくくり返し、続けていくもの。これに乗って、演奏・ダンス・体操などをする。律動。「―が くるう・雨だれが―を刻む・―を取る・―感」②からだの活動や毎日の生活の、規則正しいくり返し。「生活の―が くずれる」●**リズムアンドブルース**〔rhythm and blues〕《音》⇩アールアンドビー。

**リスリン**「グリセリン」の変化。

**り・する**【利する】〔文〕一《他サ》①利益を得させる。「社会を―」②便利を得させる。「住民を―」③利用する。「地勢を―」二《自サ》利益を得る。「将来に―ところがある」▽一二 利す。

**りせい**【理性】人間にそなわる、筋道を立てて考え、正しく判断する能力。「すぐれた―の持ち主・―を失う」(↔感性)●**りせいてき**【理性的】《ナダ》理性にしたがって判断・行動するようす。(↔感情的)

**りせき**【離席】《名・自サ》〔文〕自分の席をはなれること。「喫煙のため―する」(↔在席)

**りせき**【離籍】《名・他サ》〔文〕属している団体のひと

りとしての身分をはなれること。

**りせつ**［利雪］雪を資源として利用すること。「—技術」

**リセッション**〔recession〕《経》景気の後退。

☆☆**リセット**《名・他サ》〔reset〕①作動させた機械などを、ふたたび最初の状態に もどすこと。②《ボウリング》ピンを並べ直すこと。③ふたたび やり直せる状態に もどすこと。「それまでの自分を—する」

**りせん**［離船］《名・自サ》〔文〕①ヘリコプターなどが、船から飛び立つこと。②乗組員などが、その船をはなれること。

**りそう**［理想］考えることのできる〈最善の状態／完全なもの〉。「—をかかげる・—の男性・—世界・結婚の—像」（↕現実）●**りそうか**［理想家］現実を無視して、理想をもとめる人。「—はただの人」●**りそうか**［理想化］《名・他サ》実際と関係なく、頭の中で理想の〈姿／ようす〉をつくること。「—された女性像」●**りそうきょう**［理想郷］①生活をいとなむうえで理想的な郷土。②ユートピア。●**りそうしゅぎ**［理想主義］理想にもとづいて判断し行動しようとする考え方。「—的な考え」（↕現実主義）●**りそうてき**［理想的］《ナダ》理想にあうようす。「—な住宅」

**リソース**〔resource〕①資源。財産。②《情》コンピューター内で利用できるメモリーやCPUなど。

☆☆**リゾート**〔resort〕保養・行楽などのため、利用者が滞在する土地(にある施設)。「—地・—ホテル」●**リゾートマンション**〔和製 resort mansion〕保養地や行楽地に建てられたマンション。

**りそく**［利息］《経》〔銀行などで〕利子。「お—」（↕元金）

**リゾット**〔イ risotto〕油でいためた米をスープでたき、タマネギ・キノコ・肉・さかななどを加えた、雑炊に似たイタリア料理。「チーズ—・トマト—」

**りそん**［離村］〔文〕[一]《名・自サ》村をはなれ(て移住や出かせぎをす)ること。（↕帰村）[二]へんぴな村。僻村。

**りた**［利他］〔文〕まず他人の利益や幸福をはかること。「—的」（↕利己）☞利他主義。

**リターナブル**〔returnable=返却できる〕洗って、何度も使用できること。再利用可能。「—びん・—容器」

**リターン**《名・自サ》〔return〕①帰ること。復帰。「ノー・—キー〔⇩エンターキー〕」②《ボクシングなど》タイトルを取り返すために、もう一度同じ相手と試合すること。「—マッチ」③《テニスなど》ボールを打ち返すこと。④収益。☞ハイリスクハイリターン。

☆☆**リタイア**《名・自サ》〔retire〕①引退。退職。②〔自動車レースなどの競技で〕故障による退場。▽リタイヤ〔古風〕。

**リダイヤル**《名・自他サ》〔redial〕〔電話で〕直前にかけた電話番号に再びかけること。再発信。

**リダイレクト**《名・自サ》〔redirect=向きを変える〕《情》〔インターネットで〕あるウェブサイトが移転されたときなどに、別のサイトに自動的に転送すること。

**りたしゅぎ**［利他主義］〔文〕他人の利益や幸福をはかろうとする主義。（↕利己主義）

**りたつ**［利達］〔文〕立身出世。栄達。

☆☆**りだつ**［離脱］《名・自他サ》〈属していたもの／その場所〉からはなれること。「国籍を—する・—症状（=禁断症状）・戦線—・ネットでの会話から—する」

**リタッチ**〔retouch〕①髪を染めたあと、のびた部分だけをふたたび染めること。「—カラー」（↕ワンメイク（=全部染めること））②《美術》⇩レタッチ。

**りたん**［利胆］《医》胆汁の出をよくすること。「—剤」

**りち**［理知・理×智］①〔文〕理性と知恵。②ものの道理を判断・理解する能力。「—的」

**リチウム**〔lithium〕《理》金属元素の一つ〔記号Li〕。銀白色でやわらかく、金属の中では最も軽い。電池・原子炉の制御棒・合金用。●**リチウムイオンでんち**［リチウムイオン電池］〔lithium-ion〕リチウムを正極に、炭素を負極に用い、両極間のリチウムイオンの移動によって放電する、充電式の電池。軽くて長持ちし、電圧も高い。

**りちぎ**［律義・律儀］《名・ナダ》〈義理がたい／念を入れて する〉ようす。「—な性格・関係者全員に—にお礼を言う・〔皮肉をこめて〕百円の領収書まで—に取っておく」[派]—さ。●**律儀者の子だくさん**[句]律義で夫婦仲がいい人は、子どもが多い。

**りちてき**［理知的］《ナダ》理知にしたがって判断したり行動したりするようす。「—な人物」

**りちゃくりく**［離着陸］《名・自サ》離陸と着陸。離着。「—訓練」

**りつ**［律］①《音》ⓐ音楽・詩・歌の調子。韻律。ⓑ雅楽の音階の一つ。レから始まって、ミ・ソ・ラ・シと進む。（↕呂）②〔文〕法則。おきて。「道徳—」

**りつ**［率］①全体をもとにして割り出した、そのものの割合。「合格—・百分—・値上げ—」②〔ほかとくらべてみたときの〕損得の度合い。「—のいい仕事」

**りつ**［立］[造]…による設立。「会社—・組合—の病院」

**りつあん**［立案］《名・自サ》①〈案／計画〉を立てること。②文案を作ること。「—者」

**りつい**［立位］立った姿勢。「—体前屈（=立った状態からの前屈）」（↕座位）

**リツイート**《名・他サ》〔retweet〕〔ツイッターで〕ほか(の人)のツイート（=発言）を自分の発言欄に引用して、読者に紹介すること。転載。リツイ〔俗〕。RT。

**りっか**［立花・立華］《華道》枝ぶりをさまざまに ととのえて大きな花器にいける、規模の大きな生け方。

**りっか**［立夏］《天》二十四節気の一つ。こよみの上で、夏にはいる日。五月六日ごろ。（↕立冬）✎⇩立春。

**りつがん**［立願］《名・自サ》〔文〕神や仏に願をかけること。

**りつき**［利付き］《経》株式や公債で配当がつくこと。「(五分)—債券」

☆☆**りっきゃく**［立脚］《名・自サ》〔文〕立場を定め、それをよりどころとすること。「理論に—した計画・現実に—して考える・—点」

**りっきょう**［陸橋］〈道路／鉄道線路〉の上にかけたはし。跨道橋。跨線橋。ブリッジ。

**りっきょう**［立教］《名・自他サ》〔文〕新しい宗教(団体)をおこすこと。

**リックサック**「リュックサック」の変化。リック。

**りっけん**【立県】〔文〕産業をおこすなどして、県を発展させること。「工業―」

**りっけん**【立憲】〔文〕憲法を制定すること。〔立憲主義の意味でも使う〕 •**りっけんくんしゅせい**【立憲君主制】王や君主がいるが、憲法のもと国民の代表からなる議会によって政治をおこなう体制。〔その国を立憲君主国と言う〕 •**りっけんしゅぎ**【立憲主義】憲法にもとづき政治をおこない、政府の権力をおさえる考え方。 •**りっけんせいじ**【立憲政治】立憲政体の政治。憲政。 •**りっけんせいたい**【立憲政体】憲法を定め、立法・司法・行政の独立機関を置く政体。

☆☆**りっけん**【立件】《名・他サ》〈警察/検察〉が刑事事件として取り上げること。事件化。「過失傷害で―された」

**りつげん**【立言】《名・自サ》〔文〕はっきりと意見をのべること。「―の根拠」

**りっこう**【力行】《名・自サ》〔文〕努力しておこなうこと。りょっこう。「勤倹―・苦学―の士」

**りっこう**【立項】《名・他サ》〔文〕辞典などで、あるものごとを説明・記述の対象として項目で取り上げること。見出しとして立てること。

**りっこうほ**【立候補】《名・自サ》候補者として立つこと。「―者」

**りっこく**【立国】㊀造 その方針をおし進めて国を豊かにすること。「工業―・文化―」㊁りこく〔文〕建国。「―の精神」

**りっし**【立市】〔文〕産業をおこすなどして、市を発展させること。「観光―」

**りっし**【律師】〔仏〕①戒律をまもり、徳望の高い僧。「―の引導」②僧都の次の階級(の人)。

**りっし**【律詩】八句から成り、三・四句、五・六句がそれぞれ対句になっている、漢詩の形式。「五言―」☞絶句㊁①。

**りっし**【立志】《名・自サ》〔文〕〔こういう人になろうと〕こころざしを立てること。 •**りっしでん**【立志伝】こころざしを立てて努力・成功した人の伝記。「―中の人〔=立志伝に登場するような、りっぱな人〕」

**りっしさ・る**【律し去る】《他五》〔文〕簡単に考えてかたづける。「『反動』の一語で―べきではない」

**りっしゃ**【立射】立った姿勢で銃をうつこと。立ち撃ち。(↔伏射)

**りっしゅう**【立秋】〔天〕二十四節気の一つ。こよみの上で、秋にはいる日。八月八日ごろ。(↔立春) ！⇩立春。

**りっしゅん**【立春】〔天〕二十四節気のいちばん初め。こよみの上で、春にはいる日。節分の翌日で、二月四日ごろ。(↔立秋) ！春の実感がわかないのは、春が生まれたばかりの日だからで、旧暦の日付をそのまま使っているからではない〔天体の運行にもとづいて日が決まる〕。立夏・立秋・立冬も同様。 •**りっしゅんだいきち**【立春大吉】立春の日を祝って入り口にはりつける、おふだのことば。

☆☆**りっしょう**【立証】《名・他サ》〔文〕証拠だてること。「犯罪の―」

**りっしょく**【立食】《名・自サ》〔パーティーなどで〕立ったままでする、簡単な食事。「―形式」

☆☆**りっしん**【立身】《名・自サ》〈高い官職/いい地位〉について、社会に認められること。 •**りっしんしゅっせ**【立身出世】《名・自サ》立身してえらくなること。

**りっしんべん**【(立心偏)】漢字の部首の一つ。「快」「情」などの、左がわの「忄」の部分。〔心に関係がある〕

**りっすい**【立×錐】〔=きり(錐)を立てる〕 •☆☆**立錐の余地もない** 句〔文〕〔きり(錐)も立てられないほど〕おおぜいが集まって、ひどくこんでいる。「―記者会見場」

☆☆**りっ・する**【律する】《他サ》〔文〕①行動を正しく、規則的にする。「自分を―」②規則などで支配する。「世界を―法則」③ある基準に当てはめて考える。「自分のせまい経験だけで他を―」▽律す。☞律し去る。

☆☆**りつぜん**【慄然】《(タル)》〔文〕おそろしさに、ぞっとするようす。「事の重大さに―とする」

**りつぞう**【立像】立っている姿の像。りゅうぞう。(↔座像・胸像)

**リッター**〔liter; litre〕リットル。 •**リッターカー**〔和製 liter car〕排気量が一〇〇〇cc〔=一リットル〕の小型自動車。

**りったい**【立体】①長さ・はば・厚さを持つもの。こちらがわにせり出して見えるもの。「―図形・―感」(↔平面) ②↑立体交差(の陸橋部分)。「立川―」③かたむかない、ふつうの書体。(↔斜体) •**りったいこうさ**【立体交差】《名・自サ》道路と道路が、また、鉄道と道路が交差するとき、一方がもう一方をまたぐような形に〈なること/なったもの〉。(↔平面交差) •**りったいちゅうしゃじょう**【立体駐車場】何層にもかさなった駐車場。立駐。☞平置き②。 •**りったいてき**【立体的】《(ナダ)》①奥行き・深さなどをもっていて、立体の感じをあたえるようす。②ある一面からでなく、いろいろな面からとらえるようす。「ものごとを―に見る」▽(↔平面的)

**りったいし**【立太子】公式に皇太子と定めること。「―の礼」

**りっち**【立地】《名・自他サ》①土地をえらんで、そこに店などを建てること。「―条件・駅前に―する・工場を―する」②場所。土地。「新―に移る」

**リッチ**〔rich〕《(ナダ)》①富んでいるようす。「―な階層・―マン」(↔プア) ②ゆたか。〔内容〕豊富。「パーティーの―なふんいき」③〔味やかおりに〕コクがあるようす。深みがあるようす。「―なスープ・―なプリン・―なアロマ」④〔情〕〔ホームページなどで〕文章だけでなく音声や動画も使って表現力を高めているようす。「―なコンテンツ」派 ―さ。

**りっちゅう**【立駐】↑立体駐車場。「―四三〇台」

**りっとう**【(立刀)】漢字の部首の一つ。「利」「刻」などの、右がわの「刂」の部分。〔刃物に関係がある〕

**りっとう**【立冬】〔天〕二十四節気の一つ。こよみの上で冬にはいる日。十一月七日ごろ。(↔立夏) ！⇩立春。

**りっとう**【立党】〔文〕政党・党派を新しく作ること。

**りつどう**【律動】《名・自サ》〔文〕規則正しくくり返される運動。リズム。「―的・―感」

**リットル**〔フ litre〕液体などの体積の単位〔記号 L, ℓ〕。一リットルは千立方センチメートル。リッター。〔筆記体の記号「ℓ」も見られるが、今は学校で教えない〕 表記「:立」とも書いた。

**＊りっぱ**［立派］《ナダ》①尊敬の気持ちをおこさせるほど、すぐれているようす。「―な人・―な功績」②〔大きかったり、豪華だったりして〕見る人を圧倒するようす。「―なビル・―な体格・―な ひな人形」③人前に出しても はずかしくないようす。「―な うでまえ・―に暮らしている・もう―に大人で通る」④うたがう余地のないようす。「それは―な犯罪だ」〔①〜③の意味を皮肉に使ったところから、明治以降に広まった用法〕派-さ。

**リップ**［lip］①くちびる。「―スティック〔=棒の形の口紅〕・―クリーム〔=くちびるの荒れを防ぐクリーム〕」②←リップ スティック・リップ クリーム。●**リップサービス**《名・自サ》［lip service］口先だけのことば。おせじ。●**リップティント**［lip tint］くちびるに色を付けるためのけしょう品。発色や色持ちがよい。ティント。●**リップバーム**［lip balm］くちびるの乾燥を防ぐための軟膏。

**りっぷく**［立腹］《名・自サ》〔文〕〔目上の者が〕はらをたてること。おこること。「ご―はごもっともですが」

**りっぽう**［立方］《数》①三乗。②体積の単位をあらわすことば。一立方メートルは、一辺が一メートルの立方体の体積。③一辺がその長さである立方体の体積をあらわすことば。「二メートル―〔=八立方メートル〕」●**りっぽうたい**［立方体］《数》六つの正方形の面で囲まれた、高さ・はば・奥行きの長さが等しい立体。〔↔直方体〕

**りっぽう**［律法］①《宗》宗教上、また生活上守るべき、神からあたえられたおきて。例、モーセの十戒。「―学者」②《仏》戒律。

**☆☆りっぽう**［立法］《名・自他サ》《法》法律を制定すること。「―機関・―権」〔↔行政・司法〕●**りっぽうけん**［立法権］《法》法律の制定をおこなう国家のはたらき。〔↔司法権・行政権〕●**りっぽうふ**［立法府］《法》立法機関。日本では、国会。議会。〔↔行政府・司法府〕

**りづめ**［理詰め］りくつで〈話/考え〉をおし進めること。「相手を―でやりこめる」

**りつりょう**［律令］《歴》奈良・平安時代の法令。〔大化の改新以後、唐の律令にならって制定した〕「―制〔=律令にもとづいておこなわれた、中央集権の制度〕・―国家〔=律令制の国家〕」

**りつれい**［立礼］〔文〕〈立ち上がって/立ったまま〉おこなう敬礼。☞りゅうれい（立礼）。

**りつれい**［律令］〔文〕のり。おきて。法律。

**りつろん**［立論］《名・自サ》〔文〕議論の筋道〈を組み立てること〉。「―の基礎」

**りてい**［里程］〔文〕みちのり。里数。「―標〔発展の過程を示すしるしの意味にも〕」

**リテイク**《名・自他サ》［retake］撮影や録音、アニメの作画などの、やり直しをすること。「何度も―を出す」

**リテール**［retail］①小売り。②《経》小口の取引や融資。「―バンキング」③〔コンピューター部品で〕一般のユーザー向けに売る正規品。「―品」〔↔バルク〕

**りてき**［利敵］〔文〕敵の利益になるようなことをすること。「―行為」

**リデュース**《名・他サ》［reduce］削減すること。特に、ごみの減量。「廃棄物の―」

**☆☆リテラシー**［literacy］①読み書き能力。②コンピューターや情報を、うまくあつかう知識・能力。「IT―」☞メディアリテラシー。

**りてん**［利点］利益のある点。有利な点。「―と欠点を指摘する」〔↔欠点〕

**りてん**［理転］《学》高校生・大学生などが、文科系から理科系に〈所属/志望〉を変えること。〔↔文転〕

**りとう**［離島］一 はなれ島。「―の生活」二《名・自サ》〔文〕島をはなれ〈て移住・出かせぎをす〉ること。〔↔帰島〕

**りとう**［離党］《名・自サ》その〈政党/党派〉からはなれて、別行動をとること。「―に追いこまれる」☞脱党。

**りどう**［吏道］〔文〕官僚として守るべき道徳。

**りとく**［利得］《名・他サ》〔文〕もうけ〈ること〉。とく。利益。「―に走る」

**リトグラフ**［lithograph］①石版画。②《印刷》石版。▽リトグラフィー〔フ lithographie〕。

**リトマス**［litmus］《理》リトマスゴケなどのコケからとった色素。アルカリ性のものにふれると青くなり、酸性のものにふれると赤くなる。酸・アルカリの反応試験に使う。「―反応」●**リトマスしけんし**［リトマス試験紙］①《理》リトマスの溶液を酸性・アルカリ性に保ち、ろ紙にしみこませたもの。赤色と青色がある。液体にひたして、色の変化で酸性かアルカリ性かを調べる。②そうか、そうでないか、はっきりと判断するための材料。「言論の自由は民主国家かどうかを見きわめる―である」▽リトマス紙。

**リトル**［little］一 造 ①小さい。小。②おさない。子ども。「―ジェントルマン」二 **リトル** ←リトル リーグ。「―出身」●**リトルリーグ**［Little League］《野球》十二歳までの少年少女のチームによる硬式野球のリーグ。リトル。人 リトルリーガー〔Little Leaguer〕。

**リニア**［linear］一〔←リニア モーターカー〕リニアモーターで、地上からわずかに浮いて、超高速で走る列車。「―新幹線」二《ナダ》直線的。「―な時間の流れ」●**リニアモーター**［linear motor］《理》磁石の反発力などを使って、動く部分が直線的に移動するようにしたモーター〔=電動機〕。●**リニアモーターカー**［linear motor car］⇩リニア一。

**りにち**［離日］《名・自サ》〔文〕日本をおとずれていた人が、出国すること。〔↔来日〕

**りにゅう**［離乳］《名・自他サ》歯の はえはじめた乳児が、だんだんに母乳やミルク以外の食べ物を食べること。「―期・―食」

**☆☆リニューアル**《名・自他サ》［renewal］①新しくすること。再生。再活用。「学校施設の―」②店の〈売り場の〉改装。

**りにょう**［利尿］《医》小便がよく出るようにすること。「―剤・―作用」

**りにん**［離任］《名・自サ》〔文〕今までの〈任地/任務〉をはなれること。「―式」〔↔就任・着任〕

**りねん**［理念］①《哲》理性で考えられる最高の概念。イデー。②それが どうあるべきかという、根本的な考え方。「教育の―」

**リネン**［linen］①アマの繊維で織った織物。リンネル。「―のジャケット」②シーツ・タオル・ナプキン・テーブルクロスなどをまとめて言う呼び名。「病院の―室」

**りのう**【離農】《名・自サ》〔文〕その家の職業としてきた農業をやめること。脱農(だつのう)。「―者」(↔就農)

**リノールさん**【リノール酸】〔ド Linol〕《理》人間の体内で合成されない脂肪(しぼう)酸の一種。植物油にふくまれる。

**リノタイル**〔linotile〕タイルのような形に切ったリノリウム。ゆかに はる。

**りのとうぜん**【理の当然】道理から言って、まことにもっともなこと。

**リノベーション**《名・他サ》〔renovation〕①刷新。改革。②〔大がかりな〕改装。改築。▽リノベ。

**リノリウム**〔linoleum〕樹脂(じゅし)・ゴム・コルクくずなどをねりあわせて布に塗(ぬ)ったもの。ゆかなどに敷(し)く。リノリューム。

**リハ** ①↑リハーサル。②《医》↑リハビリテーション。

**リハーサル**《名・自他サ》〔rehearsal〕〔演劇・放送・演奏などの〕本番のための練習。リハ。「通し―・公開―」(↔本番)

**リバーシブル**〔reversible〕〔洋服・布などが〕裏も表も同じように使えること。「―コート」

**リバース**《名・自他サ》〔reverse〕①逆にすること。もとに もどすこと。「―エンジニアリング(=他社製品を分解してしくみを知ること)」②〔俗〕食べたものをはくこと。「道路で―する」●**リバースモーゲージ**〔reverse mortgage〕高齢(こうれい)者が生活資金を得るために、自分の不動産を担保にして、地方自治体などから融資(ゆうし)を受ける仕組み。

☆☆**リバイバル**《名・自サ》〔revival〕①〔古いもの・すたれたものの〕復活。復興。再流行。「―ソング・―ブーム」②復活上演。復活上映。復活演奏。

☆☆**リバウンド**《名・自サ》〔rebound〕①ものに当たって、はねかえること。「〔バスケットボール〕シュートしたあとの―(ボール)」②ダイエットを中断したとき、体重が元にもどったりかえって太ったりすること。③薬剤(やくざい)の投与(とうよ)を中止したあとの、病状の悪化。

**りはく**【理博】〔文〕↑理学博士。

**リバタリアン**〔libertarian〕個人の財産や自由を最も重んじる考え方。

**りはつ**【理髪】《名・自サ》〔文〕理容。「―業・―店」

**りはつ**【利発】《ナダ》〔文〕かしこいようす。利口。「―者(もの)・―な子」派―げ。―さ。

**りはっちゃく**【離発着】《名・自サ》①〔飛行機の〕離着陸。②〔列車・船の〕発着。

**リバノール**〔ド Rivanol〕《医》黄色い結晶(けっしょう)をした薬の名。水にとかして傷口などの殺菌(さっきん)や消毒などに使う。

**りはば**【利幅】利益の幅。「―が大きい」

**リハビリ**《医》↑リハビリテーション。

☆☆**リハビリテーション**〔rehabilitation=もとどおりにすること〕《医》脳出血やけがのあとなどの、機能回復訓練。リハビリ。リハ。

**りばらい**【利払い】(―ばらひ)《経》利息のしはらい。

**リバランス**《名・他サ》〔rebalance〕《経》相場の変動で変化した資産のバランスを調整し、もとの比率をたもつこと。

**りはん**【離反】《名・自サ》〔文〕〔それまで つきしたがってきた相手から〕はなれ そむくこと。「人心が―する」

**りひ**【理非】〔文〕〔行動・判断などが〕道理に合っていて正しいかどうか、ということ。「物事の―をわきまえる・―曲直(=理非と曲直)は今は論じない」

☆☆**リピーター**〔repeater〕同じ店や場所にくり返し おとずれる人。くり返し利用者。「―の多いホテル」

**リピート**《名・自他サ》〔repeat〕くり返すこと。リピ〔俗〕。「DVDを―する(=くり返し見る)・この宿には何度も―して(=くり返し来て)いる」

**リビドー**〔ラ libido〕《心》〔広い意味での〕性的衝動(しょうどう)。

**りびょう**【×罹病】《名・自サ》《医》病気に かかること。被病(ひびょう)。「―率」

**りびよう**【理美容】理容と美容。「―師」

☆☆**リビング**〔living〕①生活。暮らし。住まい。「モダン―」②↑リビングルーム。「―ダイニング(=居間兼(けん)食堂。LD)」●**リビングウィル**〔living will〕生前に、尊厳死を希望することを表明しておく文書。尊厳死の宣言書。●**リビングキッチン**〔和製 living kitchen〕〔洋風の〕台所・食堂・居間をかねた部屋。〔LKで示す〕●**リビングルーム**〔living room〕〔洋風の〕居間。リビング。〔Lで示す〕

**リブ**〔lib〕↑ウーマンリブ。

**リブ**〔rib〕①〔=あばら骨〕ⓐあばら骨付きの肉。ⓑ〔↑リブロース〕牛肉のうち、肩(かた)がわのロース。「―ステーキ」②うね。しましまの形に もり上がったもの。「―編み(=リブがうき出る編み方)のセーター」

**リプ**《名・自サ》〔俗〕↑リプライ②。

**リファイン**《名・他サ》〔refine〕洗練。

**リフィル**〔refill〕〈つめかえ〈さしかえ〉用の品。レフィル。「システム手帳の―」

**リブート**《名・自他サ》〔reboot〕①《情》⇩再起動②。②〔映画などの〕過去の作品を全面的に刷新し、作り直すこと。リメイク。

☆☆**リフォーム**《名・他サ》〔reform=改善。改革〕①増改築。模様替(が)え。「住宅の―」②《服》仕立て直し。更生(こうせい)。

☆☆**りふじん**【理不尽】《名・ナダ》道理にあわないことをむりにおしつけるようす。「―なことをする」派―さ。

**リフティング**《名・他サ》〔lifting〕①《サッカー》ボールを、落とさずに、手以外の、からだのいろいろな部分であやつること。②老化した皮膚(ひふ)のしわや たるみをとること。

**リフト**〔lift〕①〔小型の〕貨物などを運び上げる装置。「車いす用の―・給食用の―」②〔スキー場などで〕こしかけた人を、一人(か二人)ずつ上に運ぶ設備。「クワッド―(=四人乗りのリフト)」③〔バレエやフィギュアスケートで〕男性が女性を高く持ち上げること。●**リフトアップ**《名・他サ》〔和製 lift up〕①自動車の車高を上げること。「―車」②屋根などを地上で作り、あとで引き上げること。「―工法」③顔や腕(うで)のたるみを解消すること。「フェイス―」

**リプライ**《名・自サ》〔reply〕①返信。応答。②〔ツイッターで〕だれかのツイートに対する返事のツイート。リプ〔俗〕。〔ツイートの最初に「@」がつく〕

**リプリント**《名・他サ》〔reprint〕〔洋書で〕原物を複製〈すること〈したもの〉。復刻。「―本・―版(ぱん)」

**リフレ** ①《経》↑リフレーション。②↑リフレクソロジー。「足つぼ―」

**リプレイ**《名・他サ》〔replay〕録画や録音の再生。リプレー。

**リフレイン**《名・他サ》〔refrain〕詩や歌の終わりの、くり返しの部分。折り返し。また、一部分をくり返して歌うこと。ルフラン。リフレーン。リフ。

**リフレーション**〔reflation〕《経》インフレにならない程度に通貨量を膨張させること。リフレ。「―政策」

**リプレース**《名・他サ》〔replace〕①〔物を〕とりかえること。②《ゴルフ》規則に従って、ボールを、もとの位置に置くこと。

**リフレクソロジー**〔reflexology〕足の裏などを強くもんでもらって、つかれをとる健康法。リフレ。

**リフレクター**〔reflector〕①⇩反射材。「交通安全の―」②⇩レフ②。▽レフレクター。

☆☆**リフレッシュ**《名・他サ》〔refresh〕からだや心をさわやかにすること。元気を回復させること。●**リフレッシュきゅうか**〔リフレッシュ休暇〕活力を回復するために、企業が従業員にあたえる長めの休暇。

**リフロー**〔reflow〕《情》電子書籍の表示方式の一つ。読む画面の大きさや形に合わせて、文字の大きさや配置などを調整できる。(↔フィックス(=固定)型)

**リプロダクト**〔和製 re+product〕デザインの意匠権の期限が切れた製品を復刻した商品。ジェネリック製品。「―家具」

**リペア**〔repair〕修理。修復。

**リベート**《名・他サ》〔rebate〕①《経》代金などの一部を、しはらった人に返すこと。また、そのお金。割りもどし(金)。歩もどし。キックバック。②世話料。手数料。

**りべつ**〔離別〕《名・自サ》〔文〕①人とわかれること。別離。「―の なみだ」②離婚。

**リベット**〔rivet〕頭がまんじゅう形をした大型のびょう(鋲)。金属板をつぎあわせるのに使う。びょう。

**リベラリスト**〔liberalist〕自由主義者。

**リベラリズム**〔liberalism〕自由主義。

☆☆**リベラル**〔liberal〕■一《ナダ》自由主義的。「―な考え」■二 自由主義の立場(をとる人)。●**リベラルアーツ**〔liberal arts〕(大学で)一般的な教養を身につける課程。外国語や各分野の概論などを学ぶ。一般教養科目。教養課程。

**リベロ**〔イ libero=自由〕①《サッカー》通常はゴール前で守備に当たるが、積極的に攻撃にも参加する選手。②《バレーボール》後衛で守備に当たる、レシーブ専門の選手。他の選手とはユニフォームの色がちがう。

**りべん**〔利便〕〔文〕利益と便宜。便利。「―性」派―さ。

**リベンジ**《名・自サ》〔revenge〕①しかえし。雪辱。「―宣言」②再挑戦(して成功すること)。「前回の―を果たす・店が臨時休業だったので―したい(=また来たい)」▽一九九〇年代末に広まったことば。●**リベンジポルノ**〔revenge porn〕しかえしのため、もとの恋人などの性的な画像・映像をインターネットにばらまく犯罪。〔二〇一三年に広まったことば〕

**リポイド**〔ド Lipoid〕《理》脂肪によく似た性質を持つ化合物。類脂体。複合脂質。

**りほう**〔理法〕筋道の通った正しい決まり。のり。みち。法則。「自然の―」

**リポーター**〔reporter〕⇩レポーター。

**リポート**《名・他サ》〔report〕⇩レポート。

**リポジトリ(ー)**〔repository〕《情》〔コンピューターで〕共同で利用することができる、情報の保管場所。レポジトリ(ー)。「論文の―」

**リボばらい**〔リボ払い〕〔←リボルビング(revolving)(=回転)払い〕《経》分割ばらいの一つ。毎月、一定の金額を決めてしはらうこと。リボルビング ローン。

**リボルバー**〔revolver〕弾倉の回転する、連発式のピストル。

**リボン**〔ribbon〕①色のきれいな、はばの せまい織物。おくりものの包みや帽子・かみの毛などに結んでかざりにする。②タイプライターやプリンターで使う、インクをしみこませた印字用のテープ。インクリボン。

**リマインダー**〔reminder〕だいじなことを忘れないよう、注意をうながすためのもの。リマインダ。「―メール」

**リマインド**《名・他サ》〔remind=思いださせる〕念をおすこと。再確認。「―メール・来週―します」

**リマスター**《名・他サ》〔remaster〕レコードの原盤や、映画の もとのフィルムなどを、高音質・高画質でコピーし直すこと。「デジタル―版」

**りまわり**〔利回り〕《経》〈利子/配当〉の、元金などに対する割合。

**リミックス**《名・他サ》〔remix=再びまぜる〕《音》以前に録音した音楽の伴奏部分だけをさしかえたりして、新しく編集すること。人リミキサー(remixer)。

**リミッター**〔limiter〕①《自動車》走行スピードを制限する装置。②制限(するもの)。「自分の やりたいことに―をかけない・飲み会で―(=はめ)を外す」

**リミット**〔limit〕限界。限度。「―がある・最高―・タイム―」

**リム**〔rim〕車輪の外がわの、輪の部分。自転車ではここにタイヤをつける。

**リムーバー**〔remover〕①ペンキやマニキュアを落とすための液。②ホチキスの はりを取り除く器具。

**リムーブ**《名・他サ》〔remove〕①取り除くこと。「付けたネイルの―」②〔ツイッターなどで〕フォローをやめること。

**リムジン**〔limousine〕①運転席の後ろにガラスの仕切りをつけた、大型の高級乗用車。客室をぜいたくにした、全長の長いものにも言う。リムジン カー。②空港の旅客を運ぶ、専用の大型バス。リムジン バス。

**リメイク**《名・他サ》〔remake〕作り直し。改作。特に、再映画化(の作品)。リブート。リメーク。

**リメディアル** 造〔remedial〕補習の。勉強の やり直しの。「大学生の―教育」

**りめん**〔裏面〕〔文〕①⇩うらめん。②表に あらわれない〈部分/状態〉。「―史・―工作」▽(↔表面)

**リモート**〔remote〕■一 造 はなれた所(ですること)。「―スイッチ(=リモートコントロールができるスイッチ)」■二 **リモート**《名・自サ》仕事・会合などを、インターネットで つないでする こと。また、その仕事・会合など。「―で会に参加・夜に―がある・―ワーク(⇩テレワーク)・―飲み会」〔二〇二〇年の新型コロナウイルス感染拡大をきっかけに広まった用法〕▽〔一〕〔二〕遠隔。〔熟語では略して「リモ」。「リモコン・リモ飲み」〕 ●リモートコントロール《名・他サ》〔remote control〕手元のスイッチで、遠くにある機器を自由に動かす〈こと／装置〉。遠隔〈操作／操縦〉。リモコン。

**リモコン**《名・他サ》↑リモートコントロール。

**リヤ(ー)**〔rear〕⇩リア(ー)。

**リヤカー**〔和製 rear car〕荷物を積んで運ぶ、長い柄のついた二輪の車。手で引いたり自転車の後ろにつないだりする。リアカー。

**りゃく**[略]〔文〕①あらまし。だいたい。「日本科学史一」②省略。はぶくこと。「以下一」

**りやく**[利益]⇩ごりやく。

**りゃくが**[略画]略筆の絵。

**りゃくぎ**[略儀]〔文〕略式。「一ながら書中をもってごあいさつ申し上げます」

**りゃくげん**[略言]《名・自サ》〔文〕細かなところをはぶいて、あらましを言うこと。「一すれば」(↔詳言)

**りゃくご**[略語]一部分をはぶいて短くしたことば。例、国連(↑国際連合)・ゼネスト(↑ゼネラル ストライキ)・GK(↑ゴール キーパー)。☞頭字語。

**りゃくごう**[略号]ことばを、短く簡単に書きあらわした記号。例、(辞書で)文(=文章語)・(鉄道関係で)ウヤ(=運休。↑運転休み)。

**りゃくし**[略史]〔文〕簡単にだいたいのことを書いた歴史。「会社一」

**りゃくじ**[略字]〔おもに漢字で〕点や画をはぶいた文字。略体の文字。例、学(↑學)・医(↑醫)・転(↑職)。〔いわゆる「新字体」は、多く略字が採用された〕(↔正字・本字)

**りゃくじ**[略示]《名・他サ》〔図解などによって〕状況をおおまかにしめすこと。

**りゃくしき**[略式]《名・ナダ》本来よりも簡単な〈形式／やり方〉。略儀。(↔正式・本式) ●**りゃくしききそ**[略式起訴]《名・他サ》《法》公判を開かずに書面審理をおこなうための、簡易裁判所への起訴手続き。 ●**りゃくしきめいれい**[略式命令]《法》簡易裁判所が、公判の手続きをはぶいて、罰金・科料の金額を決めること。

**りゃくしゅ**[略取・×掠取]《名・他サ》①〔文〕力ずくで、むりやりうばい取ること。②《法》暴力を使ったり、おどしたりして、むりやりつれ去ること。☞誘拐。

**りゃくじゅ**[略×綬]勲章・記章の略式の綬。

**りゃくじゅつ**[略述]《名・他サ》〔文〕〔内容の だいじな部分の〕だいたいをのべること。「経過を一する」(↔詳述)

**りゃくしょ**[略書]《名・他サ》〔文〕〔直接必要でない部分を〕はぶいて〈書くこと／書いたもの〉。

**りゃくしょう**[略章]〔文〕略式の〈勲章／記章〉。

**りゃくしょう**[略称]《名・他サ》省略した名前(で呼ぶこと)。「一で呼ぶ」

**りゃく・す**[略す]《他五》①はぶく。「以下一」②〔漢字の形を〕くずす。「略して書く」▽略する。

**りゃくず**[略図]簡略に かいた図・地図。

**りゃく・する**[略する]《他サ》⇩略す。

**りゃくせつ**[略説]《名・他サ》〔文〕だいたいの説明(をすること)。(↔詳説)

**りゃくそう**[略装]略式の服装。(↔正装・礼装)

**りゃくたい**[略体]字画を略した字体。略字。

☆☆**りゃくだつ**[略奪・×掠奪]《名・他サ》むりに、うばいとること。奪略。「所持品を一する」

**りゃくでん**[略伝]〔文〕簡単にだいたいのことを書いた伝記。「作者一」(↔詳伝)

**りゃくねんぴょう**[略年表]おもなことがらだけを簡単に まとめた年表。

**りゃくひつ**[略筆]《名・他サ》〔文〕①略して書くこと。②略字。

**りゃくひょう**[略表]〔文〕簡単に、だいたいのことをあらわした表。

**りゃくふ**[略譜]①〔文〕簡単に、だいたいのところをあらわした系譜。②《音》数字などを使って、簡単にあらわした楽譜。(↔本譜)

**りゃくふく**[略服]略式の衣服。

**りゃくぼう**[略帽]略式の帽子。(↔正帽)

**りゃくほんれき**[略本暦]本暦を簡単にして、ふつうの人に わかりやすくしたこよみ。(↔本暦)

**りゃくめい**[略名]〔文〕正式の名前の一部分をはぶいて、短くした名前。

**りゃくもく**[略目]〔文〕簡単に まとめた目録。「出品一」

**りゃくれいそう**[略礼装]正式の礼装に対して、簡単にした礼装。略式礼装。略礼服。例、モーニングコートに対して、黒のスーツ。イブニングドレスに対して、カクテルドレス。

**りゃくれき**[略歴]だいたいの経歴(を書いたもの)。「著者の一」

**りゃっかい**[略解]《名・他サ》〔文〕簡単な解釈・解説(をすること)。りゃくかい。「所得税法一」(↔詳解)

**りゃっき**[略記]《名・他サ》①〔語句や文字を〕略して書くこと。「『名詞』を『名』と一する」②〔文〕簡単に〈書くこと／書いた文章〉。略書。「論旨を一する」(↔詳記)

**リャマ**〔ス llama〕首が長くて、羊のような長い毛がある、アンデス地方の家畜。荷役として飼われ、毛は毛織物にする。ラマ。

**りゅう**[竜]①空をとぶ、想像上の巨大な動物。全体はヘビに似てうろこでおおわれ、二本のつのと四本の足を持つ。雲をおこし、雨を降らせるという。たつ。☞ドラゴン。②《将棋》飛車が成ったもの。竜王。〔表記〕「烏龍茶」などの「×龍」は、「竜」の旧字体。

**りゅう**[×琉](↑琉球) 沖縄(ふう)。「一歌・一装・一蘭(=オランダ)関係」

←**りゅう**[流]〔一〕〔接尾〕①等級・品位を区別することば。「二一・三一品」②流派を数えることば。「シテ方五一」〔二〕〔造〕①流派。流儀。「小笠原一」②しかた。型。スタイル。「自己一・フランス一」③流れ。「土石一・溶岩一」

→**りゅう**[×旒・流]〔接尾〕〔文〕旗を数えることば。ながれ。

**りゅう**[留]〔接尾〕〔名・自サをつくる〕↑留年。「二一してようやく大学を卒業」

**りゅう**[粒]〔接尾〕〔文〕つぶを数えることば。

**りゅう**[×瘤]〔造〕《医》血管の一部が、こぶのように ふくらんだもの。「(大)動脈一」

****りゅう**【理由】 なぜ そう〈する／した〉か、なぜ そう〈なる／なった〉か、ということ。わけ。「欠席の―・気温が下がった―・―を説明しろ」☞原因。●**りゅうづ・ける**【理由(付ける)】《他下一》 そのように〈する／した〉わけを正当化するための説明をする。名理由づけ。

**りゅうあん**【硫安】《理》↑硫酸アンモニウム。

**りゅうあんかめい**【柳暗花明】〔文〕①ヤナギがしげって暗く、花の色が明らかなこと。「―のよい時節」②色町。「―のちまた」

☆☆**りゅうい**【留意】《名・自サ》〔文〕心にとめて、忘れないようにすること。「健康に―せよ」

**りゅういき**【流域】 川の流れに沿った区域。「荒川(の)―」

**りゅういん**【×溜飲】《漢方》飲食物が胃の中にたまって、すっぱい液が出ること。また、そのすっぱい液。表記新聞などでは「留飲」。●☆☆**溜飲が下がる** 句 胸のつかえが取れて、すっとする。不満の気持ちがなおる。他溜飲を下げる。

**りゅうおう**【竜王】 ①竜神。「八大―」②《将棋》⇩竜②。

**りゅうか**【×琉歌】《音》沖縄の短歌。八八八六形式の韻律を持つ。三線の伴奏で歌われることが多い。

**りゅうか**【硫化】《名・自サ》《理》硫黄と化合すること。「―銀・―水素」

**りゅうか**【流下】《名・自他サ》〔文〕流れくだること。流しくだすこと。「―物」

**りゅうかい**【流会】《名・自サ》 会が成立しないで、やめになること。「欠席者が多いため―」

**りゅうがく**【留学】《名・自サ》〈その土地／外国〉に行ってまなぶこと。「―生・内地―」

**りゅうかん**【流汗】〔文〕流れるあせ。「―淋漓とし〈た／て〉」

**りゅうかん**【流感】《医》〔古風〕↑流行性感冒。

**りゅうがん**【竜眼】 中国南部などにはえる常緑樹。果肉は白くてあまい。漢方薬にも用いる。ロンガン。「―ジュース」

**りゅうがん**【竜顔】〔文〕天皇・皇帝の顔。天顔。りょうがん。「―ことに うるわしく」

**りゅうき**【隆起】《名・自サ》〔文〕高くもり上がること。「土地の―・―海岸(=海底が海面上に隆起してできた海岸。(↔沈降海岸))」

☆☆**りゅうぎ**【流儀】 その人・家・流派・国などの、独特のやり方。「―が異なる・昔の―」

**りゅうきへい**【竜騎兵】〔近世のヨーロッパで〕銃を持った騎兵。かぶとに竜のかざりを付けていた。

**りゅうきゅう**【×琉球】 鹿児島県の南にあり、沖縄県に属する諸島。「―弧(=九州・台湾間の弓形に並ぶ島々)」

**りゅうぐう**【竜宮】 海の底にあって、おとひめ(乙姫)が住むという宮殿。竜宮城。

**りゅうげき**【×琉劇】 琉球に発達した、沖縄方言を使ってする歌劇。

**りゅうけい**【流刑】〔文〕⇩るけい。

**りゅうけつ**【流血】〔文〕①血を流すこと。「―の(=死傷者の出る)惨(事)」②流れる血。

**りゅうげん**【流言】〔文〕事実でないうわさ。デマ。●☆☆**りゅうげんひご**【流言飛語・流言×蜚語】〔文〕根拠もなく飛びかううわさ。デマ。

**りゅうこ**【竜虎】〔文〕①りゅうとトラ。「―の図」②おたがいにまさりおとりのない英雄。●**竜虎相打つ** 句 どちらもすぐれたふたりの人物・英雄がたがいに争う。竜虎相争う。

**りゅうこう**【流行】《名・自サ》①服装・音楽などの文化や考え方などが、一時広くゆきわたること。はやり。「―を追う・ことしの―・―おくれ・―色」②世間でもてはやされ、評判になること。「―作家」③一時広く世間に広がること。はやること。「はしかが―する」●**りゅうこうか**【流行歌】 ある時期に流行する、ポップス・歌謡曲など。はやりうた。〔「ヒット曲」は、広く一般の歌・曲の場合に使える〕●**りゅうこうご**【流行語】 一時広く世間の人々が、同じように口にすることば。〔「いかす」「かっこいい」は、流行語が一般語になったもの〕●**りゅうこうじ**【流行児】 世間で、一時もてはやされ、評判になる人。「文壇の―」●**りゅうこうせいかんぼう**【流行性感冒】《医》インフルエンザ。流感。

**りゅうこつ**【竜骨】 ①船の底に、船首から船尾へ背骨のように通っている材。キール。②〔漢方薬で〕哺乳類の、骨の化石。

**りゅうさ**【流砂】〔文〕⇩りゅうしゃ。

**りゅうざい**【粒剤】《医》砂つぶぐらいの大きさにした薬。顆粒剤。ペレット。

**りゅうさん**【硫酸】《理》硫黄・酸素・水素が化合した無色の液体。肥料や衣料品の製造など、さまざまな化学工業に使われる。水にとかした希硫酸は強い酸性を示す。●**りゅうさんアンモニウム**【硫酸アンモニウム】《理》硫酸にアンモニアを吸収させて作る無色の結晶。代表的な窒素肥料。硫安。●**りゅうさんバリウム**【硫酸バリウム】《理》バリウムをとかした液体に希硫酸を加えてできる、水にとけない塩。胃腸のX線撮影のさい、写りをよくするために飲ませる。

**りゅうざん**【流産】《名・自他サ》①《医》妊娠二十二週未満で、胎児が育たずに、妊娠が終わってしまうこと。☞死産。②《俗》計画が完成せずにとちゅうでだめになること。③《俗》内閣・団体などが不成立に終わること。

**りゅうさんだん**【×榴散弾】《軍》目標に当たる前に破裂して、中から散弾がとび出すように作った砲弾。

**りゅうし**【粒子】 細かいつぶ。「おしろいの―・―のあらい画面」●**りゅうしじょうぶっしつ**【粒子状物質】《理》マイクロメートル(μm)の大きさの固体や液体の微粒子。排気ガスや粉じん、黄砂などが大気中で変化して生じ、大気汚染の原因となる。PM。☞ピーエムにいてんご(PM2.5)。●**りゅうしせん**【粒子線】《理》放射線のうち、X線のような波でなく、粒子の形でとぶもの。例、陽子線、重粒子線(=陽子より重たい原子核の流れ。炭素線はからだの奥の正確な位置に照射できるので、がん(癌)の治療に使われる)。

**りゅうしつ**【流失】《名・自サ》〔文〕〔洪水などで〕流れてなくなること。「家屋が―する」

**りゅうしゃ**【流砂】〔文〕①水に運ばれるすな。②広い砂原。砂漠。〔もと、西域のタクラマカン砂漠のこと〕▽りゅうさ。

**リュージュ**〔フ luge〕かじ・ブレーキのない木製の小型のそり。また、それにあお向けに乗って、氷のコースをすべりおりる競技。トボガン。☞ボブスレー・スケルトン⑤。

**りゅうしゅつ**〔流出〕《名・自他サ》①流れ出ること。流し出すこと。「土砂の―」②内部にあったものが、外部へ出てしまうこと。「技術者の海外―・データの―」▽(↔流入)③自動車を、高速道路の外へ出させること。「通行止めによる強制―」

**りゅうしょう**〔隆×昌〕〔文〕隆盛。「ますますご―の段お喜び申し上げます」

**りゅうじょう**〔粒状〕〔文〕つぶの状態。つぶ状。「―肥料」

**りゅうしょく**〔粒食〕〔文〕穀物を加工せず、粒のまま調理して主食として食べること。(↔粉食)

**りゅうじん**〔竜神〕水の中にすみ、水や雨を支配するという、竜の形をした神。竜王。

**リユース**《名・他サ》〔reuse〕(使ったびんなどを)使い捨てにせず再使用すること。「―容器」

**りゅうず**〔竜頭〕①つりがねをつるすために、上の部分を、竜のあたまの形にしたところ。②うで時計・懐中時計の横に突き出し、ぜんまいを巻いたり、針を動かしたりする装置。

**りゅうすい**〔流水〕①〔文〕流れる、川の水。「行雲―」(↔止水)②水道の蛇口から流れ出る水。「―で五分間洗う」

**りゅうせい**〔流星〕《天》急に空にかがやき、流れるようにすばやく落ちていく星。ながれぼし。〔地上に落ちたものは「隕石」〕「しし座―群(毎年十一月に出現)」

**りゅうせい**〔隆盛〕《名・ナダ》〔文〕勢いのさかんなこと。大いにさかえること。「家運の―をほこる」派―さ。

**りゅうせつ**〔流説〕〔文〕流言。るせつ。

**りゅうぜつらん**〔竜舌×蘭〕メキシコ原産の草。テキーラの原料。何十年かに一度、くきが何メートルもの高さになって花をつける。

**りゅうせん**〔流線〕《理》流体が運動するときにえがく曲線。●**りゅうせんけい**〔流線形・流線型〕水・空気の抵抗を少なくするような曲線の形。りゅうせんがた。

**りゅうぜん**〔流×涎〕《名・自他サ》①《医》よだれをたらすこと。りゅうせん。「―の症状が見られる」②〔文〕ものをほしがること。垂涎。「―の的」

**りゅうぜんこう**〔竜×涎香〕マッコウクジラのたんのう(胆嚢)にできた結石からとる香料。かおりは麝香に似る。りゅうえんこう。

**りゅうそ**〔流祖〕〔文〕その流儀をはじめて起こした人。

**りゅうそう**〔×琉装〕〔文〕紺がすりに細帯をしめた、琉球独特の服装。

**りゅうぞう**〔立像〕⇩りつぞう。「観音菩薩の―」

**りゅうそく**〔流速〕水や空気の、流れる速度。

**りゅうたい**〔流体〕《理》気体と液体をまとめて言う呼び名。少しの力で変形し、運動のしかたが似ている。流動体。「―力学」

**りゅうたく**〔流×謫〕《名・他サ》〔文〕⇩るたく。

**りゅうだん**〔柳壇〕〔文〕川柳を作る人の社会。

**りゅうだん**〔流弾〕〔文〕ながれだま。

**りゅうち**〔留置〕《名・他サ》〔文〕用がすむまで、人やものを、いちじとめておくこと。とめおき。「自転車の―おことわり・殺人の容疑で―される」●**りゅうちじょう**〔留置場〕《法》警察署で、罪を犯したうたがいのある者を、いちじ留置する場所。ぶたばこ(俗)。

**りゅうちょう**〔留鳥〕《動》野鳥のうち、死ぬまで、生まれた土地をはなれない鳥。例、スズメ・カラス・モズ。☞候鳥・漂鳥。

☆☆**りゅうちょう**〔流×暢〕《ナダ》(ことばが)すらすらとしてよどみのないようす。なめらかなようす。「来日して二年とは思えない―な日本語で話す」派―さ。

**りゅうつう**〔流通〕《名・自サ》①空気などがかようこと。「空気の―が悪い」②広く世間に通用すること。「貨幣の―高」③《経》商品が、生産者から、いろいろな人の手を経て、消費者にわたること。「―機構・―業界」

**りゅうと**《副・自サ》(服装・態度などが)りっぱできわだつようす。「―した身なり」

**リュート**〔lute〕《音》ギターに似た音を出す、昔の西洋の楽器。形は琵琶に似る。

[リュート]

**りゅうど**〔粒度〕①つぶの大きさ。粒子のあらさ。「土砂の―」②ものごとをどれだけ大づかみにとらえるか、という度合い。「―の細かい議論」

**りゅうとう**〔流灯〕〔文〕灯籠に火をともし、水にうかべて流すこと。「―会(=灯籠流し)」

**りゅうとう**〔竜灯〕〔文〕①海中のりん(燐)光が、灯火のように海上にあらわれる現象。②神社でともす明かり。ご神灯。

**りゅうどう**〔流動〕《名・自サ》①流れ動くこと。「溶岩が―する」②条件しだいで、なりゆきがいろいろに変わること。●**りゅうどうしょく**〔流動食〕《医》流動体の食べ物。流動物。例、おもゆ・牛乳。(↔固形食)●**りゅうどうたい**〔流動体〕①流動する性質をもつもの。流動しやすいもの。②《理》⇩流体。●☆☆**りゅうどうてき**〔流動的〕《ナダ》(情勢などが不安定で)たえず変化しているようす。「結果はなお―だ」●**りゅうどうぶつ**〔流動物〕①どろどろした状態になったもの。②《医》流動食。▽(↔固形物)

☆☆**りゅうとうだび**〔竜頭蛇尾〕(=頭は竜のようにりっぱで、尾はヘビのように貧弱なこと)はじめは勢いがさかんで、終わりはふるわないようす。「計画は―に終わる」

**りゅうにち**〔留日〕《名・自サ》〔文〕日本に留学すること。「―学生」

**りゅうにゅう**〔流入〕《名・自他サ》①流れ〈こむ〉こませること。「生活排水の―」②外部にあったものがはいってくること。「資金の―・人口の―」▽(↔流出)

**りゅうにん**〔留任〕《名・自サ》人事異動のとき、もとの官職・役職にとどまること。「部長の―」

**りゅうねん**〔留年〕《名・自サ》(単位が足りないためになど)大学生などが、同じ学年にとどまること。

**りゅうのう**〔竜脳〕リュウノウ(=熱帯産の常緑樹)の樹液からとった、白い結晶。香料・医薬に使う。

**りゅうは**［流派］立場・やり方の ちがいによって、それぞれ分かれたもの。「―が ちがう」

**りゅうび**［柳眉］〔=ヤナギの葉のような、形のいい まゆ〕〔文・古風〕美人の まゆ。やなぎのまゆ。●**柳眉を逆立てる**[句]〔文・古風〕美しい女性が、まゆをつり上げて おこる。

**りゅうび**［隆鼻］《医》合成樹脂などを注入して、低い鼻を高くすること。「―(手)術」

**りゅうひょう**［流氷］《地》寒帯地方の海から氷のかたまりが流されてくるもの。

**りゅうぶ**［×琉舞］〔←琉球舞踊〕三線などの演奏にあわせて おどる、琉球独特の おどり。

**りゅうへい**［流弊］〔文〕広く世の中におこなわれている悪習。「―を改める」

**りゅうべい**［立米］〔「米」は、メートルの当て字〕立方メートル。りゅうべ。

**りゅうべつ**［留別］《名・他サ》〔文〕あとに残る人に対する いとまごい。「―会」(↔送別)

**りゅうほ**［留保］《名・他サ》①⇩保留①②。「回答を―する・―をつける」②お金を使わないで たくわえること。「内部―・社内―」③《法》条約を結ぶさい、自国に有利な制限を加えること。「―を設ける」

**りゅうぼう**［流亡］《名・自サ》〔文〕住みなれた土地を追われて、にげさまようこと。

**りゅうぼく**［立木］〔不動産としての〕立ち木。

**りゅうぼく**［流木］〔文〕①海や川に流れただよう木。②山から、川にうかべて流す木。

**リューマチ**〔←オ rheumatisch〕《医》⇩リウマチ。

**りゅうみん**［流民］〔文〕故郷や祖国をはなれて さすらう人々。流浪の民。るみん。

**りゅうめ**［竜△馬］①〔文〕いい馬。駿馬。②《将棋》⇩馬㊀④。

**りゅうもんがん**［流紋岩］《鉱》火山岩の一種。多くは明るい灰色。マグマが流れながら冷えて固まったものには、しま模様がある。

☆☆**りゅうよう**［流用］《名・他サ》お金や品物を、はじめの目的以外のことに使うこと。「図書費を―する」

**りゅうよう**［留用］《名・他サ》〔文〕人を自分の国にとめておいて、使うこと。「外地で―された」

**りゅうり**［流離］《名・自サ》〔文〕故郷から遠く はなれた土地をさすらうこと。「―の なみだ」

↔**りゅうりゅう**［流々］〔文〕その流儀によって、やり方がちがうこと。「細工は―」

↔**りゅうりゅう**［粒々］〔文〕すべての つぶ。「―みな辛苦の結晶」☞つぶつぶ(粒々)。●**りゅうりゅうしんく**［粒々辛苦］《名・自サ》すべての点に たいへんな苦労をすること。

**りゅうりゅう**［隆々］《トタル》①〔筋肉の〕もり上がった ようす。「筋骨―」②勢いの さかんなようす。「―たる勢い」

**りゅうりゅう**《副》ひゅっという音を立てるほど、勢いよく ふり回すようす。「やり(槍)を―と しごく」

**りゅうりょう**［流量］ある決まった時間ごとに通過する、液体・空気・自動車・熱などの量。

**りゅうりょう**［(×嚠×喨)］《トタル》〔文〕ラッパなどの音が さえわたって よく聞こえるようす。

**りゅうれい**［立礼］〔←立礼式〕《茶道》いすに腰かけておこなう、抹茶のたて方。☞りつれい(立礼)。

☆☆**りゅうれい**［流麗］《ナダ》〔文〕よどみがなくて美しいようす。「―な文章」[派]-さ。

**りゅうろ**［流路］〔文〕川の水や潮流の、流れるコース。「―延長工事」

**りゅうろ**［流露］《名・自他サ》〔文〕①うちにあるものをかくさずに あらわすこと。「真情を―する」②うちにあるものが外に あらわれ出ること。

**リュスティック**〔フ rustique=いなかふうの〕そぼくな形にまるめた、もちもちしたパン。リュス。

**リュックサック**〔ド Rucksack(ルックザック)〕登山や遠足などのとき、必要なものを入れて背負う ふくろ。リックサック。ルックサック。リュック。リック。ザック。

**りょ**［△呂］《音》雅楽の音階の 一つ。ファに始まって、ソ・ラ・ド・レと進む。(↔律)

**りょう**［了］〔文〕終わり。「―となる」〔小説・論文などの終わりには「(了)」などと書きそえる〕●**了とする**[句]〔了=了解〕〔文〕(事情をくみとって)承知する。わかる。了する。「苦しい立場は―にたる・願わくは公表を了とされたい」[表記]「×諒とする」とも。

**りょう**［両］㊀**りょう** ①〔文〕二つでひと組みになるもの。双方。両方。「―の手・―のひざ」②江戸時代のお金の単位。一両は、金貨で一分の四倍、ぜに四千文。③〔俗〕円。「五万―」㊁[造] 両方の。〈二つ／ふたり〉の。「―うで・―校・―氏・―嬢」(↔片) ㊂［×輛］[接尾] 自動車・電車・客車・貨車などを数えることば。台。

**りょう**［良］①いいこと。いいもの。また、それをしめす評点。「―の部(類)・〔インターネットで〕―記事」②成績・等級を評価することばの一つ。優の次。

**りょう**［涼・×凉］〔文〕すずしいこと。すずみ。「一服の―」●**涼を入れる**[句] すずしい風や空気を入れる。●**涼をとる**[句] すずむ。

↔**りょう**［猟］①鳥や けものをつかまえること。狩り。「―をする」②えものの量。「―が少ない」

↔**りょう**［漁］①さかな・貝などをとること。すなどり。「―に出る・サケマス―・こんぶ―(=こんぶとり)」②漁獲量。「―が少ない」

**りょう**［陵］〔文〕みささぎ。「天皇―」

**りょう**［量］空気・水・土砂・仕事・情報など、ひとまとまりになるものが、どのくらいあるかという程度。「―を測る・―より質・―が〈大きい／多い〉・取引の―・〔酒の〕―を過ごす(=飲みすぎる)」(↔質・数)

**りょう**［×稜］〔文〕㊀**りょう** かどになっているところ。稜角。「えんぴつの腹と―を使って」㊁[造] 尾根。稜線。「南―」

**りょう**［寮］㊀**りょう** ①学生などの寄宿舎。「―生活」②会社などの宿泊施設。「独身―」③別荘。しもやしき。㊁[造] 社員寮・学生寮・寄宿舎・宿泊所・別荘・集会所などの名前の下につけることば。

**りょう**［領］㊀[接尾] 和服・よろい・ふすまなどをかぞえることば。㊁[造] 領土。領地。「イギリス―・仏―」

****りょう**［料］[造] ①材料。「調味―・保存―(=防腐剤)」②料金。「観覧―・使用―」

**りょう**［里謡・×俚謡］〔文〕①地方の民間で歌われる歌。民謡。②俗謡。

**りょう**［理容］かみの毛を刈って形を整え、顔などをそること。理髪。「ー師」☞美容。

**りよう [利用]《名・他サ》①役立たせて うまく使うこと。「土地のー度が低い・ひまをーする」②便利に使うこと。「図書館をーする」 区別 ⇩使用。③自分の利益になるように人をあやつること。「敵にーされる」 ●りようかち[利用価値] 利用できる ねうち。「ーのある間だけ ちやほやする」

りょうあく[良悪]〔文〕よしあし。良否。

りょうあん[良案]〔文〕いい〈思いつき/考え〉。「ーが浮ぶ」

りょうあん[×諒闇]〔文〕天皇が(人々と ともに)父母の喪に服する期間。

りょうい[良医]〔文〕すぐれた医者。いい医者。

*りょういき[領域] ①国家の主権のおよぶ区域。領土・領海・領空の全体。②関係のおよぶ範囲。領分。「科学のーをこえた問題」

りょういく[療育]《医》障害のある児童などを、治療しながら教育すること。「ー園」

りょういん[両院]〔文〕①上院と下院。「上下ー」②参議院と衆議院。「衆参ー」

りょういん[料飲]〔文〕料理と飲食。「ー店」

りょううち[両打ち]《野球》左右どちらの構えでも打てる〈こと/人〉。左右打ち。スイッチ ヒッター。「ー、両投げ」

りょうえん[良縁] いい〈出会い/縁談〉。「ーを得て結婚する」

りょうえん[×遼遠]《ナダ》〔文〕(ほど)とおいようす。はるかなようす。「前途ーだ」

りょうおもい[両思い] たがいに恋いしたうこと。(↔片思い)

りょうか[良家]〔文〕⇩りょうけ(良家)。

りょうか[良貨] まぜもののない金銀の貨幣。「悪貨はーを駆逐する」(⇩「悪貨」の 句)(↔悪貨)

りょうか[涼菓] 暑い季節に好まれる、すずしげで冷たい菓子。例、水ようかん・くずきり・ゼリー・シャーベット。「中元向けのー」

りょうか[寮歌]〔学生などの〕寮で生活する人が いっしょに歌えるように作った歌。「旧制高校ー」

りょうか[良化]《名・自サ》良くなること。「業績がーしている」(↔悪化)

☆☆りょうが[×凌×駕]《名・他サ》〔文〕ほかのものより上に出ること。しのぐこと。「先輩をーする力」

☆☆りょうかい[領海]《法》その国の主権が およぶ沿海。ふつう、陸地から十二海里以内。〔その外がわに、排他的経済水域を持つ〕☞公海。

りょうかい[了解・×諒解]《名・他サ》相手の言っている内容を理解して、同意すること。「おたがいのー事項・ーを求める・ーできない・ーしました〈軽く『ーです』とも〉」 ! 目上に失礼な語と言う人がいるが、以前から「了解いたしました」など、丁重表現として使われる。区別 ⇩承知①。

りょうがえ[両替]《名・他サ》ある種類の お金を ほかの種類の お金と とりかえること。「ー屋・千円札を百円玉にーする・円をドルにーする」

りょうがわ[両側]〔こちらと あちら、右と左などの〕両方の がわ。「道のーは田んぼだ」(↔片側) ☞りょうそく(両側)。

りょうかん[涼感]〔文〕すずしそうな感じ。「あふれるー・ーを呼ぶ」

りょうかん[猟官]〔文〕官職に つこうとして運動すること。「ー運動」

りょうかん[量感]〔文〕〈重み/厚み〉のある感じ。重量感。ボリューム。

りょうかん[僚艦]〔文〕〔行動をともにする〕なかまの軍艦。

りょうかん[寮監] 寮の監督。

りょうがん[両岸] 両方の きし。りょうぎし。

りょうがん[両眼] 両方の目。りょうめ。

りょうき[涼気]〔文〕すずしい〈空気/気分〉。

☆☆りょうき[猟奇]〔文〕怪奇・異常なものが好きで、それを熱心に もとめること。「ー心・ー的な〈=怪奇で異常な〉連続殺人事件」

←りょうき[猟期] ①その鳥や けものの よくとれる時期。②その鳥やけものをとっていいと決められている〈期間/時期〉。

→りょうき[漁期] ①その さかなや海藻などの よくとれる時期。②その さかなや海藻などをとっていいと決められている〈期間/時期〉。▽ぎょき。

りょうき[僚機]〔文〕〔行動をともにする〕なかまの飛行機。

りょうぎ[両義]〔文〕二つの意味。「ー性」

りょうきき[両利き] 右手も左手も きく〈こと/人〉。「ーのバッター・ー(の人用)の包丁」

りょうぎゃく[陵虐]《名・他サ》〔文〕暴力を加えるなどして、むごたらしいあつかいをすること。「民衆をーする・暴行ー罪」

りょうきょく[両極] ①ひとそろいになっている、二つの極。「南北ー〈=南極と北極〉・陰陽ー〈=陰極と陽極〉」②対立する、二つの極。両極端。「意見がーに分かれる」

りょうきょくたん[両極端]《名・ナダ》極端に はなれた、二つのもの(であるようす)。両極。「議論がーに分かれる・ーな面」

りょうぎり[両切り]〔↑両切りタバコ〕両はしを切った、吸い口やフィルターのない紙巻きタバコ。

*りょうきん[料金] 使用、または利用したことに対してしはらう お金。「使用ー・ー所〈=料金をしはらう場所〉」

りょうく[猟区] 猟をすることができる、範囲の定められている地域。(↔禁猟区)

りょうぐ[猟具]〔文〕猟に使う器具。鉄砲・網・かぎ(鉤)など。

☆☆りょうくう[領空]《法》領土・領海の上空。〔大気圏外は ふくまない〕「外国機がーを侵す・ー侵犯・ー権」

りょうぐん[両軍] 両方の〈軍隊/チーム〉。

りょうけ[両家]〔文〕両方の〈家/家庭〉。「橋本、上田ー結婚式場・ごーの お喜び…」

りょうけ[良家]〔文〕中流以上の、しつけの いい家庭。りょうか。「ーの子女・ーの子弟」

☆☆りょうけい[量刑]《名・他サ》《法》裁判所が刑を決めること。「ーの基準・ー不当」

りょうげつ[両月]〔文〕両方の つき。二か月。「三月、四月のーに わたって」

り

**りょうけん**［了見・料△簡・了△簡］〔古風〕㊀つもり。持っている考え。「どういう―だ・悪い―を起こす・―がせまい」㊁《名・自サ》こらえること。ゆるし。「どうか―してくれ」●**りょうけんちがい**［了見違い］考えの持ち方が まちがっていること。「―も はなはだしい」

**りょうけん**［良犬］〔文〕性質や能力のすぐれた、いい犬。

**りょうけん**［猟犬］狩りに使う犬。

**りょうげん**［×燎原］〔文〕火が はげしい勢いで野原を焼くこと。「―の火〔=野火〕のように広がる」

**りょうこ**［両虎］〔=二匹のトラ〕〔文〕まさりおとりのない、ふたりの英雄。「―相戦う」

**りょうこう**［良工］〔文〕うでのいい職人。「―は材をえらばず」

**りょうこう**［良港］〔文〕〔船をとめておくのに〕いいみなと。「天然の―」

**りょうこう**［良好］《名・ナダ》〔状態などが〕いいようす。「―な関係・視界―・成績―」派―さ。

**りょうこく**［両国］〔文〕両方の国。二つの国。りょうごく。「日米―」

**りょうごく**［領国］〔文〕領有する国土。

**りょうさい**［良妻］〔文〕夫をだいじに思う、いい妻。〔昔から、妻のがわだけに求められた役割。「良夫」とはほとんど言わない〕(↕悪妻) ●**りょうさいけんぼ**［良妻賢母］夫に対してはいい妻であり、子に対してはかしこい母である女性。〔昔から、妻のがわだけに求められた役割〕

**りょうさい**［寮祭］ 寮生によっておこなわれる寮の祭り。

**りょうざい**［良材］〔文〕①いい〈材木/材料〉。②すぐれた人物。「天下の―をもとめる」

**りょうざい**［良剤］〔文〕いい薬。

**りょうさく**［良作］〔文〕よくできた作品。

**りょうさく**［良策］〔文〕いい方法。「成績を上げるための―」

**りょうざし**［両差し］《すもう》もろざし。

**りょうさつ**［了察・×諒察］《名・他サ》〔文〕相手の立場や事情を理解し、思いやること。「事情ご―の上」

**りょうさん**［量産］《名・他サ》〔↑大量生産〕①機械・下請けなどを利用して、同じ商品を大量に作ること。マスプロ(ダクション)。「―態勢に はいる」②たくさんの成果・記録を残すこと。「論文を―する・ヒットを―する」

**りょうさん**［両三］園〔文〕二、三。「―度・―日」

**りょうざんぱく**［×梁山泊］〔文〕豪傑や野心家の集まる所。〔中国の明代の小説「水滸伝」に出てくる土地から〕

**りょうし**［良師］〔文〕すぐれた、いい〈師匠/先生〉。「―に つく」

**りょうし**［料紙］ 書道などで使う、色や模様をつけた紙。

←**りょうし**［猟師］ かりゅうど。

→**りょうし**［漁師］ さかなや貝類などをとる人。漁夫。「小さな―町」

**りょうし**［量子］《理》エネルギーや光など、連続的でなく、ある単位量の整数倍に限られる値〔=とびとびの値〕であらわされる、物理量の最小単位。「―論」●**りょうしコンピュータ**(ー)［量子コンピュータ(ー)］《情》量子力学の原理を応用した、超高速のコンピューター。従来のように0と1の組み合わせだけで計算するのでなく、0でも1でもある状態も利用して計算する。

←**りょうし**［僚紙］〔文〕同じ分野で刊行される、同じ立場や主義の新聞。「―の記者」

→**りょうし**［僚誌］〔文〕同じ分野で刊行される、同じ立場や主義の雑誌。「―の筆者」

**りょうじ**［両次］〔文〕二回。「―の大戦」

**りょうじ**［領事］《法》外国に駐在して、自国との通商を保護・奨励し、在留している自国民の保護をする役人。●**りょうじかん**［領事館］《法》領事が外国の駐在地で職務をおこなう役所。〔現在、日本は海外に領事館を置かず、総領事館を置いている〕

**りょうじ**［療治］《名・他サ》〔あんまや はり(鍼)などの〕昔からの治療。「もみ―」

☆☆**りょうしき**［良識］ 社会人としての健全な判断力。「―のある人・―にうったえる」

**りょうしつ**［良質］《名・ナダ》すぐれた、いい〈品質/性質〉。「―〈の/な〉食材」(↕悪質)

**りょうじつ**［両日］〔文〕ふつか(の間)。

**りょうしゃ**［両者］〔文〕(相対する)両方のもの。相対するふたり。「―たがいに ゆずらず」

**りょうしゃ**［寮舎］ 寮の建物。

**りょうしゅ**［領主］ ①荘園・領地の持ち主。②江戸時代、大名・旗本など、領地の支配者。▽(↕領民)

**りょうしゅう**［領袖］〔=えりとそで。ともに人の目につきやすい部分〕〔文〕集団の かしら。実力者。「派閥の―」

**りょうしゅう**［領収］《名・他サ》〔お金などを〕受け取ること。「右金額―しました」●**りょうしゅうしょ**［領収書］ お金を受け取った しるしに出す、書きつけ。うけとり。領収証。

**りょうじゅう**［猟銃］ 猟に使う銃。ふつう、散弾銃・ライフル銃をさす。

**りょうじゅつ**［療術］〔文〕〔指圧・電気療法などの〕治療術。

**りょうしょ**［良書］〔文〕ためになる、いい本。(↕悪書)

**りょうじょ**［×諒×恕］《名・他サ》〔文〕事情を察してゆるすこと。「なにとぞ ご―ください」

**りょうしょう**［良将］〔文〕すぐれた、いい大将。

**りょうしょう**［了承・×諒承］《名・他サ》相手の言うことを理解して、それでいいとゆるすこと。「―を得る〔=了承してもらう〕」

**りょうしょく**［糧食］〔文〕(貯蔵したり携行したりする)食糧。「―が欠乏する」

**りょうじょく**［陵辱・×凌辱］《名・他サ》〔文〕①あなどる行為をして、はずかしめること。「国旗を―する」②強姦。

*__りょうしん__［両親］ ふたおや。父母。「ご―」

**りょうしん**［良心］ 自分のおこないに対して、善悪を判断する心。「―に恥じない言動・―が とがめる」●**りょうしんてき**［良心的］《ナダ》 良心にしたがって誠実にするようす。「―な〔=料金を高く取らない〕店」

**りょうじん**［猟人］〔文〕かりゅうど。

**りょうすい**［良水］〔文〕質のいい水。

**りょうすい**［量水］〔文〕水量・水位などをはかること。「―器〔=水道のメーター〕・ダムの―塔」

**りょうすい**［領水］〔文〕領海内の水域。

**りょう・する**［了する・×諒する］《他サ》〔文〕⇩了とする〔「了」の句〕。「さいわいに〔=どうか〕読者もこれを了せられよ」

**りょう・する**［領する］《他サ》〔文〕自分の領土にする。支配する。「当地を―・あたりを―夜のしじま」

**りょうせい**［両生・両×棲］《動》水の中と陸上の両方にすむことができること。「水陸―・―動物」 ●**りょうせいるい**［両生類］《動》脊椎動物の一つ。卵生。小さいときは えらで呼吸して水中にすみ、成長すると肺で呼吸し、陸上にもすむ。例、カエル・イモリ。

**りょうせい**［両性］〔文〕①雄の性と雌の性。「―生殖」②男性と女性。「―の平等」

**りょうせい**［良性］①〔文〕たちが いいこと。「人に無害な―のカビ」②《医》手術・治療によって治る性質。「―の腫瘍」▽(↔悪性)

**りょうせい**［寮生］①寮に住む〈生徒/学生〉。②独身寮に住む独身社員。③老人ホームなどの施設にはいっている人。

**りょうせいばい**［両成敗］ 争う両方を罰すること。「けんか(喧嘩)―」

**りょうせん**［×稜線］①山の峰から峰へと続く線。尾根。「―に雲が かかる」②建物や箱の形をしたものなどで、面と面の境をなす線。

**りょうせん**［僚船］〔文〕〔行動をともにする〕なかまの船。

**りょうぜん**［両全］〔文〕両方ともに〈安全な/うまく行く〉こと。「―の策・農工〔=農業と工業〕―」

**りょうそく**［両側］《医》〔からだの中心に対して〕りょうがわ。「―乳がん」(↔一側)

**りょうそく**［寮則］ 寮の規則。

**りょうぞく**［良俗］〔文〕善良な風俗。「公序―に反する おこない」

**りょうぞん**［両存］《名・自サ》〔文〕〔一方がほろびるということでなく〕両方とも存在すること。りょうそん。

**りょうだて**［両建て］《経》銀行が、お金を貸すさいに、貸したお金の一部をその場で定期預金にさせること。「―預金」(↔歩積み)

**りょうだめ**［両(△為)］〔古風〕両方の ためになること。両方の利益になること。

**りょうたん**［両端］〔文〕①両方の はし。りょうはし。「―を結ぶ」②始めと終わり。もとすえ。首尾。

**りょうだん**［両断］《名・他サ》〔文〕まっぷたつに切ること。「一刀―」

**りょうち**［領地］①貴族や封建社会の支配者たちの持っている土地。②領土。

**りょうち**［了知］《名・他サ》〔文〕事実や事情を承知すること。「請求内容を―する」

**りょうちょ**［良著］〔文〕いい内容の本。

**りょうちょう**［猟鳥］ 法律で、とっていいことになっている鳥。

**りょうちょう**［寮長］ 寮の〈取りしまりをする人/代表者〉。

*__りょうて__［両手］①右と左の、両方の手。もろて。「―をついて あやまる」②〔なべの〕二つ取っ手のあるもの。「―なべ」③〔俗〕〔十万円などの隠語として〕十。▽(↔片手) ●**両手に花**〔句〕①〈二つの美しいもの/のぞましいもの〉を、ひとりで手に入れること。②ひとりの男性が ふたりの女性をともなっていること。

**りょうてい**［料亭］ 座敷が中心の、高級な日本料理店。☞割烹②。

**りょうてい**［僚艇］〔文〕〔行動をともにする〕なかまの小型船。

**りょうてい**［量定］《名・他サ》〔文〕〔軽重を〕はかって決めること。「刑の―」

**りょうてき**［量的］《ナダ》 量に関係のあるようす。「―には大したものでない」(↔質的)

**りょうでん**［良田］〔文〕イネがよく みのる、りっぱな田。

**りょうてんびん**［両(天×秤)］〔俗〕どちらになっても さしつかえの ないように、ふたまたをかけること。「―をかける」

**りょうど**［領土］①《法》その国の主権が およぶ陸地〔と海〔=領海〕、空〔=領空〕〕。「日本の―」②領地。

**りょうとう**［両刀］①武士の帯びた、大小二本の かたな。②↑両刀づかい。 ●**りょうとうづかい**［両刀遣い・両刀使い］①大小の かたなを左右の手に持って戦う剣術〈をする人〉。②〔俗〕正反対の二つのものごとが両方〈できる/好きな〉こと。また、その人。「甘党、辛党の―」▽二刀流。りょうとう つかい。 ●**りょうとうろんぽう**［両刀論法］《哲》いずれかしかありえない どちらの前提からも ある結論がみちびかれるように構成した三段論法。ジレンマ。例、その行為が故意だったとすれば規則違反であり、過失だったとすれば無責任である。いずれにしても よくない。

**りょうとう**［両頭］〔文〕①二つの あたま。双頭。「―の蛇」②ふたりの支配者。ふたりの巨頭。「―政治」

**りょうどう**［両道］〔文〕二つの方面。「文武―」

**りょうどう**［糧道］〔文〕〔軍隊の〕食糧を送る道筋。「敵の―を断つ」

**りょうどうたい**［良導体］《理》〈熱/電気〉をよく伝える物体。導体。

**りょうとく**［両得］ おたがいにとって得であること。両方とも得になること。(↔両損) ☞一挙両得。

**りょうどなり**［両隣］ 右隣と左隣の両方。「―の席があいている・向こう三軒―」(↔片隣)

**りょうない**［領内］〔文〕領地の うち。

**りょうない**［寮内］ 寮の中。(↔寮外)

**りょうながれ**［両流れ］ 屋根の傾斜が、棟の両がわについていること。(↔片流れ)

**りょうにらみ**［両(×睨み)］ 別々のことがらの なりゆきを同時に注目すること。「財界は与野党に対し―の姿勢をとっている〔=どちらの動向も注視している〕」

**りょうにん**［両人］〔文〕ふたり。「―相対する」☞ご両人。

**りょうば**［両刃］①〔安全かみそりの替え刃などで〕両がわに刃がついている〈こと/もの〉。②もろは。「―のつるぎ」▽(↔片刃)

**りょうば**［良馬］〔文〕すぐれた馬。駿馬(しゅんめ)。

**りょうば**［猟場］猟をする所。かりば。

**りょうば**［漁場］さかなや貝をとる場所。ぎょば。ぎょじょう。

**りょうばば**［良馬場］《競馬》かわいて、馬が走りやすい馬場。「ぱんぱんの（＝よく かわいた）—」（↕重(おも)馬場）

**りょうはだ**［両肌］⇩もろはだ。

**りょうはん**［量販］《名・他サ》《経》商品を、安くして大量に売ること。マス セール。「—店（＝大量の商品をあつかう小売店）」

**りょうばん**［良番］〔電話番号などで〕数字の ならびかたのいい番号。

**りょうひ**［良否］〔文〕いいか悪いか。よしあし。「—を問う」

**りょうひ**［寮費］食費そのほかの必要な費用にあてるために、寮生に出させる お金。

**りょうびょう**［療病］《医》病気を治療すること。

**りょうびらき**［両開き］〔門や戸だなが〕両方に ひらくようになっている〈こと／開き戸〉。観音(かんのん)びらきや、手前と奥(おく)とに ひらくものなど。（↕片開き）

**りょうひん**［良品］（欠陥(けっかん)もなく）いい品物。「中古だが—だ」（↕不良品）

**りょうふ**［両夫］〔文〕ふたりの夫。「貞女(ていじょ)—に まみえず〔⇩「貞女」の用例〕」

**りょうふ**［寮父］寮・老人ホームなどに住む人たちのせわをする男性。（↕寮母）

**りょうふう**［良風］〔文〕いい〈風習／風俗(ふうぞく)〉。「—美俗」

**りょうふう**［涼風］〔文〕すずしい風。すずかぜ。

**りょうぶん**［領分］①領地。「—をおかす」②〔勢力〕範囲(はんい)。「科学の—」

**りょうぶん**［両分］《名・他サ》〔文〕二つに分けること。二分。「世界を—する」

**りょうべん**［両便］〔文〕大便と小便。「—失禁」

**りょうぼ**［良母］〔文〕子どもに対して いい母親である女性。

**りょうぼ**［陵墓］〔文〕天皇・帝王(ていおう)をほうむる、大きな墓。

**りょうぼ**［寮母］寮・老人ホームなどに住む人たちのせわをする女性。（↕寮父）

**りょうほう**［両方］〔二つの ものの〕どちらも。双方(そうほう)。「—とも ほしい」（↕片方）

**りょうほう**［良法］〔文〕いい方法。

**りょうほう**［療法］治療の しかた。「ショック—・転地—」

**りょうほん**［良本］〔文〕印刷や製本上の欠陥(けっかん)のない本。（↕不良本(ぼん)）

**りょうまい**［良米］〔文〕品質のいい米。

**りょうまい**［糧米］〔文〕食糧にする米。

**りょうまえ**［両前］〈—まへ〉《服》⇩ダブル③。（↕片前）

**りょうまつ**［糧×秣］《軍》兵士の食糧と軍馬用の まぐさ。

**りょうみ**［涼味］〔文〕すずしい感じ。すずしさ。「—満点」

**りょうみん**［良民］〔文〕善良な人民。「—を苦しめる」

**りょうみん**［領民］荘園(しょうえん)・領地に住む人。「仙台藩(せんだいはん)の—」（↕領主）

**りょうむ**［寮務］〔文〕寮の事務。

**りょうめ**［両目］①両方の目。②《自動車》〔俗〕左右両方のライト。▽（↕片目）●**両目が明く**㊒〔《すもう・野球など》やっと二勝すること。㊀両目を明ける。

**りょうめ**［量目］めかた。かけめ。りょうもく。「—をごまかす」

**りょうめい**［両名］〔文〕ふたり。両人。

**りょうめん**［両面］①表と裏の、両方の表面。「—に印刷する」②二つの（ちがった）方面。「—から考察する・—作戦」▽リャンメン〔俗〕。（↕片面）

**りょうもん**［良問］〔文〕いい〈問題／質問〉。「よく練られた—」（↕悪問）

**りょうや**［良夜］〔文〕月の明るく、美しい よる。〔俳句では、十五夜・十三夜をさす〕

**りょうや**［涼夜］〔文〕すずしい よる。

**りょうや**［領野］〔文〕領域。分野。「〔学問の〕未開の—を開拓(かいたく)した」

**りょうやく**［良薬］〔文〕よくきく くすり。妙薬(みょうやく)。●**良薬は口に苦(にが)し**㊒ 良薬は、にがくて飲みにくい。人の忠告は聞きづらいものだが ためになる、ということのたとえ。

**りょうゆう**［両雄］〔文〕二人の英雄(えいゆう)。●**両雄並び立たず**㊒ すぐれたものが二人いれば、けっきょく どちらかがたおれる。

**りょうゆう**［良友］〔文〕ためになる友だち。益友。（↕悪友）

**りょうゆう**［猟友］〔文〕いっしょに猟をする〈友だち／なかま〉。

**りょうゆう**［僚友］〔文〕〈仕事をいっしょにしている／同じ職場の〉友だち。

**りょうゆう**［寮友］〔文〕同じ寮に住む なかま。

**りょうゆう**［療友］〔文〕いっしょに療養をしている なかま。「結核(けっかく)の—」

**りょうゆう**［領有］《名・他サ》〔文〕自分の〈もの／土地〉として もつこと。

**りょうよう**［両用］両方に〈使う／役立つ〉こと。「水陸—・遠近—・—便器」

**りょうよう**［両様］〔文〕ふたとおり。「—の意味」

**りょうよう**［両洋］〔文〕「洋」のつく、二つの、大きな海など。「太平、大西—・東西—（＝東洋と西洋の両方）の学問に通じている人」

**りょうよう**［療養］《名・自他サ》長く かかる病気を治すために養生すること。「—所・—生活」●**りょうようびょうしょう**［療養病床］病状が安定した長期療養患者(かんじゃ)のために、病院内に設置されるベッド。

**りょうようし**［両養子］夫婦(ふうふ)養子。

**りょうよく**［両翼］①〔文〕左右の つばさ。②右翼と左翼の両方。

**りょうらん**［(×繚乱)・(×撩乱)］《(トタル)》〔文〕花がさきみだれること。「百花—」

*__りょうり__［料理］《名・他サ》①食材を調理し、皿などに盛りつけたりして、食事のときに食べられるように〈すること／したもの〉。「—店・—人(にん)・—家(か)・—の さしすせそ〔⇩さしすせそ〕・蒸(む)し—・日本—・お—」㊟調理。②よく おさめること。うまく かたづけること。「国政を—す

る・相手チームを難なく―する」 ●りょうりちょう［料理長］ レストランなどで、料理人のいちばん上の人。コック長。シェフ。

りょうりつ［料率］ 条件によってはらう料金が変わるとき、条件となる数字に対する、しはらう金額の割合。「保険料の―」

りょうりつ［両立］《名・自サ》両方とも〈成り立つ／できる〉こと。「哺乳(ほにゅう)類であることと、空を飛べることは―する・職業と趣味(しゅみ)を―させる」

りょうりょう［両々］〔文〕両方(とも)。双方(そうほう)。

●両々相(あい)ま(俟)って 句 両方が一つになって。

りょうりょう［×喨々］《トタル》〔文〕ラッパなど金管楽器の音が明るくひびくようす。「秋は―と空に鳴り」

りょうりょう［×稜々］《トタル》〔文〕〈かどだった／気質のするどい〉ようす。「気骨―」

りょうりょう［×寥々］《トタル》〔文〕あちらこちらに、少ししかなくて さびしいようす。「見識のすぐれた人は―たるものだ」

りょうりん［両輪］〔文〕①左右または前後の車輪。「―駆動(くどう)の電動自転車」(↔片輪(かたりん)) ②二つそろってはじめて効果のあるもの。「住民運動と警察の―で暴力団を解散させた」☞車の両輪。

りょう・る［料る］《他五》〔古風〕〔材料を〕料理する。
由来 「料理」を動詞化したことば。

りょうろん［両論］〔相(あい)対する〕二つの議論。「賛否―・―併記(へいき)」

りょがい［慮外］《ナダ》(=意外)〔文〕ぶしつけ。無礼。「―者(もの)」

りょかく［旅客］ 列車・船・飛行機に乗って旅行をする人。りょきゃく。「―列車」 ●りょかくき［旅客機］ 客を乗せてとぶ飛行機。りょかっき。

りょかん［旅館］ 客を有料で とめる、日本ふうの建物。「温泉―・―営業」

りょきゃく［旅客］ ⇩りょかく。

りょく［緑］ 選 〔文〕みどり色をおびた。「―青色・―白色」

**りょく［力］ 選 ①ものを動かすちから。「回転―・推進―」 ②能力。「政治―・指導―・資金―」 ✎一九〇年代後半に赤瀬川(あかせがわ)原平が「老人力(=ものを忘れたりできる力)」と表現してから、しだいにいろいろな語について、自由に新しい名詞をつくるようになった。例、「家族―・新聞―・クリエイティブ―」

りょく［利欲］ 利益をむさぼる心。「―に目がくらむ・―が先に立つ」

りょくいん［緑陰］〔文〕青葉のしげった(すずしい)木のかげ。「―の風もさわやか」

りょくえん［緑園］〔文〕みどりの庭園。

りょくおう［緑黄］〔文〕みどりいろときいろ。「―色(=みどりがかった黄色)」 ●☆☆りょくおうしょくやさい［緑黄色野菜］ 赤・黄・緑の、色のこい野菜。カロテンが豊富。有色野菜。例、ニンジン・カボチャ・ホウレンソウ・ピーマン。(↔淡色(たんしょく)野菜)

りょくか［緑化］《名・自他サ》⇩りょっか。

りょくじゅ［緑樹］〔文〕青葉の木。

りょくじゅうじ［緑十字］ 白地にみどり色の、十字のしるし。安全をあらわす標識。みどり十字。「―章(=交通安全運動の功労者におくる記章)」

りょくじゅほうしょう［緑×綬褒章］ りっぱなおこない・事業を通して社会につくした人に国があたえる、みどり色のリボンのついた記章。

りょくしょく［緑色］〔文〕みどり色。

りょくそう［緑草］〔文〕青草(あおくさ)。

りょくち［緑地］ 草木のしげっている土地。公園や農地など。「―化」 ●りょくちたい［緑地帯］ 都市の美観や自然を保護するために、都市計画で決めた、緑地のある地域。グリーンベルト。

りょくちゃ［緑茶］ 日本独特の、みどり色のお茶。若葉を蒸(む)し、ほいろ(焙炉)でもみながら作る。また、それに湯をさして飲む飲み物。煎茶(せんちゃ)・抹茶(まっちゃ)など。(↔紅茶)

りょくど［緑土］〔文〕草木の しげった国土。

りょくとう［緑豆］ 小つぶで みどり色をしたマメ。はるさめの原料。もやしとして食用にする。

りょくどう［緑道］ 緑地帯にのびる、歩行者や自転車のための道。「玉川上水―」

りょくないしょう［緑内障］《医》視神経が冒(おか)され、視力が落ちたり、視野がせまくなったりする病気。慢性(まんせい)と急性とがある。あおそこひ。

りょくのうきん［緑×膿菌］《医》みどり色のうみになる細菌。毒性は弱いが、なかなか死なない。「多剤耐性(たざいたいせい)―(=抗生(こうせい)物質に対する耐性を持った緑膿菌。院内感染(かんせん)の原因となる)」

りょくひ［緑肥］《農》草を青いまま、田畑にうめてくさらせ、肥料とするもの。レンゲソウやクローバーなどを使う。草肥(くさごえ)。

りょくふう［緑風］〔文〕青葉をわたる、気持ちのいい風。

りょくべん［緑便］《医》乳児が消化不良などのために出す、みどり色の大便。

りょくや［緑野］〔文〕草木の しげった野原。

りょくよう［緑葉］〔文〕みどり色の葉。

りょくりん［緑林］〔文〕あおあおと葉のしげった林。

りょけん［旅券］ ⇩パスポート①。

*りょこう［旅行］《名・自サ》〔楽しみや仕事のために〕旅に出ること。旅すること。「―者・―プラン・修学―・視察―」

りょしゅう［旅愁］〔文〕旅先で感じる わびしさ。「―をそそる」

りょしゅう［虜囚］〔文〕敵に とらえられた人。とりこ。「―の身」

りょしゅく［旅宿］〔文〕やどや。旅館。

りょじょう［旅情］ 旅に出て感じる、いつもとちがう気持ち。「―をかきたてる・―にひたる」

りょじん［旅人］〔文〕たびびと。「―宿(やど)(=やどや)」

りょそう［旅装］〔文〕旅行をするときの服装。たびじたく。 ●旅装を解く 句 〈旅から帰って／宿舎に〉とまってくつろぐ。

りょだん［旅団］《軍》陸軍の、部隊を編制するときの単位の一つ。師団の下、連隊の上。

りょちゅう［旅中］〔文〕旅行の間。

りょっか［緑化］《名・自他サ》木や草を植えて みどりに〈なる／する〉こと。りょくか。「―運動」

りょっこう［力行］《名・自サ》〔文〕⇩りっこう(力行)。

**りょてい**［旅程］〔文〕①旅行の道のり。②旅行の日程。「―をくりあげる」

**りょひ**［旅費］旅行に必要な費用。「出張―」

**りょりょく**［×膂力］〔文〕筋力。腕力。

**リラ**〔フ lilas〕⇩ライラック。

**リラ**①〔イ lira〕もと、イタリアの お金(の単位)。〔現在は「ユーロ」が使われる〕②〔トルコ lira〕トルコの お金(の単位)。トルコ リラ。

**リライト**《名・他サ》〔rewrite〕もとの原稿や記事などに手を入れて書き直すこと。

**リラクゼーション**〔relaxation〕くつろぐこと。リラクセーション。「―室」

**リラックス**《名・自サ・ナダ》〔relax〕①緊張をなくして、楽な気分でくつろぐこと。「家で―する」②くつろいだ気分をあたえるようす。「―な ふんいき」

**リラびえ**［リラ冷え］〔北海道方言〕春、リラ〔=ライラック〕の花がさくころになっての、寒さのもどり。

**リリアン**〔lily yarn〕レーヨン・ナイロン・絹糸などを織った、細い ひも。手芸の材料。リリヤン。

**リリー**〔lily〕ゆり。

☆☆**リリース**《名・他サ》〔release〕①〔官庁や企業などからの〕発表(文)。「ニュース―」②〔楽曲・ソフトウェアなどの〕発売。「―イベント〔俗に略して『リリイベ』〕」③釣ったさかなを放流すること。④《球技》最後にボールを手からはなす〈こと／動作〉。「―ポイント」

**リリーフ**《名・他サ》〔relief〕①《野球》前の投手に代わって登板する〈こと／投手〉。救援(投手)。②⇩レリーフ。

**リリカル**《ナダ》〔lyrical〕叙情(詩)的。情緒的。

**りりく**［離陸］《名・自サ》〔飛行機などが〕陸地をはなれて とび上がること。テイク オフ。(↔着陸)

**りりし・い**［(×凜々しい)］《形》勇ましくて、気品のあるようすだ。「―姿」派―げ。―さ。

**リリシズム**〔lyricism〕叙情的な詩風。叙情性。叙情味。

**りりつ**［利率］《経》利息の割合。「―、年五分」

**リリック**《名・ナダ》〔lyric〕①叙情詩。②叙情的。「―テナー」

**りるい**［離塁］《名・自サ》《野球》走者がベースからはなれること。「大きく―する」

**リレー**《名・他サ》〔relay〕①ひと組みの選手がそれぞれ一定の距離を受け持ち、つぎつぎに引きついで〈走る／泳ぐ〉競技。継走。継泳。リレー レース。「四百メートル―」②順ぐりに受けついで送っていくこと。「―〔=中継〕放送」☞バケツリレー。

☆☆**りれき**［履歴］①現在までの学業・職業などの経歴。「―をいつわる」②《情》⇩ログ③。「―を調べる・着信―」③現在までに起きた できごとなどの記録。「災害―」 •**りれきしょ**［履歴書］現在までの学歴・職歴などを書いた書類。

**りろ**［理路］議論や考えの、筋道。「―整然と〔=きちんと筋道を立てて〕弁明した」

***りろん**［理論］原理や原則から出発して〈論じること／論じたもの〉。「なかなかの―家だ・―上はそうなります・―武装〔=批判にそなえ、理論的に反論できるようにしておくこと〕・―づけ」(↔実践)

**りん**［厘］①〔お金の〕銭の十分の一。「日歩六―」②〔長さの〕分の十分の一。一厘は約〇・三〇ミリ。「一分一―ちがわない」③〔割合の〕分の十分の一。「三分五―」

**りん**［鈴］①《仏》⇩おりん。②合図のために、おし、またはたたいて音を出す〈もの／装置〉。ベル。

**りん**［(×燐)］①［リン］《理》非金属元素の一つ〔記号P〕。黄リン〔「白リン」とも〕はうす黄色・半透明でやわらかく、自然発火する有毒物質。赤リンはマッチに使われる。骨に多くふくまれるが、栄養素として とりすぎると、骨がもろくなる。②りんか(燐火)。

**りん**［×凜］《トタル》①〔態度や姿が〕きびしく、気品のあるようす。「―〈とした／たる〉態度・―と たたずむ」②声がきりっとして、よくひびくようす。「―とした声」③寒気のきびしいようす。「―とした外気」

**りん**［輪］接尾 花や車の輪を数えることば。

**りん**［臨］造 ①その場所に面していること。「―海・―空港」②↑臨時。「―給〔=臨時給与〕」

**りん**［林］造 はやし。森林。「国有―・防風―」

**りんう**［×霖雨］〔文〕ながく降り続く(秋の)雨。ながあめ。

**りんか**［輪禍］〔文〕自動車などにひかれる災難。「―を受ける」

**りんか**［隣家］〔文〕となりの家。「―の住人」

**りんか**［×燐火］〔文〕りん(燐)が燃える青白い火。おにび。きつねび。

☆☆**りんかい**［臨海］海のそばにあること。「―実験所・―道路」 •**りんかいがっこう**［臨海学校］夏、子どもを海岸に集めて、泳ぎの訓練、レクリエーションなどをする学校行事。

**りんかい**［臨界］①一つの状態から別の状態に移る、ぎりぎりの限界になること。「―に達する・―事故」②《理》↑臨界状態②。 •**りんかいじょうたい**［臨界状態］《理》①密閉した容器で温度を上げていったとき、液体と気体が共存する限界の状態。その温度をこえると、液体と気体が区別できなくなる〔=超臨界状態〕。②原子炉で、核分裂の連鎖反応を起こし続ける状態。臨界。 •**りんかいてん**［臨界点］①《理》臨界をむかえる点。「水が水蒸気になる―」②これ以上は(たえられ)ないという限界。「〈がまん／不安〉が―に達する」

**りんかく**［輪郭・輪×廓］①〔ものの形をあらわす〕まわりの線。「―がはっきりしない・―をえがく」②目鼻立ちの、線。「―の整った顔」③ものごとの あらまし。アウトライン。「事件の―」

**りんがく**［林学］森林や林業の理論・技術を研究する学問。「―博士」

**りんかん**［林間］①〔文〕はやしの中。②↑林間学校。 •**りんかんがっこう**［林間学校］夏、山林や高原に子どもを集めて、自然の中で体験学習をさせる学校行事。林間。

**りんかん**［輪×姦］《名・他サ》数人の男が一人の女性を、力ずくで おかすこと。

**りんき**［臨機］〔文〕その場に〈のぞむ／のぞんで〉うまく処置する〉こと。「―の処置・―に対応する」 •☆☆**りんきおうへん**［臨機応変］その状況に合わせ、変化に応じて、うまく処置すること。派―さ。

**りんき**［×悋気］《名・自サ》〔文〕〔好きな相手に対す

る」やきもち。嫉妬。「―を起こす」

**りんぎ**[×稟議]《名・他サ》〔「ひんぎ」の慣用読み〕〔文〕〔会議を開かず〕関係者に案を回して承認を求めること。「―書」

**りんきゅう**[臨休]↑臨時〈休暇/休業〉。

**りんぎょ**[臨御]《名・自サ》〔文〕天皇・皇后などがその場に来られること。☞臨幸。

**りんぎょう**[林業]森林経営の事業。「―家(=林業経営者)」

**りんぎょう**[輪業]〔自転車やオートバイなど〕二輪車の販売・修理・整備をする仕事。「―店」

**りんきん**[×淋菌]《医》淋病のもとになる細菌。

**リンク**[rink]スケート場。アイスリンク。「スケート―・―サイド」

**リンク**《名・他サ》[link]①〔くさりの、一つ一つの〕輪。②連結。連動。③《経》製品の輸出を条件にして、その原料・材料の輸入を許すこと。「―制」④〔インターネットで〕あるホームページなどから、別のページへ接続すること。「―先・―を張る」⑤⇩リンクス。●**リンクス**[links]海沿いのゴルフ場。

**リング**[ring]①輪(の形のもの)。「オニオン―」②指輪。「エンゲージ―」③《ボクシングなど》試合をする場所。「―にのぼる」④《バスケットボール》ボールを投げ入れる輪。ゴールリング。⑤↑避妊リング。●**リングサイド**[ringside]《ボクシングなど》リングに近い、いちばん前の列の席。●**リングネーム**[和製 ring name]格闘家としての、本名以外の名前。

**リングイネ**[イ linguine]断面が楕円形の、長いパスタ。リングィーネ。「―のジェノベーゼ」

**りんくう**[臨空]〔文〕空港の近くにあること。「―工業団地」

**りんけい**[輪形]〔文〕輪のような形(をしていること)。「―陣」

**リンケージ**《名・他サ》[linkage]つながること。連結。連鎖。

**りんげつ**[臨月]子どもの生まれる(予定の)月。産み月。「―をむかえる」

**リンゲル**〔↑リンゲル液。Ringer=人名〕《医》血の成分に似せた、体液代用の液体。衰弱のはげしいときなどに注射する。「―を打つ」

**りんけん**[隣県]〔文〕となりの県。

**りんけん**[臨検]《名・他サ》《法》現場に行って検査すること。

**りんげん**[×綸言]〔文〕天子のことば。●**綸言汗のごと(如)し**句〔文〕〔あせは ふたたび体内にもどることがないように〕天子のことばは、いったん口から出たら取り消すことができない。

**りんこ**[隣戸]〔文〕となりの家。

**りんこ**[×凜×乎]〔タル〕〔文〕きびしくて、気品のあるようす。「―たる態度」

**りんご**[〔林×檎〕]手のひらにのるくらいの丸いくだもの。皮は赤いものが多いが、黄や緑のものもある。中はうす黄色。かじると歯ごたえがあり、あまくてすっぱい。「―ジュース・―のタルト」●**りんごびょう**[〔林×檎〕病]《医》かぜに似た症状があり、顔などに発疹が出る病気。

**りんこう**[〔×燐〕光・リン光]《理》ある物体を光やX線にさらしたあと、その物体から出る光。蛍光より寿命がながいもの。由来 黄リン(燐)を空気の中においておくとき、自然に出る青い色の光を指したことから。

**りんこう**[臨港]〔文〕みなと(の船つき場・桟橋)のそばにあること。「―線」

**りんこう**[輪行]《名・自サ》①自転車を(分解して)電車などに持ちこんで運ぶこと。「―袋」②〔文〕サイクリング。

**りんこう**[臨幸]《名・自サ》〔文〕天皇・皇帝がその場に来られること。☞臨御。

**りんこう**[輪講]《名・他サ》一つの本を、数人が順次に講義すること。「万葉集の―」☞輪読。

**りんごく**[隣国]〔文〕となりの国。りんこく。「―との交通」

**りんさい**[輪栽]《名・他サ》《農》⇩輪作。

**りんさく**[輪作]《名・他サ》《農》同じ土地に数種類の作物を順々に作ること。輪栽。(↔連作)

**りんさん**[林産]〔文〕山林からとれる〈こと/もの〉。「―物」

**りんさん**[×燐酸・リン酸]《理》非常に吸湿性の強い、不安定な結晶。水を吸ってシロップ状になる。中ぐらいの強さの酸。生体内では核酸(DNA、RNA)やATP(アデノシン三リン酸)の部分構造。化学工業に使う。

**りんし**[隣市]〔文〕となりの市。

**りんし**[臨死]〔文〕病気や事故などで、死のせとぎわまでいくこと。死にかけること。「―体験・―患者」

**りんじ**[臨時]①そのときだけ特別におこなうこと。「―株主総会(↔定時株主総会)・―閣議(↔定例閣議)・―列車(↔定期列車)」②何かの必要があって、短い期間だけそうすること。「―雇い(↔常雇い)・―費(↔経常費)」●**りんじこっかい**[臨時国会]《法》通常国会とは別に、臨時に開かれる国会。臨時会。☞通常国会・特別国会。

**りんしつ**[×稟質]〔「ひんしつ」の慣用読み〕〔文〕生まれつきの性質。

**りんしつ**[隣室]〔文〕となりの部屋。

☆☆**りんじゅう**[臨終]①息を引き取るまぎわ。「―にまにあう」②死ぬこと。「〔医師が遺族に〕ご―です」

**りんしょ**[臨書]《名・自他サ》《書道で》手本を見ながらそのとおりに字を書き写すこと。また、そうして書き写したもの。

☆☆**りんしょう**[臨床]①《医》病人を相手に、治療・診察すること。「―医(↔研究医)・―医学(↔基礎医学)・―実験・―研修・―心理学・―心理士(=心理療法の専門家)」②病人がねている所に行くこと。

**りんしょう**[輪唱]《名・他サ》《音》二声部以上の曲で、各声部が同じ旋律を、一定の間隔をおいて追いかけるように歌う方法。

**りんじょう**[輪状]〔文〕輪のような形。環状。「―の花火」

**りんじょう**[臨場]《名・自サ》〔文〕その場に〈行く/出る〉こと。「《警察》現場に―中」●**りんじょうかん**[臨場感]実際にその場に身を置いているような感じ。「―のある〈サウンド/映像〉」

**りんしょく**【臨職】 ↑臨時職員(=パートタイマーなど)。(⇔正職)

**りんしょく**【×吝×嗇】《名・ナダ》〔文〕度をすごして、けちであること。「―家」派―さ。

**りんしるい**【×鱗×翅類】《動》鱗粉や細かい毛でおおわれている昆虫。例、ガ・チョウ。

**りんじん**【隣人】〔文〕となり(近所)の人。「―愛の精神で助けあう」

**リンス**〔rinse=ゆすぐ〕①⇨コンディショナー②。「ヘア―」②ゆすぐための液体。「デンタル―(=口をゆすぐ液体)」

**りんず**【×綸子】 生糸で織り上げた、つやのある絹織物。白むくなどに使う。

**りんせい**【林政】〔文〕森林についての行政。

**りんせい**【輪生】《名・自サ》《植》葉が、一つのふしから三枚以上、輪のような形にはえること。(⇔互生・対生)

**りんせき**【隣席】〔文〕となりの席。

**りんせき**【臨席】《名・自サ》〔文〕その席に出ること。出席。「ご―くださる・ご―をたまわる」

**りんせつ**【隣接】《名・自サ》となりあうこと。「―する村・―家屋」

**りんせん**【林泉】〔文〕木立・泉水のある庭園。

**りんせん**【臨戦】《名・自サ》〔文〕戦争を始める準備を整えること。「―態勢」

**りんぜん**【×凜然】《(ト)(タル)》〔文〕①凜々。②凜乎。派―さ。

**りんそう**【林相】 構成する木々の種類や樹齢などから見た、林の様子。「安定した―」

**りんぞう**【臨増】〔視覚語〕↑臨時増刊。「―号」

**りんそん**【隣村】〔文〕となりむら。

**りんたく**【隣卓】〔文〕〔飲食店などの〕となりのテーブル。「―の会話が耳にはいった」

**りんち**【隣地】〔文〕となりの土地。

**りんち**【臨地】 実践のために、その土地・場所に行くこと。「―調査・―実習」

**リンチ**《名・他サ》〔米 lynch〕 法律によらないで、個人的に加える制裁。私刑。「―にかける・―を受ける・集団―」

**りんてん**【輪転】《名・自サ》〔文〕輪のように回転すること。「―式」●**りんてんき**【輪転機】 円筒形をした印刷版の間に紙を通し、高速度で印刷する機械。

**りんてん**【臨店】《名・自サ》指導や検査などをするために、店に出向くこと。「役員が―する」

**リンデンバウム**〔ド Lindenbaum〕ヨーロッパに多い落葉樹。初夏、うす黄色の かおりのいい花がさく。西洋ぼだいじゅ(菩提樹)。リンデン。

**りんどう**【林道】 木材を運んだりするために山林の中に作った(細い)道。

**りんどう**【△竜△胆】(↑竜胆(りゅうたん)) 秋、青むらさき色で筒形の花をひらく野草。根は薬に使う。

**りんどく**【輪読】《名・他サ》 一つの本を数人が順次に読んで、解釈すること。「『源氏物語』を―する」☞輪講。

☆☆**りんね**【輪×廻・輪△回】《名・自サ》《仏》生物が、死んで別なものに生まれ変わる過程を永久にくり返すこと。「六道に―する・―転生」

**リンネル**〔↑オ linnen〕⇨リネン①。

**リンパ**〔ラ lympha〕《生》①↑リンパ液。②↑リンパ節。表記「:淋巴」は、古い音訳字。●**リンパえき**【リンパ液】《生》全身に張りめぐらされているリンパ管の中を流れる、無色・透明の液体。おもな成分はリンパ球。老廃物を運び去る役目をする。リンパ。●**リンパきゅう**【リンパ球】《生》白血球の一種。病原菌を殺す。●**リンパせつ**【リンパ節】《生》リンパ管のところどころにある、大小のふくらみ。免疫のはたらきをするリンパ球を増やし、病原菌を殺す。リンパ腺。〔首などにある はれたものは、俗に「ぐりぐり」と言う〕●**リンパせん**【リンパ腺】「リンパ節」の俗称

**りんぱく**【臨泊】《名・自サ》(↑臨時宿泊)〔文〕とまりこみ。

**りんばん**【輪番】 大ぜいの人が かわるがわるすること。順番。まわりばん。「―制」

**りんびょう**【×淋病】《医》性病の一つ。小便をするときに尿道が痛む。女性は自覚症状が弱い。トリッペル(ド Tripper)。

**りんぶ**【輪舞】《名・自サ》〔文〕大ぜいが輪のように回りながらおどる舞踊。円舞。●**りんぶきょく**【輪舞曲】《音》⇨ロンド。

**りんぷん**【×鱗粉】《動》チョウやガの はねについている、うろこのような形をしたこな。

**りんぺん**【×鱗片】〔文〕さかなの うろこの ひとかけら。また、そのような形をしたもの。

**りんぽ**【隣保】〔文〕①となり近所の人々。「―班(=となりぐみ)」②その地域の困っている人を助けること。「―事業・―館」

**りんぽう**【隣邦】〔文〕となりの国。隣国。

**リンボー**〔limbo〕 中米のダンス。おどりの間に、低い位置に水平にわたした棒の下を、からだをそらしてくぐる。リンボーダンス。

**りんぼく**【林木】〔文〕森林の木。

**りんもう**【厘毛】〔文〕わずか。いささか。「―のくるいもない」

**りんや**【林野】〔文〕森林と野原。●**りんやちょう**【林野庁】《法》国有林野の管理・運営と、林業の事務をあつかう官庁。農林水産省の外局。

**りんらく**【×淪落】《名・自サ》〔文〕おちぶれ堕落すること。転落。「―の身・―の淵にしずむ」

☆☆**りんり**【倫理】 善悪の基準(として守らなければならないことがら)。「職業―(に反する)・―観」●**りんりがく**【倫理学】 道徳の判断や善悪の基準などについて研究する学問。

**りんり**【×淋×漓】《(ト)(タル)》〔文〕①したたりおちるようす。「流汗―」②元気のあるようす。☞墨痕淋漓。

**りんりつ**【林立】《名・自サ》〔文〕はやしの木のように数多く ならびたつこと。「―する高層ビル」

**りんりん**【×凜々】《(ト)(タル)》〔文〕①寒さ・威光が身にしみるようす。「秋気―」②勇ましいようす。「勇気―」

**りんれつ**【×凜×冽・×凜烈】《(ダ)(ナ・タル)》〔文〕①寒さが、からだにしみ通るほどきびしいようす。「厳寒―」②〔態度・声などが〕りんとしたようす。派―さ。

**る** [一]《助動下二型》〔文〕「れる」の文語形。「社長より招かー」 [二]◇〔文語助動詞「り」の連体形〕…た。…ている。「輝けー星」〔現代語では「生きとし生けーもの」「ねむれー獅子」など、連体詞の一部として固定したものが多い〕 [三]接尾 動詞をつくる語尾。新しくつくられた語は、多く俗語。「帰宅ー〈=帰宅する〉・コピーー〈=コピーする〉・たそがれー」

**ルアー**〔lure〕《釣り》擬餌ばり。「ーフィッシング」

**るい**【累】〔文〕迷惑。まきぞえ。●**累が及ぶ** 句〔文〕〔関係のない人に〕迷惑がかかる。他 累を及ぼす。

**るい**【塁】①〔文〕小さな城。とりで。②《野球》ベース。「ーをうめる」●**塁を摩する** 句〔…のー〕〔文〕…と肩をならべるぐらいの うでになる。

***るい**【類】①〔同じ〕種類〔に はいるもの〕。たぐい。「第五ー・肉ー」②それと似た〈もの/ことがら〉。なかま。「ーのない事件・他にーを見ない習俗」③《生》動植物の分類で、同類を比較的大きくまとめて呼ぶときの、一般的な呼び名。「哺乳ー・シダー」●**類は友を呼ぶ** 句 同類は自然に集まるものだ。類友〔俗〕。

**るいえん**【類縁】〔文〕形や性質が似ており、たがいに近い関係があること。「ー関係」

**るいおん**【類音】〔文〕似た〔発〕音。●**るいおんご**【類音語】《言》「黒」と「苦労」、「連休」と「電球」などのように、似た発音のことば。

**るいか**【類火】〔文〕ほかから出た火が、燃え移った火事。もらい火。類焼。

**るいか**【類歌】〔文〕表現・構想の、よく似た歌。同類の歌。

**るいか**【累加】《名・自他サ》〔文〕さらに かさなり加わること。さらに かさね加えること。「借金がーする」

**るいぎご**【類義語】ことばの形はちがうが、意味はだいたい かさなりあう ことば。類語。例、「きれいだ」と「美しい」。☞同義語。

**るいく**【類句】〔文〕表現や構想の、よく似ている俳句・川柳。同類の句。

☆☆**るいけい**【類型】①全体を、特徴の ちがいによって分けた結果できた、いくつかの型〔のうちの一つ〕。タイプ。「性格を三つのーに分ける」②それと似た型。「世界にーのない火山」③ありふれた型。「犬のーを思いうかべる」●**るいけいてき**【類型的】《ナダ》ありふれていて、特色のないようす。「ーな表現」

☆☆**るいけい**【累計】《名・他サ》一つ一つの数字を、順々に加えて計算〈すること/した結果〉。「ー額・ー〔部数〕百万部突破」

**るいげん**【累減】《名・自他サ》〔文〕しだいに〈へる/へらす〉こと。「志願者のー」(↔累増)

**るいご**【類語】⇩類義語。「ー辞典」

**るいし**【類誌】〔文〕同類の雑誌。「ーを圧倒した」

**るいじ**【累次】〔文〕たびかさなる回数。「ー〈=たびたび〉申し上げたとおり」

**るいじ**【類字】〔文〕形の似た漢字。例、「己」と「已」と「巳」。

**るいじ**【類似】《名・自サ》似かようこと。似より。「ーの品物・ー点」

**るいじゅう**【類×聚】《名・他サ》〔文〕同類を一か所に集めて編集〈すること/したもの〉。「部門別にーした」

**るいしょ**【類書】〔文〕同類の本。類本。「他にーがない」

**るいしょう**【類焼】《名・自サ》他人の家の火災のために、自分の家が焼けること。もらい火。

**るいじょう**【塁上】《野球》ベースの上。「ーの走者」

**るいじょう**【累乗】《名・他サ》《数》同じ数を何回もかけあわせること。べき〔冪〕。べき乗。☞階乗。

**るいしん**【塁審】《野球》一・二・三塁の そばにいる審判。(↔球審)

**るいしん**【累進】《名・自サ》①〔税金・保険料などで〕所得などが多いほど、負担する割合が大きくなること。「ー〔的な〕課税・ー性」②〔文〕数量・程度がだんだん増えていくこと。「売れ行きがーする」③〔文〕つぎつぎと上の地位に進むこと。「局長にーする」●**るいしんぜい**【累進税】《法》所得などが多くなるほど、税率が高くなるしくみの税。(↔逆進税)

☆☆**るいじんえん**【類人猿】《動》いちばん人間に近いサル類。立って歩く。例、チンパンジー・ゴリラ・オランウータンなど。

**るいすい**【類推】《名・他サ》似かよったほかのものをよりどころにして考えること。類比。アナロジー。「ほかの語〈から/に〉ーして新語を作る」

**るい・する**【類する】《自サ》〔文〕似かよう。「これにーことは ほかにもある」

**るいせい**【累世】〔文〕何世代にもわたること。代々。「ー同居〈=何世代かの家族がいっしょに住むこと〉・〔墓石で〕ー之墓〈=先祖代々の墓〉」

☆☆**るいせき**【累積】《名・自他サ》つぎつぎに上につみ〈かさねる/かさなる〉こと。「ー赤字」

**るいせん**【涙腺】《生》なみだを出す腺。「ーが ゆるむ〈=なみだもろくなる〉・ー崩壊〈=なみだが とめどなく流れること〉」

**るいそう**【類想】〔文〕似たような〈構想/発想〉。

**るいぞう**【累増】《名・自他サ》〔文〕しだいに〈ふえる/ふやす〉こと。「ーする失業者」(↔累減)

**るいだ**【塁打】《野球》すべての安打を、単打は一、二塁打は二、三塁打は三、本塁打は四として集計した数。「通算五千ー・最多ー数」

**るいだい**【累代】〔文〕代をかさねること。代々。「先祖ーの墓」

**るいだい**【類題】①よく似た問題。「ーを解く」②同じ種類の題名。「ーをつける」③和歌・俳句などを、同じ種類の題によって集めたもの。「ー和歌集」

**るいとも**【類友】〔俗〕①↑類は友を呼ぶ〔「類」の句〕。②同類の友だち。

**るいねん**【累年】〔文〕としをかさねること。「少年犯罪はー増加している」

**るいはん**【累犯】《法》二度目以上の犯罪。刑が重くなる。

**るいひ**【類比】《名・他サ》〔文〕①くらべること。②類推。アナロジー。

**るいひん**【類品】〔文〕同類の作品など。「岸田画伯の ー」

**ルイベ**〔アイヌ ruipe〕こおらせたサケの さしみ。ルイペ。

**るいへき**［塁壁］〔文〕とりで（のかべ）。

**るいべつ**［類別］《名・他サ》〔文〕同類ごとにまとめて、区別すること。「資料を―する」

**るいらん**［累卵］〔文〕たまごをつみかさねること。●**累卵の危うきにある** 句〔文〕非常に不安定で危険な状態にあることのたとえ。

**るいるい**［累々］《―タル》〔文〕かさなりあうようす。「―たる死体」

**るいれい**［類例］それと似ている例。「―を見ない」

**るいれき**［×瘰×癧］《医》首のリンパ節の、結核性のはれ。

**るいわ**［類話］〔文〕内容が似た昔話や伝説。

**ルー**〔フ roux〕①小麦粉をバターでいためたもの（を固めた製品）。スープや牛乳でのばして、ソース、ポタージュなどに仕上げる。「カレー―（＝カレー粉をまぜたルー。カレーライスのソースに使う）」②〔俗〕〔カレーライスなどの〕ソース。「―大もり」▽ルウ。

**ルーキー**〔米 rookie＝新参者〕（球界の）新人選手。

**ルージュ**〔フ rouge〕口紅。「―をひく」

**ルーズ**《ナダ》〔loose〕ゆるいようす。しまりがないようす。だらしがないようす。ルース。「―な仕事」派―さ。●**ルーズソックス**〔和製 loose socks〕女子高校生などがはいた、だぶだぶの白いソックス。〔一九九〇年代に流行〕●**ルーズボール**〔loose ball〕《バスケットボール・サッカーなど》どちらのチームのものか、はっきりしないボール。●**ルーズリーフ**〔loose-leaf〕用紙の取り外しの自由な〈ことノート〉。

**ルーター**〔router〕《情》複数のネットワーク間を接続する装置。ルータ。「無線LAN―」

**ルーチン**〔routine〕①《情》〔コンピューターのプログラムの〕一連の命令群。ルーティン。「サブ―（＝ルーチンからさらに呼び出される命令群）」②⇩ルーティン①〜③。

☆☆**ルーツ**〔roots＝root（根）の複数形〕①源流。起源。「―をさぐる」②祖先。

**ルーティン**〔routine〕①決まりきっていること。「―ワーク（＝日課となっている仕事）」②かたどおりの手順。「―化する・スポーツ選手の―（＝勝負どころを前にしておこなう、決まった動作）」③アーティスティックスイミングの演技。「テクニカル―（＝規定演技）・フリー―（＝自由演技）」▽ルーチン。④《情》⇩ルーチン①。▽ルーティーン。

☆☆**ルート**〔root〕《数》平方根。「―3（√3と書く）」

**ルート**〔route〕①道路。路線。「―4（＝国道などの、四号線。R4とも）」②経路。「入手―」③手づる。

**ルーバー**〔louver〕①建物に取りつけた、よろい戸状のもの。②エアコンの吹き出し口の羽。

**ルーフ**〔roof〕①屋根。「―キャリア（＝自動車の屋根に取りつける、荷台）」②屋上。「―ガーデン（＝屋上庭園）・―バルコニー」

**ループ**《名・自サ》〔loop〕①〈糸・ひもなどの〉輪（の形になったもの）。「―アンテナ・―線（＝らせんの形に敷いて、坂をのぼりやすくした鉄道線路）」②《情》〔コンピューターで〕ある条件を満たすあいだ、同じ命令を実行しつづけること。③同じことがくり返されること。「話が―する」④〈フィギュアスケート〉六つのうち、難度が四番目のジャンプ。☞ジャンプ④。●**ループシュート**〔和製 loop shoot〕《サッカーなど》ゴールキーパーが前に出ているときに、その頭の上をこすように打つ、山なりのシュート。●**ループタイ**〔和製 loop tie〕スライドする留め具のついた、ひも状のネクタイ。ひもタイ。

**ルーフィング**〔roofing〕繊維品を防水加工した、屋根ふきなどの下地材料。ルーヒング。

**ルーブル**〔ruble〕ロシア連邦などのお金（の単位）。一ルーブルは百カペイカ。ルーブリ（ロ rubl'）。表記「留」は、古い音訳字。

**ルーペ**〔ド Lupe〕むしめがね。拡大鏡。

**ルーマニア**〔Rumania〕バルカン半島の北東部にある共和国。首都、ブカレスト（Bucharest）。表記「羅馬尼亜」は、古い音訳字。

**ルーム** 造〔room〕①部屋。室。「―クーラー・コピー―」②〈ホテルの〉客室。「―キー・―チャージ（＝ホテルの宿泊料）」③〈自動車〉車室。「―ランプ」④物を入れる場所。「トランク―・エンジン―」●**ルームシェア**《名・自サ》〔room share〕他人どうしが共同で部屋を借りて生活すること。●**ルームメイト**〔米 roommate〕寮やアパートの部屋をいっしょに借りて住むなかま。ルームメート。

**ルーメン**〔lumen〕《理》照明器具などの光の量をあらわす単位〔記号 lm〕。一ルーメンは一カンデラの光源から半径一メートル以内のまわりを照らす光の量。☞ルクス。

**ルーラー**〔ruler〕定規。

**ルール**〔rule〕守るべき決まり。規則。「野球の―・安全運転の―を守れ・―違反」区別⇩エチケット①。●**ルールブック**〔rulebook〕試合の規則を本の形にまとめたもの。

**ルーレット**〔フ roulette〕①回る円盤の上に玉を投げ入れ、その玉が止まる場所の数字や色などを当てるギャンブル。また、その道具。②《服》布地などの上を回転させて点線のあとをつける道具。ルレット。

**ルクス**〔フ lux〕《理》照度をあらわす単位〔記号 lx〕。一ルクスは一カンデラの光源が、一メートルはなれて一平方メートルの表面を照らす明るさ。ルーメンの値を、照らされる面積で割って求める。ルックス。

**るけい**［流刑］〔文〕昔、罪人を、遠いへんぴな土地や島へ送る刑罰。流罪。りゅうけい。「―囚」

**ルゴール**〔Lugol＝人名〕《医》ヨード・ヨードカリ・グリセリンをまぜた赤茶色の液体。はれた扁桃などに塗る薬。ルゴール液。

**るこつ**［×鏤骨］《名・他サ》（＝骨に刻むこと）〔文〕文章などを作るとき、非常に努力・苦心すること。ろうこつ。「彫心―の作品」

**るざい**［流罪］〔文〕流刑。

**ルサンチマン**〔フ ressentiment〕《哲》社会的に弱い立場の人が強者に対していだくうらみ。にくしみ。

**るしゃなぶつ**［×盧遮那仏・×盧舎那仏］《仏》⇩びるしゃなぶつ（毘盧遮那仏）。

**るじゅつ**［×縷述］《名・自サ》〔文〕こまごまと述べること。「以上―したとおり」

**るす**［留守］《名・自他サ》①〈外出/旅行〉中で、家にいないこと。「夫は―です・しばらく家を―（に）する・長く―（を）する・―をあずかる（＝不在の人に代わって責任を持つ）・―を守る（＝あずかる）・お―・―らしい・―宅」②

〔古風〕留守番。「―をたのむ・ひとりで―(を)する・―家族」●**留守になる**句〔ふつう おー〕別のことに気をとられて、あることがいいかげんになる。なおざりになる。「まわりに気をとられて、〈手元／頭〉がおー」

**るすい**【留守居】《名・自サ》るすばん。「―役」

**るすでん**【留守電】〔↑留守番電話〕不在などで電話に出られないとき、用件を言ってもらって録音しておく方式の電話。「―アプリ」

**るすばん**【留守番】《名・自サ》不在の人に代わって家にいる〈こと／人〉。留守居。「(お)―をする」●**るすばんでんわ**【留守番電話】⇩留守電。

**るすろく**【留守録】《名・他サ》①留守電の録音。②留守時の録画。

**るせつ**【×縷説】《名・他サ》〔文〕こまごまと説明すること。「―を要しない〔=くどくど言う必要もない〕」

**ルセット**〔フ recette〕〔フランス料理で〕レシピ。「門外不出の―」

**るたく**【流×謫】《名・他サ》〔文〕政治上の罪によって、遠い土地へ流されること。りゅうたく。「―(の)地」

**ルチン**〔rutin〕《理》ビタミンに似たはたらきをするフラボノイド系物質。ソバの実やオレンジ、グレープフルーツなどの果皮にふくまれる。ルティン。

**ルッキズム**〔lookism〕人を、容姿などの外見で評価すること。

**ルック**造〔look〕〔流行の〕服装。「ミリタリー―〔=軍隊ふうの服装〕」●☆☆**ルックス**〔looks〕①容貌。器量。「―のいい子」②外観。

**ルックス**〔フ lux〕《理》⇩ルクス。

**ルッコラ**〔イ rucola〕サラダに用いる、葉もの野菜。味に、独特のくせがある。地中海沿岸原産。ロケット(サラダ)。ルーコラ。「生ハムと―のピッツァ」

**ルッツ**〔lutz=もと、人名〕《フィギュアスケート》六つのうち、難度が二番目のジャンプ。☞ジャンプ④。

**るつぼ**【(:坩堝)】①金属を入れ、強く熱してとかす容器。②〔文〕熱狂した場面を形容することば。「興奮の―と化した」③種々のものが まぜ合わさった状態(の土地)。「人種の―」

☆☆**るてん**【流転】《名・自サ》①《仏》生死・因果が限りなく続くこと。輪廻。②〔文〕限りなく移り変わること。「万物は―する・生々―」

**るにん**【流人】〔文〕流罪に処せられた人。「―の島」

**ルネサンス**〔フ Renaissance〕①《歴》十四世紀から十六世紀にかけて、イタリアに起こり西洋全体に広がった学問・芸術上の運動。文芸復興。②復興。復活。「ナショナリズムの―」▽ルネッサンス。

**ルバーブ**〔rhubarb〕シベリア原産の野菜。赤みをおびた酸味のあるくきを、ジャムやゼリー、菓子の材料にする。リュバーブ。

**ルバシカ**〔ロ rubashka〕ロシアの男性用民族衣装。立ちえりでゆったりと仕立てられ、細いひもでウエストをしめる。ルパシカ。☞「バラライカ①」の絵・サラファン。

**ルビ**〔ruby〕ふりがな(に使われる小さな活字)。「―をつける・―を振る・総―〔=すべての漢字にルビをつけること〕・パラ―〔=部分的にルビをつけること〕」由来「ルビー」と呼ばれた五・五ポイントの欧文活字と ふりがなの活字の大きさが ほぼ同じだったことから。

**ルビー**〔ruby〕《鉱》くれない色の鋼玉。紅玉。七月の誕生石。☞ルビ。●**ルビーこんしき**【ルビー婚式】結婚してから四十年目の記念日(を祝う式)。ルビー婚。☞婚。

**ルピー**〔rupee〕インド・パキスタンなどのお金(の単位)。ルーピー。

**ルビコン**〔Rubicon〕古代の、北イタリアの川。ローマとガリアとの境をなしていた。●**ルビコン(川)を渡る**句 重大な決意をして、ついに最後の一線をこえる。☞さいは投げられた〔「さい(賽)」の句〕。

**ルピナス**〔lupinus〕初夏にさく草花。葉は はねうちわのように広がり、うすむらさき色または黄色の花をくきのまわりにつける。のぼりふじ(昇藤)。

☆☆**るふ**【流布】《名・自他サ》〔世間に〕〈広まる／広めること〉。「うわさが―する・―本」

**ルフラン**〔フ refrain〕リフレイン。くり返し。

**ルポ**《名・他サ》〔↑ルポルタージュ〕現地・現場からの報告(をすること)。「―ライター〔=ルポを専門に書く職業の人〕」

**ルポルタージュ**〔フ reportage〕①現地報告。現地報道。ルポ。②記録文学。

**るまた**【ル又】漢字の部首の一つ。「段」「殿」などの、右がわの「殳」の部分。ほこづくり。由来 形が「ル」「又」に似ることから。

**ルミノールはんのう**【ルミノール反応】《理》血痕がルミノール〔luminol=蛍光を発する有機化合物〕によって青白く光る反応。犯罪捜査などで使われる。

**るみん**【流民】〔文〕⇩りゅうみん。

**るり**【瑠璃】〔↑梵語 vaidūrya の音訳「吠瑠璃」〕①《鉱》美しい青色をしていて、黄金色の細かい点がはいった鉱物。七宝の一つ。十二月の誕生石。ラピスラズリ。②〔古風〕ガラス。③↑瑠璃色。④↑瑠璃鳥。

**るりいろ**【瑠璃色】あざやかな紺色。瑠璃。「―の空」

**るりちょう**【(瑠璃鳥)】オオルリ・コルリなど、野山にすむ小鳥。おすは あざやかな るり色で美しい。よく さえずる。るり。

**るる**【×縷々】《副・自サ》〔文〕①こまごまと説くようす。「―説明する・こと新しく―するまでもない」②とぎれないで(細く)続くようす。「香煙が―と立ちのぼる」

**ルレクチエ**〔フ Le Lectier〕洋ナシの品種。強いかおりと濃厚なあまみがある。ル レクチェ。〔日本では新潟で栽培される〕

**るろう**【流浪】《名・自サ》〔文〕さまようこと。さすらうこと。「―の旅・―の民」

**ルンゼ**〔ド Runse〕《登山》岩についている、縦の方向のみぞ。岩みぞ。

**ルンバ**〔ス rumba〕《音》キューバの民族舞踊(の曲)。また、それに もとづく軽快なダンス。

**ルンペン**〔ド Lumpen=ぼろ〕〔古風・俗〕①浮浪者。②失業者。

**るんるん**《副・自サ》〔俗〕明るくはずんだ気持ちであるようす。「―気分」〔一九八二年に広まった ことば〕由来 歌のスキャットのランラン、ルンルンから。テレビアニメ「花の子ルンルン」〔一九七九～八〇年放送〕なども影響したか。

# れ レ

レ〔イ re〕《音》ドの一つ上の音の名。

☆☆レア〔rare〕■ステーキを、肉の色が赤く見える程度に焼くこと。生焼き。(↔ウエルダン・ミディアム) ■《名・ナダ》①生。「―チーズケーキ」②希少なこと。「―もの・―ケース(=特殊な例)」

レアアース〔rare earth〕《理》周期表の第三族に属する一七種類の金属元素。いろいろの鉱物にふくまれるが含有量が少ない。電気自動車のモーターなど、多くの機器に使う。希土類。☞レアメタル。

レアメタル〔rare metal〕《理》地球上に わずかしか存在しないか、取り出すことが むずかしい金属元素。レアアースのほか、リチウム・ニッケル・タングステンなどを指す。希少金属。

レアリスム〔フ réalisme〕⇩リアリズム。

レアル〔ポ real〕ブラジルの お金(の単位)。

れい〔令〕〔文〕①命令。「―を発する・戒厳―」②法令。「外国為替管理―」③〔視覚語〕↑令和。「―2」

れい〔礼〕■れい ①礼儀。「―に かなう・―に そむく・―をつくす・〔武道で〕―に始まり―に終わる」〔儒教の根本的な考え方の一つ〕☞五常。②儀式。「即位―」③おじぎ。敬礼。「―をする・〔神前で〕二―(=二拝)二拍手一―」④〔貸家などの〕↑礼金。「―なし」■れい ありがたいと思う心をあらわす〈こと/お金や品物〉。「―を言う」〔日常語としては「お礼」のほうが ふつう〕 •礼を厚くする 句〔文〕じゅうぶんに礼儀正しく、ていねいに あつかう。 •礼を失する 句 失礼な態度をとる。 •礼を取る 句〔…の―〕〔文〕…としての礼儀をつくす。「弟子の―」

れい〔冷〕■れい〔視覚語〕空調器具の回路が、ひえるほうにつながっている状態。(↔暖) ■ 遺 つめたい。ひやす。「―湿布」(↔温)

**れい〔例〕①これまでに あった、また、世の中に実際にある、同じようなこと。ためし。「―がない・世間に―が多い・―に漏れず(=ほかと同じように)」②昔からの ならわし。しきたり。「それが―になっている・これまでの―を破る」③〔説明などのために〕同じ種類のものの中から見本としてえらび出したもの。「―をあげる・この町を―にとると」〔記号で「ex.《←example=例》」「e.g.《←ラ exempli gratia=例として》」とも〕☞例の。 •例にない 句 いつものようでない。いつもとちがう。「例になく寒い」 •例によって 句 いつも そうであるように、今度も。「―じまん話を始める」 •例によって例のごとし 句 またしても いつものように、すべてが決まりきっているようすだ。「例によって例のごとき訓示」

れい〔鈴〕■れい《仏》仏をおがむときにふり鳴らすすず。■接尾〔研究発表などで〕発表者に時間を知らせるベルの音の回数。〔ふつう、一鈴が予鈴、二鈴が発表終了・質疑開始、三鈴が質疑終了をあらわす〕

**れい〔零・×〇〕大きさのない数(をあらわす数字)。ゼロ。「絶対―度・―対―・視力は―コンマ八・一―四番」表記 アラビア数字では「0」。 •零が一つ多い 句 ⇩ゼロが一つ多い〔「ゼロ」の句〕。

れい〔霊〕■れい ①たましい。霊魂。「―と肉の一致」②死んだ人の たましい。「先祖の―・死者の―をなぐさめる」③目に見えないけれども、現実に力をしめす、ふしぎな はたらき。■接尾 死者のたましいを数える語。「永代供養料一―五十万円」

れい〔齢〕遺 ①生まれてからの期間・年数。「三〇日―のパンダ・世界最高―」②《動》昆虫の孵化から脱皮まで、また脱皮から脱皮までの間。「第一―(=卵がかえってから最初の脱皮まで)」

レイ〔lei〕〔おもにハワイで〕相手の首に かける花輪。歓迎の気持ちをあらわす。☞「ウクレレ」の絵。

☆☆レイアウト《名・他サ》〔layout〕①〔印刷物の〕わりつけ。紙面の構成。②ものを適当な場所に配置〈すること/した形〉。「工場の―・家具の―」

れいあん〔冷暗〕《名・ナダ》〔文〕つめたくて〈くらい/日が当たらない〉こと。「―所に貯蔵のこと」

れいあんしつ〔霊安室〕〔病院などで〕遺体を一時置いておく部屋。

れいい〔霊位〕〔文〕①死んだ人の、たましい。②位牌。

れいいき〔霊域〕〔文〕神聖な地域。「神社の―を汚す」

れいう〔冷雨〕〔文〕つめたい雨。

れいえん〔霊園・霊×苑〕〔文〕広い共同墓地。墓園。「多磨―」

レイオフ《名・自他サ》〔lay off〕〔不況のとき〕一時的に従業員を解雇すること。一時解雇。

れいおん〔冷温〕①つめたい温度。「―貯蔵」②〔文〕つめたい〈こと/もの〉と、あたたかい〈こと/もの〉。「―兼用」

れいか〔冷夏〕気温の低い夏。

れいか〔冷菓〕〔文〕アイスクリーム・アイスキャンディーなどの氷菓や、ゼリー・ババロアなどの冷やして作った菓子。

れいか〔零下〕(セ氏の)零度以下。氷点下。

れいか〔隷下〕〔文〕上からの指示・命令に従うことになっている人や組織。「―部隊・地球方面軍は突撃機動軍の―にある」

れいかい〔例会〕日を決めて定期的に ひらく会。「今月の―」

れいかい〔霊界〕《宗》①〔死者の〕霊魂の住むという世界。②心に関する世界。精神界。(↔肉界)

れいかい〔例解〕《名・他サ》〔文〕例をあげて解釈・説明すること。「使い方を―する」

れいがい〔冷害〕《農》夏の気温が低すぎるための、農作物の被害。

れいがい〔例外〕原則から外れている〈こと/もの〉。「―を認めない・―的に(=例外として)」

れいかん〔冷汗〕〔文〕ひやあせ。 •れいかんさんと〔冷汗三斗〕〔文〕〈はずかしさ/おそろしさ〉で、びっしょり ひやあせをかくこと。「―の思い」

れいかん〔冷感〕〔からだの一部分が〕つめたく感じること。「手足の―・―グッズ」(↔温感) •れいかんしょう〔冷感症〕《医》⇩不感症②。

☆☆れいかん〔霊感〕①神仏の、ふしぎな感応。また、神仏からの おつげ。「―商法」②〔神の教えであるかのように〕とつぜん頭にうかぶ、すばらしい考え。インスピレーション。「―に打たれる」③死んだ人の霊を感じる、未来のことが分かるなどの、ふしぎな感覚。「―が強い」

**れいかん**［冷寒］《名・ナダ》〔文〕つめたくて、ひえていること。「―所に貯蔵のこと」

**れいがん**［冷眼］〔文〕ひややかな目(つき)。「―で見る」●**れいがんし**［冷眼視］《名・他サ》〔文〕ひややかに見ること。白眼視。

**れいき**［冷気］〔文〕①ひややかな空気。「高原の―」・肌をさすような―」②冷たいものから出る、煙のようなもの(=小さな水滴)。「白い―」

**れいき**［例規］〔文〕先例とする規則。「―集」

**れいき**［霊気］〔文〕①神秘的な〈気分/気配〉。「―を感じる・―がただよう」②神聖な〈気分/気配〉。「―に打たれる」

**れいき**［励起］《名・自他サ》①《理》原子や分子が、光や熱などのエネルギーを受けて、より大きいエネルギーをもつ状態になる(ようにする)こと。②〔文〕エネルギーを得て、力を増す(ようにする)こと。「仕事によって、弱りかけた自分〈が/を〉―する」

**れいぎ**［礼儀］人に対して示さなければならない、きちんとした態度やふるまい。「―を重んじる・―正しい・―作法」

**れいきゃく**［冷却］《名・自他サ》〔文〕①ひえること。ひやすこと。「―水」②つめたい関係になること。「労使関係の―化」③しばらく話し合いなどを休んで、両方が気持ちをしずめること。「―期間を置く」

**れいきゅうしゃ**［霊×柩車］遺体を入れた ひつぎ(=霊柩)を運ぶ車。柩車。

**れいきん**［礼金］①(相手の好意に対して)謝礼として出す お金。②家や部屋を借りるとき、お礼の名目で家主にはらう お金。「―一つ(=一か月分)」☞敷金

**れいく**［麗句］〔文〕うわべをかざったことば。「美辞―をならべる」

**レイク** 造〔lake〕湖。レーク。「―ホテル・―サイド(=湖畔)」」

**れいぐう**［礼遇］《名・他サ》〔文〕礼を厚くしてもてなすこと。「国賓として―する」

←**れいぐう**［冷遇］《名・他サ》〔文〕人をつめたい態度であつかうこと。ひややかな待遇。「社内では―されている」(↔厚遇・優遇)

**れいくん**［冷×燻］低い温度で長い時間をかけ、くんせいにすること。水分が少なくてくさりにくい。(↔温燻)

**れいけい**［令兄］〔文〕〈他人/相手〉の兄を尊敬して呼ぶ言い方。(↔令弟)

**れいけい**［令×閨］〔文〕令夫人。

**れいけつ**［冷血］《名・ナダ》〔文〕人間らしい気持ちを持たないようす。冷酷。「―漢」●**れいけつどうぶつ**［冷血動物］①心のつめたい人。②《動》「変温動物」の、もとの呼び名。(↔温血動物)

**れいげつ**［例月］〔文〕毎月。つきなみ。

**れいけん**［霊剣］〔文〕ふしぎな力を持った剣。

**れいげん**［霊験］〔文〕神や仏にいのることによって得られる、ふしぎなご利益。れいけん。「―あらたか(=はっきりとご利益があらわれるようす)」

**れいげん**［例言］《名・自サ》〔文〕①書物の凡例としてのべることば。②例として言うこと。

**れいげん**［冷厳］《ナダ》〔文〕①おちついていておごそかなようす。「―な態度」②ごまかしたりすることのできない、きびしくて重大なようす。「―な事実」派-さ。

**れいこう**［励行］《名・他サ》そのことをしっかりと守るように努力すること。「手洗いを―する・時間―」

**れいこく**［例刻］〔文〕いつもの時刻。

**れいこく**［冷酷］《名・ナダ》思いやりがまったくなくて、むごいようす。「―な態度」派-さ。

**れいごころ**［礼心］感謝する気持ち(をあらわしたもの)。「ほんのお―に当地の名物をお送りします」

**れいこん**［霊魂］肉体に宿って精神作用を受け持ち、死んでもそのまま残ると考えられるもの。たましい。●**れいこんふめつ**［霊魂不滅］肉体は ほろびても、たましいは いつまでも ほろびないということ。

**れいさい**［冷菜］おもに前菜として出す、つめたい料理。「クラゲの―・蒸しどりの―」

**れいさい**［例祭］毎年、きまった日に おこなう まつり。「八幡神社の―」

**れいさい**［零歳・×〇歳］〔年齢で〕生後一年未満。ゼロ歳。「―児」

☆☆**れいさい**［零細］《ナダ》①規模の非常に小さいようす。「―企業」②〔文〕非常に わずか。「―なお金」派-さ。

**れいさつ**［霊刹］〔文〕ふしぎな ご利益のある仏をまつってある寺。霊寺。

**れいざん**［霊山］〔文〕〈神や仏をまつってある〉神聖な山。

**れいし**［令姉］〔文〕〈他人/相手〉の姉を尊敬して呼ぶ言い方。(↔令妹)

**れいし**［(×茘枝)］①⇩ライチ。②↑つるれいし。

**れいし**［麗姿］〔文〕美しく整った姿。

**れいし**［霊視］《名・他サ》霊感で、目には見えないものを見ること。

**れいじ**［零時・×〇時］午前または午後の始まる時刻。十二時。

**れいじ**［例示］《名・自他サ》〔文〕一つの例として しめすこと。例を〈しめす/あげる〉こと。

**れいしき**［礼式］〔文〕礼儀の法式。礼法。

**レイシスト**〔racist〕人種差別をする者。人種差別主義者。

**レイシズム**〔racism〕人種差別(主義)。

**れいしつ**［令室］〔文〕令夫人。

**れいしつ**［麗質］〔文〕〈うるわしい/みごとな〉素質。「天の成せる(=生まれつきの)―」

**れいしっぷ**［冷湿布］《名・自サ》冷水や薬液にしめした布を患部に当てて冷やす湿布。(↔温湿布)

**れいしゃぶ**［冷しゃぶ］(↑冷＋しゃぶしゃぶ) うす切り肉を熱湯にくぐらせてから冷やし、たれをかけたもの。「ブタの―・―サラダ」

**レイシャルハラスメント**〔racial harassment〕人種・民族・国籍などについて配慮のない言動をし、人の心をきずつけること。レイハラ。

**れいしゅ**［冷酒］①〈ひやした/ひやして飲むための〉日本酒。冷用酒。②〔文〕⇩ひやざけ。

**れいじゅう**［霊獣］〔文〕神聖なけもの。例、きりん(麒麟)㊁。

**れいじゅう**［隷従］《名・自サ》〔文〕さからわず おとな

しくしたがうこと。隷属。

**れいしょ**［令書］《法》命令の書類。

**れいしょ**［隷書］漢字の書体の一つ。篆書を簡略にしたもの。

［れいしょ］

**れいしょう**［冷床］《農》人工的に加熱しない、自然のままの苗床。(↔温床)

**れいしょう**［冷笑］《名・他サ》〔文〕ばかにして、あざ笑うこと。「ーを買う・ー的(⇨シニカル)な見方」

**れいしょう**［例証］《名・他サ》〔文〕例をあげて証明すること。また、証拠としてあげる例。

**れいじょう**［令状］①〔文〕命令の文書。②《法》裁判官が、捜索・逮捕などを命令する文書。

**れいじょう**［令嬢］〔文〕①〈他人/相手〉のむすめを尊敬して呼ぶ言い方。「ご令嬢」は、より尊敬した言い方。(↔令息) ②いい家に生まれた〈むすめ/女性〉。▽おじょうさん。

**れいじょう**［礼状］お礼の手紙。「(お)ーを出す」

**れいじょう**［礼譲］〔文〕礼儀をつくしてけんそんすること。

**れいじょう**［霊場］〔文〕神社・寺院・墓などがある神聖な場所。霊地。「八十八か所のー」

**れいしょく**［冷色］寒色。

**れいしょく**［冷食］←冷凍食品。

**れいじん**［×伶人］〔文〕雅楽を演奏する人。楽人。

**れいじん**［麗人］〔文〕美しい女性。美人。

**れいすい**［冷水］〔文〕つめたい水。ひやみず。「ー器・ゆでたホウレンソウをーにとる(=冷水に入れて一気にさます)」(↔温水) ●**冷水を〈浴びせる/かける〉** 句 ⇩冷や水を〈浴びせる/かける〉(「冷や水」の句)。●**れいすいいき**［冷水域］《天》まわりの海水よりつめたい温度の海域。漁業に大きな影響をあたえる。冷水塊。●**れいすいまさつ**［冷水摩擦］冷水にひたしてしぼったタオルなどで、皮膚をこする健康法。(↔乾布摩擦) ●**れいすいよく**［冷水浴］冷水〈をかぶって/にからだをひたして〉、皮膚を強くすること。(↔温浴)

**れいすい**［霊水］〔文〕①ふしぎなはたらきのある水。②神聖な水。

**れい・する**［令する］《他サ》〔文〕命令を出す。

**れいせい**［令婿］〔文〕〈他人/相手〉のむこを尊敬して呼ぶ言い方。おむこさん。

**れいせい**［令×甥］〔文〕〈他人/相手〉のおいを尊敬して呼ぶ言い方。おいごさん。

**れいせい**［冷製］ひやして出す料理。「ースープ・ーパスタ」(↔温製)

**れいせい**［霊性］霊的なこと。スピリチュアリティー(spirituality)。

**れいせい**［冷静］《名・ナダ》おちついていて、感情に動かされないようす。「ーな判断・ーをよそおう・ーを失う」派ーさ。

**れいせき**［霊跡］〔文〕すぐれた僧が住んでいたり、何かをしたりしたあと。例、日蓮がけさ(袈裟)をかけたという松のはえている所。

☆☆**れいせつ**［礼節］〔文〕礼儀と節度。「ーを守る・ーを重んじる」

**れいせつ**［例説］《名・他サ》〔文〕例をあげて説明すること。

**れいせん**［冷泉］《地》(セ氏二五度以下の)つめたい鉱泉。(↔温泉)

☆☆**れいせん**［冷戦］(cold war の訳語) ①武器を使わない、国と国とのにらみあいの状態。冷たい戦争。〔特に、第二次世界大戦後から一九九〇年代初めまでの、東側諸国と西側諸国の対立を言う〕②たがいに手を出さないまま対立すること。反目状態。「親とはー中だ」

**れいせん**［霊泉］〔文〕ふしぎなほど、ききめのある〈温泉/泉〉。

**れいぜん**［霊前］〔文〕死んだ人の霊をまつってあるところの前。「ーに供える」☞御霊前。

**れいぜん**［冷然］《タルト》〔文〕冷淡なようす。「ーたる態度」

**れいそう**［礼奏］《音》演奏のすんだあと、アンコールにこたえてする演奏。

**れいそう**［霊草］〔文〕①ふしぎなはたらきのある草。②神聖な草。

**れいそう**［礼装］《名・自サ》儀式や改まった席に出るときの服装(をすること)。(↔略装)

**れいぞう**［冷蔵］《名・他サ》飲食物を冷やして貯蔵すること。「要ー」●**れいぞうこ**［冷蔵庫］食べ物や飲み物を冷やして貯蔵する、箱形の電気器具。〔昔は氷を入れて冷やした〕

**れいそく**［令息］〔文〕〈他人/相手〉の男の子を尊敬して呼ぶ言い方。〔「ご令息」は、より尊敬した言い方〕(↔令嬢)

**れいぞく**［隷属］《名・自サ》〔文〕相手の支配を受けてしたがう〈こと/人〉。従属。「大国にーする」

**れいそん**［令孫］〔文〕〈他人/相手〉のまごを尊敬して呼ぶ言い方。「ごー」

**れいたい**［冷帯］《地》温帯と寒帯の間にある、寒暖の差が大きい地帯。北半球のタイガ地帯に相当。亜寒帯。

**れいだい**［例題］練習のため、例として出す問題。「国語ー集」

**れいたいさい**［例大祭］その神社で毎年決まった日におこなう、特に大きなまつり。

**れいたん**［冷淡］《名・ナダ》相手やものごとに対して、同情・関心などを持たないようす。そっけないようす。ひややか。「ーな返事」派ーさ。

**れいだん**［冷暖］〔文〕つめたいこと あたたかいこと。「皮膚にーの刺激をあたえる」

**れいだんぼう**［冷暖房］冷房と暖房。「ー完備」

**れいち**［霊地］〔文〕①神や仏の霊験があらたかな土地。霊場。②神聖な土地。

**れいち**［霊知・霊×智］〔文〕ふしぎなほど すぐれたちえ。「ーを授かる」

**れいちゃ**［冷茶］つめたくして飲む緑茶。また、水を使っていれた緑茶。

**れいちょう**［霊長］〔文〕ふしぎな力を持つ、最もすぐれたもの。「万物のー(=人間)」●☆☆**れいちょうるい**［霊長類］哺乳類の中で、頭脳が発達した最も高等なもの。ヒト・サルが属する。〔分類名は「霊長目」〕

《「サル目」とも》

**れいちょう**［霊鳥］〔文〕神聖な鳥。例、鳳凰(ほうおう)。

**れいてい**［令弟］〔文〕〈他人／相手〉の弟を尊敬して呼ぶ言い方。(↔令兄(れいけい))

**れいてき**［霊的］《ナダ》〔文〕〈霊／精神〉に関するようす。「―存在」(↔肉的)

☆☆**れいてつ**［冷徹］《名・ナダ》〔文〕あくまでも冷静で、感情などに動かされず、ものごとの本質を見ぬくようす。「―の人・―な頭脳」派―さ。

**れいてん**［零点・×○点］点数・得点がないこと。〔点数が〕ゼロであること。

**れいでん**［礼電］〔文〕お礼の電報。「―を打つ」

**れいでん**［霊殿］〔文〕おたまや。霊廟(れいびょう)。

**れいど**［零度・×○度］温度・角度・緯度(いど)などの、度数をはかるときの、もとになる点。「セ氏―」

**れいとう**［霊灯］〔御(ご)―〕葬儀(そうぎ)のときにともすちょうちん。

**れいとう**［冷凍］《名・他サ》食品をこおらせること。「―保存・―冷蔵庫(=冷凍室つき冷蔵庫)」●**れいとうこ**［冷凍庫］温度を下げ、なまの肉やさかなをこおらせ、また、冷凍した食品を長く保存するための入れもの。●**れいとうしょくひん**［冷凍食品］冷凍して売られている食品。冷食。「―を解凍する」

**れいどう**［霊堂］死んだ人の骨や位牌(いはい)などをまつる建物。

**レイトショー**［late show］夜おそくから上映する映画。

**れいにく**［冷肉］⇩コールドミート。「とりの―」

**れいにく**［霊肉］〔文〕霊魂(れいこん)と肉体。「―の争い・―一致(いっち)」

**れいにゅう**［戻入］《名・他サ》《経》一度支出した歳出(さいしゅつ)をもとの歳出予算にもどすこと。戻(もど)し入れ。

**れいねつ**［冷熱］①〔文〕冷たいことと熱いこと。「―の差」②〔文〕冷淡(れいたん)なことと熱心なこと。③熱をうばうもの。冷たさを感じさせるもの。「氷の―を冷房(れいぼう)に使う・―発電」(↔温熱)

**れいねん**［例年］いつもの とし。毎年。「―に なく寒い・―どおり」

**れいの**［例の］《連体》①自分も相手も知っている、あの。「―話はどうなった？」②いつもの。「―〈とおり／ように〉おくれて行った」

**れいのう**［霊能］ふつうの人にはない、超(ちょう)自然的な力。「―師・―者」

**れいば**［冷罵］《名・他サ》〔文〕ばかにしてののしること。「―をあびせる」

**れいはい**［零敗］《名・自サ》⇩ゼロ敗。

**れいはい**［礼拝］《名・他サ》《宗》〔キリスト教などで〕神をおがむこと。「―堂」☞らいはい(礼拝)。

**れいばい**［冷媒］〔冷房(れいぼう)／冷凍(れいとう)〕装置で〕温度を下げるはたらきをする物質。

**れいばい**［霊媒］死んだ人の霊に代わって、その意思を伝える〈こと／力を持った人〉。みこ・口寄せの類。「―術・―師」

**れいひつ**［麗筆］〔文〕美しく みごとな〈ふでの使い方／筆跡(ひっせき)〉。●**麗筆を振(ふ)るう** 句 美しく みごとに字・絵・文章などをかく。

**れいひょう**［冷評］《名・他サ》〔文〕冷淡(れいたん)な批評(をすること)。「―をあびせる」

**れいびょう**［霊×廟］〔文〕⇩おたまや。

**レイブ**［rave］はでで幻覚(げんかく)をさそうような音楽と照明のダンスイベント。

**レイプ**《名・他サ》［rape］強姦(ごうかん)。

**れいふう**［冷風］〔文〕ひややかな風。冷たい風。

**れいふう**［零封］《名・他サ》《野球》相手チームの得点を零点におさえこむこと。

**れいふく**［礼服］改まった席に出るときに着る衣服。「―を着用する」(↔平服)

**れいふじん**［令夫人］〔文〕①身分の高い人の妻を尊敬した言い方。②相手の妻を尊敬した言い方。▽(ご)令閨(れいけい)。(ご)令室。

**れいぶん**［例文］用例として あげる〈文／文章〉。「―を示す」

**れいほう**［礼法］礼儀(れいぎ)の法式。礼儀作法。「―にかなう」

**れいほう**［礼砲］《軍》部隊・軍艦(ぐんかん)などが、相手に敬意をあらわすためにうつ空砲。

**れいほう**［霊峰］〔文〕〈神や仏の まつってある〉神聖な山。「―富士」

**れいぼう**［冷房］《名・自他サ》室内の温度を、外の温度よりも低くする〈こと／設備〉。「―車(=冷房した車両)・―装置」(↔暖房) ●**れいぼうびょう**［冷房病］冷房で からだがひえたために起こる、足のだるさや関節の痛み、下痢(げり)、生理不順など。

**れいぼく**［零墨］〔文〕断片(だんぺん)的に残っている、古人の筆跡(ひっせき)。「断簡―」

**れいぼく**［霊木］〔文〕神聖な木。神木。

**れいまい**［令妹］〔文〕〈他人／相手〉の妹を尊敬して呼ぶ言い方。(↔令姉(れいし))

**れいみょう**［霊妙］《名・ナダ》〔文〕〈人間の力では はかり知ることができないほど〉ふしぎですぐれているようす。「―な はたらき」派―さ。

**れいむ**［霊夢］〔文〕神や仏が あらわれて おつげをする、ふしぎな ゆめ。

**れいめい**［令名］〔文〕〔相手の〕いい評判。名声。「―が高い」

☆☆**れいめい**［×黎明］〔文〕①あけがた。よあけ。②新しい時代が始まること。「文化の―期」

**れいめん**［冷麺］①そば粉などで作ったこしのある麺を冷やして食べる料理。冷たいスープをかけるものと、辛(から)いたれで あえるものがある。ネンミョン(朝鮮 naengmyeon)。〔朝鮮(ちょうせん)半島で発祥(はっしょう)〕②〔関西などの方言〕冷やし中華(ちゅうか)。

**れいもつ**［礼物］〔文〕お礼として おくる品物。

**レイヤー**［layer］①層。レベル。「三つの―から成る構造」②〔↑レイヤーカット〕髪(かみ)の上を短く、下を長く切ることで段差をつけ、髪全体に かろやかさを出すカットの技術。「―を入れる」●**レイヤード**《名・他サ》［layered］《服》重ね着。「―スタイル」

**レイヤー**〔俗〕↑コスプレイヤー(=コスプレを趣味(しゅみ)とする人)。「コミケに―が集結」

**れいやく**［霊薬］〔文〕ふしぎに よくきく くすり。「不老不死の―」

**れいよう**［冷用］〔文〕〈つめたいままで／ひやして〉飲むこと。「―酒」

れ

**れいよう**【羚羊】アフリカやアジアの草原にすみ、走るのに適した細い足をもつ けもの。〔カモシカと混同されることがある〕

**れいよう**【麗容】〔文〕美しい姿・形。「富士の一をあおぐ」

**れいらく**【零落】《名・自サ》〔文〕おちぶれること。「一して見る影もない」

**れいり**【×怜×悧】《名・ナ》〔文〕かしこいこと。利口。「一そうな顔だち」派一さ。

**れいりょう**【冷涼】《名・ナ》〔文〕ひややかで すずしいこと。「一の季節」派一さ。

**れいりょく**【霊力】①たましいの はたらき。②ふしぎな力。

**れいれい**【麗々】《副》麗々しいようす。「新聞に一と書き立てる」●**れいれいし・い**【麗々しい】《形》人目につくようだ。わざと目立つようにしているようだ。「麗々しく かざりたてる」派一げ。一さ。

**れいろう**【×玲×瓏】《タル》〔文〕①くもりなく かがやくようす。「一たる月影」②美しくて、くもりのないようす。「一たる声」☞八面玲瓏。

**れいわ**【令和】①現在の年号〔二〇一九年五月一日～〕。平成の次。〔略記して「R3」「令3」などと書く〕由来「万葉集」で、梅をよんだ和歌の序文にある「初春の令月〔=よい月。めでたい時期〕にして、気淑く、風和ぎ」から。②令和時代。

**れいわ**【例話】〔文〕実例として出す はなし。

**レイン** 選〔rain〕雨(用の)。レーン。「一シューズ〔=雨ぐつ〕・一ハット〔=雨のときに かぶる帽子〕」●**レインコート**〔raincoat〕《服》雨のときに着るコート。レーンコート。●**レインブーツ**〔rain boots〕雨の日に使う(女性用の)長ぐつ。●**レインボー**〔rainbow〕虹。「一カラー〔=虹の七色〕」

**レインジャー**〔ranger〕⇩レンジャー。

**レーキ**〔rake〕短い鉄製の歯をくし形にならべて柄をつけた道具。土をならしたりするのに使う。「畑に一をかける・《ゴルフ》バンカー一」

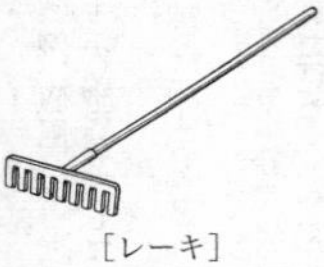
［レーキ］

**レーク** 造〔lake〕⇩レイク。

**レーサー**〔racer〕①競走用の〈自動車/オートバイ〉。競走車。②〔自動車・スキー・スケートなどの〕レースに出る選手。「一用のスキー・オートー・長距離一」

**レーザー**〔米 laser〕《理》人工ルビー・アルゴン〔=気体の一種〕などを利用して、波長のきわめてよくそろった、広がらない光線を出す装置。また、その装置で出す細い光線〔=レーザー光(線)〕。高い熱を持ち、機械の精密加工や通信・医療などに使う。レーザ。●**レーザープリンター**〔laser printer〕レーザー光線を用いた印字装置。高速で鮮明に印字できる。●**レーザーポインター**〔laser pointer〕レーザー光線を当てて対象をしめす装置。講演・会議などで説明に使う。ポインター。●**レーザーメス**〔和製 laser＋オ mes〕《医》レーザー光線をメスの代わりに使う、手術用具。

**レーシック**〔LASIK ← laser in situ keratomileusis〕《医》近視を治す手術。レーシック手術。

**レーシング**〔racing〕競走(用)。「一カー」

**レース**〔lace〕糸を〈編んで/かがって〉すかし模様をあらわした、うすい布。また、そのように織った布。「一の手ぶくろ・一のカーテン」●**レースアップ**〔lace-up〕⇩編み上げ。「一ブーツ」

**レース**《名・自サ》〔race〕①《スポーツ》競走。競漕。競泳。「一展開・ボート一」②競争。「ペナント一・後継者一」●**レースクイーン**〔和製 race queen〕自動車レースなどで、スポンサーの宣伝をするなどして、はなやかさをそえる女性。

**レーズン**〔raisin〕干したブドウ。「一パン・一バター」

**レーゾンデートル**〔フ raison d'être〕⇩レゾンデートル。

**レーダー**〔米 radar〕超短波を利用して、目標物の位置・方向を測定する装置。電波探知機。「一スコープ〔=画面にしめされる、レーダーの視野〕・一サイト〔=レーダー基地〕」

**レーティング**〔rating〕①格づけ。評価。「債券の一」②映画・テレビ番組などの内容に応じて、何歳までの子どもに見せてはならないなどと指定されていること。年齢制限。③視聴率。▽レイティング。

☆☆**レート**〔rate〕割合。率。「為替一」

**レードル**〔ladle〕西洋料理などで使う おたま。「パスタ一」

**レーベル**〔label〕①ラベル。②レコードの中央にはってある、曲目・演奏者・レコード会社名などをしるした紙。③レコード会社(のブランド名)。「インディーズ〔=独立系〕一」④文庫・新書などのシリーズ名。

**レームダック**〔lame duck=足のわるいアヒル〕任期切れが近く、力を失った政権や指導者。死に体。レイムダック。「内閣が一になる」

**レーヨン**〔フ rayonne〕とかした木材パルプを細い穴からおし出してつくった合成繊維。絹のように なめらかだが、水で洗うと縮みやすい。人絹。「ビスコース一」☞スパンレーヨン。

**レール**〔rail〕①鉄道の車両がその上を走る、細長い鋼鉄。軌条。「鉄道の一」②引き戸・カーテンなどを走らせるために取りつけた、細い棒。③用意された〈手順/生き方〉。「親の敷いた一に乗る」●**レールを敷く** 句 うまく進むように下準備をする。●**レールバス**〔rail-bus〕鉄道のレールの上を走るバス型の車両。

**レーン**〔lane〕①《自動車》車線。「バス一〔=バス専用の車線〕」②《ボウリング》ボールがころがって行くコース。③《陸上・競泳》選手ひとりひとりに割り当てられた走路・水路。コース。

**レーン** 選〔rain〕⇩レイン。

**レオタード**〔leotard=もと、人名〕〔バレエなどの〕からだに ぴったり合った、上下つなぎの練習着。体操着。

**レオパード**〔leopard〕〔動物の〕ヒョウ。「一柄・一スカート」

**レガース**〔←leg guards〕〔野球の捕手やアイスホッケーの選手などがつける〕すねを保護するための防具。すね当て。レガーズ。

**レガート**〔イ legato〕《音》音と音との間をなめらかに続けて〈歌う/演奏する〉こと。(↔スタッカート)

**レガシー**〔legacy〕①遺産。「一コスト〔=負の遺産〕」②既存。「一キャリア〔=LCCに対して、既存の航空会社〕」

**レガッタ**〔regatta〕(複数の人が)手でこぐボートレース。「—大会」

**れき**［暦］〔文〕暦法。「太陽—・太陰—」☞暦年齢。

**れき**［×礫］《鉱》砂よりは大きい、小さい石。〔直径が二ミリメートル以上〕

**れき**［歴］造 …を〈した/された〉経験(の長さ)。「研究—・ゴルフ—・スキー—・逮捕—十回・恋人いない—二十年〔俗〕」

**れきがく**［暦学］太陽や月の動きを調べ、それをもとに暦を作る学問。

**れきがん**［×礫岩］《鉱》堆積岩の一種。小さい石〔=礫〕が、海・河川などの水底で砂や粘土とまざって固まったもの。

**れきさつ**［×轢殺］《名・他サ》〔文〕〔車輪で〕ひき殺すこと。「—された死体」

＊＊**れきし**［歴史］①〔世界・国家の〕昔から今まで進んできたあと(の記録)。「日本の—・—をひもとく・—に名を刻む」②個人・ものごとの経歴。「書物の—・愛車の—」③↑歴史学。●**れきしじだい**［歴史時代］《歴》文字が使用されてから のちの時代。有史時代。〔日本では五世紀以後〕(↕先史時代)●**れきししょうせつ**［歴史小説］(近代以前の)歴史の流れを主題にした小説。☞時代小説。●**れきしてき**［歴史的］《ナダ》①歴史に残るようす。「—大事件」②歴史にもとづくようす。「—に見ても誤りだ・—事実・—必然性〔=歴史的に、そうならなければならないこと〕」③もはや過去のものであるようす。「—な存在」●**れきしてきかなづかい**［歴史的仮名遣い］主として平安時代中期以前の、古い文献に標準をおいた仮名遣い。古典仮名遣い。旧仮名遣い。旧仮名。〔終戦直後まで使われた。俳句・短歌などでは現在も使う〕(↕現代仮名遣い)

**れきし**［×轢死］《名・自サ》〔文〕〔車輪に〕ひかれて、死ぬこと。「—体」

**れきじつ**［暦日］〔文〕①年月の経過。②こよみ。「山中—なし〔⇩「山中」の句〕」

**れきすう**［暦数］〔文〕太陽や月などの運行のありさまを、こよみに作る方法。

**れきせい**［歴世］〔文〕代々。歴代。

**れきせん**［歴戦］いくつもの戦いを経験していること。「—の勇士」

☆☆**れきぜん**［歴然］《タルト》(そのあとが残っていて)たいへんはっきりしているようす。「—たる証拠・—として差がつく・ちがいは—だ」

☆☆**れきだい**［歴代］①代々。「—の天皇・わが家の—のペット」②その方面の歴史の、今まで。「—二位の好記録」

**れきだん**［×轢断］《名・他サ》〔文〕〔列車などが〕からだをひき切ること。「死後—」

**れきちょう**［歴朝］〔文〕代々の朝廷。「—に仕える」

**れきてい**［歴程］〔文〕今まで過ぎてきた、道筋。

☆☆**れきにん**［歴任］《名・他サ》つぎつぎに各種の役目をつとめること。「要職を—する」

←**れきねん**［暦年］〔文〕こよみの上で定めた一年。一月から十二月まで。「会計年度は—制でない」

→**れきねん**［歴年］〔文〕〔順々に積みかさなった〕長い年月。「—にわたる努力」

**れきねんれい**［暦年齢］生まれてからを、こよみではかった年齢。生活年齢。実年齢。

**れきほう**［暦法］〔文〕こよみの〈決まり/作り方〉。

☆☆**れきほう**［歴訪］《名・他サ》〔文〕〔多くの土地や人を〕つぎつぎにおとずれること。「諸国を—する」

**れきゆう**［歴遊］《名・自他サ》〔文〕ほうぼうの土地を旅行して回ること。「欧米〈を/に〉—する」

☆☆**レギュラー**《名・ナダ》〔regular〕①正式。正規。通常。「〔観光の〕—コース・—コーヒー(↕インスタント コーヒー)」(↕イレギュラー) ②〔↑レギュラー メンバー〕ⓐいつも出場する選手。正選手。(↕補欠) ⓑ常連の出演者。(↕ゲスト) ③↑レギュラー ガソリン。「—満タン」(↕ハイオク)

**レギュレーション**〔regulation〕①規制。「—強化」②《スポーツ》規則。「—改定」

**れきれき**［歴々］━《タルト》〔文〕はっきりしていて、だれにも想像がつくようす。「勝算—たるものがある」━⇩お歴々。

**レギンス**〔leggings〕《服》脚をタイツのようにぴったりつつむ、〈ひざ下/くるぶし〉までの細身のパンツ。スパッツ。☞トレンカ。

**レク**《名・自他サ》①↑レクチャー。「議員への—」②↑レクリエーション。「職場—・—施設」

**レクイエム**〔ラ requiem〕《音》死んだ人のためにささげるミサ曲。鎮魂曲。レクィエム。

**レクチャー**《名・自他サ》〔lecture〕①講義。「民法の—」②官庁などの、記者団に対しておこなう発表や説明。③解説すること。説明。「使い方の—を受ける」▽レクチュア。レク。

**レグホン**〔leghorn〕ニワトリの一品種。卵を産ませるために、広く飼われている。「白色—」

☆☆**レクリエーション**〔recreation〕仕事のあいまに、また、気ばらしのために楽しむ娯楽。リクリエーション。レクレーション。レク。

**レゲエ**〔reggae〕《音》一九七〇年代、西インド諸島のジャマイカに生まれた、四拍子のラテン音楽。

**れこ**《代》〔「これ」の さかさことば〕〔古風・俗〕はっきり言うのが えんりょされるもの〔例、愛人。小指を使ってあらわす〕を、それとなくさすことば。

**レコーダー**〔recorder〕①記録器。「タイム—」②録音機。「IC—・テープ—」③録画機。「ブルーレイ—」

**レコーディング**《名・他サ》〔recording〕録音。ふきこみ。

☆☆**レコード**〔record=記録〕①競技などの最高記録。「—タイム・—ホルダー〔=記録保持者〕」②演奏などを録音し、プレーヤーによって再生する円盤。音盤。レコード盤。「—会社・—コンサート・—プレーヤー〔=再生装置〕・こわれた—のように同じ話をくり返す」

**レコメンド**《名・他サ》〔recommend〕推薦。おすすめ。リコメンド。「—機能〔=ショッピングサイトなどで、見ている人の好みに合いそうな商品をすすめる機能〕」

**レザー**〔leather〕①革。なめしがわ。「—ウェア〔=革製の衣料〕」②合成品の革。「—コート」③↑レザークロス。●**レザークロス**〔leather cloth〕布の表面にビニール塗料をぬって革のように作ったもの。レ

れ

ザー。

**レザー**〔razor〕かみそり。●**レザーカット**〔razor cut〕かみそりで、かみの毛を切ること。

**レジ** ①←レジスター①。「―を打つ・―打ち」②レジスターのある、しはらいをする場所(の係)。キャッシャー。「―係」☞チェッカー[二]①・サッカー(sacker)。

**レシート**〔receipt=領収書〕レジスターを打ったとき、自動的に金額が打ち出される明細書。

**レシーバー**〔receiver〕①受話器。受信機。②〔テニス・バレーボールなど〕サーブやパスを受ける人。(↔サーバー)

**レシーブ**《名・他サ》〔receive〕〔テニス・バレーボールなど〕相手のボールを受けること。(↔サーブ)

**レジーム**〔フ régime〕政治体制。制度。「アンシャン―(=旧体制)・―チェンジ(=政権交代)」

☆☆**レジェンド**〔legend〕①伝説。②すばらしい業績を残し、尊敬される人。「チームの―になる」〔スポーツの分野で使われだし、二〇一〇年代に広まった用法。現役も含む〕

**レジオネラきん**〔レジオネラ菌〕〔ラ legionella〕《医》呼吸器感染症を起こす細菌。浴槽などでも感染する。

**レジオンドヌール**〔フ Légion d'honneur〕フランスの最高勲章。

**レジスター**〔register〕〔←キャッシュ レジスター〕①お金の出し入れを記録し、また、保管する機械。金銭登録機。レジ。②⇨レジ②。

**レジスタンス**《名・自サ》〔フ résistance〕①第二次世界大戦中、ナチスドイツに対するフランス国民の抵抗(運動)。「―文学」②〔権力や目上の者などへの〕抵抗。

**レシチン**〔ド Lecithin〕《理》卵黄・ダイズをはじめ、動植物に広くふくまれる脂質。食品添加物にも使う。

**レジティマシー**〔legitimacy〕政治的に合法な手続きをふんでいること。正統性。

**レジデンス** [造]〔residence=住宅。邸宅〕マンション(の名前)。「高級―」

☆☆**レシピ**〔recipe〕料理や菓子などの作り方。また、それを書いたもの。☞レセプト。

**レシピエント**〔recipient〕《医》〔移植手術に必要な〕臓器や骨髄の提供を受ける(ことを望む)人。(↔ドナー)

**レジぶくろ**〔レジ袋〕〔スーパーマーケットなどのレジで〕商品を入れるために客が〈もらう/買う〉ポリぶくろ。

**レジメ**〔フ résumé〕⇨レジュメ。

**レジャー**〔leisure〕①仕事などをしないでいい、自由な時間。余暇。短い休暇。②余暇を利用した遊び・娯楽。「―センター・―ランド・―ウェア(=遊び着)」

●**レジャーシート**〔和製 leisure sheet〕野外で弁当を食べたりするときに敷く、ビニールなどでできた敷物。

**レジューム**〔resume=再開〕《情》〔パソコンなどで〕電源を切る前の状態を残しておくこと。「―機能」

**レジュメ**〔フ résumé〕〔講演・研究発表などの〕内容を簡潔にまとめたもの。要約。レジメ。

**レジリエンス**〔resilience〕ストレスや困難にめげず、立ち直る力。回復力。復元力。

**レス**《名・自サ》〔↑レスポンス〕〔インターネットで〕返答やコメントをすること。「―をつける・即―」

**レス** [造] ①〔less〕…のない。…の感じられない。「カフェイン―・タッチ―(=非接触)・ジェンダー―・〔美容で〕毛穴―の肌」②←レスリング。「アマ―・女子―」

**レズ**〔俗〕←レズビアン。〔差別的なことば〕

☆☆**レスキュー**〔rescue〕人命救助。救援。「―隊(=事故や災害のさいに救助にあたる専門の部隊)」

**レストハウス**〔rest house〕観光客のための休憩所。

**レストラン**〔フ restaurant〕おもに洋食を出す店。「―バー(=食事もできるバー)・ゴースト―(=客を入れないで、デリバリー用の食事だけを作る店)」

**レストルーム**〔rest room〕①休憩室。②〔ビルなどの〕手洗い所。トイレ。

**レズビアン**〔lesbian=ギリシャの島の名前 Lesbos から〕女性の同性愛(者)。レズ〔俗〕。レスビアン。

**レスポンス**〔response〕操作や呼びかけに対する反応。応答。レス。「―がいい車」

**レスラー**〔wrestler〕レスリングの選手。

**レスリング**〔wrestling〕〔マットの上で〕ふたりが組み合い、相手の両肩をマットにつけることを争う競技。

**レセプション**〔reception〕①招待(会)。②歓迎(会)。③ホテルのフロント。

**レセプター**〔receptor〕《生》生物の体内にあって、刺激を受容する細胞や器官。

**レセプト**〔ド Rezept=処方箋〕医療機関が健康保険組合などの保険者に毎月請求する医療費の明細。診療報酬請求明細書。

**レゾンデートル**〔フ raison d'être〕存在理由。存在価値。レーゾンデートル。

**レター**〔letter〕①手紙。「―セット・ラブ―」②文字。「キャピタル―」●**レターペーパー**〔letter paper〕便箋。

**レタス**〔lettuce〕①葉を食べる西洋野菜の名。サラダなどに使う。たまぢしゃ(玉萵苣)。②サラダ菜。

**れたすことば**〔れ足す言葉〕《言》動詞の可能形に、さらに「れ」を足した、俗な言い方。例、行けれる(←行ける)・飲めれる(←飲める)。☞「れる」③の✎④。

**レタックス**〔商標名〕差出人から郵便やウェブ経由で送られた文や絵に、専用の台紙をつけて配達する郵便。電子郵便。

**レタッチ**〔retouch〕《美術》〔写真・絵画などの〕修整。リタッチ。

**レタリング**〔lettering〕ポスター・広告などのためにデザインされた文字。デザイン文字。また、それを書く技術。

**れつ**〔列〕①長くならんだもの。ならび。行列。「―に並ぶ・―を作る・文字―」②《数》数字の表などで、たてのならび。(↔行)③〔文〕段階。なかま。「富豪の―にはいる」

☆☆**れつあく**〔劣悪〕《ダ》〔文〕質がおとって、悪いようす。「―な環境・―な条件」(↔優良)[派]―さ。

**れつい**〔劣位〕〔文〕ほかよりおとっている〈地位/状態〉。(↔優位)

**れっか**〔列火〕漢字の部首の一つ。「点」「然」などの、下がわの「灬」の部分。れんが(連火)。〔火に関係があ

る〕

**れっか**【烈火】〔文〕はげしく燃える火。「—のごとくおこる」

**れっか**【劣化】《名・自サ》①時がたつにつれて、品質・性能がおとってくること。「経年—」②〔俗〕容姿がおとろえること。●**れっかウランだん**【劣化ウラン弾】《軍》天然ウランから濃縮ウランを取り出したあとに残る、劣化ウランを使った砲弾。安価で貫通力が強い。飛散することによる放射能被害が報告されている。

**レッカーしゃ**【レッカー車】〔wrecker〕〈故障／違法駐車〉した自動車をつり上げるようにして引っぱって運ぶ自動車。レッカー。

**れっかく**【列格】《名・自他サ》〔旧制度で〕ある等級の神社に〈加わる／加える〉こと。「村社に—する」

**れっき**【列記】《名・他サ》一つ一つならべて書くこと。「氏名を—する」

**れっきとした**【△歴とした】《連体》①家がら・身分の高いようす。「—家がら」②動かすことのできない。「—証拠」▽れきとした。

**れっきょ**【列挙】《名・他サ》一つ一つならべあげること。「条件を—する」

**れっきょう**【列強】〔文〕多くの強国。

☆☆**レッグウォーマー**〔leg warmers〕《服》ひざ下から足首までをおおうニットの防寒具。

**れつご**【劣後】《名・自他サ》〔文〕①あとまわしに〈する／なる〉こと。「両者をどう優先—するか」(↔優先)②おとること。おくれをとること。「技術が外国にくらべて—している」●**れつごさい**【劣後債】《経》発行会社が破産・清算などをしたとき、保有者への元利金のしはらいが、あとまわしになる債券。金利は高い。

**れっこう**【裂×肛】《医》⇨切れ痔。

**れっこく**【列国】〔文〕〔同じ資格で考えた〕多くの国。「—会議」

**れつざ**【列座】《名・自サ》〔文〕その場にならんで(すわって)いること。列席。「—の人々」

**レッサーパンダ**〔lesser panda〕アライグマに似た小形のパンダ。くり色で、耳や目鼻のまわりが白い。ふさふさした長い尾を持つ。

**れっし**【烈士】〔文〕信念をあくまでもつらぬこうとして、りっぱに行動する男子。(↔烈女・烈婦)

**れつじつ**【烈日】〔文〕はげしく照りつける日。「秋霜—」

**れっしゃ**【列車】人や貨物をのせてレールの上を走らせるために編成した客車・貨車(のつらなり)。「貨物—・急行—・下り—・上り—」

**れっしゃ**【劣者】〔文〕おとっている人。(↔優者)

**れつじゃく**【劣弱】《名・ナダ》〔文〕おとって弱いこと。「—な兵力」派—さ。

**れつじょ**【烈女】〔文〕信念をあくまでもつらぬこうとして、りっぱに行動する女性。烈婦。(↔烈士)

**れっしょう**【裂傷】《医》皮膚などがさけ、傷口がぎざぎざになっているきず。「—を負う」

**れつじょう**【劣情】〔文〕いやしい感情・欲望。〔特に、性欲を言う〕「—をもよおす・—を刺激する」

**れっ・する**【列する】《自他サ》〔文〕ならぶ。つらなる。つらねる。「会議の席に—」

**レッスン**《名・他サ》〔lesson=課業〕①〔習いごとなどの〕授業。「ピアノの—を受ける・—料」②学課。「—ワン」●**レッスンプロ**〔和製 lesson pro〕《ゴルフなど》練習指導を専門とする人。(↔トーナメントプロ)

**れっせい**【列世】〔文〕代々。歴代。

**れっせい**【劣性】①〔文〕劣等な性質(のもの)。②《生》〔遺伝で〕対立する形質のうち、交配したとき次の代(=雑種第一代)には発現せず、それ以後の代で発現するほう。潜性。「—形質」▽(↔優性)

☆☆**れっせい**【劣勢】《名・ナダ》勢い・形勢がおとっていること。「—に立たされる・—を挽回する」(↔優勢)派—さ。

**れっせい**【列聖】《名・他サ》《宗》〔カトリックで〕死者を聖人に加えること。

**れっせき**【列席】《名・自サ》〔ほかの人といっしょに〕その場に出席すること。その座席にならぶこと。「儀式に—する」

**れっちゅう**【列柱】何本もならんだ柱。「パルテノン神殿の—」

**レッツ** 造〔let's〕いっしょに何かをしようとさそいかけるときのことば。「—ゴー・—チャレンジ」

**レッテル**〔オ letter〕〔古風〕ラベル。●**レッテルを貼る** 句 ①名前をつけて分類する。②主観的・一方的に評価する。

**れつでん**【列伝】①〔文〕多くの人の伝記を列記したもの。「国学者—」②《歴》紀伝体の歴史書で、臣下などの伝記を書きつらねた部分。

**レット**〔let〕《テニス・卓球》サーブのボールがネットにふれたときなどに、やり直すこと。

**レッド**〔red〕①赤。「—ライン(=危険を示す赤線)」②左派。左翼。「—パージ(=共産主義者の追放)」③《サッカー》↑レッドカード①。「一発(での)—」●**レッドオーシャン**〔red ocean=血に染まった海〕《経》激しい競争がおこなわれている市場。(↔ブルーオーシャン)●☆☆**レッドカード**〔red card〕①《サッカー》重大な反則をした選手に対して、審判が退場を命じるときに示す、赤色のカード。レッド。②退場・追放などの きびしい処分。「—をつきつける」☞イエローカード。●**レッドカーペット**〔red carpet〕《映画祭の会場の》赤じゅうたん。●**レッドキャベツ**〔red cabbage〕葉が赤むらさき色のキャベツ。ふつうのキャベツより小さい。西洋料理用。むらさきキャベツ。●**レッドデータブック**〔Red Data Book〕絶滅のおそれのある野生生物をリストアップし、その分布や生息の様子を記録した資料集。●**レッドペッパー**〔red pepper〕⇨チリペッパー。●**レッドリスト**〔Red List〕絶滅のおそれの高い種がのっている動植物のリスト。

**れっとう**【列島】①《地》いくつかならんで続く島。「日本—」②↑日本列島。「—縦断」

**れっとう**【劣等】《名・ナダ》〔程度・等級・成績が〕おとること。「—生」(↔優等)派—さ。●**れっとうかん**【劣等感】自分がほかの人より おとっていると感じて、みじめに思う気持ち。「—になやむ」(↔優越感)

**れっぱい**【劣敗】〔文〕おとっているものが競争に負けること。☞優勝劣敗。

**れっぱく**【裂×帛】〔文〕絹を引きさく音のように〈する

れ

どい／はげしい〉こと。「―の気合で刀をふる」

**れっぱん**【列藩】〔文〕多くの藩。諸藩。

**れっぷ**【烈婦】〔文〕烈女。(↔烈士)

**れっぷう**【烈風】〔文〕非常に はげしい風。

**れつりつ**【列立】《名・自サ》〔文〕人が列を作って立つこと。

**れつれつ**【烈々】《タル》〔文〕勢いが はげしいようす。「―たる気迫」

**レディー**〔lady〕①淑女。(↔ジェントルマン)②女性。「―ファースト〔=女性優先〕」▽レディ。●**レディ(ー)ス** 一 遺〔ladies'〕女性の。(若い)女性用の。レディーズ。「―コミック・―クリニック・―デー」(↔メンズ) 二①レディ(ー)ス〔↑レディ(ー)スウェア〕女性用の服。婦人服。「―入荷」(↔メンズ) ②レディ(ー)ス〔ふつう「レディース」〕〔俗〕女の暴走族。「―の総長」

**レディー**《感》〔ready〕試合や競技を始めるときの、「用意」のかけ声。「―、ゴー〔日本語での言い方〕」●**レディーメイド**〔ready-made〕〔多く洋服について〕できあいの品。既製品。レディ メイド。(↔オーダーメイド)

**れてん**【レ点】漢文で、返り点の一つ。一字だけ返って読むしるし。例、読レ書〔=書ヲ読ム〕・不レ楽〔=楽シマズ〕。

**レトリカル**《ダ》〔rhetorical〕レトリック〈を使った／が感じられる〉ようす。修辞的。「―な表現」

**レトリック**〔rhetoric〕①ことばを効果的に使って、わかりやすく、おもしろく、また美しく表現する方法。ことばのあや。修辞。例、比喩・掛詞。「―を駆使した名曲・君の論は―にすぎない〔=ただの ことば遊びで、実際的でない〕」②「レトリック①」を研究する学問。修辞学。

**レトルト**〔オ retort〕①↑レトルト食品。「―カレー」②《理》化学実験の器具の一つ。フラスコの頭のまがったもの。蒸留に使う。③〔↑レトルト釜〕工業用の高圧釜。●☆☆**レトルトしょくひん**【レトルト食品】調理ずみの食品を、ふくろや容器に つめて、高圧釜まで殺菌したもの。レトルト。

［レトルト ②］

☆☆**レトロ**《名・ダ》〔↑retrospective〕復古調である〈こと／ようす〉。懐古趣味。「―な室内装飾」

**レトロニム**〔retronym〕新しいものと区別するため、従来のものに改めてつけた名前。再命名語。例、「洋服」「携帯電話」と区別して、従来の服・電話を「和服」「固定電話」と呼ぶなど。

**れば**◇「すれ〔↑する〕」「なけれ〔↑ない〕」など活用語の仮定形に、接続助詞「ば」がついたものの一部。「買ってくれ―よかった・―たら〔⇩たられば〕」☞ば二。

**レバー**〔ド Leber〕〔食品としての〕肝臓。レバ。「―の甘辛煮」●**レバーペースト**〔liver paste〕牛・ブタなどの肝臓を煮てつぶし、味をととのえた食品。パンなどにぬって食べる。レバー パテ。☞リエット。

**レバー**〔lever〕①てこ〔梃〕。②てこを応用した、〔にぎり形の〕操作棒。「―を引く」

☆☆**レパートリー**〔repertory〕①いつでも演奏または上演できるように用意してある曲目・戯曲・芸など。レパ。「豊かな―」②いつでも できるように手がけている範囲。「料理の―が広い」

**レバさし**【レバ刺し】牛・ニワトリなどのレバーを生のまま さしみ状にスライスしたもの。

**レバにらいため**【レバニラ(×炒)め】ブタ・牛などのレバーとニラをいため、しょうゆ・こしょう・ラオチューなどで調味した料理。ニラレバ(いため)。レバニラ。

**レバレッジ**〔leverage=てこ〕《経》FX取引などで、実際の取引額が、用意した証拠金の何倍に当たるかをあらわす倍率。利益も損失も、この倍率に合わせて大きくなる。レバ。「―投資・―をかける」

**レビュー**〔フ revue〕ダンスと音楽を中心にした、はなやかなショー。レヴュー。

**レビュー**《名・他サ》〔review〕①評論。批評。評価。「ブック―〔=書評〕・レストランの―文」②検証。「政策の―」③〔ビデオで〕前の画面にもどって、もう一度見ること。

**レフ**①《写真》↑レフレックス。「一眼―」②〔↑レフレクター(reflector)〕撮影に使う、銀色の反射板。レフ板。リフレクター。

☆☆**レファレンス**〔reference〕①参考。「―ブック〔=参考図書〕」②〔↑レファレンスサービス〕図書館の担当者が、利用者のさがしている文献や情報などを教えること。「―係・―窓口」

**レフィル**〔refill〕⇩リフィル。

**レフェリー**〔referee〕〔ボクシング・レスリング・フットボールなどで〕主になる審判員。主審。レフリー。(↔ジャッジ)

**レフティ(ー)**〔lefty〕左きき(の人)。

**レフト**〔left〕①左(がわ)。左手。②〔↑米 left fielder〕《野球》左翼(手)。③左派。「ニュー―」▽(↔ライト)

**レプラ**〔ド Lepra〕《医》ハンセン病。

**レフリー**〔referee〕⇩レフェリー。

**レプリカ**〔replica〕〔原物どおりの〕精巧な複製。「優勝カップの―」

**レフレックス**〔reflex〕《写真》レンズから はいる光を反射させることで、カメラをのぞいたときにフィルム面と同じ像が見られるようにしたしくみ。レフ。「―カメラ」

*__レベル__〔level〕①水準。程度。「―アップ・―が上がる・―が高い・低―の議論・事務―〔=段階〕の協議」②〈大きさ／強さ〉の度合い。「〔アンプで〕音の―を上げる・高―放射性廃棄物」③水平。「《野球》―スイング〔=水平にふる打法〕」

**レポ**《名・他サ》①《放送》〔テレビで〕↑レポート・レポーター。リポ。「立ち―〔=立ってするレポート〕」☞食レポ。②〔①と同語源〕〔古風〕情報提供などのスパイ活動(をする者)。

☆☆**レポーター**〔reporter〕①報告者。②《放送》取材して説明する役の人。「海外―・芸能―」▽リポーター。

☆☆**レポート** 一〔report〕①調査・研究の、報告書。②〔学生が先生に出す〕調査・研究(内容)を簡単にまとめたもの。小論文。③新聞・雑誌などの、報告記事。二《名・他サ》報告(記事)を書くこと。「現地から―します」▽一二リポート。

**レポジトリ(ー)**〔repository〕《情》⇩リポジトリ(ー)。

**レムすいみん**［レム睡眠］［REM←rapid eye movement］《生》睡眠の一つの型。からだの力はぬけているが、脳波は起きているときのような型をしめす状態。眼球が速く動き、夢を見ていることが多い。（↔ノンレム睡眠）

**レモネード**［lemonade］レモンのしるに、砂糖・水を加えた飲み物。「ハニー―・ホット―」☞ラムネ①。

**レモン**［lemon］かんきつ類の一種。両はしが少しとがったたまご形で、皮は、あざやかな黄色。非常にすっぱい。香味料としても使う。「―スカッシュ・―ティー・からあげに―をかける」表記「檸檬」は、〈古い／しゃれた〉当て字。●**レモングラス**［lemongrass］レモンに似たかおりのあるハーブ。スープや肉・さかな料理のかおりづけに使う。●**レモンバーム**［lemon balm］ハーブの一種。小さなシソのような葉をこすると、ミントとレモンを合わせたような、さわやかなかおりがする。ハーブティーにして飲む。メリッサ（ラ melissa）。

**レリーフ**［relief］浮き彫り。リリーフ。「ブロンズの―・―文字」

＊＊**れる**《助動下一型》（五段・サ変の動詞につく）①（受け身の助動詞）ⓐ〈だれか／何か〉から動作・作用を直接受けることをあらわす。「人に名を呼ばー・蚊にささー・楽器が名人によって作らー・会議がおこなわー」ⓑその動作・作用・状態のせいで、自分が困ることをあらわす。「店の前に車を置かー・小さい時に親に死なれた」②（自発の助動詞）〈自然に／当然〉そうなることをあらわす。「昔が思い出さー・そう結論さー・この仕事は正確さが要求さー（＝必要だ）」③（可能の助動詞）できる意味をあらわす。「旅行に行かー時間がほしい」✓(1)五段・サ変の動詞は、ふつう可能形を使って「行ける」「歩ける」などのように言う。この可能形は江戸時代からある。(2)カ変動詞「来る」を「来れる」と言う形［本来は「来られる」］は、(1)の可能形についで早く広まった。これはカ変動詞に特有の可能形と見ることもできる。(3)気楽な話しことばなどで、上一段・下一段の動詞に「られる」の代わりに「れる」をつけて、「見れる」「出れる」などと言う（☞ら抜きことば）。この「ら抜き」になる動詞は、「見よう」「出よう」のように、勧誘の場合に「よう」がつくので わかる（「書く」など、ら抜きにならない動詞は、「書こう」のように、「よう」はつかない）。『よう』がついたら『要注意』と覚えるといい。(4)俗に、動詞の可能形「行ける」などの語尾を「れる」にして「行けれる」のように言うことがある（☞れ足すことば）。④（尊敬の助動詞）尊敬をあらわす。「どう思われますか？・退職さー（☞される①）」✓「お書きください」などを、俗に「書かれてください」「ご注意ください」「注意されてください」などと言うのは、もと九州方言。☞られる。

**れん**［連］一 れん ①⇨れん（聯）③。②〔阿波おどりなどをおどる〕グループ。③《競馬・競輪など》↑連勝（式）。「枠―（＝馬の枠番号で当てる連勝複式）」二 接尾 ①同じ〈形／様式〉のものが続くことをあらわすことば。「〔真珠の〕一―のネックレス・かつお節一―（＝十本つながり）・二―銃（＝二連射できる銃）・〔連珠で〕二―（＝二つならんだ石）・三―ばしご（＝三段にのびるはしご）・五―の橋（＝五つの橋が連続している）」②連中。たち。「文士―・悪童―」③［×嗹］（↑ream）〔印刷用紙の〕全紙千枚（＝新聞四千ページ分）の紙を数えることば。三 遺 連続（の）。「―安打」四 遺 ↑連合会・連盟。「県―」

**れん**［×聯］①〈柱／壁〉などの左右にならべてかける、細長い書画の板。②律詩の八行を二句ずつに分けたそれぞれ。③［連］詩のひとくぎり。

**れん**［練］遺 練習。「自主―・個人―・コソ―（＝こっそりする練習）」☞朝練。

**れんあい**［恋愛］《名・自サ》［「恋に」「愛 二②」をまとめた言い方］（おたがいに）相手を大切に思い、性的な結びつきも強めたいと思う気持ち。「―感情・年上の人と―する・―結婚（↔見合い結婚）・―問題（＝恋愛に関する いざこざ）」✓「二人は（おたがいに）恋愛している」とは言うが、片思いの場合、「相手に恋愛している」とは言いにくい。その場合でも、「相手に恋愛感情を持つ」とは言える。

**れんか**［恋歌］恋心をよんだ和歌や歌謡。こいうた。

☆☆**れんか**［廉価］《名・ナダ》〔文〕安い値段。安価。「―で手に入れる・―版」（↔高価）派 ―さ。

**れんが**［〔連火〕］⇩れっか（列火）。

**れんが**［連歌］ふつう、ふたり以上の人が集まって、和歌の上の句と下の句に相当する句をおたがいによみ続けていく形式の歌。「―師」☞俳諧①。

**れんが**［×煉瓦・レンガ］粘土に砂を入れて直方体にかため、かまで焼いたもの。建築に使う。「―造り」

**れんかん**［連関・×聯関］《名・自サ》〔文〕ものごとがたがいにかかわりあっていること。また、その関係。関連。「全体との―でとらえる」

**れんき**［連記］《名・他サ》〔文〕①ならべて書くこと。「三名―で投票してください」②〔選挙などで〕一枚の用紙に二名以上書くこと。▽（↔単記）●**れんきとうひょう**［連記投票］《法》候補者の名前を投票用紙に連記して おこなう投票。（↔単記投票）

**れんぎ**［連木］〔西日本方言〕すりこぎ。

**れんきゅう**［連休］一 日曜と祝日が続く休みの日。「―を利用しての旅行・三―」二《名・自サ》二日またはそれ以上続けて営業を休むこと。

**れんぎょう**［〔連×翹〕］庭に植える、背の低い落葉樹。春早く、葉に先だって黄色い花をつける。

**れんきん**［連勤］《名・自サ》連続して勤務すること。「十日―・バイトで―する」

**れんぎん**［連銀］↑連邦銀行。「独（＝ドイツ）―総裁」

**れんきんじゅつ**［錬金術］①昔の西洋の、原始的な化学技術。鉛などを精錬して、金に変化させようとした。②うまく立ち回って、お金を手に入れる方法。「株価操作による―」

**れんく**［連句］⇩俳諧①。「―を巻く（＝〈何人かで〉連句を作る）」

**れんげ**［〔×蓮華〕］①《仏》ハスの花。「―の上の仏」②［レンゲ］（↑ちりれんげ）中華料理などに使う、陶器のさじ。③［〔紫雲英〕］↑れんげそう。由来 ハスの花びらに見えることから言う。●**れんげそう**［〔×蓮華草〕］野草の名。春、赤むらさき色の花をつける。緑肥や牧草にする。げんげ。れんげ。

**れんけい**［連係・連×繋］《名・自サ》〔人やものごとの間で〕たがいにつながりを持つこと。「―をたもつ・―プレー」

れ

→**れんけい**［連携］《名・自サ》連絡をとり、協力して何かをおこなうこと。「―を密にする」

**れんけつ**［連結］《名・他サ》①つないでひと続きにすること。②《経》〔会社の会計で〕子会社や関連会社をふくめたものであること。「―損益」•**れんけつき**［連結器］鉄道の車両をおたがいにつなぐ装置。•**れんけつけっさん**［連結決算］《経》子会社もふくめた、その企業グループ全体での決算。

**れんけつ**［廉潔］《名・ナダ》〔文〕私欲がなく、おこないが正しいこと。清廉潔白。「―の士」[派]-さ。

**れんこ**［連呼］《名・自他サ》①何回も続けてさけぶこと。「候補者の名前を―する」②同じ音を二回以上続けること。「二音の―」

**れんご**［連語］《言》単語がつらなったもの。例、「おもしろい本」や、「そこにも」の「にも」。〔この辞書では、「句[一]③」よりも広く、一文節未満のものから複数文節にまたがるものまでをふくむ。必ずしも特別の意味を生じていなくても、使い方の説明が必要なものなどを[連]として項目に立てる〕☞付録 文法解説「連語と句」。

**れんこう**［連行］《名・他サ》〔文〕つれて〈いく/くる〉こと。「警察官が犯人を―する・強制―」

**れんごう**［連合］[一]［×聯合］《名・自他サ》二つ以上のものが、共同の目的のために、組を作って協力すること。「国際―・―軍」[二]〔↑日本労働組合総連合会〕労働組合の最大の全国組織。•**れんごうこく**［連合国］いくつかの国が共同の目的のために連合したもの。また、連合した国々。〔第二次世界大戦では、アメリカ・イギリス・中国・ソ連などの国々〕

**れんごく**［×煉獄］《宗》〔カトリックで〕天国と地獄の間にあり、霊魂が火によって浄化されるという所。

**れんこだい**［〈連子×鯛〉］タイの一種。からだは桜色で、頭は黄色みをおびている。黄鯛。

**れんこん**［〈×蓮根〉］ハスの地下茎。食用。〔東京などでは、ハスとも言う〕「―のきんぴら・―の煮しめ」

**れんさ**［連鎖］《名・自サ》〔文〕①くさりのようにつながること。「―店・―状・―発生・負の―」②つながったくさり。•**れんさきゅうきん**［連鎖球菌］〔医〕くさりのようにつながった球菌。丹毒・肺炎・中耳炎などの、炎症・化膿性の病気をひき起こす。溶連菌は、この一種。もと「連鎖状球菌」と言った。•☆☆**れんさはんのう**［連鎖反応］①《理》一つの反応の結果がほかへ影響して、つぎつぎと(化学)反応を起こすこと。重合・爆発・核分裂など。②何かがきっかけとなって、つぎつぎにほかへ影響をおよぼすこと。

**れんざ**［連座・連×坐］《名・自サ》ほかの人の犯罪に関係あるものとして、ともに罰せられること。まきぞえ。「―制」

**れんさい**［連載］《名・他サ》〔新聞・雑誌などに〕毎号続けてのせる〈こと/読み物など〉。「―を書く・―小説」(↔読み切り)

**れんさく**［連作］《名・他サ》①《農》〔一定の場所に〕毎年同じ作物をつくること。(↔輪作)②ひとりの人が、同じものごとや題について作った作品。③何人かの作者がそれぞれ一部分を受け持って、一つの作品にまとめたもの。「―小説」

**れんさつ**［×憐察］《名・他サ》〔文〕あわれんで、思いやること。「なにとぞご―ください」

**れんざん**［連山］〔文〕いくつも続いてならんだ山々。山並み。連峰。「日光―」

**れんし**［錬士］《剣道・弓道など》五段以上の者にあたえられる称号のうち下位のもの。☞範士・教士。

**れんじ**［連子・×櫺子］窓や欄間の、縦棒の間隔がつまった格子。「―窓」

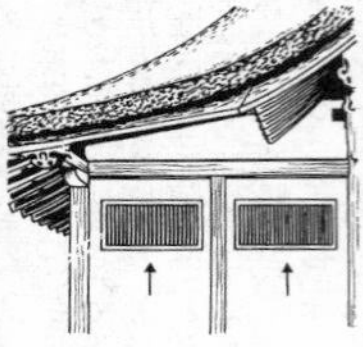
［れんじまど］

**レンジ**〔range〕①⇩電子レンジ。「―アップ〔＝電子レンジであたためること〕・―でチンする〔☞レンチン〕」②金属の台に、コンロやグリルを取りつけ、煮たり焼いたりする料理用の器具。「ガス―」③〔数値などの〕範囲。「せまい―での値動き」•**レンジフード**〔range hood〕ガスレンジの上方に取りつける、けむりやにおいを外へ出すための装置。

**れんしつ**［連失］《野球など》連続の失策。

**れんじつ**［連日］〔続けて〕まいにち。「―の株高・―猛暑が続く・―連夜」

**れんしゃ**［連写］《名・他サ》〔カメラで〕高速で続けざまに撮影すること。「毎秒六コマの―機能」

**れんしゃ**［連射］《名・他サ》〔文〕連続して発射すること。連続しておこなう発射。(↔単射)

**レンジャー**〔ranger〕①国有林の巡回警備員。〈国立/公立〉公園の管理員。②《軍》〔奇襲攻撃などの〕特別訓練を受けた隊員。「―部隊」▽レインジャー。レーンジャー。

**れんじゃく**［連尺］せなかにつけて、ものを背負う用具。

［れんじゃく］

**れんしゅ**［連取］《名・他サ》《競技で》点数・セットを続けざまに取ること。「三点を―する」

**れんじゅ**［連珠・×聯珠］〔＝つないだたま〕碁盤の目の上に碁石を交互に打ち、早く一列に五つならべたほうを勝ちとするゲーム。五目ならべより規則が複雑。

***れんしゅう**［練習］《名・他サ》じょうずになるように、くり返し習うこと。「―を積む・―曲〔＝エチュード〕・―問題・―試合」•**れんしゅうだい**［練習台］練習のために使われる〈もの/人〉。練習相手。稽古台。「新人美容師の―になる」

**れんじゅう**［連中］①〔古風〕⇩れんちゅう。②音曲などの一座の人々。「おはやし(囃子)―」

**れんしゅく**［×攣縮］《名・自サ》《医》筋肉が急に縮んで、すぐにもとへかえること。

**れんしょ**［連署］[一]《名・自他サ》〔文〕同一の文書に二人以上の人がならべて署名すること。[二]《歴》鎌倉幕府の役職。執権を助けて政治をおこなう人。

**れんしょう**［連勝］《名・自サ》①続けて勝つこと。「連戦―・六―」(↔連敗)②〔↑連勝式〕《競馬・競輪など》一着と二着をあてる方式。「―単式〔⇩「単式②」の用例〕」☞単勝・複勝。

**れんじょう**［恋情］〔文〕恋いしたう気持ち。

**れんじょう**［連声］《言》二つの語がつながったときに生じる音変化の一つ。日本語では、漢語の熟語にあらわれることが多い。例、「因縁(インエン→インネン)」「三位(サンイ→サンミ)」。☞リエゾン①。

**レンズ**〔lens〕①《理》両面または片面が球面になっている、すきとおった構造体(ガラスなど)。光を集め、または分散させる。②眼球の水晶体。●**レンズまめ**［レンズ豆］ ひらたい凸レンズの形をしたマメ。スープやサラダなどに使う。

**れんせい**［錬成・練成］《名・他サ》〔文〕きたえること。「—道場」

**れんせき**［連席］〔乗り物・劇場などで〕横に続いた座席。「—を希望する」

**れんせつ**［連接］《名・自他サ》〔文〕関連して〈つながる／つなげる〉こと。「文の—関係」●**れんせつバス**［連節バス・連接バス］〔客を多く乗せるために〕二つ(以上)の車体を連結したバス。

**れんせん**［連戦］《名・自サ》続けて〈戦う／試合をする〉こと。「五—〔=続けて五回試合をすること〕」●**れんせんれんしょう**［連戦連勝］《名・自サ》何度も戦ってそのたびに勝つこと。(↔連戦連敗)

**れんそう**［連装］《軍》一つの砲塔や銃座などに二つ以上の砲や銃をならべて装備すること。「—砲・三—」

**れんそう**［連想・×聯想］《名・他サ》《心》一つの考えにともなって、それに関係のあるほかのことが頭にうかぶこと。「発明というとエジソンを—する」

**れんぞく**［連続］《名・自他サ》間をあけずに〈続く／続ける〉こと。「休日が—する・シュートを—で決める・利下げを—する・—ドラマ」

**レンタ**《名・他サ》①↑レンタル。「—サイクル〔=貸し自転車〕・マイクロバスの—」②↑レンタカー。「—業者」●**レンタカー**〔rent-a-car〕〔短い期間貸し出す〕貸し自動車。

**れんだ**［連打］《名・他サ》①続けざまに打つこと。「太鼓を—する」②《野球》↑連(続)安打。

**れんたい**［連体］《言》あとに来る体言に続くこと。「—的用法」☞連用②。●**れんたいけい**［連体形］《言》活用形の一つ。体言〔=名詞・代名詞〕へ続く。例、「行く人」「知る(こと)は楽しみなり」の「行く」「知る」。●**れんたいし**［連体詞］《言》品詞の一つ。体言だけを修飾することば。例、あの・あ(或)る・いわゆる・大きな。●**れんたいしゅうしょくご**［連体修飾語］《言》修飾語の一つ。あとに来る体言を修飾する。例、「ぼくの大切な辞書」の、「ぼくの」「大切な」。〔二文節以上の まとまりは、連体修飾部と呼ぶ〕☞連用修飾語。

**れんたい**［連隊・×聯隊］《軍》陸軍を編制するときの単位の一つ。四個連隊で一個師団をつくる。旅団の下、大隊の上。

**れんたい**［連対］《名・自サ》《競馬・競輪など》二着以上になること。「三—〔=三着以上になること〕・—率」

**れんたい**［連帯］《名・自サ》①〈共同して／なかまになって〉何かをいっしょにやること。「—感〔=みんなながまだ、という意識〕・—のあいさつを送る・—して責任を負う」②《法》共同で責任を持ち、不都合があった場合は、全員で、または本人に代わって責任を取ること。「—保証人・—で賠償する」

**れんだい**［×蓮台］《仏》ハスの花をかたどった仏像の台座。はすのうてな。

**れんだい**［×輦台］ 江戸時代、川をわたる客をのせるのに使った台。☞「れんだい」の絵。

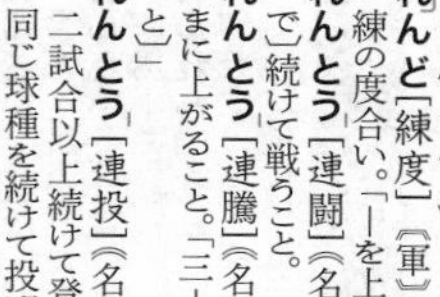

［れんだい］

**れんだく**［連濁］《名・自サ》二つの語が結合するときに、あとに来る語の頭の清音が、濁音になること。例、「かさ」→「あまがさ」。

**れんたつ**［練達］《名・自サ・ナダ》〔文〕熟練して、完成した状態になっていること。「—の士」

**レンタル**《名・他サ》〔rental〕〔機械・自動車などの〕短期の賃貸し。レンタ。「—スペース」☞リース。●**レンタルいせき**［レンタル移籍］《サッカーなど》所属チームと契約したまま、一定期間だけ他のチームへ移籍すること。期限付き移籍。

**れんたん**［練炭・×煉炭］ 石炭・木炭などの粉に、「ピッチ⑧」などを加えて、ねりかためた燃料。「—火鉢〔=練炭を入れたコンロを中央にはめて使う火鉢〕」

**れんだん**［連弾・×聯弾］《名・他サ》①《音》一台の鍵盤楽器をふたりで同時にひくこと。「ピアノの—」(↔独弾)②《野球》連続ホームラン。

**れんち**［廉恥］〔文〕心が清らかで、はじを知る心があること。「—心」(↔破廉恥)

**レンチ**〔wrench〕スパナ。「パイプ—・六角—」

**れんちゃく**［恋着］《名・自サ》〔文〕恋いしたって忘れられないこと。「一目見た姫君に—する」

**れんチャン**［連(:荘)］〔チャン(荘)は中国語〕①《マージャン》親が続けて上がること。「三—」②〔俗〕同種のことが続くこと。「会議の—」

**れんちゅう**［連中］ なかまの人々。れんじゅう。〔軽く見て言うことが多い〕「あの—ときたら」

**れんちょく**［廉直］《名・ナダ》〔文〕おこないが正しく、正直なこと。「—な人」派-さ。

**レンちん**［レンチン］《名・他サ》〔俗〕電子レンジで温める〔=チンする〕こと。「ピザを—する」

**れんど**［練度］《軍》訓練を積みかさねて得られる、熟練の度合い。「—を上げる」

**れんとう**［連闘］《名・自サ》〔文〕〔競技・試合などで〕続けて戦うこと。

**れんとう**［連騰］《名・自サ》〔文〕株価などが、続けざまに上がること。「三—〔=三日続けて株価が上がること〕」

**れんとう**［連投］《名・自他サ》①《野球》ⓐ投手が、二試合以上続けて登板すること。「三—」ⓑ投手が、同じ球種を続けて投げること。「カーブを—する」②〔インターネットで〕文章を連続して投稿すること。

**れんどう**［連動］《名・自サ》あるものの動きにともなって、別のものが動くこと。「—装置・コンピューターに—する・年金は物価に—する」

**レントゲン**〔Röntgen=もと、人名〕①《理》ⓐ〔↑レントゲン線〕⇩X線。「—撮影」ⓑもと、照射された放射線の量をあらわした単位〔記号R〕。②〔↑レントゲン写真〕 X線撮影による写真。「—をとる」

**れんドラ**［連ドラ］《放送》←連続ドラマ。

**れんにゅう**［練乳・×煉乳］牛乳を煮につめて、こくしたもの。「イチゴに―をかける・加糖―（=コンデンスミルク）・無糖―（=エバミルク（←evaporated milk））」

**れんねん**［連年］〔文〕〔続けて〕毎年。

☆☆**れんぱ**［連覇］《名・自サ》〔文〕続けて優勝すること。「三年―」

**れんぱ**［連破］《名・他サ》〔文〕続けざまに相手を負かすこと。「強敵を―する」

**れんばい**［廉売］《名・他サ》〔文〕安く売ること。安売り。「年末大―」

**れんぱい**［連敗］《名・自サ》続けて負けること。「かろうじて―をまぬがれた・三―」（↔連勝）

**れんぱく**［連泊］《名・自サ》〔旅館・ホテルなどに〕二日以上続けて泊まること。「三―」

**れんぱつ**［連発］《名・自他サ》①続けて発すること。「事故が―する・日本新（記録）を―する」②続けて〈起こる／出す〉こと。「質問を―する」③〔たまなどを〕続けてうつこと。「六―」（↔単発・散発）

**れんばん**［連番］〔宝くじ・座席指定券などの〕連続した番号。続き番号。

**れんぱん**［連判］《名・自サ》〔文〕連名にして、それぞれがはんこや拇印をおすこと。れんばん。●**れんぱんじょう**［連判状］連判した誓約書。

☆☆**れんびん**［（×憐×愍）・（×憐×愍）］〔文〕あわれむこと。れんみん。「―の情をもよおす・―を垂れる」

**れんぶ**［練武］〔文〕武術のうでをきたえること。

**れんぶんせつ**［連文節］《言》二つ以上の となり合った文節が結びついて、意味のうえで まとまりをもつもの。例、「西の山に夕日が沈んでゆく」の「西の・山に」「沈んで・ゆく」「夕日が・沈んで・ゆく」。

**れんべい**［連×袂］（=袂を連ねる）〔文〕複数の人が行動をともにすること。「―辞職」

**れんぺい**［練兵］〔文〕兵士を訓練すること。「―場」

**れんぼ**［恋慕］《名・自他サ》〔文〕恋いしたうこと。「―の情」

**れんぽう**［連邦・×聯邦］㊀**れんぽう** 二つ以上の州または国家が結合した国家。例、アメリカ合衆国・ロシア連邦。㊁圏 アメリカ合衆国の各州に共通の。アメリカ全国にわたる。「―捜査局（=FBI）・―政府（=アメリカの中央政府）」

**れんぽう**［連峰］〔文〕いくつも続いている山々。連山。「北アルプス（の）―」

**れんま**［錬磨・練磨］《名・他サ》〔文〕きたえ みがくこと。「からだを―する・百戦―」

**れんめい**［連名］①ひとりひとり姓名をならべて書くこと。「―で招待状を出す」②ポスターなどに出演者の名前を地位の順に書いたもの。

**れんめい**［連盟・×聯盟］共同の目的のために同じ行動をとることをちかうこと。また、その組織。同盟。「アラブ―・日本陸上競技―」

**れんめん**［連綿］《（トタル）》①〔文〕長く続いて たえないようす。「―と受けつぐ・―と書きつらねる・皇統―」②〔書道で〕続け書き。「―体」③「恋々」の誤り。「地位に―とする」

**れんや**［連夜］〔続けて〕毎夜。毎晩。「連日―の編集作業」

**れんよう**［連用］《名・他サ》①〔文〕同じものを続けて使うこと。「薬を―する（=続けて飲む）・三年―日記」②《言》用言に続くこと。「―的用法」☞連体。●**れんようけい**［連用形］《言》活用形の一つ。①〔形容詞などで〕用言へ続く。例、「大きく育つ」「きれいに書く」の「大きく」「きれいに」。②〔動詞などで〕「ます」「た」「て」などに続く。例、「バスを降りて歩きます」「人が多かった」の「降り」「歩き」「多かっ」。③文がまだ続くことをあらわす。例、「息を止め、（かつ）耳をすます」「まちがいが多く、（そのため）困ってしまう」の「止め」「多く」。●**れんようしゅうしょくご**［連用修飾語］《言》修飾語の一つ。主として、あとに来る用言を修飾する。例、「早く辞書を引きなさい」の「早く」「辞書を」。〔二文節以上の まとまりは、連用修飾部と呼ぶ〕☞連体修飾語。

*＊***れんらく**［連絡・×聯絡］《名・自他サ》①別々のものがつながること。つながり。「電車とバスの―が悪い・―船」②情報などを相手に知らせること。「―が はいる・―を取る・―が つかない」●**れんらくもう**［連絡網］関係者に連絡するための しくみ。また、連絡の順序をしめした表。「緊急時の―」

**れんり**［連理］〔理=木理。木目〕〔文〕別の根からはえた二本の枝が、末で一本にくっついて、木目もつながること。夫婦・男女の仲がいい たとえ。「比翼―・―の枝」

**れんりつ**［連立・×聯立］《名・自サ》いくつかのものがあわさって成り立っていること。「―内閣・―方程式」

**れんるい**［連累］《名・自サ》〔文〕連座。まきぞえ。「―をこうむる・―者」

**れんれい**［連×嶺］〔文〕いくつも続いて ならんだみね。「雪の―」

**れんれん**［恋々］《（トタル）》〔文〕①恋いしたって、思い切れないようす。②未練がましく執着するようす。「現在の地位に―とする」

## ろ　ロ

**ろ**［炉］①いろり。また、茶室で湯をわかすところ。②だんろ。ストーブ。③燃やしたり とかしたり、化学反応を起こさせたりするための、装置。「焼却―・溶鉱―・原子―・―内」●**炉を切る** 句「炉①」を作る。

**ろ**［×絽］筋のように透けた部分がある絹織物。夏の和服やゆかたなどに使う。絽織り。「―の羽織」☞しゃ（紗）。

**ろ**［（×櫓）］和船のうしろのほうで おし引きしながら水を切り、船を進める道具。☞かい（櫂）。

**ろ**［露］←ロシア（露西亜）。「―文（=ロシア文（学））・―和辞典（=ロシア語の見出しに日本語で意味を書いた辞典）」 表記 ソ連崩壊後のロシア連邦は「ロ」とも。「日ロ関係」

**ろ**［ロ］《音》長音階のハ調のシにあたる音。B音（=ドイツではH音）。「―短調」

**ろ**［路］㊀造 みち。道路。「交通―・通勤―」㊁接尾〔碁盤の〕たてよこの筋を数えることば。

**ろ**◇〔上一段・下一段・サ変の動詞などの、命令形の語尾の一部〕命令の気持ちをあらわす。〔目下・同等の人に言うときに使う〕「おい、起きろ・早くしろよ」

**ろあく**[露悪]〔文〕(自分の)悪いところをわざと さらけ出すこと。「―趣味」

**ロイドめがね**[ロイド眼鏡]〔Lloyd=人名〕セルロイドの太くて黒いふちをつけためがね。由来 戦前の喜劇俳優ハロルド・ロイドが かけていたから。

**ロイヤリティ(ー)**〔loyalty〕忠誠(心)。ロイヤルティ(ー)。ローヤリティ(ー)。「会社に対する―」

**ロイヤリティ(ー)**〔royalty〕《経》特許権・著作権・商標などの使用料。〔事業の〕指導料。ロイヤルティ(ー)。ローヤリティ(ー)。

**ロイヤル** 遺〔royal〕王の。王室の。ローヤル。●**ロイヤルゼリー**〔royal jelly〕⇩ローヤルゼリー。●**ロイヤルボックス**〔royal box〕〔劇場・競技場などで〕貴賓席。特別席。

**ろいろ**[(×蠟)色・(:呂)色]〔↑蠟色塗り〕うるし塗りの技法の一つ。油分をふくまない うるし〔=蠟色うるし〕を塗って、鏡のように みがいたもの。「―仕上げ」

**ろう**[老] [一]ろう〔文〕年をとること。「生と死、―と病」[二] 接尾 老人を尊敬して人の姓などにそえることば。「石橋―・八十―」[三] 遺 年とった。年をかさねて知識・経験のゆたかな。「―学者・―大国」

**ろう**[労] [一]ろう ①〔文〕(心身を使ってする)はたらき。ほねおり。苦労。「―にむくいる・―をねぎらう・あっせんの―をおしまない・紹介の―を取る・―を多とする〔=感謝する〕」②↑労働組合。「政〔=政府〕、―の対決」[二] 造 労働組合。「地区―」●**労多くして功少なし** 句〔功=効果〕〔文〕苦労したわりには むくいられない。

**ろう**[×牢]ろうや。ろうごく。「―に つながれる」

**ろう**[廊]〔文〕①廊下。②建物と建物の間を行き来するためにつくられた、屋根のある通路。「―で続く・渡り―〔=渡り廊下〕」

**ろう**[楼]〔文〕[一]ろう 高い建物。たかどの。「―にのぼる・五層―〔=五階建ての建物〕」[二] 接尾 高い建物や大きな料理店などの名前に そえることば。「山水―」

**ろう**[×隴]《歴》昔、中国の甘粛省にあった地名。●**隴を得て蜀を望む** 句 それだけで満足せず、もっと大きな願いを持つこと。それ以上のものを求めること。望蜀。

**ろう**[(×蠟)・ロウ] ①脂肪に似て、やわらかく、塗るとすべりやすいもの。とけやすく、燃えやすい。もくろう(木蠟)・蜜蠟・パラフィンなど。②《仏》ろうそく。「お―」●**ろうをか(嚙)むよう** 句 おもしろみや味わいがまったく感じられないようす。

**ろう**[(×鑞)] はんだ。「―づけ」

**ろう**[(×聾)] 耳が聞こえない〈こと／人〉。「―学校・―文化」

**ろう**[浪] 接尾〔名・自サをつくる〕「浪人②」した年数を数えることば。「二―(する)」

**ろう**[(×瘻)] 造《医》炎症がひどくなり、からだの一部がくずれて穴があいたもの。「食道―」☞痔瘻。

**ろうあ**[(×聾×唖)] 耳と口が不自由なこと。「―者」

**ろうい**[労委]《法》↑労働委員会。「都―」

**ろうえい**[漏×洩]《名・自他サ》〔「ろうせつ」の慣用読み〕秘密や液体・気体などが〈もれる／をもらす〉こと。「秘密が―する・機密―・ガスが―する」

**ろうえい**[朗詠]《名・他サ》〔文〕漢詩や和歌などを、節をつけて歌うこと。「漢詩を―する」

**ろうえき**[労役]〔文〕①(強制労働など)課せられた役務。「―に服する」②ほねの おれる肉体労働。

**ろうおう**[老王]〔文〕年とった王。

**ろうおう**[老桜]〔文〕年を経たサクラの木。

**ろうおう**[老翁]〔文〕年をとった男性。おきな。老人。(↔老嫗)

**ろうおう**[老×嫗]〔文〕年をとった女性。老女。老婆。(↔老翁)

**ろうおう**[老×鶯]〔文〕春が過ぎても鳴くウグイス。おいうぐいす。

**ろうおく**[×陋屋]〔文〕①せまくて むさくるしい家。②自分の家をへりくだって言うことば。「―に招く」▽陋居。

**ろうか**[弄火]〔文〕〔子どもの〕火遊び。

**ろうか**[廊下]〔家の一部分で〕部屋と部屋、建物と建物とをつなぐ通路。●**ろうかとんび**[廊下(×鳶)]〔俗〕特別の用もないのに、廊下をうろついたり、ほかの部屋をのぞいたりする〈こと／人〉。

**ろうか**[老化]《名・自サ》〔年をとるに つれて〕からだの(一部の)はたらきが おとろえること。「―現象〔=老人になって心やからだが おとろえたために起こる現象。例、物忘れ〕・血管の―を防ぐ」

**ろうかい**[浪界]〔文〕浪曲を語る人の社会。

**ろうかい**[老×獪]《ナダ》経験を積んで悪がしこいようす。「―な人物」派 -さ。

**ろうがい**[老害] 年をとった人間が上層部に いすわって、元気な若い人の活動のじゃまになること。

**ろうがい**[労×咳・×癆×痎]《漢方》〔古風〕肺結核。肺病。

**ろうかく**[楼閣]〔文〕高くて りっぱな建物。たかどの。☞砂上の楼閣。

**ろうがっこう**[(×聾)学校] 耳の(よく)聞こえない児童・生徒を教育する学校。〔今は「特別支援学校」に統合〕

**ろうかん**[×琅×玕]《鉱》ひときわ あざやかな緑色をした、透明度の高いヒスイ。最高級品。「―の まが玉」

**ろうかん**[(×瘻)管]《医》胃または腸に直接ものが出はいりするように、手術して入れた くだ。

**ろうがん**[老眼] 中年から始まる、近くのものがはっきり見えない状態(の目)。老視。●**ろうがんきょう**[老眼鏡] 老眼に使う凸レンズの めがね。シニアグラス。リーディング グラス。

**ろうき**[×牢記]《名・他サ》〔文〕しっかりと記憶すること。「心に―する」

**ろうぎ**[老×妓]〔文〕年とった芸者。

**ろうきしょ**[労基署]《法》↑労働基準監督署。

**ろうきほう**[労基法]《法》↑労働基準法。

**ろうきゅう**[籠球]〔文・古風〕バスケット ボール。

**ろうきゅう**[老朽]《名・自サ》①古くて いたみがひどい〈こと／もの〉。「―校舎」②時代おくれになること。「システムの―化」③〔文〕年をとって役に立たない〈こと／人〉。「―社員」

**ろうきょ**[籠居]《名・自サ》〔=籠もり居る〕〔文〕家に とじこもって暮らすこと。「官職を辞して―する」

**ろうきょう**[老境]〔文〕①老人の身の上。②老年。「―にはいる」
**ろうきょう**【労協】《法》↑労働協約。
**ろうきょく**【浪曲】「なにわぶし(浪花節)」の、正式の呼び名。「―師」
**ろうきん**【労金】《経》↑労働金庫。
**ろうぎん**【労銀】〔文〕労働の賃金(ちんぎん)。
**ろうぎん**【朗吟】《名・他サ》〔文〕朗詠(ろうえい)。「詩を―する」
**ろうく**【老×軀】〔文〕年をとったからだ。老体。「―にむちうつ」
**ろうく**【労苦】〔文〕つらいことにもたえて努力すること。ほねおり。「多年の―にむくいる」
**ろうくみ**【労組】↑労働組合。ろうぐみ。〔「ろうそ」と言うことが多い〕
**ろうけい**【老兄】〔文〕□一 年とった兄。□二《代》(男)年長の友を尊敬した言い方。
**ろうけつ**【(×蠟×纈)・(×臈×纈)】 染色(せんしょく)の一種。ろうと樹脂(じゅし)をまぜあわせたもので布に模様をかき、白く染めぬくもの。ろうけち。ろう染め。ろうけつ染め。
**ろうけん**【老犬】〔文〕年とった犬。
**ろうけん**【老健】①〔文〕年をとってもじょうぶなこと。②↑老人保健(施設(しせつ))。「―施設」
**ろうこ**【×牢固】《タル》〔文〕心がしっかり決まって、ちょっとしたことには動かされないようす。「―たる決意のもとに当たる」
**ろうご**【老後】年をとってから のち(のとき)。「―の楽しみ・―の生活」
**ろうこう**【老公】〔文〕年をとった〈身分の高い人/主人〉を尊敬した言い方。「ご―」
**ろうこう**【×陋×巷】〔文〕うら通りの、せまい まち。路地。•**陋巷に朽(く)ち果てる** 句 〔文〕才能を認められないまま、むなしく死んでしまう。
**ろうこう**【老巧】《名・ナダ》経験を積んで〈うまくやる/なれている〉ようす。老練。「―なやり口・―な手さばき」派―さ。
**ろうこく**【漏刻】⇩水時計。
**ろうごく**【×牢獄】〔文〕ろうや。
**ろうこつ**【老骨】〔文〕年をとったからだ。老体。「―にむちうつ」
**ろうこつ**【×鏤骨】《名・他サ》〔文〕⇩るこつ。
**ろうさい**【老妻】〔文〕(自分の)年とった妻。(↔老夫)
☆☆**ろうさい**【労災】①↑労働災害。「―事故」②↑労災保険。•**ろうさい ほけん**【労災保険】〔↑労働者災害補償(ほしょう)保険〕労働者の業務上のけが・病気に対する保険。労災。
**ろうざいく**【(×蠟)細工】ろうを使って細工を〈すること/したもの〉。
**ろうさく**【労作】《名・自サ》①ほねをおった作品。苦心した力作。〔ふつうは、人の作品をほめるときに使う〕②からだを使ってする労働。農作業など。「―教育」
**ろうさん**【老△杉】〔文〕年を経たスギの木。
**ろうざん**【老残】〔文〕おいぼれたまま生きながらえること。「―の姿をさらす」
**ろうし**【老子】①中国の春秋戦国時代の思想家。楚(そ)の国の人。道教の開祖。無為(むい)・自然の道を説いた。②「老子①」が残したという書物の名。
**ろうし**【老師】①〔文〕年とった先生。②〔文〕(先生としてつかえる)年とった僧(そう)。③《仏》〔禅宗(ぜんしゅう)で〕修行(しゅぎょう)する人を指導する僧。
**ろうし**【老視】《医》老眼。「―者」
←☆☆**ろうし**【労使】労働者と使用者。「―交渉(こうしょう)〔=労使間の交渉〕・―関係」
→**ろうし**【労資】労働者と資本家。「―の階級構造」
**ろうし**【浪士】《歴》⇩浪人(ろうにん)①。「赤穂(あこう)―」
**ろうし**【×牢死】《名・自サ》〔文〕牢にはいっていて死ぬこと。獄死(ごくし)。
**ろうじ**【(×聾)児】〔文〕耳の聞こえない子ども。
**ろうじ**【漏示】《名・他サ》《法》秘密をもらすこと。漏洩(ろうえい)。「秘密―罪」
**ろうしゃ**【(×聾)者】耳の聞こえない人。〔手話を言語とする〕聴覚(ちょうかく)障害者。
**ろうじゃく**【老若】〔文〕⇩ろうにゃく。「―を問わず・―男女(だんじょ)」
**ろうじゃく**【老弱】〔文〕□一 老人と子ども。老幼。□二《名・ナダ》年をとって体が弱っていること。「―な身・―の兵」
**ろうしゅ**【老手】〔文〕老練なてなみ(の人)。
**ろうじゅ**【老樹】〔文〕年数のたった木。老い木。「参道の―」
**ろうしゅう**【老囚】〔文〕年とった囚人。
**ろうしゅう**【老醜】〔文〕年をとってみにくくなること。「―をさらす」派―さ。
**ろうしゅう**【×陋習】〔文〕悪い習慣。悪習。「旧来の―・―を打ちやぶる」
**ろうじゅう**【老中】《歴》将軍に直属して政務を支配した、江戸(えど)幕府最高の職名。☞大老(たいろう)。
**ろうじゅく**【老熟】《名・自サ》〔文〕経験を積んで熟練すること。「―の域」
**ろうしゅつ**【漏出】《名・自他サ》〔文〕中身がもれて出ること。もらし出すこと。「ガスの―」
**ろうしゅん**【老春】年を取っても、青春時代のように若々しく過ごす日々。「―まっただ中」
**ろうじょ**【老女】①〔文〕年をとった女性。〔親愛の感じのない言い方〕②《歴》武家の侍女(じじょ)のかしら。
**ろうしょう**【老少】〔文〕年寄りと若者。「―を問わず」•**ろうしょう ふじょう**【老少不定】《仏》人間の寿命(じゅみょう)は老少には関係なく、だれが先に死ぬかわからないこと。「―は世の習い」
**ろうしょう**【老匠】〔文〕年をとって経験を積んだ〈芸術家/職人〉。
**ろうしょう**【老松】〔文〕年を経た松の木。おいまつ。
**ろうしょう**【老将】〔文〕年をとって経験を積んだ大将。
**ろうしょう**【朗唱・朗×誦】《名・他サ》調子をつけて、大きな声で読むこと。「詩の―」
**ろうじょう**【老嬢】〔古風〕⇩オールドミス。
**ろうじょう**【楼上】〔文〕①たかどの の上。②二階。「市役所―において」
☆☆**ろうじょう**【籠城】《名・自サ》①城の中にたてこもって敵を防ぐこと。②〔俗〕とじこもること。とじこもって外出しないこと。「―して原稿(げんこう)を書く」
**ろうしょく**【朗色】〔文〕ほがらかな〈ようす/気分〉。
**ろうしん**【老身】〔文〕年寄りのからだ。「―をいたわる」

**ろうしん**［老親］〔文〕年とったおや。「—の介護」

*__ろうじん__［老人］年をとった人。〔老人福祉法では、六十五歳から〕「—病・ごー（＝年寄りを尊敬して呼ぶ言い方）」✓客観的な言い方だが、ぞんざいに感じられる場合は、ていねいに「お年寄り」、またはかたく「高齢者」と言うことも多い。●**ろうじんはん**［老人斑］《医》老人になるとはだにあらわれるしみ。●**ろうじんホーム**［老人ホーム］①《法》からだや精神のおとろえた、六十五歳以上の高齢者を入れて、めんどうを見る所。「軽費—・（特別）養護—」☞ケアハウス。②高齢者がひとりで気楽に暮らせるような設備のある所。「有料—」▽ホーム。●**ろうじんほけんしせつ**［老人保健施設］〔↑介護老人保健施設〕病状が安定した寝たきりの高齢者などを対象として、介護やリハビリをおこない、家庭への復帰をはかる施設。老健施設。老健。

**ろうず**［×蘆頭］〔古風〕⇩ローズ。

**ろうすい**［老衰］《名・自サ》年をとってからだや精神がおとろえること。「—で死ぬ」

**ろうすい**［漏水］《名・自サ》〔もれてはいけない〕水がもれること。また、その水。水もれ。「水道管の—」

**ろうする**［労する］〔文〕㊀《自サ》苦労する。ほねを折る。「なんら—ことなく解決した」㊁《他サ》ほねを折らせる。わずらわす。「人手を—・心身を—」▽㊀㊁☞労す。☞労せずして。●**労して功無し**［句］〔功＝効果〕〔文〕苦労して努力してもいい結果が得られない。

☆☆**ろうする**［弄する］《他サ》〔文〕もてあそぶ。弄す。「策を—」

**ろうする**［(×聾する)］《他サ》〔文〕〔耳を〕聞こえなくする。「耳を—ばかりの騒音」

**ろうせい**［労政］〔文〕労働者や労働条件などに関する〈行政／仕事〉。「—事務所・〔企業の〕—部長」

**ろうせい**［老成］《名・自サ》①おとなびること。②経験を積んで円熟すること。「—した人物」

**ろうせい**［老生］《代》〔文・男〕老人が自分をけんそんして呼ぶ言い方。「—に言わせれば」

**ろうせき**［(×蠟)石］《鉱》ろうのような感じの、やわらかい石。彫刻材・印材・耐火れんがなどに使う。

**ろうぜき**［(×狼×藉)］《名・ナダ》〔文〕①ものがあたり一面に散りみだれること。とりちらすこと。「杯盤—・落花—」②乱暴をすること。「—をはたらく・—者も！」

**ろうせずして**［労せずして］《副》〔文〕苦労なく。やすやすと。「—手に入れた」☞労する。

**ろうそ**［労組］↑労働組合。〔「ろうくみ」とも〕

**ろうそう**［老荘］老子と荘子（＝古代中国の思想家）。「—の学（＝無為・自然の道を重んじる教え）・—思想」☞孔孟。

**ろうそう**［老僧］〔文〕年とった僧。

**ろうそうせい**［老壮青］老年・壮年・青年。青壮老。「—のバランスをとったメンバー」

**ろうそく**［(×蠟×燭)・ロウソク］〈糸／こより〉のまわりにろうを棒のようにかたまらせて、あかりに使うもの。ローソク。「和—」●**ろうそくあし**［(×蠟×燭)足］《経》⇩ローソク足。

**ろうぞめ**［(×蠟)染め］《名・他サ》⇩ろうけつ。

**ろうたい**［老体］〔文〕①年寄りのからだ。「—をいたわる」②〔ごー〕年寄りを尊敬して呼ぶ言い方。

**ろうだい**［老大］〔文〕さかりの時期を過ぎて、年をとりおとろえること。「—ふるわず」

**ろうたいか**［老大家］年をとり、経験を積んだ、その道の大家。

**ろうたける**［(×臈^長ける)］《自下一》〔文〕①経験を積みかさねる。年をとってりっぱになる。②女性が、美しくて気品がある。

**ろうたん**［労担］↑労務担当。〔労働組合との交渉を受け持つ〕

**ろうだん**［×壟断］《名・他サ》（＝切り立った丘）〔文〕利益・権利を独占すること。「国政を—する」由来 切り立った丘の上から市場の様子を見てうまく立ち回り、利益を独占した男の話から。〔「孟子」のことば〕

**ろうちん**［労賃］《経》労働に対する賃金。

**ろうでん**［漏電］《名・自サ》電線の不良・破損などのために、電流が別な所へ流れること。「—による火事」

**ろうと**［漏斗］⇩じょうご(漏斗)。「—状の雲」

**ろうとう**［郎党・郎等］〔文〕武家の家臣。家来。ろうどう。「家の子—・一族—」

**ろうどう**［郎党・郎等］〔文〕⇩ろうとう。

**ろうどう**［労働］《名・自サ》①ほねおってはたらくこと。体力を使ってはたらくこと。「肉体—」②《経》賃金・利益を得るために心身を使うこと。「—階級・—時間・—賃金・深夜—」③↑労働者・労働組合。「—がわ」●**ろうどういいんかい**［労働委員会］《法》労働者と使用者の争いを、公正な立場で解決するための行政機関。中央労働委員会〔⇩中労委〕と都道府県労働委員会がある。労委。●**ろうどううんどう**［労働運動］使用者がわに対して、労働者が自分たちの利益のために団結しておこなう運動。●**ろうどうか**［労働歌］①メーデーのときなどに歌う、「インターナショナル」などの歌。②田植え歌など、労働するときに歌う歌。●**ろうどうきじゅんほう**［労働基準法］《法》労働者を守るために、働く時間・賃金・休日・衛生上の注意などを決めた法律。労基法。労基。●**ろうどうきぞく**［労働貴族］①ふつうの労働者よりもめぐまれた条件のもとで働く、労働者。②ほかの労働者よりも特権を持ち〈上層部にいる／ぜいたくな生活をする〉労働組合の幹部。●**ろうどうきほんけん**［労働基本権］《法》労働者のもつ基本的権利。労働権や労働三権など。●**ろうどうきょうやく**［労働協約］《法》労働組合と使用者（＝会社がわ）との間で結ばれる、賃金・労働時間などに関する取り決め。労協。●**ろうどうきんこ**［労働金庫］《経》労働組合員のための金融機関。労金。●**ろうどうくみあい**［労働組合］労働者が、労働条件の維持・改善を目的として組織した組合。労組。●**ろうどうこうせい**［労働攻勢］ストライキなどの手段にうったえて、労働組合が使用者がわに対して攻勢に出ること。●**ろうどうさい**［労働祭］メーデー。●**ろうどうさいがい**［労働災害］労働者が作業をしているときに受けた災害。労災。●**ろうどうさんけん**［労働三権］《法》労働者に認められた三つの基本的な権利。団結権・団体交渉権・団体行動権（＝ストライキなどの労働争議をおこなう権利。争議権）。●**ろうどうさんぽう**［労働三法］

ろ

〘法〙労働者のための三つの法律。労働組合法・労働関係調整法・労働基準法。●ろうどうしゃ【労働者】①人に使われ、労働によって生活してゆく人。「パートー」(↔使用者) ②財産がなく、資本家にやとわれて労働する人。プロレタリア。「ー階級」(↔資本家) ●ろうどうじょうけん【労働条件】労働者が使用者との間に取り決める、賃金・労働時間などについての条件。●ろうどうしんぱんせいど【労働審判制度】〘法〙労働者の解雇・賃金未払いなどのもめごとを、短期間に解決するための制度。地方裁判所の裁判官と民間の審判員が審理に当たる。●ろうどうせいさんせい【労働生産性】〘経〙一時間・一日など、決まった時間ごとに作り出される製品の量。生産性。「ーが高い」●ろうどうせんせん【労働戦線】労働組合がわが統一的な行動をするための場。また、その組織の形態。労線。●ろうどうそうぎ【労働争議】労働条件などをめぐって労働組合と会社など使用者との間に起こるあらそい。争議。●ろうどうぶんぱいりつ【労働分配率】会社の所得のうち、労働者がわが手に入れる分け前の割合。●ろうどうほけん【労働保険】雇用保険と労災保険を合わせた呼び名。労保。「ー料」●ろうどうりょく【労働力】ものの製造や事務などに使う労力(を持つ働き手)。「ー不足」

ろうどく【朗読】《名・他サ》〔文章・詩などを、感じが出るように〕声に出して読むこと。「アナウンサーが小説をーする・ー劇」

ろうなぬし【×牢名主】①江戸時代、囚人の長として牢の中で権力をにぎった者。②古くからいて、ボスのような存在になっている人。

ろうに【老尼】〔文〕年とった尼。

☆☆ろうにゃく【老若】〔文〕年寄りと若者。ろうじゃく。「ーによる差はない・ー男女」

ろうにん【浪人】《名・自サ》①〔×牢人〕〘歴〙藩をぬけ出した武士や、つかえる主人を失った武士。浪士。②入学試験に失敗し、次の機会にそなえている〈人/こと〉。また、〈失職/失業〉中の人。「また一年ーする・ー生・就職ー」(↔現役)

ろうにんぎょう【×蠟人形】もくろう(木蠟)を使って、本当の人間のように作った実物大の人形。「ー館」

ろうぬけ【×牢△脱け】《名・自サ》牢破り。脱獄。

ろうねん【老年】壮年を過ぎ、肉体・精神のおとろえが目立つ年ごろ。老齢。「ー期」(↔少年・青年・壮年)

ろうのう【老農】〔文〕農業の経験に富む老人。「村のー」

ろうば【老馬】〔文〕年とって役に立たない馬。

ろうば【老婆】〔文〕年とった女の人。老女。〔親愛の感じのない言い方〕(↔老爺) ●☆☆ろうばしん【老婆心】必要以上の心づかい。老婆心切。婆心。「ーながら申し上げます〔へりくだった言い方。男性も使う〕」

ろうはい【老廃】〔文〕〈年とって/古くなって〉役に立たないこと。「ー成分・ー物」

ろうはい【老輩】年をとった者。〔老人が自分のことをへりくだっても言う〕「ごーのかたがた・すてきなプレゼントでー感激いたしました」

ろうばい【老梅】〔文〕年を経た梅の木。

ろうばい【×蠟梅・×臘梅】庭に植える、背の低い落葉樹。早春に、黄色で花びらの多い花をひらき、あまいにおいがする。〔梅のなかまではない〕

☆☆ろうばい【×狼×狽】《名・自サ》あわてること。「周章ー」

ろうばん【×牢番】牢屋の番人。

ろうひ【老×婢】〔文〕年とった女中。「ーが出むかえた」(↔老僕)

ろうひ【浪費】《名・他サ》むだづかい(をすること)。「ー家〔=お金をやたらに使う人〕・時間のー」

ろうびょう【老病】〔文〕老衰したために起こる病気。

ろうふ【老夫】〔文〕①年取った男。②(自分の)年とった夫。(↔老妻)

ろうふ【老父】〔文〕年とった父。(↔老母)

ろうふ【老婦】〔文〕老婆。

ろうへい【老兵】〔文〕①年をとって おとろえた兵。「ーは死なず。ただ消え去るのみ〔マッカーサー元帥のことば〕」②年をとって経験を積んだ兵。

ろうほ【老舗・老×鋪】〔文〕しにせ。

ろうほ【労保】→労働保険。「社保とー」

ろうぼ【老母】〔文〕年とった母。(↔老父)

☆☆ろうほう【朗報】心が明るくなる知らせ。うれしい知らせ。「合格のー」(↔悲報)

ろうぼく【老木】年数のたった木。老い木。

ろうぼく【老僕】〔文〕年とった下男。(↔老婢)

ろうまん【浪漫・浪×曼】〔「ローマン」から〕ロマン(主義)。「ー主義・ー的・ー派」

ろうむ【労務】〔文〕①賃金を得るための労働。「ーの提供」②労働についての事務。「ー課・ー管理」●ろうむしゃ【労務者】人にやとわれて、力仕事をする人。〔古い呼び方〕

ろうもう【老×耄】《名・自サ》〔文〕おいぼれること。また、おいぼれた人。「ーが至る・ーにおよぶ」

ろうもん【楼門】〔文〕二階造りの門。「朱塗りのー」

ろうや【老×爺】〔文〕年とった男の人。〔親愛の感じのない言い方〕(↔老婆)

ろうや【×牢屋】罪人をとらえてとじこめておく所。牢獄。獄屋。獄舎。ひとや。牢。

ろうやぶり【×牢破り】《名・自サ》すきをねらって、牢屋をぬけ出す〈こと/囚人〉。脱獄。牢ぬけ。

ろうゆう【老友】〔文〕年とった友人。

ろうゆう【老雄】〔文〕年とった英雄。

ろうゆう【老優】〔文〕①年とった俳優。②年功を積んで、芸のうまい俳優。

ろうよう【老幼】〔文〕年寄りと子ども。「ーうち連れて」

ろうらい【老来】《副》〔文〕年をとってから今まで。「ーいよいよ壮健」

ろうらく【籠絡】《名・他サ》〔文〕うまく まるめこんで、自由にあやつること。「女をーする」

ろうりょく【労力】①何かをするために使う、からだや頭の力(の量)。ほねおり。手数。手間。「時間とーがかかる・ーをおしまない・ーを省く」②〘経〙労働力。「安いー」

**ろうるい**［老涙］〔文〕年老いた人が流すなみだ。「―を絞る」

**ろうるい**［×蠟涙］火をつけたろうそくのろうが、とけてたれさがったもの。〔なみだにたとえる〕

**ろうれい**［老齢］〔文〕老年(になったこと)。「―者」

**ろうれい きそねんきん**［老齢基礎年金］《法》〔国民年金での〕全国民共通の老齢年金。六十五歳以上になると支給される。●**ろうれいねんきん**［老齢年金］《法》社会保険の形で保険料をはらいこみ、老人になってから、生活の助けになるように国から支給される年金。老齢基礎年金と老齢厚生年金とがある。

**ろうれつ**［×陋劣］《名・ナダ》〔文〕心がいやしくて見苦しいこと。卑劣。「―な手段」[派]―さ。

**ろうれん**［労連］①↑労働組合連盟。「世界―」③↑労働組合総連合(会)。「電力―」②↑労働組合連合会。「鉄鋼―」

☆☆**ろうれん**［老練］《名・ナダ》〔文〕経験を積み、慣れてじょうずなこと。「―な政治家」[派]―さ。

**ろうろう**［浪々］〔文〕職をはなれて、ぶらぶら暮らすこと。失職中。「―の身」

**ろうろう**［朗々］《トタル》〔文〕〔声などの〕くもりがなく、明らかなようす。「音吐―」

**ろうろうかいご**［老老介護］高齢者が高齢者を介護すること。高齢の妻が高齢の夫を自宅で介護するなど。

**ろえい**［露営］《名・自サ》〔文〕①野外に〈陣営を/はること/はる陣営〉。②野宿。

**ろお**［△六］〔話〕ろく。ろう。〔数えるときに言うことば「一、二、四、―、八」〕

**ロー**〔low〕[一]［造］①低い。「―アングル・―ヒール」②少ない。わずかの。「―カロリー食・―リスク」▽(↔ハイ) [二]**ロー**《自動車》〔ギアで〕いちばんおそい段階。(第)一速。☞セカンド[一]③・サード[一]②・トップ⑧。

**ローアウト**《名・自サ》〔row out〕《ボート》選手が、つかれはてるまでこぐこと。ローイング アウト。

**ローカライズ**《名・他サ》〔localize〕〔国際的に展開する商品・サービスを〕それぞれの国の言語・慣習などに合わせたものにすること。現地化。「日本語入力ができるようにソフトウエアを―する」

**ローカリズム**〔localism〕地方の独立性を重んじる主義。地域主義。(↔グローバリズム)

☆☆**ローカル**《名・ナダ》〔local〕①地方。「―線(↔幹線)・―ニュース・―紙(=地方紙)」②地方的(なもの)。「―文学」③周辺の地方に向けておこなう放送(の番組)。ローカル〈放送/番組〉。④《情》ⓐネットワークにつながっていない〈こと/機器〉。「―プリンター・―ディスクのファイル」ⓑ〔外部のネットワークに対して〕自分の手元がわのコンピューターに関すること。「―ネットワーク」

●**ローカル カラー**〔local color〕その地方独特の情緒。郷土色。地方色。●**ローカル ルール**〔local rule〕特定の地域や団体などでだけ通用するルール。

**ローコスト**《名・ナダ》〔low cost〕安い費用。低価格。「―住宅」

**ローション**〔lotion〕①たくさんのアルコール分をふくむけしょう水。②↑ヘア ローション。

**ロージン**〔rosin〕精製した松やに。すべり止めの粉に使ったり、弦楽器の弓にぬったりする。ロジン。●**ロージン バッグ**〔rosin bag〕ロージン入りのふくろ。野球の投手や体操の選手などが使う。

**ロース**〔roast〕〔牛・ブタ・羊などの〕肩から腰までの、いちばん上等の肉。ロース肉。「―ハム(=ブタのロースから作った、上等のハム)」

**ろーず**［ローズ］〔↑蘆頭〕〔古風〕〈古くなった/損じた〉商品。はんぱもの。「―もの」

**ローズ**〔rose〕①ばら。②ばら色。●**ローズウッド**〔rosewood〕家具にする、インド原産のシタン(紫檀)。●**ローズヒップ**〔rose hip〕野バラの、赤くてまるい実。茶・ジャムなどに使う。●**ローズマリー**〔rosemary〕ハーブの一種。かおりがよく、枝を切って、肉やさかなを焼くときにそえる。まんねんろう(迷迭香)。「―ポテト」

**ロースクール**〔law school〕法科大学院。

**ロースター**〔roaster〕電熱・ガスで肉やさかななどを焼く器具。

**ロースト**〔roast〕[一]肉の大きなかたまりをオーブンで蒸し焼きにしたもの。「チキンの―・―ポーク」[二]《名・他サ》①コーヒーの豆などを、煎ること。焙煎。「軽く―する」②「ロースト[一]」を作ること。●**ローストビーフ**〔roast beef〕牛肉を大きいかたまりのまま、オーブンで蒸し焼きにしたもの。

**ローゼ**〔↑バン ローゼ(フ vin rosé)〕⇩ロゼ。

**ろーそくあし**［ローソク足］《経》株価の動きをあらわすグラフ。黒または白の縦棒の上下から線が飛び出た形〔=ローソク〕をならべたもの。黒棒は上側が始値で下側が終値、白棒はその逆。線の上のはしは高値、下のはしは安値。陰陽足。ロウソク足。

**ローター**〔rotor〕①機械・タービンなどで、軸のまわりを回転するもの。回転子。②ロータリーエンジンの内部で回転しながら、ピストンエンジンのピストンと同じような役割をする、ふくらんだ三角形をした部品。③ヘリコプターの、回転翼。

**ローダー**〔loader〕鉱石・土・砂利をすくって積みこむ装置(を持った、工事用の自動車)。

**ロータス**〔lotus〕はす(蓮)。

**ロータリー**〔rotary=回転する〕①市街の交差点の中央や駅前に交通整理のために作られた、まるい形の小高い所。②↑ロータリー クラブ。「―大会」③〈爪状/羽根状〉の部分が回転する装置。「―を装着したトラクター・―除雪車」●**ロータリー エンジン**〔rotary engine〕《理》「ローター②」の回転によって吸入・圧縮・膨張・排気をおこなわせるエンジン。RE。(↔レシプロ《往復式》エンジン) ●**ロータリークラブ**〔Rotary Club〕社会奉仕と国際親善を目的とする、国際的な社交団体。ロータリー。

**ローテ**↑ローテーション。「《野球》先発―」

**ローティーン**〔和製 low teen〕中学生の年ごろ(の少年・少女)。十三歳～十五歳ごろ。〔一九五八年からのことば〕(↔ハイティーン)

☆☆**ローテーション**《名・自他サ》〔rotation〕①順番に〈する/使う〉こと。「当番の―を組む」☞ヘビーローテーション。②《野球》そのシーズンでの、先発投手の登板の順序。投手回転。③《バレーボール》サーブ権を取る

ろ

たびに、選手の位置を動かすこと。▽ローテ。

**ローテク**《名・ナダ》〔↑low technology〕 人間の手や、簡単な機械などを使う技術(で作っているようす)。「―(な)製品」(↕ハイテク)

**ろーと**〔ロート〕 ⇩じょうご(漏斗)。

**ロード**〔Lord〕 ⇩きょう(卿)㊁。

**ロード**〔road〕 ①道路。「―テスト〔=自動車の路上試験〕・―コーン〔=パイロン〕」 ②《野球など》相手チームのグラウンド。遠征先。「―ゲーム・―での戦い」(↕ホーム) ③↑ロード レース。 ④↑ロード ワーク。●**ロードサイド**〔roadside〕 幹線道路沿い。特に、自家用車で行くのに便利な、商業用の土地を言う。「―店〔=広い駐車場のある郊外店〕」 ●**ロードショー**〔米 road show〕 ①大都市の特定の劇場でおこなう、映画の独占封切り。 ②⇩封切り②。「全国―」 ●**ロード バイク**〔road bike〕 舗装道路を速く走るための、大きくて細いタイヤがついた自転車。☞マウンテンバイク・クロスバイク。 ●**ロードプライシング**〔road pricing〕 道路の混雑や排ガス対策として、都市部の決められた地域に乗り入れる自動車から料金を取る制度。 ●**ロード ホールディング**〔road holding〕 車が走っているとき、タイヤがうき上がったりせず、しっかり地面にくっついていること。食いつき。接地性。ホールディング。「前輪駆動車は―がいい」 ●☆☆**ロード マップ**〔road map〕 ①ドライブ用の道路地図。 ②事業などの目標・方法を定めた行程表。「民主化のための―」 ●**ロード ムービー**〔road movie〕 主人公が長い旅をする途中で、さまざまな できごとや人々に出あいながら成長する内容の映画。 ●**ロード レース**〔road race〕 道路の上でする、自転車のレースや長距離走など。ロード。 ●**ロード ワーク**〔road work〕 体力をつけるために野外でする、長い距離を走るトレーニング。ロード。

**ロートル**〔中国 老頭児〕〔古風〕年をとって、働く能力のおとろえた人。年寄り。「―集団」

**ローネック**〔↑low neckline〕《服》前えりぐりを大きくして、えりあきを大きめにとったもの。

**ロー ヒール**〔↑low-heeled shoes〕 かかとの低い女性用のくつ。(↕ハイ ヒール)

**ローブ**〔フ robe〕《服》 ①女性用の礼服。「―デコルテ〔=夜会服の正装。首や胸の部分を大きくあけ、すそは長い〕・―モンタント〔=えりの高い ふつうの礼服〕」 ②上下ひと続きの ゆったりとしたガウン。

**ロープ**〔rope〕 ①なわ。綱。 ②なわとび。ロープ スキッピング(rope skipping)。 ●**ロープウェイ**〔rope-way〕 空中に鋼鉄のつなをはりわたして、箱形の車で客やものを運ぶ装置。空中ケーブル。索道。ロープ ウェー。☞ケーブルカー。

[ロープウェイ]

**ローファー**〔loafer=もと、商標名〕 革靴の一つ。甲の部分がひらたく、ベルト形の革をぬいつけてある。〔バックルや ひもはない〕「コイン―〔=ベルト部分に、コインを入れられる穴の あいたもの〕」

**ローマ**〔ラ Roma〕 ①イタリアの首都。 ②《歴》⇩ローマ帝国。 表記「:羅馬」は、古い音訳字。 ●**ローマは一日にして成らず** 句 偉大な事業は、わずかな期間や努力では なしとげられない。 ●**ローマ カトリック**〔Roman Catholicism〕《宗》⇩カトリック。 ●**ローマ きょうこう**〔ローマ教皇〕《宗》⇩教皇。 ●**ローマじ**〔ローマ字〕 ①ローマ帝国に起源を持ち、現在、世界的に使われている、A(a)からZ(z)までの表音文字。ラテン文字。 ②〔↑ローマ字つづり〕「ローマ字①」で日本語をつづる〈こと/方法〉。「ヘボン式―」 ●**ローマ すうじ**〔ローマ数字〕 ローマ帝国に起源を持つ数字。Ⅰ(一)・Ⅱ(二)・Ⅴ(五)・Ⅹ(十)・L(五十)・C(百)・M(千)など。時計数字。時計文字。(↕アラビア数字・漢数字) ●**ローマ ていこく**〔ローマ帝国〕《歴》古代ヨーロッパの国の名。イタリア半島におこり、地中海世界を支配した。ローマ。 ●**ローマ ほうおう**〔ローマ法王〕《宗》⇩教皇。

**ローマン**〔(:浪漫)・(:浪曼)〕〔フ roman〕〔古風〕⇩ロマン。「―調」 ●**ローマンてき**〔(:浪漫)的〕《ナダ》〔古風〕⇩ロマンチック①。

**ローマン**〔roman〕 欧文活字の書体の一つ。本文に使われる、最も ふつうの書体。ローマン体。例、roman。☞イタリック・ボールド。

**ローミング**〔roaming〕 通信事業者どうしが協力して、スマートフォンなどの契約者が、他の事業者のエリアでも通信できるようにすること。

**ローム**〔loam〕《地》粘土の まじった赤土。火山灰土。「関東―(層)」

**ローヤル** 遺〔royal〕 ⇩ロイヤル。 ●**ローヤル ゼリー**〔royal jelly〕 ミツバチの女王バチだけが食べる、栄養分の多いゼリー状の食べ物。人間も、精力を強めるために飲む。王乳。ロイヤル ゼリー。

**ローラー**〔roller〕 回転させて使う円筒形のもの。印刷・地ならし・巻き取り・ころ など、用途・大きさは、いろいろある。ロール。ルーラー。「テニスコートに―をかける・ロードー」 ●**ローラーカナリア**〔和製 roller + オ canaria〕 カナリアの一種。きれいな ふるえ声で、長く鳴き続ける。〔英語では、ローラー〕 ●**ローラーさくせん**〔ローラー作戦〕〔ローラーをかけるように〕やり残しのないよう徹底的に ものごとをおこなうやり方。 ●**ローラー スケート**〔roller skate〕 くつに小さな車輪をつけ、かたい道路の上などを滑走する〈もの/遊び〉。

**ローライズ**〔low-rise〕《服》股上が短いこと。ヒップハンガー。「―のパンツ〔=ズボン〕」

**ろおり**〔×絽織り〕 ⇩ろ(絽)。

**ローリー**〔lorry〕 ↑タンク ローリー。

**ローリエ**〔フ laurier〕 ゲッケイジュの葉をかわかした香辛料。スープやシチュー、カレーなどの風味づけに使う。ベイリーフ。ローレル。

**ローリング**《名・自サ》〔rolling〕 ①船や飛行機が横にかたむくように ゆれること。横ゆれ。(↕ピッチング) ②波の うねり。

**ロール**〔role〕 役。役割。 ●**ロールプレイ**《名・他サ》〔role-play〕 場面を設定し、決まった役がらを演じ(て、問題点や解決法を考え)ること。学習や心理療法のために おこなう。ロール プレイング。ロープレ。 ●**ロ**

ールプレイングゲーム〔role-playing game〕物語の主人公を演じ、敵をたおしながら成長していくコンピューターゲーム。RPG。ロープレ。●**ロールモデル**〔role model〕手本となるふるまいや生き方をしている人。「むすめたちの―となる母親」

**ロール**〔roll〕■一《名・他サ》巻くこと。「髪を―する・―ずし〔=のりを内がわに、色あざやかなねたを外がわに巻いたすし〕」■二①巻物。巻いたもの。「トイレットペーパー」②⇩ローラー。「機械の―」③〔↑ロール パン〕うず巻きの形のパン。「シナモン―」④↑ロール ケーキ。「バナナ―」⑤《映画・放送》つぎつぎにあらわれて流れていく、出演者や関係者の名前の字幕。「エンド―・スタッフ―」●**ロールアップ**〔roll-up〕①巻き上げ式。「―カーテン」②ズボンのすそや長そでを、ファッションとしてまくり上げること。●**ロールキャベツ**〔和製 roll cabbage〕キャベツの葉でひき肉を巻いて〈蒸した／煮た〉料理。キャベツ巻き。●**ロールケーキ**〔和製 roll cake〕四角なスポンジ生地に生クリームなどをたっぷりぬって、うず巻き状に巻いたケーキ。ロール。☞スイスロール。●**ロールスクリーン**〔和製 roll screen〕上で巻き取る形のカーテン。横に垂らしてあるひもで操作する。ロール カーテン。●**ロールバック**〔roll-back〕巻き返し。●**ロールパン**〔和製 roll＋ポ pão〕生地を巻いて作ったパン。「―サンド・皿に残ったソースを―でふきとって食べる」〔バターを多く入れたものは「バターロール」〕

●**ロールシャッハテスト**〔Rorschach〈=人名〉test〕《心》紙の上に落としたインクのしみのような形が何に見えるかを答えさせて、性格などを判断する方法。

**ローレル**〔laurel〕⇩ローリエ。

**ローン**〔lawn〕①芝生。芝地。②寒冷紗〔のように加工したもの〕。ロン。「―ハンカチ」●**ローンテニス**〔lawn tennis〕芝生のある競技場でする、硬球のテニス。硬式テニス。

**ローン**〔loan〕《経》貸し付け。貸付金。借金。「三〇年返済の住宅―を組む・―で買う」

**ローンウルフ**〔lone wolf〕自分ひとりで行動する〈主義の〉人。一匹おおかみ。

**ローンチ**《名・他サ》〔launch〕①打ち上げ。発射。②新しい製品の発売。サービス・事業の開始。「新事業を―する」☞ランチ(launch)。

☆☆**ろか**〔×濾過・×沪過〕《名・他サ》水などをこして不純物を取りさること。「―装置」

**ろかく**〔×鹵獲〕《名・他サ》〔文〕戦争で敵から武器や物資をうばい取ること。「―品」

**ろかた**〔路肩〕道路の横はばの外がわにある部分。ろがた。ろけん。「―注意」

**ロカビリー**〔米 rockabilly〕《音》アメリカで始まった、はげしい調子の音楽〈にあわせたダンス〉。〔日本では、一九五〇年代から流行〕

**ろがん**〔露岩〕〔文〕表面がむきだしになった岩。

**ろぎん**〔路銀〕〔古風〕旅費。

**ろく〔六〕五より一つだけ多い数。む(っ)つ。ろお。「―〔=六畳〕・―、三の間取り」表記 アラビア数字では「6」。

**ろく**〔×禄〕武士の給与。●**禄をは(食)む** 句〔文〕武士が、米の形で給与を受ける。「会社の―〔=月給をもらう〕」

**ろく**〔録〕造 ①記録。「会議―・人名―」②録音。録画。「留守―」

**ろく**〔麓〕造〔文〕ふもと。「西南―」

**ログ**〔log〕①丸太。丸木。②〔↑ログブック〕〈航海／航空〉の記録。③《情》コンピューターの利用状況やデータの送受信の記録。履歴。「アクセス―」

**ログアウト**《名・自サ》〔log out〕《情》コンピューターをネットワークから切り、利用を終えること。〔↔ログイン〕

**ログイン**《名・自サ》〔log in〕《情》コンピューターをネットワークに接続して、利用を始めること。ログオン。サインイン。〔↔ログアウト〕

**ろくえん**〔△鹿×苑〕〔文〕シカをはなし飼いにし、自然の状態で一般の人に親しませる、公園のような所。

**ろくおん**〔録音〕《名・他サ》メモリー・ディスクなどに音を記録〈すること／したもの〉。音入れ。音どり。「―機」

**ろくが**〔録画〕《名・他サ》動画で記録〈すること／したもの〉。「―機・―装置・―中継〔↔生中継〕」

*__ろくがつ__〔六月〕一年の第六の月。☞みなづき(水無月)。

**ろくさんせい**〔六三制〕一九四七年四月に改正された義務教育の学制。小学校六年、中学校三年。〔高等学校三年、大学四年を加えて「六三三四制」とも言う〕

**ろくじぞう**〔六地蔵〕《仏》六道のそれぞれにあらわれ、衆生の苦しみをすくうという、六種の地蔵。

**ろくじのみょうごう**〔六字の名号〕《仏》〔浄土宗でとなえる〕南無阿弥陀仏の六字。

**ろくしゃく**〔六尺〕①一尺の六倍。約一・八メートル。「―ゆたかな大男」②↑六尺ふんどし。●**ろくしゃくふんどし**〔六尺〈×褌〉〕くじら尺で六尺〔=約二・三メートル〕のさらし木綿で作るふんどし。六尺。〔越中ふんどしとちがい、前がわに布を垂らさない〕●**ろくしゃくぼう**〔六尺棒〕長さが六尺ある、カシの木の棒。〔身を守るのに使う〕

**ろくしゅ**〔録取〕《名・他サ》〔文〕記録を取ること。記録。「供述を―する」

**ろくじゅう〔六十〕①十の六倍。②六十歳。●**六十にして耳順う** 句〔文〕六十歳になって道理に通じたために、聞いたことがすべてよくわかる。〔『論語』のことば〕☞耳順。●**ろくじゅうの てならい**〔六十の手習い〕〔手習い=習字〕年をとってから勉強を始めることのたとえ。〔「七十の手習い」など、年を入れかえても言う〕●**ろくじゅうよしゅう**〔六十余州〕昔、日本全国のこと。六十六か国に壱岐・対馬の二つを加えたもの。●**ろくじゅうろくぶ**〔六十六部〕《仏》①法華経六十六部を書き写し、日本六十六か国の霊地に、一部ずつ献納して修行する行脚僧。②ものごいをしながら諸国をめぐり歩く巡礼。▽六部。

**ろくしょう**〔緑青〕《理》銅で作ったものの表面にできる、みどり色のさび。水などにとけず、人体に吸収されない。青さび。〔孔雀石は緑青の結晶で、みどり色の顔料に使う〕「―を吹いた〔=生じた〕屋根・―色」

**ろくすっぽ**〔(:碌すっぽ)〕《副》〔後ろに否定が来る〕

ろ

〔俗〕ろくに。ろくすっぽう。「聞いても、—返事もしない」

**ろく・する**【録する】《他サ》〔文〕記録する。書きしるす。録す。

**ろくだいしゅう**【六大州・六大×洲】世界の六つの大きな大陸。アジア州・アフリカ州・ヨーロッパ州・北アメリカ州・南アメリカ州・オセアニア州（=大洋州）。

**ろくだか**【×禄高】〔文〕禄の額。「—三百石」

**ろくでなし**【(:碌でなし)・ロクでなし】〔俗〕なんの役にも立たない者。「この—め！」

**ろくでもな・い**【(:碌でもない)】《形》ねうちがない。つまらない。「—ことをしでかす」表記 俗に「ロクでもない」とも。

**ろくどう**【六道】《仏》いっさいの衆生が、生きていたときのおこないによって死後に生まれ変わって住む、六種の世界。地獄・餓鬼・畜生・修羅・人間・天上。六趣。●**ろくどう-りんね**【六道輪×廻】《仏》衆生は、迷っているうちはいつまでも六道をめぐって生死をくり返す、という考え方。

**ろくな**【(:碌な)】《連体》〔後ろに否定が来る〕まともな。ためになる。「—話ではない（=うさんくさい話だ）・あいつにかかわると—ことがない（=ひどい目にあう）」表記 俗に「ロクな」とも。

**ろくに**【(:碌に)】《副》〔後ろに否定が来る〕よく。じゅうぶんに。満足に。「—あいさつもできない」表記 俗に「ロクに」とも。

**ろくぬすびと**【×禄盗人】〔古風・俗〕才能がなく仕事もしないのに給料を受ける人。給料どろぼう。ろくぬすっと。

**ログハウス**〔log house〕丸太を組んで造った家。

**ろくぶ**【六部】《仏》←六十六部。

**ろくぶんぎ**【六分儀】《地》ある地点から見た二つの物体の方向の角度や天体の高さをはかる器械。航海・測量に使う。セクスタント(sextant)。

**ろくぼく**【(×肋木)】体操用具の一つ。数本の柱のあいだに、たくさんの棒を横にわたしたもの。のぼったりぶら下がったりして使う。

［ろくぼく］

**ろくまい**【×禄米】禄として受ける米。扶持米。

**ろくまく**【×肋膜】①《生》「胸膜」の古い言い方。②←肋膜炎。▽一九六〇年代まではよく使われた。●**ろくまく-えん**【×肋膜炎】《医》「胸膜炎」の古い言い方。「結核性—」

**ろくやね**【△陸屋根】【陸=たいら】ほとんどたいらな屋根。りくやね。

**ろくよう**【六曜】（←六曜星）日のよしあしを知るために、こよみに書き入れることば。先勝・友引・先負・仏滅・大安・赤口。六輝。由来 もと、五行説にこじつけた、時刻のいい悪いのうらない。

**ろくろ**【(×轆×轤)】①←ろくろ台。「—をひく・—を回す（プレゼンなどで熱心に説明する際の手のポーズのことも言う）」②木工用の旋盤。ろくろがんな。③滑車を利用して重い物を巻き上げたり引っぱったりする装置。また、そのときに使う滑車。④傘の先でほねをたばねている部品。また、柄に沿ってすべり、傘を開閉する部品。●**ろくろ-くび**【(×轆×轤)首】長くのびて出る首（を持ったばけもの）。ろくろっ首。●**ろくろ-だい**【(×轆×轤)台】まるい陶磁器を作るのに使う、円盤形の回転する台。ろくろ。

［ろくろだい］

↓**ろくろく**【(×碌々)】（タル）〔文〕役に立たないようす。「—として一生を終える」

↓**ろくろく**【(:碌々)】《副》〔後ろに否定が来る〕じゅうぶんに。よく。ろくに。「—寝ていない」

**ロケ**《名・他サ》《映画・放送》←ロケーション②。「映画の—地・—弁（=ロケ地で出される弁当）・—先」

**ロケーション**〔location〕①場所。立地。「—がいい」②《映画・放送》野外での撮影。ロケ。

**ロケット**〔locket〕小形の写真などを入れ、細いくさりで首から下げるアクセサリー。

**ロケット**〔rocket〕①ガスをうしろにふき出したその反動で、非常にはやく飛ぶ装置。「月—・—スタート（=爆発的な発進・加速）」②←ロケット弾。「—砲」③ルッコラ。ロケットサラダ。●**ロケット-だん**【ロケット弾】ガスをうしろにふき出して、その反動で前進する弾丸。ロケット。

**ロケハン**《名・自サ》（←ロケーション ハンティング）《映画・放送》ロケーション②に適した場所をさがし、交渉などの下準備をすること。

**ろけん**【露見・露顕】《名・自サ》〔文〕（秘密や悪事が）ばれること。「旧悪が—した」

**ろご**【露語】〔文〕←ロシア語。

**ロゴ**〔logo〕←ロゴタイプ・ロゴマーク。「社名—」

**ろこう**【露光】《名・自サ》《写真》⇨露出②。

**ロココ**〔フ rococo〕十八世紀中期の、ヨーロッパの美術・建築の様式。貝がらふうの曲線のふちかざりが特色。ロココ式。「—趣味」

**ロゴス**〔ギ logos〕《哲》①ことば。②論理。理性。（↔エートス・パトス）

**ロゴタイプ**〔logotype〕二つ以上の文字を組み合わせて特別にデザインしたもの。社名・ブランド名などを個性的にし、印象づけようとしたもの。ロゴ。

**ろこつ**【露骨】（ナダ）①〔相手の気持ちも考えずに〕かくさないで、あらわすようす。「—な敵意」②人前でかくすべきものごとを、あらわすようす。「—な描写」派 -さ。

☆☆**ロゴマーク**〔和製 logo mark〕社名・ブランド名などを図案化したマーク。ロゴ。

**ロコモコ**〔loco moco〕ごはんにハンバーグと目玉焼きをのせ、肉汁のソースをかけた、ハワイ料理。「—丼」

**ロコモティブシンドローム**〔locomotive syndrome〕骨や筋肉が弱って、介護が必要になる（おそれのある）状態。運動器症候群。ロコモ。〔二〇〇七年に提唱されたことば〕

**ろざ**【露座・露×坐】《名・自サ》〔文〕屋根のない所にすわること。「—の大仏」

**ろざし**【×絽刺し】日本ししゅうの一種。絽織りの織り目へ糸をさして、布地をししゅうでうめるもの。

**ロザリオ**〔ポ rosário〕《宗》〔カトリックで〕聖母マリアへのいのり（に使うじゅずのようなもの）。

**ろし**【(×濾)紙・(×沪)紙】《理》ろ過をするときに使われ

る紙(状のもの)。こしがみ。

↑☆☆**ろじ【路地】** 家と家の間の、せまい道路。ろうじ〔京都などの方言〕。「―裏〔=路地の反対がわ・奥〕」

☆☆**ろじ【露地】** ①茶室に付属した庭。②〔農〕屋根などのおおいのない土地。「―栽培〔↔ハウス栽培〕・―物〔=露地でつくられるくだもの・野菜類〕・―メロン」

**ロシア**〔ロ Rossiya〕①〔↑ロシア連邦〕ユーラシア大陸の北部にある世界一広い国。一九九一年ソビエト連邦の解体により独立した。首都、モスクワ(ロ Moskva)。②〔↑ロシア帝国〕ソビエト連邦になる前の国。一九一七年ロシア革命で崩壊した。首都、ペテルブルク(Peterburg)。▽露。ロ。ロシヤ〔古風〕。

表記「露西亜」は、古い音訳字。

●**ロシアン** 造〔Russian〕ロシア〈の/ふう〉。「―バレエ」

●**ロシアンルーレット**〔Russian roulette〕回転式弾倉のピストルにたまを一発だけ入れ、数人がかわるがわるに弾倉を回して自分の頭に向けて引き金を引く、命がけのゲーム。また、それをまねた余興。

**ロジー** 接尾〔logy〕学。「ジャパノ―〔Japanology=日本学〕」〔「…ロジスト(logist)」は、…学者〕

**ロジウム**〔rhodium〕〔理〕白金に似た金属〔元素記号 Rh〕。白金との合金が耐食・耐熱性にすぐれ、めっきやるつぼなどに使われる。「―コーティング」

**ロジカル**〈ダ〉〈ナ〉〔logical〕論理的。「―に解説する・―シンキング」

**ロジスティ(ッ)クス**〔logistics〕①〔軍〕⇩へいたん(兵站)。②〔経〕資材調達から製造・販売までの物流(の管理)。③後方での支援。▽ロジ。

☆☆**ロジック**〔logic〕①論理。りくつ。「―があわない」②論理学。

**ろしゅつ【露出】**〈名・自他サ〉①あらわれ出ること。あらわし出すこと。「肌を―する」②〔写真〕写真をとるとき、シャッターをひらいて、光線を乾板・フィルムにあてること。露光。「―不足」③雑誌・テレビなどに出ること。「メディアへの―が多い」●**ろしゅつけい【露出計】**〔写真〕写したいものに向けると、露出の時間が自動的にしめされる装置。

**ろしょう【路床】**〔文〕舗装道路の基礎となる、自然の状態の土。

**ろじょう【路上】** ①道路(のうえ)。「―駐車・―強盗・―生活者〔=ホームレス〕」②〔文〕途上。「散歩の―、友人と出会った」

**ろしん【炉心】**〔理〕原子炉で核分裂の連鎖反応が起こっている部分。核燃料・減速材・冷却材・制御材などから構成される。

**ロジン**〔rosin〕⇩ロージン。

☆☆**ロス**〔loss〕一〈名・自他サ〉①むだ。損失。「時間の―・―が出る」☞食品ロス。②試合に負けること。「ゲーム―」二 造 …を失った〈悲しみ/さびしさ〉。「ペット―」✓二〇一三年のドラマ「あまちゃん」の終了後に「あまロス」が流行してから、終了した番組・引退した人などいろいろな名につけて使う例が増えた。「北島―〔=北島さんがいないさびしさ〕・〔名詞として〕―がはげしい」

**ロスタイム**〔↑loss of time〕〔サッカー・ラグビーなど〕競技のとちゅう、ほかのことで失われた時間。競技時間には加えない。☞アディショナルタイム。

**ロスト** 造〔lost〕失われた。●**ロストボール**〔lost ball〕〔ゴルフ〕打った後、見つからないボール。●**ロストラブ**〔lost love〕失恋。

**ロゼ**〔フ rosé=ばら色の〕うすい赤色のワイン。ローゼ。☞赤ワイン・白ワイン。

**ろせいのゆめ【×盧生の夢】**〔文〕⇩邯鄲の夢。

**ろせん【路線】** ①〔道路・線路などの〕交通線。「バスの―変更」②交通業のために決められた線。ルート。「―トラック・―バス」③団体・組織などの、基本方針。④〔映画など〕…もの。「やくざ―・純愛―」〔造語成分的な用法〕●**ろせんか【路線価】**〔法〕主要道路に面した土地の、一月一日時点の評価額。国税庁が発表し、相続税・贈与税の計算に使う。☞公示地価。

**ろそくたい【路側帯】** 道路のわきに白い線を引いて区分した、帯状の部分。「歩行者用―」

**ろだい【露台】**〔文〕⇩バルコニー①。

**ろちゅう【路駐】**〈名・自サ〉〔俗〕↑路上駐車。

**ろちょう【ロ調】**〔音〕その音階の第一の音に「ロ」の音をあてた調子。

**ろちりめん【×絽〈縮×緬〉】** 絽のような織り方にしたちりめん。

**ろっ【六】** 造 ろく。「―百・―回」

**ロッカー**〔locker〕スチールなどでできた戸棚。「―にしまう・コイン―・―ルーム」

**ロッカー**〔rocker〕ロック歌手。

**ろっかせん【六歌仙】** 平安時代のはじめの、六人の和歌の名人。在原業平・僧正遍昭・喜撰法師・大伴黒主・文屋康秀・小野小町。

**ろっかん【六感】** ↑第六感。

**ろっかんしんけいつう【×肋間神経痛】**〔肋間=肋骨のあいだ〕〔医〕肋骨に沿って、急に神経が強く痛む症状。

**ろっき【六輝】** ⇩六曜。

**ろっきょく【六曲】**〔びょうぶの〕六枚折り。●**ろっきょくいっそう【六曲一双】** 二つでひと組みになった、六枚折りのびょうぶ。

**ロッキングチェア**〔rocking chair〕すわると前後にゆれるように作った安楽いす。ゆりいす。

☆☆**ロック**〔rock〕一①岩石。「―ガーデン」②〔音〕ロックンロールから生まれた、強いメッセージをもつポピュラー音楽。「―バンド・―ミュージシャン・―〈の精神〉を感じる曲」〔一九六〇年代に一般化〕③↑オンザロック。二〈ダ〉「ロック一②」を感じさせるようす。強い、挑戦的な個性があるようす。「―な人生」●**ロッククライミング**〔rock-climbing〕高山の岩壁をよじ登る〈こと/技術〉。☞フリークライミング。

☆☆**ロック**〈名・自他サ〉〔lock〕①錠。②錠をおろすこと。かぎをかけて、しめること。「ドアを―する」③かぎをかけたりして、動かないように〈する/なる〉こと。「―装置・タイヤが―する」●**ロックアウト**〈名・他サ〉〔lock-out〕①はいれなくすること。「パソコンのアカウントが―される」②労働争議で、使用者がわが工場や事務所を閉鎖し、労働者を働かせないこと。●**ロックオン**〈名・自他サ〉〔lock on〕〔レーダーで〕ねらいを定めて追跡すること。●**ロックダウン**〈名・他サ〉

〔lockdown〕〔ある地域で〕外出制限や休業・休校などを強制すること。都市封鎖。

ロックンロール〔米 rock'n'roll〕〔音〕エレキギターの一般化で生まれた、ビートのきいた、ノリのいいポピュラー音楽(に合わせたダンス)。ロックアンドロール。R&R。〔一九五〇年代半ばから流行〕

ろっこつ〔×肋骨〕〔生〕背骨から前にまがって出て、胸を形づくるほね。あばらぼね。

ろっこん〔六根〕〔仏〕人間が世界を認識する六つの手段。目・鼻・耳・舌・からだ・心。●ろっこんしょうじょう〔六根清浄〕《感・名》〔=六根から起こる欲望をたちきって きよらかになること〕霊山に登るときなどに となえることば。

ロッジ〔lodge〕山小屋(ふうの旅館)。

ロット〔lot〕製品や農産物を生産・流通させるときの単位量。「生産ー・ー番号・〔ラーメン店で〕一回のーで同時に四杯つくる」

ロッド〔rod〕①棒。「カーテンのー・ーアンテナ・パーマで髪を巻くー」②さお。つりざお。「投げづり用のー」▽なまって、ロット。

ろっぷ〔六×腑〕〔漢方〕中がからになっている、六つの内臓。大腸・小腸・胆〔=肝臓〕・胃・三焦〔何をさすか不明〕・ぼうこう(膀胱)。「五臓ー」

ろっぽう〔六方〕一 ろっぽう〔文〕東西南北と天地。二 ろっぽう ①〔文〕俠客。町やっこ(奴)。②〈歌舞伎〉(花道の出はいりに)手足を大きくふる歩き方。「ーをふむ」

☆☆ろっぽう〔六法〕〔法〕①六つの代表的な法律。憲法・刑法・民法・商法・刑事訴訟法・民事訴訟法。②特定の分野の基本的な(六つの)法律。「教育ー」●ろっぽうぜんしょ〔六法全書〕「六法①」を基本として、広くいろいろの法令を集めた本。

☆☆ろてい〔路程〕〔文〕ある場所までの距離。道のり。

ろてい〔露呈〕《名・自他サ》〔文〕はっきり〈あらわす/あらわれる〉こと。「指導力の限界をーする・安全性の問題がーする」

ロティサリー〔フ rôtisserie=ローストした肉を売る店〕かたまりの肉を、回転させながら焼く機能を持つ調理器具。「ーチキン・ーオーブン」

ロデオ〔ス rodeo〕カウボーイが、あばれ馬を乗りこなしたり投げ縄で牛をとらえたりする競技。

↔ろてん〔露天〕〔野外で〕屋根のない所。「ーで品物を売る・ー商・ーぶろ」●ろてんぼり〔露天掘り〕〔鉱〕鉱石・石炭などを地表から直接ほり取ること。

↔ろてん〔露店〕道ばたで商売をする屋台店。「ーが出る・縁日のー」

ろてん〔露点〕〔天〕大気の温度が下がっていったとき、大気中の水蒸気がつゆに変わりはじめる温度。

ろとう〔路頭〕〔文〕道のほとり。道ばた。●☆☆路頭に迷う 句 生活の道が立たなくなって困る。

ろとう〔露頭〕〔地〕がけなどで、地層や岩石が露出している所。「鉱床のー」

ろどん〔×魯鈍〕《名・ダナ》〔文〕おろかで にぶいようす。愚鈍。「ーな人」派ーさ。

ろは〔ロハ〕〔俗・やや古風〕ただ。無料。「ーで映画を見る」由来 漢字「只」をカタカナ二字に見なしてつくったことば。

ろば〔×驢馬〕馬より小さく、頭が大きくて耳が長い中形の家畜。粗食によく耐え、足が強い。農業・運搬に使う。うさぎうま。

ロハス〔LOHAS←lifestyles of health and sustainability〕健康や環境を大切にしながら生活するスタイル。ローハス。〔二〇〇五年ごろから広まった考え方〕

ろばた〔炉端〕いろりのまわり。炉辺。●ろばたやき〔炉端焼き〕新鮮なさかなや野菜を、客の目の前で焼いて出す一品料理。

ろばん〔路盤〕〔文〕道路を舗装するとき路床のすぐ上に置く、土・砂・石をまぜたもの。「ーがゆるむ」

ろばん〔露盤〕〔仏〕塔などの屋根の上にある、相輪〔=九つの輪がついている柱〕または宝珠の下の、四角な台。☞「九輪」の絵。

ろび〔炉火〕いろりで燃える火。

ロビー〔lobby〕①〔休憩室・応接間などに使う〕広間。②ホテルなどで、一般の人が、待ちあわせ・休息などに使う、通路を兼ねた広い部屋。③議員が、陳情などをしに来た人と面会するための、議院内のひかえ室。④ロビイスト。●☆☆ロビーかつどう〔ロビー活動〕団体・業界の利益のため、政治家などに議場の外で陳情や説得工作をする活動。ロビ(ー)イング。

ロビイスト〔lobbyist〕ロビー活動をする人。ロビースト。

ろびらき〔炉開き〕〔茶人の家で〕十一月はじめに、茶の湯の炉を使い始めること。(↔炉塞ぎ)

ロビング《名・他サ》〔lobbing〕①〔サッカー〕高く大きくボールをけり上げること。②〔テニス・卓球など〕高く大きくボールを打つこと。「ーでしのぐ」③〔ゴルフ〕ふわっと高く打つこと。ロブショット。▽ロブ。

ロブ〔lob〕⇨ロビング。「ーショット」

ろふさぎ〔炉塞ぎ〕〔茶人の家で〕四月の末に、茶の湯の炉を使うのをやめること。(↔炉開き)

ロブスター〔lobster〕①⇨オマールえび。②〔料〕オマールエビ・イセエビなど、大形のエビをまとめた呼び名。☞シュリンプ。

ろぶつ〔露仏〕〔文〕雨ざらしになった仏像。ぬれぼとけ。「道ばたのー」

ロフト〔loft〕①屋根裏部屋。「ー住まい」②部屋の中に造った、二階のように高くなった部分。「ーベッド〔=階段のついた、高い位置のベッド〕」③〔ゴルフ〕クラブの打球面の傾斜角度。また、ボールを高く打ち上げること。

ロベリア〔lobelia〕はち植えなどにする、たけの低い草花。青むらさき色の花をひらく。

ろへん〔炉辺〕〔文〕ろばた。「ーを囲む」●ろへんだんわ〔炉辺談話〕〔文〕ろばたでくつろいでする世間ばなし。

ロボ↑ロボット①②。「小型ー・歩行ー」

ろぼう〔路傍〕〔文〕道ばた。路辺。「ーの石・ーの人〔=自分に無関係な人〕」

ロボコン〔↑ロボットコンテスト〕手作りのロボットを持ち寄って、その能力をきそうもよおし。

ロボット〔robot〕①電気・磁気の力で巧妙な運動をする人形。人造人間。②〔工場などで〕人間の代わりに作業をおこなう機械。自動作業機械。「溶接(ようせつ)ー・気象ー・ーアーム・ー掃除(そうじ)機」▽ロボ。③〔いつも〕人にあやつられて動く人。でくのぼう。「会長はーだ」

**ロマ**〔Roma〕ヨーロッパの各地を移り歩き、音楽などで暮らしを立てる民族。チゴイネル。ボヘミアン。ロマ人。〔もと、ジプシーと呼ばれた〕

**ロマネスク** 一〔Romanesque〕十世紀から十三世紀ごろ西ヨーロッパに栄えた、建築・美術の様式。古代ローマの要素に東洋趣味(しゅみ)の加わったもの。「ー建築」 二〈ナダ〉〔フ romanesque〕①小説的なようす。伝奇(でんき)めいたようす。②空想的。非現実的。③感情的。

〔ロマネスク一〕

**ロマネスコ**〔romanesco=ローマの〕カリフラワーの一種。うす緑色のつぶつぶのつぼみが、たくさんの円錐(えんすい)の形に集まる。いためたり、ゆでてサラダに入れたりする。

**ロマン**〔フ roman〕①〔空想物語的な〕長編小説。また、ロマンス。「愛のー・恋(こい)と冒険(ぼうけん)の一大ー」☞ノベル。②ロマンチックな気持ち〔をかきたてる世界やものごと〕。「男のー・夢とーーをかきたてる」▽浪漫(ろうまん)。ローマン。 ●**ロマンしゅぎ**〔ロマン主義〕十八世紀から十九世紀にかけてヨーロッパに流行した、文学・音楽の傾向(けいこう)。古典主義に反抗(はんこう)して、自由な空想と感情を重んじた。ロマンチシズム。ローマン主義。●**ロマンは**〔ロマン派〕ロマン主義を奉(ほう)じる人。ローマン派。「ドイツー」

☆☆**ロマンス**〔romance=伝奇(でんき)物語〕①清らかな愛の物語。ローマンス。「ふたりのー・ーグレー〔=中年のしらがまじりのかみの毛〕」②〔音〕美しいメロディーを主体とした、叙情(じょじょう)的な曲。③〔列車の〕二人がけ。「ーカー・ーシート」

**ロマンチシズム**〔romanticism〕①ロマン主義。②夢や空想の世界にあこがれる傾向(けいこう)。

**ロマンチスト**〔↑romanticist〔ロマンチシスト〕〕ロマンチックな考えを持つ人。「詩を好むーの面がある・現実を見ないー」

**ロマンチズム**「ロマンチシズム」の変化。

**ロマンチック**〈ナダ〉〔romantic〕①現実をはなれて、あまく空想的であるようす。夢があるようす。ローマン的。「ーな考え方」②ロマン主義的。▽ロマンティック。派ーさ。

**ロム**〔ROM〕〔↑read only memory〕〈情〉決まった情報を読み出すための、専用の記憶(きおく)装置。☞RAM(ラム)。

**ろめい**〔露命〕〔文〕つゆのようにはかない命。●**露命をつなぐ** 句〔文〕ほそぼそと暮らす。

**ロメインレタス**〔romaine lettuce〕白菜のような形をしたレタス。丸く結球せず、葉の根もとがしゃきしゃきしている。☞サニーレタス。

**ろめん**〔路面〕道路の表面。「ー電車〔=都市の道路にレールを敷(し)いて走らせる電車〕」●**ろめんてん**〔路面店〕大通りに面した〔有名〕店。〔デパートなどの店内店舗(てんぽ)に対して言う〕

**ろよう**〔路用〕〔文〕旅費。「ーにあてる」

**ロリコン**〔↑ロリータ コンプレックス〔和製 Lolita complex〕。ナボコフの小説「ロリータ」から〕おとなの男性が少女にしか性的興味を感じないこと。また、そのような男性。ロリ。〔俗〕。〔一九八〇年代からのことば〕☞ショタコン。

**ろれつ**〔〔呂▵律〕〕ものを言う調子。ことばの調子。「ーがあやしい」●**ろれつが回らない** 句 酒に酔(よ)うなどして、ことばがはっきり言えない。

***ろん**〔論〕①議論。「ーをたたかわせる」②意見。見解。「人生ー・いろいろのーがある」●**論より証拠(しょうこ)** 句 議論するより実際の証拠を出したほうが、早く物事が明らかになること。●**論をま〔俟〕たない** 句〔文〕議論するまでもなく、はじめからわかっている。言うまでもない。

**ろんがい**〔論外〕〈名・ナダ〉①議論する範囲(はんい)の外に置くこと。「その問題は、しばらくーにして」②ひどすぎて、議論にもならないこと。もってのほか。「ーな値段」▽問題外。

**ろんぎ**〔論議〕〈名・他サ〉めいめいが意見をのべあうこと。「ーをつくす・ーを呼ぶ・ーの的」

☆☆**ろんきゃく**〔論客〕〔文〕①すぐれた評論家。②よく議論をする人。議論好きな人。「政界切ってのー」▽ろんかく。

**ろんきゅう**〔論及〕〈名・自サ〉〔文〕そのほうにまで論じおよぶこと。「作者の性格にーする」

↑**ろんきゅう**〔論究〕〈名・他サ〉〔文〕ものごとの筋道を考えきわめること。「社会問題についてーする」

**ろんきょ**〔論拠〕論じる内容に説得力をあたえる材料。議論のよりどころ。「ーがあいまいだ」

**ロング**〔long〕一〈名・ナダ〉長いこと。「ースカート・ーサイズ・ーパスタ・ーな丈(たけ)」 二①〔↑ロング ヘア〕〔男女の〕長髪(ちょうはつ)。②長距離(きょり)。「ーにする」〈野球〉ーヒット〔=長打〕。〔↔シングル ヒット〕・ーシュート ③長時間。長期間。「ーバケーション」▽〔↔ショート〕④〔撮影(さつえい)で〕↑ロング ショット。〔↔アップ〕●**ロング カクテル**〔long cocktail=時間をかけて味わうカクテル〕量が多くてアルコールが弱めのカクテル。氷を入れることが多い。例、ジントニック・スクリュードライバー。ロング ドリンク。〔↔ショート カクテル〕●**ロング ショット**〔long shot〕①遠くから撮影(さつえい)すること。ロング。〔↔クローズ アップ〕②〈ゴルフ〉遠くまでボールを飛ばすこと。長打。●**ロング ステイ**〔和製 long stay〕長期滞在(たいざい)。「海外でのー」〔↔ショート ステイ〕●**ロング セラー**〔long seller〕長い間売れ続ける本・商品。●**ロング テール**〔long tail〕〈経〉売れ筋ではない多品種の商品が少しずつ売れることによって、大きな利益を生むこと。●**ロング ラン**〔long run〕①〈映画・演劇〉長期にわたる興行。②長く〈人気をたもつ〉続くこと。「ー商品」

**ロンゲ**〔ロン毛〕〔ロン↑ロング〕〈俗〉長髪(ちょうはつ)。

**ろんけつ**〔論結〕〈名・自サ〉〔文〕論じて結末をつけること。「案件のー」

**ろんご**〔論語〕孔子(こうし)の言行や、その弟子(でし)たちとの対話をまとめた儒教(じゅきょう)の経典(けいてん)。●**論語読みの論語知らず** 句 りっぱな本を読んでも頭でわかっているだけで、実際にはおこなわない〈こと/人〉。

ろ

←ろんこう［論功］〔文〕てがらの有無(うむ)・程度を論じて定めること。●ろんこうこうしょう［論功行賞］〔文〕てがらに応じて賞をあたえること。

→ろんこう［論考・論×攷］《名・他サ》〔文〕議論し考察すること。「医事―・中世文学―」

ろんこう［論稿］〔文〕論文(の原稿)。「―をまとめた著書」

ろんこく［論告］《名・自他サ》《法》裁判の最終段階で、検察官が被告人(ひこくにん)の罪についてのべる意見。「―求刑(きゅうけい)」

ろんさく［論作］〔文〕論文として書かれた作品。

ろんさく［論策］〔文〕政治上の、また時事問題についての議論や意見を文章にしたもの。

ろんし［論旨］議論の主旨。「―明快」

ろんしゃ［論者］〔文〕①議論をする人。②議論している人自身をさして言うことば。〔自分についても相手についても使う〕▽ろんじゃ。

ろんしゅう［論集］論文を集めたもの。

ろんじゅつ［論述］《名・他サ》〔文〕論じのべること。「―式テスト」

ろんしょう［論証］《名・他サ》〔文〕その考えがまちがっていないことを、論理にもとづいて証明すること。

ろんじる［論じる］《他上一》①筋道を立てて のべる。「政治を―」②言いあらそう。「是非(ぜひ)を―」③問題にする。「―に足りない(=議論するねうちがない)」「大小を論じないで、すべて一個千円」▽論ずる。

ろんじん［論陣］〔文〕議論の〈組み立て方〉かまえ〉。●論陣を張る 句 相手に向かって、りっぱに議論を展開する。

ろんせつ［論説］①自分の考えをはっきりと持ち、反対の立場の考えを批判して、意見を〈のべること〉のべた文章〉。「―文」②新聞の社説。「―委員」

ろんせん［論戦］《名・自サ》〔文〕議論をたたかわせること。「活発な―を展開する」

ろんそう［論争］《名・自サ》たがいに自分の意見をのべて論じ争うこと。「友人と―する」

ろんだい［論題］議論や論説の題目。

ロンダリング《名・自他サ》〔laundering=洗浄(せんじょう)〕もとはよくないものなのに、体裁(ていさい)を整えて、いいものに見せること。ロンダ〔俗〕。「ソース―(=怪(あや)しい情報をメディアが取り上げて箔(はく)をつけること)」☞マネーロンダリング。

ろんだん［論壇］〔文〕評論家の社会。言論界。「―の雄(ゆう)」

ろんだん［論断］《名・自サ》〔文〕議論して判断をくだすこと。「誤りありと―した」

ろんちょ［論著］〔文〕学術論文を本にしたもの。

ろんちょう［論調］議論の組み立て方や進め方の調子・傾向(けいこう)。「新聞の―」

ろんてき［論敵］〔文〕言論の上でのライバル。対立する意見を持つ人。

☆☆ろんてん［論点］議論の〈要点〉中心〉。「―がずれる・―を外れている」

ロンド〔イ rondo〕《音》主題となるメロディーが、間にはさんだ曲の前後に、幾度(いくど)もくり返される形の曲。輪舞(りんぶ)曲。回旋(かいせん)曲。「『エリーゼのために』は―形式によっている」

ろんなん［論難］《名・他サ》〔文〕議論して非難すること。「―を加える」

ろんぱ［論破］《名・他サ》〔文〕議論をして、相手の意見や説を負かすこと。言い負かすこと。

ロンパース〔rompers〕《服》①上着とズボンとが一体になった、赤ちゃんや子どもの服。カバーオール。ロンパス。②上着とズボンとが一体になった、女性の服。コンビネゾン。オールインワン。

［ロンパース ①］

ろんばく［論×駁］《名・他サ》〔文〕議論して相手の説(の誤り)を攻撃(こうげき)すること。反論。ろんぱく。「相手の意見を―する」

ろんぱん［論判］《名・他サ》〔文〕議論して理非を判定すること。

ろんぴょう［論評］《名・他サ》〔書物や事件などの〕内容について論じ、批評すること。「―を加える・―を避(さ)ける」

ろんぶん［論文］①理由をあげて自分の意見をのべる文章。「―形式の試験問題」②研究の結果をまとめた文章。「卒業―・博士(はくし)―」

ろんべん［論弁］《名・他サ》〔文〕意見をのべて論じること。

ろんぽう［論法］議論の方法。「あの人のいつもの―だ・三段―」

ろんぽう［論×鋒］〔文〕①議論をしかける方向。「政府に―を向ける・―をかわす」②議論の勢い。「するどい―」

ろんり［論理］①ある事実から、当然、次の事実が言えるという、考えの筋道。「―づける・―の飛躍(ひやく)」(↔直観) ②特有の考え方。「政治の―・消費者の―」③事実の間にみられる、深いつながりや理由。「歴史の―」④↔論理学。●ろんりがく［論理学］正しい判断や認識(にんしき)を得るための、ものの考え方の形式や法則を研究する学問。●ろんりてき［論理的］《ナダ》論理にあうようす。理づめに考えるようす。ロジカル。「―なものの考え方」

# わ ワ

わ［和］㊀ゎ ①おたがいになかよくすること。協力。調和。「人の―・―を乱す」☞和する。②〔×倭〕〔もと、中国で〕日本を呼んだことば。「―の国王」③日本独特のもの。日本ふうのもの。「―を好む・―の世界」〔一九九〇年代に広まった用法〕④《数》二つ(以上)の数を加えた値(あたい)。合計。(↔差) ㊁造 ①日本(ふう)の。「―家具・―定食」(↔洋) ②日本ふうの要素も取り入れた。「―スイーツ(和菓子(わがし)の食材を使った洋菓子なども ふくむ)」 もとは、「和紙・和食・和服」など、限られた語をつくるだけだったが、最近は「和ごころ・和テイスト・和カフェ」など、いろいろな語の前につくようになった。☞和モダン。●和を講じる 句〔争っていた者が〕仲直りする。戦争を終わらせて平和にする。

わ［輪］①軸(じく)のまわりを回転して乗り物を進ませる、まるいもの。くるま。車輪。②真ん中に穴のあいた まるい形(のもの)。「耳に―をはめる・手をつないで―になる・―

を描く」③つながり。「助け合いの―・友だちの―」④毛布などを折りたたんだとき、折り目のほうの部分。⑤たが(箍)。表記②③「△環」とも。●**輪をかける**句 程度がいっそう大きいようす。「A君は、B君に輪をかけた大うそつきだ」

**わ** 一《終助》①軽い感動やおどろきをあらわす。「こりゃひどい―・来る―来る―・よう言わん―〔関西方言〕」②〔話〕相手に知らせる気持ちをあらわす。「おれ、もう帰る―」▽女性が語尾を上げて「まあ、きれいだ―」「知りません―」のように言うのは〈古風/演劇的〉な言い方。③〔A―B―〕強調してならべたてる。「雨は降る―風は吹く―」☞わな・わね・わよ。二《感》〔音調は(↓)〕〔話〕①突然のことにおどろいたり感動したりしたときに出す声。「―、もうこんな時間・―、すごい雪」②人をおどかすときの声。▽うわ。わっ。

**わ**【羽】は 接尾 ①鳥を数えることば。「一―・四―・十―・千―・何―」②はねのある虫を数えることば。「一―のチョウ」③ウサギを数えることば。匹。由来③は、けものを食べることを避けた時代、ウサギを鳥と見なして食べたからという。江戸時代から「匹」の例もあり、必ずしも「羽」だけが伝統的ではない。

**わ**【把】は 接尾 たばねたものを数えることば。「ねぎ一―・四―・十―」

**わ**【話】造〔文〕はなし。話題。「出版十―」

**わあい**《感》〔話〕①子ども〈が/のように〉うれしいときに上げる歓声。「『おすし食べに行こう』『わあい(⌒↓)』」②〔古風〕子どもがさわぐときの声。「向こうまで競走だ、わあい(⌒↓)」▽わーい。

**ワーカー**〔worker〕仕事をする人。「在宅―・ダブル―〔=仕事をかけもちする人〕」

**ワーカホリック**〔米 workaholic←work+alcoholic《=アルコール中毒者》〕仕事をしていないとおちつかない、働きすぎの人。仕事中毒(者)。

**ワーキング**造〔working〕①働く。「―マザー・―ウェア〔=作業用衣服〕」②仕事上の。「―ビザ」●**ワーキング グループ**〔working group〕特定の作業や調査をするために作られた部会。作業部会。ワーキング チーム。WG。●**ワーキング プア**〔working poor〕いくら働いてもじゅうぶんな収入を得られないこと。●**ワーキング ホリデー**〔Working Holiday〕文化交流のため、二国間で協定を結び、青少年が労働ビザなしで働きながら、たがいの国を長期間旅行することを認める制度。ワーホリ。●**ワーキング メモリー**〔working memory=作業記憶〕《心》いくつかの情報を一時的に記憶し、それらを処理する脳の機能。●**ワーキング ランチ**〔working lunch〕会議や打ち合わせなどをしながら とる昼食。ビジネスランチ。〔夜は、ワーキング ディナー〕

**ワーク** 一ワーク《名・自サ》〔work〕①仕事。「ライフ―・デスク―」②労働。作業。「―パンツ・―ブーツ」③機能すること。「連携が―する」④↑ワーク ブック。二造 さばきかた。細かな わざ。「〔スピードスケートの〕カーブ―・〔アイスホッケーの〕スティック―・《バレーボール》トス―」☞コーナーワーク・フットワーク。●**ワークアウト**〔workout〕〔ジムなどで〕有酸素運動や筋トレなど決まったメニューを何セットと決めて おこなう運動。●**ワーク シート**〔worksheet〕①問題を解きながら理解を深めていく学習用プリント。②《情》〔コンピューターで〕表計算ソフトの作業画面。ます目状になっている。●**ワーク シェアリング**〔work-sharing〕《経》〔雇用を確保するために〕労働時間をへらして仕事を分かちあうこと。ワーク シェア。●**ワークショップ**〔workshop=作業場〕①参加者に体験してもらう形式の講習会。②あるテーマをめぐって、講演・討論などをおこなう集会。③〔現代美術で〕集団制作(方式)。●**ワーク ステーション**〔work station〕《情》①コンピューターの端末を使って作業する場所。②さまざまな情報処理機能を持つ高性能のコンピューター。●**ワーク ブック**〔workbook〕練習問題帳。学習帳。ワーク。●**ワーク ライフ バランス**〔work-life balance〕仕事と生活の調和。WLB。

☆☆**ワースト**造〔worst〕いちばん悪い。最悪。「―スリー・―記録」(↔ベスト)

**ワーディング**〔wording〕言葉づかい。言葉の選択。「―を誤る」

**ワード**〔word〕ことば。単語。「魅力的な―・NG―〔=使用禁止語〕・キー―」●**ワード プロセッサ(ー)**〔word processor〕⇩ワープロ。

**ワードローブ**〔wardrobe〕①洋服だんす。②洋服類をまとめて呼ぶ言い方。服。「旅の―」

**ワーニング**〔warning〕警告。ウォーニング。「―メッセージ」

**ワープ**《名・自サ》〔warp=ひずませる〕〔SFで〕宇宙空間をひずませて、何百光年もはなれた所へ たちまち移動すること。「―航法」

**ワープロ**〔↑ワード プロセッサ(ー)〕文章を入力して、自由に訂正したり、読みやすくレイアウトしたりできる機械。〔一九八〇~九〇年代に普及した〕「―ソフト〔=パソコンでワープロ機能を利用するためのソフト〕」

**ワーム**〔worm=虫〕①《釣り》ミミズのような足のない虫の形をしたルアー。②《情》自分で自分を複製し、ネットワークを通じて ふえる、コンピューターウイルス。

**ワールド**〔world〕①世界。「ミス―・―チャンピオン・―レコード〔=世界記録。WR〕」②ある人が作り出す作品やふんいきの、独自の世界。「手塚―にはまる」●☆☆**ワールド カップ**〔World Cup〕〔各種の〕世界選手権大会(の優勝杯)。表記「W杯」とも。●**ワールド ゲームズ**〔world games〕オリンピック種目以外の種目できそわれる国際競技大会。四年に一回ひらかれる。●**ワールド シリーズ**〔World Series〕〔アメリカのメジャーリーグで〕毎年、二つのリーグの優勝チームで、全米一を争う連続試合。●**ワールドワイド**《ナダ》〔worldwide〕世界的な広がりをもつようす。「―なビッグイベント」●**ワールド ワイド ウェブ**〔World Wide Web〕《情》⇩ウェブ。〔略して「WWW」〕

**わあわあ**《副》①大声で続けざまに泣く〈声/ようす〉。②(大ぜいで)さわぐ〈声/ようす〉。「興奮して―言う」

**わあん** 一《副》大きな泣き声。「子どもが わあん(⌒↓)と泣く」二わあん 音声が共鳴する音。「ざわめきが会場内に―と満ちていた」▽一二うわーん。わーん。

**わい**《代》〔↑われ。関西方言〕①わたし。おれ。②おまえ。「―ら何しとる」

わ

**わい**《終助》①〔古風〕感動をあらわす。「きょうは いい天気だ—」②〔関西・中国・四国方言〕「よ」の、乱暴な言い方。「そんなことは知らん—」③江戸時代の、感動をこめた言い方。「このとおり たのむ—のう」

**ワイ**[Y・y] アルファベットの二十五番目の字。☞Y字。

**ワイエムシーエー**[YMCA]〔← Young Men's Christian Association〕キリスト教(男子)青年会。(↕YWCA)

☆☆**わいきょく**[×歪曲]《名・他サ》〔事実を〕ゆがめ まげること。「事実を—する」

**わいざつ**[×猥雑]《名・ナダ》〔文〕見た感じが、下品でごたごたしていること。「—な感じ・—な町並み」派—さ。

**ワイじ**[Y字] アルファベットの「Y」の形。「—バランス(=からだ全体がYの字になるポーズ)」 ●**ワイじろ**[Y字路] Yの字のように、ふたまたに分かれた道路。

**ワイシャツ**〔←white shirt〕《服》えりが ついて、ネクタイが しめられる、男性用の改まったシャツ。長そでの場合は、カフスが ついている。スーツの下に着る。表記 俗に「Yシャツ」とも。☞シャツブラウス。

☆☆**わいしょう**[×矮小]《ナダ》〔文〕①背が低く小さいようす。②規模が小さいようす。「問題を—化する(=不当に小さくあつかう)」派—さ。

**わいせつ**[(×猥×褻)]《名・ナダ》 みだらで いやらしいようす。「—ならくがき」表記 俗に「ワイセツ」とも。派—さ。

**ワイダブリューシーエー**[YWCA]〔← Young Women's Christian Association〕キリスト教女子青年会。(↕YMCA)

**わいだん**[×猥談] 性についての みだらな話。表記 俗に「ワイ談」とも。

**ワイド**〔wide〕一《競馬》三着までのものを二つあてること。「—馬券」二《名・ナダ》〔はば・範囲などが〕広いようす。「—画面」派—さ。 ●**ワイドショー**〔和製 wide show〕芸能界や社会のできごと、生活情報などを広く取り上げるテレビ番組。

**ワイナリー**〔winery〕ワインの醸造所。

**わいの-わいの**《副・自サ》①大ぜいで にぎやかに話すようす。「みんなで—してた」②しつこく言われるようす。やいのやいの。「まわりに—言われる」▽わいわい。

**ワイパー**〔wiper=ぬぐうもの〕自動車の前面のガラスに取りつけ、左右に動かして雨の しずくなどをふきとるしかけ。

**ワイフ**〔wife〕〔古風〕妻。細君。(↕ハズバンド・ハズ)

**ワイプ**《名・自他サ》〔wipe=ぬぐいさる〕①《映画・放送》画面を、紙しばいをめくるように、次に切りかえること。②《放送》画面の すみに小さく映す、別の画面。ワイプ画面。「—で抜く(=大写しのカットを入れる)」

**ワイファイ**〔Wi-Fi〕〔商標名〕機器の区別なく接続できる、無線LANの規格。「—接続」

**わいほん**[×猥本]〔文〕わいせつな内容の本。春本。わいぼん。

**ワイヤ**〔wire〕①針金。また、ワイヤ ロープ。②電線。③弦楽器の金属線。▽ワイヤー。 ●☆☆**ワイヤレス**〔wireless〕無線。無線通信。「—マイク・—録音」 ●**ワイヤロープ**〔wire rope〕⇩鋼索。

**ワイルド**《ナダ》〔wild〕①野生的。「—な ふんいきの青年・—な革ジャケット」②乱暴なようす。「—な投法」③〔動植物などが〕野生であるようす。「—な花・—ベリー(=野イチゴ)」派—さ。 ●**ワイルドカード**〔wild card〕①《トランプ》どのカードにも代用できるカード。②《情》〔コンピューターで〕不特定の文字をあらわす記号。「?」や「*」。③競技に特別に参加できる〈選手/チーム〉。主催者推薦枠。④〔大リーグで〕地区優勝をのがした最高勝率のチームをプレーオフに進ませる制度。また、そのチーム。 ●**ワイルドピッチ**〔米 wild pitch〕《野球》⇩暴投。(↕パスボール)

☆☆**わいろ**[賄賂] 自分に有利にしてもらう ために贈る、不正な品物やお金。そでの下。「—を贈る・—を取る」

**わいわい**《副》 大ぜいが大声で言い立てるようす。「—言う・—さわぐ・—がやがや」

**ワイン**〔wine〕①ブドウの実を原料として造った酒。ぶどう酒。「—グラス・ホット—」②酒類。「フルーツ—」 ●**ワインセラー**〔wine cellar〕ワインの貯蔵庫。 ●**ワインビネガー**〔wine vinegar〕ワインから造った酢。 ●**ワインリスト**〔wine list〕〔バーやレストランで〕在庫するワインの一覧表。 ●**ワインレッド**〔wine red〕赤ワインの色。暗い赤色。ワイン カラー。

**ワインドアップ**《名・自サ》〔米 windup〕《野球》投手がボールを投げる前に うでをふり上げる動作。

**わえい**[和英] ↑和英辞典(=日本語の見出しに、英語をあてた辞典)。(↕英和)

**ワオ**《感》〔wow〕(「わお」とも書く)〔俗〕おどろきをあらわす。ウワ(—)オ。ワーオ。「—、これは すごい」

**わおん**[和音]《音》二つ以上の、ちがった高さの音が同時にひびいたときに聞こえる音。和弦。コード。アコール(フ accord)。「三—」☞和声。

**わか**[和歌] ①長歌・短歌などをまとめた呼び名。②短歌。▽やまとうた。

**わか**[若] 一**わか** ①若君。若様。②次の世代の かしら。若頭。二 遺 若いこと。「—おくさま・—主人・—大将」

**わが**[(我が)・(×吾が)]《連体》〔文〕①わたし(たち)の。自分(たち)の。「—子・—社・—党・—手におさめる」②わが国の。「—選手団」☞わが意・わが君・…。 ●**我が田に水を引く** 句 ⇩我田引水。 ●**わが道を行く** 句 他人のことは気にせず、自分の信念に従って行動する。

**わかあゆ**[若(×鮎)] 若い(ぴちぴち した)アユ。

☆☆**わかい**[和解]《名・自サ》①〔文〕仲直り。「友だちと—する」②《法》当事者が ゆずりあって争いをやめる〈こと/契約〉。「—調停」

**わか・い**[若い]《形》①成長している最中で、先が長い。年齢が低い。「—人々・—ころ・若くして(=若くて。若いうちに)・—学問」②〔くだものなどが〕じゅうぶん熟していない。「まだ—うちにつみ取る」③年が少ない。「五つ—」④元気があって、さかんだ。「気が—・気持ちが—」⑤経験が少なくて、練れていない。「考えが—」⑥数が少ない。「—番号・《野球》—カウント」 ●**わかいしゅ**[若い衆]〔古風〕若い者。わかいし。「—が みこしをかつぐ」 ●**わかいつばめ**[若い(×燕)]〔俗〕女性が愛人にしている、年下の男性。 ●**わかい-もの**[若い者] ①年の若い人。青年。「いい—が だらしないぞ」②人に使われる男。子分や奉公人。〔年がいっても言う〕③《すもう》幕下以下の若い すもうとり。また、付け人。「―頭(がしら)(=『若い者③』を監督(かんとく)する、引退した力士)」▽若い衆(しゅ)。若いもん。

**わがい**【(我が)意】自分の考え。「―のまま(=思いどおり)にする」・**わが意を得たり** 句〔文〕相手の考えが、自分と一致(いっち)した。そのとおりだ。わが意を得た。「―とばかりにうなずく」

**わかいんきょ**【若隠居】《名・自サ》年寄りにならないうちに、(商売を子どもにゆずって)隠居の身分に〈なること/となった人〉。

**わかうお**【若魚】―ぅ まだじゅうぶん成長していない さかな。「イナダはブリの―である」

**わかおくさん**【若奥さん】①若いおくさん。②しゅうとめを「おくさん」と呼ぶのに対して、よめを尊敬して呼ぶ言い方。(「若奥さま」は、より敬意が高い)

**わかがえ・る**【若返る】―がへる《自五》①〔それまでよりも〕若く見える。若い印象をあたえる。若くなる。「そのセーターを着ると十は―・気持ちが―」②〔構成員が〕若い世代に入れかわる。「経営陣(じん)が―」名若返り。

**わかがき**【若書き】作家が若いときに書いた文章など。「―の作品」表記 絵は「若描き」。

**わかがしら**【若頭】①若い衆(しゅ)の筆頭となる者。②暴力団の、子分の筆頭として組織を指揮する幹部。

**わかぎ**【若木】はえてから、あまり年のたっていない木。(↔老い木(き))

**わかぎ**【若気】わかげ。

**わかぎみ**【若君】①年の若い主君。②主君のむすこ。

**わがきみ**【(我が)君】〔雅〕①主君。②夫。

**わかく**【若く】若いころ。「―からの夢」

**わがく**【和学】⇩国学。

**わかくさ**【若草】芽を出してまもない草。「―色」

**わがくに**【(我が)国】〔文〕わたし(たち)の国。「―の発展・―の経済」 日本政府などは「の」を使わず「わが国経済(=日本経済)」のようにも言う。

**わかげ**【若気】若者の、元気にまかせて無分別にはしりがちな気持ち。わかぎ。「―のあやまち・―の至り」

**わがこと**【(我が)事】①自分に直接関係のあることがら。「―のように喜んでくれた」(↔人ごと・他人ごと) ②〔文〕自分の計画。「―成れり(=成功した)」

**わかさ**【若さ】若い〈こと/程度〉。「―ゆえの あやまち」

**わかさ**【若狭】旧国名の一つ。今の福井県の西部。若州(じゃくしゅう)。

**わかさぎ**【(:公魚)・(若×鷺)】湖などでとれる、小さなさかな。形はハヤに似て細長い。食用。

**わかさま**【若様】身分の高い人の むすこを尊敬した言い方。

**わかざり**【輪飾り】わらを編んで輪の形にし、ウラジロやユズリハなどをそえ、下に数本の わらをたらしたもの。正月の かざりに使う。

**わかし** ブリの幼魚。大きさは約一五〜二〇センチ。由来 文語形容詞「若し(=若い)」を名詞にしたもの。⇨出世魚①。

**わがし**【和菓子】日本ふうの菓子。(↔洋菓子)

**わかじに**【若死に】《名・自サ》若くて死ぬこと。早死に。夭折(ようせつ)。夭逝(ようせい)。(↔長生き)

**わかしゅ**【若衆】①〔古風〕若者。②〔文〕まだ元服しないで、前髪(まえがみ)のある男子。

**わかしゆ**【沸かし湯】①わかした湯。②〔温泉の湯に対して〕わかした、ふろの湯。

**わかしらが**【若白髪】若いうちからはえる、しらが。わかじらが。

**わか・す**【沸かす】《他五》①沸くようにする。「湯を―・ふろを―」「湯を沸かすのでなく、正しくは水を沸かして湯にするのだ」という じょうだんがあるが、「湯を」は結果をあらわす。⇨結果目的語。②〔観衆などを〕熱狂(ねっきょう)させる。沸かせる。「場内を―・客席を―」

**わか・す**【湧かす・×涌かす】《他五》湧くようにする。湧かせる。〔わざとでない場合にも使う〕「うじを―」

**わかぞう**【若造・若:僧】〈若い者/未熟者〉を見さげて言うことば。「―のくせに」

**わかたか** 一【若(×鷹)】〔生まれて一歳(さい)の〕若いタカ。二【若×鷹】若くて有望な男性選手。

**わかたけ**【若竹】①のびて まもない、若くて青々した竹。なよ竹。②ワカメとタケノコ。「―の吸い物(略して『若竹吸(い)』)・―煮(に)」

**わかだんな**【若旦那】①〔主人を「大(おお)旦那」または「旦那」と呼ぶのに対して〕主人の長男を尊敬して呼ぶ言い方。②大家(たいけ)の男の子を尊敬して呼ぶ言い方。

**わかち**【分かち】〔文〕分けること。区別。「昼夜の―なく」・**わかちあ・う**【分かち合う】―あふ《他五》〔文〕分けあう。「喜びを―」・**わかちあた・える**【分かち与える】―あたへる《他下一》〔文〕分けてあたえる。わけあたえる。・**わかちがき**【分かち書き】ことばと ことばの間をあけて文を書く方法。仮名(かな)の多い子どもの本などに見られる。分別書法。・**わかちがた・い**【分かち(難い)】《形》〔文〕引きはなして、二つに分けることがむずかしい。「分かちがたく結びついている」派―さ。

**わか・つ**【分かつ】《他五》〔文〕①分ける。別々にする。「全体を三部に―・死がふたりを―まで・分かち持つ(=分け持つ)・たもとを―(⇩「たもと」の句)」②区別する。「昼夜を分かたぬ攻撃(こうげき)」③見分ける。判断する。「黒白(こくびゃく)を―・善悪を―」④分けてくばる。「実費でお分かちします」⑤分けて持ちあう。「喜びをともに―」表記④⑤「△頒つ」とも。

**わかづくり**【若作り】《名・自サ》年よりも若く見えるように よそおうこと。また、そのよそおい。

**わかづま**【若妻】年の若い妻。

**わかて**【若手】〔ある集団で〕若いほうの人。「―の役者・―議員」

**わかとう**【若党】①〔歴〕足軽と徒士(かち)の間の身分の郎党(ろうとう)。②〔文〕若いさむらい。

**わかどしより** 一【若年寄】〔歴〕〔江戸(えど)幕府で〕将軍に直属して政務をとり、旗本を支配した職。老中(ろうじゅう)の次の位。少老。二【若年寄り】まだ若いのに老人じみている人。

**わかとの**【若殿】①年の若い主君。②主君のあとつぎ。

**わかどり**【若鳥】①まだおとなになっていない鳥。②〔若△鶏〕まだおとなになっていないニワトリ(の肉)。「―のからあげ」▽(↔親鳥)

**わかどり**【若取り】《名・他サ》野菜・くだものを、まだ若いうちに とりいれること。また、とりいれたもの。

**わかな**【若菜】〔文〕春のはじめに はえて、葉を食べる野草。

**わが・ねる**【(×綰ねる)】《他下一》〔文〕まげて輪にする。

「なわを―」

わかば[若葉] はえ出てまもない、木の葉。「―雨(=若葉のころに、さっと降る雨)」 ●わかばびえ[若葉冷え] 〔文〕初夏のころの、寒さのもどり。●わかばマーク[若葉マーク] ①自動車運転の初心者であることをしめすために、車体の前後にはりつけるマーク。初心者マーク。ふたばマーク。②初心者で、なれていないこと。「料理はまだ―だ」

わがはい[(我が)輩] 《代》〔文・男〕(やや尊大な気持ちで)自分をさすことば。表記 夏目漱石の作品は「×吾輩は猫である」と書く。

わかはげ[若(×禿げ)] まだ若いのに、頭がはげること。また、そのはげ。

わかぶ・る[若ぶる] 《自五》 若いふりをして見せる。

わがほう[(我が)方] 〔文〕(敵・相手方に対して)自分たちのほう。

わかまつ[若松] ①はえてから、あまり年のたっていない松。②正月のかざりに使う、若い松。

わがまま《名・ナダ》①[(我が×儘)] 自分のしたいように、ふるまうこと。気まま。「―勝手・―を言う」②〔俗〕強い希望やこだわり(を持つようす)。「あなたの―におこたえします・―お部屋探し」

わがみ[(我が)身] 自分の身。「―につまされる・―に置きかえて考える」☞明日はわが身(「明日」の句)。●わが身かわいさ句 他人や仕事よりも自分の安全を大切にすること。●わが身をつね(抓)って人の痛さを知れ句 自分以外の人の苦しみやつらさを思いやることが大切だ、ということのたとえ。

わかみず[若水] 元日の朝はやくくむ水。これを飲むと若がえる、と信じられる。

わかみどり[若緑] ①松の新芽(の緑色)。松の緑。②あざやかな、あかるい緑。

わかみや[若宮] ①おさない皇子。②宮家のあとつぎになる子。③本社の祭神の子をまつった神社。「春日の―」④新しくまつった神社。新宮。

わかむき[若向き] 〔やや古風〕若い人に似合うこと。「―のスーツ」

わかむしゃ[若武者] 年の若い武者。若い さむらい。(↔老い武者)

わかむらさき[若紫] うすむらさき。

わかめ[(若△布)・(:和布)] 海藻の一つ。近海でとれ、平たくて切れこみが深い。「―のみそしる・キュウリと―の酢のもの」

わかめ[若芽] はえてまもない、草木の芽。

わかめ[若(目)]《名・ナダ》①少し若いふんいきがあるようす。「―の服装」②実際よりも少し若く〈言う/見える〉ようす。「―に言う」▽若いめ。

わかもの[若者] 年の若い人。青年。●わかものことば[若者(言葉)] ①若者の〈作った/使う〉流行語。②若者らしいことばや言い方。▽若者語。

*わがもの[(我が)物] 〔文〕①自分の所有物。「国有地を―にする」②習得する。「英語を―にする」●わがものがお[(我が)物顔] (自分のなわばりであるかのように)ぶえんりょにふるまうようす。「銃を持った兵士が―で町を歩く・―にふるまう」

わがや[(我が)家] ①自分の家。「―を新築する」②自分の家庭。「―の幸福を第一に考える」▽マイホーム。

わかやか[若やか] 《ナダ》元気があって、若々しいようす。

わかや・ぐ[若やぐ] 《自五》 元気があって、若々しく〈なる/見える〉。「若やいだ声」

わがよのはる[(我が)世の春] 〔わが世=自分の人生〕何でも思いどおりになって、いちばん得意な時期。「―を謳歌する」

わがら[和柄] 〔衣服などの〕和風のがら。「―のTシャツ」

わからずや[(分からず)屋] ものの道理のわからない人。

わから・ない[分からない] 《形ヌ》①あらかじめ想像できない。「―ものだ、大会社がつぶれるとは・人の運命というのは―」②ものの道理が理解できない。また、聞き分けがない。「君も―男だな」丁寧 分かりません。

わかり[分かり] わかること。のみこみ。さとり。会得。「―がいい・―がはやい」●わかりきった[分かり切った]《連体》説明のいらない。当然の。「―ことを聞くな」(「分かり切っている」の形で述語にもなる)●わかりやす・い[分かり(△易い)]《形》すぐわかる状態だ。わかりいい。わかりよい。「分かりやすく説明する」(↔分かりにくい) 派―さ。

**わか・る[分かる・△判る・△解る]《自他五》①(頭の中で)はっきりしていなかったものがはっきりする。知れる。「答えが―・りくつが―・関係者への取材で不正が分かった」②(意味・道理が)正しく受け取れる。理解できる。知識がある。「この単語、―?・文学の―人・重要性〈が/を〉分かっている・(頭では)分かっちゃいるけどやめられない・言われなくても分かってるよ」③気持ちや事情を察する。「苦労を分かってほしい・大人は分かってくれない」④依頼や指示の内容を受け取る。「はい、分かりました」謙譲 ④かしこまる(「かしこまりました」の形で使う)。✓④は「はい、分かっています」と答えると、感じが悪い。また、「わっかりました」は、答えにまよう気持ちで、口ぐせのようにも使われる。可能 「分かる」だけで自発または可能の意味をあらわすが、俗に、能力を強調して「分かれる」とも。「分かれない ぼくがいる」☞分からない。

↔わかれ[分かれ] そこから、分かれ出たもの。●わかれみち[分かれ道・分かれ△路] ①二つ(以上)に分かれる道〈進路〉。「運命の―」②本道から分かれ出た道。えだみち。表記「別れ道」「△岐れ道」なども。☞別れ道①。●わかれめ[分かれ目] 分かれるところ。分けめ。「成功と失敗の―」

↔わかれ[別れ] ①別れること。「愛する人との―・けんか―」②別れることば(を言うこと)。「―をつげる」☞お別れ。③どんぶり物の上にのせるおかずを、ごはんとは別の皿で出すこと。「カツ丼の―」●わかれじ[別れ路]〔文〕わかれみち。●わかれじも[別れ霜]〔文〕そのあとは霜がおりないとされる、八十八夜ごろ(=五月はじめ)の霜。忘れ霜。晩霜。「八十八夜の―」●わかればなし[別れ話] 夫婦・愛人などの間で起こる、別れようとか別れたくないとかいう話。「―のもつれ」●わかれみち[別れ道・別れ△路] ①そこで、人と別れる、道のとちゅう。「―で立ち話をする」②⇩分かれ道。●わかれわかれ[別れ別れ] はなればなれ。べつべつ。「一家―になる」

**＊わか・れる**［分かれる］《自下一》①分けた状態になる。別々になる。「紅白に―」②一つであったものが、〈そのところから〉いくつかになる。「道が―・意味が―・意見が―」

**＊わか・れる**［別れる］《自下一》①いっしょにいた人たちが はなれて、別々のほうへ行く。「友人と―・さようならを言って―」〈↔会う〉②親しかった人たちが、この先、いっしょにいるのをやめる。交わりを絶つ。「夫婦が―〔＝離婚する〕」可能 別れられる。

**わかわかし・い**［若々しい］《形》〔元気があって〕たいそう若く見えるようすだ。「気持ちが―」派 ―げ。―さ。

**わかわし**㊀［若×鷲］養成中の、飛行機操縦者。〔昔、海軍飛行予科練習生《＝予科練》を言った〕㊁［若〈×鷲〉］〔生まれて一歳の〕若いワシ。

**わかん**［和×姦］〔文〕〔強姦ではなく〕おたがいに合意のうえで性交すること。

**わかん**［和漢］〔文〕日本と中国。「―の故事・―薬」

**●わかん-こんこうぶん**［和漢混交文・和漢混×淆文］文語文の一種。和文と、漢文を訓読した文との両方の要素が まじって成り立っている文章・文体。〔「平家物語」「太平記」などに見られる〕

**わかんむり**［〈ワ冠〉］漢字の部首の一つ。「写」「冠」などの、上がわの「冖」の部分。

**わき**［和気］〔文〕なごやかな ふんいき。「―が ただよう」

**わき**㊀［脇］①［×腋］うでの つけ根の下がわにあたる部分。わきの下。「―にかかえる・―を締める〔＝二のうでを、からだに ぴったりつける〕」表記 美容では「ワキ」とも。②［×腋］衣服の、「わき①」にあたる部分。「―がほころびる」③すぐ となり。「―を向く・―で聞いている・学校の―」④〈左/右〉のはしに寄った所。「道の―・―を通ってください」⑤横道。「ちょっと―へ寄りますので失礼します・話を―に そらす」⑥〔主役に対して〕わき役（の人）。「―をつとめる・―を固める」⑦連歌・連句の第二句。脇句。「―を付ける」☞発句②・挙げ句②。㊁［ワキ］《能》シテの相手役。（↔シテ・ツレ）

**●脇が甘い** 句 ①《すもう》相手に差し手を差されやすい。「―力士」②守りが弱く、つけいられやすい。「―人」▽（↔脇が固い）

**わぎ**［和議］〔対立する国家や勢力などの間で〕仲直りするための〈交渉/取り決め〉。「―に臨む・―を結ぶ」

**☆☆わきあいあい**［和気〈×藹々〉］《トタル》なごやかな ふんいきが ただようようす。

**わきあが・る**［沸き上がる］《自五》①液体（の中にあるもの）が下から上のほうへ向かってはげしく動く。「あわが―」②熱狂して、はげしく起こる。「―歓声」

**わきあが・る**［湧き上がる］《自五》①下のほうから さかんに出てくる。「入道雲が―」②心の底から あらわれる。「嫉妬が―」

**わきあせ**［脇汗・×腋汗］わきの下にかく あせ。

**わきおこ・る**［沸き起こる］《自五》〔拍手・どよめきなどが〕大ぜいの間から起こる。

**わきおこ・る**［湧き起こる］《自五》①〔雲などが〕わくようにあらわれる。「黒雲が―」②思い・考えなどが、強くあらわれる。「―悲しみ・疑念が―」③人々の間から、強くあらわれる。「議論が―・反対運動が―」

**わきが**［〈:腋臭〉・ワキガ］わきの下から出る あせが いやなにおいを出す状態。腋臭症《医》。腋臭。表記「:狐臭」とも書いた。☞脇臭。

**わきかえ・る**［沸き返る］《自五》①はげしくわく。②〔感動・興奮の あまり〕熱狂の程度が高まる。「―人気・球場が―」③腹が立って がまんできなくなる。「怒りが―」

**わきぐち**［湧き口］温泉などがわき出てくる所。

**わきげ**［脇毛・×腋毛］わきの下にはえる毛。

**わきざし**［脇差し］①腰にさす、小さな刀。こしがたな。②大刀にそえてさす刀。

**わきじ**［脇侍・脇士］《仏》仏像で、本尊の両わきに立つ仏。夾侍。わきだち。

**わきしゅう**［脇臭］わきの下のいやなにおい。☞わきが。

**わきだち**［脇立ち］《仏》⇩わきじ（脇侍）。

**わきた・つ**［沸き立つ］《自五》①わいて、湯が煮えたつ。「やかんの湯が―」②熱狂して、さわぐ。「会場が―」

**わきた・つ**［湧き立つ］《自五》〔雲などが〕むくむくと起こる。

**わきづくえ**［脇机］大きな机の横に補助的に置く、やや小さめの机。

**わきづけ**［脇付］手紙の あて名に書きそえて敬意をあらわすことば。例、侍史・机下。

**わき・でる**［湧き出る］《自下一》〔水などが〕地面の中から、わいて出る。「こんこんと―清水」

**ワギナ**〔ラ vagina〕《生》⇩バギナ。

**わきにく**［脇肉］わきの下のぜい肉。

**わきのした**［脇の下・×腋の下］「わき㊀①」のこと。また、そのくぼんだところ。

**わきばさ・む**［脇挟む］《他五》わきの下にはさんで、かかえる。「辞書を―」

**わきばら**［脇腹］①よこばら。「―に短刀を突きつける」②〔古風〕正妻でない人を母として生まれたこと。めかけ腹。

**わきま・える**［〈△弁える〉］《他下一》①ちがいを見分ける。「善悪を―」②心得る。知る。「礼儀を―」名 わきまえ。

**わきみ**［脇見］《名・自サ》何かに気をとられて わきを見ること。よそみ。「―をするな・―運転」

**わきみず**［湧き水］地面の中から わいて出る水。

**わきみち**［脇道］①本道から横に はいった道。「―にそれる」②進むべき本筋から外れた方向。「話が―にそれる」

**わきめ**［脇目］①わきみ。よそみ。②よそめ。「―に見るほど楽ではない」

**●脇目も振らず** 句 わきみも しないで。一心に。「―機を織る」

**わきめ**［脇芽］《植》枝の わきのところから出る芽。

**☆☆わきやく**［脇役・△傍役］主役を助ける役（の人）。「―に徹する」（↔主役）

**わぎゅう**［和牛］早い時代から日本にいた種類の牛の総称。〔輸入種に対して言う〕「―ステーキ」

**わぎり**［輪切り］①切り口が まるくなるように、うすく切ること。「レモンの―」②〔入学試験などで〕ある点数の範囲のものを一律に区分すること。

**わきん**［〈和金〉］キンギョの一品種。形はフナに似て、色は赤や赤白の まだらのものが多い。

**わく**［枠］①もののまわり〈を囲む/に取りつける〉木や板

など。フレーム。「—を組む・めがねの—」②印刷物の四方を囲む線。「死亡広告の黒い—」③決められた範囲(はんい)。制約。「融資(ゆうし)の—・統制の—を外す・考え方が—にはまる・—にとらわれない発想」④区分。「社会人—で試験を受ける・放送の時間—・〘競馬〙三—(=第三グループ)の馬」●**枠をはめる** 句 制限を加える。制約する。「二酸化炭素の排出(はいしゅつ)量に—」 直 枠がはまる。

**わ・く【沸く】**《自五》①沸騰(ふっとう)する。「湯が—」✍「湯が沸くのでなく、水が沸いて湯になるのだ」というじょうだんがあるが、「湯が」は結果をあらわす。☞結果目的語。②〔熱が加えられて〕水が熱くなる。「ふろが—」③〔方〕発酵(はっこう)する。「ぬかみそが—」④(見物の)人々が、興奮してさわぐ。また、その声や音が起こる。「観客(席)が—・歓喜(かんき)に—・大歓声が—」 表記 起こる意味では「湧く」とも。 名 沸き。

**わ・く【湧く・×涌く】**《自五》①〔水などが〕たえず出て来る(ようになる)。「温泉が—・なみだが—・もくもくと雲が—」②思い・考えなどがあらわれる。「興味が—・希望が—・力が—・イメージが湧いて出る」③一面にたくさんあらわれる。「うじが—・野次馬が湧いて出る」④突然(とつぜん)あらわれる。「降って湧いた災難・天から降ったか地から湧いたか(⇩「天」の 句)」

**わくがい【枠外】**①わくの そとの部分。②決められた範囲(はんい)のそと。「—の予算で処理する」▽(↔枠内)

**わくぐみ【枠組み】**①わくを組んだもの。組んだ わく。「コンクリートの—」②その範囲(はんい)内で行動したり、考えたりする、よりどころとなるもの。「社会の—・経済学の—・従来の—を打ち破る」

**わくじゅん【枠順】**〘競馬〙レースが始まるとき、それぞれの馬がはいるゲートの番号。

☆☆**わくせい【惑星】**〘天〙恒星(こうせい)のまわりを回る天体。太陽系の惑星は、水星・金星・地球・火星・木星・土星・天王星・海王星の八個。遊星。(↔恒星)

☆☆**ワクチン**〔ド Vakzin〕①〘医〙感染症(かんせんしょう)予防のため、病原体をもとに作った、接種または注射用の薬剤(やくざい)。②〘情〙コンピューターウイルスに感染するのを防ぐためのソフトウエア。

**わくつ・く**《自五》わくわくする。「胸をわくつかせる」

**わくでき【惑溺】**《名・自サ》〔文〕そのことに、すっかりおぼれて、分別(ふんべつ)を失うこと。「酒色に—する」

**わくどり【枠取り】**《名・自サ》線を引いて、わくをえがくこと。 動 枠取る《他五》。

**わくない【枠内】**①わくの なかの部分。②決められた範囲(はんい)のうち。「予算の—で処理する」▽(↔枠外)

**わくらば【(△病)葉】**〔雅〕〔夏に〕枯(か)れかかった葉。〔病気で〕変な色のついた葉。

**わくらん【惑乱】**《名・自他サ》〔文〕心が まよいみだれること。心をまよわし みだすこと。「人心を—する」

**わくわく**《副・自サ》①これからの喜びや楽しみを期待して、心が おちつかないようす。「続きはどうなるのだろうと—(と)する・胸が—する」②〔古風〕心配などで、心がおちつかないようす。☞うきうき・どきどき。

**わくん【和訓】**〔文〕漢字に〈和語を当てて読むこと／当てて読む和語〉。よみ。訓。

**わけ【分け】**引き分け。「十二勝二敗一—」

＊＊**わけ** 一 **わけ【訳】**①ものごとの道理。「—の わかった人」②意味。「—の わからないことをつぶやく」③〔∴理由〕〔特別の〕事情。理由。「どういう—で休んだのだ・これには—がある・—もなく涙(なみだ)がこぼれた」④〔特別の〕手間。めんどう。「こんな仕事は—はない(=簡単だ)」☞訳ない。 表記「×訣」とも書いた(「訣(けつ)」は「わか(別)れる」の意味があるので「わけ」の字に使われた。やがて形の似た「訳」が使われるようになった)。 二 **わけ** ①事情を説明する場合に使う。「お願いに上がったような—でして」〔格助詞「の」に近い意味でも使う。「だれも知らなかった—です(=のです)」☞の 五 ④〕②結果として、それが当然であること。「すると、私にも責任がある—だ・一日四食なんて、そりゃ太る—(=はず)だ」③〔**—に(は)いかない**〕それが許される状況(じょうきょう)ではない。「外出する—に(は)いかない(=外出が許される状況ではない)・見ない—に(は)いかない(=ぜひ見るべき状況だ)」④〔**—ではない**〕推定される事実を打ち消す場合に使う。「別に反対する—ではない」⑤〔**—がない**〕どう考えても そうはならない場合に使う。はず。「そんな本、売れる—がない(=売れないに決まっている)」 表記 一 二 俗に「ワケ」とも。 三 《終助》〔話〕事情を〈説明する／たずねる〉ことば。…の。「そう言ってやった—・あなた、何やってる—?」

**わけあい【訳合い】**〔細かな〕事情。そういうふうになった理由。

**わけあ・う【分け合う】**《他五》一つのものをみんなで分ける。「五人で—・優勝の喜びを—」

**わけあた・える【分け与える】**《他下一》何人かに分けて わたす。分配する。

☆☆**わけあり【訳あり】**《名・ナダ》特別な事情があること。「—の仲・今度の異動はどうも—だ・—品(=多少の傷などはあるが品質には問題がない商品)」

**わけい【和敬】**〔文〕心をやわらげ、人を尊敬して、おのれをつつしむこと。●**わけい せいじゃく【和敬清寂】**千利休(せんのりきゅう)が伝えた、茶の湯の精神をしめすことば。和敬と心の清らかさと さび。

**わげい【話芸】**〔文〕講談・落語・漫談(まんだん)など、話術で客を楽しませる芸。「—に秀(ひい)でる」

**わけい・る【分け入る】**《自他五》〔文〕分けて中へ はいる。「山の奥(おく)に—・人がきを—」

**わけがら【訳柄】**〔古風〕〔そういうふうになった〕事情。「こみいった—」

**わけぎ【(分×葱)】**ネギの変種。葉が ひものように細く、全体は小形。「—の ぬた・—の たまごとじ」

**わげさ【輪(×袈×裟)】**〘仏〙首から胸に下げる、輪の形をした略式のけさ。

**わけしり【訳知り】**①事情をよく知っている〈こと／人〉。「—顔(がお)」②世の中の うらおもてに通じ、人情に理解がある〈こと／人〉。粋人(すいじん)。

**わけて**《副》〔文〕とりわけ。ことさら。「アルプスのうち、—ここは難所だ」 表記「△別けて」とも書いた。●**わけても**《副》〔文〕「わけて」を強めた言い方。その中でも特に。 表記「△別けても」とも書いた。

**わけどり【分け取り】**《名・他サ》めいめいに分けて取ること。「獲物(えもの)を—にする」

**わけ-な・い【訳ない】**《形》手間が かからない。めんどうなことが ない。わけはない。「訳なく できる」

**わけへだて【分け隔て・△別け隔て】**《名・他サ》差別をつけること。区別。「—なく親切にする」 動 分け隔てる

《他下一》。
**わけまえ**【分け前】各自に分けて あたえる〈もの／お金〉。わりまえ。「―に あずかる」
**わけめ**【分け目】ものごとが分かれ定まる さかいめ。「髪の―」☞天下分け目。
**わけも・つ**【分け持つ】《他五》全体をいくつかに分けて、それぞれの人が〈持つ／受け持つ〉。分かち持つ。「夫婦が―（＝分担する）役割」
***わ・ける**【分ける】《他下一》①全体を二つ（以上）にする。「山陰と山陽を―山脈・三回に分けて放送する」②おして両がわへ寄せる。かき分ける。「のれんを分けて顔を出す・草むらを分けて進む・人ごみを―」③ちがっているところに目をつけて、別々の まとまりにする。「色で―」④全体の一部を〈あたえる／それぞれが持つ〉。「残りを分けてもらう・財産を―」⑤「売る」の遠まわしな言い方。「知り合いに安く分けてもらう」⑥いっしょに持つ。共有する。「喜びを―・血を―〔⇩「血」の句〕」⑦引き分けになる。優劣なしになる。「強敵と―・優勝を―（＝両者優勝となる）」表記 ④〜⑥「△頒ける」とも。可能 分けられる。分けれる〔俗〕。
**わけん**【和犬】日本に もとから いる犬。日本犬。一般に耳が立ち、尾を巻く。例、秋田犬・紀州犬。（↔洋犬）
**わこ**【和子・×吾子】〔文〕□一 身分の高い人の子を尊敬した言い方。「―さま」□二《代》身分の高い人が、自分の子を呼ぶ言い方。
**わご**【和語】日本語に固有の ことば。やまとことば。例、雨・山並み・話し合い。（↔漢語・外来語）
**わこう**【和光】〔文〕①自分の知恵や徳を深く かくすこと。②なごやかな光。③↑和光同塵。●**わこうどうじん**【和光同×塵】〔文〕自分の知恵や徳を包みかくして、俗世間の中に まじること。
**わこう**【×倭×寇・和×寇】《歴》十四世紀から十六世紀にかけて、朝鮮半島・中国大陸の沿岸地方をあらした、日本人の海賊。のちには、中国人を主体とし、密貿易もおこなった。
**わごう**【和合】《名・自サ》〔文〕仲よく親しみあうこと。「夫婦―の道」

**わこうど**【若人】〔文〕わかもの。
**わこく**【和国】〔文〕日本の国。
**わごと**【和事】《歌舞伎》役者が恋愛の場面で見せる、優美でやわらかみのある演技。「―師（＝和事を専門に演じる役者）」（↔荒事）
**わゴム**【輪ゴム】〔物をたばねたり、包み紙をとめたりするときに使う〕輪になった細いゴム。ゴム輪。
**わこん**【和婚】伝統的な日本の様式にならった結婚式。和服を着て寺社でおこなうなど。和風ウエディング。
**わこん**【和魂】日本人固有の精神。やまとだましい。●**わこんようさい**【和魂洋才】〔文〕日本固有の精神と西洋の学問を身につけていること。〔明治時代になる前は「和魂漢才（＝中国の学問の教養）」と言った〕
**わごん**【和△琴】《音》日本固有の琴。小形で弦が六本あり、雅楽・神楽などで使う。やまとごと。
**ワゴン**〔wagon〕①ワゴン車。特に、ステーションワゴン。②〔台所・食堂などで使う〕手おし車。「―サービス」③底に車のついた（陳列）台。「―セール（＝ワゴンに入れた品物の特売）」●**ワゴンしゃ**【ワゴン車】乗用車と貨物自動車をかねた乗り物。ワゴン。例、ステーションワゴン・ミニバン・ライトバン。

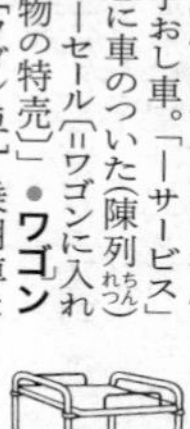
［ワゴン ②］

←**わざ**【技】①技術。「―をみがく」②《柔道など》相手を負かす術。「―をかける」
→**わざ**【業】①おこない。しわざ。「人間―」②しごと。つとめ。「田を作る―」③こと。「容易な―でない」
**わざあり**【技あり】①《柔道》「一本」に近い技を決めたとする判定。「技あり」二つで「一本」になる。②技術的な〈成功／成果〉を評価することば。「この発明は―だ」
**わさい**【和菜】和風のおかず。
**わさい**【和裁】和服を仕立てる〈こと／技術〉。（↔洋裁）
**わざい**【話材】会話・演説などの材料。「―には事欠かない」
**わざくれ**〔文〕ひまにまかせてやることがら。たわむれにすること。なんの役にも立たないこと。

**わざし**【業師】①《すもうなど》わざの うまい人。②策略・かけひきの うまい人。
**わざと**《副》自然でないことを、自分から そうしようと思ってするようす。故意に。「―負ける」表記 かたく「△態と」とも。●**わざとがまし・い**《形》わざとらしい。派-さ。●**わざとらし・い**《形》わざとしたようで、不自然に見えるようすだ。「―おせじを言う」派-さ。
**わさび**【〈山葵〉】きれいな浅い流れに作る野菜。根は太く、くき・葉ともに からい。根を香辛料に使う。●**わさびが利く** 句 ①ワサビのかおりと味が強く感じられる。②大切なところで強くするどく せまる表現がある。「わさびの利いた評論」他 わさびを利かせる。「話に―」●**わさびじょうゆ**【〈山葵〉×醬油】しょうゆに、すりおろしたワサビを加えたもの。さしみにつけたり、あえものに使ったりする。●**わさびづけ**【〈山葵〉漬け】ワサビの根・くきや葉を刻んで、酒かすに つけた食品。
**わざもの**【業物】〔文〕名工のきたえた、切れ味のするどい刀。「名代の―」
**わざわい**【災い・△禍】災難。「口は―のもと」●**災いを転じて福となす** 句 悪いことに出あっても、それをきっかけに努力して うまくいくようにする。転禍為福。●**わざわい・する**【災いする】《自サ》〔文〕〔…のために〕悪い結果をまねく。「彼の無計画が、のちのち―」
**わさわさ**《副・自サ》①多くの人・動物などが集まって〈いる／動く〉ようす。「虫が―出てくる」②ものが ゆれ動くようす。ゆさゆさ。がさがさ。「つり橋が―ゆれる」③混乱していて、おちつかないようす。「社内が―してきた」
**わざわざ**【△態△態】《副》①〔そのことのためだけに〕特別に するようす。「―おいでいただきまして、ありがとうございます」②する必要のないことを、ほねをおって するようす。「―遠回りをする・―来てやったのに、その態度はなんだ」☑ ①は ごく礼儀正しい言い方だが、若い世代では きらう人がいる。②の意味が影響して、①の場合に「べつに たのんでもいないのに、めいわくだ」という意味を感じ取るため。
**わさん**【和算】《数》江戸時代に日本で発達した、独特の数学。

わさん［和×讃］《仏》経文の偈（＝仏を賛美した、漢文の詩）を日本語でつづった、七五調の韻文。
わさんぼん［和三盆］上等の和菓子に使う三盆白。産地は香川県・徳島県。
わし［和紙］日本独特の作り方の紙。日本紙。（↔洋紙）
わし［×鷲］タカに似た、大形の猛鳥。茶色で、つばさが広い。
*わし［×儂］《代》①〔古風〕わたし。「—の若いころ・わしゃ(あ)(＝わしは)知らん」〔年取った男性のことばで、今はドラマ・アニメなどで使う〕②〔方〕わたし。〔おもに男性が、地域によっては女性も使う〕
わじ［和字］①ひらがなとカタカナ。②日本人が作った漢字。▽国字。
わしき［和式］日本の〈やり方/様式〉。日本ふう。「—トイレ」〔しゃがんで使う〕（↔洋式）
わしつ［和室］たたみを敷いた部屋。日本間。（↔洋室）
わしづかみ［×鷲×掴み］①指を広げて乱暴につかみ取ること。「新聞を—にする」②がっちりつかむこと。「ファンの心を—にする」動わしづかむ《他五》。
わしばな［×鷲鼻］かぎばな。
わじみ［輪染み・輪ジミ］酒などを衣服などにこぼしたときにできる、まるい形のしみ。
わしゃ［話者］〔文〕〔相手に向かって〕話をする人。話し手。（↔聴者）
わじゅう［輪中］《地》水害に備えて、周囲に堤防を築いた地域(の集落)。例、木曽川・長良川・揖斐川の下流域。
わじゅつ［話術］話のしかた。「—がうまい」
わじゅん［和順］《名・ナダ》〔文〕〔気候や性質が〕おだやかであること。「気候—」
わしょ［和書］①日本語で書かれた書物。（↔漢籍・洋書）②和とじの書物。和本。
わじょう［和上・和△尚］《仏》〔律宗・真言宗などで〕師匠にあたる僧。また、修行を積んだ僧。「鑑真—」（＝律宗の開祖。奈良時代に中国から渡来した）」

わしょく［和食］日本ふうの食事。日本料理。「—弁当」（↔洋食）☞日本食。

わしわし《副》〔俗〕①勢いよく、たくさん食べるようす。「どんぶり飯を—(と)かきこむ」②あらっぽくするようす。「—と頭をなでる」

わしん［和親］〔文〕〔国と国が〕仲よくすること。「両国の—をはかる・—条約」

わじん［和人］①〔アイヌから見た〕日本人。②［×倭人］〔古代の中国から見た〕日本人。「—伝」

ワシントンじょうやく［ワシントン条約］〔Washington＝地名〕絶滅のおそれのある野生の動植物を保護するために、国際取引を規制する条約。〔一九七五年に発効〕

わ・す［和す］《自他五》〔文〕⇩和する。「夫婦相—」

わすう［話数］〔連載や放送などの回数で数えた〕話の数。「—が少ないアニメ」

わすうじ［和数字］⇩漢数字。（↔アラビア数字・ローマ数字）

*わずか［僅か・(×纔か)］《ナダ・副》数量がきわめて少ないようす。「—(の/な)変化・—(に)三人」●わずかに［(×僅かに)］《副》〔文〕やっと。かろうじて。「—身をもってのがれた」

↔わずらい［患い］病気。やまい。「長の—」●わずらいつ・く［患い(付く)］《自五》(重い)病気にかかる。「どっと—」

わずらい［煩い］なやみ。苦しみ。「心の—・—ごと」

↔わずら・う［患う］《自他五》病気にかかる。病む。「去年から患っている・リウマチを—」

↔わずら・う［煩う］造〔動五をつくる〕〔文〕①どうしたらいいかまよって、苦しむ。「思い—」②なかなかできない。「進み—」

わすら・れる［忘られる］《自下一》（↔文語四段動詞「忘る」の未然形＋助動詞「れる」）〔文〕忘れることができる。忘れられる。「忘られぬ思い出」

わずらわし・い［煩わしい］《形》めんどうで、できればそれからのがれたい気持ちだ。「—手続き」派—がる。—げ。—さ。

わずらわ・す［煩わす］《他五》①めんどうなことで、つかれさせる。「心を—」②めんどうをかける。「人手を—・ご一報を煩わしたい」▽煩わせる。


わ・する［和する］《自他サ》〔文〕①親しむ。仲よくする。②仲直りする。③調和する。④はじめに〈歌った/となえた〉人にそろえて声を出す。声を合わせる。▽和す。
●和して同ぜず 句〔文〕他人と仲よくしても、道理に合わないことにまで、むやみに協調するようなことをしない。〔「論語」のことば〕
わすれがた・い［忘れ(難い)］《形》〔文〕なかなか忘れることができない。「—印象」派—さ。
☆わすれがたみ［忘れ形見］〔文〕①忘れないための記念の品。「—の時計」②死んだあとに残された子ども。遺児。「—の男の子」
わすれさ・る［忘れ去る］《他五》〔思い切りよく、また、未練なく〕忘れて、そのことを考えなくなる。

わすれじの［忘れじの］《連体》〔文〕忘れまい、という思いの(こもった)。「—歌」

わすれじも［忘れ霜］〔雅〕⇩別れ霜。

わすれっぽ・い［忘れっぽい］《形》とかく、すぐ忘れる状態だ。「年のせいか忘れっぽくなった」派—さ。

わすれなぐさ［忘れな草］(:勿忘＝草)おもにはち植えにする西洋草花の名。春、空色で小さな花をふさのようにつける。

わすれもの［忘れ物］置き忘れ〈たもの/ること〉。「—のないように。あ、—をした・傘の—が多い」

**わす・れる［忘れる］《他下一》①覚えていたことや経験したことを思い出さなくなる(ようにする)。「忘れられた存在・忘れもしない去年の春・そのことはもう忘れてください」（↔覚える）②〔うっかりして〕気がつかないでいる。「時がたつのを—」③うっかりして、持ってこない。「さいふを忘れてきた」④うっかりして、それをしないままになる。「戸じまりを—・くぎをさすのも忘れなかった（＝特別に警告した）・言い—・消し—」名忘れ。「買い—」可能忘れられる。忘られる〔文〕。

わすれんぼう［忘(ん坊)］ものごとを忘れやすい人。わすれんぼ。

↔☆わせ［(:早生)］《農》早いうちにとれるくだものや野菜。「—ミカン」（↔なかて《中生》・おくて《晩生》）☞

極わせ。

→**わせ**[(:早稲)]《農》いちばん早くみのるイネ。(↔なかて《中稲》・おくて《晩稲》)

**わせい**[和声]《音》和音の連続したもの。また、その連続のさせ方。ハーモニー。「ーと旋律」

**わせい**[和製]①日本で生み出されたもの。日本製。「ーアニメ」②〔俗〕日本人であること。「ーサッチャー」

●**わせいえいご**[和製英語]日本語の中で、英語の単語をつなぎあわせたり〔例、バック＋ミラー・テーブル＋スピーチ〕、英語らしく作ったり〔例、ナイター・パネラー〕して使っていることば。〔英語以外のことばまで広くふくめるときは、「和製外来語・和製洋語」〕

**ワセリン**〔Vaseline=商標名〕《理》石油を蒸留したときの固形物を精製し脱色した、白い色の油脂。あぶら薬・ポマードなどの材料、革製品の手入れなどに使う。ワゼリン。

**わせん**[和船]日本にもとからある木造の船。

**わせん**[和戦]〔文〕平和と戦争。「ー両様のかまえ」

**わそう**[和装]《名・自サ》①日本ふうの服装。②日本ふうの、本の装丁。和とじ。「ー本」▽(↔洋装)

●**わそうこもの**[和装小物]《服》帯あげ・帯締め・半えり・だて巻き・たびなどをまとめて呼ぶ言い方。

**わた**[(△腸)]はらわた。内臓。「ー抜き・さかなのー・エビの背ー」

**わた**[綿・×棉]①ワタノキ〔=畑に作る、背の低い植物〕の実の繊維をつむいだ、白いやわらかなかたまり。〔化学繊維製もある。「ポリエステルー」〕②真綿。「ーぼうし」③[×絮]〔ヤナギ・タンポポ・ススキなどの〕わた毛のような花やたね。④〔かんきつ類で〕果実の皮と果肉の入ったふくろの間にある白っぽいもの。⑤カボチャの種のまわりの、ふわふわのところ。●**綿のように疲れる**句 くたくたに疲れる。

**わたあめ**[綿(×飴)]⇩綿菓子。〔東日本に多い言い方〕

**わたい**[話体]〔文〕話しことばの〈様式/文体〉。

*__わだい__[話題]①取り上げて話す内容。「ーが豊富だ・ーを変える」②その時期に、みんなが特によく話す内容。「ーになる・ーの人物」●**話題をま(撒)く**句 話題になる(ようなことをする)。

**わだいこ**[和太鼓]《音》日本の太鼓。「勇壮なーの演奏」

**わたいれ**[綿入れ]中に綿を入れた、日本ふうの冬の衣服。「ーのはんてん」(↔あわせ《袷》・ひとえ《単》)

**わたがし**[綿菓子]綿のように、ふわふわした砂糖菓子。ざらめをとかして、回転する機械の穴から、細い糸のようにふき出させて、わりばしなどに巻きつけたもの。わたあめ。〔西日本に多い言い方で、報道ではふつうに使う〕

☆☆**わだかま・る**[(×蟠る)]《自五》①とぐろを巻く。②さっぱりしない気持ちがあとまで残る。「ふたりの間にー悪感情」名 わだかまり。

****わたくし**㊀[(私)]《代》自分をさすことば。〔「わたし」より改まった、かたい言い方〕「ーたち〔=聞き手をふくむ場合も多い〕・ーども〔=聞き手をふくまない〕」由来 もと、㊁の意味で使われたが、江戸時代、宮中の女性が自分をさす意味で使い始めた。㊁[私]〔文〕①自分だけ〔に関係のあることがら〕。「ーの用件」(↔おおやけ)②個人の立場や利害で決めること。「政治にーがありすぎた・ーのない人」③自分だけの利益。「ーごころのない人・ーをはかる」●☆☆**わたくしごと**[私(事)]①〔相手にとってはよけいかもしれない〕自分だけに関係のあること。「ーですが、このほど結婚いたしました」(↔おおやけごと)②秘密のこと。☞しじ(私事)。●**わたくししょうせつ**[私小説]①主人公の経験や精神生活を表現した小説。イッヒロマン(ド Ich-Roman)。②⇩ししょうせつ(私小説)①。●**わたくし・する**[私する]《他サ》〔文〕自分のものに〈する/して使う〉。「公器たる新聞をー」●**わたくしりつ**[私立]〔話〕⇩しりつ(私立)。

**わたぐも**[綿雲]綿のようにふわっとうかんだ雲。積雲。

**わたげ**[綿毛]①綿のようにやわらかい毛。「ヤナギのー・毛皮のー」②うぶげ。

**わたごみ**[綿ごみ]①綿のくずが散らばってできたごみ。②⇩わたぼこり①。

**わたし**[渡し]①わたす〈こと/人〉。②わたすための板。③ふねで人をわたす〈こと/所〉。「矢切のー」④↑渡し舟。●**わたしこみ**[渡し込み]《すもう》片手で相手のひざの上部をうらがわから取り、これを引き上げながら、自分のからだをもたせかけて相手をうしろにたおすわざ。動 渡し込む《他五》。●**わたしば**[渡し場]ふねで人をわたす場所。わたし。●**わたしぶね**[渡し舟・渡し船]人を対岸にわたすふね。渡船。わたし。●**わたしもり**[渡し守]〔文〕わたしぶねの船頭。

****わたし**[(私)]《代》〈話し手/書き手〉が自分をさす、いちばんふつうのことば。「ーには妻子がある・ーって意外とさみしがり屋なの」(↔あなた)✓「わたくし」よりもやわらかな言い方。よほど改まった場面でないかぎり、相手に失礼ではない。女性は年齢・場面を問わずに、男性は多く大人が少し改まった場面で使う。●**私としたことが**句 よく気をつけているはずの私なのに〔ついく失敗/考えの足りないこと〉をしてしまった〕。「ー、まったく情けない」〔「ぼくとしたことが」などの形でも使う。まれに「あなたとしたことが」などとも言う〕

***わた・す**[渡す]㊀わたす《他五》①船などで向こう岸に運ぶ。「小舟で人をー」②こちらがわから、向こうがわまで届かせる。「板をー・綱をー・橋をー」③自分の手から相手の手にあたえる。手わたす。「食券をー・お金をー」④〔人手に〕移す。ひきわたす。「家を人手にー・警察にー・政権をー」㊁造 ゆきわたるように…する。「見ー・ながめー」可能 渡せる。

☆☆**わだち**[(×轍)]①道に残した、車輪のあと。②車輪。「ーの音〔=車輪の進む音〕」

**わだつみ**[(:海神)・(:綿津見)]〔↑海の古語「わた」＋「つ《=の》」＋神〕〔雅〕①海の神。②海。▽わたつみ。

**わたなか**[(△海中・△洋中)]〔雅〕海のなか。

**わたぼうし**[綿帽子]真綿を広げて作った帽子。古くは防寒用。今では婚礼のときに花嫁がかぶる。●**綿帽子をかぶる**句 雪げしょうする。「富士山がー」

**わたぼこり**[綿(×埃)]①綿のように、やわらかくたまったほこり。②⇩わたごみ①。

**わたゆき**[綿雪]綿のような感じの雪。雪片が、ぼたん雪より少し小さい。

**わたらせら・れる**[渡らせられる]《補動下一》〔に—〕〔文〕「…いる」の、たいへん尊敬した言い方。おいでになる。「〘手紙〙ますます ご清栄に渡らせられ(=お元気でいらっしゃって)大慶に存じます」

**わたり**[渡り]①わたり鳥がわたること。「—の季節」②わたり歩く〈こと／人〉。「—の職人」③〔役立てるための〕人間関係。「実力者に—をつける(=パイプを作る)」④渡し(場)。⑤〔古風〕外国から運ばれたこと。輸入。「オランダ—」⑥〔俗〕官僚が退職後、天下りをくり返すこと。●**わたりあ・う**[渡り合う]《自五》①たがいに(対等に)〈切り合う／戦う〉。「世界の強豪と—」②たがいに(対等に)論戦する。「議会で—」③〘すもう〙組み合う。「右四つに—」名渡り合い。●**渡りに舟**句 ちょうど つごうがいいこと。●**わたりある・く**[渡り歩く]《自他五》①ほうぼうを移り歩く。「全国を—・旅から旅へ—」②いろいろな職場などを経験する。「大手、ベンチャーと—」名渡り歩き。●**わたりいた**[渡り板]①船から岸にわたして通路にする板。あゆみ板。②電車の車両どうしの間にわたした鉄板。●**わたりがに**[(渡×蟹)]⇩がざみ。●**わたりぞめ**[渡り初め]橋の開通式(=開橋式)に、はじめて その橋をわたること。〔親・子・孫三代そろった夫婦を先頭にする風習がある〕●**わたりどり**[渡り鳥]①〘動〙おもに春と秋に、(海をわたって)すむ所を変える鳥。候鳥。②勤務先をつぎつぎに替える人。「—官僚」③わたりもの。●**わたりもの**[渡り者]①ほうぼうをわたり歩く人。②よその土地から来た人。よそ者。●**わたりろうか**[渡り廊下]二つの建物をつなぐ廊下。

←**わた・る**[(×亘る)]《自五》①〔…の あいだ〕引き続く。「十日に—旅・三世代にわたって」②〔…まで〕ゆきわたる。およぶ。「詳細にわたり(=公私の両方とも)」「私事にわたって恐縮ですが・公私にわたり(=公私の両方とも)」

→**わた・る[渡る]** 一 **わたる**《自他五》①(そこを横切って)向かいがわへ行く。「橋を—・横断歩道〈を／から〉向こうがわへ—・川を—・砂漠を—」表記 川・海などは「△渉る」とも。②通り過ぎる。「木々を—風・上空を雲が—」③その中を行く。「世間を—(=暮らしていく)」 二 **わたる**《自五》①(海を越えて)別の土地へ行く。②「ロシアに—・がん(雁)が—・外国から渡ってきた品」②ひとりの手から別の人の手へ移る。「五四三(=三塁・二塁・一塁)と(ボールが)渡ってダブルプレー」③他人の所有となる。「家が人手に—」④ゆきわたる。広くおよぶ。「資料が全員に—」⑤〘すもう〙〔互角に〕組む。「四つに—」 三 **わたる** 造〈いちめんに／すみずみまで〉そうなる。「晴れ—・ひびき—」可能 渡れる。☞渡らせられる。●**渡る世間に鬼はない** 句 世の中には、鬼のように無情な人ばかりがいるわけではない。

**わたわた**《副・自サ》〔俗〕落ち着きがないようす。あわてるようす。「ねぼうして—する・—(と)走る」

**わちき**《代》江戸時代、遊女などが自分をさして言ったことば。あちき。

**わちゃわちゃ**《副・自サ》〔もと関西方言〕〔俗〕①集まって にぎやかに話したりするようす。「小学生が—しながら歩いてくる」②混雑して、混乱しているようす。「スーパーのレジの前が—している」

**わちょう**[話調]〔文〕話のしかたの特色。

**わっ**《感》〔話〕おどろいたり、おどろかせたりするときに発することば。「わっ(↓)、こりゃたいへんだ」

**わつう**[和痛]〘医〙お産のときの苦痛を、がまんできる程度にやわらげること。「—分娩法」

**わっか**[(輪っか)]〔俗〕輪。「ロープで—を作る・—になる」

**わづくえ**[和机]日本式の、すわって使う机。文机。

**ワックス**〔wax〕①スキーやスノーボードの裏の面に塗る、ろう(蠟)の一種。②ゆかなどの つやを出すために塗る、ろう。「—をかける」③整髪料の一種。ヘアワックス。

**わっし**《代》〔↑わたし〕〔職人などが〕自分をさすことば。わっち。

**ワッシャー**〔washer〕⇩座金①。

**わっしょい**《感》〔話〕①大ぜいで みこしをかつぐときのかけ声。〔そ(い)や・せ(い)や・おりゃ は、新しいかけ声〕②デモなどで気勢をあげるときの声。

**わっせ**《感》〔↑わっしょい〕〔話〕みんなで走ったり、物を運んだりするときの かけ声。

**ワッセルマンはんのう**[ワッセルマン反応]〔Wassermann=人名〕〘医〙血清を調べて、梅毒を診断する方法。

**わっち**《代》〔↑わたし。江戸時代の俗語〕わっし。

**わってはい・る**[割って入る]《自五》他者どうしの間に無理にはいる。「レフェリーが—・会話に—」

**わっと**《副》①急に大声を出すようす。「—泣き出す・—おどろかす」②短い時間に急に変化するようす。「—増水する」③大ぜいで何かをするようす。「—むらがる」

**ワット**〔watt=もと、人名〕〘理〙①電力の単位。一ワットは、一ボルトの電圧で一アンペアの電流が一秒間に出すエネルギー。②仕事率の単位。一ワットは、一秒に一ジュールの仕事をするときの仕事率。▽〔記号 W〕

**ワットマンし**[ワットマン紙]〔Whatman=会社名〕厚くて純白な、上等の図画用紙。

**わっぱ**[(△童)]〔俗〕子どもをいやしめて呼ぶ言い方。「小—め」

**わっぱ**[(輪っぱ)]①ⓐ輪の形をしたもの。わっか〔俗〕。ⓑ自動車の車輪・ハンドルなども さす。「—をかける」②[ワッパ]〔俗〕手錠。「—をころがす」③食品を入れる曲げ物。曲げわっぱ。「—飯」

**わっぷ**[割賦]⇩かっぷ。

**ワッフル**〔waffle〕①小麦粉・たまご・牛乳・砂糖をまぜてとき、格子模様の型に入れて かりっと焼いた洋菓子。ベルギー ワッフル。②長円形のスポンジ生地を二つに折り、あいだにクリームなどをはさんだ洋菓子。③「ワッフル①」のように、でこぼこした格子模様のある布地。「—シーツ」

**ワッペン**〔ド Wappen=紋章〕①ブレザーなど、衣服の胸・うでにつける、織物製のマーク。エンブレム。②胸につける、目じるしのマーク。

**わて**《代》〔関西・北陸方言〕わたし。

**わとう**[和陶]〔文〕日本ふうの陶器。(↔洋陶)

**わとう**[話頭]〔文〕話題。●**話頭を転じる** 句〔文〕話題を変える。

**わどう**[話道]〔文〕話術の みち。

**わどく**[和独]↑和独辞典(=日本語の見出しに、ドイツ語をあてた辞典)。(↔独和)


わ

**わとじ**【和▽綴じ】ーとぢ 和本のとじ方（をした書物）。大和とじ・亀甲とじ・四つ目とじなどがある。「ーの本」（⇔洋とじ）

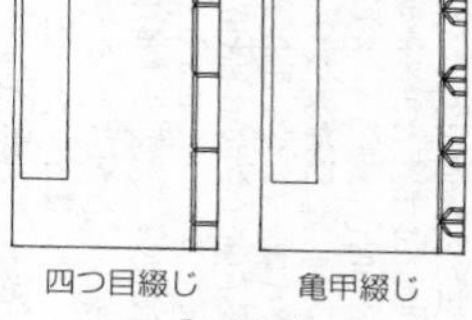

［わとじ］

**わな**【×罠】①鳥やけものをおびき寄せてつかまえるしかけ。②人をだましてひどい目にあわせる計画やしくみ。「敵をーにかける」③失敗（のもとになるもの）。「素人のおちいりやすいー」

**わな**【▽輪奈】糸・ひもなどを輪のようにまるめたもの。ループ。わさ。「ーに通して結ぶ」

**わな**《終助》〔方〕あたりまえだ、とひとりごとのように言うことば。「いいことではないー・どうせなら行きたいー」

**わなげ**【輪投げ】立てた棒に、はなれたところから輪を投げ入れる遊び。

**わなな・く**《自五》（からだが）がたがたふるえる。「おそろしさにー」名わななき。他わななかせる《下一》。「くちびるをー」

**わなま**【和生】日本ふうの生菓子。

**わなわな**《副・自サ》わななくようす。「こわくてーとふるえる」

**わに**【×鰐】①形はトカゲに似ているが、非常に大形の動物。熱帯の水べにすむ。皮を利用する。〔アリゲーター・クロコダイルに大別される〕②〔山陰方言〕さめ（鮫）。

**わにあし**【×鰐足】歩くとき、足首の方向がななめになる〈こと・人〉。「そとわに」「うちわに」がある。

**わにがわ**【×鰐皮】ーがは ワニの皮。黒茶色でつやがある。かばん・財布などに使う。

**わにぐち**【×鰐口】①〔仏〕仏堂・拝殿などの前ののきにつるし、参拝者が鳴らす、平たい鉦に似たもの。下に広いさけめがある。②ひどく横に広い口。

［わにぐち ①］

**わにざめ**【×鰐×鮫】〔方〕ふか（鱶）。

**ワニス**〔←varnish〕《理》⇩ニス。

**わぬの**【和布】和服の生地（のはぎれ）。「ーパッチワーク」

**わね**《終助》①〔女〕相手に知らせて、同意を求めることば。「お茶を入れてあげるー」〔「ね」を高く言う〕②〔話〕感動やおどろきをしめして、同意を求めることば。わねえ。「よく来たー〔女〕・だいじなのは実用性ですー〔男〕」〔「ね」を下がり調子に言う〕

**わのり**【輪乗り】《馬術》輪をえがくような形に、馬を乗り回すこと。

**わばな**【和花】昔から日本にあった花。「ーを生ける」（⇔洋花）

**わはは**《副》大声で笑う声。「ーと愉快に笑う」

↔**わび**【×侘び・×佗び】街から遠くはなれた景色のように、はなやかさはないが、静かで落ち着いたよさがあるようす。閑寂。「ー（と）さび（寂）・ーの境地」〔わび茶で重んじる要素。また、俳句で、松尾芭蕉の重んじた作風の一つ〕由来「わ（侘／詫）びる」「わびしい」などと同語源で、「わび住まい」の「わび」と同じ意味。☞軽み②・しお（撓）り・細み。

↔**わび**【×詫び】わびること。謝罪。「（お）ーがかなう〔=許される。古風〕」●**わびを入れる** 句〔直接行って、または手紙などで〕わびる。

**わびい・る**【×詫び入る】《自五》心からあやまる。ていねいにわびる。

**わびごと**【×詫び言】わびることば。

**わびし・い**【×侘びしい】《形》①なぐさめてくれるものがなくて、心がしずむようだ。「わびしく暮らす」②ものさびしい。「人けのないー風景」③まずしくて、さむざむとした感じだ。「ー食事」派ーげ・ーさ。

**わびじょう**【×詫び状】おわびの手紙。

**わびしょうもん**【×詫び証文】〔文〕相手に対して失礼なことをしたおわびのしるしに書く文書。

**わびすけ**【×侘助】ツバキの一種。冬、〈赤／白〉くて小形の花をひらく。

**わびずまい**【×侘び住まい】ーずまひ ①わびしく住んでいる家（のようす）。②ひっそりと住んでいる家（のようす）。

**わびちゃ**【×侘び茶】華美をしりぞけ、わびの境地を求める茶の湯。千利休が大成した。

**わびね**【×侘び寝】〔文〕わびしくねること。「ーのつらさ」

↔**わ・びる**【×侘びる】〔文〕㊀**わびる**《自上一》わびしくなる。「わびた〔=はではないが、心をひかれるよさのある〕ひな歌」㊁造 ①さびしく…する。「住みー」②…しながら、思いなやむ。「待ちー・たずねー〔=さがしても会えなくてなやむ〕」

↔**わ・びる**【×詫びる】《他上一》相手にめいわくをかけてすまないという気持ちを、ことばや身ぶりにあらわす。「ごぶさたをー・待たせたことをー」区別⇩謝る㊀・申し訳ない。

**わふう**【和風】①日本に昔からある様式。日本ふう。②〔文〕あたたかい風。春の風。

**わふく**【和服】〔日本に昔からある〕着物。「ー姿」（⇔洋服）

**わふつ**【和▵仏】←和仏辞典〔=日本語の見出しにフランス語をあてた辞典〕。（⇔仏和）

**わぶん**【和文】①日本語の文章・文字。「ー英訳・ー和訳〔=わかりやすい日本語に書き直すこと〕」（⇔欧文）②平安時代の、かな書きの文章。〔漢文や和漢混交文に対して言う〕

☆**わへい**【和平】〔文〕仲直りして平和になること。「ー交渉」

**わへい**【話柄】〔文〕話すことがら。話題。「ーとしてかかげる・ーがおよぶ」

**わほう**【話法】①〔文〕話し方。「セールスー・すぐれたー」②〔言〕自分の話や文章の中で、他人の話を再現するときの方法。☞直接話法・間接話法。

**わぼく**【和睦】《名・自サ》〔文〕仲直り。和解。「ーを申し入れる」

**わほん**【和本】〔文〕〔和紙で〕日本ふうに仕立てた本。和書。（⇔洋本）

**わみょう**【和名・×倭名】〔中国などでの名称に対して〕日本で古くから言われている呼び名。わめい。

**わめい**【和名】①日本ふうの名前。「ーの伝統色」

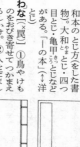

わ

②《生》動植物の、日本での呼び名。和学名。「標準—」☞学名①・英名①・漢名。③⇩わみょう。

**わめき ごえ**【(△喚き)声】わめく声。

**わめ・く**【(△喚く)】《自五》大声を出して、いろいろのことをさわがしく言う。「泣いてもわめいても まにあわない・わめき散らす」

**わモダン**【和モダン】《名・ナダ》和風のよさと現代的なスマートさをあわせた様式。「—住宅」

**わもの**【和物】日本でつくったもの。和風のもの。(↕洋物)

**わや**《名・ナダ》〔西日本方言〕①だめ。「—になる」②めちゃくちゃ。「—くちゃ」

**わやく**【和訳】《名・他サ》日本語に翻訳〈すること/したもの〉。邦訳。「英文—(↕和文英訳)」

**わよ**《終助》〔女〕相手に知らせて、念をおすことば。「知らない—・待ってる—・投書します—・楽しみだ—〔俗〕」

**わよう**【和洋】〔文〕日本と西洋。洋の東西にわたること。「—の学に通じる」 •**わようしつ**【和洋室】①和室と洋室。②〔宿泊施設で〕和室と洋室の両方が備わっている客室。 •☆☆**わようせっちゅう**【和洋折衷】〔文〕日本と西洋の、二つの風俗・様式をとりあわせること。

**わよう**【和様】〔書道などで〕日本ふうの様式。「—の書」(↕唐様)

**わら**【笑・(笑)・w】〔視覚語〕〔俗〕インターネットなどのくだけた文章の文末で、笑いをあらわす文字。わらい。「知りませんでした笑」表記 二十一世紀にはいったころ、掲示板では「×藁」「ワラ」なども書かれ、まもなく「w」が広まった。☞ダブリュー ㊁⑤・わらい ㊁。

**わら**【(×藁)】①イネ・ムギの くきを干したもの。「—ぶとん・—屋根」②〔俗〕⇩「わら(笑)」の 表記。 •**わらにもすがり(つき)たい** 句 ⇩わらをもつかみたい 句。 •**わらの上から** 句〔わら=ねるときに敷く わら〕生まれたとき〈からずっと/にすぐ〉。「—育てる・—よそへやった」 •**わらをも つかみたい** 句〔「おぼれる者は わらをもつかむ」から〕〔せっぱつまって〕どんなにたよりにならないものにでも助けを求めたい。わらにもすがり(つき)たい。わらにもすがる思いだ。わらをもつかむ思いだ。〔たのみごとをする相手に使うのは失礼〕☞頼みの綱。

****わらい**㊀【笑い】①笑うこと。「—の芸術・—にまぎらす・観客から—をとる(=観客を笑わせる)・—を笑う〔⇩笑う ㊂①〕」②あざけり。「人の—をまねく」☞お笑い。㊁【(笑)】〔視覚語〕①座談会などを文章にしたものの文末につけて、笑い声をあらわす。〔「かっこわらい」と読む人もいる〕②〔俗〕⇩わら(笑)。 •**笑いが止まらない** 句 うれしくてうれしくて たまらないことのたとえ。 •**わらいがお**【笑い顔】笑っている顔。 •**わらいぐさ**【笑い草・笑い△種】ばかにされ笑われる対象となるものごと。もの笑いのたね。笑いもの。「お—・いい—だ」 •**わらい ごえ**【笑い声】笑っている声。「—の絶えない家庭」 •**わらい ごと**【笑い(事)】笑ってすませることがら。「—じゃないよ」 •**わらい ころ・げる**【笑い転げる】《自下一》姿勢をくずして、ひどく笑う。笑いこける。 •**わらい さざめ・く**【笑いさざめく】《自五》にぎやかに声をたてて笑う。 •**わらいじょうご**【笑い上戸】①酔うとすぐ笑い出すくせの人。②すぐ笑い出す人。 •**わらいじわ**【笑いしわ】笑ったとき、顔にあらわれるしわ。 •**わらいだけ**【(笑×茸)】〔(×鰍)〕毒キノコの一種。食べると顔の神経がまひ(麻痺)して笑ったように見える。わらいたけ。 •**わらいとば・す**【笑い飛ばす】《他五》笑って、まったく問題にしないという態度を見せる。 •**わらいばなし**【笑い話】①笑いながら話すような、気楽な話。「あまりにもばかばかしくて—にもならない」②おもしろおかしい短い話。笑話。 •**わらい もの**【笑い物】世間の人が、ばかにして笑うたねにするもの。「世の—になった」表記 対象が人の場合は「笑い者」。

****わら・う**【笑う】㊀《自五》①〔うれしい、おもしろい、またはずかしいなどの気持ちから〕目を細め、口もとをゆるめた表情になったり、声を立てたりする。「わはは と—・目は笑っていなかった・本人は真剣でも、はたから見たら笑っちゃう」(↕泣く) 表記 ほほえむ場合は「:微笑う」とも。②〔雅〕つぼみが ひらく。「花—」☞山笑う〔「山」の 句〕。③〔はたらきが〕だめになる。「ひざが—〔=がくがくする〕・うでが—」㊁【〔×嗤う〕】《自他五》ばかにして、笑いの対象にする。あざける。「人の失敗を—な・かげで—・鼻先で—・そんなことをしたら笑われますよ・—べき〔=世間の人が ばかにして笑うのが当然な〕存在」㊂《他五》①「笑いを—」「笑う ㊀①」と同じ。「無意味な笑いを—〔=無意味に笑う〕」②《芸能・放送》〔俗〕かたづける。「マイクを—」可能 笑える。 •**笑う門に は福来たる** 句 いつもにこにこしている明るい家には幸せがやってくる。

**わら・える**【笑える】《自下一》①自然に笑ってしまう。「ひとりでに笑えてくる」②おもしろおかしい。「—話」☞笑ける。 •**笑えない話** 句 笑い話のようだが、じつは深刻な状況。笑えない喜劇。

**わらか・す**【笑かす】《他五》〔俗〕笑わせる。「めっちゃ笑かしてくれた」由来 もと「笑わかす」で、江戸で使った。現在は多く関西で使う。

**わらく**【和楽】《名・自サ》〔文〕なごやかに たのしむこと。「—の生活」

**わらぐつ**【(×藁×沓)】雪国で はく、わらを編んで作ったくつ。

**わら・ける**【笑ける】《自下一》〔関西方言〕〔俗〕自然に笑ってしまう。おもしろおかしい。笑える。「なんか—話」

**わらこうひん**【(×藁)工品】わらで作った品物。わらじ・たわら・正月のかざり物など。

**わらさ**〔関東方言〕ブリのやや若いもの。大きさ六〇センチぐらい。☞出世魚①。

**わらじ**【(:草鞋)】わらで作り、足に結びつけてはくはきもの。☞二足のわらじ。 •**わらじを脱ぐ** 句 ①宿にとまる。滞在する。②〔各地をわたりあるくばくちうちが〕その土地の親分のやっかいになる。 •**わらじがけ**【(:草鞋=掛け)】わらじをはくこと。わらじばき。「手甲・脚半に—」 •**わらじ せん**【(:草鞋)銭】〔=旅をするための わらじを買う お金〕〔古風〕わずかの旅費。 •**わらじ むし**【(:草鞋=虫)】枯れ葉や床下などしめったところにいる、楕円形の虫。〔ダン

［わらじ］

**わらしべ**[(×藁×稭)]　イネの穂のじく。また、わらのくず。わらすべ。

**わらづか**[(×藁)塚]　いなむら。

**わらづと**[(×藁×苞)]　わらを編んで、中に物を入れるようにしたもの。また、それでくるんだもの。「なっとうの—」

**わらにんぎょう**[(×藁)人形]　わらをたばねて作った人形。これをのろう相手に見立てて、丑の時参りに五寸くぎを打ちこんだ。

**わらばい**[(×藁)灰]　わらを燃やしたあとに残るはい。火ばち・こたつに使う。

**わらばんし**[(×藁)半紙]　わらの繊維をまぜて作った、そまつな半紙。ざら紙。

**わらび**[(×蕨)]　野山にはえるシダ類の一つ。春、小さなにぎりこぶしの形に巻いた若葉を出す。これが食用となる。根からはでんぷんをとる。●**わらびもち**[(×蕨)餅]　ワラビの粉でつくったもち。蜜やきなこをまぶして食べる。

[わらび]

**わらぶき**[(×藁×葺き)]　屋根をわらで〈ふくこと/ふいたもの〉。「—屋根」

**わらべ**[童]〔↑わらわべ〕〔雅〕子ども(たち)。児童。わらわ。わらんべ。●**わらべうた**[童歌]　昔から、子どもの間で歌われてきた歌。

**わらや**[(×藁)屋]　わらぶきの家。

**わらわ**[(△童)]〔雅〕わらべ。

**わらわ**[(×妾)]《代》〔古風〕昔、(武家の)女性が自分をへりくだってさしたことば。わたくし。

**わらわ・せる**[笑わせる]《自下一》　ばかばかしくて、あざ笑いたい気持ちにさせる。笑わす。「あいつが議員だなんて—よ」

**わらわら**《副》①乱雑で統一がとれないようす。「やじ馬が—と集まる」②まばら。ばらばら。「—と人声が起こる」

**わらわれもの**[笑われ者]　世間の人から、ばかにされて笑われる者。

**ワラントさい**[ワラント債]〔warrant=権利〕《経》発行会社の新株式を買う権利のついた社債。

←**わり**[割り]■一 **わり**①水分をたすこと。「—のきくしょうゆ」②↑割り勘。「—でいこう」■二 造 割ったもの。「—竹・—木(=割ったたきぎ)」■三 造 ①〔…〈を/で〉〕割ること。割ったもの。「スイカー・ウイスキーの水—」②割り当て。「部屋—・紙面—」

→***わり**[割]■一 接尾 十分の一を単位として示すことば。「二—(=十分の二)」■二 造 ↑割引。「家族—・セットー」〔「学割」などの省略語がもとで、二十一世紀にはいってから、「割」がいろいろな単語につくようになったもの〕■三 **わり**①〔比較してみたときの〕損得の度合い。率。②《すもう》取組(表)。「—を組む」●**割がいい** 句 ほかとくらべて、得だ。(↔割が悪い)●**割に合う** 句 もうけが出る。ひきあう。(↔割に合わない)●**割を食う** 句 不利な立場になる。損をする。「初戦で強い相手に当たって割を食った」

****わりあい**■一[割合]　ほかのものと比べて決まる数字。ものの数量が、相手と比べて〈何倍/何分の一〉になるか、全体のうちのどのくらいを占めるか、決まった単位の中にどのくらいあるか、などを示すもの。例、三対二〔☞比■一②〕・五分の一・三割・四〇パーセント〔☞パーセンテージ〕。「十人に一人の—で起こる病気・三日に一度の—でたずねてくる」☞歩合。■二[(割合)]《副》①〈ほか/ふつう〉と比べて。比較的。「—よい成績をあげている」☞「わりあいつまらなかった」など、好ましくない場合には使いにくい。②〔古風〕予想と比べて。思いのほか。「いざさがすとなると、—見つかりません」▽わりあい〈に/と〉。わり〈に/と〉。●**わりあいに**[(割合に)]■一《副》⇩わりあい■二。「きょうは—過ごしやすい」■二《接助》〔古風〕⇩わりに■一。「年の若い—しっかりしている」

**わりあて**[割り当て]　①割り当てる〈こと/もの〉。「部屋の—」②割り前。表記 熟語では「割当」と書く。「割当量・割当制」

**わりあ・てる**[割り当てる]《他下一》　分けてそれぞれにあてがう。分配する。「役を—」

**わりい・れる**[割り入れる]《他下一》　割って、中に入れる。「たまごをボウルに—」

**わりいん**[割り印]　〈対になる/ひとつづきの〉文書であることを示すために〕両方の書面にまたがって印をおすこと。また、その印影。割り判。「—をおす」

**わりかし**《副》〔俗〕わりに。わりあい(に)。わりかた。「これ、—おいしいね」

**わりかた**[(割り方)]《副》〔古風〕わりあい(に)。

**わりかん**[割り勘・ワリカン]〔↑割り前勘定〕①めいめいが、同じだけのお金を出しあって勘定をはらうこと。兵隊勘定。「—負け(=割り勘の分だけの飲み食いができないこと)」②めいめいが、自分の飲み食いした分の勘定を、自分ではらうこと。

**わりき・る**[割り切る]《他五》①端数が出ないように割る。②〔えんりょや思いやりなどの気持ちをすてて〕一定の基準であっさり〈解釈/行動〉する。「割り切った人生観・義務と—」名 割り切り。

**わりき・れる**[割り切れる]《自下一》①割り算をして、余りのない答えが出る。②〔多く否定の形で〕よくわかって、気持ちがさっぱりする。「割り切れない顔つき・割り切れなさが残る」

**わりぐりいし**[割り(×栗)石]　道路工事などに使う、石を割りくだいたもの。わりぐり。

**わりげいこ**[割り稽古]《茶道など》全体の動作をいくつかに分けて、その中の一部分をけいこすること。また、そのけいこ。

**わりご**[(△破り子)・(△破り△籠)]　中に仕切りのある、白木の弁当箱。

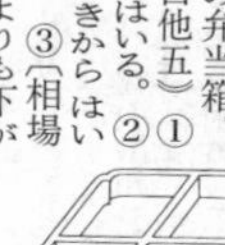

[わりご]

**わりこ・む**[割り込む]《自他五》①人と人の間におし分けてはいる。②〔順番などを無視して〕わきからはいりこむ。「列に—・話に—」③〔相場などが〕ある値段や数値よりも下がる。「株価が額面を—・気温が十度を—」名 割り込み。

**わりざい**[割り材]　アルコールを割るときに入れる飲み物。例、炭酸水・ジュース・シロップ。

**わりざん**[割り算]《名・他サ》一つの数がほかの数の何倍にあたるかを計算する〈こと/法〉。除法。(↔掛け算)

わ

**わりした**［割り下］〔↑割り下地〕だしに、しょうゆ・みりん・砂糖などを加えたもの。すき焼きなどの味つけに使う。

**わりだか**［割高］《ナダ》そのものの品質・分量などにくらべて、値段が高いようす。「一な買い物」（↔割安）派ーさ。

**わりだ・す**［割り出す］《他五》①計算して、出す。「経費を一・寸法を一」②情報・証拠にもとづいて、はっきり決める。「犯人を一」③〔すもう〕四ょつに組んだ体勢から差し手をぬき、相手の二のうでをおしつけて寄り進み、土俵の外に出す。名割り出し。

**わりちゅう**［割り注・割り×註］本文の一行の幅に、二行で書きこんだ注。

**わりつけ**［割り付け］《名・他サ》〔印刷物で〕記事の組み方・字の大きさ・図版の位置などを指定すること。レイアウト。動割り付ける《他下一》。

**わりと**［(割と)］《副》①〔話〕「わりあい(に)」の、軽い言い方。「一よく聞くことば・あの人、一いい人ね」②〔俗〕よくない、いやだと思う気持ちを、それほどでもないように表現することば。けっこう。「メールが返ってこないと一悲しい・どうしてそうなったか、一なぞだ」

**わりな・い**［(△理ない)］《形》〔古風〕切っても切れない。深く愛しあうようすだ。「一仲になる」由来「理屈〔=理〕で説明できない」という意味の古語「わりなし」から。

**わりに**［(割に)］一《接助》それに ふさわしい程度〈をこえる/に満たない〉ことをあらわす。…にしては。わりには。わりあいに。「安い一けっこう おいしい・若い一〔=くせに〕足が弱い」二**わりに**《副》「わりあい(に)」の、軽い言い方。「一小ざっぱりした服装」

**わりばし**［割り箸］とちゅうまで割れ目がつけてあって、使うときに割って二本にする、はし。

**わりびき**［割引］《名・他サ》割り引くこと。「料金の一・一券・通勤定期の一率」（↔割り増し）

**わりび・く**［割り引く］《他五》①決まった値段よりも〔何割か〕安くする。②うちわに見(積も)る。「人の話を割り引いて聞く」③《経》〔しはらい期日以前の手形を〕額面より安い値段で現金にする。

**わりふ**［割り符］〔文〕①木の ふだに文字を書き、中央に割り印をおして二つに分けたもの。符節。②あとで あわせてみて証拠にするもの。

**わりふ・る**［割り振る］《他五》それぞれに割り当てる。「仕事を一・役を一」名割り振り。

**わりほぐ・す**［割りほぐす］《他五》生たまごを割って、はしなどで簡単に かきまぜる。「ボウルに たまごを一」

**わりまえ**［割り前］めいめいに割り当てる金額・分量。わけまえ。「一勘定」

**わりまし**［割り増し］《名・他サ》決まった値段よりも〔何割か〕高くすること。また、その高くした額。（↔割り引き）表記熟語では「割増」と書く。「割増料金・割増率」動割り増す《他五》。

**わりもど・す**［割り戻す］《他五》いったん受け取った金額の中から、いくらかを返す。「残額を一」名割り戻し。〔経済関係の熟語では「割戻」と書く。「割戻金」〕

**わりやす**［割安］《ナダ》そのものの品質・分量などにくらべて、値段が安いようす。格安。「一な品物」（↔割高）派ーさ。

**わる**［悪］一**わる**［ワル］《名・ナダ》悪い〈人/こと〉。悪者。「たいへんな一だ」二遺①悪い。「一推量」②〈めいわく/害〉になる。「一いたずら・一騒ぎ」③程度が過ぎて、よくない。「一えんりょ・一酔いする」

**わ・る**［割る］《他五》①力を加えて、二つ(以上)にする。「皿を一・まきを一」②まとまった形の ものを、いくつかに分ける。「全体を三つに一」③こわして、中のものを取り出す。「たまごを一・四斗だるを一〔=たるのふたを割って中の酒を飲む〕」④割り当てる。「十人に一・頭数に一」⑤開く。「足を割って身構えた・〔すもう〕腰を一〔⇩「腰」の句〕」⑥〔△破る〕かたいものをこわす。「石を一」⑦おし分ける。☞割って入る。⑧まぜてうすくする。「アルコールを水で一〔『アルコールに水を一』は古風〕」⑨割り算をする。「足して二で一・六を三で一と二〔数式『6÷3＝2』は『六一三は二』と読む〕」（↔掛ける）⑩なかま割れをさせる。「党を一」⑪〈たたいて/切りつけて〉きずをつける。「額を一」⑫うちあける。「腹を一・割った話がこういうわけで」⑬「十」をジウ、「言う」をイウのように、区切って発音する。⑭《経》〔手形を〕割り引く。⑮〔俗〕つきとめる。「ホシ〔=犯人〕を一」⑯わくの外に出る。「土俵を一」⑰ある数より下になる。「零下十度を一・〔株価が〕千円を一・〔外国為替で〕ドルが百三十円を一〔=百二十数円になる〕」可能割れる。

**わるあがき**［悪(△足×搔き)］《名・自サ》悪い状態からのがれようと、むだなことを意地になってすること。「一せずに あきらめろ」

**わるあそび**［悪遊び］《名・自サ》〔ばくちやシンナー遊びなど〕よくない遊び。

**わるあま・い**［悪甘い］《形》味の調和も考えないで、やたらに あまい。「一精進料理」派ーさ。

****わる・い**［悪い］《形》①それでは困る、という状態だ。「寝相が一・具合が一・風通しが一・世の中の仕組みが一・一〔ことが起こる〕予感・〔開き直って〕悪かったな、ばかか？・〔=悪くないだろう〕・〔開き直って〕ばかで一で」②道徳や きまりから外れ、人から きびしい目で見られるようすだ。「一やつに だまされた・一おこない」③害になるようすだ。「タバコは からだに一・〔たちの〕一かぜをひく・一酒〔=飲んで乱れるような、酒の飲み方〕」④おとっているようすだ。「頭が一・能率が一・器量が一・質の一紙」⑤不都合だ。「タイミングが一・対戦相手が一」⑥〔意味・気持ちなどが〕否定的だ。マイナスの感じだ。「一意味に取られた・私を悪く思わないで〔=うらんだりしないで〕くれ」⑦病気や故障の状態だ。「妻が悪かったので失礼しました」▽（↔いい・よい）⑧食べ物が、いたんでいる状態だ。「この牛乳は悪くなっている」⑨申し訳ない。「一ねえ・一けど貸してくれない？・〔こう言っては〕一が、この人は勉強不足だ・〔謝罪して〕悪かった、ごめんね」派ーがる。ーげ。●**悪い虫が付く**句〈たちの悪い/ろくでもない〉男が恋人になる。●**悪いようにはしない**句〔相手の〕不利になるようにはしない。

**わるえんりょ**［悪遠慮］〔相手の気を悪くするほど〕遠慮しすぎること。

**わるがき**［悪(餓鬼)・悪ガキ］〔俗〕悪さをする子ども。いたずらっこ。悪童。「近所の一ども」

**わるがしこ・い**［悪賢い］《形》悪いことに よく頭がは

たらくようすだ。悪知恵(わるぢえ)がある。狡猾(こうかつ)だ。「—子ども」派—さ。

**わるぎ**【悪気】人を困らせようとするような、悪い心。悪意。「—のない人」

**わるくすると**【悪くすると】《副》うまくいかない場合は。「—今度も失敗かもしれない」

**わるくち**【悪口】人のことを悪く言う〈こと/ことば〉。あっこう。わるぐち。

**わるさ**【悪さ】①悪い〈こと/程度〉。②よくないいたずら。「—をする」③〔俗〕ばくち。

**わるじゃれ**【悪（：洒落）】〔相手の気持ちを悪くするような〕たちのよくないしゃれ。

**わるずれ**【悪擦れ】《名・自サ》人ずれがして悪がしこくなること。「—のした子どもだ」

**わるだくみ**【悪（巧み）】《名・自サ》悪いたくらみ。

**わるだっしゃ**【悪達者】《名・ダナ》慣れてじょうずではあるが、品のないこと。「—な芸」派—さ。

**わるぢえ**【悪知恵・悪×智×慧】悪いことによく頭のはたらく才能。「—が発達している・—をつける」

**ワルツ**〔waltz〕〔音〕三拍子(さんびょうし)の音楽。また、それに合わせたダンス。円舞曲(えんぶきょく)。

**わるどめ**【悪止め】《名・他サ》しつこく人を引き止めること。「—(を)するな」

**わるのり**【悪乗り】《名・自サ》〔俗〕その場のふんいきや相手の調子にあわせて、必要以上に調子づくこと。

☆☆**わるびれる**【悪びれる】《自下一》〔多く、後ろに否定が来る〕①気おくれがして、おどおどする。「堂々と—こともなく」②悪いと思ってすまなそうにする。「友人をいじめて悪びれない」名悪びれ。

**わるふざけ**【悪ふざけ】《名・自サ》度を過ごしてふざけること。

**わるぶる**【悪ぶる】《自五》悪者ぶる。

**わるめだち**【悪目立ち】《名・自サ》〔自分では気づかないが〕他人からの印象がよくないような目立ち方。

**わるもの**【悪者】①〔性質の〕よくない人。悪いことをする人。悪漢。②責任を取らされたり、せめられたりするがわ。「なぜいつも私が—にされるのか」

**わるよい**【悪酔い】《名・自サ》酒を飲んだあと、頭痛・はきけなどのする、悪い酔い方。

**われ**【割れ】①割れること。「スマホの画面—・音(おと)—」②【△破れ】かけ(ら)。「ガラスの—」③《経》相場が、ある値段より下がること。「三百円—・額面—」

*__われ__【（我）・（×吾）】《代》①〔文〕自分をさすことば。わたし。「—は行く・勝算は—にあり・—こそは天下一の武士」☞われこそはと。②〔俗・方〕おまえ。おのれ。〔大阪の河内(かわち)弁などで言う〕●**我劣(おと)らじと**句 自分こそ人に負けまいと。〔たがいに先を争うようす〕●**我関せず**句〔文〕自分には関係がない。「—焉(えん)（＝よ）」●**我ともなく**句〔文〕自分でも気づかないほどに。●**我に返る**句 はっと、正気を取りもどす。●**我にもあらず**句〔文〕われにもなく。●**我にもなく**句〔文〕思わず。われしらず。「—腹が立ってきた」●**我も我も**句 先を争っておしかけるようす。●**我を忘れる**句 無我夢中(むがむちゅう)になる。

**われかえる**【割れ返る】《自五》〔＝すっかり割れる〕大さわぎになることのたとえ。「—ような拍手(はくしゅ)」

**われがちに**【我勝ちに】《副》〔＝自分が勝とうとして〕われさきに。「—かけ出す」

**われがね**【割れ鐘・△破れ鐘】ひびの はいった つりがね。●**割れ鐘のような声**句 太い、にごった声。

**われから**【我から】《副》〔古風〕自分から進んで。「—招いた不幸」

**われき**【和暦】年号をもとにした、日本のこよみ。邦暦(ほうれき)。(↔西暦)

**われこそはと**【我こそはと】《副》自分は選ばれる資格があると、はりきるようす。われはと。われと。「—思う人は参加を」

**われさきに**【我先に】《副》たがいに先を争うようす。われがちに。「—(と)にげ出す」

**われしらず**【我知らず】《副》〔文〕思わず。無意識に。「—さけぶ」

**われと**【我と】《副》〔文〕①自分から。「—わが身をふりかえる・—わが耳を疑う」②われこそはと。「—思わん者は」

**われながら**【我ながら】《副》自分のことではあるが。自分ながら。「—よくやったと思う」

**われなべ**【割れ鍋・△破れ鍋】ひびの はいった なべ。●**割れ鍋に と(綴)じ蓋(ぶた)**句 ひびのはいったなべにも、それに見合ったとじぶた〔＝割れ目をつぎあわせた、木のふた〕があるように、だれでも、その人にふさわしい結婚(けっこん)相手は見つかるものだ。

**われひと**【我人】〔文〕自分も他人も。自他。「—ともに」

**われめ**【割れ目】〈割れてできた/割れたようになった〉すきま。さけめ。

**われもこう**【（：吾亦紅）・（：吾木香）】野山にはえる草。夏の終わりから秋にかけて、くきの先に小さな穂(ほ)のような赤い花をつける。

**われもの**【割れ物・△破れ物】①割れたもの。②割れやすいもの。例、せともの・ガラス器など。「—注意」

**われら**【（我△等）】《代》①〔文〕われわれ。「—が〔＝われわれの(ほこる)〕母校」②〔俗・方〕おまえら。〔大阪の河内(かわち)弁などで言う〕

**わ・れる**【割れる】《自下一》㊀①先が分かれる。「花びらが三つに—・〔体操競技などで〕ひざが—〔＝はなれる〕・割れたおなか〔＝きたえて うき出た腹筋〕」②割り算をして、余りのない答えが出る。割り切れる。「十は二で—」③〔一つにまとまっていたもの、また、いるはずのものが〕分かれて、統一を失う。「会が—・票が—・意見が—」④《経》手形が、割り引いてもらって、お金になる。⑤〔わからなかったことが〕わかる。「身元が—・ホシ〔＝犯人〕が—・筋〔＝ストーリー〕が—」⑥「割る」の可能形。㊁【△破れる】①こわれる。くだける。「ガラスが—・皿が—・頭が—ように痛い」②さけ目ができる。「ひたいがぱっくり—」③〔ボリュームを上げたため〕音にひびがはいってきたなくなる。「声が—」④〔縦に—〕《野球》大きく落ちる。「縦に—カーブ」●**割れるような拍手(はくしゅ)**句 たいへん大きな拍手。割れんばかりの拍手。

****われわれ**【（我々）】《代》自分たち。われら。「—は断固反対する・—一般(いっぱん)人」〔「わたしたち」より かたい言い方〕

**わん**【（×椀）】㊀わん ①食べ物をもる、木で作った入れもの。表記 陶磁器(とうじき)は「×碗」、金属は「×鋺」、小鉢(こばち)は「×盌」。〔日常語としては「おわん」のほうがふつう〕

わ

②「わん(椀)一①」にもって出す煮物・汁物。わんもり。わんもの。「沢煮―」二 接尾 「わん(椀)一」を数えることば。

**わん**［湾］《地》海岸が大きく陸地に曲がりこみ、外海に向かってひらけている所。「東京―」

**わん**《副》犬の鳴く声。「―公(=犬)」☞わんちゃん。

***ワン** 造〔one〕①一。ひとつ。「―コイン・―プッシュ」②一点。「―オール」

**ワンアウト**〔one out〕《野球》ひとりアウトになること。一死。ワンダン。〔「ワンナウト」と発音することが多い〕

**ワンウェイ**〔one way=一方通行〕〔ジュースや酒の紙パック、配送用の段ボール箱など〕再使用をしない、一回かぎりの使いすてであること。「―ボトル」

**わんおう**［湾央］〔文〕湾の中央。

**わんおく**［湾奥］〔文〕湾の おく。わんおう。(↔湾口)

**ワンオブゼム**〔one of them〕たくさんの中の一つ。大ぜいの中の ひとり。ワンノブ ゼム。「多様な意見のうちの―にすぎない」

**ワンオペ**〔↑ワン オペレーション〕一人ですべての仕事や作業をする(しかない)こと。「深夜の―バイト・―育児」

**ワンオン**《名・自サ》〔和製 one on〕《ゴルフ》第一打でボールがグリーンに のること。

**わんがい**［湾外］〔文〕湾の そと。(↔湾内)

**わんがん**［湾岸］①湾に沿った海岸。「―鉄道」②ペルシャ湾〔アラブ諸国ではアラビア湾〕の沿岸。「―諸国・―戦争」

☆☆**わんきょく**［湾曲・×彎曲］《名・自サ》弓形に まがること。まがりくねること。「雪の重みで枝が―する・―した海岸線」表記 本来は「×彎曲」。医学では、多く「×彎曲」「×弯曲」を使う。

**ワンぎり**［ワン切り］《名・他サ》電話を一回鳴らすだけで切ること。連絡の意思などを伝える。

**わんぐち**［湾口］⇩わんこう。

**ワンクッション**〔和製 one cushion〕〔ショックをやわらげるために置く〕一段階。ひと呼吸。「―置いてから動きだす」

**ワンクリック**〔one click〕コンピューターの画面のボタンを一回〈クリック/タップ〉すること。●**ワンクリックさぎ**［ワンクリック詐欺］メールのアドレスを一回クリックさせることでホームページにおびきよせ、有料サービスに登録したように思わせて、料金をはらわせたりする詐欺。

**ワンゲル**〔学〕↑ワンダーフォーゲル。

**わんこ**〔児〕犬。(↔にゃんこ)

**ワンコイン**〔和製 one coin〕硬貨一枚の料金(で買えるもの)。五百円や百円。「―ランチ」

**わんこう**［湾口］〔文〕湾の出入り口。わんぐち。(↔湾奥)

**わんこそば**［(×椀子:蕎麦)］一口分ぐらいの そばをおわんにもり、客が食べるとすぐ つぎ足して、満腹になるまでもてなすもの。〔岩手県の名物〕

**ワンサイドゲーム**〔one-sided game〕一方が圧倒的に優勢な試合。ワンサイド。

**わんさと**《副》〔話〕①大ぜい おしかけるようす。②たくさんあるようす。「そんなものは―ある」▽わんさか。

**わんざら**［(×碗)皿］茶わんやカップと、それをのせる皿。「コーヒー―・スープ―」

**ワンシーン**〔one scene〕一場面。ある場面。「映画の―・高校生活の―」

**わんしょう**［腕章］目じるしなどのために、洋服の うでに巻きつけるもの。

**ワンショルダー** 選〔one shoulder〕①片方の肩を出すデザインの。「―ワンピース」②片方の肩にかける。「―バッグ(=片方の肩から ななめがけする かばん)」

**ワンステップ**①〔one step〕一段階。「文章上達への―」②〔one-step〕《音》四分の二拍子の軽快な音楽にあわせておどるダンス。

**ワンストップ**〔one-stop〕〔情報や商品などが〕一か所に行けば そろうこと。「―サービス」

**ワンセグ**〔↑ワンセグメント放送〕携帯電話などの移動式端末向けの地上デジタル放送。〔一チャンネルを十三に分けた周波数帯域《=セグメント》の一つを使う〕

**ワンセット**〔one set〕一つのまとまり。ひとそろい。「五枚で―の絵はがき」

**ワンダーフォーゲル**〔ド Wandervogel=わたり鳥〕山野を歩いて旅行する青年運動(の仲間)。ワンゲル。

**ワンダーランド**〔wonderland〕ふしぎの国。おとぎの国。〔イベントなどの名前にも使う〕

**ワンタイムパスワード**〔one-time password〕《情》ネットバンキングなどで使用される、一度しか使えないパスワード。使い捨てパスワード。

**ワンタッチ**〔one touch〕①一度手をふれる(だけですむ)こと。操作・着脱などが、きわめて簡単にできること。「―で動く機械・―の傘・―かつら」②《バレーボール》相手からのボールに一度手をふれること。「―ありました」③《サッカー》来たボールを、すぐに けること。「―でパスを回す」

**わんだね**［(×椀種)］吸い物の、おもな実。

**ワンダフル**《ナダ》〔wonderful〕たいへん すばらしいようす。〔感動をあらわすことばとしても、また、複合語の要素としても使われる〕

**ワンタン**［(:餛飩)・(:雲呑)］〔中国語〕うすい小麦粉の皮で、少なめのブタのひき肉やエビなどを包んだもの。スープにうかしたり、揚げたりして食べる。「―麺・―スープ」☞水ギョーザ。

**ワンダン**〔one down〕《野球》ワン アウト。

**わんちゃん**〔「ワンちゃん」とも書く〕「犬」の、親しみをこめた呼び名。

**ワンチャン**〔↑ワンチャンス〕〔俗〕一 一回のチャンス。可能性。「まだ―ある」二《副》もしかすると。「きょうは―残業かも」▽一 二 二〇一〇年代に広まったことば。

**ワンチャンス**〔one chance〕〈勝利/成功〉を得るための、ただ一度のチャンス。「―をものにする」☞ワンチャン。

**ワンツー**〔one-two〕①一位と二位を味方で独占すること。「―フィニッシュを決める」②〔↑ワンツー パンチ〕《ボクシング》相手の からだの同じ場所を左手と右手で続けて打つこと。「―がはいる」③〔↑ワンツー パス〕《サッカー》味方にパスしたらすぐに走り、再びそのボールを受けること。

**わんとう**［湾頭］〔文〕湾のほとり。

**わんない**［湾内］〔文〕湾のなか。(↕湾外)

**ワンナウト**〔one out〕《野球》〔話〕⇩ワンアウト。

**わんにゅう**［湾入・×彎入］《名・自サ》〔文〕海が弓形にまがって陸地へはいりこむこと。

**ワンノブゼム**〔one of them〕⇩ワンオブゼム。

**わんぱく**［(腕白)］《名・ダナ》〔↑関白(かんぱく)〕子どもがいたずらで、手に負えないこと。また、そういう子ども。〔暴力はふるわない〕「—ざかり・—坊主(ぼうず)」 派—さ。

☆☆**ワンパターン**《名・ダナ》〔和製 one pattern〕型にはまっていること。また、型にはまった行動。ステレオタイプ。ワンパタン。「言うことが—だ・勧善懲悪(かんぜんちょうあく)が—の時代劇」

**ワンピ**《服》↑ワンピース。

**ワンピース**〔和製 one-piece〕《服》上下ひと続きの、〈服/水着〉。ワンピ。「かわいい—・—のスキーウェア」(↕ツーピース)

**ワンプレート**〔one plate〕一枚の皿。「—ランチ(=一枚の皿に複数の料理をもり合わせたランチ)」

**ワンポイント**〔one point〕㊀ワンポイント ①一地点。一か所。②〔点数が〕一点。③〔シャツ・くつ下などの〕一か所につけたマーク。「—ししゅう」 ④要点。「料理の—」 ⑤《野球》↑ワンポイントリリーフ。㊁〔遺〕その一点についての。「—アドバイス・—解説」 ●**ワンポイントリリーフ**〔和製 one point relief〕《野球》ひとりの打者に対してだけ救援(きゅうえん)投手をおくること。また、その投手。ワンポイント。

**ワンボックスカー**〔和製 one box car〕箱型をしたワゴン車。ワンボックス。

☆☆**ワンマン**《名・ダナ》〔one-man〕①ひとりだけ。「—ライブ(コンサート)・—ショー・—運転」 ②人の意見など聞かずに、自分の思うとおりにふるまう人。独裁者。「—(な)社長」 ③↑ワンマンカー。 ●**ワンマンカー**〔和製 one-man car〕ひとりの乗務員が運転手と車掌(しゃしょう)を兼(か)ねるしくみの、バスや電車。

**ワンメーター**〔和製 one meter〕タクシーの初乗り料金(で行ける距離(きょり))。「駅から—のところにある店」

**わんもり**［(×椀)盛り］おわんにもった、汁物(しるもの)の料理。わん。

**ワンランク**〔one rank〕一段階。「—上のホテル・—アップ」

**わんりゅう**［湾流］《地》大西洋の暖流の一つ。メキシコ湾からヨーロッパの北西部の海岸にかけて流れる。メキシコ湾流。

**わんりょく**［腕力］①うでの力。うでぢから。「—が強い・—を振(ふ)るう(=なぐる)」 ②うでずく。ちからずく。「—でおしまくる(=強引(ごういん)におしきる)」

☆☆**ワンルーム**〔one-room=ひと部屋〕〔↑ワンルームマンション〕寝室(しんしつ)・居間・台所を一室で兼(か)ね、浴室・トイレがついているマンション。 表記 略して「1R」。

**ワンレングス**〔↑one length cut〕たらした髪(かみ)を、前も後ろも同じ長さに切りそろえて、顔が見えるように左右に分けた、女性の髪型。ワンレン。〔バブル景気のころに流行〕

**わんわん** ㊀《副》①犬の鳴き声。「犬が—ほえる」 ②はげしく泣くようす。「子どもが—泣く」 ③音や声がうるさいようす。「スピーカーの声が—(と)ひびく」 ㊁〔児〕犬。わんちゃん。わんこ。

## ゐ　ヰ

**ゐ**◇〔五十音図で〕ワ行の二番目のかな。カタカナでは「ヰ」。歴史的仮名遣(かなづか)いでは「い」と区別して用いるが、現代仮名遣いでは使わない。人名には使える。歴史的仮名遣いの例、「くれなゐ」「まゐる」。また、「ウヰスキー」「ヰオロン(=ヴィオロン)」など、外来語の表記にも用いた。

## ゑ　ヱ

**ゑ**◇〔五十音図で〕ワ行の四番目のかな。カタカナでは「ヱ」。歴史的仮名遣(かなづか)いでは「え」と区別して用いるが、現代仮名遣いでは使わない。人名には使える。歴史的仮名遣いの例、「うたごゑ」「ゆゑに」。また、「バレヱ」「ヱルレーヌ(=ヴェルレーヌ)」など、外来語の表記にも用いた。

## を　ヲ

**を**◇〔五十音図で〕ワ行の五番目のかな。カタカナでは「ヲ」。歴史的仮名遣(かなづか)いでは「お」と区別して用いるが、現代仮名遣いでは助詞以外には使わない。人名には使える。歴史的仮名遣いの例、「かをり」「をがは」。また、「ヲルポール(=ウォルポール)」など、外来語の表記にも用いた。

****を**《格助》〔発音は「オ」。歌う場合などには、「ウォ」になることもある〕①動作・作用の対象をあらわす。「犬が人—かむ・風が木—倒(たお)す・本—読む・生徒—教える・ペンキ—かべにぬる」 ②その結果にするものをあらわす。「湯—わかす(=水をわかして、湯にする)・ごはん—たく・服—ぬう・穴—あける・嫁(よめ)—もらう」 ☞結果目的語。 ③出発・分離(ぶんり)する所をあらわす。から。「国—出る・学校—卒業する」 ④経由する場所をあらわす。「道—行く・空—とぶ・門—はいる」 ⑤移動するものが、どの位置に当たるかをあらわす。「前—行く人・後ろ—ついて歩く」 ⑥経過する時間をあらわす。「三年—経る・春—暮らす・現代—生きる」 ⑦ある状態(にあるもの)を、動作・作用の対象のように言う。「青い目—している(=青い目だ)・赤み—おびる・空腹—かかえる・入試—ひかえる(=入試が近い)・東京—はじめとする(=などの)都市・祝日—除く(=以外の)月曜日・会員は約千人—数える(=約千人だ)」 ⑧感情の対象をあらわす。「あの子はぼく—(=のことが)好きだろうか」 区別 ⇩に㊀。 アク ウシを・ネコを・イヌを。☞ものを。

**をして**《格助》〔↑格助詞「を」+動詞「す」+接続助詞「て」〕〔—…〈しめる/(さ)せる〉〕〔文〕人やものに〈何かをさせる/ある性質をあたえる〉とき、その人やものを示すのに使う。「生徒—学ばしめる(=生徒に学ばせる)・文学—文学たらしめる(=文学を文学らしくする)条件」

**をとわず**［を問わず］(—と はず)《副助》⇩問わず。

**をば**《格助》〔↑格助詞「を」+副助詞「ば」〕〔古風〕「を」を強めることば。「敵—なぎ倒(たお)す・失礼—いたしました・これで失礼—」

**をもって**［を(△以て)］《格助》〔文〕①…を使って。…

によって。で。「武力―占領する・身―知った〔=体験を通して知った〕・秒―〔=秒を単位にして〕数えるほどの短い時間・書中〔=手紙〕―おうかがいたします」②…をともなって。とともに。「拍手―迎える・衝撃―聞く」③…の時点で。…の段階で。「これ―閉会とする・九十三歳の高齢―没した」④…の方法によって。で。「告別式は社葬―執りおこないます」⑤…の理由で。「練習は長き―貴しとしない〔=長いからいいわけではない〕・老齢(のゆえ)―」⑥格助詞「を」を強めた言い方。「このような好記録は同君―最初とする・これ―祝辞とする・知識―武器となす」

**をや** (連)〔文〕⇩おいてをや。

[丁寧]をもちまして。

# ん　ン

**ん**◇はねる音。撥音。また、その かな。カタカナでは「ン」。①漢字の音読みで、末尾に来るもの。「安・感・算」②音便形として あらわれるもの。「飛んで〔←飛びて〕・休んだり〔←休みたり〕」☞撥音便。③ことばが なまって あらわれるもの。「いかんせん〔←いかにせむ〕・わかんない〔←わからない〕」④強調形が定着したもの。「まんなか〔←まなか〕・とんでもない〔←とでもない〕」⑤〔話〕強調したり、感情をそえたりするときに あらわれるもの。「すんごい〔←すごい〕・いやん〔←いや〕・んもう！〔←もう〕」⑥擬声語・擬態語に あらわれるもの。「どきんどきん・がんがん」⑦外来語に あらわれるもの。「ペン・マシン・コンセント」

**ん** [一]《助動特殊型》〔←ぬ〕〔否定の助動詞〕…ない。「飲みませ―・そんなことは知ら―〔古風/方〕・泣か―ばかりに〔⇩ばかり⑥〕」✎終止形・連体形しかない。西日本などの方言では「わからんかった」のように連用形「んかっ」があり、特に若い世代では「わからんくて」のように連用形「んく」もある。[二]《助動四型》〔←む〕〔文〕〔意志・推量の助動詞〕①意志をあらわす。…しよう。「我行か―・出発せ―として」②推量をあらわす。…だろう。「なるほど、さも あら―〔=そうだろう〕」③さそいかけをあらわす。…しよう。「いざ見に行か―」④仮想をあらわす。「遠から―者は〔=もし遠くにいたら、その人は〕」⑤婉曲に言う気持ちをあらわす。「命のあら―〔=ある〕かぎり」✎奈良時代の発音は「mu」で、平安時代には「m」「n」などとなった。「む→ん」と変化したため、文語文では「む」とも書く〔発音は「ン」〕。☞う《助動》。[三]《格助》〔話〕「の」の変化。「きみ―とこ〔=きみの ところ〕・そうな―です・それでいい―だ」☞んち(家)。[四]◇〔話〕格助詞や形容動詞の連用形「に」の変化。「夜―なってから・いや―なる」[五]《感》〔話〕「うん」の、軽い言い方。「―？・―っ！ こいつはいい」[六][造]〔「ン」とも書く〕〔話〕⇩うん[造]。「―十年」

**んこ**〔ん子〕[接尾]〔俗〕小さいものにつけることば。「あり(蟻)―・〈じゃり/がき〉―〔=小さい子〕」

**んじゃ**《接・感》〔俗〕「それじゃあ」が、「そんじゃ(あ)」「んじゃあ」などを経て変化した形。「―、さよなら」

**んしょ**《終助》〔←のでしょう〕〔俗〕のだろう。「仕事行く―？・もう買ってある―？」〔事情や理由を問いかける、くだけた表現〕☞っしょ・んす。

**んす** [一]《終助》〔俗〕←のです。「おれ見た―よ・電話した―か？」〔仲間うちなどで、目上に ていねいな気持ちと親しみをあらわす。「んしょ」は、くだけた問いかけをあらわす別の終助詞〕☞っす。[二]《助動マス型》①〔←しゃんす。活用は「せ・しょ｜し｜す｜す(する)｜すれ｜せ(し)」〕〔古風/方〕なさる。「行かんした〔=行きなさった〕」〔前に来る動詞によって「さんす」とも。「見さんす」〕②〔江戸時代の遊女のことば。活用は「せ・しょ｜し｜す｜す｜すれ｜せ」〕←ます。「おっしゃり―・死に―」☞くださんす・ござんす・ざんす・しゃんす・なさんす。

**ん・ず**《助動サ型》〔文〕〔意志・推量の助動詞〕…するつもりだ。…だろう。「射おとさ―」✎「むとす→んとす→んず」と変化したため、文語文では「むず」とも書く〔発音は「ンズ」〕。平安時代は「んとす」より悪い言い方とされた。

**ん・だ** [一]《助動ナダ型》〔話〕⇩のだ。「見せたいものがある―・泣かないで歩く―」[丁寧]んです。[二]《終助》①〔話〕〔おどろいて/感心して〕…の(だ)ねえ。「へえ、みんな知ってた―」②〔古風・女〕…わねえ。「あら、ずるい―」〔一九五〇年ごろからの用法〕☞なんだ(連)・そうなんだ。[三]んだ《感》〔東北・北関東方言〕そうだ。「―、―」

**んち**〔△日〕[接尾]〔話〕←にち(日)。「十五―・二十八―・幾―」☞ち(日)。

**んち**〔ん△家〕[接尾]〔話〕「…の家」の変化。「ぼく―・あなた―」☞ち(家)。

**んで** [一]《接助・終助》①〔話〕ので。「よく似ている―、まちがえた・はい、これからまいります―」②〔話・古風/方〕ないで。「人の気も知ら―・そんなこと言わ―よ」[二]んで《接》〔俗〕それで。「―、なんの用かね」☞ませんで。

**んと・す**《助動サ型》〔文〕①意志・決意をあらわす。「われ、行か―〔=行こう〕」②⇩とする[二]。「日は まさに暮れ―」✎「むとす→んとす」と変化したため、文語文では「むとす」とも書く〔発音は「ントス」〕。☞んず。

**んと・する**《助動サ型》⇩とする[二]。

**んな**《連体》〔俗〕←そんな。「―わけないだろ」

**んない** (連)〔話〕①…らない。「つま―の・や―」②…れない。「やってら―」③〔関西方言〕…ろない。「おも―〔=おもしろくない〕」

**んぼう**〔ん(坊)〕[造]①困った性質の人を呼ぶことば。「あまえ―・あわて―・けち―・忘れ―」②そういう姿やかっこう、行動(をしている人)。「赤―〔=赤ちゃん。赤いから言う〕・はだか―・立ち―・かくれ―」③動植物を親しんで言うことば。「あめ―・さくら―・つくし―」④〔←ぬ＋坊〕…ない人。…ないこと。「きか―・通せ―」▽んぼ。

**んまあ**《感》〔女〕「まあ」を強めた形。おどろいたり感心したりしたときのことば。「んまあ(↘)、あきれた」

**んー**《感》〔話〕①ことばがすぐに出ないときの声。「んー(↓)、どうしよう」②「うん」の、もっとぞんざいな言い方。「―、わかった・んー(↗)？ どういうことだ」▽んん。

**んーと**《感》〔話〕考えこむときなどの声。ええと。「『三たす五は？』『んーと(→)、八！』」

**んーん**《感》〔話〕①ひどく ことばに つまったときや、感心したときなどの声。うーん。んんん。「んーん(→)、わからん」②〔女/児〕否定の気持ちをあらわす。ううん。「んーん(↘)、ちがうよ・んーん(↘)、ぜんぜんちがうよ」

# 付録目次

# 文法解説 ——ことばの単位と品詞を中心に——

## ●基本的な考え方

この辞書を使うために必要な日本語文法の知識は、中学校の国語教科書で扱う口語文法（以下「**学校文法**」）の範囲でおおむね事足ります。「文章」「文」「文節」「単語」といった単位のとらえ方、「主語」「述語」「修飾語」といった**文の成分**の役割、「名詞」「動詞」「形容詞」といった**品詞**の性質などについては、本文のそれぞれの項目で説明しています。また、**活用形**や**活用の種類**については、本文の項目のほか、1698ページからの「活用表」にも説明があります。

この辞書の文法に関する考え方は、基本的には学校文法に従っていますが、独自の方針をとる場合もあります。辞書として冗長を避けるためや、あいまいさをなくすためなどの理由によります。

たとえば、名詞を品詞として認めることはもちろんですが、名詞でしか使わない語は品詞表示を省きます。この辞書の中で名詞の占める割合はおよそ八割に達するため、「単語の項目のうち、品詞表示がないものは名詞」と決めておくことで省スペースが実現できます。これと似た方法は、他の多くの国語辞典も採用しています。

また、文語の形容動詞に由来する「堂々と・堂々たる」のような語は、口語での位置づけが必ずしもはっきりしません。この辞書では、これらも形容動詞の一種と認めます（☞「形容動詞」の節）。

以下、特にことばの単位と品詞に関して、この辞書の考え方を細目ごとに述べていきます。

## ●単語と連語

**単語**は、文を組み立てている最小の単位で、決まった意味や文法的役割を持つことばです。ただ、どの部分を「最小の単位」ととらえるかは、人によって見方が分かれます。

「松の木」が「松・の・木」の三単語に分かれるのは分かりやすいとしても、「くすのき」はどうでしょう。「松の木」同様「くす・の・き」という三単語とも言えるし、「くすのき」全体で特定の植物名を指す一単語とも言えます。「縁の下」「舌の根」「腹の虫」なども、それぞれ単語かどうか決めにくいことばの例です。

国語辞典では、全体で一つのまとまった単位と考えられるものを単語、複数の単語が連なったと考えられるものを**連語**と扱うのが一般的です。しかし、両者の区別は時としてあいまいです。

この辞書では、連語の範囲を狭くとらえます。複数の単語が連なっているように見えても、特別の意味が生じていて、辞書に項目を立てる必要があり、しかも既存の品詞と同じ性質を持つことばならば、連語ではなく単語とします。先の「くすのき」などのほか、「立つ瀬」や「赤い糸」、さらに「愛の結晶」「六字の名号（みょうごう）」のような長いものも単語です（以上、名詞の例）。

このほか、「あらせられる」（動詞）、「比ぶべくもない」（形容詞）、「愛すべき」（連体詞）、「遠からず」（副詞）など、従来は連語と一括していたことばについて、その意味と性質を考えて品詞を認定します。「幼いとはいうものの」と言うときの「とはいうものの」など、単語に付属する長いことばも、意味と性質に応じて助詞・助動詞と認定します（☞「付属語（助詞・助動詞）」の節）。

単語ととらえなおして品詞を示すことで、そのことばを文の中でどう使えばいいかが分かるようになります。たとえば、従来は連語としていた「あらせられる」は、この辞書では《自下一・補動下一》と表示するので、「流れる」「忘れる」などと同じく下一段活用をすることが分かります。

複数の単語が連なっただけで、特別の意味を生じていないことばでも、時には項目を立てることがあります。よく聞く言い方だったり、使い方に説明が必要だったりする場合です。これらの場合に限り、連語と扱います（〔連〕と表示）。

たとえば、「おります」は、動詞「おる」と助動詞「ます」の単純な連なりにすぎないので、本来は「おる」「ます」の項目を立てれば十分です。しかし、「おります」を敬語としてどう使えばいいかを〔!〕の欄で説明するため、特に項目を立てます。ほかに、「来た」「じゃないが」なども連語の項目です。

## ●連語と句（特に慣用句）

連語と似た単位として**句**があります。句も複数の単語が連なったものであり、連語の一部です。ただし、考え方が異なります。

連語は、一文節未満から複数の文節まで、いろいろな長さがあります。たとえば、「昔をしのぶがごとく」のように複数文節にわたる連語もあれば、「がごとく」のように一文節未満の連語もあります（この辞書で項目を立てるかどうかは別問題です）。

一方、句は文の構造に関わる要素です。「本を・読む（連用修飾語・述語）」「目が・大きい（主語・述語）」「緑の多い・公園（連体修飾部・被修飾語）」「私から・あなたへ（連用修飾語・連用修飾語）」のように複数の文節からなることばの連なりで、まとまったできごとや状況などを表します（「連文節」とほぼ同じ）。

「本を読む」という句は、「本」「を」「読む」の意味が分かれば理解できるので、辞書に載せる必要はありません。ところが、句の中には、全体で特別の意味を持つものがあります。たとえば、「腹を立てる」はこれ全体で「怒る」の意味です。この辞書では、このような句は項目を立て、全体で意味を説明します（〔句〕と表示）。

〔句〕の多くは**慣用句**と言われるものです。句全体で特別の意味を表すだけでなく、たとえを使ったりして、言い回しに工夫のあるのが特徴です。「腹を立てる」のほか、「顔が広い」「太鼓判を押す」「枕を高くして寝る」などは典型的な慣用句です。

一般には、「嘘八百」「大器晩成」「八方塞がり」など、単語であっても「慣用句」と呼ぶことがあります。この辞書では、これらは〔句〕とは表示せず、単語と扱います。

〔句〕とする項目には慣用句以外も含まれます。必ずしも言い回しに工夫はなくても、固定した言い方で、句全体で特別の意味を表すものです。たとえば「碁を打つ」「将棋を指す」は、それぞれ「碁を指す」「将棋を打つ」とは言わず、言い方が固定しています。また、それぞれ「碁の勝負をする」「将棋の勝負をする」と特別の意味を表します。そこで、これらの句も項目を立てます。このほか、「甘く見る」「一席ぶつ」「何から何まで」なども、いわゆる慣用句ではなくても〔句〕として項目を立てます。

## ●造語成分

単語を作る部品（＝成分）となることばを、一般に**造語成分**と言います。たとえば、「青リンゴ」「読み始める」「マイカー」という単語では、「青」「リンゴ」「読み」「始める」「マイ」「カー」のそれぞれが造語成分です。

「青」は単独では単語（名詞）ですが、「青リンゴ」という複合語の一部になれば造語成分です。造語成分として使われても、単語の場合と意味・用法に大きな違いがなければ、この辞書では取り立てて説明しません。ただし、名詞「青」の項目で、造語成分の例として「青リンゴ」を示すようなことは多くあります。

一方、意味・用法が特別で、さまざまなことばと組み合わさる造語成分は、当然、この辞書で取り上げます（ことばの上につくものは〔造〕、下につくものは〔造〕、両方につくものは〔造〕と表示）。たとえば、名詞の「王」は、ふつう王様のことを指しますが、「ホームラン王」「新聞王」「石油王」などの複合語では、「その方面でいちばん実力のある人」という特別の意味を表します。この場合の「王」は造語成分として説明します。

この辞書の造語成分の中には、「書き続ける」の「続ける」や、「八十歳近い」の「近い」のように、単語と同じ意味と説明できそうなものもあります。しかし、この場合の「続ける」「近い」は、それぞれ「とぎれずにずっと…する」「もう少しでその数量になるところだ」という特別の意味で、複合語を多く作ります。こうしたことばも造語成分として説明しておく必要があります。

また、「多機能」「会社員」の「多」「員」や、先の「マイカー」の「マイ」「カー」などは、単語としての用法がなく、複合語の中だけで特別に使われることばですが、高い造語力を持ちます。これらも造語成分として、特に項目を立てて説明します。

## ●接辞（接頭語・接尾語）

常に単語の前につけて使われる要素を**接頭語**（〔接頭〕と表示）、後につけて使われる要素を**接尾語**（〔接尾〕と表示）と言います。この二つを合わせて**接辞**と言います。

接辞も造語成分の一部ですが、この辞書では造語成分と接辞を区別します。造語成分の中でも、特に実質的意味がとぼしいものを接辞として切り離します。

たとえば、「毒ガス弾」「サヨナラ弾」などの「弾」は、「弾丸」「ホームラン」という実質的な意味を持つので、この「弾」は一般的な造語成分です。一方、「行政改革の第一弾」という場合の「弾」は、回数であることを示すために「第一」に添えたことばであり、「第一弾」全体ではじめて実質的なものごとを表します。この場合の「弾」は接辞（接尾語）です。

接辞の例としては、ほかに、「おっかぶせる」の「おっ」、「御社（おんしゃ）」の「御」（以上、接頭語）、「忘れがち」の「がち」、「春めく」の「めく」（以上、接尾語）などが挙げられます。先の「弾」のほか、「一冊」「二本」「三枚」の「冊」「本」「枚」など、助数詞と言われることばも、接尾語に含まれます。

接尾語は、単語の後だけでなく、句全体の後につく場合もあります。「おやつを買いがてら散歩に行く」の「がてら」は、直前の「買い」だけでなく、「おやつを買い」全体を受けて副詞句を作ります。「がてら」の項目の〔副詞をつくる〕という表示は、副詞だけでなく、副詞句を作る場合も含んでいます。

## ●名詞・代名詞

**名詞**は、活用がなく、ものごとや人の呼び名などを表し、多くは主語になりうることばです。

名詞をさらに細分化する場合もあります。一般名詞のほか、次の四種を区別することができます。

**代名詞**　人やものごとの名を具体的に呼ぶのでなく、「私」「彼」「これ」「そこ」のように指し示して表現することばです。

**固有名詞**　同じ種類のもののうち一つを、他と区別するための名前です。「日本」「ＷＨＯ」「ツイッター」など。

**数詞**　数量・順序を表すことばです。「一」「二十」「三百」などや、接尾語のついた「一人」「二十冊」「三百円」など。

**形式名詞**　それだけでは主語になりにくい点で、名詞としては特殊です。「言いたいことがある」の「こと」や、「ほしいものを買う」の「もの」など、常に連体修飾語を受ける形で使われます。このほか「さま」「ため」「とき」「はず」「わけ」なども形式名詞として使われます（一般名詞の用法を持つものも多い）。

これらの違いは、本質的には意味によるものです。したがって、国語辞典では、本文で意味を説明する代わりに、品詞表示ではこれらの細かい区別を示さないのが一般的です。

ただし、代名詞に関しては、英語などでは主要な品詞であるため、それと対比するなどの目的で、学校文法でもしばしば名詞と区別して扱います。この辞書でも、代名詞を特に《代》と表示します。指し示すことばには、ほかに形容動詞の「こんな」「そんな」、連体詞の「この」「その」、副詞の「こう」「そう」などがありますが、これらは一般に、特別の品詞とは扱われていません。

時や数量を表す名詞は、副詞と同じように使う場合があります。たとえば、「あした」「一人」は、「あしたは日曜日です」「一人は学生です」のように名詞として主語にもなれば、「あした、遊びに行きます」「一人、足りません」のように副詞的にも使います（「すぐ、遊びに行きます」の「すぐ」《副詞》と同じ用法）。しかし、このような性質は、時および数量を表す名詞に広く観察されるので、ことさら副詞とはせず、名詞の一用法と考えます。

名詞（の用法）の中には、文字を視覚的な記号として使うだけで、ふつう発音しないものがあります。駐車場には「空」（＝空車）、「満」（＝満車）という表示がありますが、「現在、空(くう)です」などとはあまり言いません。このように、ふつうは見るだけで発音しないことばを、この辞書では〈視覚語〉と表示します。

## ●動詞

「歩く」「落ちる」「ある」など、動作・作用・存在などを表し、終止形が五十音図のウ段音になる活用語を**動詞**と言います。

動詞のうち、「自動詞」「他動詞」については説明が必要です。

英語の授業では、目的語を取る他動詞と、目的語を取らない自動詞の区別を習います。ところが、日本語では、目的語の概念が必ずしもはっきりしません。「私は未来が見える」の「未来が」は、英訳の"I can see the future."を考えれば目的語とも言えます。一方、「が」がつくものは主語と見なすこともできます。これでは、「見える」が自動詞か他動詞か分かりません。

英語の他動詞は、目的語を主語にして受け身の形を作ることができます。ところが、日本語では、目的語の概念がはっきりしない上、受け身の形を機械的に作ることもできません。「私は財布を落とした」の「落とす」は、英語式には他動詞のはずですが、「財布は私によって落とされた」と受け身の形にすると不自然です。

この辞書では、作文や日常会話のために役立つように、実用的な立場から、次のように動詞の自他を決めます。

- 「○○を」の形を受ける動詞は**他動詞**《他》と表示
- 「○○を」の形を受けない動詞は**自動詞**《自》と表示

たとえば、「たたく」は、「肩をたたく」と言うので、他動詞です（《他五》＝他動詞五段活用）。また、「見える」は、「未来が見える」とは言いますが、「未来を見える」とは言わないので、自動詞です（《自下一》＝自動詞下一段活用）。

さらに、「歩く」は、単に「ネコが歩く」とも言いますが、「ネコが道を歩く」とも言うので、自動詞でも他動詞でもあります（《自他五》＝自動詞・他動詞五段活用）。

文法書の中には、「歩く」「行く」「出る」「離れる」など移動を表す動詞を自動詞に含めるものも多くあります。「道を掘る」の「道

「道を歩く」の「道を」は歩く対象ではないので目的語でないというわけです。

しかし、どちらの「道を」も、動作に直接必要な要素を表すことでは共通します。「道を歩く」の「道を」は、その上を直接歩くことを表しています。「北に歩く」の「北に」が歩く動作に直接関わらないのとは明らかに違います。

この辞書では、「〇〇を」の部分を、動作・作用などが成り立つのに直接必要な要素を表すものととらえ、この形を受ける動詞を「他動詞」、この形を受けない動詞を「自動詞」とします。《他》とあれば「『〇〇を』を受けることができる」という意味です。

実際に文を作る上で、その動詞が「を」を受けるかどうかは大きな問題です。「アイデアがひらめく」か、「アイデアをひらめく」か。「内容に熟知する」か、「内容を熟知する」か。《他》の有無によって「を」の使用・不使用を示すことは実用上も役に立ちます。

活用の種類についても述べておきます。この辞書では、従来の考え方ならば連語となる「ございます」「ござんす」「ごわす」など、「〜ます」およびその変化形で終わることばを、新しく動詞と認めます。活用の種類は助動詞「ます」と同じなので、これを「**動詞マス活用**」と名づけ、《マス》と表示します。「**補助動詞マス活用**」は《補動マス》と表示します。

## ●形容詞

「白い」「寒い」「美しい」など、性質・状態を表し、終止形が「〜い」になる活用語を**形容詞**と言います。

形容詞は、意味の面から、「白い」「細い」「少ない」など、ものの属性を客観的に表す語（＝**属性形容詞**）と、「寒い」「楽しい」「恐ろしい」など、感覚・感情を表す語（＝**感情形容詞**）とに大まかに分かれます。両者の中間に、「美しい」「汚らしい」「すばらしい」など、属性を主観的に評価する語（＝**評価形容詞**）があります。主観的な形容詞には「〜しい」の形の語が多く見られます。

動詞が否定の助動詞と一体化して形容詞となる場合もあります。たとえば、「題名にそぐわない内容」という場合の「そぐわない」がそうです。「行かない」が動詞「行く」＋否定の助動詞「ない」であるように、「そぐわない」も、元は動詞「そぐう」＋否定の助動詞「ない」でした。しかし、現代語としては、「そぐう」はまれにしか使われず、「そぐわない」で一体化していると考えられます。「そぐわない」は、むしろ「白い」「美しい」などと同じく、もはや一つの形容詞と考えたほうが説明が簡単です。

このほか、「(さわっては)いけない」「くだらない」「さえない」「つまらない」「煮え切らない」なども、「そぐわない」と同じグループの形容詞です。

このグループは、一般的な形容詞とは少し違う特徴を持っています。元は否定の助動詞がついた形だったため、「そぐわず」「そぐわぬ」のように、連用形には「〜なく」のほかに「〜ず」、終止・連体形には「〜ない」のほかに「〜ぬ/〜ん」の形もあります。

この辞書では、このグループを「**形容詞ズヌ活用**」と名づけ、《形ズヌ》と表示します（ただし、助動詞「ない」「ぬ」は、それぞれ独立の語と扱い、「ず」は助動詞「ぬ」の連用形とします）。

形容詞ズヌ活用には、終止・連体形が「〜ぬ/〜ん」になるのが普通のものもあります。「まかりならぬ」「けしからん」などがそうです。「まかりならない」「けしからない」の形はほとんど使いません。これらの語は「〜ぬ/〜ん」の形を見出しにします。

ズヌ活用と似た活用をするものに、「潔(いさぎよ)しとしない」「快しとしない」などのことばがあります。肯定形の「潔しとする」などの形はまれであり〈「潔しとするものではない」などと言うことはあります〉、やはり否定の助動詞「ない」がついた形からできた形容詞と考えられます。終止・連体形は「〜せず」「〜せぬ／〜せん」とも活用するので、特に「**形容詞セズセヌ活用**」と名づけ、《形セズセヌ》と表示します。数は多くありません。

## ●形容動詞

**形容動詞**も、形容詞と同じく性質・状態を表す活用語です。

学校文法では、形容動詞は「静かだ」「大切だ」「シンプルだ」のように終止形が「〜だ」、連体形が「〜な」で終わるものを指します。ところが、現代語にはこのほかにも「堂々」「厳然」「確固」など、連用形が「〜と」、連体形が「〜たる」で終わり、文法的な役割が形容動詞と似た語のグループがあります。

そこで、この辞書では初版以来、「静かだ」などを「形容動詞ダナ型」、「堂々」などを「形容動詞タルト型」ととらえてきました。今回、それぞれ「**形容動詞ダナ活用**」「**形容動詞トタル活用**」と呼び名を改め、《ダナ》、《トタル》と表示します。

形容動詞の語幹と同じ形に、格助詞「の」がつくことがあります。たとえば、「さまざま」は「さまざまな人」とも「さまざまの人」とも言います。「さまざまな」は形容動詞ダナ活用の連体形、「さまざまの」は名詞「さまざま」に格助詞「の」がついた形です。このように両方の形をとることばは《名・ダナ》と表示します。

なお、外国人などに対する日本語教育では、終止・連体形が「〜い」になる活用語〈＝この辞書で言う形容詞〉を**イ形容詞**、連体形が「〜な」になる活用語〈＝この辞書で言う形容動詞ダナ活用〉を**ナ形容詞**と言うことが一般的です。

## ●連体詞

「あの」「あ（或）る」「いわゆる」「大きな」など、体言だけを修飾することばを**連体詞**と言います。

文語では形容詞だったものが、現代語では連体詞として使われる場合があります。「悪しき前例」の「悪しき」は、文語では「悪し」という形容詞の連体形ですが、現代語では「悪しき」の形で体言を修飾することが多いため、この辞書では連体詞と扱います。「いぶせき」「むくつけき」なども同様です。「恐るべき」「すまじき」のように、文語では形容詞型の助動詞がついた連語だったものも、同様に連体詞と扱います。

文語形容詞の連体形は、現代でも、特に詩歌などで「熱き（心）」「遠き（山）」などのように使われます。これらは、現代語に「熱い」「遠い」など対応する形がありながら、臨時的に文語形容詞が使われたものと考えられるため、項目は立てません。一方、「亡き人」の「亡き」のように固定した用法を持つものは、連体詞として現代語の中に位置づけ、項目を立てます。なお、「遅きに失する」「良きにはからえ」という場合の「遅き」「良き」は名詞です。

「あやしの」「いとしの」「なつかしの」など、もと文語シク活用形容詞の語幹に格助詞「の」がついた形も、連体詞と扱います。

## ●副詞

「はっきり書く」の「はっきり」、「かなり面白い」の「かなり」など、主に用言を修飾することばを**副詞**と言います。

副詞は、大まかに次の三種に分類されます。

**状態副詞**（**情態副詞**）「どたどた」「ほんのり」「断然」など、ものごとの状態や人の気持ちなどを表す副詞です。擬音語・擬態語〈＝オノマトペ〉が多いのが特徴です。

**程度副詞**　「かなり」「やや」「少し」など、程度の大小を表す副詞です。「景色をずっと見ている」の「ずっと」は状態副詞ですが、「AよりBのほうがずっと多い」の「ずっと」は程度副詞です。

**呼応副詞（呼応・陳述副詞）**　「おそらく雨だろう」の「おそらく」〔推量〕、「まさか来るまい」の「まさか」〔否定推量〕、「決して見ません」の「決して」〔否定・禁止〕のように、文末に決まった言い方を要求する副詞です。「ちっとも悪くない」の「ちっとも」は、程度が小さいことを表す程度副詞でもあり、否定の文末を要求する呼応副詞でもあります。

副詞と感動詞の区別は、時に問題になります。赤ちゃんの泣き声の「おぎゃあ」、笑い声の「わはは」などは、「あれ？」「ええと」「さようなら」などと同様、感動詞だと考える人もいます。しかし、「あれ？」が「アレ」と発音しているのに対し、赤ちゃんや笑っている人は「オギャア」「ワハハ」と発音しているわけではなく、そう聞こえる声の感じをことばで模写しているのです。「がおう」「こけこっこう」「どしん」「ばたん」などと同様、「おぎゃあ」「わはは」も音声を模写する副詞と考えられます。

副詞の中には、「続々」「絶対」を「続々と」「絶対に」というように、「と」「に」がつくものも多くあります。先の「おぎゃあ」も多く「おぎゃあと」の形で使います。これらは「と」「に」も含めて一語の副詞ととらえるのが適切です。この辞書では、「ぐっと」「すでに」など、ふつう「と」「に」がつく場合は見出しに含め、「と」「に」が着脱可能な場合は見出しに含めず、例文の中でつとめて示します。

副詞に助動詞「だ」や格助詞「の」がつくこともあります。たとえば、「いきなり」は「いきなり質問する」のほかに「その質問はいきなりだった」「いきなりの質問」などとも言います。用言を修飾してはいませんが、これらも副詞の用法に含めます。

ただし、下に「な」がつく場合は、形容動詞の用法があると認めます。たとえば、「当然」は、「当然（に）認められる」「結果は当然だ」「当然の結果」などと言うほかに、「当然な結果」とも言います。この場合、終止形が「〜だ」、連体形が「〜な」という形容動詞の特徴を備えているので、「当然」は副詞および形容動詞と考え、《副・ナダ》と表示します。

なお、擬音語・擬態語となる副詞の中には、「に・だ・の」がつく場合や、「〜な」などの形で形容動詞になる場合、「が」などがついて名詞として使われる場合に、アクセントの変化するものがあります（☞1711ページ アクセント解説「品詞とアクセントの関係」）。

## ●接続詞

「そして」「だから」など、前後の文や語句をつなぐことばを**接続詞**と言います。

接続詞は、前後の論理関係によって、大まかに次の六種に分類されます。すなわち、**順接**（「そこで」「それで」「だから」…）、**逆接**（「しかし」「だが」「ところが」…）、**並列・累加**（「しかも」「そして」「それに」…）、**対比・選択**（「あるいは」「それとも」「または」…）、**説明・補足**（「つまり」「なお」「なぜなら」…）、**転換**（「さて」「では」「ところで」…）です。

時として、副詞との区別があいまいになることがあります。

ものごとを順を追って述べるとき、「まず」「次に」「そして」などのことばを使いますが、このうち、接続詞は「次に」「そして」だけで、「まず」は副詞です。前を受けなくても使い、前後の文や語句をつなぐことにならないため、接続詞とは言えません。

「要するに」は、「青春とは、要するに迷う時期だ」のように「ひとことで言えば」の意味では副詞になります。一方、長く自説を述べた後に、「要するにこういうことだ」と続ける場合、この「要するに」は前後をつなぐことばであり、接続詞になります。

「しかし、どうして分かったのだろう」と突然つぶやくことがあります。この「しかし」は、文をつないではいませんが、それまでの会話・思考内容などを受けているので、接続詞です。

この辞書では、前に受けるべき文や語句、会話などがなければ使えない場合、そのことばは副詞でなく接続詞と判断します。

## ●感動詞

「ああ」「おや」「はい」「いいえ」など、それだけで文を作ることばを**感動詞**と言います。感動・応答などを表します。

感動詞には、「行ってらっしゃい」「おはようございます」といった特定の場で使うあいさつや決まり文句、「ちきしょう」といったののしることばなど、いろいろな種類があります。この中には、「お後が〈主語〉よろしいようで〈述語〉」「ざまあ〈連用修飾語〉見ろ〈述語〉」のように複数の文の成分からなるように見えるものもあります。しかし、これらは活用もしないので、全体で一つの感動詞になっていると考えられます。

## ●付属語（助詞・助動詞）

名詞・動詞・形容詞・形容動詞などを**自立語**と言うのに対し、自立語の後につくことばを**付属語**と言います。付属語のうち、活用しないことばを**助詞**、活用することばを**助動詞**と区別します。

助詞は、さらに次の四種に分類されます。

**格助詞**「が」「の」「を」「に」「へ」など、ほかの文節との関係を示す助詞。

**接続助詞**「て」「ので」「のに」「ば」「つつ」など、前後をつなぎ、関係を示す助詞。

**副助詞**「は」「も」「ほど」「ばかり」「まで」など、上のことばに副詞のような働きを与える助詞。

**終助詞**「か」「な」「ね」「よ」「かしら」など、多く文末につき、話し手の態度や気持ちを表す助詞。

一方、助動詞の種類については「活用表」にまとめます。

この辞書では、連語の範囲を狭くとらえ、付属語が重なって一つの文法的役割を持つようになったものは、一つの助詞や助動詞と認めます。たとえば、「社会人として」の「として」〈格助詞〉、「戦わずして」の「ずして」〈接続助詞〉、「一日たりとも」の「たりとも」〈副助詞〉、「一緒に行かないか」の「ないか」〈終助詞〉、「読まざるをえない」の「ざるをえない」〈助動詞〉などです。

付属語の中には、見出しの形と、文法理論上の形が食い違う場合があります。たとえば、「わが国において」の「において」は「で」の意味の格助詞です。しかし、多くの人は「おいて」の形で検索すると思われるので、見出しを「**おいて**」として、その下に《**において**で格助》と注記を加えます。

文語の助動詞「べし」「ごとし」は、口語では「行くべきだ」「お前ごときには負けない」のように、「べきだ」「ごとき」「ごとく」などの形で常用されます。これらの形は、従来の辞書では文語の残存という扱いでしたが、この辞書では、それぞれの形が口語の中でどういう役割を果たすかに注目し、品詞を認定しています。その結果、たとえば「行くべきだ」の「べきだ」は助動詞、「歌うごとき口調」「お前ごときには負けない」の「ごとき」は、連体詞・名詞をつくる接尾語となります。現代語の実態に即した処理方法であると考えます。

# 活用表（口語・文語）

## ●活用とは

「書く」という語は、場合によって「何も書かない」「ひとこと書きます」などと形が変わる。このように、用言（動詞・形容詞・形容動詞）や助動詞は、語尾を変化させて、後のことばへ続いたり、文の中止や終止を示したりする。この語尾変化を**活用**と言い、活用のあることばを**活用語**と言う。

活用語は、前部の変化しない**語幹**と、後部の変化する部分を含む**活用語尾**とからなる。「書く」の場合、「か」が語幹、「く」が活用語尾に当たる。ただし、「見る」のように、語幹と活用語尾が区別できないとされる語もある。

同じ品詞でも、「書く」「見る」「来る」（いずれも動詞）は活用の特徴が異なる。すなわち、「五段（活用）」「上一段（活用）」などの**活用の種類**がある（変格活用は「カ行変格活用」→「カ変」のように略称される）。

活用語は、口語では、**未然形・連用形・終止形・連体形・仮定形・命令形**の六つの**活用形**を持つ（品詞・語によっては六つそろわない）。文語では、口語の仮定形に当たる形を**已然形**と言う。各活用形には次の性質がある。

**口語**

未然形 ―「ない」「う・よう」（動詞の場合）、「う」（形容詞・形容動詞の場合）などへ続く。

連用形 ―「ます」（動詞の場合）、「なる」（形容詞・形容動詞の場合）、「た」「て」などへ続く。また、文を中止する。

終止形 ― そこで言い切る。

連体形 ―「こと」などへ続く。

仮定形 ―「ば」へ続く。

命令形 ― 命令の意味で言い切る。

**文語**

未然形 ―「ば」「ず」「む」などへ続く。

連用形 ―「たり」（動詞の場合）、「なる」（形容詞・形容動詞の場合）、「き」「けむ」などへ続く。また、文を中止する。

終止形 ― そこで言い切る。

連体形 ―「こと」などへ続く。

已然形 ―「ば」「ども」などへ続く。

命令形 ― 命令の意味で言い切る。

ここで**口語**とは、話しことばに近い、現代の普通の文章のことばづかいを指す。**文語**とは、平安時代の文法に基づく古い文章のことばづかいを指す。

## ●動詞活用表

**口語**

| 種類 | 行 | 例 | 語幹 | 活用語尾 | | | | | |
|---|---|---|---|---|---|---|---|---|---|
| | | | | 未然形 | 連用形 | 終止形 | 連体形 | 仮定形 | 命令形 |
| 五段 | カ | 書く | か | か こ | き い | く | く | け | け |
| | ガ | 泳ぐ | およ | が ご | ぎ い | ぐ | ぐ | げ | げ |
| | サ | 落とす | おと | さ そ | し | す | す | せ | せ |
| | タ | 立つ | た | た と | ち っ | つ | つ | て | て |
| | ナ | 死ぬ | し | な の | に ん | ぬ | ぬ | ね | ね |
| | バ | 学ぶ | まな | ば ぼ | び ん | ぶ | ぶ | べ | べ |
| | マ | 読む | よ | ま も | み ん | む | む | め | め |

**文語**

| 種類 | 行 | 例 | 語幹 | 活用語尾 | | | | | |
|---|---|---|---|---|---|---|---|---|---|
| | | | | 未然形 | 連用形 | 終止形 | 連体形 | 已然形 | 命令形 |
| 四段 | カ | 書く | か | か | き | く | く | け | け |
| | ガ | 泳ぐ | およ | が | ぎ | ぐ | ぐ | げ | げ |
| | サ | 落とす | おと | さ | し | す | す | せ | せ |
| | タ | 立つ | た | た | ち | つ | つ | て | て |
| ナ変 | ナ | 死ぬ | し | な | に | ぬ | ぬる | ぬれ | ね |
| 四段 | バ | 学ぶ | まな | ば | び | ぶ | ぶ | べ | べ |
| | マ | 読む | よ | ま | み | む | む | め | め |

| | | | | | | | | | |
|---|---|---|---|---|---|---|---|---|---|
| | ラ | 走る | はし | ら ろ | り つ | る | る | れ | れ |
| | ラ | 蹴る | け | ら ろ | り つ | る | る | れ | れ |
| | ラ | 有る | あ | ら ろ | り つ | る | る | れ | れ |
| | ワア | 買う | か | わ お | い つ | う | う | え | え |
| 上一段 | ア | 射る | | い | い | いる | いる | いれ | いろ いよ |
| | ア | 居る | | い | い | いる | いる | いれ | いろ いよ |
| | ア | 強いる | し | い | い | いる | いる | いれ | いろ いよ |
| | ア | 報いる | むく | い | い | いる | いる | いれ | いろ いよ |
| | カ | 着る | | き | き | きる | きる | きれ | きろ きよ |
| | カ | 起きる | お | き | き | きる | きる | きれ | きろ きよ |
| | ガ | 過ぎる | す | ぎ | ぎ | ぎる | ぎる | ぎれ | ぎろ ぎよ |
| | サ | (察しる) | さっ | し | し | しる | しる | しれ | しろ しよ |
| | ザ | 感じる | かん | じ | じ | じる | じる | じれ | じろ じよ |
| | ザ | 閉じる | と | じ | じ | じる | じる | じれ | じろ じよ |
| | タ | 落ちる | お | ち | ち | ちる | ちる | ちれ | ちろ ちよ |
| | ナ | 煮る | | に | に | にる | にる | にれ | にろ によ |
| | ハ | 干る | | ひ | ひ | ひる | ひる | ひれ | ひろ ひよ |
| | バ | 滅びる | ほろ | び | び | びる | びる | びれ | びろ びよ |

| | | | | | | | | | |
|---|---|---|---|---|---|---|---|---|---|
| | ラ | 走る | はし | ら | り | る | る | れ | れ |
| 下一段 | カ | 蹴る | | け | け | ける | ける | けれ | けよ |
| ラ変 | ラ | 有り | あ | ら | り | り | る | れ | れ |
| 四段 | ハ | 買ふ | か | は | ひ | ふ | ふ | へ | へ |
| 上一段 | ヤ | 射る | | い | い | いる | いる | いれ | いよ |
| | ワ | 居る | | ゐ | ゐ | ゐる | ゐる | ゐれ | ゐよ |
| 上二段 | ハ | 強ふ | し | ひ | ひ | ふ | ふる | ふれ | ひよ |
| | ヤ | 報ゆ | むく | い | い | ゆ | ゆる | ゆれ | いよ |
| 上一段 | カ | 着る | | き | き | きる | きる | きれ | きよ |
| 上二段 | カ | 起く | お | き | き | く | くる | くれ | きよ |
| | ガ | 過ぐ | す | ぎ | ぎ | ぐ | ぐる | ぐれ | ぎよ |
| サ変 | サ | 察す | さつ | せ | し | す | する | すれ | せよ |
| | ザ | 感ず | かん | ぜ | じ | ず | ずる | ずれ | ぜよ |
| 上二段 | ダ | 閉づ | と | ぢ | ぢ | づ | づる | づれ | ぢよ |
| | タ | 落つ | お | ち | ち | つ | つる | つれ | ちよ |
| 上一段 | ナ | 煮る | | に | に | にる | にる | にれ | によ |
| | ハ | 干る | | ひ | ひ | ひる | ひる | ひれ | ひよ |
| 上二段 | バ | 滅ぶ | ほろ | び | び | ぶ | ぶる | ぶれ | びよ |

## 口語

| 種類 | 行 | 例 | 語幹 | 未然形 | 連用形 | 終止形 | 連体形 | 仮定形 | 命令形 |
|---|---|---|---|---|---|---|---|---|---|
| | | | | 活用語尾 | | | | | |
| 上一段 | マ | 見る | | み | み | みる | みる | みれ | みろ<br>みよ |
| 上一段 | ラ | 下りる | お | り | り | りる | りる | りれ | りろ<br>りよ |
| 下一段 | ア | 得る | | え | え | える | える | えれ | えろ<br>えよ |
| 下一段 | ア | 教える | おし | え | え | える | える | えれ | えろ<br>えよ |
| 下一段 | ア | 消える | き | え | え | える | える | えれ | えろ<br>えよ |
| 下一段 | ア | 植える | う | え | え | える | える | えれ | えろ<br>えよ |
| 下一段 | カ | 受ける | う | け | け | ける | ける | けれ | けろ<br>けよ |
| 下一段 | ガ | 上げる | あ | げ | げ | げる | げる | げれ | げろ<br>げよ |
| 下一段 | サ | 乗せる | の | せ | せ | せる | せる | せれ | せろ<br>せよ |
| 下一段 | ザ | 混ぜる | ま | ぜ | ぜ | ぜる | ぜる | ぜれ | ぜろ<br>ぜよ |
| 下一段 | タ | 捨てる | す | て | て | てる | てる | てれ | てろ<br>てよ |
| 下一段 | ダ | 撫（な）でる | な | で | で | でる | でる | でれ | でろ<br>でよ |
| 下一段 | ナ | 尋ねる | たず | ね | ね | ねる | ねる | ねれ | ねろ<br>ねよ |
| 下一段 | バ | 述べる | の | べ | べ | べる | べる | べれ | べろ<br>べよ |
| 下一段 | マ | 求める | もと | め | め | める | める | めれ | めろ<br>めよ |

## 文語

| 種類 | 行 | 例 | 語幹 | 未然形 | 連用形 | 終止形 | 連体形 | 已然形 | 命令形 |
|---|---|---|---|---|---|---|---|---|---|
| | | | | 活用語尾 | | | | | |
| 上一段 | マ | 見る | | み | み | みる | みる | みれ | みよ |
| 上二段 | ラ | 下る | お | り | り | る | るる | るれ | りよ |
| 下二段 | ア | 得（う） | | え | え | う | うる | うれ | えよ |
| 下二段 | ハ | 教ふ | をし | へ | へ | ふ | ふる | ふれ | へよ |
| 下二段 | ヤ | 消ゆ | き | え | え | ゆ | ゆる | ゆれ | えよ |
| 下二段 | ワ | 植う | う | ゑ | ゑ | う | うる | うれ | ゑよ |
| 下二段 | カ | 受く | う | け | け | く | くる | くれ | けよ |
| 下二段 | ガ | 上ぐ | あ | げ | げ | ぐ | ぐる | ぐれ | げよ |
| 下二段 | サ | 乗す | の | せ | せ | す | する | すれ | せよ |
| 下二段 | ザ | 混ず | ま | ぜ | ぜ | ず | ずる | ずれ | ぜよ |
| 下二段 | タ | 捨つ | す | て | て | つ | つる | つれ | てよ |
| 下二段 | ダ | 撫（な）づ | な | で | で | づ | づる | づれ | でよ |
| 下二段 | ナ | 尋ぬ | たづ | ね | ね | ぬ | ぬる | ぬれ | ねよ |
| 下二段 | バ | 述ぶ | の | べ | べ | ぶ | ぶる | ぶれ | べよ |
| 下二段 | マ | 求む | もと | め | め | む | むる | むれ | めよ |

| | | | | | | | | | |
|---|---|---|---|---|---|---|---|---|---|
| | ラ | 暮れる | く | れ | れ | れる | れる | れれ | れろ<br>れよ |
| カ変 | カ | 来る | | こ | き | くる | くる | くれ | こい |
| サ変 | サ | する | | し<br>せ<br>さ | し | する | する | すれ | しろ<br>せよ |
| | サ | 察する | さっ | し<br>せ | し | する | する | すれ | しろ<br>せよ |
| | ザ | 感ずる | かん | じ<br>ぜ | じ | ずる | ずる | ずれ | じろ<br>ぜよ |
| マス | サ | ございます | ございま | せ<br>しょ | し | す<br>(する) | す<br>(する) | すれ | せ |
| | サ | なさんす | なさん | せ<br>しょ | し | す | す | すれ | せ<br>(し) |

**動詞の活用について**

**口語**

**【五段活用】**活用語尾が五つの段に活用する。たとえば、「書く」は「か・き・く・け・こ」と活用するので「カ行五段活用」、「買う」は「わ・い・う・え・お」と活用するので「ワア行五段活用」などと言う。

未然形は、「書か(ない)」の形(表の右側)と、「書こ(う)」の形(表の左側)とがある。連用形は、「書き(ます)」の形(表の右側)と、「書い(た)」のように「た」「て」へ続く形(表の左側)とがある。

古くは、未然形も連用形もそれぞれ一つの形(表の右側)だけだったが、音変化によって新しい形(表の左側)が加わった。

- 未然形「書こ(う)」は、もとの「書か(む)」が変化した形。
- 連用形「書い(た)」「立っ(た)」「読ん(だ)」などは、もとの「書き(たり)」「立ち(たり)」「読み(たり)」などが変化した形(**音便形**と言う)。
- 「有る」の未然形は、助動詞「ない」には続かない(「あらない」とは言わない)。代わりに「無い」を使う。
- 「行く(いく・ゆく)」の連用形は、規則的に考えれば、「書く→書い(た)」と同じく「いく→いい(た)」「ゆく→ゆい(た)」となりそうなところだが、実際はそう言わず、どちらも「いっ(た)」になる。
- 「くださる」の命令形は「ください」(「くだされ」が規則的だが、古風)。

可能を表す場合、ふつう、活用語尾をエ段の音にして「る」をつけ、下一段に活用する(**可能形**または**可能動詞**と言う。この辞書の「可能形」の項目を参照)。例、書く→書ける、読む→読める。

**【上一段活用】**活用語尾が「い・い・いる・いる…」のように、すべてイ段で始まる。

**【下一段活用】**活用語尾が「え・え・える・える…」のように、すべてエ段で始まる。

活用のしかたが一部変則的な語がある。

- 「くれる」の命令形は「くれ」(「くれろ」が規則的だが、古風か方言的)。

**【カ行変格活用(カ変)】**「来る」および「持って来る」など末尾に「来る」のつく語。活用語尾がカ行音で始まって変則的に活用する。

**【サ行変格活用(サ変)】**「する」および「勉強する」など末尾に「する」のつく語。活用語尾がサ行音で始まって変則的に活用する。

「感ずる」のように、活用語尾が「ずる」と濁る語もある。

未然形は、「し(ない・よう)」(表の右側)、「さ(れる)」(表の真ん中)、「せ(ず)」(表の左側)の三つの形がある。「察する」のように「し」「せ」、「感ずる」のように「じ」「ぜ」の二つの形だけになる語もある。

語によっては、活用の種類にゆれがある。たとえば、文語「感ず」(サ変)に対応する口語は、「感ずる」(サ変)以外に「感じる」(上一段)の形もある。また、文語「愛す」(サ変)に対応する口語は、「愛する」(サ

| | | | | | | | | | |
|---|---|---|---|---|---|---|---|---|---|
| | ラ | 暮る | く | れ | れ | る | るる | るれ | れよ |
| カ変 | カ | 来 | | こ | き | く | くる | くれ | こ<br>こよ |
| サ変 | サ | す | | せ | し | す | する | すれ | せよ |
| | サ | 察す | さつ | せ | し | す | する | すれ | せよ |
| | ザ | 感ず | かん | ぜ | じ | ず | ずる | ずれ | ぜよ |

変）以外に「愛す」（五段）の形もある。

**[マス活用]**「ございます」「なさんす」など、末尾に助動詞「ます」がついてできた語や、それが変化した語。活用語尾は「ます」の語尾に一致するが、語によって、一部の活用形を欠く。

▽上一段・下一段・サ変の命令形で、「いよ」「えよ」「せよ」など「〜よ」で終わる形（表の左側）は、書きことばの性格が強い。

**文語**

文語の動詞は九種類あったが、口語では統合されて五種類になった。

**四段・ナ変・ラ変・下一段**は、口語では五段に活用する。

**上一段・上二段**は、口語では上一段に活用する。

**下二段**は、口語では下一段に活用する。

**カ変・サ変**は、口語のカ変・サ変に引き継がれた（活用の種類にゆれのある語については、口語の「サ行変格活用（サ変）」を参照）。

## ●形容詞活用表

**口語**

| 種類 | 例 | 語幹 | 活用語尾 未然形 | 連用形 | 終止形 | 連体形 | 仮定形 | 命令形 |
|---|---|---|---|---|---|---|---|---|
| 一般 | 白い | しろ | かろ | かっ<br>く<br>う | い | い | けれ | |
| | 早い | はや | かろ | かっ<br>く<br>〔…よ〕う | い | い | けれ | |
| | 楽しい | たのし | かろ | かっ<br>く<br>〔…しゅ〕う | い | い | けれ | |
| | すさまじい | すさまじ | かろ | かっ<br>く<br>〔…じゅ〕う | い | い | けれ | |
| ズヌ | たまらない | たまら | なかろ | なかっ<br>なく<br>ず | ない<br>ぬ<br>（ん） | ない<br>ぬ<br>（ん） | なけれ | |
| セズセヌ | 快しとしない | こころよしと | しなかろ | しなかっ<br>しなく<br>せず | しない<br>せぬ<br>（せん） | しない<br>せぬ<br>（せん） | しなけれ | |

**文語**

| 種類 | 例 | 語幹 | 活用語尾 未然形 | 連用形 | 終止形 | 連体形 | 已然形 | 命令形 |
|---|---|---|---|---|---|---|---|---|
| ク | 白し | しろ | （く）<br>から | く<br>かり | し | き<br>かる | けれ | かれ |
| | 早し | はや | （く）<br>から | く<br>かり | し | き<br>かる | けれ | かれ |
| シク | 楽し | たの | （しく）<br>しから | しく<br>しかり | し | しき<br>しかる | しけれ | しかれ |
| | すさまじ | すさま | （じく）<br>じから | じく<br>じかり | じ | じき<br>じかる | じけれ | じかれ |

### 形容詞の活用について

**口語**

連用形は、「白かっ（た）」（表の右側）、「白く（なる）」（表の真ん中）の形があり、さらに活用の種類により特別の形がある。

**[一般活用]** 連用形が「ございます」などに続くときは音便形「う」を使うが、次の語では、語幹の音の一部も変わる。

- 語幹の末尾の母音がアとなるもの。例、「赤い」は「あこう」、「早い」は「はよう」。
- 語幹がキ・シ・ジで終わるもの。例、「大きい」は「おおきゅう」、「楽しい」は「たのしゅう」、「すさまじい」は「すさまじゅう」。

**[ズヌ活用・セズセヌ活用]** 末尾に助動詞「ない」がついてできた形容詞は、活用語尾の連用形が「ず」、終止形・連体形が「ぬ（ん）」の形にもなる。この辞書では、これを特に「ズヌ活用」と言う。

末尾に「しない（←動詞『する』＋助動詞『ない』）」がついてできた形容詞は、活用語尾の連用形が「せず」、終止形・連体形が「せぬ（せん）」の形にもなる。この辞書では、これを特に「セズセヌ活用」と言う。

**文語**

連用形が「白く」のように「〜く」の形になる**ク活用**、「楽しく」のように「〜しく」の形になる**シク活用**がある。この二つは、終止形以外の活用語尾の最初に「し」がつくかどうかという点を除いて、形式上、本質的な違いはない。

シク活用の語には、「すさまじ」など、活用語尾が「じ」と濁る語もある。

意味の面から見ると、ク活用には「白し」「広し」「高し」など、視覚・聴覚などに基づく客観的な語が多く、シク活用には「楽し」「恥づかし」「すさまじ」など、感情・評価などを表す主観的な語が多い。

未然形は、「白く(ば)」「楽しく(ば)」の形(表の右側。近世以降の形)と、「白から(ず)」「楽しから(ず)」の形(表の左側)とがある。

連用形は、「白く(なる)」「楽しく(なる)」の形(表の右側)と、「白かり(き)」「楽しかり(き)」の形(表の左側)とがある。

連体形は、「白き(こと)」「楽しき(こと)」の形(表の右側)と、「白かる(べし)」「楽しかる(べし)」の形(表の左側)とがある。

連用形の音便形(「白う(なる)」など)は、文語でよく使われるが、活用表には示さないことが多い。

▽口語・文語とも、語幹だけを感動詞的に使うことがある。例、「おお、寒(さむ)」(←寒い)、「痛(いた)っ」(←痛い)。

## ●形容動詞活用表

**口語**

| 種類 | 例 | 語幹 | 活用語尾 未然形 | 連用形 | 終止形 | 連体形 | 仮定形 | 命令形 |
|---|---|---|---|---|---|---|---|---|
| ダナ | 静かだ | しずか | だろ | だっ<br>で<br>に | だ | な | なら | |
| トタル | 堂々たる | どうどう | | と | | たる | | |

**文語**

| 種類 | 例 | 語幹 | 活用語尾 未然形 | 連用形 | 終止形 | 連体形 | 已然形 | 命令形 |
|---|---|---|---|---|---|---|---|---|
| ナリ | 静かなり | しづか | なら | なり<br>に | なり | なる | なれ | なれ |
| タリ | 堂々たり | だうだう | たら | たり<br>と | たり | たる | たれ | たれ |

### 形容動詞の活用について

**口語**

この辞書では、ダナ活用とトタル活用の二つの種類に分ける。大部分はダナ活用である。学校文法で扱う口語形容動詞は、この辞書のダナ活用形容動詞に相当する。

**[ダナ活用]** 終止形が「だ」、連体形が「な」で終わる。

連用形は、「静かだっ(た)」(表の右側)、「静かで(ある)」(表の真ん中)、「静かに(なる)」(表の左側)の三つの形がある。

ていねいな言い方のときは、助動詞の「です」と同じ活用をする。たとえば、「静かだ」は「静かでしょ(う)・静かでし(た)・静かです」などとなる。

**[トタル活用]** 文語のタリ活用に当たる口語の形。「堂々と(戦う)」「堂々たる(人物)」のように、連用形・連体形しか使われない。

**文語**

**[ナリ活用]** 終止形が「なり」で終わる。

連用形は、「静かなり(き)」の形(表の右側)と、「静かに(行く)」の形(表の左側)とがある。

**[タリ活用]** 終止形が「たり」で終わる。

連用形は、「堂々たり(き)」の形(表の右側)と、「堂々と(行く)」の形(表の左側)とがある。

# ●助動詞活用表

## 口語

| 用法 | 語 | 未然形 | 連用形 | 終止形 | 連体形 | 仮定形 | 命令形 | 接続する形 | 活用の型 |
|---|---|---|---|---|---|---|---|---|---|
| 受け身 | れる | れ | れ | れる | れる | れれ | れろ・れよ | 五段・サ変の未然形 | 下一段型 |
| 受け身 | られる | られ | られ | られる | られる | られれ | られろ・られよ | 右以外の動詞の未然形 | 下一段型 |
| 自発・可能 | れる | れ | れ | れる | れる | れれ | | 五段・サ変の未然形 | 下一段型 |
| 自発・可能 | られる | られ | られ | られる | られる | られれ | | 右以外の動詞の未然形 | 下一段型 |
| 使役 | せる | せ | せ | せる | せる | せれ | せろ・せよ | 五段・サ変の未然形 | 下一段型 |
| 使役 | す | さ・そ | し | す | す | せ | せ | 五段・サ変の未然形 | 五段型 |
| 使役 | させる | させ | させ | させる | させる | させれ | させろ・させよ | 右以外の動詞の未然形 | 下一段型 |
| 使役 | さす | ささ・さそ | さし | さす | さす | させ | させ | 右以外の動詞の未然形 | 五段型 |
| 使役 | しめる | しめ | しめ | しめる | しめる | しめれ | しめよ | すべての動詞の未然形 | 下一段型 |
| 尊敬 | れる | れ | れ | れる | れる | れれ | | 五段・サ変の未然形 | 下一段型 |
| 尊敬 | られる | られ | られ | られる | られる | られれ | | 右以外の動詞の未然形 | 下一段型 |
| 丁寧 | ます | ませ・ましょ | まし | ます（まする） | ます（まする） | （ますれ） | ませ（まし） | 動詞の連用形 | マス型 |
| 過去 | た | たろ | | た | た | たら | | 用言の連用形 | 特殊型 |

## 文語

| 用法 | 語 | 未然形 | 連用形 | 終止形 | 連体形 | 已然形 | 命令形 | 接続する形 | 活用の型 |
|---|---|---|---|---|---|---|---|---|---|
| 受け身 | る | れ | れ | る | るる | るれ | れよ | 四段・ナ変・ラ変の未然形 | 下二段型 |
| 受け身 | らる | られ | られ | らる | らるる | らるれ | られよ | 右以外の動詞の未然形 | 下二段型 |
| 自発・可能 | る | れ | れ | る | るる | るれ | | 四段・ナ変・ラ変の未然形 | 下二段型 |
| 自発・可能 | らる | られ | られ | らる | らるる | らるれ | | 右以外の動詞の未然形 | 下二段型 |
| 使役 | す | せ | せ | す | する | すれ | せよ | 四段・ナ変・ラ変の未然形 | 下二段型 |
| 使役 | さす | させ | させ | さす | さする | さすれ | させよ | 右以外の動詞の未然形 | 下二段型 |
| 使役 | しむ | しめ | しめ | しむ | しむる | しむれ | しめよ | 用言の未然形 | 下二段型 |
| 尊敬 | る | れ | れ | る | るる | るれ | れよ | 四段・ナ変・ラ変の未然形 | 下二段型 |
| 尊敬 | らる | られ | られ | らる | らるる | らるれ | られよ | 右以外の動詞の未然形 | 下二段型 |
| 尊敬 | す | | せ | | | | | 四段の未然形 | 下二段型 |
| 尊敬 | さす | | させ | | | | | 四段・ナ変・ラ変以外の未然形 | 下二段型 |
| 尊敬 | しむ | | しめ | | | | | すべての動詞の未然形 | 下二段型 |
| 丁寧 | | | | | | | | | |
| 過去 | き | （せ） | | き | し | しか | | 用言の連用形（カ変は除く） | 特殊型 |
| 過去 | けり | （けら） | | けり | ける | けれ | | 用言の連用形 | ラ変型 |

| | | | | | | | | | |
|---|---|---|---|---|---|---|---|---|---|
| 完了 | た | たろ | | た | た | たら | | 用言の連用形 | 特殊型 |
| 意志・推量 | う | | | う | (う) | | | 五段動詞・形容詞・形容動詞の未然形 | 特殊型 |
| | よう | | | よう | (よう) | | | 右以外の動詞の未然形 | 特殊型 |
| 推量 | だろう | | | だろう | (だろう) | | | 体言、動詞・形容詞の終止形 | 特殊型 |
| | でしょう | | | でしょう | (でしょう) | | | 体言、動詞・形容詞の終止形、形容動詞の語幹 | 特殊型 |
| 推定 | らしい | | らしかっ<br>らしく<br>らしゅう | らしい | らしい | (らしけれ) | | 体言、動詞・形容詞の終止形、形容動詞の語幹 | 形容詞型 |
| | ようだ | ようだろ | ようだっ<br>ようで<br>ように | ようだ | ような | ようなら | | 体言＋の、用言の連体形、「あの」「この」「その」「どの」 | 形動ダナ型 |
| 当然・適当 | べきだ | べきだろ | べきだっ<br>べきで | べきだ | べき | べきなら | | 動詞の終止形 | 特殊型 |

| | | | | | | | | | |
|---|---|---|---|---|---|---|---|---|---|
| 完了 | つ | て | て | つ | つる | つれ | てよ | 動詞の連用形 | 下二段型 |
| | ぬ | な | に | ぬ | ぬる | ぬれ | ね | 動詞の連用形（ナ変は除く） | ナ変型 |
| | たり | たら | たり | たり | たる | たれ | (たれ) | 動詞の連用形 | ラ変型 |
| | り | ら | り | り | る | れ | (れ) | 四段の已然形、サ変の未然形 | ラ変型 |
| 意志・推量 | む/ん | | | む/ん | む/ん | め | | 用言の未然形 | 四段型 |
| | むず/んず | | | むず/んず | むずる/んずる | むずれ/んずれ | | 動詞の未然形 | サ変型 |
| | べし | (べく)<br>べから | べく<br>べかり | べし | べき<br>べかる | べけれ | | ラ変以外の動詞の終止形、ラ変・形容詞・形容動詞の連体形 | 形容詞ク型 |
| 推量 | らむ/らん | | | らむ/らん | らむ/らん | らめ | | ラ変以外の動詞の終止形、ラ変・形容詞・形容動詞の連体形 | 四段型 |
| | けむ/けん | | | けむ/けん | けむ/けん | けめ | | 用言の連用形 | 四段型 |
| | まし | ましか<br>(ませ) | | まし | まし | ましか | | 用言の未然形 | 特殊型 |
| | めり | | めり | めり | める | めれ | | 用言の終止形 | ラ変型 |
| 推定 | らし | | | らし | らし<br>(らしき) | らし | | ラ変以外の動詞の終止形、ラ変・形容詞・形容動詞の連体形 | 形容詞シク型 |
| 当然・適当 | べし | (べく)<br>べから | べく<br>べかり | べし | べき<br>べかる | べけれ | | ラ変以外の動詞の終止形、ラ変・形容詞・形容動詞の連体形 | 形容詞ク型 |

**口語**

| 用法 | 語 | 未然形 | 連用形 | 終止形 | 連体形 | 仮定形 | 命令形 | 接続する形 | 活用の型 |
|---|---|---|---|---|---|---|---|---|---|
| 否定意志・否定推量 | まい | | | まい | (まい) | | | 五段の終止形、五段以外の未然形 | 特殊型 |
| 否定 | ない | なかろ | なかっ なく | ない | ない | なけれ | | 動詞の未然形 | 形容詞型 |
| | ぬ ん | | ず | ぬ ん | ぬ ん | ね | | | 特殊型 |
| 希望 | たい | たかろ | たかっ たく とう | たい | たい | たけれ | | 動詞の連用形 | 形容詞型 |
| | たがる | たがら たがろ | たがり たがっ | たがる | たがる | たがれ | | | 五段型 |
| 断定 | だ | (だろ) | だっ で | だ | (な) | (なら) | | 体言 | 形動ダナ型 |
| | です | (でしょ) | でし | です | (です) | | | 体言、形容詞の終止形、形容動詞の語幹 | マス型 |
| 伝聞 | そうだ | | そうで | そうだ (そうな) | | | | 用言の終止形 | 形動ダナ型 |
| 様態 | そうだ | そうだろ | そうだっ そうで そうに | そうだ | そうな | そうなら | | 動詞の連用形、形容詞の語幹、形容動詞の語幹 | 形動ダナ型 |
| たとえ | ようだ | ようだろ | ようだっ ようで ように | ようだ | ような | ようなら | | 体言＋の、用言の連体形、「あの」「この」「その」「どの」 | 形動ダナ型 |

**文語**

| 用法 | 語 | 未然形 | 連用形 | 終止形 | 連体形 | 已然形 | 命令形 | 接続する形 | 活用の型 |
|---|---|---|---|---|---|---|---|---|---|
| 否定意志・否定推量 | まじ | (まじく) まじから | まじく まじかり | まじ | まじき まじかる | まじけれ | | ラ変以外の動詞の終止形、ラ変・形容詞・形容動詞の連体形 | 形容詞シク型 |
| | じ | | | じ | (じ) | (じ) | | 用言の未然形 | 特殊型 |
| 否定 | ず | (ず) ざら | ず ざり | ず (ざり) | ぬ ざる | ね ざれ | ざれ | 用言の未然形 | 特殊型 |
| 希望 | たし | (たく) たから | たく たかり | たし | たき たかる | たけれ | | 動詞の連用形 | 形容詞ク型 |
| | まほし | (まほしく) まほしから | まほしく まほしかり | まほし | まほしき まほしかる | まほしけれ | | 動詞の未然形 | 形容詞ク型 |
| 断定 | なり | なら | なり に | なり | なる | なれ | なれ | 体言、用言の連体形 | 形動ナリ型 |
| | たり | たら | たり と | たり | たる | たれ | たれ | 体言 | 形動タリ型 |
| 伝聞 | なり | | | なり | なる | なれ | | 用言の終止形 | ラ変型 |
| たとえ | ごとし | (ごとく) | ごとく | ごとし | ごとき | | | 体言＋の、用言の連体形(＋が) | 形容詞ク型 |
| | ごとくなり | ごとくなら | ごとくなり ごとくに | ごとくなり | ごとくなる | ごとくなれ | ごとくなれ | 体言＋の、用言の連体形(＋が) | 形動ナリ型 |

**助動詞の活用について**

助動詞の活用は、大まかに**動詞型**(五段型・下一段型など)・**形容詞型**・**形容動詞型**、どれにも属さない**特殊型**などの**活用の型**に分けることが多い。

「だ」「です」の未然形(だろ)(でしょ)および「だ」の仮定形(なら)は、学校文法で扱う形。この辞書では、前者は助動詞「だろう」「でしょう」の一部、後者は接続助詞「なら」と扱う。

活用表に示した助動詞以外にも、この辞書にはさまざまな助動詞を収録している。活用については、たとえば五段型「ちゃう」は《助動五型》、下一段型「てる」は《助動下一型》のように略記する。

## ●話しことばでの活用語

### 特徴的な音便形

活用語の連用形では、「書きて→書いて」「楽しく→楽しゅう」といった音便形が、比較的古い時代に生じた。これに加えて、現代の首都圏を中心とする話しことばでは、活用語の語尾に、以下に示すような特徴的な音便形の現れることがある。

この形は一般の口語に比べてくだけた感じがある。発生自体は、明治時代より前にさかのぼるものを多く含む。

1 ラ行五段動詞の未然形。

・助動詞「ない」に続くときは、「ん」(撥音便形)になることがある。

例 なら-ない→なん-ない　分から-ない→分かん-ない

2 ラ行五段動詞の連用形。

・「なさい」や、終助詞「な」(命令)に続くときは、「ん」になることがある。

例 やり-なさい→やん-なさい　帰り-な→帰ん-な

3 語尾が「～る」で終わる活用語の終止形・連体形。

・接続助詞「から」「けど」や、終助詞「か」などに続くときは、「っ」(促音便形)になることがある。〔俗語の場合〕

例 する-から→すっ-から　してる-けど→してっ-けど
　聞いてみる-か→聞いてみっ-か

・終助詞「な」(禁止)や「の」に続くときは、「ん」になることがある。また、語によっては、終助詞「な(あ)」(詠嘆)や「ね(え)」「じゃん」などに続くときに「ん」になることもある。〔俗語の場合〕

例 ふざける-な→ふざけん-な　忘れてる-の→忘れてん-の
　ある-なあ→あん-なあ　してる-なあ→してん-なあ
　また来る-ね→また来ん-ね
　飛べる-じゃん→飛べん-じゃん

・終助詞「ぞ」や、助動詞「だろう」に続くときは、「っ」または「ん」になることがある。〔俗語の場合〕

例 なぐられる-ぞ→なぐられっ-ぞ　笑われる-ぞ→笑われん-ぞ
　かかる-だろ→かかっ-だろ　分かる-だろ→分かん-だろ

・助動詞「んだ」「んです」に続くときは、語尾がこれと一体化することがある。〔俗語の場合〕

例 発表する-んだ→発表すんだ　ある-んです→あんです〔古風〕

4 形容動詞の連用形「に」。

・「なる」に続くときは、「ん」になることがある。

例 いやに-なる→いやん-なる　立派に-なる→立派ん-なる

5 このほか、語によって特別の音便形を持つものがある。

例 歩く(五段動詞)…歩い-て→歩っ-て
　くれる(下一段動詞)…やってくれ-ない→やってくん-ない
　いい(形容詞)…
　いい-か→いっ-か〔俗〕　いい-けど→いっ-けど〔俗〕
　られる(助動詞)…信じられ-ない→信じらん-ない〔俗〕
　う(助動詞)…帰ろう-か→帰ろっ-か〔俗〕

### その他の変化形

現代の首都圏を中心とする話しことばでは、活用語の形が次のように規則的に変化することがある。

1 仮定形の語尾のエ段音と、後に続く助詞「ば」が合わさって、「～イャ(ー)」に変化することがある。

例 書け-ば→書きゃ(あ)　見れ-ば→見りゃ(あ)
　なけれ-ば→なけりゃ(あ)〔「なきゃ(あ)」とも〕
　聞かれれ-ば→聞かれりゃ(あ)

2 「～アイ」で終わる形容詞型の活用語は、「～エー」に変化することがある。〔俗語の場合〕

例 赤い→あけえ　危ない→あぶねえ　早い→はええ
　わからない→わからねえ　食べたい→食べてえ
　あるまい→あるめえ〔古風〕

3 「～オイ」で終わる形容詞型の活用語は、語によっては、「～エー」に変化することもある。〔俗語の場合〕

例 すごい→すげえ　おもしろい→おもしれえ
　きもい(=気持ちが悪い)→きめえ

4 「～ウイ」で終わる形容詞型の活用語は、語によっては、「～イー」に変化することもある。〔俗語の場合〕

例 熱い→あちい　かゆい→かいい

5 このほか、語によって特別に形が変化することがある。

例 ～せる(下一段動詞型の語)…見せ-て→見し-て
　かっこいい(形容詞)…かっこいい→かっけえ〔俗〕
　う(助動詞)…
　帰りましょう→帰りましょ　行こう→行こ〔俗〕

# アクセント解説



## ●アクセントとは

この辞書では、それぞれの項目に、全国で広く用いられている共通語のうちの**代表的なアクセント**を表示します。」は音が下がる位置がどこにあるかを表し、⁻はその語に音が下がるところがないことを表します。単語全体の具体的な音の上がり下がりがどうなるかは、あとで説明します。

**た」ぬき**（狸）
**こね」こ**（子猫）
**ことば」**（言葉）
**きつね⁻**（狐）

この代表的なアクセントは、あることばに関して、現代の共通語として実際にはいろいろなアクセントがある中で、「少なくともこれは、耳にした人に違和感を与えることはあまりないだろう」という観点から選んだものです。これをそれぞれの項目に一つだけ示します。決して、このことばのアクセントはこれ一つしかないとか、ここに掲げていないアクセントは間違いだとかいうようなことではありません。

この辞書で言う**アクセント**とは、音の下がり目の有無や位置に関する抽象的な情報のことです。また、音の具体的な上がり下がりの様子のことを**音調**と言います。アクセントということばは、一般にいろいろな意味で使われていて、音調の意味や、音の下がり目そのものの意味で使われる場合もありますが、ここでは採用しません。

たとえば、「**た」ぬき**」という表示は、「た」のあとで音を下げろと指示しており、この指示の情報がアクセントです。結果として、「た」のあとで下がる頭高の音調になります。

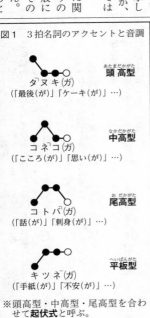

## ●共通語のアクセント

共通語のアクセントは、「ある語の中で、音が下がる場所があるかどうか、そして、あるとしたらどこで下がるのか」というところに着目すると分かりやすくなります。

日本語の音について取り扱うときには、**拍**（はく）という単位をよく使います。たとえば、「たぬき」「こねこ」「ことば」「きつね」などは、いずれも三拍のことばです。これらは、実際に声に出してふつうに発音するときには、だいたい図1のような音調を伴います。なお、後ろに助詞がついたときには音調が区別されるもの（＝**尾高型**と**平板型**）があるので、ここでは助詞「が」（○で表示）をつけて示します。尾高型と平板型は、助詞をつけないで発音した場合、音調は事実上同じになります。また尾高型に助詞「の」がついた場合は、平板型と同じように発音される場合がよくあります。たとえ

図1　３拍名詞のアクセントと音調

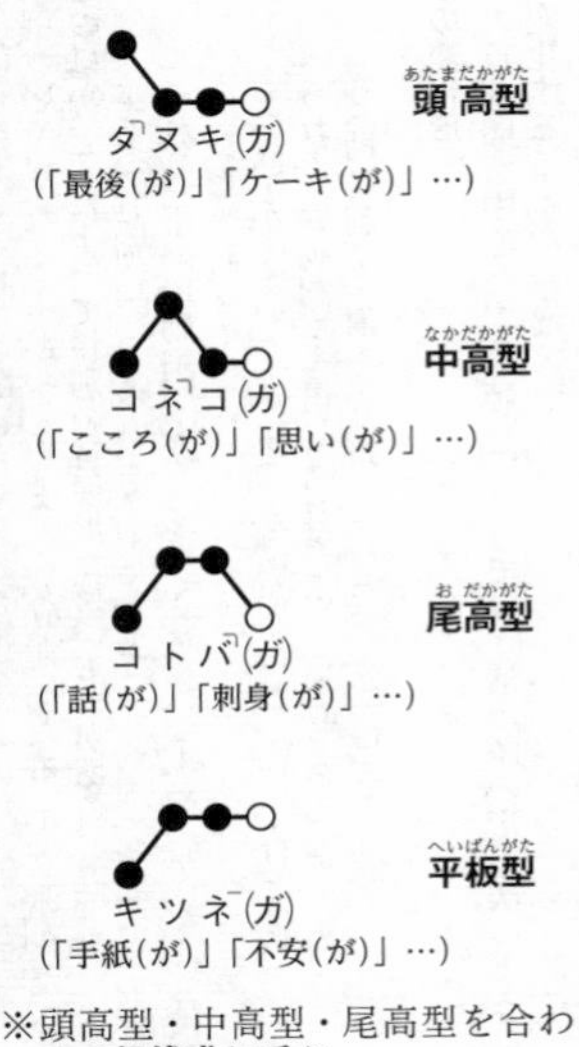


※頭高型・中高型・尾高型を合わせて**起伏式**と呼ぶ。

ば、「ことばの」は「きつねの」と同じ音調になります。

## ●全体的なルールと個別情報

ここで、音がどのように上がり下がりしているかを見ると、

(1)上がるところがある場合、その位置は、いずれも一拍目から二拍目にかけてである〔頭高型は、上がるところがない〕

(2)下がるところがある場合、その位置は、ことばによってそれぞれ違う〔平板型は、下がるところがない〕

ということが分かります。

(1)は、いろいろなことばに共通した**全体的なルール**のようなものと考えることができます。それに対して、(2)は、それぞれのことばによって異なる**個別の特徴的情報**と考えられます。これをもう少し詳しく説明します。

(1)の全体的なルール〔＝音が上がる場所はどこかと言うと、常に一拍目から二拍目にかけてである〕は、一度これを覚えてしまえば、ほかのいろいろなことばにも当てはめることができます。つまり、それぞれの単語の音調を習得しようとするときに、音が上がる場所をひとつひとつ覚える必要はないのです。この辞書でも表示する必要はないと考えます。あとで記すように、表示するとかえってデメリットが生じるため、むしろ表示しないほうがいいのです。

それに対して、(2)の個別の特徴的情報〔＝音が下がる場所はどこか〕はそれぞれの単語ごとに違うので、単純語の場合にはひとつひとつ覚えなければなりません。音が下がる場所がどこにあるのか（あるいは、ないのか）は、それぞれの単語に固有の情報として絶対に必要になるものです。これこそ、それぞれの語に関する情報として、個別に辞書に載せなければならないものです。

この辞書では、それぞれのことばによって異なる(2)の個別の特徴的情報を、アクセントとして示します。

## ●全体的なルールの補足

(1)の全体的なルールについて、少し補っておきます。

ことばに音が上がるところがある場合、それは必ず一拍目から二拍目にかけてであることを述べました。音が上がることで、ことばの開始点を示す役割を担っていると見ることもできます。

ただし、実際の発音では、一拍目から二拍目にかけて音がそれほどはっきりとは上がらないことばがあります。たとえば、「しょうゆ」や「ポン酢」がそうです。これらは、二拍目に**長音**〔「しょうゆ〔ショーユ〕」の「ー」〕や**撥音**（はつおん）〔「ポン酢〔ポンズ〕」の「ン」〕があります〔どちらも平板型の例〕。こうしたことばは、かしこまった場面で発音するときには音がある程度上がることもありますが、ふつうの発音では上がる幅がきわめて小さい、あるいは、ほとんど上がらないものです〔図2〕。

こうしたことから、(1)の全体的なルールには、次のような補足が

図2　2拍目が長音・撥音の場合のアクセントと音調

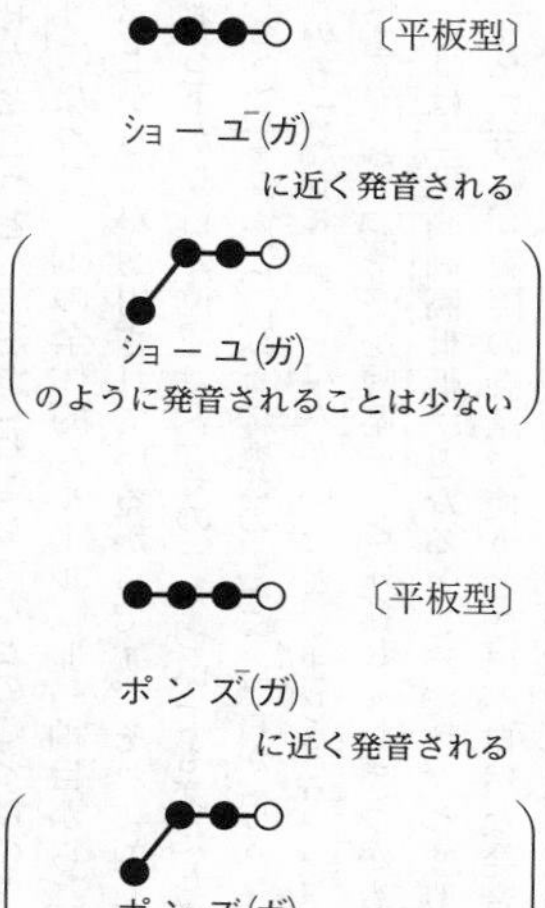


アク

必要になります。

(1′)ただし、二拍目に長音や撥音がある場合には、一拍目から二拍目にかけての上がり方はきわめて小さく、感覚的には、一拍目から高いような形になることが多い。

ここまで記したことをまとめて、一拍から五拍の名詞について一覧表にした「**アクセントの型**」を後ろ見返しに載せています。

## ●不自然な発音を避けるために

実際の会話では、単語を単独で読み上げたりするような使い方よりも、複数の語を組み合わせて、句または文の形で使うのがふつうです。たとえば、先ほどのことばに「**その**」という平板型のことばが前につくと、音調はだいたい図3のようになります。

単独のときには、「こねこ」の最初の「こ」、「ことば」の「こ」、「きつね」の「き」はいずれも低い音でしたが(図1)、「その」がついた場合には、表現上の特別な意図などがない限り、低くはなりません。なぜかと言うと、「そのこねこも」などのことばの並びがひとかたまりになって、(1)の全体的なルール（=一拍目から二拍目にかけて音が上がる）が適用されているからです。それに対して、(2)の特徴である下がり目の位置は、「その」がついても変化しません。

かりに、「こねこ」について「最初の『こ』は音が低く、『ね』にかけて上がる」などと覚えた人がいたとしましょう。この人は、「そのこねこが」を［低高低高低低］と発音してしまうかもしれません。ふつうは［低高高高低低］となるところです。つまり、この人のような覚え方は、実際の会話で使うときに不自然な発音を引き起こしてしまうおそれがあるのです。この辞書でそれぞれの単語に(1)の全体的なルールを表示しないのは、不自然な発音を避けるためというのが大きな理由です。

また、「**どの**」という頭高型のことばが前につくと、音調はだいたい図4のようになります。ここでも、「こねこ」について「最初の『こ』は音が低く、『ね』にかけて上がる」などと覚えていると、「どのこねこが」を［高低低高低低］と発音してしまうかもしれません。そうではなく、「ど」のあとで一度下がり、そして「ね」のあとでもう一度下がるのが、自然な発音なのです。

図3　「その」がついた場合の音調

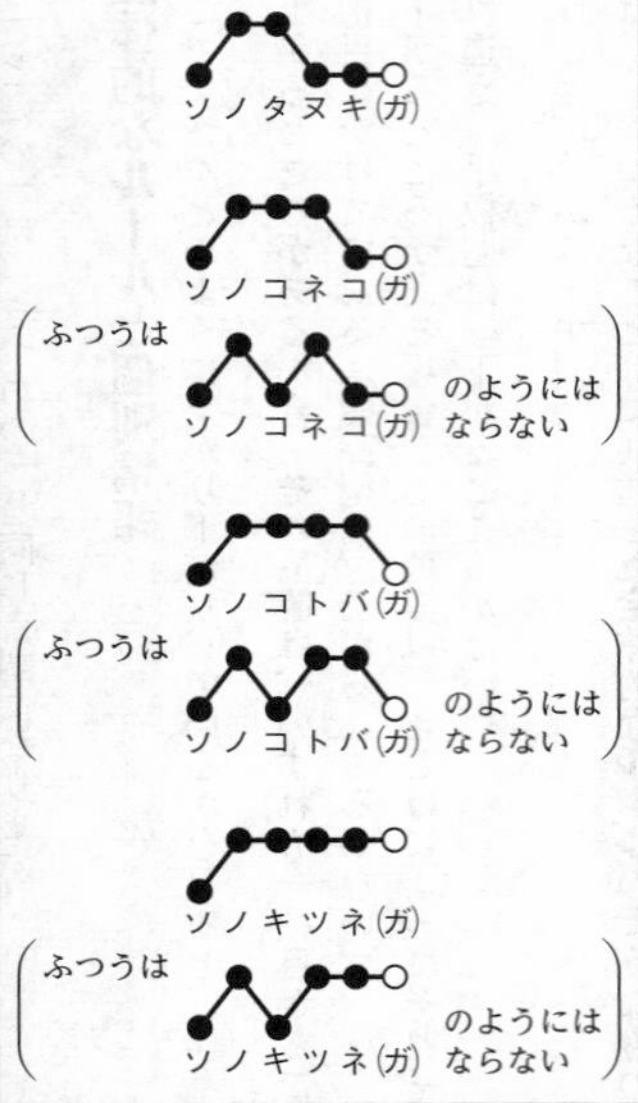


## ●複数の位置で音が下がることば

長いことばの中には、音の下がるところが複数ある場合があります。たとえば、「数少ない（**かず-すくない**）」「かくなる上は（**かくなる-うえは**）」は、音が二回下がります（符号「-」は、下がり目を担いうるかたまりの部分が複数になる場合に、それらのつなぎ目に付してあります）。

「数少ない」について見ると、「かず」の「か」のあとと、「すくない」の「な」のあとの二か所は、必ず音が下がります。一方、いったん下がった音が途中で大きく上がることは、ふつうはありません。「すくない」という単語の場合、「す」のあとで音が上がりますが、「かずすくない」の「す」のあとは、ふつうは音が上がりません。ほんの少し上がることもありますが、上がり方が大きいと不自然に聞こえてしまいます。

## ●品詞とアクセントの関係

平板型の名詞は、そのうしろに助詞や「だ」などが続く場合、尾高型のようにそこで音が大きく下がることはありません（例、「**きつねは**」「**きつねだ**」）。一方、名詞でない平板型のことばに助詞や「だ」、副詞をつくる「と」などが続くと、その間で音が下がることがよくあります。左に例示した動詞「売る・買う」、形容詞「かたい」、接続詞「そして」、副詞「うふふ」は、本来どれも平板型です。

例　『売る』の（**うるの**）反対語は『買う』だ（**かうだ**）
　　『固い』と『硬い』は（**かたいは**）別の漢字だ
　　『そして』を（**そしてを**）辞書で引いてみよう
　　「うふふと（**うふふと**）笑う」

また、名詞の中には副詞的に使うものがありますが（☞1692ページ 文法解説「名詞・代名詞」）、尾高型の名詞は、副詞的な用法では平板型になります。たとえば、名詞「二つ」「あした」は、「二つもらった」「あしたが楽しみだ」のように名詞として使う場合は「**ふたつも**」「**あしたが**」と尾高型です。一方、「二つもらった」「あした発表される」のように副詞的に使う場合は「**ふたつ**」「**あした**」と平板型になります。この変化は規則的なので、それぞれの項目では冗長を避け、原則として名詞の尾高型のアクセントのみを示します。

擬音語・擬態語の中には、二拍の音を繰り返す「ＡＢＡＢ」型のことばがあります（「どきどき・ぴかぴか・ぺらぺら」など）。これらのことばは、そのまま、または「と」をつけて副詞として使う場合や、「する」をつけてサ変動詞として使う場合、原則としてアクセントが頭高型になります。

例　「電球がぴかぴか（**ぴかぴか**）（と）光る」
　　「本をぺらぺら（**ぺらぺら**）（と）めくる」 （副詞）

図４「どの」がついた場合の音調

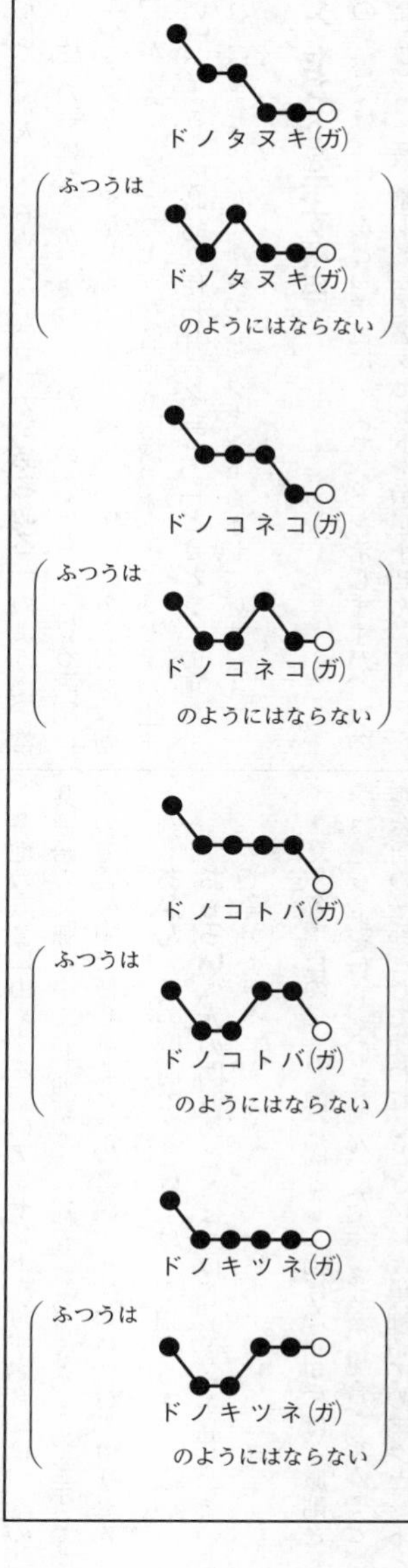

「のどがいがいが（いがいが）する」
「期待で胸がどきどき（どきどき）する」 }（サ変動詞）

一方、これらのことばに「に・だ・の」（☞1695ページ 文法解説「副詞」）や「な・は・が」などが続くことがあります。その場合、アクセントは平板型になります。

例 「床がぴかぴか（ぴかぴか）になる」
「床がぴかぴか（ぴかぴか）だ」
「ぴかぴか（ぴかぴか）の床」 }（副詞）
「英語がぺらぺら（ぺらぺら）な人」（形容動詞）
「ウニのいがいが（いがいが）はクリにそっくりだ」（名詞）
「緊張してどきどき（どきどき）が止まらない」（臨時的な名詞）

このような平板型への変化は、おおむね規則的に観察されるため、「〜に」の形の副詞や、副詞に「だ・の」がついた場合のアクセントは、本文の項目ではことさら示しません。

ただし、「恋人にめろめろになる」の「**めろめろ**」のように、常に「〜に」の形になるか、または「だ・の」などをつける副詞には、平板アクセントを示します。「ぺらぺら（な）」のような形容動詞、「いがいが（は）」のような名詞も同様です。「どきどきが止まらない」のように臨時的に使われる名詞は、「どきどき」の項目ではふれていません（したがって、アクセントも示していません）。

## ●アクセントを示す項目

この辞書では、ほとんどの項目にアクセントを示しますが、次のようなことばには、原則としてアクセントを示しません。

・助詞・助動詞、接辞（＝接頭語・接尾語）、造語成分、連語、句（＝慣用句など）。
・方言・古語および視覚語のうち、現代の共通語としては発音される機会の少ないもの。

ただし、主な助詞・助動詞については、その上に来ることばとあわせて、どのようなアクセントになるかを示します。

アク **ウシが・ネコが・イヌが。**

のように、「ウシ」（＝平板型の語の代表）、「ネコ」（＝頭高型の語の代表）、「イヌ」（＝尾高型の語の代表）を使って、上に来ることばのアクセントによる違いを示します。

また、造語成分や接辞については、その前後にいろいろなことばがついたとき、ほとんど固定的にある型が現れる場合には、アクセントを示します。

用言については、項目として掲げてある終止形のアクセントだけを示します。他の活用形は示しません。

各地の方言に由来する語にアクセントを付す場合には、その語が共通語の文脈の中で、共通語ふうに使われるときのものを示します。元の方言の中で使われるときの音調を示すわけではありません。

例 **あかん**（元の関西のことばでは、三拍ともすべて高い）
**おもろい**（元の関西のことばでは、「おも」が高く、そのあとで音が下がる）

また、各項目の「」内に例として掲げた語句には、原則としてアクセントを付していません。ただ、多くの場合、そのことばが複合語の一部として使われるときには、単純語でのアクセントとは同じにはなりません。たとえば、「カレー」の項目に「チキン」を示してありますが、この複合語「チキンカレー」のアクセントは、「チキンカレー」ではなく「チキンカレー」となります。

## ●感動詞の音調

感動詞の音調は、やや特殊です。実際の音調がどうなるかについて、ほかの語のようにアクセントを基に説明できるものと、説明しにくいものがあります。

音調をアクセントとしてとらえることができる場合は、ほかの品詞と同じように「」または｢の記号で示します。

例　**ああ**（「ああ、そうだった」）
**えへん**（「えへん、どんなもんだい」）
**おかえりなさい**
**おつかれさま**

これらの記号だけでは音調を表しにくい場合は、各項目の「 」内に掲げた例文に、音調用の特別な記号で示します（特定の音調で発音されることがある程度定まっているものは、その音調を冒頭にまとめて示します）。たとえば次のようなものです。

**音調が平らなもの**

（→）最初から高く始まって、そのまま平らに続く。

例「あ(→)、そうだ、忘れてた」

「ああ(→)、いそがしい」


（⟶）最初から高く始まって、そのまま平らに長く続く。

例「んーん(⟶)、わからん」

「それで、ええと(⟶)」

**音調が下がるもの**

（↘）最初から高く始まって、終わりに近いところで下がる。

例「ああん(↘)、どうしよう」

「ええん(↘)、許して」

『おすし食べに行こう』『わあい(↘)』

**音調が上がるもの**

（↗）最初は低く始まり、そのあと急激に上がる。

例「はあ(↗)？なんですか」

「えっ(↗)、なんだって？」


（↗）最初は低く始まり、終わりに近いところでゆるやかに上がる。

例「へえ(↗)、よく知ってるね」

『いいな、わかったか』『ええ(↗)!?』


**音調が下がるところと上がるところがあるもの**

（∨）最初は高く始まり、一度下がったあと、また上がる。

例「あーあ(∨)、こわれちゃった」

「んーん(∨)、ちがうよ」


（∧）最初は低く始まり、一度急激に上がったあと、また下がる。

例「んーん(∧)、ぜんぜんちがうよ」

『すみませんね』『いいえ(∧)、とんでもないです』


繰り返しになりますが、ここで示したアクセント・音調は、いずれも代表的なものの一つにすぎません。迷ったときは、この辞書に表示したものを参考にしてもらいたいのはもちろんですが、あわせて、地域や世代、集団ごとに異なる多様なアクセント・音調もぜひ尊重してほしいと願います。

# 漢字・難読語一覧

■この辞書の標準表記欄に現れる字を中心に、四〇八四種の漢字・記号を掲げます。

■漢字は代表的な音の五十音順に並べてあります。ただし、音をあまり使わないものは代表的な訓で配列し、音を末尾に示します。

扱　あつかう・こく・こぐ・しごく(音ソウ)

■漢字の親字は大きな文字で示し、その次にあるやや小さな文字は異体字です。

亜　亞

■文字の上に引いた線の意味は次のとおり。

亜　常用漢字（二一三六字）

阿　人名用漢字（八六三字）

啞　右記以外

■異体字のうち、旧字体〔常用漢字表に掲げる「いわゆる康熙(こうき)字典体」〕には、さらに横線を引き、次のように区別します。

亞　人名用漢字である旧字体

壓　人名用漢字ではない旧字体

■親字・異体字の後に漢字の読みを示します。カタカナは音(または外来語)、ひらがなは訓、**太字**は常用漢字表の音訓を表します。

■その漢字を一字めに含む難読語〔この辞書の見出しにあるもの〕を、その後に掲げます。

■難読語の読みのひらがなは和語・漢語、カタカナは外来語、**太字**は常用漢字表の付表の語を表します。

■巻末の**難読字索引**では、読みの難しい漢字を画数順に並べ、代表的な音訓を示してその漢字が引けるようにしてあります。

## ア

亜　亞　ア・つぐ　亜細亜=アジア　亜米利加=アメリカ　亜剌比亜=アラビア　亜爾然丁=アルゼンチン

阿　ア・おもねる・くま・お　阿呆・阿房=あほう　阿波=あわ　阿漕=あこぎ　阿多福=おたふく　阿蘭陀=オランダ　阿弗利加=アフリカ

啞　唖　ア・おし

婀　ア　婀娜=あだ

哀　アイ・あわれ・あわれむ・かなしい・かなしむ

娃　アイ・ア・うつくしい

埃　アイ・ちり・ほこり　埃及=エジプト

挨　アイ

愛　アイ・いとおしい・いとしい・かなしい・まな・めぐむ・めずる・めでる・よし　愛娘=まなむすめ　愛蘭=アイルランド　愛弟子=まなでし

隘　アイ・せまい　隘路=あいろ

噯　アイ・おくび　噯気=おくび

曖　アイ・くらい

韲　あえる(音セイ)

葵　あおい(音キ)

呷　あおる(音コウ)

茜　あかね(音セン)

赧　あからむ(音タン)

偓　アク　偓促=あくせく

悪　惡　アク・オ・わるい・あし・いずくんぞ・にくい・にくむ　悪阻=おそ・つわり　悪戯=いたずら

握　アク・にぎる

渥　アク・あつい・うるおう・あつ・あつし

齷　アク　齷齪=あくせく

鰺　あじ(音ソウ)

畦　あぜ・あ・うね・くろ(音ケイ)

圧　壓　アツ・オウ・おさえる・おす・へす

軋　アツ・きしむ・きしる　軋轢=あつれき

遏　アツ・とどめる

斡　アツ　斡旋=あっせん

扱　あつかう・こく・こぐ・しごく(音ソウ)

誂　あつらえる・いどむ(音チョウ)

宛　あてる・あたかも・あて・あてがう・さながら・ずつ(音エン)

嫂　あによめ(音ソウ)

姐　あね(音シャ)　姐さん=あねさん・ねえさん

虻　あぶ(音ボウ・モウ)

鐙　あぶみ(音トウ)

蜑　あま(音タン)

飴　あめ(音イ)

綾　あや(音リョウ・リン)

鮎　あゆ・なまず(音デン・ネン)　鮎並・鮎魚女=あいなめ

嵐　あらし(音ラン)　嵐気=らんき

或　あるいは・ある(音ワク)

## アン

安　アン・やすい・いずくんぞ　安芸=あき　安房=あわ　安倍川餅=あべかわもち　安土桃山時代=あづちももやまじだい

按　アン・しらべる・なでる

晏　アン・やすらか・はる・やす

案　アン・つくえ　案山子=かかし

庵　アン・いお・いおり

暗　アン・くらい・くらます

鞍　アン・くら

諳　アン・そらんじる

餡　アン

鮟　アン　鮟鱇=あんこう

## イ

已　イ・すでに・のみ・やむ・やめる

以　イ・もって　以来=このかた　以為らく=おもえらく　以呂波=いろは

伊　イ・これ・おさむ・ただ・よし　伊豆=いず　伊達=だて　伊太利=イタリー　伊呂波=いろは　伊太利亜=イタリア

夷　イ・えびす・ひな

衣　イ・エ・ころも・き・きぬ・そ　衣紋=えもん　衣被ぎ=きぬかつぎ　衣魚=しみ

位　イ・くらい

医　醫　イ・いやす・くすし

囲　圍　イ・かこむ・かこう

依　イ・エ・よる

委　イ・ゆだねる・くわしい・まかせる

威　イ・おどす

為　爲　イ・する・ため・なす・なる　為人=ひととなり　為手=して　為体=ていたらく　為念=ねんのため　為替=かわせ

畏　イ・おそれる・かしこい・かしこまる・かしこむ

胃　イ

韋　イ・なめしがわ・かわ　韋駄天=いだてん

尉　イ・じょう　尉鶲=じょうびたき

帷　イ・とばり　帷子=かたびら

惟　イ・ユイ・おもう・おもんみる・これ・ただ

異　イ・こと・あだ

痍　イ・きず

移　イ・うつる・うつす・うつろう

萎　イ・なえる・しおれる・しなびる・しぼむ

偉　イ・えらい

椅　イ・いいぎり

彙　イ

意　イ・おもう・こころ　意気地=いくじ・いきじ

葦　イ・あし・よし　葦簀・葦簾=よしず

違　イ・ちがう・ちがえる・たがう・たがえる

維　イ・ユイ・これ・つな

慰　イ・なぐさめる・なぐさむ

蝟　イ・はりねずみ　蝟集=いしゅう

遺　イ・ユイ・のこす・のこる・わすれる

頤　イ・あご・おとがい　頤使=いし

緯　イ・ぬき・よこ・よこいと

縊　イ・くびる・くびれる　縊死=いし

謂　イ・いう・いわれ・いい

藺　い(音リン)

筏　いかだ(音バツ)

域　イキ・さかい

閾　イキ・ヨク・しきい・しきみ　閾値=いきち・しきいち

育　イク・そだつ・そだてる・はぐくむ

郁　イク・かおり・かおる

諍　いさかい・あらがう・いさかう(音ソウ・ジョウ)

磯　いそ(音キ)　磯馴れ松=そなれまつ

鼬　いたち(音ユウ)

炒　いためる・いる(音ショウ・ソウ)　炒飯=チャーハン

煠　いためる(音チョウ・ヨウ)

一　イチ・イツ・ひと・ひとつ・ひ・ひい・かず・はじめ・ひとし

一人＝ひとり　一入＝ひとしお　一寸＝ちょっと　一日＝ついたち　一片・一枚＝ひとひら　一途＝いちず　一廉＝ひとかど　一齣＝ひとくさり・ひとこま
一昨日＝おととい　一昨年＝おととし　一昨々日＝さきおととい　一昨々年＝さきおととし　一期一会＝いちごいちえ

壱 壹　イチ・イツ・ひとつ　壱岐＝いき
苺 莓　いちご（音バイ）
佚　イツ・うしなう
逸 逸　イツ・イチ・そらす・それる・はぐれる・はやる　逸早く＝いちはやく　逸物＝いちもつ
溢　イツ・あふれる・あぶれる・こぼす・こぼれる
遑　いとま・おそれる（音コウ）
蝗　いなご・ばった（音コウ）　蝗虫＝ばった
茨　いばら・ばら（音シ）
鼾　いびき（音カン）
疣　いぼ（音ユウ）
芋　いも（音ウ）　芋茎＝ずいき　芋幹＝いもがら
甍　いらか（音ボウ）
熬　いる（音ゴウ）
曰　いわく・いう・のたまう・のたまわく（音エツ）
鰯　いわし

## イン

允　イン・まこと・じょう・ゆるす・ただ・まさ・みつる・よし
引　イン・ひく・ひける
印　イン・しるし・かね・しるす　印度＝インド
因　イン・よる・ちなむ・よし・よすが　因幡＝いなば
咽　イン・エツ・エン・のど・むせぶ・むせる
姻　イン
胤　イン・たね・かず・つぐ
員 貟　イン・かず
殷　イン・さかん　殷賑＝いんしん
院　イン
淫　イン・みだら
陰　イン・オン・かげ・かげる・ひそか　陰陽師＝おんみょうじ
飲　イン・オン・のむ　飲茶＝ヤムチャ
隕　イン・おちる
慇　イン・オン・ねんごろ　慇懃＝いんぎん
蔭　イン・オン・かげ・おおう
隠 隱　イン・オン・かくす・かくれる　隠岐＝おき　隠密＝おんみつ
韻　イン・ひびき

## ウ

右　ウ・ユウ・みぎ・みぎり・たすける・すけ
宇　ウ・いえ・のき・そら　宇宙＝
羽　ウ・はね・わ　羽尺＝はじゃく
迂　ウ・めぐる
盂　ウ・さら　盂蘭盆会＝うらぼんえ
雨　ウ・あめ・あま・さめ
烏　ウ・オ・いずくんぞ・からす　烏賊＝いか　烏滸がましい＝おこがましい　烏帽子＝えぼし　烏龍茶＝ウーロンちゃ
傴　ウ　傴僂＝せむし
齲　ウ・ク・むしば　齲歯＝うし
卯　う・しげる（音ボウ）
鵜　う（音テイ）
茴　ウイ　茴香＝ういきょう
鶯　うぐいす（音オウ）
菟 莵　うさぎ（音ト・ツ）
丑　うし（音チュウ）
艮　うしとら（音コン・ゴン）
碓　うす・からうす（音タイ）
鶉　うずら（音ジュン）
嘘 噓　うそ（音キョ）
唄　うた・うたう（音バイ）
鬱 欝　ウツ・ふさぐ　鬱金＝うこん
鰻　うなぎ（音マン）
魘　うなされる・おそわれる（音エン）
唸　うなる（音テン）
畝　うね・せ（音ホ）
姥　うば（音ボ）
浦　うら（音ホ・フ）
瓜　うり（音カ・ケ）
粳　うるち（音コウ）
噂　うわさ（音ソン）
蟒　うわばみ（音モウ・ボウ）
云　ウン・いう　云々＝うんぬん・しかじか
耘　ウン
運　ウン・はこぶ・めぐる　運命＝さだめ　運否天賦＝うんぷてんぷ
雲　ウン・くも　雲丹＝うに　雲母＝うんも・きらら　雲呑＝ワンタン　雲脂＝ふけ　雲雀＝ひばり
暈　ウン・かさ・くま・ぼかす・ぼける
縕　ウン・オン　縕袍＝どてら
醞　ウン・かもす　醞醸＝うんじょう
蘊　ウン・つむ　蘊奥＝うんおう・うんのう
饂　ウン　饂飩＝うどん

## エ

荏　え（音ジン）　荏胡麻＝えごま
永　エイ・ヨウ・ながい・とこしえ・とこしなえ・ながらえる　永遠＝とこしえ　永久＝とわ
曳　エイ・ひく
泳　エイ・およぐ
英　エイ・はな・はなぶさ・ひいでる・ひで・ぶさ　英吉利＝イギリス
映　エイ・うつる・うつす・はえる
栄 榮　エイ・ヨウ・さかえる・はえ・はえる・はやす・さか　栄螺＝さざえ　栄耀＝えいよう・えよう
洩　エイ・セツ・もらす・もる・もれる
営 營　エイ・いとなむ
瑛　エイ
詠　エイ・よむ
裔　エイ・すえ
影　エイ・ヨウ・かげ
鋭　エイ・するどい
叡　エイ・さとい・あきら・さとし・とおる
穎 頴　エイ・のぎ　穎割れ＝かいわれ
衛 衞　エイ・エ・まもる
嬰　エイ　嬰児＝えいじ・みどりご
蠑　エイ　蠑螈＝いもり
鱏　えい（音シン）
易　エキ・イ・やさしい・かえる・やすい
疫　エキ・ヤク・え
益　エキ・ヤク・ます・ますます　益荒男＝ますらお
液　エキ
腋　エキ・わき　腋臭＝わきが
駅 驛　エキ・うまや
繹　エキ・たずねる
靨　えくぼ（音ヨウ）
悦　エツ・よろこぶ
越　エツ・オチ・こす・こえる　越前＝えちぜん　越後＝えちご　越南＝ベトナム　越幾斯＝エキス
謁 謁　エツ・まみえる
閲　エツ・けみする
榎　えのき・え（音カ）
蝦　えび（音カ）　蝦夷＝えぞ　蝦蟇＝がま　蝦蛄＝しゃこ
鰓　えら・あぎと（音サイ・シ）

## エン

円 圓　エン・まるい・つぶら・まどか・まろ・ウォン　円居＝まどい
奄　エン・おおう
延　エン・のびる・のべる・のばす・はう・ひいて・のぶ　延縄＝はえなわ
沿　エン・そう
炎　エン・ほのお・ほむら
苑　エン・オン・その
怨　エン・オン・うらむ・うらめしい
冤　エン・ぬれぎぬ　冤罪＝えんざい
宴　エン・うたげ
捐　エン・すてる
婉　エン・うつくしい
掩　エン・おおう
焉　エン・いずくんぞ
堰　エン・せき・せく
媛　エン・ひめ
援　エン・たすける・ひく
猿　エン・さる・ましら
淵 渕 渊　エン・ふち
焰　エン・ほのお・ほむら
園 薗　エン・オン・その
塩 鹽　エン・しお　塩梅＝あんばい
煙 烟　エン・けむる・けむり・けむい・けぶい・けぶる　煙出し＝けむだし　煙草＝タバコ　煙管＝キセル
縁 緣　エン・ふち・えにし・へり・ゆかり・よすが・よる
筵　エン・むしろ
蜒　エン・なめくじ
遠　エン・オン・とおい　遠江＝とおとうみ　遠近＝おちこち
鉛　エン・なまり
厭　エン・オン・ヨウ・あきる・いとう・いや
演　エン・のべる　演し物＝だしもの

漢字

豌 エン 豌豆＝えんどう
燕 エン・つばめ・つばくら・つばくらめ・つばくら
閻 エン 閻魔＝えんま
鴛 エン・オン 鴛鴦＝えんおう・おしどり
嚥 エン・のむ
艶 艷 エン・つや・あでやか・なまめかしい・あで
臙 エン 臙脂＝えんじ

## オ

汚 オ・けがす・けがれる・けがらわしい・よごす・よごれる・きたない 汚点＝しみ
於 オ・おいて・おける
嗚 オ・ああ 嗚呼＝ああ 嗚咽＝おえつ
苧 お・からむし・むし（音チョ） 苧環＝おだまき
甥 おい（音セイ）

## オウ

王 オウ・おおきみ
凹 オウ・くぼ・くぼむ・へこむ・ぼこ
央 オウ・なかば
応 應 オウ・ヨウ・こたえる・いらえる・まさに
往 オウ・いく・いにしえ・いぬ・ゆく
押 オウ・おす・おさえる
旺 オウ・さかん・あきら
枉 オウ・まげる
欧 歐 オウ 欧羅巴＝ヨーロッパ
殴 毆 オウ・なぐる
桜 櫻 オウ・さくら 桜桃＝さくらんぼ
翁 オウ・おきな
凰 オウ・おおとり
奥 奧 オウ・おく 奥津城＝おくつき
媼 オウ・おうな・うば
嘔 オウ・はく 嘔吐く＝えずく
横 橫 オウ・コウ・よこ・よこたえる・よこたわる
墺 オウ 墺太利＝オーストリア
懊 オウ・なやむ 懊悩＝おうのう
襖 オウ・ふすま
謳 オウ・うたう
罌 オウ・かめ 罌粟＝けし
鷗 鴎 オウ・かもめ
鸚 オウ 鸚哥＝いんこ
岡 おか（音コウ）
燠 おき（音イク・オウ） 燠火＝おきび
荻 おぎ（音テキ）
掟 おきて（音テイ）
屋 オク・や
億 オク 億劫＝おっくう
憶 オク・おぼえる・おもう
臆 オク・むね
衽 おくみ（音ジン）
桶 おけ（音トウ・ツウ）
鰧 おこぜ（音トウ）
筬 おさ（音セイ）
虞 おそれ（音グ） 虞犯＝ぐはん
乙 オツ・イツ・おと・きのと・めり 乙女＝おとめ 乙張り＝めりはり
膃 オツ 膃肭臍＝おっとせい
縅 おどし・おどす
囮 おとり（音カ）
俤 おもかげ
俺 おれ（音エン）
颪 おろし
卸 おろす・おろし（音シャ）
音 オン・イン・おと・ね 音物＝いんもつ
恩 オン・めぐみ
温 溫 オン・ウン・あたたか・あたたかい・あたたまる・あたためる・ぬくい・ぬるい・あつ・あつし 温もり＝ぬくもり 温気＝うんき 温和しい＝おとなしい 温突＝オンドル 温泉＝いでゆ 温湯＝ぬるゆ 温州蜜柑＝うんしゅうみかん
穏 穩 オン・おだやか

## カ

下 カ・ゲ・した・しも・もと・さげる・さがる・くだる・くだす・くださる・おろす・おりる 下戸＝げこ 下手＝へた・したて・しもて 下知＝げち・げじ 下野＝しもつけ 下種・下衆＝げす 下総＝しもうさ 下手人＝げしゅにん 下手物＝げてもの
化 カ・ケ・ばける・ばかす
戈 カ・ほこ
火 カ・コ・ひ・ほ 火斑＝ひだこ 火傷＝やけど 火燵＝こたつ
加 カ・ケ・くわえる・くわわる 加之＝しかのみならず 加里＝カリ 加比丹＝カピタン 加奈陀＝カナダ 加特力＝カトリック 加留多＝カルタ 加答児＝カタル 加農砲＝カノンほう
可 カ・べし・よい 可成＝なるべく 可祝＝かしく 可笑しい・可怪しい＝おかしい 可惜＝あたら 可愛い＝かわいい 可哀想・可哀相＝かわいそう
禾 カ・いね・のぎ
仮 假 カ・ケ・かり 仮令＝たとい・たとえ 仮名＝かな 仮字＝かな 仮初め＝かりそめ 仮借＝かしゃ
何 カ・なに・なん・いくばく・いずれ・どの・どれ・なんぞ 何方＝いずかた・どちら・どっち・どなた 何処＝いずこ・いずく・どこ 何奴＝どいつ 何卒＝なにとぞ 何所＝どこ 何迚＝なにとて 何故＝なぜ 何時＝なんどき・いつ
伽 カ・ガ・キャ・とぎ 伽藍＝がらん
花 カ・ケ・はな 花片・花弁＝はなびら 花車＝きゃしゃ 花梨・花櫚＝かりん 花綵＝はなづな 花魁＝おいらん
価 價 カ・あたい
佳 カ・よい
卦 カ・ケ・ケイ
呵 カ・しかる 呵責＝かしゃく
果 カ・はたす・はてる・はて・おおす・くだもの 果物＝くだもの 果敢無い＝はかない
河 カ・ガ・かわ 河内＝かわち 河岸＝かし 河原＝かわら 河骨＝こうほね 河豚＝ふぐ 河童＝かっぱ
苛 カ・いじめる・いらつ・いらつく・からい・さいなむ
茄 カ・なす・なすび 茄子＝なす・なすび
架 カ・かける・かかる・たな・たるき
珂 カ
珈 カ 珈琲＝コーヒー
科 カ・しな・とが 科人＝とがにん 科白＝せりふ
迦 カ
哥 カ・うた
夏 カ・ゲ・なつ
家 カ・ケ・いえ・や・うち・ち 家内＝やぬち 家鴨＝あひる 家内喜多留＝やなぎだる
痂 カ・かさぶた
荷 カ・に・になう
華 カ・ケ・ゲ・はな 華奢＝きゃしゃ 華鬘＝けまん
舸 カ 舸子＝かこ
菓 カ
訛 カ・なまり・なまる
貨 カ・たから
渦 カ・うず
過 カ・すぎる・すごす・あやまつ・あやまち・よぎる
嘩 カ・かまびすしい
嫁 カ・よめ・とつぐ
暇 カ・ひま・いとま
瑕 カ・きず 瑕疵＝かし 瑕瑾＝かきん
禍 禍 カ・まが・わざわい 禍々しい＝まがまがしい
靴 カ・くつ
嘉 カ・よい・よみする・ひろ・よし・よしみ 嘉例吉＝かりゆし
寡 カ・すくない・やもめ 寡婦＝やもめ
歌 カ・うた・うたう 歌留多＝カルタ
窩 カ・ワ・あな
箇 カ・コ・じ・ち・つ
稼 カ・かせぐ
蝸 カ・かたつむり 蝸牛＝かたつむり
蝌 カ 蝌蚪＝おたまじゃくし
課 カ・こころみる
霞 カ・かすみ・かすむ
顆 カ・つぶ
蚊 蚉 か（音ブン） 蚊帳＝かや

## ガ

牙 ガ・ゲ・きば・き
瓦 ガ・かわら・グラム 瓦斯＝ガス
我 ガ・われ・わ・あ・わが 我破と＝がばと 我楽多＝がらくた 我武者羅＝がむしゃら
画 畫 ガ・カク・え・えがく・かく
芽 ガ・ゲ・め・めぐむ 芽出度い＝めでたい
俄 ガ・にわか
臥 ガ・ふす・ふせる
峨 ガ
賀 ガ・よろこぶ 賀頌＝がしょう
蛾 ガ・ひいる
雅 ガ・みやび・みやびやか・みやびる・まさ
餓 ガ・うえる・かつえる
駕 ガ・カ・のる 駕籠＝かご

## カイ

介 カイ・すけ
会 會 カイ・エ・あう 会者定離＝えしゃじょうり
回 カイ・エ・まわる・まわす・かえる・めぐらす・めぐる 回向＝えこう 回鍋肉＝ホイコーロー
灰 カイ・ケ・はい 灰汁＝あく
快 カイ・ケ・こころよい 快楽＝かいらく・けらく

戒 カイ・いましめる
改 カイ・あらためる・あらたまる 改竄＝かいざん
芥 カイ・ケ・あくた・からし・ごみ 芥子＝けし・からし
乖 カイ・そむく・もとる 乖離＝かいり
怪 カイ・ケ・あやしい・あやしむ 怪しからん＝けしからん 怪我＝けが 怪訝＝けげん
拐 カイ・かどわかす
廻 カイ・エ・まわす・まわる・めぐる
悔 悔 カイ・ケ・くいる・くやむ・くやしい
恢 カイ・ひろい 恢復＝かいふく
海 海 カイ・うみ・あま・うな・み 海人＝あま 海女・海士＝あま 海中＝わたなか 海月＝くらげ 海老＝えび 海苔＝のり 海星＝ひとで 海神＝わだつみ 海胆・海栗＝うに 海原＝うなばら 海豹＝あざらし 海豚＝いるか 海象＝セイウチ 海雲＝もずく 海鼠＝なまこ 海嘯＝かいしょう・つなみ 海鞘＝ほや 海驢＝あしか 海松貝＝みるがい 海鼠腸＝このわた 海髪海苔＝おごのり
界 カイ・さかい 界隈＝かいわい
疥 カイ・はたけ
皆 カイ・みな・みんな
偕 カイ・ともに
晦 カイ・くらい・くらます・くらむ・つごもり・みそか 晦日＝みそか
械 カイ・かせ
傀 カイ 傀儡＝かいらい・くぐつ
喙 カイ・くちばし
絵 繪 カイ・エ 絵馬＝えま
開 カイ・ひらく・ひらける・あく・あける 開闢＝かいびゃく
階 カイ・きざはし・しな・はし
塊 カイ・かたまり・つちくれ
楷 カイ
解 カイ・ゲ・とく・とかす・とける・ほぐれる・ほぐす・ほごす・ほつれる・ほどく・わかる 解熱＝げねつ
槐 カイ・えんじゅ
誨 カイ・おしえる
誡 カイ・いましめる
魁 カイ・さきがけ・いさお・つとむ
潰 カイ・つぶす・つぶれる・ついえる
壊 壞 カイ・エ・こわす・こわれる 壊疽＝えそ
懐 懷 カイ・ふところ・なつかしい・なつかしむ・なつく・なつける・いだく・おもう
獪 カイ・わるがしこい
諧 カイ・かなう 諧謔＝かいぎゃく
膾 カイ・なます 膾炙＝かいしゃ
邂 カイ 邂逅＝かいこう
蟹 カイ・かに 蟹股＝がにまた
貝 蛽 かい（音ハイ・バイ）
櫂 かい（音トウ）

## ガイ

外 ガイ・ゲ・そと・ほか・はずす・はずれる・と・よそ 外方＝そっぽ 外郎＝ういろう 外連＝けれん
亥 ガイ・カイ・い
劾 ガイ
咳 ガイ・しわぶく・せき・せく
害 ガイ・カイ・そこなう
崖 ガイ・がけ
涯 ガイ・きし・はて
凱 ガイ・かちどき・やわらぐ・とき・よし
街 ガイ・カイ・まち
慨 慨 ガイ・なげく
碍 礙 ガイ・ゲ・さまたげる 碍子＝がいし
蓋 ガイ・カイ・ふた・おおう・かさ・けだし
該 ガイ・かねる
概 槪 ガイ・おおむね・とかき
漑 ガイ・そそぐ
骸 ガイ・から・むくろ
鎧 ガイ・よろい 鎧袖一触＝がいしゅういっしょく
浬 かいり・ノット（音リ）
楓 かえで（音フウ）
蛙 かえる・かわず（音ア）
馨 かおる・かぐわしい・かんばしい・か・かおり（音ケイ・キョウ）
嚊 かかあ・かか（音ヒ）
嬶 かかあ・かか
踵 かかと・きびす・くびす（音ショウ）
篝 かがり（音コウ）
縢 かがる（音トウ）
垣 かき（音エン） 垣間見る＝かいまみる
柿 柹 かき（音シ）
蠣 蛎 かき（音レイ）
鉤 鈎 かぎ・ち・はり（音コウ） 鉤素＝はりす

## カク

各 カク・おのおの 各々＝おのおの
角 カク・かど・つの・すみ 角力＝すもう
拡 擴 カク・ひろがる・ひろげる・ひろめる・ひろし
恪 カク・つつしむ 恪勤＝かっきん
革 カク・かわ・あらたまる・つくりかわ
格 カク・コウ・キャク・いたる
核 カク・さね
殻 殼 カク・コク・から・がら
郭 カク・くるわ
喀 カク・はく 喀血＝かっけつ
覚 覺 カク・おぼえる・さます・さめる・おぼしい・さとる 覚束ない＝おぼつかない
較 カク・キョウ・コウ・くらべる
隔 カク・キャク・へだてる・へだたる
劃 カク・わける
廓 カク・くるわ
赫 カク・かがやく 赫々＝かっかく
閣 カク
確 カク・たしか・たしかめる・しかと・しっかり
獲 カク・える・とる
嚇 カク・おどかす・おどす
擱 カク・おく 擱筆＝かくひつ
馘 カク・ケキ・くびきる 馘首＝くび
穫 カク・かる
矍 カク 矍鑠＝かくしゃく
攪 撹 カク・コウ・みだす・みだれる
攫 カク・さらう・つかむ
学 學 ガク・まなぶ
岳 嶽 ガク・たけ
愕 ガク・おどろく
萼 ガク・うてな
楽 樂 ガク・ラク・ギョウ・たのしい・たのしむ 楽車＝だんじり 楽京＝らっきょう
腭 ガク・あご
額 ガク・ひたい・ぬかずく
顎 ガク・あご
筧 かけひ・かけい（音ケン）
掛 かける・かかる・かかり（音カ・ケ）
喞 かこつ（音ソク・ショク） 喞筒＝ポンプ
笠 かさ（音リュウ）
樫 かし
梶 かじ（音ビ）
鰍 かじか（音シュウ）
傅 かしずく・いつく・めのと（音フ）
鎹 かすがい
鬘 かずら・かつら（音マン）
絣 絣 かすり（音ホウ）
枷 かせ・かし・からざお（音カ）
綛 かせ
潟 澙 かた（音セキ）
忝 かたじけない（音テン）

## カツ

刮 カツ・こそぐ・こそげる
括 カツ・くくる・くびれる・くるめる
活 カツ・いかす・いきる・いける 活計＝たつき・たずき
喝 喝 カツ
戛 カツ 戛々＝かつかつ
渇 渴 カツ・カチ・かわく 渇仰＝かつごう
割 カツ・わる・わり・われる・さく 割賦＝かっぷ・わっぷ
葛 カツ・くず・かずら・かつら・つづら 葛折り＝つづらおり 葛籠＝つづら
蛞 カツ 蛞蝓＝なめくじ
滑 カツ・コツ・すべる・なめらか・ぬめる
猾 カツ・わるがしこい
褐 褐 カツ・カチ
豁 カツ
轄 カツ・くさび
闊 カツ・ひろい
蠍 カツ・さそり
且 かつ・しばらく・まさに（音シャ・ショ）
鰹 かつお（音ケン）
叶 かなう・かなえる・かのう（音キョウ）
椛 かば・もみじ
樺 かば・かんば（音カ）
鞄 かばん（音ホウ）

株 かぶ・くいぜ(音シュ)
兜 かぶと(音トウ・ト)
釜 かま(音フ)
鎌 かま(音レン)
竈 かま・かまど・へっつい(音ソウ)
裃 かみしも
嚙 囓 かむ・かじる(音ゴウ)
甕 かめ・みか・もたい(音オウ)
鴨 かも(音オウ)

萱 かや(音ケン・カン)
粥 かゆ(音シユク・イク)
搦 からむ・からめる(音ジャク)
刈 苅 かる(音ガイ)　刈萱=かるかや
鰈 かれい(音チョウ)
獺 かわうそ・うそ(音ダツ・タツ)
厠 かわや(音シ)

## カン

干 カン・ほす・ひる　干支=えと
刊 カン
甘 カン・あまい・あまえる・あまやかす・うまい　甘煮=うまに　甘蔗=かんしょ・かんしゃ
奸 カン・おかす
汗 カン・あせ　汗疹・汗疣=あせも
缶 罐 カン・フ・かま・ほとぎ

完 カン・まったい・まっとうする
旱 カン・ひでり　旱魃=かんばつ
肝 カン・きも
侃 カン・あきら・すなお・ただし・つよし　侃々諤々=かんかんがくがく
函 カン・はこ
坩 カン・つぼ　坩堝=るつぼ
官 カン・つかさ
邯 カン　邯鄲=かんたん

冠 カン・かんむり・かぶる・かむる　冠り物=かぶりもの　冠者=かじゃ
姦 カン・かしましい
巻 卷 カン・ケン・まく・まき　巻雲=けんうん　巻繊=けんちん
柑 カン・みかん　柑子=こうじ
看 カン・みる　看経=かんきん
竿 カン・さお

宦 カン　宦官=かんがん
悍 カン・おぞましい・たけし
莞 カン・ふとい　莞爾=かんじ
陥 陷 カン・おちいる・おとしいれる　陥穽=かんせい
乾 カン・ケン・かわく・かわかす・いぬい・かれ・ひる・ほす　乾反る=ひぞる　乾拭き=からぶき　乾酪=チーズ　乾坤一擲=けんこんいってき

勘 カン・かんがえる
患 カン・ゲン・わずらう・うれい・うれえる
桿 カン・さお
涵 カン・うるおす・ひたす　涵養=かんよう
菅 カン・すが・すげ
貫 カン・つらぬく・ぬく
喚 カン・おめく・よぶ・わめく
喊 カン・さけぶ
堪 カン・タン・たえる・こたえる・こらえる・たまる　堪能=かんのう・たんのう

寒 カン・さむい
嵌 カン・はまる・はめる
換 カン・かえる・かわる
敢 カン・あえて・あう
棺 カン・ひつぎ
款 カン・よしみ
間 カン・ケン・あいだ・ま・あい・あわい・はざま　間夫=まぶ　間服=あいふく　間着=あいぎ

閑 カン・しずか・ひま　閑話休題=それはさておき
勧 勸 カン・ケン・すすめる
寛 寬 カン・くつろぐ・ひろい・ゆたか
幹 カン・みき・から
感 カン・かまける　感染す=うつす　感染る=うつる
漢 漢 カン・あや・おとこ・から

鉗 カン・ケン・つぐむ・はさみ
慣 カン・なれる・ならす・ならう
管 カン・くだ・ふえ
箝 カン・ケン・すげる・はさむ　箝口令=かんこうれい
関 關 カン・せき・かかわる
歓 歡 カン・よろこぶ
監 カン・ケン・みる
緩 カン・ゆるい・ゆるやか・ゆるむ・ゆるめる・ぬるい

緘 カン・とじる
憾 カン・うらむ
橄 カン　橄欖=かんらん
燗 爛 カン・ラン　燗酒=かんざけ
翰 カン・ふで
諫 カン・いさめる
還 カン・ゲン・かえす・かえる　還向=げこう　還俗=げんぞく

館 舘 カン・やかた・たち・たて
環 カン・たまき・わ・たま
癇 癎 カン　癇癪=かんしゃく
瞰 カン・みる
艱 カン・ケン　艱難=かんなん
簡 カン・ケン・ふだ
観 觀 カン・みる
韓 カン・から　韓流=ハンリュー

檻 カン・おり
羹 羮 カン・コウ・あつもの
灌 カン・そそぐ　灌漑=かんがい
鹹 カン・からい・しおけ
艦 カン・いくさぶね
鐶 カン・たまき・わ
鑑 鑒 カン・かんがみる・かがみ

## ガン

丸 ガン・まる・まるい・まるめる
含 ガン・ふくむ・ふくめる　含羞む=はにかむ　含羞草=おじぎそう
岩 ガン・いわ　岩魚=いわな
岸 ガン・きし　岸破と=がばと
玩 ガン・もてあそぶ　玩具=おもちゃ
眼 ガン・ゲン・まなこ・め　眼差し=まなざし　眼鏡=めがね

雁 ガン・かり　雁木=がんぎ
頑 ガン・かたくな
翫 ガン・もてあそぶ
鴈 ガン・かり
頷 ガン・うなずく
癌 ガン
顔 ガン・かお・かんばせ
贋 ガン・にせ
願 ガン・ねがう

巌 巖 ガン・いわ・いわお・みち・みね
簪 かんざし(音サン・シン)

## キ

几 キ・つくえ
卉 キ・くさ
企 キ・くわだてる・たくらむ
伎 キ・ギ・わざ
危 キ・あぶない・あやうい・あやぶむ・たかい
机 キ・つくえ
気 氣 キ・ケ・いき　気っ風=きっぷ　気障=きざ　気質=かたぎ
岐 キ・ギ・えだみち・わかれる

希 キ・ケ・こいねがう・のぞむ・まれ　希有=けう　希望=のぞみ　希臘=ギリシャ
忌 キ・いむ・いまわしい　忌諱=きき・きい
杞 キ・コ　杞憂=きゆう
汽 キ
其 キ・そ・その・それ　其方=そち・そちら・そっち・そなた　其処・其所=そこ　其奴=そいつ・そやつ
奇 キ・あやしい・くし・めずらしい　奇天烈=きてれつ

季 キ・すえ・とし
祁 キ
祈 祈 キ・いのる
枳 キ・からたち　枳殻=からたち
癸 キ・みずのと
紀 キ・おさめる・しるす・のり
軌 キ・わだち
帰 歸 キ・かえる・かえす

既 旣 キ・すでに
記 キ・しるす
起 キ・おきる・おこる・おこす・たつ
飢 キ・うえる
鬼 キ・おに　鬼灯=ほおずき　鬼子母神=きしもじん
基 キ・もと・もとい・はじめ　基督=キリスト
寄 キ・よる・よせる・よす・よそえる　寄席=よせ　寄越す=よこす　寄生木=やどりぎ

悸 キ・わななく
規 キ・ただす・のり　規那=キナ
亀 龜 キ・かめ・あま・すすむ・ひさし　亀甲=きっこう
喜 キ・よろこぶ・のぶ・よし
幾 キ・いく・いくつ・いくら・ちかい・ほとんど　幾何・幾許=いくばく
揮 キ・ふるう

揆 キ・はかる
期 キ・ゴ
棋 棊 キ・ゴ
稀 キ・ケ・たま・まれ　稀有＝けう　稀覯＝きこう
貴 キ・たっとい・とうとい・たっとぶ・とうとぶ・たかい・あて・たか　貴方・貴男・貴女＝あなた
愧 キ・はじる
暉 キ・あき・あきら・てる
棄 キ・うつ・すてる
毀 キ・こぼれる・こわす・こわれる
詭 キ・いつわる
跪 キ・ひざまずく
旗 キ・はた　旗魚＝かじき
煕 熙 キ・おき・てる・ひろ・ひろし・よし
綺 キ・あやぎぬ・いろう・あや
器 器 キ・うつわ
嬉 キ・うれしい・よし
毅 キ・ギ・つよい・たけ・たけし・つよし・とし
畿 キ
輝 キ・かがやく・てる
麾 キ・さしまねく
機 機 杵 キ・はた　機械・機巧＝からくり
窺 キ・うかがう
徽 キ・しるし
諱 キ・いみな・いむ
簣 キ・もっこ
騎 キ・のる
騏 キ　騏驎＝きりん
麒 キ　麒麟＝きりん
饑 キ・うえる・ひだるい
羇 キ・たび・よせる
羈 キ・おもがい
柝 き（音タク）

## ギ

妓 ギ・うたいめ　妓生＝キーセン
技 ギ・わざ
宜 ギ・うべ・むべ・よろしい・よろしく　宜敷＝よろしく
祇 ギ・くにつかみ・ただ・まさに・のり・まさ・もと　祇園精舎＝ぎおんしょうじゃ
偽 僞 ギ・いつわる・にせ
欺 ギ・キ・あざむく・だます
義 ギ・ちか・よし
疑 ギ・うたがう・うたぐる
儀 ギ・のり・よし
戯 戲 ギ・ケ・ゲ・たわむれる・おどける・ざれる・じゃれる・たわける　戯言＝たわごと
誼 ギ・よしみ・こと・よし
擬 ギ・なぞらえる・まがい・もどき　擬宝珠＝ぎぼし
犠 犧 ギ・いけにえ
蟻 ギ・あり
議 ギ・はかる
掬 キク・すくう・むすぶ
菊 キク
鞠 キク・まり
雉 きじ（音チ）　雉子＝きじ・きぎす
吉 吉 キチ・キツ・え・よい・よし　吉左右＝きっそう　吉利支丹＝キリシタン　吉備奈仔＝きびなご
吃 キツ・どもる　吃逆＝しゃっくり　吃驚＝びっくり
屹 キツ・そばだつ　屹度＝きっと
拮 キツ・ケツ　拮抗＝きっこう
桔 キツ・ケツ・はね　桔梗＝ききょう
喫 キツ・くう・のむ　喫驚＝びっくり
詰 キツ・つめる・つまる・つむ・なじる
橘 キツ・たちばな
砧 きぬた（音チン）
杵 きね・き（音ショ）
黍 きび・きみ（音ショ）　黍魚子＝きびなご　黍稈細工＝きびがらざいく
却 キャク・かえって・しりぞける
客 キャク・カク　客人＝まろうど
脚 キャク・キャ・カク・あし　脚気＝かっけ
虐 ギャク・しいたげる・いじめる
逆 ギャク・ゲキ・さか・さからう　逆上せる＝のぼせる　逆鱗＝げきりん
謔 ギャク・たわむれる

## キュウ

九 キュウ・ク・ここの・ここのつ・この　九六＝くんろく　九十路＝ここのそじ　九十九折り＝つづらおり
久 キュウ・ク・ひさしい　久遠＝くおん
及 キュウ・およぶ・および・およぼす・しく
弓 キュウ・ゆみ　弓手＝ゆんで　弓杖＝ゆんづえ　弓弦＝ゆづる　弓筈＝ゆはず　弓勢＝ゆんぜい
仇 キュウ・あだ・かたき
丘 キュウ・おか
旧 舊 キュウ・ク・ふるい・もと
休 キュウ・やすむ・やすまる・やすめる
吸 キュウ・すう
朽 キュウ・くちる・くたす
臼 キュウ・うす
求 キュウ・グ・もとめる　求肥＝ぎゅうひ　求道＝ぐどう
汲 キュウ・くむ
灸 キュウ・やいと
玖 キュウ・き・たま・ひさ
究 キュウ・ク・きわめる　究竟＝くっきょう
泣 キュウ・なく
穹 キュウ・そら
急 キュウ・いそぐ・せかす・せく　急度＝きっと
柩 キュウ・ひつぎ
級 キュウ・しな
糾 糺 キュウ・あざなう・ただす
宮 キュウ・グウ・ク・クウ・みや
笈 キュウ・おい
躬 キュウ・み・みずから
救 キュウ・ク・すくう・たすける
毬 キュウ・いが・かさ・まり
球 キュウ・たま
蚯 キュウ　蚯蚓＝みみず
給 キュウ・たまう・たまわる
嗅 キュウ・かぐ
鳩 キュウ・ク・はと　鳩尾＝みぞおち
厩 キュウ・うまや
窮 キュウ・グウ・きわめる・きわまる
牛 ギュウ・ゴ・うし・べこ　牛舌＝ぎゅうタン　牛車＝ぎっしゃ　牛蒡＝ごぼう　牛酪＝バター

## キョ

巨 キョ・コ・おおきい　巨細＝こさい
去 キョ・コ・さる・いぬ　去年＝こぞ
居 キョ・コ・いる・おる・すえ　居士＝こじ
拒 キョ・こばむ・ふせぐ
拠 據 キョ・コ・よる
炬 キョ・コ　炬燵＝こたつ
倨 キョ・おごる　倨傲＝きょごう
挙 擧 キョ・コ・あげる・あがる・こぞる
粔 キョ　粔籹＝おこし
虚 虛 キョ・コ・うつけ・うつろ・うろ・から・そら・むなしい　虚言＝そらごと
許 キョ・コ・ゆるす・ばかり・もと・ゆるし　許嫁・許婚＝いいなずけ
渠 キョ・みぞ
距 キョ・けづめ・へだてる
墟 キョ・あと
踞 キョ・うずくまる
鋸 キョ・のこぎり・のこ
遽 キョ・あわただしい・にわか
醵 キョ　醵金＝きょきん
魚 魚 ギョ・うお・さかな・とと・な　魚子＝ななこ　魚籠＝びく
漁 ギョ・リョウ・あさる・いさる・すなどる
禦 ギョ・ふせぐ
御 ギョ・ゴ・おん・お・おおん・み　御幸＝みゆき　御前＝ごぜん・ごぜ　御祖＝みおや　御髪＝おぐし　御手洗＝みたらし　御用達＝ごようたし　御会式＝おえしき　御神酒＝おみき　御神籤＝おみくじ　御美箱＝ごみばこ　御造里＝おつくり　御影石＝みかげいし

## キョウ

凶 キョウ　凶々しい＝まがまがしい
共 キョウ・とも
匡 キョウ・ただす・ただ・ただし・まさ・まさし
叫 キョウ・さけぶ・よぶ
亨 キョウ・すすめる・とおる・あきら・すすむ・ゆき
夾 キョウ・コウ・はさむ
杏 キョウ・アン・あんず
狂 キョウ・くるう・くるおしい・ふれる・きち
京 キョウ・ケイ・キン・みさと・みやこ
享 キョウ・うける
供 キョウ・ク・そなえる・とも　供花＝きょうか・くげ
協 キョウ・あわせる・かなう
怯 キョウ・おびえる・ひるむ
況 キョウ・いわんや・まして
俠 侠 キョウ・きゃん

漢字

侠気＝おとこぎ
峡 峽 キョウ・かい・はざま　峡路＝かいじ
挟 挾 キョウ・はさむ・はさまる
拱 キョウ・こまねく・こまぬく　拱手＝きょうしゅ・こうしゅ
狭 狹 キョウ・せまい・せばめる・せばまる・さ・せ　狭間＝はざま　狭霧＝さぎり
矜 キョウ・キン・あわれむ・つつしむ・ほこる
恐 キョウ・おそれる・おそろしい・こわい
恭 キョウ・うやうやしい・やす・やすし　恭々しい＝うやうやしい
胸 キョウ・むね・むな
脅 キョウ・おびやかす・おどす・おどかす
莢 キョウ・さや
強 キョウ・ゴウ・つよい・つよまる・つよめる・しいる・あながち・こわい・したたか・たって・つとむ
強者＝つわもの　強面＝こわもて　強請る＝ゆする・ねだる　強談判＝こわだんぱん
教 キョウ・おしえる・おそわる・かず・のり
梟 キョウ・ふくろう
竟 キョウ・おわる・ついに
郷 鄕 キョウ・ゴウ・さと　郷士＝ごうし　郷里＝くに
喬 キョウ・たかい・たか・たかし
筐 キョウ・かたみ・はこ
跫 キョウ・あしおと
境 キョウ・ケイ・さかい
誑 キョウ・たぶらかす・たらす
嬌 キョウ・なまめかしい
蕎 キョウ　蕎麦＝そば
鋏 キョウ・はさみ・はさむ・やっとこ
鞏 キョウ・かたい
橋 槗 キョウ・はし
薑 キョウ・はじかみ
襁 キョウ　襁褓＝むつき・おしめ・おむつ
矯 キョウ・ためる
鏡 キョウ・ケイ・かがみ
競 キョウ・ケイ・きそう・せる・くらべる・きおう・くら　競い肌＝きおいはだ
響 響 キョウ・コウ・ひびく・どよめく
饗 キョウ・あえ・もてなす　饗宴＝きょうえん
驚 キョウ・ケイ・おどろく・おどろかす
驕 キョウ・おごる
仰 ギョウ・コウ・ゴウ・あおぐ・おおせ・あおのける・あおむく・おっしゃる　仰向く＝あおむく
尭 堯 ギョウ・たかい・あき・たか・たかし
暁 曉 ギョウ・キョウ・あかつき・あき・あきら
業 ギョウ・ゴウ・わざ・なり
僥 ギョウ　僥倖＝ぎょうこう
凝 ギョウ・こる・こらす・こごる・しこる・しこり　凝と＝じっと
蟯 ギョウ・ジョウ
驍 ギョウ・キョウ・つよい・たけし
旭 キョク・あさひ・あきら・てる
曲 キョク・ゴク・まがる・まげる・くせ・くま・わ・わだ　曲尺＝かねじゃく　曲者＝くせもの　曲輪＝くるわ
局 キョク・つぼね
極 キョク・ゴク・きわめる・きわまる・きわみ・きまる・きめる・きめ
棘 キョク・いばら・おどろ・とげ
玉 ギョク・たま　玉章＝たまずさ　玉響＝たまゆら　玉筋魚＝いかなご　玉蜀黍＝とうもろこし

## キン

巾 キン・ベキ・きれ・はば
斤 キン・おの
均 キン・ならす・ひとしい　均霑＝きんてん
芹 キン・せり
近 キン・コン・ちかい　近江＝おうみ　近衛＝このえ
欣 キン・ゴン・よろこぶ・やすし・よし　欣求＝ごんぐ
金 キン・コン・かね・かな・こがね
金子＝きんす・きんこ　金巾＝カナキン　金蚕＝かなぶん　金米糖・金平糖＝コンペートー　金糸雀＝カナリア　金毘羅・金比羅＝こんぴら　金雀児＝エニシダ　金盞花＝きんせんか
衿 キン・えり
衾 キン・ふすま
菌 キン・きのこ
菫 キン・すみれ
勤 勤 キン・ゴン・つとめる・つとまる・いそしむ・つとむ
欽 キン・つつしむ・ただ・よし
琴 キン・ゴン・こと　琴柱＝ことじ　琴瑟＝きんしつ
筋 キン・すじ　筋違い＝すじかい・すじちがい
僅 キン・わずか
禁 キン・コン・とどめる
禽 キン・とり
槿 キン・むくげ
緊 キン・しまる
擒 キン・とりこ
錦 キン・にしき
懃 キン・ゴン・ねんごろ
謹 謹 キン・つつしむ
襟 キン・えり
覲 キン・まみえる・みる
饉 キン・うえる
吟 ギン・うたう
銀 ギン・ゴン・かね・しろがね　銀杏＝ぎんなん・いちょう

## ク

区 區 ク・まち
句 ク
佝 ク　佝僂＝くる
吼 ク・コウ・ほえる
狗 ク・コウ・いぬ　狗尾草＝えのころぐさ
苦 ク・コ・くるしい・くるしむ・くるしめる・にがい・にがる　苦汁・苦塩＝にがり　苦界＝くがい
枸 ク　枸杞＝くこ
矩 ク・かね・のり・ただし・つね
駆 驅 ク・かける・かる
軀 ク・から・からだ・むくろ
懼 ク・グ・おそれる
衢 ク・まち・ちまた
具 グ・そなえる・そなわる・つぶさに・よろい・とも
倶 グ・ク・ともに　倶楽部＝クラブ
惧 グ・ク・おそれる
愚 グ・おろか
颶 グ　颶風＝ぐふう
空 クウ・そら・あく・あける・から・うつける・うつろ・うろ・すく・むなしい　空穂＝うつぼ　空蟬＝うつせみ
喰 くう・くらう（音サン）
偶 グウ・たま・たまさか・たまたま
寓 グウ
遇 グウ・グ・あう
隅 グウ・すみ
釘 くぎ（音テイ）
楔 くさび（音セツ）
串 くし（音カン・セン）
鬮 くじ（音キュウ）
嚏 くしゃみ・くさめ・はなひる・ひる（音テイ）
屑 くず（音セツ）
梔 くちなし（音シ）　梔子＝くちなし
屈 クツ・かがむ・かがめる・こごめる
掘 クツ・ほる
窟 クツ・いわや
轡 くつわ・くつばみ（音ヒ）
櫟 くぬぎ（音レキ）
軛 くびき（音ヤク）
窪 くぼ・くぼむ（音ワ）
熊 くま（音ユウ）　熊襲＝くまそ
栗 くり（音リツ）　栗鼠＝りす
繰 くる（音ソウ）
黝 くろい・あおぐろい（音ユウ）
鍬 くわ・すき（音シュウ）
銜 くわえる・くつわ・くつばみ・はみ（音ガン・カン）
君 クン・きみ
訓 クン・キン・おしえ・くに・よみ・よむ
葷 クン　葷酒＝くんしゅ
皹 皸 クン・あかぎれ・ひび
勲 勳 クン・いさお
薫 薰 クン・かおる・くゆる・たく
燻 クン・いぶす・くすぶる・くすべる・くゆる・くゆらす・ふすぶる・ふすべる
醺 クン・よう
軍 グン・いくさ　軍鶏＝シャモ
郡 グン・こおり
群 グン・クン・むれる・むれ・むら

## ケ

袈 ケ　袈裟＝けさ
懈 ケ・カイ・おこたる・たゆむ・だるい　懈怠＝けたい・かいたい
餉 け・かれいい（音ショウ）　餉台＝ちゃぶだい
兄 ケイ・キョウ・あに・え・せ　兄さん＝にいさん　兄ちゃん＝あんちゃん
刑 ケイ・ギョウ・のり
圭 ケイ・たま・きよ・きよし・よし
形 ケイ・ギョウ・かた・かたち・なり
系 ケイ・かける・すじ
径 徑 逕 ケイ・ただちに・みち・こみち
茎 莖 ケイ・コウ・くき・なかご
係 ケイ・かかる・かかり・かかずらう・かかわる・つなぐ
勁 ケイ・つよい・つよし
型 ケイ・かた　型録＝カタログ

契 ケイ・カイ・キツ・セツ・ちぎる
奎 ケイ・ふみ
炯 烱 ケイ・あきらか
荊 ケイ・いばら　荊妻＝けいさい
計 ケイ・ケ・はかる・はからう・かぞえる
恵 惠 ケイ・エ・めぐむ
桂 ケイ・かつら・かつ・よし
啓 ケイ・ひらく・もうす　啓蟄＝けいちつ
掲 揭 ケイ・ケチ・ケツ・かかげる
渓 溪 ケイ・たに
経 經 圣 ケイ・キョウ・キン・へる・たつ・たて・たていと・つね　経緯＝いきさつ・ゆくたて
脛 胫 ケイ・すね・はぎ
蛍 螢 ケイ・ほたる
卿 ケイ・キョウ・かみ・きみ
敬 ケイ・キョウ・うやまう・たか・たかし
景 ケイ・キョウ・かげ　景色＝けしき
痙 ケイ・ひきつる　痙攣＝けいれん
軽 輕 ケイ・キョウ・キン・かるい・かろやか・かろんじる
傾 ケイ・かたむく・かたむける・かしげる　傾城＝けいせい
携 ケイ・たずさえる・たずさわる
継 繼 ケイ・つぐ・まま　継子＝ままこ
罫 ケイ・ケ
詣 ケイ・もうでる・まいる
綮 ケイ
閨 ケイ・ねや
慶 ケイ・キョウ・よし・よろこぶ
慧 ケイ・エ・さとい・さとし・さとる
憬 ケイ・あこがれる
稽 稽 ケイ・かんがえる・とどまる・とどめる
憩 ケイ・いこい・いこう
頸 頚 ケイ・くび
蹊 ケイ・こみち・みち
謦 ケイ・しわぶく　謦咳＝けいがい
繫 ケイ・ケ・かかる・つながる・つなぐ
警 ケイ・キョウ・いましめる
鶏 鷄 雞 ケイ・にわとり・とり　鶏冠＝とさか
芸 藝 ゲイ・わざ
迎 ゲイ・ゴウ・むかえる
猊 ゲイ　猊下＝げいか
睨 ゲイ・にらむ
鯨 ゲイ・ケイ・くじら・いさ・いさな　鯨波＝とき
囈 ゲイ・うわごと　囈語＝うわごと
戟 ゲキ・ほこ
隙 ゲキ・すき・ひま
劇 ゲキ・はげしい
撃 擊 ゲキ・うつ・ぶつ
激 ゲキ・はげしい・たぎつ・たぎる
桁 けた（音コウ）

## ケツ

欠 缺 ケツ・かける・かく・あくび　欠片＝かけら　欠伸＝あくび
穴 ケツ・あな
血 ケツ・ケチ・ち・のり
抉 ケツ・えぐる・こじる
決 ケツ・ケチ・きめる・きまる
頁 ケツ・おおがい・ページ　頁岩＝けつがん
訣 ケツ・わかれる
結 ケツ・ケチ・むすぶ・ゆう・ゆわえる・むすぼれる　結城＝ゆうき　結納＝ゆいのう
傑 ケツ・すぐれる
歇 ケツ・つきる・やむ
潔 ケツ・いさぎよい・きよ・きよし
蹶 ケツ・つまずく　蹶起＝けっき
纈 ケツ・ケチ・ゆはた
孑 ゲツ・ケツ　孑孑＝ぼうふら
月 ゲツ・ガツ・つき・つく　月代＝つきしろ・さかやき　月次＝つきなみ
齧 ゲツ・かじる・かむ
欅 けやき（音キョ）

## ケン

犬 ケン・いぬ
件 ケン・くだり・くだん
見 ケン・ゲン・みる・みえる・みせる・あらわれる・まみえる　見栄＝みえ　見窄らしい＝みすぼらしい　見惚れる・見蕩れる＝みとれる
券 ケン・てがた
肩 ケン・かた
妍 ケン
建 ケン・コン・たてる・たつ・たけぶ・たける・たけ・たけし
県 縣 ケン・あがた
研 硏 ケン・ゲン・とぐ・みがく
倹 儉 ケン・つましい
倦 ケン・あきる・あぐねる・あぐむ・うむ
兼 ケン・かねる
剣 劍 劒 ケン・つるぎ　剣呑＝けんのん
拳 ケン・ゲン・こぶし・つとむ
虔 ケン・つつしむ
軒 ケン・コン・のき
健 ケン・コン・すこやか・したたか・たける・たけ・たけし　健気＝けなげ
捲 ケン・まく・まくる・まくれる・めくる・めくれる
牽 ケン・ひく・とき・とし
眷 ケン・かえりみる　眷属・眷族＝けんぞく
険 險 ケン・けわしい　険難＝けんのん
喧 ケン・かまびすしい・やかましい　喧々囂々＝けんけんごうごう
圏 圈 ケン
堅 ケン・かたい
検 檢 ケン・あらためる　検校＝けんぎょう　検非違使＝けびいし
硯 ケン・すずり
絢 ケン・あや　絢爛＝けんらん
嫌 ケン・ゲン・きらう・いや・や
献 獻 ケン・コン・たてまつる
絹 ケン・きぬ
腱 ケン
遣 ケン・つかう・つかわす・やる・よこす
権 權 权 ケン・ゴン・かり・はかる　権化＝ごんげ
嶮 ケン・けわしい
憲 ケン・のり
賢 ケン・かしこい・さかしい・さかしら・たか・まさる
謙 ケン・へりくだる
鍵 ケン・かぎ
瞼 ケン・まぶた
繭 ケン・まゆ
顕 顯 ケン・あきらか・あらわ・あらわす・あらわれる・あき
験 驗 ケン・ゲン・しるし・ためす
懸 ケン・ケ・かける・かかる
譴 ケン・せめる　譴責＝けんせき
鹸 鹼 ケン・あく

## ゲン

元 ゲン・ガン・もと・はじめ
幻 ゲン・まぼろし
玄 ゲン・くろ　玄人＝くろうと・くろと　玄孫＝やしゃご　玄翁＝げんのう
言 ゲン・ゴン・いう・こと　言伝＝ことづて　言祝ぐ＝ことほぐ　言質＝げんち
弦 ゲン・つる
限 ゲン・かぎる・かぎり
原 ゲン・はら・もと
眩 ゲン・ケン・くらむ・くるめく・まばゆい・まぶしい　眩暈＝めまい
現 ゲン・ケン・あらわれる・あらわす・あら・うつつ　現人神＝あらひとがみ
絃 ゲン・いと・つる
舷 ゲン・ふなばた・ふなべり
衒 ゲン・てらう　衒学＝げんがく
訝 ゲン・ガ・いぶかしい・いぶかる
減 ゲン・へる・へらす　減り込む＝めりこむ
源 ゲン・みなもと
諺 ゲン・ことわざ
厳 嚴 ゲン・ゴン・おごそか・きびしい・いかつい・いかめしい・いつ・いつくし

## コ

己 コ・キ・おのれ・おの・おれ・つちのと　己が＝おのが
戸 コ・と・へ
乎 コ・オ・か・かな・や
古 コ・ふるい・ふるす・いにしえ　古酒＝くーす
呼 コ・よぶ
固 コ・かためる・かたまる・かたい・もとより　固唾＝かたず
姑 コ・しゅうとめ　姑娘＝クーニャン

股 コ・また・またがる・もも ─股座＝またぐら
虎 コ・とら・たけ ─お虎子＝おまる 虎列刺＝コレラ 虎杖＝いたどり 虎落笛＝もがりぶえ 虎魚＝おこぜ
孤 コ・ひとり・みなしご ─孤児＝みなしご 孤独＝ひとり
弧 コ
故 コ・ゆえ・こと・さらに・ふるい ─故里＝ふるさと 故郷＝ふるさと・くに
枯 コ・かれる・からす
狐 コ・きつね ─狐臭＝わきが
胡 コ・ウ・ゴ・えびす・なんぞ・ひさ ─胡瓜＝きゅうり 胡桃＝くるみ 胡乱＝うろん 胡獱＝とど 胡坐・胡座＝あぐら 胡籙＝やなぐい
個 コ・カ・ち・つ
庫 コ・ク・くら
扈 コ
涸 コ・カク・からす・かれる
袴 コ・はかま
壺 コ・つぼ
湖 コ・みずうみ
琥 コ・ク
辜 コ・つみ
雇 コ・やとう
瑚 コ・ゴ
痼 コ・しこる
誇 コ・ほこる・ほこらか
跨 コ・またがる・またぐ
鼓 コ・ク・つづみ
糊 コ・のり
錮 コ
瞽 コ・めしい・めくら ─瞽女＝ごぜ
顧 コ・かえりみる
蠱 コ・まじ ─蠱惑＝こわく

## ゴ

五 ゴ・いつ・いつつ・い ─五月＝さつき 五十路＝いそじ 五月雨＝さみだれ・さつきあめ 五月蝿い＝うるさい
互 ゴ・たがい・かたみ
午 ゴ・うま・ひる
伍 ゴ・くみ・とも
呉 ゴ・くれ・くれる
吾 ゴ・わ・わが・われ・あ ─吾子＝あこ・わこ 吾妻＝あずま 吾亦紅・吾木香＝われもこう
後 ゴ・コウ・のち・うしろ・あと・おくれる・おくらす・しり・しりえ ─後方＝しりえ 後退り＝あとずさり 後朝＝きぬぎぬ
娯 ゴ・たのしむ
悟 ゴ・さとる
茣 ゴ ─茣蓙＝ござ
梧 ゴ・あおぎり
碁 ゴ・キ
蜈 ゴ ─蜈蚣＝むかで
語 ゴ・ギョ・かたる・かたらう
誤 ゴ・あやまる ─誤謬＝ごびゅう
醐 ゴ
檎 ゴ・キン・ゴン
護 ゴ・まもる・もり ─護謨＝ゴム 護美箱＝ごみばこ
鯉 こい（音リ）
冀 こいねがう（音キ）

## コウ

口 コウ・ク・くち・ふり ─口伝＝くでん・くちづて 口惜しい＝くちおしい・くやしい 口唇＝くちびる 口遊む＝くちずさむ 口説く＝くどく
工 コウ・ク・たくみ・たくむ ─工合＝ぐあい
公 コウ・ク・おおやけ・きみ・まさ ─公方＝くぼう・くぎょう・くげ 公家＝くげ 公達＝きんだち 公魚＝わかさぎ 公孫樹＝いちょう 公卿＝
勾 コウ・まがる・かどわかす ─勾玉＝まがたま
孔 コウ・ク・あな ─孔雀＝くじゃく
功 コウ・ク・いさお・いさおし・つとむ ─功夫＝カンフー
叩 コウ・たたく・はたく
巧 コウ・たくみ・うまい・たくむ
広 廣 コウ・ひろい・ひろまる・ひろめる・ひろがる・ひろげる
弘 コウ・グ・ひろい・ひろまる・ひろめる・ひろ・ひろし
甲 コウ・カン・かぶと・かり・きのえ・よろい ─甲冑＝かっちゅう 甲斐＝かい 甲馳＝こはぜ
亘 亙 コウ・わたる・とおる・のぶ
交 コウ・キョウ・まじわる・まじえる・まじる・まざる・まぜる・かう・かわす・こもごも ─交際＝つきあい 交々＝こもごも
光 コウ・ひかる・ひかり・あきら・みつ
向 コウ・キョウ・むく・むける・むかう・むこう・さきに ─向日葵＝ひまわり
后 コウ・ゴ・きさい・きさき・のち
好 コウ・このむ・すく・いい・よい・よみする・よしみ
攷 コウ・たたく・かんがえる
江 コウ・ゴウ・え・うみ
考 コウ・かんがえる
行 コウ・ギョウ・アン・いく・ゆく・おこなう・くだり ─行方＝ゆくえ 行火＝あんか 行灯＝あんどん 行宮＝あんぐう 行脚＝あんぎゃ
坑 コウ・あな
孝 コウ・たか・たかし
宏 コウ・ひろい・ひろ・ひろし
抗 コウ・あらがう
攻 コウ・せめる・おさめる・おさむ
更 コウ・さら・ふける・ふかす・あらためる・かえる・かわる・こもごも ─更紗＝サラサ
効 效 コウ・きく・かい
幸 コウ・さいわい・さち・しあわせ・さき・さきわう・みゆき・ゆき ─幸先＝さいさき 幸福＝しあわせ
庚 コウ・かのえ
拘 コウ・ク・かかわる
昂 コウ・ゴウ・たかぶる・あきら・たか・のぼる
昊 コウ
杭 コウ・くい・くいぜ
肯 コウ・あえて・うけがう・がえんずる
肴 コウ・さかな
肱 コウ・ひじ
侯 コウ
厚 コウ・あつい
咬 コウ・かむ
垢 コウ・ク・あか
巷 コウ・ちまた
恒 恆 コウ・ゴウ・つね・ひさ・わたる
恰 コウ・カツ・あたかも ─恰好＝かっこう 恰度＝ちょうど
恍 コウ・とぼける・ほれる ─恍惚＝こうこつ
洪 コウ・おお
洸 コウ・たけし・ひろし
狡 コウ・こすい・ずるい ─狡辛い＝こすからい
皇 コウ・オウ・すめ・すめら・すめらぎ・すめろぎ ─皇子＝おうじ・みこ
紅 コウ・ク・グ・べに・くれない・あか・あかい・もみ ─紅型＝びんがた 紅柄・紅殻＝ベンガラ 紅葉＝もみじ 紅絹＝もみ 紅蓮＝ぐれん 紅裏＝もみうら
荒 コウ・あらい・あれる・あらす・あばら・あららげる・すさぶ・すさむ ─荒布＝あらめ
郊 コウ
香 コウ・キョウ・か・かおり・かおる・かぐわしい・かんばしい ─香々＝こうこ 香菜＝こうさい・シャンツァイ 香魚＝あゆ 香具師＝やし
候 コウ・そうろう・うかがう・さぶらう・そろ
倖 コウ・さいわい・さち・しあわせ
哮 コウ・たける・ほえる
晃 晄 コウ・あきらか・あきら・てる・ひかる
校 コウ・キョウ・あぜ・くらべる ─校合＝きょうごう 校倉＝あぜくら
浩 コウ・ひろい・ひろ・ひろし・ゆたか
紘 コウ・つな・ひろ・ひろし
耕 コウ・たがやす
航 コウ・かわら・わたる
貢 コウ・ク・みつぐ
降 コウ・ゴウ・おりる・おろす・ふる・くだす・くだる・ふらす
高 髙 コウ・たかい・たか・たかまる・たかめる ─高粱＝コーリャン 高麗＝こうらい 高天が原＝たかまがはら
寇 コウ・あだ
康 コウ・やすい
控 コウ・ひかえる
梗 コウ・キョウ
淆 コウ・まじる
皐 コウ・すすむ・たか・たかし ─皐月＝さつき
黄 黃 コウ・オウ・き・こ ─黄昏＝たそがれ 黄泉＝よみ 黄葉＝もみじ 黄楊＝つげ 黄鶏＝かしわ 黄櫨＝はぜ
喉 コウ・のど
慌 コウ・あわてる・あわただしい
惶 コウ・おそれる
港 コウ・みなと
皓 コウ・しろい・あきら・ひろ・ひろし
硬 コウ・かたい・ぼた
絞 コウ・キョウ・しぼる・しめる・しまる
腔 コウ・クウ
項 コウ・うなじ ─項垂れる＝うなだれる
媾 コウ・あう ─媾曳＝あいびき
溝 コウ・みぞ・どぶ
滉 コウ・ひろ・ひろし
煌 コウ・きらめく・きらびやか
鉱 鑛 コウ・あらがね
敲 コウ・たたく
構 コウ・かまえる・かまう・かく
睾 コウ ─睾丸＝きんたま

綱 コウ・つな
膏 コウ・あぶら 膏肓＝こうこう
酵 コウ
閤 コウ
稿 コウ
膠 コウ・キョウ・にかわ・やに
嚆 コウ・さけぶ 嚆矢＝こうし
興 コウ・キョウ・おこる・おこす・おき
薨 コウ・みまかる 薨去＝こうきょ
衡 コウ・くびき・はかる
鋼 コウ・はがね
糠 コウ・ぬか
講 コウ
購 コウ・あがなう
鴻 コウ・おおとり・ひしくい・ひろし
曠 コウ・むなしい 曠野＝こうや・あらの
礦 コウ・あらがね
乞 こう（音キ・コツ） 乞食＝こじき

## ゴウ

号 號 ゴウ・さけぶ・よぶ 号鈴＝ベル
合 ゴウ・ガッ・カッ・コウ・あう・あわす・あわせる 合羽＝カッパ 合点＝がてん 合歓＝ねむ
劫 刧 ゴウ・キョウ・コウ
拷 ゴウ・コウ・うつ
剛 ゴウ・コウ・こわい・つよい・たけし
毫 ゴウ・ふで 毫末＝ごうまつ
盒 ゴウ・ふたもの
傲 ゴウ・おごる
豪 ゴウ・えらい・たけし・つよし
壕 ゴウ・ほり
濠 ゴウ・ほり 濠太剌利＝オーストラリア
囂 ゴウ・かまびすしい・かしましい・かしがましい
轟 ゴウ・とどろく
笄 こうがい（音ケイ）
犢 こうし（音トク）
糀 こうじ
麹 麴 こうじ（音キク）
鸛 こうのとり（音カン）
凩 こがらし

## コク

克 コク・かつ・よく
告 コク・コウ・つげる・のる
谷 コク・たに・きわまる・や・やつ
刻 コク・きざむ・とき
国 國 コク・くに
剋 コク・かつ
哭 コク・なく・ね
黒 黑 コク・くろ・くろい・くろむ 黒子＝くろこ・ほくろ 黒衣＝くろこ
穀 穀 コク 穀潰し＝ごくつぶし
酷 コク・ひどい・むごい
鵠 コク・コウ・くぐい
獄 ゴク・ひとや
杮 こけら（音ハイ）
茲 ここ・ここに（音ジ・シ）
甑 こしき（音ソウ）
拵 こしらえる（音ソン・ゾン）
忽 コツ・たちまち・ゆるがせ
骨 コツ・ほね 骨牌＝カルタ
惚 コツ・とぼける・ほうける・ぼける・ほれる 惚気＝のろけ
鏝 こて（音マン）
鞐 こはぜ
駒 こま（音ク）
齣 こま・くさり（音セキ）
込 こむ・こめる
菰 こも（音コ）
頃 ころ（音キョウ・ケイ）

## コン

今 コン・キン・いま 今日＝きょう 今朝＝けさ 今年＝ことし 今際＝いまわ 今宵＝こよい
困 コン・こまる・くるしむ・こうじる 困憊＝こんぱい
坤 コン・ひつじさる
昆 コン 昆布＝こんぶ・こぶ
昏 コン・くらい・くれる
恨 コン・うらむ・うらめしい
根 コン・ね 根太帳＝ねたちょう
婚 コン
梱 コン・こり
混 コン・まじる・まざる・まぜる・こむ 混凝土＝コンクリート
痕 コン・あと
紺 コン・カン 紺屋＝こうや・こんや
渾 コン・すべて 渾名＝あだな
蒟 コン・ク 蒟蒻＝こんにゃく
滾 コン・たぎる
褌 コン・ふんどし・みつ
魂 コン・たましい・たま 魂消る＝たまげる・たまぎる
墾 コン・たがやす・ひらく
懇 コン・ねんごろ
餛 コン 餛飩＝ワンタン

## サ

叉 サ・シャ・また 叉焼＝チャーシュー
左 サ・ひだり・たすける・すけ 左見右見＝とみこうみ
佐 サ・すけ・たすける 佐渡＝さど
沙 サ・シャ・いさご・すな 沙蚕＝ごかい
些 サ・シャ・いささか・ちと・ちっと
査 サ・しらべる
砂 サ・シャ・すな・いさご 砂利＝じゃり 砂滑＝すなめり
唆 サ・そそのかす
差 サ・シ・シャ・さす 差し支える＝さしつかえる 差し含む＝さしぐむ
紗 サ・シャ・うすぎぬ
詐 サ・いつわる
嗟 サ・なげく
嵯 サ
裟 サ・シャ
瑳 サ
瑣 サ・ちいさい
磋 サ・みがく
蹉 サ・つまずく 蹉跌＝さてつ
鎖 サ・くさり・とざす
坐 ザ・います・すわる・ます
座 㘴 ザ・すわる・います・くら・ます 座敷童＝ざしきわらし
挫 ザ・くじく・くじける

## サイ

才 サイ・ザイ・かど・ざえ 才六＝ぜいろく
再 サイ・サ・ふたたび 再従兄弟・再従姉妹＝はとこ
災 サイ・わざわい
妻 サイ・セイ・つま・めあわせる
采 サイ・とる・あや
哉 サイ・や・かな・か・ちか・はじめ
砕 碎 サイ・くだく・くだける
宰 サイ・つかさどる・みこともち
柴 サイ・しば
栽 サイ・うえる
豺 サイ・やまいぬ 豺狼＝さいろう
彩 サイ・いろどる・あや
採 サイ・とる・つむ
済 濟 サイ・ザイ・セイ・すむ・すます・すくう・なす・わたる
猜 サイ・そねむ 猜疑＝さいぎ
砦 サイ・とりで
祭 サイ・まつる・まつり
細 サイ・セイ・ほそい・ほそる・こまか・こまかい・くわしい・こまやか・ささやか・さざれ・ほそまる・ほそめる・ほそやか 細雪＝ささめゆき 細魚＝さより 細濁り＝ささにごり 細流＝せせらぎ
菜 サイ・な お菜＝おかず
斎 齋 サイ・い・いつく・いむ・いわう・とき・ゆ
最 サイ・もっとも 最中＝もなか・さなか 最早＝もはや 最寄り＝もより
犀 サイ・セイ
裁 サイ・たつ・さばく
債 サイ
催 サイ・もよおす・もよい
塞 サイ・ソク・ふさぐ・ふさがる・せく・とりで・ふたぐ
歳 サイ・セイ・とし・とせ
載 サイ・のせる・のる・とし
際 サイ・きわ
賽 サイ
埼 さい・さき（音キ）
在 ザイ・サイ・ある・います・おわす・ます 在り処＝ありか
材 ザイ・サイ
剤 劑 ザイ
財 ザイ・サイ・たから
罪 ザイ・サイ・つみ 罪科＝つみとが
囀 さえずる（音テン）
冴 さえる・さえ（音ゴ）
堺 さかい（音カイ）
榊 さかき
崎 﨑 嵜 さき・みさき（音キ）
曩 さきに（音ノウ）

漢字

## サク

作 サク・サ・つくる・なす 作麼生＝そもさん
削 サク・ショウ・けずる・そぐ・はつる
昨 サク・きのう 昨日＝きのう 昨夜＝ゆうべ
柵 サク・き・くえ・しがらみ・せ
炸 サク・はじける
朔 サク・ついたち・はじめ 朔日＝ついたち
窄 サク・すぼむ・すぼめる・つぼむ
索 サク・シャク・なわ・もとめる 索麺＝そうめん
策 サク・シャク・むち
酢 サク・ソ・す 酢漿草＝かたばみ
搾 サク・しぼる・しめる 搾菜＝ザーサイ
嘖 サク・さいなむ 嘖々＝さくさく
醋 サク・ソ・す
錯 サク・ソ・こすり・たがう・まじる
鑿 サク・うがつ・のみ
咲 さく・えむ・わらう(音ショウ)
鮭 さけ・しゃけ(音ケイ)
笹 ささ
囁 ささやく(音ジョウ)
簓 ささら

## サツ

冊 サツ・サク・ふみ
札 サツ・ふだ・さね
刷 サツ・する・はく・はけ 刷毛＝はけ
刹 サツ・セツ
拶 サツ
殺 サツ・サイ・セツ・ころす・あやめる・そぐ・そげる 殺陣＝たて
紮 サツ・からげる
察 サツ・みる
颯 サツ 颯と＝さっと
撮 サツ・とる・つまむ
擦 サツ・する・すれる・かする・こする・さする・なする
薩 薩 サツ 薩摩＝さつま
雑 雜 襍 ザツ・ゾウ・まざる・まじる・まぜる 雑魚＝ざこ・じゃこ
蛹 さなぎ(音ヨウ)
鯖 さば(音セイ)
捌 さばく・さばける・はける(音ハツ)
銹 さび・さびる(音シュウ)
鮫 さめ(音コウ)
皿 さら(音ベイ)
晒 さらす(音サイ)
笊 ざる(音ソウ)

## サン

三 サン・サ・ソウ・み・みつ・みっつ・みい・さぶ・ぞう 三一＝さんピン 三布・三幅＝みの 三位＝さんみ 三線＝さんしん 三十日＝みそか 三十路＝みそじ 三行半＝みくだりはん 三味線＝しゃみせん・さみせん 三和土＝たたき 三毬杖＝さぎちょう 三番叟＝さんばそう 三鞭酒＝シャンパン 三十三才＝みそさざい 三十一文字＝みそひともじ
山 サン・セン・やま 山羊＝やぎ 山車＝だし・だんじり 山姥＝やまうば・やまんば 山峡＝やまかい 山雀＝やまがら 山葵＝わさび 山蒜＝のびる 山毛欅＝ぶな 山茶花＝さざんか 山原水鶏＝やんばるくいな
参 參 サン・シン・まいる 参鶏湯＝サムゲタン
珊 サン・サンチ 珊瑚＝さんご
桟 棧 サン・かけはし 桟敷＝さじき
蚕 蠶 サン・かいこ 蚕豆＝そらまめ
惨 慘 サン・ザン・みじめ・むごい
産 サン・うむ・うまれる・うぶ・むす 産土＝うぶすな 産衣＝うぶぎ
傘 仐 サン・かさ・からかさ
散 サン・ちる・ちらす・ちらかす・ちらかる・ちらばる 散楽＝さるがく
算 サン・かぞえる 算盤＝そろばん
酸 サン・すい・すっぱい 酸塊＝すぐり 酸漿＝ほおずき 酸模＝すかんぽ
撒 サン・サツ・まく
賛 贊 サン・たすける・たたえる
簒 サン・うばう 簒奪＝さんだつ
餐 サン
燦 サン・あきらか・きらめく
纂 サン・あつめる
霰 サン・あられ
讃 サン・たたえる・ほめる 讃岐＝さぬき
鑽 サン・きる・たがね 鑽孔＝さんこう
爨 サン・かしぐ
残 殘 ザン・のこる・のこす
斬 ザン・きる
塹 ザン・ほり 塹壕＝ざんごう
慙 慚 ザン・はじる・はじ 慙愧＝ざんき
暫 ザン・しばし・しばらく
竄 ザン・かくれる
懺 ザン・サン・セン 懺悔＝ざんげ
讒 ザン・そしる 讒謗＝ざんぼう

## シ

之 シ・これ・の・ゆく・ゆき
士 シ・ジ・さむらい
子 シ・ス・こ・ね・み 子生婦＝こんぶ
巳 シ・み
支 シ・ささえる・かう・つかえる
止 シ・とまる・とめる・さす・とどまる・とどめる・やむ・やめる・よす 止め処＝とめど
氏 シ・うじ
仕 シ・ジ・つかえる・つかまつる 仕掛＝からくり 仕舞屋＝しもたや
仔 シ・こ
司 シ・ス・つかさ・つかさどる
史 シ・さかん・ふびと・ちか・ふみ
只 シ・ただ・これ・ひたすら 只管＝ひたすら
四 シ・よ・よつ・よっつ・よん 四布・四幅＝よの 四阿＝あずまや 四葩＝よひら 四十路＝よそじ 四方山＝よもやま
市 シ・いち
矢 シ・や
弛 シ・チ・たるむ・ゆるむ・ゆるめる
旨 旨 シ・むね・うまい
此 シ・かく・ここ・こ・この・これ 此方＝こなた・こちら・こっち 此処・此所＝ここ 此奴＝こいつ・こやつ
死 シ・しぬ
糸 絲 シ・いと 糸瓜＝へちま
至 シ・いたる
伺 シ・うかがう
址 シ・あと
孜 シ・つとめる 孜々＝しし
志 シ・こころざす・こころざし・しるす
私 シ・わたくし・わたし・ひそか
使 シ・つかう・つかわす 使嗾＝しそう
刺 シ・セキ・さす・さる・いら・とげ 刺青＝いれずみ 刺々しい＝とげとげしい
姉 シ・あね・ねえさん 姉さん＝ねえさん
始 シ・はじめる・はじまる
枝 シ・えだ・え
祀 シ・まつる
祉 祉 シ・チ・さいわい
肢 シ・えだ・てあし
咫 シ・あた 咫尺＝しせき
姿 シ・すがた
屍 シ・かばね・しかばね
屎 シ・くそ・ばば
思 シ・おもう・おぼしい
指 シ・ゆび・さす 指貫＝さしぬき
施 シ・セ・ほどこす・しく
師 シ・おさ 師走＝しわす・しはす
恣 シ・ほしいまま
祠 シ・ほこら
紙 シ・かみ 紙衣＝かみこ 紙垂＝しで 紙魚＝しみ 紙縒り＝こより
翅 シ・はね
脂 シ・あぶら・やに
舐 シ・なめる
梓 シ・あずさ
疵 シ・あざ・きず
視 視 シ・みる
趾 シ・あし
斯 シ・かかる・かく・この・これ 斯様＝かよう
紫 シ・むらさき 紫苑＝しおん 紫陽花＝あじさい 紫雲英＝げんげ・れんげ 紫羅欄花＝あらせいとう
詞 シ・ジ・ことば
歯 齒 シ・は・よわい
嗣 シ・つぐ
嗜 シ・たしなむ 嗜好＝しこう
滓 シ・サイ・かす
獅 シ 獅子吼＝ししく
肆 シ・ほしいまま・みせ
詩 シ・うた 詩歌＝しいか・しか
試 シ・こころみる・ためす
資 シ・すけ・たすける・もと
飼 シ・かう
誌 シ・しるす
雌 シ・めす・め・めん
幟 シ・のぼり
摯 シ

賜 シ・たまわる・たまう・たまもの 賜物＝たまもの
輜 シ 輜重＝しちょう
嘴 シ・くちばし・はし
熾 シ・おき・おこす・おこる 熾火＝おきび
諮 シ・はかる
諡 シ・おくりな
鴟 鵄 シ・とび 鴟尾＝しび

## ジ

示 ジ・シ・しめす
字 ジ・あざ・あざな・な
寺 ジ・てら
次 ジ・シ・つぐ・つぎ・ついで・なみ
而 ジ・しかして・しかも・しかるに・しこうして・なんじ
耳 ジ・ニ・みみ・のみ 耳朶＝じだ
自 ジ・シ・みずから・おのずから・より 自惚れる＝うぬぼれる 自然薯＝じねんじょ 自棄＝やけ
似 ジ・シ・にる・のる 似非＝えせ
児 兒 ジ・ニ・こ・ちご
事 ジ・ズ・こと・つかえる
侍 ジ・シ・さむらい・さぶらう・はべる
怩 ジ・はじる
治 ジ・チ・おさめる・おさまる・なおる・なおす・おさむ・さだ・はる
峙 ジ・そばだつ
恃 ジ・たのむ
持 ジ・チ・もつ
時 ジ・シ・とき 時化＝しけ 時代・時間＝とき 時雨＝しぐれ 時計＝とけい 時鳥＝ほととぎす
瓷 ジ・シ・かめ
痔 ジ
滋 ジ・シ・しげる
慈 ジ・いつくしむ 慈姑＝くわい
辞 辭 ジ・やめる・いなむ・ことば
爾 尒 ジ・ニ・しか・しかり・なんじ・ちか・みつる
磁 ジ
餌 餌 ジ・えさ・え
璽 ジ・しるし
弑 シイ・シ
栞 しおり（音カン）
鹿 しか・か・しし（音ロク） 鹿威し＝ししおどし 鹿尾菜＝ひじき
式 シキ・ショク・のり
識 シキ・シ・ショク・しる・しるす
鴫 しぎ（音イツ）
樒 しきみ（音ミツ）
忸 ジク・なれる・はじる 忸怩＝じくじ
竺 ジク
軸 ジク
縬 しじら（音シュク）
雫 しずく（音ダ）
簧 した（音コウ）
七 シチ・シツ・なな・ななつ・なの・な・なぬ 七五三縄＝しめなわ 七夕＝たなばた 七日＝なのか・なぬか 七十路＝ななそじ

## シツ

叱 叱 シツ・しかる 叱言＝こごと 叱咤・叱咜＝しった
失 シツ・シチ・うしなう・うせる・なくす
室 シツ・むろ・へや
桎 シツ・かせ 桎梏＝しっこく
疾 シツ・とう・とく・はやい・やましい 疾風＝はやて
執 シツ・シュウ・シュ・とる・とらえる
悉 シツ・ことごとく・つくす
湿 濕 シツ・しめる・しめす 湿気る＝しける・しっける
嫉 シツ・そねむ・にくむ・ねたむ
漆 シツ・うるし・ぬる
質 貭 シツ・シチ・チ・ただす・たち
蟋 シツ 蟋蟀＝こおろぎ
櫛 櫛 シツ・くし 櫛比＝しっぴ
実 實 ジツ・み・みのる・げに・さね・まこと 実生＝みしょう
昵 ジツ・ちかづく・なじむ
躾 しつけ
篠 しの・ささ（音ショウ） 篠懸＝すずかけ
鎬 しのぎ（音コウ）
偲 しのぶ（音シ）
芝 しば（音シ） 芝生＝しばふ
蕊 蘂 蕋 しべ（音ズイ）
縞 しま（音コウ）
沁 しみる・しむ（音シン）
〆 しめ 〆て＝しめて 〆切＝しめきり

## シャ

写 寫 シャ・うつす・うつる
社 社 シャ・やしろ
車 シャ・くるま 車前草＝おおばこ
舎 シャ・セキ・いえ・や
炙 シャ・あぶる
者 者 シャ・もの・は
柘 シャ・やまぐわ・つみ 柘植＝つげ 柘榴＝ざくろ
洒 シャ・サイ・すすぐ・そそぐ 洒落＝しゃれ 洒落臭い＝しゃらくさい
娑 シャ・サ 娑羅＝さら 娑婆＝しゃば
射 シャ・エキ・セキ・ヤ・いる・うつ・さす 射干玉の＝ぬばたまの
捨 シャ・すてる
斜 シャ・ななめ・はす 斜子＝ななこ
赦 シャ・ゆるす
這 シャ・この・はう 這入る＝はいる
奢 シャ・おごる 奢侈＝しゃし
煮 煮 シャ・にる・にえる・にやす・たく
硨 シャ 硨磲＝しゃこ
遮 シャ・さえぎる
赭 シャ・あか・あからむ
藉 シャ・セキ・かす・かりる・しく 藉口＝しゃこう
謝 シャ・あやまる
瀉 シャ・くだる・そそぐ・はく
邪 ジャ・ヤ・よこしま
蛇 ジャ・ダ・イ・へび・くちなわ
麝 ジャ 麝香＝じゃこう

## シャク

勺 シャク・セキ
尺 シャク・セキ・さし
芍 シャク 芍薬＝しゃくやく
杓 シャク・ひしゃく 杓文字＝しゃもじ
灼 シャク・あらたか・やく
借 シャク・シャ・かりる
笏 シャク・コツ・サク
酌 シャク・くむ
釈 釋 シャク・セキ・とく・ゆるす 釈迦＝しゃか
綽 シャク 綽名＝あだな
爵 シャク
嚼 シャク・かむ
鑠 シャク
若 ジャク・ニャク・わかい・もしくは・ごとし・この・しく・なんじ・もし 若人＝わこうど 若干＝そこばく 若布＝わかめ 若気＝わかげ 若気る＝にやける 若狭＝わかさ
弱 ジャク・よわい・よわる・よわまる・よわめる 弱竹＝なよたけ
寂 ジャク・セキ・さび・さびしい・さびれる・さみしい・さびる
雀 ジャク・シャク・サク・すずめ・ジャン 雀斑＝そばかす
惹 ジャク・ひく
鯱 しゃち・しゃちほこ
噦 しゃっくり・しゃくる（音エツ・カイ）

## シュ

手 シュ・ス・て・た 手巾・手帛＝ハンカチ 手水＝ちょうず 手甲＝てっこう 手伝う＝てつだう 手底＝たなそこ 手斧＝ちょうな 手遊び＝てすさび 手弱女＝たおやめ 手数入り＝でずいり 手薬煉＝てぐすね
主 シュ・ス・シュウ・ぬし・おも・あるじ
守 シュ・ス・まもる・もり・かみ・もる 守宮＝やもり
朱 シュ・ス・あか・あけ 朱実＝あけみ 朱欒＝ザボン 朱鷺＝とき
取 シュ・とる
狩 シュ・かる・かり 狩人＝かりうど・かりゅうど
茱 シュ 茱萸＝ぐみ
首 シュ・ス・くび・おびと・かしら・こうべ・しるし・はじめ 首石＝おやいし 首肯く＝うなずく
殊 シュ・こと
珠 シュ・ジュ・ス・たま 珠数＝じゅず
酒 シュ・さけ・さか・き・ささ
娶 シュ・めとる
棕 シュ 棕櫚＝しゅろ
溲 シュ・ゆばり 溲瓶＝しびん
腫 シュ・はれる・はらす
種 シュ・ス・たね・くさ 種子島＝たねがしま
趣 シュ・おもむき・おもむく

繻 ジュ・シュ ― 繻子＝しゅす
寿 壽 ジュ・ことぶき・ことほぐ・かず・のぶ・ひさ・ひさし ― 寿司＝すし 寿留女＝するめ
受 ジュ・ズ・うける・うかる
呪 ジュ・シュ・ズ・のろう・まじなう
授 ジュ・さずける・さずかる
需 ジュ・もとめる
儒 ジュ ― 儒艮＝じゅごん
樹 ジュ・うえる・きたてる ― 樹懶＝なまけもの
襦 ジュ・はだぎ ― 襦袢＝ジュバン

## シュウ

収 收 シュウ・おさめる・おさまる・おさむ
囚 シュウ・とらわれる・とりこ ― 囚人＝めしゅうど
州 シュウ・す・くに・しま
舟 シュウ・ふね・ふな
秀 シュウ・ス・ひいでる・ほ・ひで
周 シュウ・まわり・あまねし・めぐり・かね・ちか ― 周防＝すおう 周章てる＝あわてる
宗 シュウ・ソウ・むね
拾 シュウ・ジュウ・ひろう
洲 シュウ・す・しま ― 洲浜＝すはま
秋 穐 シュウ・あき・とき ― 秋桜＝コスモス 秋刀魚＝さんま
臭 臭 シュウ・くさい・におう・におい
修 シュウ・シュ・ス・おさめる・おさまる・おさむ
袖 シュウ・そで
終 シュウ・おわる・おえる・しまう・つい ― 終日＝ひねもす・ひもすがら 終夜＝よすがら・よもすがら
羞 シュウ・はじらう・はじる・はにかむ ― 羞恥む＝はにかむ
習 シュウ・ジュウ・ならう・ならわす
脩 シュウ・おさめる・ほしにく・おさむ
週 シュウ
就 シュウ・ジュ・つく・つける ― 就中＝なかんずく
衆 シュウ・シュ・ス・おおい ― 衆生＝しゅじょう
集 シュウ・ジュウ・あつまる・あつめる・つどう・たかる
愁 シュウ・うれえる・うれい
蒐 シュウ・あつめる
酬 シュウ・むくいる
聚 シュウ・ジュ・あつめる
蝤 シュウ・ユウ ― 蝤蛑＝がざみ
蕺 シュウ・しぶき ― 蕺草＝どくだみ
褶 シュウ・チョウ・ひだ
輯 シュウ・あつめる
螽 シュウ ― 螽蟖＝きりぎりす
醜 シュウ・みにくい・しこ ― 醜女＝しこめ・ぶおんな 醜男＝ぶおとこ
鞦 シュウ・しりがい ― 鞦韆＝ぶらんこ
繡 繍 シュウ・ぬいとり
蹴 シュウ・シュク・ける
襲 シュウ・おそう・かさね
讐 シュウ・あだ
鷲 シュウ・ジュ・わし・おおとり

## ジュウ

十 ジュウ・ジッ・とお・と・そ ― 十八番＝おはこ 十六夜＝いざよい 十姉妹＝じゅうしまつ 十露盤＝そろばん 十重二十重＝とえはたえ
汁 ジュウ・しる・つゆ
充 ジュウ・あてる・みたす・みちる・あつ・まこと・みち・みつる
戎 ジュウ・えびす ― 戎克＝ジャンク
住 ジュウ・ジュ・すむ・すまう ― 住み処＝すみか
柔 ジュウ・ニュウ・やわらか・やわらかい・やわら
重 ジュウ・チョウ・え・おもい・かさねる・かさなる・おも・しげ ― 重石＝おもし
従 從 ジュウ・ショウ・ジュ・したがう・したがえる・より・たて ― 従兄弟・従姉妹＝いとこ
渋 澁 ジュウ・しぶ・しぶい・しぶる
絨 ジュウ ― 絨毯・絨緞＝じゅうたん
銃 ジュウ・つつ
糅 ジュウ・まじる・まじえる・かてる
獣 獸 ジュウ・けもの・けだもの
縦 縱 ジュウ・ショウ・たて・たとい・たとえ・ほしいまま・よし・よしんば ― 縦令＝たとい・たとえ
蹂 ジュウ・ふむ ― 蹂躙＝じゅうりん
舅 しゅうと（音キュウ）
夙 シュク・つとに
叔 シュク・おじ ― 叔父＝おじ 叔母＝おば
祝 祝 シュク・シュウ・いわう・ほく・のり ― 祝詞＝のりと 祝ぎ歌＝ほぎうた
宿 シュク・スク・やど・やどる・やどす ― 宿世＝すくせ 宿命＝さだめ 宿直＝とのい
粛 肅 シュク・つつしむ
淑 シュク・しとやか・よい・とし・よし
縮 シュク・ちぢむ・ちぢまる・ちぢめる・ちぢれる・ちぢらす・ちぢかむ・ちぢこまる ― 縮尻る＝しくじる 縮緬＝ちりめん
塾 ジュク
熟 ジュク・うれる・うむ・こなす・こなれる・つくづく・つらつら・なれる
出 シュツ・スイ・でる・だす・いず・いだす ― 出汁＝だし 出来＝しゅったい 出納＝すいとう 出雲＝いずも
蟀 シュツ ― 蟀谷＝こめかみ
戌 ジュツ・いぬ
述 ジュツ・のべる
恤 ジュツ・あわれむ・めぐむ
術 ジュツ・すべ・わざ

## シュン

俊 シュン・すぐれる・とし
春 シュン・はる ― 春宮＝とうぐう
洵 シュン・ジュン・まこと・のぶ
峻 シュン・けわしい・たか・たかし
悛 シュン・あらためる
浚 シュン・さらう・さらえる ― 浚渫＝しゅんせつ
逡 シュン・しりぞく ― 逡巡＝しゅんじゅん
竣 シュン・おわる
舜 シュン・きよ・とし・ひとし
駿 シュン・たかい・たかし・とし ― 駿河＝するが
瞬 シュン・またたく・しばたたく・しばたく・まじろぐ・まばたく ― 瞬間＝とき
蠢 シュン・うごめく

## ジュン

巡 ジュン・めぐる ― お巡りさん＝おまわりさん
旬 ジュン・シュン
盾 ジュン・たて
准 ジュン・なぞらえる
殉 ジュン・したがう
純 ジュン・すみ
惇 ジュン・トン・あつい・まこと・あつ・あつし・つとむ
淳 ジュン・あつい・あき・あつ・あつし・きよし・すなお・まこと
循 ジュン・めぐる
閏 ジュン・うるう
順 ジュン・したがう・より
準 ジュン・なぞらえる・のり・みずもり
詢 ジュン・シュン・とう・はかる・まこと
馴 ジュン・ならす・なれる ― 馴染み＝なじみ 馴鹿＝トナカイ
蓴 ジュン・ぬなわ ― 蓴菜＝じゅんさい
潤 ジュン・うるおう・うるおす・うるむ・うるう・ほとびる
諄 ジュン・ねんごろ・あつ・いたる・とも・のぶ・まこと・くどい
遵 ジュン・したがう
醇 ジュン・あつし

## ショ

処 處 䖏 ショ・ところ・おる
初 ショ・ソ・はじめ・はじめて・はつ・うい・そめる・うぶ ― 初中終＝しょっちゅう
所 ショ・とこ・ろ・とこ ― 所以＝ゆえん 所為＝せい 所縁＝ゆかり 所謂＝いわゆる
書 ショ・かく・ふみ
庶 ショ・こいねがう・ちかい・もろもろ ― 庶幾う＝こいねがう
暑 暑 ショ・あつい
署 署 ショ
緒 緒 ショ・チョ・お・いとぐち
諸 諸 ショ・もろ・もろもろ
嶼 ショ・しま
曙 曙 ショ・あけぼの・あきら
薯 ショ・ジョ・いも ― 薯蕷＝とろろ・やまいも・やまのいも

諸　ショ・いも
女　ジョ・ニョ・ニョウ・おんな・め・おうな・おみな・むすめ　―女子=おなご・じょし　女犯=にょぼん　女形=おんながた・おやま　女将=おかみ　女衒=ぜげん　女郎花=おみなえし
如　ジョ・ニョ・ごと・ごとし・しく・もし・ゆき　―如月=きさらぎ　如何=いかが・いかん　如露=ジョロ　如雨露=ジョウロ
助　ジョ・たすける・たすかる・すけ・すける
序　ジョ・ついで
抒　ジョ・のべる
叙　敍　ジョ・のべる
徐　ジョ・おもむろ
恕　ジョ・ゆるす・ただし・ひろ・しのぶ
除　ジョ・ジ・のぞく・のける・よける

## ショウ

小　ショウ・ちいさい・こ・お・さ・ささ　―小火=ぼや　小豆=あずき　小夜=さよ　小波=さざなみ　小路=こうじ　小籠包=ショーロンポー
升　ショウ・ます
少　ショウ・すくない・すこし・わかい　―少女=おとめ
召　ショウ・めす　―召人=めしうど
匠　ショウ・たくみ
庄　ショウ・ソウ・まさ
床　ショウ・ソウ・とこ・ゆか・ゆかしい
抄　ショウ・かすめる・すく・すくう
肖　ショウ・あやかる
妾　ショウ・めかけ・わらわ
尚　ショウ・こいねがう・たかい・とうとぶ・なお・ひさしい
承　ショウ・うけたまわる・うける
招　ショウ・まねく　―招聘=しょうへい
昇　昪　ショウ・のぼる
昌　ショウ・さかん・あき・あきら・すけ・まさ・まさし・よし
松　ショウ・まつ　―松明=たいまつ　松毬=まつかさ・まつぼっくり
沼　ショウ・ぬま・ぬ
牀　ショウ・とこ・ゆか
昭　ショウ・あきらか・あき・あきら・てる
哨　ショウ・みはり
宵　ショウ・よい・よる　―宵宮=よみや
将　將　ショウ・はた・まさに・まさ・もち
悄　ショウ・しおれる　―悄気る=しょげる
消　ショウ・きえる・けす
症　ショウ
祥　祥　ショウ・さが・さき・よし
称　稱　ショウ・あげる・たたえる・となえる
秤　ショウ・ヒョウ・ビン・はかり
笑　ショウ・わらう・えむ・え・えまう　―笑顔=えがお
陞　ショウ・のぼる
商　ショウ・あきなう　―商人=あきゅうど・あきんど
唱　ショウ・となえる・となう・うたう
娼　ショウ・あそびめ・よね
捷　ショウ・とし・はしこい・かつ・さとし・はや・まさる
梢　ショウ・こずえ
渉　涉　ショウ・わたる
猖　ショウ　―猖獗=しょうけつ
章　ショウ・あきらか・あや・しるし・ふみ・あき・あきら　―章魚=たこ
笙　ショウ・セイ・ふえ
紹　ショウ・つぐ・あき
菖　ショウ・あやめ　―菖蒲=しょうぶ・あやめ
訟　ショウ・うったえる
逍　ショウ　―逍遥=しょうよう
勝　ショウ・かつ・まさる・すぐれる・たえる・すぐる
掌　ショウ・たなごころ・つかさどる・てのひら
晶　ショウ・あきらか・あき・あきら
椒　ショウ・はじかみ
湘　ショウ
焼　燒　ショウ・やく・やける・くべる・たく　―焼売=シューマイ
焦　ショウ・こげる・こがす・こがれる・あせる・じらす・じれる
猩　ショウ　―猩紅熱=しょうこうねつ
硝　ショウ　―硝子=ガラス
粧　ショウ・ソウ・よそおう
翔　ショウ・かける・とぶ
証　證　ショウ・あかす・あかし・しるし
詔　ショウ・みことのり
象　ショウ・ゾウ・かたどる
傷　ショウ・きず・いたむ・いためる
奨　獎　ショウ・すすめる
照　ショウ・てる・てらす・てれる
睫　ショウ・まつげ
詳　ショウ・くわしい・つまびらか
鉦　ショウ・かね
頌　ショウ・ジュ・ヨウ・たたえる・ほめる・つぐ・のぶ　―頌春=しょうしゅん
彰　ショウ・あきらか・あき・あきら
慴　ショウ・おそれる　―慴伏=しょうふく
蔣　蒋　ショウ
裳　ショウ・も　―裳階・裳層=もこし　裳裾=もすそ
誦　ショウ・ジュ・ズ・となえる
障　ショウ・さわる
廠　ショウ
慫　ショウ　―慫慂=しょうよう
憧　ショウ・ドウ・あこがれる　―憧憬=しょうけい・どうけい
憔　ショウ・やつれる　―憔悴=しょうすい
樟　ショウ・くす・くすのき
漿　ショウ・こんず
蕉　ショウ
衝　ショウ・つく　―衝立=ついたて
賞　ショウ・ほめる・めでる
銷　ショウ・けす
嘯　ショウ・うそぶく・うそ
蕭　ショウ　―蕭条=しょうじょう
薔　ショウ・ソウ　―薔薇=そうび・ばら
鞘　ショウ・さや
償　ショウ・つぐなう
礁　ショウ
聳　ショウ・そばだつ・そびえる・そびやかす
鍾　ショウ・あつめる・さかずき　―鍾馗=しょうき
醤　醬　ショウ・ひしお　―醤蝦=あみ
鬆　ショウ・す
瀟　ショウ　―瀟洒=しょうしゃ
鐘　ショウ・シュ・かね
鷦　ショウ　―鷦鷯=みそさざい
顳　ショウ　―顳顬=こめかみ

## ジョウ

上　ジョウ・ショウ・うえ・うわ・かみ・あげる・あがる・のぼる・のぼせる・のぼす・え・かり　―上戸=じょうご　上手=じょうず・うわて・かみて　上手い=うまい　上衣=うわぎ　上野=こうずけ　上総=かずさ
丈　ジョウ・たけ・ひろ　―丈夫=じょうぶ・ますらお
冗　ジョウ・むだ
仗　ジョウ・つえ
丞　ジョウ・ショウ・すくう・たすける・すけ・すすむ
条　條　ジョウ・えだ・くだり・すじ
杖　ジョウ・チョウ・つえ
状　狀　ジョウ・かたち・さま
乗　乘　ジョウ・のる・のせる
城　ジョウ・セイ・しろ・き
浄　淨　ジョウ・きよい・きよめる
剰　剩　ジョウ・あまつさえ・あまる
常　ジョウ・つね・とこ・とこしえ　―常陸=ひたち　常春藤=きづた　常磐津=ときわず
情　ジョウ・セイ・なさけ・こころ　―情無い=つれない
場　ジョウ・ば・にわ
畳　疊　ジョウ・たたみ・たたむ・たとう・たたなわる
嫋　ジョウ・たおやか
蒸　ジョウ・むす・むれる・むらす・ふかす・ふける　―蒸籠=せいろう・せいろ
滌　ジョウ・デキ・テキ・あらう
縄　繩　ジョウ・なわ
壌　壤　ジョウ・つち
嬢　孃　ジョウ・むすめ　―嬢はん=いとはん
錠　ジョウ
擾　ジョウ・みだす・みだれる
穣　穰　ジョウ・みのる・ゆずる・ゆたか
攘　ジョウ・はらう　―攘夷=じょうい
譲　讓　ジョウ・ゆずる
醸　釀　ジョウ・かもす
饒　ジョウ・ニョウ・にぎわう・ゆたか　―饒舌=じょうぜつ

## ショク

色　ショク・シキ・いろ
拭　ショク・シキ・ふく・ぬぐう
食　ショク・ジキ・シ・くう・くらう・たべる・うけ・け・はむ
植　ショク・うえる・うわる
殖　ショク・ふえる・ふやす
嗇　ショク・しわい・おしむ
蜀　ショク　―蜀黍=もろこし

漢字

触 觸 ショク・ソク・ふれる・さわる
飾 ショク・かざる
嘱 囑 ショク・ゾク
稷 ショク・きび
蝕 ショク・むしばむ
燭 ショク・ソク・ともしび
織 ショク・シキ・おる
職 耺 聀 ショク・シキ・ソク・つかさ・つかさどる
贖 ショク・あがなう ― 贖罪＝しょくざい
辱 ジョク・ニク・はずかしめる・かたじけない・はじ
褥 ジョク・しとね ― 褥瘡＝じょくそう
虱 蝨 しらみ（音シツ）
尻 しり（音コウ） ― 尻尾＝しっぽ 尻腰＝しっこし
皺 しわ・しぼ・しわむ（音シュウ）

**シン**

心 シン・こころ・うら ― 心太＝ところてん 心地＝ここち 心算＝つもり
申 シン・もうす・さる
伸 シン・のびる・のばす・のべる・のす・のる・のぶ
臣 シン・ジン・おみ・み
芯 シン
身 シン・み・むくろ ― 身体＝からだ 身柱＝ちりけ 身装・身形＝みなり
辛 シン・からい・かのと・かろうじて・つらい ― 辛夷＝こぶし
辰 シン・たつ・とき・のぶ
呻 シン・うめく
信 シン・のぶ・まこと ― 信田＝しのだ 信濃＝しなの 信天翁＝あほうどり
侵 シン・おかす
津 シン・つ
神 神 シン・ジン・かみ・かん・こう ― 神子＝みこ 神楽＝かぐら 神憑り＝かみがかり 神輿＝みこし 神籤＝みくじ 神々しい＝こうごうしい
唇 脣 シン・くちびる
娠 シン・はらむ
振 シン・ふる・ふるう・ふれる ― 振り返す＝ぶりかえす
晋 晉 シン・すすむ
浸 シン・ひたす・ひたる・しみる・つかる・つける
真 眞 シン・ま・さね・まこと・まさ ― 真名・真字＝まな 真似＝まね 真っ赤＝まっか 真実・真個＝ほんとう 真っ青＝まっさお 真砂＝まさご 真面・真正面＝まとも 真鶴＝まなづる 真田紐＝さなだひも 真面目＝まじめ
秦 シン・はた
針 シン・はり ― 針孔＝めど 針魚＝さより
晨 シン・あした・あき・とき
深 シン・ふかい・ふかまる・ふかめる・ふける・ふかす・み ― 深空＝みそら
紳 シン
進 シン・すすむ・すすめる・まいらす
森 シン・もり
診 シン・みる
寝 寢 シン・ねる・ねかす ― 寝刃＝ねたば 寝汚い＝いぎたない
慎 愼 シン・つつしむ・つつましい
新 シン・あたらしい・あらた・にい・あら・さら ― 新仏＝あらぼとけ 新地＝さらち 新造＝しんぞ 新湯＝あらゆ・さらゆ 新西蘭＝ニュージーランド 新嘉坡＝シンガポール
蜃 シン ― 蜃気楼＝しんきろう
滲 シン・しみる・にじむ
賑 シン・にぎやか・にぎわう
審 シン・つまびらか
瞋 シン・いかる・いからす ― 瞋恚＝しんい
箴 シン・いましめる
震 シン・ふるう・ふるえる
薪 シン・たきぎ・まき
親 シン・おや・したしい・したしむ・ちかしい・みずから ― 親父・親仁・親爺＝おやじ
糝 シン・サン ― 糝薯＝しんじょ
鍼 シン・はり ― 鍼灸＝しんきゅう

**ジン**

人 ジン・ニン・ひと・たり・と・り ― 人伝＝ひとづて 人参＝にんじん 人間＝ひと 人身御供＝ひとみごくう
刃 ジン・ニン・は・やいば ― 刃傷＝にんじょう
仁 ジン・ニ・ニン・ひと・きみ・ひとし・めぐみ ― 仁侠＝にんきょう 仁輪加・仁和加＝にわか
壬 ジン・み・みずのえ
尽 盡 ジン・つくす・つきる・つかす・ことごとく・すがれる・ずく・ずくめ
迅 ジン・はやい
甚 ジン・はなはだ・はなはだしい・いたく
訊 ジン・きく・たずねる・とう
陣 ジン・しきり
尋 ジン・たずねる・ついで・ひろ ― 尋め行く＝とめゆく
靱 ジン・しなやか・うつぼ・ゆぎ
腎 ジン・むらと
塵 ジン・ちり・ごみ ― 塵芥＝じんかい・ちりあくた・ごみ
蕁 ジン ― 蕁麻疹＝じんましん
燼 ジン・もえぐい

**ス**

笥 ス・シ・け・はこ
須 ス・シュ・すべからく・もちいる・もとめる・まつ・もち・もとむ ― 須臾＝しゅゆ 須弥山＝しゅみせん
諏 ス・シュ
簀 す（音サク）
図 圖 ズ・ト・はかる・はからう ― 図体＝ずうたい 図々しい＝ずうずうしい

**スイ**

水 スイ・みず・み・みな ― 水夫＝かこ 水母＝くらげ 水泡＝みなわ 水面＝みなも・みのも 水脈・水尾＝みお 水馬＝みずすまし 水雲＝もずく 水黽＝あめんぼ 水綿＝あおみどろ 水鶏＝くいな 水垢離＝みずごり 水無月＝みなづき 水漬く屍＝みずくかばね
吹 スイ・ふく・ふかす ― 吹雪＝ふぶき 吹聴＝ふいちょう
垂 スイ・たれる・たらす・しだれる・たる・なんなんとする ― 垂涎＝すいぜん・すいえん 垂乳根＝たらちね
炊 スイ・たく・かしぐ
帥 スイ・ソツ・ひきいる
粋 粹 スイ・いき
衰 スイ・サイ・おとろえる
彗 スイ・ほうき
悴 スイ・かじかむ・せがれ・やつれる
推 スイ・おす
酔 醉 スイ・よう
遂 スイ・とげる・ついに
睡 スイ・ねむる
翠 スイ・みどり
穂 穗 スイ・ほ
膵 スイ
錐 スイ・きり
錘 スイ・おもり・つむ
隧 スイ・ズイ ― 隧道＝ずいどう
邃 スイ・ふかい
随 隨 ズイ・したがう・したがえる・つく・まにまに
隋 ズイ
瑞 ズイ・しるし・みず・みずみずしい ― 瑞西＝スイス 瑞典＝スウェーデン
髄 髓 ズイ・すね
枢 樞 スウ・くるる・とぼそ
芻 スウ・ス・くさ
崇 スウ・ス・ソウ・あがめる・たかい
陬 スウ・ソウ・すみ
嵩 スウ・シュウ・かさ・かさむ・こうじる・たか・たかし・たけ
数 數 スウ・ス・サク・シュ・かず・かぞえる・しばしば ― 数多＝あまた 数珠＝じゅず 数寄屋・数奇屋＝すきや
趨 スウ・シュ・おもむく・はしる
据 すえる・すわる（音キョ）
饐 すえる（音イ）
縋 すがる（音ツイ）
杉 すぎ（音サン）
漉 すく・こす（音ロク）
錫 すず（音シャク・セキ） ― 錫蘭＝セイロン
鱸 すずき（音ロ）
裾 すそ（音キョ）
昴 すばる（音ボウ）
掏 する（音トウ） ― 掏摸＝すり
摺 する（音ショウ）
鯣 するめ（音エキ）
寸 スン・き ― 寸胴＝ずんどう 寸胴切り＝ずんどぎり

**セ**

瀬 瀨 せ（音ライ）
是 ゼ・こ・ここ・これ・ただしい
井 セイ・ショウ・い
世 セイ・セ・よ ― 世帯＝せたい・しょたい
正 セイ・ショウ・ただしい・ただす・まさ・かみ・まさし ― 正鵠＝せいこう・せいこく
生 セイ・ショウ・いきる・いかす・いける・うまれる・うむ・おう・はえる・はやす・き・

なま・うぶ・なす・なる・ふ・むす・お ―生姜・生薑＝しょうが　生計＝たつき・たずき　生粋＝きっすい　生業＝なりわい　生憎＝あいにく　生蕎麦＝きそば
成 セイ・ジョウ・なる・なす・しげ ―成就＝じょうじゅ
西 西 セイ・サイ・にし ―西瓜＝すいか　西蔵＝チベット　西班牙＝スペイン　西比利亜＝シベリア
声 聲 セイ・ショウ・こえ・こわ

制 セイ・おさえる
姓 セイ・ショウ・かばね
征 セイ・うつ・ゆく・まさ ―征矢・征箭＝そや
性 セイ・ショウ・さが ―性質＝たち
青 セイ・ショウ・あお・あおい ―青銅＝からかね　青梗菜＝チンゲンサイ　青椒肉絲＝チンジャオロースー
斉 齊 セイ・ととのう・ととのえる・ひとしい・なり・むね

政 セイ・ショウ・まつりごと・まさ ―政所＝まんどころ
星 セイ・ショウ・ほし
牲 セイ・いけにえ
省 セイ・ショウ・かえりみる・はぶく
穽 セイ・おとしあな
凄 セイ・すごい・すさまじい
晟 セイ・あきら・てる・まさ
栖 セイ・す・すみか・すむ

逝 セイ・ゆく・いく
悽 セイ・いたむ ―悽愴＝せいそう
清 セイ・ショウ・シン・きよい・きよまる・きよめる・きよらか・さや・さやか・すます・すむ・すがしい・すがやか ―清ら＝ちゅら　清水＝しみず　清々しい＝すがすがしい
盛 セイ・ジョウ・もる・さかる・さかん
婿 壻 聟 セイ・むこ

惺 セイ・さとる・さとし
掣 セイ・ひく ―掣肘＝せいちゅう
晴 セイ・はれる・はらす・はる
棲 セイ・すむ
勢 セイ・いきおい ―勢子＝せこ
睛 セイ・ひとみ
聖 セイ・ショウ・ひじり
誠 セイ・ジョウ・まこと

靖 セイ・やすんじる・おさむ・のぶ・やす・やすし
精 セイ・ショウ・くわしい・しらげる ―精霊＝せいれい・しょうりょう
蜻 セイ ―蜻蛉＝かげろう・とんぼ　蜻蜓＝とんぼ・やんま
製 セイ・つくる
誓 セイ・ゼイ・ちかう
静 靜 セイ・ジョウ・しず・しずか・しずまる・しずめる

請 セイ・シン・ショウ・こう・うける ―請じる＝しょうじる
整 セイ・ととのえる・ととのう
醒 セイ・さます・さめる
錆 セイ・ショウ・さび・さびる
脆 ゼイ・もろい ―脆弱＝ぜいじゃく
税 ゼイ・ちから
筮 ゼイ・めどぎ
贅 ゼイ

## セキ

夕 セキ・ゆう・ゆうべ ―夕星＝ゆうずつ　夕餉＝ゆうげ
斥 セキ・しりぞける
石 セキ・シャク・コク・いし・いそ・いわ ―石女＝うまずめ　石見＝いわみ　石塊＝いしころ　石榴＝ざくろ　石蕗＝つわぶき　石南花＝しゃくなげ
汐 セキ・うしお・しお

赤 セキ・シャク・あか・あかい・あからむ・あからめる ―赤魚鯛＝あこうだい　赤棟蛇＝やまかがし
昔 セキ・シャク・むかし ―昔日＝そのかみ
析 セキ・さく
席 セキ・むしろ
脊 セキ・せ
迹 セキ・シャク・あと
隻 セキ・ひとつ

惜 セキ・シャク・おしい・おしむ
戚 セキ・いたむ・うれえる
責 セキ・シャク・せめる
晰 セキ・あきらか
皙 セキ・しろい
跡 セキ・シャク・あと ―跡切れる＝とぎれる
碩 セキ・おおきい・ひろ・みち・みつる・ゆたか
蜥 セキ ―蜥蜴＝とかげ

積 セキ・シャク・つむ・つもる
績 セキ・うむ
蹟 セキ・あと
蹠 セキ・ショ・あしうら
籍 セキ・ジャク・ふみ
鶺 セキ ―鶺鴒＝せきれい

## セツ

切 セツ・サイ・きる・きれる・しきりに ―切支丹＝キリシタン
折 セツ・シャク・おる・おり・おれる・へぐ ―折伏＝しゃくぶく　折柄＝おりから　折敷＝おしき
拙 セツ・つたない・まずい
泄 セツ・エイ・もれる
窃 竊 セツ・ぬすむ・ひそか

接 セツ・ショウ・つぐ・はぐ ―接骨木＝にわとこ
設 セツ・もうける・しつらえる
雪 セツ・セチ・ゆき・すすぐ・そそぐ ―雪洞＝ぼんぼり　雪消＝ゆきげ　雪崩＝なだれ　雪隠＝せっちん　雪駄・雪踏＝せった　雪花菜＝きらず
渫 セツ・さらう
摂 攝 セツ・ショウ・とる

節 節 セツ・セチ・ふし・みさお・たか・たかし・とき・ノット
截 セツ・きる・たつ ―截然＝せつぜん・さいぜん
説 セツ・ゼイ・エツ・とく・よろこぶ
褻 セツ・けがれる
舌 ゼツ・ゼチ・した
絶 ゼツ・たえる・たやす・たつ
鬩 せめぐ（音ゲキ）

## セン

千 セン・ち ―千々＝ちぢ
川 セン・かわ ―川面＝かわつら・かわも　川原＝かわら　川骨＝こうほね　川獺＝かわうそ
仙 セン・セント ―仙人掌＝サボテン
占 セン・しめる・うらなう・うら
先 セン・さき・まず ―先刻＝さっき　先蹤＝せんしょう

尖 セン・さき・するどい・とがる
宣 セン・のたまう・のる・のぶ
専 專 セン・もっぱら
染 セン・ゼン・そめる・そまる・しみる・しみ・しめる
泉 セン・いずみ
浅 淺 セン・あさい・あさましい ―浅葱＝あさぎ・あさつき
洗 セン・あらう

穿 セン・うがつ・はく・ほじる ―穿鑿＝せんさく
扇 セン・おうぎ・あおぐ
栓 セン
栴 セン ―栴檀＝せんだん
閃 セン・ひらめく
剪 セン・きる・はさむ
旋 セン・めぐらす・めぐる ―旋毛＝つむじ　旋風＝つむじ・つむじかぜ　旋き網＝まきあみ　旋頭歌＝せどうか

船 セン・ふね・ふな ―船首＝みよし
釧 セン・くしろ
筅 セン・ささら
戦 戰 セン・いくさ・たたかう・おののく・そよぐ
煎 セン・いる・にる
羨 セン・エン・うらやむ・うらやましい
腺 セン
詮 セン・かい ―詮術＝せんすべ

践 踐 セン・ふむ
僭 セン・おごる ―僭越＝せんえつ
煽 セン・あおぐ・あおる・おだてる
箋 セン
銭 錢 戔 セン・ぜに・ぜぜ
銑 セン・ずく・つく
撰 セン・えらぶ
潜 潛 セン・ひそむ・もぐる・くぐる

線 セン・いとすじ
賤 セン・いやしい・いやしめる・しず
選 セン・えらぶ・える・よる
遷 セン・うつす・うつる
擅 セン・ほしいまま ―擅断＝せんだん
暹 セン ―暹羅＝シャム
薦 セン・すすめる・こも
氈 セン・かも

繊 纖 セン・ほそい
餞 セン・はなむけ ―餞別＝せんべつ
鮮 セン・あざやか・すくない
蟬 蝉 セン・ゼン・せみ
蟾 セン・ひきがえる ―蟾蜍＝ひきがえる
蘚 セン・こけ
譫 セン ―譫言＝うわごと
闡 セン・ひらく

殲 セン・つきる・つくす・ほろぼす
饌 セン・そなえる
癬 セン・たむし
顫 セン・ふるえる
籤 セン・くじ・ひご
韆 セン

## ゼン

全 ゼン・セン・まったく・すべて・うつ・まったい・まっとう
前 ゼン・セン・まえ・さき　前栽＝せんざい
涎 ゼン・エン・よだれ
善 ゼン・よい・いい・よく
喘 ゼン・あえぐ　喘息＝ぜんそく
然 ゼン・ネン・さ・さも・さる・しか・しかし・しかも・しかり・しかるに・そ・そう

禅 禪 ゼン
漸 ゼン・ようやく・ようよう
膳 ゼン・かしわで
繕 ゼン・つくろう
蠕 ゼン・ジュ　蠕動＝ぜんどう

## ソ

咀 ソ・かむ　咀嚼＝そしゃく
狙 ソ・ねらう
阻 ソ・はばむ
俎 爼 ソ・まないた
祖 祖 ソ・おや・はじめ　祖父＝じじ　祖母＝ばば　祖父さん＝じいさん　祖母さん＝ばあさん
祚 ソ・さいわい
租 ソ・たぢから

素 ソ・ス・しろ・もと　素人＝しろうと・しろと　素地＝そじ・きじ　素面＝すめん・しらふ　素魚＝しろうお　素麺＝そうめん　素襖・素袍＝すおう
措 ソ・おく
粗 ソ・あらい・ほぼ　粗目＝ざらめ
組 ソ・くむ・くみ

疎 ソ・うとい・うとむ・うとんじる・おろか・おろそか・まばら　疎抜く＝うろぬく　疎々しい＝うとうとしい
疏 ソ・ショ・とおる・まばら
訴 ソ・うったえる
詛 ソ・のろう
塑 ソ
楚 ソ・いばら
溯 ソ・サク・さかのぼる
鼠 鼡 ソ・ねずみ

遡 遡 ソ・サク・さかのぼる
蔬 ソ　蔬菜＝そさい
礎 ソ・いしずえ
蘇 ソ・ス・よみがえる　蘇格蘭＝スコットランド
齟 ソ　齟齬＝そご

## ソウ

双 雙 ソウ・ふた・ならぶ・ふたつ・もろ　双六＝すごろく　双目＝ざらめ
匆 ソウ・いそがしい
争 爭 ソウ・あらそう・あらがう・いかでか
壮 壯 ソウ・さかん
早 ソウ・サッ・はやい・はやまる・はやめる・さ・はや　早生・早稲＝わせ　早苗＝さなえ　早乙女＝さおとめ

宋 ソウ
皁 ソウ・さいかち・くろ　皁莢＝さいかち
走 ソウ・はしる
奏 ソウ・かなでる
相 ソウ・ショウ・あい・さが・たすける・まさ・まつ　相応しい＝ふさわしい　相俟つ＝あいまつ　相模＝さがみ　相撲＝すもう
草 ソウ・くさ　草臥れる＝くたびれる　草履＝ぞうり　草鞋＝わらじ　草石蚕＝ちょろぎ

荘 莊 ソウ・ショウ・おごそか・チャン
送 ソウ・おくる
倉 ソウ・くら
叟 ソウ・おきな
捜 搜 ソウ・さがす
挿 插 ソウ・さす・はさむ・すげ
桑 桒 ソウ・くわ
掃 ソウ・はく

曽 曾 ソウ・ゾ・ソ・ゾウ・かつて・ひ　曽孫＝そうそん・ひまご・ひいまご・ひこまご・ひこ
曹 ソウ・ゾウ・ともがら　曹達＝ソーダ
巣 巢 ソウ・す
爽 ソウ・さわやか・あきらか・さや
窓 ソウ・まど
創 ソウ・つくる・はじめる・きず
喪 ソウ・も・うしなう

惣 ソウ・すべて
痩 瘦 ソウ・やせる・こける
葬 ソウ・ほうむる
装 裝 ソウ・ショウ・よそおう・なり・よそう
僧 僧 ソウ　僧都＝そうず
想 ソウ・ソ・おもう
愴 ソウ・いたむ
掻 搔 ソウ・かく

蒼 ソウ・あお・あおい・しげる
嗾 ソウ・けしかける・そそのかす
嗽 ソウ・うがい・くちすすぐ
層 層 ソウ・かさなる
漕 ソウ・こぐ
漱 ソウ・くちすすぐ・すすぐ・ゆすぐ
箏 ソウ・こと
総 總 ソウ・すべて・すべる・ふさ　総角＝チョンガー

綜 ソウ・すべる・おさ
聡 聰 ソウ・さとい・あきら・さと・さとし・さとる・とし・ふさ
遭 ソウ・あう
噌 噌 ソウ・ソ
槽 ソウ・うけ・ふね
瘡 ソウ・かさ・くさ
踪 ソウ
噪 ソウ・さわぐ・さわがしい

操 ソウ・みさお・あやつる
艘 ソウ
輳 ソウ・あつまる
燥 ソウ・かわく・はしゃぐ
簇 ソウ・ゾク・むらがる
糟 ソウ・かす　糟糠＝そうこう
蹌 ソウ・ショウ・よろめく　蹌踉めく＝よろめく
霜 ソウ・しも

叢 ソウ・くさむら・むら・むらがる
騒 騷 ソウ・さわぐ
藻 ソウ・も
躁 ソウ・さわぐ
造 ゾウ・ソウ・つくる・みやつこ
像 ゾウ・かた・ち・かたどる
増 增 ゾウ・ソウ・ます・ふえる・ふやす

憎 憎 ゾウ・にくむ・にくい・にくらしい・にくしみ
蔵 藏 ゾウ・くら・おさめる・かくす・しまう
贈 贈 ゾウ・ソウ・おくる
臓 臟 ゾウ・はらわた
贓 賍 ゾウ

## ソク

仄 ソク・ほの・ほのか・ほのめかす
即 卽 ソク・ショク・すなわち・つく
束 ソク・たば・つか・つかねる　束子＝たわし
足 ソク・シュ・あし・たりる・たる・たす　足袋＝たび　足掻く＝あがく
促 ソク・うながす
則 ソク・すなわち・のっとる・のり

息 ソク・いき・いこう・やすむ・やむ　息子＝むすこ　息吹＝いぶき
捉 ソク・とらえる・つかまえる
速 ソク・はやい・はやめる・はやまる・すみやか
側 ソク・がわ・かわ・そば・そばめる　側女・側妻＝そばめ
惻 ソク・いたむ
測 ソク・はかる
熄 ソク・やむ

俗 ゾク・ショク
族 ゾク・やから
属 屬 ゾク・ショク・さかん・たぐい・つく
粟 ゾク・あわ
続 續 ゾク・ショク・つづく・つづける・つぐ
賊 ゾク・そこなう
鏃 ゾク・やじり
譏 そしる（音キ）

卒 卆 ソツ・シュツ・おわる・ついに・にわかに　卒塔婆＝そとば・そとうば
率 ソツ・リツ・スイ・リチ・ひきいる・いる
敧 そばだてる（音キ）
橇 そり・かんじき（音ゼイ）
揃 そろう・そろえる（音セン）
存 ソン・ゾン・ある・ながらえる
忖 ソン・はかる　忖度＝そんたく

村 ソン・むら
孫 ソン・まご・ひこ
尊 ソン・たっとい・とうとい・たっとぶ・とうとぶ・たかい・みこと
損 ソン・そこなう・そこねる
遜 遜 ソン・へりくだる・ゆずる
蹲 ソン・うずくまる・つくばい・つくばう ― 蹲踞=そんきょ

## タ

他 タ・ほか・あだ・あだし・ひと ― 他人=ひと 他し男=あだしおとこ 他所=よそ 他人事=ひとごと
多 タ・おおい
汰 タ・タイ・よなげる

## ダ

打 ダ・チョウ・うつ・ぶつ ― 打擲=ちょうちゃく 打々=ちょうちょう
朶 ダ・えだ・たぶ・とぶさ
兌 ダ・かえる
妥 ダ
陀 ダ
拿 ダ・つかむ ― 拿捕=だほ
茶 ダ・ト ― 茶毘・茶毗=だび
唾 ダ・つば・つばき・つ
舵 ダ・かじ
堕 墮 ダ・おちる・おろす
惰 ダ・おこたる
楕 橢 ダ
駄 ダ・タ ― 駄弁る=だべる
駝 ダ ― 駝鳥=だちょう
懦 ダ・よわい

## タイ

太 タイ・タ・ダ・ダイ・ふとい・ふとる・はなはだ ― 太刀=たち 太夫=たゆう 太々しい=ふてぶてしい 太政官=だいじょうかん・だじょうかん 太神楽=だいかぐら
体 體 躰 タイ・テイ・からだ ― 体質=たち
対 對 タイ・ツイ・こたえる・そろい ― 対手=あいて 対馬=つしま 対面=トイメン 対蹠的=たいしょてき
苔 タイ・こけ
待 タイ・ダイ・まつ
怠 タイ・おこたる・なまける・だるい
殆 タイ・あやうい・ほとんど
耐 タイ・たえる
胎 タイ・はらむ
退 タイ・しりぞく・しりぞける・のく・しさる・すさる・どく・どける・のける・ひく・ひける
帯 帶 タイ・おびる・おび・はく ― 帯下=こしけ
泰 タイ・やすらか・やすい・やすし
堆 タイ・ツイ・うずたかい
袋 タイ・ふくろ
逮 タイ
替 タイ・テイ・かえる・かわる
貸 タイ・かす
隊 タイ
滞 滯 タイ・とどこおる・なずむ
瑇 玳 タイ ― 瑇瑁=たいまい
態 タイ・テイ・ざま・なり・わざ・わざと ― 態々=わざわざ
腿 タイ・もも
褪 タイ・あせる・さめる
駘 タイ ― 駘蕩=たいとう
頽 タイ・くずおれる・くずれる
黛 黛 タイ・まゆずみ
戴 タイ・いただく
擡 タイ・もたげる ― 擡頭=たいとう
鯛 たい(音チョウ)
乃 ダイ・ナイ・すなわち・の・おさむ ― 乃至=ないし
大 ダイ・タイ・おお・おおきい・おおいに・ひろ・まさる・ゆたか ― 大人=おとな・たいじん・だいにん 大凡=おおよそ 大和=やまと 大蛇=おろち 大蒜=にんにく 大鼓=おおつづみ・おおかわ 大鮃=おひょう 大八洲=おおやしま 大角豆=ささげ 大鋸屑=おがくず
代 ダイ・タイ・かわる・かえる・よ・しろ
台 臺 ダイ・タイ・うてな ― 台詞=せりふ
第 㐧 ダイ・テイ・ついで
醍 ダイ ― 醍醐味=だいごみ
題 ダイ
殪 たおす・たおれる(音エイ)
仆 たおれる(音フ)
鷹 广 たか(音ヨウ・オウ)
箍 たが(音コ)
滝 瀧 たき(音ロウ)

## タク

宅 タク・いえ・やけ
托 タク・たのむ
択 擇 タク・えらぶ
沢 澤 タク・さわ・つや ― 沢瀉=おもだか
卓 タク・すぐれる・たかい ― 卓袱=しっぽく 卓袱台=ちゃぶだい
拓 タク・ひらく・ひろ
啄 啄 タク・ついばむ ― 啄木鳥=きつつき
託 タク・かこつ・かこつける・ことづかる・ことづける
琢 琢 タク・みがく・あや・たか
橐 タク・ふくろ ― 橐吾=つわぶき
磔 タク・はりつけ ― 磔刑=たっけい
濯 タク・すすぐ・そそぐ・ゆすぐ
謫 タク・せめる
鐸 タク・すず
諾 ダク・うべなう ― 諾威=ノルウェー
濁 ダク・ジョク・にごる・にごす ― 濁声=だみごえ
茸 たけ・きのこ・くさびら(音ジョウ)
赳 たけ・たけし(音キュウ)
酣 たけなわ(音カン)
筍 たけのこ(音ジュン・シュン)
凧 たこ・いか・いかのぼり
蛸 たこ(音ショウ)
慥 たしか(音ゾウ)
襷 たすき
但 ただし(音タン) ― 但馬=たじま
祟 たたる(音スイ)
達 タツ・タチ・いたる・とどく ― 達て=たって 達引き=たてひき 達磨=だるま
撻 タツ・むちうつ
脱 ダツ・ぬぐ・ぬげる・ぬける
奪 ダツ・うばう
巽 たつみ・ゆく・よし(音ソン)
楯 たて(音ジュン)
竪 たて(音ジュ・シュ)
蓼 たで(音リョウ)
鬣 たてがみ(音リョウ)
辿 たどる(音テン)
棚 たな(音ホウ)
鱮 たなご(音ショ)
髻 たぶさ・みずら・もとどり(音ケイ)
髱 たぼ・つと(音ホウ)
鱈 たら ― 鱈腹=たらふく
盥 たらい(音カン)
樽 たる(音ソン)
誰 だれ(音スイ) ― 誰何=すいか 誰某=だれそれ・たれがし・たれぼう

## タン

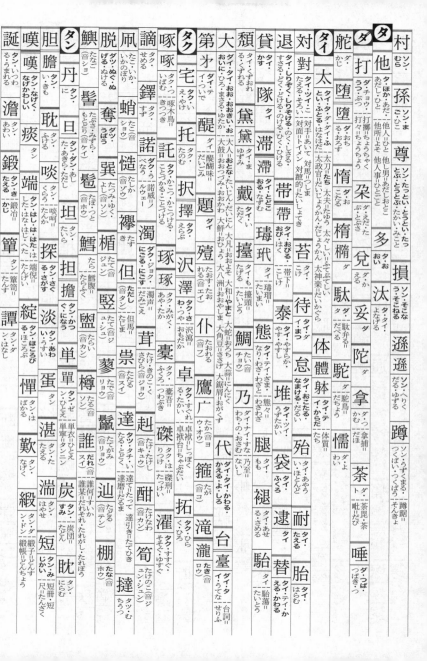

丹 タン・に
旦 タン・ダン・あした・あきら・ただし
坦 タン・たいら
担 擔 タン・かつぐ・になう
単 單 タン・ゼン・ひとえ ― 単衣=ひとえ 単寧=タンニン
炭 タン・すみ ― 炭団=たどん
眈 タン・にらむ
胆 膽 タン・いきも
耽 タン・ふける
啖 タン・くらう ― 啖呵=たんか
探 タン・さぐる・さがす
淡 タン・あわい・うすい
蛋 タン
湛 タン・たたえる
湍 タン・はやせ
短 タン・みじかい ― 短冊・短尺=たんざく
嘆 嘆 タン・なげく・なげかわしい
痰 タン
端 タン・はし・は・はた・はした・はな・はじ・へた ― 端倪=たんげい
綻 タン・ほころびる・ほころぶ
憚 タン・はばかる
歎 タン・なげく
緞 タン・ダン・ドン ― 緞子=どんす 緞帳=どんちょう
誕 タン・いつわる・うまれる
澹 タン・あわい
鍛 タン・きたえる ― 鍛冶=かじ
簞 タン ― 簞笥=たんす
譚 タン・ダン・はなし

## ダン

団 團 ダン・トン・まるい ｜団居＝まどい 団栗＝どんぐり 団扇＝うちわ 団欒＝だんらん
男 ダン・ナン・おとこ・お・おのこ
段 ダン・タン・きだ ｜段歩＝たんぶ
断 斷 ダン・たつ・ことわる
弾 彈 ダン・ひく・はずむ・たま・はじく・はじける
暖 ダン・ノン・あたたか・あたたかい・あたたまる・あたためる ｜暖簾＝のれん
煖 ダン・あたためる
談 ダン・かたる
壇 ダン・タン
檀 ダン・タン・まゆみ

## チ

地 チ・ジ・つち ｜地震＝ない
池 チ・いけ
知 チ・しる・かず・とも ｜知ろし食す＝しろしめす
値 チ・ね・あたい
恥 チ・はじる・はじ・はじらう・はずかしい
致 チ・いたす
智 チ・さとい・さとる・さと・さとし・とし・とも・まさる ｜智利＝チリ
遅 遲 チ・おくれる・おくらす・おそい
痴 癡 チ・おこがましい・おろか・しれる
稚 穉 チ・いとけない・おさない ｜稚児＝ちご
置 チ・おく
馳 チ・はせる
蜘 チ ｜蜘蛛＝くも
緻 チ・こまかい
魑 チ ｜魑魅魍魎＝ちみもうりょう
竹 チク・たけ・たか ｜竹刀＝しない 竹篦＝しっぺい・しっぺ
畜 チク・かう
逐 チク・おう
筑 チク ｜筑紫＝つくし・ちくし
蓄 チク・キク・たくわえる
築 チク・きずく・つく ｜築山＝つきやま 築地＝ついじ
秩 チツ
窒 チツ・ふさがる・ふさぐ ｜窒扶斯＝チフス
膣 腟 チツ
蟄 チツ・かくれる ｜蟄居＝ちっきょ
釁 ちぬる（音キン）
粽 ちまき（音ソウ）
茶 チャ・サ ｜茶化す＝ちゃかす
着 チャク・ジャク・きる・きせる・つく・つける
嫡 チャク・テキ

## チュウ

中 チュウ・ジュウ・なか・あたる・あてる・うち ｜中生・中稲＝なかて 中山道＝なかせんどう
仲 チュウ・なか ｜仲人＝なこうど
虫 蟲 チュウ・キ・むし ｜虫酸・虫唾＝むしず
沖 冲 チュウ・おき
宙 チュウ・そら・ひろし
忠 チュウ・ただ・ただし ｜忠実＝まめ
抽 チュウ・ぬきんでる・ぬく・ひく ｜抽斗＝ひきだし
注 チュウ・そそぐ・さす・つぐ ｜注連縄＝しめなわ
冑 チュウ・かぶと
昼 晝 チュウ・ひる・ひ ｜昼餉＝ひるげ
柱 チュウ・ジュ・はしら・じ
衷 チュウ・うち・まごころ
紐 チュウ・ジュウ・ひも
酎 チュウ
厨 廚 チュウ・ズ・くりや
註 チュウ
稠 チュウ・おおい ｜稠密＝ちゅうみつ
誅 チュウ・ころす
鋳 鑄 チュウ・いる
駐 チュウ・とどまる・とどめる
鍮 チュウ
疇 チュウ・うね・たぐい
躊 チュウ ｜躊躇＝ちゅうちょ 躊躇う＝ためらう
佇 チョ・たたずむ
猪 豬 チョ・い・いのしし ｜猪口＝ちょこ・ちょく
著 著 チョ・ジャク・チャク・あらわす・いちじるしい・きる・つく・つける・はく・しるし ｜著莪＝しゃが
貯 チョ・たくわえる・たまる・ためる
楮 チョ・こうぞ
躇 チョ・ためらう

## チョウ

丁 チョウ・テイ・ひのと ｜丁抹＝デンマーク 丁幾＝チンキ 丁稚＝でっち 丁髷＝ちょんまげ
弔 チョウ・とむらう・とぶらう
庁 廳 チョウ
兆 チョウ・きざす・きざし
町 チョウ・まち
帖 チョウ・ジョウ
長 チョウ・ジョウ・ながい・おさ・たけ・たける・なが・ながらく ｜長刀＝なぎなた 長押＝なげし 長閑＝のどか 長閑し＝のどけし 長閑やか＝のどやか 長呂儀＝ちょろぎ
挑 チョウ・いどむ・かかげる・くじる
凋 チョウ・しぼむ ｜凋落＝ちょうらく
帳 チョウ・とばり
張 チョウ・はる
彫 チョウ・ほる・える
掉 チョウ・トウ・ふるう ｜掉尾＝ちょうび・とうび
眺 チョウ・ながめる
釣 チョウ・つる・つり ｜釣瓶＝つるべ
頂 チョウ・いただく・いただき
鳥 チョウ・とり ｜鳥屋＝とや 鳥渡＝ちょっと 鳥羽絵＝とばえ
喋 チョウ・しゃべる
朝 チョウ・あさ・あした・とも ｜朝餉＝あさげ
脹 チョウ・はれる・ふくらむ・ふくれる
貼 チョウ・テン・はる ｜貼付＝ちょうふ・てんぷ
超 チョウ・こえる・こす
牒 チョウ・ふだ
腸 チョウ・はらわた・わた
跳 チョウ・はねる・とぶ・おどる
徴 徵 チョウ・チ・しるし・めす
暢 チョウ・のびる・のべる・いたる・とおる・ながい・のぶ・まさ ｜暢気＝のんき
肇 チョウ・はじめる・ただ・とし・はじめ・はつ
銚 チョウ ｜銚釐＝ちろり
嘲 チョウ・あざける ｜嘲笑う＝あざわらう
潮 チョウ・しお・うしお ｜潮騒＝しおさい
澄 チョウ・すむ・すます
蝶 チョウ
調 チョウ・ジョウ・しらべる・ととのう・ととのえる・つき
諜 チョウ・うかがう
聴 聽 チョウ・テイ・きく・ゆるす ｜聴牌＝テンパイ
懲 懲 チョウ・こりる・こらす・こらしめる
寵 チョウ
直 チョク・ジキ・ただちに・なおす・なおる・あたい・じか・すぐ・ただ・なお・ひた・すなお・ただし・なおき ｜直会＝なおらい 直衣＝のうし 直垂＝ひたたれ
勅 敕 チョク・みことのり
捗 チョク・はか・はかどる
沈 チン・シン・ジン・しずむ・しずめる ｜沈香＝じんこう
珍 チン・めずらしい・めずらか
朕 チン・われ
陳 チン・ジン・つらねる・のべる・ひねる・ひね ｜陳者＝のぶれば
椿 チン・チュン・つばき
賃 チン・やとう
鎮 鎭 チン・しずめる・しずまる
狆 ちん（音チュウ）

## ツ

追 ツイ・おう ｜追而＝おって 追い風＝おいかぜ・おいて 追儺＝ついな
椎 ツイ・しい・つち
槌 ツイ・つち
墜 ツイ・おちる
通 ツウ・ツ・トウ・とおる・とおす・かよう・みち ｜通草＝あけび
痛 ツウ・いたい・いたむ・いためる
塚 塚 つか（音チョウ）
摑 掴 つかむ・つかまえる・つかまる（音カク）
槻 つき（音キ）
搗 つく・かつ（音トウ） ｜搗ち栗＝かちぐり
漬 つける・つかる・つく・ひたす（音シ）
辻 つじ・つむじ
蔦 つた（音チョウ）
抓 つねる・つまむ（音ソウ）
鍔 つば（音ガク）

鐔 つば(音タン)
坪 つぼ(音ヘイ)
紬 つむぎ(音チュウ)
爪 つめ・つま(音ソウ)
倩 つらつら・やとう・むこ・うるわしい(音セン・セイ)
鶴 つる・ず・た(音カク) 鶴嘴＝つるはし

## テ

弖 て 弖爾乎波＝てにをは
汀 テイ・なぎさ・みぎわ
低 テイ・ひくい・ひくめる・ひくまる
呈 テイ・しめす
廷 テイ
弟 テイ・ダイ・デ・おとうと・おと
定 テイ・ジョウ・さだめる・さだまる・さだか・さだ
底 テイ・そこ 底翳＝そこひ
抵 テイ・あたる
邸 テイ・やしき
亭 テイ・チン・あずまや
剃 テイ・そる 剃刀＝かみそり
帝 テイ・タイ・みかど 帝釈天＝たいしゃくてん
牴 テイ・ふれる
訂 テイ・ただす
貞 テイ・ジョウ・さだ
庭 テイ・にわ・ば
悌 テイ・すなお・やす・やすし
挺 テイ・チョウ
涕 テイ・なみだ・なく
逓 遞 テイ
停 テイ・チョウ・とどめる・とどまる・とまる・とめる
偵 テイ・うかがう
梯 テイ・かけはし・はし・はしご
梃 テイ・チョウ・てこ 梃子＝てこ
逞 テイ・たくましい
啼 テイ・なく
堤 テイ・つつみ
提 テイ・ダイ・チョウ・さげる・ひさげ・ひっさげる
程 テイ・ほど・のり
碇 テイ・いかり
禎 禎 テイ・さだ・ただ・ただし・つぐ・よし
艇 テイ・ふね
鼎 テイ・かなえ 鼎談＝ていだん
綴 テイ・テツ・つづる・とじる
締 テイ・しまる・しめる
鄭 テイ・ジョウ 鄭重＝ていちょう
諦 テイ・タイ・あきらめる
蹄 テイ・ひづめ
泥 デイ・ナイ・どろ・なずむ・ひじ 泥溝＝どぶ 泥濘＝でいねい・ぬかるみ 泥濘む＝ぬかるむ 泥鰌＝どじょう

## テキ

的 テキ・まと
迪 テキ・みち・すすむ・ただす
剔 テキ・えぐる 剔抉＝てっけつ
笛 テキ・ジャク・ふえ
摘 テキ・つむ・つまむ
滴 テキ・しずく・したたる・たらす
適 テキ・かなう・かなえる・たまたま
敵 テキ・かたき・あだ・かなう
擢 テキ・タク・ぬきんでる
擲 テキ・チャク・なげうつ・なぐる
鏑 テキ・かぶら
覿 テキ・あう・みる 覿面＝てきめん
躑 テキ 躑躅＝つつじ
溺 デキ・ニョウ・おぼれる
迭 テツ・たがいに
哲 テツ・あきらか
跌 テツ・つまずく
鉄 鐵 銕 テツ・かね・くろがね 鉄床＝かなとこ 鉄敷＝かなしき 鉄梃＝かなてこ 鉄漿＝かね 鉄棒＝かなぼう
徹 テツ・とおす・とおる
撤 テツ
轍 テツ・わだち

## テン

天 テン・あめ・あま 天牛＝かみきりむし 天辺＝てっぺん 天地＝あめつち 天豆＝そらまめ 天晴れ＝あっぱれ 天稟＝てんぴん 天の邪鬼＝あまのじゃく 天蚕糸＝てぐす 天鵞絨＝ビロード 天爾遠波＝てにをは
典 テン・さかん・すけ・のり・ふみ
店 テン・みせ・たな
恬 テン・やすい 恬淡＝てんたん
点 點 奌 テン・さす・たてる・つく・つける・ともす・ともる 点前＝てまえ 点頭く＝うなずく
展 テン・のべる・ひろげる・のぶ
添 テン・そえる・そう 添水＝そうず
甜 テン・あまい
転 轉 テン・ころがる・ころげる・ころがす・ころぶ・うたた・こかす・こける・まろぶ 転柿＝ころがき 転寝＝ごろね
奠 テン・デン・さだめる
塡 テン・うずめる・はまる・はめる
篆 テン 篆書＝てんしょ
霑 テン・うるおう・しおる
輾 テン・きしる 輾転＝てんてん
顚 テン・いただき・たおれる 顚末＝てんまつ
纏 テン・まつる・まつわる・まとい・まとう・まとまる・まとめる
巓 テン・いただき
癲 テン
貂 てん(音チョウ)
田 デン・た 田作＝ごまめ 田舎＝いなか 田圃＝たんぼ 田螺＝たにし 田鶴＝たず 田鼈＝たがめ
伝 傳 デン・テン・つたわる・つたえる・つたう・つて 伝手＝つて 伝染す＝うつす 伝染る＝うつる 伝馬船＝てんません
佃 デン・つくだ
殿 デン・テン・との・どの・しんがり
電 デン・テン・いなずま 電鈴＝ベル
澱 デン・おり・よど・よどむ
臀 デン・しり

## ト

斗 ト・トウ・とます・ばかり・ます・たたかう
吐 ト・はく・つく 吐瀉＝としゃ
兎 兔 ト・う・うさぎ 兎角＝とかく
杜 ト・ズ・もり 杜氏＝とじ・とうじ 杜若＝かきつばた 杜撰＝ずさん 杜鵑＝ほととぎす
妬 ト・ねたむ・ねたましい・やく
徒 ト・ズ・あだ・いたずら・かち・ただ・むだ 徒士＝かち 徒戻り＝ただもどり 徒し男＝あだしおとこ 徒然＝つれづれ 徒疎か＝あだおろそか
途 ト・ズ・みち
都 都 ト・ツ・みやこ・かつて・すべて 都会＝まち 都々逸＝どどいつ
堵 ト
屠 ト・ほふる
渡 ト・わたる・わたす
塗 ト・ズ・ぬる・まぶす・まみれる・みどろ
睹 ト・みる
賭 ト・かける
鍍 ト 鍍金＝めっき
砥 と(音シ・テイ) 砥石＝といし
土 圡 圡 ド・ト・つち 土竜＝もぐら・もぐらもち 土産＝みやげ 土筆＝つくし 土塊＝つちくれ 土器＝かわらけ 土耳古＝トルコ
奴 ド・ヌ・つぶね・め・やつ・やっこ 奴原＝やつばら
努 ド・つとめる・ゆめ・つとむ
弩 ド・おゆみ
度 ド・ト・タク・たび・たし・たい・のり・はかる・わたる
怒 ド・ヌ・いかる・おこる
駑 ド 駑馬＝どば
樋 とい・ひ(音トウ)

## トウ

刀 トウ・かたな 刀自＝とじ 刀背＝むね
冬 トウ・ふゆ 冬子・冬菇＝どんこ 冬瓜＝とうがん
当 當 トウ・あたる・あてる・まさに 当て所＝あてど 当時＝そのかみ
灯 燈 トウ・チン・ひ・あかし・ともし・ともしび・ともす・ともる 灯影＝ほかげ
投 トウ・なげる 投網＝とあみ
豆 トウ・ズ・まめ 豆汁＝ごじる 豆板醤＝トウバンジャン
到 トウ・いたる
宕 トウ
東 トウ・ひがし・あずま 東風＝こち 東雲＝しののめ 東坡肉＝トンポーロー
沓 トウ・くつ
逃 迯 トウ・チョウ・にげる・にがす・のがす・のがれる
倒 トウ・たおれる・たおす・さかさ
党 黨 トウ
凍 トウ・こおる・こごえる・いてる・しばれる・しみる
唐 トウ・から・もろこし 唐土＝もろこし 唐網＝とあみ
套 トウ
島 嶋 嶌 トウ・しま
桃 トウ・もも

桐 トウ・きり
疼 トウ・うずく
討 トウ・うつ
透 トウ・すく・すかす・すける・とおす・とおる
悼 トウ・いたむ
淘 トウ・よなげる　淘汰＝とうた
盜
盗 トウ・ぬすむ・とり　盗っ人＝ぬすっと
萄 トウ・ドウ
逗 トウ・ズ・とどまる
陶 トウ・ドウ・すえ
塔 トウ・あららぎ　塔頭＝たっちゅう
搭 トウ
棟 トウ・むね・むな
湯 トウ・タン・ゆ　湯浴み＝ゆあみ　湯桶＝ゆとう　湯槽＝ゆぶね　湯麺＝タンメン　湯湯婆＝ゆたんぽ
痘 トウ・もがさ　痘痕＝あばた
登 トウ・ト・のぼる　登攀＝とうはん・とはん
荅 トウ・こたえる・こたえ
等 トウ・ひとしい・など・ら　等閑＝なおざり
筒 トウ・ドウ・つつ
統 トウ・すべる
董 トウ・ただす
塘 トウ・つつみ
滔 トウ　滔々＝とうとう
稲
稻 トウ・いね・いな　稲架＝はさ・はせ　稲荷＝いなり　稲熱病＝いもちびょう
骰 トウ　骰子＝さいころ・さい
蕩 トウ・とろかす・とろける・たらす
踏 トウ・ふむ・ふまえる
橙 トウ・だいだい
糖 トウ
頭 トウ・ズ・ト・チュウ・あたま・かしら・かぶり・かみ・こうべ・つむり　頭重＝ずおも
濤 トウ・なみ
盪 トウ・うごく・とろかす・とろける
謄 トウ・うつす
蹈 トウ・ふむ　蹈鞴＝たたら
藤 トウ・ドウ・ふじ
鬪
鬭
闘 トウ・たたかう
禱
祷 トウ・いのる
蟷 トウ　蟷螂＝とうろう・かまきり
韜 トウ・かくす・つつむ　韜晦＝とうかい
騰 トウ・あがる
籐 トウ・ドウ
薹 とう（音タイ・ダイ）

## ドウ

同
仝 ドウ・おなじ　同胞＝はらから
恫 ドウ・いたむ　恫喝＝どうかつ
洞 ドウ・トウ・ほら・うつろ・うろ
胴 ドウ
動 ドウ・うごく・うごかす・ややもすれば
堂 ドウ・トウ
童 ドウ・トウ・わらべ・わっぱ・わらわ
道 ドウ・トウ・みち・じ・ち　お道化る＝おどける　道程＝みちのり　道産子＝どさんこ
働
仂 ドウ・はたらく
慟 ドウ・なげく　慟哭＝どうこく
銅 ドウ・あかがね　銅鑼＝どら
導 ドウ・みちびく・しるべ
撞 ドウ・シュ・トウ・つく　撞木＝しゅもく
撓 ドウ・トウ・いためる・しおり・しなう・しなる・たわむ・たわめる・たわわ
瞠 ドウ・みはる・みひらく
獰 ドウ・ネイ　獰猛＝どうもう
瞳 ドウ・ひとみ・あきら
峠 とうげ
咎 とがめる・とが（音キュウ）
鴇 とき（音ボウ）　鴇毛＝つきげ
禿 トク・かぶろ・かむろ・ちびる・つぶ・はげる
匿 トク・かくまう
特 トク・ことに
得 トク・える・うる
督 トク・かみ・みる
徳
德 トク・あつ・のり　徳利＝とくり・とっくり
篤 トク・あつい
瀆 トク・けがす
毒 ドク・そこなう
独
獨 ドク・トク・ひとり　独身＝ひとり　独活＝うど　独逸・独乙＝ドイツ　独楽＝こま　独鈷＝とっこ　独参湯＝どくじんとう
読
讀 ドク・トク・トウ・よむ　読経＝どきょう
髑 ドク　髑髏＝どくろ・されこうべ・しゃれこうべ
栃 とち・とちのき
橡 とち・くぬぎ・つるばみ（音ショウ）
凸 トツ・でこ・なかだか　凸凹＝でこぼこ
吶 トツ・どもる　吶喊＝とっかん
咄 トツ・はなし　咄嗟＝とっさ
突
突 トツ・つく
訥 トツ・どもる
椴 とど（音ダン）
届
屆 とどける・とどく（音カイ）
鳶 とび・とんび（音エン）　鳶尾＝いちはつ
苫 とま（音セン）
艫 とも・へさき（音ロ）
寅 とら・とも・のぶ（音イン）
酉 とり・なが・みのる（音ユウ）
瀞 とろ（音セイ）
屯 トン・たむろ
沌 トン
豚 トン・ぶた
敦 トン・タイ・あつい・あつ・あつし・つる・のぶ
遁 トン・のがれる
頓 トン・つまずく・とみに
呑 ドン・トン・のむ　呑気＝のんき
貪 ドン・タン・トン・むさぼる　貪婪＝どんらん
鈍 ドン・にぶい・にぶる・なまくら・なまる・にび・のろい　鈍色＝にびいろ
曇 ドン・タン・くもる・くもり
丼 どんぶり・どん（音セイ）

## ナ

那 ナ・ダ・いずれ・なんぞ・とも・やす
奈 ナ・ダイ・いかん
儺 ナ・ダ
内 ナイ・ダイ・うち・うつ　内障＝そこひ　内儀＝おかみ
綯 なう・よる（音トウ）
凪 なぎ・なぐ
梛 なぎ（音ダ・ナ）
渚
渚 なぎさ・みぎわ（音ショ）
薙 なぐ（音チ・テイ）　薙刀＝なぎなた
梨 なし（音リ）
薺 なずな（音セイ）
謎
謎 なぞ（音メイ）
灘 なだ（音ダン・タン）
捺 ナツ・ダツ・おす・とし
棗 なつめ（音ソウ）
鍋 なべ（音カ）
腥 なまぐさい（音セイ）
憖 なまじ・なまじい・なまじっか（音ギン）
鱠 なます（音カイ）
癜 なまず（音デン）
鯰 なまず（音ネン）
鞣 なめす（音ジュウ）
嘗 なめる・かつて・こころみる（音ショウ・ジョウ）
楢 なら（音ユウ）
畷 なわて（音テツ）
南 ナン・ナ・ダン・みなみ　南瓜＝カボチャ　南京＝なんきん　南風＝はえ
軟 ナン・ゼン・やわらか・やわらかい
喃 ナン・のう
楠 ナン・くす・くすのき
難
難 ナン・かたい・むずかしい・むつかしい・にくい　難波＝なにわ
汝 なんじ・な・なれ（音ジョ）

## ニ

二 ニ・ジ・ふた・ふたつ・ふ・ふう　二人＝ふたり　二十＝はたち　二日＝ふつか　二布・二幅＝ふたの　二十日＝はつか　二十歳＝はたち・はたとせ　二進も三進も＝にっちもさっちも
尼 ニ・ジ・あま
弍
貳 ニ・ジ・すけ・ふたつ　弍心＝ふたごころ
贄 にえ（音シ）
匂 におう・におい
肉 ニク・ジク・しし　肉刺＝まめ・フォーク　肉匙＝フォーク　肉叢＝ししむら　肉豆蔻＝にくずく
虹 にじ（音コウ）
廿 にじゅう（音ジュウ）
鰊 にしん（音レン）
日 ニチ・ジツ・ひ・か・け　日向＝ひなた・ひゅうが　日和＝ひより　日南＝ひなた
入 ニュウ・ジュ・ジュウ・いる・いれる・はいる・しお　入内＝じゅだい　入水＝じゅすい　入魂＝じっこん　入母屋＝いりもや
乳 ニュウ・ちち・ち　乳父＝めのと　乳母＝うば・めのと　乳母日傘＝おんばひがさ
尿 ニョウ・ゆばり　尿瓶＝しびん
繞 ニョウ・ジョウ・めぐる
韮 にら（音キュウ）
楡 にれ（音ユ）

任 ニン・ジン・まかせる・まかす・たか・とう・よさす・ただ
妊 ニン・はらむ
忍 ニン・しのぶ・しのばせる・おし ｜ 忍冬＝すいかずら 忍辱＝にんにく
認 ニン・みとめる・したためる

## ヌ

鵺 ぬえ（音ヤ）
濡 ぬれる・ぬらす・そぼつ（音ジュ）

## ネ

涅 ネ・デツ・くり ｜ 涅槃＝ねはん
禰 
祢 ネ・デイ ｜ 禰宜＝ねぎ
佞 ネイ・デイ・おもねる
寧 ネイ・なんぞ・むしろ・やすらか・やす・やすし
濘 ネイ・ぬかる
檸 ネイ・ドウ ｜ 檸檬＝レモン
葱 ねぎ・き（音ソウ）
塒 ねぐら・とや（音ジ）
捩 ねじる・ねじれる・もじる・よじる・よじれる（音レイ）
捏 ネツ・デツ・こねる・つくねる ｜ 捏ち上げる＝でっちあげる
熱 ネツ・ネチ・あつい・いきれ・ほてる・ほとぼり ｜ 熱り立つ＝いきりたつ
邌 ねる（音レイ）
年 ネン・とし・とせ ｜ 年延え＝としばえ 年魚＝あゆ 年増＝としま
念 ネン・おもう
捻 ネン・ねじる・ねじれる・ひねる ｜ 捻子＝ねじ
粘 ネン・デン・ねばる
稔 ネン・ジン・としみのる・なる
撚 ネン・ひねる・よる
燃 ネン・もえる・もやす・もす・ともす

## ノ

悩 
惱 ノウ・なやむ・なやます
納 ノウ・ナッ・ナ・ナン・トウ・おさめる・おさまる・いれる
能 ノウ・あたう・え・のよく・よし ｜ 能登＝のと
脳 
腦 ノウ
農 ノウ
濃 ノウ・こい・こまやか・こく ｜ 濃藍＝こあい
膿 ノウ・うみ・うむ
囊 
嚢 ノウ・ふくろ
熨 のし（音ウツ） ｜ 熨斗＝のし
覗 のぞく・うかがう（音シ）
覘 のぞく・うかがう・うかがいみる・ねらう（音テン）
蚤 のみ（音ソウ）

## ハ

巴 ハ・ともえ・とも ｜ 巴奈馬＝パナマ
把 ハ・たば・とる
杷 ハ・さらえ
波 ハ・なみ ｜ 波斯＝ペルシャ 波止場＝はとば
爬 ハ・かく
派 ハ
玻 ハ ｜ 玻璃＝はり
破 ハ・やぶる・やぶれる・やぶく・やぶける・やれる・わる・われる ｜ 破り子・破り籠＝わりご 破片＝かけら 破れ寺＝やれでら 破風＝はふ 破落戸＝ごろつき・ならずもの
菠 ハ ｜ 菠薐草＝ほうれんそう
琶 ハ
跛 ハ・あしなえ・ちんば・びっこ
頗 ハ・すこぶる
播 ハ・ハン・まく ｜ 播磨＝はりま
覇 
霸 ハ ｜ 覇王樹＝サボテン
芭 バ・ハ・はな ｜ 芭蕉＝ばしょう
馬 バ・メ・うま・ま ｜ 馬手＝めて 馬穴・馬尻＝バケツ 馬克＝マルク 馬鹿＝ばか 馬喰＝ばくろう 馬酔木＝あしび・あせび
婆 バ・ばあ・ばば ｜ 婆羅門＝バラモン
罵 バ・メ・ののしる ｜ 罵詈＝ばり

## ハイ

坏 ハイ・おか・つき
沛 ハイ ｜ 沛然＝はいぜん
佩 ハイ・おびる・はく
拝 
拜 ハイ・おがむ
杯 
盃 ハイ・さかずき・つき
背 ハイ・せ・せい・そむく・そむける・せな・そ ｜ 背負う＝せおう・しょう
肺 ハイ
胚 ハイ・はらむ
俳 ハイ
悖 ハイ・もとる
配 ハイ・くばる
徘 ハイ ｜ 徘徊＝はいかい 徘徊く＝うろつく
排 ハイ・おしひらく
敗 ハイ・やぶれる・まける
廃 
廢 ハイ・すたれる・すたる
湃 ハイ
牌 ハイ・パイ
輩 ハイ・ともがら・ばら・やから
憊 ハイ・つかれる
癈 ハイ・しいる・すたれる

## バイ

売 
賣 バイ・マイ・うる・うれる ｜ 売女＝ばいた 売僧＝まいす
倍 バイ・ます
梅 
梅 
楳 バイ・うめ ｜ 梅雨＝つゆ・ばいう 梅桃＝ゆすらうめ
培 バイ・つちかう
陪 バイ・ハイ・ホイ・したがう
媒 バイ・なかだち・なこうど
買 バイ・マイ・かう
煤 バイ・すす
賠 バイ・つぐなう
黴 バイ・かび・かびる
蠅 はえ（音ヨウ）
萩 はぎ（音シュウ）

## ハク

白 ハク・ビャク・しろ・しら・しろい ｜ 白地＝あからさま 白毛＝しらが 白衣＝びゃくえ 白粉＝おしろい 白魚＝しらうお・しろうお 白湯＝さゆ 白痴＝たわけ 白髪＝しらが 白癬＝しらくも 白耳義＝ベルギー 白膠木＝ぬるで
伯 ハク・おさ・かみ ｜ 伯父＝おじ 伯母＝おば 伯耆＝ほうき 伯剌西爾＝ブラジル
帛 ハク・きぬ
拍 ハク・ヒョウ・うつ
泊 ハク・とまる・とめる
迫 ハク・せまる・せる・せり
柏 ハク・かしわ
珀 ハク
剝 ハク・はがす・はぐ・はがれる・はげる・へぐ・むく・むける
粕 ハク・かす
舶 ハク・ふね
博 ハク・バク・ひろい ｜ 博士＝はかせ 博打・博奕＝ばくち 博多＝はかた
搏 ハク・うつ
箔 ハク
魄 ハク・たま・たましい
薄 ハク・うすい・うすめる・うすまる・うすらぐ・うすれる・うっすら・すすき
餺 ハク ｜ 餺飥＝ほうとう
麦 
麥 バク・むぎ ｜ 麦酒＝ビール
莫 バク・マク・ない・なかれ ｜ 莫迦＝ばか 莫大小＝メリヤス
漠 バク
駁 バク・ハク・ぶち・まだら
縛 バク・しばる・いましめる
瀑 バク・たき
曝 バク・さらす
爆 バク・はぜる ｜ 爆竹焼き＝どんどやき
驀 バク ｜ 驀地＝まっしぐら 驀進＝ばくしん
筥 はこ（音キョ・コ） ｜ 筥迫＝はこせこ
箱 はこ（音ソウ）
箸 はし（音チョ）
筈 はず（音カツ）
鯊 はぜ（音サ）
櫨 はぜ（音ロ）
畑 はた・はたけ
肌 はだ・はだえ（音キ） ｜ 肌理＝きめ
畠 はたけ・はた
跣 はだし（音セン） ｜ 跣足＝はだし
八 ハチ・ハツ・や・やつ・やっつ・よう・は ｜ 八幡＝はちまん・やわた 八十路＝やそじ 八百長＝やおちょう 八百屋＝やおや
鉢 ハチ・ハツ
発 
發 ハツ・ホツ・あばく・たつ ｜ 発条＝ぜんまい・ばね
髪 
髮 ハツ・かみ
撥 ハツ・バチ・はねる
潑 ハツ ｜ 潑剌・潑溂＝はつらつ
醱 
醗 ハツ・かもす
伐 バツ・うつ・きる
抜 
拔 バツ・ぬく・ぬける・ぬかす・ぬかる
跋 バツ ｜ 跋扈＝ばっこ
罰 バツ・バチ
閥 バツ
噺 はなし
塙 はなわ（音カク）

埴 はに(音ショク) 埴生=はにゅう 埴輪=はにわ
鱧 はも(音レイ)
囃 はやす(音ソウ) 囃子=はやし
隼 はやぶさ・はやし(音シュン・ジュン)
肚 はら(音ト)
祓 はらい・はらう(音フツ)
霽 はれる・はらす(音セイ)

## ハン

反 ハン・ホン・タン・そる・そらす・かえす・かえる・そむく 反吐=へど 反故・反古=ほご
半 ハン・なかば・なか 半平=はんぺん
氾 ハン・ひろがる
犯 ハン・ボン・おかす
帆 ハン・ほ
汎 ハン・あまねし・うかぶ・ひろい
伴 ハン・バン・ともなう・とも 伴天連=バテレン
判 ハン・バン・ことわる・わかつ・わかる 判官=ほうがん・はんがん
坂 ハン・さか 坂東=ばんどう
阪 ハン・さか
板 ハン・バン・いた
版 ハン・ヘン・いた・ふだ
叛 ハン・ホン・そむく
班 ハン・わける
畔 ハン・あ・あぜ・くろ・ほとり
般 ハン 般若=はんにゃ
販 ハン・ひさぐ
斑 ハン・ふ・ぶち・まだら・むら 斑雪=はだれゆき・まだらゆき 斑鳩=いかる
飯 ハン・ボン・めし・いい・まま・まんま 飯盒=はんごう
搬 ハン・はこぶ
煩 ハン・ボン・わずらう・わずらわす・うるさい
頒 ハン・わかつ・わける
旛 ハン・バン・マン・はた
範 ハン・のり 範疇=はんちゅう
繁 繁 ハン・しげ・しげく・しげみ・しげる
藩 ハン・まがき
蟠 ハン・バン・わだかまる 蟠踞=ばんきょ
攀 ハン・よじる
榛 はん・はしばみ・はる(音シン)

## バン

挽 バン・ひく
絆 バン・ハン・きずな・ほだす
晩 晩 バン・おそい・くれ 晩生・晩稲=おくて
番 バン・つがい・つがう・つがえる
蛮 蠻 バン
輓 バン・ひく
盤 バン・ハン・さら
磐 バン・いわ 磐城=いわき
蕃 バン・ハン・しげる
礬 バン

## ヒ

匕 ヒ・かい・さじ 匕首=ひしゅ・あいくち
比 ヒ・くらべる・ころ・たぐう・たぐえる・よそえる 比丘=びく 比丘尼=びくに 比目魚=ひらめ 比律賓=フィリピン
皮 ヒ・かわ 皮蛋=ピータン
妃 ヒ・きさき
否 ヒ・フ・いな・いや
屁 ヒ・〔訓は〕へ
庇 ヒ・おおう・かばう・ひさし
批 ヒ・うつ
彼 ヒ・かれ・かの・か・あの 彼方=あちら・あっち・あなた・かなた 彼処=あそこ・かしこ 彼奴=あいつ・あやつ・かやつ・きゃつ 彼所=かしこ 彼方此方=あちこち
披 ヒ・ひらく
肥 ヒ・こえる・こえ・こやす・こやし・ふとる
非 ヒ・あらず 非道い=ひどい
卑 卑 ヒ・いやしい・いやしむ・いやしめる・ひくい
砒 ヒ 砒素=ひそ
飛 ヒ・とぶ・とばす 飛白=かすり 飛沫=ひまつ・しぶき 飛鳥=あすか 飛礫=つぶて 飛騨=ひだ 飛竜頭=ひりょうず
疲 ヒ・つかれる・つからす
秘 祕 ヒ・ひめる・ひそか 秘露=ペルー
被 ヒ・ビ・こうむる・おおう・かずける・かぶせる・かぶる・ふすま・らる・る
婢 ヒ・はしため 婢女=はしため
菲 ヒ・うすい
悲 ヒ・かなしい・かなしむ
扉 ヒ・とびら
斐 ヒ・あや・あきら・よし
腓 ヒ・こむら
費 ヒ・ついやす・ついえる・あたい
痺 ヒ・しびれる
裨 ヒ 裨益=ひえき
碑 碑 ヒ・いしぶみ
緋 ヒ・あか・あけ 緋縅=ひおどし
翡 ヒ・かわせみ 翡翠=ひすい・かわせみ
鄙 ヒ・いやしい・ひな・ひなびる
罷 ヒ・まかる・やめる
誹 ヒ・そしる 誹諧=はいかい 誹謗=ひぼう
避 ヒ・さける・よける
臂 ヒ・ひじ
髀 ヒ・もも
譬 ヒ・たとえ・たとえる
贔 ヒ 贔屓=ひいき

## ビ

尾 ビ・お・つける 尾張=おわり
枇 ビ・ヒ 枇杷=びわ
毘 毗 ビ・ヒ
眉 ビ・ミ・まゆ・まみ・まみえ
美 ビ・ミ・うつくしい・うまし・よし 美ら=ちゅら 美作=みまさか 美味しい=おいしい 美味い=うまい 美酒=うまざけ 美濃=みの 美人局=つつもたせ
備 ビ・そなえる・そなわる・つぶさに 備中=びっちゅう 備後=びんご
媚 ビ・こびる
寐 ビ・ねる
琵 ビ 琵琶=びわ
微 ビ・ミ・かすか・ひそかに・ほろ 微風=そよかぜ 微笑う=わらう 微酔い=ほろよい 微笑む=ほほえむ
鼻 ビ・はな
薇 ビ・ぜんまい
靡 ビ・なびく
瀰 ビ・はびこる 瀰漫=びまん
柊 ひいらぎ(音シュウ)
燧 ひうち・のろし・ひきり(音スイ) 燧石=ひうちいし
稗 ひえ(音ハイ)
疋 ひき・むら(音ヒツ)
蟇 ひき・ひきがえる(音マ・バ) 蟇股=かえるまた
碾 ひく・うす(音テン)
羆 ひぐま(音ヒ)
蜩 ひぐらし・かなかな・せみ(音チョウ)
髯 ひげ・ほおひげ(音ゼン)
髭 ひげ・くちひげ(音シ)
鬚 ひげ・あごひげ(音シュ・ス)
彦 ひこ・さと(音ゲン)
蘖 ひこばえ(音ゲツ)
膝 ひざ(音シツ)
鬻 ひさぐ・かゆ(音シュク・イク)
廂 ひさし(音ショウ)
菱 ひし(音リョウ)
肘 ひじ(音チュウ)
醢 ひしお・ししびしお(音カイ)
襞 ひだ(音ヘキ)
鶲 ひたき(音オウ)
匹 ヒツ・ひき
必 ヒツ・かならず
泌 ヒツ・ヒ
畢 ヒツ・ヒチ・おえる・おわる 畢竟=ひっきょう
弼 ヒツ・すけ
筆 ヒツ・ふで
逼 ヒツ・せまる
篳 ヒツ・ヒチ 篳篥=ひちりき
謐 ヒツ・しずか
櫃 ひつ(音キ)
雛 ひな・ひよこ(音スウ)
檜 桧 ひのき・ひ(音カイ) 檜皮=ひわだ
罅 ひび・さける・はぜる(音カ)
姫 ひめ(音キ)
繙 ひもとく(音ハン)
百 ヒャク・ハク・もも 百合=ゆり 百舌=もず 百足=むかで 百歳=ももとせ 百日紅=さるすべり
闢 ビャク・ヘキ・ひらく
謬 ビュウ・あやまる

## ヒョウ

氷 冰 ヒョウ・こおり・ひ・こおる・つらら 氷雨=ひさめ 氷柱=つらら 氷魚=ひお 氷頭=ひず
表 ヒョウ・おもて・あらわす・あらわれる
俵 ヒョウ・たわら
豹 ヒョウ
彪 ヒョウ・あきら・あや・たけ・たけし・つよし・とら
票 ヒョウ

評 ヒョウ・はかる
剽 ヒョウ・ひょうげる ‐剽軽＝ひょうきん
漂 ヒョウ・ただよう
標 ヒョウ・しめ・しるし・しるべ
憑 ヒョウ・たのむ・つかれる・つく・よる
瘭 ヒョウ ‐瘭疽＝ひょうそ
瓢 ヒョウ・ひさご・ふくべ ‐瓢箪＝ひょうたん
縹 ヒョウ・はなだ ‐縹渺＝ひょうびょう
飄 ヒョウ・つむじかぜ・ひるがえる
鰾 ヒョウ・うきぶくろ・にべ・ふえ
雹 ひょう（音ハク）
苗 ビョウ・ミョウ・なえ・なわ
眇 ビョウ・すがめ・すがめる
秒 ビョウ
病 ビョウ・ヘイ・やむ・やまい ‐病葉＝わくらば
描 ビョウ・えがく・かく
猫 ビョウ・ミョウ・ねこ
渺 ビョウ ‐渺茫＝びょうぼう
廟 ビョウ・たまや
錨 ビョウ・いかり
鵯 ひよどり・ひよ（音ヒ）
鰭 ひれ・はた（音キ）
鶸 ひわ（音ジャク）

## ヒン

牝 ヒン・め・めす・めん
品 品 ヒン・ホン・しな
浜 濱 濵 ヒン・はま
彬 ヒン・あき・あきら
貧 ヒン・ビン・まずしい
稟 ヒン・リン・うける ‐稟議＝りんぎ
賓 賓 ヒン・まろうど
擯 ヒン・しりぞける
頻 頻 ヒン・ビン・しきりに・しきる
殯 ヒン・もがり・かりもがり
瀕 ヒン・ほとり
顰 ヒン・しかめる・ひそめる・ひそみ
敏 敏 ビン・さとい・とし
紊 ビン・ブン・みだれる ‐紊乱＝びんらん・ぶんらん
瓶 瓶 ビン・ビョウ・ヘイ・かめ ‐瓶花＝へいか
愍 ビン・ミン・あわれむ
憫 ビン・ミン・あわれむ・うれえる
鬢 ビン
壜 びん（音タン）

## フ

不 フ・ブ・ず ‐不乙＝ふいつ 不犯＝ふぼん 不図＝ふと 不束＝ふつつか 不味い＝まずい 不如帰＝ほととぎす 不見転＝みずてん 不知火＝しらぬい・しらぬひ 不貞寝＝ふてね 不惜身命＝ふしゃくしんみょう
夫 フ・フウ・ブ・おっと・おせ・それ・つま ‐夫々＝それぞれ 夫の君＝せのきみ 夫婦＝めおと・みょうと
父 フ・ホ・ちち・ち・てて・とう・とと ‐父さん＝とうさん 父ちゃん坊や＝とっちゃんぼうや
付 フ・つける・つく
布 フ・ホ・ぬの・きれ・しく・の ‐布令＝ふれ 布哇＝ハワイ 布袋＝ほてい
巫 フ・ブ・かんなぎ・みこ ‐巫女＝みこ 巫山戯る＝ふざける
扶 フ・たすける ‐扶持＝ふち
芙 フ・はす ‐芙蓉＝ふよう
府 フ・つかさ
怖 フ・こわい・おじる・おそれる ‐怖気＝おぞけ 怖めず臆せず＝おめずおくせず
斧 フ・おの
阜 フ・おか・こざと
附 フ・ブ・つく・つける
俘 フ・とりこ
訃 フ
負 フ・ブ・まける・まかす・おう・おぶう
赴 フ・おもむく
俯 フ・うつむく・うつむける ‐俯瞰＝ふかん
浮 フ・うく・うかれる・うかぶ・うかべる・うかす ‐浮つく＝うわつく 浮子＝うき 浮気＝うわき 浮腫＝むくみ 浮塵子＝うんか
埠 フ ‐埠頭＝ふとう
婦 フ・おんな・つま
符 フ・わりふ
富 富 フ・フウ・とむ・とみ ‐富貴＝ふうき・ふっき
普 フ・あまねく
腑 フ・はらわた
蜉 フ ‐蜉蝣＝かげろう
孵 フ・かえす・かえる
腐 フ・くさる・くされる・くさらす・くさす・くちる
誣 フ・ブ・しいる ‐誣告＝ぶこく
敷 フ・しく
膚 フ・はだ・はだえ
賦 フ・くばる ‐賦払い＝ぶばらい
麩 フ・ふすま
譜 フ
侮 侮 ブ・あなどる
武 ブ・ム・たけし・たける ‐武士＝ぶし・もののふ 武蔵＝むさし
部 ブ・ホウ・とも・べ ‐部屋＝へや
葡 ブ・ホ ‐葡萄＝ぶどう 葡萄牙＝ポルトガル 葡萄茶＝えびちゃ
撫 ブ・なでる ‐撫子＝なでしこ
舞 ブ・ム・まう・まい
蕪 ブ・あれる・かぶ・かぶら ‐蕪菁＝かぶら
鞴 ふいご（音ビ）
韛 ふいご（音ハイ）

## フウ

封 フウ・ホウ ‐封度＝ポンド
風 フウ・フ・かぜ・かざ・ふり ‐風邪＝かぜ
瘋 フウ ‐瘋癲＝ふうてん
諷 フウ・フ・そらんじる
蕗 ふき（音ロ）

## フク

伏 フク・ブク・ふせる・ふす・こやす
服 フク・ブク・まつろう・のむ ‐服装＝みなり
副 フク・フ・すけ・そう・そえる
匐 フク・はう
袱 フク ‐袱紗＝ふくさ
幅 フク・はば・の
復 フク・かえる・また ‐復習う＝さらう
福 福 フク・さいわい ‐福子＝ふっこ 福良雀＝ふくらすずめ
腹 フク・はら ‐お腹＝おなか
複 フク・かさねる
輻 フク・や ‐輻輳・輻湊＝ふくそう
覆 フク・フ・フウ・おおう・くつがえす・くつがえる
馥 フク・かおる ‐馥郁＝ふくいく
葺 ふく（音シュウ）
麬 ふすま（音フ）
弗 フツ・ドル・ダラー
払 拂 フツ・ホツ・はらう ‐払子＝ほっす
沸 フツ・わく・わかす・にえ
仏 佛 ブツ・フツ・ほとけ ‐仏掌薯＝つくねいも 仏蘭西＝フランス
物 ブツ・モツ・もの
鮒 ふな（音フ）
鰤 ぶり（音シ）
篩 ふるい・ふるう（音シ）

## フン

刎 フン・はねる ‐刎頸＝ふんけい
吻 フン・くち
扮 フン・よそおう
芬 フン・かおり ‐芬蘭＝フィンランド
忿 フン・いかる ‐忿怒＝ふんど・ふんぬ 忿懣＝ふんまん
粉 フン・こ・こな
紛 フン・まぎれる・まぎらす・まぎらわす・まぎらわしい・まがう・まがえる
焚 フン・たく・やく
雰 フン
噴 フン・ふく
墳 フン・つか
憤 フン・いきどおる ‐憤懣＝ふんまん
奮 フン・ふるう
糞 フン・くそ・ばば
分 ブン・フン・ブ・わける・わかれる・わかる・わかつ ‐分葱＝わけぎ
文 ブン・モン・ふみ・あや ‐文月＝ふみづき・ふづき 文旦＝ぶんたん・ボンタン 文字＝もじ・もんじ 文机＝ふづくえ 文身＝いれずみ 文箱＝ふばこ 文橙＝ボンタン
聞 ブン・モン・きく・きこえる

## ヘ

舳 へ・とも・へさき・みよし（音ジク）
丙 ヘイ・ひのえ
平 ヘイ・ビョウ・ヒョウ・たいら・ひら ‐平仄＝ひょうそく
兵 ヘイ・ヒョウ・いくさ・つわもの ‐兵站＝へいたん 兵児帯＝へこおび
並 竝 ヘイ・なみ・ならべる・ならぶ・ならびに・なべて

併 併 ヘイ・あわせる・しかし・ならぶ・ならべる
柄 ヘイ・ヒョウ・がら・え・から・つか ─柄杓＝ひしゃく
陛 ヘイ・きざはし
屛 屏 ヘイ・ビョウ
閉 ヘイ・ハイ・とじる・とざす・しめる・しまる・たてる
塀 塀 ヘイ
睥 ヘイ ─睥睨＝へいげい
聘 ヘイ・とう・めす
幣 ヘイ・しで・ぬさ・みてぐら ─幣帛＝へいはく
弊 ヘイ・ついえる・やぶれる
蔽 ヘイ・おおう
餅 餠 餅 ヘイ・もち
篦 ヘイ・の・へら ─篦棒＝べらぼう
斃 ヘイ・たおれる・たおす
米 ベイ・マイ・こめ・よな・よね・メートル ─米粉＝ビーフン 米利堅＝メリケン
袂 ベイ・たもと
辟 ヘキ・ビャク ─辟易＝へきえき
碧 ヘキ・あお・みどり・きよし・たま
僻 ヘキ・ひが・ひがむ
劈 ヘキ・つんざく ─劈頭＝へきとう
壁 ヘキ・かべ ─壁蝨＝だに
璧 ヘキ・たま
癖 ヘキ・くせ
霹 ヘキ ─霹靂＝へきれき
冪 冪 ベキ
臍 臍 へそ・ほぞ（音セイ・サイ）
蔕 へた・ほぞ（音タイ）
別 ベツ・わかれる・ことに・わかつ・わける
蔑 ベツ・さげすむ・ないがしろ
瞥 ベツ ─瞥見＝べっけん
鼈 ベツ・すっぽん ─鼈甲＝べっこう
諂 へつらう（音テン）

## ヘン

片 ヘン・かた・きれ・ひら・ペンス
辺 邊 ヘン・あたり・べ・へ・ほとり ─辺鄙＝へんぴ
返 ヘン・かえす・かえる
変 變 ヘン・かわる・かえる
扁 ヘン・ひらたい
偏 ヘン・かたよる・ひとえに
貶 ヘン・おとしめる・けなす・さげすむ
胼 ヘン・ベン・たこ ─胼胝＝たこ
遍 ヘン・あまねく
篇 ヘン
編 ヘン・あむ
翩 ヘン・ひるがえる ─翩翻＝へんぽん
蝙 ヘン ─蝙蝠＝こうもり
騙 ヘン・かたる・だます
弁 辨 瓣 辯 ベン・かんむり・わきまえる・わける
便 ベン・ビン・たより・すなわち
弁 ベン・エン
眄 ベン・メン・にらむ
勉 勉 ベン・つとめる・はげむ・つとむ
娩 ベン・うむ
鞭 ベン・むち・むちうつ
辮 ベン・ヘン・あむ

## ホ

甫 ホ・フ・はじめて・すけ・はじめ
歩 歩 ホ・ブ・フ・あるく・あゆむ ─歩兵＝ほへい
保 ホ・ホウ・たもつ・もつ・やす
匍 ホ ─匍匐＝ほふく
哺 ホ・ふくむ
圃 ホ・はたけ
捕 ホ・ブ・とらえる・とらわれる・とる・つかまえる・つかまる
堡 ホ・ホウ・とりで
補 ホ・フ・おぎなう
蒲 ホ・フ・ブ・かば・かま・がま ─蒲公英＝たんぽぽ
輔 ホ・フ・すけ・たすける・たすく
舗 鋪 ホ・しく・みせ

## ボ

戊 ボ・つちのえ
母 ボ・モ・はは・かか ─母さん＝かあさん 母衣＝ほろ 母屋・母家＝おもや
牡 ボ・ボウ・お・おす ─牡蠣＝かき 牡丹餅＝ぼたもち
拇 ボ・おやゆび
菩 ボ ─菩提＝ぼだい
募 ボ・つのる
墓 ボ・はか
慕 ボ・したう・しのぶ
暮 ボ・くれる・くらす ─暮れ泥む＝くれなずむ
簿 ボ

## ホウ

方 ホウ・かた・まさに・のり・まさ ─方舟＝はこぶね 方便＝たずき・たつき
包 ホウ・つつむ・くるまる・くるむ・パオ ─包子＝パオズ
彷 ホウ ─彷彿＝ほうふつ 彷徨う＝さまよう 彷徨く＝うろつく
芳 ホウ・かんばしい・こうばしい・かぐわしい・よし
邦 ホウ・くに
咆 ホウ・ほえる ─咆哮・咆吼＝ほうこう
奉 ホウ・ブ・たてまつる・まつる
宝 寶 寳 ホウ・たから
庖 ホウ・くりや
抱 ホウ・だく・いだく・かかえる
抛 ホウ・なげうつ・ほうる
放 ホウ・はなす・はなつ・はなれる・ほうる・ひる・ほる
朋 ホウ・とも ─朋友＝ほうゆう・ポンユー
法 ホウ・ハッ・ホッ・のり・のっとる・フラン ─法主＝ほうしゅ・ほっしゅ・ほっす 法度＝はっと 法螺＝ほら
泡 ホウ・あわ・あぶく ─泡沫＝ほうまつ・うたかた
苞 ホウ・つと
胞 ホウ・え ─胞衣＝えな
倣 ホウ・ならう
俸 ホウ・ふち
峰 峯 ホウ・ブ・みね・お
疱 ホウ・もがさ ─疱瘡＝ほうそう
皰 ホウ・にきび
砲 ホウ・つつ
袍 ホウ・ボウ・うえのきぬ・わたいれ
崩 ホウ・くずれる・くずす
捧 ホウ・ささげる
烹 ホウ・にる
烽 ホウ・フ・フウ・のろし ─烽火＝のろし
萌 萠 ホウ・きざす・めぐむ・めばえ・もえる・めぐみ・もえ ─萌黄・萌葱＝もえぎ
訪 ホウ・おとずれる・たずねる・おとなう・とう・とぶらう
逢 ホウ・あう ─逢瀬＝おうせ
報 ホウ・むくいる・こたえる・しらせる
幇 ホウ・たすける ─幇間＝ほうかん・たいこもち
焙 ホウ・ハイ・ホイ・あぶる・ほうじる ─焙炉＝ほいろ 焙烙＝ほうろく 焙煎＝ばいせん
琺 ホウ ─琺瑯＝ほうろう
硼 ホウ ─硼酸＝ほうさん
蜂 ホウ・はち
豊 豐 ホウ・ブ・ゆたか・とよ ─豊前＝ぶぜん 豊後＝ぶんご
飽 ホウ・あきる・あかす
蓬 ホウ・ほおける・ほける・よもぎ
鵬 ホウ・おおとり
髣 ホウ ─髣髴＝ほうふつ
鳳 ホウ・おおとり
澎 ホウ ─澎湃＝ほうはい
褒 襃 ホウ・ほめる
鋒 ホウ・さき・きっさき・ほこさき
魴 ホウ ─魴鮄＝ほうぼう
縫 ホウ・ぬう
鮑 ホウ・あわび

## ボウ

亡 ボウ・モウ・ない・ほろびる・ほろぶ ─亡骸＝なきがら
乏 ボウ・とぼしい
忙 ボウ・いそがしい・せわしい
芒 ボウ・すすき・のぎ・はしか
呆 ボウ・ホウ・あきれる・おろか・ぼける・ほける・ほうける ─呆気＝あっけ
坊 ボウ・ボッ・ボン・まち
妨 ボウ・さまたげる
尨 ボウ・モウ・むく・むくいぬ
忘 ボウ・モウ・わすれる
防 ボウ・ホウ・ふせぐ・つつみ ─防人＝さきもり
房 ボウ・ホウ・ふさ
肪 ボウ・あぶら
茅 ボウ・かや・ち・ちがや ─茅萱＝ちがや 茅蜩＝ひぐらし 茅台酒＝マオタイしゅ

厖 ボウ｜厖大＝ぼうだい
某 ボウ・それがし・なにがし
冒 ボウ・おかす
剖 ボウ・ホウ・わける
旁 ボウ・ホウ・かたがた・かたわら・つくり
紡 ボウ・つむぐ｜紡錘＝つむ
望 ボウ・モウ・のぞむ・のぞましい・もち
眸 ボウ・ひとみ

傍 ボウ・ホウ・かたわら・おか・かたえ・そば・はた｜傍役＝わきやく 傍輩＝ほうばい
帽 ボウ・モウ
棒 ボウ｜棒棒鶏＝バンバンジー
貿 ボウ
滂 ボウ・ホウ｜滂沱＝ぼうだ
榜 ボウ・ホウ・ふだ・あらわす
膀 ボウ｜膀胱＝ぼうこう
貌 ボウ・ミョウ・かお・かたち

暴 ボウ・バク・あばく・あばれる・にわか
膨 ボウ・ふくらむ・ふくれる・ふくよか
謀 ボウ・ム・はかる・たばかる・はかりごと
謗 ボウ・ホウ・そしる
帚 ほうき（音ソウ・シュウ）
箒 ほうき（音ソウ・シュウ）
吠 ほえる（音ハイ・ベイ）
頬 ほお・ほほ（音キョウ）

北 ホク・きた｜北叟笑む＝ほくそえむ
卜 ボク・うら・うらなう
木 ボク・モク・き・こ｜木瓜＝ぼけ 木耳＝きくらげ 木通＝あけび 木偶＝でく 木菟＝ずく・みみずく 木賊＝とくさ 木綿＝もめん・ゆう 木履＝ぼくり・ぽっくり 木槿＝むくげ 木乃伊＝ミイラ 木天蓼＝またたび 木形子＝こけし
朴 ボク・えのき・ほお

牧 ボク・モク・まき
睦 ボク・むつ・むつまじい・むつまやか・むつむ・ちか・むつみ｜睦月＝むつき
僕 ボク・しもべ・やつがれ
墨 ボク・すみ｜墨西哥＝メキシコ
墨
撲 ボク・うつ・なぐる・ぶつ
樸 ボク・すなお
鉾 ほこ（音ボウ）
枘 ほぞ（音ゼイ）

釦 ボタン（音コウ）
没 ボツ・モツ・しずむ｜没薬＝もつやく 没義道＝もぎどう
歿 ボツ・しぬ
勃 ボツ・おこる・にわかに｜勃牙利＝ブルガリア
𩸽 ほっけ
迸 ほとばしる・たばしる（音ホウ）
鯔 ぼら・いな・とど（音シ）｜鯔背＝いなせ
堀 ほり（音クツ）

幌 ほろ・とばり（音コウ）
本 ホン・もと｜本気・本当＝まじ 本意ない＝ほいない
奔 ホン・はしる
翻
飜 ホン・ハン・ファン・ひるがえる・ひるがえす・こぼし｜翻車魚＝まんぼう 翻筋斗＝もんどり
凡 ボン・ハン・おおよそ・およそ・すべて
盆 ボン・はち
梵 ボン

**マ**

麻 マ・バ・あさ｜麻疹＝はしか 麻婆＝マーボー 麻雀＝マージャン 麻幹＝おがら
摩
庅 マ・さする・する・すれる
磨 マ・みがく・する・すれる・とぐ
魔
庅 マ
毎
每 マイ・ごと・つね
妹 マイ・いもうと・いも
枚 マイ・バイ・ひら

玫 マイ｜玫瑰＝まいかい
昧 マイ・くらい
埋 マイ・うめる・うまる・うもれる・いける・うずまる・うずめる・うずもれる｜埋み火＝うずみび
邁 マイ｜邁進＝まいしん
哩 マイル（音リ）
槙
槇 まき（音シン）
幕 マク・バク｜幕間＝まくあい

膜 マク
蒔 まく・まき（音ジ・シ）
枕 まくら（音チン）
鮪 まぐろ・しび（音イ）
髷 まげ（音キョク）
柾 まさ・まさき・まさめ
枡
桝 ます
鱒 ます（音ソン）
又 また（音ユウ）

俣 また
襠 まち（音トウ）
末 マツ・バツ・すえ・うら・うれ｜末生り＝うらなり 末期＝まつご
抹 マツ・なする
沫 マツ・あわ
茉 マツ・マ｜茉莉花＝まつりか
秣 マツ・まぐさ
迄 まで（音キツ）
亦 また（音エキ・ヤク）

儘 まま・まんま（音ジン）
侭
蝮 まむし（音フク）
麿 まろ

**マン**

万
萬 マン・バン・よろず｜万年青＝おもと
曼 マン｜曼陀羅・曼荼羅＝まんだら
満
滿 マン・みちる・みたす・みち・みつ・みつる｜満貫＝マンガン 満天星＝どうだんつつじ
幔 マン・バン・まく
慢 マン・あなどる・おこたる・おごる

漫 マン・そぞろ・みだり
蔓 マン・かずら・つづら・つる｜蔓延る＝はびこる
瞞 マン・だます｜瞞着＝まんちゃく
懣 マン・もだえる
蹣 マン・ハン・バン｜蹣跚＝まんさん
饅 マン・ぬた｜饅頭＝まんじゅう
卍 まんじ（音マン）

**ミ**

未 ミ・ビ・いまだ・ひつじ・まだ｜未央柳＝びようやなぎ 未通女＝おぼこ 未曾有＝みぞう
味 ミ・ビ・あじ・あじわう・うまい
魅 ミ・すだま｜魅かれる＝ひかれる
箕 み（音キ）
澪 みお（音レイ）｜澪標＝みおつくし
岬 みさき・さき（音コウ）｜岬山＝さきやま

禊 みそぎ（音ケイ）
䜌 みそなわす（音レン）
密 ミツ・ひそか・ひそやか｜密か事＝みそかごと
蜜 ミツ・ミチ｜蜜柑＝みかん
湊 みなと・あつまる（音ソウ）
蓑
簑 みの（音サ）
脈 ミャク・すじ
妙 ミョウ・ビョウ・たえ

民 ミン・たみ・かき
眠 ミン・ねむる・ねむい

**ム**

矛 ム・ボウ・ほこ｜矛盾＝むじゅん
牟 ム・ボウ
務 ム・つとめる・つとまる
無 ム・ブ・ない｜無音＝ぶいん 無聊＝ぶりょう 無辜＝むこ 無花果＝いちじく 無何有の郷＝むかうのさと
夢 ム・ボウ・ゆめ
霧 ム・きり
椋 むく（音リョウ）

鼯 むささび（音ゴ）｜鼯鼠＝むささび・ももんが
娘 むすめ（音ジョウ・ロウ）
噎 むせぶ・むせる（音エツ・イツ）
笞 むち・しもと・むちうつ（音チ）

**メ**

瑪 メ｜瑪瑙＝めのう
名 メイ・ミョウ・な｜名残＝なごり
命 メイ・ミョウ・いのち・みこと
明 メイ・ミョウ・ミン・あかり・あかるい・あかるむ・あからむ・あきらか・あける・あく・あくる・あかす・あきら｜明太＝メンタイ 明日＝あす・あした 明礬＝みょうばん 明後日＝あさって 明々後日＝しあさって

茗 メイ・ミョウ｜茗荷＝みょうが
迷 メイ・まよう｜迷子＝まいご
冥 メイ・ミョウ・くらい
盟 メイ・ちかう
酩 メイ｜酩酊＝めいてい
榠 メイ｜榠樝＝かりん
銘 メイ
鳴 メイ・なく・なる・ならす

瞑　メイ・メン・つぶる・つむる
姪　めい（音テツ）
滅　メツ・ほろびる・ほろぼす・ほろぶ　滅入る＝めいる　滅茶＝めちゃ　滅金＝めっき
免
免　メン・まぬかれる・まぬがれる・ゆるす
面　メン・おも・おもて・つら・も　面子＝メンツ　面皰＝にきび
棉　メン・わた

綿　メン・わた　綿津見＝わだつみ
緬　メン　緬甸＝ビルマ
麺
麵
麪　メン・むぎこ　麺麭・麺包＝パン

### モ

茂　モ・しげる・しげみ・しげ
摸　モ・ボ・うつす・さぐる
模　モ・ボ・かた
麼
麽　モ

### モウ

毛　モウ・け
妄　モウ・ボウ・みだり
孟　モウ・はじめ・おさ・たけ・つとむ
盲　モウ・めくら・めしい・めしいる
耄　モウ・ボウ・ほうける　耄碌＝もうろく
耗　モウ・コウ・へる
猛　モウ・たけし・たける　猛者＝もさ　猛々しい＝たけだけしい

莽　モウ・ボウ・くさ
蒙　モウ・くらい・こうむる
網　モウ・ボウ・あみ・あ　網代＝あじろ
朦　モウ・おぼろ　朦朧＝もうろう
魍　モウ
儲　もうける・もうかる（音チョ）

目　モク・ボク・め・ま　目処＝めど　目交い＝まなかい　目映い＝まばゆい　目眩＝めまい　目眩まし＝めくらまし　目眩めく＝めくらめく・めくるめく　目紛るしい＝めまぐるしい　目論見＝もくろみ
沐　モク・あらう
默
黙　モク・だまる・もだす
杢　もく
艾　もぐさ・よもぎ（音ガイ）

齎　もたらす（音セイ・シ）
勿　モチ・ブツ・モツ・ない・なかれ・まな　勿怪＝もっけ
糯　もち・もちごめ（音ダ）　糯米＝もちごめ
黐　もち（音チ）
縺　もつれる（音レン）
蛻　もぬけ・もぬける・ぬぐ・ぬけがら（音ゼイ・セイ・タイ）
籾　もみ
樅　もみ（音ショウ）

揉　もむ・もめる（音ジュウ）
靄　もや（音アイ）
貰　もらう（音セイ）
門
门　モン・かど・と
紋　モン・あや
問　モン・とう・とい・とん
悶　モン・もだえる
匁　もんめ

### ヤ

也　ヤ・か・なり・また・あり・これ
冶　ヤ・いる
夜　ヤ・よ・よる　夜叉＝やしゃ　夜半＝やはん・よわ
耶　ヤ・か　耶蘇＝ヤソ
野
埜　ヤ・の　野良＝のら　野点＝のだて
揶　ヤ・からかう　揶揄＝やゆ　揶揄う＝からかう
椰　ヤ・やし

爺　ヤ・じい・じじ・じじい
弥
彌　や・あまねし・いや・いよ・わたる・ひさ・ひさし（音ビ・ミ）　弥生＝やよい　弥撒＝ミサ　弥縫＝びほう
箭　や（音セン）
軈　やがて
厄　ヤク・わざわい
役　ヤク・エキ・えだち
扼　ヤク・おさえる

約　ヤク・つづまやか・つづまる・つづめる
訳
譯　ヤク・わけ
薬
藥　ヤク・くすり・くす　薬玉＝くすだま　薬缶・薬罐＝やかん　薬研＝やげん
躍　ヤク・おどる
瘠　やせる（音セキ）
窶　やつれる・やつす（音ク）
簗　やな

藪
薮　やぶ（音ソウ）
闇　やみ・くらい（音アン）
鰥　やもお・やもめ（音カン）　鰥夫＝やもお・やもめ
槍　やり（音ソウ）

### ユ

由　ユ・ユウ・ユイ・よし・よる
油　ユ・ユウ・あぶら　油然＝ゆうぜん
柚　ユ・ユウ・ゆず　柚子＝ゆず
臾　ユ
喩　ユ・さとす・たとえ・たとえる
愉　ユ・たのしい
愈　ユ・いよいよ　愈々＝いよいよ
諭　ユ・さとす

輸　ユ・シュ
癒　ユ・いえる・いやす
唯　ユイ・イ・これ・ただ

### ユウ

友　ユウ・とも　友達＝ともだち　友志良賀＝ともしらが
尤　ユウ・もっとも
有　ユウ・ウ・ある・もつ　有卦＝うけ　有職＝ゆうそく
佑　ユウ・たすける・じょう・すけ・たすく
邑　ユウ・おおざと・さと・むら・くに
侑　ユウ・すすめる・すすむ

勇　ユウ・ヨウ・いさむ・いさましい・はや
宥　ユウ・なだめる・ゆるす・すけ・ひろ
幽　ユウ・かすか・かそけし・くらい
祐
祐　ユウ・じょう・たすける・すけ
涌　ユウ・ヨウ・わく
悠　ユウ・はるか
郵　ユウ
湧　ユウ・ヨウ・わく

游　ユウ・あそぶ・およぐ
猶　ユウ・なお　猶太＝ユダヤ
裕　ユウ・ゆたか・ひろ・ひろし
遊　ユウ・ユ・あそぶ・あそばす・すさび
釉　ユウ・うわぐすり　釉薬＝うわぐすり
雄　ユウ・お・おす・おん　雄叫び＝おたけび
誘　ユウ・さそう・いざなう・おびく

憂　ユウ・うれえる・うれい・うい
融　ユウ・ユ・とおる・とく・とける
優　ユウ・やさしい・すぐれる・まさる　優形＝やさがた　優男＝やさおとこ　優曇華＝うどんげ
茹　ゆでる・うだる・ゆだる（音ジョ）

### ヨ

与
與　ヨ・あたえる・あずかる・くみする
予
豫　ヨ・あらかじめ・かねて
余
餘　ヨ・あまる・あます・われ　余所＝よそ　余波＝なごり
誉
譽　ヨ・ほまれ・ほめる
預　ヨ・あずける・あずかる・あらかじめ
輿　ヨ・こし

### ヨウ

夭　ヨウ・わかじに
幼　ヨウ・おさない・いとけない　幼気＝いたいけ
用　ヨウ・もちいる
羊　ヨウ・ひつじ　羊歯＝しだ
妖　ヨウ・あやしい・なまめかしい
拗　ヨウ・オウ・こじれる・すねる・ねじける・ねじる・ねじれる
杳　ヨウ・くらい・はるか

洋　ヨウ・なだ・ひろい　洋中＝わたなか　洋灯＝ランプ　洋杖＝ステッキ　洋卓＝テーブル　洋杯＝コップ　洋袴＝ズボン　洋琴＝ピアノ
要　ヨウ・かなめ・いる
容　ヨウ・いれる・かたち・ゆるす　容易い＝たやすい
恙　ヨウ・つつが・つつむ
窈　ヨウ　窈窕＝ようちょう
庸　ヨウ・いさお・つね・やす

痒 ヨウ・かゆい
揚 ヨウ・あげる・あがる
揺 搖 ヨウ・ゆれる・ゆる・ゆらぐ・ゆるぐ・ゆする・ゆさぶる・ゆすぶる・ゆらす・ゆるがす　揺蕩う＝たゆたう　揺籃＝ようらん
葉 ヨウ・は
遥 遙 ヨウ・はるか
陽 ヨウ・ひ　陽炎＝かげろう
傭 ヨウ・やとう
楊 ヨウ・やなぎ
溶 ヨウ・とける・とかす・とく
瑶 瑤 ヨウ・たま
腰 ヨウ・こし
蓉 ヨウ
様 樣 ヨウ・さま・ざま・ためし・なり
熔 ヨウ・とける
瘍 ヨウ
踊 ヨウ・ユ・おどる・おどり
窯 ヨウ・かま
養 ヨウ・やしなう
壅 ヨウ・ふさぐ
擁 ヨウ・オウ・いだく
謡 謠 ヨウ・うたい・うたう・うた
膺 ヨウ・むね　膺懲＝ようちょう
邀 ヨウ・むかえる　邀撃＝ようげき
曜 旺 ヨウ
燿 ヨウ・かがやく・てる
鎔 ヨウ・とける
耀 ヨウ・かがやく・あき・あきら・てる
瓔 ヨウ　瓔珞＝ようらく
癰 ヨウ
弋 ヨク・いぐるみ
抑 ヨク・おさえる・そもそも
沃 ヨク・こえる　沃化＝ようか　沃度＝ヨード
浴 ヨク・あびる・あびせる・ゆかた　浴衣＝ゆかた
欲 ヨク・ほっする・ほしい
翌 ヨク・あくる　翌檜＝あすなろ
翼 ヨク・つばさ
葭 よし・あし(音カ)
淀 よど・よどむ(音デン)
甦 よみがえる(音ソ・コウ)　甦生＝こうせい

## ラ

拉 ラ・ラツ・しだく・ひしぐ　拉丁＝ラテン
裸 ラ・はだか　裸足＝はだし
螺 ラ・つぶ・にし　螺子＝ねじ
羅 ラ・うすぎぬ　羅甸＝ラテン　羅紗＝ラシャ　羅馬＝ローマ　羅馬尼亜＝ルーマニア
騾 ラ　騾馬＝らば
来 來 ライ・くる・きたる・きたす
徠 ライ
萊 ライ
雷 ライ・かみなり・いかずち
磊 ライ　磊落＝らいらく
蕾 ライ・つぼみ・つぼむ
頼 賴 ライ・たのむ・たのもしい・たよる・より　頼母子講＝たのもしこう
癩 ライ
洛 ラク
烙 ラク・ロク・やく
絡 ラク・からむ・からまる・からめる・からげる・からます
落 ラク・おちる・おとす　落人＝おちうど・おちゅうど　落籍す＝ひかす　落葉松＝からまつ
酪 ラク
駱 ラク　駱駝＝らくだ
埒 ラチ・ラツ
剌 ラツ
喇 ラツ・ラ　喇叭＝らっぱ　喇嘛＝ラマ
辣 ラツ　辣油＝ラーユ　辣韮＝らっきょう
蝲 ラツ　蝲蛄＝ざりがに

## ラン

乱 亂 ラン・ロン・みだれる・みだす
卵 ラン・たまご
婪 ラン・むさぼる
覧 覽 ラン・みる
闌 ラン・すがれる・たけなわ・たける
濫 ラン・みだり・みだれる
藍 ラン・あい
懶 ラン・なまける・ものぐさ・ものうい
蘭 蘭 ラン・あららぎ
欄 欄 ラン・てすり
瀾 ラン・なみ
襤 ラン・ぼろ　襤褸＝らんる・ぼろ
爛 ラン・ただれる
籃 ラン・かご
襴 ラン・すそつき
攬 ラン・とる
纜 ラン・ともづな

## リ

吏 リ・つかさ
利 リ・きく・かが・とし　利鎌＝とがま
李 リ・すもも
里 リ・さと
俐 リ
俚 リ・さとぶ　俚諺＝りげん
狸 リ・たぬき
莉 リ・レイ
理 リ・おさめる・ことわり・すじ・みち・おさむ・ただ・ただし・とし　理由＝わけ　理無い＝わりない
犁 犂 リ・レイ・からすき・すき
痢 リ
裡 リ・うら・うち
詈 リ・ののしる
裏 リ・うら・うち
履 リ・はく・くつ・ふむ
璃 リ
罹 リ・かかる
離 リ・はなれる・はなす・さかる
籬 リ・まがき・ませ
葎 リツ
陸 リク・ロク・おか・くが　陸奥＝みちのく・むつ　陸屋根＝ろくやね　陸稲＝おかぼ
戮 リク・ころす
立 リツ・リュウ・たつ・たてる・リットル　立ち退く＝たちのく
律 リツ・リチ
慄 リツ・おそれる・おののく
掠 リャク・リョウ・かすめる・かする・かすれる・さらう
略 リャク・はかりごと・ほぼ

## リュウ

柳 栁 桺 リュウ・やなぎ・やぎ　柳川＝やながわ　柳葉魚＝シシャモ
流 リュウ・ル・ながれる・ながす　流石＝さすが　流離う＝さすらう　流行る＝はやる　流離＝さすらい　流鏑馬＝やぶさめ
留 リュウ・ル・とめる・とまる・とどまる・とどめる・ルーブル
竜 龍 リュウ・たつ・ロン　竜胆＝りんどう　竜馬＝りゅうめ
琉 リュウ・ル
粒 リュウ・つぶ・つび
隆 隆 リュウ・たかい
硫 リュウ　硫黄＝いおう
旒 リュウ
溜 リュウ・たまる・ためる
劉 リュウ
瘤 リュウ・こぶ
窿 リュウ
瀏 リュウ　瀏喨＝りゅうりょう
侶 リョ・ロ・とも
旅 リョ・たび　旅籠＝はたご
虜 虜 リョ・とりこ
膂 リョ　膂力＝りょりょく
慮 リョ・おもんぱかる

## リョウ

了 リョウ・おわる・しまう
両 兩 リョウ・ふたつ・もろ
良 リョウ・よい・いい・かず・なが・よし　良人＝おっと
亮 リョウ・あきらか・すけ・まこと・あきら・たすく
凌 リョウ・しのぐ　凌霄花＝のうぜんかずら
料 リョウ・はかる
崚 リョウ
梁 リョウ・うつばり・はり・やな
涼 涼 リョウ・すずしい・すずむ・うすい
猟 獵 リョウ・かる　猟虎＝ラッコ
聊 リョウ・いささか
陵 リョウ・みささぎ・おか
量 リョウ・はかる・かず
稜 リョウ・かど・そば・たか
粱 リョウ・おおあわ
裲 リョウ　裲襠＝うちかけ
僚 リョウ
寥 リョウ・さびしい
領 リョウ・レイ・えり
寮 リョウ・つかさ
諒 リョウ・まこと・あき・まさ
輛 輌 リョウ
遼 リョウ・はるか

燎 リョウ・かがりび
療 リョウ・いやす
瞭 リョウ・あきらか・あき・あきら
糧 リョウ・ロウ・かて
繚 リョウ・まとう・めぐる
鱲 リョウ　鱲子=からすみ
力 リョク・リキ・ちから・つとめる・つとむ
緑 綠 リョク・ロク・みどり

## リン

吝 リン・しわい・やぶさか　吝ん坊=しわんぼう　吝嗇=りんしょく・けち
林 リン・はやし　林檎=りんご
厘 リン・リ
倫 リン・とも・たぐい・のり・みち・もと
悋 リン・やぶさか
淋 リン・さびしい　淋巴=リンパ
淪 リン・しずむ
琳 リン
綸 リン・いと・お　綸子=りんず
凜 凛 リン　凜々しい=りりしい
輪 リン・わ　輪廻・輪回=りんね
醂 リン・あわす・さわす
隣 鄰 リン・となる・となり
霖 リン・ながあめ
燐 リン　燐寸=マッチ
臨 リン・のぞむ
躙 リン・にじる・ふむ
鱗 リン・うろこ
麟 リン

## ル

屢 ル・しばしば
瑠 ル
縷 ル・いと
鏤 ル・ロウ・ちりばめる　鏤骨=るこつ
涙 淚 泪 ルイ・なみだ
累 ルイ・かさねる・わずらい
塁 壘 ルイ・とりで
類 類 ルイ・たぐい・たぐえる

## レ

〇 レイ・ゼロ　〇・三=れいてんさん　〇三=れいさん・ゼロさん　三〇=さんじゅう　三〇二号=さんびゃくにごう〔「さんまるにごう」とも〕
令 レイ・リョウ・しむ・のり
礼 禮 レイ・ライ・うやまう・のり
伶 レイ
冷 レイ・つめたい・ひえる・ひや・ひやす・ひやかす・さめる・さます
励 勵 レイ・はげむ・はげます
戻 戾 レイ・もどす・もどる・もとる
例 レイ・たとえる・たとえば・ためし
怜 レイ・さとい・さとし
玲 レイ・あきらか・たま　玲瓏=れいろう
茘 レイ　茘枝=れいし・ライチ
羚 レイ　羚羊=かもしか
鈴 レイ・リン・すず
零 レイ・こぼす・こぼれる　零余子=むかご・ぬかご
霊 靈 レイ・リョウ・たま・たましい
黎 レイ・リ・たみ
隷 隸 レイ
嶺 レイ・ね・みね
齢 齡 レイ・とし・よわい
麗 レイ・ライ・リ・うるわしい・うららか・うらら
暦 曆 レキ・リャク・こよみ
歴 歷 厂 レキ・リャク・へる　歴とした=れっきとした
瀝 レキ・したたる
礫 レキ・リャク・こいし・つぶて
轢 レキ・きしる・ひく
靂 レキ
列 レッ・レチ・つらなる・つらねる・ならぶ
劣 レッ・おとる
洌 レッ・さむい
烈 レッ・はげしい
裂 レッ・さく・さける・きれ・きれる

## レン

恋 戀 レン・こう・こい・こいしい・こおし
連 レン・つらなる・つらねる・つれる・つるむ・むらじ
廉 レン・かど・やすい・きよ・きよし
楝 レン・おうち・せんだん
煉 レン・ねる
蓮 レン・はす
漣 レン・さざなみ
練 練 レン・ねる
輦 レン・てぐるま
憐 レン・あわれむ
錬 鍊 レン・ねる・ねれる
斂 レン・おさめる
聯 レン・つらなる・つらねる
簾 レン・す・すだれ
攣 レン・つる
櫺 れんじ（音レイ）　櫺子=れんじ

## ロ

呂 ロ・リョ・せぼね・おと　呂律=ろれつ
炉 爐 ロ・いろり
賂 ロ・まいない
路 ロ・じ・ち・みち
魯 ロ
盧 ロ・ル
濾 沪 ロ・こす
櫓 やぐら（音ロ）
蘆 芦 ロ・あし・よし　蘆頭=ろうず
露 ロ・ロウ・つゆ・あらわ・あらわす　露西亜=ロシア
髏 ロ・ロウ
鷺 ロ・さぎ
驢 ロ・うさぎうま

## ロウ

老 ロウ・おいる・ふける・おい　老酒=ラオチュー　老舗=しにせ
労 勞 ロウ・いたわしい・いたわる・つかれる・ねぎらう
弄 ロウ・もてあそぶ・いじくる・いじる・いらう・なぶる・まさぐる
牢 ロウ・かたい・ひとや
郎 郞 ロウ・おとこ・お
陋 ロウ・いやしい
朗 朗 ロウ・ほがらか・あきら・お
浪 ロウ・なみ　浪速=なにわ　浪曼・浪漫=ろうまん・ローマン　浪花節=なにわぶし
狼 ロウ・おおかみ　狼狽=ろうばい　狼狽える=うろたえる　狼煙=のろし
廊 廊 ロウ・わたどの
楼 樓 ロウ・たかどの
榔 ロウ
漏 ロウ・ル・ロ・もる・もれる・もらす　漏斗=ろうと・じょうご
瑯 ロウ
瘻 ロウ・ル
臈 ロウ　臈纈=ろうけつ
螂 ロウ
螻 ロウ・けら　螻蛄=けら・おけら
臘 ロウ
朧 ロウ・おぼろ
蠟 蝋 ロウ　蠟纈=ろうけつ
籠 篭 ロウ・かご・こもる・こ・こめる　籠手=こて
聾 ロウ・つんぼ
六 ロク・リク・む・むつ・むっつ・むい　六書=りくしょ　六朝=りくちょう　六十路=むそじ
肋 ロク・あばら　肋肉=ばらにく
禄 祿 ロク・さいわい・さち・よし
碌 ロク
録 錄 ロク・しるす・とる
轆 ロク　轆轤=ろくろ
麓 ロク・ふもと
論 ロン・あげつらう

## ワ

和 ワ・オ・カ・やわらぐ・やわらげる・なごむ・なごやか・あえる・なぐ・かず・のどか・やわら　和毛=にこげ　和布=わかめ　和泉=いずみ　和琴=わごん　和蘭=オランダ　和布蕪=めかぶ
倭 ワ・やまと・かず・しず・まさ
萵 ワ　萵苣=ちしゃ
話 ワ・はなす・はなし
歪 ワイ・いびつ・ゆがむ・ゆがめる
猥 ワイ・みだら・みだり　猥褻=わいせつ
隈 ワイ・くま
矮 ワイ　矮鶏=チャボ
賄 ワイ・まかなう・まいない　賄賂=わいろ・まいない
穢 ワイ・アイ・エ・きたない・けがす・けがらわしい・けがれる　穢土=えど
脇 わき（音キョウ）
惑 ワク・まどう・まどわす

枠 わく
纔 わずか（音サイ）
鰐 わに（音ガク）
侘 わび・わびしい・わびる（音タ）
詫 わびる（音タ）
藁 わら（音コウ）
嗤 わらう（音シ）
蕨 わらび（音ケツ）

湾 灣 ワン・いりえ
腕 ワン・うで・かいな
碗 ワン・まり
鋺 ワン・エン・かなまり
彎 弯 ワン・ひく ｜ 彎曲＝わんきょく
椀 ワン・まり ｜ 椀飯振る舞い＝おうばんぶるまい

## 記号

- 々 同の字点〔くり返し符号。漢字用〕 ｜ 家々＝いえいえ 近々＝きんきん・ちかぢか 時々刻々＝じじこっこく 一歩々々＝いっぽいっぽ
- 〻 二の字点・ゆすり点〔くり返し符号。漢字用〕 ｜ 草〻＝そうそう 略〻＝ほぼ
- ゝ ヽ 一つ点〔くり返し符号。仮名用〕 ｜ こゝろ＝こころ たゞ＝ただ ハヽヽ＝ハハハ
- 〳〵 くの字点〔くり返し符号〕 ｜ さら〳〵＝さらさら 知らず〳〵＝しらずしらず それ〴〵＝それぞれ
- 〃 ノノ点〔くり返し符号〕
- ヶ ケ カ か・が・こ ｜ 二ヶ所＝にかしょ 関ヶ原＝せきがはら 三ヶ＝さんこ
- ⊿ ます・ますがた
- ム ござる
- ヿ こと
- ゟ より
- ○ まる ｜ ○○＝まるまる ○×＝まるばつ
- ◎ にじゅうまる・まるまる
- ＋ プラス・たす〔加算〕
- − マイナス・ひく〔減算〕
- × ばつ・ぺケ・かける〔乗算〕〔スコアや対決・対談も示す。「3×0」「日本×ドイツ」〕 ｜ ××＝ばつばつ
- ÷ わる〔除算〕
- ＝ 等号・イコール
- ≒ ニアリーイコール〔ほぼ等しい〕
- ％ パーセント
- ‰ パーミル
- ∞ 無限大
- ♂ 雄記号〔男性の意にも〕
- ♀ 雌記号〔女性の意にも〕
- ？ 疑問符・クエスチョンマーク・はてなマーク
- ！ 感嘆符・エクスクラメーションマーク・びっくりマーク
- !? 感嘆疑問符
- ∫ 波ダッシュ・にょろ
- … 三点リーダー・てんてん
- ― ダッシュ・ダーシ・なかせん（中線）
- ー 長音符・音引き
- ‐ ハイフン
- ／ スラッシュ・斜線
- 。 句点・まる
- 、 読点・てん
- . ピリオド・ドット
- , コンマ・カンマ
- : コロン
- ; セミコロン
- _ アンダーバー・アンダースコアー
- ～ チルダ
- ° 度・時
- ′ ダッシュ・プライム〔分の記号にも〕
- ″ ダブルプライム・秒
- ’ アポストロフィー
- ・ なかぐろ（中黒）・なかてん（中点）・ぽつ
- ＊ アステリスク・アスタリスク・アステリ・アステ・星印
- ※ 米印
- & アンパサンド・アンド・エンド
- ¥ 円〔会計場所の意にも〕
- $ $ ドル
- ¢ セント
- £ ポンド
- € ユーロ
- A α アルファ
- B β ベータ
- Γ γ ガンマ
- Δ δ デルタ
- Π π パイ
- Ω ω オメガ
- μ ミュー・ミクロン・マイクロ
- Å オングストローム
- ＃ 番号記号・ナンバーサイン・パウンドサイン・ハッシュマーク・いげた
- ♯ シャープ
- ♭ フラット
- ♮ ナチュラル
- 〽 いおり点〔歌記号〕
- ♪ 八分音符〔歌詞やうきうきした気分も示す〕
- @ アットマーク・単価記号
- © まるシー
- ® 登録商標
- ㊕ まるとく
- ㊙ まるひ
- 暴（丸囲み） まるぼう
- ㈱ かっこかぶ〔株式会社の略号〕
- 〒 郵便記号〔郵便番号・郵便局や送料を示す〕
- ♨ 温泉マーク
- ♠ スペード
- ♥ ハート・ハートマーク〔愛情・恋心の意にも〕
- ♣ クラブ・クローバー
- ◆ ダイヤ
- ∴ ゆえに
- ∵ なぜならば
- φ 直径・空集合・無し
- ＞ ＜ 不等号 ｜ A＞B＝A大なりB A＜B＝A小なりB
- 〓 下駄記号
- 「 」 鉤（かぎ）括弧
- （ ） 丸括弧・パーレン・小括弧
- 〔 〕 亀甲（きっこう）括弧
- 〈 〉 山括弧
- ［ ］ ブラケット・大括弧
- ｛ ｝ ブレース・中括弧
- 〝 〟 ダブルミニュート・ちょんちょん括弧 ｜ 〝自然を守れ〟
- “ ” ダブルクオーテーション・二重引用符 ｜ “自然を守れ”

## 変体仮名

- い ｜ せんべい＝せんべい
- か ｜ あかよろし＝あかよろし〔花札に示されたことば〕
- こ ｜ おこし＝おこし
- し ｜ しるこ＝しるこ
- す ｜ すし＝すし
- そ ｜ 生そば＝きそば
- た ｜ お多福＝おたふく だんご＝だんご
- と ｜ 御手もと＝おてもと
- な ｜ うなぎ＝うなぎ
- の ｜ 藤乃家＝ふじのや
- は ｜ やぶそば＝やぶそば
- は ｜ 生そば＝きそば
- ふ ｜ やぶそば＝やぶそば
- へ ｜ せんべい＝せんべい
- ま ｜ だるま＝だるま
- も ｜ 御手もと＝おてもと
- ら ｜ 天ぷら＝てんぷら
- る ｜ しるこ＝しるこ
- を ｜ うを＝うを 御たをる＝おたをる〔タオルの美化語〕

## ●難読字索引

**1画**
〆 しめ
〇 レイ

**4画**
勿 モチ

**5画**
卉 キ
戊 ボ

**6画**
凩 こがらし
戌 ジュツ

**7画**
亨 キョウ
吝 リン

**8画**
其 キ
昂 コウ
杮 こけら
虱 しらみ

**9画**
冑 チュウ
柊 ひいらぎ
疣 いぼ
袮 ネ

**10画**
捏 ネツ
涎 ゼン
祟 たたる
笊 ざる

**11画**
梟 キョウ
菫 キン

**12画**
壺 コ
筏 いかだ
韮 にら

**13画**
楔 くさび
睫 ショウ
頌 ショウ
鼠 ソ

**14画**
廐 キュウ
屢 ル
箒 ほうき
粽 ちまき
肇 チョウ

**15画**
鴈 ガン

**16画**
暹 セン
樽 たる
盥 たらい
穎 エイ

**17画**
艱 カン
黝 くろい

**18画**
謬 ビュウ
贄 にえ

**19画**
櫓 ロ
禰 ネ
羆 ひぐま
鯣 するめ

**20画**
鰐 わに

**21画**
竈 かま

**22画**
躑 テキ

**23画**
鑠 シャク

**24画**
鱧 はも

**25画**
鱟 ちぬる
鼈 ベツ

**28画**
鑿 サク

1960 年 12 月 10 日　初 版 発 行
1968 年 1 月 10 日　新装版発行
1974 年 1 月 1 日　第 2 版発行
1982 年 2 月 1 日　第 3 版発行
1992 年 2 月 10 日　第 4 版発行
2001 年 3 月 1 日　第 5 版発行
2008 年 1 月 10 日　第 6 版発行
2014 年 1 月 10 日　第 7 版発行
2022 年 1 月 10 日　第 8 版発行

# 三省堂国語辞典　第八版

二〇二二年一月一〇日　第一刷発行

編　者　見坊豪紀（けんぼう・ひでとし）
市川孝（いちかわ・たかし）
飛田良文（ひだ・よしふみ）
山崎誠（やまざき・まこと）
飯間浩明（いいま・ひろあき）
塩田雄大（しおだ・たけひろ）

発行者　株式会社　三省堂　代表者　瀧本多加志
印刷者　三省堂印刷株式会社
発行所　株式会社　三省堂
〒一〇一-八三七一
東京都千代田区神田三崎町二丁目二十二番十四号
電話　編集　（〇三）三二三〇-九四一一
　　　営業　（〇三）三二三〇-九四一二
https://www.sanseido.co.jp/
商標登録番号　五六八二七八七・五七三七二五六

〈8 版三国・1,760 pp.〉

落丁本・乱丁本はお取り替えいたします。

ISBN978-4-385-13928-9

# ローマ字のつづり方

国語を書き表すためのローマ字のつづり方は、1954年12月9日の内閣告示によって、次のように決められている。

- 一般に国語を書き表す場合は、第1表のつづり方による。
- 国際的関係その他従来の慣例をにわかに改めがたい事情にある場合に限り、第2表のつづり方によってもよい。
- いずれの場合にも、下のそえがきを適用する。

**第1表**　(　)は重出を示す

| | | | | | | | |
|---|---|---|---|---|---|---|---|
| a<br>ア | i<br>イ | u<br>ウ | e<br>エ | o<br>オ | | | |
| ka<br>カ | ki<br>キ | ku<br>ク | ke<br>ケ | ko<br>コ | kya<br>キャ | kyu<br>キュ | kyo<br>キョ |
| sa<br>サ | si<br>シ | su<br>ス | se<br>セ | so<br>ソ | sya<br>シャ | syu<br>シュ | syo<br>ショ |
| ta<br>タ | ti<br>チ | tu<br>ツ | te<br>テ | to<br>ト | tya<br>チャ | tyu<br>チュ | tyo<br>チョ |
| na<br>ナ | ni<br>ニ | nu<br>ヌ | ne<br>ネ | no<br>ノ | nya<br>ニャ | nyu<br>ニュ | nyo<br>ニョ |
| ha<br>ハ | hi<br>ヒ | hu<br>フ | he<br>ヘ | ho<br>ホ | hya<br>ヒャ | hyu<br>ヒュ | hyo<br>ヒョ |
| ma<br>マ | mi<br>ミ | mu<br>ム | me<br>メ | mo<br>モ | mya<br>ミャ | myu<br>ミュ | myo<br>ミョ |
| ya<br>ヤ | (i)<br>イ | yu<br>ユ | (e)<br>エ | yo<br>ヨ | | | |
| ra<br>ラ | ri<br>リ | ru<br>ル | re<br>レ | ro<br>ロ | rya<br>リャ | ryu<br>リュ | ryo<br>リョ |
| wa<br>ワ | (i)<br>イ | (u)<br>ウ | (e)<br>エ | (o)<br>オ | | | |
| ga<br>ガ | gi<br>ギ | gu<br>グ | ge<br>ゲ | go<br>ゴ | gya<br>ギャ | gyu<br>ギュ | gyo<br>ギョ |
| za<br>ザ | zi<br>ジ | zu<br>ズ | ze<br>ゼ | zo<br>ゾ | zya<br>ジャ | zyu<br>ジュ | zyo<br>ジョ |
| da<br>ダ | (zi)<br>ジ | (zu)<br>ズ | de<br>デ | do<br>ド | (zya)<br>ジャ | (zyu)<br>ジュ | (zyo)<br>ジョ |
| ba<br>バ | bi<br>ビ | bu<br>ブ | be<br>ベ | bo<br>ボ | bya<br>ビャ | byu<br>ビュ | byo<br>ビョ |
| pa<br>パ | pi<br>ピ | pu<br>プ | pe<br>ペ | po<br>ポ | pya<br>ピャ | pyu<br>ピュ | pyo<br>ピョ |

**第2表**

| | | | | |
|---|---|---|---|---|
| sha<br>シャ | shi<br>シ | | shu<br>シュ | sho<br>ショ |
| | | | tsu<br>ツ | |
| cha<br>チャ | chi<br>チ | | chu<br>チュ | cho<br>チョ |
| | | | fu<br>フ | |
| ja<br>ジャ | ji<br>ジ | | ju<br>ジュ | jo<br>ジョ |
| di<br>ヂ | du<br>ヅ | dya<br>ヂャ | dyu<br>ヂュ | dyo<br>ヂョ |
| kwa<br>クヮ | | | | |
| gwa<br>グヮ | | | | |
| | | | | wo<br>ヲ |

(それぞれのつづりの下に、カタカナを補った)

## そえがき (例を補った)

- はねる音「ン」は、すべてnと書く。例　tenki (天気)　sinbun (新聞)
- はねる音を表すnと、次にくる母音字またはyとを切り離す必要がある場合には、nの次に’を入れる。例　gen’in (原因)　kan’yo (関与)
- つまる音は、最初の子音字を重ねて表す。例　kitte (切手)　zassi (雑誌)
- 長音は母音字の上に^をつけて表す。なお、大文字の場合は、母音字を並べてもよい。例　syûkan (習慣)　Oosaka (大阪)

(以下略)

# 「現代仮名遣い」の要点

語を現代語の音韻に従って書き表すことを原則とし、一方、表記の慣習を尊重して一定の特例を設ける。（常用漢字表にない漢字及び音訓には、それぞれ＊印及び△印をつけた）

●長音の書き表し方。

(1)ア列の長音――ア列の仮名に「**あ**」を添える。
例　おかあさん　おばあさん

(2)イ列の長音――イ列の仮名に「**い**」を添える。
例　にいさん　おじいさん

(3)ウ列の長音――ウ列の仮名に「**う**」を添える。
例　くうき(空気)　ちゅうもん(注文)

(4)エ列の長音――エ列の仮名に「**え**」を添える。
例　ねえさん　ええ(応答の語)

(5)オ列の長音――オ列の仮名に「**う**」を添える。
例　おとうさん　とうだい(灯台)　かおう(買)　はっぴょう(発表)

●次のような語は、「**ぢ**」「**づ**」を用いて書く。

(1)同音の連呼によって生じた「**ぢ**」「**づ**」
例　ちぢみ(縮)　ちぢむ　ちぢれる　ちぢこまる　つづみ(鼓)　つづら　つづく(続)　つづめる(△約)　つづる(＊綴)
(注意)「いちじく」「いちじるしい」は、この例にあたらない。

(2)二語の連合によって生じた「**ぢ**」「**づ**」
例　はなぢ(鼻血)　そこぢから(底力)　もらいぢち　ちゃのみぢゃわん　まぢか(間近)　こぢんまり　ちかぢか(近々)　ちりぢり
みかづき(三日月)　たけづつ(竹筒)　たづな(手綱)　ひげづら　わしづかみ　ことづて　はたらきづめ　かたづく　もとづく　うらづける　ゆきづまる　ねばりづよい　つねづね(常々)　つくづく　つれづれ

なお、次のような語については、現代語の意識では一般に二語に分解しにくいもの等として、それぞれ「**じ**」「**ず**」を用いて書くことを本則とし、「せかいぢゅう」「いなづま」のように「**ぢ**」「**づ**」を用いて書くこともできるものとする。
例　せかいじゅう(世界中)　いなずま(稲妻)　かたず(固唾)　きずな(＊絆)　さかずき(杯)　ときわず　ほおずき　みみずく　うなずく　おとずれる(訪)　かしずく　つまずく　ぬかずく　ひざまずく　あせみずく　くんずほぐれつ　さしずめ　でずっぱり　なかんずく　うでずく　くろずくめ　ひとりずつ　ゆうずう(融通)

(注意)次のような語の中の「じ」「ず」は、漢字の音読みでもともと濁っているものであって、上記(1)、(2)のいずれにもあたらず、「**じ**」「**ず**」を用いて書く。
例　じめん(地面)　ぬのじ(布地)　ずが(図画)　りゃくず(略図)

●次のような語は、オ列の仮名に「**お**」を添えて書く。
例　おおかみ　おおせ(仰)　おおやけ(公)　こおり(氷・△郡)　こおろぎ　ほお(頰・△朴)　ほおずき　ほのお(炎)　とお(十)　いきどおる(憤)　おおう(覆)　こおる(凍)　しおおせる　とおる(通)　とどこおる(滞)　もよおす(催)　いとおしい　おおい(多)　おおきい(大)　とおい(遠)　おおむね　おおよそ

(付記)次のような語は、エ列の長音として発音されるか、エイ、ケイなどのように発音されるかにかかわらず、エ列の仮名に「**い**」を添えて書く。
例　かれい　せい(背)　かせいで(稼)　まねいて(招)　春めいて　へい(塀)　めい(銘)　れい(例)　えいが(映画)　とけい(時計)　ていねい(丁寧)